总顾问

张岱年

欧阳中石

谢　龙

李修生

宋景昌

通览
博大精深中华文化
开创
便捷高效检索系统

季羡林题

为中华语汇通检题词

检五千年中华经典

通十万卷人生智慧

张岱年

中国名言通检

中石题

刘占锋 编著

河南大学出版社

图书在版编目(CIP)数据

中国名言通检/刘占锋编著. -开封:河南大学出版社,
2001.12
ISBN 7-81041-907-2

Ⅰ.中… Ⅱ.刘… Ⅲ.①汉语-格言-汇编②汉语-警句-汇编 Ⅳ.H136.3

中国版本图书馆 CIP 数据核字(2001)第 088156 号

责任编辑:张如法 袁喜生
责任校对:卞 新
装帧设计:王四朋

出版:河南大学出版社
河南省开封市明伦街 85 号 (475001)
0378-2865100
发行:全国新华书店经销
印刷:河南省第二新华印刷厂
开本:880×1230 1/32
版次:2002 年 1 月第 1 版 印次:2002 年 1 月第 1 次印刷
字数:3465 千字 印张:56.625
印数:1-10000 册 定价:88.00 元

目　　录

《中华语汇通检》总序

李修生

人们在社会交际中，无论是说话或写文章，都希望既能符合传播准则，又能用恰当的方式，把足够数量、较高质量的信息传递给对方。人际交流时，运用成语、引用名句是常见的现象。这是因为成语和名句既可以准确、生动地表意，又可以增强语言的表达力或文章的艺术性。当代许多著名作家的文章中就经常引用成语和名句。如臧克家先生的《昆仑飞雪到眉梢——记叶圣陶先生》中就多处用成语形容叶老："叶老为人敦厚诚朴，对人彬彬有礼，真是蔼蔼然长者之风。""叶老极重友情，他与王统照、朱自清等前辈是青年时代的好友，志同道合，终生不渝。""叶老千顷茫茫，虚怀若谷。"其中成语的运用，就很好地表现出叶老的精神面貌。钟敬文先生的《碧云寺的秋色》写到红叶时便引用了大量的名句："'停车坐爱枫林晚，霜叶红于二月花。'（杜牧句）这固然是颂扬红叶的美丽的；'扁舟一棹归何处，家在江南黄叶村。'（苏轼句）诗人对于那种江南秋色，不正是带着羡慕的神气吗？此外，如像'红树青山好放船'（吴伟业句）、'半江红树卖鲈鱼'（王士祯句）……这些美丽的诗句，都不是像'满山红叶，尽是离人眼中血'那样包含着哀伤情调的。"随着社会的发展和文化生活水平的不断提高，掌握丰富的语汇，并能够在各种场合准确、适当地运用，愈来愈成为人们的一种高尚的文化追求。

我国有五千年文明史，经、史、子、集著述甚丰，而诗、词、曲名家名篇也是难以数计的。这就为各种成语、名句的产生与流传提供了极为丰厚的资源条件。成语指长期习用、结构定型、有特定含义的短语，大多为四字格，习惯上也包括一些沿用的古语，又不一定为四字格。成语中相当部分是有出处的，但也有不少是相沿习用，约定俗成的。成语虽较简短，却可引发丰富的联想，蕴含着较字面更为深厚的内容。人们交往时，无论是口头语言还是书面文字，几乎都离不开成语的运用。恰当地运用成语，则会使语言生色。名句是较成语稍长一些的语句。它们或者富有哲理、寓意深刻，或者文采飞扬、优美感人，历代都有文人骚客相互引证，并在社会上广泛流传。所以，从某种意义上说，不胜枚举的各种成语和大量的名言警句，既是我们中华文化博大精深的一个象征，又是中华文化的精义之所在。但由于各种条件的限制，人们往往很难准确无误地背诵出全句和说出出处，这就为它在人们日常学习、生活中的普遍使用造成了障碍。于是名句辞典便应运而生。其中也不乏精品，有的是以词条多取胜，有的是以词义分类、易选易用见长，等等。但由于这些辞书，大都采用“首字检索法”，读者如果记不住首字，就很难查到所需的语句。这样，不论它们摘选了多少成语和名句，那都只能是不便开采利用的富矿，储富而用难。这样，寻找一条便于人们准确使用成语、名言的途径，既可满足人们学习、应用优秀民族文化的需要，同时也是我们开采优秀文化宝藏、进一步弘扬中华文化的一项迫切任务。刘占锋先生历时十余年从事《中华语汇通检》的编写工作，并采用了“任意字检索法”。使用这种检索方法，你只要知道成语和名言警句中任何一个字，就可以查到所需的成语或名言警句。这不但为现有多种辞书的充分利用提供了便捷的工具，而且也为我们打开浩若烟海的中华文化宝库提供了一把钥匙。同时，又为现代辞书的编纂如何增强使用功能、提高利用效率，探索出了一条新路。

《中华语汇通检》是一套力图对我国具有较高研究、使用价值的语汇实行任意字检索的多部《通检》的总汇。首批出版的《中国成语通检》、《中国名言通检》、《中国名诗句通检》、《中国辞赋词曲名句通检》等共收成语三万多个、各种名句四万多条，其规模之大为近代同类辞书所仅见。从这些书稿可以看出，编者的收录原则是广采博收，力避遗珠之憾。上起商周，下迄现代，上下三千年的经史子集、诗文词曲、笔记杂著，甚至一些深刻反映时政传为口碑的童谣、一些见解卓越警世骇俗的楹联也列入了遴选范围。童谣，如：“生儿不用识文字，斗鸡走马胜读书”（唐·无名氏《神鸡童谣》）；“举秀才，不知书；察孝廉，父别居”（汉《桓灵时童谣》）；“直如弦，死道边；曲如钩，反封侯”（汉《顺帝末京都童谣》）；“宁饮建业水，不食武昌鱼”（三国·吴·杂歌谣辞《孙皓初童谣》）。楹联，如：“得一官不荣，失一官不辱，勿说一官无用，地方全靠一官；吃百姓之饭，穿百姓之衣，莫道百姓可欺，自己也是百姓”（清·高以永撰内乡县衙三堂楹联）；“心在汉室，原无分先主后主；名高天下，何必辨襄阳南阳”（清·顾嘉蘅题南阳卧龙岗联）；“宽一分民多受一分赐，取一文官不值一文钱”（河南内乡县衙县丞衙联）。真可谓包罗万象，异彩纷呈，不仅是一部大型工具书，而且还可以说是一部立志修行不可或缺的参考用书。

这套《通检》的独特之处就在“检”字上。为使读者能够准确地引用这些名言警句，编者在每句后面都标明了它的作者、作者所处的时代、该句出于何书何文何诗何赋等。另外，我还发现，这种检索方法还使这套《通检》具有了另外两个特点，一是类书的特点。比如，想查一个与“官”有关的成语或名言，只要找到“官”字，含有“官”字的几十个成语、一二百句名言就可尽收眼底。无论你是想著述引用，还是用于某种研究，都任你比较、鉴别、选取。这样，也就为读者提供了更为广阔的阅读、选择的空间。二是具有古汉语常用字构词字典功能。由于这套《通检》是将所收三万多成语、四万多条名言警句中的字提出来作为字头进行处理的，所列字头基本上涵盖了古汉语中绝大部分常用汉字，这样，我们通过这套《通检》就可以了解古汉语常用字在成语和名句中的一般用法，所以，这套《通检》又可以说是一部古汉语常用字构词字典。

刘占锋先生编成首批付梓的几本《通检》后，让我写序，除了介绍本书特点外，并代他向读者致意，希望读者提出批评意见，使本书更趋完善。

辛巳孟春于北京

编纂说明

《中华语汇通检》是一套力图对我国具有较高研究、使用价值的语汇实行任意字检索的多部《通检》的总汇。首批出版的《中国成语通检》、《中国名言通检》、《中国名诗句通检》、《中国辞赋词曲名句通检》等共收成语三万多个、各种名句四万多条。我国上古至今,无论经史子集、笔记杂著,还是诗歌、辞赋、词曲,甚至一些深刻反映时政传为口碑的童谣、一些见解卓越警世骇俗的楹联都在遴选范围。为便于读者查阅,特说明如下:

一、由于许多字在古汉语里通假情况太多,为帮助读者了解,故在对字头的解释上,力求义项多而不作深解,亦不列例句。同时,为了保持《通检》的构词字典功能,全套《通检》采用一个通用字解,字解所列义项,并非该字在该书所收成语或句子中的全部义项。

二、一些字的读音,不同辞典有不同的标注,这里不作评判,只是分别予以标明。如"擖",标为:"擖①kā 用刀子刮(《现代汉语词典》商务印书馆 1999 年版注)。②yè 箕舌(《辞海》上海辞书出版社 1999 年版注)";"燂",标为:"燂 xún,又读 qián,烧热;烤熟(《辞海》上海辞书出版社 1999 年版注)。另《现代汉语词典》(商务印书馆,1999 年版)注音为 tán";"靬",标为:"靬 jiān 干皮革;[犛靬]汉西域国家之一(《辞海》上海辞书出版社,1999 年版注)。另《现代汉语词典》(商务印书馆,1999 年版)注为 qián[骊靬]汉朝县名。""芭",标为:"芭①bā 一种香草;芭蕉。②pā(此音为《古汉语常用字字典》商务印书馆 1998 年版所注)通'葩',花。"等等。

三、对一些辞典中标错读音、易为人们误读或以讹传讹的字句,在字解中也作了提示。如"渑",即标为:渑①shéng 古水名,在山东。[先辨淄渑]中的"渑"应读此音。②miǎn[渑池]河南地名。又如,《庄子·知北游》中的"正获之问于监市履狶也,每下愈况",即简注为:"正",官名;"获",人名;"况",比况。意谓叫"获"的监管市场的官员询问用脚踩猪以估测肥瘦的办法，他被告知，脚愈往下踩就愈易比况，确定肥瘦。成语“每下愈况”本此，“每况愈下”即此之误。

四、针对一些通假字由于多次通“假”，直译不易理解的现象，采取逐环节解释。如“建”，“字解”为：“建 jiàn 修筑；设立；提出；通“键”，锁闭；通“蹇”，“蹇”通“瀽”，倒水，泼水。”这样，对“高屋建瓴”中的“建”字就易于理解了。同时我们还在为语句标注出处时作了一些尝试。有的是对极个别易生歧义的字或词作了简注，有的是对较难理解的句子作了简短的意译；有的则不但注明了作者、作者所处的时代、来自某书某卷，而且标出了该句是引用某人之语。这种处理虽属个别，但我们的目的是想通过让读者品评，然后在再版时予以完善。

五、对人们常用的一些语汇补以相关资料，以便读者查阅。如，人们常说的“不孝有三，无后为大”，我们就在注明此句出处后，增注：《孟子》赵氏注认为，于礼不孝者三事，谓阿意曲从，陷亲不义，一不孝也；家贫亲老，不为禄仕，二不孝也；不娶、无子，绝先祖祀，三不孝也。三者之中，无后为大。

六、对典籍中人们有歧义或疑问的某些地方，按照既积极又慎重的原则，经认真甄别，或规范，或另标。如词牌名[浣溪沙]，《全宋词》等典籍中还分别刊作[浣纱溪]、[浣沙溪]、[涣沙溪]、[翫溪沙]等。据任半塘《唐声诗》（上海古籍出版社 1982 年 10 月版）、吴藕汀《词名索引》（中华书局 1984 年 7 月版）、杨文生《词谱简编》（四川人民出版社 1981 年 12 月版）可知，这些当是[浣溪沙]的别称。为便于读者理解和引用，《通检》将此词牌名统一标为[浣溪沙]。又如，《全唐诗》所收的唐人殷尧藩《登凤凰台》诗可能为元人萨都剌诗的误收，故特予注明“一说为元人萨都剌诗，见《雁门集》”。《全唐诗》和《湖南通志》将宋人姜夔《过湘阴寄千岩》误作唐人许浑的《三十六湾》误收其中，亦于注中予以标明。对于典籍中一些可能误用的地方，亦在注中作了标示。如《荀子·哀公》中“庸人者，口不能道善言，心不知色色”句，就在出处后标明：“色色”疑为“邑邑”，“邑邑”通“悒悒”，闷闷不乐貌。还有一些人们有歧义的地方，由于编者水平所限难以判定，或依常见版本选用，或分别刊用。

七、对一些跨时代的历史人物，采取以其生平事迹和所忠于的王朝为主，而生卒年月为辅的原则注其所处时代。如元好问、王若虚、赵秉文就标“金”而不标“元”；又如陈子龙、张煌言、夏完淳均为明末抗清名士，未作过一日清朝臣民，故标为明人。又如，洪秀全、洪仁玕注为太平天国，而非清。

八、对一些较长句子，采取化长为短的处理方式，尽量减少检索时的重复量。有的是只选首句参加检索，而对于其后面的文字则在注明出处时标明；有的则是保留易为人们记忆的文字，其余删节处理，亦在标明出处时注明；有的则是将其分为几个短句，分头检索，但在注明出处时将前后句亦分别标明。在这种情况下，句子出处后面的“全句为”中的“全句”，确系一般意义上的完整句子或全诗的只是极少数，绝大部分仅仅是指上下文意紧密相连的短语或诗、词、赋的上下句。

九、为尽可能减少版面，在内文的编排上，我们将主要用于检索的部分即字头在句中第二位以后部分作了连排，句与句之间用“／”号间隔。

上述处理方法都带有探索性，希望广大读者提出宝贵意见，以便在以后修订时予以完善。

刘占锋

2001 年 10 月 16 日

凡　　例

一、本书所收名言绝大部分来自经史子集、笔记杂著，同时也酌收少量诗文词曲、童谣、楹联中的涵义深刻、优美隽永的短句，共计18236条。

二、正文按照部首由简到繁、同部首按笔画由少到多、同笔画按起笔横、竖、撇、点、折顺序排列。名句依句子长短，由短到长排列；字数相同的句子，亦按部首排列顺序排列。

三、本书对字头下的名句以该字在各个名句中的位次先后用❶❷❸……❿排列，其中字头在第十位及十位以上者，均在❿后列出，有重复单字的句子，只出现第一次；名句依字数由少到多排列；同字数者，则按正文顺序排列。

四、本书所收名句对字头只做注音和用途释义。为尽量减少重复，名句仅以首字排列时，句后才标注出处。

五、本书所收名句，一般是指意义能够独立的句子，而不一定是原著中的完整句子。本套《通检》所注“全句为：～”亦非原著中的完整句子，而是为了读者引用方便而采取的一种处理方法。对于较长的句子，一般只选处于首位的自然句参加检索，其后部分在出处后标注。

六、为了尽可能减少重复，本书对于极个别常见的代词、副词、介词、连词、助词不列为字头。

七、字头用较大字号标出，并按不同读音分别释义。由于大部分单字都要涉及很多名句，在对字头释义时则照顾常用，力求全面，以给读者一个较为确切的释义。

八、本书所用字体，依国家有关规定的标准使用规范字。对一些通假字、异体字，则更换为现代汉语常用字。改用现代汉语语法用字易引起歧义的，则保留原用字，但在为字头作解时标明。

九、为便于读者检索，本书采取部首、笔画和拼音三种索引方式，其中拼音检字表中多音字只出现一次。

部首检字表

一部

丨部

丿部

丶部

八部（丷）

人部（入）

勹部

儿部

几部

士部

艹部

廾部

大部

尢部

扌部

寸部

弋部

小部(⺌)

口部

忄部

宀部

辶部

犬部

歹部

车部

戈部

斗部

灬部

户部

礻部

心部

聿部

（聿）

毋部

（母）

示部

石部

白部

瓜部

用部

鸟部

疒部

立部

穴部

衤部

疋部（⺪）

皮部

矛部

耒部

老部

耳部

臣部

西部 (覀)

页部

虍部

虫部

缶部

舌部

竹部 (⺮)

笔画检字表

七画

八画

九画

十一画

十二画

十三画

十四画

十五画

十六画

十七画

十八画

十九画

二十画

二十一画

二十二画

二十三画

二十四画

二十五画

二十六画

三十画

拼音检字表

A

a

阿 …… 575

ai

哀 …… 520
埃 …… 670
皑 …… 1575
矮 …… 1561
蔼 …… 716
艾 …… 686
爱 …… 1384
隘 …… 583
碍 …… 1531
暧 …… 1299

an

安 …… 1032
谙 …… 566
鞍 …… 1716
岸 …… 874
按 …… 753
案 …… 1220
暗 …… 1298
黯 …… 1724

ang

昂 …… 1280
肮 …… 1416
盎 …… 1549

ao

敖 …… 1360
遨 …… 1096
嗷 …… 849
熬 …… 1462
聱 …… 1611
螯 …… 1626
翱 …… 1657
鳌 …… 1715
拗 …… 751
媪 …… 1139
傲 …… 421
奥 …… 740
骜 …… 1176
懊 …… 1027

B

ba

八 …… 423
巴 …… 282
叭 …… 790
拔 …… 746
跋 …… 1674
把 …… 745
罢 …… 1546
霸 …… 1708

bai

白 …… 1572
百 …… 140
柏 …… 1213
摆 …… 761
败 …… 1315
拜 …… 240
稗 …… 1571

ban

班 …… 1183
般 …… 1439
颁 …… 1616
斑 …… 1188
瘢 …… 1588
阪 …… 573
坂 …… 666
板 …… 1205
版 …… 1370
蝂 …… 1625
办 …… 598
半 …… 272
伴 …… 401
绊 …… 1162

bang

邦 …… 583
榜 …… 1225
膀 …… 1370
蚌 …… 1623
棒 …… 1222
傍 …… 421
谤 …… 567
磅 …… 1532

bao

包 …… 496
苞 …… 699
褒 …… 530
饱 …… 934
宝 …… 1037
保 …… 409
报 …… 746
抱 …… 748
豹 …… 1684
鲍 …… 1715
暴 …… 1299
爆 …… 1456

bei

陂 …… 576
杯 …… 1204
卑 …… 238
悲 …… 1516
碑 …… 1531
北 …… 172
贝 …… 1308
备 …… 931
背 …… 1418
倍 …… 418
悖 …… 1014
被 …… 1602
辈 …… 1239
惫 …… 932

ben

奔 …… 735
贲 …… 1321
本 …… 1192
笨 …… 1632

beng

崩 …… 876

bi

逼 …… 1084
鼻 …… 1725
匕 …… 190
比 …… 1250
彼 …… 887
秕 …… 1563
笔 …… 1630
俾 …… 417
鄙 …… 586
币 …… 204
必 …… 1482
毕 …… 338
闭 …… 946
庇 …… 938
诐 …… 545
畀 …… 1541
毖 …… 1252
陛 …… 578
毙 …… 1233
敝 …… 1366
筚 …… 1633
愎 …… 1025
弼 …… 1114
裨 …… 1602
辟 …… 1697
碧 …… 1531
蔽 …… 716
弊 …… 720
薜 …… 717
壁 …… 674
避 …… 1097
嬖 …… 1140
臂 …… 1426
璧 …… 1189
襞 …… 1649
躄 …… 1677

bian

边 …… 1061
砭 …… 1529
煸 …… 920

寸 …… 763
忖 …… 1004

cuo

瑳 …… 1188
磋 …… 1531
蹉 …… 1676
嵯 …… 877
挫 …… 755
措 …… 756
锉 …… 1553
错 …… 1556

D

da

搭 …… 759
嗒 …… 840
达 …… 1061
怛 …… 1008
沓 …… 1301
答 …… 1633
鞑 …… 1716
打 …… 740
大 …… 721

dai

歹 …… 1227
代 …… 379
岱 …… 875
带 …… 867
殆 …… 1232
贷 …… 1326
待 …… 888
逮 …… 1083
戴 …… 1249
黛 …… 1724

dan

丹 …… 206
担 …… 747
单 …… 434
眈 …… 1537
郸 …… 586
殚 …… 1234
瘅 …… 1588
箪 …… 1635
胆 …… 1418
旦 …… 1264
但 …… 395
诞 …… 550
啖 …… 840
惮 …… 1024
淡 …… 990
弹 …… 1114
憺 …… 1028
澹 …… 1003

dang

当 …… 778
党 …… 502
谠 …… 566
砀 …… 1529
宕 …… 1038
荡 …… 701

dao

刀 …… 589
叨 …… 790
忉 …… 1004
舠 …… 1646
导 …… 764
岛 …… 874
捣 …… 756
倒 …… 416
祷 …… 1469
蹈 …… 1676
到 …… 364
悼 …… 1020
盗 …… 1550
道 …… 1086
稻 …… 1571

de

得 …… 891
德 …… 902
的 …… 1574

deng

灯 …… 1451
登 …… 1664
等 …… 1632
邓 …… 583

di

低 …… 399
羝 …… 1650
堤 …… 671
滴 …… 1001
镝 …… 1559
狄 …… 915
迪 …… 1074
籴 …… 1651
敌 …… 1362
涤 …… 981
笛 …… 1632
髢 …… 1722
诋 …… 545
抵 …… 748
底 …… 940
柢 …… 1213
砥 …… 1530
地 …… 661
弟 …… 433
帝 …… 521
递 …… 1081
第 …… 1632
谛 …… 566
蒂 …… 712
睇 …… 1539
踶 …… 1676

dian

颠 …… 1618
巅 …… 877
典 …… 434
点 …… 1457
电 …… 173
甸 …… 496
店 …… 939
玷 …… 1181
奠 …… 440
殿 …… 1440

diao

凋 …… 534
貂 …… 1684
雕 …… 1710
吊 …… 791
钓 …… 1552
调 …… 559
掉 …… 757

die

跌 …… 1674
迭 …… 1074
垤 …… 669
喋 …… 840
牒 …… 1371
叠 …… 644
蝶 …… 1626
蹀 …… 1676

ding

酊 …… 1665
顶 …… 1614
鼎 …… 1539
定 …… 1038

diu

丢 …… 225

dong

东 …… 138
冬 …… 930
董 …… 712
懂 …… 1027
动 …… 604
冻 …… 533
栋 …… 1209
洞 …… 976

dou

都 …… 586
斗 …… 1456
抖 …… 745
蚪 …… 1623
豆 …… 1664
窦 …… 1601

du

阇 …… 954
督 …… 1539
毒 …… 1526
独 …… 917
读 …… 556
渎 …… 988
椟 …… 1223
犊 …… 1348
牍 …… 1370
黩 …… 1724
笃 …… 1630
堵 …… 670
赌 …… 1328
睹 …… 1539
杜 …… 1199
肚 …… 1415
妒 …… 1131
度 …… 941
渡 …… 995
镀 …… 1558
蠹 …… 686
蠧 …… 1627

duan

端 …… 1593
短 …… 1560

H

hai

孩…… 1154
骇…… 1174
害…… 1047

han

酣…… 1665
鼾…… 1725
邯…… 585
含…… 490
函…… 588
涵…… 993
韩…… 1190
寒…… 1054
罕…… 536
汉…… 955
扞…… 740
汗…… 955
旱…… 1264
捍…… 754
悍…… 1015
颔…… 1617
撼…… 762
翰…… 347
憾…… 1028

hang

杭…… 1207
航…… 1646

hao

蒿…… 714
毫…… 526
豪…… 529
濠…… 1003
好…… 1126
号…… 790
昊…… 1270
秏…… 1565
耗…… 1605
浩…… 981
皓…… 1575
颢…… 1618

he

呵…… 817
禾…… 1561
合…… 485
何…… 392
和…… 828
河…… 965
曷…… 1301
荷…… 708
核…… 1219
涸…… 989
貉…… 1685
阖…… 954
翮…… 1657
贺…… 1326
赫…… 1664
熇…… 1455
褐…… 1602
鹤…… 1584
壑…… 674

hei

黑…… 1724
嘿…… 850

hen

痕…… 1587
佷…… 406
很…… 890
狠…… 919
恨…… 1014

heng

亨…… 516
恒…… 1012
横…… 1225
衡…… 907

hong

哄…… 831
薨…… 717
弘…… 1112
红…… 1155
闳…… 948
宏…… 1036
纮…… 1156
虹…… 1622
洪…… 975
鸿…… 987
澒…… 993

hou

侯…… 414
喉…… 840
猴…… 920
后…… 225
厚…… 349
候…… 417

hu

乎…… 219
呼…… 830
忽…… 1496
惚…… 1023
扣…… 746
狐…… 916
胡…… 1418
壶…… 683
斛…… 1457
湖…… 993
蝴…… 1626
糊…… 1654
虎…… 1618
浒…… 978
互…… 109
户…… 1463
冱…… 531
护…… 745
怙…… 1008
笏…… 1631
瓠…… 1575

hua

花…… 689
华…… 339
哗…… 837
骅…… 1174
滑…… 995
化…… 377
划…… 358
画…… 587
话…… 550

huai

怀…… 1004
徊…… 890
淮…… 989
槐…… 1224
坏…… 665
咶…… 837

huan

欢…… 635
还…… 1071
环…… 1181
桓…… 1217
貆…… 1684
寰…… 1061
缓…… 1168
幻…… 1177
宦…… 1045
换…… 755
唤…… 838
涣…… 981
浣…… 984
患…… 1512
焕…… 1455
逭…… 1083

huang

肓…… 1415
荒…… 701
慌…… 1024
皇…… 1181
黄…… 438
凰…… 508
隍…… 581
遑…… 1085
徨…… 901
惶…… 1025
潢…… 1000
璜…… 1189
蝗…… 1626
簧…… 1636
恍…… 1013
晃…… 1292
滉…… 999

hui

灰…… 1451
虺…… 1622
挥…… 753
恢…… 1013
晖…… 1291
辉…… 787
麾…… 1350
徽…… 902
隳…… 583
回…… 855
迴…… 1075
洄…… 976
悔…… 1015
卉…… 334
会…… 484
讳…… 540
诲…… 553
绘…… 1163
贿…… 1327
晦…… 1292

酪…… 1665

le

乐 …… 219

lei

雷…… 1705
羸 …… 530
畾…… 1545
耒…… 1604
垒 …… 626
磊…… 1531
儡 …… 423
肋…… 1414
泪 …… 966
类…… 1651
累…… 1544
酹…… 1665
纇…… 1618

leng

冷 …… 533

li

厘 …… 349
狸 …… 919
离 …… 525
骊…… 1174
梨…… 1221
犁…… 1348
鹂…… 1584
漓 …… 999
璃…… 1189
氂…… 1350
黎…… 1308
罹…… 1548
篱…… 1636
藜 …… 718
蠡…… 1100
礼…… 1464
李…… 1202
里…… 1667
俚 …… 409
逦…… 1079
理…… 1183
鲤…… 1715
澧…… 1003
醴…… 1666
力 …… 595
历 …… 347
厉 …… 348
立…… 1588
吏 …… 139
丽 …… 151
励 …… 348
利 …… 360
沥 …… 959
枥…… 1205
例 …… 405
戾…… 1227
隶…… 1307
荔 …… 703
栎…… 1213
轹…… 1236
俪 …… 407
莅 …… 708
栗…… 1218
砺…… 1529
砾…… 1530
唳 …… 840
笠…… 1632
粝…… 1652
粒…… 1652
雳…… 1705
詈…… 1546

lian

奁 …… 734
连…… 1072
怜…… 1010
帘 …… 867
莲 …… 703
涟 …… 980
联…… 1609
廉 …… 943
敛…… 1366
脸…… 1423
练…… 1159
娈…… 1138
炼…… 1452
恋…… 1511
潋…… 1001

liang

良 …… 274
凉 …… 534
梁…… 1222
粮…… 1653
粱…… 1653
踉…… 1675
两 …… 150
亮 …… 521
谅 …… 559
量…… 1293

liao

辽…… 1061
疗…… 1585
聊…… 1609
僚 …… 422
廖 …… 944
寥…… 1060
寮…… 1061
燎…… 1455
鹩…… 1585
了 …… 278
蓼 …… 716
料…… 1456
瞭…… 1540

lie

列 …… 357
劣 …… 607
冽 …… 533
烈…… 1457
脟…… 1423
猎 …… 919
裂…… 1648

lin

邻 …… 585
林…… 1203
临 …… 189
淋 …… 988
辚…… 1240
磷…… 1532
鳞…… 1716
麟…… 1723
凛 …… 534
廪 …… 944
廩 …… 944
懔…… 1028
吝 …… 803
悋…… 1014
蔺 …… 716

ling

灵…… 1099
岭 …… 875
囹 …… 864
泠 …… 967
玲…… 1182
瓴…… 1253
铃…… 1554
凌 …… 534
陵 …… 579
聆…… 1609
菱 …… 709
羚…… 1650
零…… 1706
领…… 1617
令 …… 482

liu

溜 …… 999
刘 …… 359
浏 …… 977
留…… 1542
流 …… 981
琉…… 1187
骝…… 1176
飗…… 1438
柳…… 1213
六 …… 510
翏…… 1657
霤…… 1708

long

龙…… 1532
珑…… 1181
栊…… 1209
砻…… 1530
聋…… 1533
笼…… 1632
隆 …… 581
陇 …… 576
垅 …… 668
垄 …… 668

lou

偻 …… 420
楼…… 1224
蝼…… 1626
鷜…… 1584
陋 …… 577
镂…… 1558
漏…… 1001

lu

卢 …… 356
芦 …… 691
庐 …… 939
炉…… 1452
胪…… 1418

融…… 1626

rou

柔…… 1217
揉 …… 760
肉 …… 180

ru

如…… 1118
茹 …… 703
儒 …… 422
嚅 …… 851
濡…… 1003
襦…… 1154
蠕…… 1627
汝 …… 957
乳 …… 328
辱 …… 769
入 …… 474
缛…… 1169

ruan

软…… 1236

rui

蕊 …… 716
枘…… 1205
蚋…… 1623
锐…… 1556
瑞…… 1188
睿…… 1540

run

闰 …… 948
润 …… 984

ruo

若 …… 694
弱…… 1113

S

sa

洒 …… 975
飒…… 1438

sai

塞 …… 672

san

三……… 14
散…… 1367

sang

桑…… 1220
颡…… 1618
丧 …… 342

sao

搔 …… 760
骚…… 1176
缫…… 1170
扫 …… 742
嫂…… 1139

se

色 …… 592
涩 …… 985
啬 …… 345
瑟…… 1188
穑…… 1572

sen

森…… 1223

seng

僧 …… 422

sha

杀…… 1196
沙 …… 959
纱…… 1157
砂…… 1529
铩…… 1555
煞…… 1462
箑…… 1634
霎…… 1707

shan

山 …… 868
芟 …… 691
杉 …… 910
删 …… 364
衫 …… 910
姗…… 1133
珊…… 1181
埏 …… 669
膻…… 1426
讪 …… 539
扇…… 1463
善 …… 841
擅 …… 763
膳…… 1426
赡…… 1331

shang

伤 …… 387
殇…… 1232
商 …… 528
觞…… 1685
赏…… 1328
裳 …… 787
上……… 18
尚 …… 782

shao

捎 …… 754
烧…… 1454
梢…… 1221
稍…… 1570
筲…… 1634
勺 …… 493
芍 …… 688
韶…… 1722
少 …… 776

she

奢 …… 739
赊…… 1328
舌…… 1628
蛇…… 1623
舍 …… 490
设 …… 542
社…… 1466
射 …… 769
涉 …… 980
赦…… 1363
摄 …… 760
慑…… 1025
麝…… 1723

shen

申 …… 173
伸 …… 397
身…… 1677
深 …… 991
神…… 1466
沈 …… 961
审…… 1040
哂 …… 832
矧…… 1559
肾…… 1415
甚 …… 163
渗 …… 993
椹…… 1223
蜃…… 1624
慎…… 1025

sheng

升 …… 200
生 …… 207
声 …… 681
牲…… 1348
胜…… 1419
笙…… 1632
绳…… 1166
圣 …… 628
省 …… 782
眚…… 1538
盛…… 1549
剩 …… 369

shi

尸…… 1100
失 …… 215
师 …… 178
诗 …… 546
虱…… 1622
施…… 1447
湿 …… 994
蓍 …… 713
十 …… 332
什 …… 377
石…… 1528
时…… 1265
识 …… 543
实…… 1043
拾 …… 752
食…… 1718
蚀 …… 935
史 …… 175
矢…… 1559
豕…… 1666
使 …… 402
始…… 1133
驶…… 1172
士 …… 674
氏 …… 207
示…… 1526
世 …… 118
仕 …… 379
市 …… 511
式 …… 647
事 …… 154
势 …… 608
侍 …… 401
饰 …… 934
试 …… 546
视…… 1338

湲 …… 995
缘 …… 1168
猿 …… 920
源 …… 998
辕 …… 1239
圜 …… 866
远 …… 1068
苑 …… 698
怨 …… 1500
院 …… 579
瑗 …… 1188
愿 …… 1524

yüe

曰 …… 1300
约 …… 1155
月 …… 1389
刖 …… 359
岳 …… 875
钺 …… 1554
悦 …… 1016
阅 …… 954
跃 …… 1673
越 …… 1661
龠 …… 493

yun

云 …… 330
芸 …… 688
纭 …… 1156
耘 …… 1605
允 …… 497
陨 …… 578
殒 …… 1233
孕 …… 1147
运 …… 1071
晕 …… 1238
愠 …… 1025
韫 …… 1190
韵 …… 1722
蕴 …… 717

Z

za

匝 …… 352
杂 …… 1198

zai

灾 …… 1036
哉 …… 831
栽 …… 1217
菑 …… 711
载 …… 1238
宰 …… 1052
再 …… 139
在 …… 649

zan

簪 …… 1636
攒 …… 763
趱 …… 1663
暂 …… 1294
赞 …… 1331
囋 …… 851

zang

赃 …… 1327
臧 …… 1249
脏 …… 1422
葬 …… 711

zao

遭 …… 1096
糟 …… 1654
凿 …… 588
早 …… 1264
枣 …… 163
蚤 …… 1623
澡 …… 1003
藻 …… 719
皂 …… 1574
灶 …… 1452
造 …… 1080
噪 …… 851
燥 …… 1456
躁 …… 1677

ze

则 …… 358
责 …… 1309
择 …… 750
泽 …… 969
赜 …… 166
仄 …… 347

zei

贼 …… 1326

zen

怎 …… 1500
谮 …… 568

zeng

曾 …… 441
增 …… 674
憎 …… 1027
罾 …… 1300
矰 …… 1561
赠 …… 1331
甑 …… 1253

zha

柤 …… 1213
渣 …… 993
札 …… 1195
轧 …… 1234
乍 …… 219
诈 …… 544
咤 …… 837

zhai

斋 …… 1445
摘 …… 762
宅 …… 1031
翟 …… 1657
窄 …… 1599
债 …… 415
寨 …… 1058

zhan

沾 …… 966
旃 …… 1449
粘 …… 1652
詹 …… 595
邅 …… 1097
瞻 …… 1540
鹯 …… 1585
鳣 …… 1716
斩 …… 1235
展 …… 1104
辗 …… 1240
蹍 …… 1677
占 …… 354
栈 …… 1208
战 …… 1247
湛 …… 993

zhang

张 …… 1112
涨 …… 984
章 …… 1591
掌 …… 787
獐 …… 921
彰 …… 912
璋 …… 1189
樟 …… 1226
丈 …… 33
仗 …… 379
杖 …… 1199
帐 …… 866
障 …… 583
嶂 …… 877

zhao

招 …… 749
昭 …… 1291
沼 …… 968
召 …… 590
兆 …… 230
诏 …… 545
赵 …… 1660
棹 …… 1223
照 …… 1461
肇 …… 1525

zhe

遮 …… 1096
折 …… 743
哲 …… 837
辄 …… 1239
蛰 …… 1624
磔 …… 1532
辙 …… 1240
者 …… 1301
赭 …… 1664
这 …… 1073
柘 …… 1209
浙 …… 980
蔗 …… 716
璃 …… 1189

zhen

贞 …… 356
阵 …… 572
针 …… 1552
枕 …… 1207
珍 …… 1182
轸 …… 1236
鸩 …… 1583
真 …… 344
桢 …… 1218
砧 …… 1530
振 …… 754
朕 …… 1422
祯 …… 1468
赈 …… 1328

一 yī 数目字;相同;全;专注;同一;纯一;一概;一旦;每;另外一个;指事物的普遍本质。

❶一渊不两鲛
见汉·刘安《淮南子·说山》。
一事能变曰智
见《管子·心术下》。
一而再,再而三
见现代·朱自清《〈闻一多全集〉编后记》。
一事起则一害生
见明·洪应明《菜根谭·后集百二十八》。
一失足成千古恨
见清·吴沃尧《二十年目睹之怪现状》第八十九回。
一年明月今宵多
见唐·韩愈《八月十五夜赠张功曹》。
一年容易又秋风
见宋·陆游《宴西楼》。
一举成名天下闻
见清·曹雪芹《红楼梦》第一一九回。
一人独钓一江秋
见清·王士祯《题秋江独钓图》。
一诗千改始心安
见清·袁枚《遣兴之一》。
一阴一阳之谓道
见《周易·系辞上》。
一节动而百枝摇
见汉·桓宽《盐铁论·申韩》。
一节见则百节知
见汉·刘向《说苑·尊贤》。
一蓑烟雨任平生
见宋·苏轼《定风波》。
一寸光阴一寸金
见唐·王贞白《白鹿洞二首》其一。
一将功成万骨枯
见唐·曹松《己亥岁二首》之一。全句为:"凭君莫话封侯事,~"。
一叶落知天下秋
见汉·刘安《淮南子·说山》。
一听则愚智不分
见《韩非子·内储说上》。
一唱雄鸡天下白
见现代·毛泽东《浣溪沙·和柳亚子先生》。
一枝一叶总关情
见清·郑燮《潍县署中画竹呈年伯包大中丞括》。全诗为:"衙斋卧听萧萧竹,疑是民间疾苦声。些小吾曹州县吏,~"。
一枝动,百枝摇
见现代·浩然《金光大道》。
一片冰心在玉壶
见唐·王昌龄《芙蓉楼送辛渐》。
一朝天子一朝臣
见明·汤显祖《牡丹亭·虏谍》。
一鸟不鸣山更幽
见宋·王安石《钟山绝句》。
一醉累月轻王侯
见唐·李白《忆旧游寄谯郡元参军》。
一与一,勇者得前
见晋·陈寿《三国志·魏书·张辽传》。
一以虚,故能生二
见汉·严遵《道德指归论·道生一篇》。
一民之轨,莫如法
见《韩非子·有度》。
一树一获者,谷也
见《管子·权修》。全句为:"~;一树十获者,木也;一树百获者,人也"。
一树百获者,人也
见《管子·权修》。全句为:"一树一获者,谷也;一树十获者,木也;~"。
一树十获者,木也
见《管子·权修》。全句为:"一树一获者,谷也;~;一树百获者,人也"。
一夫当关,万夫莫开
见唐·李白《蜀道难》。
一夫得情,千室鸣弦
见南朝·宋·范晔《后汉书·循吏传》。
一丝一粒,我之名节
见《清朝野史大观·清人轶事》。
一丝不线,单木不林
见清·李海观《歧路灯》第八回。
一再则宥,三则不赦
见《管子·立政》。
一事殊法,同罪异论
见汉·桓谭《陈政事疏》。
一失其原,巧愈弥甚
见三国·魏·王弼《周易略例》。
一之谓甚,其可再乎
见《左传·僖公五年》。
一为不善,众美皆亡
见晋·陈寿《三国志·吴书·吴主五子传》。
一则以喜,一则以惧
见《论语·里仁》。
一人飞升,仙及鸡犬
见清·蒲松龄《聊斋志异·促织》。
一人传虚,万人传实
见宋·普济《五灯会元》卷八。
一人奋死,可以对十
见《韩非子·初见秦》。
一人拼命,万夫难当
见元·关汉卿《单刀会》。

一人善射，百夫决拾

见《国语·吴语》。

一人得道，鸡犬升天

语出晋·葛洪《神仙传》。

一人贪戾，一国作乱

见《礼记·大学》。

一人立志，万夫莫夺

见明·冯梦龙《醒世恒言》卷五。

一切景语，皆情语也

见清·王国维《人间词话》。全句为："昔人论诗词，有景语、情语之别，不知～"。

一坐飞语，如冲骇机

见唐·刘禹锡《谢中书张相启》。

一损俱损，一荣俱荣

见清·曹雪芹《红楼梦》第四回。

一国三公，吾谁适从

见《左传·僖公五年》。

一国尽乱，无有安家

见《吕氏春秋·有始览·谕大》。全句为："天下大乱，无有安国；～；一家皆乱，无有安身"。

一岁典职，田宅并兼

见汉·王充《论衡·程材篇》。全句为："一旦在位，鲜冠利剑；～"。

一家二贵，事乃无功

见《韩非子·扬权》。

一家皆乱，无有安身

见《吕氏春秋·有始览·谕大》。全句为："天下大乱，无有安国；一国尽乱，无有安家；～"。

一犬吠形，百犬吠声

见汉·王符《潜夫论·贤难》。

一死一生，乃知交情

见汉·司马迁《史记·汲郑列传》。全句为："～；一贫一富，乃知交态；一贵一贱，交情乃见"。

一日不作，一日不食

见宋·普济《五灯会元》卷三。

一日不见，如三秋兮

见《诗·采葛》。

一日叫娘，终身是母

见清·曹雪芹《红楼梦》第五十八回。

一日行善，天下归仁

见南朝·宋·范晔《后汉书·朱穆传》。全句为："～；终朝为恶，四海倾覆"。

一日纵敌，万世之患

见明·罗贯中《三国演义》第二十一回。

一旦在位，鲜冠利剑

见汉·王充《论衡·程材篇》。全句为："～；一岁典职，田宅并兼"。

一贫一富，乃知交态

见汉·司马迁《史记·汲郑列传》。全句为："一死一生，乃知交情；～；一贵一贱，交情乃见"。

一贵一贱，交情乃见

见汉·司马迁《史记·汲郑列传》。全句为："一死一生，乃知交情；一贫一富，乃知交态；～"。

一物失称，乱之端也

见《荀子·正论》。

一手独拍，虽疾无声

见《韩非子·功名》。

一肌一容，尽态极妍

见唐·杜牧《阿房宫赋》。全句为："～，缦立远视，而望幸焉；有不得见者三十六年"。

一点贪污，便是大恶

见明·陈继儒《小窗幽记》。全句为："万分廉洁，止是小善；～"。

一心以为有鸿鹄将至

见《孟子·告子上》。全句为："～，思援弓缴而射之，虽与之俱学，弗若之矣"。

一蛇吞象，厥大何如

见战国·楚·屈原《天问》。

一简之内，音韵尽殊

见南朝·梁·沈约《宋书·谢灵运传论》。全句为："～；两句之中，轻重悉异。妙达此旨，始可言文"。

一言之重，侔于千金

见唐·吴兢《贞观政要·纳谏》。

一言之善，贵于千金

见晋·葛洪《抱朴子·内篇·释滞》。

一言之赐，过乎玙璧

见三国·魏·王粲《反金人赞》。

一言偾事，一人定国

见《礼记·大学》。

一言既出，驷马难追

见现代·巴金《秋》。

一万年太久，只争朝夕

见现代·毛泽东《满江红·和郭沫若同志》。全句为："多少事，从来急；天地转，光阴迫。～"。

一不可见，则两之用息

见宋·张载《正蒙·太和》。全句为："两不立，则一不可见；～"。

一闻人之过，终身不忘

见《庄子·徐无鬼》。

一张一弛，文武之道也

见《礼记·杂记下》。

一步未至，则犹不往也

见晋·葛洪《抱朴子·极言》。全句为："井不达泉，则犹不掘也；～"。

一日纵敌，数世之患也

见《左传·僖公三十三年》。

一念收敛，则万善来同

见明·吕坤《呻吟语》。全句为："～；一念放恣，则百邪乘衅"。

一念放恣，则百邪乘衅

见明·吕坤《呻吟语》。全句为："一念收敛，则万善来同；～"。

一虚一满，不位乎其形

见《庄子·秋水》。全句为："道无终始，物有死生，不恃其成；～"。

一登龙门，则声誉十倍

见唐·李白《与韩荆州书》。

一言而非，四马不能追

见汉·刘向《说苑·谈丛》。

一言之善，贵于千金然

见晋·葛洪《抱朴子·释滞》。

一夫怒临关，百万未可傍

见唐·杜甫《剑门》。

一生复能几，倏如流电惊

见晋·陶潜《饮酒二十首》。

一生困尘土，半世走阡陌

见宋·曹勋《望太行》。

一以己为马，一心己为牛

见《庄子·应帝王》。全句为："其卧徐徐，其觉于于；～"。

一发不可牵，牵之动全身

见清·龚自珍《自春徂秋，偶有所触，拉杂书之，漫不诠次，得十五首》之二。全句为："黔首本骨肉，天地本比邻。～"。

一别二十年，人堪几回别

见唐·顾况《上湖至破山赠文周萧元植》。

一别隔千里，荣枯异炎凉

见唐·李白《经乱离后天恩流夜郎忆旧游书怀赠江夏韦太守良宰》。

一别怀万恨，起坐为不宁

见汉·秦嘉《留郡赠妇诗》。

一倡而三叹，有遗音者矣

见汉·司马迁《史记·乐书》。

一人之智，不如众人之愚

见唐·马总《意林》引《任子》。全句为："～；一目之察，不如众目之明"。

一丛深色花，十户中人赋

见唐·白居易《买花》。

一语不能践，万卷徒空虚

见明·周立《饮酒》。

一在天之涯，一在地之角

见唐·韩愈《祭十二郎文》。全句为："～，生而影不与吾形相依，死而魂不与吾梦相接"。

一劳而久逸，暂费而永宁

见汉·班固《封燕然山铭序》。

一薰一莸，十年尚犹有臭

见《左传·僖公四年》。

一鸣众鸟至，再鸣众鸟罗

见晋·张翰《杂诗三首》。

一咏一吟，寄心期于别后

见唐·骆宾王《初夏邪岭送益府窦参军宴诗序》。全句为："虽载言载笑，赏风月于离前；而～"。

一行书不读，身封万户侯

见唐·聂夷中《公子行二首》。

一饱勿易得，奈此官租钱

见宋·洪咨夔《漩口》。

一沐三捉发，一饭三吐哺

见汉·司马迁《史记·鲁周公世家》。

一粥一饭，当思来处不易

见清·朱柏庐《治家格言》。全句为："～；半丝半缕，恒念物力维艰"。

一骥骋长衢，众兽不敢陪

见唐·孟郊《送黄构擢第后归江南》。

一枝何足贵，怜是故园春

见唐·张九龄《折杨柳》。

一旦见景生情，触目兴叹

见明·李贽《杂说》。全句为："蓄极积久，势不能遏。～；夺他人之酒杯，浇自己之垒块；诉心中之不平，感数奇于千载"。

一时今夕会，万里故乡情

见唐·杜甫《季秋苏五弟缨江楼夜宴崔十三评事韦少府侄三首》。

一视而同仁，笃近而举远

见唐·韩愈《原人》。

一朝权入手，看取令行时

见唐·朱湾《奉使设宴戏掷笼筹》。

一朝被谗言，二桃杀三士

见汉·无名氏《梁甫吟》。

一朝辞此地，四海遂为家

见唐·李世民《过旧宅二首》。

一心中国梦，万古下泉诗

见宋·郑思肖《德祐二年岁旦》。

一息尚存，此志不容稍懈

见清·程允升《幼学琼林·身体》。

一目之察，不如众目之明

见唐·马总《意林》引《任子》。全句为："一人之智，不如众人之愚；～"。

一钱亦分明，谁能肆谗毁

见宋·陆游《送子龙赴吉州掾》。

一笑语儿子，此是却老方

见宋·陆游《抄书》。全句为："储积山崇崇，探求海茫茫，～"。

一粒不出仓，仓中群鼠肥

见宋·郑獬《采凫茨》。

一粒红稻饭，几滴牛颔血

见唐·郑遨《伤农》。

一举而两利，斯智者之为也

见宋·苏洵《议法》。

一以意许知己，死亡不相负

见晋·陈寿《三国志·吴书·太史慈传》。

一凡人沮之，则自以为不足

见唐·韩愈《伯夷颂》。全句为："一凡人誉之，则自以为有余；～"。

一凡人誉之，则自以为有余

见唐·韩愈《伯夷颂》。全句为："～；一凡人沮之，则自以为不足"。

一部《周记》，理财居其半

见宋·王安石《答曹公立书》。

一画失所，如壮士之折一肱

见明·陶宗仪《书史会要·书法》。全句为："一点失所，若美女之眇一目；～"。

一鼓作气，再而衰，三而竭

见《左传·庄公十年》。

一条之枯，不损繁林之蓊蔼

见晋·葛洪《抱朴子·博喻》。

一沐而三捉发，一食而三起

见《吕氏春秋·有始览·谨听》。

一点失所，若美女之眇一目

见明·陶宗仪《书史会要·书法》。全句为："～；一画失所，如壮士之折一肱"。

一觞一咏，亦足以畅叙幽情

见晋·王羲之《兰亭集序》。

一出焉，一入焉，涂巷之人也

见《荀子·劝学》。

一介不以与人，一介不取诸人

见《孟子·万章上》。全句为："非其义也，非其道也，～"。

一抔之土未干，六尺之孤安在

见唐·骆宾王《为徐敬业讨武曌檄》。

一抑一扬者，轻鸿所以凌虚也

见晋·葛洪《抱朴子·外篇·广喻》。全句为："～；乍屈乍伸者，良才所以俟时也"。

一彼此于胸臆，捐好恶于心想

见唐·张蕴古《大宝箴》。

一饭之德必偿，睚眦之怨必报

见汉·司马迁《史记·范雎蔡泽列传》。

一治必又一乱，一乱必又一治

见宋·朱熹《朱子语类》卷一。

一快不足以成善，积快而为德

见汉·刘安《淮南子·缪称》。全句为："～；一恨不足以成非，积恨而成怨"。

一恨不足以成非，积恨而成怨

见汉·刘安《淮南子·缪称》。全句为："一快不足以成善，积快而为德；～"。

一日而废一事，一月则可知也

见宋·苏轼《决壅蔽》。全句为："～；一岁，则事之积者不可胜数也。故欲事之无繁，则必劳于始而逸于终"。

一心可以丧邦，一心可以兴邦

见宋·朱熹《近思录·治体类》。全句为："～，只在公私之间尔"。

一目之视也，不若二目之视也

见《墨子·尚同下》。全句为："～；一耳之听也，不若二耳之听也"。

一箪食，一瓢饮，在陋巷……

见《论语·雍也》。全句为："～，人不堪其忧，回也不改其乐"。

一夫不获，则曰："时予之辜"

见《尚书·说命下》。

一尺之捶，日取其半，万世不竭

见《庄子·天下》。

一人之鉴易限，而天下之才难原

见南朝·宋·谢庄《上搜才表》。全句为："～，以易限之鉴，镜难原之才，使国罔遗授，野无滞器，其可得"。

一进一退，一左一右，六骥不致

见《荀子·修身》。

一旦临小利害，仅如毛发比……

见唐·韩愈《柳子厚墓志铭》。全句为："平居里巷相慕悦，酒食游戏相征逐，诩诩强笑语以相取下，握手出肺肝相示，指天日涕泣，誓生死不相背负，真若可信；～，反眼若不相识，落陷阱，不一引手救，反挤之，又下石焉者，皆是也"。

一身而二任焉，虽圣者不可为也

见唐·韩愈《圬者王承福传》。

一言而可以兴邦，一言可以丧邦

见元·高文秀《渑池会》二折。

一夫不获其所，若已推而内之沟中

见唐·韩愈《上宰相书》。

一生几许伤心事，不向空门何处销

见唐·王维《叹白发》。

一生大笑能几回，斗酒相逢须醉倒

见唐·岑参《凉州馆中与诸判官夜集》。

一生所遇唯元白，天下无人重布衣

见唐·徐凝《自鄂渚至河南将归江外流辞侍郎》。

一生肝胆向人尽，相识不如不相识

见唐·顾况《行路难三首》。

一失脚成千古恨，再回头是百年人

见明·唐寅《废弃诗》。

一年之计在于春，一日之计在于晨

见南朝·梁·萧绎《纂要》。

一则治，异则乱；一则安，异则危

见《吕氏春秋·审分览·不二》。

一仪不可以百发，一衣不可以出岁

见汉·刘安《淮南子·齐俗》。

一人之身兼有英雄，乃能役英与雄

见三国·魏·刘劭《人物志·英雄》。全句为：“～。能役英与雄，故能成大业”。

一语天然万古新，豪华落尽见真淳

见金·元好问《论诗三十首》。

一阖一辟谓之变，往来不穷谓之通

见《周易·系辞上》。

一字不识而有诗意者，得诗家真趣

见明·洪应明《菜根谭·后集四十七》。

一截遗欧，一截赠美，一截还东国

见现代·毛泽东《念奴娇·昆仑》。

一时之强弱在力，千古之胜负在理

见明·冯梦龙《东周列国志》。

一有偏好，则下必投其所好以诱之

见清·爱新觉罗玄烨《庭训格言》。

一灯能除千年暗，一智能灭万年愚

见《六祖坛经》。

一登一陟一回顾，我脚高地他更高

见宋·杨万里《过上湖岭望招贤江南北山四首》。

一天下者，令于天下则行，禁焉则止

见《尸子·贵言》。

一切问答，如针锋相投，无纤毫参差

见宋·普济《五灯会元》卷一〇。

一国诅，两人祝，虽善祝者不能胜也

见《晏子春秋·内篇谏上第十二》。

一日暴之，十日寒之，未有能生者也

见《孟子·告子上》。

一政之出，上有意而未决，则吏赞之

见宋·杨万里《民政》。全句为：“～；上有命而未行，则吏先之”。

一炬有燎原之忧，而滥觞有滔天之祸

见宋·苏轼《论周穜擅议配享自劾札子》。

一言之谬，一事之失，可救之于将然

见宋·王安石《谏官》。

一以论道德，二以论法制，三以论策术

见三国·魏·刘劭《人物志·接识》。全句为：“～，然后乃能竭其所长而举之不疑”。

一代天骄，成吉思汗，只识弯弓射大雕

见现代·毛泽东《沁园春·雪》。

一人知俭则一家富，王者知俭则天下富

见五代·南唐·谭峭《化书卷六·俭化·悭号》。

一洗绮罗香泽之态，摆脱绸缪宛转之度

见宋·胡寅《酒边词序》。

一线之溜，可以达石者，一与不一故也

见宋·苏轼《司马温公神道碑》。全句为：“稽天之潦，不能终朝，而～”。

一朝之忿，忘其身，以及其亲，非惑欤

见《论语·颜渊》。

一目之人可使视准，五毒之石可使溃疡

见明·刘基《拟连珠》。

一箪食，一豆羹，得之则生，弗得则死

见《孟子·告子上》。全句为：“～。呼尔而与之，行道之人弗受；蹴尔而与之，乞人不屑也”。

一人之身，才有长短，取其长则不问其短

见宋·王安石《委任》。

一地所生，一雨所润，而诸草木各有差别

见《法华经》卷二。

一事惬当，一句清巧，神厉九霄，志凌千载

见北齐·颜之推《颜氏家训·文章》。

一发不中，百发尽息；一举不得，前功尽弃

见汉·司马迁《史记·周本纪》。

一卒毕力，百人不当；万夫致死，可以横行

见南朝·宋·范晔《后汉书·张宗传》。

一人之毁，未必有信；积年之行，不应顿亏

见宋·欧阳修、宋祁《新唐书·魏征传》。全句为：“行有素履，事有成迹。～”。

一切言动，都要安详；十差九错，只为慌张

见明·吕得胜《小儿语》。

一兔走衢，万人逐之；一人获之，贪者悉止

见晋·陈寿《三国志·魏书·袁绍传》。

一声而非，驷马勿追；一言而急，驷马不及

见《邓析子·转辞篇》。

一节省而国有余用，民有盖藏，不知其几也

见明·海瑞《治安疏》。

一叶蔽目，不见泰山；两豆塞耳，不闻雷霆

见宋·陆佃解《鹖冠子·天则》。

一噎之故，绝谷不食；一蹶之故，却足不行

见汉·刘向《说苑·谈丛》。

一国之政，万人之命，悬于宰相，可不慎欤

见宋·王禹偁《待漏院记》。

一家失熛，百家皆烧；谗夫阴谋，百姓暴骸

见汉·刘安《淮南子·说林》。

一日万机，一人听断，虽复忧劳，安能尽善

见唐·吴兢《贞观政要·求谏》。

一言得而天下服，一言定而天下听，公之谓也

见《管子·内业》。

一夫不耕，天下受其饥；一妇不织，天下受其寒

见南朝·宋·范晔《后汉书·王符传》。

一出而不可反者，言也；一见而不可掩者，行也

见汉·贾谊《新书·大政上》。

一人所以能敌万人者，非弓刀之技，盖威之至也

见五代·南唐·谭峭《化书卷二·猛虎》。

一人所以能悦万人者，非言笑之惠，盖和之至

也

见五代·南唐·谭峭《化书卷二·猛虎》。

一尺布,尚可缝;一斗粟,尚可舂。兄弟二人不相容

见汉·司马迁《史记·淮南衡山列传》。

一令蔓草难锄,涓流泛酌,岂直疥痒轻疴,容为重患

见南朝·齐·王融《上疏请给虏书》。

一观其文,心朗目舒,炯若深井之下仰视白日之正中也

见唐·柳宗元《答吴武陵论〈非国语〉书》。

一宿体宁,百宿心恬,三宿后颓然嗒然,不知其然而然

见唐·白居易《庐山草堂记》。

一人一心,万人万心,若不以令一之,则人人之心各异矣

见唐·白居易《策林一》。

一夫耕,百人食之;一妇桑,百人衣之。以一奉百,孰能供之

见南朝·宋·范晔《后汉书·王符传》。

❷闻一以知十/理,一理也/心,一心也/肠一日而九回/牵一发而动全身/抱一者,守道也/吃一堑,长一智/守一城,捍天下/经一失,长一智/赏一人而万人悦/赏一人而天下劝/锄一恶,长十善/隆一而治,二而乱/彼一时,此一时也/每一相思,千里命驾/以一能称,以一善书/令一则行,推诚则化/让一得百,争十失九/取一文官不值一文钱/声一无听,物一无文/宽一分民多受一分赐/退一步者,常进百步/损一毫利天下,不与也/治一国者当与一国推实/见一叶落而知岁之将暮/其一也一,其不一也一/不一则不专,不专则不能/每一发兵,不觉头发为白/每一衣,则思纺绩之辛苦/每一食,便念稼穑之艰难/以一介之微挫其锋于顷刻/以一缕之任,系千钧之重/以一篑障江河,用没其身/刑一而正百,杀一而慎万/太一出两仪,两仪出阴阳/拔一毛而利天下,不为也/尝一滴之咸而知沧海之性/尝一脟肉,而知一镬之味/多一分享用,减一分志气/闻一善若惊,得一士若赏/经一番挫折,长一番见识/赏一以劝百,罚一以惩众/有一行而可常履者,正也/有一言而可常行者,恕也/无一定之律,而有一定之妙/诛一乡之奸,则一乡之人悦/诛一国之奸,则一国之人悦/固一世之雄也,而今安在哉/上一则下一矣,上二则下二矣/举一隅不以三隅反,则不复也/剑一人敌,不足学,学万人敌/任一人之力者,则乌获不足恃/崇一篑而弗休必钧高乎峻极矣/役一己之聪明,虽圣人不能智/纵一苇之所如,凌万顷之茫然/耻一物之不知,惜寸阴之徒靡/睹一事于句中,反三隅于字外/矜一事之微劳,遂有无厌之望/自一气之所有,播万殊而种分/为一身谋则愚,而为天下谋则智/彼一时也,此一时也,岂可同哉/得一善则拳拳服膺,而弗失之矣/举一善必适其材,惩一恶必当其咎/举一纲,众目张;弛一机,万事隳/获一人而失一国,见黄雀而忘深井/遭一蹶者得一便,经一事者长一智/骥一日而千里,驽马十驾则亦及之/杀一人则千人恐,滥一罪则百夫愁/春一物枯即为灾,秋一物华即为异/锄一害而众苗成,刑一恶而万民悦/每一章一句出,无胫而走,疾于珠玉/道一而已,此是则彼非,此非则彼是/出一令可以止横议,杀一犯可以儆百众/人一能之,己百之;人十能之,己千之/塞一蚁孔而河决息,施一车辖而覆乘止/擅一壑之水而跨跱坎井之乐,此亦至矣/行一棋不足以见智,弹一弦不足以见悲/杀一无罪非仁也,非其有而取之非义也/罚一惩百,谁敢复言者?民有饮恨而已矣/以一击十,莫善于阨;以十击百,莫善于险/以一丸泥为大王东封函谷关,此万世一时也/行一不义,杀一不辜,而得天下,皆不为也/察一曲者不可与言化,审一时者不可与言大/骥一日千里,车轻也,以重载,则不能数里/操一己之绳墨,持前王之规矩,以方枘欲圆凿/今一以天地为大炉,以造化为大冶,恶乎往而不可哉/为一书,务富文采,不顾事实……是犹用文锦复陷阱也/得一官不荣,失一官不辱,勿说一官无用,地方全靠一官/道一不息,天地亦不息;天地之不息,固道之不息者为之/赏一人而败国俗,仁者弗为也;以不信得厚赏,义者弗为也

❸一阴一阳之谓道/一枝一叶总关情/不可一日近小人/不以一眚掩大德/利于一必害于一/布谷一声春水生/春江一曲柳千条/雄鸡一声天下白/一与一,勇者得前/一树一获者,谷也/未尝一日去书不观/德惟一,动罔不吉/一丝一粒,我之名节/一死一生,乃知交情/一贫一富,乃知交态/一贵一贱,交情乃见/一肌一容,尽态极妍/万物一府,死生同状/不著一字,尽得风流/不经一事,不长一智/未知一生当著几量屐/百世一人,千载一时/两世一身,形单影只/长风一振,众萌自偃/长烟一空,皓月千里/每著一衣,则悯蚕妇/每餐一食,则念耕夫/主过一言而国残名辱/飞语一发,胪言四驰/十步一啄,百步一饮/伯乐一顾,价增三倍/伯乐一顾,马价十倍/人生一世,草生一秋/让礼一寸,得礼一尺/攻其一点,不及其余/弄花一年,看花十日/挥兹一觞,陶然自乐/知之一字,众妙之门/灵丹一粒,点铁成金/纪纲一废,何事不生/有田一成,有众一旅/白日一

照，浮云自开／立身一败，万事瓦裂／聪明一世，懵懂一时／一张一弛，文武之道也／一虚一满，不位乎其形／将失一令，而军破身死／和民一众，不知法不可／足趾一跌，而前劳并捐／一薰一莸，十年尚犹有臭／一咏一吟，寄心期于别后／一粥一饭，当思来处不易／三军一心，剑阁可以攻拔／不忧一家寒，所忧四海饥／长将一寸身，衔木到终古／何时一樽酒，重与细论文／只因一着错，满盘都是空／黄鹄一远别，千里顾徘徊／人生一世，如白驹之过隙／今朝一杯酒，明日千里人／勿轻一篑少，进往必千仞／勿言一樽酒，明日难重持／说得一丈，不如行取一尺／说得一尺，不如行取一寸／谁非一丘土，参差前后间／幽桂一丛，赏古人之明月／难将一人手，掩得天下目／花下一禾生，去之为恶草／花间一壶酒，独酌无相亲／莫嫌一点苦，便拟弃莲心／常将一己作世间公共之物／吟安一个字，捻断数茎须／君看一叶舟，出没风波里／岂无一时好，不久当如何／彼亦一是非，此亦一是非／恨无一尺捶，为国笞羌夷／懈意一生，便是自弃自暴／安求一时誉，当期千载知／官无一寸禄，名传千万里／遂令一夫唱，四海欣提矛／纵横一川水，高下数家村／结交一言重，相期千里至／案上一点墨，民间千点血／梧桐一叶落，天下尽知秋／此地一为别，孤蓬万里征／春种一粒粟，秋成万颗子／救人一命，胜造七级浮屠／忍得一时忿，终身无恼闷／盈盈一水间，脉脉不得语／身轻一鸟过，枪急万人呼／青蝇一相点，白璧遂成冤／一觞一咏，亦足以畅叙幽情／三军一心，则令可使无敌矣／君子一教，弟子一学，亟成／闻诛一夫纣矣，未闻弑君也／道德一于上，而习俗成于下／道者，一人用之，不闻有余／心者，一身之主，百神之帅／一抑一扬者，轻鸿所以凌虚也／不苟一时之誉，思为利于无穷／舍得一身剐，敢把皇帝拉下马／莫为一身之谋，而有天下之志／然我一沐三捉发，一饭三吐哺／一进一退，一左一右，六骥不致／伯乐一过冀北之野，而马群遂空／汽笛一声肠已断，从此天涯孤旅／察于一事，通于一伎者，中人也／一阖一辟谓之变，往来不穷谓之通／一登一陟一回顾，我脚高地他更高／天生一个仙人洞，无限风光在险峰／不是一番寒彻骨，怎得梅花扑鼻香／不是一番寒彻骨，争得梅花扑鼻香／不服一人，与逢人便服者，皆妄人／不服一人与逢人便服者，皆妄人也／出师一表真名世，千载谁堪伯仲间／侯门一入深如海，从此萧郎是路人／能欺一人一时，决不能欺天下后世／难违一官之小情，顿为万人之大弊／增之一分则太长，减之一分则太短／士有一言中于道，不远千里而求之／大鹏一日同风起，扶摇直上九万里／君门一入无由出，唯有宫莺得见人／夕阳一片寒鸦外，目断东西四百州／惟有一天秋夜月，不随田亩入官租／通于一而万事毕，无心得而鬼神服／李白一斗诗百篇，长安市上酒家眠／断送一生惟有酒，寻思百计不如闲／扁舟一棹归何处，家在江南黄叶村／忽如一夜春风来，千树万树梨花开／意少一字则义阙，句长一言则辞妨／病非一朝一夕之故，其所由来渐矣／臣心一片磁针石，不指南方不肯休／不以一己之害为害，而使天下释其害／不以一己之利为利，而使天下受其利／隔日一删，愈月一改，始能淘沙得金／道生一，一生二，二生三，三生万物／三德：一曰正直，二曰刚克，三曰柔克／不以一毫私意自蔽，不以一毫私欲自累／"利"之一字，是学问人品一片试金石／交财一事最难。虽至亲好友，亦须明白／计有一二者难悖也，听无失本末者难惑／能当一人而天下取，失当一人而社稷危／取其一，不责其二；即其新，不究其旧／君开一源，下生百端之变，无不乱者也／欲出一言，即思此一言于百姓有利益否／不名一格，不专一体，要不失乎为我之诗／内有一定之操，而外能诎伸、赢缩、卷舒／三教一体，九流一源，百家一理，万法一门／专习一家，硁硁小哉！宜善相之，多师为佳／不专一能，怪怪奇奇，不可时施，只以自嬉／长烟一空，皓月千里；浮光跃金，静影沉璧／每开一卷，刀搅肺肠；每读一篇，血滴文字／褒见一字，贵逾轩冕；贬在片言，诛深斧钺／君开一源，下生百端。百端之变，无不动乱／录人一善，则无弃人；采材一用，则无弃材／骇机一发，浮谤如川。巧言奇中，别白无路／骐骥一跃，不能十步；驽马十驾，功在不舍／见骥一毛，不知其状；见画一色，不知其美／见虎一文，不知其武；见骥一毛，不知善走／有司一朝而受者几千万言，读不能十一……／虫堕一器，酒弃不饮；鼠涉一筐，饭捐不食／譬如一灯，入于暗室，百千年暗，悉能破尽／含元一以为质，禀阴阳以立性，体五行而著形／读来一百遍，不如亲见颜色，随问而对之易了／有第一等襟抱，第一等学识，斯有第一等真诗／五步一楼，十步一阁。……各抱地势，钩心斗角／不拘一世之利以为己私分，不以王天下为己处显／人生一世，但当畏敬于人，若不善加己，直为受之／天生一人，自有一人之用，不待取给于孔子而后足也／专以一身任天下，其智之所不见，力之所不举者多矣／一人一心，万人万心，若不以令一之，则人人之心各异矣／天无一点云，星斗张明，错落水中，如珠走镜，不可收拾／五福：一曰寿，二曰富，三曰康宁，四曰攸好德，五曰考终命／知大一，知大阴，知大目，知大均，知大方，知大信，知大定，至矣

❹通天下一气耳／同其心，一其力／孤立行一意而已／天不为一物枉其时／安者非一日而安也／子能知一，万事毕／与道冥一，万虑皆遗／天下为一，万里同风／人知其一，莫知其他／至当归一，精义无二／心隘，则一发似车轮／百发失一，不足谓善射／十年十一战，民不堪命／侏儒见一节而短长可知／故知知一，则复归于朴／有照水一枝，已搀春意／其一也一，其不一也一／不偷取一世，则民无怨心／百首如一首，卷初如卷终／百人无一直，百直无一遇／百虑输一忘，百巧输一诚／两草犹一心，人心不如草／人生处一世，去若朝露晞／人散后，一钩淡月天如水／先圣不一其能，不同其事／褒贬无一词，岂得为良史／诗画本一律，天工与清新／勤学第一道，勤问第一方／莫崇于一人，莫贵于一人／大病只一自是，不肯克己／知音偶一时，千载为欣欣／崇台非一干，珍裘非一腋／治家非一宝，富国非一道／謇谔无一言，岂得为直士／巢林栖一枝，可为达士模／本来无一物，何处惹尘埃／亲朋无一字，老病有孤舟／铅刀贵一割，梦想骋良图／蚯蚓霸一穴，神龙行九天／万物抱一而成，得微妙气化／正汝形，一汝视，天和将至／博而能一，亦有助乎心力矣／士君子一出口，无反悔之言／摄汝知，一汝度，神将来舍／治世不一道，便国不必法古／要扫除一切害人虫，全无敌／一出焉，一入焉，涂巷之人也／一箪食，一瓢饮，在陋巷……／不可以一时之谤，断其为小人／不可以一时之得意而自夸其能／不可以一时之失意而自坠其志／利民岂一道哉，当其时而已矣／人与虫一也，所以异者形质尔／大凡做一件事，就要当一件事／性与事，一而二，二而一者也／不可以一朝风月，昧却万古长空／为学第一工夫，要降得浮躁之气定／恃壮者一病必危，过懒者久闲愈懦／爱我者一何可爱，憎我者一何可憎／甜不足一食之美，然有截舌之患也／天下非一人之天下，乃天下之天下也／天下非一人之天下也，天下之天下也／每一章一句出，无胫而走，疾于珠玉／医能治一病谓之巧，能治百病谓之良／但无耻一事不如人，则事事不如人矣／小人……行一日之善，而求终身之誉／处世让一步为高，退步即进步的张本／安得因一摧折，自毁其道以从于邪也／道生一，一生二，二生三，三生万物／毛先生一至楚，而使赵重于九鼎大吕／风且起，一旦荒忽飞扬，化而为沙泥／一箪食，一豆羹，得之则生，弗得则死／我专为一，敌分为十，是以十共其一也／法令不一则人情惑，职次数改则觊觎生／立身高一步方超达，处世退一步方安乐／伟人之一顾逾乎华章，而一非亦惨乎黥刖／所恶执一者，为其贼道也，举一而废百也／愚者为一物一偏，而自以为知道，无知也／委任不一，乱之媒也；监察不止，奸之府也／胜敌者，一时之功也；全信者，万世之利也／施薪若一，火就燥也；平地若一，水就湿也／《诗》三百，一言以蔽之，曰："思无邪。"／恒其道，一其志，不欺其心，斯固世之所难得也／有留死一尺，无北行一寸。刎颈不易，九裂不恨／人生寄一世，奄忽若飙尘；何不策高足，先据要路津／不可以一时之誉，断其为君子；不可以一时之谤，断其为小人

❺无求备于一夫／无求备于一人／不求备于一人／百闻不如一见／千虚不如一实／亡国之主一贯／视天下如一家／铅刀强可一割／一事起则一害生／一人独钓一江秋／一寸光阴一寸金／一朝天子一朝臣／千里姻缘一线牵／吃一堑，长一智／经一失，长一智／桃红又见一年春／水到潇湘一样清／心源不受一尘侵／心有灵犀一点通／以计待战，一当万／古与今如一丘之貉／彼一时，此一时也／一则以喜，一则以惧／一人贪戾，一国作乱／一损俱损，一荣俱荣／一日不作，一日不食／一言偾事，一人定国／上下天光，一碧万顷／万古长空，一朝风月／万卷山积，一篇吟成／天道之常，一阴一阳／两不立，则一不可见／九合诸侯，一匡天下／千军易得，一将难求／千载之勋，一朝可立／军无适主，一举可灭／诸葛亮亦一时之杰也／谁谓河广，一苇杭之／美曰美，不一毫虚美／过曰过，不一毫讳过／智是心中一个知觉处／文武之道，一张一弛／置将不善，一败涂地／百言不明一意则不听也／巨厦之崩，一木不能支／听著鸣蛩，一声声是怨／为之度，以一天下之长短／兢兢业业，一日二日万几／公正无私，一言而万民齐／兽形云不一，弓势月初三／人生如梦，一尊还酹江月／国犹寝也，一榼蠹则无寝／消息盈虚，一晦一明……／淡然虚而一，志虑则不分／遇繁而若一，履险而若夷／用心于正，一振而群纲举／善教子者，一严之外无他术／善用严者，一慎之外无他道／团扇风轻，一径杨花不避人／蹈道之心一，而俟时之志坚／其好之也一，其弗好之也一／一治必又一乱，一乱必又一治／一日而废一事，一月则可知也／上一则下一矣，上二则下二矣／丰而不余一言，约而不失一辞／内不觉其一身，外不知乎宇宙／非其道，则一箪食不可受于人／九层之台一倾，公输子不能正／华骝、绿耳，一日至千里……／凡事省得一分，即受一分之益／虽感目之一致，终寄怀而百端／宁撞金钟一下，不打铙钹三千／方衔感于一剑，非买价于泉里／看书多撷一部，游山多走几步／鹪鹩尚存一枝，狡兔犹藏三窟／一进一退，一左一右，六骥不致／万人逐兔，一人获之，贪者悉止／阴阳变化，一上一下，合而成章

／理世不必一其道，便国不必法古／积年绮碎，一朝清廓，翰苑豁如／一截遗欧，一截赠美，一截还东国／一登一陟一回顾，我脚高地他更高／且乐生前一杯酒，何须身后千载名／千峰顶上一间屋，老僧半间云半间／为人而欲一世之人好，吾悲其为人／为文而欲一世之人好，吾悲其为文／十人树杨，一人拔之，则无生杨矣／劝君更尽一杯酒，西出阳关无故人／能欺一人一时，决不能欺天下后世／海上涛头一线来，楼前指顾雪成堆／见隅曲之一指，而不知八极之广大／爆竹声中一岁除，春风送暖入屠苏／愚而好胜，一等；贤而尚人，二等／碧玉妆成一树高，万条垂下绿丝绦／龙吟虎啸一时发，万籁百泉相与秋／病非一朝一夕之故，其所由来渐矣／一言之谬，一事之失，可救之于将然／天下者非一人之天下，惟有道者处之／黄鹄之飞，一举千里，有必飞之备也／人以为偶一奋，遂名无穷，今大不然／圣人之道，一龙一蛇，形见神藏……／三人共牧一羊，羊不得食，人亦不得息／圣人不以一己治天下，而以天下治天下／打扫光明一片地，襄贮古今，研究经史／滔滔武溪一何深，鸟飞不度，兽不敢临／一地所生，一雨所润，而诸草木各有差别／天惟运动一气，鼓万物而生，无心以恤物／落陷阱，不一引手救，反挤之，又下石焉／泽雉十步一啄，百步一饮，不蕲畜乎樊中／骐骥骅骝，一日而驰千里，捕鼠不如狸狌／一事惬当，一句清巧，神厉九霄，志凌千载／一日万机，一人听断，虽复忧劳，安能尽善／不飞则已，一飞冲天；不鸣则已，一鸣惊人／鸿鹄高飞，一举千里，羽翼以就，横绝四海／道犹金石，一调不更；事犹琴瑟，每弦改调／骐骥千里，一日而通；驽马十舍，旬亦至之／能无私于一人，故万物至而制之，万物至而命之／天下不可一日而无政教，故学不可一日而亡于天下／黄鹄白鹤，一举千里，使之与燕服翼试之堂庑之下／缓己急人，一等；急己急人，二等；急己宽人，三等／王曰："孰能一之？"对曰："不嗜杀人者能一之"／天有五行：一曰木，二曰火，三曰土，四曰金，五曰水／此生不学，一可惜；此日闲过，二可惜；此身一败，三可惜

❻不得越雷池一步／芍药花开又一春／以一能称，以一善书／凡彼万形，得一后成／声一无听，物一无文／少德而多宠，一危也／学书当自成一家之体／九河盈溢，非一块所防／千金之裘，非一狐之腋／夙兴夜寐，无一日之懈／冰冻三尺，非一日之寒／大厦不倾，匪一瓦之积／大厦之材，非一丘之木／大木将颠，非一绳所维／大树将颠，非一绳所维／太平之功，非一人之略／带甲百万，非一勇所抗／嵩岱之峻，非一篑之积／狐白之裘，非一狐之腋／廊庙之材，非一木之枝／风乍起，吹皱一池春水／一以己为马，一心己为牛／一在天之涯，一在地之角／一沐三捉发，一饭三吐哺／三刀梦益州，一箭取辽城／天将今夜月，一遍洗寰瀛／无意苦争春，一任群芳妒／百年养不足，一日毁有余／百金孰为重，一诺良匪轻／千家数人在，一税十年空／千镒之裘，非一狐之白也／千金何足惜，一士固难求／生死悠悠尔，一气聚散之／二句三年得，一吟双泪流／同归而殊途，一致而百虑／何不借风雷，一壮天地颜／做歹事的胆，一日大一日／会当凌绝顶，一览众山小／众阜平寥廓，一岫独凌空／离离原上草，一岁一枯荣／大厦之成，非一木之材也／大厦将崩，非一木之能止／大厦将颠，非一木所支也／大海之润，非一流之归也／大鹏之动，非一羽之轻也／四海变秋气，一室难为春／江河之水，非一源之水也／骐骥之速，非一足之力也／楚战士无不一以当十……／时穷节乃见，一一垂丹青／月下谁家砧，一声肠一绝／愁与发相形，一愁白数茎／盛年不重来，一日难再晨／天下之事非一人之所能独知也／伤生之事非一，而好色者必死／贼民之事非一，而好兵者必亡／以近知远，以一知万，以微知明／彼一时也，此一时也，岂可同哉／兵者百岁不一用，然不可一日忘也／古往今来共一时，人生万事无不有／六王毕，四海一，蜀山兀，阿房出／军民团结如一人，试看天下谁能敌／误尽平生是一官，弃家容易变名难／获一人而失一国，见黄雀而忘深井／大山之高，非一石也，累卑然后高／太山之高，非一石也，累卑然后高／把向空中捎一声，良马有心日驰千／国际悲歌歌一曲，狂飙为我从天落／遭一蹶者得一便，经一事者长一智／文章必自名一家，然后可以传不朽／秀出天南笔一枝，为官风骨称其诗／为山者基于一篑之土，以成千丈之峭／为宰相不难，一心正，两眼明，足矣／一人知俭则一家富，王者知俭则天下富／受光于隙，照一隅；受光一牖，照北壁／荡涤胸中，无一毫之私累，可以言大矣／大抵能立于一世，必有取重于一世之术／愚者为一物一偏，而自以为知道，无知也／下之事上，不一其事；上之使下，不一其事／千仓万箱非一耕所得；干天之木非旬日所长／千金之家比一都之君，巨万者乃与王者同乐／崇大厦者非一木之材，匡弊俗者非一日之卫／行一不义，杀一不辜，而得天下，皆不为也／有金鼓，所以一耳也；同法令，所以一心也／三年耕，必有一年之食，九年耕，必有三年之食／河冰结合，非一日之寒；积土成山，非斯须之作／天地之养也一，登高不可以为长，居下不可以为短／得鸟者，罗之一目也，然张一目之罗，终不得鸟矣／兵静则固，专一则威，分决则勇，心疑则北，力分

则弱／有贤而不知，一不祥；知而不用，二不祥；用而不任，三不祥／先哲王之政，一曰承天，二曰正身，三曰任贤，四曰恤民，五曰明制，六曰立业

❼利于一必害于一／读十篇不如做一篇／万民之主，不阿一人／万物之多，皆阅一空／万方有罪，在予一人／天下大治，千载一时／天地清静，皆守一也／天道之常，一阴一阳／不经一事，不长一智／甘露时雨，不私一物／百万之众，不如一贤／百世一人，千载一时／百姓有罪，在于一人／百种奸伪，不如一实／两虎相斗，必有一伤／表里相资，古今一也／为山九仞，功亏一篑／十步一啄，百步一饮／养兵千日，用兵一时／养军千日，用军一时／黄金累千，不如一贤／人生一世，草生一秋／人之百年，犹如一瞬／让礼一寸，得礼一尺／取一文官不值一文钱／苟利于时，其致一揆／执中无权，犹执一也／小人得志，暂快一时／淑人君子，其仪一兮／宽一分民多受一分赐／达人观之，生死一耳／送君千里，终须一别／居安思危，日慎一日／智者千虑，必有一失／有田一成，有众一旅／文武之道，一张一弛／灭而有实，鬼之一也／愚人千虑，必有一得／愚者千虑，亦有一得／愚者千虑，或有一得／愚者千虑，必有一得／鸷鸟累百，不如一鹗／聪明一世，懵懂一时／管中窥豹，时见一斑／雾里看花，终隔一层／慕名而不知实，一可贱／拂云之松生于一豆之实／治一国者当与一国推实／深沉厚道是第一等资质／耸壑之鱼穿于一丝之溜／其一也一，其不一也一／百万之师听于一将，则胜／百星之明，不如一月之光／千羊之皮，不若一狐之腋／为政，不在于用一己之长／十牖之开，不如一户之明／刑一而正百，杀一而慎万／凡二人来讼，必一曲一直／冰厚三尺，不是一日之寒／误用聪明，何若一生守拙／刀刃有蜜，不足一餐之美／尝一脟肉，而知一镬之味／多一分享用，减一分志气／闻一善若惊，得一士若赏／法明则人信，法一则主尊／洗手奉职，不以一钱假人／消息盈虚，一晦一明……／通古今之变，成一家之言／经一番挫折，长一番见识／时穷节乃见，一一垂丹青／赏一以劝百，罚一以惩众／敕法以峻刑，诛一以警百／一沐而三捉发，一食而三起／百人抗浮，不若一人挈而趋／曲水临流，自可一觞而一咏／千夫诺诺，不如一士之谔谔／众人诺诺，不若一士之谔谔／诛一乡之奸，则一乡之人悦／诛一国之奸，则一国之人悦／君子一教，弟子一学，亟成／廊庙之材，盖非一木之枝也／政令时，则百姓一，贤良服／有无虚实通为一体者，性也／粹白之裘，盖非一狐之皮也／一介不以与人，一介不取诸人／一治必又一乱，一乱必又一治／一日而废一事，一月则可知也／一心可以丧邦，一心可以兴邦／千人万人之情，一人之情是也／睚眦之怨必仇，一餐之惠必报／一进一退，一左一右，六骥不致／凡学书者，得其一，可以通其余／变尽人间，君山一点，自古如今／阴阳变化，一上一下，合而成章／察于一事，通于一伎者，中人也／恶不在大，心术一坏，即入祸门／称人之善，我有一善，又何妒焉／称人之善，我有一善，又何妨焉／称人之恶，我有一恶，又何毁焉／一则治，异则乱；一则安，异则危／百心不可以得一人，一心可得百人／事固有难明于一时而有待于后世者／凡人之患，蔽于一曲，而暗于大理／譬如平地，虽覆一篑，进，吾往也／譬如为山，未成一篑，止，吾止也／两心不可以得一人，一心可以得百人／隔日一删，愈月一改，始能淘沙得金／圣人之道，一龙一蛇，形见神臧……／大勋所任者唯一人，然群谋济之乃成／不可以私意喜一人。不可以私意怒一人／竭诚则吴越为一体，傲物则骨肉为行路／不名一格，不专一体，要不失乎为我之诗／听言当以理观，一闻辄以为据，往往多失／死生荣辱之道一，则三军之士可使一心矣／三教一体，九流一源，百家一理，万法一门／不学古人，法无一可；竟似古人，何处着我／未画以前，不立一格；既画以后，不留一格／良田百顷，不在一亩，但有远志，不在当归／阴阳之和，不长一类，甘露时雨，不私一物／圣人千虑，必有一失；愚人千虑，必有一得／拱默取容，以徇一身之利者，亦当罢而去之／君子百是，必有一非；小人百非，必有一是／纯粹而不杂，静一而不变……此养神之道也／积善多者，虽有一恶，是为过失，未足以亡／积恶多者，虽有一善，是为误中，未足以存／震雷电激，不崇一朝；大风冲发，希有极日／天下治乱，不在一姓之兴亡，而在万民之忧乐／五步一楼，十步一阁。……各抱地势，钩心斗角／君子居安宜操一心以虑患，处变当坚百忍以图成／忽闻晓角吟风，一叶坠露，惊而试问，即红线回矣／一尺布，尚可缝；一斗粟，尚可舂。兄弟二人不相容／天生一人，自有一人之用，不待取给于孔子而后足也／东风恶，欢情薄，一怀愁绪，几年离索。错！错！错／满堂而饮酒，有一人乡隅而悲泣，则一堂皆为之不乐／骐骥盛壮之时，一日而驰千里；至其衰也，驽马先之／凡偏材之人，皆一味之美，故长于办一官而短于为一国／得一官不荣，失一官不辱，勿说一官无用，地方全靠一官／本无功而自矜，一等；有功而伐之，二等；功大而不伐，三等

❽天人之际，合而为一／形全精复，与天为一／收合馀烬，背城借一／无力，则不能自成一家／百里之海，不能饮一夫／巴陵胜状，在洞庭一湖

／大乐之成，非取乎一音／处世以讥讪为第一病痛／道，虚之虚，故能生一／栖守道德者，寂寞一时／籍之虚辞，则能胜一国／自强不息，则其至一也／丁宁红与紫，慎莫一时开／上有弦歌声，音响一何悲／夫子何为者，栖栖一代中／亡远大之略，贪万一之功／离离原上草，一岁一枯荣／吟成五字句，用破一生心／岂知千仞坠，只为一毫差／彼亦一是非，此亦一是非／得十良剑，不若得一欧冶／得十良马，不若得一伯乐／流落人间者，太山一毫芒／宁为百夫长，胜作一书生／树有百年花，人无一定颜／轻囷仓之蓄，而惜一杯钻／裁此百日功，唯将一朝舞／救死具八珍，不如一箪犒／欲穷千里目，更上一层楼／文籍虽满腹，不如一囊钱／愚人诵千句，不解一句义／积金不积书，守财一何鄙／穷天下而奉之者，一人也／万殊之类，不可以一概断之／无一定之律，而有一定之妙／不耐烦者，做不成一件事业／不自反者，看不出一身病痛／以天下之大，托于一人之才／海水广大非独仰一川之流也／明君圣人亦不为一人枉其法／千人之诺诺，不如一士之谔谔／头颅相属于道，不一日而无兵／众士之诺诺，不如一士之谔谔／苟非吾之所有，虽一毫而莫取／大凡做好事的心，一日小一日／当九秋之凄清，见一鹗之直上／君子之学也，其可一日而息乎／然我一沐三捉发，一饭三吐哺／立片言而居要，乃一篇之警策／一言而可以兴邦，一言可以丧邦／与人相处之道，第一要谦下诚实／不贪花酒不贪财，一世无灾无害／酒向人间都是怨，一枕黄粱再现／盖世功劳，当不得一个“矜”字／锄奸杜倖，要放他一条去路……／一年之计在于春，一日之计在于晨／一仪不可以百发，一衣不可以出岁／一灯能除千年暗，一智能灭万年愚／无情不似多情苦，一寸还成千万缕／世间无限丹青手，一片伤心画不成／百岁光阴半归酒，一生事业略存诗／百姓多寒无可救，一身独暖亦何情／焉得铸甲作农器，一寸荒田牛得耕／千金未必能移性，一诺从来许杀身／举一纲，众目张；弛一机，万事隳／匹夫而为百世师，一言而为天下法／黄金白璧买歌笑，一醉累月轻王侯／墨池如江笔如帚，一扫万字不停肘／少年易学老难成，一寸光阴不可轻／徐行不记山深浅，一路莺啼送到家／悄立市桥人不识，一星如月看多时／此去与师谁共到？一船明月一帆风／时不与兮岁不留，一叶落兮天地秋／昔有佳人公孙氏，一舞剑气动四方／春色满园关不住，一枝红杏出墙来／春心莫共花争发，一寸相思一寸灰／牛郎欲问瘟神事，一样悲欢逐逝波／数亩秋禾满家食，一机官帛几梭丝／爱好由来下笔难，一诗千改始心安／欲就麻姑买沧海，一杯春露冷如冰／虚负凌云万丈才，一生襟抱未曾开／自古驱民在信诚，一言为重百金轻／孰知有无死生之一守者，吾与之为友／少壮真当努力，年一过往，何可攀援／欲出一言，即思此一言于百姓有利益否／夫人之相与，俯仰一世……放浪形骸之外／古昔多由布衣定一世者矣，皆能用非其有也／军无习练，百无当一；习而用之，一可当百／至大无外，谓之大一；至小无内，谓之小一／萧何为法，颟若画一；曹参代之，守而勿失／异音者不可听以一律，异形者不可合于一体／一言得而天下服，一言定而天下听，公之谓也／处明者不见暗中一物，而处暗者能见明中区事／有第一等襟抱，第一等学识，斯有第一等真诗／天下之治乱，不在一姓之兴亡，而在万民之忧乐／人生所好，自当专一，若多好多能，反能耗神损精／天地之气合而为一，分为阴阳，判为四时，列为五行／一夫耕，百人食之；一妇桑，百人衣之。以一奉百，孰能供之

❾不以天下之病而利一人／同心而共济，终始如一／亿万千百十，皆起于一／饥者不愿千金而美一餐／悬千钧之重于木之一枝／其一也一，其不一也一／丈夫贵兼济，岂独善一身／百人无一直，百直无一遇／百虑输一忘，百巧输一诚／良友远离别，各在天一方／考实按形，不能谩于一人／伤其十指，不如断其一指／做歹事的胆，一日大一日／分波而共源，百虑而一致／众水会涪万，瞿塘争一门／凡二人来讼，必一曲一直／军欲其众也，心欲其一也／说得一丈，不如行取一尺／说得一尺，不如行取一寸／勤学第一道，勤问第一方／艰难奋长戟，万古用一夫／地势使之然，由来非一朝／城中好高髻，四方高一尺／喜极不得语，泪尽方一哂／莫崇于一人，莫贵于一人／将大书特书，屡书不一书／小人小善，乃铅刀之一割／岂学书生辈，窗间老一经／崇台非一干，珍裘非一腋／治家非一宝，富国非一道／遗子黄金满籯，不如一经／巢许蔑四海，商贾争一钱／敏捷诗千首，飘零酒一杯／月下谁家砧，一声肠一绝／心包万理，万理具于一心／悠然念故乡，乃在天一隅／季布无二诺，侯嬴重一言／积财千万，不如明解一经／老骥思千里，饥鹰待一呼／三十八年过去，弹指一挥间／民可百年无货，不可一朝有饥／俪采百字之偶，争价一句之奇／凡事省得一分，即受一分之益／投至两处凝眸，盼得一雁横秋／君子有终身之忧，无一朝之患／得万人之兵，不如闻一言之当／性与事，一而二，二而一者也／文章须自出机杼，成一家风骨／酷好学问文章，未尝一日暂废／千古兴亡，百年悲笑，一时登览／奈何以四海之广，足一夫之用邪／文章太守，挥毫万字，一饮千钟／一截遗欧，一截赠美，一截还东

国／百心不可以得一人，一心可得百人／为学正如撑上水船，一篙不可放缓／举一善必适其材，惩一恶必当其咎／博见为馈贫之粮，贯一为拯乱之药／凡聚小所以就大，积一所以至亿也／遭一蹶者得一便，经一事者长一智／弥天的罪过，当不住一个“悔”字／杀一人则千人恐，滥一罪则百夫愁／春一物枯即为灾，秋一物华即为异／锄一害而众苗成，刑一恶而万民悦／两心不可以得一人，一心可以得百人／吾文如万斛泉源……虽一日千里无难／十指而掩日月之光，一口而没沧溟之水／戍卒叫，函谷举，楚人一炬，可怜焦土／百梅足以为百人酸，一梅不足以为一人和／泽雉十步一啄，百步一饮，不蕲畜乎樊中／一发不中，百发尽息；一举不得，前功尽弃／一兔走衢，万人逐之；一人获之，贪者悉止／一声而非，驷马勿追；一言而急，驷马不及／一噎之故，绝谷不食；一蹶之故，却足不行／五刃之伤，药之可平。一言成疴，智不能明／千里开年，且悲春目；一叶早落，足动秋襟／小中见大，大中见小；一为千万，千万为一／当人强盛，河山可拔，一朝羸缩，人情万端／治天下者，用人非止一端，故取士不以一路／人之所以立德者三：一曰贞，二曰达，三曰志／诚则始终不忒，表里一致，敬信真纯，往而必孚／泰初有无，无有，无名。一之所起，有一而未形／有留死一尺，无北行一寸。刎颈不易，九裂不恨／鹪鹩巢于深林，不过一枝；偃鼠饮河，不过满腹／其卧徐徐，其觉于于；一以己为马，一以己为牛／不问而告谓之傲，问一告二谓之囋。傲非也，囋非也／生有七尺之形，死唯一棺之土，唯立德扬名，可以不朽／致治之术，先屏四患：……一曰伪，二曰私，三曰放，四曰奢／治世所贵乎位者三：一曰达道于天下，二曰达惠于民，三曰达德于身

⑩黄帝之治天下，使民心一／凡物无成与毁，复通为一／凡用兵攻战之本在乎一民／始终得其正，天下合于一／终日抄药方而不能瘳一疾／一画失所，如壮士之折一肱／一点失所，若美女之眇一目／曲水临流，自可一觞而一咏／俟自直之箭，则百代无一矢／俟自圆之木，则千岁无一轮／凡军欲其众也，心欲其一也／宁积粟腐仓而不忍贷人一斗／统者，所以合天下之不一也／毁誉之于己，犹蚊虻之一过／自其同者视之，万物皆一也／其好之也一，其弗好之也一／食方丈于前，所甘不过一肉／一治必又一乱，一乱必又一治／万里长江，何能不千里而一曲／丰而不余一言，约而不失一辞／五指之更弹，不若卷手之一挃／世间极占地位的，是读书一著／合天地万物而言，只是一个理／观古今于须臾，抚四海于一瞬／若还苟且粗疏，定不成一件事／大凡做一件事，就要当一件事／大凡做好事的心，一日小一日／虽有群书万卷，不及囊中一钱／得黄金百斤，不如得季布一诺／宁见朽贯千万而不忍赐人一钱／寄蜉蝣于天地，渺沧海之一粟／遗子黄金满籯，不如教子一经／道者，所以立本也，不可不一／父不能知其子，则无以睦一家／胸中没些渣滓，才能处世一番／天地与我并生，而万物与我为一／不可以万古长空，不明一朝风月／事固有弃彼取此，以权一时之势／非尽百家之美，不能成一人之奇／使我有身后名，不如即时一杯酒／力足以举百钧，而不足以举一羽／圣人者，由近知远，而万殊为一／圣有所生，王有所成，皆原于一／善为文者，富于万篇，贫于一字／此三者贵贱愚智贤不肖欲之若一／见十金而色变者，不可以治一邑／斯则贤达之素交，历万古而一遇／必出于己，不袭蹈前人一言一句／万两黄金容易得，知心一个也难求／万户千门成野草，只缘一曲后庭花／天下之事，不进则退，无一定之理／天下郡国向万城，无有一城无甲兵／天下是非俱不到，安闲一片道人心／不是交同兰气味，为何话出一人心／千羊不能扞独虎，万雀不能抵一鹰／生不用封万户侯，但愿一识韩荆州／我劝天公重抖擞，不拘一格降人材／兵可千日而不用，不可一日而不备／兵者百岁不一用，然不可一日忘也／他年我若为青帝，报与桃花一处开／传派传宗我替羞，作家各自一风流／似把剪刀裁别恨，两人分得一般愁／但肯寻诗便有诗，灵犀一点是吾师／作诗火急追亡逋，清景一失后难摹／人生直作百岁翁，亦是万古一瞬中／论逆顺不论成败，论万世不论一生／诚者，合内外之道，便是表里如一／诸公可叹善谋身，误国当时岂一秦／随人作计终后人，自成一家始逼真／功名只向马上取，真是英雄一丈夫／势在则威无不加，势亡则不保一身／去规矩而妄意度，奚仲不能成一轮／坐地日行八万里，巡天遥看一千河／增之一分则太长，减之一分则太短／茫茫九派流中国，沉沉一线穿南北／落霞与孤鹜齐飞，秋水共长天一色／君子知自损之为益，故功一而美二／山重水复疑无路，柳暗花明又一村／澄其源而清其流，统于一而应于万／恸哭六军俱缟素，冲冠一怒为红颜／逢人且说三分话，未可全抛一片心／逢人只可三分语，未可全抛一片心／遗民泪尽胡尘里，南望王师又一年／遭一蹶者得一便，经一事者长一智／采得百花成蜜后，到头辛苦一场空／轻目重耳之过，此亦学者之一病也／此三者，贵贱愚智贤不肖欲之若一／此去与师谁共到？一船明月一帆风／明发又为千里别，相思应尽一生期／春心莫共花争发，一寸相思一寸灰／政烦苛则人奸伪，政

省一则人醇朴／爱我者一何可爱，憎我者一何可憎／胸中襞积千般事，到得相逢一语无／腊天日短不盈尺，何似妖姬一曲歌／文章以自得，不蹈袭前人一言为贵／总教掬尽三江水，难洗今朝一面羞／意少一字则义阙，句长一言则辞妨／愿兄为水妹为土，和来捏做一个人／眼前直下三千字，胸次全无一点尘／羊肠鸟道无人到，寂寞云中一个人／跻攀分寸不可上，失势一落千丈强／身无彩凤双飞翼，心有灵犀一点通／雪压冬云白絮飞，万花纷谢一时稀／万物生于天地之间，其理不可以一概／天下万物皆生于两，不生于一，明矣／阴阳之气，散则万殊，人莫知其一也／勤非俭，终年劳瘁，不当一日之侈靡／墨子见衢路而哭之，悲一跬而缪千里／小人不知自益之为损，故一伐而并失／小人虽器量浅狭，而未必无一长可取／吾人立身天地间，只思量作得一个人／唐太宗之贤，自西汉以来，一人而已／风萧萧兮易水寒，壮士一去兮不复还／心识其所以然而不能然者，内外不一／一线之溜，可以达石者，一与不一故也／不可以私意喜一人。不可以私意怒一人／不以一毫私意自蔽，不以一毫私欲自累／百年，寿之大齐。得百年者，千无一焉／求柴胡、桔梗于沮泽，则累世不得一焉／出一令可以止横议，杀一犯可以儆百众／我专为一，敌分为十，是以十共其一也／发号施令，若汗出于体，一出而不复也／"利"之一字，是学问人品一片试金石／交友须带三分侠气，作人要存一点素心／设官置吏，署员太多，不精则十不如一／能当一人而天下取，失当一人而社稷危／受光于隙，照一隅；受光一牖，照北壁／塞一蚁孔而河决息，施一车辖而覆乘止／墉基不可仓卒而成，威名不可一朝而立／大丈夫处世，当扫除天下，安事一室乎／大抵能立于一世，必有取重于一世之术／太极，谓天地未分之前，元气混而为一／各从所好，各骋所长，无一人之不中用／咄咄读古，而不知此味……一堂木偶耳／行一棋不足以见智，弹一弦不足以见悲／问君能有几多愁？恰似一江春水向东流／恨无昆山片玉以相赠，赠君桂林之一枝／道足以忘物之得丧，志足以一气之盛衰／学医者当博览群书，不得拘守一家之言／终日写路程而不能行一步，徒知无益也／爱民而安，好士而荣，两者无一焉而亡／风行水上之文，决不在于一字一句之奇／立身高一步方超达，处世退一步方安乐／究天人之际，通古今之变，成一家之言／管子以小辱成大荣，苏秦以百诞成一诚／开函关，掩函关，千古如何，不见一人闲／百孔千疮，随乱随失，其危如一发引千钧／百梅足以为百人酸，一梅不足以为一人和／十年之相知，不若兹火一夕之为足下誉也／伟人之一顾逾乎华章，而一非亦惨乎黥刖／善举事者若乘舟而悲歌，一人唱而千人和／国家剩得数百万贯钱，何如得一有才行人／富贵时，意中不忘贫贱，一日退休必不怨／死生荣辱之道一，则三军之士可使一心矣／所恶执一者，为其贼道也，举一而废百也／爱惜、暴殄本是两意，愚者有时合成一病／有六尺之躯，而不能庇一妇人，岂丈夫哉／欲交其人，先观其友，乃择交第一良法也／愿赐尚方斩马剑，断佞臣一人，以厉其余／三教一体，九流一源，百家一理，万法一门／下之事上，不一其事；上之使下，不一其事／不飞则已，一飞冲天；不鸣则已，一鸣惊人／未画以前，不立一格；既画以后，不留一格／正言不发，万口如封，谄媚相与，千颜一容／每开一卷，刀搅肺肠；每读一篇，血滴文字／为世用者，百篇无害；不为用者，一章无补／以一丸泥为大王东封函谷关，此万世一时也／仇无大小，只怕伤心；恩若救急，一芥千金／偏则成魔，分唐界宋。霹雳一声，邹鲁不哄／人亦有言，忧令人老。嗟我白发，生一何早／军无习练，百无当一；习而用之，一可当百／阴阳之和，不长一类，甘露时雨，不私一物／圣人千虑，必有一失；愚人千虑，必有一得／观书贵要，观要贵博，博而知要，万流可一／至大无外，谓之大一；至小无内，谓之小一／落梅芳树，共体千篇；陇水巫山，殊名一意／异音者不可听以一律，异形者不可合于一体／小中见大，大中见小；一为千万，千万为一／君子百是，必有一非；小人百非，必有一是／崇大厦者非一木之材，匡弊俗者非一日之卫／治天下者，用人非止一端，故取士不以一路／恒无之初，迥同大虚。虚同为一，恒一而止／察一曲者不可与言化，审一时者不可与言大／录人一善，则无弃人；采材一用，则无弃材／威权外假，归之良难，虎翼一奋，卒不可制／学不成章，无由而达；志不归一，终难成事／昔君视我，如掌中珠；何意一朝，弃我沟渠／春和景明，波澜不惊；上下天光，一碧万顷／见骥一毛，不知其状；见画一色，不知其美／见虎一文，不知其武；见骥一毛，不知善走／所避者名也，所忧者其实也，实不可一日忘／有司一朝而受者几千万言，读不能十一……／有金鼓，所以一耳也；同法令，所以一心也／欧公作文，先贴于壁……有终篇不留一字者／欲为君子，终身乃成；欲为小人，一朝可就／欲观千岁，则数今日；欲知亿万，则审一二／施薪若一，火就燥也；平地若一，水就湿也／心苟至公，人将大同；心能执一，政乃无失／秋天晚晴，碧色如归，横度一鸟，时时行云／疗饥者半菽可以充腹，为政者一言可以兴邦／虫堕一器，酒弃不饮；鼠涉一筐，饭捐不食／静则得之，躁则失之，灵气在心，一来一逝／

不恃隐括而有自直之箭自圆之木，百世无有一／百官之众，四海之广，使其关节脉理相通为一／千人同心则得千人力，万人异心则无一人之用／二好均平，无分轻重，则一俯一仰，乍进乍退／任人而不任法，则人各有意，无以定一成之论／奋其智能，愿为辅弼，使寰区大定，海县清一／沧波远天，混和暮色，孤舟一去，曷日而旋归／父母之年，不可不知也，一则以喜，一则以惧／有不能以有为有，必出乎无有，而无有一无有／有第一等襟抱，第一等学识，斯有第一等真诗／方于平易，皆能阔步而进，一遇峻险，则止矣／盈天地间皆物也。……通观天地，天地一物也／一夫不耕，天下受其饥；一妇不织，天下受其寒／一出而不可反者，言也；一见而不可掩者，行也／无以待之，则十百而乱；有以待之，则千万若一／君人者，爱民而安，好士而荣，两者无一焉而亡／明窗净几笔砚纸墨皆极精良，亦自是人生一乐事／泰初有无，无有，无名。一之所起，有一而未形／粟米布帛生于地，长于时，聚于力，非可一日成／自修自修，益处自家求；一刻千金，勿把韶光丢／其卧徐徐，其觉于于；一以已为马，一以已为牛／万物有自然之理，圣人只是顺之，不曾增加得一毫／天下不可一日而无政教，故学不可一日而亡于天下／不躬行，便如水行得车，陆行得舟，一毫受用不得／为学为教，用力于讲读者一二，加功于习行者八九／古之成大事者，规模远大与综理密微二者阙一不可／今若不能服药，但知爱精节情，亦得一二百年寿也／叩之而必闻，触之而必应，夫是以天下可使为一身／得鸟者，罗之一目也，然张一目之罗，终不得鸟矣／得其言者而不言，与不得其言而不去，无一可者也／追计往时咎过，日夜反覆，无一食而安于口平于心／置其本，求之末，当后者反先之，无一焉不悖于极／不愤不启，不悱不发。举一隅不以三隅反，则不复也／伟哉横海鲸，壮矣垂天翼。一旦失风水，翻为蝼蚁食／满堂而饮酒，有一人乡隅而悲泣，则一堂皆为之不乐／王曰："孰能一之？"对曰："不嗜杀人者能一之"／凡偏材之人，皆一味之美，故长于办一官而短于为一国／小人之交以利，平时相亲不啻父子，一旦相噬不啻狗彘／因循苟且逸豫而无为，可以侥幸一时，而不可旷日持久／江南多临观之美，而滕王阁独为第一，有瑰伟绝特之称／盖吾儒起手便与禅异者，正在彻始彻终总是体用一致耳／一人一心，万人万心，若不以令一之，则人人之心各异矣／天下大乱，贤圣不明，道德不一，天下多得一察焉以自好／两体者，虚实也，动静也，聚散也，清浊也，其究一而已／人品须从小作起，权宜苟且诡随之意多，则一生人品坏矣／得一官不荣，失一官不辱，勿说一官无用，地方全靠一官／闻古之君子相其君也，一夫不获其所，若己推而内之沟中／回之为人也，择乎中庸，得一善，则拳拳服膺，而弗失之矣／此生不学，一可惜；此日闲过，二可惜；此身一败，三可惜／贱生于无所用，中流失船，一壶千金，贵贱无常，时使物然／一夫耕，百人食之；一妇桑，百人衣之。以一奉百，孰能供之／不可以一时之誉，断其为君子；不可以一时之谤，断其为小人／政庞而土裂，三光五岳之气分，大音不完，故必混一而后大振／文章当从三易：易见事，一也；易识字，二也；易读诵，三也／慈仁者，百姓亲附，并心一意，故以战则胜敌，以守卫则坚固／生民之不得休息，为四事故：一为寿，二为名，三为位，四为货／以玙璠之玼而弃其璞，以一人之罪而兼其众，则天下无美宝信士／君子知形恃神以立，神须形以存，悟生理之易失，知一过之害生

七

qī 数目字；对死者每七天祭祀一次，叫一个"七"，到七个"七"为止；文体名，赋体之一。

❶七十而致仕……

见唐·白居易《不致仕》。全句为："～，礼法有明文，何乃贪荣贵，斯言如不闻"。

七穿八穴，百了千当

见宋·普济《五灯会元》卷一七。

❸人生七十古来稀／生有七尺之形，死唯一棺之土，唯立德扬名，可以不朽

❹三分诗，七分读／……居官之七要

❺打蛇打在七寸

❻六十而耳顺，七十而从心所欲不逾矩

❼救人一命，胜造七级浮屠／其所以为情者七：曰喜、曰怒、曰哀、曰惧、曰爱、曰恶、曰欲

❽在璇玑玉衡，以齐七政／楩楠豫章之生也，七年而后知，故可以为棺舟

❾天下不如意，恒十居七八

❿休辞客路三千远，须念人生七十稀／酒池，足以运舟；糟丘，足以望七里／弟子盖三千焉，身通六艺者七十有二人／何谓人情？喜、怒、哀、惧、爱、恶、欲，七者弗学而能

三

sān 数目字；表示多数、多次。

❶三思而后行

见《论语·公冶长》。

三折肱为良医

见秦·孔鲋《孔丛子·嘉言》(此书疑系三国·魏·王肃伪作)。

三十四十五欲牵

见唐·白居易《耳顺吟》。全句为："～，七十八十百病缠，五十六十却不恶，恬淡清静心安然"。

三分诗，七分读

见宋·周密《齐东野语·读书声》。

三折肱知为良医

见《左传·定公十三年》。

三过其门而不入

见《孟子·离娄下》。

三千击水，九万抟风

见唐·杨炯《遂州长江县先圣孔子庙堂碑》。全句为："三千击水，牛蹄不能鼓横海之鳞；九万抟风，鸡羽不能扇垂天之翼"。

三十余年，声名塞天

见唐·刘禹锡《祭韩吏部文》。

三十六策，走是上计

见唐·李延寿《南史·王敬则传》。

三人行，必有我师焉

见《论语·述而》。全句为："～，择其善者而从之，其不善者而改之"。

三冗不去，不可为国

见元·脱脱等《宋史·宋祁传》。

三岁学不如三岁择师

见汉·桓谭《新论·启寤》。

三径就荒，松菊犹存

见晋·陶潜《归去来兮辞》。

三日不弹，手生荆棘

见清·曹雪芹《红楼梦》第八十六回。

三百五篇孔子皆弦歌之

见汉·司马迁《史记·孔子世家》。

三万六千日，夜夜当秉烛

见唐·李白《古风五十九首》。

三夫成市虎，慈母投杼趋

见汉·乐府古辞《折杨柳行》。

三尺之泉，足止三军之渴

见《尉缭子·治本》。全句为："百里之海，不能饮一夫；～"。

三十年河东，三十年河西

见清·吴敬梓《儒林外史》。

三人疑之，则慈母不能信

见《战国策·秦策二》。

三军一心，剑阁可以攻拔

见明·刘基《拟连珠》。全句为："～；四马齐足，孟门可以长驱"。

三军可夺气，将军可夺心

见《孙子兵法·军争篇》。

三刀梦益州，一箭取辽城

见唐·杨巨源《赠卢洺州》。

三十八年过去，弹指一挥间

见现代·毛泽东《水调歌头·重上井冈山》。

三代之兵，耕而食，蚕而衣

见宋·苏洵《兵制》。

三军一心，则令可使无敌矣

见《吕氏春秋·仲秋纪·论威》。全句为："军欲其众也，心欲其一也。～"。

三公者，百僚之率，万民之表

见汉·司马迁《史记·平津侯主父列传》。

三军以利用也，金鼓以声气也

见《左传·僖公二十二年》。

三寸之管而无当，天下弗能满

见汉·刘安《淮南子·说林》。全句为："～；十石而有塞，百斗足矣"。

三军可夺帅也，匹夫不可夺志也

见《论语·子罕》。

三德者诚乎上，则下应之如景响

见《荀子·富国》。

三悔以没齿，不如不悔之无忧也

见明·刘基《郁离子》。

三千宫女胭脂面，几个春来无泪痕

见唐·白居易《后宫词》。

三十功名尘与土，八千里路云和月

见宋·岳飞《满江红》。

三条九陌丽城隈，万户千门平旦开

见唐·骆宾王《帝京篇》。

三人共牧一羊，羊不得食，人亦不得息

见汉·刘向《新序·杂事二》。

三德：一曰正直，二曰刚克，三曰柔克

见《尚书·洪范》。

三月婴儿，生而徒国，则不能知其故俗

见汉·刘安《淮南子·齐俗》。

三年耕有九年储，仓谷满盈，斑白不负戴

见三国·魏·曹操《对酒》。

三代之得天下也以仁，其失天下也以不仁

见《孟子·离娄上》。

三皇五帝之礼仪法度，不矜于同而矜于治

见《庄子·天运》。

三年不目日，视必盲；三年不目月，精必朦

见汉·扬雄《法言·修身》。

三人成虎，十夫揉椎；众口所移，毋翼而飞

见《战国策·秦策》。

三得者具而天下归之，三得者亡而天下去之

见《荀子·王霸》。全句为："得百姓之力者富，得百姓之死者强，得百姓之誉者荣。～"。

三皇五帝之治天下，名曰治之，而乱莫甚焉

见《庄子·天运》。

三教一体，九流一源，百家一理，万法一门

见河南登封少林寺《混元三教九流图赞碑》。

三年耕，必有一年之食，九年耕，必有三年之食

见《礼记·王制》。

三晋多权变之士，夫言从衡强秦者，大抵皆三晋之人

见汉·司马迁《史记·张仪列传》。

三五之夜，明月半墙，桂影斑驳，风移影动，珊珊可爱

见明·归有光《项脊轩志》。

三皇之知，上悖日月之明，下睽山川之精，中堕四时之施

见《庄子·天运》。

❷莫三人而迷／自三代以下者……／以三寸之舌，强于百万之师／此三者贵贱愚智贤不肖欲之若一／此三者，贵贱愚智贤不肖欲之若一／《诗》三百篇，大抵贤圣发愤之所为作也／非三代两汉之书不敢观，非圣人之志不敢存／《诗》三百，一言以蔽之，曰："思无邪。"

❸韦编三绝／吾日三省吾身……／一国三公，吾谁适从／事不三思，终有后悔／医不三世，不服其药／谗言三至，慈母不亲／动则三思，虑而后行／动必三省，言必再思／楚虽三户，亡秦必楚／贪贾三之，廉贾五之／文通三略，武解六韬／史有三长：才、学、识／冰冻三尺，非一日之寒／译事三难：信、达、雅／一沐三捉发，一饭三吐哺／我有三宝，持而保之……／二句三年得，一吟双泪流／冰厚三尺，不是一日之寒／功盖三分国，名成八阵图／土居三十载，无有不亲人／士别三日，即更刮目相待／江海三年客，乾坤百战场／春无三日晴，夏无三日雨／水吞三楚白，山接九疑青／故国三千里，深宫二十年／白发三千丈，缘愁似个长／覆压三百余里，隔离天日／金人三缄其口，慎言语也／网开三面，危疑者许以自新用／国无三年之食者，国非其国也／礼有三本：天地者，生之本也／五帝三皇神圣事，骗了无涯过客／莫羡三春桃与李，桂花成实向秋荣／须知三绝韦编者，不是寻行数墨人／有时三点两点雨，到处十枝五枝花／益者三友：友直，友谅，友多闻，益矣／弹指三十八年，人间变了，似天渊翻覆／楚虽三户能亡秦，岂有堂堂中国空无人／不知三军之事而同三军之政者，则军士惑矣／暮春三月，江南草长，杂花生树，群莺乱飞／损者三友：友便辟，友善柔，友便佞，损矣／民有三患：饥者不得食，寒者不得衣，劳者不得息／解落三秋叶，能开二月花。过江千尺浪，入竹万竿斜／威有三：有道德之威者，有暴察之威者，有狂妄之威者／威有三术，有道德之威者，有暴察之威者，有狂妄之威者／政有三品：王者之政化之，霸者之政威之，强国之政胁之／国有三军何？所以戒非常，伐无道，尊宗庙，重社稷，安不忘危也

❹天下有三危／再而衰三而竭／不孝有三，无后为大／一倡而三叹，有遗音者矣／丧不过三年，示民有终也／李白坟三尺，嵯峨万古名／烽火连三月，家书抵万金／一沐而三捉发，一食而三起／狡兔有三窟，仅得免其死耳／"莫须有"三字，何以服天下／读书有三到：心到、眼到、口到／为文有三多：看多、做多、商量多／君子有三戒：少之时……戒之在得／文、理、义三者兼并……能必传也／弟子盖三千焉，身通六艺者七十有二人／君子有三畏：畏天命，畏大人，畏圣人之言／君子有三忧：弗知，可无忧与？……可无忧与／君子有三变：望之俨然，即之也温，听其言也厉／消磨了三十多年层层心血，算不得大千世界小小文章／君子避三端：避文士之笔端，避武士之锋端，避辩士之舌端

❺贤而能让，三等／向盛背衰，三可贱／一再则宥，三则不赦／作舍道边，三年不成／众口铄金，三人成虎／失火之家，三日不熟食／虎踞龙盘，三百年之帝国／士之品有三：志于道德者为上／然我一沐三捉发，一饭三吐哺／东南四十三州地，取尽膏脂是此河／休辞客路三千远，须念人生七十稀／商不出则三宝绝，虞不出则财匮少／词源倒流三峡水，笔阵独扫千人军／逢人且说三分话，未可全抛一片心／逢人只可三分语，未可全抛一片心／战退玉龙三百万，败鳞残甲满天飞／熟读唐诗三百首，不会吟诗也会吟／总教掬尽三江水，难洗今朝一面羞／眼前直下三千字，胸次全无一点尘／蜀笺都有三千幅，总写离情寄孟光／交友须带三分侠气，作人要存一点素心／将不仁，则三军不亲；将不勇，则三军不锐／文章当从三易：易见事，一也；易识字，二也；易读诵，三也

❻一而再，再而三／一日不见，如三秋兮／三岁学不如三岁择师／三十年河东，三十年河西／万姓厌干戈，三边尚未和／百胜难虑敌，三折乃良医／枯木倚寒岩，三冬无暖气／禹抑洪水十三年，过家不入门／举一隅不以三隅反，则不复也／子在齐闻《韶》，三月不知肉味／凿井者起于三寸之坎，以就万仞之深／故在朝也则三孤之任，为国则变化之政／与父老约，法三章耳：杀人者死，伤人及盗抵罪／政庞而土裂，三光五岳之气分，大音不完，故必混一而后大振

❼伯乐一顾，价增三倍／卫君谈道，平子三倒／聪明才辨是第三等资质／三尺之泉，足止三军之渴／孔子读《易》，韦编三绝／交游之人，誉不三周，未必信／博士买驴，书卷三纸，未有驴字／当官之法，唯有三事：曰清，曰慎，曰勤／江河之溢，不过三日，飘风暴雨，须臾而毕／昔葛天氏之乐，三人操牛尾，投足以歌八阕／君子所不至者三：不失色于人，不失口于人，不失足于人

❽一沐三捉发，一饭三吐哺／偶失万户侯，遂老三家村／谁言寸草心，报得三春晖／春无三日晴，夏无三日雨／一鼓作气，再而衰，三而竭／不稼不穑，胡取禾三百廛兮／睹一事于句中，反三隅于字外／时人莫道蛾眉小，三五团圆照满

天／若不推之于诚，虽三令五申，而令不明矣／人之所以立德者三：一曰贞，二曰达，三曰志／治世所贵乎位者三：一曰达道于天下，二曰达惠于民，三曰达德于身

❾一朝被谗言，二桃杀三士／赋敛行赂不足以当三军之费／身无大功而受厚禄，三危也／吾十有五而志于学，三十而立／晚而好《易》，读之韦编三绝／道生一，一生二，二生三，三生万物／不智不勇不信，有此三者，不可以立功名／死生荣辱之道一，则三军之士可使一心矣／三年不目日，视必盲；三年不目月，精必朦／五帝殊时，不相沿乐；三王异世，不相袭礼／不知三军之事而同三军之政者，则军士惑矣／十室之邑，必有忠信；三人并行，厥有我师／少目之网，不可得鱼，三章之法，不可为治／硕鼠硕鼠，无食我黍！三岁贯女，莫我肯顾／用兵之害，犹豫最大；三军之灾，生于狐疑／一宿体宁，百宿心恬，三宿后颓然嗒然，不知其然而然／五福：一曰寿，二曰富，三曰康宁，四曰攸好德，五曰考终命

❿兽形云不一，弓势月初三／一沐而三捉发，一食而三起／直道而事人，焉往而不三黜／余平生所作文章多在三上……／德行修逾八百，阴功积满三千／宁撞金钟一下，不打铙钹三千／孝子疑于屡至，市虎成于三夫／然我一沐三捉发，一饭三吐哺／鹪鹩尚存一枝，狡兔犹藏三窟／恨不得血贼于万戟，肉贼于三军／安得倚天抽宝剑，把汝裁为三截／见百金而色变者，不可以统三军／忠犯人主之怒，而勇夺三军之帅／不如意事常八九，可与语人无二三／创业自知难两立，辍耕早已定三分／道生一，一生二，二生三，三生万物／一以论道德，二以论法制，三以论策术／三德：一曰正直，二曰刚克，三曰柔克／缘循、偃佒、困畏，不若人三者，俱通达／车之所以能转千里者，以其要在三寸之辖／轻听发言，安知非人之谮诉，当忍耐三思／矢之于十步贯兕甲，于三百步不能入鲁缟／三得者具而天下归之，三得者亡而天下去之／将不仁，则三军不亲；将不勇，则三军不锐／山，快马加鞭未下鞍。惊回首，离天三尺三／涤杯而食……可以养家老，而不可以飨三军／月明星稀，乌鹊南飞，绕树三匝，何枝可依／人之所以立德者三：一曰贞，二曰达，三曰志／三年耕，必有一年之食，九年耕，必有三年之食／三晋多权变之士，夫言从衡强秦者，大抵皆三晋之人／不愤不启，不悱不发。举一隅不以三隅反，则不复也／人之生，动之死地亦十有三。夫何故？以其生生之厚／缓己急人，一等；急己急人，二等；急己宽人，三等／天有五行：一曰木，二曰火，三曰土，四曰金，五曰水／财之不丰，兵之不强，吏之不择，此三者存亡之所从出／君子以争途之不可由也，是以越俗乘高，独行于三等之上／此生不学，一可惜；此日闲过，二可惜；此身一败，三可惜／本无功而自矜，一等；有功而伐之，二等；功大而不伐，三等／致治之术，先屏四患：……一曰伪，二曰私，三曰放，四曰奢／有贤而不知，一不祥；知而不用，二不祥；用而不任，三不祥／文章当从三易：易见事，一也；易识字，二也；易读诵，三也／生民之不得休息，为四事故：一为寿，二为名，三为位，四为货／治世所贵乎位者三：一曰达道于天下，二曰达惠于民，三曰达德于身／先哲王之政，一曰承天，二曰正身，三曰任贤，四曰恤民，五曰明制，六曰立业／使六国各爱其人，则足以拒秦；使秦复爱六国之人，则递三世可至万世而为君，谁得而族灭也

亏

kuī 缺损；欠缺；损失；身体虚弱；亏负；多亏；表示讥讽；亏心；幸亏。

❸众以亏形为辱，君子以亏义为辱／多欲亏义，多忧害智，多惧害勇

❹损盈成亏，随世随死／消息盈亏，终则有始／月满则亏，水满则溢／公义不亏于上，私行不失于下／见利不亏其义，见死不更其守／人多欲亏义，多忧害智，多惧害勇／形精不亏，是谓能移；精而又精，反以相天

❺劝君莫作亏心事，古往今来放过谁

❻为山九仞，功亏一篑

❼仁可为也，义可亏也，礼相伪也／百炼而南金不亏其真，危困而烈士不失其正／月满则潮盛，月亏则潮衰。潮汐进退，皆由于月也

❽日不常中，月盈有亏／日极则仄，月满则亏／精诚所加，金石为亏／言不可失，行不可亏／身，增则赘，而割则亏／生者有极，成者必亏；生生成成，今古不移／处颠者危，势丰者亏，颓坠之类，常在悬垂

❿不广不见削，不盈不见亏／乐极则哀集，至盈必有亏／弃事则形不劳，遗生则精不亏／众以亏形为辱，君子以亏义为辱／因循苟且之心作，强毅久大之性亏／白日经天中则移，明月横汉满而亏／自伐者无功，功成者堕，名成者亏／珠之有颣玉之有瑕，置之而全，去之而亏／一人之毁，未必有信；积年之行，不应顿亏／吾见世人清名登而金贝入，信誉显而然诺亏／物盛而衰，乐极则悲，日中而移，月盈而亏／平易恬淡，则忧患不能入，邪气不能袭，故其德全而神不亏

干

①gān 没有水分或水分少；干的；枯竭；空虚；只具形式的；徒然；古代指盾；触犯，冒犯；牵连；追求；河岸；天干的简称。②gàn 事物的主体或重要部分；做事；能干；有才能；主管的；干部。

❶干天之木，非荀日所长

见晋·葛洪《抱朴子·极言》。

干云蔽日之木，起于葱青

见南朝·宋·范晔《后汉书·丁鸿传》。全句为："坏崖破岩之水，源自涓涓；～"。

干云蔽日之木，起于青葱

见宋·王安石《风俗》。全句为："坏崖破岩之水，原自涓涓；～"。

干戈森若林，长剑奋无前

见三国·魏·曹睿《堂上行》。

干将虽利，非人力不能自断

见汉·刘向《说苑·建本》。全句为："骐骥虽疾，不遇伯乐不致千里；～"。

干将之刃，人不推顿，苽瓠不能伤

见汉·王充《论衡·效力篇》。全句为："～；筱簬之箭，机不动发，鲁缟不能穿"。

干泽而渔，得鱼虽多，而明年无复也

见汉·刘向《说苑·权谋》。全句为："焚林而田，得兽虽多，而明年无复也；～"。

干大事而惜身，见小利而忘命，非英雄也

见明·罗贯中《三国演义》。

❷化干戈为玉帛／惟干戈省厥躬／尚干将莫邪，贵其立断也／秀干终成栋，精钢不作钩／比干剖心，子胥抉眼，忠之祸也／虽干将、莫邪，非得人力则不能割刿

❸晓风干，泪痕残／倒持干戈，授人以柄／以求干禄者败，以势临人者辱

❹万姓厌干戈，三边尚未和／刑天舞干戚，猛志固常在／劝君少干名，名为锢身锁／毁誉不干其守，饥寒不累其心／何必桑干方是远，中流以北即天涯／澄川翠干，光影会合于轩户之间，尤与风月为相宜

❺屹立大江干，仍能障狂澜／崇台非一干，珍裘非一腋／凡兵有本干：必义，必智，必勇／罔违道以干百姓之誉，罔咈百姓以从己之欲／或依势以干非其类，出技以怒强，窃时以肆暴

❻子胥沉江，比干剖心／一抔之土未干，六尺之孤安在／神州只在阑干北，度度来时怕上楼

❼搜寻仞之垄，求干天之木；漉牛迹之中，索吞舟之鳞

❽华离蒂而萎，条去干而枯／误用恶人，假令强干，为害极多／强楷坚劲，用在桢干，失在专固／人世多违壮士悲，干戈未定书生老／自滴阶前大梧叶，干君何事动哀吟

❾欧冶不能铸铅锡作干将

❿儒生直如弦，权贵不须干／唤起工农千百万，同心干／泰山之霤穿石，单极之断干／不立异以为高，不逆情以干誉／良马非独骐骥，利剑非唯干将／忠信以为甲胄，礼义以为干橹／上求材，臣残木；上求鱼，臣干谷／临大节而不可夺，处至公而不可干／及王则无不仲宣，语刘则无不公干／人身正气稍不足，邪便得以干之矣／春蚕到死丝方尽，蜡炬成灰泪始干／新竹高于旧竹枝，全凭老干为扶持／用仁义以治天下，公赏罚以定干戈／军旅之臣，取其断决有谋，强干习事／艺者，德之枝叶也；德者，人之根干也／学贵变化气质，岂为猎章句、干利禄哉／智者不背时而侥幸，明者不违道以干非／千仓万箱非一耕所得；干天之木非旬日所长／垂髫之童，但习鼓舞，斑白之老，不识干戈／神闲气静，智深勇沉，此八字是干大事的本领

于 ①yú 在；到，及；给；对于；自，从；如；根据；往；犹"过"、"由"、"以"、"为"、"与"、"乎"；作语助；象声；姓。②yū 通"迂"，广，大。③xū 通"吁"。

❶于安思危，于治忧乱

见清·魏源《默觚·学篇七》。

于安思危，危则虑安

见《战国策·楚策四》。

于不疑处有疑，方是进矣

见宋·张载《经学理窟·义理篇》。

于今为神奇，信宿同尘滓

见晋·王羲之《兰亭诗》。

于所厚者薄，无所不薄也

见《孟子·尽心上》。

于不可已而已者，无所不已

见《孟子·尽心上》。全句为："～。于所厚者薄，无所不薄也。其进锐者，其退速"。

于此有所蔽，则于彼有所见

见宋·苏辙《上刘长安书》。全句为："于此有所不足，则于彼有所长；～"。

于此有所不足，则于彼有所长

见宋·苏辙《上刘长安书》。全句为："～；于此有所蔽，则于彼有所见"。

于今腐草无萤火，终古垂杨有暮鸦

见唐·李商隐《隋宫》。

于其所达，行之终身，有不能至者矣

见宋·欧阳修《答李翊第二书》。全句为："学之终身，有不能达者矣。～"。

于戏君子，人不厌之，死虽千岁，其行可师

见唐·元结《抔湖铭》。

于人无贤愚，于事无小大，咸推以信，同施以敬

见唐·刘禹锡《名子说》。

于为义若嗜欲，勇不顾前后；于利与禄，则畏避退处如怯夫然

见唐·韩愈《唐朝散大夫赠司勋员外郎孔君墓志铭》。

上 shàng 处于高处；由低处到高处；等级、地位高的；帝王；次序在前的；向上；向上呈递；达到；凌驾；边，畔；通"尚"；古时乐谱音名；姓。

❶上下同欲者胜
见《孙子兵法·谋攻篇》。
上求薄而民用给
见汉·刘安《淮南子·本经训》。
上公正则下易直
见《荀子·正论》。
上多求则下交争
见汉·刘安《淮南子·主术》。全句为:“上多故则下多诈,上多事则下多态,上烦扰则下不定,~”。
上多事则下多态
见汉·刘安《淮南子·主术》。全句为:“上多故则下多诈,~,上烦扰则下不定,上多求则下交争”。
上多故则下多诈
见汉·刘安《淮南子·主术》。全句为:“~,上多事则下多态,上烦扰则下不定,上多求则下交争”。
上烦扰则下不定
见汉·刘安《淮南子·主术》。全句为:“上多故则下多诈,上多事则下多态,~,上多求则下交争”。
上好礼,则民易使
见《论语·宪问》。
上下天光,一碧万顷
见宋·范仲淹《岳阳楼记》。
上下不和,令乃不行
见《管子·形势》。
上下不和,虽安必危
见《管子·形势》。
上下交征利而国危矣
见《孟子·梁惠王下》。
上下争利,国则危矣
见汉·司马迁《史记·魏世家》。
上下和洽,海内康平
见汉·班固《汉书·宣帝纪》。
上无骄行,下无谄德
见《晏子春秋·内篇·问上》。
上无羡赏,下无羡财
见《慎子·威德》。
上不怨天,下不尤人
见《礼记·中庸》。
上而玄者,世谓之天
见唐·柳宗元《天说》。全句为:“~;下而黄者,世谓之地;浑然而中处者,世谓之元气;寒而暑者,世谓之阴阳”。
上之于下,如保赤子
见《荀子·王霸》。
上之所好,下必有甚
见唐·吴兢《贞观政要·俭约》。
上之所好,民必甚焉
见《管子·法法》。
上医医国,其次疾人
见《国语·晋语八》。
上化清净,下无贪人
见《老子》三河上公注。
上交不谄,下交不渎
见《周易·系辞下》。
上和下睦,夫唱妇随
见南朝·梁·周兴嗣《千字文》。
上德之人,唯道是用
见三国·魏·王弼《老子》三十八注。
上满下漏,患无所救
见《尉缭子·战威》。
上安下顺,弊绝风清
见宋·周敦颐《拙赋》。
上枉下曲,上乱下逆
见三国·魏·诸葛亮《便宜十六策·君臣》。
上有天堂,下有苏杭
见元·奥敦周卿《双调蟾宫曲》二首之二。
上有直刑,君之明也
见《国语·晋语三》。全句为:“下有直言,臣之行也;~。臣行君明,国之利也”。
上有所好,下必甚焉
见宋·司马光《资治通鉴·唐高宗上元元年》。
上无疑令,则众不二听
见《尉缭子·战威》。全句为:“~;动无疑事,则众不二志”。
上之化下,犹风之靡草
见晋·陈寿《三国志·魏书·夏侯玄传》。
上天下天水,出地入地舟
见唐·孟郊《峡哀》。
上不尽利,则民有以为生
见宋·苏轼《论河北京东盗贼状》。
上邪下难正,众枉不可矫
见南朝·宋·何承天《上邪篇》。
上山擒虎易,开口告人难
见明·高明《琵琶记》第二十四出。
上好信,则民莫敢不用情
见《论语·子路》。
上马击狂胡,下马草军书
见宋·陆游《观大散关图有感》。
上材之人能行人所不能行
见三国·魏·刘劭《人物志·七缪》。全句为:“~,是故达有劳谦之称,穷有著明之节”。
上贵见肝胆,下贵不相疑
见唐·杜甫《奉送魏六丈佑少府之交广》。
上有命而未行,则吏先之
见宋·杨万里《民政》。全句为:“一政之出,上有意而未决,则吏赞之;～"。

上有弦歌声,音响一何悲

见汉·无名氏《古诗十九首·西北有高楼》。

上言长相思,下言久离别

见汉·蔡邕《饮马长城窟行》。全句为:"客从远方来,遗我一书札。～"。

上失其道而杀其下,非理也

见三国·魏·王肃《孔子家语·始诛》。

上有好者,下必有甚焉者矣

见《孟子·滕文公上》。

上一则下一矣,上二则下二矣

见《荀子·富国》。全句为:"～,辟之若草木,枝叶必类本"。

上下四方曰宇,往古来今曰宙

见《尸子》逸文。

上不得不恶下,下不得不疑上

见五代·南唐·谭峭《化书卷五·食化·雀鼠》。全句为:"上以食而辱下,下以食而欺上。～"。

上求寡而易赡,民安乐而无事

见汉·桓宽《盐铁论·结和》。

上以食而辱下,下以食而欺上

见五代·南唐·谭峭《化书卷五·食化·雀鼠》。全句为:"～。上不得不恶下,下不得不疑上"。

上将效于国用,下欲济其家声

见唐·柳宗元《为南承嗣上中书门下乞两河效用状》。全句为:"义烈之余,色气猛厉,～,所以愤激凄怆,常思致命者也"。

上好则下必甚,矫枉故直必过

见南朝·宋·范晔《后汉书·党锢传》。

上下和同,虽有贤才,无所立功

见汉·司马迁《史记·滑稽列传补》。全句为:"天下无害菑,虽有圣人,无所施其才;～"。

上不敬,则下慢;不信,则下疑

见宋·朱熹《四书集注·论语·学而》。全句为:"～。下慢而疑,事不立矣"。

上士忘名,中士立名,下士窃名

见北齐·颜之推《颜氏家训·名实篇》。

上知天时,下知地利,中知人事

见《十六经·前道》。全句为:"王者不以幸治国,治国固有前道,～"。

上因天时,下尽地财,中用人力

见汉·刘安《淮南子·主术》。

上好奢靡而望下敦朴,未之有也

见唐·吴兢《贞观政要·慎终》。

上不能宽国之利,下不能饱民之饥

见宋·欧阳修《食糟民》。

上不玷知人之明,下不失四海之望

见宋·欧阳修《论乞主张范仲淹富弼等行事札子》。

上求材,臣残木;上求鱼,臣干谷

见汉·刘安《淮南子·说山》。

上士之耳训乎德,下士之耳顺乎己

见汉·扬雄《法言·修身》。

上车不落则著作,体中何如则秘书

见北齐·颜之推《颜氏家训·勉学》。

上赏赏德,其次赏才,又其次赏功

见明·冯梦龙《东周列国志》第三十七回。

上悬之无极之高,下垂之不测之渊

见汉·枚乘《上书谏吴王》。全句为:"以一缕之任,系千钧之重,～,虽甚愚之人,犹知哀其将绝也"。

上穷碧落下黄泉,两处茫茫皆不见

见唐·白居易《长恨歌》。

上无礼,下无学,贼民兴,丧无日矣

见《孟子·离娄上》。

上古结绳而治,后世圣人易之以书契

见《周易·系辞下》。

上交不谄,下交不骄,则可以有为矣

见汉·扬雄《法言·修身》。

上不以诗补察时政,下不以歌泄导人情

见唐·白居易《与元九书》。全句为:"～,乃至于谄成之风动,救失之道缺"。

上不信,下不忠,上下不和,虽安必危

见汉·刘向《说苑·谈丛》。

上德无为而无以为,下德为之而有以为

见《老子》三十八。

上好义则民暗饰矣,上好富则民死利矣

见《荀子·大略》。

上好紫则下皆女服,上好剑则士皆曼胡

见清·魏源《默觚下·治篇十四》。

上不至天,下不至地,言出子口而入吾耳

见南朝·宋·范晔《后汉书·刘表传》。

上下之情,壅而不通,天下之弊,由是而积

见明·王鏊《亲政篇》。

上失其道,民散久矣,苟非君子,焉能固穷

见隋·王通《中说·事君》。

上兵伐谋,其次伐交,其次伐兵,下政攻城

见《孙子兵法·谋攻篇》。

上之为政,得下之情则治,不得下之情则乱

见《墨子·尚同下》。

上好智,下应之以伪;上好贤,下应之以妄

见五代·前蜀·杜光庭《道德真经广圣义》卷八。全句为:"～。不若正身率下,无为御人"。

上与造物者游,而下与外生死、无终始者为友

见《庄子·天下》。

上无所为,则下无事,家给人足,万物自化就

见《老子》四十七河上公注。

上善若水,水善利万物而不争,处众人之所恶

见《老子》八。

上德不德，是以有德。下德不失德，是以无德

见《老子》三十八。

上不失天时，下不失地利，中得人和，而百事不废

见《荀子·王霸》。

上不访，下不谏，妇言用，私政行，此亡国之风也

见汉·荀悦《申鉴·政体》。

上多欲，下多端，法不定，政多门，此乱国之风也

见汉·荀悦《申鉴·政体》。

上有素定之谋，下无趋向之惑，天下之事不难举也

见宋·李纲《议国是》。

上士难进而易退也，其次易进易退也，其下易进难退也

见《晏子春秋·内篇问上第十三》。

上智不教而成，下愚虽教无益，中庸之人，不教不知也

见北齐·颜之推《颜氏家训·教子》。

上有无时之求，中有剥削曲巧之政，下有豺狼寇盗之害

见宋·高弁《望岁》。全句为："～，民何所措其手足"。

上古明王举乐者，非以娱心自乐，快意恣欲，将欲为治也

见汉·司马迁《史记·乐书论赞》。

上下相疏，内外相蒙，小臣争宠，大臣争权，此危国之风也

见汉·荀悦《申鉴·政体》。

上智不处危以侥幸，中智能因危以为功，下愚安于危以自亡

见南朝·宋·范晔《后汉书·吴汉传》。

上士闻道，勤而行之；中士闻道，若存若亡；下士闻道，大笑之

见《老子》四十一。

❷草上之风必偃／犯上难，摄下易／财上分明大丈夫／天上天下唯吾独尊／可上九天揽月……／唯上知与下愚不移／惟上知与下愚不移／天上地下，惟我独尊／在上不骄，为下不倍／在上不骄，高而不危／损上益下，民说无疆／君上好善，民无讳言／居上不骄，在下不忧／在上位而不能进贤者逐／世上无难事，只要肯登攀／今上好法，予晚受乎老庄／陌上新离别，苍茫四郊晦／在上位而不能进贤者，逐／坐上客恒满，樽中饮不空／垅上扶犁儿，手种腹长饥／江上之清风与山间之明月／海上生明月，天涯共此时／桥上山万重，桥下水千里／案上一点墨，民间千点血／月上柳梢头，人约黄昏后／积上不止，必致嵩山之高／马上得之，宁可以马上治乎／为上者不虚授，处下者不虚受／废上，非义也；杀民，非仁也／居上位而不骄，在下位而不忧／贵上极则反贱，贱下极则反贵／石上不生五谷，秃山不游麋鹿／在上而多誉者，岂尽仁而智也哉／纸上语可废坏，心中誓不可磨灭／世上万般哀苦事，无非死别与生离／世上岂无千里马，人间难得九方皋／在上位，不陵下；在下位，不援上／城上草，植根非不高，所恨风霜早／塞上长城空自许，镜中衰鬓已先斑／海上涛头一线来，楼前指顾雪成堆／居上克明，为下克忠，与人不求备／纸上得来终觉浅，绝知此事要躬行／马上相逢无纸笔，凭君传语报平安／责上责下而中自恕己，岂可任职分／衣上征尘杂酒痕，远游无处不消魂／太上，下知有之；其次亲而誉之……／由上室而上，有穴，北出之，乃临大野／凡上下之间有物间隔，当须用刑法去之／在上不骄，在下不谄，此进退之中道也／大上有立德，其次有立功，其次有立言／太上有立德，其次有立功，其次有立言／在上者，必有武备，以戒不虞，以遏寇虐／太上之道，生万物而不有，成化像而弗宰／在上不骄，高而不危；制节谨度，满而不溢／太上畏道，其次畏物，其次畏人，其次畏身／居上位而不恤其下，骄也；缓令急诛，暴也／居上者不以至公理物，为下者必以私路期荣／欲上民，必以言下之；欲先民，必以身后之／惟上帝不常，作善降之百祥，作不善降之百殃

❸兵事上神密／怒发上冲冠／困乎上者必反下／善为上者不忘其下／下忧上烦，蠹政为患／头发上指，目眦尽裂／乱之上也，治之下也／凡兵上义，不义虽利勿动／苔痕上阶绿，草色入帘青／坐潭上，四面竹树环合……／天气上，地气下，人气在其间／不谄上而慢下，不厌故而敬新／居马上得之，宁可马上治之乎／水面上秤锤浮，直待黄河彻底枯／未必上流须鲁肃，腐儒空白九分头／形而上者谓之道，形而下者谓之器／操钩上山，揭斧入渊，欲得所求，难也／火炎上而受制于水，水趋下而得志于火／其处上也，足以明政行教，不以威天下／善为上者，能令人得欲无穷，故人之可得用亦无穷也／自古上书，率多激切。若不激切，则不能起人主之心

❹风行水上，涣／理、乱，在上也／无言独上西楼……／取法于上，反得其中／奢不僭上，俭不逼下／法立于上则俗成于下／法立于上，教弘于下／屋漏在上，知者在下／屋漏在上，知之在下／好丑必上，不在远近／绳正于上，木直于下／昂然直上，凛有生气／矢在弦上，不得不发／顺命为上，有功次之／箭在弦上，不得不发／赤心事上，忧国如家／中人以上，可以语上也／参

差之上，无整齐之下／善人在上，则国无幸民／下贫则上贫，下富则上富／世事波上舟，沿洄安得住／剥我身上帛，夺我口中粟／八公山上草木，皆类人形／人疑天上坐，鱼似镜中悬／离离原上草，一岁一枯荣／凌烟阁上人，未必皆忠烈／夺我席上酒，掣我盘中飧／夺我身上暖，买尔眼前恩／知不知，上；不知知，病／进贤受上赏，蔽贤蒙显戮／旋收松上雪，来煮雨前茶／霜夺茎上紫，风销叶中绿／下情不上通，此患之大者也／不知天上宫阙，今夕是何年／人有非上之所过，谓之正士／桑间濮上之音，亡国之音也／自形而上下言，岂得无先后／皑如山上雪，皎若云间月……／蜗牛角上较雌论雄，许大世界／圣人在上，奇不得起，诈不得生／处于堂上之阴，而知日月之次序／下之事上也，不从其令，从其所行／天平山上白云泉，云自无心水自闲／千峰顶上一间屋，老僧半间云半间／圣王在上位，天覆地载，风令雨施／若教纸上翻身看，应见团团董卓脐／奔车之上无仲尼，覆舟之下无伯夷／君王城上竖降旗，妾在深宫哪得知／龙蛇纸上飞腾，看落笔四筵风雨惊／过洞庭，上湘江，非有罪左迁者罕至／子在川上曰：逝者如斯夫！不舍昼夜／下之共上勤而不困，上之治下简而不劳／仁人在上，百姓贵之如帝，亲之如父母／德比于上，故知耻；欲比于下，故知足／风行水上之文，决不在于一字一句之奇／巫山之上顺风纵火，膏夏紫芝与萧艾俱死／今处昏上乱相之间，而欲无惫，奚可得邪／下之事上，不一其事；上之使下，不一其事／谮下谩上，恒其心术，妒人之能，幸人之失／负势竞上，互相轩邈，争高直指，千百成峰／知不知，上矣；过者之患，不知而自以为知／恭就貌上说，敬就心上说。恭主容，敬主事／清轻者上为天，浊重者下为地，冲和气者为人／教明于上，化行于下，民有耻心，则何盗之为／美也者，上下、内外、大小、远近皆无害焉，故曰美／民之于上也，若玺之于涂也，抑之以方则方，抑之以圜则圜

❺后来者居上／下下人有上上智／下无言则上无闻／无礼义，则上下乱／居高屋之上建瓴水／上枉下曲，上乱下逆／下无直辞，上有隐君／政令不行，上下相怨／事以简为上，言以简为当／乃知青史上，大半亦属诬／为治有体，上下不可相侵／但有路可上，更高人也行／人伦明于上，小民亲如下／桃生露井上，李树生桃旁／赏者不德上，功之所致也／致君尧舜上，再使风俗淳／忠足以勤上，惠足以存下／积邪在于上，蓄怨藏于民／失吾道者，上见光而下为土／使民无欲，上虽贤犹不能用／得吾道者，上为皇而下为王／道德一于上，而习俗成于下／下比周则上危，下分争则上安／教者，效也；上为之，下效之／凡用民，太上以义，其次以赏罚／木生内蠹，上下相贼，祸乱我国／贤者举而上之，不肖者抑而废之／政者正也，上正其道，下必从之／身之所短，上虽不知，不以取赏／下不钳口，上不塞耳，则可有闻矣／下僭礼则上失位，下侵权则上失政／水平布石上，流若织文，响若操琴／一政之出，上有意而未决，则吏赞之／君子之事上也，进思尽忠，退思补过／由上室而上，有穴，北出之，乃临大野／贤者，举而上之，富而贵之，以为官长／使贤者居上，不肖者居下，而后可以理安／遗腹子之上陇，以礼哭泣之，而无所归心／自古于今，上以天子……好义而不彰者也／凡下之从上也，不从口之言，从上之所好也／层台耸翠，上出重霄，飞阁流丹，下临无地／从山阴道上行，山川自相映发，使人应接不暇／凡下之从上也……不从力之制，从上之所为也／风化者，自上而行于下者也，自先而施于后者／三皇之知，上悖日月之明，下睽山川之精，中堕四时之施

❻玩于股掌之上／睹贤不居其上／下下人有上上智／君子不欲多上人／尊卑有序则上下和／湛湛江水兮上有枫／法之不行，自上犯之／道民之门，在上之所先／禁奸之法，太上禁其心／民之饥，以其上食税之多／古者明君在上，下多直辞／召民之路，在上之所好恶／格物，是物物上穷其至理／创基冰泮之上，立足枳棘之林／公义不亏于上，私行不失于下／志陵青云之上，身晦泥污之下／贱敛无节，官上奢纵，则人贫／自行束修以上，吾未尝无诲焉／三德者诚乎上，则下应之如景响／阴阳变化，一上一下，合而成章／身在江海之上，心居乎魏阙之下／天子呼来不上船，自称臣是酒中仙／生而知之者上也，学而知之者次也／为学正如撑上水船，一篙不可放缓／厉精，莫如自上率之，则壅蔽决矣／功名只向马上取，真是英雄一丈夫／猛虎不看几上肉，洪炉不铸囊中锥／宁可抱香枝上老，不随黄叶舞秋风／此曲只应天上有，人间能得几回闻／白骨已枯沙上草，家人犹自寄寒衣／奉公如法，则上下平，上下平则国强／制名以指实，上以明贵贱，下以辨同异／不随举子纸上学六韬，不学腐儒穿凿注五经／书以言事，行上行下，平行往复，统谓之书／宫室富过度，上帝所亚；为者弗居，唯居必路／鸟飞千仞之上……祸犹及之，又况编户齐民乎／赋敛以时，官上清约，则人富。赋敛无节，官上奢纵，则人贫

❼不是人寰是天上／词以境界为最上／三十六策，走是上计／危于累卵，难于上天／登楼意，恨无天上梯／蜀道之难，难于上青天／久有凌云志，重上井冈山／民之难治，以其上之有为／陶尽门前土，屋上无片瓦／枉士无正友，曲上无

直下／欲穷千里目，更上一层楼／风前灯易灭，川上月难留／上一则下一矣，上二则下二矣／民之轻死，以其上求生生之厚／人心，排下而进上，上下囚杀／上求材，臣残木；上求鱼，臣干谷／万株松树青山上，十里沙堤明月中／不见年年辽海上，文章何处哭秋风／事事只在道理上商量，便是真体认／民之治乱在于上，国之安危在于政／月出于东山之上，徘徊于斗牛之间／起烟于寒灰之上，生华于已枯之木／跻攀分寸不可上，失势一落千丈强／天地在我首之上，足之下，开目尽见／标心于万古之上，而送怀于千载之下／其冲然角列而上者，若熊罴之登于山／上不信，下不忠，上下不和，虽安必危／树林阴翳，鸣声上下，游人去而禽鸟乐也／爱人者兼其屋上之乌，不爱人者及其胥余／贵不专权，罔惑上下；贱能守分，不苟求取／有君臣然后有上下，有上下然后礼义有所错／下以言语为学，上以言语为治，世道之所以日降也／人之欲虽多，而上无以令之，人虽得其欲，人犹不可得用也

❽乱之本，鲜不成于上／兽恶其网，民恶其上／坚强处下，柔弱处上／屋漏在下，止之在上／中人以上，可以语上也／民可近也，而不可上也／过而能改者，民之上也／亭临大江，复在山上……／芹泥随燕觜，花蕊上蜂须／好风凭借力，送我上青云／水曰润下，火曰炎上……／礼不下庶人，刑不上大夫／民胜其政，下畔其上则兵弱／变白以为黑兮，倒上以为下／政在于民，下附其上则兵强／人心，排下而进上，上下囚杀／未有身正而影曲，上治而下乱者／知足之人，虽卧地上，犹为安乐／鸿鹄巢于高林之上，暮而得所栖／用兵之道，攻心为上，攻城为下／至于子美，盖所谓上薄风、骚……／打虎还得亲兄弟，上阵须教子弟兵／用兵之道……心战为上，兵战为下／抗之则在青云之上，抑之则在深渊之下／以割下为能，以附上为忠，此叛国之风也／百里而趣利者蹶上将，五十里而趣利者军半至／爱其人者，爱其屋上乌；憎其人者，憎其余胥／下之用力者甚勤，上之用物者有节，民无遗力，国不过费

❾天下有道，则正人在上／不勤不俭，无以为人上／从政有经，而令行为上／善攻者，动于九天之上／是儿欲踞吾著炉火上邪／下贫则上贫，下富则上富／不道山中冷，翻忧世上寒／且乐杯中酒，谁论世上名／中人以下，不可以语上也／但见沙场死，谁怜塞上孤／人生无根蒂，飘如陌上尘／郁郁涧底松，离离山上苗／封侯早归来，莫作弦上箭／床前明月光，疑是地上霜／根深则本固，基美则上宁／星河尽涵泳，俯仰迷上下／慈母手中线，游子身上衣／白马岩中出，黄牛壁上耕／马上得之，宁可以马上治乎／居马上得之，宁可马上治之乎／杀戮众，而心不服，则上位危矣／疾不可为也，在肓之上、膏之下／俱怀逸兴壮思飞，欲上青天揽明月／人生芳秽有千载，世上荣枯无百年／君行仁政，斯民亲其上，死其长矣／清明时节雨纷纷，路上行人欲断魂／如下有泰山之安，则上有累卵之危／春江潮水连海平，海上明月共潮生／奉公如法，则上下平，上下平则国强／读书占地位，在人品上，不在势位上／上好义则民暗饰矣，上好富则民死利矣／上好紫则下皆女服，上好剑则士皆曼胡／下之共上勤而不困，上之治下简而不劳／下者尽力而无耗弊，上者量民而用有节／君不见黄河之水天上来，奔流到海不复回／上好智，下应之以伪；上好贤，下应之以妄／下之事上，不一其事；上之使下，不一其事／并官省事，静事息役，上下用心，惟农是务／和羹之美，在于合异；上下之益，在能相济／恭就貌上说，敬就心上说。恭主容，敬主事／权济天下而君臣立，上下正，然后礼义正焉／春和景明，波澜不惊；上下天光，一碧万顷／君之化下，如风偃草，上不节心，则下多逸志／君人者不下庙堂之上，而知四海之外者，因物以识物，因人以知人也

❿鸟以山为埤而增巢其上／人莫大焉亡亲戚君臣上下／抱火措之积薪之下而寝其上／上不得不恶下，下不得不疑上／上以食而辱下，下以食而欺上／下比周则上危，下分争则上安／不掩贤以隐长，不刻下以谀上／余平生所作文章多在三上……／那切切实实、足踏在地上……／士之品有三：志于道德者为上／当九秋之凄清，见一鹗之直上／忧国者不顾身，爱民者不罔上／所言无不义，故下无伪上之报／毋以日月为功，实试贤能为上／鸟何萃兮蘋中，罾何为兮木上／善弋者下鸟乎百仞之上，弓良也／孟轲言人性善者，中人以上者也／下僭礼则上失位，下侵权则上失政／不以先进略后生，不以上官卑下吏／曲突徙薪亡恩泽，焦头烂额为上宾／丹崖翠壁千万丈，与公上上上上上／生前富贵草头露，身后风流陌上花／半开半落闲园里，何异荣枯世上人／公道世间唯白发，贵人头上不曾饶／诗中日月酒中仙，平地雄飞上九天／在上位，不陵下；在下位，不援上／大鹏一日同风起，扶摇直上九万里／小荷才露尖尖角，早有蜻蜓立上头／省事莫如任人，厉精莫如自上率之／君子任职则思利民，达上则思进贤／治世之官详于下，乱世之官叠于上／定知直道传千古，杜牧文章在上头／好去长江千万里，不须辛苦上龙门／李白一斗诗百篇，长安市上酒家眠／政之不便于民者，未必皆上之过也／风起绿洲吹浪去，雨从青野上山来／神州只在阑干北，度度来时怕上楼／紫芝生于山，而不能生于盘石之

上／路曼曼其修远兮，吾将上下而求索／言者无罪闻者戒，下流上通上下泰／其为人也孝悌，而好犯上者，鲜矣／鱼游于沸鼎之中，燕巢于飞幕之上／不敌其力，而消其势，兑下乾上之象／读书占地位，在人品上，不在势位上／当杀而虽贵重，必杀之，是刑上究也／民以财为本，财竭则下畔，下畔则上亡／大吏不正而责小吏，法略于上而详于下／驶雪多积荒城之限，急风好起沙河之上／此情无计可消除，才下眉头，却上心头／思立掀天揭地的事功，须向薄冰上履过／山空月明，仰视星斗皆光大，如适在人上／川不可防，言不可弭，下塞上聋，邦其倾矣／凡下之从上也，不从口之言，从上之所好也／凡物之精，化则为生，下生五谷，上为列星／君子之德风，小人之德草。草上之风，必偃／崖谷峻隘，十里百折，负重而上，若蹈利刃／女有余布，男有余粟，国家殷富，上下交足／理未尝离乎气，然理形而上者，气形而下者／有君臣然后有上下，有上下然后礼义有所错／移风易俗，莫善于乐；安上治民，莫善于礼／天下之患，不患材之不众，患上之人不欲其众／民之所以僻，治之所以乱，皆由上，不由其下／人与骥逐走则不胜骥，托于车上则骥不能胜人／凡下之从上也……不从力之制，从上之所为也／限之以爵，爵加则知荣，恩荣并济，上下有节／峰回路转，有亭翼然，临于泉上者，醉翁亭也／威不能复制民，民不能堪其威，则上下大溃矣／望长城内外，惟馀莽莽；大河上下，顿失滔滔／制国有常，而利民为本；从政有经，而令行为上／山中人不信有鱼大如木，海上人不信有木大如鱼／治国有常，而利民为本；政教有经，而令行为上／以不忍人之心，行不忍人之政，治天下可运之掌上／凡敢为大奸者，材必有过于众，而能自媚于上者也／君能尽礼，臣得竭忠，必在于内外无私，上下相信／力不能济于用，而君臣上下不正，虽抱空器奚何施设／澄潭至清，洞澈见底，往往有群鱼戏，历历如水上行／利之所在，虽千仞之山，无所不上，深源之下，无所不入／坐而玩之者，可濯足于床下；卧而狎之者，可垂钓于枕上／君子以争途之不可由也，是以越俗乘高，独行于三等之上／其有发挥新体，孤飞百代之前，开凿古人，独步九流之上／赋敛以时，官上清约，则人富。赋敛无节，官上奢纵，则人贫／鹰扬虎视，齿若编贝，肤如凝脂，昭昭乎若玉山上行，朗然映人

下 xià 处于低处的；由高处到低处；在后面的；去；降；卸掉或除去；做出判断；使用，开始使用；退让；攻克；发布；做出；投入；结束；减；少于；动作次数；属于一定范围、情况、条件。

❶下下人有上上智

见《坛经》。

下无言则上无闻

见《晏子春秋·内篇谏下第十七》。

下无直辞，上有隐君

见《晏子春秋·内篇杂上第十一》。

下而黄者，世谓之地

见唐·柳宗元《天说》。全句为："上而玄者，世谓之天；～；浑然而中处者，世谓之元气；寒而暑者，世谓之阴阳"。

下民之孽，匪降自天

见《诗·小雅·十月之交》。

下流之人，众毁所归

见汉·杨恽《报孙会宗书》。

下忧上烦，蠹政为患

见汉·焦赣《易林·解·损》。

下有直言，臣之行也

见《国语·晋语三》。全句为："～；上有直刑，君之明也。臣行君明，国之利也"。

下德不失德，是以无德

见《老子》三十八。全句为："上德不德，是以有德。～"。

下流不可处，君子慎厥初

见三国·魏·应璩《百一诗三首》。

下贫则上贫，下富则上富

见《荀子·富国》。

下情不上通，此患之大者也

见汉·刘向《说苑·杂事》。全句为："大臣重禄而不极谏，近臣畏罚而不敢言，～"。

下比周则上危，下分争则上安

见《战国策·楚策一》。

下不钳口，上不塞耳，则可有闻矣

见汉·荀悦《申鉴·杂言上》。

下之事上也，不从其令，从其所行

见《礼记·缁衣》。

下僭礼则上失位，下侵权则上失政

见宋·王安石《洪范传》。全句为："礼所以定其位，权所以固其政；～"。

下国卧龙空误主，中原逐鹿不因人

见唐·温庭筠《过五丈原》。

下笔则烟飞云动，落纸则鸾迴凤惊

见唐·卢照邻《释疾文·粤若》。

下之共上勤而不困，上之治下简而不劳

见宋·欧阳修《本论》。

下者尽力而无耗弊，上者量民而用有节

见宋·欧阳修《原弊》。

下之事上，不一其事；上之使下，不一其事

见唐·韩愈《上张仆射书》。

下以言语为学，上以言语为治，世道之所以日降也

见宋·罗大经《能言鹦鹉》。

下之用力者甚勤，上之用物者有节，民无遗力，国不过费

见宋·欧阳修《原弊》。

❷天下有三危／上下同欲者胜／处下则物自归／下下人有上上智／天下以农桑为本／天下真花独牡丹／天下归之之谓王／天下无有不散筵席／天下之物未尝无对／天下治乱系于用人／天下归怨而不敢辞／天下殆哉，岌岌乎／天下物无独必有对／上下天光，一碧万顷／上下不和，令乃不行／上下不和，虽安必危／上下交征利而国危矣／上下争利，国则危矣／上下和洽，海内康平／才下而位高，二危也／天下无不可变之风俗／天下无内忧必有外惧／天下无道，以身殉道／天下无道，圣人生焉／天下无道，圣人彰焉／天下之正莫如利民焉／天下之物，莫不有理／天下之政，非贤不理／天下之业，非贤不成／天下为一，万里同风／天下兴亡，匹夫有责／天下大乱，无有安国／天下大治，千载一时／天下太平，万物安宁／天下攘攘，皆为利往／天下虽平，不敢忘战／天下虽安，忘战必危／天下行之，不闻不足／天下多忌讳而民弥贫／天下没有不散的筵席／天下纷纷，何时定乎／天下桃李，悉在公门／天下昏乱，忠臣乃见／天下有大知，有小知／天下有道，圣人藏焉／天下有道，圣人成焉／天下熙熙，皆为利来／飏下屠刀，立地成佛／灶下养，中郎将……／天下无道，则修德就闲／天下无道，则正人在下／天下无道，戎马生于郊／天下未有不学而成者也／天下之不正莫如害民焉／天下之主，道德出于人／天下之公患，乱伤之也／天下之安危，莫先乎兵／天下将兴，其积必有源／天下将亡，其发必有门／天下有道，则庶人不议／天下有道，则与物皆昌／天下有道，则正人在上／天下有道，却走马以粪／天下无正声，悦耳即为娱／天下不如意，恒十居七八／天下之祸，莫大于不足为／天下动之至易，安之至难／天下理无常是，事无常非／天下本无事，庸人自扰之／天下本无事，庸人自召之／天下星河转，人间帘幕垂／天下智谋之士，所见略同／天下有道则见，无道则隐／先下手为强，后下手遭殃／花下一禾生，去之为恶草／月下谁家砧，一声肠一绝／积下不已，必极黄泉之深／窗下抛梭女，手织身无衣／天下万物生于有，有生于无／天下每每大乱，罪在于好知／天下有二：非察是，是察非／上下四方曰宇，往古来今曰宙／天下不患无财，患无人以分之／天下之事非一人之所能独知也／天下之乐无穷，而以适意为悦／天下之人蹈道必赏，违善必罚／天下之至柔，驰骋天下之至坚／天下之官虎而吏狼者，比比也／天下之道，理安，斯得人者也／天下之竹帛不足书阁下之功德／天下之金石不足颂阁下之形容／天下兼相爱则治，交相恶则乱／天下本无事，庸人扰之为烦耳／水下流，不争先，故疾而不迟／水下流而广大，君下臣而聪明／风下松而含曲，泉漾石而生文／上下和同，虽有贤才，无所立功／天下无事，则公卿之言轻于鸿毛／天下事当于大处著眼，小处下手／天下之祸，不由于外，皆兴于内／天下之患，莫大于不知其然而然／天下以言为戒，最国家之大患也／天下兴学取士，先德行不专文辞／天下大势，分久必合，合久必分／天下和平，灾害不生，祸乱不作／天下有事，则匹夫之言重于泰山／天下文士，争执所长，与时而奋／临下以简，御众以宽，罚弗及嗣／在下而多谤者，岂尽愚而狡也哉／城下之盟，有以国毙，不能从也／足下家中百物，皆赖而用也……／天下之事，不进则退，无一定之理／天下之大乱，由虚文胜而实行衰也／天下之治乱，系乎人君仁与不仁耳／天下郡国向万城，无有一城无甲兵／天下莫大于秋毫之末，而太山为小／天下国家总以忧勤而得，怠荒而失／天下是非俱不到，安闲一片道人心／天下敢怨而不敢言，敢怒而不敢诛／天下顺治在民富，天下和静在民乐／如下有泰山之安，则上有累卵之危／天下万物皆生于两，不生于一，明矣／天下无害菑，虽有圣人，无所施其才／天下不多管仲之贤而多鲍叔能知人也／天下未尝无才，患所以求才之道不至／天下未有无理之气，亦未有无气之理／天下非一人之天下，乃天下之天下也／天下非一人之天下也，天下之天下也／天下之事，不有所摧挫则不能以有成／天下之事不可为也，因其自然而推之／天下之事，常成于困约，而败于奢靡／天下之事，理胜力为常，力胜理为变／天下之至文，未有不出于童心焉者也／天下之学者莫不欲仕，仕者莫不欲贵／天下大势之所趋，非人力之所能移也／天下皆知取之为取，而莫知与之为取／天下者非一人之天下，惟有道者处之／天下者，非君有也，天下使君主之耳／天下而有无害之利，则谁不能计之者？／天下事有难易乎？为之，则难者亦易矣／天下之善射者也，不能以拨弓曲矢中微／天下之理不可穷也，天下之性不可尽也／天下宝之者何也？其小恶不足妨大美也／天下不淫其性，不迁其德，有治天下者哉／天下之非誉，无损益焉，是谓全德之人哉／天下之势有强弱，圣人审其势而应之以权／天下英雄谁敌手？曹刘。生子当如孙仲谋／上下之情，壅而不通，天下之弊，由是而积／天下无独燃之火，世间安得有无体独知之精／天下之事，患常生于忽微，而志亦戒于渐习／天下之牝，以静胜牡。千世不易，万

世不变／天下之物博而智浅，以澹浅博，未有能者也／天下之患，莫大于举朝无公论，空国无君子／天下难事，必作于易；天下大事，必作于细／天下大扰，百姓遑遑，劳苦疲极，困穷生奸／天下虽兴，好战必亡；天下虽安，忘战必危／天下岂有不可为之国哉？亦存乎其人如何尔／天下神器，不可为也。为者败之，执者失之／天下稍安，尤须兢慎，若便骄逸，必至丧败／凡下之从上也，不从口之言，从上之所好也／谮下谩上，恒其心术，妒人之能，幸人之失／河下天下之川，故广；人下天下之士，故大／天下无粹白之狐，而有粹白之裘，取之众白也／天下之事，不可尽知，而以臆断之，不可任也／天下之人所共趋之而不知止者，富贵与美名尔／天下之患，不患材之不众，患上之人不欲其众／天下治乱，不在一姓之兴亡，而在万民之忧乐／天下悠悠，皆可长生也，患于犹豫，故不成耳／凡下之从上也……不从力之制，从上之所为也／礼下贤者，日中不暇食以待士，士以此多归之／天下之事，急之则丧，缓之则得，而过缓则无及／天下之治乱，不在一姓之兴亡，而在万民之忧乐／天下争名趋势，不计是非，析毫剖芒，视死如归／天下犹人之体，腹心充实，四支虽病，终无大患／天下不可一日而无政教，故学不可一日而亡于天下／天下之物莫凶于鸡毒，然而良医橐而藏之，有所用／天下有大勇者，卒然临之而不惊，无故加之而不怒／天下至大器也，帝王至重位也，得士则靖，失士则乱／天下皆知美之为美，斯恶矣；皆知善之为善，斯不善矣／天下莫柔弱于水，而攻坚强者莫之能先，以其无以易之也／天下大乱，贤圣不明，道德不一，天下多得一察焉以自好／天下者亦吾有也，吾亦天下之有也，天下之与我岂有间哉／上下相疏，内外相蒙，小臣争宠，大臣争权，此危国之风也／天下之民，知安而不知危，能逸而不能劳，此臣所谓大患也／天下国家可均也，爵禄可辞也，白刃可蹈也，中庸不可能也／天下有至贵而非势位也，有至富而非金玉也，有至寿而非千岁也

❸以天下为己任／以天下心为心／犯天下之不韪／通天下一气耳／视天下如一家／强将下，无弱兵／冒天下之大不韪／义，天下之良宝也／知足下遇火灾……／上和下睦，夫唱妇随／上满下漏，患无所救／上安下顺，弊绝风清／上枉下曲，上乱下逆／举天下之贤者以自代／得天下英才而教育之／治天下者，以人为本／威天下不以兵革之利／杀天下者，天下贼之／穷天下者，天下仇之／穿窬下禁，则致强盗／利天下者，天下亦利之／择天下之士，使称其职／害天下者，天下亦害之／居天下之人，使安其业／统天下者当与天下同心／足天下之用，莫先乎财／上天下天水，出地入地舟／上邪下难正，众枉不可矫／农，天下之本，务莫大焉／利天下之民者，莫大于治／同天下之利者，则得天下／兴天下之利，除天下之害／擅天下之利者，则失天下／安天下于覆盂，其功可大／驱天下之人而从善远罪也／礼不下庶人，刑不上大夫／穷天下而奉之者，一人也／醉舞下山去，明月逐人归／为天下之大害者，君而已矣／以天下之大，托于一人之才／以天下之心虑，则无不知也／以天下之目视，则无不见也／以天下之耳听，则无不闻也／以天下为忧，而未以位为乐／以贤下人，未有不得人者也／尽天下之辞，无以传其酷矣／享天下之利者，任天下之患／取天下与守天下，无机不能／取天下之财，以供天下之费／若高下相去差近，犹可与语／因天下之力，以生天下之财／因天下之心以虑，则无不得／因天下之目以视，则无不见／居天下之乐者，同天下之忧／穷天下之声，无以舒其哀矣／以天下与人易，为天下得人难／以天下之所顺，攻亲戚之所畔／伏天下之勇者，不在勇而在怯／使天下无农夫，举世皆饿死矣／兴天下之同利，除天下之同害／令天下重足而立，侧目而视矣／观天下书未遍，不得妄下雌黄／土处下，不在高，故安而不危／困天下之智者，不在智而在愚／处天下所观之地，可不慎乎？／贵以下人为德，贱以忘势为德／有天下之是非，有人人之是非／意莫下于刻民，行莫贱于害民／用天下之耳目，虽众人不能愚／穷天下之辩者，不在辩而在讷／求天下奇闻壮观，以知天地之广大／为天下及国，莫如以德，莫如行义／农，天下之大业；铁器、民之大用／保天下者，匹夫之贱，与有责焉耳／合天下之众者财，理天下之财者法／先天下之忧而忧，后天下之乐而乐／凡天下之事成于自同，而败于自异／受天下之瑰丽，而泄天下之拗怒也／均，天下之至理也，连于形物亦然／轻天下者，身不累于物，故能处之／破天下之浮议，使良法不废于中道／一天下者，令于天下则行，禁焉则止／任天下之智力，以道御之，无所不可／并天下之谋，兼天下之智，而理得矣／人天下之声色而研其理者，人之道也／办天下之大事者，有天下之大节者也／太上，下知有之；其次亲而誉之……／与天下之贤者为徒，此文王之所以王也／以天下之材为天下用，则用天下而有余／凡上下之间有物间隔，当须用刑法去之／避天下之逆，从天下之顺，天下不足取／以割下为能，以附上为忠，此叛国之风也／忧天下之乱，犹忧河水之少，泣而益之也／王天下者必先诸民，然后庇焉，则能长利／用天下之心图而济之，夫岂无最长之策乎／用天下之目观而救之，夫岂无最远之见乎／举天下而无可与共

处，则是其势岂可以久也／利天下者，天下启之；害天下者，天下闭之／使天下畏刑而不敢盗，岂若能使无有盗心哉／取天下常以无事。及其有事，不足以取天下／治天下者，用人非止一端，故取士不以一路／致天下之治者在人才，成天下之才者在教化／治天下之要，存乎除奸；除奸之要，存乎治官／贵而下贱，则众弗恶；富能分贫，则穷士弗恶／举天下以赏其善者不足，举天下以罚其恶者不给／使天下之人，不敢言而敢怒。独夫之心，日益骄固／治天下者，当以天下之心为心，不得自专快意而已／建天下之大事功者，全要眼界大，眼界大则识见自别／为天下者，亦奚以异乎牧马者哉，亦去其害马者而已矣

❹剑门天下壮／僧敲月下门／以明示下者暗／读书窗下有残灯／天上天下唯吾独尊／主者，天下之心也／农者，天下之本也／大疑之下必有大悟／好货，天下贱士也／上之于下，如保赤子／天上地下，惟我独尊／乐以天下，忧以天下／坚强处下，柔弱处上／墙高基下，虽得必失／大名之下，难以久居／损上益下，民说无疆／将门之下，必有将类／衡门之下，可以栖迟／屋漏在下，止之在上／松柏之下，其草不殖／成功之下，不可久处／昆山之下，以玉为石／水动流下，人动趋利／盛名之下，其实难副／鞭笞之下，有贤士乎／上之化下，犹风之靡草／不以天下之病而利一人／务理天下者，美在太平／若安天下，必先正其身／智出天下，而听于至愚／目在足下，不可以视近／覆巢之下，复有完卵乎／中人以下，不可以语上也／但愿天下人，家家足稻粱／位卑在下未必愚，不遇也／公则天下平矣；平得于公／从来天下士，只在布衣中／凡为天下之务，莫大求士／功名之下，常有非实之加／功多翻下狱，士卒但心伤／大国以下小国，则取小国／小国以下大国，则取大国／水曰润下，火曰炎上……／贤人安下位，鸷鸟欲卑飞／欲高，反下；欲取，反与／目在足下，则不可以视矣／卑让降下者，茂进之遂路也／名高天下，何必辨襄阳南阳／善为天下者，计大而不计小／通于天下之理，则能通人矣／如是则下怨，下怨者可亡也／维修卑下，然后乃各得其所／愿普天下有情的都成了眷属／上一则下一矣，上二则下二矣／上好则下必甚，矫枉故直必过／无以天下为者，必能治天下者／人心，排下而进上，上下囚杀／大树之下无美草，伤于多阴也／大胆天下去得，小心寸步难行／国者，天下之大器也，重任也／始取天下为功，始治天下为德／中峰之下，水无鱼鳖，林无鸟兽／能除天下之忧者，必享天下之乐／能扶天下之危者，必据天下之安／善弋者下鸟乎百仞之上，弓良也／礼貌卑下，言词谦恭，所谓敬也／舒之天下而不窕，内之寻常而不塞／功冠天下者不安，威震人主者不全／茂林之下无丰草，大块之间无美苗／进退天下士大夫，不惟其才惟其行／道满天下，普在民所，民不能知也／遂令天下父母心，不重生男重生女／要为天下奇男子，须历人间万里程／责上责下而中自恕已，岂可任职分／有死天下之心，而后能成天下之事／有成天下之心，而后能死天下之事／眼前直下三千字，胸次全无一点尘／上无礼，下无学，贼民兴，丧无日矣／我知天下之中央，燕之北越之南是也／以受天下之瑰丽，而泄天下之拗怒也／上不信，下不忠，上下不和，虽安必危／凡为天下国家，当爱惜名器，谨重刑罚／芳饵之下必有悬鱼，重赏之下必有死夫／言满天下，无口过；行满天下，无怨恶／凡兵，天下之凶器也；勇，天下之凶德也／上好智，下应之以伪；上好贤，下应之以妄／衡门之下，有琴有书，载弹载咏，爰得我娱／河下天下之川，故广；人下天下之士，故大／溥天之下，莫非王土；率土之滨，莫非王臣／宰相，陛下之腹心；刺史县令，陛下之手足／权济天下而君臣立，上下正，然后礼义正焉／爵尊天下，富有四海，威势无量，专权擅柄／香饵之下，必有悬鱼；重赏之下，必有死夫／羿者，天下之善射者也，无弓矢则无所见其巧／君之化下，如风偃草，上不节心，则下多逸志／上不访，下不谏，妇言用，私政行，此亡国之风也／上多欲，下多端，法不定，政多门，此乱国之风也／清静处下，虚以待之，无为无求，而百川自为来也／善计天下者不视天下之安危，察其纪纲之理乱而已矣／能有天下者，必无以天下为也；能有名誉者，必无以趋行求者也

❺不敢为天下先／垂拱而天下治／清静为天下正／上公正则下易直／上多求则下交争／上多事则下多态／上多故则下多诈／上烦扰则下不定／不疑而天下自信／不私而天下自公／苏湖熟，天下足／四海安，天下欢／犯上难，摄下易／河水清，天下平／治国烦，则下乱／湖广熟，天下足／孤篷听雨下潇湘／朝居严则下无言／唯上知与下愚不移／惟上知与下愚不移／私者，乱天下者也／自三代以下者……／上无骄行，下无谄德／上无羡赏，下无羡财／上不怨天，下不尤人／上之所好，下必有甚／上化清净，下无贪人／上交不谄，下交不渎／上有天堂，下有苏杭／上有所好，下必甚焉／通其变，天下无弊法／桃李不言，下自成蹊／赏罚者，天下之公也／言出为论，下笔成章／尧之治天下，使民心亲／中也者，天下之大本也／禹之治天下，使民心变／圣人制天下，贵能至公／蓄积者，天下之大命也／和也者，天下之达道也／舜

之治天下，使民心竞／积贮者，天下之大命也／千里始足下，高山起微尘／升高必自下，陟遐必自迩／古者以天下为主，君为客／受辱于跨下，无兼人之勇／志不立，天下无可成之事／待月西厢下，迎风户半开／须知香饵下，触口是铦钩／清流若镜，下照金沙之底／寝迹衡门下，邈与世相绝／朴素而天下莫能与之争美／相识满天下，知心能几人／春色无高下，花枝有短长／空嗟芳饵下，独见有贪心／上有好者，下必有甚焉者矣／民胜其政，下畔其上则兵弱／古之畜天下者，欲而天下足／闻在宥天下，不闻治天下也／政在于民，下附其上则兵强／自形而上下言，岂得无先后／以道理天下者……不赏而民劝／信全则天下安，信失则天下危／朝千悲而下泣，夕万绪以回肠／上不敬，则下慢；不信，则下疑／上知天时，下知地利，中知人事／上因天时，下尽地财，中用人力／君子恶居下流，天下之恶皆归焉／唯无以天下为者，可以托天下也／烈士为天下见善矣，未足以活身／必尽读天下之书，尽通古今之事／怨在微而下之，犹可以为谦德也／穿重云而下射，白龙倒饮于平湖／自赦而天下不赦也，则其肆必收／上穷碧落下黄泉，两处茫茫皆不见／圣王以天下为忧，天下以圣王为乐／将欲取天下而为之，吾见其不得已／爱好由来下笔难，一诗千改始心安／身正则天下皆正，身理则天下皆理／上交不谄，下交不骄，则可以有为矣／惟不以天下害其生者也，可以托天下／上好紫则下皆女服，上好剑则士皆曼胡／不先审天下之势而欲应天下之务，难矣／圣人视天下之不治，如赤子之在水火也／君开一源，下生百端之变，无不乱者也／昔尧治天下，不赏而民劝，不罚而民畏／上不至天，下不至地，言出子口而入吾耳／禄之以天下，弗顾也；系马千驷，弗视也／古之取天下也以民心，今之取天下也以民命／君开一源，下生百端。百端之变，无不动乱／虐政用于下，而欲德教之被四海，故难成也／造父者，天下之善御者也，无舆马则无所见其能／美也者，上下、内外、大小、远近皆无害焉，故曰美／有席卷天下，包举宇内，囊括四海之意，并吞八荒之心／所贵于天下之士者，为人排患、释难、解纷乱而无所取也／君人者不下庙堂之上，而知四海之外者，因物以识物，因人以知人也

❻达则兼善天下／一举成名天下闻／一叶落知天下秋／一唱雄鸡天下白／男子要为天下奇／能信，不为人下／守一城，捍天下／赏一人而天下劝／雄鸡一声天下白／无礼义，则上下乱／一日行善，天下归仁／长短相形，高下相倾／周公吐哺，天下归心／利之所在，天下趋之／去货以廉，使下自平／参不尽者，天下之理／在上不骄，为下不倍／节俭爱费，天下不匮／君有奇智，天下不臣／家给人足，天下大治／居上不骄，在下不忧／杀天下者，天下贼之／李广才气，天下无双／政令不行，上下相怨／爱施兆民，天下归之／穷天下者，天下仇之／不欲以静，天下将自定／利天下者，天下亦利之／任贤使能，天下之公义／倚天绝壁，直下江千尺／男耕女织，天下之大业／损一毫利天下，不与也／害天下者，天下亦害之／忠臣处国，天下无异心／秦失其鹿，天下共逐之／上马击狂胡，下马草军书／上贵见肝胆，下贵不相疑／上言长相思，下言久离别／下贫则上贫，下富则上富／甘瓜苦蒂，天下物无全美／为治有体，上下不可相侵／黄帝之治天下，使民心一／高者未必贤，下者未必愚／读书破万卷，下笔如有神／常闻夸大言，下顾皆细萍／善，以言乎天下之大共也／恭俭节用，天下几至刑措／必死之病，不下苦口之药／不仁而得天下者，未之有也／正西风落叶下长安，飞鸣镝／由魏晋氏以下，人益不事师／义兵之为天下良药也亦大矣／发号出令以下行，期悦人意／君臣遇合，天下事迎刃而解／唯不争，故天下莫能与之争／问其禄，则曰下大夫之秩也／汝惟不伐，天下莫与汝争功／汝惟不矜，天下莫与汝争能／家事国事天下事，事事关心／如是则下怨，下怨者可亡也／暴王之恶天下，故天下可离／贵以身为天下，若可寄天下／爱以身为天下，若可托天下／上不得不恶下，下不得不疑上／上以食而辱下，下以食而欺上／天气上，地气下，人气在其间／不谄上而慢下，不厌故而敬新／非虑无以临下，非言无以述虑／仪必应乎高下，衣必适乎寒暑／宁撞金钟一下，不打铙钹三千／威柄不以放下，利器不可假人／桀、纣之失天下也，失其民也／爱以身为天下，若可托天下矣／木生内蠹，上下相贼，祸乱我国／一有偏好，则下必投其所好以诱之／不出户，知天下；不窥牖，见天道／不能手提天下往，何忍身去游其间／了却君王天下事，赢得生前身后名／何必奔冲山下去，更添波浪向人间／假令风歇时下来，犹能簸却沧溟水／圣人之治天下也，先文德而后武力／在上位，不陵下；在下位，不援上／若升高，必自下；若陟遐，必自迩／宁教我负天下人，休教天下人负我／居上克明，为下克忠，与人不求备／刘备有取天下之量，而无取天下之才／玄古之君天下，无为也，天德而已矣／建大功于天下者，必先修于闺门之内／项籍有取天下之才，而无取天下之虑／曹操有取天下之虑，而无取天下之量／其盗机也，天下莫不能见，莫不能知／世未有不自下而能高，不自近而能远者／临水远望，泣下沾衣，远道之人心思归／古者多有天下而亡者矣，其

民不为用也／力可以得天下，不可以得匹夫匹妇之心／在上不骄，在下不谄，此进退之中道也／大其心容天下之物，虚其心受天下之善／如欲平治天下，当今之世，舍我其谁也／三代之得天下也以仁，其失天下也以不仁／苟可以为天下国家之用者，则无不在于学／君信不足于下，下则应之以不信而欺其君／上之为政，得下之情则治，不得下之情则乱／利天下者，天下启之；害天下者，天下闭之／山虽高，水虽下，其为险而害也，要之不异／狗吠不惊，足下生氂；含哺鼓腹，焉知凶灾／见不尽者，天下之事；读不尽者，天下之书／一言得而天下服，一言定而天下听，公之谓也／上无所为，则下无事，家给人足，万物自化就／因其性，则天下听从；拂其性，则法县而不用／一夫不耕，天下受其饥；一妇不织，天下受其寒／八百里分麾下炙，五十弦翻塞外声。沙场秋点兵／上不失天时，下不失地利，中得人和，而百事不废／匹夫而忧天下，无位而论世事，时俗以为狂，而君子之所取也

❼困乎上者必反下／宰相所职系天下／智不足以治天下／舜布衣而有天下／登泰山而小天下／尊卑有序则上下和／上枉下曲，上乱下逆／无羞亟问，不愧下学／不夺能能，不与下试／乱之上也，治之下也／匡庐奇秀，甲天下山／论则贱之，行则下之／得其民，斯得天下矣／绝圣弃知而天下大治／敏而好学，不耻下问／身名俱裂，为天下笑／大道之行也，天下为公／文武并行，则天下从矣／长者能博爱，天下寄其身／为之度，以一天下之长短／为之量，以齐天下之多寡／古者明君在上，下多直辞／先下手为强，后下手遭殃／京城禁珠翠，天下尽琉璃／能均其食者，天下可以治／拔一毛而利天下，不为也／始终得其正，天下合于一／纵横一川水，高下数家村／桥上山万重，桥下水千里／梧桐一叶落，天下尽知秋／摩顶放踵，利天下，为之／欲求生富贵，须下死工夫／欲求真受用，须下死功夫／瓜田不纳履，李下不正冠／正者，所以正天下之不正也／人杰地灵，徐孺下陈蕃之榻／取天下与守天下，无机不能／好直而恶枉，天下之至情也／统者，所以合天下之不一也／念头暗昧，白日下犹生厉鬼／上不得不恶下，下不得不疑上／上以食而辱下，下以食而欺上／上将效于国用，下欲济其家声／下比周则上危，下分争则上安／五亩之宅，树墙下以桑矣……／在之也者，恐天下之淫其性也／把意念沉潜得下，何理不可得／君子之言也，不下带而道存焉／知大己而小天下，则几于道矣／宥之也者，恐天下之迁其德也／录长补短，则天下无不用之人／强臣专国，则天下震动而易乱／智而能愚，则天下之智莫加焉／责短舍长，则天下无不弃之士／贤君必恭俭礼下，取于民有制／所言无不义，故下无伪上之报／上好奢靡而望下敦朴，未之有也／挟天子以令天下，天下莫敢不听／用人而不为之下，则力不为用也／无边落木萧萧下，不尽长江滚滚来／不知织女萤窗下，几度抛梭织得成／休夸此地分天下，只得徐妃半面妆／识欲高而气欲下，量欲宏而守欲洁／大仁者修治天下，大恶者扰乱天下／君子志于泽天下，小人志于荣其身／知屋漏者在宇下，知政失者在草野／国以信而治天下，将以勇而镇外邦／治世之官详于下，乱世之官叠于上／贪鄙在率不在下，教训在政不在民／用仁义以治天下，公赏罚以定干戈／不出户而知天下兮，何必历远以劬劳／奉公如法，则上下平，上下平则国强／以吾心之思足下，知足下悬悬于吾也／以己之材为天下用，则用天下而不足／其嵚然相累而下者，若牛马之饮于溪／能当一人而天下取，失当一人而社稷危／亲履艰难者知下情，备经险易者达物伪／自古及今，穷其下能不危者，未之有也／君信不足于下，下则应之以不信而欺其君／洞然无为而天下自和，憺然无欲而民自朴／悠悠素餐者，天下皆是，王道从何而兴乎／食禄者不得与下民争利，受大者不得取小／三得者具而天下归之，三得者亡而天下去之／幽晦登昭，日月下藏；公正无私，反见从横／山，快马加鞭未下鞍。惊回首，离天三尺三／闻《乐游园》寄足下诗，则执政柄者扼腕矣／有杀人之威而下不惧，有生人之惠而下不喜／欲上民，必以言下之；欲先民，必以身后之／吾何以得知天下乎？察己以知之，不求于外也／贤者，用之则天下治；不肖者，用之则天下乱／上有素定之谋，下无趋向之惑，天下之事不难举也／专以一身任天下，其智之所不见，力之所不举者多矣／上智不教而成，下愚虽教无益，中庸之人，不教不知也／君自为诈，欲臣下行直，是犹源浊而望水清，理不可得／君子有为于天下，惟义而已，不可则止，无苟为，亦无必为

❽善为上者不忘其下／无养乳虎，将伤天下／九合诸侯，一匡天下／千里之行，始于足下／乐以天下，忧以天下／奢不僭上，俭不逼下／小人之口，为祸天下／行虽至卓，不离高下／法立于上，教弘于下／屋漏在上，知者在下／屋漏在上，知之在下／绳正于上，木直于下／有文无武，无以威下／誉成毁败，扶高抑下／无权则无以成天下之务／凡主伸己以屈天下之忧／圣人久于道而天下化成／圣王屈己以申天下之乐／受国不祥，是为天下王／尚贤使能，则主尊下安／困而不学，民斯为下矣／统天下者当与天下同心／一心中国梦，万古下泉诗／不妄于万姓，则天下安矣／厚发奸之赏，峻欺下之诛／兴天

下之利，除天下之害／圣人感人心，而天下和平／导泉向涧，则为易下之流／惧满溢，则思江海下百川／惧满盈，则思江海下百川／学识英博，非复吴下阿蒙／贵以贱为本，高以下为基／族秦者，秦也，非天下也／竹喧归浣女，莲动下渔舟／足食足兵，为治天下之具／上失其道而杀其下，非理也／为之权衡，以信天下之轻重／以事秦之心，礼天下之奇才／以赂秦之地，封天下之谋臣／诚能爱而利之，天下可从也／抱火措之积薪之下而寝其上／君子之仕，不以高下易其心／德与力，非试之辕下不可辨／官吏浮冗，最为天下之大患／有千里莼羹，但未下盐豉耳／繁为攻伐，此实天下之巨害／为上者不虚授，处下者不虚受／为高必因丘陵，为下必因川泽／知不足者好学，耻下问者自满／居上位而不骄，在下位而不忧／水下流而广大，君下臣而聪明／贵上极则反贱，贱下极则反贵／教者，效也；上为之，下效之／三德者诚乎上，则下应之如景响／不动声色，而措天下于泰山之安／壅塞之任，不在臣下，在于人主／阴阳变化，一上一下，合而成章／君子恶居下流，天下之恶皆归焉／和以处众，宽以接下，恕以待人／昔者明王之爱天下，故天下可附／自古兴俭以劝天下，必以身先之／鼋鼍穴于深渊之下，夕而得所宿／上不能宽国之利，下不能饱民之饥／上不玷知人之明，下不失四海之望／上士之耳训乎德，下士之耳顺乎己／上悬之无极之高，下垂之不测之渊／下僭礼则上失位，下侵权则上失政／高谈则龙腾豹变，下笔则烟飞雾凝／在上位，不陵下；在下位，不援上／断雁无凭，冉冉飞下汀洲，思悠悠／辞之所以能鼓天下者，乃道之文也／言者无罪闻者戒，下流上通上下泰／一天下者，令于天下则行，禁焉则止／天下非一人之天下，乃天下之天下也／天下非一人之天下也，天下之天下也／并天下之谋，兼天下之智，而理得矣／听政之初，当以通下情除壅蔽为急务／是技皆可成名，天下惟无技之人最苦／片技即足自立，天下惟多技之人最劳／上不信，下不忠，上下不和，虽安必危／以天下之材为天下用，则用天下而有余／以至详之法晓天下，使天下明知其所避／古之官人也，以天下为己累，故己忧之／避天下之逆，从天下之顺，天下不足取／水之行避高而趋下，兵之形避实而击虚／树林阴翳，鸣声上下，游人去而禽鸟乐也／三皇五帝之治天下，名曰治之，而乱莫甚焉／书以言事，行上行下，平行往复，统谓之书／高山有前，流水在下，可以俯仰，可以宴乐／挺然尽心，敢任天下之责者，即当委而付之／居上位而不恤其下，骄也；缓令急诛，暴也／己之所无，不以责下；我之所有，不以讥彼／贵不专权，罔惑上下；贱能守分，不苟求取／有君臣然后有上下，有上下然后礼义有所错／有顺君意而害天下者，有逆君意而利天下者／笔端肤寸，膏润天下；文章之用，极其至矣／上与造物者游，而下与外生死、无终始者为友／昔先圣王之治天下也，必先公，公则天下平矣／教明于上，化行于下，民有耻心，则何盗之为／治天下者，当以天下之心为心，不得自专快意而已

❾修身齐家治国平天下／知爱人而后知保天下／法立于上则俗成于下／天下无道，则正人在下／参差之上，无整齐之下／善守者，藏于九地之下／文之异，在气格之高下／世胄蹑高位，英俊沉下僚／公正无私，可以为天下王／令烦则奸生，禁多则下诈／能为人则者，不为人下矣／难将一人手，掩得天下目／吾爱孟夫子，风流天下闻／怀此贞秀姿，卓为霜下杰／有能则举之，无能则下之／睹瓶中之冰而知天下之寒／锄禾日当午，汗滴禾下土／鸟宿池边树，僧敲月下门／非德而可长久者，天下无之／失吾道者，上见光而下为土／命令昨颁，十万工农下吉安／享天下之利者，任天下之患／取天下之财，以供天下之费／因天下之力，以生天下之财／得吾道者，上为皇而下为王／居天下之乐者，同天下之忧／暴王之恶天下，故天下可离／见瓶水之冰，而知天下之寒／顺大道而行者，救天下者也／登车揽辔，有澄清天下之志／三寸之管而无当，天下弗能满／天下之至柔，驰骋天下之至坚／不掩贤以隐长，不刻下以谀上／乘众人之制者，则天下不足有／为政……贵于有以来天下之善／以天下与人易，为天下得人难／发政施仁，所以王天下之本也／兴天下之同利，除天下之同害／人心，排下而进上，上下囚杀／见瓶中之水，而知天下之寒暑／积其凶，全其恶，而天下去之／一人之鉴易限，而天下之才难原／上士忘名，中士立名，下士窃名／挟天子以令天下，天下莫敢不听／政者正也，上正其道，下必从之／有以噎死者，欲禁天下之食，悖／有恒者之与圣人，高下固悬绝矣／一生所遇唯元白，天下无人重布衣／丈夫丁壮而不耕，天下有受其饥者／天下顺治在民富，天下和静在民乐／我之出而仕也，为天下，非为君也／古之欲明明德于天下者，先治其国／圣王以天下为忧，天下以圣王为乐／莫愁前路无知己，天下谁人不识君／妇人当年而不织，天下有受其寒者／欲影正者端其表，欲下廉者先之身／登高不可以为长，居下不可以为短／天下者非一人之天下，惟有道者处之／天下者，非君有也，天下使君主之耳／上不以诗补察时政，下不以歌泄导人情／上德无为而无以为，下德为之而有以为／民以财为本，财竭则下畔，下畔则上亡／圣人不以一己治天

下，而以天下治天下／此情无计可消除，才下眉头，却上心头／国虽大，好战必亡；天下虽安，忘战必危／国虽大，好战必亡；天下虽平，忘战必危／川不可防，言不可弭，下塞上聋，邦其倾矣／凡物之精，化则为生，下生五谷，上为列星／有不嗜杀人者，则天下之民皆引领而望之矣／上德不德，是以有德。下德不失德，是以无德／凡今能言者，皆谓天下少士，而不知养材之道／风化者，自上而行于下者也，自先而施于后者／先王之世，以道治天下，后世只是以法把持天下／善计天下者不视天下之安危，察其纪纲之理乱而已矣／古今号文章为难，足下知其所以难乎？……得之为难，知之愈难耳

⑩制法而自犯之，何以帅下／同天下之利者，则得天下／人伦明于上，小民亲如下／人莫大焉亡亲戚君臣上下／圣人无尺土，无以王天下／擅天下之利者，则失天下／德之休明，不在位之高下／夏屋初成而大匠先立其下／枉士无正友，曲上无直下／星河尽涵泳，俯仰迷上下／忠足以勤上，惠足以存下／虑壅蔽，则思虚心以纳下／天子作民父母，以为天下王／无私者知，至知者为天下稽／古之畜天下者，欲而天下足／变白以为黑兮，倒上以为下／谋得于帷幄，则功施于天下／能用度外人，然后能周天下／君子之守，修其身而天下平／闻在宥天下，不闻治天下也／道德一于上，而习俗成于下／死人如乱麻，暴骨长城之下／水清无大鱼，察政不得下和／贵以身为天下，若可寄天下／爱以身为天下，若可托天下／有贤豪之士，不须限于下位／上一则下一矣，上二则下二矣／天下之竹帛不足书阁下之功德／天下之金石不足颂阁下之形容／无以天下为者，必能治天下者／不有所弃，不可以得天下之势／不有所忍，不可以尽天下之利／以道佐人主者，不以兵强天下／古者诛罚不阿亲戚，故天下治／信全则天下安，信失则天下危／八音与政通，而文章与时高下／公义不亏于上，私行不失于下／黄帝、尧、舜垂衣裳而天下治／舍得一身剐，敢把皇帝拉下马／凡数州之土壤，皆在衽席之下／除害在于敢断，得众在于下人／观天下书未遍，不得妄下雌黄／志陵青云之上，身晦泥污之下／莫为一身之谋，而有天下之志／“莫须有”三字，何以服天下／治国者，布施惠德，无令下知／安仁义而乐利世者，能服天下／始取天下为功，始治天下为德／散发高吟，对明月于青溪之下／爱以身为天下，若可托天下矣／有能以民为务者，则天下归之／念天地之悠悠，独怆然而涕下／穷则独善其身，达则兼善天下／上不敬，则下慢；不信，则下疑／与人相处之道，第一要谦下诚实／天下事当于大处著眼，小处下手／不可于我而可于彼者，天下无亡／未有身正而影曲，上治而下乱者／为一身谋则愚，而为天下谋则智／今我受其直息其事者，天下皆然／今王公贵人，处于重屋之下……／勇士不顾生，故能立天下之大名／能除天下之忧者，必享天下之乐／能扶天下之危者，必据天下之安／大夫以身殉家，圣人以身殉天下／唯无以天下为者，可以托天下也／善胜敌者不与，善用人者为之下／善钓者出鱼乎十仞之下，饵香也／困而不学，终于不知，斯为下尔／汝身之不能治，而何暇治天下乎／法行于贱而屈于贵，天下将不服／孙卿言人性恶者，中人以下者也／维圣哲以茂行兮，苟得用此下土／昔者明王之爱天下，故天下可附／文起八代之衰，而道济天下之溺／忠臣不畏死，故能立天下之大事／用兵之道，攻心为上，攻城为下／疾不可为也，在肓之上、膏之下／自受弊薄，后己先人，天下敬之／登东山而小鲁，登泰山而小天下／身在江海之上，心居乎魏阙之下／才胆实由识而济，故天下唯识为难／不以先进略后生，不以上官卑下吏／不言之教，无为之益，天下希及之／正获之问于监市履狶也，每下愈况／世人视宠以为荣，圣人观之以为下／兵者凶器也，甲坚兵利，为天下殃／尽己而不以尤人，求身而不以责下／古之大臣废昏举明，所以康天下也／匹夫而为百世师，一言而为天下法／儒者在本朝则美政，在下位则美俗／合天下之众者财，理天下之财者法／先天下之忧而忧，后天下之乐而乐／凡人之谈，常誉成毁败，扶高抑下／凡君之所毕世而经营者，为天下也／高视于万物之中，雄峙于百代之下／军民团结如一人，试看天下谁能敌／请看今日之域中，竟是谁家之天下／勇略震主者身危，功盖天下者不赏／能欺一人一时，决不能欺天下后世／受天下之瑰丽，而泄天下之拗怒也／喜怒哀乐发而皆中节，天下之达道／大仁者修治天下，大恶者扰乱天下／奔车之上无仲尼，覆舟之下无伯夷／君子不得已而临莅天下，莫若无为／知周乎万物，而道济天下，故不过／回乐峰前沙似雪，受降城下月如霜／德益盛者虑益微，功愈高者意愈下／形而上者谓之道，形而下者谓之器／江海相逢客恨多，秋风叶下洞庭波／惟圣君以逆耳者顺于心，故天下治／宁教我负天下人，休教天下人负我／战士军前半死生，美人帐下犹歌舞／贫贱之知不可忘，糟糠之妻不下堂／视都知野，视野知国，视国知天下／气盛则言之短长与声之高下者皆宜／有以乘舟死者，欲禁天下之船，悖／有如兔走鹰隼落，骏马下注千丈坡／有死天下之心，而后能成天下之事／有成天下之心，而后能死天下之事／欲赋生来惊人语，必须苦下死工夫／碧玉妆成一树高，万条垂下绿

丝绦／白云山头云欲立，白云山下呼声急／用兵之道……心战为上，兵战为下／鹊巢知风之所起，獭穴知水之高下／痴儿不了公家事，男子要为天下奇／路曼曼其修远兮，吾将上下而求索／身正则天下皆正，身理则天下皆理／言者无罪闻者戒，下流上通上下泰／言有尽而意无穷者，天下之至言也／与朋友论学，须委曲谦下，宽以居之／天下非一人之天下，乃天下之天下也／天下非一人之天下也，天下之天下也／天地在我首之上，足之下，开目尽见／不以一己之害为害，而使天下释其害／不以一己之利为利，而使天下受其利／不敌其力，而消其势，兑下乾上之象／奉公如法，则上下平，上下平则国强／以正治国，以奇用兵，以无事取天下／以受天下之瑰丽，而泄天下之拗怒也／以吾心之思足下，知足下悬悬于吾也／以己之材为天下用，则用天下而不足／刘备有取天下之量，而无取天下之才／办天下之大事者，有天下之大节者也／能大而不小，能高而不下，非兼通也／圣人……非不好富也，富在于富天下／项籍有取天下之才，而无取天下之虑／士好奢则民不足，民好奢则天下不足／苟能乐道人之善，则天下皆去恶为善／大丈夫当为国扫除天下，岂徒室中乎／江海所以能为百谷王者，以其善下之／惟不以天下害其生者也，可以托天下／如其道，则舜受尧之天下，不以为泰／标心于万古之上，而送怀于千载之下／斩木为兵，揭竿为旗，天下云集响应／曹操有取天下之虑，而无取天下之量／贪物而不知止者，虽有天下，不富矣／贵者必以贱为号，而高者必以下为基／虑不在千里之外，则患在几席之下矣／一人知俭则一家富，王者知俭则天下富／下之共上勤而不困，上之治下简而不劳／天下之理不可穷也，天下之性不可尽也／不先审天下之势而欲应天下之务，难矣／为人君而乐杀人，此不可使得志于天下／以天下之材为天下用，则用天下而有余／以至详之法晓天下，使天下明知其所避／民之归仁也，犹水之就下、兽之走圹也／民以财为本，财竭则下畔，下畔则上亡／制名以指实，上以明贵贱，下以辨同异／并力西向，则吾恐秦人食之不得下咽也／尊贤使能，俊杰在位，则天下之士皆悦／今之官人也，以己为天下累，故人忧之／圣人不以一己治天下，而以天下治天下／圣人备道全美者也，是县天下之权称也／芳饵之下必有悬鱼，重赏之下必有死夫／大丈夫处世，当扫除天下，安事一室乎／大吏不正而责小吏，法略于上而详于下／大其心容天下之物，虚其心受天下之善／抗之则在青云之上，抑之则在深渊之下／德比于上，故知耻；欲比于下，故知足／安得广厦千万间，大庇天下寒士俱欢颜／宫中积珍宝，狗马实外厩，美人充下陈／避天下之逆，从天下之顺，天下不足取／好而知其恶，恶而知其美者，天下鲜矣／文臣不爱钱，武臣不惜死，天下太平矣／火炎上而受制于水，水趋下而得志于火／舐痔者得车五乘，所治愈下，得车愈多／言满天下，无口过；行满天下，无怨恶／其处上也，足以明政行教，不以威天下／三代之得天下也以仁，其失天下也以不仁／天下不淫其性，不迁其德，有治天下者哉／以骄主使罢民，然而国不亡者，天下少矣／十年之相知，不若兹火一夕之为足下誉也／使贤者居上，不肖者居下，而后可以理安／凡兵，天下之凶器也；勇，天下之凶德也／圣人并包天地，泽及天下，而不知其谁氏／落陷阱，不一引手救，反挤之，又下石焉／唯仁者可好也，可恶也，可高也，可下也／善人为妖，是非反复，天下大迷而不复也／法令明具，而用之至密，举天下惟法之知／有以用兵丧其国者，欲偃天下之兵，悖。／有意而言，意尽而言止者，天下之至言也／三得者具而天下归之，三得者亡而天下去之／上下之情，壅而不通，天下之弊，由是而积／上兵伐谋，其次伐交，其次伐兵，下政攻城／上之为政，得下之情则治，不得下之情则乱／上好智，下应之以伪；上好贤，下应之以妄／下之事上，不一其事；上之使下，不一其事／天下难事，必作于易；天下大事，必作于细／天下虽兴，好战必亡；天下虽安，忘战必危／昼则舟楫出没于其前，夜则鱼龙悲啸于其下／生男无喜，生女无怒，独不见卫子夫霸天下／古之取天下也以民心，今之取天下也以民命／利天下者，天下启之；害天下者，天下闭之／并官省事，静事息役，上下用心，惟农是务／今以人之小过掩大美，则天下无圣王贤相矣／阳春之曲，和者必寡；盛名之下，其实难副／能至素至精，浩弥无刑，然后可以为天下正／取天下常以无事。及其有事，不足以取天下／至福似祸，大吉若凶。天下醉饱，莫之能明／号令烦而不信，赏罚行而不当，则天下不服／和羹之美，在于合异；上下之益，在能相济／山不厌高，海不厌深；周公吐哺，天下归心／行一不义，杀一不辜，而得天下，皆不为也／度量权衡法，必资之官，资之官而后天下同／河下天下之川，故广；人下天下之士，故大／清音宛转，如诉如慕，坐客听之，不觉泪下／字中蝌蚪，竞落文河。笔下蛟龙，争投学海／宰相，陛下之腹心；刺史县令，陛下之手足／层台耸翠，上出重霄，飞阁流丹，下临无地／居上者不以至公理物，为下者必以私路期荣／女有余布，男有余粟，国家殷富，上下交足／理未尝离乎气，然理形而上者，气形而下者／权济天下而君臣立，上下正，然后礼义正焉／旦为朝云，暮为行雨。朝朝暮暮，阳台之下／春和景明，波澜不惊；上下天光，一碧万顷／智鄙相笼，强弱相陵，天下之乱何时而已乎／贵而不骄，胜而不恃，贤而能下，刚而能忍／见不尽者，天下之事；读不尽者，天下之书／致天下之治者在人才，成天下之才者在教化／有君臣然后有上下，有上下然后礼义有所错／有杀人之威而下不惧，有生人之惠而下不喜／有顺君意而害天下者，有逆君意而利天下者／心狂志悖，视听从类，政令无常，下民作孽／香饵之下，必有悬鱼；重赏之下，必有死夫／聪明睿智，守之以愚；功被天下，守之以让／一言得而天下服，一言定而天下听，公之谓也／不以宠辱荣患损易其身，然后乃可以天下付之／生之者甚少而靡之者甚众，天下之势何以不危／举将而限以资品，则英豪之士在下位者不可得／民之所以僻，治之所以乱，皆由上，不由其下／人主之立法，先自为检式仪表，故令行于天下／合抱之木，生于毫末……千里之行，始于足下／限之以爵，爵加则知荣，恩荣并济，上下有节／若号令烦而不信，赏罚行而不当，则天下不服／君之化下，如风偃草，上不节心，则下多逸志／清轻者上为天，浊重者下为地，冲和气者为人／安则乐生，痛则思死；捶楚之下，何求而不得／宽弘之人宜为郡国，使下得施其功而总成其事／如有不嗜杀人者，则天下之民皆引领而望之矣／要而学之，又其次也，困而不学，民斯为下矣／威不能复制民，民不能堪其威，则上下大溃矣／望长城内外，惟馀莽莽；大河上下，顿失滔滔／昔先圣王之治天下也，必先公，公则天下平矣／贤者，用之则天下治；不肖者，用之则天下乱／有功不赏，有罪不诛，虽唐虞犹不能以化天下／一夫不耕，天下受其饥；一妇不织，天下受其寒／不拘一世之利以为己私分，不以王天下为己处显／举天下以赏其善者不足，举天下以罚其恶者不给／但当退小人之伪朋，用君子之真朋，则天下治矣／今人主有明其德者，则天下归之若蝉之归明火也／先王之世，以道治天下，后世只是以法把持天下／若使人之所怀于内者……，则天下无亡国败家矣／汰流、淫佚、侈靡之俗日以长，是天下之大祟也／官无常贵而民无终贱，有能则举之，无能则下之／宫殿中可以避世全身，何必深山之中，蒿庐之下／居者有余蓄，行者有余资……可谓有治天下之效／昔者先圣王，成其身而天下成，治其身而天下治／策之不以其道……执策而临之曰："天下无马"／上有素定之谋，下无趋向之惑，天下之事不难举也／天下不可一日而无政教，故学不可一日而亡于天下／天地之养也一，登高不可以为长，居下不可以为短／以不忍人之心，行不忍人之政，治天下可运之掌上／仁人之所以为事者，必兴天下之利，除去天下之害／位存焉而德无有，犹不足大其门，然世且乐为之下／黄鹄白鹤，一举千里，使之与燕服翼试之堂庑之下／叩之而必闻，触之而必应，夫是以天下可使为一身／吾所谓道德云者，合仁与义言之也，天下之公言也／君能尽礼，臣得竭忠，必在于内外无私，上下相信／道之真以治身，其绪余以为国家，其土苴以治天下／力不能济于用，而君臣上下不正，虽抱空器奚何施设／一观其文，心朗目舒，炯若深井之下仰视白日之正中也／上士难进而易退也，其次易进易退也，其下易进难退也／上有无时之求，中有剥削曲巧之政，下有豺狼寇盗之害／古之存身者，不以辩饰知，不以知穷天下，不以知穷德／怒笞不可偃于家，刑罚不可偃于国，诛伐不可偃于天下／三皇之知，上悖日月之明，下睽山川之精，中堕四时之施／天下大乱，贤圣不明，道德不一，天下多得一察焉以自好／天下者亦吾有也，吾亦天下之有也，天下之与我岂有间哉／利之所在，虽千仞之山，无所不上，深源之下，无所不入／坐而玩之者，可濯足于床下；卧而狎之者，可垂钓于枕上／喜则滥赏无功，怒则滥杀无罪，是以天下丧乱，莫不由此／上智不处危以侥幸，中智能因危以为功，下愚安于危以自亡／君子所甚惧者，以申、韩之酷政，文饰儒术，而重毒天下也／汝游心于淡，合气于漠，顺物自然而无容私焉，而天下治矣／上士闻道，勤而行之；中士闻道，若存若亡；下士闻道，大笑之／以玙璠之玼而弃其璞，以一人之罪而兼其众，则天下无美宝信士／能明申、韩之术而修商君之法，法修术明而天下乱者，未之闻也／能有天下者，必无以天下为也；能有名誉者，必无以趋行求者也／知为为而不知所以为，是以贵为天子，富有天下，而不免于患也／体恭敬而心忠信，术礼义而情爱人，横行天下，虽困四夷，人莫不贵／治世所贵乎位者三：一曰达道于天下，二曰达惠于民，三曰达德于身／患其有小恶，以人之小恶，亡人之大美，此人主之所以失天下之士也已／后嗣若贤，自能保其天下；如其不肖，多积仓库，徒益其奢侈，危亡之本也

丈

zhàng 市制长度单位；测量土地；对老年男子的尊称；指女子的配偶。

❶丈夫可杀不可羞

见唐·吕温《读勾践传》。

丈夫不叹别，达士自安卑

见唐·崔湜《赠苏少府赴任江南余时还京》。

丈夫非无泪，不洒别离间

见唐·陆龟蒙《别离》。

丈夫皆有志，会见立功勋

见唐·杨炯《出塞》。

丈夫贵兼济，岂独善一身

见唐·白居易《新制布裘》。

丈夫誓许国,愤惋复何有

见唐·杜甫《前出塞九首》。

丈夫生不五鼎食,死即五鼎烹耳

见汉·司马迁《史记·平津侯主父列传》。

丈夫为志,穷当益坚,老当益壮

见南朝·宋·范晔《后汉书·马援传》。

丈夫丁壮而不耕,天下有受其饥者

见汉·刘安《淮南子·齐俗》。全句为:"~;妇人当年而不织,天下有受其寒者"。

丈夫不作儿女别,临岐涕泪沾衣巾

见唐·高适《别韦参军》。

丈夫力耕长忍饥,老妇勤织长无衣

见宋·徐照《促促词》。

丈夫盖世英雄气,肯学世间儿女愁

见宋·李景雷《和宋伯仁韵》。

丈夫盖棺事始定,君今幸未成老翁

见唐·杜甫《君不见简苏徯》。

丈夫穷空自其分,饿死吾肩未尝胁

见宋·陆游《薪米隅不继戏书》。

丈人才力犹强健,岂傍青门学种瓜

见唐·杜甫《曲江陪郑八丈南史饮》。

丈夫不释故而改图,哲士不侥幸而出危

见南朝·宋·范晔《后汉书·冯衍传》。

丈夫生不为将,得为使,折冲口舌之间足矣

见宋·苏洵《送石昌言使北引》。

❷大丈夫志四方/百丈竿头须进步/大丈夫以断为先/大丈夫能屈能伸/大丈夫相时而动/大丈夫以信义为重/大丈夫为志,穷当益坚/千丈之堤,以蝼蚁之穴溃/大丈夫当雄飞,安能雌伏/大丈夫处世,当交四海英雄/大丈夫所守者道,所待者时/大丈夫,千山万水往长远处看/大丈夫行事,论是非不论利害/大丈夫以正大立心,以光明行事/大丈夫得死所,光奕奕,照千古/大丈夫处世,当为国家立功边境/大丈夫宁当玉碎,安可没没求活/大丈夫见善明,则重名节如泰山/大丈夫当为国扫除天下,岂徒室中乎/大丈夫行事当磊磊落落,如日月皎然/大丈夫处世,当扫除天下,安事一室乎/大丈夫不怕人,只怕理;不恃人,只是恃道/大丈夫……终不为邪暗小人所惑而易其所守/大丈夫必有四方之志,乃仗剑去国,辞亲远游/大丈夫举事,当赤心相示,浮言夸辞,吾甚厌之/大丈夫岂得苟贪财物,以害及身命,使子孙每怀愧耻耶

❸食方丈于前,所甘不过一肉/石称丈量,径而寡失,铢铢而称,至石必谬

❹说得一丈,不如行取一尺/所谓大丈夫者,谓其智之大也

❺白发三千丈,缘愁似个长/森森如千丈松,虽磊砢有节目

❻洗出庐山万丈青/财上分明大丈夫/寸寸而度,至丈必差/已是悬崖百丈冰,犹有花枝俏/虚负凌云万丈才,一生襟抱未曾开/寸而度之,至丈必差;铢而称之,至石必过/水皆缥碧,千丈见底;游鱼细石,直视无碍

❼寸寸而度之,至丈必过/丹崖翠壁千万丈,与公上上上上上

❽宣父犹能畏后生,丈夫未可轻年少/隐忍就功名,非烈丈夫孰能致此哉?

❾恨小非君子,无毒不丈夫/李杜文章在,光焰万丈长/阴风搜林山鬼啸,千丈寒藤绕崩石

❿年将弱冠非童子,学不成名岂丈夫/功名只向马上取,真是英雄一丈夫/有如兔走鹰隼落,骏马下注千丈坡/跻攀分寸不可上,失势一落千丈强/为山者基于一篑之土,以成千丈之峭/有六尺之躯,而不能庇一妇人,岂丈夫哉/我为女子,薄命如斯!君是丈夫,负心若此/牛蹄之涔,无尺之鲤;块阜之山,无丈之材

兀 wù 高起;形容山顶光秃;断足;浑然无知貌;静止貌;尚,还;作语助。

❻轩昂磊落,突兀峥嵘

❽焚膏油以继晷,恒兀兀以穷年

❾六王毕,四海一,蜀山兀,阿房出

万 ①wàn 数目;极言其多,其甚;绝对;舞名;姓。②mò[万俟]古时鲜卑族部落名;后为复姓。

❶万夫不当之勇

见元·关汉卿《五侯宴》三折。

万事莫贵于义

见《墨子·贵义》。

万变不离其宗

见清·谭献《明诗》。

万物出乎无有

见《庄子·庚桑楚》。全句为:"天门者,无有也;~"。

万物皆备于我

见《孟子·尽心上》。

万物自古而固存

见五代·前蜀·杜光庭《道德真经广圣义》卷七。

万有皆由道而生

见三国·魏·王弼《老子》三十四注。

万世不移者,山也

见宋·苏轼《送杭州进士诗叙》。

万物睽而其事类也

见《周易·睽》。

万事俱备,只欠东风

见明·罗贯中《三国演义》第四十九回。

万民之主,不阿一人

见《吕氏春秋·孟春纪·贵公》。全句为:"阴阳之和,不长一类,甘露时雨,不私一物,~"。

万古长空,一朝风月

见宋·普济《五灯会元》卷二。

万分廉洁,止是小善

见明·陈继儒《小窗幽记》。全句为:"~;一点贪污,便是大恶"。

万卷山积,一篇吟成

见清·袁枚《续诗品·博习》。

万株果树,色杂云霞

见唐·宋之问《春游宴兵部韦员外韦曲庄序》。全句为:"~;千亩竹林,气含烟雾"。

万物一府,死生同状

见《庄子·天地》。

万物之多,皆阅一空

见《十六经·成法》。

万物毕罗,莫足以归

见《庄子·天下》。

万物并作,吾以观复

见《老子》十六。

万物自有而终归于无

见五代·前蜀·杜光庭《道德真经广圣义》卷六。

万方有罪,在予一人

见《尚书·汤诰》。

万家之都,不可平以准

见《管子·宙合》。全句为:"千里之路,不可扶以绳;~"。

万物非欲死,不得不死

见五代·南唐·谭峭《化书卷一·死生》。全句为:"万物非不欲生,不得不生;~"。

万物归之,美恶乃自见

见《管子·白心》。

万物职职,皆从无为殖

见《庄子·至乐》。

万石之钟不以莛撞起音

见晋·陈寿《三国志·魏书·杜袭传》。全句为:"千钧之弩不为鼷鼠发机,~"。

万夫婉娈,非俟西子之颜

见晋·陆机《演连珠》。全句为:"众听所倾,非假《北里》之操;~"。

万事有不平,尔何空自苦

见清·顾炎武《精卫》。全句为:"~?长将一寸身,衔木到终古"。

万人离心,不如百人同力

见北齐·刘昼《刘子·兵术》。

万姓厌干戈,三边尚未和

见唐·刘商《行营即事》。全句为:"~。将军夸宝剑,功在杀人多"。

万物非不欲生,不得不生

见五代·南唐·谭峭《化书卷一·死生》。全句为:"~;万物非欲死,不得不死"。

万物之有灾,人妖最可畏

见汉·韩婴《韩诗外传》。

万物安于知足,死于无厌

见明·吕坤《呻吟语》。

万物皆出于机,皆入于机

见《庄子·至乐》。

万族各有托,孤云独无依

见晋·陶潜《咏贫士七首》之一。

万金买高爵,何处买青春

见清·屈复《偶然作》。全句为:"百金买骏马,千金买美人;~"。

万殊之类,不可以一概断之

见晋·葛洪《抱朴子·论仙》。

万物无足以铙心者,故静也

见《庄子·天道》。全句为:"圣人之静也,非曰静也善,故静也;~"。

万物抱一而成,得微妙气化

见《西升经·虚无章》。

万里长江横渡,极目楚天舒

见现代·毛泽东《水调歌头·游泳》。

万川归之,不知何时止而不盈

见《庄子·秋水》。全句为:"~;尾闾泄之,不知何时已而不虚"。

万物虽并动作,卒复归于虚静

见三国·魏·王弼《老子》十六注。全句为:"有起于虚,动起于静。故~"。

万物固以自然,圣人又何事焉

见汉·刘安《淮南子·原道》。

万物必有盛衰,万事必有弛张

见《韩非子·解老》。

万钟之尸居,不若釜庾之有为

见明·方孝孺《幼仪杂箴》。全句为:"珍腴之惭,不若藜藿之甘;~"。

万里长江,何能不千里而一曲

见南朝·宋·刘义庆《世说新语·任诞》。

万人逐兔,一人获之,贪者悉止

见南朝·宋·范晔《后汉书·袁绍传》。

万物之生也,皆元于虚,始于无

见汉·严遵《道德指归论·道生一篇》。

万物以生,万物以成,命之曰道

见《管子·内业》。全句为:"凡道无根,无茎,无叶,无荣,~"。

万夫喧喧不停杵,杵声丁丁惊后土

见宋·刘克庄《筑城行》。

万两黄金容易得,知心一个也难求

见清·曹雪芹《红楼梦》第五十七回。

万卷藏书宜子弟,十年种木长风烟

见宋·黄庭坚《郭明甫作西斋于颍尾请予赋

诗》。

万全之利，以小不便而废者有之矣

见宋·苏轼《思治论》。

万家墨面没蒿莱，敢有歌吟动地哀

见现代·鲁迅《无题》诗。

万木霜天红烂漫，天兵怒气冲霄汉

见现代·毛泽东《渔家傲·反第一次大"围剿"》。

万株松树青山上，十里沙堤明月中

见唐·白居易《夜归》。

万物草木之生也柔脆，其死也枯槁

见《老子》七十六。

万物始于微而后成，始于无而后生

见三国·魏·王弼《老子》一注。

万户千门成野草，只缘一曲后庭花

见唐·刘禹锡《台城》。

万目不张举其纲，众毛不整振其领

见晋·陈寿《三国志·魏书·崔林传》。

万事以心为本，未有心至而力不能者

见宋·欧阳修《苏子美论书》。

万物生于天地之间，其理不可以一概

见宋·欧阳修《怪竹辩》。

万物之于人也，无私近也，无私远也

见《管子·形势》。全句为："～；巧者有余而拙者不足"。

万物并育而不相害，道并行而不相悖

见《礼记·中庸》。

万物者，以盛衰而谈语，使人想而知之

见《太平经·使能无争讼法》。

万木僵仆，梅英再吐，玉立冰姿，不易厥素

见唐·宋璟《梅花赋》。

万物有乎生而莫见其根，有乎出而莫见其门

见《庄子·则阳》。

万态虽杂而吾心常彻，万变虽殊而吾心常寂

见宋·李霖《道德真经取善集》。

万物有自然之理，圣人只是顺之，不曾增加得一毫

见明·胡居仁《居业录·圣贤》。

万物之所以为无穷者，交相胜而已矣，还相用而已矣

见唐·刘禹锡《天论中》。

万物以自然为性，故可因而不可为也，可通而不可执也

见三国·魏·王弼《老子》二十九注。

万物纷纭，非有也，有之者人也，人不有，则万物何有

见《梦游集》卷四十五。

❷百万工农齐踊跃／九万里风鹏正举／病万变，药亦万变／百万之众，不如一贤／百万买宅，千万买邻／一万年太久，只争朝夕／亿万千百十，皆起于一／三万六千日，夜夜当秉烛／百万之师听于一将，则胜／待万世之利，在今日之胜／善万物之得时，感吾生之行休／得万人之兵，不如闻一言之当／凡万物异则莫不相为蔽，此心术之公患也／看万山红遍，层林尽染；漫江碧透，百舸争流／德万人者谓之俊，德千人者谓之豪，德百人者谓之英

❸千岩万壑春风暖／长风万里送归舟／古来万事贵天生／读书万卷始通神／圣人万举而万全／惟人，万物之灵／人者万物之最灵也／天生万物，唯人为贵／云山万重，寸心千里／凡彼万形，得一后成／寸心万绪，咫尺千里／沧海万仞，众流成也／漱涤万物，牢笼百态／道者，万物之所由也／水浮万物，玉石留止／眉寿万年，永受胡福／偶失万户侯，遂老三家村／得志万罪消，失志百丑生／心包万理，万理具于一心／积山万状，负气争高……／天下万物生于有，有生于无／民者，万世之本也，不可欺／志行万里者，不中道而辍足／安得万垂杨，系教春日长。／心为万事主，动而无节即乱／千人万人之情，一人之情是也／道者万世亡弊，弊者道之失也／世上万般哀苦事，无非死别与生离／世间万物有盛衰，人生安得常少年／千呼万唤始出来，犹抱琵琶半遮面／千淘万漉虽辛苦，吹尽狂沙始到金／千家万户曈曈日，总把新桃换旧符／千磨万击还坚劲，任尔东西南北风／千锤万击出深山，烈火焚烧若等闲／传语万古观潮客，莫观老潮观壮潮／藏书万卷可教子，遗金满籝常作灾／春也万物熙熙焉，感其生而悼其死／天下万物皆生于两，不生于一，明矣／四时万物兮有盛衰，唯我愁苦兮不暂移／一日万机，一人听断，虽复忧劳，安能尽善／不与万物共尽，而卓然其不朽者，后世之名／千仓万箱非一耕所得；干天之木非旬日所长／积山万状，负气争高。含霞饮景，参差代雄／诸凡万物万事之知，皆因习因悟因过因疑而然

❹正其本，万事理／六律为万事根本／元气生万物而不有／天地者，万物之逆旅／以千击万，莫善于阻／伏尸百万，流血漂卤／信者，成万物之道也／心旷，则万钟如瓦缶／积财千万，无过读书／请日试万言，倚马可待／带甲百万，非一勇所抗／一别怀万恨，起坐为不宁／不妄于万姓，则天下安矣／人生处万类，知识最为贤／读书破万卷，下笔如有神／桥上山万重，桥下水千里／积财千万，不如薄技在身／积财千万，不如明解一经／五谷者万民之命，国之重宝／虽趣舍万殊，静躁不同……／静后见万物，自然皆有春意／无为而万物化，渊静而百姓定／合天地万物而言，只是一个理／天地养万物，圣人养贤以及万民／不可以万古长空，不明一朝风月／

仁者爱万物，而智者备祸于未形／道，覆载万物者也，洋洋乎大哉／可能十万珍珠字，买尽千秋儿女心／高视于万物之中，雄峙于百代之下／知周乎万物，而道济天下，故不过／类善则万世不忘，道恶则祸及其身／今子使万里外国，独无几微出于言面／吾文如万斛泉源……虽一日千里无难／标心于万古之上，而送怀于千载之下／天之生万物以奉人也，主爱人以顺天也／德日新，万邦惟怀；志自满，九族乃离／天地者万物之父母也，合则成体，散则成始

❺一将功成万骨枯／百尺楼高万里风／乘长风破万里浪／凛凛高风万古无／势扼长川万古雄／洗出庐山万丈青／快我平生万里心／春到人间万物鲜／赏一人而万人悦／俭可以为万化之柄／子能知一，万事毕／一夫当关，万夫莫开／一人传虚，万人传实／一人拼命，万夫难当／一人立志，万夫莫夺／一日纵敌，万世之患／与道冥一，万虑皆遗／天下为一，万里同风／天下太平，万物安宁／无为之为，万物之根／正形饰德，万物毕得／千里投名，万里投主／节欲之道，万物不害／荼毒生灵，万里朱殷／名标青史，万古留芳／虽有至知，万人谋之／庶政惟和，万国咸宁／立身一败，万事瓦裂／野无遗贤，万邦安宁／勿挠勿撄，万物将自清／勿惊勿骇，万物将自理／清真寡欲，万物不能移／雨泽过润，万物之灾也／众水会涪万，瞿塘争一门／富若生蓄，万物必具……／心包万理，万理具于一心／不修，虽破万卷不失为小人／生人物之万殊，立天地之大义／大哉乾元，万物资始，乃统天／虽有群书万卷，不及囊中一钱／万物以生，万物以成，命之曰道／天覆地载，万物悉备，莫贵于人／至哉坤元！万物资生，乃顺承天／敌军围困万千重，我自岿然不动／一语天然万古新，豪华落尽见真淳／天地合而万物生，阴阳接而变化起／世间屈事万千千，欲觅长梯问老天／生不用封万户侯，但愿一识韩荆州／圣贤千言万语，教人且从近处做去／通于一而万事毕，无心得而鬼神服／李杜文章万口传，至今已觉不新鲜／死去元知万事空，但悲不见九州同／春风杨柳万千条，六亿神州尽舜尧／虚负凌云万丈才，一生襟抱未曾开／千岩竞秀，万壑争流……若云兴霞蔚／垂大名于万世者，必先行之于纤微之事／大名垂于万世者，必先行之于纤微之事／天无形而万物以成，至精无象而万物以化／一兔走衢，万人逐之；一人获之，贪者悉止／一国之政，万人之命，悬于宰相，可不慎欤／天地之间，万国并兴，小大愚智，皆愿为君／正言不发，万口如封，谄媚相与，千颜一容／圣人爱养万民，不以仁恩，法天地，行自然／壹引其纪，万目皆起；壹引其纲，万目皆张／知标本者，万举万当；不知标本，是谓妄行／诸凡万物万事之知，皆因习因悟因过因疑而然／一人一心，万人万心，若不以令一之，则人人之心各异矣

❻圣人万举而万全／病万变，药亦万变／三千击水，九万抟风／百万买宅，千万买邻／自许封侯在万里……／一念收敛，则万善来同／物物者，亡乎万物之中／故天地含精，万物化生／心凝形释，与万化冥合／一语不能践，万卷徒空虚／一时今夕会，万里故乡情／一心中国梦，万古下泉诗／与物推移，故万举而不陷／天地不仁，以万物为刍狗／元气者，天地万物之宗统／无形无名者，万物之宗也／百忧感其心，万事劳其形／长江悲已滞，万里念将归／我生待明日，万事成蹉跎／仍怜故乡水，万里送行舟／众寮宜洁白，万役但平均／艰难奋长戟，万古用一夫／四时兮代谢，万物兮迁化／遗墟旧壤，数万里之皇城／铠甲生虮虱，万姓以死亡／虚无恬愉者，万物之用也／雄心志四海，万里望风尘／命令昨颁，十万工农下吉安／大丈夫，千山万水往长远处看／宁见朽贯千万而不忍赐人一钱／天下郡国向万城，无有一城无甲兵／丹崖翠壁千万丈，与公上上上上上／何事将军封万户，却令红粉为和戎／坐地日行八万里，巡天遥看一千河／寄到玉关应万里，戍人犹在玉关西／好去长江千万里，不须辛苦上龙门／鲲鹏展翅，九万里，翻动扶摇羊角／自天地至于万物，无不须气以生者也／安得广厦千万间，大庇天下寒士俱欢颜／天地虽含囊万物，而万物非天地之所为也／太上之道，生万物而不有，成化像而弗宰／君不见高山万仞连苍旻，天长地久成埃尘／法令之不行、万民之不治，贫富之不齐也／事当其可与，万金与之；义所不宜，毫发拒之

❼以计待战，一当万／上下天光，一碧万顷／俯镜八川，周睇万里／峡水千里，巴山万重／沃然有得，笑傲万古／朝晖夕阴，气象万千／精骛八极，心游万仞／天之所能者，生万物也／无机则无以济万世之功／人之所能者，治万物也／一夫怒临关，百万未可傍／亡远大之略，贪万一之功／唤起工农千百万，同心干／天行其所行，而万物被其利／自其同者视之，万物皆一也／万物必有盛衰，万事必有弛张／天地成于元气，万物乘于天地／善为文者，富于万篇，贫于一字／恨不得血贼于万戟，肉贼于三军／文章太守，挥毫万字，一饮千钟／战退玉龙三百万，败鳞残甲满天飞／阴阳之气，散则万殊，人莫知其一也／当世学士，恒以万计；而究涂者无数十焉／国家剩得数百万贯钱，何如得一有才行人／知标本者，万举万当；不知标本，是谓妄行／一人所以能敌万人者，非弓刀之技，盖威之至也／一人所

以能悦万人者，非言笑之惠，盖和之至也／道不施不与，而万物以存；不为不宰，而万物以然／一人一心，万人万心，若不以令一之，则人人之心各异矣

❽依阿权势者，凄凉万古／一行书不读，身封万户侯／公正无私，一言而万民齐／观化百代后，独立万古前／壁立千峰峻，潀流万壑奔／振衣千仞冈，濯足万里流／君子贵知足，知足万虑轻／过江千尺浪，入竹万竿斜／李杜文章在，光焰万丈长／李白坟三尺，嵯峨万古名／此地一为别，孤蓬万里征／春种一粒粟，秋成万颗子／是气所旁薄，凛烈万古存／身轻一鸟过，枪急万人呼／财者，为国之命而万事之本／错人而思天，则失万物之情／三公者，百僚之率，万民之表／遵四时以叹逝，瞻万物而思纷／纵一苇之所如，凌万顷之茫然／致中和，天地位焉，万物育焉／有为之君，不敢失万民之欢心／朝千悲而下泣，夕万绪以回肠／笼天地于形内，挫万物于笔端／自一气之所有，播万殊而种分／天地与我并生，而万物与我为一／天子之怒，伏尸百万，流血千里／以近知远，以一知万，以微知明／三条九陌丽城隈，万户千门平旦开／九州生气恃风雷，万马齐喑究可哀／千羊不能扞独虎，万雀不能抵一鹰／八纮驰骋于思绪，万代出没于毫端／道之委也……形生而万物所以塞也／碧玉妆成一树高，万条垂下绿丝绦／龙吟虎啸一时发，万籁百泉相与秋／穷荒绝漠鸟不飞，万碛千山梦犹懒／等闲识得东风面，万紫千红总是春／雪压冬云白絮飞，万花纷谢一时稀／金百炼以为鉴，而万物不能遁其形／寂寞嫦娥舒广袖，万里长空且为忠魂舞／天惟运动一气，鼓万物而生，无心以恤物／上善若水，水善利万物而不争，处众人之所恶／能无私于一人，故万物至而制之，万物至而命之／其夹岸有树木千万本，列立如揖，丹色鲜如霞，擢举欲动，灿若舒颜

❾道以无形无为成济万物／兢兢业业，一日二日万几／官无一寸禄，名传千万里／烽火连三月，家书抵万金／以三寸之舌，强于百万之师／将难放怀处放怀，则万境宽／名者，圣人之所以纪万物也／剑一人敌，不足学，学万人敌／一尺之捶，日取其半，万世不竭／圣人者，由近知远，而万殊为一／酒极则乱，乐极则悲，万事尽然／斯则贤达之素交，历万古而一遇／论逆顺不论成败，论万世不论一生／鹰击长空，鱼翔浅底，万类霜天竞自由／天地虽含囊万物，而万物非天地之所为也／一卒毕力，百人不当；万夫致死，可以横行／“无”名，天地之始；“有”名，万物之母／百节成体，共资荣卫，万趣会文，不离辞情／虚空者，乃可用盛受万物。故曰虚无能制有形／天静以清，地定以宁，万物失之者死，法之者生

❿刑一而正百，杀一而慎万／穷途萧瑟，青山白云之万里／君不能知其臣，则无以齐万国／天地养万物，圣人养贤以及万民／不可以一朝风月，昧却万古长空／不到长城非好汉，屈指行程二万／乐，所以达天地之和而饬化万物／圣人非不好利也，利在于利万人／溪虽莫利于世，而善鉴万类……／一灯能除千年暗，一智能灭万年愚／无情不似多情苦，一寸还成千万缕／世间行乐亦如此，古来万事东流水／我命在我不在天，还丹成金亿万年／为善则流芳百世，为恶则遗臭万年／举一纲，众目张；弛一机，万事隳／以千百就尽之卒，战百万日滋之师／古往今来共一时，人生万事无不有／别来十年学不厌，读破万卷诗愈美／人生直作百岁翁，亦是万古一瞬中／诗人安得有青衫，今岁和戎百万缣／圣人不以独见为明，而以万物为心／难违一官之小情，顿为万人之大弊／墨池如江笔如帚，一扫万字不停肘／大鹏一日同风起，扶摇直上九万里／大其牖，天光入；公其心，万善出／太阳初出光赫赫，千山万山如火发／尔曹身与名俱灭，不废江河万古流／君王旧迹今人赏，转见千秋万古情／徒觉炎凉节物非，不知关山千万里／沉舟侧畔千帆过，病树前头万木春／澄其源而清其流，统于一而应于万／要为天下奇男子，须历人间万里程／片言可以明百意，坐驰可以役万里／新松恨不高千尺，恶竹应须斩万竿／忽如一夜春风来，千树万树梨花开／想当年，金戈铁马，气吞万里如虎／锄一害而众苗成，刑一恶而万民悦／窗含西岭千秋雪，门泊东吴万里船／虚而无形谓之道，化育万物谓之德／虚静恬淡寂寞无为者，万物之本也／野夫怒见不平处，磨损胸中万古刀／金猴奋起千钧棒，玉宇澄清万里埃／事业文章随身销毁，而精神万古如新／使其道由愈而粗传，虽灭死万万无恨／凿井者起于三寸之坎，以就万仞之深／至德之世，同与禽兽居，族与万物并／道，于大不终，于小不遗，故万物备／道生一，一生二，二生三，三生万物／天地无全功，圣人无全能，万物无全用／天地之间空虚，和气流行，故万物自生／不及流莺日日啼花间，能使万家春意闲／市之鬻鞭者，人问之……必五万而后可／履千险而不失其信，遇万折而不失其东／悬衡而知平，设规而知圆，万全之道也／既不能流芳后世，亦不足复遗臭万载邪／天无形而万物以成，至精无象而万物以化／三教一体，九流一源，百家一理，万法一门／万态虽杂而吾心常彻，万变虽殊而吾心常寂／天下之牝，以静胜牡。千世不易，万世不变／可厌之类，不独为害，死虽万代，独堪污秽／千金之家比一都之君，巨万者乃与王者同乐

/举网以纲,千目皆张,振裘持领,万毛自整/飞沙溅石,湍流百势;翠崄丹崖,冈峦万色/以一丸泥为大王东封函谷关,此万世一时也/阴晴显晦,昏旦含吐,千变万状,不可殚纪/观书贵要,观要贵博,博而知要,万流可一/壹引其纪,万目皆起;壹引其纲,万目皆张/小中见大,大中见小;一为千万,千万为一/当人强盛,河山可拔,一朝羸缩,人情万端/君子惟道是贵,惟德是守,所以能万世不朽/山,倒海翻江卷巨澜。奔腾急,万马战犹酣/春和景明,波澜不惊;上下天光,一碧万顷/有司一朝而受者几千万言,读不能十一……/胜敌者,一时之功也;全信者,万世之利也/欲观千岁,则数今日;欲知亿万,则审一二/石列笋虡,藤蟠蛟螭;修竹万竿,夏含凉飔/磐石千里,不可谓富;象人百万,不可谓强/盘石千里,不为有地;愚民百万,不为有民/上无所为,则下无事,家给人足,万物自化就/天下治乱,不在一姓之兴亡,而在万民之忧乐/千人同心则得千人力,万人异心则无一人之用/任法而不任人,则法有不通,无以尽万变之情/忠臣不避重诛以直谏,则事无遗策,功流万世/天下之治乱,不在一姓之兴亡,而在万民之忧乐/天地任自然无为,无造万物,自相治理,故不仁/无以待之,则十百而乱;有以待之,则千万若一/能无私于一人,故万物至而制之,万物至而命之/道不施不与,而万物以存;不为不宰,而万物以然/人者,在阴阳之中央,为万物之师长,所能作最众多/有石城十仞,汤池百步,带甲百万,而亡粟,弗能守/解落三秋叶,能开二月花。过江千尺浪,入竹万竿斜/万物纷纭,非有也,有之者人也,人不有,则万物何有/苟守先圣之道,由大中以出,虽万受摈弃,不更乎其内/有起于虚,动起于静。故万物虽并动作,卒复归于虚静/天无为以之清,地无为以之宁,故两无为相合,万物皆化生/天地有大美而不言,四时有明法而不议,万物有成理而不说/君子所以动天地应神明正万物而成王治者,必本乎真实而已/天不得不高,地不得不广,日月不得不行,万物不得不昌,此其道与/使六国各爱其人,则足以拒秦;使秦复爱六国之人,则递三世可至万世而为君,谁得而族灭也

与

①yǔ 给;交往;赞许;赞助;对付;给予;等待;和;同;替;以;被;于;与其;如;选拔;全部。②yù 参预,在其中。③yú 同"欤",表语气,作语助。

❶与乱同事,罔不亡

见《尚书·太甲下》。全句为:"与治同道,罔不兴;～"。

与治同道,罔不兴

见《尚书·太甲下》。全句为:"～;与乱同事,罔不亡"。

与天和者,谓之天乐

见《庄子·天道》。全句为:"与人和者,谓之人乐;～"。

与世沉浮,不自树立

见唐·韩愈《答刘正夫书》。全句为:"～,虽不为当时所怪,亦必无后世之传也"。

与人以实,虽疏必密

见汉·韩婴《韩诗外传》。全句为:"～;与人以虚,虽戚必疏"。

与人以虚,虽戚必疏

见汉·韩婴《韩诗外传》。全句为:"与人以实,虽疏必密;～"。

与人当宽,自处当严

见清·唐甄《潜书·取善》。

与人和者,谓之人乐

见《庄子·天道》。全句为:"～;与天和者,谓之天乐"。

与人善言,暖于布帛

见《荀子·荣辱》。全句为:"～;伤人之言,深于矛戟"。

与狐议裘,无时焉可

见汉·王符《潜夫论·述赦》。

与道冥一,万虑皆遗

见唐·司马承祯《坐忘论·信敬》。全句为:"内不觉其一身,外不知乎宇宙,～"。

与朋友交,言而有信

见《论语·学而》。

与其浊富,宁比清贫

见唐·姚崇《冰壶诫》。

与害偕行兮,以死自绕

见唐·柳宗元《哀溺文》。

与其杀不辜,宁失不经

见《尚书·大禹谟》。

与不妄受,志士之所难也

见唐·张九龄《上姚令公书》。全句为:"见势则附,俗人之所能也;～"。

与,不期众少,其于当厄

见《战国策·中山策》。全句为:"～;怨,不期深浅,其于伤心"。

与人不求备,检身若不及

见《尚书·伊训》。

与亡国同事者,不可存也

见《韩非子·孤愤》。全句为:"与死人同病者,不可生也;～"。

与多疑人共事,事必不成

见清·申居郧《西岩赘语》。全句为:"～;与好利人共事,己必受累"。

与闻国政而无益于民者斥

见汉·王符《潜夫论·考绩》。全句为:"～,

在上位而不能进贤者逐”。

与好利人共事,己必受累

见清·申居郧《西岩赘语》。全句为:“与多疑人共事,事必不成;～”。

与死人同病者,不可生也

见《韩非子·孤愤》。全句为:“～;与亡国同事者,不可存也”。

与物推移,故万举而不陷

见汉·刘安《淮南子·人间》。全句为:“内有一定之操,而外能诎伸、赢缩、卷舒,～”。

与其溺于人也,宁溺于渊

见《盥盘铭》。全句为:“～;溺于渊犹可缓也,溺于人不可救也”。

与百姓争利,则狡诈之心生

见唐·王士元《亢仓子·政道篇》。全句为:“官吏非才,则宽猛失所宜。～”。

与民同其安者,人必拯其危

见晋·陈寿《三国志·魏书·武文世王公传》。全句为:“与民共其乐者,人必忧其忧;～”。

与民共其乐者,人必忧其忧

见晋·陈寿《三国志·魏书·武文世王公传》。全句为:“～;与民同其安者,人必拯其危”。

与人不求感德,无怨便是德

见明·洪应明《菜根谭·前集二十八》。

与闻国政而无益于民者,退

见周·姬发《大誓》逸文。全句为:“～;在上位而不能进贤者,逐”。

与己同则应,不与己同则反

见《庄子·寓言》。全句为:“～;同于己为是之,异于己为非之”。

与天地兮同寿,与日月兮同光

见战国·楚·屈原《九章·涉江》。

与求生而害义,宁抗节以埋魂

见唐·高适《还京次睢阳祭张巡许远文》。

与乾坤齐其寿,与日月齐其明

见唐·卢照邻《悲人生》。

与妄人相值,亦当存自反之心

见清·孙奇逢《孝友堂家规》。全句为:“与贤豪相对,最不可有媚悦之色;～”。

与其坐而待亡,孰若起而拯之

见清·徐珂《清稗类钞·冯婉贞胜英人于谢庄》。

与人相处之道,第一要谦下诚实

见明·杨继盛《杨忠愍公遗笔》。

与贤豪相对,最不可有媚悦之色

见清·孙奇逢《孝友堂家规》。全句为:“～;与妄人相值,亦当存自反之心”。

与其有乐于身,孰若无忧于其心

见唐·韩愈《送李愿归盘谷序》。

与其有誉于前,孰若无毁于其后

见唐·韩愈《送李愿归盘谷序》。

与其食浮于人也,宁使人浮于食

见《礼记·坊记》。

与天同心而无知,与道同身而无体

见《西升经·声色章》。全句为:“～,而后天道盛矣”。

与时屈伸,柔从若蒲苇,非慑怯也

见《荀子·不苟》。全句为:“～;刚强猛毅,靡所不信,非骄暴也”。

与物委蛇而同其波,是卫生之经已

见《庄子·庚桑楚》。全句为:“行不知所之,居不知所为,～”。

与其无义而有名兮,宁穷处而守高

见战国·楚·宋玉《九辩》。

与朋友论学,须委曲谦下,宽以居之

见明·王阳明《传习录下》。

与天下之贤者为徒,此文王之所以王也

见《吕氏春秋·慎大览·报更》。

与民争利,犯者辄免官削爵,不得仕宦

见汉·班固《汉书·贡禹传》。

与谗谄面谀之人居,国欲治,可得乎?

见《孟子·告子下》。

与善人居,如入芝兰之室,久而自芳也

见北齐·颜之推《颜氏家训·慕贤》。全句为:“～;与恶人居,如入鲍鱼之肆,久而自臭也”。

与恶人居,如入鲍鱼之肆,久而自臭也

见北齐·颜之推《颜氏家训·慕贤》。全句为:“与善人居,如入芝兰之室,久而自芳也;～”。

与其与子孙谋产业,不如教子孙习恒业

见清·王永彬《围炉夜话》。

与其誉尧而非桀也,不如两忘而化其道

见《庄子·太宗师》。

与百姓有缘才来此地,期寸心无愧不鄙斯民

见河南内乡县衙主簿衙联。

与死者同病难为良医,与亡国同道难与为谋

见汉·刘安《淮南子·说林》。

与众乐之之谓乐,乐而不失其正,又乐之尤也

见唐·韩愈《上巳日燕大学听弹琴诗序》。

与邪佞人交,如雪入墨池,虽融为水,其色愈污

见宋·许棐《樵谈》。

与父老约,法三章耳:杀人者死,伤人及盗抵罪

见汉·司马迁《史记·高祖本纪》。

与端方人处,如炭入薰炉,虽化为灰,其香不灭

见宋·许棐《樵谈》。

与善人居，如入兰芷之室，久而不闻其香，则与之化矣

见汉·刘向《说苑·杂言》。

与恶人居，如入鲍鱼之肆，久而不闻其臭，亦与之化矣

见汉·刘向《说苑·杂言》。

❷习与性成／毋与民争利／天与人交相胜／人与绿杨俱瘦／怀与安，实败名／性与情不相无也／欲与天公试比高／一与一，勇者得前／久与贤人处则无过／古与今如一丘之貉／怀与安，实疚大事／好与，来怨之道也／急与之期而观其信／天与弗取，反受其咎／天与地卑，山与泽平／无与祸邻，祸乃不存／法与时变，礼与俗化／不与人争者，常得利多／隘与不恭，君子不由也／知与之为取，政之宝也／问与学，相辅而行者也／海与山争水，海必得之／文与可画竹，胸有成竹／其与人锐，其去人必速／不与贪争利，不与勇争气／可与往者与之，至于妙道／可与言而不与之言，失人／可与言而不与之言谓之隐／乐与政为政，乐与治为治／操与霜雪明，量与江海宽／宁与燕雀翔，不随黄鹄飞／威与信并行，德与法相济／昏与庸，可限而不可限也／朝与仁义生，夕死复何求／祸与福同门，利与害为邻／祸与福相贯，生与亡为邻／愁与发相形，一愁白数茎／聪与敏，可恃而不可恃也／金与粟争贵，乡与朝争治／才与德异，而世俗莫之能辨／可与共安乐，亦可与共患难／德与力，非试之辕下不可辨／日与水居，则十五而得其道／思与境偕，乃诗家之所尚者／恩与信可以附吾民而服邻国／人与虫一也，所以异者形质尔／阴与阳者，气而游乎其间者也／常与众庶同垢尘，不当自别殊／知与恬交相养，而和理出其性／性与事，一而二，二而一者也／始与善，善进善，不善蔑由至／明与诚终岁不违，则能终身矣／身与草木俱朽，声与日月并彰／法与时转则治，治与世宜则有功／宁与黄鹄比翼乎，将与鸡鹜争食乎／始与不善，不善进不善，善蔑由至／木与木相摩则然，金与火相守则流／礼，与其奢也宁俭；丧，与其易也宁戚／当与人同过，不当与人同功，同功则相忌／道与德，可勉以进也；才不可强揠以进也／不与万物共尽，而卓然其不朽者，后世之名／行与义乖，言与法违，后虽无害，汝可以悔／上与造物者游，而下与外生死、无终始者为友／人与骥逐走则不胜骥，托于车上则骥不能胜人／富与贵，是人之所欲也，不以其道得之，不处也／贫与贱，是人之所恶也，不以其道得之，不去也／可与为始，可与为终，可与尊通，可与卑穷者，其唯信乎／不与凶人为仇，不与吉人为亲，不与诚人为媾，不与诈人为怨

❸风俗与化移易／圣人与天地合其德／天将与之，必先苦之／不私与己，是谓至公／未可与言而言谓之瞽／舍是与非，苟可以免／名不与利期而利归之／名利与身，若炭与冰／选贤与能，讲信修睦／维桑与梓，必恭敬止／无心与物竞，鹰隼莫相猜／不可与言而与之言，失言／今王与百姓同乐，则王矣／读书与磨剑，旦夕但忘疲／君子与小人，并处必为患／残杯与冷炙，到处潜悲辛／吏不与奸罔期，而奸罔自至／君不与臣争功，而治道通矣／垂棘与瓦同椟，明月与砾同囊／为善与众行之，为巧与众能之／八音与政通，而文章与时高下／棹容与而讵前，马寒鸣而不息／天地与我并生，而万物与我为一／治国与养病无异也……治国亦然／以物与人为义，过与是非义之义也／贞操与日月俱悬，孤芳随山壑共远／传闻与指实不同，悬算与临事有异／冰心与贫流争激，霜情与晚节弥茂／落霞与孤鹜齐飞，秋水共长天一色／此去与师谁共到？一船明月一帆风／时不与兮岁不留，一叶落兮天地秋／新交与旧识俱欢，林壑共烟霞对赏／风仪与秋月齐明，音徽与春云等润／悬羽与炭，而知燥湿之气，以小明大／与其与子孙谋产业，不如教子孙习恒业／仁之与义，敬之与和，相反而皆相成也／虽相与为君臣，时也；易世而无以相贱／邪之与正，犹水与火，不同原，不得并盛／君子与小人不两立，而小人与君子不同谋／以物与人，物尽而止；以法活人，法行无穷／是以与善人居，如入芝兰之室，久而自芳也／贵不与骄期而骄自至，富不与侈期而侈自来／不可与往者，不知其道，慎勿与之，身乃无咎／百姓与之则安，辅之则强，非之则危，倍之则亡／君子与君子以同道为朋，小人与小人以同利为朋／吴人与越人相恶也，当其同舟而济遇风，其相救也如左右手

❹唯上知与下愚不移／惟上知与下愚不移／天不再与，时不久留／江海不与坎井争其清／贤者必与贤于己者处／雷霆不与蛙蚓斗其声／赏疑从与，所以广恩也／鲍鱼不与兰茝同笥而藏／丁宁红与紫，慎莫一时开／民情可与习常，难与适变／勿慕贵与富，勿忧贱与贫／能役英与雄，故能成大业／又闻理与乱，系人不系天／搜索稚与艾，唯存跛无目／民不可与虑始，而可与乐成／古之人与民偕乐，故能乐也／凡弈棋与胜己者对，则日进／去就取与知能六者，塞道也／取天下与守天下，无机不能／悠悠乎与颢气俱而莫得其涯／良工之与马也，相得则然后成／以天下与人易，为天下得人难／浅不足与测深，愚不足与谋知／宝剑赠与烈士，红粉赠与佳人／贾竖不与不仁期，而不仁自至／去敌气与

矜色兮，噤危言以端诚／洋洋乎与造物者游而不知其所穷／安民可与行义，而危民易与为非／东风不与周郎便，铜雀春深锁二乔／圣人能与世推移，而俗士苦不知变／尔曹身与名俱灭，不废江河万古流／以百金与抟黍以示儿子，儿子必取抟黍／欲知舜与蹠之分，无他，利与善之间也／当天时，与之皆断；当断不断，反受其乱／性也者与生俱生也，情也者，接于物而生也／唯女子与小人为难养也；近之则不孙，远之则怨／思在言与行之先，思无邪，则所言所行皆无邪矣／怨恩取与谏教生杀，八者，正之器也，唯循大变无所湮者为能用之

❺竖子不足与谋／扁舟不系与心同／不聋不聪，与神明通／人之升降，与政隆替／画水镂冰，与时消释／声音之道，与政通矣／知善不言，与闇喑同／循序而进，与日俱新／形全精复，与天为一／独虑不若与众虑之工／闻善不慕，与聋聩同／见善不敬，与昏瞽同／盈缩卷舒，与时变化／瞽者无以与乎文章之观／贤者亦不与不肖者同列／心凝形释，与万化冥合／愚者有备，与知者同功／愚者有备，与智者同功／聋者无以与乎钟鼓之声／可与往者与之，至于妙道／兵不完利，与无操者同实／凡物无成与毁，复通为一／善虽不吾与，吾将强而附／时哉不我与，去乎若云浮／井鱼不可与语大，拘于隘也／瞽者无以与乎青黄黼黻之观／夏虫不可与语寒，笃于时也／盲者无以与乎眉目颜色之好／一介不以与人，一介不取诸人／去汝躬矜与汝容知，斯为君子矣／圣人之道与神明相得，故曰道德／有恒者之与圣人，高下固悬绝矣／自恃其聪与敏而不学，自败者也／豆麦之种与稻粱殊，然食能去饥／无论海角与天涯，大抵心安即是家／不服一人，与逢人便服者，皆妄人／不服一人与逢人便服者，皆妄人也／谈欢则字与笑并，论戚则声共泣偕／在智则人与之讼；在力则人与之争／多言不可与远谋，多动不可与久处／算来终不与时合，归去来兮翠如中／进退盈缩，与时变化，圣人之常道也／是故圣人与时变而不化，从物而不移／鷦鷯不可与论云翼，井蛙难与量海鳌／不言之化与天同德，不为之事与天同功／人事必将与天地相参，然后乃可以成功／夫人之相与，俯仰一世……放浪形骸之外／骐骥不能与罢驴为驷，凤皇不与燕雀为群／泉涸，鱼相与处于陆……不若相忘于江湖／生而影不与吾形相依，死而魂不与吾梦相接／公婿公孙，与民同门，暴傲其邻者，可亡也／独视不若与众视之明，独听不若与众听之聪／赏不当，虽与之必辞；罚诚当，虽赦之不外／肥于貌，孰与肥其道；求于人，孰与求其身／事当其可与，万金与之；义所不宜，毫发拒之／道不施不与，而万物以存；不为不宰，而万物以然／人之生也，与忧俱生，寿者惛惛，久忧不死，何苦也！其为形也亦远矣

❻非君子不可与语变／天与地卑，山与泽平／天道无亲，常与善人／不夺能能，不与下试／士以义怒，可与百战／常胜之家，难与虑敌／君子莫大乎与人为善／知学之人，能与闻迁／法与时变，礼与俗化／亲权者，不能与人柄／天下有道，则与物皆昌／不谴是非，以与世俗处／治一国者当与一国推实／统天下者当与天下同心／禄食之家不与百姓争利／自弃者，不可与有为也／自暴者，不可与有言也／其水趣流，势与江河同／不可与言而与之言，失言／可与言而不与之言，失人／可与言而不与之言谓之隐／举人之周也，与人之壹也／乡无君子，则与云山为友／取人者必畏，与人者必骄／坐无君子，则与琴酒为友／薄我货者，欲与我市者也／江上之清风与山间之明月／里无君子，则与松柏为友／訾我行者，欲与我友者也／人之巧，乃可与造化者同功／瀑布天落，半与银河争流……／民习礼义，易与为善，难与为非／苍苍者焉能与吾事，而暇知之哉／善胜敌者不与，善用人者为之下／三十功名尘与土，八千里路云和月／历览前贤国与家，成由勤俭败由奢／休说旧时王与谢，寻常百姓亦无家／人者裸虫也，与夫鳞毛羽甲虫俱焉／莫羡三春桃与李，桂花成实向秋荣／梓匠轮舆能与人规矩，不能使人巧／至德之世，同与禽兽居，族与万物并／不可陷之楯与无不陷之矛不可同世而立／不自限其昏与庸而力学不倦，自立者也／不言则齐，齐与言不齐，言与齐不齐也／哀白日之不与吾谋兮，至今十年其犹初／置猿槛中，则与豚同……无所肆其能也／亲权者不能与人柄；操之则栗，舍之则悲／食禄者不得与下民争利，受大者不得取小／百姓足，君孰与不足？百姓不足，君孰与足／两若有名，相与则成；阴阳备物，化变乃生／兵不如者，勿与挑战；粟不如者，勿与持久／以和氏之璧与百金以示鄙人，鄙人必取百金／知得知失，可与为人；知存知亡，足别吉凶／行与义乖，言与法违，后虽无害，汝可以悔／赏罚信明，施与有节，记人之功，忽于小过／鸟啼花落，皆与神通。人不能悟，付之飘风／争行义乐用与争为不义竞不用，此其为祸福也／辩言过理，则与义相失；丽靡过美，则与情相悖／以和氏之璧与道德之至言以示贤者，贤者必取至言／自古至于今，与民为仇者，有迟有速，而民必胜之／可与为始，可与为终，可与尊通，可与卑穷者，其唯信乎／舜其大知也与！舜好问而好察迩言，隐恶而扬善，执其两端，用其中于民

❼为政之要，曰公与勤／人谋鬼谋，百姓与能／

名利与身，若炭与冰／国家大事，惟赏与罚／居家之方，唯俭与约／成家之道，曰俭与清／有而不施，穷无与也／睢睢盱盱，而谁与居／知无用而始可与言用矣／跛能履，不足以与行也／不与贪争利，不与勇争气／乐与政为政，乐与治为治／后来有千日，谁与共平生／古人愁不尽，留与后人愁／何时一樽酒，重与细论文／莲生淤泥中，不与泥同调／操与霜雪明，量与江海宽／闻多素心人，乐与数晨夕／寝迹衡门下，邈与世相绝／道由白云尽，春与青溪长／好将前事错，传与后人知／威与信并行，德与法相济／有法者而不用，与无法等／神龙失势，即还与蚯蚓同／祸与福同门，利与害为邻／祸与福相贯，生与亡为邻／恩从祥风翱，德与和气游／群之可聚也，相与利之也／金与粟争贵，乡与朝争治／与己同则应，不与己同则反／良谈吐玉，长江与斜汉争流／坎井之蛙不可与语东海之乐／知不几者不可与及圣人之言／有心于为善，则与为不善同／烟雾可依，腾蛇与蛟龙俱远／与天地兮同寿，与日月兮同光／与乾坤齐其寿，与日月齐其明／大天而思之，孰与物畜而制之／善恶之殊，如火与水不能相容／望时而待之，孰与应时而使之／从天而颂之，孰与制天命而用之／尺泽之鲵，岂能与之量江海之大哉／能使了然于口与手乎！是之谓辞达／老去诗篇浑漫与，春来花鸟莫深愁／事或夺之而反与之，或与之而反取之／必须出类拔萃，与众不同，才觉有趣／仁之与义，敬之与和，相反而皆相成也／邪之与正，犹水与火，不同原，不得并盛／举天下而无可与共处，则是其势岂可以久也／将恐将惧，维予与女；将安将乐，女转弃予／察一曲者不可与言化，审一时者不可与言大／好便宜者不可与共财，多狐疑者不可与共事／绝言之道，去心与意；止为之术，去人与智／有道之世，以人与国；无道之世，以国与人／故凡得胜者，必与人也，凡得人者，必与道也／盖吾儒起手便与禅异者，正在彻始彻终总是体用一致耳

❽无私于物，唯贤是与／非理所求，谁肯相与／人弃我取，人取我与／日月逝矣，岁不我与／损一毫利天下，不与也／君子有徽猷，小人与属／千秋功罪，谁人曾与评说／民可以乐成，不可与虑始／民情可与习常，难与适变／直而不能枉，不可与大任／诗画本一律，天工与清新／地虽生尔材，天不与尔时／鼓声随听绝，帆势与云邻／彼是而己非，不当与是争／己是而彼非，不当与非争／学者有两忌，自高与自狭／朴素而天下莫能与之争美／欲高，反下；欲取，反与／可与共安乐，亦可与共患难／为汤、武驱民者，桀与纣也／拘于鬼神者，不可与言至德／汝惟不伐，天下莫与汝争功／汝惟不矜，天下莫与汝争能／视卒如爱子，故可与之俱死／恶于针石者，不可与言至巧／喜名者必多怨，好与者必多辱／视卒如婴儿，故可与之赴深溪／身与草木俱朽，声与日月并彰／取诸人以为善，是与人为善者也／受人施者常畏人，与人者常骄人／君子小人之分，义与利之间而已／法与时转则治，治与世宜则有功／与天同心而无知，与道同身而无体／丹崖翠壁千万丈，与公上上上上上／以物与人为义，过与是非义之义也／气盛则言之短长与声之高下者皆宜／奇从奇，正从正，奇与正，恒不同廷／道不远而难极也，与人并处而难得也／奢则不孙，俭则固；与其不孙也，宁固／凡人能量己之能与不能，然后知人之艰难／当与人同过，不当与人同功，同功则相忌／未信而谏，圣人不与。交浅言深，君子所戒／迷涂知反，往哲是与。不远而复，先典攸高／事当其可与，万金与之；义所不宜，毫发拒之／圣人之爱人也，人与之名，不告则不知其爱人也／得其言者而不言，与不得其言而不去，无一可者也／不知言之人，乌可与言？知言之人，默焉而其意已传／不与凶人为仇，不与吉人为亲，不与诚人为嫌，不与诈人为怨

❾强倨傲暴之人不可与交／不如饮美酒，被服纨与素／人生不相见，动如参与商／人生贵相知，何必金与钱／勿慕贵与富，勿忧贱与贫／奇文共欣赏，疑义相与析／抱玉乘龙骥，不逢乐与和／饱暖非天降，赖尔筋与力／游子久不归，不识陌与阡／驱东复驱西，弃却锄与犁／骄倨傲暴之人，不可与交／量力守故辙，岂不寒与饥／民不可与虑始，而可与乐成／唯不争，故天下莫能与之争／辞主乎达，不论其繁与简也／垂棘与瓦同椟，明月与砾同囊／为善与众行之，为巧与众能之／八音与政通，而文章与时高下／天下文士，争执所长，与时而奋／未必人间无好汉，谁与宽些尺度／士齐僚而不职，则贤与愚而不分／马伏皂而不用，则驽与良而为群／日月忽其不淹兮，春与秋其代序／心不怡之长久兮，忧与愁其相接／不如意事常八九，可与语人无二三／他年我若为青帝，报与桃花一处开／保天下者，匹夫之贱，与有责焉耳／人有穷，而道无不通，与道争则凶／含情欲说独无处，传与琵琶心自知／儿孙自有儿孙计，莫与儿孙作马牛／君子择交莫恶于易与，莫善于胜己／得众而不得其心，则与独行者同实／宁与黄鹄比翼乎，将与鸡鹜争食乎／过取固害于廉，然过与亦反害其惠／道人活计只如此，留与时人作见闻／居上克明，为下克忠，与人不求备／木与木相摩则然，金与火相守则流／孟氏醇乎醇者也，荀与扬大醇而小疵／不知周之梦为蝴蝶与，蝴蝶之梦为周与／以物同求而不同贪，与物同得而不

同积／礼，与其奢也宁俭；丧，与其易也宁戚／因于情意，动而之外，与物相连，常有所悦／上与造物者游，而下与外生死、无终始者为友／见可怜则流涕，将分与则吝啬，是慈而不仁者

⑩车无轮安处，国无民谁与／若高下相去差近，犹可与语／片言可以折狱者，其由也与／知天而不知人，则无以与俗交／浅不足与测深，愚不足与谋知／宝剑赠与烈士，红粉赠与佳人／居则视其所亲，富则视其所与／天地与我并生，而万物与我为一／民习礼义，易与为善，难与为非／使治乱存亡若高山之与深溪……／圣人不凝滞于物，而能与世推移／安民可与行义，而危民易与为非／群车方奔乎险路，安能与之齐轨／一人之身兼有英雄，乃能役英与雄／天下之治乱，系乎人君仁与不仁耳／不把黄金买画工，进身羞与自媒同／不妨举世无同志，会有方来可与期／世上万般哀苦事，无非死别与生离／良医不能救无命，强梁不能与天争／传闻与指实不同，悬算与临事有异／但写真情并实境，任他埋没与流传／人生自是有情痴，此恨不关风与月／人家盛衰，皆系乎积善与积恶而已／豪华尽出成功后，逸乐安知与祸双／冰心与贫流争激，霜情与晚节弥茂／勇者以工，惧者以拙，能与不能也／在智则人与之讼；在力则人与之争／折狱而非也，暗理迷众，与教相妨／挟天子而令诸侯，此诚不可与争锋／名重则于实难副，论高则与世常疏／善恶到头终有报，只争来早与来迟／多言不可与远谋，多动不可与久处／汩余若将不及兮，恐年岁之不吾与／昨日邻家乞新火，晓窗分与读书灯／暴虎冯河，死而无悔者，吾不与也／风仪与秋月齐明，音徽与春云等润／礼之可以为国也久矣，与天地并立／龙吟虎啸一时发，万籁百泉相与秋／痛不著身言忍之，钱不出家言与之／既以为人己愈有，既以与人己愈多／言泉共秋水同流，词峰与夏云争长／天下皆知取之为取，而莫知与之为取／事或夺之而反与之，或与之而反取之／以刚健而居人之首，则物之所不与也／孰知有无死生之一守者，吾与之为友／至德之世，同与禽兽居，族与万物并／惟义可以怒士，士以义怒，可与百战／鷃鹑不可与论云翼，井蛙难与量海鳌／自动自休，自峙自流，是恶乎与我谋／一线之溜，可以达石者，一与不一故也／不知周之梦为蝴蝶与，蝴蝶之梦为周与／不言之化与天同德，不为之事与天同功／不言则齐，齐与言不齐，言与齐不齐也／为善者天报之以福，为恶者天与之以殃／山舞银蛇，原驰蜡象，欲与天公试比高／治世之德，衰世之恶，常与爵位自相副／欲知舜与蹠之分，无他，利与善之间也／自其不变者而观之，则物与我皆无尽也／鉴于水者见面之容，鉴于人者知吉与凶／巫山之上顺风纵火，膏夏紫芝与萧艾俱死／人能贵其所贱，贱其所贵，可与言至论矣／士志于道，而耻恶衣恶食者，未足与议也／君子与小人不两立，而小人与君子不同谋／君子所求于人者薄，而辨是与非也无所苟／骐骥不能与罢驴为驷，凤皇不与燕雀为群／镜于水，见面之容；镜于人，则知吉与凶／与死者同病难为良医，与亡国同道难与为谋／正言不发，万口如封，谄媚相与，千颜一容／东西南北，某也何从；寒暑阴阳，时哉不与／百姓足，君孰与不足？百姓不足，君孰与足／千金之家比一都之君，巨万者乃与王者同乐／生而影不与吾形相依，死而魂不与吾梦相接／兵不如者，勿与挑战；粟不如者，勿与持久／人必先作，然后人名之；先求，然后人与之／色厉而内荏，譬诸小人，其犹穿窬之盗也与／勋劳宜赏，不吝千金；无功望施，分毫不与／圣贤之所以为知者，不过思与见闻之会而已／若是若非，执而圆机；独成而意，与道徘徊／将欲废之，必固兴之；将欲夺之，必固与之／小人君子，其心不同，惟乖于时，乃与天通／善为士者不武，善战者不怒，善胜敌者不与／因性而动，接物感寤……进退取与，谓之情／山无陵，江水为竭……天地合，乃敢与君绝／山树为盖，岩石为屏，云从栋生，水与阶平／独视不若与众视之明，独听不若与众听之聪／察一曲者不可与言化，审一时者不可与言大／好便宜者不可与共财，多狐疑者不可与共事／子为王，母为虏，终日舂薄暮，常与死为伍／绝言之道，去心与意；止为之术，去人与智／腾蛇游雾，飞龙乘云，云罢雾霁，与蚯蚓同／歼厥渠魁，胁从罔治，旧染污俗，咸与惟新／贵不与骄期而骄自至，富不与侈期而侈自来／气往轹古，辞来切今，惊采绝艳，难与并能／有益于化，虽小弗除；无补于政，虽大弗与／有知顺之为倒、倒之为顺者，则可与言化矣／有法无法，因时为业；有度无度，与物趣舍／有道之世，以人与国；无道之世，以国与人／肥于貌，孰与肥其道；求于人，孰与求其身／立身成败，在于所染，兰芷鲍鱼，与之同化／天下之人所共趋之而不知止者，富贵与美名尔／不可与往者，不知其道，慎勿与之，身乃无咎／化者，复归于无形也；不化者，与天地俱生也／谨修而身，慎守其真，还以物与人，则无所累／君子有三忧：弗知，可无忧与？……可无忧与／故凡得胜者，必与人也，凡得人者，必与道也／爱故不二，威故不犯；故善将者，爱与威而已／君子与君子以同道为朋，小人与小人以同利为朋／君子不怵乎好，不迫乎恶，恬愉无为，去智与故／辩言过理，则与义相失；丽靡过美，则与情相悖／我亦物也，物亦物也，物之与物也，又何以相物也／古

之成大事者，规模远大与综理密微二者阙一不可／黄鹄白鹤，一举千里，使之与燕服翼试之堂庑之下／观貌之是非，不若论其心与其行事之可否为不失也／吾所谓道德云者，合仁与义言之也，天下之公言也／澄川翠干，光影会合于轩户之间，尤与风月为相宜／使患无生易于救患，而莫能加务焉，则未可与言术也／人之饥所以不食乌喙者，以为虽偷充腹而与死同患也／凡物之可喜，足以悦人而不足以移人者，莫若书与画／斟酌乎质文之间，而隐括乎雅俗之际，可与言通变矣／释正而追曲，倍是而从众，是与俗俪走，而内行无绳／与善人居，如入兰芷之室，久而不闻其香，则与之化矣／与恶人居，如入鲍鱼之肆，久而不闻其臭，亦与之化矣／天下者亦吾有也，吾亦天下之有也，天下之与我岂有间哉／可与为始，可与为终，可与尊通，可与卑穷者，其唯信乎／义之所在，不倾于权，不顾其利，举国而与之，不为改视／于为义若嗜欲，勇不顾前后；于利与禄，则畏避退处如怯夫然／不与凶人为仇，不与吉人为亲，不与诚人为媾，不与诈人为怨／杀人之士民，兼人之土地，以养吾私与吾神者，其战不知孰善／不法其已成之法，而法其所以为法。所以为法者，与化推移者也／天不得不高，地不得不广，日月不得不行，万物不得不昌，此其道与

才 cái 能力；有某种才能的人；通“材”；通“裁”；刚才；仅仅；姓。

❶才难，不其然乎

见《论语·泰伯》。

才下而位高，二危也

见汉·刘安《淮南子·人间》。全句为：“天下有三危：少德而多宠，一危也；～；身无大功而受厚禄，三危也”。

才不大者，不能博见

见汉·王充《论衡·别通篇》。全句为：“德不优者，不能怀远；～”。

才不济务，奸无所惩

见宋·司马光《资治通鉴·晋元帝太兴元年》。全句为：“举贤不出世族，用法不及权贵，是以～”。

才能成功，以速为贵

见北齐·刘昼《刘子·贵速》。全句为：“～；智能决谋，以疾为奇”。

才难之叹，古今共之

见宋·苏轼《上荆公书》。

才储于平时，乃可济用

见明·陈继儒《小窗幽记》。全句为：“国家用人，犹农家积粟。粟积于丰年，乃可济饥；～”。

才子多傲，傲便不是才

见清·申居郧《西岩赘语》。

才有大小，故养有厚薄

见宋·苏轼《滕县公堂记》。

才吟五字句，又白几茎髭

见唐·方干《赠喻凫》。

才微而任重，功薄而赏厚

见唐·刘禹锡《为裴相公让官第二表》。

才饱身自贵，巷荒门岂贫

见唐·孟郊《题韦承总吴王故城下幽居》。

才所不胜而强思之，伤也

见宋·张君房《云笈七籤》卷三十六载《杂修摄·摄生月令》引《小有经》。全句为：“～。力所不任而强举之，伤也”。

才与德异，而世俗莫之能辨

见宋·司马光《资治通鉴·周纪一》。全句为：“～，通谓之贤，此其所以失人也”。

才高乎当世，而行出乎古人

见唐·韩愈《李元宾墓铭》。

才高人自服，不必其言之高

见宋·袁采《袁氏世范》。全句为：“行高人自重，不必其貌之高；～”。

才高行洁，不可保以必尊贵

见汉·王充《论衡·逢遇篇》。全句为：“～；能薄操浊，不可保以必卑贱”。

才智英敏者，宜加浑厚学问

见清·申居郧《西岩赘语》。

才以用而日生，思以引而不竭

见清·王夫之《周易外传·震》。

才如白地明光锦，裁为负版袴

见南朝·宋·刘义庆《世说新语·文学》。

才觉私意起，便克去，此是大勇

见明·胡居仁《居业录·学问》。

才者，德之资也；德者，才之帅也

见宋·司马光《资治通鉴·周纪》。

才胆实由识而济，故天下唯识为难

见明·李贽《二十分识》。

才疏志大不自量，西家东家笑我狂

见宋·陆游《剑南诗稿》。

才自清明志自高，生于末世运偏消

见清·曹雪芹《红楼梦》第五回。

才贤任轻则有名，不肖任大身死名废

见汉·刘向《说苑·谈丛》。

才不称不可居其位，职不称不可食其禄

见清·王豫《蕉窗日记》卷二。

才不半古，而功已倍之，盖得之于时势也

见晋·陆机《豪士赋序》。

才须学也，非学无以广才，非志无以成学

见三国·蜀·诸葛亮《诫子书》。

才所以为善也，故大才成大善，小才成小善

见晋·陈寿《三国志·魏书·卢毓传》。

才有浅深，无有古今；文有真伪，无有故新

见汉·王充《论衡·案书》。

才不能逾同列，声不能压当世，世之怒仆宜也

见唐·柳宗元《与萧翰林俛书》。全句为："凡人皆欲自达，仆先得显处，～"。

才可伪，功不可伪；临民听政，长短贤不肖立见

见清·唐甄《潜书·用贤》。

才者璞也，识者工也，良璞授于贱工，器之陋也

见五代·王定保《唐摭言·四凶》。全句为："～；伟才任于鄙识，行之缺也"。

❷非才而据，咎悔必至／常才不能别逸伦之器／人才有长短，不必兼通／人才有长短，能有巨细／不才明主弃，多病故人疏／不才者进，则有才之路塞／良才不隐世，江湖多贫贱／伟才任于鄙识，行之缺也／择才不求备，任物不过涯／量才而受爵，量功而受禄／非才之难，所以自用者实难／以才御物，才有尽而物无穷／奇才总于文武，重任归于将相／多才而自用，虽有贤者无所复施／大才怀百家之言，故能治百家之乱／烟才通，寒淙淙；隔山风，老鼓钟／多才之士才储八斗，博学之儒学富五车／有才必韬藏，如浑金璞玉，暗然而日章也／人才之行，自昔罕全，苟有所长，必有所短／通才之人或见赘于时，高世之士或见排于俗

❸古来才命两相妨／当家才知柴米价／任重才轻，故多阙漏／功以才成，业由才广／将赡才力，务在博见／李广才气，天下无双／人之才成于专而毁于杂／聪明才辨是第三等资质／器满才难御，功高主自疑／不傲才以骄人，不以宠而作威／以雄才为己任，横杀气而独往／士矜才则德薄，女衒色则情放／君择才而授官，臣量己而受职／惟有才行是任，岂以新旧为差／惟其才之不同，故其成功不齐／人之才性，各有短长，固难勉强／强已才之所不逮，是行舟于陆也／丈人才力犹强健，岂傍青门学种瓜／举秀才，不知书；察孝廉，父别居／扫眉才子于今少，管领春风总不如／小荷才露尖尖角，早有蜻蜓立上头／当其才则事或能济，逾其分则力所不堪／屈长才于短用者，犹骥扑鼠而斧剪毛也／人之才行，自昔罕全，苟有所长，必有所短／己之才艺虽多，犹病以为少，仍就寡少之人更求所益／非情、才无以见性，非气质无所为情、才，即无所为性也

❹女子无才便有德／各因其才而尽其力／出人之才，竟无施为／博求人才，广育士类／任人当才，为政大体／勿以己才，而笑不才／择之以才，待之以礼／楚虽有才，晋实用之／兴贤育才，为政之先务／官达者，才未必当其位／贤人之才，须贤人用之／斗筲之才不秉帝王之重／官吏非才，则宽猛失所宜／曩之用才……溺在缘情之举／雄笔奇才，有鼓怒风云之气／大志非才不就，大才非学不成／贤不贤，才也；遇不遇，时也／用过其才则败事，享过其分则丧身／自古雄才多磨难，纨绔子弟少伟男／不论其才之称否，而论其历任之多少／小人非才不能动人，小人非才不能乱国／世必有才，随时所用，岂待……然后为治乎／既谓之才，则不宜以阶级限，不应以年齿齐

❺任官惟贤才／志虽大而才不副／少年富贵才俊为不幸／得天下英才而教育之／德则有邻，才不必贵／爵以货重，才由贫轻／自明，然后才能明人／史有三长：才、学、识／有德而有才，方见于用／何世无奇才，遗之在草泽／大凡人无才，则心思不出／怀此王佐才，慷慨独不群／愧乏经济才，徒然守章句／学所以益才，砺所以致刃／用人惟其才，故政无不修／以才御物，才有尽而物无穷／怀文武之才者，必荷社稷之重／江山代有才人出，各领风骚数百年／学者不患才之不赡，而患志之不立／抱不世之才，特立而独行，道方而事实／多才之士才储八斗，博学之儒学富五车／官不得其才，比于画地作饼，不可食也／一人之身，才有长短，取其长则不问其短

❻天地所宝者，才也／口似悬河，辩才无碍／明扬仄陋，唯才是举／用人无疑，唯才所宜／博询众庶，则才能者进／乱世惟求其才，不顾其行／常言道：日久才把人心见／君子之于人才，无所不取／杜甫陈子昂，才名括天地／思赡者善敷，才核者善删／非学无以广才，非志无以成学／志大而量小，才有余而识不足／适于用之谓才，堪其事之谓力／天下未尝无才，患所以求才之道不至／按贤察名，选才考能，名实俱得之也／与百姓有缘才来此地，期寸心无愧不鄙斯民／如有德而无才，则不能为用，亦何足为君子／任而不信，其才无由展；信而不终，其业无由成

❼时危始识不世才／功以才成，业由才广／不才者进，则有才之路塞／以行实为先，以才用为急／沃地之民多不才者，饶也／量力而任之，度才而处之／气忌盛，心忌满，才忌露／不限资考，惟择才堪者为之／有雄志而无雄才，其后果败／乍屈乍伸者，良才所以俟时也／胸中没些渣滓，才能处世一番／乘时投隙非谓才，苟得未必为汝福／纵横振锋颖之才，吐纳积江湖之量／虚负凌云万丈才，一生襟抱未曾开／天授人以贤圣才能，岂使自有余而已／太平之时，必须才行俱兼，始可任用／小人只怕他有才。有才以济之，流害无穷／君子不特贵乎才略之优，而尤贵乎用之得其当

❽大事不胡涂之谓才／不劳则逸，逸则不才／勿以己才，而笑不才／大志非才不就，大才非学

不成／上下和同，虽有贤才，无所立功／上赏赏德，其次赏才，又其次赏功／伟士坐以俊杰之才，招致群吠之声／莲有藕兮藕有枝，才有用兮用有时／贵者负势而骄人，才士负能而遗行／古之人，有高世之才，必有遗俗之累／项籍有取天下之才，而无取天下之虑／此情无计可消除，才下眉头，却上心头／逊以为子弟苟有才，不忧不用，不宜私出以为荣利

❾才子多傲，傲便不是才／任不重，无以知人之才／得人则治，何世无奇才／世事如棋局，不着的才是高手／才者，德之资也；德者，才之帅也／古之成败者，诚有其才，虽弱必强／词客有灵应识我，霸才无主始怜君／忠言有壅而未达，贤才有抑而未用／其道末者其文杂，其才浅者其意烦／小人只怕他有才。有才以济之，流害无穷／道与德，可勉以进也；才不可强揠以进也／才所以为善也，故大才成大善，小才成小善／致天下之治者在人才，成天下之才者在教化／貌有不足，敷粉施朱。才有不足，征典求书

❿世人皆欲杀，吾意独怜才／卢狗悲号，则韩国知其才／逢时独为贵，历代非无才／珠玉买歌笑，糟糠养贤才／感子漂母惠，愧我非韩才／用人不限资品，但择有才／以天下之大，托于一人之才／以事秦之心，礼天下之奇才／民政之难，不惟其力而惟其才／大匠之斧斤，不能器不才之木／小则随事酬劳，大则量才录用／一人之鉴易限，而天下之才难原／经天纬地之帝，求制礼作乐之才／舍真筌而择士，沿虚谈以取才……／离别不堪无限意，艰危深仗济时才／莫嫌举世无知己，未有庸人不忌才／进退天下士大夫，不惟其才惟其行／春风吹蚕细如蚁，桑芽才努青鸦嘴／天下无害菑，虽有圣人，无所施其才／天下未尝无才，患所以求才之道不至／刘备有取天下之量，而无取天下之才／必须出类拔萃，与众不同，才觉有趣／小人非才不能动人，小人非才不能乱国／才须学也，非学无以广才，非志无以成学／国家剩得数百万贯钱，何如得一有才行人／才所以为善也，故大才成大善，小才成小善／为政之要，惟在得人。用非其才，必难致治／致天下之治者在人才，成天下之才者在教化／致治之本，惟在于审；量才授职，务省官员／有味之物，蠹虫必生；有才之人，谗言必至／文不加点，兴到语耳！孔明天才，思十反矣／文有余而质不足则流，才有余而雅不足则荡／五寸之键制开阖之门，岂其才巨小哉，所居要也／古者士之进，有以德，有以才，有以言，有以曲艺／国之强弱，不在甲兵，不在金谷，独在人才之多少／立大事者，不惟有超世之才，亦必有坚忍不拔之志／操行有常贤，仕宦无常遇，贤不贤才也，遇不遇时也／古之立大事者，不惟有超世之才，亦必有坚忍不拔之志／物之美者，盈天地间皆是也。然必待人之神明才慧而见／非情、才无以见性，非气质无所为情、才，即无所为性也／以易限之鉴，镜难原之才，使国罔遗授，野无滞器，其可得／无为者，道之宗；故得道之宗，应物无穷，任人之才，难以至治

丰

fēng 多，富；（体态）丰满；高大，伟大；容貌和姿态美好；通"风"，丰姿，丰采；茂盛，茂密；丰富，丰厚；大；古时酒器；六十四卦之一；姓。

❶丰年珠玉，俭年谷粟

见元·翟思忠《魏郑公谏续录》卷上。

丰交之木，有时而落

见汉·韩婴《韩诗外传》。全句为："五色虽明，有时而渝；～"。

丰凶相济，农末皆利

见宋·苏轼《乞免五谷力胜税钱札子》。

丰财者，务本而节用也

见晋·陈寿《三国志·魏书·杜畿传》。全句为："安民之术，在于丰财。～"。

丰而不余一言，约而不失一辞

见唐·韩愈《上襄阳于相公书》。

丰岁自少凶岁多，田家辛苦可奈何

见宋·张舜民《打麦》。

丰荒异政，系乎时也；夷夏殊法，牵乎俗也

见唐·刘禹锡《答饶州元使君书》。全句为："～。因时在乎善相，因俗在乎便安"。

❷利丰者害厚，质美者召灾／物丰则欲省，求澹则争止／新丰美酒斗十千，咸阳游侠多少年／礼丰不足以效爱，而诚心可以怀远／事丰奇伟，辞富膏腴，无益经典，而有助文章

❸茂木丰草，有时而落／祭而丰，不如养之薄也／尽道丰年瑞，丰年事若何／多力丰筋者圣，无力无筋者病／崇门丰室，洞户连房，飞馆生风，重楼起雾

❹图匮于丰，防俭于逸／粟积于丰年，乃可济饥／毛羽不丰满者，不可以高飞／待人要丰，自奉要约；责己要厚，责人要薄／财之不丰，兵之不强，吏之不择，此三者存亡之所从出

❺无德而贿丰，祸之胎也／辞约而旨丰，事近而喻远／文约而事丰，此述作之尤美者也

❻年妙识远，理丰词约／劝农节用，均丰补歉／尽道丰年瑞，丰年事若何／晴日花争发，丰年酒易沽／茂林之下无丰草，大块之间无美苗／处颠者危，势丰者亏，颓坠之类，常在悬垂

❼安民之术，在于丰财／地僻乡音别，年丰酒味醇／地薄惟供税，年丰尚苦贫／农功不妨，谷稼丰赡，故人富也

❾良田无晚岁，膏泽多丰年

❿但知勤作福，衣食自然丰／居家自奉宜俭，养

亲待客宜丰／是穮是蓘，虽有饥馑，必有丰年／小人寡欲则能谨身节用，远罪丰家／言不在多，在于当理；施不在丰，期于救乏／谷足食多，礼义之心生；礼丰义重，平安之基立

开 kāi 打开；开辟；启发；开发，开拓；发动；分配；沸腾；展开；开始；融化；解除；创建；举行；使显露；列举；扩展；姓。

❶开卷有益

见宋·王辟之《渑水燕谈录》。

开诚心，布公道

见晋·陈寿《三国志·蜀书·诸葛亮传》。

开谄谀之道，为佞者必多

见唐·李世民《金镜》。全句为："塞切直之路，为忠者必少；～"。

开幸人之志，兆乱臣之心

见南朝·梁·何之元《梁典总论》。全句为："国有累卵之忧，俗有土崩之势，～"。

开其兑，济其事，终身不救

见《老子》五十二。

开其自新之路，诱于改过之善

见宋·欧阳修《前光禄寺丞王简言复旧官制》。

开函关，掩函关，千古如何，不见一人闲

见宋·贺铸《将进酒》。

❷但开风气不为师／网开三面，危疑者许以自新用／半开半落闲园里，何异荣枯世上人／剖开顽石方知玉，淘尽泥沙始见金／欲开壅蔽达人情，先向歌诗求讽刺／君开一源，下生百端之变，无不乱者也／每开一卷，刀搅肺肠；每读一篇，血滴文字／君开一源，下生百端。百端之变，无不动乱

❸天门开阖，能为雌乎／人生开口笑，百年都几回／芳菊开林耀，青松冠岩列／言路开则治，言路塞则乱／千里开年，且悲春目；一叶早落，足动秋襟

❹芍药花开又一春／子美集开诗世界／十牖之开，不如一户之明／花有重开日，人无再少年／厌其源，开其渎，江河可竭／别馆南开，风雨积他乡之思／学所以开人之蔽，而致其知／洁其宫，开其门，去私毋言，神明若存

❺凌寒独自开／荐我寸长，开君尺短／推心置腹，开诚布公／赦其旧过，开以新图／冥冥花正开，扬扬燕新乳／尘世难逢开口笑，菊花须插满头归

❻雾尽披天，萍开见水／上山擒虎易，开口告人难／仲夏苦夜短，开轩纳微凉／塞多幸之路，开至公之道／明必死之路，开必得之门／朗夜之辉，不开矇叟之目／日出而林霏开，云归而岩穴暝／春每归兮花开，花已阑兮春改／非惟使人情开涤，亦觉日月清朗／以虚无而能开通于物，故称曰道／主人闻语未开门，绕篱野菜飞黄蝶／春风桃李花开日，秋雨梧桐叶落时／是非只为多开口，烦恼皆因强出头／五寸之键制开阖之门，岂其才巨小哉，所居要也

❼为谁零落为谁开／至诚则金石为开／好怀百岁几回开／春到江南花自开／涛澜汹涌，风开合／冬尽今宵促，年开明日长／源发而横流，路开而四通／伏久者飞必高，开先者谢独早／衙门自古向南开，就中无个不冤哉／荆玉含宝，要俟开莹；幽兰怀馨，事资扇发／处逆境心须用开拓法，处顺境心要用收敛法／始如处女，敌人开户；后如脱兔，敌不及拒／解落三秋叶，能开二月花。过江千尺浪，入竹万竿斜

❽一夫当关，万夫莫开／诚心，而金石为之开／白日一照，浮云自开／精诚所加，金石为开／霪雨霏霏，连月不开／风云突变，军阀重开战／驿外断桥边，寂寞开无主

❾道而弗牵，强而弗抑，开而弗达／词客争新角短长，迭开风气递登场

❿丁宁红与紫，慎莫一时开／待月西厢下，迎风户半开／不有忌讳，则谠直之路开矣／圣人教人，只是就人日用处开端／三条九陌丽城隈，万户千门平旦开／不是花中偏爱菊，此花开尽更无花／世路之蓁芜当剔，人心之茅塞须开／他年我若为青帝，报与桃花一处开／今年花落颜色改，明年花开复谁在／待到秋来九月八，我花开后百花杀／官仓老鼠大如斗，见人开仓亦不走／明主必谨养其和，节其流，开其源／春色不随亡国尽，野花只作旧时开／火力不能销地力，乱前黄菊眼前开／忽如一夜春风来，千树万树梨花开／镇相连似影追形，分不开如刀划水／虚负凌云万丈才，一生襟抱未曾开／繁枝容易纷纷落，嫩蕊商量细细开／天地在我首之上，足之下，开目尽见／故明主必谨养其和，节其流，开其源／安能摧眉折腰事权贵，使我不得开心颜／纵令滋味当染于口，声色已开于心……／多事害神，多言害身。口开舌举，必有祸患／非历览无以寄杼轴之怀，非高远无以开沉郁之绪／木末芙蓉花，山中发红萼。涧户寂无人，纷纷开且落／其有发挥新体，孤飞百代之前，开凿古人，独步九流之上

井 jǐng 水井；形状像井的；古时以八户人家为一井；形容整齐；六十四卦之一；星名；姓。

❶井不达泉，则犹不掘也

见晋·葛洪《抱朴子·极言》。全句为："～；一步未至，则犹不往也"。

井中视星，所见不过数星

见《尸子·广》。

井鱼不可与语大，拘于隘也

见汉·刘安《淮南子·原道》。全句为："～；夏虫不可与语寒，笃于时也"。

井蛙不可以语于海者，拘于虚也

见《庄子·秋水》。全句为："～；夏虫不可以语于冰者，笃于时也"。

井中之无大鱼也，新林之无长木也

见《吕氏春秋·有始览·谕大》。

井梧飞叶送秋声，篱菊缄香待晚晴

见宋·裘万顷《早作》。

❷远井不救近渴／甘井近竭，招木近伐／军井未达，将不言渴／军井成而后饮之……／坎井无鼋鼍者，隘也／坎井之蛙，不知江海之大／坠井者求出，执热者愿濯／坎井之蛙不可与语东海之乐／自井中视星，所见不过数星／掘井九轫而不及泉，犹为弃井也／坐井而观天，曰天小者，非天小也／金井梧桐秋叶黄，珠帘不卷夜来霜／凿井者起于三寸之坎，以就万仞之深／凿井而饮，耕田而食；帝力于我何有哉

❸日在井中，不能烛远

❹渴而穿井，临难铸兵／无波古井水，有节秋竹竿／行兵于井底，游步于牛蹄／桃生露井上，李树生桃旁／虎狼堕井，仁者见之而不怜／使日在井中，则不能烛十步矣／能自凿井及泉而汲之，不可胜用矣／担水塞井徒用力，炊砂作饭岂堪吃

❺商贾无市井之事则不比／访民瘼于井邑，察冤枉于囹圄

❻直木先伐，甘井先竭／江海不与坎井争其清／耕田而食，凿井而饮

❼君不见担雪塞井空用力，炊沙作饭岂堪食

❽短绠不可以汲深井之泉／久有凌云志，重上井冈山／欲知千里寒，但看井水冰／砚中斑驳遗民泪，井底千年恨未销

❾鹪鹩不可与论云翼，井蛙难与量海鳌

❿乞火不若取燧，寄汲不若凿井／宜未雨而绸缪，毋临渴而掘井／宜未雨而绸缪，勿临渴而掘井／掘井九轫而不及泉，犹为弃井也／获一人而失一国，见黄雀而忘深井／擅一壑之水而跨踌坎井之乐，此亦至矣／日出而作，日入而息，凿井而饮，耕田而食／一观其文，心朗目舒，炯若深井之下仰视白日之正中也／病已成而后药之，乱已成而后治之，譬犹渴而穿井，斗而铸锥，不亦晚乎

夫

①fū 丈夫；成年男子的统称；某种体力劳动者；旧时指服劳役或做苦工的人；古代井田制，一夫授田百亩。②fú 犹"彼"；犹"此"；犹"凡"；表感叹语气；表疑问语气；作语助。

❶夫妻无隔宿之仇

见清·吴敬梓《儒林外史》第二十九回。

夫子循循然善诱人

见《论语·子罕》。

夫学，身之砺砥也

见《尸子·劝学》。全句为："今人皆知砺其剑，而弗知砺其身。～"。

夫有尤物，足以移人

见《左传·昭公二十八年》。

夫妇有恩矣，不诚则离

见唐·魏征《群书治要·体论》。

夫子之道，忠恕而已矣

见《论语·里仁》。

夫食为民天，农为政本

见宋·刘清之《戒子通录》。

夫子何为者，栖栖一代中

见唐·李隆基《经邹鲁祭孔子而叹之》。

夫子步亦步，夫子趋亦趋

见《庄子·田子方》。

夫农广则谷积，俭用则财畜

见晋·陈寿《三国志·魏志·高柔传》。全句为："广农为务，俭用为资。～"。

夫名利之大者几在无耻而信

见《庄子·盗跖》。全句为："无耻者富，多信者显；～"。

夫子焉不学？而亦何常师之有

见《论语·子张》。

夫妇之道，有义则合，无义则离

见汉·班固《汉书·孔光传》。

夫妻本是同林鸟，大限来时各自飞

见明·冯梦龙《古今小说·蒋兴哥重会珍珠衫》。

夫玄也者，天道也，地道也，人道也

见汉·扬雄《太玄》卷十。

夫人之相与，俯仰一世……放浪形骸之外

见晋·王羲之《兰亭集序》。删节处为："或取诸怀抱，晤言一室之内，或因寄所托"。

夫立身之忠信也，立官之廉也，立家之俭也

见明·徐祯稷《耻言》。全句为："～，庶美之所待次成也"。

夫谓法不严则易犯，暴君酷吏假辞以饰其恶耳

见清·颜元《存治编》。

❷万夫不当之勇／丈夫可杀不可羞／工夫深处独心知／顾夫淫以鄙而偕亡／一夫当关，万夫莫开／一夫得情，千室鸣弦／农夫去草，嘉谷必茂／匹夫无罪，怀璧其罪／谋夫孔多，是用不集／狂夫之言，圣人择焉／贪夫徇财，烈士徇名／农夫无草莱之事则不比／农夫之耨，去害苗者也／贪夫殉财兮，烈士殉名／一夫怒临关，百万未可傍／三夫成市虎，慈母投杼趋／丈夫不叹别，达士自安卑／丈夫非无泪，不洒别离间／丈

夫皆有志，会见立功勋／丈夫贵兼济，岂独善一身／丈夫誓许国，愤惋复何有／万夫婉娈，非俟西子之颜／田夫荷锄至，相见语依依／千夫诺诺，不如一士之谔谔／望夫处……行人归来石应语／耕夫习牛则犷，猎夫习虎则勇／一夫不获，则曰："时予之辜"／丈夫生不五鼎食，死即五鼎烹耳／丈夫为志，穷当益坚，老当益壮／匹夫无故获千金，必有非常之祸／大夫以君命出，闻丧徐行而不返／大夫以身殉家，圣人以身殉天下／一夫不获其所，若已推而内之沟中／丈夫丁壮而不耕，天下有受其饥者／丈夫不作儿女别，临岐涕泪沾衣巾／丈夫力耕长忍饥，老妇勤织长无衣／丈夫盖世英雄气，肯学世间儿女愁／丈夫盖棺事始定，君今幸未成老翁／丈夫穷空自其分，饿死吾肩未尝胁／万夫喧喧不停杵，杵声丁丁惊后土／农夫心内如汤煮，公子王孙把扇摇／匹夫而为百世师，一言而为天下法／惟夫党人之偷乐兮，路幽昧以险隘／惟夫消磨靡烂之际，金久炼而愈精／田夫寿，膏粱夭，嗜欲少多之验也／老夫渴急月更急，酒落杯中月先入／老夫聊发少年狂，左牵黄，右擎苍／野夫怒见不平处，磨损胸中万古刀／丈夫不释故而改图，哲士不侥幸而出危／农夫劳而君子养焉，愚者言而智者择焉／若夫以火能焦木也，因使销金，则道行矣／若夫有道之士，必礼必知然后其智能可尽／丈夫生不为将，得为使，折冲口舌之间足矣／谗夫似贤，美言似信，听之者惑，观之者冥／狂夫之乐，知者哀焉；愚者之笑，贤者戚焉／匹夫见辱，拔剑而起，挺身而斗，此不足为勇／一夫不耕，天下受其饥；一妇不织，天下受其寒／今夫大海……旦则浴日而出之，夜则滔列星，涵太阴／一夫耕，百人食之；一妇桑，百人衣之。以一奉百，孰能供之／匹夫而忧天下，无位而论世事，时俗以为狂，而君子之所取也

❸妻贤夫祸少／大丈夫志四方／士大夫众则国贫／大丈夫以断为先／大丈夫能屈能伸／大丈夫相时而动／赔了夫人又折兵／大丈夫以信义为重／有工夫读书，谓之福／大丈夫为志，穷当益坚／乐止夫物之内者，乐其浅／大丈夫当雄飞，安能雌伏／大丈夫处世，当交四海英雄／大丈夫所守者道，所待者时／大丈夫，千山万水往长远处看／大丈夫行事，论是非不论利害／大丈夫以正大立心，以光明行事／大丈夫得死所，光奕奕，照千古／大丈夫处世，当为国家立功边境／大丈夫宁当玉碎，安可没没求活／大丈夫见善明，则重名节如泰山／乐止夫物之内者，厚其生则社栎贤／适来，夫子时也；适去，夫子顺也／大丈夫当为国扫除天下，岂徒室中乎／大丈夫行事当磊磊落落，如日月皎然／大丈夫处世，当扫除天下，安事一室乎／大丈夫不怕人，只怕理；不恃人，只是恃道／大丈夫……终不为邪暗小人所惑而易其所守／大丈夫必有四方之志，乃仗剑去国，辞亲远游／有鄙夫问于我，空空如也。我叩其两端而竭焉／大丈夫举事，当赤心相示，浮言夸辞，吾甚厌之／大丈夫岂得苟贪财物，以害及身命，使子孙每怀愧耻耶

❹汝不知夫螳螂乎／生为百夫雄，死为壮士规／吾爱孟夫子，风流天下闻／宁为百夫长，胜作一书生／遂令一夫唱，四海欣提矛／结发为夫妻，恩爱两不疑／闻诛一夫纣矣，未闻弑君也／采择狂夫之言，不逆负薪之议／不弃狂夫之言者，然后嘉谟可闻也／不识农夫辛苦力，骄骢蹋烂麦青青

❺妇无蚕织夫无耕／上和下睦，夫唱妇随／内省不疚，夫何忧何惧／亡国之大夫，不可以图存／见恶，如农夫之务去草焉／所谓大丈夫者，谓其智之大也／予恶乎知夫死者不悔其始之蕲生乎／吾师道也，夫庸知其年之先后生于吾乎／若将军、大夫必出旧族，或无可焉，犹用之耶

❻无求备于一夫／一夫当关，万夫莫开／一人拚命，万夫难当／一人善射，百夫决拾／一人立志，万夫莫夺／天下兴亡，匹夫有责／列士徇名，贪夫徇财／国家兴亡，匹夫有责／白骨疑象，武夫类玉／蛟龙离水，匹夫可制／夫子步亦步，夫子趋亦趋／天子好美女，夫妇不成双／使天下无农夫，举世皆饿死矣／为学第一工夫，要降得浮躁之气定／保天下者，匹夫之贱，与有责焉耳／从农论田田夫胜，从商讲贾贾人贤／功成而弗居。夫唯弗居，是以不去／声应气求之夫，决不在于寻行数墨之士／三人成虎，十夫揉椎；众口所移，毋翼而飞／百亩之田，匹夫耕之，八口之家足以无饥矣／先王以是经夫妇，成孝敬，厚人伦，美教化，移风俗

❼财上分明大丈夫／嘉禾始熟而农夫先尝其粒／四海无闲田，农夫犹饿死／汝果欲学诗，工夫在诗外／天下有事，则匹夫之言重于泰山／吾究物始，而见夫妇之为造端也／国君死社稷，大夫死众，士死制／罚其忠，赏其贼，夫是之谓至暗／仅存之国富大夫，亡道之国富仓府／人者裸虫也，与夫鳞毛羽甲虫俱焉／进退天下士大夫，不惟其才惟其行／道之尊，德之贵，夫莫之命而常自然

❽内无怨女，外无旷夫／每餐一食，则念耕夫／有恩必酬者，亦匹夫之义／破山之雷，不发聋夫之耳／无罪而杀士，则大夫可以去／四郊多垒，此卿大夫之辱也／问其禄，则曰下大夫之秩也／耕夫习牛则犷，猎夫习虎则勇／三军可夺帅也，匹夫不可夺志也／聊乘化以归尽，乐夫天命复奚疑／何方圆之能周兮，夫孰异道而相安／

苗而不秀者有矣夫，秀而不实者有矣夫／俞扁之门，不拒病夫；绳墨之侧，不拒枉材／三晋多权变之士，夫言从衡强秦者，大抵皆三晋之人

❾百里之海，不能饮一夫／作而行之，谓之士大夫／威加四海，而屈于匹夫／君子不畏虎，独畏谗夫之口／块土不能障狂澜，匹夫不能振颓俗／宣父犹能畏后生，丈夫未可轻年少／适来，夫子时也；适去，夫子顺也／不为而成，不求而得，夫是之谓天职／求之者不及虚之者，夫圣人无求之也／隐忍就功名，非烈丈夫孰能致此哉？／墓门有棘，斧以斯之；夫也不良，国人知之／君子之道也，造端乎夫妇，及其至也，察乎天地／父子有亲，君臣有义，夫妇有别，长幼有叙，朋友有信

❿男儿爱后妇，女子重前夫／艰难奋长戟，万古用一夫／恨小非君子，无毒不丈夫／欲求生富贵，须下死工夫／欲求真受用，须下死功夫／礼不下庶人，刑不上大夫／刑过不避大臣，赏善不遗匹夫／诵读有真趣，不玩味终为鄙夫／知是行的主意，行是知的工夫／闻恶不可就恶，恐为谗夫泄怒／孝子疑于屡至，市虎成于三夫／乘骐骥以驰骋兮，来吾道夫先路／奈何以四海之广，足一夫之用邪／死，人之所难，然耻为狂夫所害／年将弱冠非童子，学不成名岂丈夫／古人学问无遗力，少壮功夫老始成／诚知此恨人人有，贫贱夫妻百事哀／读书切戒在慌忙，涵泳工夫兴味长／功名只向马上取，真是英雄一丈夫／杀一人则千人恐，滥一罪则百夫愁／旦握权则为卿相，夕失势则为匹夫／欲赋生来惊人语，必须苦下死工夫／忽见陌头杨柳色，悔教夫婿觅封侯／踏破铁鞋无觅处，得来全不费功夫／百姓之有此色，正缘士大夫不知此味／子在川上曰：逝者如斯夫！不舍昼夜／出见纷华盛丽而说，入闻夫子之道而乐／力可以得天下，不可以得匹夫匹妇之心／芳饵之下必有悬鱼，重赏之下必有死夫／苗而不秀者有矣夫，秀而不实者有矣夫／彼寻常之污渎兮，岂能容夫吞舟之巨鱼／天地生我而不能鞠我……成我者，夫子也／有六尺之躯，而不能庇一妇人，岂丈夫哉／用天下之心图而济之，夫岂无最长之策乎／用天下之目观而救之，夫岂无最远之见乎／一卒毕力，百人不当；万夫致死，可以横行／一家失熛，百家皆烧；谗夫阴谋，百姓暴骸／天子曰崩，诸侯曰薨，大夫曰卒，士曰不禄／生男无喜，生女无怒，独不见卫子夫霸天下／我为女子，薄命如斯！君是丈夫，负心若此／诸侯而骄人则失其国，大夫而骄人则失其家／美味腐腹，好色惑心，勇夫招祸，辩口致殃／君子怀德，小人怀土；贤士徇名，贪夫死利／愚者笑之，智者哀焉；狂夫之乐，贤者丧焉／香饵之下，必有悬鱼；重赏之下，必有死夫／虎兕相据而蝼蚁得志，两敌相机而匹夫乘间／博学笃志，切问近思，此八字是收放心的功夫／朱丹既定，雌黄有别，使夫怀鼠知惭，滥竽自耻／兰茝荪蕙之芳，众人之所好，而海畔有逐臭之夫／使天下之人，不敢言而敢怒。独夫之心，日益骄固／叩之而必闻，触之而必应，夫是以天下可使为一身／人之生，动之死地亦十有三。夫何故？以其生生之厚／我悲人之自丧者，吾又悲夫悲人者，吾又悲夫悲人之悲者／闻古之君子相其君也，一夫不获其所，若己推而内之沟中／于为义若嗜欲，勇不顾前后；于利与禄，则畏避退处如怯夫然

天

tiān 天空；日；自然界；季节；天生的；指所依存或依靠；迷信的人指自然界的主宰者或神、佛、仙所在的地方。

❶天不容伪

见宋·苏轼《潮州韩文公庙碑》。

天命不易

见《尚书·君奭》。

天命难谌

见《尚书·君奭》。

天地有始

见《吕氏春秋·有始览·有始》。

天下有三危

见汉·刘安《淮南子·人间》。全句为："～：少德而多宠，一危也；才下而位高，二危也；身无大功而受厚禄，三危也"。

天与人交相胜

见唐·刘禹锡《天论》。

天下以农桑为本

见汉·班固《汉书·昭帝纪》。

天下真花独牡丹

见宋·欧阳修《洛阳牡丹记》。

天下归之之谓王

见《荀子·正论》。

天刑之，安可解

见《庄子·德充符》。

天地之性人为贵

见三国·魏·王弼《老子》二十五注。

天地节而四时成

见《周易·节》。

天地闭，贤人隐

见晋·陈寿《三国志·魏书·何夔传》。

天地间，人为贵

见三国·魏·曹操《度关山》。

天地革而四时成

见《周易·革·彖》。

天若有情天亦老

见唐·李贺《金铜仙人辞汉歌》。

天门者，无有也

见《庄子·庚桑楚》。全句为:“～;万物出乎无有”。

天涯何处无芳草

见宋·苏轼《蝶恋花》。

天道远,人道迩

见《左传·昭公十八年》。

天道恶满而好谦

见南朝·宋·范晔《后汉书·樊宏传》。

天上天下唯吾独尊

见宋·普济《五灯会元》卷一。

天下无有不散筵席

见明·冯梦龙《醒世恒言·徐老仆义愤成家》。

天下之物未尝无对

见宋·朱熹《朱子语类》卷九六。全句为:“～。有阴便有阳,有仁便有义,有善便有恶,有语便有默,有动便有静”。

天下治乱系于用人

见宋·范祖禹《唐鉴》卷一八。

天下归怨而不敢辞

见宋·苏轼《韩舍人》。全句为:“古之良有司,忧其君而不恤其私计,故～”。

天下殆哉,岌岌乎

见《孟子·万章上》。

天下物无独必有对

见清·魏源《默觚上·学篇十一》。

天不为一物枉其时

见《管子·白心》。全句为:“～,明君圣人亦不为一人枉其法”。

天不变,道亦不变

见汉·班固《汉书·董仲舒传》。

天地之性,人为贵

见《孝经·圣治》。

天地所宝者,才也

见唐·王勃《秋夜于绵州群官席别薛升华序》。

天者,固积气者也

见清·王夫之《读四书大全说》卷一○。

天上地下,惟我独尊

见清·康有为《大同书》甲部。

天下无不可变之风俗

见清·顾炎武《日知录》卷十三《宋世风俗》。

天下无内忧必有外惧

见宋·苏洵《审敌》。

天下无道,以身殉道

见《孟子·尽心上》。

天下无道,圣人生焉

见《庄子·人间世》。全句为:“天下有道,圣人成焉;～;方今之时,仅免刑焉”。

天下无道,圣人彰焉

见隋·王通《中说·述史》。全句为:“天下有道,圣人藏焉;～”。

天下之正莫如利民焉

见宋·邵雍《皇极经世·观物篇四十三》。全句为:“～,天下之不正莫如害民焉”。

天下之物,莫不有理

见宋·朱熹《四书集注·大学章句》。

天下之政,非贤不理

见唐·陈子昂《答制问事·重任贤科》。全句为:“～;天下之业,非贤不成”。

天下之业,非贤不成

见唐·陈子昂《答制问事·重任贤科》。全句为:“天下之政,非贤不理;～”。

天下为一,万里同风

见汉·班固《汉书·终军传》。

天下兴亡,匹夫有责

见清·顾炎武《正始》。

天下大乱,无有安国

见《吕氏春秋·有始览·谕大》。全句为:“～;一国尽乱,无有安家;一家皆乱,无有安身”。

天下大治,千载一时

见宋·苏轼《田表圣奏议叙》。

天下太平,万物安宁

见《吕氏春秋·仲夏纪·大乐》。

天下攘攘,皆为利往

见汉·司马迁《史记·货殖列传》。全句为:“天下熙熙,皆为利来;～”。

天下虽平,不敢忘战

见宋·苏轼《策别十六》。

天下虽安,忘战必危

见汉·班固《汉书·息夫躬传》。

天下行之,不闻不足

见《管子·白心》。全句为:“道者,一人用之,不闻有余;～”。

天下多忌讳而民弥贫

见《老子》五十七。

天下没有不散的筵席

见明·冯梦龙《古今小说》卷一。

天下纷纷,何时定乎

见汉·司马迁《陈丞相世家》。

天下桃李,悉在公门

见宋·司马光《资治通鉴·唐则天皇后久视元年》。

天下昏乱,忠臣乃见

见汉·班固《汉书·魏豹传》。

天下有大知,有小知

见宋·苏洵《明论》。全句为:“～;人之智虑有所及,有所不及”。

天下有道,圣人藏焉

见隋·王通《中说·述史》。全句为:"～;天下无道,圣人彰焉"。

天下有道,圣人成焉

见《庄子·人间世》。全句为:"～;天下无道,圣人生焉;方今之时,仅免刑焉"。

天下熙熙,皆为利来

见汉·司马迁《史记·货殖列传》。全句为:"～;天下攘攘,皆为利往"。

天与弗取,反受其咎

见汉·班固《汉书·蒯通传》。全句为:"～;时至弗行,反受其殃"。

天与地卑,山与泽平

见《庄子·天下》。

天不再与,时不久留

见《吕氏春秋·孝行览·首时》。

天不能覆,地不能载

见《吕氏春秋·离俗览·为欲》。全句为:"凡治国令其民争行义也,乱国令其民争为不义也;强国令其民争乐用也,弱国令其民争竞不用也。夫争行义乐用与争为不义竞不用,此其为祸福也,～"。

天不崇大则覆帱不广

见南朝·宋·范晔《后汉书·朱穆传》。全句为:"～,地不深厚则载物不博,人不敦庞则道数不远"。

天吏逸德,烈于猛火

见《尚书·胤征》。

天非虐,惟民自速辜

见《尚书·酒诰》。

天生万物,唯人为贵

见《列子·天端》。

天生天杀,道之理也

见《阴符经》卷二。

天生烝民,有物有则

见《诗·大雅·烝民》。

天生神物,圣人则之

见《周易·系辞上》。全句为:"～;天地变化,圣人效之"。

天之于物,春生秋实

见宋·欧阳修《秋声赋》。

天之无恩,而大恩生

见《阴符经》下。

天之能,人固不能也

见唐·刘禹锡《天论》。全句为:"～;人之能,天也有所不能也"。

天之至私,用之至公

见《阴符经》卷下。

天之大,阴阳尽之矣

见宋·邵雍《皇极经世·观物篇》。全句为:"～;地之大,刚柔尽之矣"。

天之所坏,不可强支

见汉·焦赣《易林·蒙·夬》。全句为:"～。众口遭笑,虽贵必危"。

天发杀机,龙蛇起陆

见《阴符经》上篇。全句为:"～;人发杀机,天地反覆"。

天网恢恢,疏而不漏

见清·文康《儿女英雄传》第一十八回。

天网恢恢,疏而不失

见《老子》七十三。

天,休使圆蟾照客眠

见宋·蔡伸《苍梧谣》。全句为:"～。人何在?桂影自婵娟"。

天低吴楚,眼空无物

见元·萨都剌《念奴娇·登石头城》。

天人之际,合而为一

见汉·董仲舒《春秋繁露·深察名号》。全句为:"事各顺于名,名各顺于天,～"。

天命难知,人道易守

见南朝·宋·范晔《后汉书·冯衍传》。

天难忱斯,不易维王

见《诗·大雅·大明》。

天地长久,风俗无恒

见唐·刘知几《史通·言语》。全句为:"～,后之视今,亦犹今之视昔"。

天地之外,别有天地

见宋·邵雍《皇极经世·观物篇四十二》。

天地充实,长保年也

见《西升经·道虚章》。

天地玄黄,宇宙洪荒

见南朝·梁·周兴嗣《千字文》。

天地变化,圣人效之

见《周易·系辞上》。全句为:"天生神物,圣人则之;～"。

天地虽广,以无为心

见三国·魏·王弼《老子》三十八注。

天地清静,皆守一也

见《西升经·道虚章》。

天地,道德之形容也

见汉·严遵《道德指归论·道生一篇》。全句为:"道德,天地之神明也;～"。

天地者,万物之逆旅

见唐·李白《春夜宴从弟桃李园序》。全句为:"～;光阴者,百代之过客"。

天地者,形之大者也

见《庄子·则阳》。全句为:"～;阴阳者,气之大者也;道者为之公"。

天地有穷,此冤无穷

见唐·柳宗元《先太夫人河东县太君归祔志》。

天地既位，阴阳气交

见唐·无名氏《无能子·圣过》。全句为："～，于是裸虫鳞虫毛虫羽虫甲虫生焉"。

天将与之，必先苦之

见汉·刘向《说苑·谈丛》。全句为："～；天将毁之，必先累之"。

天将毁之，必先累之

见汉·刘向《说苑·谈丛》。全句为："天将与之，必先苦之；～"。

天行不信，不能成岁

见《吕氏春秋·离俗览·贵信》。全句为："～；地行不信，草木不大"。

天门开阖，能为雌乎

见《老子》十。"雌"喻指静。

天道无亲，常与善人

见《老子》七十九。

天道之常，一阴一阳

见汉·董仲舒《春秋繁露·阴阳义》。全句为："～。阳者，天之德也；阴者，天之刑也"。

天道有常，王道亡常

见汉·班固《汉书·翼奉传》。

天马行空而步骤不凡

见元·刘延振《萨天锡诗集序》。

天有五贼，见之者昌

见《阴符经》上。

天朗气清，惠风和畅

见晋·王羲之《三月三日兰亭诗序》。

天聪明，自我民聪明

见《尚书·皋陶谟》。

天下无道，则修德就闲

见《庄子·天地》。全句为："天下有道，则与物皆昌；～"。

天下无道，则正人在下

见唐·罗隐《梅先生碑》。全句为："天下有道，则正人在上；～"。

天下无道，戎马生于郊

见《老子》四十六。全句为："天下有道，却走马以粪。～"。

天下未有不学而成者也

见隋·王通《中说·礼乐》。

天下之不正莫如害民焉

见宋·邵雍《皇极经世·观物篇四十三》。全句为："天下之正莫如利民焉，～"。

天下之主，道德出于人

见五代·南唐·谭峭《化书卷三·聪明》。全句为："～；理国之主，仁义出于人；亡国之主，聪明出于人"。

天下之公患，乱伤之也

见《荀子·富国》。

天下之安危，莫先乎兵

见宋·欧阳修《本论》。全句为："足天下之用，莫先乎财；系～"。

天下将兴，其积必有源

见宋·苏轼《策断二十三》。全句为："～；天下将亡，其发必有门"。

天下将亡，其发必有门

见宋·苏轼《策断二十三》。全句为："天下将兴，其积必有源；～"。

天下有道，则庶人不议

见《论语·季氏》。

天下有道，则与物皆昌

见《庄子·天地》。全句为："～；天下无道，则修德就闲"。

天下有道，则正人在上

见唐·罗隐《梅先生碑》。全句为："～；天下无道，则正人在下"。

天下有道，却走马以粪

见《老子》四十六。全句为："～。天下无道，戎马生于郊"。

天之所能者，生万物也

见唐·刘禹锡《天论》。全句为："～；人之所能者，治万物也"。

天只在我，更祷个什么

见宋·朱熹《朱子语类》卷九〇。

天命有德，五服五章哉

见《尚书·皋陶谟》。"章"通"彰"。

天讨有罪，五刑五用哉

见《尚书·皋陶谟》。

天地无为也而无不为也

见《庄子·至乐》。

天地物之大者，人次之

见汉·严遵《道德指归论·道生一篇》。

天，积气耳，亡处亡气

见《列子·天瑞》。

天下无正声，悦耳即为娱

见唐·白居易《议婚》。全句为："～；人间无正色，悦目即为姝"。

天下不如意，恒十居七八

见唐·房玄龄《晋书·羊祜传》。

天下之祸，莫大于不足为

见唐·韩愈《守戒》。

天下动之至易，安之至难

见明·罗贯中《三国演义》第六回。

天下理无常是，事无常非

见《列子·说符》。

天下本无事，庸人自扰之

见明·陶宗仪《辍耕录·松江之变》。

天下本无事，庸人自召之

见清·纪昀《阅微草堂笔记·如是我闻一》。

天下星河转，人间帘幕垂

见宋·李清照《南歌子》。
天下智谋之士，所见略同
见晋·陈寿《三国志·蜀书·庞统法正传》。
天下有道则见，无道则隐
见《论语·泰伯》。
天不为人之恶寒也，辍冬
见《荀子·天论》。
天之道，损有余而补不足
见《老子》七十七。全句为："～。人之道则不然，损不足以奉有余"。
天也，你错勘贤愚枉为天
见元·关汉卿《感天动地窦娥冤杂剧》。全句为："地也，你不分好歹何为地？～"。
天便教人，霎时厮见何妨
见宋·周邦彦《风流子》。
天高地迥，觉宇宙之无穷
见唐·王勃《滕王阁序》。
天高皇帝远，民少相公多
见元·黄溥《闲中今古录·台、温、处树旗谣》。
天高露清，山空月明……
见宋·晁补之《新城游北山记》。全句为："～，仰视星斗皆光大，如适在人上"。
天地不仁，以万物为刍狗
见《老子》五。全句为："～；圣人不仁，以百姓为刍狗"。
天地长不没，山川无改时
见晋·陶潜《形赠影》。全句为："～。草木得常理，霜露荣悴之"。
天地之道，生杀之理……
见汉·严遵《道德指归论·勇敢篇》。全句为："～，无去无就，无夺无与，无为为之，自然而已"。
天地为炉，造化为工……
见汉·班固《汉书·贾谊传》。删节处为："阴阳为炭，万物为铜，合散消息，安有常则，千变万化，未始有极"。
天地莫生金，生金人竞争
见唐·孟郊《吊国殇》。
天地有正气，杂然赋流形
见宋·文天祥《正气歌》。
天若无雪霜，青松不如草
见唐·唐备《失题二首》之一。全句为："～。地若无山川，何人重平道"。
天将今夜月，一遍洗寰瀛
见唐·刘禹锡《八月十五夜玩月》。
天行健，君子以自强不息
见《周易·乾》。
天德施，地德化，人德义
见汉·董仲舒《春秋繁露·人副天数》。全句为："～；天气上，地气下，人气在其间"。
天涯同此路，人语各殊方
见唐·王建《汴路即事》。
天道施，地道化，人道义
见汉·董仲舒《春秋繁露·天道施》。全句为："～，圣人见端而知本，精之至也"。
天子好年少，无人荐冯唐
见唐·曹邺《捕渔谣》。全句为："天子好征战，百姓不种桑；～；天子好美女，夫妇不成双"。
天子好美女，夫妇不成双
见唐·曹邺《捕渔谣》。全句为："天子好征战，百姓不种桑；天子好年少，无人荐冯唐；～"。
天子好征战，百姓不种桑
见唐·曹邺《捕渔谣》。全句为："～；天子好年少，无人荐冯唐；天子好美女，夫妇不成双"。
天王日俭德，俊乂始盈庭
见唐·杜甫《奉酬薛十二丈判官见赠》。
天曰虚，地曰静，乃不忒
见《管子·心术上》。
天所赋为命，物所受为性
见宋·朱熹《近思录·道体类》。
天意怜芳草，人间重晚晴
见唐·李商隐《晚晴》。
天下万物生于有，有生于无
见《老子》四十。
天下每每大乱，罪在于好知
见《庄子·马蹄》。
天下有二：非察是，是察非
见《荀子·解蔽》。
天之生物，必因其材而笃焉
见《礼记·中庸》。
天之道事无大小，物无难易
见汉·董仲舒《春秋繁露·天道无二》。全句为："～，反天之道无成者"。
天之道在生植，其用在强弱
见唐·刘禹锡《天论》。全句为："～；人之道在法制，其用在是非"。
天主正，地主平，人主安静
见《管子·内业》。
天亦有喜怒之气，哀乐之心
见汉·董仲舒《春秋繁露·阴阳义》。全句为："～，与人相副，以类合之，天人一也"。
天叙有典，敕我五典五惇哉
见《尚书·皋陶谟》。"典"，常；"惇"，厚。
天地之道，极则反，盈则损
见汉·刘安《淮南子·泰族》。
天行其所行，而万物被其利
见《管子·白心》。全句为："～；圣人亦行其所行，而百姓被其利"。
天道之数，至则反，盛则衰

见《管子·重令》。

天子作民父母,以为天下王

见《尚书·洪范》。

天下不患无财,患无人以分之

见《管子·牧民》。"人",指贤明的执政者。

天下之事非一人之所能独知也

见宋·陆佃解《鹖冠子·道端》。全句为:"～,海水广大非独仰一川之流也"。

天下之乐无穷,而以适意为悦

见宋·苏辙《武昌九曲亭记》。

天下之人蹈道必赏,违善必罚

见唐·刘禹锡《天论》。全句为:"法大行,则是为公是,非为公非。～"。

天下之至柔,驰骋天下之至坚

见《老子》四十三。

天下之官虎而吏狼者,比比也

见清·蒲松龄《聊斋志异·梦狼》。

天下之道,理安,斯得人者也

见唐·柳宗元《封建论》。全句为:"～。使贤者居上,不肖者居下,而后可以理安"。

天下之竹帛不足书阁下之功德

见唐·韩愈《与凤翔邢尚书书》。全句为:"～,天下之金石不足颂阁下之形容"。

天下之金石不足颂阁下之形容

见唐·韩愈《与凤翔邢尚书书》。全句为:"天下之竹帛不足书阁下之功德,～"。

天下兼相爱则治,交相恶则乱

见《墨子·兼爱上》。

天下本无事,庸人扰之为烦耳

见宋·欧阳修、宋祁《新唐书·陆元方传》。

天之所助者顺,人之所助者信

见晋·陈寿《三国志·魏书·何夔传》。

天之所辅者仁,人之所助者信

见唐·吴兢《贞观政要·纳谏》。

天高不敢不局,地厚不敢不蹐

见南朝·宋·范晔《后汉书·李固传》。

天至广不可度,地至大不可量

见《黄帝内经·六节藏象论》。

天地四方曰宇,往古来今曰宙

见《尸子》。

天地成于元气,万物乘于天地

见宋·陆佃解《鹖冠子·泰录》。

天道乱,而日月星辰不得其行

见唐·韩愈《原人》。

天时不如地利,地利不如人和

见《孟子·公孙丑下》。

天者,理之所自出,凡理皆天

见清·王夫之《读四书大全说》卷一〇。

天视自我民视,天听自我民听

见《尚书·泰誓中》。

天气上,地气下,人气在其间

见汉·董仲舒《春秋繁露·人副天数》。全句为:"天德施,地德化,人德义;～"。

天片片而云愁,山幽幽而谷哭

见唐·卢照邻《悲穷道》。全句为:"～;露垂泣于幽草,风含悲于拱木"。

天有不测风云,人有旦夕祸福

见元·无名氏《包龙图智赚合同文字杂剧》。

天有不测风云,人又岂能料乎

见明·罗贯中《三国演义》第四十九回。

天施地化,不以仁恩,任自然

见《老子》五河上公注。

天下无事,则公卿之言轻于鸿毛

见宋·苏轼《御试制科策》。全句为:"～;天下有事,则匹夫之言重于泰山"。

天下事当于大处著眼,小处下手

见清·曾国藩《致吴竹书》。

天下之祸,不由于外,皆兴于内

见南朝·宋·范晔《后汉书·傅燮传》。

天下之患,莫大于不知其然而然

见宋·苏轼《策略第一》。

天下以言为戒,最国家之大患也

见汉·梅福《上书言王凤专擅》。

天下兴学取士,先德行不专文辞

见宋·欧阳修《文正范公神道碑铭序》。

天下大势,分久必合,合久必分

见明·罗贯中《三国演义》第一回。

天下和平,灾害不生,祸乱不作

见汉·郑玄注《孝经·孝治章》。

天下有事,则匹夫之言重于泰山

见宋·苏轼《御试制科策》。全句为:"天下无事,则公卿之言轻于鸿毛;～"。

天下文士,争执所长,与时而奋

见唐·刘禹锡《唐故尚书礼部员外郎柳君集纪》。全句为:"～,粲焉如繁星丽天,而芒寒色正,人望而敬者,五行而已"。

天之道也,如迎浮云,若视深渊

见《黄帝内经·六微旨大论》。全句为:"～,视深渊尚可测,迎浮云莫知其极"。

天之所生,地之所产,足以养人

见宋·苏辙《转对状》。

天地与我并生,而万物与我为一

见《庄子·齐物论》。

天地不能顿为寒暑,必渐于春秋

见唐·白居易《策林一》。全句为:"～;人君不能顿为兴亡,必渐于善恶"。

天地之有水旱,犹人之有疾病也

见汉·王充《论衡·感虚篇》。全句为:"～,疾病不可以自责除,水旱不可以祷谢去"。

天地养万物,圣人养贤以及万民

见《周易·颐》。
天行有常，不为尧存，不为桀亡
见《荀子·天论》。
天子之怒，伏尸百万，流血千里
见《战国策·魏策四》。
天有和，有德，有平，有威……
见汉·董仲舒《春秋繁露·威德所生》。全句为："～，有相授之意，有为政之理，不可不审也"。
天有其时，地有其财，人有其治
见《荀子·天论》。
天覆地载，万物悉备，莫贵于人
见《黄帝内经·宝命全形论》。
天下之事，不进则退，无一定之理
见宋·朱熹《近思录·治体类》。
天下之大乱，由虚文胜而实行衰也
见明·王阳明《传习录上》。
天下之治乱，系乎人君仁与不仁耳
见宋·朱熹《四书集注·孟子·离娄上》。
天下郡国向万城，无有一城无甲兵
见唐·杜甫《蚕谷行》。
天下莫大于秋毫之末，而太山为小
见《庄子·齐物论》。全句为："～；莫寿于殇子，而彭祖为夭"。
天下国家总以忧勤而得，怠荒而失
见清·王师晋《资敬堂家训》。
天下是非俱不到，安闲一片道人心
见元·李志常《长春真人西游记》。
天下敢怨而不敢言，敢怒而不敢诛
见宋·邓牧《吏道》。全句为："吏无避忌，白昼肆行，使～"。
天下顺治在民富，天下和静在民乐
见明·王廷相《慎言·御民篇》。
天无私覆，地无私载，日月无私照
见《礼记·孔子闲居》。
天不生无禄之人，地不长无根之草
见明·高则诚《琵琶记》第二十六出。
天不言而四时行，地不语而百物生
见唐·李白《上安州裴长史书》。
天末海门横北固，烟中沙岸似西兴
见宋·王安石《次韵平甫金山会宿寄亲友》。
天可度，地可量，唯有人心不可防
见唐·白居易《天可度》。
天平山上白云泉，云自无心水自闲
见唐·白居易《白云泉》。
天长地久有时尽，此恨绵绵无绝期
见唐·白居易《长恨歌》。
天生一个仙人洞，无限风光在险峰
见现代·毛泽东《七绝·为李进同志题所摄庐山仙人洞照》。
天生我材必有用，千金散尽还复来
见唐·李白《将进酒》。
天之道莫非自然，人之道皆是当然
见明·罗钦顺《困知记》卷上。
天良能本吾良能，顾为有我所丧尔
见宋·张载《正蒙·诚明》。
天作孽，犹可违；自作孽，不可逭
见《尚书·太甲中》。"违"、"逭"，躲避。
天公尚有妨农过，蚕怕雨寒苗怕火
见元·陈草庵《中吕·山坡羊》二十六首之一。全句为："～。阴，也是错；晴，也是错"。
天地合而万物生，阴阳接而变化起
见《荀子·礼论》。
天苍苍，野茫茫，风吹草低见牛羊
见北齐·杂歌谣辞《敕勒歌》。
天若有情天亦老，人间正道是沧桑
见现代·毛泽东《七律·人民解放军占领南京》。
天街小雨润如酥，草色遥看近却无
见唐·韩愈《早春呈水部张十八员外二首》。
天广而无以自覆，地厚而无以自载
见南朝·宋·范晔《后汉书·寇荣传》。
天道以爱人为心，以劝善惩恶为公
见明·冯梦龙《古今小说·闹阴司司马貌断狱》。
天子呼来不上船，自称臣是酒中仙
见唐·杜甫《饮中八仙歌》。全句为："李白一斗诗百篇，长安市上酒家眠。～"。
天子者，养尊而处优，树恩而收名
见宋·苏洵《上韩枢密书》。
天时人事日相催，冬至阳生春又来
见唐·杜甫《小至》。
天籁无假于宫商，贞筠不争于柯叶
见清·王夫之《连珠》。
天下万物皆生于两，不生于一，明矣
见明·李贽《焚书》。
天下无害菑，虽有圣人，无所施其才
见汉·司马迁《史记·滑稽列传补》。全句为："～；上下和同，虽有贤才，无所立功"。
天下不多管仲之贤而多鲍叔能知人也
见汉·司马迁《史记·管晏列传》。
天下未尝无才，患所以求才之道不至
见宋·苏轼《策别二十》。
天下未有无理之气，亦未有无气之理
见宋·朱熹《朱子语类》卷一。
天下非一人之天下，乃天下之天下也
见《太公六韬·文韬·文师》。
天下非一人之天下也，天下之天下也
见《吕氏春秋·孟春纪·贵公》。
天下之事，不有所摧挫则不能以有成

见宋·陈亮《汉论·高帝朝》。

天下之事不可为也,因其自然而推之

见汉·刘安《淮南子·原道》。

天下之事,常成于困约,而败于奢靡

见宋·陆游《放翁家训》。

天下之事,理胜力为常,力胜理为变

见明·冯梦龙《东周列国志》第十三回。

天下之至文,未有不出于童心焉者也

见明·李贽《童心说》。

天下之学者莫不欲仕,仕者莫不欲贵

见宋·苏轼《策别第七》。

天下大势之所趋,非人力之所能移也

见宋·陈亮《上孝宗皇帝第三书》。

天下皆知取之为取,而莫知与之为取

见南朝·宋·范晔《后汉书·桓谭传》。

天下者非一人之天下,惟有道者处之

见《太公六韬·武韬·顺启》。

天下者,非君有也,天下使君主之耳

见宋·苏轼《御试制科策一道》。

天之道利而不害,圣人之道为而不争

见《老子》八十一。

天地之大德曰生,人受天地之气而生

见宋·朱熹《朱子语类》卷五。全句为:"~,故此心必仁,仁则生矣"。

天地在我首之上,足之下,开目尽见

见唐·司马承祯《天隐子·易简》。

天授人以贤圣才能,岂使自有余而已

见唐·韩愈《争臣论》。全句为:"~,诚欲以补其不足者也"。

天将降大任于是人也,必先苦其心志

见《孟子·告子下》。全句为:"~,劳其筋骨,饿其体肤,空乏其身,行拂乱其所为,所以动心忍性,曾益其所不能"。

天知,神知,我知,子知,何谓无知

见南朝·宋·范晔《后汉书·杨震传》。

天道远,人道尔,报应之效迟速难量

见唐·吴筠《玄纲论·下篇析疑滞·畏神道章第二十六》。

天雄乌喙,药之凶毒也,良医以活人

见汉·刘安《淮南子·缪称》。

天下而有无害之利,则谁不能计之者?

见宋·杨万里《论兵》。

天下事有难易乎?为之,则难者亦易矣

见清·彭端淑《为学一首示子侄》。全句为:"~;不为,则易者亦难矣"。

天下之善射者也,不能以拨弓曲矢中微

见《荀子·正论》。全句为:"羿、蜂门者,~"。

天下之理不可穷也,天下之性不可尽也

见唐·王勃《八卦大演论》。

天下宝之者何也?其小恶不足妨大美也

见汉·刘安《淮南子·氾论》。全句为:"夏后氏之璜,不能无考;明月之珠,不能无颣。然而~"。

天不欲使兹人有知乎?则吾之命不可期

见唐·韩愈《重答张籍书》。全句为:"~;如使兹人有知乎?非我其谁哉?"。

天生人而使有贪有欲,欲有情,情有节

见《吕氏春秋·仲春纪·情欲》。

天之生万物以奉人也,主爱人以顺天也

见汉·桓宽《盐铁论·刑德》。

天命之谓性,率性之谓道,修道之谓教

见《礼记·中庸》。

天变不足畏,祖宗不足法,人言不足恤

见元·脱脱等《宋史·王安石传》引王安石语。

天地无全功,圣人无全能,万物无全用

见《列子·天瑞》。

天地之中,荡然任自然,故不可得而穷

见三国·魏·王弼《老子》五注。

天地之间空虚,和气流行,故万物自生

见《老子》五河上公注。

天地之所贵者人也,圣人之所尚者义也

见汉·王符《潜夫论·赞学》。全句为:"~,德义之所成者智也,明智之所求者学问也"。

天地以顺动,故日月不过,而四时不忒

见《周易·豫》。

天性正于受生之初,明觉发于既生之后

见明·罗钦顺《答欧阳少司成崇一》。

天子之所是未必是,天子之所非未必非

见清·黄宗羲《学校》。

天者,统元气焉,非止荡荡苍苍之谓也

见隋·王通《中说·立命》。

天,有形之大者也;人,动物之尤者也

见唐·刘禹锡《天论》。

天下不淫其性,不迁其德,有治天下者哉

见《庄子·在宥》。

天下之非誉,无损益焉,是谓全德之人哉

见《庄子·天地》。

天下之势有强弱,圣人审其势而应之以权

见宋·苏洵《审势》。

天下英雄谁敌手?曹刘。生子当如孙仲谋

见宋·辛弃疾《南乡子》。

天无形而万物以成,至精无象而万物以化

见《吕氏春秋·审分览·君守》。全句为:"~。大圣无事而千官尽能"。

天且风,巢居之虫动;且雨,穴处之物扰

见汉·王充《论衡·变动篇》。

天之所覆,地之所载,莫不尽其美致其用

见《荀子·王制》。

天地生我而不能鞠我……成我者,夫子也

见隋·王通《中说·王道》。删节处为："父母鞠我而不能成我"。

天地之道，寒暑不时则疾，风雨不节则饥

见汉·司马迁《史记·乐书》。

天地虽含囊万物，而万物非天地之所为也

见晋·葛洪《抱朴子·塞难》。

天犹有春秋冬夏旦暮之期，人者厚貌深情

见《庄子·列御寇》。

天惟运动一气，鼓万物而生，无心以恤物

见宋·张载《易说上》。

天有六极五常，帝王顺之则治，逆之则凶

见《庄子·天运》。

天下无独燃之火，世间安得有无体独知之精

见汉·王充《论衡·论死篇》。

天下之事，患常生于忽微，而志亦戒于渐习

见宋·程颢《上殿札子》。

天下之牝，以静胜牡。千世不易，万世不变

见汉·严遵《道德指归论·大国篇》。

天下之物博而智浅，以澹浅博，未有能者也

见汉·刘安《淮南子·诠言》。

天下之患，莫大于举朝无公论，空国无君子

见宋·刘黻《率太学诸生上书》。

天下难事，必作于易；天下大事，必作于细

见《老子》六十三。

天下大扰，百姓遑遑，劳苦疲极，困穷生奸

见汉·严遵《道德指归论·民不畏死篇》。

天下虽兴，好战必亡；天下虽安，忘战必危

见唐·白居易《策林三》。

天下岂有不可为之国哉？亦存乎其人如何尔

见宋·杨万里《国势》。

天下神器，不可为也。为者败之，执者失之

见《老子》二十九。

天下稍安，尤须兢慎，若便骄逸，必至丧败

见唐·吴兢《贞观政要·政体》。

天何言哉？四时行焉，百物生焉，天何言哉

见《论语·阳货》。

天地之化，盈虚消息，往过来续，流行古今

见宋·文天祥《王孙通名说》。全句为："～，如此而已"。

天地之间，万国并兴，小大愚智，皆愿为君

见汉·严遵《道德指归论·用兵篇》。

天地车轮，终则复始，极则复反，莫不咸当

见《吕氏春秋·仲夏纪·大乐》。

天地者万物之父母也，合则成体，散则成始

见《庄子·达生》。

天地所以独长且久者，以其安静，施不荣报

见《老子》七河上公注。

天地有官，阴阳有藏；慎守女身，物将自壮

见《庄子·在宥》。

天道悠悠，人生若浮，古来贤圣，皆成去留

见唐·王绩《游北山赋》。

天子曰崩，诸侯曰薨，大夫曰卒，士曰不禄

见《公羊传·隐公三年》。

天下无粹白之狐，而有粹白之裘，取之众白也

见《吕氏春秋·孟春纪·用众》。

天下之事，不可尽知，而以臆断之，不可任也

见晋·葛洪《抱朴子·论仙》。

天下之人所共趋之而不知止者，富贵与美名尔

见唐·无名氏《无能子·质妄》。

天下之患，不患材之不众，患上之人不欲其众

见宋·王安石《材论》。全句为："～；不患士之不欲为，患上之人不使其为也"。

天下治乱，不在一姓之兴亡，而在万民之忧乐

见明·黄宗羲《原臣》。

天下悠悠，皆可长生也，患于犹豫，故不成耳

见晋·葛洪《抱朴子·黄白》。

天地之间，其犹橐龠乎？虚而不屈，动而愈出

见《老子》五。

天地之精所以生物者莫贵于人，人受命乎天也

见汉·董仲舒《春秋繁露·人副天数》。

天地所以能长且久者，以其不自生，故能长生

见《老子》五。

天道无为，任物自然，无亲无疏，无彼无此也

见晋·葛洪《抱朴子·塞难》。

天……有相授之意，有为政之理，不可不审也

见汉·董仲舒《春秋繁露·威德所生》。删节处为："有和，有德，有平，有威"。

天下之事，急之则丧，缓之则得，而过缓则无及

见宋·苏辙《上昭文富丞相书》。

天下之治乱，不在一姓之兴亡，而在万民之忧乐

见清·黄宗羲《原臣》。

天下争名趋势，不计是非，析毫剖芒，视死如归

见汉·严遵《道德指归论·民不畏死篇》。

天下犹人之体，腹心充实，四支虽病，终无大患

见晋·陈寿《三国志·魏书·杜畿传》。

天之生此民也，使先知觉后知，使先觉觉后觉也

见《孟子·万章上》。

天地任自然无为，无造万物，自相治理，故不仁

见三国·魏·王弼《老子》五注。

天子者，有道则人推而为主，无道则人弃而不用

见唐·吴兢《贞观政要·政体》。

天静以清，地定以宁，万物失之者死，法之者生

见汉·刘安《淮南子·精神》。

天下不可一日而无政教，故学不可一日而亡于天下

见宋·王安石《明州慈溪县学记》。

天下之物莫凶于鸡毒，然而良医橐而藏之，有所用

见汉·刘安《淮南子·主术》。

天下有大勇者，卒然临之而不惊，无故加之而不怒

见宋·苏轼《留侯论》。

天地之养也一，登高不可以为长，居下不可以为短

见《庄子·徐无鬼》。

天下至大器也，帝王至重位也，得士则靖，失士则乱

见唐·王士元《亢仓子·政道篇》。

天无时不风，地无时不尘，物无所不有，人无所不为

见明·谢肇淛《五杂俎》。

天生一人，自有一人之用，不待取给于孔子而后足也

见明·李贽《焚书》卷一。

天公何时有，谈者皆不经。谁道贤人死，今为傅说星

见唐·皎然《问天》。

天地之气合而为一，分为阴阳，判为四时，列为五行

见汉·董仲舒《春秋繁露·五行相生》。

天若不爱酒，酒星不在天；地若不爱酒，地应无酒泉

见唐·李白《月下独酌四首》其二。

天下皆知美之为美，斯恶矣；皆知善之为善，斯不善矣

见《老子》二。

天不可信，地不可信，人不可信，心不可信，惟道可信

见唐·王士元《亢仓子·用道篇》。

天地相对，日月相剀，山川相流，轻重相浮，阴阳相续

见汉·扬雄《太玄》卷四。

天有五行：一曰木，二曰火，三曰土，四曰金，五曰水

见汉·董仲舒《春秋繁露·五行之义》。

天有恒日，民自则之，爽则损命，环自服之，天之道也

见《十六经·三禁》。

天下莫柔弱于水，而攻坚强者莫之能先，以其无以易之也

见《老子》七十八。

天下大乱，贤圣不明，道德不一，天下多得一察焉以自好

见《庄子·天下》。

天下者亦吾有也，吾亦天下之有也，天下之与我岂有间哉

见汉·刘安《淮南子·原道》。

天无一点云，星斗张明，错落水中，如珠走镜，不可收拾

见宋·王质《游东林山水记》。

天无私覆也，地无私载也，日月无私烛也，四时无私行也

见《吕氏春秋·孟春纪·去私》。

天不为人怨咨而辍其寒暑，君子不为人之丑恶而辍其正道

见隋·王通《中说·魏相》。

天地之大，四时之化，而犹不能以不信成物，又况乎人事

见《吕氏春秋·离俗览·贵信》。全句为："～？君臣不信，则百姓诽谤，社稷不宁；处官不信，则少不畏长，贵贱相轻；赏罚不信，则民易犯法，不可使令；交友不信，则离散郁怨，不能相亲；百工不信，则器械苦伪，丹漆染色不贞"。"苦"，不精细，粗劣；"伪"，作假。

天下之民，知安而不知危，能逸而不能劳，此臣所谓大患也

见宋·苏轼《策别十六》。

天下国家可均也，爵禄可辞也，白刃可蹈也，中庸不可能也

见《礼记·中庸》。

天无为以之清，地无为以之宁，故两无为相合，万物皆化生

见《庄子·至乐》。

天地有大美而不言，四时有明法而不议，万物有成理而不说

见《庄子·知北游》。

天之高也，星辰之远也，苟求其故，千岁之日至，可坐而致也

见《孟子·离娄下》。

天下有至贵而非势位也，有至富而非金玉也，有至寿而非千岁也

见汉·刘安《淮南子·缪称》。全句为："～；原心反性则贵矣，适情知足则富矣，明死生之分则寿矣"。

天不得不高，地不得不广，日月不得不行，万物不得不昌，此其道与

见《庄子·知北游》。

❷以天下为己任／以天下心为心／犯天下之不韪／通天下一气耳／视天下如一家／反天之道无成者／搜天斡地觅诗情／冒天下之大不韪／

乐天知命，故不忧／义，天下之良宝也／原天命则不惑祸福／在天者莫明乎日月／惟天不畀不明厥德／与天和者，谓之天乐／长天茫茫，信耗莫通／举天下之贤者以自代／大天之内，复有小天／得天下英才而教育之／治天下者，以人为本／威天下不以兵革之利／皇天无亲，惟德是辅／杀天下者，天下贼之／贪天之功，以为己力／瞒天讨价，就地还钱／稽天之潦，不能终朝／穷天下者，天下仇之／顺天者逸，逆天者劳／顺天者存，逆天者亡／干天之木，非荀日所长／利天下者，天下亦利之／倚天绝壁，直下江千尺／大天苍苍兮，大地茫茫／择天下之士，使称其职／害天下者，天下亦害之／居天下之人，使安其业／统天下者当与天下同心／故天地含精，万物化生／足天下之用，莫先乎财／上天下天水，出地入地舟／农，天下之本，务莫大焉／刑天舞干戚，猛志固常在／利天下之民者，莫大于治／同天下之利者，则得天下／兴天下之利，除天下之害／冲天鹏翅阔，报国剑芒寒／擅天下之利者，则失天下／因天时，伐天毁，谓之武／行天莫如龙，行地莫如马／安天下于覆盂，其功可大／驱天下之人而从善远罪也／有天不雨粟，无地可埋尸／钧天广乐，必有奇丽之观／穷天下而奉之者，一人也／青天何处了？白鸟入空无／霜天如扫，低向朱崖……／为天下之大害者，君而已矣／为天有眼兮何不见我独漂流／以天下之大，托于一人之才／以天下之心虑，则无不知也／以天下之目视，则无不见也／以天下之耳听，则无不闻也／以天下为忧，而未以位为乐／尽天下之辞，无以传其酷矣／享天下之利者，任天下之患／观天之道，执天之行，尽矣／取天下与守天下，无机不能／取天下之财，以供天下之费／因天下之力，以生天下之财／因天下之心以虑，则无不得／因天下之目以视，则无不见／因天之生也以养生，谓之文／因天之杀也以伐死，谓之武／居天下之乐者，同天下之忧／穷天下之声，无以舒其哀矣／青天白日，奴隶亦知其清明／与天地兮同寿，与日月兮同光／以天下与人易，为天下得人难／以天下之所顺，攻亲戚之所畔／仁，天之尊爵也，人之安宅也／伏天下之勇者，不在勇而在怯／使天下无农夫，举世皆饿死矣／兴天下之同利，除天下之同害／令天下重足而立，侧目而视矣／合天地万物而言，只是一个理／观天下书未遍，不得妄下雌黄／大天而思之，孰与物畜而制之／知天而不知人，则无以与俗交／困天下之智者，不在智而在愚／处天下所观之地，可不慎乎？／皇天无私阿兮，览民德焉错辅／有天下之是非，有人人之是非／念天地之悠悠，独怆然而涕下／用天下之耳目，虽众人不能愚／穷天下之辩者，不在辩而在讷／笼天地于形内，挫万物于笔端／从天而颂之，孰与制天命而用之／在天成象，在地成形，变化见矣／挟天子以令天下，天下莫敢不听／惟天性刚强之人，不为物欲所屈／经天纬地之帝，求制礼作乐之才／与天同心而无知，与道同身而无体／无天灾，无物累，无人非，无鬼责／求天下奇闻壮观，以知天地之广大／为天下及国，莫如以德，莫如行义／农，天下之大业；铁器、民之大用／仰天大笑出门去，我辈岂是蓬蒿人／保天下者，匹夫之贱，与有责焉耳／合天下之众者财，理天下之财者法／先天下之忧而忧，后天下之乐而乐／凡天下之事成于自同，而败于自异／高天滚滚寒流急，大地微微暖气吹／冲天香阵透长安，满城尽带黄金甲／受天下之瑰丽，而泄天下之拗怒也／在天愿作比翼鸟，在地愿为连理枝／均，天下之至理也，连于形物亦然／挟天子而令诸侯，此诚不可与争锋／挟天子以令诸侯，四海可指麾而定／据天道，仍人事，笔则笔而削则削／知天之所为，知人之所为者，至矣／知天者仰观天文，知地者俯察地理／弥天的罪过，当不住一个“悔”字／皇天以无言为贵，圣人以不言为德／轻天下者，身不累于物，故能处之／腊天日短不盈尺，何似妖姬一曲歌／破天下之浮议，使良法不废于中道／一天下者，令于天下则行，禁焉则止／任天下之智力，以道御之，无所不可／并天下之谋，兼天下之智，而理得矣／人天下之声色而研其理者，人之道也／办天下之大事者，有天下之大节者也／知天乐者，其生也天行，其死也物化／礼，天之经也，地之义也，民之行也／顺天养财、御水旱、制蛮夷之原本也／顺天时，量地利，则用力少而成功多／自天地至于万物，无不须气以生者也／与天下之贤者为徒，此文王之所以王也／以天下之材为天下用，则用天下而有余／在天曰阴阳，在地曰柔刚，在人曰仁义／知天而不泥于神怪，知人而不遗于委琐／待天以困之，用人以诱之。往蹇来返。／避天下之逆，从天下之顺，天下不足取／究天人之际，通古今之变，成一家之言／当天时，与之皆断；当断不断，反受其乱／忧天下之乱，犹忧河水之少，泣而益之也／王天下者必先诸民，然后庇焉，则能长利／用天下之心图而济之，夫岂无最长之策乎／用天下之目观而救之，夫岂无最远之见乎／举天下而无可与共处，则是其势岂可以久也／以天为父，以地为母，阴阳为纲，四时为纪／利天下者，天下启之；害天下者，天下闭之／使天下畏刑而不敢盗，岂若能使无有盗心哉／使天为天者，非天也；使人为人者，非人也／谓天盖高，不敢不局；谓地盖厚，不敢不蹐／取天下常以无事。及其有事，不足以取天下／

治天下者，用人非止一端，故取士不以一路／溥天之下，莫非王土；率土之滨，莫非王臣／致天下之治者在人才，成天下之才者在教化／秋天晚晴，碧色如归，横度一鸟，时时行云／原天命，治心术，理好恶，适情性，而治道毕／知天乐者，无天怨，无人非，无物累，无鬼责／治天下之要，存乎除奸；除奸之要，存乎治官／盈天地间皆物也。……通观天地，天地一物也／举天下以赏其善者不足，举天下以罚其恶者不给／使天下之人，不敢言而敢怒。独夫之心，日益骄固／治天下者，当以天下之心为心，不得自专快意而已／建天下之大事功者，全要眼界大，眼界大则识见自别／为天下者，亦奚以异乎牧马者哉，亦去其害马者而已矣／以天为宗，以德为本，以道为门，兆于变化，谓之圣人

❸剑门天下壮／一朝天子一朝臣／不怨天，不尤人／困人天气日初长／性者，天之命也／时惟天命，无违／欲与天公试比高／天上天下唯吾独尊／义者，天地之所宜／主者，天下之心也／农者，天下之本也／好货，天下贱士也／死生，天地之常理／上下天光，一碧万顷／上有天堂，下有苏杭／天生天杀，道之理也／不尽天极，衰者复昌／乐以天下，忧以天下／包裹天地，禀授无形／观乎天文，以察时变／道德，天地之神明也／本自天然，不假雕琢／暴殄天物，害虐烝民／物竞天择，适者生存／身重天地，物轻鸿毛／不以天下之病而利一人／务理天下者，美在太平／若安天下，必先正其身／智出天下，而听于至愚／一在天之涯，一在地之角／不论天有眼，但管地无皮／但愿天下人，家家足稻粱／公则天下平矣；平得于公／人生天地间，忽如远行客／人疑天上坐，鱼似镜中悬／从来天下士，只在布衣中／凡为天下之务，莫大求士／国正天心顺，官清民自安／江流天地外，山色有无中／途穷天地窄，世乱死生微／水涵天影阔，山拔地形高／悠悠天宇旷，切切故乡情／不知天上宫阙，今夕是何年／能循天理动者，造化在我也／名高天下，何必辨襄阳南阳／善为天下者，计大而不计小／通于天下之理，则能通人矣／物华天宝，龙光射牛斗之墟／愿普天下有情的都成了眷属／无以天下为者，必能治天下者／大胆天下去得，小心寸步难行／国者，天下之大器也，重任也／瀑布天落，半与银河争流……／始取天下为功，始治天下为德／明于天人之分，则可谓至人矣／风横天而瑟瑟，云覆海而沉沉／心如天地者明，行如绳墨者章／上知天时，下知地利，中知人事／上因天时，下尽地财，中用人力／能除天下之忧者，必享天下之乐／能扶天下之危者，必据天下之安／一语天然万古新，豪华落尽见真淳／我劝天公重抖擞，不拘一格降人材／我愿天公怜赤子，莫生尤物为疮痏／尽有天，循有照，冥有枢，始有彼／同是天涯沦落人，相逢何必曾相识／舒之天下而不窕，内之寻常而不塞／阳者，天之德也；阴者，天之刑也／功冠天下者不安，威震人主者不全／进退天下士大夫，不惟其才惟其行／道满天下，普在民所，民不能知也／遂令天下父母心，不重生男重生女／要为天下奇男子，须历人间万里程／经纬天地之谓文，戡定祸乱之谓武／时来天地皆同力，运去英雄不自由／春者，天之和也；夏者，天之德也／所谓天者诚难测，而神者诚难明矣／有死天下之心，而后能成天下之事／有成天下之心，而后能死天下之事／悲愁天地白日昏，路旁过者无颜色／秀出天南笔一枝，为官风骨称其诗／秋者，天之平也；冬者，天之威也／笺诉天公休掠剩，半偿私债半输官／未有天地之先，毕竟也只是先其俭也／我知天下之中央，燕之北越之南是也／以受天下之瑰丽，而泄天下之拗怒也／诚者，天之道也；诚之者，人之道也／诚者，天之道也；思诚者，人之道也／一代天骄，成吉思汗，只识弯弓射大雕／凡为天下国家，当爱惜名器，谨重刑罚／道在天地之间也，其大无外，其小无内／言满天下，无口过；行满天下，无怨恶／未有天地之先，毕竟也只是先进谏斯易矣／人生天地之间，若白驹之过却，忽然而已／凡兵，天下之凶器也；勇，天下之凶德也／源从天涯，或浊或清，所在之势使之然也／“无”名，天地之始；“有”名，万物之母／河下天下之川，故广；人下天下之士，故大／权济天下而君臣立，上下正，然后礼义正焉／昔葛天氏之乐，三人操牛尾，投足以歌八阙／爵尊天下，富有四海，威势无量，专权擅柄／未有天地之先，毕竟也只是先让者，德之主也／人肖天地之类，怀五常之性，有生之最灵者也／羿者，天下之善射者也，无弓矢则无所见其巧／人生天地之中，殊于众类明矣。感则应，激则通／未有天地之先，毕竟也只是先有此理，便有此天地／地尽天水合，朝及洞庭湖，初日当中涌，莫辨东西隅／和者天之正也，阴阳之平也，其气最良，物之所生也／善计天下者不视天下之安危，察其纪纲之理乱而已矣／能有天下者，必无以天下为也；能有名誉者，必无以趋行求者也

❹不敢为天下先／垂拱而天下治／清静为天下正／不疑而天下自信／不私而天下自公／苏湖熟，天下足／尚变者，天道也／四海安，天下欢／河水清，天下平／湖广熟，天下足／道自在天帝之前／可上九天揽月……／凡性者，天之就也／圣人与天地合其德／至诚者，天之道也／盈必毁，天之道也／私者，乱天下者也／上不怨天，下不尤人／难回者天，不负者心／莫高者

天，莫浚者泉／鸢飞戾天，鱼跃于渊／得众动天，美意延年／通其变，天下无弊法／王者如天地之无私心／戴盆望天，不见星辰／赏罚者，天下之公也／悠悠苍天，曷其有极／用管窥天，用锥指地／雾尽披天，萍开见水／尧之治天下，使民心亲／中也者，天下之大本也／禹之治天下，使民心变／命乃在天，虽扁鹊何益／圣人制天下，贵能至公／蓄积者，天下之大命也／鸢飞戾天者，望峰息止／和也者，天下之达道也／道通行天地……不危殆／舜之治天下，使民心竞／积贮者，天下之大命也／上天下天水，出地入地舟／元气者，天地万物之宗统／东风满天地，贫家独无春／古者以天下为主，君为客／伏而咶天，救经而引其足／人之能，天也有所不能也／圣人法天贵真，不拘于俗／志不立，天下无可成之事／少成若天性，习贯如自然／峰攒望天小，亭午见日初／饱暖非天降，赖尔筋与力／朴素而天下莫能与之争美／相识满天下，知心能几人／日月光天德，山河壮帝居／胡然而天也，胡然而帝也／文章本天成，妙手偶得之／炉火照天地，红星乱紫烟／鹞子经天飞，群雀两向波／其生也天行，其死也物化／古之畜天下者，欲而天下足／闻在宥天下，不闻治天下也／日月丽天，而瞽者莫睹其明／不称九天之顶，则言黄泉之底／以道理天下者……不赏而民劝／信全则天下安，信失则天下危／逍遥于天地之间，而心意自得／致中和，天地位焉，万物育焉／后生虽天资聪明，而识终有不及／以管窥天，以蠡测海，以莛撞钟／仰不愧天，俯不愧人，内不愧心／唯无以天下为者，可以托天下也／安得倚天抽宝剑，把汝裁为三截／腾波触天，高浪灌日，吞吐百川／烈士为天下见善矣，未足以活身／必尽读天下之书，尽通古今之事／自古通天者，生之本，本于阴阳／自赦而天下不赦也，则其肆必收／万木霜天红烂漫，天兵怒气冲霄汉／尧能则天者，贵其能臣舜、禹二圣／义胆包天，忠肝盖地，四海无人识／古之明天子，信其臣而不惑于多言／力能排天斡九地，壮颜毅色不可求／圣王以天下为忧，天下以圣王为乐／大其牖，天光入；公其心，万善出／将欲取天下而为之，吾见其不得已／惟有一天秋夜月，不随田亩入官租／道者，覆天载地，廓四方，柝八极／所谓伐天真而矜己者也，天祸必及／恶波横天山塞路，未央宫中常满库／白日经天中则移，明月横汉满而亏／身正则天下皆正，身理则天下皆理／重云蔽天，江湖黯然；游鱼茫然……／圣人法天顺情，不拘于俗，不诱于人／虽诏于天子，无使北面，所以尊师也／惟不以天下害其生者也，可以托天下／愚人以天地文理圣，我以时物文理哲／不先审天下之势而欲应天下之务，难矣／为善者天报之以福，为恶者天与之以殃／圣人视天下之不治，如赤子之在水火也／太极，谓天地未分之前，元气混而为一／昔尧治天下，不赏而民劝，不罚而民畏／思立掀天揭地的事功，须向薄冰上履过／上不至天，下不至地，言出子口而入吾耳／兵不刑天，兵不可动；不法地，兵不可昔／禄之以天下，弗顾也；系马千驷，弗视也／以管窥天，以锥刺地；所窥者大，所见者小／古之取天下也以民心，今之取天下也以民命／使天为天者，非天也；使人为人者，非人也／圣人若天然，无私覆也；若地然，无私载也／如地如天，何私何亲？如日如月，唯君之节／沧波远天，混和暮色，孤舟一去，曷日而旋归／造父者，天下之善御者也，无舆马则无所见其能／上不失天时，下不失地利，中得人和，而百事不废／今一以天地为大炉，以造化为大冶，恶乎往而不可哉／有席卷天下，包举宇内，囊括四海之意，并吞八荒之心／所贵于天下之士者，为人排患、释难、解纷乱而无所取也

❺民以食为天／五十而知天命／达则兼善天下／一举成名天下闻／一叶落知天下秋／一唱雄鸡天下白／天若有情天亦老／民心说而天意得／男子要为天下奇／守一城，捍天下／赏一人而天下劝／雄鸡一声天下白／功成身退，天之道／一日行善，天下归仁／周公吐哺，天下归心／利之所在，天下趋之／侯服于周，天命靡常／人生而静，天之性也／人发杀机，天地反覆／人能胜乎天者，法也／人有善愿，天必从之／参不尽者，天下之理／节俭爱费，天下不匮／君有奇智，天下不臣／家给人足，天下大治／杀天下者，天下贼之／李广才气，天下无双／春生秋杀，天道之常／贼仁伤德，天怒不福／爱施兆民，天下归之／欺人如欺天毋自欺也／穷天下者，天下仇之／夫食为民天，农为政本／不欲以静，天下将自定／利天下者，天下亦利之／任贤使能，天下之公义／变化者，乃天地之自然／男耕女织，天下之大业／损一毫利天下，不与也／吾不见青天高，黄地厚／山川者，特天地之物也／浩然者乃天地之正气也／害天下者，天下亦害之／忠臣处国，天下无异心／秦失其鹿，天下共逐之／不可怙者天，不可画者人／甘瓜苦蒂，天下物无全美／黄帝之治天下，使民心一／人之命在天，国之命在礼／大道如青天，我独不得出／善，以言乎天下之大共也／因天时，伐天毁，谓之武／恭俭节用，天下几至刑措／不仁而得天下者，未之有也／义兵之为天下良药也亦大矣／人生易老天难老，岁岁重阳／人众者胜天，天定亦能破人／君臣遇合，天下事迎刃而解／唯不争，故天下莫能与之争／汝惟不伐，天下莫与汝争功／汝惟不矜，天下莫与汝争能／家

事国事天下事，事事关心／暴王之恶天下，故天下可离／贵以身为天下，若可寄天下／爱以身为天下，若可托天下／错人而思天，则失万物之情／寄蜉蝣于天地，渺沧海之一粟／桀、纣之失天下也，失其民也／爱以身为天下，若可托天下矣／礼有三本：天地者，生之本也／乐，所以达天地之和而饬化万物／力士推山，天吴移水，作农桑地／名缰利锁，天还知道，和天也瘦／断肠人处，天边残照水边霞……／天若有情天亦老，人间正道是沧桑／不出户，知天下；不窥牖，见天道／不去扫清天北雾，只来卷起浪头山／不能手提天下往，何忍身去游其间／了却君王天下事，赢得生前身后名／从来好事天生俭，自古瓜儿苦后甜／功名遂成，天也；循理受顺，人也／圣人之治天下也，先文德而后武力／坐井而观天，曰天小者，非天小也／宁教我负天下人，休教天下人负我／此曲只应天上有，人间能得几回闻／登山始觉天高广，到海方知浪渺茫／魂魄结兮天沉沉，鬼神聚兮云幂幂／万物生于天地之间，其理不可以一概／夫玄也者，天道也，地道也，人道也／正得失，动天地，感鬼神，莫近于诗／刘备有取天下之量，而无取天下之才／玄古之君天下，无为也，天德而已矣／建大功于天下者，必先修于闺门之内／项籍有取天下之才，而无取天下之虑／吾人立身天地间，只思量作得一个人／曹操有取天下之虑，而无取天下之量／其盗机也，天下莫不能见，莫不能知／古者多有天下而亡者矣，其民不为用也／力可以得天下，不可以得匹夫匹妇之心／受命不于天于其人，休符不于祥于其仁／大其心容天下之物，虚其心受天下之善／各自责则天清地宁，各相责则天翻地覆／如欲平治天下，当今之世，舍我其谁也／三代之得天下也以仁，其失天下也以不仁／圣人并包天地，泽及天下，而不知其谁氏／苟可以为天下国家之用者，则无不在于学／欲明两仪天地之体，必以太极虚无为初始／利天下者，天下启之；害天下者，天下闭之／因急而呼天，疾痛而呼父母者，人之至情也／山，刺破青天锷未残。天欲堕，赖以拄其间／见不尽者，天下之事；读不尽者，天下之书／风烟俱静，天山共色，从流飘荡，任意东西／窈然无际，天道自会；漠然无分，天道自运／一言得而天下服，一言定而天下听，公之谓也／因其性，则天下听从；拂其性，则法县而不用／一夫不耕，天下受其饥；一妇不织，天下受其寒／道一不息，天地亦不息；天地之不息，固道之不息者为之／匹夫而忧天下，无位而论世事，时俗以为狂，而君子之所取也

❻民人以食为天／王者以民为天／戴盆何以望天／不是人寰是天上／古来万事贵天生／宰相所职系天下／杞国无事忧天倾／智不足以治天下／舜布衣而有天下／登泰山而小天下／性者，所受于天也／秉德无私，参天地兮／匡庐奇秀，甲天下山／得其民，斯得天下矣／形全精复，与天为一／绝圣弃知而天下大治／有物混成，先天地生／顺天者逸，逆天者劳／顺天者存，逆天者亡／登楼意，恨无天上梯／身名俱裂，为天下笑／大道之行也，天下为公／各进而身退，天之道也／文武并行，则天下从矣／怨人者穷，怨天者无志／长者能博爱，天下寄其身／生材会有用，天地岂无心／为之度，以一天下之长短／为之量，以齐天下之多寡／京城禁珠翠，天下尽琉璃／诗画本一律，天工与清新／能均其食者，天下可以治／地虽生尔材，天不与尔时／拔一毛而利天下，不为也／山明云气画，天静鸟飞高／海上生明月，天涯共此时／海内存知己，天涯若比邻／清水出芙蓉，天然去雕饰／滔滔大江水，天地相终始／始终得其正，天下合于一／玉城雪岭，际天而来……／梧桐一叶落，天下尽知秋／摩顶放踵，利天下，为之／空山新雨后，天气晚来秋／黔首本骨肉，天地本比邻／正者，所以正天下之不正也／生非汝有，是天地之委和也／人众者胜天，天定亦能破人／观天之道，执天之行，尽矣／取天下与守天下，无机不能／尘芥六合，谓天地为有穷也／好直而恶枉，天下之至情也／统者，所以合天下之不一也／此能求过于天，必不逆谏矣／在之也者，恐天下之淫其性也／播糠迷目，则天地四方易位矣／知大己而小天下，则几于道矣／四时四维者，天地至大之谓也／酒后耳热，仰天拊缶而呼乌乌／宥之也者，恐天下之迁其德也／录长补短，则天下无不用之人／强臣专国，则天下震动而易乱／智而能愚，则天下之智莫加焉／责短舍长，则天下无不弃之士／穷睇眄于中天，极娱游于暇日／挟天子以令天下，天下莫敢不听／无论海角与天涯，大抵心安即是家／我自横刀向天笑，去留肝胆两昆仑／休夸此地分天下，只得徐妃半面妆／人言落日是天涯，望极天涯不见家／阴阳水旱由天公，忧雨忧风愁煞侬／圣王在上位，天覆地载，风令雨施／大仁者修治天下，大恶者扰乱天下／君子志于泽天下，小人志于荣其身／知天者仰观天文，知地者俯察地理／国以信而治天下，将以勇而镇外邦／闻鸡久听南天雨，立马曾挥北地鞭／洞庭波涌连天雪，长岛人歌动地诗／清风两袖朝天去，免得闾阎话短长／安得壮士挽天河，净洗甲兵长不用／梅花欢喜漫天雪，冻死苍蝇未足奇／植之而塞于天地，横之而弥于四海／日月五星逆天而行，并包乎地者也／用仁义以治天下，公赏罚以定干戈／不出户而知天下兮，何必历远以劬劳／以

己之材为天下用，则用天下而不足／不言之化与天同德，不为之事与天同功／人事必将与天地相参，然后乃可以成功／人能尽性知天，不为蓦然起见，则几矣／能当一人而天下取，失当一人而社稷危／是直用管窥天，用锥指地也，不亦小乎／方地为车，圆天为盖，长剑耿耿倚天外／洞然无为而天下自和，憺然无欲而民自朴／悠悠素餐者，天下皆是，王道从何而兴乎／三得者具而天下归之，三得者亡而天下去之／莫不拔地倚天，句句欲活，读之……莫可捉搦／吾何以得知天下乎？察己以知之，不求于外也／知天乐者，无天怨，无人非，无物累，无鬼责／清轻者上为天，浊重者下为地，冲和气者为人／贤者，用之则天下治；不肖者，用之则天下乱／专以一身任天下，其智之所不见，力之所不举者多矣／古之人观于天地、山川、草木、虫鱼、鸟兽，往往有得／物之美者，盈天地间皆是也。然必待人之神明才慧而见／君子所以动天地应神明正万物而成王治者，必本乎真实而已／君子有为于天下，惟义而已，不可则止，无苟为，亦无必为／忘乎物，忘乎天，其名曰为忘己；忘己之人，是之谓入于天

❼拨云雾而睹青天／得乎丘民而为天子／与天和者，谓之天乐／天地之外，别有天地／无养乳虎，将伤天下／九合诸侯，一匡天下／乐以天下，忧以天下／小人之口，为祸天下／王者以百姓为天……／无权则无以成天下之务／凡主伸己以屈天下之忧／变通之道遍满天地之内／圣人久于道而天下化成／圣王屈己以申天下之乐／受国不祥，是为天下王／善攻者，动于九天之上／统天下者当与天下同心／王其德之用，祈天永命／其耆欲深者，其天机浅／不妄于万姓，则天下安矣／不登高山，不知天之高也／兴天下之利，除天下之害／谛毫末者，不见天地之大／圣人感人心，而天下和平／强本而节用，则天不能贫／有恒者，人舍之，天助之／族秦者，秦也，非天下也／足食足兵，为治天下之具／正汝形，一汝视，天和将至／为之权衡，以信天下之轻重／以事秦之心，礼天下之奇才／以赂秦之地，封天下之谋臣／诚能爱而利之，天下可从也／汤武革命，顺乎天而应乎人／官吏浮冗，最为天下之大患／繁为攻伐，此实天下之巨害／天视自我民视，天听自我民听／人神之所同疾，天地之所不容／圣人不以人滑天，不以欲乱情／孙子非汝有，是天地之委蜕也／极而反，盛而衰，天地之道也／不动声色，而措天下于泰山之安／不知足者，虽处天堂，亦不称意／先王之教，以正天之志者，礼也／君子恶居下流，天下之恶皆归焉／此生谁料，心在天山，身老沧洲／昔者明王之爱天下，故天下可附／自古兴俭以劝天下，必以身先之／长夜难明赤县天，百年魔怪舞翩跹／我命在我不在天，还丹成金亿万年／做到私欲净尽，天理流行，便是仁／坐井而观天，曰天小者，非天小也／多少事，从来急；天地转，光阴迫／道之大原出于天，天不变道亦不变／月落乌啼霜满天，江枫渔火对愁眠／辞之所以能鼓天下者，乃道之文也／走马西来欲到天，辞家见月两回圆／言峻则嵩高极天，论狭则河不容舠／一天下者，令于天下则行，禁焉则止／天下非一人之天下，乃天下之天下也／天下非一人之天下也，天下之天下也／真者，所以受于天也，自然不可易也／并天下之谋，兼天下之智，而理得矣／是技皆可成名，天下惟无技之人最苦／片技即足自立，天下惟多技之人最劳／以天下之材为天下用，则用天下而有余／以至详之法晓天下，使天下明知其所避／古之官人也，以天下为己累，故己忧之／避天下之逆，从天下之顺，天下不足取／自古于今，上以天子……好义而不彰者也／三皇五帝之治天下，名曰治之，而乱莫甚焉／使天为天者，非天也；使人为人者，非人也／人之所舍，谓之天民；天之所助，谓之天子／圣人之道，同诸天地，荡诸四海，变习易俗／挺然尽心，敢任天下之责者，即当委而付之／君子有三畏：畏天命，畏大人，畏圣人之言／布奠倾觞，哭望天涯。天地为愁，草木凄悲／有顺君意而害天下者，有逆君意而利天下者／笔端肤寸，膏润天下；文章之用，极其至矣／外内皆顺，命曰天当，功成而不废，后不奉央／昔先圣王之治天下也，必先公，公则天下平矣／治天下者，当以天下之心为心，不得自专快意而已

❽君原于德而成于天／唯圣人为不求知天／一人得道，鸡犬升天／三十余年，声名塞天／上而玄者，世谓之天／下民之孽，匪降自天／不愧于人，不畏于天／伺命在我，何求于天／修身齐家治国平天下／谋事在人，成事在天／危于累卵，难于上天／大天之内，复有小天／知爱人而后知保天下／死生有命，富贵在天／毁誉成党，众口熏天／龙无尺水，无以升天／白露横江，水光接天／白露暧空，素月流天／知而不言，所以之天也／不睹皇居壮，安知天子尊／良友远离别，各在天一方／何不借风雷，一壮天地颜／公正无私，可以为天下王／人散后，一钩淡月天如水／难将一人手，掩得天下目／吾爱孟夫子，风流天下闻／君子尚消息盈虚，天行也／惟歌生民病，愿得天子知／歌罢海动色，诗成天改容／施于人而不忘，非天布也／悠然念故乡，乃在天一隅／睹瓶中之冰而知天下之寒／自从兵戈动，遂觉天地窄／非德而可长久者，天下无之／享天下之利者，任天下之患／高情壮思，有抑扬天

地之心／取天下之财，以供天下之费／因天下之力，以生天下之财／处患难者勿为怨天尤人之言／居天下之乐者，同天下之忧／暴王之恶天下，故天下可离／见瓶水之冰，而知天下之寒／顺大道而行者，救天下者也／登车揽辔，有澄清天下之志／三寸之管而无当，天下弗能满／天下之至柔，驰骋天下之至坚／生人物之万殊，立天地之大义／乘众人之制者，则天下不足有／为人使易以伪，为天使难以伪／为政……贵于有以来天下之善／以天下与人易，为天下得人难／发政施仁，所以王天下之本也／兴天下之同利，除天下之同害／春水无风无浪，春天半雨半晴／见瓶中之水，而知天下之寒暑／积其凶，全其恶，而天下去之／一人之鉴易限，而天下之才难原／凡人之情，冤则呼天，穷则叩心／挟天子以令天下，天下莫敢不听／有以噎死者，欲禁天下之食，悖／一生所遇唯元白，天下无人重布衣／丈夫丁壮而不耕，天下有受其饥者／万木霜天红烂漫，天兵怒气冲霄汉／天下顺治在民富，天下和静在民乐／乃命羲和，钦若昊天……敬授民时／我之出而仕也，为天下，非为君也／古之欲明明德于天下者，先治其国／人有喜怒哀乐，犹天之有春夏秋冬／凡同类同情者，其天官之意物也同／陵涛鼓怒以伏注，天壁嵯峨而横立／圣王以天下为忧，天下以圣王为乐／观者如山色沮丧，天地为之久低昂／地纯阴凝聚于中，天浮阳运旋于外／莫愁前路无知己，天下谁人不识君／常人皆能办大事，天亦不必产英雄／字势雄逸，如龙跳天门，虎卧凤阙／道之大原出于天，天不变道亦不变／妇人当年而不织，天下有受其寒者／虎踞龙盘今胜昔，天翻地覆慨而慷／天下者非一人之天下，惟有道者处之／天下者，非君有也，天下使君主之耳／以弱为强者，非惟天时，抑亦人谋也／知天乐者，其生也天行，其死也物化／善出奇者，无穷如天地，不竭如江河／圣人不以一己治天下，而以天下治天下／清阳者薄靡而为天，重浊者凝滞而为地／君不见黄河之水天上来，奔流到海不复回／国虽大，好战必亡；天下虽安，忘战必危／国虽大，好战必亡；天下虽平，忘战必危／无为小人，反殉而天；无为君子，从天之理／不飞则已，一飞冲天；不鸣则已，一鸣惊人／山无陵，江水为竭……天地合，乃敢与君绝／有不嗜杀人者，则天下之民皆引领而望之矣／盈缩之期，不但在天；养怡之福，可得永年／凡今能言者，皆谓天下少士，而不知养材之道／焕然如日月之经天也，炳然如虎豹之异犬羊也／先王之世，以道治天下，后世只是以法把持天下／搜寻仞之垄，求干天之木；漉牛迹之中，索吞舟之鳞／善计天下者不视天下之安危，察其纪纲之理乱而已矣／身处困境，当视为天之爱我、成我，不当视为天之厄我、祸我也

❾大雨落幽燕，白浪滔天／蜀道之难，难于上青天／鹤鸣于九皋，声闻于天／为水不入海，安得浮天波／同天下之利者，则得天下／圣人无尺土，无以王天下／擅天下之利者，则失天下／名声若日月，功绩如天地／沙角台高，乱帆收向天边／浩歌惊世俗，狂语任天真／富贵有人籍，贫贱无天录／杜甫陈子昂，才名括天地／目限于所见，则夺其天明／耳限于所闻，则夺其天聪／覆压三百余里，隔离天日／天子作民父母，以为天下王／无私者知，至知者为天下稽／古之畜天下者，欲而天下足／君子之守，修其身而天下平／君子以遏恶扬善，顺天休命／崇峻不凌霄，则无弥天之云／闻在宥天下，不闻治天下也／满招损，谦受益，时乃天道／不有所弃，不可以得天下之势／不有所忍，不可以尽天下之利／不忠不信，何以立于天地之间／不穷异以为神，不引天以为高／黄帝、尧、舜垂衣裳而天下治／包藏宇宙之机，吞吐天地之志／莫为一身之谋，而有天下之志／“莫须有”三字，何以服天下／知生而不知杀者，逆天之道也／始取天下为功，始治天下为德／有能以民为务者，则天下归之／为一身谋则愚，而为天下谋则智／乱极则治，暗极则光，天之道也／从天而颂之，孰与制天命而用之／勇士不顾生，故能立天下之大名／法行于贱而屈于贵，天下将不服／宇宙之内，燕雀不知天地之高也／妖不胜德，邪不伐正，天之经也／忠臣不畏死，故能立天下之大事／盛之有衰，生之有死，天之分也／聊乘化以归尽，乐夫天命复奚疑／自受弊薄，后己先人，天下敬之／才胆实由识而济，故天下唯识为难／无为者，道之身体，而天地之始也／不言之教，无为之盖，天下希及之／合天下之众者财，理天下之财者法／先天下之忧而忧，后天下之乐而乐／阳者，天之德也；阴者，天之刑也／动民以行不以言，应天以实不以文／受天下之瑰丽，而泄天下之拗怒也／坐地日行八万里，巡天遥看一千河／君子不得已而临莅天下，莫若无为／知周乎万物，而道济天下，故不过／春者，天之和也；夏者，天之德也／有以乘舟死者，欲禁天下之船，悖／秋者，天之平也；冬者，天之威也／端州石工巧如神，踏天磨刀割紫云／言有尽而意无穷者，天下之至言也／古之善用人者，必循天顺人而明赏罚／办天下之大事者，有天下之大节者也／苟能乐道人之善，则天下皆去恶为善／大丈夫当为国扫除天下，岂徒室中乎／如其道，则舜受尧之天下，不以为泰／斩木为兵，揭竿为旗，天下云集响应／天下之理不可穷也，天下之性不可尽也／天子之所是未必是，天子之所非

未必非／今之官人也，以己为天下累，故人忧之／降年有永有不永，非天夭民，民中绝命／大丈夫处世，当扫除天下，安事一室乎／恨不得挂长绳于青天，系此西飞之白日／言行，君子之所以动天地也，可不慎乎／圣人并包天地，泽及天下，而不知其谁氏／善人为妖，是非反复，天下大迷而不复也／上下之情，壅而不通，天下之弊，由是而积／天下难事，必作于易；天下大事，必作于细／天下虽兴，好战必亡；天下虽安，忘战必危／人之所舍，谓之天民；天之所助，谓之天子／至福似祸，大吉若凶。天下醉饱，莫之能明／布莫倾觞，哭望天涯。天地为愁，草木凄悲／山，刺破青天锷未残。天欲堕，赖以拄其间／得时无怠，时不再来，天予不取，反为之灾／智鄙相笼，强弱相陵，天下之乱何时而已乎／如有不嗜杀人者，则天下之民皆引领而望之矣／伟哉横海鲸，壮矣垂天翼。一旦失风水，翻为蝼蚁食／能有天下者，必无以天下为也；能有名誉者，必无以趋行求者也／后嗣若贤，自能保其天下；如其不肖，多积仓库，徒益其奢侈，危亡之本也／先哲王之政，一曰承天，二曰正身，三曰任贤，四曰恤民，五曰明制，六曰立业

⑩天也，你错勘贤愚枉为天／事各顺于名，名各顺于天／人心险于山川，难于知天／又闻理与乱，系人不系天／莫寿于殇子，而彭祖为夭／莫道桑榆晚，为霞尚满天／少见之人，如从管中窥天／国以民为本，民以食为天／明月几时有？把酒问青天／蚯蚓霸一穴，神龙行九天／蛟龙无定窟，黄鹄摩苍天／万里长江横渡，极目楚天舒／俯仰留连，疑是湖中别有天／凡人心险于山川，难于知天／谋得于帷幄，则功施于天下／能用度外人，然后能周天下／四十而不惑，五十而知天命／贵以身为天下，若可寄天下／爱以身为天下，若可托天下／心体光明，暗室中自有青天／天地成于元气，万物乘于天地／天者，理之所自出，凡理皆天／无以天下为者，必能治天下者／内省既不愧己，焚香何用告天／以道佐人主者，不以兵强天下／古者诛罚不阿亲戚，故天下治／信全则天下安，信失则天下危／大哉乾元，万物资始，乃统天／夏云阴兮若山，秋水平兮若天／安仁义而乐利世者，能服天下／存其心，养其性，所以事天也／爱以身为天下，若可托天下矣／文可以变风俗，学可以究天人／穷则独善其身，达则兼善天下／空怀向日之心，未有朝天之路／自知者不怨人，知命者不怨天／无赴而富，无殉而成，将弃而天／不可于我而可于彼者，天下无亡／为神有灵兮何事处我天南海北头／信而又信，重袭于身，乃通于天／人思取材于人，不若取材于天地／今我受其直息其事者，天下皆然／凡物之生而美者，美本乎天者也／凤凰于飞，翙翙其羽，亦傅于天／能除天下之忧者，必享天下之乐／能扶天下之危者，必据天下之安／至哉坤元！万物资生，乃顺承天／大夫以身殉家，圣人以身殉天下／名缰利锁，天还知道，和天也瘦／唯无以天下为者，可以托天下也／汝身之不能治，而何暇治天下乎／汽笛一声肠已断，从此天涯孤旅／学问不厌，好士不倦，是天府也／日月挟虫鸟之瑕，不妨丽天之景／昔者明王之爱天下，故天下可附／文起八代之衰，而道济天下之溺／登东山而小鲁，登泰山而小天下／无身不善而怨人，无刑已至而呼天／不出户，知天下；不窥牖，见天道／不随俗物皆成土，只待良时却补天／世间屈事万千千，欲觅长梯问老天／求天下奇闻壮观，以知天地之广大／临流不忍轻相别，吟听潺湲到天明／兵者凶器也，甲坚兵利，为天下殃／为有牺牲多壮志，敢教日月换新天／良医不能救无命，强梁不能与天争／古之大臣废昏举明，所以康天下也／匹夫而为百世师，一言而为天下法／同类相从，同声相应，固天之理也／何必桑干方是远，中流以北即天涯／借问瘟君欲何往，纸船明烛照天烧／俱怀逸兴壮思飞，欲上青天揽明月／并时以养民功，先德后刑，顺于天／人之水镜也，见之若披云雾睹青天／人言落日是天涯，望极天涯不见家／会挽雕弓如满月，西北望，射天狼／凡君之所毕世而经营者，为天下也／率性而行谓之道，得其天性谓之德／军民团结如一人，试看天下谁能敌／诗中日月酒中仙，平地雄飞上九天／请看今日之域中，竟是谁家之天下／读书之乐乐陶陶，起弄明月霜天高／切莫呕心并剔肺，须知妙语出天然／勇略震主者身危，功盖天下者不赏／能欺一人一时，决不能欺天下后世／坐井而观天，曰天小者，非天小也／喜怒哀乐发而皆中节，天下之达道／草不谢荣于春风，木不怨落于秋天／落霞与孤鹜齐飞，秋水共长天一色／大仁者修治天下，大恶者扰乱天下／国际悲歌歌一曲，狂飙为我从天落／惟圣君以逆耳者顺于心，故天下治／宁教我负天下人，休教天下人负我／木有文章曾是病，虫多言语不能天／死生，命也，其有夜旦之常，天也／战退玉龙三百万，败鳞残甲满天飞／时不与兮岁不留，一叶落兮天地秋／时人莫道蛾眉小，三五团圆照满天／昨日山中之木，以不材得终其天年／智略不专于古法，沈雄殆得于天资／视都知野，视野知国，视国知天下／所谓伐天真而矜己者也，天祸必及／有死天下之心，而后能成天下之事／有成天下之心，而后能死天下之事／有时赤脚弄明月，踏破五湖波底天／风收云散波忽平，倒转青天作湖底／殿前作赋声摩空，笔补造化天无功／礼之可以为国也久矣，与天

地并立／痴儿不了公家事，男子要为天下奇／蜡烛有心还惜别，替人垂泪到天明／自古经纶足是非，阴谋最忌夺天机／精卫有情衔太华，杜鹃无血到天津／身正则天下皆正，身理则天下皆理／青云衣兮白霓裳，举长矢兮射天狼／一炬有燎原之忧，而滥觞有滔天之祸／天下非一人之天下，乃天下之天下也／天下非一人之天下也，天下之天下也／天地之大德曰生，人受天地之气而生／不为而成，不求而得，夫是之谓天职／不以一己之害为害，而使天下释其害／不以一己之利为利，而使天下受其利／以正治国，以奇用兵，以无事取天下／以受天下之瑰丽，而泄天下之拗怒也／以己之材为天下用，则用天下而不足／刘备有取天下之量，而无取天下之才／玄古之君天下，无为也，天德而已矣／圣人……非不好富也，富在于富天下／项籍有取天下之才，而无取天下之虑／士好奢则民不足，民好奢则天下不足／大道吐气，布于虚无，为天地之本始／惟不以天下害其生者也，可以托天下／日月为明而弗能兼也，唯天地能函之／春生夏长，秋收冬藏，此天道之大经／曹操有取天下之虑，而无取天下之量／贪物而不知止者，虽有天下，不富矣／一人知俭则一家富，王者知俭则天下富／天之生万物以奉人也，主爱人以顺天也／不先审天下之势而欲应天下之务，难矣／不言之化与天同德，不为之事与天同功／正明不为日月所眩，正观不为天道所迁／为人君而乐杀人，此不可使得志于天下／为善者天报之以福，为恶者天与之以殃／以天下之材为天下用，则用天下而有余／以至详之法晓天下，使天下明知其所避／尊贤使能，俊杰在位，则天下之士皆悦／凡人必别宥然后知，别宥则能全其天矣／功不使鬼必在役人，物不天来终须地出／圣人不以一己治天下，而以天下治天下／圣人备道全美者也，是县天下之权称也／巧不使鬼必有役人，物不天来终须地出／大其心容天下之物，虚其心受天下之善／各自责则天清地宁，各相责则天翻地覆／山舞银蛇，原驰蜡象，欲与天公试比高／崒乎泰山不足为高，魏乎天地不足为容／鹰击长空，鱼翔浅底，万类霜天竞自由／安得广厦千万间，大庇天下寒士俱欢颜／避天下之逆，从天下之顺，天下不足取／弹指三十八年，人间变了，似天渊翻覆／好而知其恶，恶而知其美者，天下鲜矣／文臣不爱钱，武臣不惜死，天下太平矣／方地为车，圆天为盖，长剑耿耿倚天外／言满天下，无口过；行满天下，无怨恶／其处上也，足以明政行教，不以威天下／三代之得天下也以仁，其失天下也以不仁／天下不淫其性，不迁其德，有治天下者哉／天地虽含囊万物，而万物非天地之所为也／以骄主使罢民，然而国不亡者，天下少矣／尽其心者，知其性也；知其性，则知天矣／凡兵，天下之凶器也；勇，天下之凶德也／圣人和之以是非而休乎天钧，是之谓两行／君不见高山万仞连苍旻，天长地久成埃尘／法令明具，而用之至密，举天下惟法之知／有以用兵丧其国者，欲偃天下之兵，悖。／有意而言，意尽而言止者，天下之至言也／三得者具而天下归之，三得者亡而天下去之／天何言哉？四时行焉，百物生焉，天何言哉／无为小人，反殉而天；无为君子，从天之理／世禄之家，鲜克由礼。以荡陵德，实悖天道／事顺神明者不合于俗，功配天地者不悦于众／千仓万箱非一耕所得；干天之木非旬日所长／生男无喜，生女无怒，独不见卫子夫霸天下／尽若穷烟，离若箭弦，如影灭地，犹星殒天／古之取天下也以民心，今之取天下也以民命／乾坤倒覆，无谓不静，洪流滔天，无谓其动／利天下者，天下启之；害天下者，天下闭之／人之所舍，谓之天民；天之所助，谓之天子／人穷则反本，故劳苦倦极，未尝不呼天地也／今以人之小过掩大美，则天下无圣王贤相矣／变祸为福，易曲成直，宁关天命，在我人力／能至素至精，浩弥无刑，然后可以为天下正／圣人爱养万民，不以仁恩，法天地，行自然／取天下常以无事。及其有事，不足以取天下／小人君子，其心不同，惟乖于时，乃与天通／号令烦而不信，赏罚行而不当，则天下不服／知彼知己，胜乃不殆；知天知地，胜乃不穷／山不厌高，海不厌深；周公吐哺，天下归心／山，快马加鞭未下鞍。惊回首，离天三尺三／行一不义，杀一不辜，而得天下，皆不为也／形精不亏，是谓能移；精而又精，反以相天／度量权衡法，必资之官，资之官而后天下同／河下天下之川，故广；人下天下之士，故大／安卧扬帆，不见石滩；靠天多幸，白日入阱／春和景明，波澜不惊；上下天光，一碧万顷／见不尽者，天下之事；读不尽者，天下之书／致天下之治者在人才，成天下之才者在教化／有顺君意而害天下者，有逆君意而利天下者／文不加点，兴到语耳！孔明天才，思十反矣／心全于中，形全于外；不逢天灾，不遇人害／碧峰巉巉，出于柏梢，有如虎牙，夹天而立／窈然无际，天道自会；漠然无分，天道自运／聪明睿智，守之以愚；功被天下，守之以让／一言得而天下服，一言定而天下听，公之谓也／天地之精所以生物者莫贵于人，人受命乎天也／不以宠辱荣患损易其身，然后乃可以天下付之／生之者甚少而靡之者甚众，天下之势何以不危／化者，复归于无形也；不化者，与天地俱生也／人主之立法，先自为检式仪表，故令行于天下／若号令烦而不信，赏罚行而不当，则天下不服／小人错其在己者，而慕其在天者，是以日退也／君子敬其在己者而不慕其在天者，是以日进也／闭心自慎，终不失过兮；秉德无私，参天地兮／昔先圣王之治天下也，必先公，公则天下平矣／贤者，用之则天下治；不肖者，用之则天下乱／有功不赏，有罪不诛，虽唐虞犹不能以化天下／胡越之人，生则声同，长则语异，盖声者天然／盈天地间皆物也。……通观天地，天地一物也／谷神不死，是谓玄牝。玄牝之门，是谓天地根／一夫不耕，天下受其饥；一妇不织，天下受其寒／不拘一世之利以为己私分，不以王天下为己处显／举天下以赏其善者不足，举天下以罚其恶者不给／但当退小人之伪朋，用君子之真朋，则天下治矣／今人主有明其德者，则天下归之若蝉之归明火也／先王之世，以道治天下，后世只是以法把持天下／若使人之所怀于内者……，则天下无亡国败家矣／君子之道也，造端乎夫妇，及其至也，察乎天地／汰流、淫佚、侈靡之俗日以长，是天下之大祟也／居者有余蓄，行者有余资……可谓有治天下之效／昔者先圣王，成其身而天下成，治其身而天下治／敬之而不喜，侮之而不怒者，唯同乎天和者为然／策之不以其道……执策而临之曰："天下无马"／上有素定之谋，下无趋向之惑，天下之事不难举也／天下不可一日而无政教，故学不可一日而亡于天下／未有天地之先，毕竟也只是先有此理，便有此天地／以不忍人之心，行不忍人之政，治天下可运之掌上／仁人之所以为事者，必兴天下之利，除去天下之害／含气之伦，有生必终，盖天地之常期，自然之至数／叩之而必闻，触之而必应，夫是以天下可使为一身／志之所在，气亦随之；气之所在，天地鬼神亦随之／吾所谓道德云者，合仁与义言之也，天下之公言也／道之真以治身，其绪余以为国家，其土苴以治天下／天若不爱酒，酒星不在天；地若不爱酒，地应无酒泉／恬淡、寂寞、虚无、无为，此天地之本而道德之质也／道者……高不可际，深不可测；包裹天地，禀授无形／天有恒日，民自则之，爽则损命，环自服之，天之道也／失名失货，道德是佑，神明是助，名显自然，富配天地／古之存身者，不以辩饰知，不以知穷天下，不以知穷德／道者何也？虚无之系，道化之根，神明之本，天地之源／祸世之匠，乱国之工，绝逆天地，伤害我身，莫大乎名／怒笞不可偃于家，刑罚不可偃于国，诛伐不可偃于天下／其为气也，至大至刚，以直养而无害，则塞于天地之间／天下大乱，贤圣不明，道德不一，天下多得一察焉以自好／天下者亦吾有也，吾亦天下之有也，天下之与我岂有间哉／喜则滥赏无功，怒则滥杀无罪，是以天下丧乱，莫不由此／道一不息，天地亦不息；天地之不息，固道之不息者为之／有能推至诚之心而加以不息之久，则天地可动，金石可移／君子所甚惧者，以申、韩之酷政，文饰儒术，而重毒天下也／汝游心于淡，合气于漠，顺物自然而无容私焉，而天下治矣／忘乎物，忘乎天，其名曰为忘己；忘己之人，是之谓入于天／以玙璠之玭而弃其璞，以一人之罪而兼其众，则天下无美宝信士／能明申、韩之术而修商君之法，法修术明而天下乱者，未之闻也／知为为而不知所以为，是以贵为天子，富有天下，而不免于患也／身处困境，当视为天之爱我、成我，不当视为天之厄我、祸我也／体恭敬而心忠信，术礼义而情爱人，横行天下，虽困四夷，人莫不贵／治世所贵乎位者三：一曰达道于天下，二曰达惠于民，三曰达德于身／患其有小恶，以人之小恶，亡人之大美，此人主之所以失天下之士也已

元 yuán 人头；原，开始的；第一；为首的；居第一位的；主要的；根本的；构成整体的；整体中的一部分；朝代名；同"圆"；元气；大；善；庶人，民众；通"玄"；姓。

❶元气生万物而不有

见《老子》二河上公注。

元气者，天地万物之宗统

见明·王廷相《慎言》。全句为："～。有元气则有生，有生则道显"。

元气即道体，有虚即有气，有气即有道

见明·王廷相《雅述》。全句为："～。气有变化，是道有变化"。

❷有元气则有生，有生则道显／含元一以为质，禀阴阳以立性，体五行而著形

❸死去元知万事空，但悲不见九州同／胸中元自有丘壑，故作老木蟠风霜

❹生为杀元，杀为生首／达人识元气，变愁为高歌／大哉乾元，万物资始，乃统天／至哉坤元！万物资生，乃顺承天／天者，统元气焉，非止荡荡苍苍之谓也

❺正言斯重，元珠比而尚轻／穷年忧黎元，叹息肠内热／天地成于元气，万物乘于天地

❻读书本意在元元／一生所遇唯元白，天下无人重布衣／人之寿夭在元气，国之长短在风俗

❼读书本意在元元／视履，考祥其旋，元吉／万物之生也，皆元于虚，始于无

❽绝祸之首，起福之元，去我情欲，取民所安

❾圣人不利己，忧济在元元

❿浑然而中处者，世谓之元气／坑灰未冷山东乱，刘项元来不读书／志士不忘在沟壑，勇士不忘丧其元／成败极知无定势，是非元自要徐观／有为，乱之首也；无为，治之元也／太极，谓天地未分之前，元气混而为一／心源为炉，笔端为炭。锻炼元本，雕砻群形

无 ①wú 没有；不，不要；无论；哲学范畴；未；非；作语助。②mó 南无，梵语音译。

❶无傲从康
见《尚书·盘庚上》。
无征不信
见《礼记·中庸》。
无旷庶官
见《尚书·皋陶谟》。
无简不听
见《尚书·吕刑》。
无可无不可
见《论语·微子》。
无侮老成人
见《尚书·盘庚上》。
无耻过作非
见《尚书·说命中》。
无有入无间
见《老子》四十三。
无求备于一夫
见《尚书·君陈》。
无求备于一人
见《论语·微子》。
无曲学以阿世
见汉·班固《汉书·儒林传·袁固》。
无为而无不为
见《老子》四十八。
无友不如己者
见《论语·学而》。
无所不用其极
见《礼记·大学》。
无急胜而忘败
见《荀子·议兵》。
无可奈何花落去
见宋·晏殊《浣溪沙》。全句为："～，似曾相识燕归来。小园香径独徘徊"。
无为可以定是非
见《庄子·至乐》。
无伐善，无施劳
见《论语·公冶长》。
无作聪明乱旧章
见《尚书·蔡仲之命》。
无德而禄，殃也
见《左传·闵公二年》。
无验而言谓之妄
见汉·扬雄《法言·问神》。
无留善，无宿问
见《荀子·大略》。
无私焉，乃私也
见《庄子·天道》。
无面目见江东父老
语出《史记·项羽本纪》。
无识，则不能取舍
见清·叶燮《内篇》。全句为："大凡人无才，则心思不出；无胆，则笔墨畏缩；～；无力，则不能自成一家"。
无阴无阳乃谓之道
见唐·孔颖达《周易·系辞上》疏。
无得于心而侈于外
见宋·苏洵《太玄论上》。
无胆，则笔墨畏缩
见清·叶燮《内篇》。全句为："大凡人无才，则心思不出；～；无识，则不能取舍；无力，则不能自成一家"。
无欲速，无见小利
见《论语·子路》。
无礼义，则上下乱
见《孟子·尽心下》。全句为："不信仁贤，则国空虚；～；无政事，则财用不足"。
无私，百智之宗也
见《尸子·治天下》。
无虐茕独而畏高明
见宋·王安石《洪范传》。
无言独上西楼……
见五代·南唐·李煜《相见欢》[无言独上]。全句为："～，月如钩，寂寞梧桐深院锁清秋"。
无其性，不可教训
见汉·刘安《淮南子·泰族》。全句为："～；有其性无其养，不能遵道"。
无于水监，当于民监
见《尚书·酒诰》。
无与祸邻，祸乃不存
见《战国策·秦策二》。
无不忘也，无不有也
见《庄子·刻意》。全句为："～。淡然无极而众美从之"。
无平不陂，无往不复
见《周易·泰》。
无事而求其功，难矣
见汉·刘安《淮南子·说林》。全句为："不能耕而欲黍粱，不能织而喜采裳，～"。
无为之为，万物之根
见汉·严遵《道德指归论·为学日益篇》。
无为则理，有为则乱
见唐·吴筠《玄纲论·中庸辩法教·形动心静章第十五》。
无为养身，形骸全也
见《西升经·道虚章》。
无伐名木，无斩山林
见汉·董仲舒《春秋繁露·求雨》。

无信患作，失援必毙

见《左传·僖公十四年》。

无养乳虎，将伤天下

见汉·贾谊《新书·胎教》。

无弃其道，吾将何病

见唐·刘长卿《冰赋》。全句为：“水之冰生于寒，人之冰生于正，～”。

无功不赏，无罪不罚

见《荀子·王制》。

无功而受其禄者，辱

见《战国策·齐策四》。

无务富其家而饥其师

见唐·韩愈《送石处士序》。全句为：“～，无甘受佞人而外敬正士”。

无德而望其福者，约

见《战国策·齐策四》。

无源之水，无本之木

见宋·陆九渊《与曾宅之书》。

无恻隐之心，非人也

见《孟子·公孙丑上》。全句为：“～；无羞恶之心，非人也；无辞让之心，非人也；无是非之心，非人也”。

无道之君，鬼哭其门

见汉·焦赣《易林·大过·否》。

无约而请和者，谋也

见《孙子兵法·行军篇》。

无根之木，无源之水

见宋·陆九渊《与曾宅之书》。

无耻者富，多信者显

见《庄子·盗跖》。

无是非之心，非人也

见《孟子·公孙丑上》。全句为：“无恻隐之心，非人也；无羞恶之心，非人也；无辞让之心，非人也；～”。

无是非到耳，谓之福

见清·张潮《幽梦影》。全句为：“有工夫读书，谓之福；有力量济人，谓之福；有学问著述，谓之福；～；有多闻直谅之友，谓之福”。

无拳无勇，职为乱阶

见《诗·小雅·巧言》。

无政事，则财用不足

见《孟子·尽心下》。全句为：“不信仁贤，则国空虚；无礼义，则上下乱；～”。

无所不能者有大不能

见五代·南唐·谭峭《化书卷三·聪明》。全句为：“～，无所不知者有大不知”。

无所不知者有大不知

见五代·南唐·谭峭《化书卷三·聪明》。全句为：“无所不能者有大不能，～”。

无所不达，无所不通

见五代·前蜀·杜光庭《道德真经广圣义》卷六。全句为：“无欲者，神合于虚，气合于无，～”。

无所甚亲，无所甚疏

见《庄子·徐无鬼》。

无父无君，是禽兽也

见《孟子·滕文公下》。

无父何怙，无母何恃

见《诗·小雅·蓼莪》。

无欲者，不可得用也

见《吕氏春秋·离俗览·为欲》。全句为：“人之欲多者，其可得用亦多；人之欲少者，其可得用亦少；～。人之欲虽多，而上无以令之，人虽得其欲，人犹不可得用也”。

无心之心，心之主也

见汉·严遵《道德指归论·圣人无常心篇》。

无私于物，唯贤是与

见三国·魏·王弼《周易·比》注。

无私者，无为于身也

见三国·魏·王弼《老子》七注。

无辞让之心，非人也

见《孟子·公孙丑上》。全句为：“无恻隐之心，非人也；无羞恶之心，非人也；～；无是非之心，非人也”。

无衣无褐，何以卒岁

见《诗·豳风·七月》。

无衣惜衣，无食惜食

见明·冯梦龙《东周列国志》第三十六回。

无羞亟问，不愧下学

见《战国策·齐策四》。

无羞恶之心，非人也

见《孟子·公孙丑上》。全句为：“无恻隐之心，非人也；～；无辞让之心，非人也；无是非之心，非人也”。

无言不雠，无德不报

见《诗·大雅·抑》。

无食反鱼，勿乘驽马

见《晏子春秋·内篇·杂上》。

无甘受佞人而外敬正士

见唐·韩愈《送石处士序》。全句为：“无务富其家而饥其师，～”。

无年非夭，无述乃为夭

见清·王永彬《围炉夜话》。全句为：“无财非贫，无学乃为贫；无位非贱，无耻乃为贱；～；无子非孤，无德乃为孤”。

无位非贱，无耻乃为贱

见清·王永彬《围炉夜话》。全句为：“无财非贫，无学乃为贫；～；无年非夭，无述乃为夭；无子非孤，无德乃为孤”。

无力，则不能自成一家

见清·叶燮《内篇》。全句为:"大凡人无才,则心思不出;无胆,则笔墨畏缩;无识,则不能取舍;～"。

无功庸者,不敢居高位

见《国语·晋语七》。

无参验而必之者,愚也

见《韩非子·显学》。全句为:"～;弗能必而据之者,诬也"。

无名之名,生我之宅也

见汉·严遵《道德指归论·名身孰亲篇》。全句为:"～;有名之名,丧我之橐也"。

无德而贿丰,祸之胎也

见汉·王符《潜夫论·遏利》。

无德之君,以所乐乐身

见南朝·宋·范晔《后汉书·臧宫传》。全句为:"有德之君,以所乐乐人;～。乐人者其乐长,乐身者不久而亡"。

无饵之钓,不可以得鱼

见汉·刘安《淮南子·说林》。

无康好逸豫,乃其乂民

见《尚书·康诰》。

无子非孤,无德乃为孤

见清·王永彬《围炉夜话》。全句为:"无财非贫,无学乃为贫;无位非贱,无耻乃为贱;无年非夭,无述乃为夭;～"。

无机则无以济万世之功

见宋·苏洵《远虑》。全句为:"无权则无以成天下之务,～"。

无权则无以成天下之务

见宋·苏洵《远虑》。全句为:"～,无机则无以济万世之功"。

无财非贫,无学乃为贫

见清·王永彬《围炉夜话》。全句为:"～;无位非贱,无耻乃为贱;无年非夭,无述乃为夭;无子非孤,无德乃为孤"。

无货之货,养我之福也

见汉·严遵《道德指归论·名身孰亲篇》。全句为:"～;有货之货,丧我之贼也"。

无敌国外患者,国恒亡

见《孟子·告子下》。

无竞维人,四方其训之

见《诗·大雅·抑》。

无足而至者,物之藉也

见南朝·宋·颜廷之《陶徵士诔》。全句为:"～;随踵而立者,人之薄也"。

无其德而当之,为不智

见宋·苏轼《赐新除守尚书右仆射兼中书侍郎范纯仁……》。全句为:"～;有其材而辞之,为不仁"。

无其实而喜其名者,削

见《战国策·齐策四》。

无世而无圣,或不得知也

见汉·贾谊《新书·大政下》。全句为:"～;无国而无士,或弗能得也"。

无事则深忧,有事则不惧

见宋·苏辙《颍滨遗老传上》。

无为之谓道,舍之之谓德

见《管子·心术上》。全句为:"～,故道之与德无间,故言之者不别也"。

无为虚唱大言而终归无用

见晋·陈寿《三国志·魏书·高柔传》。全句为:"辨章事理,贵得当时之宜,～"。

无以谋胜人,无以战胜人

见《庄子·徐无鬼》。全句为:"无藏逆于得,无以巧胜人,～"。

无以物乱官,毋以官乱心

见《管子·心术下》。全句为:"～,此之谓内德"。

无书求出狱,有舌到临刑

见宋·文天祥《已卯十月一日至燕,越五日罹狴犴,有感而赋》。

无例不可兴,有例不可灭

见清·王清卿《冷眼观》第七回。

无依势作威,无倚法以削

见《尚书·君陈》。

无众毛之助,则飞不远矣

见晋·陈寿《三国志·魏书·崔琰传》引鱼豢语。全句为:"鸟能远飞,远飞者,六翮之力也,然～"。

无几微爽失,则理义以名

见清·戴震《原善》。全句为:"心之明之所止,于事情区以别焉,～"。

无功而厚赏,无劳而高爵

见汉·刘安《淮南子·主术》。全句为:"～,则守职者懈于官,而游居者亟于进"。

无功之功大,有功之功小

见汉·严遵《道德指归论·为无为篇》。

无功食国禄,去窃能几何

见宋·唐庚《讯囚》。

无动而不变,无时而不移

见《庄子·秋水》。全句为:"物之生也,若骤若驰,～"。

无土壤而生嘉树美箭……

见唐·柳宗元《小石城山记》。全句为:"～,益奇而坚,其疏数偃仰,类智者所施设也"。

无藏逆于得,无以巧胜人

见《庄子·徐无鬼》。全句为:"～,无以谋胜人,无以战胜人"。

无小而不大,无边而不中

见唐·王勃《释迦如来成道记》。

无常安之国，无恒治之民

见汉·刘向《说苑·尊贤》。全句为：“～，得贤者则安昌，失之者则危亡”。

无名困蝼蚁，有名世所疑

见晋·袁宏《咏史诗二首》之二。

无启宠纳侮，无耻过作非

见《尚书·说命中》。

无国而无士，或弗能得也

见汉·贾谊《新书·大政下》。全句为：“无世而无圣，或不得知也；～”。

无形无名者，万物之宗也

见三国·魏·王弼《老子》十四注。

无波古井水，有节秋竹竿

见唐·白居易《赠元稹》。

无道人之短，无说己之长

见汉·崔瑗《座右铭》。

无望其速成，无诱于势利

见唐·韩愈《答李翊书》。

无贵贱不悲，无富贫亦足

见唐·杜甫《写怀二首》之一。

无物结同心，烟花不堪剪

见唐·李贺《苏小小墓》。

无有不可穷，至柔不可折

见三国·魏·王弼《老子》四十三注。全句为：“虚无柔弱无所不通。～”。

无心与物竞，鹰隼莫相猜

见唐·张九龄《咏燕》。

无意苦争春，一任群芳妒

见宋·陆游《卜算子》。

无罪而戮民，则士可以徙

见《孟子·离娄下》。全句为：“无罪而杀士，则大夫可以去；～”。

无路请缨，等终军之弱冠

见唐·王勃《滕王阁序》。全句为：“～；有怀投笔，慕宗悫之长风”。

无一定之律，而有一定之妙

见清·刘大櫆《论文偶记》。

无求无竞，虽欲不寿，得乎

见明·陈继儒《养生肤语》。

无为为之，而变化不自知也

见汉·严遵《道德指归论·圣人无常心篇》。

无厚，不可积也，其大千里

见《庄子·天下》。

无人之情，故是非不得于身

见《庄子·德充符》。全句为：“有人之形，故群于人；～”。

无冥冥之志者，无昭昭之明

见《荀子·劝学》。全句为：“～；无惛惛之事者，无赫赫之功”。

无谋人之心而令人疑之，殆

见《战国策·燕策一》。全句为：“～；有谋人之心而令人知之，拙”。

无力于民而旅食，不恶贫贱

见《晏子春秋·内篇杂上第一》。

无常乱之国，无不可理之民

见唐·吴兢《贞观政要·公平》。

无名故无为，无为而无不为

见《庄子·则阳》。

无德于人而求用于人，罪也

见《国语·晋语四》。

无恃其不来，恃吾有以待之

见宋·欧阳修《论李昭亮不可将兵劄子》。

无惛惛之事者，无赫赫之功

见《荀子·劝学》。全句为：“无冥冥之志者，无昭昭之明；～”。

无所有而来，无所从而去者

见明·王廷相《雅述》。全句为：“是气也者，乃太虚固有之物，～”。

无罪而杀士，则大夫可以去

见《孟子·离娄下》。全句为：“～；无罪而戮民，则士可以徙”。

无私者知，至知者为天下稽

见战国·佚书《经法·道法》。

无赫赫之势，亦无戚戚之忧

见汉·桓宽《盐铁论·毁学》。

无丝竹之乱耳，无案牍之劳形

见唐·刘禹锡《陋室铭》。

无求不得其欲，无取不得其志

见宋·石介《辨惑》。全句为：“莫崇于一人，莫贵于一人。～”。

无为不能遁福，有为不能逃患

见汉·严遵《道德指归论·善建篇》。

无为而万物化，渊静而百姓定

见《庄子·天地》。全句为：“古之畜天下者，欲而天下足，～”。

无为而物自生，无为而物自亡

见汉·严遵《道德指归论·勇敢篇》。

无为其所不为，无欲其所不欲

见《孟子·尽心上》。

无以天下为者，必能治天下者

见汉·刘安《淮南子·诠言》。

无以相应也，若之何其有鬼邪

见《庄子·寓言》。全句为：“有以相应也，若之何其无鬼邪？～”。

无准绳，虽鲁般不能以定曲直

见汉·刘安《淮南子·修务》。全句为：“无规矩，虽奚仲不能以定方圆；～”。

无掘壑而附丘，无舍本而治末

见《太公六韬·文韬·守土》。

无当之玉碗，不如全用之埏埴

见晋·葛洪《抱朴子·广譬》。

无德而福隆,犹无基而厚墉也

见《国语·晋语六》。全句为:"德,福之基也,～,其坏也无日矣"。

无猖狂以自彰,当阴沉以自深

见唐·王勃《黄帝八十一难经序》。

无源何以成河? 无根何以垂荣

见晋·陈寿《三国志·魏书·方技传》。

无恒产而有恒心者,惟士为能

见《孟子·梁惠王上》。

无要正正之旗,无击堂堂之阵

见《孙子兵法·军争篇》。

无规矩,虽奚仲不能以定方圆

见汉·刘安《淮南子·修务》。全句为:"～;无准绳,虽鲁般不能以定曲直"。

无欲者,神合于虚,气合于无

见五代·前蜀·杜光庭《道德真经广圣义》卷六。全句为:"～,无所不达,无所不通"。

无恶于己,然后可以正人之恶

见宋·朱熹《四书集注·大学》。全句为:"有善于己,然后可以责人之善;～"。

无稽之言勿听,弗询之谋勿庸

见《尚书·大禹谟》。

无非无是,化育玄耀,生而如死

见汉·刘安《淮南子·原道》。

无制之兵,有能之将,不可以胜

见三国·蜀·诸葛亮《兵要》。全句为:"有制之兵,无能之将,不可以败;～"。

无咎,弗过,遇之。往厉,必戒

见《周易·小过》。

无问其名,无阚其情,物固自生

见《庄子·在宥》。

无财之谓贫,学而不能行之谓病

见汉·刘向《新序·节士》。

无心于定而无所不定,故曰泰定

见唐·司马承祯《坐忘论·泰定》。全句为:"形如槁木,心若死灰,无感无求,寂泊之至,～"。

无赴而富,无殉而成,将弃而天

见《庄子·盗跖》。

无天灾,无物累,无人非,无鬼责

见《庄子·刻意》。

无求无设则无虑,无虑则反复虚矣

见《管子·心术上》。全句为:"去知则奚求矣,无藏则奚设矣。～"。

无为者,道之身体,而天地之始也

见汉·严遵《道德指归论·天下有始篇》。

无伎不可以为工,无资不可以为商

见唐·柳宗元《上湖南李中丞千廪食启》。

无论海角与天涯,大抵心安即是家

见唐·白居易《种桃杏》。

无说诗,匡鼎来;匡说诗,解人颐

见汉·班固《汉书·匡衡传》。

无力买田聊种水,近来湖面亦收租

见宋·范成大《四时田园杂兴六十首》之三十五。

无功之赏,无力之礼,不可不察也

见《战国策·卫策》。

无名者道之体,而有名者道之用也

见宋·李霖《道德真经取善集》。

无君子莫治野人,无野人莫养君子

见《孟子·滕文公上》。

无征而言,取不信、启作妄之道也

见宋·张载《正蒙·有德》。

无情不似多情苦,一寸还成千万缕

见宋·晏殊《玉楼春》。

无边落木萧萧下,不尽长江滚滚来

见唐·杜甫《登高》。

无缘对面不相逢,有缘千里能相会

见元·无名氏《玉清庵错送鸳鸯被杂剧》。

无所不通之谓圣,妙而无方之谓神

见唐·韩愈《贺册尊号表》。

无所往而不乐者,盖游于物之外也

见宋·苏轼《超然台记》。

无翼而飞者声也,无根而固者情也

见《管子·戒》。

无身不善而怨人,无刑已至而呼天

见《荀子·法行》。

无彝酒,越庶国,惟饮祀,德将无醉

见《尚书·酒诰》。

无迷其途,无绝其源,终吾身而已矣

见唐·韩愈《答李翊书》。全句为:"行之乎仁义之途,游之乎《诗》、《书》之源,～"。

无舆马者不耻徒步,无鱼肉者不厌菜羹

见明·刘基《拟连珠》。

无奇业旁入,而犹以富给,非俭则力也

见汉·桓宽《盐铁论·授时》。

无性则伪之无所加,无伪则性不能自美

见《荀子·礼论》。

无为则俞俞,俞俞者忧患不能处,年寿长矣

见《庄子·天道》。

无为小人,反殉而天;无为君子,从天之理

见《庄子·盗跖》。

无为名尸,无为谋府,无为事任,无为知主

见《庄子·应帝王》。

无偏无党,王道荡荡;无党无偏,王道平平

见《尚书·洪范》。

"无"名,天地之始;"有"名,万物之母

见《老子》一。

无善而好,不观其道;无悖而恶,不详其故

见唐·韩愈《五箴·好恶箴》。

无德不贵，无能不官，无功不赏，无罪不罚

见《荀子·王制》。

无教之教，洽流四海；无为之为，通达八方

见汉·严遵《道德指归论，善为道者篇》。

无有作好，遵王之道；无有作恶，遵王之路

见《尚书·洪范》。

无目者不可示以五色，无耳者不可告以五音

见《鬼谷子·权》。

无稽之言，不见之行，不闻之谋，君子慎之

见《荀子·正名》。

无恻隐之心，非人也……恻隐之心，仁之端也

见《孟子·公孙丑上》。

无是非之心，非人也……是非之心，智之端也

见《孟子·公孙丑上》。

无贵无贱，无长无少，道之所存，师之所存也

见唐·韩愈《师说》。

无羞恶之心，非人也……羞恶之心，义之端也

见《孟子·公孙丑上》。

无以待之，则十百而乱；有以待之，则千万若一

见宋·苏辙《类篇叙》。

无状无象，无声无响，故能无所不通，无所不往

见三国·魏·王弼《老子》十四注。

无为者，非谓其凝滞而不动也，以其言莫从已出也

见汉·刘安《淮南子·主术》。

无形，则不可制迫也，不可度量也，不可巧诈也，不可规虑也

见汉·刘安《淮南子·兵略》。

无为者，道之宗；故得道之宗，应物无穷，任人之才，难以至治

见汉·刘安《淮南子·主术》。

❷军无私怒／民无信不立／性无善无不善／言无实，不祥／下无言则上无闻／事无两样人心别／昼无事者夜不梦／诚无垢，思无辱／诚无垢，思无辱／德无细，怨无小／妇无蚕织夫无耕／材无不可范而成／钱无耳，可使鬼／为无为，则无不治／苟无民，何以有君／国无常强，无常弱／虚无柔弱无所不通／上无骄行，下无谄德／上无羡赏，下无羡财／下无直辞，上有隐君／吏无避忌，白昼肆行／事无终始，无务多业／内无妄思，外无妄动／内无怨女，外无旷夫／我无尔诈，尔无我虞／民无隐情，治有异迹／人无远虑，必有近忧／军无适主，一举可灭／谋无不当，举必有功／士无事而食，不可也／士无常君，国亡定臣／喜无以赏，怒无以杀／名无固宜，约之以命／知无不言，言无不尽／知无不言，言无不行／国无常治，又无常乱／德无常师，主善为师／汝无面从，退有后言／法无常则网罗当前路／安无忘危，存无忘亡／官无中人，不如归田／官无二业，事不并济／道无鬼神，独往独来／村无大树，蓬蒿为林／林无静树，川无停流／物无不变，变无不通／物无非彼，物无非是／物无妄然，必由其理／物无所主，人必争之／教无常师，道在则是／有无相通，盖为常理／朝无幸位，民无幸生／福无双至，祸不单行／心无结怨，口无烦言／龙无尺水，无以升天／野无遗贤，万邦安宁／言无阴阳，行无内外／金无足赤，人无完人／上无疑令，则众不二听／前无所阻兮，跛鳖千里／偏无自足，故凭乎外资／动无疑事，则众不二志／知无用而始可与言用矣／虽无丝竹管弦之盛……／汝无自誉，观汝作家书／室无空虚，则妇姑勃谿／时无英雄，使竖子成名／政无旧新，以便民为本／政无大小，以得人为重／虚无谲诡，此乱道之根／非无足财也，我无足心也／反无非伤也，动无非邪也／乡无君子，则与云山为友／体无纤微疾，安用问良医／仓无备粟，不可以待凶饥／谋无主则困，事无备则废／邦无道，富且贵焉，耻也／坐无君子，则与琴酒为友／苟无济代心，独善亦何益／少无适俗韵，性本爱丘山／虽无玄豹姿，终隐南山雾／虽无纪历志，四时自成岁／岂无一时好，不久当如何／岂无感激者？时俗颓此风／衡无心而平，镜无心而明／恨无一尺棰，为国笞羌夷／官无一寸禄，名传千万里／学无早晚，但恐始勤终惰／木无本必枯，水无源必竭／枝无忘其根，德无忘其报／车无轮安处，国无民谁与／春无三日晴，夏无三日雨／水无暂停流，木有千载贞／水无心而清，冰虚己而明／有无相生，难易相成……／心无物欲，即是秋空霁海／鸟无世凤凰，兽无种麒麟／虚无恬愉者，万物之用也／里无君子，则与松柏为友／言无不可晓，指无不可睹／内无其质，而外学其文……／彼无故以合者，则无故以离／有无虚实通为一体者，性也／身无大功而受厚禄，三危也／内无感恨之隙，外无侵侮之羞／以无涯之情爱，悼不驻之光阴／云无心以出岫，鸟倦飞而知还／声无小而不闻，行无隐而不形／草无忘忧之意，花无长乐之心／君无劳民之事，民得勤而耕农／善无微而不赏，恶无纤而不贬／国无三年之食者，国非其国也／道无废而不兴，器无毁而不治／战无不胜而不知止者，身且死／赏无功谓之乱，罪不知谓之虐／镜无见疵之罪，道无明过之恶／病无能焉，不病人之不己知也／蛇无头而不行，鸟无翅而不飞／孰无施而有报兮，孰不实而有获／瞽无目而耳不可以塞，精于聪也／苟无恒心，放辟邪侈，无不为已／唯无以天下为者，可以托天下也／库无备兵，虽有义，不能征无义／道无终

始，物有死生，不恃其成／目无所见，耳无所闻，心无所知／言无常是，行无常宜者，小人也／鳖无耳而目不可以蔽，精于明也／天无私覆，地无私载，日月无私照／我无事而民自富，我无欲而民自朴／我无为而民自化，我好静而民自正／诗无达诂，易无达占，春秋无达辞／诚无悔，恕无怨，和无仇，忍无辱／行无行，攘无臂，扔无敌，执无兵／德无以安之则危，政无以和之则乱／实无名，名无实。名者，伪而已矣／贫无可奈惟求俭，拙亦何妨只求勤／朝无贤人，犹鸿鹄之无羽翼也……／业无高卑志当坚，男儿有求安得闲／鸟无声兮山寂寂，夜正长兮风淅淅／身无彩凤双飞翼，心有灵犀一点通／言无有善恶也……则其辞不索而获／上无礼，下无学，贼民兴，丧无日矣／但无耻一事不如人，则事事不如人矣／出无谓之言，行不必为之事，不如其已／公无私者，其取舍进退无择于亲疏远迩／哀无人，不哀无贿；哀无德，不哀无宠／诚无不动者，修身则身正，治事则事理／至无者，无以能生，故始生者，自生也／恨无昆山片玉以相赠，赠君桂林之一枝／赏无功之人，罚不辜之民，非所谓明也／赏无度则费而无恩，罚无度则戮而无威／朝无争臣则不知过，国无达士则不闻善／言无法度不出于口，行非公道不萌于心／鬼无声也，无形也，无气也，果无鬼乎／食无求饱，居无求安，敏于事而慎于言／天无形而万物以成，至精无象而万物以化／民无常用也，无常不用也，唯得其道为可／国无义，虽大必亡。人无善志，虽勇必伤／国无小，不可易也；无备虽众，不可恃也／理无专在，而学无止境也，然则问可少耶／言无务为多而务为智，无务为文而务为察／以无厚入有间，恢恢乎其于游刃必有余地矣／仇无大小，只怕伤心；恩若救急，一芥千金／体无常轨，言无常宗，物无常用，景无常取／军无习练，百无当一；习而用之，一可当百／工无二伎，士不兼官，各守其职，不得相奸／口无择言，驷不及舌；笔之过误，愆尤不灭／名无固实，约之以命实，约定俗成谓之实名／山无陵，江水为竭……天地合，乃敢与君绝／恒无之初，迥同大虚。虚同为一，恒一而止／桑无附枝，麦穗两岐。张君为政，乐不可支／时无远近，事无巨细，必籍多闻，以成博识／意无是非，赞之如流；言无可否，应之如响／罢无能，废无用，捐不急之官，塞私门之请／用无常道，事无轨度，动静屈伸，唯变所适／言无常信，行无常贞……若是则可谓小人矣／上无所为，则下无事，家给人足，万物自化就／攻无道而伐不义，则福莫大焉，黔首利莫厚焉／女无美恶，入宫见妒。士无贤不肖，入朝见嫉／先无爵，死无谥，实不聚，名不立，此之谓大人／能无私于一人，故万物至而制之，万物至而命之／岂无利事哉，我无利心；岂无安处哉，我无安心／官无常贵而民无终贱，有能则举之，无能则下之／言无言，终身言，未尝言；终身不言，未尝不言／以无为为居，以不言为教，以恬淡为味，治之极也／天无时不风，地无时不尘，物无所不有，人无所不为／事无礼则不成，国无礼则不宁，王无礼则死亡无日矣／兵无常势，水无常形，能因敌变化而取胜者，谓之神／学无二事，无二道，根本苟立，保养不替，自然日新／天无一点云，星斗张明，错落水中，如珠走镜，不可收拾／天无私覆也，地无私载也，日月无私烛也，四时无私行也／天无为以之清，地无为以之宁，故两无为相合，万物皆化生／本无功而自矜，一等；有功而伐之，二等；功大而不伐，三等

❸仁者无敌／至仁无亲／四方无虞／因者无敌／贤人无妄／有教无类／静则无为／食鱼无反／无可无不可／圣人无常师／君子无所争／没齿无怨言／春秋无义战／卑之无甚高论／怒而无威者犯／自恃，无恃人／夫妻无隔宿之仇／厚葬无益于死者／任是无情也动人／诗情无限景无穷／芳草无情人自迷／英雄无用武之地／藕花无数满汀洲／多行无礼必自及／清明无客不思家／女子无才便有德／杞国无事忧天倾／此时无声胜有声／春色无情容易去／铁骑无声望似水／用贤无敌是长城／言而无实，罪也／天下无有不散筵席／无阴无阳乃谓之道／天下无不可变之风俗／天下无内忧必有外惧／天下无道，以身殉道／天下无道，圣人生焉／天下无道，圣人彰焉／天之无恩，而大恩生／天道无亲，常与善人／无拳无勇，职为乱阶／无父无君，是禽兽也／无衣无褐，何以卒岁／不赏无功，不养无用／不患无位，患所以立／不虐无告，不废困穷／及吾无身，吾有何患／兵出无名，事故不成／兵义无敌，骄者先灭／秉德无私，参天地兮／疑行无名，疑事无功／疑行无成，疑事无功／义者无敌，骄者先灭／民心无常，惟惠之怀／匹夫无罪，怀璧其罪／刚而无虐，简而无傲／剑老无芒，人老无刚／任贤无疑，求士不倦／使患无生，易于救患／侈而无节，则不可赡／侈言无验，虽丽非经／侵欲无厌，规求无度／人主无贤，如瞽无相／勿病无闻，病其哗哗／兄弟无礼，不能久同／阻兵无众，安忍无亲／除日无岁，无内无外／除患无至，易于救患／随陆无武，绛灌无文／能者无名，从事无事／取之无禁，用之不竭／攻其无备，出其不意／至乐无乐，至誉无誉／至人无为，大圣不作／坎井无鼋鼍者，隘也／声一无听，物一无文／芝草无根，醴泉无源／芴漠无形，变化无常／大而无当，往而不返／执中无

权，犹执一也／否泰无常，吉凶由人／园中无修林者，小也／岁饥无年，虐政害民／治民无常，唯法为治／淡然无极而众美从之／宥过无大，刑故无小／室本无暗，垣亦有耳／寤寐无为，涕泗滂沱／进退无恒，非离群也／道常无为，而无不为／纪次无法，详略失中／玉卮无当，虽宝非用／皇天无亲，惟德是辅／死而无益，何用死为／死人无知，厚葬无益／贪货无厌，其身必少／贫而无谄，富而无骄／赏罚无章，何以沮劝／父子无礼，其家必凶／有事无辜，心常安泰／有备无患，亡战必危／有武无文，民畏不亲／有文无武，无以威下／背施无亲，幸灾不仁／欲人无己疑，不能也／施惠无念，受恩莫忘／神人无光，圣人无名／祸福无不自己求之者／祸福无门，吉凶由己／祸福无门，唯人所召／盛衰无常，唯爱所丁／用人无疑，唯才所宜／空言无施，虽切何补／起居无时，惟适之安／言而无文，行之不远／言之无文，行而不远／言之无文，行之不远／言者无罪，闻者足戒／食之无味，弃之可惜／天下无道，则修德就闲／天下无道，则正人在下／天下无道，戎马生于郊／天地无为也而无不为也／专明无胆，则虽见不断／专胆无明，则违理失机／严家无悍虏，笃责急也／事诚无害，虽无例亦可／农夫无草莱之事则不比／刻画无盐，以唐突西子／何夜无月？何处无竹柏／人而无信，不知其可也／凡事无小大，物自为舍／商贾无市井之事则不比／瞽者无以与乎文章之观／省躬无疵而获谤者何伤／听于无声则得其所闻矣／德则无德，不德则有德／波浪无穷，而光采有主／治国无以智，犹弃智也／审己无善而获誉者不祥／实言无多，而华文无寡／进退无仪，则政令不行／道以无形无为成济万物／学问无大小，能者为尊／视于无形则得其所见矣／施之无穷，而无所朝夕／心苟无瑕，何恤乎无家／聋者无以与乎钟鼓之声／鬼神无常享，享于克诚／天下无正声，悦耳即为娱／天若无雪霜，青松不如草／无形无名者，万物之宗也／不作无益害有益，功乃成／不能无为者，不能有为也／世上无难事，只要肯登攀／平居无事，指为贤良……／百人无一直，百直无一遇／出门无通路，枳棘塞中途／农月无闲人，倾家事南亩／良匠无弃材，明君无弃士／良田无晚岁，膏泽多丰年／尺水无长澜，蛟龙岂其容／何世无奇才，遗之在草泽／伴人无寐，秦淮应是孤月／侧足无行径，荒畴不复田／修翼无卑栖，远趾不步局／公正无私，一言而万民齐／公正无私，可以为天下王／黄金无足色，白璧有微瑕／人生无根蒂，飘如陌上尘／人语无生意，鸟啼空好音／仓禀无宿储，徭役犹未已／仓廪无宿储，徭役犹未已／凡物无成与毁，复通为一／交绝无恶声，去臣无怨辞／褒贬无一词，岂得为良史／诗是无形画，画是有形诗／圣人无尺土，无以王天下／地若无山川，何人重平道／喜乐无羡赏，忿怒无羡刑／鼓腹无所思，朝起暮归眠／芳槿无终日，贞松耐岁寒／大匠无弃材，船车用不均／大匠无弃材，寻尺各有施／大明无偏照，至公无私亲／吾学无所学，乃能明自然／君子无终食之间违仁……／君子无易由言，耳属于垣／知人无务，不若愚而好学／四海无闲田，农夫犹饿死／夕阳无限好，只是近黄昏／饥寒无衣食，举动鞭捶施／恬淡无人见，年年常自清／字人无异术，至论不如清／謇谔无一言，岂得为直士／达人无不可，忘己爱苍生／遇事无难易，而勇于敢为／本来无一物，何处惹尘埃／枉士无正友，曲上无直下／相见无杂言，但道桑麻长／亲朋无一字，老病有孤舟／易求无价宝，难得有心郎／春色无高下，花枝有短长／春花无数，毕竟何如秋实／所求无不得，所欲皆如意／所谓无为者，不先物为也／所谓无治者，不易自然也／有罚无恕，非怀远之弘规／欲济无舟楫，端居耻圣明／风烈无劲草，寒甚有凋松／房栊无行迹，庭草萋以绿／然则无用之为用也亦明矣／息阴无恶木，饮水必清源／愚谓无知守真，顺自然也／季布无二诺，侯嬴重一言／白璧无瑕玷，青松有岁寒／蛇固无足，子安能为之足／蛟龙无定窟，黄鹄摩苍天／赤兔无人用，当须吕布骑／靡辞无忠诚，华繁竟不实／万物无足以铙心者，故静也／无求无竞，虽欲不寿，得乎／不能无诉，诉而必见察……／严家无悍虏，而慈母有败子／何代无贤，但患遗而不知耳／但患无志耳，事固未可知也／使民无欲，上虽贤犹不能用／谤之无实者，付之勿辩可矣／圣人无常心，以百姓心为心／瞽者无以与乎青黄黼黻之观／知者无不知也，当务之为急／朽骨无益于人，而文王葬之／死马无所复用，而燕昭宝之／水清无大鱼，察政不得下和／所谓无不为者，因物之所为／有若无，实若虚，犯而不校／恶人无有所纪，则以愧而惧／盲者无以与乎眉目颜色之好／其真无马邪？其真不知马也／不求无益之物，不蓄难得之货／不求无害之言，而务无易之事／不作无补之功，不为无益之事／不官无功之臣，不赏不战之士／未有无腹心手足而能独理者也／百岁无智小儿，小儿有智百岁／事例无不变迁，风气无不移易／非学无以广才，非志无以成学／非学无以致疑，非问无以广识／非虑无以临下，非言无以述虑／勤是无价之宝，学是明月神珠／至得无私，泛泛乎若不系之舟／莫怨无情流水，明月扁舟何处／恭而无礼则劳，慎而无礼则葸／皇天无私阿兮，览民德焉错辅／春水无风无浪，春天半雨半晴／贼敛无节，官上奢纵，则人贫／所谓无不治者，因物之相然也／所言无不义，故下无伪上之报／眼里无点灰尘，方可读书千卷／天下无事，则公卿之言轻于鸿毛／无非无是，化育玄耀，生而如死／不尊无功，不官无德，不诛无罪／不杀无辜，无释罪人，则民不惑／非真无人也，但求之不勤不至耳／非患无旃罽橘柚，患无狭庐糟糠／以虚无而能开通于物，故称曰道／匹夫无故获千金，必有非常之祸／人而无义，唯食而已，是鸡狗也／至人无己，神人无功，圣人无名／死生无变于己，而况利害之端乎／死者无知，自同粪土，何烦厚葬／与其无义而有名兮，宁穷处而守高／天籁无假于宫商，贞筠不争于柯叶／无求无设则无虑，无虑则反复虚矣／不是无端悲怨深，直将阅历写成吟／世间无限丹青手，一片伤心画不成／非举无以知其贤，非试无以效其实／年衰无酒食之娱，性拙无博弈之艺／为之无益于义而为之，此行之秽也／为国无强于得人，用人莫先于求旧／南方无穷而有穷，今日适越而昔来／仁而无止，则其极不得不反而为残／但见无为为要妙，岂知有作是根基／侈言无验不必用，质言当理不必违／健儿无粮百姓饥，谁遣朝朝入君口／凡道无根，无茎，无叶，无荣……／叩门无人室无釜，踯躅空巷泪如雨／报国无门空自怨，济时有策从谁吐／君子无小人则饥，小人无君子则乱／道之无益于义而道之，此言之秽也／灵台无计逃神矢，风雨如磐暗故园／贪痴无底蛇吞象，祸福难明螳捕蝉／致贵无渐失必暴，受爵非道殃必疾／断雁无凭，冉冉飞下汀洲，思悠悠／有以无难而失守，有因多难而兴邦／有花无叶真潇洒，不向胭脂借淡红／虑之无益于义而虑之，此心之秽也／立言无显过之咎，明镜无见玭之尤／虚而无形谓之道，化育万物谓之德／言者无罪闻者戒，下流上通上下泰／金蚕无吐丝之实，瓦鸡乏司晨之用／天下无害菑，虽有圣人，无所施其才／人虽无艰难之时，却不可忘艰难之境／苟能无以利害义，则耻辱亦无由至矣／月本无光，如银丸。日耀之，乃光耳／社稷无常奉，君臣无常位，自古以然／虎豹无文，则鞟同犬羊……质待文也／上德无为而无以为，下德为之而有以为／天地无全功，圣人无全能，万物无全用／可学无能、可事而成之在人者，谓之伪／为善无近名，为恶无近刑，缘督以为经／予之无所往而不乐者，盖游于物之外也／圣人无为，其功广大……是太平之谓也／处大无患者恒多慢，处小有忧者恒思善／杀一无罪非仁也，非其有而取之非义也／此情无计可消除，才下眉头，却上心头／心苟无事则息自调，念苟无欲则中自守／为学无间断，如流水行云，日进而不已也／抱朴无为，不以物累其真，不以欲害其神／洞然无为而天下自和，憺然无欲而民自朴／物，量无穷，时无止，分无常，终始无故／故常无，欲以观其妙；常有，欲以观其徼／有欲、无欲，异类也，生死也，非治乱也／天下无独燃之火，世间安得有无体独知之精／无偏无党，王道荡荡；无党无偏，王道平平／生男无喜，生女无怒，独不见卫子夫霸天下／同乎无知，其德不离；同乎无欲，是谓素朴／至大无外，谓之大一；至小无内，谓之小一／草木无大小，必待春而后生，人待义而后成／草木无情，有时飘零；人为动物，惟物之灵／大方无隅，大器晚成，大音希声，大象无形／得时无怠，时不再来，天予不取，反为之灾／好善无厌，受谏而能诫。虽欲无进，得乎哉／有法无法，因时为业；有度无度，与物趣舍／文章无警策，则不足传世，盖不能竦动世人／窈然无际，天道自会；漠然无分，天道自运／天下无粹白之狐，而有粹白之裘，取之众白也／天道无为，任物自然，无亲无疏，无彼无此也／无贵无贱，无长无少，道之所存，师之所存也／真悲无声而哀，真怒未发而威，真亲未笑而和／逍遥，无为也；苟简，易养也；不贷，无出也／于人无贤愚，于事无小大，咸推以信，同施以敬／无状无象，无声无响，故能无所不通，无所不往／知本无有思，动静皆离，寂然不动者，是至诚也／嗜欲无穷，则必有贪鄙悖乱之心，淫佚奸诈之事／国家无养兵之费则国富，队伍无老弱之卒则兵强／道者，无也；形者，有也。有故有极，无故长存／其来无迹，其往无崖，无门无房，四达之皇皇也／治国无法则乱，守法而弗变则悖，悖乱不可以持国／使患无生易于救患，而莫能加务焉，则未可与言术也／上有无时之求，中有剥削曲巧之政，下有豺狼寇盗之害／大道无形，大仁无亲，大辩无声，大廉不嗛，大勇不矜

❹无有入无间／刑期于无刑／至哀反无泪／有欲则无刚／无为而无不为／性无善无不善／有过之无不及／天门者，无有也／无伐善，无施劳／无留善，无宿问／非平正无以制断／诗不可无为而作／小人以无法为奸／强将下，无弱兵／敦临，吉，无咎／足欲，亡无日矣／天下物无独必有对／无欲速，无见小利／不知礼，无以立也／仙没有，无欲即仙／持其志，无暴其气／富贵则无暴集之客／道者，虚无之称也／贫贱则无弃旧之宾／无私者，无为于身也／不知言，无以知人也／不学《诗》，无以言／不学《礼》，无以立／事不难，无以知君子／岁不寒，无以知松柏／有生于无，实出于虚／有大誉，无疵其小故／无机则无以济万世之功／无权则无以成天下之务／不知命，无以为君子也／为学患无疑，疑则有进／任不重，无以知人之才／志于虚无者可以忘生死／和愉虚无，所以养德也／气外更无

虚托孤立之理／有长而无本剽者，宙也／有官而无课，是无官也／有实而无乎处者，宇也／路不险，无以知马之良／丈夫非无泪，不洒别离间／天下理无常是，事无常非／天下本无事，庸人自扰之／天下本无事，庸人自召之／无世而无圣，或不得知也／无国而无士，或弗能得也／不贪故无忧，不积故无失／事辍者无功，耕怠者无获／但忧死无闻，功不挂青史／人生孰无死，贵得死所耳／弃世则无累，无累则正平／旁通而无滞，日用而不匮／谁谓鼠无牙，何以穿我墉／谦恭者无诤，知善之可迁／节食则无疾，择言则无祸／菩提本无树，明镜亦非台／大凡人无才，则心思不出／常胜者无忧，恒成者好怠／名位苟无心，对君犹可眠／君子食无求饱，居无求安／多好竟无成，不精安用夥／威不可无有，而不可专恃／楚战士无不一以当十……／晓之则无难，不晓则无易／有后而无先，则群众无门／有课而无赏罚，是无课也／有名而无实，则其名不行／有实而无名，则其实不长／有道伐无道，无德让有德／有其性无其养，不能遵道／欲生于无度，邪生于无禁／神女应无恙，当惊世界殊／福莫大无祸，利莫美不丧／罢官之无事，恤人之不足／蜀酒浓无敌，江鱼美可求／白也诗无敌，飘然思不群／自以为无过，而过乃大矣／自伐者无功，自矜者不长／无名故无为，无为而无不为／不贵于无过，而贵于能改过／为国者无使为积威之所劫哉／尽职者无他，正己格物而已／圣人常无心，以百姓心为心／得意者无言，进知者亦无言／独学而无友，则孤陋而寡闻／居其位，无其言，君子耻之／有其位，无其功，君子耻之／有其德，无其位，君子安之／有其言，无其行，君子耻之／福生于无为，而患生于多欲／言之者无罪，闻之者足以戒／天下本无事，庸人扰之为烦耳／世不患无法，而患无必行之法／使天下无农夫，举世皆饿死矣／圣人处无为之事，行不言之教／小人非无小善，君子非无小过／小谨者无成，訾行者不容于众／器博者无近用，道长者其功远／国危则无乐君，国安则无忧民／日计之无近功，岁计之有大利／有能而无益于事者，君子弗为／有理而无益于治者，君子弗言／神清人无忽语，机活人无痴事／鹿驰走无顾，六马莫能望其尘／攻其恶，无攻人之恶，非修慝欤／理国执无为之道，民复朴而还淳／自然者，无称之言，实极之辞也／上悬之无极之高，下垂之不测之渊／井中之无大鱼也，新林之无长木也／天不生无禄之人，地不长无根之草／天广而无以自覆，地厚而无以自载／无天灾，无物累，无人非，无鬼责／世上岂无千里马，人间难得九方皋／非淡薄无以明德，非宁静无以致远／非淡泊无以明志，非宁静无以致远／非宽大无以兼覆，非慈厚无以怀众／及王则无不仲宣，语刘则无不公干／荷尽已无擎雨盖，菊残犹有傲霜枝／君子病无能焉，不病人之不己知也／知生而无以知为也，谓之以知养恬／国不兴无事之功，家不藏无用之器／皇天以无言为贵，圣人以不言为德／贤者恒无以自存，不贤者志满气得／有乱君，无乱国；有治人，无治法／欲事之无繁，则必劳于始而逸于终／老去更无儿在膝，惟君怜我我怜君／自伐者无功，功成者堕，名成者亏／孰知有无死生之一守者，吾与之为友／治务在无为而已，引大体，不拘文法／性于人无不善，系其善反不善反而已／道者以无为为治，而知者以多事为扰／不廉，则无所不取；不耻，则无所不为／至无者，无以能生，故始生者，自生也／善钓者无所失，善于钓矣，而不善所钓／因也者，无益无损也，以其形因为之名／责人斯无难，惟受责俾如流，是惟艰哉／不求所无，不失所得，内无旁祸，外无旁福／不学问，无正义；以富利为隆，是俗人者也／凡举事，无为亲厚者所痛，而为见仇者所快／己之所无，不以责下；我之所有，不以讥彼／水浊，则无掉尾之鱼；政苛，则无逸乐之士／能至于无乐者，则无不乐；无不乐，则至极乐／道者，虚无、平易、清静、柔弱、淳粹、素朴／非历览无以寄杼轴之怀，非高远无以开沉郁之绪／泰初有无，无有，无名。一之所起，有一而未形／矢之发无能贯，待其止而能有穿；唯止能止众止／不争而无所不胜，不言而无所不应，不召而无所不来／非情、才无以见性，非气质无所为情、才，即无所为性也／君子口无戏谑之言，言必有防；身无戏谑之行，行必有检／贱生于无所用，中流失船，一壶千金，贵贱无常，时使物然

❺万物出乎无有／不足生于无度／事不节则无功／至公近乎无为／君子所其无逸／温良者戒无断／福莫长于无祸／天涯何处无芳草／反天之道无成者／诚无垢，思无辱／诚无垢，思无辱／除浮华则无忧患／唯不争，故无尤／德无细，怨无小／多病题诗无好句／忧患已空无复痛／时惟天命，无违／用智褊者无遂功／老树着花无丑枝／为无为，则无不治／圣人甚祸无故之利／国无常强，无常弱／见义不为，无勇也／畏之途果无常所哉／钓名之人无贤士焉／虚无柔弱无所不通／一国尽乱，无有安家／一家皆乱，无有安身／与狐议裘，无时焉可／天下大乱，无有安国／无不忘也，无不有也／无平不陂，无往不复／无伐名木，无斩山林／无功不赏，无罪不罚／无源之水，无本之木／无根之木，无源之水／无所不达，无所不通／无所甚亲，无所甚疏／无父何怙，无母何恃／无衣惜衣，无食惜食／无言不雠，无德不报／不知有汉，无论魏晋／不恒

其德，无所容也／不孝有三，无后为大／事无终始，无务多业／中正和平，无所偏倚／千人所指，无病而死／长木之毙，无不摽也／良匠之目，无材弗良／古之用人，无择于势／刑罚在衷，无取于轻／即事名篇，无复依傍／除日无岁，无内无外／地有远行，无有不至／批扞之声，无出之口／当为秋霜，无为槛羊／君子宅情，无求于显／因时施宜，无害于民／彼裕我民，无远用戾／闲云野鹤，无拘无束／治人将兵，无所不宜／惟日孜孜，无敢逸豫／宁我薄人，无人薄我／宁为鸡口，无为牛后／安身为乐，无忧为福／选贤之义，无私为本／板筑以时，无夺农功／有则改之，无则加勉／有话即长，无话则短／有因则成，无因则败／有始有终，无为无欲／有死之荣，无生之辱／有文无武，无以威下／文有真伪，无有故新／龙无尺水，无以升天／积财千万，无过读书／矜物之人，无大士焉／羚羊挂角，无迹可求／登楼意，恨无天上梯／无年非夭，无述乃为夭／无位非贱，无耻乃为贱／无子非孤，无德乃为孤／无财非贫，无学乃为贫／不勤不俭，无以为人上／不积小流，无以成江海／不积跬步，无以至千里／为君子儒，无为小人儒／直者不讦，无以成其直／刚者不厉，无以济其刚／介者不拘，无以守其介／夙兴夜寐，无一日之懈／毫厘之根，无连抱之枝／参差之上，无整齐之下／持己当从无过中求有过／损益之名，无胫而走矣／少而不勤，无如之何矣／君人也者，无贵如其言／和者不懦，无以保其和／夕阳照山，无奇而不见／处丧以哀，无问其礼矣／浑沌之原，无皎澄之流／涓流之水，无洪波之势／性有不欲，无欲而不得／道以无形无为成济万物／枳棘之林，无梁柱之质／是非之声，无翼而飞矣／赏当其劳，无功者自退／心有不乐，无乐而不为／目失镜，则无以正须眉／钩曲之形，无绳直之影／身失道，则无以知迷惑／真心实作，无不可图之功／任不重，则无以知人之德／士之闲居，无故不去琴瑟／草木贲华，无待锦匠之奇／法不至死，无容滥加酷罚／有有必有无，有聚必有散／龙弗得云，无以神其灵矣／起于微贱，无所因阶者难／路不险，则无以知马之良／天之道事无大小，物无难易／书生报国无地，空白九分头／养生丧死无憾，王道之始也／城郭之固无以异于贞士之约／四寸之管无当，必不可满也／孟尝君客无所择，皆善遇之／有雄志而无雄才，其后果败／虚实相生，无画处皆成妙境／天下不患无财，患无人以分之／天下之乐无穷，而以适意为悦／不加功于无用，不损财于无谓／失贤人，国无不危，名无不辱／民可百年无货，不可一朝有饥／民力尽于无用，财宝虚以待客／高山之巅无美木，伤于多阳也／大树之下无美草，伤于多阴也／行莫大乎无过，事莫大乎无悔／得贤人，国无不安，名无不荣／饱食终日，无所用心，难矣哉／廉者常乐无求，贪者常忧不足／明者见于无形，智者虑于未萌／春水无风无浪，春天半雨半晴／水至清则无鱼，人至察则无徒／赏不加于无功，罚不加于无罪／有人则作，无人则辍之，谓伪／礼之至者无文，哀之深者无节／穷独善而无挠，达兼善而无矜／聪者听于无声，明者见于未形／既变化而无穷，亦卷舒而莫定／其行公正无邪，故谗人不得入／无问其名，无阚其情，物固自生／无赴而富，无殉而成，将弃而天／不杀无辜，无释罪人，则民不惑／未必人间无好汉，谁与宽些尺度／八音克谐，无相夺伦，神人以和／人有欲，则无刚，刚则不屈于欲／谋泄者事无功，计不决者名不成／喉中有病，无害于息，不可凿也／行身亦然，无涤垩之地则寡非矣／宾至如归，无宁灾患，不畏寇盗／适于己而无功于国者，不施赏焉／居悒悒之无解兮，独长思而永叹／学问之道无他，求其放心而已矣／赏罚必信，无恶不惩，无善不显／有制之兵，无能之将，不可以败／意犹帅也；无帅之兵，谓之乌合／于今腐草无萤火，终古垂杨有暮鸦／无功之赏，无力之礼，不可不察也／不妨举世无同志，会有方来可与期／不是眼前无外物，不关心事不经心／不言之教，无为之益，天下希及之／百姓多寒无可救，一身独暖亦何情／周而复始无休息，官租未了私租逼／古人学问无遗力，少壮功夫老始成／仁之所在无贫穷，仁之所亡无富贵／传闻之言无实，无实即唐丧唾津矣／传其常情，无传其溢言，则几乎全／偏讶思君无限极，欲罢欲忘还复忆／人生代代无穷已，江月年年只相似／人生交契无老少，论交何必先同调／人生贵贱无终始，倏忽须臾难久恃／凡道无根，无茎，无叶，无荣……／离别不堪无限意，艰危深仗济时才／诚无悔，恕无怨，和无仇，忍无辱／读书不可无师承，立论不可无依据／劝君休饮无情水，醉后教人心意迷／势在则威无不加，势亡则不保一身／茂林之下无丰草，大块之间无美苗／莫嫌举世无知己，未有庸人不忌才／莫思身外无穷事，且尽生前有限杯／莫愁前路无知己，天下谁人不识君／落红不是无情物，化作春泥更护花／落红满路无人惜，踏作花泥透脚香／奔车之上无仲尼，覆舟之下无伯夷／名为公器无多取，利是身灾合少求／名为治平无事，而其实有不测之忧／君门一入无由出，唯有宫莺得见人／因供寨木无桑柘，为点乡兵绝子孙／行无行，攘无臂，扔无敌，执无兵／实无名，名无实。名者，伪而已矣／富国有道，无所不恤者，富之端也／马上相逢无纸笔，凭君传语报平安／骄溢之君无忠臣，口慧之人无必信／成败极知无定势，是非元自要徐观／明君不官无功之臣，不赏不战之士／贫交此别无他赠，唯有青山远送君／贫居往往无烟火，不独明朝为子推／“改过不吝，无咎”者，善补过也／爵不可以无功取，刑不可以贵势免／有其语而无其人，得其宾而丧其实／眼孔浅时无大量，心田偏处有奸谋／睡起秋声无觅处，满阶梧叶月明中／辞家战士无旋踵，报国将军有断头／笔底明珠无处卖，闲抛闲掷野藤中／羊肠鸟道无人到，寂寞云中一个人／踏破铁鞋无觅处，得来全不费功夫／上无礼，下无学，贼民兴，丧无日矣／天下未尝无才，患所以求才之道不至／天下未有无理之气，亦未有无气之理／无迷其途，无绝其源，终吾身而已矣／凡人不能无好恶，但能胜其私心则善／夜行者能无为奸，不能禁狗使无吠己／善出奇者，无穷如天地，不竭如江河／行未固于无非，而急求名者，必锉也／慎简乃僚，无以巧言令色、便辟侧媚／天下而有无害之利，则谁不能计之者？／尊于位而无德者黜，富于财而无义者刑／荡涤胸中，无一毫之私累，可以言大矣／大德之人无所不容，能受垢浊，处谦卑／宵行者，能无为奸，而不能令狗无吠己／心不清则无以见道，志不确则无以立功／言满天下，无口过；行满天下，无怨恶／鬼无声也，无形也，无气也，果无鬼乎／使味之者无极，闻之者动心，是诗之至也／交拱之木无把之枝，寻常之沟无吞舟之鱼／志士仁人，无求生以害仁，有杀身以成仁／德人者，居无思，行无虑，不藏是非善恶／才有浅深，无有古今；文有真伪，无有故新／无为名尸，无为谋府，无为事任，无为知主／无德不贵，无能不官，无功不赏，无罪不罚／举天下而无可与共处，则是其势岂可以久也／乾坤倒覆，无谓不静，洪流滔天，无谓其动／人有厚德，无问小节；人有大举，无訾小故／词意书迹，无不宛然；唯是魂神，不知去处／至是之是无非，至非之非无是，此真是非也／苟得于道，无自而不可；失焉者，无自而可／苟得其养，无物不长；苟失其养，无物不消／拓境不宁，无益于强；多田不耕，何救饥敝／虽有丝麻，无弃菅蒯；虽有姬姜，无弃蕉萃／唯劝农业，无夺农时；唯薄赋敛，无尽民财／迷阳迷阳，无伤我行；却曲却曲，无伤吾足／如有德而无才，则不能为用，亦何足为君子／学不成章，无由而达；志不归一，终难成事／牛蹄之涔，无尺之鲤；块阜之山，无丈之材／硕鼠硕鼠，无食我黍！三岁贯女，莫我肯顾／罢无能，废无用，损不急之官，塞私门之请／盈把之木无合拱之枝，荣泽之水无吞舟之鱼／无贵无贱，无长无少；道之所存，师之所存也／二好均平，无分轻重，则一俯一仰，乍进乍退／设使国家无有孤，不知当几人称帝，几人称王／常以事于无形之外，而不留思尽虑于成事之内／知天乐者，无天怨，无人非，无物累，无鬼责／知大备者，无求，无失，无弃，不以物易己也／灭其私而无其身，则四海莫不瞻，远近莫不至／必静必清，无劳女形，无摇女精，乃可以长生／无状无象，无声无响，故能无所不通，无所不往／先无爵，死无谥，实不聚，名不立，此之谓大人／泰初有无，无有，无名。一之所起，有一而未形／人遇逆境，无可奈何，而安之若命，乃是见识超卓／合抱之松无庸于竫人之国，若瓮之茧见弃于裸体之邦／学无二事，无二道，根本苟立，保养不替，自然日新／以小善为无益，以小恶为无伤，凡此皆非所以安身崇德也／喜则滥赏无功，怒则滥杀无罪，是以天下丧乱，莫不由此／用兵之法：无恃其不来，恃吾有以待也；无恃其不攻，恃吾有所不可攻也

❻凡物皆始于无／慰情聊胜于无／下无言则上无闻／不以利交则无咎／诗情无限景无穷／务本节用财无极／君子有死而无贰／清风明月知无价／性与情不相无也／妇无蚕织夫无耕／好德乐善而无求／有形者生于无形／朝居严则下无言／言有尽而意无穷／世有乱人而无乱法／地诚任，不患无财／君子慎始而无后忧／忠信尽治而无求焉／上无骄行，下无谄德／上无羡赏，下无羡财／上化清净，下无贪人／上满下漏，患无所救／才不济务，奸无所惩／天地虽广，以无为心／求田问舍，言无可采／事有是非，公无远近／内无妄思，外无妄动／内无怨女，外无旷夫／出人之才，竟无施为／我无尔诈，尔无我虞／兵有利钝，战无百胜／但立直标，终无曲影／信不由中，质无益也／公家之事，知无不为／公家之利，知无不为／军有归心，必无斗志／喜无以赏，怒无以杀／若涉大水，其无津涯／苟信不继，盟无益也／吾有知乎哉？无知也／君上好善，民无讳言／知无不言，言无不尽／知无不言，言无不行／国无常治，又无常乱／多言少实，语无成事／法有明文，情无可恕／情发于中，言无所择／慎终如始，则无败事／安无忘危，存无忘亡／室如县磬，野无青草／察察小慧，类无大能／通其变，天下无弊法／道常无为，而无不为／始作俑者，其无后乎／王良登车，马无罢驽／林无静树，川无停流／桑榆之光，理无远照／时动而济，则无败功／赠必固辞，求无不应／物无不变，变无不通／物无非彼，物无非是／物之终始，初无极已／爱民治国，能无知乎／有而不施，穷无与也／朝无幸位，民无幸生／朝多君子，野无遗贤／欲加之罪，其无辞乎／风止雨霁，云无处所／心无结怨，口无烦言／心有善恶，性无不善／忠臣体

国，知无不为／意有所之，事无不克／目所不见，非无色也／积德之家，必无灾殃／覆车重寻，宁无摧折／言无阴阳，行无内外／金无足赤，人无完人／食言多矣，能无肥乎／不善进，则善无由入矣／不明尔德，时无背无侧／事诚无害，虽无例亦可／内足者，自是无意于名／人有礼则安，无礼则危／善进，则不善无由入矣／达人大观兮，无物不可／致知，是吾心无所不知／有德之文信，无德文诈／施之无穷，而无所朝夕／于所厚者薄，无所不薄也／与闻国政而无益于民者斥／天子好年少，无人荐冯唐／无以谋胜人，无以战胜人／无依势作威，无倚法以削／无功而厚赏，无劳而高爵／无动而不变，无时而不移／无藏逆于得，无以巧胜人／无小而不大，无边而不中／无常安之国，无恒治之民／无启宠纳侮，无耻过作非／无道人之短，无说己之长／无望其速成，无诱于势利／无贵贱不悲，无富贫亦足／不摇香已乱，无风花自飞／乃知四体勤，无衣亦自暖／兵不完利，与无操者同实／以善意相待，无不致快也／兰闺久寂寞，无事度芳春／弃世则无累，无累则正平／读书贵神解，无事守章句／切不可因己无成而不教子／务公正者，必无邪佞之朋／圣人无尺土，无以王天下／受辱于跨下，无兼人之勇／爰居避风，本无情于钟鼓／土居三十载，无有不亲人／志不立，天下无可成之事／志苟合，楚越无以异其同／大言不惭，则无必为之志／美箭缺羽，尚无冲石之势／尚德行者，必无凶险之类／君子之于物，无所苟而已／虽有千黄金，无如我斗粟／应尽便须尽，无复独多虑／恨小非君子，无毒不丈夫／寄食于漂母，无资身之策／松柏生深山，无心自贞直／所愧为人父，无食致夭折／有天不雨粟，无地可埋尸／有能则举之，无能则下之／有道伐无道，无德让有德／有道者咸屈，无用者必伸／有永弃之悲，无自新之望／有风方起浪，无潮水自平／有心雄泰华，无意巧玲珑／畏落众花后，无人别意看／与闻国政而无益于民者，退／无常乱之国，无不可理之民／无名故无为，无为而无不为／无所有而来，无所从而去者／可以取，可以无取，取伤廉／以道应物，道无穷而物有尽／尽天下之辞，无以传其酷矣／人而不学，虽无忧，如禽何／君子于其言，无所苟而已矣／待己者，当于无过中求有过／有备则制人，无备则制于人／有意者反远，无心者自近也／心在汉室，原无分先主后主／恩所加，则思无因喜以谬赏／罚所及，则思无以怒而滥刑／穷天下之声，无以舒其哀矣／三寸之管而无当，天下弗能满／不能容人者无亲，无亲者尽人／事君不患其无礼，患忠之不足／良医者常治无病之病，故无病／圣人者常治无患之患，故无患／君子之于人，无不欲其入于善／行患不能成，无患有司之不公／杖顺以翦逆……无其时而著业／明者起福于无形，销患于未然／无心于定而无所不定，故曰泰定／中峰之下，水无鱼鳖，林无鸟兽／予违汝弼，汝无面从，退后有言／治国与养病无异也……治国亦然／心合意同，谋无不成，计无不从／目无所见，耳无所闻，心无所知／自古及今，法无不改，势无不积／言无常是，行无常宜者，小人也／与天同心而无知，与道同身而无体／天无私覆，地无私载，日月无私照／无求无设则无虑，无虑则反复虚矣／不知取将之无术，但云当今之无将／世间富贵应无分，身后文章合有名／良医不能救无命，强梁不能与天争／刑罚不能加无罪，邪枉不能胜正人／只言旋老转无事，欲到中年事更多／人生自古谁无死，留取丹心照汗青／人主好仁，则无功者赏，有罪者释／人有穷，而道无不通，与道争则凶／含情欲说独无处，传与琵琶心自知／诗无达诂，易无达占，春秋无达辞／叩门无人室无釜，踯躅空巷泪如雨／常将有日思无日，莫待无时思有时／常将有日思无日，莫待无时想有时／君子之于世，无去无就，惟道是从／山重水复疑无路，柳暗花明又一村／处有事当如无事，处大事当如小事／闭门觅句陈无己，对客挥毫秦少游／清时有味是无能，闲爱孤云静爱僧／赏赐不加于无功，刑罚不施于无罪／心非木石岂无感，吞声踯躅不敢言／身为野老已无责，路有流民终动心／言于国竭情无私，理于家陈信无愧／言有尽而意无穷者，天下之至言也／为国不患于无人，有人而不用之为患／虽诏于天子，无使北面，所以尊师也／绝愚之人，心无所别析，心无所好欲／立法设禁而无刑以待之，则令而不行／上德无为而无以为，下德为之而有以为／下者尽力而无耗弊，上者量民而用有节／无性则伪之无所加，无伪则性不能自美／哀无人，不哀无赡；哀无德，不哀无宠／堤防成而民无水灾，礼义立，民无乱患／因也者，无益无损也，以其形因为之名／庶狱明则国无怨民，枉直当则民无不服／有形亦是气，无形亦是气，道寓其中也／食无求饱，居无求安，敏于事而慎于言／天下之非誉，无损益焉，是谓全德之人哉／民无常用也，无常不用也，唯得其道为可／小人非嗜欲无以活，失嗜欲则失其所以活／君子非仁义无以生，失仁义则失其所以生／独自莫凭阑，无限江山，别时容易见时难／物，量无穷，时无止，分无常，终始无故／不学古人，法无一可；竟似古人，何处着我／师旷调音，曲无不悲；狄牙和膳，肴无澹味／体无常轨，言无常宗，物无常用，景无常取／众物之中，道无不在；秋毫之细，道亦居之／军无习练，百无当一；习而用之，一可当百／圣人若天然，无私覆也；若地然，无私载也／取天下常以无事。及其有事，不足以取天下／少而不学，老无能也；老而不教，死无思也／国有常众，战无常胜；地有常险，守无常势／洪波振壑，川无活鳞；惊飙拂野，林无静柯／录人一善，则无弃人；采材一用，则无弃材／时无远近，事无巨细，必籍多闻，以成博识／明君不能畜无用之臣，慈父不能爱无用之子／有所不为，为无不果；有所不学，学无不成／用无常道，事无轨度，动静屈伸，唯变所适／用明察非，非无不见；用理钤疑，疑无不定／篇之彪炳，章无疵也；章之明靡，句无玷也／言无常信，行无常贞……若是则可谓小人矣／化者，复归于无形也；不化者，与天地俱生也／天地任自然无为，无造万物，自相治理，故不仁／有留死一尺，无北行一寸。刎颈不易，九裂不恨／位存焉而德无有，犹不足大其门，然世且乐为之下／兵无常势，水无常形，能因敌变化而取胜者，谓之神／君子小人本无常，行善事则为君子，行恶事则为小人／恬淡、寂寞、虚无、无为，此天地之本而道德之质也／道者何也？虚无之系，道化之根，神明之本，天地之源／处患难，知其无可奈何，遂放意而不反，是岂安于义命者／古之所谓公无私者，其取舍进退无择于亲疏远迩，惟其宜可焉

❼凛凛高风万古无／诗思出门何处无／天下之物未尝无对／久与贤人处则无过／君子之行仁也无厌／毋以人誉而遂无过／一家二贵，事乃无功／一手独拍，虽疾无声／天低吴楚，眼空无物／天地长久，风俗无恒／天地有穷，此冤无穷／不求有功，但求无过／不赏无功，不养无用／束书不观，游谈无根／面目可憎，语言无味／及溺呼船，悔之无及／长铗归来乎，食无鱼／反水不收，后悔无及／生也有涯，知也无涯／疑行无名，疑事无功／疑行无成，疑事无功／为政之本，贵在无为／以少总多，情貌无遗／以学自损，不如无学／贞脆由人，祸福无门／刚而无虐，简而无傲／剑老无芒，人老无刚／修辞立诚，在于无愧／侵欲无厌，规求无度／俱收并蓄，待用无遗／人非圣贤，孰能无过／人主无贤，如瞽无相／人皆狎我，必我无骨／人皆畏我，必我无养／包裹天地，禀授无形／凡人之性，不能无争／冤者获信，死者无憾／阻兵无众，安忍无亲／除日无岁，无内无外／随陆无武，绛灌无文／去甚去泰，身乃无害／能者无名，从事无事／圣人绝智，而为无为／至乐无乐，至誉无誉／至当归一，精义无二／声一无听，物一无文／芝草无根，醴泉无源／茐漠无形，变化无常／药石去矣，吾亡无日／大凡读书，不能无疑／大音希声，大象无形／振穷救急，倾家无爱／损上益下，民说无疆／口似悬河，辩才无碍／名誉之美，垂于无穷／犯法之人，丝毫无贷／猜忍之人，志欲无限／多端寡要，好谋无决／闲云野鹤，无拘无束／宥过无大，刑故无小／学贵心悟，守旧无功／王者如天地之无私心／李广才气，天下无双／根本盛大而出无穷也／死人无知，厚葬无益／轻则寡谋，骄则无礼／贫而无谄，富而无骄／见知之道，唯虚无有／教以不知，导以无形／有始有终，无为无欲／欲加之罪，何患无辞／然诺不行，政乱无绪／神人无光，圣人无名／积善有征，终身无祸／自非圣人，不能无过／舟行若穷，忽又无际／解心释神，莫然无魂／食能以时，身必无灾／万物职职，皆从无为殖／天地无为也而无不为也／可言而不信，宁无言也／仁者之行道也，无为也／何夜无月？何处无竹柏／郑板桥画竹，胸无成竹／勤民以自封，死无日矣／圣人之行道也，无强也／大名之后，不宜无见焉／善人在上，则国无幸民／善处身者，不能无过失／国家大政，须人无二心／役其所长，则事无废功／得人则治，何世无奇才／闻而不审，不若无闻矣／过举不匿，则官无邪人／避其所短，则世无弃材／枢机方通，则物无隐貌／所谓壹刑者，刑无等级／有官而无课，是无官也／忠臣处国，天下无异心／老生之常谈，言无新奇／简而廉，则严利无废怠／天下有道则见，无道则隐／非无足财也，我无足心也／反无非伤也，动无非邪也／乘众人之智，则无不任也／以朴厚而知者，无迹而固／人生忽如寄，寿无金石固／谋无主则困，事无备则废／邦有道则知，邦无道则愚／花有重开日，人无再少年／君子内省不疚，无恶于志／君子之于人才，无所不取／虽有慈父，不爱无益之子／衡无心而平，镜无心而明／学尽百禽语，终无自己声／结庐在人境，而无车马喧／木无本必枯，水无源必竭／枝无忘其根，德无忘其报／树有百年花，人无一定颜／车无轮安处，国无民谁与／春无三日晴，夏无三日雨／贵有风雪兴，富无饥寒忧／有惠人之名而无救患之实／鸟无世凤凰，兽无种麒麟／言无不可晓，指无不可睹／与人不求感德，无怨便是德／无冥冥之志者，无昭昭之明／无惛惛之事者，无赫赫之功／无赫赫之势，亦无戚戚之忧／不谓小不善为无伤也而为之／不听其言也，则无术者不知／刑罚不中，则民无所措手足／但有断头将军，无有降将军／邓林千里，不能无偏枯之木／圣人之于善也，无小而不举／难因于易，非易无以知其难／士君子一出口，无反悔之言／小人以小善为无益而弗为也／善除患者，不若无患之大也／崇峻不凌霄，则无弥天之云／处世不必邀功，无过便是功／处林泉中，不可无廊庙经纶／沃荡词源，河海无息肩之地／迷路，迷路，边草

无穷日暮／居轩冕中，不可无山林趣味／如是，则终生几无可问之事／琼琚山积，不能无挟瑕之器／易因于难，非难无以彰其易／贤者能自反，则无往而不善／爱惜芳时，莫待无花空折枝／有兼听之明，而无奋矜之容／有兼覆之厚，而无伐德之色／有德之德薄，而无德之德厚／无丝竹之乱耳，无案牍之劳形／无求不得其欲，无取不得其志／无为而物自生，无为而物自亡／无为其所不为，无欲其所不欲／无掘壑而附丘，无舍本而治末／无德而福隆，犹无基而厚墉也／无源何以成河？无根何以垂荣／无要正正之旗，无击堂堂之阵／以不善意相待，无不致嫌隙也／尽信《书》，则不如无《书》／何谓物我之异，无计今古之殊／读书不耐苦，则无所用心之人／邦有道，如矢；邦无道，如矢／去知则奚求矣，无藏则奚设矣／境遇不耐苦，则无所成就之人／多力丰筋者圣，无力无筋者病／有未偿之厚责，无可录之微劳／有正法则依法，无正法则原情／有面前之誉易，无背后之毁难／有乍交之欢易，无久处之厌难／有梦常嫌去远，无书可恨来迟／静而圣，动而王，无为也而尊／不仇民则大者无功，而其次有罪／不尊无功，不官无德，不诛无罪／千古江山，英雄无觅，孙仲谋处／公却是仁发处，无公则仁行不得／能有名誉者，必无以趋行求者也／圣人……其于过也，无微而不改／至人无己，神人无功，圣人无名／小人……以小恶为无伤而弗去也／善战者之胜也，无智名，无勇功／国有道，即顺命；无道，即衡命／譬如斩木，去寸无寸，去尺无尺／无天灾，无物累，无人非，无鬼责／义理之勇不可无，血气之勇不可有／传闻之言无实，无实即唐丧唾津矣／凡道无根，无茎，无叶，无荣……／诸人之文，犹山无烟霞，春无草树／暴虎冯河，死而无悔者，吾不与也／有为，乱之首也；无为，治之元也／炼句炉槌岂可无？句成未必尽缘渠／忘年忘义，振于无竟，故寓诸无竟／虚静恬淡寂寞无为者，万物之本也／赤地炎都寸草无，百川水沸煮虫鱼／万物之于人也，无私近也，无私远也／每一章一句出，无胫而走，疾于珠玉／人品做到极处，无有他异，只是本然／凡读书到冷淡无味处，尤当着力推考／玄古之君天下，无为也，天德而已矣／士之遇时，不患无位，患所以立而已／唯不求利者为无害，不求福者为无祸／文章做到极处，无有他奇，只是恰好／不可陷之楯与无不陷之矛不可同世而立／仁义之行，唯且无诚，且假乎禽贪者器／但愿官民通有无，莫令租吏打门叫呼疾／人主之于用法，无私好憎，故可以为令／君子好闻过而无过，小人恶闻过而有过／唯不求利者为无害，唯不求福者为无祸／赏无度则费而无恩，罚无度则戮而无威／才须学也，非学无以广才，非志无以成学／不务衣食而务无盗贼，是止水而不塞源也／当于有过中求无过，不当于无过中求有过／善不可谓小而无益，不善不可谓小而无伤／微乎微乎，至于无形……故能为敌之司命／理无专在，而学无止境也，然则问可少耶／生男无喜，生女无怒，独不见卫子夫霸天下／兵不可玩，玩则无威；兵不可废，废则召寇／为世用者，百篇无害；不为用者，一章无补／大人者，有容物，无去物，有爱物，无徇物／吾观之本，其往无穷；吾求之末，其来无止／君之赏不可以无功求，君之罚不可以有罪免／四海之广，不患无贤，而患在信用之不至耳／饥马在厩，寂然无声，投刍其旁，争心乃生／法本不祖，术本无状；师之于心，得之于象／杼轴得之，澹而无味，琢刻藻绘，弥不足贵／相鼠有皮，人而无仪；人而无仪，不死何为／敌欲固守，攻其无备；敌欲兴陈，出其不意／有为之为，有废无功；无为之为，成遂无穷／欲人不知，莫若无为；欲无悔吝，不若守慎／焚林而畋，明年无兽；竭泽而渔，明年无鱼／雩而雨，何也？曰：无何也，犹不雩而雨也／上无所为，则下无事，家给人足，万物自化就／无贵无贱，无长无少，道之所存，师之所存也／乘不测之舟，入无人之地，以相从问文章为事／谋臣良将，何代无之；贵在见知，要在见用耳／知大备者，无求，无失，无弃，不以物易己也／日知其所亡，月无忘其所能，可谓好学也已矣／无状无象，无声无响，故能无所不通，无所不往／任而不信，其才无由展；信而不终，其业无由成／岂无利事哉，我无利心；岂无安处哉，我无安心／官无常贵而民无终贱，有能则举之，无能则下之／泰初有无，无有，无名。一之所起，有一而未形／其来无迹，其往无崖，无门无房，四达之皇皇也／食人力之粟，守无事之官，拳拳血诚，无所陈露／不谓小不善为无伤也而为之，小不善积而为大不善／万物之所以为无穷者，交相胜而已矣，还相用而已矣／天无时不风，地无时不尘，物无所不有，人无所不为／兵非益多也，惟无武进，足以并力，料敌，取人而已／人生有限，情欲无厌。既不救其死亡，岂能保乎金玉／恬淡、寂寞、虚无、无为，此天地之本而道德之质也／大道无形，大仁无亲，大辩无声，大廉不嗛，大勇不矜／天无私覆也，地无私载也，日月无私烛也，四时无私行也／匹夫而忧天下，无位而论世事，时俗以为狂，而君子之所取也／能有天下者，必无以天下为也；能有名誉者，必无以趋行求者也

❽礼生于有而废于无／不攫所有，不强所无／理国之道莫大于无事／理身之道莫大于无欲／下德不失德，是以无德／不诚则有累，诚则无累／不明尔德，时无背无侧／使冤者获信，死者无

憾／舍近谋远者，劳而无功／圣人以必不必，故无兵／名正法备，则圣人无事／废兴成毁，相寻于无穷／泛问远思，则劳而无功／法虽不善，犹愈于无法／恃自直之箭，百世无矢／恃自圆之木，千世无轮／实言无多，而华文无寡／道之出口，淡乎其无味／贵其效，则汗漫而无当／赏不当功，则不如无赏／胸中不学，犹手中无钱／心苟无瑕，何恤乎无家／怨人者穷，怨天者无志／罚不当罪，则不如无罚／白璧青钱，欲买春无价／聚散苦匆匆，此恨无穷／天下理无常是，事无常非／天地长不没，山川无改时／不偷取一世，则民无怨心／甘瓜苦蒂，天下物无全美／百人无一直，百直无一遇／出处全在人，路亦无通塞／良匠无弃材，明君无弃士／古圣王有义兵而无有偃兵／依作北辰星，千年无转移／交绝无恶声，去臣无怨辞／襄邑俗织锦，钝妇无不巧／谈笑有鸿儒，往来无白丁／陶尽门前土，屋上无片瓦／能者进而由之，使无所德／圣人常善救人，故无弃人／受光于户，照室中无遗物／喜乐无羡赏，忿怒无羡刑／花间一壶酒，独酌无相亲／蒲苇纫如丝，磐石无转移／大明无偏照，至公无私亲／大贤秉高鉴，公烛无私光／大舟有深利，沧海无浅波／摧折寒山里，遂死无人窥／操行有常贤，仕宦无常遇／君子能勤小物，故无大患／君子食无求饱，居无求安／狐白足御冬，焉念无衣客／夏日抱长饥，寒夜无被眠／惟立志学圣人，则无害也／富贵有人籍，贫贱无天录／居治而忘危，则治无常治／屈贾谊于长沙，非无圣主／枉士无正友，曲上无直下／枯木倚寒岩，三冬无暖气／贫富常交战，道胜无戚颜／有课而无赏罚，是无课也／有法者而不用，与无法等／齐都世刺绣，恒女无不能／忍得一时忿，终身无恼闷／秋来山雨多，落叶无人扫／白骨露于野，千里无鸡鸣／用人惟其才，故政无不修／于不可已而已者，无所不已／事之大利者，不能无小害也／义之所在，身虽死，无憾悔／以天下之心虑，则无不知也／以天下之目视，则无不见也／以天下之耳听，则无不闻也／取天下与守天下，无机不能／将有死之心，士卒无生之气／名利之大者，几在无耻而信／听其言而察其类，无使放悖／唯有志不立，直是无着力处／彼无故以合者，则无故以离／情欲虽危，不染则无由累己／缘道理以从事者，无不能成／心为万事主，动而无节即乱／恶人不去，则善人无由进也／天下不患无财，患无人以分之／不能容人者无亲，无亲者尽人／世不患无法，而患无必行之法／内无感恨之隙，外无侵侮之羞／儒者口能言治乱，无能以行之／人已古兮山在，泉无心兮道存／圣人……常善救物，故无弃物／声无小而不闻，行无隐而不形／草无忘忧之意，花无长乐之心／君不能知其臣，则无以齐万国／君子有终身之忧，无一朝之患／知天而不知人，则无以与俗交／善无微而不赏，恶无纤而不贬／江河之流，不能盈无底之器也／治国者，布施惠德，无令下知／治狱者得其情，则无冤死之囚／实有折枝之易，而无挟山之难／道无废而不兴，器无毁而不治／录长补短，则天下无不用之人／好刑，则有功者废，无罪者诛／日知其所不足，月无忘其所能／责短舍长，则天下无不弃之士／所言无不义，故下无伪上之报／父不能知其子，则无以睦一家／心轻躁，难制伏，故无恶不起／镜无见疵之罪，道无明过之恶／蛇无头而不行，鸟无翅而不飞／未形者有分，且然无间，谓之命／巧者劳而知者忧，无能者无所求／天下郡国向万城，无有一城无甲兵／天生一个仙人洞，无限风光在险峰／无求无设则无虑，无虑则反复虚矣／无伎不可以为工，无资不可以为商／无君子莫治野人，无野人莫养君子／无翼而飞者声也，无根而固者情也／无身不善而怨人，无刑已至而呼天／世上万般哀苦事，无非死别与生离／生之有时而用之无度，则物力必屈／卒然临之而不惊，无故加之而不怒／假作真时真亦假，无为有处有还无／诚无悔，恕无怨，和无仇，忍无辱／当年不肯嫁春风，无端却被秋风误／君子之于世，无去无就，惟道是从／君王虽爱蛾眉好，无奈宫中妒杀人／行无行，攘无臂，扔无敌，执无兵／江山如此多娇，引无数英雄竞折腰／惟愿孩儿愚且鲁，无灾无难到公卿／通于一而万事毕，无心得而鬼神服／有善者虽远必升，无能者纵近必废／有缘千里来相会，无缘对面不相逢／有财有势即相识，无财无势同路人／有罪者优游获免，无罪者妄受其辜／着意种花花不活，无心栽柳柳成阴／紫陌红尘拂面来，无人不道看花回／大道吐气，布于虚无，为天地之本始／此心常卓然公正，无有私意，便是敬／社稷无常奉，君臣无常位，自古以然／自天地至于万物，无不须气以生者也／天地无全功，圣人无全能，万物无全用／为善无近名，为恶无近刑，缘督以为经／饱食、暖衣，逸居而无教，则近于禽兽／欲知舜与蹠之分，无他，利与善之间也／鬼无声也，无形也，无气也，果无鬼乎／虽有尧舜之智，而无众人之助，大功不立／国无小，不可易也；无备虽众，不可恃也／德人者，居无思，行无虑，不藏是非善恶／丹可灭而不能使无赤，石可毁而不能使无坚／为人君者，固不以无过为贤，而以改过为美／能至素至精，浩弥无刑，然后可以为天下正／大字难于密结而无间，小字难于宽绰而有余／己之虽有，其状若无；己之虽实，其容若虚／其有法者以法行，无法者以类举，听之尽也／能至于无乐者，则无不乐；无不乐，则至极乐／君子耻食其食而无其功，耻服其服而不知其事／知天乐者，无天怨，无人非，无物累，无鬼责／夏后氏之璜，不能无考；明月之珠，不能无纇／有道以御之，身虽无能也，必使能者为己用也／于人无贤愚，于事无小大，咸推以信，同施以敬／天地任自然无为，无造万物，自相治理，故不仁／中和之质，必平淡无味，故能调成五材变化应节／水行者表深，使人无陷；治民者表乱，使人无失／上有素定之谋，下无趋向之惑，天下之事不难举也／天下不可一日而无政教，故学不可一日而亡于天下／事无礼则不成，国无礼则不宁，王无礼则死亡无日矣／凡人于事务之来，无论大小，必审之又审，方无遗虑／圣人者常以事于无形之外，而不留思尽虑于成事之内／操行有常贤，仕官无常遇，贤不贤才也，遇不遇时也／虽有纳谏之明，而无力行之果断，则言愈多而听愈惑／因循苟且逸豫而无为，可以侥幸一时，而不可旷日持久／天无为以之清，地无为以之宁，故两无为相合，万物皆化生／人之欲虽多，而上无以令之，人虽得其欲，人犹不可得用也／急乎其所自立，而无患乎人不己知，未尝闻有响大而声微者也

❾万物自有而终归于无／君子出处不违道而无愧／待人当于有过中求无过／干戈森若林，长剑奋无前／万物安于知足，死于无厌／万族各有托，孤云独无依／天高地迥，觉宇宙之无穷／不论天有眼，但管地无皮／不在被中眠，安知被无边／不贪故无忧，不积故无失／正己而不求于人，则无怨／东风满天地，贫家独无春／事辍者无功，耕怠者无获／事起乎所忽，祸生乎无妄／生材会有用，天地岂无心／生有高世名，既没传无穷／使好谋而不成，不如无谋／黄河清有日，白发黑无缘／从善则有誉，改过则无咎／军则新有营，谁念民无室／讲之功有限，习之功无已／随风潜入夜，润物细无声／隔墙须有耳，窗外岂无人／节食则无疾，择言则无祸／搜索稚与艾，唯存跛无目／当知岁功应，唯是奉无私／吾生也有涯，而知也无涯／君门以九重，道远河无津／国犹寝也，一楹蠹则无寝／江流天地外，山色有无中／溺爱者不明，贪得者无厌／害稼者有时，害民者无期／富者愈恣横侈泰而无所忌／逢时独为贵，历代非无才／驿外断桥边，寂寞开无主／枢始得其环中，以应无穷／晓之则无难，不晓则无易／水可使不滥，不可使无流／有后而无先，则群众无门／欲生于无度，邪生于无禁／礼烦则不庄，业烦则无功／福钟恒有兆，祸集非无端／窗下抛梭女，手织身无衣／衣沾不足惜，但使愿无违／三军一心，则令可使无敌矣／夫名利之大者几在无耻而信／天之道事无大小，物无难易／无名故无为，无为而无不为／古之圣王有义兵而无有偃兵／俟自直之箭，则百代无一矢／俟自圆之木，则千岁无一轮／人性虽同，禀气不能无偏重／大略如行云流水，初无定质／善教子者，一严之外无他术／善用严者，一慎之外无他道／因天下之心以虑，则无不得／因天下之目以视，则无不见／役于人而食其力，可无报耶／迁固之史，有是非而无赏罚／自形而上下言，岂得无先后／不求无害之言，而务无易之事／不作无补之功，不为无益之事／事例无不变迁，风气无不移易／非学无以广才，非志无以成学／非学无以致疑，非问无以广识／非虑无以临下，非言无以述虑／失贤人，国无不危，名无不辱／良冶之砥石，不能发无刃之金／以众人之力起事者，无不成也／令不行而禁不止，则无以为治／大匠构屋……尺寸之木无弃也／得贤人，国无不安，名无不荣／多力丰筋者圣，无力无筋者病／恭而无礼则劳，慎而无礼则葸／情有善有不善，而性无不善焉／宁为有闻而死，不为无闻而生／富以能施为德，贫以无求为德／赏罚皆有充实，则民无不用矣／物以不知而轻，味以无比而疑／救奢必于俭约，拯薄无若敦厚／矜一事之微劳，遂有无厌之望／上下和同，虽有贤才，无所立功／与其有乐于身，孰若无忧于其心／与其有誉于前，孰若无毁于其后／夫妇之道，有义则合，无义则离／非患无旃罽橘柚，患无狭庐糟糠／芷兰生于深林，非以无人而不芳／苟无恒心，放辟邪侈，无不为已／名美而实不副者，必无没世之风／日省其身，有则改之，无则加勉／赏罚必信，无恶不惩，无善不显／朋友之道，有义则合，无义则离／盲者口能言白黑，而无目以别之／立身必由清谨，处职无废于忠勤／天下之事，不进则退，无一定之理／不为当时所怪，亦必无后世之传也／不如鄙性好诚实，退无所议进不谀／事可语人酬对易，面无惭色去留轻／我无事而民自富，我无欲而民自朴／凡道无根，无茎，无叶，无荣……／六府修治洁如素，虚无自然道之固／听有音之音者聋，听无音之音者聪／德无以安之则危，政无以和之则乱／形相虽善而心术恶，无害为小人也／形相虽恶而心术善，无害为君子也／独有英雄驱虎豹，更无豪杰怕熊罴／淡泊是高风，太枯则无以济人利物／忧勤是美德，太苦则无以适性怡情／有不能求士之君，而无不可得之士／有不能治民之吏，而无不可治之民／朝无贤人，犹鸿鹄之无羽翼也……／心事浩茫连广宇，于无声处听惊雷／身行顺，治事公，故国无阿党之议／不肖用事而贤良伏，无功贵而劳苦贱／人以为偶一奋，遂名无穷，今大不然／今子使万里外国，独无几微出于言面／无舆马者不耻徒步，无鱼肉者不厌菜羹／无性则伪之无所加，无

伪则性不能自美／不可轻微恶而不避，无容略小善而不为／生以有为己分，则虚无是有之所遗者也／直而温，宽而栗，刚而无虐，简而无傲／凡鬼神事眇茫荒惑无可准，明者所不道／哀无人，不哀无赙；哀无德，不哀无宠／各从所好，各骋所长，无一人之不中用／有诸己而后求诸人，无诸己而后非诸人／置猿槛中，则与豚同……无所肆其能也／当恃我之不可侵也，无恃鬼神之不侵我也／国无义，虽大必亡。人无善志，虽勇必伤／如张乐于洞庭之野，无首无尾，不主故常／物，量无穷，时无止，分无常，终始无故／无为小人，反殉而夭；无为君子，从天之理／无为名尸，无为谋府，无为事任，无为知主／无偏无党，王道荡荡；无党无偏，王道平平／无善而好，不观其道；无悖而恶，不详其故／无德不贵，无能不官，无功不赏，无罪不罚／无教之教，洽流四海；无为之为，通达八方／无有作好，遵王之道；无有作恶，遵王之路／勋劳宜赏，不吝千金；无功望施，分毫不与／薄施而厚望，畜怨而无患者，古今未之有也／形如槁木，心若死灰，无感无求，寂泊之至／有为之为，有废无功；无为之为，成遂无穷／有益于化，虽小弗除；无补于政，虽大弗与／有声之声，不过百里；无声之声，延及四海／有道之世，以人与国；无道之世，以国与人／有道之君，以逸逸人；无道之君，以乐乐身／黾勉从事，不敢告劳；无罪无辜，谗口嚣嚣／天道无为，任物自然，无亲无疏，无彼无此也／不思，故有惑；不求，故无得；不问，故不知／事丰奇伟，辞富膏腴，无益经典，而有助文章／凡语治而待去欲者，无以道欲而困于有欲者也／君子有三忧：弗知，可无忧与？……可无忧与／知大备者，无求，无失，无弃，不以物易己也／必静必清，无劳女形，无摇女精，乃可以长生／思在言与行之先，思无邪，则所言所行皆无邪矣／其来无迹，其往无崖，无门无房，四达之皇皇也／清静处下，虚以待之，无为无求，而百川自为来也／文章丽矣，言语工矣，无异草木荣华之飘风，鸟兽好音之过耳

❿无为虚唱大言而终归无用／宁可信其有，不可信其无／死亡疾病，亦人所不能无／青天何处了？白鸟入空无／天下万物生于有，有生于无／非德而可长久者，天下无之／反众人之所务，而归于虚无／以才御物，才有尽而物无穷／博学而志不笃，则大而无成／待人者，当于有过中求无过／得意者无言，进知者亦无言／惟事事乃其有备，有备无患／要扫除一切害人虫，全无敌／死不足悲，可悲是死而无补／贫不足羞，可羞是贫而无志／贱不足恶，可恶是贱而无能／上求寡而易赡，民安乐而无事／无欲者，神合于虚，气合于无／不加功于无用，不损财于无谓／不苟一时之誉，思为利于无穷／事莫贵乎有验，言莫弃乎无征／临凝结而能断，操绳墨而无私／为文不能关教事，虽工无益也／头颅相属于道，不一日而无兵／良医者常治无病之病，故无病／古之人谋黄发番番，则无所过／古之君子爱其人也则忧其无成／古之善为政者，其初不能无谤／仁之用在爱民，而其体在无私／仁者不以位为惠：可谓无为矣／哀吾生之须臾，羡长江之无穷／设文之体有常，变文之数无方／圣人者常治无患之患，故无患／莫知其所终，若之何其无命也／尤妙之人含精于内，外无饰姿／小人非无小善，君子非无小过／名须立而戒浮，志欲高而无妄／四时之景不同，而乐亦无穷也／国危则无乐君，国安则无忧民／行莫大乎无过，事莫大乎无悔／衡阳犹有雁传书，郴阳和雁无／安有执砺世之具而患乎无贤欤／富足生于宽暇，贫穷起于无日／绳以柔而有立，金以刚而无固／时闻声如蝉蝇之类，听之亦无／智莫大于阙疑，行莫大于无悔／水至清则无鱼，人至察则无徒／赏不加于无功，罚不加于无罪／有以相应也，若之何其无鬼邪／礼之至者无文，哀之深者无节／神莫大于化道，福莫长于无祸／神清人无忽语，机活人无痴事／穷独善而无挠，达兼善而无矜／自行束修以上，吾未尝无诲焉／三悔以没齿，不如不悔之无忧也／万物之生也，皆元于虚，始于无／五帝三皇神圣事，骗了无涯过客／不可于我而可于彼者，天下无亡／不可以边陲不耸，恬然便谓无事／不可以有乱急，亦不可以无乱弛／不尊无功，不官无德，不诛无罪／不贪花酒不贪财，一世无灾无害／可知之事，唯精思之，虽大无难／中峰之下，水无鱼鳖，林无鸟兽／良贾深藏如虚，君子有盛教如无／讳疾而忌医，宁灭其身而无悟也／随其成心而师之，谁独且无师乎／巧者劳而知者忧，无能者无所求／至人无己，神人无功，圣人无名／士有未效之用，而身在无誉之间／大凡事之大害者，不能无小利也／少年作迟暮经营，异日决无成就／善战者之胜也，无智名，无勇功／多才而自用，虽有贤者无所复施／备之以储蓄，虽凶荒而人无菜色／库无备兵，虽有义，不能征无义／宁武子邦有道则智；邦无道则愚／达生之情者，不务生之所无以为／达命之情者，不务命之所无奈何／道不离乎物，若离物则无所谓道／居安思危；思则有备，有备无患／强者不自勉，或死而泯灭于无闻／学所以修身也，身修而无不治矣／焚林而猎，愈多得兽，后必无兽／焚林而田，偷取多兽，后必无兽／心合意同，谋无不成，计无不从／必躬自厚而薄责于人，斯无失也／目无所见，耳无所闻，心无所知／鸡肋，弃之如可惜，食之无所得／自古及今，法无不改，势

无不积／譬如斩木，去寸无寸，去尺无尺／一生所遇唯元白，天下无人重布衣／三千宫女胭脂面，几个春来无泪痕／丈夫力耕长忍饥，老妇勤织长无衣／万物始于微而后成，始于无而后生／与天同心而无知，与道同身而无体／井中之无大鱼也，新林之无长木也／天下郡国向万城，无有一城无甲兵／天无私覆，地无私载，日月无私照／天不生无禄之人，地不长无根之草／天平山上白云泉，云自无心水自闲／天长地久有时尽，此恨绵绵无绝期／天街小雨润如酥，草色遥看近却无／天广而无以自覆，地厚而无以自载／无天灾，无物累，无人非，无鬼责／无所不通之谓圣，妙而无方之谓神／不可知之事，厉心学问，虽小无易／不为苟得以偷安，不为苟免而无耻／不知取将之无术，但云当今之无将／不如意事常八九，可与语人无二三／不是花中偏爱菊，此花开尽更无花／东边日出西边雨，道是无晴却有晴／事者，民之风雨也，事不节则无功／非举无以知其贤，非试无以效其实／非淡薄无以明德，非宁静无以致远／非淡泊无以明志，非宁静无以致远／非宽大无以兼覆，非慈厚无以怀众／及王则无不仲宣，语刘则无不公干／年衰无酒食之娱，性拙无博弈之艺／兵有奇正，旋相为用，如环之无端／义胆包天，忠肝盖地，四海无人识／为词章，泛滥停蓄，为深博无涯涘／良医不能措其术，百药无所施其功／十人树杨，一人拔之，则无生杨矣／古往今来共一时，人生万事无不有／仁之所在无贫穷，仁之所亡无富贵／休说旧时王与谢，寻常百姓亦无家／任是深山更深处，也应无计避征徭／体道者逸而不穷，任数者劳而无功／假作真时真亦假，无为有处有还无／公卿有党排宗泽，帷幄无人用岳飞／人生芳秽有千载，世上荣枯无百年／从来夸有龙泉剑，试割相思得断无／凡用人历试其能，苟败事必诛无赦／词客有灵应识我，霸才无主始怜君／诗无达诂，易无达占，春秋无达辞／诚无悔，恕无怨，和无仇，忍无辱／诸侯之地有限，暴秦之欲无厌……／诸人之文，犹山无烟霞，春无草树／读书不可无师承，立论不可无依据／劝君更尽一杯酒，西出阳关无故人／廷尉狱，平如砥；有钱生，无钱死／茂林之下无丰草，大块之间无美苗／奔车之上无仲尼，覆舟之下无伯夷／小人之反中庸也，小人而无忌惮也／常将有日思无日，莫待无时思有时／常将有日思无日，莫待无时想有时／君子无小人则饥，小人无君子则乱／君子不得已而临莅天下，莫若无为／知冬日之箑、夏日之裘，无用于己／国不兴无事之功，家不藏无用之器／行无行，攘无臂，扔无敌，执无兵／衙门自古向南开，就中无个不冤哉／沧海滉漾，不以含垢累其无涯之广／流深者其水不测，尊至者其敬无穷／惟能于其未然而预防之，故无后忧／惟愿孩儿愚且鲁，无灾无难到公卿／安不忘危臣所愿，常思危困必无危／安身莫尚乎存正，存正莫重乎无私／逢人不说人间事，便是人间无事人／道非难知，亦非难行，患人无志耳／好事尽从难处得，少年无向易中轻／始之有作人争觉，及至无为众始知／嫫母饰姿而夸矜，西子彷徨而无家／骄溢之君无忠臣，口慧之人无必信／王师北定中原日，家祭无忘告乃翁／相见时难别亦难，东风无力百花残／日暮榆园拾青荚，可怜无数沈郎钱／时人莫小池中水，浅处无妨有卧龙／水之积也不厚，则其负大舟也无力／水真绿净不可唾，鱼若空行无所依／赏赐不加于无功，刑罚不施于无罪／牧童归去横牛背，短笛无腔信口吹／有生则复于不生，有形则复于无形／有乱君，无乱国；有治人，无治法／有花堪折直须折，莫待无花空折枝／有财有势即相识，无财无势同路人／胸中襞积千般事，到得相逢一语无／欲灭迹而走雪中，拯溺者而欲无濡／风流不在谈锋胜，袖手无言味最长／殿前作赋声摩空，笔补造化天无功／焚薮而田，岂不获得？而明年无兽／神女生涯原是梦，小姑居处本无郎／忘年忘义，振于无竟，故寓诸无竟／思虑熟则得事理，行端直则无祸害／悲愁天地白日昏，路旁过者无颜色／眼前直下三千字，胸次全无一点尘／病学者厌卑近而骛高远，卒无成焉／立言无显过之咎，明镜无见玼之尤／竭泽而渔，岂不获得？而明年无鱼／血气之怒不可有，理义之怒不可无／衣上征尘杂酒痕，远游无处不消魂／精卫有情衔太华，杜鹃无血到天津／身后有余忘缩手，眼前无路想回头／言于国竭情无私，理于家陈信无愧／一切问答，如针锋相投，无纤毫参差／干泽而渔，得鱼虽多，而明年无复也／上无礼，下无学，贼民兴，丧无日矣／万物之于人也，无私近也，无私远也／天下无害菑，虽有圣人，无所施其才／天下未有无理之气，亦未有无气之理／天知，神知，我知，子知，何谓无知／无彝酒，越庶国，惟饮祀，德将无醉／不得以有学之贫贱，比于无学之富贵／求之者不及虚之者，夫圣人无求之也／千古圣贤若同堂合席，必无尽合之理／以正治国，以奇用兵，以无事取天下／博识者触物能名，洽闻者理无所惑耳／博学而日参省乎己，则知明而行无过／刘备有取天下之量，而无取天下之才／任天下之智力，以道御之，无所不可／使其道由愈而粗传，虽灭死万万无恨／人若志趣不远，心不在焉，虽学无成／人皆务于救患之备而莫能知使患无生／夜行者能无为奸，不能禁狗使无吠己／诤臣必谏其渐，及其满盈，无所复谏／观古人，得其时行其道，则无所为书／项籍有取天下之才，而无取天下之虑／苟能无以利害义，则耻辱亦无由至矣／大厦既燔，而运水于沧海；此无及也／推恩足以保四海，不推恩无以保妻子／小人虽器量浅狭，而未必无一长可取／少君之费，寡君之欲，虽无粮而乃足／吾文如万斛泉源……虽一日千里无难／君子之于人也，苟有善焉，无所不取／君子之去小人，惟能尽去，乃无后患／唯不求利者为无害，不求福者为无祸／闻以有知知者也，未闻以无知知者也／闻以有翼飞者矣，未闻以无翼飞者也／选则不遍，教则不至，道则无遗者矣／如修德而留意于事功名誉，必无实诣／绝愚之人，心无所别析，心无所好欲／明者远见于未萌，而智者避危于无形／是技皆可成名，天下惟无技之人最苦／曹操有取天下之虑，而无取天下之量／施为宜似千钧之弩，转发者，无宏功／焚林而田，得兽虽多，而明年无复也／策术之政宜于治难，以之治平则无奇／天地无全功，圣人无全能，万物无全用／不让古人是谓有志，不让今人是谓无量／不廉，则无所不取；不耻，则无所不为／百年，寿之大齐。得百年者，千无一焉／事不目见耳闻，而臆断其有无，可乎？／由来犬羊着冠坐庙堂，安得四鄙无豺狼／我不欲人之加诸我也，吾亦欲无加诸人／买马不论足力，以黑白为仪，必无走马／直而温，宽而栗，刚而无虐，简而无傲／任能者责成而不劳，任己者事废而无功／傲小物而志属于大，似无勇而未可恐狼／公无私者，其取舍进退无择于亲疏远迩／尊于位而无德者黜，富于财而无义者刑／凡养生，莫若知本，知本则疾无由至矣／哀无人，不哀无贿；哀无德，不哀无宠／计有一二者难悖也，听无失本末者难惑／堤防成而民无水灾，礼义立，民无乱患／君开一源，下生百端之变，无不乱者也／君子能受纤微之小嫌，故无变斗之大讼／虽相与为君臣，时也；易世而无以相贱／唯不求利者为无害，唯不求福者为无祸／国之将亡必有大恶，恶者无大于杀忠臣／国有道其言足以兴，国无道其默足以容／形骸既适则神不烦，观听无邪则道以明／庶狱明则国无怨民，枉直当则民无不服／鹰善击也，然日击之，则疲而无全翼矣／宵行者，能无为奸，而不能令狗无吠己／道在天地之间也，其大无外，其小无内／终日写路程而不能行一步，徒知无益也／骥善驰也，然日驰之，则蹶而无全蹄矣／楚虽三户能亡秦，岂有堂堂中国空无人／晚食以当肉，安步以当车，无罪以当贵／水至平而邪者取法，镜至明而丑者无怒／赏无度则费而无恩，罚无度则戮而无威／气之聚散于太虚……知太虚即气则无无／爱民而安，好士而荣，两者无一焉而亡／朝无争臣则不知过，国无达士则不闻善／心不清则无以见道，志不确则无以立功／心苟无事则息自调，念苟无欲则中自守／自其不变者而观之，则物与我皆无尽也／言满天下，无口过；行满天下，无怨恶／其问之也，不可以有崖，而不可以无崖／鬼无声也，无形也，无气也，果无鬼乎／才须学也，非学无以广才，非志无以成学／天无形而万物以成，至精无象而万物以化／天惟运动一气，鼓万物而生，无心以恤物／兵戢而时动，动则威，观则玩，玩则无震／今处昏上乱相之间，而欲无惫，奚可得邪／交拱之木无把之枝，寻常之沟无吞舟之鱼／苟可以为天下国家之用者，则无不在于学／小人只怕他有才。有才以济之，流害无穷／当于有过中求无过，不当于无过中求有过／当世学士，恒以万计；而究涂者无数十焉／君子所求于人者薄，而辨是与非也无所苟／善不可谓小而无益，不善不可谓小而无伤／微邪不禁，而求大邪之无伤国，不可得也／洞然无为而天下自和，憺然无欲而民自朴／快心之事，悉败身丧德之媒，五分便无悔／遗腹子之上陇，以礼哭泣之，而无所归心／居之以强力，发之以果敢，而成之以无私／如张乐于洞庭之野，无首无尾，不主故常／此人在位，动欲伤害，故物无有不畏恶也／物，量无穷，时无止，分无常，终始无故／爱憎不栖于情，忧喜不留于意，泊然无惑／欲生于不足则民盗，能使无欲则民不为盗／欲明两仪天地之体，必以太极虚无为初始／文质修者谓之君子，有质而无文谓之易野／礼之大本，以防乱也……凡为理者杀无赦／愚者为一物一偏，而自以为知道，无知也／钓者中大鱼，则纵而随之……则无不得也／称财多寡而节用之，富无金藏……谓之啬／用天下之心图而济之，夫岂无最长之策乎／用天下之目观而救之，夫岂无最远之见乎／窃位而苟禄，备员而全身者，亦无所取焉／言无务为多而务为智，无务为文而务为察／与百姓有缘才来此地，期寸心无愧不鄙斯民／才有浅深，无有古今；文有真伪，无有故新／天下无独燃之火，世间安得有无体独知之精／天下之患，莫大于举朝无公论，空国无君子／无为名尸，无为谋府，无为事任，无为知主／无偏无党，王道荡荡；无党无偏，王道平平／无德不贵，无能不官，无功不赏，无罪不罚／无目者不可示以五色，无耳者不可告以五音／五谷养性而弃之于地，珠玉无用而宝之于身／不求所无，不失所得，内无旁祸，外无旁福／百川朝海，流行不止。道虽辽远，无不到者／百亩之田，匹夫耕之，八口之家足以无饥矣／由是而之焉之谓道，足乎己无待于外之谓德／师旷调音，曲无不悲；狄牙和膳，肴无澹味／临财苟得，见利反义，不义而富，无名而贵／丹可灭而不能使无赤，石可毁而不能使无坚／为世用者，百篇无害；不为用者，一章无补／以道以德为有国之基，无事无为乃聚人之本／以物与人，物尽而止；以法活人，法行无穷／十步之内，必有芳草；四海之中，岂无奇秀／乾坤倒覆，无谓不静，洪流滔天，无谓其动／同乎无知，其德不离；同乎无欲，是谓素朴／体无常轨，言无常宗，物无常用，景无常取／使天下畏刑而不敢盗，岂若能使无有盗心哉／保生者寡欲，保身者避名，无欲易，无名难／黄钟毁弃，瓦釜雷鸣；谗人高张，贤士无名／人有厚德，无问小节；人有大举，无訾小故／今以人之小过掩大美，则天下无圣王贤相矣／凡事行，有益于理者立之，无益于理者废之／幽晦登昭，日月下藏；公正无私，反见从横／加我数年，五十以学《易》，可以无大过矣／助之长者，揠苗者也，非徒无益，而又害之／圣人若天然，无私覆也；若地然，无私载也／至大无外，谓之大一；至小无内，谓之小一／至是之是无非，至非之非无是，此真是非也／苦心焦思，以日继夜，苟利于国，知无不为／苟得于道，无自而不可；失焉者，无自而可／苟得其养，无物不长；苟失其养，无物不消／大人者，有容物，无去物，有爱物，无徇物／大方无隅，大器晚成，大音希声，大象无形／少而不学，老无能也；老而不教，死无思也／吾观之本，其往无穷；吾求之末，其来无止／君开一源，下生百端。百端之变，无不动乱／君子博学而日参省乎己，则知明而行无过矣／君子有诸己而后求诸人，无诸己而后非诸人／知足之人，体道同德，绝名除利，立我于无／虽有丝麻，无弃菅蒯；虽有姬姜，无弃蕉萃／唯劝农业，无夺农时；唯薄赋敛，无尽民财／善为政者，防于未然，均其有无，省其徭役／因时而惕，不失其几，虽危而劳，可以无咎／国多忌讳，大人恒畏。结口无患，可以长存／国家有幸，当者受央；国家无幸，有延其命／国有常众，战无常胜；地有常险，守无常势／行与义乖，言与法违，后虽无害，汝可以悔／形如槁木，心若死灰，无感无求，寂泊之至／处大事贵乎明而能断，不明因无以知事论断／洪波振壑，川无活鳞；惊飙拂野，林无静柯／达于道者，反于清净；究于物者，终于无为／迷阳迷阳，无伤我行；却曲却曲，无伤吾足／录人一善，则无弃人；采材一用，则无弃材／层台耸翠，上出重霄，飞阁流丹，下临无地／弘而不毅，则难立；毅而不弘，则无以居之／好善无厌，受谏而能诫。虽欲无进，得乎哉／学不必博，要之有用；仕不必达，要之无愧／骇机一发，浮谤如川。巧言奇中，别白无路／相鼠有皮，人而无仪；人而无仪，不死何为／桑椹甘香，鸱鸮革响，淳酪养性，人无嫉心／槁竹有火，弗钻不然；土中有水，弗掘无泉／明君不能畜无用之臣，慈父不能爱无用之子／水浊，则无掉尾之鱼；政苛，则无逸乐之士／水皆缥碧，千丈见底；游鱼细石，直视无碍／牛溲马勃，败鼓之皮，俱收并蓄，待用无遗／牛蹄之涔，无尺之鲤；块阜之山，无丈之材／教羊牧兔，使鱼捕鼠，任非其人，费日无功／爵尊天下，富有四海，威势无量，专权擅柄／有为之为，有废无功；无为之为，成遂无穷／有法无法，因时为业；有度无度，与物趣舍／有所不为，为无不果；有所不学，学无不成／欲人不知，莫若无为；欲无悔吝，不若守慎／文宜易宜难？必谨对曰：无难易，唯其是尔／焚林而畋，明年无兽；竭泽而渔，明年无鱼／心志既舒则易以纵驰，议论无择则易以浮浅／心苟至公，人将大同；心能执一，政乃无失／心狂志悖，视听从类，政令无常，下民作孽／意无是非，赞之如流；言无可否，应之如响／意授于思，言授于意，密则无际，疏则千里／略观围棋，法于用兵，怯者无功，贪者先亡／盈把之木无合拱之枝，荣泽之水无吞舟之鱼／用之则行，舍之则藏，进退无主，屈申无常／用明察非，非无不见；用理铃疑，疑无不定／窈然无际，天道自会；漠然无分，天道自运／篇之彪炳，章无疵也；章之明靡，句无玷也／自伯之东，首如飞蓬；岂无膏沐，谁适为容／霜封野树，冰冻寒苗，岸草无色，芦花自飘／黾勉从事，不敢告劳；无罪无辜，谗口嚣嚣／金石有声，弗叩弗鸣；管箫有音，弗吹无声／上与造物者游，而下与外生死、无终始者为友／上德不德，是以有德。下德不失德，是以无德／天道无为，任物自然，无亲无疏，无彼无此也／不可与往者，不知其道，慎勿与之，身乃无咎／不恃隐括而有自直之箭自圆之木，百世无有一／世之治乱，在赏当其功，罚当其罪，即无不治／事不豫辨，不可以应卒；内无备，不可以御敌／千人同心则得千人力，万人异心则无一人之用／为啬之道，不施不予，俭爱微妙，盈若无有。／为人友者不以道而以利，举世无友，故道益弃／为学日益，为道日损，损之又损，以至于无为／以能问于不能，以多问于寡；有若无，实若虚／以子所长，游于不用之国，欲使无穷，其可得／仗其短浅之耳目，以断微妙之有无，岂不悲哉／任人而不任法，则人各有意，无以定一成之论／任法而不任人，则法有不通，无以尽万变之情／《诗》三百，一言以蔽之，曰："思无邪。"／谨修而身，慎守其真，还以物与人，则无所累／能至于无乐者，则无不乐；无不乐，则至极乐／若将军、大夫必出旧族，或无可焉，犹用之耶／羿者，天下之善射者也，无弓矢则无所见其巧／大臣则必取众人之选，能犯颜谏事公正无私者／君子有三忧：弗知，可无忧与？……可无忧与／知天乐者，无天怨，无人非，无物累，无鬼责／夏后氏之璜，不能无考；明月之珠，不能无颣／闭心自慎，终不失过兮；秉德无私，参天地兮／审自得者失之而不惧，行修于内者无位而不怍／逍遥，无为也；苟简，易养也；不贷，无出也／女无美恶，入宫见妒。士无贤不肖，入朝见嫉／轻用民死，死者以国量乎泽若蕉，民其无如矣／有不能以有为有，必出乎无有，而无有一无有／有贤而用，国之福也；有之而不用，犹无有也／方车而蹠越，乘桴而入胡，欲无穷，不可得也／忠臣不避重诛以直谏，则事无遗策，功流万世／虚空者，乃可用盛受万物。故曰虚无能制有形／天下之事，急之则丧，缓之则得，而过缓则无及／天下犹人之体，腹心充实，四支虽病，终无大患／天子者，有道则人推而为主，无道则人弃而不用／无状无象，无声无响，故能无所不通，无所不往／不得所以用之，国虽大，势虽便，卒无众，何益／不学而求知，犹愿鱼而无网焉，心虽勤而无获矣／正则静，静则明，明则虚，虚则无为而无不为也／非历览无以寄杼轴之怀，非高远无以开沉郁之绪／任而不信，其才无由展；信而不终，其业无由成／凤凰，凤凰，何不高飞还故乡，无故在此取灭亡／若使人之所怀于内者……，则天下无亡国败家矣／吾尝终日不食、终夜不寝以思，无益，不如学也／君人者，爱民而安，好士而荣，两者无一焉而亡／君子不怵乎好，不迫乎恶，恬愉无为，去智与故／君子省众而动，监戒而谋，谋度而行，故无不济／国家无养兵之费则国富，队伍无老弱之卒则兵强／岂无利事哉，我无利心；岂无安处哉，我无安心／官无常贵而民无终贱，有能则举之，无能则下之／造父者，天下之善御者也，无舆马则无所见其能／道者，无也；形者，有也。有故有极，无故长存／水行者表深，使人无陷；治民者表乱，使人无失／赋役有定制，兵农有定业，官无虚名，职无废事／物固有所然，物固有所可；无物不然，无物不可／思在言与行之先，思无邪，则所言所行皆无邪矣／老而学者，如秉烛夜行，犹贤乎瞑目而无见者也／策之不以其道……执策而临之曰："天下无马"／言虽简略，理皆要害，故能疏而不遗，俭而无阙／其来无迹，其往无崖，无门无房，四达之皇皇也／食人力之粟，守无事之官，拳拳血诚，无所陈露／天下有大勇者，卒然临之而不惊，无故加之而不怒／古之善歌者有语，谓"当使声中无字，字中有声"／人生时禀得灵气，精明通悟，学无滞塞，则谓之神／君能尽礼，臣得竭忠，必在于内外无私，上下相信／得其言者而不言，与不得其言而不去，无一可者也／清静处下，虚以待之，无为无求，而百川自为来也／追计往时咎过，日夜反覆，无一食而安于口平于心／置其本，求之末，当后者反先之，无一焉不悖于极／天无时不风，地无时不尘，物无所不有，人无所不为／天若不爱酒，酒星不在天；地若不爱酒，地应无酒泉／不争而无所不胜，不言而无所不应，不召而无所不来／事无礼则不成，国无礼则不宁，王无礼则死亡无日矣／凡人于事务之来，无论大小，必审之又审，方无遗虑／美也者，上下、内外、大小、远近皆无害焉，故曰美／虽有国士之力，不能自举其身，非无力也，势不便也／善为上者，能令人得欲无穷，故人之可得用亦无穷也／安不忘危，治不忘乱，虽知今日无事，亦须思其终始／道者……高不可际，深不可测；包裹天地，禀授无形／木末芙蓉花，山中发红萼。涧户寂无人，纷纷开且落／朴其身躬，恶其衣服，语无为以求名，言无欲以求利／背法而治，此任重道远而无马牛，济大川而无舡楫也／示之以形，禁之以势，使之望而不敢犯，犯而无所得／自见者不明，自是者不彰，自伐者无功，自矜者不长／释正而追曲，倍是而从众，是与俗俪走，而内行无绳／上智不教而成，下愚虽教无益，中庸之人，不教不知也／厌文搔法，法官理民者，有司也，君无事焉，犹尊君也／人非生而知之者，孰能了此无惑，故从其先得者而问焉／大道无形，大仁无亲，大辩无声，大廉不嗛，大勇不矜／知人之效有二难：有难知之难，有知之而无由得效之难／其为气也，至大至刚，以直养而无害，则塞于天地之间／下之用力者甚勤，上之用物者有节，民无遗力，国不过费／天下莫柔弱于水，而攻坚强者莫之能先，以其无以易之也／天无私覆也，地无私载也，日月无私烛也，四时无私行也／非情、才无以见性，非气质无所为情、才，即无所为性也／以小善为无益，以小恶为无伤，凡此皆非所以安身崇德也／利之所在，虽千仞之山，无所不上，深源之下，无所不入／至礼有不人，至义不物，至知不谋，至仁无亲，至信辟金／喜则滥赏无功，怒则滥杀无罪，是以天下丧乱，莫不由此／君子之处世也，甘恶衣粗食，甘艰苦劳动，斯可以无失矣／君子口无戏谑之言，言必有防；身无戏谑之行，行必有检／得一官不荣，失一官不辱，勿说一官无用，地方全靠一官／廉公之思赵将，吴子之泣西河，人之情也，将军独无情哉／所贵于天下之士者，为人排患、释难、解纷乱而无所取也／天无为以之清，地无为以之宁，故两无为相合，万物皆化生／以易限之鉴，镜难原之才，使国罔遗授，野无滞器，其可得／君子有为于天下，惟义而已，不可则止，无苟为，亦无必为／汝游心于淡，合气于漠，顺物自然而无容私焉，而天下治矣／贱生于无所用，中流失船，一壶千金，贵贱无常，时使物然／有道之君子，其处也若无知，其应物也若偶之，静因之道也／古之所谓公无私者，其取舍进退无择于亲疏远迩，惟其宜可焉／今且须去理会眼前事，那个鬼神事，无形无影，莫要枉费心力／捣鬼有术，也有效，然而有限，所以以此成大事者，古来无有／赋敛以时，官上清约，则人富。赋敛无节，官上奢纵，则人贫／无为者，道之宗；故得道之宗，应物无穷，任人之才，难以至治／以玙璠之玼而弃其璞，以一人之罪而兼其众，则天下无美宝信士／今以众地者，公作则迟，有所匿其力也；分地则速，无所匿迟也／能有天下者，必无以天下为也；能有名誉者，必无以趋行求者也／其义则不足死，赏罚则不足去就，若是而能用其民者，古今无有／人之生也，必以其欢。忧则失纪，怒则失端。忧悲喜怒，道乃无处／国有三军何？所以戒非常，伐无道，尊宗庙，重社稷，安不忘危也／怨恩取与谏教生杀，八者，正之器也，唯循大变无所湮者为能用之／用兵之法：无恃其不来，恃吾有以待也；无恃其不攻，恃吾有所不可攻也

专

zhuān 专一，独用；专心，专门；独自掌握、控制；专长，专业；独断，独行。

❶专己者孤，拒谏者塞

见汉·申屠刚《将归与隗嚣书》。

专明无胆，则虽见不断

见三国·魏·嵇康《明胆论》。全句为：“～；专胆无明，则违理失机”。

专胆无明，则违理失机

见三国·魏·嵇康《明胆论》。全句为：“专明无胆，则虽见不断；～”。

专独者，事之所以不成也

见三国·魏·王肃《孔子家语·入官》。

专必成之功，而忽蹉跌之败

见南朝·宋·范晔《后汉书·蔡邕传》。全句为：“睹暧昧之利，而忘昭晰之害；～”。

专知擅事，侵人自用，谓之贪

见《庄子·渔父》。

专于其所及而及之，则其及必精

见宋·苏洵《明论》。

专习一家，硁硁小哉！宜善相之，多师为佳

见清·袁枚《续诗品注·相题》。

专以一身任天下，其智之所不见，力之所不举者多矣

见宋·苏辙《汉光武上》。

❷各专其能，各致其力／不专心致志，则不得也／我专为一，敌分为十，是以十共其一也／不专一能，怪怪奇奇，不可时施，只以自嬉

❸心欲专，凿石穿／强臣专国，则天下震动而易乱／世之专于法者，不患于不通而患于刻薄／理无专在，而学无止境也，然则问可少耶／贵不专权，罔惑上下；贱能守分，不苟求取

❹因则功，专则拙／愚而自专，事不治／伐矜好专，举事之祸也／遗今而专乎古，则其失为固／智略不专于古法，沈雄殆得于天资

❺众怒难犯，专欲难成／拒谏者塞，专己者孤／距谏者塞，专己者孤／不一则不专，不专则不能／刀笔之吏专深文巧诋，陷人于罔，以自为功／兵静则固，专一则威，分决则勇，心疑则北，力分则弱

❻爱博而情不专／守少则固，力专则强／人之才成于专而毁于杂／李太白诗不专是豪放，亦有雍容和缓底／不名一格，不专一体，要不失乎为我之诗

❼不一则不专，不专则不能／简守帅，分其统，专其任／人少好学则思专，长则善忘／曲己从众，不自专，则全其身／侈，将以其力毙；专，则人实毙之／人生所好，自当专一，若多好多能，反能耗神损精

❽用人之术，任之必专，信之必笃

❾威不可无有，而不可专恃／闻道有先后，术业有专攻，如是而已

❿问之不切，则其听之不专／天下兴学取士，先德行不专文辞／强楷坚劲，用在桢干，失在专固／志欲大而心欲小，学欲博而业欲专／国以任贤使能而兴，弃贤专己而衰／失神之术本于纵恣，丧神之数在于自专／师不欲久，行不欲远，守少则固，力专则强／多见者博，多闻者智；拒谏者塞，专己者孤／爵尊天下，富有四海，威势无量，专权擅柄／子美……尽得古今之体势，而兼人人之所独专矣／治天下者，当以天下之心为心，不得自专快意而已／凡用人之道，采之欲博，辨之欲精，使之欲适，任之欲专

丐

gài 乞丐；乞求，乞讨；给予，施予。

❿金满箱，银满箱，转眼乞丐人皆谤

五

wǔ 数目字；中国民族音乐中传统的记音符号；姓；通“午”，[交午]纵横交错。

❶五十而知天命

见《论语·为政》。

五味不同物而能和

见《管子·宙合》。

五音不同声而能调

见《管子·宙合》。

五色虽明，有时而渝

见汉·韩婴《韩诗外传》。全句为：“～；丰交之木，有时而落”。

五色虽朗，有时而渝

见汉·刘安《淮南子·泰族》。全句为：“～；茂木丰草，有时而落；物有隆杀，不得自若”。

五种俱熟，公私有余

见唐·韩愈《凤翔陇州节度使李公墓志铭》。

五谷者万民之命，国之重宝

见北魏·贾思勰《齐民要术·杂说》。

五仞之墙，所以不毁，基厚也

语见宋·宋祁《杂税》。全句为："民，国之基也。～；所以毁，基薄也"。

五亩之宅，树墙下以桑矣……

见《孟子·尽心上》。全句为："～，匹妇蚕之，则老者足以衣帛"。

五指之更弹，不若卷手之一挃

见·刘安《淮南子·兵略》。

五帝三皇神圣事，骗了无涯过客

见现代·毛泽东《贺新郎·读史》。

五岳不能削其峻，以副陟者之欲

见晋·葛洪《抱朴子·广譬》。全句为："大川不能促其涯，以适速济之情；～"。

五百年必有王者兴，其间必有名世者

见《孟子·公孙丑下》。

五帝殊时，不相沿乐；三王异世，不相袭礼

见汉·司马迁《史记·乐书》。

五刃之伤，药之可平。一言成痏，智不能明

见唐·刘禹锡《口兵戒》。

五谷养性而弃之于地，珠玉无用而宝之于身

见汉·陆贾《新语·术事》。

五谷者，种之美者也；苟为不熟，不如荑稗

见《孟子·告子上》。

五色令人目盲，五音令人耳聋，五味令人口爽

见《老子》一十二。全句为："～，驰骋畋猎令人心发狂"。

五寸之键制开阖之门，岂其才巨小哉，所居要也

见汉·刘安《淮南子·主术》。全句为："十围之木持千钧之屋；～"。

五步一楼，十步一阁。……各抱地势，钩心斗角

见唐·杜牧《阿房宫赋》。删节处为："廊腰缦回，檐牙高啄。"

五福：一曰寿，二曰富，三曰康宁，四曰攸好德，五曰考终命

见《尚书·洪范》。

❷三五之夜，明月半墙，桂影斑驳，风移影动，珊珊可爱

❸如堕五里雾中／天有五贼，见之者昌／学富五车，书通二酉／马氏五常，白眉最良／三百五篇孔子皆弦歌之／履虽五采，必践之于地／才吟五字句，又白几茎髭／军不五不战，城不十不围／吟成五字句，用破一生心／行年五十而知四十九年非／始知五岳外，别有他山尊／手挥五弦易，目送归鸿难／阴阳五行，循环错综，升降往来／日月五星逆天而行，并包乎地者也／预支五百年新意，到了千年又觉陈／三皇五帝之礼仪法度，不矜于同而矜于治／三皇五帝之治天下，名曰治之，而乱莫甚焉／天有五行：一曰木，二曰火，三曰土，四曰金，五曰水

❹盗不过五女门／凶德有五，中德为首／明君贵五谷而贱金玉／中夜四五叹，常为大国忧／吾十有五而志于学，三十而立／不能为五斗米折腰，拳拳事乡里小人／耳之欲五声，目之欲五色，口之欲五味，情也

❺三十四十五欲牵／男儿须读五车书／百姓不亲，五品不逊／四体不勤，五谷不分／天命有德，五服五章哉／天讨有罪，五刑五用哉／师旷之调五音，不失宫商／凿凿乎如五谷必可以疗饥／要囚，服念五六日，至于旬时／石上不生五谷，秃山不游麋鹿／丈夫生不五鼎食，死即五鼎烹耳／飒爽英姿五尺枪，曙光初照演兵场／天有六极五常，帝王顺之则治，逆之则凶／加我数年，五十以学《易》，可以无大过矣／文章道弊五百年矣！汉魏风骨，晋宋莫传，然而文献有可征者

❻并骥而走者，五里而罢／四十而不惑，五十而知天命／兴酣落笔摇五岳，诗成笑傲凌沧洲／水曲山隈四五家，夕阳烟火隔芦花／舐痔者得车五乘，所治愈下，得车愈多／予欲闻六律五声八音，在治忽，以出纳五言

❼贪贾三之，廉贾五之／惠施多方，其书五车／目送归鸿，手挥五弦／天命有德，五服五章哉／天讨有罪，五刑五用哉／天叙有典，敕我五典五惇哉／日与水居，则十五而得其道／五色令人目盲，五音令人耳聋，五味令人口爽

❽和氏之璧，不饰以五采／张翰黄花句，风流五百年／四海翻腾云水怒，五洲震荡风雷激／无目者不可示以五色，无耳者不可告以五音／人肖天地之类，怀五常之性，有生之最灵者也／八百里分麾下炙，五十弦翻塞外声。沙场秋点兵／政庞而土裂，三光五岳之气分，大音不完，故必混一而后大振

❾琴瑟不较，不能成其五音／天叙有典，敕我五典五惇哉／积于不涸之仓者，务五谷也／时人莫道蛾眉小，三五团圆照满天／一目之人可使视准，五毒之石可使溃疡／用兵之法：十则围之，五则攻之，倍则分之／耳之欲五声，目之欲五色，口之欲五味，情也

❿丈夫生不五鼎食，死即五鼎烹耳／藜羹麦饭冷不尝，要足平生五车读／当局者之十，不足以当旁观者之五／富贵必从勤苦得，男儿须读五车书／日暮汉宫传蜡烛，轻烟散入五侯家／有时三点两点雨，到处十枝五枝花／有时赤脚弄明月，踏破五湖波底天／市之鬻鞭者，人问之……必五万而后可／多才之士才储八斗，博学之儒学富五车／若不推之于诚，虽三令五申，而

令不明矣／快心之事，悉败身丧德之媒，五分便无悔／无目者不可示以五色，无耳者不可告以五音／不随举子纸上学六韬，不学腐儒穿凿注五经／百僚师师，百工惟时，抚于五辰，庶绩其凝／予欲闻六律五声八音，在治忽，以出纳五言／人能除情欲，节滋味，清五藏，则神明居之／凡物之精，化则为生，下生五谷，上为列星／五色令人目盲，五音令人耳聋，五味令人口爽／百里而趣利者蹶上将，五十里而趣利者军半至／含元一以为质，禀阴阳以立性，体五行而著形／耳之欲五声，目之欲五色，口之欲五味，情也／中和之质，必平淡无味，故能调成五材变化应节／真则气雄，精则气生，使五彩并用，而气行其中／先生不知何许人也……宅边有五柳树，因以为号焉／天地之气合而为一，分为阴阳，判为四时，列为五行／天有五行：一曰木，二曰火，三曰土，四曰金，五曰水／五福：一曰寿，二曰富，三曰康宁，四曰攸好德，五曰考终命／先哲王之政，一曰承天，二曰正身，三曰任贤，四曰恤民，五曰明制，六曰立业

不 ①bù 表示否定；表禁止；未，不到；非；无；作语助，无义。②pī 通“丕”，大。③fǒu，又读 fōu，同“否”。④fū“柎”的本字，花蒂。

❶不索何获

见《左传·昭公二十七年》。

不为已甚者

见《孟子·离娄下》。

不以寡犯众

见《公羊传·僖公五年》。

不以私害公

见汉·刘向《新序·义勇》。

不鼓不成列

见《左传·僖公二十二年》。

不肖者自贤

见《晏子春秋·内篇杂上第二十》。

不知者不罪

见清·李渔《慎鸾交》第三十三出。

不可为不义屈

见唐·韩愈《张中丞传后叙》。

不可同日而语

见现代·鲁迅《上海的少女》。

不求备于一人

见晋·陈寿《三国志·吴书·周瑜鲁肃吕蒙传》。

不乐闻人过失

见唐·李延寿《南史·齐豫章王嶷传》。

不以位地矜人

见唐·令狐德棻等《周书·王褒传》。

不以尊贵骄人

见汉·司马迁《史记·外戚世家》。

不以挟私为政

见《战国策·魏策》。

不知而后知之

见《庄子·徐无鬼》。

不知老之将至

见《论语·述而》。

不得已而为之

见唐·钱起《衔鱼翠鸟》。

不得已而行之

见现代·曹靖华《片言只语话当年》。

不得已而用之

见《老子》三十一。

不得其门而入

见《论语·子张》。

不法古不修今

见《商君书·开塞》。

不宜妄自菲薄

见三国·蜀·诸葛亮《出师表》。

不学便老而衰

见宋·朱熹《近思录集注》卷二。

不敢为天下先

见《老子》六十七。

不自满者受益

见宋·林逋《省心录》。

不自是者博闻

见宋·林逋《省心录》。

不足生于无度

见三国·魏·王肃《孔子家语·五刑解》。

不食嗟来之食

见《礼记·檀弓下》。

不可一日近小人

见清·李海观《歧路灯》第一〇〇回。

不乐寿，不哀夭

见《庄子·天地》。

不疑而天下自信

见汉·马融《忠经·广至理章》。

不以一眚掩大德

见《左传·僖公三十三年》。

不以利交则无咎

见明·薛瑄《读书录·交友》。

不以小故妨大美

见唐·魏征《群书治要·体论》。

不以私善害公法

见汉·刘向《说苑·政理》。

不以私爱害公义

见宋·苏辙《论侯偁少欠酒课以抵当利充填札子》。

不仁之至忽其亲

见汉·韩婴《韩诗外传》卷一。

不信之至欺其友
见汉·韩婴《韩诗外传》。
不读诗书形体陋
见清·吴嘉纪《赠里人吴秀芝》。
不苟訾,不苟笑
见《礼记·曲礼》。
不荣通,不丑穷
见《庄子·天地》。
不君不静则失威
见《老子》二十六河上公注。
不知来,视诸往
见汉·董仲舒《春秋繁露·精华》。
不知戒,后必有
见《荀子·成相》。
不知其人观其友
见明·焦竑《玉堂丛话》卷六。
不知其人视其友
见汉·司马迁《史记·冯唐列传》。
不知其子视其友
见《荀子·性恶》。
不知音,莫语要
见唐·吕岩《三字诀》。
不善使船嫌溪曲
见宋·朱熹《朱子语录》。
不得已而求其次
见现代·曹靖华《叹往昔,独木桥头徘徊无终期》。
不得越雷池一步
见高阳《大将曹彬》。
不应憔悴损年芳
见宋·朱熹《夜雨二首》之一。
不度德,不量力
见《左传·隐公一一年》。
不洗垢而察难知
见《韩非子·大体》。
不迁怒,不贰过
见《论语·雍也》。
不强交,不苟绝
见隋·王通《文中子》。
不如意事常八九
见唐·房玄龄《晋书·羊祜传》。
不好黄金只好书
见宋·赵不敏《寄苏盼奴》。
不威小,不惩大
见汉·刘向《说苑·指武》。
不相非薄不相师
见清·袁枚《论诗绝句》。
不止恶不能修善
见《百论》。全句为:"~,是故先除尘垢后染善法,譬如浣衣先去垢然后可染"。
不是人寰是天上
见宋·潘阆《酒泉子》。
不是虚心岂得贤
见宋·王安石《诸葛武侯》。
不教而诛谓之虐
见汉·班固《汉书·董仲舒传》。
不思虑,不预谋
见《庄子·刻意》。
不怨天,不尤人
见《论语·宪问》。
不私而天下自公
见汉·马融《忠经·广至理章》。
不用登临怨落晖
见宋·辛弃疾《忆王孙·秋江送别》。
不言之言,应也
见《管子·心术上》。
不以不善而废其善
见宋·王安石《中述》。
不以私害法,则治
见《商君书·修权》。
不以其人布衣不用
见唐·韩愈《唐故相权公墓碑》。
不认真,作不得事
见清·申居郧《西岩赘语》。
不陵节而施之谓孙
见《礼记·学记》。"陵",超越;"孙"同"顺",顺序。
不劲直,不能矫奸
见《韩非子·孤愤》。
不能则学,疑则问
见《曾子·制言》。
不能罪身者民罪之
见《管子·小称》。全句为:"善罪身者,民不得罪也。~"。
不尚贤,使民不争
见《老子》三。
不告其过,非忠也
见宋·朱熹《近思录·政事类》。
不知常,妄作,凶
见《老子》十六。
不知礼,无以立也
见《论语·尧曰》。全句为:"不知命,无以为君子也。~。不知言,无以知人也"。
不迁怒者,求诸己
见宋·王安石《礼乐论》。全句为:"~;不贰过者,见不善之端而止之也"。
不明察,不能烛私
见《韩非子·孤愤》。"烛私",洞悉私弊。
不祥在于恶闻己过
见《尉缭子》。

不可以律己之律律人

见元·张养浩《牧民忠告》卷下。

不求好句,只求好意

见宋·欧阳修《吊僧诗》。

不求有功,但求无过

见现代·老舍《一封家信》。

不出好言,不如沉默

见清·高拱京《高氏塾铎》。全句为:"不交好友,不如闭门;～"。

不师者,废学之渐也

见《吕衡州文集·与族兄皋请学春秋书》。

不乐损年,长愁养病

见北周·庾信《闲居赋》。

不复知人间有羞耻事

见宋·欧阳修《与高司谏书》。

不疑于物,物亦诚焉

见三国·魏·王弼《周易·同人》注。

不义而强,其毙甚速

见《左传·昭公元年》。

不为易勇,不为崄怯

见宋·苏辙《吴氏浩然堂记》。

不为福先,不为祸始

见《庄子·刻意》。全句为:"～;感而后应,迫而后动,不得已而后起"。

不以人所短弃其所长

见晋·陈寿《三国志·吴书·诸葛恪传》。

不以死生祸福累其心

见宋·王安石《答陈柅书》。

不以时迁者,松柏也

见宋·苏轼《送杭州进士诗叙》。

不以规矩不能成方员

见《孟子·离娄上》。全句为:"离娄之明,公输子之巧,～"。"员"通"圆"。

不以物喜,不以己悲

见宋·范仲淹《岳阳楼记》。

不尽天极,衰者复昌

见战国·佚书《经法·国次》。

不仁不智,何以为国

见汉·司马迁《史记·赵世家》。全句为:"仁者爱万物,而智者备祸于未形,～"。

不侮矜寡,不畏强御

见《诗·大雅·烝民》。

不信仁贤,则国空虚

见《孟子·尽心下》。

不偶流俗,坐忘人事

见唐·杨炯《司士参军琅玡颜大智赞》。

不偏不党,王道荡荡

见汉·刘向《说苑·至公》。

不从糟粕,安得精英

见清·袁枚《小仓山房诗文集》。

不交好友,不如闭门

见清·高拱京《高氏塾铎》。全句为:"～;不出好言,不如沉默"。

不诱于誉,不恐于诽

见《荀子·非十二子》。

不争之德,德之先也

见五代·前蜀·杜光庭《道德真经广圣义》卷十。

不勤于始,将悔于终

见唐·吴兢《贞观政要·尊敬师傅》。

不去草秽,禾实不成

见《三慧经》。全句为:"身譬如地,善意如禾,恶意如草,～"。

不去庆父,鲁难未已

见《左传·闵公元年》。

不能受谏,安能谏人

见清·钱大昕《十驾斋养新录·通鉴多采善言》。

不取亦取,虽师勿师

见清·袁枚《续诗品·尚诗》。

不受于邪,邪气自去

见《西升经·善为章》。

不在憎爱,以道为贵

见南朝·宋·范晔《后汉书·刘梁传》。全句为:"不在逆顺,以义为断;～"。

不在逆顺,以义为断

见南朝·宋·范晔《后汉书·刘梁传》。全句为:"～;不在憎爱,以道为贵"。

不在其位,不谋其政

见《论语·泰伯》。

不塞不流,不止不行

见唐·韩愈《原道》。

不劳则逸,逸则不才

见汉·杨礼珪《敕二妇》。

不著一字,尽得风流

见唐·司空图《诗品·含蓄》。

不藏怒焉,不宿怨焉

见《孟子·万章上》。

不夺能能,不与下试

见《管子·心术上》。

不探虎穴,安得虎子

见晋·陈寿《三国志·吴书·吕蒙传》。

不攫所有,不强所无

见汉·扬雄《太玄》卷七。全句为:"～,譬诸身,增则赘,而割则亏"。

不听琴,只是不知音

见元·徐甜斋《双渐》。

不听窕言,不受窕货

见《韩非子·难二》。

不知义理,生于不学

见《吕氏春秋·孟夏纪·劝学》。

不知则问,不能则学

见汉·董仲舒《春秋繁露·执贽》。

不知道者,以言相烦

见《西升经·西升章第一》。

不知理义,生于不学

见《吕氏春秋·孟夏纪·劝学》。

不知有汉,无论魏晋

见晋·陶潜《桃花源记》。

不知言,无以知人也

见《论语·尧曰》。全句为:“不知命,无以为君子也。不知礼,无以立也。~”。

不善操舟而恶河之曲

见宋·周密《癸辛杂识》。

不行其野,不违其马

见《管子·形势》。

不备不虞,不可以师

见《左传·隐公五年》。

不闻之闻,闻莫甚焉

见唐·李翱《复性书中》。全句为:“不睹之睹,见莫大焉;~”。

不深思则不能造其学

见宋·杨时《二程粹言·论学篇》。

不忮不求,何用不臧

见《诗·邶风·雄雉》。

不恒其德,无所容也

见《易经·咸传·恒》。

不惰者,众善之师也

见晋·葛洪《抱朴子·广譬》。

不愧于人,不畏于天

见《诗·小雅·何人斯》。

不寒不热,能生寒热

见汉·刘安《淮南子·说山》。全句为:“寒不能生寒,热不能生热。~”。

不好名者,斯不好利

见《薛方山纪述·上篇》。全句为:“~;好名者,好利之尤者也”。

不孝有三,无后为大

见《孟子·离娄上》。《孟子》赵氏注认为,于礼不孝者三事,谓阿意曲从,陷亲不义,一不孝也;家穷亲老,不为禄仕,二不孝也;不娶、无子,绝先祖祀,三不孝也。三者之中,无后为大。

不学博依,不能安诗

见《礼记·学记》。

不学亡术,暗于大理

见汉·班固《汉书·霍光传》。

不学《诗》,无以言

见《论语·季氏》。

不学问者,学必不进

见清·唐彪《父师善诱法》。

不学《礼》,无以立

见《论语·季氏》。

不经一事,不长一智

见清·曹雪芹《红楼梦》第六十回。

不琢不错,不离砾石

见汉·王符《潜夫论·赞学》。

不死不生,不断不成

见宋·陆佃解《鹖冠子·博选》。

不战而强,不威而武

见汉·严遵《道德指归论·江海篇》。全句为:“卑损之为道大矣!百害不能伤,知力不能取,~”。

不赏无功,不养无用

见汉·桓宽《盐铁论·散不足》。

不赏私劳,不罚私怨

见《左传·昭公五年》。

不览古今,论事不实

见汉·王充《论衡·别通篇》。

不教之教,教之宗也

见汉·严遵《道德指归论·为学日益篇》。

不敢暴虎,不敢冯河

见《诗·小雅·小旻》。

不有严刑,诛赏安置

见南朝·梁·任昉《奏弹·曹景宗》。

不期同时,不谋同辞

见《尚书·大誓》。

不期修古,不法常可

见《韩非子·五蠹》。

不必法古,苟周于事

见唐·马总《意林·淮南子》。全句为:“~;不必循常,法度制令,各因其宜”。

不忘久德,不思久怨

见三国·魏·王肃《孔子家语·颜回》。

不念旧恶,怨是用希

见《论语·公冶长》。

不患无位,患所以立

见《论语·里仁》。

不患不知,患在不行

见唐·张九龄《敕处分十道朝集使》。

不聋不聪,与神明通

见汉·刘安《淮南子·说林》。全句为:“听有音之音者聋,听无音之音者聪;~”。

不睹之睹,见莫大焉

见唐·李翱《复性书中》。全句为:“~;不闻之闻,闻莫甚焉”。

不畏义死,不荣幸生

见唐·韩愈《清边郡王杨燕奇碑文》。

不镜于水,而镜于人

见《墨子·非攻中》。

不私于物,物亦公焉

见三国·魏·王弼《周易·比》注。

不私与己，是谓至公

见唐·柳宗元《为文武百官请复尊号表》。

不矜细行，终累大德

见《尚书·旅獒》。

不虐无告，不废困穷

见《尚书·大禹谟》。

不管人责，但求自尽

见清·申居郧《西岩赘语》。

不精不诚，不能动人

见《庄子·渔父》。

不足不止，利心常起

见汉·严遵《道德指归论·名身孰亲篇》。

不踬于山，而踬于垤

见《韩非子·六反》。全句为："～。山者大，故人顺之；垤者小，故人易之也"。

不鉴于镜，而鉴于人

见南朝·梁元帝《金楼子·立言篇》。

不与人争者，常得利多

见宋·刘清之《戒子通录》。全句为："～；退一步者，常进百步"。

不专心致志，则不得也

见《孟子·告子上》。

不可自暴、自弃、自屈

见宋·陆九渊《语录》。

不以天下之病而利一人

见汉·司马迁《史记·五帝本纪》。

不以规矩，不能成方圆

见《孟子·离娄上》。

不全不粹不足以谓之美

见《荀子·乐论》。

不先正本而成忧于末也

见汉·刘向《说苑·建本》。

不诚则有累，诚则无累

见宋·杨时《二程粹言·论学篇》。

不谴是非，以与世俗处

见《庄子·天下》。

不勉己而勉人，难矣哉

见唐·柳宗元《与韩愈论史官书》。

不勤不俭，无以为人上

见隋·王通《文中子·关朗》。

不勤不教，将率之过也

见汉·班固《汉书·武帝纪》。全句为："～；教会宣明，不能尽力，士卒之罪也"。

不去小利，则大利不得

见《吕氏春秋·慎大览·权勋》。

不能正其身，如正人何

见《论语·子路》。

不能兆其端者，菑及之

见《管子·侈靡》。

不能终善者，不遂其君

见《晏子春秋·内篇谏上第十六》。

不知命，无以为君子也

见《论语·尧曰》。全句为："～。不知礼，无以立也。不知言，无以知人也"。

不知所以然而然，命也

见《列子·力命》。

不善进，则善无由入矣

见汉·刘向《说苑·政理》。全句为："善进，则不善无由入矣；～"。

不善学者，师勤而功半

见《礼记·学记》。

不闻其过，最患之大者

见宋·王安石《与孙莘老书》。

不战而强弱胜负已判矣

见宋·苏洵《六国论》。全句为："诸侯之地有限，暴秦之欲无厌，奉之弥繁，侵之愈急，故～"。

不耻不若人，何若人有

见《孟子·尽心上》。

不明尔德，时无背无侧

见《诗·大雅·荡》。

不敬他人，是自不敬也

见五代·后晋·张昭远等《旧唐书·文苑传》。

不有臭秽，则苍蝇不飞

见南朝·宋·范晔《后汉书·陈蕃传》。

不欲以静，天下将自定

见《老子》三十七。

不祈多积，多文以为富

见《礼记·儒行》。

不念旧恶，此清者之量

见宋·朱熹《四书集注·论语·公冶长》。

不积小流，无以成江海

见《荀子·劝学》。全句为："不积跬步，无以至千里；～"。

不积跬步，无以至千里

见《荀子·劝学》。全句为："～；不积小流，无以成江海"。

不一则不专，不专则不能

见宋·苏轼《应制举上两制书》。

不与贪争利，不与勇争气

见《老子》五十六河上公注。

不才明主弃，多病故人疏

见唐·孟浩然《岁暮归南山》。

不才者进，则有才之路塞

见宋·欧阳修、宋祁《新唐书·韦思谦传》。

不可与言而与之言，失言

见《论语·卫灵公》。全句为："可与言而不与之言，失人；～"。

不可以家事匮乏而不从师

见明·何伦《何氏家规》。全句为:“切不可因己无成而不教子,又～”。

不可怙者天,不可画者人

见宋·杨万里《庸言》一。

不求获乎己,而己以有获

见唐·柳宗元《送李谓赴京师序》。

不求立名声,所贵去瑕玼

见唐·王建《求友》。全句为:“～。各愿贻子孙,永为后世资”。

不临深溪,不知地之厚也

见《荀子·劝学》。全句为:“不登高山,不知天之高也;～”。

不向东山久,蔷薇几度花

见唐·李白《忆东山二首》之一。全句为:“～? 白云还自散,明月落谁家”。

不乘人于利,不迫人于险

见汉·刘向《新序·杂事》。

不为不可成,不求不可得

见《管子·牧民》。

不为近重施,不为远遗恩

见汉·桓宽《盐铁论·地广》。

不为穷变节,不为贱易志

见汉·桓宽《盐铁论·地广》。

不以奢为乐,不以廉为悲

见汉·刘安《淮南子·原道》。

不以名害身,不以位易志

见唐·司马承祯《坐忘论·简事》。

不以文害辞,不以辞害志

见《孟子·万章上》。全句为:“～;以意逆志,是为得之”。

不以虚为虚,而以实为虚

见宋·范晞文《对床夜语》。

不以言举人,不以人废言

见《论语·卫灵公》。

不伐功斯巨,惟谦道乃光

见清·高鹗《扑满》。

不作无益害有益,功乃成

见《尚书·旅獒》。

不偷取一世,则民无怨心

见《管子·牧民》。

不益其厚,而张其广者毁

见汉·刘安《淮南子·泰族》。全句为:“～;不广其基,而增其高者覆”。

不曾远别离,安知慕俦侣

见晋·张华《情诗五首》之五。全句为:“巢居觉风飘,穴处识阴雨。～?”。

不从桓公猎,何能伏虎威

见唐·李贺《马诗二十三首》。

不论天有眼,但管地无皮

见宋·洪咨夔《狐鼠》。

不识风霜苦,安知零落期

见南朝·梁·范云《咏桂树》。

不防盟墨诈,须戒覆车新

见宋·严羽《有感》。“盟墨”,盟约。

不际之际,际之不际者也

见《庄子·知北游》。“际”,界限。

不限资例,则取人之路广

见宋·欧阳修《再论台官不可限资考札子》。全句为:“限以资例,则取人之路狭;～”。

不能无为者,不能有为也

见汉·刘安《淮南子·说山》。

不能胜寸心,安能胜苍穹

见清·龚自珍《丁亥·自春徂秋,偶有所触,拉杂之,漫不诠之,得十五首》。

不取往者戒,恐贻来者冤

见现代·鲁迅《唐宋传奇集·绿珠传》。

不在被中眠,安知被无边

见清·钱大昕《恒言录》卷六。

不苟于论人,而非求其全

见宋·王安石《中述》。全句为:“薄于责人,而非匿其过;～”。

不蔽人之美,不言人之恶

见唐·马总《意林·韩非子》。

不摇香已乱,无风花自飞

见南朝·梁·柳恽《咏蔷薇》。

不知为吏者,枉法以侵民

见三国·魏·王肃《孔子家语·辨政》。全句为:“知为吏者,奉法以利民;～”。

不知手之舞之、足之蹈之

见汉·王褒《四子讲德论》。全句为:“诗人感而后思,思而后积,积而后满,满而后作。言之不足,故嗟叹之;嗟叹之不足,故咏歌之;咏歌之不厌,～”。

不善禁者,先禁人而后身

见汉·荀悦《申鉴·政体》。全句为:“善禁者,先禁其身而后人;～”。

不因怒以诛,不因喜以赏

见《太公阴谋》。

不因感衰节,安能激壮心

见唐·刘禹锡《学阮公体三首》。

不困在豫慎,见祸在未形

见先秦·佚书《逸周书》。

不待卞和显,自为命世珍

见晋·卢谌《答刘琨》。

不待清明近,莺花已自忙

见宋·萧彦毓《西湖杂咏》。

不饮浊泉水,不息曲木阴

见唐·白居易《丘中有一士二首》。全句为:“～。所逢苟非义,粪土千万金”。

不广不见削,不盈不见亏

见汉·王充《论衡·自纪篇》。全句为:"不清不见尘,不高不见危,~"。

不广其基,而增其高者覆

见汉·刘安《淮南子·泰族》。全句为:"不益其厚,而张其广者毁;~"。

不涉太行险,谁知斯路难

见晋·欧阳坚石《临终诗》。全句为:"~。真伪因事显,人情难预观"。

不清不见尘,不高不见危

见汉·王充《论衡·自纪篇》。全句为:"~,不广不见削,不盈不见亏"。

不涸泽而渔,不焚林而猎

见汉·刘安《淮南子·主术》。

不怀爱而听,不留说而计

见《韩非子·八经》。

不忧一家寒,所忧四海饥

见清·魏源《偶然吟》。

不恨归来迟,莫向临邛去

见唐·孟郊《古别离》。全句为:"欲别牵郎衣,郎今到何处?~"。

不惜歌者苦,但伤知音稀

见汉·无名氏《古诗·西北有高楼》。

不宝咫尺玉,而爱寸阴旬

见《司马法》。

不宝金玉,而忠信以为宝

见《礼记·儒行》。

不宜偏私,使内外异法也

见三国·蜀·诸葛亮《出师表》。

不官而衡至者,君子慎之

见《荀子·致士》。全句为:"凡流言、流说、流事、流谋、流誉、流诉,~"。

不违农时,谷不可胜食也

见《孟子·梁惠王上》。

不遇阴雨后,岂知明月好

见《溉堂集·田家杂兴次储光羲韵》。

不道山中冷,翻忧世上寒

见宋·刘克庄《宿山中四首》之一。

不如饮美酒,被服纨与素

见汉·无名氏《古诗十九首·驱车上东门》。全句为:"服食求神仙,多为药所误。~"。

不妄于万姓,则天下安矣

见五代·前蜀·杜光庭《道德真经广圣义》卷七。

不好问者,由心不能虚也

见清·刘开《孟涂文集·问说》。全句为:"~;心之不虚,由好学之不能诚也"。

不学而好思,虽知不广矣

见汉·韩婴《韩诗外传》卷六。

不学夭桃姿,浮荣有俄顷

见唐·刘禹锡《和郴州杨侍郎玩郡斋紫薇花十四韵》。

不学蒲柳凋,贞心常自保

见唐·李赤《慈姥竹》。

不结同心人,空结同心草

见唐·薛涛《春望词》。

不是撑船手,休来弄竹竿

见清·李宝嘉《官场现形记》第三十二回。

不贪则俭约,极贪则殃身

见五代·前蜀·杜光庭《道德真经广圣义》卷二十九。

不贪财,不失言,不自是

见清·曾国藩《曾文正公家训》。全句为:"~,有此三者,自然鬼服神钦,到处人皆敬重"。

不贪故无忧,不积故无失

见唐·司马承祯《坐忘论·真观》。全句为:"以物同求而不同贪,与物同得而不同积。~"。

不贵异物贱用物,人乃足

见唐·苏颋《禁断腊月乞寒敕》。

不赏而民劝,不罚而民治

见汉·刘向《说苑·君道》。全句为:"仁昭而义立,德博而化广,故~"。

不教不学,闷然不见己缺

见唐·韩愈《应科目时与人书》。

不有百炼火,孰知寸金精

见唐·孟郊《古意赠梁肃补阙》。

不念居安思危,戒奢以俭

见唐·魏征《谏太宗十思疏》。全句为:"~;斯以伐根而求木茂,塞源而欲流长也"。

不息恶木枝,不饮盗泉水

见唐·卢照邻《赠益府群官》。全句为:"~;常思稻粱遇,愿栖梧桐树"。

不患人不知,惟患学不至

见唐·范质《诫儿侄八百字》。

不患莫己知,求为可知也

见《论语·里仁》。全句为:"不患无位,患所以立。~"。

不悲道难行,所悲累身修

见宋·王安石《寓言十五首》。

不目见口问,不能尽知也

见汉·王充《论衡·实知》。

不睹皇居壮,安知天子尊

见唐·骆宾王《帝京篇》。全句为:"山河千里国,城阙九重门。~"。

不穷视听界,焉识宇宙广

见唐·白居易《登香炉峰顶》。

不自大其事,不自尚其功

见《礼记·表记》。

不登高山,不知天之高也

见《荀子·劝学》。全句为:"~;不临深溪,不知地之厚也"。

不言而教行，何为而不威
见三国·魏·王弼《周易·同人》注。
不可以己所能而责人所不能
见晋·陈寿《三国志·魏书·王修传》。
不生于所畏，而在于所易也
见唐·刘禹锡《因论·儆舟》。全句为："畏之途果无常所哉！～"。
不义而富且贵，于我如浮云
见《论语·述而》。
不为世忧乐者，小人之志也
见汉·荀悦《申鉴·杂言上》。全句为："为世忧乐者，君子之志也；～"。
不为难易变节，安危革行也
见《政要论·臣不易》。
不以流之浊，而诬其源之清
见清·颜元《存学编》卷三。
不以禄私其亲，功多者授之
见《战国策·燕策二》。全句为："～；不以官随其爱，能当之者处之"。
不仁而得天下者，未之有也
见《孟子·尽心下》。
不仁者以其所不爱及其所爱
见《孟子·尽心下》。全句为："仁者以其所爱及其所不爱，～"。
不任其身也，则不肖者不知
见《韩非子·六反》。全句为："不听其言也，则无术者不知；～"。
不作威，不作福，靡有后羞
见汉·司马迁《史记·三王世家》。
不修，虽破万卷不失为小人
见清·陈确《乾初先生遗集·别集·瞽言》。全句为："仁义者，虽聋瞽不失为君子；～"。
不修其身，虽君子而为小人
见宋·欧阳修《答李翊第二书》。
不谓小不善为无伤也而为之
见汉·刘安《淮南子·缪称》。全句为："君子不谓小善不足为也而舍之，小善积而为大善；～，小不善积而为大不善"。
不限资考，惟择才堪者为之
见宋·欧阳修《论台官不当限资考札子》。
不能无诉，诉而必见察……
见宋·苏轼《决壅蔽》。全句为："～；不能无谒，谒而必见省；使远方之贱吏，不识朝廷之高；而一介之小民，不识官府之难：而后天下治"。
不能尽其力，则不能成其功
见汉·班固《汉书·贾山传》。全句为："不能尽其心，则不能尽其力；～"。
不能尽其心，则不能尽其力
见汉·班固《汉书·贾山传》。全句为："～；不能尽其力，则不能成其功"。
不能者退而休之，亦莫敢愠
见唐·柳宗元《梓子传》。全句为："能者进而由之，使无所德；～"。
不耐烦者，做不成一件事业
见《格言联璧·处事》。全句为："不自反者，看不出一身病痛；～"。
不听其言也，则无术者不知
见《韩非子·六反》。全句为："～；不任其身也，则不肖者不知"。
不知天上宫阙，今夕是何年
见宋·苏轼《水调歌头》[明月几时有]。全句为："明月几时有？把酒问青天。～"。
不知彼，不知己，每战必殆
见《孙子兵法·谋攻篇》。
不善在身，菑然必以自恶也
见《荀子·修身》。全句为："善在身，介然必以自好也；～"。
不善虽不吾恶，吾将强而拒
见唐·韩愈《送孟秀才序》。全句为："善虽不吾与，吾将强而附；～"。
不应有恨，何事长向别时圆
见宋·苏轼《水调歌头》。
不忧命之短，而忧百姓之穷
见汉·刘安《淮南子·修务》。全句为："不耻身之贱，而愧道之不行；～"。
不迩小人，则谗谀者自远矣
见宋·王安石《兴贤》。
不耻身之贱，而愧道之不行
见汉·刘安《淮南子·修务》。全句为："～；不忧命之短，而忧百姓之穷"。
不贵于无过，而贵于能改过
见明·王守仁《教条示龙场诸生》。
不教而诛，则刑繁而邪不胜
见《荀子·富国》。
不敢正是非于富贵，二可贱
见汉·仲长统《昌言下》。全句为："慕名而不知实，一可贱；～；向盛背衰，三可贱"。
不有忌讳，则谠直之路开矣
见宋·王安石《兴贤》。
不忍为非，而未能必免其祸
见汉·刘安《淮南子·缪称》。全句为："君子能为善，而不能必得其福；～"。
不稼不穑，胡取禾三百廛兮
见《诗·魏风·伐檀》。全句为："～；不狩不猎，胡瞻尔庭有县貆兮"。"县"，通"悬"。
不自反者，看不出一身病痛
见《格言联璧·处事》。全句为："～；不耐烦者，做不成一件事业"。
不正而合，未有久而不离者也
见宋·朱熹《近思录·出处类》。

不可以一时之谤，断其为小人

见明·冯梦龙《警世通言·拗相公饮恨半山堂》。全句为："不可以一时之誉，断其为君子；～"。

不可以一时之得意而自夸其能

见明·冯梦龙《警世通言·钝秀才一朝交泰》。全句为："～，亦不可以一时之失意而自坠其志"。

不可以一时之失意而自坠其志

见明·冯梦龙《警世通言·钝秀才一朝交泰》。全句为："不可以一时之得意而自夸其能，亦～"。

不求无益之物，不蓄难得之货

见汉·荀悦《申鉴·时事》。

不求无害之言，而务无易之事

见《韩非子·八说》。

不曲道以媚时，不诡行以徼名

见唐·魏征《群书治要·政论》。

不临誉以求亲，不愉悦以苟合

见唐·魏征《群书治要·体论》。

不失其所者久，死而不亡者寿

见《老子》三十三。

不为轩冕肆志，不为穷约趋俗

见《庄子·缮性》。

不以求备取人，不以己长格物

见唐·吴兢《贞观政要·任贤》。

不以利禄为意，而以仁厚为心

见宋·苏轼《谢监司荐举启》。

不以官随其爱，能当之者处之

见《战国策·燕策二》。全句为："不以禄私其亲，功多者授之；～"。

不以富贵而骄之，寒贱而忽之

见唐·李白《与韩荆州书》。

不到极逆之境，不知平安之日

见《史典·愿体集》。

不作无补之功，不为无益之事

见《管子·禁藏》。

不使他事胜好学之心，则有进

见明·薛瑄《读书录·论学》。

不使名浮于德，不以华伤其实

见晋·陈寿《三国志·吴书·张温传》。

不倍兵以攻弱，不恃众以轻敌

见三国·蜀·诸葛亮《将诫》。

不假良史之词，不托飞驰之势

见三国·魏·曹丕《典论·论文》。全句为："～，而声名自传于后"。

不傲才以骄人，不以宠而作威

见三国·蜀·诸葛亮《将诫》。

不谄上而慢下，不厌故而敬新

见汉·王符《潜夫论·交际》。

不加功于无用，不损财于无谓

见汉·班固《汉书·杨王孙传》。

不能长进，只为昏弱两字所苦

见明·吕坤《呻吟语》。

不能容人者无亲，无亲者尽人

见《庄子·庚桑楚》。

不苟一时之誉，思为利于无穷

见宋·欧阳修《偃虹堤记》。

不拘文牵俗，则守职者辨治矣

见宋·王安石《兴贤》。

不掩贤以隐长，不刻下以谀上

见《晏子春秋·内篇问上》。

不排毁以取进，不刻人以自入

见唐·魏征《群书治要·体论》。

不知而自以为知，百祸之宗也

见《吕氏春秋·有始览·谨听》。

不狩不猎，胡瞻尔庭有县貆兮

见《诗·魏风·伐檀》。全句为："不稼不穑，胡取禾三百廛兮；～"。"县"通"悬"。

不饱食以终日，不弃功于寸阴

见晋·葛洪《抱朴子·勖学》。

不广求，故得；不杂学，故明

见隋·王通《文中子·魏相篇》。

不汲汲于荣名，不戚戚于卑位

见唐·骆宾王《上吏部裴侍郎书》。

不治可见之美，不竞人间之名

见晋·陈寿《三国志·魏书·三少帝纪》。

不恤年之将衰，而忧志之有倦

见三国·魏·徐幹《中论》。

不官无功之臣，不赏不战之士

见三国·魏·曹操《论吏士行能令》。

不实在于轻发，固陋在于离贤

见《尉缭子·十二陵》。

不实心不成事，不虚心不知事

见明·陈继儒《小窗幽记》。

不遇至刻之人，不知忠厚之善

见《史典·愿体集》。

不遇盘根错节，何以别利器乎

见南朝·宋·范晔《后汉书·虞诩传》。

不战而屈人之兵，善之善者也

见《孙子兵法·谋攻篇》。全句为："百战百胜，非善之善者也；～"。

不戚戚于贫贱，不汲汲于富贵

见晋·陶潜《五柳先生传》。

不耻禄之不夥，而耻知之不博

见南朝·宋·范晔《后汉书·张衡传》。全句为："不患位之不尊，而患德之不崇；～"。

不赏而人自劝，不罚而人自畏

见宋·王安石《礼乐论》。全句为："目击而道已存，不言而意已传，～"。

不有所弃，不可以得天下之势

见宋·苏洵《项籍》。全句为："～；不有所忍，不可以尽天下之利"。

不有所忍，不可以尽天下之利

见宋·苏洵《项籍》。全句为："不有所弃，不可以得天下之势；～"。

不忠不信，何以立于天地之间

见明·冯梦龙《东周列国志》第五十回。

不虑前事之失，复循覆车之轨

见南朝·宋·范晔《后汉书·窦武传》。

不患位之不尊，而患德之不崇

见南朝·宋·范晔《后汉书·张衡传》。

不患人之不己知，患不知人也

见《论语·学而》。

不患人之不己知，患其不能也

见《论语·子路》。

不袭堂堂之寇，不击填填之旗

见汉·刘安《淮南子·兵略》。

不称九天之顶，则言黄泉之底

见汉·刘安《淮南子·修务》。全句为："～，是两末之端议，何可以公论乎?"。

不用其所拙，而用愚人之所工

见《鬼谷子·权》。全句为："智者不用其所短，而用愚人之所长；～"。

不立异以为高，不逆情以干誉

见宋·欧阳修《纵囚论》。

不穷异以为神，不引天以为高

见唐·柳宗元《时令论(上)》。全句为："～，利于人，备于事"。

不管风吹浪打，胜似闲庭信步

见现代·毛泽东《水调歌头·游泳》。

不自重者致辱，不自畏者招祸

见清·申涵煜《省心短语》。

不自见，故明；不自是，故彰

见《老子》二十二。全句为："～；不自伐，故有功；不自矜，故长。夫唯不争，故天下莫能与之争"。

不雷同以害人，不苟免以伤义

见晋·陈寿《三国志·吴书·是仪传》。

不可于我而可于彼者，天下无亡

见汉·严遵《道德指归论·善建篇》。

不可以一朝风月，昧却万古长空

见宋·普济《五灯会元》卷二〇。全句为："～；不可以万古长空，不明一朝风月"。

不可以万古长空，不明一朝风月

见宋·普济《五灯会元》卷二〇。全句为："不可以一朝风月，昧却万古长空；～"。

不可以边陲不耸，恬然便谓无事

见宋·包拯《论委任大臣》。

不可以有乱急，亦不可以无乱弛

见宋·苏洵《张益州画像记》。

不可死而死，是轻其生，非孝也

见唐·李白《比干碑》。全句为："～；可死而不死，是重其死，非忠也"。

不到长城非好汉，屈指行程二万

见现代·毛泽东《清平乐·六盘山》。

不仁而在高位，是播其恶于众也

见《孟子·离娄上》。

不仇民则大者无功，而其次有罪

见宋·杨万里《民政》。全句为："吏何恶于民而仇之也? 非仇民也，～"。

不尊无功，不官无德，不诛无罪

见汉·韩婴《韩诗外传》卷三。

不党父兄，不偏富贵，不嬖颜色

见《墨子·尚贤中》。

不动声色，而措天下于泰山之安

见宋·欧阳修《相州昼锦堂记》。

不能大通，则各私其党而求利焉

见三国·魏·王弼《周易·同人》注。

不受虚誉，不祈妄福，不避死义

见隋·王通《中说·礼乐篇》。

不塞其原，则物自生，何功之有

见三国·魏·王弼《老子》十注。

不著梳栉，而求发治，不可得也

见唐·马总《意林·正论》。

不贰过者，见不善之端而止之也

见宋·王安石《礼乐论》。全句为："不迁怒者，求诸己；～"。

不吾知其亦已兮，苟余情其信芳

见战国·楚·屈原《离骚》。

不知足而为屦，我知其不为蒉也

见《孟子·告子上》。

不知足者，虽处天堂，亦不称意

见《佛遗教经》。全句为："知足之人，虽卧地上，犹为安乐；～"。

不待愤悱而发，则知之不能坚固

见宋·朱熹《四书集注·论语·述而》。全句为："～；待其愤悱而后发，则沛然矣"。

不徐不疾，得之于手而应之于心

见《庄子·天道》。

不独为利而仕不可，为名亦不可

见清·王豫《蕉窗日记》卷二。

不慎其前而悔其后，虽悔，何及

见汉·刘向《说苑》。

不过乎所不知，而过于其所以知

见《吕氏春秋·有始览·谨听》。全句为："莫过乎所疑，而过于其所不疑；～"。

不学者，虽存，谓之行尸走肉耳

见晋·王嘉《拾遗记》。全句为："人好学，虽死若存；～"。

不骄方能师人之长，而自成其学

见清·谭嗣同《论学者不当骄人》。

不杀无辜，无释罪人，则民不惑

见三国·魏·王肃《孔子家语·贤君》。

不贪花酒不贪财，一世无灾无害

见明·冯梦龙《警世通言·王娇鸾百年长恨》。

不必循常，法度制令，各因其宜

见唐·马总《意林·淮南子》。全句为："不必法古，苟周于事；～"。

不禁其性，则物自济，何为之恃

见三国·魏·王弼《老子》十注。

不窥人闺门之私，听闻中冓之言

见汉·班固《汉书·济川王明传》。

不虚则先自满，假教之亦不能受

见明·朱之瑜《朱舜水集·论王十川刚伯规》。

不自伐，故有功；不自矜，故长

见《老子》二十二。

不言而信，不怒而威，师之谓也

见汉·韩婴《韩诗外传》。

不可乘喜而多言，不可乘快而易事

见清·王豫《蕉窗日记》卷二。

不可乘喜而轻诺，不可因醉而生嗔

见明·陈继儒《小窗幽记》。全句为："～，不可乘快而多事，不可因倦而鲜终"。

不可乘快而多事，不可因倦而鲜终

见明·陈继儒《小窗幽记》。全句为："不可乘喜而轻诺，不可因醉而生嗔，～"。

不可知之事，厉心学问，虽小无易

见汉·王充《论衡·实知篇》。全句为："可知之事，唯精思之，虽大无难；～"。

不可学、不可事而在人者，谓之性

见《荀子·性恶》。全句为："～；可学无能、可事而成之在人者，谓之伪；是性、伪之分也"。

不出尊俎之间，而折冲于千里之外

见《晏子·春秋·内篇·杂上》。

不出户，知天下；不窥牖，见天道

见《老子》四十七。

不师知虑，不知前后，魏然而已矣

见《庄子·天下》。

不为苟得以偷安，不为苟免而无耻

见唐·魏征《群书治要·体论》。

不为捣衣勤不睡，破除今夜夜如年

见宋·贺铸《捣练子》。

不为当时所怪，亦必无后世之传也

见唐·韩愈《答刘正夫书》。全句为："与世沉浮，不自树立，虽～"。

不以人之坏自成，不以人之卑自高

见晋·陈寿《三国志·魏志·文帝纪》。"坏"，败绩。

不以先进略后生，不以上官卑下吏

见宋·王安石《谢王司封启》。

不以高危为忧惧，岂知稼穑之艰难

见唐·吴兢《贞观政要·教戒太子诸王》。

不以隐约而弗务，不以康乐而加思

见三国·魏·曹丕《典论·论文》。

不以富贵妨其道，不以隐约易其心

见唐·韩愈《省试颜子不贰过论》。

不以爱之而苟善，不以恶之而苟非

见晋·嵇康《释私论》。

不厚费者不多营，不妄用者不过取

见《琼琚佩语·勤俭》。

不到广寒冰雪窟，扇头能有几多风

见元·赵元《大暑》。

不到西湖看山色，定应未可作诗人

见宋·晁冲之《送人游江南》。

不依古法但横行，自有云雷绕膝生

见清·袁枚《谒岳王墓作十五绝句》其十一。

不弃狂夫之言者，然后嘉谟可闻也

见唐·白居易《为人上宰相书》。全句为："不弃死马之骨者，然后良骥可得也；～"。

不弃死马之骨者，然后良骥可得也

见唐·白居易《为人上宰相书》。全句为："～；不弃狂夫之言者，然后嘉谟可闻也"。

不决浮云斩邪佞，直成龙去欲何为

见唐·来鹏《古剑池》。

不识农夫辛苦力，骄骢蹋烂麦青青

见唐·孟宾于《公子行》。

不识庐山真面目，只缘身在此山中

见宋·苏轼《题西林壁》。

不谓之退，不敢退；不问，不敢对

见《礼记·曲礼上》。全句为："见父之执，不谓之进，不敢进；～"。

不随俗物皆成土，只待良时却补天

见唐·冯涓《题支机石》。

不务服人之貌，而思有以服人之心

见宋·王安石《君子斋记》。全句为："古之人名为羞，以实为慊，～"。

不去扫清天北雾，只来卷起浪头山

见宋·杨万里《嘲淮风》。

不能手提天下往，何忍身去游其间

见宋·王令《暑旱苦热》。

不能耕而欲黍粱，不能织而喜采裳

见汉·刘安《淮南子·说林》。全句为："～，无事而求其功，难矣"。

不能自胜而强弗从者，此之谓重伤

见汉·刘安《淮南子·道应》。全句为："～。重伤之人，无寿类矣"

不取于人谓之富，不屈于人谓之贵

见秦·孔鲋《孔丛子》。
不薄今人爱古人,清词丽句必为邻
见唐·杜甫《戏为六绝句》。
不尤人则德益弘,能克己则学益进
见清·蒲松龄《聊斋志异·刁文郎》。
不把黄金买画工,进身羞与自媒同
见清·吴雯《明妃》。全句为:"~;始知绝代佳人意,即有千秋国士风"。
不择人而问焉,取其有益于身而已
见清·刘开《孟涂文集·问说》。全句为:"古之人虚中乐善,不择事而问焉,~"。
不吹毛而求小疵,不洗垢而察难知
见《韩非子·大体》。
不知而言,不智;知而不言,不忠
见《韩非子·初见秦》。
不知乘月几人归,落月摇情满江树
见唐·张若虚《春江花月夜》。
不知取将之无术,但云当今之无将
见宋·欧阳修《准诏言事上书》。
不知织女萤窗下,几度抛梭织得成
见宋·蒨桃《呈寇公》。
不因困顿移初志,肯为夤缘改寸丹
见清·杨秀清《果然坚耐》。
不因酒困因诗困,常被吟魂恼醉魂
见元·白朴《中吕·阳春曲·知机》四首之三。
不闻先王之遗言,不知学问之大也
见《荀子·劝学》。
不洒世间儿女泪,难堪亲友中年别
见宋·严羽《满江红》。
不恤亲疏,不恤贵贱,唯诚能之求
见《荀子·王霸》。
不逆命,何羡寿?不矜贵,何羡名
见《列子·杨朱》。全句为:"~?不要势,何羡位?不贪富,何羡货?"。
不如鄙性好诚实,退无所议进不谀
见宋·刘过《寄竹隐先生孙应时》。
不如意事常八九,可与语人无二三
见宋·方岳《别子才司令》。
不妨举世无同志,会有方来可与期
见宋·陆游《衰疾》。
不要人夸好颜色,只留清气满乾坤
见元·王冕《墨梅》。
不要势,何羡位?不贪富,何羡货
见《列子·杨朱》。全句为:"不逆命,何羡寿?不矜贵,何羡名?~"。
不学而废者,愧已而自卑,卑则全
见唐·皮日休《鹿门隐书六十篇》。全句为:"学而废者,不若不学而废者。学而废者,持学而有骄,骄必辱"。
不栽桃李种蔷薇,荆棘满庭君思之
见清·翟灏《通俗编》卷三十
不是一番寒彻骨,怎得梅花扑鼻香
见明·冯梦龙《醒世恒言·张淑儿巧智脱杨生》。
不是一番寒彻骨,争得梅花扑鼻香
见元·高明《琵琶记》第四十二出《旌表》。
不是无端悲怨深,直将阅历写成吟
见清·龚自珍《题红禅室诗尾》。全句为:"~;可能十万珍珠字,买尽千秋儿女心"。
不是交同兰气味,为何话出一人心
见清·孔尚任《得刘在园太守处州消息缄诗即寄》。
不是花中偏爱菊,此花开尽更无花
见唐·元稹《菊花》。
不是眼前无外物,不关心事不经心
见唐·元稹《赠乐天》。
不赂贵者之权势,不利传辟者之辞
见《荀子·正名》。全句为:"不动乎众人之非誉,不治观者之耳目,~"。
不见年年辽海上,文章何处哭秋风
见唐·李贺《南园十三首》之六。
不见古人卜居者,千金只为买乡邻
见明·冯梦龙《醒世恒言·乔太守乱点鸳鸯谱》。
不教而杀谓之虐;不戒视成谓之暴
见《论语·尧曰》。全句为:"~;慢令致期谓之贼;犹之与人也,出纳之吝谓之有司"。
不敢为主而为客,不敢进寸而退尺
见《老子》六十九。
不敢妄为些子事,只因曾读数行书
见元·陶宗仪《南村辍耕录》。
不敢望到酒泉郡,但愿生入玉门关
见南朝·宋·范晔《后汉书·班超传》。
不服一人,与逢人便服者,皆妄人
见清·申涵光《荆园小语》。
不服一人与逢人便服者,皆妄人也
见清·申涵光《荆园小语》。
不必有非常之功,而皆有可纪之状
见宋·苏洵《上皇帝书》。
不念英雄江左老,用之可以尊中国
见宋·辛弃疾《满江红》。"江左",南宋王朝偏安的江南地区。
不患寡而患不均,不患贫而患不安
见《论语·季氏》。
不患立言之不善,患不足以践之耳
见明·薛应旂《薛方山纪述》。全句为:"学者不患立志之不高,患不足以继之耳;~"。
不惑于恒人之毁誉,故足以为君子
见明·方孝孺《毁誉》。

不畏将军成久别，只恐封侯心更移
见隋·薛道衡《豫章行》。
不畏浮云遮望眼，自缘身在最高层
见宋·王安石《登飞来峰》。
不言之教，无为之盖，天下希及之
见《老子》四十三。
不可貌古人而袭之，畏古人而拘束之
见明·王骥《曲律》。
不出户而知天下兮，何必历远以劬劳
见南朝·宋·范晔《后汉书·张衡传》。
不为而成，不求而得，夫是之谓天职
见《荀子·天论》。
不以一己之害为害，而使天下释其害
见清·黄宗羲《原君》。
不以一己之利为利，而使天下受其利
见清·黄宗羲《原君》。
不以物乱官，不以官乱心，是谓中得
见《管子·内业》。
不论其才之称否，而论其历任之多少
见宋·王安石《上皇帝万言书》。全句为："不问其德之所宜，而问其出身之后先；～"。
不阿党，不私色，故群徒之卒不得容
见《晏子春秋·内篇问上第五》。
不动乎众人之非誉，不治观者之耳目
见《荀子·正名》。全句为："～，不赂贵者之权势，不利传辟者之辞"。
不能为五斗米折腰，拳拳事乡里小人
见唐·房玄龄《晋书·陶潜传》。
不肖用事而贤良伏，无功贵而劳苦贱
见《韩非子·亡征》。全句为："～，如是则下怨，下怨者可亡也"。
不得以有学之贫贱，比于无学之富贵
见北齐·颜之推《颜氏家训·勉学篇》。
不应于物者，是致知也，是知之至也
见唐·李翱《复性书中》。全句为："物至之时，其心昭昭然明辨焉，而～"。
不问其德之所宜，而问其出身之后先
见宋·王安石《上皇帝万言书》。全句为："～；不论其才之称否，而论其历任之多少"。
不闻道而死，曷异蜉蝣之朝生暮死乎
见清·魏源《默觚上·学篇》。
不泥古法，不执己见，惟在活而已矣
见清·郑板桥《题画》。
不宜忽略，以弃日也。弃日乃是弃身
见宋·刘清之《戒子通录》。
不察事之是非而悦人赞己，暗莫甚焉
见宋·司马光《资治通鉴·周纪》。
不见其形不闻其声，而序其成谓之道
见《管子内业》。
不敌其力，而消其势，兑下乾上之象
见《三十六计·釜底抽薪》。
不胜其任，而处其位，非此位之人也
见《墨子·亲士》。
不思而立言，不知而定交，吾其惮也
见唐·皮日休《鹿门隐书六十篇》。
不可以年少而自恃，不可以年老而自弃
见明·冯梦龙《警世通言·老门生三世报恩》。
不可以私意喜一人。不可以私意怒一人
见明·胡居仁《居业录·学问》。
不可陷之楯与无不陷之矛不可同世而立
见《韩非子·难一》。
不可轻微恶而不避，无容略小善而不为
见唐·吴兢《贞观政要·规谏太子》。
不及流莺日日啼花间，能使万家春意闲
见唐·韦应物《听莺曲》。
不失足于人，不失色于人，不失口于人
见《礼记·表记》。
不以一毫私意自蔽，不以一毫私欲自累
见宋·朱熹《四书集注·中庸第二十七章》。
不仁者，不可以久处约，不可以长处乐
见《论语·里仁》。
不先审天下之势而欲应天下之务，难矣
见宋·苏洵《审势》。
不让古人是谓有志，不让今人是谓无量
见《格言联璧·持躬类》。
不诚于前而曰诚于后，众必疑而不信矣
见宋·司马光《资治通鉴·唐纪》
不诡其词而词自丽，不异其理而理自新
见唐·裴度《寄李翱书》。
不能爱邦内之民者，不能服境外之不善
见《晏子春秋·内篇问上第一》。
不大不小乃生大小，不高不卑乃生高卑
见汉·严遵《道德指归论·其安易持篇》。
不知周之梦为蝴蝶与，蝴蝶之梦为周与
见《庄子·齐物论》。
不知古人之世，不可妄论古人之文辞也
见清·章学诚《文史通义·文德》。
不知其君视其所使，不知其子视其所友
见汉·司马迁《史记·田叔列传》。
不廉，则无所不取；不耻，则无所不为
见清·顾炎武《日知录》卷十三。
不闻大论则志不宏，不听至言则心不固
见汉·荀悦《申鉴·杂言下》。
不法法，则事毋常；法不法，则令不行
见《管子·法法》。
不好问询之道，则是伐智本而塞智原也
见汉·刘向《说苑·建本》。全句为："～，何以立躯也?"
不是东风压了西风，就是西风压了东风

见清·曹雪芹《红楼梦》第八十二回。

不责人以细过，则能吏之志得以尽其效

见宋·王安石《兴贤》。

不责人小过，不发人阴私，不念人旧恶

见明·洪应明《菜根谭》。全句为："～。三者可以养德，亦可以远害"。

不忍登高临远，望故乡渺邈，归思难收

见宋·柳永《八声甘州》。

不自限其昏与庸而力学不倦，自立者也

见清·彭端淑《为学一首示子侄》。全句为："聪与敏，可恃而不可恃也；自恃其聪与敏而不学，自败者也。昏与庸，可限而不可限也；～"。

不足于行者，说过；不足于信者，诚言

见《荀子·大略》。

不言之化与天同德，不为之事与天同功

见汉·严遵《道德指归论·天下有始篇》。

不言则齐，齐与言不齐，言与齐不齐也

见《庄子·寓言》。全句为："～，故曰无言"。

不以曲故是非相尤，茫茫沉沉，是谓大治

见汉·刘安《淮南子·俶真》。

不使智惠之人治国之政事……故为国之福

见《老子》六十五河上公注。删节处为："则民守正直，不为邪饰，上下相亲，君臣同力"。

不务衣食而务无盗贼，是止水而不塞源也

见宋·刘敞《患盗论》。

不塞隙穴，而劳力于赭垩，暴风疾雨必坏

见《韩非子·用人》。

不肖者则不然，责人则以义，自责则以人

见《吕氏春秋·离俗览·举难》。全句为："君子责人则以人，自责则以义。责人以人则易足，易足则得人；自责以义则难为非，难为非则形饰；故任天地而有余。～。责人以义则难瞻，难瞻则失亲；自责以人则易为，易为则行苟；故天下之大而不容也，身取危、国取亡焉"。"瞻"，当作"赡"。难瞻，难以满足。

不名一格，不专一体，要不失乎为我之诗

见清·黄遵宪《人境庐诗草自序》。

不知处阴以休影，处静以息迹，愚亦甚矣

见《庄子·渔父》。

不治其本，而务其末，譬犹拯溺锤之以石

见《邓析子·无厚》。

不逆诈，不亿不信，抑亦先觉者，是贤乎

见《论语·宪问》。

不学自知，不问自晓，古今行事未之有也

见汉·王充《论衡·实知》。

不绝之于彼而救之于此，譬犹抱薪而救火

见汉·枚乘《上书谏吴王》。

不智不勇不信，有此三者，不可以立功名

见《吕氏春秋·离俗览·贵信》。全句为："人特劫君而不盟，君不知，不可谓智；临难而不能勿听，不可谓勇；许之而不予，不可谓信。～"。"听"，听从，听任胁迫；"特"，仅，只。

不与万物共尽，而卓然其不朽者，后世之名

见宋·欧阳修《祭石曼卿文》。

不专一能，怪怪奇奇，不可时施，只以自嬉

见唐·韩愈《送穷文》。

不可假公法以报私仇，不可假公法以报私德

见《从政遗规·薛文清公要语》。

不求所无，不失所得，内无旁祸，外无旁福

见汉·刘安《淮南子·诠言》。

不飞则已，一飞冲天；不鸣则已，一鸣惊人

见汉·司马迁《史记·滑稽列传》。

不以其所能者病人，不以人之所不能者愧人

见《礼记·表记》。

不尽知用兵之害者，则不能尽知用兵之利也

见《孙子兵法·作战篇》。

不厚其栋，不能任重。重莫如国，栋莫如德

见《国语·鲁语上》。

不谓小善不足为也而舍之，小善积而为大善

见汉·刘安《淮南子·缪称》。

不随举子纸上学六韬，不学腐儒穿凿注五经

见宋·刘过《多景楼醉歌》。

不能则学，不知则问，虽知必让，然后为知

见汉·韩婴《韩诗外传》卷六。

不能说其志意，养其寿命者，皆非通道者也

见《庄子·盗跖》。

不受虚言，不听浮术，不采华名，不兴伪事

见汉·荀悦《申鉴·俗嫌》。

不择善否，两容颊适，偷拔其所欲，谓之险

见《庄子·渔父》。"否"，坏。

不揣其本而齐其末，方寸之木可使高于岑楼

见《孟子·告子下》。

不知三军之事而同三军之政者，则军士惑矣

见《孙子兵法·谋攻篇》。"同"，参与。

不知而不疑，异于己而不非者，公于求善也

见《战国策·赵策》。

不知则问，不能则学，虽能必让，然后为德

见《荀子·非十二子》。

不知者，非其人之罪也；知而不为者，惑也

见唐·韩愈《送浮屠文畅师序》。

不广其从，不为兵邾，不为乱首，不为宛谋

见《十六经·顺道》。

不宜言而言是佞之徒，宜言而不言是愚之符

见明·方孝孺《逊志斋集·口》。

不学古人，法无一可；竟似古人，何处着我

见清·袁枚《续诗品·着我》。

不学操缦，不能安弦；不学博依，不能安诗

见《礼记·学记》。

不学问，无正义；以富利为隆，是俗人者也

见《荀子·儒效》。

不曰坚乎？磨而不磷；不曰白乎？涅而不缁

见《论语·阳货》。“磷”，薄。

不贵尺之璧，而重寸之阴，时难得而易失也

见汉·刘安《淮南子·原道》。

不畏于微，必畏于章，患大祸深，以至灭亡

见汉·严遵《道德指归论·民不畏威篇》。

不痴不狂，其名不彰；不狂不痴，不能成事

见《太公阴谋》。

不素养士而欲求贤，譬犹不琢玉而求文采也

见宋·司马光《资治通鉴·汉纪》。

不可与往者，不知其道，慎勿与之，身乃无咎

见《庄子·渔父》。全句为：“可与往者与之，至于妙道；～”。

不以宠辱荣患损易其身，然后乃可以天下付之

见三国·魏·王弼《老子》十三注。

不恃隐括而有自直之箭自圆之木，百世无有一

见《韩非子·显学》。

不日不月，而事以从；不卜不筮，而谨知吉凶

见《管子·白心》。

不责人所不及，不强人所不能，不苦人所不好

见隋·王通《文中子·魏相》。

不思，故有惑；不求，故无得；不问，故不知

见宋·晁说之《晁氏客语》。

不为穷变节，不为贱易志；惟仁之处，惟义之行

见汉·桓宽《盐铁论·地广》。全句为：“古之君子，守道以立名，修身以俟时；～”。

不拘一世之利以为己私分，不以王天下为己处显

见《庄子·天地》。“私分”，私有。

不待相见，相信已熟；既相见，不要约，已相亲

见唐·韩愈《答杨子书》。

不得所以用之，国虽大，势虽便，卒无众，何益

见《吕氏春秋·离俗览·用民》。全句为：“今外之则不可拒敌，内之则不可以守国，其民非不可用也，不得所以用之也。～？古者多有天下而亡者矣，其民不为用也。用民之论，不可不熟”。“卒无众”，疑似作“卒虽众”。

不深思则不能造于道，不深思而得者，其得易失

见宋·晁说之《晁氏客语》。

不学而求知，犹愿鱼而无网焉，心虽勤而无获矣

见晋·葛洪《抱朴子·勖学》。

不爱尺璧而爱寸阴，时过不还，若年大不可少也

见三国·王修《诫子书》。

不修身而求令名于世者，犹貌甚恶而责妍影于镜也

见北齐·颜之推《颜氏家训·名实篇》。

不就利，不违害，不强交，不苟绝，惟有道者能之

见隋·王通《中说·天地》。

不谓小不善为无伤也而为之，小不善积而为大不善

见汉·刘安《淮南子·缪称》。

不奋苦而求速效，只落得少日浮夸，老来窘隘而已

见清·郑板桥《题画》。

不躬行，便如水行得车，陆行得舟，一毫受用不得

见《格言联璧·学问类》。

不以众人待其身，而以圣人望于人，吾未见其尊己也

见唐·韩愈《原毁》。

不争而无所不胜，不言而无所不应，不召而无所不来

见汉·严遵《道德指归论·勇敢篇》。

不知言之人，乌可与言？知言之人，默焉而其意已传

见唐·韩愈《五箴·言箴》。

不问而告谓之傲，问一告二谓之囋。傲非也，囋非也

见《荀子·劝学》。

不愤不启，不悱不发。举一隅不以三隅反，则不复也

见《论语·述而》。

不是师法，而好自用，譬之是犹以盲辨色，以聋辨声也

见《荀子·修身》。全句为：“～，舍乱妄无为也”。“不是”，否定。

不以人之坏自成也，不以人之卑自高也，不以遭时自利也

见《庄子·让王》。

不思安危终始之虑，是乐春藻之繁华，而忘秋实之甘口也

见晋·陈寿《三国志·吴书·诸葛恪传》。

不仁之人骋其私智，可以盗千乘之国，而不可以得丘民之心

见宋·朱熹《四书集注·孟子·尽心下》。

不与凶人为仇，不与吉人为亲，不与诚人为媾，不与诈人为怨

见汉·严遵《道德指归论·圣人无常心篇》。

不可以一时之誉，断其为君子；不可以一时之谤，断其为小人

见明·冯梦龙《警世通言·拗相公饮恨半山堂》。全句为：“～；不可以一时之谤，断其为小人”。

不行王政云尔；苟行王政，四海之内皆举首而望之，欲以为君

见《孟子·滕文公下》。

不闻不若闻之，闻之不若见之，见之不若知之，知之不若行之

见《荀子·儒效》。

不本其所以欲，而禁其所欲……是犹决江河之源而障之以手也

见汉·刘安《淮南子·精神》。

不法其已成之法，而法其所以为法。所以为法者，与化推移者也

见汉·刘安《淮南子·齐俗》。

丑 chǒu 难看；令人厌恶的；地支的第二位；传统戏曲脚色行当之一；十二时辰之一；恶人；美学范畴之一；通"俦"，同类；羞耻；姓。

❶丑女来效颦，还家惊四邻

见唐·李白《古风五十九》之三十五。全句为："～。寿陵失本步，笑杀邯郸人"。

丑声，贯盈。迟和早除奸佞

见明·冯惟敏《中吕朝天子·感迷》。

丑必托善以自为解，邪必蒙正以自为辟

见汉·刘安《淮南子·泰族》。全句为："当今之世，～"。

❷好丑必上，不在远近

❸恶直丑正，实蕃有徒

❺不荣通，不丑穷／有妍必有丑为之对

❻老树着花无丑枝／胜事谁复论，丑声日已播

❽貌虽至殊，不离妍丑

❾得志万罪消，失志百丑生

❿靥辅在颊则好，在颡则丑／嫫母有所美，西施有所丑／嫫母倭傀，善誉者不能掩其丑／贵珠出乎贱蚌，美玉出乎丑璞／水至平而邪者取法，镜至明而丑者无怒／匠人成棺，不憎人死；利之所在，忘其丑也／好者不必同色而皆美，丑者不必同状而皆恶／天不为人怨咨而辍其寒暑，君子不为人之丑恶而辍其正道

屯 ①tún 聚积；驻防；土阜；村庄；姓。②zhūn 六十四卦之一；艰难。[屯邅]难行貌。[屯屯]谨厚，信实。

❷处屯而必行其道，居陋而不改其度

❹英雄有屯邅，由来自古昔

❾人生譬朝露，居世多屯蹇

互 hù 相互；古时挂肉的架子；古时官府门前拦阻行人的木障。

❸渔歌互答，此乐何极／胡笳互动，牧马悲鸣，吟啸成群，边声四起

❺越阡度陌，互为主客／负势竞上，互相轩邈，争高直指，千百成峰

❼其岸势犬牙差互，不可知其源

❽谁不欲争裂绮绣，互攀日月

❾云破月出，光气含吐，互相明灭，晶莹玲珑

❿钱神通灵于旁蹊，公器反类于互市／擅山海之富，居川林之饶，争修园宅，互相夸竞

牙 yá 人和动物的齿；咬；特指可制作工艺品的象牙；通"芽"，萌芽，发生；古称官署；牙商，即经纪人；通"伢"，幼小。

❹象见其牙，而大小可论／见象之牙而知其大于牛也／虎爪象牙，禽兽之利而我之害

❺谁谓鼠无牙，何以穿我墉／其岸势犬牙差互，不可知其源

❽周诰殷盘，佶屈聱牙

❾股肱罄帷幄之谋，爪牙竭熊罴之力

❿阳不极则阴不萌，阴不极则阳不牙／齐桓公以管仲辅之则理，以易牙辅之则乱／师旷调音，曲无不悲；狄牙和膳，肴无澹味／碧峰巉巉，出于柏梢，有如虎牙，夹天而立／搏攫抵噬之兽，其用齿角爪牙也，必托于卑微隐蔽

未 wèi 没有；将来；不；同"否"，表询问；地支的第八位；十二时辰之一，相当于十三时至十五时；姓。

❶未可同日而语

见宋·苏轼《放鹤亭记》。

未知鹿死谁手

见唐·房玄龄等《晋书·石勒载记》。

未能操刀而使割

见《左传·襄公三十一年》。

未若柳絮因风起

见南朝·宋·刘义庆《世说新语·言语》。

未知生，焉知死

见《论语·先进》。

未闻烈士树降旗

见宋·陈文龙《元兵俘至合沙诗寄仲子》。

未成曲调先有情

见唐·白居易《琵琶行》。

未有不学而能者

见宋·王安石《皇侄右卫大将军岳州团练使宗实可起复旧官》。全句为："～，学所以修身也，身修而无不治矣"。

未尝一日去书不观

见唐·韩愈《唐故相权公墓碑》。

未可与言而言谓之瞽

见汉·韩婴《韩诗外传》卷四。全句为："～，可与言而不与之言谓之隐"。

未信而纳忠者，谤也

见南朝·宋·范晔《后汉书·崔骃传》。全句为："交浅而言深者，愚也；在贱而望贵者，惑也；～"。

未能事人，焉能事鬼

见《论语·先进》。

未能免俗，聊复尔尔

见清·文康《儿女英雄传》第三十九回。

未知一生当著几量屐

见南朝·宋·刘义庆《世说新语·雅量》。“几量”，多少。

未知事实，不可虚行

见唐·张九龄《敕安西节度王斛斯书》。

未闻身乱而国治者也

见《列子·说符》。全句为：“未尝闻身治而国乱者也，又～”。

未闻枉己而能正人者也

见汉·刘安《淮南子·诠言》。

未得乎前，则不敢求乎后

见宋·朱熹《读书之要》。全句为：“～；未通乎此，则不敢志乎彼”。

未通乎此，则不敢志乎彼

见宋·朱熹《读书之要》。全句为：“未得乎前，则不敢求乎后；～”。

未言心相醉，不在接杯酒

见晋·陶潜《拟古九首》之一。

未得位则思修其辞以明其道

见唐·韩愈《进士策问》。全句为：“君子居其位则思死其官，～”。

未得兽者，惟恐其创之小也

见汉·刘安《淮南子·道应》。全句为：“～，已得之，惟恐伤肉之多也”。

未有不能正身而能正人者也

见宋·苏辙《盛南仲知衡州》。

未有不能制兵而能止暴乱者

见唐·杜牧《上周相公书》。全句为：“～，未有暴乱不止而能活生人、定国家者”。

未有学其小而能至其大者也

见宋·欧阳修《易或问三首》。全句为：“得其大者可以兼其小，～”。

未曾灭项兴刘，先见筑坛拜将

见明·冯梦龙《古今小说·蒋兴哥重会珍珠衫》。

未有无腹心手足而能独理者也

见唐·陈子昂《上军国利害事·牧宰》。全句为：“宰相，陛下之腹心；刺史县令，陛下之手足。～”。

未有不自有恒而能至于圣者也

见宋·朱熹《四书集注·论语·述而》。全句为：“有恒者之与圣人，高下固悬绝矣，然～”。

未形者有分，且然无间，谓之命

见《庄子·天地》。

未遇明师，而求要道，未可得也

见晋·葛洪《抱朴子·微旨》。

未有身正而影曲，上治而下乱者

见唐·吴兢《贞观政要·君道》。全句为：“若安天下，必先正其身，～”。

未必人间无好汉，谁与宽些尺度

见宋·刘克庄《贺新郎》。

未必上流须鲁肃，腐儒空白九分头

见宋·陈与义《简斋集·巴丘书事》。

未尝敢以昏气出之，惧其昧没而杂也

见唐·柳宗元《答韦中立论师道书》。全句为：“吾每为文章，未尝敢以轻心掉之，惧其剽而不留也；未尝敢以怠心易之，惧其驰而不严也；～；未尝敢以矜气作之，惧其偃蹇而骄也”。

未尝敢以怠心易之，惧其驰而不严也

见唐·柳宗元《答韦中立论师道书》。全句为：“吾每为文章，未尝敢以轻心掉之，惧其剽而不留也；～；未尝敢以昏气出之，惧其昧没而杂也；未尝敢以矜气作之，惧其偃蹇而骄也”。

未尝敢以矜气作之，惧其偃蹇而骄也

见唐·柳宗元《答韦中立论师道书》。全句为：“吾每为文章，未尝敢以轻心掉之，惧其剽而不留也；未尝敢以怠心易之，惧其驰而不严也；未尝敢以昏气出之，惧其昧没而杂也；～”。

未得之也，患得之；既得之，患失之

见《论语·阳货》。

未闻刀没而利存，岂容形亡而神在？

见南朝·梁·范缜《神灭论》。

未有天地之先，毕竟也只是先其俭也

见《左传·桓公二年》。

未有暴乱不止而能活生人、定国家者

见唐·杜牧《上周相公书》。全句为：“未有不能制兵而能止暴乱者，～”。

未成乎心而有是非，是今日适越而昔至也

见《庄子·齐物论》。

未有天地之先，毕竟也只是先进谏斯易矣

见汉·荀悦《申鉴·杂言下》。

未信而谏，圣人不与。交浅言深，君子所戒

见宋·苏轼《上神宗皇帝》。

未画以前，不立一格；既画以后，不留一格

见清·郑燮《题画·乱兰乱竹乱石与王希林》。

未有仁而遗其亲者也，未有义而后其君者也

见《孟子·梁惠王上》。

未有好利而爱其君者，未有好义而忘其君者

见唐·韩愈《上张仆射书》。

未事而知其来，始事而知其终，定事而知其变

见明·吕坤《呻吟语》。全句为：“将事而能弭，当事而能救，既事而能挽，此之谓达权，此之谓才。～，此之谓长虑，此之谓识”。

未有天地之先，毕竟也只是先让者，德之主也

见《晏子春秋·内篇杂下第十四》。

未有主强盛而辅不飘逸者，兵卫不华赫而庄整者

见唐·杜牧《答庄克书》。全句为:"为文以意为主,气为辅,以辞彩章句为之兵卫,~"。

未尝闻身治而国乱者也,又未尝闻身乱而国治者也

见《列子·说符》。全句为:"~。故本在身而不敢对以末"。

未有天地之先,毕竟也只是先有此理,便有此天地

见宋·朱熹《朱子语类》卷一。

未战养其财,将战养其力,既战养其气,既胜养其心

见宋·苏洵《心术》。

❷民未知礼,虽聚而易散/谋未发而闻于外,则危/吾未闻枉己而正人者也/吾未见好德如好色者也/世未有小人不除而治者也/道未始有封,言未始有常/胡未灭,鬓先秋,泪空流/军未战先见败征,可谓知兵/知未生之乐,则不可畏以死/宜未雨而绸缪,毋临渴而掘井/宜未雨而绸缪,勿临渴而掘井/有未偿之厚责,无可录之微劳/心未滥而先谕教,则化易成也/兵未战而先见败征,此可谓知兵/行未固于无非,而急求名者,必锉也/世未有不自下而能高,不自近而能远者/其未得之也,患得之。既得之,患失之/战未尝不胜,攻未尝不取,所当未尝不破/理未尝离乎气,然理形而上者,气形而下者/青未了,松耶?柏耶?独鸟来时,连峰断处,双髻人耶/乐未毕也,哀又继之;哀乐之来,吾不能御,其去弗能止

❸位卑未敢忘忧国/匈奴未灭不言家/先识未然,圣也/笔力未饶弓力劲/人心未泯,公论难逃/军井未达,将不言渴/军幕未办,将不言倦/军灶未炊,将不言饥/山川未改,容貌俱非/闻所未闻,见所未见/桑之未落,其叶沃若/明鉴未远,覆车如昨/既食,未设备,可击/魏耻未灭,赵患又起/一步未至,则犹不往也/天下未有不学而成者也/毛羽未成,不可以高飞/两贤未别,则能让者为俊/高者未必贤,下者未必愚/功业未及建,夕阳忽西流/推其未然之理而辨之也难/当及未衰时,晚节早自励/知焉,未可以得行之效也/宝剑未砥,犹乏切玉之功/枉直未定,决于绳墨之平/谷口未斜日,数峰生夕阳/反古未可非,而循礼未足多/匈奴未灭,受命而孰不忘家/圣人未尝有知,由问乃有知/洪涛未接,长鲸多陆死之忧/层风未翔,大鹏有云倾之势/深入未必为得,不进未必为非/宠子未有不骄,骄子未有不败/富贵未必可重,贫贱未必可轻/礼禁未然之前,法施已然之后/士有未效之用,而身在无誉之间/出师未捷悲移鼎,视死如归笑射钩/出师未捷身先死,长使英雄泪满襟/千金未必能移性,一诺从来许杀身/荆王未辨连城价,肠断南州抱璧人/坑灰未冷山东乱,刘项元来不读书/国仇未报壮士老,匣中宝剑夜有声/逆胡未灭心未平,孤剑床头铿有声/死犹未肯输心去,贫亦其能奈我何/天下未尝无才,患所以求才之道不至/天下未有无理之气,亦未有无气之理/大川未济,乃失巨舰;长途始半,而丧良骥/学有未达,强以为知,理有未安,妄以臆度

❹升堂矣,未入室也/兵,凶器,未易数动/为之于未有,治之于未乱/制治于未乱,保邦于未危/制欲于未萌,除害于未兆/但令身未死,随力报乾坤/诗情吟未足。酒兴断还续/防微于未兆,虑难于将来/君子防未然,不处嫌疑间/枉己者,未有能直人者也/此身倘未死,仁义尚力行/日闻所未闻,日见所未见/辞有所未尽,意有所未竭/古之人,未有不须友以成者/除患于未萌,然后能转而为福/至人消未起之患,治未病之疾/生生者未尝死也,其所生则死矣/化物者未尝化也,其所化则化矣/好事者未尝不中,争利者未尝不穷/早成者未必有成,晚达者未必不达/古之人未始不薄于当世,而荣于后世也/有以为未始有物者,至矣,尽矣,弗可以加矣

❺何不相逢未嫁时/卷土重来未可知/恨不相逢未嫁时/天下之物未尝无对/飞鸟之景未尝动也/习其名而未稽其实/鼎之轻重,未可问也/食肉者鄙,未能远谋/处尊居显未必贤,遇也/官达者,才未必当其位/誉美者,实未必副其名/上有命而未行,则吏先之/兵闻拙速,未睹巧之久也/以贤临人,未有得人者也/位卑在下未必愚,不遇也/知之之要,未若行之之实/图形于影,未尽纤丽之容/得之之难,未若持之之难/进取之士,未必能有行也/学之之博,未若知之之要/心知其意,未可明诏大号/穷兵极武,未有不亡者也/每读其传,未尝不想见其人/以贤下人,未有不得人者也/能备患于未形也,故祸不萌/迟疑不断,未有能成事者也/疾痛惨怛,未尝不呼父母也/一抔之土未干,六尺之孤安在/不正而合,未有久而不离者也/观天下书未遍,不得妄下雌黄/治疾及其未笃,除患贵其未深/实迷途其未远,觉今是而昨非/遏悔吝于未萌,验是非于往事/殃咎之来,未有不始于快心者/贵绝恶于未萌,而起教于微眇/虎豹之驹未成文,而有食牛之气/事有切而未能忘,情有深而未能遣/疑人者,人未必皆诈,已则先诈矣/主人闻语未开门,绕篱野菜飞黄蝶/君问归期未有期,巴山夜雨涨秋池/惟能于其未然而预防之,故无后忧/文武之功,未有不以得人而成者也/譬如为山,未成一篑,止,吾止也/黑云翻墨未遮山,白雨跳珠乱入船

／诚意孚于未言之前，则言出而人信之／能行之者未必能言，能言之者未必能行／一人之毁，未必有信；积年之行，不应顿亏／长桥卧波，未云何龙？复道行空，不霁何虹／六合为巨，未离其内；秋毫为小，待之成体／比不应事，未可谓喻；文不称实，未可谓是／有行之士，未必能进取；进取之士，未必能有行也

❻虽九死其犹未悔／览予初其犹未悔／祸患可销于未萌／骨朽人间骂未销／前车已覆，后未知更／小时了了，大未必佳／甘心于履危，未必逢祸／亡羊而补牢，未为迟也／涉长道后行未息，可击／骄而不亡者，未之有也／便令江汉竭，未厌虎狼求／凌烟阁上人，未必皆忠烈／相见情已深，未语可知心／有过则改之，未萌则戒之／不忍为非，而未能必免其祸／千里而袭人，未有不亡者也／以善胜人者，未有能服人者／凡贤人君子，未尝不思效用／吾虑不清，则未可定然否也／每念斯耻，汗未尝不发背沾衣／以善养人者，未有不服人者也／前古之兴亡，未尝不经于心也／寸裂之锦黻，未若坚完之韦布／当世之得失，未尝不留于意也／吾每为文章，未尝敢以轻心掉之／踏遍青山人未老，风景这边独好／豫者图患于未然，犹者致疑于已是／虽体解吾犹未变兮，岂余心之可惩／逆胡未灭心未平，孤剑床头铿有声／明者防祸于未萌，智者图患于将来／忠言有壅而未达，贤才有抑而未用／自古此冤应未有，汉心汉语吐蕃身／天下之至文，未有不出于童心焉者也／明者远见于未萌，而智者避危于无形／天子之所是未必是，天子之所非未必非／鄙朴忤逆者未必悖，承顺惬可者未必忠／太极，谓天地未分之前，元气混而为一／呐呐寡言者未必愚，喋喋利口者未必智／君子于细事，未必可观，而材德足以重任／喜怒哀乐之未发谓之中，发而皆中节谓之和／常看得自家未必是，他人未必非，便有长进／山，快马加鞭未下鞍。惊回首，离天三尺三／见兔而顾犬，未为晚也；亡羊而补牢，未为迟也／用其智于人，未若用其智于己；用其力于人，未若用其力于己

❼不去庆父，鲁难未已／报者倦矣，施者未厌／闻所未闻，见所未见／治民者，禁奸于未萌／慎防其端，禁于未然／道未始有封，言未始有常／纵欲而失性，动未尝正也／身曲而景直者，未之闻也／以天下为忧，而未以位为乐／闻诛一夫纣矣，未闻弑君也／有千里莼羹，但未下盐豉耳／食肉毋食马肝，未为不知味／苟不能以善始，未有能令终者／空怀向日之心，未有朝天之路／酷好学问文章，未尝一日暂废／庐室之间，其便未必能过燕服翼／后之来者，则吾未之见，其可忽耶／兵，诡道也，军事未发，不厌其密／鸿鹄之鷇羽翼未全，而有四海之心／方其知之，而行未及之，则知尚浅／颠沛之揭，枝叶未有害，本实先拨／万事以心为本，未有心至而力不能者／置虚器于水中，未充则唱，既充则默／吾斯役之不幸，未若复吾赋不幸之甚也／战未尝不胜，攻未尝不取，所当未尝不破／六经之治，贵于未乱；兵家之胜，贵于未战／善为政者，防于未然，均其有无，省其徭役／山，刺破青天锷未残。天欲堕，赖以拄其间／经目之事，犹恐未真；背后之言，岂能全信／言无言，终身言，未尝言；终身不言，未尝不言

❽学者是学圣人而未至者／一夫怒临关，百万未可傍／九州犹虎豹，四海未桑麻／高者未必贤，下者未必愚／明年春色至，莫作未归人／有廉而贫者，贫者未必廉／眼见方为是，传言未必真／不仁而得天下者，未之有也／事有合于己者而未始有是也／但患无志耳，事固未可知也／过则失中，不及则未至……／明治病之术者，杜未生之疾／礼乐之得失，视之未必见也／事垂立而辄废，功未成而旋去／事至而后求，曷若未至而先备／自行束修以上，吾未尝无诲焉／事……有忤于心者而未始有非也／声声解堕金铜泪，未信吴儿是木人／莫嫌举世无知己，未有庸人不忌才／君日骄而臣日谄，未有不丧邦者也／逢人且说三分话，未可全抛一片心／逢人只可三分语，未可全抛一片心／政之不便于民者，未必皆上之过也／恶波横天山塞路，未央宫中常满库／筋疲力弊不入腹，未议县官租税足／闻以有知知者也，未闻以无知知者也／闻以有翼飞者矣，未闻以无翼飞者也／爱名尚利，小人哉，未见仁者而好名利者也／罄南山之竹，书罪未穷；决东海之波，流恶难尽

❾万姓厌干戈，三边尚未和／不困在豫慎，见祸在未形／为之于未有，治之于未乱／制治于未乱，保邦于未危／制欲于未萌，除害于未兆／首夏犹清和，芳草亦未歇／仓禀无宿储，徭役犹未已／仓廪无宿储，徭役犹未已／谁道田家乐？春税秋未足／圣人所贵者，去祸于未萌／虽发语已殚，而含意未尽／成败论古人，陋识殊未公／日闻所未闻，日见所未见／禁邪于冥冥，绝恶于未萌／辞有所未尽，意有所未竭／反古未可非，而循礼未足多／人有盗而富者，富者未必盗／州闾之士皆誉皆毁，未可为正／交游之人，誉不三周，未必信／至人消未起之患，治未病之疾／深入未必为得，不进未必为非／宠子未有不骄，骄子未有不败／富贵未必可重，贫贱未必可轻／未遇明师，而求要道，未可得也／甘酒醴而不酤饴蜜，未为能知味／博士买驴，书卷三纸，未有驴字／根本不美，枝叶茂者，未之闻也／敌人远来新至，行列未定，可击／烈士为天下见善

矣，未足以活身／积水于防，燎火于原，未尝暂静也／一日暴之，十日寒之，未有能生者也／一政之出，上有意而未决，则吏赞之／事虽易，而以难处之，未有不治之变／小人虽器量浅狭，而未必无一长可取／情之所昏，交相攻伐，未始有穷……／意新语工，得前人所未道者，斯为善也／百姓所以养国家也，未闻以国家养百姓者也／真悲无声而哀，真怒未发而威，真亲未笑而和／能使人知己、爱己者，未有不能知人、爱人者也／季路问事鬼神。子曰："未能事人，焉能事鬼"

⑩谢朝华于已披，启夕秀于未振／治疾及其未笃，除患贵其未深／明者见于无形，智者虑于未萌／明者起福于无形，销患于未然／易水萧萧西风冷……悲歌未彻／愚者暗于成事，知者见于未萌／聪者听于无声，明者见于未形／上好奢靡而望下敦朴，未之有也／仁者爱万物，而智者备祸于未形／吾之终日志于道德，犹惧未及也／丈夫盖棺事始定，君今幸未成老翁／丈夫穷空自其分，饿死吾肩未尝胁／不到西湖看山色，定应未可作诗人／事有切而未能忘，情有深而未能遣／周而复始无休息，官租未了私租逼／周公恐惧流言日，王莽谦恭未篡时／乘时投隙非谓才，苟得未必为汝福／以人之不正，知其身之有所未正也／人世多违壮士悲，干戈未定书生老／人主莫不欲其臣之忠，而忠未必信／人亲莫不欲其子之孝，而孝未必爱／今日重来应抵掌，十年分付未逢人／亦余心之所善兮，虽九死其犹未悔／报国志愿不敢忘，此身未暇归江乡／少不讽，壮不论议；虽可，未成也／宣父犹能畏后生，丈夫未可轻年少／好事者未尝不中，争利者未尝不穷／杀身慷慨犹易免，取义从容未轻许／梅花欢喜漫天雪，冻死苍蝇未足奇／早成者未必有成，晚达者未必不达／炼句炉槌岂可无？句成未必尽缘渠／忠言有壅而未达，贤才有抑而未用／愚医类能杀人，而不服药者未必死／砚中斑驳遗民泪，井底千年恨未销／立当青草人先见，行傍白莲鱼未知／耳边要静不得静，心里欲闲终未闲／虚负凌云万丈才，一生襟抱未曾开／天下未有无理之气，亦未有无气之理／人灭而为鬼，鬼而为人，则未之知也／士有靡衣鲜食而乐道者，吾未之见也／知有所待而后当，其所待者特未定也／超俗拔萃之德，不能立功于未至之时／言之而非，虽在王侯卿相，未必可容／天子之所是未必是，天子之所非未必非／制其末而不穷其源，见其粗而未识其精／傲小物而志属于大，似无勇而未可恐狼／鄙朴忤逆者未必悖，承顺惬可者未必忠／能行之者未必能言，能言之者未必能行／呐呐寡言者未必愚，喋喋利口者未必智／缓贤忘士，而能以其国存者，未曾有也／聆其善言，观其善行，足以资吾之未逮／自古及今，穷其下能不危者，未之有也／不学自知，不问自晓，古今行事未之有也／古之善用兵者，用其翻然勃然于未悔之间／士志于道，而耻恶衣恶食者，未足与议也／若意新语工，得前人所未道者，斯为善也／据千乘之国，而信谗佞之计，未有不亡者／咸以孔子之是非为是非，故未尝有是非耳／战未尝不胜，攻未尝不取，所当未尝不破／天下之物博而智浅，以澹浅博，未有能者也／未有仁而遗其亲者也，未有义而后其君者也／未有好利而爱其君者，未有好义而忘其君者／人穷则反本，故劳苦倦极，未尝不呼天地也／六经之治，贵于未乱；兵家之胜，贵于未战／尘加嵩岱，雾集淮海，虽未有益，不为损也／薄施而厚望，畜怨而无患者，古今未之有也／常看得自家未必是，他人未必非，便有长进／善有善报，恶有恶报；不是不报，时辰未到／学有未达，强以为知，理有未安，妄以臆度／比不应事，未可谓喻；文不称实，未可谓是／所贵良吏者，贵其绝恶于未萌，使之不为非／祸至后惧，是诚不知；君子之惧，惧乎未始／积善多者，虽有一恶，是为过失，未足以亡／积恶多者，虽有一善，是为误中，未足以存／真悲无声而哀，真怒未发而威，真亲未笑而和／任非其人而国家不倾者，自古至今，未尝闻也／若近细人，不闻教谕，纵欲行善，犹未知所适／善善不进而恶恶不退，则忠奸未别，邪正不分／称薪而爨，数米而炊，可以治小而未可以治大／争让之礼，尧桀之行，贵贱有时，未可以为常也／斩伐林木，亡有时禁，水旱之灾，未必不由此也／泰初有无，无有，无名。一之所起，有一而未形／见兔而顾犬，未为晚也；亡羊而补牢，未为迟也／疗饥于附子，止渴于鸩毒，未入肠胃，已绝咽喉／自太古以来，致理兴化，未有言之不行而能至矣／言无言，终身言，未尝言；终身不言，未尝不言／未尝闻身治而国乱者也，又未尝闻身乱而国治者也／要使诚意之交通，在于未言之前，则言出而人信矣／物非有大小也，自其内而观之，未有不高且大者也／有行之士，未必能进取；进取之士，未必能有行也／不以众人待其身，而以圣人望于人，吾未见其尊己也／使患无生易于救患，而莫能加务焉，则未可与言术也／君子之道，不以其所已能者为足，而尝以其未能者为歉／伪乱俗，私坏法，放越轨，奢败制。四者不除，则政未由行矣／急乎其所自立，而无患乎人不己知，未尝闻有响大而声微者也／用其智于人，未若用其智于己；用其力于人，未若用其力于己／能明申、韩之术而修商君之法，法修术明而天下乱者，未之闻也／君子之行者有二焉；其未发也，慎而已矣，其既发也，义而已矣

末 mò 树梢；四肢；事物的尽头；非根本的；碎屑；轻微不足道；减轻；末；无；犹"勿"，禁止之词；传统戏曲脚色行当；姓。

❶末大必折，尾大不掉

见《左传·昭公十一年》。

末不可以强于本，指不可以大于臂

见汉·刘安《淮南子·说山》。

❷治末者调其本，端影者正其形／天末海门横北固，烟中沙岸似西兴／木末芙蓉花，山中发红萼。涧户寂无人，纷纷开且落

❸失之末流，求之本源／谛毫末者，不见天地之大／其道末者其文杂，其才浅者其意烦／制其末而不穷其源，见其粗而未识其精

❹刀锥之末，将尽争之／将绝其末，必塞其原／欲正其末者，先端其本／冲风之末，力不能漂鸿毛／强弩之末，力不能入鲁缟／本深而末茂，形大而声宏／本朽则末枯，源浅则流促／根浅则末短，本伤则枝枯／物有本末，事有终始。知所先后，则近道矣

❺修其本而末自应／本不正者，末必倚／气质、神韵，末也／舍本而理末则辞构矣／尾大不掉，末大必折／抱木生毫末，层台起累土／其本乱，而末治者，否矣／得本以知末，不舍本以逐本／强冲风之末，力不能漂鸿毛

❻丰凶相济，农末皆利／塞其本源而末流自止／禁微则易，救末者难／虽则巧持其末，不如拙诚其本／置其本，求之末，当后者反先之，无一焉不悖于极／目察秋毫之末，耳不闻雷霆之声；耳调玉石之声，目不见泰山之高

❼源清流洁，本盛末荣／本弊不除，则其末难止／锥之处囊中，其末立见／治水不自其源，末流弥增其广／文章以华采为末，而以体用为本／事有所分，则毫末不遗而情伪必见

❽以人为本，以财为末／礼乐为本，刑政为末／明足以察秋毫之末，而不见舆薪／去浮华，举功实，绝末伎，同本务／不治其本，而务其末，譬犹拯溺锤之以石／不揣其本而齐其末，方寸之木可使高于岑楼／合抱之木，生于毫末……千里之行，始于足下

❾不先正本而成忧于末也／以道治国，崇本以息末／本伤者枝槁，根深者末厚／教，政之本也；狱，政之末也／天下莫大于秋毫之末，而太山为小

❿见微以知萌，见端以知末／风生于地，起于青蘋之末／功成行满之士，要观其末路／谷太贱则伤农，太贵则伤末／无掘壑而附丘，无舍本而治末／秉纲而目自张，执本而末自从／澄其源者流清，溷其本者末浊／忧在内者本也，忧在外者末也／采薜荔兮水中，搴芙蓉兮木末／为治之大体，莫善于抑末而务本／才自清明志自高，生于末世运偏消／计有一二者难悖也，听无失本末者难惑／小处不渗漏，暗处不欺隐，末路不怠荒／善难者务释事本，不善难者舍本而理末／登泰山而览群岳，则冈峦之本末可知也／冀以尘雾之微补益山海，荧烛末光增辉日月／太山之高，背而弗见；秋毫之末，视之可察／吾观之本，其往无穷；吾求之末，其来无止／贤士之处世也，譬若锥之处囊中，其末立见／人之好怪也！不求其端，不讯其末，惟怪之欲闻／凡乱也者，必始乎近而后及远，必始乎本而后及末／曰衣食足而后廉耻兴，财物阜而后礼乐作，是执末以求其本也

击 jī 敲；攻打；碰撞；铁刃。

❷目击而道已存，不言而意已传／鹰击长空，鱼翔浅底，万类霜天竞自由／水击鹄雁，陆断驹马，则臧获不疑钝利

❸三千击水，九万抟风／以千击万，莫善于阻／以逸击劳，取胜之道／上马击狂胡，下马草军书／鹰善击也，然日击之，则疲而无全翼矣／以一击十，莫善于阨；以十击百，莫善于险

❹心怖，可击／千磨万击还坚劲，任尔东西南北风／千锤万击出深山，烈火焚烧若等闲／鸷鸟将击，卑飞敛翼；猛兽将搏，弭耳俯伏

❺避其锐气，击其惰归／疾如流矢，击如发机者，所以破精微也

❻险道狭路，可击／涉水半渡，可击／我欲乘风去，击楫誓中流／超凡证圣，目击非遥；悟在须臾，何须皓首

❼既食，未设备，可击／鹰善击也，然日击之，则疲而无全翼矣／以饱待饥，以逸击劳；师不欲久，行不欲远

❽鸿钟在听，不足论击缶之音／无要正正之旗，无击堂堂之阵／不袭堂堂之寇，不击填填之旗／对案不能食，拔剑击柱长叹息

❾涉长道后行未息，可击／在这可诅咒的地方击退了可诅咒的时代

❿涂有所不在，军有所不击／敌人远来新至，行列未定，可击／用兵者，贵以饱待饥，以逸击劳／水之行避高而趋下，兵之形避实而击虚／以一击十，莫善于阨；以十击百，莫善于险／麋鹿成群，虎豹避之；飞鸟成列，鹰鹫不击

正 ①zhèng 指方向，垂直或符合标准；作为主体的；合乎法度；正中；正面；正直；正当；纯一不杂；恰好；偏偏；刚刚；纵使；即使；止；仅；对；当；基本的、主要的；使之正；正法，治罪；纠正、改正；正在；通"证"，凭证；通"政"；姓。②zhēng 夏历每年的第一个月；古代指靶心；通"征"。

❶正言若反

见《老子》七十八。

正在疏数之间

见汉·刘安《淮南子·说林》。全句为:"凡用人之道,若以燧取火,疏之则弗得,数之则弗中,～"。"数",急速。

正言似讦而情忠

见三国·魏·刘劭《人物志·八观》。

正其谊不谋其利

见汉·班固《汉书·董仲舒传》。

正其本,万事理

见宋·曾巩《熙宁转对疏》。

正者治,名奇者乱

见《十六经·前道》。

正不容邪,邪复妒正

见清·曹雪芹《红楼梦》第二回。

正复为奇,善复为妖

见《老子》五十八。

正形饰德,万物毕得

见《管子·心术下》。全句为:"形不正者德不来,中不精者心不治。～"。

正身直行,众邪自息

见汉·刘安《淮南子·缪称》。

正静不失,日新其德

见《管子·心术下》。

正义之臣设,则朝廷不颇

见《荀子·臣道》。"颇",偏颇也。

正法以齐官,平政以齐民

见《荀子·富国》。

正己而不求于人,则无怨

见《礼记·中庸》。

正身以俟时,守己而律物

见清·吴敬梓《儒林外史》第七回。

正言斯重,元珠比而尚轻

见唐·武则天《臣轨序》。全句为:"～;巽语为珍,苍璧喻而非宝"。

正直者顺道而行,顺理而言

见汉·韩婴《韩诗外传》卷七。全句为:"～,公平无私,不为安肆志,不为危激行"。

正汝形,一汝视,天和将至

见《庄子·知北游》。全句为:"～;摄汝知,一汝度,神将来舍"。意谓端正你的形体,集中你的视力,自然的和气便会到来;收敛你的心智,集中你的思忖,精神就会来你这里归附。

正者,所以正天下之不正也

见宋·欧阳修《正统论上》。全句为:"～;统者,所以合天下之不一也"。

正西风落叶下长安,飞鸣镝

见现代·毛泽东《满江红·和郭沫若同志》。

正义直指,举人之过,非毁疵也

见《荀子·不苟》。

正论非不见容,然邪说亦有时而用

见宋·王安石《本朝百年无事札子》。全句为:"君子非不见贵,然小人亦得厕其间;～"。

正获之问于监市履狶也,每下愈况

见《庄子·知北游》。"正",官名;"获",人名;"况",比况。意谓叫"获"的监管市场的官员询问用脚踩猪以估测肥瘦的办法,他被告知,脚愈往下踩就愈易比况,确定肥瘦。成语"每下愈况"本此,"每况愈下"即此之误。

正得失,动天地,感鬼神,莫近于诗

见春秋·子夏《毛诗序》。

正直者不可屈曲,有学问者必能辨是非

见宋·欧阳修《与高司谏书》。

正明不为日月所眩,正观不为天道所迁

见宋·张载《正蒙·天道》。

正则用之,邪则去之,是则行之,非则改之

见宋·苏轼《论时政状》。

正言不发,万口如封,谄媚相与,千颜一容

见唐·元结《说楚何惛王赋》。

正则静,静则明,明则虚,虚则无为而无不为也

见《庄子·庚桑楚》。

正位居体,美在其中,而畅于四支,发于事业,美之至也

见《周易·坤》。

❷官正而国治/心正则笔正/中正和平,无所偏倚/守正为心,疾恶不惧/绳正于上,木直于下/名正法备,则圣人无事/欲正其末者,先端其本/欲正其心者,先诚其意/失正则奇生,奇生而民惑/以正为在民,以枉为在己/公正无私,一言而万民齐/公正无私,可以为天下王/禀正直之性,怀刚毅之姿/邪正之不同也不啻若黑白/国正天心顺,官清民自安/法正则民悫,罪当则民从/苟正其身矣,于从政乎何有/不正而合,未有久而不离者也/经正而后纬成,理定而后辞畅/有正法则依法,无正法则原情/以正辅人谓之忠,以邪导人谓之佞/志正则众邪不生,心静则众事不躁/君正臣从谓之顺,君僻臣从谓之逆/守正之人其气高,含章之人其词大/身正则天下皆正,身理则天下皆理/以正治国,以奇用兵,以无事取天下/邪正之人不宜共国,亦犹冰炭不可同器/释正而追曲,倍是而从众,是与俗俪走,而内行无绳

❸必也正名乎/上公正则下易直/非平正无以制断/行不正则民不服/政不正则君位危/聪明正直者为神/本不正者,末必倚/身不正,则人不从/凡厥正人,既富方谷/政者正也,当矫其弊/不先正本而成忧于末也/不能正其身,如正人何/用得正人,为善者皆劝/人能正静者,筋韧而骨强/冰霜正惨凄,终岁常端正/务

公正者，必无邪佞之朋／君为正，则百姓从而正矣／天主正，地主平，人主安静／不敢正是非于富贵，二可贱／理财正辞，禁民为非，曰义／礼之正国，犹绳墨之于曲直／无要正正之旗，无击堂堂之阵／圣人正在刚柔之间，乃得道之本／政者正也，上正其道，下必从之／为学正如撑上水船，一篙不可放缓／人身正气稍不足，邪便得以干之矣／圣人正方以约己，人自正方以从化／名不正则言不顺，言不顺则事不成／形不正者德不来，中不精者心不治／官长正而百姓化，邪心黜而奸匿绝／纵横正有凌云笔，俯仰随人亦可怜／欲影正者端其表，欲下廉者先之身／身不正不足以服，言不诚不足以动／政者，正也。子帅以正，孰敢不正？／天性正于受生之初，明觉发于既生之后／物不正则不可为乐，乐不和则不能理人／矩不正不可以为方，规不正不可以为圆／若近正人，闻正事，虽欲为恶，固已不忍／其身正，不令而行；其身不正，虽令不从／忠果正直，志怀霜雪，见善若惊，疾恶若仇／胸中正，则眸子瞭焉；胸中不正，则眸子眊焉／闰以正时，时以作事，事以厚生，生民之道在此矣

❹天下之正莫如利民焉／拨乱反正，承平百年／恶直丑正，实蕃有徒／矫枉过正则巧伪滋生／尔心贵正，正则不敢私／衣冠不正，则宾者不肃／天下无正声，悦耳即为娱／天地有正气，杂然赋流形／刑一而正百，杀一而慎万／冥冥花正开，扬扬燕新乳／君子行正气，小人行邪气／枉士无正友，曲上无直下／怒潮风正急，酒醒闻塞笛／用心于正，一振而群纲举／无要正正之旗，无击堂堂之阵／事出于正，则其成多，其败少／其行公正无邪，故谗人不得入／未有身正而影曲，上治而下乱者／拨乱反正之君，资拔山超海之力／兵有奇正，旋相为用，如环之无端／人主不正，则邪人得志，忠者隐蔽／诚其心，正其志，实其事，定其分／人主诚正，则直士任事，而奸人伏匿／奇从奇，正从正，奇与正，恒不同廷／君子藏正气者，可以远鬼神，伏奸佞／大吏不正而责小吏，法略于上而详于下／邪之与正，犹水与火，不同原，不得并盛／仁人者，正其谊不谋其利，明其道不计其功／守法持正，嶷如秋山；火不侵玉，幸臣畏伏／礼之于正国家也，如权衡之于轻重也，如绳墨之于曲直也

❺心正则笔正／理直则恃正而不挠／谄谀宜惕，正直宜宣／邪气袭内，正色乃衰／天下之不正莫如害民焉／义之法在正我不在正人／传神写照，正在阿堵中／士人修性，正在临事时／尔心贵正，正则不敢私／上邪下难正，众枉不可矫／凡战者，以正合，以奇胜／谗邪害公正，浮云翳白日／君子以礼正外，以乐正内／山中人自正，路险心亦平／始终得其正，天下合于一／木从绳则正，后从谏则圣／木受绳则正，人受谏则圣／贤圣不能正不食谏诤之君／未有不能正身而能正人者也／正者，所以正天下之不正也／内难而能正其志，箕子以之／风景不殊，正自有山河之异／弃忠贞之正路，蹈奸宄之迷途／大丈夫以正大立心，以光明行事／君子为国，正其纲纪，治其法度／以人之不正，知其身之有所未正也／三德：一曰正直，二曰刚克，三曰柔克／不学问，无正义；以富利为隆，是俗人者也／事前忍易，正事忍难，正事悔易，事后悔难／为人君者，正心以正朝廷，正朝廷以正百官／魂魄二字，正犹精神二字。神即是魂，精即是魄／和者天之正也，阴阳之平也，其气最良，物之所生也

❻至公大义为正／清静为天下正／九万里风鹏正举／拨乱世，反诸正／圣人者，德之正也／乾道变化，各正性命／听和则聪，视正则明／道者，古今之正权也／天下无道，则正人在下／天下有道，则正人在上／防小人之道，正己为先／振裘持领，领正则毛理／东望望长安，正值日初出／惧谗邪，则思正身以黜恶／学不期言也，正其行而已／尽职者无他，正己格物而已／先王之教，以正天之志者，礼也／政者正也，上正其道，下必从之／左右前后皆正人也，欲其身之不正／稻熟江村蟹正肥，双螯如戟挺青坭／何等为善？身正行、口正行、意正行／奇从奇，正从正，奇与正，恒不同廷／知人者以目正耳，不知人者以耳败目／若近正人，闻正事，虽欲为恶，固已不忍

❼拨乱世而反之正／难得之货塞人正路／小说不足以累正史／为禄仕者不能正其君／以仁安人，以义正我／凡所从政，当须正己／德以施惠，刑以正邪／不能正其身，如正人何／未闻枉己而能正人者也／以铜为镜，可以正衣冠／若安天下，必先正其身／吾未闻枉己而正人者也／欲修其身者，先正其心／目失镜，则无以正须眉／以迈往之气，行正大之言／矫枉者不过其正，弗能直／君子以其身之正，知人之不正／以柔顺而为不正，则佞邪之道也／药酒，病之利也；正言，治之药也／安身莫尚乎存正，存正莫重乎无私／身正则天下皆正，身理则天下皆理／百姓之有此色，正缘士大夫不知此味／此心常卓然公正，无有私意，便是敬／心之所感有邪正，故言之所形有是非／中春之月，阳在正东，阴在正西，谓之春分／中秋之月，阳在正西，阴在正东，谓之秋分／至治之务，在于正名。名正则人主不忧劳矣

❽正不容邪，邪复妒正／莫非命也，顺受其正／名刑已定，物自为正／处事以智，不如守正／用赏贵信，用刑贵正／凡民之生也，必以正平／浩

然者乃天地之正气也／今人莫不失自然正性……／父父，子子……而家道正／教人治人，宜皆以正直为先／知常顺道，故能公正而为王也／怅望关河空吊影，正人间……／有正法则依法，无正法则原情／兵虽诡道而本于正者，终亦必胜／厉直刚毅，材在矫正，失在激讦／妖不胜德，邪不伐正，天之经也／高明者鬼瞰其门，正直者人怨其笔／为宰相不难，一心正，两眼明，足矣／政者，正也。子帅以正，孰敢不正？／君子之修身也，内正其心，外正其容而已／为人君者，正心以正朝廷，正朝廷以正百官／恰同学少年，风华正茂；书生意气，挥斥方遒

❾无甘受佞人而外敬正士／义之法在正我不在正人／曲木恶直绳，奸邪恶正法／弃世则无累，无累则正平／君为正，则百姓从而正矣／君子以礼正外，以乐正内／知短于自知，故以道正己／纵欲而失性，动未尝正也／理国要道，在于公平正直／有一行而可常履者，正也／瓜田不纳履，李下不正冠／未有不能正身而能正人者也／无恶于己，然后可以正人之恶／安身莫尚乎存正，存正莫重乎无私／鸟无声兮山寂寂，夜正长兮风淅淅／聪明则视听不惑，公正则不迩谗邪／何等为善？身正行、口正行、意正行／奇从奇，正从正，奇与正，恒不同廷／正明不为日月所眩，正观不为天道所迁／以土圭之法测土深，正日景，以求地中／事前忍易，正事忍难，正事悔易，事后悔难／圣人不求誉，不辟诽，正身直行，众邪自息／礼者贱质而贵文，故正直日以少，邪乱日以生／水虽平，必有波；衡虽正，必有差；尺寸虽齐，必有诡

❿冰霜正惨凄，终岁常端正／形枉则影曲，形直则影正／正者，所以正天下之不正也／人有非上之所过，谓之正士／大学之教也，时教必有正业／此形，本清，不做作还真正／九层之台一倾，公输子不能正／州闾之士皆誉皆毁，未可为正／以乱攻治者亡，以邪攻正者亡／请谒任举之说胜，则绳墨不正／邪僻争权，乃有忠臣匡正其君／君子以其身之正，知人之不正／治末者调其本，端影者正其形／治外者必调内，平远者必正近／水之冰生于寒，人之冰生于正／为国之本，在于明赏罚，辨邪正／为国者以富民为本，以正学为基／诂形以形，以形务名，督言正名／国奢则视之以俭，矫枉者过其正／惟至公不敢私其所私，私则不正／其勿误于庶狱庶慎，惟正是乂之／天若有情天亦老，人间正道是沧桑／我无为而民自化，我好静而民自正／以人之不正，知其身之有所未正也／刑罚不能加无罪，邪枉不能胜正人／谗邪进则众贤退，群枉盛则正士消／圣人正方以约己，人自正方以从化／左右前后皆正人也，欲其身之不正／君者仪也，民者景也，仪正而景正／得丧而不形于色，进退而不失其正／何等为善？身正行、口正行、意正行／巧者能生规矩，不能废规矩而正方圆／在朝也则司寇之任，为国则公正之政／虽有巧目利手，不如拙规矩之正方圆／政者，正也。子帅以正，孰敢不正？／胸中乱则择其邪欲而去之，则德正矣／丑必托善以自为解，邪必蒙正以自为辟／非规矩不能定方圆，非准绳不能正曲直／诚无不动者，修身则身正，治事则事理／清者则心平而意直，忠者惟正道而履之／矩不正不可以为方，规不正不可以为圆／抗厉之人不能回挠，论法直则括处而公正／君子之修身也，内正其心，外正其容而已／繁弱，钜黍，古之良弓也……则不能自正／其身正，不令而行；其身不正，虽令不从／百炼而南金不亏其真，危困而烈士不失其正／中春之月，阳在正东，阴在正西，谓之春分／中秋之月，阳在正西，阴在正东，谓之秋分／为人君者，正心以正朝廷，正朝廷以正百官／幽晦登昭，日月下藏；公正无私，反见从横／能至素至精，浩弥无刑，然后可以为天下正／至治之务，在于正名。名正则人主不忧劳矣／汝若全德，必忠必直；汝若全行，必方必正／权济天下而君臣立，上下正，然后礼义正焉／散珠喷雾，日光烛之，璀璨夺目，不可正视／胆劲心方，不畏强御，义正所在，视死犹归／与众乐之之谓乐，乐而不失其正，又乐之尤也／大臣则必取众人之选，能犯颜谏事公正无私者／君仁，莫不仁；君义，莫不义；君正，莫不正／善善不进而恶恶不退，则忠奸未别，邪正不分／胸中正，则眸子瞭焉；胸中不正，则眸子眊焉／音乐者，所以动荡血脉，通流精神而和正心也／今人之性恶，必将待师法然后正，得礼义然后治／赏不劝善，罚不惩恶，而望邪正不惑，其可得乎／敏于事而慎于言，就有道而正焉，可谓好学也已／自外入者，有主而不执；由中出者，有正而不距／乐非独以自乐，又以乐人，非独以自正，又以正人／君子居必择乡，游必就士，所以防邪僻而近中正也／力不能济于用，而君臣上下不正，虽抱空器奚何施设／处道而不贰，吐而不夺，利而不流，贵公正而贱鄙争／爱人者不阿，憎人者不害，爱恶各以其正，治之至也／一观其文，心朗目舒，炯若深井之下仰视白日之正中也／内便于性，外合于义，循理而动，不系于物者，正气也／真的猛士，敢于直面惨淡的人生，敢于正视淋漓的鲜血／盖吾儒起手便与禅异者，正在彻始彻终总是体用一致耳／天不为人怨咨而辍其寒暑，君子不为人之丑恶而辍其正道／君子所以动天地应神明正万物而成王治者，必本乎真实而已／怨恩取与谏教生杀，八者，正之器也，唯循大变无所湮者为能用之／若明而不信，严

而不断，惠而不正，虽欲理身，终不自理，况于人哉／先哲王之政，一曰承天，二曰正身，三曰任贤，四曰恤民，五曰明制，六曰立业

甘 gān 味甜；美好；情愿，乐意；缓；嗜好；姓。

❶甘苦常从极处回
见宋·苏轼《东坡羹颂》。
甘井近竭，招木近伐
见《墨子·亲士》。
甘则易悦，直则难入
见唐·张九龄《亲贤第一章》。全句为："谗媚之言甘，贤良之言直。～"。
甘露时雨，不私一物
见《吕氏春秋·孟春纪·贵公》。
甘心于履危，未必逢祸
见南朝·宋·刘彧《答王景文手诏》。全句为："～；纵意于处安，不必全福"。
甘脆肥脓，命曰腐肠之药
见汉·枚乘《七发》。全句为："出舆入辇，命曰蹶痿之机；洞房清宫，命曰寒热之媒；皓齿娥眉，命曰伐性之斧；～"。
甘瓜苦蒂，天下物无全美
见宋·陆佃《埤雅》引《墨子》佚文。
甘瓜抱苦蒂，美枣生荆棘
见汉·无名氏《古诗·甘瓜抱苦蒂》。
甘忠言之逆耳，得百姓之欢心
见唐·吴兢《贞观政要·教戒太子诸王》。
甘酒醴而不酤饴蜜，未为能知味
见汉·王充《论衡·别通篇》。"酤"，买。
甘死不如义死，义死不如视死如归
见汉·刘向《说苑·指武》。全句为："必死不如乐死，乐死不如甘死，～"。

❷无甘受佞人而外敬正士／尝甘以为苦，行非以为是／能甘淡泊，便有几分真学问／若甘心于自暴自弃，便是不能立志

❸食不甘味，卧不安席／诗人甘寂寞，居处遍苍苔／鼎镬甘如饴，求之不可得／饱肥甘，衣轻暖，不知节者损福／物有甘苦尝之者识，道有夷险履之者知／桑椹甘香，鸱鸮革响，淳酪养性，人无嫉心

❹言之大甘，其中必苦／币厚言甘，人之所畏也／久旱逢甘雨，他乡遇故知／都蔗虽甘，杖之必折；巧言虽美，用之必灭

❺币重而言甘，诱我也／直木先伐，甘井先竭／忠言逆耳，甘词易入／愿言思伯，甘心首疾／厚酒肥肉，甘口而疾形／谗媚之言甘，贤良之言直／苦言，药也；甘言，疾也／斫轮徐则甘而不固，疾则苦而不入／当厄之施，甘于时雨；伤心之语，毒于阴冰

❻谗言巧，佞言甘／谁谓荼苦，其甘如荠／褰裳赴镬，其甘如荠／书味在胸中，甘于饮陈酒／真文不媚时，甘受人弹弋／但使忠贞在，甘从玉石焚／谗言巧，佞言甘，忠言直，信言寡

❼寝不安席，食不甘味／食方丈于前，所甘不过一肉／卧不安席，食不甘味，心摇摇如悬旌／君子之处世也，甘恶衣粗食，甘艰苦劳动，斯可以无失矣

❽君子淡以亲，小人甘以绝／君子淡以成，小人甘以坏／人之将疾者必不甘鱼肉之味／古之人知酒肉为甘鸩，弃之如遗／以此治人，则膏雨甘露降矣，寒暑四时当矣／意深词浅，思苦言甘。寥寥千载，此妙谁探

❾良药苦口，惟疾者能甘之／寒者利短褐，而饥者甘糟糠／阴阳之和，不长一类，甘露时雨，不私一物

❿珍腴之惭，不若藜藿之甘／树柤梨橘柚者，食之则甘／必死不如乐死，乐死不如甘死／劲操比松寒不挠，忠言如药苦非甘／君子之交淡若水，小人之交甘若醴／贫者士之常，今仆虽羸馁，亦甘如饴矣／橘柚生于江南，而民皆甘之于口，味同也／虽云色白，匪染弗丽；虽云味甘，匪和弗美／寒之于衣，不待轻暖；饥之于食，不待甘旨／貌言华也，至言实也，苦言药也，甘言疾也／不思安危终始之虑，是乐春藻之繁华，而忘秋实之甘口也／君子之处世也，甘恶衣粗食，甘艰苦劳动，斯可以无失矣

世 shì 人的一辈子；一代又一代；指有世交情谊的；时代；天下；后嗣；继承；古称三十年为一世；地质年代分级单位；姓。

❶世乱则谗胜
见唐·吴兢《贞观政要·杜谗邪》。
世异则事异
见《韩非子·五蠹》。
世事徒惊日月新
见宋·孙觌《往浙西别王龟龄》。
世间唯名实不可欺
见宋·苏轼《答毛滂书》。
世间最难得者兄弟
见清·程允升《幼学琼林·兄弟》。
世有乱人而无乱法
见晋·陈寿《三国志·魏书·杜畿传》。
世之质文，随教而变
见晋·陈寿《三国志·魏书·明帝纪》。
世丧道矣，道丧世矣
见《庄子·缮性》。
世上无难事，只要肯登攀
见现代·毛泽东《水调歌头·重上井冈山》。
世未有小人不除而治者也
见宋·苏轼《续欧阳子朋党论》。
世事波上舟，沿洄安得住

见唐·韦应物《初发扬子寄元大校书》。
世乱奴欺主，年衰鬼弄人
见宋·陆游《老学庵笔记》卷四。
世人皆欲杀，吾意独怜才
见唐·杜甫《不见》。
世隘然后知其人之笃固也
见汉·王符《潜夫论·交际》。全句为："岁寒然后知松柏之后凋，～"。
世异则事变，时移则俗易
见汉·刘安《淮南子·齐俗》。
世治非去兵，国安岂忘战
见南朝·梁·萧衍《宴诗》。
世治则礼详，世乱则礼简
见晋·陈寿《三国志·魏书·袁涣传》。
世情闲静见，药性病多谙
见唐·刘禹锡《偶作二首》之一。
世情看冷暖，人面逐高低
见明·施耐庵《水浒传》第三十七回。
世途旦复旦，人情玄又玄
见北周·庾信《伤王司徒褒》。
世理则词直，世忌则词隐
见唐·元稹《和李校书新题乐府二十首并序》。
世有伯乐，然后有千里马
见唐·韩愈《杂说四》。全句为："～。千里马常有，而伯乐不常有"。
世有盛名，则衰之日至矣
见汉·刘安《淮南子·诠言》。
世胄蹑高位，英俊沉下僚
见晋·左思《咏史》之二。全句为："～；地势使之然，由来非一朝"。
世路山河险，君门烟雾深
见唐·刘禹锡《九日登高》。
世不患无法，而患无必行之法
见汉·桓宽《盐铁论·申韩》。
世事如棋局，不着的才是高手
见明·洪应明《菜根谭》。全句为："～；人生似瓦盆，打着了方见真空"。
世间极占地位的，是读书一著
见明·姚舜牧《药言》。全句为："～。然读书占地位，在人品上，不在势位上"。
世远莫见其面，觇文辄见其心
见南朝·梁·刘勰《文心雕龙·知音》。
世所相信，在能行，不在能言
见清·王永彬《围炉夜话》。全句为："人之足传，在有德，不在有位；～"。
世有莫盛之福，又有莫痛之祸
见汉·王符《潜夫论·忠贵》。
世乱则君子为奸，而法弗能禁也
见汉·刘安《淮南子·齐俗》。全句为："世治则小人守政，而利不能诱也；～"。
世异事变，治国不同，不可不察
见晋·陈寿《三国志·魏书·袁涣传》。
世治则小人守政，而利不能诱也
见汉·刘安《淮南子·齐俗》。全句为："～；世乱则君子为奸，而法弗能禁也"。
世溷浊而嫉贤兮，好蔽美而称恶
见战国·楚·屈原《离骚》。
世上万般哀苦事，无非死别与生离
见明·冯梦龙《古今小说·蒋兴哥重会珍珠衫》。
世上岂无千里马，人间难得九方皋
见宋·黄庭坚《过平舆怀李子先时在并州》。
世事洞明皆学问，人情练达即文章
见清·曹雪芹《红楼梦》第五回。
世俗之君子，皆知小物而不知大物
见《墨子·鲁问》。
世人得宠而不思其辱，故辱至则惊
见五代·前蜀·杜光庭《道德真经广圣义》卷十三。
世人闻此皆掉头，有如东风射马耳
见唐·李白《答王十二寒夜独酌有怀》。
世人逐势争奔走，沥胆堕肝惟恐后
见唐·李颀《行路难》。
世人结交须黄金，黄金不多交不深
见唐·张谓《题长安壁主人》。全句为："～，纵令然诺暂相许，终是悠悠行路心"。
世人视宠以为荣，圣人观之以为下
见五代·前蜀·杜光庭《道德真经广圣义》卷十三。
世间万物有盛衰，人生安得常少年
见明·于谦《昔有〈莫恼翁〉曲，予因效之，改为〈翁莫恼〉，聊以调笑云耳》。全句为："花不常好，月不常圆，～"。
世间无限丹青手，一片伤心画不成
见唐·高蟾《金陵晚望》。
世间行乐亦如此，古来万事东流水
见唐·李白《梦游天姥吟留别》。
世间富贵应无分，身后文章合有名
见唐·白居易《编集拙诗成一十五卷因题卷末戏赠元九李二十》。
世间屈事万千千，欲觅长梯问老天
见明·冯梦龙《古今小说·闹阴司司马貌断狱》。
世治则以义卫身，世乱则以身卫义
见汉·刘安《淮南子·缪称》。全句为："～，死之日，行之终也，故君子慎一用之"。
世情薄，人情恶，雨送黄昏花易落
见宋·唐婉《钗头凤》。
世途昏险，拟步如漆……圣智危栗

见唐·柳宗元《乞巧文》。删节处为:“左低右昂,斗冒冲突,鬼神恐悸”。

世路之蓁芜当剔,人心之茅塞须开

见清·程允升《幼学琼林·花木》。

世之人不知至理之所在也,迷而妄行

见宋·苏辙《观会通以行典礼论》。全句为:“～,于是有风波作于平地,亲戚化为仇怨者矣”。

世之奇伟瑰怪非常之观,常在于险远

见宋·王安石《游褒禅山记》。

世虽有侥幸之事,断不可存侥幸之心

见清·王永彬《围炉夜话》。全句为:“人虽无艰难之时,却不可忘艰难之境;～”。

世混浊而不清,蝉翼为重,千钧为轻

见战国·楚·佚名《卜居》。

世未有不自下而能高,不自近而能远者

见宋·苏辙《上皇帝书》。

世之专于法者,不患于不通而患于刻薄

见宋·欧阳修《剑州司理参军董寿可大理寺丞制》。

世间奇男子,岂可以世俗趣舍量其心乎

见宋·苏轼《答陈师仲书》。

世之所不足者,理义也;所有余者,妄苟也

见《吕氏春秋·离俗览·离俗》。全句为:“～。民之情,贵所不足,贱所有余”。

世治则愚者不能独乱,世乱则智者不能独治

见汉·刘安《淮南子·俶真》。

世禄之家,鲜克由礼。以荡陵德,实悖天道

见《尚书·毕命》。

世必有才,随时所用,岂待……然后为治乎

见唐·吴兢《贞观政要·仁义》。删节处为:“梦傅说,逢吕尚”。

世之难得者,非财也,非荣也,患意之不足耳

见三国·魏·嵇康《答向子期难养生论》。

世之治乱,在赏当其功,罚当其罪,即无不治

见元·脱脱等《宋史·宋琪传》。

世俗之人皆喜人之同乎己,而恶人之异于己也

见《庄子·在宥》。

世俗所患,患言事增其实,著文垂辞,辞出溢其真

见汉·王充《论衡·艺增篇》。

❷万世不移者,山也/与世沉浮,不自树立/百世一人,千载一时/两世一身,形单影只/苏世独立,横而不流/希世之宝,违时则贱/处世为人,信义为本/处世以讥讪为第一病痛/处世戒多言,言多必失/治世以大德,不以小惠/无世而无圣,或不得知也/为世忧乐者,君子之志也/乱世之音怨以怒,其政乖/乱世惟求其才,不顾其行/何世无奇才,遗之在草泽/依世则废道,违俗则危殆/弃世则无累,无累则正平/衰世好信鬼,愚人好求福/处世忌太洁,至人贵藏晖/治世之能臣,乱世之奸雄/治世之音安以乐,其政和/来世不可待,往世不可追也/处世不必邀功,无过便是功/治世不一道,便国不必法古/今世之惑主多官,而反以害生/论世而为之事,权事而为之谋/招世之士兴朝,中民之士荣官/当世之得失,未尝不留于意也/见世人可取者多,则德日进矣/至世之衰,父子相图,兄弟相疑/治世御众,建立辅弼,诫在面从/理世不必一其道,便国不必法古/盖世功劳,当不得一个“矜”字/百世之患,以小利而不顾者有之矣/举世尽从愁里老,谁人肯向死前闲/举世皆浊我独清,众人皆醉我独醒/人世几回伤往事,山形依旧枕江流/人世多违壮士悲,干戈未定书生老/尘世难逢开口笑,菊花须插满头归/处世还须称晚来,逢人且莫夸畴昔/治世不得真贤,譬犹治疾不得真药/治世之官详于下,乱世之官叠于上/往世不可及,来世不可待,求己者也/处世让一步为高,退步即进步的张本/治世之德,衰世之恶,常与爵位自相副/当世学士,恒以万计;而究涂者无数十焉/处世间事,众人皆见得非,而我独见得是/为世用者,百篇无害;不为用者,一章无补/举世而誉之而不加劝,举世而非之而不加沮/今世之人主,多欲众之,而不知善,此多其雠也/行世者必真,悦俗者必媚,真久必见,媚久必厌/继世守文之君,生而富贵,不知疾苦,动至夷灭/济世经邦,要段云水的趣味,若有贪着,便堕危机/祸世之匠,乱国之工,绝逆天地,伤害我身,莫大乎名/今世之人居高官尊爵者,皆重失之,见利轻亡其身,岂不惑哉/治世所贵乎位者三:一曰达道于天下,二曰达惠于民,三曰达德于身

❸拨乱世而反之正/拨乱世,反诸正/治乱世,用重典/仕于世,有劳而见罪/昆弟世疏,朋友世亲/经纶世务者,窥谷忘反/太平世界,环球同此凉热/待万世之利,在今日之胜/处治世宜方,处乱世宜圆/齐都世刺绣,恒女无不能/鸟无世凤凰,兽无种麒麟/不为世忧乐者,小人之志也/固一世之雄也,而今安在哉/概观世运,厚则治,薄则乱/化当世莫若口,传来世莫若书/有超世之功者,必应光大之宠/砚以世计,墨以时计,笔以日计/不洒世间儿女泪,难堪亲友中年别/公道世间唯白发,贵人头上不曾饶/遭治世不避其任,遇乱世不为苟存/吾病世之逐逐然,唯印组为务以相轧/抱不世之才,特立而独行,道方而事实/行于世间,目不随人视……鼻不随人气/非其世者,不受其利。污其君者,不履其土/今之世不闻有师,有,辄哗笑之,以为狂人/吾见世人清名登而金贝入,

信誉显而然诸亏／奋六世之遗烈，振长策而御宇内，吞二周而亡诸侯，履至尊而制六合

❹当今之世……／圣人，百世之师也／太平之世多长寿人／医不三世，不服其药／人生一世，草生一秋／聪明一世，懵懂一时／事因于世，而备适于事／为善于世而不自伐其功／生有高世名，既没传无穷／人生一世，如白驹之过隙／浩歌惊世俗，狂语任天真／昂昂累世士，结根在所固／忠于治世易，忠于浊世难／民者，万世之本也，不可欺／梦幻人世，明不能究其从也／圣人不世出，贤人不时出……／道者万世亡弊，弊者道之失也／至德之世，其行填填，其视颠颠／居今之世，志古之道，所以自镜／丈夫盖世英雄气，肯学世间儿女愁／不妨举世无同志，会有方来可与期／人生在世不称意，明朝散发弄扁舟／士进则世收其器，贤用即人献其能／莫嫌举世无知己，未有庸人不忌才／横空出世，莽昆仑，阅尽人间春色／文章随世作抵昂，变尽风骚到晚唐／至德之世，同与禽兽居，族与万物并／贤人在世，进则尽忠宣化，以明朝廷／贤人在世……退则称论贬说，以觉失俗／吾恒恶世之人不知推己之本，而乘物以逞／贤者辟世，其次辟地，其次辟色，其次辟言／有道之世，以人与国；无道之世，以国与人／至治之世，其民不好空言虚辞，不好淫学流说／不拘一世之利以为己私分，不以王天下为己处显／先王之世，以道治天下，后世只是以法把持天下／人生一世，但当畏敬于人，若不善加己，直为受之

❺心藏风云世莫知／言必中当世之过／上而玄者，世谓之天／下而黄者，世谓之地／道远知骥，世伪知贤／木朽不雕，世衰难佐／时有始终，世有变化／圣王之治世，不离仁义／士不必贤世，要之知道／君子疾没世而名不称焉／寒而暑者，世谓之阴阳／不偷取一世，则民无怨心／良才不隐世，江湖多贫贱／索道于当世者，莫良于典／人生处一世，去若朝露晞／怀道者须世，抱朴者待工／才高乎当世，而行出乎古人／大丈夫处世，当交四海英雄／举贤不出世族，用法不及权贵／圣人之处世，不逆有伎能之士／安有执砺世之具而患乎无贤欤／贤者之处世，皆以得时为至难／文变染乎世情，兴废系乎时序／大丈夫处世，当为国家立功边境／圣人能与世推移，而俗士苦不知变／君子之于世，无去无就，惟道是从／早岁那知世事艰，中原北望气如山／类善则万世不忘，道恶则祸及其身／大丈夫处世，当扫除天下，安事一室乎／墨翟之徒，世谓热腹；杨朱之侣，世谓冷肠／贤士之处世也，譬若锥之处囊中，其末立见／所学者非世之所可用，而所任者非身之所能为／人生寄一世，奄忽若飙尘；何不策高足，先据要路津／君子之处世，贵能有益于物耳，不图高谈虚论，左琴右书／君子之处世也，甘恶衣粗食，甘艰苦劳动，斯可以无失矣

❻无曲学以阿世／子美集开诗世界／时危始识不世才／一日纵敌，万世之患／损盈成亏，随世随死／禁攻寝兵，救世之战／既朽不雕，衰世难佐／一日纵敌，数世之患也／郑卫之音，乱世之音也／得人则治，何世无奇才／避其所短，则世无弃材／如有王者，必世而后仁／世治则礼详，世乱则礼简／世理则词直，世忌则词隐／人情忌殊异，世路多权诈／人心若波澜，世路有屈曲／常将一己作世间公共之物／途穷天地窄，世乱死生微／途穷见交态，世梗悲路涩／子孙日已长，世世还复然／时危见臣节，世乱识忠良／才与德异，而世俗莫之能辨／先生之不从世兮，惟道是就／溪虽莫利于世，而善鉴万类……／飘飘乎如遗世独立，羽化而登仙／为人而欲一世之人好，吾悲其为人／为文而欲一世之人好，吾悲其为文／匹夫而为百世师，一言而为天下法／凡君之所毕世而经营者，为天下也／竟日不知尘世事，长年占断白云乡／古之人，有高世之才，必有遗俗之累／不知古人之世，不可妄论古人之文辞也／垂大名于万世者，必先行之于纤微之事／大名垂于万世者，必先行之于纤微之事／治世之德，衰世之恶，常与爵位自相副／士穷见节义，世乱识忠臣，欲学者必周于德

❼世丧道矣，道丧世矣／中材之人则随世损益／昆弟世疏，朋友世亲／不谴是非，以与世俗处／恃自直之箭，百世无矢／恃自圆之木，千世无轮／一生困尘土，半世走阡陌／严罚厚赏，此衰世之政也／北方有佳人，绝世而独立／人生譬朝露，居世多屯蹇／治世之能臣，乱世之奸雄／清平之奸贼，乱世之英雄／子孙日已长，世世还复然／来世不可待，往世不可追也／民不恶其尊，而世不妒其业／浑然而中处者，世谓之元气／人能虚己以游世，其孰能害之／安仁义而乐利世者，能服天下／病困乃重良医，世乱而贵忠贞／出师一表真名世，千载谁堪伯仲间／义胜利者为治世，利克义者为乱世／为善则流芳百世，为恶则遗臭万年／力拔山兮气盖世，时不利兮骓不逝／苟全性命于乱世，不求闻达于诸侯／大德之人不随世俗，所行独从于道／君子者，性非绝世，善自托于物也／文章功用不经世，何异丝窠缀露珠／君今不幸离人世，国有疑难可问谁？／往世不可及，来世不可待，求己者也／大抵能立于一世，必有取重于一世之术／既不能流芳后世，亦不足复遗臭万载邪／及至始皇，奋六世之余烈，振长策而御宇内／俭者，君子之德，世俗以俭为鄙，非远识也／人之善恶，不必世族；性之贤鄙，不必世俗／宫殿中可以避世全

身，何必深山之中，蒿庐之下

❽士当以功名闻于世／同乎流俗，合乎污世／覆车相寻，不绝于世／无机则无以济万世之功／无名困蝼蚁，有名世所疑／不道山中冷，翻忧世上寒／且乐杯中酒，谁论世上名／当路谁相假，知音世所稀／处治世宜方，处乱世宜圆／寝迹衡门下，邈与世相绝／神女应无恙，当惊世界殊／原始以要终，虽百世可知也／先王有郢书，而后世多燕说／所见少则所怪多，世之常也／文者，务为有补于世而已矣／使天下无农夫，举世皆饿死矣／美之所在，虽污辱，世不能贱／恶之所在，虽高隆，世不能贵／事不师古，以克永世，匪说攸闻／世治则以义卫身，世乱则以身卫义／人生芳秽有千载，世上荣枯无百年／此道废兴吾命在，世间腾口任云云／上古结绳而治，后世圣人易之以书契／气衰则生物不育，世乱则礼废而乐淫／唯至人乃能游于世而不僻，顺人而不失己／天下无独燃之火，世间安得有无体独知之精／君子依乎中庸，遁世不见知而不悔，唯圣者能之

❾安舒沈重者，患在后世／欲免为形者，莫如弃世／殷鉴不远，在夏后之世／不待卞和显，自为命世珍／以目前之利而弃百世之功／谁能绝人命，以作时世贤／各愿贻子孙，永为后世资／心知去不归，且有后世名／心如工画师，能画诸世间／忠于治世易，忠于浊世难／为朝露之行，而思传世之功／化当世莫若口，传来世莫若书／鸷鸟之不群兮，自前世而固然／不贪花酒不贪财，一世无灾无害／法与时转则治，治与世宜则有功／读书不了平生事，阅世空存后死身／治世之官详于下，乱世之官叠于上／世间奇男子，岂可以世俗趣舍量其心乎／为人师者众笑之，举世不师，故道益离／夫人之相与，俯仰一世……放浪形骸之外／欲以先王之政治当世之民，皆守株之类也／古昔多由布衣定一世者矣，皆能用非其有也／不修身而求令名于世者，犹貌甚恶而责妍影于镜也／立大事者，不惟有超世之才，亦必有坚忍不拔之志

❿两雄不俱立，两贤不并世／论德序官，明主所以御世／清高之行，显示衰乱之世／欲粟者务时，欲治者因世／事信言文，乃能表见于后世／有高人之行者，固见负于世／可欺当时之人，而不可欺后世／生有闻于当时，死有传于后世／良骏败于拙御，智士踬于暗世／莫为终身之计，而有后世之虑／胸中没些渣滓，才能处世一番／蜗牛角上较雌论雄，许大世界／一尺之捶，日取其半，万世不竭／倍仁义而贪名实者，不能威当世／圣人不凝滞于物，而能与世推移／名美而实不副者，必无没世之风／所谓文者，务为有补于世而已矣／铭者，所以名其善功以昭后世也／丈夫盖世英雄气，肯学世间儿女愁／才自清明志自高，生于末世运偏消／不为当时所怪，亦必无后世之传也／可憎者人情冷暖，可厌者世态炎凉／百尺竿头须进步，十方世界是全身／事固有难明于一时而有待于后世者／义胜利者为治世，利克义者为乱世／半开半落闲园里，何异荣枯世上人／合之者善，可以为法，因世而权行／论逆顺不论成败，论万世不论一生／能欺一人一时，决不能欺天下后世／圣人因时以安其位，当世而乐其业／将有非常之大事，必生希世之异人／名重则于实难副，论高则与世常疏／得意浓时休进步，须防世事多番覆／遭治世不避其任，遇乱世不为苟存／教者，民之寒暑也，教不时则伤世／礼不过实，仁不溢恩，治世之道也／五百年必有王者兴，其间必有名世者／以隋侯之珠，弹千仞之雀，世必笑之／安能以皓皓之白，而蒙世俗之尘埃乎／不可陷之楯与无不陷之矛不可同世而立／求柴胡、桔梗于沮泽，则累世不得一焉／书者，皆所为不行乎今而行乎后世者也／古之人未始不薄于当世，而荣于后世也／古者以仁义行法律，后世以法律行仁义／大抵能立于一世，必有取重于一世之术／吞舟之鱼不居潜泽，度量之士不居污世／虽相与为君臣，时也；易世而无以相贱／得志，泽加于民；不得志，修身见于世／如欲平治天下，当今之世，舍我其谁也／立身高一步方超达，处世退一步方安乐／天下之牝，以静胜牡。千世不易，万世不变／五帝殊时，不相沿乐；三王异世，不相袭礼／不与万物共尽，而卓然其不朽者，后世之名／世治则愚者不能独乱，世乱则智者不能独治／周于利者凶年不能杀，周于德者邪世不能乱／举世而誉之而不加劝，举世而非之而不加沮／以一丸泥为大王东封函谷关，此万世一时也／人之善恶，不必世族；性之贤鄙，不必世俗／圣人之道，若存若亡。援而用之，殁世不亡／墨翟之徒，世谓热腹；杨朱之侣，世谓冷肠／君子惟道是贵，惟德是守，所以能万世不朽／通才之人或见赘于时，高世之士或见排于俗／有道之世，以人与国；无道之世，以国与人／胜敌者，一时之功也；全信者，万世之利也／文章无警策，则不足传世，盖不能竦动世人／才不能逾同列，声不能压当世，世之怒仆宜也／不恃隐括而有自直之箭自圆之木，百世无有一／为人友者不以道而以利，举世无友，故道益弃／忠臣不避重诛以直谏，则事无遗策，功流万世／先王之世，以道治天下，后世只是以法把持天下／恒其道，一其志，不欺其心，斯固世之所难得也／颂其诗，读其书，不知其人可乎？是以论其世也／下以言语为学，上以言语为治，世道之所以日降也／位存焉而德无有，犹不足大其门，然

世且乐为之下／今不修身而求令名于世者，犹貌甚恶而责妍影于镜也／消磨了三十多年层层心血，算不得大千世界小小文章／贤主忠臣，不能导愚教陋，则名不冠后、实不及世矣／古之立大事者，不惟有超世之才，亦必有坚忍不拔之志／韩愈辟佛，几至杀身，况敢议今世之尧、舜、周、孔者乎／所谓诗，所谓文，实国事、世事、家事、身事、心事系焉／匹夫而忧天下，无位而论世事，时俗以为狂，而君子之所取也／使六国各爱其人，则足以拒秦；使秦复爱六国之人，则递三世可至万世而为君，谁得而族灭也

且 ①qiě 尚且；暂且；经久；将要；抑或；作语助。②cú 往。③jū 多貌；通“趄”；作语助；用于地名；姓。

❶且有真人，而后有真知

见《庄子·大宗师》。

且乐杯中酒，谁论世上名

见唐·孟浩然《自洛之越》。

且乐生前一杯酒，何须身后千载名

见唐·李白《行路难三首》之三。

❷穷且益坚，不坠青云之志／风且起，一旦荒忽飞扬，化而为沙泥／天且风，巢居之虫动；且雨，穴处之物扰／必且历日旷久，丝牦犹能挈石，驽马亦能致远／今且须去理会眼前事，那个鬼神事，无形无影，莫要枉费心力

❸既明且哲，以保其身／既雕且琢，复归于朴／曲辕且绳直，诡木遂雕藻／既来且住，风月闲寻秋好处／逢人且说三分话，未可全抛一片心／其谤且誉者，岂尽明而善褒贬也哉

❹大道夷且长，窘路狭且促／若还苟且粗疏，定不成一件事／因循苟且之心作，强毅久大之性亏／所谓阻且艰者，莫能高其高而深其深也／自谓乱且危者，则自戒自强，虽乱必理／自谓理且安者，则自骄自满，虽安必危／因循苟且逸豫而无为，可以侥幸一时，而不可旷日持久

❺以强弩射且溃之痈／阴阳不能且冬且夏／衔酸抱痛，且耻且惭／邦无道，富且贵焉，耻也／邦有道，贫且贱焉，耻也／不义而富且贵，于我如浮云／法修则安且治，废则危且乱／得饶人处且饶人，退步行最稳／千里开年，且悲春目；一叶早落，足动秋襟

❻梦中许人，觉且不背／心知去不归，且有后世名／未形者有分，且然无间，谓之命／惟愿孩儿愚且鲁，无灾无难到公卿／仁义之行，唯且无诚，且假乎禽贪者器

❼阴阳不能且冬且夏／至德之君，仁政且温／衔酸抱痛，且耻且惭／廉吏可为者，高且洁／积德之君，仁政且温／尧舜，大圣也，民且谤之／言之所载者大且文，则其传也章／天地所以独长且久者，以其安静，施不荣报／天地所以能长且久者，以其不自生，故能长生

❽得道不得行，咎殃且亡／贪吏不可为者，污且卑／有信义者，必疾苟且之徒／休对故人思故国，且将新火试新茶／人生达命岂暇愁，且饮美酒登高楼／今朝有酒今朝醉，且尽樽前有限杯／记事之体，欲简而且详，疏而不漏／莫思身外无穷事，且尽生前有限杯／虽惭老圃秋容淡，且看黄花晚节香／水发于深，而为用且远……反为患矣／火泄于密，而为用且大……反为灾矣／读书不独变气质，且能养精神，盖理义收摄故也／若贵而愚，贱而圣且贤，以是而妨之，其为理本大矣

❾大道夷且长，窘路狭且促／所见所期，不可不远且大／禁人之所必犯，虽罚且违／前事之不忘，期有劝且惩也／圣贤千言万语，教人且从近处做去／仁义之行，唯且无诚，且假乎禽贪者器／天且风，巢居之虫动；且雨，穴处之物扰／进贤之难者，贤者用且使己废，贵且使己贱，故人难之

❿法修则安且治，废则危且乱／战无不胜而不知止者，身且死／随其成心而师之，谁独且无师乎／贤莫大于成功，愚莫大于吝且诬／政之急者，莫大乎使民富且寿也／事大君子当以道，不宜苟且求容悦／处世还须称晚来，逢人且莫夸畴昔／自古圣贤尽贫贱，何况我辈孤且直／过屠门而大嚼，虽不得肉，贵且快意／寂寞嫦娥舒广袖，万里长空且为忠魂舞／以人之言而遗我粟，至其罪我也又且以人之言／如有周公之材之美，使骄且吝，其馀不足观也已／位存焉而德无有，犹不足大其门，然世且乐为之下／物非有大小也，自其内而观之，未有不高且大者也／木末芙蓉花，山中发红萼。涧户寂无人，纷纷开且落／进贤之难者，贤者用且使己废，贵且使己贱，故人难之／人品须从小作起，权宜苟且诡随之意多，则一生人品坏矣／使亲而旧者愚，远而新者圣且贤，以是而间之，其为理本亦大矣

可 ①kě 同意；表示许可与可能；值得；大约；适合；表反诘、疑问、转折；作语助；姓。②kè［可汗］古代北方一些少数民族最高统治者的称号。

❶可则因，否则革

见汉·扬雄《法言·问道》。

可上九天揽月……

见现代·毛泽东《水调歌头·重上井冈山》。全句为：“～，可下五洋捉鳖，谈笑凯歌还”。

可乎可，不可乎不可

见《庄子·齐物论》。

可取者友，可奉者师

见宋·刘清之《戒子通录》。

可行必守，有弊必除

见唐·刘禹锡《为容州窦中丞谢上表》。

可远观而不可亵玩焉

见宋·周敦颐《爱莲说》。全句为:"中通外直,不蔓不枝,香远益清,亭亭净植,~"。

可言可意,言而愈疏

见《庄子·则阳》。

可以意会,不可以言传

见清·刘大櫆《论文偶记》。

可以意致者,物之精也

见《庄子·秋水》。全句为:"可以言论者,物之粗也;~"。

可以言论者,物之粗也

见《庄子·秋水》。全句为:"~;可以意致者,物之精也"。

可取之利,当有所不取

见宋·苏轼《策别十二》。全句为:"难行之言,当有所必行;而~"。

可得而利,则可得而害

见三国·魏·王弼《老子》五十六注。

可得而亲,则可得而疏

见三国·魏·王弼《老子》五十六注。

可得而贵,则可得而贱

见三国·魏·王弼《老子》五十六注。

可起而索,不可坐而得

见汉·班固《汉书·武五子传》。

可言而不信,宁无言也

见汉·戴德《大戴礼记·曾子立事》。

可与往者与之,至于妙道

见《庄子·渔父》。全句为:"~;不可与往者,不知其道,慎勿与之,身乃无咎"。

可与言而不与之言,失人

见《论语·卫灵公》。全句为:"~;不可与言而与之言,失言。知者不失人,亦不失言"。

可与言而不与之言谓之隐

见汉·韩婴《韩诗外传》卷四。全句为:"未可与言而言谓之瞽,~"。

可为智者道,难为俗人言

见汉·司马迁《报任少卿书》。

可使寸寸折,不能绕指柔

见唐·白居易《古剑》。

可与共安乐,亦可与共患难

见明·梁辰鱼《浣纱记》第三十九出。

可以共患难,不可以共安乐

见明·梁辰鱼《浣纱记》四十四出。

可以取,可以无取,取伤廉

见《孟子·离娄下》。

可言也不可行,君子弗言也

见《礼记·缁衣》。

可知他朱甍碧瓦,总是血膏涂

见清·洪昇《长生殿·疑谶》。

可欺当时之人,而不可欺后世

见宋·欧阳修《与高司谏书》。

可知之事,唯精思之,虽大无难

见汉·王充《论衡·实知篇》。全句为:"~;不可知之事,厉心学问,虽小无易"。

可死而不死,是重其死,非忠也

见唐·李白《比干碑》。全句为:"不可死而死,是轻其生,非孝也;~"。

可能十万珍珠字,买尽千秋儿女心

见清·龚自珍《题红禅室诗尾》。全句为:"不是无端悲怨深,直将阅历写成吟;~"。

可憎者人情冷暖,可厌者世态炎凉

见清·程允升《幼学琼林·岁时》。

可用而不可恃也,可诚而不可弃也

见唐·白居易《策林三》。全句为:"山河之阻,沟墉之固,~"。

可学无能、可事而成之在人者,谓之伪

见《荀子·性恶》。全句为:"不可学、不可事而在人者,谓之性;~;是性、伪之分也"。

可心会而不可口传,可神通而不可语达

见清·曹雪芹《红楼梦》第五回。

可厌之类,不独为害,死虽万代,独堪污秽

见唐·元结《抔湖铭》。

可贵可贱也,可富可贫也,可杀而不可使为奸也

见《荀子·仲尼》。

可以托六尺之孤,可以寄百里之命,临大节而不可夺也

见《论语·泰伯》。全句为:"~:君子人与?君子人也"。

可与为始,可与为终,可与尊通,可与卑穷者,其唯信乎

见《吕氏春秋·离俗览·贵信》。

❷无可无不可/不可为不义屈/不可同日而语/未可同日而语/士可杀不可辱/彼可取而代之/无可奈何花落去/不可一日近小人/艺可学而行可力/道可安而不可说/贫可富,乱可治/俭可以为万化之柄/是可忍,孰不可忍/胜可知,而不可为/不可以律己之律律人/未可与言而言谓之瞽/口可以食,不可以言/宁可清贫,不可浊富/宁可湿衣,不可乱步/宁可玉碎,不能瓦全/不可自暴、自弃、自屈/丹可磨也,而不可夺赤/民可近也,而不可上也/苟可以利民,不循其礼/苟可以强国,不法其故/名可得闻,身难得而见/是可忍也,孰不可忍也/见可欲则思知足以自戒/石可破也,而不可夺坚/其可驾御,救之所为也/不可与言而与之言,失言/不可以家事匮乏而不从师/不可怙者天,不可画者人/民可以乐成,不可与虑始/民可使由之,不可使知之/行可兼知,而知不

可兼行／宁可信其有，不可信其无／水可使不滥，不可使无流／身可危也，而志不可夺也／不可以己所能而责人所不能／不可以一时之谤，断其为小人／不可以一时之得意而自夸其能／不可以一时之失意而自坠其志／民可百年无货，不可一朝有饥／声可托于弦管，名可留于竹帛／择可言而后言，择可行而后行／宁可后来相让，不可起初含糊／文可以变风俗，学可以究天人／不可于我而可于彼者，天下无亡／不可以一朝风月，昧却万古长空／不可以万古长空，不明一朝风月／不可以边陲不耸，恬然便谓无事／不可以有乱急，亦不可以无乱弛／不可死而死，是轻其生，非孝也／仁可为也，义可亏也，礼相伪也／天可度，地可量，唯有人心不可防／不可乘喜而多言，不可乘快而易事／不可乘喜而轻诺，不可因醉而生嗔／不可乘快而多事，不可因倦而鲜终／不可知之事，厉心学问，虽小无易／不可学、不可事而在人者，谓之性／事可语人酬对易，面无惭色去留轻／兵可千日而不用，不可一日而不备／利可共而不可独，谋可寡而不可众／宁可蒙懂而聪明，不可聪明而蒙懂／宁可抱香枝上老，不随黄叶舞秋风／宁可枝头抱香死，何曾吹落北风中／道可道，非常道；名可名，非常名／桂可食，故伐之；漆可用，故割之／贵可以问贱……唯道之所成而已矣／见可而进，知难而退，军之善政也／臣可以择君而仕，君可以择臣而任／不可貌古人而袭之，畏古人而拘束之／不可以年少而自恃，不可以年老而自弃／不可以私意喜一人。不可以私意怒一人／不可陷之楯与无不陷之矛不可同世而立／不可轻微恶而不避，无容略小善而不为／力可以得天下，不可以得匹夫匹妇之心／《诗》可以兴，可以观，可以群，可以怨／苟可以为天下国家之用者，则无不在于学／铁可折，玉可碎，海可枯……直节贯殊途／不可假公法以报私仇，不可假公法以报私德／丹可灭而不能使无赤，石可毁而不能使无坚／丹可磨而不可夺其色，兰可燔而不可灭其馨／玉可碎而不可改其白，金可销而不可易其刚／不可与往者，不知其道，慎勿与之，身乃无咎／见可怜则流涕，将分与则吝啬，是慈而不仁者／才可伪，功不可伪；临民听政，长短贤不肖立见／不可以一时之誉，断其为君子；不可以一时之谤，断其为小人

❸俗学可绝／连环可解也／学不可以已／心怖，可击／当其可之谓时／知止可以不殆／唯酒可以忘忧／行不可不慎也／物不可以终否／物不可以终止／物不可以终壮／爱不可少于敬／鉴往可以昭来／丈夫可杀不可羞／无为可以定是非／诗不可无为而作／惟廉可以服殊俗／惟宽可以怀远人／教化可以美风俗／祸患可销于未萌／仲尼可学不可为也／驽牛可以负重致远／管仲可谓能因物矣／可乎可，不可乎不可／可言可意，言而愈疏／面目可憎，语言无味／长不可矜，矜则不长／乐不可极，极乐成哀／后生可畏，来者难诬／便不可失，时不再来／志不可满，乐不可极／善不可失，恶不可长／冬日可爱，夏日可畏／廉吏可为者，高且洁／道德可常，权不可常／始若可喜而终不可久／马不可极，民不可剧／此而可忍，孰不可忍／时不可留，众不可逆／败不可处，时不可失／败不可悔，时不可失／有山可登，有水可浮／欲不可纵，纵欲成灾／风不可系，影不可捕／短不可护，护短终短／言不可失，行不可亏／言不可极，极之而衰／一不可见，则两之用息／生不可不惜，不可苟惜／褒其可褒，而贬其可贬／君子可欺也，不可罔也／行焉，可以得知之效也／威不可立也，惟公则威／文与可画竹，胸有成竹／文犹可长用，武难久行／心不可伏，而伏之愈乱／谿壑可盈，是不可餍也／三军可夺气，将军可夺心／百姓可以德胜，难以力服／百物可决舍，惟书最难别／民情可与习常，难与适变／切不可因己无成而不教子／势不可使尽，福不可享尽／微不可不防，远不可不虑／过不可以贰，赦不可以幸／威不可无有，而不可专恃／赏不可妄行，恩不可妄施／群之可聚也，相与利之也／于不可已而已者，无所不已／民不可与虑始，而可与乐成／凡人可以言古，不可以言今／能为可用，不能使人必用己／片言可以折狱者，其由也与／有不可忘者，有不可不忘者／烟雾可依，腾蛇与蛟龙俱远／辞不可不修，而说不可不善／言不可不择，术不可不择也／其术可以心得，不可以言喻／其智可及也，其愚不可及也／一心可以丧邦，一心可以兴邦／不治可见之美，不竞人间之名／克己可以治怒，明理可以治惧／功不可以虚成，名不可以伪立／士不可以不弘毅，任重而道远／美言可以市尊，美行可以加人／忧劳可以兴国，逸豫可以亡身／惟俭可以助廉，惟恕可以成德／时不可以苟遇，道不可以虚行／牛刀可以割鸡，鸡刀难以屠牛／福兮可以善取，祸兮可以恶招／悲歌可以当泣，远望可以当归／铅不可以为刀，铜不可以为弩／三军可夺帅也，匹夫不可夺志也／后生可畏，焉知来者之不如今也／君子可欺以其方，难罔以非其道／情不可以显出也，故即事以寓情／安民可与行义，而危民易与为非／理不可以直指也，故即物以明理／文不可以学而能，气可以养而致／鼎不可以柱车，马也不可使守闾／疾不可为也，在肓之上、膏之下／末不可以强于本，指不可以大于臂／尽诚可以绝嫌猜，徇公可以弭谗诉／诸公可叹善谋身，误国当时岂一秦／君子可招

而不可诱，可弃而不可慢／猛石可裂不可卷，义士可杀不可羞／妙不可尽之于言，事不可穷之于笔／贫无可奈惟求俭，拙亦何妨只求勤／片言可以明百意，坐驰可以役万里／爵不可以无功取，刑不可以贵势免／礼之可以为国也久矣，与天地并立／名者可以厉中人，君子所存非所汲汲／惟义可以怒士，士以义怒，可与百战／见其可利也，则必前后虑其可害也者／气不可以不贯，不贯则虽有美词丽藻／虚言可以赏，则六合之内皆为己府矣／鱼不可脱于渊；国之利器不可以示人／主不可以怒而兴师，将不可以愠而致战／在这可诅咒的地方击退了可诅咒的时代／君子可以寓意于物，而不可以留意于物／知不可奈何而安之若命，唯有德者能之／浮言可以事久而明，众嗤可以时久而息／赏厚可令廉士动心，罚重可令凶人丧魄／心不可乱，则利至而必知，害至而必察／苟有可观，皆有可乐，非必怪奇伟丽者也／善不可谓小而无益，不善不可谓小而无伤／官职可以重求，爵禄可以货得者，可亡也／梁丽可以冲城，而不可以窒穴，言殊器也／川不可防，言不可弭，下塞上聋，邦其倾矣／年不可举，时不可止，消息盈虚，终则有始／兵不可玩，玩则无威；兵不可废，废则召寇／句有可削，足见其疏；字不得减，乃知其密／性不可易，命不可变，时不可止，道不可壅／敖不可长，欲不可从；志不可满，乐不可极／恶不可积，过不可长；积恶长过，丧乱之源／短不可护，护则终短；长不可矜，矜则不长／谁不可喜，而谁不可惧；蚋蚁蜂虿，皆能害人／可贵可贱也，可富可贫也，可杀而不可使为奸也／人之可杀，以其恶死也；其可不利，以其好利也／贤固可易知，人固可易识，但是议者不精思之耳／天不可信，地不可信，人不可信，心不可信，惟道可信／兵不可偃也，譬之若水火然，善用之则为福，不能用之则为祸／道不可闻，闻而非也；道不可见，见而非也；道不可言，言而非也

❹外物不可必／众怒不可犯／有德不可敌／覆水不可收／豺狼不可狎／民事不可缓也／传闻何可尽信／冰炭不可同器／夏虫不可语冰／夏虫不可语寒／朽木不可雕也／物固不可全也／铅刀强可一割／择师不可不慎也／得言不可以不察／惟乐不可以为伪／途之人可以为禹／材无不可范而成／忍寒犹可忍饥难／钱无耳，可使鬼／观小节可以知大体／观其文可以知其人／私欲不可以胜公议／作事不可尽，尽则穷／众而不可欺者，民也／君子不可以不刳心焉／处心不可着，着则偏／器而不可用，工不为也／贪吏不可为者，污且卑／短绠不可以汲深井之泉／一发不可牵，牵之动全身／下流不可处，君子慎厥初／无例不可兴，有例不可灭／无有不可穷，至柔不可折／不为不可成，不求不可得／来生不可忌，已死不可徂／疑道不可由，疑事不可行／伪诈不可长，空虚不可守／但有路可上，更高人也行／读书虽可喜，何如躬践履／勇则不可犯，智则不可乱／能者不可弊，败者不可饰／芟夷不可阙，疾恶信如仇／大鹏不可笼，大椿不可植／知焉，未可以得行之效也／山岳移可尽，江海塞可绝／往者不可及，来者犹可待／往者不可谏，来者犹可追／河长犹可涉，海阔故难飞／弦断犹可续，心去最难留／纡辔诚可学，违己讵非迷／朽木不可雕，情亡不可久／昏与庸，可限而不可限也／所见既可骇，所闻良可悲／斗粟自可饱，千金何所直／社鼠不可熏，去此乃治矣／盛时不可再，百年忽我遒／白圭玷可灭，黄金诺不轻／白珪玷可灭，黄金诺不轻／白璧不可为，容容多后福／聪与敏，可恃而不可恃也／覆水不可收，行云难重寻／言无不可晓，指无不可睹／井鱼不可与语大，拘于隘也／无厚，不可积也，其大千里／可以取，可以无取，取伤廉／来世不可待，往世不可追也／非德而可长久者，天下无之／反古未可非，而循礼未足多／先为不可胜，以待敌之可胜／圣人苟可以强国，不法其故／夏虫不可与语寒，笃于时也／恩与信可以附吾民而服邻国／事有不可知者，有不可不知者／为其后可复者也，则事寡败矣／便宜不可占尽，聪明不可用尽／大器不可小用，小士不可大任／往者不可复兮，冀来今之可望／处事不可任己见，要悉事之理／处人不可任己意，要悉人之情／闻善不可即亲，恐引奸人进身／闻恶不可就恶，恐为谗夫泄怒／死者不可再生，用法务在宽简／赏罚不可轻行，用人弥须慎择／见世人可取者多，则德日进矣／一言而可以兴邦，一言可以丧邦／井蛙不可以语于海者，拘于虚也／兵者不可豫言，临难而制变者也／为国不可以生事，亦不可以畏事／良医不可必得，而庸医举目皆是／民非不可用也，不得所以用之也／二者不可得兼，舍生而取义者也／夏虫不可以语于冰者，笃于时也／纸上语可废坏，心中誓不可磨灭／有必不可劝之人，不必多费唇舌／有必不可行之事，不必妄作经营／一仪不可以百发，一衣不可以出岁／无伎不可以为工，无资不可以为商／百心不可以得一人，一心可得百人／二者不可得兼，舍鱼而取熊掌者也／诛赏不可以缪，诛赏缪则善恶乱矣／读书不可无师承，立论不可无依据／小知不可使谋事，小忠不可使主法／听言不可不察，不察则善不善不分／多言不可与远谋，多动不可与久处／腐木不可以为柱，卑人不可以为主／察己则可以知人，察今则可以知古／逢人只可三分语，未可全抛一片心／智昏不可以为政，波水不可以为

平／教笞不可废于家，刑罚不可损于国／忠邪不可以并立，善恶不可以同道／短绠不可以汲深，器小不可以盛大／蝮蛇不可以为足，虎豹不可使缘木／登高不可以为长，居下不可以为短／两心不可以得一人，一心可以得百人／伯乐不可欺以马，而君子不可欺以人／往世不可及，来世不可待，求己者也／是技皆可成名，天下惟无技之人最苦／散殊而可象为气，清通而不可象为神／心之所可中理，则欲虽多，奚伤于治／心之所可失理，则欲虽寡，奚止于乱／鷦鹩不可与论云翼，井蛙难与量海鳌／来而不可失者时也，蹈而不可失者机也／出一令可以止横议，杀一犯可以儆百众／墉基不可仓卒而成，威名不可一朝而立／是非不可听而发暴，曲直必宜察而辨明／疾病不可以自责除，水旱不可以祷谢去／虎之不可使知恩，犹人之不可使为虎也／说淫则可不可而然不然，是不是而非不非／唯仁者可好也，可恶也，可高也，可下也／道与德，可勉以进也；才不可强握以进也／贵名不可以比周争也……不可以势重胁也／诗者，不可以言语求而得，必将深观其意焉／事当其可与，万金与之；义所不宜，毫发拒之／短绠不可以汲深，器小不可以盛大，非其任也／宫殿中可以避世全身，何必深山之中，蒿庐之下／天下不可一日而无政教，故学不可一日而亡于天下／两高不可重，两大不可容，两贵不可双，两势不可同／凡物之可喜，足以悦人而不足以移人者，莫若书与画／怒笞不可偃于家，刑罚不可偃于国，诛伐不可偃于天下

❺无可无不可／兵不义不可／凡物皆有可观／士可杀不可辱／国人皆曰可杀／治乱绳不可急／天刑之，安可解／险道狭路，可击／涉水半渡，可击／贫可富，乱可治／身修则家可教矣／无其性，不可教训／非君子不可与语变／一人奋死，可以对十／天下无不可变之风俗／无欲者，不可得用也／可乎可，不可乎不可／可取者友，可奉者师／士以义怒，可与百战／懿德茂行，可以励俗／得其大者可以兼其小／衡门之下，可以栖迟／性有巧拙，可以伏藏／它山之石，可以攻玉／它山之石，可以为错／此言虽小，可以谕大／星星之火，可以燎原／耆艾而信，可以为师／有国之母，可以长久／怨不在大，可畏惟人／辞不足不可以为成文／中人以上，可以语上也／农商工贾……可为师表／以古为镜，可以知兴替／以人为镜，可以明得失／以人为镜，可以知得失／以铜为镜，可以正衣冠／欲多者，其可得用亦多／自弃者，不可与有为也／自暴者，不可与有言也／公正无私，可以为天下王／知足者，不可以势利诱也／饮马犹尚可，莫使学操舟／治大者不可以烦，烦则乱／治小者不可以怠，怠则废／达人无不可，忘己爱苍生／视其所好，可以知其人焉／有一行而可常履者，正也／有一言而可常行者，恕也／自信者，不可以诽誉迁也／其指归在可解不可解之会／其寄托在可言不可言之间／可言也不可行，君子弗言也／书生之论，可言而不可用也／人之巧，乃可与造化者同功／势有所不可，虽圣哲不能为／死不足悲，可悲是死而无补／贫不足羞，可羞是贫而无志／贱不足恶，可恶是贱而无能／有自也而可，有自也而不可／老不足叹，可叹是老而虚生／天至广不可度，地至大不可量／何秋日之可哀，托芙蓉以为媒／能守而后可战，能战而后可和／德积而民可用，怒畜而威可立／形见则胜可制，力罢则威可立／富贵未必可重，贫贱未必可轻／根深则道可长。蒂固则德可茂／鸟兽之不可同群者，其类异也／虎鹿之不可同游者，力不敌也／辩巧之文可悦，似象之言足惑／高议而不可及，不如卑论之有功／孰非义而可用兮，孰非善而可服／蓄至精者，可以福生灵，保富寿／君子能为可贵，不能使人必贵己／毁我之言可闻，毁我之人不必问／天可度，地可量，唯有人心不可防／天作孽，犹可违；自作孽，不可逭／不可学、不可事而在人者，谓之性／可用而不可恃也，可诫而不可弃也／但使仓库可备凶年，此外何烦储蓄／合之者善，可以为法，因世而权行／能改，则瑕可为瑜，瓦砾可为珠玉／藏书万卷可教子，遗金满籯常作灾／闻瑶质兮可变，知余采兮易夺……／溺于渊犹可缓也，溺于人不可救也／采于山，美可茹；钓于水，鲜可食／明月之光，可以望远而不可以细书／贤俊者自可赏爱，顽鲁者亦当矜怜／贫富之交，可以情谅，鲍子所以让金／一线之溜，可以达石者，一与不一故也／一目之人可使视准，五毒之石可使溃疡／才不称不可居其位，职不称不可食其禄／不仁者，不可以久处约，不可以长处乐／正直者不可屈曲，有学问者必能辨是非／可学无能、可事而成之在人者，谓之伪／求远者不可失于近，治影者不可忘其容／小慧者不可以御大，小辩者不可以说众／官大者，亦可小就；官小者，亦可大用／道也者，不可须臾离也；可离，非道也／学诗者不可忽略古人，亦不可附会古人／此情无计可消除，才下眉头，却上心头／时不至不可强生也，事不究不可强成也／有义者不可欺以利，有勇者不可劫以惧／矩不正不可以为方，规不正不可以为圆／私心胜者可以灭公，为己重者不知利物／褚小者不可以怀大，绠短者不可以汲深／言有浅而可以托深，类有微而可以喻大／《诗》可以兴，可以观，可以群，可以怨／国无小，不可易也；无备虽众，不可恃也／铁可折，玉可碎，海可枯……直

节贯殊途／无目者不可示以五色，无耳者不可告以五音／事有古而可以质于今，言有大而可以征于小／甚雾之朝，可以细书而不可以远望寻常之外／体不备不可以为成人，辞不足不可以为成文／净心守志，可会至道，譬如磨镜，垢去明存／冠至敝不可弃之于足，履虽新不可加之于首／异音者不可听以一律，异形者不可合于一体／君之赏不可以无功求，君之罚不可以有罪免／知得知失，可与为人；知存知亡，足别吉凶／知己者不可诱以物，明于死生者不可却以危／涤杯而食……可以养家老，而不可以飨三军／道，视之不可见，听之不可闻，搏之不可得／虚空者，乃可用盛受万物。故曰虚无能制有形／一出而不可反者，言也；一见而不可掩者，行也／彼妇之口，可以出走……盖优哉游哉，维以卒岁／一尺布，尚可缝；一斗粟，尚可舂。兄弟二人不相容／道者……高不可际，深不可测；包裹天地，禀授无形／可与为始，可与为终，可与尊通，可与卑穷者，其唯信乎／天下国家可均也，爵禄可辞也，白刃可蹈也，中庸不可能也／无形，则不可制迫也，不可度量也，不可巧诈也，不可规虑也

❻丈夫可杀不可羞／卷土重来未可知／儿妇人口不可用／艺可学而行可力／道可安而不可说／毁誉善恶不可诬／自然之道不可违／临大节而不可夺也／向盛背衰，三可贱／仲尼可学不可为也／是可忍，孰不可忍／胜可知，而不可为／朝闻道，夕死可矣／金心在中，不可匿／一之谓甚，其可再乎／三冗不去，不可为国／天之所坏，不可强支／不备不虞，不可以师／未知事实，不可虚行／可远观而不可亵玩焉／我心匪鉴，不可以茹／兵者凶事，不可为首／疑似之迹，不可不察／利器入手，手可假人／但当循理，不可使气／信立则虚言可以赏矣／舍是与非，苟可以免／能理乱丝，乃可读书／能理乱丝，始可读诗／若卵投石，岂可得全／奔车朽索，其可忽乎／揣而棁之，不可常保／搏沙为饼，不可疗饥／口可以食，不可以言／得志有喜，不可不戒／多将熇熇，不可救药／廉平之守，不可攻也／慎乎所习，不可不思／宁可清贫，不可浊富／宁可湿衣，不可乱步／宴安鸩毒，不可怀也／驽马铅刀，不可强扶／车载斗量，不可胜数／成功之下，不可久处／是非之经，不可不分／量能授官，不可不审／鼎之轻重，未可问也／用民之论，不可不熟／虎狼并处，不可以仕／既食，未设备，可击／言过其实，不可大用／万家之都，不可平以准／无饵之钓，不可以得鱼／可以意会，不可以言传／可得而利，则可得而害／可得而亲，则可得而疏／可得而贵，则可得而贱／可起而索，不可坐而得／焉有君子而可以货取乎／千里之路，不可扶以绳／书不千轴，不可以语化／偏材之性，不可移转矣／先针而后缕，可以成帷／亡国之主，不可以直言／诬服之情，不可以折狱／画布为亟不可以当戈戟／剪采为葩不可以受风雨／攻不必拔，不可以言攻／志于虚无者可以忘生死／搏牛之虻不可以破虮虱／名，公器也，不可多取／知无用而始可与言用矣／虽小道，必有可观者焉／唯立德扬名，可以不朽／国之利器，不可以示人／处难处之事，可以长识／维南有箕，不可以簸扬／马不伏枥，不可以趋远／战不必胜，不可以言战／是非明而后可以施赏罚／败军之将，不可以言勇／毛羽未成，不可以高飞／所加于人，必可行于己／有大略者不可责以捷巧／有小智者不可任以大功／文不百代，不可以语变／意量所函变可通于意外／目在足下，不可以视近／罚避亲贵，不可使主兵／矩不方，规不可以为圆／病之将死，不可为良医／既悦其直，不可非其讦／既悦其介，不可非其拘／中人以下，不可以语上也／俭为贤德，不可着意求贤／尊德乐义，则可以嚣嚣矣／人有喜庆，不可生妒忌心／人有祸患，不可生欣幸心／仓无备粟，不可以待凶饥／语贵洒脱，不可拖泥带水／读书之处，不可久坐闲谈／画地为饼，不可得而食也／男儿死耳，不可为不义屈／萧然风雪意，可折不可辱／大厦既焚，不可洒之以泪／吾憎人也，不可得而知也／君子如春风，可爱不可竭／犹如水中月，可见不可取／温故而知新，可以为师矣／“慷慨”二字不可以望人／宝器玩物，不可示于权豪／维北有斗，不可以挹酒浆／巢林栖一枝，可为达士模／所见所期，不可不远且大／心知其意，未可明诏大号／意贵透彻，不可隔靴搔痒／镂冰为璧，不可得而用也／“聪明”二字不可以自许／蚍蜉撼大树，可笑不自量／鹿鸣思野草，可以喻嘉宾／万殊之类，不可以一概断之／才高行洁，不可保以必尊贵／曲水临流，自可一觞而一咏／良弓难张，然可以及高入深／良马难乘，然可以任重致远／能薄操浊，不可保以必卑贱／观其所爱亲，可以知其人矣／坎井之蛙不可与语东海之乐／太牢斯烹，安可荐羹藜之味／知不几者不可与及圣人之言／处林泉中，不可无廊庙经纶／居轩冕中，不可无山林趣味／马上得之，宁可以马上治乎／不有所弃，不可以得天下之势／不有所忍，不可以尽天下之利／狐裘虽敝，不可补以黄狗之皮／不可于我而可于彼者，天下无亡／仁可为也，义可亏也，礼相伪也／寄之，其来不可圉，其去不可止／燔埴为瓦则可，烁瓦为铜则不可／鸡肋，弃之如可惜，食之无所得／百姓多寒无可救，一身独暖亦何情／临大节而不可夺，处至公而不可干／义

理之勇不可无，血气之勇不可有／匡庐小琐拳可碎，鄱阳触怒踢欲裂／利可共而不可独，谋可寡而不可众／憎是愚氓犹可训，妖为鬼蜮必成灾／先生之貌不可得兮，犹仿佛其文章／巧辩纵横而可喜，忠言质朴而多讷／猛石可裂不可卷，义士可杀不可羞／昨日之日不可追，今日之日须臾期／水真绿净不可唾，鱼若空行无所依／贫贱之知不可忘，糟糠之妻不下堂／所谓理者不可推，而寿者不可知矣／爱我者一何可爱，憎我者一何可憎／毁誉从来不可听，是非终久自分明／炼句炉槌岂可无？句成未必尽缘渠／目前之耳目可涂，身后之是非难罔／血气之怒不可有，理义之怒不可无／跻攀分寸不可上，失势一落千丈强／其体顺而肆，可以播于乐章歌曲也／天下之事不可为也，因其自然而推之／奉职顺道，亦可以为治，何必威严哉／调难调之人，可以练性，学在其中矣／蓝青地黄犹可假，仁义之事不可假乎／智如泉源，行可以为表仪者，人师也／天下之理不可穷也，天下之性不可尽也／可心会而不可口传，可神通而不可语达／书不记，熟读可记；义不精，细思可精／偏而在外，犹可救也，疾自中起，是难／惟心会而不可口传，可神通而不可语达／物不正则不可为乐，乐不和则不能理人／其问之也，不可以有崖，而不可以无崖／鼻之所喜不可任也，口之所嗜不可随也／仁义礼乐者，可以救败，而非通治之至也／说淫则可不可而然不然，是不是而非不非／当恃我之不可侵也，无恃鬼神之不侵我也／天下岂有不可为之国哉？亦存乎其人如何尔／天下神器，不可为也。为者败之，执者失之／长于变者不可穷以诈，通于道者不可惊以怪／丹可磨而不可夺其色，兰可燔而不可灭其馨／我心匪石，不可转也；我心匪席，不可卷也／举天下而无可与共处，则是其势岂可以久也／高墙狭基，不可立矣；严法峻刑，不可久也／诗是心声，不可违心而出，亦不能违心而出／剪纸为墙，不可止暴，搏沙为饼，不可疗饥／功有难图，不可预见；事有易断，较然不疑／能自治然后可以治人；能治人然后人为之用／劳臣不赏，不可劝功；死士不赏，不可励勇／少目之网，不可得鱼，三章之法，不可为治／汉之广矣，不可泳思。江之永矣，不可方思／察一曲者不可与言化，审一时者不可与言大／如镜之明，断可以平；如镜之洁，断可以决／好便宜者不可与共财，多狐疑者不可与共事／玉可碎而不可改其白，金可销而不可易其刚／比不应事，未可谓喻；文不称实，未可谓是／败军之将，不可言勇；亡国之臣，不可言智／有大物者，不可以物；物而不物，故能物物／磐石千里，不可谓富；象人百万，不可谓强／白圭之玷，尚可磨也；斯言之玷，不可为也／疗饥者半菽可以充腹，为政者一言可以兴邦／既悦其刚，不可非其厉。厉也者，刚之征也／既悦其和，不可非其懦。懦也者，和之征也／言出于己，不可塞也；行发于身，不可掩也／天下之事，不可尽知，而以臆断之，不可任也／天下悠悠，皆可长生也，患于犹豫，故不成耳／事不豫辨，不可以应卒；内无备，不可以御敌／死生……畏者不可以苟免，贪者不可以苟得也／父母之年，不可不知也，一则以喜，一则以惧／神明之事，不可以智巧为也，不可以筋力致也／才可伪，功不可伪；临民听政，长短贤不肖立见／可贵可贱也，可富可贫也，可杀而不可使为奸也／言发于迩，不可止于远；行存于身，不可掩于名／人遇逆境，无可奈何，而安之若命，乃是见识超卓／欲厚其德，不可不弘其量，欲弘其量，不可不大其识／坐而玩之者，可濯足于床下；卧而狎之者，可垂钓于枕上／此生不学，一可惜；此日闲过，二可惜；此身一败，三可惜

❼世间唯名实不可欺／凡事惟适中者可久／言有尽而情不可终／求田问舍，言无可采／两不立，则一不可见／千载之勋，一朝可立／以杀去杀，虽杀可也／以战去战，虽战可也／以战止战，虽战可也／刑法不人，兵不可成／侈而无节，则不可赡／凡人为贵，当使可贱／毫毛虽小，视之可察／军无适主，一举可灭／士无事而食，不可也／志不可满，乐不可极／大尾小头，重不可摇／善不可失，恶不可长／国有具官，其政可善／得人者，卑而不可胜／街谈巷说，必有可采／冬日可爱，夏日可畏／法有明文，情无可恕／道德可常，权不可常／马不可极，民不可剧／杀人安人，杀之可也／成败之迹，昭哉可观／此而可忍，孰不可忍／时不可留，众不可逆／明其为贼，敌乃可服／败不可处，时不可失／败不可悔，时不可失／有山可登，有水可浮／风不可系，影不可捕／心静气理，道乃可止／蛟龙离水，匹夫可制／羚羊挂角，无迹可求／言不可失，行不可亏／食之无味，弃之可惜／才储于平时，乃可济用／丹可磨也，而不可夺赤／生不可不惜，不可苟惜／以其境过清，不可久居／民可近也，而不可上也／任重者其忧不可以不深／位高者其责不可以不厚／许之而不予，不可谓信／君子可欺也，不可罔也／屈志老成，急则可相依／马肥，然后远能可致也／是可忍也，孰不可忍也／石可破也，而不可夺坚／粟积于丰年，乃可济饥／谿壑可盈，是不可餍也／三军一心，剑阁可以攻拔／不可怙者天，不可画者人／不违农时，谷不可胜食也／民可以乐成，不可与虑始／民可使由之，不可使知之／直而不能枉，不可与大任／真心实作，无不可图之功／先缕而

后针，不可以成衣／亡国之大夫，不可以图存／志不立，天下无可成之事／苟由其道，其势可以自得／四马齐足，孟门可以长驱／宁可信其有，不可信其无／道德不厚者，不可以使民／水可使不滥，不可使无流／文章不成者，不可以诛罪／方而不能圆，不可以长存／恩难酬白骨，泪可到黄泉／目在足下，则不可以视矣／三军一心，则令可使无敌矣／可与共安乐，亦可与共患难／可以共患难，不可以共安乐／人之欲少者，其可得用亦少／人之欲多者，其可得用亦多／能静而自观者，可以用人矣／拘于鬼神者，不可与言至德／吾虑不清，则未可定然否也／国家之大机，不可轻而失也／衡诚具矣，则不可欺以轻重／沧浪之水浊兮，可以濯吾足／沧浪之水清兮，可以濯吾缨／视卒如爱子，故可与之俱死／有山林之杰，不可薄其贫贱／神物好安静，不可以有为治／怨于心者，哀声可以应木石／怨利生孽，维义可以为长存／恶于针石者，不可与言至巧／无恶于己，然后可以正人之恶／劝农桑，益种树，可得衣食物／君子之学也，其可一日而息乎／居马上得之，宁可马上治之乎／视卒如婴儿，故可与之赴深溪／有善于己，然后可以责人之善／黄金珠玉，饥不可食，寒不可衣／瞽无目而耳不可以塞，精于聪也／往者已不及，尚可以为来者之戒／珠玉金银，饥不可食，寒不可衣／时乎时乎，去不可邀，来不可逃／鳖无耳而目不可以蔽，精于明也／君子可招而不可诱，可弃而不可慢／杨柳枝，芳菲节，可恨年年赠离别／是非之所在，不可以贵贱尊卑论也／人有恩于我不可忘，而怨则不可不忘／凡以知，人之性；可以知，物之理也／君子藏正气者，可以远鬼神，伏奸佞／火之燎于原，不可向迩，其犹可扑灭／世间奇男子，岂可以世俗趣舍量其心乎／同于我者何必可爱，异于我者何必可憎／强令之为道也，可以成小而不可以成大／贫贱之交而不可忘，珠玉满堂而不足贵／用兵者，先为不可胜，以待敌之可胜也／兵不刑天，兵不可动；不法地，兵不可昔／苟有可观，皆有可乐，非必怪奇伟丽者也／唯仁者可好也，可恶也，可高也，可下也／言语简寡，在我可以少悔，在人可以少怨／五刃之伤，药之可平。一言成疴，智不能明／北海虽赊，扶摇可接；东隅已逝，桑榆非晚／川不可防，言不可弭，下塞上聋，邦其倾矣／年不可举，时不可止，消息盈虚，终则有始／为鬼为蜮，则不可得；有靦面目，视人罔极／作俑之工，非曰可珍；时有所用，贵于斫轮／画地为牢，势不可入；削木为吏，议不可对／当人强盛，河山可拔，一朝羸缩，人情万端／性不可易，命不可变，时不可止，道不可壅／敖不可长，欲不可从；志不可满，乐不可极／恶不可积，过不可长；积恶长过，丧乱之源／民安土重迁，不可卒变。易以顺行，难以逆动／贤不肖，善邪辟，可悖逆，国不乱身不危奚待也／不知言之人，乌可与言？知言之人，默焉而其意已传／天不可信，地不可信，人不可信，心不可信，惟道可信／处患难，知其无可奈何，遂放意而不反，是岂安于义命者

❽与狐议裘，无时焉可／不期修古，不法常可／可乎可，不可乎不可／义方失则师友不可训／道德丧则礼乐不可理／始若可喜而终不可久／失去所凭依，信不可欤／使功在己，则功不可久／人而无信，不知其可也／褒其可褒，而贬其可贬／请日试万言，倚马可待／谓其忠则委之诚，可也／象见其牙，而大小可论／节行失之，终身不可得／慕名而不知实，一可贱／听其言，则侈大而可乐／唯廉勤二字，人人可至／涉长道后行未息，可击／强倨傲暴之人不可与交／爱利之心谕，威乃可行／蛇举首尺，而修短可知／其形之为马，马不可化／三军可夺气，将军可夺心／与亡国同事者，不可存也／与死人同病者，不可生也／无罪而戮民，则士可以徙／不患莫己知，求为可知也／为治有体，上下不可相侵／谦，尊而光，卑而不可逾／凿凿乎如五谷必可以疗饥／势不可使尽，福不可享尽／能均其食者，天下可以治／能持大体，凡事自可就也／苟怀四方志，所在可游盘／名如画地作饼，不可啖也／行可兼知，而知不可兼行／微不可不防，远不可不虑／过不可以贰，赦不可以幸／威不可无有，而不可专恃／骄倨傲暴之人，不可与交／玉出于璞，而璞不可谓玉／相见情已深，未语可知心／昏与庸，可限而不可限也／赏不可妄行，恩不可妄施／断断乎如药石必可以伐病／有天不雨粟，无地可埋尸／聪与敏，可恃而不可恃也／身可危也，而志不可夺也／其指归在可解不可解之会／其寄托在可言不可言之间／无常乱之国，无不可理之民／民不可与虑始，而可与乐成／信，民之所庇也，不可失也／人有不为也，而后可以有为／凡人可以言古，不可以言今／凡将立国，制度不可不察也／军未战先见败征，可谓知兵／男儿当死中求生，可坐穷乎／吾有德于人也，不可不忘也／知未生之乐，则不可畏以死／役于人而食其力，可无报耶／多读书达观古今，可以免忧／履非常之危者不可以常道安／如是，则终生几无可问之事／贵以身为天下，若可寄天下／毛羽不丰满者，不可以高飞／爱以身为天下，若可托天下／有不可忘者，有不可不忘者／用非其有之心，不可察之本／解非常之纷者不可以常语谕／言不可不择，术不可不择也／其术可以心得，不可以言喻／民可百年无货，不可一朝有饥／仁者不以位为惠：可谓无

为矣／凡将立国……治法不可不慎也／声可托于弦管，名可留于竹帛／择可言而后言，择可行而后行／待小人宜敬，敬心可以化邪心／处天下所观之地，可不慎乎？／宁可后来相让，不可起初含糊／绳墨诚陈矣，则不可欺以曲直／明于天人之分，则可谓至人矣／赏不行，则贤者不可得而进也／爱以身为天下，若可托天下矣／有未偿之厚责，无可录之微劳／文可以变风俗，学可以究天人／眼里无点灰尘，方可读书千卷／矧流客之归思，岂可忘于畴昔／与贤豪相对，最不可有媚悦之色／不独为利而仕不可，为名亦不可／凡学书者，得其一，可以通其余／唯无以天下为者，可以托天下也／爱己者，仁之端也，可推以爱人／怨在微而下之，犹可以为谦德也／不如意事常八九，可与语人无二三／可憎者人情冷暖，可厌者世态炎凉／可用而不可恃也，可诫而不可弃也／能知反复之道者，可以居兆民之职／善人为邦百年，亦可以胜残去杀矣／处次官，执利势，不可而不察于此／道可道，非常道；名可名，非常名／桂可食，故伐之；漆可用，故割之／日暮榆园拾青荚，可怜无数沈郎钱／有过则当速改，不可畏难而苟安也／自叹犹为折腰吏，可怜骢马路傍行／忠告而善道之，不可则止，毋自辱焉／不知古人之世，不可妄论古人之文辞也／力可以得天下，不可以得匹夫匹妇之心／若火之燎于原，不可向迩，其犹可扑灭／道也者，至精也，不可为形，不可为名／《诗》可以兴，可以观，可以群，可以怨／莫知己德有极，则可以有社稷，为民致福／君子于细事，未必可观，而材德足以重任／唯圣人知礼之不可以已也……必先去其礼／铁可折，玉可碎，海可枯……直节贯殊途／不学古人，法无一可；竟似古人，何处着我／君子之为言也，度可行于己，然后可责于人／晴空朗月，何处不可翱翔？而飞蛾独投夜烛／谁不可喜，而谁不可惧；蚋蚁蜂虿，皆能害人／君子有三忧：弗知，可无忧与？……可无忧与／清泉绿草，何物不可饮啄？而鸱鸮者偏食腐鼠／所学者非世之所可用，而所任者非身之所能为／可贵可贱也，可富可贫也，可杀而不可使为奸也／贤固可易知，人固可易识，但是议者不精思之耳／可以托六尺之孤，可以寄百里之命，临大节而不可夺也／君子以争途之不可由也，是以越俗乘高，独行于三等之上

❾事诚无害，虽无例亦可／侏儒见一节而短长可知／和民一众，不知法不可／达人大观兮，无物不可／骏马有奔踶之患而可驭／一夫怒临关，百万未可傍／上邪下难正，众枉不可矫／万物之有灾，人妖最可畏／无例不可兴，有例不可灭／无有不可穷，至柔不可折／不为不可成，不求不可得／来生不可忌，已死不可徂／生人作死别，恨恨那可论／疑道不可由，疑事不可行／咫尺愁风雨，匡庐不可登／伪诈不可长，空虚不可守／弃身锋刃端，性命安可怀／谦恭者无诤，知善之可迁／画西施之面，美而不可说／勇则不可犯，智则不可乱／能者不可弊，败者不可饰／攻其国爱其民，攻之可也／萧然风雪意，可折不可辱／大鹏不可笼，大椿不可植／名位苟无心，对君犹可眠／君子如春风，可爱不可竭／山岳移可尽，江海塞可绝／往者不可及，来者犹可待／往者不可谏，来者犹可追／犹如水中月，可见不可取／狐死归首丘，故乡安可忘／忧端齐终南，澒洞不可掇／安天下于覆盂，其功可大／富贵非吾愿，帝乡不可期／马毛缩如猬，角弓不可张／朽木不可雕，情亡不可久／规孟贲之目，大而不可畏／所见既可骇，所闻良可悲／心绪逢摇落，秋声不可闻／鼎镬甘如饴，求之不可得／蜀酒浓无敌，江鱼美可求／盈虚倚伏，去来之不可常／言无不可晓，指无不可睹／无罪而杀士，则大夫可以去／来世不可待，往世不可追也／临难而不能勿听，不可谓勇／书生之论，可言而不可用也／民者，万世之本也，不可欺／厌其源，开其渎，江河可竭／原始以要终，虽百世可知也／但患无志耳，事固未可知也／人之有德于我也，不可忘也／诚能爱而利之，天下可从也／若高下相去差近，犹可与语／若其有害，虽百例不可用也／四寸之管无当，必不可满也／如是则下怨，下怨者可亡也／辞不可不修，而说不可不善／其智可及也，其愚不可及也／一心可以丧邦，一心可以兴邦／可欺当时之人，而不可欺后世／事有不可知者，有不可不知者／非其道，则一箪食不可受于人／临大利而不易其义，可谓廉矣／克己可以治怒，明理可以治惧／功不可以虚成，名不可以伪立／美言可以市尊，美行可以加人／君子以俭德辟难，不可荣以禄／善不由外来兮，名不可以虚作／忧劳可以兴国，逸豫可以亡身／惟俭可以助廉，惟恕可以成德／宜守不移之志，以成可大之功／道者，所以立本也，不可不一／时不可以苟遇，道不可以虚行／有梦常嫌去远，无书可恨来迟／福兮可以善取，祸兮可以恶招／悲歌可以当泣，远望可以当归／铅不可以为刀，铜不可以为弩／辞至于能达，则文不可胜用矣／羊不任驾盐车，椽不可为楣栋／其岸势犬牙差互，不可知其源／不可以有乱急，亦不可以无乱弛／切切偲偲，怡怡如也，可谓士矣／大丈夫宁当玉碎，安可没没求活／大怒不怒，大喜不喜，可以养心／小人固当远，然亦不可显为仇敌／君子固当亲，然亦不可曲为附和／知足不辱，知止不殆，可以长久／见百金而色变者，不可以统三军／见十金而色变者，不可以治一邑／文不可以学而能，气可以养

而致／罚不行，则不肖者不可得而退也／不可乘喜而多言，不可乘快而易事／不可乘喜而轻诺，不可因醉而生嗔／不可乘快而多事，不可因倦而鲜终／兵可千日而不用，不可一日而不备／利可共而不可独，谋可寡而不可众／友也者，友其德也，不可以有挟也／少不讽，壮不论议；虽可，未成也／君子可招而不可诱，可弃而不可慢／宁可蒙懂而聪明，不可聪明而蒙懂／宜将剩勇追穷寇，不可沽名学霸王／逢人且说三分话，未可全抛一片心／逢人只可三分语，未可全抛一片心／旃如云兮帜如星，山可动兮石可铭／必先知致弊之因，方可言变法之利／臣可以择君而仕，君可以择臣而任／一言之谬，一事之失，可救之于将然／往世不可及，来世不可待，求己者也／往而不来者年也，不可得再见者亲也／逆耳之言，裨治也不可于人，可恨也／可心会而不可口传，可神通而不可语达／惟心会而不可口传，可神通而不可语达／官职可以重求，爵禄可以货得者，可亡也／梁丽可以冲城，而不可以窒穴，言殊器也／高山有前，流水在下，可以俯仰，可以宴乐／务先穷昔人书，有不可者而后革之，则大善／苟得于道，无自而不可；失焉者，无自而可／称薪而爨，数米而炊，可以治小而未可以治大／两高不可重，两大不可容，两贵不可双，两势不可同／道者……高不可际，深不可测；包裹天地，禀授无形／万物以自然为性，故可因而不可为也，可通而不可执也／可与为始，可与为终，可与尊通，可与卑穷者，其唯信乎／不仁之人骋其私智，可以盗千乘之国，而不可以得丘民之心

⑩见富贵而生谄容者最可耻／不敢正是非于富贵，二可贱／先为不可胜，以待敌之可胜／弃我去者，昨日之日不可留／谤之无实者，付之勿辩可矣／大德不逾闲，小德出入可也／德与力，非试之辕下不可辨／多方包容，则人材取次可用／饮食男女皆性也，是乌可灭／强辩者饰非，不知过之可改／暴王之恶天下，故天下可离／见富贵而生谄容者，最可耻／有自也而可，有自也而不可／秦有贪饕之心，而欲不可足／白粲必去其沙砾而后食可餐／用人之力而忘人之功，不可／一日而废一事，一月则可知也／天至广不可度，地至大不可量／州闾之士皆誉皆毁，未可为正／便宜不可占尽，聪明不可用尽／凡举事，必先审民心然后可举／诚国是之先定，虽民散而可收／读书当读全书，节抄者不可读／读文必期有用，不然宁可不读／能守而后可战，能战而后可和／观其交游，则其贤不肖可察也／大器不可小用，小士不可大任／把志气奋发得起，何事不可做／把意念沉潜得下，何理不可得／行于所当行，止于所不可不止／往者不可复兮，冀来今之可望／德积而民可用，怒畜而威可立／形见则胜可制，力罢则威可立／悟已往之不谏，知来者之可追／审其所好恶，则其长短可知也／富贵未必可重，贫贱未必可轻／威柄不以放下，利器不可假人／根深则道可长。蒂固则德可茂／死而不祸，知终始之不可故也／明珠是身外之物，尚不可弹雀／祸难生于邪心，邪心诱于可欲／一身而二任焉，虽圣者不可为也／一言而可以兴邦，一言可以丧邦／三军可夺帅也，匹夫不可夺志也／无制之兵，有能之将，不可以胜／不著梳栉，而求发治，不可得也／不独为利而仕不可，为名亦不可／未遇明师，而求要道，未可得也／世异事变，治国不同，不可不察／事物之变，纷纭杂出，若不可知／兵未战而先见败征，此可谓知兵／为国不可以生事，亦不可以畏事／黄金珠玉，饥不可食，寒不可衣／凡人行事，年少立身，不可不慎／孰非义而可用兮，孰非善而可服／播种有不收者矣，而稼穑不可废／君子当有所好恶，好恶不可不明／虽禀极聪，而有声者不可尽闻焉／虽有至明，而有形者不可毕见焉／喉中有病，无害于息，不可凿也／彼一时也，此一时也，岂可同哉／狼子野心，是乃狼也，其可畜乎／寄之，其来不可圉，其去不可止／纸上语可废坏，心中誓不可磨灭／珠玉金银，饥不可食，寒不可衣／时乎时乎，去不可邀，来不可逃／昔者明王之爱天下，故天下可附／敌人远来新至，行列未定，可击／数罟不入洿池，鱼鳖不可胜食也／有制之兵，无能之将，不可以败／燔埴为瓦则可，烁瓦为铜则不可／心不知治乱之源者，不可令制法／目中有疵，不害于视，不可灼也／鼎不可以柱车，马也不可使守间／盗贼之心必托圣人之道而后可行／言多诺者，事众而信，不可然也／一仪不可以百发，一衣不可以出岁／下不钳口，上不塞耳，则可有闻矣／丰岁自少凶岁多，田家辛苦可奈何／天可度，地可量，唯有人心不可防／天作孽，犹可违；自作孽，不可逭／无伎不可以为工，无资不可以为商／无功之赏，无力之礼，不可不察也／不到西湖看山色，定应未可作诗人／不弃狂夫之言者，然后嘉谟可闻也／不弃死马之骨者，然后良骥可得也／不妨举世无同志，会有方来可与期／不必有非常之功，而皆有可纪之状／不念英雄江左老，用之可以尊中国／末不可以强于本，指不可以大于臂／可用而不可恃也，可诚而不可弃也／百心不可以得一人，一心可得百人／临事不信于民者，则不可使任大官／临大节而不可夺，处至公而不可干／九州生气恃风雷，万马齐喑究可哀／后之来者，则吾未之见，其可忽耶／兵者百岁不一用，然不可一日忘也／义理之勇不可无，血气之勇不可有／为学正

如撑上水船，一篙不可放缓／尽诚可以绝嫌猜，徇公可以弭谗诉／利可共而不可独，谋可寡而不可众／人生识字忧患始，姓名粗记可以休／人也不幸而则亡，名兮可大而不死／读书不可无师承，立论不可无依据／陶令不知何处去，桃花源里可耕田／力能排天斡九地，壮颜毅色不可求／能改，则瑕可为瑜，瓦砾可为珠玉／能自凿井及泉而汲之，不可胜用矣／挟天子而令诸侯，此诚不可与争锋／挟天子以令诸侯，四海可指麾而定／小知不可使谋事，小忠不可使主法／少年易学老难成，一寸光阴不可轻／常行于所当行，常止于所不可不止／常宽容于物，不削于人，可谓至极／君道立则利出其群，而人备可完矣／君子可招而不可诱，可弃而不可慢／虽体解吾犹未变兮，岂余心之可惩／猛石可裂不可卷，义士可杀不可羞／多言不可与远谋，多动不可与久处／腐木不可以为柱，卑人不可以为主／溺于渊犹可缓也，溺于人不可救也／潭西南而望，斗折蛇行，明灭可见／宣父犹能畏后生，丈夫未可轻年少／察己则可以知人，察今则可以知古／妙不可尽之于言，事不可穷之于笔／存不忘亡，是以身安而国家可保也／纵横正有凌云笔，俯仰随人亦可怜／杂似博，陋似约，学者不可不察也／采于山，美可茹；钓于水，鲜可食／明月之光，可以望远而不可以细书／易其田畴，薄其税敛，民可使富也／智昏不可以为政，波水不可以为平／责上责下而中自恕己，岂可任职分／赏罚不信，则民易犯法，不可使令／觉人之诈而不说破，待其自愧可也／教笞不可废于家，刑罚不可损于国／片言可以明百意，坐驰可以役万里／所谓理者不可推，而寿者不可知矣／斧斤以时入山林，材木不可胜用也／爱我者一何可爱，憎我者一何可憎／爱恶亲疏，兴废穷达，皆可以成义／爵不可以无功取，刑不可以贵势免／有不能求士之君，而无不可得之士／有不能治民之吏，而无不可治之民／文章必自名一家，然后可以传不朽／旃如云兮帜如星，山可动兮石可铭／礼丰不足以效爱，而诚心可以怀远／忠邪不可以并立，善恶不可以同道／短绠不可以汲深，器小不可以盛大／螣蛇不可以为足，虎豹不可使缘木／血气之怒不可有，理义之怒不可无／登高不可以为长，居下不可以为短／上交不谄，下交不骄，则可以有为矣／万物生于天地之间，其理不可以一概／世虽有侥幸之事，断不可存侥幸之心／两心不可以得一人，一心可以得百人／生死犹转机，得失如反掌，可不慎乎／真者，所以受于天也，自然不可易也／利害之反，祸福之门户，不可不察也／利害之路，祸福之门，不可求而得也／任天下之智力，以道御之，无所不可／伯乐不可欺以马，而君子不可欺以人／人虽无艰难之时，却不可忘艰难之境／人特劫君而不盟，君不知，不可谓智／人有恩于我不可忘，而怨则不可不忘／识物之动，则其所以然之理皆可知也／剪枝去叶，本根俱露，枯槁可立而待／萌于不必忧之地，而寓于不可见之初／蓝青地黄犹可假，仁义之事不可假乎／太平之时，必须才行俱兼，始可任用／小人虽器量浅狭，而未必无一长可取／少壮真当努力，年一过往，何可攀援／君今不幸离人世，国有疑难可问谁？／君子寡欲则不役于物，可以直道而行／惟不以天下害其生者也，可以托天下／惟义可以怒士，士以义怒，可与百战／惟君臣相遇，有同鱼水，则海内可安／宽于大事，急于小事……不可以为政／逆耳之言，裨治也不可于人，可恨也／贼做官，官做贼，混愚贤。哀哉可怜／见其可利也，则必前后虑其可害也者／散殊而可象为气，清通而不可象为神／火之燎于原，不可向迩，其犹可扑灭／言之而非，虽在王侯卿相，未必可容／言之而是，虽在仆隶刍荛，犹不可弃／鱼不可脱于渊；国之利器不可以示人／一目之人可使视准，五毒之石可使溃疡／与谗谄面谀之人居，国欲治，可得乎？／才不称不可居其位，职不称不可食其禄／天下之理不可穷也，天下之性不可尽也／天不欲使兹人有知乎？则吾之命不可期／天地之中，荡然任自然，故不可得而穷／不可以年少而自恃，不可以年老而自弃／不可以私意喜一人。不可以私意怒一人／不可陷之楯与无不陷之矛不可同世而立／不仁者，不可以久处约，不可以长处乐／可心会而不可口传，可神通而不可语达／求远者不可失于近，治影者不可忘其容／来而不可失者时也，蹈而不可失者机也／事不目见耳闻，而臆断其有无，可乎？／出一令可以止横议，杀一犯可以儆百众／我独见得是，亦须缓缓调停，不可直遂／为人君而乐杀人，此不可使得志于天下／主不可以怒而兴师，将不可以愠而致战／书不记，熟读可记；义不精，细思可精／同于我者何必可爱，异于我者何必可憎／使夸而有节，饰而不诬，亦可谓之懿也／傲小物而志属于大，似无勇而未可恐狼／人事必将与天地相参，然后乃可以成功／人主之于用法，无私好憎，故可以为令／凡王者之德……要于其当，不可使易也／凡鬼神事眇茫荒惑无可准，明者所不道／市之鬻鞭者，人问之……必五万而后可／率虎狼牧羊豕，而望其蕃息，岂可得也／邪正之人不宜共国，亦犹冰炭不可同器／鄙朴忤逆者未必悖，承顺惬可者未必忠／能终而不能赏，虽有贤人，终不可用矣／在这可诅咒的地方击退了可诅咒的时代／墉基不可仓卒而成，威名不可一朝而立／若火之燎于原，不可向迩，其犹可扑灭／荡涤胸中，无一毫之私累，可以言大矣／莫之大祸，起于须臾之不忍，不可不谨／据沧海而观众水，则江河之会归可见也／小慧者不可以御大，小辩者不可以说众／君子可以寓意于物，而不可以留意于物／浮言可以事久而明，众嗤可以时久而息／惟心会而不可口传，可神通而不可语达／官不得其才，比于画地作饼，不可食也／官大者，亦可小就；官小者，亦可大用／道也者，不可须臾离也；可离，非道也／道也者，至精也，不可为形，不可为名／强令之为道也，可以成小而不可以成大／学诗者不可忽略古人，亦不可附会古人／戍卒叫，函谷举，楚人一炬，可怜焦土／时不至不可强生也，事不究不可强成也／责恶要为人留余步，劝善要思其势可从／赏厚可令廉士动心，罚重可令凶人丧魄／收心简事日损有为，体静心闲方可观妙／有义者不可欺以利，有勇者不可劫以惧／罪驱之于后，功啖之于前……不可得也／矩不正不可以为方，规不正不可以为圆／用兵者，先为不可胜，以待敌之可胜也／疾病不可以自责除，水旱不可以祷谢去／褚小者不可以怀大，绠短者不可以汲深／虎之不可使知恩，犹人之不可使为虎也／登泰山而览群岳，则冈峦之本末可知也／貌则人，其心则禽兽，又恶可谓之人邪／言行，君子之所以动天地也，可不慎乎／言有浅而可以托深，类有微而可以喻大／其问之也，不可以有崖，而不可以无崖／鼻之所喜不可任也，口之所嗜不可随也／不智不勇不信，有此三者，不可以立功名／长短不饰，以情自竭，若是则可谓直士矣／兵不刑天，兵不可动；不法地，兵不可昔／民无常用也，无常不用也，唯得其道为可／使贤者居上，不肖者居下，而后可以理安／人生大期，百年为限，节护之者可至千岁／人能贵其所贱，贱其所贵，可与言至论矣／今处昏上乱相之间，而欲无惫，奚可得邪／《诗》可以兴，可以观，可以群，可以怨／势利之交不终年，惟道义之交，可以终身／若夫有道之士，必礼必知然后其智能可尽／吾子苟自择之，取某事，去某事，则可矣／唯仁者可好也，可恶也，可高也，可下也／善不可谓小而无益，不善不可谓小而无伤／国无小，不可易也；无备虽众，不可恃也／微邪不禁，而求大邪之无伤国，不可得也／汉魏风骨，晋宋莫传，然而文献有可征者／官职可以重求，爵禄可以货得者，可亡也／道与德，可勉以进也；才不可强揠以进也／道不远人。人之为道而远人，不可以为道／理无专在，而学无止境也，然则问可少耶／死生荣辱之道一，则三军之士可使一心矣／贵名不可以比周争也……不可以势重胁也／有必缘其心爱之谓也，有其形不可谓有之／言语简寡，在我可以少悔，在人可以少怨／一卒毕力，百人不当；万夫致死，可以横行／一国之政，万人之命，悬于宰相，可不慎欤／于戏君子，人不厌之，死虽千岁，其行可师／无目者不可示以五色，无耳者不可告以五音／不专一能，怪怪奇奇，不可时施，只以自嬉／不可假公法以报私仇，不可假公法以报私德／不揣其本而齐其末，方寸之木可使高于岑楼／事有古而可以质于今，言有大而可以征于小／甚雾之朝，可以细书而不可以远望寻常之外／长于变者不可穷以诈，通于道者不可惊以怪／丹可灭而不能使无赤，石可毁而不能使无坚／丹可磨而不可夺其色，兰可燔而不可灭其馨／我心匪石，不可转也；我心匪席，不可卷也／兵不可玩，玩则无威；兵不可废，废则召寇／举天下而无可与共处，则是其势岂可以久也／体不备不可以为成人，辞不足不可以为成文／使死者反生，生者不愧乎其言，则可谓信矣／公婿公孙，与民同门，暴傲其邻者，可亡也／人情险于山川，以其动静可识，而沉阻难徵／高墙狭基，不可立矣；严法峻刑，不可久也／高山有前，流水在下，可以俯仰，可以宴乐／军无习练，百无当一；习而用之，一可当百／冠至敝不可弃之于足，履虽新不可加之于首／阴晴显晦，昏旦含吐，千变万状，不可殚纪／画地为牢，势不可入；削木为吏，议不可对／剪纸为墙，不可止暴，抟沙为饼，不可疗饥／加我数年，五十以学《易》，可以无大过矣／能至素至精，浩弥无刑，然后可以为天下正／观书贵要，观要贵博，博而知要，万流可一／劳臣不赏，不可劝功；死士不赏，不可励勇／苟得于道，无自而不可；失焉者，无自而可／藜藿之生，蠕蠕然日加数寸，不可以为庐栋／异音者不可听以一律，异形者不可合于一体／太山之高，背而弗见；秋毫之末，视之可察／少目之网，不可得鱼，三章之法，不可为治／君之赏不可以无功求，君之罚不可以有罪免／君子之为言也，度可行于己，然后可责于人／知己者不可诱以物，明于死生者不可却以危／因时而惕，不失其几，虽危而劳，可以无咎／国多忌讳，大人恒畏。结口无患，可以长存／行与义乖，言与法违，后虽无害，汝可以悔／行不如止，直不如曲，进不如退，可以安吉／行己有耻，使于四方，不辱君命，可谓士矣／汉之广矣，不可泳思。江之永矣，不可方思／汝死我葬，我死谁埋！汝倘有灵，可能告我／涤杯而食……可以养家老，而不可以飨三军／性不可易，命不可变，时不可止，道不可壅／宁逢赤眉，不逢太师。太师尚可，更始杀我／察一曲者不可与言化，审一时者不可与言大／道，视之不可见，听之不可闻，搏之不可得／如镜之明，断可以平；如镜之洁，断可以决／好便宜者不可与共财，多狐疑者不可与共事／威权外假，归之良难，虎翼一奋，卒不可制／玉可碎而不可改其白，金可销而不可易其刚／桑无附枝，麦穗两岐。张君为政，乐不可支／比不应事，未可谓喻；文不称实，未可谓是／日薄西山，余光横照，紫翠重叠，不可殚数／星斗张明，错落水中，如珠走镜，不可收拾／水抵两岸，悉皆怪石，攲嵌盘屈，不可名状／败军之将，不可言勇；亡国之臣，不可言智／赏罚不明，百事不成；赏罚若明，四方可行／敖不可长，欲不可从；志不可满，乐不可极／散珠喷雾，日光烛之，璀璨夺目，不可正视／所避者名也，所忧者其实也，实不可一日忘／月明星稀，乌鹊南飞，绕树三匝，何枝可依／有知顺之为倒、倒之为顺者，则可与言化矣／欲为君子，终身乃成；欲为小人，一朝可就／风俗之变，迁染民志，关之盛衰，不可不慎／文以气为主，气之清浊有体，不可力强而致／祸福相倚，吉凶同域，惟人所召，安可不思／福之为祸，祸之为福，化不可极，深不可测／怒如严霜，喜如时雨，臧否好恶，坦然可观／意无是非，赞之如流；言无可否，应之如响／磐石千里，不可谓富；象人百万，不可谓强／盈缩之期，不但在天；养怡之福，可得永年／锲而舍之，朽木不折；锲而不舍，金石可镂／短不可护，护则终短；长不可矜，矜则不长／白圭之玷，尚可磨也；斯言之玷，不可为也／用四海九州之力，除此小寇，难易可知……／疗饥者半菽可以充腹，为政者一言可以兴邦／言无常信，行无常贞……若是则可谓小人矣／言出于己，不可塞也；行发于身，不可掩也／言切直则不用而身危，不切直则不可以明道／天下之事，不可尽知，而以臆断之，不可任也／天……有相授之意，有为政之理，不可不审也／不以宠辱荣患损易其身，然后乃可以天下付之／事不豫辨，不可以应卒；内无备，不可以御敌／为道不在多，自为已有金丹至要，可不用余耳／举将而限以资品，则英豪之士在下位者不可得／以子所长，游于不用之国，欲使无穷，其可得／古今之喻多矣，而愚以为辨于味而后可以言诗／古君子志于道，据于德，依于仁，而后艺可游／先除尘垢后染善法，譬如浣衣先去垢然后可染／凡居其位，思直其道，道苟直，虽死不可回也／能用非己之民，国虽小，卒虽少，功名犹可立／若将军、大夫必出旧族，或无可焉，犹用之耶／苟有所见，虽布衣之贱，远守之微，亦可施用／莫不拔地倚天，句句欲活，读之……莫可捉搦／常有小不快事，是好消息……知此理可免怨尤／名言所绝理即具于名中，意量所函变可通意外／听之善，亦必得于心而会于意，不可得而言也／听讼者或从其情或从其词，词不可从必断以情／君子有三忧：弗知，可无忧与？……可无忧与／闻难思解，见利思避，好成人之美，可以立矣／法令赏罚者，诚治乱之枢机也，不可不严行也／近而不浮，远而不尽，然后可以言韵外之致耳／楩楠豫章之生也，七年而后知，故可以为棺舟／死生……畏者不可以苟免，贪者不可以苟得也／日知其所亡，月无忘其所能，可谓好学也已矣／有以为未始有物者，至矣，尽矣，弗可以加矣／方车而蹠越，乘桴而入胡，欲无穷，不可得也／神明之事，不可以智巧为也，不可以筋力致也／必静必清，无劳女形，无摇女精，乃可以长生／短绠不可以汲深，器小不可以盛大，非其任也／称薪而爨，数米而炊，可以治小而未可以治大／一出而不可反者，言也；一见而不可掩者，行也／不爱尺璧而爱寸阴，时过不还，若年大不可少也／可贵可贱也，可富可贫也，可杀而不可使为奸也／以辱为荣，以穷为通，虽失乎前，可谓后得之矣／人之可杀，以其恶死也；其可不利，以其好利也／人能修炼，俗变淳和，则返朴之风，可臻太古矣／争让之礼，尧桀之行，贵贱有时，未可以为常也／力不能问，然后语之，语之而不知，虽舍之可也／小人深情厚貌，毒人不可防范，殆其甚于豺狼也／居者有余蓄，行者有余资……可谓有治天下之效／昔之所为，而今觉其非，虽日异而月不同，可也／赏不劝善，罚不惩恶，而望邪正不惑，其可得乎／物固有所然，物固有所可；无物不然，无物不可／敏于事而慎于言，就有道而正焉，可谓好学也已／粟米布帛生于地，长于时，聚于力，非可一日成／颂其诗，读其书，不知其人可乎？是以论其世也／言发于迩，不可止于远；行存于身，不可掩于名／天下不可一日而无政教，故学不可一日而亡于天下／天地之养也一，登高不可以为长，居下不可以为短／以不忍人之心，行不忍人之政，治天下可运之掌上／古之成大事者，规模远大与综理密微二者阙一不可／叩之而必闻，触之而必应，夫是以天下可使为一身／观貌之是非，不若论其心与其行事之可否为不失也／士之修身立节而竟不遇知己，前古以来，不可胜数／得其言者而不言，与不得其言而不去，无一可者也／治国无法则乱，守法而弗变则悖，悖乱不可以持国／姆抱幼子立侧，眉眼如画，发漆黑，肌肉玉雪可念／继以精思，使其意皆出于吾之心。然后可以有得尔／恐沈于众，若火之燎于原，不可向迩，其犹可扑灭／一尺布，尚可缝；一斗粟，尚可舂。兄弟二人不相容／两高不可重，两大不可容，两贵不可双，两势不可同／兢兢自危，犹惧不终，而况沛然自足，可以成功者乎／使患无生易于救患，而莫能加务焉，则未可与言术也／今一以天地为大炉，以造化为大冶，恶乎往而不可哉／今之所以知古，后之所以知今，不可口传，必凭诸史／苟去其名全其实，以其余易其不足，亦可交以为师矣／将营大厦，不忧乎群材之不足，而忧乎梁栋之不可得／善为上者，能令人得欲无穷，故人之可得用亦无穷也／有社稷者，不能爱其民，而求民亲己爱己，不可得也／欲厚其德，不可不弘其量，欲弘其量，不可不大其识／斟酌乎质文之间，而隐括乎雅俗之际，可与言通变矣／既知教之所由兴，又知教之所由废，然后可以为人师／三五之夜，明月半墙，桂影斑驳，风移影动，珊珊可爱／万物以自然为性，故可因而不可为也，可通而不可执也／天不可信，地不可信，人不可信，心不可信，惟道可信／可以托六尺之孤，可以寄百里之命，临大节而不可夺也／生有七尺之形，死唯一棺之土，唯立德扬名，可以不朽／君自为诈，欲臣下行直，是犹源浊而望水清，理不可得／因循苟且逸豫而无为，可以侥幸一时，而不可旷日持久／学为文章，先谋亲友，得其评裁，知可施行，然后出手／星队木鸣，国人皆恐。……怪之，可也；而畏之，非也／心平愉，则色不及佣而可以养目，声不及佣而可以养耳／怒笞不可偃于家，刑罚不可偃于国，诛伐不可偃于天下／天无一点云，星斗张明，错落水中，如珠走镜，不可收拾／可与为始，可与为终，可与尊通，可与卑穷者，其唯信乎／孔子谓季氏："八佾舞于庭，是可忍也，孰不可忍也？"／坐而玩之者，可濯足于床下；卧而狎之者，可垂钓于枕上／吃百姓之饭，穿百姓之衣，莫道百姓可欺，自己也是百姓／君子之处世也，甘恶衣粗食，甘艰苦劳动，斯可以无失矣／有能推至诚之心而加以不息之久，则天地可动，金石可移／天下国家可均也，爵禄可辞也，白刃可蹈也，中庸不可能也／不仁之人骋其私智，可以盗千乘之国，而不可以得丘民之心／以易限之鉴，镜难原之才，使国罔遗授，野无滞器，其可得／人之欲虽多，而上无以令之，人虽得其欲，人犹不可得用也／君子有为于天下，惟义而已，不可则止，无苟为，亦无必为／此生不学，一可惜；此日闲过，二可惜；此身一败，三可惜／天之高也，星辰之远也，苟求其故，千岁之日至，可坐而致也／无形，则不可制迫也，不可度量也，不可巧诈也，不可规虑也／不可以一时之誉，断其为君子；不可以一时之谤，断其为小人／乐之道深矣，故工之善者，必得于心应于手，而不可述之言也／古之所谓公无私者，其取舍进退无择于亲疏远迩，惟其宜可焉／文章道弊五百年矣！汉魏风骨，晋宋莫传，然而文献有可征者／既死，岂在我哉！焚之亦可，沉之亦可，瘗之亦可，露之亦可／人有明珠，莫不贵重，若以弹雀，岂非可惜？况人之性命甚于明珠／道不可闻，闻而非也；道不可见，见而非也；道不可言，言而非也／刺史宜精选谨择以委任之，固不可拘限官次，得之货贿，出之权门者也／《国风》好色而不淫，《小雅》怨诽而不乱，若《离骚》者，可谓兼之／祸之始也易除，其除之不可者避之；及其成也欲除之不可，欲避之不可／用兵之法：无恃其不来，恃吾有以待也；无恃其不攻，恃吾有所不可攻也／使六国各爱其人，则足以拒秦；使秦复爱六国之人，则递三世可至万世而为君，谁得而族灭也

丕　pī 大；奉；乃；通"不"；作语助，无义；姓。

❺先王昧爽丕显，坐以待旦

平　①píng 平整；使平；平息；平定；媾和；一般的；平等，公平；平时；安定；使安定；汉语声调之一；通"评"；姓。②pián 本作"采"，辨别，治理。［平章］辨别章明；［平平］平凡，平常。

❶平不肆险，安不忘危

见汉·班固《汉书·扬雄传》。

平居里巷相慕悦……

见唐·韩愈《柳子厚墓志铭》。全句为："～，酒食游戏相征逐，诩诩强笑语以相取下，握手出肺肝相示，指天日涕泣，誓生死不相背负，真若可信；一旦临小利害，仅如毛发比，反眼若不相识，落陷阱，不一引手救，反挤之，又下石焉者，皆是也"。

平地注水，湿者必先濡

见《邓析子·转辞》。全句为："抱薪加火，烁者必先然；～"。

平生仗忠信，今日任风波

见宋·普济《五灯会元》卷一八。

平居无事，指为贤良……

见唐·陆龟蒙《野庙碑》。全句为："～，一旦有天下之忧，当报国之日，则恇挠脆怯，颠踬窜踣，乞为囚虏之不暇"。

平居不堕其业，穷困不易其素

见晋·陈寿《三国志·吴书·韦曜传》。

平日极好直言者，即患难时不肯负我之人

见清·申涵光《荆园小语》。

平原广望，博观之乐，沼池不如川泽所见博也

见汉·韩婴《韩诗外传》。全句为："登高临深，远见之乐，台榭不若丘山所见高也；～"。

平为福，有余为害者，物莫不然，而财其甚者也

见《庄子·盗跖》。

平易恬淡，则忧患不能入，邪气不能袭，故其德全而神不亏

见《庄子·刻意》。

❷非平正无以制断／太平之世多长寿人／无平不陂，无往不复／廉平之守，不可攻也／太平之

功，非一人之略／太平之美者，在于刑措／太平世界，环球同此凉热／治平尚德行，有事赏功能／清平之奸贼，乱世之英雄／晏平仲问养生于管夷吾……／余平生所作文章多在三上……／治平者先仁义，治乱者先权谋／理平者先仁义，理乱者先权谋／和平之音淡薄，而秋思之声要妙／天平山上白云泉，云自无心水自闲／太平之人，悦乐于德，不悦乐于刑／屈平词赋悬日月，楚王台榭空山丘／水平布石上，流若织文，响若操琴／太平之时，必须才行俱兼，始可任用／欲平其心以养其疾，于琴亦将有得焉／安平则尊道术之士，有难则贵介胄之臣／若平直相似……便不是书法，但得其点画耳／屈平所以洞监《风》《骚》之情者，抑亦江山之助乎／心平愉，则色不及佣而可以养目，声不及佣而可以养耳

❸快我平生万里心／称物平施，为政以公／我愿平东海，身沉心不改／众阜平寥廓，一岫独凌空／以公平为规矩，以仁义为准绳／神宜平而抑之，必有失和者矣／误尽平生是一官，弃家容易变名难／庾信平生最萧瑟，暮年诗赋动江关／譬如平地，虽覆一篑，进，吾往也／刑政平而百姓归之，礼义备而君子归之／如欲平治天下，当今之世，舍我其谁也／水至平而邪者取法，镜至明而丑者无怒／欲知平直，则必准绳；欲知方圆，则必规矩／方于平易，皆能阔步而进，一遇峻险，则止矣／心不平平，其平也不平；以不征征，其征也不征／水虽平，必有波；衡虽正，必有差；尺寸虽齐，必有诡

❹天下太平，万物安宁／天下虽平，不敢忘战／中正和平，无所偏倚／政之不平，吏之罪也／路见不平，拔刀相助／蹈危如平，嗜粝如精／才储于平时，乃可济用／勿以太平渐久而自骄逸／归来宴平乐，美酒斗十千／肤革既平，虽疥癣而必去／今日太平，即是江宁之小邑／泻水置平地，各自东西南北流／天下和平，灾害不生，祸乱不作／廷尉狱，平如砥；有钱生，无钱死／名为治平无事，而其实有不测之忧／二好均平，无分轻重，则一俯一仰，乍进乍退／心不平平，其平也不平；以不征征，其征也不征／肮脏不平之气，不欲销而自销；坚贞不拔之志，不欲奋而自奋矣

❺治民莫若平／物不得其平则鸣／卫君谈道，平子三倒／应化之道，平衡而止／万事有不平，尔何空自苦／临官莫如平，临财莫如廉／八月湖水平，涵虚混太清／公则天下平矣；平得于公／衡无心而平，镜无心而明／风波作于平地，亲戚化为仇怨／满则虑嗛，平则虑险，安则虑危／读书不了平生事，阅世空存后死身／秋者，天之平也；冬者，天之威也／清者则心平而意直，忠者惟正道而履之／悬衡而知平，设规而知圆，万全之道也／道者，虚无、平易、清静、柔弱、淳粹、素朴

❻一蓑烟雨任平生／兹游奇绝冠平生／河水清，天下平／拨乱反正，承平百年／霜尽川长，云平野阔／正法以齐官，平政以齐民／忧国孤臣泪，平胡壮士心／天主正，地主平，人主安静／诉心中之不平，感数奇于千载／极高寓于极平，至难出于至易／人妙文章本平淡，等闲言语变瑰琦／野夫怒见不平处，磨损胸中万古刀／有风波作于平地，亲戚化为仇怨者矣／中和之质，必平淡无味，故能调成五材变化应节／深者获公名，平者多后患，故治狱之吏皆欲人死／心不平平，其平也不平；以不征征，其征也不征／主德者，聪明平淡，总达众材，而不以事自任者也

❼修身齐家治国平天下／大凡物不得其平则鸣／万家之都，不可平以准／公则天下平矣；平得于公／人苦不知足；既平陇，复望蜀／治外者必调内，平远者必正近／恕者仁之本也，平者义之本也／痴人妄认逆境，平地自生铁围／天有和，有德，有平，有威……／逆胡未灭心未平，孤剑床头铿有声／春江潮水连海平，海上明月共潮生／风收云散波忽平，倒转青天作湖底／忠厚积，则致太平；浅薄积，则致危亡／小人之交以利，平时相亲不啻父子，一旦相噬不啻狗彘

❽上下和洽，海内康平／天与地卑，山与泽平／去货以廉，使下自平／文章之境，莫佳于平淡／锦帽貂裘，千骑卷平冈／理国要道，在于公平正直／白苹之野，斯见不平之人／当官不挠贵势，执平不阿所私／人情旦暮有翻复，平地倏忽成山谿／诗中日月酒中仙，平地雄飞上九天／奉公如法，则上下平，上下平则国强／水静则明烛须眉，平中准，大匠取法焉／五刃之伤，药之可平。一言成疴，智不能明／如镜之明，断可以平；如镜之洁，断可以决

❾凡民之生也，必以正平／务理天下者，美在太平／后来有千日，谁与共平生／众寮宜洁白，万役但平均／地若无山川，何人重平道／不到极逆之境，不知平安之日／夏云阴兮若山，秋水平兮若天／音乐通乎政，而移风平俗者也／观人察质，必先察其平淡，而后求其聪明／为国之法，有似理身，平则致养，疾则攻焉／书以言事，行上行下，平行往复，统谓之书／施薪若一，火就燥也；平地若一，水就湿也／心不平平，其平也不平；以不征征，其征也不征

❿弃世则无累，无累则正平／圣人感人心，而天下和平／口衔山石细，心望海波平／山中人自正，路险心亦平／枉直未定，决于绳墨之平／有风方起浪，无潮水自平／能致贤，则德泽洽而国

太平／君子之守，修其身而天下平／巫峡之险不能覆舟而覆于平流／以武功定祸乱，以文德致太平／地道乱，而草木山川不得其平／教小儿宜严，严气足以平躁气／穿重云而下射，白龙倒饮于平湖／三条九陌丽城限，万户千门平旦开／长恨人心不如水，等闲平地起波澜／从古求贤贵拔茅，素门平进有英豪／今别子兮归故乡，旧怨平兮新怨长／谁怜爱国千行泪，说到胡尘意不平／友如作画须求淡，山似论文不喜平／藜羹麦饭冷不尝，要足平生五车读／马上相逢无纸笔，凭君传语报平安／班声动而北风起，剑气冲而南斗平／明白如话，然浅中有深，平中有奇／智昏不可以为政，波水不可以为平／登临自有江山助，岂是胸中不得平／奉公如法，则上下平，上下平则国强／策术之政宜于治难，以之治平则无奇／主道得而臣道序，官不易方而太平用成／圣人无为，其功广大……是太平之谓也／文臣不爱钱，武臣不惜死，天下太平矣／因事相争，安知非我之不是，须平心暗想／国虽大，好战必亡；天下虽平，忘战必危／无偏无党，王道荡荡；无党无偏，王道平平／山树为盖，岩石为屏，云从栋生，水与阶平／昔先圣王之治天下也，必先公，公则天下平矣／竭所能之谓忠，履所明之谓信，平所施之谓恕／谷足食多，礼义之心生；礼丰义重，平安之基立／追计往时咎过，日夜反覆，无一食而安于口平于心／和者天之正也，阴阳之平也，其气最良，物之所生也／气宜宣而遏之，体宜调而矫之，神宜平而抑之，必有失和者矣

东 dōng 方位词；向东；指主人；东道主；姓。

❶东风轻扇春寒

见金·段克己《望月婆罗门引》。

东向而望，不见西墙

见南朝·梁·刘勰《文心雕龙·知音》。

东隅已逝，桑榆非晚

见唐·王勃《滕王阁序》。

东风解冻，河川流通

见汉·焦赣《易林·复·需》。

东南山水，余杭郡为最

见唐·白居易《冷泉亭记》。全句为："～；就郡言，灵隐寺为尤；由寺观，冷泉亭为甲"。

东望望长安，正值日初出

见唐·岑参《忆长安曲二章寄庞漼》。全句为："～，长安不可见，喜见长安日"。

东风满天地，贫家独无春

见宋·罗与之《商歌》。

东南四十三州地，取尽膏脂是此河

见唐·李敬方《汴河直进船》。全句为："汴水通淮利最多，生人为害亦相和。～"。

东边日出西边雨，道是无晴却有晴

见唐·刘禹锡《竹枝词二首》之一。

东风不与周郎便，铜雀春深锁二乔

见唐·杜牧《赤壁》。

东面望者不见西墙，南乡视者不睹北方

见《吕氏春秋·有始览·去尤》。

东西南北，某也何从；寒暑阴阳，时哉不与

见唐·王勃《还冀州别洛下知己序》。

东风恶，欢情薄，一怀愁绪，几年离索。错！错！错

见宋·陆游《钗头凤》。

❷山东出相，山西出将／驱东复驱西，弃却锄与犁／登东皋以舒啸，临清流而赋诗／登东山而小鲁，登泰山而小天下

❸偏爱东风款款吹／欲倾东海洗乾坤／失之东隅，收之桑榆／狂者东走，逐者亦东走／不向东山久，蔷薇几度花／百川东到海，何时复西归／大江东去，浪淘尽千古风流人物／不是东风压了西风，就是西风压了东风／浩漾东流，赴海为期。斡而迁焉，逐我颐指

❹海不辞东流，大之至也／百川日东流，客去亦不息／我愿平东海，身沉心不改／月出于东山之上，徘徊于斗牛之间／自伯之东，首如飞蓬；岂无膏沐，谁适为容

❺三十年河东，三十年河西／障百川而东之，回狂澜于既倒／滚滚长江东逝水，浪花淘尽英雄／等闲识得东风面，万紫千红总是春

❻无面目见江东父老／关西出将，关东出相／坑灰未冷山东乱，刘项元来不读书

❼万事俱备，只欠东风／变形易色，随风东西

❽狂者东走，逐者亦东走／怵迫之徒兮，或趋东西／青山遮不住，毕竟东流去／荷裳桂楫，拂衣于东海之东／泻水置平地，各自东西南北流／相见时难别亦难，东风无力百花残／中春之月，阳在正东，阴在正西，谓之春分／以一丸泥为大王东封函谷关，此万世一时也／碧云悠悠兮，泾水东流。伤美人兮，雨泣花愁

❾自是人生长恨水长东／坎井之蛙不可与语东海之乐／北海虽赊，扶摇可接；东隅已逝，桑榆非晚

❿荷裳桂楫，拂衣于东海之东／观江水之寂寥，愿从流而东返／叹长河之流速，送驰波于东海／一截遗欧，一截赠美，一截还东国／才疏志大不自量，西家东家笑我狂／世人闻此皆掉头，有如东风射马耳／世间行乐亦如此，古来万事东流水／千磨万击还坚劲，任尔东西南北风／巨灵咆哮擘两山，洪波喷流射东海／夕阳一片寒鸦外，目断东西四百州／懊恨人心不如石，少时东去复西来／子规夜半犹啼血，不信东风唤不回／龙钟还忝二千石，愧尔东西南北人／窗含

西岭千秋雪，门泊东吴万里船／不是东风压了西风，就是西风压了东风／问君能有几多愁？恰似一江春水向东流／履千险而不失其信，遇万折而不失其东／往事越千年，魏武挥鞭，东临碣石有遗篇／中秋之月，阳在正西，阴在正东，谓之秋分／风烟俱静，天山共色，从流飘荡，任意东西／罄南山之竹，书罪未穷；决东海之波，流恶难尽／地尽天水合，朝及洞庭湖，初日当中涌，莫辨东西隅

丝 sī 蚕吐出来的又细又长的线；像丝的东西；旧时计量单位；极小或极少的量；八音之一，指弦乐器。

❶丝萝非独生，愿托乔木

见唐·杜光庭《虬髯客传》。

❷单丝不成线／一丝一粒，我之名节／一丝不线，单木不林／单丝不线，孤掌难鸣／半丝半缕，恒念物力维艰／理丝入残机，何悟不成匹／无丝竹之乱耳，无案牍之劳形

❸虽无丝竹管弦之盛……／虽有丝麻，无弃菅蒯；虽有姬姜，无弃蕉萃

❹能理乱丝，乃可读书／能理乱丝，始可读诗／譬犹练丝，染之蓝则青，染之丹则赤

❺犯法之人，丝毫无贷／茧之性为丝，弗得女工／蒲苇纫如丝，磐石无转移／春蚕收长丝，秋熟靡王税／鬓边虽有丝，不堪织寒衣／茧之性为丝，然非得女工……／春蚕到死丝方尽，蜡炬成灰泪始干／金蚕无吐丝之实，瓦鸡乏司晨之用

❼必且历日旷久，丝牦犹能挈石，驽马亦能致远

❽如吟如啸，非竹非丝／耸壑之鱼穿于一丝之溜／时易失，志难成，鬓丝生

❾耳乐和声，为制金石丝竹以道之

❿春蚕不应老，昼夜常怀丝／宛转蛾眉能几时，须臾鹤发乱如丝／如此如此复如此，壮心死尽生鬓丝／数亩秋禾满家食，一机官帛几梭丝／文章功用不经世，何异丝窠缀露珠／碧玉妆成一树高，万条垂下绿丝绦／君不见高堂明镜悲白发，朝如青丝暮成雪／卵待复而为雏，茧待缫而为丝，性待教而为善

亚 ①yà 较差；次一等；指亚洲；官名；通"压"，低垂貌；通"掩"。②yā 象声。

❾宫室富过度，上帝所亚；为者弗居，唯居必路

再 zài 又一次；第二次；继续；重现；更加。

❶再而衰三而竭

见《左传·庄公十年》。

再实之木根必伤，掘藏之家必有殃

见汉·刘安《淮南子·人间》。全句为："～，以言大利而反为害也"。

再实之木根必伤，掘臧之家后必殃

见南朝·宋·范晔《后汉书·皇后纪》。

❷一再则宥，三则不赦

❸一而再，再而三／天不再与，时不久留／福不再来，时或易失

❹一而再，再而三

❺时乎时，不再来／盛时不可再，百年忽我遒／一鼓作气，再而衰，三而竭／死者不可再生，用法务在宽简

❻一鸣众鸟至，再鸣众鸟罗／致君尧舜上，再使风俗淳

❼一之谓甚，其可再乎／便不可失，时不再来／动必三省，言必再思／万木僵仆，梅英再吐，玉立冰姿，不易厥素／得时无怠，时不再来，天予不取，反为之灾

❽胜地不常，盛筵难再／花有重开日，人无再少年／一失脚成千古恨，再回头是百年人

❾勿谓寸阴短，既过难再获／斩草不除根，萌芽春再发／盛年不重来，一日难再晨

❿凡事当留余地，得意不宜再往／洒向人间都是怨，一枕黄粱再现／往而不来者年也，不可得再见者亲也／富贵之家，禄位重叠，犹再实之木，其本必伤

吏 lì 旧时泛指官员；汉代以后特指低级官员。

❶吏无避忌，白昼肆行

见宋·邓牧《吏道》。全句为："～，使天下敢怨而不敢言，敢怒而不敢诛"。

吏多民烦，俗以之弊

见晋·陈寿《三国志·步骘传》。

吏不良，则有法而莫守

见宋·王安石《度支副使厅壁题名记》。全句为："～；法不善，则有财而莫理"。

吏不治则乱，农事缓则贫

见《墨子·非儒下》。

吏肃惟遵法，官清不爱钱

见明·冯梦龙《古今小说·沈小霞相会出师表》。

吏则日饱鲜，谁悯民艰食

见宋·王迈《简同年刁时中俊卿诗》。

吏者，君之喜而国之忧也

见宋·杨万里《民政》。

吏不与奸罔期，而奸罔自至

见唐·皮日休《鹿门隐书》。全句为："～；贯竖不与不仁期，而不仁自至"。

吏何恶于民而仇之也？非仇民也

见宋·杨万里《民政》。全句为："～，不仇民则大者无功，而其次有罪"。

吏所以治民，能尽其治则民赖之

见汉·班固《汉书·惠帝纪》。全句为："～，故重其禄，所以为民"。

❷为吏者人役也／悍吏之来吾乡……／天吏逸

德,烈于猛火/廉吏可为者,高且洁/贪吏不可为者,污且卑/狡吏不畏刑,贪官不避赃/官吏非才,则宽猛失所宜/官吏浮冗,最为天下之大患/百吏畏法循绳,然后国常不乱/凡吏于土者,若知其职乎……/大吏不正而责小吏,法略于上而详于下

❸知为吏者,奉法以利民/善为吏者树德,不善为吏者树怨/知为吏者奉法利民,不知为吏者枉法以侵民

❹不知为吏者,枉法以侵民/暴虐之吏,过于水旱远矣/设官置吏,署员太多,不精则十不如一/古之置吏也将以逐盗,今之置吏也将以为盗/刀笔之吏专深文巧诋,陷人于罔,以自为功/所贵良吏者,贵其绝恶于未萌,使之不为非

❺政之不平,吏之罪也/但得官清吏不横,即是村中歌舞时/民之不善,吏之罪;吏之不善,君之过

❻去冗官,用良吏,以抚疲民/君功见于选吏,吏功见于治民

❼民者,国之命而吏之仇也/天下之官虎而吏狼者,比比也/君以知贤为明,吏以爱民为忠/君功见于选吏,吏功见于治民/民之治乱在于吏,国之安危在于政/有不能治民之吏,而无不可治之民/自叹犹为折腰吏,可怜骢马路傍行/古者士登乎仕,吏执乎役,禄以报劳,官以授德

❽上有命而未行,则吏先之/民之不善,吏之罪;吏之不善,君之过/大吏不正而责小吏,法略于上而详于下

❾随你官清似水,难逃吏滑如油/而今风物那堪画,县吏催钱夜打门/不责人以细过,则能吏之志得以尽其效/民有疾苦,得以安之;吏有侵渔,得以去之/财之不丰,兵之不强,吏之不择,此三者存亡之所从出

❿善为吏者树德,不善为吏者树怨/不以先进略后生,不以上官卑下吏/非兔狡,猎狡也;非民诈,吏诈也/一政之出,上有意而未决,则吏赞之/但愿官民通有无,莫令租吏打门叫呼疾/古之置吏也将以逐盗,今之置吏也将以为盗/画地为牢,势不可入;削木为吏,议不可对/知为吏者奉法利民,不知为吏者枉法以侵民/因材任人,国之大柄;考绩进秩,吏之常法/夫谓法不严则易犯,暴君酷吏假辞以饰其恶耳/深者获公名,平者多后患,故治狱之吏皆欲人死/古之人君,所以至于民散国亡而不悟者,皆吏误之

百 ①bǎi 数字;众多。②bó 用于地名。③mò 勉力。

❶百行以德为首

见南朝·宋·刘义庆《世说新语·贤媛》。

百闻不如一见

见汉·班固《汉书·赵充国传》。

百思不得其故

见清·纪昀《阅微草堂笔记·槐西杂志三》。

百思莫得其解

见现代·邹韬奋《患难余生记》二章。

百丈竿头须进步

见宋·释道原《景德传灯录》卷十。

百万工农齐踊跃

见现代·毛泽东《蝶恋花·从汀洲向长沙》。全句为:"~,席卷江西直捣湘和鄂"。

百尺楼高万里风

见宋·赵士掞《登天清阁》。

百姓日用而不知

见《周易·系辞上》。

百万之众,不如一贤

见宋·司马光《资治通鉴·汉纪二十五》。

百万买宅,千万买邻

见唐·李延寿《南史吕僧珍传》。

百世一人,千载一时

见宋·苏轼《祭司马君实文》。

百川派别,归海而会

见晋·左思《吴都赋》。

百乱之源,皆出嫌疑

见汉·董仲舒《春秋繁露·度制》。

百姓不亲,五品不逊

见《尚书·舜典》

百姓朴素,狱讼衰息

见汉·班固《汉书·贾谊传》。

百姓有罪,在于一人

见三国·魏·王弼《周易·观》注。

百炼为字,千炼成句

见宋·尤袤《全唐诗话》卷三。

百锻成字,千炼成句

见唐·皮日休《刘枣强碑》。

百种奸伪,不如一实

见《御纂性理精义》。

百足之虫,死而不僵

见晋·张华《博物志》。

百谷殊味,食之皆饱

见汉·王充《论衡·自纪篇》。全句为:"酒醴异气,饮之皆醉;~"。

百川俱会,大海所以深

见北周·燕射歌辞《商调曲四首》之二。全句为:"~;群材既聚,故能成邓林"。

百川异源,而皆归于海

见汉·刘安《淮南子·氾论》。全句为:"~;百家殊业,而皆务于治"。

百发失一,不足谓善射

见《荀子·劝学》。全句为:"~;千里跬步不

至,不足谓善御”。

百工制器,必贵于有用

见宋·杨时《二程粹言·论学篇》。全句为:“～;器而不可用,工不为也”。

百家殊业,而皆务于治

见汉·刘安《淮南子·氾论》。全句为:“百川异源,而皆归于海;～”。

百昌皆生于土而反于土

见《庄子·在宥》。

百里之海,不能饮一夫

见《尉缭子·治本》。全句为:“～;三尺之泉,足止三军之渴”。

百言不明一意则不听也

见三国·魏·刘劭《人物志·材理》。全句为:“善喻者以一言明数事,不善喻者百言不明一意;～”。

百万之师听于一将,则胜

见明·刘基《郁离子·省敌》。

百川东到海,何时复西归

见汉·乐府古辞《长歌行》。

百川日东流,客去亦不息

见唐·杜甫《别赞上人》。

百年养不足,一日毁有余

见《王文公文集》卷五。

百年变朝市,千里异风云

见隋·虞世基《秋日赠王中舍》。

百年能几日,忍不惜光阴

见唐·杜荀鹤《赠李蒙叟》。

百尺之室,以突隙之烟焚

见《韩非子·喻老》。全句为:“千丈之堤,以蝼蚁之穴溃;～”。

百首如一首,卷初如卷终

唐·薛能散句,见《全唐诗》。

百人无一直,百直无一遇

见唐·白居易《薛中丞》。

百寻之屋,以突隙之烟焚

见汉·刘安《淮南子·人间》。全句为:“千里之堤,以蝼蚁之穴漏;～”。

百忧感其心,万事劳其形

见宋·欧阳修《秋声赋》。

百害不能伤,知力不能取

见汉·严遵《道德指归论·江海篇》。全句为:“卑损之为道大矣!～,不战而强,不威而武”。

百姓可以德胜,难以力服

见汉·钟离意《因变异上疏》。

百战百胜,非善之善者也

见《孙子兵法·谋攻篇》。全句为:“～;不战而屈人之兵,善之善者也”。

百战而胜,非善之善者也

见宋·陆佃解《鹖冠子》。全句为:“～;不战而胜,善之善者也”。

百星之明,不如一月之光

见汉·刘安《淮南子·说林》。全句为:“～;十牖之开,不如一户之明”。

百物可决舍,惟书最难别

见清·袁枚《小仓山房诗文集·灯下理书不能终卷自伤老矣》。

百胜难虑敌,三折乃良医

见唐·刘禹锡《学阮公体三首》之一。

百炼或致屈,绕指所以伸

见晋·卢谌《答刘琨》。

百虑输一忘,百巧输一诚

见清·顾图河《任运》。

百里不同风,千里不同俗

见汉·班固《汉书·王吉传》。

百里不贩樵,千里不贩籴

见汉·司马迁《史记·货殖列传》。

百金买骏马,千金买美人

见清·屈复《偶然作》。全句为:“～;万金买高爵,何处买青春?”

百金孰为重,一诺良匪轻

见唐·卢照邻《咏史》。

百人抗浮,不若一人挈而趋

见汉·刘安《淮南子·说山》。

百吏畏法循绳,然后国常不乱

见《荀子·王霸》。

百川并流,不注海者不为川谷

见汉·刘安《淮南子·泰族》。

百岁无智小儿,小儿有智百岁

见宋·释道原《景德传灯录》。

百言百当,不如择趋而审行也

见汉·刘安《淮南子·人间》。

百姓安则乐其生,不安则轻其死

见唐·陈子昂《上军国利害事·人机》。全句为:“～,轻其死,则无所不至也”。

百世之患,以小利而不顾者有之矣

见宋·苏轼《思治论》。

百尺竿头须进步,十方世界是全身

见宋·释道原《景德传灯录·湖南长沙景岑号招贤大师》。

百人誉之不加密,百人毁之不加疏

见宋·苏洵《远虑》。

百岁光阴半归酒,一生事业略存诗

见宋·陆游《衰疾》。

百姓多寒无可救,一身独暖亦何情

见唐·白居易《新制绫袄》。

百心不可以得一人,一心可得百人

见唐·马总《意林·子思子》。

百足之虫,至死不僵,扶之者众也

见三国·魏·曹冏《六代论》。

百足之虫至断不蹶者，持之者众也

见《鲁连子》。

百足之虫，断而不蹶，持之者众也

见唐·马总《意林》引《鲁连子》。

百工居肆以成其事，君子学以致其道

见《论语·子张》。

百姓之有此色，正缘士大夫不知此味

见宋·罗大经《鹤林玉露·论菜》。

百年，寿之大齐。得百年者，千无一焉

见《列子·杨朱》。

百工不信，则器械苦伪，丹漆染色不贞

见《吕氏春秋·离俗览·贵信》。全句为："天地之大，四时之化，而犹不能以不信成物，又况乎人事？君臣不信，则百姓诽谤，社稷不宁；处官不信，则少不畏长，贵贱相轻；赏罚不信，则民易犯法，不可使令；交友不信，则离散郁怨，不能相亲；～"。"苦"，不精细，粗劣；"伪"，作假。

百川学海而至于海，丘陵学山而不至于山

见汉·扬雄《法言·学行》。

百孔千疮，随乱随失，其危如一发引千钧

见唐·韩愈《与孟尚书书》。

百梅足以为百人酸，一梅不足以为一人和

见汉·刘安《淮南子·说林》。

百川朝海，流行不止。道虽辽远，无不到者

见汉·焦赣《易林·谦·无妄》。

百僚师师，百工惟时，抚于五辰，庶绩其凝

见《尚书·皋陶谟》。

百亩之田，匹夫耕之，八口之家足以无饥矣

见《孟子·尽心上》。

百节成体，共资荣卫，万趣会文，不离辞情

见南朝·梁·刘勰《文心雕龙·熔裁》。

百姓所以养国家也，未闻以国家养百姓者也

见宋·王安石《再上龚舍人书》。

百姓足，君孰与不足？百姓不足，君孰与足

见《论语·颜渊》。

百炼而南金不亏其真，危困而烈士不失其正

见晋·葛洪《抱朴子·博喻》。

百官之众，四海之广，使其关节脉理相通为一

见宋·苏轼《决壅蔽》。全句为："～，叩之而必闻，触之而必应，夫是以天下可使为一身"。

百里而趣利者蹶上将，五十里而趣利者军半至

见汉·司马迁《史记·孙子吴起列传》。"趣"，同"趋"，追逐。

百姓与之则安，辅之则强，非之则危，倍之则亡

见汉·韩婴《韩诗外传》卷四。全句为："王者以百姓为天，～"。"倍"通"背"。

❷以百姓欲为欲／适百里者宿舂粮／如百谷之望时雨／行百里者，半于九十／三百五篇孔子皆弦歌之／兴，百姓苦；亡，百姓苦／与百姓争利，则狡诈之心生／得百走马，不若得伯乐之数／障百川而东之，回狂澜于既倒／用百人之所能，则得百人之力／见百金而色变者，不可以统三军／金百炼以为鉴，而万物不能遁其形／五百年必有王者兴，其间必有名世者／以百金与抟黍以示儿子，儿子必取抟黍／人百负之而不恨，己信之终不疑其欺己／与百姓有缘才来此地，期寸心无愧不鄙斯民／凡百事之成也，必在敬之；其败也，必在慢之／损百姓以奉其身，犹割股以啖腹，腹饱而身毙／八百里分麾下炙，五十弦翻塞外声。沙场秋点兵／得百姓之力者富，得百姓之死者强，得百姓之誉者荣／吃百姓之饭，穿百姓之衣，莫道百姓可欺，自己也是百姓

❸好怀百岁几回开／一树百获者，人也／无私，百智之宗也／读书百遍而义自见／圣人，百世之师也／风者，百病之始也／伏尸百万，流血漂卤／人之百年，犹如一瞬／大木百寻，根积深也／精金百炼，在割能断／带甲百万，非一勇所抗／文不百代，不可以语变／不有百炼火，孰知寸金精／百战百胜，非善之善者也／长松百尺，对君子之清风／生为百夫雄，死为壮士规／何意百炼刚，化为绕指柔／观化百代后，独立万古前／大小百余战，封侯竟蹉跎／宁为百夫长，胜作一书生／学尽百禽语，终无自己声／树有百年花，人无一定颜／裁此百日功，唯将一朝舞／百言百当，不如择趋而审行也／民可百年无货，不可一朝有饥／俪采百字之偶，争价一句之奇／非尽百家之美，不能成一人之奇／目见百步之外，而不能自见其眦／兵者百岁不一用，然不可一日忘也／以千百就尽之卒，战百万日滋之师／利不百，不变法；功不十，不易器／携来百侣曾游。忆往昔峥嵘岁月稠／夏也百草榛榛焉，见其盛而知其阑／采得百花成蜜后，到头辛苦一场空／采得百花成蜜后，为谁辛苦为谁甜／贯穿百代尝探古，吟咏千篇亦造微／《诗》三百篇，大抵贤圣发愤之所为作也／良田百顷，不在一亩，但有远志，不在当归／君子百是，必有一非；小人百非，必有一是／《诗》三百，一言以蔽之，曰："思无邪。"

❹一枝动，百枝摇／光阴者百代之过客／光阴者，百代之过客／让一得百，争十失九／王者以百姓为天……／鸷鸟累百，不如一鹗／亿万千百十，皆起于一／今王与百姓同乐，则王矣／得黄金百，不如得季布诺／松柏为百木长，而守门闾／覆压三百余里，隔离天日／海不通百川，安得巨大之名／三公者，百僚之率，万民之表／良医服百病之方，治百人之疾／得黄金百斤，不如

得季布一诺／大才怀百家之言，故能治百家之乱／大山崔，百卉殖。民何贵，贵有德／心治则百节皆安，心忧则百节皆乱／预支五百年新意，到了千年又觉陈／罚一惩百，谁敢复言者？民有饮恨而已矣／读来一百遍，不如亲见颜色，随问而对之易了／一夫耕，百人食之；一妇桑，百人衣之。以一奉百，孰能供之／慈仁者，百姓亲附，并心一意，故以战则胜敌，以守卫则坚固

❺南面而听百里／一节动而百枝摇／一节见则百节知／知侈俭则百用节矣／磨砺当如百炼之金／一人善射，百夫决拾／一犬吠形，百犬吠声／七穿八穴，百了千当／十步一啄，百步一饮／人谋鬼谋，百姓与能／知彼知己，百战不殆／行子肠断，百感凄恻／政通人和，百废俱兴／心气常顺，百病自遁／猛虎在山，百兽莫敢侵／生年不满百，常怀千岁忧／刑一而正百，杀一而慎万／君为正，则百姓从而正矣／赏一以劝百，罚一以惩众／用心于诈，百补而千穴败／政令时，则百姓一，贤良服／巫医乐师百工之人，不耻相师／君能清静，百姓何得不安乐乎／已是悬崖百丈冰，犹有花枝俏／千古兴亡，百年悲笑，一时登览／力足以举百钧，而不足以举一羽／治则衍及百姓，乱则不足及王公／足下家中百物，皆赖而用也……／旧书不厌百回读，熟读深思子自知／匹夫而为百世师，一言而为天下法／健儿无粮百姓饥，谁遣朝朝入君口／人生直作百岁翁，亦是万古一瞬中／圣人爱念百姓，如孩婴赤子长养之／善人为邦百年，亦可以胜残去杀矣／官长正而百姓化，邪心黜而奸匿绝／磨砺当如百炼之金，急就者，非邃养／刑政平而百姓归之，礼义备而君子归之／仁人在上，百姓贵之如帝，亲之如父母／人生大期，百年为限，节护之者可至千岁／一发不中，百发尽息；一举不得，前功尽弃／一卒毕力，百人不当；万夫致死，可以横行／一家失熛，百家皆烧；谗夫阴谋，百姓暴骸／天下大扰，百姓遑遑，劳苦疲极，困穷生奸／百僚师师，百工惟时，抚于五辰，庶绩其凝／为世用者，百篇无害；不为用者，一章无补／军无习练，百无当一；习而用之，一可当百／造父疾趋，百步而废；自托乘舆，坐致千里／赏罚不明，百事不成；赏罚若明，四方可行／一宿体宁，百宿心恬，三宿后颓然嗒然，不知其然而然

❻众里寻他千百度……／一念放恣，则百邪乘衅／侈则肆，肆则百恶俱从／俭则约，约则百善俱兴／恃自直之箭，百世无矢／胜任者治，则百官不乱／一夫怒临关，百万未可傍／天子好征战，百姓不种桑／百人无一直，百直无一遇／百虑输一忘，百巧输一诚／千里不同风，百里不共雷／咫尺之图，写百千里之景／分波而共源，百虑而一致／兴，百姓苦；亡，百姓苦／人生开口笑，百年都几回／变故在斯须，百年谁能持／圣人不仁，以百姓为刍狗／吴王好剑客，百姓多创瘢／唤起工农千百万，同心干／盛时不可再，百年忽我遒／虎踞龙盘，三百年之帝国／若其有害，虽百例不可用也／有道之主，以百姓之心为心／德行修逾八百，阴功积满三千／一仪不可以百发，一衣不可以出岁／为善则流芳百世，为恶则遗臭万年／各愿种成千百索，豆萁禾穗满青山／君臣不信，则百姓诽谤，社稷不宁／李白一斗诗百篇，长安市上酒家眠／战退玉龙三百万，败鳞残甲满天飞／片言可以明百意，坐驰可以役万里／熟读唐诗三百首，不会吟诗也会吟／人一能之，己百之；人十能之，己千之／若能常保数百卷书，千载终不为小人也／疾呼不过闻百步，志之所在，逾于千里／百梅足以为百人酸，一梅不足以为一人和／以言非信则百事不满也，故信之为功大矣／君不见长松百尺多劲节，狂风暴雨终摧折／国家剩得数百万贯钱，何如得一有才行人／罔违道以干百姓之誉，罔咈百姓以从己之欲／猛虎在深山，百兽震恐；及在槛阱之中，摇尾而求食／文章道弊五百年矣！汉魏风骨，晋宋莫传，然而文献有可征者

❼兵有利钝，战无百胜／兄弟谗阋，侮人百里／士以义怒，可与百战／大能掩小，海纳百川／拨乱反正，承平百年／漱涤万物，牢笼百态／退一步者，常进百步／绝圣弃智，民利百倍／禄食之家不与百姓争利／万人离心，不如百人同力／亭之所见，南北百里……／山岳有饶，然后百姓赡焉／废先王之道，燔百家之言／原始以要终，虽百世可知也／俟自直之箭，则百代无一矢／圣人无常心，以百姓心为心／圣人常无心，以百姓心为心／心者，一身之主，百神之帅／天子之怒，伏尸百万，流血千里／善弋者下鸟乎百仞之上，弓良也／急小之人宜理百里，使事办于己／江海所以能为百谷王者，以其善下之／良珠度寸，虽有百仞之水，不能掩其莹／君开一源，下生百端之变，无不乱者也／泽雉十步一啄，百步一饮，不蕲畜乎樊中／飞沙溅石，湍流百势；翠崄丹崖，冈峦万色／以和氏之璧与百金以示鄙人，鄙人必取百金／君开一源，下生百端。百端之变，无不动乱／崖谷峻隘，十里百折，负重而上，若蹈利刃／智如目也，能见百步之外，而不能自见其睫／有声之声，不过百里；无声之声，延及四海／无以待之，则十百而乱；有以待之，则千万若一／吃百姓之饭，穿百姓之衣，莫道百姓可欺，自己也是百姓

❽任人各以其材而百职修／以彼径寸茎，荫此百尺条／以目前之利而弃百世之功／得志万罪消，失志百丑生／江海三年客，乾坤百战场／不

忧命之短，而忧百姓之穷／以三寸之舌，强于百万之师／不知而自以为知，百祸之宗也／甘忠言之逆耳，得百姓之欢心／人主静漠而不躁，百官得修焉／百人誉之不加密，百人毁之不加疏／千金之子不垂堂，百金之子不骑衡／长夜难明赤县天，百年魔怪舞翩跹／良医不能措其术，百药无所施其功／人生莫作妇人身，百年苦乐由他人／草树知春不久归，百般红紫斗芳菲／知者之为，故动以百姓，不违其度／枳棘非鸾凤所栖，百里岂大贤之路／田野荒而仓廪实，百姓虚而府库满／赤地炎都寸草无，百川水沸煮虫鱼／百年，寿之大齐。得百年者，千无一焉／贤者出走，命曰崩；百姓不敢诽怨，命曰刑胜／有石城十仞，汤池百步，带甲百万，而亡粟，弗能守

❾为君之道，必须先存百姓／同归而殊途，一致而百虑／惧满溢，则思江海下百川／惧满盈，则思江海下百川／张翰黄花句，风流五百年／风雨晦明之间，俯仰百变／不稼不穑，胡取禾三百廛兮／良医服百病之方，治百人之疾／慎是护身之符，谦是百行之本／用百人之所能，则得百人之力／圣人亦行其所行，而百姓被其利／以千百就尽之卒，战百万日滋之师／利不什，不易业；功不百，不变常／三教一体，九流一源，百家一理，万法一门／天何言哉？四时行焉，百物生焉，天何言哉／百姓足，君孰与不足？百姓不足，君孰与足／君开一源，下生百端。百端之变，无不动乱／驷马不驯，御者之过，百姓不治，有司之罪／譬如一灯，入于暗室，百千年暗，悉能破尽／得百姓之力者富，得百姓之死者强，得百姓之誉者荣／其有发挥新体，孤飞百代之前，开凿古人，独步九流之上

❿敕法以峻刑，诛一以警百／无为而万物化，渊静而百姓定／百岁无智小儿，小儿有智百岁／议论证据今古，出入经史百子／虽感目之一致，终寄怀而百端／理诎者，巧为粉泽而隙间百出／圣王布德施惠，非求报于百姓也／腾波触天，高浪灌日，吞吐百川／既滋兰之九畹兮，又树蕙之百亩／一失脚成千古恨，再回头是百年人／天不言而四时行，地不语而百物生／百心不可以得一人，一心可得百人／旧时王谢堂前燕，飞入寻常百姓家／千乘之国，弑其君者，必百乘之家／利不十者不易业，功不百者不变常／休说旧时王与谢，寻常百姓亦无家／人生芳秽有千载，世上荣枯无百年／高视于万物之中，雄峙于百代之下／诗人安得有青衫，今岁和戎百万缣／诚知此恨人人有，贫贱夫妻百事哀／大才怀百家之言，故能治百家之乱／待到秋来九月八，我花开后百花杀／德不施则民不归，刑不缓则百姓愁／夕阳一片寒鸦外，目断东西四百州／江山代有才人出，各领风骚数百年／杀一人则千人恐，滥一罪则百夫愁／相见时难别亦难，东风无力百花残／断送一生惟有酒，寻思百计不如闲／心治则百节皆安，心忧则百节皆乱／龙吟虎啸一时发，万籁百泉相与秋／自古驱民在信诚，一言为重百金轻／两心不可以得一人，一心可以得百人／医能治一病谓之巧，能治百病谓之良／惟义可以怒士，士以义怒，可与百战／杀人者死，伤人者刑，是百王之所同／出一令可以止横议，杀一犯可以儆百众／人生不得行胸怀，虽寿百岁，犹为夭也／国之兴亡不由蓄积多少，唯在百姓苦乐／国之兴亡不由蓄积多少，惟在百姓苦乐／欲出一言，即思此一言于百姓有利益否／管子以小辱成大荣，苏秦以百诞成一诚／所恶执一者，为其贼道也，举一而废百也／矢之于十步贯兕甲，于三百步不能入鲁缟／一家失熛，百家皆烧；谗夫阴谋，百姓暴骸／不知者，非其人之罪也；知百不为者，惑也／百姓所以养国家也，未闻以国家养百姓者也／为人君者，正心以正朝廷，正朝廷以正百官／以一击十，莫善于阨；以十击百，莫善于险／以和氏之璧与百金以示鄙人，鄙人必取百金／罔违道以干百姓之誉，罔咈百姓以从己之欲／军无习练，百无当一；习而用之，一可当百／负势竞上，互相轩邈，争高直指，千百成峰／口不绝吟于六艺之文，手不停披于百家之编／君子百是，必有一非；小人百非，必有一是／布帛寻常，庸人不释；铄金百溢，盗跖不掇／庶人有旦暮之业则劝，百工有器械之巧则壮／贤者在位，能者布职，朝廷崇礼，百僚敬让／磐石千里，不可谓富；象人百万，不可谓强／盘石千里，不为有地；愚民百万，不为有民／不恃隐括而有自直之箭自圆之木，百世无有一／惟上帝不常，作善降之百祥，作不善降之百殃／安而不扰，使而不劳，是以百姓劝业而乐公赋／看万山红遍，层林尽染；漫江碧透，百舸争流／君子居安宜操一心以虑患，处变当坚百忍以图成／猛虎处于深山，向风长鸣，则百兽震恐而不敢出／上不失天时，下不失地利，中得人和，而百事不废／今若不能服药，但知爱精节情，亦得一二百年寿也／清静处下，虚以待之，无为无求，而百川自为来也／君子之学，不为则已，为则必要其成，故常百倍其功／得百姓之力者富，得百姓之死者强，得百姓之誉者荣／德万人者谓之俊，德千人者谓之豪，德百人者谓之英／有石城十仞，汤池百步，带甲百万，而亡粟，弗能守／可以托六尺之孤，可以寄百里之命，临大节而不可夺也／吃百姓之饭，穿百姓之衣，莫道百姓可欺，自己也是百姓／一夫耕，百人食之；一妇桑，百人衣之。以一奉百，孰能供之

而 ①ér 并且；但是；到；如果；颊毛；通“尔”，汝；相似；作语助；表语气。②néng 通“能”，能够；才能。

❶而今风物那堪画，县吏催钱夜打门

见宋·苏轼《陈季常所蓄<朱陈村嫁娶图>》其二。

夹 ①jiā 夹击、夹住；夹东西的器具；处在两者之间；混杂。②jiá 双层的；通“铗”，剑把子。③xiá 通“狭”。④xié 循行；通“挟”，挟持。

❶夹涧有古松、老杉……

见唐·白居易《庐山草堂记》。全句为：“～，大仅十人围，高不知几百尺。修柯戛云，低枝拂潭，如幢竖，如盖张，如龙蛇走”。

❷其夹岸有树木千万本，列立如揖，丹色鲜如霞，擢举欲动，灿若舒颜

❸乔林夹岸，羽毛之所翱翔

❿碧峰巉巉，出于柏梢，有如虎牙，夹天而立

尧 yáo 传说中的上古贤明君主；高；姓。

❶尧之治天下，使民心亲

见《庄子·天运》。该篇中讲了黄帝、尧、舜、禹的治天下方针，主要为：“黄帝之治天下，使民心一；尧之治天下，使民心亲；舜之治天下，使民心竞；禹之治天下，使民心变”。

尧之都，舜之壤，禹之封

见宋·陈亮《水调歌头》。全句为：“～，于中应有、一个半个耻臣戎”。

尧舜，大圣也，民且谤之

见唐·皮日休《原谤》。后为：“后之王天下有不为尧舜之行者，则民扼其吭，捽其首，辱而逐之，折而族之，不为甚矣”。

尧能则天者，贵其能臣舜、禹二圣

见汉·桓谭《新论》。

尧舜行德则民仁寿；桀纣行暴则民鄙夭

见汉·董仲舒《天人三策》。

尧以不得舜为己忧，舜以不得禹、皋陶为己忧

见《孟子·滕文公上》。

❷受尧之诛，不能称尧／彼尧舜之耿介兮，既遵道而得路／昔尧治天下，不赏而民劝，不罚而民畏

❸祖述尧舜，宪章文武／致君尧舜上，再使风俗淳／黄帝、尧、舜垂衣裳而天下治／虽有尧舜之智，而无众人之助，大功不立

❹与其誉尧而非桀也，不如两忘而化其道

❺仲尼祖述尧舜，宪章文武／跖之狗吠尧，尧非不仁，狗固吠非其主／争让之礼，尧桀之行，贵贱有时，未可以为常也

❻跖之狗吠尧，尧非不仁，狗固吠非其主

❼天行有常，不为尧存，不为桀亡／如其道，则舜受尧之天下，不以为泰

❽受尧之诛，不能称尧／鸡司晨，犬警夜，虽尧舜不能废

❾以修身自强，则名配尧禹

❿春风杨柳万千条，六亿神州尽舜尧／韩愈辟佛，几至杀身，况敢议今世之尧、舜、周、孔者乎／欲为君，尽君道；欲为臣，尽臣道。二者皆法尧舜而已矣

丞 ①chéng 辅助；古代一种官职；通“承”，承受。②zhěng 通“拯”，救。

❶丞相祠堂何处寻，锦官城外柏森森

见唐·杜甫《蜀相》。

严 yán 凝重；认真；紧密；厉害的；威严；端整；衣装；姓；本谓教令急；尊敬；指父亲，旧时认为父严母慈。

❶严于责己，宽以待人

见《忆邓拓·邓拓和人民日报》。

严令繁刑不足以为威

见汉·韩婴《韩诗外传》。全句为：“坚甲利兵不足以为武，高城深池不足以为固，～”。

严家无悍虏，笃责急也

见汉·桓宽《盐铁论·周秦》。全句为：“慈母有败子，小不忍也；～”。

严冬不肃杀，何以见阳春

见唐·吕温《孟冬蒲津关河亭作》。

严罚厚赏，此衰世之政也

见《吕氏春秋·离俗览·上德》。

严家无悍虏，而慈母有败子

见《韩非子·显学》。

严于取，则豪杰之老死丘壑者多矣

见明·黄宗羲《取士下》。全句为：“～；宽于用，此在位者多不得其人也”。

❷法严而奸易息，政宽而民多犯／威严不先行于己，则人怨而不服／望严雪而识寒松，观疾风而知劲草／师严，然后道尊；道尊，然后知敬学／威严不足以易于位，重利不足以变其心／惟严惟明，其赏也思，惟宽惟惠，其罚也畏

❸朝居严则下无言／不有严刑，诛赏安置／峻法严刑，非帝王之隆业／善用严者，一慎之外无他道／敬以严乎己也，宽以恕乎物也／秋也严霜降兮，殷忧者为之不乐／火形严，故人鲜灼；水形懦，故人多溺／宽收严试，久任超迁。此八字，用人之良法／怒如严霜，喜如时雨，臧否好恶，坦然可观

❹立法贵严，而责人贵宽／贵富显严名利六者，勃志也／早已森严壁垒，更加众志成城／父母威严而有慈，则子女畏慎而生孝矣

❺凡学之道，严师为难／简而廉，则严利无废怠／教小儿宜严，严气足以平躁气／畏友胜于严师，群游不如独坐／强怒者虽严不威，强亲者虽

笑不和／夫谓法不严则易犯，暴君酷吏假辞以饰其恶耳

❻善教子者，一严之外无他术／教小儿宜严，严气足以平躁气／古之学者必严其师，师严然后道尊／敬之为道也，严而相离，其势难久／若明而不信，严而不断，惠而不正，虽欲理身，终不自理，况于人哉

❼攻人之恶毋太严，要思其堪受／冒以为古，是处严冬而袭夏之葛者也

❽与人当宽，自处当严／去奸之本，莫深于严刑／思仁恕则树德，加严暴则树怨／圣人之道，宽而栗，严而温，柔而直，猛而仁

❾养不教，父之过；教不严，师之惰／高墙狭基，不可立矣；严法峻刑，不可久也

❿十目所视，十手所指，其严乎／古之学者必严其师，师严然后道尊／养子不教父之过，训导不严师之惰／未尝敢以怠心易之，惧其驰而不严也／奉职顺道，亦可以为治，何必威严哉／在朝也则将帅之任，为国则严厉之政／法令赏罚者，诚治乱之枢机也，不可不严行也／今使愚教知，使不肖临贤，虽严刑罚，民弗从也／袭古人语言之迹，而冒以为古，是处严冬而袭夏之葛者也

巫 wū 号称掌握有神秘法术，能替别人祈祷，并以此为职业者；姓。

❶巫医乐师百工之人，不耻相师

见唐·韩愈《师说》。

巫峡之险不能覆舟而覆于平流

见明·宋濂《燕书四十首》。全句为："～；羊肠之曲不能仆车而仆于剧骖"。

巫峡之水能覆舟，若比人心是安流

见唐·白居易《太行路》。全句为："太行之路能摧车，若比人心是坦途；～"。

巫山之上顺风纵火，膏夏紫芝与萧艾俱死

见汉·刘安《淮南子·俶真》。

❷小巫见大巫，神气尽矣

❼病有六不治，信巫不信医，不治也

❿恒舞于宫，酣歌于室，时谓巫风／曾经沧海难为水，除却巫山不是云／落梅芳树，共体千篇；陇水巫山，殊名一意

求 qiú 探索；责成；终；设法得到；恳请；需要。

❶求善贾而沽

见《论语·子罕》。

求其名而不责其实

见唐·韩愈《进士策问》。

求之有道，得之在命

见汉·刘安《淮南子·缪称》。

求则得之，舍则失之

见《孟子·尽心上》。

求仁而得仁，又何怨

见《论语·述而》。

求田问舍，言无可采

见晋·陈寿《三国志·魏书·吕布传》。

求物之妙，如系风捕影

见宋·苏轼《答谢民师书》。全句为："～，能使是物了然于心者，盖千万人而不一遇也；而况能使了然于口与手乎！是之谓辞达"。

求士莫求全，用人如用木

见清·程允升《幼学琼林·武职》。

求木之长者，必固其根本

见唐·吴兢《贞观政要·君道》。全句为："～；欲流之远者，必浚其泉源；思国之安者，必积其德义"。

求贤若不及，从善如转圜

见宋·苏轼《吕惠卿责授建宁军节度副使本州安置不得签书公事》。

求贤如饥渴，受谏而不厌

见晋·陈寿《三国志·吴书·张纮传》。

求发吾所学者，施于物而已

见唐·柳宗元《送宁国范明府诗序》。

求诸己谓之厚，求诸人谓之薄

见汉·董仲舒《春秋繁露·仁义法》。全句为："～；自责以备谓之明，责人以备谓之惑"。

求名莫如自修，善誉不能掩恶

见宋·欧阳修《唐王重荣德政碑》。

求硕画于庶位，虑遗材于放臣

见唐·刘禹锡《贺赦表》。

求取情状，离绝远去笔墨畦径间

见唐·杜牧《李贺集序》。

求天下奇闻壮观，以知天地之广大

见宋·苏辙《上枢密韩太尉书》。

求之言语之外，而得其所不言之意

见明·方孝孺《医原》。

求之者不及虚之者，夫圣人无求之也

见《管子·心术上》。全句为："～，故能虚"。

求是者，非求道理也，求合于己者也

见汉·刘安《淮南子·齐俗》。

求远者不可失于近，治影者不可忘其容

见汉·陆贾《新语·术事》。

求柴胡、桔梗于沮泽，则累世不得一焉

见《战国策·齐策三》。

求而得之，必有失焉；为而成之，必有败焉

见三国·魏·王弼《老子》三十八注。

求道者不以目而以心，取道者不以手而以耳

见汉·刘向《说苑·君道》。

求之而后得，为之而后成，积之而后高，尽之而后圣

见《荀子·儒效》。

❷无求备于一夫／无求备于一人／不求备于一人／急求名者必锉／上求薄而民用给／事求

遂，功求成／不求好句，只求好意／不求有功，但求无过／博求人才，广育士类／所求尽矣，所利移矣／不求获乎己，而己以有获／不求立名声，所贵去瑕玼／非求宫律高，不务文字奇／但求寡悔尤，焉用名炳炳／人求多闻善败，以监戒也／安求一时誉，当期千载知／易求无价宝，难得有心郎／贪求则争起，有知则事兴／所求无不得，所欲皆如意／欲求生富贵，须下死工夫／欲求真受用，须下死功夫／无求无竞，虽欲不寿，得乎／上求寡而易赡，民安乐而无事／与求生而害义，宁抗节以埋魂／无求不得其欲，无取不得其志／不求无益之物，不蓄难得之货／不求无害之言，而务无易之事／以求干禄者败，以势临人者辱／或求名而不得，或欲盖而名章／有求贵贱之必，必有二价之语／欲求士之贤愚，在于精鉴博采之／上求材，臣残木；上求鱼，臣干谷／无求无设则无虑，无虑则反复虚矣／所求多者所得少，所见大者所知小／不求所无，不失所得，内无旁祸，外无旁福

❸上多求则下交争／事若求全何所乐／读书求精不求多／事有求利而得害者／事佛求福，乃更得祸／人惟求旧，物惟求新／志不求易，事不避难／挟冰求温，抱炭希凉／居不求安，食不求饱／缘木求鱼，升山采珠／缘木求鱼，煎水作冰／衣不求华，食不厌蔬／无书求出狱，有舌到临刑／君子求诸己，小人求诸人／服食求神仙，多为药所误／白璧求善价，明珠难暗投／此能求过于天，必不逆谏矣／心诚求之，虽不中，不远矣／不以求备取人，不以己长格物／不广求，故得；不杂学，故明／人惟求旧，器非求旧，惟新。／以贫求富，农不如工，工不如商／进不求于闻达兮，退不营于荣利／用贫求富，农不如工，工不如商／辩者，求服人心也，非屈人口也／从古求贤贵拔茅，素门平进有英豪／唯不求利者为无害，不求福者为无祸／唯不求利者为无害，唯不求福者为无祸／食无求饱，居无求安，敏于事而慎于言

❹礼失而求诸野／俭而寡求，义也／无事而求其功，难矣／不忮不求，何用不臧／非理所求，谁肯相与／夙兴以求，夜寐以思／经师易求，人师难得／与人不求备，检身若不及／求士莫求全，用人如用木／周公不求备，四友不相兼／乱世惟求其才，不顾其行／劝君少求利，利是焚身火／坠井者求出，执热者愿濯／契船而求剑，守株而伺兔／择才不求备，任物不过涯／与人不求感德，无怨便是德／我岂更求荣达，日长聊以销忧／伐根以求木茂，塞源而欲流长／听言不求其能，举功不考其素／虽有营求之事，莫生得失之心／循理以求道，落其华而收其实／见卵而求时夜，见弹而求鸮炙／以气韵求其画，则形似在其间矣／阴之所求者阳也，阳之所求者阴也／教子弟求显荣，不如教子弟立品行／有不能求士之君，而无不可得之士／以物同求而不同贪，与物同得而不同积／声应气求之夫，决不在于寻行数墨之士／君子所求于人者薄，而辨是与非也无所苟／治心须求妙悟，悟则神和气静，客敬色庄／圣人不求誉，不辟诽，正身直行，众邪自息／不学而求知，犹愿鱼而无网焉，心虽勤而无获矣／置其本，求之末，当后者反先之，无一焉不悖于极／君子之求利也略，其远害也早，其避辱也惧，其行道理也勇

❺不得已而求其次／事求遂，功求成／感其声而求其类／黜虚名而求实效／不迁怒者，求诸己／失之末流，求之本源／任贤无疑，求士不倦／借听于聋，求道于盲／吹毛洗垢，求其痕疵／嘤其鸣矣，求其友声／明耻教战，求杀敌也／赠必固辞，求无不应／施舍不倦，求善不厌／强恕而行，求仁莫近焉／正己而不求于人，则无怨／非其有而求之，虽强不得／君子食无求饱，居无求安／人情皆欲求胜，故悦人之谦／贤主劳于求人，而佚于治事／不临誉以求亲，不愉悦以苟合／事至而后求，曷若未至而先备／去知则奚求矣，无藏则奚设矣／不吹毛而求小疵，不洗垢而察难知／以伐根而求木茂，塞源而欲流长也／尽意而不求于言，信己而不役于人／道在迩而求诸远，事在易而求诸难／弓调而后求劲焉，马服而后求良焉／玉在椟中求善价，钗于奁内待时飞／求是者，非求道理也，求合于己者也／好读书，不求甚解；每有会意，便欣然忘食／能苟焉以求静，而欲之翦抑窜绝，君子不取也／本之《书》以求其质……本之《易》以求其动／不修身而求令名于世者，犹貌甚恶而责妍影于镜也／不奋苦而求速效，只落得少日浮夸，老来窘隘而已

❻人先信而后求能／读书求精不求多／唯圣人为不求知天／不求好句，只求好意／不求有功，但求无过／不管人责，但求自尽／伺命在我，何求于天／侵欲无厌，规求无度／苟利国家，不求富贵／君子宅情，无求于显／考之不良兮，求福得祸／士信悫，而后求知能焉／不患莫己知，求为可知也／事省而易治，求寡而易澹／佳人慕高义，求贤良独难／弃子逐妻，以求口食……／论文期摘瑕，求友惟攻阙／察伯乐之图，求骐骥于市／物丰则欲省，求澹则争止／鼎镬甘如饴，求之不可得／无德于人而求用于人，罪也／男儿当死中求生，可坐穷乎／舍邻之医，而求俞跗而后治病／廉者常乐无求，贪者常忧不足／不著梳栉，而求发治，不可得也／未遇明师，而求要道，未可得也／士易得而难求也，易致而难留也／友如作画须求淡，山似论文不喜平／浮游，

不知所求；猖狂，不知所往／马先驯而后求良，人先信而后求能／贫无可奈惟求俭，拙亦何妨只求勤／不为而成，不求而得，夫是之谓天职／务学不如务求师。师者，人之模范也／有诸己而后求诸人，无诸己而后非诸人／立大功者不求小疵，有大忠者不求小过／志士仁人，无求生以害仁，有杀身以成仁／当于有过中求无过，不当于无过中求有过／微邪不禁，而求大邪之无伤国，不可得也／官职可以重求，爵禄可以货得者，可亡也／尺蠖之屈，以求信也。龙蛇之蛰，以存身也／取士之方，必求其实；用人之术，当尽其材／知大备者，无求，无失，无弃，不以物易己也／民之性，饥而求食，劳而求佚，苦则索乐，辱则求荣／今不修身而求令名于世者，犹貌甚恶而责妍影于镜也／搜寻仞之垄，求干天之木；漉牛迹之中，索吞舟之鳞／上有无时之求，中有剥削曲巧之政，下有豺狼寇盗之害／学贵得之心，求之于心而非也，虽其言之出于孔子，不敢以为是也

❼好德乐善而无求／忠信尽治而无求焉／乱者思理，危者求安／厉夜生子，遽而求火／修学好古，实事求是／人惟求旧，物惟求新／秃而施髢，病而求医／凿石索玉，剖蚌求珠／居不求安，食不求饱／居必常安，然后求乐／祸福无不自己求之者／不为不可成，不求不可得／储积山崇崇，探求海茫茫／草木有本心，何求美人折／学广而闻多，不求闻于人／有不虞之誉，有求全之毁／求诸己谓之厚，求诸人谓之薄／人惟求旧，器非求旧，惟新。／圣人为善，非以求名而名从之／非真无人也，但求之不勤不至耳／小人多欲则多求妄用，财家丧身／学问之道无他，求其放心而已矣／经天纬地之帝，求制礼作乐之才／怨人不如自怨，求诸人不如求诸己／射而不中者，不求之鹄，而反修之于己／小人朝为而夕求其成，坐施而立望其反／胜兵先胜而后求战，败兵先战而后求胜／食无求饱，居无求安，敏于事而慎于言／不素养士而欲求贤，譬犹不琢玉而求文采也／俯偻匍匐，唊恶求媚，舐痔自亲，美言谄笑／食必常饱，然后求美；衣必常暖，然后求丽／不思，故有惑；不求，故无得；不问，故不知／人之好怪也！不求其端，不讯其末，惟怪之欲闻

❽千军易得，一将难求／同声相应，同气相求／同明相照，同类相求／羚羊挂角，无迹可求／持己当从无过中求有过／待人当于有过中求无过／好尚或殊，富贵不求合／不苟于论人，而非求其全／未得乎前，则不敢求乎后／小人不诚于内而求之于外／君子求诸己，小人求诸人／有言逆于汝心，必求诸道／用人不以名誉，必求其实／苟不由其道，虽强求而不获／当局虽工，而蔽于求胜之心／客之美我者，欲有求于我也／有言逊于汝志，必求诸非道／民之轻死，以其上求生生之厚／圣王布德施惠，非求报于百姓也／上求材，臣残木；上求鱼，臣干谷／尽己而不以尤人，求身而不以责下／虽有千里之能……安求其能千里也／人有鸡犬放，则知求之；有放心而不知求／诗者，不可以言语求而得，必将深观其意焉／君子有诸己而后求诸人，无诸己而后非诸人

❾俭为贤德，不可着意求贤／凡为天下之务，莫大求士／衰世好信鬼，愚人好求福／士者贵其用也，不必求备／君子忌苟合，择交如求师／君子食无求饱，居无求安／渴者不思火，寒者不求水／按其实而审其名，以求其情／待人者，当于有过中求无过／待己者，当于无过中求有过／苟全性命于乱世，不求闻达于诸侯／广厦成而茂木畅，远求存而良马縶／求是者，非求道理也，求合于己者也／小人……行一日之善，而求终身之誉／行未固于无非，而急求名者，必铿也／君之赏不可以无功求，君之罚不可以有罪免／肥于貌，孰与肥其道；求于人，孰与求其身／自修自修，益处自家求；一刻千金，勿把韶光丢

❿千金何足惜，一士固难求／生材贵适用，慎勿多苛求／便令江汉竭，未厌虎狼求／争先非吾事，静照在忘求／朝与仁义生，夕死复何求／蜀酒浓无敌，江鱼美可求／挥汗读书不已，人皆怪我何求／富以能施为德，贫以无求为德／见卵而求时夜，见弹而求鸮炙／畜民者，先厚其业而后求其赡／筑城者，先厚其基而后求其高／不能大通，则各私其党而求利焉／以党举官，则民务交而不求用矣／能有名誉者，必无以趋行求者也／巧者劳而知者忧，无能者无所求／大丈夫宁当玉碎，安可没没求活／万两黄金容易得，知心一个也难求／不恤亲疏，不恤贵贱，唯诚能之求／事大君子当以道，不宜苟且求容悦／乌有城坏其徒俱死，独蒙愧耻求活／为国无强于得人，用人莫先于求旧／制败则欲肆，虽四表不能充其求矣／阴之所求者阳也，阳之所求者阴也／力能排天斡九地，壮颜毅色不可求／士有一言中于道，不远千里而求之／大得却须防大失，多忧原只为求多／名为公器无多取，利是身灾合少求／宁用不材以旷职，不肯变例以求人／道在迩而求诸远，事在易而求诸难／居上克明，为下克忠，与人不求备／弓调而后求劲焉，马服而后求良焉／学诗须是熟看古人诗，求其用心处／马先驯而后求良，人先信而后求能／智者不为非其事，廉者不求非其有／贫无可奈惟求俭，拙亦何妨只求勤／欲开壅蔽达人情，先向歌诗求讽刺／怨人不如自怨，求诸人不如求诸己／恶诸人则去诸己，欲诸人则求诸己／业

无高卑志当坚，男儿有求安得闲／睫在眼前长不见，道非身外更何求／路曼曼其修远兮，吾将上下而求索／身危由于势过，而不知去势以求安／天下未尝无才，患所以求才之道不至／求之者不及虚之者，夫圣人无求之也／古人教人，不过存心、养心、求放心／利害之路，祸福之门，不可求而得也／唯不求利者为无害，不求福者为无祸／往世不可及，来世不可待，求己者也／道若大路然，岂难知哉，人病不求耳／始以护人之乱为义，而终掠乱以求之／我非生而知之者，好古，敏以求之者也／良将不怯死以苟免，烈士不毁节以求生／以土圭之法测土深，正日景，以求地中／勇将不怯死以苟免，壮士不毁节而求生／操钩上山，揭斧入渊，欲得所求，难也／唯不求利者为无害，唯不求福者为无祸／源不深而望流之远，根不固而求木之长／胜兵先胜而后求战，败兵先战而后求胜／立大功者不求小疵，有大忠者不求小过／自古圣人贤士，皆非有求于闻用也……／人有鸡犬放，则知求之；有放心而不知求／观人察质，必先察其平淡，而后求其聪明／当于有过中求无过，不当于无过中求有过／知我者，谓我心忧；不知我者，谓我何求／德义之所成者智也，明智之所求者学问也／不知而不疑，异于己而不非者，公于求善也／不素养士而欲求贤，譬犹不琢玉而求文采也／人必先作，然后人名之；先求，然后人与之／说之虽不以道，说也；及其使人也，求备焉／吾观之本，其往无穷；吾求之末，其来无止／形如槁木，心若死灰，无感无求，寂泊之至／贵不专权，罔惑上下；贱能守分，不苟求取／所好则钻皮出其毛羽，所恶则洗垢求其瘢痕／肥于貌，孰与肥其道；求于人，孰与求其身／虑时务者不能兴其德，为身求者不能成其功／貌有不足，敷粉施朱。才有不足，征典求书／食必常饱，然后求美；衣必常暖，然后求丽／乐高喜大，负威任势，亡忧失畏，不求于己也／但务其华，不寻其实，犹缘木希鱼，却行求前／吾何以得知天下乎？察己以知之，不求于外也／安则乐生，痛则思死；捶楚之下，何求而不得／本之《书》以求其质……本之《易》以求其动／君子安其身而后动，易其心而后语，定其交而后求／清静处下，虚以待之，无为无求，而百川自为来也／民之性，饥而求食，劳而求佚，苦则索乐，辱则求荣／博取之象数，远征之古今，以求尽乎理，所谓格物也／猛虎在深山，百兽震恐；及在槛阱之中，摇尾而求食／己之才艺虽多，犹病以为少，仍就寡少之人更求所益／朴其身躬，恶其衣服，语无为以求名，言无欲以求利／有社稷者，不能爱其民，而求民亲己爱己，不可得也／天之高也，星辰之远也，苟求其故，千岁之日至，可坐而致也／曰衣食足而后廉耻兴，财物阜而后礼乐作，是执末以求其本也／能有天下者，必无以天下为也；能有名誉者，必无以趋行求者也

甫

①fǔ 古代对男子的美称；起初；方才；大；姓。②bǔ 通“圃”，大田。

❷杜甫陈子昂，才名括天地

更

①gēng 改变；旧时夜间记时单位；经历；抵偿；姓。②gèng 愈加；复，再。

❶更也，人皆仰之

见《论语·子张》载子贡语。全句为：“君子之过也，如日月之食焉：过也，人皆见之；～”。

❷四更山吐月，残夜水明楼

❸四时更运，功成则移／气外更无虚托孤立之理／我岂更求荣达，日长聊以销忧／劝君更尽一杯酒，西出阳关无故人／当时更有军中死，自是君王不动心／法令更则利害易，利害易则民务变／强中更有强中手，莫向人前满自夸／老去更无儿在膝，惟君怜我我怜君

❹同心远更亲／五指之更弹，不若卷手之一挃／见过不更，闻谏愈甚，谓之很

❺老树春深更著花／诗要避俗，更要避熟／天只在我，更祷个什么／后生莫晓，更恨文律烦苛／任是深山更深处，也应无计避征徭

❻一鸟不鸣山更幽／伐木丁丁山更幽／知人难，知己更难／事佛求福，乃更得祸／但有路可上，更高人也行／人实不易知，更须慎其仪／士别三日，即更刮目相待／欲穷千里目，更上一层楼／抽刀断水水更流，举杯消愁愁更愁／庾信文章老更成，凌云健笔意纵横／老夫渴急月更急，酒落杯中月先入／好经大事，变更易常，以挂功名，谓之叨

❼早已森严壁垒，更加众志成城／为善的受贫穷更命短，造恶的享富贵又寿延

❽前车已覆，后未知更／六朝金粉地，落木更萧萧／装点此关山，今朝更好看／已是黄昏独自愁，更着风和雨／何必奔冲山下去，更添波浪向人间／独有英雄驱虎豹，更无豪杰怕熊罴／已分忍饥度残岁，更堪岁里闰添长／春残已是风和雨，更著游人撼落花／欧阳当日文名重，更要推敲畏后生／道犹金石，一调不更；事犹琴瑟，每弦改调

❾岁老根弥壮，阳骄叶更阴／有偏宠者，虽欲厚之，更所以祸之／入夜思归切，笛声清更哀，愁人不愿听，自到枕前来

❿竟抱固穷节，饥寒饱所更／读之者尽而有余，久而更新／琴瑟不调，甚者必解而更张之／见利不亏其义，见死不更其守／一登一陟一回顾，我脚高地他更高／不是花中偏爱菊，此花开尽更无花／不畏将军成久别，只恐封侯心更移／只言旋老转无事，欲到中年事更多／人怜直节

生来瘦，自许高材老更刚／劳形按影皆非道，炼气吞霞更是狂／落红不是无情物，化作春泥更护花／抽刀断水水更流，举杯消愁愁更愁／持杯收水水已覆，徙薪避火火更燔／君看夏木扶疏句，还许诗家更道不／暗中时滴思亲泪，只恐思儿泪更多／睫在眼前长不见，道非身外更何求／老来行路先愁远，贫里辞家更觉难／老成之人，言有迂阔，而更事为多／劫之以众，沮之以兵，见死不更其守／理国譬若琴瑟，其不调者则解而更张／宜得敏锐兼人之器，以副厉精更化之怀／宁逢赤眉，不逢太师。太师尚可，更始杀我／己之才艺虽多，犹病以为少，仍就寡少之人更求所益／金樽玉杯不能使薄酒更厚，鸾舆凤驾不能使驽马健捷／苟守先圣之道，由大中以出，虽万受摈弃，不更乎其内

束 shù 捆住；量词；聚集成一条的东西；控制；事之结束；姓。

❶束书不观，游谈无根

见宋·苏轼《李氏山房藏书记》。

❸自行束修以上，吾未尝无诲焉

❺迅川之水，束草投之则凝

❽闲云野鹤，无拘无束／强自取柱，柔自取束

❿不可貌古人而袭之，畏古人而拘束之／眉如翠羽，肌如白雪，腰如束素，齿如含贝

两 ①liǎng 数词；犹言“双”；犹言“匹”；双方；表示不定的数目，相当于“几”；市制重量单位；周代队伍编制单位；对立依存的两面。②liàng 同“辆”。

❶两仪生四象

见《周易·系辞上》。

两相思，两不知

见南朝·宋·鲍照《代春日行》。

两不立，则一不可见

见宋·张载《正蒙·太和》。全句为：“～；一不可见，则两之用息”。

两世一身，形单影只

见唐·韩愈《祭十二郎文》。

两人俱溺，不能相拯

见汉·刘安《淮南子·说山》。

两虎相斗，必有一伤

见明·罗贯中《三国演义》第六十二回。

两虎共斗，其势不俱生

见汉·司马迁《史记·廉颇蔺相如列传》。

两草犹一心，人心不如草

见唐·李白《白头吟》。

两贤未别，则能让者为俊

见三国·魏·刘劭《人物志·释争》。

两雄不俱立，两贤不并世

见汉·司马迁《史记·南越列传》。

两兔傍地走，安能辨我是雄雌

见南朝·梁·横吹曲辞《木兰诗二首》之一。全句为：“雄兔脚扑朔，雌兔眼迷离。～”。

两坚不能相和，两强不能相服

见汉·刘安《淮南子·说山》。

两情若是久长时，又岂在、朝朝暮暮

见宋·秦观《鹊桥仙》[纤云弄巧]。

两心不可以得一人，一心可以得百人

见汉·刘安《淮南子·缪称》。

两虎争人而斗，小者必死，大者必伤

见《战国策·秦策二》。

两喜必多溢美之言，两怒必多溢恶之言

见《庄子·人间世》。

两若有名，相与则成；阴阳备物，化变乃生

见战国《十六经·果童》。

两高不可重，两大不可容，两贵不可双，两势不可同

见清·魏源《默觚上·学篇十一》。

两体者，虚实也，动静也，聚散也，清浊也，其究一而已

见宋·张载《正蒙·太和》。

❷万两黄金容易得，知心一个也难求

❸事无两样人心别／行不两全，名不两立／门前两条辙，何处去不得／投至两处凝眸，盼得一雁横秋／清风两袖朝天去，免得闾阎话短长／欲明两仪天地之体，必以太极虚无为初始／水抵两岸，悉皆怪石，攲嵌盘屈，不可名状

❹一渊不两鲛／两相思，两不知／太一出两仪，两仪出阴阳／闻君有两意，故来相决绝／学者有两忌，自高与自狭／一举而两利，斯智者之为也／目不能两视而明，耳不能两听而聪／一国诅，两人祝，虽善祝者不能胜也／当以执两以兼听，而不以狐疑为兼听／非三代两汉之书不敢观，非圣人之志不敢存

❺古来才命两相妨／凡物皆有两端，如小大厚薄之类／有时三点两点雨，到处十枝五枝花／不择善否，两容颊适，偷拔其所欲，谓之险

❻一不可见，则两之用息／两雄不俱立，两贤不并世／太一出两仪，两仪出阴阳／巨灵咆哮擘两山，洪波喷流射东海／创业自知难两立，辍耕早已定三分／两高不可重，两大不可容，两贵不可双，两势不可同

❼事难全遂，物不两兴／行不两全，名不两立／意不并锐，事不两隆／两坚不能相和，两强不能相服／大抵学问只有两途，致知力行而已／君子与小人不两立，而小人与君子不同谋／爱惜、暴殄本是两意，愚者有时合成一病／桑无附枝，麦穗两岐。张君为政，乐不可支

❽夸过其理，则名实两乖／意广者，斗室宽若两间／出处虽殊迹，明月两知心／结发为夫妻，恩爱两不疑／鹞子经天飞，群雀两向波／能读不

能行,所谓两足书橱/上穷碧落下黄泉,两处茫茫皆不见/似把剪刀裁别恨,两人分得一般愁/天下万物皆生于两,不生于一,明矣

❾不能长进,只为昏弱两字所苦/为宰相不难,一心正,两眼明,足矣/两喜必多溢美之言,两怒必多溢恶之言/爱民而安,好士而荣,两者无一焉而亡/一叶蔽目,不见泰山;两豆塞耳,不闻雷霆

❿决千金之货者不争铢两之价/右手画圆,左手画方,不能两成/我自横刀向天笑,去留肝胆两昆仑/目不能两视而明,耳不能两听而聪/走马西来欲到天,辞家见月两回圆/与其誉尧而非桀也,不如两忘而化其道/圣人和之以是非而休乎天钧,是之谓两行/渐闻水声潺潺,而泻出两峰之间者,酿泉也/虎兕相据而蝼蚁得志,两敌相机而匹夫乘间/真伪有质矣,而趋舍舛忤,故两心不相为谋焉/始见新春,又逢初夏。四时若箭,两曜如梭。/有鄙夫问于我,空空如也。我叩其两端而竭焉/雅郑有素矣,而好恶不同,故两耳不相为听焉/君人者,爱民而安,好士而荣,两者无一焉而亡/两高不可重,两大不可容,两贵不可双,两势不可同/美人梳洗时,满头间珠翠,岂知两片云,戴却数乡税/天无为以之清,地无为以之宁,故两无为相合,万物皆化生/孔子曰:"吾闻之,古之善御者,执辔如组,两骖如舞,非策之助也"。/舜其大知也与!舜好问而好察迩言,隐恶而扬善,执其两端,用其中于民

丽 ①lì 美丽;美丽的;成对的;数目;拴,系;附着。②lí 通"罹",遭遇,落入。

❶丽容虽丽,犹待镜以端形

见唐·武则天《臣轨序》。全句为:"~;明德虽明,终假言而荣行"。

❷梁丽可以冲城,而不可以窒穴,言殊器也

❸日月丽天,而瞽者莫睹其明/淫辞丽藻生于文,反伤文者也/毛嫱、丽姬,人之所美也……麋鹿见之决骤/文章丽矣,言语工矣,无异草木荣华之飘风,鸟兽好音之过耳

❹抱日增丽,浮空不收/辞欲壮丽,义归博远/丽容虽丽,犹待镜以端形

❺映渚蛾眉,丽穿波之半月/三条九陌丽城隈,万户千门平旦开/诗人之赋,丽以则;辞人之赋,丽以淫

❻侈言无验,虽丽非经/论者不期于丽辞而务在事实/受天下之瑰丽,而泄天下之拗怒也/齐、梁间诗,彩丽竞繁,而兴寄都绝/出见纷华盛丽而说,入闻夫子之道而乐

❼王者以仁义为丽,道德为威/以受天下之瑰丽,而泄天下之拗怒也

❽图形于影,未尽纤丽之容/钧天广乐,必有奇丽之观/文之近古而尤壮丽,莫若汉之西京/不诡其词而词自丽,不异其理而理自新/虽云色白,匪染弗丽;虽云味甘,匪和弗美

❾粉黛至则西施以加丽/流荡不返,使人有淫丽之心,此文病也

❿贵贱之于身,犹条风之时丽过/日月挟虫鸟之瑕,不妨丽天之景/不薄今人爱古人,清词丽句必为邻/气不可以不贯,不贯则虽有美词丽藻/为情者要约而写真,为文者淫丽而烦滥/诗人之赋,丽以则;辞人之赋,丽以淫/苟有可观,皆有可乐,非必怪奇伟丽者也/食必常饱,然后求美;衣必常暖,然后求丽/辩言过理,则与义相失;丽靡过美,则与情相悖

来 lái 跟"去"相对的动作;发生、来到;从过去到现在;未来的;做某一动作;助词。

❶来得易,去得易

见明·冯梦龙《警世通言》卷三一。

来而不往,亦非礼也

见《礼记·曲礼上》。全句为:"礼尚往来,往而不来,非礼也,~"。

来如风雨,去如绝弦

见南朝·宋·范晔《后汉书·西羌传》。

来日苦短,去日苦长

见晋·陆机《短歌行》。

来生不可忌,已死不可徂

见《庄子·则阳》。

来说是非者,便是是非人

见宋·普济《五灯会元》卷一九。

来世不可待,往世不可追也

见《庄子·人间世》。

来而不可失者时也,蹈而不可失者机也

见宋·苏轼《代侯公说项羽辞》。

❷后来者居上/潮来风满衣/老来益奋其志/古来万事贵天生/古来才命两相妨/狂来笔力如牛弩/既来之,则安之/寒来暑往,秋收冬藏/水来土掩,将至兵迎/福来有由,祸来有渐/由来征战地,不见有人还/由来骨鲠材,喜被软弱吞/后来有千日,谁与共平生/古来帝子,生于深宫……/古来存老马,不必取长途/古来贤达士,宁受外物牵/古来忠烈士,多出贫贱门/从来天下士,只在布衣中/从来不著水,清净本因心/夜来风雨声,花落知多少/归来宴平乐,美酒斗十千/本来无一物,何处惹尘埃/时来故旧少,乱后别离频/急来抱佛脚,闲时不烧香/秋来山雨多,落叶无人扫/虫来啮桃根,李树代桃僵/招来雄俊魁伟敦厚朴直之士/既来且住,风月闲寻秋好处/晓来谁染霜林醉,总是离人泪/生来不读半行书,只把黄金买身贵/向来枉费推移力,此日中流自在行/古来圣贤

皆寂寞，惟有饮者留其名／古来青史谁不见，今见功名胜古人／别来十年学不厌，读破万卷诗愈美／从来夸有龙泉剑，试割相思得断无／从来好事天生俭，自古瓜儿苦后甜／今来县宰加朱绂，便是生灵血染成／药来贼境灵何用，米出胡奴死不炊／携来百侣曾游。忆往昔峥嵘岁月稠／适来，夫子时也；适去，夫子顺也／时来天地皆同力，运去英雄不自由／春来春去苦自驰，争名争利徒尔为／觉来落笔不经意，神妙独到秋毫颠／老来行路先愁远，贫里辞家更觉难／算来终不与时合，归去来兮翠如中／起来自擘纱窗破，恰漏清光到枕前／由来犬羊着冠坐庙堂，安得四鄙无豺狼／从来谈诗，必摘古人佳句为证，最是小见／读来一百遍，不如亲见颜色，随问而对之易了／其来无迹，其往无崖，无门无房，四达之皇皇也

❸不知来，视诸往／好与，来怨之道也／枳句来巢，空穴来风／祸之来也，人自生之／丑女来效颦，还家惊四邻／将缣来比素，新人不如故／生之来不能却，其去不能止／归去来兮，田园将芜胡不归／欲知来者察往，欲知古者察今／后之来者，则吾未之见，其可忽耶／乐之来，则人情出者也，其始非圣人作也／时之来也，为云龙，为风鹏，勃然突然，陈力以出

❹主雅客来勤／不食嗟来之食／卷土重来未可知／山雨欲来风满楼／死节从来岂顾勋／水面风来笑语香／水殿风来暗香满／悍吏之来吾乡……／长铗归来乎，食无鱼／占往知来，不如朴质／招之不来，麾之不去／招之即来，挥之即去／呼之则来，挥之则散／善不妄来，灾不空发／清风徐来，水波不兴／近悦远来，归如流水／日往月来，星移斗换／教妇初来，教儿婴孩／有文字来，谁不为文／祸福之来，皆起于渐／福不再来，时或易失／魂兮归来，反故居些／不恨归来迟，莫向临邛去／生当复来归，死当长相思／兴尽悲来，识盈虚之有数／凡二人来讼，必一曲一直／徒手而来者，终年而不获／毅魄归来日，灵旗空际看／宁可后来相让，不可起初含糊／殃咎之来，未有不始于快心者／寄之，其来不可围，其去不可止／见有人来，袜刬金钗溜，和羞走／敌人远来新至，行列未定，可击／天子呼来不上船，自称臣是酒中仙／古往今来共一时，人生万事无不有／今日重来应抵掌，十年分付未逢人／变谓后来改前，以渐移改谓之变也／待到秋来九月八，我花开后百花杀／字字看来皆是血，十年辛苦不寻常／纸上得来终觉浅，绝知此事要躬行／气入身来为之生，神去离形为之死／爱好由来下笔难，一诗千改始心安／欲赋生来惊人语，必须苦下死工夫／毁誉从来不可听，是非终久自分明／蛱蝶飞来过墙去，却疑春色在邻家／走马西来欲到天，辞家见月两回圆／往而不来者年也，不可得再见者亲也／诚欲往来言所闻，则仆固愿悉陈中所得者／人以义来，我以身许，褰裳赴急，不避寒暑／谗不自来，因疑而来；间不自入，乘隙而入／礼尚往来，往而不来非礼也，来而不往亦非礼也／时之不来也，为雾豹，为冥鸿，寂兮寥兮，奉身而退

❺后生可畏，来者难诬／去事之戒，来事之师／既往不咎，来事之师／任沈江刘，来乱辙而弥远／封侯早归来，莫作弦上箭／闻所闻而来，见所见而去／寒往则暑来，暑往则寒来／盛年不重来，一日难再晨／无恃其不来，恃吾有以待之／无所有而来，无所从而去者／善不由外来兮，名不可以虚作／虎豹之文来射，猿狖之捷来措／多少事，从来急；天地转，光阴迫／有缘千里来相会，无缘对面不相逢／君不见比来翁媪尽饥死，狐狸嘬骨乌啄眼／自太古以来，致理兴化，未有言之不行而能至矣

❻峰从灵鹫飞来／鉴往可以昭来／人生七十古来稀／人生莫受老来贫／时乎时，不再来／山川之美，古来共谈／濯去旧见，以来新意／情往似赠，兴来如答／情往会悲，文来引泣／福来有由，祸来有渐／往车虽折，而来轸方遒／凡自唐虞以来，编简所存／禀道之性，本来清静……／往者不可及，来者犹可待／往者不可谏，来者犹可追／有朋自远方来，不亦乐乎／旋收松上雪，来煮雨前茶／盈虚倚伏，去来之不可常／民知诛赏之来，皆在于身也／察消长之往来，辨利害于疑似／无说诗，匡鼎来；匡说诗，解人颐／人怜直节生来瘦，自许高材老更刚／往世不可及，来世不可待，求己者也／禄不患其不来，患禄来，而不能愧其禄／气往轹古，辞来切今，惊采绝艳，难与并能／白日所为，夜来省己，是恶当惊，是善当喜／未事而知其来，始事而知其终，定事而知其变／是他春带愁来，春归何处，却不解、将愁归去

❼修练多从苦处来／四方八面野香来／布德施惠，悦近来远／枳句来巢，空穴来风／箫韶九成，凤凰来仪／一粥一饭，当思来处不易／不是撑船手，休来弄竹竿／人事有代谢，往来成古今／谈笑有鸿儒，往来无白丁／地势使之然，由来非一朝／英雄有屯邅，由来自古昔／报国行赴难，古来皆共然／唯见月寒日暖，来煎人寿／岂不思故乡，从来感知己／待到重阳日，还来就菊花／闻君有两意，故来相决绝／红豆生南国，春来发几枝／此地曾居住，今来宛似归／昔去雪如花，今来花似雪／往者余弗及兮，来者吾不闻／望夫处……行人归来石应语／为政……贵于有以来天下之善／后生可畏，焉知来者之不如今也／人能弘道，焉知来者不如昔也？／千呼

万唤始出来，犹抱琵琶半遮面／假令风歇时下来，犹能簸却沧溟水／形不正者德不来，中不精者心不治／处世还须称晚来，逢人且莫夸畴昔／海上涛头一线来，楼前指顾雪成堆／忽如一夜春风来，千树万树梨花开／顺指者爱所由来，逆意者恶所从至／紫陌红尘拂面来，无人不道看花回／与百姓有缘才来此地，期寸心无愧不鄙斯民／凡人于事务之来，无论大小，必审之又审，方无遗虑

❽天下熙熙，皆为利来／乐极生悲，否极泰来／便不可失，时不再来／道无鬼神，独往独来／福不虚至，祸亦易来／一念收敛，则万善来同／心安而虚，则道自来止／不取往者戒，恐贻来者冤／玉城雪岭，际天而来……／化当世莫若口，传来世莫若书／往者不可复兮，冀来今之可望／悟已往之不谏，知来者之可追／运退黄金失色，时来顽铁生辉／乘骐骥以驰骋兮，来吾道夫先路／仁者在位而仁人来，义者在朝而义士至／德不广不能使人来，量不宏不能使人安／谗不自来，因疑而来；间不自人，乘隙而人／得时无怠，时不再来，天予不取，反为之灾／礼尚往来，往而不来非礼也，来而不往亦非礼也

❾惟有道者能以往知来／勿谓今年不学而有来年／勿谓今日不学而有来日／轩冕失之，有时而复来／前不见古人，后不见来者／俏也不争春，只把春来报／朽株难免蠹，空穴易来风／空山新雨后，天气晚来秋／摄汝知，一汝度，神将来舍／达治乱之要者，遏将来之患／上下四方曰宇，往古来今曰宙／天地四方曰宇，往古来今曰宙／怀既往而不咎，指将来而骏奔／疑今者察之古，不知来者视之往／时乎时乎，去不可邀，来不可逃／一阖一辟谓之变，往来不穷谓之通／无力买田聊种水，近来湖面亦收租／不去扫清天北雾，只来卷起浪头山／世间行乐亦如此，古来万事东流水／谋而不得，则以往知来，以见知隐／志士幽人莫怨嗟，古来材大难为用／日出江花红胜火，春来江水绿如蓝／愿兄为水妹为土，和来捏做一个人／老去诗篇浑漫与，春来花鸟莫深愁／踏破铁鞋无觅处，得来全不费功夫／禄不患其不来，患禄来，而不能愧其禄／用兵之法：无恃其不来，恃吾有以待也；无恃其不攻，恃吾有所不可攻也

❿事修而谤兴，德高而毁来／华岳眼前尽，黄河脚底来／只言花是雪，不悟有香来／防微于未兆，虑难于将来／拂墙花影动，疑是玉人来／待得雪消后，自然春到来／寒往则暑来，暑往则寒来／遥知不是雪，为有暗香来／爱出者爱反，福往者福来／笑入荷花去，佯羞不出来／交友不宜滥，滥则贡谀者来／有梦常嫌去远，无书可恨来迟／虎豹之文来射，猿狖之捷来措／阴阳五行，循环错综，升降往来／往者已不及，尚可以为来者之戒／成大事者，皆从战战兢兢之心来／三千宫女胭脂面，几个春来无泪痕／夫妻本是同林鸟，大限来时各自飞／天生我材必有用，千金散尽还复来／天时人事日相催，冬至阳生春又来／无边落木萧萧下，不尽长江滚滚来／不妨举世无同志，会有方来可与期／千金未必能移性，一诺从来许杀身／义理有疑，则濯去旧见，以来新意／南方无穷而有穷，今日适越而昔来／人生不得长欢乐，年少须臾老到来／今朝有酒今朝醉，明日愁来明日愁／仓库实，知礼节；国多财，远者来／儿童相见不相识，笑问客从何处来／交情老去淡如水，病骨秋来瘦似松／劝君莫作亏心事，古往今来放过谁／坑灰未冷山东乱，刘项元来不读书／吴僧爱觅闲吟处，偷向花边竹里来／善恶到头终有报，只争来早与来迟／问渠哪得清如许，为有源头活水来／懊恨人心不如石，少时东去复西来／寒暑茫茫兮代谢，故叶新花兮往来／已借蜡钱输麦税，免教缉捕闯门来／明者防祸于未萌，智者图患于将来／春色满园关不住，一枝红杏出墙来／风起绿洲吹浪去，雨从青野上山来／飒飒西风满院栽，蕊寒香冷蝶难来／神州只在阑干北，度度来时怕上楼／悠悠生死别经年，魂魄不曾来人梦／病非一朝一夕之故，其所由来渐矣／老去读书随忘却，醉中得句若飞来／西施若解倾吴国，越国亡来又是谁／算来终不与时合，归去来兮翠如中／金井梧桐秋叶黄，珠帘不卷夜来霜／当其取于心而注于手也，汩汩然来矣／唐太宗之贤，自西汉以来，一人而已／目极千里兮伤春心，魂兮归来哀江南／体曲者忌绳墨之容，夜裸者憎明烛之来／人之过也……在于悔往，而不在于怀来／功不使鬼必在役人，物不天来终须地出／巧不使鬼必有役人，物不天来终须地出／志士不饮盗泉之水，廉者不受嗟来之食／待天以困之，用人以诱之。往蹇来返。／欲做精金美玉的人品，定从烈火中锻来／忍泪失声询使者："几时真有六军来"／君不见黄河之水天上来，奔流到海不复回／轩冕在身，非性命也，物之傥来，寄者也／是邪，非邪？立而望之，偏何姗姗其来迟／天地之化，盈虚消息，往过来续，流行古今／天道悠悠，人生若浮，古来贤圣，皆成去留／吾观之本，其往无穷；吾求之末，其来无止／昔我往矣，杨柳依依；今我来思，雨雪霏霏／春日迟迟，秋风飒飒。情往似赠，兴来如答／贵不与骄期而骄自至，富不与侈期而侈自来／物类之起，必有所始；荣辱之来，必象其德／文为之物，自然灵气。惚恍而来，不思而至／静则得之，躁则失之，灵气在心，一来一逝／洼者为池而缺者为洞，若有鬼神异物阴来相之／

远人不服，则修文德以来之。既来之，则安之／邻国相望，鸡犬之声相闻，民至老死，不相往来／山沓水匝，树杂云合。……情往似赠，兴来如答／礼尚往来，往而不来非礼也，来而不往亦非礼也／祸藏福中，福极则祸至。福隐祸内，祸尽则福来／不奋苦而求速效，只落得少日浮夸，老来窘隘而已／士之修身立节而竟不遇知己，前古以来，不可胜数／清静处下，虚以待之，无为无求，而百川自为来也／性字从生从心，是人生来具是理于心，方名之曰性／骄、奢、淫、泆，所自邪也。四者之来，宠禄过也／不争而无所不胜，不言而无所不应，不召而无所不来／入夜思归切，笛声清更哀，愁人不愿听，自到枕前来／福生有基，祸生有胎；纳其基，绝其胎，祸福何自来／青未了，松耶？柏耶？独鸟来时，连峰断处，双髻人耶／乐未毕也，哀又继之；哀乐之来，吾不能御，其去弗能止／捣鬼有术，也有效，然而有限，所以以此成大事者，古来无有

奉

fèng 奉送，奉献；接受；尊重；信仰；伺候；讨好，巴结；敬辞；通"俸"。

❶奉先思孝

见《尚书·太甲中》。

奉公如法，则上下平，上下平则国强

见汉·司马迁《史记·廉颇蔺相如列传》。

奉职顺道，亦可以为治，何必威严哉

见汉·司马迁《史记·循吏列传论赞》。

奉而始终之则为道，言而发明之则为诗

见唐·白居易《与元九书》。全句为："志在兼济，行在独善，～"。

奉法者强，则国强；奉法者弱，则国弱

见《韩非子·有度》。全句为："国无常强，无常弱。～"。

❷臣奉暗后，则覆亡之祸至

❸丁年奉使，皓首而归／能相奉成者，必同气者也／洗手奉职，不以一钱假人／以私奉为心者，人必咈而叛之

❹居家自奉宜俭，养亲待客宜丰

❺损不足以奉有余／知为吏者，奉法以利民／穷天下而奉之者，一人也／社稷无常奉，君臣无常位，自古以然／知为吏者奉法利民，不知为吏者枉法以侵民／损百姓以奉其身，犹割股以啖腹，腹饱而身毙

❻可取者友，可奉者师／治国者，必以奉法为重／待人要丰，自奉要约；责己要厚，责人要薄

❼廉约小心，克己奉公／天之生万物以奉人也，主爱人以顺天也／既不能推心以奉母，亦安能死节以事人

❽当知岁功应，唯是奉无私／受任于败军之际，奉命于危难之间／奉法者强，则国强；奉法者弱，则国弱

❾卑躬曲己，若顺弟之奉暴兄

❿人之道则不然，损不足以奉有余／外内皆顺，命曰天当，功成而不废，后不奉央／人当自信自守，虽承誉之，承奉之，亦不为之加喜爱／时之不来也，为雾豹，为冥鸿，寂兮寥兮，奉身而退／一夫耕，百人食之；一妇桑，百人衣之。以一奉百，孰能供之

表

biǎo 外面；讲述；标志；表示；表彰；发散；树梢；标帜；表率；标准；特出，屹然独立；鉴察；古代章奏的一种；采用表格形式编纂的著述；计时的器具。

❶表壮不如里壮

见明·施耐庵《水浒传》第二十四回。

表里相资，古今一也

见南朝·梁·刘勰《文心雕龙·事类》。

表曲者景必邪，源清者流必洁

见宋·司马光《资治通鉴》卷五十一。

❷松表岁寒，霜雪莫能凋其采

❸外内表里，自相副称／见乎表者作乎里，形于事者发于心

❹礼者，其表也／失其师表，而莫有所矜式／出师一表真名世，千载谁堪伯仲间／如岭之表，海之浒，磅礴浩汹……／水行者表深，使人无陷；治民者表乱，使人无失

❺廉者，民之表也；贪者，民之贼也

❻乐超乎物之表者，其乐深／疾风劲草，实表岁寒之心

❼事信言文，乃能表见于后世／欲影正者端其表，欲下廉者先之身／诚则始终不忒，表里一致，敬信真纯，往而必孚

❽农商工贾……可为师表／制败则欲肆，虽四表不能充其求矣／有诸中者必形乎表，发乎迹者必著乎远

❾智如泉源，行可以为表仪者，人师也

❿国有贤相良将，民之师表也／慎忌积于中，则政事废于表／三公者，百僚之率，万民之表／言在耳目之内，情寄八荒之表／诚者，合内外之道，便是表里如一／人主之立法，先自为检式仪表，故令行于天下／水行者表深，使人无陷；治民者表乱，使人无失

事

shì 事情；变故；职业；从事；侍奉；责任；器物的件数。

❶事异则备变

见《韩非子·五蠹》。

事不节则无功

见《礼记·乐记》。

事莫难于必成

见《鬼谷子·摩》。全句为："谋莫难于周密，说莫难于悉听，～"。

事无两样人心别

见宋·辛弃疾《贺新郎》。
事求遂,功求成
见宋·王安石《与刘原父书》。
事若求全何所乐
见清·曹雪芹《红楼梦》第七十六回。
事因于民者必成
见《晏子春秋·内篇问上第十二》。
事愈烦而乱愈生
见汉·刘安《淮南子·泰族》。
事曲则谄意以行赇
见南朝·宋·范晔《后汉书·王符传》。全句为:"理直则恃正而不桡,～"。
事乃有大谬不然者
见汉·司马迁《报任少卿书》。
事适于时者其功大
见《吕氏春秋·恃君览·召类》。全句为:"圣人不能为时,而能以事适时。～"。
事有求利而得害者
见唐·陈子昂《谏雅州讨生羌书》。
事有大小,有先后
见宋·程颢《论王霸札子》。全句为:"～;察其小,忽其大,先其后,后其所先,皆不可以适治"。
事无终始,无务多业
见《墨子·修身》。
事不三思,终有后悔
见明·冯梦龙《古今小说·陈御史巧勘金钗钿》。
事不中法者,不为也
见《商君书·君臣》。全句为:"言不中法者,不听也;行不中法者,不高也;～"。
事不难,无以知君子
见《荀子·大略》。全句为:"岁不寒,无以知松柏;～"。
事不素讲,难以应猝
见宋·苏轼《乞增修弓箭社条约状二首》之一。
事由迹彰,功待事立
见唐·许尧佐《柳氏传》。
事之当否,众口必公
见宋·苏辙《论衙前及诸役人不便札子》。
事以密成,语以泄败
见《韩非子·说难》。
事以靖民,非以征民
见汉·戴德《大戴礼记·诰志》。全句为:"政以胜众,非以陵众;众以胜事,非以伤事;～"。
事佛求福,乃更得祸
见唐·韩愈《论佛骨表》。
事谐则感,道洽斯亲
见唐·骆宾王《灵泉赋》。
事难全遂,物不两兴
见唐·李义琰《家训》。
事在四方,要在中央
见《韩非子·扬权》。
事固有所极,有所反
见宋·杨万里《刑法》。
事违于理则负结于意
见南朝·宋·范晔《后汉书·朱穆传》。
事忌脱空,人怕落套
见明·陈继儒《小窗幽记》。
事有曲直,言有是非
见南朝·宋·范晔《后汉书·列女传》。全句为:"～。直者不能不争,曲者不能不讼"。
事有本真,陈施于亿
见汉·班固《汉书·扬雄传》。
事有是非,义难隐讳
见宋·苏轼《参定叶祖洽廷试策状二首》之一。
事有是非,公无远近
见唐·张九龄《与李让侍御书》。
事有必至,理有固然
见《战国策·齐策四》。
事留变生,后机祸至
见晋·陈寿《三国志·魏书·袁绍传》。
事半古之人,功必倍之
见《孟子·公孙丑上》。
事诚无害,虽无例亦可
见宋·苏轼《论高丽买书利害札子》。全句为:"～;若其有害,虽百例不可用也"。
事因于世,而备适于事
见《韩非子·五蠹》。
事亲以适,不论所以矣
见《庄子·渔父》。全句为:"～;饮酒以乐,不选其具矣;处丧以哀,无问其礼矣"。
事有便宜,而不拘常制
见五代·后晋·张昭远等《旧唐书·陆贽传》。全句为:"～;谋有奇诡,而不徇众情"。
事以简为上,言以简为当
见宋·陈骙《文则》。
事修而谤兴,德高而毁来
见唐·韩愈《原毁》。
事危则志远,情迫则思深
见唐·张廷珪《因旱上直言疏》。
事省而易治,求寡而易澹
见汉·刘安《淮南子·主术》。
事各顺于名,名各顺于天
见汉·董仲舒《春秋繁露·深察名号》。全句为:"～,天人之际,合而为一"。
事因理立,不隐理而成事
见《万善同归集》卷上。全句为:"～;理因事彰，不坏事而显理”。

事往则迹移，岁迁则物换

见唐·崔琪《唐少林寺灵运禅师塔碑》。

事辍者无功，耕怠者无获

见汉·桓宽《盐铁论·击之》。

事起乎所忽，祸生乎无妄

见唐·吴兢《贞观治要·刑法》。

事不患于不成，而患于易坏

见宋·欧阳修《偃虹堤记》。

事之大利者，不能无小害也

见唐·白居易《策林二》。全句为：“大凡事之大害者，不能无小利也；～”。

事之行也有势，其成也有气

见宋·苏轼《思治论》。

事信言文，乃能表见于后世

见宋·欧阳修《代人上王枢密求先集序》。

事多似倒而顺，多似顺而倒

见《吕氏春秋·似顺论·似顺》。全句为：“～，有知顺之为倒、倒之为顺者，则可与言化矣”。

事或欲以利之，适足以害之

见汉·刘安《淮南子·人间》。全句为：“～；或欲害之，乃反以利之”。

事有以必然，虽常人足以致

见唐·白居易《才识兼明于体用科策一道》。全句为：“～；势有所不可，虽圣哲不能为”。

事有合于己者而未始有是也

见汉·刘安《淮南子·齐俗》。全句为：“～，有忤于心者而未始有非也”。

事穷势蹙之人，当原其初心

见明·洪应明《菜根谭》。全句为：“～；功成行满之士，要观其末路”。

事出于正，则其成多，其败少

见宋·苏辙《汉光武下》。

事垂立而辄废，功未成而旋去

见宋·苏洵《上皇帝书》。

事以明核为美，不以深隐为奇

见南朝·梁·刘勰《文心雕龙·议对》。全句为：“文以辨洁为能，不以繁缛为巧；～”。

事例无不变迁，风气无不移易

见清·龚自珍《上大学士书》。全句为：“自古及今，法无不改，势无不积，～，所恃者，人才必不绝于世而已”。

事至而后求，曷若未至而先备

见唐·柳宗元《刘叟传》。

事莫大于必克，用莫大于玄默

见《太公六韬·龙韬·军势》。

事莫明于有效，论莫定于有证

见汉·王充《论衡·薄葬篇》。

事莫贵乎有验，言莫弃乎无征

见三国·魏·徐幹《中论贵验》。

事将为，其赏罚之数必先明之

见《管子·立政》。

事当论其是非，不当问其难易

见宋·苏轼《范景仁墓志铭》。

事君不患其无礼，患忠之不足

见宋·朱熹《四书集注·论语·八佾》。全句为：“使臣不患其不忠，患礼之不至；～”。

事者生于虑，成于务，失于傲

见《管子·乘马》。

事有不可知者，有不可不知者

见《战国策·魏策四》。全句为：“～；有不可忘者，有不可不忘者”。

事有不当民务者，皆禁而不行

见宋·高弁《望岁》。

事有易成者名小，难成者功大

见汉·刘安《淮南子·修务》。

事不师古，以克永世，匪说攸闻

见《尚书·说命下》。

事生则释公而就私，货数而任己

见汉·刘安《淮南子·诠言》。全句为：“欲尸名者必为善，欲为善者必生事，～”。

事固有弃彼取此，以权一时之势

见南朝·宋·范晔《后汉书·荀彧传》。

事物之变，纷纭杂出，若不可知

见宋·苏辙《观会通以行典礼论》。全句为：“～，然而有至理存焉”。

事……有忤于心者而未始有非也

见汉·刘安《淮南子·齐俗》。删节处为：“有合于己者而未始有是也”。

事有所至，信反为过，诞反为功

见汉·刘安《淮南子·氾论》。

事督乎法，法出乎权，权出乎道

见《管子·心术上》。

事可语人酬对易，面无惭色去留轻

见宋·刘过《送王简卿归天台》。

事事只在道理上商量，便是真体认

见明·吕坤《呻吟语》。

事难行，故要敏；言易出，故要慎

见宋·朱熹《朱子语类》。

事大君子当以道，不宜苟且求容悦

见唐·韩愈《上留守郑相公启》。

事固有难明于一时而有待于后世者

见宋·欧阳修《濮议序》。

事遇快意处当转，言遇快意处当住

见明·陈继儒《小窗幽记》。

事者，民之风雨也，事不节则无功

见汉·司马迁《史记·乐书》。全句为：“教者，民之寒暑也，教不时则伤世；～”。

事者难成而易败，名者难立而易废

见汉·刘安《淮南子·人间》。

事有切而未能忘，情有深而未能遣

见唐·王勃《秋夜于绵州群官席别薛升华序》。

事有所分，则毫末不遗而情伪必见

见宋·苏辙《上皇帝书》。

事虽易，而以难处之，未有不治之变

见明·王廷相《慎言·小宗篇》。

事或夺之而反与之，或与之而反取之

见汉·刘安《淮南子·人间》。

事业文章随身销毁，而精神万古如新

见明·洪应明《菜根谭·前集百四十八》。

事不目见耳闻，而臆断其有无，可乎？

见宋·苏轼《石钟山记》。

事非当则伤于智力，务过分则毙于形神

见唐·司马承祯《坐忘论·简事》。全句为："识事之有当，不任非当之事。～"。

事之急者不能安言，心之痛者不能缓声

见南朝·宋·范晔《后汉书·刘陶传》。

事或为之适足以败之，或备之适足以致之

见汉·刘安《淮南子·人间》。

事以实之，词以章之，道以通之，法以检之

见宋·苏洵《史论上》。全句为："大凡文之用四：～"。

事前忍易，正事忍难，正事悔易，事后悔难

见明·吕坤《呻吟语》。

事孰为大？事亲为大。守孰为大？守身为大

见《孟子·离娄上》。

事苦，则矜全之情薄；生厚，故安存之虑深

见南朝·宋·范晔《后汉书·马融传》。

事少而功多，守要也；身逸而国治，用贤也

见《尸子·分》。

事有古而可以质于今，言有大而可以征于小

见唐·杨炯《梓州惠义寺重阁铭》。

事顺神明者不合于俗，功配天地者不悦于众

见汉·严遵《道德指归论·言甚易知篇》。

事丰奇伟，辞富膏腴，无益经典，而有助文章

见南朝·梁·刘勰《文心雕龙·正纬》。

事不豫辨，不可以应卒；内无备，不可以御敌

见汉·桓宽《盐铁论·世务》。

事当其可与，万金与之；义所不宜，毫发拒之

见明·方孝孺《幼仪杂箴·与》。

事无礼则不成，国无礼则不宁，王无礼则死亡无日矣

见汉·韩婴《韩诗外传》卷一。

❷每事问／绘事后素／兵事上神密／公事不私议／一事能变曰智／万事莫贵于义／民事不可缓也／省事不如省官／需，事之贼也／一事起则一害生／世事徒惊日月新／先事预防之道也／几事不密则害成／省事之本在节欲／见事过人，明也／有事弟子服其劳／凡事惟适中者可久／大事不胡涂之谓才／处事最当熟思缓处／杜事之于前，易也／一事殊法，同罪异论／万事俱备，只欠东风／无事而求其功，难矣／举事不私，听狱不阿／前事不远，吾属之师／前事昭昭，足为明戒／作事不可尽，尽则穷／先事后得，非崇德欤／先事虑事，先患虑患／询事考言，循名责实／谋事在人，成事在天／即事名篇，无复依傍／去事之戒，来事之师／知事人，然后能使人／处事以智，不如守正／处事识为先，断次之／居事不力，用财不节／细事不察，不得言大／机事不密，则必害成／有事无辜，心常安泰／举事以为人者，众助之／举事以自为者，众去之／前事之不忘，后事之师／凡事无小大，物自为舍／凡事豫则立，不豫则废／译事三难：信、达、雅／谋事不并仁义者后必败／小事糊涂，大事不糊涂／王事靡盬，不能艺稷黍／万事有不平，尔何空自苦／无事则深忧，有事则不惧／世事波上舟，沿洄安得住／人事有代谢，往来成古今／叙事之工者，以简要为主／行事在审己，不必恤浮议／遇事无难易，而勇于敢为／好事须相让，恶事莫相推／经事还谙事，阅人如阅川／有事不避难，有罪不避刑／胜事谁复论，丑声日已播／心事同漂泊，生涯共苦辛／以事秦之心，礼天下之奇才／前事之不忘，期有劝且惩也／识事之有当，不任非当之事／惟事事乃其有备，有备无患／家事国事天下事，事事关心／世事如棋局，不着的才是高手／先事虑事谓之接，接则事优成／凡事当留余地，得意不宜再往／凡事省得一分，即受一分之益／凡事有经必有权，有法必有化／弃事则形不劳，遗生则精不亏／大事不得，小事不为者，必贫／微事不通，粗事不能者，必劳／处事不可任己见，要悉事之理／其事核而实，使采之者传信也／农事废，饥寒并至，故盗贼多有／举事而不时，力虽尽，其功不成／因事设奇，谲敌制胜，变化如神／成事不说，遂事不谏，既往不咎／起事致治者，不若默然者之贵也／世事洞明皆学问，人情练达即文章／事事只在道理上商量，便是真体认／临事不信于民者，则不可使任大官／农事伤则饥之本，女红害则寒之原／何事将军封万户，却令红粉为和戎／记事之体，欲简而且详，疏而不漏／记事者必提其要，纂言者必钩其玄／论事易，作事难；作事易，成事难／土事不文，木事不镂，示民知节也／大事难事看担当，逆境顺境看襟度／当事有四要：际畔要果决，怕是绵／省事莫如任人，厉精莫如自上率之／因事之是而是之，因事之非而非之／处事要代人作想，读书须切己用功／好事尽从难处得，少年无向易中轻／好事者未尝不中，争利者未尝不穷／

纪事者必提其要，纂言者必钩其玄／缋事以众色成文，蜜蜂以兼采为味／成事在理不在势，服人以诚不以言／欲事之无繁，则必劳于始而逸于终／心事浩茫连广宇，于无声处听惊雷／立事者不离道德，调弦者不失宫商／万事以心为本，未有心至而力不能者／临事而屡断，勇也；见利而让，义也／处事者不以聪明为先，而以尽心为急／问事弥多而见弥博，官弥剧而识弥泥／人事必将与天地相参，然后乃可以成功／将事而能弭，当事而能救，既事而能挽／因事相争，安知非我之不是，须平心暗想／往事越千年，魏武挥鞭，东临碣石有遗篇／一事惬当，一句清巧，神厉九霄，志凌千载／凡事行，有益于理者立之，无益于理者废之／凡事皆须务本，国以人为本，人以衣食为本／多事害神，多言害身。口开舌举，必有祸患／虑事而当，不若进贤；进贤而当，不若知贤／未事而知其来，始事而知其终，定事而知其变／治事不若治人，治人不若治法，治法不若治时／遇事多算计，较利悉锱铢，其过甚小，而积之甚大，慎之慎之

❸临大事而不乱／德者事业之基／上多事则下多态／昼无事者夜不梦／人生事，反自贼／子贡事孔子……／敏于事，慎于言／举大事必慎其终始／身者，事之规矩也／无政事，则财用不足／未能事人，焉能事鬼／未知事实，不可虚行／计熟事定，举必有功／功成事就，扶手安居／建大事者，不忌小怨／士无事而食，不可也／情随事迁，感慨系之／必有事实，乃有是文／赤心事上，忧国如家／凡大事皆起于小事……／粗于事者，其言费而昏／以之事国，则同心而共济／以色事他人，能得几时好／做歹事的胆，一日大一日／谋先事则昌，事先谋则亡／能忍事乃济，有容德乃大／饿死事极小，失节事极大／缓于事则怠，急于事则忽／理因事彰，不坏事而显理／辨章事理，贵得当时之宜／士不事其所非，不非其所事／惟事事乃其有备，有备无患／神仙事本是虚妄，空有其名／人穷事败者，释自然而任智力／凡举事，必先审民心然后可举／性与事，一而二，二而一者也／睹一事于句中，反三隅于字外／矜一事之微劳，遂有无厌之望／踵其事而增华，变其本而加厉／天下事当于大处著眼，小处下手／世异事变，治国不同，不可不察／大凡事之大害者，不能无小利也／善制事者，转祸为福，因败为功／成大事者，皆从战战兢兢之心来／下之事上也，不从其令，从其所行／非其事者勿仞也，非其名者勿就也／我无事而民自富，我无欲而民自朴／先忧事者后乐事，先乐事者后忧事／多少事，从来急；天地转，光阴迫／处有事当如无事，处大事当如小事／致君事业堆胸臆，却伴溪童学钓鱼／其叙事也该而要，其缀采也雅而泽／不察事之是非而悦人赞己，暗莫甚焉／凡举事必循法以动，变法者因时而化／天下事有难易乎？为之，则难者亦易矣／任其事必图其效，欲责其效，必尽其方／功成事立，名迹称遂，不退身避位……／有文事者必有武备，有武事者必有文备／干大事而惜身，见小利而忘命，非英雄也／善举事者若乘舟而悲歌，一人唱而千人和／下之事上，不一其事；上之使下，不一其事／凡举事，无为亲厚者所痛，而为见仇者所快／处大事贵乎明而能断，不明因无以知事论断／迩之事父，远之事君，多识于鸟兽草木之名／成大事者，不恤小耻；立大功者，不拘小谅／忠贤事君，必谏君失，奸佞事主，必顺主情／凡百事之成也，必在敬之；其败也，必在慢之／常以事于无形之外，而不留思尽虑于成事之内／敏于事而慎于言，就有道而正焉，可谓好学也已／立大事者，不惟有超世之才，亦必有坚忍不拔之志

❹世异则事异／有志者事竟成／不如意事常八九／古来万事贵天生／莫将戏事扰真情／少年心事当拿云／追思玄事，睿也／杞国无事忧天倾／与乱同事，罔不亡／小人难事而易说也／一言偾事，一人定国／不经一事，不长一智／兵者凶事，不可为首／传闻之事，恒多失实／但行好事，莫问前程／公家之事，知无不为／先事虑事，先患虑患／凡将举事，令必先出／至于大事，秘而不宣／当官临事，切戒躁急／知人之事，自古为难／国家大事，惟赏与罚／庸史纪事，良史诛意／春夏用事，秋冬潜处／朝忘其事，夕失其功／老而谢事，古之礼也／动无疑事，则众不二志／尝从人事，皆口腹自役／老成虑事，不必皆高年／专独者，事之所以不成也／世异则事变，时移则俗易／平居无事，指为贤良……／真伪因事显，人情难预观／仁者先事后得，先难后获／能周小事，然后能成大事／能称其事，则为之者不难／大有其事，而忘生之道也／官省则事省，事省则民清／官省则事省，事省则人清／官烦则事烦，事烦则人浊／官烦则事繁，事繁则民浊／好将前事错，传与后人知／病知新事少，老别故交难／言多令事败，器漏苦不密／天之道事无大小，物无难易／民之从事，常于几成而败也／直道而事人，焉往而不三黜／功当其事，事当其言，则赏／家事国事天下事，事事关心／心为万事主，动而无节即乱／心能辨事非，处事方能决断／砻磨乎事业，而奋发乎文章／天下之事非一人之所能独知也／专知擅事，侵人自用，谓之贪／不使他事胜好学之心，则有进／不虑前事之失，复循覆车之轨／久利之事勿为，众争之地勿往／伤生之事非一，而好色者必死／人有举事至当，而或有非之者／先

事虑事谓之接，接则事优成／先谋后事者昌，先事后谋者亡／先谋后事者逸，先事后图者失／小则随事酬劳，大则量才录用／贼民之事非一，而好兵者必亡／必也临事而惧，好谋而成者也／天下无事，则公卿之言轻于鸿毛／天下有事，则匹夫之言重于泰山／可知之事，唯精思之，虽大无难／古今之事，非知之难，言之亦难／凡人行事，年少立身，不可不慎／谋泄者事无功，计不决者名不成／宇宙内事，要担当，又要善摆脱／察于一事，通于一伎者，中人也／文约而事丰，此述作之尤美者也／天下之事，不进则退，无一定之理／天时人事日相催，冬至阳生春又来／不如意事常八九，可与语人无二三／世间屈事万千千，欲觅长梯问老天／从来好事天生俭，自古瓜儿苦后甜／劳苦之事则争先，饶乐之事则能让／大事难事看担当，逆境顺境看襟度／道者……为事逆之则败，顺之则成／病中何事最相宜，惟有摊书力尚支／天下之事，不有所摧挫则不能以有成／天下之事不可为也，因其自然而推之／天下之事，常成于困约，而败于奢靡／天下之事，理胜力为常，力胜理为变／不肖用事而贤良伏，无功贵而劳苦贱／非唯近事则相感，亦有远事遥相感者／君子之事上也，进思尽忠，退思补过／宽于大事，急于小事……不可以为政／欲笺心事，独语斜阑。难！难！难！／凡鬼神事眇茫荒惑无可准，明者所不道／交财一事最难。虽至亲好友，亦须明白／收心简事日损有为，体静心闲方可观妙／心苟无事则息自调，念苟无欲则中自守／国家作事，以公共为心者，人必乐而从之／处世间事，众人皆见得非，而我独见得是／快心之事，悉败身丧德之媒，五分便无悔／好经大事，变更易常，以挂功名，谓之叨／天下之事，患常生于忽微，而志亦戒于渐习／天下难事，必作于易；天下大事，必作于细／书以言事，行上行下，平行往复，统谓之书／并官省事，静事息役，上下用心，惟农是务／勿轻小事，小隙沈舟；勿轻小物，小虫毒身／经目之事，犹恐未真；背后之言，岂能全信／比不应事，未可谓喻；文不称实，未可谓是／必得之事，不足赖也；必诺之言，不足信也／黾勉从事，不敢告劳；无罪无辜，谗口嚣嚣／天下之事，不可尽知，而以臆断之，不可任也／神明之事，不可以智巧为也，不可以筋力致也／天下之事，急之则丧，缓之则得，而过缓则无及／岂无利事哉，我无利心；岂无安处哉，我无安心／季路问事鬼神。子曰："未能事人，焉能事鬼"／国家大事，牧不当官，言之实有罪，故作《罪言》／凡人于事务之来，无论大小，必审之又审，方无遗虑／学无二事，无二道，根本苟立，保养不替，自然日新／瞒人之事弗为，害人之心弗存，有益国家之事虽死弗避／君子易事而难说也。说之不以道，不说也；及其使人也，器之

❺正其本，万事理／六律为万事根本／计不设则事不成／能欲多而事欲鲜／操弥约而事弥大／孝者，所以事君也／智者之举事必因时／愚而自专，事不治／被头里做事终晓得／一家二贵，事乃无功／兵出无名，事故不成／志不求易，事不避难／行有素履，事有成迹／官无二业，事不并济／理则顿悟，事非顿除／物有必至，事有固然／礼贵从宜，事难泥古／意不并锐，事不两隆／意有所之，事无不克／毋以贫故，事人不谨／处难处之事，可以长识／与亡国同事者，不可存也／天下本无事，庸人自扰之／天下本无事，庸人自召之／不可以家事匮乏而不从师／不自大其事，不自尚其功／世上无难事，只要肯登攀／我命浑小事，我死庸何伤／兴废由人事，山川空地形／人有吉凶事，不在鸟音中／诗之外有事，诗之中有人／读书成底事，报国是何人／争先非吾事，静照在忘求／工欲善其事，必先利其器／知者之举事也，满则虑嗛／经事还谙事，阅人如阅川／机在于应事，战在于治气／文章千古事，得失寸心知／罢官之无事，恤人之不足／无惛惛之事者，无赫赫之功／争目前之事，则忘远大之图／功当其事，事当其言，则赏／圣人之举事也，进退不失时／行非常之事，乃有非常之功／天下本无事，庸人扰之为烦耳／大丈夫行事，论是非不论利害／大凡做好事的心，一日小一日／恃谗谀以事君者，不足以责信／有非常之事，然后有非常之功／立业建功，事事要从实地着脚／功不当其事，事不当其言，则罚／物有必至，事有常然，古之道也／言多诺者，事众而信，不可然也／丈夫盖棺事始定，君今幸未成老翁／不可知之事，厉心学问，虽小无易／凡天下之事成于自同，而败于自异／论事易，作事难；作事易，成事难／国不兴无事之功，家不藏无用之器／法相因则事易成，事有渐则民不惊／胜败兵家事不期，包羞忍耻是男儿／身行顺，治事公，故国无阿党之议／其文直，其事核，不虚美，不隐恶／但无耻一事不如人，则事事不如人矣／大丈夫行事当磊磊落落，如日月皎然／居官者当事不避难，在位者恤民之患／不法法，则事毋常；法不法，则令不行／弟者，所以事长也；慈者，所以使众也／当其才则事或能济，逾其分则力所不堪／处难处之事愈宜宽，处难处之人愈宜厚／浮言可以事久而明，众嗤可以时久而息／君子于细事，未必可观，而材德足以重任／事孰为大？事亲为大。守孰为大？守身为大／反己者触事皆成药石，尤人者动念即是戈矛／圣人之于事，似缓而急，似迟而速，以待时／时无远近，事无巨细，必籍

多闻，以成博识／物有本末，事有终始。知所先后，则近道矣／用无常道，事无轨度，动静屈伸，唯变所适／大丈夫举事，当赤心相示，浮言夸辞，吾甚厌之／古之成大事者，规模远大与综理密微二者阙一不可／古之立大事者，不惟有超世之才，亦必有坚忍不拔之志

❻明人不做暗事／万物睽而其事类也／子入太庙，每事问／子能知一，万事毕／不览古今，论事不实／兵，凶器；战，危事／疑行无名，疑事无功／疑行无成，疑事无功／修学好古，实事求是／谋事在人，成事在天／去事之戒，来事之师／能者无名，从事无事／建官惟贤，位事惟能／多言多败，多事多害／纪纲一废，何事不生／见小利，则大事不成／立身一败，万事瓦裂／既往不咎，来事之师／为文不渥，则事不足褒／伐矜好专，举事之祸也／小事糊涂，大事不糊涂／役其所长，则事无废功／度义因民，谋事之术也／缓前急后，应事之贼也／心若留时，何事锁眉头／与多疑人共事，事必不成／与好利人共事，己必受累／兵久则变生，事苦则虑易／书为晓者传，事为见者明／人远则难绥，事总则难了／谋无主则困，事无备则废／谋先事则昌，事先谋则亡／功高人共嫉，事定我当烹／能持大体，凡事自可就也／官省则事省，事省则民清／官省则事省，事省则人清／官烦则事烦，事烦则人浊／官烦则事繁，事繁则民浊／物穷则变生，事急则计易／辞约而旨丰，事近而喻远／开其兑，济其事，终身不救／不应有恨，何事长向别时圆／但患无志耳，事固未可知也／缘道理以从事者，无不能成／一日而废一事，一月则可知也／不实心不成事，不虚心不知事／论世而为之事，权事而为之谋／谋，必素见成事焉，而后履之／大事不得，小事不为者，必贫／大凡做一件事，就要当一件事／君无劳民之事，民得勤而耕农／虽有营求之事，莫生得失之心／微事不通，粗事不能者，必劳／赋者，敷陈其事而直言之者也／愚者暗于成事，知者见于未萌／立业建功，事事要从实地着脚／功不当其事，事不当其言，则罚／成事不说，遂事不谏，既往不咎／不可学、不可事而在人者，谓之性／兵，诡道也，军事未发，不厌其密／人之持身立事，常成于慎而败于纵／土事不文，木事不镂，示民知节也／据天道，仍人事，笔则笔而削则削／名为治平无事，而其实有不测之忧／通于一而万事毕，无心得而鬼神服／死去元知万事空，但悲不见九州同／早岁那知世事艰，中原北望气如山／思虑熟则得事理，行端直则无祸害／其心异则其事异，其事异则其功异／一言之谬，一事之失，可救之于将然／办天下之大事者，有天下之大节者也／可学无能、可事而成之在人者，谓之伪／兵者，国之大事，死生之地，存亡之道／任小能于大事者，犹狸搏虎而刀伐木也／勿多言，勿多事；多言多败，多事多害／善难者务释事本，不善难者舍本而理末／物之所以通，事之所以理，莫不由乎道／不知三军之事而同三军之政者，则军士惑矣／事前忍易，正事忍难，正事悔易，事后悔难／并官省事，静事息役，上下用心，惟农是务／综学在博，取事贵约，校练务精，捃理须核／赏罚不明，百事不成；赏罚若明，四方可行／不日不月，而事以从；不卜不筮，而谨知吉凶／诸凡万物万事之知，皆因习因悟因过因疑而然／常有小不快事，是好消息……知此理可免怨尤／圣人者常以事于无形之外，而不留思尽虑于成事之内／建天下之大事功者，全要眼界大，眼界大则识见自别

❼能士乐治乱之事／胜败乃兵家常事／不认真，作不得事／怀与安，实疚大事／有其志，必有其事／未能事人，焉能事鬼／事由迹彰，功待事立／负舟登山，诚难事也／易为而难成者，事也／农夫无草莱之事则不比／前事之不忘，后事之师／商贾无市井之事则不比／与多疑人共事，事必不成／天下理无常是，事无常非／无事则深忧，有事则不惧／吏不治则乱，农事缓则贫／百忧感其心，万事劳其形／我生待明日，万事成蹉跎／疑道不可由，疑事不可行／兰闺久寂寞，无事度芳春／诬而罔省，施之事亦为固／读书贵神解，无事守章句／志深而喻切，因事以陈辞／当时而立法，因事而制礼／君使臣以礼，臣事君以忠／国亦有猛狗，用事者是也／治平尚德行，有事赏功能／安宁勿懈堕，有事不迫遽／好事须相让，恶事莫相推／理因事彰，不坏事而显理／春风不相识，何事入罗帷／赏罚信乎民，何事而不成／凡人情忽于见事而贵于异闻／左右为社鼠，用事者为猛狗／君臣遇合，天下事迎刃而解／家事国事天下事，事事关心／心能辨事非，处事方能决断／为文不能关教事，虽工无益也／以众人之力起事者，无不成也／能前知其当然，事至不惧……／圣人处无为之事，行不言之教／大凡人之感于事，则必动于情／行莫大乎无过，事莫大乎无悔／物有出微而著，事有由隐而章／有能而无益于事者，君子弗为／言前定则不跲，事前定则不困／五帝三皇神圣事，骗了无涯过客／为国不可以生事，亦不可以畏事／为神有灵兮何事处我天南海北头／有必不可行之事，不必妄作经营／一生几许伤心事，不向空门何处销／不可乘快而多事，不可因倦而鲜终／不敢妄为些子事，只因曾读数行书／世上万般哀苦事，无非死别与生离／失意人逢失意事，新啼痕间旧啼痕／了却君王天下事，赢得生前身后名／司空见惯浑闲事，断尽苏州刺史

肠／只言旋老转无事，欲到中年事更多／人世几回伤往事，山形依旧枕江流／入门休问荣枯事，观看容颜便得知／含情欲说宫中事，鹦鹉前头不敢言／先忧事者后乐事，先乐事者后忧事／读书不了平生事，阅世空存后死身／劝君莫作亏心事，古往今来放过谁／莫思身外无穷事，且尽生前有限杯／将有非常之大事，必生希世之异人／小知不可使谋事，小忠不可使主法／少年辛苦终身事，莫向光阴惰寸功／常人皆能办大事，天亦不必产英雄／处有事当如无事，处大事当如小事／宁用不材以败事，不肯劳心而择材／逢人不说人间事，便是人间无事人／智者不为非其事，廉者不求非其有／智者不以位为事，勇者不以位为暴／牛郎欲问瘟神事，一样悲欢逐逝波／有其志必成其事，盖烈士之所徇也／胜地几经兴废事，夕阳偏照古今愁／胸中襞积千般事，到得相逢一语无／欲为圣朝除弊事，肯将衰朽惜残年／方凭征鞍思往事，数声风笛马前闻／用过其才则败事，享过其分则丧身／痴儿不了公家事，男子要为天下奇／竟日不知尘世事，长年占断白云乡／世虽有侥幸之事，断不可存侥幸之心／何者为益友？凡事肯规我之过者是也／何者为小人？凡事必徇己之私者是也／将事而能弭，当事而能救，既事而能挽／安能摧眉折腰事权贵，使我不得开心颜／千古兴亡多少事，悠悠。不尽长江滚滚流／以言非信则百事不满也，故信之为功大矣／凡人好敖慢小事，大事至，然后兴之务之／若近正人，闻正事，虽欲为恶，固已不忍／取天下常以无事。及其有事，不足以取天下／迩之事父，远之事君，多识于鸟兽草木之名／于人无贤愚，于事无小大，咸推以信，同施以敬／道千乘之国，敬事而信，节用而爱人，使民以时／世俗所患，患言事增其实，著文垂辞，辞出溢其真／仁人之所以为事者，必兴天下之利，除去天下之害

❽读书乃学者第二事／不偶流俗，坐忘人事／不必法古，苟周于事／昼有所思，夜梦其事／勿轻论人，勿轻说事／能者无名，从事无事／受人之托，忠人之事／坚劲之人好攻其事实／多言少实，语无成事／惮劳怕怨，做不得事／慎终如始，则无败事／凡大事皆起于小事……／士人修性，正在临事时／中原初逐鹿，投笔事戎轩／农月无闲人，倾家事南亩／尽道丰年瑞，丰年事若何／利不在身，以之谋事则智／人生莫依倚，依倚事不成／国史之美者，以叙事为工／饿死事极小，失节事极大／缓于事则怠，急于事则忽／处其位而不履其事，则乱也／慎忌积于中，则政事废于表／家事国事天下事，事事关心／万物必有盛衰，万事必有弛张／先谋后事者昌，先事后谋者亡／先谋后事者逸，先事后图者失／论世而为之事，权事而为之谋／明镜所以照形，古事所以知今／今我受其直怠其事者，天下皆然／舍己而从众，是以事半而功倍也／苍苍者焉能与吾事，而暇知之哉／理贵在于得要兮，事终成于会机／祸恒发于太忽，而事多败于不断／心之明之所止，于事情区以别焉／事者，民之风雨也，事不节则无功／论事易，作事难；作事易，成事难／论贵是而不务华，事尚然而不高合／谋度于义者必得，事因于民者必成／法相因则事易成，事有渐则民不惊／道在迩而求诸远，事在易而求诸难／妙不可尽之于言，事不可穷之于笔／理有疑误而成过，事有形似而类真／百工居肆以成其事，君子学以致其道／凡权重者必谨于事，令行者必谨于言／君子之学，或施之事业，或见于文章／宽于大事，急于小事……不可以为政／如修德而留意于事功名誉，必无实诣／举大体而不论小事，务实效而不为虚名／当官务持大体，思事事皆民生国计所关／道虽迩，不行不至；事虽小，不为不成／智者不危众以举事，仁者不违义以要功／思立掀天揭地的事功，须向薄冰上履过／当官之法，唯有三事：曰清，曰慎，曰勤／下之事上，不一其事；上之使下，不一其事／听言之道，必以其事观之，则言者莫敢妄言／国之废兴，在于政事；政事得失，由乎辅佐／见不尽者，天下之事；读不尽者，天下之书／上无所为，则下无事，家给人足，万物自化就／未事而知其来，始事而知其终，定事而知其变／食人力之粟，守无事之官，拳拳血诚，无所陈露／闰以正时，时以作事，事以厚生，生民之道在此矣／君臣父子人间之事谓之义，登降揖让，贵贱有等，亲疏之体，谓之礼

❾不复知人间有羞耻事／理国之道莫大于无事／事因于世，而备适于事／先定其规摹，而后从事／名正法备，则圣人无事／吾少也贱，故多能鄙事／举贤任能，不时日而事利／倏忽市朝变，苍茫人事非／帝王之功，圣人之余事也／度能就位，忠臣所以事君／贪求则争起，有知则事兴／以古制今者，不达于事之变／家事国事天下事，事事关心／迟疑不断，未有能成事者也／财者，为国之命而万事之本／为其后可复者也，则事寡败矣／把志气奋发得起，何事不可做／得隋侯之珠，不若得事之所由／得呙氏之璧，不若得事之所适／适于用之谓才，堪其事之谓力／存其心，养其性，所以事天也／欲去其弊也，莫如省事而厉精／诚其心，正其志，实其事，定其分／美物者贵依其本，赞事者宜本其实／拙辞或孕于巧义，庸事或萌于新意／因事之是而是之，因事之非而非之／成名每在穷苦日，败事多因得志时／其心异则其事异，其事异则其功异／人主诚正，则直士任事，而奸人伏匿／奸人诈

而好名，其行事有酷似君子处／朱门日日买朱娥，军事如何，民事如何／当官务持大体，思事事皆民生国计所关／时不至不可强生也，事不究不可强成也／凡人好敖慢小事，大事至，然后兴之务之／吾子苟自择之，取某事，去某事，则可矣／人贵量力，不贵必成；事贵相时，不贵必遂／功有难图，不可预见；事有易断，较然不疑／道犹金石，一调不更；事犹琴瑟，每弦改调／居知所为，行知所之，事知所秉，动知所由／物有盛衰，时有推移，事有激会，人有变化／心虽不说，弗敢不誉；事业虽弗善，不敢不力／闰以正时，时以作事，事以厚生，生民之道在此矣／所谓诗，所谓文，实国事、世事、家事、身事、心事系焉／今且须去理会眼前事，那个鬼神事，无形无影，莫要枉费心力／文章当从三易：易见事，一也；易识字，二也；易读诵，三也

⑩事因理立，不隐理而成事／先圣不一其能，不同其事／计功而行赏，程能而授事／能周小事，然后能成大事／志不立，天下无可成之事／饥者歌其食，劳者歌其事／智足以造谋，材足以立事／既受人之托，必终人之事／其次禁其言，其次禁其事／不耐烦者，做不成一件事业／由魏晋氏以下，人益不事师／舍近取远，务高言而鲜事实／论者不期于丽辞而务在事实／识事之有当，不任非当之事／士不事其所非，不非其所事／知者必量其力所能至而从事／如是，则终生几无可问之事／贤主劳于求人，而佚于治事／上求寡而易赡，民安乐而无事／万物固以自然，圣人又何事焉／不求无害之言，而务无易之事／不作无补之功，不为无益之事／不实心不成事，不虚心不知事／非理之财莫取，非理之事莫为／先事虑事谓之接，接则事优成／圣人不能为时，而能以事适时／若还苟且粗疏，定不成一件事／大凡做一件事，就要当一件事／处事不可任己见，要悉事之理／深言则似不逊，略言则事不决／遏悔吝于未萌，验是非于往事／婴儿以不知益，高年以多事损／明者因时而变，知者随事而制／有非常之人，然后有非常之事／有过人之识，则不以富贵为事／神清人无忽语，机活人无痴事／穷者欲达其言，劳者须歌其事／上知天时，下知地利，中知人事／不可以边陲不耸，恬然便谓无事／为国不可以生事，亦不可以畏事／古之人虚中乐善，不择事而问焉／今余遭有道，而违于理，悖于事／大丈夫以正大立心，以光明行事／酒极则乱，乐极则悲，万事尽然／情不可以显出也，故即事以寓情／欲速则不达；见小利则大事不成／文章，经国之大业，不朽之盛事／必尽读天下之书，尽通古今之事／忠臣不畏死，故能立天下之大事／急小之人宜理百里，使事办于己／不可乘喜而多言，不可乘快而易事／不是眼前无外物，不关心事不经心／世间行乐亦如此，古来万事东流水／百岁光阴半归酒，一生事业略存诗／农不出则乏其食，工不出则乏其事／举一纲，众目张；弛一机，万事隳／古往今来共一时，人生万事无不有／仁者恕己以及人，智者讲功而处事／传闻与指实不同，悬算与临事有异／只言旋老转无事，欲到中年事更多／先忧事者后乐事，先乐事者后忧事／凡用人历试其能，苟败事必诛无赦／论事易，作事难；作事易，成事难／诚知此恨人人有，贫贱夫妻百事哀／读书以过目成诵为能，最是不济事／志正则众邪不生，心静则众事不躁／劳苦之事则争先，饶乐之事则能让／爽口物多终作疾，快心事过必为殃／名不正则言不顺，言不顺则事不成／得意浓时休进步，须防世事多番覆／处有事当如无事，处大事当如小事／定者，尽俗之极地……持安之毕事／逢人不说人间事，便是人间无事人／遭一蹶者得一便，经一事者长一智／纸上得来终觉浅，绝知此事要躬行／见乎表者作乎里，形于事者发于心／有死天下之心，而后能成天下之事／有成天下之心，而后能死天下之事／欲尸名者必为善，欲为善者必生事／文章合为时而著，歌诗合为事而作／称其任，则政立；枉其能，则事乖／老成之人，言有迂阔，而更事为多／自滴阶前大梧叶，干君何事动哀吟／精读书，著精采警语处，凡事皆然／躁急，则先自处于不暇，何暇治事／不能为五斗米折腰，拳拳事乡里小人／非唯近事则相感，亦有远事遥相感者／以正治国，以奇用兵，以无事取天下／但无耻一事不如人，则事事不如人矣／军旅之臣，取其断决有谋，强干习事／诚者，君子之所守也，而政事之本也／蓝青地黄犹可假，仁义之事不可假乎／射者使人端，钓者使人恭，事使然也／多男子则多惧，富则多事，寿则多辱／道者以无为为治，而知者以多事为扰／孝者，善继人之志，善述人之事者也／贤者闻讥笑，若不闻焉，此岂不省事／不言之化与天同德，不为之事与天同功／出无谓之言，行不必为之事，不如其已／朱门日日买朱娥，军事如何，民事如何／垂大名于万世者，必先行之于纤微之事／任能者责成而不劳，任己者事废而无功／勿多言，勿多事；多言多败，多事多害／诚无不动者，修身则身正，治事则事理／大丈夫处世，当扫除天下，安事一室乎／大名垂于万世者，必先行之于纤微之事／抱不世之才，特立而独行，道方而事实／将事而能弭，当事而能救，既事而能挽／进言有四难：审人、审己、审事、审时／智巧，扰乱之罗也；有为，败事之纲也／有文事者必有武备，有武事者必有文备／目不能二视，耳不能二听，手不能二事／臣行君道则灭

其身，君行臣事则伤其国／既不能推心以奉母，亦安能死节以事人／食无求饱，居无求安，敏于事而慎于言／不使智惠之人治国之政事……故为国之福／不学自知，不问自晓，古今行事未之有也／力能过人，勇能行之，而智不能断事……／吾子苟自择之，取某事，去某事，则可矣／忧人之言不绝于口，而乐身之事实切于心／所谓读书，须当明物理，揣事情，论事势／胆力者，雄之分也，不得英之智则事不立／下之事上，不一其事；上之使下，不一其事／天下难事，必作于易；天下大事，必作于细／无为名尸，无为谋府，无为事任，无为知主／不受虚言，不听浮术，不采华名，不兴伪事／不痴不狂，其名不彰；不狂不痴，不能成事／事前忍易，正事忍难，正事悔易，事后悔难／为君为臣为民为物为事而作，不为文而作也／以道以德为有国之基，无事无为乃聚人之本／荆玉含宝，要俟开莹；幽兰怀馨，事资扇发／人有悲欢离合，月有阴晴圆缺，此事古难全／动莫若敬，居莫若俭，德莫若让，事莫若咨／观古今之成败，能先见事机者，则恒受其福／取天下常以无事。及其有事，不足以取天下／苟利于民，不必法古；苟周于事，不必循旧／君者择臣而使之，臣虽贱，亦得择君而事之／国之废兴，在于政事；政事得失，由乎辅佐／处大事贵乎明而能断，不明因无以知事论断／广仁益智，莫善于问；乘事演道，莫善于对／恭就貌上说，敬就心上说。恭主容，敬主事／寡交多亲，谓之知人；寡事成功，谓之知用／好便宜者不可与共财，多狐疑者不可与共事／学不成章，无由而达；志不归一，终难成事／政以胜众，非以陵众；众以胜事，非以伤事／忠贤事君，必谏君失，奸佞事主，必顺主情／盖棺始能定士之贤愚，临事始能见人之操守／称身居位，不为苟进；称事受禄，不为苟得／未事而知其来，始事而知其终，定事而知其变／乘不测之舟，入无人之地，以相从问文章为事／大臣则必取众人之选，能犯颜谏事公正无私者／常以事于无形之外，而不留思尽虑于成事之内／君子耻食其食而无其功，耻服其服而不知其事／处明者不见暗中一物，而处暗者能见明中区事／宽弘之人宜为郡国，使下得施其功而总成其事／犁牛之驳似虎，莠之幼似禾，事有似是而非者／神闲气静，智深勇沉，此八字是干大事的本领／忠臣不避重诛以直谏，则事无遗策，功流万世／为民族解放，为阶级翻身，事业垂成，公胡遽死／君不密则失臣，臣不密则失身，几事不密则害成／嗜欲无穷，则必有贪鄙悖乱之心，淫佚奸诈之事／明窗净几笔砚纸墨皆极精良，亦自是人生一乐事／赋役有定制，兵农有定业，官无虚名，职无废事／季路问事鬼神。子曰："未能事人，焉能事鬼"／上不失天时，下不失地利，中得人和，而百事不废／上有素定之谋，下无趋向之惑，天下之事不难举也／主德者，聪明平淡，总达众材，而不以事自任者也／观貌之是非，不若论其心与其行事之可否为不失也／圣人者常以事于无形之外，而不留思尽虑于成事之内／若鄙人所谓致知格物者，致吾心之良知于事事物物也／君子小人本无常，行善事则为君子，行恶事则为小人／虽有忧勤之心，而不知致治之要，则心愈劳而事愈乖／安不忘危，治不忘乱，虽知今日无事，亦须思其终始／恶图犬马而好作鬼魅，诚以实事难形，而虚伪不穷也／为一书，务富文采，不顾事实……是犹用文锦复陷阱也／厌文搔法，法官理民者，有司也，君无事焉，犹尊君也／瞒人之事弗为，害人之心弗存，有益国家之事虽死弗避／天地之大，四时之化，而犹不能以不信成物，又况乎人事／正位居体，美在其中，而畅于四支，发于事业，美之至也／使智惠之人治国之政事，必远道德，妄作威福，为国之贼／所谓诗，所谓文，实国事、世事、家事、身事、心事系焉／匹夫而忧天下，无位而论世事，时俗以为狂，而君子之所取也／今且须去理会眼前事，那个鬼神事，无形无影，莫要枉费心力／捣鬼有术，也有效，然而有限，所以以此成大事者，古来无有／生民之不得休息，为四事故：一为寿，二为名，三为位，四为货／伯夷，目不视恶色，耳不听恶声。非其君，不事；非其民，不使

枣

zǎo 落叶乔木，果实称枣儿或枣子，味甘可食。

❸梨橘枣栗不同味，而皆调于口

❼甘瓜抱苦蒂，美枣生荆棘

奏

①zòu 演奏；奏章；发生；取得（功效）；通"走"。②còu 通"凑"，汇合，聚合；通"腠"。

❹请君莫奏前朝曲，听唱新翻杨柳枝

甚

①shèn 程度副词，相当于"很"；厉害。②shén 什么，怎么。

❶甚美必有甚恶

见《左传·昭公二十八年》。

甚爱必大费，多藏必厚亡

见《老子》四十四。

甚美之名生于大恶，所谓美恶同门

见三国·魏·王弼《老子》十八注。

甚雾之朝，可以细书而不可以远望寻常之外

见汉·刘安《淮南子·说林》。全句为："明月之光，可以望远而不可以细书；～"。

❷贫甚见时情／沐甚雨，栉疾风／去甚去泰，身乃无害／狎甚则相简，庄甚则不亲／敬甚则不亲；亲甚则不敬／恩甚则怨生，爱多则憎至

❸圣人甚祸无故之利／无所甚亲，无所甚疏／

急湍甚箭，猛浪若奔／惩之甚者改必速，畜之久者发必肆／为忠甚易，得宜实难。忧人大过，以德取怨／威太甚则爱利之心息，爱利之心息而徒疾行威，身必咎矣

❹不为已甚者／卑之无甚高论／一之谓甚，其可再乎／圣人去甚、去奢、去泰／乱生于甚细，终于不救……／生之者甚少而靡之者甚众，天下之势何以不危／君子所甚惧者，以申、韩之酷政，文饰儒术，而重毒天下也

❺甚美必有甚恶／捕蝗之蝗甚于蝗／乱国之俗，甚多流言／防民之口，甚于防水／以言责人甚易，以义持己实难／琴瑟不调，甚者必解而更张之／所挟持者甚大，而其志甚远也／防民之口，甚于防川，川壅而溃，伤人必多／嘻笑之怒，甚于裂眦；长歌之哀，过乎恸哭

❻仲尼不为已甚者／政之费人也甚于医／据非其称，惭甚于荣／赋敛之毒，有甚是蛇者／上好则下必甚，矫枉故直必过／好读书，不求甚解；每有会意，便欣然忘食／下之用力者甚勤，上之用物者有节，民无遗力，国不过费

❼彼其发短而心甚长／上之所好，民必甚焉／上有所好，下必甚焉／无所甚亲，无所甚疏／不义而强，其毙甚速／不闻之闻，闻莫甚焉／尤而效之，罪又甚焉／其室则迩，其人甚远／狎甚则相简，庄甚则不亲／敬甚则不亲；亲甚则不敬／风烈无劲草，寒甚有凋松／利害相摩，生火甚多，众人焚和

❽一失其原，巧愈弥甚／上之所好，下必有甚／州民言刺史，蠹物甚于蝗／上有好者，下必有甚焉者矣／创巨者其日久，痛甚者其愈迟／见过不更，闻谏愈甚，谓之很／视强，则目不明；听甚，则耳不聪／君子之恶恶道不甚，则好善道亦不甚／衣缺不补，则日以甚；防漏不塞，则日以滋

❾祸福之胚胎也，其动甚微／摧强易于折枯，消坚甚于汤雪／死亦我所恶，所恶有甚于死者／生亦我所欲，所欲有甚于生者，故不为苟得也／倚伏之矛楯也，其理甚明，困而后儆，斯弗及已／节民以礼，故其刑罚甚轻而禁不犯者，教化行而习俗美也

❿遇贫穷而作骄态者贱莫甚／遇贫穷而作骄态者，贱莫甚／所挟持者甚大，而其志甚远也／以汤止沸，抱薪救火，愈甚亡益／听乐而震，观美而眩，患莫甚焉／人之情，易发而难制者，惟怒为甚／不察事之是非而悦人赞己，暗莫甚焉／君子之恶恶道不甚，则好善道亦不甚／迂人执而不化，其决裂有甚于小人时／恶犹疾也，攻之则益悛，不攻则日甚／吾斯役之不幸，未若复吾赋不幸之甚也／知道而不行，知贤而不举，甚乎穿窬也／不知处阴以休影，处静以息迹，愚亦甚矣／君子如嘉禾也，封殖之甚难，而去之甚易／三皇五帝之治天下，名曰治之，而乱莫甚焉／存身之道莫急乎养神，养神之要莫甚乎素然／生之者甚少而靡之者甚众，天下之势何以不危／平为福，有余为害者，物莫不然，而财其甚者也／大丈夫举事，当赤心相示，浮言夸辞，吾甚厌之／小人深情厚貌，毒人不可防范，殆其甚于豺狼也／法者，国仰以安也；顺则治，逆则乱，甚乱者灭／日思高其位，大其禄，而贪取滋甚，以近于危坠／不修身而求令名于世者，犹貌甚恶而责妍影于镜也／涉浅水者见虾，其颇深者察鱼鳖，其尤甚者观蛟龙／今不修身而求令名于世者，犹貌甚恶而责妍影于镜也／权，然后知轻重；度，然后知长短。物皆然，心为甚／遇事多算计，较利悉锱铢，其过甚小，而积之甚大，慎之慎之／人有明珠，莫不贵重，若以弹雀，岂非可惜？况人之性命甚于明珠

巷

①xiàng 窄小的街道。②hàng［巷道］为采矿所挖的坑道。

❶巷议臆度，不足取信

见宋·苏轼《乞相度开石门河状》。

❷穷巷多怪，曲学多辨／穷巷隔深辙，颇回故人车／穷巷秋风起，先摧兰蕙芳

❸俚言巷语，亦足取也／街谈巷说，必有可采

❹平居里巷相慕悦……／弃卧桥巷间，谁或顾生死／狗吠深巷中，鸡鸣桑树颠／贫疑陋巷春偏少，贵想豪家月最明

❻才饱身自贵，巷荒门岂贫

❼入则心非，出则巷议

❽一出焉，一入焉，涂巷之人也

❾一箪食，一瓢饮，在陋巷……

❿叩门无人室无釜，踯躅空巷泪如雨／诗之所谓风者，多出于里巷歌谣之作

歪

①wāi 偏；不正；不正当的；侧卧。②wǎi 扭伤。

❷揣歪，使乖，枉自把心田坏

面

miàn 脸；当面；见面；表面；方面；前面；向；面向；通“偭”，以背相向；指方位；量词；粮食磨成的粉；粉末。

❶面目可憎，语言无味

见唐·韩愈《送穷文》。

面异斯为人，心异斯为文

见清·袁枚《读书》。

面结口头交，肚里生荆棘

见唐·孟郊《择友》。

面誉者不忠，饰貌者不情

见汉·戴德《大戴礼记·文王官人》。

面垢不忘洗，衣垢不忘浣，此人之至情也

见宋·苏洵《辨奸论》。

❷南面而听百里／人面桃花相映红／当面输心

背面笑/四面边声连角起/水面风来笑语香/无面目见江东父老/匪面命之,言提其耳/八面九口,长舌为斧/人面咫尺,心隔千里/好面誉人者,亦好背而毁之/有面前之誉易,无背后之毁难/水面上秤锤浮,直待黄河彻底枯/人面不知何处去,桃花依旧笑春风/东面望者不见西墙,南乡视者不睹北方/人面看年年岁岁之同,花枝见夜夜朝朝之好

❸自外面推入去……/汝无面从,退有后言/性情面目,人人各具/朝吐面誉,暮行背毁

❹四方八面野香来/风起水面,细生鳞甲……/网开三面,危疑者许以自新用/万家墨面没蒿莱,敢有歌吟动地哀/无缘对面不相逢,有缘千里能相会/与谗谄面谀之人居,国欲治,可得乎?

❺心很败国,面很不害/美色不同面,皆佳于目/画西施之面,美而不可说/坐潭上,四面竹树环合……/朋而不心,面朋也;友而不心,面友也/镜于水,见面之容;镜于人,则知吉与凶

❻人心不同如面/当面输心背面笑/世远莫见其面,觇文辄见其心/闻名不如见面,见面胜似闻名/不识庐山真面目,只缘身在此山中/交朋友增体面,不如交朋友益身心/紫陌红尘拂面来,无人不道看花回/鉴于水者见面之容,鉴于人者知吉与凶

❼人心不同,若其面焉/当官力争,不为面从/世情看冷暖,人面逐高低/人情须耐久,花面长依旧/眉将柳而争绿,面共桃而竞红/足恭者必中薄,面谀者必背非/予违汝弼,汝无面从,退后有言/三千宫女胭脂面,几个春来无泪痕/诺轻者,信必寡;面誉者,背必非/等闲识得东风面,万紫千红总是春

❽各师成心,其异如面/赏不逾日,罚不还面/人心之不同,如其面焉/闻名不如见面,见面胜似闻名/事可语人酬对易,面无惭色去留轻/利镞穿骨,惊沙人面……声折江河,势崩雷电/真的猛士,敢于直面惨淡的人生,敢于正视淋漓的鲜血

❾傀儡学技,音节虽工,面目非情/虽诏于天子,无使北面,所以尊师也

❿仁便藏在恻隐之心里面/目短于自见,故以镜观面/为人子者,出必告,反必面/治世御众,建立辅弼,诫在面从/无力买田聊种水,近来湖面亦收租/千呼万唤始出来,犹抱琵琶半遮面/休夸此地分天下,只得徐妃半面妆/画虎画皮难画骨,知人知面不知心/江南谚云:尺牍书疏,千里面目也/好鸟枝头亦朋友,落花水面皆文章/有缘千里来相会,无缘对面不相逢/总教掬尽三江水,难洗今朝一面羞/今子使万里外国,独无几微出于言面/将军金甲夜不脱……风头如刀面如割/佳人不同体,美人不同面,而皆悦于目/朋而不心,面朋也;友而不心,面友也/为鬼为蜮,则不可得;有靦面目,视人罔极/君子之于子,爱之而勿面,使之而勿貌,导之以道而勿强

昼

zhòu 白天;古地名。

❶昼无事者夜不梦

见《慎子》。

昼有所思,夜梦其事

见汉·王符《潜夫论·梦列》。

昼作不辍手,猛烛继望舒

见三国·魏·曹叡《乐府诗》残句。"望舒",神话中驾月车的神,代指月。

昼短苦夜长,何不秉烛游

见汉·无名氏《古诗十九首·生年不满百》。

昼诵书传,夜观星宿,或不寐达旦

见汉·班固《汉书·楚元王传》。

昼则舟楫出没于其前,夜则鱼龙悲啸于其下

见宋·苏辙《黄州快哉亭记》。后为:"变化倏忽,动心骇目,不可久视"。

❹死生为昼夜

❻吏无避忌,白昼肆行/春蚕不应老,昼夜常怀思/春蚕不应老,昼夜常怀丝

❼阴阳之不并曜,昼夜之有长短/经济文章磨白昼,幽光狂慧复中宵/源泉混混,不舍昼夜,盈科而后进,放乎四海/言有教,动有法,昼有为,宵有得,息有养,瞬有存

❽日不知夜,月不知昼

❿子在川上曰:逝者如斯夫!不舍昼夜

艳

yàn 颜色明亮华丽;关于男女之情;艳羡;指美女;古指楚国的歌曲。

❹桃李虽艳,何如松苍柏翠之坚贞

❺临波笑脸,艳出浦之轻莲

❿气往轹古,辞来切今,惊采绝艳,难与并能

冓

①gòu"构"的本字,指房屋深处。[中冓]指宫中结构深密之处。②gōu 古代数名。

❿不窥人闺门之私,听闻中冓之言

焉

yān 于此,在这里;怎么;助词,用于句末,调整语气。

❶焉有君子而可以货取乎

见《孟子·公孙丑下》。

焉得并州快剪刀,翦取吴松半江水

见唐·杜甫《戏题画山水图歌》。

焉得铸甲作农器,一寸荒田牛得耕

见唐·杜甫《蚕谷行》。

棘

jí 酸枣树;泛指带刺的草木;扎;通"瘠",瘦;通"急";姓。

❷枳棘之林,无梁柱之质/枳棘当道,行者过之

而必诘／垂棘与瓦同椟，明月与砾同囊／枳棘非鸾凤所栖，百里岂大贤之路
❸树枳棘者，成而刺人／钩章棘句，掐擢胃肾／树荆棘得刺，树桃李得荫
❹外虽饶棘刺，内实有赤心／墓门有棘，斧以斯之；夫也不良，国人知之
❺苍蝇点垂棘，巧舌成锦绮
❻师之所处，荆棘生焉；大军之后，必有凶年
❼出门无通路，枳棘塞中途
❽三日不弹，手生荆棘
❾不栽桃李种蔷薇，荆棘满庭君思之
❿甘瓜抱苦蒂，美枣生荆棘／面结口头交，肚里生荆棘／创基冰泮之上，立足枳棘之林

赜

zé 幽深玄妙。
❷接赜索隐，钩深致远
❿苟或得其高朗，探其深赜……

整

zhěng 完全的；有秩序；使有条理；使完好如初；使吃苦头；办理。
❶整顿乾坤手段，指授英雄方略，雅志若为酬
见宋·戴复古《水调歌头》。
❻参差之上，无整齐之下
❾聚者如悦，散者如别，整者如戟，乱者如发
❿万目不张举其纲，众毛不整振其领／举网以纲，千目皆张，振裘持领，万毛自整／未有主强盛而辅不飘逸者，兵卫不华赫而庄整者

臻

zhēn 达到，来到。
❽龙凤隐耀，应德而臻；明哲潜遁，俟时而动
❾刳牲夭胎，则麒麟不臻
❿闻其过者过日消而福臻／登山不以艰险而止，则必臻乎峻岭／人能修炼，俗变淳和，则返朴之风，可臻太古矣／覆巢破卵，则凤凰不翔；刳牲夭胎，则麒麟不臻

囊

náng 口袋；像口袋的东西；用囊盛物；通“攮”；姓。[皮囊]皮做的口袋，喻指人肉体；[囊揣]虚弱；懦弱。
❶囊漏贮中，识者不吝；反裘负薪，存毛实难
见南朝·宋·范泰《谏改钱法》。
❹锥之处囊中，其末立见／酒罂饭囊，或醉或梦，块然泥土者……
❺天地虽含囊万物，而万物非天地之所为也
❾文籍虽满腹，不如一囊钱／侵淫溪谷，盛怒于土囊之口／虽有群书万卷，不及囊中一钱
❿垂棘与瓦同椟，明月与砾同囊／猛虎不看几上肉，洪炉不铸囊中锥／贤士之处世也，譬若锥之处囊中，其末立见／有席卷天下，包举宇内，囊括四海之意，并吞八荒之心

中

①zhōng 正中间的地方；里面；表示正在进行；处于中间的；不偏不倚；中国的简称；居间人；通“忠”；古代器皿；适合于；姓。②zhòng 正对上；符合；感受；受到；遭受；满足；科举时代称考试及格为中。
❶中听则民安
见《晏子春秋·内篇问下第七》。
中不胜貌，耻也
见《国语·晋语四》。
中正和平，无所偏倚
见宋·朱熹《朱子语类》卷八。
中道而立，能者从之
见《孟子·尽心上》。
中材之人则随世损益
见三国·魏·刘劭《人物志·七缪》。
中心藏之，何日忘之
见《诗·小雅·隰桑》。
中也者，天下之大本也
见《礼记·中庸》。全句为：“～；和也者，天下之达道也”。
中人以上，可以语上也
见《论语·雍也》。全句为：“～；中人以下，不可以语上也”。
中国虽安，忘战则民殆
见唐·吴兢《贞观政要·征伐》。全句为：“土地虽广，好战则民凋；～”。
中道而止，则前功尽弃
见宋·朱熹《四书集注·论语·子罕》。全句为：“盖学者自强不息，则积少成多；～”。
中原初逐鹿，投笔事戎轩
见唐·魏征《述怀》。全句为：“～，纵横计不就，慷慨志犹存”。
中人以下，不可以语上也
见《论语·雍也》。全句为：“中人以上，可以语上也；～”。
中夜四五叹，常为大国忧
见唐·李白《经乱离后天恩流夜郎忆旧游书怀赠江夏韦太守良宰》。
中峰之下，水无鱼鳖，林无鸟兽
见唐·元结《九疑山图记》。全句为：“～，时闻声如蝉蝇之类，听之亦无”。
中情之人，名不副实，用之有效
见三国·魏·刘劭《人物志·效难》。
中华儿女多奇志，不爱红装爱武装
见现代·毛泽东《七绝·为女民兵题照》。
中庸之为德也，其至矣乎！民鲜久矣
见《论语·雍也》。
中于道则易以兴政，乖于务则难乎御物
见南朝·宋·范晔《后汉书·梁冀传》。
中通外直，不蔓不枝，香远益清，亭亭净植
见宋·周敦颐《爱莲说》。全句为：“～，可远观而不可亵玩焉”。

中春之月,阳在正东,阴在正西,谓之春分

见汉·董仲舒《春秋繁露·阴阳出入上下》。全句为:"~。春分者,阴阳相半也"。

中秋之月,阳在正西,阴在正东,谓之秋分

见汉·董仲舒《春秋繁露·阴阳出入上下》。全句为:"~。秋分者,阴阳相半也"。

中和之质,必平淡无味,故能调成五材变化应节

见三国·魏·刘劭《人物志·九徵》。

❷秦中自古帝王州/同中有异,异中有同/执中无权,犹执一也/园中无修林者,小也/梦中许人,觉且不背/胸中泰然,岂有不乐/怒中之言,必有泄漏/管中窥豹,时见一斑/书中有画,画中亦有书/宵中,星虚,以殷仲秋/胸中不学,犹手中无钱/井中视星,所见不过数星/城中好高髻,四方高一尺/山中人自正,路险心亦平/溪中云隔寺,夜半雪添泉/林中多疾风,富贵多谀言/此中有真意,欲辨已忘言/醉中语亦有醒时道不到者/手中之竹,又不是胸中之竹也/致中和,天地位焉,万物育焉/胸中之竹,并不是眼中之竹也/胸中没些渣滓,才能处世一番/云中白鹤,非燕雀之网所能罗也/隙中之观斗,又乌知胜负之所在/喉中有病,无害于息,不可凿也/目中有疵,不害于视,不可灼也/病中必有悔悟处,病起莫教忘了/井中之无大鱼也,新林之无长木也/众中不敢分明语,暗掷金钱卜远人/诗中日月酒中仙,平地雄飞上九天/苟中心图民,智虽弗及,必将至焉/山中人兮芳杜若,饮石泉兮荫松柏/阁中帝子今何在,槛外长江空自流/强中更有强中手,莫向人前满自夸/强中自有强中手,用诈还逢识诈人/暗中时滴思亲泪,只恐思儿泪更多/胸中元自有丘壑,故作老木蟠风霜/胸中之气伊郁蜿蜒,泄为章句……/胸中有誓深于海,肯使神州竟陆沉/胸中襞积千般事,到得相逢一语无/心中为念农桑苦,耳里如闻饥冻声/砚中斑驳遗民泪,井底千年恨未销/病中何事最相宜,惟有摊书力尚支/胸中乱则择其邪欲而去之,则德正矣/宫中积珍宝,狗马实外厩,美人充下陈/小中见大,大中见小;一为千万,千万为一/字中蝌蚪,竞落文河。笔下蛟龙,争投学海/胸中正,则眸子瞭焉;胸中不正,则眸子眊焉/山中人不信有鱼大如木,海上人不信有木大如鱼/胸中浩然廓然,纳烟云日月之伟观,揽雷霆风雨之奇变

❸诚于中,形于外/闳其中而肆其外/方其中,圆其外/急流中能勇退耳/言必中当世之过/事不中法者,不为也/官无中人,不如归田/牛蹄中鱼,冀赖江汉/衣服中,容貌得……/苦心中,常得悦心之趣/君子中庸,小人反中庸/一心中国梦,万古下泉诗/利之中取大,害之中取小/子系中山狼,得志便猖狂/睹瓶中之冰而知天下之寒/自井中视星,所见不过数星/诉心中之不平,感数奇于千载/日,方中方睨;物,方生方死/见瓶中之水,而知天下之寒暑/梦之中又占其梦焉,觉而后知其梦也/有诸中者必形乎表,发乎迩者必著乎远/吾闻中国之君子,明乎礼义而陋于知人心/钓者中大鱼,则纵而随之……则无不得也/闻《秦中吟》,则权豪贵近者相目而变色矣/言不中法者,不听也;行不中法者,不高也/宫殿中可以避世全身,何必深山之中,蒿庐之下

❹巧发微中/学向勤中得/遥指空中雁作羹/出林之中不得直道/金心在中,不可匿/信不由中,质无益也/人在气中,气在人中/谈言微中,名士风流/蓬生麻中,不扶而直/情系于中,行形于外/情发于中,言无所择/日不常中,月盈有亏/日在井中,不能烛远/智是心中一个知觉处/灶下养,中郎将……/过则失中,不及则不至/不在被中眠,安知被无边/不道山中冷,翻忧世上寒/且乐杯中酒,谁论世上名/谁知盘中餐,粒粒皆辛苦/莫信直中直,须防仁不仁/犹如水中月,可见不可取/惜恐镜中春,不如花草新/欲折月中桂,持为寒者薪/慈母手中线,游子身上衣/白马岩中出,黄牛壁上耕/蝮蛇口中草,蝎子尾后针/刑罚不中,则民无所措手足/君子之中庸也,君子而时中/处林泉中,不可无廊庙经纶/浑然而中处者,世谓之元气/过则失中,不及则未至……/居轩冕中,不可无山林趣味/石火光中争长竞短,几何光明/精诚由中,故其文语感动人深/其积于中者,浩如江河之停蓄/足下家中百物,皆赖而用也……/不是花中偏爱菊,此花开尽更无花/厚性宽中近于仁,犯而不校邻于恕/冰雪林中著此身,不同桃李混芳尘/把向空中捎一声,良马有心日驰千/宁作野中之双凫,不愿云间之别鹤/玉在椟中求善价,钗于奁内待时飞/昨日山中之木,以不材得终其天年/爆竹声中一岁除,春风送暖入屠苏/天地之中,荡然任自然,故不可得而穷/荡涤胸中,无一毫之私累,可以言大矣/射而不中者,不求之鹄,而反修之于己/情动于中,故形于声,声成文,谓之音/置猿槛中,则与豚同……无所肆其能也/一发不中,百发尽息;一举不得,前功尽弃/囊漏贮中,识者不吝;反裘负薪,存毛实难/人美于中,必播于外,而越于民,民实戴之/众物之中,道无不在;秋毫之细,道亦居之/政之不中,君之患也;令之不行,臣之罪也/心全于中,形全于外;不逢天灾,不遇人害/居逆境中,周身皆针砭药石,砥节砺行而不觉/祸藏福中,福极则祸

至。福隐祸内，祸尽则福来

❺凡事惟适中者可久／大不幸之中又大幸／凶德有五，中德为首／锥之处囊中，其末立见／以胶投漆中，谁能别离此／书味在胸中，甘于饮陈酒／外合不由中，虽固终必离／人行明镜中，鸟度屏风里／勾践栖山中，国人能致死／莲生淤泥中，不与泥同调／狗吠深巷中，鸡鸣桑树颠／纵浪大化中，不喜亦不惧／石阙生口中，衔碑不得语／疑心动于中，则视听惑于外／男儿当死中求生，可坐穷乎／慎忌积于中，则政事废于表／使日在井中，则不能烛十步矣／动容周旋中礼者，盛德之至也／穷睇眄于中天，极娱游于暇日／足恭者必中薄，面谀者必背非／上士忘名，中士立名，下士窃名／古之人虚中乐善，不择事而问焉／怵惕惟厉，中夜以兴，思免厥愆／巧匠目意中绳，然必先以规矩为度／士有一言中于道，不远千里而求之／小人之反中庸也，小人而无忌惮也／王师北定中原日，家祭无忘告乃翁／白日经天中则移，明月横汉满而亏／心之所可中理，则欲虽多，奚伤于治／当于有过中求无过，不当于无过中求有过／富贵时，意中不忘贫贱，一日退休必不怨／贫贱时，眼中不著富贵，他日得志必不骄／君子依乎中庸，遁世不见知而不悔，唯圣者能之

❻如堕五里雾中／八方风雨会中央／过桥人似鉴中行／同中有异，异中有同／观乎往复，稽中定务／所刺者巨，所中者少／言之大甘，其中必苦／书中有画，画中亦有书／竹外有节理，中直空虚／凡人之质，量中和最贵矣／诗者，情动于中而形于言／节欲则民富，中听则民安／呼儿烹鲤鱼，中有尺素书／枢始得其环中，以应无穷／其气充乎其中而溢于其貌／以德服人者，中心悦而诚服也／滓泥污秽之中，莲含香而自洁／采薜荔兮水中，搴芙蓉兮木末／睹一事于句中，反三隅于字外／鸟何萃兮蘋中，罾何为兮木上／修己者，慎于中也，栗然如履春冰／含情欲说宫中事，鹦鹉前头不敢言／诗中日月酒中仙，平地雄飞上九天／苟不自满而中止，庶几终身而有成／茫茫九派流中国，沉沉一线穿南北／当时更有军中死，自是君王不动心／沛然从肺腑中流出，殊不见斧凿痕／强中更有强中手，莫向人前满自夸／强中自有强中手，用诈还逢识诈人／时人莫小池中水，浅处无妨有卧龙／责上责下而中自恕己，岂可任职分／教化之行，引中人而纳于君子之涂／教化之废，推中人而坠入小人之域／我知天下之中央，燕之北越之南是也／名者可以厉中人，君子所存非所汲汲／置虚器于水中，未充则唱，既充则默／射招者欲其中小也，射兽者欲其中大也／小中见大，大中见小；一为千万，千万为一／徒知伪得之中有真失，殊不知真得之中有真失／徒知伪是之中有真非，殊不知真是之中有真非／礼下贤者，日中不暇食以待士，士以此多归之／人生天地之中，殊于众类明矣。感则应，激则通／藏大不诚于中者，必谨小诚于外，以成其大不诚

❼兼德而至谓之中庸／事在四方，要在中央／慎其独者，守其中也／南人学问，如牖中窥日／又不道，流年暗中偷换／观摩诘之画，画中有诗／壮而好学，如日中之光／持己当从无过中求有过／味摩诘之诗，诗中有画／待人当于有过中求无过／胸中不学，犹手中无钱／一粒不出仓，仓中群鼠肥／受光于户，照室中无遗物／坐上客恒满，樽中饮不空／启行之辞，逆萌中篇之意／彼美不琢雕，椟中竟何如／楚王好细腰，宫中多饿死／槛外低秦岭，窗中小渭川／心思不能言，肠中车轮转／志行万里者，不中道而辍足／心体光明，暗室中自有青天／心诚求之，虽不中，不远矣／招世之士兴朝，中民之士荣官／高视于万物之中，雄峙于百代之下／请看今日之域中，竟是谁家之天下／地纯阴凝聚于中，天浮阳运旋于外／若君不修德，舟中之人尽为敌国也／运筹策帷帐之中，决胜于千里之外／好事者未尝不中，争利者未尝不穷／明白如话，然浅中有深，平中有奇／欲灭迹而走雪中，拯溺者而欲无濡／鱼游于沸鼎之中，燕巢于飞幕之上／居不主奥，坐不中席，行不中道，立不中门／昔君视我，如掌中珠；何意一朝，弃我沟渠／处明者不见暗中一物，而处暗者能见明中区事／人之情，于害之中争取小焉，于利之中争取大焉／人之情，于利之中则争取大焉，于害之中则争取小焉／人者，在阴阳之中央，为万物之师长，所能作最众多／木末芙蓉花，山中发红萼。涧户寂无人，纷纷开且落／上有无时之求，中有剥削曲巧之政，下有豺狼寇盗之害／贱生于无所用，中流失船，一壶千金，贵贱无常，时使物然

❽推赤心于诸贤腹中／人在气中，气在人中／说发胸臆，文成手中／取法于上，反得其中／多言数穷，不如守中／局外之言，往往多中／纪次无法，详略失中／金玉其外，败絮其中／刚柔相推，变在其中矣／论之应理，犹矢之中的／君子中庸，小人反中庸／一丛深色花，十户中人赋／利之中取大，害之中取小／诗之外有事，诗之中有人／少见之人，如从管中窥天／俯仰留连，疑是湖中别有天／喜怒哀乐之动乎中必见乎外／待人者，当于有过中求无过／待己者，当于无过中求有过／为恶而畏人知，恶中犹有善路／孙卿言人性恶者，中人以下者也／孟轲言人性善者，中人以上者也／纸上语可废坏，心中誓不可磨灭／下国卧龙空误主，中原逐鹿不因人／何必桑干方是远，中流以北即天涯／喜怒哀乐发

而皆中节，天下之达道／形不正者德不来，中不精者心不治／早岁那知世事艰，中原北望气如山／出新意于法度之中，寄妙理于豪放之外／君子不言，言必有中，不行，行必有称／断指以存腕，利之中取大，害之中取小／言虽多而不要其中，文虽奇而不济于用／其文博辩而深切，中于时病而不为空言／愁听，吹笛《关山》……月中都是断肠声／古之隐也，志在其中；今之隐也，爵在其中／并时遭兵，隐者不中；同日被霜，蔽者不伤／机械之心藏于胸中，则纯白不粹，神德不全／日月之行，若出其中；星汉灿烂，若出其里／星斗张明，错落水中，如珠走镜，不可收拾／兰茝生于茂林之中，深山之间，不为人莫见之故不芬／正位居体，美在其中，而畅于四支，发于事业，美之至也／回之为人也，择乎中庸，得一善，则拳拳服膺，而弗失之矣

❾传神写照，正在阿堵中／物物者，亡乎万物之中／所谓文者，必有诸其中／出门无通路，枳棘塞中途／我欲乘风去，击楫誓中流／剥我身上帛，夺我口中粟／人疑天上坐，鱼似镜中悬／夺我席上酒，掣我盘中飧／皎皎云间月，灼灼叶中华／蛟龙得云雨，终非池中物／舟如空里泛，人似镜中行／霜夺茎上紫，风销叶中绿／楚灵王好细腰而国中多饿人／手中之竹，又不是胸中之竹也／胸中之竹，并不是眼中之竹也／上知天时，下知地利，中知人事／上因天时，下尽地财，中用人力／上车不落则著作，体中何如则秘书／天末海门横北固，烟中沙岸似西兴／内守坚固真之真，虚中恬淡自致神／但是诗人多薄命，就中沦落不过君／塞上长城空自许，镜中衰鬓已先斑／国仇未报壮士老，匣中宝剑夜有声／衙门自古向南开，就中无个不冤哉／眼处心生句自神，暗中摸索总非真／痴人之前莫说梦，梦中说梦愈阔迂／老去读书随忘却，醉中得句若飞来／水静则明烛须眉，平中准，大匠取法焉／饥餐松柏叶，渴饮涧中泉，看罢青青竹，和衣自在眠／苟守先圣之道，由大中以出，虽万受摈弃，不更乎其内／上智不处危以侥幸，中智能因危以为功，下愚安于危以自亡／上士闻道，勤而行之；中士闻道，若存若亡；下士闻道，大笑之

❿画竹必先得成竹于胸中／鱼以泉为浅而穿穴其中／夫子何为者，栖栖一代中／无小而不大，无边而不中／人有吉凶事，不在鸟音中／从来天下士，只在布衣中／诚信相接，如坐人春风中／去帆若不见，试望白云中／江流天地外，山色有无中／清声而便体，秀外而惠中／文以行为本，在先诚其中／君子之中庸也，君子而时中／昂昂千里，泛泛不作水中凫／歌者不期于利声而贵于中节／扬雄言人性善恶混者，中人也／虽有群书万卷，不及囊中一钱／待到山花烂漫时，她在丛中笑／涂车不能代劳，木马不中驰逐／不窥人闺门之私，听闻中冓之言／藏珉石于金匮兮，捐赤瑾于中庭／察于一事，通于一伎者，中人也／一夫不获其所，若己推而内之沟中／万株松树青山上，十里沙堤明月中／天子呼来不上船，自称臣是酒中仙／不识庐山真面目，只缘身在此山中／不洒世间儿女泪，难堪亲友中年别／不念英雄江左老，用之可以尊中国／向来枉费推移力，此日中流自在行／但得官清吏不横，即是村中歌舞时／只言旋老转无事，欲到中年事更多／人生直作百岁翁，亦是万古一瞬中／人生结交在终始，莫为升沉中路分／识量大，则毁誉欢戚不足以动其中／志士凄凉闲处老，名花零落雨中看／拾得断麻穿破衲，不知身在寂寥中／君王虽爱蛾眉好，无奈宫中妒杀人／咬定青山不放松，立根原在破岩中／善游者死于梁地，善射者死于中野／猛虎不看几上肉，洪炉不铸囊中锥／宁可枝头抱香死，何曾吹落北风中／过在改而不复为，功惟立而不中倦／如今只说临安路，不较中原有几程／好事尽从难处得，少年无向易中轻／经济文章磨白昼，幽光狂慧复中宵／死后是非谁管得，满村听说蔡中郎／明白如话，然浅中有深，平中有奇／恶波横天山塞路，未央宫中常满库／破天下之浮议，使良法不废于中道／睡起秋声无觅处，满阶梧叶月明中／立义以为的，奠而后发，发必中矣／老夫渴急月更急，酒落杯中月先入／笔底明珠无处卖，闲抛闲掷野藤中／算来终不与时合，归去来兮翠如中／羊肠鸟道无人到，寂寞云中一个人／登临自有江山助，岂是胸中不得平／野夫怒见不平处，磨损胸中万古刀／不以物乱官，不以官乱心，是谓中得／调难调之人，可以练性，学在其中矣／大丈夫当为国扫除天下，岂徒室中乎／有相马而失马者，然良马犹在相之中／天下之善射者也，不能以拨弓曲矢中微／以土圭之法测土深，正日景，以求地中／偏而在外，犹可救也，疾自中起，是难／降年有永有不永，非天夭民，民中绝命／在上不骄，在下不谄，此进退之中道也／射招者欲其中小也，射兽者欲其中大也／各从所好，各骋所长，无一人之不中用／楚虽三户能亡秦，岂有堂堂中国空无人／断指以存腕，利之中取大，害之中取小／有形亦是气，无形亦是气，道寓其中也／欲做精金美玉的人品，定从烈火中锻来／心苟无事则息自调，念苟无欲则中自守／诚欲往来言所闻，则仆固愿悉陈中所得者／当于有过中求无过，不当于无过中求有过／饭疏食饮水，曲肱而枕之，乐亦在其中矣／泽雉十步一啄，百步一饮，不蕲畜乎樊中／聪明者，阴阳之精。阴阳清和则中睿外明／十步之内，必有芳草；四海之中，岂无奇

秀／古之隐也，志在其中；今之隐也，爵在其中／诗如鼓琴，声声见心。心为人籁，诚中形外／圣人，大贤之清者也；贤人，中人之清者也／喜怒哀乐之未发谓之中，发而皆中节谓之和／小人智浅而谋大，羸弱而任重，故中道而废／知熟必避，知生必避；入人意中，出人头地／居不主奥，坐不中席，行不中道，立不中门／骇机一发，浮谤如川。巧言奇中，别白无路／槁竹有火，弗钻不然；土中有水，弗掘无泉／贤士之处世也，譬若锥之处囊中，其末立见／物盛而衰，乐极则悲，日中而移，月盈而亏／积恶多者，虽有一善，是为误中，未足以存／穷高则危，大满则溢，月盈则缺，日中则移／言不中法者，不听也；行不中法者，不高也／名言所绝理即具于名中，意量所函变可通意外／徒知伪得之中有真失，殊不知真得之中有真失／徒知伪是之中有真非，殊不知真是之中有真非／处明者不见暗中一物，而处暗者能见明中区事／胸中正，则眸子瞭焉；胸中不正，则眸子眊焉／北人看书，如显处视月；南人学问，如牖中窥日／真则气雄，精则气生，使五彩并用，而气行其中／人之情，于害之中争取小焉，于利之中争取大焉／宫殿中可以避世全身，何必深山之中，蒿庐之下／自外入者，有主而不执；由中出者，有正而不距／上不失天时，下不失地利，中得人和，而百事不废／古之善歌者有语，谓"当使声中无字，字中有声"／君子居必择乡，游必就士，所以防邪僻而近中正也／人之情，于利之中则争取大焉，于害之中则争取小焉／凡用人之道，若以燧取火，疏之则弗得，数之则弗中／地尽天水合，朝及洞庭湖，初日当中涌，莫辨东西隅／莫道男儿心如铁，君不见满川红叶，尽是离人眼中血／搜寻仞之垄，求千天之木；瀌牛迹之中，索吞舟之鳞／猛虎在深山，百兽震恐；及在槛阱之中，摇尾而求食／沉默呵，沉默呵！不在沉默中爆发，就在沉默中灭亡／学者自强不息，则积少成多；中道而止，则前功尽弃／一观其文，心朗目舒，炯若深井之下仰视白日之正中也／上智不教而成，下愚虽教无益，中庸之人，不教不知也／三皇之知，上悖日月之明，下睽山川之精，中堕四时之施／天无一点云，星斗张明，错落水中，如珠走镜，不可收拾／君子尊德性而道问学，致广大而尽精微，极高明而道中庸／闻古之君子相其君也，一夫不获其所，若己推而内之沟中／天下国家可均也，爵禄可辞也，白刃可蹈也，中庸不可能也／人之所以不能终其寿命，而中道夭于刑戮者，何也？以其生生之厚／舜其大知也与！舜好问而好察迩言，隐恶而扬善，执其两端，用其中于民

内

①nèi 里面；女色；亲近的；皇宫；内脏；古代泛称妻妾；指自己的妻子或妻子一方的亲属。②nà 同"纳"，纳入。

❶内省则外物轻矣

见《荀子·修身》。全句为："志意修则骄富贵矣，道义重则轻王公矣；～"。

内无妄思，外无妄动

见宋·朱熹《朱子语类辑略》。

内无怨女，外无旷夫

见《孟子·梁惠王下》。

内省不疚，何恤人言

见南朝·宋·范晔《后汉书·班超传》。

内清外浊，弊衣裹玉

见唐·马总《意林》引《太玄经》。

内省不疚，夫何忧何惧

见《论语·颜渊》。

内足者，自是无意于名

见《二程集·河南程氏遗书》。全句为："大抵为名者，只是内不足；～"。

内不自以诬，外不自以欺

见《荀子·儒效》。全句为："知之曰知之，不知曰不知；～"。

内举不避亲，外举不避仇

见《尸子·卷上》。

内举不避亲，外举不避雠

见唐·吴兢《贞观政要·公平》。

内称不辟亲，外举不辟怨

见《礼记·儒行》。

内无其质，而外学其文……

见汉·桓宽《盐铁论·殊路》。全句为："～，虽有贤师良友，若画脂镂冰，费日损功"。

内难而能正其志，箕子以之

见《周易·明夷》。

内疾之害重于太山而莫之避

见北齐·刘昼《刘子·防欲》。全句为："外疾之害轻于秋毫，人知避之；～"。

内无感恨之隙，外无侵侮之羞

见汉·班固《汉书·杜邺传》。

内不觉其一身，外不知乎宇宙

见唐·司马承祯《坐忘论·信敬》。全句为："～，与道冥一，万虑皆遗"。

内省既不愧己，焚香何用告天

见明·徐渭《廉》。

内不失真，外不殊俗，同尘而不染

见宋·李霖《道德真经取善集》。

内省而不疚于道，临难而不失其德

见《庄子·让王》。

内守坚固真之真，虚中恬淡自致神

见《黄庭经·紫清章》。

内坚刚而外温润，有似君子者，玉也

见唐·刘禹锡《明赞论》。全句为："清越而瑕不自掩，洁白而物莫能污，～"。

内小人而外君子，小人道长，君子道消也

见《周易·否》。

内君子而外小人，君子道长，小人道消也

见《周易·泰》。

内有一定之操，而外能诎伸、赢缩、卷舒

见汉·刘安《淮南子·人间》。全句为："～，与物推移，故万举而不陷"。

内不足者，急于人知；霈焉有余，厥闻四驰

见唐·韩愈《五箴·知名箴》。

内便于性，外合于义，循理而动，不系于物者，正气也

见汉·刘安《淮南子·诠言》。

❷户内春浓不识寒／以内及外，以小成大／外内表里，自相副称／海内安宁，兴文匽武／勿内荒于色，勿外荒于禽／门内有君子，门外君子至／海内存知己，天涯若比邻／海内之货，咸萃其庭，产匹铜山，家藏金穴／外内皆顺，命曰天当，功成而不废，后不奉央／审内以知外，原小以知大，因我以然彼，明近以喻远

❸君子内省不疚，无恶于志／慎女内，闭女外，多知为败／忧在内者本也，忧在外者末也／青史内不标名，红尘外便是我／宇宙内事，要担当，又要善摆脱／木生内蠹，上下相贼，祸乱我国／方者，内外相应也，言行相称也／真在内者，神动于外，是所以贵真也／异物内流则国用饶，利不外泄则民用给／定乎内外之分，辨乎荣辱之境，斯已矣

❹一简之内，音韵尽殊／天下无内忧必有外惧／邪气袭内，正色乃衰／大天之内，复有小天／四海之内，皆兄弟也／情变于内者，形见于外／六合之内，圣人论而不议／有病于内者，必有色于外／禽将户内，拔城于尊俎之间／申生在内而危，重耳居外而安／宇宙之内，燕雀不知天地之高也／农夫心内如汤煮，公子王孙把扇摇／离道而内自择，则不知祸福之所托／诚者，合内外之道，便是表里如一／能爱邦内之民者，能服境外之不善／寓形宇内复几时，曷不委心任去留／情横于内而性伏，必外寓于物而后遣／四海之内共利之之谓悦，共给之之谓安／十步之内，必有芳草；四海之中，岂无奇秀／色厉而内荏，譬诸小人，其犹穿窬之盗也与／外愚而内益智，外讷而内益辨，外柔而内益刚／处顺境内，眼前尽兵刃戈矛，销膏靡骨而不知／望长城内外，惟余莽莽；大河上下，顿失滔滔

❺外宁必有内忧／外君子而内小人／奸人外善内恶，色厉内荏／外不避仇，内不阿亲，贤者予／不能爱邦内之民者，不能服境外之不善／行不充于内，德不备于人，虽盛其服，文其容，民不尊也／上下相疏，内外相蒙，小臣争宠，大臣争权，此危国之风也

❻凡重外者拙内／大智似愚而内明／上下和洽，海内康平／除日无岁，无内无外／不宜偏私，使内外异法也／乐止夫物之内者，乐其浅／外举不弃仇，内举不失亲／外举不避仇，内举不避子／外以欺于人，内以欺于心／外虽饶棘刺，内实有赤心／小人不诚于内而求之于外／治外者必调内，平远者必正近／笼天地于形内，挫万物于笔端／言在耳目之内，情寄八荒之表／乐止夫物之内者，厚其生则社栎贤／反听之谓聪，内视之谓明，自胜之谓强／君子敬以直内，义以方外；敬义立而德不孤／美也者，上下、内外、大小、远近皆无害焉，故曰美

❼物诱气随，外适内和／言无阴阳，行无内外／疑人轻己者，皆内不足／外听易为察，而内听难为聪／处听易为察，而内听难为聪／居常土思兮心内伤，愿为黄鹄兮归故乡／君子之修身也，内正其心，外正其容而已／体道履仁，外和内敏，清而容物，善不近名

❽大抵为名者，只是内不足／尤妙之人含精于内，外无饰姿／室人和则谤掩，外内离则恶扬／舒之天下而不窕，内之寻常而不塞／六合为巨，未离其内；秋毫为小，待之成体／得道之士，外化而内不化……所以全其身也／若使人之所怀于内者……，则天下无亡国败家矣

❾奸人外善内恶，色厉内荏／穷年忧黎元，叹息肠内热／尤虚之人硕言瑰姿，内实乖反／仰不愧天，俯不愧人，内不愧心／不求所无，不失所得，内无旁祸，外无旁福／物非有大小也，自其内而观之，未有不高且大者也／有席卷天下，包举宇内，囊括四海之意，并吞八荒之心

❿变通之道遍满天地之内／君子以礼正外，以乐正内／悬牛首于门，而卖马肉于内／性通乎气之外，命行乎气之内／天下之祸，不由于外，皆兴于内／见贤思齐焉，见不贤而内自省也／一夫不获其所，若己推而内之沟中／以禁攻寝兵为外，以情欲寡浅为内／得其精而忘其粗，在其内而忘其外／玉在椟中求善价，钗于奁内待时飞／建大功于天下者，必先修于闺门之内／大风起兮云飞扬，威加海内兮归故乡／惟君臣相遇，有同鱼水，则海内可安／心识其所以然而不能然者，内外不一／虚言可以赏，则六合之内皆为己府矣／道在天地之间也，其大无外，其小无内／相忍为国也，忍其外不忍其内，焉用之／镜以曜明，故鉴人；蚌以含珠，故内照／吾恐季孙之忧不在颛臾，而在萧墙之内也／及至始皇，奋六世之余烈，振长策而御宇内／至大无外，谓之大一；至小无内，谓之小一／德而不威，其国外削；威而不德，其民内溃／福善之门莫美于和

睦，患咎之首莫大于内离／忠心好善，而日新之；独居乐德，内悦于形／事不豫辨，不可以应卒；内无备，不可以御敌／外愚而内益智，外讷而内益辨，外柔而内益刚／常以事于无形之外，而不留思尽虑于成事之内／审自得者失之而不惧，行修于内者无位而不怍／祸藏福中，福极则祸至。福隐祸内，祸尽则福来／君能尽礼，臣得竭忠，必在于内外无私，上下相信／圣人者常以事于无形之外，而不留思尽虑于成事之内／释正而追曲，倍是而从众，是与俗俪走，而内行无绳／苟守先圣之道，由大中以出，虽万受摈弃，不更乎其内／闻古之君子相其君也，一夫不获其所，若己推而内之沟中／苟灭德忘公，崇浮饰傲，荣其外而枯其内，害其本而窒其源／贼莫大乎德有心而心有睫，及其有睫也而内视，内视而败矣／不行王政云尔；苟行王政，四海之内皆举首而望之，欲以为君／奋六世之遗烈，振长策而御宇内，吞二周而亡诸侯，履至尊而制六合

北 ①běi 方位词；打败仗。②bèi 通"背"，乖违，相背。

❶北风吹，能几时

见明·于谦《北风吹》。

北方有佳人，绝世而独立

见汉·李延年《歌一首》。全句为："～，一顾倾人城，再顾倾人国"。

北海虽赊，扶摇可接；东隅已逝，桑榆非晚

见唐·王勃《滕王阁序》。

北人看书，如显处视月；南人学问，如牖中窥日

见南朝·宋·刘义庆《世说新语·文学》。

❷维北有斗，不可以挹酒浆／佯北勿从，锐卒勿攻，饵兵勿食

❸每依北斗望京华／溪南北有山……／依作北辰星，千年无转移／离亭北望，烟霞生故国之悲／骊山北构而西折，直走咸阳／王师北定中原日，家祭无忘告乃翁

❹橘逾淮北而为枳／代马望北，狐死首丘／代马依北风，飞鸟栖故巢／代马依北风，飞鸟翔故巢／南高峰，北高峰，南北高峰云淡浓／东西南北，某也何从；寒暑阴阳，时哉不与

❺班声动而北风起，剑气冲而南斗平

❻亭之所见，南北百里……／伯乐一过冀北之野，而马群遂空／天末海门横北固，烟中沙岸似西兴／不去扫清天北雾，只来卷起浪头山／节物后先南北异，人情冷暖古今同／挟泰山以超北海，语人曰："我不能"，是诚不能也

❼众听所倾，非假《北里》之操／独立寒秋，湘江北去，橘子洲头／剑外忽传收蓟北，初闻涕泪满衣裳／关河景物异南北，神京不见双泪流／神州只在阑干北，度度来时怕上楼／为政以德，譬如北辰，居其所而众星共之／有留死一尺，无北行一寸。刎颈不易，九裂不恨

❽菌阁松楹，高枕于北山之北／南高峰，北高峰，南北高峰云淡浓／难留连，易消歇，塞北花，江南雪／虽诏于天子，无使北面，所以尊师也／由上室而上，有穴，北出之，乃临大野

❾会挽雕弓如满月，西北望，射天狼／诸君傅粉涂脂，问南北战争都不知／日南则景短多暑，日北则景长多寒

❿菌阁松楹，高枕于北山之北／泻水置平地，各自东西南北流／为神有灵兮何事处我天南海北头／除害之要，在于去之，不在南北／千磨万击还坚劲，任尔东西南北风／何必桑干方是远，中流以北即天涯／功名富贵若长在，汉水亦应西北流／茫茫九派流中国，沉沉一线穿南北／闻鸡久听南天雨，立马曾挥北地鞭／宁可枝头抱香死，何曾吹落北风中／早岁那知世事艰，中原北望气如山／龙钟还忝二千石，愧尔东西南北人／我知天下之中央，燕之北越之南是也／橘生淮南则为橘，生于淮北于则为枳／东面望者不见西墙，南乡视者不睹北方／受光于隙，照一隅；受光一牖，照北壁／盈尺径寸，易取琢磨；南箕北斗，难为簸挹／兵静则固，专一则威，分决则勇，心疑则北，力分则弱

旧 jiù 久有的；不合时宜的；从前的；有声望的老臣；特指有深厚交情的老朋友。

❶旧不遗，则民不偷

见《论语·泰伯》。全句为："君子笃于亲，则民兴于仁；故～"。

旧书不厌百回读，熟读深思子自知

见宋·苏轼《送安惇秀才失解西归》。

旧时王谢堂前燕，飞入寻常百姓家

见唐·刘禹锡《乌衣巷》。

❸不念旧恶，怨是用希／周虽旧邦，其命维新／濯去旧见，以来新意／赦其旧过，开以新图／革去旧例而惟材是择／不念旧恶，此清者之量／政无旧新，以便民为本／遗墟旧壤，数万里之皇城／摅怀旧之蓄念，发思古之幽情／思故旧以想象兮，长太息而掩涕／休说旧时王与谢，寻常百姓亦无家／君王旧迹今人赏，转见千秋万古情

❹人惟求旧，物惟求新／人情怀旧乡，客鸟思故林／时来故旧少，乱后别离频／羁鸟恋旧林，池鱼思故渊／青山依旧在，几度夕阳红／人惟求旧，器非求旧，惟新。／新交与旧识俱欢，林壑共烟霞对赏／使亲而旧者愚，远而新者圣且贤，以是而间之，其为理本亦大矣

❺处贵不忘旧／国奕不废旧谱，而不执旧谱／新竹高于旧竹枝，全凭老干为扶持

❻无作聪明乱旧章／贫贱则无弃旧之宾／学贵心悟，守旧无功／积思勉之功，旧习自除／纵使长条似旧垂，也应攀折他人手
❼落花流水仍依旧／伯夷、叔齐不念旧恶，怨用是希
❽疏不间亲，新不加旧／人惟求旧，器非求旧，惟新。／义理有疑，则濯去旧见，以来新意／今别子兮归故乡，旧怨平兮新怨长／若将军、大夫必出旧族，或无可焉，犹用之耶
❾行行循归路，计日望旧居／问姓惊初见，称名忆旧容／澧泉有故源，嘉禾有旧根／触目皆新，谁识当年旧主人／歼厥渠魁，胁从罔治，旧染污俗，咸与惟新
❿人情须耐久，花面长依旧／国奕不废旧谱，而不执旧谱／古人采铜于山，今人则买旧钱／惟有才行是任，岂以新旧为差／化作娇莺飞归去，犹认纱窗旧绿／非左右为之先容，非亲旧为之请属／千家万户瞳瞳日，总把新桃换旧符／失意人逢失意事，新啼痕间旧啼痕／为国无强于得人，用人莫先于求旧／人世几回伤往事，山形依旧枕江流／人面不知何处去，桃花依旧笑春风／谐和之政宜于治新，以之治旧则虚／闻鼓鼙而思将帅，画云台而念旧臣／春色不随亡国尽，野花只作旧时开／春风不逐君王去，草色年年旧宫路／不责人小过，不发人阴私，不念人旧恶／取其一，不责其二；即其新，不究其旧／苟利于民，不必法古；苟周于事，不必循旧

申 shēn 说明；向上陈述；重复，一再；上海的别称；地支的第九位；申时，旧式计时法指下午 15 时到 17 时；通“伸”，伸展；通“呻”；古国名；姓。

❶申生在内而危，重耳居外而安
见南朝·宋·范晔《后汉书·刘表传》。
❸能明申、韩之术而修商君之法，法修术明而天下乱者，未之闻也
❹有眉不申，有志不舒
❻圣王屈己以申天下之乐
❼赠人以财者，唯申即日之欢
❽巧言易信，孤愤难申／君子所甚惧者，以申、韩之酷政，文饰儒术，而重毒天下也
❾士者诎乎不知己，而申乎知己
❿若不推之于诚，虽三令五申，而令不明矣／用之则行，舍之则藏，进退无主，屈申无常

甲 jiǎ 天干的第一位；因以为第一的代称；草木萌芽时的外皮；动物的硬壳；古代将士打仗时护身铠甲；旧时户口编制；通“胛”，肩甲；通“狎”，亲近；手指或脚趾上的角质层；姓。

❷惟甲胄起戎／带甲百万，非一勇所抗／作甲者欲其坚，恐人之伤／铠甲生虮虱，万姓以死亡／坚甲利兵不足以为武，高城深池不足以为固
❸罪生甲，祸归乙，伏怨乃结
❹焉得铸甲作农器，一寸荒田牛得耕／将军金甲夜不脱……风头如刀面如割
❺匡庐奇秀，甲天下山／忠信以为甲胄，礼义以为干橹
❻善攻不待坚甲而克／兵者凶器也，甲坚兵利，为天下殃
❼善者能使敌卷甲趋远，倍道兼行／曾因国难披金甲，不为家贫卖宝刀／操吴戈兮被犀甲，车错毂兮短兵接／国之强弱，不在甲兵，不在金谷，独在人才之多少
❽但使强胡灭，何须甲第成／风起水面，细生鳞甲……／矢之于十步贯兕甲，于三百步不能入鲁缟
❿天下郡国向万城，无有一城无甲兵／人者裸虫也，与夫鳞毛羽甲虫俱焉／冲天香阵透长安，满城尽带黄金甲／安得壮士挽天河，净洗甲兵长不用／战退玉龙三百万，败鳞残甲满天飞／就郡言，灵隐寺为尤；由寺观，冷泉亭为甲／有石城十仞，汤池百步，带甲百万，而亡粟，弗能守

电 diàn 一种重要的能源；雷电；闪电；电报；旧时请人亮察的敬词。

❷紫电青霜，王将军之武库／雷电震地，而聋者不闻其响
❸风驰电逝，蹑景追飞／风驰电掣，不知所由／震雷电激，不崇一朝；大风冲发，希有极日
❹追风逐电之足，决不在于牝牡骊黄之间／冬有雷电，夏有霜雪，然而寒暑之势不易／疾则如电，迟则如云，进止有度，约而不烦
❺时光速流电
❽疾如锥矢，战如雷电／疾雷不及掩耳，迅电不及瞑目
❾一生复能几，倏如流电惊
❿利镞穿骨，惊沙人面……声折江河，势崩雷电

由 yóu 经过；顺随；原因；介词；自从；通“犹”，尚，尚且；好似；用；姓。

❶由心故画，诸法性如是
见《华严经》卷一九。全句为：“譬如工画师，不能知自心，而～”
由来征战地，不见有人还
见唐·李白《关山月》。
由来骨鲠材，喜被软弱吞
见唐·韩愈《送进士刘师服东归》。
由外以铄己，因物以激志
见唐·柳宗元《送表弟吕让将仕进序》。
由仁义而祸，君子不屑也
见宋·王安石《推命对》。全句为：“君子居必仁，行必义，反仁义而福，君子不有也，～”。
由俭入奢易，由奢入俭难

见宋·司马光《训俭示康》。

由声以循实，则难在克终

见唐·刘禹锡《因论·讯甿》。全句为："立实以致声，则难在经始；～"。

由礼以达道，则自得而不眩

宋·苏辙《王衍》。

由魏晋氏以下，人益不事师

见唐·柳宗元《答韦中立论师道书》。全句为："～。今之世不闻有师，有，辄哗笑之，以为狂人"。

由上室而上，有穴，北出之，乃临大野

见唐·柳宗元《柳州山水近治可游者记》。全句为："～，飞鸟皆视其背"。

由来犬羊着冠坐庙堂，安得四鄙无豺狼

见宋·王安石《开元行》。

由道废邪，用贤弃愚，推以革物，宜民之苏

见唐·柳宗元《全义县复北门记》。

由是而之焉之谓道，足乎己无待于外之谓德

见唐·韩愈《原道》。全句为："博爱之谓仁，行而宜之之谓义，～"。

❷政由俗革／事由迹彰，功待事立／人由意合，物以类同／艺由己立，名自人成／道由心悟，岂在坐也／赏由物召，兴以情迁／福由己发，祸由己生／齿由刚折，膏为明销／名由实生，故久而益大／苟由其道，其势可以自得／道由白云尽，春与青溪长／璧由识者显，龙因庆云翔

❸吉凶由人／爽邦由哲／生乎由是，死乎由是／贞脆由人，祸福无门／信不由中，质无益也／善败由己，而由人乎哉／兴废由人事，山川空地形／苟不由其道，虽强求而不获／子男由胥徒以出，皆鹤而轩／牧守由将校以授，皆虎而冠／人疲由乎税重，税重由乎军兴／军兴由乎寇生，寇生由乎政缺／善不由外来兮，名不可以虚作／孟浪由于轻浮，精详出于豫暇／精诚由中，故其文语感动人深／人能由昭昭于冥冥，则几于道矣／爱好由来下笔难，一诗千改始心安／身危由于势过，而不知去势以求安

❹乱生必由怨起／万有皆由道而生／福来有由，祸来有渐／民可使由之，不可使知之／外合不由中，虽固终必离／通塞苟由己，志士不相卜／祸之所由生也，生自纤纤也／圣人者，由近知远，而万殊为一／立身必由清谨，处职无废于忠勤／才胆实由识而济，故天下唯识为难／物之其由者道也，道之在我者德也／使其道由愈而粗传，虽灭死万万无恨／古昔多由布衣定一世者矣，皆能用非其有也／道者，所由适于治之路也，仁义礼乐皆其具也

❺学不进，率由因循／物之不亲，由有间也／物之不齐，由有过也／人之困穷，由君之奢欲／不好问者，由心不能虚也／疑道不可由，疑事不可行／能者进而由之，使无所德／君子无易由言，耳属于垣／惟君子能由是路，出入是门也／心之不虚，由好学之不能诚也／能者进而由之，不能者退而休之／阴阳水旱由天公，忧雨忧风愁煞侬／其兴也必由于积善，其亡也皆在于积恶／人之乱也，由夺其食；人之危也，由竭其力／国家之败，由官邪也；官之失德，宠赂章也／人知出必由户，而不知行必由道。非道远人，人自远尔

❻昌衰吉凶皆由己出／我之有我，自由我在／匪言勿言，匪由勿语／人之善恶，诚由近习／膏以朗煎，兰由芳凋／功以才成，业由才广／德随量进，量由识长／骄淫矜侉，将由恶终／物无妄然，必由其理／爵以货重，才由贫轻／福由己发，祸由己生／衣不经新，何由而故／善败由己，而由人乎哉／由俭入奢易，由奢入俭难／地势使之然，由来非一朝／英雄有屯邅，由来自古昔／天下之祸，不由于外，皆兴于内／动静皆动也，由动之静，亦动也／天下之大乱，由虚文胜而实行衰也／苦心虽呕何由出，病骨非谗亦自销／君门一入无由出，唯有宫莺得见人／顺指者爱所由来，逆意者恶所从至／国之兴亡不由蓄积多少，唯在百姓苦乐／国之兴亡不由蓄积多少，惟在百姓苦乐／学不成章，无由而达；志不归一，终难成事／祸之所生，必由积怨；过之所始，多因忽小／人之能为人，由腹有诗书。诗书勤乃有，不勤腹空虚／既知教之所由兴，又知教之所由废，然后可以为人师

❼生乎由是，死乎由是／否泰无常，吉凶由人／道者，万物之所由也／祸福无门，吉凶由己／穷达有命，吉凶由人／不善进，则善无由入矣／修身絜行，言必由绳墨／善进，则不善无由入矣／士民之所以叛，由偏之也／徒有排云心，何由生羽翼／圣人未尝有知，由问乃有知／情以物感，而心由目畅……／吾身不能居仁由义，谓之自弃也／世禄之家，鲜克由礼。以荡陵德，实悖天道／苟守先圣之道，由大中以出，虽万受摈弃，不更乎其内

❽风驰电掣，不知所由／隘与不恭，君子不由也／闻谤而怒者，谗之由也／立言而朽，君子不由也／谗口成铄金，沉舟由积羽／孰知养之之优，盖由责之之重／我薄而彼轻之，则由我曲而彼直也／视其所以，观其所由，察其所安……／任而不信，其才无由展；信而不终，其业无由成

❾见善如不及，用人如由己／情欲虽危，不染则无由累己／片言可以折狱者，其由也与／恶人不去，则善人无由进也／人疲由乎税重，税重由乎军兴／军兴由乎寇生，寇生由乎政缺／物有出微而著，事有由隐而章／雌黄出其唇吻，朱紫由其月旦／历览前贤国与家，成由勤俭败由奢

／恶死亡而乐不仁，是由恶醉而强酒／就郡言，灵隐寺为尤；由寺观，冷泉亭为甲／君子以争途之不可由也，是以越俗乘高，独行于三等之上

❿得隋侯之珠，不若得事之所由／始与善，善进善，不善蔑由至／君子如欲化民成俗，其必由学乎／历览前贤国与家，成由勤俭败由奢／人生莫作妇人身，百年苦乐由他人／始与不善，不善进不善，善蔑由至／时来天地皆同力，运去英雄不自由／病非一朝一夕之故，其所由来渐矣／苟能无以利害义，则耻辱亦无由至矣／伤其身者不在外物，皆由嗜欲以成其祸／凡养生，莫若知本，知本则疾无由至矣／功之成，非成于成之日，盖必有所由起／鹰击长空，鱼翔浅底，万类霜天竞自由／物之所以通，事之所以理，莫不由乎道／祸之作也，非作于作之日，亦必有所由兆／上下之情，壅而不通，天下之弊，由是而积／人之乱也，由夺其食；人之危也，由竭其力／国之废兴，在于政事；政事得失，由乎辅佐／情不自情，因性而情；性不自性，由情以明／居知所为，行知所之，事知所秉，动知所由／财须民生，强赖民力，威恃民势，福由民殖／民之所以僻，治之所以乱，皆由上，不由其下／任而不信，其才无由展；信而不终，其业无由成／斩伐林木，亡有时禁，水旱之灾，未必不由此也／自外人者，有主而不执；由中出者，有正而不距／月满则潮盛，月亏则潮衰。潮汐进退，皆由于月也／兵之情主速，乘人之不及，由不虞之道，攻其所不戒／既知教之所由兴，又知教之所由废，然后可以为人师／人知出必由户，而不知行必由道。非道远人，人自远尔／知人之效有二难：有难知之难，有知之而无由得效之难／喜则滥赏无功，怒则滥杀无罪，是以天下丧乱，莫不由此／伪乱俗，私坏法，放越轨，奢败制。四者不除，则政末由行矣

冉 rǎn 龟壳的边缘；姓。［冉冉］缓慢的样子。

❷老冉冉其将至兮，恐修名之不立

❺断雁无凭，冉冉飞下汀洲，思悠悠

❻断雁无凭，冉冉飞下汀洲，思悠悠

史 shǐ 历史；记载历史的文字；古代掌管记载史事的官。

❶史有三长：才、学、识

见宋·欧阳修、宋祁《新唐书·刘知几传》。

❷庸史纪事，良史诛意／国史之美者，以叙事为工／青史内不标名，红尘外便是我／太史公曰：……利，诚乱之始也／读史当观大伦理，大机会，大治乱得失／刺史宜精选谨择以委任之，固不可拘限官次，得之货贿，出之权门者也

❹千秋青史难欺／参之太史公以著其洁／名标青史，万古留芳／乃知青史上，大半亦属诬／先朝好史，予方学于孔墨／迁固之史，有是非而无赏罚／不假良史之词，不托飞驰之势／古来青史谁不见，今见功名胜古人

❺州民言刺史，蠹物甚于蝗

❻庸史纪事，良史诛意／何以礼义为，史书而仕宦

❽小说不足以累正史／名垂竹帛，功标青史／是是非非，号为信史

❾宰相，陛下之腹心；刺史县令，陛下之手足

❿但忧死无闻，功不挂青史／褒贬无一词，岂得为良史／议论证据今古，出入经史百子／司空见惯浑闲事，断尽苏州刺史肠／打扫光明一片地，襄贮古今，研究经史／质胜文则野，文胜质则史。文质彬彬，然后君子／今之所以知古，后之所以知今，不可口传，必凭诸史

央 ①yāng 中心；中央的简称；恳求；完结；过去了。②yīng［央央］鲜明貌；宽广貌；声音和谐。

❼八方风雨会中央／我知天下之中央，燕之北越之南是也

❽事在四方，要在中央／国家有幸，当者受央；国家无幸，有延其命／人者，在阴阳之中央，为万物之师长，所能作最众多

❾恶波横天山塞路，未央宫中常满库

❿外内皆顺，命曰天当，功成而不废，后不奉央

出 chū 从里到外；到；离开；出处；产生；出生；拿出；超出；离弃；出仕；脱离；显露；支付；花瓣的分歧；戏曲名词。

❶出林之中不得直道

见汉·刘安《淮南子·泰族》。

出于其类，拔乎其萃

见《孟子·公孙丑上》。

出人之才，竟无施为

见唐·刘禹锡《重祭柳员外文》。

出令不胜，反为大灾

见汉·焦赣《易林·离·履》。

出处默语，勿强相兼

见汉·王符《潜夫论·实贡》。

出自幽谷，迁于乔木

见《诗·小雅·伐木》。

出言不当，反自伤也

见汉·刘向《说苑·说丛》。

出乎尔者，反乎尔者也

见《孟子·梁惠王下》。

出舆入辇，命曰蹶痿之机

见汉·枚乘《七发》。全句为：“～；洞房清宫，命曰寒热之媒；皓齿娥眉，命曰伐性之斧；甘脆肥脓，命曰腐肠之药”。

出处全在人，路亦无通塞

见唐·聂夷中《行路难》。全句为：“～。门前

两条辙，何处去不得？”。

出处虽殊迹，明月两知心

见唐·韦应物《沣上对月寄孔谏议》。

出门无通路，枳棘塞中途

见晋·左思《咏史》之八。

出门择交友，防慎畏薰莸

见唐·范质《诫儿侄八百字》。

出言不当，驷马不能追也

见汉·刘向《说苑·说丛》。

出其所不趋，趋其所不意

见《孙子兵法·虚实篇》。

出淤泥而不染，濯清涟而不妖

见宋·周敦颐《爱莲说》。

出轨躅而骧首，驰光芒而动俗

见唐·杨炯《王勃集序》。

出者突然成丘，陷者呀然成谷

见唐·韩愈《燕喜亭记》。全句为：“～，洼者为池而缺者为洞，若有鬼神异物阴来相之”。

出师一表真名世，千载谁堪伯仲间

见宋·陆游《书愤》。

出师未捷悲移鼎，视死如归笑射钩

见清·赵翼《过文信国祠同舫菴作》。

出师未捷身先死，长使英雄泪满襟

见唐·杜甫《蜀相》。

出处每怀心耿耿，是非谁较论悠悠

见明·于谦《遣怀》。

出一令可以止横议，杀一犯可以儆百众

见《商君书·赏刑》。

出无谓之言，行不必为之事，不如其已

见宋·晁说之《晁氏客语》。

出见纷华盛丽而说，入闻夫子之道而乐

见汉·司马迁《史记·礼书》。全句为：“～，二者心战，未能自决”。

出新意于法度之中，寄妙理于豪放之外

见宋·苏轼《书吴道子画后》。

❷写出江南烟水秋／诗出于民之情性／洗出庐山万丈青／法出于仁，成于义／青出于蓝而胜于蓝／不出好言，不如沉默／师出以律。否臧，凶／兵出无名，事故不成／慧出本性，非适今有／言出为论，下笔成章／其出弥远，其知弥少／智出天下，而听于至愚／将出凶门勇，兵因死地强／玉出于璞，而璞不可谓玉／日出众鸟散，山暝孤猿吟／日出多伪，士民安取不伪／贵出如粪土，贱取如珠玉／爱出者爱反，福往者福来／一出焉，一入焉，涂巷之人也／事出于正，则其成多，其败少／日出而林霏开，云归而岩穴暝／祸出者祸反，恶人者人亦恶之／以出乎众为心者，曷常出乎众哉／必出于己，不袭蹈前人一言一句／不出尊俎之间，而折冲于千里之外／不出户，知天下；不窥牖，见天道／日出江花红胜火，春来江水绿如蓝／月出于东山之上，徘徊于斗牛之间／秀出天南笔一枝，为官风骨称其诗／不出户而知天下兮，何必历远以劬劳／善出奇者，无穷如天地，不竭如江河／彼出于是，是亦因彼，彼是方生之说也／欲出一言，即思此一言于百姓有利益否／水出于山，入于海；稼生乎野，而藏乎仓／能出于材，材不同量，材能既殊，任政亦异／日出而作，日入而息，凿井而饮，耕田而食／言出于己，不可塞也；行发于身，不可掩也／一出而不可反者，言也；一见而不可掩者，行也

❸曹衣出水／万物出乎无有／诗品出于人品／英雄出于少年／诗思出门何处无／渔舟出没浪为家／飞泉出窦，练缒花吐／关西出将，关东出相／推陈出新，饶有别致／山东出相，山西出将／朝行出攻，暮不夜归／君子出处不违道而无愧／道之出口，淡乎其无味／利之出于群也，君道立也／太一出两仪，两仪出阴阳／清水出芙蓉，天然去雕饰／发号出令以下行，期悦人意／人之出言至善，而或有议之者／贵珠出乎贱蚌，美玉出乎丑璞／物有出微而著，事有由隐而章／雌黄出其唇吻，朱紫由其月旦／吾闻“出于幽谷，迁于乔木”者／我之出而仕也，为天下，非为君也／农不出则乏其食，工不出则乏其事／商不出则三宝绝，虞不出则财匮少／工不出则农用乏，商不出则宝货绝／横空出世，莽昆仑，阅尽人间春色／必须出类拔萃，与众不同，才觉有趣／青采出于蓝，而质青于蓝者，教使然也／日月出矣，而爝火不息，其于光也，不亦难乎／贤者出走，命曰崩；百姓不敢诽怨，命曰刑胜／人知出必由户，而不知行必由道。非道远人，人自远尔

❹一言既出，驷马难追／易衣而出，并日而食／言思乃出，行详乃动／誉不虚出，而患不独生／一粒不出仓，仓中群鼠肥／万物皆出于机，皆入于机／无书求出狱，有舌到临刑／论说之出，犹弓矢之发也／安危在出令，存亡在所任／恶语不出口，苟言不留耳／恶言不出口，苟语不留耳／举贤不出世族，用法不及权贵／词高则出于众，出于众则奇矣／恶言不出于口，忿言不反于身／恶言不出于口，邪行不及于己／善钓者出鱼乎十仞之下，饵香也／东边日出西边雨，道是无晴却有晴／豪华尽出成功后，逸乐安知与祸双／太阳初出光赫赫，千山万山如火发／政令多出，朝令夕改，则谓数穷也／聪明秀出谓之英，胆力过人谓之雄／一政之出，上有意而未决，则吏赞之／酒入舌出，舌出者言失，言失者身弃／云破月出，光气含吐，互相明灭，晶莹玲珑

❺量入以为出／乘风振奋出六合／安危须仗出

群材／长林远树，出没烟霏／入则心非，出则巷议／攻其无备，出其不意／守如处女，出如脱兔／教化之本，出于学校／鱼潜于渊，出水煦沫／坠井者求出，执热者愿濯／号令不虚出，赏罚不滥行／白马岩中出，黄牛壁上耕／为人子者，出必告，反必面／士君子一出口，无反悔之言／迹，履之所出，而迹岂履哉／云无心以出岫，鸟倦飞而知还／力恶其不出于身也，不必为己／圣人不世出，贤人不时出……／殚其地之出，竭其庐之人……／文章须自出机杼，成一家风骨／千锤万击出深山，烈火焚烧若等闲／仰天大笑出门去，我辈岂是蓬蒿人／道之大原出于天，天不变道亦不变／昼则舟楫出没于其前，夜则鱼龙悲啸于其下／和氏之璧，出于璞石；隋氏之珠，产于蜃蛤／碧峰巉巉，出于柏梢，有如虎牙，夹天而立／蛇蛇硕言，出自口矣；巧言如簧，颜之厚矣

❻百乱之源，皆出嫌疑／谋稽乎謚，知出乎争／批扞之声，无出之口／君子交绝，不出恶声／君子绝交，不出恶言／德荡乎名，知出乎争／闻人之善，若出诸己／根本盛大而出无穷也／有生于无，实出于虚／诗在心为志，出口为辞／扶危持颠，皆出于学者／上天下天水，出地入地舟／临波笑脸，艳出浦之轻莲／在山泉水清，出山泉水浊／君看一叶舟，出没风波里／处则为远志，出则为小草／闻长安乐则出门向西而笑／古者言之不出，耻躬之不逮也／事督乎法，法出乎权，权出乎道／古之名将，必出于奇，然后能胜／大夫以君命出，闻丧徐行而不返／情不可以显出也，故即事以寓情／千呼万唤始出来，犹抱琵琶半遮面／古之圣人，虽出乎其类，拔乎其萃／谢诗如芙蓉出水，颜诗如错采镂金／君道立则利出其群，而人备可完矣／每一章一句出，无胫而走，疾于珠玉／酒入舌出，舌出者言失，言失者身弃／言无法度不出于口，行非公道不萌于心／言非法度不出于口，行非公道不萌于心／君子居其室，出其言善，则千里之外应之／凡勤学，须是出于本心，不待父母先生督责／层台耸翠，上出重霄，飞阁流丹，下临无地／日月之行，若出其中；星汉灿烂，若出其里／所好则钻皮出其毛羽，所恶则洗垢求其瘢痕／磨肌戛骨，吐出心肝，企足以待，寘我鞿冤

❼关西出将，关东出相／能制敌者，会在出奇／山东出相，山西出将／礼以行之，逊以出之／其雨其雨，杲杲出日／天下之主，道德出于人／亡国之主，聪明出于人／幼而学者，如日出之光／少而好学，如日出之阳／理国之主，仁义出于人／古来忠烈士，多出贫贱门／仙宫云箔卷，露出玉帘钩／风行常有地，云出本多峰／不自反者，看不出一身病痛／沧海横流，方显出英雄本色／子男由胥徒以出，皆鹤而轩／天者，理之所自出，凡理皆天／夜光之珠，不必出于孟津之河／议论证据今古，出入经史百子／词高则出于众，出于众则奇矣／规矩备具，而能出于规矩之外／何者，其化薄而出于相以有为也／苦心虽呕何由出，病骨非谗亦自销／君门一入无由出，唯有宫莺得见人／江山代有才人出，各领风骚数百年／惟古于词必己出，降而不能乃剽贼／选之艰则材者出，赏之当则能者劝／未尝敢以昏气出之，惧其昧没而杂也／发号施令，若汗出于体，一出而不复也／乐之来，则人情出者也，其始非圣人作也／宅宇逾制，楼观出云，车马服饰，拟于王者／若将军、大夫必出旧族，或无可焉，犹用之耶／幼而学者，如日出之光；壮而学者，如炳烛之光／彼妇之口，可以出走……盖优哉游哉，维以卒岁

❽昌衰吉凶皆由己出／禹之裸国，裸入衣出／制国用，量入以为出／凡将举事，令必先出／计校府库，量入为出／赏不空行，罚不虚出／神施鬼设，间见层出／病从口入，祸从口出／病从口入，患自口出／古之君子，交绝不出恶声／太一出两仪，两仪出阴阳／名都多妖女，京洛出少年／纵有还家梦，犹闻出塞声／方惭不耕者，禄食出闾里／才高乎当世，而行出乎古人／大德不逾闲，小德出入可也／惟君子能由是路，出入是门也／事物之变，纷纭杂出，若不可知／行险者不得履绳，出林者不得直道／沛然从肺腑中流出，殊不见斧凿痕／诗之所谓风者，多出于里巷歌谣之作

❾货悖而入者，亦悖而出／深溪见底，鳞介之所出没／笑入荷花去，佯羞不出来／迫而察之，灼若芙蕖出渌波／小人之学也，入乎耳，出乎口／孟浪由于轻浮，精详出于豫暇／极高寓于极平，至难出于至易／贵珠出乎贱蚌，美玉出乎丑璞／王道如砥，本乎人情，出乎礼义／事难行，故要敏；言易出，故要慎／劝君更尽一杯酒，西出阳关无故人／药来贼境灵何用，米出胡奴死不炊／清泉自爱江湖去，流出红墙便不还／斥不久，穷不极，虽有出于人……／有乎生，有乎死；有乎出，有乎入／其为书，处则充栋宇，出则汗牛马／天下之至文，未有不出于童心焉者也／由上室而上，有穴，北出之，乃临大野／法立，有犯而必施；令出，惟行而不返／风霜高洁，水落而石出者，山间之四时也／渐闻水声潺潺，而泻出两峰之间者，酿泉也／或依势以干非其类，出技以怒强，窃时以肆暴／有不能以有为有，必出乎无有，而无有一无有／继以精思，使其意皆出于吾之心。然后可以有得尔

❿文必虚字备而后神态出／东望望长安，正值日初出／大凡人无才，则心思不出／大道如青

天，我独不得出／圣人不世出，贤人不时出……／知与恬交相养，而和理出其性／理诎者，巧为粉泽而隙间百出／事督乎法，法出乎权，权出乎道／以出乎众为心者，曷常出乎众哉／冈陵起伏，草木行列，烟消日出／一仪不可以百发，一衣不可以出岁／不是交同兰气味，为何话出一人心／农不出则乏其食，工不出则乏其事／直待自家都了得，等闲拈出便超然／但愿苍生俱饱暖，不辞辛苦出山林／八纮驰骋于思绪，万代出没于毫端／六王毕，四海一，蜀山兀，阿房出／商不出则三宝绝，虞不出则财匮少／切莫呕心并剔肺，须知妙语出天然／工不出则农用乏，商不出则宝货绝／土地之生物不益，山泽之出财有尽／大其牖，天光入；公其心，万善出／君子违难不适仇国，交绝不出恶声／春色满园关不住，一枝红杏出墙来／是非只为多开口，烦恼皆因强出头／痛不著身言忍之，钱不出家言与之／其为人也多暇日者，其出人不远矣／不问其德之所宜，而问其出身之后先／今子使万里外国，独无几微出于言面／诚意孚于未言之前，则言出而人信之／丈夫不释故而改图，哲士不侥幸而出危／为政不在言多，须息息从省身克己而出／书不必起仲尼之门，药不必出扁鹊之方／发号施令，若汗出于体，一出而不复也／功不使鬼必在役人，物不天来终须地出／观书先须熟读，使其言皆若出于吾之口／巧不使鬼必有役人，物不天来终须地出／上不至天，下不至地，言出子口而入吾耳／万物有乎生而莫见其根，有乎出而莫见其门／兵者凶器，必有凶扰，扰则思乱，乱出不意／予欲闻六律五声八音，在治忽，以出纳五言／诗是心声，不可违心而出，亦不能违心而出／务名者乐人之进趋过人，而不能出陵己之后／知熟必避，知生必避；入人意中，出人头地／木秀于林，风必摧之；堆出于岸，流必湍之／日月之行，若出其中；星汉灿烂，若出其里／敌欲固守，攻其无备；敌欲兴陈，出其不意／天地之间，其犹橐龠乎？虚而不屈，动而愈出／逍遥，无为也；苟简，易养也；不贷，无出也／猛虎处于深山，向风长鸣，则百兽震恐而不敢出／自外入者，有主而不执；由中出者，有正而不距／无为者，非谓其凝滞而不动也，以其言莫从己出也／世俗所患，患言事增其实，著文垂辞，辞出溢其真／同于己而欲之，异于己而不欲者，以出乎众为心也／逊以为子弟苟有才，不忧不用，不宜私出以为荣利／要使诚意之交通，在于未言之前，则言出而人信矣／时之来也，为云龙，为风鹏，勃然突然，陈力以出／今夫大海……旦则浴日而出之，夜则滔列星，涵太阴／苟守先圣之道，由大中以出，虽万受摈弃，不更乎其内／学为文章，先谋亲友，得其评裁，知可施行，然后出手／财之不丰，兵之不强，吏之不择，此三者存亡之所从出／学贵得之心，求之于心而非也，虽其言之出于孔子，不敢以为是也／刺史宜精选谨择以委任之，固不可拘限官次，得之货贿，出之权门者也

师

shī 某些传授知识或技能的人；掌握某种专门知识或擅长某种技艺的人；由师生关系或师徒关系产生的；对和尚、尼姑的尊称；六十四卦之一；榜样；效法；军队；姓。

❶师必有名

见《礼记·檀弓下》。

师克在和不在众

见《左传·桓公十一年》。

师其意不师其辞

见唐·韩愈《答刘正夫书》。

师直为壮，曲为老

见《左传·僖公二十八年》。

师其意，不师其辞

见唐·韩愈《答刘正夫书》。

师出以律。否臧，凶

见《周易·师》。

师旷之调五音，不失宫商

见汉·桓宽《盐铁论·遵道》。全句为："～；圣王之治世，不离仁义"。

师者，所以传道受业解惑也

见唐·韩愈《师说》。

师儒之席，不拒曲士，理固然也

见唐·柳宗元《与太学诸生喜诣阙留阳城司业书》。全句为："俞扁之门，不拒病夫；绳墨之侧，不拒枉材；～"。

师帅不贤，则主德不宣，恩泽不流

见汉·董仲舒《天人三策》。

师严，然后道尊；道尊，然后知敬学

见《礼记·学记》。

师不欲久，行不欲远，守少则固，力专则强

见晋·陈寿《三国志·魏书·三少帝纪》。全句为："用兵者，贵以饱待饥，以逸击劳，～"。

师之所处，荆棘生焉；大军之后，必有凶年

见《老子》三十。

师旷调音，曲无不悲；狄牙和膳，肴无澹味

见汉·王充《论衡·自纪篇》。

❷择师不可不慎也／不师者，废学之渐也／各师成心，其异如面／归师勿遏，围师必阙／经师易求，人师难得／尊师则不论其贵贱贫富／导师失路，则迷途者众／先师有遗训，忧道不忧贫／善师者不陈，善陈者不战／不师知虑，不知前后，魏然而已矣／出师一表真名世，千载谁堪伯仲间／出师未捷悲移鼎，视死如归笑射钩／出师未捷身先死，长使英雄泪满襟／良师不能饰戚施，香泽不能化嫫母／达师之教也，使弟子安

焉乐焉……／王师北定中原日，家祭无忘告乃翁／暴师久则国用不足，此兵所以贵速也／吾师道也，夫庸知其年之先后生于吾乎／遇师友，亲之取之，大胜塞居不潇洒也

❸失其师表，而莫有所矜式／事不师古，以克永世，匪说攸闻／善为师者，既美其道，有慎其行／为人师者众笑之，举世不师，故道益离／百僚师师，百工惟时，扰于五辰，庶绩其凝／不是师法，而好自用，譬之是犹以盲辨色，以聋辨声也

❹勤劳之师，将不先己／当其为师，则弗臣也／德无常师，主善为师／学贵得师，亦贵得友／教无常师，道在则是／必胜之师，必在速战／百万之师听于一将，则胜／巫医乐师百工之人，不耻相师／未遇明师，而求要道，未可得也／能自得师者王，谓人莫己若者亡／此去与师谁共到？一船明月一帆风／虽有贤师良友，若画脂镂冰，费日损功／百僚师师，百工惟时，扰于五辰，庶绩其凝／刺绣之师，能缝帷裳；纳缕之工，不能织锦

❺圣人无常师／燕朋逆其师／师其意不师其辞／师其意，不师其辞／兵不妄动，师必有名／义方失则师友不可训／不善学者，师勤而功半／心如工画师，能画诸世间／譬如工画师，不能知自心／不骄方能师人之长，而自成其学／惑而不从师，其为惑也，终不解矣／在朝也则师氏之佐，为国则刻削之政

❻疾学在于尊师／当仁，不让于师／圣人，百世之师也／不取亦取，虽师勿师／凡学之道，严师为难／归师勿遏，围师必阙／经师易求，人师难得／国之将兴，尊师而重傅／国将兴，必贵师而重傅／国将衰，必贱师而轻傅／逆吾者是吾师，顺吾者是吾贼／畏友胜于严师，群游不如独坐／随其成心而师之，谁独且无师乎／读书不可无师承，立论不可无依据

❼不相菲薄不相师／为学莫重于尊师／但开风气不为师／三人行，必有我师焉／不惰者，众善之师也／农商工贾……可为师表／数战则民劳，久师则兵弊／匹夫而为百世师，一言而为天下法／弟子不必不如师，师不必贤于弟子／务学不如务求师。师者，人之模范也／非我而当者，吾师也；是我而当者，吾友也／今之世不闻有师，有，辄哗笑之，以为狂人／古之学者必有师，所以通其业，成就其道者也

❽人之患在好为人师／不取亦取，虽师勿师／不备不虞，不可以师／可取者友，可奉者师／创意造言，皆不相师／前事不远，吾属之师／去事之戒，来事之师／因变制宜，以敌为师／德无常师，主善为师／耆艾而信，可以为师／斯文有传，学者有师／既往不咎，来事之师／古之学者必严其师，师严然后道尊／弟子不必不如师，师不必贤于弟子／欲恶避就，固不待师，此人之性也／务学不如务求师。师者，人之模范也／闻人善，立以为己师；闻恶，若己仇／主不可以怒而兴师，将不可以愠而致战／善人者，不善人之师；不善人者，善人之资／宁逢赤眉，不逢太师。太师尚可，更始杀我

❾三岁学不如三岁择师／无务富其家而饥其师／前事之不忘，后事之师／钧材而好学，明者为师／告我以吾过者，吾之师也／温故而知新，可以为师矣／国有贤相良将，民之师表也／不言而信，不怒而威，师之谓也／古之学者必严其师，师严然后道尊／自得、自成、自道，不倚师友载籍／先祖者，类之本也；君师者，治之本也／以饱待饥，以逸击劳；师不欲久，行不欲远／法本不祖，术本无状；师之于心，得之于象／今人之性恶，必将待师法然后正，得礼义然后治

❿不可以家事匮乏而不从师／列士并学，能终善者为师／记问之学，不足以为人师／君子忌苟合，择交如求师／由魏晋氏以下，人益不事师／以三寸之舌，强于百万之师／夫子焉不学？而亦何常师之有／巫医乐师百工之人，不耻相师／尔以金玉为宝，吾以廉慎为师／闻风声鹤唳，皆以为王师已至／随其成心而师之，谁独且无师乎／以千百就尽之卒，战百万日滋之师／但肯寻诗便有诗，灵犀一点是吾师／养不教，父之过；教不严，师之惰／养子不教父之过，训导不严师之惰／入于泽而问牧童，入于水而问渔师／遗民泪尽胡尘里，南望王师又一年／水能性澹为吾友，竹解心虚即我师／虽诏于天子，无使北面，所以尊师也／独韩愈奋不顾流俗……因抗颜而为师／智如泉源，行可以为表仪者，人师也／为人师者众笑之，举世不师，故道益离／于戏君子，人不厌之，死虽千岁，其行可师／专习一家，硁硁小哉！宜善相之，多师为佳／我有禅灯，独照独知。不取亦取，虽师勿师／十室之邑，必有忠信；三人并行，厥有我师／呱呱之子，各识其亲；譊譊之学，各习其师／宁逢赤眉，不逢太师。太师尚可，更始杀我／无贵无贱，无长无少，道之所存，师之所存也／人者，在阴阳之中央，为万物之师长，所能作最众多／苟去其名全其实，以其余易其不足，亦可交以为师矣／既知教之所由兴，又知教之所由废，然后可以为人师

曲

①qū 不直；使不直；委曲；曲折隐秘的地方；局部；不合理；蚕箔；用以发酵的材料；古时军队编制单位；姓。②qǔ 韵文文学的一种。

❶曲则全，枉则直

见《老子》二十二。

曲己全人，人必全之

见五代·前蜀·杜光庭《道德真经广圣义》卷十九。

曲戟在颈，不易其心

见南朝·宋·范晔《后汉书·冯衍传》。

曲木恶直绳，奸邪恶正法

见汉·桓宽《盐铁论·申韩》。

曲木恶直绳，重罚恶明证

见汉·王符《潜夫论·考绩》引谚语。

曲辕且绳直，诡木遂雕藻

见南朝·齐·王融《善友然劝篇颂》。

曲水临流，自可一觞而一咏

见宋·欧阳修《西湖念语》。

曲己从众，不自专，则全其身

见《老子》二十二河上公注。

曲妙人不能尽和，言是人不能皆信

见汉·王充《论衡·定贤篇》。

曲突徙薪亡恩泽，焦头烂额为上宾

见汉·无名氏《为徐福上书》。“曲突”，弯曲的烟囱；“亡”，同“无”。

曲则为王，直蒙戮辱；宁戮不王，直而不曲

见唐·元结《七泉铭·滷泉铭》。

曲思于细者必忘其大，锐精于近者必略于远

见北齐·刘昼《刘子·观量》。

❷无曲学以阿世／事曲则谄意以行赇／树曲木者，恶得直景／其曲弥高，其和弥寡／钩曲之形，无绳直之影／身曲而景直者，未之闻也／不曲道以媚时，不诡行以徼名／表曲者景必邪，源清者流必洁／此曲只应天上有，人间能得几回闻／水曲山限四五家，夕阳烟火隔芦花／体曲者忌绳墨之容，夜裸者憎明烛之来／歌曲弥妙，和者弥寡；行操益清，交者益鲜／歌曲妙者，和者则寡；言得实者，然者则鲜

❸未成曲调先有情／事有曲直，言有是非／卑躬曲己，若顺弟之奉暴兄／非而曲者为负，是而直者为胜／使景曲者形也，使响浊者声也／使景曲者，形也；使响浊者，声也／操千曲而后晓声，观千剑而后识器／见隅曲之一指，而不知八极之广大／不以曲故是非相尤，茫茫沉沉，是谓大治／察一曲者不可与言化，审一时者不可与言大

❹春江一曲柳千条／上枉下曲，上乱下逆／讼必有曲直，论必有是非／景不为曲物直，响不为恶声美／羊肠之曲不能仆车而仆于剧骖／君不见曲如钩，古人知尔封公侯／以苟容曲从为贤，以拱默尸禄为智／阳春之曲，和者必寡；盛名之下，其实难副

❺师直为壮，曲为老／直而不倨，曲而不屈／穷巷多愁，曲学多辨／向君投此曲，所贵知音难／形枉则影曲，形直则影正／师旷调音，曲无不悲；狄牙和膳，肴无澹味／释正而追曲，倍是而从众，是与俗俪走，而内行无绳

❻居常待其尽，曲肱岂伤冲／枉士无正友，曲上无直下／窜梁鸿于海曲，岂乏明时／风下松而含曲，泉漾石而生文／机发矢直，涧曲湍回，自然之趣也／饭疏食饮水，曲肱而枕之，乐亦在其中矣／变祸为福，易曲成直，宁关天命，在我人力

❼不善使船嫌溪曲／黄河水直人心曲／但立直标，终无曲影／君子直而不挺，曲而不诎／直者不能不争，曲者不能不讼／未有身正而影曲，上治而下乱者／师儒之席，不拒曲士，理固然也／直如弦，死道边；曲如钩，反封侯／请君莫奏前朝曲，听唱新翻杨柳枝／国际悲歌歌一曲，狂飙为我从天落／正直者不可屈曲，有学问者必能辨是非

❽法不阿贵，绳不挠曲／群邪所抑，以直为曲／不饮浊泉水，不息曲木阴／勿轻直折剑，犹胜曲全钩／凡二人来讼，必一曲一直／凡人之患，蔽于一曲，而暗于大理／浊其源而望流清，曲其形而欲景直／与朋友论学，须委曲谦下，宽以居之／行不如止，直不如曲，进不如退，可以安吉

❾不善操舟而恶河之曲／今之言通者，通于私曲／是非不可听而发暴，曲直必宜察而辨明／切而不指，勤而不怨，曲而不谄，直而有礼

❿作人贵直，而作诗文贵曲／人心若波澜，世路有屈曲／达士如弦直，小人似钩曲／礼之正国，犹绳墨之于曲直／万里长江，何能不千里而一曲／无准绳，虽鲁般不能以定曲直／绳墨诚陈矣，则不可欺以曲直／虎魄不取腐芥，磁石不受曲针／君子固当亲，然亦不可曲为附和／万户千门成野草，只缘一曲后庭花／我薄而彼轻之，则由我曲而彼直也／腊天日短不盈尺，何似妖姬一曲歌／其体顺而肆，可以播于乐章歌曲也／天下之善射者也，不能以拨弓曲矢中微／非规矩不能定方圆，非准绳不能正曲直／陶者能圆而不能方，矢者能直而不能曲／曲则为王，直蒙戮辱；宁戮不王，直而不曲／高台芳榭，家家而筑；花林曲池，园园而有／迷阳迷阳，无伤我行；却曲却曲，无伤吾足／文章不难于巧而难于拙，不难于曲而难于直／古者士之进，有以德，有以才，有以言，有以曲艺／上有无时之求，中有剥削曲巧之政，下有豺狼寇盗之害／礼之于正国家也，如权衡之于轻重也，如绳墨之于曲直也

肉

ròu 人和动物紧靠皮的柔韧部分；某些瓜果里可以吃的部分；性子慢，行动迟缓；形容声音丰润。

❷骨肉之亲，析而不殊／食肉者鄙，未能远谋／知肉味美则对屠门而大嚼／委肉当饿虎之蹊，祸必不振／食肉毋食马肝，未为不知味／赤肉

悬则乌鹊集，鹰隼鸷则群鸟散／以肉去蚁，蚁愈多；以鱼驱蝇，蝇愈至／肥肉厚酒，务以自强，命之曰烂肠之食

❹豺狼守肉，鬼魅侍疾／食不重肉，妾不衣帛／厚酒肥肉，甘口而疾形／屠者割肉，则知牛长少／朱门酒肉臭，路有冻死骨／尝一脟肉，而知一镬之味／岂待酒肉罗绮然后为生哉／骨消肌肉尽，体若枯树皮／食有酒肉，衣有罗绮……非益生之良药／厨有腐肉，国有饥民；厩有肥马，路有馁人／庖有肥肉，厩有肥马，民有饥色，野有饿莩

❺起死人而肉白骨／黔首本骨肉，天地本比邻／扁鹊不能肉白骨，微箕不能存亡国／晚食以当肉，安步以当车，无罪以当贵

❻悬羊头，卖狗肉／馋人自食其肉，肉尽必死／古之人知酒肉为甘鸩，弃之如遗／老者衣帛食肉，黎民不饥不寒……／子思以为鼎肉使己仆仆尔亟拜也，非养君子之道也

❼馋人自食其肉，肉尽必死／已得之，惟恐伤肉之多也／结交在相知，骨肉何必亲／壮志饥餐胡虏肉，笑谈渴饮匈奴血／猛虎不看几上肉，洪炉不铸囊中锥

❽久行伤筋，久坐伤肉／溃痈虽痛，胜于养肉／譬如养虎，当饱其肉，不饱则将噬人／倚势豪夺，飞食人肉，鼓吻弄翼，道路以目／缚草为形，实之腐肉，教之拜起，以充满朝市

❾人方为刀俎，我为鱼肉／落地为兄弟，何必骨肉亲／悬牛首于门，而卖马肉于内／恨不得血贼于万载，肉贼于三军／糟糠不饱者不务粱肉，短褐不完者不待文绣／割而舍之，镆邪不断肉；执而不释，马氂截玉

❿医得眼前疮，剜却心头肉／赏不避仇雠，诛不择骨肉／人之将疾者必不甘鱼肉之味／食方丈于前，所甘不过一肉／酒是烧身硝焰，色为割肉钢刀／不学者，虽存，谓之行尸走肉耳／子在齐闻《韶》，三月不知肉味／圣王为政，赏不避仇雠，诛不择骨肉／过屠门而大嚼，虽不得肉，贵且快意／无舆马者不耻徒步，无鱼肉者不厌菜羹／竭诚则吴越为一体，傲物则骨肉为行路／穹庐为室兮旃为墙，以肉为食兮酪为浆／安土重迁，黎民之性；骨肉相附，人情所愿／姆抱幼子立侧，眉眼如画，发漆黑，肌肉玉雪可念

非 ①fēi 错误；不合于；认为不对；不；表示必须。②fěi 通“诽”，诽谤。

❶非其友不友

见《孟子·公孙丑上》。

非固不能惑是

见《庄子·达生》。

非平正无以制断

见汉·刘安《淮南子·主术》。

非不言也，寄言也

见清·刘熙载《艺概》卷四。全句为：“词之妙，莫妙于不言言之。～”。

非吾仪，虽利不为

见《管子·白心》。全句为：“～；非吾当，虽利不行；非吾道，虽利不取”。

非吾当，虽利不行

见《管子·白心》。全句为：“非吾仪，虽利不为；～；非吾道，虽利不取”。

非吾道，虽利不取

见《管子·白心》。全句为：“非吾仪，虽利不为；非吾当，虽利不行；～”。

非君子不可与语变

见隋·王通《中说·述史》。

非才而据，咎悔必至

见晋·陈寿《三国志·吴书·严峻传》。

非我族类，其心必异

见唐·房玄龄《晋书·江统传》。

非兵不强，非德不昌

见汉·司马迁《史记·太史公自序》。

非佞折狱，惟良折狱

见《尚书·吕刑》。

非吴丧越，越必丧吴

见《吕氏春秋·孝行览·长攻》。

非知之艰，行之惟艰

见《尚书·说命中》。

非知之难，能之难也

见晋·陆机《文赋》。全句为：“恒患意不称物，文不逮意；～”。

非知之难，行之惟艰

见唐·魏征《十渐不克终疏》。

非法不言，非道不行

见汉·司马迁《史记·梁孝王世家》。

非宅是卜，唯邻是卜

见《左传·昭公三年》。

非理所求，谁肯相与

见汉·焦赣《易林·节·剥》。

非贤不理，惟在得人

见唐·吴兢《贞观政要·仁义》。

非其义也，非其道也

见《孟子·万章上》。全句为：“～，禄之以天下，弗顾也；系马千驷，弗视也”。

非其身力，不以衣食

见唐·韩愈《唐故中散大夫少府监胡良公墓神道碑》。

非长生难也，闻道难也

见晋·葛洪《抱朴子·极言》。全句为：“～；非闻道难也，行之难也；非行之难也，终之难也”。

非俊疑杰兮，固庸态也

见战国·楚·屈原《楚辞·九章·怀沙》。

非知之难,其在行之信

见晋·陈寿《三国志·魏书·武帝纪》。

非行之难也,终之难也

见晋·葛洪《抱朴子·极言》。全句为:"非长生难也,闻道难也;非闻道难也,行之难也;~"。

非闻道难也,行之难也

见晋·葛洪《抱朴子·极言》。全句为:"非长生难也,闻道难也;~;非行之难也,终之难也"。

非死之难,处死之难也

见晋·陈寿《三国志·蜀书·蒋费姜传评》。

非其义,君子不轻其生

见唐·白居易《汉将李陵论》。全句为:"~;得其所,君子不爱其死"。

非其地而树之,不生也

见汉·刘向《说苑·杂言》。

非其有而取之,非义也

见《孟子·尽心上》。

非无足财也,我无足心也

见《墨子·亲士》。

非求宫律高,不务文字奇

见唐·白居易《寄唐生》。全句为:"~,惟歌生民病,愿得天子知"。

非非者行是,恶恶者行善

见《鬻子·撰吏五帝三王传政乙》。

非德之威,虽猛而人不畏

见宋·苏轼《德威堂铭》。全句为:"~;非德之明,虽察而人不服"。

非德之明,虽察而人不服

见宋·苏轼《德威堂铭》。全句为:"非德之威,虽猛而人不畏;~"。

非独羊也,治民亦犹是也

见汉·司马迁《史记·平准书》。全句为:"~。以时起居,恶者辄斥去,毋令败群"。

非物有小大,盖心为虚实

见五代·南唐·谭峭《化书卷二·术化·虚实》。

非其人而行之,则为大害

见宋·王安石《上五事书》。全句为:"得其人而行之,则为大利;~"

非其道而行之,虽劳不至

见汉·韩婴《韩诗外传》。全句为:"~;非其有而求之,虽强不得"。

非其所取而取之,谓之盗

见《谷梁传·定公八年》。

非其有而求之,虽强不得

见汉·韩婴《韩诗外传》。全句为:"非其道而行之,虽劳不至;~"。

非才之难,所以自用者实难

见宋·苏轼《贾谊论》。

非德而可长久者,天下无之

见《庄子·在宥》。

非其人而处其位者其祸必速

见唐·房玄龄《晋书·吕隆载记》。全句为:"~;在其位而忘其德者其殃必至"。

非而曲者为负,是而直者为胜

见汉·王充《论衡·物势篇》。全句为:"讼必有曲直,论必有是非;~"。

非药曷以愈疾,非兵胡以定乱

见唐·柳宗元《愈膏肓疾赋》。

非独女以色媚,而士宦亦有之

见汉·司马迁《史记·佞幸列传》。

非学无以广才,非志无以成学

见三国·蜀·诸葛亮《诸葛亮集·诫子书》。

非学无以致疑,非问无以广识

见清·刘开《问说》。全句为:"问与学,相辅而行者也,~"。

非理之财莫取,非理之事莫为

见明·冯梦龙《古今小说·沈小官一鸟害七命》。

非虑无以临下,非言无以述虑

见唐·吴兢《贞观政要·慎言语》。

非其道,则一箪食不可受于人

见《孟子·滕文公下》。全句为:"~;如其道,则舜受尧之天下,不以为泰"。

非尽百家之美,不能成一人之奇

见元·刘开《与阮芸台宫保论文书》。

非真无人也,但求之不勤不至耳

见宋·欧阳修《论军中选将札子》。

非诗之能穷人,殆穷者而后工也

见宋·欧阳修《梅圣俞诗集序》。

非惟使人情开涤,亦觉日月清朗

见南朝·宋·刘义庆《世说新语·言语》。

非礼之礼,非义之义,大人弗为

见《孟子·离娄下》。

非患无旃罽橘柚,患无狭庐糟糠

见汉·桓宽《盐铁论·通有》。

非举无以知其贤,非试无以效其实

见宋·苏辙《郭知章知海州江公著通判陈州》。

非兔狡,猎狡也;非民诈,吏诈也

见五代·南唐·谭峭《化书卷四·仁化·太和》。

非左右为之先容,非亲旧为之请属

见宋·苏轼《上梅直讲书》。

非淡薄无以明德,非宁静无以致远

见汉·刘安《淮南子·主术》。

非淡泊无以明志,非宁静无以致远

见三国·蜀·诸葛亮《诫子书》。

非宽大无以兼覆,非慈厚无以怀众

见汉·刘安《淮南子·主术》。

非其事者勿仞也，非其名者勿就也

见汉·刘安《淮南子·人间》。

非其人而教之，赍盗粮、借贼兵也

见《荀子·大略》。

非唯近事则相感，亦有远事遥相感者

见唐·孔颖达《周易·乾》疏。

非得贤难，用之难；非用之难，任之难

见晋·陈寿《三国志·吴书·钟离牧传》。全句为："非成业难，得贤难；～"。

非成业难，得贤难；非得贤难，用之难

见晋·陈寿《三国志·吴书·钟离牧传》。全句为："～；非用之难，任之难"。

非规矩不能定方圆，非准绳不能正曲直

见汉·刘安《淮南子·说林》。

非有灾害疾疫，独以贫穷，非惰则奢也

见汉·桓宽《盐铁论·授时》。

非其地，树之不生；非其意，教之不成

见汉·司马迁《史记·日者列传》。

非三代两汉之书不敢观，非圣人之志不敢存

见唐·韩愈《答李翊书》。

非我而当者，吾师也；是我而当者，吾友也

见《荀子·修身》。

非知之难，行之惟难；非行之难，终之斯难

见唐·吴兢《贞观政要·慎终》。

非威何畏，非德何怀；不畏不怀，何以成霸

见明·冯梦龙《东周列国志》第二十六回。

非所困而困焉名必辱，非所据而据焉身必危

见晋·陈寿《三国志·蜀书·姜维传》。

非礼勿视，非礼勿听，非礼勿言，非礼勿动

见《论语·颜渊》。

非其世者，不受其利。污其君者，不履其土

见汉·韩婴《韩诗外传》卷一。

非历览无以寄杼轴之怀，非高远无以开沉郁之绪

见唐·李峤《楚望赋》。全句为："情以物感，而心由目畅"。全句为："是以骚人发兴于临水，柱史诠妙于登台"。

非其人而欲有功，譬其若夏至之日而欲夜之长也

见汉·刘向《说苑·尊贤》。

非其人而欲有功，譬之若夏至之日而欲夜之长也

见《吕氏春秋·审分览·知度》。

非有卓然异绩结于人心，浃于骨髓，安能久而愈思

见唐·刘禹锡《高陵县令刘君遗爱碑》。

非情、才无以见性，非气质无所为情、才，即无所为性也

见清·颜元《存性编》卷二。

❷议，非众则私／愧，非议则安／是非之心，智也／名非实，用之不效／是非所行而行所非／天非虐，惟民自速辜／人非圣贤，孰能无过／苟非其人，虽强易弱／苟非其时，不如息人／莫非命也，顺受其正／据非其称，惭甚于荣／得非我美，失非我耻／子非鱼，安知鱼之乐／是非、非是，谓之愚／是非之经，不可不分／是非之心，人皆有之／是非之心，智之端也／是非明辨而赏罚必信／贫非人患，惟和为贵／自非圣人，不能无过／是非之声，无翼而飞矣／是非明而后可以施赏罚／言非礼义，谓之自暴也／非非者行是，恶恶者行善／人非善不交，物非义不取／谁非一丘土，参差前后间／君非民不立，民非谷不生／经非权则泥，权非经则悖／是非随名实，赏罚随是非／舟非水不行，水入舟则没／生非汝有，是天地之委和也／以非老子视老子，而老子玄／行非常之事，乃有非常之功／履非常之危者不可以常道安／有非常之功，必待非常之人／用非其有之心，不可察之本／解非常之纷者不可以常语谕／倘非广见博闻，总觉光阴虚度／苟非吾之所有，虽一毫而莫取／有非常之事，然后有非常之功／有非常之后者，必有非常之臣／有非常之人，然后有非常之事／有非常之臣者，必有非常之绩／胜非其难者也，持之其难者也／无非无是，化育玄耀，生而如死／民非不可用也，不得所以用之也／孰非义而可用兮，孰非善而可服／是非有考于前，而成败有验于后／生非贵之所能存，身非爱之所能厚／道非难知，亦非难行，患人无志耳／是非之所在，不可以贵贱尊卑论也／是非只为多开口，烦恼皆因强出头／心非木石岂无感，吞声踯躅不敢言／田非耕者之所有，而有田者不耕也／病非一朝一夕之故，其所由来渐矣／勤非俭，终年劳瘁，不当一日之侈靡／事非当则伤于智力，务过分则毙于形神／我非生而知之者，好古，敏以求之者也／驴非驴，马非马，若龟兹王，所谓骡也／是非不可听而发暴，曲直必宜察而辨明／言非法度不出于口，行非公道不萌于心／爱非仁，爱之理是仁；心非仁，心之德是仁／任非其人而国家不倾者，自古至今，未尝闻也／是非之心，不虑而知，不学而能，所谓良知也／乐非独以自乐，又以乐人，非独以自正，又以正人／利非不善也，其害义则不善也，其和义则非不善也／物非有大小也，自其内而观之，未有不高且大者也／兵非益多也，惟无武进，足以并力，料敌，取人而已／人非生而知之者，孰能了此无惑，故从其先得者而问焉

❸白马非马／奔竞，非病也／香饵非不美也／安者非一日而安也／无是非之心，非人也／无是非到耳，谓之福／剖心非痛，亡般为痛／知之

非难，行之不易／是非、非是，谓之愚／是是、非非、谓之知／是是非非，号为信史／物无非彼，物无非是／言之非难，行之为难／万物非欲死，不得不死／无年非夭，无述乃为夭／无位非贱，无耻乃为贱／无子非孤，无德乃为孤／无财非贫，无学乃为贫／丝萝非独生，愿托乔木／丈夫非无泪，不洒别离间／万物非不欲生，不得不生／世治非去兵，国安岂忘战／长本非长，矩形之则长矣／长本非长，短形之则长矣／反无非伤也，动无非邪也／争先非吾事，静照在忘求／封建，非圣人意也，势也／崇台非一干，珍裘非一腋／饱暖非天降，赖尔筋与力／治家非一宝，富国非一道／性长非所断，性短非所续／恨小非君子，无毒不丈夫／官吏非才，则宽猛失所宜／富贵非吾愿，帝乡不可期／所用非所养，所养非所用／恐此非名计，息驾归闲居／鬼神非人实亲，惟德是依／人有非上之所过，谓之正士／在位非其人，而恃法以为治／良马非独骐骥，利剑非唯干将／大志非才不就，大才非学不成／小人非无小善，君子非无小过／废上，非义也；杀民，非仁也／孙子非汝有，是天地之委蜕也／学者非必为仕，而仕者必如学／是而非之，非而是之，犹非也／是以非德道不尊，非道德不明／圣人非不好利也，利在于利万人／欲立非常之功者，必有知人之明／正论非不见容，然邪说亦有时而用／地广非常安之术，人劳乃易乱之源／将有非常之大事，必生希世之异人／形骸非性命不立，性命假形骸以显／枳棘非鸾凤所栖，百里岂大贤之路／天下非一人之天下，乃天下之天下也／天下非一人之天下也，天下之天下也／圣人……非不好富也，富在于富天下／小人非才不能动人，小人非才不能乱国／以言非信则百事不满也，故信之为功大矣／小人非嗜欲无以活，失嗜欲则失其所以活／君子非不见贵，然小人亦得厕其间时而用／君子非仁义无以生，失仁义则失其所以生／是邪，非邪？立而望之，偏何姗姗其来迟／知过非难，改过为难；言善非难，行善为难／无是非之心，非人也……是非之心，智之端也／能用非己之民，国虽小，卒虽少，功名犹可立／所养非所用，所用非所养，理家必弊，在国必危

❹是是而非非／交不信，非吾友也／事有是非，义难隐讳／事有是非，公无远近／入则心非，出则巷议／舍是与非，苟可以免／口是心非，背向异辞／是谓是、非谓非曰直／是是、非非、谓之知／是是非非，号为信史／一言而非，四马不能追／不谴是非，以与世俗处／声，则凡非雅声者举废／所官者，非亲属则宠幸／所爱者，非美色则巧佞／来说是非者，便是是非人／代耕本非望，所业在田桑／不忍为非，而未能必免其祸／友治矣，非身治而不能得之／君子生非异也，善假于物也／德与力，非试之辕下不可辨／贵人者，非贵人也，自贵也／辞多类非而是，多类是而非／身治矣，非心治而不能致之／彼之理非，我之理是，我容之／天下是非俱不到，安闲一片道人心／不必有非常之功，而皆有可纪之状／折狱而非也，暗理迷众，与教相妨／道可道，非常道；名可名，非常名／死后是非谁管得，满村听说蔡中郎／天下者非一人之天下，惟有道者处之／天下者，非君有也，天下使君主之耳／求是者，非求道理也，求合于己者也／言之而非，虽在王侯卿相，未必可容／功之成，非成于成之日，盖必有所由起／是为是，非为非；能为能，不能为不能／其应也，非所设也；其动也，非所取也／天下之非誉，无损益焉，是谓全德之人哉／一声而非，驷马勿追；一言而急，驷马不及／不知者，非其人之罪也；知百不为者，惑也／若是若非，执而圆机；独成而意，与道徘徊／意无是非，赞之如流；言无可否，应之如响／用明察非，非无不见；用理铃疑，疑无不定／所学者非世之所可用，而所任者非身之所能为／无为者，非谓其凝滞而不动也，以其言莫从己出也／敬人者，非敬人也，自敬也；贵人者，非贵人也，自贵也

❺无耻过作非／是是而非非／鄙吝者必非大器／好饰者作非之渐／不告其过，非忠也／乘人之危，非仁也／乘人之约，非仁也／同罪异罚，非刑也／学而不化，非学也／死而不义，非勇也／天下之政，非贤不理／天下之业，非贤不成／事以靖民，非以征民／非兵不强，非德不昌／非法不言，非道不行／非其义也，非其道也／人能弘道，非道弘人／从令纵敌，非良将也／先事后得，非崇德欤／打兔得獐，非意所望／知人则哲，非贤罔乂／饵鼠以虫，非爱之也／进退无恒，非离群也／道塞宇宙，非有隐遁／如吟如啸，非竹非丝／是己所是，非己所非／慧出本性，非适今有／目所不见，非无色也／干天之木，非荀日所长／九河盈溢，非一块所防／千金之裘，非一狐之腋／卑贱贫穷，非士之耻也／华兖灿烂，非只色之功／冰冻三尺，非一日之寒／大乐之成，非取乎一音／大厦之材，非一丘之木／大木将颠，非一绳所维／大树将颠，非一绳所维／太平之功，非一人之略／带甲百万，非一勇所抗／嵩岱之峻，非一篑之积／狐白之裘，非一狐之腋／廊庙之材，非一木之枝／万夫婉娈，非俟西子之颜／百战百胜，非善之善者也／百战而胜，非善之善者也／千镒之裘，非一狐之白也／巨川将溃，非捧土之能塞／黄鹤戒露，非有意于轮轩／大厦之成，非一木之材也／大厦将崩，非一木之能止／大厦将颠，非一木所支也／大海之润，非一流之归也／大鹏之动，非一羽之轻

也／图四海者，非怀细以害大／峻法严刑，非帝王之隆业／彼亦一是非，此亦一是非／彼是而己非，不当与是争／江河之水，非一源之水也／安危在是非，不在于强弱／己是而彼非，不当与非争／强辩以饰非者，果何为也／学识英博，非复吴下阿蒙／骐骥之速，非一足之力也／是或化为非，非或化为是／有罚无恕，非怀远之弘规／干将虽利，非人力不能自断／天下有二：非察是，是察非／不敢正是非于富贵，二可贱／反古未可非，而循礼未足多／难因于易，非易无以知其难／海水广大非独仰一川之流也／强辩者饰非，不知过之可改／或类之而非，或不类之而是／皆为物矣，非不物而物物者／易因于难，非难无以彰其易／心能辨事非，处事方能决断／天下之事非一人之所能独知也／为赏罚者非他，所以惩劝者也／伤生之事非一，而好色者必死／众听所倾，非假《北里》之操／圣人为善，非以求名而名从之／名生于真，非其真，弗以为名／察而以饰非惑愚，则察为祸矣／是而非之，非而是之，犹非也／贼民之事非一，而好兵者必亡／不到长城非好汉，屈指行程二万／非礼之礼，非义之义，大人弗为／云中白鹤，非燕雀之网所能罗也／古今之事，非知之难，言之亦难／假舟楫者，非能水也，而绝江河／知得是是非非，恁地确定，是智／天之道莫非自然，人之道皆是当然／年将弱冠非童子，学不成名岂丈夫／乘时投隙非谓才，苟得未必为汝福／萧墙祸起非今日，不赏军功在断桥／大山之高，非一石也，累卑然后高／太山之高，非一石也，累卑然后高／君子者，性非绝世，善自托于物也／知死必勇，非死者难也，处死者难／虽信美而非吾土兮，曾何足以少留／闭门觅句非诗法，只是征行自有诗／日典春衣非为酒，家贫食粥已多时／智者不为非其事，廉者不求非其有／君子之誉，非所谓誉也，其善显焉尔／欲是其所非而非其所是，则莫若以明／以老子视非老子，而非老子又胡不玄也／小人之谤，非所谓谤也，其不善彰焉尔／彼为盈虚非盈虚……彼为积散非积散也／违强陵弱，非勇也；乘人之约，非仁也／驴非驴，马非马，若龟兹王，所谓骡也／杀一无罪非仁也，非其有而取之非义也／才须学也，非学无以广才，非志无以成学／六国破灭，非兵不利，战不善，弊在赂秦／轩冕在身，非性命也，物之傥来，寄者也／祸之作也，非作于作之日，亦必有所由兆／非威何畏，非德何怀；不畏不怀，何以成霸／非礼勿视，非礼勿听，非礼勿言，非礼勿动／千仓万箱非一耕所得；干天之木非旬日所长／作俑之工，非曰可珍；时有所用，贵于斫轮／诗有别材，非关书也；诗有别趣，非关理也／崇大厦者非一木之材，匡弊俗者非一日之卫／杂花争发，非止桃蹊。群鸟乱飞，有逾鹦谷／政以胜众，非以陵众；众以胜事，非以伤事／敬时爱日，非老不休，非疾不息，非死不舍／用明察非，非无不见；用理钤疑，疑无不定／舌之存，岂非以其柔；齿之亡，岂非以其刚／河冰结合，非一日之寒；积土成山，非斯须之作／患之所在，非徒在智之不及，又在及而违之者矣／观貌之是非，不若论其心与其行事之可否为不失也／万物纷纭，非有也，有之者人也，人不有，则万物何有

❻戆者类勇而非勇／无恻隐之心，非人也／无是非之心，非人也／无辞让之心，非人也／无羞恶之心，非人也／来而不往，亦非礼也／得非我美，失非我耻／过不在小，知非则悛／理则顿悟，事非顿除／是谓是、非谓非曰直／积是为治，积非成虐／薄于责人，而非匿其过／慈父之爱子，非为报也／为人择官，而非为官择人／今之视者，已非昔日之欢／居高声自远，非是藉秋风／桂椒信芳，而非园林之实／是或化为非，非或化为是／族秦者，秦也，非天下也／谤之有因者，非自修弗能止／士不事其所非，不非其所事／峭法刻诛者，非霸王之业也／廊庙之材，盖非一木之枝也／急辔数策者，非千里之御也／箠策繁用者，非致远之术也／粹白之裘，盖非一狐之皮也／事当论其是非，不当问其难易／人惟求旧，器非求旧，惟新。／有天下之是非，有人人之是非／礼，当论其是非，不当以人废／今之致其死，非恶之也，利其财／知得是是非非，恁地确定，是智／昔之厚其生，非爱之也，利其力／乘理虽死而非亡，违义虽生而非存／以力服人者，非心服也，力不赡也／圣人之静也，非曰静也善，故静也／城上草，植根非不高，所恨风霜早／劳形按影皆非道，炼气吞霞更是狂／狠者类知而非知，愚者类仁而非仁／道非难知，亦非难行，患人无志耳／登高而招，臂非加长也，而见者远／不察事之是非而悦人赞己，暗莫甚焉／以弱为强者，非惟天时，抑亦人谋也／隐忍就功名，非烈丈夫孰能致此哉？／虽干将、莫邪，非得人力则不能割刿／行未固于无非，而急求名者，必锉也／明主之赏罚，非以为己也，以为国也／与其誉尧而非桀也，不如两忘而化其道／忧愁惨怛，乐非轻死，则刑罚不能恐也／是为是，非为非；能为能，不能为不能／贤者之于情，非不动也，能动而不乱耳／不以曲故是非相尤，茫茫沉沉，是谓大治／善人为妖，是非反复，天下大迷而不复也／使天为天者，非天也；使人为人者，非人也／至是之是无非，至非之非无是，此真是非也／法小弛则是非驳，赏不必尽善，罚不必尽恶／溥天之下，莫非王土；率土之滨，莫非王臣／无恻隐之心，非人也……恻隐之心，仁之端也／无是非之心，非人也……是非之

心，智之端也／无羞恶之心，非人也……羞恶之心，义之端也／世之难得者，非财也，非荣也，患意之不足耳／法大弛，则是非易位，赏恒在佞，而罚恒在直／或依势以干非其类，出技以怒强，窃时以肆暴／卵之化为雏，非慈雌呕暖覆伏，累日积久，则不能为雏

❼无为可以定是非／人情成是而败非／城郭如故人民非／东隅已逝，桑榆非晚／侈言无验，虽丽非经／塞翁失马，安知非福／行高于人，众必非之／如吟如啸，非竹非丝／玉卮无当，虽宝非用／视险如夷，瞻程非邈／物无非彼，物无非是／非其有而取之，非义也／为义不能用众，非义也／为仁不能胜暴，非仁也／为智不能决诡，非智也／既谓之机，则动非自外／既悦其直，不可非其讦／既悦其介，不可非其拘／不苟于论人，而非求其全／人非善不交，物非义不取／功名之下，常有非实之加／尝甘以为苦，行非以为是／君非民不立，民非谷不生／屈贾谊于长沙，非无圣主／经非权则泥，权非经则悖／晦塞为深，虽奥非"隐"／施于人而不忘，非天布也／蛟龙得云雨，终非池中物／无人之情，故是非不得于身／善否，我也；祸福，非我也／迁固之史，有是非而无赏罚／雕削取巧，虽美非"秀"矣／一恨不足以成非，积恨而成怨／非药曷以愈疾，非兵胡以定乱／非学无以广才，非志无以成学／非学无以致疑，非问无以广识／非理之财莫取，非理之事莫为／非虑无以临下，非言无以述虑／茧之性为丝，然非得女工……／知往日所行之非，则学日进矣／方衔感于一剑，非买价于泉里／思在物之取譬，非斗斛而能量／兵者，所以讨暴，非所以为暴也／圣王布德施惠，非求报于百姓也／芷兰生于深林，非以无人而不芳／好学而不勤问，非真能好学者也／非兔狡，猎狡也；非民诈，吏诈也／徒觉炎凉节物非，不知关山千万里／自古经纶足是非，阴谋最忌夺天机／不动乎众人之非誉，不治观者之耳目／世之奇伟瑰怪非常之观，常在于险远／古之善为道者，非以明民，将以愚之／过洞庭，上湘江，非有罪左迁者罕至／欲是其所非而非其所是，则莫若以明／天者，统元气焉，非止荡荡苍苍之谓也／周道衰于幽厉，非道亡也，幽厉不繇也／跖之狗吠尧，尧非不仁，狗固吠非其主／圣人和之以是非而休乎天钧，是之谓两行／咸以孔子之是非为是非，故未尝有是非耳／因事相争，安知非我之不是，须平心暗想／纵有良法美意，非其人而行之，反成弊政／轻听发言，安知非人之谮诉，当忍耐三思／兵者不祥之器，非君子之器，不得已而用之／圣人恶似是而非之人，国家忌似是而非之论／治天下者，用人非止一端，故取士不以一路／妙必假物而物非生妙，巧必因器而器非成巧／既悦其刚，不可非其厉。厉也者，刚之征也／既悦其和，不可非其懦。懦也者，和之征也／超凡证圣，目击非遥；悟在须臾，何须皓首／穷困不能辱身，非人也；富贵不能快意，非贤也／天下有至贵而非势位也，有至富而非金玉也，有至寿而非千岁也／道不可闻，闻而非也；道不可见，见而非也；道不可言，言而非也

❽是非所行而行所非／事有曲直，言有是非／但攻吾过，毋议人非／节同时异，物是人非／山川未改，容貌俱非／悍戆好斗，似勇而非／是己所是，非己所非／言虽至工，不离是非／反无非伤也，动无非邪也／任贤使能，将相莫非其人／邦家用祀典，在德非馨香／地势使之然，由来非一朝／大厦须异材，廊庙非庸器／崇台非一干，珍裘非一腋／治家非一宝，富国非一道／性长非所断，性短非所续／逢时独为贵，历代非无才／所用非所养，所养非所用／有生必有死，早终非命促／福钟恒有兆，祸集非无端／感子漂母惠，愧我非韩才／识事之有当，不任非当之事／士不事其所非，不非其所事／行非常之事，乃有非常之功／理财正辞，禁民为非，曰义／有非常之功，必待非常之人／灭六国者，六国也，非秦也／大丈夫行事，论是非不论利害／知使兹人有知乎？非我其谁哉／彼之理是，我之理非，我让之／废上，非义也；杀民，非仁也／恭本为礼，过恭是非礼之礼也／是以非德道不尊，非道德不明／辩者，求服人心也，非屈人口也／非举无以知其贤，非试无以效其实／非左右为之先容，非亲旧为之请属／非淡薄无以明德，非宁静无以致远／非淡泊无以明志，非宁静无以致远／非宽大无以兼覆，非慈厚无以怀众／非其事者勿仞也，非其名者勿就也／自责以义则难为非，难为非则形饰／天下大势之所趋，非人力之所能移也／法令者治之具，而非制治清浊之源也／非得贤难，用之难；非用之难，任之难／非成业难，得贤难；非得贤难，用之难／非其地，树之不生；非其意，教之不成／降年有永有不永，非天夭民，民中绝命／法者，所以禁民为非而使其迁善远罪也／杀一无罪非仁也，非其有而取之非义也／自古圣人贤士，皆非有求于闻用也……／未成乎心而有是非，是今日适越而昔至也／国有贤士而不用，非士之过，有国者之耻／至是之是无非，至非之非无是，此真是非也／君子百是，必有一非；小人百非，必有一是／见玉而指之曰石，非玉之不真也，待和氏而识焉／所养非所用，所用非所养，理家必弊，在国必危／人之所以为人者，非以此八尺之身也，乃以其有精神／上古明王举乐者，非以娱心自乐，快意恣欲，将欲为治也／非情、才无以见性，非气质无所为情、才，即无所为性也

❾君子能行是，不能御非／来说是非者，便是是非人／贞刚自有质，玉石乃非坚／巽语为珍，苍璧喻而非宝／菩提本无树，明镜亦非台／己是而彼非，不当与非争／纡謦诚可学，违已讵非迷／上失其道而杀其下，非理也／久假而不归，恶知其非有也／长者问，不辞让而对，非礼也／良马非独骐骥，利剑非唯干将／大志非才不就，大才非学不成／小人非无小善，君子非无小过／国无三年之食者，国非其国也／寄治乱于法术，托是非于赏罚／遏悔吝于未萌，验是非于往事／有非常之事，然后有非常之功／有非常之后者，必有非常之臣／有非常之人，然后有非常之事／有非常之臣者，必有非常之绩／言其是则有功，言其非则有罪／正义直指，举人之过，非毁疵也／刚强猛毅，靡所不信，非骄暴也／凡四方小大邦丧，罔非有辞于罚／孰非义而可用兮，孰非善而可服／攻其恶，无攻人之恶，非修慝欤／崇人之德，扬人之美，非谄谀也／狖失木，而禽于狐狸，非其处也／法大行，则是为公是，非为公非／无天灾，无物累，无人非，无鬼责／世上万般哀苦事，无非死别与生离／出处每怀心耿耿，是非谁较论悠悠／生非贵之所能存，身非爱之所能厚／伐人之国而以为欢，非仁者之兵也／成败极知无定势，是非元自要徐观／有美之而莫敢辞，有非之而莫敢隐／毁誉从来不可听，是非终久自分明／睫在眼前长不见，道非身外更何求／不胜其任，而处其位，非此位之人也／道一而已，此是则彼非，此非则彼是／非规矩不能定方圆，非准绳不能正曲直／以老子视非老子，而非老子又胡不玄也／发乎声，见乎四支，谓非己心，不明也／壮而不虚，刚而能润……非鼓怒以为资／所生者弗德，所杀者非怨，则几于道也／食有酒肉，衣有罗绮……非益生之良药／苟有可观，皆有可乐，非必怪奇伟丽者也／非知之难，行之惟难；非行之难，终之斯难／非礼勿视，非礼勿听，非礼勿言，非礼勿动／助之长者，揠苗者也，非徒无益，而又害之／深耕穊种，立苗欲疏，非其种者，锄而去之／敬时爱日，非老不休，非疾不息，非死不舍／世之难得者，非财也，非荣也，患意之不足耳／徒知伪是之中有真非，殊不知真是之中有真非／昔之所为，而今觉其非，虽日异而月不同，可也／礼尚往来，往而不来非礼也，来而不往亦非礼也／国有三军何？所以戒非常，伐无道，尊宗庙，重社稷，安不忘危也

❿天下理无常是，事无常非／无启宠纳侮，无耻过作非／倏忽市朝变，苍茫人事非／讼必有曲直，论必有是非／行年五十而知四十九年非／彼亦一是非，此亦一是非／问其名则是，校其行则非／是非随名实，赏罚随是非／爱我者之言恕，恕故匿非／心意之论，不足以定是非／天下有二：非察是，是察非／人之道在法制，其用在是非／富贵而有业，则不至于为非／有言逊于汝志，必求诸非道／辞多类非而是，多类是而非／同于己为是之，异于己为非之／人有举事至当，而或有非之者／深入未必为得，不进未必为非／实迷途其未远，觉今是而昨非／是而非之，非而是之，犹非也／有天下之是非，有人人之是非／足恭者必中薄，面谀者必背非／不可死而死，是轻其生，非孝也／可死而不死，是重其死，非忠也／吏何恶于民而仇之也？非仇民也／事……有忤于心者而未始有非也／民习礼义，易与为善，难与为非／匹夫无故获千金，必有非常之祸／傀儡学技，音节虽工，面目非情／众皆舍而己用兮，忽自惑其是非／牟人之利以厌己之欲者，非蝗乎／君子可欺以其方，难罔以非其道／行身亦然，无涂垩之地则寡非矣／法大行，则是为公是，非为公非／安民可与行义，而危民易与为非／食人之食而误人之国者，非蝗乎／与时屈伸，柔从若蒲苇，非慑怯也／不以爱之而苟善，不以恶之而苟非／我之出而仕也，为天下，非为君也／我贤而彼不知，则见轻，非我咎也／乘理虽死而非亡，违义虽生而非存／以物与人为义，过与是非义之义也／诺轻者，信必寡；面誉者，背必非／劲操比松寒不挠，忠言如药苦非甘／坐井而观天，曰天小者，非天小也／苦心虽呕何由出，病骨非谗亦自销／按善恶见闻之实，断是非去取之疑／因事之是而是之，因事之非而非之／狠者类知而非知，愚者类仁而非仁／道可道，非常道；名可名，非常名／智者不为非其事，廉者不求非其有／贤臣不用，用臣不贤，则国非其国／致贵无渐失必暴，受爵非道殃必疾／烦为教而过不识，数为令而非不从／目前之耳目可涂，身后之是非难罔／眼处心生句自神，暗中摸索总非真／虎啸风生，龙吟云萃，固非偶然也／自责以义则难为非，难为非则形饰／雷隐隐，感妾心，倾耳清听非车音／鞭尅宁越以立威名，恐非致理之本／今善善恶恶，好荣憎辱，非人能自生／能大而不小，能高而不下，非兼通也／名者可以厉中人，君子所存非所汲汲／君子崇人之德，扬人之美，非谄谀也／彼兵者，所以禁暴除害也，非争夺也／道一而已，此是则彼非，此非则彼是／赏不足劝善，刑不足禁非，而政不成／见闻之知，乃物交而知，非德性所知／心之所感有邪正，故言之所形有是非／磨砺当如百炼之金，急就者，非邃养／一朝之忿，忘其身，以及其亲，非惑欤／天子之所是未必是，天子之所非未必非／无奇业旁人，而犹以富给，非俭则力也／正直者不可屈曲，有学问者必能辨是非／非有灾害疾疫，独以贫穷，非惰则

奢也／俯首帖耳，摇尾而乞怜者，非我之志也／孰使予乐居夷而忘故土者，非兹潭也欤／小人非才不能动人，小人非才不能乱国／彼为盈虚非盈虚……彼为积散非积散也／法令者，治恶之具也，而非至治之风也／违强陵弱，非勇也；乘人之约，非仁也／道也者，不可须臾离也；可离，非道也／学者所以为学，学为人而已，非有为也／杀一无罪非仁也，非其有而取之非义也／智者不背时而侥幸，明者不违道以干非／赏无功之人，罚不辜之民，非所谓明也／特立独行，适于义而已，不顾人之是非／有诸己而后求诸人，无诸己而后非诸人／跖之狗吠尧，尧非不仁，狗固吠非其主／言无法度不出于口，行非公道不萌于心／言非法度不出于口，行非公道不萌于心／其得之，乃失之；其失之，非乃得之也／其应也，非所设也；其动也，非所取也／干大事而惜身，见小利而忘命，非英雄也／才须学也，非学无以广才，非志无以成学／天地虽含囊万物，而万物非天地之所为也／乐之来，则人情出者也，其始非圣人作也／仁义礼乐者，可以救败，而非通治之至也／伟人之一顾逾乎华章，而一非亦惨乎黥刖／说淫则可不可而然不然，是不是而非不非／君子所求于人者薄，而辨是与非也无所苟／咸以孔子之是非为是非，故未尝有是非耳／德人者，居无思，行无虑，不藏是非善恶／处世间事，众人皆见得非，而我独见得是／贤不肖不杂则英杰至，是非不乱则国家治／有欲、无欲，异类也，生死也，非治乱也／上失其道，民散久矣，苟非君子，焉能固穷／不能说其志意，养其寿命者，皆非通道者也／不知而不疑，异于己而不非者，公于求善也／正则用之，邪则去之，是则行之，非则改之／北海虽赊，扶摇可接；东隅已逝，桑榆非晚／非三代两汉之书不敢观，非圣人之志不敢存／非所困而困焉名必辱，非所据而据焉身必危／非礼勿视，非礼勿听，非礼勿言，非礼勿动／千仓万箱非一耕所得；干天之木非旬日所长／为政之要，惟在得人。用非其才，必难致治／举世而誉之而不加劝，举世而非之而不加沮／云生日入，怪状迭发，水石卉木，杳非人寰／古昔多由布衣定一世者矣，皆能用非其有也／使天为天者，非天也；使人为人者，非人也／俭者，君子之德，世俗以俭为鄙，非远识也／从善如流，尚恐不逮；饰非拒谏，必是招损／诗有别材，非关书也；诗有别趣，非关理也／圣人恶似是而非之人，国家忌似是而非之论／至治馨香，感于神明，黍稷非馨，明德惟馨／至是之是无非，至非之非无是，此真是非也／士之特立独行，适于义而已，不顾人之是非／喜怒相疑，愚知相欺，善否相非，诞信相讥／苦身为善者，其赏厚；苦身为非者，其罪重／苟得其人，虽仇必举；苟非其人，虽亲不授／常看得自家未必是，他人未必非，便有长进／君子百是，必有一非；小人百非，必有一是／君子有诸己而后求诸人，无诸己而后非诸人／知过非难，改过为难；言善非难，行善为难／噬虎之兽，知爱己子；搏狸之鸟，非护异巢／希意道言，谓之谄；不择是非而言，谓之谀／崇大厦者非一木之材，匡弊俗者非一日之卫／溥天之下，莫非王土；率土之滨，莫非王臣／妙必假物而物非生妙，巧必因器而器非成巧／气以实志，志以定言，吐纳英华，莫非情性／政以胜众，非以陵众；众以胜事，非以伤事／教羊牧兔，使鱼捕鼠，任非其人，费日无功／敬时爱日，非老不休，非疾不息，非死不舍／所贵良吏者，贵其绝恶于未萌，使之不为非／爱非仁，爱之理是仁；心非仁，心之德是仁／舌之存，岂非以其柔；齿之亡，岂非以其刚／无是非之心，非人也……是非之心，智之端也／名实相生，利用相成，是非相明，去就相安也／知天乐者，无天怨，无人非，无物累，无鬼责／徒知伪是之中有真非，殊不知真是之中有真非／好贤乐善，孜孜以荐进良士、明白是非为己任／学而不能成其业，用而不能行其学，则非学也／亲父不为其子媒。亲父誉之，不若非其父者也／贩交买名之薄，吮痈舐痔之卑，安足议其是非／犁牛之驳似虎，莠之幼似禾，事有似是而非者／所学者非世之所可用，而所任者非身之所能为／爱善疾恶，人情所常，苟不明质，或疏善善非／短绠不可以汲深，器小不可以盛大，非其任也／穷愁著书，古儒者之大同，非高冠长剑之比耳／登彼西山兮采其薇矣，以暴易暴兮不知其非矣／一人所以能敌万人者，非弓刀之技，盖威之至也／一人所以能悦万人者，非言笑之惠，盖和之至也／天下争名趋势，不计是非，析毫剖芒，视死如归／百姓与之则安，辅之则强，非之则危，倍之则亡／非历览无以寄杼轴之怀，非高远无以开沉郁之绪／河冰结合，非一日之寒；积土成山，非斯须之作／礼尚往来，往而不来非礼也，来而不往亦非礼也／礼者，所以定亲疏、决嫌疑、别同异、明是非也／穷困不能辱身，非人也；富贵不能快意，非贤也／粟米布帛生于地，长于时，聚于力，非可一日成／乐非独以自乐，又以乐人，非独以自正，又以正人／利非不善也，其害义则不善也，其和义则非不善也／道，物之极，言默不足以载；非言非默，议有所极／子思以为鼎肉使己仆仆尔亟拜也，非养君子之道也／言贵尽心，亦各其所见也，若是非，则明智者裁之／不问而告谓之傲，问一告二谓之囋。傲非也，囋非也／虽有国士之力，不能自举其身，非无力也，势不便也／人知出必由户，而不知行必由道。非道远人，人自远尔／人迫于恶，则失其所好；怵于好，则忘其所恶，非道也／语言文字，如春之花，或者必欲弃花而觅春，非愚即狂／星队木鸣，国人皆恐。……怪之，可也；而畏之，非也／贤者之兴，而愚者之废，废而复之为是，循而习之为非／文章如精金美玉，市有定价，非人所能以口舌定贵贱也／以小善为无益，以小恶为无伤，凡此皆非所以安身崇德也／敬人者，非敬人也，自敬也；贵人者，非贵人也，自贵也／天下有至贵而非势位也，有至富而非金玉也，有至寿而非千岁也／伯夷，目不视恶色，耳不听恶声。非其君，不事；非其民，不使／名也者，相轧也；知也者，争之器也，二者凶器，非所以尽行也／人有明珠，莫不贵重，若以弹雀，岂非可惜？况人之性命甚于明珠／君子者，易亲而难狎，畏祸而难却，嗜利而不为非，时动而不苟作／道不可闻，闻而非也；道不可见，见而非也；道不可言，言而非也／学贵得之心，求之于心而非也，虽其言之出于孔子，不敢以为是也／谓马多力则有矣，若曰胜千钧，则不然者，何也？千钧，非马之任也／孔子曰："吾闻之，古之善御者，执辔如组，两骖如舞，非策之助也"。

畅 chàng 无阻碍；尽情；舒适；甚，真是；琴曲名；旺盛；姓。

❹遥吟俯畅，逸兴遄飞

❻参之孟、荀以畅其支

❼宜鼓琴，琴调虚畅／广厦成而茂木畅，远求存而良马絷

❽天朗气清，惠风和畅／一觞一咏，亦足以畅叙幽情

❾情以物感，而心由目畅……

❿经正而后纬成，理定而后辞畅／颂优游以彬蔚，论精微而朗畅／文章到欧曾苏，道理到二程，方是畅／吐纳文艺，务在节宣，清和其心，调畅其气／正位居体，美在其中，而畅于四支，发于事业，美之至也

临 ①lín 来到；靠近，对着；将要；描摹字画；姓。②lìn 吊唁死者。

❶临难守节

见宋·苏轼《乞擢用刘季孙状》。

临危莫爱身

见唐·杜甫《奉送严公入朝十韵》。

临财莫若廉

见三国·魏·王肃《孔子家语·辨政》。

临大事而不乱

见宋·苏轼《策略第四》。

临财莫过乎让

见唐·房玄龄《晋书·王祥传》。

临大节而不可夺也

见《论语·泰伯》。

临乎死生得失而不惧

见宋·苏辙《吴氏浩然堂记》。

临难忘身，见危致命

见唐·柳宗元《唐故特进南公睢阳庙碑》。

临行而思，临言而择

见宋·王安石《仁智》。

临祸忘忧，忧必及之

见《左传·庄公二十年》。

临利害之际而不失故常

宋·苏轼《陈侗知陕州》。

临溪而渔，溪深而鱼肥

见宋·欧阳修《醉翁亭记》。全句为："～；酿泉为酒，泉香而酒洌"。

临义而思利，则义必不果

见宋·苏轼《思堂记》。

临波笑脸，艳出浦之轻莲

见唐·骆宾王《扬州看竞渡序》。全句为："～；映渚蛾眉，丽穿波之半月"。

临渊羡鱼，不如退而结网

见汉·班固《汉书·董仲舒传》。

临官莫如平，临财莫如廉

见汉·刘向《说苑·政理》。

临战而思生，则战必不力

见宋·苏轼《思堂记》。

临财毋苟得，临难毋苟免

见《礼记·曲礼上》。

临难而不能勿听，不可谓勇

见《吕氏春秋·离俗览·贵信》。全句为："人特劫君而不盟，君不知，不可谓智；～；许之而不予，不可谓信。不智不勇不信，有此三者，不可以立功名"。"听"，听从，听任胁迫；"特"，仅，只。

临河而羡鱼，不如归家织网

见汉·刘安《淮南子·说林》。

临义莫计利害，论人莫计成败

见明·吕坤《呻吟语》。

临凝结而能断，操绳墨而无私

见晋·葛洪《抱朴子·行品》。

临危而智勇奋，投命而高节亮

见晋·潘岳《西征赋》。

临难而不苟免，见利而不苟得

见汉·黄石公《素书·正道》。全句为："守职而不废，处义而不回，～，此人之杰也"。

临大利而不易其义，可谓廉矣

见《吕氏春秋·仲冬纪·忠廉》。

临下以简，御众以宽，罚弗及嗣

见《尚书·大禹谟》。

临事不信于民者，则不可使任大官

见《管子·立政》。

临喜临怒看涵养，群行群止看识见

见明·吕坤《呻吟语·人品》。全句为:"大事难事看担当,逆境顺境看襟度,~"。

临大节而不可夺,处至公而不可干

见唐·骆宾王《自叙状》。

临流不忍轻相别,吟听潺湲到天明

见宋·石介《泥溪驿中作》。

临泰山之悬崖,窥巨海之惊澜……

见唐·韩愈《上襄阳于相公书》。全句为:"~,莫不战掉悼栗,眩惑而自失"。

临事而屡断,勇也;见利而让,义也

见汉·司马迁《史记·乐书》。

临清风,对朗月,登山泛水,肆意酣歌

见唐·李延寿《南史·梁宗室萧恭传》。

临水远望,泣下沾衣,远道之人心思归

见汉·无名氏《巫山高》。

临之以患难而能不变,邀之以宠利而能不回

见宋·苏轼《谢制科启》。

临财苟得,见利反义,不义而富,无名而贵

见汉·桓宽《盐铁论·地广》。全句为:"~,仁者不为也"。

❷敦临,吉,无咎/登临直见楚山雄/如临深渊,如履薄冰/不临深溪,不知地之厚也/亭临大江,复在山上……/不临誉以求亲,不愉悦以苟合/树临流而影动,岩薄暮而云披/登临自有江山助,岂是胸中不得平

❸果者,临敌不怀生/当官临事,切戒躁急/以贤临人,未有得人者也/偶然临险地,不信在人间/若教临水畔,字字恐成龙/曲水临流,自可一觞而一咏/必也临事而惧,好谋而成者也/一旦临小利害,仅如毛发比……/临喜临怒看涵养,群行群止看识见/卒然临之而不惊,无故加之而不怒/登高临深,远见之乐,台榭不若丘山所见高也

❹不用登临怨落晖/一夫怒临关,百万未可傍/举贤以临国,官能以敕民,则其道也/江南多临观之美,而滕王阁独为第一,有瑰伟绝特之称

❺临行而思,临言而择/奋不顾身,临时守节/渴而穿井,临难铸兵/登高则望,临深则窥/非虑无以临下,非言无以述虑/如今只说临安路,不较中原有几程/不忍登高临远,望故乡渺邈,归思难收/已乎已乎,临人以德;殆乎殆乎,画地而趋

❻临官莫如平,临财莫如廉/临财毋苟得,临难毋苟免/公若登台辅,临危莫爱身/处高心不有,临节自为名/望云惭高鸟,临水愧游鱼/战战兢兢,如临深渊,如履薄冰

❼士人修性,正在临事时/登东皋以舒啸,临清流而赋诗/兵者不可豫言,临难而制变者也/君子不得已而临莅天下,莫若无为

❽不恨归来迟,莫向临邛去/熟读王叔和,不如临症多/盲人骑瞎马,夜半临深池/为将者,受命忘家,临敌忘身/宜未雨而绸缪,毋临渴而掘井/宜未雨而绸缪,勿临渴而掘井/丈夫不作儿女别,临岐涕泪沾衣巾/内省而不疚于道,临难而不失其德/才可伪,功不可伪;临民听政,长短贤不肖立见

❾无书求出狱,有舌到临刑/何以谨慎为,勇猛而临官/以求干禄者败,以势临人者辱/贞以图国,义惟急病;临难忘身,见危致命/富于材积,领会神情,临景结构,不仿形迹/峰回路转,有亭翼然,临于泉上者,醉翁亭也/今使愚教知,使不肖临贤,虽严刑罚,民弗从也/天下有大勇者,卒然临之而不惊,无故加之而不怒

❿心懔懔以怀霜,志眇眇而临云/传闻与指实不同,悬算与临事有异/但将酩酊酬佳节,不用登临恨落晖/由上室而上,有穴,北出之,乃临大野/滔滔武溪一何深,鸟飞不度,兽不敢临/往事越千年,魏武挥鞭,东临碣石有遗篇/层台耸翠,上出重霄,飞阁流丹,下临无地/心旷神怡,宠辱偕忘,把酒临风,其喜洋洋/盖棺始能定士之贤愚,临事始能见人之操守/策之不以其道……执策而临之曰:"天下无马"/可以托六尺之孤,可以寄百里之命,临大节而不可夺也

乂

①yì 治理,安定;有才德的人;"刈"的古字,割草或收割谷类植物。②ài 惩戒。

❼天王日俭德,俊乂始盈庭

❽知人则哲,非贤罔乂/无康好逸豫,乃其乂民

❾若保赤子,惟民其康乂

❿其勿误于庶狱庶慎,惟正是乂之

匕

bǐ 一种汤勺式的餐具;匕首;箭头。

❹图穷而匕首见

九

①jiǔ 数目;泛指多;《易经》中称阳爻为九;时令;姓。②jiū 通"鸠",聚合。

❶九折臂而成医

见战国·楚·屈原《九章·惜诵》。

九万里风鹏正举

见宋·李清照《渔家傲》。全句为:"~。风休住,蓬舟吹取三山去"。

九合诸侯,一匡天下

见汉·司马迁《史记·齐太公世家》。

九河盈溢,非一块所防

见南朝·宋·范晔《后汉书·蔡邕传》。全句为:"~;带甲百万,非一勇所抗"。

九州犹虎豹,四海未桑麻

见明·刘基《古戍》。

九层之台一倾,公输子不能正

见汉·桓宽《盐铁论·救匮》。

九州生气恃风雷,万马齐喑究可哀

见清·龚自珍《己亥杂诗》。全句为:"～。我劝天公重抖擞,不拘一格降人材"。

❷虽九死其犹未悔/构九成之楼而以竹柱/当九秋之凄清,见一鹗之直上/河九折注于海,而流不绝者,昆仑之输也

❸可上九天揽月……/为山九仞,功亏一篑/十羊九牧,其令难行/八面九口,长舌为斧/箫韶九成,凤凰来仪/不称九天之顶,则言黄泉之底/掘井九轫而不及泉,犹为弃井也/三条九陌丽城隈,万户千门平旦开/茫茫九派流中国,沉沉一线穿南北

❹方寸地,九折坂/鹤鸣于九皋,声闻于天/君门以九重,道远河无津/君子有九思:视思明……见得思义/用四海九州之力,除此小寇,难易可知……

❺肠一日而九回/马行十步九回头/三千击水,九万抟风/刎颈不易,九裂不恨/高莫高兮九阍,远莫远兮故园/要假修成九转,先须炼己持心/既滋兰之九畹兮,又树蕙之百亩/待到秋来九月八,我花开后百花杀/鲲鹏展翅,九万里,翻动扶摇羊角/三年耕有九年储,仓谷满盈,斑白不负戴/三教一体,九流一源,百家一理,万法一门/聆《白雪》之九成,然后悟《巴人》之极鄙

❻善攻者,动于九天之上/善守者,藏于九地之下/力能排天斡九地,壮颜毅色不可求

❼不如意事常八九/民少官多,十羊九牧/行百里者,半于九十/不如意事常八九,可与语人无二三

❽让一得百,争十失九/水吞三楚白,山接九疑青

❾行年五十而知四十九年非/蚯蚓霸一穴,神龙行九天/书生报国无地,空白九分头/方宅十余亩,草屋八九间……/亦余心之所善兮,虽九死其犹未悔/心之在体,君之位也;九窍之有职,官之分也

❿为子孙作富贵计者,十败其九/听玄猿之悲吟,察鹤鸣于九皋/未必上流须鲁肃,腐儒空白九分头/世上岂无千里马,人间难得九方皋/人寰尚有遗民在,大节难随九鼎沦/诗中日月酒中仙,平地雄飞上九天/大鹏一日同风起,扶摇直上九万里/死去元知万事空,但悲不见九州同/金钩桂饵虽珍,不能制九渊之沉鳞/毛先生一至楚,而使赵重于九鼎大吕/德日新,万邦惟怀;志自满,九族乃离/一事惬当,一句清巧,神厉九霄,志凌千载/一切言动,都要安详;十差九错,只为慌张/三年耕,必有一年之食,九年耕,必有三年之食/有留死一尺,无北行一寸。刎颈不易,九裂不恨/为学为教,用力于讲读者一二,加功于习行者八九/其有发挥新体,孤飞百代之前,开凿古人,独步九流之上

乃

nǎi 是,就是;才,这才;你的;于是;如果。

❶乃知四体勤,无衣亦自暖

见明·钱秉镫《田园杂诗》。全句为:"～。君着狐貉温,转使腰肢懒"。

乃知青史上,大半亦属诬

见清·赵翼《后园居诗》。

乃含章之玉牒,秉文之金科矣

见南朝·梁·刘勰《文心雕龙·征圣》。全句为:"然则志足而言文,情信而辞巧,～"。

乃命羲和,钦若昊天……敬授民时

见《尚书·尧典》。删节处为:"历象日月星辰"。

❷事乃有大谬不然者/名乃苦其身,燋其心/慎乃俭德,惟怀永图/命乃在天,虽扁鹊何益/景乃诗之媒,情乃诗之胚/见乃谓之象,形乃谓之器/穷乃见节义,老当志弥刚/口乃心之门,守口不密,泄尽真机

❸敬明乃罚/士穷乃见节义/色欲乃忘身之本/酒色乃身之仇也/胜败乃兵家常事/读书乃学者第二事/学之乃知,不问不识/言思乃出,行详乃动/病困乃重良医,世乱而贵忠贞/舟覆乃见善游,马奔乃见良御/慎简乃僚,无以巧言令色、便辟侧媚

❹无私焉,乃私也/变化者,乃天地之自然/浩然者乃天地之正气也/诗书勤乃有,不勤腹空虚/能忍事乃济,有容德乃大/时穷节乃见,一一垂丹青/人之巧,乃可与造化者同功/惟事事乃其有备,有备无患/有忍,有乃有济;有容,德乃大/其知也乃不知,其不知也而后能知之/能克己,乃能成己;能胜物,乃能利物/其得之,乃失之;其失之,非乃得之也/唯至人乃能游于世而不僻,顺人而不失己/虚空者,乃可用盛受万物。故曰虚无能制有形

❺言能听,道乃进/无阴无阳乃谓之道/学于古训,乃有获/一死一生,乃知交情/一贫一富,乃知交态/事佛求福,乃更得祸/切磋琢磨,乃成宝器/能理乱丝,乃可读书/投闲置散,乃分之宜/小惩大诫,乃得其福/徐制其后,乃克有济/惟克果断,乃罔后艰/慎终如始,乃能长久/过而不改,乃谓之过/学当以渐,乃能至也/死生之穴,乃在分毫/服田力穑,乃亦有秋/必有事实,乃有是文/使之见者,乃不见者也/使鼓鸣者,乃不鸣者也/或欲害之,乃反以利之/黎庶之安,乃众贤之力/小人小善,乃铅刀之一割/事信言文,乃能表见于后世/是气也者,乃太虚固有之物/物势之反,乃君子所谓道也/思与境偕,乃诗家之所尚者/恶闻忠言,乃自伐之精者也/邪僻争权,乃有

忠臣匡正其君／总视其体，乃知其大相去之远／我心治，官乃治，我心安官乃安／必有忍，其乃有济；有容，德乃大／大禹圣人，乃惜寸阴，众人当惜分阴／见闻之知，乃物交而知，非德性所知／必须困至乃虑，穷至乃图，不亦晚乎／不大不小乃生大小，不高不卑乃生高卑／以贼其身，乃丧其躯，其行如此，是谓大忘／大川未济，乃失巨舰；长途始半，而丧良骥／大禹圣人，乃惜寸阴，至于众人，当惜分阴／屈原放逐，乃赋《离骚》；左丘失明，厥有《国语》

❻一家二贵，事乃无功／上下不和，令乃不行／无与祸邻，祸乃不存／勿烦勿乱，和乃自成／去甚去泰，身乃无害／将砺如铁，士乃忘躯／明其为贼，敌乃可服／心静气理，道乃可止／才储于平时，乃可济用／无康好逸豫，乃其乂民／彼能是，而我乃不能是／粟积于丰年，乃可济饥／吾学无所学，乃能明自然／性情之生，斯乃自然而有／悠然念故乡，乃在天一隅／行非常之事，乃有非常之功／虎豹之所余，乃狸鼠之所争也／狼子野心，是乃狼也，其可畜乎／知彼知己，胜乃不殆；知天知地，胜乃不穷

❼躬履艰难而节乃见／一贵一贱，交情乃见／天下昏乱，忠臣乃见／邪气袭内，正色乃衰／推贤让能，庶官乃和／守强不强，守柔乃强／学而不已，阖棺乃止／文武俱行，威德乃成／怠慢忘身，祸灾乃作／言思乃出，行详乃动／万物归之，美恶乃自见／无年非夭，无述乃为夭／无位非贱，无耻乃为贱／无子非孤，无德乃为孤／无财非贫，无学乃为贫／女神将守形，形乃长生／爱利之心谕，威乃可行／天曰虚，地曰静，乃不忒／景乃诗之媒，情乃诗之胚／见乃谓之象，形乃谓之器／维修卑下，然后乃各得其所／何况性命之重，乃以博财物耶／虽假容于江皋，乃缨情于好爵／立片言而居要，乃一篇之警策／辩之不早，疑盛乃动，故必战／大抵文字须熟乃妙，熟则利病自明／贤者报国之功，乃在缓急有为之际／藐然数尺之躯，乃欲私造化以为己物／乡者已去，至者乃新，新故不翏，我有所周／绝圣弃知，大盗乃止；擿玉毁珠，小盗不起／欲为君子，终身乃成；欲为小人，一朝可就／虎之跃也，必伏乃厉；鹘之举也，必揜乃高

❽百胜难虑敌，三折乃良医／贞刚自有质，玉石乃非坚／好雨知时节，当春乃发生／社鼠不可熏，去此乃治矣／辞必端其本，修之乃立诚／自以为无过，而过乃大矣／满招损，谦受益，时乃天道

❾不伐功斯巨，惟谦道乃光／不作无益害有益，功乃成／不贵异物贱用物，人乃足／能忍事乃济，有容德乃大／圣人未尝有知，由问乃有知／罪生甲，祸归乙，伏怨乃结／大哉乾元，万物资始，乃统天／舟覆乃见善游，马奔乃见良御／信而又信，重袭于身，乃通于天／圣人正在刚柔之间，乃得道之本／至哉坤元！万物资生，乃顺承天／一人之身兼有英雄，乃能役英与雄／明为明，不明为不明，乃所谓明也／天下非一人之天下，乃天下之天下也／必须困至乃虑，穷至乃图，不亦晚乎／欲交其人，先观其友，乃择交第一良法也

❿我心治，官乃治，我心安官乃安／有忍，有乃有济；有容，德乃大／地广非常安之术，人劳乃易乱之源／惟古于词必己出，降而不能乃剽贼／王师北定中原日，家祭无忘告乃翁／教人至难，必尽人之材，乃不误人／必有忍，其乃有济；有容，德乃大／辞之所以能鼓天下者，乃道之文也／不宜忽略，以弃日也。弃日乃是弃身／至极空虚而善应于物，则乃目之为道／大勋所任者唯一人，然群谋济之乃成／披蓑而救火，毁渎而止水，乃愈益多／少君之费，寡君之欲，虽无粮而乃足／君子之去小人，惟能尽去，乃无后患／月本无光，如银丸。日耀之，乃光耳／不大不小乃生大小，不高不卑乃生高卑／由上室而上，有穴，北出之，乃临大野／为治之功不在大，见大不明，见小乃明／人事必将与天地相参，然后乃可以成功／能克己，乃能成己；能胜物，乃能利物／若能为能，不能为不能……乃所谓明也／当官者能洁身修己，然后在公之节乃全／君子计行虑义；小人计行其利，乃不利／德日新，万邦惟怀；志自满，九族乃离／服不美，人不汝尤；德不美，乃汝之羞／其得之，乃失之；其失之，非乃得之也／厥父母勤劳稼穑，厥子乃不知稼穑之艰难／虚其欲，神将入舍；扫除不洁，神乃留处／两若有名，相与则成；阴阳备物，化变乃生／千金之家比一都之君，巨万者乃与王者同乐／以道以德为有国之基，无事无为乃聚人之本／句有可削，足见其疏；字不得减，乃知其密／小人君子，其心不同，惟乖于时，乃与天通／当怒不怒，奸臣为虎；当杀不杀，大贼乃发／知彼知己，胜乃不殆；知天知地，胜乃不穷／山无陵，江水为竭……天地合，乃敢与君绝／饥马在厩，寂然无声，投刍其旁，争心乃生／忧不生忧，喜不生喜。不忧不喜，乃生忧喜／或誉人而适足以败之，或毁人而乃反以成之／心苟至公，人将大同；心能执一，政乃无失／忠谋转改，祸必及己。退隐深山，身乃不殆／毋先物动，以观其则；动则失位，静乃自得／积微之善，以至吉祥。小恶不止，乃至灭亡／虎之跃也，必伏乃厉；鹘之举也，必揜乃高／其国弥大，而其主弥静，然后乃能广得众心／不可与往者，不知其道，慎勿与之，身乃无咎／不以宠辱荣患损易其身，然后乃可以天下付之／大丈夫必有四方之

志,乃仗剑去国,辞亲远游/必静必清,无劳女形,无摇女精,乃可以长生/人遇逆境,无可奈何,而安之若命,乃是见识超卓/人始入官,如入晦室,久而愈明,明乃治,治乃行/以食噎而得病者,欲绝食以去病,乃不知食绝而身毙/人之能为人,由腹有诗书。诗书勤乃有,不勤腹空虚/人之所以为人者,非以此八尺之身也,乃以其有精神/苍蝇之飞,不过十步;自托骐骥之尾,乃腾千里之路/圣智设法,本以守国,智诈极矣,乃翻为盗国之盗资也/人之生也,必以其欢。忧则失纪,怒则失端。忧悲喜怒,道乃无处

千

qiān 数字;表示很多;姓;秋千。

❶千秋青史难欺

见清·张廷玉《明史·李应升传》。

千虚不如一实

见明·冯梦龙《警世通言·王安石三难苏学士》。

千岩万壑春风暖

见宋·王安石《渔家傲》。

千里姻缘一线牵

见清·曹雪芹《红楼梦》第五十七回。

千人所指,无病而死

见汉·班固《汉书·王嘉传》。

千亩竹林,气含烟雾

见唐·宋之问《春游宴兵部韦员外韦曲庄序》。全句为:"万株果树,色杂云霞;~"。

千军易得,一将难求

见元·马致远《汉宫秋》。

千载之勋,一朝可立

见北魏·许谦《遗杨佛嵩书》。

千里而战,兵不获利

见汉·司马迁《史记·韩长孺列传》。

千里之差,兴自毫端

见南朝·宋·范晔《后汉书·南匈奴传论》。

千里之堤,溃于蚁穴

见《韩非子·喻老》。

千里之行,始于足下

见《老子》六十四。

千里之缪,不容秋毫

见唐·刘禹锡《董氏武陵集纪》。

千里投名,万里投主

见明·施耐庵《水浒传》第十一回。

千金不能救斯言之玷

见晋·葛洪《抱朴子·广譬》。全句为:"奔骥不能及既往之失,~"。

千金之子,不死于市

见汉·司马迁《史记·货殖列传》。

千钧之弩不为鼷鼠发机

见晋·陈寿《三国志·魏书·杜袭传》。全句为:"~,万石之钟不以莛撞起音"。

千里之路,不可扶以绳

见《管子·宙合》。全句为:"~;万家之都,不可平以准"。

千金之裘,非一狐之腋

见汉·司马迁《史记·刘敬叔孙通列传》。

千丈之堤,以蝼蚁之穴溃

见《韩非子·喻老》。全句为:"~;百尺之室,以突隙之烟焚"。

千家数人在,一税十年空

见唐·黄滔《书事》。

千镒之裘,非一狐之白也

见《墨子·亲士》。全句为:"江河之水,非一源之水也;~"。

千秋功罪,谁人曾与评说

见现代·毛泽东《念奴娇·昆仑》。

千羊之皮,不若一狐之腋

见汉·韩婴《韩诗外传》。全句为:"~;众人诺诺,不若一士之谔谔"。

千里不同风,百里不共雷

见汉·王充《论衡·雷虚篇》。

千里之堤,以蝼蚁之穴漏

见汉·刘安《淮南子·人间》。全句为:"~;百寻之屋,以突隙之烟焚"。

千里始足下,高山起微尘

见唐·白居易《续座右铭》。全句为:"~;吾道亦如此,行之贵日新"。

千里相思,空有关山之望

见唐·杨炯《送并州旻上人诗序》。

千金何足惜,一士固难求

见元·迺贤《南城咏古》。

千夫诺诺,不如一士之谔谔

见宋·苏轼《讲田友直字序》。

千里而袭人,未有不亡者也

见《公羊传·僖公三十三年》。

千里马常有,而伯乐不常有

见唐·韩愈《杂说四》。全句为:"世有伯乐,然后有千里马。~"。

千里跬步不至,不足谓善御

见《荀子·劝学》。全句为:"百发失一,不足谓善射;~"。

千人万人之情,一人之情是也

见《荀子·不苟》。

千人之诺诺,不如一士之谔谔

见汉·司马迁《史记·商君列传》。

千里搭长棚,没个不散的筵席

见《红楼梦》第二十六回。

千古兴亡,百年悲笑,一时登览

见宋·辛弃疾《水龙吟》。

千古江山,英雄无觅,孙仲谋处

见宋·辛弃疾《永遇乐》。

千里之马，骨法虽具，弗策不致

见汉·王符《潜夫论·相列》。全句为："十种之地，膏壤虽肥，弗耕不获；～"。

千乘之国，弑其君者，必百乘之家

见《孟子·梁惠王上》。

千古风流歌舞地，六朝兴废帝王州

见宋·赵希淦《半山寺有感》。

千呼万唤始出来，犹抱琵琶半遮面

见唐·白居易《琵琶行》。

千峰顶上一间屋，老僧半间云半间

见宋·普济《五灯会元》卷一七。全句为："～，昨夜云随风雨去，到头不似老僧闲"。

千淘万漉虽辛苦，吹尽狂沙始到金

见唐·刘禹锡《浪淘沙九首》之八。

千家万户曈曈日，总把新桃换旧符

见宋·王安石《除日》。

千磨万击还坚劲，任尔东西南北风

见清·郑燮《题竹石》。

千锤万击出深山，烈火焚烧若等闲

见明·于谦《石灰吟》。全句为："～。粉骨碎身全不怕，要留青白在人间"。

千羊不能扞独虎，万雀不能抵一鹰

见晋·葛洪《抱朴子·广譬》。

千金未必能移性，一诺从来许杀身

见唐·戎昱《上湖南崔中丞》。

千金之子不垂堂，百金之子不骑衡

见汉·班固《汉书·爰盎传》。

千古圣贤若同堂合席，必无尽合之理

见宋·陆九渊《语录上》。全句为："～，然此心此理，万世一揆也"。

千岩竞秀，万壑争流……若云兴霞蔚

见南朝·宋·刘义庆《世说新语·言语》。删节处为："草木蒙笼其上"。

千古兴亡多少事，悠悠。不尽长江滚滚流

见宋·辛弃疾《南乡子》。

千仓万箱非一耕所得；干天之木非旬日所长

见晋·葛洪《抱朴子·极言》。

千里开年，且悲春目；一叶早落，足动秋襟

见唐·李峤《楚望赋》。

千金之家比一都之君，巨万者乃与王者同乐

见汉·司马迁《史记·货殖列传》。

千人同心则得千人力，万人异心则无一人之用

见汉·刘安《淮南子·兵略》。

❷三千击水，九万抟风／以千击万，莫善于阻／涉千钧之发机不知惧／悬千钧之重于木之一枝／决千金之货者不争铢两之价／有千里莼羹，但未下盐豉耳／举千人之所爱，则得千人之心／朝千悲而下泣，夕万绪以回肠／阅千古而不变者，气种之有定也／三千宫女胭脂面，几个春来无泪痕／以千百就尽之卒，战百万日滋之师／操千曲而后晓声，观千剑而后识器／履千险而不失其信，遇万折而不失其东／据千乘之国，而信谗佞之计，未有不亡者／道千乘之国，敬事而信，节用而爱人，使民以时

❸一诗千改始心安／芦花千里霜月白／横扫千军如卷席／碧峰千点数帆轻／养兵千日，用兵一时／养军千日，用军一时／寸步千里，咫尺山河／峡水千里，巴山万重／家累千金，坐不垂堂／送君千里，终须一别／智者千虑，必有一失／愚人千虑，必有一得／愚者千虑，亦有一得／愚者千虑，或有一得／愚者千虑，必有一得／积财千万，无过读书／鹤寿千岁，以极其游／书不千轴，不可以语化／亿万千百十，皆起于一／良田千顷，不如薄艺随身／壁立千峰峻，漈流万壑奔／振衣千仞冈，濯足万里流／虽有千黄金，无如我斗粟／岂知千仞坠，只为一毫差／过江千尺浪，入竹万竿斜／欲知千里寒，但看井水冰／欲穷千里目，更上一层楼／文章千古事，得失寸心知／积财千万，不如薄技在身／积财千万，不如明解一经／飞雪千里，不能改松柏之心／邓林千里，不能无偏枯之木／昂昂千里，泛泛不作水中凫／家有千金之玉不知治，犹之贫也／放船千里凌波去，略为吴山留顾／万户千门成野草，只缘一曲后庭花／兵可千日而不用，不可一日而不备／能读千赋则善赋，能观千剑则晓剑／圣贤千言万语，教人且从近处做去／虽有千里之能……安求其能千里也／江流千古英雄泪，山掩诸公富贵羞／有缘千里来相会，无缘对面不相逢／目极千里兮伤春心，魂兮归来哀江南／百孔千疮，随乱随失，其危如一发引千钧／圣人千虑，必有一失；愚人千虑，必有一得／马效千里，不必胡代；士贵成功，不必文辞／马效千里，不必骥騄；人期贤知，不必孔墨／骐骥千里，一日而通；驽马十舍，旬亦至之／欲观千岁，则数今日；欲知亿万，则审一二／磐石千里，不可谓富；象人百万，不可谓强／盘石千里，不为有地；愚民百万，不为有民／鸟飞千仞之上……祸犹及之，又况编户齐民乎／直视千里外，唯见起黄埃。凝思寂听，心伤已摧

❹拒人于千里之外／黄金累千，不如一贤／一别隔千里，荣枯异炎凉／三万六千日，夜夜当秉烛／后来有千日，谁与共平生／成败论千古，人间最不公／故国三千里，深宫二十年／敏捷诗千首，飘零酒一杯／愚人诵千句，不解一句义／白发三千丈，缘愁似个长／老骥思千里，饥鹰待一呼／弹鸟，则千金不及丸泥之用／大丈夫，千山万水往长远处看／森森如千丈松，虽磊砢有节目／虑不在千里之外，则患在几席之下矣／

往事越千年，魏武挥鞭，东临碣石有遗篇／骥一日千里，车轻也，以重载，则不能数里

❺一失足成千古恨／一夫得情，千室鸣弦／天下大治，千载一时／百万买宅，千万买邻／百世一人，千载一时／百炼为字，千炼成句／百锻成字，千炼成句／每一相思，千里命驾／众里寻他千百度……／行合趋同，千里相从／饥者不愿千金而美一餐／清入梦魂，千里人长久／锦帽貂裘，千骑卷平冈／唤起工农千百万，同心干／蹈海之节，千乘莫移其情／良马期乎千里，不期乎骥骜／宁见朽贯千万而不忍赐人一钱／探渊者知千仞之深，县绳之数也／一失脚成千古恨，再回头是百年人／一灯能除千年暗，一智能灭万年愚／世上岂无千里马，人间难得九方皋／丹崖翠壁千万丈，与公上上上上上／谁怜爱国千行泪，说到胡尘意不平／各愿种成千百索，豆萁禾穗满青山／沉舟侧畔千帆过，病树前头万木春／酒逢知己千杯少，话不投机半句多／好去长江千万里，不须辛苦上龙门／骥一日而千里，驽马十驾则亦及之／杀一人则千人恐，滥一罪则百夫愁／明发又为千里别，相思应尽一生期／明珠自有千金价，莫为游人作弹丸／新年鸟声千种啭，二月杨花满路飞／胸中襞积千般事，到得相逢一语无／窗含西岭千秋雪，门泊东吴万里船／金猴奋起千钧棒，玉宇澄清万里埃／施为宜似千钧之弩，转发者，无宏功／弟子盖三千焉，身通六艺者七十有二人／安得广厦千万间，大庇天下寒士俱欢颜／大石侧立千尺，如猛兽奇鬼，森然欲搏人／举网以纲，千目皆张，振裘持领，万毛自整／水皆缥碧，千丈见底；游鱼细石，直视无碍

❻春江一曲柳千条／数行家信抵千金／爱尺寸而忘千里／心如老骥常千里／十围之木持千钧之屋／恃自圆之木，千世无轮／百年变朝市，千里异风云／百里不同风，千里不同俗／百里不贩樵，千里不贩籴／百金买骏马，千金买美人／为国忘私仇，千秋思廉蔺／但愿人长久，千里共婵娟／依作北辰星，千年无转移／八方各异气，千里殊风雨／黄鹄一远别，千里顾徘徊／知音偶一时，千载为欣欣／哲人归大夜，千古传圭璋／物轻人意重，千里送鹅毛／斗粟自可饱，千金何所直／白骨露于野，千里无鸡鸣／其人虽已没，千载有余情／匹夫无故获千金，必有非常之祸／敌军围困万千重，我自岿然不动／世间屈事万千千，欲觅长梯问老天／休辞客路三千远，须念人生七十稀／人生芳秽有千载，世上荣枯无百年／附骥尾则涉千里，攀鸿翮则翔四海／定知直道传千古，杜牧文章在上头／春风杨柳万千条，六亿神州尽舜尧／新松恨不高千尺，恶竹应须斩万竿／龙钟还忝二千石，愧尔东西南北人／眼前直下三千字，胸次全无一点尘／蜀笺都有三千幅，总写离情寄孟光／利之所在，虽千仞之山，无所不上，深源之下，无所不入

❼一言之重，侔于千金／一言之善，贵于千金／七穿八穴，百了千当／长烟一空，皓月千里／失之毫厘，差以千里／云山万重，寸心千里／人面咫尺，心隔千里／附耳之语，流闻千里／附耳之言，闻于千里／差若毫厘，缪以千里／寸心万绪，咫尺千里／家有敝帚，享之千金／跬步不休，跛鳖千里／一言之善，贵于千金然／驽蹇之乘不骋千里之涂／以一缕之任，系千钧之重／咫尺之图，写百千里之景／俟自圆之木，则千岁无一轮／急辔数策者，非千里之御也／世间屈事万千千，欲觅长梯问老天／新丰美酒斗十千，咸阳游侠多少年／立望关河萧索，千里清秋，忍凝眸／以隋侯之珠，弹千仞之雀，世必笑之／黄鹄之飞，一举千里，有必飞之备也／开函关，掩函关，千古如何，不见一人闲／车之所以能转千里者，以其要在三寸之辖／长烟一空，皓月千里；浮光跃金，静影沉璧／勋劳宜赏，不吝千金；无功望施，分毫不与／落梅芳树，共体千篇；陇水巫山，殊名一意／鸿鹄高飞，一举千里，羽翼以就，横绝四海／老骥伏枥，志在千里；烈士暮年，壮心不已／千人同心则得千人力，万人异心则无一人之用／和氏之璧，价重千金，然以之间纺，曾不如瓦砖／黄鹄白鹤，一举千里，使之与燕服翼试之堂庑之下／其夹岸有树木千万本，列立如揖，丹色鲜如霞，擢举欲动，灿若舒颜

❽苍蝇附骥尾而致千里／朝晖夕阴，气象万千／不积跬步，无以至千里／前无所阻兮，跛鳖千里／倚天绝壁，直下江千尺／世有伯乐，然后有千里马／生年不满百，常怀千岁忧／以我径寸心，从君千里外／今朝一杯酒，明日千里人／舒吾陵霄羽，奋此千里足／狂云妒佳月，怒气千里黑／安求一时誉，当期千载知／官无一寸禄，名传千万里／结交一言重，相期千里至／案上一点墨，民间千点血／水无暂停流，木有千载贞／用心于诈，百补而千穴败／万里长江，何能不千里而一曲／华骝、绿耳，一日至千里……／大江东去，浪淘尽千古风流人物／一时之强弱在力，千古之胜负在理／天生我材必有用，千金散尽还复来／不见古人卜居者，千金只为买乡邻／出师一表真名世，千载谁堪伯仲间／飞蓬遇飘风而行千里，乘风之势也／阴风搜林山鬼啸，千丈寒藤绕崩石／太阳初出光赫赫，千山万山如火发／忽如一夜春风来，千树万树梨花开／故马或奔踶而致千里，士或有负俗之累而立功名／跬步而不休，跛鳖千里；累土而不辍，丘山崇成

❾勿轻一篑少，进往必千仞／骀驷安局步，骐骥

志千里／桥上山万重，桥下水千里／贱者虽自贱，重之若千钧／钱财如粪土，仁义值千金／无厚，不可积也，其大千里／举千人之所爱，则得千人之心／烈日秋霜，忠肝义胆，千载家谱／三十功名尘与土，八千里路云和月／美人迈兮音尘阙，隔千里兮共明月／操千曲而后晓声，观千剑而后识器／江南谚云：尺牍书疏，千里面目也／若能常保数百卷书，千载终不为小人也／骐骥骅骝，一日而驰千里，捕鼠不如狸狌／天下之牝，以静胜牡。千世不易，万世不变／十旬休暇，胜友如云；千里逢迎，高朋满座／阴晴显晦，昏旦含吐，千变万状，不可殚纪／有司一朝而受者几千万言，读不能十一……／合抱之木，生于毫末……千里之行，始于足下／德万人者谓之俊，德千人者谓之豪，德百人者谓之英

❿归来宴平乐，美酒斗十千／假舆马者，足不劳而致千里／诉心中之不平，感数奇于千载／德行修逾八百，阴功积满三千／宁撞金钟一下，不打铙钹三千／骐骥虽疾，不遇伯乐不致千里／眼里无点灰尘，方可读书千卷／天子之怒，伏尸百万，流血千里／大丈夫得死所，光奕奕，照千古／君子慎始，差若毫厘，缪之千里／文章太守，挥毫万字，一饮千钟／三条九陌丽城隈，万户千门平旦开／无情不似多情苦，一寸还成千万缕／无缘对面不相逢，有缘千里能相会／不出尊俎之间，而折冲于千里之外／且乐生前一杯酒，何须身后千载名／可能十万珍珠字，买尽千秋儿女心／乱石穿空，惊涛拍岸，卷起千堆雪／词源倒流三峡水，笔阵独扫千人军／词家从不觅知音，累汝千回带泪吟／能读千赋则善赋，能观千剑则晓剑／坐地日行八万里，巡天遥看一千河／士有一言中于道，不远千里而求之／把向空中捎一声，良马有心日驰千／君王旧迹今人赏，转见千秋万古情／虽有千里之能……安求其能千里也／徒觉炎凉节物非，不知关山千万里／运筹策帷帐之中，决胜于千里之外／始知绝代佳人意，即有千秋国士风／贯穿百代尝探古，吟咏千篇亦造微／爱好由来下笔难，一诗千改始心安／有如兔走鹰隼落，骏马下注千丈坡／砚中斑驳遗民泪，井底千年恨未销／穷荒绝漠鸟不飞，万碛千山梦犹懒／预支五百年新意，到了千年又觉陈／等闲识得东风面，万紫千红总是春／跻攀分寸不可上，失势一落千丈强／世混浊而不清，蝉翼为重，千钧为轻／为山者基于一篑之土，以成千丈之峭／墨子见衢路而哭之，悲一跬而缪千里／吾文如万斛泉源……虽一日千里无难／标心于万古之上，而送怀于千载之下／百年，寿之大齐。得百年者，千无一焉／人一能之，己百之；人十能之，己千之／疾呼不过闻百步，志之所在，逾于千里／百孔千疮，随乱随失，其危如一发引千钧／人生大期，百年为限，节护之者可至千岁／君子居其室，出其言善，则千里之外应之／善举事者若乘舟而悲歌，一人唱而千人和／禄之以天下，弗顾也；系马千驷，弗视也／一事惬当，一句清巧，神厉九霄，志凌千载／于戏君子，人不厌之，死千岁，其行可师／正言不发，万口如封，谄媚相与，千颜一容／仇无大小，只怕伤心；恩若救急，一芥千金／人生贵得适意尔，何能羁宦数千里以要名爵／负势竞上，互相轩邈，争高直指，千百成峰／圣人千虑，必有一失；愚人千虑，必有一得／小中见大，大中见小；一为千万，千万为一／造父疾趋，百步而废；自托乘舆，坐致千里／意授于思，言授于意，密则无际，疏则千里／意深词浅，思苦言甘。寥寥千载，此妙谁探／秋山的翠，秋江澄空，扬帆迅征，不远千里／譬如一灯，入于暗室，百千年暗，悉能破尽／金舟不能凌阳侯之波，玉马不任骋千里之迹／无以待之，则十百而乱；有以待之，则千万若一／自修自修，益处自家求；一刻千金，勿把韶光丢／苍蝇之飞，不过十步；自托骐骥之尾，乃腾千里之路／消磨了三十多年层层心血，算不得大千世界小小文章／骐骥盛壮之时，一日而驰千里；至其衰也，驽马先之／解落三秋叶，能开二月花。过江千尺浪，入竹万竿斜／不仁之人骋其私智，可以盗千乘之国，而不可以得丘民之心／贱生于无所用，中流失船，一壶千金，贵贱无常，时使物然／天之高也，星辰之远也，苟求其故，千岁之日至，可坐而致也／天下有至贵而非势位也，有至富而非金玉也，有至寿而非千岁也／谓马多力则有矣，若曰胜千钧，则不然者，何也？千钧，非马之任也

川

chuān 河流；山间或高原间的平地；指四川。

❶川广自源，成人在始

见晋·张华《励志诗》。

川泽纳污，山薮藏疾，瑾瑜匿瑕

见《左传·宣公十八年》。

川源不能实漏卮，山海不能赡溪壑

见汉·桓宽《盐铁论·本议》。

川渊深而鱼鳖归之，山林茂而禽兽归之

见《荀子·致士》。

川竭而谷虚，邱夷而渊塞，唇竭而齿寒

见汉·刘安《淮南子·说林》。

川不可防，言不可弭，下塞上聋，邦其倾矣

见唐·韩愈《子产不毁乡校颂》。

❷满川风雨看潮生／百川派别，归海而会／山川未改，容貌俱非／山川之美，古来共谈／百川俱会，大海所以深／百川异源，而皆归于海／山川者，特天地之物也／百川东到海，何时复西归

／百川日东流，客去亦不息／巨川将溃，非捧土之能塞／迅川之水，束草投之则凝／万川归之，不知何时止而不盈／百川并流，不注海者不为川谷／大川不能促其涯，以适速济之情／为川者，决之使导；为民者，宣之使言／百川学海而至于海，丘陵学山而不至于山／百川朝海，流行不止。道虽辽远，无不到者／大川未济，乃失巨舰；长途始半，而丧良骥／澄川翠干，光影会合于轩户之间，尤与风月为相宜

❸霜尽川长，云平野阔／障百川而东之，回狂澜于既倒／舟循川则游速，人顺路则不迷／子在川上曰：逝者如斯夫！不舍昼夜

❹势扼长川万古雄／俯镜八川，周睇万里／水积成川，则蛟龙生焉／纵横一川水，高下数家村／白云满川，如海波起伏……／同涉于川，其时在风；沿者之吉，溯者之凶

❺林无静树，川无停流／地若无山川，何人重平道／海不通百川，安得巨大之名／水倍源则川竭，人倍信则名不达／洪波振壑，川无活鳞；惊飙拂野，林无静柯

❻东风解冻，河川流通／人心险于山川，难于知天／风前灯易灭，川上月难留／豫焉，若冬涉川；犹兮，若畏四邻／人情险于山川，以其动静可识，而沉阻难徵／河下天下之川，故广；人下天下之士，故大

❼天地长不没，山川无改时／兴废由人事，山川空地形／披泥抽沦玉，澄川掇沈珠／凡人心险于山川，难于知天／秋之为状也：……山川寂寥／擅山海之富，居川林之饶，争修园宅，互相夸竞

❽大能掩小，海纳百川／地道乱，而草木山川不得其平／防民之口，甚于防川，川壅而溃，伤人必多／岂不遽止？然犹防川，大决所犯，伤人必多／骇机一发，浮谤如川。巧言奇中，别白无路／从山阴道上行，山川自相映发，使人应接不暇

❾海水广大非独仰一川之流也／我自只如常日醉，满川风月替人愁／赤地炎都寸草无，百川水沸煮虫鱼／防民之口，甚于防川，川壅而溃，伤人必多／古之人观于天地、山川、草木、虫鱼、鸟兽，往往有得

❿惧满溢，则思江海下百川／惧满盈，则思江海下百川／经事还谙事，阅人如阅川／槛外低秦岭，窗中小渭川／百川并流，不注海者不为川谷／为高必因丘陵，为下必因川泽／石韫玉而山辉，水怀珠而川媚／腾波触天，高浪灌日，吞吐百川／资栋梁而成大厦，凭舟楫而济巨川／绝民用以实王府，犹塞川原而为潢污也／若金，用汝作砺；若济巨川，用汝作舟楫／日异其能，岁增其智，进如川行，浩浩而遂／平原广望，博观之乐，沼池不如川泽所见博也／清静处下，虚以待之，无为无求，而百川自为来也／莫道男儿心如铁，君不见满川红叶，尽是离人眼中血／背法而治，此任重道远而无马牛，济大川而无舡楫也／天地相对，日月相刿，山川相流，轻重相浮，阴阳相续／虎旅云从，词林响应，若毛羽之宗麟凤，众川之长江河／三皇之知，上悖日月之明，下睽山川之精，中堕四时之施

久

jiǔ 长久，永久；表时间；旧；久留；塞。

❶久受尊名不祥

见元·曾先之《十八史略·春秋战国·吴》。

久与贤人处则无过

见《庄子·德充符》。

久行伤筋，久坐伤肉

见南朝·梁·陶弘景《养性延命录·杂诫忌禳害祈善篇》。全句为：“久视伤血，久卧伤气，久立伤骨，～”。

久别年颜改，相逢夜话长

见宋·惠崇《自撰句图》。

久在樊笼里，复得返自然

见晋·陶潜《归园田居五首》之一。

久成人将老，长征马不肥

见唐·郭震《塞上》。

久旱逢甘雨，他乡遇故知

见宋·汪洙《喜》。全句为：“～，洞房花烛夜，金榜挂名时”。

久有凌云志，重上井冈山

见现代·毛泽东《水调歌头·重上井冈山》。

久假而不归，恶知其非有也

见《孟子·尽心上》。

久利之事勿为，众争之地勿往

见清·申涵光《荆园小语》。全句为：“～，物极则反，害将及矣”。

久视伤血，久卧伤气，久立伤骨

见南朝·梁·陶弘景《养性延命录·杂诫忌禳害祈善篇》。全句为：“～，久行伤筋，久坐伤肉”。

❷兵久则变生，事苦则虑易／兵久则力屈，人愁则变生／战久则兵钝，攻久则力屈／伏久者飞必高，开先者谢独早

❸不忘久德，不思久怨／毋恃久安，毋惮初难／圣人久于道而天下化成／兰闺久寂寞，无事度芳春／游子久不归，不识陌与阡／存为久离别，没为长不归／闻鸡久听南天雨，立马曾挥北地鞭／斥不久，穷不极，虽有出于人……／暴师久则国用不足，此兵所以贵速也

❹天地长久，风俗无恒／人欲长久，断情去欲／变则堪久，通则不乏／务为不久，盖虚不长／去人滋久，思人滋深／蓄极积久，势不能遏／窃位既久，妨贤则多／美成在久，恶成不及改／一劳

而久逸，暂费而永宁／真积力久则入，学至乎没而后止／天长地久有时尽，此恨绵绵无绝期／欲长生久视，而日逆其生，欲之何益／师不欲久，行不欲远，守少则固，力专则强

❺久行伤筋，久坐伤肉／一万年太久，只争朝夕／狎昵恶少，久必受其累／不向东山久，蔷薇几度花／任自然者久，得其常者济／但愿人长久，千里共婵娟／人情须耐久，花面长依旧／常言道：日久才把人心见／权重持难久，位高势易穷／久视伤血，久卧伤气，久立伤骨／两情若是久长时，又岂在、朝朝暮暮／宽收严试，久任超迁。此八字，用人之良法

❻兵贵胜，不贵久／丹青初则炳，久则渝／习俗移志，安久移质／勿以太平渐久而自骄逸／名由实生，故久而益大／数战则民劳，久师则兵弊／非德而可长久者，天下无之／不失其所者久，死而不亡者寿／创巨者其日久，痛甚者其愈迟／养性之道：莫久行、久坐……／天下大势，分久必合，合久必分／心不怡之长久兮，忧与愁其相接／不畏将军成久别，只恐封侯心更移／草树知春不久归，百般红紫斗芳菲／旦旦而学之，久而不怠焉，迄乎成／浮言可以事久而明，众嗤可以时久而息／必且历日旷久，丝牦犹能挈石，驽马亦能致远

❼天不再与，时不久留／不忘久德，不思久怨／兄弟无礼，不能久同／大名之下，难以久居／履霜坚冰，其渐久矣／成功之下，不可久处／西夕之景，吾能久留／读书之处，不可久坐闲谈／岂无一时好，不久当如何／浊者清之路，昏久则昭明／梁园虽好，不是久恋之家／战久则兵钝，攻久则力屈／病多知药性，客久见人心／路遥知马力，日久见人心／不正而合，未有久而不离者也／如入芝兰之室，久而不闻其香／如入鲍鱼之肆，久而不闻其臭／冰炭不同器而久，寒暑不兼时而至／不仁者，不可以久处约，不可以长处乐／上失其道，民散久矣，苟非君子，焉能固穷

❽凡事惟适中者可久／慎终如始，乃能长久／有国之母，可以长久／矜伪不长，盖虚不久／以其境过清，不可久居／文犹可长用，武难久行／上言长相思，下言久离别／又如食橄榄，真味久愈在／贤圣之接也，不待久而亲／读之者尽而有余，久而更新／养性之道：莫久行、久坐……／饱食便卧及终日久坐，皆损寿／根深而枝叶茂，行久而名誉远／有乍交之欢易，无久处之厌难／礼之可以为国也久矣，与天地并立／天地所以独长且久者，以其安静，施不荣报／天地所以能长且久者，以其不自生，故能长生

❾始若可喜而终不可久／使功在己，则功不可久／清入梦魂，千里人长久／兵闻拙速，未睹巧之久也／穷则变，变则通，通则久／拂耳，故小逆在心而久福在国／久视伤血，久卧伤气，久立伤骨／君子为国……故旷日长久而社稷安／人始入官，如入晦室，久而愈明，明乃治，治乃行

❿望人者不至，恃人者不久／朽木不可雕，情亡不可久／其择人宜精，其任人宜久／易穷则变，变则通，通则久／善教者以不倦之意须迟久之功／日月其犹坠落，萤光如何久留／天下大势，分久必合，合久必分／乐人者其乐长，乐身者不久而亡／知足不辱，知止不殆，可以长久／丹青初炳而后渝，文章岁久而弥光／人生贵贱无终始，倏忽须臾难久恃／观者如山色沮丧，天地为之久低昂／因循苟且之心作，强毅久大之性亏／多言不可与远谋，多动不可与久处／恃壮者一病必危，过懒者久闲愈懦／惟夫消磨靡烂之际，金久炼而愈精／敬之为道也，严而相离，其势难久／毁誉从来不可听，是非终久自分明／惩之甚者改必速，畜之久者发必肆／立志欲坚不欲锐，成功在久不在速／中庸之为德也，其至矣乎！民鲜久矣／居安忘危，处治忘乱，所以不能长久／与善人居，如入芝兰之室，久而自芳也／与恶人居，如入鲍鱼之肆，久而自臭也／浮言可以事久而明，众嗤可以时久而息／逆取而以顺守之，文武并用，长久之术／礼之始作也难而易行，既行也易而难久／君不见高山万仞连苍旻，天长地久成埃尘／兵不如者，勿与挑战；粟不如者，勿与持久／举天下而无可与共处，则是其势岂可以久也／以饱待饥，以逸击劳；师不欲久，行不欲远／高墙狭基，不可立矣；严法峻刑，不可久也／是以与善人居，如入芝兰之室，久而自芳也／以明自察，量力而行，不失其所，必获久长矣／行世者必真，悦俗者必媚，真久必见，媚久必厌／非有卓然异绩结于人心，浃于骨髓，安能久而愈思／谋思危之音，危者将不久，不久将欲衰，衰者将不寿／与善人居，如入兰芷之室，久而不闻其香，则与之化矣／与恶人居，如入鲍鱼之肆，久而不闻其臭，亦与之化矣／卵之化为雏，非慈雌呕暖覆伏，累日积久，则不能为雏／因循苟且逸豫而无为，可以侥幸一时，而不可旷日持久／卵之性为雏，不得良鸡覆伏孚育，积日累久，则不成为雏／有能推至诚之心而加以不息之久，则天地可动，金石可移／人之生也，与忧俱生，寿者惛惛，久忧不死，何苦也！其为形也亦远矣

么

①me 词的后缀；歌词中用的衬字。②ma 表语气，通“吗”。

❾天只在我，更祷个什么

及

jí 达到；比得上；推及；连词。

❶及吾无身，吾有何患

见《老子》十三。全句为：“吾所以有大患者，

为吾有身。～”。

及溺呼船，悔之无及

见晋·陈寿《三国志·魏书·董卓传》裴松之注引《典略》。全句为：“溃痈虽痛，胜于养肉；～”。

及之而后知，履之而后难

见唐·韩愈《与李翱书》。

及在人，则又各自有个理

见宋·朱熹《朱子语类》卷一。全句为：“合天地万物而言，只是一个理。～”。

及至匠石过之而不睨……

见唐·韩愈《为人求荐书》。全句为：“木在山，马在肆，遇之而不顾者，虽日累千万人，未为不材与下乘也。～，伯乐遇之而不顾，然后知其非栋梁之材、超逸之足也”。

及时当勉励，岁月不待人

见晋·陶潜《杂诗十二首》之一。

及王则无不仲宣，语刘则无不公干

见北齐·颜之推《颜氏家训·勉学》。

及至始皇，奋六世之余烈，振长策而御宇内

见汉·贾谊《新书·过秦论上》。

❷当及未衰时，晚节早自励／赏及淫人，则善者不以赏为荣／罪及善者，则恶者不以罚为辱／不及流莺日日啼花间，能使万家春意闲

❸驷不及舌／舐糠及米／以内及外，以小成大／爵罔及恶德，惟其贤／诛恶及本，本诛则恶消／道之及，及乎物而已耳／齐梁及陈隋，众作等蝉噪／罚所及，则思无以怒而滥刑／治疾及其未笃，除患贵其未深／自古及今，法无不改，势无不积／自古及今，穷其下能不危者，未之有也／官不及私昵，惟其能；爵罔及恶德，惟其贤

❹过犹不及／私仇不及公／迅雷不及掩耳／疾雷不及掩耳／觥饭不及壶飧／青云不及白云高／计福勿及，虑祸过之／学如不及，犹恐失之／道之及，及乎物而已耳／功业未及建，夕阳忽西流／明体以及用，通经以知权／其智可及也，其愚不可及也／疾雷不及掩耳，迅电不及瞑目／治则衍及百姓，乱则不足及王公／为天下及国，莫如以德，莫如行义

❺检身若不及／奔骥不能及既往之失／求贤若不及，从善如转圜／从善如不及，去恶如探汤／往者不可及，来者犹可待／纳善若不及，从谏若转圜／见善如不及，用人如由己／往者余弗及兮，来者吾不闻／见善如不及，见不善如探汤／饱食便卧及终日久坐，皆损寿／专于其所及而及之，则其及必精／往者已不及，尚可以为来者之戒／能自凿井及泉而汲之，不可胜用矣／赏僭则惧及淫人，刑滥则惧及善人／求之者不及虚之者，夫圣人无求之也／往世不可及，来世不可待，求己者也／老吾老以及人之老，幼吾幼以及人之幼

❻有过之无不及／风马牛不相及／老将至而耄及之／一人飞升，仙及鸡犬／博览兼听，谋及疏贱／攻其一点，不及其余／城门失火，殃及池鱼／虽鞭之长，不及马腹／心为祸首，殃及身口／过则失中，不及则不至／时日曷丧，予及汝皆亡／造夕思鸡鸣，及晨愿乌迁／过则失中，不及则未至……／为善若恐不及，备祸若恐不免／慎则祸之不及，贪则灾之所起／慈石能引铁，及其于铜则不行／高议而不可及，不如卑论之有功／仁者恕己以及人，智者讲功而处事／汩余若将不及兮，恐年岁之不吾与／乘其名者，泽及宗族，利兼乡党，况子孙乎／不责人所不及，不强人所不能，不苦人所不好

❼多行无礼必自及／临祸忘忧，忧必及之／长恶不悛，从自及也／善人在患，饥不及餐／宝珠玉者，殃必及身／物极则反，害将及矣／仁者以其所爱及其所不爱／弹鸟，则千金不及丸泥之用／缝缉，则长剑不及数寸之针／专于其所及而及之，则其及必精／掘井九轫而不及泉，犹为弃井也／诤臣必谏其渐，及其满盈，无所复谏／速则济，缓则不及，此圣贤所以贵机会也／群居终日，言不及义，好行小慧，难矣哉／口无择言，驷不及舌；笔之过误，愆尤不灭／忠谋转改，祸必及己。退隐深山，身乃不殆／地尽天水合，朝及洞庭湖，初日当中涌，莫辨东西隅／心平愉，则色不及佣而可以养目，声不及佣而可以养耳

❽及溺呼船，悔之无及／反水不收，后悔无及／不能兆其端者，菑及之／美成在久，恶成不及改／被雪沐雨，则裘不及蓑／君子进德修业，欲及时也／良弓难张，然可以及高入深／知不几者不可与及圣人之言／虽有群书万卷，不及囊中一钱／始之有作人争觉，及至无为众始知／方其知之，而行未及之，则知尚浅／君子不责人所不及……不苦人所不好／圣人并包天地，泽及天下，而不知其谁氏／取天下常以无事。及其有事，不足以取天下

❾趋时务则迟缓而不及／知有所困，神有所不及也／不仁者以其所不爱及其所爱／口惠而实不至，怨灾及其身／苟中心图民，智虽弗及，必将至焉／一朝之忿，忘其身，以及其亲，非惑欤／说之虽不以道，说也；及其使人也，求备焉／鸟飞千仞之上……祸犹及之，又况编户齐民乎

❿与人不求备，检身若不及／先之则太过，后之则不及／道昭而不道，言辩而不及／舟者，所以济桥之所不及也／其智可及也，其愚不可及也／举贤不出世族，用法不及权贵／日滔滔以自新，忘老之及己也／恶言不出于口，邪行不及于己／疾雷不及掩耳，迅电不及瞑目／天地养万物，圣人养贤以及万民／专于其所及而及之，则

其及必精／不慎其前而悔其后，虽悔，何及／临下以简，御众以宽，罚弗及嗣／后生虽天资聪明，而识终有不及／吾之终日志于道德，犹惧未及也／治则衍及百姓，乱则不足及王公／不言之教，无为之盖，天下希及之／骥一日而千里，驽马十驾则亦及之／赏僭则惧及淫人，刑滥则惧及善人／所谓伐天真而矜己者也，天祸必及／类善则万世不忘，道恶则祸及其身／大厦既燔，而运水于沧海；此无及也／近河之地湿，近山之土燥，以类相及也／老吾老以及人之老，幼吾幼以及人之幼／爱人者兼其屋上之乌，不爱人者及其胥余／一声而非，驷马勿追；一言而急，驷马不及／官不及私昵，惟其能；爵罔及恶德，惟其贤／始如处女，敌人开户；后如脱兔，敌不及拒／有声之声，不过百里；无声之声，延及四海／畜水覆舟，养兽反害，悔之噬脐，将何所及／君子之所贵者，迁善惧其不及，改恶恐其有余／与父老约，法三章耳：杀人者死，伤人及盗抵罪／天下之事，急之则丧，缓之则得，而过缓则无及／倚伏之矛楯也，其理甚明，困而后儆，斯弗及已／君子之道也，造端乎夫妇，及其至也，察乎天地／道之不行也，我知之矣，知者过之，愚者不及也／患之所在，非徒在智之不及，又在及而违之者矣／从时者，犹救火、追亡人也，蹶而趋之，唯恐弗及／凡乱也者，必始乎近而后及远，必始乎本而后及末／君子之于学，惟日孜孜，毙而后已，惟恐其不及也／德薄而位尊，知小而谋大，力小而任重，鲜不及矣／兵之情主速，乘人之不及，由不虞之道，攻其所不戒／猛虎在深山，百兽震恐；及在槛阱之中，摇尾而求食／贤主忠臣，不能导愚教陋，则名不冠后、实不及世矣／大丈夫岂得苟贪财物，以害及身命，使子孙每怀愧耻耶／心平愉，则色不及佣而可以养目，声不及佣而可以养耳／读书少则身暇，身暇则邪间，邪间则过恶作焉，忧患及之／贼莫大乎德有心而心有睫，及其有睫也而内视，内视而败矣／君子易事而难说也。说之不以道，不说也；及其使人也，器之／祸之始也易除，其除之不可者避之；及其成也欲除之不可，欲避之不可

午 wǔ 地支的第七位；时间的一段；通"忤"，逆，违背；纵横交错；姓。

❺锄禾日当午，汗滴禾下土

❼峰攒望天小，亭午见日初

升 shēng 往高处移动；提高；量具；计量单位；谷物登场。

❶升而不已必困

见《周易·序卦》。

升沉不改故人情

见唐·韦应物《赠王侍御》。

升堂矣，未入室也

见《论语·先进》。

升于高以望江山之远近

见宋·欧阳修《真州东园记》。全句为："～，嬉于水而逐鱼鸟之浮沉"。

升高必自下，陟遐必自迩

见《尚书·太甲下》。

升。君子以顺德，积小以高大

见《周易·升》。

❷若升高，必自下；若陟遐，必自迩／合升鼓之微以满仓廪，合疏缕之纬以成帏幕

❸人之升降，与政隆替

❹一人飞升，仙及鸡犬／附赢以升高而枯，蝤蛴以任重而蹶

❺缘木求鱼，升山采珠

❻穷居而野处，升高而望远

❼一人得道，鸡犬升天／龙无尺水，无以升天／见雨则裘不用，升堂则蓑不御／有善者虽远必升，无能者纵近必废

❽如月之恒，如日之升／激波陵山，必成难升之势

❾远而望之，皎若太阳升朝霞／阴阳五行，循环错综，升降往来／顺针缕者成帷幕，合升斗者实仓廪

❿人生结交在终始，莫为升沉中路分／身不肖而诬贤，是犹伛偻而好升高也／生子当如孙仲谋，刘景升儿子若豚犬耳

夭 ①yāo 草木繁盛美好的样子；未成年而死；砍伐；屈抑。②ǎo 刚出生的禽兽。③wāi[夭斜]姿态轻盈。

❸桃之夭夭，灼灼其华／刳牲夭胎，则麒麟不臻／不学夭桃姿，浮荣有俄顷

❹桃之夭夭，灼灼其华／无年非夭，无述乃为夭／人之寿夭在元气，国之长短在风俗

❻不乐寿，不哀夭／毋覆巢，杀胎夭／静者寿，躁者夭／物暴长者必夭折，功卒成者必亟坏／田夫寿，膏粱夭，嗜欲少多之验也／逆则生，顺则夭矣；逆者圣，顺则狂矣

❼君子失心，鲜不夭昏

❽人之情，欲寿而恶夭……

❾无年非夭，无述乃为夭／所愧为人父，无食致夭折

❿有伤贤之政，则贤多横夭／乐易者常寿长，忧险者常夭折／命者，人所禀受，若贵贱夭寿之属／少者殁而长者存，强者夭而病者全／尧舜行德则民仁寿；桀纣行暴则民鄙夭／人生不得行胸怀，虽寿百岁，犹为夭也／降年有永有不永，非天夭民，民中绝命／始而胎气虚耗……壮而声色自放者弱而夭／生而不淑，孰谓其寿？死而不朽，孰谓之夭／覆巢破卵，则凤凰不翔；刳

牲夭胎，则麒麟不臻／舆人成舆，则欲人之富贵；匠人成棺，则欲人之夭死／人之所以不能终其寿命，而中道夭于刑戮者，何也？以其生生之厚

长 ①cháng 距离；距离远；时间久；特长；优点；多余。②zhǎng 生；发育；成长；增进；增加；增强；长辈；年纪大的；排行第一的；负责人。③zhàng 有余，多。

❶长堤柳色青如烟

见宋·牟巘《送娄伯高游吴》。

长江后浪催前浪

见明·冯惟敏《海浮山堂词稿·河西六娘子》。

长风万里送归舟

见宋·苏舜钦《和〈淮上遇使〉》。

长天茫茫，信耗莫通

见唐·李朝威《柳毅传》。

长不可矜，矜则不长

见明·聂大年《座右铭》。全句为："短不可护，护短终短；～"。

长木之毙，无不摽也

见《左传·哀公十二年》。

长林远树，出没烟霏

见宋·王质《游东林山水记》。全句为："～，聚者如悦，散者如别，整者如戟，乱者如发"。

长松落落，卉木蒙蒙

见汉·杜笃《首阳山赋》。

长风一振，众萌自偃

见唐·杨炯《王勃集序》。

长烟一空，皓月千里

见宋·范仲淹《岳阳楼记》。

长恶不悛，从自及也

见《左传·隐公六年》。

长铗归来乎，食无鱼

见《战国策·齐策四》。

长短相形，高下相倾

见《老子》二。

长袖善舞，多钱善贾

见《韩非子·五蠹》。

长舌乱家，大斧破车

见汉·焦延寿《易林·讼》。

长堤溃蚁穴，君子慎其微

见清·王懋竑《书座右二章》。

长将一寸身，衔木到终古

见清·顾炎武《精卫》。全句为："万事有不平，尔何空自苦？～"。

长江悲已滞，万里念将归

见唐·王勃《山中》。全句为："～。况属高风晚，山山黄叶飞"。

长安如梦里，何日是归朝

见唐·李白《送陆判官往琵琶峡》。

长安有贫者，为瑞不宜多

见唐·罗隐《雪》。全句为："尽道丰年瑞，丰年事若何？～"。

长绳难系日，自古共悲辛

见唐·李白《拟古十二道》之三。

长本非长，矩形之则长矣

见唐·皇甫湜《答李生第一书》。全句为："～。虎豹之形于犬羊，故不得不奇也"。

长本非长，短形之则长矣

见唐·皇甫湜《答李生第二书》。

长材靡入用，大厦失巨楹

见唐·邵谒《赠郑殷处士》。

长松百尺，对君子之清风

见唐·王勃《送白七序》。全句为："幽桂一丛，赏古人之明月；～"。

长者能博爱，天下寄其身

见三国·魏·曹植《当欲游南山行》。

长恐浮云生，夺我西窗月

见宋·简长《夜感》。

长者不为有余，短者不为不足

见《庄子·骈拇》。

长者问，不辞让而对，非礼也

见《礼记·曲礼上》。

长太息以掩涕兮，哀民生之多艰

见战国·楚·屈原《离骚》。

长夜难明赤县天，百年魔怪舞翩跹

见现代·毛泽东《浣溪沙·和柳亚子先生》。全句为："～，人民五亿不团圆"。

长恨人心不如水，等闲平地起波澜

见《刘禹锡集·竹枝词》。

长风破浪会有时，直挂云帆济沧海

见唐·李白《行路难》。

长短不饰，以情自竭，若是则可谓直士矣

见《荀子·不苟》。

长于变者不可穷以诈，通于道者不可惊以怪

见汉·陆贾《新语·思务》。

长桥卧波，未云何龙？复道行空，不霁何虹

见唐·杜牧《阿房宫赋》。

长烟一空，皓月千里；浮光跃金，静影沉璧

见宋·范仲淹《岳阳楼记》。全句为："～；渔歌互答，此乐何极"。

❷乘长风破万里浪／非长生难也，闻道难也／为长者不敢怀私以请间／涉长道后行未息，可击／有长而无本剽者，宙也／闻长安乐则出门向西而笑／河长犹可涉，海阔故难飞／流长则难竭，柢深则难朽／源长者流深，道悠者利博／性长非所断，性短非所续／叹长河之流速，送驰波于东海／录长补短，则天下无不用之人／天长地久有时尽，此恨绵绵无绝期／带长剑兮挟

秦弓，首身离兮心不惩／官长正而百姓化，邪心黜而奸匿绝／短长肥瘠各有态，玉环飞燕谁敢憎／欲长生久视，而日逆其生，欲之何益／屈长才于短用者，犹骥扑鼠而斧剪毛也／为长者折枝，语人曰："我不能"，是不为也／望长城内外，惟馀莽莽；大河上下，顿失滔滔

❸福莫长于无祸／势扼长川万古雄／折尽长条为寄谁／父老长安今余几／万古长空，一朝风月／天地长久，风俗无恒／人欲长久，断情去欲／小水长流，则能穿石／上言长相思，下言久离别／天地长不没，山川无改时／我住长江头，君住长江尾／为官长当清，当慎，当勤／澹澹长江水，悠悠远客情／安得长翮大翼如云生我身／骐骥长鸣，则伯乐照其能／昔闻长者言，掩耳每不喜／万里长江横渡，极目楚天舒／万里长江，何能不千里而一曲／不能长进，只为昏弱两字所苦／今日长缨在手，何时缚住苍龙／察消长之往来，辨利害于疑似／不到长城非好汉，屈指行程二万／滚滚长江东逝水，浪花淘尽英雄／理国长安，率身从道，言必信实／塞上长城空自许，镜中衰鬓已先斑／莫见长安行乐处，空令岁月易蹉跎／好去长江千万里，不须辛苦上龙门／纵使长条似旧垂，也应攀折他人手／物暴长者必夭折，功卒成者必亟坏／鹰击长空，鱼翔浅底，万类霜天竞自由／助之长者，揠苗者也，非徒无益，而又害之

❹教学相长／吃一堑，长一智／经一失，长一智／锄一恶，长十善／凡有所长，皆当不废／记人之长，忘人之短／取其所长，弃其所短／荐我寸长，开君尺短／君子道长，小人道消／虽鞭之长，不及马腹／善善也长，恶恶也短／德有所长而形有所忘／校短量长，惟器是适／日有短长，月有死生／有话即长，无话则短／用其所长，掩其所短／矜伪不长，盖虚不久／霜尽川长，云平野阔／史有三长：才、学、识／人才有长短，不必兼通／人才有长短，能有巨细／役其所长，则事无废功／文犹可长用，武难久行／一骥骋长衢，众兽不敢陪／东望望长安，正值日初出／求木之长者，必固其根本／长本非长，矩形之则长矣／长本非长，短形之则长矣／尺水无长澜，蛟龙岂其容／但愿人长久，千里共婵娟／艰难奋长戟，万古用一夫／夏日抱长饥，寒夜无被眠／骏足思长阪，柴车畏危辙／春蚕收长丝，秋熟靡王税／西风烈，长空雁叫霜晨月／缝缉，则长剑不及数寸之针／教也者，长善而救其失者也／千里搭长棚，没个不散的筵席／责短舍长，则天下无不弃之士／生木之长，莫见其益，有时而修／拜迎官长心欲碎，鞭挞黎庶令人悲／有雠而长之，祸不在己，则在后人／礼者，断长续短，损有余，益不足／春生夏长，秋收冬藏，此天道之大经／凡生之长也，顺之也；使生不顺者，欲也／君不见长安女儿嫩如水，十指不动衣罗绮／君不见长松百尺多劲节，狂风暴雨终摧折／任人之长，不强其短；任人之工，不强其拙／敖不可长，欲不可从；志不可满，乐不可极／以子所长，游于不用之国，欲使无穷，其可得／避人之长，攻人之短，见己之所长，避己之所短

❺天地充实，长保年也／不乐损年，长愁养病／八面九口，长舌为斧／衔远山，吞长江……／自是人生长恨水长东／毋以己之长而形人之短／昼短苦夜长，何不秉烛游／伪诈不可长，空虚不可守／大道夷且长，窘路狭且促／宁为百夫长，胜作一书生／寒之之日长而暴之之日短／屈贾谊于长沙，非无圣主／子孙日已长，世世还复然／非德而可长久者，天下无之／良谈吐玉，长江与斜汉争流／洪涛未接，长鲸多陆死之忧／劳其形者长年，安其乐者短命／生而同声，长而异俗，教使之然／心不怡之长久兮，忧与愁其相接／丈夫力耕长忍饥，老妇勤织长无衣／但愿亲友长含笑，相逢莫乏杖头钱／人生不得长欢乐，年少须臾老到来／人生不得长少年，莫惜床头沽酒钱／少者殁而长者存，强者夭而病者全／气如兰兮长不改，心若兰兮终不移／睫在眼前长不见，道非身外更何求／恨不得挂长绳于青天，系此西飞之白日／飞雪蔽野，长河始冰，吾子勉之，慷慨而别／罗衣从风，长袖交横，骆驿飞散，飒撝合并

❻新诗改罢自长吟／用贤无敌是长城／太平之世多长寿人／不经一事，不长一智／闵其苗之不长而揠之／群贤毕至，少长咸集／歌之为言也，长言之也／干戈森若林，长剑奋无前／久戍人将老，长征马不肥／功成不受爵，长揖归田庐／莫取金汤固，长令宇宙新／大海从鱼跃，长空任鸟飞／少则习之学，长则材诸位／启奸邪之路，长贪暴之心／猛虎潜深山，长啸自生风／经一番挫折，长一番见识／松柏为百木长，而守门闾／旷野看人小，长空共鸟齐／所思迷所在，长望独长叹／扁舟泛湖海，长揖谢公卿／矮观场，嗔人长，不自量／不掩贤以隐长，不刻下以谀上／乐易者常寿长，忧险者常夭折／根深则道可长。蒂固则德可茂／石火光中争长竞短，几何光明／不可以万古长空，不明一朝风月／乐人者其乐长，乐身者不久而亡／贱妨贵，少陵长……所谓六逆也／但把穷愁博长健，不辞最后饮屠苏／冲天香阵透长安，满城尽带黄金甲／功名富贵若长在，汉水亦应西北流／此生此夜不长好，明年明月何处看／物固莫不有长，莫不有短，人亦然／两情若是久长时，又岂在、朝朝暮暮／积善在身，犹长日加益，而人不知也／弟者，所以事长也；慈者，所以使众也／天地所以

独长且久者，以其安静，施不荣报／阴阳之和，不长一类，甘露时雨，不私一物／天地所以能长且久者，以其不自生，故能长生／无贵无贱，无长无少，道之所存，师之所存也／言之不足，故长言之；长言之不足，故嗟叹之

❼困人天气日初长／知足而止，故能长存／慎终如始，乃能长久／选士用能，不拘长幼／有国之母，可以长久／青山不老，绿水长存／高而不危，所以长守贵也／满而不溢，所以长守富也／病多知药性，年长信人愁／不应有恨，何事长向别时圆／正西风落叶下长安，飞鸣镝／善学者假人之长，以补其短／礼者，贵贱有等，长幼有差／旷怀足以御物，长策足以服人／记短则兼折其长，贬恶则并伐其善／词客争新角短长，迭开风气递登场／土敝则草木不长，水烦则鱼鳖不大／增之一分则太长，减之一分则太短／气盛则言之短长与声之高下者皆宜／登高不可以为长，居下不可以为短／一人之身，才有长短，取其长则不问其短／性有精粗，命有长短，情有美恶，意有大小／天下悠悠，皆可长生也，患于犹豫，故不成耳

❽彼其发短而心甚长／来日苦短，去日苦长／长不可矜，矜则不长／尺有所短，寸有所长／论仁义则弘详而长雅／务为不久，盖虚不长／英雄气短，儿女情长／善不可失，恶不可长／德随量进，量由识长／用人如器，各取所长／自治不勇，则恶日长／自是人生长恨水长东／侏儒见一节而短长可知／处难处之事，可以长识／清入梦魂，千里人长久／屠者割肉，则知牛长少／女神将守形，形乃长生／生当复来归，死当长相思／我住长江头，君住长江尾／人情须耐久，花面长依旧／君子坦荡荡，小人长戚戚／寂兮寞，岁岁年年长少乐／存为久离别，没为长不归／料得行吟者，应怜长叹人／青春须早为，岂能长少年／人少好学则思专，长则善忘／死人如乱麻，暴骨长城之下／我岂更求荣达，日长聊以销忧／哀吾生之须臾，羡长江之无穷／器博者无近用，道长者其功远／审其所好恶，则其长短可知也／天下文士，争执所长，与时而奋／不骄方能师人之长，而自成其学／人之才性，各有短长，固难勉强／凡人之用智有短长，其施设各异／思故旧以想象兮，长太息而掩涕／出师未捷身先死，长使英雄泪满襟／幽音变调忽飘洒，长风吹林雨堕瓦／君子为国……故旷日长久而社稷安／善战者，见敌之所长，则知其所短／洞庭波涌连天雪，长岛人歌动地诗／李白一斗诗百篇，长安市上酒家眠／竟日不知尘世事，长年占断白云乡／登高而招，臂非加长也，而见者远／各从所好，各骋所长，无一人之不中用／自瞽者乐言己之长，自聩者乐言人之短／苟得其养，无物不长；苟失其养，无物不消／暮春三月，江南草长，杂花生树，群莺乱飞／恶不可积，过不可长；积恶长过，丧乱之源／其名弥消，其德弥长；其身弥退，其道弥进／苦我怨气兮浩于长空，六合虽广兮受之应不容／粟米布帛生于地，长于时，聚于力，非可一日成／奋六世之遗烈，振长策而御宇内，吞二周而亡诸侯，履至尊而制六合

❾不以人所短弃其所长／干天之木，非荀日所长／名不徒生，则誉不自长／国家之兴，尊尊而敬长／长本非长，矩形之则长矣／长本非长，短形之则长矣／为之度，以一天下之长短／古来存老马，不必取长途／何处路最难？最难在长安／垅上扶犁儿，手种腹长饥／四马齐足，孟门可以长驱／所思迷所在，长望独长叹／有怀投笔，慕宗悫之长风／方而不能圆，不可以长存／刺骨，故小痛在体而长利在身／草无忘忧之意，花无长乐之心／大丈夫，千山万水往长远处看／神莫大于化道，福莫长于无祸／居悒悒之无解兮，独长思而永叹／人固难全，权而用其长者，当举也／处官不信，则少不畏长，贵贱相轻／意少一字则义阙，句长一言则辞妨／青云衣兮白霓裳，举长矢兮射天狼／方地为车，圆天为盖，长剑耿耿倚天外／盛于彼者必衰于此，长于左者必短于右／大川未济，乃失巨舰；长途始半，而丧良骥／嘻笑之怒，甚于裂眦；长歌之哀，过乎恸哭／短不可护，护则终短；长不可矜，矜则不长／胡越之人，生则声同，长则语异，盖声者天然／言之不足，故长言之；长言之不足，故嗟叹之／吐故纳新者，因气以长气，而气大衰者则难长也／猛虎处于深山，向风长鸣，则百兽震恐而不敢出

❿无道人之短，无说己之长／久别年颜改，相逢夜话长／为政，不在于用一己之长／志士惜日短，愁人知夜长／挽弓当挽强，用箭当用长／冬尽今宵促，年开明日长／忧人不能寐，耿耿夜何长／道由白云尽，春与青溪长／李杜文章在，光焰万丈长／相见无杂言，但道桑麻长／春色无高下，花枝有短长／有实而无名，则其实不长／白发三千丈，缘愁似个长／自伐者无功，自矜者不长／安得万垂杨，系教春日长。／怨利生孽，维义可以为长存／患名之不立，不患年之不长／于此有所不足，则于彼有所长／不以求备取人，不以己长格物／伐根以求木茂，塞源而欲流长／阴阳之不并曜，昼夜之有长短／对案不能食，拔剑击柱长叹息／日日思君不见君，共饮长江水／痛乾坤而忽穷，嗟古今而长绝／不可以一朝风月，昧却万古长空／不自伐，故有功；不自矜，故长／知足不辱，知止不殆，可以长久／丈夫力耕长忍饥，老妇勤织长无衣／万卷藏书宜子弟，十年种木长风烟／井中之无大鱼也，新

林之无长木也／天不生无禄之人，地不长无根之草／无边落木萧萧下，不尽长江滚滚来／世间屈事万千千，欲觅长梯问老天／以伐根而求木茂，塞源而欲流长也／人之寿夭在元气，国之长短在风俗／人心莫厌如弦直，淮水长怜似镜清／今别子兮归故乡，旧怨平兮新怨长／读书切戒在慌忙，涵泳工夫兴味长／圣人爱念百姓，如孩婴赤子长养之／落霞与孤鹜齐飞，秋水共长天一色／君行仁政，斯民亲其上，死其长矣／四时有不谢之花，八节有长青之草／阁中帝子今何在，槛外长江空自流／清风两袖朝天去，免得闾阎话短长／安得壮士挽天河，净洗甲兵长不用／牢骚太盛防肠断，风物长宜放眼量／遭一蹶者得一便，经一事者长一智／已分忍饥度残岁，更堪岁里闰添长／日南则景短多暑，日北则景长多寒／智者不用其所短，而用愚人之所长／风流不在谈锋胜，袖手无言味最长／矮人看戏何曾见，都是随人说短长／鸟无声兮山寂寂，夜正长兮风淅淅／病身最觉风露早，归梦不知山水长／言泉共秋水同流，词峰与夏云争长／小人虽器量浅狭，而未必无一长可取／居安忘危，处治忘乱，所以不能长久／不仁者，不可以久处约，不可以长处乐／生仍冀得兮归桑梓，死当埋骨兮长已矣／源不深而望流之远，根不固而求木之长／寂寞嫦娥舒广袖，万里长空且为忠魂舞／逆取而以顺守之，文武并用，长久之术／贤者，举而上之，富而贵之，以为官长／用之者，必假于弗用也，而以长得其用／一人之身，才有长短，取其长则不问其短／内小人而外君子，小人道长，君子道消也／内君子而外小人，君子道长，小人道消也／千古兴亡多少事，悠悠。不尽长江滚滚流／君不见高山万仞连苍旻，天长地久成埃尘／王天下者必先诸民，然后庇焉，则能长利／用天下之心图而济之，夫岂无最长之策乎／无为则俞俞，俞俞者忧患不能处，年寿长矣／千仓万箱非一耕所得；干天之木非旬日所长／及至始皇，奋六世之余烈，振长策而御宇内／云山苍苍，江水泱泱，先生之风，山高水长／人才之行，自昔罕全，苟有所长，必有所短／人之才行，自昔罕全，苟有所长，必有所短／凫胫虽短，续之则忧；鹤胫虽长，断之则悲／常看得自家未必是，他人未必非，便有长进／虽常服药，而不知养性之术，亦难以长生也／国多忌讳，大人恒畏。结口无患，可以长存／冬日之闭冻也不固，则春夏之长草木也不茂／明者不以其短疾人之长，不以其拙病人之工／量其当否，参其同异，弃其所短，收其所长／心虚白则神留而道存，腹充实则精全而寿长／恶不可积，过不可长；积恶长过，丧乱之源／石生而坚，兰生而芳，少自其质，长而愈明／短不可护，护则终短；长不可矜，矜则不长／天地所以能长且久者，以其不自生，故能长生／以明自察，量力而行，不失其所，必获久长矣／必静必清，无劳女形，无摇女精，乃可以长生／穷愁著书，古儒者之大同，非高冠长剑之比耳／才可伪，功不可伪；临民听政，长短贤不肖立见／非其人而欲有功，譬其若夏至之日而欲夜之长也／非其人而欲有功，譬之若夏至之日而欲夜之长也／吐故纳新者，因气以长气，而气大衰者则难长也／汰流、淫佚、侈靡之俗日以长，是天下之大祟也／道者，无也；形者，有也。有故有极，无故长存／避人之长，攻人之短，见己之所长，避己之所短／天地之养也一，登高不可以为长，居下不可以为短／人者，在阴阳之中央，为万物之师长，所能作最众多／权，然后知轻重；度，然后知长短。物皆然，心为甚／自见者不明，自是者不彰，自伐者无功，自矜者不长／凡偏材之人，皆一味之美，故长于办一官而短于为一国／父子有亲，君臣有义，夫妇有别，长幼有叙，朋友有信／虎旅云从，词林响应，若毛羽之宗麟凤，众川之长江河／历观前代拨乱创业之主，生长民间，皆识达情伪，罕至于败亡

币

bì 货币；财货；帛。

❶币重而言甘，诱我也

见《左传·僖公十年》。

币厚言甘，人之所畏也

见宋·司马光《资治通鉴·晋纪》。

❼香饵引泉鱼，重币购勇士

❿田成子常杀君窃国，而孔子受币

反

①fǎn 颠倒的；方向相背的；反对；反省；反复；背叛；翻转，掉转；违背；回，还；类推；相反地。②fān 翻案，理直冤案；通“翻”，倾倒。③fàn 通“贩”。④bǎn［反反］慎重而和善的样子。

❶反眼若不相识

见唐·韩愈《柳子厚墓志铭》。

反其意而用之

见宋·严有翼《艺苑雌黄》。

反天之道无成者

见汉·董仲舒《春秋繁露·天道无二》。全句为：“天之道事无大小，物无难易，～”。

反水不收，后悔无及

见南朝·宋·范晔《后汉书·光武帝纪》。

反身而诚，乐莫大焉

见《孟子·尽心上》。

反无非伤也，动无非邪也

见《庄子·外物》。

反者道之验，弱者德之柄

见《周易参同契》卷中。

反古未可非，而循礼未足多
见《战国策·赵策二》。
反众人之所务，而归于虚无
见汉·严遵《道德指归论·其安易持篇》。
反者，道之动；弱者，道之用
见《老子》四十。
反裘而负薪，爱其毛，不知其皮尽也
见汉·桓宽《盐铁论·非鞅》。
反听之谓聪，内视之谓明，自胜之谓强
见汉·司马迁《史记·商君列传》。
反己者触事皆成药石，尤人者动念即是戈矛
见明·洪应明《菜根谭·百四十七》。
反裘负薪，里尽毛殚，刖趾适屦，刻肌伤骨
见晋·陈寿《三国志·魏书·明帝纪》。

❷失反为得，成反为败／既反黑以为白，恒怀蛆以自盈／土反其宅，水归其壑；昆虫毋作，草木归其泽

❸亲极反疏／至哀反无泪／大勇反为不勇／至则反，盛则衰／君子反经而已矣／穷则反，终则始／无食反鱼，勿乘驽马／拨乱反正，承平百年／易于反掌，安于泰山／暴臣反国，良臣被殃／性修反德，德至同于初／原始反终，故知死生之说／欲高，反下；欲取，反与／不自反者，看不出一身病痛／极而反，盛而衰，天地之道也／拨乱反正之君，资拔山超海之力／能知反复之道者，可以居兆民之职／鸟飞反乡，兔走归窟……各哀其所生／原心反性则贵矣，适情知足则富矣，明死生之分则寿矣

❹正言若反／物极则反／食鱼无反／见毁而反之身／人生事，反自贼／拨乱世，反诸正／迷而知反，得道不远／物极则反，命曰环流／物极则反，害将及矣／物极则反，数穷则变／有过而反之身，则身惧／物势之反，乃君子所谓道也／有意者反远，无心者自近也／小人之反中庸也，小人而无忌惮也／山生金，反自刻；木生蠹，反自食／多官而反以害生，则失所为立之矣／有善则反之于身，有过则归之于民／利害之反，祸福之门户，不可不察也／使死者反生，生者不愧乎其言，则可谓信矣／人穷则反本，故劳苦倦极，未尝不呼天地也／迷而知反，失道不远，过而能改，谓之不过／迷涂知反，往哲是与。不远而复，先典攸高／物至则反，冬夏是也；致高则危，累棊是也／口行相反，而欲贤者之至，不肖者之退也，不亦难乎

❺画龙不成反为狗／画虎不成反类狗／画虎不成反类犬／拨乱世而反之正／治人不治，反其智／爱人不亲，反其仁／天与弗取，反受其咎／出令不胜，反为大灾／出言不当，反自伤也／侮慢自贤，反道败德／取法于上，反得其中／握火投人，反先自热／小挫之后，反有大获／当断不断，反受其乱／枉桡不当，反受其殃／时至弗行，反受其殃／毋为权首，反受其咎／魂兮归来，反故居些／出乎尔者，反乎尔者也／始驾马者反之：车在马前／爱出者爱反，福往者福来／贤者能自反，则无往而不善／或贪生而反死，或轻死而得生／贵上极则反贱，贱下极则反贵／欲闻其声，反默；欲张，反敛／祸出者祸反，恶人者人亦恶之／词林增峻，反诸宏博，君之力焉／或争利而反强之，或听从而反止之／视徒如已，反已以教，则得教之情／无为小人，反殉而天；无为君子，从天之理／达于道者，反于清净；究于物者，终于无为／欲成功而反为败者，生于不知道理，而不肯问知而听能

❻计其患，虑其反／困乎上者必反下／伤于外者必反于家／失反为得，成反为败／小人之誉，人反为损／灾人者，人必反灾之／博学而不自反，必有邪／或欲害之，乃反以利之／揆材各有用，反性生苦辛／事有所至，信反为过，诞反为功／将回日月先反掌，欲作江河唯画地／事或夺之而反与之，或与之而反取之／观逐者于其反也，而观行者于其终也／明王有过，则反之于身，有善，则归之于民／一出而不可反者，言也；一见而不可掩者，行也

❼人发杀机，天地反覆／悠哉悠哉，辗转反侧／制人而失其理，反制焉／君子中庸，小人反中庸／欲高，反下；欲取，反与／天地之道，极则反，盈则损／天道之数，至则反，盛则衰／睹一事于句中，反三隅于字外／乘所欲为，易于反掌，安于泰山／善人为妖，是非反复，天下大迷而不复也／临财苟得，见利反义，不义而富，无名而贵／迂险之言，则欲反之；循常之说，则必信之／畜水覆舟，养兽反害，悔之噬脐，将何所及

❽事固有所极，有所反／信誓旦旦，不思其反／百昌皆生于土而反于土／知不足，然后能自反也／失身取高位，爵禄反为耻／主人退后立，敛手反如宾／为人子者，出必告，反必面／士君子一出口，无反悔之言／举一隅不以三隅反，则不复也／知杀而不知生者，反地之要也／淫辞丽藻生于文，反伤文者也／学而不知其方，则反以滋其蔽／稂莠秕稗生于谷，反害谷者也／归之于民则民怒，反之于身则身骄／机关算尽太聪明，反算了卿卿性命

❾经纶世务者，窥谷忘反／以生为丧也，以死为反也／君子难进易退，小人反是／博学而详说之，将以反说约也／今世之惑主多官，而反以害生／欲闻其声，反默；欲张，反敛／贤者之作，思利乎人；反是，罪也／生死犹转机，得失如反掌，可不慎乎／落陷阱，不一引手救，反挤之，又下石焉／囊漏贮中，识者不吝；反裘负薪，存毛实难／君子居必仁，行必义，反仁义而福，君子不

有也／追计往时咎过，日夜反覆，无一食而安于口平于心

❿与己同则应，不与己同则反／与妄人相值，亦当存自反之心／尤虚之人硕言瑰姿，内实乖反／当知器满则倾，须知物极必反／贵上极则反贱，贱下极则反贵／恶言不出于口，忿言不反于身／事有所至，信反为过，诞反为功／无求无设则无虑，无虑则反复虚矣／直如弦，死道边；曲如钩，反封侯／仁而无止，则其极不得不反而为残／哀乐不同而不远，吉凶相反而相袭／山生金，反自刻；木生蠹，反自食／过取固害于廉，然过与亦反害其惠／或争利而反强之，或听从而反止之／钱神通灵于旁蹊，公器反类于互市／事或夺之而反与之，或与之而反取之／性于人无不善，系其善反不善反而已／水发于深，而为用且远……反为患矣／火泄于密，而为用且大……反为灾矣／仁之与义，敬之与和，相反而皆相成也／射而不中者，不求之鹄，而反修之于己／小人朝为而夕求其成，坐施而立望其反／君子成人之美，不成人之恶。小人反是／当天时，与之皆断；当断不断，反受其乱／行路难，不在水不在山，只在人情反覆间／纵有良法美意，非其人而行之，反成弊政／天地车轮，终则复始，极则复反，莫不咸当／幽晦登昭，日月下藏；公正无私，反见从横／得时无怠，时不再来，天予不取，反为之灾／形精不亏，是谓能移；精而又精，反以相天／或誉人而适足以败之，或毁人而乃反以成之／文不加点，兴到语耳！孔明天才，思十反矣／将者，人之司命也，生死犹转机，得失如反掌／人生所好，自当专一，若多好多能，反能耗神损精／置其本，求之末，当后者反先之，无一焉不悖于极／不愤不启，不悱不发。举一隅不以三隅反，则不复也／文学之于人也譬乎药，善服，有济；不善服，反为害／处患难，知其无可奈何，遂放意而不反，是岂安于义命者

乏

fá 缺少；疲倦；无力；差劲；废，耽误；古避箭器。

❶乏则思滥，滥则迫利而轻禁

见唐·刘禹锡《答饶州元使君书》。全句为："民足则怀安，安则自重而畏法；～"。

❷文乏斧藻，艺惭刀笔／愧乏经济才，徒然守章句

❸时不乏人而患闻见之不博

❺农不出则乏其食，工不出则乏其事

❻宝剑未砥，犹乏切玉之功

❼不可以家事匮乏而不从师／工不出则农用乏，商不出则宝货绝

❽变则堪久，通则不乏／窜梁鸿于海曲，岂乏明时

❿农不出则乏其食，工不出则乏其事／但愿亲友长含笑，相逢莫乏杖头钱／金蚕无吐丝之实，瓦鸡乏司晨之用／饮食不节，以生疾病；好色不倦，以致乏绝／言不在多，在于当理；施不在丰，期于救乏／阳动吐，阴静翕，阳道常饶，阴道常乏，阴阳之道也

丹

dān 丹砂，俗称"朱砂"；称依方精制的药物；朱红色。

❶丹之所藏者赤

见三国·魏·王肃《孔子家语·六本》。

丹青难写是精神

见宋·王安石《读史》。

丹书铁契，金匮石室

见汉·班固《汉书·高帝纪》。

丹壑争流，青峰杂起

见唐·王勃《入蜀纪行诗序》。全句为："～，陵涛鼓怒以伏注，天壁嵯峨而横立"。

丹青初则炳，久则渝

见汉·扬雄《法言·君子》。

丹可磨也，而不可夺赤

见《吕氏春秋·季冬纪·诚廉》。全句为："石可破也，而不可夺坚；～。坚与赤，性之有也"。

丹漆不文，白玉不雕，宝珠不饰

见汉·刘向《说苑·反质》。

丹崖翠壁千万丈，与公上上上上上

见宋·文天祥《生日谢朱约山和来韵》。

丹青初炳而后渝，文章岁久而弥光

见南朝·梁·刘勰《文心雕龙·指瑕》。

丹可灭而不能使无赤，石可毁而不能使无坚

见南朝·宋·颜延之《庭诰》。

丹可磨而不可夺其色，兰可燔而不可灭其馨

见北齐·刘昼《刘子·大质》。全句为："～，玉可碎而不可改其白，金可销而不可易其刚"。

❷灵丹一粒，点铁成金／牡丹，花之富贵者也／牡丹花儿虽好，还要绿叶儿扶持／朱丹既定，雌黄有别，使夫怀鼠知惭，滥竽自耻

❸落日丹枫相映红／但见丹诚赤如血，谁知伪言巧似簧

❹女恶华丹之乱窈窕也，书恶淫辞之淈法度也

❺玉以洁润，丹紫莫能渝其质／世间无限丹青手，一片伤心画不成

❻心之忧矣，视丹如绿

❼天下真花独牡丹

❾时穷节乃见，一一垂丹青／我命在我不在天，还丹成金亿万年

❿双鬓多年作雪，寸心至死如丹／眉联娟以蛾扬兮，朱唇的其若丹／不因困顿移初志，肯为贪缘改寸丹／发为胡笳吹作雪，心因烽火炼成丹／人生自古谁无死，留取丹心照汗青／牧羊驱马虽戎服，白发丹心尽汉臣／譬犹练丝，染之蓝则青，染之丹则赤／百工不信，则器械苦伪，丹

漆染色不贞／飞沙溅石，湍流百势；翠崄丹崖，冈峦万色／层台耸翠，上出重霄，飞阁流丹，下临无地／为道不在多，自为已有金丹至要，可不用余耳／其夹岸有树木千万本，列立如揖，丹色鲜如霞，擢举欲动，灿若舒颜

氏 ①shì 古代贵族用以标志宗族系统的称号；旧时称已婚妇女；加在远古传说中人名、国名、国号、朝代等之后作为称呼；加在姓或姓名后作为称呼，多用于名人、专家；称自己的亲属。②zhī［阏氏］汉时匈奴单于之妻的称呼。

❷释氏虚，吾儒实／马氏五常，白眉最良／和氏之璧，不饰以五采／孔氏门人……恶其违仁义而尚权诈也／孟氏醇乎醇者也，荀与扬大醇而小疵／和氏之璧，出于璞石；隋氏之珠，产于蜃蛤／和氏之璧，价重千金，然以之间纺，曾不如瓦砖

❸得呙氏之璧，不若得事之所适／以和氏之璧与百金以示鄙人，鄙人必取百金／夏后氏之璜，不能无考；明月之珠，不能无颣／以和氏之璧与道德之至言以示贤者，贤者必取至言

❹由魏晋氏以下，人益不事师／昔葛天氏之乐，三人操牛尾，投足以歌八阕

❺参之谷梁氏以厉其气／颍水清，灌氏宁；颍水浊，灌氏族／孔子谓季氏："八佾舞于庭，是可忍也，孰不可忍也？"

❻明月之珠，和氏之璧／日月双悬于氏墓，乾坤半壁岳家祠／在朝也则师氏之佐，为国则刻削之政／隋侯之珠，和氏之璧，得之者富，失之者贫

❼昔有佳人公孙氏，一舞剑气动四方

❿颍水清，灌氏宁；颍水浊，灌氏族／圣人并包天地，泽及天下，而不知其谁氏／和氏之璧，出于璞石；隋氏之珠，产于蜃蛤／见玉而指之曰石，非玉之不真也，待和氏而识焉

乌 wū 黑色；乌鸦；何；姓。

❶乌鸟之狡，虽善不亲

见《管子·形势》。

乌鸢之卵不毁，而后凤凰集

见汉·路温舒《尚德缓刑书》。全句为："～；诽谤之罪不诛，而后良言进"。

乌有城坏其徒俱死，独蒙愧耻求活

见唐·韩愈《张中丞传后叙》。

❸今日乌合，明日兽散／月落乌啼霜满天，江枫渔火对愁眠／天雄乌喙，药之凶毒也，良医以活人

❺赤肉悬则乌鹊集，鹰隼鸷则群鸟散／月明星稀，乌鹊南飞，绕树三匝，何枝可依

❻不知言之人，乌可与言？知言之人，默焉而其意已传

❼具曰"予圣"，谁知乌之雌雄／鹄不日浴而白，乌不日黔而黑／隙中之观斗，又乌知胜负之所在

❽莫赤匪狐，莫黑匪乌／任一人之力者，则乌获不足恃／人之饥所以不食乌喙者，以为虽偷充腹而与死同患也

❾造夕思鸡鸣，及晨愿乌迁／饮食男女皆性也，是乌可灭／爱人者兼其屋上之乌，不爱人者及其胥余／爱其人者，爱其屋上乌；憎其人者，憎其余胥

❿鸾凤之音不得不锵于乌鹊／酒后耳热，仰天拊缶而呼乌乌／意犹帅也；无帅之兵，谓之乌合／君不见比来翁姥尽饥死，狐狸啮骨乌啄眼

生 shēng 生产、生育；出生；活着；生命；活的；生存的经历；产生；点燃；食物没有做熟；未成熟；不熟悉；生硬；表示程度深；谋生的方法；学生；读书人；从事某种工作的人；传统戏曲脚色行当；同"性"，天赋，资质；姓。

❶生生之谓易

见《周易·系辞上》。

生相怜，死相捐

见《列子·杨朱》。

生财有大道……

见《礼记·大学》。全句为："～：生之者众，食之者寡；为之者疾，用之者舒，则财恒足矣"。

生乎由是，死乎由是

见《荀子·劝学》。

生为杀元，杀为生首

见汉·严遵《道德指归论·勇敢篇》。

生也有涯，知也无涯

见《庄子·养生主》。

生以辱，不如死以荣

见汉·董仲舒《春秋繁露·竹林》。

生则有涯，死宜不泯

见宋·范仲俺《东梁院使种君墓志铭》。

生荣死哀，身没名显

见唐·王勃《平台秘略赞十首·慎终》。

生得相亲，死亦何恨

见唐·皇甫枚《步飞烟》。

生得其名，死得其所

见明·罗贯中《三国演义》第三十七回。

生于忧患，而死于安乐

见《孟子·告子下》。

生不可不惜，不可苟惜

见北齐·颜之推《颜氏家训·养生》。

生年不满百，常怀千岁忧

见汉·无名氏《古诗·生年不满百》。

生为百夫雄，死为壮士规

见三国·魏·王粲《咏史诗》。"规"，楷模。

生为并身物，死为同棺灰
见晋·杨方《合欢诗五首》之一。
生也死之徒，死也生之始
见《庄子·知北游》。
生人作死别，恨恨那可论
见汉·无名氏《古诗为焦仲卿妻作》。
生当复来归，死当长相思
见汉·无名氏《诗四首》之二。
生当作人杰，死亦为鬼雄
见宋·李清照《乌江》。
生材会有用，天地岂无心
见唐·吕温《赠友人》。
生材贵适用，慎勿多苛求
见清·顾嗣协《杂兴》。
生死悠悠尔，一气聚散之
见唐·柳宗元《掩役夫张进骸》。
生者死之根，死者生之根
见《阴符经》卷下。
生有益于人，死不害于人
见《礼记·檀弓上》。
生有高世名，既没传无穷
见晋·陶潜《拟古九首》之二。
生非汝有，是天地之委和也
见《庄子·知北游》。
生我者父母，知我者鲍子也
见汉·刘向《说苑·复恩》。
生之来不能却，其去不能止
见《庄子·达乐》。
生，人之始也；死，人之终也
见《荀子·礼论》。全句为："～；终始俱善，人道毕矣"。
生人物之万殊，立天地之大义
见宋·朱熹《朱子语类》卷九八。全句为："阴阳五行，循环错综，升降往来，所以～"。
生有闻于当时，死有传于后世
见宋·王安石《祭欧阳文忠公文》。
生不识水，则虽壮，见舟而畏之
见宋·苏轼《日喻》。全句为："日与水居，则十五而得其道；～"。
生而同声，长而异俗，教使之然
见《荀子·劝学》。
生生者未尝死也，其所生则死矣
见汉·刘安《淮南子·精神》。全句为："～；化物者未尝化也，其所化则化矣"。
生之厚必入死之地，故谓之大患
见三国·魏·王弼《老子》十三注。
生木之长，莫见其益，有时而修
见汉·刘安《淮南子·修务》。全句为："～；砥砺磨坚，莫见其损，有时而薄"。
生不用封万户侯，但愿一识韩荆州
见唐·李白《与韩荆州书》。
生而不有，为而不恃，功成而弗居
见《老子》二。
生而知之者上也，学而知之者次也
见《论语·季氏》。全句为："～；困而学之，又其次也；困而不学，民斯为下矣"。
生来不读半行书，只把黄金买身贵
见唐·李贺《嘲少年》。
生非贵之所能存，身非爱之所能厚
见《列子·杨朱》。
生之有时而用之无度，则物力必屈
见汉·贾谊《新书·无蓄》。
生前富贵草头露，身后风流陌上花
见宋·苏轼《陌上花三首》其三。
生人之性得以安，圣人之道得以光
见唐·柳宗元《答周君巢饵药久寿书》。全句为："～，获是而中，虽不至耇老，其道寿矣"。
生儿不用识文字，斗鸡走马胜读书
见唐·无名氏《神鸡童谣》。
生，亦我所欲也；义，亦我所欲也
见《孟子·告子上》。全句为："～。二者不可得兼，舍生而取义者也"。
生，寄也；死，归也。何足以滑和
见汉·刘安《淮南子·精神》引禹语。
生民之本，要当稼穑而食，桑麻以衣
见北齐·颜之推《颜氏家训》。
生死犹转机，得失如反掌，可不慎乎
见五代·前蜀·杜光庭《道德真经广圣义》卷四十五。全句为："将者，人之司命也，～"。
生有厚利，死有遗教，此盛君之行也
见《晏子春秋·内篇问上第十一》。
生不能相养以共居，殁不得抚汝以尽哀
见唐·韩愈《祭十二郎文》。
生以有为已分，则虚无是有之所遗者也
见晋·裴頠《崇有论》。
生仍冀得兮归桑梓，死当埋骨兮长已矣
见汉·蔡琰《胡笳十八拍》之十一。
生子当如孙仲谋，刘景升儿子若豚犬耳
见晋·陈寿《三国志·吴书·吴主传》。
生者，假借也；假之而生生者，尘垢也
见《庄子·至乐》。
生而不淑，孰谓其寿？死而不朽，孰谓之夭
见唐·韩愈《李元宾墓志铭》。
生而影不与吾形相依，死而魂不与吾梦相接
见唐·韩愈《祭十二郎文》。全句为："一在天之涯，一在地之角，～"。
生男无喜，生女无怒，独不见卫子夫霸天下
见汉·司马迁《史记·外戚世家》。
生男如狼，犹恐其尫；生女如鼠，犹恐其虎
见南朝·宋·范晔《后汉书·列女传》引鄙

谤。

生者有极，成者必亏；生生成成，今古不移

见唐·吴筠《玄纲论·上篇明道德·道德章第一》。

生之者甚少而靡之者甚众，天下之势何以不危

见汉·贾谊《新书·无蓄》。

生亦我所欲，所欲有甚于生者，故不为苟得也

见《孟子·告子上》。

生有七尺之形，死唯一棺之土，唯立德扬名，可以不朽

见晋·陈寿《三国志·魏书·文帝纪》。

生民之不得休息，为四事故：一为寿，二为名，三为位，四为货

见《列子·杨朱》。

❷益生曰祥／祸生有胎／生生之谓易／苍生忍倒悬／死生为昼夜／祸生于懈慢／乱生必由怨起／养生以不伤为本／人生七十古来稀／人生事，反自贼／人生莫受老来贫／人生心口宜相副／人生穷达谁能料／余生自负澄清志／初生牛犊不怕虎／情生于有情之地／死生，天地之常理／礼生于有而废于无／天生万物，唯人为贵／天生天杀，道之理也／天生烝民，有物有则／天生神物，圣人则之／后生可畏，来者难诬／民生在勤，勤则不匮／云生从龙，风生从虎／人生一世，草生一秋／人生而静，天之性也／人生在勤，不索何获／先生施教，弟子是则／蓬生麻中，不扶而直／当生者生，当死者死／情生于心，心生于性／遗生行义，视死如归／奸生于国，时动必溃／死生之穴，乃在分毫／死生同归，誓不相弃／死生有命，富贵在天／春生秋杀，天道之常／有生于无，实出于虚／有生最灵，莫过乎人／福生有基，祸生有胎／恩生于害，害生于恩／石生而坚，兰生而芳／矫生于愧，愧生于众／其生若浮，其死若休／鹿生于野，命县于厨／毁生于嫉，嫉生于不胜／老生之常谈，言无新奇／一生复能几，倏如流电惊／一生困尘土，半世走阡陌／平生仗忠信，今日任风波／来生不可忌，已死不可徂／后生莫晓，更恨文律烦苛／我生待明日，万事成蹉跎／以生为丧也，以死为反也／儒生直如弦，权贵不须干／人生一世，如白驹之过隙／人生开口笑，百年都几回／人生天地间，忽如远行客／人生无根蒂，飘如陌上尘／人生不失意，焉能慕知己／人生不相见，动如参与商／人生几何时，怀忧终年岁／人生孰无死，贵得死所耳／人生莫依倚，依倚事不成／人生行乐耳，须富贵何时／人生处一世，去若朝露晞／人生处万类，知识最为贤／人生归有道，衣食固其端／人生如梦，一尊还酹江月／人生如逆旅，我亦是行人／人生贵相知，何必金与钱／人生有离合，岂择衰老端／人生有新故，贵贱不相渝／人生忽如寄，寿无金石固／人生感意气，功名谁复论／人生意气豁，不在相逢早／人生譬朝露，居世多屯蹇／舍生岂不易，处死诚独难／让生于有余，争起于不足／莲生淤泥中，不与泥同调／吾生也有涯，而知也无涯／过生于心，则心悔之……／理生于危心，乱生于肆志／杀生者不死，生生者不生／桃生露井上，李树生桃旁／轻生本为国，重气不关私／此生泰山重，勿作鸿毛遗／春生者繁华，秋荣者零悴／有生必有死，早终非命促／欲生于无度，邪生于无禁／风生于地，起于青蘋之末／方生方死，方死方生……／祸生于欲得，福生于自禁／患生于多欲，害生于弗备／患生于官成，病始于少瘳／患生于所忽，祸发于细微／其生也天行，其死也物化／其生也莫知，其往也始思／不生于所畏，而在于所易也／书生之论，可言而不可用也／书生报国无地，空白九分头／乱生于甚细，终于不救……／公生明，诚生明，从容生明／兰生幽谷，不为莫服而不芳／养生丧死无憾，王道之始也／人生易老天难老，岁岁重阳／人生福境祸区，皆念想造成／先生之不从世兮，惟道是就／文生于情，情生于身之所历／福生于无为，而患生于多欲／福生于隐约，而祸生于得意／罪生甲，祸归乙，伏怨乃结／申生在内而危，重耳居外而安／伤生之事非一，而好色者必死／人生似瓦盆，打着了方见真空／余生命之湮阨，曾二鸟之不如／名生于真，非其真，弗以为名／知生而不知杀者，逆天之道也／有生之气，有形之状，尽幻也／有生者必有死，有始者必有终／事生则释公而就私，货数而任己／生生者未尝死也，其所生则死矣／后生可畏，焉知来者之不如今也／后生虽天资聪明，而识终有不及／达生之情者，不务生之所无以为／木生内蠹，上下相贼，祸乱我国／死生无变于己，而况利害之端乎／此生谁料，心在天山，身老沧洲／稻生于水，而不能生于湍濑之流／一生几许伤心事，不向空门何处销／一生大笑能几回，斗酒相逢须醉倒／一生所遇唯元白，天下无人重布衣／一生肝胆向人尽，相识不如不相识／天生一个仙人洞，无限风光在险峰／天生我材必有用，千金散尽还复来／半生落魄已成翁，独立书斋啸晚风／民生各有所乐兮，余独好修以为常／人生不得长欢乐，年少须臾老到来／人生不得长少年，莫惜床头沽酒钱／人生直作百岁翁，亦是万古一瞬中／人生到处知何似？应似飞鸿踏雪泥／人生代代无穷已，江月年年只相似／人生交契无老少，论交何必先同调／人生识字忧患始，姓名粗记可以休／人生难得秋前雨，乞我虚堂自在眠／人生在世不称意，明朝散

发弄扁舟／人生芳秽有千载，世上荣枯无百年／人生莫作远行客，远行莫戍黄沙碛／人生莫作妇人身，百年苦乐由他人／人生得意须尽欢，莫使金樽空对月／人生富贵岂有极？男儿要在能死国／人生达命岂暇愁，且饮美酒登高楼／人生结交在终始，莫为升沉中路分／人生贵贱无终始，倏忽须臾难久恃／人生自古谁无死，留取丹心照汗青／人生自是有情痴，此恨不关风与月／先生之貌不可得兮，犹仿佛其文章／知生而无以知为也，谓之以知养恬／山生金，反自刻；木生蠹，反自食／道生之，德畜之，物形之，势成之／死生，命也，其有夜旦之常，天也／死生亦大矣而不变乎己，况爵禄乎／此生此夜不长好，明年明月何处看／有生则复于不生，有形则复于无形／知生也者，不以物害生，养生之谓也／道生一，一生二，二生三，三生万物／橘生淮南则为橘，生于淮北于则为枳／春生夏长，秋收冬藏，此天道之大经／天生人而使有贪有欲，欲有情，情有节／公生明，偏生暗，端悫生通，诈为生塞／人生不得行胸怀，虽寿百岁，犹为夭也／根生，叶安得不茂；源发，流安得不广／或生而知之，或学而知之，或困而知之／所生者弗德，所杀者非怨，则几于道也／文生于情，情生于哀乐，哀乐生于治乱／人生天地之间，若白驹之过却，忽然而已／人生大期，百年为限，节护之者可至千岁／凡生之长也，顺之也；使生不顺者，欲也／死生荣辱之道一，则三军之士可使一心矣／欲生于不足则民盗，能使无欲则民不为盗／民生在勤，勤则不匮。宴安自逸，岁暮奚冀／云生日入，怪状迭发，水石卉木，杳非人寰／保生者寡欲，保身者避名，无欲易，无名难／人生至愚是恶闻己过，人生至恶是善谈人过／人生贵得适意尔，何能羁宦数千里以要名爵／易生之嫌，不足贬也；易为之誉，不足多也／贫生于富，弱生于强，乱生于化，危生于安／贫生于富，弱生于强，乱生于治，危生于安／石生而坚，兰生而芳，少自其质，长而愈明／死生……畏者不可以苟免，贪者不可以苟得也／人生天地之中，殊于众类明矣。感则应，激则通／人生一世，但当畏敬于人，若不善加己，直为受之／人生时禀得灵气，精明通悟，学无滞塞，则谓之神／人生所好，自当专一，若多好多能，反能耗神损精／先生不知何许人也……宅边有五柳树，因以为号焉／天生一人，自有一人之用，不待取给于孔子而后足也／人生寄一世，奄忽若飙尘；何不策高足，先据要路津／人生有限，情欲无厌。既不救其死亡，岂能保乎金玉／福生有基，祸生有胎；纳其基，绝其胎，祸福何自来／此生不学，一可惜；此日闲过，二可惜；此身一败，三可惜／贱生于无所用，中流失船，一壶千金，贵贱无常，时使物然

❸乱政生灾／两仪生四象／不足生于无度／礼义生于富足／祸乱生于所忽／未知生，焉知死／所禀生者谓之性／元气生万物而不有／乐极生悲，否极泰来／厉夜生子，遽而求火／偏听生奸，独任成乱／诚信生神，夸诞生惑／荼毒生灵，万里朱殷／理或生乱，乱或资理／极寒生热，极热生寒／梧桐生雾，杨柳摇风／物之生也，若骤若驰／物有生死，理有存亡／思索生知，慢易生忧／静者生门，躁者死户／非长生难也，闻道难也／十年生聚，而十年教训／当今生民之患果安在哉／何必生之为乐，死之为悲／地虽生尔材，天不与尔时／荡胸生曾云，决眦入归鸟／抱木生毫末，层台起累土／治强生于法，弱乱生于阿／海上生明月，天涯共此时／惟歌生民病，愿得天子知／富若生蓄，万物必具……／红豆生南国，春来发几枝／松柏生深山，无心自贞直／气别生者死，增减羸病勤／欲求生富贵，须下死工夫／石阙生口中，衔碑不得语／铠甲生虮虱，万姓以死亡／虚以生其明，思以穷其隐／天之生物，必因其材而笃焉／君子生非异也，善假于物也／知未生之乐，则不可畏以死／理或生乱者，悖理而不修也／敌得生于我，则我得死于敌／怨利生孽，维义可以为长存／与求生而害义，宁抗节以埋魂／事者生于虑，成于务，失于傲／余平生所作文章多在三上……／哀吾生之须臾，羡长江之无穷／善乐生者不窭，善逸身者不殖／富足生于宽暇，贫穷起于无日／骄奢生于富贵，祸乱生于疏忽／或贪生而反死，或轻死而得生／礼义生于富足，盗窃起于贫穷／祸难生于邪心，邪心诱于可欲／丈夫生不五鼎食，死即五鼎烹耳／芷兰生于深林，非以无人而不芳／天不生无禄之人，地不长无根之草／且乐生前一杯酒，何须身后千载名／九州生气恃风雷，万马齐喑究可哀／人之生也亦少矣，而岁之往亦速矣／春主生，夏主养，冬主藏，秋主收／有乎生，有乎死；有乎出，有乎入／欲赋生来惊人语，必须苦下死工夫／神女生涯原是梦，小姑居处本无郎／悠悠生死别经年，魂魄不曾来入梦／紫芝生于山，而不能生于盘石之上／万物生于天地之间，其理不可以一概／毛先生一至楚，而使赵重于九鼎大吕／欲长生久视，而日逆其生，欲之何益／天之生万物以奉人也，主爱人以顺天也／我非生而知之者，好古，敏以求之者也／凡养生，莫若知本，知本则疾无由至矣／逆则生，顺则夭矣；逆者圣，顺则狂矣／天地生我而不能鞠我……成我者，夫子也／人之生，气之聚也；聚则为生，散则为死／好音生于郑卫，而人皆乐之于耳，声同也／橘柚生于江南，而民皆甘之于口，味同也／丈夫生不

为将，得为使，折冲口舌之间足矣／凤凰生而有仁义之意，虎狼生而有贪戾之心／忧不生忧，喜不生喜。不忧不喜，乃生忧喜／松柏生于高冈，散柯布叶，而草木为之不植／天之生此民也，使先知觉后知，使先觉觉后觉也／兰茝生于茂林之中，深山之间，不为人莫见之故不芬／人之生，动之死地亦十有三。夫何故？以其生生之厚／人非生而知之者，孰能了此无惑，故从其先得者而问焉／人之生也，必以其欢。忧则失纪，怒则失端。忧悲喜怒，道乃无处／人之生也，与忧俱生，寿者惛惛，久忧不死，何苦也！其为形也亦远矣

❹快我平生万里心／有形者生于无形／其义好生而恶杀／物得以生，谓之德／一死一生，乃知交情／不以死生祸福累其心／不死不生，不断不成／未知一生当著几量屐／事留变生，后机祸至／临乎死生得失而不惧／乐之所生，哀亦至焉／使患无生，易于救患／当生者生，当死者死／得之也生，失之也死／逆顺死生，物自为名／木朽虫生，墙罅蚁入／死者复生，生者不愧／必死则生，幸生则死／顺我者生，逆我者死／自是人生长恨水长东／百昌皆生于土而反于土／凡民之生也，必以正平／名不徒生，则誉不自长／名由实生，故久而益大／天地莫生金，生金人竞争／人语无生意，鸟啼空好音／拱木不生危，松柏不生埤／岂学书生辈，窗间老一经／性情之生，斯乃自然而有／懈意一生，便是自弃自暴／寒不能生寒，热不能生热／有无相生，难易相成……／为惠者生奸，而为暴者生乱／乱之所生也，则言语以为阶／因天之生也以养生，谓之文／虚实相生，无画处皆成妙境／蜉蝣朝生而暮死，而尽其乐／水之冰生于寒，人之冰生于正／石上不生五谷，秃山不游麋鹿／万物之生也，皆元于虚，始于无／万物以生，万物以成，命之曰道／天之所生，地之所产，足以养人／民不乐生，尚不避死，安能避罪／人之短生，犹如石火，炯然以过／凡物之生而美者，美本乎天者也／圣有所生，王有所成，皆原于一／留动而生物，物成生理，谓之形／但得众生皆得饱，不辞羸病卧残阳／但愿苍生俱饱暖，不辞辛苦出山林／误尽平生是一官，弃家容易变名难／土地之生物不益，山泽之出财有尽／庾信平生最萧瑟，暮年诗赋动江关／断送一生惟有酒，寻思百计不如闲／眼处心生句自神，暗中摸索总非真／虎啸风生，龙吟云萃，固非偶然也／巧者能生规矩，不能废规矩而正方圆／气衰则生物不育，世乱则礼废而乐淫／暑极不生暑而生寒，寒极不生寒而生暑／一地所生，一雨所润，而诸草木各有差别／藜藿之生，蠕蠕然日加数寸，不可以为庐栋／日光顿生，霜露渐消；狂风顿息，波浪渐停／财须民生，强赖民力，威恃民势，福由民殖／祸之所生，必由积怨；过之所始，多因忽小／名实相生，利用相成，是非相明，去就相安也／安则乐生，痛则思死；捶楚之下，何求而不得／人知贵生乐安而弃礼义，辟之是犹欲寿而歾颈也／性字从生从心，是人生来具是理于心，方名之曰性／使患无生易于救患，而莫能加务焉，则未可与言术也

❺形具而神生／不知义理，生于不学／不知理义，生于不学／乱而思理，生人大情／哀哀父母，生我劬劳／吃文为患，生于好诡／达人观之，生死一耳／死者复生，生者不愧／老母终堂，生妻去帷／无名之名，生我之宅也／丝萝非独生，愿托乔木／拂云之松生于一豆之实／得意时，便生失意之悲／一旦见景生情，触目兴叹／天地之道，生杀之理……／无土壤而生嘉树美箭……／临战而思生，则战必不力／长恐浮云生，夺我西窗月／失正则奇生，奇生而民惑／兵久则变生，事苦则虑易／古来帝子，生于深宫……／位疑则隙生，累近则丧大／令烦则奸生，禁多则下诈／喜则爱心生，怒则毒螫加／花下一禾生，去之为恶草／字须熟后生，画须生外熟／道自微而生，祸自微而成／本是同根生，相煎何太急／见富贵而生谄容者最可耻／物穷则变生，事急则计易／爱之欲其生，恶之欲其死／朝与仁义生，夕死复何求／恩甚则怨生，爱多则憎至／鱼处水而生，鸟据巢而卵／鱼处水而生，人处水而死／天下万物生于有，有生于无／天之道在生植，其用在强弱／公生明，诚生明，从容生明／如是，则终生几无可问之事／见富贵而生谄容者，最可耻／祸之所由生也，生自纤纤也／淫辞丽藻生于文，反伤文者也／澄明远水生光，重迭暮山耸翠／树至德于生前，流遗爱于身后／心者……静则生慧，动则成昏／稂莠秕稗生于谷，反害谷者也／利害相摩，生火甚多，众人焚和／勇士不顾生，故能立天下之大名／当轴者易生嫌，而退身者易为誉／治国之道，生民之本，啬为祖宗／昔之厚其生，非爱之也，利其力／盛之有衰，生之有死，天之分也／甚美之名生于大恶，所谓美恶同门／人怜直节生来瘦，自许高材老更刚／苟利国家生死以，岂因祸福避趋之／悲莫悲兮生别离，乐莫乐兮新相知／身老方知生计拙，家贫渐觉故人疏／道生一，一生二，二生三，三生万物／三月婴儿，生而徙国，则不能知其故俗／公生明，偏生暗，端悫生通，诈为生塞／因命而动，生思虑……别同异，谓之意／杀人以自生，亡人以自存，君子不为也／古语有之“生相怜，死相捐”。此语至矣／太上之道，生万物而不有，成化像而弗宰／万物有乎生而莫见其根，有乎出而莫见其门／生男无喜，生女

无怒，独不见卫子夫霸天下／使死者反生，生者不愧乎其言，则可谓信矣／性也者与生俱生也，情也者，接于物而生也／合抱之木，生于毫末……千里之行，始于足下／胡越之人，生则声同，长则语异，盖声者天然／粟米布帛生于地，长于时，聚于力，非可一日成／侍坐于先生，先生问焉，终则对。请业则起，请益则起

❻民贫则奸邪生／立官者以全生也／一以虚，故能生二／刚柔相推而生变化／三日不弹，手生荆棘／万物一府，死生同状／天之于物，春生秋实／不寒不热，能生寒热／云生从龙，风生从虎／十围之木，始生如蘖／人生一世，草生一秋／人命至重，难生易杀／男女同姓，其生不蕃／对酒当歌，人生几何／虽死之日，犹生之年／深山大泽，实生龙蛇／情生于心，心生于性／有死之荣，无生之辱／福生有基，祸生有胎／必死则生，幸生则死／恩生于害，害生于恩／石生而坚，兰生而芳／矫生于愧，愧生于众／积乱之后，当生大贤／天之所能者，生万物也／明乎坦涂，故生而不说／毁生于嫉，嫉生于不胜／万物非不欲生，不得不生／天地莫生金，生金人竞争／兰草自然香，生于大路傍／哀哉，死者用生者之器也／杀生者不死，生生者不生／死别已吞声，生别常恻恻／死者积如麻，生者能几口／风起水面，细生鳞甲……／火则不钻不生，不扇不炽／祸与福相贯，生与亡为邻／心事同漂泊，生涯共苦辛／言语之次，空生虚妄之美／珍好之物滋生彰著，则……／晏平仲问养生于管夷吾……／有元气则有生，有生则道显／文生于情，情生于身之所历／才以用而日生，思以引而不竭／无为而物自生，无为而物自亡／军兴由乎寇生，寇生由乎政缺／知杀而不知生者，反地之要也／死者不可再生，用法务在宽简／精神通于死生，则物孰能惑之／天地与我并生，而万物与我为一／为国不可以生事，亦不可以畏事／圣人者不能生时，时至而弗失也／自古通天者，生之本，本于阴阳／万物草木之生也柔脆，其死也枯槁／人之所贵者生也，生之所贵者道也／人莫不以其生生，而不知其所以生／从来好事天生俭，自古瓜儿苦后甜／读书不了平生事，阅世空存后死身／道之委也……形生而万物所以塞也／天下万物皆生于两，不生于一，明矣／孰知有无死生之一守者，吾与之为友／君子所大者生也，所大乎其生者时也／知天乐者，其生也天行，其死也物化／天性正于受生之初，明觉发于既生之后／不大不小乃生大小，不高不卑乃生高卑／君开一源，下生百端之变，无不乱者也／文生于情，情生于哀乐，哀乐生于治乱／天道悠悠，人生若浮，古来贤圣，皆成去留／使死者反生，生者不愧乎其言，则可谓信矣／众人欢乐，用生生也，动而失之，寿命竭也／君开一源，下生百端。百端之变，无不动乱／知熟必避，知生必避；入人意中，出人头地／虽有至圣，不生而知；虽有至材，不生而能／饮食不节，以生疾病；好色不倦，以致乏绝／贫生于富，弱生于强，乱生于化，危生于安／贫生于富，弱生于强，乱生于治，危生于安／石生而坚，兰生而芳，少自其质，长而愈明／梗楠豫章之生也，七年而后知，故可以为棺舟／含气之伦，有生必终，盖天地之常期，自然之至数／福生有基，祸生有胎；纳其基，绝其胎，祸福何自来

❼一事起则一害生／一蓑烟雨任平生／万有皆由道而生／事愈烦而乱愈生／兵革兴而分争生／古来万事贵天生／兹游奇绝冠平生／陷之死地而后生／布谷一声春水生／满川风雨看潮生／心虚则众欲不生／置之死地而后生／果者，临敌不怀生／天下无道，圣人生焉／生为杀元，杀为生首／诚信生神，夸诞生惑／陵波微步，罗袜生尘／行违于道则愧生于心／宠过若惊，喜深生惧／极寒生热，极热生寒／昂然直上，凛有生气／水致其深，蛟龙生焉／物竞天择，适者生存／祸之来也，人自生之／思索生知，慢易生忧／天下无道，戎马生于郊／以进死为荣，退生为辱／坑儒士起自诸生为妖言／道，虚之虚，故能生一／存身宁国在于生杀之间／恶人从游，则日生邪情／事起乎所忽，祸生乎无妄／失正则奇生，奇生而民惑／人有喜庆，不可生妒忌心／人有祸患，不可生欣幸心／大有其事，而忘生之道也／当其贯日月，死生安足论／理生于危心，乱生于肆志／杀生者不死，生生者不生／欲生于无度，邪生于无禁／祸生于欲得，福生于自禁／患生于多欲，害生于弗备／白骨成丘山，苍生竟何罪／用心刚，则轻死生如鸿毛／离亭北望，烟霞生故国之悲／男儿当死中求生，可坐穷乎／因天下之力，以生天下之财／祸之所由生也，生自纤纤也／古者不以死伤生，不以厚为礼／官位得其人则生，失其人则死／百姓安则乐其生，不安则轻其死／天地合而万物生，阴阳接而变化起／不以先进略后生，不以上官卑下吏／人莫不以其生生，而不知其所以生／志正则众邪不生，心静则众事不躁／爽籁发而清风生，纤歌凝而白云遏／多官而反以害生，则失所为立之矣／宣父犹能畏后生，丈夫未可轻年少／战士军前半死生，美人帐下犹歌舞／气入身来为之生，神去离形为之死／有生则复于不生，有形则复于无形／意匠如神变化生，笔端有力任纵横／天地之大德曰生，人受天地之气而生／非其地，树之不生；非其意，教之不成／至无者，无以能生，故始生者，自生也／时不至不可强生也，事不究不可强成也／暑极不生暑而生寒，寒

极不生寒而生暑／其动，止也；其死，生也；其废，起也／志士仁人，无求生以害仁，有杀身以成仁／天下之事，患常生于忽微，而志亦戒于渐习／师之所处，荆棘生焉；大军之后，必有凶年／众人欢乐，用生生也，动而失之，寿命竭也／狗吠不惊，足下生氂；含哺鼓腹，焉知凶灾／忧不生忧，喜不生喜。不忧不喜，乃生忧喜／性也者与生俱生也，情也者，接于物而生也／天地之精所以生物者莫贵于人，人受命乎天也／困境起念，随物生情，不守道循常，即为妄矣／继世守文之君，生而富贵，不知疾苦，动至夷灭／侍坐于先生，先生问焉，终则对。请业则起，请益则起／怨恩取与谏教生杀，八者，正之器也，唯循大变无所湮者为能用之

❽良医知病人之死生／天之无恩，而大恩生／不畏义死，不荣幸生／阴阳转易，以成化生／鼓腹而歌，以乐其生／名虽美焉，伪亦必生／得之也死，失之也生／清谈高论，嘘枯吹生／情随境变，字逐情生／子如不忧，忧日以生／纪纲一废，何事不生／日有短长，月有死生／有物混成，先天地生／朝无幸位，民无幸生／文理自然，姿态横生／祸极于死，福极于生／福由己发，祸由己生／非其地而树之，不生也／土积成山，则豫樟生焉／微邪者，大邪之所生也／情也者，接于物而生也／水渊深广，则龙鱼生之／水积成川，则蛟龙生焉／甘瓜抱苦蒂，美枣生荆棘／面结口头交，肚里生荆棘／生也死之徒，死也生之始／生者死之根，死者生之根／原始反终，故知死生之说／凡人立志胜人，易生傲慢／误用聪明，何若一生守拙／揆材各有用，反性生苦辛／徒有排云心，何由生羽翼／治强生于法，弱乱生于阿／慌兮惚，朝朝暮暮生白发／字须熟后生，画须生外熟／桃生露井上，李树生桃旁／所谓人者，恶死乐生者也／方生方死，方死方生……／谷口未斜日，数峰生夕阳／因天之生也以养生，谓之文／有元气则有生，有生则道显／福生于无为，而患生于多欲／福生于隐约，而祸生于得意／弃事则形不劳，遗生则精不亏／军兴由乎寇生，寇生由乎政缺／虽有营求之事，莫生得失之心／轻细微眇之渐，必生乖忤之患／日，方中方睨；物，方生方死／礼有三本：天地者，生之本也／天下和平，灾害不生，祸乱不作／不塞其原，则物自生，何功之有／二者不可得兼，舍生而取义者也／至哉坤元！万物资生，乃顺承天／蓄至精者，可以福生灵，保富寿／达生之情者，不务生之所无以为／道无终始，物有死生，不恃其成／留动而生物，物成生理，谓之形／稻生于水，而不能生于湍濑之流／才自清明志自高，生于末世运偏消／人之所贵者生也，生之所贵者道也／山生金，反自刻；木生蠹，反自食／汴水通淮利最多，生人为害亦相和／宁以义死，不苟幸生，而视死如归／香兰自判前因误，生不当门也被锄／起烟于寒灰之上，生华于已枯之木／惟不以天下害其生者也，可以托天下／道生一，一生二，二生三，三生万物／橘生淮南则为橘，生于淮北于则为枳／兵者，国之大事，死生之地，存亡之道／形不得神不能自生，神不得形不能自成／仁者人也，仁字有生意，是言人之生道也／君子非仁义无以生，失仁义则失其所以生／有欲、无欲，异类也，生死也，非治乱也／凡物之精，化则为生，下生五谷，上为列星／大建厥极，绥理群生，训物垂范，于是乎在／安危相易，祸福相生，缓急相摩，聚散以成／妙必假物而物非生妙，巧必因器而器非成巧／有味之物，蠹虫必生；有才之人，谗言必至／天下悠悠，皆可长生也，患于犹豫，故不成耳／将者，人之司命也，生死犹转机，得失如反掌／真则气雄，精则气生，使五彩并用，而气行其中／人之立言，因字而生句，积句而成章，积章而成篇／人之生也，与忧俱生，寿者惛惛，久忧不死，何苦也！其为形也亦远矣

❾恶欲其死而爱欲其生／矫枉过正则巧伪滋生／两虎共斗，其势不俱生／非其义，君子不轻其生／志于虚无者可以忘生死／女神将守形，形乃长生／故天地含精，万物化生／誉不虚出，而患不独生／与死人同病者，不可生也／弃卧桥巷间，谁或顾生死／拱木不生危，松柏不生埤／吟成五字句，用破一生心／猛虎潜深山，长啸自生风／安得长翮大翼如云生我身／寒不能生寒，热不能生热／途穷天地窄，世乱死生微／时易失，志难成，鬓丝生／物必先腐也，而后虫生之／天下万物生于有，有生于无／公生明，诚生明，从容生明／措语遣意，有若自然生成者／将有死之心，士卒无生之气／明治病之术者，杜未生之疾／敌得死于我，则我得生于敌／念头暗昧，白日下犹生厉鬼／民之轻死，以其上求生生之厚／善万物之得时，感吾生之行休／洗污泥者以水，燔腥生者用火／骄奢生于富贵，祸乱生于疏忽／王孙游兮不归，春草生兮萋萋／无非无是，化育玄耀，生而如死／不可死而死，是轻其生，非孝也／世间万物有盛衰，人生安得常少年／百岁光阴半归酒，一生事业略存诗／我愿天公怜赤子，莫生尤物为疮痏／古往今来共一时，人生万事无不有／廷尉狱，平如砥；有钱生，无钱死／将有非常之大事，必生希世之异人／玉在山而草木润，渊生珠而崖不枯／虚负凌云万丈才，一生襟抱未曾开／紫芝生于山，而不能生于盘石之上／蹉跎莫遣韶光老，人生唯有读书好／知生也者，不以物害生，养生之谓也／生者，假借也；假之而生生者，尘垢也／公生明，偏

生暗，端悫生通，诈为生塞／含情而能达，会景而生心，体物而得神／富以苟不如贫以誉，生以辱不如死以荣／白刃交于前，视死若生者，烈士之勇也／水出于山，入于海；稼生乎野，而藏乎仓／事苦，则矜全之情薄；生厚，故安存之虑深／生男如狼，犹恐其尪；生女如鼠，犹恐其虎／生者有极，成者必亏；生生成成，今古不移／德者道之舍，物得以生生，知得以职道之精／君子务本，本立而道生。孝弟也者，其仁之本／谷足食多，礼义之心生；礼丰义重，平安之基立／性字从生从心，是人生来具是理于心，方名之曰性／欲成功而反为败者，生于不知道理，而不肯问知而听能

⑩上不尽利，则民有以为生／万物非不欲生，不得不生／后来有千日，谁与共平生／兵久则力屈，人愁则变生／功全则誉显，业谢则衅生／君非民不立，民非谷不生／岂待酒肉罗绮然后为生哉／得志万罪消，失志百丑生／宁为百夫长，胜作一书生／宁为袁粲死，不作褚渊生／达人无不可，忘己爱苍生／好雨知时节，当春乃发生／杀生者不死，生生者不生／桃陈则李代，月满则哉生／蜘蛛网户牖，野草当阶生／登楼知日近，傍海见潮生／野火烧不尽，春风吹又生／言多则背道，多欲则伤生／革坚则兵利，城成则冲生／与百姓争利，则狡诈之心生／为惠者生奸，而为暴者生乱／伐木不自其根，则蘖又生也／戒心之易忘，而骄心之易生／贵富太盛，则必骄佚而生过／老不足叹，可叹是老而虚生／野葛虽毒，不食则不能伤生／民之轻死，以其上求生生之厚／民寡则用易足，土广则物易生／今世之惑主多官，而反以害生／先患虑患谓之豫，豫则祸不生／推今而鉴古兮，鲜克以保其生／宁为有闻而死，不为无闻而生／运退黄金失色，时来顽铁生辉／或贪生而反死，或轻死而得生／水之冰生于寒，人之冰生于正／风下松而含曲，泉潆石而生文／痴人妄认逆境，平地自生铁围／无问其名，无阙其情，物固自生／长太息以掩涕兮，哀民生之多艰／生生者未尝死也，其所生则死矣／圣人化性而起伪，伪起而生礼义／圣人在上，奇不得起，诈不得生／万物始于微而后成，始于无而后生／与物委蛇而同其波，是卫生之经已／天不言而四时行，地不语而百物生／天时人事日相催，冬至阳生春又来／不可乘喜而轻诺，不可因醉而生嗔／不依古法但横行，自有云雷绕膝生／不敢望到酒泉郡，但愿生入玉门关／世上万般哀苦事，无非死别与生离／乐于用则豫章贵，厚其生则社栎贤／乐止夫物之内者，厚其生则社栎贤／乘理虽死而非亡，违义虽生而非存／了却君王天下事，赢得生前身后名／予恶乎知夫死者不悔其始之蕲生乎／十人树杨，一人拔之，则无生杨矣／荆山鹊飞而玉碎，随岸蛇生而珠死／休辞客路三千远，须念人生七十稀／伏波惟愿裹尸还，定远何须生入关／人世多违壮士悲，干戈未定书生老／人莫不以其生生，而不知其所以生／今来县宰加朱绂，便是生灵血染成／论逆顺不论成败，论万世不论一生／诗家之景，如蓝田日暖，良玉生烟／莫思身外无穷事，且尽生前有限杯／薄富贵而厚于书，轻死生而重于画／藜羹麦饭冷不尝，要足平生五车读／大道以多岐亡羊，学者以多方丧生／投之亡地然后存，陷之死地然后生／道者……庶物失之者死，得之者生／遂令天下父母心，不重生男重生女／如此如此复如此，壮心死尽生鬓丝／委故都以从利兮，吾知先生之不忍／明发又为千里别，相思应尽一生期／春也万物熙熙焉，感其生而悼其死／春江潮水连海平，海上明月共潮生／贤者多财损其志，愚者多财生其过／所种者稗，虽美田疾耕，不生谷也／所种者谷，虽瘠土惰农，不生稗也／欧阳当日文名重，更要推敲畏后生／欲尸名者必为善，欲为善者必生事／衣食足而知荣辱，廉让生而争讼息／一日暴之，十日寒之，未有能生者也／天下万物皆生于两，不生于一，明矣／天地之大德曰生，人受天地之气而生／不闻道而死，曷异蜉蝣之朝生暮死乎／未有暴乱不止而能活生人、定国家者／人之过也，在于哀死，而不在于爱生／人皆务于救患之备而莫能知使患无生／今善善恶恶，好荣憎辱，非人能自生／动静者终始之道，聚散者化生之门也／小人如恶草也，不种而生，去之复蕃／君子所大者生也，所大乎其生者时也／知生也者，不以物害生，养生之谓也／道生一，一生二，二生三，三生万物／强执教之人，则失其情实，生于诈伪／欲长生久视，而日逆其生，欲之何益／鸟飞反乡，兔走归窟……各哀其所生／自天地至于万物，无不须气以生者也／一箪食，一豆羹，得之则生，弗得则死／天地之间空虚，和气流行，故万物自生／天性正于受生之初，明觉发于既生之后／不大不小乃生大小，不高不卑乃生高卑／生者，假借也；假之而生生者，尘垢也／良将不怯死以苟免，烈士不毁节以求生／公生明，偏生暗，端悫生通，诈为生塞／勇将不怯死以苟免，壮士不毁节而求生／至无者，无以能生，故始生者，自生也／当官务持大体，思事事皆民生国计所关／吾师道也，夫庸知其年之先后生于吾乎／彼出于是，是亦因彼，彼是方生之说也／法令不一则人情惑，职次数改则觊觎生／暑极不生暑而生寒，寒极不生寒而生暑／物之有成必有坏，譬如人之有生必有死／父母威严而有慈，则子女畏慎而生孝矣／文生于情，情生于哀乐，哀乐生于治乱／心为道之

器，宇虚静至极则道居而慧生／登峻者戒在于穷高，济深者祸生于舟重／食有酒肉，衣有罗绮……非益生之良药／天下英雄谁敌手？曹刘。生子当如孙仲谋／天惟运动一气，鼓万物而生，无心以恤物／仁者人也，仁字有生意，是言人之生道也／人之生，气之聚也；聚则为生，散则为死／凡生之长也，顺之也；使生不顺者，欲也／君子非仁义无以生，失仁义则失其所以生／天下大扰，百姓遑遑，劳苦疲极，困穷生奸／天何言哉？四时行焉，百物生焉，天何言哉／两若有名，相与则成；阴阳备物，化变乃生／生者有极，成者必亏；生生成成，今古不移／为成者败，为利者害，为生者死，为兴者废／云山苍苍，江水泱泱，先生之风，山高水长／人生至愚是恶闻己过，人生至恶是善谈人过／人亦有言，忧令人老。嗟我白发，生一何早／凡勤学，须是出于本心，不待父母先生督责／凡物之精，化则为生，下生五谷，上为列星／凤凰生而有仁义之意，虎狼生而有贪戾之心／草木无大小，必待春而后生，人待义而后成／暮春三月，江南草长，杂花生树，群莺乱飞／知己者不可诱以物，明于死生者不可却以危／虽常服药，而不知养性之术，亦难以长生也／虽有至圣，不生而知；虽有至材，不生而能／山树为盖，岩石为屏，云从栋生，水与阶平／崇门丰室，洞户连房，飞馆生风，重楼起雾／德者道之舍，物得以生生，知得以职道之精／饥马在厩，寂然无声，投刍其旁，争心乃生／忧不生忧，喜不生喜。不忧不喜，乃生忧喜／性也者与生俱生也，情也者，接于物而生也／居官有二语，曰：唯公则生明，唯廉则生威／贫生于富，弱生于强，乱生于化，危生于安／贫生于富，弱生于强，乱生于治，危生于安／有杀人之威而下不惧，有生人之惠而下不喜／积土成山，风雨兴焉；积水成渊，蛟龙生焉／用兵之害，犹豫最大；三军之灾，生于狐疑／用智为政，务欲理人。智变奸生，祸乱滋起／舟必漏也而后水入焉，土必湿也而后苔生焉／上与造物者游，而下与外生死、无终始者为友／天地所以能长且久者，以其不自生，故能长生／生亦我所欲，所欲有甚于生者，故不为苟得也／化者，复归于无形也；不化者，与天地俱生也／人肖天地之类，怀五常之性，有生之最灵者也／饥而欲食……好利而恶害，是人之所生而有也／恰同学少年，风华正茂；书生意气，挥斥方遒／礼者贱质而贵文，故正直日以少，邪乱日以生／必静必清，无劳女形，无摇女精，乃可以长生／天静以清，地定以宁，万物失之者死，法之者生／明窗净几笔砚纸墨皆极精良，亦自是人生一乐事／闰以正时，时以作事，事以厚生，生民之道在此矣／人之生，动之死地亦十有三。夫何故？以其生生之厚／和者天之正也，阴阳之平也，其气最良，物之所生也／真的猛士，敢于直面惨淡的人生，敢于正视淋漓的鲜血／原心反性则贵矣，适情知足则富矣，明死生之分则寿矣／人品须从小作起，权宜苟且诡随之意多，则一生人品坏矣／动摇则谷气得消，血脉流通，病不得生，譬犹户枢不朽也／天无为以之清，地无为以之宁，故两无为相合，万物皆化生／历观前代拨乱创业之主，生长民间，皆识达情伪，罕至于败亡／君子知形恃神以立，神须形以存，悟生理之易失，知一过之害生／人之所以不能终其寿命，而中道夭于刑戮者，何也？以其生生之厚

失

①shī 丢掉；找不着；没有把握住；改变常态；过错；违背；没有达到目的或愿望。②yì 通“逸”，奔跑；通“泆”，放荡。

❶失信不立

见《左传·成公八年》。

失其守者，其辞屈

见《周易·系辞下》。

失反为得，成反为败

见宋·陆佃解《鹖冠子·世兵》。

失之末流，求之本源

见南朝·宋·范晔《后汉书·陈忠传》。

失之东隅，收之桑榆

见汉·刘秀《玺书劳冯异》。

失之毫厘，差以千里

见汉·刘向《说苑·建本》。全句为：“～，是故君子贵建本而重立始”。

失刑则刑，失死则死

见汉·司马迁《史记·循吏列传》。

失众必败，得众必成

见唐·陆贽《奉天论前所答奏未施行状》。

失爱不仁，过爱不义

见汉·贾谊《新书·礼》。

失其民者，失其心也

见《孟子·离娄上》。全句为：“桀、纣之失天下也，失其民也；～”。

失民而得财，明者不为

见宋·苏轼《上文侍中论榷盐书》。

失去所凭依，信不可欤

见唐·韩愈《杂说四首》。全句为：“龙弗得云，无以神其灵矣；～”。

失火之家，三日不熟食

见明·方孝孺《汉景帝》。全句为：“～；走而踬者，终身不御马”。

失正则奇生，奇生而民惑

见汉·严遵《道德指归论·以正治国篇》。全句为：“～，善人为妖，是非反复，天下大迷而不复也”。

失身取高位，爵禄反为耻

见清·沈德潜《咏史》。

失其师表，而莫有所矜式

见唐·柳宗元《与太学诸生喜诣阙留阳城司业书》。

失吾道者，上见光而下为土

见《庄子·在宥》。全句为："得吾道者，上为皇而下为王；～"。

失贤人，国无不危，名无不辱

见《吕氏春秋·慎行论·求人》。全句为："得贤人，国无不安，名无不荣；～"。

失意人逢失意事，新啼痕间旧啼痕

见清·曹雪芹《红楼梦》第八十七回。

失火之家，岂暇先言大人而后救火乎

见汉·司马迁《史记·齐悼惠王世家》。

失神之术本于纵恣，丧神之数在于自专

见汉·严遵《道德指归论·民不畏威篇》。

失于声，缪迷其四体，谓己当然，自诬也

见宋·张载《正蒙·乾称下》。全句为："～；欲他人己从，诬人也"。

失道而后德，失德而后仁，失仁而后义，失义而后礼

见《老子》三十八。

失名失货，道德是佑，神明是助，名显自然，富配天地

见汉·严遵《道德指归论·名身孰亲篇》。

❷罔失法度／礼失而求诸野／一失足成千古恨／得失不能疑其志／一失其原，巧愈弥甚／秦失其鹿，先得者王／将失一令，而军破身死／国失其次，则社稷大匡／目失镜，则无以正须眉／秦失其鹿，天下共逐之／身失道，则无以知迷惑／偶失万户侯，遂老三家村／上失其道而杀其下，非理也／鱼失水则死，水失鱼犹为水／不失其所者久，死而不亡者寿／狖失木，而禽于狐狸，非其处也／一失脚成千古恨，再回头是百年人／君失臣兮龙为鱼，权归臣兮鼠变虎／不失足于人，不失色于人，不失口于人／上失其道，民散久矣，苟非君子，焉能固穷

❸以约失之者鲜矣／塞翁失马犹为福／经一失，长一智／蛟龙失水似枯鱼／一物失称，乱之端也／义方失则师友不可训／举不失德，赏不失劳／哀乐失时，殃咎必至／城门失火，殃及池鱼／塞翁失马，安知非福／君子失心，鲜不夭昏／进不失廉，退不失行／权不失机，功不厌速／权不失机，功在速捷／轻则失根，躁则失君／耄老失明，闻善不从／顾小失大，福逃墙外／百发失一，不足谓善射／亡在失道而不在于小也／节行失之，终身不可得／导师失路，则迷途者众／国家失政，则士民去之／过则失中，不及则不至／轩冕失之，有时而复来／虚而失实，则夸耀而诬／寿陵失本步，笑杀邯郸人／相马失之瘦，相士失之贫／时易失，志难成，鬓丝生／神龙失势，即还与蚯蚓同／恶不失其理，欲不过其情／悠悠失乡县，处处尽云烟／一画失所，如壮士之折一肱／一点失所，若美女之眇一目／过则失中，不及则未至……／所以失之者，必以喜乐哀怒／内不失真，外不殊俗，同尘而不染／果蓏失地则不实，鱼龙失水则不神／神龙失水而陆居兮，为蝼蚁之所裁／正得失，动天地，感鬼神，莫近于诗／忍泪失声询使者："几时真有六军来"／自古失国之主，皆为居安忘危，处治忘乱／一家失熛，百家皆烧；谗夫阴谋，百姓暴骸／为国失道，众叛亲离；为国以道，人必悦服／上不失天时，下不失地利，中得人和，而百事不废／失名失货，道德是佑，神明是助，名显自然，富配天地

❹克为卿，失则烹／正静不失，日新其德／便不可失，时不再来／善不可失，恶不可长／有而勿失，得而勿忘／言不可失，行不可亏／下德不失德，是以无德／制人而失其理，反制焉／士穷不失义，达不离道／知者不失人，亦不失言／举错数失，必致危亡之道／人生不失意，焉能慕知己／动静不失其时，其道光明／吾有小失，必犯颜而谏之／弹雀则失鹴，射鹊则失雁／纵欲而失性，动未尝正也／君子惧失仁义，小人惧失利／桀、纣之失天下也，失其民也／凿者，其失诬；愚者，其失为固／君子有失其所兮，小人有得其时／贪则多失，忿则多难，急则多蹶／难得易失者时也，易过难见者机也／得之易，失之易；得之难，失之难／补察得失之端，操于诗人美刺之间焉／君子不失足于人，不失色于人，不失口于人／知得知失，可与为人；知存知亡，足别吉凶／毁人者失其直，誉人者失其实，近于乡原之人哉／学者四失：为人则失多，好高则失寡，不察则易，苦难则止

❺缓必有所失／士有死不失义／胆气以得失而夺也／无信患作，失援必毙／失刑则刑，失死则死／失其民者，失其心也／任贤则昌，失贤则亡／名存实亡，失其所业／得非我美，失非我耻／得之也生，失之也死／得之也死，失之也生／得之若惊，失之若惊／得何足喜，失何足忧／得人则安，失人则危／得人者兴，失人者崩／得人者昌，失人者亡／得全全昌，失全全亡／得士者富，失士者贫／得士者强，失士者亡／得时者昌，失时者亡／得贤则昌，失贤则亡／恃德则固，失道则亡／妇子嘻嘻，失家节也／无几微爽失，则理义以名／不贪财，不失言，不自是／罔疏则兽失，法疏则罪漏／但悲时易失，四序迭相侵／今人莫不失自然正性……／得者，时也，失者，顺也／父母有常失，人君有常过／礼乐之得失，视之未必见也／大人者，不失其赤子之心者

也／当世之得失，未尝不留于意也／运退黄金失色，时来顽铁生辉／失意人逢失意事，新啼痕间旧啼痕／获一人而失一国，见黄雀而忘深井／嘶酸雏雁失群夜，断绝胡儿恋母声／官施而不失其宜，拔举而不失其能／道者……庶物失之者死，得之者生／致贵无渐失必暴，受爵非道殃必疾／酌奇而不失其真，玩华而不坠其实／有相马而失马者，然良马犹在相之中／心之所可失理，则欲虽寡，奚止于乱／来而不可失者时也，蹈而不可失者机也／其得之，乃失之；其失之，非乃得之也／难得而易失者时也，时至而不旋踵者机也／以言取人，失之宰予；以貌取人，失之子羽／迷而知反，失道不远，过而能改，谓之不过／审自得者失之而不惧，行修于内者无位而不怍／君不密则失臣，臣不密则失身，几事不密则害成／视政之得失，若越人视秦人之肥瘠忽焉不加喜戚于其心

❻不乐闻人过失／不君不静则失威／愈为之则愈失之／为其养小以失大也／临乎死生得失而不惧／举措施为，不失其宜／如不知足，则失所欲／挈瓶之知，不失守器／朝忘其事，夕失其功／凡得时者昌，失时者亡／得意时，便生失意之悲／治身躁疾，则失其精神／得众则得国，失众则失国／得志万罪消，失志百丑生／得道者多助，失道者寡助／得贤者显昌，失贤者危亡／饿死事极小，失节事极大／有而不知足，失去所以有／欲而不知止，失其所以欲／被褐而丧珠，失皮而露质／不虑前事之失，复循覆车之轨／时难得而易失也，学者勉之乎／下僭礼则上失位，下侵权则上失政／画者谨毛而失貌，射者仪小而遗大／喜时之言多失信，怒时之言多失体／有以无难而失守，有因多难而兴邦／求远者不可失于近，治影者不可忘其容／善钓者无所失，善于钓矣，而不善所钓／履千险而不失其信，遇万折而不失其东／善射者发不失的，善于射矣，而不善所射／得大数而治，失大数而乱，此治乱之分也／不求所无，不失所得，内无旁祸，外无旁福／大川未济，乃失巨舰；长途始半，而丧良骥／因时而惕，不失其几，虽危而劳，可以无咎／革之匪时，物失其基；因之匪理，物丧其纪／失道而后德，失德而后仁，失仁而后义，失义而后礼／人迫于恶，则失其所好；怵于好，则忘其所恶，非道也／得一官不荣，失一官不辱，勿说一官无用，地方全靠一官

❼时者，难得而易失／求则得之，舍则失之／举不失德，赏不失劳／传闻之事，恒多失实／让一得百，争十失九／持萤烛象，得首失尾／知能不举，则为失材／进不失廉，退不失行／学如不及，犹恐失之／纪次无法，详略失中／轻则失根，躁则失君／愚者纵之，多至失所／毋听谗，听谗则失士／与其杀不辜，宁失不经／网解不结，有兽失之患／喜而溢美，犹不失近厚／有功不赏，为善失其望／以得为在民，以失为在己／凡营衣食，以不失时为本／谄成之风动，救失之道缺／志得则颜怡，意失则容戚／王者行躁疾，则失其君位／文章千古事，得失寸心知／错人而思天，则失万物之情／鱼失水则死，水失鱼犹为水／不可以一时之失意而自坠其志／当途者人青云，失路者委沟渠／善战者，见利不失，遇时不疑／得之则安以荣，失之则亡以辱／得贤者则安昌，失之者则危亡／有为之君，不敢失万民之欢心／春不留兮时已失，老衰飒兮逾疾／大得却须防大失，多忧原只为求多／吞舟之鱼，砀而失水，则蚁能苦之／怒不变容，喜不失节，故是最为难／生死犹转机，得失如反掌，可不慎乎／遇朋友交游之失，宜剀切，不宜优游／强执教之人，则失其情实，生于诈伪／不失足于人，不失色于人，不失口于人／饰貌以强类者失形，调辞以务似者失情／求而得之，必有失焉；为而成之，必有败焉／诸侯而骄人则失其国，大夫而骄人则失其家／吞舟之鱼荡而失水，则制于蝼蚁，离其居也／静则得之，躁则失之，灵气在心，一来一逝／闭心自慎，终不失过兮；秉德无私，参天地兮／关山难越，谁悲失路之人？萍水相逢，尽是他乡之客

❽天网恢恢，疏而不失／使口如鼻，至老不失／合不以得，违不以失／墙高基下，虽得必失／智者千虑，必有一失／败不可处，时不可失／败不可悔，时不可失／福不再来，时或易失／专胆无明，则违理失机／临利害之际而不失故常／知者不失人，亦不失言／虽源水桃花，时时失路／贪淫好色，则伤精失明／师旷之调五音，不失宫商／长材靡入用，大厦失巨楹／擅天下之利者，则失天下／官吏非才，则宽猛失所宜／遗古而务乎今，则失为妄／相马失之瘦，相士失之贫／不修，虽破万卷不失为小人／仁义者，虽聋瞽不失为君子／宁过于君子，而毋失于小人／信全则天下安，信失则天下危／官位得其人则生，失其人则死／桀、纣之失天下也，失其民也／必欲得人称职，不失士，不谬举／乘木则朽木青黄，失势则田何粪土／跻攀分寸不可上，失势一落千丈强／一言之谬，一事之失，可救之于将然／其得之，乃失之；其失之，非乃得之也／百孔千疮，随乱随失，其危如一发引千钧／圣人千虑，必有一失；愚人千虑，必有一得／忠贤事君，必谏君失，奸佞事主，必顺主情／石称丈量，径而寡失，铢铢而称，至石必谬／知大备者，无求，无失，无弃，不以物易己也／上不失天时，下不失地利，中得人和，而百事不废／学者四失：为人则失多，好高则失寡，不察则易，苦难则止

❾奔骥不能及既往之失／以人为镜，可以明得失／以人为镜，可以知得失／善处身者，不能无过失／处世戒多言，言多必失／不可与言而与之言，失言／可与言而不与之言，失人／外举不弃仇，内举不失亲／得众则得国，失众则失国／弹雀则失鹣，射鹊则失雁／想道如念亲，恶货如失身／信，民之所庇也，不可失也／遗今而专乎古，则其失为固／教也者，长善而救其失者也／事者生于虑，成于务，失于傲／适知邪径之速，不虑失道之迷／时有薄而厚施，行有失而惠用／神宜平而抑之，必有失和者矣／厉直刚毅，材在矫正，失在激讦／凿者，其失诬；愚者，其失为固／多智韬情，权在谲略，失在依违／清介廉洁，节在俭固，失在拘扃／强楷坚劲，用在桢干，失在专固／精良畏慎，善在恭谨，失在多疑／雄悍杰健，任在胆烈，失在多忌／多官而反以害生，则失所为立之矣／旦握权则为卿相，夕失势则为匹夫／酒入舌出，舌出者言失，言失者身弃／能当一人而天下取，失当一人而社稷危／小人非嗜欲无以活，失嗜欲则失其所以活／君子非仁义无以生，失仁义则失其所以生／君子不失足于人，不失色于人，不失口于人／徒知伪得之中有真失，殊不知真得之中有真失／辩言过理，则与义相失；丽靡过美，则与情相悖／君子所不至者三：不失色于人，不失口于人，不失足于人／贱生于无所用，中流失船，一壶千金，贵贱无常，时使物然

❿不贪故无忧，不积故无失／考绩必以岁月，故官不失绪／制人者握权，制于人者失命／圣人不能为时，时至而弗失／圣人之举事也，进退不失时／君子惧失仁义，小人惧失利／国家之大机，不可轻而失也／丰而不余一言，约而不失一辞／公义不亏于上，私行不失于下／先谋后事者逸，先事后图者失／虽有营求之事，莫生得失之心／须用防微杜渐，毋为因小失大／道者万世亡弊，弊者道之失也／明大数者得人，审小计者失人／责人以义则难瞻，难瞻则失亲／圣人者不能生时，时至而弗失也／得一善则拳拳服膺，而弗失之矣／必躬自厚而薄责于人，斯无失也／上不玷知人之明，下不失四海之望／下僭礼则上失位，下侵权则上失政／天下国家总以忧勤而得，怠荒而失／内省而不疚于道，临难而不失其德／为君者常病于察，为臣者又失之宽／作诗火急追亡逋，清景一失后难摹／分争者不胜其祸，辞让者不失其福／功者难成而易败，时者难得而易失／喜时之言多失信，怒时之言多失体／知屋漏者在宇下，知政失者在草野／得之易，失之易；得之难，失之难／得丧而不形于色，进退而不失其正／官施而不失其宜，拔举而不失其能／果蓏失地则不实，鱼龙失水则不神／立事者不离道德，调弦者不失宫商／未得之也，患得之；既得之，患失之／小人不知自益之为损，故一伐而并失／酒入舌出，舌出者言失，言失者身弃／时止则止，时行则行；动静不失其时／悬言辞浅而不入，深言则逆耳而失指／不失足于人，不失色于人，不失口于人／来而不可失者时也，蹈而不可失者机也／古之君人者，以得为在民，以失为在己／计有一二者难悖也，听无失本末者难惑／读史当观大伦理，大机会，大治乱得失／士者，国之重器；得士则重，失士则轻／善战者立于不败之地，而不失敌之败也／饰貌以强类者失形，调辞以务似者失情／履千险而不失其信，遇万折而不失其东／贤人在世……退则称论贬说，以觉失俗／其未得之也，患得之。既得之，患失之／三代之得天下也以仁，其失天下也以不仁／不名一格，不专一体，要不失乎为我之诗／小人非嗜欲无以活，失嗜欲则失其所以活／听言当以理观，一闻辄以为据，往往多失／君子非仁义无以生，失仁义则失其所以生／唯至人乃能游于世而不僻，顺人而不失己／天下神器，不可为也。为者败之，执者失之／不贵尺之璧，而重寸之阴，时难得而易失也／百炼而南金不亏其真，危困而烈士不失其正／以言取人，失之宰予；以貌取人，失之子羽／众人欢乐，用生生也，动而失之，寿命竭也／诸侯而骄人则失其国，大夫而骄人则失其家／谮下谩上，恒其心术，妒人之能，幸人之失／隋侯之珠，和氏之璧，得之者富，失之者贫／嘉谷奋兴，根叶肥润，抽茎展穗，不失时宜／苟得于道，无自而不可；失焉者，无自而可／苟得其养，无物不长；苟失其养，无物不消／萧何为法，顜若画一；曹参代之，守而勿失／君子不失足于人，不失色于人，不失口于人／国之废兴，在于政事；政事得失，由乎辅佐／国之栋梁也，得之则安以荣，失之则亡以辱／国家之败，由官邪也；官之失德，宠赂章也／治道备，人斯为善矣；治道失，人斯为恶矣／心苟至公，人将大同；心能执一，政乃无失／毋先物动，以观其则；动则失位，静乃自得／积善多者，虽有一恶，是为过失，未足以亡／上德不德，是以有德。下德不失德，是以无德／与众乐之之谓乐，乐而不失其正，又乐之尤也／乐高喜大，负威任势，亡忧失畏，不求于己也／以明自察，量力而行，不失其所，必获久长矣／将者，人之司命也，生死犹转机，得失如反掌／徒知伪得之中有真失，殊不知真得之中有真失／望长城内外，惟馀莽莽；大河上下，顿失滔滔／言著而不欺曰信。……教令失信，民得斯之矣／天静以清，地定以宁，万物失之者死，法之者生／不深思则不能造于道，不深思而得者，其得易失／以辱为荣，以穷为通，

虽失乎前,可谓后得之矣/圣人不贵尺之璧,而重寸之阴,时难得而易失也/君不密则失臣,臣不密则失身,几事不密则害成/水行者表深,使人无陷;治民者表乱,使人无失/有云水襟怀,有松柏气节,典型顿失,人尽含悲/毁人者失其直,誉人者失其实,近于乡原之人哉/观貌之是非,不若论其心与其行事之可否为不失也/天下至大器也,帝王至重位也,得士则靖,失士则乱/失道而后德,失德而后仁,失仁而后义,失义而后礼/伟哉横海鲸,壮矣垂天翼。一旦失风水,翻为蝼蚁食/屈原放逐,乃赋《离骚》;左丘失明,厥有《国语》/君子之处世也,甘恶衣粗食,甘艰苦劳动,斯可以无失矣/君子所不至者三:不失色于人,不失口于人,不失足于人/回之为人也,择乎中庸,得一善,则拳拳服膺,而弗失之矣/学者四失:为人则失多,好高则失寡,不察则易,苦难则止/今世之人居高官尊爵者,皆重失之,见利轻亡其身,岂不惑哉/气宜宣而遏之,体宜调而矫之,神宜平而抑之,必有失和者矣/君子知形恃神以立,神须形以存,悟生理之易失,知一过之害生/人之生也,必以其欢。忧则失纪,怒则失端。忧悲喜怒,道乃无处/患其有小恶,以人之小恶,亡人之大美,此人主之所以失天下之士也已

乍 ①zhà 忽然;突然;刚;起初;张开;竖起。②zuò"作"的古字。

❶乍暖还寒时候,最难将息

宋·李清照《声声慢》。

乍屈乍伸者,良才所以俟时也

见晋·葛洪《抱朴子·外篇·广喻》。全句为:"一抑一扬者,轻鸿所以凌虚也;~"。

❷风乍起,吹皱一池春水/有乍交之欢易,无久处之厌难

❸乍屈乍伸者,良才所以俟时也

❿二好均平,无分轻重,则一俯一仰,乍进乍退

丘 qiū 小山;土堆;坟墓;废墟;众人聚积之地;通"巨",大,长;古代田地区划;姓。

❶丘阜之木,不能成宫室

见汉·桓宽《盐铁论·地广》。全句为:"寻常之污,不能溉陂泽;~"。

丘山积卑而为高,江河合水而为大

见《庄子·则阳》。

❸得乎丘民而为天子/止如丘山,发如风雨

❹狐死首丘,代马依风/谁非一丘土,参差前后间/白骨成丘山,苍生竟何罪/春耕其丘,投种之日。释耒而叹,何时实粟

❺狐死归首丘,故乡安可忘/为高必因丘陵,为下必因川泽

❻古与今如一丘之貉/无掘壑而附丘,无舍本而治末/出者突然成丘,陷者呀然成谷/胸中元自有丘壑,故作老木蟠风霜

❼大厦之材,非一丘之木/朝乐朗日,啸歌丘林;夕玩望舒,入室鸣琴

❽代马望北,狐死首丘/图浮芥之小利,忘丘山之大祸/酒池,足以运舟;糟丘,足以望七里

❾少无适俗韵,性本爱丘山/百川学海而至于海,丘陵学山而不至于山

❿鸟飞返故乡兮,狐死必首丘/严于取,则豪杰之老死丘壑者多矣/舞罢青蛾同去国,战残白骨尚盈丘/屈平词赋悬日月,楚王台榭空山丘/登高临深,远见之乐,台榭不若丘山所见高也/跬步而不休,跛鳖千里;累土而不辍,丘山崇成/屈原放逐,乃赋《离骚》;左丘失明,厥有《国语》/不仁之人骋其私智,可以盗千乘之国,而不可以得丘民之心

卮 zhī 古代一种器皿,常用来盛酒;古代一种野生植物。

❷玉卮无当,虽宝非用

❼川源不能实漏卮,山海不能赡溪壑

❿山林不能给野火,江海不能实漏卮/欲心难厌如溪壑,财物易尽若漏卮/霤水足以溢壶榼,而江河不能实漏卮

乎 hū 助词,表示疑问,同"吗";表示推测,同"吧";叹词;通"呼",呼唤;动词后缀,同"于";形容词后缀。

❷诚乎物而信乎道/困乎上者必反下/时乎时,不再来/得乎丘民而为天子/昭乎日月不足为明

乐 ①yuè 音乐;《乐经》,六经之一;姓。②lè 快活;笑;使人快乐的事情;肯。③yào 喜好;爱好。

❶乐者,乐也

见《荀子·乐论》。

乐莫乐兮新相知

见战国·楚·屈原《九歌·少司命》。

乐者,德之华也

见汉·刘向《说苑·修文》。

乐天知命,故不忧

见《周易·系辞上》。

乐不可极,极乐成哀

见唐·吴兢《贞观政要·刑法》。全句为:"~;欲不可纵,纵欲成灾"。

乐之所生,哀亦至焉

见《礼记·孔子闲居》。

乐以天下,忧以天下

见《孟子·梁惠王下》。

乐道人之善而不为谄

见宋·苏洵《上欧阳内翰第一书》。

乐极生悲,否极泰来

见明·施耐庵《水浒传》第二十六回。

乐云乐云，钟鼓云乎哉

见《论语·阳货》。

乐人之乐，人亦乐其乐

见唐·白居易《策林一》。全句为："～；忧人之忧，人亦忧其忧"。

乐其所成，必顾其所败

见汉·刘向《说苑·敬慎》。全句为："得其所利，必虑其所害；～"

乐与政为政，乐与治为治

见《庄子·让王》。

乐之所起，发于人之性情

见唐·孔颖达《毛诗正义》。全句为："～。性情之生，斯乃自然而有"。

乐民之乐者，民亦乐其乐

见《孟子·梁惠王下》。

乐道而忘贱，安德而忘贫

见汉·刘安《淮南子·精神》。

乐极则哀集，至盈必有亏

见晋·葛洪《抱朴子·黄白》。

乐止夫物之内者，乐其浅

见明·方孝孺《菊趣轩记》。全句为："～；乐超乎物之表者，其乐深"。

乐者起于心，心者动于物

见唐·苏颋《禁断女乐敕》。全句为："～，物不正则不可为乐，乐不和则不能理人"。

乐超乎物之表者，其乐深

见明·方孝孺《菊趣轩记》。全句为："乐止夫物之内者，乐其浅；～"。

乐易者常寿长，忧险者常夭折

见《荀子·荣辱》。

乐者，所以变民风，化民俗也

见汉·董仲舒《天人三策》。

乐不过以听耳，而美不过以观目

见《国语·周语下》。全句为："～。若听乐而震，观美而眩，患莫甚焉"。

乐人者其乐长，乐身者不久而亡

见南朝·宋·范晔《后汉书·臧宫传》。全句为："有德之君，以所乐乐人；无德之君，以所乐乐身。～"。

乐闻过，罔不兴；拒谏，罔不乱

见宋·欧阳修、宋祁《新唐书·宋务光传》。

乐，所以达天地之和而饬化万物

见宋·欧阳修《乐类》。

乐于用则豫章贵，厚其生则社栎贤

见唐·刘禹锡《因论·述病》。

乐莫乐于还故乡，难莫难于全大节

见宋·苏辙《遗老斋记》。

乐莫善于如意，而忧莫惨于不如意

见宋·苏辙《遗老斋记》。

乐止夫物之内者，厚其生则社栎贤

见唐·刘禹锡《因论·述病》。全句为："～。唯理所之，曾何胶于域也"。

乐者本于声，声者发于情，情者系于政

见唐·白居易《策林四》。

乐之来，则人情出者也，其始非圣人作也

见唐·柳宗元《非国语》。

乐听其音，则知其俗；见其俗，则知其化

见汉·刘安《淮南子·主术》。

乐高喜大，负威任势，亡忧失畏，不求于己也

见汉·严遵《道德指归论·民不畏威篇》。

乐非独以自乐，又以乐人，非独以自正，又以正人

见汉·刘向《说苑·修文》。

乐未毕也，哀又继之；哀乐之来，吾不能御，其去弗能止

见《庄子·知北游》。

乐之道深矣，故工之善者，必得于心应于手，而不可述之言也

见宋·欧阳修《书梅圣俞稿后》。全句为："～；听之善，亦必得于心而会于意，不可得而言也"。

❷不乐闻人过失／不乐寿，不哀夭／惟乐不可以为伪／不乐损年，长愁养病／伯乐一顾，价增三倍／伯乐一顾，马价十倍／哀乐失时，殃咎必至／至乐无乐，至誉无誉／散乐移风，国富民康／礼乐为本，刑政为末／哀乐而乐哀，皆丧心也／大乐之成，非取乎一音／且乐杯中酒，谁论世上名／喜乐无羡赏，忿怒无羡刑／常乐在空闲，心静乐精进／鱼乐广闲，鸟慕静深……／礼乐之得失，视之未必见也／声乐之入人也深，其化人也速／善乐生者不窭，善逸身者不殖／音乐通乎政，而移风平俗者也／伯乐一过冀北之野，而马群遂空／听乐而震，观美而眩，患莫甚焉／耳乐和声，为制金石丝竹以道之／且乐生前一杯酒，何须身后千载名／伯乐之厩多良马，卞和之匮多美玉／哀乐不同而不远，吉凶相反而相袭／至乐不得恣所欲，主怒不得乱所为／回乐峰前沙似雪，受降城下月如霜／伯乐不可欺以马，而君子不可欺以人／伯乐相马，取之于瘦；圣人相士，取之于疏／闻《乐游园》寄足下诗，则执政柄者扼腕矣／朝乐朗日，啸歌丘林；夕玩望舒，入室鸣琴／音乐者，所以动荡血脉，通流精神而和正心也

❸乐者，乐也／乐莫乐兮新相知／能士乐治乱之事／知者乐，仁者寿／好德乐善而无求／术士乐计策之谋／此间乐，不思蜀／烈士乐奋力之功／我自乐此，不为疲也／凡作乐者，所以节乐／知者乐水，仁者乐山／贫而乐道，富而好礼／乐云乐云，钟鼓云乎哉／尊德乐义，则可以嚣

嚣矣／今日乐相乐，别后莫相忘／小者乐致其小以自附于大／察伯乐之图，求骐骥于市／朝日乐相乐，酣饮不知醉／巫医乐师百工之人，不耻相师／《关雎》乐而不淫，哀而不伤／君子乐得其道，小人乐得其欲／居同乐，行同和，死同哀……／民不乐生，尚不避死，安能避罪／乐莫乐于还故乡，难莫难于全大节／处逸乐而欲不放，居贫苦而志不倦／沉于乐者洽于忧，厚于味者薄于行／苟能乐道人之善，则天下皆去恶为善／知天乐者，其生也天行，其死也物化／有伯乐而后识马，有匠石而后识梧檟／如张乐于洞庭之野，无首无尾，不主故常／与众乐之之谓乐，乐而不失其正，又乐之尤也／知天乐者，无天怨，无人非，无物累，无鬼责／安则乐生，痛则思死；捶楚之下，何求而不得／好贤乐善，孜孜以荐进良士、明白是非为己任／律者，乐之本也，而气达乎物，凡音之起者本焉

❹至乐无乐，至誉无誉／喜怒哀乐，动人心深／安身为乐，无忧为福／乐人之乐，人亦乐其乐／哀乐而乐哀，皆丧心也／饮酒以乐，不选其具矣／心有不乐，无乐而不为／世有伯乐，然后有千里马／乐民之乐者，民亦乐其乐／为世忧乐者，君子之志也／以官为乐，必不能做好官／民可以乐成，不可与虑始／人生行乐耳，须富贵何时／闻长安乐则出门向西而笑／钧天广乐，必有奇丽之观／喜怒哀乐之动乎中必见乎外／吾所谓乐者，人得其得者也／天下之乐无穷，而以适意为悦／山水之乐，得之心而寓之酒也／廉者常乐无求，贪者常忧不足／马逢伯乐而嘶，人遇知己而死／与其有乐于身，孰若无忧于其心／异方之乐，只令人悲，增忉怛耳／世间行乐亦如此，古来万事东流水／读书之乐乐陶陶，起弄明月霜天高／喜怒哀乐发而皆中节，天下之达道／孰使予乐居夷而忘故土者，非兹潭也欤／自瞽者乐言己之长，自聩者乐言人之短／仁义礼乐者，可以救败，而非通治之至也／众人欢乐，用生生也，动而失之，寿命竭也／务名者乐人之进趋过人，而不能出陵己之后／喜怒哀乐之未发谓之中，发而皆中节谓之和／狂夫之乐，知者哀焉；愚者之笑，贤者戚焉／争行义乐用与争为不义竞不用，此其为祸福也

❺势物之徒乐变／君国者不乐民之哀／反身而诚，乐莫大焉／先王贵礼乐而贱邪音／志不可满，乐不可极／不以奢为乐，不以廉为悲／今日乐相乐，别后莫相忘／谁道田家乐？春税秋未足／节怒莫若乐，节乐莫若礼／听人以言，乐于钟鼓琴瑟／归来宴平乐，美酒斗十千／爱静鱼争乐，依人鸟入怀／朝日乐相乐，酣饮不知醉／与民共其乐者，人必忧其忧／不为世忧乐者，小人之志也／可与共安乐，亦可与共患难／知未生之乐，则不可畏以死／居天下之乐者，同天下之忧／兵戈之士乐战，枯槁之士宿名／国危则无乐君，国安则无忧民／安仁义而乐利世者，能服天下／委明珠而乐贱，辞白璧以安贫／必死不如乐死，乐死不如甘死／田园有真乐，不潇洒终为忙人／百姓安则乐其生，不安则轻其死／乐人者其乐长，乐身者不久而亡／酒极则乱，乐极则悲，万事尽然／读书之乐乐陶陶，起弄明月霜天高／恶死亡而乐不仁，是由恶醉而强酒／发愤忘食，乐以忘忧，不知老之将至／为人君而乐杀人，此不可使得志于天下／兴国之君乐闻其过，荒乱之主乐闻其誉／忧愁惨怛，乐非轻死，则刑罚不能恐也／物盛而衰，乐极则悲，日中而移，月盈而亏／能至于无乐者，则无不乐；无不乐，则至极乐／人知贵生乐安而弃礼义，辟之是犹欲寿而歾颈也

❻乐不可极，极乐成哀／鼓腹而歌，以乐其生／清浊二声，为乐之本／渔歌互答，此乐何极／道德丧则礼乐不可理／心有不乐，无乐而不为／乐与政为政，乐与治为治／何必生之为乐，死之为悲／闻多素心人，乐与数晨夕／礼所以防淫，乐所以移风／心哀而歌不乐，心乐而哭不哀／古之人虚中乐善，不择事而问焉／无所往而不乐者，盖游于物之外也／民生各有所乐兮，余独好修以为常／人有喜怒哀乐，犹天之有春夏秋冬／先忧事者后乐事，先乐事者后忧事／莫见长安行乐处，空令岁月易蹉跎／太平之人，悦乐于德，不悦乐于刑／强令之笑，不乐；强令之哭，不悲／今恶死亡而乐不仁，是犹恶醉而强酒／驽蹇服御，良乐咨嗟；铅刀剖截，欧冶叹息／昔葛天氏之乐，三人操牛尾，投足以歌八阙／人之情：不能乐其所不安，不能得于其所不乐／乐非独以自乐，又以乐人，非独以自正，又以正人／上古明王举乐者，非以娱心自乐，快意恣欲，将欲为治也

❼事若求全何所乐／法令善则民安乐／恶郑声之乱雅乐也／知者乐水，仁者乐山／窈窕淑女，钟鼓乐之／无德之君，以所乐乐身／乐人之乐，人亦乐其乐／孔子以诗书礼乐教……／美者，人心之所乐进也／有德之君，以所乐乐人／俯仰终宇宙，不乐复何如／今王与百姓同乐，则王矣／节怒莫若乐，节乐莫若礼／治世之音安以乐，其政和／好道者多资，好乐者多迷／骐骥长鸣，则伯乐照其能／见礼而知俗，闻乐而知政／所谓人者，恶死乐生者也／其穷也不忧，其乐也不淫／古之人与民偕乐，故能乐也／安时而处顺，哀乐不能入也／悦亲戚之情话，乐琴书以消忧／必死不如乐死，乐死不如甘死／乐人者其乐长，乐身者不久而亡／禽鸟知山林之乐，而不知人之乐／聊乘化以归尽，乐夫天命复奚疑／

人生不得长欢乐，年少须臾老到来／多病只思田舍乐，夜归烟火望茅檐／惟夫党人之偷乐兮，路幽昧以险隘／细推物理须行乐，何用浮名绊此身／为人臣者，以富乐民为功，以贫苦民为罪／知足者，贫贱亦乐；不知足者，富贵亦忧／民恶忧劳，我佚乐之；民恶贫贱，我富贵之／与众乐之之谓乐，乐而不失其正，又乐之尤也／人之所难者二：乐攻其恶者难，以恶告人者难／强国令其民争乐用也，弱国令其民争竞不用也

❽与天和者，谓之天乐／与人和者，谓之人乐／罔游于逸，罔淫于乐／凡作乐者，所以节乐／挥兹一觞，陶然自乐／居必常安，然后求乐／子非鱼，安知鱼之乐／胸中泰然，岂有不乐／无德之君，以所乐乐身／有德之君，以所乐乐人／烂死于泥沙，吾宁乐之／乐民之乐者，民亦乐其乐／乐止夫物之内者，乐其浅／抱玉乘龙骥，不逢乐与和／常乐在空闲，心静乐精进／君子以礼正外，以乐正内／千里马常有，而伯乐不常有／古之得道者，穷亦乐，通亦乐／小人之好议论，不乐成人之美／四时之景不同，而乐亦无穷也／骐骥虽疾，不遇伯乐不致千里／心哀而歌不乐，心乐而哭不哀／悲莫悲兮生别离，乐莫乐兮新相知／士有靡衣鲜食而乐道者，吾未之见也／予之无所往而不乐者，盖游于物之外也／物不正则不可为乐，乐不和则不能理人／苟有可观，皆有可乐，非必怪奇伟丽者也／五帝殊时，不相沿乐；三王异世，不相袭礼／移风易俗，莫善于乐；安上治民，莫善于礼／与众乐之之谓乐，乐而不失其正，又乐之尤也／平原广望，博观之乐，沼池不如川泽所见博也／登高临深，远见之乐，台榭不若丘山所见高也

❾生于忧患，而死于安乐／乐人之乐，人亦乐其乐／听其言，则侈大而可乐／乐超乎物之表者，其乐深／兴于诗，立于礼，成于乐／有朋自远方来，不亦乐乎／天亦有喜怒之气，哀乐之心／得百走马，不若得伯乐之数／闻水声，如鸣珮环，心乐之／所以失之者，必以喜乐哀怒／老年人要心闲，闲则乐余年／上求寡而易赡，民安乐而无事／以欲从人者昌，以人乐己者亡／劳其形者长年，安其乐者短命／君子乐得其道，小人乐得其欲／文章本乎作者，而哀乐系乎时／先忧事者后乐事，先乐事者后忧事／豪华尽出成功后，逸乐安知与祸双／劳苦之事则争先，饶乐之事则能让／知者动，仁者静。知者乐，仁者寿／物不正则不可为乐，乐不和则不能理人／文生于情，情生于哀乐，哀乐生于治乱／乐非独以自乐，又以乐人，非独以自正，又以正人

❿圣王屈己以申天下之乐／乐民之乐者，民亦乐其乐／得十良马，不若得一伯乐／寂兮寞，岁岁年年长少乐／繁莺芳树，绕高台而共乐／食蔗渐渐佳，离官寸寸乐／可以共患难，不可以共安乐／以天下为忧，而未以位为乐／民不可与虑始，而可与乐成／古之人与民偕乐，故能乐也／坎井之蛙不可与语东海之乐／蜉蝣朝生而暮死，而尽其乐／古之得道者，穷亦乐，通亦乐／草无忘忧之意，花无长乐之心／君能清静，百姓何得不安乐乎／意莫高于爱民，行莫厚于乐民／禽鸟知山林之乐，而不知人之乐／能除天下之忧者，必享天下之乐／知足之人，虽卧地上，犹为安乐／经天纬地之帝，求制礼作乐之才／胜而不美，而美之者，是乐杀人／秋也严霜降兮，殷忧者为之不乐／天下顺治在民富，天下和静在民乐／不以隐约而弗务，不以康乐而加思／书卷多情似故人，晨昏忧乐每相亲／偷得利而后有害，偷得乐而后有忧／人生莫作妇人身，百年苦乐由他人／先天下之忧而忧，后天下之乐而乐／玄龙，迎夏则陵云而奋鳞，乐时也／圣人因时以安其位，当世而乐其业／圣王以天下为忧，天下以圣王为乐／太平之人，悦乐于德，不悦乐于刑／达师之教也，使弟子安焉乐焉……／通乎道，合乎德，退仁义，宾礼乐／悲莫悲兮生别离，乐莫乐兮新相知／其体顺而肆，可以播于乐章歌曲也／气衰则生物不育，世乱则礼废而乐淫／不仁者，不可以久处约，不可以长处乐／出见纷华盛丽而说，入闻夫子之道而乐／兴国之君乐闻其过，荒乱之主乐闻其誉／擅一壑之水而跨跱坎井之乐，此亦至矣／知之者不如好之者，好之者不如乐之者／国之兴亡不由蓄积多少，唯在百姓苦乐／国之兴亡不由蓄积多少，惟在百姓苦乐／见明珠者始贱鱼目，知雅乐者方鄙郑声／文生于情，情生于哀乐，哀乐生于治乱／立身高一步方超达，处世退一步方安乐／自瞽者乐言己之长，自聩者乐言人之短／翳嘉林，坐石矶，投竿而渔，陶然以乐／国家作事，以公共为心者，人必乐而从之／饭疏食饮水，曲肱而枕之，乐亦在其中矣／忧人之言不绝于口，而乐身之事实切于心／好音生于郑卫，而人皆乐之于耳，声同也／树林阴翳，鸣声上下，游人去而禽鸟乐也／千金之家比一都之君，巨万者乃与王者同乐／人影在地，仰见明月，顾而乐之，行歌相答／高山有前，流水在下，可以俯仰，可以宴乐／至味不慊，至言不文，至乐不笑，至音不叫／将恐将惧，维予与女；将安将乐，女转弃予／桑无附枝，麦穗两岐。张君为政，乐不可支／易道良马，使人欲驰；饮酒而乐，使人欲歌／水浊，则无掉尾之鱼；政苛，则无逸乐之士／贤哉，回也……人不堪其忧，回也不改其乐／敖不可长，欲不可从；志不可满，乐不可极／有道之君，以逸逸人；无道之君，以乐乐身／忠心好善，而日新之；独居乐德，内悦于形／愚者笑

之,智者哀焉;狂夫之乐,贤者丧焉/与众乐之之谓乐,乐而不失其正,又乐之尤也/天下治乱,不在一姓之兴亡,而在万民之忧乐/人之情:不能乐其所不安,不能得于其所不乐/能至于无乐者,则无不乐;无不乐,则至极乐/安而不扰,使而不劳,是以百姓劝业而乐公赋/道者,所由适于治之路也,仁义礼乐皆其具也/天下之治乱,不在一姓之兴亡,而在万民之忧乐/明窗净几笔砚纸墨皆极精良,亦自是人生一乐事/礼云礼云,玉帛云乎哉;乐云乐云,钟鼓云乎哉/位存焉而德无有,犹不足大其门,然世且乐为之下/民之性,饥而求食,劳而求佚,苦则索乐,辱则求荣/满堂而饮酒,有一人乡隅而悲泣,则一堂皆为之不乐/上古明王举乐者,非以娱心自乐,快意恣欲,将欲为治也/不思安危终始之虑,是乐春藻之繁华,而忘秋实之甘口也/乐未毕也,哀又继之;哀乐之来,吾不能御,其去弗能止/曰衣食足而后廉耻兴,财物阜而后礼乐作,是执末以求其本也

年 nián 地球绕太阳运行一周所用的时间;某一段时间;人的岁数;人的一生按岁数划分的阶段;春节;与过年有关的;农作物的收成;古代科举时同时考中者的互称。

❶年少气锐,不识几微

见唐·柳宗元《寄许京兆孟容书》。

年妙识远,理丰词约

见唐·王勃《平台秘略赞十首·幼俊》。

年衰无酒食之娱,性拙无博弈之艺

见唐·刘禹锡《苏州谢恩赐加章服表》。

年将弱冠非童子,学不成名岂丈夫

见宋·俞良弼《教子诗》。

年不可举,时不可止,消息盈虚,终则有始

见《庄子·秋水》。

年过八十而以居位,譬犹钟鸣漏尽而夜行不休

见三国·魏·田豫《答司马宣王书》。全句为:"~,是罪人也"。

❷一年明月今宵多/一年容易又秋风/今年花胜去年红/少年心事当拿云/丁年奉使,皓首而归/丰年珠玉,俭年谷粟/少年富贵才俊为不幸/无年非夭,无述乃为夭/十年生聚,而十年教训/十年十一战,民不堪命/百年养不足,一日毁有余/百年变朝市,千里异风云/百年能几日,忍不惜光阴/生年不满百,常怀千岁忧/行年五十而知四十九年非/流年莫虚掷,华发不相容/明年春色至,莫作未归人/盛年不重来,一日难再晨/穷年忧黎元,叹息肠内热/少年人要心忙,忙则摄浮气/老年人要心闲,闲则乐余年/少年作迟暮经营,异日决无成就/积年绮碎,一朝清廓,翰苑豁如/一年之计在于春,一日之计在于晨/他年我若为青帝,报与桃花一处开/今年花似去年好,去年人到今年老/今年花落颜色改,明年花开复谁在/去年米贵阙军食,今年米贱大伤农/少年易学老难成,一寸光阴不可轻/少年辛苦终身事,莫向光阴惰寸功/当年不肯嫁春风,无端却被秋风误/新年鸟声千种啭,二月杨花满路飞/忘年忘义,振于无竟,故寓诸无竟/百年,寿之大齐。得百年者,千无一焉/降年有永有不永,非天夭民,民中绝命/三年耕有九年储,仓谷满盈,斑白不负戴/十年之相知,不若兹火一夕之为足下誉也/壮年竭忠孝于沙漠,疲劳则便捐死于旷野/三年不目日,视必盲;三年不目月,精必朦/三年耕,必有一年之食,九年耕,必有三年之食/老年人受病在作意步趋,少年人受病在假意超脱

❸一万年太久,只争朝夕/三十年河东,三十年河西/久别年颜改,相逢夜话长/勿言年齿暮,寻途尚不迷/不恤年之将衰,而忧志之有倦/不见年年辽海上,文章何处哭秋风/想当年,金戈铁马,气吞万里如虎/五百年必有王者兴,其间必有名世者

❹诗酒趁年华/三十余年,声名塞天/不乐损年,长愁养病/人之百年,犹如一瞬/弄花一年,看花十日/岁饥无年,虐政害民/眉寿万年,永受胡福/勿谓今年不学而有来年/天子好年少,无人荐冯唐/尽道丰年瑞,丰年事若何/二句三年得,一吟双泪流/江海三年客,乾坤百战场/树有百年花,人无一定颜/愁杀芳年友,悲叹有余哀/三十八年过去,弹指一挥间/民可百年无货,不可一朝有饥/双鬓多年作雪,寸心至死如丹/国无三年之食者,国非其国也/志士惜年,贤人惜日,圣人惜时/不见年年辽海上,文章何处哭秋风/别来十年学不厌,读破万卷诗愈美/妇人当年而不织,天下有受其寒者/不可以年少而自恃,不可以年老而自弃/千里开年,且悲春目;一叶早落,足动秋襟/人面看年年岁岁之同,花枝见夜夜朝朝之好/加我数年,五十以学《易》,可以无大过矣/父母之年,不可不知也,一则以喜,一则以惧

❺有志不在年高/又不道,流年暗中偷换/粟积于丰年,乃可济饥/一别二十年,人堪几回别/丧不过三年,示民有终也/凡人行事,年少立身,不可不慎/君子不恤年之将衰,而忧志之有倦/预支五百年新意,到了千年又觉陈/勤非俭,终年劳瘁,不当一日之侈靡/往事越千年,魏武挥鞭,东临碣石有遗篇/人面看年年岁岁之同,花枝见夜夜朝朝之好/恰同学少年,风华正茂;书生意气,挥斥方遒

❻英雄出于少年/不应憔悴损年芳/今年花胜

去年红／桃红又见一年春／韶华不为少年留／丰年珠玉，俭年谷粟／作舍道边，三年不成／陋室空堂，当年笏满床／一薰一莸，十年尚犹有臭／世乱奴欺主，年衰鬼弄人／地僻乡音别，年丰酒味醇／地薄惟供税，年丰尚苦贫／冬尽今宵促，年开明日长／恬淡无人见，年年常自清／寂兮寞，岁岁年年长少乐／病多知药性，年长信人愁／力田不如逢年，善仕不如遇合／劳其形者长年，安其乐者短命／千古兴亡，百年悲笑，一时登览／一灯能除千年暗，一智能灭万年愚／今年花似去年好，去年人到今年老／善人为邦百年，亦可以胜残去杀矣／老夫聊发少年狂，左牵黄，右擎苍／往而不来者年也，不可得再见者亲也／弹指三十八年，人间变了，似天渊翻覆／三年耕有九年储，仓谷满盈，斑白不负戴／人生大期，百年为限，节护之者可至千岁／周于利者凶年不能杀，周于德者邪世不能乱／焚林而畋，明年无兽；竭泽而渔，明年无鱼

❼天地充实，长保年也／十年生聚，而十年教训／尽道丰年瑞，丰年事若何／侬作北辰星，千年无转移／人生开口笑，百年都几回／今岁今宵夜，明年明日催／变故在斯须，百年谁能持／徒手而来者，终年而不获／恬淡无人见，年年常自清／寂兮寞，岁岁年年长少乐／昨日胜今日，今年老去年／晴日花争发，丰年酒易沽／盛时不可再，百年忽我遒／虎踞龙盘，三百年之帝国／禹抑洪水十三年，过家不入门／莫等闲，白了少年头，空悲切／学成而道益穷，年老而智益困／人生不得长少年，莫惜床头沽酒钱／悠悠生死别经年，魂魄不曾来入梦／蓄谷者不病凶年，蓄珠玉者不虞殍死／少壮真当努力，年一过往，何可攀援／势利之交不终年，惟道义之交，可以终身／三年耕，必有一年之食，九年耕，必有三年之食／消磨了三十多年层层心血，算不得大千世界小小文章／文章道弊五百年矣！汉魏风骨，晋宋莫传，然而文献有可征者

❽大军之后，必有凶年／拨乱反正，承平百年／虽死之日，犹生之年／得众动天，美意延年／轻躁寡谋，不必皆年少／三十年河东，三十年河西／利锁名缰，几阻当年欢笑／患名之不立，不患年之不长／触目皆新，谁识当年旧主人／婴儿以不知益，高年以多事损／但使仓库可备凶年，此外何烦储蓄／人生不得长欢乐，年少须臾老到来／虽有神药，不如少年；虽有珠玉，不如金钱

❾老成虑事，不必皆高年／千家数人在，一税十年空／人生几何时，怀忧终年岁／岂知今夜月，还是去年愁／畴昔叹时迟，晚节悲年促／万卷藏书宜子弟，十年种木长风烟／长夜难明赤县天，百年魔怪舞翩跹／人生莫作妇人身，百年苦乐由他人／今年花似去年好，去年人到今年老／今年花落颜色改，明年花开复谁在／今日重来应抵掌，十年分付未逢人／去年米贵阙军食，今年米贱大伤农／大贤虎变愚不测，当年颇似寻常人／庾信平生最萧瑟，暮年诗赋动江关／汩余若将不及兮，恐年岁之不吾与／字字看来皆是血，十年辛苦不寻常／好事尽从难处得，少年无向易中轻／杨柳枝，芳菲节，可恨年年赠离别／此生此夜不长好，明年明月何处看／竟日不知尘世事，长年占断白云乡／百年，寿之大齐。得百年者，千无一焉／吾师道也，夫庸知其年之先后生于吾乎／楩楠豫章之生也，七年而后知，故可以为棺舟

❿勿谓今年不学而有来年／良田无晚岁，膏泽多丰年／花有重开日，人无再少年／名都多妖女，京洛出少年／行年五十而知四十九年非／张翰黄花句，风流五百年／昨日胜今日，今年老去年／晷刻之误，或遗患于历年／故国三千里，深宫二十年／青春须早为，岂能长少年／不知天上宫阙，今夕是何年／老年人要心闲，闲则乐余年／焚膏油以继晷，恒兀兀以穷年／是穮是蓘，虽有饥馑，必有丰年／一失脚成千古恨，再回头是百年人／一灯能除千年暗，一智能灭万年愚／不为捣衣勤不睡，破除今夜夜如年／不洒世间儿女泪，难堪亲友中年别／世间万物有盛衰，人生安得常少年／我命在我不在天，还丹成金亿万年／为善则流芳百世，为恶则遗臭万年／只言旋老转无事，欲到中年事更多／人生代代无穷已，江月年年只相似／人生芳秽有千载，世上荣枯无百年／今年花似去年好，去年人到今年老／光阴似箭催人老，日月如梭趱少年／劝君莫惜金缕衣，劝君须惜少年时／江山代有才人出，各领风骚数百年／宣父犹能畏后生，丈夫未可轻年少／遗民泪尽胡尘里，南望王师又一年／杨柳枝，芳菲节，可恨年年赠离别／春风不识兴亡意，草色年年满故城／春风不逐君王去，草色年年旧宫路／昨日山中之木，以不材得终其天年／新丰美酒斗十千，咸阳游侠多少年／欲为圣朝除弊事，肯将衰朽惜残年／焚薮而田，岂不获得？而明年无兽／砚中斑驳遗民泪，井底千年恨未销／竭泽而渔，岂不获得？而明年无鱼／预支五百年新意，到了千年又觉陈／干泽而渔，得鱼虽多，而明年无复也／焚林而田，得兽虽多，而明年无复也／不可以年少而自恃，不可以年老而自弃／哀白日之不与吾谋兮，至今十年其犹初／日月如梭，光阴似箭，少年人，早打点／炷尽沉烟，抛残绣线，恁今春关情似去年／一人之毁，未必有信；积年之行，不应顿亏／三年不目日，视必盲；三年不目月，精必朦／无为则俞俞，俞俞者忧患不能处，年寿长矣

／师之所处，荆棘生焉；大军之后，必有凶年／焚林而畋，明年无兽；竭泽而渔，明年无鱼／盈缩之期，不但在天；养怡之福，可得永年／老骥伏枥，志在千里；烈士暮年，壮心不已／既谓之才，则不宜以阶级限，不应以年齿齐／譬如一灯，入于暗室，百千年暗，悉能破尽／三年耕，必有一年之食，九年耕，必有三年之食／不爱尺璧而爱寸阴，时过不还，若年大不可少也／老年人受病在作意步趋，少年人受病在假意超脱／今若不能服药，但知爱精节情，亦得一二百年寿也／东风恶，欢情薄，一怀愁绪，几年离索。错！错！错

朱 ①zhū 大红色；朱砂；同"硃"；姓。②shú[朱提]古县名，郡名。

❶朱门酒肉臭，路有冻死骨

见唐·杜甫《自京赴奉先县咏怀五百字》。

朱门日日买朱娥，军事如何，民事如何

见宋·杨金判《一剪梅》。

朱丹既定，雌黄有别，使夫怀鼠知惭，滥竽自耻

见南朝·梁·萧纲《与湘东王书》。

❷萧朱结绶，王贡弹冠／近朱者赤，近墨者黑

❸今日朱门者，曾恨朱门深

❹可知他朱甍碧瓦，总是血膏涂

❺美人既醉，朱颜酡些／欲赤须近朱，欲黑须近墨／苦吟莫向朱门里，满耳笙歌不听君

❻今来县宰加朱绂，便是生灵血染成／朱门日日买朱娥，军事如何，民事如何

❼荼毒生灵，万里朱殷／霜天如扫，低向朱崖……／雌黄出其唇吻，朱紫由其月旦

❽明者独见，不惑于朱紫／今日朱门者，曾恨朱门深／眉联娟以蛾扬兮，朱唇的其若丹／貌有不足，敷粉施朱。才有不足，征典求书

❿墨翟之徒，世谓热腹；杨朱之侣，世谓冷肠

丢 diū 遗落，失去；抛弃。

❿自修自修，益处自家求；一刻千金，勿把韶光丢

乔 ①qiáo 高；装假；矛柄靠近矛头结缨之处；木名；姓。②jiāo 通"骄"，骄傲。

❶乔林夹岸，羽毛之所翱翔

见唐·张九龄《岁除陪王司马登薛公逍遥台序》。全句为："深溪见底，鳞介之所出没；～"。

❸凌雪乔松岂畏寒

❼出自幽谷，迁于乔木／创乎夷原，成乎乔岳

❽丝萝非独生，愿托乔木

❾吾闻"出于幽谷，迁于乔木"者

❿东风不与周郎便，铜雀春深锁二乔

向 xiàng 朝着；介词，表示动作的方向；事情发展变化的指向；偏袒；以前；临近；方向；朝北的窗子；古国名；古邑名；古地名；姓。

❶向阳花木易逢春

见明·无名氏《渔樵闲话》一折。

向盛背衰，三可贱

见汉·仲长统《昌言下》。全句为："慕名而不知实，一可贱；不敢正是非于富贵，二可贱；～"。

向君投此曲，所贵知音难

见唐·刘长卿《幽琴》。

向来枉费推移力，此日中流自在行

见宋·朱熹《观书有感》。

❷学向勤中得／东向而望，不见西墙／不向东山久，蔷薇几度花／酒向人间都是怨，一枕黄粱再现／把向空中捎一声，良马有心日驰千

❸导泉向涧，则为易下之流／空怀向日之心，未有朝天之路

❹新春偷向柳梢归／意之所向，虽金石莫隔／功名只向马上取，真是英雄一丈夫／苦吟莫向朱门里，满耳笙歌不听君／并力西向，则吾恐秦人食之不得下咽也

❺木欣欣以向荣，泉涓涓而始流／一生肝胆向人尽，相识不如不相识／天下郡国向万城，无有一城无甲兵／我自横刀向天笑，去留肝胆两昆仑／衙门自古向南开，就中无个不冤哉／洲汀岛屿，向背离合；青树碧蔓，交罗蒙络

❻口是心非，背向异辞／霜天如扫，低向朱崖……

❼不恨归来迟，莫向临邛去／翠袖不胜寒，欲向荷花语／猛虎处于深山，向风长鸣，则百兽震恐而不敢出

❽大势所趋，人心所向／闻长安乐则出门向西而笑／沙角台高，乱帆收向天边／不应有恨，何事长向别时圆／近水楼台先得月，向阳花木易为春／火之燎于原，不可向迩，其犹可扑灭

❾鹞子经天飞，群雀两向波／一生几许伤心事，不向空门何处销／少年辛苦终身事，莫向光阴惰寸功／吴僧爱觅闲吟处，偷向花边竹里来／强中更有强中手，莫向人前满自夸／有花无叶真潇洒，不向胭脂借淡红／欲开壅蔽达人情，先向歌诗求讽刺／若火之燎于原，不可向迩，其犹可扑灭

❿举世尽从愁里老，谁人肯向死前闲／何必奔冲山下去，更添波浪向人间／莫羡三春桃与李，桂花成实向秋荣／惆怅不如边雁影，秋风犹得向南飞／好事尽从难处得，少年无向易中轻／问君能有几多愁？恰似一江春水向东流／思立掀天揭地的事功，须向薄冰上履过／上有素定之谋，下无趋向之惑，天下之事不难举也／恐沈于众，若火之燎于原，不可向迩，其犹可扑灭

后

hòu 君主；君主的正妻；在背面、反面的；较晚的；次序较靠近末尾的；子孙。

❶后来者居上

见汉·司马迁《史记·汲郑列传》。

后生可畏，来者难诬

见晋·陈寿《三国志·魏书·王粲传》。

后之视今，犹今之视昔

见汉·班固《汉书·京房传》。

后来有千日，谁与共平生

见现代·毛泽东《五古·挽易昌陶》。

后生莫晓，更恨文律烦苛

见唐·卢照邻《南阳公集序》。全句为："～；知音者稀，常恐词林交丧"。

后之视今，亦犹今之视古

见唐·吴兢《贞观政要·奢纵》。

后之视今，亦犹今之视昔

见晋·王羲之《兰亭集序》。

后之视今，岂复今时之会

见唐·王勃《三月上巳祓禊序》。全句为："今之视者，已非昔日之欢；～"。

后其身而身先，外其身而身存

见《老子》七。

后生可畏，焉知来者之不如今也

见《论语·子罕》。

后生虽天资聪明，而识终有不及

见宋·袁采《袁氏世范》。全句为："老成之人，言有迂阔，而更事为多；～"。

后之来者，则吾未之见，其可忽耶

见唐·柳宗元《与吕道州温论非国语书》。

后人哀之而不鉴之，亦使后人而复哀后人也

见唐·杜牧《阿房宫赋》。全句为："秦人不暇自哀，而后人哀之；～"。

后嗣若贤，自能保其天下；如其不肖，多积仓库，徒益其奢侈，危亡之本也

见唐·吴兢《贞观政要·辩兴亡》。全句为："但使仓库可备凶年，此外何烦储蓄！～"。

❷乱后易理，犹饥人易食也／有后而无先，则群众无门／雨后复斜阳，关山阵阵苍／静后见万物，自然皆有春意／卫后兴于鬒发，飞燕宠于体轻／酒后耳热，仰天拊缶而呼乌乌／死后是非谁管得，满村听说蔡中郎／醉后狂言醒时悔，安不将息病时悔／身后有余忘缩手，眼前无路想回头／夏后氏之璜，不能无考；明月之珠，不能无颣

❸绘事后素／长江后浪催前浪／先事后得，非崇德欤／先人后己，所愿必得／发然后禁，则扞格而不胜／人散后，一钩淡月天如水／安而后能虑，止水能照也／为其后可复者也，则事寡败矣／先谋后事者昌，先事后谋者亡／先谋后事者逸，先事后图者失／宁可后来相让，不可起初含糊／学，然后知不足；教，然后知困／变谓后来改前，以渐移改谓之变也／论先后，知为先；论轻重，行为重／节物后先南北异，人情冷暖古今同／感而后应，迫而后动，不得已而后起／祸至后惧，是诚不知；君子之惧，惧乎未始／权，然后知轻重；度，然后知长短。物皆然，心为甚

❹三思而后行／前倨而后卑／前倨而后恭／先施而后诛／自赦而后肆／不知而后知之／闻学而后入政／不知戒，后必有／知止而后有定……／乱离之后，风俗难移／利居众后，责在人先／大军之后，必有凶年／抚我则后，虐我则雠／小挫之后，反有大获／知困，然后能自强也／徐制其后，乃克有济／战捷之后，常苦轻敌／积乱之后，当生大贤／自明，然后才能明人／跋前踬后，动辄得咎／先针而后缕，可以成帷／大名之后，不宜无见焉／涉长道后行未息，可击／缓前急后，应事之贼也／马肥，然后远能可致也／世隘然后知其人之笃固也／及之而后知，履之而后难／主人退后立，敛手反如宾／偷安者后危，虑近者忧迩／先缕而后针，不可以成衣／谆谆而后喻，譊譊而后服／男儿爱后妇，女子重前夫／吁嗟身后名，于我若浮烟／字须熟后生，画须生外熟／智者不后时，勇者不留决／见患而后虑，见灾而后救／积之而后高，尽之而后圣／臣奉暗后，则覆亡之祸至／大寒而后索衣裘，不亦晚乎／岁寒，然后知松柏之后凋也／时过然后学，则勤苦而难成／事至而后求，曷若未至而先备／能守而后可战，能战而后可和／冬至之后为呼，夏至之后为吸／经正而后纬成，理定而后辞畅／先义而后利者荣，先利而后义者辱／左右前后皆正人也，欲其身之不正／至精而后阐其妙，至变而后通其数／待利而后拯溺，人亦必以利溺人矣／弓调而后求劲焉，马服而后求良焉／师严，然后道尊；道尊，然后知敬学／诗，思然后积，积然后满，满然后发／能常而后能变，能常不已，所以能变／先趋而后息，先问而后嘿，则什己者至／军暴而后戢之，兵乱而后遏之，善则善矣／左右前后，莫匪俊良；小大之材，咸尽其用／求之而后得，为之而后成，积之而后高，尽之而后圣／失道而后德，失德而后仁，失仁而后义，失义而后礼

❺兵贵先声后实／前车覆而后车诫／人先信而后求能／先避患而后就利／损，先难而后易／志忍私，然后能公／知爱身而后知爱人／有真人然后有真知／有治法而后有治人／事留变生，后机祸至／反水不收，后悔无及／前车已覆，后未知更／前虑不定，后有大患／军井成而后饮之……／初虽啼号，后必庆笑／若不早图，后君噬齐／知事人，然后能使人／知爱人而后

知保天下／始交不慎，后必为仇／亲不隔疏，后不僭先／先发制人，后发制于人／士信悫，而后求知能焉／知不足，然后能自反也／是非明而后可以施赏罚／不遇阴雨后，岂知明月好／仁者先事后得，先难后获／先即制人，后则为人所制／先自治而后治人之谓大器／观化百代后，独立万古前／待得雪消后，自然春到来／畏落众花后，无人别意看／空山新雨后，天气晚来秋／择可言而后言，择可行而后行／有非常之后者，必有非常之臣／使我有身后名，不如即时一杯酒／自受弊薄，后己先人，天下敬之／自其所当后者为之，则先后并废／前车覆而后车不诫，是以后车覆也／偷得利而后有害，偷得乐而后有忧／先忧事者后乐事，先乐事者后忧事／操千曲而后晓声，观千剑而后识器／弓待檠而后能调，剑待砥而后能利／马先驯而后求良，人先信而后求能／赏务速而后有劝，罚务速而后有惩／辞必高然后为奇，意必深然后为工／闻道有先后，术业有专攻，如是而已／有伯乐而后识马，有匠石而后识梧檟／能近见而后能远察，能利狭而后能泽广／有诸己而后求诸人，无诸己而后非诸人／罪驱之于后，功啖之于前……不可得也／能自治然后可以治人；能治人然后人为之用／有君臣然后有上下，有上下然后礼义有所错／先除尘垢后染善法，譬如浣衣先去垢然后可染／诗人感而后思，思而后积，积而后满，满而后作／病已成而后药之，乱已成而后治之，譬犹渴而穿井，斗而铸锥，不亦晚乎

❻仁者先难而后获／陷之死地而后生／至治之极复后王／小人先合而后忤／器宝待人而后宝／见尔前，虑尔后／置之死地而后快／置之死地而后生／予其惩而，毖后患／先行其言而后从之／士先器识而后辞章／士先器识而后文艺／不孝有三，无后为大／人必知道而后知爱身／当取不取，过后莫悔／行忍情性，然后能修／流沫成轮，然后徐行／居必常安，然后求乐／文质彬彬，然后君子／意在笔前，然后作字／且有真人，而后有真知／前事之不忘，后事之师／人必自侮，然后人侮之／国必自伐，而后人伐之／家必自毁，而后人毁之／威德相济，而后王业成／世有伯乐，然后有千里马／前不见古人，后不见来者／前车既覆而后车不改辙也／先下手为强，后下手遭殃／先之则太过，后之则不及／能周小事，然后能成大事／山岳有饶，然后百姓赡焉／河海有润，然后民取足焉／木从绳则正，后从谏则圣／静则能胜躁，后则能胜先／食足货通，然后国实民富／维修卑下，然后乃各得其所／无恶于己，然后可以正人之恶／有善于己，然后可以责人之善／物之待饰而后行者，其质不美也／不以先进略后生，不以上官卑下吏／丹青初炳而后渝，文章岁久而弥光／随人作计终后人，自成一家始逼真／投之亡地然后存，陷之死地然后生／君子先择而后交，小人先交而后择／宣父犹能畏后生，丈夫未可轻年少／震风陵雨，然后知夏屋之为帡幪也／圣人先忤而后合，众人先合而后忤也／知有所待而后当，其所待者特未定也／胜兵先胜而后求战，败兵先战而后求胜／既不能流芳后世，亦不足复遗臭万载邪／人必先作，然后人名之；先求，然后人与之／舟必漏也而后水入焉，土必湿也而后苔生焉／食必常饱，然后求美；衣必常暖，然后求丽／顾小而忘大，后必有害；狐疑犹豫，后必有悔／力不能问，然后语之，语之而不知，虽舍之可也／曰衣食足而后廉耻兴，财物阜而后礼乐作，是执末以求其本也

❼其为政知所先后／事有大小，有先后／君子慎始而无后忧／行者必先近而后远／事不三思，终有后悔／任重道远，死而后已／先国家之急而后私仇／凡彼万形，得一后成／动则三思，虑而后行／大难不死，必有后禄／报国之心，死而后已／君子之学，死而后已／汝无面从，退有后言／惟克果断，乃罔后艰／始作俑者，其无后乎／孜孜矻矻，死而后已／忘其前愆，取其后效／自古有死，奚论后先／鞠躬尽力，死而后已／先定其规摹，而后从事／惟教之不改，而后诛之／殷鉴不远，在夏后之世／文必虚字备而后神态出／人必先疑也，而后谗人之／今日乐相乐，别后莫相忘／让人不算疾，过后是便宜／受屈不改心，然后知君子／时来故旧少，乱后别离频／物必先腐也，而后虫生之／人有不为也，而后可以有为／今之视古，亦犹后之视今也／先王有郢书，而后世多燕说／能用度外人，然后能周天下／除患于未萌，然后能转而为福／有非常之事，然后有非常之功／有非常之人，然后有非常之事／万物始于微而后成，始于无而后生／豪华尽出成功后，逸乐安知与祸双／采得百花成蜜后，到头辛苦一场空／采得百花成蜜后，为谁辛苦为谁甜／上古结绳而治，后世圣人易之以书契／感而后应，迫而后动，不得已而后起／凡人必别宥然后知，别宥则能全其天矣／君子有诸己而后求诸人，无诸己而后非诸人／有不得已者而后言。其歌也有思，其哭也有怀／君子安其身而后动，易其心而后语，定其交而后求／今之所以知古，后之所以知今，不可口传，必凭诸史

❽我躬不阅，遑恤我后／以明防前，以智虑后／饥者不待美馔而后饱／宁为鸡口，无为牛后／寒者不俟狐貉而后温／谋事不并仁义者后必败／安舒沈重者，患在后世／如有王者，必世而后仁／怠惰者，时之所以后也／古人愁不尽，留与

后人愁／各愿贻子孙，永为后世资／知之始已自知，而后知人／岂待酒肉罗绮然后为生哉／好将前事错，传与后人知／心知去不归，且有后世名／乌鸢之卵不毁，而后凤凰集／人必其自敬也，然后人敬诸／人必其自爱也，然后人爱诸／诽谤之罪不诛，而后良言进／秦人不暇自哀，而后人哀之／百吏畏法循绳，然后国常不乱／悔前莫如慎始，悔后莫如改图／不慎其前而悔其后，虽悔，何及／不师知虑，不知前后，魏然而已矣／先天下之忧而忧，后天下之乐而乐／先唱者穷之路也，后动者达之原也／大寒至，霜雪降，然后知松柏之茂／有死天下之心，而后能成天下之事／有成天下之心，而后能死天下之事／立义以为的，奠而后发，发必中矣／譬如破竹，数节之后，皆迎刃而解／诗，思然后积，积然后满，满然后发／亲小人，远贤臣，此后汉所以倾颓也／聆《白雪》之九成，然后悟《巴人》之极鄙／法虽在，必待圣而后治；律虽具，必待耳而后听／置其本，求之末，当后者反先之，无一焉不悖于极

❾不善禁者，先禁人而后身／及之而后知，履之而后难／仁者先事后得，先难后获／谁非一丘土，参差前后间／谆谆而后喻，譊譊而后服／善禁者，先禁其身而后人／治国家者先择佐而后定民／构大厦者先择匠而后简材／殖不固本而立基者后必崩／贵人而贱己，先人而后己／见患而后虑，见灾而后救／积之而后高，尽之而后圣／白璧不可为，容容多后福／蝮蛇口中草，蝎子尾后针／不作威，不作福，靡有后羞／岁寒，然后知松柏之后凋也／致知在格物，物格而后知至／有雄志而无雄才，其后果败／禾黍必刈其稂莠而后苗始茂／白粲必去其沙砾而后食可餐／先谋后事者昌，先事后谋者亡／先谋后事者逸，先事后图者失／谋，必素见成事焉，而后履之／莫为终身之计，而有后世之虑／有面前之誉易，无背后之毁难／畜民者，先厚其业而后求其赡／筑城者，先厚其基而后求其高／学，然后知不足；教，然后知困／是以圣王先成民，而后致力于神／焚林而猎，愈多得兽，后必无兽／焚林而田，偷取多兽，后必无兽／不弃狂夫之言者，然后嘉谟可闻也／不弃死马之骨者，然后良骥可得也／世间富贵应无分，身后文章合有名／生前富贵草头露，身后风流陌上花／并时以养民功，先德后刑，顺于天／劝君休饮无情水，醉后教人心意迷／居前不能令人轾，居后不能令人轩／文章必自名一家，然后可以传不朽／目前之耳目可涂，身后之是非难罔／察其小，忽其大，先其后，后其所先／见其可利也，则必前后虑其可害也者／不诚于前而曰诚于后，众必疑而不信矣／古者以仁义行法律，后世以法律行仁义／先趋而后息，先问而后嘿，则什己者至／务进者趋前而不顾后，荣贵者矜己而不待人／行与义乖，言与法违，后虽无害，汝可以悔／始如处女，敌人开户；后如脱兔，敌不及拒／诗人感而后思，思而后积，积而后满，满而后作／深者获公名，平者多后患，故治狱之吏皆欲人死／求之而后得，为之而后成，积之而后高，尽之而后圣／失道而后德，失德而后仁，失仁而后义，失义而后礼／权，然后知轻重；度，然后知长短。物皆然，心为甚

❿一咏一吟，寄心期于别后／未得乎前，则不敢求乎后／骋者不贪最先，不恐独后／月上柳梢头，人约黄昏后／睡不落人前，起不落人后／言处飞龙前，行在跛鳖后／事信言文，乃能表见于后世／心在汉室，原无分先主后主／自形而上下言，岂得无先后／可欺当时之人，而不可欺后世／生有闻于当时，死有传于后世／良工之与马也，相得则然后成／舍邻之医，而求俞跗而后治病／凡举事，必先审民心然后可举／交友之先宜察，交友之后宜信／能守而后可战，能战而后可和／择可言而后言，择可行而后行／冬至之后为呼，夏至之后为吸／废污池之水，待江海而后救火／宠利毋居人前，德业毋落人后／经正而后纬成，理定而后辞畅／树至德于生前，流遗爱于身后／贤者不得志于今，必取贵于后／礼禁未然之前，法施已然之后／与其有誉于前，孰若无毁于其后／非诗之能穷人，殆穷者而后工也／予违汝弼，汝无面从，退后有言／古之名将，必出于奇，然后能胜／真积力久则入，学至乎没而后止／告之以直而不改，必痛之而后畏／是非有考于前，而成败有验于后／盗贼之心必托圣人之道而后可行／铭者，所以名其善功以昭后世也／自其所当后者为之，则先后并废／自其所当先者为之，则其后必举／万夫喧喧不停杵，杵声丁丁惊后土／万物始于微而后成，始于无而后生／万户千门成野草，只缘一曲后庭花／不为当时所怪，亦必无后世之传也／世人逐势争奔走，沥胆堕肝惟恐后／且乐生前一杯酒，何须身后千载名／再实之木根必伤，掘藏之家后必殃／事固有难明于一时而有待于后世者／了却君王天下事，赢得生前身后名／古之学者必严其师，师严然后道尊／利虽倍于今，而不便于后，弗为也／前车覆而后车不诫，是以后车覆也／但把穷愁博长健，不辞最后饮屠苏／作诗火急追亡逋，清景一失后难摹／偷得利而后有害，偷得乐而后有忧／从来好事天生俭，自古瓜儿苦后甜／先义而后利者荣，先利而后义者辱／先忧事者后乐事，先乐事者后忧事／商女不知亡国恨，隔江犹唱后庭花／读书不了平生事，阅世空存后死身／能欺一人一时，决不能

欺天下后世／圣人之治天下也，先文德而后武力／至精而后阐其妙，至变而后通其数／芳林新叶催陈叶，流水前波让后波／大山之高，非一石也，累卑然后高／太山之高，非一石也，累卑然后高／投之亡地然后存，陷之死地然后生／操千曲而后晓声，观千剑而后识器／君子先择而后交，小人先交而后择／待到秋来九月八，我花开后百花杀／惟能于其未然而预防之，故无后忧／弓调而后求劲焉，马服而后求良焉／弓待檠而后能调，剑待砥而后能利／马先驯而后求良，人先信而后求能／桑蚕苦，女工难，得新捐故后必寒／赏务速而后有劝，罚务速而后有惩／有雠而长之，祸不在己，则在后人／欧阳当日文名重，更要推敲畏后生／文章均得江山助，但觉前贤畏后贤／意不先立，止以文采辞句绕前捧后／辞必高然后为奇，意必深然后为工／路歧之险夷，必待身亲履历而后知／不问其德之所宜，而问其出身之后先／师严，然后道尊；道尊，然后知敬学／失火之家，岂暇先言大人而后救火乎／诗，思然后积，积然后满，满然后发／圣人先忤而后合，众人先合而后忤也／君子之去小人，惟能尽去，乃无后患／梦之中又占其梦焉，觉而后知其梦也／情横于内而性伏，必外寓于物而后遣／察其小，忽其大，先其后，后其所先／嫉贪佞之洿浊兮，曰吾其既劳而后食／有伯乐而后识马，有匠石而后识梧檟／感而后应，迫而后动，不得已而后起／其知也乃不知，其不知也而后能知之／天性正于受生之初，明觉发于既生之后／书者，皆所为不行乎今而行乎后世者也／古之人未始不薄于当世，而荣于后世也／人事必将与天地相参，然后乃可以成功／市之鬻鞭者，人问之……必五万而后可／能近见而后能远察，能利狭而后能泽广／当官者能洁身修己，然后在公之节乃全／吾师道也，夫庸知其年之先后生于吾乎／善问者如攻坚木：先其易者，后其节目／有诸己而后求诸人，无诸己而后非诸人／胜兵先胜而后求战，败兵先战而后求胜／使贤者居上，不肖者居下，而后可以理安／凡人能量己之能与不能，然后知人之艰难／凡人好敖慢小事，大事至，然后兴之务之／军暴而后戢之，兵乱而后遏之，善则善矣／观人察质，必先察其平淡，而后求其聪明／若夫有道之士，必礼必知然后其智能可尽／王天下者必先诸民，然后庇焉，则能长利／不与万物共尽，而卓然其不朽者，后世之名／不能则学，不知则问，虽知必让，然后为知／不知则问，不能则学，虽能必让，然后为德／未画以前，不立一格；既画以后，不留一格／未有仁而遗其亲者也，未有义而后其君者也／世必有才，随时所用，岂待……然后为治乎／事前忍易，正事忍难，正事悔易，事后悔难／师之所处，荆棘生焉；大军之后，必有凶年／后人哀之而不鉴之，亦使后人而复哀后人也／仰之弥高，钻之弥坚。瞻之在前，忽焉在后／人必先作，然后人名之；先求，然后人与之／务先穷昔人书，有不可者而后革之，则大善／务名者乐人之进趋过人，而不能出陵己之后／能至素至精，浩弥无刑，然后可以为天下正／能自治然后可以治人；能治人然后人为之用／草木无大小，必待春而后生，人待义而后成／君子之为言也，度可行于己，然后可责于人／君子有诸己而后求诸人，无诸己而后非诸人／度量权衡法，必资之官，资之官而后天下同／经目之事，犹恐未真；背后之言，岂能全信／权济天下而君臣立，上下正，然后礼义正焉／物有本末，事有终始。知所先后，则近道矣／有君臣然后有上下，有上下然后礼义有所错／欲上民，必以言下之；欲先民，必以身后之／毋逝我梁，毋发我笱；我躬不阅，遑恤我后／自古乱亡之国，必先坏其法制，而后乱从之／舟必漏也而后水入焉，土必湿也而后苔生焉／其国弥大，而其主弥静，然后乃能广得众心／食必常饱，然后求美；衣必常暖，然后求丽／不以宠辱荣患损易其身，然后乃可以天下付之／古今之喻多矣，而愚以为辨于味而后可以言诗／古君子志于道，据于德，依于仁，而后艺可游／外内皆顺，命曰天当，功成而不废，后不奉央／仁以为己任，不亦重乎！死而后已，不亦远乎／先除尘垢后染善法，譬如浣衣先去垢然后可染／圣人守清道而抱雌节，因循应变，常后而不先／饥而倍食，渴而大饮……虽暂怡性，必为后患／源泉混混，不舍昼夜，盈科而后进，放乎四海／近而不浮，远而不尽，然后可以言韵外之致耳／梗楠豫章之生也，七年而后知，故可以为棺舟／风化者，自上而行于下者也，自先而施于后者／顾小而忘大，后必有害；狐疑犹豫，后必有悔／天之生此民也，使先知觉后知，使先觉觉后觉也／质胜文则野，文胜质则史。文质彬彬，然后君子／以辱为荣，以穷为通，虽失乎前，可谓后得之矣／倚伏之矛楯也，其理甚明，困而后儆，斯弗及已／今兵威已振，譬如破竹，数节之后，皆迎刃而解／今人之性恶，必将待师法然后正，得礼义然后治／先王之世，以道治天下，后世只是以法把持天下／诗人感而后思，思而后积，积而后满，满而后作／法虽在，必待圣而后治；律虽具，必待耳而后听／子贡问君子。子曰："先行，其言而后从之"。／凡乱也者，必始乎近而后及远，必始乎本而后及末／君子之于学，惟日孜孜，毙而后已，惟恐其不及也／君子安其身而后动，易其心而后语，定其交而后求／继以精思，使其意皆出于吾之心。然后可以有得尔／天生一人，自有一人之用，不待取给于孔子而后足也／求之而后得，为之而后成，积之而后高，尽之而后圣／失道而后德，失德而后仁，失仁而后义，失义而后礼／贤主忠臣，不能导愚教陋，则名不冠后、实不及世矣／既知教之所由兴，又知教之所由废，然后可以为人师／一宿体宁，百宿心恬，三宿后颓然嗒然，不知其然而然／学为文章，先谋亲友，得其评裁，知可施行，然后出手／苟意不先立，止以文彩辞句，绕前捧后，是言愈多而理愈乱／于为义若嗜欲，勇不顾前后；于利与禄，则畏避退处如怯夫然／曰衣食足而后廉耻兴，财物阜而后礼乐作，是执末以求其本也／政庞而土裂，三光五岳之气分，大音不完，故必混一而后大振／病已成而后药之，乱已成而后治之，譬犹渴而穿井，斗而铸锥，不亦晚乎

兆

zhào 征候或迹象；预示；数目。

❸爱施兆民，天下归之／不能兆其端者，菑及之

❺代虐以宽，兆民允怀／防微于未兆，虑难于将来／福钟恒有兆，祸集非无端

❻开幸人之志，兆乱臣之心

❿制欲于未萌，除害于未兆／能知反复之道者，可以居兆民之职／炎火成燎原之势，涓流兆江河之形／祸之作也，非作于作之日，亦必有所由兆／以天为宗，以德为本，以道为门，兆于变化，谓之圣人

我

wǒ 用于自称或指称自己所在的一方；存私见；自己；姓。

❶我以不贪为宝

见《左传·襄公十五年》。

我俭则民自俭

见五代·南唐·谭峭《化书卷六·俭化·解惑》。

我谦则民自谦

见五代·南唐·谭峭《化书卷六·俭化·解惑》。

我善养吾浩然之气

见《孟子·公孙丑上》。全句为："～。……其为气也，至大至刚，以直养而无害，则塞于天地之间"。

我无尔诈，尔无我虞

见《左传·宣公十五年》。

我之有我，自由我在

见清·原济《苦瓜和尚画语录》。

我心匪鉴，不可以茹

见《诗·邶风·柏舟》。

我自乐此，不为疲也

见汉·刘秀《戒太子》。

我躬不阅，遑恤我后

见《诗·邶风·谷风》。

我生待明日，万事成蹉跎

见清·钱鹤滩《明日歌》。全句为："明日复明日，明日何其多！～"。

我住长江头，君住长江尾

见宋·李之仪《卜算子》[我住长江头]。全句为："～。日日思君不见君，共饮长江水"。

我命浑小事，我死庸何伤

见宋·文天祥《五月十七日夜大雨歌》。全句为："但愿天下人，家家足稻粱！～"。

我手写我口，古岂能拘牵

见清·黄遵宪《杂感》。

我有三宝，持而保之……

见《老子》六十七。全句为："～：一曰慈，二曰俭，三曰不敢为天下先"。

我欲乘风去，击楫誓中流

见宋·张孝祥《水调歌头》。

我愿平东海，身沉心不改

见清·顾炎武《精卫》。全句为："～！大海无平期，我心无绝时"。

我岂更求荣达，日长聊以销忧

见宋·黄庭坚《宁浦书事六首》其一。全句为："挥汗读书不已，人皆怪我何求？～"。

我心治，官乃治，我心安官乃安

见《管子·内业》。

我无事而民自富，我无欲而民自朴

见《老子》五十七。全句为："我无为而民自化，我好静而民自正；～"。

我无为而民自化，我好静而民自正

见《老子》五十七。全句为："～；我无事而民自富，我无欲而民自朴"。

我之出而仕也，为天下，非为君也

见明·黄宗羲《原臣》。全句为："～；为万民，非为一姓也"。

我命在我不在天，还丹成金亿万年

见晋·葛洪《抱朴子·黄白》引《龟甲文》。

我劝天公重抖擞，不拘一格降人材

见清·龚自珍《己亥杂诗》。前句为："九州生气恃风雷，万马齐喑究可哀"。

我薄而彼轻之，则由我曲而彼直也

见三国·魏·刘劭《人物志·释争》。

我闻忠善以损怨，不闻作威以防怨

见《左传·襄公三十一年》。

我贤而彼不知，则见轻，非我咎也

见三国·魏·刘劭《人物志·释争》。

我心坚，你心坚，各自心坚石也穿

见宋·蔡伸《长相思》。

我愿天公怜赤子，莫生尤物为疮痏

见宋·苏轼《荔枝叹》。

我自只如常日醉，满川风月替人愁

见宋·黄庭坚《夜发分宁寄杜涧叟》。

我自横刀向天笑,去留肝胆两昆仑
见清·谭嗣同《狱中题壁》。
我知天下之中央,燕之北越之南是也
见《庄子·天下》。
我专为一,敌分为十,是以十共其一也
见《孙子兵法·虚实篇》。
我不欲人之加诸我也,吾亦欲无加诸人
见《论语·公冶长》。
我非生而知之者,好古,敏以求之者也
见《论语·述而》。
我独见得是,亦须缓缓调停,不可直遂
见清·申涵煜《省心短语》。全句为:"处世间事,众人皆见得非,而～"。
我服布素则民自暖,我食葵藿则民自饱
见五代·南唐·谭峭《化书卷五·食化·无为》。
我为女子,薄命如斯!君是丈夫,负心若此
见唐·蒋防《霍小玉传》。全句为:"～!韶颜稚齿,饮恨而终"。
我有禅灯,独照独知。不取亦取,虽师勿师
见清·袁枚《续诗品·尚识》。
我心匪石,不可转也;我心匪席,不可卷也
见《诗·邶风·柏舟》。
我亦物也,物亦物也,物之与物也,又何以相物也
见汉·刘安《淮南子·精神》。
我愿君王心,化作光明烛,不照绮罗筵,只照逃亡屋
见唐·聂夷中《咏田家》。
我悲人之自丧者,吾又悲夫悲人者,吾又悲夫悲人之悲者
见《庄子·徐无鬼》。

❷快我平生万里心/非我族类,其心必异/荐我寸长,开君尺短/抚我则后,虐我则雠/投我以桃,报之以李/宁我负人,毋人负我/宁我薄人,无人薄我/是我而当者,吾友也/忘我大德,思我小怨/顺我者生,逆我者死/自我得之,自我捐之/以我径寸心,从君千里外/剥我身上帛,夺我口中粟/劝我早归家,绿窗人似花/薄我货者,欲与我市者也/夺我席上酒,掣我盘中飧/夺我身上暖,买尔眼前恩/投我以木桃,报之以琼瑶/投我以木瓜,报之以琼琚/告我以吾过者,吾之师也/憎我者之言刻,刻必当罪/爱我者之言恕,恕故匿非/訾我行者,欲与我友者也/生我者父母,知我者鲍子也/乱我心者,今日之日多烦忧/弃我去者,昨日之日不可留/换我心,为你心,始知相忆深/然我一沐三捉发,一饭三吐哺/鱼我所欲也,熊掌亦我所欲也/使我有身后名,不如即时一杯酒/今我受其直怠其事者,天下皆然/毁我之言可闻,毁我之人不必问/顺我意而言者,小人也,急远之/以我视物则我大,以道体物则道大/爱我者一何可爱,憎我者一何可憎/亡我者,我也;我不自亡,谁能亡之/知我者,谓我心忧;不知我者,谓我何求/非我而当者,吾师也;是我而当者,吾友也/加我数年,五十以学《易》,可以无大过矣/昔我往矣,杨柳依依;今我来思,雨雪霏霏/责我以过,皆当虚心体察,不必论其人何如/苦我怨气兮浩于长空,六合虽广兮受之应不容

❸谄谀我者,吾贼也/人弃我取,人取我与/勿谓我尊而傲贤侮士/勿谓我智而拒谏矜己/彼裕我民,无远用戾/得非我美,失非我耻/言则我从,斯我之贼/善否,我也;祸福,非我也/死亦我所恶,所恶有甚于死者/天生我材必有用,千金散尽还复来/生,亦我所欲也;义,亦我所欲也/他年我若为青帝,报与桃花一处开/宁教我负天下人,休教天下人负我/同于我者何必可爱,异于我者何必可憎/人爱我,我必爱之;人恶我,我必恶之/人善我,我亦善之;人不善我,我亦善之/当恃我之不可侵也,无恃鬼神之不侵我也/汝死我葬,我死谁埋!汝倘有灵,可能告我/毋逝我梁,毋发我笱;我躬不阅,遑恤我后/生亦我所欲,所欲有甚于生者,故不为苟得也/敌先我动,则是见其形;彼躁我静,则是罢其力

❹我之有我,自由我在/伺命在我,何求于天/人之好我,示我周行/人皆狎我,必我无骨/人皆畏我,必我无养/天只在我,更祷个什么/贱物贵我,君子不为也/我手写我口,古岂能拘牵/时哉不我与,去乎若云浮/里胥扣我门,日夕苦煎促/客之美我者,欲有求于我也/天视自我民视,天听自我民听/何谓物我之异,无计今古之殊/天地与我并生,而万物与我为一/不可于我而可于彼者,天下无亡/春之日,我爱其草薰薰,木欣欣/我命在我不在天,还丹成金亿万年/阳春召我以烟景,大块假我以文章/白鸥问我泊孤舟,是身留,是心留/天地在我首之上,足之下,开目尽见/亡我者,我也;我不自亡,谁能亡之/苟不知我而谓我盗跖,吾又安取惧焉/苟不知我而谓我仲尼,吾又安取荣焉/人爱我,我必爱之;人恶我,我必恶之/天地生我而不能鞠我……成我者,夫子也/人善我,我亦善之;人不善我,我亦善之/昔君视我,如掌中珠;何意一朝,弃我沟渠

❺一丝一粒,我之名节/天聪明,自我民聪明/物贵尺璧,我重寸阴/彼能是,而我乃不能是/以人言善我,必以言罪我/敌得生于我,则我得死于敌/敌得死于我,则我得生于敌/以人言善我,亦必以人言恶我/仁远乎哉?我欲仁,斯

仁至矣／彼之理非，我之理是，我容之／彼之理是，我之理非，我让之／逃名而名我随，避名而名我追／称人之善，我有一善，又何妒焉／称人之善，我有一善，又何妨焉／称人之恶，我有一恶，又何毁焉／举世皆浊我独清，众人皆醉我独醒／传派传宗我替羞，作家各自一风流／天知，神知，我知，子知，何谓无知／人有恩于我不可忘，而怨则不可不忘／知我者，谓我心忧；不知我者，谓我何求／民恶忧劳，我佚乐之；民恶贫贱，我富贵之／人以义来，我以身许，褰裳赴急，不避寒暑／汝死我葬，我死谁埋！汝倘有灵，可能告我／贤人在野，我将进之；佞人立朝，我将斥之／既死，岂在我哉！焚之亦可，沉之亦可，瘗之亦可，露之亦可

❻万物皆备于我／三人行，必有我师焉／天上地下，惟我独尊／人之好我，示我周行／人皆狎我，必我无骨／人皆畏我，必我无养／哀哀父母，生我劬劳／诲尔谆谆，听我藐藐／抚我则后，虐我则雠／忘我大德，思我小怨／顺我者生，逆我者死／自我得之，自我捐之／言则我从，斯我之贼／无名之名，生我之宅也／无货之货，养我之福也／义之法在正我不在正人／人方为刀俎，我为鱼肉／问其政，则曰我不知也／有名之名，丧我之橐也／有货之货，丧我之贼也／非无足财也，我无足心也／我命浑小事，我死庸何伤／人生如逆旅，我亦是行人／人皆因禄富，我独以官贫／大道如青天，我独不得出／天叙有典，敕我五典五惇哉／人之有德于我也，不可忘也／养物而物为我用者，人之力也／以我视物则我大，以道体物则道大／亡我者，我也；我不自亡，谁能亡之／言语简寡，在我可以少悔，在人可以少怨／有鄙夫问于我，空空如也。我叩其两端而竭焉／岂无利事哉，我无利心；岂无安处哉，我无安心／道之不行也，我知之矣，知者过之，愚者不及也

❼防人盗不如防我盗／币重而言甘，诱我也／我无尔诈，尔无我虞／我之有我，自由我在／我躬不阅，遑恤我后／人弃我取，人取我与／因祸受福，喜盈我室／得非我美，失非我耻／日月逝矣，岁不我与／青青子衿，悠悠我心／长恐浮云生，夺我西窗月／剥我身上帛，夺我口中粟／会己则嗟讽，异我则沮弃／薄我货者，欲与我市者也／夺我席上酒，掣我盘中飧／吁嗟身后名，于我若浮烟／好风凭借力，送我上青云／感子漂母惠，愧我非韩才／訾我行者，欲与我友者也／生我者父母，知我者鲍子也／众人皆有以，而我独顽似鄙／敌得生于我，则我得死于敌／敌得死于我，则我得生于敌／沽之哉，沽之哉，我待贾者也／不知足而为屦，我知其不为蒉也／我心治，官乃治，我心安官乃安／词客有灵应识我，霸才无主始怜君／苟不知我而谓我盗跖，吾又安取惧焉／苟不知我而谓我仲尼，吾又安取荣焉／宠位不足以尊我，而卑贱不足以卑己／迷阳迷阳，无伤我行；却曲却曲，无伤吾足／毋逝我梁，毋发我笱；我躬不阅，遑恤我后／硕鼠硕鼠，无食我黍！三岁贯女，莫我肯顾／以人之言而遗我粟，至其罪我也又且以人之言

❽以仁安人，以义正我／宁我负人，毋人负我／宁我薄人，无人薄我／乾坤之大，何处容我不得／功高人共嫉，事定我当烹／虽有千黄金，无如我斗粟／毋意，毋必，毋固，毋我／不义而富且贵，于我如浮云／善否，我也；祸福，非我也／敌军围困万千重，我自岿然不动／毁我之言可闻，毁我之人不必问／一登一陟一回顾，我脚高地他更高／我无事而民自富，我无欲而民自朴／我无为而民自化，我好静而民自正／仰天大笑出门去，我辈岂是蓬蒿人／待到秋来九月八，我花开后百花杀／寄意寒星荃不察，我以我血荐轩辕／自古逢秋悲寂寥，我言秋日胜春朝／我不欲人之加诸我也，吾亦欲无加诸人／因事相争，安知非我之不是，须平心暗想

❾谁谓鼠无牙，何以穿我墉／盛时不可再，百年忽我遒／为天有眼兮何不见我独漂流／明月之珠，蚌之病而我之利／两兔傍地走，安能辨我是雄雌／知使兹人有知乎？非我其谁哉／彼之理非，我之理是，我容之／彼之理是，我之理非，我让之／鱼我所欲也，熊掌亦我所欲也／为神有灵兮何事处我天南海北头／生，亦我所欲也；义，亦我所欲也／我薄而彼轻之，则由我曲而彼直也／人生难得秋前雨，乞我虚堂自在眠／爱我者一何可爱，憎我者一何可憎／愚人以天地文理圣，我以时物文理哲／我服布素则民自暖，我食葵藿则民自饱／天地生我而不能鞠我……成我者，夫子也／我心匪石，不可转也；我心匪席，不可卷也／呦呦鹿鸣，食野之苹；我有嘉宾，鼓瑟吹笙／己之所无，不以责下；我之所有，不以讥彼／亲卿爱卿，是以卿卿。我不卿卿，谁当卿卿／毋逝我梁，毋发我笱；我躬不阅，遑恤我后／为长者折枝，语人曰："我不能"，是不为也

❿仁之法在爱人不在爱我／以人言善我，必以言罪我／安得长翮大翼如云生我身／自有桃花容，莫言人劝我／能循天理动者，造化在我也／客之美我者，欲有求于我也／天视自我民视，天听自我民听／以人言善我，亦必以人言恶我／挥汗读书不已，人皆怪我何求／逃名而名我随，避名而名我追／虎爪象牙，禽兽之利而我之害／青史内不标名，红尘外便是我／天地与我并生，而万物与我为一／木生内蠹，上下相贼，祸乱我国／才疏志大不自量，西家东家笑我狂／天良能本吾良能，顾为有我所丧尔／我贤而彼

不知，则见轻，非我咎也／举世皆浊我独清，众人皆醉我独醒／阳春召我以烟景，大块假我以文章／国际悲歌歌一曲，狂飙为我从天落／宁教我负天下人，休教天下人负我／寄意寒星荃不察，我以我血荐轩辕／子绝四：毋意，毋必，毋固，毋我／死犹未肯输心去，贫亦其能奈我何／水能性澹为吾友，竹解心虚即我师／物之其由者道也，道之在我者德也／老去更无儿在膝，惟君怜我我怜君／自古圣贤尽贫贱，何况我辈孤且直／何者为益友？凡事肯规我之过者是也／述而不作，信而好古，窃比于我老彭／自动自休，自峙自流，是恶乎与我谋／自斗自竭，自崩自缺，是恶乎为我设／同于我者何必可爱，异于我者何必可憎／俯首帖耳，摇尾而乞怜者，非我之志也／人爱我，我必爱之；人恶我，我必恶之／凿井而饮，耕田而食；帝力于我何有哉／四时万物兮有盛衰，唯我愁苦兮不暂移／安能摧眉折腰事权贵，使我不得开心颜／如欲平治天下，当今之世，舍我其谁也／自其不变者而观之，则物与我皆无尽也／天地生我而不能鞠我……成我者，夫子也／不名一格，不专一体，要不失乎为我之诗／平日极好直言者，即患难时不肯负我之人／人善我，我亦善之；人不善我，我亦善之／当恃我之不可侵也，无恃鬼神之不侵我也／知我者，谓我心忧；不知我者，谓我何求／处世间事，众人皆见得非，而我独见得是／不学古人，法无一可；竟似古人，何处着我／非我而当者，吾师也；是我而当者，吾友也／乡者已去，至者乃新，新故不翏，我有所周／民恶忧劳，我佚乐之；民恶贫贱，我富贵之／十室之邑，必有忠信；三人并行，厥有我师／人亦有言，忧令人老。嗟我白发，生一何早／变祸为福，易曲成直，宁关天命，在我人力／知足之人，体道同德，绝名除利，立我于无／衡门之下，有琴有书，载弹载咏，爰得我娱／汝死我葬，我死谁埋！汝倘有灵，可能告我／浩漾东流，赴海为期。斡而迁焉，逐我颐指／宁逢赤眉，不逢太师。太师尚可，更始杀我／绝祸之首，起福之元，去我情欲，取民所安／采采卷耳，不盈顷筐。嗟我怀人，置彼周行／昔我往矣，杨柳依依；今我来思，雨雪霏霏／昔君视我，如掌中珠；何意一朝，弃我沟渠／贤人在野，我将进之；佞人立朝，我将斥之／毋逝我梁，毋发我笱；我躬不阅，遑恤我后／硕鼠硕鼠，无食我黍！三岁贯女，莫我肯顾／磨肌戛骨，吐出心肝，企足以待，寘我雠冤／以人之言而遗我粟，至其罪我也又且以人之言／有鄙夫问于我，空空如也。我叩其两端而竭焉／岂无利事哉，我无利心；岂无安处哉，我无安心／敌先我动，则是见其形；彼躁我静，则是罢其力／挟泰山以超北海，语人曰："我不能"，是诚不能也／审内以知外，原小以知大，因我以然彼，明近以喻远／祸世之匠，乱国之工，绝逆天地，伤害我身，莫大乎名／天下者亦吾有也，吾亦天下之有也，天下之与我岂有间哉／身处困境，当视为天之爱我、成我，不当视为天之厄我、祸我也

每

měi 任何一个；表示有规律地反复出现；每每，往往，经常；贪婪；虽然。

❶每事问

见《论语·八佾》

每依北斗望京华

见唐·杜甫《秋兴八首》之三。

每逢佳节倍思亲

见唐·王维《九月九日忆山东兄弟》。

每一相思，千里命驾

见南朝·宋·刘义庆《世说新语·简傲》。

每著一衣，则悯蚕妇

见唐·李世民《戒皇属》。全句为："帝子亲王，必须克己。～；每餐一食，则念耕夫"。

每餐一食，则念耕夫

见唐·李世民《戒皇属》。全句为："帝子亲王，必须克己。每著一衣，则悯蚕妇；～"。

每一发兵，不觉头发为白

见唐·吴兢《贞观政要·征伐》。

每一衣，则思纺绩之辛苦

见唐·吴兢《贞观政要·教戒太子诸王》。全句为："每一食，便念稼穑之艰难；～"。

每一食，便念稼穑之艰难

见唐·吴兢《贞观政要·教戒太子诸王》。全句为："～；每一衣，则思纺绩之辛苦"。

每至晴初霜旦，林寒涧肃

见北魏·郦道元《水经注·江水注》。全句为："～，常有高猿长啸，属引凄异，空谷传响，哀啭久绝"。

每读其传，未尝不想见其人

见宋·欧阳修《王彦章画像记》。

每至晴初霜旦，林寒涧肃……

见北魏·郦道元《水经注·江水注》。全句为："～，常有高猿长啸，属引凄异，空谷传响，哀啭久绝"。

每念斯耻，汗未尝不发背沾衣

见汉·司马迁《报任少卿书》。

每一章一句出，无胫而走，疾于珠玉

见唐·白居易《河南元公墓志铭》。

每开一卷，刀搅肺肠；每读一篇，血滴文字

见唐·白居易《祭郎中弟文》。全句为："词意书迹，无不宛然；唯是魂神，不知去处。～"。

❷春每归兮花开，花已阑兮春改／吾每为文章，未尝敢以轻心掉之

❸天下每每大乱，罪在于好知／成德每在困穷，

败身多因得志／出处每怀心耿耿，是非谁较论悠悠／成名每在穷苦日，败事多因得志时
❹天下每每大乱，罪在于好知
❺子入太庙，每事问／挟艺射科，每发如望
❼不知彼，不知己，每战必殆
❽常记古人言，思之每烂熟／昔闻长者言，掩耳每不喜／独在异乡为异客，每逢佳节倍思亲／好读书，不求甚解；每有会意，便欣然忘食
❾每开一卷，刀搅肺肠；每读一篇，血滴文字
❿正获之问于监市履狶也，每下愈况／书卷多情似故人，晨昏忧乐每相亲／道犹金石，一调不更；事犹琴瑟，每弦改调／大丈夫岂得苟贪财物，以害及身命，使子孙每怀愧耻耶

兵 bīng 武器；军队；军事；用兵器杀人；兵种。

❶兵不厌诈
见唐·李筌《孙子》注。
兵贵神速
见晋·陈寿《三国志·魏书·郭嘉传》。
兵不义不可
见《管子·白心》。
兵事上神密
见汉·班固《汉书·周勃传》。
兵者，诡道也
见《孙子兵法·计篇》。全句为："～。故能而示之不能，用而示之不用，近而示之远，远而示之近"。
兵贵先声后实
见汉·司马迁《史记·淮阴侯列传》。
兵在精，不在众
见宋·欧阳修《翰林侍读学士右谏议大夫杨公墓志铭》。
兵贵胜，不贵久
见《孙子兵法·作战篇》。
兵革兴而分争生
见汉·刘安《淮南子·本经训》。
兵之要，在于修政
见《政要论·兵要》。
兵以诈立，以利动
见《孙子兵法·军争篇》。
兵有奇变，不在众
见南朝·宋·范晔《后汉书·皇甫嵩列传》。
兵不在多，贵乎得人
见南朝·宋·范晔《后汉书·刘表传》。
兵不妄动，师必有名
见唐·白居易《策林》三。
兵出无名，事故不成
见汉·班固《汉书·高帝纪》。
兵义无敌，骄者先灭
见晋·陈寿《三国志·魏书·袁绍传》。
兵之胜负，实在赏罚
见唐·韩愈《论淮西事宜状》。全句为："～。赏厚可令廉士动心，罚重可令凶人丧魄"。
兵之胜败，本在于政
见汉·刘安《淮南子·兵略》。全句为："～，政在于民，下附其上则兵强，民胜其政，下畔其上则兵弱"。
兵民之分，自秦汉始
见宋·苏洵《兵制》。
兵，凶器，未易数动
见汉·班固《汉书·张汤传》。
兵，凶器；战，危事
见汉·班固《汉书·晁错传》。
兵尚拙速，不贵工迟
见五代·后晋·张昭远等《旧唐书·韦挺传》。
兵法贵在不战而屈人
见晋·陈寿《三国志·魏书·陈泰传》。
兵要在乎善附民而已
见《荀子·议兵》。
兵者凶事，不可为首
见晋·陈寿《三国志·魏书·武帝纪》。
兵者所以禁暴讨乱也
见汉·刘安《淮南子·兵略》。
兵有利钝，战无百胜
见晋·陈寿《三国志·吴书·吕蒙传》。
兵恶不戢，武贵止戈
见唐·吴兢《贞观政要·征伐》。
兵不妄动，而习武不辍
见北齐·刘昼《新论·阅武》。全句为："亟战则民凋，不习则民怠，故～"。
兵犹火也，不戢将自焚
见晋·陈寿《三国志·吴书·周瑜传》。
兵强则不胜，木强则折
见《老子》七十六。
兵不完利，与无操者同实
见《管子·参忠》。
兵久则变生，事苦则虑易
见汉·班固《汉书·主父偃传》。
兵久则力屈，人愁则变生
见南朝·宋·范晔《后汉书·冯衍传》。
兵之所聚，必有所资……
见唐·陈子昂《答制问事·请息兵科》。全句为："～，千里运粮，万里应敌；十万兵在境，则百万家不得安业"。
兵良而食足，将贤而士勇
见宋·苏洵《审敌》。
兵犹火也，弗戢将自焚也
见《左传·隐公四年》。
兵闻拙速，未睹巧之久也

见《孙子兵法·作战篇》。

兵寝星芒落，战解月轮空

见隋·杨素《出塞二首》之一。

兵以计为本，故多算胜少算

见汉·班固《汉书·赵充国传》。

兵诚义，以诛暴君而振苦民

见《吕氏春秋·孟秋纪·荡兵》。

兵多而战不速，则所费必广

见唐·韩愈《论淮西事宜状》。全句为："必胜之师，必在速战；～"。

兵者，凶器，不得已而用之

见唐·吴兢《贞观政要·征伐》。

兵也者，威也；威也者，力也

见《吕氏春秋·孟秋纪·荡兵》。

兵戈之士乐战，枯槁之士宿名

见《庄子·徐无鬼》。

兵未战而先见败征，此可谓知兵

见汉·司马迁《史记·项羽本纪》。

兵虽诡道而本于正者，终亦必胜

见宋·苏洵《用间》。

兵强则灭，木强则折，革固则裂

见汉·刘安《淮南子·原道》。全句为："～，齿坚于舌而先之敝"。

兵者不可豫言，临难而制变者也

见晋·陈寿《三国志·魏书·陈思王传》。

兵者，所以讨暴，非所以为暴也

见汉·刘安《淮南子·本经》。

兵可千日而不用，不可一日而不备

见唐·李延寿《南史·陈暄传》。

兵，诡道也，军事未发，不厌其密

见晋·陈寿《三国志·魏书·刘晔传》。

兵在精而不在多，将在谋而不在勇

见明·郭勋《英烈传》第七十一回。

兵者百岁不一用，然不可一日忘也

见宋·陆佃解《鹖冠子·近迭》。

兵者凶器也，甲坚兵利，为天下殃

见汉·桓宽《盐铁论·论灾》。

兵有奇正，旋相为用，如环之无端

见宋·苏辙《殿试武举策问一首》。

兵者，国之大事，死生之地，存亡之道

见《孙子兵法·计篇》。全句为："～，不可不察也"。

兵不刑天，兵不可动；不法地，兵不可昔

见《十六经·兵容》。全句为："～；刑法不人，兵不可成"。

兵戢而时动，动则威，观则玩，玩则无震

见《国语·周语上》。

兵贵于精，不贵于多；强于心，不强于力

见明·冯梦龙《东周列国志》第十六回。

兵不可玩，玩则无威；兵不可废，废则召寇

见汉·刘向《说苑·指武》。

兵不如者，勿与挑战；粟不如者，勿与持久

见《战国策·楚策》。

兵不必胜，不苟接刃；攻不必取，不为苟发

见汉·刘安《淮南子·兵略》。

兵者，不祥之器，物或恶之，故有道者不处

见《老子》三十一。

兵者不祥之器，非君子之器，不得已而用之

见《老子》三十一。

兵者凶器，必有凶扰，扰则思乱，乱出不意

见晋·陈寿《三国志·魏书·文帝纪》。

兵无常势，水无常形，能因敌变化而取胜者，谓之神

见《孙子兵法·虚实篇》。

兵非益多也，惟无武进，足以并力，料敌，取人而已

见《孙子兵法·行军篇》。

兵之情主速，乘人之不及，由不虞之道，攻其所不戒

见《孙子兵法·九地篇》。

兵静则固，专一则威，分决则勇，心疑则北，力分则弱

见汉·刘安《淮南子·兵略》。

兵不可偃也，譬之若水火然，善用之则为福，不能用之则为祸

见《吕氏春秋·孟秋纪·荡兵》。

❷奇兵不在众／凡兵欲急疾捷先／非兵不强，非德不昌／养兵千日，用兵一时／阻兵无众，安忍无亲／抗兵相加，哀者胜矣／将兵治民，宽简有法／洗兵海岛，刷马江洲／用兵有术矣，而义为本／凡兵上义，不义虽利勿动／行兵于井底，游步于牛蹄／销兵铸农器，今古岁方宁／穷兵极武，未有不亡者也／义兵之为天下良药也亦大矣／义兵之至也，至于不战而止／用兵必须审敌虚实而趋其危／凡兵之用也，用于利，用于义／凡兵有本干：必义，必智，必勇／用兵之道，攻心为上，攻城为下／用兵之道，抚士贵诚，制敌贵诈／用兵者，贵以饱待饥，以逸击劳／胜兵若以镒称铢，败兵若以铢称镒／用兵之道……心战为上，兵战为下／彼兵者，所以禁暴除害也，非争夺也／胜兵先胜而后求战，败兵先战而后求胜／用兵者，先为不可胜，以待敌之可胜也／凡兵，天下之凶器也；勇，天下之凶德也／上兵伐谋，其次伐交，其次伐兵，下政攻城／大兵如市，人死如林；持金易粟，粟贵于金／用兵之法：十则围之，五则攻之，倍则分之／用兵之害，犹豫最大；三军之灾，生于狐疑／今兵威已振，譬如破竹，数节之后，皆迎刃而解／用兵之法：无恃其不来，恃吾有以待也；无恃其不攻，恃吾有所不可攻也

❸藉贼兵而赍盗食／欲治兵者，必先选将／凡用兵攻战之本在乎一民／自从兵戈动，遂觉天地窄／不倍兵以攻弱，不恃众以轻敌／凡用兵者，攻坚则轫，乘瑕则神／饥召兵，疾召兵，劳召兵，乱召兵／胜败兵家事不期，包羞忍耻是男儿

❹胜败乃兵家常事／治人将兵，无所不宜／禁攻寝兵，救世之战／卒寡而兵强者，有义也／足食，足兵，民信之矣／每一发兵，不觉头发为白／战久则兵钝，攻久则力屈／足食足兵，为治天下之具／革坚则兵利，城成则冲生／三代之兵，耕而食，蚕而衣／无制之兵，有能之将，不可以胜／库无备兵，虽有义，不能征无义／有制之兵，无能之将，不可以败／斩木为兵，揭竿为旗，天下云集响应／有以用兵丧其国者，欲偃天下之兵，悖。／并时遭兵，隐者不中；同日被霜，蔽者不伤／坚甲利兵不足以为武，高城深池不足以为固／将不知兵，以其主予敌也；君不择将，以其国予敌也

❺千里而战，兵不获利／刑法不人，兵不可成／虚实之气，兵之贵者也／世治非去兵，国安岂忘战／以逸待劳，兵家之大利也／古之善用兵者，不必在众／简选精良，兵械铦利……／攻取者先兵权，建本者尚德化／得万人之兵，不如闻一言之当／以禁攻寝兵为外，以情欲寡浅为内／兵不刑天，兵不可动；不法地，兵不可昔／古之善用兵者，用其翻然勃然于未悔之间／不尽知用兵之害者，则不能尽知用兵之利也／国家无养兵之费则国富，队伍无老弱之卒则兵强／圣人之用兵，若栉发耨苗，所去者少，而所利者多／财之不丰，兵之不强，吏之不择，此三者存亡之所从出

❻强将下，无弱兵／养兵千日，用兵一时／威天下不以兵革之利／善攻者不尽兵以攻坚城／善守者不尽兵以守敌冲／古圣王有义兵而无有偃兵／将出凶门勇，兵因死地强／未有不能制兵而能止暴乱者／饥召兵，疾召兵，劳召兵，乱召兵／六国破灭，非兵不利，战不善，弊在赂秦／赋役有定制，兵农有定业，官无虚名，职无废事

❼赔了夫人又折兵／水来土掩，将至兵迎／古之圣王有义兵而无有偃兵／不战而屈人之兵，善之善者也／水因地而制流，兵因敌而制胜／食者，国之宝也；兵者，国之爪也／军暴而后戢之，兵乱而后遏之，善则善矣／不广其从，不为兵郛，不为乱首，不为宛谋

❽渴而穿井，临难铸兵／定国之术，在于强兵足食／非药曷以愈疾，非兵胡以定乱／意犹帅也；无帅之兵，谓之乌合／兵者凶器也，甲坚兵利，为天下殃／以正治国，以奇用兵，以无事取天下／劫之以众，沮之以兵，见死不更其守／略观围棋，法于用兵，怯者无功，贪者先亡／处顺境内，眼前尽兵刃戈矛，销膏靡骨而不知／国之强弱，不在甲兵，不在金谷，独在人才之多少

❾天下之安危，莫先乎兵／圣人以必不必，故无兵／罚避亲贵，不可使主兵／数战则民劳，久师则兵弊／以道佐人主者，不以兵强天下／贼民之事非一，而好兵者必亡／万木霜天红烂漫，天兵怒气冲霄汉／攻人以谋不以力，用兵斗智不斗多／饥召兵，疾召兵，劳召兵，乱召兵／胜兵若以镒称铢，败兵若以铢称镒／用兵之道……心战为上，兵战为下／水之行避高而趋下，兵之形避实而击虚／兵不可玩，玩则无威；兵不可废，废则召寇／六经之治，贵于未乱；兵家之胜，贵于未战

❿古圣王有义兵而无有偃兵／众人以不必必之，故多兵／民胜其政，下畔其上则兵弱／古之圣王有义兵而无有偃兵／军未战先见败征，可谓知兵／政在于民，下附其上则兵强／头颅相属于道，不一日而无兵／君功见于选将，将功见于理兵／已信之民易治，已练之兵易使／兵未战而先见败征，此可谓知兵／佯北勿从，锐卒勿攻，饵兵勿食／天下郡国向万城，无有一城无甲兵／非其人而教之，赍盗粮、借贼兵也／伐人之国而以为欢，非仁者之兵也／打虎还得亲兄弟，上阵须教子弟兵／操吴戈兮被犀甲，车错毂兮短兵接／善为政者积其德，善用兵者畜其怒／因供寨木无桑柘，为点乡兵绝子孙／行无行，攘无臂，扔无敌，执无兵／饥召兵，疾召兵，劳召兵，乱召兵／安得壮士挽天河，净洗甲兵长不用／飒爽英姿五尺枪，曙光初照演兵场／暴师久则国用不足，此兵所以贵速也／胜兵先胜而后求战，败兵先战而后求胜／兵不刑天，兵不可动；不法地，兵不可昔／有以用兵丧其国者，欲偃天下之兵，悖。／上兵伐谋，其次伐交，其次伐兵，下政攻城／不尽知用兵之害者，则不能尽知用兵之利也／善气迎人，亲如兄弟；恶气迎人，害于兵戈／贤人观时，而不观于时；制兵，而不制于兵／爱民，害民之始也；为义偃兵，造兵之本也／为文以意为主，气为辅，以辞彩章句为之兵卫／未有主强盛而辅不飘逸者，兵卫不华赫而庄整者／八百里分麾下炙，五十弦翻塞外声。沙场秋点兵／国家无养兵之费则国富，队伍无老弱之卒则兵强

龟 ①guī 爬行动物；龟甲，古代用作货币；古代印章的纽多作龟形，因以为印章的代称；指兽类背部隆高处；[龟袋]唐时官员的一种佩袋。②jūn 通“皲”，皮肤受冻开裂。③qiū 用于地名。[龟兹]古西域城国名；古县名；唐都督府名；唐军镇名。

❶龟灵而刳，龙智而屠

见唐·刘禹锡《祭兴元李司空文》。

龟猖有介，狐貉不能擒

见汉·桓宽《盐铁论·险固》。全句为："～；蝮蛇有螫，人忌而不轻，故有备则制人，无备则制于人"。

龟龙闻而深藏、鸾凤见而高逝者，知其害身也

见汉·桓宽《盐铁论·褒贤》。全句为："香饵非不美也，～"。

❷神龟虽寿，犹有竟时；腾蛇乘雾，终为土灰

❹风樯动，龟蛇静，起宏图／入泽随龟，不暇调足；深渊捕蛟，不暇定手

❺蓍，枯草也；龟，枯骨也

❻烟雨莽苍苍，龟蛇锁大江

❽驴非驴，马非马，若龟兹王，所谓骡也

❿聚古今之精英，实治乱之龟鉴

卵 ①luǎn 雌性生殖细胞；像卵一样的东西。②kūn［卵酱］鱼子酱。

❶卵待复而为雏，茧待缫而为丝，性待教而为善

见汉·董仲舒《春秋繁露·深察名号》。

卵之化为雏，非慈雌呕暖覆伏，累日积久，则不能为雏

见汉·刘安《淮南子·泰族》。

卵之性为雏，不得良鸡覆伏孚育，积日累久，则不成为雏

见汉·韩婴《韩诗外传》卷五。

❷以卵投石，以指挠沸／若卵投石，岂可得全／石卵不敌，蛇龙不斗／见卵而求时夜，见弹而求鸮炙

❸居累卵之危，而图太山之安

❹危于累卵，难于上天／乌鸢之卵不毁，而后凤凰集／国有累卵之忧，俗有土崩之势／覆巢破卵，则凤凰不翔；刳牲夭胎，则麒麟不臻

❻安有巢毁而卵不破乎

❽覆巢之下，复有完卵乎

❿鱼处水而生，鸟据巢而卵／如下有泰山之安，则上有累卵之危

系 ①xì 有联属关系的；犹"乱"；关联；联系；拴；牵挂；犹"是"；拘禁；某些学科的分类；带子；依附。②jì 打结；系上。

❷情系于中，行形于外／子系中山狼，得志便猖狂／只系其逢，不系巧愚；不谐其须，有衔不祛

❸繁华，系累不能夺，则俗心日退、真心日进

❹扁舟不系与心同／治乱者系乎言路而已／风不可系，影不可捕／长绳难系日，自古共悲辛

❺宰相所职系天下／解铃还要系铃人／天下治乱系于用人／丰荒异政，系乎时也；夷夏殊法，牵乎俗也

❻求物之妙，如系风捕影／以一缕之任，系千钧之重／又闻理与乱，系人不系天／安得万垂杨，系教春日长。／天下之治乱，系乎人君仁与不仁耳／人家盛衰，皆系乎积善与积恶而已／只系其逢，不系巧愚；不谐其须，有衔不祛

❼情随事迁，感慨系之／性于人无不善，系其善反不善反而已

❽道者何也？虚无之系，道化之根，神明之本，天地之源

❾又闻理与乱，系人不系天／吾岂匏瓜也哉，焉能系而不食／文变染乎世情，兴废系乎时序／禄之以天下，弗顾也；系马千驷，弗视也

❿至得无私，泛泛乎若不系之舟／文章本乎作者，而哀乐系乎时／好似和针吞却线，刺人肠肚系人心／心病终须心药治，解铃还是系铃人／乐者本于声，声者发于情，情者系于政／恨不得挂长绳于青天，系此西飞之白日／内便于性，外合于义，循理而动，不系于物者，正气也／所谓诗，所谓文，实国事、世事、家事、身事、心事系焉

垂 chuí 低下；向下流；留传下去；犹言"俯"，敬词，用于上对下的动作；将近；通"陲"，边陲；靠近堂房屋檐处。

❶垂拱而天下治

见《尚书·武成》。

垂棘与瓦同椟，明月与砾同囊

见汉·王充《论衡·自纪篇》。全句为："～，苟有二宝之质，不害为世所同"。

垂秋实于谈丛，绚春花于词苑

见唐·骆宾王《上司刑太常伯启》。

垂大名于万世者，必先行之于纤微之事

见汉·陆贾《新语·慎微》。

垂髫之童，但习鼓舞，斑白之老，不识干戈

见宋·孟元老《梦华录序》。

❷血垂竭者则难益也／名垂竹帛，功标青史／事垂立而辄废，功未成而旋去／露垂泣于幽草，风含悲于拱木

❸吕望垂竿于渭涘，道峻匡周／大名垂于万世者，必先行之于纤微之事

❹苍蝇点垂棘，巧舌成锦绮／安得万垂杨，系教春日长。

❺名誉之美，垂于无穷／黄帝、尧、舜垂衣裳而天下治／道沿圣以垂文，圣因文而明道

❻千金之子不垂堂，百金之子不骑衡

❼家累千金，坐不垂堂／花木阴阴，偶过垂杨院／纵使长条似旧垂，也应攀折他人手

❽边境之臣处，则疆垂不丧／时穷节乃见，一一垂丹青／铺落花以为茵，结垂杨而代幄／伟哉横海鲸，壮矣垂天翼。一旦失风水，翻为蝼蚁食

❾上悬之无极之高，下垂之不测之渊

❿天下星河转，人间帘幕垂／无源何以成河？无根何以垂荣／猛虎不处卑势，劲鹰不立垂枝／于今腐草无萤火，终古垂杨有暮鸦／碧玉妆成一树高，万条垂下绿丝绦／蜡烛有心还惜别，替人垂泪到天明／大建厥极，绥理群生，训物垂

范，于是乎在／处颠者危，势丰者亏，颓坠之类，常在悬垂／清流触石，洄旋激注，佳木异竹，垂阴相荫／为民族解放，为阶级翻身，事业垂成，公胡遽死／世俗所患，患言事增其实，著文垂辞，辞出溢其真／坐而玩之者，可濯足于床下；卧而狎之者，可垂钓于枕上

乖

guāi 和顺；伶俐；反常；变态。

❶乖僻自是，悔误必多

见清·朱柏庐《治家格言》。

❸道或乖，胶漆不能同其异

❹揣歪，使乖，枉自把心田坏／行与义乖，言与法违，后虽无害，汝可以悔

❺和气致祥，乖气致戾／家道穷必乖……乖必有难

❻君臣争明……此乖国之风也

❾夸过其理，则名实两乖／轻细微眇之渐，必生乖忤之患／中于道则易以兴政，乖于务则难乎御物／和睦劝俭者家必隆，乖戾骄奢者家必败

❿乱世之音怨以怒，其政乖／尤虚之人硕言瑰姿，内实乖反／称其任，则政立；枉其能，则事乖／志合者不以山海为远，道乖者不以咫尺为近／小人君子，其心不同，惟乖于时，乃与天通／虽有忧勤之心，而不知致治之要，则心愈劳而事愈乖

秉

bǐng 握着；掌握；古代容量单位；通“柄”，权柄；通“禀”，禀受；姓。

❶秉德无私，参天地兮

见战国·楚·屈原《九章·桔颂》。

秉耒欢时务，解颜劝农人

见晋·陶潜《癸卯岁始春怀古田舍二首》之二。

秉纲而目自张，执本而末自从

见晋·杨泉《物理论》卷一。

❸大贤秉高鉴，公烛无私光

❻斗筲之才不秉帝王之重／老而学者，如秉烛夜行，犹贤乎瞑目而无见者也

❼乃含章之玉牒，秉文之金科矣／凡工安匠，执规秉矩，错准引绳，则巧同于人倕也

❽昼短苦夜长，何不秉烛游

❾三万六千日，夜夜当秉烛

❿居知所为，行知所之，事知所秉，动知所由／闭心自慎，终不失过兮；秉德无私，参天地兮

卑

①bēi 低下，低劣；姓；衰微。②bì 通“俾”，使。

❶卑己而尊人

见《礼记·表记》。

卑之无甚高论

见汉·班固《汉书·张释之传》。

卑损之为道大矣

见汉·严遵《道德指归论·江海篇》。全句为：“～！百害不能伤，知力不能取，不战而强，不威而武”。

卑不谋尊，疏不间亲

见汉·韩婴《韩诗外传》。

卑宫室而尽力乎沟洫

见《论语·泰伯》。

卑贱贫穷，非士之耻也

见汉·刘向《说苑·立节》。

卑让降下者，茂进之遂路也

见三国·魏·刘劭《人物志·释争》。全句为：“～。矜奋侵陵者，毁塞之险途也”。

卑躬曲己，若顺弟之奉暴兄

见北齐·魏收《魏书·李彪传》。

卑贱者最聪明，高贵者最愚蠢

见现代·毛泽东《建国以来毛泽东文稿》。

卑而言高，能言而不能行者，君子耻之矣

见汉·桓宽《盐铁论·能言》。

❷位卑未敢忘忧国／虎卑势，狸卑身／尊卑有序则上下和／位卑在下未必愚，不遇也／辞卑而益备者，进也；辞强而进驱者，退也

❸维修卑下，然后乃各得其所／礼貌卑下，言词谦恭，所谓敬也

❹天与地卑，山与泽平／得人者，卑而不可胜／修翼无卑栖，远趾不步局／尊古而卑今，学者之流也／丘山积卑而为高，江河合水而为大／业无高卑志当坚，男儿有求安得闲

❺前倨而后卑／登高必自卑／虎卑势，狸卑身／谦谦君子，卑以自牧／贫不学俭，卑不学恭／谦，尊而光，卑而不可逾／猛虎不处卑势，劲鹰不立垂枝／病学者厌卑近而骛高远，卒无成焉／贤者虽得卑位则旋而死，不贤者或至眉寿／鸷鸟将击，卑飞敛翼；猛兽将搏，弭耳俯伏

❻积薄为厚，积卑为高／尊之则为将，卑之则为虏／湿堂不洒尘，卑屋不蔽风／帝王之圣者，卑宫室，贱金玉……／周公位尊愈卑，胜敌愈惧，家富愈俭

❼立志要高，不要卑／为高者不高，为卑者不卑／贪满者多损，谦卑者多福

❽禄位尊盛，守之以卑者，贵／腐木不可以为柱，卑人不可以为主／贵高有危殆之惧，卑贱有沟壑之忧

❾贪吏不可为者，污且卑／贤人安下位，鸷鸟欲卑飞／如当亲者疏，当尊者卑……／高议而不可及，不如卑论之有功／宠位不足以尊我，而卑贱不足以卑己／穷而思达，人之情也；卑而应高，物之理也

❿丈夫不叹别，达士自安卑／为高者不高，为卑者不卑／人不忘廉耻，立身自不卑污／能薄操浊，不可保以必卑贱／不汲汲于荣名，不戚戚于

卑位／不以人之坏自成，不以人之卑自高／不以先进略后生，不以上官卑下吏／不学而废者，愧己而自卑，卑则全／功高而居之以让，势尊而守之以卑／观大者不得处近，望远者不得居卑／大山之高，非一石也，累卑然后高／太山之高，非一石也，累卑然后高／是非之所在，不可以贵贱尊卑论也／宠位不足以尊我，而卑贱不足以卑己／不大不小乃生大小，不高不卑乃生高卑／大德之人无所不容，能受垢浊，处谦卑／金以刚折，水以柔全；山以高陊，谷以卑安／贩交买名之薄，吮痈舐痔之卑，安足议其是非／搏攫抵噬之兽，其用齿角爪牙也，必托于卑微隐蔽／君子之道，辟如行远，必自迩；辟如登高，必自卑／不以人之坏自成也，不以人之卑自高也，不以遭时自利也／可与为始，可与为终，可与尊通，可与卑穷者，其唯信乎

质 zhì 物质；事物的根本属性；朴实；质疑；责问；抵押；作抵押的人和物，典当；实，诚信；箭靶；通"诘"，询问，质正；古海峡名；姓。

❶质胜文则野，文胜质则史。文质彬彬，然后君子

见《论语·雍也》。

❷气质、神韵，末也／文质彬彬，然后君子／羊质虎皮，见豺则恐／气质之病小，心术之病大／文质修者谓之君子，有质而无文谓之易野／羊质而虎皮，见草而悦，见豺而战，忘其皮之虎矣／气质偏驳者，欲使私欲不能引染，如之何？惟在明明德而已

❸世之质文，随教而变／器具质而洁，瓦缶胜金玉／其辞质而径，欲见之者易谕也／闻瑶质兮可变，知余采兮易夺……

❹凡人之质，量中和最贵矣／文繁者质荒，木胜者人亡／内无其质，而外学其文……／虽有美质，不学则不成君子／观人察质，必先察其平淡，而后求其聪明／真伪有质矣，而趋舍舛忏，故两心不相为谋焉／礼者贱质而贵文，故正直日以少，邪乱日以生／中和之质，必平淡无味，故能调成五材变化应节／斟酌乎质文之间，而隐括乎雅俗之际，可与言通变矣

❺信不由中，质无益也／辩而不华，质而不野／贞刚自有质，玉石乃非坚／形者神之质，神者形之用／自有凌冬质，能守岁寒心／文有余而质不足则流，才有余而雅不足则荡

❻矜粪丸而拟质随珠／利丰者害厚，质美者召灾／学贵变化气质，岂为猎章句、干利禄哉／含元一以为质，禀阴阳以立性，体五行而著形

❼青采出于蓝，而质青于蓝者，教使然也／事有古而可以质于今，言有大而可以征于小／本之《书》以求其质……本之《易》以求其动／读书不独变气质，且能养精神，盖理义收摄故也

❽习俗移志，安久移质／占往知来，不如朴质／侈言无验不必用，质言当理不必违／质胜文则野，文胜质则史。文质彬彬，然后君子／建安诗辩而不华，质而不俚，风调高雅，格力遒壮

❾枳棘之林，无梁柱之质／冰炭不言，而冷热之质自明／白玉不雕，美珠不文，质有余也／冰炭不言，而冷势之质自明者，以其有实也

❿深沉厚道是第一等资质／磊落豪雄是第二等资质／聪明才辨是第三等资质／被褐而丧珠，失皮而露质／大略如行云流水，初无定质／玉以洁润，丹紫莫能渝其质／人与虫一也，所以异者形质尔／物之待饰而后行者，其质不美也／巧辩纵横而可喜，忠言质朴而多讷／虎豹无文，则鞟同犬羊……质待文也／文质修者谓之君子，有质而无文谓之易野／蒲柳之姿，望秋而落；松柏之质，经霜弥茂／春发其华，秋收其实，有始有极，爰登其质／石生而坚，兰生而芳，少自其质，长而愈明／水性虚而沦漪结，木体实而花萼振，文附质也／爱善疾恶，人情所常，苟不明质，或疏善善非／质胜文则野，文胜质则史。文质彬彬，然后君子／（文章）不难于细而难于粗，不难于华而难于质／恬淡、寂寞、虚无、无为，此天地之本而道德之质也／非情、才无以见性，非气质无所为情、才，即无所为性也

周 zhōu 周到；完备；循环；普遍；全面；周围；圈子；环绕；时间的一轮；通"赒"，接济；隅曲，角落；至，最；朝代名；姓。

❶周公吐哺，天下归心

见三国·魏·曹操《短歌行》之二。

周诰殷盘，佶屈聱牙

见唐·韩愈《进学解》。

周虽旧邦，其命维新

见《诗·大雅·文王》。

周道如砥，其直如矢

见《诗·小雅·大东》。

周公不求备，四友不相兼

见汉·王符《潜夫论·实贡》。

周听则不蔽，稽验则不惶

见汉·贾谊《新书·道术》。

周乎志者，穷踬不能变其操

见唐·柳宗元《送元秀才下第东归序》。全句为："～；周乎艺者，屈抑不能贬其名"。

周乎艺者，屈抑不能贬其名

见唐·柳宗元《送元秀才下第东归序》。全句为："周乎志者，穷踬不能变其操；～"。

周云成康，汉言文景，美矣

见汉·班固《汉书·景帝纪》。

周而复始无休息，官租未了私租逼

见宋·柳永《煮海歌》。

周公恐惧流言日，王莽谦恭未篡时
见唐·白居易《放言》之三。
周公位尊愈卑，胜敌愈惧，家富愈俭
见汉·刘向《说苑·反质》。
周道衰于幽厉，非道亡也，幽厉不繇也
见汉·董仲舒《天人三策》。
周于利者凶年不能杀，周于德者邪世不能乱
见《孟子·尽心下》。

❷能周小事，然后能成大事／备周则意怠，常见则不疑／殷周之前，其文简而野……／知周乎万物，而道济天下，故不过

❸君子周急不继富／欲得周郎顾，时时误拂弦／一部《周记》，理财居其半／下比周则上危，下分争则上安／动容周旋中礼者，盛德之至也／君子周而不比，小人比而不周／不知周之梦为蝴蝶与，蝴蝶之梦为周与／如有周公之材之美，使骄且吝，其馀不足观也已

❹侯服于周，天命靡常／举人之周也，与人之壹也／朋党比周之誉，君子不听／昔者庄周梦为胡蝶，栩栩然胡蝶也／凡道必周必密，必宽必舒，必坚必固

❺俯镜八川，周睇万里／凡谋之道，周密为宝／待士之意周，取人之道广／谋莫难于周密，说莫难于悉听／东风不与周郎便，铜雀春深锁二乔／仁常而不周，廉洁而不信，勇忮而不成／居逆境中，周身皆针砭药石，砥节砺行而不觉

❻不必法古，苟周于事／文王拘而演《周易》／今虽不能如周公吐哺握发……／诚使博如庄周，哀如屈原……／责己也重以周，待人也轻以约／何方圆之能周兮，夫孰异道而相安／虞夏以文，殷周以武，异时各有所施

❼人之好我，示我周行／其责己也重以周，其待人也轻以约／贵名不可以比周争也……不可以势重胁也／树恩布德，易以周洽，其犹顺惊风而飞鸿毛也

❽交游之人，誉不三周，未必信

❾能用度外人，然后能周天下／山不厌高，海不厌深；周公吐哺，天下归心

❿吕望垂竿于渭涘，道峻匡周／君子周而不比，小人比而不周／智之极者，知智果不足以周物，故愚／不知周之梦为蝴蝶与，蝴蝶之梦为周与／行货赂，趣势门，立私废公，比周而取容／周于利者凶年不能杀，周于德者邪世不能乱／乡者已去，至者乃新，新故不翏，我有所周／士穷见节义，世乱识忠臣，欲学者必周于德／苟利于民，不必法古；苟周于事，不必循旧／采采卷耳，不盈顷筐。嗟我怀人，置彼周行／古之君子，其责己也重以周，其待人也轻以约／韩愈辟佛，几至杀身，况敢议今世之尧、舜、周、孔者乎／奋六世之遗烈，振长策而御宇内，吞二周而亡诸侯，履至尊而制六合

拜

bài 礼仪；尊崇，倾倒；以礼会见；表示祝贺或敬意；通"拔"；植物名。

❶拜迎官长心欲碎，鞭挞黎庶令人悲
见唐·高适《封丘作》。

❷朝拜而不道，夕斥之矣

❺闻善言则拜，告有过则喜

❼瞰其亡也，而往拜之

❿未曾灭项兴刘，先见筑坛拜将／子路人告之以有过则喜，禹闻善则拜／缚草为形，实之腐肉，教之拜起，以充满朝市／子思以为鼎肉使己仆仆尔亟拜也，非养君子之道也

重

①chóng 再次；重复；层；牵连；怀孕；古代丧礼之物。②zhòng 分量；分量大；程度深；价值高；要紧；重视；庄重；崇尚；难；增益；姓；通"湩"，乳汁；鼓声。③tóng 通"穜"，先种后熟的农作物。

❶重友者交时极难，看得难以故转重
见明·陈继儒《小窗幽记》。全句为："～；轻友者交时极易，看得易以故转轻"。
重云蔽天，江湖黯然；游鱼茫然……
见《关尹子·一宇》。全句为："～，忽望波明食动，幸赐于天，即而就之，鱼钓毙焉"。

❷凡重外者拙内／负重者患途远／樵重身羸如疲鳖／币重而言甘，诱我也／任重才轻，故多阙漏／任重道远，死而后已／身重天地，物轻鸿毛／任重者其忧不可以不深／任重道远者，不择地而息／令重于宝，社稷先于亲戚／负重道远者，不择地而休／法重于民，威权贵于爵禄／慎重则必成，轻发则多败／慎重者，始若怯，终必勇／权重持难久，位高势易穷／貌重则有威，好重则有观／言重则有法，行重则有德／露重飞难进，风多响易沉／穿重云而下射，白龙倒饮于平湖／名重则于实难副，论高则与世常疏／山重水复疑无路，柳暗花明又一村／怀重宝者不以夜行，任大功者不以轻敌／赏重而信，罚痛而必，群臣畏劝，竞思其职

❸卷土重来未可知／贵轻重，慎权衡／侧目重足，不寒而栗／覆车重寻，宁无摧折／食不重肉，妾不衣帛／食不重味，衣不重采／任不重，无以知人之才／务持重，不急近功小利／任不重，则无以知人之德／从官重恭慎，立身贵廉明／花有重开日，人无再少年／待到重阳日，还来就菊花／流离重流离，忍冻复忍饥／轻者重之端，小者大之源／不自重者致辱，不自畏者招祸／今日重来应抵掌，十年分付未逢人／轻目重耳之过，此亦学者之一病也／凡权重者必谨于事，令行者必谨于言／大臣重禄而不极谏，近臣畏罚而不敢言／众人重利，廉士重名；贤人尚志，圣人贵精／安土重迁，黎民之性；骨肉相附，

人情所愿／罪至重而刑至轻，庸人不知恶矣，乱莫大焉

❹贤者诚重其死／为学莫重于尊师／君子不重则不威／一言之重，侔于千金／为人者重，自为者轻／云山万重，寸心千里／人命至重，难生易杀／治则刑重，乱则刑轻／贫富轻重皆有称者也／牛能任重，马有报德／爵以货重，才由贫轻／鼎之轻重，未可问也／安舒沈重者，患在后世／不为近重施，不为远遗恩／正言斯重，元珠比而尚轻／罚莫如重而必，使民畏之／盛年不重来，一日难再晨／令天下重足而立，侧目而视矣／责己也重以周，待人也轻以约／病困乃重良医，世乱而贵忠贞／贤者任重而行恭，知者功大而词顺／民安土重迁，不可卒变。易以顺行，难以逆动

❺治乱世，用重典／大尾小头，重不可摇／悬千钧之重于木之一枝／才微而任重，功薄而赏厚／百金孰为重，一诺良匪轻／择福莫若重，择祸莫若轻／君门以九重，道远河无津／忧国唯知重，谋身只觉轻／结交一言重，相期千里至／桥上山万重，桥下水千里／此生泰山重，勿作鸿毛遗／此物何足重，但感别经时／赠人以言，重于金石珠玉／物轻人意重，千里送鹅毛／舟大者任重，马骏者远驰／内疾之害重于太山而莫之避／直言不避重诛者，国之福也／行高人自重，不必其貌之高／御寒莫若重裘，止谤莫如自修／救寒莫如重裘，止谤莫如自修／信而又信，重袭于身，乃通于天／我劝天公重抖擞，不拘一格降人材／其责己也重以周，其待人也轻以约／士者，国之重器；得士则重，失士则轻／官职可以重求，爵禄可以货得者，可亡也／忠臣不避重诛以直谏，则事无遗策，功流万世／称牛之服重，不誉马速，誉手毁足，孰谓之慧／两高不可重，两大不可容，两贵不可双，两势不可同

❻人心恶假贵重真／满城风雨近重阳／驽牛可以负重致远／物贵尺璧，我重寸阴／赏厚而利，刑重而威必／曲木恶直绳，重罚恶明证／久有凌云志，重上井冈山／何时一樽酒，重与细论文／当念贫时交，重勿弃如土／轻生本为国，重气不关私／贱者虽自贱，重之若千钧／香饵引泉鱼，重币购勇士／何况性命之重，乃以博财物耶／人疲由乎税重，税重由乎军兴／谈物产也，则重谷帛而贱珍奇／富贵未必可重，贫贱未必可轻／当杀而虽贵重，必杀之，是刑上究也／将欲毁之，必重累之；将欲踣之，必高举之／和氏之璧，价重千金，然以之间纺，曾不如瓦砖／权，然后知轻重；度，然后知长短。物皆然，心为甚

❼君子贵建本而重立始／衣不兼采，食不重味／食不重味，衣不重采／食不二味，居不重席／风云突变，军阀重开战／忠至者辞笃，爱重者言深／貌重则有威，好重则有观／言重则有法，行重则有德／申生在内而危，重耳居外而安／奇才总于文武，重任归于将相／澄明远水生光，重迭暮山耸翠／可死而不死，是重其死，非忠也／敌军围困万千重，我自岿然不动／忠不暴君，智不重恶，勇不逃死／欧阳当日文名重，更要推敲畏后生／不贵尺之璧，而重寸之阴，时难得而易失也／众人重利，廉士重名；贤人尚志，圣人贵精／层台耸翠，上出重霄，飞阁流丹，下临无地／服罪输情者虽重必释，游辞巧饰者虽轻必戮／富贵之家，禄位重叠，犹再实之木，其本必伤／背法而治，此任重道远而无马牛，济大川而无舡楫也

❽大丈夫以信义为重／举足左右，便有轻重／峡水千里，巴山万重／罪疑惟轻，功疑惟重／国之将兴，尊师而重傅／国将兴，必贵师而重傅／嫁女择佳婿，毋索重聘／天意怜芳草，人间重晚晴／男儿爱后妇，女子重前夫／地若无山川，何人重平道／季布无二诺，侯嬴重一言／身轻于鸿毛，而谤重于泰山／人情厌故而喜新，重难而轻易／人疲由乎税重，税重由乎军兴／今王公贵人，处于重屋之下……／大丈夫见善明，则重名节如泰山／赏罚者，不在于必重而在于必行／不厚其栋，不能任重。重莫如国，栋莫如德／权之所在，虽疏必重；势之所去，虽亲必轻／二好均平，无分轻重，则一俯一仰，乍进乍退／仁以为己任，不亦重乎！死而后已，不亦远乎／清轻者上为天，浊重者下为地，冲和气者为人／人有明珠，莫不贵重，若以弹雀，岂非可惜？况人之性命甚于明珠

❾令有缓急，故物有轻重／治国者，必以奉法为重／政无大小，以得人为重／有善心之民，畏法自重／勿言一樽酒，明日难重持／勇者不逃死，智者不重困／覆水不可收，行云难重寻／鞭策之所用，道远任重也／良马难乘，然可以任重致远／民足则怀安，安则自重而畏法／士不可以不弘毅，任重而道远／国者，天下之大器也，重任也／论先后，知为先；论轻重，行为重／遂令天下父母心，不重生男重生女／民者，国之根也，诚宜重其食，爱其命／芳饵之下必有悬鱼，重赏之下必有死夫／清阳者薄靡而为天，重浊者凝滞而为地／威严不足以易于位，重利不足以变其心／不厚其栋，不能任重。重莫如国，栋莫如德／贵远贱近，人之常情；重耳轻目，俗之恒蔽／香饵之下，必有悬鱼；重赏之下，必有死夫／古之君子，其责己也重以周，其待人也轻以约／圣人不贵尺之璧，而重寸之阴，时难得而易失也

❿斗筲之才不秉帝王之重／以一缕之任，系千钧之重／力胜其任，则举之者不重／功盛者赏

显，罪多者罚重／爵高者忧深，禄厚者责重／五谷者万民之命，国之重宝／为之权衡，以信天下之轻重／人生易老天难老，岁岁重阳／人性虽同，禀气不能无偏重／吾心如秤，不能为人作轻重／衡诚具矣，则不可欺以轻重／任人而不任法，则法简而人重／孰知养之之优，盖由责之之重／怀文武之才者，必荷社稷之重／天下有事，则匹夫之言重于泰山／一生所遇唯元白，天下无人重布衣／不能自胜而强弗从者，此之谓重伤／重友者交时极难，看得难以故转重／论先后，知为先；论轻重，行为重／附赢以升高而枯，蝜蝂以任重而蹶／薄富贵而厚于书，轻死生而重于画／峻极巍峨势望雄，层峦迭嶂翠重重／激而发之欲其清，固而存之欲其重／安身莫尚乎存正，存正莫重乎无私／遂令天下父母心，不重生男重生女／染习轻者其悟速，染习重者其悟迟／赏不隆则善不劝，罚不重则恶不惩／新进之士喜勇锐，老成之人多持重／自古驱民在信诚，一言为重百金轻／世混浊而不清，蝉翼为重，千钧为轻／余将董道而不豫兮，固将重昏而终身／毛先生一至楚，而使赵重于九鼎大吕／凡为天下国家，当爱惜名器，谨重刑罚／士者，国之重器；得士则重，失士则轻／志意修则骄富贵矣，道义重则轻王公矣／大抵能立于一世，必有取重于一世之术／赏厚可令廉士动心，罚重可令凶人丧魄／私心胜者可以灭公，为己重者不知利物／登峻者戒在于穷高，济深者祸生于舟重／君子于细事，未必可观，而材德足以重任／贵名不可以比周争也……不可以势重胁也／苦身为善者，其赏厚；苦身为非者，其罪重／小人智浅而谋大，羸弱而任重，故中道而废／崖谷峻隘，十里百折，负重而上，若蹈利刃／崇门丰室，洞户连房，飞馆生风，重楼起雾／骥一日千里，车轻也，以重载，则不能数里／日薄西山，余光横照，紫翠重叠，不可殚数／福轻乎羽，莫之知载；祸重乎地，莫之知避／谷足食多，礼义之心生；礼丰义重，平安之基立／德薄而位尊，知小而谋大，力小而任重，鲜不及矣／一令蔓草难锄，涓流泛酌，岂直疥痒轻疴，容为重患／天下至大器也，帝王至重位也，得士则靖，失士则乱／天地相对，日月相刿，山川相流，轻重相浮，阴阳相续／礼之于正国家也，如权衡之于轻重也，如绳墨之于曲直也／君子所甚惧者，以申、韩之酷政，文饰儒术，而重毒天下也／今世之人居高官尊爵者，皆重失之，见利轻亡其身，岂不惑哉／国有三军何？所以戒非常，伐无道，尊宗庙，重社稷，安不忘危也

复 fù反复；回答；还原；报复；免除徭役；古代丧礼中的招魂活动；通“覆”，累土为室；再、又；六十四卦之一；姓。

❶复，德之本也

见《周易·系辞下》。

复其性者贤人，循之而不已者也，不已则能归其源矣

见唐·李翱《复性书上》。

❷不复知人间有羞耻事／正复为奇，善复为妖

❸克己复礼为仁／死者复生，生者不愧／一生复能几，倏如流电惊／生当复来归，死当长相思／驱东复驱西，弃却锄与犁／明日复明日，明日何其多／雨后复斜阳，关山阵阵苍／雕琢复朴，块然独以其形立／明日复明日，明日何其多……／周而复始无休息，官租未了私租逼／臭腐复化为神奇，神奇复化为臭腐／卵待复而为雏，茧待缫而为丝，性待教而为善／化者，复归于无形也；不化者，与天地俱生也

❹妾发初复额……／观乎往复，稽中定务／形全精复，与天为一／世途旦复旦，人情玄又玄／胜事谁复论，丑声日已播／能知反复之道者，可以居兆民之职／山重水复疑无路，柳暗花明又一村／有生则复于不生，有形则复于无形／威不能复制民，民不能堪其威，则上下大溃矣

❺至治之极复后王／杜门忧国复忧民／大天之内，复有小天／既雕且琢，复归于朴／覆巢之下，复有完卵乎／亭临大江，复在山上……／城有时而复，陵有时而迁／死马无所复用，而燕昭宝之／为其后可复者也，则事寡败矣／往者不可复兮，冀来今之可望／寓形宇内复几时，曷不委心任去留／如此如此复如此，壮心死尽生鬓丝

❻忧患已空无复痛／未能免俗，聊复尔尔／正不容邪，邪复妒正／正复为奇，善复为妖／即事名篇，无复依傍／故知知一，则复归于朴／久在樊笼里，复得返自然／后之视今，岂复今时之会／愧斯娇，娇斯复，复斯善／学识英博，非复吴下阿蒙／过在改而不复为，功惟立而不中倦

❼不尽天极，衰者复昌／谋臧不从，不臧复用／蝇营狗苟，驱去复还／今美于昨，明日复胜于今／凡物无成与毁，复通为一／应尽便须尽，无复独多虑／愧斯娇，娇斯复，复斯善／战死士所有，耻复守妻孥／豺狼横道，不宜复问狐狸／不虑前事之失，复循覆车之轨／人情旦暮有翻复，平地倏忽成山谿／罚一惩百，谁敢复言者？民有饮恨而已矣／天地车轮，终则复始，极则复反，莫不咸当

❽万物并作，吾以观复／无平不陂，无往不复／塞水不自其源，必复流／轩冕失之，有时而复来／灭祸不自其基，必复乱／丈夫誓许国，愤惋复何有／百川东到海，何时复西归／俯仰终宇宙，不乐复何如／流离重流离，忍冻复忍饥／朝与仁义生，夕死复何求／万物虽并动作，卒复归于

虚静／盛唐而学汉魏，岂复有盛唐之诗／秦汉而学六经，岂复有秦汉之文／善人为妖，是非反复，天下大迷而不复也

❾侧足无行径，荒畴不复田／人生感意气，功名谁复论／子孙日已长，世世还复然／人苦不知足；既平陇，复望蜀／腐臭化为神奇，神奇复化为腐臭／理国执无为之道，民复朴而还淳／吾斯役之不幸，未若复吾赋不幸之甚也／长桥卧波，未云何龙？复道行空，不霁何虹

❿举一隅不以三隅反，则不复也／多才而自用，虽有贤者无所复施／聊乘化以归尽，乐夫天命复奚疑／天生我材必有用，千金散尽还复来／无求无设则无虑，无虑则反复虚矣／偏讶思君无限极，欲罢欲忘还复忆／今年花落颜色改，明年花开复谁在／懊恨人心不如石，少时东去复西来／经济文章磨白昼，幽光狂慧复中宵／臭腐复化为神奇，神奇复化为臭腐／有生则复于不生，有形则复于无形／干泽而渔，得鱼虽多，而明年无复也／诤臣必谏其渐，及其满盈，无所复谏／小人如恶草也，不种而生，去之复蕃／风萧萧兮易水寒，壮士一去兮不复还／焚林而田，得兽虽多，而明年无复也／发号施令，若汗出于体，一出而不复也／既不能流芳后世，亦不足复遗臭万载邪／君不见黄河之水天上来，奔流到海不复回／善人为妖，是非反复，天下大迷而不复也／一日万机，一人听断，虽复忧劳，安能尽善／天地车轮，终则复始，极则复反，莫不咸当／后人哀之而不鉴之，亦使后人而复哀后人也／书以言事，行上行下，平行往复，统谓之书／迷涂知反，往哲是与。不远而复，先典攸高／不愤不启，不悱不发。举一隅不以三隅反，则不复也／为一书，务富文采，不顾事实……是犹用文锦复陷阱也／贤者之兴，而愚者之废，废而复之为是，循而习之为非／有起于虚，动起于静。故万物虽并动作，卒复归于虚静／使六国各爱其人，则足以拒秦；使秦复爱六国之人，则递三世可至万世而为君，谁得而族灭也

禹 yǔ 传说中古代部落联盟首领；虫名；姓。

❶禹之裸国，裸人衣出

见《吕氏春秋·慎大览·贵因》。

禹之治天下，使民心变

见《庄子·天运》。该篇中讲了黄帝、尧、舜、禹的治天下方针，主要为："黄帝之治天下，使民心一；尧之治天下，使民心亲；舜之治天下，使民心竞；禹之治天下，使民心变"。

禹抑洪水十三年，过家不入门

见汉·司马迁《史记·河渠书》。

禹汤罪己，其兴也悖焉；桀纣罪人，其亡也忽焉

见《左传·庄公十一年》。

❷大禹圣人，乃惜寸阴，众人当惜分阴／大禹圣人，乃惜寸阴，至于众人，当惜分阴／大禹圣人，犹惜寸阴，至于凡俗，当惜分阴

❼途之人可以为禹／尧之都，舜之壤，禹之封

❿以修身自强，则名配尧禹／尧能则天者，贵其能臣舜、禹二圣／子路人告之以有过则喜，禹闻善则拜／尧以不得舜为己忧，舜以不得禹、皋陶为己忧

乘 ①chéng 骑；坐，驾；趁，因；追逐；利用；数学上求积的方法；佛教教义；欺凌；战胜；防守；计算；姓。②shèng 古时对史书的通称；量词，古时称四匹马拉的车为一乘；古时计物以四计之称。[乘黄]四匹黄色的马。

❶乘长风破万里浪

见南朝·梁·沈约《宋书·宗悫传》。

乘肥马，衣轻裘

见《论语·雍也》。

乘风振奋出六合

见唐·韩愈《忽忽》。全句为："安得长翮大翼如云生我身，～"。

乘人之危，非仁也

见南朝·宋·范晔《后汉书·盖勋传》。

乘人之约，非仁也

见《左传·定公四年》。

乘兴而行，兴尽而返

见南朝·宋·刘义庆《世说新语·任诞》。

乘兴说话，最难检点

见清·申居郧《西岩赘语》。

乘时蹈机，祸不旋踵

见唐·刘禹锡《唐故邠宁节度使史公神道碑》。

乘众人之智，则无不任也

见汉·刘安《淮南子·主术》。

乘车必护轮，治国必爱民

见汉·冯衍《车铭》。全句为："～；车无轮安处，国无民谁与"。

乘骥而御之，不倦而取道多

见《战国策·赵策三》。全句为："并骥而走者，五里而罢；～"。

乘舟楫者，不能游而绝江海

见汉·刘安《淮南子·主术》。全句为："假舆马者，足不劳而致千里；～"。

乘众人之制者，则天下不足有

见汉·刘安《淮南子·主术》。全句为："任一人之力者，则乌获不足恃；～"。

乘渍水以胶船，驭奔驹以朽索

见北周·庾信《哀江南赋》。

乘隙插足，扼其主机，渐之进也

见《三十六计·反客为主》。

乘骐骥以驰骋兮，来吾道夫先路

见战国·楚·屈原《离骚》。

乘所欲为，易于反掌，安于泰山

见汉·枚乘《上书谏吴王》。

乘理虽死而非亡，违义虽生而非存

见汉·赵壹《刺世疾邪赋》。

乘木则朽木青黄，失势则田何粪土

见明·黄宗羲《广师说》。"田何"，西汉人名。

乘时投隙非谓才，苟得未必为汝福

见宋·陆游《雀啄粟》。

乘国者，其如乘航乎！航安，则人斯安矣

见汉·扬雄《法言·寡见》。

乘人之车者载人之患，衣人之衣者忧人之忧

见汉·司马迁《史记·淮阴侯列传》。全句为："～，食人之食者死人之事"。

乘其名者，泽及宗族，利兼乡党，况子孙乎

见《列子·杨朱》。全句为："名乃苦其身，燋其心。～"

乘不测之舟，入无人之地，以相从问文章为事

见唐·韩愈《答窦秀才书》。

❷不乘人于利，不迫人于险／聊乘化以归尽，乐夫天命复奚疑／千乘之国，弑其君者，必百乘之家

❸我欲乘风去，击楫誓中流／抱玉乘龙骥，不逢乐与和／袭爵乘位，尊祖统业者易／历险乘危，则骐骥不如狐狸／不可乘喜而多言，不可乘快而易事／不可乘喜而轻诺，不可因醉而生嗔／不可乘快而多事，不可因倦而鲜终／不知乘月几人归，落月摇情满江树／有以乘舟死者，欲禁天下之船，悖／据千乘之国，而信谗佞之计，未有不亡者／历危乘险，匪杖不行，车耆力竭，匪杖不强／道千乘之国，敬事而信，节用而爱人，使民以时

❹道不行，乘桴浮于海／驽骞之乘不骋千里之途／良马难乘，然可以任重致远／昔人已乘黄鹤去，此地空余黄鹤楼／仁者不乘危以邀利，智者不侥幸以成功

❻无食反鱼，勿乘驽马／凡为文章，犹乘骐骥……／蹈海之节，千乘莫移其情／乘国者，其如乘航乎！航安，则人斯安矣／善举事者若乘舟而悲歌，一人唱而千人和／方车而蹠越，乘桴而入胡，欲无穷，不可得也／兵之情主速，乘人之不及，由不虞之道，攻其所不戒

❼致远道者托于乘，欲霸王者托于贤／舐痔者得车五乘，所治愈下，得车愈多／虽有智慧，不如乘势；虽有镃基，不如待时／腾蛇游雾，飞龙乘云，云罢雾霁，与蚯蚓同

❽一念放恣，则百邪乘衅／舟在江海，不为莫乘而不浮／违强陵弱，非勇也；乘人之约，非仁也／晞骥之马，亦骥之乘，晞颜之人，亦颜之徒

❾天地成于元气，万物乘于天地／凡用兵者，攻坚则轫，乘瑕则神／广仁益智，莫善于问；乘事演道，莫善于对

❿不可乘喜而多言，不可乘快而易事／千乘之国，弑其君者，必百乘之家／飞蓬遇飘风而行千里，乘风之势也／游江海者托于船，致远道者托于乘／塞一蚁孔而河决息，施一车辖而覆乘止／吾恒恶世之人不知推己之本，而乘物以逞／谗不自来，因疑而来；间不自入，乘隙而入／造父疾趋，百步而废；自托乘舆，坐致千里／神龟虽寿，犹有竟时；腾蛇乘雾，终为土灰／虎兕相据而蝼蚁得志，两敌相机而匹夫乘间／君子以争途之不可由也，是以越俗乘高，独行于三等之上／不仁之人骋其私智，可以盗千乘之国，而不可以得丘民之心

弑

shì 封建时代称臣杀君、子杀父母为"弑"。

❺千乘之国，弑其君者，必百乘之家

❾闻诛一夫纣矣，未闻弑君也

舞

wǔ 舞蹈；挥动；摆弄；跳舞；鼓舞；钟体的顶部。

❶舞落银蟾不肯归

见宋·姜夔《灯词》之一。

舞笔飞墨，应节而成

见唐·颜真卿《浪迹先生元真子张志和碑铭》。

舞罢青蛾同去国，战残白骨尚盈丘

见宋·郭祥正《凤凰台次李太白韵》。

❷鼓舞其心，发泄其用／起舞弄清影，何似在人间／醉舞下山去，明月逐人归／恒舞于宫，酣歌于室，时谓巫风／山舞银蛇，原驰蜡象，欲与天公试比高

❸刑天舞干戚，猛志固常在

❹长袖善舞，多钱善贾

❺歌以咏言，舞以尽意／不知手之舞之、足之蹈之／蹁跹霞袖舞，潋滟羽觞飞／项庄拔剑舞，其意常在沛公

❻千古风流歌舞地，六朝兴废帝王州

❽衰草枯杨，曾为歌舞场／垂髫之童，但习鼓舞，斑白之老，不识干戈／敌存而惧，敌去而舞；废备自盈，只益为痛／孔子谓季氏："八佾舞于庭，是可忍也，孰不可忍也？"

❾昔有佳人公孙氏，一舞剑气动四方／歌台暖响，春光融融；舞殿冷袖，风雨凄凄

❿裁此百日功，唯将一朝舞／长夜难明赤县天，百年魔怪舞翩跹／但得官清吏不横，即是村中歌舞时／宁可抱香枝上老，不随黄叶舞秋风／战士军前半死生，美人帐下犹歌舞／赤橙黄绿青蓝紫，谁持彩练当空舞／诗言其志也，歌咏其声也，舞动其容也／嗟叹之不足，不知手之舞之

足之蹈之也／寂寞嫦娥舒广袖，万里长空且为忠魂舞／永歌之不足，不知手之舞之，足之蹈之／永歌之不足，不知手之舞之，足之蹈之也／气之动物，物之感人，故摇荡性情，形诸舞咏／孔子曰："吾闻之，古之善御者，执辔如组，两骖如舞，非策之助也"。

疑 ①yí 不能确定；不能断定的；疑忌；令人迷惑；通"拟"，比拟。②níng 安定，止息。

❶疑则勿用，用则勿疑

见宋·陈亮《论开诚之道》。

疑似之迹，不可不察

见《吕氏春秋·慎行论·疑似》。

疑行无名，疑事无功

见汉·司马迁《史记·商君列传》。

疑行无成，疑事无功

见《商君书·更法》。

疑皆响答，问必实归

见唐·韩愈《祭裴太常文》。

疑人轻己者，皆内不足

见明·薛瑄《读书录》。

疑道不可由，疑事不可行

见南朝·宋·范晔《后汉书·范升传》。

疑心动于中，则视听惑于外

见宋·欧阳修《论台谏官言事未蒙听允书》。

疑而问，问而辩，问辩之道也

见宋·苏洵《太玄论上》。

疑今者察之古，不知来者视之往

见《管子·形势》。

疑人者为人所疑，防人者为人所防

见五代·南唐·谭峭《化书卷三·黄雀》。

疑人者，人未必皆诈，己则先诈矣

见明·洪应明《菜根谭·前集百六十二》。

❷不疑而天下自信／大疑之下必有大悟／不疑于物，物亦诚焉／蓄疑败谋，怠忽荒政／罪疑惟轻，功疑惟重／赏疑从与，所以广恩也／罚疑从去，所以慎刑也／位疑则隙生，累近则丧大／人疑天上坐，鱼似镜中悬／又疑瑶台镜，飞在青云端／迟疑不断，未有能成事者也／贫疑陋巷春偏少，贵想豪家月最明

❸白骨疑象，武夫类玉／上无疑令，则众不二听／非俊疑杰兮，固庸态也／动无疑事，则众不二志／三人疑之，则慈母不能信／于不疑处有疑，方是进矣／与多疑人共事，事必不成／信因疑而立，信胜则疑忘／决狐疑者，必告逆耳之言／山明疑有雪，岸白不关沙／孝子疑于屡至，市虎成于三夫／理有疑误而成过，事有形似而类真／学匪疑不明，而疑恶乎凿，疑而能辨，斯为善学

❹任贤无疑，求士不倦／信而见疑，忠而被谤／避慊远疑，救不得人／用人无疑，唯才所宜／人必先疑也，而后谗入之／多闻阙疑，慎言其余，则寡尤／义理有疑，则濯去旧见，以来新意／喜怒相疑，愚知相欺，善否相非，诞信相讥

❺得失不能疑其志／不能则学，疑则问／疑行无名，疑事无功／疑行无成，疑事无功／博学多识，疑则思问／危者易倾，疑者易化／欲人无己疑，不能也／为学患无疑，疑则有进／信信，信也；疑疑，亦信也／俯仰留连，疑是湖中别有天／莫过乎所疑，而过于其所不疑／辩之不早，疑盛乃动，故必战／山重水复疑无路，柳暗花明又一村／不知而不疑，异于己而不非者，公于求善也

❻学者先要会疑／力分者弱，心疑者背／溢美之言，置疑于人／罪疑惟轻，功疑惟重／为学患无疑，疑则有进／于不疑处有疑，方是进矣／疑道不可由，疑事不可行／奇文共欣赏，疑义相与析／拂墙花影动，疑是玉人来／床前明月光，疑是地上霜／信信，信也；疑疑，亦信也／非学无以致疑，非问无以广识／以夷坦去群疑，以礼让汰惨急／网开三面，危疑者许以自新用／智莫大于阙疑，行莫大于无悔／谗不自来，因疑而来；间不自入，乘隙而入

❼疑人者为人所疑，防人者为人所防／学匪疑不明，而疑恶乎凿，疑而能辨，斯为善学

❽百乱之源，皆出嫌疑／疑则勿用，用则勿疑／直木先伐，全璧受疑／贞不自炫，用不见疑／任人之道，要在不疑／任贤勿贰，去邪勿疑／大凡读书，不能无疑／衙斋卧听萧萧竹，疑是民间疾苦声

❾信因疑而立，信胜则疑忘／君子防未然，不处嫌疑间／迎春故早发，独自不疑寒／水吞三楚白，山接九疑青／无谋人之心而令人疑之，殆／利则行之，害则舍之，疑则少尝之／蛱蝶飞来过墙去，却疑春色在邻家／使为恶者不得幸免，疑似者有所辨明／傲人不如者，必浅人；疑人不肖者，必小人

❿上贵见肝胆，下贵不相疑／无名困蝼蚁，有名世所疑／至白涅不缁，至交淡不疑／器满才难御，功高主自疑／备周则意怠，常见则不疑／结发为夫妻，恩爱两不疑／途殊别务者，虽忠告而见疑／上不得不恶下，下不得不疑上／莫过乎所疑，而过于其所不疑／善战者，见利不失，遇时不疑／情有忠伪，信其忠则不疑其伪／察消长之往来，辨利害于疑似／物以不知而轻，味以无比而疑／上不敬，则下慢；不信，则下疑／至世之衰，父子相图，兄弟相疑／染鹭之毛而指为鸦，则虽愚必疑／聊乘化以归尽，乐夫天命复奚疑／精良畏慎，善在恭谨，失在多疑／豫者图患于未然，犹者致疑于已是／按善恶见闻之实，断

是非去取之疑／鹰不试则巧拙惑，马不试则良驽疑／心暗则照有不通，至察则多疑于物／当以执两以兼听，而不以狐疑为兼听／君今不幸离人世，国有疑难可问谁？／不诚于前而曰诚于后，众必疑而不信矣／人百负之而不恨，己信之终不疑其欺己／水击鹄雁，陆断驹马，则臧获不疑钝利／功有难图，不可预见；事有易断，较然不疑／好便宜者不可与共财，多狐疑者不可与共事／欲人勿恶，必先自美；欲人勿疑，必先自信／用兵之害，犹豫最大；三军之灾，生于狐疑／用明察非，非无不见；用理钤疑，疑无不定／诸凡万物万事之知，皆因习因悟因过因疑而然／顾小而忘大，后必有害；狐疑犹豫，后必有悔／趣舍合，即言忠而益亲；身疏，即谋当而见疑／学匪疑不明，而疑恶乎凿，疑而能辨，斯为善学／礼者，所以定亲疏、决嫌疑、别同异、明是非也／君子防悔尤，贤人戒行藏，嫌疑远瓜李，言动慎毫芒／兵静则固，专一则威，分决则勇，心疑则北，力分则弱

靠 kào 倚着，挨着；依赖；信赖；接近；传统的戏曲服装。

❶靠自己，胜于靠他人

见清·王永彬《围炉夜话》。全句为："敬他人，即是敬自己；～"。

❾安卧扬帆，不见石滩；靠天多幸，白日入阱

❿得一官不荣，失一官不辱，勿说一官无用，地方全靠一官

爨 cuàn 烧火煮饭；灶；戏曲名词；古地域名、古族名；姓。

❹称薪而爨，数米而炊，可以治小而未可以治大

❽数米而炊，称柴而爨

❿篙不能鸣钟，而萤火不爨鼎者，何也

义 ①yì 正义；情谊；字义，文义；名义上的；合乎正义或公众利益的；合乎一定道德的人际关系；意义；通"议"，议论；拜认的无血缘关系的亲属；不取报酬的；语言助词；姓。②yí"仪"的古字，威仪。③é 通"俄"，邪曲；通"峨"，高大，庄严。

❶义，天下之良宝也

见《墨子·耕柱》。

义者，天地之所宜

见宋·陈淳《北溪字义》卷下。

义不负心，忠不顾死

见明·罗贯中《三国演义》第二十六回。

义典则弘，文约为美

见南朝·梁·刘勰《文心雕龙·铭箴》。

义动君子，利动贪人

见汉·班固《汉书·匈奴传》。

义者无敌，骄者先灭

见南朝·宋·范晔《后汉书·袁绍传》。

义贵圆通，辞忌枝碎

见南朝·梁·刘勰《文心雕龙·论说》。

义方失则师友不可训

见唐·吴筠《玄纲论·上篇明道德·化时俗章第八》。全句为："～，道德丧则礼乐不可理"。

义烈之余，色气猛厉

见唐·柳宗元《为南承嗣上中书门下乞两河效用状》。全句为："～，上将效于国用，下欲济其家声，所以愤激凄怆，常思致命者也"。

义，路也；礼，门也

见《孟子·万章下》。全句为："～。惟君子能由是路，出入是门也"。

义之法在正我不在正人

见汉·董仲舒《春秋繁露·仁义法》。全句为："仁之法在爱人不在爱我；～"。

义深则意远，意远则理辩

见唐·李翱《答朱载言书》。全句为："～，理辩则气直，气直则辞盛，辞盛则文工"。

义兵之为天下良药也亦大矣

见《吕氏春秋·孟秋纪·荡兵》。

义兵之至也，至于不战而止

见汉·刘安《淮南子·兵略》。

义之所在，身虽死，无憾悔

见《战国策·秦策三》。

义理不先尽，则多听而易惑

见宋·程颢《上殿札子》。全句为："～；志意不先定，则守善而或移"。

义者，比于人心而合于众适者也

见汉·刘安《淮南子·缪称》。全句为："道者，物之所导也；德者，性之所扶也；仁者，积恩之见证也；～"。

义之所加者浅，则武之所制者小矣

见汉·刘安《淮南子·缪称》。全句为："人以义爱，以党群，以群强。是故德之所施者博，则威之所行者远；～"。

义虽深，理虽当，词不工者不成文

见唐·李翱《答朱载言书》。

义理之勇不可无，血气之勇不可有

见明·杨柔胜《玉环记》第一十九出。

义理有疑，则濯去旧见，以来新意

见宋·朱熹《近思录·致知类》。

义胆包天，忠肝盖地，四海无人识

见宋·宋江《念奴娇》。

义胜利者为治世，利克义者为乱世

见《荀子·大略》。

义死不避斧钺之罪，义穷不受轩冕之服

见汉·刘向《新序·义勇》。

义之所在，不倾于权，不顾其利，举国而与之，不为改视

见《荀子·荣辱》。

❷大义灭亲／行义不固毁誉／礼义生于富足／其义好生而恶杀／仁义积则物自归之／见义不为，无勇也／不义而强，其毙甚速／兵义无敌，骄者先灭／闻义能徙，视死如归／见义勇发，不计祸福／为义不能用众，非义也／仁义之人，其言蔼如也／君义、……所谓六顺也／度义因民，谋事之术也／礼义不愆，何恤于人言／正义之臣设，则朝廷不颇／临义而思利，则义必不果／闻义不能徙，不善不能改／不义而富且贵，于我如浮云／仁义者，虽聋瞽不失为君子／临义莫计利害，论人莫计成败／信义行于君子，刑戮施于小人／公义不亏于上，私行不失于下／礼义生于富足，盗窃起于贫穷／正义直指，举人之过，非毁疵也／仁义充塞，则率兽食人，人将相食／先义而后利者荣，先利而后义者辱／立义以为的，奠而后发，发必中矣／惟义可以怒士，士以义怒，可与百战／仁义之行，唯且无诚，且假乎禽贪者器／有义者不可欺以利，有勇者不可劫以惧／仁义礼乐者，可以救败，而非通治之至也／德义之所成者智也，明智之所求者学问也／其义则不足死，赏罚则不足去就，若是而能用其民者，古今无有

❸兵不义不可／惟仁义为本／无礼义，则上下乱／不知义理，生于不学／不畏义死，不荣幸生／非其义也，非其道也／论仁义则弘详而长雅／士以义怒，可与百战／非其义，君子不轻其生／以仁义服人，何人不服／由仁义而祸，君子不屑也／标节义者，必以节义受谤／有信义者，必疾苟且之徒／兵诚义，以诛暴君而振苦民／人以义爱，以党群，以群强／其就义若渴者，其去义若热／安仁义而乐利世者，能服天下／倍仁义而贪名实者，不能威当世／孰非义而可用兮，孰非善而可服／宁以义死，不苟幸生，而视死如归／文、理、义三者兼并……能必传也／用仁义以治天下，公赏罚以定干戈／上好义则民暗饰矣，上好富则民死利矣／国无义，虽大必亡。人无善志，虽勇必伤／人以义来，我以身许，褰裳赴急，不避寒暑／行与义乖，言与法违，后虽无害，汝可以悔／争行义乐用与争为不义竞不用，此其为祸福也／于为义若嗜欲，勇不顾前后；于利与禄，则畏避退处如怯夫然

❹春秋无义战／诗贯六义……／至公大义为正／力术止，义术行／多行不义必自毙／利少而义多，为之／死而不义，非勇也／不知理义，生于不学／选贤之义，无私为本／遗生行义，视死如归／居利思义，在约思纯／贪而弃义，必为祸阶／见利思义，见危授命／情爱过义，子孙之灾也／言非礼义，谓之自暴也／仁昭而义立，德博而化广／何以礼义为，史书而仕宦／尊德乐义，则可以嚣嚣矣／凡兵上义，不义虽利勿动／务民之义，敬鬼神而远之／鸿卓之义，发于颠沛之朝／孝悌仁义，忠信贞廉……／《春秋》之义，责知诛率／财不如义高，势不如德尊／朝与仁义生，夕死复何求／君子行义，不为莫知而止休／君子以义相褒，小人以利相欺／废上，非义也；杀民，非仁也／责人以义则难瞻，难瞻则失亲／民习礼义，易与为善，难与为非／人而无义，唯食而已，是鸡狗也／多欲亏义，多忧害智，多惧害勇／与其无义而有名兮，宁穷处而守高／谋度于义者必得，事因于民者必成／忘年忘义，振于无竟，故寓诸无竟／自责以义则难为非，难为非则形饰／以德以义，不赏而民劝，不罚而邪止／仁之与义，敬之与和，相反而皆相成也／君子思义而不虑利，小人贪利而不顾义／行不诚义，动不缘义，俗虽谓之通，穷也／小快害义，小慧害道，小辨害治，苟心伤德／行一不义，杀一不辜，而得天下，皆不为也／教也者，义之大者也；学也者，知之盛者也／用国者，义立而王，信立而霸，权谋立而亡

❺计利则害义／不可为不义屈／俭而寡求，义也／羞恶之心，义也／事有是非，义难隐讳／仁不以勇，义不以力／仁不异远，义不辞难／仁者爱人，义者政理／仁者爱人，义者尊老／道之本，仁义而已矣／死必得所，义在不苟／辞欲壮丽，义归博远／羞恶之心，义之端也／士穷不失义，达不离道／古圣王有义兵而无有偃兵／仁，人心也；义，人路也／佳人慕高义，求贤良独难／士欲宣其义，必先读其书／君子交有义，不必常相从／君子喻于义，小人喻于利／多私者不义，扬言者寡信／穷乃见节义，老当志弥刚／王者以仁义为丽，道德为威／所言无不义，故下无伪上之报／仁可为也，义可亏也，礼相伪也／甘死不如义死，义死不如视死如归／世治则以义卫身，世乱则以身卫义／人多欲亏义，多忧害智，多惧害勇／弃绝乎礼义之绪，夺攘乎利害之际／古者以仁义行法律，后世以法律行仁义／进有退之义，存有亡之机，得有丧之理／所守者道义，所行者忠信，所惜者名节／急病让夷，义之先；图国忘死，贞之大／君子非仁义无以生，失仁义则失其所以生／贞以图国，义惟急病；临难忘身，见危致命／士穷见节义，世乱识忠臣，欲学者必周于德／贵而犯法，义不得宥；过而知改，恩不废叙／被坚执锐，义不如公；坐而运策，公不如义／行之乎仁义之途，游之乎《诗》、《书》之源

❻万事莫贵于义／士有死不失义／士穷乃见节义／小不忍害大义／大道废，有仁义／真人之言不义不颇／读书百遍而义自见／大丈夫以信义为重／不在逆顺，以义为断／以仁安人，以义正我／勇动多怨，仁义多责／至当归一，精义无

二／投死为国，以义灭身／处世为人，信义为本／谋事不并仁义者后必败／附而不治者，义不足也／理国之主，仁义出于人／仁则人亲之，义则人尊之／仁行而从善，义立则俗易／凡兵上义，不义虽利勿动／烈士徇荣名，义士高贞介／古之圣王有义兵而无有偃兵／君子惧失仁义，小人惧失利／怨利生孽，维义可以为长存／与求生而害义，宁抗节以埋魂／治平者先仁义，治乱者先权谋／理平者先仁义，理乱者先权谋／见利不亏其义，见死不更其守／爱子，教之以义方，弗纳于邪／夫妇之道，有义则合，无义则离／非礼之礼，非义之义，大人弗为／以仁为恩，以义为理，以礼为行／安民可与行义，而危民易与为非／朋友之道，有义则合，无义则离／羞恶足以为义，而义不止于羞恶／为之无益于义而为之，此行之秽也／以物与人为义，过与是非义之义也／道之无益于义而道之，此言之秽也／见利争让，闻义争为，有不善争改／虑之无益于义而虑之，此心之秽也／意少一字则义阙，句长一言则辞妨／圣王者不贵义而贵法，法必明，令必行／君子计行虑义；小人计行其利，乃不利／不学问，无正义；以富利为隆，是俗人者也／谷足食多，礼义之心生；礼丰义重，平安之基立

❼不以私爱害公义／法出于仁，成于义／贤者之治，去害义者也／忠信谨慎，此德义之基／用兵有术矣，而义为本／临义而思利，则义必不果／古之君民者，仁义以治之／读书患不多，思义患不明／奇文共欣赏，疑义相与析／守职而不废，处义而不回／此身傥未死，仁义尚力行／钱财如粪土，仁义值千金／仁者必爱其亲，义者必急其君／察而以达理明义，则察为福矣／毁道德以为仁义，圣人之过也／凡兵有本干：必义，必智，必勇／凡用民，太上以义，其次以赏罚／君子小人之分，义与利之间而已／库无备兵，虽有义，不能征无义／烈日秋霜，忠肝义胆，千载家谱／甘死不如义死，义死不如视死如归／生，亦我所欲也；义，亦我所欲也／拙辞或孕于巧义，庸事或萌于新意／苟能无以利害义，则耻辱亦无由至矣／修礼以耕之，陈义以种之，讲学以耨之／从道不从君，从义不从父，人之大行也／守道而忘势，行义而忘利，修德而忘名／特立独行，适于义而已，不顾人之是非／凤凰生而有仁义之意，虎狼生而有贪戾之心／君子敬以直内，义以方外；敬义立而德不孤／攻无道而伐不义，则福莫大焉，黔首利莫厚焉／君仁，莫不仁；君义，莫不义；君正，莫不正／辩言过理，则与义相失；丽靡过美，则与情相悖／至礼有不人，至义不物，至知不谋，至仁无亲，至信辟金

❽在人者莫明乎礼义／失爱不仁，过爱不义／商贾比财，烈士比义／贫则见廉，富则见义／怒则思理，危不忘义／非其有而取之，非义也／为义不能用众，非义也／卒寡而兵强者，有义也／无几微爽失，则理义以名／以材能任职，以兴义任俗／直己而行道者，好义者也／人非善不交，物非义不取／行不期闻也，信其义而已／标节义者，必以节义受谤／虑不私己，以之断义必厉／临大利而不易其义，可谓廉矣／以言责人甚易，以义持己实难／忠信以为甲胄，礼义以为干橹／非礼之礼，非义之义，大人弗为／吾身不能居仁由义，谓之自弃也／羞恶足以为义，而义不止于羞恶／猛石可裂不可卷，义士可杀不可羞／始以护人之乱为义，而终掠乱以求之／礼，天之经也，地之义也，民之行也／书不记，熟读可记；义不精，细思可精／行不诚义，动不缘义，俗虽谓之通，穷也／群居终日，言不及义，好行小慧，难矣哉／世之所不足者，理义也；所有余者，妄苟也／临财苟得，见利反义，不义而富，无名而贵／孔曰成仁，孟曰取义，惟其义尽，所以仁至／君子居必仁，行必义，反仁义而福，君子不有也／利非不善也，其害义则不善也，其和义则非不善也／内便于性，外合于义，循理而动，不系于物者，正气也／父子有亲，君臣有义，夫妇有别，长幼有叙，朋友有信

❾古之言通者，通于道义／任贤使能，天下之公义／圣王之治世，不离仁义／士见危致命，见得思义／天德施，地德化，人德义／天道施，地道化，人道义／谓之闲适诗，独善之义也／男儿死耳，不可为不义屈／慷慨赴死易，从容就义难／言近而旨远，辞浅而义深／尽规矩而进者，全礼义者也／其就义若渴者，其去义若热／以公平为规矩，以仁义为准绳／或明理以立体，或隐义以藏用／恕者仁之本也，平者义之本也／乘理虽死而非亡，违义虽生而非存／通乎道，合乎德，退仁义，宾礼乐／妄誉，仁之贼也；妄毁，义之贼也／杀身慷慨犹易免，取义从容未轻许／血气之怒不可有，理义之怒不可无／孔氏门人……恶其违仁义而尚权诈也／蓝青地黄犹可假，仁义之事不可假乎／惟义可以怒士，士以义怒，可与百战／义死不避斧钺之罪，义穷不受轩冕之服／仁者不以盛衰改节，义者不以存亡易心／仁者在位而仁人来，义者在朝而义士至／仁者人也，亲亲为大；义者宜也，尊贤为大／士之特立独行，适于义而已，不顾人之是非／爱民，害民之始也；为义偃兵，造兵之本也／胆劲心方，不畏强御，义正所在，视死犹归／凡治国令其民争行义也，乱国令其民争为不义也／君子有为于天下，惟义而已，不可则止，无苟为，亦无必为

❿有恩必酬者，亦匹夫之义／思国之安者，必积其德义／愚人诵千句，不解一句义／盛饰入朝

者，不以私污义／理财正辞，禁民为非，曰义／父有争子，则身不陷于不义／不雷同以害人，不苟免以伤义／生人物之万殊，立天地之大义／博爱之谓仁，行而宜之之谓义／凡兵之用也，用于利，用于义／褒有德，赏有功，古今之通义／君子责人则以人，自责则以义／进有忧国之心，退有死节之义／居身务期俭朴，教子要有义方／感慨杀身者易，从容就义者难／夫妇之道，有义则合，无义则离／不受虚誉，不祈妄福，不避死义／二者不可得兼，舍生而取义者也／众以亏形为辱，君子以亏义为辱／先王恶其乱也，故制礼义以分之／诗者：根情，苗言，华声，实义／圣人化性而起伪，伪起而生礼义／库无备兵，虽有义，不能征无义／王道如砥，本乎人情，出乎礼义／朋友之道，有义则合，无义则离／世治则以义卫身，世乱则以身卫义／义胜利者为治世，利克义者为乱世／为天下及国，莫如以德，莫如行义／以物与人为义，过与是非义之义也／先义而后利者荣，先利而后义者辱／幸人之灾，不仁；背人之施，不义／君子有九思：视思明……见得思义／爱恶亲疏，兴废穷达，皆可以成义／临事而屡断，勇也；见利而让，义也／君子不受虚誉，不祈妄福，不避死义／天地之所贵者人也，圣人之所尚者义也／古者以仁义行法律，后世以法律行仁义／刑政平而百姓归之，礼义备而君子归之／仁者在位而仁人来，义者在朝而义士至／尊于位而无德者黜，富于财而无义者刑／勇于气者，小人也；勇于义者，君子也／在天曰阴阳，在地曰柔刚，在人曰仁义／堤防成而民无水灾，礼义立，民无乱患／志意修则骄富贵矣，道义重则轻王公矣／君子思义而不虑利，小人贪利而不顾义／知贤，智也。推贤，仁也。引贤，义也／杀一无罪非仁也，非其有而取之非义也／智者不危众以举事，仁者不违义以要功／爱得分曰仁，施得分曰义，虑得分曰智／身劳而心安，为之；利少而义多，为之／其称文小而其指极大，举类迩而见义远／不肖者则不然，责人则以义，自责则以人／势利之交不终年，惟道义之交，可以终身／大人者，言不必信，行不必果，惟义所在／吾闻中国之君子，明乎礼义而陋于知人心／君子非仁义无以生，失仁义则失其所以生／自古于今，上以天子……好义而不彰者也／未有仁而遗其亲者也，未有义而后其君者也／未有好利而爱其君者，未有好义而忘其君者／临财苟得，见利反义，不义而富，无名而贵／孔曰成仁，孟曰取义，惟其义尽，所以仁至／说者怀畏，听者怀骄，以此行义，不亦难乎／草木无大小，必待春而后生，人待义而后成／小勇者，血气之怒也；大勇者，理义之怒也／君子敬以直内，义以方外；敬义立而德不孤／权济天下而君臣立，上下正，然后礼义正焉／有君臣然后有上下，有上下然后礼义有所错／穷武之雄，毙于不仁；存义之国，丧于懦退／被坚执锐，义不如公；坐而运策，公不如义／无羞恶之心，非人也……羞恶之心，义之端也／事当其可与，万金与之；义所不宜，毫发拒之／争行义乐用与争为不义竞不用，此其为祸福也／君仁，莫不仁；君义，莫不义；君正，莫不正／道者，所由适于治之路也，仁义礼乐皆其具也／既已得高官巨富矣，仍讲道德、说仁义自若也／不为穷变节，不为贱易志；惟仁之处，惟义之行／人知贵生乐安而弃礼义，辟之是犹欲寿而殁颈也／人情得足，苦于放纵，快须臾之欲，忘慎罚之义／今人之性恶，必将待师法然后正，得礼义然后治／凡治国令其民争行义也，乱国令其民争为不义也／读书不独变气质，且能养精神，盖理义收摄故也／小盗者拘，大盗者为诸侯；诸侯之门，义士存焉／君子居必仁，行必义，反仁义而福，君子不有也／窃钩者诛，窃国者为诸侯；诸侯之门而仁义存焉／谷足食多，礼义之心生；礼丰义重，平安之基立／利非不善也，其害义则不善也，其和义则非不善也／吾所谓道德云者，合仁与义言之也，天下之公言也／失道而后德，失德而后仁，失仁而后义，失义而后礼／感人心者，莫先乎情，莫始乎言，莫切乎声，莫深乎义／君子之自行也，动必缘义，行必诚义，俗虽谓之穷，通也／处患难，知其无可奈何，遂放意而不反，是岂安于义命者／赏一人而败国俗，仁者弗为也；以不信得厚赏，义者弗为也／君子之行者有二焉：其未发也，慎而已矣，其既发也，义而已矣／体恭敬而心忠信，术礼义而情爱人，横行天下，虽困四夷，人莫不贵／君臣父子人间之事谓之义，登降揖让，贵贱有等，亲疏之体，谓之礼

丸

wán 小的球状物；指鸟卵；揉物使成丸形；量词。

❶丸之走盘……

见唐·杜牧《注孙子序》。全句为："～，横斜圆直，计于临时，不可尽知，其必可知者，是知丸不能出于盘也"。

❷流丸止于瓯臾，流言止于知者

❸矜粪丸而拟质随珠／以一丸泥为大王东封函谷关，此万世一时也

❹逆阪走丸，迎风纵棹／语曰：流丸止于瓯、臾，流言止于知者

❻苦饥寒，逐弹丸

❼月本无光，如银丸。日耀之，乃光耳

❽弹鸟，则千金不及丸泥之用

❾观理自难观势易，弹丸累到十枚时

❿明珠自有千金价，莫为游人作弹丸／隋侯之珠，国之宝也，然用之弹，曾不如泥丸

之 zhī 往；到；此；他，它；助词，犹“的”，犹“是”；犹“于”；犹“焉”；犹“与”；语助，无义；姓。

❶之死矢靡它

见《诗·鄘风·柏舟》。

之子于归，宜其室家

见《诗·周南·桃夭》。

为 ①wéi 做；充当；成为，变成；制造；治理；是；谓，以为；使；被；若；则；有；后期墨家列为知识的内容之一，“志”与“行”的结合；通“伪”，佯装；姓。②wèi 因；助，替；为了；与，对。

❶为情而造文

见南朝·梁·刘勰《文心雕龙·情采》。

为学心难满

见唐·项斯《送欧阳衮之闽中》。

为吏者人役也

见唐·柳宗元《送宁国范明府诗序》。

为国者当务实

见宋·苏辙《民赋叙》。

为他人作嫁衣裳

见唐·秦韬玉《贫女》诗。

为谁零落为谁开

见宋·王安石《浣溪沙》。

为大不足以为大

见《庄子·徐无鬼》。

为国者终不顾家

见宋·苏轼《陈公弼传》。

为学莫重于尊师

见清·谭嗣同《浏阳算学馆增订章程》。

为无为，则无不治

见《老子》三。

为国者以富民为本

见汉·王符《潜夫论·务本》。

为其养小以失大也

见《孟子·告子上》。全句为：“饮食之人，则人贱之矣，～”。

为人者重，自为者轻

见《晏子春秋·内篇问上第五》。

为地战者不能成其王

见《晏子春秋·内篇杂上第二十八》。

为将之道，当先治心

见宋·苏洵《心术》。

为名者必让，让斯贱

见《列子·杨朱》。全句为：“凡为名者必廉，廉斯贫；～”。

为善不同，同归于美

见唐·王勃《平台秘略赞十首·贞修》。

为善则预，为恶则去

见北齐·颜之推《颜氏家训·有事篇》。

为善者少，为谗者多

见汉·刘向《说苑·敬慎》。

为山九仞，功亏一篑

见《尚书·旅獒》。

为者则己，有者则士

见南朝·宋·范晔《后汉书·董卓传》。

为者常成，行者常至

见《晏子春秋·内篇杂下》。

为政之要，曰公与勤

见宋·李邦献《省心杂言》。全句为：“～。成家之道，曰俭与清”。

为政之要，曰公曰清

见宋·林逋《省心录》。

为政之本，贵在无为

见唐·吴兢《贞观政要·征伐》。

为禄仕者不能正其君

见《晏子春秋·内篇杂上第二十八》。

为臣死忠，为子死孝

见明·邵璨《香囊记·分岐》。

为长者不敢怀私以请间

见唐·柳宗元《先侍御史府君神道表》。全句为：“为相者不敢恃威以济欲，～”。

为义不能用众，非义也

见清·唐甄《潜书·有为》。全句为：“为仁不能胜暴，非仁也；～；为智不能决诡，非智也”。

为仁不能胜暴，非仁也

见清·唐甄《潜书·有为》。全句为：“～；为义不能用众，非义也；为智不能决诡，非智也”。

为君子儒，无为小人儒

见《论语·雍也》。

为善于世而不自伐其功

见唐·孔颖达《周易·乾》疏。

为国人宝，不如能献贤

见北齐·刘昼《刘子·荐贤》。

为学患无疑，疑则有进

见宋·陆九渊《语录》。

为相者不敢恃威以济欲

见唐·柳宗元《先侍御史府君神道表》。全句为：“～，为长者不敢怀私以请间”。

为智不能决诡，非智也

见清·唐甄《潜书·有为》。全句为：“为仁不能胜暴，非仁也；为义不能用众，非义也；～”。

为政……患善恶之不分

见《晏子春秋·内篇问上第三十》。

为文不渥，则事不足褒

见汉·王充《论衡·儒增篇》。全句为：“为言不益，则美不足称；～”。

为恶，不自毁而人毁之

见宋·苏轼《拟进士对廷试策》。全句为：“凡人为善，不自誉而人誉之；～”。

为虺弗摧，为蛇将若何

见《国语·吴语》。

为言不益，则美不足称

见汉·王充《论衡·儒增篇》。全句为："～；为文不渥，则事不足褒"。

为世忧乐者，君子之志也

见汉·荀悦《申鉴·杂言上》。全句为："～；不为世忧乐者，小人之志也"。

为之于未有，治之于未乱

见《老子》六十四。

为之度，以一天下之长短

见宋·苏洵《申法》。全句为："～；为之量，以齐天下之多寡；为之权衡，以信天下之轻重"。

为之量，以齐天下之多寡

见宋·苏洵《申法》。全句为："为之度，以一天下之长短；～；为之权衡，以信天下之轻重"。

为人之道，舍教其何以先

见元·郑涛《旌义编》。

为人莫作女，作女实难为

见唐·张籍《离妇》。

为人择官，而非为官择人

见宋·苏辙《论执政生事札子》。

为人君者，荫德于人者也

见《管子·君臣上》。

为高者不高，为卑者不卑

见汉·严遵《道德指归论·其安易持篇》。全句为："为大者不大，为小者不小，～"。

为大者不大，为小者不小

见汉·严遵《道德指归论·其安易持篇》。全句为："～，为高者不高，为卑者不卑"。

为君之道，必须先存百姓

见唐·吴兢《贞观政要·君道》。

为君既不易，为臣良独难

见三国·魏·曹植《怨歌行》。

为国忘私仇，千秋思廉蔺

见清·严允肇《古风》。

为问频相见，何似常相守

见宋·李之仪《谢池春》。

为治有体，上下不可相侵

见明·罗贯中《三国演义》第一百０三回。

为官长当清，当慎，当勤

见晋·陈寿《三国志·魏书·李通传》注引王隐。

为富不仁矣，为仁不富矣

见《孟子·滕文公上》。

为女妄言之，女以妄听之

见《庄子·齐物论》。

为者如牛毛，获者如麟角

见晋·葛洪《抱朴子·极言》。

为水不入海，安得浮天波

见唐·孟郊《上张徐州》。

为政，不在于用一己之长

见宋·朱熹《四书集注·孟子·告子下》注语。全句为："～，而贵于有以来天下之善"。

为天下之大害者，君而已矣

见清·黄宗羲《原君》。

为天有眼兮何不见我独漂流

见汉·蔡琰《胡笳十八拍》之八。全句为："～！为神有灵兮何事处我天南海北头"。

为之权衡，以信天下之轻重

见宋·苏洵《申法》。全句为："为之度，以一天下之长短；为之量，以齐天下之多寡；～"。

为民纪纲者何也？欲也恶也

见《吕氏春秋·离俗览·用民》。全句为："用民有纪有纲，壹引其纪，万目皆起；壹引其纲，万目皆张。～。何欲何恶？欲荣利，恶辱害。"

为人也，岩岩若孤松之独立

见南朝·宋·刘义庆《世说新语·容止》。全句为："～；其醉也，傀俄若玉山之将崩"。

为人子者，出必告，反必面

见《礼记·曲礼上》。

为国者无使为积威之所劫哉

见宋·苏洵《六国论》。

为汤、武驱民者，桀与纣也

见《孟子·离娄上》。全句为："为渊驱鱼者，獭也；为丛驱爵者，鹯也；～"。

为政者不赏私劳，不罚私怨

见《左传·昭公五年》。

为朝露之行，而思传世之功

见南朝·宋·范晔《后汉书·王符传》。全句为："居累卵之危，而图太山之安；～"。

为惠者生奸，而为暴者生乱

见汉·刘安《淮南子·主术》。

为上者不虚授，处下者不虚受

见晋·陈寿《三国志·魏书·明帝纪》注引。

为人使易以伪，为天使难以伪

见《庄子·人间世》。

为高必因丘陵，为下必因川泽

见《孟子·离娄上》。

为将者，受命忘家，临敌忘身

见宋·卢多逊《旧五代史·唐书·明宗纪》。

为善与众行之，为巧与众能之

见《尹文子·大道上》。全句为："～，此善之善者、巧之巧者也"。

为善若恐不及，备祸若恐不免

见汉·刘安《淮南子·缪称》。

为己者不待人，制今者不法古

见《战国策·赵策二》。

为子孙作富贵计者，十败其九

见宋·林逋《省心录》。

为赏罚者非他，所以惩劝者也

见唐·柳宗元《断刑论》。

为政……贵于有以来天下之善

见宋·朱熹《四书集注·孟子·告子下》注语。删节处为："不在于用一己之长，而"。

为文不能关教事，虽工无益也

见宋·叶适《赠薛子长》。

为恶而畏人知，恶中犹有善路

见明·洪应明《菜根谭·前集六十七》。

为其后可复者也，则事寡败矣

见《韩非子·说林下》。

为一身谋则愚，而为天下谋则智

见宋·苏洵《审敌》。

为尊者讳，为亲者讳，为贤者讳

见《公羊传·闵公元年》。

为人子者，父母存，冠衣不纯素

见《礼记·曲礼上》。

为君不君，为臣不臣，乱之本也

见《国语·齐语》。

为国不可以生事，亦不可以畏事

见宋·苏轼《因擒鬼章论西羌夏人事宜札子》。

为国之本，在于明赏罚，辨邪正

见宋·苏轼《论周穜擅议配享自刻札子》之二。

为国为民而得罪，君子不以为辱

见元·张养浩《风宪忠告·临难》。

为国者以民为基，民以衣食为本

见晋·陈寿《三国志·魏书·华歆传》。

为国者以富民为本，以正学为基

见晋·陈寿《三国志·魏书·华歆传》。

为治之大体，莫善于抑末而务本

见汉·王符《潜夫论·务本》。全句为："～，莫不善于离本而饰末"。

为治者不在多言，顾力行何如耳

见汉·司马迁《史记·儒林列传》。

为政犹沐也，虽有弃发，必为之

见《韩非子·六反》。

为神有灵兮何事处我天南海北头

见汉·蔡琰《胡笳十八拍》之八。全句为："为天有眼兮何不见我独漂流！～"。

为恶之私易见，而为善之私难知

见宋·陈耆卿《颜子论》。

为天下及国，莫如以德，莫如行义

见《吕氏春秋·离俗览·上德》。全句为："～，以德以义，不赏而民劝，不罚而邪止"。

为之无益于义而为之，此行之秽也

见《尸子·恕》。全句为："虑之无益于义而虑之，此心之秽也；道之无益于义而道之，此言之秽也；～"。

为之而欲人不知，言之而欲人不闻

见唐·吴兢《贞观政要·公平》。全句为："～，此犹捕雀而掩目，盗钟而掩耳者，只以取诮，将何益乎"。

为之者疾，用之者舒，则财恒足矣

见《礼记·大学》。

为人而欲一世之人好，吾悲其为人

见明·陈继儒《小窗幽记》。全句为："为文而欲一世之人好，吾悲其为文；～"。

为词章，泛滥停蓄，为深博无涯涘

见唐·韩愈《柳子厚墓志铭》。

为谁醉倒为谁醒？至今犹恨轻离别

见宋·吕本中《踏莎行》。

为君者常病于察，为臣者又失之宽

见宋·苏轼《韩舍人》。

为善则流芳百世，为恶则遗臭万年

见清·程允升《幼学琼林·人事》。

为国无强于得人，用人莫先于求旧

见宋·苏辙《范镇可侍读太乙宫使》。

为学正如撑上水船，一篙不可放缓

见宋·朱熹《朱子语录》。

为学第一工夫，要降得浮躁之气定

见明·吕坤《呻吟语》。

为有牺牲多壮志，敢教日月换新天

见现代·毛泽东《七律·到韶山》。

为文而欲一世之人好，吾悲其为文

见明·陈继儒《小窗幽记》。全句为："～；为人而欲一世之人好，吾悲其为人"。

为文有三多：看多、做多、商量多

见宋·陈师道《后山诗话》。

为社稷死则死之，为社稷亡则亡之

见晋·陈寿《三国志·蜀书·谯周传》注引孙绰语。

为虏为王尽偶然，有何羞见汉江船

见唐·李山甫《项羽庙》。

为善者日以有劝，为不善者月以有惩

见唐·柳宗元《断刑论》。全句为："～，是驱天下之人而从善远罪也"。

为国不患于无人，有人而不用之为患

见宋·苏轼《赐新除中大夫守尚书右丞王存辞免恩命不许……》

为国者，必先知民之所苦，祸之所起

见汉·王符《潜夫论·述赦》。全句为："～，然后设之以禁"。

为山者基于一篑之土，以成千丈之峭

见北齐·刘昼《刘子·崇学》。

为宰相不难，一心正，两眼明，足矣

见元·张养浩《风宪忠告·询访》。

为川者，决之使导；为民者，宣之使言

见《国语·周语上》。
为主贪，必丧其国；为臣贪，必亡其身
见唐·吴兢《贞观政要·贪鄙》。
为尊者讳耻，为贤者讳过，为亲者讳疾
见《谷梁传·成公九年》。
为人师者众笑之，举世不师，故道益离
见唐·柳宗元《师友箴》。
为人君而乐杀人，此不可使得志于天下
见《老子》三十一河上公注。
为地战者不能成王，为禄仕者不能成政
见汉·刘向《说苑·君道》。
为善无近名，为恶无近刑，缘督以为经
见《庄子·养生主》。全句为："～，可以保身，可以全生，可以养亲，可以尽年"。
为善者天报之以福，为恶者天与之以殃
见汉·司马迁《史记·乐书》。
为治之功不在大，见大不明，见小乃明
见三国·魏·王弼《老子》五十二注。
为渊驱鱼者，獭也；为丛驱爵者，鹯也
见《孟子·离娄上》。全句为："～；为汤、武驱民者，桀与纣也"。
为情者要约而写真，为文者淫丽而烦滥
见南朝·梁·刘勰《文心雕龙·情采》。
为政不在言多，须息息从省身克己而出
见河南内乡县衙夫子院过厅楹联。全句为："～；当官务持大体，思事事皆民生国计所关"。
为之者，不为之迹也；不为者，为之途也
见汉·严遵《道德指归论·其安易持篇》。
为人母者不患不慈，患于知爱而不知教也
见宋·司马光《家范》。
为人臣者，以富乐民为功，以贫苦民为罪
见汉·贾谊《新书·大政上》。
为学无间断，如流水行云，日进而不已也
见清·王永彬《围炉夜话》。全句为："有才必韬藏，如浑金璞玉，暗然而日章也；～"。
为政以德，譬如北辰，居其所而众星共之
见《论语·为政》。
为世用者，百篇无害；不为用者，一章无补
见汉·王充《论衡·自纪》。
为之政，以率其怠倦；为之刑，以锄其强梗
见唐·韩愈《原道》。
为人君者，正心以正朝廷，正朝廷以正百官
见汉·董仲舒《天人三策》。全句为："～，正百官以正万民"。
为人君者，固不以无过为贤，而以改过为美
见宋·司马光《资治通鉴·汉纪四》司马光评语。
为君为臣为民为物为事而作，不为文而作也
见唐·白居易《新乐府序》。
为善不同，同归于治；为恶不同，同归于乱
见《尚书·蔡仲之命》。
为善的受贫穷更命短，造恶的享富贵又寿延
见元·关汉卿《感天动地窦娥冤杂剧》第三折。
为国失道，众叛亲离；为国以道，人必悦服
见五代·前蜀·杜光庭《道德真经广圣义》卷三十六。
为国之法，有似理身，平则致养，疾则攻焉
见南朝·宋·范晔《后汉书·崔寔传》。
为学之道莫先于穷理，穷理之要必在于读书
见宋·朱熹《性理精义》。
为成者败，为利者害，为生者死，为兴者废
见汉·严遵《道德指归论·其安易持篇》。
为政之要，惟在得人。用非其才，必难致治
见唐·吴兢《贞观政要·崇儒学》。
为政之本，莫若得人；褒贤显善，圣制所先
见南朝·宋·范晔《后汉书·孝安帝纪》。
为政在人，取人以身，修身以道，修道以仁
见《礼记·中庸》。
为忠甚易，得宜实难。忧人大过，以德取怨
见南朝·宋·范晔《后汉书·窦融传》。
为鬼为蜮，则不可得；有靦面目，视人罔极
见《诗·小雅·何人斯》。
为长者折枝，语人曰："我不能"，是不为也
见《孟子·梁惠王上》。全句为："～，非不能也"。
为啬之道，不施不予，俭爱微妙，盈若无有。
见汉·严遵《道德指归论·方面不割篇》。全句为："～诚通其意，可以长久"。
为人友者不以道而以利，举世无友，故道益弃
见唐·柳宗元《师友箴》。
为道不在多，自为已有金丹至要，可不用余耳
见晋·葛洪《抱朴子·微旨》。
为学之道，必本于思。思则得知，不思则不得
见宋·晁说之《晁氏客语》。
为学日益，为道日损，损之又损，以至于无为
见《老子》四十八。
为文以意为主，气为辅，以辞彩章句为之兵卫
见唐·杜牧《答庄充书》。全句为："～，未有主强盛而辅不飘逸者，兵卫不华赫而庄整者"。
为民族解放，为阶级翻身，事业垂成，公胡遽死
见现代·毛泽东《挽续范亭同志联》。全句为："～？有云水襟怀，有松柏气节，典型顿失，人尽含悲！"
为学为教，用力于讲读者一二，加功于习行者八九
见清·颜元《存学编》卷一。
为一书，务富文采，不顾事实……是犹用文锦复陷阱也

见唐·柳宗元《答吴武陵论非国语书》。删节处为:"而益之以诬怪,张之以阔诞,以炳然诱后生,而终之以僻"。

为天下者,亦奚以异乎牧马者哉,亦去其害马者而已矣

见《庄子·徐无鬼》。

❷恭为德首/不为已甚者/无为而无不为/农为国家急务/士为知己者死/无为可以定是非/克为卿,失则烹/愈为之则愈失之/其为政知所先后/凡为文辞宜略识字/善为上者不忘其下/一为不善,众美皆亡/无为之为,万物之根/无为则理,有为则乱/无为养身,形骸全也/不为易勇,不为崄怯/不为福先,不为祸始/生为杀元,杀为生首/民为国基,谷为民命/凡为文,以神志为主/务为不久,盖虚不长/当为秋霜,无为槛羊/善为国者,藏之于民/善为国者,顺民之意/恭为德首,慎为行基/宁为鸡口,无为牛后/或为小人,或为君子/易为而难成者,事也/父为子隐,子为父隐/福为祸始,祸作福阶/心为祸首,殃及身口/虑为功首,谋为赏本/毋为权首,反受其咎/毋为戎首,不亦善乎/利为害本,而福为祸先/凡为民去害兴利若嗜欲/凡为名者必廉,廉斯贫/知为吏者,奉法以利民/其为也易,其传也不远/无为之谓道,舍之之谓德/无为虚唱大言而终归无用/不为不可成,不求不可得/不为近重施,不为远遗恩/不为穷变节,不为贱易志/可为智者道,难为俗人言/生为百夫雄,死为壮士规/生为并身物,死为同棺灰/书为晓者传,事为见者明/民为国本根,岂不思培植/俭为贤德,不可着意求贤/凡为天下之务,莫大求士/凡为文章,犹乘骐骥……/衰为盛之终,盛为衰之始/能为人则者,不为人下矣/茶为涤烦子,酒为忘忧君/君为正,则百姓从而正矣/宁为百夫长,胜作一书生/宁为袁粲死,不作褚渊生/道为智者设,马为御者良/女为悦己容,士为知己死/存为久离别,没为长不归/裁为合欢扇,团团似明月/贤为圣者用,辩为智者通/毋为财货迷,毋为妻子蛊/无为为之,而变化不自知也/不为世忧乐者,小人之志也/不为难易变节,安危革行也/民为贵,社稷次之,君为轻/先为不可胜,以待敌之可胜/凡为文以意为主,以气为辅/能为可用,不能使人必用己/善为天下者,计大而不计小/善为国者,赏不僭而刑不滥/善为理者,举其纲,疏其网/皆为物矣,非不物而物物者/心为万事主,动而无节即乱/繁为攻伐,此实天下之巨害/其为人也温柔敦厚,诗教也/无为不能遁福,有为不能逃患/无为而万物化,渊静而百姓定/无为而物自生,无为而物自亡/无为其所不为,无欲其所不欲/不为轩冕肆志,不为穷约趋俗/士为知己者死,女为悦己者容/士为知己者用,女为说己者容/莫为一身之谋,而有天下之志/莫为终身之计,而有后世之虑/虽为镜于前代,终抱痛于今日/宁为兰摧玉折,不作萧敷艾荣/宁为有闻而死,不为无闻而生/有为之君,不敢失万民之欢心/君为政焉勿卤莽,治民焉勿灭裂/善为吏者树德,不善为吏者树怨/善为师者,既美其道,有慎其行/善为国者,仓廪虽满,不偷于农/善为文者,发而为声,鼓而为气/善为文者,富于万篇,贫于一字/其为声也,凄凄切切,呼号愤发/无为者,道之身体,而天地之始也/不为苟得以偷安,不为苟免而无耻/不为捣衣勤不睡,破除今夜夜如年/不为当时所怪,亦必无后世之传也/发为胡笳吹作雪,心因烽火炼成丹/匿为物而愚不识,大为难而罪不敢/凡为道者,常患于晚,不患于早也/能为国则能为主,能为家则能为父/喜为异说而不让,敢为高论而不顾/名为公器无多取,利是身灾合少求/名为治平无事,而其实有不测之忧/善为政者积其德,善用兵者畜其怒/宁为宇宙闲吟客,怕作乾坤窃禄人/要为天下奇男子,须历人间万里程/明为明,不明为不明,乃所谓明也/有为,乱之首也;无为,治之元也/欲为圣朝除弊事,肯将衰朽惜残年/烦为教而过不识,数为令而非不从/身为野老已无责,路有流民终动心/其为书,处则充栋宇,出则汗牛马/其为人也多暇日者,其出入不远矣/其为人也孝悌,而好犯上者,鲜矣/不为而成,不求而得,夫是之谓天职/使为恶者不得幸免,疑似者有所辨明/施为宜似千钧之弩,转发者,无宏功/凡为天下国家,当爱惜名器,谨重刑罚/凡为人子之礼,冬温而夏清,昏定晨省/彼为盈虚非盈虚……彼为积散非积散也/是为是,非为非;能为能,不能为不能/心为道之器,宇虚静至极则道居而慧生/自为计者虽弱必固,欲自溃者虽强必弱/志为气之帅,有志则气不衰,故不觉其老/善为国者若弹琴;宫君商臣,则治国之道/善为国者,爱民如父母之爱子,兄之爱弟/其为不虚取直也的矣,其知恐而畏也审矣/无为则俞俞,俞俞者忧患不能处,年寿长矣/无为小人,反殉而天;无为君子,从天之理/无为名尸,无为谋府,无为事任,无为知主/我为女子,薄命如斯!君是丈夫,负心若此/名为山人而心同商贾,口谈道德而志在穿窬/君为暗主,臣为谀臣,君暗臣谀,危亡不远/知为吏者奉法利民,不知为吏者枉法以侵民/善为士者不武,善战者不怒,善胜敌者不与/善为政者,防于未然,均其有无,省其徭役/子为王,母为虏,终日舂薄暮,常与死为伍/旦为朝云,暮为行雨。朝朝暮暮,阳台之

下／有为之为，有废无功；无为之为，成遂无穷／欲为君子，终身乃成；欲为小人，一朝可就／文为之物，自然灵气。惚恍而来，不思而至／不为穷变节，不为贱易志；惟仁之处，惟义之行／平为福，有余为害者，物莫不然，而财其甚者也／疾为诞而欲人之信己也，疾为诈而欲人之亲己也／无为者，非谓其凝滞而不动也，以其言莫从己出也／善为上者，能令人得欲无穷，故人之可得用亦无穷也／学为文章，先谋亲友，得其评裁，知可施行，然后出手／其为气也，至大至刚，以直养而无害，则塞于天地之间／欲为君，尽君道；欲为臣，尽臣道。二者皆法尧舜而已矣／于为义若嗜欲，勇不顾前后；于利与禄，则畏避退处如怯夫然／无为者，道之宗；故得道之宗，应物无穷，任人之才，难以至治／知为为而不知所以为，是以贵为天子，富有天下，而不免于患也

❸死生为昼夜／不可为不义屈／不敢为天下先／酒之为患……／清静为天下正／六律为万事根本／天不为一物枉其时／师直为壮，曲为老／为无为，则无不治／俭以为家法，礼也／弈之为数，小数也／天下为一，万里同风／正复为奇，善复为妖／百炼为字，千炼成句／失反为得，成反为败／以人为本，以财为末／以危为安，以乱为治／以苛为密，以利为公／以深为根，以约为纪／以本为精，以物为粗／以贵为道，以意为法／凡人为贵，当使可贱／交不为利，仕不谋禄／高岸为谷，深谷为陵／动不为己，先以为人／大木为宗，细木为桷／投死为国，以义灭身／搏沙为饼，不可疗饥／当其为师，则弗臣也／常之为物，不偏不彰／吃文为患，生于好诡／山峦为晴雪所洗……／处世为人，信义为本／广农为务，俭用为资／慊慊为人，矫矫为官／宁方为皂，不圆为卿／守正为心，疾恶不惧／安身为乐，无忧为福／学以为耕，文以为获／终朝为恶，四海倾覆／绝知为福，好知为贼／明其为贼，敌乃可服／煮海为盐，采山铸钱／礼乐为本，刑政为末／斫冰为璧，见日而销／积薄为厚，积卑为高／积是为治，积非成虐／顺命为上，有功次之／虺蜴为心，豺狼成性／蛇化为龙，不变其文／言出为论，下笔成章／夫食为民天，农为政本／以古为镜，可以知兴替／以人为镜，可以明得失／以人为镜，可以知得失／以理为主，理得而辞顺／以铜为镜，可以正衣冠／民弗为用，弗为死……／人方为刀俎，我为鱼肉／冰，水为之，而寒于水／画布为亟不可以当戈戟／剪采为葩不可以受风雨／在此为美兮，在彼为蚩／品而为族，则所禀者偏／清之为明，杯水见眸子／旦以为是，而暮已悔之／欲免为形者，莫如弃世／歌之为言也，长言之也／酿泉为酒，泉香而酒冽／于今为神奇，信宿同尘滓／天不为人之恶寒也，辍冬／天地为炉，造化为工……／不知为吏者，枉法以侵民／以正为在民，以枉为在己／以生为丧也，以死为反也／以得为在民，以失为在己／以官为乐，必不能做好官／利则为害始，福则为祸先／仕之为美，利乎人之谓也／巽语为珍，苍璧喻而非宝／今夕为何夕，他乡说故乡／画地为饼，不可得而食也／圣人为戒，必于方盛之时／落地为兄弟，何必骨肉亲／大之为河海，高之为山岳／大抵为名者，只是内不足／君以为难，其易也将至矣／君以为易，其难也将至矣／喘息为宅命，身寿立息端／处则为远志，出则为小草／浊之为暗，河水不见太山／清心为治本，直道是身谋／宁方为污辱，不圆为显荣／结发为夫妻，恩爱两不疑／松柏为百木长，而守门闾／明之为日月，幽之为鬼神／晦塞为深，虽奥非"隐"／所愧为人父，无食致夭折／镂冰为璧，不可得而用也／螭龙为蝘蜓，鸱枭为凤皇／自以为无过，而过乃大矣／自以为有过，而过自寡矣／无为为之，而变化不自知也／不忍为非，而未能必免其祸／以书为御者，不尽于马之情／以侈为博……此荒国之风也／凡人为善，不自誉而人誉之／左右为社鼠，用事者为猛狗／财者，为国之命而万事之本／秋之为状也：……山川寂寥／事将为，其赏罚之数必先明之／以玉为石者，亦将以石为玉矣／以贤为愚者，亦将以愚为贤矣／众之为福也大，其为祸也亦大／圣人为人所爱，神明所祐……／圣人为善，非以求名而名从之／恭本为礼，过恭是非礼之礼也／景不为曲物直，响不为恶声美／里仁为美；择不处仁，焉得知／其自为也过多，其为人也过少／丈夫为志，穷当益坚，老当益壮／不独为利而仕不可，为名亦不可／为国为民而得罪，君子不以为辱／以仁为恩，以义为理，以礼为行／予尝为女妄言之，女亦以妄听之／仁可为也，义可亏也，礼相伪也／吾每为文章，未尝敢以轻心掉之／君子为国，正其纲纪，治其法度／始或为终，终或为始，恶知其纪／燔埴为瓦则可，烁瓦为铜则不可／烈士为天下见善矣，未足以活身／不敢为主而为客，不敢进寸而退尺／我无为而民自化，我好静而民自正／为虏为王尽偶然，有何羞见汉江船／博见为馈贫之粮，贯一为拯乱之药／人之为学，不志其大，虽多而何为／君子为国……故旷日长久而社稷安／知之为知之，不知为不知，是知也／善人为邦百年，亦可以胜残去杀矣／道者……为事逆之则败，顺之则成／敬之为道也，严而相离，其势难久／爱之为道也，情亲意厚，深而感物／烟霞为朝夕之资，风月得林泉之助／心中为念农桑苦，耳里如闻饥冻声／愿兄为水妹为土，和来捏做一个人／白杨为

屋材，折则宁折，终不屈挠／既以为人己愈有，既以与人己愈多／譬如为山，未成一篑，止，吾止也／不能为五斗米折腰，拳拳事乡里小人／以弱为强者，非惟天时，抑亦人谋也／何者为益友？凡事肯规我之过者是也／何者为小人？凡事必徇己之私者是也／何等为善？身正行、口正行、意正行／人以为偶一奋，遂名无穷，今大不然／能之为能之，不能为不能，行之要也／圣王为政，赏不避仇雠，诛不择骨肉／纤之为珠玑华实，变之为雷霆风雨。／斩木为兵，揭竿为旗，天下云集响应／日月为明而弗能兼也，唯天地能函之／春秋为尊者讳，为亲者讳，为贤者讳／冒以为古，是处严冬而袭夏之葛者也／我专为一，敌分为十，是以十共其一也／若能为能，不能为不能……乃所谓明也／相忍为国也，忍其外不忍其内，焉用之／方地为车，圆天为盖，长剑耿耿倚天外／穹庐为室兮旃为墙，以肉为食兮酪为浆／事或为之适足以败之，或备之适足以致之／古人为诗，贵于意在言外，使人思而得之／善人为妖，是非反复，天下大迷而不复也／愚者为一物一偏，而自以为知道，无知也／上之为政，得下之情则治，不得下之情则乱／事孰为大？事亲为大。守孰为大？守身为大／曲则为王，直蒙戮辱；宁戮不王，直而不曲／为君为臣为民为物为事而作，不为文而作也／为鬼为蜮，则不可得；有靦面目，视人罔极／以天为父，以地为母，阴阳为纲，四时为纪／使天为天者，非天也；使人为人者，非人也／亡而为有，虚而为盈，约而为泰，难乎有恒／六合为巨，未离其内；秋毫为小，待之成体／变祸为福，易曲成直，宁关天命，在我人力／画地为牢，势不可入；削木为吏，议不可对／剪纸为墙，不可止暴，搏沙为饼，不可疗饥／苦身为善者，其赏厚；苦身为非者，其罪重／萧何为法，顜若画一；曹参代之，守而勿失／山树为盖，岩石为屏，云从栋生，水与阶平／学不为人，博而不俗；言不为华，述而不作／福之为祸，祸之为福，化不可极，深不可测／心源为炉，笔端为炭。锻炼元本，雕砻群形／用智为政，务欲理人。智变奸生，祸乱滋起／仁以为己任，不亦重乎！死而后已，不亦远乎／洼者为池而缺者为洞，若有鬼神异物阴来相之／缚草为形，实之腐肉，教之拜起，以充满朝市／有以为未始有物者，至矣，尽矣，弗可以加矣／以辱为荣，以穷为通，虽失乎前，可谓后得之矣／以富为是者，不能让禄；以显为是者，不能让名／以意为主，则其旨必见；以文传意，则其词不流／为学为教，用力于讲读者一二，加功于习行者八九／以无为为居，以不言为教，以恬淡为味，治之极也／凡敢为大奸者，材必有过于众，而能自媚于上者也／逊以为子弟苟有才，不忧不用，不宜私出以为荣利／必使为善者不越月逾时而得其赏，则人勇而有劝焉／以天为宗，以德为本，以道为门，兆于变化，谓之圣人／君自为诈，欲臣下行直，是犹源浊而望水清，理不可得／天不为人怨咨而辍其寒暑，君子不为人之丑恶而辍其正道／可与为始，可与为终，可与尊通，可与卑穷者，其唯信乎／天无为以之清，地无为以之宁，故两无为相合，万物皆化生／回之为人也，择乎中庸，得一善，则拳拳服膺，而弗失之矣／知为为而不知所以为，是以贵为天子，富有天下，而不免于患也

❹静则无为／民以食为天／利过则为败／德以盛为本／惟仁义为本／惟善以为宝／理胜者为强／量入以为出／礼以恭为主／自知者为明／三折肱为良医／以天下为己任／化干戈为玉帛／化腐朽为神奇／化悲痛为力量／大勇反为不勇／君子不为苛察／卑损之为道大矣／仲尼不为已甚者／男子要为天下奇／能信，不为人下／韶华不为少年留／良将之为政也……／俭可以为万化之柄／人之道，为而不争／唯圣人为不求知天／见义不为，无勇也／一心以为有鸿鹄将至／无为之为，万物之根／举措施为，不失其宜／圣人是为学而极至者／至人无为，大圣不作／知而弗为，莫如弗知／处事识为先，断次之／廉吏可为者，高且洁／寤寐无为，涕泗滂沱／道常无为，而无不为／天地无为也而无不为也／举事以为人者，众助之／以进死为荣，退生为辱／诗以意为主，文词次之／诗在心为志，出口为辞／茧之性为丝，弗得女工／大丈夫为志，穷当益坚／知与之为取，政之宝也／战以勇为主，以气为决／鸟以山为埤而增巢其上／其形之为马，马不可化／鱼以泉为浅而穿穴其中／一以己为马，一心己为牛／夫子何为者，栖栖一代中／天所赋为命，物所受为性／不以奢为乐，不以廉为悲／不以虚为虚，而以实为虚／不能无为者，不能有为也／百金孰为重，一诺良匪轻／事以简为上，言以简为当／面异斯为人，心异斯为文／乐与政为政，乐与治为治／以不息为体，以日新为道／以至诚为道，以至仁为德／以行实为先，以才用为急／古墓犁为田，松柏摧为薪／修身以为弓，矫思以为矢／尊之则为将，卑之则为虏／合异以为同，散同以为异／先下手为强，后下手遭殃／莫邪不为勇者兴，惧者变／将以民为体，民以将为心／尝甘以为苦，行非以为是／君子不为苟存，不为苟亡／唯仁人为能爱人，能恶人／因祸而为福，转败而为功／国以民为基，贵以贱为本／国以民为本，民以谷为命／国以民为本，民以食为天／国以人为本，人安则国安／饥者易为食，渴者易为饮／寒者愿为蛾，烧死彼华膏／富贵易为善，贫贱难为工／逢

时独为贵，历代非无才／残朴以为器，工匠之罪也／转祸而为福，因败而为功／轻生本为国，重气不关私／此地一为别，孤蓬万里征／是或化为非，非或化为是／贵以贱为本，高以下为基／视白以为黑，飨香以为朽／所谓无为者，不先物为也／毁则者为贼，掩贼者为藏／文以行为本，在先诚其中／恩或化为仇，仇或化为恩／眼见方为是，传言未必真／积土而为山，积水而为海／用之则为虎，不用则为鼠／臣闻虑为功首，谋为赏本／兵以计为本，故多算胜少算／义兵之为天下良药也亦大矣／以天下为忧，而未以位为乐／外听易为察，而内听难为聪／人有不为也，而后可以有为／变白以为黑兮，倒上以为下／君子之为书，犹工人之作器／国以人为本，人以衣食为本／处听易为察，而内听难为聪／流水之为物也，不盈科不行／贵以身为天下，若可寄天下／爱以身为天下，若可托天下／有心于为善，则与为不善同／文者，务为有补于世而已矣／文章不为空言，而期于有用／长者不为有余，短者不为不足／以同异为善恶，以喜怒为赏罚／以公平为规矩，以仁义为准绳／以私奉为心者，人必咈而叛之／以雄才为己任，横杀气而独往／古之善为政者，其初不能无谤／同于己为是之，异于己为非之／论世而为之事，权事而为之谋／圣人不为名尸，不为谋府……／圣人不为物先，而常制之……／茧之性为丝，然非得女工……／换我心，为你心，始知相忆深／君子不为小人之匈匈也，辍行／君子能为善，而不能必得其福／国以民为本，社稷亦为民而立／爱以身为天下，若可托天下矣／忠信以为甲胄，礼义以为干橹／乘所欲为，易于反掌，安于泰山／君子能为可贵，不能使人必贵己／唯令德为不朽兮，身既没而名存／腐臭化为神奇，神奇复化为腐臭／忧所以为昌也，而喜所以为亡也／疾不可为也，在肓之上、膏之下／不敢妄为些子事，只因曾读数行书／非左右为之先容，非亲旧为之请属／疑人者为人所疑，防人者为人所防／良将之为政也，使人择之，不自举／匹夫而为百世师，一言而为天下法／但见无为为要妙，岂知有作是根基／知者之为，故动以百姓，不违其度／明发又为千里别，相思应尽一生期／是非只为多开口，烦恼皆因强出头／智者不为非其事，廉者不求非其有／文章合为时而著，歌诗合为事而作／立义以为的，奠而后发，发必中矣／自叹犹为折腰吏，可怜骢马路傍行／中庸之为德也，其至矣乎！民鲜久矣／古之善为道者，非以明民，将以愚之／人灭而为鬼，鬼而为人，则未之知也／圣人不为华文，不为色利，不为残贼／上德无为而无以为，下德为之而有以为／正明不为日月所眩，正观不为天道所迁／生以有为己分，则虚无是有之所遗者也／良农不为水旱不耕，良贾不为折阅不市／以白云为藩篱，碧山为屏风，昭其俭也／民以财为本，财竭则下畔，下畔则上亡／圣人无为，其功广大……是太平之谓也／小人朝为而夕求其成，坐施而立望其反／虽相与为君臣，时也；易世而无以相贱／强令之为道也，可以成小而不可以成大／泰山之为大，弗察弗见，而况微渺者乎／责恶要为人留余步，劝善要思其势可从／以割下为能，以附上为忠，此叛国之风也／苟可以为天下国家之用者，则无不在于学／抱朴无为，不以物累其真，不以欲害其神／洞然无为而天下自和，憺然无欲而民自朴／言无务为多而务为智，无务为文而务为察／才所以为善也，故大才成大善，小才成小善／君子之为言也，度可行于己，然后可责于人／宜力学为砻斫，亲贤为青黄，睦僚友为瑶金／居知所为，行知所之，事知所秉，动知所由／有为之为，有废无功；无为之为，成遂无穷／有所不为，为无不果；有所不学，学无不成／文以气为主，气之清浊有体，不可力强而致／白日所为，夜来省己，是恶当惊，是善当喜／上无所为，则下无事，家给人足，万物自化就／天道无为，任物自然，无亲无疏，无彼无此也／大匠不为拙工改废绳墨，羿不为拙射变其彀率／逍遥，无为也；苟简，易养也；不贷，无出也／亲父不为其子媒。亲父誉之，不若非其父者也／国以民为本，民以财为命。取之过多，予者亦怨／昔之所为，而今觉其非，虽日异而月不同，可也／恶徼以为知者，恶不孙以为勇者，恶讦以为直者／以无为为居，以不言为教，以恬淡为味，治之极也／子思以为鼎肉使己仆仆尔亟拜也，非养君子之道也／人之能为人，由腹有诗书。诗书勤乃有，不勤腹空虚／卵之化为雏，非慈雌呕暖覆伏，累日积久，则不能为雏／卵之性为雏，不得良鸡覆伏孚育，积日累久，则不成为雏／以小善为无益，以小恶为无伤，凡此皆非所以安身崇德也／君子有为于天下，惟义而已，不可则止，无苟为，亦无必为／其所以为情者七：曰喜、曰怒、曰哀、曰惧、曰爱、曰恶、曰欲

❺不以挟私为政／不得已而为之／百行以德为首／我以不贪为宝／以天下心为心／以百姓欲为欲／民人以食为天／古者以学为政／克己复礼为仁／争先睹之为快／至公大义为正／君子诚之为贵／王者以民为天／三折肱知为良医／天地间，人为贵／为谁零落为谁开／识时务者为俊杰／词以境界为最上／诗不可无为而作／折尽长条为寄谁／小善积而为大善／道远人则为不仁／礼之用，和为贵／悲哉秋之为气也／闻而审，则为福矣／王者以民为基……／无私者，无为于身也／为善则预，为恶则去／为善者

少，为谗者多／为臣死忠，为子死孝／任人当才，为政大体／勇敢而不为过物之操／在上不骄，为下不倍／小人之口，为祸天下／备豫不虞，为国常道／廉洁而不为异众之行／浸润之谮，为患特深／清浊二声，为乐之本／绳墨之起，为不直也／称物平施，为政以公／身名俱裂，为天下笑／为虺弗摧，为蛇将若何／举事以自为者，众去之／俭者，省约为礼之谓也／兴贤育才，为政之先务／凡看书不为书所愚始善／奸回不诘，为恶肆其凶／好高而不为，高不高矣／好大而不为，大不大矣／贪吏不可为者，污且卑／贵骐骥者，为其立至也／数传而白为黑、黑为白／有功不赏，为善失其望／罚当其罪，为恶者戒惧／罚当其罪，为恶者咸惧／用得正人，为善者皆劝／古之人名为羞，以实为慊／何以谨慎为，勇猛而临官／何以孝弟为，财多而光荣／何以礼义为，史书而仕宦／何必生之为乐，死之为悲／君之奢俭，为人富贫之源／皆知善之为善，斯不善矣／智者不妄为，勇者不妄杀／白璧不可为，容容多后福／足食足兵，为治天下之具／青春须早为，岂能长少年／无名故无为，无为而无不为／利人乎即为，不利人乎即止／凡人之欲为善者，为性恶也／圣人不能为时，时至而弗失／圣人终不为大，故能成其大／将以诛大为威，以赏小为明／将当以勇为本，行之以智计／所谓无不为者，因物之所为／福生于无为，而患生于多欲／无以天下为者，必能治天下者／不以利禄为意，而以仁厚为心／不立异以为高，不逆情以干誉／不穷异以为神，不引天以为高／事以明核为美，不以深隐为奇／非而曲者为负，是而直者为胜／古之学者为己，今之学者为人／养物而物为我用者，人之力也／冲隆不足为强，高城不足为固／能除患则为福，不能除患为贼／圣人不能为时，而能以事适时／圣人处无为之事，行不言之教／圣王以贤为宝，不以珠玉为宝／尔以金玉为宝，吾以廉慎为师／君以知贤为明，吏以爱民为忠／冬至之后为呼，夏至之后为吸／深入未必为得，不进未必为非／富以能施为德，贫以无求为德／始取天下为功，始治天下为德／学者非必为仕，而仕者必如学／理诎者，巧为粉泽而隙间百出／析飞糠以为舆，剖秕糟以为舟／智不足以为治，勇不足以为强／贵以下人为德，贱以忘势为德／物以远至为珍，士以稀见为贵／政以得贤为本，理以去秽为务／有能以民为务者，则天下归之／欲福者或为祸，欲利者或离害／毁道德以为仁义，圣人之过也／文以辨洁为能，不以繁缛为巧／毋以日月为功，实试贤能为上／铅不可以为刀，铜不可以为弩／铺落花以为茵，结垂杨而代幄／耳得之而为声，目遇之而成色／臣以能言为能，君以能听为能／臣以自任为能，君以用人为能／臣君者岂为其口实？社稷是养／既反黑以为白，恒怀蛆以自盈／音以比耳为美，色以悦目为欢／天下以言为戒，最国家之大患也／不知足而为餍，我知其不为賁也／为尊者讳，为亲者讳，为贤者讳／为君不君，为臣不臣，乱之本也／以出乎众为心者，曷常出乎众哉／以柔顺而为不正，则佞邪之道也／制芰荷以为衣兮，集芙蓉以为裳／众以亏形为辱，君子以亏义为辱／取诸人以为善，是与人为善者也／海以合流为大，君子以博识为弘／恻隐足以为仁，而仁不止于恻隐／理国执无为之道，民复朴而还淳／贤君择人为佐，贤臣亦择主而辅／用人而不为之下，则力不为用也／耳乐和声，为制金石丝竹以道之／臣以能行为能，君以能赏罚为能／羞恶足以为义，而义不止于羞恶／食不偷而为饱兮，衣不苟而为温／不以高危为忧惧，岂知稼穑之艰难／生而不有，为而不恃，功成而弗居／义胜利者为治世，利克义者为乱世／为谁醉倒为谁醒？至今犹恨轻离别／以物与人为义，过与是非义之义也／弗知而言为不智，知而不言为不忠／他年我若为青帝，报与桃花一处开／但见无为为要妙，岂知有作是根基／众见者人为之伏，器见者人为之备／论先后，知为先；论轻重，行为重／吾哀今之为仕兮，庸有虑时之否臧／知天之所为，知人之所为者，至矣／独在异乡为异客，每逢佳节倍思亲／闻其饥寒为之哀，见其劳苦为之悲／居上克明，为下克忠，与人不求备／臭腐复化为神奇，神奇复化为臭腐／旦握权则为卿相，夕失势则为匹夫／智见者人为之谋，形见者人为之功／水能性澹为吾友，竹解心虚即我师／见日月不为明目，闻雷霆不为聪耳／气入身来为之生，神去离形为之死／礼之可以为国也久矣，与天地并立／称其仇，不为谄；立其子，不为比／金百炼以为鉴，而万物不能遁其形／万事以心为本，未有心至而力不能者／以己之材为天下用，则用天下而不足／大丈夫当为国扫除天下，岂徒室中乎／提刀而立，为之四顾，为之踌躇满志／治务在无为而已，引大体，不拘文法／道者以无为为治，而知者以多事为扰／书者，皆所为不行乎今而行乎后世者也／处身者，不为外物眩晃而动，则其心静／屠者羹藿……为者不必用，用者弗肯为／学者所以为学，学为人而已，非有为也／是为是，非为非；能为能，不能为不能／用兵者，先为不可胜，以待敌之可胜也／百梅足以为百人酸，一梅不足以为一人和／为之者，不为之迹也；不为者，为之途也／唯泰山不为飘风所动，磐石不为疾流所回／丈夫生不为将，得为使，折冲口舌之间足矣／为君为臣为民为物为事而作，不为文而作也

／为成者败，为利者害，为生者死，为兴者废／以一丸泥为大王东封函谷关，此万世一时也／以道以德为有国之基，无事无为乃聚人之本／凡举事，无为亲厚者所痛，而为见仇者所快／子为王，母为虏，终日舂薄暮，常与死为伍／有知顺之为倒、倒之为顺者，则可与言化矣／有所不为，为无不果；有所不学，学无不成／卵待复而为雏，茧待缫而为丝，性待教而为善／为学日益，为道日损，损之又损，以至于无为／为文以意为主，气为辅，以辞彩章句为之兵卫／含元一以为质，禀阴阳以立性，体五行而著形／清轻者上为天，浊重者下为地，冲和气者为人／言之所以为言者，信也；言而不信，何以为言／下以言语为学，上以言语为治，世道之所以日降也／时之来也，为云龙，为风鹏，勃然突然，陈力以出／人之所以为人者，非以此八尺之身也，乃以其有精神／学者四失：为人则失多，好高则失寡，不察则易，苦难则止／不与凶人为仇，不与吉人为亲，不与诚人为媾，不与诈人为怨

❻无为而无不为／至公近乎无为／天下以农桑为本／天地之性人为贵／为大不足以为大／但开风气不为师／养生以不伤为本／舍己而以物为法／画龙不成反为狗／至诚则金石为开／塞翁失马犹为福／大丈夫以断为先／小人以无法为奸／名心盛者必为伪／君子以文明为德／渔舟出没浪为家／惟乐不可以为伪／途之人可以为禹／理国以得贤为本／橘逾淮北而为枳／聪明正直者为神／天地之性，人为贵／师直为壮，曲为老／以国家之务为己任／利少而义多，为之／人之患在好为人师／得乎丘民而为天子／道不同，不相为谋／有妍必有丑为之对／祸不好，不能为祸／天下攘攘，皆为利往／天下熙熙，皆为利来／天门开阖，能为雌乎／无为则理，有为则乱／无拳无勇，职为乱阶／不为易勇，不为崄怯／不为福先，不为祸始／出令不胜，反为大灾／生为杀元，杀为生首／我自乐此，不为疲也／为人者重，自为者轻／民为国基，谷为民命／弗虑胡获，弗为胡成／博览群书，不为讽咏／前事昭昭，足为明戒／侈恶之大，俭为共德／诚心，而金石为之开／动触时忌，言为身灾／圣人绝智，而为无为／圣人裁物，不为物使／小不善积而为大不善／当为秋霜，无为槛羊／当官力争，不为面从／君子使物，不为物使／知能不举，则为失材／知恶不黜，则为祸始／善戏谑兮，不为虐兮／罗织语言，以为谤讪／涓涓不壅，终为江河／涓涓不绝，流为江河／恭为德首，慎为行基／宁为鸡口，无为牛后／王者以百姓为天……／杜口结舌，言为祸母／或为小人，或为君子／是是非非，号为信史／智者不愁，多为少忧／贪天之功，以为己力／贪而弃义，必为祸阶／父为子隐，子为父隐／有无相通，盖为常理／有始有终，无为无欲／虑为功首，谋为赏本／白玉不毁，孰为珪璋／越阡度陌，互为主客／齿由刚折，膏为明销／不知命，无以为君子也／千钧之弩不为鼷鼠发机／为君子儒，无为小人儒／农商工贾……可为师表／民弗为用，弗为死……／衰草枯杨，曾为歌舞场／能食人，亦当为人所食／受国不祥，是为天下王／大愚误国，只为好自用／处世以讥讪为第一病痛／沐雨而栉风，为民请命／道以无形无为成济万物／好憎人者，亦为人所憎／所贵于画者，为其似也／开谄谀之道，为佞者必多／平居无事，指为贤良……／长安有贫者，为瑞不宜多／为高者不高，为卑者不卑／为大者不大，为小者不小／为君既不易，为臣良独难／为富不仁矣，为仁不富矣／古者以天下为主，君为客／陶匏异器，并为人耳之娱／能称其事，则为之者不难／在贵多忘贱，为恩谁能博／塞切直之路，为忠者必少／莫道桑榆晚，为霞尚满天／导泉向涧，则为易下之流／图难于其易，为大于其细／恨无一尺捶，为国笞羌夷／遥知不是雪，为有暗香来／璇玉致美，不为池隍之宝／然则无用之为用也亦明矣／黼黻不同，俱为悦目之玩／不谓小不善为无伤也而为之／为国者无使为积威之所劫哉／古之人以名为羞，以实为慊／兰生幽谷，不为莫服而不芳／并词竞说者，为贷手以自殴／凡为文以意为主，以气为辅／小人以小善为无益而弗为也／君子行义，不为莫知而止休／得吾道者，上为皇而下为王／处贵显者勿为矜己傲人之言／处患难者勿为怨天尤人之言／官吏浮冗，最为天下之大患／王者以仁义为丽，道德为威／昔时地险，实为建业之雄都／有无虚实通为一体者，性也／怒而溢恶，则为人之害多矣／舟在江海，不为莫乘而不浮／无为其所不为，无欲其所不欲／不能长进，只为昏弱两字所苦／不知而自以为知，百祸之宗也／久利之事勿为，众争之地勿往／以其终不自为大，故能成其大／仁者不以位为惠：可谓无为矣／交气疾争者，为易口而自毁也／大巧在所不为，大智在所不虑／教者，效也；上为之，下效之／天地不能顿为寒暑，必渐于春秋／天行有常，不为尧存，不为桀亡／世乱则君子为奸，而法弗能禁也／为国者以民为基，民以衣食为本／今将以呼嘘为食，咀嚼为神……／小人……以小恶为无伤而弗去也／唯无以天下为者，可以托天下也／法大行，则是为公是，非为公非／所谓文者，务为有补于世而已矣／文章以华采为末，而以体用为本／天道以爱人为心，以劝善惩恶为公／无使不可以为工，无资不可以为商／不敢为主而为客，不敢

进寸而退尺／不言之教，无为之盖，天下希及之／世人视宠以为荣，圣人观之以为下／丘山积卑而为高，江河合水而为大／以苟容曲从为贤，以拱默尸禄为智／以救时行道为贤，以犯颜纳说为忠／以禁攻寝兵为外，以情欲寡浅为内／真知即所以为行，不行不足谓之知／伐深根者难为功，摧枯朽者易为力／曾经沧海难为水，除却巫山不是云／勿以恶小而为之，勿以善小而不为／能为国则能为主，能为家则能为父／能改，则瑕可为瑜，瓦砾可为珠玉／圣人转祸而为福，智士因败以成胜／圣王以天下为忧，天下以圣王为乐／土广不足以为安，人众不足以为强／君失臣兮龙为鱼，权归臣兮鼠变虎／因其所喜而为善，虽有愿忠而孰能／狗不以善吠为良，人不以善言为贤／腐木不可以为柱，卑人不可以为主／皇天以无言为贵，圣人以不言为德／日典春衣非为酒，家贫食粥已多时／昔者庄周梦为胡蝶，栩栩然胡蝶也／明为明，不明为不明，乃所谓明也／春一物枯即为灾，秋一物华即为异／智昏不可以为政，波水不可以为平／智者不以位为事，勇者不以位为暴／爱人以除残为务，政理以去乱为心／欲尸名者必为善，欲为善者必生事／文章自得方为贵，衣钵相传岂是真／礼者，以财物为用……以隆杀为要／愿兄为水妹为土，和来捏做一个人／镌金石者难为功，摧枯朽者易为力／蝮蛇不可以为足，虎豹不可使缘木／辞必高然后为奇，意必深然后为工／趋利而不以为辱，陨身而不以为怨／登高不可以为长，居下不可以为短／言学便以道为志，言人便以圣为志／夜行者能无为奸，不能禁狗使无吠已／唯不求利者为无害，不求福者为无祸／处世让一步为高，退步即进步的张本／闻人善，立以为己师；闻恶，若己仇／江海所以能为百谷王者，以其善下之／道者以无为为治，而知者以多事为扰／橘生淮南则为橘，生于淮北于则为枳／水发于深，而为用且远……反为患矣／贵者必以贱为号，而高者必以下为基／散殊而可象为气，清通而不可象为神／火泄于密，而为用且大……反为灾矣／既不知善之为善，则亦不知恶之为恶／不知周之梦为蝴蝶与，蝴蝶之梦为周与／为尊者讳耻，为贤者讳过，为亲者讳疾／为善无近名，为恶无近刑，缘督以为经／以天下之材为天下用，则用天下而有余／唯不求利者为无害，唯不求福者为无祸／宵行者，能无为奸，而不能令狗无吠已／竭诚则吴越为一体，傲物则骨肉为行路／身劳而心安，为之；利少而义多，为之／观于海者难为水，游于圣人之门者难为言／教化，所恃以为治也；刑法，所以助治也／所恶执一者，为其贼道也，举一而废百也／无为名尸，无为谋府，无为事任，无为知主／不广其从，不为兵郛，不为乱首，不为宛谋／匿人之善，斯为蔽贤；扬人之恶，斯为小人／圣贤之所以为知者，不过思与见闻之会而已／大丈夫……终不为邪暗小人所惑而易其所守／君为暗主，臣为谀臣，君暗臣谀，危亡不远／山无陵，江水为竭……天地合，乃敢与君绝／山霤至柔，石为之穿；蝎虫至弱，木为之弊／治道备，人斯为善矣；治道失，人斯为恶矣／涓涓不塞，将为江河；荧荧不救，炎炎奈何／旦为朝云，暮为行雨。朝朝暮暮，阳台之下／盘石千里，不为有地；愚民百万，不为有民／称身居位，不为苟进；称事受禄，不为苟得／尧以不得舜为己忧，舜以不得禹、皋陶为己忧／奋其智能，愿为辅弼，使寰区大定，海县清一／宽弘之人宜为郡国，使下得施其功而总成其事／有不能以有为有，必出乎无有，而无有一无有／平为福，有余为害者，物莫不然，而财其甚者也／为民族解放，为阶级翻身，事业垂成，公胡遽死／争构纤微，竞为雕刻……；骨气都尽，刚健不闻／不谓小不善为无伤也而为之，小不善积而为大不善／仁人之所以为事者，必兴天下之利，除去天下之害／万物之所以为无穷者，交相胜而已矣，还相用而已矣／求之而后得，为之而后成，积之而后高，尽之而后圣／今一以天地为大炉，以造化为大冶，恶乎往而不可哉／君子之学，不为则已，为则必要其成，故常百倍其功／时之不来也，为雾豹，为冥鸿，寂兮寥兮，奉身而退／万物以自然为性，故可因而不可为也，可通而不可执也／欲成功而反为败者，生于不知道理，而不肯问知而听能／瞒人之事弗为，害人之心弗存，有益国家之事虽死弗避／古今号文章为难，足下知其所以难乎？……得之为难，知之愈难耳／人声之精者为言，文辞之于言，又其精也，尤择其善鸣者而假之鸣

❼非吾仪，虽利不为／为国者以富民为本／仲尼可学不可为也／人以不作聪明为贤／大丈夫以信义为重／昭乎日月不足为明／胜可知，而不可为／三冗不去，不可为国／下忧上烦，蠹政为患／才能成功，以速为贵／天生万物，唯人为贵／天人之际，合而为一／天地虽广，以无为心／不仁不智，何以为国／不在憎爱，以道为贵／不在逆顺，以义为断／不孝有三，无后为大／正复为奇，善复为妖／事不中法者，不为也／失反为得，成反为败／兵者凶事，不可为首／义典则弘，文约为美／以人为本，以财为末／以危为安，以乱为治／以苛为密，以利为公／以深为根，以约为纪／以本为精，以物为粗／以贵为道，以意为法／制俗以俭，其弊为奢／制国用，量入以为出／剖心非痛，亡殷为痛／仕官之法，清廉为最／八面九口，长舌为斧／命驹曰犊，终

必为马／凡为文，以神志为主／凡谋之道，周密为宝／凡学之道，严师为难／高岸为谷，深谷为陵／计校府库，量入为出／凶德有五，中德为首／动不为己，先以为人／圣王虽大，以虚为主／建国君民，教学为先／大木为宗，细木为桷／小人之誉，人反为损／小枉大直，君子为之／少年富贵才俊为不幸／名刑已定，物自为正／知人之事，自古为难／善持胜者，以强为弱／因变制宜，以敌为师／德无常师，主善为师／形全精复，与天为一／处世为人，信义为本／广农为务，俭用为资／治天下者，以人为本／治民无常，唯法为治／海产明珠，所在为宝／慊慊为人，矫矫为官／宁方为皂，不圆为卿／它山之石，可以为错／安身为乐，无忧为福／过耳之言，不足为凭／选贤之义，无私为本／逆顺死生，物自为名／始交不慎，后必为仇／学以为耕，文以为获／经邦建国，教学为先／绝知为福，好知为贼／村无大树，蓬蒿为林／成功之道，赢缩为宝／战虽有陈，而勇为本／比力而争，智者为雄／昆山之下，以玉为石／耆艾而信，可以为师／智能决谋，以疾为奇／贫非人患，惟和为贵／所贵唯贤，所宝为谷／有文字来，谁不为文／礼乐为本，刑政为末／积薄为厚，积卑为高／辞不足不可以为成文／羊之乱群，犹能为害／群邪所抑，以直为曲／精诚所加，金石为开／精诚所加，金石为亏／言而不信，何以为言／言之非难，行之为难／雅有所谓，不虚为文／鱼跃龙门，过而为龙／夫食为民天，农为政本／无其德而当之，为不智／不勤不俭，无以为人上／利为害本，而福为祸先／人方为刀俎，我为鱼肉／亡羊而补牢，未为迟也／士虽有学，而行为本焉／小人之学也，以为禽犊／困而不学，民斯为下矣／有其材而辞之，为不仁／慈父之爱子，非为报也／病之将死，不可为良医／天地为炉，造化为工……／不为近重施，不为远遗恩／不为穷变节，不为贱易志／不待卞和显，自为命世珍／不患莫己知，求为可知也／不言而教行，何为而不威／可为智者道，难为俗人言／中夜四五叹，常为大国忧／生为百夫雄，死为壮士规／生为并身物，死为同棺灰／为人择官，而非为官择人／以名声称号，必为是所诱／书为晓者传，事为见者明／何意百炼刚，化为绕指柔／公正无私，可以为天下王／人作殊方语，莺为故国声／先即制人，后则为人所制／衰为盛之终，盛为衰之始／劝君少干名，名为锢身锁／男儿当野死，岂为印如斗／男儿死耳，不可为不义屈／能为人则者，不为人下矣／茶为涤烦子，酒为忘忧君／各愿贻子孙，永为后世资／园有螫虫，藜藿为之不采／国有忠臣，奸邪为之不起／山有猛兽，藜藿为之不采／山有猛兽，树木为之不斩／岂知千仞坠，只为一毫差／鹰鹯巢林，鸟雀为之不栖／怀此贞秀姿，卓为霜下杰／道为智者设，马为御者良／居官不爱子民，为衣冠盗／女为悦己容，士为知己死／存为久离别，没为长不归／巢林栖一枝，可为达士模／松柏在冈，蒿艾为之不植／松柏本孤直，难为桃李颜／时花美女，不足为其色也／贤为圣者用，辩为智者通／教而不以善，犹为不教也／服食求神仙，多为药所误／欲折月中桂，持为寒者薪／风樯阵马，不足为其勇也／毋为财货迷，毋为妻子蛊／其言之不怍，则为之也难／无名故无为，无为而无不为／为惠者生奸，而为暴者生乱／吾心如秤，不能为人作轻重／理财正辞，禁民为非，曰义／明君圣人亦不为一人枉其法／父母之爱子，则为之计深远／为人使易以伪，为天使难以伪／为高必因丘陵，为下必因川泽／为善与众行之，为巧与众能之／以天下与人易，为天下得人难／圣人……言以绝食，为以止为／彼肆其心之所为者，独何人耶／编珠缀玉，不得为全璞之宝矣／自责以人则易为，易为则行苟／事有所至，信反为过，诞反为功／为国者以富民为本，以正学为基／以仁为恩，以义为理，以礼为行／民习礼义，易与为善，难与为非／古之人知酒肉为甘鸩，弃之如遗／大丈夫处世，当为国家立功边境／善为文者，发而为声，鼓而为气／善制事者，转祸为福，因败为功／始或为终，终或为始，恶知其纪／染鹭之毛而指为鸦，则虽愚必疑／截牛之角而呼为豕，则虽庸必骇／用兵之道，攻心为上，攻城为下／自其所当后者为之，则先后并废／自其所当先者为之，则其后必举／譬如养鹰，饥则为用，饱则扬去／我之出而仕也，为天下，非为君也／兵有奇正，旋相为用，如环之无端／伐人之国而以为欢，非仁者之兵也／合之者善，可以为法，因世而权行／孰恶孰美，成者为首，不成者为尾／圣人不以独见为明，而以万物为心／将欲取天下而为之，吾见其不得已／君子知自损之为益，故功一而美二／知生而无以知为也，谓之以知养恬／过在改而不复为，功惟立而不中倦／惑而不从师，其为惑也，终不解矣／用兵之道……心战为上，兵战为下／穷则视其所不为，贫则视其所不取／自责以义则难为非，难为非则形饰／天下之事不可为也，因其自然而推之／天下皆知取之为取，而莫知与之为取／不以一己之害为害，而使天下释其害／不以一己之利为利，而使天下受其利／古之人……识名位为香饵，逝而不顾／待西施、毛嫱而为配，则终身不家矣／始以护人之乱为义，而终掠乱以求之／斩木为兵，揭竿为旗，天下云集响应／春秋为尊者讳，为亲者讳，为贤者讳／白璧有考，不得为宝：言至纯之难也／与天下之贤者为徒，此文王之所以王也／丑必托善以自为解，邪必蒙正以自为辟／奉而始终之则为道，言而发明之则为诗／我专为一，敌分为十，是以十共其一也／良工之子必先为箕，良冶之子必先为裘／良弓之子必先为箕；良冶之子必先为裘／从水之道而不为私焉，此吾所以蹈之也／众人皆以奢糜为荣，吾心独以俭素为美／若能为能，不能为不能……乃所谓明也／崒乎泰山不足为高，巍乎天地不足为容／法者，所以禁民为非而使其迁善远罪也／治身者以积精为宝，治国者以积贤为道／清阳者薄靡而为天，重浊者凝滞而为地／物不正则不可为乐，乐不和则不能理人／方地为车，圆天为盖，长剑耿耿倚天外／目有昧则视白为黑，人有蔽则以薄为厚／矩不正不可以为方，规不正不可以为圆／穹庐为室兮旃为墙，以肉为食兮酪为浆／人生大期，百年为限，节护之者可至千岁／道不远人。人之为道而远人，不可以为道／与死者同病难为良医，与亡国同道难与为谋／天下岂有不可为之国哉？亦存乎其人如何尔／天下神器，不可为也。为者败之，执者失之／不谓小善不足为也而舍之，小善积而为大善／可厌之类，不独为害，死虽万代，独堪污秽／事孰为大？事亲为大。守孰为大？守身为大／为君为臣为民为物为事而作，不为文而作也／以天为父，以地为母，阴阳为纲，四时为纪／仁者人也，亲亲为大；义者宜也，尊贤为大／体不备不可以为成人，辞不足不可以为成文／凡物之精，化则为生，下生五谷，上为列星／亡而为有，虚而为盈，约而为泰，难乎有恒／就郡言，灵隐寺为尤；由寺观，冷泉亭为甲／拘囹圄者，以日为修；当死市者，以日为短／当怒不怒，奸臣为虎；当杀不杀，大贼乃发／知得知失，可与为人；知存知亡，足别吉凶／知过非难，改过为难；言善非难，行善为难／山树为盖，岩石为屏，云从栋生，水与阶平／德不素积，人不为用；备不豫具，难以应卒／浩漾东流，赴海为期。斡而迁焉，逐我颐指／居君子之位而为庶人之行者，其患祸必至也／居官不难，听言为难；听言不难，明察为难／学有未达，强以为知，理有未安，妄以臆度／故观于海者难为水，游于圣人之门者难为言／有法无法，因时为业；有度无度，与物趣舍／福之为祸，祸之为福，化不可极，深不可测／心之精微，发而为文；文之神妙，咏而为诗／心源为炉，笔端为炭。锻炼元本，雕砻群形／石以砥焉，化钝为利；法以砥焉，化愚为智／言吾善者，不足为喜；道吾恶者，不足为怒／为道不在多，自为已有金丹至要，可不用余耳／天地任自然无为，无造万物，自相治理，故不仁／不为穷变节，不为贱易志；惟仁之处，惟义之行／以辱为荣，以穷为通，虽失乎前，可谓后得之矣／唯女子与小人为难养也；近之则不孙，远之则怨／见兔而顾犬，未为晚也；亡羊而补牢，未为迟也／沐者堕发，而犹为之不止，以所去者少，所利者多／天地之气合而为一，分为阴阳，判为四时，列为五行／天下皆知美之为美，斯恶矣；皆知善之为善，斯不善矣／以天为宗，以德为本，以道为门，兆于变化，谓之圣人／可与为始，可与为终，可与尊通，可与卑穷者，其唯信乎／身处困境，当视为天之爱我、成我，不当视为天之厄我、祸我也

❽严令繁刑不足以为威／出人之才，竟无施为／乐道人之善而不为谄／为政之本，贵在无为／公家之事，知无不为／公家之利，知无不为／圣人绝智，而为无为／圣人积聚众善以为功／君子莫大乎与人为善／道常无为，而无不为／履深泉之薄冰不为啼／死而无益，何用死为／忠臣体国，知无不为／万物职职，皆从无为殖／无年非夭，无述乃为夭／无位非贱，无耻乃为贱／无子非孤，无德乃为孤／无财非贫，无学乃为贫／不祈多积，多文以为富／东南山水，余杭郡为最／以进死为荣，退生为辱／仁者之行道也，无为也／从政有经，而令行为上／凡事无小大，物自为舍／诗在心为志，出口为辞／防小人之道，正己为先／圣贤之学，以日新为要／在此为美兮，在彼为蚩／坑儒士起自诸生为妖言／大道之行也，天下为公／器而不可用，工不为也／治国者，必以奉法为重／妙论精言，不以多为贵／学问无大小，能者为尊／战以勇为主，以气为决／贱物贵我，君子不为也／政无旧新，以便民为本／政无大小，以得人为重／数传而白为黑、黑为白／必因人之情，故易为功／必因时之势，故易为力／钧材而好学，明者为师／矩不方，规不可以为圆／用兵有术矣，而义为本／自弃者，不可与有为也／其可驾御，救之所为也／其所不能，不强使为是／一别怀万恨，起坐为不宁／天地不仁，以万物为刍狗／非物有小大，盖心为虚实／非其人而行之，则为大害／生当作人杰，死亦为鬼雄／以正为在民，以枉为在己／以生为丧也，以死为反也／以得为在民，以失为在己／利则为害始，福则为祸先／令在必行，不当徒为文具／膏火自煎熬，多财为患害／褒贬无一词，岂得为良史／记问之学，不足以为人师／圣人不仁，以百姓为刍狗／士而怀居，不足以为士矣／花下一禾生，去之为恶草／大之为河海，高之为山岳／大言不惭，则无必为之志／投躯报明主，身死为国殇／将新变故易，持故为新难／君子不为苟存，不为苟亡／知音偶一时，千载为欣欣／得其人而行之，则为大利／处则为远志，出则为小草／温故而知新，可以为师矣／宁方

为污辱，不圆为显荣／謇谔无一言，岂得为直士／达人识元气，变愁为高歌／明之为日月，幽之为鬼神／泰山成砥砺，黄河为裳带／摩顶放踵，利天下，为之／爱其书者，兼取其为人也／臣闻虑为功首，谋为赏本／蛇固无足，子安能为之足／螭龙为蝘蜓，鸱枭为凤皇／天子作民父母，以为天下王／无私者知，至知者为天下稽／凡人之欲为善者，为性恶也／能获而能烹，所以为善猎也／能稼而能穑，所以为良农也／尘芥六合，谓天地为有穷也／吾所以有大患者，为吾有身／山有猛兽者，藜藿为之不采／爱其子而不教，犹为不爱也／有心于为善，则与为不善同／其悲则同，其所以为悲则异／食肉毋食马肝，未为不知味／无为不能遁福，有为不能逃患／无为而物自生，无为而物自亡／不为轩冕肆志，不为穷约趋俗／不作无补之功，不为无益之事／不苟一时之誉，思为利于无穷／众之为福也大，其为祸也亦大／圣人不为名尸，不为谋府……／圣人言不言之言，为不为之为／士为知己者死，女为悦己者容／士为知己者用，女为说己者容／大事不得，小事不为者，必贫／须用防微杜渐，毋为因小失大／闻风声鹤唳，皆以为王师已至／闻恶不可就恶，恐为谗夫泄怒／酒是烧身硝焰，色为割肉钢刀／憎而不知其善，则为善者必惧／宁为有闻而死，不为无闻而生／爱而不知其恶，则为恶者实繁／惑者之患，不自以为惑，故惑／静而圣，动而王，无为也而尊／其自为也过多，其为人也过少／为一身谋则愚，而为天下谋则智／为恶之私易见，而为善之私难知／君子修道立德，不为穷困而改节／法令者，民之命也，为治之本也／死，人之所难，然耻为狂夫所害／不是交同兰气味，为何话出一人心／为之无益于义而为之，此行之秽也／为词章，泛滥停蓄，为深博无涯涘／为君者常病于察，为臣者又失之宽／为善则流芳百世，为恶则遗臭万年／为社稷死则死之，为社稷亡则亡之／读书以过目成诵为能，最是不济事／知之为知之，不知为不知，是知也／因供寨木无桑柘，为点乡兵绝子孙／问渠哪得清如许，为有源头活水来／采得百花成蜜后，为谁辛苦为谁甜／日改月化，日有所为，而莫见其功／见利争让，闻义争为，有不善争改／有为，乱之首也；无为，治之元也／秀出天南笔一枝，为官风骨称其诗／用意深而劝戒切，为言信而善恶明／虚静恬淡寂寞无为者，万物之本也／衣带渐宽终不悔，为伊消得人憔悴／天下之事，理胜力为常，力胜理为变／奉职顺道，亦可以为治，何必威严哉／为善者日以有劝，为不善者月以有惩／人灭而为鬼，鬼而为人，则未之知也／玄古之君天下，无为也，天德而已矣／能之为能之，不能为不能，行之要也／圣人不为华文，不为色利，不为残贼／小人不知自益之为损，故一伐而并失／处事者不以聪明为先，而以尽心为急／明主之赏罚，非以为己也，以为国也／智如泉源，行可以为表仪者，人师也／上德无为而无以为，下德为之而有以为／天下事有难易乎？为之，则难者亦易矣／为川者，决之使导；为民者，宣之使言／为主贪，必丧其国；为臣贪，必亡其身／为渊驱鱼者，獭也；为丛驱爵者，鹯也／古之君人者，以得为在民，以失为在己／人能尽性知天，不为蓦然起见，则几矣／今之官人也，以己为天下累，故人忧之／学者所以为学，学为人而已，非有为也／学贵变化气质，岂为猎章句、干利禄哉／是为是，非为非；能为能，不能为不能／收心简事日损有为，体静心闲方可观妙／咸以孔子之是非为是非，故未尝有是非耳／国家作事，以公共为心者，人必乐而从之／骐骥不能与罢驴为驷，凤皇不与燕雀为群／自古失国之主，皆为居安忘危，处治忘乱／言无务为多而务为智，无务为文而务为察／丈夫生不为将，得为使，折冲口舌之间足矣／功莫大于去恶而为善，罪莫大于去善而为恶／坚甲利兵不足以为武，高城深池不足以为固／志合者不以山海为远，道乖者不以咫尺为近／山虽高，水虽下，其为险而害也，要之不异／爱民，害民之始也；为义偃兵，造兵之本也／欲人不知，莫若无为；欲无悔吝，不若守慎／天……有相授之意，有为政之理，不可不审也／为文以意为主，气为辅，以辞彩章句为之兵卫／人主之立法，先自为检式仪表，故令行于天下／争行义乐用与争为不义竞不用，此其为祸福也／若使民常畏死，而为奇者，吾得执而杀之孰敢／洼者为池而缺者为洞，若有鬼神异物阴来相之／不拘一世之利以为己私分，不以王天下为己处显／制国有常，而利民为本；从政有经，而令行为上／城狐社鼠皆微物，为其有所凭恃，故除之犹不易／小盗者拘，大盗者为诸侯；诸侯之门，义士存焉／治国有常，而利民为本；政教有经，而令行为上／窃钩者诛，窃国者为诸侯；诸侯之门而仁义存焉／时之来也，为云龙，为风鹏，勃然突然，陈力以出／自古至于今，与民为仇者，有迟有速，而民必胜之／恬淡、寂寞、虚无、无为，此天地之本而道德之质也／欲为君，尽君道；欲为臣，尽臣道。二者皆法尧舜而已矣／生民之不得休息，为四事故：一为寿，二为名，三为位，四为货

❾人之情安于其所常为／天地无为也而无不为也／失民而得财，明者不为／心有不乐，无乐而不为／一以己为马，一心己为牛／一朝辞此地，四海遂为家／上不尽利，则民有以为生／天下无正声，悦耳即为娱／天也，你错勘贤愚枉为天

／天所赋为命，物所受为性／不以奢为乐，不以廉为悲／不以虚为虚，而以实为虚／不能无为者，不能有为也／不宝金玉，而忠信以为宝／两贤未别，则能让者为俊／事以简为上，言以简为当／面异斯为人，心异斯为文／失身取高位，爵禄反为耻／乐与政为政，乐与治为治／每一发兵，不觉头发为白／乡无君子，则与云山为友／以不息为体，以日新为道／以至诚为道，以至仁为德／以行实为先，以才用为急／以赏誉自劝者，惰乎为善／承恩不在貌，教妾若为容／古之人名为羞，以实为慊／古墓犁为田，松柏摧为薪／古者以天下为主，君为客／列士并学，能终善者为师／何必生之为乐，死之为悲／修身以为弓，矫思以为矢／尊之则为将，卑之则为虏／人生处万类，知识最为贤／人性含灵，待学成而为美／合异以为同，散同以为异／凡营衣食，以不失时为本／凡物无成与毁，复通为一／诬而罔省，施之事亦为固／叙事之工者，以简要为主／地也，你不分好歹何为地／坐无君子，则与琴酒为友／莫寿于殇子，而彭祖为夭／拔一毛而利天下，不为也／将以民为体，民以将为心／尝甘以为苦，行非以为是／君子与小人，并处必为患／虽有亲兄，安知其不为狼／虽有亲父，安知其不为虎／四海变秋气，一室难为春／因祸而为福，转败而为功／国史之美者，以叙事为工／国以民为基，贵以贱为本／国以民为本，民以谷为命／国以民为本，民以食为天／岂待酒肉罗绮然后为生哉／处高心不有，临节自为名／饥者易为食，渴者易为饮／富贵易为善，贫贱难为工／遗古而务乎今，则失为妄／强辩以饰非者，果何为也／结发同枕席，黄泉共为友／转祸而为福，因败而为功／是或化为非，非或化为是／贫者不厌糟糠，穷而为奸／贵以贱为本，高以下为基／视白以为黑，飨香以为朽／敛之于饶，而民不以为暴／所谓无为者，不先物为也／毁则者为贼，掩贼者为藏／方凿不受圆，直木不为轮／扁舟从此去，鸥鸟自为群／祸与福同门，利与害为邻／祸与福相贯，生与亡为邻／恩或化为仇，仇或化为恩／眼看人尽醉，何忍独为醒／积土而为山，积水而为海／用之则为虎，不用则为鼠／被褐怀金玉，兰蕙化为刍／聚敛之臣，则以货财为急／里无君子，则与松柏为友／一凡人沮之，则自以为不足／一凡人誉之，则自以为有余／不修，虽破万卷不失为小人／不修其身，虽君子而为小人／民为贵，社稷次之，君为轻／巨屦小屦同贾，人岂为之哉／仁义者，虽聋瞽不失为君子／凤凰芝草，贤愚皆以为美瑞／务采色，夸声音而以为能也／能修其身，虽小人而为君子／左右为社鼠，用事者为猛狗／治国者当爱民，则不为奢泰／慎女内，闭女外，多知为败／怨利生孽，维义可以为长存／才如白地明光锦，裁为负版袴／苟粟多而财有余，何为而不成／君子不谓小善不足为也而舍之／国以民为本，社稷亦为民而立／皆知敌之仇，而不知为益之尤／皆知敌之害，而不知为利之大／景不为曲物直，响不为恶声美／鸟何萃兮蘋中，罾何为兮木上／自责以人则易为，易为则行苟／不独为利而仕不可，为名亦不可／为尊者讳，为亲者讳，为贤者讳／误用恶人，假令强干，为害极多／善为吏者树德，不善为吏者树怨／往者已不及，尚可以为来者之戒／惟天性刚强之人，不为物欲所屈／放船千里凌波去，略为吴山留顾／燔埴为瓦则可，烁瓦为铜则不可／置不肖之人于位，是为虎傅翼也／天良能本吾良能，顾为有我所丧尔／不为苟得以偷安，不为苟免而无耻／不因困顿移初志，肯为夤缘改寸丹／匿为物而愚不识，大为难而罪不敢／假作真时真亦假，无为有处有还无／僧是愚氓犹可训，妖为鬼蜮必成灾／曾因国难披金甲，不为家贫卖宝刀／人生结交在终始，莫为升沉中路分／儿孙自有儿孙福，莫为儿孙作远忧／能为国则能为主，能为家则能为父／难违一官之小情，顿为万人之大弊／喜为异说而不让，敢为高论而不顾／宁作清水之沉泥，不为浊路之飞尘／明珠自有千金价，莫为游人作弹丸／欲尸名者必为善，欲为善者必生事／烦为教而过不识，数为令而非不从／神龙失水而陆居兮，为蝼蚁之所裁／世混浊而不清，蝉翼为重，千钧为轻／在朝也则师氏之佐，为国则刻削之政／在朝也则司寇之任，为国则公正之政／在朝也则将帅之任，为国则严厉之政／大道吐气，布于虚无，为天地之本始／提刀而立，为之四顾，为之踌躇满志／出无谓之言，行不必为之事，不如其已／为地战者不能成王，为禄仕者不能成政／为善者天报之以福，为恶者天与之以殃／为情者要约而写真，为文者淫丽而烦滥／以白云为藩篱，碧山为屏风，昭其俭也／古之官人也，以天下为己累，故己忧之／彼为盈虚非盈虚……彼为积散非积散也／道也者，至精也，不可为形，不可为名／智巧，扰乱之罗也；有为，败事之纲也／私心胜者可以灭公，为己重者不知利物／为人臣者，以富乐民为功，以贫苦民为罪／以割下为能，以附上为忠，此叛国之风也／凡万物异则莫不相为蔽，此心术之公患也／天下神器，不可为也。为者败之，执者失之／求而得之，必有失焉；为而成之，必有败焉／为之政，以率其怠倦；为之刑，以锄其强梗／为君为臣为民为物为事而作，不为文而作也／为善不同，同归于治；为恶不同，同归于乱／为国失道，众叛亲离；为国以道，人必悦服／为成者败，为利者害，为生者死，为兴者废／宜力学为砻斫，亲贤为青黄，睦僚友为瑶金／有知顺之为倒、倒之为顺者，则可与言化矣／君子与君子以同道为朋，小人与小人以同利为朋／国以民为本，民以财为命。取之过多，予者亦怨／以无为为居，以不言为教，以恬淡为味，治之极也／人者，在阴阳之中央，为万物之师长，所能作最众多／君子之学，不为则已，为则必要其成，故常百倍其功／时之不来也，为雾豹，为冥鸿，寂兮寥兮，奉身而退／言有教，动有法，昼有为，宵有得，息有养，瞬有存／因循苟且逸豫而无为，可以侥幸一时，而不可旷日持久／所贵于天下之士者，为人排患、释难、解纷乱而无所取也／天无为以之清，地无为以之宁，故两无为相合，万物皆化生／知为为而不知所以为，是以贵为天子，富有天下，而不免于患也

❿天下之祸，莫大于不足为／为人莫作女，作女实难为／民之难治，以其上之有为／行不知所之，居不知所为／遇事无难易，而勇于敢为／时有利不利，虽贤欲奚为／智贵乎早决，勇贵乎必为／一举而两利，斯智者之为也／无名故无为，无为而无不为／不谓小不善为无伤也而为之／不限资考，惟择才堪者为之／失吾道者，上见光而下为土／以天下为忧，而未以位为乐／乱之所生也，则言语以为阶／古之人以名为羞，以实为慊／外听易为察，而内听难为聪／人有不为也，而后可以有为／凡为文以意为主，以气为辅／变白以为黑兮，倒上以为下／势有所不可，虽圣哲不能为／圣人无常心，以百姓心为心／圣人常无心，以百姓心为心／在位非其人，而恃法以为治／将以诛大为威，以赏小为明／小人以小善为无益而弗为也／知者无不知也，当务之为急／国以人为本，人以衣食为本／得吾道者，上为皇而下为王／处听易为察，而内听难为聪／悖者之患，固以不悖者为悖／富者犬马余菽粟，骄而为邪／富贵而有业，则不至于为非／过者之患，不知而自以为知／遗今而专乎古，则其失为固／王者以仁义为丽，道德为威／贤者用于君则以君之忧为忧／致远恐泥，是以君子不为也／教人治人，宜皆以正直为先／所谓无不为者，因物之所为／有道之主，以百姓之心为心／神物好安静，不可以有为治／鱼失水则死，水失鱼犹为水／一快不足以成善，积快而为德／万钟之尸居，不若釜庾之有为／天下之乐无穷，而以适意为悦／天下本无事，庸人扰之为烦耳／无恒产而有恒心者，惟士为能／不可以一时之谤，断其为小人／不以利禄为意，而以仁厚为心／不穷异以为神，不引天以为高／百川并流，不注海者不为川谷／事以明核为美，不以深隐为奇／非而曲者为负，是而直者为胜／非理之财莫取，非理之事莫为／长者不为有余，短者不为不足／州闾之士皆誉皆毁，未可为正／以同异为善恶，以喜怒为赏罚／以公平为规矩，以仁义为准绳／以玉为石者，亦将以石为玉矣／以贤为愚者，亦将以愚为贤矣／古之学者为己，今之学者为人／古者不以死伤生，不以厚为礼／同于己为是之，异于己为非之／仁者不以位为惠：可谓无为矣／何秋日之可哀，托芙蓉以为媒／令不行而禁不止，则无以为治／冲隆不足为强，高城不足为固／论世而为之事，权事而为之谋／诵读有真趣，不玩味终为鄙夫／除患于未萌，然后能转而为福／力恶其不出于身也，不必为己／能除患则为福，不能除患为贼／圣人言不言之言，为不为之为／圣人……言以绝食，为以止为／圣王以贤为宝，不以珠玉为宝／士之品有三：志于道德者为上／尔以金玉为宝，吾以廉慎为师／名生于真，非其真，弗以为名／吟咏有真得，不解脱终为套语／君以知贤为明，吏以爱民为忠／知常顺道，故能公正而为王也／山水有真赏，不领会终为漫游／冬至之后为呼，夏至之后为吸／深入未必为得，不进未必为非／惟有才行是任，岂以新旧为差／富以能施为德，贫以无求为德／察而以饰非惑愚，则察为祸矣／察而以达理明义，则察为福矣／始取天下为功，始治天下为德／析飞糠以为舆，剖秕糟以为舟／智不足以为治，勇不足以为强／贤者之处世，皆以得时为至难／贵以下人为德，贱以忘势为德／赏及淫人，则善者不以赏为荣／物以远至为珍，士以稀见为贵／政以得贤为本，理以去秽为务／有能而无益于事者，君子弗为／有过人之识，则不以富贵为事／风波作于平地，亲戚化为仇怨／文以辨洁为能，不以繁缛为巧／忠信以为甲胄，礼义以为干橹／毋以日月为功，实试贤能为上／田园有真乐，不潇洒终为忙人／罪及善者，则恶者不以罚为辱／铅不可以为刀，铜不可以为弩／臣以能言为能，君以能听为能／臣以自任为能，君以用人为能／羊不任驾盐车，椽不可为楣栋／音以比耳为美，色以悦目为欢／黯然别之销魂，悲哉秋之为气／一身而二任焉，虽圣者不可为也／天地与我并生，而万物与我为一／天行有常，不为尧存，不为桀亡／不知足而为屦，我知其不为蒉也／不禁其性，则物自济，何为之恃／甘酒醴而不酤饴蜜，未为能知味／事有所至，信反为过，诞反为功／非礼之礼，非义之义，大人弗为／兵者，所以讨暴，非所以为暴也／为国为民而得罪，君子不以为辱／为国者以民为基，民以衣食为本／为国者以富民为本，以正学为基／为政犹沐也，虽有弃发，必为之／以仁为恩，以义为理，以礼为行／民习礼义，易与为善，难与为非／尽力直友人之屈，不以权臣为意／制芰荷以为衣兮，集芙蓉以为

裳／何者，其化薄而出于相以有为也／今将以呼嘘为食，咀嚼为神……／众以亏形为辱，君子以亏义为辱／凿者，其失诬；愚者，其失为固／去汝躬矜与汝容知，斯为君子矣／圣人安不忘危，恒以忧思为本营／圣人者，由近知远，而万殊为一／取诸人以为善，是与人为善者也／苟无恒心，放辟邪侈，无不为已／大巧因自然以成器。不造为异端／掘井九轫而不及泉，犹为弃井也／小人固当远，然亦不可显为仇敌／当轴者易生嫌，而退身者易为誉／吾究物始，而见夫妇之为造端也／君子固当亲，然亦不可曲为附和／知足之人，虽卧地上，犹为安乐／善为文者，发而为声，鼓而为气／善制事者，转祸为福，因败为功／善胜敌者不与，善用人者为之下／因果相承，从微至著，通名为渐／困而不学，终于不知，斯为下尔／冬也阴气积兮，愁颜者为之鲜欢／腐臭化为神奇，神奇复化为腐臭／法大行，则是为公是，非为公非／治国之道，生民之本，啬为祖宗／海以合流为大，君子以博识为弘／忧所以为昌也，而喜所以为亡也／安民可与行义，而危民易与为非／安得倚天抽宝剑，把汝裁为三截／达生之情者，不务生之所无以为／马伏皂而不用，则驽与良而为群／桓公小白杀兄入嫂，而管仲为臣／贤者宠至而益戒，不足者为宠骄／贤者……食于民则以民之患为患／贵粟之道，在于使民以粟为赏罚／文章以华采为末，而以体用为本／怨在微而下之，犹可以为谦德也／秋也严霜降兮，殷忧者为之不乐／用兵之道，攻心为上，攻城为下／用人而不为之下，则力不为用也／臣以能行为能，君以能赏罚为能／食不偷而为饱兮，衣不苟而为温／才胆实由识而济，故天下唯识为难／天下莫大于秋毫之末，而太山为小／天道以爱人为心，以劝善惩恶为公／无伎不可以为工，无资不可以为商／不决浮云斩邪佞，直成龙去欲何为／不薄今人爱古人，清词丽句必为邻／不见古人卜居者，千金只为买乡邻／不惑于恒人之毁誉，故足以为君子／世人视宠以为荣，圣人观之以为下／曲突徙薪亡恩泽，焦头烂额为上宾／非左右为之先容，非亲旧为之请属／丘山积卑而为高，江河合水而为大／我之出而仕也，为天下，非为君也／我愿天公怜赤子，莫生尤物为疮痏／兵者凶器也，甲坚兵利，为天下殃／乘时投隙非谓才，苟得未必为汝福／疑人者为人所疑，防人者为人所防／义胜利者为治世，利克义者为乱世／为人而欲一世之人好，吾悲其为人／为文而欲一世之人好，吾悲其为文／以苟容曲从为贤，以拱默尸禄为智／以救时行道为贤，以犯颜纳说为忠／以禁攻寝兵为外，以情欲寡浅为内／民生各有所乐兮，余独好修以为常／弗知而言为不智，知而不言为不忠／博见为馈贫之粮，贯一为拯乱之药／匹夫而为百世师，一言而为天下法／利虽倍于今，而不便于后，弗为也／仁而无止，则其极不得不反而为残／伐深根者难为功，摧枯朽者易为力／何事将军封万户，却令红粉为和戎／何昔日之芳草兮，今直为此萧艾也／公输子之巧用材也，不能以檀为瑟／人之为学，不志其大，虽多而何为／人之情，易发而难制者，惟怒为甚／今所任用，必须以德行、学识为本／众人知目前之利，而不为岁月之计／众见者人为之伏，器见者人为之备／勿以恶小而为之，勿以善小而不为／凡君之所毕世而经营者，为天下也／孰恶孰美，成者为首，不成者为尾／论先后，知为先；论轻重，行为重／阴阳者，气之大者也；道者为之公／能为国则能为主，能为家则能为父／能改，则瑕可为瑜，瓦砾可为珠玉／圣人不以独见为明，而以万物为心／圣王以天下为忧，天下以圣王为乐／观者如山色沮丧，天地为之久低昂／巧匠目意中绳，然必先以规矩为度／土广不足以为安，人众不足以为强／在天愿作比翼鸟，在地愿为连理枝／至乐不得恣所欲，主怒不得乱所为／志士幽人莫怨嗟，古来材大难为用／若君不修德，舟中之人尽为敌国也／苗疏税多不得食，输入官仓化为土／大得却须防大失，多忧原只为求多／太虚作室而共居，夜月为灯以同照／爽口物多终作疾，快心事过必为殃／君子不得已而临莅天下，莫若无为／知天之所为，知人之所为者，至矣／国际悲歌歌一曲，狂飙为我从天落／形相虽善而心术恶，无害为小人也／形相虽恶而心术善，无害为君子也／狗不以善吠为良，人不以善言为贤／多官而反以害生，则失所为立之矣／腐木不可以为柱，卑人不可以为主／闻其饥寒为之哀，见其劳苦为之悲／汴水通淮利最多，生人为害亦相和／恸哭六军俱缟素，冲冠一怒为红颜／宁溘死以流亡兮，余不忍为此态也／近水楼台先得月，向阳花木易为春／遭治世不避其任，遇乱世不为苟存／避席畏闻文字狱，著书都为稻粱谋／始之有作人争觉，及至无为众始知／红雨随心翻作浪，青山着意化为桥／缋事以众色成文，蜜蜂以兼采为味／皇天以无言为贵，圣人以不言为德／采得百花成蜜后，为谁辛苦为谁甜／臭腐复化为神奇，神奇复化为臭腐／旦握权则为卿相，夕失势则为匹夫／春一物枯即为灾，秋一物华即为异／春来春去苦自驰，争名争利徒尔为／智昏不可以为政，波水不可以为平／智者不以位为事，勇者不以位为暴／智见者人为之谋，形见者人为之功／贤者报国之功，乃在缓急有为之际／贫居往往无烟火，不独明朝为子推／见日月不为明目，闻雷霆不为聪耳／气人身来为之生，神去离形为之死／新竹高于旧竹枝，全凭老干为扶持／爱人以除残为务，政理以去乱为心／胸中之气伊郁蜿蜒，泄为章句……／文者以明道，是固不苟为炳炳烺烺／文章以自得，不蹈袭前人一言为贵／文章合为时而著，歌诗合为事而作／礼者，以财物为用……以隆杀为要／怒不变容，喜不失节，故是最为难／镌金石者难为功，摧枯朽者易为力／称其仇，不为谄；立其子，不为比／用兵之道……心战为上，兵战为下／痴儿不了公家事，男子要为天下奇／穷则观其所不受，贱则观其所不为／老成之人，言有迂阔，而更事为多／辞必高然后为奇，意必深然后为工／自古驱民在信诚，一言为重百金轻／自责以义则难为非，难为非则形饰／趋利而不以为辱，陨身而不以为怨／登高不可以为长，居下不可以为短／身既死兮神以灵，子魂魄兮为鬼雄／言学便以道为志，言人便以圣为志／震风陵雨，然后知夏屋之为帡幪也／上交不谄，下交不骄，则可以有为矣／天下之事，理胜力为常，力胜理为变／天下皆知取之为取，而莫知与之为取／天之道利而不害，圣人之道为而不争／世混浊而不清，蝉翼为重，千钧为轻／为国不患于无人，有人而不用之为患／人主之意欲见于外，则为人臣之所制／孰知有无死生之一守者，吾与之为友／圣人不为华文，不为色利，不为残贼／圣人不行而知，不见而明，不为而成／观古人，得其时行其道，则无所为书／至极空虚而善应于物，则乃目之为道／苟能乐道人之善，则天下皆去恶为善／藐然数尺之躯，乃欲私造化以为己物／当以执两以兼听，而不以狐疑为兼听／吾病世之逐逐然，唯印组为务以相轧／听政之初，当以通下情除壅蔽为急务／唯不求利者为无害，不求福者为无祸／独韩愈奋不顾流俗……因抗颜而为师／处事者不以聪明为先，而以尽心为急／宽于大事，急于小事……不可以为政／道者以无为为治，而知者以多事为扰／"强梁者不得其死"，吾将以为教父／如其道，则舜受尧之天下，不以为泰／纤之为珠玑华实，变之为雷霆风雨。／橘生淮南则为橘，生于淮北于则为枳／明主之赏罚，非以为已也，以为国也／春秋为尊者讳，为亲者讳，为贤者讳／水发于深，而为用且远……反为患矣／贵者必以贱为号，而高者必以下为基／贵破的，又畏黏皮骨，此所以为难也／散殊而可象为气，清通而不可象为神／舜何人也，予何人也，有为者亦若是／有道之君，修身之士，不为轻诺之约／有风波作于平地，亲戚化为仇怨者矣／风且起，一旦荒忽飞扬，化而为沙泥／火泄于密，而为用且大……反为灾矣／虚言可以赏，则六合之内皆为已府矣／自斗自竭，自崩自缺，是恶乎为我设／既不知善之为善，则亦不知恶之为恶／上德无为而无以为，下德为之而有以为／不可轻微恶而不避，无容略小善而不为／不知周之梦为蝴蝶与，蝴蝶之梦为周与／不廉，则无所不取；不耻，则无所不为／不言之化与天同德，不为之事与天同功／丑必托善以自为解，邪必蒙正以自为辟／正明不为日月所眩，正观不为天道所迁／奉而始终之则为道，言而发明之则为诗／为尊者讳耻，为贤者讳过，为亲者讳疾／为善无近名，为恶无近刑，缘督以为经／良农不为水旱不耕，良贾不为折阅不市／良工之子必先为箕，良冶之子必先为裘／良弓之子必先为箕；良冶之子必先为裘／举大体而不论小事，务实效而不为虚名／买马不论足力，以黑白为仪，必无走马／古之君人者，以得为在民，以失为在己／古者男女之族，各择德焉，不以财为礼／古者多有天下而亡者矣，其民不为用也／公生明，偏生暗，端悫生通，诈为生塞／人生不得行胸怀，虽寿百岁，犹为夭也／人主之于用法，无私好憎，故可以为令／众人皆以奢糜为荣，吾心独以俭素为美／壮而不虚，刚而能润……非鼓怒以为资／若能常保数百卷书，千载终不为小人也／太极，谓天地未分之前，元气混而为一／名者，圣人所以真物也，名之为言真也／唯不求利者为无害，唯不求福者为无祸／因也者，无益无损也，以其形因为之名／崒乎泰山不足为高，巍乎天地不足为容／多闻识者，犹广储药物也，知所用为贵／条理得于心，其心渊然而条理，是为智／治身者以积精为宝，治国者以积贤为道／清阳者薄靡而为天，重浊者凝滞而为地／寂寞嫦娥舒广袖，万里长空且为忠魂舞／道也者，至精也，不可为形，不可为名／道虽迩，不行不至；事虽小，不为不成／居常土思兮心内伤，愿为黄鹄兮归故乡／屠者羹藿……为者不必用，用者弗肯为／学者所以为学，学为人而已，非有为也／绝民用以实王府，犹塞川原而为潢污也／杀人以自生，亡人以自存，君子不为也／是为是，非为非；能为能，不能为不能／智惠之君贱德而贵言……以为大伪奸诈／贤者，举而上之，富而贵之，以为官长／故在朝也则三孤之任，为国则变化之政／意新语工，得前人所未道者，斯为善也／目有眯则视白为黑，人有蔽则以薄为厚／矩不正不可以为方，规不正不可以为圆／竭诚则吴越为一体，傲物则骨肉为行路／穹庐为室兮旃为墙，以肉为食兮酪为浆／虎之不可使知恩，犹人之不可使为虎也／身劳而心安，为之；利少而义多，为之／其文博辩而深切，中于时病而不为空言／天地虽含囊万物，而万物非天地之所为也／不使智惠之人治国之政事……故为国之福／不名一格，不专一体，要不失乎为我之诗／百梅足以为百人酸，一梅不足以为一人和／为之者，不为之迹也；不为者，为之途也／为人臣者，以富乐民为功，以贫苦民为罪／良农能稼而不能穑，良工能巧而不能为顺／以言非信则百事不满也，故信之为功大矣／民无常用也，无常不用也，唯得其道为可／十年之相知，不若兹火一夕之为足下誉也／人之生，气之聚也；聚则为生，散则为死／从来谈诗，必摘古人佳句为证，最是小见／《诗》三百篇，大抵贤圣发愤之所为作也／诗者，志之所之也。在心为志，发言为诗／诗言，志之所之也。在心为志，发言为诗／观于海者难为水，游于圣人之门者难为言／若近正人，闻正事，虽欲为恶，固已不忍／若意新语工，得前人所未道者，斯为善也／莫知己德有极，则可以有社稷，为民致福／听言当以理观，一闻辄以为据，往往多失／君子不以功轻人之身，不为彼功诎身之理／唯泰山不为飘风所动，磐石不为疾流所回／微乎微乎，至于无形……故能为敌之司命／道不远人。人之为道而远人，不可以为道／骐骥不能与罢驴为驷，凤皇不与燕雀为群／贤主所贵莫如士，所以贵士，为其直言也／欲生于不足则民盗，能使无欲则民不为盗／欲明两仪天地之体，必以太极虚无为初始／礼之大本，以防乱也……凡为理者杀无赦／愚者为一物一偏，而自以为知道，无知也／言无务为多而务为智，无务为文而务为察／一切言动，都要安详；十差九错，只为慌张／与死者同病难为良医，与亡国同道难与为谋／天地之间，万国并兴，小大愚智，皆愿为君／无为小人，反殉而天；无为君子，从天之理／无为名尸，无为谋府，无为事任，无为知主／无教之教，洽流四海；无为之为，通达八方／专习一家，硁硁小哉！宜善相之，多师为佳／五谷者，种之美者也；苟为不熟，不如荑稗／不谓小善不足为也而舍之，小善积而为大善／不能则学，不知则问，虽知必让，然后为知／不知则问，不能则学，虽能必让，然后为德／不知者，非其人之罪也；知百不为者，惑也／不广其从，不为兵帮，不为乱首，不为宛谋／不学问，无正义；以富利为隆，是俗人者也／世必有才，随时所用，岂待……然后为治乎／事孰为大？事亲为大。守孰为大？守身为大／整顿乾坤手段，指授英雄方略，雅志若为酬／兵不必胜，不苟接刃；攻不必取，不为苟发／为世用者，百篇无害；不为用者，一章无补／为人君者，固不以无过为贤，而以改过为美／为君为臣为民为物为事而作，不为文而作也／为成者败，为利者害，为生者死，为兴者废／以天为父，以地为母，阴阳为纲，四时为纪／以道以德为有国之基，无事无为乃聚人之本／古之置吏也将以逐盗，今之置吏也将以为盗／匿人之善，斯为蔽贤；扬人之恶，斯为小人／仁者人也，亲亲为大；义者宜也，尊贤为大／体不备不可以为成人，辞不足不可以为成文／使天为天者，非天也；使人为人者，非人也／俭者，君子之德，世俗以俭为鄙，非远识也／今之世不闻有师，有，辄哗笑之，以为狂人／凡事皆须务本，国以人为本，人以衣食为本／凡举事，无为亲厚者所痛，而为见仇者所快／凡物之精，化则为生，下生五谷，上为列星／亡而为有，虚而为盈，约而为泰，难乎有恒／六合为巨，未离其内；秋毫为小，待之成体／就郡言，灵隐寺为尤；由寺观，冷泉亭为甲／诗如鼓琴，声声见心。心为人籁，诚中形外／画地为牢，势不可入；削木为吏，议不可对／刀笔之吏专深文巧诋，陷人于罔，以自为功／剪纸为墙，不可止暴，抟沙为饼，不可疗饥／功莫大于去恶而为善，罪莫大于去善而为恶／能至素至精，浩弥无刑，然后可以为天下正／能自治然后可以治人；能治人然后人为之用／尘加嵩岱，雾集淮海，虽未有益，不为损也／坚甲利兵不足以为武，高城深池不足以为固／志合者不以山海为远，道乖者不以咫尺为近／苦心焦思，以日继夜，苟利于国，知无不为／苦身为善者，其赏厚；苦身为非者，其罪重／草木无情，有时飘零；人为动物，惟物之灵／藜藿之生，蠕蠕然日加数寸，不可以为庐栋／大富则骄，大贫则忧；忧则为盗，骄则为暴／拘囹圄者，以日为修；当死市者，以日为短／小中见大，大中见小；一为千万，千万为一／少目之网，不可得鱼，三章之法，不可为治／知不知，上矣；过者之患，不知而自以为知／知为吏者奉法利民，不知为吏者枉法以侵民／知过非难，改过为难；言善非难，行善为难／布奠倾觞，哭望天涯。天地为愁，草木凄悲／山霤至柔，石为之穿；蝎虫至弱，木为之弊／行一不义，杀一不辜，而得天下，皆不为也／得时无怠，时不再来，天予不取，反为之灾／治道备，人斯为善矣；治道失，人斯为恶矣／恒无之初，迥同大虚。虚同为一，恒一而止／宜力学为砻斫，亲贤为青黄，睦僚友为瑶金／达于道者，反于清净；究于物者，终于无为／居上者不以至公理物，为下者必以私路期荣／居官不难，听言为难；听言不难，明察为难／如有德而无才，则不能为用，亦何足为君子／子为王，母为虏，终日舂薄暮，常与死为伍／学不为人，博而不俗；言不为华，述而不作／绝言之道，去心与意；止为之术，去人与智／松柏生于高冈，散柯布叶，而草木为之不植／相臣将臣，文恬武嬉，习熟见闻，以为当然／相鼠有皮，人而无仪；人而无仪，不死何为／桑无附枝，麦穗两岐。张君为政，乐不可支／此令兄弟，绰绰有裕；不令兄弟，交相为瘉／易生之嫌，不足贬也；易为之誉，不足多也／故观于海者难为水，游于圣人之门者难为言／敌存而惧，敌去而舞；废备自盈，只益为瘉／所贵良吏者，贵其绝恶于未萌，使之不为非／有为之为，有废无功；无为之为，成遂无穷／欲为君子，终身乃成；欲为小人，一朝可就／欲人勿闻，莫若勿言；欲人勿知，莫若勿为／神龟虽寿，犹有竟时；腾蛇乘雾，终为土灰／心之精微，发而为文；文之神妙，咏而为诗／虑时务者不能兴其德，为身求者不能成其功／石以砥焉，化钝为利；法以砥焉，化愚为智／盈尺径寸，易取琢磨；南箕北斗，难为簸挹／盛秋水潦，穷冬雨雪，深泥积水，相辅为害／盘石千里，不为有地；愚民百万，不为有民／矫矫亢亢，恶圆喜方，羞为奸欺，不忍害伤／积善多者，虽有一恶，是为过失，未足以亡／积恶多者，虽有一善，是为误中，未足以存／称身居位，不为苟进；称事受禄，不为苟得／白圭之玷，尚可磨也；斯言之玷，不可为也／疗饥者半菽可以充腹，为政者一言可以兴邦／自伯之东，首如飞蓬；岂无膏沐，谁适为容／言吾善者，不足为喜；道吾恶者，不足为怒／上与造物者游，而下与外生死、无终始者为友／百官之众，四海之广，使其关节脉理相通为一／尧以不得舜为己忧，舜以不得禹、皋陶为己忧／生亦我所欲，所欲有甚于生者，故不为苟得也／卵待复而为雏，茧待缫而为丝，性待教而为善／乘不测之舟，入无人之地，以相从问文章为事／为长者折枝，语人曰："我不能"，是不为也／为学日益，为道日损，损之又损，以至于无为／为文以意为主，气为辅，以辞彩章句为之兵卫／孔子曰：诎寸而信尺，小枉而大直，吾为之也／古今之喻多矣，而愚以为辨于味而后可以言诗／真伪有质矣，而趋舍舛忤，故两心不相为谋焉／匹夫见辱，拔剑而起，挺身而斗，此不足为勇／凡下之从上也……不从力之制，从上之所为也／争行义乐用与争为不义竞不用，此其为祸福也／大匠不为拙工改废绳墨，羿不为拙射变其彀率／君子用以力学，借困衡为砥砺，不但顺受而已／困境起念，随物生情，不守道循常，即为妄矣／饥而倍食，渴而大饮……虽暂怡性，必为后患／清轻者上为天，浊重者下为地，冲和气者为人／宫室富过度，上帝所亚；为者弗居，唯居必路／好贤乐善，孜孜以荐进良士、明白是非为己任／要而学之，又其次也，困而不学，民斯为下矣／楩楠豫章之生也，七年而后知，故可以为棺舟／贵者，夜以继日，思虑善否，其为形也亦疏矣／教明于上，化行于下，民有耻心，则何盗之为／所学者非世之所可用，而所任者非身之所能为／有道以御之，身虽无能也，必使能者为己用也／神明之事，不可以智巧为也，不可以筋力致也／意喻之米，文喻之炊而为饭，诗喻之酿而为酒／言之所以为言者，信也；言而不信，何以为言／雅郑有素矣，而好恶不同，故两耳不相为听焉／与邪佞人交，如雪入墨池，虽融为水，其色愈污／与端方人处，如炭入薰炉，虽化为灰，其香不灭／天子者，有道则人推而为主，无道则人弃而不用／不拘一世之利以为己私分，不以王天下为己处显／正则静，静则明，明则虚，虚则无为而无不为也／可贵可贱也，可富可贫也，可杀而不可使为奸也／以富为是者，不能让禄；以显为是者，不能让名／制国有常，而利民为本；从政有经，而令行为上／凡治国令其民争行义也，乱国令其民争为不义也／争让之礼，尧桀之行，贵贱有时，未可以为常也／君子与君子以同道为朋，小人与小人以同利为朋／君子不怵乎好，不迫乎恶，恬愉无为，去智与故／治国有常，而利民为本；政教有经，而令行为上／张而不弛，文武弗能也；弛而不张，文武弗为也／学匪疑不明，而疑恶乎凿，疑而能辨，斯为善学／见兔而顾犬，未为晚也；亡羊而补牢，未为迟也／敬之而不喜，侮之而不怒者，唯同乎天和者为然／恶徼以为知者，恶不孙以为勇者，恶讦以为直者／疾为诞而欲人之信己也，疾为诈而欲人之亲己也／譬之若水火然，善用之则为福，不善用之则为祸／其卧徐徐，其觉于于；一以己为马，一以己为牛／下以言语为学，上以言语为治，世道之所以日降也／天地之养也一，登高不可以为长，居下不可以为短／不谓小不善为无伤也而为之，小不善积而为大不善／以无为为居，以不言为教，以恬淡为味，治之极也／同于己而欲之，异于己而不欲者，以出乎众为心也／位存焉而德无有，犹不足大其门，然世且乐为之下／人生一世，但当畏敬于人，若不善加己，直为受之／先生不知何许人也……宅边有五柳树，因以为号焉／叩之而必闻，触之而必应，夫是以天下可使为一身／观貌之是非，不若论其心与其行事之可否为不失也／治天下者，当以天下之心为心，不得自专快意而已／清静处下，虚以待之，无为无求，而百川自为来也／澄川翠干，光影会合于轩户之间，尤与风月为相宜／逊以为子弟苟有才，不忧不用，不宜私出以为荣利／道不施不与，而万物以存；不为不宰，而万物以然／道之真以治身，其绪余以为国家，其土苴以治天下／一令蔓草难锄，涓流泛酌，岂直疥痒轻疴，容为重患／天无时不风，地无时不尘，物无所不有，人无所不为／天公何时有，谈者皆不经。谁道贤人死，今为傅说星／天地之气合而为一，分为阴阳，判为四时，列为五行／伟哉横海鲸，壮矣垂天翼。一旦失风水，翻为蝼蚁食／兰茝生于茂林之中，深山之间，不为人莫见之故不芬／

人之饥所以不食乌喙者，以为虽偷充腹而与死同患也／人当自信自守，虽承誉之，承奉之，亦不为之加喜爱／今一以天地为大炉，以造化为大冶，恶乎往而不可哉／若贵而愚，贱而圣且贤，以是而妨之，其为理本大矣／苟去其名全其实，以其余易其不足，亦可交以为师矣／君子小人本无常，行善事则为君子，行恶事则为小人／满堂而饮酒，有一人乡隅而悲泣，则一堂皆为之不乐／己之才艺虽多，犹病以为少，仍就寡少之人更求所益／朴其身躬，恶其衣服，语无为以求名，言无欲以求利／权，然后知轻重；度，然后知长短。物皆然，心为甚／赏不当贤而罚不当暴，则是为贤者不劝而为暴者不沮／文学之于人也譬乎药，善服，有济；不善服，反为害／既知教之所由兴，又知教之所由废，然后可以为人师／万物以自然为性，故可因而不可为也，可通而不可执也／天下皆知美之为美，斯恶矣；皆知善之为善，斯不善矣／卵之化为雏，非慈雌呕暖覆伏，累日积久，则不能为雏／以天为宗，以德为本，以道为门，兆于变化，谓之圣人／人当自信自守，……虽毁谤之，侮慢之，亦不为之加沮／凡偏材之人，皆一味之美，故长于办一官而短于为一国／圣智设法，本以守国，智诈极矣，乃翻为盗国之盗资也／君子之道，不以其所已能者为足，而尝以其未能者为歉／江南多临观之美，而滕王阁独为第一，有瑰伟绝特之称／贤者之兴，而愚者之废，废而复之为是，循而习之为非／上古明王举乐者，非以娱心自乐，快意恣欲，将欲为治也／天不为人怨咨而辍其寒暑，君子不为人之丑恶而辍其正道／非情、才无以见性，非气质无所为情、才，即无所为性也／卵之性为雏，不得良鸡覆伏孚育，积日累久，则不成为雏／义之所在，不倾于权，不顾其利，举国而与之，不为改视／以小善为无益，以小恶为无伤，凡此皆非所以安身崇德也／使智惠之人治国之政事，必远道德，妄作威福，为国之贼／凡人之性，莫不欲善其德，然而不能为善德者，利败之也／道一不息，天地亦不息；天地之不息，固道之不息者为之／智亦有所不至。所不至，说者虽辩，为道虽精，不能见矣／袭古人语言之迹，而冒以为古，是处严冬而袭夏之葛者也／上智不处危以侥幸，中智能因危以为功，下愚安于危以自亡／天无为以之清，地无为以之宁，故两无为相合，万物皆化生／众人皆知利利而病病也，唯圣人知病之为利，知利之为病也／君子有为于天下，惟义而已，不可则止，无苟为，亦无必为／赏一人而败国俗，仁者弗为也；以不信得厚赏，义者弗为也／忘乎物，忘乎天，其名曰为忘己；忘己之人，是之谓入于天／不与凶人为仇，不与吉人为亲，不与诚人为媾，不与诈人为怨／不可以一时之誉，断其为君子；不可以一时之谤，断其为小人／不行王政云尔；苟行王政，四海之内皆举首而望之，欲以为君／兵不可偃也，譬之若水火然，善用之则为福，不能用之则为祸／匹夫而忧天下，无位而论世事，时俗以为狂，而君子之所取也／不法其已成之法，而法其所以为法。所以为法者，与化推移者也／生民之不得休息，为四事故：一为寿，二为名，三为位，四为货／使亲而旧者愚，远而新者圣且贤，以是而间之，其为理本亦大矣／能有天下者，必无以天下为也；能有名誉者，必无以趋行求者也／知为为而不知所以为，是以贵为天子，富有天下，而不免于患也／达于道者，独见独闻，独为独存，父不能以授子，臣不能以授君／身处困境，当视为天之爱我、成我，不当视为天之厄我、祸我也／古今号文章为难，足下知其所以难乎？……得之为难，知之愈难耳／君子者，易亲而难狎，畏祸而难却，嗜利而不为非，时动而不苟作／国之兴也，视民如伤，是其福也；其亡也，以民为土芥，是其祸也／学贵得之心，求之于心而非也，虽其言之出于孔子，不敢以为是也／怨恩取与谏教生杀，八者，正之器也，唯循大变无所湮者为能用之／人之生也，与忧俱生，寿者惛惛，久忧不死，何苦也！其为形也亦远矣／使六国各爱其人，则足以拒秦；使秦复爱六国之人，则递三世可至万世而为君，谁得而族灭也

主

zhǔ 君，长；主人；物主；事主；根本；掌握；主持；事物的主体；要素；主张；公主的简称；旧时为死人立的牌位；犹太教、基督教等对所信仰的神的称呼；姓。

❶主雅客来勤

见清·曹雪芹《红楼梦》第三十二回。

主者，国之心

见汉·刘安《淮南子·缪称》。全句为："～。心治则百节皆安，心忧则百节皆乱"。

主者，天下之心也

见汉·严遵《道德指归论·以正治国篇》。

主过一言而国残名辱

见《吕氏春秋·似顺论·慎小》。

主人退后立，敛手反如宾

见唐·白居易《宿紫阁山北村》。全句为："夺我席上酒，掣我盘中飧。～"。

主大计者，必执简以御繁

见宋·苏辙《上皇帝书》。

主人闻语未开门，绕篱野菜飞黄蝶

见唐·长孙佐辅《寻山家》。

主不可以怒而兴师，将不可以愠而致战

见《孙子兵法·火攻篇》。全句为："～；合于利而动，不合于利而止"。

主道得而臣道序，官不易方而太平用成

见三国·魏·刘劭《人物志·流业》。

主德者，聪明平淡，总达众材，而不以事自任者也

见三国·魏·刘劭《人物志·流业》。

❷人主无贤，如瞽无相／凡主有识，言不欲先／人主不公，人臣不忠也／人主欲自知，则必直士／今主人之雁，以不材死／凡主伸己以屈天下之忧／圣主必待贤臣而弘功业／明主尚贤使能而飨其盛／明主好要，而暗主好详／暗主妒贤畏能而灭其功／人主之所恃者，人心而已／贤主不苟得，忠臣不苟利／天主正，地主平，人主安静／人主之患，欲闻枉而恶直言／贤主劳于求人，而佚于治事／辞主乎达，不论其繁与简也／人主以好暴示能，以好唱自奋／人主有私人以财，不私人以官／人主静漠而不躁，百官得修焉／明主急得其人，而阇主急得其势／人主不正，则邪人得志，忠者隐蔽／人主以狗彘畜人者，人亦狗彘其行／人主莫不欲其臣之忠，而忠未必信／人主好仁，则无功者赏，有罪者释／人主必信，信而又信，谁人不亲？／明主必谨养其和，节其流，开其源／明主思短而益善，暗主护短而永愚／春主生，夏主养，冬主藏，秋主收／人主之意欲见于外，则为人臣之所制／人主诚正，则直士任事，而奸人伏匿／明主之赏罚，非以为己也，以为国也／为主贪，必丧其国；为臣贪，必亡其身／人主之于用法，无私好憎，故可以为令／圣主者，举贤以立功；不肖主举其所同／贤主所贵莫如士，所以贵士，为其直言也／人主之立法，先自为检式仪表，故令行于天下／人主之患，不在乎不言用贤，而在乎不诚必用贤／人主之不肖者，有似于此。不得其道，而徒多其威／贤主忠臣，不能导愚教陋，则名不冠后、实不及世矣

❸谋无主则困，事无备则废／凡人主必信。信而又信，谁人不亲／故明主必谨养其和，节其流，开其源／以骄主使罢民，然而国不亡者，天下少矣／居不主奥，坐不中席，行不中道，立不中门／未有主强盛而辅不飘逸者，兵卫不华赫而庄整者／今人主有明其德者，则天下归之若蝉之归明火也

❹民，神之主也／亡国之主一贯／万民之主，不阿一人／军无适主，一举可灭／物无所主，人必争之／天下之主，道德出于人／以理为主，理得而辞顺／亡国之主，不可以直言／亡国之主，聪明出于人／理国之主，仁义出于人／不才明主弃，多病故人疏／有道之主，以百姓之心为心／亡国之主，多以多威使其民矣／忠犯人主之怒，而勇夺三军之帅／不敢为主而为客，不敢进寸而退尺／勇略震主者身危，功盖天下者不赏／君为暗主，臣为谀臣，君暗臣谀，危亡不远／以意为主，则其旨必见；以文传意，则其词不流／兵之情主速，乘人之不及，由不虞之道，攻其所不戒

❺礼以恭为主／德无常师，主善为师／诗以意为主，文词次之／战以勇为主，以气为决／世乱奴欺主，年衰鬼弄人／投躯报明主，身死为国殇／吾闻聪明主，治国用轻刑／时危思报主，衰谢不能休／社稷依明主，安危托妇人／天主正，地主平，人主安静／心为万事主，动而无节即乱／以道佐人主者，不以兵强天下／今世之惑主多官，而反以害生／知是行的主意，行是知的工夫／春主生，夏主养，冬主藏，秋主收／文以气为主，气之清浊有体，不可力强而致／今世之人主，多欲众之，而不知善，此多其雠也

❻俊士亦俟明主以显其德／尚贤使能，则主尊下安／所行之策，常主于权谋／论德序官，明主所以御世／心者，一身之主，百神之帅／师帅不贤，则主德不宣，恩泽不流／自古失国之主，皆为居安忘危，处治忘乱／为文以意为主，气为辅，以辞彩章句为之兵卫／自外入者，有主而不执；由中出者，有正而不距

❼无心之心，心之主也／越阡度陌，互为主客／问苍茫大地，谁主沉浮／明主好要，而暗主好详／古者以天下为主，君为客／凡为文以意为主，以气为辅／乘隙插足，扼其主机，渐之进也／下国卧龙空误主，中原逐鹿不因人／能为国则能为主，能为家则能为父／其国弥大，而其主弥静，然后乃能广得众心／将不知兵，以其主予敌也；君不择将，以其国予敌也

❽千里投名，万里投主／凡为文，以神志为主／圣王虽大，以虚为主／罚避亲贵，不可使主兵／器满才难御，功高主自疑／天主正，地主平，人主安静／至乐不得恣所欲，主怒不得乱所为／春主生，夏主养，冬主藏，秋主收

❾受国之垢，是谓社稷主／波浪无穷，而光采有主／志士痛朝危，忠臣哀主辱／法明则人信，法一则主尊／骤战则民罢，骤胜则主骄／远贤近谗，忠臣蔽塞主势移／心在汉室，原无分先主后主／明主急得其人，而阇主急得其势／明主思短而益善，暗主护短而永愚／人欲自照，必须明镜；主欲知过，必藉忠臣

❿叙事之工者，以简要为主／大圣之所行，不慕人所主／掩袖工谗，狐媚偏能惑主／屈贾谊于长沙，非无圣主／驿外断桥边，寂寞开无主／君民者岂以陵民？社稷是主／心在汉室，原无分先主后主／触目皆新，谁识当年旧主人／壅塞之任，不在臣下，在于人主／怅寥廓，问苍茫大地，谁主沉浮／贤君择人为佐，贤臣亦择主而辅／词客有灵应识我，霸才无主始怜君／功冠天下者不安，威震人主者不全／小知不可使谋事，

小忠不可使主法／腐木不可以为柱，卑人不可以为主／春主生，夏主养，冬主藏，秋主收／爵高者，人妒之；官大者，主恶之／天下者，非君有也，天下使君主之耳／天之生万物以奉人也，主爱人以顺天也／兴国之君乐闻其过，荒乱之主乐闻其誉／圣主者，举贤以立功；不肖主举其所同／山有木，工则度之；宾有礼，主则择之／跖之狗吠尧，尧非不仁，狗固吠非其主／如张乐于洞庭之野，无首无尾；不主故常／无为名尸，无为谋府，无为事任，无为知主／至治之务，在于正名。名正则人主不忧劳矣／恭就貌上说，敬就心上说。恭主容，敬主事／忠贤事君，必谏君失，奸佞事主，必顺主情／用之则行，舍之则藏，进退无主，屈申无常／言行，君子之枢机；枢机之发，荣辱之主也／未有天地之先，毕竟也只是先让者，德之主也／天子者，有道则人推而为主，无道则人弃而不用／自古上书，率多激切。若不激切，则不能起人主之心／历观前代拨乱创业之主，生长民间，皆识达情伪，罕至于败亡／患其有小恶，以人之小恶，亡人之大美，此人主之所以失天下之士也已

半

①bàn 一半；在中间；非全部；犹言中。②pàn 大片。

❶半丝半缕，恒念物力维艰

见清·朱柏庐《治家格言》。全句为："一粥一饭，当思来处不易；～"。

半开半落闲园里，何异荣枯世上人

见唐·罗隐《杏仁花》。全句为："暖气潜催次第春，梅花已谢杏花新；～"。

半生落魄已成翁，独立书斋啸晚风

见明·徐渭《墨葡萄》题画诗。全句为："～；笔底明珠无处卖，闲抛闲掷野藤中"。

❷事半古之人，功必倍之

❸涉水半渡，可击／徐娘半老，风韵犹存／半丝半缕，恒念物力维艰／半开半落闲园里，何异荣枯世上人／才不半古，而功已倍之，盖得之于时势也

❹子规夜半犹啼血，不信东风唤不回／疗饥者半菽可以充腹，为政者一言可以兴邦

❺茅店惊寒半掩门／行百里者，半于九十／瀑布天落，半与银河争流……／百岁光阴半归酒，一生事业略存诗／生来不读半行书，只把黄金买身贵／战士军前半死生，美人帐下犹歌舞

❻愁绝寒梅酒半销／一生困尘土，半世走阡陌

❼乃知青史上，大半亦属诬／溪中云隔寺，夜半雪添泉／盲人骑瞎马，夜半临深池／君子遵道而行，半途而废，吾弗能已矣／三五之夜，明月半墙，桂影斑驳，风移影动，珊珊可爱

❽楚山全控蜀，汉水半吞吴／一尺之捶，日取其半，万世不竭／笺诉天公休掠剩，半偿私债半输官／鸡知将旦，鹤知夜半，而不免于鼎俎

❾不善学者，师勤而功半／待月西厢下，迎风户半开／映渚蛾眉，丽穿波之半月／一部《周记》，理财居其半／春水无风无浪，春天半雨半晴／舍己而从众，是以事半而功倍也／姑苏城外寒山寺，夜半钟声到客船

❿春水无风无浪，春天半雨半晴／焉得并州快剪刀，翦取吴松半江水／千呼万唤始出来，犹抱琵琶半遮面／千峰顶上一间屋，老僧半间云半间／休夸此地分天下，只得徐妃半面妆／酒逢知己千杯少，话不投机半句多／日月双悬于氏墓，乾坤半壁岳家祠／笺诉天公休掠剩，半偿私债半输官／赤日炎炎似火烧，野田禾稻半枯焦／大川未济，乃失巨舰；长途始半，而丧良骥／百里而趣利者蹶上将，五十里而趣利者军半至

头

tóu 头颅；头发；物体顶部或起点；领头的；次序居前的。

❶头发上指，目眦尽裂

见汉·司马迁《史记·项羽本纪》。

头会箕敛，以供军费

见汉·司马迁《史记·张耳陈余列传》。

头颅相属于道，不一日而无兵

见汉·班固《汉书·武五子传》。全句为："死人如乱麻，暴骨长城之下，～"。

❷白头翁媪坐看瓜／被头里做事终晓得／白头如新，倾盖如故／西头热海水如煮……／举头望明月，低头思故乡／案头见蠹鱼，犹胜凡俦侣／念头暗昧，白日下犹生厉鬼／从头越，苍山如海，残阳如血

❸悬羊头，卖狗肉／蛇无头而不行，鸟无翅而不飞／悬牛头，卖马脯；盗跖行，孔子语

❹百丈竿头须进步／红杏枝头春意闹／春在枝头已十分／大尾小头，重不可摇／粗服乱头，不掩国色／面结口头交，肚里生荆棘／但有断头将军，无有降将军／百尺竿头须进步，十方世界是全身／善恶到头终有报，只争来早与来迟／海上涛头一线来，楼前指顾雪成堆／宁可枝头抱香死，何曾吹落北风中／好鸟枝头亦朋友，落花水面皆文章／忽见陌头杨柳色，悔教夫婿觅封侯／白云山头云欲立，白云山下呼声急

❺贵冠履，忘头足／我住长江头，君住长江尾／月上柳梢头，人约黄昏后

❻富贵何如草头露／生前富贵草头露，身后风流陌上花

❼努力功名须黑头／马行十步九回头／每一发兵，不觉头发为白／举头望明月，低头思故乡／世人闻此皆掉头，有如东风射马耳／美人梳洗时，满头间珠翠，岂知两片云，戴却数乡税

❽冠虽穿弊，必戴于头／莫等闲，白了少年头，空悲切

❾心若留时，何事锁眉头／医得眼前疮，剜却心头肉／勿使青衿子，嗟尔白头翁／不到广寒冰雪窟，扇头能有几多风／曲突徙薪亡恩泽，焦头烂额为上宾／采得百花成蜜后，到头辛苦一场空／笛里谁知壮士心？沙头空照征人骨／将军金甲夜不脱……风头如刀面如割

❿书生报国无地，空白九分头／为神有灵兮何事处我天南海北头／独立寒秋，湘江北去，橘子洲头／一失脚成千古恨，再回头是百年人／不去扫清天北雾，只来卷起浪头山／未必上流须鲁肃，腐儒空白九分头／也知渔父趁鱼急，翻着春衫不裹头／但愿亲友长含笑，相逢莫乏杖头钱／公道世间唯白发，贵人头上不曾饶／人生不得长少年，莫惜床头沽酒钱／含情欲说宫中事，鹦鹉前头不敢言／尘世难逢开口笑，菊花须插满头归／小荷才露尖尖角，早有蜻蜓立上头／问渠哪得清如许，为有源头活水来／沉舟侧畔千帆过，病树前头万木春／定知直道传千古，杜牧文章在上头／逆胡未灭心未平，孤剑床头铿有声／是非只为多开口，烦恼皆因强出头／老牛粗了耕耘债，啮草坡头卧夕阳／辞家战士无旋踵，报国将军有断头／身后有余忘缩手，眼前无路想回头／雄关漫道真如铁，而今迈步从头越／此情无计可消除，才下眉头，却上心头／养而害所养，譬犹削足而适履，杀头而便冠／知熟必避，知生必避；入人意中，出人头地

州

zhōu 旧时行政区划名称；水中高出水面的陆地；聚；古国名；姓。

❶州民言刺史，蠹物甚于蝗

见唐·曹邺《奉命齐州推事毕寄本府尚书》。

州闾之士皆誉皆毁，未可为正

见三国·魏·刘劭《人物志·七缪》。

❷雄州雾列，俊彩星驰／九州犹虎豹，四海未桑麻／杭州之有西湖，如人之有眉目／九州生气恃风雷，万马齐喑究可哀／神州只在阑干北，度度来时怕上楼／端州石工巧如神，踏天磨刀割紫云

❸凡数州之土壤，皆在衽席之下／览冀州兮有余，横四海兮焉穷

❹焉得并州快剪刀，翦取吴松半江水

❺三刀梦益州，一箭取辽城／用四海九州之力，除此小寇，难易可知……

❻东南四十三州地，取尽膏脂是此河／宰相必起于州部，猛将必发于卒伍

❼夕阳红蓼满汀州／秦中自古帝王州／是岁江南旱，衢州人食人

❿千古风流歌舞地，六朝兴废帝王州／生不用封万户侯，但愿一识韩荆州／司空见惯浑闲事，断尽苏州刺史肠／荆王未辨连城价，肠断南州抱璧人／大梁襟带洪河险，谁遣神州陆地沉／夕阳一片寒鸦外，目断东西四百州／死去元知万事空，但悲不见九州同／春风杨柳万千条，六亿神州尽舜尧／暖风熏得游人醉，直把杭州作汴州／胸中有誓深于海，肯使神州竟陆沉

农

nóng 农业；农民；古代田官；勤勉。

❶农为国家急务

见元·脱脱《宋史·钱彦远传》。全句为："～，所以顺天养财、御水旱、制蛮夷之原本也"。

农者，天下之本也

见宋·欧阳修《原弊》。

农夫去草，嘉谷必茂

见南朝·宋·范晔《后汉书·范滂传》。

农夫无草莱之事则不比

见《庄子·徐无鬼》。全句为："～，商贾无市井之事则不比"。

农夫之耨，去害苗者也

见《尸子·恕》。全句为："～；贤者之治，去害义者也"。

农商工贾……可为师表

见北齐·颜之推《颜氏家训·勉学》。删节处为："厮役奴隶，钓鱼屠肉，饭牛牧羊，皆有先达"。

农，天下之本，务莫大焉

见汉·司马迁《史记·孝文本纪》。

农广则谷积，用俭则财畜

见晋·陈寿《三国志·魏书·高柔传》。

农月无闲人，倾家事南亩

见唐·王维《新晴野望》。

农事废，饥寒并至，故盗贼多有

见《老子》五十七河上公注。全句为："珍好之物滋生彰著，则～"。

农功不妨，谷稼丰赡，故人富也

见五代·前蜀·杜光庭《道德真经广圣义》卷四十。全句为："君无劳民之事，民得勤而耕农。～"。

农夫心内如汤煮，公子王孙把扇摇

见明·施耐庵《水浒传》第十五回。

农，天下之大业；铁器、民之大用

见汉·桓宽《盐铁论·水旱》。

农不出则乏其食，工不出则乏其事

见汉·司马迁《史记·货殖列传》。全句为："～，商不出则三宝绝，虞不出则财匮少"。

农事伤则饥之本，女红害则寒之原

见汉·班固《汉书·景帝纪》。

农夫劳而君子养焉，愚者言而智者择焉

见汉·班固《汉书·严助传》。

❷劝农节用，均丰补歉／广农为务，俭用为资／夫农广则谷积，俭用则财畜／劝农桑，益种树，可得衣食物／从农论田田夫胜，从商讲贾贾人

贤／良农不为水旱不耕，良贾不为折阅不市／良农能稼而不能穑，良工能巧而不能为顺
❸不违农时，谷不可胜食也／不识农夫辛苦力，骄骢蹋烂麦青青／唯劝农业，无夺农时；唯薄赋敛，无尽民财／政如农功，日夜思之，思其始而成其终，朝夕而行之
❹天下以农桑为本／百万工农齐踊跃／欲民务农，在于贵粟／唤起工农千百万，同心干／见恶，如农夫之务去草焉／销兵铸农器，今古岁方宁
❺丰凶相济，农末皆利／使天下无农夫，举世皆饿死矣／以贫求富，农不如工，工不如商／用贫求富，农不如工，工不如商／工不出则农用乏，商不出则宝货绝／心中为念农桑苦，耳里如闻饥冻声
❻夫食为民天，农为政本／国家用人，犹农家积粟／吏不治则乱，农事缓则贫／嘉禾始熟而农夫先尝其粒／四海无闲田，农夫犹饿死／谷太贱则伤农，太贵则伤末／天公尚有妨农过，蚕怕雨寒苗怕火／焉得铸甲作农器，一寸荒田牛得耕
❼板筑以时，无夺农功／风雨不时，则伤农桑；伤农桑，则民饥寒／唯劝农业，无夺农时；唯薄赋敛，无尽民财／赋役有定制，兵农有定业，官无虚名，职无废事
❽方今之务，在于力农／命令昨颁，十万工农下吉安
❾秉耒欢时务，解颜劝农人／善贾笑蚕渔，巧宦贱农牧／所种者谷，虽瘠土惰农，不生稗也
❿能稼而能穑，所以为良农也／君无劳民之事，民得勤而耕农／致治在于任贤，兴国在于务农／力士推山，天吴移水，作农桑地／善为国者，仓廪虽满，不偷于农／去年米贵阙军食，今年米贱大伤农／力田者受旌显之赏，惰农者有不齿之罚／风雨不时，则伤农桑；伤农桑，则民饥寒／并官省事，静事息役，上下用心，惟农是务／水处者渔，山处者木，谷处者牧，陆处者农

良

liáng 好；善良的人；很，甚；姓；和悦；旧谓身家清白；能够。

❶良贾深藏若虚

见汉·司马迁《史记·老子韩非列传》。

良工不示人以朴

见南朝·宋·范晔《后汉书·马援传》。

良医知病人之死生

见《战国策·秦策三》。

良将之为政也……

见三国·蜀·诸葛亮《兵要》。全句为："～，使法量功，不自度；使人择之，不自举"。

良匠之目，无材弗良

见明·田玉蘅《玉笑零音》。

良玉不雕，美言不文

见汉·扬雄《法言·寡见》。

良才不隐世，江湖多贫贱

见晋·陶潜《与殷晋安别》。

良匠无弃材，明君无弃士

见宋·刘清之《戒子通录》。全句为："～。人才有长短，能有巨细。君择才而授官，臣量己而受职，则委任责成，不劳而治"。

良剑期乎断，不期乎镆铘

见《吕氏春秋·慎大览·察今》。

良友远离别，各在天一方

见汉·苏武《诗四首》。

良药苦口，惟疾者能甘之

见晋·陈寿《三国志·吴书·孙奋传》。

良马不念秣，烈士不苟营

见唐·张籍《西州》。

良田无晚岁，膏泽多丰年

见三国·魏·曹植《赠徐幹》。

良田千顷，不如薄艺随身

见唐·佚名《太公家教》。全句为："积财千万，不如明解一经；～"。

良医之治病也，攻之于腠理

见《韩非子·喻老》。

良谈吐玉，长江与斜汉争流

见唐·王勃《三月上巳祓禊序》。全句为："～；清歌绕梁，白云将红尘并落"。

良弓难张，然可以及高入深

见《墨子·亲士》。全句为："～；良马难乘，然可以任重致远"。

良马难乘，然可以任重致远

见《墨子·亲士》。全句为："良弓难张，然可以及高入深；～"。

良马期乎千里，不期乎骥骜

见《吕氏春秋·慎大览·察今》。全句为："良剑期乎断，不期乎镆铘；～"。

良医者常治无病之病，故无病

见汉·刘安《淮南子·说山》。全句为："～。圣人者常治无患之患，故无患"。

良医服百病之方，治百人之疾

见汉·王充《论衡·别通篇》。

良冶之砥石，不能发无刃之金

见宋·苏辙《除中书舍人谢执政启》。全句为："～；大匠之斧斤，不能器不才之木"。

良工之与马也，相得则然后成

见《吕氏春秋·季秋纪·知士》。

良药苦于口，而智者劝而饮之

见《韩非子·外储说左上》。全句为："～，知其入而已己疾也"。

良马非独骐骥，利剑非唯干将

见汉·陆贾《新语·术事》。

良骏败于拙御，智士踬于暗世

见晋·葛洪《抱朴子·官理》。

良璞不剖，必有泣血以相明者

见南朝·宋·范晔《后汉书·赵壹传》。

良田败于邪径，黄金铄于众口

见北齐·魏长贤《复亲故书》。

良医不可必得，而庸医举目皆是

见宋·苏辙《宇文融》。

良贾深藏如虚，君子有盛教如无

见汉·戴德《大戴礼记·曾子制言上》。

良师不能饰戚施，香泽不能化嫫母

见汉·桓宽《盐铁论·殊路》。

良医不能措其术，百药无所施其功

见宋·欧阳修《祭刘给事文》。

良医不能救无命，强梁不能与天争

见南朝·宋·范晔《后汉书·苏竟传》。

良医之门多病人，栝檃之侧多枉木

见《荀子·法行》。

良人犹恐催耕早，自扯蓬窗看晓星

见宋·华岳《田家》。

良药苦口利于病，忠言逆耳利于行

见三国·魏·王肃《孔子家语·六本》。

良将之为政也，使人择之，不自举

见三国·蜀·诸葛亮《兵要》。全句为："～，使法量功，不自度"。

良贾深藏若虚，君子盛德容貌若愚

见元·曾先之《十八史略·春秋战国·鲁》。

良农不为水旱不耕，良贾不为折阅不市

见《荀子·修身》。全句为："～，士君子不为贫穷怠乎道"。

良工之子必先为箕，良冶之子必先为裘

见《列子·汤问》。

良药苦口而利于病，忠言逆耳而便于行

见南朝·宋·范晔《后汉书·袁谭传》。

良药苦口而利于病，忠言逆耳而利于行

见三国·魏·王肃《孔子家语·六行》。

良将不怯死以苟免，烈士不毁节以求生

见晋·陈寿《三国志·魏书·庞德传》。

良弓之子必先为箕；良冶之子必先为裘

见《列子·汤问》。

良玉度尺，虽有十仞之土，不能掩其光

见汉·韩婴《韩诗外传》。全句为："良珠度寸，虽有百仞之水，不能掩其莹；～"。

良珠度寸，虽有百仞之水，不能掩其莹

见汉·韩婴《韩诗外传》。全句为："～；良玉度尺，虽有十仞之土，不能掩其光"。

良农能稼而不能穑，良工能巧而不能为顺

见汉·司马迁《史记·孔子世家》。

良田百顷，不在一亩，但有远志，不在当归

见晋·陈寿《三国志·蜀书·姜维传》。

❷温良者戒无断／温、良、恭、俭、让／王良登车，马无罢驽／兵良而食足，将贤而士勇／张良授策于圯桥，功崇佐汉／精良畏慎，善在恭谨，失在多疑／天良能本吾良能，顾为有我所丧尔

❸吏不良，则有法而莫守／得十良剑，不若得一欧冶／得十良马，不若得一伯乐／鸟尽良弓藏，谋极身必危／虽有良玉，不刻镂则不成器／不假良史之词，不托飞驰之势／古之良有司，忧其君而不恤其私计／纵有良法美意，非其人而行之，反成弊政／易道良马，使人欲驰；饮酒而乐，使人欲歌／所贵良吏者，贵其绝恶于未萌，使之不为非／谋臣良将，何代无之；贵在见知，要在见用耳

❹考之不良兮，求福得祸／君用忠良，则伯王之业隆／家贫思良妻，国乱思良相／如病忆良药，如蜂贪好蜜／简选精良，兵械铦利……／飞鸟尽，良弓藏；狡兔死，走狗烹／蜚鸟尽，良弓藏；狡兔死，走狗烹／狡兔死，良狗烹；高鸟尽，良弓藏；敌国破，谋臣亡

❺三折肱为良医／义，天下之良宝也／高鸟已散，良弓将藏／狡兔已尽，良犬就烹／庸史纪事，良史诛意／暴臣反国，良臣被殃／股肱惟人，良臣惟圣／去冗官，用良吏，以抚疲民／国有贤相良将，民之师表也／家贫则思良妻，国乱则思良相／病困乃重良医，世乱而贵忠贞／狡兔尽则良犬烹，敌国灭则谋臣亡／虽有贤师良友，若画脂镂冰，费日损功／驽蹇服御，良乐咨嗟；铅刀剖截，欧冶叹息

❻三折肱知为良医／非佞折狱，惟良折狱／从令纵敌，非良将也／狡兔依然在，良犬先烹／存乎人者，莫良于眸子／乍屈乍伸者，良才所以俟时也／天良能本吾良能，顾为有我所丧尔／匿病者不得良医，羞问者圣人去之／伯乐之厩多良马，卞和之匮多美玉

❼今夕何夕，见此良人／居必择邻，交必良友／盗贼弗诛，则伤良民／谗媚之言甘，贤良之言直／义兵之为天下良药也亦大矣／大简必有不好，良工必有不巧／狗不以善吠为良，人不以善言为贤／马先驯而后求良，人先信而后求能／不肖用事而贤良伏，无功贵而劳苦贱／繁弱，钜黍，古之良弓也……则不能自正／威权外假，归之良难，虎翼一奋，卒不可制／贤君之治也，温良而和，宽容而爱，刑清而省，喜赏而恶罚

❽良匠之目，无材弗良／拔去凶邪，登崇畯良／马氏五常，白眉最良／病之将死，不可为良医／平居无事，指为贤良……／百金孰为重，一诺良匪轻／为君既不易，为臣良独难／索道于当世者，莫良于典／索物于夜室者，莫良于火／佳人慕高义，求贤良独难／所不虑而知者，其良知也／所见既可骇，所闻良可悲／其论人也，必贵忠

良鄙邪佞／把向空中捎一声，良马有心日驰千／破天下之浮议，使良法不废于中道／与死者同病难为良医，与亡国同道难与为谋／左右前后，莫匪俊良；小大之材，咸尽其用／卵之性为雏，不得良鸡覆伏孚育，积日累久，则不成为雏

❾路不险，无以知马之良／百胜难虑敌，三折乃良医／体无纤微疾，安用问良医／褒贬无一词，岂得为良史／家贫思良妻，国乱思良相／铅刀贵一割，梦想骋良图／老禾不早杀，余种秽良田／诽谤之罪不诛，而后良言进／能稼而能穑，所以为良农也／政令时，则百姓一，贤良服／有相马而失马者，然良马犹在相之中／良农不为水旱不耕，良贾不为折阅不市／良工之子必先为箕，良冶之子必先为裘／良弓之子必先为箕；良冶之子必先为裘／良农能稼而不能穑，良工能巧而不能为顺／才者璞也，识者工也，良璞授于贱工，器之陋也

❿道为智者设，马为御者良／时危见臣节，世乱识忠良／路不险，则无以知马之良／人之所不学而能者，其良能也／家贫则思良妻，国乱则思良相／舟覆乃见善游，马奔乃见良御／善弋者下鸟乎百仞之上，弓良也／马伏皂而不用，则驽与良而为群／不弃死马之骨者，然后良骥可得也／不随俗物皆成土，只待良时却补天／养稊稗者伤禾稼，惠奸宄者贼良民／凡欲显勋绩扬光烈者，莫良于学矣／诗家之景，如蓝田日暖，良玉生烟／英雄者，胸怀大志，腹有良谋……／广厦成而茂木畅，远求存而良马絷／鹰不试则巧拙惑，马不试则良驽疑／弓调而后求劲焉，马服而后求良焉／明所爱而邪僻繁，明所恶而贤良灭／天雄乌喙，药之凶毒也，良医以活人／医能治一病谓之巧，能治百病谓之良／凡养稂莠者伤禾稼，惠奸宄者贼良人／杞梓连抱，而有数尺之朽，良工不弃／风霜以别草木之性，危乱而见贞良之节／食有酒肉，衣有罗绮……非益生之良药／欲交其人，先观其友，乃择交第一良法也／墓门有棘，斧以斯之；夫也不良，国人知之／草茅弗去，则害禾谷；盗贼弗诛，则伤良民／大川未济，乃失巨舰；长途始半，而丧良骥／宽收严试，久任超迁。此八字，用人之良法／好贤乐善，孜孜以荐进良士、明白是非为己任／是非之心，不虑而知，不学而能，所谓良知也／明窗净几笔砚纸墨皆极精良，亦自是人生一乐事／天下之物莫凶于鸡毒，然而良医橐而藏之，有所用／若鄙人所谓致知格物者，致吾心之良知于事事物物也／和者天之正也，阴阳之平也，其气最良，物之所生也／狡兔死，良狗烹；高鸟尽，良弓藏；敌国破，谋臣亡

叛

pàn 背叛；焕盛。

❶叛而不讨，何以示威；服而不柔，何以示怀

见《左传·文公七年》。

❷将叛者，其辞惭／众叛亲离，难以济矣

❻士民之所以叛，由偏之也／为国失道，众叛亲离；为国以道，人必悦服

❼弗爱弗利，亲子叛父

❿人心安则念善，苦则怨叛／以私奉为心者，人必咈而叛之／以割下为能，以附上为忠，此叛国之风也

举

jǔ 往上托；发动；提出；举人；全；选拔，推荐；攻克；起飞；祭祀；抚养，生育；收取。

❶举人须举好退者

见宋·朱熹《宋名臣言行录》。

举目方知宇宙宽

见明·冯梦龙《警世通言·钱舍人题诗燕子楼》。

举大事必慎其终始

见《礼记·文王世子》。

举天下之贤者以自代

见宋·苏洵《管仲论》。

举不失德，赏不失劳

见《左传·宣公十二年》。

举事不私，听狱不阿

见《晏子春秋·内篇·问上》。

举直错诸枉，则民服

见《论语·为政》。全句为："～；举枉错诸直，则民不服"。

举措施为，不失其宜

见唐·韩愈《爱直赠李君房别》。

举善而教不能，则劝

见《论语·为政》。

举棋不定，不胜其耦

见《左传·襄公二十五年》。

举足左右，便有轻重

见汉·刘秀《玺书赐窦融》。

举事以为人者，众助之

见汉·刘安《淮南子·兵略》。全句为："～；举事以自为者，众去之"。

举事以自为者，众去之

见汉·刘安《淮南子·兵略》。全句为："举事以为人者，众助之；～"。

举枉错诸直，则民不服

见《论语·为政》。全句为："举直错诸枉，则民服；～"。

举头望明月，低头思故乡

见唐·李白《静夜思》。

举人之周也，与人之壹也

见《左传·文公三年》。

举动回山海，呼吸变霜露

见南朝·宋·范晔《后汉书·宦者传》。

举善而任之，择善而从之

见唐·吴兢《贞观政要·公平》。

举贤任能，不时日而事利

见《尉缭子·战威》。

举错数失，必致危亡之道

见汉·王符《潜夫论·慎微》。全句为："政教积德，必致安泰之福；～"。

举一隅不以三隅反，则不复也

见《论语·述而》。

举千人之所爱，则得千人之心

见汉·刘安《淮南子·缪称》。全句为："用百人之所能，则得百人之力；～"。

举凶器，行凶德，犹不得已也

见《吕氏春秋·仲秋纪·论威》。全句为："凡兵，天下之凶器也；勇，天下之凶德也。～"。

举善不以窅窅，拾过不以冥冥

见宋·陆佃解《鹖冠子·天则》。

举贤不出世族，用法不及权贵

见宋·司马光《资治通鉴·晋元帝太兴元年》。全句为："～，是以才不济务，奸无所惩"。

举贤而授能兮，循绳墨而不颇

见战国·楚·屈原《离骚》。

举贤则民相轧，任知则民相盗

见《庄子·庚桑楚》。

举事而不时，力虽尽，其功不成

见《管子·禁藏》。

举一善必适其材，惩一恶必当其咎

见五代·后周·柴荣《求直言诏》。

举一纲，众目张；弛一机，万事隳

见隋·王通《文中子·关朗》。

举世尽从愁里老，谁人肯向死前闲

见唐·杜荀鹤《秋宿临江驿》。

举世皆浊我独清，众人皆醉我独醒

见《楚辞·渔父》。

举刺不避乎权势，犯颜不畏乎逆鳞

见明·胡俨《孝肃包公奏议序》。

举炎火以焚飞蓬，覆沧海而注熛炭

见南朝·宋·范晔《后汉书·袁绍传》。

举秀才，不知书；察孝廉，父别居

见汉《桓灵时童谣》。

举贤以临国，官能以敕民，则其道也

见《晏子春秋·内篇问上第十三》。

举大体而不论小事，务实效而不为虚名

见宋·苏轼《贺杨龙图启》。

举天下而无可与共处，则是其势岂可以久也

见宋·苏辙《上刘长安书》。

举世而誉之而不加劝，举世而非之而不加沮

见《庄子·逍遥游》。

举网以纲，千目皆张，振裘持领，万毛自整

见汉·桓谭《新论·离事》。

举将而限以资品，则英豪之士在下位者不可得

见宋·欧阳修《准诏言事上书》。

举天下以赏其善者不足，举天下以罚其恶者不给

见《庄子·在宥》。全句为："～，故天下之大不足以赏罚"。

❷一举成名天下闻／过举不匿，则官无邪人／蛇举首尺，而修短可知／内举不避亲，外举不避仇／内举不避亲，外举不避雠／外举不弃仇，内举不失亲／外举不避仇，内举不避子／孤举者难起，众行者易趋／一举而两利，斯智者之为也／凡举事，必先审民心然后可举／非举无以知其贤，非试无以效其实／凡举事必循法以动，变法者因时而化／善举事者若乘舟而悲歌，一人唱而千人和／凡举事，无为亲厚者所痛，而为见仇者所快

❸凡将举事，令必先出／以全举人固难，物之情也／弈者举棋不定，不胜其耦／人有举事至当，而或有非之者／以党举官，则民务交而不求用矣／贤者举而上之，不肖者抑而废之／不妨举世无同志，会有方来可与期／莫嫌举世无知己，未有庸人不忌才／贤者，举而上之，富而贵之，以为官长／不随举子纸上学六韬，不学腐儒穿凿注五经

❹举人须举好退者／圣人万举而万全／智者之举事必因时／知能不举，则为失材／能养能举，悦贤之至也／知人者举，则贤者不隐／不以言举人，不以人废言／知者之举事也，满则虑嗛／慎贵在举贤，慎民在置官／有能则举之，无能则下之／圣人之举事也，进退不失时／请谒任举之说胜，则绳墨不正／力足以举百钧，而不足以举一羽／去浮华，举功实，绝末伎，同本务／圣主者，举贤以立功；不肖主举其所同／年不可举，时不可止，消息盈虚，终则有始／以邪官举邪官，以俗士取俗士，国欲治得乎／大丈夫举事，当赤心相示，浮言夸辞，吾甚厌之

❺闻贤而不举，殆／计熟事定，举必有功／谋无不当，举必有功／伐矜好专，举事之祸也／善为理者，举其纲，疏其网／正义直指，举人之过，非毁疵也／万目不张举其纲，众毛不整振其领／待士不敬，举士不信，则善士不往焉／上古明王举乐者，非以娱心自乐，快意恣欲，将欲为治也

❻达则视其所举／军无适主，一举可灭／力胜其任，则举之者不重／饥寒无衣食，举动鞭捶施／君子不以言举人，不以人废言／贵则观其所举，富则观其所施／贵则观其所举，富则观其所养……／见贤而不能举，举而不能先，命也／黄鹄之飞，一举千里，有必飞之备也／戍卒叫，函

谷举，楚人一炬，可怜焦土／知标本者，万举万当；不知标本，是谓妄行／鸿鹄高飞，一举千里，羽翼以就，横绝四海／黄鹄白鹤，一举千里，使之与燕服翼试之堂庑之下

❼九万里风鹏正举／与物推移，故万举而不陷／内举不避亲，外举不避仇／内举不避亲，外举不避雠／内称不辟亲，外举不辟怨／外举不弃仇，内举不失亲／外举不避仇，内举不避子／力所不任而强举之，伤也／使天下无农夫，举世皆饿死矣／诛恶不避亲爱，举善不避仇雠／听言不求其能，举功不考其素／古之大臣废昏举明，所以康天下也／见贤而不能举，举而不能先，命也／智者不危众以举事，仁者不违义以要功／其人存，则其政举；其人亡，则其政息／贤能，不待次而举；罢不能，不待须而废／使法择人，不自举也；使法量功，不自度也／有席卷天下，包举宇内，囊括四海之意，并吞八荒之心

❽至德小节备，大节举／明扬仄陋，唯才是举／攀龙附凤，必在初举／声，则凡非雅声者举废／抽刀断水水更流，举杯消愁愁更愁／青云衣兮白霓裳，举长矢兮射天狼／为人师者众笑之，举世不师，故道益离／天下之患，莫大于举朝无公论，空国无君子／仇雠有善，不得不举；亲戚有恶，不得不诛／高霞孤映，明月独举，青松落荫，白云谁侣／苟得其人，虽仇必举；苟非其人，虽亲不授

❾捕猛兽者不使美人举手／一视而同仁，笃近而举远／摘翠者菱，挽红者莲，举白者鱼／官施而不失其宜，拔举而不失其能／论大功者不录小过，举大善者不疵细瑕／荐贤能其气似孔文举，论经学其博似刘子骏／赠缴充蹊，阬阱塞路，举手挂网罗，动足蹈机坎／不愤不启，不悱不发。举一隅不以三隅反，则不复也

❿能究其本根而枝叶自举／鸿毛至轻也，而不能自举／用心于正，一振而群纲举／圣人之于善也，无小而不举／曩之用才……溺在缘情之举／凡举事，必先审民心然后可举／良医不可必得，而庸医举目皆是／力足以举百钧，而不足以举一羽／必欲得人称职，不失士，不谬举／自其所当先者为之，则其后必举／良将之为政也，使人择之，不自举／人固难全，权而用其长者，当举也／凡人情之所安而有节者，举皆礼也／古之进人者，或取于盗，或举于管库／圣主者，举贤以立功；不肖主举其所同／知道而不行，知贤而不举，甚乎穿窬也／其称文小而其指极大，举类迩而见义远／法令明具，而用之至密，举天下惟法之知／如不行道，足以丧身，不举贤，足以亡国／所恶执一者，为其贼道也，举一而废百也／一发不中，百发尽息；一举不得，前功尽弃／举世而誉之而不加劝，举世而非之而不加沮／人有厚德，无问小节；人有大举，无訾小故／将欲毁之，必重累之；将欲踣之，必高举之／多事害神，多言害身。口开舌举，必有祸患／虎之跃也，必伏乃厉；鹘之举也，必掯乃高／其有法者以法行，无法者以类举，听之尽也／为人友者不以道而以利，举世无友，故道益弃／举天下以赏其善者不足，举天下以罚其恶者不给／圣智至孔子而极其盛，不过举条理以言之而已矣／官无常贵而民无终贱，有能则举之，无能则下之／上有素定之谋，下无趋向之惑，天下之事不难举也／专以一身任天下，其智之所不见，力之所不举者多矣／虽有国士之力，不能自举其身，非无力也，势不便也／胶漆至粘也，而不能合远；鸿毛至轻也，而不能自举／义之所在，不倾于权，不顾其利，举国而与之，不为改视／不行王政云尔；苟行王政，四海之内皆举首而望之，欲以为君／其夹岸有树木千万本，列立如揖，丹色鲜如霞，擢举欲动，灿若舒颜

乙

①yǐ 天干第二位；旧时读书写字常用的标记符号；同“一”；姓。②yì 紫燕。③yà［乙乙］难出状。

❻罪生甲，祸归乙，伏怨乃结

了

①liǎo 结束；完全；明白，懂得。②le 作语助，用在句末表肯定语气。

❶了却君王天下事，赢得生前身后名

见宋·辛弃疾《破阵子》。全句为：“～。可怜白发生”。

❷赔了夫人又折兵

❸小时了了，大未必佳／佳月了不嗔，曾何污洁白／能使了然于口与手乎！是之谓辞达／消磨了三十多年层层心血，算不得大千世界小小文章／青未了，松耶？柏耶？独鸟来时，连峰断处，双髻人耶

❹小时了了，大未必佳／读书不了平生事，阅世空存后死身／痴儿不了公家事，男子要为天下奇／老牛粗了耕耘债，啮草坡头卧夕阳

❺青天何处了？白鸟入空无／莫等闲，白了少年头，空悲切

❻七穿八穴，百了千当／忍把浮名，换了浅斟低唱／直待自家都了得，等闲拈出便超然／不是东风压了西风，就是西风压了东风

❽人生似瓦盆，打着了方见真空

❾萧瑟秋风今又是，换了人间／五帝三皇神圣事，骗了无涯过客／预支五百年新意，到了千年又觉陈

❿人远则难绥，事总则难了／愿普天下有情的都成了眷属／凡人坏品败名，钱财占了八分／病中必有悔悟处，病起莫教忘了／周而复始无休息，官租未了私租逼／机关算尽太聪明，反算了卿卿性命／不是东风压了西风，就是西风压

了东风／在这可诅咒的地方击退了可诅咒的时代／弹指三十八年，人间变了，似天渊翻覆／读来一百遍，不如亲见颜色，随问而对之易了／人非生而知之者，孰能了此无惑，故从其先得者而问焉

也 yě 语气助词；副词；姓。

❶也不赴，公卿约；也不慕，神仙学

见清·吴伟业《满江红·感兴》。全句为："～。任优游散诞，断云孤鹤"。

也知渔父趁鱼急，翻着春衫不裹头

见宋·杨万里《过百家渡》。

乞 ①qǐ 向人讨；请求给予；姓。②qì 给予。

❶乞火不若取燧，寄汲不若凿井

见汉·刘安《淮南子·览冥》。

❺昨日邻家乞新火，晓窗分与读书灯

❽人生难得秋前雨，乞我虚堂自在眠／俯首帖耳，摇尾而乞怜者，非我之志也

❾金满箱，银满箱，转眼乞丐人皆谤

飞 fēi 飞翔；飞行；意外的；上扬的；突然的；无根据的；通"绯"；通"非"，不是。

❶飞鸟皆视其背

见唐·柳宗元《柳州山水近治可游者记》。全句为："由上室而上，有穴，北出之，乃临大野，～"。

飞鸟之景未尝动也

见《庄子·天下》。

飞语一发，胪言四驰

见唐·刘禹锡《上杜司徒书》。

飞泉出窦，练绲花吐

见唐·刘禹锡《含辉洞述》。

飞黄腾踏去，不能顾蟾蜍

见唐·韩愈《符读书城南》。

飞不以尾，尾屈，飞不能远

见汉·刘安《淮南子·说山》。全句为："走不以手，缚手，走不能疾；～"。

飞雪千里，不能改松柏之心

见唐·杨炯《遂州长江县先圣孔子庙堂碑》。

飞霜迎地，兰萧衔共尽之悲

见唐·王勃《上皇甫常伯启》。全句为："～；烈火埋冈，玉石抱俱焚之惨"。

飞蓬遇飘风而行千里，乘风之势也

见《商君书·禁使》。全句为："～；探渊者知千仞之深，县绳之数也"。

飞鸟尽，良弓藏；狡兔死，走狗烹

见汉·司马迁《史记·越王勾践世家》。

飞沙溅石，湍流百势；翠崄丹崖，冈峦万色

见唐·王勃《上巳浮江宴序》。

飞雪蔽野，长河始冰，吾子勉之，慷慨而别

见唐·王维《送怀州杜参军赴京选集序》。

❷鸢飞戾天，鱼跃于渊／鸢飞戾天者，望峰息止／将飞者翼伏，将奋者足局／鸟飞返故乡兮，狐死必首丘／析飞糠以为舆，剖秕糟以为舟／鸟飞反乡，兔走归窟……各哀其所生／不飞则已，一飞冲天；不鸣则已，一鸣惊人／鸟飞千仞之上……祸犹及之，又况编户齐民乎

❸贪看飞花忘却愁／一人飞升，仙及鸡犬／一坐飞语，如冲骇机／舞笔飞墨，应节而成／言处飞龙前，行在跛鳖后／露重飞难进，风多响易沉／冬沙飞兮淅淅，春草磨兮芊芊／井梧飞叶送秋声，篱菊缄香待晚晴／蛱蝶飞来过墙去，却疑春色在邻家／寒泉飞流，异竹杂华，回映之处，似藏人家

❹心逐孤飞鸿／笨鸟先飞早入林／鸿雁于飞，哀鸣嗷嗷／思若云飞，辩同河泻／恋逐云飞，思随蓬卷／鸟既高飞，罗将奈何／轻翰暂飞，则花葩竞发／伏久者飞必高，开先者谢独早／凤凰于飞，翙翙其羽，亦傅于天／鸟能远飞，远飞者，六翮之力也／无翼而飞者声也，无根而固者情也／荆山鹊飞而玉碎，随岸蛇生而珠死／画栋朝飞南浦云，珠帘暮卷西山雨／黄鹄之飞，一举千里，有必飞之备也／鸿鹄高飞，一举千里，羽翼以就，横绝四海／苍蝇之飞，不过十步；自托骐骥之尾，乃腾千里之路

❺峰从灵鹫飞来／鹞子经天飞，群雀两向波／化作娇莺飞归去，犹认纱窗旧绿／矫首而徇飞，不如修翼之必获也／下笔则烟飞云动，落纸则鸾迴凤惊／但使龙城飞将在，不教胡马渡阴山／龙蛇纸上飞腾，看落笔四筵风雨惊／目送征鸿飞杳杳，思随流水去茫茫／闻以有翼飞者矣，未闻以无翼飞者也／倚势豪夺，飞食人肉，鼓吻弄翼，道路以目／腾蛇游雾，飞龙乘云，云罢雾霁，与蚯蚓同

❻代马依北风，飞鸟栖故巢／代马依北风，飞鸟翔故巢／又疑瑶台镜，飞在青云端／大丈夫当雄飞，安能雌伏／远胜登仙去，飞鸾不假骖／风雨送春归，飞雪迎春到／息燕归檐静，飞花落院闲／鸟能远飞，远飞者，六翮之力也／举炎火以焚飞蓬，覆沧海而注熛炭／秋阴不散霜飞晚，留得枯荷听雨声／身无彩凤双飞翼，心有灵犀一点通／大风起兮云飞扬，威加海内兮归故乡／不飞则已，一飞冲天；不鸣则已，一鸣惊人／鸷鸟将击，卑飞敛翼；猛兽将搏，弭耳俯伏

❼困鸟依人，终当飞去／肇允彼桃虫，拚飞维鸟／无众毛之助，则飞不远矣／飞不以尾，尾屈，飞不能远／赋情顿雪双鬓，飞梦逐尘沙／卫后兴于鬒发，飞燕宠于体轻／俱怀逸兴壮思飞，欲上青天揽明月／落霞与孤鹜齐飞，秋水共长天一色／断雁无凭，冉冉飞下汀洲，思悠悠／穷荒

绝漠鸟不飞，万碛千山梦犹懒／雪压冬云白絮飞，万花纷谢一时稀／秋风起兮白云飞，草木黄落兮雁南归／鹦鹉能言，不离飞鸟；猩猩能言，不离走兽／自伯之东，首如飞蓬；岂无膏沐，谁适为容

❽遥吟俯畅，逸兴遄飞／风驰电逝，蹑景追飞／是非之声，无翼而飞矣／旧时王谢堂前燕，飞入寻常百姓家／风且起，一旦荒忽飞扬，化而为沙泥／轻羽在高，遇风则飞；细石在谷，逢流则转／月明星稀，乌鹊南飞，绕树三匝，何枝可依／凤凰，凤凰，何不高飞还故乡，无故在此取灭亡／其有发挥新体，孤飞百代之前，开凿古人，独步九流之上

❾不有臭秽，则苍蝇不飞／毛羽未成，不可以高飞／山明云气画，天静鸟飞高／白日曜青春，时雨静飞尘／正西风落叶下长安，飞鸣镝／不假良史之词，不托飞驰之势／云无心以出岫，鸟倦飞而知还／忽报人间曾伏虎，泪飞顿作倾盆雨／滔滔武溪一何深，鸟飞不度，兽不敢临／崇门丰室，洞户连房，飞馆生风，重楼起雾／层台耸翠，上出重霄，飞阁流丹，下临无地／麋鹿成群，虎豹避之；飞鸟成列，鹰鹫不击

❿不摇香已乱，无风花自飞／大海从鱼跃，长空任鸟飞／河长犹可涉，海阔故难飞／宁与燕雀翔，不随黄鹄飞／贤人安下位，鸷鸟欲卑飞／蹁跹霞袖舞，潋滟羽觞飞／参差远岫，断云将野鹤俱飞／毛羽不丰满者，不可以高飞／蛇无头而不行，鸟无翅而不飞／夫妻本是同林鸟，大限来时各自飞／主人闻语未开门，绕篱野菜飞黄蝶／剑戟横空金气肃，旌旗映日彩云飞／信宿渔人还泛泛，清秋燕子故飞飞／公卿有党排宗泽，帷幄无人用岳飞／人生到处知何似？应似飞鸿踏雪泥／高谈则龙腾豹变，下笔则烟飞雾凝／诗中日月酒中仙，平地雄飞上九天／暮色苍茫看劲松，乱云飞渡仍从容／惆怅不如边雁影，秋风犹得向南飞／宁作清水之沉泥，不为浊路之飞尘／玉在椟中求善价，钗于奁内待时飞／战退玉龙三百万，败鳞残甲满天飞／新年鸟声千种啭，二月杨花满路飞／短长肥瘠各有态，玉环飞燕谁敢憎／老去读书随忘却，醉中得句若飞来／羽扇纶巾，谈笑间、强虏灰飞烟灭／鱼游于沸鼎之中，燕巢于飞幕之上／黄鹄之飞，一举千里，有必飞之备也／吞舟之鱼不游渊，鸿鹄高飞不就污池／闻以有翼飞者矣，未闻以无翼飞者也／恨不得挂长绳于青天，系此西飞之白日／三人成虎，十夫揉椎；众口所移，毋翼而飞／暮春三月，江南草长，杂花生树，群莺乱飞／吞舟之鱼，不游枝流；鸿鹄高飞，不集污池／罗衣从风，长袖交横，骆驿飞散，飒擖合并／快者掀髯，愤者扼腕，悲者掩泣，羡者色飞／杂花争发，非止桃蹊。群鸟乱飞，有逾鹦谷／晴空朗月，何处不可翱翔？而飞蛾独投夜烛／树恩布德，易以周洽，其犹顺惊风而飞鸿毛也

习

xí 反复地学习；因反复接触而熟悉；经常；习惯。

❶习与性成

见《尚书·太甲上》。

习其名而未稽其实

见宋·苏辙《河南府进士策问三首》。

习俗移志，安久移质

见《荀子·儒效》。

❷慎习而贵学／日习则学不忘，自勉则身不堕／民习礼义，易与为善，难与为非／染习轻者其悟速，染习重者其悟迟／专习一家，硁硁小哉！宜善相之，多师为佳

❸少则习之学，长则材诸位／耕夫习牛则犷，猎夫习虎则勇／军无习练，百无当一；习而用之，一可当百

❹性相近，习相远／慎乎所习，不可不思／学而时习之，不亦说乎／语者所习，习于胡则胡，习于越则越

❺民情可与习常，难与适变／常民溺于习俗，学者沉于所闻／语者所习，习于胡则胡，习于越则越

❻养身莫善于习动／兵不妄动，而习武不辍／讲之功有限，习之功无已／少成若天性，习贯如自然／垂髫之童，但习鼓舞，斑白之老，不识干戈

❼积思勉之功，旧习自除／亟战则民凋，不习则民怠／道德一于上，而习俗成于下

❽人之善恶，诚由近习

❾耕夫习牛则犷，猎夫习虎则勇／染习轻者其悟速，染习重者其悟迟／军无习练，百无当一；习而用之，一可当百／相臣将臣，文恬武嬉，习熟见闻，以为当然

❿军旅之臣，取其断决有谋，强干习事／语者所习，习于胡则胡，习于越则越／与其与子孙谋产业，不如教子孙习恒业／强弱成败之要，在乎附士卒、教习之而已／天下之事，患常生于忽微，而志亦戒于渐习／圣人之道，同诸天地，荡诸四海，变习易俗／呱呱之子，各识其亲；譊譊之学，各习其师／权衡既悬，锱铢靡遁，厉驽习骥，终莫之近／诸凡万物万事之知，皆因习因悟因过因疑而然／为学为教，用力于讲读者一二，加功于习行者八九／贤者之兴，而愚者之废，废而复之为是，循而习之为非／节民以礼，故其刑罚甚轻而禁不犯者，教化行而习俗美也

孑

jié 单独；残余；通“戟”，古时兵器。

❸茕茕孑立，形影相吊

乡 ①xiāng 农村；自己生长的地方或祖籍；行政区划的基层单位；古时通“向”。②xiǎng 通“响”，回声；通“享”，享用。③xiàng 方向；面向；趋向；窗户；过去。

❶乡原，德之贼也

见《论语·阳货》。

乡无君子，则与云山为友

见唐·元结《丐论》。全句为：“～；里无君子，则与松柏为友；坐无君子，则与琴酒为友”。

乡者已去，至者乃新，新故不翏，我有所周

见《十六经·顺道》。

❷异乡殊俗难知名／他乡怨而白露寒，故人去而青山迥

❸地僻乡音别，年丰酒味醇／厉精乡进，不以小疵妨大材／诛一乡之奸，则一乡之人悦／对他乡之风景，忆故里之琴歌

❹月是故乡明／居必择乡，游必就士／仍怜故乡水，万里送行舟／悠悠失乡县，处处尽云烟／独在异乡为异客，每逢佳节倍思亲／鸟飞反乡，兔走归窟……各哀其所生／去国怀乡，忧谗畏讥，满目萧然，感极而悲者矣

❺游子悲故乡／人情怀旧乡，客鸟思故林／岂不思故乡，从来感知己／悠然念故乡，乃在天一隅／鸟飞返故乡兮，狐死必首丘

❻悍吏之来吾乡……／旅情偏在夜，乡思岂唯秋／金与粟争贵，乡与朝争治／富贵不归故乡，如衣绣夜行／小恶不容于乡，大恶不容于国／君子虽在他乡，不忘父母之国／君子居必择乡，游必就士，所以防邪僻而近中正也

❼久旱逢甘雨，他乡遇故知／今夕为何夕，他乡说故乡／狐死归首丘，故乡安可忘／富贵非吾愿，帝乡不可期／善恶相从，如景乡之应形声／乐莫乐于还故乡，难莫难于全大节／今别子兮归故乡，旧怨平兮新怨长

❽诛一乡之奸，则一乡之人悦

❾一时今夕会，万里故乡情／悠悠天宇旷，切切故乡情／穷秋南国泪，残日故乡心／别馆南开，风雨积他乡之思／不忍登高临远，望故乡渺邈，归思难收／满堂而饮酒，有一人乡隅而悲泣，则一堂皆为之不乐

❿举头望明月，低头思故乡／今夕为何夕，他乡说故乡／仕宦而至将相，富贵而归故乡／不见古人卜居者，千金只为买乡邻／报国志愿不敢忘，此身未暇归江乡／因供寨木无桑柘，为点乡兵绝子孙／竟日不知尘世事，长年占断白云乡／不能为五斗米折腰，拳拳事乡里小人／大风起兮云飞扬，威加海内兮归故乡／东面望者不见西墙，南乡视者不睹北方／居常土思兮心内伤，愿为黄鹄兮归故乡／乘其名者，泽及宗族，利兼乡党，况子孙乎／凤凰，凤凰，何不高飞还故乡，无故在此取灭亡／毁人者失其直，誉人者失其实，近于乡原之人哉／关山难越，谁悲失路之人？萍水相逢，尽是他乡之客／美人梳洗时，满头间珠翠，岂知两片云，戴却数乡税

尺 chǐ 长度单位；量长短或绘图的用具；像尺的；形容微少；中医诊脉部位之一。

❶尺有所短，寸有所长

见《楚辞·卜居》。

尺书远达兮，以解君忧

见唐·李朝威《柳毅传》。全句为：“碧云悠悠兮，泾水东流。伤美人兮，雨泣花愁。～”。

尺水无长澜，蛟龙岂其容

见宋·欧阳修《人日聚星堂燕集探韵得丰字》。

尺蠖知屈伸，体道识穷达

见三国·魏·曹植《长歌行》残句。

尺之木必有节目，寸之玉必有瑕瓋

见《吕氏春秋·离俗览·举难》。

尺薪不能温镬水，寸冰不足寒庖厨

见明·宋濂《演连珠》。

尺泽之鲵，岂能与之量江海之大哉

见战国·楚·宋玉《对楚王问》。

尺蠖之屈，以求信也。龙蛇之蛰，以存身也

见《周易·系辞下》。

❷枉尺而直寻／百尺楼高万里风／爱尺寸而忘千里／三尺之泉，足止三军之渴／百尺之室，以突隙之烟焚／咫尺之图，写百千里之景／咫尺愁风雨，匡庐不可登／一尺之捶，日取其半，万世不竭／百尺竿头须进步，十方世界是全身／咫尺之管，文敏者执而运之，所如皆合／盈尺径寸，易取琢磨；南箕北斗，难为簸扫／一尺布，尚可缝；一斗粟，尚可舂。兄弟二人不相容

❸物贵尺璧，我重寸阴／龙无尺水，无以升天／有六尺之躯，而不能庇一妇人，岂丈夫哉／不贵尺之璧，而重寸之阴，时难得而易失也／不爱尺璧而爱寸阴，时过不还，若年大不可少也

❹人面咫尺，心隔千里／冰壶玉尺，纤尘弗污／冰冻三尺，非一日之寒／大木有尺寸之朽而不弃／蛇举首尺，而修短可知／不宝咫尺玉，而爱寸阴旬／长松百尺，对君子之清风／冰厚三尺，不是一日之寒／说得一尺，不如行取一寸／圣人无尺土，无以王天下／恨无一尺捶，为国笞羌夷／过江千尺浪，入竹万竿斜／藐然数尺之躯，乃欲私造化以为己物／良玉度尺，虽有十仞之土，不能掩其光／生有七尺之形，死唯一棺之土，唯立德扬名，可以不朽

❺李白坟三尺，嵯峨万古名／大匠构屋……尺寸之木无弃也／江南谚云：尺牍书疏，千里面目也／圣人不贵尺之璧，而重寸之阴，时难得而易

失也／有留死一尺，无北行一寸。刎颈不易，九裂不恨／可以托六尺之孤，可以寄百里之命，临大节而不可夺也
❻寸步千里，咫尺山河／寸心万绪，咫尺千里／飒爽英姿五尺枪，曙光初照演兵场／大石侧立千尺，如猛兽奇鬼，森然欲搏人／牛蹄之涔，无尺之鲤；块阜之山，无丈之材／何惜阶前盈尺之地，不使白扬眉吐气，激昂青云
❼荐我寸长，开君尺短／龙欲腾翥，先阶尺木／大匠无弃材，寻尺各有施／新松恨不高千尺，恶竹应须斩万竿／腊天日短不盈尺，何似妖姬一曲歌／君不见长松百尺多劲节，狂风暴雨终摧折／苍雁赪鲤，时传尺素；清风明月，俱寄相思
❽让礼一寸，得礼一尺／操数寸之管，书盈尺之纸／呼儿烹鲤鱼，中有尺素书／一抔之土未干，六尺之孤安在／得寸则王之寸，得尺亦王之尺／杞梓连抱，而有数尺之朽，良工不弃／孔子曰：诎寸而信尺，小枉而大直，吾为之也
❾倚天绝壁，直下江千尺／以彼径寸茎，荫此百尺条
❿说得一丈，不如行取一尺／城中好高髻，四方高一尺／得寸则王之寸，得尺亦王之尺／富贵比于浮云，光阴逾于尺璧／未必人间无好汉，谁与宽些尺度／譬如斩木，去寸无寸，去尺无尺／不敢为主而为客，不敢进寸而退尺／志合者不以山海为远，道乖者不以咫尺为近／山，快马加鞭未下鞍。惊回首，离天三尺三／人之所以为人者，非以此八尺之身也，乃以其有精神／解落三秋叶，能开二月花。过江千尺浪，入竹万竿斜／水虽平，必有波；衡虽正，必有差；尺寸虽齐，必有诡

巴 bā 粘贴；盼望；趋附；攀援；靠近，挨着。

❶巴陵胜状，在洞庭一湖

见宋·范仲淹《岳阳楼记》。

❺峡水千里，巴山万重
❽君问归期未有期，巴山夜雨涨秋池
❿何当共剪西窗烛，却话巴山夜雨时／聆《白雪》之九成，然后悟《巴人》之极鄙

以 yǐ 用；依照；因为；为了，目的在于；与；而；及，及于；通“已”，太，甚；为，行事；用作标准；放在位置词前来限定时间、地位、方位或数量；连词；作语助。

❶以形写神

见唐·张彦远《历代名画记》卷五载东晋顾恺之语。

以天下为己任

见宋·欧阳修《新五代·史·郭崇韬传》。

以天下心为心

见唐·白居易《策林一》。

以百姓欲为欲

见唐·白居易《策林一》。

以德兼人者王

见《荀子·议兵》。

以明示下者暗

见汉·黄石公《素书·遵义章》。

以约失之者鲜矣

见《论语·里仁》。

以虞待不虞者胜

见《孙子兵法·谋攻篇》。

以计待战，一当万

见晋·杜预《杜预集序》。

以国家之务为己任

见唐·韩愈《送郢州序》。

以德者愈迟而终显

见宋·欧阳修《尚书屯田员外郎赠兵部员外郎钱君墓表》。全句为：“恃力者虽盛而必衰，～”。

以强弩射且溃之痈

见汉·班固《汉书·韩安国传》。

以一能称，以一善书

见宋·苏洵《上欧阳内翰第二书》。

以内及外，以小成大

见汉·韩婴《韩诗外传》。

以千击万，莫善于阻

见《吴子·应变》。全句为：“以一击十，莫善于阨；以十击百，莫善于险；～”。

以卵投石，以指挠沸

见《荀子·议兵》。

以直报怨，以德报德

见《论语·宪问》。

以仁安人，以义正我

见汉·董仲舒《春秋繁露·仁义法》。

以佚代劳，以饱待饥

见《孙子兵法·军争篇》。

以公灭私，民其允怀

见《尚书·周官》。

以人为本，以财为末

见唐·陆贽《均节赋税恤百姓第一条》。全句为：“～；人安则财赡，本固则邦宁”。

以令率人，不若身先

见宋·欧阳修《陈公神道碑铭》。

以危为安，以乱为治

见汉·贾谊《治安策》。

以苛为密，以利为公

见汉·荀悦《申鉴·政体》。全句为：“～，以割下为能，以附上为忠，此叛国之风也”。

以少总多，情貌无遗

见南朝·梁·刘勰《文心雕龙·物色》。

以知能治民者，泗也

见汉·荀悦《申鉴·政体》。全句为:"～;以道德治民者,舟也"。

以德和民,不闻以乱

见《左传·隐公四年》。

以狸致鼠,以冰致蝇

见《吕氏春秋·仲春纪·功名》。

以深为根,以约为纪

见《庄子·天下》。

以近论远,以小知大

见汉·刘安《淮南子·氾论》。

以逸击劳,取胜之道

见汉·班固《汉书·赵充国传》。

以逸待劳,取之必也

见唐·张九龄《敕幽州节度张守珪书》。

以道德治民者,舟也

见汉·荀悦《申鉴·政体》。全句为:"以知能治民者,泅也;～"。

以己之心,度人之心

见宋·朱熹《四书集注·中庸十三章》。

以强凌弱,以众暴寡

见《庄子·盗跖》。

以威胜,不如以德胜

见明·冯梦龙《东周列国志》第十八回。

以子之矛,陷子之盾

见《韩非子·难一》。

以学自损,不如无学

见北齐·颜之推《颜氏家训·勉学》。

以本为精,以物为粗

见《庄子·天下》。

以杀去杀,虽杀可也

见《商君书·画策》。

以战去战,虽战可也

见《商君书·画策》。

以战止战,虽战可也

见《司马法·仁本》。全句为:"杀人安人,杀之可也;攻其国爱其民,攻之可也;～"。

以明防前,以智虑后

见南朝·宋·刘义庆《世说新语·识鉴》刘孝标注引《文士传》。

以智慧刀,断烦恼锁

见唐·李邕《东林寺碑》。

以贵为道,以意为法

见宋·陆佃解《鹖冠子·近迭》。

以文会友,以友辅仁

见《论语·颜渊》。

以火救火,以水救水

见《庄子·人间世》。

以其昏昏,使人昭昭

见《孟子·尽心下》。全句为:"贤者以其昭昭,使人昭昭。今～"。

以不教民战,是谓弃之

见《论语·子路》。

以古为镜,可以知兴替

见唐·吴兢《贞观政要·任贤》。全句为:"以铜为镜,可以正衣冠;～;以人为镜,可以明得失"。

以利相交者,利尽而疏

见明·姑苏抱瓮老人《今古奇观》卷五。

以仁义服人,何人不服

见清·吴敬梓《儒林外史》第一回。

以人为镜,可以明得失

见唐·吴兢《贞观政要·任贤》。全句为:"以铜为镜,可以正衣冠;以古为镜,可以知兴替;～"。

以人为镜,可以知得失

见宋·司马光《资治通鉴·唐太宗贞观十七年》。

以色交者,华落而爱渝

见《战国策·楚策一》。全句为:"以财交者,财尽而交绝;～"。

以德报德,则民有所劝

见《礼记·表记》。全句为:"～;以怨报怨,则民有所惩"。

以进死为荣,退生为辱

见《吴子·图国》。

以道治国,崇本以息末

见三国·魏·王弼《老子》五十七注。

以骥待马,则马皆骥也

见明·方孝孺《深虑论十》。

以理为主,理得而辞顺

见宋·黄庭坚《与王观复书》。全句为:",文章自然出群拔萃～"。

以财交者,财尽而交绝

见《战国策·楚策一》。全句为:"～;以色交者,华落而爱渝"。

以怨报怨,则民有所惩

见《礼记·表记》。全句为:"以德报德,则民有所劝;～"。

以恩信接人,不尚诈力

见宋·苏辙《祖逖》。

以铜为镜,可以正衣冠

见唐·吴兢《贞观政要·任贤》。全句为:"～;以古为镜,可以知兴替;以人为镜,可以明得失"。

以身役物,则阴阳食之

见汉·刘安《淮南子·人间》。全句为:"直意适情,则贤强贼之;～"。

以言伤人者,利于刀斧

见宋·林逋《省心录》。

以其境过清,不可久居

见唐·柳宗元《至小丘西小石潭记》。

以一介之微挫其锋于顷刻

见明·刘基《郁离子》。全句为:"～,是何异乎以唾灭火,以瓠捍刃也"。

以一缕之任,系千钧之重

见汉·枚乘《上书谏吴王》。全句为:",上悬之无极之高,下垂之不测之渊,虽甚愚之人,犹知哀其将绝也～"。

以一篑障江河,用没其身

见汉·班固《汉书·何武王嘉师丹传赞》。

以不息为体,以日新为道

见唐·刘禹锡《问大钧赋》。

以正为在民,以枉为在己

见《庄子·则阳》。全句为:"以得为在民,以失为在己;～"。

以生为丧也,以死为反也

见《庄子·庚桑楚》。

以我径寸心,从君千里外

见南朝·梁·沈约《饯谢文学离夜诗》。

以之事国,则同心而共济

见宋·欧阳修《朋党论》。全句为:"所守者道义,所行者忠信,所惜者名节。以之修身,则道同而相益;～"。

以之修身,则道同而相益

见宋·欧阳修《朋党论》。全句为:"所守者道义,所行者忠信,所惜者名节。～;以之事国,则同心而共济"。

以修身自强,则名配尧禹

见《荀子·修身》。

以人言善我,必以言罪我

见《韩非子·说林上》。

以全举人固难,物之情也

见《吕氏春秋·离俗览·举难》。

以色事他人,能得几时好

见唐·李白《妾薄命》。

以至诚为道,以至仁为德

见宋·苏轼《道德》。

以小人之虑,度君子之心

见南朝·宋·刘义庆《世说新语·雅量》。

以名声称号,必为是所诱

见《西升经·观诸章》。

以善意相待,无不致快也

见晋·陈寿《三国志·魏书·杜畿传》注引。全句为:"～;以不善意相待,无不致嫌隙也"。

以行实为先,以才用为急

见宋·苏轼《乞擢用程尊彦状》。

以彼径寸茎,荫此百尺条

见晋·左思《咏史》其二。前两句为:"郁郁涧底松,离离山上苗"。

以得为在民,以失为在己

见《庄子·则阳》。全句为:"～;以正为在民,以枉为在己"。

以狐白补犬羊,身涂其炭

见汉·刘向《说苑·贵德》。

以清俭自律,以恩信待人

见唐·刘禹锡《唐故相国赠司空令狐公集记》。全句为:"～,以夷坦去群疑,以礼让汰惨急"。

以官为乐,必不能做好官

见清·倭仁《倭仁家训》。

以迈往之气,行正大之言

见宋·苏轼《乐全先生文集叙》。

以逸待劳,兵家之大利也

见宋·欧阳修《言西边事宜第一状》。

以朴厚而知者,无迹而固

见唐·刘禹锡《唐故宣歙池都团练观察使王公神道碑》。全句为:"大凡以智谋而进者,有时而衰;～"。

以材能任职,以兴义任俗

见宋·曾巩《唐论》。

以戈舂黍也,以锥餐壶也

见《荀子·劝学》。

以智而视,得形之微者也

见唐·刘禹锡《天论》。全句为:"以目而视,得形之粗者也,～"。

以贤临人,未有得人者也

见《庄子·徐无鬼》。全句为:"～;以贤下人,未有不得人者也"。

以赏誉自劝者,惰乎为善

见《晏子春秋·内篇谏上第三》。

以胶投漆中,谁能别离此

见汉·无名氏《古诗·客从远方来》。

以文常会友,唯德自成邻

见唐·祖咏《清明宴司勋刘郎中别业》。

以目而视,得形之粗者也

见唐·刘禹锡《天论》。全句为:"～,以智而视,得形之微者也"。

以目前之利而弃百世之功

见宋·苏辙《宋武帝》。

以身教者从,以言教者讼

见汉·第五伦《上疏褒称盛美以劝成风德》。

以三寸之舌,强于百万之师

见汉·司马迁《史记·平原君虞卿列传》。

以才御物,才有尽而物无穷

见宋·苏轼《赐宰相吕公著乞罢相位除一外任不许批答》。全句为:"～;以道应物,道无穷而物有尽"。

以天下之大,托于一人之才

见汉·刘安《淮南子·说林》。全句为:"～,譬若悬千钧之重于木之一枝"。

以天下之心虑，则无不知也

见《太公六韬·文韬·六守》。全句为："以天下之目视，则无不见也；以天下之耳听，则无不闻也；～"。

以天下之目视，则无不见也

见《太公六韬·文韬·六守》。全句为："～；以天下之耳听，则无不闻也；以天下之心虑，则无不知也"。

以天下之耳听，则无不闻也

见《太公六韬·文韬·六守》。全句为："以天下之目视，则无不见也；～；以天下之心虑，则无不知也"。

以天下为忧，而未以位为乐

见汉·班固《汉书·董仲舒传》。

以事秦之心，礼天下之奇才

见宋·苏洵《六国论》。全句为："以赂秦之地，封天下之谋臣；～；并力西向，则吾恐秦人食之不得下咽也"。

以非老子视老子，而老子玄

见清·王夫之《尚书引义·舜典一》。全句为："～；以老子视非老子，而非老子又胡不玄也"。

以书为御者，不尽于马之情

见《战国策·赵策二》。全句为："～；以古制今者，不达于事之变"。

以古制今者，不达于事之变

见《战国策·赵策二》。全句为："以书为御者，不尽于马之情；～"。

以侈为博……此荒国之风也

见汉·荀悦《申鉴·政体》。删节处为："以伉为高，以滥为通，遵礼谓之劬，守法谓之固"。

以全取胜，是以贵谋而贱战

见汉·班固《汉书·赵充国传》。

以邪莅国、以暴加民者，危

见《晏子春秋·内篇问上第二十三》。

以善胜人者，未有能服人者

见《管子·戒》。全句为："～；以善养人者，未有不服人者也"。

以道应物，道无穷而物有尽

见宋·苏轼《赐宰相吕公著乞罢相位除一外任不许批答》。全句为："以才御物，才有尽而物无穷；～"。

以绳墨取木，则宫室不成矣

见《吕氏春秋·离俗览·离俗》。

以权利合者，权利尽而交疏

见汉·司马迁《史记·郑世家》。

以梧桐之实养枭而冀其凤鸣

见明·刘基《郁离子》。

以智文其过，此君子之贼也

见宋·欧阳修《与高司谏书》。

以贤下人，未有不得人者也

见《庄子·徐无鬼》。全句为："以贤临人，未有得人者也；～"。

以赂秦之地，封天下之谋臣

见宋·苏洵《六国论》。全句为："～；以事秦之心，礼天下之奇才；并力西向，则吾恐秦人食之不得下咽也"。

以天下与人易，为天下得人难

见《孟子·滕文公上》。

以天下之所顺，攻亲戚之所畔

见《孟子·公孙丑下》。全句为："～；故君子有不战，战必胜矣"。

以无涯之情爱，悼不驻之光阴

见唐·刘禹锡《伤往赋》。

以不善意相待，无不致嫌隙也

见晋·陈寿《三国志·魏书·杜畿传》注引。全句为："以善意相待，无不致快也；～"。

以求干禄者败，以势临人者辱

见明·宋濂《杂言·萝山杂言》。

以乱攻治者亡，以邪攻正者亡

见《韩非之·初见秦》。

以同异为善恶，以喜怒为赏罚

见汉·仲长统《昌言下》。全句为："所官者，非亲属则宠幸；所爱者，非美色则巧佞；～"。

以公平为规矩，以仁义为准绳

见唐·吴兢《贞观政要·择官》。全句为："赏不遗疏远，罚不阿亲贵，～"。

以人言善我，亦必以人言恶我

见《新论》。

以众人之力起事者，无不成也

见《管子·形势解》。

以夷坦去群疑，以礼让汰慘急

见唐·刘禹锡《唐故相国赠司空令狐公集记》。全句为："以清俭自律，以恩信待人，～"。

以善养人者，未有不服人者也

见《管子·戒》。全句为："以善胜人者，未有能服人者；～"。

以国士待人者，人亦国士自奋

见宋·王安石《委任》。全句为："人主以狗彘畜人者，人亦狗彘其行；～"。

以德服人者，中心悦而诚服也

见《孟子·公孙丑上》。全句为："以力服人者，非心服也，力不赡也；～"。

以德胜人者昌，以力胜人者亡

见南朝·宋·范晔《后汉书·鲁恭传》。

以道佐人主者，不以兵强天下

见《老子》三十。

以道理天下者……不赏而民劝

见五代·前蜀·杜光庭《道德真经广圣义》卷四十。删节处为："不言而民信，不令而民从，不刑而民威”。

以道望人则难，以人望人则易

见晋·陈寿《三国志·吴书·诸葛恪传》。

以玉为石者，亦将以石为玉矣

见晋·葛洪《抱朴子·擢才》。全句为：“～；以贤为愚者，亦将以愚为贤矣”。

以武功定祸乱，以文德致太平

见宋·苏轼《书王奥所藏太宗御书后》。

以贤为愚者，亦将以愚为贤矣

见晋·葛洪《抱朴子·擢才》。全句为：“以玉为石者，亦将以石为玉矣；～”。

以欲从人者昌，以人乐己者亡

见唐·吴兢《贞观政要·俭约》。

以意全胜者，辞愈朴而文愈高

见唐·杜牧《答庄充书》。全句为：“～；意不胜者，辞愈华而文愈鄙”。

以私奉为心者，人必咈而叛之

见唐·陆贽《奉天请罢琼林大盈二库状》。全句为：“国家作事，以公共为心者，人必乐而从之；～”。

以言责人甚易，以义持己实难

见宋·苏辙《刘挚右丞》。

以其终不自为大，故能成其大

见《老子》三十四。

以雄才为己任，横杀气而独往

见唐·杜甫《雕赋》。全句为：“当九秋之凄清，见一鹗之直上，～”。

以出乎众为心者，曷常出乎众哉

见《庄子·在宥》。

以仁为恩，以义为理，以礼为行

见《庄子·天下》。全句为：“～，以乐为和，薰然慈仁，谓之君子”。

以仁心说，以学心听，以公心辨

见《荀子·正名》。

以党举官，则民务交而不求用矣

见《管子·明法》。

以汤止沸，抱薪救火，愈甚亡益

见汉·班固《汉书·董仲舒传》。

以近知远，以一知万，以微知明

见《荀子·非相》。

以柔顺而为不正，则佞邪之道也

见三国·魏·王弼《周易·乾》注。

以贫求富，农不如工，工不如商

见汉·班固《汉书·货殖传》引谚。

以气韵求其画，则形似在其间矣

见唐·张彦远《历代名画记》。

以慧治国者，始于治，常卒于乱

见汉·刘安《淮南子·诠言》。

以虚无而能开通于物，故称曰道

见五代·前蜀·杜光庭《道德真经广圣义》卷十九。全句为：“道者，虚无之称也。～，无不通也，无不由也”。

以管窥天，以蠡测海，以莛撞钟

见汉·东方朔《答客难》。

以不信察物，物亦竞以其不信应之

见三国·魏·王弼《老子》四十九注。全句为：“以明察物，物亦竞以其明应之。～”。

以正辅人谓之忠，以邪导人谓之佞

见汉·桓宽《盐铁论·刺议》。

以千百就尽之卒，战百万日滋之师

见唐·韩愈《张中丞传后叙》。全句为：“守一城，捍天下，～”。

以我视物则我大，以道体物则道大

见宋·张载《正蒙·大心》。

以伐根而求木茂，塞源而欲流长也

见唐·魏征《谏太宗十思疏》。全句为：“不念居安思危，戒奢以俭；斯～”。

以人之不正，知其身之有所未正也

见宋·苏轼《私试策问七首》之七。全句为：“君子以其身之正，知人之不正；～”。

以力服人者，非心服也，力不赡也

见《孟子·公孙丑上》。全句为：“～；以德服人者，中心悦而诚服也”。

以苟容曲从为贤，以拱默尸禄为智

见汉·班固《汉书·鲍宣传》。

以清廉清民，令去其邪，令去其污

见三国·魏·王弼《老子》五十八注。

以时起居，恶者辄斥去，毋令败群

见汉·司马迁《史记·平准书》。全句为：“非独羊也，治民亦犹是也。～”。

以物与人为义，过与是非义之义也

见《二程集·河南程氏遗书》。全句为：“恭本为礼，过恭是非礼之礼也；～”。

以救时行道为贤，以犯颜纳说为忠

见宋·苏轼《居士集叙》。

以禁攻寝兵为外，以情欲寡浅为内

见《庄子·天下》。

以正治国，以奇用兵，以无事取天下

见《老子》五十七。

以刚健而居人之首，则物之所不与也

见三国·魏·王弼《周易·乾》注。

以隋侯之珠，弹千仞之雀，世必笑之

见《庄子·让王》。

以受天下之瑰丽，而泄天下之拗怒也

见清·龚自珍《送徐铁孙序》。全句为：“如岭之表、海之浒，磅礴浩汹，～”。

以吾心之思足下，知足下悬悬于吾也

见唐·韩愈《与孟东野书》。

以德以义，不赏而民劝，不罚而邪止

见《吕氏春秋·离俗览·上德》。全句为：“为天下及国，莫如以德，莫如行义，～”。

以汤止沸，沸愈不止，去其火则止矣

见《吕氏春秋·季春纪·尽数》。

以己之材为天下用，则用天下而不足

见宋·曾巩《上杜相公书》。全句为：“～；以天下之材为天下用，则用天下而有余”。

以弱为强者，非惟天时，抑亦人谋也

见晋·陈寿《三国志·蜀书·诸葛亮传》。

以天下之材为天下用，则用天下而有余

见宋·曾巩《上杜相公书》。全句为：“以己之材为天下用，则用天下而不足；～”。

以百金与抟黍以示儿子，儿子必取抟黍

见汉·刘向《新序·节士》。全句为：“～；以和氏之璧与百金以示鄙人，鄙人必取百金；以和氏之璧与道德之至言以示贤者，贤者必取至言”。

以肉去蚁，蚁愈多；以鱼驱蝇，蝇愈至

见《韩非子·外储说左下》。

以土圭之法测土深，正日景，以求地中

见《周礼·地官·大司徒》。

以至详之法晓天下，使天下明知其所避

见宋·苏轼《御试重巽申命论》。

以治身则危，以治国则乱，以入军则破

见汉·刘安《淮南子·齐俗》。全句为：“纵欲而失性，动未尝正也。～”。

以物同求而不同贪，与物同得而不同积

见唐·司马承祯《坐忘论·真观》。全句为：“～。不贪故无忧，不积故无失”。

以镜自照者见形容，以人自照者见吉凶

据传为周·姬发《镜铭》中语。

以白云为藩篱，碧山为屏风，昭其俭也

见唐·柳宗元《邕州柳中丞作马退山茅亭记》。

以老子视非老子，而非老子又胡不玄也

见清·王夫之《尚书引义·舜典一》。全句为：“以非老子视老子，而老子玄；～”。

以割下为能，以附上为忠，此叛国之风也

见汉·荀悦《申鉴·政体》。全句为：“以苛为密，以利为公，～”。

以骄主使罢民，然而国不亡者，天下少矣

见《吕氏春秋·离俗览·适威》。全句为：“骤战则民罢，骤胜则主骄。～。骄则恣，恣则极物；罢则怨，怨则极虑”。“罢”，疲。

以智治国，国之贼；不以智治国，国之福

见《老子》六十五。

以言非信则百事不满也，故信之为功大矣

见《吕氏春秋·离俗览·贵信》。“满”，成。

以一击十，莫善于阨；以十击百，莫善于险

见《吴子·应变》。全句为：“～；以千击万，莫善于阻”。

以一丸泥为大王东封函谷关，此万世一时也

见南朝·宋·范晔《后汉书·隗嚣传》。

以天为父，以地为母，阴阳为纲，四时为纪

见汉·刘安《淮南子·精神》。全句为：“圣人法天顺情，不拘于俗，不诱于人，～”。

以无厚入有间，恢恢乎其于游刃必有余地矣

见《庄子·养生主》。

以邪官举邪官，以俗士取俗士，国欲治得乎

见明·吕坤《呻吟语》。

以势交者，势尽则疏；以利合者，利尽则散

见清·赵士祯《车铳议》。

以势交者，势倾则绝；以利交者，利穷则散

见隋·王通《文中子·礼乐》。

以和氏之璧与百金以示鄙人，鄙人必取百金

见汉·刘向《新序·节士》。全句为：“以百金与抟黍以示儿子，儿子必取抟黍；～；以和氏之璧与道德之至言以示贤者，贤者必取至言”。

以饱待饥，以逸击劳；师不欲久，行不欲远

见晋·陈寿《三国志·魏书·三少帝纪》。全句为：“～；守少则固，力专则强”。

以道以德为有国之基，无事无为乃聚人之本

见五代·前蜀·杜光庭《道德真经广圣义》卷三十六。

以此治人，则膏雨甘露降矣，寒暑四时当矣

见《吕氏春秋·离俗览·贵信》。全句为：“信而又信，重袭于身，乃通于天。～”。“重袭”，重叠。

以贼其身，乃丧其躯，其行如此，是谓大忘

见《鬻子·大道文王问》。全句为：“知其身之恶而不改也，～”。

以物与人，物尽而止；以法活人，法行无穷

见宋·苏轼《乞免五谷力胜税钱札子》。

以烦手烹鱼则鱼必溃，使学者制锦则锦必伤

见宋·苏辙《王萷龙知澶州李孝纯知棣州》。

以鸟鸣春，以雷鸣夏，以虫鸣秋，以风鸣冬

见唐·韩愈《送孟东野序》。

以管窥天，以锥刺地；所窥者大，所见者小

见汉·韩婴《韩诗外传》卷十。全句为：“～；所刺者巨，所中者少”。

以言取人，失之宰予；以貌取人，失之子羽

见汉·司马迁《史记·仲尼弟子列传》。

以人之言而遗我粟，至其罪我也又且以人之言

见《庄子·让王》。

以能问于不能，以多问于寡；有若无，实若虚

见《论语·泰伯》。

以子所长，游于不用之国，欲使无穷，其可得

见《韩非子·说林上》。

以明自察，量力而行，不失其所，必获久长矣

见三国·魏·王弼《老子》三十三注。

以不二之悟，符不分之理，理智悉释，谓之顿悟

见后秦·僧肇《肇论》。

以辱为荣，以穷为通，虽失乎前，可谓后得之矣

见《吕氏春秋·离俗览·贵信》。全句为："～。物固不可全也"。

以弋猎博弈之日诵《诗》、《书》，闻识必博矣

见汉·刘安《淮南子·泰族》。

以富为是者，不能让禄；以显为是者，不能让名

见《庄子·天运》。全句为："～；亲权者，不能与人柄"。

以意为主，则其旨必见；以文传意，则其词不流

见南朝·宋·范晔《狱中与诸甥侄书》。

以言伤人者，利如刀斧。以术害人者，毒如虎狼

见宋·李邦献《省心杂言》。全句为："～。言不可不择，术不可不择也"。

以无为为居，以不言为教，以恬淡为味，治之极也

见三国·魏·王弼《老子》六十三注。

以不忍人之心，行不忍人之政，治天下可运之掌上

见《孟子·公孙丑上》。

以诈应诈，以谲应谲，若披蓑而救火，毁渎而止水

见汉·刘安《淮南子·说林》。全句为："～，乃愈益多"。"渎"，沟渠。

以和氏之璧与道德之至言以示贤者，贤者必取至言

见汉·刘向《新序·节士》。全句为："以百金与抟黍以示儿子，儿子必取抟黍；以和氏之璧与百金以示鄙人，鄙人必取百金；～"。

以食噎而得病者，欲绝食以去病，乃不知食绝而身毙

见唐·陈子昂《答制问事·贤不可疑科》。

以天为宗，以德为本，以道为门，兆于变化，谓之圣人

见《庄子·天下》。

以小善为无益，以小恶为无伤，凡此皆非所以安身崇德也

见宋·王安石《致一论》。

以易限之鉴，镜难原之才，使国罔遗授，野无滞器，其可得

见南朝·宋·谢庄《上搜才表》。全句为："一人之鉴易限，而天下之才难原，～"。

以玙璠之玼而弃其璞，以一人之罪而兼其众，则天下无美宝信士

见汉·桓宽《盐铁论·晁错》。

以明察物，物亦竞以其明应之。以不信察物，物亦竞以其不信应之

见三国·魏·王弼《老子》四十九注。

❷象以典刑／不以寡犯众／不以私害公／民以食为天／德以盛为本／礼以恭为主／不以位矜人／不以尊贵骄人／不以挟私为政／我以不贪为宝／不以一眚掩大德／不以利交则无咎／不以小故妨大美／不以私善害公法／不以私爱害公义／何以守位？曰仁／词以境界为最上／一以虚，故能生二／不以不善而废其善／不以私害法，则治／不以其人布衣不用／兵以诈立，以利动／俭以为家法，礼也／俭以训子孙，智也／人以不作聪明为贤／毋以人誉而遂无过／不以人所短弃其所长／不以死生祸福累其心／不以时迁者，松柏也／不以规矩不能成方员／不以物喜，不以己悲／事以密成，语以泄败／事以靖民，非以征民／生以辱，不如死以荣／乐以天下，忧以天下／何以解忧，惟有杜康／信以结之，则民不倍／勿以己才，而笑不才／膏以朗煎，兰由芳凋／功以才成，业由才广／参以土宜，遂以物性／工以纳言，时而扬之／士以义怒，可与百战／彼以文词而已者陋矣／德以施惠，刑以正邪／渭以泾浊，玉以砾贞／悦以犯难，人忘其死／情以物迁，辞以情发／子以母贵，母以子贵／学以为耕，文以为获／木以绳直，金以淬刚／易以理服，难以力胜／智以险昌，愚以险亡／赏以劝善，罚以惩恶／物以类聚，人以群分／教以不知，导以无形／爵以货重，才由贫轻／歌以咏言，舞以尽意／方以类聚，物以群分／礼以行之，逊以出之／毋以贫故，事人不谨／言以足志，文以足言／不以天下之病而利一人／不以规矩，不能成方圆／可以意会，不可以言传／可以意致者，物之精也／可以言论者，物之粗也／任以公法，而处以贪枉／勿以功高古人而自矜大／勿以太平渐久而自骄逸／诗以意为主，文词次之／道以无形无为成济万物／战以勇为主，以气为决／旦以为是，而暮已悔之／赞以洁白，而随以污德／毋以己之长而形人之短／鸟以山为埤而增巢其上／鱼以泉为浅而穿穴其中／一以己为马，一心己为牛／无以谋胜人，无以战胜人／无以物乱官，毋以官乱心／不以奢为乐，不以廉为悲／不以名害身，不以位易志／不以文害辞，不以辞害志／不以虚为虚，而以实为虚／不以言举人，不以人废言／事以简为上，言以简为当／外以欺于人，内以欺于心／佞以悦人者，小人之徒也／何以谨慎为，勇猛而临官／何以孝弟为，财多而光荣／何以礼义为，史书而仕宦／儒以文乱法，侠以武犯禁／限以资例，则取人之路狭／象以齿焚身，

蚌以珠剖体／莫以心如玉，探他明月珠／薰以香自烧，膏以明自销／将以民为体，民以将为心／君以为难，其易也将至矣／君以为易，其难也将至矣／善，以言乎天下之大共也／国以民为基，贵以贱为本／国以民为本，民以谷为命／国以民为本，民以食为天／国以人为本，人安则国安／慎以自靖者，君子之徒也／弦以明直道，漆以固交深／本以势力交，势尽交情止／贵以贱为本，高以下为基／文以行为本，在先诚其中／文以达吾心，画以适吾意／文以纪实，浮文所在必删／虚以生其明，思以穷其隐／自以为无过，而过乃大矣／自以为有过，而过自寡矣／一以意许知己，死亡不相负／不以流之浊，而诬其源之清／不以禄私其亲，功多者授之／可以共患难，不可以共安乐／可以取，可以无取，取伤廉／兵以计为本，故多算胜少算／人以义爱，以党群，以群强／凡以物治物者不以物，以睦／将以诛大为威，以赏小为明／国以人为本，人以衣食为本／情以物感，而心由目畅……／子以四教：文、行、忠、信／玉以洁润，丹紫莫能渝其质／贵以身为天下，若可寄天下／所以失之者，必以喜乐哀怒／爱以身为天下，若可托天下／铎以声自毁，膏烛以明自铄／其以止患，犹堤防之于江河／上以食而辱下，下以食而欺上／才以用而日生，思以引而不竭／无以天下为者，必能治天下者／无以相应也，若之何其有鬼邪／不以求备取人，不以己长格物／不以利禄为意，而以仁厚为心／不以官随其爱，能当之者处之／不以富贵而骄之，寒贱而忽之／事以明核为美，不以深隐为奇／即以其人之道，还治其人之身／尔以金玉为宝，吾以廉慎为师／君以知贤为明，吏以爱民为忠／国以民为本，社稷亦为民而立／富以能施为德，贫以无求为德／好以智矫法，时以行杂公……／绳以柔而有立，金以刚而无固／是以非德道不尊，非道德不明／贵以下人为德，贱以忘势为德／物以不知而轻，味以无比而疑／物以远至为珍，士以稀见为贵／政以得贤为本，理以去秽为务／敬以严乎己也，宽以恕乎物也／爱以身为天下，若可托天下矣／有以相应也，若之何其无鬼邪／文以辨洁为能，不以繁缛为巧／毋以日月为功，实试贤能为上／臣以能言为能，君以能听为能／臣以自任为能，君以用人为能／音以比耳为美，色以悦目为欢／众以亏形为辱，君子以亏义为辱／和以处众，宽以接下，恕以待人／彼以成败评豪杰者，市儿之见也／海以合流为大，君子以博识为弘／宽以待人，柔能克刚，英雄莫敌／宽以济猛，猛以济宽，政是以和／是以圣王先成民，而后致力于神／有以噎死者，欲禁天下之食，悖／砚以世计，墨以时计，笔以日计／臣以能行为能，君以能赏罚为能／不以人之坏自成，不以人之卑自高／不以先进略后生，不以上官卑下吏／不以高危为忧惧，岂知稼穑之艰难／不以隐约而弗务，不以康乐而加思／不以富贵妨其道，不以隐约易其心／不以爱之而苟善，不以恶之而苟非／勿以恶小而为之，勿以善小而不为／能以众不胜成大胜者，唯圣人能之／国以任贤使能而兴，弃贤专己而衰／国以信而治天下，将以勇而镇外邦／情以感物则得利，伪以感物则致害／宁以义死，不苟幸生，而视死如归／有以无难而失守，有因多难而兴邦／有以乘舟死者，欲禁天下之船，悖／既以为人己愈有，既以与人己愈多／不以一己之害为害，而使天下释其害／不以一己之利为利，而使天下受其利／不以物乱官，不以官乱心，是谓中得／人以为偶一奋，遂名无穷，今大不然／凡以知，人之性；可以知，物之理也／当以执两以兼听，而不以狐疑为兼听／闻以有知知者也，未闻以无知知者也／闻以有翼飞者矣，未闻以无翼飞者也／始以护人之乱为义，而终掠乱以求之／冒以为古，是处严冬而袭夏之葛者也／一以论道德，二以论法制，三以论策术／不以一毫私意自蔽，不以一毫私欲自累／生以有为己分，则虚无是有之所遗者也／民以财为本，财竭则下畔，下畔则上亡／河以逶蛇，故能远；山以陵迟，故能高／富以苟不如贫以誉，生以辱不如死以荣／镜以曜明，故鉴人；蚌以含珠，故内照／不以曲故是非相尤，茫茫沉沉，是谓大治／咸以孔子之是非为是非，故未尝有是非耳／有以用兵丧其国者，欲偃天下之兵，悖。／欲以先王之政治当世之民，皆守株之类也／不以其所能者病人，不以人之所不能者愧人／事以实之，词以章之，道以通之，法以检之／书以言事，行上行下，平行往复，统谓之书／贞以图国，义惟急病；临难忘身，见危致命／冀以尘雾之微补益山海，荧烛末光增辉日月／人以义来，我以身许，褰裳赴急，不避寒暑／今以人之小过掩大美，则天下无圣王贤相矣／说以先民，民忘其劳。说以犯难，民忘其死／英以其聪谋始，以其明见机，待雄之胆行之／苟以细过自恕而轻蹈之，则不至于大恶不止／是以与善人居，如入芝兰之室，久而自芳也／气以实志，志以定言，吐纳英华，莫非情性／政以胜众，非以陵众；众以胜事，非以伤事／文以气为主，气之清浊有体，不可力强而致／石以砥焉，化钝为利；法以砥焉，化愚为智／雄以其力服众，以其勇排难，待英之智成之／金以刚折，水以柔全；山以高陊，谷以卑安／不以宠辱荣患损易其身，然后乃可以天下付之／尧以不得舜为己忧，舜以不得禹、皋陶为己忧／仁以为己任，不亦重乎！死而后已，不亦远乎／常以事于无形之外，而不留思尽虑于成事之内／有以为未始有物者，至矣，尽矣，弗可以加矣／无以待之，则十百而乱；有以待之，则千万若一／国以民为本，民以财为命。取之过多，予者亦怨／下以言语为学，上以言语为治，世道之所以日降也／闰以正时，时以作事，事以厚生，生民之道在此矣／逊以为子弟苟有才，不忧不用，不宜私出以为荣利／继以精思，使其意皆出于吾之心。然后可以有得尔／专以一身任天下，其智之所不见，力之所不举者多矣／不以众人待其身，而以圣人望于人，吾未见其尊己也／可以托六尺之孤，可以寄百里之命，临大节而不可夺也／国以贤兴，以谄衰；君以忠安，以佞危，此古今之常论／不以人之坏自成也，不以人之卑自高也，不以遭时自利也／今以众地者，公作则迟，有所匿其力也；分地则速，无所匿迟也

❸闻一以知十／惟善以为宝／安步以当车／量人以为出／百行以德为首／民人以食为天／古者以学为政／仁，是以亲亲／君子以虚受人／王者以民为天／天下以农桑为本／养生以不伤为本／小人以无法为奸／君子以直道待人／君子以厚德载物／君子以果行育德／君子以文明为德／君子以钟鼓道志／潜龙以不见成德／学，所以成材也／理国以得贤为本／服人以诚不以言／思所以亡则存矣／恕，所以推情也／俭可以为万化之柄／士当以功名闻于世／告之以危而观其节／王者以民为基……／杂之以处而观其色／智足以使民不能欺／物得以生，谓之德／政足以使民不敢欺／胆气以得失而夺也／礼，是以有杀有等／醉之以酒而观其侧／一则以喜，一则以惧／一心以为有鸿鹄将至／与人以实，虽疏必密／与人以虚，虽戚必疏／不可以律己之律律人／师出以律。否臧，凶／制俗以俭，其弊为奢／仁不以勇，义不以力／代虐以宽，兆民允怀／使人以心，应言以行／令之以文，齐之以武／合不以得，违不以失／夙兴以求，夜寐以思／去货以廉，使下自平／取必以渐，勤则得多／攻玉以石，治金以盐／喜无以赏，怒无以杀／投我以桃，报之以李／择之以才，待之以礼／口可以食，不可以言／君子以思患而豫防之／行之以躬，不言而信／处事以智，不如守正／饵鼠以虫，非爱之也／学当以渐，乃能至也／王者以百姓为天……／板筑以时，无夺农功／相引以名，相结以隐／责人以详，待己以廉／敏或以窒，钝或以通／虑善以动，动惟厥时／食能以时，身必无灾／不欲以静，天下将自定／事亲以适，不论所以矣／中人以上，可以语上也／举事以为人者，众助之／举事以自为者，众去之／孔子以诗书礼乐教……／讲学以会友，则道益明／勤民以自封，死无日矣／能者以济，不能者以覆／圣人以必不必，故无兵／取善以辅仁，则德日进／苟可以利民，不循其礼／苟可以强国，不法其故／君子以慎言语，节饮食／御人以口给，屡憎于人／处世以讥讪为第一病痛／处丧以哀，无问其礼矣／饮酒以乐，不选其具矣／治世以大德，不以小惠／威之以法，法行则知恩／比者，以彼物比此物也／不可以家事匮乏而不从师／正法以齐官，平政以齐民／正身以俟时，守己而律物／中人以下，不可以语上也／由外以铄己，因物以激志／由声以循实，则难在克终／民可以乐成，不可与虑始／古者以天下为主，君为客／仁者以其所爱及其所不爱／修身以为弓，矫思以为矢／信赏以劝能，刑罚以惩恶／合异以为同，散同以为异／众人以不必必之，故多兵／夙兴以忧人，夕惕而修己／观人以言，美于黼黻文章／大国以下小国，则取小国／扬威以弭乱，震武以止暴／投我以木桃，报之以琼瑶／投我以木瓜，报之以琼琚／小国以下大国，则取大国／当功以受赏，当罪以受罚／尝甘以为苦，行非以为是／告我以吾过者，吾之师也／听人以言，乐于钟鼓琴瑟／君门以九重，道远河无津／君子以行言，小人以舌言／君子以文会友，以友辅仁／君子以礼正外，以乐正内／因方以借巧，即势以会奇／饰诈以图己，诈穷则道屈／饰知以惊愚，修身以明污／庆赏以劝善，刑罚以惩恶／官所以务禄，禄所以务食／逍遥以针劳，谈笑以药倦／道所以保神，德所以宏量／强辩以饰非者，果何为也／威强以自御，力损则身危／学所以益才，砺所以致刃／残朴以为器，工匠之罪也／明体以及用，通经以知权／显罚以威之，明赏以化之／智足以造谋，材足以立事／水所以载舟，亦所以覆舟／贾所以务财，财所以务食／赏一以劝百，罚一以惩众／赏不以爵禄，刑不以刀锯／赏所以存劝，罚所以示惩／赠人以言，重于金石珠玉／见微以知萌，见端以知末／视白以为黑，飨香以为朽／敕法以峻刑，诛一以警百／爱利以安之，忠信以导之／服民以道德，渐民以教化／礼所以防淫，乐所以移风／忠足以尽己，恕足以尽物／忠足以勤上，惠足以存下／立实以致声，则难在经始／立武以威众，诛恶以禁邪／登高以望远，摇桨以泳深／不可以己所能而责人所不能／事有以必然，虽常人足以致／由礼以达道，则自得而不眩／飞不以尾，尾屈，飞不能远／原始以要终，虽百世可知也／变白以为黑兮，倒上以为下／建官以利民，有害民而得官／牵牛以蹊人之田，而夺之牛／将当以勇为本，行之以智计／小人以小善为无益而弗为也／吾所以有大患者，为吾有身／君子以遏恶扬善，顺天休命／知所以修身，则知所以治人／得本以知末，不舍本以逐本／学

所以开人之蔽，而致其知／王者以仁义为丽，道德为威／赠人以财者，唯申即日之欢／赠人以言者，能致终身之福／礼所以防淫佚，节其侈靡也／走不以手，缚手，走不能疾／三军以利用也，金鼓以声气也／不可以一时之谤，断其为小人／不可以一时之得意而自夸其能／不可以一时之失意而自坠其志／伐根以求木茂，塞源而欲流长／人主以好暴示能，以好唱自奋／圣人以顺动，则刑罚清而民服／圣王以贤为宝，不以珠玉为宝／大凡以智谋而进者，有时而衰／君子以义相褒，小人以利相欺／君子以俭德辟难，不可荣以禄／君子以其身之正，知人之不正／循理以求道，落其华而收其实／闻善以相告也，见善以相示也／察而以饰非惑愚，则察为祸矣／察而以达理明义，则察为福矣／屈己以富贵，不若抗志以贫贱／婴儿以不知益，高年以多事损／杖顺以翦逆……无其时而著业／责人以义则难瞻，难瞻则失亲／责人以人则易足，易足则得人／爵禄以养其德，刑罚以威其恶／有能以民为务者，则天下归之／文可以变风俗，学可以究天人／礼所以定其位，权所以固其政／忍怒以全阴气，抑喜以养阳气／忠信以为甲胄，礼义以为干橹／禁必以武而成，赏必以文而成／自责以人则易为，易为则行苟／三悔以没齿，不如不悔之无忧也／万物以生，万物以成，命之曰道／天下以言为戒，最国家之大患也／不可以一朝风月，昧却万古长空／不可以万古长空，不明一朝风月／不可以边陲不耸，恬然便谓无事／不可以有乱急，亦不可以无乱弛／吏所以治民，能尽其治则民赖之／临下以简，御众以宽，罚弗及嗣／乐，所以达天地之和而饬化万物／仁者以财发身，不仁者以身发财／今将以呼嘘为食，咀嚼为神……／诂形以形，以形务名，督言正名／力足以举百钧，而不足以举一羽／大夫以君命出，闻丧徐行而不返／大夫以身殉家，圣人以身殉天下／奈何以四海之广，足一夫之用邪／小人……以小恶为无伤而弗去也／告之以直而不改，必痛之而后畏／君子以多识前言往行，以畜其德／唯无以天下为者，可以托天下也／备之以储蓄，虽凶荒而人无菜色／忧所以为昌也，而喜所以为亡也／学所以修身也，身修而无不治矣／明足以察秋毫之末，而不见舆薪／责人以其所不能，是使马代耕也／气从以顺，各从其欲，皆得所愿／文章以华采为末，而以体用为本／言者以谕意也，言意相离，凶也／天道以爱人为心，以劝善惩恶为公／书有以加乎其言，言有以加乎其心／侈，将以其力毙；专，则人实毙之／分人以财谓之惠，教人以善谓之忠／并时以养民功，先德后刑，顺于天／人主以狗彘畜人者，人亦狗彘其行／读书以过目成诵为能，最是不济事／附赢以升高而枯，蝜蝂以任重而踬／动民以行不以言，应天以实不以文／勇者以工，惧者以拙，能与不能也／圣王以天下为忧，天下以圣王为乐／攻人以谋不以力，用兵斗智不斗多／大道以多岐亡羊，学者以多方丧生／德无以安之则危，政无以和之则乱／狗不以善吠为良，人不以善言为贤／缋事以众色成文，蜜蜂以兼采为味／皇天以无言为贵，圣人以不言为德／贵可以问贱……唯道之所成而已矣／斧斤以时入山林，材木不可胜用也／新剑以诈刻加价，弊方以伪题见宝／爱人以除残为务，政理以去乱为心／文者以明道，是固不苟为炳炳烺烺／文章以自得，不蹈袭前人一言为贵／礼者，以财物为用……以隆杀为要／思所以危则安矣，思所以乱则治矣／禁之以制，而身不先行，民不能止／立义以为的，奠而后发，发必中矣／臣可以择君而仕，君可以择臣而任／自责以义则难为非，难为非则形饰／自责以备谓之明，责人以备谓之惑／万事以心为本，未有心至而力不能者／不得以有学之贫贱，比于无学之富贵／举贤以临国，官能以敕民，则其道也／以德以义，不赏而民劝，不罚而邪止／但常以责人之心责己，恕己之心恕人／劫之以众，沮之以兵，见死不更其守／岂得以人言不同己意，便即护短不纳／惟不以天下害其生者也，可以托天下／安能以皓皓之白，而蒙世俗之尘埃乎／道者以无为为治，而知者以多事为扰／愚人以天地文理圣，我以时物文理哲／虞夏以文，殷周以武，异时各有所施／上不以诗补察时政，下不以歌泄导人情／天地以顺动，故日月不过，而四时不忒／不可以年少而自恃，不可以年老而自弃／不可以私意喜一人。不可以私意怒一人／古者以仁义行法律，后世以法律行仁义／制名以指实，上以明贵贱，下以辨同异／修礼以耕之，陈义以种之，讲学以耨之／力可以得天下，不可以得匹夫匹妇之心／待天以困之，用人以诱之。往蹇来返。／饰貌以强类者失形，调辞以务似者失情／道足以忘物之得丧，志足以一气之盛衰／委之以财而观其仁，告之以危而观其节／杀人以自生，亡人以自存，君子不为也／相呴以湿，相濡以沫，不如相忘于江湖／轻死以行礼谓之勇，诛暴不避强谓之力／晚食以当肉，安步以当车，无罪以当贵／断指以存腕，利之中取大，害之中取小／风霜以别草木之性，危乱而见贞良之节／管子以小辱成大荣，苏秦以百诞成一诚／为政以德，譬如北辰，居其所而众星共之／《诗》可以兴，可以观，可以群，可以怨／若夫以火能焦木也，因使销金，则道行矣／苟可以为天下国家之用者，则无不在于学／居之以强力，发之以果敢，而成之以无私／禄之以天下，弗顾也；系马千驷，弗视也／才所以为善也，故大才成大善，小才成小善／未画以前，不立一格；既画以后，不留一格／临之以患难而能不变，邀之以宠利而能不回／举网以纲，千目皆张，振裘持领，万毛自整／以道以德为有国之基，无事无为乃聚人之本／争地以战，杀人盈野；争城以战，杀人盈城／责我以过，皆当虚心体察，不必论其人何如／为文以意为主，气为辅，以辞彩章句为之兵卫／限之以爵，爵加则知荣，恩荣并济，上下有节／吾何以得知天下乎？察己以知之，不求于外也／贤者以其昭昭使人昭昭，今以其昏昏使人昭昭／有道以御之，身虽无能也，必使能者为己用也／天静以清，地定以宁，万物失之者死，法之者生／动人以言者，其感不深；动人以行者，其应必速／恶徼以为知者，恶不孙以为勇者，恶讦以为直者／子思以为鼎肉使己仆仆尔亟拜也，非养君子之道也／今一以天地为大炉，以造化为大冶，恶乎往而不可哉／先王以是经夫妇，成孝敬，厚人伦，美教化，移风俗／审内以知外，原小以知大，因我以然彼，明近以喻远／示之以形，禁之以势，使之望而不敢犯，犯而无所得／万物以自然为性，故可因而不可为也，可通而不可执也／节民以礼，故其刑罚甚轻而禁不犯者，教化行而习俗美也／君子以争途之不可由也，是以越俗乘高，独行于三等之上／不可以一时之誉，断其为君子；不可以一时之谤，断其为小人／赋敛以时，官上清约，则人富。赋敛无节，官上奢纵，则人贫／其所以为情者七：曰喜、曰怒、曰哀、曰惧、曰爱、曰恶、曰欲

❹学不可以已／无曲学以阿世／知止可以不殆／唯酒可以忘忧／律己足以服人／处涸辙以犹欢／濯清泉以自洁／戴盆何以望天／物不可以终否／物不可以终止／物不可以终壮／鉴往可以昭来／无为可以定是非／舍己而以物为法／大丈夫以断为先／损不足以奉有余／惟廉可以服殊俗／惟宽可以怀远人／智不足以治天下／贵其所以贵，贵／教化可以美风俗／思其艰以图其易／立官者以全生也／为国者以富民为本／人之所以立检者四／大丈夫以信义为重／道者，所以充形也／孝者，所以事君也／驽牛可以负重致远／忠信，所以进德也／睽。君子以同而异／顾夫淫以鄙而偕亡／自三代以下者……／兵者所以禁暴讨乱也／凡为文，以神志为主／勇士不以众强凌孤独／损。君子以惩忿窒欲／困。君子以致命遂志／思其所以乱，则治矣／思其所以亡，则存矣／思其所以危，则安矣／不知所以然而然，命也／升于高以望江山之远近／任人各以其材而百职修／象有齿以焚其身，贿也／瞽者无以与乎文章之观／国之所以存者，道德也／行焉，可以得知之效也／治国无以智，犹弃智也／聋者无以与乎钟鼓之声／不因怒以诛，不因喜以赏／百姓可以德胜，难以力服／内不自以诬，外不自以欺／为之度，以一天下之长短／为之量，以齐天下之多寡／民之饥，以其上食税之多／人之所以惑其性者，情也／凡战者，以正合，以奇胜／君使臣以礼，臣事君以忠／君子淡以亲，小人甘以绝／君子淡以成，小人甘以坏／待士而以敬，则士必居矣／过不可以贰，赦不可以幸／教而不以善，犹为不教也／用人不以名誉，必求其实／不仁者以其所不爱及其所爱／正者，所以正天下之不正也／事或欲以利之，适足以害之／师者，所以传道受业解惑也／兵诚义，以诛暴君而振苦民／古之人以名为羞，以实为慊／考绩必以岁月，故官不失绪／凡为文以意为主，以气为辅／凡人可以言古，不可以言今／凡物不以其道得之，皆邪也／瞽者无以与乎青黄黼黻之观／荃者所以在鱼，得鱼而忘荃／萃。君子以除戎器，戒不虞／彼无故以合者，则无故以离／恃威网以使物者，治之衰也／统者，所以合天下之不一也／缘道理以从事者，无不能成／片言可以折狱者，其由也与／爱之不以道，适所以害之也／盲者无以与乎眉目颜色之好／舟者，所以济桥之所不及也／言者所以在意，得意而忘言／其术可以心得，不可以言喻／一介不以与人，一介不取诸人／一心可以丧邦，一心可以兴邦／万物固以自然，圣人又何事焉／无猖狂以自彰，当阴沉以自深／无源何以成河？无根何以垂荣／不曲道以媚时，不诡行以徼名／不临誉以求亲，不愉悦以苟合／不倍兵以攻弱，不恃众以轻敌／不傲才以骄人，不以宠而作威／不掩贤以隐长，不刻下以谀上／不排毁以取进，不刻人以自入／不饱食以终日，不弃功于寸阴／不立异以为高，不逆情以干誉／不穷异以为神，不引天以为高／不雷同以害人，不苟免以伤义／非药曷以愈疾，非兵胡以定乱／非独女以色媚，而士宦亦有之／非学无以广才，非志无以成学／非学无以致疑，非问无以广识／非虑无以临下，非言无以述虑／升。君子以顺德，积小以高大／乐者，所以变民风，化民俗也／乘渍水以胶船，驭奔驹以朽索／举善不以窅窅，拾过不以冥冥／云无心以出岫，鸟倦飞而知还／古者不以死伤生，不以厚为礼／克己可以治怒，明理可以治惧／仁者不以位为惠：可谓无为矣／倚南窗以寄傲，审容膝之易安／凡克己以济民，皆力行而不悔／功不可以虚成，名不可以伪立／圣人不以人滑天，不以欲乱情／圣人不以身役物，不以欲滑和／圣人……言以绝食，为以止为／坐茂树以终日，濯清泉以自洁／士不可以不弘毅，任重而道远／苟不能以善始，未有能令终者／美言可以市尊，美

行可以加人／君子不以言举人，不以人废言／善教者以不倦之意须迟久之功／因其材以取之，审其能以任之／园日涉以成趣，门虽设而常关／法令所以导民，刑罚所以禁奸／法者，所以适变也，不必尽同／忧劳可以兴国，逸豫可以亡身／恃谗谀以事君者，不足以责信／惟俭可以助廉，惟恕可以成德／道沿圣以垂文，圣因文而明道／道者，所以立本也，不可不一／遵四时以叹逝，瞻万物而思纷／威柄不以放下，利器不可假人／木欣欣以向荣，泉涓涓而始流／析飞糠以为舆，剖秕糟以为舟／轻财足以聚人，律己足以服人／或明理以立体，或隐义以藏用／或简言以达旨，或博文以该情／日滔滔以自新，忘老之及己也／时不可以苟遇，道不可以虚行／旷怀足以御物，长策足以服人／明镜所以照形，古事所以知今／量宽足以得人，身先足以率人／智不足以为治，勇不足以为强／牛刀可以割鸡，鸡刀难以屠牛／毁道德以为仁义，圣人之过也／焚膏油以继晷，恒兀兀以穷年／福兮可以善取，祸兮可以恶招／心懔懔以怀霜，志眇眇而临云／必原情以定罪，不阿意以侮法／悲歌可以当泣，远望可以当归／铅不可以为刀，铜不可以为弩／铺落花以为茵，结垂杨而代幄／用武则以力胜，用文则以德胜／立小异以近名，托虚名以邀利／颂优游以彬蔚，论精微而朗畅／舟遥遥以轻飏，风飘飘而吹衣／既反黑以为白，恒怀蛆以自盈／登东皋以舒啸，临清流而赋诗／食钩吻以疗饥，饮鸩毒以救渴／长太息以掩涕兮，哀民生之多艰／乐不过以听耳，而美不过以观目／兵者，所以讨暴，非所以为暴也／乘骐骥以驰骋兮，来吾道夫先路／为国者以民为基，民以衣食为本／为国者以富民为本，以正学为基／制芰荷以为衣兮，集芙蓉以为裳／伏清白以死直兮，固前圣之所厚／修仪操以显志兮，独驰思乎杳冥／益。君子以见善则迁，有过则改／人之所以贵于禽兽者，以有礼也／取诸人以为善，是与人为善者也／大丈夫以正大立心，以光明行事／挟天子以令天下，天下莫敢不听／小人则以身殉利，士则以身殉名／闻忠善以损怨，不闻作威以防怨／恻隐足以为仁，而仁不止于恻隐／情不可以显出也，故即事以寓情／维圣哲以茂行兮，苟得用此下土／王者不以幸治国，治国固有前道／理不可以直指也，故即物以明理／文不可以学而能，气可以养而致／旅。君子以明慎用刑，而不留狱／思故旧以想象兮，长太息而掩涕／眉联娟以蛾扬兮，朱唇的其若丹／鼎不可以柱车，马也不可使守闾／铭者，所以名其善功以昭后世也／聊乘化以归尽，乐夫天命复奚疑／箴者，所以攻疾防患，喻针石也／羞恶足以为义，而义不止于羞恶／末不可以强于本，指不可以大于臂／世治则以义卫身，世乱则以身卫义／非举无以知其贤，非试无以效其实／举炎火以焚飞蓬，覆沧海而注熛炭／尽诚可以绝嫌猜，徇公可以弭谗诉／伟士坐以俊杰之才，招致群吠之声／人莫不以其生生，而不知其所以生／令者，所以教民；法者，所以督奸／圣人不以独见为明，而以万物为心／圣人不以智轻俗，王者不以人废言／挟天子以令诸侯，四海可指麾而定／惟圣君以逆耳者顺于心，故天下治／宁溘死以流亡兮，余不忍为此态也／审近所以知远也，成己所以成人也／委故都以从利兮，吾知先生之不忍／明鉴所以照形也，往古所以知今也／智者不以位为事，勇者不以位为暴／财贿不以动其心，爵禄不以移其志／贤不足以服不肖，而势位足以屈贤／片言可以明百意，坐驰可以役万里／爵不可以无功取，刑不可以贵势免／胜兵若以镒称铢，败兵若以铢称镒／礼之可以为国也久矣，与天地并立／怒其臂以当车辙，不知其不胜任也／用仁义以治天下，公赏罚以定干戈／辞之所以能鼓天下者，乃道之文也／登山不以艰险而止，则必臻乎峻岭／言学便以道为志，言人便以圣为志／金百炼以为鉴，而万物不能遁其形／天授人以贤圣才能，岂使自有余而已／未尝敢以昏气出之，惧其昧没而杂也／未尝敢以怠心易之，惧其驰而不严也／未尝敢以矜气作之，惧其偃蹇而骄也／真者，所以受于天也，自然不可易也／苟能无以利害义，则耻辱亦无由至矣／推恩足以保四海，不推恩无以保妻子／名者可以厉中人，君子所存非所汲汲／知人者以目正耳，不知人者以耳败目／江海所以能为百谷王者，以其善下之／酒池，足以运舟；糟丘，足以望七里／惟义可以怒士，士以义怒，可与百战／贵者必以贱为号，而高者必以下为基／视其所以，观其所由，察其所安……／气不可以不贯，不贯则虽有美词丽藻／虚言可以赏，则六合之内皆为己府矣／霤水足以溢壶榼，而江河不能实漏卮／万物者，以盛衰而谈语，使人想而知之／不责人以细过，则能吏之志得以尽其效／主不可以怒而兴师，将不可以愠而致战／仁者不以盛衰改节，义者不以存亡易心／弟者，所以事长也；慈者，所以使众也／众人皆以奢靡为荣，吾心独以俭素为美／圣人不以一己治天下，而以天下治天下／域民不以封疆之界，固国不以山溪之险／君子可以寓意于物，而不可以留意于物／法者，所以禁民为非而使其迁善远罪也／治身者以积精为宝，治国者以积贤为道／浮言可以事久而明，众嗤可以时久而息／富贵足以愚人，而贫贱足以立志而浚慧／逆取而以顺守之，文武并用，长久之术／道者，所以明德也；德者，所以尊道也／学者所以为学，学为人而已，非有为也／绝民用以实王府，犹塞川原而为潢污也／明者所以对昏，昏既灭，则明亦不立矣／物之所以通，事之所以理，莫不由乎道／欲刚，必以柔守之；欲强，必以弱保之／立德者以幽陋好遗，显登者以贵途易引／老吾老以及人之老，幼吾幼以及人之幼／百梅足以为百人酸，一梅不足以为一人和／听言当以理观，一闻辄以为据，往往多失／君子不以功轻人之身，不为彼功诎身之理／官职可以重求，爵禄可以货得者，可亡也／梁丽可以冲城，而不可以窒穴，言殊器也／车之所以能转千里者，以其要在三寸之辖／齐桓公以管仲辅之则理，以易牙辅之则乱／天地所以独长且久者，以其安静，施不荣报／百姓所以养国家也，未闻以国家养百姓者也／为之政，以率其怠倦；为之刑，以锄其强梗／罔违道以干百姓之誉，罔咈百姓以从己之欲／君子敬以直内，义以方外；敬义立而德不孤／明者不以其短疾人之长，不以其拙病人之工／天地所以能长且久者，以其不自生，故能长生／民之所以僻，治之所以乱，皆由上，不由其下／人之所以立德者三：一曰贞，二曰达，三曰志／含元一以为质，禀阴阳以立性，体五行而著形／能苟焉以求静，而欲之翦抑窜绝，君子不取也／损百姓以奉其身，犹割股以啖腹，腹饱而身毙／君之所以明者，兼听也；其所以暗者，偏信也／君子用以力学，借困衡为砥砺，不但顺受而已／国之所以治者，君明也；其所以乱者，君暗也／本之《书》以求其质……本之《易》以求其动／或依势以干非其类，出技以怒强，窃时以肆暴／日月虽以形相物，考其道则有施受健顺之差焉／贵者，夜以继日，思虑善否，其为形也亦疏矣／有不能以有为有，必出乎无有，而无有一无有／言之所以为言者，信也；言而不信，何以为言／一人所以能敌万人者，非弓刀之技，盖威之至也／一人所以能悦万人者，非言笑之惠，盖和之至也／不得所以用之，国虽大，势虽便，卒无众，何益／举天下以赏其善者不足，举天下以罚其恶者不给／爱人不以理，适是害人；恶人不以理，适是害己／礼者，所以定亲疏、决嫌疑、别同异、明是非也／策之不以其道……执策而临之曰："天下无马"／自太古以来，致理兴化，未有言之不行而能至矣／乐非独以自乐，又以乐人，非独以自正，又以正人／道之真以治身，其绪余以为国家，其土苴以治天下／必曰赏以春夏，而刑以秋冬，而谓之至理者，伪也／人之所以为人者，非以此八尺之身也，乃以其有精神／今之所以知古，后之所以知今，不可口传，必凭诸史／挟泰山以超北海，语人曰："我不能"，是诚不能也／屈平所以洞监《风》《骚》之情者，抑亦江山之助乎／天无为以之清，地无为以之宁，故两无为相合，万物皆化生／君子所以动天地应神明正万物而成王治者，必本乎真实而已／人之所以不能终其寿命，而中道夭于刑戮者，何也？以其生生之厚

❺君子爱人以德／非平正无以制断／为大不足以为大／大匠诲人以规矩／得言不可以不察／惟乐不可以为伪／途之人可以为禹／不知礼，无以立也／兵以诈立，以利动／为其养小以失大也／割嗜欲所以固血气／观小节可以知大体／观其文可以知其人／苟无民，何以有君／小说不足以累正史／小善不足以掩众恶／小疵不足以妨大美／小疵不足以损大器／君子受言以达聪明／知者除谗以自安也／唯弗居，是以不去／私欲不可以胜公议／才能成功，以速为贵／天下无道，以身殉道／天地虽广，以无为心／不在憎爱，以道为贵／不在逆顺，以义为断／不知道者，以言相烦／不知言，无以知人也／不学《诗》，无以言／不学《礼》，无以立／事不难，无以知君子／头会箕敛，以供军费／以一能称，以一善书／以内及外，以小成大／以卵投石，以指挠沸／以直报怨，以德报德／以仁安人，以义正我／以佚代劳，以饱待饥／以人为本，以财为末／以危为安，以乱为治／以苛为密，以利为公／以狸致鼠，以冰致蝇／以深为根，以约为纪／以近论远，以小知大／以强凌弱，以众暴寡／以本为精，以物为粗／以明防前，以智虑后／以贵为道，以意为法／以文会友，以友辅仁／以火救火，以水救水／民之难治，以其智多／变恒过度，以奇相御／阴阳转易，以成化生／参之庄、老以肆其端／参之孟、荀以畅其支／圣人之理，以身观身／圣王虽大，以虚为主／观乎天文，以察时变／鼓腹而歌，以乐其生／节用储蓄，以备凶灾／投死为国，以义灭身／君子不可以不刳心焉／知足者不以利自累也／虽贫贱，不以利累形／善持胜者，以强为弱／因变制宜，以敌为师／岁不寒，无以知松柏／多闻善败，以鉴戒也／罗织语言，以为谤讪／治天下者，以人为本／治人者不以人，以君／治君者不以君，以欲／治德者不以德，以道／治性者不以性，以德／治欲者不以欲，以性／治睦者不以睦，以人／濯去旧见，以来新意／威天下不以兵革之利／轻徭薄赋，以宽民力／昆山之下，以玉为石／智能决谋，以疾为奇／贪天之功，以为己力／鹤寿千岁，以极其游／筚路蓝缕，以启山林／群邪所抑，以直为曲／既明且哲，以保其身／无德之君，以所乐乐身／无机则无以济万世之功／无权则无以成天下之务／不谴是非，以与世俗处／不知命，无以为君子也／刻画无盐，以唐突西子／任不重，无以知人之才／凡主伸己以屈天下之忧／参之《离骚》以致其幽／参之《国语》以

博其趣／圣王屈己以申天下之乐／圣贤之学，以日新为要／彭蠡之滨，以鱼食犬豕／治国者，必以奉法为重／宵中，星虚，以殷仲秋／嫂溺援之以手者，权也／政无旧新，以便民为本／政无大小，以得人为重／有德之君，以所乐乐人／短绠不可以汲深井之泉／疏广散金以除子孙之祸／路不险，无以知马之良／天地不仁，以万物为刍狗／百尺之室，以突隙之烟焚／百寻之屋，以突隙之烟焚／千丈之堤，以蝼蚁之穴溃／千里之堤，以蝼蚁之穴漏／民之难治，以其上之有为／利不在身，以之谋事则智／凡营衣食，以不失时为本／凡自唐虞以来，编简所存／弃子逐妻，以求口食……／圣人不仁，以百姓为刍狗／士民之所以叛，由偏之也／君不择将，以其国予敌也／君子行法，以俟命而已矣／君子遗人以财，不若善言／知焉，未可以得行之效也／广引深远，以明治乱之原／江海之深，以其虚而受也／瓮盎易盈，以其狭而拒也／虑不私己，以之断义必厉／穷民财力以供嗜欲谓之暴／万物无足以铙心者，故静也／可以取，可以无取，取伤廉／由魏晋氏以下，人益不事师／为之权衡，以信天下之轻重／以邪莅国、以暴加民者，危／发号出令以下行，期悦人意／人以义爱，以党群，以群强／众人皆有以，而我独顽似鄙／圣人苟可以强国，不法其故／君民者岂以陵民？社稷是主／待士而不以道，则士必去矣／有道之主，以百姓之心为心／恩与信可以附吾民而服邻国／一快不足以成善，积快而为德／一恨不足以成非，积恨而成怨／不知而自以为知，百祸之宗也／为人使易以伪，为天使难以伪／举一隅不以三隅反，则不复也／民之轻死，以其上求生生之厚／人能虚己以游世，其孰能害之／人必待贤以理，物必待贤以宁／功业逐日以新，名声随风而流／圣人深居以避辱，静安以待时／圣人顺时以动，智者因几以发／圣必藉贤以明，国必待贤以昌／拯溺锤之以石，救火投之以薪／君子相送以言，小人相送以财／得之则安以荣，失之则亡以辱／洗污泥者以水，燔腥生者用火／责己也重以周，待人也轻以约／爱子，教之以义方，弗纳于邪／自行束修以上，吾未尝无诲焉／一言而可以兴邦，一言可以丧邦／井蛙不可以语于海者，拘于虚也／事不师古，以克永世，匪说攸闻／为国不可以生事，亦不可以畏事／以仁为恩，以义为理，以礼为行／以仁心说，以学心听，以公心辨／以近知远，以一知万，以微知明／以管窥天，以蠡测海，以莛撞钟／先王之教，以正天之志者，礼也／诂形以形，以形务名，督言正名／牟人之利以厌己之欲者，非蝗乎／君子可欺以其方，难罔以非其道／夏虫不可以语于冰者，笃于时也／用兵者，贵以饱待饥，以逸击劳／自古兴俭以劝天下，必以身先之／一仪不可以百发，一衣不可以出岁／万全之利，以小不便而废者有之矣／天广而无以自覆，地厚而无以自载／无伎不可以为工，无资不可以为商／不为苟得以偷安，不为苟免而无耻／世人视宠以为荣，圣人观之以为下／百世之患，以小利而不顾者有之矣／百心不可以得一人，一心可得百人／非淡薄无以明德，非宁静无以致远／非淡泊无以明志，非宁静无以致远／非宽大无以兼覆，非慈厚无以怀众／我闻忠善以损怨，不闻作威以防怨／尽己而不以尤人，求身而不以责下／真知即所以为行，不行不足谓之知／刑罚不足以移风，杀戮不足以禁奸／仁者恕己以及人，智者讲功而处事／凡人之所以贵于禽兽者，以有礼也／凡聚小所以就大，积一所以至亿也／诛赏不可以缪，诛赏缪则善恶乱矣／说诗者，不以文害辞，不以辞害志／阳春召我以烟景，大块假我以文章／陵涛鼓怒以伏注，天壁嵯峨而横立／圣人正方以约己，人自正方以从化／圣人因时以安其位，当世而乐其业／圣人清廉以澡身，人自廉洁以顺教／土广不足以为安，人众不足以为强／吾闻忠善以损怨，不闻作威以防怨／君子居易以俟命，小人行险以徼幸／知生而无以知为也，谓之以知养恬／图人者适以自图，灭人者适以自灭／多官而反以害生，则失所为立之矣／腐木不可以为柱，卑人不可以为主／情必极貌以写物，辞必穷力而追新／宁用不材以败事，不肯劳心而择材／宁用不材以旷职，不肯变例以求人／察己则可以知人，察今则可以知古／威恩参用以成化，文武相资以定业／植佳谷必以粪壤，铸洪钟必以土型／智昏不可以为政，波水不可以为平／贤者恒无以自存，不贤者志满气得／礼丰不足以效爱，而诚心可以怀远／忠邪不可以并立，善恶不可以同道／短绠不可以汲深，器小不可以盛大／螣蛇不可以为足，虎豹不可使缘木／精于物者以物物，精于道者兼物物／趋利而不以为辱，陨身而不以为怨／登高不可以为长，居下不可以为短／鞭鞑宁越以立威名，恐非致理之本／不宜忽略，以弃日也。弃日乃是弃身／百工居肆以成其事，君子学以致其道／两心不可以得一人，一心可以得百人／事虽易，而以难处之，未有不治之变／为善者日以有劝，为不善者月以有惩／以正治国，以奇用兵，以无事取天下／当以执两以兼听，而不以狐疑为兼听／彼兵者，所以禁暴除害也，非争夺也／处事者不以聪明为先，而以尽心为急／闻人善，立以为己师；闻恶，若己仇／宠位不足以尊我，而卑贱不足以卑己／欲平其心以养其疾，于琴亦将有得焉／心识其所以然而不能然者，内外不一／丑必托善以自为解，邪必蒙正以自为辟／出一令可以止横议，杀一犯可以儆百众／任贤使能以清官曹，养老慈幼以厚风俗／人又谁能以身之察察，受物之汶汶者乎／至无者，无以能生，故始生者，自生也／小善不足以掩众恶，小疵不足以妨大美／君子有机以成其善，小人有机以成其恶／虽富贵不以养伤身，虽贫贱不以利累形／威严不足以易于位，重利不足以变其心／欲刚者必以柔守之，欲强者必以弱保之／疾病不可以自责除，水旱不可以祷谢去／不知处阴以休影，处静以息迹，愚亦甚矣／长短不饰，以情自竭，若是则可谓直士矣／为人臣者，以富乐民为功，以贫苦民为罪／圣人和之以是非而休乎天钧，是之谓两行／国家作事，以公共为心者，人必乐而从之／贵名不可以比周争也……不可以势重胁也／故常无，欲以观其妙；常有，欲以观其徼／教化，所恃以为治也；刑法，所以助治也／烈士之所以异于恒人，以其仗节以死谊也／礼之大本，以防乱也……凡为理者杀无赦／天下之牝，以静胜牡。千世不易，万世不变／求道者不以目而以心，取道者不以手而以耳／尺蠖之屈，以求信也。龙蛇之蛰，以存身也／以天为父，以地为母，阴阳为纲，四时为纪／以饱待饥，以逸击劳；师不欲久，行不欲远／以鸟鸣春，以雷鸣夏，以虫鸣秋，以风鸣冬／以管窥天，以锥刺地；所窥者大，所见者小／偷合苟容，以持禄养交而已耳，谓之国贼也／卞和献宝，以离断趾；灵均纳忠，终于沉身／诗者，不可以言语求而得，必将深观其意焉／说之虽不以道，说也；及其使人也，求备焉／圣贤之所以为知者，不过思与见闻之会而已／取天下常以无事。及其有事，不足以取天下／志合者不以山海为远，道乖者不以咫尺为近／苦心焦思，以日继夜，苟利于国，知无不为／拘图圄者，以日为修；当死市者，以日为短／拱默取容，以徇一身之利者，亦当罢而去之／饮食不节，以生疾病；好色不倦，以致乏绝／法令者，所以抑暴扶弱，欲其难犯而易避也／居上者不以至公理物，为下者必以私路期荣／学不倦，所以治己也；教不厌，所以治人也／有道之世，以人与国；无道之世，以国与人／有道之君，以逸逸人；无道之君，以乐乐身／有金鼓，所以一耳也；同法令，所以一心也／欲上民，必以言下之；欲先民，必以身后之／毋先物动，以观其则；动则失位，静乃自得／积微之善，以至吉祥。小恶不止，乃至灭亡／其有法者以法行，无法者以类举，听之尽也／举将而限以资品，则英豪之士在下位者不可得／短绠不可以汲深，器小不可以盛大，非其任也／音乐者，所以动荡血脉，通流精神而和正心也／非历览无以寄杼轴之怀，非高远无以开沉郁之绪／以辱为荣，以穷为通，虽失乎前，可谓后得之矣／人之可杀，以其恶死也；其可不利，以其好利也／先王之世，以道治天下，后世只是以法把持天下／法者，国仰以安也；顺则治，逆则乱，甚乱者灭／宫殿中可以避世全身，何必深山之中，蒿庐之下／以诈应诈，以谲应谲，若披蓑而救火，毁渎而止水／仁人之所以为事者，必兴天下之利，除去天下之害／万物之所以为无穷者，交相胜而已矣，还相用而已矣／人之饥所以不食乌喙者，以为虽偷充腹而与死同患也／圣人者常以事于无形之外，而不留思尽虑于成事之内／将不知兵，以其主予敌也；君不择将，以其国予敌也／以天为宗，以德为本，以道为门，兆于变化，谓之圣人／小人之交以利，平时相亲不啻父子，一旦相噬不啻狗彘／国以贤兴，以谄衰；君以忠安，以佞危，此古今之常论／非情、才无以见性，非气质无所为情、才，即无所为性也／不本其所以欲，而禁其所欲……是犹决江河之源而障之以手也

❻良工不示人以朴／救病而饮之以堇／服人以诚不以言／事曲则谄意以行赇／一人奋死，可以对十／万物并作，吾以观复／夫有尤物，足以移人／无衣无褐，何以卒岁／不以物喜，不以己悲／不仁不智，何以为国／吏多民烦，俗以之弊／严于责己，宽以待人／事不素讲，难以应猝／事以密成，语以泄败／事以靖民，非以征民／非其身力，不以衣食／失之毫厘，差以千里／乐以天下，忧以天下／以威胜，不如以德胜／书画之妙，当以神会／乱政亟行，所以败也／博学切问，所以广知／制国用，量入以为出／人由意合，物以类同／众叛亲离，难以济矣／凡作乐者，所以节乐／谦谦君子，卑以自牧／动不为己，先以为人／参之太史公以著其洁／参之谷梁氏以厉其气／参以土宜，遂以物性／差若毫厘，缪以千里／懿德茂行，可以励俗／蔬食弊衣足以养性命／大名之下，难以久居／善攻者，料众以攻众／山不让土石以成其高／得其大者可以兼其小／德以施惠，刑以正邪／衡门之下，可以栖迟／备不预具，难以应卒／海不让水潦以成其大／渭以泾浊，玉以砾贞／性有巧拙，可以伏藏／情以物迁，辞以情发／惟有道者能以往知来／它山之石，可以攻玉／它山之石，可以为错／尸位素餐，难以成名／子以母贵，母以子贵／学以为耕，文以为获／木以绳直，金以淬刚／此言虽小，可以谕大／易以理服，难以力胜／星星之火，可以燎原／耆艾而信，可以为师／智以险昌，愚以险亡／赏由物召，兴以情迁／赏以劝善，罚以惩恶／赏罚无章，何以沮劝／物以类聚，人以群分／赦其旧过，开以新图／教以不知，导以无形／有国之母，可以长久／有文无武，无以威下／服美不称，必以恶终／歌以咏

言，舞以尽意／方以类聚，物以群分／礼以行之，逊以出之／龙无尺水，无以升天／聪之知远，明以察微／辞不足不可以为成文／辞者，人之所以通也／言而不信，何以为言／言以足志，文以足言／万石之钟不以莛撞起音／与害偕行兮，以死自绕／不勤不俭，无以为人上／不积小流，无以成江海／不积跬步，无以至千里／中人以上，可以语上也／尺书远达兮，以解君忧／以古为镜，可以知兴替／以人为镜，可以明得失／以人为镜，可以知得失／以铜为镜，可以正衣冠／民知力竭，则以伪继之／古之治道者，以恬养知／直者不讦，无以成其直／刚者不厉，无以济其刚／介者不拘，无以守其介／今主人之雁，以不材死／在璇玑玉衡，以齐七政／小人之学也，以为禽犊／君子之学也，以美其身／知而不言，所以之天也／和愉虚无，所以养德也／和者不懦，无以保其和／强学博览，足以通古今／妙论精言，不以多为贵／战以勇为主，以气为决／贤人遗子孙以廉、以俭／赏疑从与，所以广恩也／目失镜，则无以正须眉／眇能视，不足以有明也／罚疑从去，所以慎刑也／跛能履，不足以与行也／身失道，则无以知迷惑／静漠恬淡，所以养性也／天行健，君子以自强不息／以不息为体，以日新为道／以正为在民，以枉为在己／以生为丧也，以死为反也／以至诚为道，以至仁为德／以行实为先，以才用为急／以得为在民，以失为在己／以清俭自律，以恩信待人／以材能任职，以兴义任俗／以戈舂黍也，以锥餐壶也／以身教者从，以言教者讼／乱世之音怨以怒，其政乖／任不重，则无以知人之德／公正无私，可以为天下王／高而不危，所以长守贵也／谁能绝人命，以作时世贤／争强量功，能以胜众者鲜／叙事之工者，以简要为主／工言治道，能以口辩移人／君子之祥也，以政不以怪／知足者，不可以势利诱也／国史之美者，以叙事为工／治世之音安以乐，其政和／治大者不可以烦，烦则乱／治小者不可以怠，怠则废／洗手奉职，不以一钱假人／满而不溢，所以长守富也／标节义者，必以节义受谤／见善，修然，必以自存也／见善思齐，足以扬名不朽／视其所好，可以知其人焉／龙弗得云，无以神其灵矣／聚敛之臣，则以货财为急／自信者，不可以诽誉迁也／路不险，则无以知马之良／非才之难，所以自用者实难／以全取胜，是以贵谋而贱战／厉精乡进，不以小疵妨大材／先为不可胜，以待敌之可胜／亡国之音，哀以思，其民困／谦也者，致恭以存其位者也／圣人无常心，以百姓心为心／圣人常无心，以百姓心为心／取天下之财，以供天下之费／城郭之固无以异于贞士之约／君子之仕，不以高下易其心／因天下之力，以生天下之财／因天下之心以虑，则无不得／因天下之目以视，则无不见／因天之生也以养生，谓之文／因天之杀也以伐死，谓之武／崇推让之风，以销分争之讼／悖者之患，固以不悖者为悖／遇暴戾之人，以和气薰蒸之／遇欺诈之人，以诚心感动之／子男由胥徒以出，皆鹤而轩／牧守由将校以授，皆虎而冠／致远恐泥，是以君子不为也／敌力角气，能以小胜大者希／天施地化，不以仁恩，任自然／五仞之墙，所以不毁，基厚也／不忠不信，何以立于天地之间／为政……贵于有以来天下之善／发政施仁，所以王天下之本也／人主有私人以财，不私人以官／亡国之主，多以多威使其民矣／圣人为善，非以求名而名从之／荃荪孤植，不以岩隐而歇其芳／君子责人则以人，自责则以义／石泉潜流，不以涧幽而撤其清／凡用民，太上以义，其次以赏罚／城下之盟，有以国毙，不能从也／蓄至精者，可以福生灵，保富寿／大巧因自然以成器。不造为异端／和以处众，宽以接下，恕以待人／国奢则视之以俭，矫枉者过其正／宽以济猛，猛以济宽，政是以和／砚以世计，墨以时计，笔以日计／天下国家总以忧勤而得，怠荒而失／事大君子当以道，不宜苟且求容悦／生人之性得以安，圣人之道得以光／古圣贤玩琴以养心，穷则独善其身／伐人之国而以为欢，非仁者之兵也／合之者善，可以为法，因世而权行／谋而不得，则以往知来，以见知隐／功高而居之以让，势尊而守之以卑／动民以行不以言，应天以实不以文／攻人以谋不以力，用兵斗智不斗多／得利则跃跃以喜，不利则戚戚以泣／多闻则守之以约，多见则守之以卓／沧海滉漾，不以含垢累其无涯之广／存不忘亡，是以身安而国家可保也／明月之光，可以望远而不可以细书／意不先立，止以文采辞句绕前捧后／既使之，任之以心，不任之以辞也／身不正不足以服，言不诚不足以动／身既死兮神以灵，子魂魄兮为鬼雄／其责己也重以周，其待人也轻以约／发愤忘食，乐以忘忧，不知老之将至／伯乐不可欺以马，而君子不可欺以人／大匠诲人必以规矩，学者亦必以规矩／听政之初，当以通下情除壅蔽为急务／知生也者，不以物害生，养生之谓也／慎简乃僚，无以巧言令色、便辟侧媚／子路人告之以有过则喜，禹闻善则拜／贫富之交，可以情谅，鲍子所以让金／贵贱之间，易以势移，管宁所以割席／螳螂之怒臂以当车轶，则必不胜任矣／一线之溜，可以达石者，一与不一故也／天之生万物以奉人也，主爱人以顺天也／不仁者，不可以久处约，不可以长处乐／中于道则易以兴政，乖于务则难乎御物／生不能相养以共居，殁不得抚汝以尽哀／良将不怯死以苟免，烈士不毁节以求生／以治身则危，以治国则乱，以人军则破／古之君人者，以得为在民，以失为在己／古之官人也，以天下为己累，故己忧之／厚者不损人以自益，仁者不危躯以要名／仁者不乘危以邀利，智者不侥幸以成功／今之官人也，以己为天下累，故人忧之／诗人之赋，丽以则；辞人之赋，丽以淫／勇将不怯死以苟免，壮士不毁节而求生／圣主者，举贤以立功；不肖主举其所同／小慧者不可以御大，小辩者不可以说众／名者，圣人所以真物也，名之为言真也／君子日孳孳以成辉，小人日快快以至辱／善不积不足以成名，恶不积不足以灭身／行一棋不足以见智，弹一弦不足以见悲／怀重宝者不以夜行，任大功者不以轻敌／宫人得戟，则以刈葵……不知所施之也／智者不危众以举事，仁者不违义以要功／肥肉厚酒，务以自强，命之曰烂肠之食／心不清则无以见道，志不确则无以立功／忠者不饰行以侥荣，信者不食言以从利／意得则舒怀以命笔，理伏则投笔以卷怀／矩不正不可以为方，规不正不可以为圆／私心胜者可以灭公，为己重者不知利物／褚小者不可以怀大，绠短者不可以汲深／既不能推心以奉母，亦安能死节以事人／言有浅而可以托深，类有微而可以喻大／其处上也，足以明政行教，不以威天下／以割下为能，以附上为忠，此叛国之风也／厚者不毁人以自益也，仁者不危人以要名／《诗》可以兴，可以观，可以群，可以怨／抱朴无为，不以物累其真，不以欲害其神／当世学士，恒以万计；而究涂者无数十焉／道与德，可勉以进也；才不可强揠以进也／如不行道，足以丧身，不举贤，足以亡国／自古于今，上以天子……好义而不彰者也／不可假公法以报私仇，不可假公法以报私德／事以实之，词以章之，道以通之，法以检之／事有古而可以质于今，言有大而可以征于小／甚雾之朝，可以细书而不可以远望寻常之外／叛而不讨，何以示威；服而不柔，何以示怀／民有疾苦，得以安之；吏有侵渔，得以去之／体不备不可以为成人，辞不足不可以为成文／养形必先之以物，物有余而形不养者有之矣／人以义来，我以身许，褰裳赴急，不避寒暑／合升鼓之微以满仓廪，合疏缕之纬以成帏幕／墓门有棘，斧以斯之；夫也不良，国人知之／听言之道，必以其事观之，则言者莫敢妄言／君之赏不可以无功求，君之罚不可以有罪免／和神仙之药以治鼽咳，制貂狐之裘以取薪菜／涤杯而食……可以养家老，而不可以飨三军／情之所恶，不以强人；情之所欲，不以禁民／己之所无，不以责下；我之所有，不以讥彼／学有未达，强以为知，理有未安，妄以臆度／亲卿爱卿，是以卿卿。我不卿卿，谁当卿卿／气以实志，志以定言，吐纳英华，莫非情性／政以胜众，非以陵众；众以胜事，非以伤事／舌之存，岂非以其柔；齿之亡，岂非以其刚／金以刚折，水以柔全；山以高陊，谷以卑安／上德不德，是以有德。下德不失德，是以无德／天地之精所以生物者莫贵于人，人受命乎天也／年过八十而以居位，譬犹钟鸣漏尽而夜行不休／为人友者不以道而以利，举世无友，故道益弃／《诗》三百，一言以蔽之，曰："思无邪。"／法令者示人以信，若成而数变，则人之心不安／树恩布德，易以周洽，其犹顺惊风而飞鸿毛也／鳏虽难得，贪以死饵；士虽怀道，贪以死禄矣／君子与君子以同道为朋，小人与小人以同利为朋／彼妇之口，可以出走……盖优哉游哉，维以卒岁／以无为为居，以不言为教，以恬淡为味，治之极也／古之人君，所以至于民散国亡而不悟者，皆吏误之／闰以正时，时以作事，事以厚生，生民之道在此矣／治天下者，当以天下之心为心，不得自专快意而已／清静处下，虚以待之，无为无求，而百川自为来也／圣智设法，本以守国，智诈极矣，乃翻为盗国之盗资也／君子之道，不以其所已能者为足，而尝以其未能者为歉／上智不处危以侥幸，中智能因危以为功，下愚安于危以自亡／人之生也，必以其欢。忧则失纪，怒则失端。忧悲喜怒，道乃无处／患其有小恶，以人之小恶，亡人之大美，此人主之所以失天下之士也已

❼一则以喜，一则以惧／万物毕罗，莫足以归／不备不虞，不可以师／不患无位，患所以立／严令繁刑不足以为威／生以辱，不如死以荣／我心匪鉴，不可以茹／举天下之贤者以自代／以德和民，不闻以乱／仁不以勇，义不以力／他人莫利，己独以愉／使人以心，应言以行／信赏必罚，其足以战／信立则虚言可以赏矣／倒持干戈，授人以柄／令之以文，齐之以武／合不以得，违不以失／舍是与非，苟可以免／夙兴以求，夜寐以思／高风所泊，薄俗以敦／圣人积聚众善以为功／攻玉以石，治金以盐／喜无以赏，怒无以杀／大小多少，报怨以德／投我以桃，报之以李／择之以才，待之以礼／口可以食，不可以言／名无固宜，约之以命／知人善察，难眩以伪／治人者不以人，以君／治君者不以君，以欲／治德者不以德，以道／治性者不以性，以德／治欲者不以欲，以性／治睦者不以睦，以人／居安思危，戒奢以俭／子如不忧，忧日以生／木犹如此，人何以堪／构九成之楼而以竹柱／相引以名，相结以隐／责人以详，待己以廉／敏或以窒，钝或以通／称物平施，为政以公／虎狼并处，不可以仕／粉黛至则西施以加丽／下德不失德，是以无德／无饵之钓，不可以得鱼／不全不粹不足以谓之美／不祈多积，多文以为富／

可以意会，不可以言传／焉有君子而可以货取乎／以道治国，崇本以息末／书不千轴，不可以语化／博闻多记而守以浅者广／任以公法，而处以贪枉／俊士亦俟明主以显其德／先针而后缕，可以成帷／凡民之生也，必以正平／亡国之主，不可以直言／诬服之情，不可以折狱／隋侯之珠，不饰以银黄／画布为亟不可以当戈戟／剪采为葩不可以受风雨／攻不必拔，不可以言攻／志于虚无者可以忘生死／搏牛之虻不可以破虮虱／将不预设，则亡以应卒／知为吏者，奉法以利民／和氏之璧，不饰以五采／唯立德扬名，可以不朽／善攻者不尽兵以攻坚城／善守者不尽兵以守敌冲／国之利器，不可以示人／处难处之事，可以长识／法古之学，不足以制今／治世以大德，不以小惠／慎始而敬终，终以不困／道德当身，故不以物惑／维南有箕，不可以簸扬／马不伏枥，不可以趋远／或欲害之，乃反以利之／战不必胜，不可以言战／是非明而后可以施赏罚／败军之将，不可以言勇／赞以洁白，而随以污德／毛羽未成，不可以高飞／文不百代，不可以语变／怠惰者，时之所以后也／目在足下，不可以视近／矩不方，规不可以为圆／聪明睿智而守以愚者益／无以谋胜人，无以战胜人／无以物乱官，毋以官乱心／无藏逆于得，无以巧胜人／专独者，事之所以不成也／不以奢为乐，不以廉为悲／不以名害身，不以位易志／不以文害辞，不以辞害志／不以虚为虚，而以实为虚／不以言举人，不以人废言／严冬不肃杀，何以见阳春／事以简为上，言以简为当／中人以下，不可以语上也／为女妄言之，女以妄听之／以人言善我，必以言罪我／民不畏死，奈何以死惧之／古之人名为羞，以实为慊／博文多记，而守以浅者广／外以欺于人，内以欺于心／儒以文乱法，侠以武犯禁／尊德乐义，则可以嚣嚣矣／人求多闻善败，以监戒也／人欲自见其势，以资明镜／仓无备粟，不可以待凶饥／凡战者，以正合，以奇胜／记问之学，不足以为人师／谁谓鼠无牙，何以穿我墉／象以齿焚身，蚌以珠剖体／圣人无尺土，无以王天下／土地博裕，而守以俭者安／士而怀居，不足以为士矣／志苟合，楚越无以异其同／薰以香自烧，膏以明自销／奢侈者，财之所以不足也／将以民为体，民以将为心／小者乐致其小以自附于大／君子以文会友，以友辅仁／君子以礼正外，以乐正内／知短于自知，故以道正己／善在身，介然必以自好也／国以民为基，贵以贱为本／国以民为本，民以谷为命／国以民为本，民以食为天／行不逮则退，不以诬持禄／德行广大，而守以恭者荣／多闻而择焉，所以明智也／流言雪污，譬犹以涅拭素／温故而知新，可以为师矣／“慷慨”二字不可以望人／弦以明直道，漆以固交深／维北有斗，不可以挹酒浆／枢始得其环中，以应无穷／楚战士无不一以当十……／贵以贱为本，高以下为基／文以达吾心，画以适吾意／心意之论，不足以定是非／砥厉名号者，不以利伤行／目短于自见，故以镜观面／盛饰人朝者，不以私污义／耳目之察，不足以分物理／“聪明”二字不可以自许／虚以生其明，思以穷其隐／精卫衔微木，将以填沧海／鹿鸣思野草，可以喻嘉宾／一觞一咏，亦足以畅叙幽情／万殊之类，不可以一概断之／天子作民父母，以为天下王／良弓难张，然可以及高入深／良马难乘，然可以任重致远／尽天下之辞，无以传其酷矣／古之善将者，必以其身先之／博闻强记，守之以浅者，智／去冗官，用良吏，以抚疲民／能获而能烹，所以为善猎也／能稼而能穑，所以为良农也／观其所爱亲，可以知其人矣／土地广大，守之以俭者，安／摧其坚，夺其魁，以解其体／将以诛大为威，以赏小为明／常思奋不顾身以徇国家之急／名者，圣人之所以纪万物也／国以人为本，人以衣食为本／德行宽裕，守之以恭者，荣／马上得之，宁可以马上治乎／贤者用于君则以君之忧为忧／赋敛行赂不足以当三军之费／见不善，愀然，必以自省也／教人治人，宜皆以正直为先／所以失之者，必以喜乐哀怒／禄位尊盛，守之以卑者，贵／罚所及，则思无以怒而滥刑／穷天下之声，无以舒其哀矣／聪明睿智，守之以愚者，哲／其悲则同，其所以为悲则异／不有所弃，不可以得天下之势／不有所忍，不可以尽天下之利／以求干禄者败，以势临人者辱／以乱攻治者亡，以邪攻正者亡／以同异为善恶，以喜怒为赏罚／以公平为规矩，以仁义为准绳／以夷坦去群疑，以礼让汰惨急／以德胜人者昌，以力胜人者亡／以道望人则难，以人望人则易／以武功定祸乱，以文德致太平／以欲从人者昌，以人乐己者亡／以言责人甚易，以义持己实难／人与虫一也，所以异者形质尔／圣人之政，仁足以使民不忍欺／“莫须有”三字，何以服天下／大不如海而欲以纳江河，难哉／闻风声鹤唳，皆以为王师已至／宜守不移之志，以成可大之功／好以智矫法，时以行杂公……／贤者之处世，皆以得时为至难／攀龙鳞，附凤翼，以成其所志／惑者之患，不自以为惑，故惑／万物以生，万物以成，命之曰道／临下以简，御众以宽，罚弗及嗣／古之选贤，傅纳以言，明试以功／舍人而从欲，是以勤多而功少也／舍己而从众，是以事半而功倍也／君子之度已则以绳，接人则用枻／怵惕惟厉，中夜以兴，思免厥愆／贤者……食于民则以民之患为患／父母存，不许友以死，不有私财／兴者，先言他物以引起所咏之词也／今所任用，必须以德行、学识为本／变谓后来改前，以渐移改谓之变也／勇者以工，惧者以拙，能与不能也／苟利国家生死以，岂因祸福避趋之／知者之为，故动以百姓，不违其度／昨日山中之木，以不材得终其天年／视徒如己，反己以教，则得教之情／其体顺而肆，可以播于乐章歌曲也／不以物乱官，不以官乱心，是谓中得／奉职顺道，亦可以为治，何必威严哉／古之君子，守道以立名，修身以俟时／任天下之智力，以道御之，无所不可／凡举事必循法以动，变法者因时而化／调难调之人，可以练性，学在其中矣／劫之以众，沮之以兵，见死不更其守／明主之赏罚，非以为己也，以为国也／智如泉源，行可以为表仪者，人师也／政者，正也。子帅以正，孰敢不正？／虞夏以文，殷周以武，异时各有所施／一以论道德，二以论法制，三以论策术／上德无为而无以为，下德为之而有以为／为善者天报之以福，为恶者天与之以殃／以百金与抟黍以示儿子，儿子必取抟黍／买马不论足力，以黑白为仪，必无走马／制名以指实，上以明贵贱，下以辨同异／知死心也者，不以物害死，安死之谓也／国有道其言足以兴，国无道其默足以容／恨无昆山片玉以相赠，赠君桂林之一枝／富以苟不如贫以誉，生以辱不如死以荣／缓贤忘士，而能以其国存者，未曾有也／相呴以湿，相濡以沫，不如相忘于江湖／有义者不可欺以利，有勇者不可劫以惧／言行，君子之所以动天地也，可不慎乎／其问之也，不可以有崖，而不可以无崖／天无形而万物以成，至精无象而万物以化／事或为之适足以败之，或备之适足以致之／仁义礼乐者，可以救败，而非通治之至也／小人非嗜欲无以活，失嗜欲则失其所以活／君子非仁义无以生，失仁义则失其所以生／君子之爱人也以德，细人之爱人也以姑息／遗腹子之上陇，以礼哭泣之，而无所归心／上好智，下应之以伪；上好贤，下应之以妄／无目者不可示以五色，无耳者不可告以五音／不学问，无正义；以富利为隆，是俗人者也／为人君者，正心以正朝廷，正朝廷以正百官／为人君者，固不以无过为贤，而以改过为美／为政在人，取人以身，修身以道，修道以仁／以邪官举邪官，以俗士取俗士，国欲治得乎／古之取天下也以民心，今之取天下也以民命／古之置吏也将以逐盗，今之置吏也将以为盗／人情险于山川，以其动静可识，而沉阻难徵／加我数年，五十以学《易》，可以无大过矣／能自治然后可以治人；能治人然后人为之用／坚甲利兵不足以为武，高城深池不足以为固／英以其聪谋始，以其明见机，待雄之胆行之／异音者不可听以一律，异形者不可合于一体／名无固实，约之以命实，约定俗成谓之实名／知己者不可诱以物，明于死生者不可却以危／已乎已乎，临人以德；殆乎殆乎，画地而趋／如镜之明，断可以平；如镜之洁，断可以决／或誉人而适足以败之，或毁人而乃反以成之／有大物者，不可以物；物而不物，故能物物／欲见贤人而不以其道，犹欲其人而闭之门也／文者，圣人假之以达其心……详之、略之也／心志既舒则易以纵驰，议论无择则易以浮浅／疗饥者半菽可以充腹，为政者一言可以兴邦／聪明睿智，守之以愚；功被天下，守之以让／衣缺不补，则日以甚；防漏不塞，则日以滋／雄以其力服众，以其勇排难，待英之智成之／不日不月，而事以从；不卜不筮，而谨知吉凶／事不豫辨，不可以应卒；内无备，不可以御敌／以能问于不能，以多问于寡；有若无，实若虚／好贤乐善，孜孜以荐进良士、明白是非为己任／死生……畏者不可以苟免，贪者不可以苟得也／轻用民死，死者以国量乎泽若蕉，民其无如矣／神明之事，不可以智巧为也，不可以筋力致也／忠臣不避重诛以直谏，则事无遗策，功流万世／天静以清，地定以宁，万物失之者死，法之者生／不拘一世之利以为己私分，不以王天下为己处显／国以民为本，民以财为命。取之过多，予者亦怨／古者士之进，有以德，有以才，有以言，有以曲艺／凡物之可喜，足以悦人而不足以移人者，莫若书与画／凡用人之道，若以燧取火，疏之则弗得，数之则弗中／示之以形，禁之以势，使之望而不敢犯，犯而无所得／为天下者，亦奚以异乎牧马者哉，亦去其害马者而已矣／古之存身者，不以辩饰知，不以知穷天下，不以知穷德／以小善为无益，以小恶为无伤，凡此皆非所以安身崇德也／苟意不先立，止以文彩辞句，绕前捧后，是言愈多而理愈乱／君子所甚惧者，以申、韩之酷政，文饰儒术，而重毒天下也／君子知形恃神以立，神须形以存，悟生理之易失，知一过之害生／国有三军何？所以戒非常，伐无道，尊宗庙，重社稷，安不忘危也

❽万家之都，不可平以准／天下有道，却走马以粪／百川俱会，大海所以深／事亲以适，不论所以矣／千里之路，不可扶以绳／为长者不敢怀私以请间／为相者不敢恃威以济欲／任重者其忧不可以不深／位高者其责不可以不厚／能者以济，不能者以覆／将有作则思知止以安人／贤人遗子孙以廉、以俭／见可欲则思知足以自戒／有大略者不可责以捷巧／有小智者不可任以大功／三军一心，剑阁可以攻拔／上不尽利，则民有以为生／不求获乎己，而己以有获／不知为吏者，枉法以侵民／不宝金玉，而忠信以为宝／正法以齐官，平政以齐民／百姓可以德胜，难以力服／丽容虽丽，犹待镜以端形／由外以

铄己，因物以激志／主大计者，必执简以御繁／古之君民者，仁义以治之／制法而自犯之，何以帅下／修身以为弓，矫思以为矢／信赏以劝能，刑罚以惩恶／人皆因禄富，我独以官贫／合异以为同，散同以为异／先缕而后针，不可以成衣／先王昧爽丕显，坐以待旦／亡国之大夫，不可以图存／论德序官，明主所以御世／友道君逆，则率友以违君／志深而喻切，因事以陈辞／苟由其道，其势可以自得／大凡善恶之人，各以类聚／扬堁而弭尘，抱薪以救火／扬威以弭乱，震武以止暴／投我以木桃，报之以琼瑶／投我以木瓜，报之以琼琚／当功以受赏，当罪以受罚／尝甘以为苦，行非以为是／君道友逆，则顺君以诛友／君子以行言，小人以舌言／四马齐足，孟门可以长驱／因方以借巧，即势以会奇／图四海者，非怀细以害大／饰知以惊愚，修身以明污／庆赏以劝善，刑罚以惩恶／度能就位，忠臣所以事君／惧谗邪，则思正身以黜恶／官所以务禄，禄所以务食／逍遥以针劳，谈笑以药倦／道德不厚者，不可以使民／道所以保神，德所以宏量／学所以益才，砺所以致刃／明体以及用，通经以知权／显罚以威之，明赏以化之／智足以造谋，材足以立事／水所以载舟，亦所以覆舟／贾所以务财，财所以务食／赏一以劝百，罚一以惩众／赏不以爵禄，刑不以刀锯／赏所以存劝，罚所以示惩／见微以知萌，见端以知末／视白以为黑，飨香以为朽／敕法以峻刑，诛一以警百／敛之于饶，而民不以为暴／爱利以安之，忠信以导之／有国有家，不思所以捄之／服民以道德，渐民以教化／服食药物者，因血以益血／文章不成者，不可以诛罪／方而不能圆，不可以长存／礼所以防淫，乐所以移风／忠足以尽己，恕足以尽物／忠足以勤上，惠足以存下／虑壅蔽，则思虚心以纳下／目在足下，则不可以视矣／铠甲生虮虱，万姓以死亡／立武以威众，诛恶以禁邪／登高以望远，摇桨以泳深／一凡人沮之，则自以为不足／一凡人誉之，则自以为有余／才高行洁，不可保以必尊贵／不善在身，菑然必以自恶也／可以共患难，不可以共安乐／以天下为忧，而未以位为乐／古之人以名为羞，以实为慊／人以义爱，以党群，以群强／人莫不忽于微细，以致其大／今布衣虽贱，犹足以方于此／凡为文以意为主，以气为辅／凡以物治物者不以物，以睦／凤凰芝草，贤愚皆以为美瑞／务采色，夸声音而以为能也／能薄操浊，不可保以必卑贱／能静而自观者，可以用人矣／难因于易，非易无以知其难／按其实而审其名，以求其情／善学者假人之长，以补其短／江海不让纤流，所以存其广／沧浪之水浊兮，可以濯吾足／沧浪之水清兮，可以濯吾缨／慎厥初，惟厥终，终以不困／昔者圣人遗子孙以德、以礼／易因于难，非难无以彰其易／爱之不以道，适所以害之也／神物好安静，不可以有为治／怨于心者，哀声可以应木石／怨利生孽，维义可以为长存／恶人无有所纪，则以愧而惧／铎以声自毁，膏烛以明自铄／其所知彼也，其所以知此也／雕琢复朴，块然独以其形立／上以食而辱下，下以食而欺上／才以用而日生，思以引而不竭／天下之乐无穷，而以适意为悦／无恶于己，然后可以正人之恶／五亩之宅，树墙下以桑矣……／不以求备取人，不以己长格物／不以利禄为意，而以仁厚为心／不使名浮于德，不以华伤其实／不傲才以骄人，不以宠而作威／不遇盘根错节，何以别利器乎／事以明核为美，不以深隐为奇／为赏罚者非他，所以惩劝者也／以人言善我，亦必以人言恶我／以道佐人主者，不以兵强天下／以玉为石者，亦将以石为玉矣／以贤为愚者，亦将以愚为贤矣／博学而详说之，将以反说约也／何况性命之重，乃以博财物耶／人主以好暴示能，以好唱自奋／圣人……言以绝食，为以止为／圣王以贤为宝，不以珠玉为宝／尔以金玉为宝，吾以廉慎为师／君以知贤为明，吏以爱民为忠／狐裘虽敝，不可补以黄狗之皮／惟有才行是任，岂以新旧为差／富以能施为德，贫以无求为德／存其心，养其性，所以事天也／绳以柔而有立，金以刚而无固／贵以下人为德，贱以忘势为德／物以不知而轻，味以无比而疑／物以远至为珍，士以稀见为贵／政以得贤为本，理以去秽为务／敬以严乎己也，宽以恕乎物也／有善于己，然后可以责人之善／有过人之识，则不以富贵为事／文以辨洁为能，不以繁缛为巧／用人但问堪否，岂以新故异情／臣以能言为能，君以能听为能／臣以自任为能，君以用人为能／音以比耳为美，色以悦目为欢／五岳不能削其峻，以副陟者之欲／事固有弃彼取此，以权一时之势／能有名誉者，必无以趋行求者也／圣人安不忘危，恒以忧思为本营／瞽无目而耳不可以塞，精于聪也／芷兰生于深林，非以无人而不芳／大川不能促其涯，以适速济之情／往者已不及，尚可以为来者之戒／立官不能使之方，以私欲乱之也／臣以能行为能，君以能赏罚为能／鳖无耳而目不可以蔽，精于明也／天道以爱人为心，以劝善惩恶为公／求天下奇闻壮观，以知天地之广大／为天下及国，莫如以德，莫如行义／以正辅人谓之忠，以邪导人谓之佞／以我视物则我大，以道体物则道大／以苟容曲从为贤，以拱默尸禄为智／以救时行道为贤，以犯颜纳说为忠／以禁攻寝兵为外，以情欲寡浅为内／当局者之十，不足以当旁观者之五／是非之所在，不可以贵贱尊卑论也／文武之功，未有不以得人而成者也／礼者，以财物为用……以隆杀为要／举贤以临国，官能以敕民，则其道也／古之善为道者，非以明民，将以愚之／凡以知，人之性；可以知，物之理也／识物之动，则其所以然之理皆可知也／君子藏正气者，可以远鬼神，伏奸佞／惟义可以怒士，士以义怒，可与百战／立法设禁而无刑以待之，则令而不行／一朝之忿，忘其身，以及其亲，非惑欤／无奇业旁入，而犹以富给，非俭则力也／世间奇男子，岂可以世俗趣舍量其心乎／非有灾害疾疫，独以贫穷，非惰则奢也／以肉去蚁，蚁愈多；以鱼驱蝇，蝇愈至／修礼以耕之，陈义以种之，讲学以耨之／待天以困之，用人以诱之。往蹇来返。／强令之为道也，可以成小而不可以成大／杀人以自生，亡人以自存，君子不为也／晚食以当肉，安步以当车，无罪以当贵／水动而景摇，人不以定美恶，水势玄也／三代之得天下也以仁，其失天下也以不仁／才须学也，非学无以广才，非志无以成学／在上者，必有武备，以戒不虞，以遏寇虐／志士仁人，无求生以害仁，有杀身以成仁／居之以强力，发之以果敢，而成之以无私／言语简寡，在我可以少悔，在人可以少怨／求道者不以目而以心，取道者不以手而以耳／长于变者不可穷以诈，通于道者不可惊以怪／凡事皆须务本，国以人为本，人以衣食为本／圣人爱养万民，不以仁恩，法天地，行自然／君子敬以直内，义以方外；敬义立而德不孤／德者道之舍，物得以生生，知得以职道之精／既谓之才，则不宜以阶级限，不应以年齿齐／仗其短浅之耳目，以断微妙之有无，岂不悲哉／君子之治人也，即以其人之道，还治其人之身／吐故纳新者，因气以长气，而气大衰者则难长也／下以言语为学，上以言语为治，世道之所以日降也／乐非独以自乐，又以乐人，非独以自正，又以正人／苟去其名全其实，以其余易其不足，亦可交以为师矣／审内以知外，原小以知大，因我以然彼，明近以喻远／能有天下者，必无以天下为也；能有名誉者，必无以趋行求者也／知为为而不知所以为，是以贵为天子，富有天下，而不免于患也／以明察物，物亦竞以其明应之。以不信察物，物亦竞以其不信应之／刺史宜精选谨择以委任之，固不可拘限官次，得之货贿，出之权门者也

❾无依势作威，无倚法以削／无几微爽失，则理义以名／无罪而戮民，则士可以徙／不因怒以诛，不因喜以赏／不念居安思危，戒奢以俭／百炼或致屈，绕指所以伸／内不自以诬，外不自以欺／为人之道，舍教其何以先／凿凿乎如五谷必可以疗饥／能均其食者，天下可以治／大厦既焚，不可洒之以泪／君使臣以礼，臣事君以忠／君子之祥也，以政不以怪／君子淡以亲，小人甘以绝／君子淡以成，小人甘以坏／过不可以贰，赦不可以幸／断断乎如药石必可以伐病／有而不知足，失去所以有／欲而不知止，失其所以欲／房栊无行迹，庭草萋以绿／无恃其不来，恃吾有以待之／未得位则思修其辞以明其道／事或欲以利之，适足以害之／乱之所生也，则言语以为阶／古之人，未有不须友以成者／并词竞说者，为贷手以自殴／首虽尊高，必资手足以成体／人有不为也，而后可以有为／凡人可以言古，不可以言今／变白以为黑兮，倒上以为下／在位非其人，而恃法以为治／将当以勇为本，行之以智计／君虽明哲，必藉股肱以致治／知所以修身，则知所以治人／得本以知末，不舍本以逐本／衡诚具矣，则不可欺以轻重／多读书达观古今，可以免忧／过者之患，不知而自以为知／履非常之危者不可以常道安／毛羽不丰满者，不可以高飞／有智略之人，不必试以弓马／恩所加，则思无因喜以谬赏／解非常之纷者不可以常语谕／其术可以心得，不可以言喻／一抑一扬者，轻鸿所以凌虚也／三军以利用也，金鼓以声气也／无准绳，虽鲁般不能以定曲直／无规矩，虽奚仲不能以定方圆／升。君子以顺德，积小以高大／乍屈乍伸者，良才所以俟时也／良璞不剖，必有泣血以相明者／古者不以死伤生，不以厚为礼／网开三面，危疑者许以自新用／圣人不以人滑天，不以欲乱情／圣人不以身役物，不以欲滑和／圣人不能为时，而能以事适时／推今而鉴古兮，鲜克以保其生／名生于真，非其真，弗以为名／君不能知其臣，则无以齐万国／君子不以言举人，不以人废言／君子以义相褒，小人以利相欺／知天而不知人，则无以与俗交／待小人宜敬，敬心可以化邪心／闻善以相告也，见善以相示也／婴儿以不知益，高年以多事损／学而不知其方，则反以滋其蔽／赏及淫人，则善者不以赏为荣／教小儿宜严，严气足以平躁气／爵禄以养其德，刑罚以威其恶／父不能知其子，则无以睦一家／文可以变风俗，学可以究天人／礼，当论其是非，不当以人废／礼所以定其位，权所以固其政／忍怒以全阴气，抑喜以养阳气／忠信以为甲胄，礼义以为干橹／禁必以武而成，赏必以文而成／罪及善者，则恶者不以罚为辱／兵者，所以讨暴，非所以为暴也／为国者以民为基，民以衣食为本／为国者以富民为本，以正学为基／以仁为恩，以义为理，以礼为行／以仁心说，以学心听，以公心辨／以近知远，以一知万，以微知明／以管窥天，以蠡测海，以莛撞钟／尽力直友人之屈，不以权臣为意／众以亏形为辱，君子以亏义为辱／凡学书者，得其一，可以通其余／大丈夫以正

大立心，以光明行事／大夫以身殉家，圣人以身殉天下／吾每为文章，未尝敢以轻心掉之／唯无以天下为者，可以托天下也／海以合流为大，君子以博识为弘／贵粟之道，在于使民以粟为赏罚／文章以华采为末，而以体用为本／怨在微而下之，犹可以为谦德也／铭者，所以名其善功以昭后世也／用兵者，贵以饱待饥，以逸击劳／不以人之坏自成，不以人之卑自高／不以先进略后生，不以上官卑下吏／不以隐约而弗务，不以康乐而加思／不以富贵妨其道，不以隐约易其心／不以爱之而苟善，不以恶之而苟非／生，寄也；死，归也。何足以滑和／以不信察物，物亦竞以其不信应之／勿以恶小而为之，勿以善小而不为／谐和之政宜于治新，以之治旧则虚／能知反复之道者，可以居兆民之职／苟不悖于圣道，而有以启明者之虑／善人为邦百年，亦可以胜残去杀矣／国以信而治天下，将以勇而镇外邦／情以感物则得利，伪以感物则致害／寄意寒星荃不察，我以我血荐轩辕／威猛之政宜于讨乱，以之治善则暴／既以为人己愈有，既以与人己愈多／天下未尝无才，患所以求才之道不至／以正治国，以奇用兵，以无事取天下／唐太宗之贤，自西汉以来，一人而已／明镜便于照形，其于以函食，不如箪／策术之政宜于治难，以之治平则无奇／以镜自照者见形容，以人自照者见吉凶／力可以得天下，不可以得匹夫匹妇之心／男儿要当死于边野，以马革裹尸还葬耳／因也者，无益无损也，以其形因为之名／河以逶蛇，故能远；山以陵迟，故能高／宜得敏锐兼人之器，以副厉精更化之怀／物之所以通，事之所以理，莫不由乎道／镜以曜明，故鉴人；蚌以含珠，故内照／用兵者，先为不可胜，以待敌之可胜也／穹庐为室兮旃为墙，以肉为食兮酪为浆／以智治国，国之贼；不以智治国，国之福／《诗》可以兴，可以观，可以群，可以怨／莫知己德有极，则可以有社稷，为民致福／唯圣人知礼之不可以已也……必先去其礼／好经大事，变更易常，以挂功名，谓之叨／贤主所贵莫如士，所以贵士，为其直言也／天下之物博而智浅，以澹浅博，未有能者也／世禄之家，鲜克由礼。以荡陵德，实悖天道／以一击十，莫善于阨；以十击百，莫善于险／以势交者，势尽则疏；以利合者，利尽则散／以势交者，势倾则绝；以利交者，利穷则散／以和氏之璧与百金以示鄙人，鄙人必取百金／以物与人，物尽而止；以法活人，法行无穷／以鸟鸣春，以雷鸣夏，以虫鸣秋，以风鸣冬／以言取人，失之宰予；以貌取人，失之子羽／俭者，君子之德，世俗以俭为鄙，非远识也／说者怀畏，听者怀骄，以此行义，不亦难乎／骥一日千里，车轻也，以重载，则不能数里／为人友者不以道而以利，举世无友，故道益弃／民之所以僻，治之所以乱，皆由上，不由其下／古之学者必有师，所以通其业，成就其道者也／古今之喻多矣，而愚以为辨于味而后可以言诗／远人不服，则修文德以来之。既来之，则安之／君子居安宜操一心以虑患，处变当坚百忍以图成／水之性胜火，如裹之以釜，水煎而不得胜，必矣／道不施不与，而万物以存；不为不宰，而万物以然／道，物之极，言默不足以载；非言非默，议有所极／此理在宇宙间，固不以人之明不明、行不行而加损／必曰赏以春夏，而刑以秋冬，而谓之至理者，伪也／不以众人待其身，而以圣人望于人，吾未见其尊己也／人之所以为人者，非以此八尺之身也，乃以其有精神／今一以天地为大炉，以造化为大冶，恶乎往而不可哉／己之才艺虽多，犹病以为少，仍就寡少之人更求所益／可以托六尺之孤，可以寄百里之命，临大节而不可夺也／以天为宗，以德为本，以道为门，兆于变化，谓之圣人／国以贤兴，以谄衰；君以忠安，以佞危，此古今之常论／其为气也，至大至刚，以直养而无害，则塞于天地之间／上古明王举乐者，非以娱心自乐，快意恣欲，将欲为治也／人之欲虽多，而上无以令之，人虽得其欲，人犹不可得用也

❿无罪而杀士，则大夫可以去／事有以必然，虽常人足以致／内难而能正其志，箕子以之／凡以物治物者不以物，以睦／知未生之乐，则不可畏以死／知矉美，而不知矉之所以美／知鞶美，而不知鞶之所以美／彼无故以合者，则无故以离／昔者圣人遗子孙以德、以礼／言之者无罪，闻之者足以戒／一心可以丧邦，一心可以兴邦／与求生而害义，宁抗节以埋魂／天下不患无财，患无人以分之／无猖狂以自彰，当阴沉以自深／无源何以成河？无根何以垂荣／不曲道以媚时，不诡行以徼名／不临誉以求亲，不愉悦以苟合／不倍兵以攻弱，不恃众以轻敌／不掩贤以隐长，不刻下以谀上／不排毁以取进，不刻人以自入／不立异以为高，不逆情以干誉／不穷异以为神，不引天以为高／不雷同以害人，不苟免以伤义／非药曷以愈疾，非兵胡以定乱／非学无以广才，非志无以成学／非学无以致疑，非问无以广识／非虑无以临下，非言无以述虑／我岂更求荣达，日长聊以销忧／乘渍水以胶船，驭奔驹以朽索／为人使易以伪，为天使难以伪／举善不以窅窅，拾过不以冥冥／民力尽于无用，财宝虚以待客／克己可以治怒，明理可以治惧／何秋日之可哀，托芙蓉以为媒／儒者口能言治乱，无能以行之／人主有私人以财，不私人以官／人必待贤以理，物必待贤以宁／今世之惑主多官，而反以害生／令不行而禁不止，则无

以为治／弃燕雀之小志，慕鸿鹄以高翔／功不可以虚成，名不可以伪立／圣人深居以避辱，静安以待时／圣人顺时以动，智者因几以发／圣必藉贤以明，国必待贤以昌／坐茂树以终日，濯清泉以自洁／美言可以市尊，美行可以加人／拯溺锤之以石，救火投之以薪／君子以俭德辟难，不可荣以禄／君子相送以言，小人相送以财／君子责人则以人，自责则以义／善不由外来兮，名不可以虚作／因其材以取之，审其能以任之／彼知颦美，而不知颦之所以美／得之则安以荣，失之则亡以辱／闻鸣镝而股战，对穹庐以屈膝／法令所以导民，刑罚所以禁奸／忧劳可以兴国，逸豫可以亡身／恃谗谀以事君者，不足以责信／悦亲戚之情话，乐琴书以消忧／惟俭可以助廉，惟恕可以成德／屈己以富贵，不若抗志以贫贱／委明珠而乐贱，辞白璧以安贫／绳墨诚陈矣，则不可欺以曲直／析飞糠以为舆，剖秕糟以为舟／轻财足以聚人，律己足以服人／或明理以立体，或隐义以藏用／或简言以达旨，或博文以该情／时不可以苟遇，道不可以虚行／旷怀足以御物，长策足以服人／明镜所以照形，古事所以知今／量宽足以得人，身先足以率人／智不足以为治，勇不足以为强／责己也重以周，待人也轻以约／牛刀可以割鸡，鸡刀难以屠牛／朝千悲而下泣，夕万绪以回肠／焚膏油以继晷，恒兀兀以穷年／福兮可以善取，祸兮可以恶招／必原情以定罪，不阿意以侮法／悲歌可以当泣，远望可以当归／铅不可以为刀，铜不可以为弩／用武则以力胜，用文则以德胜／立小异以近名，托虚名以邀利／既反黑以为白，恒怀蛆以自盈／食钩吻以疗饥，饮鸩毒以救渴／一言而可以兴邦，一言可以丧邦／天之所生，地之所产，足以养人／天地养万物，圣人养贤以及万民／无制之兵，有能之将，不可以胜／不可以有乱急，亦不可以无乱弛／不过乎所不知，而过于其所以知／乐不过以听耳，而美不过以观目／为国不可以生事，亦不可以畏事／为国为民而得罪，君子不以为辱／予尝为女妄言之，女亦以妄听之／民非不可用也，不得所以用之也／古之兴者，在德薄厚，不以大小／古之选贤，傅纳以言，明试以功／制芰荷以为衣兮，集芙蓉以为裳／仁者以财发身，不仁者以身发财／何者，其化薄而出于相以有为也／八音克谐，无相夺伦，神人以和／人之道则不然，损不足以奉有余／人之所以贵于禽兽者，以有礼也／人之短生，犹如石火，炯然以过／先王恶其乱也，故制礼义以分之／凡用民，太上以义，其次以赏罚／力足以举百钧，而不足以举一羽／去敌气与矜色兮，噤危言以端诚／大怒不怒，大喜不喜，可以养心／小人则以身殉利，士则以身殉名／君子可欺以其方，难罔以非其道／君子以多识前言往行，以畜其德／君子思过而预防之，所以有诫也／知足不辱，知止不殆，可以长久／和以处众，宽以接下，恕以待人／独闵闵其曷已兮，凭文章以自宣／闻忠善以损怨，不闻作威以防怨／忧所以为昌也，而喜所以为亡也／情不可以显出也，故即事以寓情／宽以济猛，猛以济宽，政是以和／达生之情者，不务生之所无以为／居今之世，志古之道，所以自镜／孙卿言人性恶者，中人以下者也／孟轲言人性善者，中人以上者也／理不可以直指也，故即物以明理／见百金而色变者，不可以统三军／见十金而色变者，不可以治一邑／爱己者，仁之端也，可推以爱人／有制之兵，无能之将，不可以败／文不可以学而能，气可以养而致／烈士为天下见善矣，未足以活身／心之明之所止，于事情区以别焉／砚以世计，墨以时计，笔以日计／盲者口能言白黑，而无目以别之／耳乐和声，为制金石丝竹以道之／自古兴俭以劝天下，必以身先之／身之所短，上虽不知，不以取赏／一仪不可以百发，一衣不可以出岁／一有偏好，则下必投其所好以诱之／天广而无以自覆，地厚而无以自载／无伎不可以为工，无资不可以为商／不务服人之貌，而思有以服人之心／不念英雄江左老，用之可以尊中国／不患立言之不善，患不足以践之耳／不惑于恒人之毁誉，故足以为君子／末不可以强于本，指不可以大于臂／世人视宠以为荣，圣人观之以为下／世治则以义卫身，世乱则以身卫义／非举无以知其贤，非试无以效其实／非淡薄无以明德，非宁静无以致远／非淡泊无以明志，非宁静无以致远／非宽大无以兼覆，非慈厚无以怀众／生人之性得以安，圣人之道得以光／我闻忠善以损怨，不闻作威以防怨／重友者交时极难，看得难以故转重／义理有疑，则濯去旧见，以来新意／书有以加乎其言，言有以加乎其心／民生各有所乐兮，余独好修以为常／尽诚可以绝嫌猜，徇公可以弭谗诉／尽己而不以尤人，求身而不以责下／古之大臣废昏举明，所以康天下也／刑罚不足以移风，杀戮不足以禁奸／前车覆而后车不诫，是以后车覆也／何必桑干方是远，中流以北即天涯／分人以财谓之惠，教人以善谓之忠／公输子之巧用材也，不能以檀为瑟／人生识字忧患始，姓名粗记可以休／人莫不以其生生，而不知其所以生／人身正气稍不足，邪便得以干之矣／令者，所以教民；法者，所以督奸／舍真筌而择士，沿虚谈以取才……／凡人之所以贵于禽兽者，以有礼也／凡闻言必熟论，其于人必验之以理／凡聚小所以就大，积一所以至亿也／识量大，则毁誉欢戚不足以动其中／说诗者，不以文害辞，不以辞害志

／谋而不得，则以往知来，以见知隐／阳春召我以烟景，大块假我以文章／附赢以升高而枯，蝜蝂以任重而踬／功高而居之以让，势尊而守之以卑／功成而弗居。夫唯弗居，是以不去／动民以行不以言，应天以实不以文／友也者，友其德也，不可以有挟也／圣人不以独见为明，而以万物为心／圣人不以智轻俗，王者不以人废言／圣人正方以约己，人自正方以从化／圣人清廉以澡身，人自廉洁以顺教／圣人转祸而为福，智士因败以成胜／圣王以天下为忧，天下以圣王为乐／巧匠目意中绳，然必先以规矩为度／土广不足以为安，人众不足以为强／大道以多岐亡羊，学者以多方丧生／太虚作室而共居，夜月为灯以同照／吾闻忠善以损怨，不闻作威以防怨／君子居易以俟命，小人行险以徼幸／知生而无以知为也，谓之以知养恬／虽信美而非吾土兮，曾何足以少留／图人者适以自图，灭人者适以自灭／待利而后拯溺，人亦必以利溺人矣／得利则跃跃以喜，不利则戚戚以泣／德无以安之则危，政无以和之则乱／形骸非性命不立，性命假形骸以显／狗不以善吠为良，人不以善言为贤／多闻则守之以约，多见则守之以卓／腐木不可以为柱，卑人不可以为主／淡泊是高风，太枯则无以济人利物／忧勤是美德，太苦则无以适性怡情／惟夫党人之偷乐兮，路幽昧以险隘／宁用不材以旷职，不肯变例以求人／审近所以知远也，成己所以成人也／寒暑之势不易，小变不足以妨大节／察己则可以知人，察今则可以知古／道之委也……形生而万物所以塞也／履虽鲜不加于枕，冠虽敝不以苴履／弹虽在指声在意，听不以耳而以心／威恩参用以成化，文武相资以定业／缋事以众色成文，蜜蜂以兼采为味／皇天以无言为贵，圣人以不言为德／植佳谷必以粪壤，铸洪钟必以土型／轻友者交时极易，看得易以故转轻／成事在理不在势，服人以诚不以言／明月之光，可以望远而不可以细书／明鉴所以照形也，往古所以知今也／智昏不可以为政，波水不可以为平／智者不以位为事，勇者不以位为暴／财贿不以动其心，爵禄不以移其志／贤不足以服不肖，而势位足以屈贤／片言可以明百意，坐驰可以役万里／新剑以诈刻加价，弊方以伪题见宝／爱人以除残为务，政理以去乱为心／爱恶亲疏，兴废穷达，皆可以成义／爵不可以无功取，刑不可以贵势免／有偏宠者，虽欲厚之，更所以祸之／胜兵若以镒称铢，败兵若以铢称镒／文章必自名一家，然后可以传不朽／礼丰不足以效爱，而诚心可以怀远／祸积起于宠盛，而不知辞宠以招福／忠邪不可以并立，善恶不可以同道／思所以危则安矣，思所以乱则治矣／短绠不可以汲深，器小不可以盛大／用仁义以治天下，公赏罚以定干戈／鸾凤骞翔而变态，烟云舒卷以呈姿／臣可以择君而仕，君可以择臣而任／自责以备谓之明，责人以备谓之惑／既使之，任之以心，不任之以辞也／趋利而不以为辱，陨身而不以为怨／登高不可以为长，居下不可以为短／身不正不足以服，言不诚不足以动／身危由于势过，而不知去势以求安／豺狼寇盗不杀人民，不足以止其贪／言学便以道为志，言人便以圣为志／其责己也重以周，其待人也轻以约／上古结绳而治，后世圣人易之以书契／上交不谄，下交不骄，则可以有为矣／万物生于天地之间，其理不可以一概／与朋友论学，须委曲谦下，宽以居之／天下之事，不有所摧挫则不能以有成／天雄乌喙，药之凶毒也，良医以活人／不出户而知天下兮，何必历远以劬劳／百工居肆以成其事，君子学以致其道／两心不可以得一人，一心可以得百人／生民之本，要当稼穑而食，桑麻以衣／为善者日以有劝，为不善者月以有惩／为山者基于一篑之土，以成千丈之峭／古之君子，守道以立名，修身以俟时／古之善为道者，非以明民，将以愚之／真在内者，神动于外，是所以贵真也／伯乐不可欺以马，而君子不可欺以人／凿井者起于三寸之坎，以就万仞之深／勇之极者，知勇果不足以胜物，故怯／能常而后能变，能常不已，所以能变／士之遇时，不患无位，患所以立而已／藐然数尺之躯，乃欲私造化以为己物／大匠诲人必以规矩，学者亦必以规矩／推恩足以保四海，不推恩无以保妻子／当以执两以兼听，而不以狐疑为兼听／尝有德，厚报之；有怨，必以法灭之／吾病世之逐逐然，唯印组为务以相轧／君子寡欲则不役于物，可以直道而行／知人者以目正耳，不知人者以耳败目／虽诏于天子，无使北面，所以尊师也／处事者不以聪明为先，而以尽心为急／闻以有知知者也，未闻以无知知者也／闻以有翼飞者矣，未闻以无翼飞者也／江海所以能为百谷王者，以其善下之／酒池，足以运舟；糟丘，足以望七里／惟不以天下害其生者也，可以托天下／安得因一摧折，自毁其道以从于邪也／宠位不足以尊我，而卑贱不足以卑己／宽于大事，急于小事……不可以为政／道者以无为为治，而知者以多事为扰／居安忘危，处治忘乱，所以不能长久／“强梁者不得其死”，吾将以为教父／如其道，则舜受尧之天下，不以为泰／始以护人之乱为义，而终掠乱以求之／亲小人，远贤臣，此后汉所以倾颓也／明主之赏罚，非以为己也，以为国也／智之极者，知智果不足以周物，故愚／暴师久则国用不足，此兵所以贵速也／贤人在世，进则尽忠宣化，以明朝廷／贫民耕而不免于饥，富民坐而饱以嬉／贫富之交，可以情谅，鲍子所以让金／贵者必以贱为号，而高者必以下为基／贵贱之间，易以势移，管宁所以割席／贵破的，又畏黏皮骨，此所以为难也／故圣人常顺时而动，智者必因机以发／欲是其所非而非其所是，则莫若以明／社稷无常奉，君臣无常位，自古以然／悬羽与炭，而知燥湿之气，以小明大／愚人以天地文理圣，我以时物文理哲／自天地至于万物，无不须气以生者也／豺狼能害人，其状易别，人得以避之／辩之极者，知辩果不足以喻物，故讷／鱼不可脱于渊；国之利器不可以示人／一以论道德，二以论法制，三以论策术／上不以诗补察时政，下不以歌泄导人情／上德无为而无以为，下德为之而有以为／与天下之贤者为徒，此文王之所以王也／天下之善射者也，不能以拨弓曲矢中微／天之生万物以奉人也，主爱人以顺天也／不可以年少而自恃，不可以年老而自弃／不可以私意喜一人。不可以私意怒一人／不以一毫私意自蔽，不以一毫私欲自累／不仁者，不可以久处约，不可以长处乐／不责人以细过，则能吏之志得以尽其效／丑必托善以自为解，邪必蒙正以自为辟／出一令可以止横议，杀一犯可以儆百众／生不能相养以共居，殁不得抚汝以尽哀／我专为一，敌分为十，是以十共其一也／我非生而知之者，好古，敏以求之者也／为善无近名，为恶无近刑，缘督以为经／为善者天报之以福，为恶者天与之以殃／主不可以怒而兴师，将不可以愠而致战／良将不怯死以苟免，烈士不毁节以求生／以土圭之法测土深，正日景，以求地中／以治身则危，以治国则乱，以入军则破／古之君人者，以得为在民，以失为在己／古者以仁义行法律，后世以法律行仁义／古者男女之族，各择德焉，不以财为礼／厚者不损人以自益，仁者不危躯以要名／制名以指实，上以明贵贱，下以辨同异／仁者不乘危以邀利，智者不侥幸以成功／仁者不以盛衰改节，义者不以存亡易心／任贤使能以清官曹，养老慈幼以厚风俗／伤其身者不在外物，皆由嗜欲以成其祸／修礼以耕之，陈义以种之，讲学以耨之／弟者，所以事长也；慈者，所以使众也／人事必将与天地相参，然后乃可以成功／人主之于用法，无私好憎，故可以为令／从水之道而不为私焉，此吾所以蹈之也／众人皆以奢靡为荣，吾心独以俭素为美／诗人之赋，丽以则；辞人之赋，丽以淫／圣人不以一己治天下，而以天下治天下／壮而不虚，刚而能润……非鼓怒以为资／域民不以封疆之界，固国不以山溪之险／荡涤胸中，无一毫之私累，可以言大矣／小善不足以掩众恶，小疵不足以妨大美／小慧者不可以御大，小辩者不可以说众／君子可以寓意于物，而不可以留意于物／君子富，好行其德；小人富，以适其力／君子日孳孳以成辉，小人日怏怏以至辱／君子有机以成其善，小人有机以成其恶／虽富贵不以养伤身，虽贫贱不以利累形／虽相与为君臣，时也；易世而无以相贱／善不积不足以成名，恶不积不足以灭身／国有道其言足以兴，国无道其默足以容／行一棋不足以见智，弹一弦不足以见悲／形骸既适则神不烦，观听无邪则道以明／饰貌以强类者失形，调辞以务似者失情／治身者以积精为宝，治国者以积贤为道／浮言可以事久而明，众嗤可以时久而息／怀重宝者不以夜行，任大功者不以轻敌／富以苟不如贫以誉，生以辱不如死以荣／富贵足以愚人，而贫贱足以立志而浚慧／近河之地湿，近山之土燥，以类相及也／道者，所以明德也；德者，所以尊道也／道足以忘物之得丧，志足以一气之盛衰／履虽鲜，不加于枕；冠虽敝，不以苴履／强令之为道也，可以成小而不可以成大／委之以财而观其仁，告之以危而观其节／威严不足以易于位，重利不足以变其心／学者不患立志之不高，患不足以继之耳／缀文者情动而辞发，观文者披文以入情／亲贤臣，远小人，此先汉之所以兴隆也／晚食以当肉，安步以当车，无罪以当贵／智者不危众以举事，仁者不违义以要功／智者不背时而侥幸，明者不违道以干非／智惠之君贱德而贵言……以为大伪奸诈／贤人在世……退则称论贬说，以觉失俗／贤者，举而上之，富而贵之，以为官长／有义者不可欺以利，有勇者不可劫以惧／欲刚者必以柔守之，欲强者必以弱保之／欲刚，必以柔守之；欲强，必以弱保之／心不清则无以见道，志不确则无以立功／忠者不饰行以侥荣，信者不食言以从利／意得则舒怀以命笔，理伏则投笔以卷怀／毋私小惠而伤大体，毋借公论以快私情／目有眛则视白为黑，人有蔽则以薄为厚／矩不正不可以为方，规不正不可以为圆／用之者，必假于弗用也，而以长得其用／疾如流矢，击如发机者，所以破精微也／疾病不可以自责除，水旱不可以祷谢去／立德者以幽陋好遗，显登者以贵途易引／褚小者不可以怀大，绠短者不可以汲深／老吾老以及人之老，幼吾幼以及人之幼／聆其善言，观其善行，足以资吾之未逮／虎豹终日而不杀，则跳踉大叫以发其怒／蝮蝎终日而不螫，则噬啮草木以致其毒／管子以小辱成大荣，苏秦以百诞成一诚／既不能推心以奉母，亦安能死节以事人／翳嘉林，坐石矶，投竿而渔，陶然以乐／言有浅而可以托深，类有微而可以喻大／其处上也，足以明政行教，不以威天下／其问之也，不可以有崖，而不可以无崖／三代之得天下也以仁，其失天下也以不仁／才须学也，非学无以广才，非志无以成学／天下之势有强弱，圣人审其势而应之以权／天无形而万物以成，至精无象而万物以化／天惟运动一气，鼓万物而生，无心以恤物／不肖者则不然，责人则以义，自责则以人／不知处阴以休影，处静以息迹，愚亦甚矣／不治其本，而务其末，譬犹拯溺锤之以石／不智不勇不信，有此三者，不可以立功名／百梅足以为百人酸，一梅不足以为一人和／事或为之适足以败之，或备之适足以致之／为人臣者，以富乐民为功，以贫苦民为罪／博之不必知，辩之不必慧，圣人以断之矣／厚者不毁人以自益也，仁者不危人以要名／使贤者居上，不肖者居下，而后可以理安／《诗》可以兴，可以观，可以群，可以怨／势利之交不终年，惟道义之交，可以终身／在上者，必有武备，以戒不虞，以遏寇虐／志士仁人，无求生以害仁，有杀身以成仁／抱朴无为，不以物累其真，不以欲害其神／小人非嗜欲无以活，失嗜欲则失其所以活／小人只怕他有才。有才以济之，流害无穷／吾恒恶世之人不知推己之本，而乘物以逞／听言当以理观，一闻辄以为据，往往多失／君信不足于下，下则应之以不信而欺其君／君子于细事，未必可观，而材德足以重任／君子非仁义无以生，失仁义则失其所以生／君子之爱人也以德，细人之爱人也以姑息／官职可以重求，爵禄可以货得者，可亡也／速则济，缓则不及，此圣贤所以贵机会也／道与德，可勉以进也；才不可强揠以进也／道不远人。人之为道而远人，不可以为道／居之以强力，发之以果敢，而成之以无私／如不行道，足以丧身，不举贤，足以亡国／梁丽可以冲城，而不可以窒穴，言殊器也／车之所以能转千里者，以其要在三寸之辖／贵名不可以比周争也……不可以势重胁也／故常无，欲以观其妙；常有，欲以观其徼／教化，所恃以为治也；刑法，所以助治也／欲明两仪天地之体，必以太极虚无为初始／齐桓公以管仲辅之则理，以易牙辅之则乱／烈士之所以异于恒人，以其仗节以死谊也／愚者为一物一偏，而自以为知道，无知也／愿赐尚方斩马剑，断佞臣一人，以厉其余／言语简寡，在我可以少悔，在人可以少怨／一卒毕力，百人不当；万夫致死，可以横行／上好智，下应之以伪；上好贤，下应之以妄／天地所以独长且久者，以其安静，施不荣报／无目者不可示以五色，无耳者不可告以五音／不专一能，怪怪奇奇，不可时施，只以自嬉／不可假公法以报私仇，不可假公法以报私德／不以其所能者病人，不以人之所不能者愧人／不畏于微，必畏于章，患大祸深，以至灭亡／未画以前，不立一格；既画以后，不留一格／百亩之田，匹夫耕之，八口之家足以无饥矣／百姓所以养国家也，未闻以国家养百姓者也／求道者不以目而以心，取道者不以手而以耳／事以实之，词以章之，道以通之，法以检之／事有古而可以质于今，言有大而可以征于小／甚雾之朝，可以细书而不可以远望寻常之外／由道废邪，用贤弃愚，推以革物，宜民之苏／非威何畏，非德何怀；不畏不怀，何以成霸／临之以患难而能不变，邀之以宠利而能不回／长于变者不可穷以诈，通于道者不可惊以怪／为之政，以率其怠倦；为之刑，以锄其强梗／为人君者，正心以正朝廷，正朝廷以正百官／为人君者，固不以无过为贤，而以改过为美／为国失道，众叛亲离；为国以道，人必悦服／为政在人，取人以身，修身以道，修道以仁／为忠甚易，得宜实难。忧人大过，以德取怨／叛而不讨，何以示威；服而不柔，何以示怀／举天下而无可与共处，则是其势岂可以久也／尺蠖之屈，以求信也。龙蛇之蛰，以存身也／以鸟鸣春，以雷鸣夏，以虫鸣秋，以风鸣冬／予欲闻六律五声八音，在治忽，以出纳五言／孔曰成仁，孟曰取义，惟其义尽，所以仁至／民有疾苦，得以安之；吏有侵渔，得以去之／古之取天下也以民心，今之取天下也以民命／古之置吏也将以逐盗，今之置吏也将以为盗／前车已覆，袭轨而骛，曾不鉴祸，以知畏惧／罔违道以干百姓之誉，罔咈百姓以从己之欲／体不备不可以为成人，辞不足不可以为成文／倚势豪夺，飞食人肉，鼓吻弄翼，道路以目／人生贵得适意尔，何能羁宦数千里以要名爵／人之进退，唯问其志，取必以渐，勤则得多／今之世不闻有师，有，辄哗笑之，以为狂人／合升鼓之微以满仓廪，合疏缕之纬以成帏幕／凡事皆须务本，国以人为本，人以衣食为本／高山有前，流水在下，可以俯仰，可以宴乐／冰炭不言，而冷势之质自明者，以其有实也／说以先民，民忘其劳。说以犯难，民忘其死／刀笔之吏专深文巧诋，陷人于罔，以自为功／争地以战，杀人盈野；争城以战，杀人盈城／加我数年，五十以学《易》，可以无大过矣／能至素至精，浩弥无刑，然后可以为天下正／圣人之于事，似缓而急，似迟而速，以待时／圣人虽有独知之明，常如阁昧，不以曜乱人／取天下常以无事。及其有事，不足以取天下／坚甲利兵不足以为武，高城深池不足以为固／志合者不以山海为远，道乖者不以咫尺为近／藜藿之生，蠕蠕然日加数寸，不可以为庐栋／拘囹圄者，以日为修；当死市者，以日为短／君之赏不可以无功求，君之罚不可以有罪免／君子惟道是贵，惟德是守，所以能万世不朽／知不知，上矣；过者之患，不知而自以为知／知为吏者奉法利民，不知为吏者枉法以侵民／知己者不可诱以物，明于死生者不可却以危／和神仙之药以治鼽咳，制貂狐之裘以取薪菜／虽常服药，而不知养性之术，亦难以长生也／因时而惕，不失其几，虽危而劳，可以无咎／国之栋梁也，得之则安以荣，失之则亡以辱／国多忌讳，大人恒畏。结口无患，可以长存／山，刺破青天锷未残。天欲堕，赖以拄其间／行与义乖，言与法违，后虽无害，汝可以悔／行不如止，直不如曲，进不如退，可以安吉／得道之士，外化而内不化……所以全其身也／德不素积，人不为用；备不豫具，难以应卒／德者道之舍，物得以生生，知得以职道之精／形精不亏，是谓能移；精而又精，反以相天／处大事贵乎明而能断，不明因无以知事论断／饮食不节，以生疾病；好色不倦，以致乏绝／治天下者，用人非止一端，故取士不以一路／涤杯而食……可以养家老，而不可以飨三军／鸿鹄高飞，一举千里，羽翼以就，横绝四海／情不自情，因性而情；性不自性，由情以明／情之所恶，不以强人；情之所欲，不以禁民／安危相易，祸福相生，缓急相摩，聚散以成／居上者不以至公理物，为下者必以私路期荣／己之所无，不以责下；我之所有，不以讥彼／己好则好之，己恶则恶之，以是自信则惑也／弘而不毅，则难立；毅而不弘，则无以居之／如镜之明，断可以平；如镜之洁，断可以决／学不倦，所以治己也；教不厌，所以治人也／学有未达，强以为知，理有未安，妄以臆度／相臣将臣，文恬武嬉，习熟见闻，以为当然／或誉人而适足以败之，或毁人而乃反以成之／时无远近，事无巨细，必籍多闻，以成博识／昔葛天氏之乐，三人操牛尾，投足以歌八阙／明者不以其短疾人之长，不以其拙病人之工／政以胜众，非以陵众；众以胜事，非以伤事／爱子不教，犹饥而食之以毒，适所以害之也／有道之世，以人与国；无道之世，以国与人／有道之君，以逸逸人；无道之君，以乐乐身／有金鼓，所以一耳也；同法令，所以一心也／欲上民，必以言下之；欲先民，必以身后之／心志既舒则易以纵驰，议论无择则易以浮浅／石以砥焉，化钝为利；法以砥焉，化愚为智／磨肌戛骨，吐出心肝，企足以待，寘我鞴冤／积善多者，虽有一恶，是为过失，未足以亡／积恶多者，虽有一善，是为误中，未足以存／疗饥者半菽可以充腹，为政者一言可以兴邦／聪明睿智，守之以愚；功被天下，守之以让／舌之存，岂非以其柔；齿之亡，岂非以其刚／衣缺不补，则日以甚；防漏不塞，则日以滋／既谓之才，则不宜以阶级限，不应以年齿齐／言切直则不用而身危，不切直则不可以明道／其有法者以法行，无法者以类举，听之尽也／金以刚折，水以柔全；山以高陊，谷以卑安／上德不德，是以有德。下德不失德，是以无德／夫谓法不严则易犯，暴君酷吏假辞以饰其恶耳／天下之事，不可尽知，而以臆断之，不可任也／天地所以能长且久者，以其不自生，故能长生／不以宠辱荣患损易其身，然后乃可以天下付之／尧以不得舜为己忧，舜以不得禹、皋陶为己忧／事不豫辨，不可以应卒；内无备，不可以御敌／生之者甚少而靡之者甚众，天下之势何以不危／乘不测之舟，入无人之地，以相从问文章为事／为学日益，为道日损，损之又损，以至于无为／为文以意为主，气为辅，以辞彩章句为之兵卫／以人之言而遗我粟，至其罪我也又且以人之言／民安土重迁，不可卒变。易以顺行，难以逆动／古之君子，其责己也重以周，其待人也轻以约／古今之喻多矣，而愚以为辨于味而后可以言诗／任人而不任法，则人各有意，无以定一成之论／任法而不任人，则法有不通，无以尽万变之情／人之所难者二：乐攻其恶者难，以恶告人者难／含元一以为质，禀阴阳以立性，体五行而著形／凡语治而待去欲者，无以道欲而困于有欲者也／谨修而身，慎守其真，还以物与人，则无所累／损百姓以奉其身，犹割股以啖腹，腹饱而身毙／操一己之绳墨，持前王之规矩，以方枘欲圆凿／小人错其在己者，而慕其在天者，是以日退也／吾何以得知天下乎？察己以知之，不求于外也／听讼者或从其情或从其词，词不可从必断以情／君之所以明者，兼听也；其所以暗者，偏信也／君子敬其在己者而不慕其在天者，是以日进也／知大备者，无求，无失，无弃，不以物易己也／国之所以治者，君明也；其所以乱者，君暗也／国之有民，犹水之有舟，停则以安，扰则以危／闻难思解，见利思避，好成人之美，可以立矣／安而不扰，使而不劳，是以百姓劝业而乐公赋／近而不浮，远而不尽，然后可以言韵外之致耳／缚草为形，实之腐肉，教之拜起，以充满朝市／本之《书》以求其质……本之《易》以求其动／楩楠豫章之生也，七年而后知，故可以为棺舟／死生……畏者不可以苟免，贪者不可以苟得也／或依势以干非其类，出技以怒强，窃时以肆暴／贤人智士之于子孙：……贻之以言，弗贻以财／贤者以其昭昭使人昭昭，今以其昏昏使人昭昭／牺牛粹毛，宜于庙牲，其于以致雨，不若黑蜧／父母之年，不可不知也，一则以喜，一则以惧／有以为未始有物者，至矣，尽矣，弗可以加矣／有功不赏，有罪不诛，虽唐虞犹不能以化天下／礼下贤者，日中不暇食以待士，士以此多归之／礼之既设，其小人恒佚于礼之外，则辅礼以刑／礼者贱质而贵文，故正直日以少，邪乱日以生／神明之事，不可以智巧为也，不可以筋力致也／必静必清，无劳女形，无摇女精，乃可以长生／短绠不可以汲深，器小不可以盛大，非其任也／称薪而爨，数米而炊，可以治小而未可以治大／登彼西山兮采其薇矣，以暴易暴兮不知其非矣／言之所以为言者，信也；言而不信，何以为言／鳏虽难得，贪以死饵；士虽怀道，贪以死禄矣／于人无贤愚，于事无小大，咸推以信，同施以敬／无以待之，则十百而乱；有以待之，则千万若一／不拘一世之利以为己私分，不以王天下为己处显／非历览无以寄杼轴之怀，非高远无以开沉郁之绪／举天下以赏其善者不足，举天下以罚其恶者不给／以富为是者，不能让禄；以显为是者，不能让名／以意为主，则其旨必见；以文传意，则其词不流／以言伤人者，利如刀斧。以术害人者，毒如虎狼／古者士登乎仕，吏执乎役，禄以报劳，官以授德／人之可杀，以其恶死也；其可不利，以其好利也／先王之世，以道治天下，后世只是以法把持天下／争让之礼，尧桀之行，贵贱有时，未可以为常也／动人以言者，其感不深；动人以行者，其应必速／圣智至孔子而极其盛，不过举条理以言之而已矣／藏大不诚于中者，必谨小诚于外，以成其大不诚／吾尝终日不食、终夜不寝以思，无益，不如学也／君子与君子以同道为朋，小人与小人以同利为朋／君子居安宜操一心以虑患，处变当坚百忍以图成／和氏之璧，价重千金，然以之间纺，曾不如瓦砖／彼妇之口，可以出走……盖优哉游哉，维以卒岁／汰流、淫佚、侈靡之俗日以长，是天下之大祟也／富与贵，是人之所欲也，不以其道得之，不处也／道千乘之国，敬事而信，节用而爱人，使民以时／日思高其位，大其禄，而贪取滋甚，以近于危坠／贫与贱，是人之所恶也，不以其道得之，不去也／爱人不以理，适是害人；恶人不以理，适是害己／心不平平，其平也不平；以不征征，其征也不征／恶徼以为知者，恶不孙以为勇者，恶讦以为直者／颂其诗，读其书，不知其人可乎？是以论其世也／其卧徐徐，其觉于于；一以己为马，一以己为牛／下以言语为学，上以言语为治，世道之所以日降也／天地之养也一，登高不可以为长，居下不可以为短／无为者，非谓其凝滞而不动也，以其言莫从己出也／乐非独以自乐，又以乐人，非独以自正，又以正人／我亦物也，物亦物也，物之与物也，又何以相物也／主德者，聪明平淡，总达众材，而不以事自任者也／以无为为居，以不言为教，以恬淡为味，治之极也／以和氏之璧与道德之至言以示贤者，贤者必取至言／古者士之进，有以德，有以才，有以言，有以曲艺／同于己而欲之，异于己而不欲者，以出乎众为心也／先生不知何许人也……宅边有五柳树，因以为号焉／叩之而必闻，触之而必应，夫是以天下可使为一身／士之修身立节而竟不遇知己，前古以来，不可胜数／君子居必择乡，游必就士，所以防邪僻而近中正也／闰以正时，时以作事，事以厚生，生民之道在此矣／沐者堕发，而犹为之不止，以所去者少，所利者多／治国无法则乱，守法而弗变则悖，悖乱不可以持国／逊以为子弟苟有才，不忧不用，不宜私出以为荣利／道不施不与，而万物以存；不为不宰，而万物以然／道之真以治身，其绪余以为国家，其土苴以治天下／学者必务知要，知要则能守约，守约则足以尽博矣／继以精思，使其意皆出于吾之心。然后可以有得尔／时之来也，为云龙，为风鹏，勃然突然，陈力以出／不愤不启，不悱不发。举一隅不以三隅反，则不复也／兵非益多也，惟无武进，足以并力，料敌，取人而已／以食噎而得病者，欲绝食以去病，乃不知食绝而身毙／博取之象数，远征之古今，以求尽乎理，所谓格物也／兢兢自危，犹惧不终，而况沛然自足，可以成功者乎／养子弟如养芝兰，既积学以培植之，又积善以滋润之／人之生，动之死地亦十有三。夫何故？以其生生之厚／人之饥所以不食乌喙者，以为虽偷充腹而与死同患也／人之所以为人者，非以此八尺之身也，乃以其有精神／今之所以知古，后之所以知今，不可口传，必凭诸史／凡物之可喜，足以悦人而不足以移人者，莫若书与画／若贵而愚，贱而圣且贤，以是而妨之，其为理本大矣／苟去其名全其实，以其余易其不足，亦可交以为师矣／将不知兵，以其主予敌也；君不择将，以其国予敌也／审内以知外，原小以知大，因我以然彼，明近以喻远／朴其身躬，恶其衣服，语无为以求名，言无欲以求利／爱人者不阿，憎人者不害，爱恶各以其正，治之至也／恶图犬马而好作鬼魅，诚以实事难形，而虚伪不穷也／既知教之所由兴，又知教之所由废，然后可以为人师／不是师法，而好自用，譬之是犹以盲辨色，以聋辨声也／生有七尺之形，死唯一棺之土，唯立德扬名，可以不朽／古之存身者，不以辩饰知，不以知穷天下，不以知穷德／苟守先圣之道，由大中以出，虽万受摈弃，不更乎其内／大丈夫岂得苟贪财物，以害及身命，使子孙每怀愧耻耶／君子之道，不以其所已能者为足，而尝以其未能者为歉／因循苟且逸豫而无为，可以侥幸一时，而不可旷日持久／国以贤兴，以谄衰；君以忠安，以佞危，此古今之常论／溺者入水，拯之者亦入水。入水则同，所以入水者则异／文章如精金美玉，市有定价，非人所能以口舌定贵贱也／心平愉，则色不及佣而可以养目，声不及佣而可以养耳／一人一心，万人万心，若不以令一之，则人人之心各异矣／天下莫柔弱于水，而攻坚强者莫之能先，以其无以易之也／天下大乱，贤圣不明，道德不一，天下多得一察焉以自好／天地之大，四时之化，而犹不能以不信成物，又况乎人事／不以人之坏自成也，不以人之卑自高也，不以遭时自利也／以小善为无益，以小恶为无伤，凡此皆非所以安身崇德也／喜则滥赏无功，怒则滥杀无罪，是以天下丧乱，莫不由此／君子之于子，爱之而勿面，使之而勿貌，导之以道而勿强／君子之处世也，甘恶衣粗食，甘艰苦劳动，斯可以无失矣／君子以争途之不可由也，是以越俗乘高，独行于三等之上／视听言行，循礼法而动，所以教人忘嗜欲而归性命之道也／有能推至诚之心而加以不息之久，则天地可动，金石可移／袭古人语言之迹，而冒以为古，是处严冬而袭夏之葛者也／上智不处危以侥幸，中智能因危以为功，下愚安于危以自亡／天无为以之清，地无为以之宁，故两无为相合，万物皆化生／不仁之人骋其私智，可以盗千乘之国，而不可以得丘民之心／民之于上也，若玺之于涂也，抑之以方则方，抑之以圜则圜／赏一人而败国俗，仁者弗为也；以不信得厚赏，义者弗为也／感应者气也，如是而感则如是而应，有不容以毫发差者理也／一夫耕，百人食之；一妇桑，百人衣之。以一奉百，孰能供之／不可以一时之誉，断其为君子；不可以一时之谤，断其为小人／不行王政云尔；苟行王政，四海之内皆举首而望之，欲以为君／不本其所以欲，而禁其所欲……是犹决江河之源而障之以手也／匹夫而忧天下，无位而论世事，时俗以为狂，而君子之所取也／捣鬼有术，也有效，然而有限，所以以此成大事者，古来无有／君子易事而难说也。说之不以道，不说也；及其使人也，器之／杀人之士民，兼人之土地，以养吾私与吾神者，其战不知孰善／曰衣食足而后廉耻兴，财物阜而后礼乐作，是执末以求其本也／慈仁者，百姓亲附，并心一意，故以战则胜敌，以守卫则坚固／无为者，道之宗；故得道之宗，应物无穷，任人之才，难以至治／不法其已成之法，而法其所以为法。所以为法者，与化推移者也／以玙璠之玼而弃其璞，以一人之罪而兼其众，则天下无美宝信士／仰观宇宙之大，俯察品类之盛，所以游目骋怀，足以极视听之娱／使亲而旧者愚，远而新者圣且贤，以是而间之，其为理本亦大矣／能有天下者，必无以天下为也；能有名誉者，必无以趋行求者也／名也者，相轧也；知也者，争之器也，二者凶器，非所以尽行也／君子知形恃神以立，神须形以存，悟生理之易失，知一过之害生／知为为而不知所以为，是以贵为天子，富有天下，而不免于患也／达于道者，独见独闻，独为独存，父不能以授子，臣不能以授君／以明察物，物亦竞以其明应之。以不信察物，物亦竞以其不信应之／古今号文章为难，足下知其所以难乎？……得之为难，知之愈难耳／人之所以不能终其寿命，而中道夭于刑戮者，何也？以其生生之厚／人有明珠，莫不贵重，若以弹雀，岂非可惜？况人之性命甚于明珠／国之兴也，视民如伤，是其福也；其亡也，以民为土芥，是其祸也／学贵得之心，求之于心而非也，虽其言之出于孔子，不敢以为是也／君人者不下庙堂之上，而知四海之外者，因物以识物，因人以知人也／患其有小恶，以人之小恶，亡人之大美，此人主之所以失天下之士也已／用兵之法：无恃其不来，恃吾有以待也；无恃其不攻，恃吾有所不可攻也／使六国各爱其人，则足以拒秦；使秦复爱六国之人，则递三世可至万世而为君，谁得而族灭也

予

①yǔ 通“与”，授与；给与；赞许。②yú 第一人称，相当于“我”。

❶予其惩而，毖后患

见《诗·周颂·小毖》。

予岂好辩哉！予不得已也

见《孟子·滕文公上》。

予尝为女妄言之，女亦以妄听之

见《庄子·齐物论》。

予违汝弼，汝无面从，退后有言

见《尚书·益稷》。

予恶乎知夫死者不悔其始之蕲生乎

见《庄子·齐物论》。

予之无所往而不乐者，盖游于物之外也

见宋·苏轼《超然亭记》。

予欲闻六律五声八音，在治忽，以出纳五言

见《尚书·益稷》。

❷览予初其犹未悔／谓予不信，有如皎日

❸具曰“予圣”，谁知乌之雌雄／孰使予乐居夷而忘故土者，非兹潭也欤

❹彼，人也；予，人也

❺他人有心，予忖度之／许之而不予，不可谓信／时日曷丧，予及汝皆亡／今上好法，予晚受乎老庄／先朝好史，予方学于孔墨／舜何人也，予何人也，有为者亦若是

❻欲取之，必先予之／万方有罪，在予一人／予岂好辩哉！予不得已也／将恐将惧，维予与女；将安将乐，女转弃予／教亦多术矣，予不屑之教诲也者，是亦教诲之而已矣

❼毋贻盲者镜，毋予躄者履

❽地者国之本，奈何予人／君不择将，以其国予敌也／喜德者必多怨，喜予者必善夺／一夫不获，则曰：“时予之辜”／怒不过夺，喜不过予，是法胜私也／以言取人，失之宰予；以貌取人，失之子羽／为啬之道，不施不予，俭爱微妙，盈若无有。／将不知兵，以其主予敌也；君不择将，以其国予敌也

❿外不避仇,内不阿亲,贤者予/听其言,迹其行,察其所能而慎予官/将恐将惧,维予与女;将安将乐,女转弃予/得时无怠,时不再来,天予不取,反为之灾/国以民为本,民以财为命。取之过多,予者亦怨/将不知兵,以其主予敌也;君不择将,以其国予敌也

孔

kǒng 洞;通;大;很;甚;孔雀;窑洞的量词;姓。

❶孔德之容,惟道是从

见《老子》二十一。

孔席不暖,墨突不黔

见唐·韩愈《争臣论》。

孔子以诗书礼乐教……

见汉·司马迁《史记·孔子世家》。全句为:"~,弟子盖三千焉,身通六艺者七十有二人"。

孔子罕称命,盖难言之也

见汉·司马迁《史记·外戚世家》。

孔子读《易》,韦编三绝

见汉·司马迁《史记·孔子世家》。

孔子圣人,其学必始于观书

见宋·苏轼《李氏山房藏书记》。

孔子成《春秋》而乱臣贼子惧

见《孟子·滕文公下》。

孔氏门人……恶其违仁义而尚权诈也

见汉·桓谭《新论·王霸》。删节处为:"五尺童子不言五霸事者"。

孔子曰:德之流行,速于置邮而传命

见《孟子·公孙丑上》。

孔曰成仁,孟曰取义,惟其义尽,所以仁至

见宋·文天祥《自赞》。

孔子曰:诎寸而信尺,小枉而大直,吾为之也

见《尸子》卷下。

孔子谓季氏:"八佾舞于庭,是可忍也,孰不可忍也?"

见《论语·八佾》。

孔子曰:"吾闻之,古之善御者,执辔如组,两骖如舞,非策之助也"。

见秦·孔鲋《孔丛子·刑论》。

❷眼孔浅时无大量,心田偏处有奸谋/百孔千疮,随乱随失,其危如一发引千钧

❸谋夫孔多,是用不集/咸以孔子之是非为是非,故未尝有是非耳

❹子贡事孔子……/堤溃蚁孔,气泄针芒/孤之有孔明,犹鱼之有水也/塞一蚁孔而河决息,施一车辖而覆乘止/圣智至孔子而极其盛,不过举条理以言之而已矣

❺三百五篇孔子皆弦歌之/故堤溃蚁孔,气泄针芒

❼荐贤能其气似孔文举,论经学其博似刘子骏

❾先朝好史,予方学于孔墨/文不加点,兴到语耳!孔明天才,思十反矣

❿田成子常杀君窃国,而孔子受币/悬牛头,卖马脯;盗跖行,孔子语/马效千里,不必骥騄;人期贤知,不必孔墨/天生一人,自有一人之用,不待取给于孔子而后足也/韩愈辟佛,几至杀身,况敢议今世之尧、舜、周、孔者乎/学贵得之心,求之于心而非也,虽其言之出于孔子,不敢以为是也

书

shū 成本的著作;写字;字体;文件;特指信件;指"尚书";一种曲艺。

❶书不尽言,言不尽意

见《周易·系辞上》。

书画之妙,当以神会

见宋·沈括《梦溪笔谈》卷二七。

书不千轴,不可以语化

见唐·皇甫湜《渝业》。全句为:"~;文不百代,不可以语变"。

书不必多看,要知其约

见宋·朱熹《近思录·致知类》。

书中有画,画中亦有书

见清·方玉润《星烈日记汇要·游艺》。

书为晓者传,事为见者明

见汉·陆贾《新语·术事》。全句为:"道为智者设,马为御者良,贤为圣者用,~"。

书味在胸中,甘于饮陈酒

见清·袁枚《遣怀杂诗》。

书生之论,可言而不可用也

见宋·苏轼《诸葛亮论》。

书生报国无地,空白九分头

见宋·袁去华《水调歌头》。全句为:"登临处,乔木老,大江流。~"。

书之要,统于"骨气"二字

见清·刘熙载《艺概·书概》。

书卷多情似故人,晨昏忧乐每相亲

见明·于谦《观书》。

书有以加乎其言,言有以加乎其心

见宋·苏洵《太玄论上》。

书不记,熟读可记;义不精,细思可精

见宋·朱熹《又谕学者》。全句为:"~。唯有志不立,直是无着力处"。

书不必起仲尼之门,药不必出扁鹊之方

见汉·陆贾《新语·术事》。全句为:"~,合之者善,可以为法,因世而权行"。

书者,皆所为不行乎今而行乎后世者也

见唐·韩愈《重答张籍书》。

书以言事,行上行下,平行往复,统谓之书

见清·姚华《论文后编》。

❷读书要玩味/凡书画当观韵/读书万卷始通神/读书求精不求多/读书本意在元元/读书贵博亦贵精/读书窗下有残灯/读书百遍而义

自见／读书乃学者第二事／读书务在循序渐进／读书最要限程……／束书不观，游谈无根／丹书铁契，金匮石室／学书当自成一家之体／尺书远达兮，以解君忧／读书贵精熟，不贵贪多／无书求出狱，有舌到临刑／诗书勤乃有，不勤腹空虚／读书与磨剑，旦夕但忘疲／读书之处，不可久坐闲谈／读书虽可喜，何如躬践履／读书成底事，报国是何人／读书贵神解，无事守章句／读书患不多，思义患不明／读书破万卷，下笔如有神／读书趋简要，害说去杂冗／谈书者不贱，守田者不饥／授书不在徒多，但贵精熟／好书而不要诸仲尼书肆也／学书者纸费，学医者人费／以书为御者，不尽于马之情／读书不耐苦，则无所用心之人／读书之法，莫贵于循序而致精／读书当读全书，节抄者不可读／看书多撷一部，游山多走几步／读书有三到：心到、眼到、口到／旧书不厌百回读，熟读深思子自知／读书不可无师承，立论不可无依据／读书不了平生事，阅世空存后死身／读书而寄兴于吟咏风雅，定不深心／读书之乐乐陶陶，起弄明月霜天高／读书以过目成诵为能，最是不济事／读书切戒在慌忙，涵泳工夫兴味长／读书好处心先觉，立雪深时道已传／观书者当观其意，慕贤者当慕其心／藏书万卷可教子，遗金满籝常作灾／读书占地位，在人品上，不在势位上／读书欲睡，引锥自刺其股，血流至足／观书先须熟读，使其言皆若出于吾之口／读书做人，先要立志。志患不立，尤患不坚／观书贵要，观要贵博，博而知要，万流可一／读书不独变气质，且能养精神，盖理义收摄故也／读书少则身暇，身暇则邪间，邪间则过恶作焉，忧患及之

❸真草书迹，微须留意／凡看书不为书所愚始善／燔诗书，起淳于越之谏／一行书不读，身封万户侯／将大书特书，屡书不一书／岂学书生辈，窗间老一经／爱其书者，兼取其为人也／多读书达观古今，可以免忧／尽信《书》，则不如无《书》／凡学书者，得其一，可以通其余／昼诵书传，夜观星宿，或不寐达旦／精读书，著精采警语处，凡事皆然／其为书，处则充栋宇，出则汗牛马／凡读书到冷淡无味处，尤当着力推考／穷其书，得其言，论其意，推而大之／词意书迹，无不宛然；唯是魂神，不知去处／好读书，不求甚解；每有会意，便欣然忘食／本之《书》以求其质……本之《易》以求其动／为一书，务富文采，不顾事实……是犹用文锦复陷阱也

❹不读诗书形体陋／博览群书，不为讽咏／人不读书，其犹夜行／大凡读书，不能无疑／风檐展书读，古道照颜色／观天下书未遍，不得妄下雌黄／挥汗读书不已，人皆怪我何求／虽有群书万卷，不及囊中一钱／万卷藏书宜子弟，十年种木长风烟／老去读书随忘却，醉中得句若飞来／所谓读书，须当明物理，揣事情，论事势／穷愁著书，古儒者之大同，非高冠长剑之比耳／北人看书，如显处视月；南人学问，如牖中窥日／自古上书，率多激切。若不激切，则不能起人主之心／伯浑醉书，纸穷墨燥，如春龙奋蛰，奇鬼搏人，何其壮也

❺学富五车，书通二酉／有工夫读书，谓之福／孔子以诗书礼乐教……／将大书特书，屡书不一书／存志乎诗书，寓辞乎咏歌／积金不积书，守财一何鄙／先王有郢书，而后世多燕说／君子之为书，犹工人之作器／博士买驴，书卷三纸，未有驴字／朝骋骛乎书林兮，夕翱翔乎艺苑

❻宰相必用读书人／未尝一日去书不观／惠施多方，其书五车／凡看书不为书所愚始善／凡人好辞工书，皆病癖也／操数寸之管，书盈尺之纸／风声雨声读书声，声声入耳／读书当读全书，节抄者不可读／举秀才，不知书；察孝廉，父别居／山盟虽在，锦书难托。莫！莫！莫！／务先穷昔人书，有不可者而后革之，则大善／子所雅言，《诗》、《书》、执礼，皆雅言也／颂其诗，读其书，不知其人可乎？是以论其世也／罄南山之竹，书罪未穷；决东海之波，流恶难尽

❼不好黄金只好书／男儿须读五车书／百物可决舍，惟书最难别／何以礼义为，史书而仕宦／将大书特书，屡书不一书／烽火连三月，家书抵万金／衡阳犹有雁传书，郴阳和雁无／必尽读天下之书，尽通古今之事／生来不读半行书，只把黄金买身贵／薄富贵而厚于书，轻死生而重于画／江南谚云：尺牍书疏，千里面目也／非三代两汉之书不敢观，非圣人之志不敢存／诗有别材，非关书也；诗有别趣，非关理也

❽以一能称，以一善书／能理乱丝，乃可读书／积财千万，无过读书／天下之竹帛不足书阁下之功德／尽信《书》，则不如无《书》／有梦常嫌去远，无书可恨来迟／若能常保数百卷书，千载终不为小人也／道成于学而藏于书，学进于振而废于穷／学医者当博览群书，不得拘守一家之言／甚雾之朝，可以细书而不可以远望寻常之外／衡门之下，有琴有书，载弹载咏，爰得我娱／道假辞而明，辞假书而传，要之之道而已耳

❾书中有画，画中亦有书／尽荆越之竹，犹不能书／汝无自誉，观汝作家书／宁为百夫长，胜作一书生／好书而不要诸仲尼书肆也／息交游闲业，卧起弄书琴／何谓享福之人，能读书者便是／悦亲戚之情话，乐琴书以消忧／处事要代人作想，读书须切己用功／避席畏闻文字狱，著书都为稻粱谋／有田不耕仓廪虚，有书不读子孙愚／若平直相似……便不是书法，但得其点画耳

❿上马击狂胡，下马草军书／士欲宣其义，必先读其书／将大书特书，屡书不一书／呼儿烹鲤鱼，中有尺素书／滥交朋友，不如终日读书／孔子圣人，其学必始于观书／能读不能行，所谓两足书橱／世间极占地位的，是读书一著／化当世莫若口，传来世莫若书／眼里无点灰尘，方可读书千卷／上车不落则著作，体中何如则秘书／不敢妄为些子事，只因曾读数行书／生儿不用识文字，斗鸡走马胜读书／半生落魄已成翁，独立书斋啸晚风／人世多违壮士悲，干戈未定书生老／坑灰未冷山东乱，刘项元来不读书／富贵必从勤苦得，男儿须读五车书／明月之光，可以望远而不可以细书／昨日邻家乞新火，晓窗分与读书灯／昨日春风欺不在，就床吹落读残书／病中何事最相宜，惟有摊书力尚支／蹉跎莫遣韶光老，人生唯有读书好／上古结绳而治，后世圣人易之以书契／观古人，得其时行其道，则无所为书／为学之道莫先于穷理，穷理之要必在于读书／书以言事，行上行下，平行往复，统谓之书／女恶华丹之乱窈窕也，书恶淫辞之淈法度也／见不尽者，天下之事；读不尽者，天下之书／貌有不足，敷粉施朱。才有不足，征典求书／喜怒、窘穷、……有动于心，必于草书焉发之／行之乎仁义之途，游之乎《诗》、《书》之源／恰同学少年，风华正茂；书生意气，挥斥方遒／以弋猎博弈之日诵《诗》、《书》，闻识必博矣／心之精微，口不能言也；言之微妙，书不能文也／人之能为人，由腹有诗书。诗书勤乃有，不勤腹空虚／凡物之可喜，足以悦人而不足以移人者，莫若书与画／君子之处世，贵能有益于物耳，不图高谈虚论，左琴右书

司 ①sī 掌握；行政部门；视察；姓。②sì 同"伺"，探问消息。

❶司察之能，臧否之材也

见三国·魏·刘劭《人物志·材能》。全句为："～。故在朝也则师氏之佐，为国则刻削之政"。

司马昭之心，路人所知也

见晋·陈寿《三国志·魏书·三少帝纪》注引。

司空见惯浑闲事，断尽苏州刺史肠

见唐·刘禹锡《赠李司空妓》。

❷鸡司晨，犬警夜，虽尧舜不能废／有司一朝而受者几千万言，读不能十一……

❺古之良有司，忧其君而不恤其私计／在朝也则司寇之任，为国则公正之政／将者，人之司命也，生死犹转机，得失如反掌

❾行患不能成，无患有司之不公

❿金蚕无吐丝之实，瓦鸡乏司晨之用／微乎微乎，至于无形……故能为敌之司命／驷马不驯，御者之过，百姓不治，有司之罪／厌文搔法，法官理民者，有司也，君无事焉，犹尊君也

民 mín 百姓；某一类人；传统的；民间的；非官方的；非军事的。

❶民无信不立

见《论语·颜渊》。

民不堪命矣

见《国语·周语上》。

民以食为天

见汉·班固《汉书·郦食其传》。

民事不可缓也

见《孟子·滕文公上》。

民人以食为天

见汉·司马迁《史记·郦生陆贾列传》。

民荐饥而望岁

见宋·高弁《望岁》。"荐"，接连。

民，国之基也

见宋·宋祁《杂税》。全句为："～。五仞之墙，所以不毁，基厚也；所以毁，基薄也"。

民贫则奸邪生

见汉·晁错《论贵粟疏》。

民，神之主也

见《左传·桓公六年》。全句为："～。是以圣王先成民，而后致力于神"。

民就穷而敛愈急

见唐·韩愈《赠崔复州序》。

民心说而天意得

见汉·班固《汉书·息夫躬传》。

民，不难聚也……

见《庄子·徐无鬼》。全句为："～。爱之则亲，利之则至，誉之则劝，致其所恶则散"。

民无隐情，治有异迹

见宋·王安石《答戚郎中启》。

民不畏威，则大威至

见《老子》七十二。

民生在勤，勤则不匮

见《左传·宣公十二年》。

民之难治，以其智多

见《老子》六十五。

民之多幸，国之不幸

见《左传·宣公十六年》。

民为国基，谷为民命

见汉·王符《潜夫论·叙录》。

民罔常怀，怀于有仁

见《尚书·太甲下》。

民俗既迁，风气亦随

见唐·韩愈《送窦从事序》。

民少官多，十羊九牧

见唐·魏征《隋书·杨尚希传》。

民各有心，亦壅惟口

见南朝·梁·刘勰《文心雕龙·颂赞》。“壅”,堵塞;“惟”,维,其。

民多讳言,君有骄行

见《晏子春秋·内篇杂上第十一》。

民惟邦本,本固邦宁

见《尚书·五子之歌》。

民背如崩,势绝防断

见南朝·齐·王融《上疏主给虏书》。

民心无常,惟惠之怀

见《尚书·蔡仲之命》。

民未知礼,虽聚而易散

见明·冯梦龙《东周列国志》第三十九回。

民可近也,而不可上也

见《国语·周语中》。

民弗为用,弗为死……

见汉·韩婴《韩诗外传》。全句为:“～,而求兵之劲,城之固,不可得也;兵不劲,城不固,而欲不危削灭亡,不可得也”。

民知力竭,则以伪继之

见《庄子·则阳》。全句为:“～;日出多伪,士民安取不伪!”。

民不畏死,奈何以死惧之

见《老子》七十四。

民可以乐成,不可与虑始

见《史记补·西门豹治邺》。

民可使由之,不可使知之

见《论语·泰伯》。

民之难治,以其上之有为

见《老子》七十五。

民之饥,以其上食税之多

见《老子》七十五。

民为国本根,岂不思培植

见宋·王迈《简同年刁时中俊卿诗》。

民知至至矣,政在终终也

见唐·刘禹锡《因论·讯甿》。

民情可与习常,难与适变

见唐·孔颖达《周易·革》疏。

民望之,若大旱之望云霓

见《孟子·梁惠王下》。

民者,国之命而吏之仇也

见宋·杨万里《民政》。

民不可与虑始,而可与乐成

见《商君书·更法》。

民不恶其尊,而世不妒其业

见《战国策·赵策二》。全句为:“贤者任重而行恭,知者功大而词顺。故～”。

民之从事,常于几成而败也

见《老子》六十四。

民为贵,社稷次之,君为轻

见《孟子·尽心下》。

民知诛赏之来,皆在于身也

见汉·刘安《淮南子·主术》。全句为:“～,故务功修业,不受赣于君”。

民者,万世之本也,不可欺

见汉·贾谊《新书·大政上》。

民胜其政,下畔其上则兵弱

见汉·刘安《淮南子·兵略》。全句为:“兵之胜败,本在于政,政在于民,下附其上则兵强,～”。

民可百年无货,不可一朝有饥

见南朝·宋·范晔《后汉书·刘陶传》。

民之情,贵所不足,贱所有余

见《吕氏春秋·离俗览·离俗》。

民之轻死,以其上求生生之厚

见《老子》七十五。

民之所好好之,民之所恶恶之

见《礼记·大学》。全句为:“～,此之谓民之父母”。

民力尽于无用,财宝虚以待客

见《墨子·七患》。

民寡则用易足,土广则物易生

见汉·荀悦《申鉴·时事》。

民存则社稷存,民亡则社稷亡

见汉·荀悦《申鉴·杂言上》。

民枕倚于墙壁,路交横于豺虎

见北周·庾信《哀江南赋》。

民政之难,不惟其力而惟其才

见宋·苏辙《黄好谦知濮州》。

民足则怀安,安则自重而畏法

见唐·刘禹锡《答饶州元使君书》。全句为:“～;乏则思滥,滥则迫利而轻禁”。

民不乐生,尚不避死,安能避罪

见汉·班固《汉书·董仲舒传》。

民非不可用也,不得所以用之也

见《吕氏春秋·离俗览·用民》。全句为:“今外之则不可拒敌,内之则不可以守国,其～。不得所以用之,国虽大,势虽便,卒无众,何益?古者多有天下而亡者矣,其民不为用也。用民之论,不可不熟”。“卒无众”,疑似作“卒虽众”。

民习礼义,易与为善,难与为非

见宋·苏辙《李之纯宝文阁直学士知成都府》。

民生各有所乐兮,余独好修以为常

见战国·楚·屈原《离骚》。

民之治乱在于吏,国之安危在于政

见汉·贾谊《新书·大政下》。

民之治乱在于上,国之安危在于政

见《慎子》附佚文。

民,别而听之则愚,合而听之则圣

见《管子·君臣上》。

民之不善，吏之罪；吏之不善，君之过

见汉·贾谊《新书·大政上》。

民之归仁也，犹水之就下、兽之走圹也

见《孟子·离娄上》。

民以财为本，财竭则下畔，下畔则上亡

见汉·班固《汉书·谷永传》。全句为："王者以民为基，～"。"畔"同"叛"。

民者，国之根也，诚宜重其食，爱其命

见晋·陈寿《三国志·吴书·陆凯传》。

民心不得，性命不全，则号令不能动也

见汉·严遵《道德指归论·民不畏死篇》。

民无常用也，无常不用也，唯得其道为可

见《吕氏春秋·离俗览·用民》。全句为："凡用民，太上以义，其次以赏罚。其义则不足死，赏罚则不足去就，若是而能用其民者，古今无有。～"。"去就"，去恶就善。

民生在勤，勤则不匮。宴安自逸，岁暮奚冀

见晋·陶潜《劝农》。

民有疾苦，得以安之；吏有侵渔，得以去之

见唐·刘长卿《仲秋奉乌萧郎中使君赴润州序》。

民恶忧劳，我佚乐之；民恶贫贱，我富贵之

见《管子·牧民》。

民之所以僻，治之所以乱，皆由上，不由其下

见三国·魏·王弼《老子》七十五注。

民安土重迁，不可卒变。易以顺行，难以逆动

见晋·陈寿《三国志·魏书·袁涣传》。

民有三患：饥者不得食，寒者不得衣，劳者不得息

见《墨子·非乐上》。

民之性，饥而求食，劳而求佚，苦则索乐，辱则求荣

见《商君书·算地》。

民之于上也，若玺之于涂也，抑之以方则方，抑之以圜则圜

见《吕氏春秋·离俗览·适威》。"涂"，印泥。

❷爱民如子／爱民如身／治民莫若平／用民有纪有纲／一民之轨，莫如法／下民之孽，匪降自天／万民之主，不阿一人／兵民之分，自秦汉始／先民有言，询于刍荛／凡民有丧，匍匐救之／防民之口，甚于防水／负民即负国何忍负之／治民无常，唯法为治／治民者，禁奸于未萌／安民之本，在于足用／安民之术，在于丰财／安民则惠，黎民怀之／爱民治国，能无知乎／服民之心，必得其情／欲民务农，在于贵粟／用民之论，不可不熟／起民之病，治国之疵／失民而得财，明者不为／保民而王，莫之能御也／凡民之生也，必以正平／勤民以自封，死无日矣／和民一众，不知法不可／道民之门，在上之所先／乐民之乐者，民亦乐其乐／州民言刺史，蠹物甚于蝗／召民之路，在上之所好恶／务民之义，敬鬼神而远之／去民之患，如除腹心之疾／士民之所以叛，由偏之也／忧民之忧者，民亦忧其忧／视民如寇仇，税之如豺虎／服民以道德，渐民以教化／穷民财力以供嗜欲谓之暴／与民同其安者，人必拯其危／与民共其乐者，人必忧其忧／为民纪纲者何也？欲也恶也／使民无欲，上虽贤犹不能用／信，民之所庇也，不可失也／君民者岂以陵民？社稷是主／利民岂一道哉，当其时而已矣／访民瘼于井邑，察冤枉于囹圄／常民溺于习俗，学者沉于所闻／治民者，导之敬让，而争自息／贼民之事非一，而好兵者必亡／畜民者，先厚其业而后求其赡／安民可与行义，而危民易与为非／贫民常衣牛马之衣，食犬彘之食／牧民之道，除其所疾，适其所安／军民团结如一人，试看天下谁能敌／动民以行不以言，应天以实不以文／遗民泪尽胡尘里，南望王师又一年／纵民之情谓之乱，绝民之情谓之荒／生民之本，要当稼穑而食，桑麻以衣／贫民耕而不免于饥，富民坐而饱以嬉／与民争利，犯者辄免官削爵，不得仕宦／域民不以封疆之界，固国不以山溪之险／结民心，在薄赋敛；薄赋敛，在节财用／绝民用以实王府，犹塞川原而为潢污也／爱民而安，好士而荣，两者无一焉而亡／彼民有常性，织而衣，耕而食，是谓同德／防民之口，甚于防川，川壅而溃，伤人必多／教民亲爱，莫善于孝；教民礼顺，莫善于悌／爱民，害民之始也；为义偃兵，造兵之本也／视民如子，见不仁者诛之，如鹰鹯之逐鸟雀也／为民族解放，为阶级翻身，事业垂成，公胡遽死／用民亦有种，不审其种，而祈民之用，惑莫大焉／节民以礼，故其刑罚甚轻而禁不犯者，教化行而习俗美也／生民之不得休息，为四事故：一为寿，二为名，三为位，四为货

❸礼者民之纪／毋与民争利／苟无民，何以有君／吏多民烦，俗以之弊／失其民者，失其心也／得其民，斯得天下矣／凡为民去害兴利若嗜欲／但伤民病痛，不识时忌讳／将以民为体，民以将为心／君非民不立，民非谷不生／国以民为基，贵以贱为本／国以民为本，民以谷为命／国以民为本，民以食为天／食者民之本，民者国之本／虑于民也深，则谋其始也精／国以民为本，社稷亦为民而立／火烈，民望而畏之，故鲜死焉／不仇民则大者无功，而其次有罪／凡用民，太上以义，其次以赏罚／事者，民之风雨也，事不节则无功／廉者，民之表也；贪者，民之贼也／教者，民之寒暑也，教不时则伤世／轻士民之死力者，不能禁暴国之邪逆／君者，民之源也。源清则流清，源浊则流浊／财须民生，强赖民力，威恃民势，福由民殖／欲上民，必以言下

之；欲先民，必以身后之／若使民常畏死，而为奇者，吾得执而杀之孰敢／轻用民死，死者以国量乎泽若蕉，民其无如矣／国以民为本，民以财为命。取之过多，予者亦怨／盗取民食兮，私己不分；充嗛果腹兮，骄傲欢欣

❹中听则民安／我俭则民自俭／我谦则民自谦／王者以民为天／事因于民者必成／诗出于民之情性／素朴而民性得矣／得乎丘民而为天子／威愈多，民愈不用／王者以民为基……／天生烝民，有物有则／事以靖民，非以征民／以德和民，不闻以乱／伐罪吊民，古之令轨／建国君民，教学为先／苛政害民，君受其患／将兵治民，宽简有法／彼裕我民，无远用戾／宽一分民多受一分赐／王国富民，霸国富士／爱施兆民，天下归之／夫食为民天，农为政本／以不教民战，是谓弃之／当今生民之患果安在哉／度义因民，谋事之术也／罪漏则民放佚而轻犯禁／不赏而民劝，不罚而民治／亟战则民凋，不习则民怠／古之君民者，仁义以治之／节欲则民富，中听则民安／沃地之民多不才者，饶也／法正则民悫，罪当则民从／法重于民，威权贵于爵禄／惟歌生民病，愿得天子知／骤战则民罢，骤胜则主骄／财聚则民散，财散则民聚／数战则民劳，久师则兵弊／瘠地之民多有心者，劳也／天子作民父母，以为天下王／无力于民而旅食，不恶贫贱／法设而民不犯，令施而民从／政在于民，下附其上则兵强／举贤则民相轧，任知则民相盗／薄身厚民，故聚敛之人不得行／君无劳民之事，民得勤而耕农／君子杀民如杀身，活人如活己／德积而民可用，怒畜而威可立／已信之民易治，已练之兵易使／有能以民为务者，则天下归之／衣食者民之本，稼穑者民之务／为国为民而得罪，君子不以为辱／法令者，民之命也，为治之本也／水懦弱，民狎而玩之，则多死焉／耕织之民日耗，则田荒而桑枯矣／归之于民则民怒，反之于身则身骄／屋漏者，民去之；水浅者，鱼逃之／自古驱民在信诚，一言为重百金轻／但愿官民通有无，莫令租吏打门叫呼疾／简士苦民者是谓愚，敬士爱民者是谓智／说以先民，民忘其劳。说以犯难，民忘其死／苟利于民，不必法古；苟周于事，不必循旧／君如杅，民如水，杅方则水方，杅圆则水圆／爱民，害民之始也；为义偃兵，造兵之本也／国之有民，犹水之有舟，停则以安，扰则以危／天下之民，知安而不知危，能逸而不能劳，此臣所谓大患也

❺上求薄而民用给／行不正则民不服／法令善则民安乐／上好礼，则民易使／不尚贤，使民不争／旧不遗，则民不偷／智足以使民不能欺／政足以使民不敢欺／上之所好，民必甚焉／天非虐，惟民自速辜／以公灭私，民其允怀／以知能治民者，泅也／以道德治民者，舟也／兽恶其网，民恶其上／损上益下，民说无疆／君上好善，民无讳言／君明臣忠，民赖其福／治国者爱民，则国安／道不拾遗，民不妄取／绝圣弃智，民利百倍／马不可极，民不可剧／马极则踬，民剧则败／栉垢肥痒，民获苏醒／有迟有速，民必胜之／有武无文，民畏不亲／背施幸灾，民所弃也／朝无幸位，民无幸生／辞之怿矣，民之莫矣／辞之辑矣，民之洽矣／足寒伤心，民寒伤国／足寒伤心，民怨伤国／苟可以利民，不循其礼／善罪身者，民不得罪也／困而不学，民斯为下矣／有善心之民，畏法自重／鬻棺者，欲民之疾病也／足食，足兵，民信之矣／上好信，则民莫敢不用情／无罪而戮民，则士可以徙／以正为在民，以枉为在己／以得为在民，以失为在己／利天下之民者，莫大于治／赏罚信乎民，何事而不成／五谷者万民之命，国之重宝／为汤、武驱民者，桀与纣也／古之人与民偕乐，故能乐也／建官以利民，有害民而得官／天视自我民视，天听自我民听／事有不当民务者，皆禁而不行／日月星辰民所瞻仰者亦皆曰神／吏何恶于民而仇之也？非仇民也／吏所以治民，能尽其治则民赖之／为国者以民为基，民以衣食为本／贤者……食于民则以民之患为患／我无事而民自富，我无欲而民自朴／我无为而民自化，我好静而民自正／以清廉清民，令去其邪，令去其污／并时以养民功，先德后刑，顺于天／苟中心图民，智虽弗及，必将至焉／君者仪也，民者景也，仪正而景正／君者槃也，民者水也，槃圆而水圆／德不施则民不归，刑不缓则百姓愁／有不能治民之吏，而无不可治之民／士好奢则民不足，民好奢则天下不足／上好义则民暗饰矣，上好富则民死利矣／堤防成而民无水灾，礼义立，民无乱患／上失其道，民散久矣，苟非君子，焉能固穷／说以先民，民忘其劳。说以犯难，民忘其死／强国令其民争乐用也，弱国令其民争竞不用也／天之生此民也，使先知觉后知，使先觉觉后觉也／君人者，爱民而安，好士而荣，两者无一焉而亡／天有恒日，民自则之，爽则损命，环自服之，天之道也／杀人之士民，兼人之土地，以养吾私与吾神者，其战不知孰善

❻在知人，在安民／城郭如故人民非／不能罪身者民罪之／为国者以富民为本／乱国之使其民……／君国者不乐民之哀／天聪明，自我民聪明／代虐以宽，兆民允怀／信以结之，则民不倍／善为国者，顺民之意／治国之道，爱民而已／安民则惠，黎民怀之／赏勉罚偷，则民不怠／越王好勇而民多轻死／以德报德，则民有所劝／以怨报怨，则民有所惩／十年十一战，民不堪命／谨听节俭，众民之术也／若保赤子，惟民其

康乂／国动乱者，而民劳疲也／过而能改者，民之上也／有善而归之民，则民喜／有迟有速，而民必胜之／上不尽利，则民有以为生／天高皇帝远，民少相公多／尧舜，大圣也，民且谤之／非独羊也，治民亦犹是也／乐民之乐者，民亦乐其乐／攻其国爱其民，攻之可也／将以民为体，民以将为心／君非民不立，民非谷不生／国以民为本，民以谷为命／国以民为本，民以食为天／国小则易理，民寡则易宁／忧民之忧者，民亦忧其忧／居官不爱子民，为衣冠盗／案上一点墨，民间千点血／日出多伪，士民安取不伪／敛之于饶，而民不以为暴／食者民之本，民者国之本／刑罚不中，则民无所措手足／信，国之宝也，民之所凭也／治国者当爱民，则不为奢泰／理财正辞，禁民为非，曰义／乐者，所以变民风，化民俗也／仁之用在爱民，而其体在无私／凡克己以济民，皆力行而不悔／法令所以导民，刑罚所以禁奸／意莫下于刻民，行莫贱于害民／意莫高于爱民，行莫厚于乐民／为国者以富民为本，以正学为基／以党举官，则民务交而不求用矣／君子如欲化民成俗，其必由学乎／国之兴也，视民如伤，是其福也／国将兴，听于民；将亡，听于神／治国之道，生民之本，啬为祖宗／天下顺治在民富，天下和静在民乐／临事不信于民者，则不可使任大官／人寰尚有遗民在，大节难随九鼎沦／令者，所以教民；法者，所以督奸／能爱邦内之民者，能服境外之不善／君行仁政，斯民亲其上，死其长矣／君子有力于民则进爵禄，不辞富贵／归之于民则民怨，反之于身则身骄／赏罚不信，则民易犯法，不可使令／政之不便于民者，未必皆上之过也／砚中斑驳遗民泪，井底千年恨未销／尧舜行德则民仁寿；桀纣行暴则民鄙夭／我服布素则民自暖，我食葵藿则民自饱／得志，泽加于民；不得志，修身见于世／法者，所以禁民为非而使其迁善远罪也／以骄主使罢民，然而国不亡者，天下少矣／善为国者，爱民如父母之爱子，兄之爱弟／为君为臣为民为物为事而作，不为文而作也／公婿公孙，与民同门，暴傲其邻者，可亡也／圣人爱养万民，不以仁恩，法天地，行自然／安土重迁，黎民之性；骨肉相附，人情所愿／其政闷闷，其民淳淳；其政察察，其民缺缺／能用非己之民，国虽小，卒虽少，功名犹可立／至治之世，其民不好空言虚辞，不好淫学流说／威不能复制民，民不能堪其威，则上下大溃矣／凡治国令其民争行义也，乱国令其民争为不义也／国以民为本，民以财为命。取之过多，予者亦怨／官无常贵而民无终贱，有能则举之，无能则下之／地不改辟矣，民不改聚矣，行仁政而王，莫之能御也／国之兴也，视民如伤，是其福也；其亡也，以民为土芥，是其祸也

❼杜门忧国复忧民／天下多忌讳而民弥贫／无于水监，当于民监／兵要在乎善附民而已／举直错诸枉，则民服／民为国基，谷为民命／众而不可欺者，民也／轻徭薄赋，以宽民力／散乐移风，国富民康／尧之治天下，使民心亲／禹之治天下，使民心变／举枉错诸直，则民不服／国家失政，则士民去之／沐雨而栉风，为民请命／政无旧新，以便民为本／舜之治天下，使民心竞／不偷取一世，则民无怨心／丧不过三年，示民有终也／人伦明于上，小民亲如下／人视水见形，视民知治不／君子笃于亲，则民兴于仁／御马有法矣，御民有道矣／河海有润，然后民取足焉／慎贵在举贤，慎民在置官／害稼者有时，害民者无期／敬贤如大宾，爱民如赤子／有伤聪之政，则民多病耳／服民以道德，渐民以教化／君民者岂以陵民？社稷是主／国有贤相良将，民之师表也／上求寡而易赡，民安乐而无事／民之所好好之，民之所恶恶之／民存则社稷存，民亡则社稷亡／凡举事，必先审民心然后可举／君无劳民之事，民得勤而耕农／国离寇敌则伤，民见凶饥则亡／废上，非义也；杀民，非仁也／是以圣王先成民，而后致力于神／大山崔，百卉殖。民何贵，贵有德／道满天下，普在民所，民不能知也／为国者，必先知民之所苦，祸之所起／不能爱邦内之民者，不能服境外之不善／法令之不行、万民之不治，贫富之不齐也／有山海之货而民不足于财者，商工不备也／有沃野之饶而民不足于食者，器械不备也／欲生于不足则民盗，能使无欲则民不为盗／宽则得众，信则民任焉，敏则有功，公则说／财须民生，强赖民力，威恃民势，福由民殖／政之所兴，在顺民心；政之所废，在逆民心／风俗之变，迁染民志，关之盛衰，不可不慎／威不能复制民，民不能堪其威，则上下大溃矣／制国有常，而利民为本；从政有经，而令行为上／治国有常，而利民为本；政教有经，而令行为上／自古至于今，与民为仇者，有迟有速，而民必胜之

❽天下之正莫如利民焉／事以靖民，非以征民／善为国者，藏之于民／因时施宜，无害于民／岁饥无年，虐政害民／德惟善政，政在养民／治国之道，必先富民／暴殄天物，害虐烝民／盗贼弗诛，则伤良民／虐教伤化，峻刑害民／中国虽安，忘战则民殆／保国之大计，在结民心／土地虽广，好战则民凋／有善而归之民，则民喜／用道治国，则国安民昌／身已贵而骄人者民去之／吏则日饱鲜，谁悯民艰食／黄帝之治天下，使民心一／军则新有营，谁念民无室／国正天心顺，官清民自安／车无轮安处，国无民谁与／赏莫如厚而信，使民利之／罚莫如重而必，使民畏

之／用于国有节，取于民有制／以邪莅国、以暴加民者，危／建官以利民，有害民而得官／国有伤明之政，则民多病目／恩与信可以附吾民而服邻国／诚国是之先定，虽民散而可收／招世之士兴朝，中民之士荣官／忧国者不顾身，爱民者不罔上／皇天无私阿兮，览民德焉错辅／树木者忧其蠹，保民者除其贼／赏罚皆有充实，则民无不用矣／为国者以民为基，民以衣食为本／理国执无为之道，民复朴而还淳／贤者……食于民则以民之患为患／贵粟之道，在于使民以粟为赏罚／非兔狡，猎狡也；非民诈，吏诈也／君子任职则思利民，达上则思进贤／老者衣帛食肉，黎民不饥不寒……／足国之道，节用裕民，而善藏其余／豺狼寇盗不杀人民，不足以止其贪／上无礼，下无学，贼民兴，丧无日矣／以德以义，不赏而民劝，不罚而邪止／士好奢则民不足，民好奢则天下不足／庶狱明则国无怨民，枉直当则民无不服／为人臣者，以富乐民为功，以贫苦民为罪／王天下者必先诸民，然后庇焉，则能长利／橘柚生于江南，而民皆甘之于口，味同也／食禄者不得与下民争利，受大者不得取小／古之取天下也以民心，今之取天下也以民命／厨有腐肉，国有饥民；厩有肥马，路有馁人／人之所舍，谓之天民；天之所助，谓之天子／知为吏者奉法利民，不知为吏者枉法以侵民／国不务大而务得民心，佐不务多而务得贤俊／设必犯之法，不度民情之不堪，是陷民于罪也／厌文搔法，法官理民者，有司也，君无事焉，犹尊君也

❾善政不如善教之得民／天下之不正莫如害民焉／无康好逸豫，乃其乂民／凡治国之道，必先富民／知为吏者，奉法以利民／善人在上，则国无幸民／居庙堂之高，则忧其民／禁胜于身，则令行于民／与闻国政而无益于民者斥／不赏而民劝，不罚而民治／失正则奇生，奇生而民惑／亟战则民凋，不习则民怠／公正无私，一言而万民齐／节欲则民富，中听则民安／法正则民悫，罪当则民从／官省则事省，事省则民清／官烦则事繁，事繁则民浊／水浊则鱼困，令苛则民乱／财聚则民散，财散则民聚／食足货通，然后国实民富／与闻国政而无益于民者，退／亡国之音，哀以思，其民困／治大国而数变法，则民苦之／三公者，百僚之率，万民之表／乐者，所以变民风，化民俗也／圣人之政，仁足以使民不忍欺／有为之君，不敢失万民之欢心／长太息以掩涕兮，哀民生之多艰／君为政焉勿卤莽，治民焉勿灭裂／安民可与行义，而危民易与为非／政之急者，莫大乎使民富且寿也／农，天下之大业；铁器、民之大用／廉者，民之表也；贪者，民之贼也／道满天下，普在民所，民不能知也／纵民之情谓之乱，绝民之情谓之荒／易其田畴，薄其税敛，民可使富也／为川者，决之使导；为民者，宣之使言／昔尧治天下，不赏而民劝，不罚而民畏／一节省而国有余用，民有盖藏，不知其几也／民恶忧劳，我佚乐之；民恶贫贱，我富贵之／庖有肥肉，厩有肥马，民有饥色，野有饿莩／教明于上，化行于下，民有耻心，则何盗之为／才可伪，功不可伪；临民听政，长短贤不肖立见／古之人君，所以至于民散国亡而不悟者，皆吏误之／有社稷者，不能爱其民，而求民亲己爱己，不可得也

❿无常安之国，无恒治之民／不知为吏者，枉法以侵民／正法以齐官，平政以齐民／乘车必护轮，治国必爱民／凡用兵攻战之本在乎一民／治国家者先择佐而后定民／道德不厚者，不可以使民／积邪在于上，蓄怨藏于民／无常乱之国，无不可理之民／兵诚义，以诛暴君而振苦民／去冗官，用良吏，以抚疲民／法设而民不犯，令施而民从／有独知之虑者，必见骜于民／天视自我民视，天听自我民听／举贤则民相轧，任知则民相盗／以道理天下者……不赏而民劝／亡国之主，多以多威使其民矣／圣人以顺动，则刑罚清而民服／君以知贤为明，吏以爱民为忠／君功见于选吏，吏功见于治民／国以民为本，社稷亦为民而立／国危则无乐君，国安则无忧民／法严而奸易息，政宽而民多犯／桀、纣之失天下也，失其民也／贤君必恭俭礼下，取于民有制／意莫下于刻民，行莫贱于害民／意莫高于爱民，行莫厚于乐民／衣食者民之本，稼穑者民之务／天地养万物，圣人养贤以及万民／不杀无辜，无释罪人，则民不惑／吏何恶于民而仇之也？非仇民也／吏所以治民，能尽其治则民赖之／上不能宽国之利，下不能饱民之饥／天下顺治在民富，天下和静在民乐／乃命羲和，钦若昊天……敬授民时／我无事而民自富，我无欲而民自朴／我无为而民自化，我好静而民自正／养稊稗者伤禾稼，惠奸宄者贼良民／谋度于义者必得，事因于民者必成／能知反复之道者，可以居兆民之职／土事不文，木事不镂，示民知节也／大海荡荡水所归，高贤愉愉民所怀／衙斋卧听萧萧竹，疑是民间疾苦声／法令更则利害易，利害易则民务变／法得则马和而欢，道得则民安而集／法相因则事易成，事有渐则民不惊／明好恶而定去就，崇敬让而民兴行／贪鄙在率不在下，教训在政不在民／有不能治民之吏，而无不可治之民／有善则反之于身，有过则归之于民／禁之以制，而身不先行，民不能止／锄一害而众苗成，刑一恶而万民悦／身为野老已无责，路有流民终动心／中庸之为德也，其至矣乎！民鲜久矣／举贤以临国，官能以敕民，则

其道也／古之善为道者，非以明民，将以愚之／藩屏之臣，取其明练风俗，清白爱民／法莫大于私不行，功莫大于使民不争／居官者当事不避难，在位者恤民之患／贫民耕而不免于饥，富民坐而饱以嬉／礼，天之经也，地之义也，民之行也／上好义则民暗饰矣，上好富则民死利矣／下者尽力而无耗弊，上者量民而用有节／尧舜行德则民仁寿；桀纣行暴则民鄙夭／朱门日日买朱娥，军事如何，民事如何／我服布素则民自暖，我食葵藿则民自饱／古之君人者，以得为在民，以失为在己／古者多有天下而亡者矣，其民不为用也／降年有永有不永，非天夭民，民中绝命／堤防成而民无水灾，礼义立，民无乱患／异物内流则国用饶，利不外泄则民用给／小人溺于水，君子溺于口，大人溺于民／当官务持大体，思事事皆民生国计所关／庶狱明则国无怨民，枉直当则民无不服／昔尧治天下，不赏而民劝，不罚而民畏／水有猵獭而池鱼劳，国有强御而齐民消／赏无功之人，罚不辜之民，非所谓明也／简士苦民者是谓愚，敬士爱民者是谓智／其政不烦，其刑不渎，而民之化之也速／为人臣者，以富乐民为功，以贫苦民为罪／莫知己德有极，则可以有社稷，为民致福／洞然无为而天下自和，憺然无欲而民自朴／此溪若在山野，则宜逸民退士之所游……／欲生于不足则民盗，能使无欲则民不为盗／欲以先王之政治当世之民，皆守株之类也／风雨不时，则伤农桑；伤农桑，则民饥寒／罚一惩百，谁敢复言者？民有饮恨而已矣／与百姓有缘才来此地，期寸心无愧不鄙斯民／由道废邪，用贤弃愚，推以革物，宜民之苏／古之取天下也以民心，今之取天下也以民命／古之君子，其过也，如日月之食，民皆见之／人美于中，必播于外，而越于民，民实戴之／说以先民，民忘其劳。说以犯难，民忘其死／草茅弗去，则害禾谷；盗贼弗诛，则伤良民／知为吏者奉法利民，不知为吏者枉法以侵民／唯劝农业，无夺农时；唯薄赋敛，无尽民财／德而不威，其国外削；威而不德，其民内溃／情之所恶，不以强人；情之所欲，不以禁民／绝祸之首，起福之元，去我情欲，取民所安／明王有过，则反之于身，有善，则归之于民／财须民生，强赖民力，威恃民势，福由民殖／政之所兴，在顺民心；政之所废，在逆民心／教民亲爱，莫善于孝；教民礼顺，莫善于悌／有不嗜杀人者，则天下之民皆引领而望之矣／欲上民，必以言下之；欲先民，必以身后之／心狂志悖，视听从类，政令无常，下民作孽／盘石千里，不为有地；愚民百万，不为有民／移风易俗，莫善于乐；安上治民，莫善于礼／其政闷闷，其民淳淳；其政察察，其民缺缺／天下治乱，不在一姓之兴亡，而在万民之忧乐／设必犯之法，不度民情之不堪，是陷民于罪也／强国令其民争乐用也，弱国令其民争竞不用也／如有不嗜杀人者，则天下之民皆引领而望之矣／要而学之，又其次也，困而不学，民斯为下矣／轻用民死，死者以国量乎泽若蕉，民其无如矣／鸟飞千仞之上……祸犹及之，又况编户齐民乎／言著而不欺曰信。……教令失信，民得斯之矣／天下之治乱，不在一姓之兴亡，而在万民之忧乐／今使愚教知，使不肖临贤，虽严刑罚，民弗从也／凡治国令其民争行义也，乱国令其民争为不义也／邻国相望，鸡犬之声相闻，民至老死，不相往来／《大学》之道，在明明德，在亲民，在止于至善／道千乘之国，敬事而信，节用而爱人，使民以时／水行者表深，使人无陷；治民者表乱，使人无失／贱者有罪，贵者治之。君得罪于民，谁将治之？／用民亦有种，不审其种，而祈民之用，惑莫大焉／鞭扑之子，不从父之教；刑戮之民，不从君之政／闰以正时，时以作事，事以厚生，生民之道在此矣／自古至于今，与民为仇者，有迟有速，而民必胜之／有社稷者，不能爱其民，而求民亲己爱己，不可得也／下之用力者甚勤，上之用物者有节，民无遗力，国不过费／行不充于内，德不备于人，虽盛其服，文其容，民不尊也／不仁之人骋其私智，可以盗千乘之国，而不可以得丘民之心／历观前代拨乱创业之主，生长民间，皆识达情伪，罕至于败亡／伯夷，目不视恶色，耳不听恶声。非其君，不事；非其民，不使／其义则不足死，赏罚则不足去就，若是而能用其民者，古今无有／国之兴也，视民如伤，是其福也；其亡也，以民为土芥，是其祸也／治世所贵乎位者三：一曰达道于天下，二曰达惠于民，三曰达德于身／舜其大知也与！舜好问而好察迩言，隐恶而扬善，执其两端，用其中于民／先哲王之政，一曰承天，二曰正身，三曰任贤，四曰恤民，五曰明制，六曰立业

弗

fú 不；禁止之词；通“祓”，除灾求福。

❶弗爱弗利，亲子叛父

见汉·刘安《淮南子·缪称》。

弗虑胡获，弗为胡成

见《尚书·太甲下》。

弗能必而据之者，诬也

见《韩非子·显学》。全句为：“无参验而必之者，愚也；～”。

弗知而言为不智，知而不言为不忠

见《战国策·秦策一》。

弗食，不知其旨；弗学，不知其善

见《礼记·学记》。

❷唯弗居，是以不去／民弗为用，弗为死……／

龙弗得云，无以神其灵矣／有弗问，问之弗知，弗措也／有弗学，学之弗能，弗措也／有弗思，思之弗得，弗措也／有弗辨，辨之弗得，弗措也

❸天与弗取，反受其咎／弗爱弗利，亲子叛父／知而弗为，莫如弗知／亲而弗信，莫如弗亲／时至弗行，反受其殃／盗贼弗诛，则伤良民／觚而弗琢，不成于器／为虺弗摧，为蛇将若何／无咎，弗过，遇之。往厉，必戒／道而弗牵，强而弗抑，开而弗达／草茅弗去，则害禾谷；盗贼弗诛，则伤良民

❹成功而弗居也／辞顺而弗从，不祥／时观而弗语，存其心也／往者余弗及兮，来者吾不闻／功成而弗居。夫唯弗居，是以不去／所生者弗德，所杀者非怨，则几于道也

❺弗虑胡获，弗为胡成／民弗为用，弗为死……／兵犹火也，弗戢将自焚也／虽有至道，弗学，不知其善也／虽有嘉肴，弗食，不知其旨也／崇一篑而弗休必钧高乎峻极矣／子有钟鼓，弗鼓弗考；宛其死矣，他人是保／槁竹有火，弗钻不然；土中有水，弗掘无泉／金石有声，弗叩弗鸣；管箫有音，弗吹无声／善人在患，弗救不祥；恶人在位，不去亦不祥／心虽不说，弗敢不誉；事业虽弗善，不敢不力／瞒人之事弗为，害人之心弗存，有益国家之事虽死弗避

❻当其为师，则弗臣也／茧之性为丝，弗得女工／有弗问，问之弗知，弗措也／有弗学，学之弗能，弗措也／有弗思，思之弗得，弗措也／有弗辨，辨之弗得，弗措也／不以隐约而弗务，不以康乐而加思／日月为明而弗能兼也，唯天地能函之／泰山之为大，弗察弗见，而况微渺者乎／禄之以天下，弗顾也；系马千驷，弗视也／君子有三忧：弗知，可无忧与？……可无忧与

❼良匠之目，无材弗良／冰壶玉尺，纤尘弗污／知而弗为，莫如弗知／亲而弗信，莫如弗亲／行曾而索爱，父弗得子／行母而索敬，君弗得臣／无国而无士，或弗能得也／其父析薪，其子弗克负荷／其好之也一，其弗好之也一／无稽之言勿听，弗询之谋勿庸／道而弗牵，强而弗抑，开而弗达／不能自胜而强弗从者，此之谓重伤／弗食，不知其旨；弗学，不知其善／用之者，必假于弗用也，而以长得其用／太山之高，背而弗见；秋毫之末，视之可察／虽云色白，匪染弗丽；虽云味甘，匪和弗美／子有钟鼓，弗鼓弗考；宛其死矣，他人是保／有益于化，虽小弗除；无补于政，虽大弗与／金石有声，弗叩弗鸣；管箫有音，弗吹无声／贵而下贱，则众弗恶；富能分贫，则穷士弗恶／张而不弛，文武弗能也；弛而不张，文武弗为也

❽趋舍虽不合，不敢弗从／矫枉者不过其正，弗能直／有弗问，问之弗知，弗措也／有弗学，学之弗能，弗措也／有弗思，思之弗得，弗措也／有弗辨，辨之弗得，弗措也／名生于真，非其真，弗以为名／爱子，教之以义方，弗纳于邪／功成而弗居。夫唯弗居，是以不去／苟中心图民，智虽弗及，必将至焉／泰山之为大，弗察弗见，而况微渺者乎

❾函牛之鼎沸而蝇蚋弗敢入／昆山之玉瑱而尘垢弗能污／智而教愚，则童蒙者弗恶／患生于多欲，害生于弗备／可言也不可行，君子弗言也／谤之有因者，非自修弗能止／千里之马，骨法虽具，弗策不致／十种之地，膏壤虽肥，弗耕不获／今人皆知砺其剑，而弗知砺其身

❿圣人不能为时，时至而弗失／小人以小善为无益而弗为也／三寸之管而无当，天下弗能满／有能而无益于事者，君子弗为／有理而无益于治者，君子弗言／世乱则君子为奸，而法弗能禁也／非礼之礼，非义之义，大人弗为／临下以简，御众以宽，罚弗及嗣／圣人者不能生时，时至而弗失也／小人……以小恶为无伤而弗去也／得一善则拳拳服膺，而弗失之矣／道而弗牵，强而弗抑，开而弗达／生而不有，为而不恃，功成而弗居／利虽倍于今，而不便于后，弗为也／一箪食，一豆羹，得之则生，弗得则死／君子遵道而行，半途而废，吾弗能已矣／屠者羹藿……为者不必用，用者弗肯为／太上之道，生万物而不有，成化像而弗宰／禄之以天下，弗顾也；系马千驷，弗视也／草茅弗去，则害禾谷；盗贼弗诛，则伤良民／虽云色白，匪染弗丽；虽云味甘，匪和弗美／槁竹有火，弗钻不然；土中有水，弗掘无泉／有益于化，虽小弗除；无补于政，虽大弗与／金石有声，弗叩弗鸣；管箫有音，弗吹无声／古人有言曰："其父析薪，其子弗克负荷。"／宫室富过度，上帝所亚；为者弗居，唯居必路／贤人智士之于子孙：……贻之以言，弗贻以财／贵而下贱，则众弗恶；富能分贫，则穷士弗恶／有以为未始有物者，至矣，尽矣，弗可以加矣／心虽不说，弗敢不誉；事业虽弗善，不敢不力／倚伏之矛楯也，其理甚明，困而后儆，斯弗及已／今使愚教知，使不肖临贤，虽严刑罚，民弗从也／张而不弛，文武弗能也；弛而不张，文武弗为也／从时者，犹救火、追亡人也，蹶而趋之，唯恐弗及／治国无法则乱，守法而弗变则悖，悖乱不可以持国／凡用人之道，若以燧取火，疏之则弗得，数之则弗中／有石城十仞，汤池百步，带甲百万，而亡粟，弗能守／瞒人之事弗为，害人之心弗存，有益国家之事虽死弗避／乐未毕也，哀又继之；哀乐之来，吾不能御，其去弗能止／何谓人情？喜、怒、哀、惧、爱、恶、欲，七者弗学而能／回之为人也，择乎中庸，得一善，则拳拳服膺，而弗失之矣／赏一人而败国

俗,仁者弗为也;以不信得厚赏,义者弗为也

发 ①fā 放出;发射;发生;发展;显现;揭露;启程;开始行动;引起、启发;奋起;阐发;展开,打开;发送;传达,表达;物体膨胀。②fà 头发。③bō[发发]鱼跃声。

❶发思古之幽情

见南朝·宋·范晔《后汉书·班固传》。

发谋决策,从容指顾

见宋·王安石《祭欧阳文忠公文》。

发少嫌梳利,颜衰恨镜明

见唐·刘禹锡《冬日晨兴寄乐天》。

发然后禁,则扞格而不胜

见《礼记·学记》。

发言玄远,口不臧否人物

见唐·房玄龄《晋书·阮籍传》。

发号出令以下行,期悦人意

见唐·崔颢《荐齐秀才书》。全句为:"指事立言而上达,思中天心;~"。

发纤秾于简古,寄至味于澹泊

见宋·苏轼《书<黄子思诗集>后》。

发政施仁,所以王天下之本也

见宋·朱熹《四书集注·孟子·梁惠王上》。

发为胡笳吹作雪,心因烽火炼成丹

见明·王越《断句》。

发愤忘食,乐以忘忧,不知老之将至

见《论语·述而》。

发乎声,见乎四支,谓非己心,不明也

见宋·张载《正蒙·乾称下》。全句为:"~;欲人无己疑,不能也"。

发号施令,若汗出于体,一出而不复也

见唐·吴兢《贞观政要·赦令》。

❷巧发微中/怒发上冲冠/妾发初复额……/天发杀机,龙蛇起陆/头发上指,目眦尽裂/人发杀机,天地反覆/说发胸臆,文成手中/情发于中,言无所择/简发而栉,数米而炊/齿发虽衰而风力犹在/百发失一,不足谓善射/先发制人,后发制于人/一发不可牵,牵之动全身/厚发奸之赏,峻欺下之诛/虽发语已殚,而含意未尽/源发而横流,路开而四通/结发为夫妻,恩爱两不疑/结发同枕席,黄泉共为友/轻发者,始若勇,终必怯/白发三千丈,缘愁似个长/求发吾所学者,施于物而已/戴发含齿,倚而趣者,谓之人/散发高吟,对明月于青溪之下/怒发冲冠,凭栏处,潇潇雨歇/其发于外者,烂如日星之光辉/行发于身加于人,言发乎迩见乎远/机发矢直,涧曲湍回,自然之趣也/明发又为千里别,相思应尽一生期/水发于深,而为用且远……反为患矣/一发不中,百发尽息;一举不得,前功尽弃/春发其华,秋收其实,有始有极,爰登其质/言发于迩,不可止于远;行存于身,不可掩于名

❸牵一发而动全身/彼其发短而心甚长/谋未发而闻于外,则危/每一发兵,不觉头发为白/愁与发相形,一愁白数茎/铿锵发金石,幽眇感鬼神/痈疽发于指,其痛遍于体/思风发于胸臆,言泉流于唇齿/野芳发而幽香,佳木秀而繁阴/祸恒发于太忽,而事多败于不断/爽籁发而清风生,纤歌凝而白云遏/激而发之欲其清,固而存之欲其重/轻听发言,安知非人之谮诉,当忍耐三思/身体发肤,受之父母,不敢毁伤,孝之始也/矢之发无能贯,待其止而能有穿;唯止能止众止/其有发挥新体,孤飞百代之前,开凿古人,独步九流之上

❹引而不发,跃如也/飞语一发,胪言四驰/战如风发,攻如河决/见义勇发,不计祸福/福由己发,祸由己生/有时朝发白帝,暮到江陵……/老夫聊发少年狂,左牵黄,右擎苍/善射者发不失的,善于射矣,而不善所射/正言不发,万口如封,谄媚相与,千颜一容/骇机一发,浮谤如川。巧言奇中,别白无路/杂花争发,非止桃蹊。群鸟乱飞,有逾鹦谷/沐者堕发,而犹为之不止,以所去者少,所利者多

❺鼓舞其心,发泄其用/涉千钧之发机不知惧/止如丘山,发如风雨/心隘,则一发似车轮/一沐三捉发,一饭三吐哺/乐之所起,发于人之性情/鸿卓之义,发于颠沛之朝/迎春故早发,独自不疑寒/晴日花争发,丰年酒易沽/把志气奋发得起,何事不可做/仁者以财发身,不仁者以身发财/公却是仁发处,无公则仁行不得/善为文者,发而为声,鼓而为气/人之情,易发而难制者,惟怒为甚/喜怒哀乐发而皆中节,天下之达道/兴于嗟叹,发于吟咏,而形于歌诗矣/心之精微,发而为文;文之神妙,咏而为诗

❻鼓洪炉,燎毛发/志高虑远,祸发所忽/挟艺射科,每发如望/天下将亡,其发必有门/先发制人,后发制于人/君子引而不发,跃如也/尚猷询兹黄发,则罔所愆/破山之雷,不发聋夫之耳/一沐而三捉发,一食而三起/文章之作,恒发于羁旅草野/不实在于轻发,固陋在于离贤/古之人谋黄发番番,则无所过/卫后兴于鬒发,飞燕宠于体轻/不待愤悱而发,则知之不能坚固/居之以强力,发之以果敢,而成之以无私/一发不中,百发尽息;一举不得,前功尽弃/毋逝我梁,毋发我笱;我躬不阅,遑恤我后

❼黄河清有日,白发黑无缘/流年莫虚掷,华发不相容/慎重则必成,轻发则多败/患生于所忽,祸发于细微/摅怀旧之蓄念,发思古之幽情/斩茅而嘉树列,发石而清泉激/然我一沐三捉发,一饭三吐哺/不著梳栉,而求发治,不可得也/一仪不可以百发,一衣不可以出岁/公

道世间唯白发，贵人头上不曾饶／春心莫共花争发，一寸相思一寸灰／龙吟虎啸一时发，万籁百泉相与秋／不责人小过，不发人阴私，不念人旧恶／是非不可听而发暴，曲直必宜察而辨明／感乎心，明乎智，发而成形，精之至也／疾如流矢，击如发机者，所以破精微也／喜怒哀乐之未发谓之中，发而皆中节谓之和

❽射幸数跌，不如审发／善不妄来，灾不空发／情以物迁，辞以情发／枯木逢春，萌芽便发／斩草除根，萌芽不发／矢在弦上，不得不发／箭在弦上，不得不发／每一发兵，不觉头发为白／红豆生南国，春来发几枝／砻磨乎事业，而奋发乎文章／良冶之砥石，不能发无刃之金／兵，诡道也，军事未发，不厌其密／乐者本于声，声者发于情，情者系于政／缀文者情动而辞发，观文者披文以入情／云生日入，怪状迭发，水石卉木，杳非人寰／圣人之用兵，若栉发耨苗，所去者少，而所利者多／不愤不启，不悱不发。举一隅不以三隅反，则不复也／木末芙蓉花，山中发红萼。涧户寂无人，纷纷开且落

❾千钧之弩不为鼷鼠发机／轻翰暂飞，则花葩竞发／论说之出，犹弓矢之发也／好雨知时节，当春乃发生／春早见花枝，朝朝恨发迟／每念斯耻，汗未尝不发背沾衣／为政犹沐也，虽有弃发，必为之／博辩广大危其身者，发人之恶者也／行发于身加于人，言发乎迩见乎远／牧羊驱马虽戎服，白发丹心尽汉臣／祸固多藏于隐微，而发于人之所忽／立义以为的，奠而后发，发必中矣／西家老人晓稼穑，白发空多缺衣食／根生，叶安得不茂；源发，流安得不广／有诸中者必形乎表，发乎迩者必著乎远／《诗》三百篇，大抵贤圣发愤之所为作也

❿博观而约取，厚积而薄发／荷深水风阔，雨过清香发／慌兮惚，朝朝暮暮生白发／斩草不除根，萌芽春再发／今虽不能如周公吐哺握发……／圣人顺时以动，智者因几以发／一旦临小利害，仅如毛发比……／仁者以财发身，不仁者以身发财／其为声也，凄凄切切，呼号愤发／人生在世不称意，明朝散发弄扁舟／太阳初出光赫赫，千山万山如火发／宛转蛾眉能几时，须臾鹤发乱如丝／宰相必起于州部，猛将必发于卒伍／见乎表者作乎里，形于事者发于心／惩之甚者改必速，畜之久者发必肆／立义以为的，奠而后发，发必中矣／诗，思然后积，积然后满，满然后发／君子慎其实，实之美恶，其发也不掩／故圣人常顺时而动，智者必因机以发／施为宜似千钧之弩，转发者，无宏功／天性正于受生之初，明觉发于既生之后／奉而始终之则为道，言而发明之则为诗／虎豹终日而不杀，则跳踉大叫以发其怒／百孔千疮，随乱随失，其危如一发引千钧／诗者，志之所之也。在心为志，发言为诗／诗言，志之所之也。在心为志，发言为诗／君不见高堂明镜悲白发，朝如青丝暮成雪／狗彘食人食而不知检，途有饿莩而不知发／兵不必胜，不苟接刃；攻不必取，不为苟发／荆玉含宝，要俟开莹；幽兰怀馨，事资扇发／人亦有言，忧令人老。嗟我白发，生一何早／喜怒哀乐之未发谓之中，发而皆中节谓之和／当怒不怒，奸臣为虎；当杀不杀，大贼乃发／聚者如悦，散者如别，整者如戟，乱者如发／言出于己，不可塞也；行发于身，不可掩也／言行，君子之枢机；枢机之发，荣辱之主也／震雷电激，不崇一朝；大风冲发，希有极日／事当其可与，万金与之；义所不宜，毫发拒之／真悲无声而哀，真怒未发而威，真亲未笑而和／从山阴道上行，山川自相映发，使人应接不暇／喜怒、窘穷、……有动于心，必于草书焉发之／姆抱幼子立侧，眉眼如画，发漆黑，肌肉玉雪可念／沉默呵，沉默呵！不在沉默中爆发，就在沉默中灭亡／正位居体，美在其中，而畅于四支，发于事业，美之至也／感应者气也，如是而感则如是而应，有不容以毫发差者理也／君子之行者有二焉；其未发也，慎而已矣，其既发也，义而已矣

尽

①jǐn 力求达到极限；控制在某个范围之内；优先；老是；相当于“最”。②jìn 完；达到极限；全部；死。

❶尽小者大，慎微者著

见汉·班固《汉书·董仲舒传》。

尽荆越之竹，犹不能书

见《吕氏春秋·季夏纪·明理》。

尽忠益时者，虽仇必赏

见晋·陈寿《三国志·蜀书·诸葛亮传》。全句为：“～；犯法怠慢者，虽亲必罚”。

尽道丰年瑞，丰年事若何

见唐·罗隐《雪》。全句为：“～？长安有贫者，为瑞不宜多”。

尽己之谓忠，推己之谓恕

见宋·朱熹《四书集注·论语·里仁》。

尽输助徭役，聊就空自眠

见唐·柳宗元《田家三首》之一。全句为：“～。子孙日已长，世世还复然”。

尽天下之辞，无以传其酷矣

见唐·柳宗元《先太夫人河东县太君归祔志》。全句为：“穷天下之声，无以舒其哀矣；～”。

尽规矩而进者，全礼义者也

见唐·罗隐《辨害》。全句为：“顺大道而行者，救天下者也；～”。

尽职者无他，正己格物而已

见唐·颜真卿《送福建观察使高宽仁序》。

尽信《书》，则不如无《书》
见《孟子·尽心下》。
尽力直友人之屈，不以权臣为意
见唐·韩愈《故江南西道观察使太原王公墓志铭》。
尽诚可以绝嫌猜，徇公可以弭谗诉
见唐·刘禹锡《上杜司徒书》。
尽己而不以尤人，求身而不以责下
见唐·吴兢《贞观政要·公平》。
尽有天，循有照，冥有枢，始有彼
见《庄子·徐无鬼》。
尽意而不求于言，信己而不役于人
见宋·苏轼《策略第一》。
尽公者，政之本也；树私者，乱之源也
见唐·房玄龄《晋书·刘颂传》。
尽其心者，知其性也；知其性，则知天矣
见《孟子·尽心上》。
尽若穷烟，离若箭弦，如影灭地，犹星殒天
见南朝·宋·鲍照《伤逝赋》。
尽者情露，好人行尽于人，而不能纳人之径
见三国·魏·刘劭《人物志·七缪》。

❷扫尽市朝陈迹／身尽其故则美／折尽长条为寄谁／搜尽奇峰打草稿／春尽江南尚薄寒／不尽天极，衰者复昌／数尽则穷，盛满而衰／用尽身贱，功成祸归／雾尽披天，萍开见水／霜尽川长，云平野阔／韶尽美矣，又尽善也／兴尽悲来，识盈虚之有数／陶尽门前土，屋上无片瓦／落尽最高树，始知松柏青／冬尽今宵促，年开明日长／应尽便须尽，无复独多虑／学尽百禽语，终无自己声／杀尽田野人，将军犹爱武／鸟尽良弓藏，谋极身必危／非尽百家之美，不能成一人之奇／变尽人间，君山一点，自古如今／财尽则怨，力尽则怼，君子危之／必尽读天下之书，尽通古今之事／误尽平生是一官，弃家容易变名难／荷尽已无擎雨盖，菊残犹有傲霜枝／炷尽沉烟，抛残绣线，恁今春关情似去年／不尽知用兵之害者，则不能尽知用兵之利也／地尽天水合，朝及洞庭湖，初日当中涌，莫辨东西隅

❸物色尽而情有余／言有尽而意无穷／时祀尽敬而不祈喜／忠信尽治而无求焉／言有尽而情不可终／一国尽乱，无有安家／书不尽言，言不尽意／参不尽者，天下之理／进思尽忠，退思补过／所求尽矣，所利移矣／鞠躬尽力，死而后已／含不尽之意，见于言外／上不尽利，则民有以为生／星河尽涵泳，俯仰迷上下／不能尽其力，则不能成其功／不能尽其心，则不能尽其力／民力尽于无用，财宝虚以待客／举世尽从愁里老，谁人肯向死前闲／飞鸟尽，良弓藏；狡兔死，走狗烹／人人尽说江南好，游人只合江南老／豪华尽出成功后，逸乐安知与祸双／狡兔尽则良犬烹，敌国灭则谋臣亡／潦水尽而寒潭清，烟光凝而暮山紫／定者，尽俗之极地……持安之毕事／好事尽从难处得，少年无向易中轻／蜚鸟尽，良弓藏；狡兔死，走狗烹／言有尽而意无穷者，天下之至言也／下者尽力而无耗弊，上者量民而用有节／人能尽性知天，不为蓦然起见，则几矣／阴阳尽，而四时成焉；刚柔尽，而四维成焉／挺然尽心，敢任天下之责者，即当委而付之／见不尽者，天下之事；读不尽者，天下之书／子美……尽得古今之体势，而兼人人之所独专矣／君能尽礼，臣得竭忠，必在于内外无私，上下相信／言贵尽心，亦各其所见也，若是非，则明智者裁之

❹取之不尽，用之不竭／岁月易尽，光阴难驻／狡兔已尽，良犬就烹／数穷则尽，盛满则衰／肴核既尽，杯盘狼藉／士卒不尽饮，广不近水／士卒不尽食，广不尝食／文不能尽言，言不能尽意／忠足以尽己，恕足以尽物／眼看人尽醉，何忍独为醒／读之者尽而有余，久而更新／劝君更尽一杯酒，西出阳关无故人／遗民泪尽胡尘里，南望王师又一年／妙不可尽之于言，事不可穷之于笔／机关算尽太聪明，反算了卿卿性命／总教掬尽三江水，难洗今朝一面羞／虚檐立尽梧桐影，络纬数声山月寒／子谓《韶》，"尽美矣，又尽善也"／欲为君，尽君道；欲为臣，尽臣道。二者皆法尧舜而已矣

❺传闻何可尽信／一肌一容，尽态极妍／不著一字，尽得风流／卑宫室而尽力乎沟洫／作事不可尽，尽则穷／善攻者不尽兵以攻坚城／善守者不尽兵以守敌冲／极身毋二，尽公不还私／古人愁不尽，留与后人愁／华岳眼前尽，黄河脚底来／何惜微躯尽，缠绵自有时／势不可使尽，福不可享尽／山岳移可尽，江海塞可绝／应尽便须尽，无复独多虑／道由白云尽，春与青溪长／居常待其尽，曲肱岂伤冲／白日依山尽，黄河入海流／辞有所未尽，意有所未竭／野火烧不尽，春风吹又生／青枫暝色，尽是伤心之树／骨消肌肉尽，体若枯树皮／义理不先尽，则多听而易惑／蹉跎岁月，尽此身污秽乾坤／奈何取之尽锱铢，用之如泥沙／仁，则私欲尽去，而心德之全也／为虏为王尽偶然，有何羞见汉江船／以千百就尽之卒，战百万日滋之师／婉而成章，尽而不污，惩恶而劝善／自古圣贤尽贫贱，何况我辈孤且直

❻知必言，言必尽／惟善人能受尽言／各因其才而尽其力／天之大，阴阳尽之矣／乘兴而行，兴尽而返／作事不可尽，尽则穷／刀锥之末，将尽争之／地之大，刚柔尽之矣／韶尽美矣，又尽善也／以财交者，财尽而交绝／图形于影，未尽纤丽之容／积之而后高，尽之而后圣／便宜不

可占尽，聪明不可用尽／上因天时，下尽地财，中用人力／财尽则怨，力尽则怼，君子危之／聊乘化以归尽，乐夫天命复奚疑／曲妙人不能尽和，言是人不能皆信／做到私欲净尽，天理流行，便是仁／人生得意须尽欢，莫使金樽空对月／喷气则白日尽晦，刷马则清江倒流／教人至难，必尽人之材，乃不误人／有意而言，意尽而言止者，天下之至言也／不与万物共尽，而卓然其不朽者，后世之名／反裘负薪，里尽毛殚，刖趾适屦，刻肌伤骨／以势交者，势尽则疏；以利合者，利尽则散／以物与人，物尽而止；以法活人，法行无穷

❼一简之内，音韵尽殊／头发上指，目眦尽裂／书不尽言，言不尽意／歌以咏言，舞以尽意／霜露既降，木叶尽脱／以利相交者，利尽而疏／喜极不得语，泪尽方一哂／本以势力交，势尽交情止／以才御物，才有尽而物无穷／以书为御者，不尽于马之情／抱薪救火，薪不尽，火不灭／吏所以治民，能尽其治则民赖之／大江东去，浪淘尽千古风流人物／一生肝胆向人尽，相识不如不相识／天长地久有时尽，此恨绵绵无绝期／春色不随亡国尽，野花只作旧时开／春蚕到死丝方尽，蜡炬成灰泪始干／教会宣明，不能尽力，士卒之罪也／自细视大者不尽，自大视细者不明／其谤且誉者，岂尽明而善褒贬也哉／贤人在世，进则尽忠宣化，以明朝廷／一发不中，百发尽息；一举不得，前功尽弃／引物连类，穷情尽变；宫商相宣，金石谐和／天下之事，不可尽知，而以臆断之，不可任也／处顺境内，眼前尽兵刃戈矛，销膏靡骨而不知

❽不管人责，但求自尽／知无不言，言无不尽／中道而止，则前功尽弃／小巫见大巫，神气尽矣／不目见口问，不能尽知也／京城禁珠翠，天下尽琉璃／馋人自食其肉，肉尽必死／梧桐一叶落，天下尽知秋／时逢矣，有用而不尽其施／悠悠失乡县，处处尽云烟／以权利合者，权利尽而交疏／不有所忍，不可以尽天下之利／举事而不时，力虽尽，其功不成／在上而多誉者，岂尽仁而智也哉／在下而多谤者，岂尽愚而狡也哉／必尽读天下之书，尽通古今之事／子谓《韶》，“尽美矣，又尽善也”／君不见比来翁姥尽饥死，狐狸嚗骨乌啄眼／尽者情露，好人行尽于人，而不能纳人之径／近而不浮，远而不尽，然后可以言韵外之致耳／看万山红遍，层林尽染；漫江碧透，百舸争流

❾强不能遍立，智不能尽谋／文不能尽言，言不能尽意／忠足以尽己，恕足以尽物／不能尽其心，则不能尽其力／飞霜迎地，兰萧衔共尽之悲／观天之道，执天之行，尽矣／蜉蝣朝生而暮死，而尽其乐／有生之气，有形之状，尽幻也／无边落木萧萧下，不尽长江滚滚来／可能十万珍珠字，买尽千秋儿女心／东南四十三州地，取尽膏脂是此河／千淘万漉虽辛苦，吹尽狂沙始到金／司空见惯浑闲事，断尽苏州刺史肠／剖开顽石方知玉，淘尽泥沙始见金／今朝有酒今朝醉，且尽樽前有限杯／莫思身外无穷事，且尽生前有限杯／君听浊浪金焦外，淘尽英雄是此声／横空出世，莽昆仑，阅尽人间春色／有时忽得惊人句，费尽心机做不成／文章随世作抵昂，变尽风骚到晚唐／君子之事上也，进思尽忠，退思补过／君子之去小人，惟能尽去，乃无后患／狡兔死，良狗烹；高鸟尽，良弓藏；敌国破，谋臣亡

❿势不可使尽，福不可享尽／虽发语已殚，而含意未尽／树德莫如滋，去疾莫如尽／以道应物，道无穷而物有尽／不能容人者无亲，无亲者尽人／便宜不可占尽，聪明不可用尽／法者，所以适变也，不必尽同／虽禀极聪，而有声者不可尽闻焉／酒极则乱，乐极则悲，万事尽然／滚滚长江东逝水，浪花淘尽英雄／引笔行墨，快意累累，意尽便止／磨砻底厉，不见其损，有时而尽／一语天然万古新，豪华落尽见真淳／天生我材必有用，千金散尽还复来／不是花中偏爱菊，此花开尽更无花／冲天香阵透长安，满城尽带黄金甲／土地之生物不益，山泽之出财有尽／若君不修德，舟中之人尽为敌国也／口乃心之门，守口不密，泄尽真机／狡兔得而猎犬烹，高鸟尽而强弩藏／如此如此复如此，壮心死尽生鬓丝／明发又为千里别，相思应尽一生期／春风杨柳万千条，六亿神州尽舜尧／牧羊驱马虽戎服，白发丹心尽汉臣／欲心难厌如溪壑，财物易尽若漏卮／炼句炉槌岂可无？句成未必尽缘渠／烟霞充耳目之玩，鱼鸟尽江湖之赏／忽喇喇似大厦倾，昏惨惨似灯将尽／言有浮于其意，而意有不尽于其言／天地在我首之上，足之下，开目尽见／千古圣贤若同堂合席，必无尽合之理／反裘而负薪，爱其毛，不知其皮尽也／君不见今人交态薄，黄金用尽还疏索／处事者不以聪明为先，而以尽心为急／富者，苦身疾作，多积财而不得尽用／天下之理不可穷也，天下之性不可尽也／不责人以细过，则能吏之志得以尽其效／生不能相养以共居，殁不得抚汝以尽哀／任其事必图其效，欲责其效，必尽其方／自其不变者而观之，则物与我皆无尽也／天之所覆，地之所载，莫不尽其美致其用／千古兴亡多少事，悠悠。不尽长江滚滚流／若夫有道之士，必礼必知然后其智能可尽／一发不中，百发尽息；一举不得，前功尽弃／一日万机，一人听断，虽复忧劳，安能尽善／不尽知用兵之害者，则不能尽知用兵之利也／以势交者，势尽则疏；以利

合者，利尽则散／孔曰成仁，孟曰取义，惟其义尽，所以仁至／阴阳尽，而四时成焉；刚柔尽，而四维成焉／取士之方，必求其实；用人之术，当尽其材／左右前后，莫匪俊良；小大之材，咸尽其用／唯劝农业，无夺农时；唯薄赋敛，无尽民财／状难写之景如在目前；含不尽之意见于言外／法小弛则是非驳，赏不必尽善，罚不必尽恶／梅花过时，槐色犹在，白云芳草，尽入诗兴／见不尽者，天下之事；读不尽者，天下之书／譬如一灯，入于暗室，百千年暗，悉能破尽／其有法者以法行，无法者以类举，听之尽也／年过八十而以居位，譬犹钟鸣漏尽而夜行不休／任法而不任人，则法有不通，无以尽万变之情／常以事于无形之外，而不留思尽虑于成事之内／有以为未始有物者，至矣，尽矣，弗可以加矣／争构纤微，竞为雕刻……；骨气都尽，刚健不闻／有云水襟怀，有松柏气节，典型顿失，人尽含悲／祸藏福中，福极则祸至。福隐祸内，祸尽则福来／罄南山之竹，书罪未穷；决东海之波，流恶难尽／学者必务知要，知要则能守约，守约则足以尽博矣／求之而后得，为之而后成，积之而后高，尽之而后圣／博取之象数，远征之古今，以求尽乎理，所谓格物也／关山难越，谁悲失路之人？萍水相逢，尽是他乡之客／圣人者常以事于无形之外，而不留思尽虑于成事之内／莫道男儿心如铁，君不见满川红叶，尽是离人眼中血／学者自强不息，则积少成多；中道而止，则前功尽弃／君子尊德性而道问学，致广大而尽精微，极高明而道中庸／欲为君，尽君道；欲为臣，尽臣道。二者皆法尧舜而已矣／名也者，相轧也；知也者，争之器也，二者凶器，非所以尽行也

买 mǎi 拿钱换取东西，与“卖”相对；用钱、物等换取好处；姓。

❶买得风光不著钱

见宋·徐积《谁学得》。

买马不论足力，以黑白为仪，必无走马

见《尸子》。

❸百万买宅，千万买邻／持钱买水，所取有限／万金买高爵，何处买青春／百金买骏马，千金买美人／珠玉买歌笑，糟糠养贤才／博士买驴，书卷三纸，未有驴字／无力买田聊种水，近来湖面亦收租／贩交买名之薄，吮痈舐痔之卑，安足议其是非

❺不把黄金买画工，进身羞与自媒同／黄金白璧买歌笑，一醉累月轻王侯／欲就麻姑买沧海，一杯春露冷如冰／错把黄金买词赋，相如自是薄情人／朱门日日买朱娥，军事如何，民事如何

❻白璧青钱，欲买春无价／夺我身上暖，买尔眼前恩

❼百万买宅，千万买邻／有钱的纳宠妾、买人口、偏兴旺

❽万金买高爵，何处买青春／百金买骏马，千金买美人／方衔感于一剑，非买价于泉里／可能十万珍珠字，买尽千秋儿女心

❾洗心得真情，洗耳徒买名

❿古人采铜于山，今人则买旧钱／不见古人卜居者，千金只为买乡邻／生来不读半行书，只把黄金买身贵

乱 luàn 没有秩序和条理；使失去秩序；不安宁；局势不安定或发生战争；任意，随便；不正当的两性关系；横渡；乐曲的最后一章或辞赋篇末总括全篇要旨的一段。

❶乱政生灾

见汉·焦赣《易林·睽·大畜》。

乱生必由怨起

见唐·陈子昂《谏雅州讨生羌书》。

乱国之使其民……

见《吕氏春秋·离俗览·适威》。全句为：“～，不论人之性，不反人之情，烦为教而过不识，数为令而非不从，巨为危而罪不敢，重为任而罚不胜”。“过”，责；“识”，知。意为责难人们不懂。“巨”，同“拒”。“罪不敢”，处罚那些不敢赴危险的人。

乱而思理，生人大情

见唐·陈子昂《上西蕃边州安危事》。

乱之上也，治之下也

见《庄子·天下》。

乱之本，鲜不成于上

见清·戴震《原善》。全句为：“～。……乃曰民之所为不善，用是而仇民，亦大惑矣”。

乱则国危，治则国安

见《荀子·王霸》。

乱离之后，风俗难移

见唐·吴兢《贞观政要·仁义》。

乱国之俗，甚多流言

见《吕氏春秋·审应览·离谓》。

乱者思理，危者求安

见唐·柳宗元《礼部为文武百僚请听政表》。

乱政亟行，所以败也

见《左传·隐公五年》。

乱其教，繁其刑……

见三国·魏·王肃《孔子家语·始诛》。全句为：“～，使民迷惑而陷焉，又从而制之，故刑弥繁而盗不胜也”。

乱群败众者，惟在奸雄

见唐·陈子昂《上军国机要事》。全句为：“～，奸雄既羁，乱弊自息”。

乱世之音怨以怒，其政乖

见《礼记·乐记》。全句为：“治世之音安以乐，其政和；～”。

乱世惟求其才，不顾其行

见唐·吴兢《贞观政要·择官》。全句为："～。太平之时，必须才行俱兼，始可任用"。

乱后易理，犹饥人易食也

见唐·白居易《为人上宰相书》。

乱或资理者，遭乱而能惧

见唐·陆贽《论叙迁幸之由状》。全句为："理或生乱，乱或资理。有以无难而失守，有因多难而兴邦。理或生乱者，恃理而不修也。～"。

乱臣贼子，人人得而诛之

见宋·朱熹《四书集注·孟子·滕文公下》。

乱生于甚细，终于不救……

见清·戴震《原善》。全句为："～，无他故，术容悦者为之于不觉也"。

乱我心者，今日之日多烦忧

见唐·李白《宣州谢朓楼饯别校书叔云》。全句为："弃我去者，昨日之日不可留；～"。

乱之所生也，则言语以为阶

见《周易·系辞上》。

乱极则治，暗极则光，天之道也

见太平天国·洪秀全《原道醒世训》。

乱石穿空，惊涛拍岸，卷起千堆雪

见宋·苏轼《念奴娇》。

❷世乱则谗胜／治乱绳不可急／祸乱生于所忽／拨乱世而反之正／拨乱世，反诸正／治乱世，用重典／治乱之本在左右／治乱废兴在于己／理、乱，在上也／与乱同事，罔不亡／百乱之源，皆出嫌疑／拨乱反正，承平百年／治乱者系乎言路而已／积乱之后，当生大贤／世乱奴欺主，年衰鬼弄人／丧乱死多门，鸣呼泪如霰／以乱攻治者亡，以邪攻正者亡／世乱则君子为奸，而法弗能禁也／拨乱反正之君，资拔山超海之力／国乱则择其邪人去之，则国治矣／有乱君，无乱国；有治人，无治法／见乱而不惕，所残必多；其饰，弥章／治乱存亡，其始若秋毫，察其秋毫，则大物不过／凡乱也者，必始乎近而后及远，必始乎本而后及末／伪乱俗，私坏法，放越轨，奢败制。四者不除，则政未由行矣

❸巧言乱德／利诚乱之始／病笃乱投医／惟治乱在庶官／荒者，乱之萌也／世有乱人而无乱法／私者，乱天下者也／长舌乱家；大斧破车／变古乱常，不死则亡／能理乱丝，乃可读书／能理乱丝，始可读诗／多指乱视，多言乱听／羊之乱群，犹能为害／粗服乱头，不掩国色／国动乱者，而民劳疲也／其本乱，而末治者，否矣／无常乱之国，无不可理之民／达治乱之要者，遏将来之患／天道乱，而日月星辰不得其行／地道乱，而草木山川不得其平／寄治乱于法术，托是非于赏罚／使治乱存亡若高山之与深溪……／有为，乱之首也；无为，治之元也／胸中乱则择其邪欲而去之，则德正矣／解杂乱纷纠者不控卷，救斗者不搏撠／自谓乱且危者，则自戒自强，虽乱必理／人之乱也，由夺其食；人之危也，由竭其力／自古乱亡之国，必先坏其法制，而后乱从之

❹当局则乱／治亦进，乱亦进／贫可富，乱可治／天下治乱系于用人／国家昏乱，有忠臣／一国尽乱，无有安家／一家皆乱，无有安身／天下大乱，无有安国／天下昏乱，忠臣乃见／未闻身乱而国治者也／勿烦勿乱，和乃自成／治不忘乱，安不忘危／官多则乱，将多则败／道私者乱，道法者治／理或生乱，乱或资理／无以物乱官，毋以官乱心／儒以文乱法，侠以武犯禁／理或生乱者，恃理而不修也／死人如乱麻，暴骨长城之下／《关雎》之乱，洋洋乎盈耳哉／酒极则乱，乐极则悲，万事尽然／民之治乱在于吏，国之安危在于政／民之治乱在于上，国之安危在于政／不以物乱官，不以官乱心，是谓中得／未有暴乱不止而能活生人、定国家者／智巧，扰乱之罗也；有为，败事之纲也／心不可乱，则利至而必知，害至而必察／天下治乱，不在一姓之兴亡，而在万民之忧乐／世之治乱，在赏当其功，罚当其罪，即无不治／天下大乱，贤圣不明，道德不一，天下多得一察焉以自好

❺法败则国乱／无作聪明乱旧章／事愈烦而乱愈生／能士乐治乱之事／小不忍则乱大谋／恶郑声之乱雅乐也／一物失称，乱之端也／危者望安，乱者仰治／治则刑重，乱则刑轻／理或生乱，乱或资理／思其所以乱，则治矣／怨之所聚，乱之本也／郑卫之音，乱世之音也／不摇香已乱，无风花自飞／吏不治则乱，农事缓则贫／制治于未乱，保邦于未危／军多令则乱，酒多约则辩／又闻理与乱，系人不系天／扬威以弭乱，震武以止暴／沙角台高，乱帆收向天边／纷乎其若乱，静之而自治／用智则国乱，息智则人安／无丝竹之乱耳，无案牍之劳形／不可以有乱急，亦不可以无乱弛／先王恶其乱也，故制礼义以分之／心不知治乱之源者，不可令制法／天下之大乱，由虚文胜而实行衰也／天下之治乱，系乎人君仁与不仁耳／有乱君，无乱国；有治人，无治法／今处昏上乱相之间，而欲无惫，奚可得邪／忧天下之乱，犹忧河水之少，泣而益之也／利而诱之，乱而取之，实而备之，强而避之／委任不一，乱之媒也；监察不止，奸之府也／天下之治乱，不在一姓之兴亡，而在万民之忧乐／祸世之匠，乱国之工，绝逆天地，伤害我身，莫大乎名

❻临大事而不乱／德惟治，否德乱／治国烦，则下乱／疏必危，亲必乱／上枉下曲，上乱下逆／以危为安，以乱为治／伤化败俗，大乱之道／然

诸不行，政乱无绪／怠惰忽略，必乱其政／距谏所败，祸乱所成／天下之公患，乱伤之也／仁功难著，而乱源易成／善不善不分，乱莫大焉／治国常富，而乱国常贫／子不语怪、力、乱、神／虚无谲诡，此乱道之根／任沈江刘，来乱辙而弥远／剪不断，理还乱，是离愁／治世之能臣，乱世之奸雄／清平之奸贼，乱世之英雄／理生于危心，乱生于肆志／时来故旧少，乱后别离频／天下每每大乱，罪在于好知／一治必又一乱，一乱必又一治／以武功定祸乱，以文德致太平／赏无功谓之乱，罪不知谓之虐／一则治，异则乱；一则安，异则危／苟全性命于乱世，不求闻达于诸侯／始以护人之乱为义，而终掠乱以求之／百孔千疮，随乱随失，其危如一发引千钧／女恶华丹之乱窈窕也，书恶淫辞之淈法度也／治国无法则乱，守法而弗变则悖，悖乱不可以持国／历观前代拨乱创业之主，生长民间，皆识达情伪，罕至于败亡

❼言愈多而理愈乱／无礼义，则上下乱／正者治，名奇者乱／世有乱人而无乱法／隆一而治，二而乱／无拳无勇，职为乱阶／多指乱视，多言乱听／宁可湿衣，不可乱步／自古治时少而乱时多／辩变白黑，巧言乱国／礼者道之华而乱之首也／开幸人之志，兆乱臣之心／世治则礼详，世乱则礼简／乱或资理者，遭乱而能惧／处治世宜方，处乱世宜圆／治强生于法，弱乱生于阿／家贫思良妻，国乱思良相／途穷天地窄，世乱死生微／机权多门，是纷乱之原也／时危见臣节，世乱识忠良／水激则波兴，气乱则智昏／孔子成《春秋》而乱臣贼子惧／儒者口能言治乱，无能以行之／太史公曰：……利，诚乱之始也／治则衍及百姓，乱则不足及王公／坑灰未冷山东乱，刘项元来不读书／纵民之情谓之乱，绝民之情谓之荒／礼之大本，以防乱也……凡为理者杀无赦／士穷见节义，世乱识忠臣，欲学者必周于德

❽一人贪戾，一国作乱／于安思危，于治忧乱／无为则理，有为则乱／兵者所以禁暴讨乱也／以德和民，不闻以乱／偏听生奸，独任成乱／当断不断，反受其乱／国无常治，又无常乱／夕阳在山，人影散乱／安静则治，暴疾则乱／时移而治不易者，乱／思虑过度，则智识乱／广引深远，以明治乱之原／清高之行，显示衰乱之世／炉火照天地，红星乱紫烟／国之将亡，贤人隐，乱臣贵／杂施而不孙，则坏乱而不修／一治必又一乱，一乱必又一治／治平者先仁义，治乱者先权谋／家贫则思良妻，国乱则思良相／骄奢生于富贵，祸乱生于疏忽／理平者先仁义，理乱者先权谋／礼者，忠信之薄，而乱之首也／病困乃重良医，世乱而贵忠贞／暮色苍茫看劲松，乱云飞渡仍从容／治世之官详于下，乱世之官叠于上／威猛之政宜于讨乱，以之治善则暴／火力不能销地力，乱前黄菊眼前开／居安忘危，处治忘乱，所以不能长久／赏善而不罚恶则乱，罚恶而不赏善亦乱／军暴而后戢之，兵乱而后遏之，善则善矣／六经之治，贵于未乱；兵家之胜，贵于未战／法令赏罚者，诚治乱之枢机也，不可不严行也／未尝闻身治而国乱者也，又未尝闻身乱而国治者也／安不忘危，治不忘乱，虽知今日无事，亦须思其终始／病已成而后药之，乱已成而后治之，譬犹渴而穿井，斗而铸锥，不亦晚乎

❾任贤而理，任不肖而乱／好勇不好学，其蔽也乱／胜任者治，则百官不乱／灭祸不自其基，必复乱／心不可伏，而伏之愈乱／无以物乱官，毋以官乱心／军之持麾者，妄指则乱矣／德盛者治也，德薄者乱也／逸政多忠臣，劳政多乱人／好胜者灭理，肆欲者乱常／聚古今之精英，实治乱之龟鉴／为君不君，为臣不臣，乱之本也／世治则以义卫身，世乱则以身卫义／茂树恶木，嘉葩毒卉，乱杂而争植／德薄者恶闻美行，政乱者恶闻治言／遭治世不避其任，遇乱世不为苟存／不以物乱官，不以官乱心，是谓中得／气衰则生物不育，世乱则礼废而乐淫／世治则愚者不能独乱，世乱则智者不能独治／贫生于富，弱生于强，乱生于化，危生于安／贫生于富，弱生于强，乱生于治，危生于安／无以待之，则十百而乱；有以待之，则千万若一

❿为之于未有，治之于未乱／刑称罪则治，不称罪则乱／利莫大于治，害莫大于乱／勇则不可犯，智则不可乱／治大者不可以烦，烦则乱／水浊则鱼困，令苛则民乱／言路开则治，言路塞则乱／未有不能制兵而能止暴乱者／为惠者生奸，而为暴者生乱／处其位而不履其事，则乱也／法修则安且治，废则危且乱／滴沥空庭，竹响共雨声相乱／概观世运，厚则治，薄则乱／心为万事主，动而无节即乱／天下兼相爱则治，交相恶则乱／百吏畏法循绳，然后国常不乱／非药曷以愈疾，非兵胡以定乱／尊贤考功则治，简贤违功则乱／圣人不以人滑天，不以欲乱情／法令行则国治，法令弛则国乱／强臣专国，则天下震动而易乱／身不用德，而望德于人，乱也／天下和平，灾害不生，祸乱不作／不可以有乱急，亦不可以无乱弛／未有身正而影曲，上治而下乱者／乐闻过，罔不兴；拒谏，罔不乱／以慧治国者，始于治，常卒于乱／人情繁则怠，怠则诈，诈则益乱／弊政之大，莫若贿赂行而征赋乱／奸诈既作，盗贼日多，谓之乱政／木生内蠹，上下相贼，祸乱我国／轻始而傲微，则其流必至于大乱／立官不能使之方，以私欲乱之也／义胜

利者为治世，利克义者为乱世／博见为馈贫之粮，贯一为拯乱之药／诛赏不可以缪，诛赏缪则善恶乱矣／防其微，杜其渐，使不至于暴乱也／至乐不得恣所欲，主怒不得乱所为／地广非常安之术，人劳乃易乱之源／大才怀百家之言，故能治百家之乱／大仁者修治天下，大恶者扰乱天下／君子无小人则饥，小人无君子则乱／君子不怀暴君之禄，不处乱国之位／德无以安之则危，政无以和之则乱／饥召兵，疾召兵，劳召兵，乱召兵／宛转蛾眉能几时，须臾鹤发乱如丝／经纬天地之谓文，戡定祸乱之谓武／爱人以除残为务，政理以去乱为心／心治则百节皆安，心忧则百节皆乱／思所以危则安矣，思所以乱则治矣／身之病待医而愈，国之乱待贤而治／黑云翻墨未遮山，白雨跳珠乱入船／始以护人之乱为义，而终掠乱以求之／心之所可失理，则欲虽寡，奚止于乱／以治身则危，以治国则乱，以入军则破／尽公者，政之本也；树私者，乱之源也／侮圣言，逆忠直，远耆德……时谓乱风／兴国之君乐闻其过，荒乱之主乐闻其誉／读史当观大伦理，大机会，大治乱得失／堤防成而民无水灾，礼义立，民无乱患／小人非才不能动人，小人非才不能乱国／小人贫斯约，富斯骄；约斯盗，骄斯乱／君开一源，下生百端之变，无不乱者也／国家治，则四邻贺；国家乱，则四邻散／安而不忘危，存而不忘亡，治而不忘乱／贤者之于情，非不动也，能动而不乱耳／赏善而不罚恶则乱，罚恶而不赏善亦乱／风霜以别草木之性，危乱而见贞良之节／文生于情，情生于哀乐，哀乐生于治乱／目妄视则淫，耳妄听则惑，口妄言则乱／自谓乱且危者，则自戒自强，虽乱必理／释规而任巧，释法而任智，惑乱之道也／当天时，与之皆断；当断不断，反受其乱／得大数而治，失大数而乱，此治乱之分也／得已而不已，不得已而已之，二者皆乱也／贤不肖不杂则英杰至，是非不乱则国家治／有欲、无欲，异类也，生死也，非治乱也／齐桓公以管仲辅之则理，以易牙辅之则乱／自古失国之主，皆为居安忘危，处治忘乱／三皇五帝之治天下，名曰治之，而乱莫甚焉／上之为政，得下之情则治，不得下之情则乱／不广其从，不为兵邾，不为乱首，不为宛谋／世治则愚者不能独乱，世乱则智者不能独治／兵者凶器，必有凶扰，扰则思乱，乱出不意／周于利者凶年不能杀，周于德者邪世不能乱／为善不同，同归于治；为恶不同，同归于乱／圣人虽有独知之明，常如阇昧，不以曜乱人／暮春三月，江南草长，杂花生树，群莺乱飞／小人之情，缓则骄……危则谋乱，安则思欲／君开一源，下生百端。百端之变，无不动乱／杂花争发，非止桃蹊。群鸟乱飞，有逾鹦谷／智鄙相笼，强弱相陵，天下之乱何时而已乎／恶不可积，过不可长；积恶长过，丧乱之源／罪至重而刑至轻，庸人不知恶矣，乱莫大焉／用智为政，务欲理人。智变奸生，祸乱滋起／聚者如悦，散者如别，整者如戟，乱者如发／自古乱亡之国，必先坏其法制，而后乱从之／民之所以僻，治之所以乱，皆由上，不由其下／国之所以治者，君明也；其所以乱者，君暗也／贤者，用之则天下治；不肖者，用之则天下乱／礼者贱质而贵文，故正直日以少，邪乱日以生／凡治国令其民争行义也，乱国令其民争为不义也／嗜欲无穷，则必有贪鄙悖乱之心，淫佚奸诈之事／法者，国仰以安也；顺则治，逆则乱，甚乱者灭／水行者表深，使人无陷；治民者表乱，使人无失／贤不肖，善邪辟，可悖逆，国不乱身不危奚待也／上多欲，下多端，法不定，政多门，此乱国之风也／未尝闻身治而国乱者也，又未尝闻身乱而国治者也／治国无法则乱，守法而弗变则悖，悖乱不可以持国／天下至大器也，帝王至重位也，得士则靖，失士则乱／善计天下者不视天下之安危，察其纪纲之理乱而已矣／喜则滥赏无功，怒则滥杀无罪，是以天下丧乱，莫不由此／所贵于天下之士者，为人排患、释难、解纷乱而无所取也／苟意不先立，止以文彩辞句，绕前捧后，是言愈多而理愈乱／能明申、韩之术而修商君之法，法修术明而天下乱者，未之闻也／《国风》好色而不淫，《小雅》怨诽而不乱，若《离骚》者，可谓兼之

肃

sù 认真；肃清；恭敬；拜；整顿；通"速"，敏捷。

❷吏肃惟遵法，官清不爱钱

❸至阴肃肃，至阳赫赫

❹严冬不肃杀，何以见阳春

❼未必上流须鲁肃，腐儒空白九分头／剑戟横空金气肃，旌旗映日彩云飞

❾衣冠不正，则宾者不肃

❿每至晴初霜旦，林寒涧肃／每至晴初霜旦，林寒涧肃……

乳

rǔ 奶汁；像奶的东西；乳房；幼小的；繁殖。

❶乳狗之噬虎也，伏鸡之搏狸也

见汉·刘安《淮南子·说林》。全句为："～，恩之所加，不量其力"。

❸无养乳虎，将伤天下

❹孤犊触乳，骄子骂母

❿冥冥花正开，扬扬燕新乳

承

①chéng 承接；承担；谦辞；蒙受；继承；制止；先后次序；通"惩"；姓。②zhěng 通"拯"，救。

❶承恩不在貌，教妾若为容

见唐·杜荀鹤《春宫怨》。

❹因果相承，从微至著，通名为渐

❺拨乱反正，承平百年

❻律诗要法：起、承、转、合

❼读书不可无师承，立论不可无依据

❽人当自信自守，虽承誉之，承奉之，亦不为之加喜爱／先哲王之政，一曰承天，二曰正身，三曰任贤，四曰恤民，五曰明制，六曰立业

❾鄙朴忤逆者未必悖，承顺惬可者未必忠

❿至哉坤元！万物资生，乃顺承天／人当自信自守，虽承誉之，承奉之，亦不为之加喜爱

亟 ①jí 急；迫切。②qì 屡次。

❶亟战则民凋，不习则民怠

见北齐·刘昼《新论·阅武》。全句为："～，故兵不妄动，而习武不辍"。

亟则黩，黩则不敬；君子之祭也，敬而不黩

见《公羊传·桓公八年》。

❸无羞亟问，不愧下学／乱政亟行，所以败也

❹画布为亟不可以当戈戟／墙薄则亟坏……酒薄则亟酸

❼火愈然而消愈亟

❾墙薄则亟坏……酒薄则亟酸／君子一教，弟子一学，亟成

❿强而骄者损其强，弱而骄者亟死亡／物暴长者必夭折，功卒成者必亟坏／子思以为鼎肉使己仆仆尔亟拜也，非养君子之道也

咫 zhǐ 古代长度单位，周代八寸为一咫；通"则"。

❶咫尺之图，写百千里之景

见唐·王维《画学秘诀》。全句为："～。东西南北，宛尔目前；春夏秋冬，生于笔下"。

咫尺愁风雨，匡庐不可登

见唐·钱珝《江行无题一百首》之六十八。

咫尺之管，文敏者执而运之，所如皆合

见唐·刘禹锡《唐故相国赠司空令狐公集纪》。

❸人面咫尺，心隔千里／不宝咫尺玉，而爱寸阴旬

❺寸步千里，咫尺山河／寸心万绪，咫尺千里

❿志合者不以山海为远，道乖者不以咫尺为近

豫 ①yù 欢喜；安逸；游乐；通"预"，事先有准备；通"与"，参与；河南省的简称；犹豫；厌烦；欺骗；六十四卦之一；姓。②xù 古代乡学名。

❶豫焉，若冬涉川；犹兮，若畏四邻

见《老子》十五。

豫者图患于未然，犹者致疑于已是

见宋·李霖《道德真经取善集》。

❷备豫不虞，为国常道／盱豫，悔。迟，有悔／备豫不虞，善之大者也

❸凡事豫则立，不豫则废／事不豫辨，不可以应卒；内无备，不可以御敌／楩楠豫章之生也，七年而后知，故可以为棺舟

❹不困在豫慎，见祸在未形

❺无康好逸豫，乃其乂民／猛虎之犹豫，不若蜂虿致螫／兵者不可豫言，临难而制变者也／乐于用则豫章贵，厚其生则社栎贤

❻土积成山，则豫樟生焉／用兵之害，犹豫最大；三军之灾，生于狐疑／因循苟且逸豫而无为，可以侥幸一时，而不可旷日持久

❼君子以思患而豫防之／凡事豫则立，不豫则废／先患虑患谓之豫，豫则祸不生／余将董道而不豫兮，固将重昏而终身

❽巧者善度，知者善豫／惟日孜孜，无敢逸豫／先患虑患谓之豫，豫则祸不生／忧劳可以兴国，逸豫可以亡身

❿孟浪由于轻浮，精详出于豫暇／德不素积，人不为用；备不豫具，难以应卒／天下悠悠，皆可长生也，患于犹豫，故不成耳／顾小而忘大，后必有害；狐疑犹豫，后必有悔

二 èr 数目；双，比；次的；两样；再次。

❶二月春风似剪刀

见唐·贺知章《咏柳》。

二人同心，其利断金

见《周易·系辞上》。

二句三年得，一吟双泪流

见唐·贾岛《题诗后》。全句为："～。知音如不赏，归卧故山秋"。

二者不可得兼，舍生而取义者也

见《孟子·告子上》。全句为："生，亦我所欲也；义，亦我所欲也。～"。

二者不可得兼，舍鱼而取熊掌者也

见《孟子·告子上》。全句为："鱼我所欲也，熊掌亦我所欲也；～"。

二好均平，无分轻重，则一俯一仰，乍进乍退

见汉·荀悦《申鉴·杂言下》。

❷凡二人来讼，必一曲一直

❸一家二贵，事乃无功／清浊二声，为乐之本／官无二业，事不并济／食不二味，居不重席／一别二十年，人堪几回别／"慷慨"二字不可以望人／"聪明"二字不可以自许／文有二道：辞令褒贬，本乎著述者也／文有二道：……导扬讽谕，本乎比兴者也／工无二伎，士不兼官，各守其职，不得相奸／以不二之悟，符不分之理，理智悉释，谓之顿悟／魂魄二字，正犹精神二字。神即是魂，精即是魄／学无二事，无二道，根本苟立，保养不替，自然日新

❹四美俱，二难并／唯廉勤二字，人人可至／极

身毋二，尽公不还私／季布无二诺，侯赢重一言／天下有二：非察是，是察非／安危不二其志，险易不革其心／一身而二任焉，虽圣者不可为也／计有一二者难悖也，听无失本末者难惑／目不能二视，耳不能二听，手不能二事／居官有二语，曰：唯公则生明，唯廉则生威／爱故不二，威故不犯；故善将者，爱与威而已

❺隆一而治，二而乱／有境界而二者随之也／龙钟还忝二千石，愧尔东西南北人

❻才下而位高，二危也／一朝被谗言，二桃杀三士／性与事，一而二，二而一者也／道生一，一生二，二生三，三生万物／一以论道德，二以论法制，三以论策术／人之所难者二：乐攻其恶者难，以恶告人者难／学无二事，无二道，根本苟立，保养不替，自然日新／知人之效有二难：有难知之难，有知之而无由得效之难／五福：一曰寿，二曰富，三曰康宁，四曰攸好德，五曰考终命

❼一以虚，故能生二／读书乃学者第二事／学富五车，书通二酉／磊落豪雄是第二等资质／兢兢业业，一日二日万几／性与事，一而二，二而一者也／道生一，一生二，二生三，三生万物／三德：一曰正直，二曰刚克，三曰柔克／取其一，不责其二；即其新，不究其旧／君子之行者有二焉；其未发也，慎而已矣，其既发也，义而已矣

❽至当归一，精义无二／上无疑令，则众不二听／动无疑事，则众不二志／国家大政，须人无二心／故国三千里，深宫二十年／书之要，统于"骨气"二字／一目之视也，不若二目之视也／上一则下一矣，上二则下二矣／余生命之湮阨，曾二鸟之不如／新年鸟声千种啭，二月杨花满路飞／解落三秋叶，能开二月花。过江千尺浪，入竹万竿斜／天有五行：一曰木，二曰火，三曰土，四曰金，五曰水

❾不敢正是非于富贵，二可贱／有求贵贱之必，必有二价之语／目不能二视，耳不能二听，手不能二事／魂魄二字，正犹精神二字。神即是魂，精即是魄

❿上一则下一矣，上二则下二矣／不到长城非好汉，屈指行程二万／不如意事常八九，可与语人无二三／东风不与周郎便，铜雀春深锁二乔／尧能则天者，贵其能臣舜、禹二圣／停车坐爱枫林晚，霜叶红于二月花／君子知自损之为益，故功一而美二／愚而好胜，一等；贤而尚人，二等／文章到欧曾苏，道理到二程，方是畅／弟子盖三千焉，身通六艺者七十有二人／智力不能接，而威德不能运者，谓之二／目不能二视，耳不能二听，手不能二事／得已而不已，不得已而已之，二者皆乱也／欲观千岁，则数今日；欲知亿万，则审一二／人之所以立德者三：一曰贞，二曰达，三曰志／见其远者大者，不食邪人之饵，方是二十分识力／为学为教，用力于讲读者一二，加功于习行者八九／古之成大事者，规模远大与综理密微二者阙一不可／今若不能服药，但知爱精节情，亦得一二百年寿也／一尺布，尚可缝；一斗粟，尚可舂。兄弟二人不相容／不问而告谓之傲，问一告二谓之囋。傲非也，囋非也／缓己急人，一等；急己急人，二等；急己宽人，三等／欲为君，尽君道；欲为臣，尽臣道。二者皆法尧舜而已矣／此生不学，一可惜；此日闲过，二可惜；此身一败，三可惜／本无功而自矜，一等；有功而伐之，二等；功大而不伐，三等／致治之术，先屏四患：……一曰伪，二曰私，三曰放，四曰奢／有贤而不知，一不祥；知而不用，二不祥；用而不任，三不祥／文章当从三易：易见事，一也；易识字，二也；易读诵，三也／生民之不得休息，为四事故：一为寿，二为名，三为位，四为货／名也者，相轧也；知也者，争之器也，二者凶器，非所以尽行也／奋六世之遗烈，振长策而御宇内，吞二周而亡诸侯，履至尊而制六合／治世所贵乎位者三：一曰达道于天下，二曰达惠于民，三曰达德于身／先哲王之政，一曰承天，二曰正身，三曰任贤，四曰恤民，五曰明制，六曰立业

云

yún 说；在空中悬浮的由微小水滴或冰晶凝聚形成的物体；为，是；有；友善；如此；或许；作语助，无义；指云南；姓。

❶云破春山明

见宋·李若川《途中阻雨》。

云从龙，风从虎

见《周易·乾·文言》。

云想衣裳花想容

见唐·李白《清平调词三首》之一。全句为："～，春风拂槛露华浓"。

云生从龙，风生从虎

见明·施耐庵《水浒传》第四十三回。

云山万重，寸心千里

宋·无名氏《鱼游春水》。

云霞雕色，有逾画工之妙

见南朝·梁·刘勰《文心雕龙·原道》。全句为："～；草木贲华，无待锦匠之奇"。

云无心以出岫，鸟倦飞而知还

见晋·陶潜《归去来兮辞》。

云中白鹤，非燕雀之网所能罗也

见南朝·宋·刘义庆《世说新语·赏誉》。

云厚者，雨必猛；弓劲者，箭必远

见晋·葛洪《抱朴子·喻蔽》。

云生日入，怪状迭发，水石卉木，杳非人寰

见唐·刘禹锡《含辉洞述》。

云山苍苍，江水泱泱，先生之风，山高水长

见宋·范仲淹《严先生祠堂记》。

云破月出，光气含吐，互相明灭，晶莹玲珑

见唐·白居易《三游洞序》。

❷拨云雾而睹青天／细云新月耿黄昏／青云不及白云高／黑云压城城欲摧／彩云易散，皓月难圆／闲云野鹤，无拘无束／乐云乐云，钟鼓云乎哉／拂云之松生于一豆之实／风云突变，军阀重开战／干云蔽日之木，起于葱青／干云蔽日之木，起于青葱／狂云妒佳月，怒气千里黑／渚云低暗度，关月冷相随／望云惭高鸟，临水愧游鱼／周云成康，汉言文景，美矣／语云：猛兽易伏，人心难降／白云满川，如海波起伏……／夏云阴兮若山，秋水平兮若天／闲云潭影日悠悠，物换星移几度秋／白云山头云欲立，白云山下呼声急／青云衣兮白霓裳，举长矢兮射天狼／黑云翻墨未遮山，白雨跳珠乱入船／重云蔽天，江湖黯然；游鱼茫然……／虽云色白，匪染弗丽；虽云味甘，匪和弗美／烟云泉台，花鸟苔林，金铺锦帐，寓意则灵／碧云悠悠兮，泾水东流。伤美人兮，雨泣花愁／有云水襟怀，有松柏气节，典型顿失，人尽含悲／礼云礼云，玉帛云乎哉；乐云乐云，钟鼓云乎哉

❸气凌云汉，字挟风霜／思若云飞，辩同河泻／恋逐云飞，思随蓬卷／仙宫云箔卷，露出玉帘钩／兽形云不一，弓势月初三／山明云气画，天静鸟飞高／溪中云隔寺，夜半雪添泉／皎皎云间月，灼灼叶中华／谷子云笔札，楼君卿唇舌／穿重云而下射，白龙倒饮于平湖／风收云散波忽平，倒转青天作湖底／旃如云兮帜如星，山可动兮石可铭／以白云为藩篱，碧山为屏风，昭其俭也／虎旅云从，词林响应，若毛羽之宗麟凤，众川之长江河

❹心藏风云世莫知／山之高，云之浮……／猛将如云，谋臣如雨／猛将如云，谋臣似雨／飘如游云，矫若惊龙／乐云乐云，钟鼓云乎哉／久有凌云志，重上井冈山／长恐浮云生，夺我西窗月／高峰入云，清流见底……／势败休云贵，家亡莫论亲／徒有排云心，何由生羽翼／远山片云，隔层城而助兴／道由白云尽，春与青溪长／龙弗得云，无以神其灵矣／蛟龙得云雨，终非池中物／紫塞白云断，青春明月初／志陵青云之上，身晦泥污之下／不决浮云斩邪佞，直成龙去欲何为／不畏浮云遮望眼，自缘身在最高层／江南谚云：尺牍书疏，千里面目也／虚负凌云万丈才，一生襟抱未曾开／翻手作云覆手雨，纷纷轻薄何须数／雪压冬云白絮飞，万花纷谢一时稀／油然作云，沛然降雨，则苗浡然兴之矣／旦为朝云，暮为行雨。朝朝暮暮，阳台之下／礼云礼云，玉帛云乎哉；乐云乐云，钟鼓云乎哉

❺山致其高，云雨起焉／风止雨霁，云无处所／霜尽川长，云平野阔／荡胸生曾云，决眦入归鸟／大略如行云流水，初无定质／天片片而云愁，山幽幽而谷哭／寸火能焚云梦，蚁穴能决大堤／四海翻腾云水怒，五洲震荡风雷激／白云山头云欲立，白云山下呼声急／金沙水拍云崖暖，大渡桥横铁索寒／大风起兮云飞扬，威加海内兮归故乡／过眼滔滔云共雾，算人间知己吾和汝／天无一点云，星斗张明，错落水中，如珠走镜，不可收拾／不行王政云尔；苟行王政，四海之内皆举首而望之，欲以为君

❻人情薄似秋云／青云不及白云高／涛澜汹涌，风云开合／日月欲明，浮云蔽之／白日一照，浮云自开／随风飘荡，白云还卧深谷／山风飕飕，岭云峨峨……／风行常有地，云出本多峰／参差远岫，断云将野鹤俱飞／清歌绕梁，白云将红尘并落／天有不测风云，人有旦夕祸福／天有不测风云，人又岂能料乎／当途者入青云，失路者委沟渠／富贵比于浮云，光阴逾于尺璧／何泛滥之浮云兮，猋壅蔽此明月／下笔则烟飞云动，落纸则鸾迴凤惊／天平山上白云泉，云自无心水自闲／纵横正有凌云笔，俯仰随人亦可怜／时人不识凌云木，直待凌云始道高／秋风起兮白云飞，草木黄落兮雁南归／抗之则在青云之上，抑之则在深渊之下／长桥卧波，未云何龙？复道行空，不霁何虹／吾所谓道德云者，合仁与义言之也，天下之公言也／时之来也，为云龙，为风鹏，勃然突然，陈力以出

❼少年心事当拿云／万株果树，色杂云霞／文者，礼教治政云尔／虹销雨霁，彩彻云衢／乐云乐云，钟鼓云乎哉／万族各有托，孤云独无依／乡无君子，则与云山为友／谗邪害公正，浮云翳白日／逝水悲兴废，浮云阅古今／杨意不逢，抚凌云而自惜／断雾时通日，残云尚作雷／覆水不可收，行云难重寻／日出而林霏开，云归而岩穴暝／风萧萧而异响，云漫漫而奇色／风横天而瑟瑟，云覆海而沉沉／玄龙，迎夏则陵云而奋鳞，乐时也／画栋朝飞南浦云，珠帘暮卷西山雨／旌蔽日兮敌若云，矢交坠兮士争先／虎啸风生，龙吟云萃，固非偶然也／鹪鹩不可与论云翼，井蛙难与量海鳌／日月欲明而浮云盖之，兰芝欲修而秋风败之／山沓水匝，树杂云合。……情往似赠，兴来如答／礼云礼云，玉帛云乎哉；乐云乐云，钟鼓云乎哉／济世经邦，要段云水的趣味，若有贪着，便堕危机

❽声振林木，响遏行云／心如铁石，气若风云／坐对风动帷，卧见云间月／安得长翮大翼如云生我身／眉睫之前，卷舒风云之色／穷且益坚，不坠青云之志／层风未翔，大鹏有云倾之势／穷途萧瑟，青山白云之万里／皑如山上雪，皎若云间月……／天之道也，如迎浮云，若视深渊／

天平山上白云泉，云自无心水自闲／十旬休暇，胜友如云；千里逢迎，高朋满座／宅宇逾制，楼观出云，车马服饰，拟于王者／腾蛇游雾，飞龙乘云，云罢雾霁，与蚯蚓同／疾则如电，迟则如云，进止有度，约而不烦

❾民望之，若大旱之望云霓／去帆若不见，试望白云中／又疑瑶台镜，飞在青云端／鼓声随听绝，帆势与云邻／璧由识者显，龙因庆云翔／时哉不我与，去乎若云浮／悠悠失乡县，处处尽云烟／虎啸谷风至，龙兴景云起／雄笔奇才，有鼓怒风云之气／胸次山高水远，笔端云起风狂／悬日月于胸怀，挫风云于毫翰／不知取将之无术，但云当今之无将／暮色苍茫看劲松，乱云飞渡仍从容／大都好物不坚牢，彩云易散琉璃脆／庾信文章老更成，凌云健笔意纵横／闻鼓鼙而思将帅，画云台而念旧臣／白云山头云欲立，白云山下呼声急／鸾凤骞翔而变态，烟云舒卷以呈姿／山树为盖，岩石为屏，云从栋生，水与阶平／腾蛇游雾，飞龙乘云，云罢雾霁，与蚯蚓同／胸中浩然廓然，纳烟云日月之伟观，揽雷霆风雨之奇变

❿百年变朝市，千里异风云／好风凭借力，送我上青云／日月之明，而时蔽于浮云／水烟晴吐月，山火夜烧云／自问道何如，贵贱安足云／不义而富且贵，于我如浮云／崇峻不凌霄，则无弥天之云／树临流而影动，岩薄暮而云披／心懔懔以怀霜，志眇眇而临云／三十功名尘与土，八千里路云和月／不依古法但横行，自有云雷绕膝生／千峰顶上一间屋，老僧半间云半间／长风破浪会有时，直挂云帆济沧海／南高峰，北高峰，南北高峰云淡浓／剑戟横空金气肃，旌旗映日彩云飞／曾经沧海难为水，除却巫山不是云／人之水镜也，见之若披云雾睹青天／爽籁发而清风生，纤歌凝而白云遏／喑呜则山岳崩颓，叱咤则风云变色／清时有味是无能，闲爱孤云静爱僧／宁作野中之双凫，不愿云间之别鹤／此道废兴吾命在，世间腾口任云云／时人不识凌云木，直待凌云始道高／臂健尚嫌弓力软，眼明犹识阵云高／风仪与秋月齐明，音徽与春云等润／竟日不知尘世事，长年占断白云乡／端州石工巧如神，踏天磨刀割紫云／羊肠鸟道无人到，寂寞云中一个人／言泉共秋水同流，词峰与夏云争长／魂魄结兮天沉沉，鬼神聚兮云幂幂／千岩竞秀，万壑争流……若云兴霞蔚／斩木为兵，揭竿为旗，天下云集响应／为学无间断，如流水行云，日进而不已也／高霞孤映，明月独举，青松落荫，白云谁侣／虽云色白，匪染弗丽；虽云味甘，匪和弗美／如贫得宝，如暗得灯，如饥得食，如旱得云／梅花过时，槐色犹在，白云芳草，尽入诗兴／秋天晚晴，碧色如归，横度一鸟，时时行云／何惜阶前盈尺之地，不使白扬眉吐气，激昂青云／礼云礼云，玉帛云乎哉；乐云乐云，钟鼓云乎哉／美人梳洗时，满头间珠翠，岂知两片云，戴却数乡税

些

xiē 量词；表示少许；细微。

❹胸中没些渣滓，才能处世一番

❺不敢妄为些子事，只因曾读数行书

❽美人既醉，朱颜酡些／魂兮归来，反故居些

❿未必人间无好汉，谁与宽些尺度

十

shí 数目字；完全。

❶十里黄芦雪打船

见宋·李弥逊《题赴千江行初雪图》。

十围之木持千钧之屋

见汉·刘安《淮南子·主术》。全句为："～；五寸之键制开阖之门，岂其才巨小哉，所居要也"。

十围之木，始生如蘖

见汉·班固《汉书·枚乘传》。

十步一啄，百步一饮

见《庄子·养生主》。

十羊九牧，其令难行

见唐·刘知几《史通·忤时》。

十年生聚，而十年教训

见《左传·哀公元年》。

十年十一战，民不堪命

见《左传·桓公二年》。

十指不沾泥，鳞鳞居大厦

见宋·梅尧臣《陶者》。

十牖之开，不如一户之明

见汉·刘安《淮南子·说林》。全句为："百星之明，不如一月之光；～"。

十目所视，十手所指，其严乎

见《礼记·大学》。

十种之地，膏壤虽肥，弗耕不获

见汉·王符《潜夫论·相列》。全句为："～；千里之马，骨法虽具，弗策不致"。

十人树杨，一人拔之，则无生杨矣

见《战国策·魏策二》。

十指而掩日月之光，一口而没沧溟之水

见明·宋濂《传法正宗记序》。

十年之相知，不若兹火一夕之为足下誉也

见唐·柳宗元《贺进士王参元失火书》。

十旬休暇，胜友如云；千里逢迎，高朋满座

见唐·王勃《滕王阁序》。

十室之邑，必有忠信；三人并行，厥有我师

见汉·班固《汉书·武帝纪》。

十步之内，必有芳草；四海之中，岂无奇秀

见隋·杨广《劝学诏》。

十步之间，必有茂草；十室之邑，必有俊士
见汉·王符《潜夫论·实贡》。
❷五十而知天命／七十而致仕……／三十四十五欲牵／读十篇不如做一篇／三十余年，声名塞天／三十六策，走是上计／三十年河东，三十年河西／得十良剑，不若得一欧冶／得十良马，不若得一伯乐／三十八年过去，弹指一挥间／四十而不惑，五十而知天命／得十利剑，不若得欧冶之巧／吾十有五而志于学，三十而立／见十金而色变者，不可以治一邑／三十功名尘与土，八千里路云和月／六十而耳顺，七十而从心所欲不逾矩
❸马行十步九回头／一树十获者，木也／十年十一战，民不堪命／丁君十纸，不敌王褒数字／伤其十指，不如断其一指／方宅十余亩，草屋八九间……／可能十万珍珠字，买尽千秋儿女心／别来十年学不厌，读破万卷诗愈美／利不十者不易业，功不百者不变常／泽雉十步一啄，百步一饮，不蕲畜乎樊中
❹三十四十五欲牵／人生七十古来稀／一别二十年，人堪几回别／土居三十载，无有不亲人／行年五十而知四十九年非／东南四十三州地，取尽膏脂是此河／弹指三十八年，人间变了，似天渊翻覆／矢之于十步贯兕甲，于三百步不能入鲁缟／以一击十，莫善于阨；以十击百，莫善于险／年过八十而以居位，譬犹钟鸣漏尽而夜行不休／有石城十仞，汤池百步，带甲百万，而亡粟，弗能守
❺闻一以知十／锄一恶，长十善／民少官多，十羊九牧／亿万千百十，皆起于一／一薰一莸，十年尚犹有臭／命令昨颁，十万工农下吉安／禹抑洪水十三年，过家不入门／十目所视，十手所指，其严乎／当局者之十，不足以当旁观者之五／一日暴之，十日寒之，未有能生者也／三人成虎，十夫揉椎；众口所移，毋翼而飞／崖谷峻隘，十里百折，负重而上，若蹈利刃／用兵之法：十则围之，五则攻之，倍则分之／五步一楼，十步一阁。……各抱地势，钩心斗角／消磨了三十多年层层心血，算不得大千世界小小文章
❻春在枝头已十分／让一得百，争十失九／十年生聚，而十年教训／一丛深色花，十户中人赋／日与水居，则十五而得其道／新丰美酒斗十千，咸阳游侠多少年／加我数年，五十以学《易》，可以无大过矣／无以待之，则十百而乱；有以待之，则千万若一
❼伯乐一顾，马价十倍／弄花一年，看花十日／三十年河东，三十年河西／天下不如意，恒十居七八／四十而不惑，五十而知天命／善钓者出鱼乎十仞之下，饵香也／六十而耳顺，七十而从心所欲不逾矩／良玉度尺，虽有十仞之土，不能掩其光／骐骥一跃，不能十步；驽马十驾，功在不舍／苍蝇之飞，不过十步；自托骐骥之尾，乃腾千里之路
❽一人奋死，可以对十／行百里者，半于九十／一登龙门，则声誉十倍／千家数人在，一税十年空／军不五不战，城不十不围／行年五十而知四十九年非／万卷藏书宜子弟，十年种木长风烟／万株松树青山上，十里沙堤明月中／百尺竿头须进步，十方世界是全身／今日重来应抵掌，十年分付未逢人／字字看来皆是血，十年辛苦不寻常／我专为一，敌分为十，是以十共其一也
❾归来宴平乐，美酒斗十千／楚战士无不一以当十……／故国三千里，深宫二十年／为子孙作富贵计者，十败其九／利不百，不变法；功不十，不易器／骥一日而千里，驽马十驾则亦及之／人一能之，己百之；人十能之，己千之／一切言动，都要安详；十差九错，只为慌张／十步之间，必有茂草；十室之邑，必有俊士／八百里分麾下炙，五十弦翻塞外声。沙场秋点兵／人之生，动之死地亦十有三。夫何故？以其生生之厚
❿使日在井中，则不能烛十步矣／吾十有五而志于学，三十而立／休辞客路三千远，须念人生七十稀／观理自难观势易，弹丸累到十枚时／有时三点两点雨，到处十枝五枝花／我专为一，敌分为十，是以十共其一也／弟子盖三千焉，身通六艺者七十有二人／哀白日之不与吾谋兮，至今十年其犹初／设官置吏，署员太多，不精则十不如一／当世学士，恒以万计；而究涂者无数十焉／君不见长安女儿嫩如水，十指不动衣罗绮／以一击十，莫善于阨；以十击百，莫善于险／骐骥一跃，不能十步；驽马十驾，功在不舍／骐骥千里，一日而通；驽马十舍，旬亦至之／有司一朝而受者几千万言，读不能十一……／文不加点，兴到语耳！孔明天才，思十反矣／百里而趣利者蹶上将，五十里而趣利者军半至／见其远者大者，不食邪人之饵，方是二十分识力

支

zhī 本义为去竹之枝，引申为分散；从总体中分离出来；支撑，支持；调度，指使；付出，领取；通“枝”、“肢”、“梔”；地支的简称；计量单位；姓。
❷四支强而躬体固，华叶茂而本根据／预支五百年新意，到了千年又觉陈
❼回狂澜于既倒，支大厦于将倾／发乎声，见乎四支，谓非己心，不明也
❽天之所坏，不可强支／参之孟、荀以畅其支
❾巨厦之崩，一木不能支／大厦将颠，非一木所支也
❿病中何事最相宜，惟有摊书力尚支／桑无附

枝，麦穗两岐。张君为政，乐不可支／天下犹人之体，腹心充实，四支虽病，终无大患／正位居体，美在其中，而畅于四支，发于事业，美之至也

卉

huì 草的总称；勃然。

❺长松落落，卉木蒙蒙／大山崔，百卉殖。民何贵，贵有德

❽茂树恶木，嘉葩毒卉，乱杂而争植

❾其侧皆诡石怪木，奇卉美箭……

❿云生日入，怪状迭发，水石卉木，杳非人寰

古

gǔ 久远的；淳厚；旧，原来；特指古体诗；姓。

❶古者以学为政

见宋·苏辙《上高县学记》。

古来万事贵天生

见唐·李白《草书歌行》。

古来才命两相妨

见唐·李商隐《有感》。

古与今如一丘之貉

见汉·戴长乐《上疏告杨恽罪》。

古之道不苟誉毁于人

见唐·韩愈《题哀辞后》。

古之用人，无择于势

见宋·苏洵《广士》。

古人争战，先料其将

见唐·房玄龄《晋书·杜曾传》。

古之治道者，以恬养知

见《庄子·缮性》。全句为："～；知生而无以知为也，谓之以知养恬"。

古之言通者，通于道义

见唐·韩愈《通解》。全句为："～；今之言通者，通于私曲，其亦异矣！将欲齐之者，其不犹矜粪丸而拟质随珠者乎？"

古来帝子，生于深宫……

见唐·吴兢《贞观政要·尊敬师傅》。全句为："～，及其成人，无不骄逸，是以倾覆相踵，少能自济"。

古来存老马，不必取长途

见唐·杜甫《江汉》。

古来贤达士，宁受外物牵

见唐·杜甫《寄题江外草堂》。

古来忠烈士，多出贫贱门

见唐·崔膺《感兴》。

古之人名为羞，以实为慊

见宋·王安石《君子斋记》。全句为："～，不务服人之貌，而思有以服人之心"。

古之君民者，仁义以治之

见《吕氏春秋·离俗览·适威》。全句为："～，爱利以安之，忠信以导之，务除其灾，思致其福"。

古之君子，交绝不出恶声

见汉·司马迁《史记·乐毅列传》。

古之善用兵者，不必在众

见唐·张九龄《敕安西节度王斛斯书》。全句为："～；能制敌者，会在出奇"。

古人愁不尽，留与后人愁

见宋·范成大《江上》。

古圣王有义兵而无有偃兵

见《吕氏春秋·孟秋纪·荡兵》。

古墓犁为田，松柏摧为薪

见汉·无名氏《古诗·去者日以疏》。全句为："～，白杨多悲风，萧萧愁杀人"。

古者以天下为主，君为客

见清·黄宗羲《原君》。全句为："～，凡君之所毕世而经营者，为天下也"。

古者明君在上，下多直辞

见《晏子春秋·内篇杂上第十一》。

古有古之时，今有今之时

见明·袁宏道《雪涛阁集序》。全句为："～，袭古人语言之迹，而冒以为古，是处严冬而袭夏之葛者也"。

古之人与民偕乐，故能乐也

见《孟子·梁惠王上》。

古之人，未有不须友以成者

见宋·王安石《与孙莘老书》。

古之人以名为羞，以实为慊

见宋·王安石《君子斋记》。全句为："～，不务服人之貌，而思有以服人之心"。

古之圣王有义兵而无有偃兵

见《吕氏春秋·孟秋纪·荡兵》。

古之善将者，必以其身先之

见汉·刘安《淮南子·兵略》。

古之善将者，养人如养己子

见三国·蜀·诸葛亮《诸葛亮集·哀死》。

古之畜天下者，欲而天下足

见《庄子·天地》。全句为："～，无为而万物化，渊静而百姓定"。

古之人谋黄发番番，则无所过

见汉·司马迁《史记·秦本纪》。

古之君子爱其人也则忧其无成

见宋·苏洵《上富丞相书》。

古之善为政者，其初不能无谤

见秦·孔鲋《孔丛子·陈士义》。

古之得道者，穷亦乐，通亦乐

见《庄子·让王》。

古之学者为己，今之学者为人

见《论语·宪问》。

古人采铜于山，今人则买旧钱

见清·顾炎武《与人书十》。全句为："～，名之曰废铜，以充铸而已"。

古者不以死伤生，不以厚为礼
见隋·王通《中说·天地》。
古者诛罚不阿亲戚，故天下治
见汉·司马迁《史记·三王世家》。
古者言之不出，耻躬之不逮也
见《论语·里仁》。
古文贵达，学达即所谓学古也
见明·袁宗道《论文》(上)。全句为："～。学其意，不必泥其字句也"。
古之兴者，在德薄厚，不以大小
见南朝·宋·范晔《后汉书·邓禹传》。
古之人知酒肉为甘鸩，弃之如遗
见三国·魏·嵇康《答向子期难养生论》。全句为："～；识名位为香饵，逝而不顾"。
古之人虚中乐善，不择事而问焉
见清·刘开《孟涂文集·问说》。全句为："～，不择人而问焉，取其有益于身而已"。
古之名将，必出于奇，然后能胜
见宋·欧阳修《王彦章画像记》。
古之选贤，傅纳以言，明试以功
见汉·班固《汉书·文帝纪》。
古今之事，非知之难，言之亦难
见宋·苏轼《乞相度开石门河状》。
古来圣贤皆寂寞，惟有饮者留其名
见唐·李白《将进酒》。
古来青史谁不见，今见功名胜古人
见唐·岑参《轮台歌奉送封大夫出师西征》。
古之良有司，忧其君而不恤其私计
见宋·苏轼《韩舍人》。全句为："～，故天下归怨而不敢辞"。
古之人，身隐而功著，形息而名彰
见《吕氏春秋·离俗览·上德》。全句为："～，说通而化奋，利行乎天下而民不识，岂必以严罚厚赏哉？"
古之圣人，虽出乎其类，拔乎其萃
见宋·曾巩《自福州召判太常寺上殿劄子》。全句为："～，然至其成德，莫不由学"。
古之大臣废昏举明，所以康天下也
见隋·王通《中说·事君》。
古之学者必严其师，师严然后道尊
见宋·欧阳修《答祖择之书》。
古之成败者，诚有其才，虽弱必强
见晋·陈寿《三国志·魏书·荀彧传》。全句为："～；苟非其人，虽强易弱"。
古之明天子，信其臣而不惑于多言
见宋·苏轼《韩舍人》。全句为："～，故有司执法而无所忌"。
古之欲明明德于天下者，先治其国
见《礼记·大学》。全句为："～；欲治其国者，先齐其家；欲齐其家者，先修其身"。
古之用人者，取之至宽而用之至狭
见宋·苏轼《策别第七》。
古人学问无遗力，少壮功夫老始成
见宋·陆游《冬夜读书示子聿》八首之一。
古圣贤玩琴以养心，穷则独善其身
见汉·桓谭《新论》。全句为："～，而不失其操，故谓之操"。
古往今来共一时，人生万事无不有
见唐·杜甫《可叹》。
古之人……识名位为香饵，逝而不顾
见三国·魏·嵇康《答向子期难养生论》。删节处为："知酒肉为甘鸩，弃之如遗"。
古之人，有高世之才，必有遗俗之累
见宋·苏轼《贾谊论》。
古之君子，守道以立名，修身以俟时
见汉·桓宽《盐铁论·地广》。全句为："～；不为穷变节，不为贱易志；惟仁之处，惟义之行"。
古之善为道者，非以明民，将以愚之
见《老子》六十五。
古之善用人者，必循天顺人而明赏罚
见《韩非子·用人》。
古之进人者，或取于盗，或举于管库
见唐·韩愈《后十九日复上书》。全句为："～，今布衣虽贱，犹足以方于此"。
古人教人，不过存心、养心、求放心
见宋·陆九渊《与舒西美》。
古之人未始不薄于当世，而荣于后世也
见唐·柳宗元《与杨京兆凭书》。
古之君人者，以得为在民，以失为在己
见《庄子·则阳》。全句为："～；以正为在民，以枉为在己"。
古之官人也，以天下为己累，故己忧之
见唐·皮日休《鹿门隐书六十篇》。全句为："～；今之官人也，以己为天下累，故人忧之"。
古者以仁义行法律，后世以法律行仁义
见宋·苏洵《议法》。
古者男女之族，各择德焉，不以财为礼
见隋·王通《中说·事君》。
古者多有天下而亡者矣，其民不为用也
见《吕氏春秋·离俗览·用民》。全句为："今外之则不可拒敌，内之则不可以守国，其民非不可用也，不得所以用之也。不得所以用之，国虽大，势虽便，卒无众，何益？～。用民之论，不可不熟"。"卒无众"，疑似作"卒虽众"。
古之善用兵者，用其翻然勃然于未悔之间
见宋·苏轼《策别二十二》。
古之贤人君子，大智经营，莫不除害兴利
见宋·苏轼《录进单锷吴中水利书》。
古人为诗，贵于意在言外，使人思而得之

见宋·胡仔《苕溪渔隐丛话前集·杜少陵一》。

古语有之"生相怜,死相捐"。此语至矣

见《列子·杨朱》。

古之隐也,志在其中;今之隐也,爵在其中

见唐·皮日休《鹿门隐书六十篇》。

古之取天下也以民心,今之取天下也以民命

见唐·皮日休《读司马法》。

古之君子,其过也,如日月之食,民皆见之

见《孟子·公孙丑下》。全句为:"~;及其更也,民皆仰之"。

古之置吏也将以逐盗,今之置吏也将以为盗

见唐·皮日休《鹿门隐书六十篇》。

古昔多由布衣定一世者矣,皆能用非其有也

见《吕氏春秋·离俗览·用民》。全句为:"~。用非其有之心,不可察之本"。

古之君子,其责己也重以周,其待人也轻以约

见唐·韩愈《原毁》。全句为:"~。重以周,故不怠。轻以约,故人乐为善"。

古之学者必有师,所以通其业,成就其道者也

见唐·韩愈《进士策问》。

古之教者,家有塾,党有庠,术有序,国有学

见《礼记·学记》。

古人有言曰:"其父析薪,其子弗克负荷。"

见《左传·昭公七年》。

古今之喻多矣,而愚以为辨于味而后可以言诗

语唐·司空图《与李生论诗书》。

古君子志于道,据于德,依于仁,而后艺可游

见隋·王通《中说·事君》。

古者士登乎仕,吏执乎役,禄以报劳,官以授德

见隋·王通《中说·事君》。

古之人君,所以至于民散国亡而不悟者,皆吏误之

见宋·杨万里《民政》。

古之善歌者有语,谓"当使声中无字,字中有声"

见宋·沈括《梦溪笔谈》卷五。

古之成大事者,规模远大与综理密微二者阙一不可

见清·曾国藩《曾文正公家训》。

古者士之进,有以德,有以才,有以言,有以曲艺

见宋·王安石《进说》。

古之人观于天地、山川、草木、虫鱼、鸟兽,往往有得

见宋·王安石《游褒禅山记》。

古之存身者,不以辩饰知,不以知穷天下,不以知穷德

见《庄子·缮性》。

古之立大事者,不惟有超世之才,亦必有坚忍不拔之志

见宋·宋轼《晁错论》。

古之所谓公无私者,其取舍进退无择于亲疏远迩,惟其宜可焉

见唐·韩愈《送齐皞下第序》。

古今号文章为难,足下知其所以难乎?……得之为难,知之愈难耳

见唐·柳宗元《与友人论为文书》。删节处为:"非谓比兴之不足,恢拓之不远,钻砺之不工,颇颣之不除也。"

❷自古红颜多薄命/宪古章物不实者死/万古长空,一朝风月/变古乱常,不死则亡/揆古察今,深谋远虑/自古治时少而乱时多/自古皆死,不朽者文/自古有死,奚论后先/以古为镜,可以知兴替/闻古人之过,得己之过/法古之学,不足以制今/尊古而卑今,学者之流也/通古今之变,成一家之言/遗古而务乎今,则失为妄/览古玩青简,寻幽穷翠微/自古帝王多任情喜怒……/自古贤者少不肖者多……/自古悲摇落,谁人奈此何/反古未可非,而循礼未足多/以古制今者,不达于事之变/前古之兴亡,未尝不经于心也/观古今于须臾,抚四海于一瞬/学古之道,犹食笋而去其箨也/聚古今之精英,实治乱之龟鉴/千古兴亡,百年悲笑,一时登览/千古江山,英雄无觅,孙仲谋处/自古及今,法无不改,势无不积/自古兴俭以劝天下,必以身先之/自古通天者,生之本,本于阴阳/千古风流歌舞地,六朝兴废帝王州/从古求贤贵拔茅,素门平进有英豪/惟古于词必己出,降而不能乃剽贼/自古圣贤尽贫贱,何况我辈孤且直/自古圣贤多薄命,奸雄恶少皆封侯/自古逢秋悲寂寥,我言秋日胜春朝/自古经纶足是非,阴谋最忌夺天机/自古驱民在信诚,一言为重百金轻/自古此冤应未有,汉心汉语吐蕃身/自古盛衰如转烛,六朝兴废同棋局/自古雄才多磨难,纨绔子弟少伟男/上古结绳而治,后世圣人易之以书契/千古圣贤若同堂合席,必无尽合之理/玄古之君天下,无为也,天德而已矣/观古人,得其时行其道,则无所为书/自古及今,穷其下能不危者,未之有也/自古圣人贤士,皆非有求于闻用也……/千古兴亡多少事,悠悠。不尽长江滚滚流/自古于今,上以天子……好义而不彰者也/自古失国之主,皆为居安忘危,处治忘乱/观古今之成败,能先见事机者,则恒受其福/思古人而不得见,学古道,则欲兼通其辞也/自古乱亡之国,必先坏其法制,而后乱从之/自古至于今,与民为仇者,有迟有速,而民必胜之/自古上书,率多激

切。若不激切，则不能起人主之心／上古明王举乐者，非以娱心自乐，快意恣欲，将欲为治也／闻古之君子相其君也，一夫不获其所，若己推而内之沟中／袭古人语言之迹，而冒以为古，是处严冬而袭夏之葛者也

❸不法古不修今／发思古之幽情／宜于古而不戾于今／学于古训，乃有获／赋者，古诗之流也／不览古今，论事不实／道者，古今之正权也／事半古之人，功必倍之／无波古井水，有节秋竹竿／古有古之时，今有今之时／常记古人言，思之每烂熟／寥落古行宫，宫花寂寞红／燕赵古称多感慨悲歌之士／人已古兮山在，泉无心兮道存／大抵古人诗画，只取兴会神到／阅千古而不变者，气种之有定也／不依古法但横行，自有云雷绕膝生／不见古人卜居者，千金只为买乡邻／不泥古法，不执己见，惟在活而已矣／不让古人是谓有志，不让今人是谓无量／不知古人之世，不可妄论古人之文辞也／俭葬，古人之美节；侈葬，古人之恶名／不学古人，法无一可；竟似古人，何处着我／事有古而可以质于今，言有大而可以征于小／明于古今，温故知新，通达国体，故谓之博士／自太古以来，致理兴化，未有言之不行而能至矣

❹万物自古而固存／秦中自古帝王州／不期修古，不法常可／不必法古，苟周于事／修学好古，实事求是／文不按古，匠心独妙／夹涧有古松、老杉……／前不见古人，后不见来者／江流今古愁，山雨兴亡泪／成败论古人，陋识殊未公／文章千古事，得失寸心知／今之视古，亦犹后之视今也／事不师古，以克永世，匪说攸闻／传语万古观潮客，莫观老潮观壮潮／人生自古谁无死，留取丹心照汗青／吾观自古贤达人，功成不退皆殒身／衙门自古向南开，就中无个不冤哉／江流千古英雄泪，山掩诸公富贵羞／文之近古而尤壮丽，莫若汉之西京／不可貌古人而袭之，畏古人而拘束之／冒以为古，是处严冬而袭夏之葛者也／咄咄读古，而不知此味……一堂木偶耳／所志于古者，不惟其辞之好，好其道焉／才不半古，而功已倍之，盖得之于时势也／气往铄古，辞来切今，惊采绝艳，难与并能

❺人生七十古来稀／才难之叹，古今共之／表里相资，古今一也／伐罪吊民，古之令轨／山川之美，古来共谈／废阁先凉，古帘空暮／度德而让，古人所贵／背暗投明，古之大理／老而谢事，古之礼也／勿以功高古人而自矜大／成败论千古，人间最不公／国医不泥古方，而不离古方／推今而鉴古兮，鲜克以保其生／不可以万古长空，不明一朝风月／今人不见古时月，今月曾经照古人／标心于万古之上，而送怀于千载之下／繁弱，钜黍，古之良弓也……则不能自正／穷愁著书，古儒者之大同，非高冠长剑之比耳／子美……尽得古今之体势，而兼人人之所独专矣

❻一失足成千古恨／凛凛高风万古无／势扼长川万古雄／作诗须多诵古今人诗／名标青史，万古留芳／知人之事，自古为难／文人相轻，自古而然／文章之道，自古称难／我手写我口，古岂能拘牵／幽桂一丛，赏古人之明月／报国行赴难，古来皆共然／风檐展书读，古道照颜色／凡人可以言古，不可以言今／多读书达观古今，可以免忧／遗今而专乎古，则其失为固／发纤秾于简古，寄至味于澹泊／议论证据今古，出入经史百子／疑今者察之古，不知来者视之往／居今之世，志古之道，所以自镜／一失脚成千古恨，再回头是百年人／一语天然万古新，豪华落尽见真淳／不薄今人爱古人，清词丽句必为邻／智略不专于古法，沈雄殆得于天资／贵耳贱目，荣古陋今，人之大情也／今之所以知古，后之所以知今，不可口传，必凭诸史

❼一心中国梦，万古下泉诗／长绳难系日，自古共悲辛／功成身不退，自古多愆尤／艰难奋长戟，万古用一夫／哲人归大夜，千古传圭璋／销兵铸农器，今古岁方宁／用其言，弃其身，古人所耻／信耳而遗目者，古今之所患也／褒有德，赏有功，古今之通义／明镜所以照形，古事所以知今／君不见曲如钩，古人知尔封公侯／君不见直如弦，古人知尔死道边／定知直道传千古，杜牧文章在上头／学诗须是熟看古人诗，求其用心处／贯穿百代尝探古，吟咏千篇亦造微／究天人之际，通古今之变，成一家之言／从来谈诗，必摘古人佳句为证，最是小见／才有浅深，无有古今；文有真伪，无有故新／孔子曰："吾闻之，古之善御者，执辔如组，两骖如舞，非策之助也"。

❽沃然有得，笑傲万古／礼贵从宜，事难泥古／强学博览，足以通古今／通其辞者，本志乎古道者也／上下四方曰宇，往古来今曰宙／天地四方曰宇，往古来今曰宙／痛乾坤而忽穷，嗟古今而长绝／居近识远，处今知古，惟学矣乎／世间行乐亦如此，古来万事东流水／劝君莫作亏心事，古往今来放过谁／志士幽人莫怨嗟，古来材大难为用／风雅体变而兴同，古今调殊而理异／述而不作，信而好古，窃比于我老彭／学诗者不可忽略古人，亦不可附会古人／开函关，掩函关，千古如何，不见一人闲／苟利于民，不必法古；苟周于事，不必循旧

❾依阿权势者，凄凉万古／人事有代谢，往来成古今／观化百代后，独立万古前／英雄有屯邅，由来自古昔／逝水悲兴废，浮云阅古今／李白坟三尺，嵯峨万古名／是气所旁薄，凛烈万古存

／摅怀旧之蓄念，发思古之幽情／欲知来者察往，欲知古者察今／大江东去，浪淘尽千古风流人物／物有必至，事有常然，古之道也／一时之强弱在力，千古之胜负在理／于今腐草无萤火，终古垂杨有暮鸦／从来好事天生俭，自古瓜儿苦后甜／明鉴所以照形也，往古所以知今也／我非生而知之者，好古，敏以求之者也／不学自知，不问自晓，古今行事未之有也／天道悠悠，人生若浮，古来贤圣，皆成去留／经传之文，贤圣之语，古今言殊，四方谈异／思古人而不得见，学古道，则欲兼通其辞也／博取之象数，远征之古今，以求尽乎理，所谓格物也

❿长将一寸身，衔木到终古／后之视今，亦犹今之视古／才高乎当世，而行出乎古人／国医不泥古方，而不离古方／治世不一道，便国不必法古／为己者不待人，制今者不法古／古文贵达，学达即所谓学古也／何谓物我之异，无计今古之殊／药虽进于医手，方多传于古人／不可以一朝风月，昧却万古长空／变尽人间，君山一点，自古如今／大丈夫得死所，光奕奕，照千古／理世不必一其道，便国不必法古／斯则贤达之素交，历万古而一遇／必尽读天下之书，尽通古今之事／古来青史谁不见，今见功名胜古人／人生直作百岁翁，亦是万古一瞬中／今人不见古时月，今月曾经照古人／节物后先南北异，人情冷暖古今同／尔曹身与名俱灭，不废江河万古流／君王旧迹今人赏，转见千秋万古情／清流洄洑眩波光，高崖古木争苍苍／察己则可以知人，察今则可以知古／胜地几经兴废事，夕阳偏照古今愁／野夫怒见不平处，磨损胸中万古刀／不可貌古人而袭之，畏古人而拘束之／事业文章随身销毁，而精神万古如新／社稷无常奉，君臣无常位，自古以然／不知古人之世，不可妄论古人之文辞也／俭葬，古人之美节；侈葬，古人之恶名／打扫光明一片地，襄贮古今，研究经史／学诗者不可忽略古人，亦不可附会古人／天地之化，盈虚消息，往过来续，流行古今／不学古人，法无一可；竟似古人，何处着我／生者有极，成者必亏；生生成成，今古不移／人有悲欢离合，月有阴晴圆缺，此事古难全／薄施而厚望，畜怨而无患者，古今未之有也／任非其人而国家不倾者，自古至今，未尝闻也／枯藤老树昏鸦，小桥流水人家，古道西风瘦马／人能修炼，俗变淳和，则返朴之风，可臻太古矣／士之修身立节而竟不遇知己，前古以来，不可胜数／国以贤兴，以谄衰；君以忠安，以佞危，此古今之常论／袭古人语言之迹，而冒以为古，是处严冬而袭夏之葛者也／其有发挥新体，孤飞百代之前，开凿古人，独步九流之上／捣鬼有术，也有效，然而有限，所以以此成大事者，古来无有／其义则不足死，赏罚则不足去就，若是而能用其民者，古今无有

考 kǎo 老；终；落成；玉上的斑点、裂纹；考试；检查；思索；敲；通“拷”；死去的父亲。

❶考之不良兮，求福得祸

见唐·柳宗元《辨伏神文》。全句为：“物固多伪兮，知者盖寡；～”。

考实按形，不能谩于一人

见《韩非子·外储说左上》。全句为：“籍之虚辞，则能胜一国；～”。

考绩必以岁月，故官不失绪

见宋·苏辙《王存磨勘改朝期待郎》。全句为：“用人惟其才，故政无不修；～”。

❸询事考言，循名责实／视履，考祥其旋，元吉／尊贤考功则治，简贤违功则乱

❹不限资考，惟择才堪者为之／是非有考于前，而成败有验于后／白璧有考，不得为宝：言至纯之难也

❻金石有声，不考不鸣

❼按贤察名，选才考能，名实俱得之也

❽子有钟鼓，弗鼓弗考；宛其死矣，他人是保／日月虽以形相物，考其道则有施受健顺之差焉

❾因材任人，国之大柄；考绩进秩，吏之常法／夏后氏之璜，不能无考；明月之珠，不能无颣

❿听言不求其能，举功不考其素／凡读书到冷淡无味处，尤当着力推考／五福：一曰寿，二曰富，三曰康宁，四曰攸好德，五曰考终命

毕 bì 古时田猎用的一种网；完成；迅捷；网罗无遗之意；全部；通“筚”，编简；星宿名，二十八宿之一。

❸万物毕罗，莫足以归／群贤毕至，少长咸集／六王毕，四海一，蜀山兀，阿房出／一卒毕力，百人不当；万夫致死，可以横行／乐未毕也，哀又继之；哀乐之来，吾不能御，其去弗能止

❺春花无数，毕竟何如秋实／凡君之所毕世而经营者，为天下也

❻青山遮不住，毕竟东流去

❼子能知一，万事毕／正形饰德，万物毕得／通于一而万事毕，无心得而鬼神服／未有天地之先，毕竟也只是先其俭也／未有天地之先，毕竟也只是先进谏斯易矣／未有天地之先，毕竟也只是先让者，德之主也／未有天地之先，毕竟也只是先有此理，便有此天地

❾抱景者咸叩，怀响者毕弹

❿乾坤含疮痍，忧虞何时毕／虽有至明，而有形者不可毕见焉／定者，尽俗之极地……持安之毕事／江河之溢，不过三日，飘风暴雨，须臾而毕／原天命，治心术，理好恶，适情性，而治道毕

华 ①huá 光彩；太阳或月亮周围的彩色光环；繁盛；精华；奢侈；时光；(头发)花白；用于敬词；浮华；称美之辞；粉。②huà 山名，华山；姓。③huā 同"花"；当中剖开。

❶华而不实，耻也

见《国语·晋语四》。

华而不实，怨之所聚也

见《左传·文公五年》。

华究灿烂，非只色之功

见晋·葛洪《抱朴子·博喻》。全句为："～；嵩岱之峻，非一篑之积"。

华离蒂而萎，条去干而枯

见南朝·宋·范晔《后汉书·蔡邕传》。

华岳眼前尽，黄河脚底来

见唐·吴融《出潼关》。

华骝、绿耳，一日至千里……

见汉·刘安《淮南子·主术》。全句为："～，然其使之搏兔，不如豺狼，伎能殊也"。

❷韶华不为少年留／声华行实，光映儒林／物华天宝，龙光射牛斗之墟／中华儿女多奇志，不爱红装爱武装／豪华尽出成功后，逸乐安知与祸双／虚华盛而忠信微，刻薄稠而纯笃稀／浮华鲜实，不特伤风败俗，亦杀身亡家之本／朝华之草，夕而零落；松柏之茂，隆寒不衰／繁华，系累不能夺，则俗心日退、真心日进

❸除浮华则无忧患／有荣华者，必有憔悴／谢朝华于已披，启夕秀于未振／去浮华，举功实，绝末伎，同本务／女恶华丹之乱窈窕也，书恶淫辞之淈法度也／貌言华也，至言实也，苦言药也，甘言疾也

❹大人不华，君子务实／文若春华，思若涌泉／衣不求华，食不厌蔬／辩而不华，质而不野／草木贲华，无待锦匠之奇／文章以华采为末，而以体用为本／草木荣华之飘风，鸟兽好音之过耳／归马于华山之阳，放牛于桃林之野／出见纷华盛丽而说，入闻夫子之道而乐／春发其华，秋收其实，有始有极，爰登其质／但务其华，不寻其实，犹缘木希鱼，却行求前

❺诗酒趁年华／乐者，德之华也／以色交者，华落而爱渝／礼者道之华而乱之首也／冠盖满京华，斯人独憔悴／春生者繁华，秋荣者零悴／有心雄泰华，无意巧玲珑／羁马思其华林，笼雉想其皋泽／文恶辞之华于理，不恶理之华于辞／圣人不为华文，不为色利，不为残贼

❻春风不信，其华不盛／实言无多，而华文无寡／前识者，道之华而愚之始／流年莫虚掷，华发不相容／靡辞无忠诚，华繁竟不实／神越者其言华，德荡者其行伪／踵其事而增华，变其本而加厉／纤之为珠玑华实，变之为雷霆风雨。

❼每依北斗望京华／意不胜者，辞愈华而文愈鄙／诗者：根情，苗言，华声，实义／论贵是而不务华，事尚然而不高合／精卫有情衔太华，杜鹃无血到天津／恰同学少年，风华正茂；书生意气，挥斥方遒／建安诗辩而不华，质而不俚，风调高雅，格力遒壮

❽桃之夭夭，灼灼其华／思若泉涌，文若春华／循理以求道，落其华而收其实／士之相知，温不增华，寒不改叶／四支强而躬体固，华叶茂而本根据／伟人之一顾逾乎华章，而一非亦惨乎黥刖／寒泉飞流，异竹杂华，回映之处，似藏人家

❾寒者愿为蛾，烧死彼华膏／不使名浮于德，不以华伤其实／一语天然万古新，豪华落尽见真淳／起烟于寒灰之上，生华于已枯之木／酌奇而不失其真，玩华而不坠其实

❿皎皎云间月，灼灼叶中华／其语道也，必先淳朴而抑浮华／春一物枯即为灾，秋一物华即为异／文恶辞之华于理，不恶理之华于辞／思苦自看明月苦，人愁不是月华愁／处其厚，不居其薄；处其实，不居其华／学者，犹种树也，春玩其华，秋登其实／不受虚言，不听浮术，不采华名，不兴伪事／学不为人，博而不俗；言不为华，述而不作／气以实志，志以定言，吐纳英华，莫非情性／未有主强盛而辅不飘逸者，兵卫不华赫而庄整者／(文章)不难于细而难于粗，不难于华而难于质／不思安危终始之虑，是乐春藻之繁华，而忘秋实之甘口也／文章丽矣，言语工矣，无异草木荣华之飘风，鸟兽好音之过耳

克 kè 能够；战胜；抑制；严格限定；消化；完成；计量单位。

❶克己复礼为仁

见《论语·颜渊》。

克为卿，失则烹

见唐·卢照邻《对蜀父老问》。

克勤于邦，克俭于家

见《尚书·大禹谟》。

克己可以治怒，明理可以治惧

见宋·朱熹《近思录·克己类》。

克明德慎罚，不敢侮鳏寡，庸庸，祗祗，威威

见《尚书·康诰》。

❷师克在和不在众／惟克果断，乃罔后艰／凡克己以济民，皆力行而不悔／能克己，乃能成己；能胜物，乃能利物

❸惟明克允／八音克谐，无相夺伦，神人以和／居上克明，为下克忠，与人不求备／惩病克寿，矜壮死暴。纵欲不戒，匪愚伊耄

❺克勤于邦，克俭于家／廉约小心，克己奉公

❻战必胜，攻必克／徐制其后，乃克有济／靡不有初，鲜克有终／善始者实繁，克终者盖寡／事莫大于必克，用莫大于玄默／事不师古，以克永世，匪说攸闻／世禄之家，鲜克由礼。以荡陵

德，实悖天道

❼帝子亲王，必须克己／惟察惟法，其审克之／才觉私意起，便克去，此是大勇／宽以待人，柔能克刚，英雄莫敌／居上克明，为下克忠，与人不求备

❽善攻不待坚甲而克／意有所之，事无不克／鬼神无常享，享于克诚／其父析薪，其子弗克负荷／推今而鉴古兮，鲜克以保其生／有善始者实繁，能克终者盖寡／伐柯如何？匪斧不克。取妻如何？匪媒不得

❾由声以循实，则难在克终／大病只一自是，不肯克己／惟圣罔念作狂，惟狂克念作圣／不尤人则德益弘，能克己则学益进／义胜利者为治世，利克义者为乱世

❿知小而自畏，则深谋而必克／三德：一曰正直，二曰刚克，三曰柔克／为政不在言多，须息息从省身克己而出／古人有言曰："其父析薪，其子弗克负荷。"

卓 zhuó 高而直；高明；超出一般；通"桌"；当；姓。

❷鸿卓之义，发于颠沛之朝

❸非有卓然异绩结于人心，浃于骨髓，安能久而愈思

❹行虽至卓，不离高下／此心常卓然公正，无有私意，便是敬

❻怀此贞秀姿，卓为霜下杰

❽功成耻受赏，高节卓不群／不与万物共尽，而卓然其不朽者，后世之名

❿若教纸上翻身看，应见团团董卓脐／多闻则守之以约，多见则守之以卓／旦执机权，夜填坑谷；朔欢卓、郑，晦泣颜、原／人遇逆境，无可奈何，而安之若命，乃是见识超卓

直 zhí 不弯；使直；公正的；合理的；直接；径直；一直；坦率；爽快；姓。

❶直道不容于时

见宋·苏轼《三槐堂铭》。

直木伐，直人杀

见《十六经·行守》。

直而不倨，曲而不屈

见《左传·襄公二十九年》。

直木先伐，甘井先竭

见《庄子·山木》。

直木先伐，全璧受疑

见明·薛应旂《薛方山纪述》。

直者不讦，无以成其直

见三国·魏·刘劭《人物志·八观》。全句为："～；既悦其直，不可非其讦。讦也者，直之征也"。

直意适情，则贤强贼之

见汉·刘安《淮南子·人间》。全句为："～；以身役物，则阴阳食之"。

直而不能枉，不可与大任

见汉·刘向《说苑·谈丛》。全句为："～；方而不能圆，不可以长存"。

直己而行道者，好义者也

见唐·韩愈《上张仆射书》。全句为："闻命而奔走者，好利者也；～"。

直道而事人，焉往而不三黜

见《论语·微子》。

直言不避重诛者，国之福也

见北周·王明广《上书宣帝请重兴佛法》。

直者不能不争，曲者不能不讼

见南朝·宋·范晔《后汉书·列女传》。全句为："事有曲直，言有是非。～"。

直待自家都了得，等闲拈出便超然

见宋·吴可《学诗诗》。

直如弦，死道边；曲如钩，反封侯

见汉《顺帝末京都童谣》。

直而温，宽而栗，刚而无虐，简而无傲

见《尚书·舜典》。

直者性奋，好人行直于人，而不能受人之讦

见三国·魏·刘劭《人物志·七缪》。

直视千里外，唯见起黄埃。凝思寂听，心伤已摧

见南朝·宋·鲍照《芜城赋》。

❷师直为壮，曲为老／理直则恃正而不桡／举直错诸枉，则民服／以直报怨，以德报德／大直若诎，道固委蛇／孤直者，众邪之所憎／恶直丑正，实蕃有徒／好直不好学，其蔽也绞／广直言之路，启进善之门／枉直未定，决于绳墨之平／气直则辞盛，辞盛则文工／正直者顺道而行，顺理而言／友直，友谅，友多闻，益矣／好直而恶枉，天下之至情也／绳直而枉木斫，准夷而高科削／厉直刚毅，材在矫正，失在激讦／大直若屈，大巧若拙，大辩若讷／置直谏之士者，恐不得闻其过也／正直者不可屈曲，有学问者必能辨是非／是直用管窥天，用锥指地也，不亦小乎

❸登临直见楚山雄／不劲直，不能矫奸／上有直刑，君之明也／下无直辞，上有隐君／下有直言，臣之行也／正身直行，众邪自息／但立直标，终无曲影／昂然直上，凛有生气／坚明直亮，有文武之用／恃自直之箭，百世无矢／儒生直如弦，权贵不须干／勿轻直折剑，犹胜曲全钩／禀正直之性，怀刚毅之姿／塞切直之路，为忠者必少／莫信直中直，须防仁不仁／君子直而不挺，曲而不诎／俟自直之箭，则百代无一矢／其言直而切，欲闻之者深诫也／正义直指，举人之过，非毁疵也／尽力直友人之屈，不以权臣为意／人生直作百岁翁，亦是万古一瞬中／人怜直节生来瘦，自许高材老更刚／君子直道而行，

知必屈辱而不避也／定知直道传千古，杜牧文章在上头／眼前直下三千字，胸次全无一点尘／其文直，其事核，不虚美，不隐恶／若平直相似……便不是书法，但得其点画耳／言切直则不用而身危，不切直则不可以明道

❹枉尺而直寻／直木伐，直人杀／黄河水直人心曲／君子以直道待人／聪明正直者为神／讦也者，直之征也／事有曲直，言有是非／小枉大直，君子为之／木以绳直，金以淬刚／结言端直，则文骨成焉／既悦其直，不可非其讦／曲木恶直绳，奸邪恶正法／曲木恶直绳，重罚恶明证／作人贵直，而作诗文贵曲／弦以明直道，漆以固交深／教胄子，直而温，宽而栗／有多闻直谅之友，谓之福／告之以直而不改，必痛之而后畏／君不见直如弦，古人知尔死道边／机发矢直，涧曲湍回，自然之趣也／中通外直，不蔓不枝，香远益清，亭亭净植／欲知平直，则必准绳；欲知方圆，则必规矩／忠果正直，志怀霜雪，见善若惊，疾恶若仇

❺甘则易悦，直则难入／举枉错诸直，则民不服／倚天绝壁，直下江千尺／世理则词直，世忌则词隐／百人无一直，百直无一遇／曲辕且绳直，诡木遂雕藻／讼必有曲直，论必有是非／莫信直中直，须防仁不仁／达士如弦直，小人似钩曲／理辩则气直，气直则辞盛／木受绳则直，金就砺则利／松柏本孤直，难为桃李颜／用心莫如直，进道莫如勇／身曲而景直者，未之闻也／今我受其直怠其事者，天下皆然／理不可以直指也，故即物以明理／有花堪折直须折，莫待无花空折枝／平日极好直言者，即患难时不肯负我之人／曲则为王，直蒙戮辱；宁戮不王，直而不曲／君子敬以直内，义以方外；敬义立而德不孤／行不如止，直不如曲，进不如退，可以安吉／结体散文，直而不野，婉转附物，惆怅切情

❻曲则全，枉则直／周道如砥，其直如矢／谄谀宜惕，正直宜宣／绳正于上，木直于下／群邪所抑，以直为曲／清心为治本，直道是身谋／方凿不受圆，直木不为轮／唯有志不立，直是无着力处／景不为曲物直，响不为恶声美／伏清白以死直兮，固前圣之所厚／苟余心其端直兮，虽僻远之何伤／人主诚正，则直士任事，而奸人伏匿／三德：一曰正直，二曰刚克，三曰柔克／侮圣言，逆忠直，远耆德……时谓乱风／益者三友：友直，友谅，友多闻，益矣／矫枉者，欲其直也，矫之过则归于枉矣／其为不虚取直也的矣，其知恐而畏也审矣／凡居其位，思直其道，道苟直，虽死不可回也／毁人者失其直，誉人者失其实，近于乡原之人哉

❼上公正则下易直／出林之中不得直道／绳墨之起，为不直也／树曲木者，恶得直景／钩曲之形，无绳直之影／竹外有节理，中直空虚／百人无一直，百直无一遇／形枉则影曲，形直则影正／理辩则气直，气直则辞盛／枉己者，未有能直人者也／不有忌讳，则谠直之路开矣／水面上秤锤浮，直待黄河彻底枯／人心莫厌如弦直，淮水长怜似镜清／真的猛士，敢于直面惨淡的人生，敢于正视淋漓的鲜血

❽蓬生麻中，不扶而直／多士之林，不扶自直／是谓是、非谓非曰直／人主欲自知，则必直士／亡国之主，不可以直言／结交澹若水，履道直如弦／骊山北构而西折，直走咸阳／赋者，敷陈其事而直言之者也／不决浮云斩邪佞，直成龙去欲何为／不是无端悲怨深，直将阅历写成吟／长风破浪会有时，直挂云帆济沧海／谀言顺意而易悦，直言逆耳而触怒／时人不识凌云木，直待凌云始道高／暖风熏得游人醉，直把杭州作汴州／清者则心平而意直，忠者惟正道而履之／直者性奋，好人行直于人，而不能受人之讦／变祸为福，易曲成直，宁关天命，在我人力／汝若全德，必忠必直；汝若全行，必方必正／不恃隐括而有自直之箭自圆之木，百世无有一／忠臣不避重诛以直谏，则事无遗策，功流万世

❾直者不讦，无以成其直／古者明君在上，下多直辞／謇谔无一言，岂得为直士／枉士无正友，曲上无直下／杉能遂其性，不扶而直……／教人治人，宜皆以正直为先／非而曲者为负，是而直者为胜／何昔日之芳草兮，今直为此萧艾也／高明者鬼瞰其门，正直者人怨其笔／谗言巧，佞言甘，忠言直，信言寡／君自为诈，欲臣下行直，是犹源浊而望水清，理不可得

❿凡二人来讼，必一曲一直／谗媚之言甘，贤良之言直／源洁则流清，形端则影直／理国要道，在于公平正直／松柏生深山，无心自贞直／斗粟自可饱，千金何所直／矫枉者不过其正，弗能直／青蓬育于麻圃，不扶自直／人主之患，欲闻枉而恶直言／招来雄俊魁伟敦厚朴直之士／礼之正国，犹绳墨之于曲直／上好则下必甚，矫枉故直必过／无准绳，虽鲁般不能以定曲直／当九秋之凄清，见一鹗之直上／绳墨诚陈矣，则不可欺以曲直／我薄而彼轻之，则由我曲而彼直也／大鹏一日同风起，扶摇直上九万里／行险者不得履绳，出林者不得直道／浊其源而望流清，曲其形而欲景直／思虑熟则得事理，行端直则无祸害／自古圣贤尽贫贱，何况我辈孤且直／君子寡欲则不役于物，可以直道而行／非规矩不能定方圆，非准绳不能正曲直／我独见得是，亦须缓缓调停，不可直遂／陶者能圆而不能方，矢者能直而不能曲／庶狱明则国无怨民，枉直当则民无不服／是非不可听而发暴，曲直必宜察而辨明／长短不饰，以情自竭，若是则可谓

直士矣／抗厉之人不能回挠，论法直则括处而公正／贤主所贵莫如士，所以贵士，为其直言也／铁可折，玉可碎，海可枯……直节贯殊途／曲则为王，直蒙戮辱；宁戮不王，直而不曲／切而不指，勤而不怨，曲而不谄，直而有礼／负势竞上，互相轩邈，争高直指，千百成峰／圣人不求誉，不辟诽，正身直行，众邪自息／水皆缥碧，千丈见底；游鱼细石，直视无碍／文章不难于巧而难于拙，不难于曲而难于直／言切直则不用而身危，不切直则不可以明道／孔子曰：诎寸而信尺，小枉而大直，吾为之也／凡居其位，思直其道，道苟直，虽死不可回也／圣人之道，宽而栗，严而温，柔而直，猛而仁／法大弛，则是非易位，赏恒在佞，而罚恒在直／礼者贱质而贵文，故正直日以少，邪乱日以生／恶徼以为知者，恶不孙以为勇者，恶讦以为直者／人生一世，但当畏敬于人，若不善加己，直为受之／一令蔓草难锄，涓流泛酌，岂直疥痒轻疴，容为重患／其为气也，至大至刚，以直养而无害，则塞于天地之间／礼之于正国家也，如权衡之于轻重也，如绳墨之于曲直也

阜 fù 土山；多，丰富；肥硕；生长。

❷丘阜之木，不能成宫室／众阜平寥廓，一岫独凌空

❻土积而成山阜，水积而成江河

❿牛蹄之涔，无尺之鲤；块阜之山，无丈之材／曰衣食足而后廉耻兴，财物阜而后礼乐作，是执末以求其本也

卒 ①zú 兵；差役；完毕；终于；到底；古称三十国或三百家或一百人为“卒”(见《辞海》，上海辞书出版社，1999 年版)；古时军队中二十五人的指挥者；古指大夫死亡及年老寿终。②cù 通“猝”，突然。③cuì 通“倅”，副职。

❶卒然问焉而观其知

见《庄子·列御寇》。全句为：“君子远使之而观其忠，近使之而观其敬，烦使之而观其能，～，急与之期而观其信，告之以危而观其节，醉之以酒而观其侧，杂之以处而观其色”。“知”同“智”；“侧”，不正。亦作“则”，指仪态。

卒寡而兵强者，有义也

见《孙膑兵法·见威王》。全句为：“城小而守固者，有委也；～”。

卒然临之而不惊，无故加之而不怒

见宋·苏轼《留侯论》。全句为：“～，此其所挟持者甚大，而其志甚远也”。

❷士卒不尽饮，广不近水／士卒不尽食，广不尝食／士卒畏将者胜，畏敌者败／视卒如爱子，故可与之俱死／视卒如婴儿，故可与之赴深溪／戍卒叫，函谷举，楚人一炬，可怜焦土／一卒毕力，百人不当；万夫致死，可以横行

❸畏其卒，怖其始

❺爝火虽微，卒能燎原

❻战胜而将骄卒惰者败／其始不立，其卒不成／首句标其目，卒章显其志／有始者必有卒，有存者必有亡／佯北勿从，锐卒勿攻，饵兵勿食／墉基不可仓卒而成，威名不可一朝而立

❼无衣无褐，何以卒岁／功多翻下狱，士卒但心伤／将有死之心，士卒无生之气／万物虽并动作，卒复归于虚静／以千百就尽之卒，战百万日滋之师／天下有大勇者，卒然临之而不惊，无故加之而不怒

❽备不预具，难以应卒／民安土重迁，不可卒变。易以顺行，难以逆动

❾将不预设，则亡以应卒／物暴长者必夭折，功卒成者必亟坏／事不豫辨，不可以应卒；内无备，不可以御敌

❿以慧治国者，始于治，常卒于乱／宰相必起于州部，猛将必发于卒伍／教会宣明，不能尽力，士卒之罪也／病学者厌卑近而骛高远，卒无成焉／不阿党，不私色，故群徒之卒不得容／强弱成败之要，在乎附士卒、教习之而已／天子曰崩，诸侯曰薨，大夫曰卒，士曰不禄／德不素积，人不为用；备不豫具，难以应卒／威权外假，归之良难，虎翼一奋，卒不可制／能用非己之民，国虽小，卒虽少，功名犹可立／不得所以用之，国虽大，势虽便，卒无众，何益／国家无养兵之费则国富，队伍无老弱之卒则兵强／彼妇之口，可以出走……盖优哉游哉，维以卒岁／有起于虚，动起于静。故万物虽并动作，卒复归于虚静

丧 ①sàng 丧失，失掉；死亡。②sāng 同死人有关的。

❶丧贵致哀，礼存宁俭

见南朝·宋·范晔《后汉书·显宗孝明帝纪》。

丧不过三年，示民有终也

见汉·郑玄注《孝经·丧亲章》。

丧乱死多门，呜呼泪如霰

见唐·杜甫《白马》。

❷世丧道矣，道丧世矣／处丧以哀，无问其礼矣／得丧而不形于色，进退而不失其正

❸非吴丧越，越必丧吴／道德丧则礼乐不可理／玩人丧德，玩物丧志／养生丧死无憾，王道之始也

❹凡民有丧，匍匐救之／忘其小丧而志于大得／时日曷丧，予及汝皆亡／以生为丧也，以死为反也／被褐而丧珠，失皮而露质／有其善，丧厥善；矜其能，丧厥功

❺悦其名而丧其实／有名之名，丧我之橐也／有货之货，丧我之贼也／一心可以丧邦，一心可

以兴邦／为主贪，必丧其国；为臣贪，必亡其身／有以用兵丧其国者，欲偃天下之兵，悖。

❻世丧道矣，道丧世矣／知得而不知丧，知存而不知亡／以贼其身，乃丧其躯，其行如此，是谓大忘／我悲人之自丧者，吾又悲夫悲人者，吾又悲夫悲人之悲者

❼非吴丧越，越必丧吴／玩人丧德，玩物丧志／哀乐而乐哀，皆丧心也／凡四方小大邦丧，罔非有辞于罚／观者如山色沮丧，天地为之久低昂／如不行道，足以丧身，不举贤，足以亡国

❽善积者昌，恶积者丧／大夫以君命出，闻丧徐行而不返／道足以忘物之得丧，志足以一气之盛衰／礼，与其奢也宁俭；丧，与其易也宁戚／快心之事，悉败身丧德之媒，五分便无悔／天下之事，急之则丧，缓之则得，而过缓则无及

❾位疑则隙生，累近则丧大／失神之术本于纵恣，丧神之数在于自专

❿知音者稀，常恐词林交丧／边境之臣处，则疆垂不丧／福莫大无祸，利莫美不丧／一言而可以兴邦，一言可以丧邦／小人多欲则多求妄用，败家丧身／天良能本吾良能，顾为有我所丧尔／传闻之言无实，无实即唐丧唾津矣／志士不忘在沟壑，勇士不忘丧其元／大道以多歧亡羊，学者以多方丧生／君日骄而臣日谄，未有不丧邦者也／有其语而无其人，得其宾而丧其实／有其善，丧厥善；矜其能，丧厥功／用过其才则败事，享过其分则丧身／上无礼，下无学，贼民兴，丧无日矣／进有退之义，存有亡之机，得有丧之理／赏厚可令廉士动心，罚重可令凶人丧魄／天下稍安，尤须兢慎，若便骄逸，必至丧败／大川未济，乃失巨舰；长途始半，而丧良骥／恶不可积，过不可长；积恶长过，丧乱之源／愚者笑之，智者哀焉；狂夫之乐，贤者丧焉／穷武之雄，毙于不仁；存义之国，丧于懦退／革之匪时，物失其基；因之匪理，物丧其纪／纯柔纯弱兮，必削必薄；纯刚纯强兮，必丧必亡／喜则滥赏无功，怒则滥杀无罪，是以天下丧乱，莫不由此

卖 mài 用东西换钱，与“买”相对；出卖；尽量使出来；故意显示或突出自己，以引起注意。

❷众卖花兮独卖松，青青颜色不如红

❸号呼卖卜谁家子，想欠明朝籴米钱

❹悬羊头，卖狗肉／悬牛头，卖马脯；盗跖行，孔子语

❻众卖花兮独卖松，青青颜色不如红

❼悬牛首于门，而卖马肉于内／笔底明珠无处卖，闲抛闲掷野藤中

❿曾因国难披金甲，不为家贫卖宝刀

南 nán 方位词；指中国南部地区；姓。

❶南面而听百里

见宋·王安石《县令王任可试大理评事充节推知县》。

南人学问，如牖中窥日

见南朝·宋·刘义庆《世说新语·文学》。全句为：“北人看书，如显处视月；～”。

南高峰，北高峰，南北高峰云淡浓

见宋·袁正真《长相思》。

南方无穷而有穷，今日适越而昔来

见《庄子·天下》。

❷溪南北有山……／东南山水，余杭郡为最／维南有箕，不可以簸扬／倚南窗以寄傲，审容膝之易安／东南四十三州地，取尽膏脂是此河／江南谚云：尺牍书疏，千里面目也／日南则景短多暑，日北则景长多寒／罄南山之竹，书罪未穷；决东海之波，流恶难尽／江南多临观之美，而滕王阁独为第一，有瑰伟绝特之称

❸穷秋南国泪，残日故乡心／别馆南开，风雨积他乡之思／潭西南而望，斗折蛇行，明灭可见／东西南北，某也何从；寒暑阴阳，时哉不与

❹写出江南烟水秋／春尽江南尚薄寒／春到江南花自开／红豆生南国，春来发几枝／是岁江南旱，衢州人食人／秀出天南笔一枝，为官风骨称其诗／橘生淮南则为橘，生于淮北于则为枳／百炼而南金不亏其真，危困而烈士不失其正

❺玉不琢，则南山之圆石／亭之所见，南北百里……／忧端齐终南，澒洞不可掇／画栋朝飞南浦云，珠帘暮卷西山雨／节物后先南北异，人情冷暖古今同／闻鸡久听南天雨，立马曾挥北地鞭

❻春风又绿江南岸／关河景物异南北，神京不见双泪流／人人尽说江南好，游人只合江南老／衙门自古向南开，就中无个不冤哉／橘柚生于江南，而民皆甘之于口，味同也／暮春三月，江南草长，杂花生树，群莺乱飞

❼春风相送过江南／南高峰，北高峰，南北高峰云淡浓／月明星稀，乌鹊南飞，绕树三匝，何枝可依

❽愁随芳草，绿遍江南／虽无玄豹姿，终隐南山雾／诸君傅粉涂脂，问南北战争都不知／遗民泪尽胡尘里，南望王师又一年

❾农月无闲人，倾家事南亩／东面望者不见西墙，南乡视者不睹北方／盈尺径寸，易取琢磨；南箕北斗，难为簸扬

❿名高天下，何必辨襄阳南阳／泻水置平地，各自东西南北流／为神有灵兮何事处我天南海北头／除害之要，在于去之，不在南北／千磨万击还坚劲，任尔东西南北风／荆王未辨连城价，肠

断南州抱璧人／人人尽说江南好，游人只合江南老／难留连，易消歇，塞北花，江南雪／茫茫九派流中国，沉沉一线穿南北／惆怅不如边雁影，秋风犹得向南飞／班声动而北风起，剑气冲而南斗平／扁舟一棹归何处，家在江南黄叶村／龙钟还忝二千石，愧尔东西南北人／臣心一片磁针石，不指南方不肯休／我知天下之中央，燕之北越之南是也／目极千里兮伤春心，魂兮归来哀江南／秋风起兮白云飞，草木黄落兮雁南归／春草碧色，春水渌波，送君南浦，伤如之何／北人看书，如显处视月；南人学问，如牖中窥日

真 zhēn 符合客观事物本来面貌的；确定；清楚；实职；汉字的正楷，即“真书”；肖像；姓。

❶真人之言不义不颇

见《管子·心术上》。

真草书迹，微须留意

见北齐·颜之推《颜氏家训·杂艺》。全句为：“～。江南谚云：尺牍书疏，千里面目也”。

真伪因事显，人情难预观

见晋·欧阳坚石《临终诗》。全句为：“不涉太行险，谁知斯路难。～”。

真个别离难，不似相逢好

见宋·晏几道《生查子》。

真文不媚时，甘受人弹弋

见清·孔尚任《长留集·赠吴镜庵》。

真心实作，无不可图之功

见明·吴麟徵《家诫要言》。

真积力久则入，学至乎没而后止

见《荀子·劝学》。

真知即所以为行，不行不足谓之知

见明·王阳明《传习录上》。

真在内者，神动于外，是所以贵真也

见《庄子·渔父》。

真者，所以受于天也，自然不可易也

见《庄子·渔父》。

真者，精诚之至也；不精不诚，不能动人

见《庄子·渔父》。

真伪有质矣，而趋舍舛忤，故两心不相为谋焉

见晋·葛洪《抱朴子·塞难》。

真悲无声而哀，真怒未发而威，真亲未笑而和

见《庄子·渔父》。

真则气雄，精则气生，使五彩并用，而气行其中

见唐·柳冕《答衢州郑使君论文书》。全句为：“善为文者，发而为声，鼓而为气。～”。

真的猛士，敢于直面惨淡的人生，敢于正视淋漓的鲜血

见现代·鲁迅《记念刘和珍君》。

❷有真人然后有真知／守真志满，逐物意移／清真寡欲，万物不能移／其真无马邪？其真不知马也／非真无人也，但求之不勤不至耳／舍真筌而择士，沿虚谈以取才……／水真绿净不可唾，鱼若空行无所依

❸天下真花独牡丹／不认真，作不得事／文有真伪，无有故新／且有真人，而后有真知／欲求真受用，须下死功夫／但写真情并实境，任他埋没与流传／假作真时真亦假，无为有处有还无／少壮真当努力，年一过往，何可攀援／道之真以治身，其绪余以为国家，其土苴以治天下

❹事有本真，陈施于亿／洗心得真情，洗耳徒买名／此中有真意，欲辨已忘言／诵读有真趣，不玩味终为鄙夫／名生于真，非其真，弗以为名／吟咏有真得，不解脱终为套语／山水有真赏，不领会终为漫游／田园有真乐，不潇洒终为忙人／内不失真，外不殊俗，同尘而不染

❺利剑多缺，真玉喜折／伪道养形，真道养神／不识庐山真面目，只缘身在此山中／内守坚固真之真，虚中恬淡自致神／出师一表真名世，千载谁堪伯仲间／假作真时真亦假，无为有处有还无／假金方用真金镀，若是真金不镀金／观棋不语真君子，把酒多言是小人／治世不得真贤，譬犹治疾不得真药／所谓伐天真而矜己者也，天祸必及／有花无叶真潇洒，不向胭脂借淡红／雄关漫道真如铁，而今迈步从头越／行世者必真，悦俗者必媚，真久必见，媚久必厌

❻莫将戏事扰真情／又如食橄榄，真味久愈在／圣人法天贵真，不拘于俗／至言逆俗耳，真语必违众／愚谓无知守真，顺自然也

❼人心恶假贵重真／有真人然后有真知／善欲人见，不是真善／其真无马邪？其真不知马也／名生于真，非其真，弗以为名／内守坚固真之真，虚中恬淡自致神／酌奇而不失其真，玩华而不坠其实／名者，圣人所以真物也，名之为言真也／善欲人见，不是真善；恶恐人知，便是大恶／真悲无声而哀，真怒未发而威，真亲未笑而和

❽且有真人，而后有真知／好学而不勤问，非真能好学者也／功名只向马上取，真是英雄一丈夫／为情者要约而写真，为文者淫丽而烦滥／经目之事，犹恐未真；背后之言，岂能全信／谨修而身，慎守其真，还以物与人，则无所累／徒知伪得之中有真失，殊不知真得之中有真失／徒知伪是之中有真非，殊不知真是之中有真非

❾知人之难，莫难于别真伪／能甘淡泊，便有几分真学问／此形，本清，不做作还真正／百炼而南金不亏其真，危困而烈士不失其正

❿浩歌惊世俗，狂语任天真／成败何足校？英雄自有真／眼见方为是，传言未必真／人生似瓦盆，打着了方见真空／一语天然万古新，豪华

落尽见真淳／一字不识而有诗意者，得诗家真趣／事事只在道理上商量，便是真体认／假金方用真金镀，若是真金不镀金／随人作计终后人，自成一家始逼真／口乃心之门，守口不密，泄尽真机／治世不得真贤，譬犹治疾不得真药／理有疑误而成过，事有形似而类真／文章自得方为贵，衣钵相传岂是真／眼处心生句自神，暗中摸索总非真／真在内者，神动于外，是所以贵真也／悟者，吾心也。能见吾心，便是真悟／名者，圣人所以真物也，名之为言真也／忍泪失声询使者："几时真有六军来"／抱朴无为，不以物累其真，不以欲害其神／才有浅深，无有古今；文有真伪，无有故新／至是之是无非，至非之非无是，此真是非也／繁华，系累不能夺，则俗心日退、真心日进／真悲无声而哀，真怒未发而威，真亲未笑而和／徒知伪得之中有真失，殊不知真得之中有真失／徒知伪是之中有真非，殊不知真是之中有真非／有第一等襟抱，第一等学识，斯有第一等真诗／但当退小人之伪朋，用君子之真朋，则天下治矣／诚则始终不忒，表里一致，敬信真纯，往而必孚／行世者必真，悦俗者必媚，真久必见，媚久必厌／见玉而指之曰石，非玉之不真也，待和氏而识焉／世俗所患，患言事增其实，著文垂辞，辞出溢其真／君子所以动天地应神明正万物而成王治者，必本乎真实而已

隼

sǔn 鸟类的一科。

❻有如兔走鹰隼落，骏马下注千丈坡

❼无心与物竞，鹰隼莫相猜

❾赤肉悬则乌鹊集，鹰隼鸷则群鸟散

索

suǒ 粗绳子；搜寻；讨取；孤独；寂寞；须。

❶索道于当世者，莫良于典

见汉·王符《潜夫论·赞学》。全句为："索物于夜室者，莫良于火；～"。

索物于夜室者，莫良于火

见汉·王符《潜夫论·赞学》。全句为："～；索道于当世者，莫良于典"。

❷不索何获／思索生知，慢易生忧／搜索稚与艾，唯存跛无目／朽索充羁，不收奔马之逸

❸凿石索玉，剖蚌求珠／接赜索隐，钩深致远

❹奔车朽索，其可忽乎／惟家之索，牝鸡之晨／可起而索，不可坐而得／行曾而索爱，父弗得子／行母而索敬，君弗得臣

❺闻善而不索，殆／懔乎若朽索之驭六马／大寒而后索衣裘，不亦晚乎／官输私负索交至，勺合不留但糠秕

❻人生在勤，不索何获／立望关河萧索，千里清秋，忍凝眸

❼福不择家，祸不索人／嫁女择佳婿，毋索重聘／各愿种成千百索，豆萁禾穗满青山

❽牝鸡之晨，惟家之索

❿乘渍水以胶船，驭奔驹以朽索／眼处心生句自神，暗中摸索总非真／路曼曼其修远兮，吾将上下而求索／言无有善恶也……则其辞不索而获／金沙水拍云崖暖，大渡桥横铁索寒／君不见今人交态薄，黄金用尽还疏索／绳锯木断，水滴石穿，学道者须加力索／物理不见不闻，虽圣哲亦不能索而知之／东风恶，欢情薄，一怀愁绪，几年离索。错！错！错／民之性，饥而求食，劳而求佚，苦则索乐，辱则求荣／搜寻仞之垄，求干天之木；漉牛迹之中，索吞舟之鳞

乾

①qián 八卦之一；旧时代表男方；象征阳性或刚健。②gān"干"的繁体字。

❶乾道变化，各正性命

见《周易·乾》。

乾坤之大，何处容我不得

见明·吕坤《呻吟语》。全句为："～？而到处不为人所容，则我之难容也"。

乾坤含疮痍，忧虞何时毕

见唐·杜甫《北征》。

乾坤倒覆，无谓不静，洪流滔天，无谓其动

见《物不迁论》。

❷与乾坤齐其寿，与日月齐其明／痛乾坤而忽穷，嗟古今而长绝

❸大哉乾元，万物资始，乃统天／顾使乾坤同日月，不妨闽浙异江山／整顿乾坤手段，指授英雄方略，雅志若为酬

❻欲倾东海洗乾坤／江海三年客，乾坤百战场

❽日月双悬于氏墓，乾坤半壁岳家祠

❾但令身未死，随力报乾坤

❿蹉跎岁月，尽此身污秽乾坤／不要人夸好颜色，只留清气满乾坤／宁为宇宙闲吟客，怕作乾坤窃禄人／不敌其力，而消其势，兑下乾上之象／振则须起风雷之益，惩则须奋刚健之乾

啬

sè 吝啬；阻塞；节俭。

❷为啬之道，不施不予，俭爱微妙，盈若无有。

❾治国之道，生民之本，啬为祖宗

❿称财多寡而节用之，富无金藏……谓之啬／见可怜则流涕，将分与则吝啬，是慈而不仁者

博

bó 广大；通晓；获取；丰富。

❶博爱似虚而实厚

见三国·魏·刘劭《人物志·八观》。

博求人才，广育士类

见宋·苏轼《荐朱长文札子》。

博学切问，所以广知

见宋·张商英《素书》三。

博学多识，疑则思问

见汉·王符《潜夫论·叙录》。

博览兼听，谋及疏贱

见汉·班固《汉书·梅福传》。

博览群书，不为讽咏

见宋·王谠《唐语林·政事上》。

博询众庶，则才能者进

见宋·王安石《兴贤》。

博闻多记而守以浅者广

见汉·刘向《说苑·敬慎》。全句为："聪明睿智而守以愚者益，～"。

博学而不自反，必有邪

见《管子·戒》。

博而能容浅，粹而能容杂

见《荀子·非相》。全句为："贤而能容罢，知而能容愚，～"。

博观而约取，厚积而薄发

见宋·苏轼《杂说·送张琥》。

博学而不穷，笃行而不倦

见《礼记·学记》。

博学而笃志，切问而近思

见《论语·子张》。

博文多记，而守以浅者广

见宋·刘清之《戒子通录》。

博而能一，亦有助乎心力矣

见南朝·梁·刘勰《文心雕龙·神思》。全句为："博见为馈贫之粮，贯一为拯乱之药，～"。

博闻强记，守之以浅者，智

见汉·韩婴《韩诗外传》卷三。

博学而志不笃，则大而无成

见宋·朱熹《四书集注·论语·子张》。全句为："～；泛问远思，则劳而无功"。

博学而详说之，将以反说约也

见《孟子·离娄下》。

博爱之谓仁，行而宜之之谓义

见唐·韩愈《原道》。全句为："～，由是而之焉之谓道，足乎已无待于外之谓德"。

博士买驴，书卷三纸，未有驴字

见北齐·颜之推《颜氏家训·勉学》。

博弈之交不终日，饮食之交不终月

见《格言联璧·接物》。全句为："～，势利之交不终年，惟道义之交，可以终身"。

博见为馈贫之粮，贯一为拯乱之药

见南朝·梁·刘勰《文心雕龙·神思》。全句为："～，博而能一，亦有助乎心力矣"。

博辩广大危其身者，发人之恶者也

见汉·司马迁《史记·孔子世家》。全句为："聪明深察而近于死者，好议人者也。～"。

博识者触物能名，洽闻者理无所惑耳

见晋·葛洪《抱朴子·对俗》。

博学而日参省乎己，则知明而行无过

见《荀子·劝学》。

博之不必知，辩之不必慧，圣人以断之矣

见《庄子·知北游》。

博闻强识而让，敦善行而不怠，谓之君子

见《礼记·曲礼上》。

博学之，审问之，慎思之，明辨之，笃行之

见《礼记·中庸》。

博学笃志，切问近思，此八字是收放心的功夫

见清·王永彬《围炉夜话》。全句为："～；神闲气静，智深勇沉，此八字是干大事的本领"。

博取之象数，远征之古今，以求尽乎理，所谓格物也

见清·王夫之《尚书引义·说命中》。

❷爱博而情不专／器博者无近用，道长者其功远／铭博约而温润，箴顿挫而清壮

❸学愈博则思愈远／不学博依，不能安诗／强学博览，足以通古今／土地博裕，而守以俭者安／诚使博如庄周，哀如屈原……／学欲博，不欲杂；守欲约，不欲陋／杂似博，陋似约，学者不可不察也／其文博辩而深切，中于时病而不为空言／君子博学而日参省乎己，则知明而行无过矣

❹读书贵博亦贵精／闻志广博而色不伐／知者不博，博者不知／长者能博爱，天下寄其身／学之之博，未若知之之要／学识英博，非复吴下阿蒙／心散于博闻，技贫乎广畜／以侈为博……此荒国之风也／多见者博，多闻者智；拒谏者塞，专己者孤／学不必博，要之有用；仕不必达，要之无愧／综学在博，取事贵约，校练务精，捃理须核／以弋猎博弈之日诵《诗》、《书》，闻识必博矣

❺不自是者博闻／知者不博，博者不知／倘非广见博闻，总觉光阴虚度／但把穷愁博长健，不辞最后饮屠苏／德莫高于博爱人，政莫高于博利人／学医者当博览群书，不得拘守一家之言／天下之物博而智浅，以澹浅博，未有能者也／学不为人，博而不俗；言不为华，述而不作／平原广望，博观之乐，沼池不如川泽所见博也

❻参之《国语》以博其趣

❼才不大者，不能博见／将赡才力，务在博见／辞欲壮丽，义归博远／论大材体则弘博而高远／闻之而不见，虽博必谬／仁昭而义立，德博而化广

❽或简言以达旨，或博文以该情／词林增峻，反诸宏博，君之力焉／问事弥多而见弥博，官弥剧而识弥泥／是故德之所施者博，则威之所行者远／观书贵要，观要贵博，博而知要，万流可一

❾地不深厚则载物不博／何况性命之重，乃以

博财物耶／多才之士才储八斗，博学之儒学富五车／观书贵要，观要贵博，博而知要，万流可一／凡用人之道，采之欲博，辨之欲精，使之欲适，任之欲专

❿在贵多忘贱，为恩谁能博／源长者流深，道悠者利博／时不乏人而患闻见之不博／欲衍则速患，情佚则怨博／不耻禄之不夥，而耻知之不博／海以合流为大，君子以博识为弘／欲求士之贤愚，在于精鉴博采之／年衰无酒食之娱，性拙无博弈之艺／为词章，泛滥停蓄，为深博无涯涘／志欲大而心欲小，学欲博而业欲专／吾尝跂而望矣，不如登高之博见也／德莫高于博爱人，政莫高于博利人／朝廷之臣，取其鉴达治体，经纶博雅／材既难得，而又难知，则当博采而多蓄之／天下之物博而智浅，以澹浅博，未有能者也／不学操缦，不能安弦；不学博依，不能安诗／荐贤能其气似孔文举，论经学其博似刘子骏／时无远近，事无巨细，必籍多闻，以成博识／平原广望，博观之乐，沼池不如川泽所见博也／明于古今，温故知新，通达国体，故谓之博士／以弋猎博弈之日诵《诗》、《书》，闻识必博矣／学者必务知要，知要则能守约，守约则足以尽博矣

斡 ①wò 转，旋转。②guǎn 通“管”，管领。［斡旋］扭转，挽回；国际法名词。

❸搜天斡地觅诗情

❺力能排天斡九地，壮颜毅色不可求

❾浩渼东流，赴海为期。斡而迁焉，逐我颐指

兢 jīng 强健；动；［兢兢业业］小心谨慎，认真负责。

❶兢兢业业，如霆如雷

见《诗·大雅·云汉》。

兢兢业业，一日二日万几

见《尚书·皋陶谟》。

兢兢自危，犹惧不终，而况沛然自足，可以成功者乎

见南朝·宋·范晔《后汉书·耿纯传》。

❷兢兢业业，如霆如雷／兢兢业业，一日二日万几／兢兢自危，犹惧不终，而况沛然自足，可以成功者乎

❸战战兢兢，如临深渊，如履薄冰

❼天下稍安，尤须兢慎，若便骄逸，必至丧败

❾成大事者，皆从战战兢兢之心来

翰 hàn 雉类，赤羽的山鸡，也叫“锦鸡”；羽毛；借指毛笔、文字、书信等；辅翼；高飞；白马。

❷轻翰暂飞，则花葩竞发／张翰黄花句，风流五百年

❾积年绮碎，一朝清廓，翰苑豁如

❿悬日月于胸怀，挫风云于毫翰

仄 zè 倾斜；偏斜；狭窄；内心不安；古汉语上、去、入三声的总称。

❸明扬仄陋，唯才是举

❹日极则仄，月满则亏

历 lì 经过；经历；遍；推算；记录；历法；选择；稀疏；约数；通“枥”，马厩；古时拶指的刑罚；过去的各次或各个；一个朝代预计的享国年数。

❶历纤理则宕往而疏越

见三国·魏·刘劭《人物志·材理》。全句为：“刚略之人不能理微，故其论大材体则弘博而高远，～”。

历险乘危，则骐骥不如狐狸

见《战国策·齐策三》。全句为：“猿猕猴错木据水，则不若鱼鳖；～”。

历览前贤国与家，成由勤俭败由奢

见唐·李商隐《咏史》。

历危乘险，匪杖不行，车耆力竭，匪杖不强

见汉·刘向《杖铭》。

历观前代拨乱创业之主，生长民间，皆识达情伪，罕至于败亡

见唐·吴兢《贞观政要·教戒太子诸王》。

❷所历厌机巧／葶历似菜而味殊，玉石相似而异类／非历览无以寄杼轴之怀，非高远无以开沉郁之绪

❸必且历日旷久，丝牦犹能挈石，驽马亦能致远

❹虽无纪历志，四时自成岁／凡用人历试其能，苟败事必诛无赦

❺经耳不忘，历口不遗／赵、魏、燕、韩，历历堪回首

❻逢时独为贵，历代非无才／赵、魏、燕、韩，历历堪回首

❼鸟思猿情，绕梁历榱……／能四时而不衰，历夷险而益固

❽斯则贤达之素交，历万古而一遇

❾晷刻之误，或遗患于历年／要为天下奇男子，须历人间万里程

❿文生于情，情生于身之所历／不是无端悲怨深，直将阅历写成吟／自家虽有这道理，须是经历过方得／路歧之险夷，必待身亲履历而后知／不出户而知天下兮，何必历远以劬劳／不论其才之称否，而论其历任之多少／爱赤子者不慢于保，绝险历远者不慢于御／澄潭至清，洞澈见底，往往有群鱼戏，历历如水上行

厄 ①è 灾难；险要的地方；受困。②ài 狭隘。

❷当厄之施，甘于时雨；伤心之语，毒于阴冰

❻君子见人之厄则矜之，小人见人之厄则幸之

❾与，不期众少，其于当厄

❿君子见人之厄则矜之，小人见人之厄则幸之

／身处困境，当视为天之爱我、成我，不当视为天之厄我、祸我也

厉 lì“砺”的本字；严格；严肃；猛烈，迅疾；祸患，危险；虐害；通“励”，劝勉；河水可以涉过之处。

❶厉夜生子，遽而求火

见晋·陶潜《命子》。

厉精乡进，不以小疵妨大材

见汉·班固《汉书·平帝纪》。

厉直刚毅，材在矫正，失在激讦

见三国·魏·刘劭《人物志·体别》。

厉法禁，自大臣始，则小臣不犯矣

见宋·苏轼《策别第六》。

厉精，莫如自上率之，则壅蔽决矣

见宋·苏轼《策别第八》。

❷砥厉名号者，不以利伤行／抗厉之人不能回挠，论法直则括处而公正／色厉而内荏，譬诸小人，其犹穿窬之盗也与

❸深则厉，浅则揭／疾言厉色，处众之贼也

❹刚者不厉，无以济其刚／士不素厉，则难使死敌／怵惕惟厉，中夜以兴，思免厥愆／磨砻底厉，不见其损，有时而尽

❺行峻而言厉，心醇而气和／名者可以厉中人，君子所存非所汲汲

❻不可知之事，厉心学问，虽小无易／周道衰于幽厉，非道亡也，幽厉不繇也

❼参之谷梁氏以厉其气／挺秀色于冰涂，厉贞心于寒道／省事莫如任人，厉精莫如自上率之

❽义烈之余，色气猛厉／奸人外善内恶，色厉内荏／无咎，弗过，遇之。往厉，必戒／虎之跃也，必伏乃厉；鹄之举也，必拊乃高

❾权衡既悬，锱铢靡遁，厉驽习骥，终莫之近／既悦其刚，不可非其厉。厉也者，刚之征也

❿虑不私己，以之断义必厉／念头暗昧，白日下犹生厉鬼／欲去其弊也，莫如省事而厉精／踵其事而增华，变其本而加厉／在朝也则将帅之任，为国则严厉之政／周道衰于幽厉，非道亡也，幽厉不繇也／宜得敏锐兼人之器，以副厉精更化之怀／愿赐尚方斩马剑，断佞臣一人，以厉其余／一事惬当，一句清巧，神厉九霄，志凌千载／既悦其刚，不可非其厉。厉也者，刚之征也／君子有三变：望之俨然，即之也温，听其言也厉

压 ①yā 施压；用强力制服；稳住；迫近；超过；下赌注。②yà 用于“压根儿”。

❷覆压三百余里，隔离天日／雪压冬云白絮飞，万花纷谢一时稀

❸黑云压城城欲摧

❺不是东风压了西风，就是西风压了东风

❿才不能逾同列，声不能压当世，世之怒仆宜也

厌 ①yàn 满足；极反感；因过多而失去兴趣。②yā 通“压”，倾覆；适合；抑制；堵塞；闭藏；侵犯。③yān 安貌。④yè 按捺。

❶厌其源，开其渎，江河可竭

见《荀子·修身》。

厌文搔法，法官理民者，有司也，君无事焉，犹尊君也

见汉·刘安《淮南子·诠言》。

❷可厌之类，不独为害，死虽万代，独堪污秽

❸兵不厌诈／所历厌机巧／诗不厌改，贵乎精也／食不厌精，脍不厌细／万姓厌干戈，三边尚未和／人情厌故而喜新，重难而轻易／山不厌高，海不厌深；周公吐哺，天下归心

❹侵欲无厌，规求无度／学而不厌，诲人不倦／贪货无厌，其身必少／贫者不厌糟糠，穷而为奸／鸟兽不厌高，鱼鳖不厌深／学问不厌，好士不倦，是天府也／旧书不厌百回读，熟读深思子自知／人心莫厌如弦直，淮水长怜似镜清／欲心难厌如溪壑，财物易尽若漏卮／病学者厌卑近而骛高远，卒无成焉／好善无厌，受谏而能诫。虽欲无进，得乎哉

❻战陈之间，不厌诈伪／牟人之利以厌己之欲者，非蝗乎

❼权不失机，功不厌速／衣不求华，食不厌蔬／食不厌精，脍不厌细／便令江汉竭，未厌虎狼求／别来十年学不厌，读破万卷诗愈美／于戏君子，人不厌之，死虽千岁，其行可师／山不厌高，海不厌深；周公吐哺，天下归心

❽君子之行仁也无厌／报者倦矣，施者未厌／施舍不倦，求善不厌／繁采寡情，味之必厌／不谄上而慢下，不厌故而敬新／默而识之，学而不厌，诲人不倦／人生有限，情欲无厌。既不救其死亡，岂能保乎金玉

❾鸟兽不厌高，鱼鳖不厌深／若能遗外声利，而不厌乎贫贱也／可憎者人情冷暖，可厌者世态炎凉

❿万物安于知足，死于无厌／求贤如饥渴，受谏而不厌／溺爱者不明，贪得者无厌／有乍交之欢易，无久处之厌难／矜一事之微劳，遂有无厌之望／兵，诡道也，军事未发，不厌其密／诸侯之地有限，暴秦之欲无厌……／无舆马者不耻徒步，无鱼肉者不厌菜羹／学不倦，所以治己也；教不厌，所以治人也／大丈夫举事，当赤心相示，浮言夸辞，吾甚厌之／行世者必真，悦俗者必媚，真久必见，媚久必厌／岁寒霜雪苦，含彩独青青，岂不厌凝冽，羞比春木荣

励 lì 劝勉；通“厉”，通“砺”，磨练；姓。

❸志不励则士不死节，士不死节则众不战

❺及时当勉励，岁月不待人／刺股情方励，偷光

思益深

❻小人不激不励,不见利不劝

❼懿德茂行,可以励俗

❿当及未衰时,晚节早自励/劳臣不赏,不可劝功;死士不赏,不可励勇

厕 cè 厕所;混杂在里面;猪圈;参加;通“侧”。

❿君子非不见贵,然小人亦得厕其间时而用

厘 ①lí 计量单位名称;整理、治理;寡妇;姓。②lài 通“赉”,赐予。

❷毫厘之根,无连抱之枝/毫厘之差,或致弊于寰海

❹失之毫厘,差以千里/差若毫厘,缪以千里

❽君子慎始,差若毫厘,缪之千里

厚 hòu 厚度;为人诚恳;重视。

❶厚葬无益于死者

见晋·陈寿《三国志·魏书·明帝纪》裴松之注引《魏略》。

厚酒肥肉,甘口而疾形

见《韩非子·扬榷》。

厚发奸之赏,峻欺下之诛

见唐·刘禹锡《答饶州元使君书》。

厚于财色必薄于德,自然之道也

见秦·孔鲋《孔丛子·抗志》。

厚性宽中近于仁,犯而不校邻于恕

见南朝·宋·范晔《后汉书·卓茂传》。

厚者不损人以自益,仁者不危躯以要名

见汉·刘向《新序·杂事三》。

厚者不毁人以自益也,仁者不危人以要名

见《战国策·燕策三》引谚语。

❷禄厚者,怨逮之/币厚言甘,人之所畏也/赏厚而利,刑重而威必/冰厚三尺,不是一日之寒/无厚,不可积也,其大千里/不厚费者不多营,不妄用者不过取/云厚者,雨必猛;弓劲者,箭必远/赏厚可令廉士动心,罚重可令凶人丧魄/忠厚积,则致太平;浅薄积,则致危亡/不厚其栋,不能任重。重莫如国,栋莫如德/欲厚其德,不可不弘其量,欲弘其量,不可不大其识

❸德不厚而思国之理/深沉厚道是第一等资质/于所厚者薄,无所不薄也/严罚厚赏,此衰世之政也/以朴厚而知者,无迹而固/薄身厚民,故聚敛之人不得行/躬自厚而薄责于人,则远怨矣/生之厚必入死之地,故谓之大患/昔之厚其生,非爱之也,利其力/德弥厚者葬弥薄,知愈深者葬愈微/其施厚者其报美,其怨大者其祸深/生有厚利,死有遗教,此盛君之行也/处其厚,不居其薄;处其实,不居其华/肥肉厚酒,务以自强,命之曰烂肠之食/以无厚入有间,恢恢乎其于游刃必有余地矣/人有厚德,无问小节;人有大举,无訾小故

❹君子以厚德载物/温柔敦厚,诗教也/含德之厚,比于赤子/地不深厚则载物不博/积薄为厚,积卑为高/无功而厚赏,无劳而高爵/不益其厚,而张其广者毁/功多有厚赏,不迪有显戮/道德不厚者,不可以使民/赏莫如厚而信,使民利之/必躬自厚而薄责于人,斯无失也/尝有德,厚报之;有怨,必以法灭之/薄施而厚望,畜怨而无患者,古今未之有也

❺死人无知,厚葬无益/利丰者害厚,质美者召灾/其处己也厚,其取名也廉/概观世运,厚则治,薄则乱/有兼覆之厚,而无伐德之色/时有薄而厚施,行有失而惠用/有未偿之厚责,无可录之微劳/畜民者,先厚其业而后求其赡/筑城者,先厚其基而后求其高/薄富贵而厚于书,轻死生而重于画/官寡而禄厚,则公家之费鲜,进仕之志劝/小人深情厚貌,毒人不可防范,殆其甚于豺狼也

❻博观而约取,厚积而薄发/薄者之不足,厚者之有余/求诸己谓之厚,求诸人谓之薄/劳大者其禄厚,功多者其爵尊/水之积也不厚,则其负大舟也无力

❼博爱似虚而实厚/巧言如簧,颜之厚矣/爵高者忧深,禄厚者责重/身无大功而受厚禄,三危也/有偏宠者,虽欲厚之,更所以祸之/食君之禄畏不厚兮,悼得位之不昌/凡举事,无为亲厚者所痛,而为见仇者所快

❽才有大小,故养有厚薄/招来雄俊魁伟敦厚朴直之士/其为人也温柔敦厚,诗教也/天高不敢不局,地厚不敢不蹐/古之兴者,在德薄厚,不以大小/乐于用则豫章贵,厚其生则社栎贤/乐止夫物之内者,厚其生则社栎贤/沉于乐者洽于忧,厚于味者薄于行/树高者,鸟宿之;德厚者,士趋之/苦身为善者,其赏厚;苦身为非者,其罪重

❾喜而溢美,犹不失近厚/吾不见青天高,黄地厚/不临深溪,不知地之厚也/甚爱必大费,多藏必厚亡/才智英敏者,宜加浑厚学问/意莫高于爱民,行莫厚于乐民/天广而无以自覆,地厚而无以自载/爱之为道也,情亲意厚,深而感物

❿位高者其责不可以不厚/才微而任重,功薄而赏厚/本伤者枝槁,根深者末厚/有德之德薄,而无德之德厚/无德而福隆,犹无基而厚墉也/五仞之墙,所以不毁,基厚也/不以利禄为意,而以仁厚为心/不遇至刻之人,不知忠厚之善/民之轻死,以其上求生生之厚/古者不以死伤生,不以厚为礼/救奢必于俭约,拯薄无若敦厚/伏清白以死直兮,固前圣之所厚/凡物皆有两端,如小大厚薄之类/死者无知,自同粪

土，何烦厚葬／非宽大无以兼覆，非慈厚无以怀众／生非贵之所能存，身非爱之所能厚／劳而不伐，有功而不德，厚之至也／田里绝愁叹之声，邦家闻宽厚之化／任贤使能以清官曹，养老慈幼以厚风俗／行己莫如恭，自责莫如厚，接众莫如宏／处难处之事愈宜宽，处难处之人愈宜厚／目有昧则视白为黑，人有蔽则以薄为厚／天犹有春秋冬夏旦暮之期，人者厚貌深情／事苦，则矜全之情薄；生厚，故安存之虑深／谓天盖高，不敢不局；谓地盖厚，不敢不蹐／四时之运，功成则退，高爵厚宠，鲜不致灾／待人要丰，自奉要约；责己要厚，责人要薄／蛇蛇硕言，出自口矣；巧言如簧，颜之厚矣／攻无道而伐不义，则福莫大焉，黔首利莫厚焉／闰以正时，时以作事，事以厚生，生民之道在此矣／人之生，动之死地亦十有三。夫何故？以其生生之厚／先王以是经夫妇，成孝敬，厚人伦，美教化，移风俗／金樽玉杯不能使薄酒更厚，鸾舆凤驾不能使驽马健捷／赏一人而败国俗，仁者弗为也；以不信得厚赏，义者弗为也／人之所以不能终其寿命，而中道夭于刑戮者，何也？以其生生之厚

原 ①yuán“源”的古字，水源；最初的；未经加工的；根本；未经改变的；考察原由；宽恕；谅解；宽广平坦的地方；再；姓。②yuàn 通“愿”。

❶原天命则不惑祸福

见汉·刘安《淮南子·诠言》。

原清则流清，原浊则流浊

见《荀子·君道》。

原始反终，故知死生之说

见《周易·系辞上》。

原始以要终，虽百世可知也

见南朝·梁·刘勰《文心雕龙·时序》。全句为：“文变染乎世情，兴废系乎时序，～”。

原浊者流不清，行不信者名必耗

见《墨子·修身》。

原天命，治心术，理好恶，适情性，而治道毕

语汉·韩婴《韩诗外传》卷二。

原心反性则贵矣，适情知足则富矣，明死生之分则寿矣

见汉·刘安《淮南子·缪称》。全句为：“天下有至贵而非势位也，有至富而非金玉也，有至寿而非千岁也；～”。

❷学原于思／乡原，德之贼也／君原于德而成于天／中原初逐鹿，投笔事戎轩／必原情以定罪，不阿意以侮法／平原广望，博观之乐，沼池不如川泽所见博也／屈原放逐，乃赋《离骚》；左丘失明，厥有《国语》

❸离离原上草，一岁一枯荣／标格原因独立好，肯教富贵负初心

❹一失其原，巧愈弥甚／创乎夷原，成乎乔岳／脊令在原，兄弟急难／浑沌之原，无皎澄之流／不塞其原，则物自生，何功之有／道之大原出于天，天不变道亦不变／气，物之原也；理，气之具也；器，气之成也

❺心在汉室，原无分先主后主／炎火成燎原之势，涓流兆江河之形／神女生涯原是梦，小姑居处本无郎／一炬有燎原之忧，而滥觞有滔天之祸／火之燎于原，不可向迩，其犹可扑灭／睹其终必原其始，故存其人而咏其道／山舞银蛇，原驰蜡象，欲与天公试比高

❻原清则流清，原浊则流浊／王师北定中原日，家祭无忘告乃翁／若火之燎于原，不可向迩，其犹可扑灭／审内以知外，原小以知大，因我以然彼，明近以喻远

❼取之左右逢其原／坏崖破岩之水，原自涓涓

❽将绝其末，必塞其原／星星之火，可以燎原／爝火虽微，卒能燎原／裂冠毁冕，拔本塞原／事穷势蹙之人，当原其初心／积水于防，燎火于原，未尝暂静也／以易限之鉴，镜难原之才，使国罔遗授，野无滞器，其可得

❾机权多门，是纷乱之原也／下国卧龙空误主，中原逐鹿不因人／早岁那知世事艰，中原北望气如山

❿广引深远，以明治乱之原／诚使博如庄周，哀如屈原……／有正法则依法，无正法则原情／一人之鉴易限，而天下之才难原／圣有所生，王有所成，皆原于一／农事伤则饥之本，女红害则寒之原／先唱者穷之路也，后动者达之原也／大得却须防大失，多忧原只为求多／咬定青山不放松，立根原在破岩中／如今只说临安路，不较中原有几程／法者，治之端也；君子者，法之原也／顺天养财、御水旱、制蛮夷之原本也／不好问询之道，则是伐智本而塞智原也／太学者，贤士之所关也，教化之本原也／绝民用以实王府，犹塞川原而为潢污也／邪之与正，犹水与火，不同原，不得并盛／比于善者，自进之阶，比于恶者，自退之原／旦执机权，夜填坑谷；朔欢卓、郑，晦泣颜、原／毁人者失其直，誉人者失其实，近于乡原之人哉／恐沈于众，若火之燎于原，不可向迩，其犹可扑灭

厢 xiāng 厢房；旁边；像房屋隔间的地方；靠近城的地区。

❹待月西厢下，迎风户半开

厩 jiù 马房。

❹伯乐之厩多良马，卞和之匮多美玉／饥马在厩，寂然无声，投刍其旁，争心乃生

❺庖有肥肉，厩有肥马，民有饥色，野有饿莩

❾厨有腐肉，国有饥民；厩有肥马，路有馁人

❿宫中积珍宝，狗马实外厩，美人充下陈

厨 chú 厨房；指烹调工作或从事烹调工作的人；同"橱"，箱柜。

❶厨有腐肉，国有饥民；厩有肥马，路有馁人

见汉·桓宽《盐铁论》。

❺饿狼守庖厨，饥虎牧牢豚

❽鹿生于野，命县于厨

❿尺薪不能温镬水，寸冰不足寒庖厨

厦 ①shà 高大的房子。②xià[厦门]地名。

❷大厦如倾要梁栋／巨厦之崩，一木不能支／大厦不倾，匪一瓦之积／大厦之材，非一丘之木／大厦之成，非一木之材也／大厦若抡材，亭亭托君子／大厦将崩，非一木之能止／大厦将颠，非一木所支也／大厦须异材，廊庙非庸器／大厦既焚，不可洒之以泪／广厦成而茂木畅，远求存而良马絷／大厦既燔，而运水于沧海；此无及也

❸构大厦者先择匠而后简材／崇大厦者非一木之材，匡弊俗者非一日之卫

❹欲成大厦，必寄于瑰材／施之大厦，有栋梁之用／安得广厦千万间，大庇天下寒士俱欢颜／将营大厦，不忧乎群材之不足，而忧乎梁栋之不可得

❻蒿蓬代柱，大厦颠仆／忽喇喇似大厦倾，昏惨惨似灯将尽

❼长材靡入用，大厦失巨楹／资栋梁而成大厦，凭舟楫而济巨川

❾回狂澜于既倒，支大厦于将倾

❿十指不沾泥，鳞鳞居大厦／汤沐具而虮虱相吊，大厦成而燕雀相贺

雁 yàn 大雁，鸿雁；比喻人流动无定处；通"赝"，伪造假冒的。

❶雁阵惊寒，声断衡阳之浦

见唐·王勃《滕王阁序》。全句为："渔舟唱晚，响穷彭蠡之滨；～"。

❷鸿雁于飞，哀鸣嗷嗷／断雁无凭，冉冉飞下汀洲，思悠悠／苍雁赪鲤，时传尺素；清风明月，俱寄相思

❹嘶酸雏雁失群夜，断绝胡儿恋母声／水击鹄雁，陆断驹马，则臧获不疑钝利／晨看旅雁，心赴江淮；昏望牵牛，情驰扬越

❺遥指空中雁作羹／今主人之雁，以不材死／衡阳犹有雁传书，郴阳和雁无

❻君心似松柏，雁足寄珠玑／西风烈，长空雁叫霜晨月／惆怅不如边雁影，秋风犹得向南飞／胡风动地，朔雁成行；拔剑登车，慷慨而别

❿弹雀则失鹑，射鹄则失雁／投至两处凝眸，盼得一雁横秋／衡阳犹有雁传书，郴阳和雁无／秋风起兮白云飞，草木黄落兮雁南归

厥 jué 晕倒；代词：其，他的；乃，才；磕碰；短；通"橛"，断木；通"撅"，挖掘。

❶厥父母勤劳稼穑，厥子乃不知稼穑之艰难

见《尚书·无逸》。

❷慎厥身，修思永／凡厥正人，既富方谷／慎厥初，惟厥终，终以不困／歼厥渠魁，胁从罔治，旧染污俗，咸与惟新

❸大建厥极，绥理群生，训物垂范，于是乎在

❺惟干戈省厥躬／一蛇吞象，厥大何如／慎厥初，惟厥终，终以不困／有其善，丧厥善；矜其能，丧厥功

❼惟天不畀不明厥德／虑善以动，动惟厥时／念终始典于学，厥德修，罔觉

❽厥父母勤劳稼穑，厥子乃不知稼穑之艰难

❾下流不可处，君子慎厥初

❿怵惕惟厉，中夜以兴，思免厥愆／有其善，丧厥善；矜其能，丧厥功／万木僵仆，梅英再吐，玉立冰姿，不易厥素／内不足者，急于人知；霈焉有余，厥闻四驰／十室之邑，必有忠信；三人并行，厥有我师／屈原放逐，乃赋《离骚》；左丘失明，厥有《国语》

厮 sī 男性仆人；对人的轻视称呼；互相。

❼天便教人，霎时厮见何妨

靥 yè 酒窝；女子点搽妆饰。

❶靥辅在颊则好，在颡则丑

见汉·刘安《淮南子·说林》。

餍 yàn 饱，吃饱；引申为满足。

❽谿壑可盈，是不可餍也

区 ①qū 区别，划分；区域；房屋；行政区划名。②ōu 古代量名；隐匿；姓。③gōu 通"勾"。④qiū[区盖]存疑。⑤kòu 通"怐"，[区霿]愚昧无知。

❻人生福境祸区，皆念想造成

❼言之信者，在乎区盖之间

❿心之明之所止，于事情区以别焉／奋其智能，愿为辅弼，使寰区大定，海县清一／处明者不见暗中一物，而处暗者能见明中区事

匹 pǐ 相当；比；单独；量词。

❶匹夫无罪，怀璧其罪

见《左传·桓公十年》。

匹夫无故获千金，必有非常之祸

见明·宋濂《元史·贺仁杰传》。

匹夫而为百世师，一言而为天下法

见宋·苏轼《潮州韩文公庙碑》。

匹夫见辱，拔剑而起，挺身而斗，此不足为勇

见宋·苏轼《留侯论》。

匹夫而忧天下，无位而论世事，时俗以为狂，而君子之所取也

见明·方孝孺《后乐斋记》。

❺天下兴亡，匹夫有责／国家兴亡，匹夫有责／蛟龙离水，匹夫可制／保天下者，匹夫之贱，与有责焉耳／百亩之田，匹夫耕之，八口之家足以无饥矣

❻天下有事，则匹夫之言重于泰山

❼有恩必酬者，亦匹夫之义／三军可夺帅也，匹夫不可夺志也

❽威加四海，而屈于匹夫／块土不能障狂澜，匹夫不能振颓俗

❿理丝入残机，何悟不成匹／蜀国多仙山，峨眉邈难匹／刑过不避大臣，赏善不遗匹夫／旦握权则为卿相，夕失势则为匹夫／力可以得天下，不可以得匹夫匹妇之心／海内之货，咸萃其庭，产匹铜山，家藏金穴／虎兕相据而蝼蚁得志，两敌相机而匹夫乘间

巨

①jù 大；姓；通"讵"，岂。②jǔ［巨获］规矩，法度。

❶巨厦之崩，一木不能支

见隋·王义《上炀帝书陈成败》。

巨川将溃，非捧土之能塞

见唐·柳宗元《愈膏肓疾赋》。全句为："～；大厦将崩，非一木之能止"。

巨屦小屦同贾，人岂为之哉

见《孟子·滕文公上》。

巨灵咆哮擘两山，洪波喷流射东海

见唐·李白《西岳云台歌送丹丘子》。

❷钓巨鱼者不使稚子轻预／创巨者其日久，痛甚者其愈迟

❹所刺者巨，所中者少／六合为巨，未离其内；秋毫为小，待之成体

❺不伐功斯巨，惟谦道乃光

❻既已得高官巨富矣，仍讲道德、说仁义自若也

❼大川未济，乃失巨舰；长途始半，而丧良骥／山，倒海翻江卷巨澜。奔腾急，万马战犹酣／时无远近，事无巨细，必籍多闻，以成博识

❽人才有长短，能有巨细／海不通百川，安得巨大之名／临泰山之悬崖，窥巨海之惊澜……

❾长材靡入用，大厦失巨楹／若金，用汝作砺；若济巨川，用汝作舟楫

❿繁为攻伐，此实天下之巨害／口谈道德而心存高官，志在巨富／资栋梁而成大厦，凭舟楫而济巨川／彼寻常之污渎兮，岂能容夫吞舟之巨鱼／千金之家比一都之君，巨万者乃与王者同乐／五寸之键制开阖之门，岂其才巨小哉，所居要也

帀

zā 周；圈；满；环绕。

❹山沓水帀，树杂云合。……情往似赠，兴来如答

❿月明星稀，乌鹊南飞，绕树三帀，何枝可依

匡

①kuāng 纠正；帮助；端正；通"框"，弯曲；通"恇"，恐惧；古代盛饭用具；古邑名；姓。②wāng 通"尫"，指残疾人。

❶匡庐奇秀，甲天下山

见唐·白居易《庐山草堂记》。

匡庐小琐拳可碎，鄱阳触怒踢欲裂

见明·李梦阳《戏作放歌寄别吴子》。

❹无说诗，匡鼎来；匡说诗，解人颐

❺将顺其美，匡救其恶

❻九合诸侯，一匡天下／咫尺愁风雨，匡庐不可登

❼善则赏之，过则匡之／无说诗，匡鼎来；匡说诗，解人颐

❾国失其次，则社稷大匡／邪僻争权，乃有忠臣匡正其君

❿吕望垂竿于渭涘，道峻匡周／崇大厦者非一木之材，匡弊俗者非一日之卫

匠

jiàng 专门以某种手艺为业的人；特指在某些领域成就卓著者；计划制作。

❶匠成舆者忧人不贵，作箭者恐人不伤

见唐·赵蕤《长短经叙》。

匠人成棺，不憎人死；利之所在，忘其丑也

见《慎子》逸文。

❷大匠诲人以规矩／良匠之目，无材弗良／大匠不斫，大庖不豆／良匠无弃材，明君无弃士／大匠无弃材，船车用不均／大匠无弃材，寻尺各有施／大匠之斧斤，不能器不才之木／大匠构屋……尺寸之木无弃也／巧匠目意中绳，然必先以规矩为度／梓匠轮舆能与人规矩，不能使人巧／意匠如神变化生，笔端有力任纵横／大匠诲人必以规矩，学者亦必以规矩／大匠不为拙工改废绳墨，羿不为拙射变其彀率

❸及至匠石过之而不睨……／代大匠斫，希有不伤其手矣

❹公输善匠，不能匠散木／凡工妄匠，执规秉矩，错准引绳，则巧同于人倕也／祸世之匠，乱国之工，绝逆天地，伤害我身，莫大乎名

❺文不按古，匠心独妙

❻圣人用人，犹匠之用木

❼公输善匠，不能匠散木／夏屋初成而大匠先立其下／构大厦者先择匠而后简材／残朴以为器，工匠之罪也

❽草木贲华，无待锦匠之奇

❾有伯乐而后识马，有匠石而后识梧槚

❿水静则明烛须眉，平中准，大匠取法焉／舆人成舆，则欲人之富贵；匠人成棺，则欲人之夭死

匣 xiá 收藏东西的盒子;装在匣里。

❽国仇未报壮士老,匣中宝剑夜有声

医 ①yī 医生;治病。②yì 同“翳”,盛箭的器具。

❶医门多疾

见《庄子·人间世》。

医家有割股之心

见清·吴敬梓《儒林外史》第二十四回。

医不三世,不服其药

见《礼记·曲礼下》。

医得眼前疮,剜却心头肉

见唐·聂夷中《咏田家》。全句为:“二月卖新丝,五月粜新谷,~”。

医能治一病谓之巧,能治百病谓之良

见汉·王充《论衡·别通篇》。

❷良医知病人之死生/上医医国,其次疾人/良医之治病也,攻之于腠理/国医不泥古方,而不离古方/巫医乐师百工之人,不耻相师/良医者常治无病之病,故无病/良医服百病之方,治百人之疾/良医不可必得,而庸医举目皆是/良医不能措其术,百药无所施其功/良医不能救无命,强梁不能与天争/良医之门多病人,栝檃之侧多枉木/愚医类能杀人,而不服药者未必死/学医者当博览群书,不得拘守一家之言

❸上医医国,其次疾人

❹舍邻之医,而求俞跗而后治病

❺病笃乱投医/药虽进于医手,方多传于古人/讳疾而忌医,宁灭其身而无悟也/身之病待医而愈,国之乱待贤而治

❻三折肱为良医/九折臂而成医/善治病者,必医其受病之处/病困乃重良医,世乱而贵忠贞

❼三折肱知为良医/学书者纸费,学医者人费/匿病者不得良医,羞问者圣人去之

❽政之费人也甚于医/秃而施髢,病而求医/有莠则锄,有疾则医

❾病之将死,不可为良医/良医不可必得,而庸医举目皆是/与死者同病难为良医,与亡国同道难与为谋

❿百胜难虑敌,三折乃良医/体无纤微疾,安用问良医/病有六不治,信巫不信医,不治也/天雄乌喙,药之凶毒也,良医以活人/天下之物莫凶于鸡毒,然而良医橐而藏之,有所用

匽 yǎn 通“偃”,停息;储污水的池子;姓。

❼海内安宁,兴文匽武

匿 ①nì 隐藏,隐瞒。②tè 同“慝”,邪恶。

❶匿为物而愚不识,大为难而罪不敢

见《庄子·则阳》。全句为:“~,重为任而罚不胜,远其途而诛不至”。

匿病者不得良医,羞问者圣人去之

见汉·董仲舒《春秋繁露·执贽》。

匿人之善,斯为蔽贤;扬人之恶,斯为小人

见三国·魏·王肃《孔子家语·辨政》。

❹过举不匿,则官无邪人

❻情既昏,性斯匿矣

❼金心在中,不可匿/薄于责人,而非匿其过

❾爱我者之言恕,恕故匿非

❿旁通而无滞,日用而不匮/川泽纳污,山薮藏疾,瑾瑜匿瑕/官长正而百姓化,邪心黜而奸匿绝/察见渊鱼者不祥,智料隐匿者有殃/人主诚正,则直士任事,而奸人伏匿/今以众地者,公作则迟,有所匿其力也;分地则速,无所匿迟也

匪 ①fěi 盗匪;非;通“彼”;通“斐”,有文采。②fēi 通“騑”,车行不止貌。

❶匪面命之,言提其耳

见《诗·大雅·抑》。

匪言勿言,匪由勿语

见《诗·小雅·宾之初筵》。

❷学匪疑不明,而疑恶乎凿,疑而能辨,斯为善学

❸否之匪人/我心匪鉴,不可以茹/莫赤匪狐,莫黑匪乌/我心匪石,不可转也;我心匪席,不可卷也/革之匪时,物失其基;因之匪理,物丧其纪

❺下民之孽,匪降自天/匪言勿言,匪由勿语/大厦不倾,匪一瓦之积/历危乘险,匪杖不行,车耆力竭,匪杖不强/伐柯如何?匪斧不克。取妻如何?匪媒不得/虽云色白,匪染弗丽;虽云味甘,匪和弗美

❻心之忧矣,如匪浣衣/左右前后,莫匪俊良;小大之材,咸尽其用

❼莫赤匪狐,莫黑匪乌

❾百金孰为重,一诺良匪轻/事不师古,以克永世,匪说攸闻/鸟必择木而栖,附托匪人者必有危身之祸

❿我心匪石,不可转也;我心匪席,不可卷也/历危乘险,匪杖不行,车耆力竭,匪杖不强/伐柯如何?匪斧不克。取妻如何?匪媒不得/虽云色白,匪染弗丽;虽云味甘,匪和弗美/惩病克寿,矜壮死暴。纵欲不戒,匪愚伊耄/革之匪时,物失其基;因之匪理,物丧其纪

匮 ①kuì 缺乏,不足;通“蒉”,盛土之器。②guì“柜”的古字。

❷图匮于丰,防俭于逸

❹孝子不匮,永锡尔类/致赏则匮,致罚则虐

❻丹书铁契，金匮石室／不可以家事匮乏而不从师／藏琨石于金匮兮，捐赤瑾于中庭
❽民生在勤，勤则不匮／节俭爱费，天下不匮／民生在勤，勤则不匮。宴安自逸，岁暮奚冀
❿伯乐之厩多良马，卞和之匮多美玉／商不出则三宝绝，虞不出则财匮少

卜 ①bǔ 算卦问凶吉；预料；选择；估计；赐予；姓。②bo 萝卜。
❷毋卜其居，而卜其邻居
❹非宅是卜，唯邻是卜／号呼卖卜谁家子，想欠明朝籴米钱
❺不见古人卜居者，千金只为买乡邻
❻毋卜其居，而卜其邻居
❽非宅是卜，唯邻是卜
❿通塞苟由己，志士不相卜／众中不敢分明语，暗掷金钱卜远人／不日不月，而事以从；不卜不筮，而谨知吉凶

占 ①zhàn 占据；处于；口授；测算上报。②zhān 占卜，预测吉凶或气象。
❶占往知来，不如朴质
见《西升经·深妙章》。
❸读书占地位，在人品上，不在势位上
❹世间极占地位的，是读书一著
❺便宜不可占尽，聪明不可用尽／梦之中又占其梦焉，觉而后知其梦也
❽诗无达诂，易无达占，春秋无达辞
❾凡人坏品败名，钱财占了八分
❿竟日不知尘世事，长年占断白云乡

外 wài 表层；非自己这方面的；特指外国；关系疏远；非正式的；此外；除去；传统戏曲脚色行当。
❶外物不可必
见《庄子·外物》。
外宁必有内忧
见元·曾先之《十八史略·西晋·武帝》。
外君子而内小人
见明·罗贯中《三国演义》第三十六回。
外内表里，自相副称
见汉·王充《论衡·超奇篇》。
外举不弃仇，内举不失亲
见《左传·襄公二十一年》。
外举不避仇，内举不避子
见《吕氏春秋·孟春纪·去私》。
外以欺于人，内以欺于心
见唐·韩愈《原毁》。
外合不由中，虽固终必离
见晋·傅玄《何当行》。
外虽饶棘刺，内实有赤心
见晋·赵整《讽谏诗二首》之二。全句为："北国有枣树，布叶垂重阴；～"。
外听易为察，而内听难为聪
见南朝·梁·刘勰《文心雕龙·声律》。
外不避仇，内不阿亲，贤者予
见《荀子·成相》。
外疾之害轻于秋毫，人知避之
见北齐·刘昼《刘子·防欲》。全句为："～；内疾之害重于太山而莫之避"。
外内皆顺，命曰天当，功成而不废，后不奉央
见战国·佚书《经法·四度》。
外愚而内益智，外讷而内益辨，外柔而内益刚
见唐·柳宗元《答周君巢饵药久寿书》。
❷自外面推入去……／象外之象，景外之景／局外之言，往往多中／气外更无虚托孤立之理／竹外有节理，中直空虚／由外以铄己，因物以激志／驿外断桥边，寂寞开无主／槛外低秦岭，窗中小渭川／治外者必调内，平远者必正近／剑外忽传收蓟北，初闻涕泪满衣裳／自外入者，有主而不执；由中出者，有正而不距
❸凡重外者拙内／伤于外者必反于家／内清外浊，弊衣裹玉／将在外，君令有所不受／诗之外有事，诗之中有人／奸人外善内恶，色厉内荏／中通外直，不蔓不枝，香远益清，亭亭净植／威权外假，归之良难，虎翼一奋，卒不可制
❹内省则外物轻矣／天地之外，别有天地／以内及外，以小成大／金玉其外，败絮其中／无敌国外患者，国恒亡／六合之外，圣人存而不论／能用度外人，然后能周天下／虎豹不外其爪，而噬不见齿／勿贪意外之财，勿饮过量之酒／善不由外来兮，名不可以虚作／情在词外曰隐，状溢目前曰秀／其发于外者，烂如日星之光辉／若能遗外声利，而不厌乎贫贱也／方者，内外相应也，言行相称也／莫思身外无穷事，且尽生前有限杯／姑苏城外寒山寺，夜半钟声到客船／偏而在外，犹可救也，疾自中起，是难／定乎内外之分，辨乎荣辱之境，斯已矣／至大无外，谓之大一；至小无内，谓之小一
❺内无妄思，外无妄动／内无怨女，外无旷夫／物诱气随，外适内和／江流天地外，山色有无中／始知五岳外，别有他山尊／明珠是身外之物，尚不可弹雀／内不失真，外不殊俗，同尘而不染／诚者，合内外之道，便是表里如一／内坚刚而外温润，有似君子者，玉也／内小人而外君子，小人道长，君子道消也／内君子而外小人，君子道长，小人道消也／体道履仁，外和内敏，清而容物，善不近名／得道之士，外化而内不化……所以全其身也／望长城内外，惟馀莽莽；大河上下，顿失滔滔／直视千里外，唯见起黄埃。凝思寂听，心伤已摧／审内以知外，原小以知大，因我以然彼，明近以喻远／内便于性，外合于义，循理而动，不系于物者，正气也

❻诚于中，形于外／方其中，圆其外／象外之象，景外之景／兄弟阋于墙，外御其务／内不自以诬，外不自以欺／内举不避亲，外举不避仇／内举不避亲，外举不避雠／内称不辟亲，外举不辟怨／君子以礼正外，以乐正内／内无其质，而外学其文……／慎女内，闭女外，多知为败／性通乎气之外，命行乎气之内／目见百步之外，而不能自见其眦／不是眼前无外物，不关心事不经心／求之言语之外，而得其所不言之意／今子使万里外国，独无几微出于言面／处身者，不为外物眩晃而动，则其心静／上下相疏，内外相蒙，小臣争宠，大臣争权，此危国之风也

❼拒人于千里之外／闳其中而肆其外／无甘受佞人而外敬正士／谋未发而闻于外，则危／不宜偏私，使内外异法也／勿内荒于色，勿外荒于禽／隔墙须有耳，窗外岂无人／门内有君子，门外君子至／清声而便体，秀外而惠中／内无感恨之隙，外无侵侮之羞／内不觉其一身，外不知乎宇宙／后其身而身先，外其身而身存／室人和则谚掩，外内离则恶扬／类君子之含道，外蓬蒿而不怍／以禁攻寝兵为外，以情欲寡浅为内／君听浊浪金焦外，淘尽英雄是此声／夕阳一片寒鸦外，目断东西四百州／虑不在千里之外，则患在几席之下矣／伤其身者不在外物，皆由嗜欲以成其祸／德而不威，其国外削；威而不德，其民内溃／外愚而内益智，外讷而内益辨，外柔而内益刚／美也者，上下、内外、大小、远近皆无害焉，故曰美

❽无得于心而侈于外／天下无内忧必有外惧／除日无岁，无内无外／鼓钟于宫，声闻于外／情系于中，行形于外／顾小失大，福逃墙外／言无阴阳，行无内外／偏无自足，故凭乎外资／罚诚当，虽赦之，不外／古来贤达士，宁受外物牵／善教子者，一严之外无他术／善用严者，一慎之外无他道／天下之祸，不由于外，皆兴于内／真在内者，神动于外，是所以贵真也／人主之意欲见于外，则为人臣之所制／相忍为国也，忍其外不忍其内，焉用之／内有一定之操，而外能诎伸、赢缩、卷舒／人美于中，必播于外，而越于民，民实戴之／因于情意，动而之外，与物相连，常有所悦／心全于中，形全于外；不逢天灾，不遇人害／常以事于无形之外，而不留思尽虑于成事之内

❾含不尽之意，见于言外／情变于内者，形见于外／既谓之机，则动非自外／字须熟后生，画须生外熟／尤妙之人含精于内，外无饰姿／忧在内者本也，忧在外者末也／青史内不标名，红尘外便是我／阁中帝子今何在，槛外长江空自流／情横于内而性伏，必外寓于物而后遣／宫中积珍宝，狗马实外厩，美人充下陈

❿意量所函变可通于意外／以我径寸心，从君千里外／小人不诚于内而求之于外／汝果欲学诗，工夫在诗外／有病于内者，必有色于外／疑心动于中，则视听惑于外／喜怒哀乐之动乎中必见乎外／申生在内而危，重耳居外而安／规矩备具，而能出于规矩之外／睹一事于句中，反三隅于字外／形固造形，成固有伐，变固外战／须晴日，看红装素裹，分外妖娆／无所往而不乐者，盖游于物之外也／不出尊俎之间，而折冲于千里之外／丞相祠堂何处寻，锦官城外柏森森／但使仓库可备凶年，此外何烦储蓄／能爱邦内之民者，能服境外之不善／地纯阴凝聚于中，天浮阳运旋于外／国以信而治天下，将以勇而镇外邦／得其精而忘其粗，在其内而忘其外／运筹策帷帐之中，决胜于千里之外／睫在眼前长不见，道非身外更何求／心识其所以然而不能然者，内外不一／不能爱邦内之民者，不能服境外之不善／出新意于法度之中，寄妙理于豪放之外／予之无所往而不乐者，盖游于物之外也／倚老松，坐怪石，殷殷潮声，起于月外／异物内流则国用饶，利不外泄则民用给／道在天地之间也，其大无外，其小无内／方地为车，圆天为盖，长剑耿耿倚天外／夫人之相与，俯仰一世……放浪形骸之外／古人为诗，贵于意在言外，使人思而得之／君子之修身也，内正其心，外正其容而已／君子居其室，出其言善，则千里之外应之／神姿高彻，如瑶林琼树，自然是风尘外物／聪明者，阴阳之精。阴阳清和则中睿外明／不求所无，不失所得，内无旁祸，外无旁福／甚雾之朝，可以细书而不可以远望寻常之外／由是而之焉之谓道，足乎已无待于外之谓德／刚毅，则不屈于物欲；木讷，则不至于外驰／诗如鼓琴，声声见心。心为人籁，诚中形外／君子敬以直内，义以方外；敬义立而德不孤／状难写之景如在目前；含不尽之意见于言外／智如目也，能见百步之外，而不能自见其睫／赏不当，虽与之必辞；罚诚当，虽赦之不外／上与造物者游，而下与外生死、无终始者为友／外愚而内益智，外讷而内益辨，外柔而内益刚／名言所绝理即具于名中，意量所函变可通意外／吾何以得知天下乎？察己以知之，不求于外也／近而不浮，远而不尽，然后可以言韵外之致耳／礼之既设，其小人恒佚于礼之外，则辅礼以刑／八百里分麾下炙，五十弦翻塞外声。沙场秋点兵／藏大不诚于中者，必谨小诚于外，以成其大不诚／君能尽礼，臣得竭忠，必在于内外无私，上下相信／圣人者常以事于无形之外，而不留思尽虑于成事之内／苟灭德忘公，崇浮饰傲，荣其外而枯其内，害其本而窒其源／君人者不下庙堂之上，而知四海之外者，因物以识物，因人以

知人也

卢 lú古时樗蒲戏一掷五子皆黑叫卢，为最胜采；黑色；猎狗；通“垆”，安放酒坛的土墩子；通“颅”，头颅；古族名；姓。

❶卢狗悲号，则韩国知其才

见晋·陈寿《三国志·魏书·陈思王传》。全句为：“骐骥长鸣，则伯乐照其能；～”。

贞 zhēn信仰坚定不移；有节操；旧指女子不失身、不改嫁，坚守节操的道德观念；占卜；通“正”；通“桢”，[贞干]同“桢干”，支柱，骨干。

❶贞不自炫，用不见疑

见唐·王勃《慈竹赋》。

贞脆由人，祸福无门

见晋·陶潜《荣木诗》。

贞刚自有质，玉石乃非坚

见晋·陶潜《戊申岁六月中遇火》。

贞操与日月俱悬，孤芳随山壑共远

见南朝·梁·沈约《谢齐陵王教撰高士传启》。

贞以图国，义惟急病；临难忘身，见危致命

见唐·柳宗元《唐故特进南公睢阳庙碑》。

❸君子贞而不谅／怀此贞秀姿，卓为霜下杰／弃忠贞之正路，蹈奸宄之迷途／但得贞心能不改，纵令移植亦何妨

❹但使忠贞在，甘从玉石焚

❻不学蒲柳凋，贞心常自保／芳槿无终日，贞松耐岁寒／存亡难异路，贞白本相成／志烈秋霜，心贞昆玉，亭亭高竦，不染风尘

❼孝悌仁义，忠信贞廉……

❽渭以泾浊，玉以砾贞／女不必贵种，要之贞好／挺秀色于冰涂，厉贞心于寒道／天籁无假于宫商，贞筠不争于柯叶／言无常信，行无常贞……若是则可谓小人矣

❾松柏生深山，无心自贞直／烈士徇荣名，义士高贞介／城郭之固无以异于贞士之约

❿在火辨玉性，经霜识松贞／水无暂停流，木有千载贞／病困乃重良医，世乱而贵忠贞／桃李虽艳，何如松苍柏翠之坚贞／百工不信，则器械苦伪，丹漆染色不贞／风霜以别草木之性，危乱而见贞良之节／急病让夷，义之先；图国忘死，贞之大／人之所以立德者三：一曰贞，二曰达，三曰志／肮脏不平之气，不欲销而自销；坚贞不拔之志，不欲奋而自奋矣

卧 wò趴伏；睡觉用的；平放着；指隐居。

❶卧榻之侧，岂容他人鼾睡

见宋·岳珂《桯史·徐铉入聘》。

卧不安席，食不甘味，心摇摇如悬旌

见《战国策·楚策一》。

❷弃卧桥巷间，谁或顾生死／安卧扬帆，不见石滩；靠天多幸，白日入阱／其卧徐徐，其觉于于；一以已为马，一以已为牛

❸下国卧龙空误主，中原逐鹿不因人／衙斋卧听萧萧竹，疑是民间疾苦声／长桥卧波，未云何龙？复道行空，不霁何虹

❹饱食便卧及终日久坐，皆损寿

❺食不甘味，卧不安席

❻坐对风动帷，卧见云间月／息交游闲业，卧起弄书琴／久视伤血，久卧伤气，久立伤骨／知足之人，虽卧地上，犹为安乐

❼知音如不赏，归卧故山秋

❽随风飘荡，白云还卧深谷

❿但得众生皆得饱，不辞羸病卧残阳／字势雄逸，如龙跳天门，虎卧凤阙／时人莫小池中水，浅处无妨有卧龙／老牛粗了耕耘债，啮草坡头卧夕阳／人将休，吾将不敢休；人将卧，吾将不敢卧／苦身焦思，置胆于坐，坐卧即仰胆，饮食亦尝胆／坐而玩之者，可濯足于床下；卧而狎之者，可垂钓于枕上

刈 yì割（草或谷物）；镰刀。

❸掇芳刈楚，不弃幽远

❹禾黍必刈其稂莠而后苗始茂

❻翘翘错薪，言刈其楚

❼宫人得戟，则以刈葵……不知所施之也

刑 xíng刑罚；形成；治理；典范；法，效法；夔器；审讯或处罚被拘押人所用的手段；通“型”，铸造器物的模子。

❶刑期于无刑

见《尚书·大禹谟》。

刑法不人，兵不可成

见《十六经·兵容》。全句为：“兵不刑天，兵不可动；不法地，兵不可昔；～”。

刑罚在衷，无取于轻

见南朝·宋·范晔《后汉书·梁统传》。

刑名立，则黑白之分已

见战国·佚书《经法·道法》。

刑一而正百，杀一而慎万

见汉·桓宽《盐铁论·疾贫》。

刑天舞干戚，猛志固常在

见晋·陶潜《读山海经十三首》其十。全句为：“精卫衔微木，将以填沧海；～”。“固”，一作“故”。

刑称罪则治，不称罪则乱

见《荀子·正论》。

刑赏之本，在乎劝善而惩恶

见唐·吴兢《贞观政要·刑法》。

刑罚不中，则民无所措手足

见《论语·子路》。

刑过不避大臣，赏善不遗匹夫
见《韩非子·有度》。
刑罚不能加无罪，邪枉不能胜正人
见南朝·宋·范晔《后汉书·桓谭传》。
刑罚不足以移风，杀戮不足以禁奸
见汉·刘安《淮南子·主术》。
刑政平而百姓归之，礼义备而君子归之
见《荀子·致士》。
刑在必澄，不在必惨；政在必信，不在必苛
见唐·张说《对词摽文苑科策·第二道》。
❷天刑之，安可解／失刑则刑，失死则死／名刑已定，物自为正／薄刑之不已，遂至于诛／好刑，则有功者废，无罪者诛
❸治则刑重，乱则刑轻／兵不刑天，兵不可动；不法地，兵不可昔
❹象以典刑／赏不过，刑不滥／上有直刑，君之明也／不有严刑，诛赏安置／严令繁刑不足以为威／失刑则刑，失死则死／所谓壹刑者，刑无等级／峻法严刑，非帝王之隆业
❺刑期于无刑／德以施惠，刑以正邪／宥过无大，刑故无小／礼乐为本，刑政为末／小人不忌刑，况于辱乎／赏厚而利，刑重而威必／狡吏不畏刑，贪官不避赃／敕法以峻刑，诛一以警百／使天下畏刑而不敢盗，岂若能使无有盗心哉／罪至重而刑至轻，庸人不知恶矣，乱莫大焉
❻同罪异罚，非刑也／乱其教，繁其刑……／至赏不费，至刑不滥／禁而不止，则刑罚侮／用赏贵信，用刑贵正／虚教伤化，峻刑害民／天讨有罪，五刑五用哉／所谓壹刑者，刑无等级／信赏以劝能，刑罚以惩恶／庆赏以劝善，刑罚以惩恶／赏不以爵禄，刑不以刀锯／教训成俗而刑罚省，数也／礼不下庶人，刑不上大夫／钦哉，钦哉，惟刑之恤哉／不教而诛，则刑繁而邪不胜／赏不足劝善，刑不足禁非，而政不成／其政不烦，其刑不渎，而民之化之也速
❼治则刑重，乱则刑轻／信义行于君子，刑戮施于小人／圣人以顺动，则刑罚清而民服／法令所以导民，刑罪所以禁奸／赏必加于有功，刑必断于有罪／爵禄以养其德，刑罚以威其恶／立法设禁而无刑以待之，则令而不行／节民以礼，故其刑罚甚轻而禁不犯者，教化行而习俗美也
❽太平之美者，在于刑措／君子不犯辱，况于刑乎／罚疑从去，所以慎刑也／旅。君子以明慎用刑，而不留狱／德不施则民不归，刑不缓则百姓愁／法禁者俗之堤防，刑罚者人之衔辔／赏僭则惧及淫人，刑滥则惧及善人／赏赐不加于无功，刑罚不施于无罪／教笞不可废于家，刑罚不可损于国／爵不可以无功取，刑不可以贵势免／锄一害而众苗成，刑一恶而万民悦／杀人者死，伤人者刑，是百王之所同／必曰赏以春夏，而刑以秋冬，而谓之至理者，伪也／怒笞不可偃于家，刑罚不可偃于国，诛伐不可偃于天下
❾去奸之本，莫深于严刑／罚之所始，必始于薄刑／恭俭节用，天下几至刑措／善为国者，赏不僭而刑不滥／无身不善而怨人，无刑已至而呼天／教化，所恃以为治也；刑法，所以助治也／能至素至精，浩弥无刑，然后可以为天下正
❿无书求出狱，有舌到临刑／喜乐无羡赏，忿怒无羡刑／吾闻聪明主，治国用轻刑／有事不避难，有罪不避刑／罚所及，则思无以怒而滥刑／并时以养民功，先德后刑，顺于天／阳者，天之德也；阴者，天之刑也／太平之人，悦乐于德，不悦乐于刑／当杀而虽贵重，必杀之，是刑上究也／为善无近名，为恶无近刑，缘督以为经／尊于位而无德者黜，富于财而无义者刑／凡上下之间有物间隔，当须用刑法去之／凡为天下国家，当爱惜名器，谨重刑罚／忧愁惨怛，乐非轻死，则刑罚不能恐也／为之政，以率其怠倦；为之刑，以锄其强梗／高墙狭基，不可立矣；严法峻刑，不可久也／君子怀德，小人怀土；君子怀刑，小人怀惠／贤者出走，命曰崩；百姓不敢诽怨，命曰刑胜／礼之既设，其小人恒佚于礼之外，则辅礼以刑／今使愚教知，使不肖临贤，虽严刑罚，民弗从也／鞭扑之子，不从父之教；刑戮之民，不从君之政／贤君之治也，温良而和，宽容而爱，刑清而省，喜赏而恶罚／人之所以不能终其寿命，而中道夭于刑戮者，何也？以其生生之厚

列

liè 按一定的顺序排放；人或物排成的行；同类事物；各，诸；行列，位次；通“裂”，分裂；通“烈”；通“迾”，禁止；量词；姓。
❶列士徇名，贪夫徇财
见宋·陆佃解《鹖冠子·世名》。
列士并学，能终善者为师
见《晏子春秋·内篇·谏上》。
❷石列笋虡，藤蟠蛟螭；修竹万竿，夏含凉飔
❹陈力就列，不能者止／雄州雾列，俊彩星驰
❺不鼓不成列／积土成山，列树成林／桂殿兰宫，列冈峦之体势／其冲然角列而上者，若熊罴之登于山
❻斩茅而嘉树列，发石而清泉激／才不能逾同列，声不能压当世，世之怒仆宜也
❼君子不鼓不成列
❽冈陵起伏，草木行列，烟消日出／敌人远来新至，行列未定，可击
❿贤者亦不与不肖者同列／芳菊开林耀，青松冠岩列／凡物之精，化则为生，下生五谷，上为列星／麋鹿成群，虎豹避之；飞鸟成列，鹰鹫不击／天地之气合而为一，分为阴阳，判为四时，列为五行／今夫大海……旦则浴日而出之，夜

则滔列星，涵太阴／岁寒霜雪苦，含彩独青青，岂不厌凝列，羞比春木荣／鹤汀凫渚，穷岛屿之萦回；桂殿兰宫，列冈峦之体势／其夹岸有树木千万本，列立如揖，丹色鲜如霞，擢举欲动，灿若舒颜

划 ①huà 区分；事先设计或拟定步骤；划拨；忽然；象声词。②huá 用尖锐的东西割开；擦；擦过；拨水前进；划算。

❿镇相连似影追形，分不开如刀划水

刚 gāng 硬，坚强；副词，恰好，仅仅，才；偏偏，只；公牛；指奇数。

❶刚强者戒太暴

见《格言联璧·持躬类》。全句为："聪明者戒太察，，温良者戒无断～"。

刚者折，柔者卷

见汉·桓宽《盐铁论·讼贤》。

刚柔相推而生变化

见《周易·系辞上》。

刚略之人不能理微

见三国·魏·刘劭《人物志·材理》。全句为："～，故其论大材体则弘博而高远，历纤理则宕往而疏越"。

刚而无虐，简而无傲

见《尚书·舜典》。全句为："教胄子，直而温，宽而栗，～"。

刚者好断，介者殊俗

见隋·王通《文中子·王道》。

刚、毅、木、讷近仁

见《论语·子路》。

刚而塞，则恻怛有仁思

见清·戴震《原善》。

刚柔相推，变在其中矣

见《周易·系辞下》。

刚者不厉，无以济其刚

见三国·魏·刘劭《人物志·八观》。全句为："～。既悦其刚，不可非其厉。厉也者，刚之征也"。

刚强猛毅，靡所不信，非骄暴也

见《荀子·不苟》。全句为："与时屈伸，柔从若蒲苇，非慑怯也；～"。

刚毅，则不屈于物欲；木讷，则不至于外驰

见宋·朱熹《四书集注·论语·子路》。

❷太刚则折，太柔则废／太刚则折，太柔则卷／金刚则折，革刚则裂／贞刚自有质，玉石乃非坚／以刚健而居人之首，则物之所不与也／欲刚者必以柔守之，欲强者必以弱保之／欲刚，必以柔守之；欲强，必以弱保之

❸齿由刚折，膏为明销／用心刚，则轻死生如鸿毛／厉直刚毅，材在矫正，失在激讦／内坚刚而外温润，有似君子者，玉也／金以刚折，水以柔全；山以高陊，谷以卑安

❹地之大，刚柔尽之矣／惟天性刚强之人，不为物欲所屈／既悦其刚，不可非其厉。厉也者，刚之征也

❺有欲则无刚／何意百炼刚，化为绕指柔／积于柔则刚，积于弱则强／积于柔，必刚；积于弱，必强／圣人正在刚柔之间，乃得道之本／壮而不虚，刚而能润……非鼓怒以为资

❻金刚则折，革刚则裂／人有欲，则无刚，刚则不屈于欲

❼禀正直之性，怀刚毅之姿／人有欲，则无刚，刚则不屈于欲／直而温，宽而栗，刚而无虐，简而无傲

❽剑老无芒，人老无刚／知微知彰，知柔知刚／木以绳直，金以淬刚／函坚则物必毁之，刚斯折矣／宽以待人，柔能克刚，英雄莫敌／能去能就，能柔能刚，能进能退，能弱能强／其为气也，至大至刚，以直养而无害，则塞于天地之间

❾刚者不厉，无以济其刚／绳以柔而有立，金以刚而无固／三德：一曰正直，二曰刚克，三曰柔克／阴阳尽，而四时成焉；刚柔尽，而四维成焉

❿穷乃见节义，老当志弥刚／既知退而知进兮，亦能刚而能柔／人怜直节生来瘦，自许高材老更刚／在天曰阴阳，在地曰柔刚，在人曰仁义／振则须起风雷之益，惩则须奋刚健之乾／玉可碎而不可改其白，金可销而不可易其刚／贵而不骄，胜而不恃，贤而能下，刚而能忍／目如炬，声如钟，则英伟刚毅之气使人兴起／舌之存，岂非以其柔；齿之亡，岂非以其刚／既悦其刚，不可非其厉。厉也者，刚之征也／外愚而内益智，外讷而内益辨，外柔而内益刚／争构纤微，竞为雕刻……；骨气都尽，刚健不闻／纯柔纯弱兮，必削必薄；纯刚纯强兮，必丧必亡

则 zé 规章；规程；模范；等第；榜样；效法；犹"乃"、"若"、"之"、"只"、"即"、"而"、"那么"；量词。

❷俭则寡欲／静则无为／达则兼善天下／达则视其所举／过，则勿惮改／可则因，否则革／曲则全，枉则直

创 ①chuāng 外伤；杀伤；伤害；通"疮"。②chuàng 初次；开始；引以为戒。

❶创乎夷原，成乎乔岳

见三国·魏·徐幹《中论·修本》。

创意造言，皆不相师

见唐·李翱《答朱载言书》。

创业难，守成难，知难不难

见清·吴敬梓《儒林外史》第二十二回。

创巨者其日久，痛甚者其愈迟

见《礼记·三年问》。

创基冰泮之上，立足枳棘之林

见南朝·宋·范晔《后汉书·黄琼传》。

创业自知难两立,辍耕早已定三分

见清·舒位《卧龙冈作》之一。

❸何谓创家之人,能教子者便是

❼历观前代拨乱创业之主,生长民间,皆识达情伪,罕至于败亡

❽未得兽者,惟恐其创之小也

❾吴王好剑客,百姓多创瘢

刖 yuè 断足,古代酷刑之一。

❾反裘负薪,里尽毛殚,刖趾适屦,刻肌伤骨

❿伟人之一顾逾乎华章,而一非亦惨乎黥刖

刎 wěn 割脖子。

❶刎颈不易,九裂不恨

见南朝·宋·范晔《后汉书·杨伦传》。全句为:"有留死一尺,无北行一寸。~"。

❿有留死一尺,无北行一寸。刎颈不易,九裂不恨

刘 liú 杀;兵器;剥落,雕残;树木名;古邑名;姓。

❶刘备有取天下之量,而无取天下之才

见宋·苏洵《项籍》。全句为:"项籍有取天下之才,而无取天下之虑;曹操有取天下之虑,而无取天下之量;~"。

❹任沈江刘,来乱辙而弥远

❻未曾灭项兴刘,先见筑坛拜将

❽坑灰未冷山东乱,刘项元来不读书/生子当如孙仲谋,刘景升儿子若豚犬耳

❾及王则无不仲宣,语刘则无不公干/天下英雄谁敌手?曹刘。生子当如孙仲谋

❿荐贤能其气似孔文举,论经学其博似刘子骏

刬 chǎn 同"铲",铲除;犹言光着;仅;反而;无端。[刬地]犹怎的(地),依旧,反而,无端。

❻见有人来,袜刬金钗溜,和羞走

别 ①bié 分开;分辨;差异;另外;挂上。②biè[别扭]心气不顺。

❶别语缠绵不成句

见宋·黄大临《青玉案》[千峰百嶂]。

别馆南开,风雨积他乡之思

见唐·王勃《绵州北亭群公宴序》。全句为:"离亭北望,烟霞生故国之悲;~"。

别来十年学不厌,读破万卷诗愈美

见宋·苏轼《送任伋通判黄州兼寄其兄孜》。

❷一别二十年,人堪几回别/一别隔千里,荣枯异炎凉/一别怀万恨,起坐为不宁/久别年颜改,相逢夜话长/士别三日,即更刮目相待/死别已吞声,生别常恻恻/气别生者死,增减羸病勤/忍别青山去,其如绿水何/民,别而听之则愚,合而听之则圣/今别子兮归故乡,旧怨平兮新怨长/离别不堪无限意,艰危深仗济时才

❸真个别离难,不似相逢好/途殊别务者,虽忠告而见疑/黯然别之销魂,悲哉秋之为气/诗有别材,非关书也;诗有别趣,非关理也

❹百川派别,归海而会/不曾远别离,安知慕俦侣/两贤未别,则能让者为俊/贫交此别无他赠,唯有青山远送君/凡人必别宥然后知,别宥则能全其天矣/风霜以别草木之性,危乱而见贞良之节

❺天地之外,别有天地/常才不能别逸伦之器/丈夫不叹别,达士自安卑/生人作死别,恨恨那可论/良友远离别,各在天一方/黄鹄一远别,千里顾徘徊/陌上新离别,苍茫四郊晦/地僻乡音别,年丰酒味醇/存为久离别,没为长不归/此地一为别,孤蓬万里征/相见时难别亦难,东风无力百花残/悠悠生死别经年,魂魄不曾来入梦

❻今日乐相乐,别后莫相忘/始知五岳外,别有他山尊/似把剪刀裁别恨,两人分得一般愁/悲莫悲兮生别离,乐莫乐兮新相知

❼事无两样人心别/推陈出新,饶有别致/慷他人之慨,费别姓之财/相逢难衮衮,告别莫匆匆/死别已吞声,生别常恻恻/感时花溅泪,恨别鸟惊心/病知新事少,老别故交难/黯然销魂者,唯别而已矣/丈夫不作儿女别,临岐涕泪沾衣巾/不畏将军成久别,只恐封侯心更移/临流不忍轻相别,吟听潺湲到天明/明发又为千里别,相思应尽一生期/蜡烛有心还惜别,替人垂泪到天明

❽送君千里,终须一别/丈夫非无泪,不洒别离间/以胶投漆中,谁能别离此/知人之难,莫难于别真伪/此物何足重,但感别经时/时来故旧少,乱后别离频/畏落众花后,无人别意看/绝愚之人,心无所别析,心无所好欲/因命而动,生思虑……别同异,谓之意/聚者如悦,散者如别,整者如戟,乱者如发/朱丹既定,雌黄有别,使夫怀鼠知惭,滥竽自耻

❾一咏一吟,寄心期于别后/又送王孙去,萋萋满别情/不应有恨,何事长向别时圆/俯仰留连,疑是湖中别有天/不遇盘根错节,何以别利器乎/豺狼能害人,其状易别,人得以避之/凡人必别宥然后知,别宥则能全其天矣

❿一别二十年,人堪几回别/上言长相思,下言久离别/百物可决舍,惟书最难别/常与众庶同垢尘,不当自别殊/心之明之所止,于事情区以别焉/盲者口能言白黑,而无目以别之/不洒世间儿女泪,难堪亲友中年别/世上万般哀苦事,无非死别与生离/为谁醉倒为谁醒?至今犹恨轻离别/举秀才,不知书;察孝廉,父别

居／宁作野中之双凫，不愿云间之别鹤／杨柳枝，芳菲节，可恨年年赠离别／昔人论诗词，有景语、情语之别……／一地所生，一雨所润，而诸草木各有差别／独自莫凭阑，无限江山，别时容易见时难／飞雪蔽野，长河始冰，吾子勉之，慷慨而别／诗有别材，非关书也；诗有别趣，非关理也／知得知失，可与为人；知存知亡，足别吉凶／骇机一发，浮谤如川。巧言奇中，别白无路／胡风动地，朔雁成行；拔剑登车，慷慨而别／善善不进而恶恶不退，则忠奸未别，邪正不分／礼者，所以定亲疏、决嫌疑、别同异、明是非也／建天下之大事功者，全要眼界大，眼界大则识见自别／父子有亲，君臣有义，夫妇有别，长幼有叙，朋友有信

利 ⅰ锋锐；顺当；利益；使有好处；利息；通“痢”，腹泻；姓。

❶利令智昏

见《史记·平原君虞卿列传》。

利诚乱之始

见汉·司马迁《史记·孟子荀卿列传》。

利过则为败

见《晏子春秋·内篇杂下第十五》。

利人莫大于教

见《吕氏春秋·孟夏纪·尊师》。

利于一必害于一

见宋·杨万里《论兵》。

利于彼者必耗于此

见汉·桓宽《盐铁论·非鞅》。全句为：“～，犹阴阳之不并曜，昼夜之有长短也”。

利则进，不利则退

见汉·班固《汉书·匈奴传》。

利少而义多，为之

见《荀子·修身》。

利之所在，天下趋之

见宋·苏洵《上皇帝书》。

利剑多缺，真玉喜折

见唐·刘禹锡《祭虢州杨庶子文》。

利口伪言，众所共恶

见宋·欧阳修《论修河第三状》。

利器入手，手可假人

见明·冯梦龙《东周列国志》第七回。

利害俱亡，何往不臧

见五代·谭峭《化书卷三·德化·飞蛾》。

利居众后，责在人先

见唐·韩愈《送穷文》。

利天下者，天下亦利之

见晋·傅玄《傅子》。全句为：“～；害天下者，天下亦害之”。

利为害本，而福为祸先

见汉·韩婴《韩诗外传》卷一。

利丰者害厚，质美者召灾

见晋·葛洪《抱朴子·博喻》。

利天下之民者，莫大于治

见《商君书·开塞》。

利不在身，以之谋事则智

见南朝·宋·范晔《后汉书·马援传》。全句为：“～；虑不私己，以之断义必厉”。

利之中取大，害之中取小

见《墨子·大取》。

利之出于群也，君道立也

见《吕氏春秋·离俗览·恃君》。全句为：“群之可聚也，相与利之也。～。故君道立则利出其群，而人备可完矣”。

利则为害始，福则为祸先

见汉·刘安《淮南子·诠言》。全句为：“～。唯不求利者为无害，唯不求福者为无祸”。

利剑不在掌，结友何须多

见三国·魏·曹植《野田黄雀行》。

利旁有依刀，贪人还自贼

见汉·无名氏《古诗·甘瓜抱苦蒂》。

利莫大于治，害莫大于乱

见《管子·正世》。

利深波也深，君意竟如何

见唐·黄滔《贾客》。全句为：“大舟有深利，沧海无浅波。～”。

利锁名缰，几阻当年欢笑

见宋·孙夫人《风中柳》。

利人乎即为，不利人乎即止

见《墨子·非乐上》。

利于国者爱之，害于国者恶之

见《晏子春秋·内篇·谏上》。

利民岂一道哉，当其时而已矣

见《吕氏春秋·开春论·爱类》。

利害之相似者，唯智者知之而已

见《战国策·韩策三》。全句为：“李子之相似者，唯其母知之而已。～”

利害相摩，生火甚多，众人焚和

见《庄子·外物》。

利不百，不变法；功不十，不易器

见《商君书·更法》。

利不十者不易业，功不百者不变常

见汉·班固《汉书·韩安国传》。

利不什，不易业；功不百，不变常

见汉·刘向《新序·善谋》。

利可共而不可独，谋可寡而不可众

见宋·李邦献《省心杂言》。全句为：“～。独利则败，众谋则泄”。

利则行之，害则舍之，疑则少尝之

见《战国策·秦策三》。

利虽倍于今，而不便于后，弗为也

见《吕氏春秋·恃君览·长利》。

利害之反，祸福之门户，不可不察也

见汉·刘安《淮南子·人间》。

利害之路，祸福之门，不可求而得也

见汉·刘安《淮南子·览冥》。

“利”之一字，是学问人品一片试金石

见清·申居郧《西岩赘语》。

利天下者，天下启之；害天下者，天下闭之

见《太公六韬·武韬·发启》。

利而诱之，乱而取之，实而备之，强而避之

见《孙子兵法·计篇》。

利镞穿骨，惊沙人面……声折江河，势崩雷电

见唐·李华《吊古战场文》。删节处为：“主客相搏，山川震眩”

利非不善也，其害义则不善也，其和义则非不善也

见《二程集·河南程氏粹言》。

利之所在，虽千仞之山，无所不上，深源之下，无所不入

见《管子·禁藏》。

❷计利则害义／取利远，远故大／苟利于时，其致一揆／苟利国家，不求富贵／名利与身，若炭与冰／君，利势也，次官也／独利则败，众谋则泄／居利思义，在约思纯／见利思义，见危授命／临利害之际而不失故常／以利相交者，利尽而疏／爱利之心谕，威乃可行／爱利以安之，忠信以导之／刀利则物必摧之，锐斯挫矣／名利之大者，几在无耻而信／希利而友人，利薄而友道退／怨利生孽，维义可以为长存／久利之事勿为，众争之地勿往／地利不如人和，武力不如文德／宠利毋居人前，德业毋落人后／见利不亏其义，见死不更其守／兴利之要，在于致之，不在于多少／苟利国家生死以，岂因祸福避趋之／待利而后拯溺，人亦必以利溺人矣／得利则跃跃以喜，不利则戚戚以泣／见利不诱，见害不惧……是谓灵气／见利争让，闻义争为，有不善争改／趋利而不以为辱，陨身而不以为怨／势利之交不终年，惟道义之交，可以终身／苟利于民，不必法古；苟周于事，不必循旧／见利思辱，见恶思诟，嗜欲思耻，忿怒思患

❸不以利交则无咎／就其利，辞其害／放于利而行，多怨／兵有利钝，战无百胜／见小利，则大事不成／国之利器，不可以示人／顾小利，则大利之残也／与好利人共事，己必受累／时有利不利，虽贤欲奚为／见小利不动，见小患不避／夫名利之大者几在无耻而信／以权利合者，权利尽而交疏／营于利者多患，轻诺者寡信／得十利剑，不若得欧冶之巧／寒者利短褐，而饥者甘糟糠／不以利禄为意，而以仁厚为心／临大利而不易其义，可谓廉矣／名缰利锁，天还知道，和天也瘦／义胜利者为治世，利克义者为乱世／偷得利而后有害，偷得乐而后有忧／或争利而反强之，或听从而反止之／周于利者凶年不能杀，周于德者邪世不能乱／坚甲利兵不足以为武，高城深池不足以为固／岂无利事哉，我无利心；岂无安处哉，我无安心／不就利，不违害，不强交，不苟绝，惟有道者能之

❹事有求利而得害者／上下争利，国则危矣／弗爱弗利，亲子叛父／他人莫利，己独以愉／公家之利，知无不为／交不为利，仕不谋禄／名不与利期而利归之／不去小利，则大利不得／可取之利，当有所不取／可得而利，则可得而害／苟可以利民，不循其礼／损一毫利天下，不与也／得其所利，必虑其所害／赏厚而利，刑重而威必／上不尽利，则民有以为生／兵不完利，与无操者同实／圣人不利己，忧济在元元／干将虽利，非人力不能自断／事之大利者，不能无小害也／建官以利民，有害民而得官／三军以利用也，金鼓以声气也／贪愎喜利，则灭国杀身之本也／不独为利而仕不可，为名亦不可／牟人之利以厌己之欲者，非蝗乎／溪虽莫利于世，而善鉴万类……／万全之利，以小不便而废者有之矣／任君逐利轻江海，莫把风涛似妾轻／浮名浮利过于酒，醉得人心死不醒／天之道利而不害，圣人之道为而不争／生有厚利，死有遗教，此盛君之行也／唯不求利者为无害，不求福者为无祸／见其可利也，则必前后虑其可害也者／与民争利，犯者辄免官削爵，不得仕宦／唯不求利者为无害，唯不求福者为无祸／未有好利而爱其君者，未有好义而忘其君者／众人重利，廉士重名；贤人尚志，圣人贵精／爱名尚利，小人哉，未见仁者而好名利者也／君子见利思辱，见恶思诟，嗜欲思耻，忿怒思患

❺毋与民争利／君子羞言利名／使能，国之利也／非吾仪，虽利不为／非吾当，虽利不行／非吾道，虽利不取／利则进，不利则退／上下交征利而国危矣／不足不止，利心常起／义动君子，利动贪人／好名者，好利之尤者也／不与贪争利，不与勇争气／不乘人于利，不迫人于险／临义而思利，则义必不果／以目前之利而弃百世之功／发少嫌梳利，颜衰恨镜明／同天下之利者，则得天下／仕之为美，利乎人之谓也／兴天下之利，除天下之害／劝君少求利，利是焚身火／大舟有深利，沧海无浅波／拔一毛而利天下，不为也／擅天下之利者，则失天下／待万世之利，在今日之胜／时有利不利，虽贤欲奚为／摩顶放踵，利天下，为之／革坚则兵利，城成则冲生／一举而两利，斯智者之为也／与百姓争利，则狡诈之心生／事或欲以利之，适足以害之／享天下之利者，任天下之患／诚能爱而利之，天

下可从也／祸在于好利，害在于亲小人／睹暖昧之利，而忘昭晰之害／临义莫计利害，论人莫计成败／善战者，见利不失，遇时不疑／一旦临小利害，仅如毛发比……／太史公曰：……利，诚乱之始也／爱恶相攻，利害相夺，其势常也／良药苦口利于病，忠言逆耳利于行／剑不试则利钝暗，弓不试则劲挠诬／先义而后利者荣，先利而后义者辱／药酒，病之利也；正言，治之药也／君道立则利出其群，而人备可完矣／处次官，执利势，不可而不察于此／汴水通淮利最多，生人为害亦相和／法令更则利害易，利害易则民务变／忠言逆耳利于行，毒药苦口利于病／苟能无以利害义，则耻辱亦无由至矣／虽有巧目利手，不如拙规矩之正方圆／百里而趣利者蹶上将，五十里而趣利者军半至／名实相生，利用相成，是非相明，去就相安也／人之情，于利之中则争取大焉，于害之中则争取小焉／众人皆知利利而病病也，唯圣人知病之为利，知利之为病也／君子之求利也略，其远害也早，其避辱也惧，其行道理也勇

❻兼相爱，交相利／兵以诈立，以利动／以苛为密，以利为公／二人同心，其利断金／同欲相趋，同利相死／争名于朝，争利于市／知足者不以利自累也／虽贫贱，不以利累形／绝圣弃智，民利百倍／所求尽矣，所利移矣／以利相交者，利尽而疏／以言伤人者，利于刀斧／顾小利，则大利之残也／简而廉，则严利无废怠／劝君少求利，利是焚身火／祸与福同门，利与害为邻／福莫大无祸，利莫美不丧／希利而友人，利薄而友道退／贵富显严名利六者，勃志也／歌者不期于利声而贵于中节／天时不如地利，地利不如人和／兴天下之同利，除天下之同害／图浮芥之小利，忘丘山之大祸／安仁义而乐利世者，能服天下／祸莫惨于欲利，悲莫痛于伤心／圣人非不好利也，利在于利万人／若能遗外声利，而不厌乎贫贱也／委故都以从利兮，吾知先生之不忍／贤者之作，思利乎人；反是，罪也／不以一己之利为利，而使天下受其利／未闻刀没而利存，岂容形亡而神在？／顺天时，量地利，则用力少而成功多／良药苦口而利于病，忠言逆耳而便于行／良药苦口而利于病，忠言逆耳而利于行／四海之内共利之之谓悦，共给之之谓安／断指以存腕，利之中取大，害之中取小／心不可乱，则利至而必知，害至而必察／临财苟得，见利反义，不义而富，无名而贵／为成者败，为利者害，为生者死，为兴者废／饥而欲食……好利而恶害，是人之所生而有也／闻难思解，见利思避，好成人之美，可以立矣／不掏一世之利以为己私分，不以王天下为己处显／以言伤人者，利如刀斧。以术害人者，毒如虎狼／制国有常，而利民为本；从政有经，而令行为上／治国有常，而利民为本；政教有经，而令行为上／小人之交以利，平时相亲不啻父子，一旦相噬不啻狗彘／威太甚则爱利之心息，爱利之心息而徒疾行威，身必咎矣／众人皆知利利而病病也，唯圣人知病之为利，知利之为病也

❼正其谊不谋其利／先避患而后就利／无欲速，无见小利／一旦在位，鲜冠利剑／天下之正莫如利民焉／天下攘攘，皆为利往／天下熙熙，皆为利来／动见臧否，言知利害／名不与利期而利归之／不去小利，则大利不得／凡为民去害兴利若嗜欲／以权利合者，权利尽而交疏／利人乎即为，不利人乎即止／良马非独骐骥，利剑非唯干将／威柄不以放下，利器不可假人／小人则以身殉利，士则以身殉名／上不能宽国之利，下不能饱民之饥／百世之患，以小利而不顾者有之矣／仁者安仁，知者利仁，畏罪者强仁／众人知目前之利，而不为岁月之计／小人所好者禄利也，所贪者财货也／君子任职则思利民，达上则思进贤／情以感物则得利，伪以感物则致害／贪日得则鼓刀利，要岁计而韫椟多／或安而行之，或利而行之，或勉强而行之／药酒苦于口而利于病，忠言逆于耳而利于行／知为吏者奉法利民，不知为吏者枉法以侵民／上善若水，水善利万物而不争，处众人之所恶／遇事多算计，较利悉锱铢，其过甚小，而积之甚大，慎之慎之

❽圣人甚祸无故之利／丰凶相济，农末皆利／不好名者，斯不好利／千里而战，兵不获利／水动流下，人动趋利／鹬蚌相争，渔人得利／鹬蚌相持，渔人得利／不与人争者，常得利多／不以天下之病而利一人／利天下者，天下亦利之／知为吏者，奉法以利民／善战者因其势而利导之／或欲害之，乃反以利之／凡兵上义，不义虽利勿动／工欲善其事，必先利其器／知足者，不可以势利诱也／闻命而奔走者，好利者也／砥厉名号者，不以利伤行／简选精良，兵械铦利……／群之可聚也，相与利之也／乏则思滥，滥则追利而轻禁／天时不如地利，地利不如人和／临难而不苟免，见利而不苟得／凡兵之用也，用于利，用于义／察消长之往来，辨利害于疑似／欲福者或为祸，欲利者或离害／虎爪象牙，禽兽之利而我之害／上知天时，下知地利，中知人事／圣人非不好利也，利在于利万人／欲速则不达；见小利则大事不成／义胜利者为治世，利克义者为乱世／仕鄙在时不在行，利害在命不在智／名为公器无多取，利是身灾合少求／法令更则利害易，利害易则民务变／不以一己之利为利，而使天下受其利／天下而有无害之利，则谁不能计之者？／仁者不乘危以邀利，智者

不侥幸以成功／君子思义而不虑利，小人贪利而不顾义／知者不倍时而弃利，勇士不怯死而灭名／有义者不可欺以利，有勇者不可劫以惧／身劳而心安，为之；利少而义多，为之／六国破灭，非兵不利，战不善，弊在赂秦／非其世者，不受其利。污其君者，不履其土／石以砥焉，化钝为利；法以砥焉，化愚为智／岂无利事哉，我无利心；岂无安处哉，我无安心

❾威天下不以兵革之利／务持重，不急近功小利／以逸待劳，兵家之大利也／源长者流深，道悠者利博／杀身之害小，存国之利大／赏莫如厚而信，使民利之／小人不激不励，不见利不劝／不苟一时之誉，思为利于无穷／世治则小人守政，而利不能诱也／君子小人之分，义与利之间而已／死生无变于己，而况利害之端乎／不赂贵者之权势，不利传辟者之辞／兵者凶器也，甲坚兵利，为天下殃／先义而后利者荣，先利而后义者辱／得利则跃跃以喜，不利则戚戚以泣／好事者未尝不中，争利者未尝不穷／临事而屡断，勇也；见利而让，义也／鱼不可脱于渊；国之利器不可以示人／异物内流则国用饶，利不外泄则民用给／干大事而惜身，见小利而忘命，非英雄也／君子笃于礼而薄于利，要其人而不要其土／不学问，无正义；以富利为隆，是俗人者也／乘其名者，泽及宗族，利兼乡党，况子孙乎／匠人成棺，不憎人死；利之所在，忘其丑也／国耳忘家，公耳忘私，利不苟就，害不苟去／妇人拾蚕，渔者握鳣，利之所在，则忘其所恶

❿禄食之家不与百姓争利／无望其速成，无诱于势利／举贤任能，不时日而事利／君子喻于义，小人喻于利／得其人而行之，则为大利／木受绳则直，金就砺则利／贤主不苟得，忠臣不苟利／天行其所行，而万物被其利／君子惧失仁义，小人惧失利／汲汲于名者，犹汲汲于利也／明月之珠，蚌之病而我之利／不遇盘根错节，何以别利器乎／不有所忍，不可以尽天下之利／刺骨，故小痛在体而长利在身／大丈夫行事，论是非不论利害／君子以义相褒，小人以利相欺／唯忠臣能逆意，惟圣君能从利／善恶陷于成败，毁誉胁于势利／彼汲汲于名者，犹汲汲于利者／皆知敌之害，而不知为利之大／日计之无近功，岁计之有大利／立小异以近名，托虚名以邀利／不能大通，则各私其党而求利焉／今之致其死，非恶之也，利其财／圣人非不好利也，利在于利万人／圣人亦行其所行，而百姓被其利／大凡事之大害者，不能无小利也／悦于目，悦于心，愚者之所利也／进不求于闻达兮，退不营于荣利／昔之厚其生，非爱之也，利其力／良药苦口利于病，忠言逆耳利于行／弃绝乎礼义之绪，夺攘乎利害之际／力拔山兮气盖世，时不利兮骓不逝／幸于始者怠于终，善其辞者嗜其利／大抵文字须熟乃妙，熟则利病自明／君子之学进于道，小人之学进于利／待利而后拯溺，人亦必以利溺人矣／德莫高于博爱人，政莫高于博利人／淡泊是高风，太枯则无以济人利物／弓待檠而后能调，剑待砥而后能利／春来春去苦自驰，争名争利徒尔为／必先知致弊之因，方可言变法之利／忠言逆耳利于行，毒药苦口利于病／不以一己之利为利，而使天下受其利／圣人不为华文，不为色利，不为残贼／上好义则民暗饰矣，上好富则民死利矣／良药苦口而利于病，忠言逆耳而利于行／养志者忘形，养形者忘利，致道者忘心／能克己，乃能成己；能胜物，乃能利物／能近见而后能远察，能利狭而后能泽广／呐呐寡言者未必愚，喋喋利口者未必智／君子计行虑义；小人计行其利，乃不利／君子藏器于身，待时而动，何不利之有／君子思义而不虑利，小人贪利而不顾义／虽富贵不以养伤身，虽贫贱不以利累形／守道而忘势，行义而忘利，修德而忘名／威严不足以易于位，重利不足以变其心／学贵变化气质，岂为猎章句、干利禄哉／水击鹄雁，陆断驹马，则臧获不疑钝利／欲出一言，即思此一言于百姓有利益否／欲知舜与跖之分，无他，利与善之间也／忠者不饰行以侥荣，信者不食言以从利／私心胜者可以灭公，为己重者不知利物／立节者见难不苟免，贪禄者见利不顾身／古之贤人君子，大智经营，莫不除害兴利／王天下者必先诸民，然后庇焉，则能长利／神人恶众至，众至则不比，不比则不利也／食禄者不得与下民争利，受大者不得取小／不尽知用兵之害者，则不能尽知用兵之利也／临之以患难而能不变，邀之以宠利而能不回／以势交者，势尽则疏；以利合者，利尽则散／以势交者，势倾则绝；以利交者，利穷则散／仁人者，正其谊不谋其利，明其道不计其功／凡人之性，少则猖狂，壮则暴强，老则好利／苦心焦思，以日继夜，苟利于国，知无不为／药酒苦于口而利于病，忠言逆于耳而利于行／藏金于山，沉珠于渊；不利货财，不近富贵／拱默取容，以徇一身之利者，亦当罢而去之／君子怀德，小人怀土；贤士徇名，贪夫死利／知足之人，体道同德，绝名除利，立我于无／崖谷峻隘，十里百折，负重而上，若蹈利刃／爱名尚利，小人哉，未见仁者而好名利者也／有顺君意而害天下者，有逆君意而利天下者／胜敌者，一时之功也；全信者，万世之利也／起居时，饮食节，寒暑适，则身利而寿命益／百里而趣利者蹶上将，五十里而趣利者军半至／为人友者不以道而以利，举世无友，故道益弃／攻无道而伐不义，则福莫大焉，黔首利莫厚焉／人之可杀，以其恶死也；其

可不利，以其好利也／人之情，于害之中争取小焉，于利之中争取大焉／君子与君子以同道为朋，小人与小人以同利为朋／上不失天时，下不失地利，中得人和，而百事不废／仁人之所以为事者，必兴天下之利，除去天下之害／圣人之用兵，若栉发耨苗，所去者少，而所利者多／沐者堕发，而犹为之不止，以所去者少，所利者多／逊以为子弟苟有才，不忧不用，不宜私出以为荣利／处道而不贰，吐而不夺，利而不流，贵公正而贱鄙争／朴其身躬，恶其衣服，语无为以求名，言无欲以求利／不以人之坏自成也，不以人之卑自高也，不以遭时自利也／义之所在，不倾于权，不顾其利，举国而与之，不为改视／凡人之性，莫不欲善其德，然而不能为善德者，利败之也／威太甚则爱利之心息，爱利之心息而徒疾行威，身必咎矣／众人皆知利利而病病也，唯圣人知病之为利，知利之为病也／于为义若嗜欲，勇不顾前后；于利与禄，则畏避退处如怯夫然／今世之人居高官尊爵者，皆重失之，见利轻亡其身，岂不惑哉／君子者，易亲而难狎，畏祸而难却，嗜利而不为非，时动而不苟作

删 shān 削除；节取。

❷善删者字去而意留，善敷者辞殊而意显
❹隔日一删，愈月一改，始能淘沙得金
❿文以纪实，浮文所在必删／思赡者善敷，才核者善删

判 pàn 分开，分辨；截然不同；法院对审理结束的案件做出的决定；裁定，评定；半；唐宋官制；同"拼"。

❹香兰自判前因误，生不当门也被锄
❾不战而强弱胜负已判矣
❿天地之气合而为一，分为阴阳，判为四时，列为五行

刺 ①cì 像针一样尖锐的东西；针或尖锐的东西扎入或穿透；铲除；举发；采取；探听；名帖。②qì[刺促]忙迫，劳苦不安。

❶刺股情方励，偷光思益深

见唐·孟简《惜分阴》。

刺骨，故小痛在体而长利在身

见《韩非子·安危》。全句为："～；拂耳，故小逆在心而久福在国"。

刺绣之师，能缝帷裳；纳缕之工，不能织锦

见汉·王充《论衡·程材篇》。

刺史宜精选谨择以委任之，固不可拘限官次，得之货贿，出之权门者也

见唐·元结《谢上表》。

❷所刺者巨，所中者少／举刺不避乎权势，犯颜不畏乎逆鳞／山，刺破青天锷未残。天欲堕，赖以拄其间
❹州民言刺史，蠢物甚于蝗／齐都世刺绣，恒女无不能
❺外虽饶棘刺，内实有赤心／树荆棘得刺，树桃李得荫／断蛇不死，刺虎不毙，其伤人则愈多
❼树枳棘者，成而刺人／以管窥天，以锥刺地；所窥者大，所见者小
❽好似和针吞却线，刺人肠肚系人心／读书欲睡，引锥自刺其股，血流至足／宰相，陛下之腹心；刺史县令，陛下之手足
❿司空见惯浑闲事，断尽苏州刺史肠／欲开壅蔽达人情，先向歌诗求讽刺／补察得失之端，操于诗人美刺之间焉

刳 kū 从中间破开，掏空；清除。

❶刳牲夭胎，则麒麟不臻

见南朝·宋·范晔《后汉书·黄琼传》。全句为："覆巢破卵，则凤皇不翔；～"。

❹龟灵而刳，龙智而屠
❼君子不可以不刳心焉
❿覆巢破卵，则凤凰不翔；刳牲夭胎，则麒麟不臻

到 dào 抵达；往；周全；有了结果；通"倒"，颠倒；姓。

❷春到人间万物鲜／春到人间草木知／春到江南花自开／水到潇湘一样清／船到江心补漏迟／水到渠成，不须预虑／待到重阳日，还来就菊花／不到极逆之境，不知平安之日／待到山花烂漫时，她在丛中笑／不到长城非好汉，屈指行程二万／不到广寒冰雪窟，扇头能有几多风／不到西湖看山色，定应未可作诗人／做到私欲净尽，天理流行，便是仁／待到秋来九月八，我花开后百花杀／寄到玉关应万里，戍人犹在玉关西／春到也，须频寄，人到也、须频寄
❸人生到处知何似？应似飞鸿踏雪泥／善恶到头终有报，只争来早与来迟／春蚕到死丝方尽，蜡炬成灰泪始干／文章到欧曾苏，道理到二程，方是畅／火烧到身，各自去扫；蜂虿入怀，随即解衣
❹无是非到耳，谓之福／关节不到，有阎罗包老／百川东到海，何时复西归／不敢望到酒泉郡，但愿生入玉门关／人品做到极处，无有他异，只是本然／凡读书到冷淡无味处，尤当着力推考／文章做到极处，无有他奇，只是恰好
❺读书有三到：心到、眼到、口到
❻风露饥肠织到明／残杯与冷炙，到处潜悲辛／走马西来欲到天，辞家见月两回圆／文不加点，兴到语耳！孔明天才，思十反矣
❼道人之所不道，到人之所不到／读书有三到：心到、眼到、口到／天下是非俱不到，安闲一片道人心／此去与师谁共到？一船明月一帆风／

羊肠鸟道无人到,寂寞云中一个人
❽安坐至暮,祸灾不到/无书求出狱,有舌到临刑/长将一寸身,衔木到终古/从极迷处识迷,则到处醒/恩难酬白骨,泪可到黄泉/有时朝发白帝,暮到江陵……/采得百花成蜜后,到头辛苦一场空/春到也,须频寄,人到也、须频寄/有时三点两点雨,到处十枝五枝花/胸中襞积千般事,到得相逢一语无/预支五百年新意,到了千年又觉陈/登山始觉天高广,到海方知浪渺茫
❾待得雪消后,自然春到来/读书有三到:心到、眼到、口到/只言旋老转无事,欲到中年事更多/谁怜爱国千行泪,说到胡尘意不平/国家不幸诗家幸,赋到沧桑句便工/文章到欧曾苏,道理到二程,方是畅
❿风雨送春归,飞雪迎春到/醉中语亦有醒时道不到者/大抵古人诗画,只取兴会神到/道人之所不道,到人之所不到/读书有三到:心到、眼到、口到/临流不忍轻相别,吟听潺湲到天明/千淘万漉虽辛苦,吹尽狂沙始到金/人生不得长欢乐,年少须臾老到来/今年花似去年好,去年人到今年老/诗穷莫写愁如海,酒薄难将梦到家/观理自难观势易,弹丸累到十枚时/徐行不记山深浅,一路莺啼送到家/惟愿孩儿愚且鲁,无灾无难到公卿/姑苏城外寒山寺,夜半钟声到客船/觉来落笔不经意,神妙独到秋毫颠/文章随世作抵昂,变尽风骚到晚唐/蜡烛有心还惜别,替人垂泪到天明/精卫有情衔太华,杜鹃无血到天津/起来自擘纱窗破,恰漏清光到枕前/君不见黄河之水天上来,奔流到海不复回/百川朝海,流行不止。道虽辽远,无不到者/善有善报,恶有恶报;不是不报,时辰未到/入夜思归切,笛声清更哀,愁人不愿听,自到枕前来

刿

guì 伤;割;通"会"。

❶刿目鉥心,刃迎缕解

见唐·韩愈《贞曜先生墓志铭》。

❽方而不割,廉而不刿/天地相对,日月相刿,山川相流,轻重相浮,阴阳相续
❿虽干将、莫邪,非得人力则不能割刿

剀

kǎi 讽喻,以此喻彼;[剀切]切实。

❾遇朋友交游之失,宜剀切,不宜优游

制

zhì 裁断;拟订;规定;管束、限定;制度;法则;造;做;撰著。

❶制敌在谋不在众

见宋·尹洙《叙燕》。

制俗以俭,其弊为奢

见宋·王安石《风俗》。

制国用,量入以为出

见《礼记·王制》。

制人而失其理,反制焉

见《称》。

制法而自犯之,何以帅下

见晋·陈寿《三国志·魏书·武帝纪》。

制治于未乱,保邦于未危

见《尚书·周官》。

制欲于未萌,除害于未兆

见唐·白居易《才识兼茂明于体用科策一道》。

制人者握权,制于人者失命

见《鬼谷子·中经》。全句为:"道贵制人,不贵制于人也。~"。

制芰荷以为衣兮,集芙蓉以为裳

见战国·楚·屈原《离骚》。

制败则欲肆,虽四表不能充其求矣

见汉·荀悦《申鉴·政体》。

制名以指实,上以明贵贱,下以辨同异

见《荀子·正名》。

制其末而不穷其源,见其粗而未识其精

见宋·苏洵《上皇帝书》。

制之而不用,人之有也;制之而用之,己之有也

见《吕氏春秋·离俗览·贵信》。全句为:"~。已有之,则天下之物毕为用矣"。"制",控制。

制国有常,而利民为本;从政有经,而令行为上

见《战国策·赵策二》。

❷能制敌者,会在出奇/拙制伤锦,迂政损国/徐制其后,乃克有济/言制度也,则绝奢靡而崇俭约/无制之兵,有能之将,不可以胜/善制事者,转祸为福,因败为功/有制之兵,无能之将,不可以败
❸因变制宜,以敌为师/百工制器,必贵于有用/先发制人,后发制于人/圣人制天下,贵能至公/先即制人,后则为人所制/道贵制人,不贵制于人也/以古制今者,不达于事之变/明法制,去私恩,令必行,禁必止/焚芰制而裂荷衣,抗尘容而走俗状
❹有备则制人,无备则制于人/建法立制,强国富人,是谓法家/禁之以制,而身不先行,民不能止/宅宇逾制,楼观出云,车马服饰,拟于王者
❺未有不能制兵而能止暴乱者/凡将立国,制度不可不察也/乘众人之制者,则天下不足有/水因地而制流,兵因敌而制胜/心轻躁,难制伏,故无恶不起/威不能复制民,民不能堪其威,则上下大溃矣/五寸之键制开阖之门,岂其

才巨小哉，所居要也／赋役有定制，兵农有定业，官无虚名，职无废事

❻非平正无以制断／制人者握权，制于人者失命／人之道在法制，其用在是非／恣纵既成……亦制自家不得／形见则胜可制，力罢则威可立／耳乐和声，为制金石丝竹以道之／火炎上而受制于水，水趋下而得志于火／无形，则不可制迫也，不可度量也，不可巧诈也，不可规虑也

❼先发制人，后发制于人／道贵制人，不贵制于人也／为己者不待人，制今者不法古／不必循常，法度制令，各因其宜／因事设奇，谲敌制胜，变化如神

❽蛟龙离水，匹夫可制／制人而失其理，反制焉／法古之学，不足以制今／从天而颂之，孰与制天命而用之／先王恶其乱也，故制礼义以分之／经天纬地之帝，求制礼作乐之才／人之情，易发而难制者，惟怒为甚／顺天养财、御水旱、制蛮夷之原本也／知者作教，而愚者制焉；贤者议俗，不肖者拘焉

❾事有便宜，而不拘常制／当时而立法，因事而制礼／有备则制人，无备则制于人／圣人不为物先，而常制之……／用兵之道，抚士贵诚，制敌贵诈／金钩桂饵虽珍，不能制九渊之沉鳞／法令者治之具，而非制治清浊之源也／在上不骄，高而不危；制节谨度，满而不溢

❿先即制人，后则为人所制／用于国有节，取于民有制／大天而思之，孰与物畜而制之／明者因时而变，知者随事而制／水因地而制流，兵因敌而制胜／贤君必恭俭礼下，取于民有制／兵者不可豫言，临难而制变者也／国君死社稷，大夫死众，士死制／心不知治乱之源者，不可令制法／义之所加者浅，则武之所制者小矣／横江湖之鳣鲸兮，固将受制于蝼蚁／人主之意欲见于外，则为人臣之所制／一以论道德，二以论法制，三以论策术／为政之本，莫若得人；褒贤显善，圣制所先／以烦手烹鱼则鱼必溃，使学者制锦则锦必伤／吞舟之鱼荡而失水，则制于蝼蚁，离其居也／和神仙之药以治𪉩咳，制貂狐之裘以取薪菜／威权外假，归之良难，虎翼一奋，卒不可制／贤人观时，而不观于时；制兵，而不制于兵／自古乱亡之国，必先坏其法制，而后乱从之／凡下之从上也……不从力之制，从上之所为也／虚空者，乃可用盛受万物。故曰虚无能制有形／制之而不用，人之有也；制之而用之，己之有也／能无私于一人，故万物至而制之，万物至而命之／伪乱俗，私坏法，放越轨，奢败制。四者不除，则政未由行矣／奋六世之遗烈，振长策而御宇内，吞二周而亡诸侯，履至尊而制六合／先哲王之政，一曰承天，二曰正身，三曰任贤，四曰恤民，五曰明制，六曰立业

刮 guā 用刀等贴着物体表面移动，或使平整光滑，或把某些东西去掉；风吹动；通“括”，搜刮；抉发，发掘。

❺爬罗剔抉，刮垢磨光

❼士别三日，即更刮目相待

刻 kè 用刀雕刻；时间单位；时候；时间短暂；苛求；形容程度深；削除，减损。

❶刻鹄不成尚类鹜

见汉·马援《诫兄子严敦书》。

刻画无盐，以唐突西子

见南朝·宋·刘义庆《世说新语·轻诋》。

刻意则行不肆，牵物则其志流

见南朝·宋·范晔《后汉书·党锢传》。

❷晷刻之误，或遗患于历年

❸峭法刻诛者，非霸王之业也

❹不遇至刻之人，不知忠厚之善

❺用人不宜刻，刻则思效者去／意莫下于刻民，行莫贱于害民／新剑以诈刻加价，弊方以伪题见宝

❻慎法宽惠不刻／憎我者之言刻，刻必当罪／虽有良玉，不刻镂则不成器／用人不宜刻，刻则思效者去／有所期约，时刻不易，所谓信也／山生金，反自刻；木生蠹，反自食

❼憎我者之言刻，刻必当罪／辞者，犹器之有刻镂绘画也

❽好法而思不深则刻／不掩贤以隐长，不刻下以谀上／不排毁以取进，不刻人以自入／虚华盛而忠信微，刻薄稠而纯笃稀／争构纤微，竞为雕刻……；骨气都尽，刚健不闻

❿以一介之微挫其锋于顷刻／在朝也则师氏之佐，为国则刻削之政／世之专于法者，不患于不通而患于刻薄／反裘负薪，里尽毛殚，刖趾适屦，刻肌伤骨／杼轴得之，澹而无味，琢刻藻绘，弥不足贵／自修自修，益处自家求；一刻千金，勿把韶光丢

刷 ①shuā 刷子；用刷子清除或涂抹；梳理；洗雪、昭雪；象声词。②shuà[刷白]苍白。

❺洗兵海岛，刷马江洲

❽喷气则白日尽晦，刷马则清江倒流

削 ①xuē 竹札或木札；减少；删除；削弱；分割；掠夺；形容陡峭如刀削过一样。[书刀]一种长刃有柄的小刀。②xuē，又读xiāo，用刀削去物体表皮。③qiào 通“鞘”，刀剑鞘。

❷雕削取巧，虽美非“秀”矣

❸肩若削成，腰如约素

❹句有可削，足见其疏；字不得减，乃知其密

❺班翟不能削石作芒针／不广不见削，不盈不

见亏／五岳不能削其峻，以副陟者之欲

❼常宽容于物，不削于人，可谓至极／纯柔纯弱兮，必削必薄；纯刚纯强兮，必丧必亡

❽养而害所养，譬犹削足而适履，杀头而便冠／德而不威，其国外削；威而不德，其民内溃

❾无其实而喜其名者，削／画地为牢，势不可入；削木为吏，议不可对

❿无依势作威，无倚法以削／绳直而枉木斫，准夷而高科削／据天道，仍人事，笔则笔而削则削／在朝也则师氏之佐，为国则刻削之政／与民争利，犯者辄免官削爵，不得仕宦／上有无时之求，中有剥削曲巧之政，下有豺狼寇盗之害

剐 guǎ 被尖锐物划破；古代一种割肉离骨的酷刑。

❺舍得一身剐，敢把皇帝拉下马

剑 jiàn 古人随身佩带的武器；以剑杀人；挟在腋下。

❶剑门天下壮

见唐·杜甫《剑门》。

剑老无芒，人老无刚

见明·冯梦龙《东周列国志》第三十二回。

剑一人敌，不足学，学万人敌

见汉·司马迁《史记·项羽本纪》。

剑不徒断，车不自行，或使之也

见《吕氏春秋·离俗览·用民》。

剑不试则利钝暗，弓不试则劲挠诬

见汉·王符《潜夫论·考绩》。全句为："～，鹰不试则巧拙惑，马不试则良驽疑"。

剑外忽传收蓟北，初闻涕泪满衣裳

见唐·杜甫《闻官军收河南河北》。

剑戟横空金气肃，旌旗映日彩云飞

见宋·吕定《扈驾》。

剑之锷，砥之而光；人之名，砥之而扬

见唐·舒元舆《贻诸弟砥石命》。

❷利剑多缺，真玉喜折／仗剑去国，辞亲远游／良剑期乎断，不期乎镆铘／利剑不在掌，结友何须多／宝剑未砥，犹乏切玉之功／宝剑赠与烈士，红粉赠与佳人／新剑以诈刻加价，弊方以伪题见宝

❸带长剑兮挟秦弓，首身离兮心不惩

❹吴王好剑客，百姓多创瘢／得十良剑，不若得一欧冶／项庄拔剑舞，其意常在沛公／太阿之剑，犀角不足齿其锋／得十利剑，不若得欧冶之巧

❺三军一心，剑阁可以攻拔／勿轻直折剑，犹胜曲全钩／读书与磨剑，旦夕但忘疲／契船而求剑，守株而伺兔／将军夸宝剑，功在杀人多／缝缉，则长剑不及数寸之针

❻口有蜜，腹有剑／蚌死留夜光，剑折留锋芒／方衔感于一剑，非买价于泉里／匹夫见辱，拔剑而起，挺身而斗，此不足为勇

❼干戈森若林，长剑奋无前／感时思报国，拔剑起蒿莱／对案不能食，拔剑击柱长叹息／墙之坏也于隙，剑之折必有啮／今人皆知砺其剑，而弗知砺其身／安得倚天抽宝剑，把汝裁为三截／从来夸有龙泉剑，试割相思得断无／愿赐尚方斩马剑，断佞臣一人，以厉其余

❽一旦在位，鲜冠利剑／冲天鹏翅阔，报国剑芒寒／良马非独骐骥，利剑非唯干将／弓待檠而后能调，剑待砥而后能利／班声动而北风起，剑气冲而南斗平

❾逆胡未灭心未平，孤剑床头铿有声

❿能读千赋则善赋，能观千剑则晓剑／操千曲而后晓声，观千剑而后识器／国仇未报壮士老，匣中宝剑夜有声／昔有佳人公孙氏，一舞剑气动四方／上好紫则下皆女服，上好剑则士皆曼胡／方地为车，圆天为盖，长剑耿耿倚天外／胡风动地，朔雁成行；拔剑登车，慷慨而别／大丈夫必有四方之志，乃仗剑去国，辞亲远游／楚王好小腰，美人省食；吴王好剑，国士轻死／穷愁著书，古儒者之大同，非高冠长剑之比耳

前 ①qián 面对的方向；前进；前边的；过去的；将来的；从前的；产生之前。②jiǎn 通"翦"，色浅；断，灭。

❶前倨而后卑

见《战国策·秦策一》。

前倨而后恭

见汉·司马迁《史记·苏秦列传》。

前车覆而后车诫

见汉·贾谊《新书·保傅》。

前事不远，吾属之师

见宋·司马光《资治通鉴·唐纪八·贞观二年》。

前事昭昭，足为明戒

见唐·张九龄《应道侔伊吕科对策·第三道》。

前车已覆，后未知更

见《荀子·成相》。

前虑不定，后有大患

见《战国策·魏策一》。

前无所阻兮，跛鳖千里

见唐·刘禹锡《何卜赋》。全句为："络首縻足兮，骥不能逾跬。～"。

前事之不忘，后事之师

见《战国策·赵策一》。

前不见古人，后不见来者

见唐·陈子昂《登幽州台歌》。全句为："～。念天地之悠悠，独怆然而涕下"。

前识者，道之华而愚之始

见《老子》三十八。

前车既覆而后车不改辙也

见唐·吴兢《贞观政要·太子诸王定分》。

前事之不忘,期有劝且惩也

见唐·刘禹锡《华佗论》。

前古之兴亡,未尝不经于心也

见唐·韩愈《与凤翔邢尚书书》。全句为:"～;当世之得失,未尝不留于意也"。

前车覆而后车不诫,是以后车覆也

见汉·韩婴《韩诗外传》。

前车已覆,袭轨而骛,曾不鉴祸,以知畏惧

见南朝·宋·范晔《后汉书·蔡邕传》。

❷门前冷落车马稀/跋前踬后,动辄得咎/缓前急后,应事之贼也/床前明月光,疑是地上霜/门前两条辙,何处去不得/风前灯易灭,川上月难留/能前知其当然,事至不惧……/行前定则不疚,道前定则不穷/悔前莫如慎始,悔后莫如改图/言前定则不跲,事前定则不困/生前富贵草头露,身后风流陌上花/居前不能令人轾,居后不能令人轩/殿前作赋声摩空,笔补造化天无功/目前之耳目可涂,身后之是非难罔/眼前直下三千字,胸次全无一点尘/事前忍易,正事忍难,正事悔易,事后悔难

❸见尔前,虑尔后/忘其前愆,取其后效/以目前之利而弃百世之功/好将前事错,传与后人知/争目前之事,则忘远大之图/不虑前事之失,复循覆车之轨/日进前而不御,遥闻声而相思/有面前之誉易,无背后之毁难/历览前贤国与家,成由勤俭败由奢/左右前后皆正人也,欲其身之不正/莫愁前路无知己,天下谁人不识君/策马前途须努力,莫学龙钟虚叹息/左右前后,莫匪俊良;小大之材,咸尽其用/历观前代拨乱创业之主,生长民间,皆识达情伪,罕至于败亡

❹以明防前,以智虑后/意在笔前,然后作字/未得乎前,则不敢求乎后/华岳眼前尽,黄河脚底来/医得眼前疮,剜却心头肉/陶尽门前土,屋上无片瓦/眉睫之前,卷舒风云之色/殷周之前,其文简而野……/不慎其前而悔其后,虽悔,何及/不是眼前无外物,不关心事不经心/且乐生前一杯酒,何须身后千载名/太山在前而不见,疾雷破柱而不惊/回乐峰前沙似雪,受降城下月如霜/战士军前半死生,美人帐下犹歌舞/泰山在前而不见,疾雷破柱而不惊/破额山前碧玉流,骚人遥驻木兰舟/睫在眼前长不见,道非身外更何求/痴人之前莫说梦,梦中说梦愈阔迂/自滴阶前大梧叶,干君何事动哀吟/不诚于前而曰诚于后,众必疑而不信矣/白黑在前而目不见,雷鼓在侧而耳不闻/未画以前,不立一格;既画以后,不留一格/高山有前,流水在下,可以俯仰,可以宴乐/何惜阶前盈尺之地,不使白扬眉吐气,激昂青云

❺杜事之于前,易也/睡不落人前,起不落人后/言处飞龙前,行在跛鳖后/食方丈于前,所甘不过一肉/虽为镜于前代,终抱痛于今日/众人知目前之利,而不为岁月之计/请君莫奏前朝曲,听唱新翻杨柳枝/香兰自判前因误,生不当门也被锄/白刃交于前,视死若生者,烈士之勇也/务进者趋前而不顾后,荣贵者矜己而不待人/泰山崩于前而色不变,麋鹿兴于左而目不瞬

❻长江后浪催前浪/中道而止,则前功尽弃/足趾一跌,而前劳并捐/宠利毋居人前,德业毋落人后/树至德于生前,流遗爱于身后/棹容与而讵前,马寒鸣而不息/礼禁未然之前,法施已然之后/与其有誉于前,孰若无毁于其后/君子以多识前言往行,以畜其德/是非有考于前,而成败有验于后/旧时王谢堂前燕,飞入寻常百姓家/人生难得秋前雨,乞我虚堂自在眠/变谓后来改前,以渐移改谓之变也/意新语工,得前人所未道者,斯为善也/言今日难于前日,安知他日不难于今日乎/处顺境内,眼前尽兵刃戈矛,销膏靡骨而不知

❼道自在天帝之前/一与一,勇者得前/但行好事,莫问前程/目睹覆车,不改前辙/绝笔之言,追腠前句之旨/人情莫不欲处前,故恶人之自伐/不师知虑,不知前后,魏然而已矣/若意新语工,得前人所未道者,斯为善也/夜行者掩目而前其手,涉水者解其马载之舟

❽法无常则网罗当前路/昆峰积玉,光泽者前毁/谁非一丘土,参差前后间/行前定则不疚,道前定则不穷/鸷鸟之不群兮,自前世而固然/言前定则不跲,事前定则不困/必出于己,不袭蹈前人一言一句/诚意孚于未言之前,则言出而人信之/见其可利也,则必前后虑其可害也者/操一己之绳墨,持前王之规矩,以方枘欲圆凿/今且须去理会眼前事,那个鬼神事,无形无影,莫要枉费心力

❾男儿爱后妇,女子重前夫/夺我身上暖,买尔眼前恩/旋收松上雪,来煮雨前茶/伏清白以死直兮,固前圣之所厚/海上涛头一线来,楼前指顾雪成堆/文章以自得,不蹈袭前人一言为贵/火力不能销地力,乱前黄菊眼前开/身后有余忘缩手,眼前无路想回头/太极,谓天地未分之前,元气混而为一/昼则舟楫出没于其前,夜则鱼龙悲啸于其下/状难写之景如在目前;含不尽之意见于言外

❿干戈森若林,长剑奋无前/观化百代后,独立万古前/始驾马者反之:车在马前/虽载言载笑,赏风月于离前/披襟朗咏,饯斜光于碧岫之前/情在词外曰隐,状溢目前曰秀/王者不以

幸治国，治国固有前道／举世尽从愁里老，谁人肯向死前闲／了却君王天下事，赢得生前身后名／今朝有酒今朝醉，且尽樽前有限杯／含情欲说宫中事，鹦鹉前头不敢言／芳林新叶催陈叶，流水前波让后波／莫思身外无穷事，且尽生前有限杯／沉舟侧畔千帆过，病树前头万木春／强中更有强中手，莫向人前满自夸／文章均得江山助，但觉前贤畏后贤／方凭征鞍思往事，数声风笛马前闻／火力不能销地力，乱前黄菊眼前开／意不先立，止以文采辞句绕前捧后／起来自擘纱窗破，恰漏清光到枕前／罪驱之于后，功唊之于前……不可得也／一发不中，百发尽息；一举不得，前功尽弃／仰之弥高，钻之弥坚。瞻之在前，忽焉在后／但务其华，不寻其实，犹缘木希鱼，却行求前／以辱为荣，以穷为通，虽失乎前，可谓后得之矣／士之修身立节而竟不遇知己，前古以来，不可胜数／要使诚意之交通，在于未言之前，则言出而人信矣／入夜思归切，笛声清更哀，愁人不愿听，自到枕前来／学者自强不息，则积少成多；中道而止，则前功尽弃／其有发挥新体，孤飞百代之前，开凿古人，独步九流之上／苟意不先立，止以文彩辞句，绕前捧后，是言愈多而理愈乱／于为义若嗜欲，勇不顾前后；于利与禄，则畏避退处如怯夫然

剔

tī 把肉从骨头上刮下来；往外挑；把不好的挑出来；疏通，泄去。

❶剔大蠹者木必凿，去大奸者国必伤
见明·刘基《拟连珠》。

❸爬罗剔抉，刮垢磨光

❻切莫呕心并剔肺，须知妙语出天然

❼世路之蓁芜当剔，人心之茅塞须开

剖

pōu 破开，切开；分析，分辨。

❶剖心非痛，亡殷为痛
见唐·李白《比干碑》。
剖开顽石方知玉，淘尽泥沙始见金
见明·冯梦龙《古今小说·张道陵七试赵升》。

❸蠹啄剖梁柱，蚊虻走牛羊／比干剖心，子胥抉眼，忠之祸也

❹良璞不剖，必有泣血以相明者

❺凿石索玉，剖蚌求珠

❻春去细糠如剖玉，炊成香饭似堆银

❼子胥沉江，比干剖心／析飞糠以为舆，剖秕糟以为舟

❾象以齿焚身，蚌以珠剖体

❿驽蹇服御，良乐咨嗟；铅刀剖截，欧冶叹息／天下争名趋势，不计是非，析毫剖芒，视死如归

剜

wān 用刀或其他东西挖。

❻医得眼前疮，剜却心头肉

剥

①bō 剥夺，剥离，剥蚀；伤害；象声。②bō，又读 bāo，去掉皮壳或外层。③pū 通“扑”，击。③bó 通“驳”，转运，驳运。

❶剥我身上帛，夺我口中粟
见唐·白居易《杜陵叟》。

❾上有无时之求，中有剥削曲巧之政，下有豺狼寇盗之害

剧

jù 嬉戏，戏剧；猛烈；繁难，繁重；疾，速；姓。

❸当急剧冗杂时只不动火，则神有余而不劳

❻马极则踬，民剧则败

❽马不可极，民不可剧

❿羊肠之曲不能仆车而仆于剧骖／问事弥多而见弥博，官弥剧而识弥泥

副

①fù 居次要位置的，辅助的；附带的；相称，符合；古时王后和诸侯夫人的一种首饰；量词。②pì 裂开，剖开。

❸能必副其所

❻名美而实不副者，必无没世之风／情行合而名副之，祸福不虚至矣

❼人生心口宜相副／志虽大而才不副／外内表里，自相副称／誉美者，实未必副其名／中情之人，名不副实，用之有效／名重则于实难副，论高则与世常疏

❽盛名之下，其实难副

❾五岳不能削其峻，以副陟者之欲

❿治世之德，衰世之恶，常与爵位自相副／宜得敏锐兼人之器，以副厉精更化之怀／阳春之曲，和者必寡；盛名之下，其实难副

剩

shèng 剩余部分；多；颇，更。

❸宜将剩勇追穷寇，不可沽名学霸王／国家剩得数百万贯钱，何如得一有才行人

❼笺诉天公休掠剩，半偿私债半输官

割

gē 切断；分开；舍弃；灾害。

❶割鸡焉用牛刀
见《论语·阳货》。
割嗜欲所以固血气
见晋·葛洪《抱朴子·地真》。
割而舍之，镆邪不断肉；执而不释，马氂截玉
见汉·刘安《淮南子·说山》。

❷以割下为能，以附上为忠，此叛国之风也

❸屠者割肉，则知牛长少／亲者割之不断，疏者续之不坚

❹医家有割股之心／方而不割，廉而不刿／物能相割截者，必异性者也

❺铅刀贵一割，梦想骋良图／牛刀可以割鸡，鸡刀难以屠牛
❻铅刀强可一割／精金百炼，在割能断／身，增则赘，而割则亏
❼未能操刀而使割
❾酒是烧身硝焰，色为割肉钢刀／从来夸有龙泉剑，试割相思得断无／损百姓以奉其身，犹割股以啖腹，腹饱而身毙
❿小人小善，乃铅刀之一割／桂可食，故伐之；漆可用，故割之／端州石工巧如神，踏天磨刀割紫云／足不强则迹不远，锋不铦则割不深／将军金甲夜不脱……风头如刀面如割／虽干将、莫邪，非得人力则不能割刿／贵贱之间，易以势移，管宁所以割席／璧瑗成器，礛诸之功，镆邪断割，砥砺之力

蒯 kuǎi，又读 kuài，草名；古地名；姓。
❽虽有丝麻，无弃菅蒯；虽有姬姜，无弃蕉萃

剽 ①piāo 抢劫；攻击；轻捷；削；分。②biǎo 末梢。
❻有长而无本剽者，宙也
❿惟古于词必己出，降而不能乃剽贼

剿 ①jiǎo 讨伐，灭绝；劳累。②chāo 通"钞"。
❷毋剿说，毋雷同

冈 gāng 山梁，山脊。
❶冈陵起伏，草木行列，烟消日出
见宋·苏辙《黄州快哉亭记》。全句为："～，渔夫樵父之舍，皆可指数"。
❹火炎昆冈，玉石俱焚／松柏在冈，蒿艾为之不植／烈火埋冈，玉石抱俱焚之惨
❺振衣千仞冈，濯足万里流
❻桂殿兰宫，列冈峦之体势／松柏生于高冈，散柯布叶，而草木为之不植
❼西望武昌诸山，冈陵起伏……
❽凤凰鸣矣，于彼高冈
❾锦帽貂裘，千骑卷平冈／久有凌云志，重上井冈山／登泰山而览群岳，则冈峦之本末可知也
❿神龙藏深泉，猛兽步高冈／飞沙溅石，湍流百势；翠崄丹崖，冈峦万色／鹤汀凫渚，穷岛屿之萦回；桂殿兰宫，列冈峦之体势

同 ①tóng 一样；一起；齐，聚；古代一种酒器；地方百里之称；相当于"和"；姓。②tòng[胡同]中国北方对小街巷的统称。
❶同心远更亲
见唐·钱起《再得毕侍御书闻巴中卧病》。
同其心，一其力
见汉·刘安《淮南子·兵略》。全句为："～，勇者不得独进，怯者不得独退，止如丘山，发如风雨"。
同罪异罚，非刑也
见《左传·僖公二十八年》。
同中有异，异中有同
见宋·释道原《景德传灯录·忠国师》。
同乎流俗，合乎污世
见《孟子·尽心下》。
同声相应，同气相求
见《周易·乾》。
同姓不婚，恶不殖也
见《国语·晋语四》。
同日被霜，蔽者不伤
见汉·刘安《淮南子·人间》。全句为："计福勿及，虑祸过之；～；愚者有备，与智者同功"。
同明相照，同类相求
见汉·司马迁《史记·伯夷列传》。
同欲相趋，同利相死
见汉·司马迁《史记·吴王濞列传》。全句为："同恶相助，同好相留，同情相成，～"。
同心之言，其臭如兰
见《周易·系辞上》。
同病相救，同情相成
见《太公六韬·武韬·发启》。
同音相闻，同志相从
见汉·韩婴《韩诗外传》。
同心而共济，终始如一
见宋·欧阳修《朋党论》。
同天下之利者，则得天下
见《太公六韬·文韬·文师》。全句为："～；擅天下之利者，则失天下"。
同声自相应，同心自相知
见晋·傅玄《何当行》。
同归而殊途，一致而百虑
见《周易·系辞下》。
同欲者相憎，同忧者相亲
见《战国策·中山策》。
同于己为是之，异于己为非之
见《庄子·寓言》。全句为："与己同则应，不与己同则反；～"。
同冰鱼之不绝，似蛰虫之犹苏
见南朝·陈·徐陵《与王僧辨书》。
同恶相助，同好相留，同情相成
见汉·司马迁《史记·吴王濞列传》。全句为："～，同欲相趋，同利相死"。
同是天涯沦落人，相逢何必曾相识
见唐·白居易《琵琶行》。
同类相从，同声相应，固天之理也
见《庄子·渔父》。
同于我者何必可爱，异于我者何必可憎
见汉·仲长统《昌言下》。

同乎无知，其德不离；同乎无欲，是谓素朴

见《庄子·马蹄》。全句为："～；素朴而民性得矣"。

同涉于川，其时在风；沿者之吉，溯者之凶

见唐·刘禹锡《何卜赋》。

同于己而欲之，异于己而不欲者，以出乎众为心也

见《庄子·在宥》。

❷志同而气合／节同时异，物是人非／气同则从，声比则应／性同而势均则相竞而相害也／性同而材倾则相援而相赖也／归同契合者，则不言而信著／以同异为善恶，以喜怒为赏罚／居同乐，行同和，死同哀……／类同相召，气同则合，声比则应／兽同足者相从游，鸟同翼者相从翔／凡同类同情者，其天官之意物也同／鸟同翼者而聚居，兽同足者而俱行／恰同学少年，风华正茂；书生意气，挥斥方遒

❸上下同欲者胜／不可同日而语／未可同日而语／势不同而理同／与乱同事，罔不亡／与治同道，罔不兴／道不同，不相为谋／不期同时，不谋同辞／二人同心，其利断金／男女同姓，其生不蕃／守则同固，战则同强／死生同归，誓不相弃／善人同处，则日闻嘉训／天涯同此路，人语各殊方／不结同心人，空结同心草／结发同枕席，黄泉共为友／本是同根生，相煎何太急／心事同漂泊，生涯共苦辛／与民同其安者，人必拯其危／与己同则应，不与己同则反／自其同者视之，万物皆一也／不雷同以害人，不苟免以伤义／生而同声，长而异俗，教使之然／人情同于怀土兮，岂穷达而异心／与天同心而无知，与道同身而无体／以物同求而不同贪，与物同得而不同积／逆顺同道而异理，审知逆顺，是谓道纪／千人同心则得千人力，万人异心则无一人之用

❹人心不同如面／五味不同物而能和／五音不同声而能调／为善不同，同归于美／人心不同，若其面焉／行合趋同，千里相从／待觅个同心伴侣……／美色不同面，皆佳于目／情趣苟同，贫贱不易意／一视而同仁，笃近而举远／与亡国同事者，不可存也／与死人同病者，不可生也／无物结同心，烟花不堪剪／百里不同风，千里不同俗／千里不同风，百里不共雷／传闻不同，善恶随人所见／冰炭不同器，日月不并明／薰莸不同器，枭鸾不接翼／峨眉讵同貌，而俱动于魄／风物虽同候，悲欢各异伦／祸与福同门，利与害为邻／黼黻不同，俱为悦目之玩／人性虽同，禀气不能无偏重／冠履不同藏，贤不肖不同位／其悲则同，其所以为悲则异／上下和同，虽有贤才，无所立功／心合意同，谋无不成，计无不从／不是交同兰气味，为何话出一人心／凡同类同情者，其天官之意物也同／哀乐不同而不远，吉凶相反而相袭／冰炭不同器而久，寒暑不兼时而至／佳人不同体，美人不同面，而皆悦于目／当与人同过，不当与人同功，同功则相忌／与死者同病难为良医，与亡国同道难与为谋／为善不同，同归于治；为恶不同，同归于乱／善鄙不同，诽誉在俗；趋舍不同，逆顺在君

❺冰炭不可同器／睽。君子以同而异／一事殊法，同罪异论／为善不同，同归于美／同声相应，同气相求／同明相照，同类相求／同欲相趋，同利相死／同病相救，同情相成／同音相闻，同志相从／人心之不同，如其面焉／合异以为同，散同以为异／邪正之不同也不啻若黑白／巨屦小屦同贾，人岂为之哉／与天地兮同寿，与日月兮同光／垂棘与瓦同椟，明月与砾同囊／兴天下之同利，除天下之同害／人神之所同疾，天地之所不容／常与众庶同垢尘，不当自别殊／居同乐，行同和，死同哀……／贵贱不嫌同号，美恶不嫌同辞／同恶相助，同好相留，同情相成／夫妻本是同林鸟，大限来时各自飞／舞罢青蛾同去国，战残白骨尚盈丘／同类相从，同声相应，固天之理也／大鹏一日同风起，扶摇直上九万里／顾使乾坤同日月，不妨闽浙异江山／至德之世，同与禽兽居，族与万物并／为善不同，同归于治；为恶不同，同归于乱／共舆而驰，同舟而济，舆倾舟覆，患实共之／圣人之道，同诸天地，荡诸四海，变习易俗／洁其身而同焉者合矣，善其言而类焉者应矣／好者不必同色而皆美，丑者不必同状而皆恶／才不能逾同列，声不能压当世，世之怒仆宜也

❻势不同而理同／英雄所见略同／毋剿说，毋雷同／陷人于危，必同其难／视若游尘，遇同土梗／思若云飞，辩同河泻／身寄虎吻，危同朝露／鲍鱼兰芷，不同箧而藏／以之事国，则同心而共济／同声自相应，同心自相知／同欲者相憎，同忧者相亲／今王与百姓同乐，则王矣／行不合趋不同，对门不通／君子和而不同，小人同而不和／四时之景不同，而乐亦无穷也／惟其才之不同，故其成功不齐／梨橘枣栗不同味，而皆调于口／鸟兽之不可同群者，其类异也／虎鹿之不可同游者，力不敌也／死者无知，自同粪土，何烦厚葬／类同相召，气同则合，声比则应／与物委蛇而同其波，是卫生之经已／不妨举世无同志，会有方来可与期／响必应之于同声，道固从之于同类／时来天地皆同力，运去英雄不自由／言泉共秋水同流，词峰与夏云争长／千古圣贤若同堂合席，必无尽合之理／恒无之初，迥同大虚。虚同为一，恒一而止

❼扁舟不系与心同／万物一府，死生同状／天下为一，万里同风／不期同时，不谋同辞／忧喜

聚门,吉凶同域／守则同固,战则同强／穀则异室,死则同穴／意有所极,梦亦同趣／性修反德,德至同于初／目之于色也,有同美焉／鲍鱼不与兰茝同笥而藏／以之修身,则道同而相益／合异以为同,散同以为异／能相奉成者,必同气者也／太平世界,环球同此凉热／居天下之乐者,同天下之忧／栖息有所,苍蝇同骐骥之速／传闻与指实不同,悬算与临事有异／风雅体变而兴同,古今调殊而理异／岂得以人言不同己意,便即护短不纳／惟君臣相遇,有同鱼水,则海内可安／虎豹无文,则鞟同犬羊……质待文也／不言之化与天同德,不为之事与天同功／以物同求而不同贪,与物同得而不同积／公婿公孙,与民同门,暴傲其邻者,可亡也／能出于材,材不同量,材能既殊,任政亦异／名为山人而心同商贾,口谈道德而志在穿窬／知足之人,体道同德,绝名除利,立我于无／量其当否,参其同异,弃其所短,收其所长／祸福相倚,吉凶同域,惟人所召,安可不思／君子与君子以同道为朋,小人与小人以同利为朋

❽同中有异,异中有同／人由意合,物以类同／兄弟无礼,不能久同／知善不言,与嚚喑同／闻善不慕,与聋聩同／见善不敬,与昏瞽同／愚者有备,与知者同功／愚者有备,与智者同功／于今为神奇,信宿同尘滓／不结同心人,空结同心草／生为并身物,死为同棺灰／先圣不一其能,不同其事／唤起工农千百万,同心干／道或乖,胶漆不能同其异／死去何所道,托体同山阿／居同乐,行同和,死同哀……／世异事变,治国不同,不可不察／置猿槛中,则与豚同……无所肆其能也／不知三军之事而同三军之政者,则军士惑矣／小人君子,其心不同,惟乖于时,乃与天通／心苟至公,人将大同;心能执一,政乃无失／圣人之行虽不必同,然其要归,在洁其身而已／胡越之人,生则声同,长则语异,盖声者天然

❾一念收敛,则万善来同／统天下者当与天下同心／贤者亦不与不肖者同列／其水趣流,势与江河同／万人离心,不如百人同力／百里不同风,千里不同俗／兵不完利,与无操者同实／莲生淤泥中,不与泥同调／福寿康宁,固人之所同欲／与己同则应,不与己同则反／虽趣舍万殊,静躁不同……／君子和而不同,小人同而不和／同恶相助,同好相留,同情相成／内不失真,外不殊俗,同尘而不染／兽同足者相从游,鸟同翼者相从翔／凡天下之事成于自同,而败于自异／冰雪林中著此身,不同桃李混芳尘／鸟同翼者而聚居,兽同足者而俱行／寒者颤,惧者亦颤,此同名而异实也／佳人不同体,美人不同面,而皆悦于目／因命而动,生思虑……别同异,谓之意／同乎无知,其德不离;同乎无欲,是谓素朴／并时遭兵,隐者不中;同日被霜,蔽者不伤／人面看年年岁岁之同,花枝见夜夜朝朝之好／有金鼓,所以一耳也;同法令,所以一心也／世俗之人皆喜人之同乎己,而恶人之异于己也

❿天下智谋之士,所见略同／志苟合,楚越无以异其同／君子亦仁而已矣,何必同／君臣节俭足,朝野欢呼同／嗜欲喜怒之情,贤愚皆同／神龙失势,即还与蚯蚓同／人之巧,乃可与造化者同功／冠履不同藏,贤不肖不同位／有心于为善,则与为不善同／与天地兮同寿,与日月兮同光／垂棘与瓦同椟,明月与砾同囊／兴天下之同利,除天下之同害／法者,所以适变也,不必尽同／贵贱不嫌同号,美恶不嫌同辞／彼一时也,此一时也,岂可同哉／强胜不若己者,至于若己者而同／与天同心而无知,与道同身而无体／不把黄金买画工,进身羞与自媒同／甚美之名生于大恶,所谓美恶同门／人生交契无老少,论交何必先同调／凡同类同情者,其天官之意物也同／去浮华,举功实,绝末伎,同本务／节物后先南北异,人情冷暖古今同／太虚作室而共居,夜月为灯以同照／响必应之于同声,道固从之于同类／得众而不得其心,则与独行者同实／死去元知万事空,但悲不见九州同／有财有势即相识,无财无势同路人／忠邪不可以并立,善恶不可以同道／自古盛衰如转烛,六朝兴废同棋局／奇从奇,正从正,奇与正,恒不同廷／杀人者死,伤人者刑,是百王之所同／必须出类拔萃,与众不同,才觉有趣／不可陷之楯与无不陷之矛不可同世而立／不言之化与天同德,不为之事与天同功／以物同求而不同贪,与物同得而不同积／制名以指实,上以明贵贱,下以辨同异／邪正之人不宜共国,亦犹冰炭不可同器／圣主者,举贤以立功;不肖主举其所同／蔚乎其相章,炳乎其相辉,志同而气合／三皇五帝之礼仪法度,不矜于同而矜于治／邪之与正,犹水与火,不同原,不得并盛／当与人同过,不当与人同功,同功则相忌／君子与小人不两立,而小人与君子不同谋／彼民有常性,织而衣,耕而食,是谓同德／好音生于郑卫,而人皆乐之于耳,声同也／橘柚生于江南,而民皆甘之于口,味同也／与死者同病难为良医,与亡国同道难与为谋／千金之家比一都之君,巨万者乃与王者同乐／为善不同,同归于治;为恶不同,同归于乱／善鄙不同,诽誉在俗;趋舍不同,逆顺在君／度量权衡法,必资之官,资之官而后天下同／恒无之初,迥同大虚。虚同为一,恒一而止／好者不必同色而皆美,丑者不必同状而皆恶／腾蛇游雾,飞龙乘云,云罢雾霁,与蚯蚓同／立

身成败，在于所染，兰芷鲍鱼，与之同化／穷愁著书，古儒者之大同，非高冠长剑之比耳／雅郑有素矣，而好恶不同，故两耳不相为听焉／于人无贤愚，于事无小大，咸推以信，同施以敬／挫其锐，解其纷，和其光，同其尘，湛兮似或存／君子与君子以同道为朋，小人与小人以同利为朋／昔之所为，而今觉其非，虽日异而月不同，可也／敬之而不喜，侮之而不怒者，唯同乎天和者为然／礼者，所以定亲疏、决嫌疑、别同异、明是非也／凡工妄匠，执规秉矩，错准引绳，则巧同于人倕也／两高不可重，两大不可容，两贵不可双，两势不可同／人之饥所以不食乌喙者，以为虽偷充腹而与死同患也／溺者入水，拯之者亦入水。入水则同，所以入水者则异／吴人与越人相恶也，当其同舟而济遇风，其相救也如左右手

网 wǎng 用绳或线等制成的捕鱼或捕鸟具；像网的；用网捕捉；纵横交错而成的组织或系统。

❶网在纲，有条而不紊

见《尚书·盘庚上》。

网解不结，有兽失之患

见汉·王充《论衡·对作篇》。全句为："防决不备，有水溢之害；～"。

网开三面，危疑者许以自新用

见唐·刘禹锡《贺赦表》。全句为："～；耳达四聪，瑕累者期于录"。

❷大网疏，小网数／天网恢恢，疏而不漏／天网恢恢，疏而不失／举网以纲，千目皆张，振裘持领，万毛自整

❸善张网者引其纲／蜘蛛网户牖，野草当阶生／恃威网以使物者，治之衰也

❹兽恶其网，民恶其上／轻缗振网，或随吞舟之势／少目之网，不可得鱼，三章之法，不可为治

❺大网疏，小网数／法无常则网罗当前路／明哲之君，网漏吞舟之鱼

❼法繁于秋荼，而网密于凝脂

❾鸟避弋而高翔，鱼畏网而深游／云中白鹤，非燕雀之网所能罗也／龙不隐鳞，凤不藏羽，网罗高县，去将安所

❿临渊羡鱼，不如退而结网／临河而羡鱼，不如归家织网／善为理者，举其纲，疏其网／如珠玉之在泥土，麟凤之在网罗／鱼鳖得免毒螫之渊，鸟兽得离罗网之纲／不学而求知，犹愿鱼而无网焉，心虽勤而无获矣／矰缴充蹊，阬阱塞路，举手挂网罗，动足蹈机坎

冏 jiǒng 像窗口通明，引申为有光貌；鸟飞貌。

❺爱犹冬日，冏若明珠

罔 wǎng 同"网"；蒙蔽；没有；不可；莫非；祸害；通"惘"，迷惑。

❶罔失法度

见《尚书·大禹谟》。

罔游于逸，罔淫于乐

见《尚书·大禹谟》。

罔疏则兽失，法疏则罪漏

见汉·桓宽《盐铁论·刑德》。全句为："～，罪漏则民放佚而轻犯禁"。

罔违道以干百姓之誉，罔咈百姓以从己之欲

见《尚书·大禹谟》。

❷民罔常怀，怀于有仁／爵罔及恶德，惟其贤

❸诬而罔省，施之事亦为固／惟圣罔念作狂，惟狂克念作圣

❹乐闻过，罔不兴；拒谏，罔不乱

❺与乱同事，罔不亡／与治同道，罔不兴／德惟一，动罔不吉／罔游于逸，罔淫于乐／吏不与奸罔期，而奸罔自至／贵不专权，罔惑上下；贱能守分，不苟求取

❻惟克果断，乃罔后艰／学而不思则罔，思而不学则殆

❼知人则哲，非贤罔乂／歼厥渠魁，胁从罔治，旧染污俗，咸与惟新

❽君子可欺也，不可罔也／尚猷询兹黄发，则罔所愆／凡四方小大邦丧，罔非有辞于罚

❾吏不与奸罔期，而奸罔自至／乐闻过，罔不兴；拒谏，罔不乱／君子可欺以其方，难罔以非其道

❿忧国者不顾身，爱民者不罔上／念终始典于学，厥德修，罔觉／目前之耳目可涂，身后之是非难罔／函车之兽，介而离山，则不免于罔罟之患／为鬼为蜮，则不可得；有靦面目，视人罔极／罔违道以干百姓之誉，罔咈百姓以从己之欲／刀笔之吏专深文巧诋，陷人于罔，以自为功／官不及私昵，惟其能；爵罔及恶德，惟其贤／以易限之鉴，镜难原之才，使国罔遗授，野无滞器，其可得

亿 yì 数目，即万万；通"臆"，预料，揣度；满盈；安；通"噫"，作语助。

❶亿万千百十，皆起于一

见宋·李昉《太平御览》卷七五〇引《尹文子》。

❺不逆诈，不亿不信，抑亦先觉者，是贤乎

❽事有本真，陈施于亿

❾春风杨柳万千条，六亿神州尽舜尧

❿我命在我不在天，还丹成金亿万年／凡聚小所以就大，积一所以至亿也／欲观千岁，则数今日；欲知亿万，则审一二

仁 rén 对人仁爱；敬辞，用于朋友；假借为"人"；犹"存"；儒家的道德范畴；古

时所谓善政的标准，即“仁政”；果核里面的种子部分；姓。

❶仁者无敌

见《孟子·梁惠王上》。

仁，是以亲亲

见清·戴震《原善》。全句为：“～；义，是以尊贤；礼，是以有杀有等”。

仁者先难而后获

见《论语·雍也》。

仁义积则物自归之

见唐·吴兢《贞观政要·仁义》。全句为：“林深则鸟栖，水广则鱼游。～”。

仁则荣，不仁则辱

见《孟子·公孙丑上》。

仁不以勇，义不以力

见汉·班固《汉书·高帝纪》。

仁不异远，义不辞难

见汉·班固《汉书·武帝纪》。

仁不轻绝，知不简功

见汉·刘向《新序·杂事三》。

仁不轻绝，智不轻怨

见《战国策·燕策三》。

仁者之勇，雷霆不移

见宋·苏轼《祭堂兄子正文》。

仁者爱人，义者政理

见南朝·宋·范晔《后汉书·梁统传》。全句为：“～，爱人以除残为务，政理以去乱为心”。

仁者爱人，义者尊老

见汉·董仲舒《春秋繁露·五行相胜》。

仁者，积恩之见证也

见汉·刘安《淮南子·缪称》。全句为：“道者，物之所导也；德者，性之所扶也；～；义者，比于人心而合于众适者也”。

仁义之人，其言蔼如也

见唐·韩愈《答李翊书》。

仁之法在爱人不在爱我

见汉·董仲舒《春秋繁露·仁义法》。全句为：“～；义之法在正我不在正人”。

仁便藏在恻隐之心里面

见宋·朱熹《朱子语类》卷七四。

仁功难著，而乱源易成

见晋·陈寿《三国志·魏书·贾诩传》。

仁者之行道也，无为也

见《荀子·解蔽》。全句为：“～；圣人之行道也，无强也”。

仁则人亲之，义则人尊之

见《尸子·君治》。

仁，人心也；义，人路也

见《孟子·告子上》。

仁行而从善，义立则俗易

见汉·班固《汉书·武帝纪》。

仁昭而义立，德博而化广

见汉·刘向《说苑·君道》。全句为：“～，故不赏而民劝，不罚而民治”。

仁者以其所爱及其所不爱

见《孟子·尽心下》。全句为：“～，不仁者以其所不爱及其所爱”。

仁者先事后得，先难后获

见宋·张载《正蒙·三十》。

仁义者，虽聋瞽不失为君子

见清·陈确《乾初先生遗集·别集·瞽言》。全句为：“～；不修，虽破万卷不失为小人”。

仁，天之尊爵也，人之安宅也

见《孟子·公孙丑上》。

仁之用在爱民，而其体在无私

见清·王夫之《读四书大全说》卷一〇。

仁莫大于爱人，知莫大于知人

见汉·刘安《淮南子·泰族》。

仁远乎哉？我欲仁，斯仁至矣

见《论语·述而》。

仁是爱的道理，公是仁的道理

见宋·朱熹《朱子语类》卷六。全句为：“～，故公则仁，仁则爱”。

仁者不以位为惠：可谓无为矣

见汉·刘安《淮南子·诠言》。全句为：“智者不以位为事，勇者不以位为暴，～”。

仁者必爱其亲，义者必急其君

见宋·朱熹《四书集注·孟子·梁惠王上》。

仁可为也，义可亏也，礼相伪也

见《庄子·知北游》。

仁也者，人也。合而言之，道也

见《孟子·尽心下》。

仁，则私欲尽去，而心德之全也

见宋·朱熹《四书集注·论语·述而》。

仁者不忧，知者不惑，勇者不惧

见《论语·宪问》。

仁者以财发身，不仁者以身发财

见《礼记·大学》。

仁者爱万物，而智者备祸于未形

见汉·司马迁《史记·赵世家》。全句为：“～，不仁不智，何以为国”。

仁而无止，则其极不得不反而为残

见宋·杨万里《刑政》。

仁义充塞，则率兽食人，人将相食

见《孟子·滕文公下》。

仁之所在无贫穷，仁之所亡无富贵

见《荀子·性恶》。

仁者安仁，知者利仁，畏罪者强仁

见《礼记·表记》。

仁者见之谓之仁，知者见之谓之知

见《周易·系辞上》。

仁者恕己以及人，智者讲功而处事

见汉·王符《潜夫论·边议》。

仁义之行，唯且无诚，且假乎禽贪者器

见《庄子·徐无鬼》。

仁之与义，敬之与和，相反而皆相成也

见汉·班固《汉书·艺文志》。

仁人在上，百姓贵之如帝，亲之如父母

见《荀子·富国》。

仁常而不周，廉洁而不信，勇忮而不成

见《庄子·齐物论》。全句为："道昭而不道，言辩而不及，～"。

仁者不乘危以邀利，智者不侥幸以成功

见明·冯梦龙《东周列国志》第三十回。

仁者不以盛衰改节，义者不以存亡易心

见晋·陈寿《三国志·魏书·曹爽传》。

仁者在位而仁人来，义者在朝而义士至

见汉·陆贾《新语·思务》。

仁义礼乐者，可以救败，而非通治之至也

见汉·刘安《淮南子·本经》。

仁者人也，仁字有生意，是言人之生道也

见宋·朱熹《朱子语类》卷六一。

仁人者，正其谊不谋其利，明其道不计其功

见汉·班固《汉书·董仲舒传》。

仁者人也，亲亲为大；义者宜也，尊贤为大

见《礼记·中庸》。

仁以为己任，不亦重乎！死而后已，不亦远乎

见《论语·泰伯》。

仁人之所以为事者，必兴天下之利，除去天下之害

见《墨子·兼爱中》。

仁人之于弟也，不藏怒焉，不宿怨焉，亲爱之而已矣

见《孟子·万章上》。

❷至仁无亲／惟仁义为本／惟仁者宜高位／不仁之至忽其亲／当仁，不让于师／不仁不智，何以为国／求仁而得仁，又何怨／以仁安人，以义正我／论仁义则弘详而长雅／至仁必易，大智必简／亲仁善邻，国之宝也／贼仁伤德，天怒不福／为仁不能胜暴，非仁也／以仁义服人，何人不服／唯仁者能好人，能恶人／好仁不好学，其蔽也愚／由仁义而祸，君子不屑也／唯仁人为能爱人，能恶人／不仁而得天下者，未之有也／不仁者以其所不爱及其所爱／安仁义而乐利世者，能服天下／思仁恕则树德，加严暴则树怨／里仁为美；择不处仁，焉得知／不仁而在高位，是播其恶于众也／以仁为恩，以义为理，以礼为行／以仁心说，以学心听，以公心辨／倍仁义而贪名实者，不能威当世／大仁者修治天下，大恶者扰乱天下／用仁义以治天下，公赏罚以定干戈／不仁者，不可以久处约，不可以长处乐／唯仁者可好也，可恶也，可高也，可下也／广仁益智，莫善于问；乘事演道，莫善于对／君仁，莫不仁；君义，莫不义；君正，莫不正／不仁之人骋其私智，可以盗千乘之国，而不可以得丘民之心／慈仁者，百姓亲附，并心一意，故以战则胜敌，以守卫则坚固

❸神福仁而祸淫／公则仁，仁则爱／不信仁贤，则国空虚／孝悌仁义，忠信贞廉……／朝与仁义生，夕死复何求／贵贤，仁也；贱不肖，亦仁也／恕者仁之本也，平者义之本也／何谓仁？仁者憯怛爱人，谨翕不争／君行仁政，斯民亲其上，死其长矣／妄誉，仁之贼也；妄毁，义之贼也／志士仁人，无求生以害仁，有杀身以成仁／未有仁而遗其亲者也，未有义而后其君者也／将不仁，则三军不亲；将不勇，则三军不锐／爱非仁，爱之理是仁；心非仁，心之德是仁

❹公则仁，仁则爱／知者乐，仁者寿／用人之仁去其贪／法出于仁，成于义／失爱不仁，过爱不义／道之本，仁义而已矣／天地不仁，以万物为刍狗／为富不仁矣，为仁不富矣／圣人不仁，以百姓为刍狗／君子亦仁而已矣，何必同／王者以仁义为丽，道德为威／发政施仁，所以王天下之本也／君子诚仁，施亦仁，不施亦仁／公却是仁发处，无公则仁行不得／爱己者，仁之端也，可推以爱人／仁者安仁，知者利仁，畏罪者强仁／何谓仁？仁者憯怛爱人，谨翕不争／人主好仁，则无功者赏，有罪者释／知者动，仁者静。知者乐，仁者寿／民之归仁也，犹水之就下、兽之走圹也／古者以仁义行法律，后世以法律行仁义／君子非仁义无以生，失仁义则失其所以生／孔曰成仁，孟曰取义，惟其义尽，所以仁至／体道履仁，外和内敏，清而容物，善不近名／行之乎仁义之途，游之乎《诗》、《书》之源

❺俭而能施，仁也／观过，斯知仁矣／大道废，有仁义／恻隐之心，仁也／仁则荣，不仁则辱／君子之行仁也无厌／求仁而得仁，又何怨／众不附者，仁不足也／勇动多怨，仁义多责／至德之君，仁政且温／知者乐水，仁者乐山／清能有容，仁能善断／恻隐之心，仁之端也／安土敦乎仁，故能爱／威行如秋，仁行如春／恶绝于心，仁形于色／积德之君，仁政且温／谋事不并仁义者后必败／取善以辅仁，则德日进／理国之主，仁义出于人／一视而同仁，笃近而举远／君子惧失仁义，小人惧失利／智者不必仁，而仁者则必智／虎狼堕井，仁者见之而不怜／博爱之谓仁，行而宜之之谓义／伐国不问仁人，战阵不访儒士／圣人之政，仁足以使民不忍欺／治平者先仁义，治乱者先权谋／理平者先仁义，理乱者先权谋／知者不惑，仁者不忧，勇者不惧／礼

不过实，仁不溢恩，治世之道也／小人诚不仁，施亦不仁，不施亦不仁／爱得分曰仁，施得分曰义，虑得分曰智／仁者人也，仁字有生意，是言人之生道也／君仁，莫不仁；君义，莫不义；君正，莫不正／君子居必仁，行必义，反仁义而福，君子不有也

❻克己复礼为仁／何以守位？曰仁／乘人之危，非仁也／乘人之约，非仁也／刚、毅、木、讷近仁／强恕而行，求仁莫近焉／敦笃虚静者，仁之本也／古之君民者，仁义以治之／此身倘未死，仁义尚力行／贤者不必贵，仁者不必寿／钱财如粪土，仁义值千金／天之所辅者仁，人之所助者信／贾竖不与不仁期，而不仁自至／毁道德以为仁义，圣人之过也／吾身不能居仁由义，谓之自弃也／恻隐足以为仁，而仁不止于恻隐／幸人之灾，不仁；背人之施，不义／仁者在位而仁人来，义者在朝而义士至／杀一无罪非仁也，非其有而取之非义也／凤凰生而有仁义之意，虎狼生而有贪戾之心／大道无形，大仁无亲，大辩无声，大廉不嗛，大勇不矜

❼道远人则为不仁／巧言令色，鲜矣仁／爱人不亲，反其仁／居而不见爱，不仁也／为富不仁矣，为仁不富矣／智者不必仁，而仁者则必智／天施地化，不以仁恩，任自然／仁远乎哉？我欲仁，斯仁至矣／君子诚仁，施亦仁，不施亦仁／厚性宽中近于仁，犯而不校邻于恕／仁者见之谓之仁，知者见之谓之知／恶死亡而乐不仁，是由恶醉而强酒／尧舜行德则民仁寿；桀纣行暴则民鄙夭／知贤，智也。推贤，仁也。引贤，义也／视民如子，见不仁者诛之，如鹰鹯之逐鸟雀也

❽一日行善，天下归仁／以文会友，以友辅仁／民罔常怀，怀于有仁／行不违道，言不违仁／背施无亲，幸灾不仁／为仁不能胜暴，非仁也／刚而塞，则恻怛有仁思／圣王之治世，不离仁义／以至诚为道，以至仁为德／莫信直中直，须防仁不仁／以公平为规矩，以仁义为准绳／里仁为美；择不处仁，焉得知／仁者以财发身，不仁者以身发财／恻隐足以为仁，而仁不止于恻隐／仁之所在无贫穷，仁之所亡无富贵／仁者安仁，知者利仁，畏罪者强仁／通乎道，合乎德，退仁义，宾礼乐／孔氏门人……恶其违仁义而尚权诈也／今恶死亡而乐不仁，是犹恶醉而强酒／蓝青地黄犹可假，仁义之事不可假乎／勿恃己善不服人仁，勿矜己艺不敬人文／委之以财而观其仁，告之以危而观其节／爱非仁，爱之理是仁；心非仁，心之德是仁／穷武之雄，毙于不仁；存义之国，丧于懦退／赏一人而败国俗，仁者弗为也；以不信得厚赏，义者弗为也

❾因人之力而敝之，不仁／如有王者，必世而后仁／有其材而辞之，为不仁／君子无终食之间违仁……／不以利禄为意，而以仁厚为心／仁远乎哉？我欲仁，斯仁至矣／仁是爱的道理，公是仁的道理／废上，非义也；杀民，非仁也／贵贤，仁也；贱不肖，亦仁也／在上而多誉者，岂尽仁而智也哉／小人诚不仁，施亦不仁，不施亦不仁／厚者不损人以自益，仁者不危躯以要名／智者不危众以举事，仁者不违义以要功／跖之狗吠尧，尧非不仁，狗固吠非其主／三代之得天下也以仁，其失天下也以不仁／圣人爱养万民，不以仁恩，法天地，行自然／吾所谓道德云者，合仁与义言之也，天下之公言也

❿莫信直中直，须防仁不仁／君子以文会友，以友辅仁／君子笃于亲，则民兴于仁／君子诚仁，施亦仁，不施亦仁／贾竖不与不仁期，而不仁自至／公却是仁发处，无公则仁行不得／天下之治乱，系乎人君仁与不仁耳／仁者安仁，知者利仁，畏罪者强仁／伐人之国而以为欢，非仁者之兵也／做到私欲净尽，天理流行，便是仁／知者动，仁者静。知者乐，仁者寿／狠者类知而非知，愚者类仁而非仁／小人诚不仁，施亦不仁，不施亦不仁／古者以仁义行法律，后世以法律行仁义／受命不于天于其人，休符不于祥于其仁／在天曰阴阳，在地曰柔刚，在人曰仁义／违强陵弱，非勇也；乘人之约，非仁也／好学近乎知，力行近乎仁，知耻近乎勇／三代之得天下也以仁，其失天下也以不仁／厚者不毁人以自益也，仁者不危人以要名／志士仁人，无求生以害仁，有杀身以成仁／君子非仁义无以生，失仁义则失其所以生／为政在人，取人以身，修身以道，修道以仁／孔曰成仁，孟曰取义，惟其义尽，所以仁至／爱非仁，爱之理是仁；心非仁，心之德是仁／爱名尚利，小人哉，未见仁者而好名利者也／无恻隐之心，非人也……恻隐之心，仁之端也／古君子志于道，据于德，依于仁，而后艺可游／圣人之道，宽而栗，严而温，柔而直，猛而仁／君子务本，本立而道生。孝弟也者，其仁之本／道者，所由适于治之路也，仁义礼乐皆其具也／见可怜则流涕，将分与则吝啬，是慈而不仁者／睹危急则恻隐，将赴救则畏患，是仁而不恤者／聪者耳闻，明者目见，聪明则仁爱著而廉耻分／既已得高官巨富矣，仍讲道德、说仁义自若也／天地任自然无为，无造万物，自相治理，故不仁／不为穷变节，不为贱易志；惟仁之处，惟义之行／君子居必仁，行必义，反仁义而福，君子不有也／窃钩者诛，窃国者为诸侯；诸侯之门而仁义存焉／失道而后德，失德而后仁，失仁而后义，失义而后礼／地不改辟矣，民不改聚矣，行仁政而王，莫之能御也／大道不称，大辩不言，大仁不仁，大廉不嗛，大勇不忮／至礼有不

人，至义不物，至知不谋，至仁无亲，至信辟金

什 ①shí 杂样的；十成或十倍；指由十个单位合成的一组；犹言辑，指书篇。②shén[什么]疑问代词。

❸利不什，不易业；功不百，不变常

❽天只在我，更祷个什么

❿先趋而后息，先问而后嘿，则什己者至

仆 ①pú 仆人；驾车；周代官名；依附；自称谦词；姓。②pū，又读 fù，向前跌倒。

❹万木僵仆，梅英再吐，玉立冰姿，不易厥素

❼羊肠之曲不能仆车而仆于剧骖／凡人皆欲自达，仆先得显处……／言之而是，虽在仆隶刍荛，犹不可弃／贫者士之常，今仆虽羸馁，亦甘如饴矣

❽蒿蓬代柱，大厦颠仆

❾诚欲往来言所闻，则仆固愿悉陈中所得者／子思以为鼎肉使己仆仆尔亟拜也，非养君子之道也

❿羊肠之曲不能仆车而仆于剧骖／才不能逾同列，声不能压当世，世之怒仆宜也／子思以为鼎肉使己仆仆尔亟拜也，非养君子之道也

仇 ①chóu 仇恨；仇敌。②qiú 匹配，配偶；姓。

❶仇无大小，只怕伤心；恩若救急，一芥千金

见明·吕坤《续小儿语》。

仇雠有善，不得不举；亲戚有恶，不得不诛

见晋·陈寿《三国志·吴书·孙奋传》。

❷私仇不及公／不仇民则大者无功，而其次有罪／国仇未报壮士老，匣中宝剑夜有声

❸称其仇，不为谄；立其子，不为比

❹嫉恶如仇雠，见善若饥渴／赏不避仇讐，诛不择骨肉／外不避仇，内不阿亲，贤者予

❺为国忘私仇，千秋思廉蔺／外举不弃仇，内举不失亲／外举不避仇，内举不避子／视民如寇仇，税之如豺虎／恩或化为仇，仇或化为恩／行赏不遗仇雠，用戮不违亲戚／皆知敌之仇，而不知为益之尤

❻酒色乃身之仇也／恩或化为仇，仇或化为恩／睚眦之怨必仇，一餐之惠必报／苟得其人，虽仇必举；苟非其人，虽亲不授／不与凶人为仇，不与吉人为亲，不与诚人为媾，不与诈人为怨

❼夫妻无隔宿之仇／穷天下者，天下仇之／尽忠益时者，虽仇必赏／吏何恶于民而仇之也？非仇民也／君子违难不适仇国，交绝不出恶声

❽美女入室，恶女之仇／始交不慎，后必为仇／见善若惊，疾恶若仇／圣王为政，赏不避仇雠，诛不择骨肉

❾先国家之急而后私仇／民者，国之命而吏之仇也／诚无悔，恕无怨，和无仇，忍无辱／不可假公法以报私仇，不可假公法以报私德／自古至于今，与民为仇者，有迟有速，而民必胜之

❿内举不避亲，外举不避仇／芟夷不可阙，疾恶信如仇／诛恶不避亲爱，举善不避仇雠／风波作于平地，亲戚化为仇怨／吏何恶于民而仇之也？非仇民也／小人固当远，然亦不可显为仇敌／闻善而行之如争，闻恶而改之如仇／闻人善，立以为己师；闻恶，若己仇／有风波作于平地，亲戚化为仇怨者矣／凡举事，无为亲厚者所痛，而为见仇者所快／虽曰爱之，其实害之；虽曰忧之，其实仇之／忠果正直，志怀霜雪，见善若惊，疾恶若仇

化 ①huà 变化；感化；融化；消化；烧化；死；化生(之物)；风俗，风气；求讨，募化；造化；名词或形容词的后缀；表示转变成某种性质或状态；姓。②huā 同"花"，用掉。

❶化干戈为玉帛

见现代·老舍《茶馆》一幕。

化腐朽为神奇

见《庄子·知北游》。

化悲痛为力量

见现代·赵朴初《永难忘(自度曲)》。

化当世莫若口，传来世莫若书

见唐·韩愈《答张籍书》。

化腐木而含彩，集枯草而藏烟

见唐·骆宾王《萤火赋》。

化作娇莺飞归去，犹认纱窗旧绿

见宋·蒋捷《贺新郎》。

化物者未尝化也，其所化则化矣

见汉·刘安《淮南子·精神》。全句为："生生者未尝死也，其所生则死矣；～"。

化者，复归于无形也；不化者，与天地俱生也

见汉·刘安《淮南子·精神》。

❷教化可以美风俗／上化清净，下无贪人／伤化败俗，大乱之道／变化倏忽，动心骇目／变化者，存乎运行也／应化之道，平衡而止／教化不修，盗之源也／教化之本，出于学校／教化之所本者在学校／蛇化为龙，不变其文／变化者，乃天地之自然／教化之移人也如置邮焉／观化百代后，独立万古前／变化不测，而亦不背于规矩也／教化之行，引中人而纳于君子之涂／教化之废，推中人而坠入小人之域／教化，所恃以为治也；刑法，所以助治也／风化者，自上而行于下者也，自先而施于后者

❸上之化下，犹风之靡草／是或化为非，非或化为是／恩或化为仇，仇或化为恩／既变化而无穷，亦卷舒而莫定／圣人化性而起伪，伪起而生礼义／腐臭化为神奇，神奇复化为腐臭／聊乘化以归尽，乐夫天命复奚疑／君之化下，如风偃草，上不节心，则下多逸志／卵之化为雏，非慈

雌呕暖覆伏，累日积久，则不能为雏

❹风俗与化移易／学而不化，非学也／天地变化，圣人效之／乾道变化，各正性命／潜移暗化，自然似之／虚教伤化，峻刑害民／气有变化，是道有变化／纵浪大化中，不喜亦不惧／晦明变化者，山间之朝暮也／天施地化，不以仁恩，任自然／何者，其化薄而出于相以有为也／阴阳变化，一上一下，合而成章／思通道化，策谋奇妙，是谓术家／臭腐复化为神奇，神奇复化为臭腐／日改月化，日有所为，而莫见其功／不言之化与天同德，不为之事与天同功／学贵变化气质，岂为猎章句、干利禄哉／天地之化，盈虚消息，往过来续，流行古今／有益于化，虽小弗除；无补于政，虽大弗与

❺能因敌变化而取胜者，谓之神／神莫大于化道，福莫长于无祸／无非无是，化育玄耀，生而如死／君子如欲化民成俗，其必由学乎／凡物之精，化则为生，下生五谷，上为列星／石以砥焉，化钝为利；法以砥焉，化愚为智／教明于上，化行于下，民有耻心，则何盗之为

❻俭可以为万化之柄／芴漠无形，变化无常／浇风易渐，淳化难归／天地为炉，造化为工……／天德施，地德化，人德义／天道施，地道化，人道义／何意百炼刚，化为绕指柔／无为而万物化，渊静而百姓定／进退盈缩变化，圣人之常道也／化物者未尝化也，其所化则化矣／意匠如神变化生，笔端有力任纵横／迂人执而不化，其决裂有甚于小人时／得道之士，外化而内不化……所以全其身也／我愿君王心，化作光明烛，不照绮罗筵，只照逃亡屋

❼阴阳转易，以成化生／心凝形释，与万化冥合／无为为之，而变化不自知也／威立则恶者惧，化行则善者劝／我无为而民自化，我好静而民自正／官长正而百姓化，邪心黜而奸匿绝／威恩参用以成化，文武相资以定业

❽刚柔相推而生变化／令一则行，推诚则化／危者易倾，疑者易化／法与时变，礼与俗化／过在自用，罪在变化／时有始终，世有变化／盈缩卷舒，与时变化／故天地含精，万物化生／是或化为非，非或化为是／恩或化为仇，仇或化为恩／被褐怀金玉，兰蕙化为刍／人之巧，乃可与造化者同功／能循天理动者，造化在我也／乐者，所以变民风，化民俗也／落红不是无情物，化作春泥更护花／虚而无形谓之道，化育万物谓之德／进退盈缩，与时变化，圣人之常道也／天地之大，四时之化，而犹不能以不信成物，又况乎人事

❾书不千轴，不可以语化／圣人久于道而天下化成／道有因有循，有革有化／气有变化，是道有变化／其形之为马，马不可化／仁昭而义立，德博而化广／显罚以威之，明赏以化之／声乐之入人也深，其化人也速／风波作于平地，亲戚化为仇怨／心未滥而先谕教，则化易成也／察一曲者不可与言化，审一时者不可与言大／福之为祸，祸之为福，化不可极，深不可测／自太古以来，致理兴化，未有言之不行而能至矣／政有三品：王者之政化之，霸者之政威之，强国之政胁之

❿四时兮代谢，万物兮迁化／服民以道德，渐民以教化／其生也天行，其死也物化／万物抱一而成，得微妙气化／凡事有经必有权，有法必有化／攻取者先兵权，建本者尚德化／待小人宜敬，敬心可以化邪心／乐，所以达天地之和而饬化万物／化物者未尝化也，其所化则化矣／在天成象，在地成形，变化见矣／因事设奇，谲敌制胜，变化如神／腐臭化为神奇，神奇复化为腐臭／飘飘乎如遗世独立，羽化而登仙／天地合而万物生，阴阳接而变化起／良师不能饰戚施，香泽不能化嫫母／圣人正方以约己，人自正方以从化／苗疏税多不得食，输入官仓化为土／红雨随心翻作浪，青山着意化为桥／臭腐复化为神奇，神奇复化为臭腐／殿前作赋声摩空，笔补造化天无功／田里绝愁叹之声，邦家闻宽厚之化／凡举事必循法以动，变法者因时而化／动静者终始之道，聚散者化生之门也／藐然数尺之躯，乃欲私造化以为己物／知天乐者，其生也天行，其死也物化／是故圣人与时变而不化，从物而不移／贤人在世，进则尽忠宣化，以明朝廷／有风波作于平地，亲戚化为仇怨者矣／风且起，一旦荒忽飞扬，化而为沙泥／与其誉尧而非桀也，不如两忘而化其道／太学者，贤士之所关也，教化之本原也／宜得敏锐兼人之器，以副厉精更化之怀／故在朝也则三孤之任，为国则变化之政／其政不烦，其刑不渎，而民之化之也速／天无形而万物以成，至精无象而万物以化／乐听其音，则知其俗；见其俗，则知其化／太上之道，生万物而不有，成化像而弗宰／两若有名，相与则成；阴阳备物，化变乃生／得道之士，外化而内不化……所以全其身也／贫生于富，弱生于强，乱生于化，危生于安／物有盛衰，时有推移，事有激会，人有变化／致天下之治者在人才，成天下之才者在教化／有知顺之为倒、倒之为顺者，则可与言化矣／石以砥焉，化钝为利；法以砥焉，化愚为智／立身成败，在于所染，兰芷鲍鱼，与之同化／上无所为，则下无事，家给人足，万物自化就／化者，复归于无形也；不化者，与天地俱生也／有功不赏，有罪不诛，虽唐虞犹不能以化天下／与端方人处，如炭人薰炉，虽化为灰，其香不灭／中和之质，必平淡无味，故能调成五材变化应节／兵无常势，水无常

形，能因敌变化而取胜者，谓之神／今一以天地为大炉，以造化为大冶，恶乎往而不可哉／先王以是经夫妇，成孝敬，厚人伦，美教化，移风俗／与善人居，如入兰芷之室，久而不闻其香，则与之化矣／与恶人居，如入鲍鱼之肆，久而不闻其臭，亦与之化矣／以天为宗，以德为本，以道为门，兆于变化，谓之圣人／道者何也？虚无之系，道化之根，神明之本，天地之源／节民以礼，故其刑罚甚轻而禁不犯者，教化行而习俗美也／天无为以之清，地无为以之宁，故两无为相合，万物皆化生／不法其已成之法，而法其所以为法。所以为法者，与化推移者也

仍 réng 依照；接连不断；因而；又，且，还；仍然。

❶仍怜故乡水，万里送行舟
见唐·李白《渡荆门送别》。
❷生仍冀得兮归桑梓，死当埋骨兮长已矣
❹松柏寒仍翠，琼瑶涅不缁／据天道，仍人事，笔则笔而削则削
❺落花流水仍依旧
❻屹立大江干，仍能障狂澜
❾既已得高官巨富矣，仍讲道德、说仁义自若也
❿暮色苍茫看劲松，乱云飞渡仍从容／己之才艺虽多，犹病以为少，仍就寡少之人更求所益

仅 ①jǐn 才能够。②jìn 几乎，将近。

❶仅存之国富大夫，亡道之国富仓府
见汉·刘向《说苑·政理》。全句为："王国富民，霸国富士。～"。
❻狡兔有三窟，仅得免其死耳
❼一旦临小利害，仅如毛发比……

仕 shì 旧时指做官；审察；通"事"；通"士"，古代四民之一。

❶仕于世，有劳而见罪
见唐·柳宗元《送薛判官量移序》。全句为："～，凡人处是，鲜不怨怼忿愤"。
仕官之法，清廉为最
见宋·刘清之《戒子通录》。
仕而优则学，学而优则仕
见《论语·子张》。
仕之为美，利乎人之谓也
见唐·柳宗元《送宁国范明府诗序》。
仕宦而至将相，富贵而归故乡
见宋·欧阳修《相州昼锦堂记》。
仕鄙在时不在行，利害在命不在智
见汉·刘安《淮南子·齐俗》。
❸为禄仕者不能正其君
❹君子之仕，不以高下易其心
❺七十而致仕……／交不为利，仕不谋禄／我之出而仕也，为天下，非为君也
❻操行有常贤，仕宦无常遇／学者非必为仕，而仕者必如学／不独为利而仕不可，为名亦不可／吾哀今之为仕兮，庸有虑时之否臧／古者士登乎仕，吏执乎役，禄以报劳，官以授德／操行有常贤，仕官无常遇，贤不贤才也，遇不遇时也
❼臣可以择君而仕，君可以择臣而任
❽虎狼并处，不可以仕／力田不如逢年，善仕不如遇合／学者非必为仕，而仕者必如学
❾何以礼义为，史书而仕宦／天下之学者莫不欲仕，仕者莫不欲贵／学不必博，要之有用；仕不必达，要之无愧
❿仕而优则学，学而优则仕／家贫亲老者，不择官而仕／家贫亲老者，不择禄而仕／天下之学者莫不欲仕，仕者莫不欲贵／与民争利，犯者辄免官削爵，不得仕宦／为地战者不能成王，为禄仕者不能成政／官寡而禄厚，则公家之费鲜，进仕之志劝

仗 zhàng 兵器的总称；战争；战斗；拿着（兵器）；依托；凭借；两军交锋。

❶仗剑去国，辞亲远游
见唐·李白《上安州裴长史书》。
仗其短浅之耳目，以断微妙之有无，岂不悲哉
见晋·葛洪《抱朴子·论仙》。
❸平生仗忠信，今日任风波
❹安危须仗出群材
❿离别不堪无限意，艰危深仗济时才／烈士之所以异于恒人，以其仗节以死谊也／大丈夫必有四方之志，乃仗剑去国，辞亲远游

代 dài 替；历史上的分期；世系相传的辈分；交替；古国名。

❶代马望北，狐死首丘
见汉·王符《潜夫论·实边》。
代虐以宽，兆民允怀
见《尚书·伊训》。
代马依北风，飞鸟栖故巢
见汉·韩婴《韩诗外传》。
代马依北风，飞鸟翔故巢
见汉·桓宽《盐铁论·未通》。
代耕本非望，所业在田桑
见晋·陶潜《杂诗十二首》之八。
代大匠斫，希有不伤其手矣
见《老子》七十四。
❷三代之兵，耕而食，蚕而衣／何代无贤，但患遗而不知耳／一代天骄，成吉思汗，只识弯弓射大雕／三代之得天下也以仁，其失天下也以不仁
❸自三代以下者……／以佚代劳，以饱待饥／蒿蓬代柱，大厦颠仆／人生代代无穷已，江月年年只相似／江山代有才人出，各领风骚数百年／非三代两汉之书不敢观，非圣人之志不敢存

❹文不百代，不可以语变／人事有代谢，往来成古今／观化百代后，独立万古前／苟无济代心，独善亦何益／奚必知代而心自取者有之／四时兮代谢，万物兮迁化／春秋迭代，必有去故之悲／文起八代之衰，而道济天下之溺／人生代代无穷已，江月年年只相似／处事要代人作想，读书须切己用功／始知绝代佳人意，即有千秋国士风／贯穿百代尝探古，吟咏千篇亦造微／历观前代拨乱创业之主，生长民间，皆识达情伪，罕至于败亡

❺彼可取而代之／光阴者百代之过客／光阴者，百代之过客／狐死首丘，代马依风／桃陈则李代，月满则哉生／涂车不能代劳，木马不中驰逐

❻虽为镜于前代，终抱痛于今日／寒暑茫茫兮代谢，故叶新花兮往来／谋臣良将，何代无之；贵在见知，要在见用耳

❼逢时独为贵，历代非无才

❽虫来啮桃根，李树代桃僵／俟自直之箭，则百代无一矢／马效千里，不必胡代；士贵成功，不必文辞

❾举天下之贤者以自代／夫子何为者，栖栖一代中／八纮驰骋于思绪，万代出没于毫端

❿改章难于造篇，易字艰于代句／铺落花以为茵，结垂杨而代幄／日月忽其不淹兮，春与秋其代序／责人以其所不能，是使马代耕也／高视于万物之中，雄峙于百代之下／庖人虽不治庖，尸祝不越樽俎而代之／在这可诅咒的地方击退了可诅咒的时代／可厌之类，不独为害，死虽万代，独堪污秽／萧何为法，颟若画一；曹参代之，守而勿失／积山万状，负气争高。含霞饮景，参差代雄／其有发挥新体，孤飞百代之前，开凿古人，独步九流之上

付

fù 交给；给（钱）；同“副”；通“附”；通“敷”，涂；姓。

❻谤之无实者，付之勿辩可矣

❿今日重来应抵掌，十年分付未逢人／挺然尽心，敢任天下之责者，即当委而付之／鸟啼花落，皆与神通。人不能悟，付之飘风／不以宠辱荣患损易其身，然后乃可以天下付之

仙

xiān 神话或童话中有奇特能力且长生不老者；比喻不同凡俗的人；成仙；姓。

❶仙没有，无欲即仙

见明·陈继儒《养生肤语》。

仙宫云箔卷，露出玉帘钩

见南朝·梁·刘缓《新月》。

❷神仙事本是虚妄，空有其名

❸和神仙之药以治鼽咳，制貂狐之裘以取薪菜

❹将相神仙，也要凡人做／远胜登仙去，飞鸾不假骖／蜀国多仙山，峨眉邈难匹／知足者仙境，不知足者凡境

❺一人飞升，仙及鸡犬／服食求神仙，多为药所误／天生一个仙人洞，无限风光在险峰

❻山不在高，有仙则名；水不在深，有龙则灵

❼仙没有，无欲即仙／诗中日月酒中仙，平地雄飞上九天

❿飘飘乎如遗世独立，羽化而登仙／天子呼来不上船，自称臣是酒中仙／也不赴，公卿约；也不慕，神仙学

仪

yí 人的容貌、举止、风度；仪式；礼物；仪器；法度，准则；匹配；向往；通“宜”；姓。

❶仪必应乎高下，衣必适乎寒暑

见汉·刘安《淮南子·齐俗》。

❷两仪生四象／礼仪法度者，应时而变者也／修仪操以显志兮，独驰思乎杳冥／一仪不可以百发，一衣不可以出岁／风仪与秋月齐明，音徽与春云等润

❸非吾仪，虽利不为／君者仪也，民者景也，仪正而景正

❹进退无仪，则政令不行／欲明两仪天地之体，必以太极虚无为初始

❺视时而立仪／太一出两仪，两仪出阴阳

❻淑人君子，其仪一兮

❼太一出两仪，两仪出阴阳／形体保神，各有仪则，谓之性／三皇五帝之礼仪法度，不矜于同而矜于治

❽箫韶九成，凤凰来仪／相鼠有皮，人而无仪；人而无仪，不死何为

❾君者仪也，民者景也，仪正而景正

❿人实不易知，更须慎其仪／画者谨毛而失貌，射者仪小而遗大／智如泉源，行可以为表仪者，人师也／买马不论足力，以黑白为仪，必无走马／相鼠有皮，人而无仪；人而无仪，不死何为／人主之立法，先自为检式仪表，故令行于天下

他

tā 男性第三人称代词；别的。

❶他人莫利，己独以愉

见唐·柳宗元《答周君巢饵药久寿书》。全句为：“～，若是者愈千百年，滋所谓天也”。

他人有心，予忖度之

见《诗·小雅·巧言》。

他年我若为青帝，报与桃花一处开

见唐·黄巢《题菊花》。

他乡怨而白露寒，故人去而青山迥

见唐·王勃《秋夜于绵州群官席别薛升华序》。

❷为他人作嫁衣裳／敬他人，即是敬自己／欲他人己从，诬人也／慷他人之慨，费别姓之财／

对他乡之风景，忆故里之琴歌／夺他人之酒杯，浇自己之垒块／是他春带愁来，春归何处，却不解、将愁归去

❸不敬他人，是自不敬也／富贵他人合，贫贱亲戚离／不使他事胜好学之心，则有进／可知他朱甍碧瓦，总是血膏涂

❹众里寻他千百度……／以色事他人，能得几时好

❺尽职者无他，正己格物而已／君子虽在他乡，不忘父母之国／兴者，先言他物以引起所咏之词也／小人只怕他有才。有才以济之，流害无穷

❻久旱逢甘雨，他乡遇故知／今夕为何夕，他乡说故乡／爱惜精神，留他日担当宇宙／为赏罚者非他，所以惩劝者也／学问之道无他，求其放心而已矣／贫交此别无他赠，唯有青山远送君

❼王顾左右而言他／靠自己，胜于靠他人／卧榻之侧，岂容他人鼾睡／莫以心如玉，探他明月珠／锄奸杜倖，要放他一条去路……

❽人知其一，莫知其他／始知五岳外，别有他山尊／贫贱亲戚离，富贵他人合／别馆南开，风雨积他乡之思

❾但写真情并实境，任他埋没与流传／人品做到极处，无有他异，只是本然／文章做到极处，无有他奇，只是恰好／欲知舜与蹠之分，无他，利与善之间也／常看得自家未必是，他人未必非，便有长进

❿善教子者，一严之外无他术／善用严者，一慎之外无他道／一登一陟一回顾，我脚高地他更高／人生莫作妇人身，百年苦乐由他人／纵使长条似旧垂，也应攀折他人手／贫贱时，眼中不著富贵，他日得志必不骄／言今日难于前日，安知他日不难于今日乎／子有钟鼓，弗鼓弗考；宛其死矣，他人是保／关山难越，谁悲失路之人？萍水相逢，尽是他乡之客

仞

rèn 古代长度单位；测量深度；通"认"；充满；通"韧"；古地名。

❷五仞之墙，所以不毁，基厚也

❸搜寻仞之垄，求干天之木；漉牛迹之中，索吞舟之鳞

❹为山九仞，功亏一篑／沧海万仞，众流成也／振衣千仞冈，濯足万里流／岂知千仞坠，只为一毫差／鸟飞千仞之上……祸犹及之，又况编户齐民乎

❺有石城十仞，汤池百步，带甲百万，而亡粟，弗能守

❻探渊者知千仞之深，县绳之数也／非其事者勿仞也，非其名者勿就也

❼君不见高山万仞连苍旻，天长地久成埃尘／利之所在，虽千仞之山，无所不上，深源之下，无所不入

❽精骛八极，心游万仞／善弋者下鸟乎百仞之上，弓良也／善钓者出鱼乎十仞之下，饵香也／以隋侯之珠，弹千仞之雀，世必笑之／良玉度尺，虽有十仞之土，不能掩其光／良珠度寸，虽有百仞之水，不能掩其莹

❿勿轻一篑少，进往必千仞／凿井者起于三寸之坎，以就万仞之深

伟

wěi 高大；卓越；盛大；奇特，不寻常；姓。

❶伟才任于鄙识，行之缺也

见五代·王定保《唐摭言·四凶》。全句为："才者璞也，识者工也，良璞授于贱工，器之陋也；～"。

伟士坐以俊杰之才，招致群吠之声

见汉·王充《论衡·累害篇》。

伟人之一顾逾乎华章，而一非亦惨乎黥刖

见唐·刘禹锡《犹子蔚适越戒》。

伟哉横海鲸，壮矣垂天翼。一旦失风水，翻为蝼蚁食

见南朝·宋·谢世基《连句》。

❹豪健俊伟，怪巧瑰琦／世之奇伟瑰怪非常之观，常在于险远／事丰奇伟，辞富膏腴，无益经典，而有助文章

❺冯公岂不伟，白首不见招

❻招来雄俊魁伟敦厚朴直之士

❾目如炬，声如钟，则英伟刚毅之气使人兴起

❿自古雄才多磨难，纨绔子弟少伟男／苟有可观，皆有可乐，非必怪奇伟丽者也／江南多临观之美，而滕王阁独为第一，有瑰伟绝特之称／胸中浩然廓然，纳烟云日月之伟观，揽雷霆风雨之奇变

传

①zhuàn 古代注释、阐述经文的著作；传记；以描述人物为主叙述历史故事的作品；古代设于驿站的房舍，亦指驿站所备的车马；符信。②chuán 传授，转授于人；流传；传送；传达；表露；强制性的召唤。

❶传闻何可尽信

见宋·欧阳修《春秋论下》。

传神之难在目

见宋·苏轼《传神记》。

传闻之事，恒多失实

见南朝·宋·范晔《后汉书·臧宫传》。

传神写照，正在阿堵中

见南朝·宋·刘义庆《世说新语·巧艺》。

传闻不同，善恶随人所见

见唐·韩愈《答刘秀才论史书》。

传闻不如亲见，视影不如察形

见南朝·宋·范晔《后汉书·马援传》。

传语万古观潮客，莫观老潮观壮潮

见清·魏源《钱塘观潮行》。

传闻与指实不同，悬算与临事有异

见宋·司马光《资治通鉴·唐纪》。

传闻之言无实，无实即唐丧唾津矣

见《水浒传·序》。

传派传宗我替羞，作家各自一风流

见宋·杨万里《跋徐恭仲省干近诗三首》之一。

传其常情，无传其溢言，则几乎全

见《庄子·人间世》。

❷数传而白为黑、黑为白／经传之文，贤圣之语，古今言殊，四方谈异

❸一人传虚，万人传实／翠佩传情密，曾波托意遥／传派传宗我替羞，作家各自一风流

❹斯文有传，学者有师／每读其传，未尝不想见其人／人之足传，在有德，不在有位／昼诵书传，夜观星宿，或不寐达旦／剑外忽传收蓟北，初闻涕泪满衣裳

❺藏之名山，传之其人／书为晓者传，事为见者明／师者，所以传道受业解惑也／定知直道传千古，杜牧文章在上头／日暮汉宫传蜡烛，轻烟散入五侯家

❻其为也易，其传也不远／好将前事错，传与后人知／眼见方为是，传言未必真／善人喜于见传，则勇于自立／衡阳犹有雁传书，郴阳和雁无／传其常情，无传其溢言，则几乎全／苍雁赪鲤，时传尺素；清风明月，俱寄相思

❼一人传虚，万人传实／官无一寸禄，名传千万里／化当世莫若口，传来世莫若书／李杜文章万口传，至今已觉不新鲜

❽生有高世名，既没传无穷／哲人归大夜，千古传圭璋／为朝露之行，而思传世之功／尽天下之辞，无以传其酷矣／含情欲说独无处，传与琵琶心自知／使其道由愈而粗传，虽灭死万万无恨／可心会而不可口传，可神通而不可语达／惟心会而不可口传，可神通而不可语达／汉魏风骨，晋宋莫传，然而文献有可征者

❾可以意会，不可以言传／生有闻于当时，死有传于后世／药虽进于医手，方多传于古人／文章无警策，则不足传世，盖不能竦动世人

❿君人者，宽惠慈众，不身传诛／目击而道已存，不言而意已传／其事核而实，使采之者传信也／言之所载者大且文，则其传也章／不为当时所怪，亦必无后世之传也／不赂贵者之权势，不利传辟者之辞／但写真情并实境，任他埋没与流传／读书好处心先觉，立雪深时道已传／马上相逢无纸笔，凭君传语报平安／所见异辞，所闻异辞，所传闻异辞／文、理、义三者兼并……能必传也／文章必自名一家，然后可以传不朽／文章自得方为贵，衣钵相传岂是真／孔子曰：德之流行，速于置邮而传命／行不贵苟难，说不贵苟察，名不贵苟传／言之所载者不文而又小，则其传也不章／道假辞而明，辞假书而传，要之之道而已耳／以意为主，则其旨必见；以文传意，则其词不流／不知言之人，乌可与言？知言之人，默焉而其意已传／今之所以知古，后之所以知今，不可口传，必凭诸史／文章道弊五百年矣！汉魏风骨，晋宋莫传，然而文献有可征者

休

①xiū 歇息；旧指丈夫离弃妻子；表示禁止；吉庆；树荫，引申为“荫庇”；停止；莫，不要；作语助。②xǔ 通“煦”，以气温之。

❶休言谷价贵，菜亦贵如金

见宋·戴复古《庚子荐饥》。

休说旧时王与谢，寻常百姓亦无家

见清·陈忱《叹燕》。

休对故人思故国，且将新火试新茶

见宋·苏轼《望江南》。

休夸此地分天下，只得徐妃半面妆

见唐·李商隐《南朝》。

休辞客路三千远，须念人生七十稀

见宋·洪浩父《寄子》。

❷天，休使圆蟾照客眠

❸势败休云贵，家亡莫论亲／德之休明，不在位之高下／入门休问荣枯事，观看容颜便得知／劝君休饮无情水，醉后教人心意迷／十旬休暇，胜友如云；千里逢迎，高朋满座／人将休，吾将不敢休；人将卧，吾将不敢卧

❹跬步不休，跛鳖千里／自动自休，自峙自流，是恶乎与我谋

❺得意浓时休进步，须防世事多番覆／笺诉天公休掠剩，半偿私债半输官／形劳而不休则弊，精用而不已则劳，劳则竭／跬步而不休，跛鳖千里；累土而不辍，丘山崇成

❻虽畏勿畏，虽休勿休／不是撑船手，休来弄竹竿／不能者退而休之，亦莫敢愠／作德心逸日休，作伪心劳日拙／崇一篑而弗休必钧高乎峻极矣／周而复始无休息，官租未了私租逼／不知处阴以休影，处静以息迹，愚亦甚矣／生民之不得休息，为四事故：一为寿，二为名，三为位，四为货

❼语不惊人死不休／财已竭而敛不休，人已穷而赋愈急

❽巧言如流，俾躬处休／虽畏勿畏，虽休勿休／其生若浮，其死若休／须知大隐居廛市，休问深山守静孤／宁教我负天下人，休教天下人负我／负者歌于途，行者休于树……滁人游也／人将休，吾将不敢休；人将卧，吾将不敢卧／敬时爱日，非老不休，非疾不息，非死不舍

❾受命不于天于其人，休符不于祥于其仁／圣

人和之以是非而休乎天钧，是之谓两行
❿负重道远者，不择地而休／时危思报主，衰谢不能休／君子以遏恶扬善，顺天休命／君子行义，不为莫知而止休／善万物之得时，感吾生之行休／能者进而由之，不能者退而休之／人生识字忧患始，姓名粗记可以休／臣心一片磁针石，不指南方不肯休／富贵时，意中不忘贫贱，一日退休必不怨／年过八十而以居位，譬犹钟鸣漏尽而夜行不休

伍 wǔ 古代兵士五人或居民五家之称；泛指军队；同伙，同列；姓。

❿宰相必起于州部，猛将必发于卒伍／子为王，母为虏，终日舂薄暮，常与死为伍／国家无养兵之费则国富，队伍无老弱之卒则兵强

伎 ①jì 同"技"，技巧，技艺；同"妓"，女乐。②qí[伎伎]奔走舒徐貌。

❷无伎不可以为工，无资不可以为商
❹工无二伎，士不兼官，各守其职，不得相奸
❽察于一事，通于一伎者，中人也
❾圣人之处世，不逆有伎能之士／使之搏兔，不如豺狼，伎能殊也／去浮华，举功实，绝末伎，同本务／兼覆盖而并有之，度伎能而裁使之者，圣人也

伏 fú 趴；屈服；使屈服；隐藏；谦敬词；孵卵；通"服"，屈服，佩服；每年天气最热的一段时间；"伏特"的简称；姓。

❶伏尸百万，流血漂卤
见汉·司马迁《史记·秦始皇本纪》。
伏而咶天，救经而引其足
见《荀子·仲尼》。
伏天下之勇者，不在勇而在怯
见《关尹子·九药》。全句为："困天下之智者，不在智而在愚；穷天下之辩者，不在辩而在讷；～"。
伏久者飞必高，开先者谢独早
见明·洪应明《菜根谭·后集七十六》。
伏清白以死直兮，固前圣之所厚
见战国·楚·屈原《离骚》。
伏波惟愿裹尸还，定远何须生入关
见唐·李益《塞下曲》。
❷马伏皂而不用，则驽与良而为群／倚伏之矛楯也，其理甚明，困而后儆，斯弗及已
❸马不伏枥，不可以趋远／老骥伏枥，志在千里；烈士暮年，壮心不已
❹墙有耳，伏寇在侧／心不可伏，而伏之愈乱／盈虚倚伏，去来之不可常／冈陵起伏，草木行列，烟消日出
❺将飞者翼伏，将奋者足局／福兮祸所伏，祸兮福所倚／天子之怒，伏尸百万，流血千里
❻智而明者，所伏必众／心不可伏，而伏之愈乱／语云：猛兽易伏，人心难降／心轻躁，难制伏，故无恶不起／陵涛鼓怒以伏注，天壁嵯峨而横立／忽报人间曾伏虎，泪飞顿作倾盆雨／虎之跃也，必伏乃厉；鹘之举也，必拊乃高
❼性有巧拙，可以伏藏／罪生甲，祸归乙，伏怨乃结／乳狗之噬虎也，伏鸡之搏狸也／众见者人为之伏，器见者人为之备／情横于内而性伏，必外寓于物而后遣
❽不从桓公猎，何能伏虎威／愿随孤月影，流照伏波营／不肖用事而贤良伏，无功贵而劳苦贱
❾白云满川，如海波起伏……
❿大丈夫当雄飞，安能雌伏／西望武昌诸山，冈陵起伏……／祸兮，福之所倚；福兮，祸之所伏／人主诚正，则直士任事，而奸人伏匿／君子藏正气者，可以远鬼神，伏奸佞／意得则舒怀以命笔，理伏则投笔以卷怀／守法持正，嶷如秋山；火不侵玉，幸臣畏伏／鸷鸟将击，卑飞敛翼；猛兽将搏，弭耳俯伏／卵之化为雏，非慈雌呕暖覆伏，累日积久，则不能为雏／卵之性为雏，不得良鸡覆伏孚育，积日累久，则不成为雏

伛 yǔ 曲(背)；弯(腰)。

❾身不肖而诬贤，是犹伛偻而好升高也

优 yōu 充足；善待；良好；旧时称以演戏为职业的人；协调；柔弱，少决断；戏谑。

❷颂优游以彬蔚，论精微而朗畅
❸德不优者，不能怀远／仕而优则学，学而优则仕
❹有罪者优游获免，无罪者妄受其辜／人有所优，固有所劣；人有所工，固有所拙
❻孰知养之之优，盖由责之之重／治之盛也，德优矣，莫高于俭
❽仕而优则学，学而优则仕／少也用其力，老也优其秩／天子者，养尊而处优，树恩而收名
❿先事虑事谓之接，接则事优成／遇朋友交游之失，宜剀切，不宜优游／君子不特贵乎才略之优，而尤贵乎用之得其当／彼妇之口，可以出走……盖优哉游哉，维以卒岁

伐 fá 砍伐；征讨；击打；自我夸耀；功劳；通"垡"；盾。

❶伐木丁丁山更幽
见唐·杜甫《题张氏隐居二首》之一。
伐柯伐柯，其则不远
见《诗·豳风·伐柯》。
伐罪吊民，古之令轨
见晋·陈寿《三国志·魏书·武帝纪》。
伐矜好专，举事之祸也
见《管子·形势》。
伐木不自其根，则蘖又生也

见《晏子春秋·内篇·谏下》。
伐国不问仁人，战阵不访儒士
见南朝·宋·范晔《后汉书·崔骃传》。
伐根以求木茂，塞源而欲流长
见唐·魏征《论时政第二疏》。
伐人之国而以为欢，非仁者之兵也
见晋·陈寿《三国志·蜀书·庞统传》。
伐深根者难为功，摧枯朽者易为力
见三国·魏·曹冏《六代论》。
伐柯如何？匪斧不克。取妻如何？匪媒不得
见《诗·豳风·伐柯》。

❷无伐善，无施劳／无伐名木，无斩山林／自伐其善，则莫不恶／不伐功斯巨，惟谦道乃光／自伐者无功，自矜者不长／以伐根而求木茂，塞源而欲流长也／自伐者无功，功成者堕，名成者亏／斩伐林木，亡有时禁，水旱之灾，未必不由此也

❸直木伐，直人杀／伐柯伐柯，其则不远／有道伐无道，无德让有德／不自伐，故有功；不自矜，故长／所谓伐天真而矜己者也，天祸必及／上兵伐谋，其次伐交，其次伐兵，下政攻城

❹直木先伐，甘井先竭／直木先伐，全璧受疑／毫氂不伐，将用斧柯／国必自伐，而后人伐之／因天时，伐天毁，谓之武／汝惟不伐，天下莫与汝争功／繁为攻伐，此实天下之巨害／劳而不伐，有功而不德，厚之至也／侥幸者伐性之斧也，嗜欲者逐祸之马也

❺桂可食，故伐之；漆可用，故割之／攻无道而伐不义，则福莫大焉，黔首利莫厚焉

❻诋訾之法者，伐贤之斧也

❼皓齿娥眉，命曰伐性之斧／因天之杀也以伐死，谓之武／恶闻忠言，乃自伐之精者也／妖不胜德，邪不伐正，天之经也／上兵伐谋，其次伐交，其次伐兵，下政攻城

❽闻志广博而色不伐／甘井近竭，招木近伐／粗者曰侵，精者曰伐／为善于世而不自伐其功／国必自伐，而后人伐之／愚暗之人，皆矜能伐善／有兼覆之厚，而无伐德之色／形固造形，成固有伐，变固外战／果而勿矜，果而勿伐，果而勿骄／情之所昏，交相攻伐，未始有穷……

❾不好问询之道，则是伐智本而塞智原也

❿断断乎如药石必可以伐病／慎于言者不哗，慎于行者不伐／人情莫不欲处前，故恶人之自伐／过而不文，犯而不校，有功不伐／记短则兼折其长，贬恶则并伐其善／慧者心辩而不繁说，多力而不伐功／小人不知自益之为损，故一伐而并失／任小能于大事者，犹狸搏虎而刀伐木也／上兵伐谋，其次伐交，其次伐兵，下政攻城／自见者不明，自是者不彰，自伐者无功，自矜者不长／怒笞不可偃于家，刑罚不可偃于国，诛伐不可偃于天下／本无功而自矜，一等；有功而伐之，二等；功大而不伐，三等／国有三军何？所以戒非常，伐无道，尊宗庙，重社稷，安不忘危也

仲

zhòng 指兄弟中排行第二的；指四季中每一季的第二个月；仲裁；姓。

❶仲尼不为已甚者
见《孟子·离娄下》。
仲尼可学不可为也
见唐·柳宗元《答严厚舆秀才论为师道书》。
仲夏苦夜短，开轩纳微凉
见唐·杜甫《夏夜叹》。
仲尼祖述尧舜，宪章文武
见《礼记·中庸》。

❷管仲可谓能因物矣

❸晏平仲问养生于管夷吾……

❺书不必起仲尼之门，药不必出扁鹊之方

❻无规矩，虽奚仲不能以定方圆／及王则无不仲宣，语刘则无不公干／奔车之上无仲尼，覆舟之下无伯夷／天下不多管仲之贤而多鲍叔能知人也／生子当如孙仲谋，刘景升儿子若豚犬耳／齐桓公以管仲辅之则理，以易牙辅之则乱

❼宵中，星虚，以殷仲秋／好书而不要诸仲尼书肆也

❽苟不知我而谓我仲尼，吾又安取荣焉

❾去规矩而妄意度，奚仲不能成一轮

❿千古江山，英雄无觅，孙仲谋处／桓公小白杀兄入嫂，而管仲为臣／出师一表真名世，千载谁堪伯仲间／天下英雄谁敌手？曹刘。生子当如孙仲谋

件

jiàn 量词；分，分列。

❺大凡做一件事，就要当一件事

❾不耐烦者，做不成一件事业

❿若还苟且粗疏，定不成一件事／大凡做一件事，就要当一件事

任

①rèn 任用；职位；责任，职责；承担；信任；担保；保荐；胜；放任；听凭；担荷，谓行李；任侠；通“妊”，怀孕。②rén 女子爵位名；古代民族乐器；古国名；姓。

❶任官惟贤才
见《尚书·咸有一德》。
任是无情也动人
见宋·秦观《南乡子》。
任重才轻，故多阙漏
见三国·蜀·诸葛亮《与参军掾属教》。
任重道远，死而后已
见南朝·宋·范晔《后汉书·祭遵传》。
任人之道，要在不疑
见宋·欧阳修《论任人之体不可疑札子》。

任人当才，为政大体

见唐·张九龄《上姚令公书》。

任独者暗，任众者明

见明·冯梦龙《东周列国志》。

任贤无疑，求士不倦

见唐·陈子昂《答制问事·贤不可疑科》。

任贤则昌，失贤则亡

见元·无名氏《谇范叔》一折。

任贤勿贰，去邪勿疑

见《尚书·大禹谟》。

任有大小，惟其所能

见唐·韩愈《圬者王承福传》。

任不重，无以知人之才

见唐·马总《意林》。全句为："路不险，无以知马之良；～"。

任重者其忧不可以不深

见宋·王安石《节度使加宣徽》。全句为："～，位高者其责不可以不厚"。

任以公法，而处以贪枉

见《吕氏春秋·审分览·审分》。全句为："赞以洁白，而随以污德；～"。

任人各以其材而百职修

见宋·欧阳修《文正范公神道碑铭序》。

任能黜否，则官府治理

见三国·魏·王肃《孔子家语·贤君》。

任贤而理，任不肖而乱

见南朝·宋·刘义庆《世说新语·规箴》。

任贤使能，天下之公义

见宋·苏轼《赐吕大防止第二表辞免恩命不允断来章批答》。

任不重，则无以知人之德

见三国·魏·徐幹《中论·修本》。全句为："路不险，则无以知马之良；～"。

任重道远者，不择地而息

见汉·韩婴《韩诗外传》。全句为："～；家贫亲老者，不择官而仕"。

任力者故劳，任人者故逸

见《吕氏春秋·开春论·察贤》。

任沈江刘，来乱辙而弥远

见唐·卢照邻《乐府杂诗序》。全句为："潘陆颜谢，蹈迷津而不归；～。其有发挥新体，孤飞百代之前，开凿古人，独步九流之上"。

任贤使能，将相莫非其人

见宋·苏辙《唐太宗》。

任自然者久，得其常者济

见唐·无名氏《无能子·真修》。

任一人之力者，则乌获不足恃

见汉·刘安《淮南子·主术》。全句为："～；乘众人之制者，则天下不足有"。

任人而不任法，则法简而人重

见宋·苏轼《私试策问》。全句为："～；任法而不任人，则法繁而人轻"。

任法而不任人，则法繁而人轻

见宋·苏轼《私试策问》。全句为："任人而不任法，则法简而人重；～"。

任君逐利轻江海，莫把风涛似妾轻

见唐·陈子昂《答制问事·重任贤科》。

任是深山更深处，也应无计避征徭

见唐·杜荀鹤《山中寡妇》。

任天下之智力，以道御之，无所不可

见晋·陈寿《三国志·魏书·武帝纪》。

任能者责成而不劳，任己者事废而无功

见汉·桓宽《盐铁论·刺复》。

任小能于大事者，犹狸搏虎而刀伐木也

见唐·白居易《策林二》。全句为："～；屈长才于短用者，犹骥扑鼠而斧剪毛也"。

任贤使能以清官曹，养老慈幼以厚风俗

见宋·陈亮《中兴论》。

任其事必图其效，欲责其效，必尽其方

见宋·欧阳修《翰林侍读学士右谏议大夫杨公墓志铭》。

任人之长，不强其短；任人之工，不强其拙

见《晏子春秋·内篇问上》。

任非其人而国家不倾者，自古至今，未尝闻也

见汉·董仲舒《春秋繁露·精华》。

任人而不任法，则人各有意，无以定一成之论

见宋·苏轼《王振大理少卿》。全句为："任法而不任人，则法有不通，无以尽万变之情；～"。

任法而不任人，则法有不通，无以尽万变之情

见宋·苏轼《王振大理少卿》。全句为："～；任人而不任法，则人各有意，无以定一成之论"。

任而不信，其才无由展；信而不终，其业无由成

见唐·陈子昂《答制问事·重任贤科》。全句为："～；终而不赏，其功无由别"。

❷难任人，蛮夷率服／独任之国，劳而多祸／胜任者治，则百官不乱／因任而授官，循名而责实／不任其身也，则不肖者不知／受任于败军之际，奉命于危难之间／择任而往，知也；知死不辟，勇也／委任不一，乱之媒也；监察不止，奸之府也

❸力本任贤／地诚任，不患无财／弃己任物，则莫不理／牛能任重，马有报德／举贤任能，不时日而事利／伟才任于鄙识，行之缺也／请谒任举之说胜，则绳墨不正／羊不任驾盐车，椽不可为楣栋／今所任用，必须以德行、学识为本／君子任职则思利民，达上则思进贤／国以任贤使能而兴，弃贤专己而衰／贤者任重而行恭，知者功大而词顺／称其任，则政立；枉其能，则事乖／才贤任轻则有名，不肖任大身死名废／因材

任人，国之大柄；考绩进秩，吏之常法／天地任自然无为，无造万物，自相治理，故不仁

❹欲当大任，须是笃实／才微而任重，功薄而赏厚／举善而任之，择善而从之／以材能任职，以兴义任俗／力所不任而强举之，伤也／力胜其任，则举之者不重／量力而任之，度才而处之／简能而任之，择善而从之／舟大者任重，马骏者远驰／国家之任贤而吉，任不肖而凶／明王之任人，谄谀不迩乎左右／臣以自任为能，君以用人为能／壅塞之任，不在臣下，在于人主／既使之，任之以心，不任之以辞也／不胜其任，而处其位，非此位之人也／大勋所任者唯一人，然群谋济之乃成／释规而任巧，释法而任智，惑乱之道也／得贤须任，既任须信，既信须终，既终须赏

❺一蓑烟雨任平生／任独者暗，任众者明／任贤而理，任不肖而乱／德不称其任，其祸必酷／以一缕之任，系千钧之重／任人而不任法，则法简而人重／任法而不任人，则法繁而人轻／处事不可任己见，要悉事之理／处人不可任己意，要悉人之情／致治在于任贤，兴国在于务农／一身而二任焉，虽圣者不可为也／用人之术，任之必专，信之必笃／雄悍杰健，任在胆烈，失在多忌／省事莫如任人，厉精莫如自上率之／天将降大任于是人也，必先苦其心志／天道无为，任物自然，无亲无疏，无彼无此也／仁以为己任，不亦重乎！死而后已，不亦远乎／任人而不任法，则人各有意，无以定一成之论／任法而不任人，则法有不通，无以尽万变之情／专以一身任天下，其智之所不见，力之所不举者多矣

❻以天下为己任／偏听生奸，独任成乱／任力者故劳，任人者故逸／择才不求备，任物不过涯／自古帝王多任情喜怒……／以雄才为己任，横杀气而独往／惟有才行是任，岂以新旧为差／挺然尽心，敢任天下之责者，即当委而付之／得贤须任，既任须信，既信须终，既终须赏／宽收严试，久任超迁。此八字，用人之良法／好贤而不能任，能任而不能信，能信而不能终／背法而治，此任重道远而无马牛，济大川而无舡楫也

❼有小智者不可任以大功／无意苦争春，一任群芳妒／其择人宜精，其任人宜久／享天下之利者，任天下之患／识事之有当，不任非当之事／举贤则民相轧，任知则民相盗／遭治世不避其任，遇乱世不为苟存／天地之中，荡然任自然，故不可得而穷／鼻之所喜不可任也，口之所嗜不可随也／不厚其栋，不能任重。重莫如国，栋莫如德／乐高喜大，负威任势，亡忧失畏，不求于己也

❽以国家之务为己任／宽则得众，信则人任焉／平生仗忠信，今日任风波／大海从鱼跃，长空任鸟飞／浩歌惊世俗，狂语任天真／鞭策之所用，道远任重也／良马难乘，然可以任重致远／士不可以不弘毅，任重而道远／奇才总于文武，重任归于将相／国家之任贤而吉，任不肖而凶／千磨万击还坚劲，任尔东西南北风／体道者逸而不穷，任数者劳而无功／但写真情并实境，任他埋没与流传／人主诚正，则直士任事，而奸人伏匿／在朝也则司寇之任，为国则公正之政／在朝也则将帅之任，为国则严厉之政／宽则得众，信则民任焉，敏则有功，公则说／好贤而不能任，能任而不能信，能信而不能终

❾乘众人之智，则无不任也／以材能任职，以兴义任俗／简守帅，分其统，专其任／天施地化，不以仁恩，任自然／既使之，任之以心，不任之以辞也／任能者责成而不劳，任己者事废而无功／怀重宝者不以夜行，任大功者不以轻敌／故在朝也则三孤之任，为国则变化之政／释规而任巧，释法而任智，惑乱之道也／任人之长，不强其短；任人之工，不强其拙／教羊牧兔，使鱼捕鼠，任非其人，费日无功

❿窳悦之材不荷栋梁之任／直而不能枉，不可与大任／安危在出令，存亡在所任／人穷事败者，释自然而任智力／大器不可小用，小士不可大任／因其材以取之，审其能以任之／国者，天下之大器也，重任也／事生则释公而就私，货数而任己／临事不信于民者，则不可使任大官／附嬴以升高而枯，蝜蝂以任重而蹶／恭则不侮，宽则得众，信则人任焉／寓形宇内复几时，曷不委心任去留／此道废兴吾命在，世间腾口任云云／责上责下而中自恕己，岂可任职分／怒其臂以当车辙，不知其不胜任也／意匠如神变化生，笔端有力任纵横／臣可以择君而仕，君可以择臣而任／才贤任轻则有名，不肖任大身死名废／不论其才之称否，而论其历任之多少／太平之时，必须才行俱兼，始可任用／国之隆替，时之盛衰，察其任臣而已／螳螂之怒臂以当车轶，则必不胜任矣／非得贤难，用之难；非用之难，任之难／责少者易偿，职寡者易守，任轻者易权／君子于细事，未必可观，而材德足以重任／治国者敬其宝，爱其器，任其用，除其妖／无为名尸，无为谋府，无为事任，无为知主／能出于材，材不同量，材能既殊，任政亦异／小人智浅而谋大，羸弱而任重，故中道而废／风烟俱静，天山共色，从流飘荡，任意东西／金舟不能凌阳侯之波，玉马不任骋千里之迹／天下之事，不可尽知，而以臆断之，不可任也／好贤乐善，孜孜以荐进良士、明白是非为己任／所学者非世之所可用，而所任者非身之所能为／短绠不可以汲深，器小不可以盛大，非其任也／主德者，聪明平淡，总达众材，而不以事自任者也／

德薄而位尊，知小而谋大，力小而任重，鲜不及矣／凡用人之道，采之欲博，辨之欲精，使之欲适，任之欲专／有贤而不知，一不祥；知而不用，二不祥；用而不任，三不祥／无为者，道之宗；故得道之宗，应物无穷，任人之才，难以至治／谓马多力则有矣，若曰胜千钧，则不然者，何也？千钧，非马之任也／刺史宜精选谨择以委任之，固不可拘限官次，得之货贿，出之权门者也／先哲王之政，一曰承天，二曰正身，三曰任贤，四曰恤民，五曰明制，六曰立业

伤 shāng 损害；受到的损害；悲哀；妨碍；忧思；丧祭；失之于，太过。

❶伤于外者必反于家

见《周易·序卦》。

伤化败俗，大乱之道

见汉·班固《汉书·货殖传》。

伤人之言，深于矛戟

见《荀子·荣辱》。全句为："与人善言，暖于布帛；～"。

伤禽恶弦惊，倦客恶离声

见南朝·宋·鲍照《代东门行》。

伤其十指，不如断其一指

见现代·毛泽东《中国革命战争的战略问题》。

伤生之事非一，而好色者必死

见宋·苏轼《代张方平谏用兵书》。

伤则感遥而悼近，怨则恋始而悲终

见唐·李峤《楚望赋》。

伤其身者不在外物，皆由嗜欲以成其祸

见唐·吴兢《贞观政要·君道》。

❷但伤民病痛，不识时忌讳／本伤者枝槁，根深者末厚／有伤贤之政，则贤多横夭／有伤聪之政，则民多病耳

❸久行伤筋，久坐伤肉／谗言伤善，青蝇污白／拙制伤锦，迁政损国／小识伤德，小行伤道／嗜欲伤神，财多累身／多沽伤费，多饮伤身／饱食伤心，忠言逆耳／贼仁伤德，天怒不福／虚教伤化，峻刑害民／足寒伤心，民寒伤国／足寒伤心，民怨伤国／以言伤人者，利于刀斧／国有伤明之政，则民多病目／久视伤血，久卧伤气，久立伤骨／农事伤则饥之本，女红害则寒之原／暗箭伤人，其深次骨；人之怨之，亦必次骨／以言伤人者，利如刀斧。以术害人者，毒如虎狼

❹反无非伤也，动无非邪也／五刃之伤，药之可平。一言成疴，智不能明

❺养生以不伤为本／百害不能伤，知力不能取／谤议庸何伤？虚誉不足慕／谷太贱则伤农，太贵则伤末／一生几许伤心事，不向空门何处销／养稊稗者伤禾稼，惠奸宄者贼良民／人世几回伤往事，山形依旧枕江流／行宫见月伤心色，夜雨闻铃肠断声／杀人者死，伤人者刑，是百王之所同／事非当则伤于智力，务过分则毙于形神

❻无养乳虎，将伤天下／凡人之患，偏伤之也／盗贼弗诛，则伤良民／贪淫好色，则伤精失明／已得之，惟恐伤肉之多也／古者不以死伤生，不以厚为礼／国离寇敌则伤，民见凶饥则亡／矢人惟恐不伤人，函人惟恐伤人／凡养稂莠者伤禾稼，惠奸宄者贼良人／目极千里兮伤春心，魂兮归来哀江南／毋私小惠而伤大体，毋借公论以快私情／风雨不时，则伤农桑；伤农桑，则民饥寒／迷阳迷阳，无伤我行；却曲却曲，无伤吾足／食之道：大充，伤而形不臧；大摄，骨枯而血冱

❼圣人处物而不伤物／出言不当，反自伤也／久行伤筋，久坐伤肉／苛政不亲，烦苦伤恩／小识伤德，小行伤道／多沽伤费，多饮伤身／足寒伤心，民寒伤国／足寒伤心，民怨伤国／天下之公患，乱伤之也／不惜歌者苦，但伤知音稀／本立而道行，本伤而道废／根浅则末短，本伤则枝枯／青枫暝色，尽是伤心之树／久视伤血，久卧伤气，久立伤骨／再实之木根必伤，掘藏之家必有殃／再实之木根必伤，掘臧之家后必殃／虽富贵不以养伤身，虽贫贱不以利累形／此人在位，动欲伤害，故物无有不畏恶也／仇无大小，只怕伤心；恩若救急，一芥千金／浮华鲜实，不特伤风败俗，亦杀身亡家之本／财有害气，积则伤人；虽少犹累，而况多乎

❽两虎相斗，必有一伤／同日被霜，蔽者不伤／养虎牧狼，还自贼伤／忘战者危，极武者伤／怨，不期深浅，其于伤心／不谓小不善为无伤也而为之／代大匠斫，希有不伤其手矣／高山之巅无美木，伤于多阳也／大树之下无美草，伤于多阴也／小人……以小恶为无伤而弗去也／国之兴也，视民如伤，是其福也／居常土思兮心内伤，愿为黄鹄兮归故乡／麟亡星落，月死珠伤，瓶罄罍耻，芝焚蕙叹／不谓小不善为无伤也而为之，小不善积而为大不善／国之兴也，视民如伤，是其福也；其亡也，以民为土芥，是其祸也

❾才所不胜而强思之，伤也／佐饔者尝焉，佐斗者伤焉／力所不任而强举之，伤也／少壮不努力，老大徒伤悲／居常待其尽，曲肱岂伤冲／砥厉名号者，不以利伤行／言多则背道，多欲则伤生／可以取，可以无取，取伤廉／淫辞丽藻生于文，反伤文者也／风雨不时，则伤农桑；伤农桑，则民饥寒／当厄之施，甘于时雨；伤心之语，毒于阴冰

❿省躬无疵而获谤者何伤／我命浑小事，我死庸何伤／作甲者欲其坚，恐人之伤／作箭者欲其锐，恐人不伤／功多翻下狱，士卒但心伤／野

葛虽毒,不食则不能伤生/谷太贱则伤农,太贵则伤末/不使名浮于德,不以华伤其实/不雷同以害人,不苟免以伤义/《关雎》乐而不淫,哀而不伤/苟余行之不迷,虽颠沛其何伤/祸莫惨于欲利,悲莫痛于伤心/久视伤血,久卧伤气,久立伤骨/苟余心其端直兮,虽僻远之何伤/矢人惟恐不伤人,函人惟恐伤人/干将之刃,人不推顿,苽瓠不能伤/不能自胜而强弗从者,此之谓重伤/世间无限丹青手,一片伤心画不成/剔大蠹者木必凿,去大奸者国必伤/去年米贵阙军食,今年米贱大伤农/琢雕自是文章病,奇险尤伤气骨多/木实繁者披其枝,披其枝者伤其心/教者,民之寒暑也,教不时则伤世/两虎争人而斗,小者必死,大者必伤/匠成舆者忧人不贵,作箭者恐人不伤/断蛇不死,刺虎不毙,其伤人则愈多/心之所可中理,则欲虽多,奚伤于治/达人苦富贵之桎梏,修士伤声名之顿撼/思必深,而深必怨;望必远,而远必伤/臣行君道则灭其身,君行臣事则伤其国/善不可谓小而无益,不善不可谓小而无伤/国无义,虽大必亡。人无善志,虽勇必伤/微邪不禁,而求大邪之无伤国,不可得也/反裘负薪,里尽毛殚,削趾适履,刻肌伤骨/以烦手烹鱼则鱼必溃,使学者制锦则锦必伤/并时遭兵,隐者不中;同日被霜,蔽者不伤/防民之口,甚于防川,川壅而溃,伤人必多/草茅弗去,则害禾谷;盗贼弗诛,则伤良民/小快害义,小慧害道,小辨害治,苟心伤德/岂不遽止?然犹防川,大决所犯,伤人必多/迷阳迷阳,无伤我行;却曲却曲,无伤吾足/春草碧色,春水渌波,送君南浦,伤如之何/政以胜众,非以陵众;众以胜事,非以伤事/火佚焚家,家不罪火;食过伤人,人不罪食/矫矫亢亢,恶圆喜方,羞为奸欺,不忍害伤/身体发肤,受之父母,不敢毁伤,孝之始也/富贵之家,禄位重叠,犹再实之木,其本必伤/碧云悠悠兮,泾水东流。伤美人兮,雨泣花愁/与父老约,法三章耳:杀人者死,伤人及盗抵罪/直视千里外,唯见起黄埃。凝思寂听,心伤已摧/祸世之匠,乱国之工,绝逆天地,伤害我身,莫大乎名/以小善为无益,以小恶为无伤,凡此皆非所以安身崇德也

价 ①jià 价值;价格;声誉;化学名词。②jiè 旧称供役使的人;通"介",[价人]善人,一说披甲之人。③jie 作语助,相当于现代汉语中的"地"的用法。

❹瞒天讨价,就地还钱/休言谷价贵,菜亦贵如金/易求无价宝,难得有心郎/勤是无价之宝,学是明月神珠

❺伯乐一顾,价增三倍/白璧求善价,明珠难暗投/和氏之璧,价重千金,然以之间纺,曾不如瓦砖

❻伯乐一顾,马价十倍

❼当家才知柴米价/清风明月知无价/荆王未辨连城价,肠断南州抱璧人/玉在椟中求善价,钗于奁内待时飞/明珠自有千金价,莫为游人作弹丸/新剑以诈刻加价,弊方以伪题见宝

❽俪采百字之偶,争价一句之奇

❾白璧青钱,欲买春无价/方衔感于一剑,非买价于泉里

❿决千金之货者不争铢两之价/有求贵贱之必,必有二价之语/龙蟠凤逸之士,皆欲收名定价于君侯/文章如精金美玉,市有定价,非人所能以口舌定贵贱也

伦 lún 人与人之间相处的道德准则以及长幼尊卑的次序和等级关系;同一类的,在同一水平上的;条理。

❷人伦明于上,小民亲如下

❸资绝伦之妙态,怀悫素之洁清

❹含气之伦,有生必终,盖天地之常期,自然之至数

❻读史当观大伦理,大机会,大治乱得失

❼常才不能别逸伦之器

❽八音克谐,无相夺伦,神人以和

❾心小志大者,圣贤之伦也

❿小大不逾等,贵贱如其伦/风物虽同候,悲欢各异伦/规矩,方圆之至也;圣人,人伦之至也/先王以是经夫妇,成孝敬,厚人伦,美教化,移风俗

仰 ①yǎng 脸朝上;敬重;依赖;旧时公文用语;依靠;姓。②áng 同"昂"。

❶仰不愧天,俯不愧人,内不愧心

见唐·韩愈《与孟尚书书》。

仰天大笑出门去,我辈岂是蓬蒿人

见唐·李白《南陵别儿童入京》。

仰之弥高,钻之弥坚。瞻之在前,忽焉在后

见《论语·子罕》。

仰观宇宙之大,俯察品类之盛,所以游目骋怀,足以极视听之娱

见晋·王羲之《兰亭集序》。

❷俯仰终宇宙,不乐复何如/俯仰留连,疑是湖中别有天

❸高山仰止,景行行止

❹知天者仰观天文,知地者俯察地理/法者,国仰以安也;顺则治,逆则乱,甚乱者灭

❺更也,人皆仰之/酒后耳热,仰天拊缶而呼乌乌/山空月明,仰视星斗皆光大,如适在人上/人影在地,仰见明月,顾而乐之,行歌相答

❼危者望安,乱者仰治/箕而浩歌,踞而仰啸/星河尽涵泳,俯仰迷上下/海水广大非独仰一川之流也/夫人之相与,俯仰一世……放浪形

骸之外

❽风雨晦明之间，俯仰百变／日月星辰民所瞻仰者亦皆曰神／弊之难去，其难在仰食于弊之人乎

❾纵横正有凌云笔，俯仰随人亦可怜

❿高山有前，流水在下，可以俯仰，可以宴乐／二好均平，无分轻重，则一俯一仰，乍进乍退／苦身焦思，置胆于坐，坐卧即仰胆，饮食亦尝胆／一观其文，心朗目舒，炯若深井之下仰视白日之正中也

仿 ①fǎng 效法；类似。［仿佛］好像，似乎，不真切。②páng［仿佯］游荡无定。［仿偟］同"彷徨"。

❿先生之貌不可得兮，犹仿佛其文章／富于材积，领会神情，临景结构，不仿形迹

伪 wěi 假的；不合法的；人为；通"帷"，帷幔。

❶伪道养形，真道养神

见《西升经·邪正章》。

伪诈不可长，空虚不可守

见汉·韩婴《韩诗外传》。全句为："～，朽木不可雕，情亡不可久"。

伪乱俗，私坏法，放越轨，奢败制。四者不除，则政末由行矣

见汉·荀悦《申鉴·政体第一》。

❷作伪，心劳日拙／矜伪不长，盖虚不久／真伪因事显，人情难预观／真伪有质矣，而趋舍舛忓，故两心不相为谋焉

❸利口伪言，众所共恶／徒知伪得之中有真失，殊不知真得之中有真失／徒知伪是之中有真非，殊不知真是之中有真非／才可伪，功不可伪；临民听政，长短贤不肖立见

❹天不容伪／百种奸伪，不如一实／文有真伪，无有故新／物固多伪兮，知者盖寡／日出多伪，士民安取不伪／情有忠伪，信其忠则不疑其伪／无性则伪之无所加，无伪则性不能自美

❺名虽美焉，伪亦必生／力不足则伪，知不足则欺，财不足则盗

❻道远知骥，世伪知贤／为人使易以伪，为天使难以伪

❼名心胜者必作伪／名心盛者必为伪／惟乐不可以为伪／有意近名，则是伪也／矫枉过正则巧伪滋生／民知力竭，则以伪继之／圣人化性而起伪，伪起而生礼义／政烦苛则人奸伪，政省一则人醇朴／辨而不当理则伪，知而不当理则诈／才可伪，功不可伪；临民听政，长短贤不肖立见／但当退小人之伪朋，用君子之真朋，则天下治矣

❽好术而计不足则伪／知人善察，难眩以伪／战陈之间，不厌诈伪／人之性恶，其善者伪也／作德心逸日休，作伪心劳日拙／圣人化性而起伪，伪起而生礼义／情以感物则得利，伪以感物则致害／上好智，下应之以伪；上好贤，下应之以妄

❾所言无不义，故下无伪上之报／实无名，名无实。名者，伪而已矣／百工不信，则器械苦伪，丹漆染色不贞

❿知人之难，莫难于别真伪／日出多伪，士民安取不伪／为人使易以伪，为天使难以伪／功不可以虚成，名不可以伪立／情有忠伪，信其忠则不疑其伪／有人则作，无人则辍之，谓伪／神越者其言华，德荡者其行伪／仁可为也，义可亏也，礼相伪也／事有所分，则毫末不遗而情伪必见／但见丹诚赤如血，谁知伪言巧似簧／新剑以诈刻加价，弊方以伪题见宝／强执教之人，则失其情实，生于诈伪／无性则伪之无所加，无伪则性不能自美／可学无能、可事而成之在人者，谓之伪／亲履艰难者知下情，备经险易者达物伪／智惠之君贱德而贵言……以为大伪奸诈／才有浅深，无有古今；文有真伪，无有故新／不受虚言，不听浮术，不采华名，不兴伪事／力视损明，力听损聪，疾言阻德，功伪败功／智而用私，不如愚而用公，故曰巧伪不如拙诚／必曰赏以春夏，而刑以秋冬，而谓之至理者，伪也／恶图犬马而好作鬼魅，诚以实事难形，而虚伪不穷也／历观前代拨乱创业之主，生长民间，皆识达情伪，罕至于败亡／致治之术，先屏四患：……一曰伪，二曰私，三曰放，四曰奢

伫 zhù 长时间地站着；贮积。

❻瞻望兮踊跃，伫立兮徘徊

伊 yī 彼，他；你；是；你；此；水名；句首和句中语气词；姓。

❷岂伊地气暖？自有岁寒心

❺胸中之气伊郁蜿蜒，泄为章句……

❼心之忧矣，自诒伊戚

❾衣带渐宽终不悔，为伊消得人憔悴

❿惩病克寿，矜壮死暴。纵欲不戒，匪愚伊耄

似 ①sì 像；好像；给，与；比拟词，超过的意思；通"嗣"，继承。②shì 似的，跟某种事物或情况相似。

❶似把剪刀裁别恨，两人分得一般愁

见唐·姚合《惜别》。

❷疑似之迹，不可不察／口似悬河，辩才无碍／好似和针吞却线，刺人肠肚系人心／杂似博，陋似约，学者不可不察也

❸正言似讦而情忠／博爱似虚而实厚／大智似愚而内明／轻诺似烈而寡信／人心似铁，官法如炉／大奸似忠，大诈似信／情往似赠，兴来如答／白石似玉，奸佞似贤／君心似松柏，雁足寄

珠玑／事多似倒而顺，多似顺而倒／人生似瓦盆，打着了方见真空／光阴似箭催人老，日月如梭趱少年／葶历似菜而味殊，玉石相似而异类／谗夫似贤，美言似信，听之者惑，观之者冥／至福似祸，大吉若凶。天下醉饱，莫之能明／谗人似实，巧言如簧，使听之者惑，视之者昏

❹人情薄似秋云／过桥人似鉴中行／深言则似不逊，略言则事不决／人情曷似春山好，山色不随春老／无情不似多情苦，一寸还成千万缕／今年花似去年好，去年人到今年老／忽喇喇似大厦倾，昏惨惨似灯将尽／镇相连似影追形，分不开如刀划水／施为宜似千钧之弩，转发者，无宏功／圣人恶似是而非之人，国家忌似是而非之论

❺二月春风似剪刀／人情翻覆似波澜／蛟龙失水似枯鱼／悍戆好斗，似勇而非／随你官清似水，难逃吏滑如油／春葩含日似笑，秋叶泫露如泣／利害之相似者，唯智者知之而已／孪子之相似者，唯其母知之而已／书卷多情似故人，晨昏忧乐每相亲／纵使长条似旧垂，也应攀折他人手／杂似博，陋似约，学者不可不察也／赤日炎炎似火烧，野田禾稻半枯焦／若平直相似……便不是书法，但得其点画耳／犁牛之驳似虎，莠之幼似禾，事有似是而非者

❻铁骑无声望似水／心隘，则一发似车轮／眼角眉梢都似恨，热泪欲零还住／回乐峰前沙似雪，受降城下月如霜／为国之法，有似理身，平则致养，疾则攻焉／圣人之于事，似缓而急，似迟而速，以待时／荐贤能其气似孔文举，论经学其博似刘子骏

❼大奸似忠，大诈似信／猛将如云，谋臣似雨／潜移暗化，自然似之／白石似玉，奸佞似贤／为问频相见，何似常相守／真个别离难，不似相逢好／人疑天上坐，鱼似镜中悬／舟如空里泛，人似镜中行／起舞弄清影，何似在人间／同冰鱼之不绝，似蛰虫之犹苏／辩巧之文可悦，似象之言足惑／人生到处知何似？应似飞鸿踏雪泥／日月如梭，光阴似箭，少年人，早打点／谗夫似贤，美言似信，听之者惑，观之者冥

❽所贵于画者，为其似也／达士如弦直，小人似钩曲／裁为合欢扇，团团似明月／白发三千丈，缘愁似个长／事多似倒而顺，多似顺而倒／不管风吹浪打，胜似闲庭信步／人主之不肖者，有似于此。不得其道，而徒多其威

❾劝我早归家，绿窗人似花／饮马渡秋水，水寒风似刀／此地曾居住，今来宛似归／昔去雪如花，今来花似雪／以气韵求其画，则形似在其间矣／人生到处知何似？应似飞鸿踏雪泥／友如作画须求淡，山似论文不喜平／腊天日短不盈尺，何似妖姬一曲歌／心如老马虽知路，身似鸣蛙不属官／内坚刚而外温润，有似君子者，玉也／傲小物而志属于大，似无勇而未可恐狼／问君能有几多愁？恰似一江春水向东流

❿众人皆有以，而我独顽似鄙／使人大迷惑者，必物之相似也／闻名不如见面，见面胜似闻名／察消长之往来，辨利害于疑似／天末海门横北固，烟中沙岸似西兴／任君逐利轻江海，莫把风涛似妾轻／但见丹诚赤如血，谁知伪言巧似簧／人生代代无穷已，江月年年只相似／人心莫厌如弦直，淮水长怜似镜清／交情老去淡如水，病骨秋来瘦似松／葶历似菜而味殊，玉石相似而异类／大贤虎变愚不测，当年颇似寻常人／理有疑误而成过，事有形似而类真／忽喇喇似大厦倾，昏惨惨似灯将尽／春去细糠如剖玉，炊成香饭似堆银／使为恶者不得幸免，疑似者有所辨明／奸人诈而好名，其行事有酷似君子处／饰貌以强类者失形，调辞以务似者失情／弹指三十八年，人间变了，似天渊翻覆／炷尽沉烟，抛残绣线，恁今春关情似去年／不学古人，法无一可；竟似古人，何处着我／圣人之于事，似缓而急，似迟而速，以待时／圣人恶似是而非之人，国家忌似是而非之论／荐贤能其气似孔文举，论经学其博似刘子骏／寒泉飞流，异竹杂华，回映之处，似藏人家／春日迟迟，秋风飒飒。情往似赠，兴来如答／白石如玉，愚者宝之；鱼目似珠，愚者取之／犁牛之驳似虎，莠之幼似禾，事有似是而非者／挫其锐，解其纷，和其光，同其尘，湛兮似或存／山沓水匝，树杂云合。……情往似赠，兴来如答

佞

nìng 善于奉承；聪明，有才智。

❶佞以悦人者，小人之徒也

见清·王夫之《读通鉴论》卷三。全句为：“慎以自靖者，君子之徒也；～”。

❷非佞折狱，惟良折狱／谗佞之徒，皆国之蠹贼也

❸嫉贪佞之污浊兮，曰吾其既劳而后食／与邪佞人交，如雪入墨池，虽融为水，其色愈污

❹谗言巧，佞言甘／无甘受佞人而外敬正士／谗言巧，佞言甘，忠言直，信言寡

❻宠邪信惑，近佞好谀／白石似玉，奸佞似贤／见誉而喜者，佞之媒也

❼开谄谀之道，为佞者必多／不决浮云斩邪佞，直成龙去欲何为／不宜言而言是佞之徒，宜言而不言是愚之符

❽务公正者，必无邪佞之朋

❾所爱者，非美色则巧佞／以柔顺而为不正，则佞邪之道也／友便辟，友善柔，友便佞，损矣／据千乘之国，而信谗佞之计，未有不亡者／愿赐尚方斩马剑，断佞臣一人，以厉其余／贤人在

野，我将进之；佞人立朝，我将斥之
⑩丑声，贯盈。迟和早除奸佞／其论人也，必贵忠良鄙邪佞／谄谗饰过之说胜，则巧佞者用／以正辅人谓之忠，以邪导人谓之佞／君子藏正气者，可以远鬼神，伏奸佞／损者三友：友便辟，友善柔，友便佞，损矣／忠贤事君，必谏君失，奸佞事主，必顺主情／法大弛，则是非易位，赏恒在佞，而罚恒在直／国以贤兴，以谄衰；君以忠安，以佞危，此古今之常论

体 ①tǐ 身体或其中的一部分；事物的整体；事物的形式；体制；古称占卜时的卦兆；体验，实行；亲近；成形，生长；分别，分。②tī 贴身的，体己。③bèn 同"笨"，粗壮。

❶体如游龙，袖如素霓

见汉·傅毅《舞赋》。

体无纤微疾，安用问良医

见三国·魏·毌丘俭《答杜挚》。

体道者逸而不穷，任数者劳而无功

见汉·刘安《淮南子·原道》。

体曲者忌绳墨之容，夜裸者憎明烛之来

见晋·葛洪《抱朴子·擢才》。

体无常轨，言无常宗，物无常用，景无常取

见唐·皇甫湜《谕业》。全句为："～。在谭其理，覈其微，赋物而穷其致"。

体不备不可以为成人，辞不足不可以为成文

见唐·韩愈《答尉迟生书》。

体道履仁，外和内敏，清而容物，善不近名

见唐·韩愈《除崔群户部侍郎制》。

体恭敬而心忠信，术礼义而情爱人，横行天下，虽困四夷，人莫不贵

见《荀子·修身》。"术"，行；"人"，通"仁"，仁爱；"横行"，广走。

❷四体不勤，五谷不分／委体渊沙，鸣弦揆日／明体以及用，通经以知权／心体光明，暗室中自有青天／形体保神，各有仪则，谓之性／虽体解吾犹未变兮，岂余心之可惩／其体顺而肆，可以播于乐章歌曲也／结体散文，直而不野，婉转附物，惆怅切情／身体发肤，受之父母，不敢毁伤，孝之始也／两体者，虚实也，动静也，聚散也，清浊也，其究一而已

❸心广，体胖／忠臣体国，知无不为／辞尚体要，不惟好异／风雅体变而兴同，古今调殊而理异／举大体而不论小事，务实效而不为虚名／一宿体宁，百宿心恬，三宿后颓然嗒然，不知其然而然

❹笃志而体，君子也／论大材体则弘博而高远／乃知四体勤，无衣亦自暖／为治有体，上下不可相侵／能持大体，凡事自可就也／设文之体有常，变文之数无方／总视其体，乃知其大相去之远／记事之体，欲简而且详，疏而不漏／三教一体，九流一源，百家一理，万法一门／百节成体，共资荣卫，万趣会文，不离辞情／心之在体，君之位也；九窍之有职，官之分也／正位居体，美在其中，而畅于四支，发于事业，美之至也

❺铺采摛文，体物写志／以不息为体，以日新为道／邪行亡乎体，违言不存口／将以民为体，民以将为心／清声而便体，秀外而惠中／某篇是某体，某篇则否……／为治之大体，莫善于抑末而务本／交朋友增体面，不如交朋友益身心／元气即道体，有虚即有气，有气即有道／佳人不同体，美人不同面，而皆悦于目／知足之人，体道同德，绝名除利，立我于无

❻訾食者不肥体／不读诗书形体陋／居移气，养移体／士者，将之肢体也／尺蠖知屈伸，体道识穷达／骨消肌肉尽，体若枯树皮／或明理以立体，或隐义以藏用／无名者道之体，而有名者道之用也／四支强而躬体固，华叶茂而本根据／当官务持大体，思事事皆民生国计所关／落梅芳树，共体千篇；陇水巫山，殊名一意／天下犹人之体，腹心充实，四支虽病，终无大患／其有发挥新体，孤飞百代之前，开凿古人，独步九流之上

❼政贵有恒，辞尚体要／死去何所道，托体同山阿／刺骨，故小痛在体而长利在身／无为者，道之身体，而天地之始也／气宜宣而遏之，体宜调而矫之，神宜平而抑之，必有失和者矣

❽观小节可以知大体／任人当才，为政大体／有无虚实通为一体者，性也／诗缘情而绮靡，赋体物而浏亮／点画皆有筋骨，字体自然雄媚／上车不落则著作，体中何如则秘书／毋私小惠而伤大体，毋借公论以快私情／竭诚则吴越为一体，傲物则骨肉为行路／不名一格，不专一体，要不失乎为我之诗／失于声，缪迷其四体，谓己当然，自诬也／作诗者陶冶物情，体会光景，必贵乎自得／俭者，节其耳目口体之欲，节己而不节人／欲明两仪天地之体，必以太极虚无为初始／子美……尽得古今之体势，而兼人人之所独专矣

❾学书当自成一家之体／桂殿兰宫，列冈峦之体势／富润屋，德润身，心广体胖／仁之用在爱民，而其体在无私／发号施令，若汗出于体，一出而不复也／收心简事日损有为，体静心闲方可观妙／责我以过，皆当虚心体察，不必论其人何如／水性虚而沦漪结，木体实而花萼振，文附质也

❿象以齿焚身，蚌以珠剖体／痈疽发于指，其痛遍于体／窥寸隙之光而见日轮之体／首虽尊高，必资手足以成体／摧其坚，夺其魁，以解其体／卫后兴于鬒发，飞燕宠于体轻／文章以华采为末，而以体用为本／与天同心而无知，与道

同身而无体/事事只在道理上商量，便是真体认/以我视物则我大，以道体物则道大/喜时之言多失信，怒时之言多失体/治务在无为而已，引大体，不拘文法/朝廷之臣，取其鉴达治体，经纶博雅/含情而能达，会景而生心，体物而得神/天下无独燃之火，世间安得有无体独知之精/天地者万物之父母也，合则成体，散则成始/六合为巨，未离其内；秋毫为小，待之成体/异音者不可听以一律，异形者不可合于一体/文以气为主，气之清浊有体，不可力强而致/含元一以为质，禀阴阳以立性，体五行而著形/明于古今，温故知新，通达国体，故谓之博士/合抱之松无庸于狰人之国，若瓮之茧见弃于裸体之邦/君子之学也，入乎耳，箸乎心，布乎四体，形乎动静/鹤汀凫渚，穷岛屿之萦回；桂殿兰宫，列冈峦之体势/起居不时，饮食不节，寒暑不适，则形体累而寿命损/盖吾儒起手便与禅异者，正在彻始彻终总是体用一致耳/君臣父子人间之事谓之义，登降揖让，贵贱有等，亲疏之体，谓之礼

何 ①hé 什么，哪里；为什么；怎么；多么；姓。②hē 通"呵"，呵斥。③hè 通"荷"，负荷。

❶何不相逢未嫁时

见唐·张籍《节妇吟寄东平李司空师道》。

何以守位？曰仁

见《周易·系辞下》。

何以解忧，惟有杜康

见三国·魏·曹操《短歌行》。

何夜无月？何处无竹柏

见宋·苏轼《记承天寺夜游》。全句为："～？但少闲人如吾两人者"。

何不借风雷，一壮天地颜

见清·魏源《北上杂诗》七首之三。

何世无奇才，遗之在草泽

见晋·左思《咏史八首》之七。

何以谨慎为，勇猛而临官

见汉·班固《汉书·贡禹传》。全句为："何以孝弟为，财多而光荣；何以礼义为，史书而仕宦；～"。

何以孝弟为，财多而光荣

见汉·班固《汉书·贡禹传》。全句为："～；何以礼义为，史书而仕宦；何以谨慎为，勇猛而临官"。

何以礼义为，史书而仕宦

见汉·班固《汉书·贡禹传》。全句为："何以孝弟为，财多而光荣；～；何以谨慎为，勇猛而临官"。

何处路最难？最难在长安

见唐·岑参《送张秘书充刘相公通汴河判官便赴江外觐省》。

何惜微躯尽，缠绵自有时

见南朝·宋·鲍令晖《蚕丝歌》。全句为："春蚕不应老，昼夜常怀思。～"。

何时一樽酒，重与细论文

见唐·杜甫《春日忆李白》。

何必生之为乐，死之为悲

见清·蒲松龄《聊斋志异·陆判》。全句为："达人观之，生死一耳。～"。

何意百炼刚，化为绕指柔

见晋·刘琨《重赠卢谌》。

何代无贤，但患遗而不知耳

见唐·吴兢《贞观政要·择官》。

何况性命之重，乃以博财物耶

见唐·吴兢《贞观政要·贪鄙》。全句为："明珠是身外之物，尚不可弹雀，～"。

何谓创家之人，能教子者便是

见清·王永彬《围炉夜话》。全句为："何谓享福之人，能读书者便是；～"。

何谓享福之人，能读书者便是

见清·王永彬《围炉夜话》。全句为："～；何谓创家之人，能教子者便是"。

何谓物我之异，无计今古之殊

见隋·杨坚《前代品爵依旧诏》。全句为："苟利于时，其致一揆。～"。

何秋日之可哀，托芙蓉以为媒

见唐·宋之问《秋莲赋》。全句为："寒暑茫茫兮代谢，故叶新花兮往来。～"。

何泛滥之浮云兮，猋壅蔽此明月

见战国·楚·宋玉《九辩》。

何者，其化薄而出于相以有为也

见宋·陆佃解《鹖冠子·备知》。全句为："至世之衰，父子相图，兄弟相疑。～"。

何事将军封万户，却令红粉为和戎

见唐·胡曾《汉宫》。

何谓仁？仁者憯怛爱人，谨翕不争

见汉·董仲舒《春秋繁露·必仁且知》。

何当共剪西窗烛，却话巴山夜雨时

见唐·李商隐《夜雨寄北》。

何昔日之芳草兮，今直为此萧艾也

见战国·楚·屈原《离骚》。

何方圜之能周兮，夫孰异道而相安

见战国·楚·屈原《离骚》。

何必奔冲山下去，更添波浪向人间

见唐·白居易《白云泉》。

何必桑干方是远，中流以北即天涯

见宋·杨万里《初入淮河四绝句》之一。

何尝见明镜疲于屡照，清流惮于惠风

见南朝·宋·刘义庆《世说新语·言语》。

何者为益友？凡事肯规我之过者是也

见清·王永彬《围炉夜话》。全句为:"～;何者为小人?凡事必徇己之私者是也"。

何者为小人?凡事必徇己之私者是也

见清·王永彬《围炉夜话》。全句为:"何者为益友?凡事肯规我之过者是也;～"。

何等为善?身正行、口正行、意正行

见《百论》。

何惜阶前盈尺之地,不使白扬眉吐气,激昂青云

见唐·李白《与韩荆州书》。

何谓人情?喜、怒、哀、惧、爱、恶、欲,七者弗学而能

见《礼记·礼运》。

❷谈何容易/人何在?桂影自婵娟/印何累累、绶若若邪/得何足喜,失何足忧/奈何取之尽锱铢,用之如泥沙/思何忧而不入,心何虑而不攒/鸟何萃兮蘋中,罾何为兮木上/吏何恶于民而仇之也?非仇民也/奈何以四海之广,足一夫之用邪/舜何人也,予何人也,有为者亦若是/天何言哉?四时行焉,百物生焉,天何言哉/萧何为法,颟若画一;曹参代之,守而勿失/吾何以得知天下乎?察己以知之,不求于外也

❸不索何获/传闻何可尽信/戴盆何以望天/天涯何处无芳草/富贵何如草头露/松柏何须羡桃李/相逢何必曾相识/无父何怙,无母何恃/今夕何夕,见此良人/鬼神何灵?因人而灵/一枝何足贵,怜是故园春/夫子何为者,栖栖一代中/千金何足惜,一士固难求/死去何所道,托体同山阿/成败何足校?英雄自有真/此物何足重,但感别经时/青天何处了?白鸟入空无/无源何以成河?无根何以垂荣/病中何事最相宜,惟有摊书力尚支/羌笛何须怨杨柳,春风不度玉门关/非威何畏,非德何怀;不畏不怀,何以成霸/天公何时有,谈者皆不经。谁道贤人死,今为傅说星/道者何也?虚无之系,道化之根,神明之本,天地之源

❹无可奈何花落去/苟无民,何以有君/成也萧何,败也萧何/人生几何时,怀忧终年岁/今夕为何夕,他乡说故乡/谤议庸何伤?虚誉不足慕/自问道何如,贵贱安足云/自顾行何如,毁誉安足论/不逆命,何羡寿?不矜贵,何羡名/不要势,何羡位?不贪富,何羡货/伐柯如何?匪斧不克。取妻如何?匪媒不得/雩而雨,何也?曰:无何也,犹不雩而雨也

❺事若求全何所乐/诗思出门何处无/天下纷纷,何时定乎/无衣无褐,何以卒岁/不仁不智,何以为国/不忮不求,何用不臧/中心藏之,何日忘之/内省不疚,何恤人言/利害俱亡,何往不臧/伺命在我,何求于天/修之至极,何谤不息/苟能修身,何患不荣/君子居之,何陋之有/纪纲一废,何事不生/死而无益,何用死为/赏罚无章,何以沮劝/欲加之罪,何患无辞/衣不经新,何由而故/言而不信,何以为言/何夜无月?何处无竹柏/得人则治,何世无奇才/礼义不愆,何恤于人言/心若留时,何事锁眉头/心苟无瑕,何恤乎无家/乾坤之大,何处容我不得/误用聪明,何若一生守拙/不应有恨,何事长向别时圆/名高天下,何必辨襄阳南阳/万里长江,何能不千里而一曲/不忠不信,何以立于天地之间/桃李虽艳,何如松苍柏翠之坚贞/丞相祠堂何处寻,锦官城外柏森森/借问酒家何处有,牧童遥指杏花村/人面不知何处去,桃花依旧笑春风/陶令不知何处去,桃花源里可耕田/苦心虽呕何由出,病骨非谗亦自销/楚国青蝇何太多,连城白璧遭谗毁/早夜孜孜,何畏不日日新又日新也/爱我者一何可爱,憎我者一何可憎/矮人看戏何曾见,都是随人说短长/同于我者何必可爱,异于我者何必可憎/知不可奈何而安之若命,唯有德者能之/叛而不讨,何以示威;服而不柔,何以示怀/如地如天,何私何亲?如日如月,唯君之节/晴空朗月,何处不可翱翔?而飞蛾独投夜烛/谋臣良将,何代无之;贵在见知,要在见用耳/清泉绿草,何物不可饮啄?而鸱鸮者偏食腐鼠/凤凰,凤凰,何不高飞还故乡,无故在此取灭亡/先生不知何许人也……宅边有五柳树,因以为号焉/国有三军何?所以戒非常,伐无道,尊宗庙,重社稷,安不忘危也

❻负民即负国何忍负之/得何足喜,失何足忧/木犹如此,人何以堪/铤而走险,急何能择/痛定思痛,痛何如哉/不耻不若人,何若人有/内省不疚,夫何忧何惧/以仁义服人,何人不服/定心广志,余何畏惧兮/万金买高爵,何处买青春/不从桓公猎,何能伏虎威/不言而教行,何为而不威/百川东到海,何时复西归/严冬不肃杀,何以见阳春/昼短苦夜长,何不秉烛游/长安如梦里,何日是归朝/为问频相见,何似常相守/民不畏死,奈何以死惧之/但使强胡灭,何须甲第成/人生贵相知,何必金与钱/读书虽可喜,何如躬践履/谁谓鼠无牙,何以穿我墉/地若无山川,何人重平道/幸能修实操,何俟钓虚声/草木有本心,何求美人折/落地为兄弟,何必骨肉亲/知音少,人间何处寻芳草/徒有排云心,何由生羽翼/门前两条辙,何处去不得/理丝入残机,何悟不成匹/本来无一物,何处惹尘埃/春风不相识,何事入罗帷/赏罚信乎民,何事而不成/有麝自然香,何必当风立/眼看人尽醉,何忍独为醒/起舞弄清影,何似在人间/为天有眼兮何不见我独漂流/为民纪

纲者何也？欲也恶也／“莫须有”三字，何以服天下／为神有灵兮何事处我天南海北头／借问瘟君欲何往，纸船明烛照天烧／人生到处知何似？应似飞鸿踏雪泥／药来贼境灵何用，米出胡奴死不炊／阁中帝子今何在，槛外长江空自流／扁舟一棹归何处，家在江南黄叶村／舜何人也，予何人也，有为者亦若是／天下宝之者何也？其小恶不足妨大美也／滔滔武溪一何深，鸟飞不度，兽不敢临

❼一蛇吞象，厥大何如／无弃其道，吾将何病／无父何怙，无母何恃／求仁而得仁，又何怨／及吾无身，吾有何患／生得相亲，死亦何恨／人生在勤，不索何获／渔歌互答，此乐何极／载船渡海，虽深何咎／空言无施，虽切何补／地者国之本，奈何予人／满场是假，矮人何辩也／万事有不平，尔何空自苦／制法而自犯之，何以帅下／佳月了不嗔，曾何污洁白／春花无数，毕竟何如秋实／万川归之，不知何时止而不盈／不遇盘根错节，何以别利器乎／今日长缨在手，何时缚住苍龙／君能清静，百姓何得不安乐乎／尾闾泄之，不知何时已而不虚／生，寄也；死，归也。何足以滑和／奢者富而不足，何如俭者贫而有余／人灵于物者也，何不自听，而听于物乎／东西南北，某也何从；寒暑阴阳，时哉不与／非威何畏，非德何怀；不畏不怀，何以成霸／长桥卧波，未云何龙？复道行空，不霁何虹／如地如天，何私何亲？如日如月，唯君之节

❽俟河之清，人寿几何／对酒当歌，人生几何／成也萧何，败也萧何／鸟既高飞，罗将奈何／内省不疚，夫何忧何惧／命乃在天，虽扁鹊何益／少而不勤，无如之何矣／为人之道，舍教其何以先／乾坤含疮痍，忧虞何时毕／利剑不在掌，结友何须多／地也，你不分好歹何为地／君子亦仁而已矣，何必同／知音苟不存，已矣何所悲／浮沉各异势，会合何时谐／强辩以饰非者，果何为也／结交在相知，骨肉何必亲／本是同根生，相煎何太急／明日复明日，明日何其多／斗粟自可饱，千金何所直／夫子焉不学？而亦何常师之有／无以相应也，若之何其有鬼邪／苟粟多而财有余，何为而不成／莫知其所始，若之何其有命也／莫知其所终，若之何其无命也／把志气奋发得起，何事不可做／把意念沉潜得下，何理不可得／明日复明日，明日何其多……／有以相应也，若之何其无鬼邪／思何忧而不入，心何虑而不攒／鸟何萃兮蘋中，罾何为兮木上／汝身之不能治，而何暇治天下乎／不能手提天下往，何忍身去游其间／且乐生前一杯酒，何须身后千载名／半开半落闲园里，何异荣枯世上人／大山崔，百卉殖。民何贵，贵有德／宁可枝头抱香死，何曾吹落北风中／细推物理须行乐，何用浮名绊此身／腊天日短不盈尺，何似妖姬一曲歌／文章功用不经世，何异丝窠缀露珠／自古圣贤尽贫贱，何况我辈孤且直／人生贵得适意尔，何能羁宦数千里以要名爵／雩而雨，何也？曰：无何也，犹不雩而雨也／人遇逆境，无可奈何，而安之若命，乃是见识超卓

❾不能正其身，如正人何／为虺弗摧，为蛇将若何／省躬无疵而获谤者何伤／上有弦歌声，音响一何悲／丈夫誓许国，愤惋复何有／天便教人，霎时厮见何妨／我命浑小事，我死庸何伤／俯仰终宇宙，不乐复何如／人生行乐耳，须富贵何时／读书成底事，报国是何人／苟无济代心，独善亦何益／彼美不琢雕，椟中竟何如／忧人不能寐，耿耿夜何长／朝与仁义生，夕死复何求／积金不积书，守财一何鄙／白骨成丘山，苍生竟何罪／无源何以成河？无根何以垂荣／内省既不愧己，焚香何用告天／不塞其原，则物自生，何功之有／不禁其性，则物自济，何为之恃／死者无知，自同粪土，何烦厚葬／此理充塞宇宙间，如何人杜撰得／不是交同兰气味，为何话出一人心／为虏为王尽偶然，有何羞见汉江船／天知，神知，我知，子知，何谓无知／不出户而知天下兮，何必历远以劬劳／昔君视我，如掌中珠；何意一朝，弃我沟渠／是他春带愁来，春归何处，却不解、将愁归去／处患难，知其无可奈何，遂放意而不反，是岂安于义命者

❿无功食国禄，去窃能几何／尽道丰年瑞，丰年事若何／利深波也深，君意竟如何／岂无一时好，不久当如何／忍别青山去，其如绿水何／自古悲摇落，谁人奈此何／不知天上宫阙，今夕是何年／人而不学，虽无忧，如禽何／苟正其身矣，于从政乎何有／万物固以自然，圣人又何事焉／苟余行之不迷，虽颠沛其何伤／莫怨无情流水，明月扁舟何处／挥汗读书不已，人皆怪我何求／彼肆其心之所为者，独何人耶／日月其犹坠落，萤光如何久留／石火光中争长竞短，几何光明／言语者君子之枢机，谈何容易／不慎其前而悔其后，虽悔，何及／为治者不在多言，顾力行何如耳／冠衣不能移人迹，顾所履何如耳／苟余心其端直兮，虽僻远之何伤／达命之情者，不务命之所无奈何／称人之善，我有一善，又何妒焉／称人之善，我有一善，又何妨焉／称人之恶，我有一恶，又何毁焉／言贵实，使人信之，舍实何称乎／一生几许伤心事，不向空门何处销／上车不落则著作，体中何如则秘书／丰岁自少凶岁多，田家辛苦可奈何／不决浮云斩邪佞，直成龙去欲何为／不逆命，何羡寿？不矜贵，何羡名／不要势，何羡位？不贪富，何羡货／不见年年辽海上，文章何处哭秋风／百姓多寒无可救，一身独暖亦何情／乘木则朽木

青黄，失势则田何粪土／同是天涯沦落人，相逢何必曾相识／伏波惟愿裹尸还，定远何须生入关／但使仓库可备凶年，此外何烦储蓄／但得贞心能不改，纵令移植亦何妨／人生交契无老少，论交何必先同调／人之为学，不志其大，虽多而何为／儿童相见不相识，笑问客从何处来／虽信美而非吾土兮，曾何足以少留／死犹未肯输心去，贫亦其能奈我何／此生此夜不长好，明年明月何处看／贫无可奈惟求俭，拙亦何妨只求勤／爱我者一何可爱，憎我者一何可憎／睫在眼前长不见，道非身外更何求／蚂蚁缘槐夸大国，蚍蜉撼树谈何易／自滴阶前大梧叶，干君何事动哀吟／翻手作云覆手雨，纷纷轻薄何须数／躁急，则先自处于不暇，何暇治事／奉职顺道，亦可以为治，何必威严哉／少壮真当努力，年一过往，何可攀援／君子之过，犹日月之蚀也，何害于明／欲长生久视，而日逆其生，欲之何益／篙不能鸣钟，而萤火不爨鼎者，何也／朱门日日买朱娥，军事如何，民事如何／同于我者何必可爱，异于我者何必可憎／凿井而饮，耕田而食；帝力于我何有哉／君子藏器于身，待时而动，何不利之有／绁食鹰鸢欲其鸷，鸷而亨之，将何用哉／开函关，掩函关，千古如何，不见一人闲／知我者，谓我心忧；不知我者，谓我何求／国家剩得数百万贯钱，何如得一有才行人／是邪，非邪？立而望之，偏何姗姗其来迟／悠悠素餐者，天下皆是，王道从何而兴乎／锦糊灯笼，玉镶刀口……不知落在何处矣／天下岂有不可为之国哉？亦存乎其人如何尔／天何言哉？四时行焉，百物生焉，天何言哉／不学古人，法无一可；竟似古人，何处着我／非威何畏，非德何怀；不畏不怀，何以成霸／长桥卧波，未云何龙？复道行空，不霁何虹／叛而不讨，何以示威；服而不柔，何以示怀／伐柯如何？匪斧不克。取妻如何？匪媒不得／人之立身，所贵者惟在德行，何必要论荣贵／人亦有言，忧令人老。嗟我白发，生一何早／拓境不宁，无益于强；多田不耕，何救饥敝／涓涓不塞，将为江河；荧荧不救，炎炎奈何／如有德而无才，则不能为用，亦何足为君子／相鼠有皮，人而无仪；人而无仪，不死何为／春草碧色，春水渌波，送君南浦，伤如之何／春耕其丘，投种之日。释耒而叹，何时实栗／智鄙相笼，强弱相陵，天下之乱何时而已乎／责我以过，皆当虚心体察，不必论其人何如／贵极禄位，权倾国都，达人视此，蚁聚何殊／月明星稀，乌鹊南飞，绕树三匝，何枝可依／畜水覆舟，养兽反害，悔之噬脐，将何所及／超凡证圣，目击非遥；悟在须臾，何须皓首／生之者甚少而靡之者甚众，天下之势何以不危／安则乐生，痛则思死；捶楚之下，何求而不得／教明于上，化行于下，民有耻心，则何盗之为／言之所以为言者，信也；言而不信，何以为言／不得所以用之，国虽大，势虽便，卒无众，何益／宫殿中可以避世全身，何必深山之中，蒿庐之下／我亦物也，物亦物也，物之与物也，又何以相物也／人生寄一世，奄忽若飙尘；何不策高足，先据要路津／人之生，动之死地亦十有三。夫何故？以其生生之厚／力不能济于用，而君臣上下不正，虽抱空器奚何施设／福生有基，祸生有胎；纳其基，绝其胎，祸福何自来／万物纷纭，非有也，有之者人也，人不有，则万物何有／伯浑醉书，纸穷墨燥，如春龙奋蛰，奇鬼搏人，何其壮也／气质偏驳者，欲使私欲不能引染，如之何？惟在明明德而已／人之所以不能终其寿命，而中道夭于刑戮者，何也？以其生生之厚／谓马多力则有矣，若曰胜千钧，则不然者，何也？千钧，非马之任也／人之生也，与忧俱生，寿者惛惛，久忧不死，何苦也！其为形也亦远矣

佐

zuǒ 辅助；帮助；帮助别人的人；副职；劝。

❶佐饔者尝焉，佐斗者伤焉

见《国语·周语下》。

❸以道佐人主者，不以兵强天下

❹怀此王佐才，慷慨独不群

❻佐饔者尝焉，佐斗者伤焉／贤君择人为佐，贤臣亦择主而辅

❼治国家者先择佐而后定民

❽王者易辅，霸者难佐／木朽不雕，世衰难佐／既朽不雕，衰世难佐／在朝也则师氏之佐，为国则刻削之政

❿张良授策于圯桥，功崇佐汉／国不务大而务得民心，佐不务多而务得贤俊／国之废兴，在于政事；政事得失，由乎辅佐

佑

yòu 帮助；保护。

❽失名失货，道德是佑，神明是助，名显自然，富配天地

攸

yōu 助词，相当于“所”；水流貌；疾走貌。

❸资有攸合，所谓宜也

❿事不师古，以克永世，匪说攸闻／迷涂知反，往哲是与。不远而复，先典攸高／五福：一曰寿，二曰富，三曰康宁，四曰攸好德，五曰考终命

但

dàn 只，仅；特，不过；徒然；通“诞”，欺诈；姓。

❶但开风气不为师

见清·龚自珍《己亥杂诗》。

但攻吾过，毋议人非

见清·陈确《乾初先生遗集·别集·不乱说》。

但当循理，不可使气

见《琼琚佩语·接物》。

但行好事，莫问前程

见清·李汝珍《镜花缘》第七十一回。

但立直标，终无曲影

见五代·后晋·张昭远等《旧唐书·崔彦昭传》。

但求寡悔尤，焉用名炳炳

见清·李果《示两儿》。

但伤民病痛，不识时忌讳

见唐·白居易《伤唐衢二首》。

但使强胡灭，何须甲第成

见南朝·齐·孔稚珪《白马篇》。

但使忠贞在，甘从玉石焚

见唐·崔峒《刘展下判官相招以诗答之》。

但令身未死，随力报乾坤

见宋·文天祥《即事》。

但知勤作福，衣食自然丰

唐·王梵志诗句，见《全唐诗补遗》卷二。

但忧死无闻，功不挂青史

见宋·陆游《投梁参政》。

但恨多谬误，君当恕醉人

见晋·陶潜《饮酒二十首》之二十。

但见沙场死，谁怜塞上孤

见唐·陈子昂《感遇诗三十八首》之三。

但有路可上，更高人也行

见《全唐诗续补遗》卷二十（龚霖诗）。

但悲时易失，四序迭相侵

见唐·韩愈《幽怀》。

但愿天下人，家家足稻粱

见宋·文天祥《五月十七日夜大雨歌》。全句为：“～！我命浑小事，我死庸何伤”。

但愿人长久，千里共婵娟

见宋·苏轼《水调歌头》。

但有断头将军，无有降将军

见晋·陈寿《三国志·蜀书·张飞传》载严颜语。

但患无志耳，事固未可知也

见现代·鲁迅《唐宋传奇集·流红记》。

但终日不见己过，便绝圣贤之路

见清·王晫《今世说》卷二。

但使仓库可备凶年，此外何烦储蓄

见唐·吴兢《贞观政要·辩兴亡》。全句为：“～！后嗣若贤，自能保其天下；如其不肖，多积仓库，徒益其奢侈，危亡之本也”。

但使龙城飞将在，不教胡马渡阴山

见唐·王昌龄《出塞》其一。

但写真情并实境，任他埋没与流传

见明·都穆《学诗诗》其三。

但把穷愁博长健，不辞最后饮屠苏

见宋·苏轼《除夜野宿常州城外二首》其二。

但将酩酊酬佳节，不用登临恨落晖

见唐·杜牧《九日齐山登高》（亦有典籍注该诗名为《九日齐安登高》，后三字为“叹落晖”——编者注）。

但得贞心能不改，纵令移植亦何妨

见清·陈灿霖《咏橘》。

但得众生皆得饱，不辞羸病卧残阳

见宋·李纲《病牛》。

但得官清吏不横，即是村中歌舞时

见宋·陆游《春日杂兴》。

但肯寻诗便有诗，灵犀一点是吾师

见清·袁枚《遣兴》。

但是诗人多薄命，就中沦落不过君

见唐·白居易《李白墓》。

但见无为为要妙，岂知有作是根基

见宋·张伯端《悟真篇》。全句为：“始之有作人争觉，及至无为众始知。～”。

但见丹诚赤如血，谁知伪言巧似簧

见唐·白居易《天可度》。

但愿苍生俱饱暖，不辞辛苦出山林

见明·于谦《咏煤炭》。

但愿亲友长含笑，相逢莫乏杖头钱

见唐·贺兰进明《行路难》。

但无耻一事不如人，则事事不如人矣

见宋·朱熹《四书集注·孟子·尽心上》。

但常以责人之心责己，恕己之心恕人

见宋·刘清之《戒子通录》。全句为：“～，不患不到圣贤地位也”。

但愿官民通有无，莫令租吏打门叫呼疾

见宋·利登《野农谣》。

但务其华，不寻其实，犹缘木希鱼，却行求前

见南朝·宋·范晔《后汉书·周举传》。

但当退小人之伪朋，用君子之真朋，则天下治矣

见宋·欧阳修《朋党论》。

❸用人但问堪否，岂以新故异情

❺不求有功，但求无过／不管人责，但求自尽／学无早晚，但恐始勤终惰／何代无贤，但患遗而不知耳／不依古法但横行，自有云雷绕膝生／垂髫之童，但习鼓舞，斑白之老，不识干戈／人生一世，但当畏敬于人，若不善加己，直为受之

❻不论天有眼，但管地无皮／不惜歌者苦，但伤知音稀／小人如酒颜，但得暂时热／相见无杂言，但道桑麻长／此物何足重，但感别经时／欲知千里寒，但看井水冰／衣沾不足惜，但使愿无违／行者见罗敷……但坐观罗敷／有千里莼羹，但未下盐豉耳／非真无人也，但求之不勤不至耳／盈缩之期，不但在天；养怡之福，可得永年

❼授书不在徒多,但贵精熟/用人不限资品,但择有才/鸿鹄固有远志,但燕雀自不知耳/今若不能服药,但知爱精节情,亦得一二百年寿也
❽众寮宜洁白,万役但平均/读书与磨剑,旦夕但忘疲/功多翻下狱,士卒但心伤/不知取将之无术,但云当今之无将/不敢望到酒泉郡,但愿生入玉门关/生不用封万户侯,但愿一识韩荆州/死去元知万事空,但悲不见九州同/文章均得江山助,但觉前贤畏后贤/凡人不能无好恶,但能胜其私心则善
❾良田百顷,不在一亩,但有远志,不在当归
❿官输私负索交至,勺合不留但糠秕/若平直相似……便不是书法,但得其点画耳/君子用以力学,借困衡为砥砺,不但顺受而已/贤固可易知,人固可易识,但是议者不精思之耳

伸 shēn 展开;(使得到)表白;姓。
❸凡主伸己以屈天下之忧
❹乍屈乍伸者,良才所以俟时也/与时屈伸,柔从若蒲苇,非慑怯也
❺尺蠖知屈伸,体道识穷达
❻大屈必有大伸/时诎则诎,时伸则伸
❼大丈夫能屈能伸/水禽嬉戏,引吭伸翮
❽时诎则诎,时伸则伸/君子时诎则诎,时伸则伸也
❿百炼或致屈,绕指所以伸/有道者咸屈,无用者必伸/君子时诎则诎,时伸则伸也/内有一定之操,而外能诎伸、赢缩、卷舒/用无常道,事无轨度,动静屈伸,唯变所适

佚 ①yì 散失;放荡;通"逸",安乐;过失;美。②dié 通"迭",轮流,更替。
❷以佚代劳,以饱待饥/遗佚而不怨,阨穷而不悯/火佚焚家,家不罪火;食过伤人,人不罪食
❹汰流、淫佚、侈靡之俗日以长,是天下之大祟也
❻俭节则昌,淫佚则亡/罪漏则民放佚而轻犯禁/礼所以防淫佚,节其侈靡也/民恶忧劳,我佚乐之;民恶贫贱,我富贵之
❼欲衎则速患,情佚则怨博
❽贤主劳于求人,而佚于治事/贵富太盛,则必骄佚而生过
❾礼之既设,其小人恒佚于礼之外,则辅礼以刑
❿居不隐者思不远,身不佚者志不广/嗜欲无穷,则必有贪鄙悖乱之心,淫佚奸诈之事/民之性,饥而求食,劳而求佚,苦则索乐,辱则求荣

作 ①zuò 起;从事某种活动;写作;作品;装;当作、作为;发作;则;起立。②zuō 作坊。
❶作伪,心劳日拙
见《尚书·周官》。
作文之心如人目
见清·吴敬梓《儒林外史》第十三回。
作事不可尽,尽则穷
见明·陈继儒《小窗幽记》。全句为:"处心不可着,着则偏;~"。
作舍道边,三年不成
见南朝·宋·范晔《后汉书·曹褒传》。
作诗须多诵古今人诗
见宋·欧阳修《作诗须多诵古今诗》。
作而行之,谓之士大夫
见晋·陈寿《三国志·魏书·王朗传》。全句为:"坐而论道,谓之王公;~"。
作甲者欲其坚,恐人之伤
见唐·吴兢《贞观政要·刑法》。全句为:"~;作箭者欲其锐,恐人不伤"。
作人贵直,而作诗文贵曲
见清·袁枚《随园诗话》卷四。
作诗贵雕琢,又畏斧凿痕
见宋·葛立方《韵语阳秋》。全句为:"~;贵破的,又畏黏皮骨,此所以为难也"。
作箭者欲其锐,恐人不伤
见唐·吴兢《贞观政要·刑法》。全句为:"作甲者欲其坚,恐人之伤;~"。
作德心逸日休,作伪心劳日拙
见《尚书·周官》。
作字要熟,熟则神气完实而有余
见宋·欧阳修《作字要熟》。
作诗火急追亡逋,清景一失后难摹
见宋·苏轼《腊日游孤山访惠勤、惠思二僧》。
作诗者陶冶物情,体会光景,必贵乎自得
见宋·魏庆之《诗人玉屑》。
作俑之工,非曰可珍;时有所用,贵于斫轮
见唐·刘禹锡《何卜赋》。
作诗切忌议论,此最易近腐,近絮,近学究
见清·方东树《昭昧詹言》卷一。
❷无作聪明乱旧章/凡作乐者,所以节乐/始作俑者,其无后乎/不作无益害有益,功乃成/昼作不辍手,猛烛继望舒/依作北辰星,千年无转移/人作殊方语,莺为故国声/早作而夜思,勤力而劳心/不作威,不作福,靡有后羞/不作无补之功,不为无益之事/化作娇莺飞归去,犹认纱窗旧绿/天作孽,犹可违;自作孽,不可逭/假作真时真亦假,无为有处有还无/善作者不必善成,善始者不必善终/宁作清水之沉泥,不为浊路之飞尘/宁作野中之双凫,不愿云间之别鹤
❸掷地作金石声/蜂虿作于怀袖/论必作,作必成/将有作则思知止以安人/生人作死别,恨恨那可论/生当作人杰,死亦为鬼雄/君当作磐石,妾当作蒲苇/一鼓作气,再而衰,三而

竭／天子作民父母，以为天下王／坚冰作于履霜，寻木起于蘖栽／风波作于平地，亲戚化为仇怨／少年作迟暮经营，异日决无成就／惟辟作福，惟辟作威，惟辟玉食／随人作计终后人，自成一家始逼真／友如作画须求淡，山似论文不喜平／太虚作室而共居，夜月为灯以同照／殿前作赋声摩空，笔补造化天无功／炒沙作糜终不饱，镂冰文章费工巧／翻手作云覆手雨，纷纷轻薄何须数／油然作云，沛然降雨，则苗浡然兴之矣／国家作事，以公共为心者，人必乐而从之／祸之作也，非作于作之日，亦必有所由兆／无有作好，遵王之道；无有作恶，遵王之路／欧公作文，先贴于壁……有终篇不留一字者／知者作教，而愚者制焉；贤者议俗，不肖者拘焉

❹无耻过作非／为他人作嫁衣裳／论必作，作必成／好饰者作非之渐／不认真，作不得事／人以不作聪明为贤／掷地，当作金石声／一日不作，一日不食／万物并作，吾以观复／无信患作，失援必毙／无依势作威，无倚法以削／为人莫作女，作女实难为／真心实作，无不可图之功／但知勤作福，衣食自然丰／文章之作，恒发于羁旅草野／为子孙作富贵计者，十败其九／有人则作，无人则辍之，谓伪／奸诈既作，盗贼日多，谓之乱政／丈夫不作儿女别，临岐涕泪沾衣巾／人生直作百岁翁，亦是万古一瞬中／人生莫作远行客，远行莫成黄沙碛／人生莫作妇人身，百年苦乐由他人／论事易，作事难；作事易，成事难／劝君莫作亏心事，古往今来放过谁／在天愿作比翼鸟，在地愿为连理枝／始之有作人争觉，及至无为众始知／贤者之作，思利乎人；反是，罪也／述而不作，信而好古，窃比于我老彭／有风波作于平地，亲戚化为仇怨者矣／礼之始作也难而易行，既行也易而难久／人必先作，然后人名之；先求，然后人与之／日出而作，日入而息，凿井而饮，耕田而食

❺莫教管弦作离声／不知常，妄作，凶／常将一己作世间公共之物／名如画地作饼，不可啖也／遇贫穷而作骄态者贱莫甚／不作威，不作福，靡有后羞／遇贫穷而作骄态者，贱莫甚／余平生所作文章多在三上……／双鬓多年作雪，寸心至死如丹／惟圣罔念作狂，惟狂克念作圣／文章本乎作者，而哀乐系乎时／焉得铸甲作农器，一寸荒田牛得耕／见乎表者作乎里，形于事者发于心／文章随世作抵昂，变尽风骚到晚唐／若金，用汝作砺；若济巨川，用汝作舟楫

❻名心胜者必作伪／遥指空中雁作羹／断鹤续凫，矫作者妄／福为祸始，祸作福阶／为人莫作女，作女实难为／作人贵直，而作诗文贵曲／君子见几而作，不俟终日／万物虽并动作，卒复归于虚静／零落成泥碾作尘，只有香如故／发为胡笳吹作雪，心因烽火炼成丹／男不封侯女作妃，君看女却是门楣／爽口物多终作疾，快心事过必为殃／处事要代人作想，读书须切己用功／红雨随心翻作浪，青山着意化为桥／富者，苦身疾作，多积财而不得尽用／祸之作也，非作于作之日，亦必有所由兆／天下难事，必作于易；天下大事，必作于细／惟上帝不常，作善降之百祥，作不善降之百殃／人品须从小作起，权宜苟且诡随之意多，则一生人品坏矣

❼诗不可无为而作／一人贪戾，一国作乱／缘木求鱼，煎水作冰／班翟不能削石作芒针／意在笔前，然后作字／汝无自誉，观汝作家书／谁能绝人命，以作时世贤／封侯早归来，莫作弦上箭／小时不识月，呼作白玉盘／宁为百夫长，胜作一书生／宁为袁粲死，不作褚渊生／宁当血刃死，不作衽席完／此生泰山重，勿作鸿毛遗／明年春色至，莫作未归人／齐梁及陈隋，众作等蝉噪／此形，本清，不做作还真正／作德心逸日休，作伪心劳日拙／惟辟作福，惟辟作威，惟辟玉食／上车不落则著作，体中何如则秘书／论事易，作事难；作事易，成事难／因循苟且之心作，强毅久大之性亏／水鹨翔而大风作，穴蚁徙而阴雨零／未尝敢以矜气作之，惧其偃蹇而骄也／玉不雕，玙璠不作器；言不文，典谟不作经／泉水激石，泠泠作响；好鸟相鸣，嘤嘤成韵／老年人受病在作意步趋，少年人受病在假意超脱／闰以正时，时以作事，事以厚生，生民之道在此矣／我愿君王心，化作光明烛，不照绮罗筵，只照逃亡屋／恶图犬马而好作鬼魅，诚以实事难形，而虚伪不穷也／今以众地者，公作则迟，有所匿其力也；分地则速，无所匿迟也

❽至人无为，大圣不作／怠慢忘身，祸灾乃作／欧冶不能铸铅锡作干将／君当作磐石，妾当作蒲苇／昂昂千里，泛泛不作水中凫／宁为兰摧玉折，不作萧敷艾荣／文约而事丰，此述作之尤美者也／天作孽，犹可违；自作孽，不可逭／传派传宗我替羞，作家各自一风流／祸之作也，非作于作之日，亦必有所由兆

❾无启宠纳侮，无耻过作非／知之曰明哲，明哲实作则／断雾时通日，残云尚作雷／秀干终成栋，精钢不作钩／吾心如秤，不能为人作轻重／力士推山，天吴移水，作农桑地／闻忠善以损怨，不闻作威以防怨／无征而言，取不信、启作妄之道也／落红不是无情物，化作春泥更护花／落红满路无人惜，踏作花泥透脚香／将回日月先反掌，欲作江河唯画地／宁为宇宙闲吟客，怕作乾坤窃禄人／驱妻逐子课工程，虽作人形俱菜色／胸中元自有丘壑，故作老木蟠风霜／匠成舆者忧人不贵，作箭者恐人不伤／交友须带三分侠气，作人要存一点素心

❿君子之为书，犹工人之作器／不傲才以骄人，不以宠而作威／善不由外来兮，名不可以虚作／惟圣罔念作狂，惟狂克念作圣／天下和平，灾害不生，祸乱不作／经天纬地之帝，求制礼作乐之才／有必不可行之事，不必妄作经营／不到西湖看山色，定应未可作诗人／我闻忠善以损怨，不闻作威以防怨／但见无为为要妙，岂知有作是根基／儿孙自有儿孙福，莫为儿孙作远忧／儿孙自有儿孙计，莫与儿孙作马牛／藏书万卷可教子，遗金满籝常作灾／担水塞井徒用力，炊砂作饭岂堪吃／吾闻忠善以损怨，不闻作威以防怨／道人活计只如此，留与时人作见闻／明珠自有千金价，莫为游人作弹丸／春色不随亡国尽，野花只作旧时开／暖风熏得游人醉，直把杭州作汴州／风收云散波忽平，倒转青天作湖底／文章合为时而著，歌诗合为事而作／忽报人间曾伏虎，泪飞顿作倾盆雨／诗之所谓风者，多出于里巷歌谣之作／吾人立身天地间，只思量作得一个人／官不得其才，比于画地作饼，不可食也／乐之来，则人情出者也，其始非圣人作也／《诗》三百篇，大抵贤圣发愤之所为作也／若金，用汝作砺；若济巨川，用汝作舟楫／君不见担雪塞井空用力，炊沙作饭岂堪食／天下难事，必作于易；天下大事，必作于细／无有作好，遵王之道；无有作恶，遵王之路／为君为臣为民为物为事而作，不为文而作也／学不为人，博而不俗；言不为华，述而不作／玉不雕，玙璠不作器；言不文，典谟不作经／心狂志悖，视听从类，政令无常，下民作孽／土反其宅，水归其壑；昆虫毋作，草木归其泽／惟上帝不常，作善降之百祥，作不善降之百殃／诗人感而后思，思而后积，积而后满，满而后作／河冰结合，非一日之寒；积土成山，非斯须之作／国家大事，牧不当官，言之实有罪，故作《罪言》／人者，在阴阳之中央，为万物之师长，所能作最众多／有起于虚，动起于静。故万物虽并动作，卒复归于虚静／使智惠之人治国之政事，必远道德，妄作威福，为国之贼／读书少则身暇，身暇则邪间，邪间则过恶作焉，忧患及之／曰衣食足而后廉耻兴，财物阜而后礼乐作，是执末以求其本也／君子者，易亲而难狎，畏祸而难却，嗜利而不为非，时动而不苟作

伯

①bó 伯父；兄弟之间排行第一者；封建爵位的第三等；旧时对文章品德足为表率者的尊称；古代军队编制，百人为伯；古代祭名；姓。②bà 通“霸”，“五伯”同“五霸”。③mò 通“陌”。④bǎi 用于“大伯子”，妇人对夫兄之称。

❶伯乐一顾，价增三倍

见唐·韩愈《为人求荐书》。

伯乐一顾，马价十倍

见清·李海观《歧路灯》第七十四回。

伯乐一过冀北之野，而马群遂空

见唐·韩愈《送温处士赴河阳军序》。

伯夷、叔齐不念旧恶，怨用是希

见《论语·公冶长》。

伯乐之厩多良马，卞和之匮多美玉

见唐·韩愈《送权秀才序》。

伯乐不可欺以马，而君子不可欺以人

见《荀子·君道》。

伯乐相马，取之于瘦；圣人相士，取之于疏

见唐·马总《意林·周生烈子》。

伯浑醉书，纸穷墨燥，如春龙奋蛰，奇鬼搏人，何其壮也

见宋·陆游《师伯浑文集序》。

伯夷，目不视恶色，耳不听恶声。非其君，不事；非其民，不使

见《孟子·万章下》。

❷察伯乐之图，求骐骥于市／有伯乐而后识马，有匠石而后识梧槚／自伯之东，首如飞蓬；岂无膏沐，谁适为容

❸世有伯乐，然后有千里马／马逢伯乐而嘶，人遇知己而死

❹愿言思伯，甘心首疾

❻君用忠良，则伯王之业隆／骐骥长鸣，则伯乐照其能

❼千里马常有，而伯乐不常有／骐骥虽疾，不遇伯乐不致千里

❽得百走马，不若得伯乐之数

❾得十良马，不若得一伯乐

❿出师一表真名世，千载谁堪伯仲间／奔车之上无仲尼，覆舟之下无伯夷

佣

①yōng 雇用；仆人。②yòng 佣金。

❽心平愉，则色不及佣而可以养目，声不及佣而可以养耳

低

dī 与高相对，矮；低于一般的；向下垂。

❷天低吴楚，眼空无物

❸渚云低暗度，关月冷相随／槛外低秦岭，窗中小渭川

❺霜天如扫，低向朱崖……

❻举头望明月，低头思故乡／茎受露而将低，香从风而自远

❾忍把浮名，换了浅斟低唱

❿世情看冷暖，人面逐高低／圣人不曾高，众人不曾低／潭深波浪静，学广语声低／天苍苍，野茫茫，风吹草低见牛羊／观者如山色沮丧，天地为之久低昂／大味必淡，大音必希；大语叫叫，大道低回

你 nǐ代词，对方，对方的；代词，指任何一个人，包括说话者自己。

❷随你官清似水，难逃吏滑如油

❸天也，你错勘贤愚枉为天／地也，你不分好歹何为地

❹我心坚，你心坚，各自心坚石也穿

❺换我心，为你心，始知相忆深

❾常将冷眼看螃蟹，看你横行得几时

住 zhù 停止；止住；歇下；长期定居或暂时居住。

❷我住长江头，君住长江尾

❹既来且住，风月闲寻秋好处

❺此地曾居住，今来宛似归／青山遮不住，毕竟东流去

❼我住长江头，君住长江尾／春色满园关不住，一枝红杏出墙来

❽弥天的罪过，当不住一个"悔"字

❿世事波上舟，沿洄安得住／今日长缨在手，何时缚住苍龙／眼角眉梢都似恨，热泪欲零还住／事遇快意处当转，言遇快意处当住

位 wèi 所在或所在地方；在某一领域所处的位置；特指皇位；职位，地位；量词；座位，座次；称人的敬辞；祭祀时为鬼神设立的座位；算术上的数位；姓。

❶位卑未敢忘忧国

见宋·陆游《病起书怀》之一。

位益尊，则贱者日隔

见唐·韩愈《与陈给事书》。

位尊身危，财多命殆

见南朝·宋·范晔《后汉书·冯衍传》。

位高者其责不可以不厚

见宋·王安石《节度使加宣徽》。全句为："任重者其忧不可以不深，～"。

位已高而擅权者君恶之

见汉·刘向《说苑·敬慎》。全句为："身已贵而骄人者民去之，～"。

位卑在下未必愚，不遇也

见汉·王充《论衡·逢遇》。全句为："处尊居显未必贤，遇也；～"。

位疑则隙生，累近则丧大

见南朝·宋·范晔《后汉书·东平宪王苍传》。

位存焉而德无有，犹不足大其门，然世且乐为之下

见唐·柳宗元《永州铁炉步志》。

❷尸位素餐，难以成名／窃位既久，妨贤则多／无位非贱，无耻乃为贱／名位苟无心，对君犹可眠／在位非其人，而恃法以为治／禄位尊盛，守之以卑者，贵／官位得其人则生，失其人则死／宠位不足以尊我，而卑贱不足以卑己／窃位而苟禄，备员而全身者，亦无所取焉／正位居体，美在其中，而畅于四支，发于事业，美之至也

❸不以位地矜人／在上位而不能进贤者逐／在上位而不能进贤者，逐／未得位则思修其辞以明其道／在其位而忘其德者其殃必至／处其位而不履其事，则乱也／居其位，无其言，君子耻之／有其位，无其功，君子耻之／不患位之不尊，而患德之不崇／居上位而不骄，在下位而不忧／在上位，不陵下；在下位，不援上／周公位尊愈卑，胜敌愈惧，家富愈俭／尊于位而无德者黜，富于财而无义者刑／居其位不论其能，赏其身不议其功……／居上位而不恤其下，骄也；缓令急诛，暴也

❹何以守位？曰仁／一旦在位，鲜冠利剑／才下而位高，二危也／天地既位，阴阳气交／不在其位，不谋其政／不患无位，患所以立／王阳在位，贡公弹冠／贤者在位，能者在职／朝无幸位，民无幸生／德薄者位危，去道者身亡／度能就位，忠臣所以事君／袭爵乘位，尊祖统业者易／德必称位，位必称禄，禄必称用／仁者在位而仁人来，义者在朝而义士至／此人在位，动欲伤害，故物无有不畏恶也／德不称位，能不称官，赏不当功，罚不当罪／贤者在位，能者布职，朝廷崇礼，百僚敬让／贵极禄位，权倾国都，达人视此，蚁聚何殊／称身居位，不为苟进；称事受禄，不为苟得／凡居其位，思直其道，道苟直，虽死不可回也／谒而得位，道士不居也；争而得财，廉士不受／德薄而位尊，知小而谋大，力小而任重，鲜不及矣

❺建官惟贤，位事惟能／能不称其位，其殃必大／君子居其位则思死其官／世胄蹑高位，英俊沉下僚／失身取高位，爵禄反为耻／奸臣欲窃位，树党自相群／贤人安下位，鸷鸟欲卑飞／仁者不以位为惠：可谓无为矣／德必称位，位必称禄，禄必称用／圣王在上位，天覆地载，风令雨施／智者不以位为事，勇者不以位为暴／读书占地位，在人品上，不在势位上／居君子之位而为庶人之行者，其患祸必至也／日思高其位，大其禄，而贪取滋甚，以近于危坠

❻惟仁者宜高位／政不正则君位危／一虚一满，不位乎其形／权重持难久，位高势易穷／有其德，无其位，君子安之／世间极占地位的，是读书一著／求硕画于庶位，虑遗材于放臣／致中和，天地位焉，万物育焉／礼所以定其位，权所以固其政／不仁而在高位，是播其恶于众也／宽于用，此在位者多不得其人也／不要势，何羡位？不贪富，何羡货／古之人……识名位为香饵，逝而不顾／贤者虽得卑位则旋而死，不贤者或至眉寿／富贵之家，禄位重叠，犹再实之木，其本必伤／治世所贵乎位者三：一曰达道于

天下，二曰达惠于民，三曰达德于身

❼德之休明，不在位之高下／非其人而处其位者其祸必速／置不肖之人于位，是为虎傅翼也／下僭礼则上失位，下侵权则上失政／心之在体，君之位也；九窍之有职，官之分也

❽不以名害身，不以位易志／圣人因时以安其位，当世而乐其业／不胜其任，而处其位，非此位之人也／士之遇时，不患无位，患所以立而已／才不称不可居其位，职不称不可食其禄／尊贤使能，俊杰在位，则天下之士皆悦／威严不足以易于位，重利不足以变其心／年过八十而以居位，譬犹钟鸣漏尽而夜行不休／法大弛，则是非易位，赏恒在佞，而罚恒在直／匹夫而忧天下，无位而论世事，时俗以为狂，而君子之所取也

❾无功庸者，不敢居高位／官达者，才未必当其位／以天下为忧，而未以位为乐／谦也者，致恭以存其位者也／居上位而不骄，在下位而不忧／在上位，不陵下；在下位，不援上／贵德而尊士，贤者在位，能者在职／天下有至贵而非势位也，有至富而非金玉也，有至寿而非千岁也

❿少则习之学，长则材诸位／王者行躁疾，则失其君位／量材而授官，录德而定位／冠履不同藏，贤不肖不同位／有贤豪之士，不须限于下位／不汲汲于荣名，不戚戚于卑位／人之足传，在有德，不在有位／播糠迷目，则天地四方易位矣／杀戮众，而心不服，则上位危矣／儒者在本朝则美政，在下位则美俗／君子不怀暴君之禄，不处乱国之位／智者不以位为事，勇者不以位为暴／贤不足以服不肖，而势位足以屈贤／食君之禄畏不厚兮，悼得位之不昌／不胜其任，而处其位，非此位之人也／读书占地位，在人品上，不在势位上／居官者当事不避难，在位者恤民之患／社稷无常奉，君臣无常位，自古以然／功成事立，名迹称遂，不退身避位……／治世之德，衰世之恶，常与爵位自相副／毋先物动，以观其则；动则失位，静乃自得／举将而限以资品，则英豪之士在下位者不可得／善人在患，弗救不祥；恶人在位，不去亦不祥／审自得者失之而不惧，行修于内者无位而不怍／天下至大器也，帝王至重位也，得士则靖，失士则乱／生民之不得休息，为四事故：一为寿，二为名，三为位，四为货

伴 ①bàn 相伴的人，相伴；配合。②pàn ［伴奂］纵弛，闲暇。

❶伴人无寐，秦淮应是孤月

见宋·文天祥《酹江月》。

❻待觅个同心伴侣……

❾致君事业堆胸臆，却伴溪童学钓鱼

伺 ①sì 侦候，探察。［伺候］守候。②cì ［伺候］服侍。

❶伺命在我，何求于天

见汉·严遵《道德指归论·民不畏死篇》。

伺候于公卿之门，奔走于形势之途

见唐·韩愈《送李愿归盘谷序》。全句为："～；足将进而趑趄，口将言而嗫嚅"。

❾契船而求剑，守株而伺兔

佛 ①fó 佛陀的简称；佛教徒称修行圆满的人；佛教；佛像；佛号或佛经。②fú 通"拂"，违逆。［仿佛］好像，似乎，不真切。③bì 通"弼"，辅弼。④bó 通"勃"，兴起貌。

❷事佛求福，乃更得祸

❹急来抱佛脚，闲时不烧香／韩愈辟佛，几至杀身，况敢议今世之尧、舜、周、孔者乎

❼水涨船高，泥多佛大

❽飏下屠刀，立地成佛

❿先生之貌不可得兮，犹仿佛其文章

佳 jiā 好的。

❶佳人慕高义，求贤良独难

见三国·魏·曹植《美女篇》。

佳月了不嗔，曾何污洁白

见宋·苏轼《妒佳月》。

佳人不同体，美人不同面，而皆悦于目

见汉·刘安《淮南子·说林》。全句为："～；梨橘枣栗不同味，而皆调于口"。

❷植佳谷必以粪壤，铸洪钟必以土型

❸每逢佳节倍思亲／昔有佳人公孙氏，一舞剑气动四方

❹嫁女择佳婿，毋索重聘／北方有佳人，绝世而独立／狂云妒佳月，怒气千里黑／春秋多佳日，登高赋新诗／秋菊有佳色，裛露掇其英

❺食蔗渐渐佳，离官寸寸乐／始知绝代佳人意，即有千秋国士风

❻文章之境，莫佳于平淡／但将酩酊酬佳节，不用登临恨落晖

❼美色不同面，皆佳于目／野芳发而幽香，佳木秀而繁阴

❽小时了了，大未必佳

❾从来谈诗，必摘古人佳句为证，最是小见／清流触石，洄旋激注，佳木异竹，垂阴相荫

❿宝剑赠与烈士，红粉赠与佳人／独在异乡为异客，每逢佳节倍思亲／专习一家，硁硁小哉！宜善相之，多师为佳

侍 shì 伺候；进献；陪侍尊长。

❶侍坐于先生，先生问焉，终则对。请业则起，请益则起

见《礼记·曲礼上》。

❼豺狼守肉，鬼魅侍疾

佶 ①jí 健壮。②jié 通“诘”，不顺。

❺周诰殷盘，佶屈聱牙

供 ①gòng 供奉，祭献；从事；担任；受审人交代案情。②gōng 供给，供应。

❷因供寨木无桑柘，为点乡兵绝子孙

❹地薄惟供税，年丰尚苦贫

❻头会箕敛，以供军费／穷民财力以供嗜欲谓之暴

❼取天下之财，以供天下之费

❿一夫耕，百人食之；一妇桑，百人衣之。以一奉百，孰能供之

使 shǐ 派；出使，使者；假如；致使；令；使用；放纵；官名。

❶使功不如使过

见南朝·宋·范晔《后汉书·索卢放传》。

使能，国之利也

见《左传·文公六年》。

使人以心，应言以行

见唐·吴兢《贞观政要·刑法》。

使口如鼻，至老不失

见三国·魏·杜恕《体论·言》。

使患无生，易于救患

见汉·刘安《淮南子·人间》。

使之见者，乃不见者也

见汉·刘安《淮南子·说山》。全句为：“～；使鼓鸣者，乃不鸣者也”。

使冤者获信，死者无憾

见宋·苏辙《宋子仪大理寺丞》。

使功在己，则功不可久

见三国·魏·王弼《老子》二注。

使鼓鸣者，乃不鸣者也

见汉·刘安《淮南子·说山》。全句为：“使之见者，乃不见者也；～”。

使人日徙善远罪而不自知

见《礼记·经解》。

使能之谓明，听信之谓圣

见《管子·四时》。

使好谋而不成，不如无谋

见宋·苏轼《思治论》。

使臣将王命，岂不如贼焉

见唐·元结《贼退示官吏》。

使民无欲，上虽贤犹不能用

见《吕氏春秋·离俗览·为欲》。

使天下无农夫，举世皆饿死矣

见清·郑燮《范县署中寄舍弟墨第四书》。

使人大迷惑者，必物之相似也

见《吕氏春秋·慎行论·疑似》。

使日在井中，则不能烛十步矣

见《尸子·明堂》。全句为：“～；目在足下，则不可以视矣”。

使景曲者形也，使响浊者声也

见汉·刘安《淮南子·说林》。

使臣不患其不忠，患礼之不至

见宋·朱熹《四书集注·论语·八佾》。全句为：“～；事君不患其无礼，患忠之不足”。

使我有身后名，不如即时一杯酒

见南朝·宋·刘义庆《世说新语·任诞》。

使之搏兔，不如豺狼，伎能殊也

见汉·刘安《淮南子·主术》。全句为：“华骝、绿耳，一日至千里，然其～”。

使治乱存亡若高山之与深溪……

见《吕氏春秋·先识览·察微》。全句为：“～，若白垩之与黑漆，则无所用智，虽愚犹可”。

使景曲者，形也；使响浊者，声也

见汉·刘安《淮南子·说林》。“景”，同“影”。

使为恶者不得幸免，疑似者有所辨明

见宋·欧阳修《春秋论下》。

使命之臣，取其识变从宜，不辱君命

见北齐·颜之推《颜氏家训·涉务》。

使其道由愈而粗传，虽灭死万万无恨

见唐·韩愈《与孟尚书书》。

使夸而有节，饰而不诬，亦可谓之懿也

见南朝·梁·刘勰《文心雕龙·夸饰》。

使味之者无极，闻之者动心，是诗之至也

见南朝·梁·钟嵘《诗品序》。

使贤者居上，不肖者居下，而后可以理安

见唐·柳宗元《封建论》。全句为：“天下之道，理安，斯得人者也。～”。

使天下畏刑而不敢盗，岂若能使无有盗心哉

见汉·刘安《淮南子·精神》。

使天为天者，非天也；使人为人者，非人也

见汉·严遵《道德指归论·道生一篇》。

使法择人，不自举也；使法量功，不自度也

见《韩非子·有度》。

使死者反生，生者不愧乎其言，则可谓信矣

见《公羊传·僖公十年》。

使天下之人，不敢言而敢怒。独夫之心，日益骄固

见唐·杜牧《阿房宫赋》。全句为：“～。戍卒叫，函谷举，楚人一炬，可怜焦土”。

使患无生易于救患，而莫能加务焉，则未可与言术也

见汉·刘安《淮南子·人间》。

使智惠之人治国之政事，必远道德，妄作威福，为国之贼

见《老子》六十五河上公注。

使亲而旧者愚，远而新者圣且贤，以是而间之，其为理本亦大矣

见唐·柳宗元《六逆论》。

使六国各爱其人，则足以拒秦；使秦复爱六国之人，则递三世可至万世而为君，谁得而族灭也

见唐·杜牧《阿房宫赋》。

❷近使之而观其敬／烦使之而观其能／可使寸寸折，不能绕指柔／但使强胡灭，何须甲第成／但使忠贞在，甘从玉石焚／勿使青衿子，嗟尔白头翁／君使臣以礼，臣事君以忠／纵使岁寒途远，此志应难夺／不使他事胜好学之心，则有进／不使名浮于德，不以华伤其实／诚使博如庄周，哀如屈原……／知使兹人有知乎？非我其谁哉／但使仓库可备凶年，此外何烦储蓄／但使龙城飞将在，不教胡马渡阴山／能使了然于口与手乎！是之谓辞达／纵使长条似旧垂，也应攀折他人手／顾使乾坤同日月，不妨闽浙异江山／既使之，任之以心，不任之以辞也／孰使予乐居夷而忘故土者，非兹潭也欤／不使智惠之人治国之政事……故为国之福／设使国家无有孤，不知当几人称帝，几人称王／若使民常畏死，而为奇者，吾得执而杀之孰敢／今使愚教知，使不肖临贤，虽严刑罚，民弗从也／能使人知己、爱己者，未有不能知人、爱人者也／若使人之所怀于内者……，则天下无亡国败家矣／要使诚意之交通，在于未言之前，则言出而人信矣／必使为善者不越月逾时而得其赏，则人勇而有劝焉

❸心不使焉／不善使船嫌溪曲／天，休使圆蟾照客眠／君子使物，不为物使／任贤使能，天下之公义／尚贤使能，则主尊下安／民可使由之，不可使知之／任贤使能，将相莫非其人／地势使之然，由来非一朝／水可使不滥，不可使无流／揣歪，使乖，枉自把心田坏／为人使易以伪，为天使难以伪／非惟使人情开涤，亦觉日月清朗／今子使万里外国，独无几微出于言面／射者使人端，钓者使人恭，事使然也／任贤使能以清官曹，养老慈幼以厚风俗／尊贤使能，俊杰在位，则天下之士皆悦／功不使鬼必在役人，物不天来终须地出／巧不使鬼必有役人，物不天来终须地出／私视使目盲，私听使耳聋，私虑使心狂／赏之使谏，尚恐不言；罪其敢言，孰敢献纳

❹不尚贤，使民不争／乱国之使其民……／智足以使民不能欺／政足以使民不敢欺／丁年奉使，皓首而归／君子远使之而观其忠／养气要使完，处身要使端／势不可使尽，福不可享尽／明王之使人也，必慎其所使／善者能使敌卷甲趋远，倍道兼行／言贵实，使人信之，舍实何称乎／天不欲使兹人有知乎？则吾之命不可期／善歌者使人继其声，善教者使人继其志／以骄主使罢民，然而国不亡者，天下少矣／嗜欲者使人之气越，而好憎者使人之心劳

❺使功不如使过／见能而不使，殆／钱无耳，可使鬼／以其昏昏，使人昭昭／去货以廉，使下自平／时无英雄，使竖子成名／明主尚贤使能而飨其盛／不宜偏私，使内外异法也／为国者无使为积威之所劫哉／恃威网以使物者，治之衰也／立官不能使之方，以私欲乱之也／小知不可使谋事，小忠不可使主法／国以任贤使能而兴，弃贤专己而衰／天生人而使有贪有欲，欲有情，情有节／流荡不返，使人有淫丽之心，此文病也／虎之不可使知恩，犹人之不可使为虎也／行己有耻，使于四方，不辱君命，可谓士矣／易道良马，使人欲驰；饮酒而乐，使人欲歌／教羊牧兔，使鱼捕鼠，任非其人，费日无功／安而不扰，使而不劳，是以百姓劝业而乐公赋／继以精思，使其意皆出于吾之心。然后可以有得尔

❻未能操刀而使割／人之有子，须使有业／凡人为贵，当使可贱／尧之治天下，使民心亲／禹之治天下，使民心变／择天下之士，使称其职／捕猛兽者不使美人举手／法之功，莫大使私不行／居天下之人，使安其业／舜之治天下，使民心竞／钓巨鱼者不使稚子轻预／其事核而实，使采之者传信也／达师之教也，使弟子安焉乐焉……／一目之人可使视准，五毒之石可使溃疡／为川者，决之使导；为民者，宣之使言／德不广不能使人来，量不宏不能使人安／忍泪失声询使者："几时真有六军来"／君者择臣而使之，臣虽贱，亦得择君而事之／今使愚教知，使不肖临贤，虽严刑罚，民弗从也／水行者表深，使人无陷；治民者表乱，使人无失

❼上好礼，则民易使／但当循理，不可使气／知事人，然后能使人／士不素厉，则难使死敌／贤者能节之，不使过度／罚避亲贵，不可使主兵／其所不能，不强使为是／黄帝之治天下，使民心一／能者进而由之，使无所德／因嫌纱帽小，致使锁枷扛／饮马犹尚可，莫使学操舟／赏莫如厚而信，使民利之／致君尧舜上，再使风俗淳／罚莫如重而必，使民畏之／鸾舆凤驾不能使驽马健捷／衣沾不足惜，但使愿无违／能为可用，不能使人必用己／使景曲者形也，使响浊者声也／贵粟之道，在于使民以粟为赏罚／良将之为政也，使人择之，不自举／使景曲者，形也；使响浊者，声也／防其微，杜其渐，使不至于暴乱也／权钧则不能相使，势等则不能相并／破天下之浮议，使良法不废于中道／虽诏于天子，无使北面，所以尊师也／观书先须熟读，使其言皆若出于吾之口／丹可灭而不能使无赤，石可毁而不能使无坚／贤者以其昭昭使人昭昭，今以其昏昏使人昭昭／天之生此民也，使先知觉后知，使先觉觉后觉也／子思以为鼎肉使己仆仆尔亟拜也，非养君子之道也／金樽玉杯不能使

薄酒更厚，鸾舆凤驾不能使驽马健捷／气质偏驳者，欲使私欲不能引染，如之何？惟在明明德而已

❽圣人裁物，不为物使／君子使物，不为物使／欲知其人，观其所使／民可使由之，不可使知之／巢林宜择木，结友使心晓／水可使不滥，不可使无流／三军一心，则令可使无敌矣／圣人之政，仁足以使民不忍欺／政之急者，莫大乎使民富且寿也／射者使人端，钓者使人恭，事使然也／毛先生一至楚，而使赵重于九鼎大吕／不知其君视其所使，不知其子视其所友／私视使目盲，私听使耳聋，私虑使心狂

❾养气要使完，处身要使端／道德不厚者，不可以使民／听其言而察其类，无使放悖／为人使易以伪，为天使难以伪／亡国之主，多以多威使其民矣／与其食浮于人也，宁使人浮于食／君子能为可贵，不能使人必贵己／责人以其所不能，是使马代耕也／急小之人宜理百里，使事办于己／出师未捷身先死，长使英雄泪满襟／人生得意须尽欢，莫使金樽空对月／胸中有誓深于海，肯使神州竟陆沉／以至详之法晓天下，使天下明知其所避／凡生之长也，顺之也；使生不顺者，欲也／丈夫生不为将，得为使，折冲口舌之间足矣／使天为天者，非天也；使人为人者，非人也／使法择人，不自举也；使法量功，不自度也／百官之众，四海之广，使其关节脉理相通为一／谗人似实，巧言如簧，使听之者惑，视之者昏／奋其智能，愿为辅弼，使寰区大定，海县清一／宽弘之人宜为郡国，使下得施其功而总成其事／朱丹既定，雌黄有别，使夫怀鼠知惭，滥竽自耻／真则气雄，精则气生，使五彩并用，而气行其中／如有周公之材之美，使骄且吝，其馀不足观也已／黄鹄白鹤，一举千里，使之与燕服翼试之堂庑之下／示之以形，禁之以势，使之望而不敢犯，犯而无所得

❿明王之使人也，必慎其所使／已信之民易治，已练之兵易使／望时而待之，孰与应时而使之／生而同声，长而异俗，教使之然／剑不徒断，车不自行，或使之也／鼎不可以柱车，马也不可使守间／临事不信于民者，则不可使任大官／小知不可使谋事，小忠不可使主法／君子学道则爱人，小人学道则易使／梓匠轮舆能与人规矩，不能使人巧／易其田畴，薄其税敛，民可使富也／赏罚不信，则民易犯法，不可使令／蝮蛇不可以为足，虎豹不可使缘木／天下者，非君有也，天下使君主之耳／天授人以贤圣才能，岂使自有余而已／不以一己之害为害，而使天下释其害／不以一己之利为利，而使天下受其利／人皆务于救患之备而莫能知使患无生／夜行者能无为奸，不能禁狗使无吠己／射者使人端，钓者使人恭，事使然也／法莫大于私不行，功莫大于使民不争／一目之人可使视准，五毒之石可使溃疡／万物者，以盛衰而谈语，使人想而知之／不及流莺日日啼花间，能使万家春意闲／为川者，决之使导；为民者，宣之使言／为人君而乐杀人，此不可使得志于天下／弟者，所以事长也；慈者，所以使众也／凡王者之德……要于其当，不可使易也／善歌者使人继其声，善教者使人继其志／德不广不能使人来，量不宏不能使人安／法者，所以禁民为非而使其迁善远罪也／安能摧眉折腰事权贵，使我不得开心颜／私视使目盲，私听使耳聋，私虑使心狂／虎之不可使知恩，犹人之不可使为虎也／青采出于蓝，而质青于蓝者，教使然也／古人为诗，贵于意在言外，使人思而得之／若夫以火能焦木也，因使销金，则道行矣／嗜欲者使人之气越，而好憎者使人之心劳／源从天涯，或浊或清，所在之势使之然也／死生荣辱之道一，则三军之士可使一心矣／欲生于不足则民盗，能使无欲则民不为盗／下之事上，不一其事；上之使下，不一其事／不揣其本而齐其末，方寸之木可使高于岑楼／丹可灭而不能使无赤，石可毁而不能使无坚／后人哀之而不鉴之，亦使后人而复哀后人也／以烦手烹鱼则鱼必溃，使学者制锦则锦必伤／使天下畏刑而不敢盗，岂若能使无有盗心哉／说之虽不以道，说也；及其使人也，求备焉／易道良马，使人欲驰；饮酒而乐，使人欲歌／教学之法，本于人性，磨揉迁革，使趋于善／所贵良吏者，贵其绝恶于未萌，使之不为非／目如炬，声如钟，则英伟刚毅之气使人兴起／以子所长，游于不用之国，欲使无穷，其可得／兼覆盖而并有之，度伎能而裁使之者，圣人也／从山阴道上行，山川自相映发，使人应接不暇／贤者以其昭昭使人昭昭，今以其昏昏使人昭昭／有道以御之，身虽无能也，必使能者为己用也／天之生此民也，使先知觉后知，使先觉觉后觉也／可贵可贱也，可富可贫也，可杀而不可使为奸也／何惜阶前盈尺之地，不使白扬眉吐气，激昂青云／道千乘之国，敬事而信，节用而爱人，使民以时／水行者表深，使人无陷；治民者表乱，使人无失／古之善歌者有语，谓“当使声中无字，字中有声”／叩之而必闻，触之而必应，夫是以天下可使为一身／金樽玉杯不能使薄酒更厚，鸾舆凤驾不能使驽马健捷／大丈夫岂得苟贪财物，以害及身命，使子孙每怀愧耻耶／进贤之难者，贤者用且使己废，贵且使己贱，故人难之／凡用人之道，采之欲博，辨之欲精，使之欲适，任之欲专／君子之于子，爱之而勿面，使之而勿貌，导之以道而勿强／以易限之鉴，镜难原之才，使国罔遗授，野无滞器，其可得／贱生于无所用，中流

失船，一壶千金，贵贱无常，时使物然／君子易事而难说也。说之不以道，不说也；及其使人也，器之／伯夷，目不视恶色，耳不听恶声。非其君，不事；非其民，不使／使六国各爱其人，则足以拒秦；使秦复爱六国之人，则递三世可至万世而为君，谁得而族灭也

侉

①kuā 通“夸”，夸大，夸张。②kuǎ 粗笨；土气。

❹骄淫矜侉，将由恶终

例

lì 事例；范例；规定；按常规进行的；一概；案例。

❷无例不可兴，有例不可灭／事例无不变迁，风气无不移易

❹革去旧例而惟材是择／不限资例，则取人之路广／限以资例，则取人之路狭

❼事诚无害，虽无例亦可／无例不可兴，有例不可灭／若其有害，虽百例不可用也

❿宁用不材以旷职，不肯变例以求人

侠

xiá 讲义气、主持公道；通“挟”、“夹”；姓。

❹缘循、偃侠、困畏，不若人三者，俱通达

❺纵死犹闻侠骨香

❻儒以文乱法，侠以武犯禁

❼交友须带三分侠气，作人要存一点素心

❿新丰美酒斗十千，咸阳游侠多少年

侥

①jiǎo 侥幸。②yáo［僬侥］亦作“焦侥”，古代传说的矮人。

❶侥幸者伐性之斧也，嗜欲者逐祸之马也

见汉·韩婴《韩诗外传》。

❹世虽有侥幸之事，断不可存侥幸之心

❼智者不背时而侥幸，明者不违道以干非／忠者不饰行以侥荣，信者不食言以从利／上智不处危以侥幸，中智能因危以为功，下愚安于危以自亡

❿世虽有侥幸之事，断不可存侥幸之心／丈夫不释故而改图，哲士不侥幸而出危／仁者不乘危以邀利，智者不侥幸以成功／因循苟且逸豫而无为，可以侥幸一时，而不可旷日持久

侄

zhí 弟兄或其他同辈男性亲属的儿子。

❼兄弟不睦，则子侄不爱

侣

lǚ 关系密切的同伴，多指异性。

❹携来百侣曾游。忆往昔峥嵘岁月稠

❼待觅个同心伴侣……

❿不曾远别离，安知慕俦侣／案头见蠹鱼，犹胜凡俦侣／高霞孤映，明月独举，青松落荫，白云谁侣／墨翟之徒，世谓热腹；杨朱之侣，世谓冷肠

侧

cè 旁边；向旁斜着；偏，不正；伏；汉字书法一点的古称。

❶侧目而视，倾耳而听

见《战国策·秦策一》。

侧目重足，不寒而栗

见汉·桓宽《盐铁论·周秦》。

侧足无行径，荒畴不复田

见三国·魏·曹植《送应氏二首》之一。

❷其侧皆诡石怪木，奇卉美箭……

❸沉舟侧畔千帆过，病树前头万木春／大石侧立千尺，如猛兽奇鬼，森然欲搏人

❹明明扬侧陋／卧榻之侧，岂容他人鼾睡／谄谀在侧，善议障塞，则国危矣

❺阴雪兴岩侧，悲风鸣树端

❻姆抱幼子立侧，眉眼如画，发漆黑，肌肉玉雪可念

❼墙有耳，伏寇在侧

❽醉之以酒而观其侧／悠哉悠哉，辗转反侧／令天下重足而立，侧目而视矣

❾诚不忍奇宝横弃道侧／不明尔德，时无背无侧

❿舟凝滞于水滨，车逶迟于山侧／良医之门多病人，栝檃之侧多枉木／慎简乃僚，无以巧言令色、便辟侧媚／白黑在前而目不见，雷鼓在侧而耳不闻／俞扁之门，不拒病夫；绳墨之侧，不拒枉材

侏

①zhū［侏儒］身材矮小的人；梁上的短柱。②zhōu［侏张］强横，跋扈。

❶侏儒见一节而短长可知

见汉·桓谭《新论·道赋》。

佾

yì 古时乐舞的行列。［佾生］亦称佾舞生，乐舞生；清代孔庙中担任祭祀乐舞的人员。

❼孔子谓季氏：“八佾舞于庭，是可忍也，孰不可忍也？”

佩

pèi 佩带；佩服；古代系在衣带上的装饰品。

❷翠佩传情密，曾波托意遥

侈

chǐ 浪费；过分，夸大；邪行。

❶侈而无节，则不可赡

见汉·班固《汉书·严安传》。

侈恶之大，俭为共德

见三国·魏·曹操《度关山》。

侈言无验，虽丽非经

见晋·左思《蜀都赋》。

侈则肆，肆则百恶俱从

见明·吕坤《呻吟语》。全句为：“俭则约，约则百善俱兴；～”。

侈，将以其力毙；专，则人实毙之

见《左传·襄公二十九年》。

侈言无验不必用，质言当理不必违

见宋·司马光《资治通鉴·唐德宗建中四年》。

❷知侈俭则百用节矣／奢侈者，财之所以不足也／以侈为博……此荒国之风也

❺听其言，则侈大而可乐／汰流、淫佚、侈靡之俗日以长，是天下之大祟也

❻无得于心而侈于外／富者愈恣横侈泰而无所忌／俭，德之共也；侈，恶之大也

❽苟无恒心，放辟邪侈，无不为已／俭葬，古人之美节；侈葬，古人之恶名

❾礼所以防淫佚，节其侈靡也

❿勤非俭，终年劳瘁，不当一日之侈靡／黄金者用之量也，辨于黄金之理则知侈俭／贵不与骄期而骄自至，富不与侈期而侈自来／后嗣若贤，自能保其天下；如其不肖，多积仓库，徒益其奢侈，危亡之本也

依 ①yī 靠着；按照；依从；茂盛貌；亲爱貌。②yǐ 譬喻。

❶依人者危，臣人者辱

见明·冯梦龙《东周列国志》第十九回。

依阿权势者，凄凉万古

见明·洪应明《菜根谭·前集一》。全句为："栖守道德者，寂寞一时；～"。

依世则废道，违俗则危殆

见汉·班固《汉书·何武王嘉师丹列传》。

❷每依北斗望京华／无依势作威，无倚法以削／不依古法但横行，自有云雷绕膝生／或依势以干非其类，出技以怒强，窃时以肆暴

❸困鸟依人，终当飞去／狡兔依然在，良犬先烹／代马依北风，飞鸟栖故巢／代马依北风，飞鸟翔故巢／所誉依已成，所毁依已败／社稷依明主，安危托妇人／白日依山尽，黄河入海流／青山依旧在，几度夕阳红／君子依乎中庸，遁世不见知而不悔，唯圣者能之

❹不学博依，不能安诗／辅车相依，唇亡齿寒／利旁有依刀，贪人还自贼／人生莫依倚，依倚事不成／烟雾可依，腾蛇与蛟龙俱远

❺失去所凭依，信不可欤／有正法则依法，无正法则原情／美物者贵依其本，赞事者宜本其实

❻落花流水仍依旧／人生莫依倚，依倚事不成／爱静鱼争乐，依人鸟入怀

❼即事名篇，无复依傍／狐死首丘，代马依风／昔我往矣，杨柳依依；今我来思，雨雪霏霏

❽所誉依已成，所毁依已败／诗言志，歌永言，声依永，律和声／昔我往矣，杨柳依依；今我来思，雨雪霏霏

❾屈志老成，急则可相依／人情须耐久，花面长依旧／田夫荷锄至，相见语依依／生而影不与吾形相依，死而魂不与吾梦相接

❿万族各有托，孤云独无依／田夫荷锄至，相见语依依／鬼神非人实亲，惟德是依／多智韬情，权在谲略，失在依违／人世几回伤往事，山形依旧枕江流／人面不知何处去，桃花依旧笑春风／读书不可无师承，立论不可无依据／水真绿净不可唾，鱼若空行无所依／不学操缦，不能安弦；不学博依，不能安诗／至人之治，掩其聪明，灭其文章，依道废智／月明星稀，乌鹊南飞，绕树三匝，何枝可依／古君子志于道，据于德，依于仁，而后艺可游

佯 yáng 为掩饰真实面目、意图而伪装。

❶佯北勿从，锐卒勿攻，饵兵勿食

见《孙子兵法·军争篇》。

❻笑入荷花去，佯羞不出来

侬 nóng 我；人；你；姓。

❶侬作北辰星，千年无转移

见晋·清商曲辞《子夜歌四十二首》之三十六。全句为："～。欢行白日心，朝东暮还西"。

❿阴阳水旱由天公，忧雨忧风愁煞侬

侔 móu 齐等；《墨经》中的逻辑术语；通"牟"，谋取。

❺一言之重，侔于千金

佷 hěn 毒辣；狠。

❷心佷败国，面佷不害

俦 chóu 同伴，同类；匹敌；谁。

❾不曾远别离，安知慕俦侣／案头见蠹鱼，犹胜凡俦侣

❿志道者少友，逐俗者多俦

俨 yǎn 恭敬，庄重；端正；好像，似。

❼处若忘，行若遗，俨乎其若思，茫乎其若迷

❽君子有三变：望之俨然，即之也温，听其言也厉

便 ①biàn 方便；便利；平常的；顺手时；熟悉；就，即；简便；大小便。②pián 适宜，安适；口才辩给。

❶便不可失，时不再来

见唐·张九龄《敕幽州节度张守珪书》。

便令江汉竭，未厌虎狼求

见宋·章甫《即事》。

便宜不可占尽，聪明不可用尽

见明·冯梦龙《警世通言·王安石三难苏学士》。全句为："势不可使尽，福不可享尽，～"。

❷仁便藏在恻隐之心里面／天便教人，霎时厮见何妨／友便辟，友善柔，友便佞，损矣／好便

宜者不可与共财,多狐疑者不可与共事/内便于性,外合于义,循理而动,不系于物者,正气也

❸不学便老而衰/教人便是自学/事有便宜,而不拘常制/应尽便须尽,无复独多虑/胡人便于马,越人便于舟/饱食便卧及终日久坐,皆损寿/宇宙便是吾心,吾心即是宇宙/言学便以道为志,言人便以圣为志/明镜便于照形,其于以函食,不如箪

❹有是理,便有是气/得意时,便生失意之悲/每一食,便念稼穑之艰难/清声而便体,秀外而惠中/逆于己便于国者,不加罚焉/政之不便于民者,未必皆上之过也/不躬行,便如水行得车,陆行得舟,一毫受用不得

❺女子无才便有德/一点贪污,便是大恶/举足左右,便有轻重/恶恐人知,便是大恶/懈意一生,便是自弃自暴/能甘淡泊,便有几分真学问/但肯寻诗便有诗,灵犀一点是吾师

❻饥则附人,饱便高扬/才子多傲,傲便不是才/政无旧新,以便民为本/来说是非者,便是是非人/莫嫌一点苦,便拟弃莲心/治世不一道,便国不必法古/深儿女之怀,便短英雄之气/才觉私意起,便克去,此是大勇/庐室之间,其便未必能过燕服翼/若平直相似……便不是书法,但得其点画耳/损者三友:友便辟,友善柔,友便佞,损矣/盖吾儒起手便与禅异者,正在彻始彻终总是体用一致耳

❼枯木逢春,萌芽便发/东风不与周郎便,铜雀春深锁二乔/遭一蹶者得一便,经一事者长一智

❽子系中山狼,得志便猖狂/胡人便于马,越人便于舟/但终日不见己过,便绝圣贤之路/友便辟,友善柔,友便佞,损矣/理世不必一其道,便国不必法古/万全之利,以小不便而废者有之矣/不服一人,与逢人便服者,皆妄人/不服一人与逢人便服者,皆妄人也/利虽倍于今,而不便于后,弗为也/今来县宰加朱绂,便是生灵血染成/诚者,合内外之道,便是表里如一/逢人不说人间事,便是人间无事人

❾让人不算疾,过后是便宜/与人不求感德,无怨便是德/处世不必邀功,无过便是功/人身正气稍不足,邪便得以干之矣/若甘心于自暴自弃,便是不能立志

❿何谓创家之人,能教子者便是/何谓享福之人,能读书者便是/因时在乎善相,因俗在乎便安/青史内不标名,红尘外便是我/不可以边陲不耸,恬然便谓无事/引笔行墨,快意累累,意尽便止/事事只在道理上商量,便是真体认/直待自家都了得,等闲拈出便超然/做到私欲净尽,天理流行,便是仁/入门休问荣枯事,观看容颜便得知/国家不幸诗家幸,赋到沧桑句便工/清泉自爱江湖去,流出红墙便不还/言学便以道为志,言人便以圣为志/岂得以人言不同己意,便即护短不纳/悟者,吾心也。能见吾心,便是真悟/慎简乃僚,无以巧言令色、便辟侧媚/此心常卓然公正,无有私意,便是敬/良药苦口而利于病,忠言逆耳而便于行/壮年竭忠孝于沙漠,疲劳则便捐死于旷野/快心之事,悉败身丧德之媒,五分便无悔/天下稍安,尤须兢慎,若便骄逸,必至丧败/养而害所养,譬犹削足而适履,杀头而便冠/损者三友:友便辟,友善柔,友便佞,损矣/常看得自家未必是,他人未必非,便有长进/善欲人见,不是真善;恶恐人知,便是大恶/好读书,不求甚解;每有会意,便欣然忘食/不得所以用之,国虽大,势虽便,卒无众,何益/会心处不必在远,翳然林水,便自有濠濮间想也/未有天地之先,毕竟也只是先有此理,便有此天地/济世经邦,要段云水的趣味,若有贪着,便堕危机/虽有国士之力,不能自举其身,非无力也,势不便也

俪

lì 成双成对的;指夫妇;并,偕。

❶俪采百字之偶,争价一句之奇

见南朝·梁·刘勰《文心雕龙·明诗》。

❸骈四俪六,锦心绣口

❿释正而追曲,倍是而从众,是与俗俪走,而内行无绳

修

①xiū 装饰;修理;兴建;美好;长、高;通过学习、实践在品德、学问上提高;撰写;姓。②dí 通"涤",洗。

❶修道之谓教

见唐·李翱《复性书中》。

修辞立其诚

见《周易·乾·文言》。

修练多从苦处来

见清·袁枚《遣兴》。

修其本而末自应

见宋·苏轼《上清储祥宫碑》。

修之至极,何谤不息

见唐·张九龄《论政》。全句为:"御寒莫若重裘,止谤莫如自修,~"。

修学好古,实事求是

见汉·班固《汉书·河间献王传》。

修辞立诚,在于无愧

见南朝·梁·刘勰《文心雕龙·祝盟》。

修身齐家治国平天下

语出《礼记·大学》。

修身践言,谓之善行

见《礼记·曲礼上》。

修身絜行,言必由绳墨

见宋·王安石《命解》。

修己而不责人，则免于难

见《左传·闵公二年》。

修翼无卑栖，远趾不步局

见南朝·宋·范晔《后汉书·郦炎传》。全句为："大道夷且长，窘路狭且促。～"。

修身以为弓，矫思以为矢

见汉·扬雄《法言·修身》。全句为："～，立义以为的，奠而后发，发必中矣"。

修仪操以显志兮，独驰思乎杳冥

见汉·傅毅《舞赋》。全句为："资绝伦之妙态，怀悫素之洁清，～"。

修己者，慎于中也，栗然如履春冰

见唐·白居易《策林一》。

修礼以耕之，陈义以种之，讲学以耨之

见《礼记·礼运》。全句为："人情者，圣王之田也。～"。

❷身修则家可教矣／明修栈道，暗度陈仓／性修反德，德至同于初／欲修其身者，先正其心／事修而谤兴，德高而毁来／以修身自强，则名配尧禹／不修，虽破万卷不失为小人／不修其身，虽君子而为小人／能修其身，虽小人而为君子／法修则安且治，废则危且乱／维修卑下，然后乃各得其所／如修德而留意于事功名誉，必无实诣／谨修而身，慎守其真，还以物与人，则无所累／自修自修，益处自家求；一刻千金，勿把韶光丢／不修身而求令名于世者，犹貌甚恶而责妍影于镜也

❸不期修古，不法常可／苟能修身，何患不荣／务功修业，不受赣于君／士人修性，正在临事时／以之修身，则道同而相益／幸能修实操，何俟钓虚声／见善，修然，必以自存也／行不修而欲谈人，人不听也／德行修逾八百，阴功积满三千／要假修成九转，先须炼己持心／君子修道立德，不为穷困而改节／六府修治洁如素，虚无自然道之固／志意修则骄富贵矣，道义重则轻王公矣／耻不修，不耻见污；耻不信，不耻不见信／文质修者谓之君子，有质而无文谓之易野／小大修短，各得其所宜，规矩方圆，各有所施／人能修炼，俗变淳和，则返朴之风，可臻太古矣／士之修身立节而竟不遇知己，前古以来，不可胜数／今不修身而求令名于世者，犹貌甚恶而责妍影于镜也

❹慎厥身，修思永／园中无修林者，小也／教化不修，盗之源也／知所以修身，则知所以治人／自行束修以上，吾未尝无诲焉／学所以修身也，身修而无不治矣／若君不修德，舟中之人尽为敌国也／大仁者修治天下，大恶者扰乱天下／君子之修身也，内正其心，外正其容而已／自修自修，益处自家求；一刻千金，勿把韶光丢

❺不法古不修今／奋始怠终，修业之贼也／君子耻不修，不耻见污／君子进德修业，欲及时也／君子之守，修其身而天下平／怠者不能修，而忌者畏人修／辞不可不修，而说不可不善／路曼曼其修远兮，吾将上下而求索／有道之君，修身之士，不为轻诺之约

❻不止恶不能修善／兵之要，在于修政／成大业者不修边幅／天下无道，则修德就闲／诚其意者，自修之首也／蛇举首尺，而修短可知／饰知以惊愚，修身以明污／辞必端其本，修之乃立诚／未得位则思修其辞以明其道／求名莫如自修，善誉不能掩恶／羞善行之不修，恶善名之不立／诚无不动者，修身则身正，治事则事理／远人不服，则修文德以来之。既来之，则安之

❼选贤与能，讲信修睦／欲齐其家者，先修其身／当官者能洁身修己，然后在公之节乃全

❽行忍情性，然后能修／谤之有因者，非自修弗能止／学所以修身也，身修而无不治矣／矫首而徇飞，不如修翼之必获也／君子之学也，藏焉修焉，息焉游焉／拘囹圄者，以日为修；当死市者，以日为短／能明申、韩之术而修商君之法，法修术明而天下乱者，未之闻也

❾夙兴以忧人，夕惕而修己／念终始典于学，厥德修，罔觉／老冉冉其将至兮，恐修名之不立／达人苦富贵之桎梏，修士伤声名之顿撼／为政在人，取人以身，修身以道，修道以仁／石列笋虡，藤蟠蛟螭；修竹万竿，夏含凉飔

❿任人各以其材而百职修／不悲道难行，所悲累身修／水广者鱼大，山高者木修／用人惟其才，故政无不修／理或生乱者，恃理而不修也／杂施而不孙，则坏乱而不修／怠者不能修，而忌者畏人修／人主静漠而不躁，百官得修焉／今志人之所短，而忘人之所修／知者之所短，不若愚者之所修／御寒莫若重裘，止谤莫如自修／救寒莫如重裘，止谤莫如自修／生木之长，莫见其益，有时而修／攻其恶，无攻人之恶，非修慝欤／民生各有所乐兮，余独好修以为常／古之君子，守道以立名，修身以俟时／建大功于天下者，必先修于闺门之内／天命之谓性，率性之谓道，修道之谓教／射而不中者，不求之鹄，而反修之于己／得志，泽加于民；不得志，修身见于世／守道而忘势，行义而忘利，修德而忘名／为政在人，取人以身，修身以道，修道以仁／日月欲明而浮云盖之，兰芝欲修而秋风败之／审自得者失之而不惧，行修于内者无位而不怍／兰亭也，不遭右军，则清湍修竹，芜没于空山矣／擅山海之富，居川林之饶，争修园宅，互相夸竞／能明申、韩之术而修商君之法，法修术明而天下乱者，未之闻也

俏

①qiào 相貌好看；商品销路好；轻佻。②xiào 通"肖"，相似。

❶俏也不争春，只把春来报
见现代·毛泽东《卜算子·咏梅》。
❿已是悬崖百丈冰，犹有花枝俏

俚
lǐ鄙俗，不文雅的；聊赖。
❶俚言巷语，亦足取也
见宋·欧阳修《小说类》。
❿建安诗辩而不华，质而不俚，风调高雅，格力遒壮

保
bǎo养育；安；护卫；维护；维持；负责；占有；旧称佣工；旧时户籍编制的单位；通“堡”，小城；姓。
❶保初节易，保晚节难
见宋·朱熹《名臣言行录》。
保民而王，莫之能御也
见《孟子·梁惠王上》。
保国之大计，在结民心
见宋·杨万里《转对札子》。
保廉节者，必憎贪冒之党
见唐·陈子昂《答制问事·明必得贤科》。全句为：“尚德行者，必无凶险之类；务公正者，必无邪佞之朋；～；有信义者，必疾苟且之徒”。
保天下者，匹夫之贱，与有责焉耳
见清·顾炎武《日知录·正始》。
保生者寡欲，保身者避名，无欲易，无名难
见宋·林逋《省心录》。
❷若保赤子，惟民其康乂
❸形体保神，各有仪则，谓之性
❹让之谓保德／道所以保神，德所以宏量／若能常保数百卷书，千载终不为小人也
❺保初节易，保晚节难／推恩足以保四海，不推恩无以保妻子
❻上之于下，如保赤子／天地充实，长保年也／既明且哲，以保其身／制治于未乱，保邦于未危／保生者寡欲，保身者避名，无欲易，无名难
❼知爱人而后知保天下／和者不懦，无以保其和／我有三宝，持而保之……／才高行洁，不可保以必尊贵／能薄操浊，不可保以必卑贱／树木者忧其蠹，保民者除其贼／后嗣若贤，自能保其天下；如其不肖，多积仓库，徒益其奢侈，危亡之本也
❽揣而棁之，不可常保／爱赤子者不慢于保，绝险历远者不慢于御
❿不学蒲柳凋，贞心常自保／人有旦夕祸福，岂能自保／推今而鉴古兮，鲜克以保其生／蓄至精者，可以福生灵，保富寿／势在则威无不加，势亡则不保一身／存不忘亡，是以身安而国家可保也／推恩足以保四海，不推恩无以保妻子／欲刚者必以柔守之，欲强者必以弱保之／欲刚，必以柔守之；欲强，必以弱保之／慎终如始，犹恐渐衰，始尚不慎，终将安保／子有钟鼓，弗鼓弗考；宛其死矣，他人是保／人生有限，情欲无厌。既不救其死亡，岂能保乎金玉／学无二事，无二道，根本苟立，保养不替，自然日新

促
cù急迫；催；靠近。
❺冬尽今宵促，年开明日长／大川不能促其涯，以适速济之情
❿大道夷且长，窘路狭且促／本朽则末枯，源浅则流促／有生必有死，早终非命促／畴昔叹时迟，晚节悲年促／里胥扣我门，日夕苦煎促

俄
é倾侧；不久，旋即；俄罗斯的简称。
❺其醉也，傀俄若玉山之将崩
❾不学夭桃姿，浮荣有俄顷

侮
wǔ欺凌；轻慢；古时奴婢的贱称。
❶侮慢自贤，反道败德
见《尚书·大禹谟》。
侮人还自侮，说人还自说
见明·冯梦龙《警世通言·李谪仙醉草吓蛮书》。
侮圣言，逆忠直，远耆德……时谓乱风
见《尚书·伊训》。
❷无侮老成人／不侮矜寡，不畏强御
❹人必自侮，然后人侮之／恭者不侮人，俭者不夺人／恭则不侮，宽则得众，信则人任焉
❺德盛不狎侮／兄弟谗阋，侮人百里／无启宠纳侮，无耻过作非／侮人还自侮，说人还自说
❻敬之而不喜，侮之而不怒者，唯同乎天和者为然
❼挤人者人挤之，侮人者人侮之
❽勿谓我尊而傲贤侮士／禁而不止，则刑罚侮／人必自侮，然后人侮之／克明德慎罚，不敢侮鳏寡，庸庸，祗祗，威威
❿内无感恨之隙，外无侵侮之羞／挤人者人挤之，侮人者人侮之／必原情以定罪，不阿意以侮法／礼接于人，人不敢慢；辞交于人，人不敢侮／人当自信自守，……虽毁谤之，侮慢之，亦不为之加沮

俭
jiǎn节省；贫乏，不丰足；卑谦貌。
❶俭则寡欲
见宋·司马光《训俭示康》。全句为：“～。君子寡欲则不役于物，可以直道而行；小人寡欲则能谨身节用，远罪丰家”。
俭而能施，仁也
见宋·倪思《经锄堂杂志》。全句为：“～；俭而寡求，义也；俭以为家法，礼也；俭以训子孙，智也”。

俭而寡求，义也

见宋·倪思《经锄堂杂志》。全句为："俭而能施，仁也；～；俭以为家法，礼也；俭以训子孙，智也"。

俭可以为万化之柄

见五代·南唐·谭峭《化书卷六·俭化·化柄》。

俭以为家法，礼也

见宋·倪思《经锄堂杂志》。全句为："俭而能施，仁也；俭而寡求，义也；～；俭以训子孙，智也"。

俭以训子孙，智也

见宋·倪思《经锄堂杂志》。全句为："俭而能施，仁也；俭而寡求，义也；俭以为家法，礼也；～"。

俭者，均食之道也

见五代·南唐·谭峭《化书卷六·俭化·太平》。

俭节则昌，淫佚则亡

见《墨子·辞过》。

俭则约，约则百善俱兴

见明·吕坤《呻吟语》。全句为："～；侈则肆，肆则百恶俱从"。

俭者，省约为礼之谓也

见北齐·颜之推《颜氏家训·治家》。全句为："～；吝者，穷急不恤之谓也"。

俭为贤德，不可着意求贤

见明·陈继儒《小窗幽记》。全句为："～；贫是美称，只是难居其美"。

俭，德之共也；侈，恶之大也

见《左传·庄公二十四年》。

俭葬，古人之美节；侈葬，古人之恶名

见宋·欧阳修《论葬荆王札子》。

俭者，节其耳目口体之欲，节己而不节人

见清·王夫之《俟解》。

俭者，君子之德，世俗以俭为鄙，非远识也

见宋·倪思《经锄堂杂志》。

❷我俭则民自俭／节俭爱费，天下不匮／由俭入奢易，由奢入俭难／恭俭节用，天下几至刑措／惟俭可以助廉，惟恕可以成德

❸知侈俭则百用节矣／慎乃俭德，惟怀永图／以清俭自律，以恩信待人／勤非俭，终年劳瘁，不当一日之侈靡

❹制俗以俭，其弊为奢／温、良、恭、俭、让／贫不学俭，卑不学恭／贫不学俭，富不学奢／不勤不俭，无以为人上／谨听节俭，众民之术也／天王日俭德，俊乂始盈庭／不贪则俭约，极贪则殃身／君之奢俭，为人富贫之源／君臣节俭足，朝野欢呼同／君子以俭德辟难，不可荣以禄／自古兴俭以劝天下，必以身先之／富时不俭贫时悔，潜时不学用时悔／一人知俭则一家富，王者知俭则天下富／和睦劝俭者家必隆，乖戾骄奢者家必败

❺丰年珠玉，俭年谷粟／侈恶之大，俭为共德／奢不僭上，俭不逼下／广农为务，俭用为资／慈，故能勇；俭，故能广／居身务期俭朴，教子要有义方／贤君必恭俭礼下，取于民有制／救奢必于俭约，拯薄无若敦厚／奢则不孙，俭则固；与其不孙也，宁固

❻我俭则民自俭／克勤于邦，克俭于家／图匮于丰，防俭于逸／居家之方，唯俭与约／成家之道，曰俭与清／奢者富不足，俭者贫有余／奢者心常贫，俭者心常富／恭者不侮人，俭者不夺人／居家自奉宜俭，养亲待客宜丰

❼农广则谷积，用俭则财畜／夫农广则谷积，俭用则财畜／国奢则视之以俭，矫枉者过其正／清介廉洁，节在俭固，失在拘扃／从来好事天生俭，自古瓜儿苦后甜／贫无可奈惟求俭，拙亦何妨只求勤／礼，与其奢也宁俭；丧，与其易也宁戚

❽丧贵致哀，礼存宁俭／居安思危，戒奢以俭／土地博裕，而守以俭者安／土地广大，守之以俭者，安／动莫若敬，居莫若俭，德莫若让，事莫若咨

❾贤人遗子孙以廉、以俭／由俭入奢易，由奢入俭难／奢者富而不足，何如俭者贫而有余／为啬之道，不施不予，俭爱微妙，盈若无有。

❿不念居安思危，戒奢以俭／治之盛也，德优矣，莫高于俭／富不学奢而奢，贫不学俭而俭／言制度也，则绝奢靡而崇俭约／历览前贤国与家，成由勤俭败由奢／未有天地之先，毕竟也只是先其俭也／周公位尊愈卑，胜敌愈惧，家富愈俭／一人知俭则一家富，王者知俭则天下富／无奇业旁入，而犹以富给，非俭则力也／以白云为藩篱，碧山为屏风，昭其俭也／众人皆以奢靡为荣，吾心独以俭素为美／黄金者用之量也，辨于黄金之理则知侈俭／夫立身之忠信也，立官之廉也，立家之俭也／俭者，君子之德，世俗以俭为鄙，非远识也／言虽简略，理皆要害，故能疏而不遗，俭而无阙

俗

sú社会上的风尚、习惯；大众化的；趣味不高的；佛教称与出家相对的尘世间或普通人。

❶俗学可绝

见五代·前蜀·杜光庭《道德真经广圣义》卷十八。

俗人有功则德，德则骄

见《吕氏春秋·先识览·观世》。

❷风俗与化移易／习俗移志，安久移质／民俗既迁，风气亦随／制俗以俭，其弊为奢／革俗之

要，实在敦学／时俗人有耳不自闻其过／世俗之君子，皆知小物而不知大物／超俗拔萃之德，不能立功于未至之时／风俗之变，迁染民志，关之盛衰，不可不慎／世俗之人皆喜人之同乎己，而恶人之异于己也／世俗所患，患言事增其实，著文垂辞，辞出溢其真

❸政由俗革／襄邑俗织锦，钝妇无不巧／不随俗物皆成土，只待良时却补天／约定俗成谓之宜，异于约则谓之不宜／伪乱俗，私坏法，放越轨，奢败制。四者不除，则政未由行矣

❹异乡殊俗难知名／不偶流俗，坐忘人事／未能免俗，聊复尔尔／乱国之俗，甚多流言／同乎流俗，合乎污世／伤化败俗，大乱之道／诗要避俗，更要避熟／至言逆俗耳，真语必违众／少无适俗韵，性本爱丘山／教训成俗而刑罚省，数也／法禁者俗之堤防，刑罚者人之衔辔／定者，尽俗之极地……持安之毕事／移风易俗，莫善于乐；安上治民，莫善于礼

❺吏多民烦，俗以之弊／浩歌惊世俗，狂语任天真／见势则附，俗人之所能也／见礼而知俗，闻乐而知政／不拘文牵俗，则守职者辨治矣／人能修炼，俗变淳和，则返朴之风，可臻太古矣

❻天地长久，风俗无恒／乱离之后，风俗难移／高风所洎，薄俗以敦／法立于上则俗成于下／常民溺于习俗，学者沉于所闻／常人安于故俗，学者溺于所闻／文可以变风俗，学可以究天人／欲变节而从俗兮，愧易初而屈志

❼惟廉可以服殊俗／教化可以美风俗／法与时变，礼与俗化／依世则废道，违俗则危殆／志道者少友，逐俗者多俦／知音徒自惜，聋俗本相轻／岂无感激者？时俗颓此风／才与德异，而世俗莫之能辨／国有累卵之忧，俗有土崩之势／入其国者从其俗，入其家者避其讳／圣人不以智轻俗，王者不以人废言／行世者必真，悦俗者必媚，真久必见，媚久必厌／赏一人而败国俗，仁者弗为也；以不信得厚赏，义者弗为也

❽刚者好断，介者殊俗／懿德茂行，可以励俗／不谴是非，以与世俗处／可为智者道，难为俗人言／道德一于上，而习俗成于下／因时在乎善相，因俗在乎便安／生而同声，长而异俗，教使之然／君子如欲化民成俗，其必由学乎／内不失真，外不殊俗，同尘而不染／大德之人不随世俗，所行独从于道／独韩愈奋不顾流俗……因抗颜而为师／论至德者不和于俗，成大功者不谋于众／吾不能变心而从俗兮，固将愁苦而终穷／乐听其音，则知其俗；见其俗，则知其化／以邪官举邪官，以俗士取俗士，国欲治得乎／俭者，君子之德，世俗以俭为鄙，非远识也／善鄙不同，诽誉在俗；趋舍不同，逆顺在君／学不为人，博而不俗；言不为华，述而不作／汰流、淫佚、侈靡之俗日以长，是天下之大祟也

❾天下无不可变之风俗／世异则事变，时移则俗易／仁行而从善，义立则俗易／致君尧舜上，再使风俗淳／君子之穷通，有异乎俗者也。／圣人能与世推移，而俗士苦不知变／行不诚义，动不缘义，俗虽谓之通，穷也／事顺神明者不合于俗，功配天地者不悦于众／繁华，系累不能夺，则俗心日退、真心日进

❿百里不同风，千里不同俗／以材能任职，以兴义任俗／圣人法天贵真，不拘于俗／韵者，随迹立形，备遗不俗／不为轩冕肆志，不为穷约趋俗／出轨躅而骧首，驰光芒而动俗／乐者，所以变民风，化民俗也／知天而不知人，则无以与俗交／音乐通乎政，而移风平俗者也／儒者在本朝则美政，在下位则美俗／人之寿夭在元气，国之长短在风俗／块土不能障狂澜，匹夫不能振颓俗／焚芰制而裂荷衣，抗尘容而走俗状／古之人，有高世之才，必有遗俗之累／圣人法天顺情，不拘于俗，不诱于人／藩屏之臣，取其明练风俗，清白爱民／安能以皓皓之白，而蒙世俗之尘埃乎／三月婴儿，生而徙国，则不能知其故俗／世间奇男子，岂可以世俗趣舍量其心乎／任贤使能以清官曹，养老慈幼以厚风俗／入竟而问禁，入国而问俗，入门而问讳／贤人在世……退则称论贬说，以觉失俗／乐听其音，则知其俗；见其俗，则知其化／丰荒异政，系乎时也；夷夏殊法，牵乎俗也／不学问，无正义；以富利为隆，是俗人者也／以邪官举邪官，以俗士取俗士，国欲治得乎／人之善恶，不必世族；性之贤鄙，不必世俗／圣人之道，同诸天地，荡诸四海，变习易俗／大禹圣人，犹惜寸阴，至于凡俗，当惜分阴／名无固实，约之以命实，约定俗成谓之实名／崇大厦者非一木之材，匡弊俗者非一日之卫／浮华鲜实，不特伤风败俗，亦杀身亡家之本／通才之人或见赘于时，高世之士或见排于俗／歼厥渠魁，胁从罔治，旧染污俗，咸与惟新／贵远贱近，人之常情；重耳轻目，俗之恒蔽／诗文之词采贵典雅而贱粗俗，宜蕴藉而忌分明／知者作教，而愚者制焉；贤者议俗，不肖者拘焉／故马或奔踶而致千里，士或有负俗之累而立功名／先王以是经夫妇，成孝敬，厚人伦，美教化，移风俗／斟酌乎质文之间，而隐括乎雅俗之际，可与言通变矣／释正而追曲，倍是而从众，是与俗俪走，而内行无绳／节民以礼，故其刑罚甚轻而禁不犯者，教化行而习俗美也／君子之自行也，动必缘义，行必诚义，俗虽谓之穷，通也／君子以争途之不可由也，是以越俗乘高，独行于三等之上／匹夫而忧天下，无位而论世事，时俗以为狂，而君子之所取也

信 ①xìn 真实；证明可靠性的凭据；不虚假；认为可靠；崇奉；消息；信使；信件；随便；表明，明示。②shēn 通“伸”。

❶信，国之宝也

见《左传·僖公二十五年》。

信道而不信邪

见《谷梁传·隐公元年》。

信马林间步月归

见宋·文同《早晴至报恩山寺》。

信不由中，质无益也

见《左传·隐公三年》。

信不足焉，有不信焉

见《老子》十七。

信而又信，谁人不亲

见《吕氏春秋·离俗览·贵信》。

信而见疑，忠而被谤

见汉·司马迁《史记·屈原贾生列传》。

信以结之，则民不倍

见《礼记·缁衣》。

信者，成万物之道也

见五代·南唐·谭峭《化书卷四·仁化·得一》。

信赏必罚，其足以战

见《韩非子·外储说右上》。

信立则虚言可以赏矣

见《吕氏春秋·离俗览·贵信》。全句为：“～。虚言可以赏，则六合之内皆为己府矣”。“赏”，鉴别。

信言不美，美言不信

见《老子》八十一。

信誓旦旦，不思其反

见《诗·卫风·氓》。

信因疑而立，信胜则疑忘

见五代·前蜀·杜光庭《道德真经广圣义》卷三十六。

信者道之根，敬者德之蒂

见唐·司马承祯《坐忘论·信敬》。全句为：“～。根深则道可长。蒂固则德可茂”。

信赏以劝能，刑罚以惩恶

见唐·张九龄《敕处分十道朝集使》。

信，民之所庇也，不可失也

见《国语·晋语四》。

信信，信也；疑疑，亦信也

见《荀子·非十二子》。

信，国之宝也，民之所凭也

见明·冯梦龙《东周列国志》第三十八回。

信义行于君子，刑戮施于小人

见宋·欧阳修《纵囚论》。

信全则天下安，信失则天下危

见唐·王士元《亢仓子·政道篇》。

信耳而遗目者，古今之所患也

见晋·葛洪《抱朴子·广譬》。全句为：“贵远而贱近者，常人之用情也；～”。

信而又信，重袭于身，乃通于天

见《吕氏春秋·离俗览·贵信》。全句为：“～。以此治人，则膏雨甘露降矣，寒暑四时当矣”。“重袭”，重叠。

信宿渔人还泛泛，清秋燕子故飞飞

见唐·杜甫《秋兴八首》之三。

信者吾信之，不信者吾亦信之，德信

见《老子》四十九。

❷失信不立／不信之至欺其友／能信，不为人下／忠信尽治而无求焉／忠信，所以进德也／无信患作，失援必毙／不信仁贤，则国空虚／未信而纳忠者，谤也／诚信生神，夸诞生惑／诚信者，即其心易知／苟信不继，盟无益也／士信悫，而后求知能焉／忠信谨慎，此德义之基／诚信相接，如坐人春风中／莫信直中直，须防仁不仁／有信义者，必疾苟且之徒／自信者，不可以诽誉迁也／事信言文，乃能表见于后世／信信，信也；疑疑，亦信也／尽信《书》，则不如无《书》／已信之民易治，已练之兵易使／忠信以为甲胄，礼义以为干橹／虽信美而非吾土兮，曾何足以少留／庾信平生最萧瑟，暮年诗赋动江关／庾信文章老更成，凌云健笔意纵横／君信不足于下，下则应之以不信而欺其君／未信而谏，圣人不与。交浅言深，君子所戒

❸民无信不立／人先信而后求能／布令信而不食言／行不信者名必耗／情欲信，辞欲巧／言不信者行不果／言必信，行必果／交不信，非吾友也／宠邪信惑，近佞好谀／以恩信接人，不尚诈力／上好信，则民莫敢不用情／宁可信其有，不可信其无／威与信并行，德与法相济／桂椒信芳，而非园林之实／赏罚信乎民，何事而不成／言之信者，在乎区盖之间／信信，信也；疑疑，亦信也／恩与信可以附吾民而服邻国／圣人信道不信身，顺道不顺心／以不信察物，物亦竞以其不信应之／国以信而治天下，将以勇而镇外邦／上不信，下不忠，上下不和，虽安必危／赏罚信明，施与有节，记人之功，忽于小过

❹无征不信／数行家信抵千金／天行不信，不能成岁／信而又信，谁人不亲／令在必信，法在必行／冤者获信，死者无憾／谓予不信，有如皎日／巧言易信，孤愤难申／地行不信，草木不大／庸言之信，庸行之谨／亲而弗信，莫如弗亲／春风不信，其华不盛／耆艾而信，可以为师／用赏贵信，用刑贵正／言而不信，何以为言／人而无信，不知其可也／赏罚不信，则禁令不行／父子不信，则家道不睦／衰世好信鬼，愚人好求福／庸言必信之，庸行必慎之／不忠不信，何以立

于天地之间／世所相信，在能行，不在能言／礼者，忠信之薄，而乱之首也／不言而信，不怒而威，师之谓也／信而又信，重袭于身，乃通于天／赏罚必信，无恶不惩，无善不显／临事不信于民者，则不可使任大官／人主必信，信而又信，谁人不亲？／交友不信，则离散郁怨，不能相亲／诺轻者，信必寡；面誉者，背必非／君臣不信，则百姓诽谤，社稷不宁／处官不信，则少不畏长，贵贱相轻／赏罚不信，则民易犯法，不可使令／信者吾信之，不信者吾亦信之，德信／百工不信，则器械苦伪，丹漆染色不贞／以言非信则百事不满也，故信之为功大矣／赏重而信，罚痛而必，群臣畏劝，竞思其职／言无常信，行无常贞……若是则可谓小人矣／任而不信，其才无由展；信而不终，其业无由成／人当自信自守，虽承誉之，承奉之，亦不为之加喜爱／天不可信，地不可信，人不可信，心不可信，惟道可信／人当自信自守，……虽毁谤之，侮慢之，亦不为之加沮

❺口言不忘信／信道而不信邪／诚乎物而信乎道／大丈夫以信义为重／嗜欲得而信衰于友／长天茫茫，信耗莫通／君子之言，信而有征／处世为人，信义为本／可言而不信，宁无言也／使冤者获信，死者无憾／译事三难：信、达、雅／宽则得众，信则人任焉／有德之文信，无德文诈／平生仗忠信，今日任风波／法明则人信，法一则主尊／轻诺必寡信，多易必多难／用赏者贵信，用罚者贵必／情有忠伪，信其忠则不疑其伪／事有所至，信反为过，诞反为功／人主必信，信而又信，谁人不亲？／凡人主必信。信而又信，谁人不亲／述而不作，信而好古，窃比于我老彭／宽则得众，信则民任焉，敏则有功，公则说／山中人不信有鱼大如木，海上人不信有木大如鱼／若明而不信，严而不断，惠而不正，虽欲理身，终不自理，况于人哉

❻传闻何可尽信／口惠之人鲜信／轻诺者必寡信／智不至则不信／度柳穿花觅信音／无耻者富，多信者显／选贤与能，讲信修睦／失去所凭依，信不可欤／足食，足兵，民信之矣／于今为神奇，信宿同尘滓／信因疑而立，信胜则疑忘／行不期闻也，信其义而已／孝悌仁义，忠信贞廉……／赏莫如厚而信，使民利之／为之权衡，以信天下之轻重／圣人信道不信身，顺道不顺心／物有微而志信，人有贱而言忠／言多变则不信，令频改则难从／言贵实，使人信之，舍实何称乎／古之明天子，信其臣而不惑于多言／凡人主必信。信而又信，谁人不亲／病有六不治，信巫不信医，不治也／虚华盛而忠信微，刻薄稠而纯笃稀／自古驱民在信诚，一言为重百金轻／不智不勇不信，有此三者，不可以立功名／夫立身之忠信也，立官之廉也，立家之俭也／号令烦而不信，赏罚行而不当，则天下不服／不待相见，相信已熟；既相见，不要约，已相亲

❼不疑而天下自信／轻诺似烈而寡信／忍小忿而存大信／信不足焉，有不信焉／是是非非，号为信史／不宝金玉，而忠信以为宝／使能之谓明，听信之谓圣／偶然临险地，不信在人间／志足而言文，情信而辞巧／爱利以安之，忠信以导之／信全则天下安，信失则天下危／老者安之，朋友信之，少者怀之／无征而言，取不信、启作妄之道也／喜时之言多失信，怒时之言多失体／信者吾信之，不信者吾亦信之，德信／谏、争、辅、拂之人信，则君过不远／不逆诈，不亿不信，抑亦先觉者，是贤乎／大人者，言不必信，行不必果，惟义所在／据千乘之国，而信谗佞之计，未有不亡者／尺蠖之屈，以求信也。龙蛇之蛰，以存身也／孔子曰：诎寸而信尺，小枉而大直，吾为之也／若号令烦而不信，赏罚行而不当，则天下不服／法令者示人以信，若成而数变，则人之心不安／言著而不欺曰信。……教令失信，民得斯之矣／体恭敬而心忠信，术礼义而情爱人，横行天下，虽困四夷，人莫不贵

❽急与之期而观其信／与朋友交，言而有信／巷议臆度，不足取信／信言不美，美言不信／大奸似忠，大诈似信／行之以躬，不言而信／以清俭自律，以恩信待人／芟夷不可阙，疾恶信如仇／宁可信其有，不可信其无／病多知药性，年长信人愁／信信，信也；疑疑，亦信也／子以四教：文、行、忠、信／上不敬，则下慢；不信，则下疑／刚强猛毅，靡所不信，非骄暴也／言多诺者，事众而信，不可然也／尽意而不求于言，信己而不役于人／人主必信，信而又信，谁人不亲？／待士不敬，举士不信，则善士不往焉／履千险而不失其信，遇万折而不失其东／一人之毁，未必有信；积年之行，不应顿亏／十室之邑，必有忠信；三人并行，厥有我师／谗夫似贤，美言似信，听之者惑，观之者冥／得贤须任，既任须信，既信须终，既终须赏／用国者，义立而王，信立而霸，权谋立而亡／言之所以为言者，信也；言而不信，何以为言／疾为诞而欲人之信己也，疾为诈而欲人之亲己也／天不可信，地不可信，人不可信，心不可信，惟道可信

❾是非明辨而赏罚必信／非知之难，其在行之信／许之而不予，不可谓信／兄弟敦和睦，朋友笃信诚／恭者礼之本也，守者信之本也／然则志足而言文，情信而辞巧／原浊者流不清，行不信者名必秏／水倍源则川竭，人倍信则名不达／用人之术，任之必专，信之必笃／凡人主必信。信而又信，谁人不亲／声声解堕金铜泪，未信吴儿是木人／恭则不侮，宽则得众，信则人任

焉／子规夜半犹啼血，不信东风唤不回／病有六不治，信巫不信医，不治也／人百负之而不恨，己信之终不疑其欺己／忠者不饰行以侥荣，信者不食言以从利／道千乘之国，敬事而信，节用而爱人，使民以时

❿三人疑之，则慈母不能信／动得分曰适，言得分曰信／多私者不义，扬言者寡信／夫名利之大者几在无耻而信／营于利者多患，轻诺者寡信／名利之大者，几在无耻而信／归同契合者，则不言而信著／天之所助者顺，人之所助者信／天之所辅者仁，人之所助者信／不管风吹浪打，胜似闲庭信步／交友之先宜察，交友之后宜信／交游之人，誉不三周，未必信／恃谗谀以事君者，不足以责信／始吾于人也，听其言而信其行／其事核而实，使采之者传信也／不吾知其亦已兮，苟余情其信芳／理国长安，率身从道，言必信实／有所期约，时刻不易，所谓信也／曲妙人不能尽和，言是人不能皆信／以不信察物，物亦竞以其不信应之／人主莫不欲其臣之忠，而忠未必信／谗言巧，佞言甘，忠言直，信言寡／志不强者智不达，言不信者行不果／马先驯而后求良，人先信而后求能／骄溢之君无忠臣，口慧之人无必信／牧童归去横牛背，短笛无腔信口吹／禅堂茶散卷残经，竹杖芒鞵信脚行／用意深而劝戒切，为言信而善恶明／言于国竭情无私，理于家陈信无愧／信者吾信之，不信者吾亦信之，德信／诚意乎于未言之前，则言出而人信之／不诚于前而曰诚于后，众必疑而不信矣／不足于行者，说过；不足于信者，诚言／仁常而不周，廉洁而不信，勇忮而不成／所守者道义，所行者忠信，所惜者名节／以言非信则百事不满也，故信之为功大矣／君信不足于下，下则应之以不信而欺其君／耻不修，不耻见污；耻不信，不耻不见信／刑在必澄，不在必惨；政在必信，不在必苛／使死者反生，生者不愧乎其言，则可谓信矣／喜怒相疑，愚知相欺，善否相非，诞信相讥／吾见世人清名登而金贝入，信誉显而然诺亏／四海之广，不患无贤，而患在信用之不至耳／得贤须任，既任须信，既信须终，既终须赏／迁险之言，则欲反之；循常之说，则必信之／己好则好之，己恶则恶之，以是自信则惑也／经目之事，犹恐未真；背后之言，岂能全信／胜敌者，一时之功也；全信者，万世之利也／欲人勿恶，必先自美；欲人勿疑，必先自信／必得之事，不足赖也；必诺之言，不足信也／君之所以明者，兼听也；其所以暗者，偏信也／好贤而不能任，能任而不能信，能信而不能终／竭所能之谓忠，履所明之谓信，平所施之谓恕／言之所以为言者，信也；言而不信，何以为言／言著而不欺曰信。……教令失信，民得斯之矣／于人无贤愚，于事无小大，咸推以信，同施以敬／任而不信，其才无由展；信而不终，其业无由成／诚则始终不忒，表里一致，敬信真纯，往而必孚／山中人不信有鱼大如木，海上人不信有木大如鱼／君能尽礼，臣得竭忠，必在于内外无私，上下相信／要使诚意之交通，在于未言之前，则言出而人信矣／天不可信，地不可信，人不可信，心不可信，惟道可信／父子有亲，君臣有义，夫妇有别，长幼有叙，朋友有信／天地之大，四时之化，而犹不能以不信成物，又况乎人事／可与为始，可与为终，可与尊通，可与卑穷者，其唯信乎／至礼有不人，至义不物，至知不谋，至仁无亲，至信辟金／赏一人而败国俗，仁者弗为也；以不信得厚赏，义者弗为也／以玙璠之玼而弃其璞，以一人之罪而兼其众，则天下无美宝信士／以明察物，物亦竞以其明应之。以不信察物，物亦竞以其不信应之／知大一，知大阴，知大目，知大均，知大方，知大信，知大定，至矣

侵

①qīn 侵犯；侵害；渐进；荒年；姓。②qǐn 同"寝"，丑陋。

❶侵掠如火，不动如山

见《孙子兵法·军事篇》。

侵欲无厌，规求无度

见《左传·昭公二十六年》。

侵淫溪谷，盛怒于土囊之口

见战国·楚·宋玉《风赋》。全句为："风生于地，起于青蘋之末，～"。

❸矜奋侵陵者，毁塞之险途也

❹粗者曰侵，精者曰伐

❺专知擅事，侵人自用，谓之贪

❼心源不受一尘侵／私道行则法度侵／当恃我之不可侵也，无恃鬼神之不侵我也

❾猛虎在山，百兽莫敢侵／不知为吏者，枉法以侵民／内无感恨之隙，外无侵侮之羞／下僭礼则上失位，下侵权则上失政

❿为治有体，上下不可相侵／但悲时易失，四序迭相侵／当恃我之不可侵也，无恃鬼神之不侵我也／民有疾苦，得以安之；吏有侵渔，得以去之／知为吏者奉法利民，不知为吏者枉法以侵民／守法持正，嶷如秋山；火不侵玉，幸臣畏伏

侯

①hóu 箭靶；古代贵族爵位的第二等；泛指封国的君主或高官贵族；有国者的通称；古时士大夫之间的尊称，犹言"君"；美；乃，于是；表疑问，同"何"；作语助，同"惟"；姓。②hòu 闽侯。

❶侯王将相，宁有种乎

见汉·班固《汉书·陈胜传》。

侯服于周，天命靡常

见《诗·大雅·文王》。

侯门一入深如海，从此萧郎是路人

见唐·崔郊《赠去婢》。

❷王侯将相宁有种乎／隋侯之珠，不饰以银黄／封侯早归来，莫作弦上箭／诸侯之地有限，暴秦之欲无厌……／诸侯而骄人则失其国，大夫而骄人则失其家／隋侯之珠，和氏之璧，得之者富，失之者贫／隋侯之珠，国之宝也，然用之弹，曾不如泥丸

❸得隋侯之珠，不若得事之所由／以隋侯之珠，弹千仞之雀，世必笑之

❹九合诸侯，一匡天下／自许封侯在万里……／男不封侯女作妃，君看女却是门楣

❺偶失万户侯，遂老三家村

❻季布无二诺，侯赢重一言／天子曰崩，诸侯曰薨，大夫曰卒，士曰不禄

❼一醉累月轻王侯／大小百余战，封侯竟蹉跎／生不用封万户侯，但愿一识韩荆州／挟天子而令诸侯，此诚不可与争锋／挟天子以令诸侯，四海可指麾而定／金舟不能凌阳侯之波，玉马不任骋千里之迹

❽窃钩者诛，窃国者侯／言之而非，虽在王侯卿相，未必可容

❿一行书不读，身封万户侯／物足则富贵，富贵则帝王公侯／君不见曲如钩，古人知尔封公侯／不畏将军成久别，只恐封侯心更移／直如弦，死道边；曲如钩，反封侯／黄金白璧买歌笑，一醉累月轻王侯／苟全性命于乱世，不求闻达于诸侯／日暮汉宫传蜡烛，轻烟散入五侯家／忽见陌头杨柳色，悔教夫婿觅封侯／自古圣贤多薄命，奸雄恶少皆封侯／龙蟠凤逸之士，皆欲收名定价于君侯／小盗者拘，大盗者为诸侯；诸侯之门，义士存焉／窃钩者诛，窃国者为诸侯；诸侯之门而仁义存焉／奋六世之遗烈，振长策而御宇内，吞二周而亡诸侯，履至尊而制六合

俑

yǒng 古代陪葬用的偶人。

❷作俑之工，非曰可珍；时有所用，贵于斫轮

❸始作俑者，其无后乎

俟

①sì 等待。②qí[万俟]古时鲜卑族部落名；后为复姓。

❶俟河之清，人寿几何

见《左传·襄公八年》。

俟自直之箭，则百代无一矢

见唐·刘禹锡《答道州薛郎中论书仪书》。全句为："～；俟自圆之木，则千岁无一轮"。

俟自圆之木，则千岁无一轮

见唐·刘禹锡《答道州薛郎中论书仪书》。全句为："俟自直之箭，则百代无一矢；～"。

❹寒者不俟狐貉而后温／俊士亦俟明主以显其德／正身以俟时，守己而律物

❺攻玉于山，俟知于独见也

❻万夫婉娈，非俟西子之颜／君子行法，以俟命而已矣／君子居易以俟命，小人行险以徼幸／荆玉含宝，要俟开莹；幽兰怀馨，事资扇发

❼幸能修实操，何俟钓虚声／蹈道之心一，而俟时之志坚

❽君子见几而作，不俟终日

❿乍屈乍伸者，良才所以俟时也／古之君子，守道以立名，修身以俟时／龙凤隐耀，应德而臻；明哲潜遁，俟时而动

俊

jùn 相貌秀美好看；才智超群的；通"峻"，大。

❶俊士亦俟明主以显其德

见汉·班固《汉书·王褒传》。全句为："圣主必待贤臣而弘功业，～"。

❷非俊疑杰兮，固庸态也／贤俊者自可赏爱，顽鲁者亦当矜怜

❸豪健俊伟，怪巧瑰琦

❹招来雄俊魁伟敦厚朴直之士

❺雄州雾列，俊彩星驰／伟士坐以俊杰之才，招致群吠之声／尊贤使能，俊杰在位，则天下之士皆悦

❻识时务者为俊杰／少年富贵才俊为不幸／天王日俭德，俊乂始盈庭

❼识时务者，在乎俊杰／世胄蹑高位，英俊沉下僚／左右前后，莫匪俊良；小大之材，咸尽其用／德万人者谓之俊，德千人者谓之豪，德百人者谓之英

❿两贤未别，则能让者为俊／十步之间，必有茂草；十室之邑，必有俊士／国不务大而务得民心，佐不务多而务得贤俊／李白之文，清雄奔放，名章俊语，络绎间起，光明洞彻，句句动人

俸

fèng 旧时官吏的薪金；姓。

❿身多疾病思田里，邑有流亡愧俸钱

倩

①qiàn 古时男子的美称；美好。②qìng 请，央求；旧称女婿。

❸巧笑倩兮，美目盼兮

债

zhài 欠人的钱财，也喻指其他所欠的东西；租赁。

❼老牛粗了耕耘债，啮草坡头卧夕阳

❿笺诉天公休掠剩，半偿私债半输官

倖

xìng 宠幸。

❹锄奸杜倖，要放他一条去路……

借

jiè 借用；帮助；通"藉"，凭借，依靠；假托，假使。

❶借听于聋，求道于盲

见唐·韩愈《答陈生书》。全句为："～，虽其请之勤勤，教之云云，未有见其得者也"。

借车者驰之，借衣者被之

见《战国策·赵策一》。

借问酒家何处有，牧童遥指杏花村

见唐·杜牧《清明》。

借问瘟君欲何往，纸船明烛照天烧

见现代·毛泽东《七律二首·送瘟神》其二。

❷已借蜡钱输麦税，免教缉捕闯门来

❸何不借风雷，一壮天地颜

❹因方以借巧，即势以会奇／好风凭借力，送我上青云／生者，假借也；假之而生生者，尘垢也

❻借车者驰之，借衣者被之

❼收合馀烬，背城借一／君子用以力学，借困衡为砥砺，不但顺受而已

❿非其人而教之，赍盗粮、借贼兵也／有花无叶真潇洒，不向胭脂借淡红／毋私小惠而伤大体，毋借公论以快私情

值 ①zhí 碰上；遇到；价格；价值；收支相当；值得；有意义，有价值。②zhì 持，拿。

❺与妄人相值，亦当存自反之心

❻取一文官不值一文钱

❼东望望长安，正值日初出

❽钱财如粪土，仁义值千金

倚 ①yǐ 靠着；依仗；偏；姓。②jī 通"畸"，怪异；独，单个儿。

❶倚天绝壁，直下江千尺

见宋·韩元吉《霜天晓角》。

倚南窗以寄傲，审容膝之易安

见晋·陶潜《归去来兮辞》。

倚老松，坐怪石，殷殷潮声，起于月外

见唐·杜牧《杭州新造南亭子记》。全句为："半夜酒余，～"。

倚势豪夺，飞食人肉，鼓吻弄翼，道路以目

见宋·孙因《蝗虫辞》。全句为："～。凡此，皆人其形蝗其腹者也"。

倚伏之矛楯也，其理甚明，困而后儆，斯弗及已

见唐·刘禹锡《因论·儆舟》。全句为："祸福之胚胎也，其动甚微；～"。

❸枯木倚寒岩，三冬无暖气／盈虚倚伏，去来之不可常／民枕倚于墙壁，路交横于豺虎／安得倚天抽宝剑，把汝裁为三截

❹群居不倚，独立不惧／劲草不倚于疾风，零霜则变／祸福相倚，吉凶同域，惟人所召，安可不思

❺人生莫依倚，依倚事不成／戴发含齿，倚而趣者，谓之人／莫不拔地倚天，句句欲活，读之……莫可捉搦

❻请日试万言，倚马可待／祸兮，福之所倚；福兮，祸之所伏

❼本不正者，末必倚／无依势作威，无倚法以削／人生莫依倚，依倚事不成

❽中正和平，无所偏倚／自得、自成、自道，不倚师友载籍

❿福兮祸所伏，祸兮福所倚／方地为车，圆天为盖，长剑耿耿倚天外

倾 qīng 歪；偏向；倒塌；用尽；胜过；超越；倾慕。

❷欲倾东海洗乾坤

❸葵藿倾太阳，物性固莫夺／布奠倾觞，哭望天涯。天地为愁，草木凄悲

❹大厦如倾要梁栋／危者易倾，疑者易化／器满则倾，志满则覆／大厦不倾，匪一瓦之积／众听所倾，非假《北里》之操

❺侧目而视，倾耳而听／振穷救急，倾家无爱／白头如新，倾盖如故／基广则难倾，根深则难拔／积德者不倾，择交者不败／性同而材倾则相援而相赖也／错国于不倾之地者，授有德也／西施若解倾吴国，越国亡来又是谁

❻农月无闲人，倾家事南亩／九层之台一倾，公输子不能正／当知器满则倾，须知物极必反／以势交者，势倾则绝；以利交者，利穷则散／贵极禄位，权倾国都，达人视此，蚁聚何殊／义之所在，不倾于权，不顾其利，举国而与之，不为改视

❼杞国无事忧天倾／终朝为恶，四海倾覆／忽喇喇似大厦倾，昏惨惨似灯将尽／雷隐隐，感妾心，倾耳清听非车音

❽长短相形，高下相倾／虽迫桑榆之景，犹倾葵藿之心

❾层风未翔，大鹏有云倾之势／任非其人而国家不倾者，自古至今，未尝闻也

❿处满常惮溢，居高本虑倾／回狂澜于既倒，支大厦于将倾／春江花朝秋月夜，往往取酒还独倾／忽报人间曾伏虎，泪飞顿作倾盆雨／亲小人，远贤臣，此后汉所以倾颓也／川不可防，言不可弭，下塞上聋，邦其倾矣／共舆而驰，同舟而济，舆倾舟覆，患实共之

倒 ①dǎo 颠倒；倒下。②dào 倒出；逆；反而；却。

❶倒持干戈，授人以柄

见晋·陈寿《三国志·魏书·陈琳传》。

倒持泰阿，授楚其柄

见汉·班固《汉书·梅福传》。

❷山，倒海翻江卷巨澜。奔腾急，万马战犹酣

❸词源倒流三峡水，笔阵独扫千人军／乾坤倒覆，无谓不静，洪流滔天，无谓其动

❹苍生忍倒悬／只因神倒运，常恐鬼胡行／事多似倒而顺，多似顺而倒／为谁醉倒为谁醒？至今犹恨轻离别

❻搜句忌于颠倒，裁章贵于顺序／回狂澜于既

倒,支大厦于将倾/吹波则江汉倒流,腾气则虹霓掩彩/有知顺之为倒、倒之为顺者,则可与言化矣

❼至言忤于耳而倒于心/变白以为黑兮,倒上以为下/日莫途远,吾故倒行而逆施之/有知顺之为倒、倒之为顺者,则可与言化矣

❽卫君谈道,平子三倒/风收云散波忽平,倒转青天作湖底

❾穿重云而下射,白龙倒饮于平湖

❿事多似倒而顺,多似顺而倒/障百川而东之,回狂澜于既倒/一生大笑能几回,斗酒相逢须醉倒/喷气则白日尽晦,刷马则清江倒流

倏

shū 极快地。

❶倏忽市朝变,苍茫人事非

见北周·庾信《拟咏怀诗二十七首》之二十一。

❸变化倏忽,动心骇目

❻一生复能几,倏如流电惊/超迈绝尘驱,倏忽谁能逐

❽人生贵贱无终始,倏忽须臾难久恃

❿人情旦暮有翻复,平地倏忽成山谿

倘

①tǎng 倘若,倘使。②cháng[倘佯]同"徜徉",徘徊;自由自在地往来。

❶倘非广见博闻,总觉光阴虚度

见清·袁枚《随园诗话补遗》卷四。全句为:"看书多撷一部,游山多走几步,~"。

❿汝死我葬,我死谁埋! 汝倘有灵,可能告我

俱

①jù 全,都;在一起;一样。②jū 姓。

❶俱收并蓄,待用无遗

见唐·韩愈《进学解》。

俱往矣,数风流人物,还看今朝

见现代·毛泽东《沁园春·雪》。

俱怀逸兴壮思飞,欲上青天揽明月

见唐·李白《宣州谢朓楼饯别校书叔云》。

❸四美俱,二难并/一损俱损,一荣俱荣/万事俱备,只欠东风/五种俱熟,公私有余/两人俱溺,不能相拯/利害俱亡,何往不臧/文武俱行,威德乃成/身名俱裂,为天下笑/百川俱会,大海所以深/风烟俱静,天山共色,从流飘荡,任意东西

❹两雄不俱立,两贤不并世

❺人与绿杨俱瘦/黼黻不同,俱为悦目之玩/方圆画不俱成,左右视不并见/身与草木俱朽,声与日月并彰/天下是非俱不到,安闲一片道人心/但愿苍生俱饱暖,不辞辛苦出山林/恸哭六军俱缟素,冲冠一怒为红颜

❻贞操与日月俱悬,孤芳随山壑共远/尔曹身与名俱灭,不废江河万古流/新交与旧识俱欢,林壑共烟霞对赏/性也者与生俱生也,情也者,接于物而生也

❼一损俱损,一荣俱荣/山川未改,容貌俱非/循序而进,与日俱新/政通人和,百废俱兴/火炎昆冈,玉石俱焚/峨眉讵同貌,而俱动于魄/悠悠乎与颢气俱而莫得其涯/乌有城坏其徒俱死,独蒙愧耻求活/剪枝去叶,本根俱露,枯槁可立而待/人之生也,与忧俱生,寿者惛惛,久忧不死,何苦也! 其为形也亦远矣

❽两虎共斗,其势不俱生/侈则肆,肆则百恶俱从/俭则约,约则百善俱兴/烈火埋冈,玉石抱俱焚之惨

❾从风还共落,照日不俱销/太平之时,必须才行俱兼,始可任用/牛溲马勃,败鼓之皮,俱收并蓄,待用无遗

❿参差远岫,断云将野鹤俱飞/视卒如爱子,故可与之俱死/烟雾可依,腾蛇与蛟龙俱远/人者裸虫也,与夫鳞毛羽甲虫俱焉/驱妻逐子课工程,虽作人形俱菜色/鸟同翼者而聚居,兽同足者而俱行/按贤察名,选才考能,名实俱得之也/安得广厦千万间,大庇天下寒士俱欢颜/巫山之上顺风纵火,膏夏紫芝与萧艾俱死/缘循、偃佒、困畏,不若人三者,俱通达/苍雁赪鲤,时传尺素;清风明月,俱寄相思/化者,复归于无形也;不化者,与天地俱生也

倡

①chàng 亦作"唱";作乐;首倡,带头。②chāng 古代歌舞人之称;通"娼",妓女。

❷一倡而三叹,有遗音者矣

候

hòu 等待;问安;时节;情况;伺望,侦察;古时送迎宾客的官;征候;时刻;古代五天为一候。

❷伺候于公卿之门,奔走于形势之途

❸言节候,则披文而见时

❺昏旦变气候,山水含清晖/风物虽同候,悲欢各异伦

❻乍暖还寒时候,最难将息

倭

①wēi[倭迟]纡回遥远貌。②wō 古代称日本。③wǒ[倭堕]古代妇女的发髻名。

❸嫫母倭傀,善誉者不能掩其丑

俾

bǐ 使;从;[俾倪]城上小孔;同"睥睨",侧目视。

❺巧言如流,俾躬处休

❾责人斯无难,惟受责俾如流,是惟艰哉

俯

fǔ 低头;向下;敬辞。

❶俯镜八川,周睇万里

见唐·李峤《楚望赋》。全句为:"~,悠悠失乡县,处处尽云烟,不知悲之所集也"。

俯于逵，惟行旅讴吟是采

见唐·刘禹锡《武陵北亭记》。全句为："～；瞰于野，惟稼穑艰难是知"。

俯仰终宇宙，不乐复何如

见晋·陶潜《读山海经十三首》之一。

俯仰留连，疑是湖中别有天

见宋·欧阳修《采桑子》。全句为："行云却在行舟下，空水澄鲜。～"

俯首帖耳，摇尾而乞怜者，非我之志也

见唐·韩愈《应科目时与人书》。全句为："烂死于泥沙，吾宁乐之；若～"。

俯偻匍匐，啖恶求媚，舐痔自亲，美言谄笑

见隋·卢思道《劳生论》。

❸遥吟俯畅，逸兴遄飞

❺仰不愧天，俯不愧人，内不愧心

❻圣人之教，常俯而就之／星河尽涵泳，俯仰迷上下／夫人之相与，俯仰一世……放浪形骸之外

❼风雨晦明之间，俯仰百变／仰观宇宙之大，俯察品类之盛，所以游目骋怀，足以极视听之娱

❽纵横正有凌云笔，俯仰随人亦可怜

❿知天者仰观天文，知地者俯察地理／高山有前，流水在下，可以俯仰，可以宴乐／鸷鸟将击，卑飞敛翼；猛兽将搏，弭耳俯伏／二好均平，无分轻重，则一俯一仰，乍进乍退

倍

bèi 照原数增加；增益；加倍，愈加；通"背"，背弃；背诵；更加。

❶倍仁义而贪名实者，不能威当世

见《晏子春秋·内篇问上第一》。

❷不倍兵以攻弱，不恃众以轻敌／水倍源则川竭，人倍信则名不达

❸利虽倍于今，而不便于后，弗为也／饥而倍食，渴而大饮……虽暂怡性，必为后患

❹知者不倍时而弃利，勇士不怯死而灭名

❺每逢佳节倍思亲

❻释正而追曲，倍是而从众，是与俗俪走，而内行无绳

❽伯乐一顾，价增三倍／伯乐一顾，马价十倍／信以结之，则民不倍／在上不骄，为下不倍／绝圣弃智，民利百倍／事半古之人，功必倍之／水倍源则川竭，人倍信则名不达／才不半古，而功已倍之，盖得之于时势也

❾一登龙门，则声誉十倍

❿虑熟谋审，力不劳而功倍／舍己而从众，是以事半而功倍也／善者能使敌卷甲趋远，倍道兼行／独在异乡为异客，每逢佳节倍思亲／用兵之法：十则围之，五则攻之，倍则分之／百姓与之则安，辅之则强，非之则危，倍之则亡／君子之学，不为则已，为则必要其成，故常百倍其功

倦

juàn 疲劳；厌烦；踞。

❶倦立而思远，不如速行之必至也

见三国·魏·徐幹《中论·治学》。

❸报者倦矣，施者未厌／学不倦，所以治己也；教不厌，所以治人也

❹施舍不倦，求善不厌／孟贲之倦也，女子胜之

❻伤禽恶弦惊，倦客恶离声／善教者以不倦之意须迟久之功

❼乘骥而御之，不倦而取道多／学之广在于不倦，不倦在于固志

❽任贤无疑，求士不倦／军幕未办，将不言倦／学而不厌，诲人不倦／云无心以出岫，鸟倦飞而知还／学问不厌，好士不倦，是天府也／为之政，以率其怠倦；为之刑，以锄其强梗

❾学之广在于不倦，不倦在于固志／人穷则反本，故劳苦倦极，未尝不呼天地也

❿博学而不穷，笃行而不倦／逍遥以针劳，谈笑以药倦／不恤年之将衰，而忧志之有倦／默而识之，学而不厌，诲人不倦／不可乘快而多事，不可因倦而鲜终／君子不恤年之将衰，而忧志之有倦／处逸乐而欲不放，居贫苦而志不倦／过在改而不复为，功惟立而不中倦／不自限其昏与庸而力学不倦，自立者也／志闲而少欲，心安而不惧，形劳而不倦／饮食不节，以生疾病；好色不倦，以致乏绝

倨

jù 傲慢；直而折曲；通"踞"，伸开腿坐着。

❶倨傲鲜腆而深折之，彼其能有所忍也

见宋·苏轼《留侯论》。全句为："～，然后可以就大事"。

❷前倨而后卑／前倨而后恭／强倨傲暴之人不可与交／骄倨傲暴之人，不可与交

❹直而不倨，曲而不屈

倕

chuí 古代相传的巧匠名。

❿凡工妄匠，执规秉矩，错准引绳，则巧同于人倕也

偾

fèn 败坏，破坏；仆倒；僵毙；紧张，兴奋。

❸一言偾事，一人定国

做

zuò 制造；干；从事；举行；举办；充当；担任。

❶做官夺人志

见宋·朱熹《近思录·警戒类》。

做歹事的胆，一日大一日

见明·冯梦龙《东周列国志》。全句为："大凡做好事的心，一日小一日；～"。

做到私欲净尽，天理流行，便是仁

见宋·朱熹《朱子语类》卷六。

❷贼做官，官做贼，混愚贤。哀哉可怜／欲做精金美玉的人品，定从烈火中锻来
❸傍早做人家／大凡做一件事，就要当一件事／大凡做好事的心，一日小一日／人品做到极处，无有他异，只是本然／文章做到极处，无有他奇，只是恰好／读书做人，先要立志。志患不立，尤患不坚
❹明人不做暗事／被头里做事终晓得
❺惮劳怕怨，做不得事／不耐烦者，做不成一件事业／贼做官，官做贼，混愚贤。哀哉可怜
❻读十篇不如做一篇／此形，本清，不做作还真正
❽以官为乐，必不能做好官／为文有三多：看多、做多、商量多
❾将相神仙，也要凡人做
❿大着肚皮容物，立定脚跟做人／把志气奋发得起，何事不可做／圣贤千言万语，教人且从近处做去／有时忽得惊人句，费尽心机做不成／愿兄为水妹为土，和来捏做一个人

偃 yǎn 向后倒下，与"仆"相对；停息；通"堰"，壅水的土堤；通"鼹"；古地名。

❶偃鼠饮河，不过满腹
见《庄子·逍遥游》。全句为："鹪鹩巢于深林，不过一枝；～"。
❸缘循、偃侠、困畏，不若人三者，俱通达
❹风行草偃，其势必然／兵不可偃也，譬之若水火然，善用之则为福，不能用之则为祸
❺怒笞不可偃于家，刑罚不可偃于国，诛伐不可偃于天下
❻草上之风必偃
❼君之化下，如风偃草，上不节心，则下多逸志
❽长风一振，众萌自偃
❿古圣王有义兵而无有偃兵／古之圣王有义兵而无有偃兵／未尝敢以矜气作之，惧其偃蹇而骄也／有以用兵丧其国者，欲偃天下之兵，悖。／君子之德风，小人之德草。草上之风，必偃／爱民，害民之始也；为义偃兵，造兵之本也／鹪鹩巢于深林，不过一枝；偃鼠饮河，不过满腹／怒笞不可偃于家，刑罚不可偃于国，诛伐不可偃于天下

偕 xié 共同；陪伴；普遍；调和，协调；[偕偕]健壮貌。

❸与害偕行兮，以死自绕
❹思与境偕，乃诗家之所尚者
❻古之人与民偕乐，故能乐也
❼顾夫淫以鄙而偕亡／心旷神怡，宠辱偕忘，把酒临风，其喜洋洋
❿谈欢则字与笑并，论戚则声共泣偕

偿 cháng 归还；满意；代价；抵补；实现。

❸有未偿之厚责，无可录之微劳
❺责少者易偿，职寡者易守，任轻者易权
❻一饭之德必偿，睚眦之怨必报
❽有所许诺，纤毫必偿
❾笺诉天公休掠剩，半偿私债半输官

偶 ǒu 偶像；双，成对的，与"奇"相对；夫妻，夫妻中的一方；偶然；姓。

❶偶失万户侯，遂老三家村
见宋·陆游《村饮示邻曲》。
偶然临险地，不信在人间
见清·李念兹《登浮山》。
❷不偶流俗，坐忘人事
❸知音偶一时，千载为欣欣
❹人以为偶一奋，遂名无穷，今大不然
❺诽谤者族，偶语者弃市／花木阴阴，偶过垂杨院
❻彼是莫得其偶，谓之道枢／俪采百字之偶，争价一句之奇／为虏为王尽偶然，有何羞见汉江船
❽文章本天成，妙手偶得之
❿卞和之玉，得于荆山，其偶然耳／虎啸风生，龙吟云萃，固非偶然也／咄咄读古，而不知此味……一堂木偶耳／有道之君子，其处也若无知，其应物也若偶之，静因之道也

偲 ①cāi 多才。②sī[偲偲]相互切磋，互相督促。

❸切切偲偲，怡怡如也，可谓士矣
❺朋友切切偲偲，兄弟怡怡
❻朋友切切偲偲，兄弟怡怡

傀 ①guī 伟大；怪异；[傀然]独立的样子。②kuǐ[傀儡]木偶；比喻受人操纵者。

❶傀儡学技，音节虽工，而目非情
见明·侯方域《答张尔公书》。全句为："～，必俟筵终觞散始复本来"。
❹其醉也，傀俄若玉山之将崩／嫫母倭傀，善誉者不能掩其丑

偷 tōu 窃取；偷东西的人；瞒着人；腾出；苟且；浇薄，不厚道。

❶偷安者后危，虑近者忧迩
见汉·桓宽《盐铁论·结和》。
偷得利而后有害，偷得乐而后有忧
见《管子·形势解》。
偷合苟容，以持禄养交而已耳，谓之国贼也
见《荀子·臣道》。
❷不偷取一世，则民无怨心
❸新春偷向柳梢归／食不偷而为饱兮，衣不苟而为温
❹赏勉罚偷，则民不怠／言语巧偷鹦鹉舌，文章分得凤凰毛

❺焚林而田，偷取多兽，后必无兽
❻刺股情方励，偷光思益深／不为苟得以偷安，不为苟免而无耻／惟夫党人之偷乐兮，路幽昧以险隘
❼旧不遗，则民不偷
❽庄敬日强，安肆日偷／又不道，流年暗中偷换／烈士多悲心，小人偷自闲／偷得利而后有害，偷得乐而后有忧／吴僧爱觅闲吟处，偷向花边竹里来
❾不择善否，两容颊适，偷拔其所欲，谓之险
❿善为国者，仓廪虽满，不偷于农／人之饥所以不食乌喙者，以为虽偷充腹而与死同患也

停 tíng 止住；临时放置；暂时停止；犹"定"，妥当。
❶停车坐爱枫林晚，霜叶红于二月花
见唐·杜牧《山行》。
❸笔不停缀，文不加点
❹水无暂停流，木有千载贞
❻万夫喧喧不停杵，杵声丁丁惊后土／为词章，泛滥停蓄，为深博无涯涘
❼林无静树，川无停流
❿其积于中者，浩如江河之停蓄／墨池如江笔如帚，一扫万字不停肘／我独见得是，亦须缓缓调停，不可直遂／口不绝吟于六艺之文，手不停披于百家之编／日光顿生，霜露渐消；狂风顿息，波浪渐停／国之有民，犹水之有舟，停则以安，扰则以危

偻 lóu，又读 lǚ，曲背；疾速。
❷俯偻匍匐，唊恶求媚，舐痔自亲，美言谄笑
❿身不肖而诬贤，是犹伛偻而好升高也

偏 piān 不正，倾斜；不公正；辅助的；偏僻；偏离；通"谝"，[偏辞]片面之辞；便巧之言，花言巧语。
❶偏爱东风款款吹
见宋·孙锐《荻塘柳影》。
偏听生奸，独任成乱
见汉·邹阳《狱中上梁王书》。
偏无自足，故凭乎外资
见晋·裴頠《崇有论》。全句为："品而为族，则所禀者偏；～"。
偏材之性，不可移转矣
见三国·魏·刘劭《人物志·体别》。
偏在于多私，不祥在于恶闻己过
见《尉缭子·十二陵》。
偏讶思君无限极，欲罢欲忘还复忆
见隋·薛道衡《豫章行》。
偏而在外，犹可救也，疾自中起，是难
见《国语·晋语六》。
偏则成魔，分唐界宋。霹雳一声，邹鲁不哄
见清·袁枚《续诗品·戒偏》。
❷不偏不党，王道荡荡／有偏宠者，虽欲厚之，更所以祸之／无偏无党，王道荡荡；无党无偏，王道平平／凡偏材之人，皆一味之美，故长于办一官而短于为一国
❸不宜偏私，使内外异法也／旅情偏在夜，乡思岂唯秋／一有偏好，则下必投其所好以诱之／气质偏驳者，欲使私欲不能引染，如之何？惟在明明德而已
❹大明无偏照，至公无私亲／公生明，偏生暗，端悫生通，诈为生塞
❺心远地自偏／兼听则明，偏听则暗／凡人之患，偏伤之也／不是花中偏爱菊，此花开尽更无花
❻常之为物，不偏不彰／不党父兄，不偏富贵，不嬖颜色／饱霜孤竹声偏切，带火焦桐韵本悲／贫疑陋巷春偏少，贵想豪家月最明
❼中正和平，无所偏倚／掩袖工谗，狐媚偏能惑主／愚者为一物一偏，而自以为知道，无知也
❽处心不可着，着则偏／士民之所以叛，由偏之也／邓林千里，不能无偏枯之木
❾品而为族，则所禀者偏／是邪，非邪？立而望之，偏何姗姗其来迟
❿人性虽同，禀气不能无偏重／有钱的纳宠妾、买人口、偏兴旺／才自清明志自高，生于末世运偏消／胜地几经兴废事，夕阳偏照古今愁／眼孔浅时无大量，心田偏处有奸谋／无偏无党，王道荡荡；无党无偏，王道平平／君之所以明者，兼听也；其所以暗者，偏信也／清泉绿草，何物不可饮啄？而鸱鸮者偏食腐鼠

假 ①jiǎ 不真，虚伪；借；凭借；假设的；宽容；给予；大；姓。②jià 休假。③xiá 通"遐"，远。④xià，又读 jiǎ，嘉，美。⑤gé 通"格"，到。
❶假舆马者，足不劳而致千里
见汉·刘安《淮南子·主术》。全句为："～；乘舟楫者，不能游而绝江海"。
假舟楫者，非能水也，而绝江河
见《荀子·劝学》。
假作真时真亦假，无为有处有还无
见清·曹雪芹《红楼梦》第一回。
假令风歇时下来，犹能簸却沧溟水
见唐·李白《上李邕》。全句为："大鹏一日同风起，扶摇直上九万里。～"。
假金方用真金镀，若是真金不镀金
见唐·李绅《答章孝标》(《全唐诗》注第三字为"只")。
❷久假而不归，恶知其非有也／不假良史之词，不托飞驰之势／虽假容于江皋，乃缨情于好爵／要假修成九转，先须炼己持心／道假辞而明，

辞假书而传，要之之道而已耳
❸生者，假借也；假之而生生者，尘垢也／不可假公法以报私仇，不可假公法以报私德／妙必假物而物非生妙，巧必因器而器非成巧
❹人心恶假贵重真／满场是假，矮人何辩也／人物禀假，受有多少……／善学者假人之长，以补其短／行远者假于车，济江海者因于舟／天籁无假于宫商，贞筠不争于柯叶／威权外假，归之良难，虎翼一奋，卒不可制
❺当路谁相假，知音世所稀／误用恶人，假令强干，为害极多／用之者，必假于弗用也，而以长得其用／文者，圣人假之以达其心……详之、略之也
❻本自天然，不假雕琢／吉凶在人，岂假阴阳拘忌／明德虽明，终假言而荣行／众听所倾，非假《北里》之操／生者，假借也；假之而生生者，尘垢也
❼利器入手，手可假人／择其善鸣者而假之鸣／不虚则先自满，假教之亦不能受／假作真时真亦假，无为有处有还无／蓝青地黄犹可假，仁义之事不可假乎／道假辞而明，辞假书而传，要之之道而已耳
❽君子生非异也，善假于物也
❾洗手奉职，不以一钱假人／远胜登仙去，飞鸾不假骖
❿威柄不以放下，利器不可假人／阳春召我以烟景，大块假我以文章／形骸非性命不立，性命假形骸以显／蓝青地黄犹可假，仁义之事不可假乎／仁义之行，唯且无诚，且假乎禽贪者器／不可假公法以报私仇，不可假公法以报私德／夫谓法不严则易犯，暴君酷吏假辞以饰其恶耳／老年人受病在作意步趋，少年人受病在假意超脱／人声之精者为言，文辞之于言，又其精也，尤择其善鸣者而假之鸣

傲 ào 自高自大；坚强不屈；多言。
❶傲小物而志属于大，似无勇而未可恐狼
见《吕氏春秋·士容》。
傲人不如者，必浅人；疑人不肖者，必小人
见清·申居郧《西岩赘语》。
❷无傲从康／不傲才以骄人，不以宠而作威／倨傲鲜腆而深折之，彼其能有所忍也
❸强倨傲暴之人不可与交／骄倨傲暴之人，不可与交
❹才子多傲，傲便不是才／轻始而傲微，则其流必至于大乱
❺才子多傲，傲便不是才
❻勿谓我尊而傲贤侮士／沃然有得，笑傲万古／倚南窗以寄傲，审容膝之易安
❼谦者，众善之基；傲者，众恶之魁／不问而告谓之傲，问一告二谓之囋。傲非也，囋非也
❽刚而无虐，简而无傲
❾凡人立志胜人，易生傲慢／强者不劫弱，贵者不傲贱／处贵显者勿为矜己傲人之言／竭诚则吴越为一体，傲物则骨肉为行路／苟灭德忘公，崇浮饰傲，荣其外而枯其内，害其本而窒其源
❿事者生于虑，成于务，失于傲／兴酣落笔摇五岳，诗成笑傲凌沧洲／荷尽已无擎雨盖，菊残犹有傲霜枝／直而温，宽而栗，刚而无虐，简而无傲／公婿公孙，与民同门，暴傲其邻者，可亡也／盗取民食兮，私己不分；充嗛果腹兮，骄傲欢欣／不问而告谓之傲，问一告二谓之囋。傲非也，囋非也

傅 ①fù 辅相；师傅；辅助，教导；辅着；通“附”，附着；植物名；姓。②fū 通“敷”，陈述；［傅粉］搽粉，抹粉。
❸诸君傅粉涂脂，问南北战争都不知
❺古之选贤，傅纳以言，明试以功
❽皮之不存，毛将安傅
❾国之将兴，尊师而重傅／国将兴，必贵师而重傅／国将衰，必贱师而轻傅
❿凤凰于飞，翙翙其羽，亦傅于天／置不肖之人于位，是为虎傅翼也／天公何时有，谈者皆不经。谁道贤人死，今为傅说星

傥 tǎng 倘或；惝恍；通“党”，偏私；［倜傥］洒脱，不拘束。
❸此身傥未死，仁义尚力行
❿轩冕在身，非性命也，物之傥来，寄者也

傍 ①bàng 靠近，临近；姓。②páng 通“旁”。
❶傍早做人家
见清·王有光《吴下谚联》卷一。
❸两兔傍地走，安能辨我是雄雌
❺杂花如锦，傍缘石菌之崖
❻登楼知日近，傍海见潮生
❽即事名篇，无复依傍
❾丈人才力犹强健，岂傍青门学种瓜／立当青草人先见，行傍白莲鱼未知
❿一夫怒临关，百万未可傍／兰草自然香，生于大路傍／自叹犹为折腰吏，可怜骢马路傍行

储 chǔ 积蓄；已确立的王位继承人；等待；姓。
❶储思必深，摛辞必高
见唐·孙樵《与王霖秀才书》。全句为：“～，道人之所不道，到人之所不到”。
储积山崇崇，探求海茫茫
见宋·陆游《抄书》。全句为：“～，一笑语儿子，此是却老方”。
❷才储于平时，乃可济用
❸节用储蓄，以备凶灾

❹备之以储蓄，虽凶荒而人无菜色
❺仓廪无宿储，徭役犹未已／仓廪无宿储，徭役犹未已
❻既多又须择，储精弃其糠／多才之士才储八斗，博学之儒学富五车
❼多闻识者，犹广储药物也，知所用为贵／三年耕有九年储，仓谷满盈，斑白不负戴
❿但使仓库可备凶年，此外何烦储蓄

催
cuī 催促，促使。
❺长江后浪催前浪／良人犹恐催耕早，自扯蓬窗看晓星／光阴似箭催人老，日月如梭趱少年／芳林新叶催陈叶，流水前波让后波
❼天时人事日相催，冬至阳生春又来
❿今岁今宵夜，明年明日催／而今风物那堪画，县吏催钱夜打门

像
xiàng 跟某事物相同或相似，相当于"如同"；人物形象的摹写或雕塑；从物体发出的光线经过光学系统后形成的与原物相似的图景；法式；好像。
❿太上之道，生万物而不有，成化像而弗宰

儆
jǐng 事先告诫；通"警"，警备；警报。
❿出一令可以止横议，杀一犯可以儆百众／倚伏之矛楯也，其理甚明，困而后儆，斯弗及已

僚
①liáo 官吏；旧指同一官署的官吏；我国古代对一种奴隶与差役的称谓；姓。②liǎo 通"嫽"，好貌。③lǎo 古代岭南和云、贵、川地区部分少数民族的泛称。
❷百僚师师，百工惟时，抚于五辰，庶绩其凝
❸士齐僚而不职，则贤与愚而不分
❹慎简乃僚，无以巧言令色、便辟侧媚
❺三公者，百僚之率，万民之表
❿世胄蹑高位，英俊沉下僚／宜力学为砻斫，亲贤为青黄，睦僚友为瑶金／贤者在位，能者布职，朝廷崇礼，百僚敬让

僭
jiàn 超越本分；差失；不可信。
❷下僭礼则上失位，下侵权则上失政／赏僭则惧及淫人，刑滥则惧及善人
❸奢不僭上，俭不逼下
❻何谓仁？仁者僭怛爱人，谨翕不争
❼亲不隔疏，后不僭先／善为国者，赏不僭而刑不滥

僧
sēng 和尚；姓。
❶僧敲月下门
　见唐·贾岛《题李凝幽居》。
　僧是愚氓犹可训，妖为鬼蜮必成灾
　见现代·毛泽东《七律·和郭沫若同志》。
❷吴僧爱觅闲吟处，偷向花边竹里来
❻鸟宿池边树，僧敲月下门
❾千峰顶上一间屋，老僧半间云半间
❿清时有味是无能，闲爱孤云静爱僧

僵
jiāng 僵硬；僵持；仆倒，死。
❸万木僵仆，梅英再吐，玉立冰姿，不易厥素
❽百足之虫，死而不僵／百足之虫，至死不僵，扶之者众也
❿虫来啮桃根，李树代桃僵

僻
pì 偏远的；不正，邪；不常见的；性情古怪，不合群。
❷乖僻自是，悔误必多／地僻乡音别，年丰酒味醇／邪僻争权，乃有忠臣匡正其君
❺民之所以僻，治之所以乱，皆由上，不由其下
❻明所爱而邪僻繁，明所恶而贤良灭
❾苟余心其端直兮，虽僻远之何伤／君正臣从谓之顺，君僻臣从谓之逆
❿唯至人乃能游于世而不僻，顺人而不失己／君子居必择乡，游必就士，所以防邪僻而近中正也

儒
rú 以孔子为代表的思想流派；指读书人；古指学者；柔顺；通"懦"，懦弱；姓。
❶儒生直如弦，权贵不须干
　见唐·岑参《送张秘书充刘相公通汴河判官便赴江外觐省》。
　儒以文乱法，侠以武犯禁
　见《韩非子·五蠹》。
　儒者之病，多空文而少实用
　见宋·苏轼《与王庠书》。
　儒者口能言治乱，无能以行之
　见汉·桓宽《盐铁论·能言》。全句为："盲者口能言白黑，而无目以别之；～"。
　儒者在本朝则美政，在下位则美俗
　见《荀子·儒效》。
❷侏儒见一节而短长可知／坑儒士起自诸生为妖言／师儒之席，不拒曲士，理固然也
❸法自儒家有／盖吾儒起手便与禅异者，正在彻始彻终总是体用一致耳
❹为君子儒，无为小人儒
❺释氏虚，吾儒实／谈笑有鸿儒，往来无白丁／邹、鲁多鸿儒，燕、赵饶壮士
❻纨绔不饿死，儒冠多误身／穷愁著书，古儒者之大同，非高冠长剑之比耳
❼声华行实，光映儒林
❾为君子儒，无为小人儒／未必上流须鲁肃，腐儒空白九分头／道合则从，不合则去，儒者进退之大节
❿伐国不问仁人，战阵不访儒士／多才之士才

储八斗，博学之儒学富五车／不随举子纸上学六韬，不学腐儒穿凿注五经／君子所甚惧者，以申、韩之酷政，文饰儒术，而重毒天下也

儡 lěi 憔悴，羸瘦；［傀儡］木偶；受人指使的人或组织。

❷傀儡学技，音节虽工，面目非情

八 bā 数字；形容多；八字形。

❶八方风雨会中央

见唐·刘禹锡《郡内书情献裴侍中留守》。

八面九口，长舌为斧

语出《易林·临》之《坎》；《艮》之《颐》。

八公山上草木，皆类人形

见唐·房玄龄《晋书·苻坚载记下》。

八月湖水平，涵虚混太清

见唐·孟浩然《望洞庭湖赠张丞相》

八方各异气，千里殊风雨

见三国·魏·曹植《泰山梁甫行》。

八音与政通，而文章与时高下

见唐·刘禹锡《唐故尚书礼部员外郎柳君集记》。

八音克谐，无相夺伦，神人以和

见《尚书·舜典》。

八纮驰骋于思绪，万代出没于毫端

见唐·杨炯《王勃集序》。全句为："鼓舞其心，发泄其用，～"。

八百里分麾下炙，五十弦翻塞外声。沙场秋点兵

见宋·辛弃疾《破阵子》。

❸四方八面野香来／七穿八穴，百了千当／俯镜八川，周睇万里／精骛八极，心游万仞／三十八年过去，弹指一挥间／文起八代之衰，而道济天下之溺／年过八十而以居位，譬犹钟鸣漏尽而夜行不休

❹救死具八珍，不如一箪犒

❺德行修逾八百，阴功积满三千／坐地日行八万里，巡天遥看一千河／弹指三十八年，人间变了，似天渊翻覆

❻不如意事常八九／不如意事常八九，可与语人无二三／孔子谓季氏："八佾舞于庭，是可忍也，孰不可忍也？"

❼待到秋来九月八，我花开后百花杀／多才之士才储八斗，博学之儒学富五车

❽功盖三分国，名成八阵图／方宅十余亩，草屋八九间……／三十功名尘与土，八千里路云和月／四时有不谢之花，八节有长青之草／予欲闻六律五声八音，在治忽，以出纳五言

❾言在耳目之内，情寄八荒之表／百亩之田，匹夫耕之，八口之家足以无饥矣／怨恩取与谏教生杀，八者，正之器也，唯循大变无所湮者为能用之

❿天下不如意，恒十居七八／极野苍茫，白露凉风之八月／凡人坏品败名，钱财占了八分／道者，覆天载地，廓四方，柝八极／见隅曲之一指，而不知八极之广大／无教之教，洽流四海；无为之为，通达八方／宽收严试，久任超迁。此八字，用人之良法／昔葛天氏之乐，三人操牛尾，投足以歌八阕／博学笃志，切问近思，此八字是收放心的功夫／神闲气静，智深勇沉，此八字是干大事的本领／为学为教，用力于讲读者一二，加功于习行者八九／人之所以为人者，非以此八尺之身也，乃以其有精神／有席卷天下，包举宇内，囊括四海之意，并吞八荒之心

兮 xī 助词，相当于"啊"。

❷萋兮斐兮，成是贝锦／魂兮归来，反故居些／慌兮惚，朝朝暮暮生白发／寂兮寞，岁岁年年长少乐／敦兮其若朴，旷兮其若谷／福兮祸所伏，祸兮福所倚／福兮可以善取，祸兮可以恶招／穗兮不得获，秋风至兮殚零落／祸兮，福之所倚；福兮，祸之所伏

❸鼓衰兮力竭……／四时兮代谢，万物兮迁化／瞻望兮踊跃，伫立兮徘徊

❹乐莫乐兮新相知／巧笑倩兮，美目盼兮／萋兮斐兮，成是贝锦／善戏谑兮，不为虐兮／彼君子兮，不素餐兮／归去来兮，田园将芜胡不归／与天地兮同寿，与日月兮同光／人已古兮山在，泉无心兮道存／命鸾凤兮逐雀，驱龙骧兮捕鼠／高莫高兮九阍，远莫远兮故园／冬沙飞兮淅淅，春草磨兮芊芊／夏云阴兮若山，秋水平兮若天／王孙游兮不归，春草生兮萋萋／采薜荔兮水中，搴芙蓉兮木末／日光寒兮草短，月色苦兮霜白／春每归兮花开，花已阑兮春改／览冀州兮有余，横四海兮焉穷／鸟何萃兮蘋中，罾何为兮木上／春不留兮时已失，老衰飒兮逾疾／今别子兮归故乡，旧怨平兮新怨长／众卖花兮独卖松，青青颜色不如红／冥当寝兮不能安，饥当食兮不能餐／力拔山兮气盖世，时不利兮骓不逝／莲有藕兮藕有枝，才有用兮用有时／美人迈兮音尘阙，隔千里兮共明月／操吴戈兮被犀甲，车错毂兮短兵接／君失臣兮龙为鱼，权归臣兮鼠变虎／带长剑兮挟秦弓，首身离兮心不惩／山中人兮芳杜若，饮石泉兮荫松柏／山有木兮木有枝，心悦君兮君不知／闻瑶质兮可变，知余采兮易夺……／时不与兮岁不留，一叶落兮天地秋／气如兰兮长不改，心若兰兮终不移／旃如云兮帜如星，山可动兮石可铭／旌蔽日兮敌若云，矢交坠兮士争先／悲莫悲兮生别离，乐莫乐兮新相知／鸟无声兮山寂寂，夜正长兮风淅淅／身既死兮神以灵，子魂魄兮为鬼雄／青

云衣兮白霓裳，举长矢兮射天狼／魂魄结兮天沉沉，鬼神聚兮云幂幂／大风起兮云飞扬，威加海内兮归故乡／风萧萧兮易水寒，壮士一去兮不复还／秋风起兮白云飞，草木黄落兮雁南归／时既清兮惟贤是急，贤既进兮其政必立

❺湛湛江水兮上有枫／杀人如麻兮流血成湖／与害偕行兮，以死自绕／非俊疑杰兮，固庸态也／尺书远达兮，以解君忧／考之不良兮，求福得祸／前无所阻兮，跛鳖千里／在此为美兮，在彼为蚩／大天苍苍兮，大地茫茫／怵迫之徒兮，或趋东西／达人大观兮，无物不可／贪夫殉财兮，烈士殉名／物固多伪兮，知者盖寡／怀瑾握瑜兮，穷不知所示／络首縻足兮，骥不能逾跬／为天有眼兮何不见我独漂流／为神有灵兮何事处我天南海北头／寒暑茫茫兮代谢，故叶新花兮往来／目极千里兮伤春心，魂兮归来哀江南／生仍冀得兮归桑梓，死当埋骨兮长已矣／四时万物兮有盛衰，唯我愁苦兮不暂移／居常土思兮心内伤，愿为黄鹄兮归故乡／穹庐为室兮旃为墙，以肉为食兮酪为浆／苦我怨气兮浩于长空，六合虽广兮受之应不容／碧云悠悠兮，泾水东流。伤美人兮，雨泣花愁／登彼西山兮采其薇矣，以暴易暴兮不知其非矣／纯柔纯弱兮，必削必薄；纯刚纯强兮，必丧必亡／盗取民食兮，私己不分；充嗛果腹兮，骄傲欢欣

❻泰然若春，温兮如玉／邑犬之群吠兮，吠所怪也／变白以为黑兮，倒上以为下／往者余弗及兮，来者吾不闻／沧浪之水浊兮，可以濯吾足／沧浪之水清兮，可以濯吾缨／鸟飞返故乡兮，狐死必首丘／举贤而授能兮，循绳墨而不颇／推今而鉴古兮，鲜克以保其生／善不由外来兮，名不可以虚作／往者不可复兮，冀来今之可望／皇天无私阿兮，览民德焉错辅／鸷鸟之不群兮，自前世而固然／冬也阴气积兮，愁颜者为之鲜欢／秋也严霜降兮，殷忧者为之不乐

❼敦兮其若朴，旷兮其若谷／福兮祸所伏，祸兮福所倚／先生之不从世兮，惟道是就／不吾知其亦已兮，苟余情其信芳／世溷浊而嫉贤兮，好蔽美而称恶／长太息以掩涕兮，哀民生之多艰／乘骐骥以驰骋兮，来吾道夫先路／制芰荷以为衣兮，集芙蓉以为裳／伏清白以死直兮，固前圣之所厚／何泛滥之浮云兮，猋壅蔽此明月／修仪操以显志兮，独驰思乎杳冥／人情同于怀土兮，岂穷达而异心／众皆舍而己用兮，忽自惑其是非／众踥蹀而日进兮，美超远而逾迈／夜耿耿而不寐兮，魂茕茕而至曙／孰无施而有报兮，孰不实而有获／孰非义而可用兮，孰非善而可服／凌大江之惊波兮，过洞庭之漫漫／去敌气与矜色兮，噤危言以端诚／苟余心其端直兮，虽僻远之何伤／藏珉石于金匮兮，捐赤瑾于中庭／君子有失其所兮，小人有得其时／唯令德为不朽兮，身既没而名存／岂余身之惮殃兮，恐皇舆之败绩／彼尧舜之耿介兮，既遵道而得路／独闵闵其曷已兮，凭文章以自宣／进不求于闻达兮，退不营于荣利／居悒悒之无解兮，独长思而永叹／维圣哲以茂行兮，苟得用此下土／理贵在于得要兮，事终成于会机／日月忽其不淹兮，春与秋其代序／朝骋骛乎书林兮，夕翱翔乎艺苑／欲变节而从俗兮，愧易初而屈志／心不怡之长久兮，忧与愁其相接／思故旧以想象兮，长太息而掩涕／眉联娟以蛾扬兮，朱唇的其若丹／老冉冉其将至兮，恐修名之不立／既知退而知进兮，亦能刚而能柔／既滋兰之九畹兮，又树蕙之百亩／豺狼死而犹饿兮，牛腹尸而不盈／食不偷而为饱兮，衣不苟而为温／民生各有所乐兮，余独好修以为常／何昔日之芳草兮，今直为此萧艾也／何方圆之能周兮，夫孰异道而相安／亦余心之所善兮，虽九死其犹未悔／吾哀今之为仕兮，庸有虑时之否臧／汩余若将不及兮，恐年岁之不吾与／宁溘死以流亡兮，余不忍为此态也／委故都以从利兮，吾知先生之不忍／横江湖之鳣鲸兮，固将受制于蝼蚁／路曼曼其修远兮，吾将上下而求索／嫉贪佞之污浊兮，曰吾其既劳而后食／彼寻常之污渎兮，岂能容夫吞舟之巨鱼

❽一日不见，如三秋兮／秉德无私，参天地兮／巧笑倩兮，美目盼兮／善戏谑兮，不为虐兮／彼君子兮，不素餐兮／淑人君子，其仪一兮／四时兮代谢，万物兮迁化／瞻望兮踊跃，伫立兮徘徊／福兮可以善取，祸兮可以恶招／与其无义而有名兮，宁穷处而守高／豫焉，若冬涉川；犹兮，若畏四邻／先生之貌不可得兮，犹仿佛其文章／虽体解吾犹未变兮，岂余心之可惩／虽信美而非吾土兮，曾何足以少留／惟夫党人之偷乐兮，路幽昧以险隘／神龙失水而陆居兮，为蝼蚁之所裁／祸兮，福之所倚；福兮，祸之所伏／食君之禄畏不厚兮，悼得位之不昌／不出户而知天下兮，何必历远以劬劳／余将董道而不豫兮，固将重昏而终身／朝饮木兰之坠露兮，夕餐秋菊之落英

❾定心广志，余何畏惧兮／穗兮不得获，秋风至兮殚零落／人也不幸而则亡，名兮可大而不死／哀白日之不与吾谋兮，至今十年其犹初／吾不能变心而从俗兮，固将愁苦而终穷／闭心自慎，终不失过兮；秉德无私，参天地兮

❿不稼不穑，胡取禾三百廛兮／与天地兮同寿，与日月兮同光／不狩不猎，胡瞻尔庭有县貆兮／人已古兮山在，泉无心兮道存／命鸾凤兮逐雀，驱龙骥兮捕鼠／高莫高兮九阍，远莫远兮故园／冬沙飞兮浙浙，春草磨兮芊芊／夏云阴兮

若山，秋水平兮若天／王孙游兮不归，春草生兮萋萋／采薜荔兮水中，搴芙蓉兮木末／日光寒兮草短，月色苦兮霜白／春每归兮花开，花已阑兮春改／览冀州兮有余，横四海兮焉穷／鸟何萃兮蘋中，罾何为兮木上／春不留兮时已失，老衰飒兮逾疾／今别子兮归故乡，旧怨平兮新怨长／冥当寝兮不能安，饥当食兮不能餐／力拔山兮气盖世，时不利兮骓不逝／莲有藕兮藕有枝，才有用兮用有时／美人迈兮音尘阙，隔千里兮共明月／操吴戈兮被犀甲，车错毂兮短兵接／君失臣兮龙为鱼，权归臣兮鼠变虎／带长剑兮挟秦弓，首身离兮心不惩／山中人兮芳杜若，饮石泉兮荫松柏／山有木兮木有枝，心悦君兮君不知／闻瑶质兮可变，知余采兮易夺……／寒暑茫茫兮代谢，故叶新花兮往来／时不与兮岁不留，一叶落兮天地秋／气如兰兮长不改，心若兰兮终不移／旃如云兮帜如星，山可动兮石可铭／旌蔽日兮敌若云，矢交坠兮士争先／悲莫悲兮生别离，乐莫乐兮新相知／鸟无声兮山寂寂，夜正长兮风淅淅／算来终不与时合，归去来兮翠如中／身既死兮神以灵，子魂魄兮为鬼雄／青云衣兮白霓裳，举长矢兮射天狼／魂魄结兮天沉沉，鬼神聚兮云幂幂／大风起兮云飞扬，威加海内兮归故乡／风萧萧兮易水寒，壮士一去兮不复还／目极千里兮伤春心，魂兮归来哀江南／秋风起兮白云飞，草木黄落兮雁南归／生仍冀得兮归桑梓，死当埋骨兮长已矣／四时万物兮有盛衰，唯我愁苦兮不暂移／居常土思兮心内伤，愿为黄鹄兮归故乡／时既清兮惟贤是急，贤既进兮其政必立／穹庐为室兮旃为墙，以肉为食兮酪为浆／苦我怨气兮浩于长空，六合虽广兮受之应不容／闭心自慎，终不失过兮；秉德无私，参天地兮／碧云悠悠兮，泾水东流。伤美人兮，雨泣花愁／登彼西山兮采其薇矣，以暴易暴兮不知其非矣／挫其锐，解其纷，和其光，同其尘，湛兮似或存／纯柔纯弱兮，必削必薄；纯刚纯强兮，必丧必亡／盗取民食兮，私已不分；充赚果腹兮，骄傲欢欣／时之不来也，为雾豹，为冥鸿，寂兮寥兮，奉身而退

分 ①fēn 分开；离散；分配；辨别；分支，部分；夏历中昼夜均分的节气，春分，秋分；中国辅币名；时间单位。②fèn 整体中的一部分；成分；名分，职分；轻重，分限；职责、权利等的限度；情分；同"份"；料想。

❶分波而共源，百虑而一致

见南朝·宋·范晔《后汉书·仲长统传》。

分人以财谓之惠，教人以善谓之忠

见《孟子·滕文公上》。全句为："～，为天下得人者谓之仁"。

分争者不胜其祸，辞让者不失其福

见《晏子春秋·内篇杂下第十四》。

❷三分诗，七分读／万分廉洁，止是小善／力分者弱，心疑者背／其分也，成也；其成也，毁也／已分忍饥度残岁，更堪岁里闰添长

❸财上分明大丈夫／宽一分民多受一分赐／动得分曰适，言得分曰信／多一分享用，减一分志气／跻攀分寸不可上，失势一落千丈强／爱得分曰仁，施得分曰义，虑得分曰智

❹兵民之分，自秦汉始／交友投分，切磨箴规／一钱亦分明，谁能肆谗毁／功盖三分国，名成八阵图／简守帅，分其统，专其任／事有所分，则毫末不遗而情伪必见／增之一分则太长，减之一分则太短／八百里分麾下炙，五十弦翻塞外声。沙场秋点兵

❺三分诗，七分读／兵革兴而分争生／善不善不分，乱莫大焉／地也，你不分好歹何为地／天下大势，分久必合，合久必分／未形者有分，且然无间，谓之命／休夸此地分天下，只得徐妃半面妆／众中不敢分明语，暗掷金钱卜远人／辩莫大于分，分莫大于礼，礼莫大于圣王／偏则成魔，分唐界宋。霹雳一声，邹鲁不哄

❻投闲置散，乃分之宜／凡事省得一分，即受一分之益／明于天人之分，则可谓至人矣／君子小人之分，义与利之间而已／逢人且说三分话，未可全抛一片心／逢人只可三分语，未可全抛一片心／生以有为己分，则虚无是有之所遗者也／我专为一，敌分为十，是以十共其一也／交友须带三分侠气，作人要存一点素心／定乎内外之分，辨乎荣辱之境，斯已矣／胆力者，雄之分也，不得英之智则事不立／聪明者，英之分也，不得雄之胆则说不行／辩莫大于分，分莫大于礼，礼莫大于圣王／二好均平，无分轻重，则一俯一仰，乍进乍退

❼一听则愚智不分／春在枝头已十分／死生之穴，乃在分毫／心在汉室，原无分先主后主／丈夫穷空自其分，饿死吾肩未尝胁／世间富贵应无分，身后文章合有名／太极，谓天地未分之前，元气混而为一／欲知舜与蹠之分，无他，利与善之间也

❽四体不勤，五谷不分／宽一分民多受一分赐／是非之经，不可不分／物以类聚，人以群分／方以类聚，物以群分／为政……患善恶之不分／刑名立，则黑白之分已／动得分曰适，言得分曰信／多一分享用，减一分志气／耳目之察，不足以分物理／能甘淡泊，便有几分真学问／崇推让之风，以销分争之讼／下比周则上危，下分争则上安／镇相连似影追形，分不开如刀划水／爱得分曰仁，施得分曰义，虑得分曰智／物，量无穷，时无止，分无常，终始无故／见可怜则流涕，将分与则吝啬，是慈而不仁者／以不二之

悟，符不分之理，理智悉释，谓之顿悟

❾须晴日，看红装素裹，分外妖娆／盗取民食兮，私己不分；充嗛果腹兮，骄傲欢欣／天地之气合而为一，分为阴阳，判为四时，列为五行／兵静则固，专一则威，分决则勇，心疑则北，力分则弱

❿淡然虚而一，志虑则不分／书生报国无地，空白九分头／天下不患无财，患无人以分之／凡事省得一分，即受一分之益／凡人坏品败名，钱财占了八分／自一气之所有，播万殊而种分／天下大势，分久必合，合久必分／先王恶其乱也，故制礼义以分之／士齐僚而不职，则贤与愚而不分／盛之有衰，生之有死，天之分也／未必上流须鲁肃，腐儒空白九分头／创业自知难两立，辍耕早已定三分／似把剪刀裁别恨，两人分得一般愁／人生结交在终始，莫为升沉中路分／今日重来应抵掌，十年分付未逢人／诚其心，正其志，实其事，定其分／增之一分则太长，减之一分则太短／听言不可不察，不察则善不善不分／昨日邻家乞新火，晓窗分与读书灯／责上责下而中自恕己，岂可任职分／毁誉从来不可听，是非终久自分明／用过其才则败事，享过其分则丧身／言语巧偷鹦鹉舌，文章分得凤凰毛／大禹圣人，乃惜寸阴，众人当惜分阴／事非当则伤于智力，务过分则毙于形神／当其才则事或能济，逾其分则力所不堪／爱得分曰仁，施得分曰义，虑得分曰智／得大数而治，失大数而乱，此治乱之分也／快心之事，悉败身丧德之媒，五分便无悔／中春之月，阳在正东，阴在正西，谓之春分／中秋之月，阳在正西，阴在正东，谓之秋分／勋劳宜赏，不吝千金；无功望施，分毫不与／大禹圣人，乃惜寸阴，至于众人，当惜分阴／大禹圣人，犹惜寸阴，至于凡俗，当惜分阴／贵不专权，罔惑上下；贱能守分，不苟求取／有赏罚之教则邪道进，有亲疏之分则小人入／用兵之法：十则围之，五则攻之，倍则分之／窈然无际，天道自会；漠然无分，天道自运／诗文之词采贵典雅而贱粗俗，宜蕴藉而忌分明／善善不进而恶恶不退，则忠奸未别，邪正不分／贵而下贱，则众弗恶；富能分贫，则穷士弗恶／心之在体，君之位也；九窍之有职，官之分也／聪者耳闻，明者目见，聪明则仁爱著而廉耻分／不拘一世之利以为己私分，不以王天下为己处显／见其远者大者，不食邪人之饵，方是二十分识力／君子所性，虽大行不加焉，虽穷居不损焉，分定故也／贤者易知也：观其富之所分，达之所进，穷之所不取／兵静则固，专一则威，分决则勇，心疑则北，力分则弱／原心反性则贵矣，适情知足则富矣，明死生之分则寿矣／政庞而土裂，三光五岳之气分，大音不完，故必混一而后大振／今以众地者，公作则迟，有所匿其力也；分地则速，无所匿迟也

公

gōng 指国家或集体的，与“私”相对；共同的；使公开；公平，公正；称丈夫的父亲；对一些男子的尊称；欧洲的爵位名；通“功”；姓。

❶公事不私议

见《礼记·曲礼下》。

公则仁，仁则爱

见宋·朱熹《朱子语类》卷六。全句为：“仁是爱的道理，公是仁的道理，故～”。

公道通而私道塞

见汉·刘安《淮南子·主术》。

公家之事，知无不为

见唐·杨炯《盐亭县令南阳邹思恭字克勤赞》。

公家之利，知无不为

见《左传·僖公九年》。

公输善匠，不能匠散木

见唐·皮日休《鹿门隐书六十篇》。全句为：“造父善御，不能御驽骀；～”。

公正无私，一言而万民齐

见汉·刘安《淮南子·修务》。

公正无私，可以为天下王

见《老子》十六河上公注。

公则天下平矣；平得于公

见《吕氏春秋·孟春纪·贵公》。

公若登台辅，临危莫爱身

见唐·杜甫《奉送严公入朝十韵》。

公生明，诚生明，从容生明

见明·吕坤《呻吟语》。

公义不亏于上，私行不失于下

见宋·王安石《辞集贤校理状》。

公却是仁发处，无公则仁行不得

见宋·朱熹《朱子语类》卷六。

公卿有党排宗泽，帷幄无人用岳飞

见宋·陆游《夜读范至能〈揽辔录〉……》。

公道世间唯白发，贵人头上不曾饶

见唐·杜牧《送隐者一绝》。

公输子之巧用材也，不能以檀为瑟

见《慎子》逸文。

公无私者，其取舍进退无择于亲疏远迩

见唐·韩愈《送齐暤下第序》。

公生明，偏生暗，端悫生通，诈为生塞

见《荀子·不苟》。全句为：“～，诚信生神，夸诞生惑”。

公婿公孙，与民同门，暴傲其邻者，可亡也

见《韩非子·亡征》。

❷至公大义为正／至公近乎无为／上公正则下易直／当公法则不阿亲戚／周公吐哺，天下归

心／以公灭私，民其允怀／至公者，群恶之所疾／名，公器也，不可多取／周公不求备，四友不相兼／八公山上草木，皆类人形／冯公岂不伟，白首不见招／务公正者，必无邪佞之朋／三公者，百僚之率，万民之表／以公平为规矩，以仁义为准绳／桓公小白杀兄入嫂，而管仲为臣／天公尚有妨农过，蚕怕雨寒苗怕火／周公恐惧流言日，王莽谦恭未篡时／诸公可叹善谋身，误国当时岂一秦／奉公如法，则上下平，上下平则国强／周公位尊愈卑，胜敌愈惧，家富愈俭／尽公者，政之本也；树私者，乱之源也／欧公作文，先贴于壁……有终篇不留一字者／天公何时有，谈者皆不经。谁道贤人死，今为傅说星／廉公之思赵将，吴子之泣西河，人之情也，将军独无情哉

❸任以公法，而处以贪枉／智不公，则福日衰，灾日隆／其行公正无邪，故谗人不得入／今王公贵人，处于重屋之下……／太史公曰：……利，诚乱之始也／惟至公不敢私其所私，私则不正／名为公器无多取，利是身灾合少求／齐桓公以管仲辅之则理，以易牙辅之则乱／公婿公孙，与民同门，暴傲其邻者，可亡也

❹欲与天公试比高／居官者，公则自廉／一国三公，吾谁适从／天下之公患，乱伤之也／人主不公，人臣不忠也／不从桓公猎，何能伏虎威／谗邪害公正，浮云翳白日／我劝天公重抖擞，不拘一格降人材／我愿天公怜赤子，莫生尤物为疮痏／也不赴，公卿约；也不慕，神仙学／伺候于公卿之门，奔走于形势之途／笺诉天公休掠剩，半偿私债半输官／不可假公法以报私仇，不可假公法以报私德／心苟至公，人将大同；心能执一，政乃无失／深者获公名，平者多后患，故治狱之吏皆欲人死／如有周公之材之美，使骄且吝，其馀不足观也已

❺不以私害公／私仇不及公／私怨不入公门／开诚心，布公道／私情行而公法毁／五种俱熟，公私有余／事有是非，公无远近／人心未泯，公论难逃／参之太史公以著其洁／事生则释公而就私，货数而任己／昔有佳人公孙氏，一舞剑气动四方／痴儿不了公家事，男子要为天下奇／国耳忘家，公耳忘私，利不苟就，害不苟去／苟灭德忘公，崇浮饰傲，荣其外而枯其内，害其本而窒其源／古之所谓公无私者，其取舍进退无择于亲疏远迩，惟其宜可焉

❻不以私善害公法／不以私爱害公义／为政之要，曰公与勤／为政之要，曰公曰清／王阳在位，贡公弹冠／极身毋二，尽公不还私／大贤秉高鉴，公烛无私光／天下无事，则公卿之言轻于鸿毛／身行顺，治事公，故国无阿党之议／此心常卓然公正，无有私意，便是敬／国家作事，以公共为心者，人必乐而从之／今以众地者，公作则迟，有所匿其力也；分地则速，无所匿迟也

❼不私而天下自公／志忍私，然后能公／私欲不可以胜公议／天下桃李，悉在公门／不私于物，物亦公焉／赏罚者，天下之公也／威不可立也，惟公则威／大明无偏照，至公无私亲／理国要道，在于公平正直／九层之台一倾，公输子不能正／仁是爱的道理，公是仁的道理／今虽不能如周公吐哺握发……／知常顺道，故能公正而为王也／法大行，则是为公是，非为公非／阴阳水旱由天公，忧雨忧风愁煞侬／大其牖，天光入；公其心，万善出／官寡而禄厚，则公家之费鲜，进仕之志劝／居上者不以至公理物，为下者必以私路期荣

❽天之至私，用之至公／不私与己，是谓至公／事之当否，众口必公／以苛为密，以利为公／坐而论道，谓之王公／推心置腹，开诚布公／廉约小心，克己奉公／称物平施，为政以公／任贤使能，天下之公义／塞多幸之路，开至公之道／常将一己作世间公共之物／公却是仁发处，无公则仁行不得／农夫心内如汤煮，公子王孙把扇摇／钱神通灵于旁蹊，公器反类于互市／用仁义以治天下，公赏罚以定干戈／聪明则视听不惑，公正则不迩谗邪／私心胜者可以灭公，为己重者不知利物／居官有二语，曰：唯公则生明，唯廉则生威／被坚执锐，义不如公；坐而运策，公不如义

❾圣人制天下，贵能至公／大道之行也，天下为公／天高皇帝远，民少相公多／扁舟泛湖海，长揖谢公卿／目贵明，耳贵聪，心贵公／旁观虽拙，而灼于虚公之见／丹崖翠壁千万丈，与公上上上上上／尽诚可以绝嫌猜，徇公可以弭谗诉／幽晦登昭，日月下藏；公正无私，反见从横

❿公则天下平矣；平得于公／成败论千古，人间最不公／成败论古人，陋识殊未公／智而用私，不若愚而用公／项庄拔剑舞，其意常在沛公／行患不能成，无患有司之不公／治身莫先于孝，治国莫先于公／好以智矫法，时以行杂公……／物足则富贵，富贵则帝王公侯／以仁心说，以学心听，以公心辨／君不见曲如钩，古人知尔封公侯／法大行，则是为公是，非为公非／治则衍及百姓，乱则不足及王公／天道以爱人为心，以劝善惩恶为公／临大节而不可夺，处至公而不可干／及王则无不伸宣，语刘则无不公干／阴阳者，气之大者也；道者为之公／江流千古英雄泪，山掩诸公富贵羞／惟愿孩儿愚且鲁，无灾无难到公卿／在朝也则司寇之任，为国则公正之政／志意修则骄富贵矣，道义重则轻王公矣／当官者能洁身修己，然后在公之节乃全／山舞银蛇，原驰蜡象，欲与天公试比高／毋私

小惠而伤大体，毋借公论以快私情／言无法度不出于口，行非公道不萌于心／言非法度不出于口，行非公道不萌于心／凡万物异则莫不相为蔽，此心术之公患也／抗厉之人不能回挠，论法直则括处而公正／行货赂，趣势门，立私废公，比周而取容／天下之患，莫大于举朝无公论，空国无君子／不可假公法以报私仇，不可假公法以报私德／不知而不疑，异于己而不非者，公于求善也／山不厌高，海不厌深；周公吐哺，天下归心／宽则得众，信则民任焉，敏则有功，公则说／智载于私，则所知少；载于公，则所知多矣／被坚执锐，义不如公；坐而运策，公不如义／一言得而天下服，一言定而天下听，公之谓也／大臣则必取众人之选，能犯颜谏事公正无私者／安而不扰，使而不劳，是以百姓劝业而乐公赋／昔先圣王之治天下也，必先公，公则天下平矣／智而用私，不如愚而用公，故曰巧伪不如拙诚／为民族解放，为阶级翻身，事业垂成，公胡遽死／吾所谓道德云者，合仁与义言之也，天下之公言也／处道而不贰，吐而不夺，利而不流，贵公正而贱鄙争

兰 lán 兰花；兰草；木兰；通“栏”；通“斓”；姓。

❶兰草自然香，生于大路傍

见汉·无名氏《古乐府》。

兰闺久寂寞，无事度芳春

见金·董解元《西厢记诸宫调》上卷。全句为：“～。料得行吟者，应怜长叹人”。

兰生幽谷，不为莫服而不芳

见汉·刘安《淮南子·说山》。全句为：“～；舟在江海，不为莫乘而不浮，君子行义，不为莫知而止休”。

兰薰而摧，玉缜则折；物忌坚芳，人讳明洁

见南朝·宋·颜延之《祭屈原文》。

兰亭也，不遭右军，则清湍修竹，芜没于空山矣

见唐·柳宗元《邕州柳中丞作马退山茅亭记》。

兰茝荪蕙之芳，众人之所好，而海畔有逐臭之夫

见晋·陈寿《三国志·魏书·陈思王传》。全句为：“人各有所好尚。～”。

兰茝生于茂林之中，深山之间，不为人莫见之故不芬

见汉·韩婴《韩诗外传》。

❷芳兰之芬烈者，清风之功也／芷兰生于深林，非以无人而不芳／香兰自判前因误，生不当门也被锄／丛兰欲茂，秋风败之；王者欲明，谗人蔽之

❸鲍鱼兰芷，不同箧而藏／桂殿兰宫，列冈峦之体势／宁为兰摧玉折，不作萧敷艾荣／既滋兰之九畹兮，又树蕙之百亩／气如兰兮长不改，心若兰兮终不移

❹秋菊春兰各有香／岸芷汀兰，郁郁青青／如入芝兰之室，久而不闻其香／朝饮木兰之坠露兮，夕餐秋菊之落英

❺膏以朗煎，兰由芳凋／石生而坚，兰生而芳／鲍鱼不与兰茝同笥而藏／飞霜迎地，兰萧衔共尽之悲／不是交同兰气味，为何话出一人心／石生而坚，兰生而芳，少自其质，长而愈明

❻被褐怀金玉，兰蕙化为刍／亲贤如就芝兰，避恶如畏蛇蝎

❼养子弟如养芝兰，既积学以培植之，又积善以滋润之／与善人居，如入兰芷之室，久而不闻其香，则与之化矣

❽同心之言，其臭如兰／穷巷秋风起，先摧兰蕙芳／与善人居，如入芝兰之室，久而自芳也／寻芳者追深径之兰，识韵者探穷山之竹

❾立身成败，在于所染，兰芷鲍鱼，与之同化

❿昆山玉碎凤凰叫，芙蓉泣露香兰笑／气如兰兮长不改，心若兰兮终不移／破额山前碧玉流，骚人遥驻木兰舟／丹可磨而不可夺其色，兰可燔而不可灭其馨／荆玉含宝，要俟开莹；幽兰怀馨，事资扇发／沙鸥翔集，锦鳞游泳；岸芷汀兰，郁郁青青／日月欲明而浮云盖之，兰芝欲修而秋风败之／是以与善人居，如入芝兰之室，久而自芳也／鹤汀凫渚，穷岛屿之萦回；桂殿兰宫，列冈峦之体势

只 ①zhī 单独的；极少的。②zhǐ 作语助；表决定或感叹语气；仅，只不过。

❶只缘恐惧转须亲

见唐·杜甫《又呈吴郎》。

只因一着错，满盘都是空

见明·冯梦龙《古今小说·陈御史巧勘金钗钿》。

只因神倒运，常恐鬼胡行

见清·洪昇《长生殿·情悔》。

只言花是雪，不悟有香来

见南朝·陈·苏子卿《梅花落》。

只言旋老转无事，欲到中年事更多

见唐·杜牧《书怀》。

只系其逢，不系巧愚；不谐其须，有衔不祛

见唐·韩愈《试大理评事王君墓志铭》。

❷天只在我，更祷个什么

❸大病只一自是，不肯克己／事事只在道理上商量，便是真体认／我自只如常日醉，满川风月替人愁／功名只向马上取，真是英雄一丈夫／多病只思田舍乐，夜归烟火望茅檐／逢人只可三分语，未可全抛一片心／如今只说临安路，不较中原有几程／此曲只应天上有，人间能得几

回闻／是非只为多开口，烦恼皆因强出头／神州只在阑干北，度度来时怕上楼／小人只怕他有才。有才以济之，流害无穷
❹不听琴，只是不知音
❺不好黄金只好书／万事俱备，只欠东风／不求好句，只求好意／大愚误国，只为好自用／贫是美称，只是难居其美／不能长进，只为昏弱两字所苦／圣人教人，只是就人日用处开端／异方之乐，只令人悲，增忉怛耳／大抵学问只有两途，致知力行而已／道人活计只如此，留与时人作见闻／仇无大小，只怕伤心；恩若救急，一芥千金
❻一万年太久，只争朝夕／华宂灿烂，非只色之功／世上无难事，只要肯登攀／俏也不争春，只把春来报／从来天下士，只在布衣中／大抵为名者，只是内不足／岂知千仞坠，只为一毫差／夕阳无限好，只是近黄昏／学者大病痛，只是器度小
❼大抵古人诗画，只取兴会神到／当急剧冗杂时只不动火，则神有余而不劳／大丈夫不怕人，只怕理；不恃人，只是恃道
❽两世一身，形单影只／忧国唯知重，谋身只觉轻／病叶多先坠，寒花只暂香／合天地万物而言，只是一个理／零落成泥碾作尘，只有香如故／万户千门成野草，只缘一曲后庭花／不识庐山真面目，只缘身在此山中／不随俗物皆成土，只待良时却补天／不去扫清天北雾，只来卷起浪头山／不要人夸好颜色，只留清气满乾坤／不敢妄为些子事，只因曾读数行书／不畏将军成久别，只恐封侯心更移／生来不读半行书，只把黄金买身贵／休夸此地分天下，只得徐妃半面妆／当轩不是怜苍翠，只要人知耐岁寒／善恶到头终有报，只争来早与来迟／闭门觅句非诗法，只是征行自有诗／清渚白沙茫不辨，只应灯火是渔船／暗中时滴思亲泪，只恐思儿泪更多／吾人立身天地间，只思量作得一个人／不奋苦而求速效，只落得少日浮夸，老来窘隘而已
❾一代天骄，成吉思汗，只识弯弓射大雕
❿不见古人卜居者，千金只为买乡邻／人生代代无穷已，江月年年只相似／人人尽说江南好，游人只合江南老／大得却须防大失，多忧原只为求多／春色不随亡国尽，野花只作旧时开／贫无可奈惟求俭，拙亦何妨只求勤／未有天地之先，毕竟也只是先其俭也／人品做到极处，无有他异，只是本然／文章做到极处，无有他奇，只是恰好／未有天地之先，毕竟也只是先进谏斯易矣／行路难，不在水不在山，只在人情反覆间／一切言动，都要安详；十差九错，只为慌张／不专一能，怪怪奇奇，不可时施，只以自嬉／大丈夫不怕人，只怕理；不恃人，只是恃道／敌存而惧，敌去而舞；废备自盈，只益为瘉／未有天地之先，毕竟也只是先让者，德之主也／先王之世，以道治天下，后世只是以法把持天下／万物有自然之理，圣人只是顺之，不曾增加得一毫／未有天地之先，毕竟也只是先有此理，便有此天地／我愿君王心，化作光明烛，不照绮罗筵，只照逃亡屋

并 ①bìng 合并；同，齐；竞；通“屏”，屏除；并排；连词；加强语气。②bīng“并州”，古九州之一。③bàng 通“傍”，依傍，紧挨。
❶并刀如水，吴盐胜雪
见宋·周邦彦《少年游》。
并骥而走者，五里而罢
见《战国策·赵策三》。全句为：“～；乘骥而御之，不倦而取道多”。
并词竞说者，为贷手以自殴
见三国·魏·刘劭《人物志·释争》。全句为：“交气疾争者，为易口而自毁也；～”。
并兼者高诈力，安定者贵顺权
见汉·贾谊《新书·过秦中》。
并时以养民功，先德后刑，顺于天
见《十六经·观》。
并天下之谋，兼天下之智，而理得矣
见隋·王通《中说·问易》。
并力西向，则吾恐秦人食之不得下咽也
见宋·苏洵《六国论》。全句为：“以赂秦之地，封天下之谋臣；以事秦之心，礼天下之奇才；～”。
并官省事，静事息役，上下用心，惟农是务
见唐·房玄龄《晋书·傅咸传》。
并时遭兵，隐者不中；同日被霜，蔽者不伤
见汉·王充《论衡·幸偶篇》。
❸万物并作，吾以观复／俱收并蓄，待用无遗／意不并锐，事不两隆／虎狼并处，不可以仕／文武并行，则天下从矣／生为并身物，死为同棺灰／列士并学，能终善者为师／百川并流，不注海者不为川谷／焉得并州快剪刀，翦取吴松半江水／万物并育而不相害，道并行而不相悖／圣人并包天地，泽及天下，而不知其谁氏
❹谋事不并仁义者后必败／威与信并行，德与法相济／万物虽并动作，卒复归于虚静
❺至富，国财并焉／至显，名誉并焉／至贵，国爵并焉／易衣而出，并日而食／陶匏异器，并为入耳之娱／阴阳之不并曜，昼夜之有长短／胸中之竹，并不是眼中之竹也／天地与我并生，而万物与我为一／但写真情并实境，任他埋没与流传／切莫呕心并剔肺，须知妙语出天然／兼覆盖而并有之，度伎能而裁使之者，圣人也
❻四美俱，二难并／君子与小人，并处必为患／农事废，饥寒并至，故盗贼多有／忠邪不可以并

立，善恶不可以同道

❼一岁典职，田宅并兼／官无二业，事不并济／谈欢则字与笑并，论戚则声共泣偕／文、理、义三者兼并……能必传也／天地之间，万国并兴，小大愚智，皆愿为君

❽足趾一跌，而前劳并捐／慈仁者，百姓亲附，并心一意，故以战则胜敌，以守卫则坚固

❾两雄不俱立，两贤不并世／冰炭不同器，日月不并明／日月五星逆天而行，并包乎地者也

❿清歌绕梁，白云将红尘并落／方圆画不俱成，左右视不并见／身与草木俱朽，声与日月并彰／自其所当后者为之，则先后并废／记短则兼折其长，贬恶则并伐其善／权钧则不能相使，势等则不能相并／礼之可以为国也久矣，与天地并立／万物并育而不相害，道并行而不相悖／至德之世，同与禽兽居，族与万物并／小人不知自益之为损，故一伐而并失／道不远而难极也，与人并处而难得也／逆取而以顺守之，文武并用，长久之术／邪之与正，犹水与火，不同原，不得并盛／十室之邑，必有忠信；三人并行，厥有我师／罗衣从风，长袖交横，骆驿飞散，飒擖合并／牛溲马勃，败鼓之皮，俱收并蓄，待用无遗／气往轹古，辞来切今，惊采绝艳，难与并能／限之以爵，爵加则知荣，恩荣并济，上下有节／真则气雄，精则气生，使五彩并用，而气行其中／兵非益多也，惟无武进，足以并力，料敌，取人而已／有席卷天下，包举宇内，囊括四海之意，并吞八荒之心／有起于虚，动起于静。故万物虽并动作，卒复归于虚静

关 ①guān 关闭；关卡；重要的阶段或转折点；起到重要作用的关联部分；古代公文的一种；联系；拘禁；通达；领取；进入；通“贯”，贯穿；姓。②wān 通“弯”，[关弓]拉满弓。

❶关西出将，关东出相

见汉·虞诩《引谚》。

关节不到，有阎罗包老

见元·脱脱·阿鲁图《宋史·包拯传》。

关键将塞，则神有遁心

见南朝·梁·刘勰《文心雕龙·神思》。全句为：“枢机方通，则物无隐貌；～”。

《关雎》乐而不淫，哀而不伤

见《论语·八佾》。

《关雎》之乱，洋洋乎盈耳哉

见《论语·泰伯》。

关河景物异南北，神京不见双泪流

见宋·刘过《多景楼》。

关关雎鸠，在河之洲。窈窕淑女，君子好逑

见《诗·周南·关雎》。

关山难越，谁悲失路之人？萍水相逢，尽是他乡之客

见唐·王勃《滕王阁序》。

❷间关如有意，愁绝若怀人／机关算尽太聪明，反算了卿卿性命／雄关漫道真如铁，而今迈步从头越／关关雎鸠，在河之洲。窈窕淑女，君子好逑

❸怅望关河空吊影，正人间……／立望关河萧索，千里清秋，忍凝眸／开函关，掩函关，千古如何，不见一人闲

❹一夫当关，万夫莫开／门不夜关，道不拾遗／装点此关山，今朝更好看／寄到玉关应万里，戍人犹在玉关西

❺关西出将，关东出相／一夫怒临关，百万未可傍／为文不能关教事，虽工无益也／春色满园关不住，一枝红杏出墙来／愁听，吹笛《关山》……月中都是断肠声

❻一枝一叶总关情／渚云低暗度，关月冷相随／雨后复斜阳，关山阵阵苍／开函关，掩函关，千古如何，不见一人闲／诗有别材，非关书也；诗有别趣，非关理也

❼千里相思，空有关山之望

❽太学者，贤士之所关也，教化之本原也

❾山明疑有雪，岸白不关沙／轻生本为国，重气不关私／不是眼前无外物，不关心事不经心／风俗之变，迁染民志，关之盛衰，不可不慎

❿家事国事天下事，事事关心／园日涉以成趣，门虽设而常关／不敢望到酒泉郡，但愿生入玉门关／伏波惟愿裹尸还，定远何须生入关／人生自是有情痴，此恨不关风与月／冠虽故必加于首，履虽新必关于足／劝君更尽一杯酒，西出阳关无故人／徒觉炎凉节物非，不知关山千万里／庾信平生最萧瑟，暮年诗赋动江关／寄到玉关应万里，戍人犹在玉关西／羌笛何须怨杨柳，春风不度玉门关／冠虽敝，必加于首；履虽新，必关于足／当官务持大体，思事事皆民生国计所关／炷尽沉烟，抛残绣线，恁今春关情似去年／以一丸泥为大王东封函谷关，此万世一时也／变祸为福，易曲成直，宁关天命，在我人力／诗有别材，非关书也；诗有别趣，非关理也／百官之众，四海之广，使其关节脉理相通为一

共 ①gòng 相同的；共有；一起；总计；与，和。②gōng 通“恭”，恭敬；通“供”，供奉，供给；古国名。③gǒng“拱”的本字。

❶共舆而驰，同舟而济，舆倾舟覆，患实共之

见南朝·宋·范晔《后汉书·朱穆传》。

❸两虎共斗，其势不俱生／奇文共欣赏，疑义相与析／与民共其乐者，人必忧其忧／可与共安乐，亦可与共患难／可以共患难，不可以共安乐／利可共而不可独，谋可寡而不可众／何当共剪西窗烛，却话巴山夜雨时／人意共怜花月满，花好月圆人又散／言泉共秋水同流，词峰与夏

云争长／三人共牧一羊，羊不得食，人亦不得息／下之共上勤而不困，上之治下简而不劳

❹同心而共济，终始如一／悲音不共声，皆快于耳／分波而共源，百虑而一致／从风还共落，照日不俱销／功高人共嫉，事定我当烹／芳草宁共气，而皆悦于魂／薰莸不共器，枭鸾不比翼／俭，德之共也；侈，恶之大也／春心莫共花争发，一寸相思一寸灰

❺与多疑人共事，事必不成／与好利人共事，己必受累／古往今来共一时，人生万事无不有／四海之内共利之之谓悦，共给之之谓安／不与万物共尽，而卓然其不朽者，后世之名／百节成体，共资荣卫，万趣会文，不离辞情／落梅芳树，共体千篇；陇水巫山，殊名一意

❻太虚作室而共居，夜月为灯以同照／此去与师谁共到？一船明月一帆风／过眼滔滔云共雾，算人间知己吾和汝／天下之人所共趋之而不知止者，富贵与美名尔

❼才难之叹，古今共之／利口伪言，众所共恶／侈恶之大，俭为共德／山川之美，古来共谈／有罪之人，人所共弃／秦失其鹿，天下共逐之／滴沥空庭，竹响共雨声相乱／生不能相养以共居，殁不得抚汝以尽哀／邪正之人不宜共国，亦犹冰炭不可同器／国家作事，以公共为心者，人必乐而从之／风烟俱静，天山共色，从流飘荡，任意东西

❽长绳难系日，自古共悲辛／后来有千日，谁与共平生／但愿人长久，千里共婵娟／海上生明月，天涯共此时／结发同枕席，黄泉共为友／旷野看人小，长空共鸟齐／心事同漂泊，生涯共苦辛／飞霜迎地，兰萧衔共尽之悲／日日思君不见君，共饮长江水／眉将柳而争绿，面共桃而竞红／举天下而无可与共处，则是其势岂可以久也／好便宜者不可与共财，多狐疑者不可与共事

❾千里不同风，百里不共雷／以之事国，则同心而共济／报国行赴难，古来皆共然／常将一己作世间公共之物／善，以言乎天下之大共也／繁莺芳树，绕高台而共乐／可与共安乐，亦可与共患难／可以共患难，不可以共安乐

❿贞操与日月俱悬，孤芳随山壑共远／谈欢则字与笑并，论戚则声共泣偕／落霞与孤鹜齐飞，秋水共长天一色／美人迈兮音尘阙，隔千里兮共明月／春江潮水连海平，海上明月共潮生／新交与旧识俱欢，林壑共烟霞对赏／我专为一，敌分为十，是以十共其一也／四海之内共利之之谓悦，共给之之谓安／为政以德，譬如北辰，居其所而众星共之／共舆而驰，同舟而济，舆倾舟覆，患实共之／好便宜者不可与共财，多狐疑者不可与共事

兴 ①xīng 发动；起来；创办；作，举；昌盛；允许；或许；流行；姓。②xìng 兴会，兴致；喜欢；《诗》，六义之一。

❶兴者必废，盛者必衰

见《西升经·经诫章》。

兴贤育才，为政之先务

见明·朱之瑜《朱舜水集·劝兴》。全句为："敬教劝学，建国之大本；～"。

兴于诗，立于礼，成于乐

见《论语·泰伯》。

兴天下之利，除天下之害

见《墨子·兼爱下》。

兴，百姓苦；亡，百姓苦

见元·张养浩《中吕·山坡羊·潼关怀古》。全句为："伤心秦汉经行处，宫阙万间都做了土。～"。

兴尽悲来，识盈虚之有数

见唐·王勃《滕王阁序》。全句为："天高地迥，觉宇宙之无穷；～"。

兴废由人事，山川空地形

见唐·刘禹锡《金陵怀古》。

兴天下之同利，除天下之同害

见《荀子·正论》。

兴利之要，在于致之，不在于多少

见汉·董仲舒《春秋繁露·考功名》。全句为："～；除害之要，在于去之，不在南北"。

兴者，先言他物以引起所咏之词也

见宋·朱熹《诗集传》卷一注。

兴酣落笔摇五岳，诗成笑傲凌沧洲

见唐·李白《江上吟》。

兴于嗟叹，发于吟咏，而形于歌诗矣

见唐·白居易《策林》六九。全句为："大凡人之感于事，则必动于情，然后～"。

兴国之君乐闻其过，荒乱之主乐闻其誉

见晋·陈寿《三国志·吴书·楼玄传》。

❷乘兴而行，兴尽而返／乘兴说话，最难检点／夙兴以求，夜寐以思／夙兴夜寐，靡有朝矣／夙兴夜寐，无一日之懈／废兴成毁，相寻于无穷／夙兴以忧人，夕惕而修己／晨兴理荒秽，带月荷锄归／有兴必有废，有盛必有衰／军兴由乎寇生，寇生由乎政缺／其兴也必由于积善，其亡也皆在于积恶

❸变故兴细微／兵革兴而分争生／天下兴亡，匹夫有责／国家兴亡，匹夫有责／多难兴王，殷忧启圣／大智兴邦，不过集众思／国将兴，必贵师而重傅／阴雪兴岩侧，悲风鸣树端／卫后兴于鬒发，飞燕宠于体轻／天下兴学取士，先德行不专文辞／千古兴亡，百年悲笑，一时登览／古之兴者，在德薄厚，不以大小／国之兴也，视民如伤，是其福也／国将兴，听于民；将亡，听于神

／自古兴俭以劝天下，必以身先之／国不兴无事之功，家不藏无用之器／国之兴亡不由蓄积多少，唯在百姓苦乐／国之兴亡不由蓄积多少，惟在百姓苦乐／千古兴亡多少事，悠悠。不尽长江滚滚流／国之兴也，视民如伤，是其福也；其亡也，以民为土芥，是其祸也

❹治乱废兴在于己／得人者兴，失人者崩／天下将兴，其积必有源／国之将兴，尊师而重傅／国家之兴，尊尊而敬长／逝水悲兴废，浮云阅古今／前古之兴亡，未尝不经于心也／俱怀逸兴壮思飞，欲上青天揽明月／此道废兴吾命在，世间腾口任云云／国之将兴，必有祯祥，君子用而小人退／《诗》可以兴，可以观，可以群，可以怨／天下虽兴，好战必亡；天下虽安，忘战必危／嘉谷奋兴，根叶肥润，抽茎展穗，不失时宜／国之废兴，在于政事；政事得失，由乎辅佐／国家将兴，必有祯祥；国家将亡，必有妖孽／政之所兴，在顺民心；政之所废，在逆民心／国以贤兴，以谄衰；君以忠安，以佞危，此古今之常论／贤者之兴，而愚者之废，废而复之为是，循而习之为非

❺千里之差，兴自毫端／乘兴而行，兴尽而返／国之政要，兴废在人／海内安宁，兴文匽武／情往似赠，兴来如答／昌必有衰，兴必有废／赏由物召，兴以情迁／无例不可兴，有例不可灭／事修而谤兴，德高而毁来／沿情而动兴，因物而多怀／水激则波兴，气乱则智昏／贵有风雪兴，富无饥寒忧／疾风而波兴，木茂而鸟集／未曾灭项兴刘，先见筑坛拜将／招世之士兴朝，中民之士荣官／忧劳可以兴国，逸豫可以亡身／读书而寄兴于吟咏风雅，定不深心／春风不识兴亡意，草色年年满故城／爱恶亲疏，兴废穷达，皆可以成义／胜地几经兴废事，夕阳偏照古今愁／文不加点，兴到语耳！孔明天才，思十反矣

❻遥吟俯畅，逸兴遄飞／凡为民去害兴利若嗜欲／道无废而不兴，器无毁而不治／一言而可以兴邦，一言可以丧邦／乐闻过，罔不兴；拒谏，罔不乱／风雅体变而兴同，古今调殊而理异／禹汤罪己，其兴也悖焉；桀纣罪人，其亡也忽焉

❼与治同道，罔不兴／四序纷回，而入兴贵闲／以材能任职，以兴义任俗／诗情吟未足。酒兴断还续／莫邪不为勇者兴，惧者变／安危在得人，国兴在贤辅／宽心应是酒，遣兴莫过诗／虎啸谷风至，龙兴景云起／致治在于任贤，兴国在于务农／文变染乎世情，兴废系乎时序／恶不废则善不兴，自然之道也／中于道则易以兴政，乖于务则难乎御物／主不可以怒而兴师，将不可以愠而致战／将欲废之，必固兴之；将欲夺之，必固与之／虑时务者不能兴其德，为身求者不能成其功／积土成山，风雨兴焉；积水成渊，蛟龙生焉／既知教之所由兴，又知教之所由废，然后可以为人师

❽事难全遂，物不两兴／清风徐来，水波不兴／政通人和，百废俱兴／以古为镜，可以知兴替／君子笃于亲，则民兴于仁／江流今古愁，山雨兴亡泪／怵惕惟厉，中夜以兴，思免厥愆／国以任贤使能而兴，弃贤专己而衰／五百年必有王者兴，其间必有名世者／国有道其言足以兴，国无道其默足以容／天地之间，万国并兴，小大愚智，皆愿为君／自太古以来，致理兴化，未有言之不行而能至矣

❾俭则约，约则百善俱兴／祸自怨起，而福繇德兴／一旦见景生情，触目兴叹／大抵古人诗画，只取兴会神到／上无礼，下无学，贼民兴，丧无日矣／曰衣食足而后廉耻兴，财物阜而后礼乐作，是执末以求其本也

❿远山片云，隔层城而助兴／贪求则争起，有知则事兴／一心可以丧邦，一心可以兴邦／人疲由乎税重，税重由乎军兴／天下之祸，不由于外，皆兴于内／有钱的纳宠妾、买人口、偏兴旺／天末海门横北固，烟中沙岸似西兴／千古风流歌舞地，六朝兴废帝王州／读书切戒在慌忙，涵泳工夫兴味长／明好恶而定去就，崇敬让而民兴行／有以无难而失守，有因多难而兴邦／自古盛衰如转烛，六朝兴废同棋局／千岩竞秀，万壑争流……若云兴霞蔚／齐、梁间诗，彩丽竞繁，而兴寄都绝／油然作云，沛然降雨，则苗浡然兴之矣／亲贤臣，远小人，此先汉之所以兴隆也／古之贤人君子，大智经营，莫不除害兴利／凡人好敖慢小事，大事至，然后兴之务之／文有二道：……导扬讽谕，本乎比兴者也／悠悠素餐者，天下皆是，王道从何而兴乎／不受虚言，不听浮术，不采华名，不兴伪事／为成者败，为利者害，为生者死，为兴者废／梅花过时，槐色犹在，白云芳草，尽入诗兴／春日迟迟，秋风飒飒。情往似赠，兴来如答／泰山崩于前而色不变，麋鹿兴于左而目不瞬／敌欲固守，攻其无备；敌欲兴陈，出其不意／目如炬，声如钟，则英伟刚毅之气使人兴起／疗饥者半菽可以充腹，为政者一言可以兴邦／天下治乱，不在一姓之兴亡，而在万民之忧乐／天下之治乱，不在一姓之兴亡，而在万民之忧乐／山沓水匝，树杂云合。……情往似赠，兴来如答／仁人之所以为事者，必兴天下之利，除去天下之害／观其国则知其臣，观其臣则知其君，观其君则知其兴亡

兑

①duì 兑换；直；通达；洞穴；八卦之一。②ruì 通“锐”。③yuè 通“悦”。

❸开其兑，济其事，终身不救／塞其兑，闭其门，终身不勤

❾不敌其力，而消其势，兑下乾上之象

弟 ①dì 弟弟；同辈分中比自己年纪小的男子；朋友间的谦称；弟子，学生；古时亦同"第"，次；但。②tì 同"悌"。③tuí[弟靡]颓唐，柔顺。

❶弟子不必不如师，师不必贤于弟子

见唐·韩愈《师说》。

弟子盖三千焉，身通六艺者七十有二人

见汉·司马迁《史记·孔子世家》。

弟者，所以事长也；慈者，所以使众也

见《礼记·大学》。全句为："孝者，所以事君也；～"。

❷兄弟无礼，不能久同／兄弟谗阋，侮人百里／昆弟世疏，朋友世亲／兄弟不睦，则子侄不爱／兄弟阋于墙，外御其务／兄弟虽有小忿，不废懿亲／兄弟敦和睦，朋友笃信诚

❸有事弟子服其劳／教子弟求显荣，不如教子弟立品行／养子弟如养芝兰，既积学以培植之，又积善以滋润之

❹何以孝弟为，财多而光荣／此令兄弟，绰绰有裕；不令兄弟，交相为瘉

❺先生施教，弟子是则／落地为兄弟，何必骨肉亲／豺则虎之弟，鹰则鹞之兄／君子一教，弟子一学，亟成／逊以为子弟苟有才，不忧不用，不宜私出以为荣利／仁人之于弟也，不藏怒焉，不宿怨焉，亲爱之而已矣

❻脊令在原，兄弟急难

❼四海之内，皆兄弟也／卑躬曲己，若顺弟之奉暴兄／万卷藏书宜子弟，十年种木长风烟／打虎还得亲兄弟，上阵须教子弟兵／达师之教也，使弟子安焉乐焉……

❽世间最难得者兄弟／凡今之人，莫如兄弟／朋友切切偲偲，兄弟怡怡／善气迎人，亲如兄弟；恶气迎人，害于兵戈

❿家富则疏族聚，家贫则兄弟离／至世之衰，父子相图，兄弟相疑／弟子不必不如师，师不必贤于弟子／打虎还得亲兄弟，上阵须教子弟兵／教子弟求显荣，不如教子弟立品行／自古雄才多磨难，纨绔子弟少伟男／善为国者，爱民如父母之爱子，兄之爱弟／此令兄弟，绰绰有裕；不令兄弟，交相为瘉／君子务本，本立而道生。孝弟也者，其仁之本／一尺布，尚可缝；一斗粟，尚可舂。兄弟二人不相容

卷 ①juǎn 把东西弯转裹成圆筒形；卷成圆筒形的；强力掀起或裹挟；量词。②juàn 书本；全书的一部分；卷子；卷宗。③quán 曲；通"圈"；好貌。④quān 古邑名。⑤gǔn 通"衮"。

❶卷土重来未可知

见唐·杜牧《题乌江亭》。

卷舒不随乎时，文武唯其所用

见唐·韩愈《与于襄阳书》。全句为："抱不世之才，特立而独行，道方而事实，～"。

❷开卷有益／万卷山积，一篇吟成／万卷藏书宜子弟，十年种木长风烟／书卷多情似故人，晨昏忧乐每相亲

❸盈缩卷舒，与时变化／采采卷耳，不盈顷筐。嗟我怀人，置彼周行／有席卷天下，包举宇内，囊括四海之意，并吞八荒之心

❹读书万卷始通神／藏书万卷可教子，遗金满籯常作灾／每开一卷，刀搅肺肠；每读一篇，血滴文字

❺仙宫云箔卷，露出玉帘钩／读书破万卷，下笔如有神／眉睫之前，卷舒风云之色／禅堂茶散卷残经，竹杖芒鞵信脚行

❻刚者折，柔者卷／横扫千军如卷席／百首如一首，卷初如卷终／不修，虽破万卷不失为小人／虽有群书万卷，不及囊中一钱／博士买驴，书卷三纸，未有驴字／善者能使敌卷甲趋远，倍道兼行／山，倒海翻江卷巨澜。奔腾急，万马战犹酣

❼锦帽貂裘，千骑卷平冈／一语不能践，万卷徒空虚／猛石可裂不可卷，义士可杀不可羞／若能常保数百卷书，千载终不为小人也

❽太刚则折，太柔则卷／恋逐云飞，思随蓬卷／五指之更弹，不若卷手之一挃／既变化而无穷，亦卷舒而莫定

❾百首如一首，卷初如卷终／乱石穿空，惊涛拍岸，卷起千堆雪／解杂乱纷纠者不控卷，救斗者不搏撠

❿眼里无点灰尘，方可读书千卷／不去扫清天北雾，只来卷起浪头山／别来十年学不厌，读破万卷诗愈美／画栋朝飞南浦云，珠帘暮卷西山雨／鸾凤骞翔而变态，烟云舒卷以呈姿／金井梧桐秋叶黄，珠帘不卷夜来霜／意得则舒怀以命笔，理伏则投笔以卷怀／内有一定之操，而外能诎伸、赢缩、卷舒／我心匪石，不可转也；我心匪席，不可卷也

具 jù 生产和生活中使用的器物；准备；有；陈述；量词；才干；完备；姓。

❶具曰"予圣"，谁知乌之雌雄

见《诗·小雅·正月》。

❷形具而神生／器具质而洁，瓦缶胜金玉

❸国有具官，其政可善／旱斯具舟，热斯具裘／救死具八珍，不如一箪犒／衡诚具矣，则不可欺以轻重／汤沐具而虮虱相吊，大厦成而燕雀相贺

❹备不预具，难以应卒／规矩备具，而能出于规矩之外／法令明具，而用之至密，举天下惟法之知／三得者具而天下归之，三得者亡而天下去之

❻法令者治之具，而非制治清浊之源也
❼旱斯具舟，热斯具裘／心包万理，万理具于一心／安有执砺世之具而患乎无贤欤／法令者，治恶之具也，而非至治之风也／名言所绝理即具于名中，意量所函变可通意外
❽性情面目，人人各具／饮酒以乐，不选其具矣／富若生蓄，万物必具……／千里之马，骨法虽具，弗策不致
❾气，物之原也；理，气之具也；器，气之成也
❿令在必行，不当徒为文具／足食足兵，为治天下之具／德不素积，人不为用；备不豫具，难以应卒／道者，所由适于治之路也，仁义礼乐皆其具也／法虽在，必待圣而后治；律虽具，必待耳而后听／性字从生从心，是人生来具是理于心，方名之曰性

单 ①dān单独，一个；奇数；只，仅；单层，单薄；纯一，少变化；薄弱，微弱；记载事物的纸片；通“殚”，尽，竭尽；和尚称禅堂的坐床。②dàn敦厚。③shàn县名；姓。④chán[单于]匈奴最高首领的称号。
❶单丝不成线
见明·施耐庵《水浒》第一百零八回。
单丝不线，孤掌难鸣
见明·施耐庵《水浒传》第四十九回。
单则易折，众则难摧
见唐·李延寿《北史·吐谷浑传》。
❺一丝不线，单木不林
❻两世一身，形单影只／排恨叠，怯衣单，花枝红泪弹
❼福无双至，祸不单行／泰山之霤穿石，单极之断干

典 diǎn可作为标准和规范的书籍；标准；隆重的仪式；制度，法则；典雅，正派；典故；主管，执掌；经常从事；抵押，典当；姓。
❷数典而忘其祖／义典则弘，文约为美／日典春衣非为酒，家贫食粥已多时
❸象以典刑／一岁典职，田宅并兼
❹天叙有典，敕我五典五惇哉／念终始典于学，厥德修，罔觉
❺邦家用祀典，在德非馨香
❻治乱世，用重典
❼诗文之词采贵典雅而贱粗俗，宜蕴藉而忌分明
❽天叙有典，敕我五典五惇哉
❿索道于当世者，莫良于典／有善必劝者，固国家之典／迷涂知反，往哲是与。不远而复，先典攸高／玉不雕，玙璠不作器；言不文，典谟不作经／见危授命，士之美行；褒善录功，国之令典／貌有不足，敷粉施朱。才有不足，征典求书／事丰奇伟，辞富膏腴，无益经典，而有助文章／有云水襟怀，有松柏气节，典型顿失，人尽含悲

养 yǎng抚养、赡养；饲养；生育；领养的；使身心得到滋补或休息；培养；修养；教育，熏陶；积蓄；长；古时役卒的通称；通“痒”；古邑名；姓。
❶养生以不伤为本
见晋·葛洪《抱朴子·微旨》。
养欲而意骄者困
见《晏子春秋·内篇问上第二》。
养心莫善于寡欲
见《孟子·尽心下》。
养身莫善于习动
见清·钟錂《颜习斋先生言行录·学人》。
养兵千日，用兵一时
见端木蕻良《曹雪芹》第一〇章。
养军千日，用军一时
见元·马致远《汉宫秋》。
养虎牧狼，还自贼伤
见汉·焦赣《易林·讼·明夷》。
养士之大者，莫大乎太学
见汉·董仲舒《举贤良对策》。全句为：“～；太学者，贤士之所关也，教化之本原也”。
养气要使完，处身要使端
见宋·陆游《自勉》。
养生丧死无憾，王道之始也
见《孟子·梁惠王上》。
养性之道：莫久行、久坐……
见南朝·梁·陶宏景《养性延命录·教诫篇》。全句为：“～、久卧、久视、久听，莫强食饮，莫大沉醉，莫大愁忧，莫大哀思”。
养物而物为我用者，人之力也
见《列子·仲尼》。
养不教，父之过；教不严，师之惰
见宋·王应麟《三字经》。
养子不教父之过，训导不严师之惰
见宋·司马光《劝学文》。
养稊稗者伤禾稼，惠奸宄者贼良民
见汉·王符《潜夫论·述赦》。
养志者忘形，养形者忘利，致道者忘心
见《庄子·让王》。
养而害所养，譬犹削足而适履，杀头而便冠
见汉·刘安《淮南子·说林》。
养形必先之以物，物有余而形不养者有之矣
见《庄子·达生》。
养子弟如养芝兰，既积学以培植之，又积善以滋润之
见宋·刘清之《戒子通录》。
❷无养乳虎，将伤天下／能养能举，悦贤之至也／凡养稂莠者伤禾稼，惠奸宄者贼良人／凡养生，莫若知本，知本则疾无由至矣／所养非所

用，所用非所养，理家必弊，在国必危

❸息有养，瞬有存／我善养吾浩然之气／为其养小以失大也／君子养心莫善于诚／无为养身，形骸全也／伪道养形，真道养神／吾问养树，得养人术／灶下养，中郎将……／百年养不足，一日毁有余／以善养人者，未有不服人者也／孰知养之之优，盖由责之之重／天地养万物，圣人养贤以及万民／譬如养鹰，饥则为用，饱则扬去／受人养而不能自养者，犬豕之类也／顺天养财、御水旱、制蛮夷之原本也／譬如养虎，当饱其肉，不饱则将噬人／五谷养性而弃之于地，珠玉无用而宝之于身／不素养士而欲求贤，譬犹不琢玉而求文采也／交私养望者多得显官，独立营职者或见排沮／未战养其财，将战养其力，既战养其气，既胜养其心

❹居移气，养移体／教人者，养其善心而恶自消／存其心，养其性，所以事天也／教人者，养其善心，而恶自消／爵禄以养其德，刑罚以威其恶／治国与养病无异也…… 治国亦然／种树畜养，不见其益，有时而大／天子者，养尊而处优，树恩而收名／并时以养民功，先德后刑，顺于天／圣人爱养万民，不以仁恩，法天地，行自然／苟得其养，无物不长；苟失其养，无物不消／国家无养兵之费则国富，队伍无老弱之卒则兵强／天地之养也一，登高不可以为长，居下不可以为短

❺无货之货，养我之福也／所用非所养，所养非所用／晏平仲问养生于管夷吾……／明主必谨养其和，节其流，开其源／学之而不养，养之而不存，是空言也／生不能相养以共居，殁不得抚汝以尽哀／百姓所以养国家也，未闻以国家养百姓者也／养而害所养，譬犹削足而适履，杀头而便冠／畜水覆舟，养兽反害，悔之噬脐，将何所及／养子弟如养芝兰，既积学以培植之，又积善以滋润之

❻不赏无功，不养无用／吾问养树，得养人术／才有大小，故养有厚薄／祭而丰，不如养之薄也／有其性无其养，不能遵道／以梧桐之实养枭而冀其凤鸣／古之善将者，养人如养己子／守身之道，摄养也，诚身也／知与恬交相养，而和理出其性／士之美者善养禾，君之明者善养士／春主生，夏主养，冬主藏，秋主收／学之而不养，养之而不存，是空言也／故明主必谨养其和，节其流，开其源／欲平其心以养其疾，于琴亦将有得焉／养志者忘形，养形者忘利，致道者忘心／虽富贵不以养伤身，虽贫贱不以利累形

❼不乐损年，长愁养病／伪道养形，真道养神／蔬食弊衣足以养性命／德惟善政，政在养民／溃痈虽痛，胜于养肉／和愉虚无，所以养德也／静漠恬淡，所以养性也／所用非所养，所养非所用／因天之生也以养生，谓之文／居家自奉宜俭，养亲待客宜丰／临喜临怒看涵养，群行群止看识见／古圣贤玩琴以养心，穷则独善其身／农夫劳而君子养焉，愚者言而智者择焉／不能说其志意，养其寿命者，皆非通道者也／涤杯而食……可以养家老，而不可以飨三军

❽人皆畏我，必我无养／古之治道者，以恬养知／遍身罗绮者，不是养蚕人／珠玉买歌笑，糟糠养贤才／天地养万物，圣人养贤以及万民／受人养而不能自养者，犬豕之类也／藏于不竭之府者，养桑麻育六畜也／偷合苟容，以持禄养交而已耳，谓之国贼也／虽常服药，而不知养性之术，亦难以长生也／存身之道莫急乎养神，养神之要莫甚乎素然／未战养其财，将战养其力，既战养其气，既胜养其心

❾古之善将者，养人如养己子／古人教人，不过存心、养心、求放心／任贤使能以清官曹，养老慈幼以厚风俗／盈缩之期，不但在天；养怡之福，可得永年／逍遥，无为也；苟简，易养也；不贷，无出也／唯女子与小人为难养也；近之则不孙，远之则怨／畜池鱼者必去猵獭，养禽兽者必去豺狼，又况治人乎

❿忍怒以全阴气，抑喜以养阳气／臣君者岂为其口实？社稷是养／天之所生，地之所产，足以养人／大怒不怒，大喜不喜，可以养心／文不可以学而能，气可以养而致／无君子莫治野人，无野人莫养君子／圣人爱念百姓，如孩婴赤子长养之／士之美者善养禾，君之明者善养士／知生而无以知为也，谓之以知养恬／贵则观其所举，富则观其所养……／知生也者，不以物害生，养生之谓也／磨砺当如百炼之金，急就者，非邃养／百姓所以养国家也，未闻以国家养百姓者也／为国之法，有似理身，平则致养，疾则攻焉／养形必先之以物，物有余而形不养者有之矣／苟得其养，无物不长；苟失其养，无物不消／存身之道莫急乎养神，养神之要莫甚乎素然／纯粹而不杂，静一而不变…… 此养神之道也／桑椹甘香，鸱鸮革响，淳酪养性，人无嫉心／凡今能言者，皆谓天下少士，而不知养材之道／读书不独变气质，且能养精神，盖理义收摄故也／所养非所用，所用非所养，理家必弊，在国必危／子思以为鼎肉使己仆仆尔亟拜也，非养君子之道也／未战养其财，将战养其力，既战养其气，既胜养其心／学无二事，无二道，根本苟立，保养不替，自然日新／言有教，动有法，昼有为，宵有得，息有养，瞬有存／心平愉，则色不及佣而可以养目，声不及佣而可以养耳／其为气也，至大至刚，以直养而无害，则塞于天地之间／杀人之士民，兼人之土地，以养吾私与吾神者，其战不知孰善

首 shǒu 头；最高的；最早；出头检举罪行；量词；要领；方，面；首领。

❶首句标其目，卒章显其志

见唐·白居易《新乐府序》。

首夏犹清和，芳草亦未歇

见南朝·宋·谢灵运《游赤石进帆海》。

首虽尊高，必资手足以成体

见唐·吴兢《贞观政要·鉴戒》。全句为："～；君虽明哲，必藉股肱以致治"。

❷畏首畏尾，身其余几／百首如一首，卷初如卷终／络首縻足兮，骥不能逾跬／黔首本骨肉，天地本比邻／矫首而徇飞，不如修翼之必获也／俯首帖耳，摇尾而乞怜者，非我之志也

❸狐死首丘，代马依风／蛇举首尺，而修短可知／饥食首阳薇，渴饮易水流／悬牛首于门，而卖马肉于内

❹恭为德首／唯余马首是瞻／恭为德首，慎为行基／心为祸首，殃及身口／虑为功首，谋为赏本／毋为权首，反受其咎／毋为戎首，不亦善乎／狐死归首丘，故乡安可忘／绝祸之首，起福之元，去我情欲，取民所安

❺图穷而匕首见／百首如一首，卷初如卷终／敏捷诗千首，飘零酒一杯／有为，乱之首也；无为，治之元也／天地在我首之上，足之下，开目尽见／自伯之东，首如飞蓬；岂无膏沐，谁适为容

❻百行以德为首／丁年奉使，皓首而归／持萤烛象，得首失尾／臣闻虑为功首，谋为赏本／出轨躅而骧首，驰光芒而动俗

❼代马望北，狐死首丘／愿言思伯，甘心首疾／冯公岂不伟，白首不见招／诗如神龙，见其首不见其尾／冠虽故必加于首，履虽新必关于足／熟读唐诗三百首，不会吟诗也会吟／冠虽敝，必加于首；履虽新，必关于足

❽生为杀元，杀为生首／兵者凶事，不可为首／凶德有五，中德为首／诚其意者，自修之首也／老当益壮，宁移白首之心／孰恶孰美，成者为首，不成者为尾／带长剑兮挟秦弓，首身离兮心不惩／以刚健而居人之首，则物之所不与也

❾礼者道之华而乱之首也／赵、魏、燕、韩，历历堪回首

❿鸟飞返故乡兮，狐死必首丘／礼者，忠信之薄，而乱之首也／手如柔荑，肤如凝脂……螓首蛾眉／如张乐于洞庭之野，无首无尾，不主故常／不广其从，不为兵鄣，不为乱首，不为宛谋／冠至敝不可弃之于足，履虽新不可加之于首／山，快马加鞭未下鞍。惊回首，离天三尺三／福善之门莫美于和睦，患咎之首莫大于内离／超凡证圣，目击非遥；悟在须臾，何须皓首／攻无道而伐不义，则福莫大焉，黔首利莫厚焉／不行王政云尔；苟行王政，四海之内皆举首而望之，欲以为君

兹 ①zī 这个；这里；现在；年；通"滋"，更加；则；草席。②cí 地名用字。［龟兹］古西域城国名；古县名；唐都督府名；唐军镇名。

❶兹游奇绝冠平生

见宋·苏轼《六月二十日夜渡海》。

❷挥兹一觞，陶然自乐

❸虽有兹基，不如逢时／知使兹人有知乎？非我其谁哉

❹尚猷询兹黄发，则罔所愆

❺天不欲使兹人有知乎？则吾之命不可期

❽十年之相知，不若兹火一夕之为足下誉也

❾驴非驴，马非马，若龟兹王，所谓骡也

❿孰使予乐居夷而忘故土者，非兹潭也欤

益 yì"溢"的本字；增长，加多，补助；富裕；利益，好处；更加；六十四卦之一；姓。

❶益生曰祥

见《老子》五十五。

益之而不加益，损之而不加损

见《庄子·知北游》。全句为："～者，圣人之所保也"。

益。君子以见善则迁，有过则改

见《周易·益》。

益者三友：友直，友谅，友多闻，益矣

见《论语·季氏》。

❷位益尊，则贱者日隔／其益如毫，其损如刀／损益之名，无胫而走矣／不益其厚，而张其广者毁／受益莫如择友，好学莫如改过／德益盛者虑益微，功愈高者意愈下／有益于化，虽小弗除；无补于政，虽大弗与

❸老来益奋其志／损上益下，民说无疆／道高益安，势高益危／穷当益坚，老当益壮／尽忠益时者，虽仇必赏／生有益于人，死不害于人／穷且益坚，不坠青云之志／老当益壮，宁移白首之心／当自益者，莫如改过而迁善／广仁益智，莫善于问；乘事演道，莫善于对／兵非益多也，惟无武进，足以并力，料敌，取人而已

❹开卷有益／多多而益善／厚葬无益于死者／死而无益，何用死为／为言不益，则美不足称／三刀梦益州，一箭取辽城／不作无益害有益，功乃成／学所以益才，砺所以致刃／朽骨无益于人，而文王葬之／不求无益之物，不蓄难得之货／劝农桑，益种树，可得衣食物／嗜欲充益，目不见色，耳不闻声／为之无益于义而为之，此行之秽也／道之无益于义而道之，此言之秽也／虑之无益于义而虑之，此心之秽也／何者为益友？凡事肯规我之过者是也／权衡损益，斟酌

浓淡，芟繁剪秽，弛于负担／辞卑而益备者，进也；辞强而进驱者，退也／为学日益，为道日损，损之又损，以至于无为

❺迁善改过，益莫大焉／学成而道益穷，年老而智益困／有能而无益于事者，君子弗为／有理而无益于治者，君子弗言／因也者，无益无损也，以其形因为之名／凡事行，有益于理者立之，无益于理者废之／外愚而内益智，外讷而内益辨，外柔而内益刚／自修自修，益处自家求；一刻千金，勿把韶光丢

❻不自满者受益／集众思，广忠益／智逾多而迷益深／愚而多财，则益其过／人之老也，形益衰而智益盛／满招损，谦受益，时乃天道／物或损之而益，或益之而损／益之而不加益，损之而不加损／损而不已必益，益而不已必决／婴儿以不知益，高年以多事损／贤者宠至而益戒，不足者为宠骄／不尤人则德益弘，能克己则学益进／德益盛者虑益微，功愈高者意愈下／明主思短而益善，暗主护短而永愚／小人不知自益之为损，故一伐而并失／拓境不宁，无益于强；多田不耕，何救饥敝／以小善为无益，以小恶为无伤，凡此皆非所以安身崇德也

❼血垂竭者则难益也／信不由中，质无益也／苟信不继，盟无益也／近贤成智，近愚益惑／道高益安，势高益危／穷当益坚，老当益壮／与闻国政而无益于民者斥／不作无益害有益，功乃成／与闻国政而无益于民者，退／折狱而是也，理益明，教益行／损而不已必益，益而不已必决／丈夫为志，穷当益坚，老当益壮／土地之生物不益，山泽之出财有尽

❽迁善改过，莫善于益／死人无知，厚葬无益／讲学以会友，则道益明／大丈夫为志，穷当益坚／名由实生，故久而益大／虽有慈父，不爱无益之子／由魏晋氏以下，人益不事师／友直，友谅，友多闻，益矣／小人以小善为无益而弗为也／物或损之而益，或益之而损／生木之长，莫见其益，有时而修／种树畜养，不见其益，有时而大／君子知自损之为益，故功一而美二／恶犹疾也，攻之则益悛，不攻则日甚／厚者不损人以自益，仁者不危躯以要名／振则须起风雷之益，惩则须奋刚健之乾／天下之非誉，无损益焉，是谓全德之人哉／厚者不毁人以自益也，仁者不危人以要名／善不可谓小而无益，不善不可谓小而无伤／冀以尘雾之微补益山海，荧烛末光增辉日月／趣舍合，即言忠而益亲；身疏，即谋当而见疑

❾中材之人则随世损益／命乃在天，虽扁鹊何益／刺股情方励，偷光思益深／服食药物者，因血以益血／食饱心自若，酒酣气益振／积善在身，犹长日加益，而人不知也／君子之处世，贵能有益于物耳，不图高谈虚论，左琴右书

❿聪明睿智而守以愚者益／以之修身，则道同而相益／苟无济代心，独善亦何益／人之老也，形益衰而智益盛／不作无补之功，不为无益之事／为文不能关教事，虽工无益也／凡事省得一分，即受一分之益／能四时而不衰，历夷险而益固／折狱而是也，理益明，教益行／学成而道益穷，年老而智益困／皆知敌之仇，而不知为益之尤／丈夫为志，穷当益坚，老当益壮／以汤止沸，抱薪救火，愈甚亡益／人情繁则怠，怠则诈，诈则益乱／不尤人则德益弘，能克己则学益进／不择人而问焉，取其有益于身而已／交朋友增体面，不如交朋友益身心／礼者，断长续短，损有余，益不足／披裘而救火，毁渎而止水，乃愈益多／欲长生久视，而日逆其生，欲之何益／为人师者众笑之，举世不师，故道益离／益者三友：友直，友谅，友多闻，益矣／终日写路程而不能行一步，徒知无益也／欲出一言，即思此一言于百姓有利益否／食有酒肉，衣有罗绮……非益生之良药／忧天下之乱，犹忧河水之少，泣而益之也／中通外直，不蔓不枝，香远益清，亭亭净植／凡事行，有益于理者立之，无益于理者废之／助之长者，揠苗者也，非徒无益，而又害之／尘加嵩岱，雾集淮海，虽未有益，不为损也／和羹之美，在于合异；上下之益，在能相济／敌存而惧，敌去而舞；废备自盈，只益为瘉／歌曲弥妙，和者弥寡；行操益清，交者益鲜／起居时，饮食节，寒暑适，则身利而寿命益／事丰奇伟，辞富膏腴，无益经典，而有助文章／为人友者不以道而以利，举世无友，故道益弃／外愚而内益智，外讷而内益辨，外柔而内益刚／或说听计当而身疏，或言不用、计不行而益亲／不得所以用之，国虽大，势虽便，卒无众，何益／吾尝终日不食、终夜不寝以思，无益，不如学也／使天下之人，不敢言而敢怒。独夫之心，日益骄固／去其家观人家，去其身观人身，所观益远，所见益少／己之才艺虽多，犹病以为少，仍就寡少之人更求所益／上智不教而成，下愚虽教无益，中庸之人，不教不知也／侍坐于先生，先生问焉，终则对。请业则起，请益则起／瞒人之事弗为，害人之心弗存，有益国家之事虽死弗避／后嗣若贤，自能保其天下；如其不肖，多积仓库，徒益其奢侈，危亡之本也

兼

jiān 同时进行两种或两种以上的事情或占有两种或两种以上的事物；两倍；并吞。

❶兼相爱，交相利

见《墨子·兼爱下》。

兼德而至谓之中庸

见三国·魏·刘劭《人物志·九征》。

兼听则明，偏听则暗

见宋·司马光《资治通鉴·唐太宗贞观二年》。

兼覆盖而并有之，度伎能而裁使之者，圣人也

见汉·刘安《淮南子·缪称》。全句为："言无常是，行无常宜者，小人也；察于一事，通于一伎者，中人也；～"。

❷有兼听之明，而无奋矜之容／有兼覆之厚，而无伐德之色／并兼者高诈力，安定者贵顺权

❸以德兼人者王／达则兼善天下／博览兼听，谋及疏贱／志在兼济，行在独善／衣不兼采，食不重味／行可兼知，而知不可兼行／天下兼相爱则治，交相恶则乱

❹丈夫贵兼济，岂独善一身／记短则兼折其长，贬恶则并伐其善／爱人者兼其屋上之乌，不爱人者及其胥余

❺爱其书者，兼取其为人也／一人之身兼有英雄，乃能役英与雄／宜得敏锐兼人之器，以副厉精更化之怀

❻谓之讽谕诗，兼济之志也／二者不可得兼，舍生而取义者也／非宽大无以兼覆，非慈厚无以怀众／二者不可得兼，舍鱼而取熊掌者也／文、理、义三者兼并……能必传也／并天下之谋，兼天下之智，而理得矣／当以执两以兼听，而不以狐疑为兼听／杀人之士民，兼人之土地，以养吾私与吾神者，其战不知孰善

❼得其大者可以兼其小／受辱于跨下，无兼人之勇／工无二伎，士不兼官，各守其职，不得相奸／君之所以明者，兼听也；其所以暗者，偏信也

❽一岁典职，田宅并兼／出处默语，勿强相兼／人才有长短，不必兼通／穷独善而无挠，达兼善而无矜／日月为明而弗能兼也，唯天地能函之

❾行可兼知，而知不可兼行／穷则独善其身，达则兼善天下

❿周公不求备，四友不相兼／善者能使敌卷甲趋远，倍道兼行／冰炭不同器而久，寒暑不兼时而至／缋事以众色成文，蜜蜂以兼采为味／精于物者以物物，精于道者兼物物／能大而不小，能高而不下，非兼通也／太平之时，必须才行俱兼，始可任用／当以执两以兼听，而不以狐疑为兼听／乘其名者，泽及宗族，利兼乡党，况子孙乎／寒不累时，则霜不降；温不兼日，则冰不释／思古人而不得见，学古道，则欲兼通其辞也／子美……尽得古今之体势，而兼人人之所独专矣／以玙璠之玼而弃其璞，以一人之罪而兼其众，则天下无美宝信士／《国风》好色而不淫，《小雅》怨诽而不乱，若《离骚》者，可谓兼之

黄 huáng 颜色；淫秽的；黄河的简称；黄帝轩辕氏；指幼儿；马名；古国名。

❶黄河水直人心曲

见唐·王建《独漉歌》。

黄金有疵，白玉有瑕

见汉·司马迁《史记·龟策列传》。

黄金累千，不如一贤

见晋·杂歌谣辞《杨泉引语》。

黄帝之治天下，使民心一

见《庄子·天运》。该篇中讲了黄帝、尧、舜、禹的治天下方针，主要为："黄帝之治天下，使民心一；尧之治天下，使民心亲；舜之治天下，使民心竞；禹之治天下，使民心变"。

黄河清有日，白发黑无缘

见唐·刘采春《啰唝曲六首》之五。全句为："昨日胜今日，今年老去年，～"。

黄鹄一远别，千里顾徘徊

见汉·无名氏《诗四首》之三。全句为："～；胡马失其群，思心常依依"。

黄鹤戒露，非有意于轮轩

见北周·庾信《小国赋》。全句为："～；爰居避风，本无情于钟鼓"。

黄金无足色，白璧有微瑕

见宋·戴复古《寄兴》。

黄帝、尧、舜垂衣裳而天下治

见《周易·系辞下》。

黄金珠玉，饥不可食，寒不可衣

见汉·班固《汉书·景帝纪》。

黄金白璧买歌笑，一醉累月轻王侯

见唐·李白《忆旧游寄谯郡元参军》。

黄鹄之飞，一举千里，有必飞之备也

见《商君书·画策》。

黄金者用之量也，辨于黄金之理则知侈俭

见《管子·乘马》。全句为："～，知侈俭则百用节矣"。

黄钟毁弃，瓦釜雷鸣；谗人高张，贤士无名

见战国·楚·屈原《卜居》。

黄鹄白鹤，一举千里，使之与燕服翼试之堂庑之下

见汉·刘向《新序·杂事五》。全句为："～，庐室之间，其便未必能过燕服翼"。

❷飞黄腾踏去，不能顾蟾蜍／得黄金百，不如得季布诺／得黄金百斤，不如得季布一诺／雌黄出其唇吻，朱紫由其月旦

❸不好黄金只好书／十里黄芦雪打船／留取黄花点缀秋／下而黄者，世谓之地／口含黄柏味，有苦自家知／遗子黄金满籯，不如一经／张翰黄花句，风流五百年／运退黄金失色，时来顽铁生辉／遗子黄金满籯，不如教子一经／已是黄昏独自愁，更着风和雨／万两黄金容易得，知心一个也难求／不把黄金买画工，进身羞与自媒同／宁与黄鹄比翼乎，将与鸡鹜争食乎／错把

黄金买词赋，相如自是薄情人／赤橙黄绿青蓝紫，谁持彩练当空舞／明日黄花，过晚之物；岁寒松柏，有节之称
❹春意属黄鹂／天地玄黄，宇宙洪荒／哑子尝黄柏，苦味自家知／虽有千黄金，无如我斗粟／蓝青地黄犹可假，仁义之事不可假乎／君不见黄河之水天上来，奔流到海不复回
❺尚猷询兹黄发，则罔所愆／古之人谋黄发番番，则无所过／昔人已乘黄鹤去，此地空余黄鹤楼
❻夕阳虽好近黄昏／细云新月耿黄昏／华岳眼前尽，黄河脚底来／结发同枕席，黄泉共为友／泰山成砥砺，黄河为裳带／白圭玷可灭，黄金诺不轻／白马岩中出，黄牛壁上耕／白珪玷可灭，黄金诺不轻／白日依山尽，黄河入海流／蛟龙无定窟，黄鹄摩苍天／上穷碧落下黄泉，两处茫茫皆不见／世人结交须黄金，黄金不多交不深／朱丹既定，雌黄有别，使夫怀鼠知惭，滥竽自耻
❼吾不见青天高，黄地厚／积下不已，必极黄泉之深／良田败于邪径，黄金铄于众口／乘木则朽木青黄，失势则田何粪土／金井梧桐秋叶黄，珠帘不卷夜来霜
❽宁与燕雀翔，不随黄鹄飞／染于苍则苍，染于黄则黄／月上柳梢头，人约黄昏后／瞽者无以与乎青黄黼黻之观／世人结交须黄金，黄金不多交不深
❾隋侯之珠，不饰以银黄／夕阳无限好，只是近黄昏／恩难酬白骨，泪可到黄泉／不称九天之顶，则言黄泉之底／狐裘虽敝，不可补以黄狗之皮／水面上秤锤浮，直待黄河彻底枯／世情薄，人情恶，雨送黄昏花易落／获一人而失一国，见黄雀而忘深井／君不见今人交态薄，黄金用尽还疏索／直视千里外，唯见起黄埃。凝思寂听，心伤已摧
❿染于苍则苍，染于黄则黄／观天下书未遍，不得妄下雌黄／洒向人间都是怨，一枕黄粱再现／生来不读半行书，只把黄金买身贵／主人闻语未开门，绕篱野菜飞黄蝶／人生莫作远行客，远行莫戍黄沙碛／冲天香阵透长安，满城尽带黄金甲／虽惭老圃秋容淡，且看黄花晚节香／宁可抱香枝上老，不随黄叶舞秋风／威赫赫爵禄高登，昏惨惨黄泉路近／昔人已乘黄鹤去，此地空余黄鹤楼／火力不能销地力，乱前黄菊眼前开／扁舟一棹归何处，家在江南黄叶村／老夫聊发少年狂，左牵黄，右擎苍／秋风起兮白云飞，草木黄落兮雁南归／追风逐电之足，决不在于牝牡骊黄之间／居常土思兮心内伤，愿为黄鹄兮归故乡／黄金者用之量也，辨于黄金之理则知侈俭／宜力学为砻斫，亲贤为青黄，睦僚友为瑶金

兽

shòu 野兽；比喻野蛮、下流。
❶兽聚而鸟散
见汉·主父偃《上书谏伐匈奴》。
兽恶其网，民恶其上
见《国语·周语中》。
兽形云不一，弓势月初三
见唐·白居易《秋思》。
兽同足者相从游，鸟同翼者相从翔
见汉·刘安《淮南子·说林》。
❷困兽犹斗，况人乎／逐兽者目不见太山／困兽犹斗，况国相乎／困兽犹斗，穷寇勿遏／猛兽不群，鸷鸟不双／禽兽之行而欲人之善己也／鸟兽不厌高，鱼鳖不厌深／鸟兽之不可同群者，其类异也
❸捕猛兽者不使美人举手／未得兽者，惟恐其创之小也
❹罔疏则兽失，法疏则罪漏／山有猛兽，藜藿为之不采／山有猛兽，树木为之不斩／语云：猛兽易伏，人心难降／山有猛兽者，藜藿为之不采／函车之兽，介而离山，则不免于罔罟之患／噬虎之兽，知爱己子；搏狸之鸟，非护异巢
❺鸟穷则搏，兽穷则噬／鸟穷则啄，兽穷则触，人穷则诈／鸟穷则啄，兽穷则攫，人穷则诈
❻争鱼者濡，争兽者趋／争鱼者濡，逐兽者趋／网解不结，有兽失之患／猛虎在山，百兽莫敢侵／鸟无世凤凰，兽无种麒麟／虎爪象牙，禽兽之利而我之害／焚林而田，得兽虽多，而明年无复也／畜水覆舟，养兽反害，悔之噬脐，将何所及／搏攫抵噬之兽，其用齿角爪牙也，必托于卑微隐蔽
❼无父无君，是禽兽也／今日乌合，明日兽散／一骥骋长衢，众兽不敢陪／神龙藏深泉，猛兽步高冈／仁义充塞，则率兽食人，人将相食／猛虎在深山，百兽震恐；及在槛阱之中，摇尾而求食
❽心如虎狼，行如禽兽／人之所以贵于禽兽者，以有礼也／焚林而猎，愈多得兽，后必无兽／焚林而田，偷取多兽，后必无兽／鸟同翼者而聚居，兽同足者而俱行／至德之世，同与禽兽居，族与万物并／貌则人，其心则禽兽，又恶可谓之人邪／焚林而畋，明年无兽；竭泽而渔，明年无鱼
❾人贤而不敬，则是禽兽也／凡人之所以贵于禽兽者，以有礼也／草木荣华之飘风，鸟兽好音之过耳／大石侧立千尺，如猛兽奇鬼，森然欲搏人
❿中峰之下，水无鱼鳖，林无鸟兽／焚林而猎，愈多得兽，后必无兽／焚林而田，偷取多兽，后必无兽／焚薮而田，岂不获得？而明年无兽／

川渊深而鱼鳖归之，山林茂而禽兽归之／民之归仁也，犹水之就下、兽之走圹也／射招者欲其中小也，射兽者欲其中大也／饱食、暖衣，逸居而无教，则近于禽兽／滔滔武溪一何深，鸟飞不度，兽不敢临／鱼鳖得免毒螯之渊，鸟兽得离罗网之纲／迩之事父，远之事君，多识于鸟兽草木之名／鸷鸟将击，卑飞敛翼；猛兽将搏，弭耳俯伏／鹦鹉能言，不离飞鸟；猩猩能言，不离走兽／猛虎处于深山，向风长鸣，则百兽震恐而不敢出／畜池鱼者必去猵獭，养禽兽者必去豺狼，又况治人乎／古之人观于天地、山川、草木、虫鱼、鸟兽，往往有得／文章丽矣，言语工矣，无异草木荣华之飘风，鸟兽好音之过耳

普 pǔ 广泛，全面；姓。

❷愿普天下有情的都成了眷属

❺道满天下，普在民所，民不能知也

奠 ①diàn 用酒食祭祀死者；献；放置；定。②tíng[奠水]停止不流之水。

❷布奠倾觞，哭望天涯。天地为愁，草木凄悲

❻立义以为的，奠而后发，发必中矣

尊 zūn 地位或辈分高；敬重；敬辞；古代盛酒的器具，同“樽”。

❶尊卑有序则上下和

见汉·班固《汉书·爰盎传》。

尊师则不论其贵贱贫富

见《吕氏春秋·孟夏纪·劝学》。

尊之则为将，卑之则为虏

见汉·东方朔《答客难》。全句为：“～；抗之则在青云之上，抑之则在深渊之下；用之则为虎，不用则为鼠”。

尊古而卑今，学者之流也

见《庄子·外物》。

尊德乐义，则可以嚣嚣矣

见《孟子·尽心上》。

尊贤考功则治，简贤违功则乱

见汉·班固《汉书·谷永传》。

尊于位而无德者黜，富于财而无义者刑

见汉·陆贾《新语·本行》。

尊贤使能，俊杰在位，则天下之士皆悦

见《孟子·公孙丑上》。

❷位尊身危，财多命殆／处尊居显未必贤，遇也／谦，尊而光，卑而不可逾／官尊者忧深，禄多者责大／不尊无功，不官无德，不诛无罪／为尊者讳，为亲者讳，为贤者讳／为尊者讳耻，为贤者讳过，为亲者讳疾／爵尊天下，富有四海，威势无量，专权擅柄

❸不以尊贵骄人／久受尊名不祥／位益尊，则贱者日隔／越自尊大，越见器小／首虽尊高，必资手足以成体／禄位尊盛，守之以卑者，贵／君子尊贤而容众，嘉善而矜不能／不出尊俎之间，而折冲于千里之外／道之尊，德之贵，夫莫之命而常自然／君子尊德性而道问学，致广大而尽精微，极高明而道中庸

❹卑己而尊人／卑不谋尊，疏不间亲／勿谓我尊而傲贤侮士／仁，天之尊爵也，人之安宅也／贵德而尊士，贤者在位，能者在职／周公位尊愈卑，胜敌愈惧，家富愈俭／春秋为尊者讳，为亲者讳，为贤者讳／安平则尊道术之士，有难则贵介胄之臣

❺疾学在于尊师／国之将兴，尊师而重傅／国家之兴，尊尊而敬长／袭爵乘位，尊祖统业者易／民不恶其尊，而世不妒其业／天子者，养尊而处优，树恩而收名／德薄而位尊，知小而谋大，力小而任重，鲜不及矣

❻为学莫重于尊师／国家之兴，尊尊而敬长／人生如梦，一尊还酹江月／不患位之不尊，而患德之不崇／美言可以市尊，美行可以加人／师严，然后道尊；道尊，然后知敬学／宠位不足以尊我，而卑贱不足以卑己

❼仁者爱人，义者尊老／尚贤使能，则主尊下安／如当亲者疏，当尊者卑……／是以非德道不尊，非道德不明

❽天上天下唯吾独尊／天上地下，惟我独尊／禽将户内，拔城于尊俎之间／流深者其水不测，尊至者其敬无穷／师严，然后道尊；道尊，然后知敬学／今世之人居高官尊爵者，皆重失之，见利轻亡其身，岂不惑哉

❾学问无大小，能者为尊／仁则人亲之，义则人尊之／功高而居之以让，势尊而守之以卑

❿不睹皇居壮，安知天子尊／法明则人信，法一则主尊／始知五岳外，别有他山尊／财不如义高，势不如德尊／才高行洁，不可保以必尊贵／劳大者其禄厚，功多者其爵尊／静而圣，动而王，无为也而尊／不念英雄江左老，用之可以尊中国／古之学者必严其师，师严然后道尊／合则离，成则毁，廉则挫，尊则议／是非之所在，不可以贵贱尊卑论也／虽诏于天子，无使北面，所以尊师也／道者，所以明德也；德者，所以尊道也／仁者人也，亲亲为大；义者宜也，尊贤为大／不以众人待其身，而以圣人望于人，吾未见其尊己也／厌文搔法，法官理民者，有司也，君无事焉，犹尊君也／可与为始，可与为终，可与尊通，可与卑穷者，其唯信乎／行不充于内，德不备于人，虽盛其服，文其容，民不尊也／国有三军何？所以戒非常，伐无道，尊宗庙，重社稷，安不忘危也／奋六世之遗烈，振长策而御宇内，吞二周而亡诸侯，履至尊而制六合

孳 zī 繁殖，生息；通“孜”，[孳孳]同[孜孜]努力不懈。

❹君子日孳孳以成辉，小人日怏怏以至辱

曾 ①céng 曾经；通"层"，重叠。②zēng 指亲属关系中间隔两代的；乃；怎；通"增"，增加；犹言"重"，隔两代的亲戚；高举；古国名；姓。

❶曾因国难披金甲，不为家贫卖宝刀

见宋·曹翰《内宴奉诏作》。

曾经沧海难为水，除却巫山不是云

见唐·元稹《离思五首》之四。

❷行曾而索爱，父弗得子／不曾远别离，安知慕俦侣／未曾灭项兴刘，先见筑坛拜将

❸此地曾居住，今来宛似归

❹圣人不曾高，众人不曾低／荡胸生曾云，决眦入归鸟

❺相逢何必曾相识／衰草枯杨，曾为歌舞场／壮岁从戎，曾是气吞残虏／快然自足，曾不知老之将至／携来百侣曾游。忆往昔峥嵘岁月稠／木有文章曾是病，虫多言语不能天／忽报人间曾伏虎，泪飞顿作倾盆雨／文章到欧曾苏，道理到二程，方是畅

❻佳月了不嗔，曾何污洁白／今日朱门者，曾恨朱门深／翠佩传情密，曾波托意遥／矮人看戏何曾见，都是随人说短长

❼千秋功罪，谁人曾与评说／余生命之湮阨，曾二鸟之不如

❾圣人不曾高，众人不曾低／虽信美而非吾土兮，曾何足以少留／宁可枝头抱香死，何曾吹落北风中／前车已覆，袭轨而骛，曾不鉴祸，以知畏惧

❿不敢妄为些子事，只因曾读数行书／同是天涯沦落人，相逢何必曾相识／公道世间唯白发，贵人头上不曾饶／今人不见古时月，今月曾经照古人／闻鸡久听南天雨，立马曾挥北地鞭／悠悠生死别经年，魂魄不曾来入梦／虚负凌云万丈才，一生襟抱未曾开／缓贤忘士，而能以其国存者，未曾有也／隋侯之珠，国之宝也，然用之弹，曾不如泥丸／和氏之璧，价重千金，然以之间纺，曾不如瓦砖／万物有自然之理，圣人只是顺之，不曾增加得一毫

巽 xùn 八卦之一；通"逊"，让；顺。

❶巽语为珍，苍璧喻而非宝

见唐·武则天《臣轨序》。全句为："正言斯重，元珠比而尚轻；～"。

舆 yú 车子；车厢；轿子；地；众人的；抬，扛；乘坐；中国古代对一种奴隶或差役的称谓。

❶舆人成舆，则欲人之富贵；匠人成棺，则欲人之夭死

见《韩非子·备内》。

❷出舆入辇，命曰蹶痿之机／鸾舆凤驾不能使驽马健捷／假舆马者，足不劳而致千里／无舆马者不耻徒步，无鱼肉者不厌菜羹／共舆而驰，同舟而济，舆倾舟覆，患实共之

❸匠成舆者忧人不贵，作箭者恐人不伤

❹行则连舆，止则接席／梓匠轮舆能与人规矩，不能使人巧／舆人成舆，则欲人之富贵；匠人成棺，则欲人之夭死

❺令名，德之舆也

❻析飞糠以为舆，剖秕糟以为舟／学视者先见舆薪，学听者先闻撞钟

❾共舆而驰，同舟而济，舆倾舟覆，患实共之

❿岂余身之惮殃兮，恐皇舆之败绩／明足以察秋毫之末，而不见舆薪／造父疾趋，百步而废；自托乘舆，坐致千里／造父者，天下之善御者也，无舆马则无所见其能／金樽玉杯不能使薄酒更厚，鸾舆凤驾不能使驽马健捷

冀 jì 期望；记；古九州之一；古国名；河北省的简称；姓。

❶冀以尘雾之微补益山海，荧烛末光增辉日月

见晋·陈寿《三国志·魏书·陈思王传》。

❷览冀州兮有余，横四海兮焉穷

❸生仍冀得兮归桑梓，死当埋骨兮长已矣

❺牛蹄中鱼，冀赖江汉／伯乐一过冀北之野，而马群遂空

❼往者不可复兮，冀来今之可望

❾以梧桐之实养枭而冀其凤鸣

❿民生在勤，勤则不匮。宴安自逸，岁暮奚冀

人 rén 指人类；指某种人；指成年人；每人，泛指一般人；别人；人的品格、声誉；人手；人体；人道；果仁；人才；人事；姓。

❶人与绿杨俱瘦

见宋·无名氏《如梦令》

人人得而讨之

见朱熹《四书集注·孟子·滕文公下》。

人人得而诛之

见《庄子·庚桑楚》。

人情薄似秋云

见宋·朱敦儒《西江月》。

人心不同如面

见宋·朱熹《近思录·道体类》。

人面桃花相映红

见唐·崔护《题都城南庄》。

人生七十古来稀

见唐·杜甫《曲江二首》。

人生事，反自贼

见汉·刘安《淮南子·说林》。全句为："山生金，反自刻；木生蠹，反自食；～"。

人生莫受老来贫

见清·曹雪芹《红楼梦》第五回。

人生心口宜相副

见唐·李咸用《和友人喜相遇十首》。

人生穷达谁能料

见宋·陆游《秋风亭拜寇莱公遗像》。

人之初,性本善

见宋·王应麟《三字经》。

人先信而后求能

见汉·刘安《淮南子·说林》。全句为:"弓先调而后求劲,马先训而后求良,~"。

人情成是而败非

见宋·欧阳修《为君难论上》。

人情翻覆似波澜

见唐·王维《酌酒与裴迪》。

人心不足蛇吞象

见明·冯梦龙《警世通言·桂员外途穷忏悔》。

人心恶假贵重真

见唐·白居易《古冢狐》。

人之道,为而不争

见《老子》八十一。

人之所以立检者四

见汉·荀悦《申鉴·杂言下》。全句为:"~:诚其心,正其志,实其事,定其分"。

人之患在好为人师

见《孟子·离娄上》

人以不作聪明为贤

见宋·苏轼《赵康靖公神道碑》。

人好学,虽死若存

见晋·王嘉《拾遗记》。全句为:"~;不学者,虽存,谓之行尸走肉耳"。

人者万物之最灵也

见宋·欧阳修《怪竹辩》。

人无远虑,必有近忧

见《论语·卫灵公》。

人不读书,其犹夜行

见唐·段成式《酉阳杂俎》。

人不敦庞则道数不远

见南朝·宋·范晔《后汉书·朱穆传》。全句为:"天不崇大则覆帱不广,地不深厚则载物不博,~

人面咫尺,心隔千里

见明·兰陵笑笑生《金瓶梅词话》第八十一回。

人由意合,物以类同

见汉·王褒《四子讲德论》。

人非圣贤,孰能无过

见清·李淦《燕翼篇》。全句为:"~。必躬自厚而薄责于人,斯无失也"。

人生一世,草生一秋

见明·施耐庵《水浒传》。

人生而静,天之性也

见唐·李翱《复性书中》。

人生在勤,不索何获

见南朝·宋·范晔《后汉书·张衡传》。

人之不幸莫过于自足

见明·方孝孺《侯域杂诫》。

人之百年,犹如一瞬

见唐·王勃《秋夜于绵州群官席别薛升华序》。

人之升降,与政隆替

见晋·潘岳《西征赋》。

人之将死,其言也善

见《论语·泰伯》。

人之善恶,诚由近习

见唐·吴兢《贞观政要·杜谗邪》。

人之情安于其所常为

见宋·苏洵《礼论》。

人之过也,各于其党

见《论语·里仁》。

人之好我,示我周行

见《诗·小雅·鹿鸣》。

人之有技,若己有之

见《尚书·秦誓》。

人之有子,须使有业

见宋·袁采《袁氏世范》。全句为:"~。贫贱而有业,则不至于饥寒;富贵而有业,则不至于为非"。

人主无贤,如瞽无相

见《荀子·成相》。

人发杀机,天地反覆

见《阴符经》上篇。全句为:"天发杀机,龙蛇起陆;~"。

人何在?桂影自婵娟

见宋·蔡伸《苍梧谣》。全句为:"天,休使圆蟾照客眠。~"。

人命危浅,朝不虑夕

见晋·李密《陈情表》。

人命至重,难生易杀

见晋·陈寿《三国志·魏书·王朗传》。

人亦有言,进退维谷

见《诗·大雅·桑柔》。

人弃我取,人取我与

见汉·司马迁《史记·货殖列传》。

人谋鬼谋,百姓与能

见《周易·系辞下》。

人能弘道,非道弘人

见《论语·卫灵公》。

人能胜乎天者,法也

见唐·刘禹锡《天论》。

人在气中,气在人中

见晋·葛洪《抱朴子·至理》。全句为:“～,自天地至于万物,无不须气以生者也”。

人莫踬于山而踬于垤

见汉·刘安《淮南子·人间》。

人知其一,莫知其他

见《诗·小雅·小旻》。

人情者,圣王之田也

见《礼记·礼运》。全句为:“～。修礼以耕之,陈义以种之,讲学以耨之”。

人惟求旧,物惟求新

见清·李渔《闲情偶寄》。全句为:“～;新也者,天下事物之美称也。文章一道,较之他物,尤加倍焉”。

人皆狎我,必我无骨

见清·申涵光《荆园小语》。全句为:“～;人皆畏我,必我无养”。

人皆畏我,必我无养

见清·申涵光《荆园小语》。全句为:“人皆狎我,必我无骨;～”。

人有知学,则有力矣

见汉·王充《论衡·效力篇》。

人有善愿,天必从之

见明·李开先《林冲宝剑记》四四出。

人欲长久,断情去欲

见《西升经·民之章》。

人心不同,若其面焉

见三国·魏·曹植《黄初五年令》。

人心未泯,公论难逃

见清·张廷玉《明史演义》第七十三回。

人心之变,有余则骄

见《管子·重令》。

人心似铁,官法如炉

见明·冯梦龙《警世通言·一窟鬼癞道人除怪》。

人心难测,海水难量

见明·凌濛初《二刻拍案惊奇》卷二十。

人心惟危,道心惟微

见《尚书·大禹谟》。

人必知道而后知爱身

见宋·苏辙《汉昭帝》。全句为:“～,知爱身而后知爱人,知爱人而后知保天下”。

人用财试,金用火试

见明·宋纁《古今药石》。

人貌荣名,岂有既乎

见汉·司马迁《史记·游侠列传》。

人才有长短,不必兼通

见唐·李世民《金镜》。

人才有长短,能有巨细

见宋·刘清之《戒子通录》。全句为:“良匠无弃材,明君无弃士。～。君择才而授官,臣量己而受职,则委任责成,不劳而治”。

人而无信,不知其可也

见《论语·为政》。

人之才成于专而毁于杂

见宋·王安石《上皇帝万言书》。

人之困穷,由君之奢欲

见唐·白居易《策林二》。

人之性恶,其善者伪也

见《荀子·性恶》。

人之所能者,治万物也

见唐·刘禹锡《天论》。全句为:“天之所能者,生万物也;～”。

人主不公,人臣不忠也

见《荀子·王霸》。

人主欲自知,则必直士

见《吕氏春秋·不苟论·自知》。

人有礼则安,无礼则危

见《礼记·曲礼上》。

人方为刀俎,我为鱼肉

见汉·司马迁《史记·项羽本纪》。

人心之不同,如其面焉

见《左传·襄公三十一年》。

人必自侮,然后人侮之

见《孟子·离娄上》。

人病舍其田而芸人之田

见《孟子·尽心下》。

人求多闻善败,以监戒也

见《国语·楚下》。

人事有代谢,往来成古今

见唐·孟浩然《与诸子登岘山》。

人非善不交,物非义不取

见宋·刘清之《戒子通录》。全句为:“～。亲贤如就芝兰,避恶如畏蛇蝎”。

人生一世,如白驹之过隙

见汉·班固《汉书·张良传》。

人生开口笑,百年都几回

见唐·白居易《喜友至留宿》。

人生天地间,忽如远行客

见汉·无名氏《古诗·青青陵上柏》。

人生无根蒂,飘如陌上尘

见晋·陶潜《杂诗》。

人生不失意,焉能慕知己

见唐·刘禹锡《学阮公体三首》。

人生不相见,动如参与商

见唐·杜甫《赠卫八处士》。

人生几何时,怀忧终年岁

见汉·蔡琰《悲愤诗二首》。

人生孰无死,贵得死所耳

见明·夏完淳《狱中上母书》。

人生莫依倚,依倚事不成

见唐·元稹《兔丝》。
人生行乐耳,须富贵何时
见汉·杨恽《报孙会宗书》。
人生处一世,去若朝露晞
见三国·魏·曹植《赠白马王彪》。
人生处万类,知识最为贤
见唐·韩愈《谢自然诗》。
人生归有道,衣食固其端
见晋·陶潜《庚戌岁九月中于西田获早稻》。
人生如梦,一尊还酹江月
见宋·苏轼《念奴娇》。
人生如逆旅,我亦是行人
见宋·苏轼《临江仙》。
人生贵相知,何必金与钱
见唐·李白《赠友人三首》。
人生有离合,岂择衰老端
见唐·杜甫《垂老别》。
人生有新故,贵贱不相渝
见汉·辛延年《羽林郎》。
人生忽如寄,寿无金石固
见汉·无名氏《古诗·驱车上东门》。全句为:"～。万岁更相送,圣贤莫能度"。
人生感意气,功名谁复论
见唐·魏征《述怀》。
人生意气豁,不在相逢早
见唐·杜甫《奉赠射洪李四丈》。
人生譬朝露,居世多屯蹇
见汉·秦嘉《赠妇诗》。
人疑天上坐,鱼似镜中悬
见唐·沈佺期《钓竿篇》。
人之命在天,国之命在礼
见汉·韩婴《韩诗外传》卷一。
人之能,天也有所不能也
见唐·刘禹锡《天论》。全句为:"天之能,人固不能也;～"。
人之情,欲寿而恶夭……
见《吕氏春秋·仲夏纪·适音》。全句为:"～,欲安而恶危,欲荣而恶辱,欲逸而恶劳"。
人之视己,如见其肝肺然
见《礼记·大学》。
人之所以惑其性者,情也
见唐·李翱《复性书上》。
人主之所恃者,人心而已
见宋·苏轼《上神宗皇帝书》。
人伦明于上,小民亲如下
见《孟子·滕文公上》。
人作殊方语,莺为故国声
见唐·王维《晓行巴峡》。
人众则食狼,狼众则食人
见汉·刘安《淮南子·说山》。
人语无生意,鸟啼空好音
见宋·戴复古《庚子荐饥》。
人能正静者,筋韧而骨强
见《管子·心术下》。
人莫大焉亡亲戚君臣上下
见《孟子·尽心上》。
人行明镜中,鸟度屏风里
见唐·李白《清溪行》。
人性含灵,待学成而为美
见唐·吴兢《贞观政要·崇儒学》。
人性虽能智,不教则不达
见唐·马总《意林》。全句为:"水性虽能流,不导则不通;～"。
人情须耐久,花面长依旧
见宋·晏殊《菩萨蛮》。
人情怀旧乡,客鸟思故林
见晋·王赞《杂诗》。
人情忌殊异,世路多权诈
见唐·韩愈《县斋有怀》。
人安则财赡,本固则邦宁
见唐·陆贽《均节赋税恤百姓第一条》。全句为:"以人为本,以财为末;～"。
人实不易知,更须慎其仪
见唐·杜甫《送高三十五书记十五韵》。
人远则难绥,事总则难了
见南朝·宋·范晔《后汉书·仲长统传》。
人皆因禄富,我独以官贫
见隋·房彦谦《隋书·房彦谦传》。全句为:"～。所以子孙,在于清白耳"。
人贤而不敬,则是禽兽也
见《荀子·臣道》。全句为:"～;人不肖而不敬,则是狎虎也"。
人视水见形,视民知治不
见汉·司马迁《史记·殷本记》
人物禀假,受有多少……
见汉·严遵《道德指归论·上德不德篇》。全句为:"～,性有精粗,命有长短,情有美恶,意有大小。或为小人,或为君子"。
人散后,一钩淡月天如水
见宋·谢逸《千秋岁》。
人有吉凶事,不在鸟音中
见清·曹雪芹《红楼梦》第九十二回。
人有喜庆,不可生妒忌心
见清·朱柏庐《治家格言》。全句为:"～;人有祸患,不可生欣幸心"。
人有旦夕祸福,岂能自保
见明·罗贯中《三国演义》第四十九回。
人有祸患,不可生欣幸心
见清·朱柏庐《治家格言》。全句为:"人有喜庆,不可生妒忌心;～"。

人欲自见其势，以资明镜
唐·李世民语。全句为："～；君欲自知其过，必待忠臣"。

人烟寒橘柚，秋色老梧桐
见唐·李白《秋登宣城谢朓北楼》。

人心险于山川，难于知天
见《庄子·列御寇》。

人心若波澜，世路有屈曲
见唐·李白《古风五十九首》。

人心安则念善，苦则怨叛
见晋·陈寿《三国志·吴书·华覈传》。

人心胜潮水，相送过浔阳
见唐·戴叔伦《送王司直》。

人必先疑也，而后谗入之
见宋·苏轼《论项羽范增》。全句为："物必先腐也，而后虫生之；～"。

人不知而不愠，不亦君子乎
见《论语·学而》。

人不忘廉耻，立身自不卑污
见清·王永彬《围炉夜话》。全句为："心能辨事非，处事方能决断；～"。

人而不学，虽无忧，如禽何
见汉·扬雄《法言·学行》。

人生易老天难老，岁岁重阳
见现代·毛泽东《采桑子·重阳》。全句为："～。今又重阳，战地黄花分外香"。

人生福境祸区，皆念想造成
见明·洪应明《菜根谭·后集百八》。

人之不力于道者，昏不思也
见唐·李翱《复性书下》。

人之巧，乃可与造化者同功
见《列子·汤问》。

人之将疾者必不甘鱼肉之味
见北齐·刘昼《刘子·贵言》。

人之道在法制，其用在是非
见唐·刘禹锡《天论》。全句为："天之道在生植，其用在强弱；～"。

人之有德于我也，不可忘也
见《战国策·魏策四》。全句为："～；吾有德于人也，不可不忘也"。

人之欲少者，其可得用亦少
见《吕氏春秋·离俗览·为欲》。全句为："人之欲多者，其可得用亦多；～；无欲者，不可得用也。人之欲虽多，而上无以令之，人虽得其欲，人犹不可得用也"。

人之欲多者，其可得用亦多
见《吕氏春秋·离俗览·为欲》。全句为："～；人之欲少者，其可得用亦少；无欲者，不可得用也。人之欲虽多，而上无以令之，人虽得其欲，人犹不可得用也"。

人之老也，形益衰而智益盛
见《吕氏春秋·先识览·去宥》。

人主之患，欲闻枉而恶直言
见《吕氏春秋·仲春纪·贵生》。

人以义爱，以党群，以群强
见汉·刘安《淮南子·缪称》。全句为："～。是故德之所施者博，则威之所行者远；义之所加者浅，则武之所制者小矣"。

人众者胜天，天定亦能破人
见汉·司马迁《史记·伍子胥列传》。

人在阳时则舒，在阴时则惨
见汉·张衡《西京赋》。

人莫不饮食也，鲜能知味也
见《礼记·中庸》。

人莫不忽于微细，以致其大
见南朝·宋·范晔《后汉书·丁鸿传》。全句为："禁微则易，救末者难，～"。

人莫鉴于流水，而鉴于止水
见《庄子·德充符》。

人少好学则思专，长则善忘
见晋·陈寿《三国志·魏书·文帝纪》。

人性虽同，禀气不能无偏重
见宋·朱熹《朱子语类》卷四。

人情皆欲求胜，故悦人之谦
见三国·魏·刘劭《人物志·八观》。

人杰地灵，徐孺下陈蕃之榻
见唐·王勃《滕王阁序》。全句为："物华天宝，龙光射牛斗之墟；～"。

人有不为也，而后可以有为
见《孟子·离娄》。

人有非上之所过，谓之正士
见《管子·桓公问》。

人有能有不能，有明有不明
见宋·陆九渊《与曹立之书》。

人有盗而富者，富者未必盗
见汉·刘安《淮南子·说林》。全句为："～；有廉而贫者，贫者未必廉"。

人必其自敬也，然后人敬诸
见汉·扬雄《法言·君子》。全句为："人必其自爱也，然后人爱诸；～"。

人必其自爱也，然后人爱诸
见汉·扬雄《法言·君子》。全句为："～；人必其自敬也，然后人敬诸"。

人言楚人沐猴而冠耳，果然
见汉·司马迁《史记·项羽本纪》。

人与虫一也，所以异者形质尔
见唐·无名氏《无能子·圣过》。

人生似瓦盆，打着了方见真空
见明·洪应明《菜根谭》。全句为："世事如棋局，不着的才是高手；～"。

人之出言至善，而或有议之者

见宋·袁采《袁氏世范》。全句为："～；人有举事至当，而或有非之者；盖众心难一，众口难齐如此"。

人之材有大小，而志有远近也

见宋·王安石《送陈升之序》。

人之所不学而能者，其良能也

见《孟子·尽心上》。全句为："～；所不虑而知者，其良知也"。

人之足传，在有德，不在有位

见清·王永彬《围炉夜话》。全句为："～；世所相信，在能行，不在能言"。

人主以好暴示能，以好唱自奋

见《吕氏春秋·审分览·任数》。

人主有私人以财，不私人以官

见汉·桓宽《盐铁论·除狭》。

人主静漠而不躁，百官得修焉

见汉·刘安《淮南子·主术》。全句为："～，譬如军之持麾者，妄指则乱矣"。

人能虚己以游世，其孰能害之

见《庄子·山木》。

人苦不知足；既平陇，复望蜀

见汉·刘秀《敕岑彭书》。

人情厌故而喜新，重难而轻易

见清·蒲松龄《聊斋志异·恒娘》。

人惟求旧，器非求旧，惟新。

见《书·盘庚上》。

人已古兮山在，泉无心兮道存

见唐·李华《望瀑泉赋》。

人有举事至当，而或有非之者

见宋·袁采《袁氏世范》。全句为："人之出言至善，而或有议之者；～；盖众心难一，众口难齐如此"。

人神之所同疾，天地之所不容

见唐·骆宾王《为徐敬业讨武曌檄》。

人心，排下而进上，上下囚杀

见《庄子·在宥》。

人必待贤以理，物必待贤以宁

见唐·陈子昂《答制问事·贤不可疑科》。全句为："圣必籍贤以明，国必待贤以昌，～"。

人疲由乎税重，税重由乎军兴

见唐·白居易《才识兼茂明于体用科策一道》。全句为："～，军兴由乎寇生，寇生由乎政缺"。

人穷事败者，释自然而任智力

见汉·严遵《道德指归论·其安易持篇》。

人而无义，唯食而已，是鸡狗也

见《列子·说符》。

人之才性，各有短长，固难勉强

见宋·赵鼎《家训笔录》。全句为："～。唯廉勤二字，人人可至"。

人之道则不然，损不足以奉有余

见《老子》七十七。全句为："天之道，损有余而补不足。～"。

人之所以贵于禽兽者，以有礼也

见《晏子春秋·外篇第一》。

人之短生，犹如石火，炯然以过

见汉·陆贾《新语·惜时》。

人能由昭昭于冥冥，则几于道矣

见汉·刘安《淮南子·人间》。

人能弘道，焉知来者不如昔也？

见隋·王通《中说·问易》。

人莫知其子之恶，莫知其苗之硕

见《礼记·大学》。

人情同于怀土兮，岂穷达而异心

见三国·魏·王粲《登楼赋》。

人情莫不欲处前，故恶人之自伐

见三国·魏·刘劭《人物志·八观》。

人情曷似春山好，山色不随春老

见宋·王之道《桃园忆故人》。

人情繁则怠，怠则诈，诈则益乱

见唐·无名氏《无能子·老君说》。全句为："～。所谓伐天真而矜己者也，天祸必及"。

人有欲，则无刚，刚则不屈于欲

见朱熹《四书集注·论语·公冶长》。

人思取材于人，不若取材于天地

见清·张英《恒产琐言》。

人世几回伤往事，山形依旧枕江流

见唐·刘禹锡《西塞山怀古》

人世多违壮士悲，干戈未定书生老

见宋·陈与义《居夷行》。

人面不知何处去，桃花依旧笑春风

见唐·崔护《题都城南庄》。一说"去"为"在"。

人生不得长欢乐，年少须臾老到来

见唐·白居易《短歌行》。

人生不得长少年，莫惜床头沽酒钱

见唐·岑参《蜀葵花歌》。

人生直作百岁翁，亦是万古一瞬中

见唐·杜牧《池州送孟迟先辈》。

人生到处知何似？应似飞鸿踏雪泥

见宋·苏轼《和子由渑池怀旧》。

人生代代无穷已，江月年年只相似

见唐·张若虚《春江花月夜》。

人生交契无老少，论交何必先同调

见唐·杜甫《徒步归行》。

人生识字忧患始，姓名粗记可以休

见宋·苏轼《石苍舒醉墨堂》。

人生难得秋前雨，乞我虚堂自在眠

见宋·姜夔《平甫见招，不欲往》。

人生在世不称意,明朝散发弄扁舟
见唐·李白《宣州谢朓楼饯别校书叔云》。
人生芳秽有千载,世上荣枯无百年
见宋·谢枋得《和曹东谷韵》。
人生莫作远行客,远行莫戍黄沙碛
见唐·戴叔伦《边城曲》。
人生莫作妇人身,百年苦乐由他人
见唐·白居易《太行路》。
人生得意须尽欢,莫使金樽空对月
见唐·李白《将进酒》。
人生富贵岂有极?男儿要在能死国
见明·李梦阳《奉送大司马刘公归东山草堂歌》。
人生达命岂暇愁,且饮美酒登高楼
见唐·李白《梁园吟》。
人生结交在终始,莫为升沉中路分
见唐·贺兰进明《行路难五首》其五。
人生贵贱无终始,倏忽须臾难久恃
见唐·卢照邻《行路难》。
人生自古谁无死,留取丹心照汗青
见宋·文天祥《过零丁洋》
人生自是有情痴,此恨不关风与月
见宋·欧阳修《玉楼春》。
人之生也亦少矣,而岁之往亦速矣
见《尸子》。
人之为学,不志其大,虽多而何为
见宋·苏辙《上枢密韩太尉书》。
人之持身立事,常成于慎而败于纵
见明·方孝孺《慎斋箴》。
人之寿夭在元气,国之长短在风俗
见宋·苏轼《上神宗皇帝书》。
人之情,易发而难制者,惟怒为甚
见宋·朱熹《近思录·为学类》。
人之水镜也,见之若披云雾睹青天
见南朝·宋·刘义庆《世说新语·赏誉》。
人之所贵者生也,生之所贵者道也
见唐·司马承祯《坐忘论·序》。全句为:“～;人之有道若鱼之有水”。
人主不正,则邪人得志,忠者隐蔽
见汉·刘安《淮南子·主术》。全句为:“人主诚正,则直士任事,而奸人伏匿;～”。
人主以狗彘畜人者,人亦狗彘其行
见宋·王安石《委任》。全句为:“～;以国士待人者,人亦国士自奋”。
人主莫不欲其臣之忠,而忠未必信
见《庄子·外物》。
人主好仁,则无功者赏,有罪者释
见汉·刘安《淮南子·诠言》。全句为:“～;好刑,则有功者废,无罪者诛”。
人主必信,信而又信,谁人不亲?
见《吕氏春秋·离俗览·贵信》。
人也不幸而则亡,名兮可大而不死
见唐·宋之问《祭杜学士审言文》。
人人尽说江南好,游人只合江南老
见五代·前蜀·韦庄《菩萨蛮》。
人莫不以其生生,而不知其所以生
见《吕氏春秋·仲夏纪·侈乐》。
人固难全,权而用其长者,当举也
见《吕氏春秋·离俗览·举难》。
人多欲亏义,多忧害智,多惧害勇
见汉·刘安《淮南子·缪称》。全句为:“～”。
人怜直节生来瘦,自许高材老更刚
见宋·王安石《华藏院此君亭》。
人情旦暮有翻复,平地倏忽成山谿
见明·刘基《梁甫吟》。
人家盛衰,皆系乎积善与积恶而已
见元·郑涛《旌义编》。
人寰尚有遗民在,大节难随九鼎沦
见清·顾炎武《陈生芳绩两尊人先后即世,适皆以三月十九日,追痛之作,词旨哀恻,依韵奉和》。
人亲莫不欲其子之孝,而孝未必爱
见《庄子·外物》。
人者裸虫也,与夫鳞毛羽甲虫俱焉
见唐·无名氏《无能子·圣过》。全句为:“～,同生天地,交气而已,无所异也”。
人有喜怒哀乐,犹天之有春夏秋冬
见汉·董仲舒《春秋繁露·如天之为》。
人有善,恒当掩之,有恶宜令彰露
见《奉法要》。
人有穷,而道无不通,与道争则凶
见汉·刘安《淮南子·诠言》。
人心莫厌如弦直,淮水长怜似镜清
见唐·李绅《初出泗口入淮》。
人意共怜花月满,花好月圆人又散
见宋·张先《木兰花》。
人身正气稍不足,邪便得以干之矣
见宋·朱熹《朱子语类》卷五九。
人言落日是天涯,望极天涯不见家
见宋·李觏《乡思》。
人言善,亦勿听;人言恶,亦勿听
见《管子·白心》。
人之过也,在于哀死,而不在于爱生
见三国·魏·徐幹《中论·修本》。全句为:“～;在于悔往,而不在于怀来”。
人主之意欲见于外,则为人臣之所制
见汉·刘安《淮南子·道应》。
人主诚正,则直士任事,而奸人伏匿
见汉·刘安《淮南子·主术》。全句为:“～;人主不正,则邪人得志,忠者隐蔽”。

人以为偶一奋，遂名无穷，今大不然

见唐·柳宗元《与史官韩愈致段秀实大尉逸事书》。

人若志趣不远，心不在焉，虽学无成

见宋·张载《经学理窟·义理篇》。

人虽无艰难之时，却不可忘艰难之境

见清·王永彬《围炉夜话》。全句为："～；世虽有侥幸之事，断不可存侥幸之心"。

人品做到极处，无有他异，只是本然

见明·洪应明《菜根谭》。全句为："文章做到极处，无有他奇，只是恰好；～"。

人皆务于救患之备而莫能知使患无生

见汉·刘安《淮南子·人间》。

人特劫君而不盟，君不知，不可谓智

见《吕氏春秋·离俗览·贵信》。全句为："～；临难而不能勿听，不可谓勇；许之而不予，不可谓信。不智不勇不信，有此三者，不可以立功名"。"听"，听从，听任胁迫；"特"，仅，只。

人有恩于我不可忘，而怨则不可不忘

见明·洪应明《菜根谭·前集五十一》。

人灭而为鬼，鬼而为人，则未之知也

见南朝·梁·范缜《神灭论》。

人一能之，己百之；人十能之，己千之

见《礼记·中庸》。全句为："～。果能此道矣，虽愚必明，虽柔必强"。

人百负之而不恨，己信之终不疑其欺己

见宋·黄庭坚《小山词序》。

人事必将与天地相参，然后乃可以成功

见《国语·越语下》。

人生不得行胸怀，虽寿百岁，犹为夭也

见南朝·梁·沈约《宋书·萧惠开传》。

人之过也……在于悔往，而不在于怀来

见三国·魏·徐幹《中论·修本》。删节处为："在于哀死，而不在于爱生"。

人主之于用法，无私好憎，故可以为令

见汉·刘安《淮南子·主术》。

人能尽性知天，不为蕞然起见，则几矣

见宋·张载《正蒙·乾称下》。

人又谁能以身之察察，受物之汶汶者乎

见汉·司马迁《史记·屈原贾生列传》。全句为："新沐者必弹冠，新浴者必振衣，～"。

人灵于物者也，何不自听，而听于物乎

见明·刘基《司马季主问卜》。全句为："蓍，枯草也；龟，枯骨也。～"。

人爱我，我必爱之；人恶我，我必恶之

见《列子·说符》。

人生天地之间，若白驹之过却，忽然而已

见《庄子·知北游》。"却"，音与义为"隙"。

人生大期，百年为限，节护之者可至千岁

见南朝·梁·陶弘景《养性延命录·教诫篇》。

人之生，气之聚也；聚则为生，散则为死

见《庄子·知北游》。

人能贵其所贱，贱其所贵，可与言至论矣

见汉·刘安《淮南子·诠言》。

人善我，我亦善之；人不善我，我亦善之

见汉·韩婴《韩诗外传》。

人有鸡犬放，则知求之；有放心而不知求

见《孟子·告子上》。

人才之行，自昔罕全，苟有所长，必有所短

见唐·陆贽《请许台省长官举荐属吏状》。

人面看年年岁岁之同，花枝见夜夜朝朝之好

见宋·孙觌《西徐上梁文》。

人生至愚是恶闻己过，人生至恶是善谈人过

见清·申居郧《西岩赘语》。

人生贵得适意尔，何能羁宦数千里以要名爵

见南朝·宋·刘义庆《世说新语·识鉴》。

人之才行，自昔罕全，苟有所长，必有所短

见唐·陆贽《请许台省长官举荐属吏状》。

人之乱也，由夺其食；人之危也，由竭其力

见宋·邓牧《伯牙琴·吏道》。全句为："夫夺其食，不得不怒；竭其力，不得不怨。～"。

人之善恶，不必世族；性之贤鄙，不必世俗

见汉·王符《潜夫论·论荣》。

人之进退，唯问其志，取必以渐，勤则得多

见西汉·孔臧《与子琳书》。

人之所舍，谓之天民；天之所助，谓之天子

见《庄子·庚桑楚》。

人之立身，所贵者惟在德行，何必要论荣贵

见唐·吴兢《贞观政要·教戒太子诸王》。

人以义来，我以身许，褰裳赴急，不避寒暑

见唐·柳宗元《祭万年裴令文》。

人人自谓握灵蛇之珠，家家自谓抱荆山之玉

见三国·魏·曹植《与杨德祖书》。

人亦有言，忧令人老。嗟我白发，生一何早

见三国·魏·曹丕《短歌行》。

人能除情欲，节滋味，清五藏，则神明居之

见《老子》五河上公注。

人美于中，必播于外，而越于民，民实戴之

见《国语·晋语三》。全句为："～。恶亦如之。故行不可不慎也"。

人将休，吾将不敢休；人将卧，吾将不敢卧

见《吕氏春秋·不苟论·博志》。此为宁越勤奋学习之语。

人影在地，仰见明月，顾而乐之，行歌相答

见宋·苏轼《后赤壁赋》。全句为："霜露既降，木叶尽脱，～"。

人情险于山川，以其动静可识，而沉阻难徵

见南朝·宋·范晔《后汉书·郭太传》。

人贵量力，不贵必成；事贵相时，不贵必遂

见唐·高郢《谏造章敬寺书》。

人有厚德,无问小节;人有大举,无訾小故

见唐·马总《意林》引《体论》。

人有所优,固有所劣;人有所工,固有所拙

见汉·王充《论衡·书解》。全句为:“～。非劣也,志意不为也;非拙也,精诚不加也。”

人有悲欢离合,月有阴晴圆缺,此事古难全

见宋·苏轼《水调歌头》。

人欲自照,必须明镜;主欲知过,必藉忠臣

见唐·吴兢《贞观政要·求谏》。

人必先作,然后人名之;先求,然后人与之

见汉·扬雄《法言·君子》。

人穷则反本,故劳苦倦极,未尝不呼天地也

见汉·司马迁《史记·屈原列传》。全句为:“～;疾痛惨怛,未尝不呼父母也”。

人与骥逐走则不胜骥,托于车上则骥不能胜人

见汉·刘安《淮南子·道应》。

人之情:不能乐其所不安,不能得于其所不乐

见《吕氏春秋·孟夏纪·诬徒》。

人之所以立德者三:一曰贞,二曰达,三曰志

见汉·荀悦《申鉴·杂言下》。

人之所难者二:乐攻其恶者难,以恶告人者难

见三国·魏·徐幹《中论·虚道》。

人主之立法,先自为检式仪表,故令行于天下

见汉·刘安《淮南子·主术》。

人肖天地之类,怀五常之性,有生之最灵者也

见《列子·杨朱》。

人生天地之中,殊于众类明矣。感则应,激则通

见宋·张君房《云笈七签》卷九十三载《神仙可学论》。

人之可杀,以其恶死也;其可不利,以其好利也

见《管子·心术上》。

人之情,于害之中争取小焉,于利之中争取大焉

见汉·刘安《淮南子·缪称》。全句为:“～”。

人之好怪也!不求其端,不讯其末,惟怪之欲闻

见唐·韩愈《原道》。

人主之患,不在乎不言用贤,而在乎不诚必用贤

见《荀子·致士》。

人能修炼,俗变淳和,则返朴之风,可臻太古矣

见五代·前蜀·杜光庭《道德真经广圣义》卷六。

人知贵生乐安而弃礼义,辟之是犹欲寿而殁颈也

见《荀子·强国》。

人情得足,苦于放纵,快须臾之欲,忘慎罚之义

见南朝·宋·范晔《后汉书·光武帝纪》。

人生一世,但当畏敬于人,若不善加己,直为受之

见汉·张霸《张霸家训》。

人生时禀得灵气,精明通悟,学无滞塞,则谓之神

见唐·司马承祯《天隐子·神仙》。

人生所好,自当专一,若多好多能,反能耗神损精

见明·陈纪儒《养生肤语》。

人之立言,因字而生句,积句而成章,积章而成篇

见南朝·梁·刘勰《文心雕龙·章句》。

人主之不肖者,有似于此。不得其道,而徒多其威

见《吕氏春秋·离俗览·用民》。全句为:“～。威愈多,民愈不用。亡国之主,多以多威使其民矣。故威不可无有,而不可专恃”。

人遇逆境,无可奈何,而安之若命,乃是见识超卓

见清·申涵光《荆园进语》。全句为:“～。然君子用以力学,借困衡为砥砺,不但顺受而已”。

人始入官,如入晦室,久而愈明,明乃治,治乃行

见汉·刘向《说苑·政理》。

人生寄一世,奄忽若飙尘;何不策高足,先据要路津

见汉·无名氏《古诗·今日良夜会》。

人生有限,情欲无厌。既不救其死亡,岂能保乎金玉

见五代·前蜀·杜光庭《道德真经广圣义》卷十。

人之生,动之死地亦十有三。夫何故?以其生生之厚

见《老子》五十。

人之能为人,由腹有诗书。诗书勤乃有,不勤腹空虚

见唐·韩愈《符读书城南》。

人之饥所以不食乌喙者,以为虽偷充腹而与死同患也

见《战国策·燕策一》。

人之情,于利之中则争取大焉,于害之中则争取小焉

见汉·刘安《淮南子·说山》。

人之情,目欲视色,耳欲听声,口欲察味,志气欲盈

见《庄子·盗跖》。

人之所以为人者，非以此八尺之身也，乃以其有精神

语见汉·王符《潜夫论·卜列》。

人当自信自守，虽承誉之，承奉之，亦不为之加喜爱

见明·薛瑄《薛文清要语》。全句为："～；虽毁谤之，侮慢之，亦不为之加沮"。

人者，在阴阳之中央，为万物之师长，所能作最众多

见《太平经·使能无争讼法》。

人非生而知之者，孰能了此无惑，故从其先得者而问焉

见明·海瑞《训诸子说》。

人当自信自守，……虽毁谤之，侮慢之，亦不为之加沮

见明·薛瑄《薛文清要语》。全句为："虽承誉之，承奉之，亦不为之加喜爱"。

人知出必由户，而不知行必由道。非道远人，人自远尔

见宋·朱熹《四书集注·论语·雍也》洪氏注。

人迫于恶，则失其所好；怵于好，则忘其所恶，非道也

见《管子·心术上》。

人品须从小作起，权宜苟且诡随之意多，则一生人品坏矣

见明·吴麟征《家诫要言》。

人之欲虽多，而上无以令之，人虽得其欲，人犹不可得用也

见《吕氏春秋·离俗览·为欲》。全句为："人之欲多者，其可得用亦多；人之欲少者，其可得用亦少；无欲者，不可得用也。～"。

人之生也，必以其欢。忧则失纪，怒则失端。忧悲喜怒，道乃无处

见《管子·内业》。

人之所以不能终其寿命，而中道夭于刑戮者，何也？以其生生之厚

见汉·刘安《淮南子·精神》。

人声之精者为言，文辞之于言，又其精也，尤择其善鸣者而假之鸣

见唐·韩愈《送孟东野序》。

人有明珠，莫不贵重，若以弹雀，岂非可惜？况人之性命甚于明珠

见唐·吴兢《贞观政要·贪鄙》。

人之生也，与忧俱生，寿者惛惛，久忧不死，何苦也！其为形也亦远矣

见《庄子·至乐》。

人莫欲学御龙，而皆欲学御马；莫欲学治鬼，而皆欲学治人：急所用也

见汉·刘安《淮南子·说林》。

❷诗人多蹇／至人不闻／知人则哲／贤人无妄／论人不论官／圣人无常师／民人以食为天／利人莫大于教／人人得而讨之／人人得而诛之／圣人必先适欲／圣人被褐怀玉／观人必于其微／至人不留行焉／国人皆曰可杀／恃人不如自恃／明人不做暗事／教人便是自学／誉人不增其美／一人独钓一江秋／举人须举好退者／先人有夺人之心／圣人万举而万全／圣人行不言之教／拒人于千里之外／小人之过也必文／小人以无法为奸／小人先合而后忤／困人天气日初长／惟人，万物之灵／慢人者人亦慢之／杀人而死，职也／杀人如草不闻声／敬人者得人恒敬／服人以诚不以言／用人之仁去其贪／乘人之危，非仁也／乘人之约，非仁也／真人之言不义不颇／凡人须先立志……／防人盗不如防我盗／圣人与天地合其德／圣人，百世之师也／圣人甚祸无故之利／圣人处物而不伤物／圣人者，德之正也／在人者莫明乎礼义／小人难事而易说也／知人则哲，能官人／知人难，知己更难／善人者，人亦善之／治人不治，反其智／遍人间烦恼填胸臆／爱人不亲，反其仁／一人飞升，仙及鸡犬／一人传虚，万人传实／一人奋死，可以对十／一人拼命，万夫难当／一人善射，百夫决拾／一人得道，鸡犬升天／一人贪戾，一国作乱／一人立志，万夫莫夺／三人行，必有我师焉／与人以实，虽疏必密／与人以虚，虽戚必疏／与人当宽，自处当严／与人和者，谓之人乐／与人善言，暖于布帛／天人之际，合而为一／两人俱溺，不能相拯／出人之才，竟无施为／千人所指，无病而死／为人者重，自为者轻／以人为本，以财为末／二人同心，其利断金／古人争战，先料其将／他人莫利，己独以愉／他人有心，予忖度之／任人之道，要在不疑／任人当才，为政大体／伤人之言，深于矛戟／使人以心，应言以行／依人者危，臣人者辱／众人唯唯，安定祸福／众人成聚，圣人不犯／先人后己，所愿必得／凡人之性，不能无争／凡人之患，偏伤之也／凡人为贵，当使可贱／记人之长，忘人之短／记人之善，忘人之过／陷人于危，必同其难／去人滋久，思人滋深／圣人于行藏之间……／圣人不巧，时变是守／圣人之理，以身观身／圣人之见，终始微言／圣人也者，道之管也／圣人绝智，而为无为／圣人裁物，不为物使／圣人是为学而极至者／圣人积聚众善以为功／受人之托，忠人之事／至人无为，大圣不作／大人不华，君子务实／美人既醉，朱颜酡些／振人之命，不矜其功／小人之口，为祸天下／小人之誉，人反为损／小人得志，暂快一时／小人殉财，君子殉名／知人之事，自古为难／知人之法，在于责实／知人则哲，非贤罔乂／知人善

察，难眩以伪／知人者智，自知者明／善人在患，饥不及餐／彼，人也；予，人也／得人之道，在于知人／得人则安，失人则危／得人者，卑而不可胜／得人者兴，失人者崩／得人者昌，失人者亡／闻人之善，若出诸己／闻人有善，若己有之／治人将兵，无所不宜／治人者不以人，以君／淑人君子，其仪一兮／灾人者，人必反灾之／达人观之，生死一耳／如人说食，终不能饱／如人饮水，冷暖自知／骄人好好，劳人草草／玩人丧德，玩物丧志／杀人安人，杀之可也／杀人如麻兮流血成湖／死人无知，厚葬无益／责人以详，待己以廉／责人则明，恕己则昏／视人之身，若己之身／爱人者人必从而爱之／有人之形，故群于人／欲人无己疑，不能也／欺人如欺天毋自欺也／文人相轻，自古而然／神人无光，圣人无名／急人之急，忧人之忧／愚人千虑，必有一得／用人无疑，唯才所宜／用人惟己，改过不吝／用人如器，各取所长／病人之病，忧人之忧／顺人者昌，逆人者亡／酌人之言，补己之过／中人以上，可以语上也／乐人之乐，人亦乐其乐／疑人轻己者，皆内不足／以人为镜，可以明得失／以人为镜，可以知得失／南人学问，如牖中窥日／制人而失其理，反制焉／任人各以其材而百职修／俗人有功则德，德则骄／圣人久于道而天下化成／圣人之行道也，无强也／圣人之教，常俯而就之／圣人也者，人之所积也／圣人以必不必，故无兵／圣人制天下，贵能至公／圣人去甚、去奢、去泰／圣人去力去巧去知去贤／圣人者，人之先觉者也／圣人畏微，而愚人畏明／圣人用人，犹匠之用木／士人修性，正在临事时／振人不赡，先从贫贱始／小人不忌刑，况于辱乎／小人之幸，君子之不幸／小人之学也，以为禽犊／君人也者，无贵如其言／知人者举，则贤者不隐／善人同处，则日闻嘉训／善人在上，则国无幸民／因人之力而敝之，不仁／待人当于有过中求无过／得人则治，何世无奇才／御人以口给，屡憎于人／闻人而不自闻者谓之聩／忧人之忧，人亦忧其忧／达人大观兮，无物不可／奸人难处，迂人亦难处／贤人之才，须贤人用之／贤人之业，须贤人达之／贤人遗子孙以廉、以俭／见人而不自见者谓之蒙／胜人者有力，自胜者强／文人之笔，劝善惩恶也／怨人者穷，怨天者无志／恶人从游，则日生邪情／虑人而不自虑者谓之瞀／一人之智，不如众人之愚／三人疑之，则慈母不能信／万人离心，不如百人同力／与人不求备，检身若不及／世人皆欲杀，吾意独怜才／百人无一直，百直无一遇／中人以下，不可以语上也／生人作死别，恨恨那可论／为人之道，舍教其何以先／为人莫作女，作女实难为／为人择官，而非为官择人／为人君者，荫德于人者也／主人退后立，敛手反如宾／举人之周也，与人之壹也／以人言善我，必以言罪我／古人愁不尽，留与后人愁／仁，人心也；义，人路也／作人贵直，而作诗文贵曲／伴人无寐，秦淮应是孤月／佳人慕高义，求贤良独难／使人日徙善远罪而不自知／侮人还自侮，说人还自说／今人莫不失自然正性……／今人有过，不喜人规……／众人以不必必之，故多兵／凡人之质，量中和最贵矣／凡人处是，鲜不怨怼忿愤／凡人好辞工书，皆病癖也／凡人立志胜人，易生傲慢／让人不算痰，过后是便宜／诗人甘寂寞，居处遍苍苔／圣人无尺土，无以王天下／圣人不利己，忧济在元元／圣人不仁，以百姓为刍狗／圣人不曾高，众人不曾低／圣人之于声色滋味也……／圣人之弘也，而犹有惭德／圣人为戒，必于方盛之时／圣人常善救人，故无弃人／圣人法天贵真，不拘于俗／圣人所贵者，去祸于未萌／圣人感人心，而天下和平／观人以言，美于黼黻文章／取人者必畏，与人者必骄／吉人之辞寡，躁人之辞多／射人先射马，擒贼先擒王／小人不诚于内而求之于外／小人小善，乃铅刀之一割／小人如酒颜，但得暂时热／听人以言，乐于钟鼓琴瑟／知人无务，不若愚而好学／知人之难，莫难于别真伪／哲人归大夜，千古传圭璋／馋人自食其肉，肉尽必死／浅人好夸富，贪人好哭穷／泽人足乎木，山人足乎鱼／渴人多梦饮，饥人多梦餐／忧人不能寐，耿耿夜何长／字人无异术，至论不如清／达人无不可，忘己爱苍生／达人识元气，变愁为高歌／强人之所不能，虽令不劝／奸人外善内恶，色厉内荏／望人者不至，恃人者不久／杀人须见血，救人须救彻／成人不自在，自在不成人／贤人于国，亦犹食之在人／贤人安下位，鸷鸟欲卑飞／贵人而贱己，先人而后己／贵人难得意，赏爱在须臾／赠人以言，重于金石珠玉／救人一命，胜造七级浮屠／新人从门入，故人从阁去／有人者累，见有于人者忧／胡人便于马，越人便于舟／欲人之从己也，必先从人／欲人之爱己也，必先爱人／施人慎勿念，受恩慎勿忘／施人慎勿念，受施慎勿忘／愚人诵千句，不解一句义／禁人之所必犯，虽罚且违／盲人骑瞎马，夜半临深池／用人不以名誉，必求其实／用人不限资品，但择有才／用人惟其才，故政无不修／用人如用己，理国如理家／其人虽已没，千载有余情／金人三缄其口，慎言语也／与人不求感德，无怨便是德／无人之情，故是非不得于身／百人抗浮，不若一人挈而趋／为人也，岩岩若孤松之独立／为人子者，出必告，反必面／利人乎即为，不利人乎即止／制人者握权，制于人者失命／众人诺诺，不若一士之谔谔／众人皆有以，而我独顽似鄙／凡人可以言古，不可以言今／凡人之欲为善者，为性恶也／凡人为善，不自誉而人誉之／凡人情忽于见事而贵于异闻／凡人心险于山川，难于知天／圣人无常心，以百姓心为心／圣人不能为时，时至而弗失／圣人未尝有知，由问乃有知／圣人之于善也，无小而不举／圣人之举事也，进退不失时／圣人苟可以强国，不法其故／圣人常无心，以百姓心为心／圣人终不为大，故能成其大／圣人见端而知本，精之至也／小人不激不励，不见利不劝／小人以小善为无益而弗为也／小人好己之恶，而忘人之好／小人怨汝詈汝，则皇自敬德／善人喜于见传，则勇于自立／善人赏而暴人罚，则国必治／待人者，当于有过中求无过／死人如乱麻，暴骨长城之下／贵人者，非贵人也，自贵也／赠人以财者，唯申即日之欢／赠人以言者，能致终身之福／教人治人，宜皆以正直为先／教人者，养其善心而恶自消／恶人无有所纪，则以愧而惧／恶人不去，则善人无由进也／错人而思天，则失万物之情／秦人不暇自哀，而后人哀之／用人不宜刻，刻则思效者去／用人之力而忘人之功，不可／千人万人之情，一人之情是也／千人之诺诺，不如一士之谔谔／生，人之始也；死，人之终也／生人物之万殊，立天地之大义／为人使易以伪，为天使难以伪／以人言善我，亦必以人言恶我／古人采铜于山，今人则买旧钱／任人而不任法，则法简而人重／使人大迷惑者，必物之相似也／众人安其所不安，不安其所安／众人皆安其所不安，即不安矣／凡人坏品败名，钱财占了八分／圣人不世出，贤人不时出……／圣人不为名尸，不为谋府……／圣人不为物先，而常制之……／圣人不以人滑天，不以欲乱情／圣人不以身役物，不以欲滑和／圣人不能为时，而能以事适时／圣人之处世，不逆有伎能之士／圣人之政，仁足以使民不忍欺／圣人为人所爱，神明所祐……／圣人为善，非以求名而名从之／圣人以顺动，则刑罚清而民服／圣人信道不信身，顺道不顺心／圣人……常善救物，故无弃物／圣人处无为之事，行不言之教／圣人深居以避辱，静安以待时／圣人安其所安，不安其所不安／圣人者常治无患之患，故无患／圣人顺时以动，智者因几以发／圣人言不言之言，为不为之为／圣人……言以绝食，为以止为／攻人之恶毋太严，要思其堪受／至人消未起之患，治未病之疾／大人者，不失其赤子之心者也／抑人者人抑之，容人者人容之／挤人者人挤之，侮人者人侮之／导人必因其性，治水必因其势／小人非无小善，君子非无小过／小人之好议论，不乐成人之美／小人之学也，入乎耳，出乎口／常人安于故俗，学者溺于所闻／君人者，宽惠慈众，不身传诛／善人富谓之赏，淫人富谓之殃／处人不可任己意，要悉人之情／闻人毁己而怒，则誉己者至矣／室人和则谤掩，外内离则恶扬／道人之所不道，到人之所不到／好人之所恶，恶人之所好……／责人以义则难瞻，难瞻则失亲／责人以人则易足，易足则得人／贤人不爱其谋，群士不遗其力／教人者，养其善心，而恶自消／有人则作，无人则辍之，谓伪／用人但问堪否，岂以新故异情／痴人妄认逆境，平地自生铁围／一人之鉴易限，而天下之才难原／万人逐兔，一人获之，贪者悉止／与人相处之道，第一要谦下诚实／乐人者其乐长，乐身者不久而亡／为人子者，父母存，冠衣不纯素／今人皆知砺其剑，而弗知砺其身／众人熙熙，如享大牢，如春登台／舍人而从欲，是以勤多而功少也／凡人之情，冤则呼天，穷则叩心／凡人之用智有短长，其施设各异／凡人行事，年少立身，不可不慎／凡人皆欲自达，仆先得显处……／牟人之利以厌己之欲者，非蝗乎／圣人不凝滞于物，而能与世推移／圣人正在刚柔之间，乃得道之本／圣人非不好利也，利在于利万人／圣人之道与神明相得，故曰道德／圣人化性而起伪，伪起而生礼义／圣人亦行其所行，而百姓被其利／圣人在上，奇不得起，诈不得生／圣人安不忘危，恒以忧思为本营／圣人者不能生时，时至而弗失也／圣人者，由近知远，而万殊为一／圣人教人，只是就人日用处开端／圣人……其于过也，无微而不改／受人施者常畏人，与人者常骄人／至人无己，神人无功，圣人无名／小人……以小恶为无伤而弗去也／小人则以身殉利，士则以身殉名／小人固当远，然亦不可显为仇敌／小人多欲则多求妄用，败家丧身／善人不能戚，恶人不能疏者，危／崇人之德，扬人之美，非谄谀也／死，人之所难，然耻为狂夫所害／责人以其所不能，是使马代耕也／视人之瘼如瘝痌在身，不忘决去／敌人远来新至，行列未定，可击／矢人惟恐不伤人，函人惟恐伤人／称人之善，我有一善，又何妒焉／称人之善，我有一善，又何妨焉／称人之恶，我有一恶，又何毁焉／用人而不为之下，则力不为用也／用人之术，任之必专，信之必笃／食人之食而误人之国者，非蝗乎／一人之身兼有英雄，乃能役英与雄／丈人才力犹强健，岂傍青门学种瓜／世人得宠而不思其辱，故辱至则惊／世人闻此皆掉头，有如东风射马耳／世人逐势争奔走，沥胆堕肝惟恐后／世人结交须黄金，黄金不多交不深／世人视宠以为荣，圣人观之以为下／百人誉之不加密，百人毁之不加疏／生人之性得以安，圣人之道得以光／疑人者为人所疑，防人者为人所防／疑人者，人未必皆诈，己则先诈矣／为人而欲一世之人好，吾悲其为人／主人闻语未开门，绕篱野菜飞黄蝶／良人犹恐催耕早，自扯蓬窗看晓星／以人之不正，知其身之有所未正也／十人树杨，一人拔之，则无生杨矣／古人学问无遗力，少壮功夫老始成／伐人之国而以为欢，非仁者之兵也／分人以财谓之惠，教人以善谓之忠／人人尽说江南好，游人只合江南老／今人不见古时月，今月曾经照古人／众人知目前之利，而不为岁月之计／凡人之谈，常誉成毁败，扶高抑下／凡人之智，能见已然，不能见将然／凡人之所以贵于禽兽者，以有礼也／凡人之患，蔽于一曲，而暗于大理／凡人主必信。信而又信，谁人不亲／凡人情之所安而有节者，举皆礼也／诗人安得有青衫，今岁和戎百万缣／诸人之文，犹山无烟霞，春无草树／随人作计终后人，自成一家始逼真／圣人不以独见为明，而以万物为心／圣人不以智轻俗，王者不以人废言／圣人不凝滞于物，智士必推移于时／圣人正方以约己，人自正方以从化／圣人之治天下也，先文德而后武力／圣人之静也，非曰静也善，故静也／圣人能与世推移，而俗士苦不知变／圣人因时以安其位，当世而乐其业／圣人清廉以澡身，人自廉洁以顺教／圣人转祸而为福，智士因败以成胜／圣人爱念百姓，如孩婴赤子长养之／受人养而不能自养者，犬豕之类也／攻人以谋不以力，用兵斗智不斗多／幸人之灾，不仁；背人之施，不义／美人迈兮音尘阙，隔千里兮共明月／小人之反中庸也，小人而无忌惮也／小人寡欲则能谨身节用，远罪丰家／小人所好者禄利也，所贪者财货也／常人皆能办大事，天亦不必产英雄／善人为邦百年，亦可以胜残去杀矣／图人者适以自图，灭人者适以自灭／进人若将加诸膝，退人若将队诸渊／逢人不说人间事，便是人间无事人／逢人且说三分话，未可全抛一片心／逢人只可三分语，未可全抛一片心／道人活计只如此，留与时人作见闻／妇人当年而不织，天下有受其寒者／此人如精金美玉，不即人而人即之／时人不识凌云木，直待凌云始道高／时人莫小池中水，浅处无妨有卧龙／时人莫道蛾眉小，三五团圆照满天／昔人已乘黄鹤去，此地空余黄鹤楼／觉人之诈而不说破，待其自愧可也／教人至难，必尽人之材，乃不误人／敬人而不必见敬，爱人而不必见爱／爱人以除残为务，政理以去乱为心／爱人者则人爱之，恶人者则人恶之／爱人者人常爱之，敬人者人常敬之／怨人不如自怨，求诸人不如求诸己／矮人看戏何曾见，都是随人说短长／用人之知去其诈，用人之勇去其怒／痴人之前莫说梦，梦中说梦愈阔迂／誉人者，人誉之；谤人者，人谤之／古人教人，不过存心、养心、求放心／凡人不能无好恶，但能胜其私心则善／圣人不为华文，不为色利，不为残贼／圣人不行而知，不见而明，不为而成／圣人……非不好富也，富在于富天下／圣人之行法也，如雷霆之震草木……／圣人之道，一龙一蛇，形见神藏……／圣人先忤而后合，众人先合而后忤也／圣人法天顺情，不拘于俗，不诱于人／小人不知自益之为损，故一伐而并失／小人诚不仁，施亦不仁，不施亦不仁／小人虽器量浅狭，而未必无一长可取／小人……行一日之善，而求终身之誉／小人如恶草也，不种而生，去之复蕃／吾人立身天地间，只思量作得一个人／知人者以目正耳，不知人者以耳败目／庖人虽不治庖，尸祝不越樽俎而代之／庸人者，口不能道善言，心不知色色／闻人善，立以为己师；闻恶，若己仇／迂人执而不化，其决裂有甚于小人时／奸人诈而好名，其行事有酷似君子处／杀人者死，伤人者刑，是百王之所同／昔人论诗词，有景语、情语之别……／贤人在世，进则尽忠宣化，以明朝廷／爱人者必见爱也，而恶人者必见恶也／愚人以天地文理圣，我以时物文理哲／一人知俭则一家富，王者知俭则天下富／三人共牧一羊，羊不得食，人亦不得息／为人师者众笑之，举世不师，故道益离／为人君而乐杀人，此不可使得志于天下／仁人在上，百姓贵之如帝，亲之如父母／佳人不同体，美人不同面，而皆悦于目／众人皆以奢靡为荣，吾心独以俭素为美／众人笑而忽之者，此则君子之所深畏也／凡人必别宥然后知，别宥则能全其天矣／诗人之赋，丽以则；辞人之赋，丽以淫／圣人无为，其功广大……是太平之谓也／圣人不以一己治天下，而以天下治天下／圣人备道全美者也，是县天下之权称也／圣人量腹而食，度形而衣，节于己而已／圣人视天下之不治，如赤子之在水火也／圣人……心安是国安也，心治是国治也／至人之用心若镜，不将不迎，应而不藏／小人不能忍小忿之故，终有赫赫之败辱／小人非才不能动人，小人非才不能乱国／小人之谤，非所谓谤也，其不善彰焉尔／小人溺于水，君子溺于口，大人溺于民／小人贫斯约，富斯骄；约斯盗，骄斯乱／小人朝为而夕求其成，坐施而立望其反／宫人得戟，则以刈葵……不知所施之也／达人苦富贵之桎梏，修士伤声名之顿撼／杀人以自生，亡人以自存，君子不为也／责人斯无难，惟受责俾如流，是惟艰哉／贤人在世……退则称论贬说，以觉失俗／见人有善如己有善，见人有过如己有过／爱人者，人恒爱之；敬人者，人恒敬之／毁人者，自毁之。誉人者，自誉之……／其人存，则其政举；其人亡，则其政息／一人之身，才有长短，取其长则不问其短／夫人之相与，俯仰一世……放浪形骸之外／为人母者不患不慈，患于知爱而不知教也／为人臣者，以富乐民为功，以贫苦民为罪／古人为诗，贵于意在言外，使人思而得之／伟人之一顾逾乎华章，而一非亦惨乎黥刖／凡人能量己之能与不能，然后知人之艰难／凡人好敖慢小事，大事至，然后兴之务之／圣人之道，不用文则已，用则必尚其能者／圣人并包天地，泽及天下，而不知其谁氏／圣人和之以是非而休乎天钧，是之谓两行／观人察质，必先察其平淡，而后求其聪明／大人者，言不必信，行不必果，惟义所在／小人非嗜欲无以活，失嗜欲则失其所以活／小人只怕他有才。有才以济之，流害无穷／善人为妖，是非反复，天下大迷而不复也／德人者，居无思，行无虑，不藏是非善恶／忧人之言不绝于口，而乐身之事实切于心／此人在位，动欲伤害，故物无有不畏恶也／爱人者兼其屋上之乌，不爱人者及其胥余／神人恶众至，众至则不比，不比则不利也／一人之毁，未必有信；积年之行，不应顿亏／三人成虎，十夫揉椎；众口所移，毋翼而飞／后人哀之而不鉴之，亦使后人而复哀后人也／乘人之车者载人之患，衣人之衣者忧人之忧／为人君者，正心以正朝廷，正朝廷以正百官／为人君者，固不以无过为贤，而以改过为美／匠人成棺，不憎人死；利之所在，忘其丑也／匿人之善，斯为蔽贤；扬人之恶，斯为小人／仁人者，正其谊不谋其利，明其道不计其功／任人之长，不强其短；任人之工，不强其拙／傲人不如者，必浅人；疑人不肖者，必小人／人人自谓握灵蛇之珠，家家自谓抱荆山之玉／众人重利，廉士重名；贤人尚志，圣人贵精／众人欢乐，用生生也，动而失之，寿命竭也／凡人之性，少则猖狂，壮则暴强，老则好利／圣人不求誉，不辟诽，正身直行，众邪自息／圣人千虑，必有一失；愚人千虑，必有一得／圣人之于事，似缓而急，似迟而速，以待时／圣人之道，同诸天地，荡诸四海，变习易俗／圣人之道，若存若亡。援而用之，殁世不亡／圣人若天然，无私覆也；若地然，无私载也／圣人，大贤之清者也；贤人，中人之清者也／圣人虽有独知之明，常如闇昧，不以曜乱人／圣人爱养万民，不以仁恩，法天地，行自然／圣人恶似是而非之人，国家忌似是而非之论／至人之治，掩其聪明，灭其文章，依道废智／大人者，有容物，无去物，有爱物，无徇物／小人之情，缓则骄……危则谋乱，安则思欲／小人君子，其心不同，惟乖于时，乃与天通／小人智浅而谋大，羸弱而任重，故中道而废／当人强盛，河山可拔，一朝羸缩，人情万端／善人者，不善人之师；不善人者，善人之资／待人要丰，自奉要约；责己要厚，责人要薄／庶人有旦暮之业则劝，百工有器械之巧则壮／录人一善，则无弃人；采材一用，则无弃材／贤人观时，而不观于时；制兵，而不制于兵／贤人在野，我将进之；佞人立朝，我将斥之／见人之过，得己之过；闻人之过，得己之过／视人之国，若己之国；视人之家，若己之家／欲人不知，莫若无为；欲无悔吝，不若守慎／欲人勿闻，莫若勿言；欲人勿知，莫若勿为／欲人勿恶，必先自美；欲人勿疑，必先自信／千人同心则得千人力，万人异心则无一人之用／为人友者不以道而以利，举世无友，故道益弃／以人之言而遗我粟，至其罪我也又且以人之言／古人有言曰："其父析薪，其子弗克负荷。"／任人而不任法，则人各有意，无以定一成之论／谗人似实，巧言如簧，使听之者惑，视之者昏／圣人之行虽不必同，然其要归，在洁其身而已／圣人之道，宽而栗，严而温，柔而直，猛而仁／圣人守清道而抱雌节，因循应变，常后而不先／小人错其在己者，而慕其在天者，是以日退也／善人在患，弗救不祥；恶人在位，不去亦不祥／远人不服，则修文德以来之。既来之，则安之／妇人拾蚕，渔者握鳣，利之所在，则忘其所恶／贤人智士之于子孙：……贻之以言，弗贻以财／一人所以能敌万人者，非弓刀之技，盖威之至也／一人所以能悦万人者，非言笑之惠，盖和之至也／于人无贤愚，于事无小大，咸推以信，同施以敬／北人看书，如显处视月；南人学问，如牖中窥日／今人之性恶，必将待师法然后正，得礼义然后治／今人主有明其德者，则天下归之若蝉之归明火也／诗人感而后思，思而后积，积而后满，满而后作／动人以言者，其感不深；动人以行者，其应必速／圣人不贵尺之璧，而重寸之阴，时难得而易失也／圣人之爱人也，人与之名，不告则不知其爱人也／小人深情厚貌，毒人不可防范，殆其甚于豺狼也／君人者，爱民而安，好士而荣，两者无一焉而亡／避人之长，攻人之短，见己之所长，避己之所短／爱人不以理，适是害人；恶人不以理，适是害己／毁人者失其直，誉人者失其实，近于乡原之人哉／食人力之粟，守无事之官，拳拳血诚，无所陈露／仁人之所以为事者，必兴天下之利，除去天下之害／圣人之用兵，若栉发耨苗，所去者少，而所利者多／饰人之心，易人之意，能胜人之口，不能服人之心／仁人之于弟也，不藏怒焉，不宿怨焉，亲爱之而已矣／舆人成舆，则欲人之富贵；匠人成棺，则欲人之夭死／凡人于事务之来，无论大小，必审之又审，方无遗虑／圣人者常以事于无形之外，而不留思尽虑于成事之内／美人梳洗时，满头间珠翠，岂知两片云，戴却数乡税／爱人者不阿，憎人者不害，爱恶各以其正，治之至也／小人之交以利，平时相亲不啻父子，一旦相噬不啻狗彘／知人之效有二难：有难知之难，有知之而无由得效之难／感人心者，莫先乎情，莫始乎言，莫切乎声，莫深乎义／瞒人之事弗为，害人之心弗存，有益国家之事虽死弗避／一人一心，万人万心，若不以令一之，则人人之心各异矣／凡人之性，莫不欲善其德，然而不能为善德者，利败之也／敬人者，非敬人也，自敬也；贵人者，非贵人也，自贵也／众人皆知利利而病病也，唯圣人知病之为利，知利之为病也／吴人与越人相恶也，当其同舟而济遇风，其相救也如左右手／杀人之士民，兼人之土地，以养吾私与吾神者，其战不知孰善／君人者不下庙堂之上，而知四海之外者，因物以识物，因人以知人也

❸莫三人而迷／天与人交相胜／说大人则藐之／下下人有上上智／不是人寰是天上／更也，人皆仰之／为他人作嫁衣裳／儿妇人口不可用／在知人，在安民／多陵人者皆不在／惟善人能受尽言／过也，人皆见之／过桥人似鉴中行／途之人可以为禹／道远人则为不仁／春到人间万物鲜／春到人间草木知／赏一人而万人悦／赏一人而天下劝／敢道人之所难言／有其人则有其神／起死人而肉白骨／骨朽人间骂未销／难任人，蛮夷率服／唯圣人为不求知天／视杀人若艾草菅然／有真人然后有真知／欲知人者必先自知／礼者，人道之极也／毋以人誉而遂无过／称善人，不善人远／不以人所短弃其所长／不管人责，但求自尽／乐道人之善而不为谄／博求人才，广育士类／知事人，然后能使人／知爱人而后知保天下／善欲人见，不是真善／家给人足，天下大治／好胜人，耻闻过……／贫非人患，惟和为贵／政通人和，百废俱兴／敬他人，即是敬自己／欲他人己从，诬人也／欲胜人者，必先自胜／恶恐人知，便是大恶／辞者，人之所以通也／自是人生长恨水长东／一闻人之过，终身不忘／不与人争者，常得利多／今主人之雁，以不材死／防小人之道，正己为先／能食人，亦当为人所食／美者，人心之所乐进也／尝从人事，皆口腹自役／善治人者，能自治者也／闻古人之过，得己之过／好憎人者，亦为人所憎／好称人恶，人亦道其恶／存乎人者，莫良于眸子／时俗人有耳不自闻其过／必因人之情，故易为功／恶者，人心之所恶疾也／其与人锐，其去人必速／与死人同病者，不可生也／开幸人之志，兆乱臣之心／无道人之短，无说己之长／不乘人于利，不迫人于险／不蔽人之美，不言人之恶／不患人不知，惟患学不至／非其人而行之，则为大害／久戍人将老，长征马不肥／及在人，则又各自有个理／乘众人之智，则无不任也／以小人之虑，度君子之心／古之人名为羞，以实为慊／仁则人亲之，义则人尊之／但愿人长久，千里共婵娟／凡二人来讼，必一曲一直／功高人共嫉，事定我当烹／能为人则者，不为人下矣／莫道人行早，还有早行人／大凡人无才，则心思不出／将小人之心，度君子之腹／吾憎人也，不可得而知也／唯仁人为能爱人，能恶人／国以人为本，人安则国安／山中人自正，路险心亦平／得其人而行之，则为大利／流落人间者，太山一毫芒／慷他人之慨，费别姓之财／物轻人意重，千里送鹅毛／故圣人也者，人之所积也／所谓人者，恶死乐生者也／有惠人之名而无救患之实／施于人而不忘，非天布也／眼看人尽醉，何忍独为醒／既受人之托，必终人之事／其择人宜精，其任人宜久／一凡人沮之，则自以为不足／一凡人誉之，则自以为有余／才高人自服，不必其言之高／无谋人之心而令人疑之，殆／非其人而处其位者其祸必速／反众人之所务，而归于虚无／古之人与民偕乐，故能乐也／古之人，未有不须友以成者／古之人以名为羞，以实为慊／凡贤人君子，未尝不思效用／少年人要心忙，忙则摄浮气／国以人为本，人以衣食为本／行高人自重，不必其貌之高／役于人而食其力，可无报耶／梦幻人世，明不能究其从也／有高人之行者，固见负于世／有谋人之心而令人知之，拙／欲急人所务，当先除其所患／老年人要心闲，闲则乐余年／其为人也温柔敦厚，诗教也／其论人也，必贵忠良鄙邪佞／与妄人相值，亦当存自反之心／不患人之不己知，患不知人也／不患人之不己知，患其不能也／失贤人，国无不危，名无不辱／乘众人之制者，则天下不足有／举千人之所爱，则得千人之心／以众人之力起事者，无不成也／古之人谋黄发番番，则无所过／剑一人敌，不足学，学万人敌／任一人之力者，则乌获不足恃／今志人之所短，而忘人之所修／大凡人之感于事，则必动于情／夺他人之酒杯，浇自己之垒块／待小人宜敬，敬心可以化邪心／得万人之兵，不如闻一言之当／得饶人处且饶人，退步行最稳／得贤人，国无不安，名无不荣／治于人者食人，治人者食于人／见世人可取者多，则德日进矣／有过人之识，则不以富贵为事／神清人无忽语，机活人无痴事／用百人之所能，则得百人之力／不窥人闺门之私，听闻中冓之言／未必人间无好汉，谁与宽些尺度／古之人知酒肉为甘鸩，弃之如遗／古之人虚中乐善，不择事而问焉／变尽人间，君山一点，自古如今／取诸人以为善，是与人为善者也／酒向人间都是怨，一枕黄粱再现／见有人来，袜刬金钗溜，和羞走／断肠人处，天边残照水边霞……／忠犯人主之怒，而勇夺三军之帅／天时人事日相催，冬至阳生春

又来／不以人之坏自成，不以人之卑自高／不尤人则德益弘，能克己则学益进／不择人而问焉，取其有益于身而已／不要人夸好颜色，只留清气满乾坤／曲妙人不能尽和，言是人不能皆信／非其人而教之，赍盗粮、借贼兵也／长恨人心不如水，等闲平地起波澜／失意人逢失意事，新啼痕间旧啼痕／古之人，身隐而功著，形息而名彰／命者，人所禀受，若贵贱夭寿之属／凡用人历试其能，苟败事必诛无赦／诗者，人心之感物而形于言之余也／获一人而失一国，见黄雀而忘深井／善知人者如明镜，善自知者如蚌镜／山中人兮芳杜若，饮石泉兮荫松柏／懊恨人心不如石，少时东去复西来／弘爱人屈己之道，酌因时适变之宜／杀一人则千人恐，滥一罪则百夫愁／忽报人间曾伏虎，泪飞顿作倾盆雨／恶诸人则去诸己，欲诸人则求诸己／其为人也多暇日者，其出入不远矣／其为人也孝悌，而好犯上者，鲜矣／天授人以贤圣才能，岂使自有余而已／世之人不知至理之所在也，迷而妄行／古之人……识名位为香饵，逝而不顾／古之人，有高世之才，必有遗俗之累／观古人，得其时行其道，则无所为书／性于人无不善，系其善反不善反而已／子路人告之以有过则喜，禹闻善则拜／亲小人，远贤臣，此后汉所以倾颓也／故圣人常顺时而动，智者必因机以发／舜何人也，予何人也，有为者亦若是／与善人居，如入芝兰之室，久而自芳也／与恶人居，如入鲍鱼之肆，久而自臭也／天生人而使有贪有欲，欲有情，情有节／不责人以细过，则能吏之志得以尽其效／不责人小过，不发人阴私，不念人旧恶／古之人未始不薄于当世，而荣于后世也／凡为人子之礼，冬温而夏清，昏定晨省／哀无人，不哀无贿；哀无德，不哀无宠／欲胜人者必先自胜，欲论人者必先自论／究天人之际，通古今之变，成一家之言／貌则人，其心则禽兽，又恶可谓之人邪／内小人而外君子，小人道长，君子道消也／仁者人也，仁字有生意，是言人之生道也／当与人同过，不当与人同功，同功则相忌／唯圣人知礼之不可以已也……必先去其礼／唯至人乃能游于世而不僻，顺人而不失己／好言人之恶，谓之谗；析交离亲，谓之贼／仁者人也，亲亲为大；义者宜也，尊贤为大／今以人之小过掩大美，则天下无圣王贤相矣／善欲人见，不是真善；恶恐人知，便是大恶／或誉人而适足以败之，或毁人而乃反以成之／有杀人之威而下不惧，有生人之惠而下不喜／欲论人者，必先自论；欲知人者，必先自知／思古人而不得见，学古道，则欲兼通其辞也／不责人所不及，不强人所不能，不苦人所不好／将者，人之司命也，生死犹转机，得失如反掌／爱其人者，爱其屋上乌；憎其人者，憎其余胥／非其人而欲有功，譬其若夏至之日而欲夜之长也／非其人而欲有功，譬之若夏至之日而欲夜之长也／能使人知己、爱己者，未有不能知人、爱人者也／若使人之所怀于内者……，则天下无亡国败家矣／山中人不信有鱼大如木，海上人不信有木大如鱼／老年人受病在作意步趋，少年人受病在假意超脱／古之人君，所以至于民散国亡而不悟者，皆吏误之／凡用人之道，若以燧取火，疏之则弗得，数之则弗中／若鄙人所谓致知格物者，致吾心之良知于事事物物也／德万人者谓之俊，德千人者谓之豪，德百人者谓之英／与善人居，如入兰芷之室，久而不闻其香，则与之化矣／与恶人居，如入鲍鱼之肆，久而不闻其臭，亦与之化矣／古之人观于天地、山川、草木、虫鱼、鸟兽，往往有得／不以人之坏自成也，不以人之卑自高也，不以遭时自利也／我悲人之自丧者，吾又悲夫悲人者，吾又悲夫悲人之悲者／何谓人情？喜、怒、哀、惧、爱、恶、欲，七者弗学而能／凡用人之道，采之欲博，辨之欲精，使之欲适，任之欲专／袭古人语言之迹，而冒以为古，是处严冬而袭夏之葛者也／赏一人而败国俗，仁者弗为也；以不信得厚赏，义者弗为也

❹吉凶由人／否之匪人／做官夺人志／傍早做人家／去国故人稀／不乐闻人过失／为吏者人役也／以德兼人者王／口惠之人鲜信／君子爱人以德／崇让则人不争／好众辱人者殃／天地间，人为贵／天道远，人道迩／不知其人观其友／不知其人视其友／语不惊人死不休／大匠诲人以规矩／器宝待人而后宝／慢人者人亦慢之／赔了夫人又折兵／见事过人，明也／竹有节，人有志／不以其人布衣不用／世有乱人而无乱法／久与贤人处则无过／刚略之人不能理微／诚者，圣人之性也／诬善之人，其辞游／苟有过，人必知之／善人者，人亦善之／宽恕之人不能速捷／政之费人也甚于医／父母者，人之本也／钓名之人无贤士焉／上德之人，唯道是用／下流之人，众毁所归／天之能，人固不能也／不复知人间有羞耻事／不愧于人，不畏于天／未能事人，焉能事鬼／百世一人，千载一时／中材之人则随世损益／曲己全人，人必全之／以仁安人，以义正我／以令率人，不若身先／古之用人，无择于势／贞脆由人，祸福无门／刑法不人，兵不可成／仁者爱人，义者政理／仁者爱人，义者尊老／勿轻论人，勿轻说事／勿轻小人，小人贼国／凡厥正人，既富方谷／凡今之人，莫如兄弟／谋事在人，成事在天／取彼谮人，投畀豺虎／坚劲之人好攻其事实／苟非其人，虽强易弱／握火投人，反先自热／知学之人，能与闻迁／善则称人，过则称己／困鸟依

人，终当飞去／行高于人，众必非之／犯法之人，丝毫无贷／猜忍之人，志欲无限／梦中许人，觉且不背／处世为人，信义为本／饥则附人，饱便高扬／法施于人，虽小必慎／慊慊为人，矫矫为官／宁我负人，毋人负我／宁我薄人，无人薄我／灾人者，人必反灾之／官无中人，不如归田／官在得人，不在员多／要成好人，须寻好友／杀人安人，杀之可也／或为小人，或为君子／贼是小人，智过君子／爱人者人必从而爱之／有德之人，常宜近之／有罪之人，人所共弃／股肱惟人，良臣惟圣／欲知其人，观其所使／矜物之人，无大士焉／自非圣人，不能无过／无竞维人，四方其训之／不敬他人，是自不敬也／且有真人，而后有真知／以言伤人者，利于刀斧／仁义之人，其言蔼如也／先发制人，后发制于人／误用恶人，不善者竞进／圣人者，人之先觉者也／圣人用人，犹匠之用木／薄于责人，而非匿其过／国家用人，犹农家积粟／饮食之人，则人贱之矣／数风流人物，还看今朝／所加于人，必可行于己／所用之人，常先于智勇／愚暗之人，皆矜能伐善／用得正人，为善者皆劝／上材之人能行人所不能行／与多疑人共事，事必不成／与好利人共事，己必受累／天不为人之恶寒也，辍冬／天便教人，霎时厮见何妨／千家数人在，一税十年空／生当作人杰，死亦为鬼雄／以全举人固难，物之情也／以贤临人，未有得人者也／佞以悦人者，小人之徒也／兴废由人事，山川空地形／先即制人，后则为人所制／谁能绝人命，以作时世贤／圣人感人心，而天下和平／难将一人手，掩得天下目／吉凶在人，岂假阴阳拘忌／苟虑危人，人亦必虑危之／苟虑害人，人亦必虑害之／美服患人指，高明逼神恶／少见之人，如从管中窥天／常记古人言，思之每烂熟／君子遗人以财，不若善言／知音少，人间何处寻芳草／法明则人信，法一则主尊／恬淡无人见，年年常自清／富贵他人合，贫贱亲戚离／富贵有人籍，贫贱无天录／道贵制人，不贵制于人也／结庐在人境，而无车马喧／植之之人寡而拔之之人多／死是征人死，功是将军功／时不乏人而患闻见之不博／旷野看人小，长空共鸟齐／所愧为人父，无食致夭折／有恒者，人舍之，天助之／睡不落人前，起不落人后／赤兔无人用，当须吕布骑／鬼神非人实亲，惟德是依／无德于人而求用于人，罪也／不迩小人，则谗谀者自远矣／以善胜人者，未有能服人者／以贤下人，未有不得人者也／孔子圣人，其学必始于观书／人言楚人沐猴而冠耳，果然／力多则人朝，力寡则朝于人／名者，圣人之所以纪万物也／君子好人之好，而忘己之好／君子服人之心，不服人之言／道者，一人用之，不闻有余／好面誉人者，亦好背而毁之／昔者圣人遗子孙以德、以礼／明君圣人亦不为一人枉其法／教人治人，宜皆以正直为先／天下之人蹈道必赏，违善必罚／不能容人者无亲，无亲者尽人／不赏而人自劝，不罚而人自畏／千人万人之情，一人之情是也／以善养人者，未有不服人者也／以德服人者，中心悦而诚服也／以德胜人者昌，以力胜人者亡／以道佐人主者，不以兵强天下／以道望人则难，以人望人则易／以欲从人者昌，以人乐己者亡／以言责人甚易，以义持己实难／今吾于人也，听其言而观其行／交游之人，誉不三周，未必信／即以其人之道，还治其人之身／圣人为人所爱，神明所祐……／大抵古人诗画，只取兴会神到／尤妙之人含精于内，外无饰姿／尤虚之人硕言瑰姿，内实乖反／扬雄言人性善恶混者，中人也／抑人者人抑之，容人者人容之／挤人者人挤之，侮人者人侮之／君子扬人之善，小人讦人之恶／君子责人则以人，自责则以义／知使兹人有知乎？非我其谁哉／始吾于人也，听其言而信其行／明于天人之分，则可谓至人矣／责人以人则易足，易足则得人／贵以下人为德，贱以忘势为德／赏及淫人，则善者不以赏为荣／自责以人则易为，易为则行苟／中情之人，名不副实，用之有效／非真无人也，但求之不勤不至耳／非惟使人情开涤，亦觉日月清朗／仁也者，人也。合而言之，道也／误用恶人，假令强干，为害极多／圣人教人，只是就人日用处开端／君子小人之分，义与利之间而已／知足之人，虽卧地上，犹为安乐／宽以待人，柔能克刚，英雄莫敌／孙卿言人性恶者，中人以下者也／孟轲言人性善者，中人以上者也／贤君择人为佐，贤臣亦择主而辅／必欲得人称职，不失士，不谬举／急小之人宜理百里，使事办于己／不务服人之貌，而思有以服人之心／不取于人谓之富，不屈于人谓之贵／不薄今人爱古人，清词丽句必为邻／不见古人卜居者，千金只为买乡邻／不服一人，与逢人便服者，皆妄人／不服一人与逢人便服者，皆妄人也／世情薄，人情恶，雨送黄昏花易落／可憎者人情冷暖，可厌者世态炎凉／事可语人酬对易，面无惭色去留轻／疑人者，人未必皆诈，己则先诈矣／以正辅人谓之忠，以邪导人谓之佞／以力服人者，非心服也，力不赡也／以物与人为义，过与是非义之义也／古之圣人，虽出乎其类，拔乎其萃／古之用人者，取之至宽而用之至狭／休对故人思故国，且将新火试新茶／但是诗人多薄命，就中沦落不过君／信宿渔人还泛泛，清秋燕子故飞飞／众见者人为之伏，器见者人为之备／叩门无人室无釜，踯躅空巷泪如雨／务免乎人之所不免者，岂不亦悲哉／能欺一人一时，决不能欺天下后世／在智则人与之讼；在力则人与之争／志士幽人莫怨嗟，古来材大难为用／大德之人不随世俗，所行独从于道／太平之人，悦乐于德，不悦乐于刑／惟夫党人之偷乐兮，路幽昧以险隘／守正之人其气高，含章之人其词大／富贵则人争趣之，贫贱则人争去之／昔有佳人公孙氏，一舞剑气动四方／智见者人为之谋，形见者人为之功／爱人者人常爱之，敬人者人常敬之／爵高者，人妒之；官大者，主恶之／朝无贤人，犹鸿鹄之无羽翼也……／老成之人，言有迂阔，而更事为多／西家老人晓稼穑，白发空多缺衣食／既以为人己愈有，既以与人己愈多／誉人者，人誉之；谤人者，人谤之／天道远，人道尔，报应之效迟速难量／两虎争人而斗，小者必死，大者必伤／孔氏门人……恶其违仁义而尚权诈也／古之进人者，或取于盗，或举于管库／古人教人，不过存心、养心、求放心／凡以知，人之性；可以知，物之理也／大禹圣人，乃惜寸阴，众人当惜分阴／大匠诲人必以规矩，学者亦必以规矩／射者使人端，钓者使人恭，事使然也／君子崇人之德，扬人之美，非谄谀也／岂得以人言不同己意，便即护短不纳／始以护人之乱为义，而终掠乱以求之／绝愚之人，心无所别析，心无所好欲／是故圣人与时变而不化，从物而不移／心能知人者如明镜，善自知者如蚌镜／一目之人可使视准，五毒之石可使溃疡／不让古人是谓有志，不让今人是谓无量／不知古人之世，不可妄论古人之文辞也／我不欲人之加诸我也，吾亦欲无加诸人／古之君人者，以得为在民，以失为在己／古之官人也，以天下为己累，故己忧之／俭葬，古人之美节；侈葬，古人之恶名／今之官人也，以己为天下累，故人忧之／邪正之人不宜共国，亦犹冰炭不可同器／能当一人而天下取，失当一人而社稷危／大德之人无所不容，能受垢浊，处谦卑／名者，圣人所以真物也，名之为言真也／君子成人之美，不成人之恶。小人反是／爱人者，人恒爱之；敬人者，人恒敬之／服不美，人不汝尤；德不美，乃汝之羞／自古圣人贤士，皆非有求于闻用也……／古之贤人君子，大智经营，莫不除害兴利／力能过人，勇能行之，而智不能断事……／志士仁人，无求生以害仁，有杀身以成仁／若近正人，闻正事，虽欲为恶，固已不忍／抗厉之人不能回挠，论法直则括处而公正／狗彘食人食而不知检，途有饿莩而不知发／富贵骄人，固不善；学问骄人，害亦不细／道不远人。人之为道而远人，不可以为道／欲交其人，先观其友，乃择交第一良法也／无为小人，反殉而天；无为君子，从天之理／不学古人，法无一可；竟似古人，何处着我／为政在人，取人以身，修身以道，修道以仁／以此治人，则膏雨甘露降矣，寒暑四时当矣／以物与人，物尽而止；以法活人，法行无穷／以言取人，失之宰予；以貌取人，失之子羽／使法择人，不自举也；使法量功，不自度也／冷眼观人，冷耳听语，冷情当感，冷心思理／读书做人，先要立志。志患不立，尤患不坚／苟得其人，不患贫贱；苟得其材，不嫌名迹／苟得其人，虽仇必举；苟非其人，虽亲不授／大禹圣人，乃惜寸阴，至于众人，当惜分阴／大禹圣人，犹惜寸阴，至于凡俗，当惜分阴／名为山人而心同商贾，口谈道德而志在穿窬／吾见世人清名登而金贝入，信誉显而然诺亏／君子见人之厄则矜之，小人见人之厄则幸之／知足之人，体道同德，绝名除利，立我于无／善气迎人，亲如兄弟；恶气迎人，害于兵戈／因材任人，国之大柄；考绩进秩，吏之常法／治道备，人斯为善矣；治道失，人斯为恶矣／通才之人或见赘于时，高世之士或见排于俗／学不为人，博而不俗；言不为华，述而不作／暗箭伤人，其深次骨；人之怨之，亦必次骨／欲见贤人而不以其道，犹欲其入而闭之门也／文者，圣人假之以达其心……详之、略之也／礼接于人，人不敢慢；辞交于人，人不敢侮／天下之人所共趋之而不知止者，富贵与美名尔／五色令人目盲，五音令人耳聋，五味令人口爽／世俗之人皆喜人之同乎己，而恶人之异于己也／任非其人而国家不倾者，自古至今，未尝闻也／若近细人，不闻教谕，纵欲行善，犹未知所适／饱而知人之饥，温而知人之寒，逸而知人之劳／宽弘之人宜为郡国，使下得施其功而总成其事／胡越之人，生则声同，长则语异，盖声者天然／与邪佞人交，如雪入墨池，虽融为水，其色愈污／与端方人处，如炭入薰炉，虽化为灰，其香不灭／天下犹人之体，腹心充实，四支虽病，终无大患／以言伤人者，利如刀斧。以术害人者，毒如虎狼／今世之人主，多欲众之，而不知善，此多其雠也／以不忍人之心，行不忍人之政，治天下可运之掌上／天生一人，自有一人之用，不待取给于孔子而后足也／不以众人待其身，而以圣人望于人，吾未见其尊己也／君子小人本无常，行善事则为君子，行恶事则为小人／缓己急人，一等；急己急人，二等；急己宽人，三等／天不为人恶咨而辍其寒暑，君子不为人之丑恶而辍其正道／不仁之人骋其私智，可以盗千乘之国，而不可以得丘民之心／回之为人也，择乎中庸，得一善，则拳拳服膺，而弗失之矣／不与凶人为仇，不与吉人为亲，不与诚人为媾，不与诈人为怨／今世之人居高官尊爵者，皆重失之，见利轻亡其身，岂不惑哉

❺无侮老成人／卑己而尊人／烈士不欺人／诗

品出于人品／自恃，无恃人／天地之性人为贵／天地闭，贤人隐／事无两样人心别／良工不示人以朴／直木伐，直人杀／黄河水直人心曲／先人有夺人之心／能信，不为人下／城郭如故人民非／芳草无情人自迷／君子不困人于阨／敬人者得人恒敬／麒麟不是人间物／天地之性，人为贵／良医知病人之死生／君子不夺人之所好／身不正，则人不从／天命难知，人道易守／事忌脱空，人怕落套／曲己全人，人必全之／剑老无芒，人老无刚／俟河之清，人寿几何／人弃我取，人取我与／对酒当歌，人生几何／大势所趋，人心所向／小人之誉，人反为损／君者政源，人庶犹水／彼，人也；予，人也／夕阳在山，人影散乱／性情面目，人人各具／恭敬之心，人皆有之／恻隐之心，人皆有之／悦以犯难，人忘其死／好荣恶辱，人之常情／经师易求，人师难得／木犹如此，人何以堪／是非之心，人皆有之／水动流下，人动趋利／物无所主，人必争之／物以类聚，人以群分／父母之心，人皆有之／有力量济人，谓之福／有罪之人，人所共弃／祸之来也，人自生之／衣不如新，人不如故／衣莫若新，人莫若故／羞恶之心，人皆有之／豹死留皮，人死留名／金无足赤，人无完人／无甘受佞人而外敬正士／不耻不若人，何若人有／事半古之人，功必倍之／币厚言甘，人之所畏也／乐人之乐，人亦乐其乐／举事以为人者，众助之／以仁义服人，何人不服／以恩信接人，不尚诈力／人主不公，人臣不忠也／圣人也者，人之所积也／知者不失人，亦不失言／行而自衒，人莫之取也／忧人之忧，人亦忧其忧／居天下之人，使安其业／好称人恶，人亦道其恶／教化之移人也如置邮焉／礼，不妄说人，不辞费／秦爱纷奢，人亦念其家／蝮蛇有螫，人忌而不轻／与其溺于人也，宁溺于渊／无以谋胜人，无以战胜人／不以言举人，不以人废言／不苟于论人，而非求其全／不结同心人，空结同心草／世未有小人不除而治者也／面异斯为人，心异斯为文／北方有佳人，绝世而独立／出处全在人，路亦无通塞／生有益于人，死不害于人／农月无闲人，倾家事南亩／以色事他人，能得几时好／乱臣贼子，人人得而诛之／外以欺于人，内以欺于心／前不见古人，后不见来者／但愿天下人，家家足稻粱／合则混然，人不见其殊也／夙兴以忧人，夕惕而修己／凌烟阁上人，未必皆忠烈／诗之基，其人之胸襟是也／苟虑危人，人亦必虑危之／苟虑害人，人亦必虑害之／莫崇于一人，莫贵于一人／封建，非圣人意也，势也／君子与小人，并处必为患／君子之于人才，无所不取／善战者致人，而不致于人／饮食男女，人之大欲存焉／闻多素心人，乐与数晨夕／恭者不侮人，俭者不夺人／安危在得人，国兴在贤辅／驱天下之人而从善远罪也／杀尽田野人，将军犹爱武／死亡贫苦，人之大恶存焉／成败论古人，陋识殊未公／此处不留人，自有留人处／礼不下庶人，刑不上大夫／矮观场，嗔人长，不自量／千里而袭人，未有不亡者也／直道而事人，焉往而不三黜／能用度外人，然后能周天下／在位非其人，而恃法以为治／劳心者治人，劳力者治于人／牵牛以蹊人之田，而夺之牛／吾有德于人也，不可不忘也／善学者假人之长，以补其短／希利而友人，利薄而友道退／惮势而交人，势劣而交道息／遇暴戾之人，以和气薰蒸之／遇欺诈之人，以诚心感动之／学所以开人之蔽，而致其知／望夫处……行人归来石应语／明王之使人也，必慎其所使／有备则制人，无备则制于人／有智略之人，不必试以弓马／不战而屈人之兵，善之善者也／为恶而畏人知，恶中犹有善路／以天下与人易，为天下得人难／以国士待人者，人亦国士自奋／人主有私人以财，不私人以官／圣人不以人滑天，不以欲乱情／地利不如人和，武力不如文德／声乐之入人也深，其化人也速／若力能过人，而勇不能行……／君子不掩人之功，不蔽人之善／君子之于人，无不欲其入于善／宠利毋居人前，德业毋落人后／官位得其人则生，失其人则死／明王之任人，谄谀不迩乎左右／赏当则贤人劝，罚得则奸人止／有非常之人，然后有非常之事／世治则小人守政，而利不能诱也／义者，比于人心而合于众适者也／尽力直友人之屈，不以权臣为意／今之交乎人者，炎而附，寒而弃／今王公贵人，处于重屋之下……／置不肖之人于位，是为虎傅翼也／踏遍青山人未老，风景这边独好／言贵实，使人信之，舍实何称乎／辩者，求服人心也，非屈人口也／干将之刃，人不推顿，苽瓠不能伤／上不玷知人之明，下不失四海之望／天道以爱人为心，以劝善惩恶为公／不惑于恒人之毁誉，故足以为君子／疑人者为人所疑，防人者为人所防／为之而欲人不知，言之而欲人不闻／诚知此恨人人有，贫贱夫妻百事哀／邪说之移人，虽豪杰之士有不免者／据天道，仍人事，笔则笔而削则削／君子无小人则饥，小人无君子则乱／处事要代人作想，读书须切己用功／悄立市桥人不识，一星如月看多时／逢人不说人间事，便是人间无事人／始之有作人争觉，及至无为众始知／财色之于人，譬如小儿贪刀刃之饴／政烦苛则人奸伪，政省一则人醇朴／爱人者则人爱之，恶人者则人恶之／立当青草人先见，行傍白莲鱼未知／其物存，其人亡，不言哀而哀自至／一国诅，两人祝，虽善祝者不能胜也／万物之于人也，无私近也，无私远也／天下非一人之天下，乃天下之天下也／天下非一人之天下也，天下之天下也／不可貌古人而袭之，畏古人而拘束之／不动乎众人之非誉，不治观者之耳目／古之善用人者，必循天顺人而明赏罚／何者为小人？凡事必徇己之私者是也／但常以责人之心责己，恕己之心恕人／调难调之人，可以练性，学在其中矣／苟能乐道人之善，则天下皆去恶为善／君不见今人交态薄，黄金用尽还疏索／君子不责人所不及……不苦人所不好／君子之于人也，苟有善焉，无所不取／强执教之人，则失其情实，生于诈伪／孝者，善继人之志，善述人之事者也／璞玉浑金，人皆钦其宝，莫知名其器／豺狼能害人，其状易别，人得以避之／不失足于人，不失色于人，不失口于人／厚者不损人以自益，仁者不危躯以要名／善歌者使人继其声，善教者使人继其志／责恶要为人留余步，劝善要思其势可从／赏无功之人，罚不辜之民，非所谓明也／火形严，故人鲜灼；水形懦，故人多溺／乐之来，则人情出者也，其始非圣人作也／厚者不毁人以自益也，仁者不危人以要名／君子与小人不两立，而小人与君子不同谋／君子之爱人也以德，细人之爱人也以姑息／嗜欲者使人之气越，而好憎者使人之心劳／道不远人。人之为道而远人，不可以为道／于戏君子，人不厌之，死虽千岁，其行可师／天道悠悠，人生若浮，古来贤圣，皆成去留／诸侯而骄人则失其国，大夫而骄人则失其家／务先穷昔人书，有不可者而后革之，则大善／务名者乐人之进趋过人，而不能出陵己之后／大兵如市，人死如林；持金易粟，粟贵于金／德不素积，人不为用；备不豫具，难以应卒／相鼠有皮，人而无仪；人而无仪，不死何为／是以与善人居，如入芝兰之室，久而自芳也／贤哉，回也……人不堪其忧，回也不改其乐／贵远贱近，人之常情；重耳轻目，俗之恒蔽／毛嫱、丽姬，人之所美也……麋鹿见之决骤／有不嗜杀人者，则天下之民皆引领而望之矣／礼接于人，人不敢慢；辞交于人，人不敢侮／心苟至公，人将大同；心能执一，政乃无失／穷而思达，人之情也；卑而应高，物之理也／君苟有善，人必知之。知之又知之，其心归之／君苟有恶，人亦知之。知之又知之，其心去之／君犹器也，人犹水也，方圆在于器，不在于水／君子之治人也，即以其人之道，还治其人之身／法令者示人以信，若成而数变，则人之心不安／爱善疾恶，人情所常，苟不明质，或疏善善非／但当退小人之伪朋，用君子之真朋，则天下治矣／圣人之爱人也，人与之名，不告则不知其爱人也／富与贵，是人之所欲也，不以其道得之，不处也／贫与贱，是人之所恶也，不以其道得之，不去也／使天下之人，不敢言而敢怒。独夫之心，日益骄固／不知言之人，乌可与言？知言之人，默焉而其意已传／人之能为人，由腹有诗书。诗书勤乃有，不勤腹空虚／去其家观人家，去其身观人身，所观益远，所见益少／地虽胜，得人焉而居之，则山若增而高，水若辟而广／文学之于人也譬乎药，善服，有济；不善服，反为害／凡偏材之人，皆一味之美，故长于办一官而短于为一国／使智惠之人治国之政事，必远道德，妄作威福，为国之贼／至礼有不人，至义不物，至知不谋，至仁无亲，至信辟金／吴人与越人相恶也，当其同舟而济遇风，其相救也如左右手／一夫耕，百人食之；一妇桑，百人衣之。以一奉百，孰能供之／用其智于人，未若用其智于己；用其力于人，未若用其力于己／君臣父子人间之事谓之义，登降揖让，贵贱有等，亲疏之体，谓之礼

❻无求备于一人／不求备于一人／不以位地矜人／不以尊贵骄人／君子以虚受人／律己足以服人／循循然善诱人／教惟在于因人／不怨天，不尤人／升沉不改故人情／作文之心如人目／好誉者，常谤人／学诗谩有惊人句／赏一人而万人悦／一树百获者，人也／难得之货塞人正路／困兽犹斗，况人乎／恶莫大于毁人之善／称善人，不善人远／一人传虚，万人传实／一言偾事，一人定国／天下无道，圣人生焉／天下无道，圣人彰焉／天下有道，圣人藏焉／天下有道，圣人成焉／天生万物，唯人为贵／天生神物，圣人则之／天地变化，圣人效之／川广自源，成人在始／以己之心，度人之心／以其昏昏，使人昭昭／乱而思理，生人大情／依人者危，臣人者辱／信而又信，谁人不亲／倒持干戈，授人以柄／众人成聚，圣人不犯／众口铄金，三人成虎／勿轻小人，小人贼国／兄弟谗阋，侮人百里／记人之长，忘人之短／记人之善，忘人之过／去人滋久，思人滋深／受人之托，忠人之事／喜怒哀乐，动人心深／萤火之光，照人不亮／美不自美，因人而彰／君子安贫，达人知命／君子寡尤，小人多怨／君子道长，小人道消／君子约言，小人先言／君子欲讷，吉人寡辞／虽有至知，万人谋之／得人则安，失人则危／得人者兴，失人者崩／得人者昌，失人者亡／得土地易，得人心难／狂夫之言，圣人择焉／度德而让，古人所贵／治天下者，以人为本／治人者不以人，以君／性情面目，人人各具／宁我负人，毋人负我／宁我薄人，无人薄我／学而不厌，诲人不倦／骄人好好，劳人草草／楚王遗弓，楚人得之／神人无光，圣人无名／祸福无门，唯人所召／急人之急，忧人之忧／恶恶著，则小人退矣／毋以贫故，事人不谨／鹬蚌相争，渔人得利／鹬蚌相

持，渔人得利／病人之病，忧人之忧／顺人者昌，逆人者亡／其室则迩，其人甚远／鬼神何灵？因人而灵／不勉己而勉人，难矣哉／仁之法在爱人不在爱我／勿以功高古人而自矜大／随踵而立者，人之薄也／君子中庸，小人反中庸／君者舟也，庶人者水也／唯仁者能好人，能恶人／唯廉勤二字，人人可至／国家大政，须人无二心／饮食之人，则人贱之矣／清心而寡欲，人之寿矣／满场是假，矮人何辩也／强倨傲暴之人不可与交／奸人难处，迂人亦难处／学者是学圣人而未至者／身已贵而骄人者民去之／一别二十年，人堪几回别／万物之有灾，人妖最可畏／天下星河转，人间帘幕垂／天涯同此路，人语各殊方／天意怜芳草，人间重晚晴／世情看冷暖，人面逐高低／世途旦复旦，人情玄又玄／两草犹一心，人心不如草／千秋功罪，谁人曾与评说／兵久则力屈，人愁则变生／乱臣贼子，人人得而诛之／真伪因事显，人情难预观／仁，人心也；义，人路也／修己而不责人，则免于难／凡人立志胜人，易生傲慢／六合之内，圣人论而不议／六合之外，圣人存而不论／帝王之功，圣人之余事也／圣人常善救人，故无弃人／花有重开日，人无再少年／大凡善恶之人，各以类聚／君之奢俭，为人富贫之源／君子固穷，小人穷斯滥矣／国以人为本，人安则国安／惟立志学圣人，则无害也／骄倨傲暴之人，不可与交／木受绳则正，人受谏则圣／树有百年花，人无一定颜／死亡疾病，亦人所不能无／成败论千古，人间最不公／水不激不跃，人不激不奋／见势则附，俗人之所能也／故圣人也者，人之所积也／父母有常失，人君有常过／月上柳梢头，人约黄昏后／福寿康宁，固人之所同欲／舟如空里泛，人似镜中行／鱼处水而生，人处水而死／干将虽利，非人力不能自断／事穷势蹙之人，当原其初心／吾所谓乐者，人得其得者也／善人赏而暴人罚，则国必治／国之将亡，贤人隐，乱臣贵／国以人为本，人以衣食为本／多方包容，则人材取次可用／强本节用，则人给家足之道／朽骨无益于人，而文王葬之／贤主劳于求人，而佚于治事／贵人者，非贵人也，自贵也／一介不以与人，一介不取诸人／专知擅事，侵人自用，谓之贪／不以求备取人，不以己长格物／不傲才以骄人，不以宠而作威／不遇至刻之人，不知忠厚之善／不雷同以害人，不苟免以伤义／可欺当时之人，而不可欺后世／为己者不待人，制令者不法古／仁莫大于爱人，知莫大于知人／伐国不问仁人，战阵不访儒士／任法而不任人，则法繁而人轻／何谓创家之人，能教子者便是／何谓享福之人，能读书者便是／君子不为小人之匈匈也，辍行／知天而不知人，则无以与俗交／布衣穷贱之人，咸得献其狂瞽／治于人者食人，治人者食于人／己欲立而立人，己欲达而达人／轻财足以聚人，律己足以服人／明大数者得人，审小计者失人／量宽足以得人，身先足以率人／有人则作，无人则辍之，谓伪／自知者不怨人，知命者不怨天／万人逐兔，一人获之，贪者悉止／与其食浮于人也，宁使人浮于食／不骄方能师人之长，而自成其学／正义直指，举人之过，非毁疵也／非诗之能穷人，殆穷者而后工也／人思取材于人，不若取材于天地／冠衣不能移人迹，顾所履何如耳／力足者取乎人，力不足者取乎神／攻其恶，无攻人之恶，非修慝欤／至人无己，神人无功，圣人无名／志士惜年，贤人惜日，圣人惜时／崇人之德，扬人之美，非谄谀也／明主急得其人，而闇主急得其势／一生肝胆向人尽，相识不如不相识／天生一个仙人洞，无限风光在险峰／不知乘月几人归，落月摇情满江树／十人树杨，一人拔之，则无生杨矣／人生莫作妇人身，百年苦乐由他人／光阴似箭催人老，日月如梭趱少年／诚知此恨人人有，贫贱夫妻百事哀／落红满路无人惜，踏作花泥透脚香／省事莫如任人，厉精莫如自上率之／君王旧迹今人赏，转见千秋万古情／江山代有才人出，各领风骚数百年／居前不能令人轾，居后不能令人轩／始知绝代佳人意，即有千秋国士风／杀一人则千人恐，滥一罪则百夫愁／暖风熏得游人醉，直把杭州作汴州／有时忽得惊人句，费尽心机做不成／欲开壅蔽达人情，先向歌诗求讽刺／欲赋生来惊人语，必须苦下死工夫／愚医类能杀人，而不服药者未必死／羊肠鸟道无人到，寂寞云中一个人／天下者非一人之天下，惟有道者处之／以刚健而居人之首，则物之所不与也／匠成舆者忧人不贵，作箭者恐人不伤／谏、争、辅、拂之人信，则君过不远／君今不幸离人世，国有疑难可问谁？／君子之去小人，惟能尽去，乃无后患／杀人者死，伤人者刑，是百王之所同／天不欲使兹人有知乎？则吾之命不可期／市之鬻鞭者，人问之……必五万而后可／勇于气者，小人也；勇于义者，君子也／法令不一则人情惑，职次数改则觊觎生／流荡不返，使人有淫丽之心，此文病也／宜得敏锐兼人之器，以副厉精更化之怀／富贵足以愚人，而贫贱足以立志而浚慧／亲贤臣，远小人，此先汉之所以兴隆也／水动而景摇，人不以定美恶，水势玄也／老吾老以及人之老，幼吾幼以及人之幼／不使智惠之人治国之政事……故为国之福／吾恒恶世之人不知推己之本，而乘物以逞／君子所求于人者薄，而辨是与非也无所苟／处世间事，众人皆见得非，而我独见得是／物循乎自然，人能明于必然，此人物之异／一卒毕力，百人不当；万夫致死，可以横行／一兔走衢，万人逐之；一人获之，贪者悉止／一国之政，万人之命，悬于宰相，可不慎欤／一日万机，一人听断，虽复忧劳，安能尽善／不知者，非其人之罪也；知百不为者，惑也／未信而谏，圣人不与。交浅言深，君子所戒／为政在人，取人以身，修身以道，修道以仁／尽者情露，好人行尽于人，而不能纳人之径／直者性奋，好人行直于人，而不能受人之讦／争地以战，杀人盈野；争城以战，杀人盈城／大丈夫不怕人，只怕理；不恃人，只是恃道／君子怀德，小人怀土；君子怀刑，小人怀惠／君子怀德，小人怀土；贤士徇名，贪夫死利／善人者，不善人之师；不善人者，善人之资／国多忌讳，大人恒畏。结口无患，可以长存／布帛寻常，庸人不释；铄金百溢，盗跖不掇／治天下者，用人非止一端，故取士不以一路／已乎已乎，临人以德；殆乎殆乎，画地而趋／始如处女，敌人开户；后如脱兔，敌不及拒／驰马思坠，挞人思毙，妄费思穷，滥交思累／易道良马，使人欲驰；饮酒而乐，使人欲歌／爱名尚利，小人哉，未见仁者而好名利者也／有道之世，以人与国；无道之世，以国与人／任法而不任人，则法有不通，无以尽万变之情／谏、争、辅、拂之人，社稷之臣也，国君之宝／治事不若治人，治人不若治法，治法不若治时／如有不嗜杀人者，则天下之民皆引领而望之矣／制之而不用，人之有也；制之而用之，己之有也／能无私于一人，故万物至而制之，万物至而命之／唯女子与小人为难养也；近之则不孙，远之则怨／避人之长，攻人之短，见己之所长，避己之所短／贤固可易知，人固可易识，但是议者不精思之耳／疾为诞而欲人之信己也，疾为诈而欲人之亲己也／君者，舟也；庶人者，水也。水则载舟，水则覆舟／饰人之心，易人之意，能胜人之口，不能服人之心／复其性者贤人，循之而不已者也，不已则能归其源矣／人之所以为人者，非以此八尺之身也，乃以其有精神／星队木鸣，国人皆恐。……怪之，可也；而畏之，非也／一人一心，万人万心，若不以令一之，则人人之心各异矣／敬人者，非敬人也，自敬也；贵人者，非贵人也，自贵也／学者四失：为人则失多，好高则失寡，不察则易，苦难则止

❼不可一日近小人／外君子而内小人／任是无情也动人／君子不欲多上人／君子以直道待人／惟宽可以怀远人／宰相必用读书人／解铃还要系铃人／人之患在好为人师／知人则哲，能官人／官不必备，惟其人／稽于众，舍己从人／与人和者，谓之人乐／无恻隐之心，非人也／无是非之心，非人也／无辞让之心，非人也／无羞恶之心，非人也／不偶流俗，坐忘人事／不知言，无以知人也／内省不疚，何恤人言／利居众后，责在人先／但攻吾过，毋议人非／人在气中，气在人中／艺由己立，名自人成／节同时异，物是人非／吾问养树，得养人术／君子莫大乎与人为善／律设大法，礼顺人情／杖起弱者，药治人病／亲权者，不能与人柄／欲他人己从，诬人也／天下无道，则正人在下／天下有道，则庶人不议／天下有道，则正人在上／天地物之大者，人次之／为恶，不自毁而人毁之／以仁义服人，何人不服／任不重，无以知人之才／人必自侮，然后人侮之／能食人，亦当为人所食／圣人畏微，而愚人畏明／太平之功，非一人之略／名正法备，则圣人无事／君子有徽猷，小人与属／君子有远虑，小人从迩／唯廉勤二字，人人可至／善败由己，而由人乎哉／国必自伐，而后人伐之／清人梦魂，千里人长久／宽则得众，信则人任焉／家必自毁，而后人毁之／好憎人者，亦为人所憎／贤人之才，须贤人用之／贤人之业，须贤人达之／政无大小，以得人为重／立法贵严，而责人贵宽／其与人锐，其去人必速／上材之人能行人所不能行／天下本无事，庸人自扰之／天下本无事，庸人自召之／天德施，地德化，人德义／天道施，地道化，人道义／天子好年少，无人荐冯唐／不限资例，则取人之路广／不善禁者，先禁人而后身／正己而不求于人，则无怨／世隘然后知其人之笃固也／求士莫求全，用人如用木／乐之所起，发于人之性情／举人之周也，与人之壹也／司马昭之心，路人所知也／乱后易理，犹饥人易食也／利旁有依刀，贪人还自贼／仕之为美，利乎人之谓也／任力者故劳，任人者故逸／佞以悦人者，小人之徒也／侮人还自侮，说人还自说／人主之所恃者，人心而已／今人有过，不喜人规……／禽兽之行而欲人之善己也／勾践栖山中，国人能致死／先自治而后治人之谓大器／衰世好信鬼，愚人好求福／冠盖满京华，斯人独憔悴／诚信相接，如坐人春风中／限以资例，则取人之路狭／幽桂一丛，赏古人之明月／又闻理与乱，系人不系天／圣人不曾高，众人不曾低／取人者必畏，与人者必骄／地若无山川，何人重平道／吉人之辞寡，躁人之辞多／志士惜日短，愁人知夜长／大海波涛浅，小人方寸深／将缣来比素，新人不如故／常言道：酒不醉人人自醉／君子求诸己，小人求诸人／君子以行言，小人以舌言／君子坦荡荡，小人长戚戚／君子喻于义，小人喻于利／君子行正气，小人行邪气／君子淡以亲，小人甘以绝／君子淡以成，小人甘以坏／唯仁人为能爱人，能恶人／待士之意周，取人之道广／处世忌太洁，至人贵藏晖／饷妇念儿啼，逢人不敢立／浅人好夸富，贪人好哭穷／泽人足乎木，山人

足乎鱼／渴人多梦饮，饥人多梦餐／达士如弦直，小人似钩曲／远而挑战者，欲人之进也／经事还谙事，阅人如阅川／望人者不至，恃人者不久／杀人须见血，救人须救彻／贵人而贱己，先人而后己／见善如不及，用人如由己／新人从门入，故人从阁去／爱静鱼争乐，依人鸟入怀／有其有者安，贪人有者残／胡人便于马，越人便于舟／文士多数奇，诗人尤命薄／烈士多悲心，小人偷自闲／畏落众花后，无人别意看／罢官之无事，恤人之不足／自古悲摇落，谁人奈此何／与民同其安者，人必拯其危／与民共其乐者，人必忧其忧／天主正，地主平，人主安静／由魏晋氏以下，人益不事师／古之善将者，养人如养己子／巨屦小屦同贾，人岂为之哉／语云：猛兽易伏，人心难降／能修其身，虽小人而为君子／射不善而欲教人，人不学也／知之难，不在见人，在自见／行不修而欲谈人，人不听也／要扫除一切害人虫，全无敌／怒而溢恶，则为人之害多矣／恶人不去，则善人无由进也／用人之力而忘人之功，不可／天下之事非一人之所能独知也／天下本无事，庸人扰之为烦耳／天之所助者顺，人之所助者信／天之所辅者仁，人之所助者信／天气上，地气下，人气在其间／天有不测风云，人有旦夕祸福／天有不测风云，人又岂能料乎／生，人之始也；死，人之终也／以国士待人者，人亦国士自奋／以私奉为心者，人必咈而叛之／古之君子爱其人也则忧其无成／仁，天之尊爵也，人之安宅也／圣人不世出，贤人不时出……／草忌霜而逼秋，人恶老而逼衰／挥汗读书不已，人皆怪我何求／君子不以言举人，不以人废言／君子责人则以人，自责则以义／得饶人处且饶人，退步行最稳／好人之所恶，恶人之所好……／马逢伯乐而嘶，人遇知己而死／玉不琢不成器，人不学不知道／水之冰生于寒，人之冰生于正／水至清则无鱼，人至察则无徒／物有微而志信，人有贱而言忠／祸出者祸反，恶人者人亦恶之／病无能焉，不病人之不己知也／舟循川则游速，人顺路则不迷／天地养万物，圣人养贤以及万民／俱往矣，数风流人物，还看今朝／受人施者常畏人，与人者常骄人／异方之乐，只令人悲，增忉怛耳／善人不能戚，恶人不能疏者，危／国乱则择其邪人去之，则国治矣／惟天性刚强之人，不为物欲所屈／王道如砥，本乎人情，出乎礼义／水倍源则川竭，人倍信则名不达／有恒者之与圣人，高下固悬绝矣／有必不可劝之人，不必多费唇舌／矢人惟恐不伤人，函人惟恐伤人／食人之食而误人之国者，非蝗乎／天不生无禄之人，地不长无根之草／无君子莫治野人，无野人莫养君子／无身不善而怨人，无刑已至而呼天／不薄今人爱古人，清词丽句必为邻／不服一人，与逢人便服者，皆妄人／不服一人与逢人便服者，皆妄人也／为国无强于得人，用人莫先于求旧／良医之门多病人，栝檃之侧多枉木／书卷多情似故人，晨昏忧乐每相亲／尽己而不以尤人，求身而不以责下／同是天涯沦落人，相逢何必曾相识／仁者恕己以及人，智者讲功而处事／人主不正，则邪人得志，忠者隐蔽／人主以狗彘畜人者，人亦狗彘其行／人言善，亦勿听；人言恶，亦勿听／军民团结如一人，试看天下谁能敌／随人作计终后人，自成一家始逼真／左右前后皆正人也，欲其身之不正／吾观自古贤达人，功成不退皆殒身／君子学道则爱人，小人学道则易使／知天之所为，知人之所为者，至矣／行发于身加于人，言发乎迩见乎远／待利而后拯溺，人亦必以利溺人矣／德莫高于博爱人，政莫高于博利人／宁教我负天下人，休教天下人负我／察己则可以知人，察今则可以知古／梓匠轮舆能与人规矩，不能使人巧／春到也，须频寄，人到也，须频寄／贵者负势而骄人，才士负能而遗行／赏僭则惧及淫人，刑滥则惧及善人／教化之行，引中人而纳于君子之涂／教化之废，推中人而坠入小人之域／教人至难，必尽人之材，乃不误人／有其语而无其人，得其宾而丧其实／豺狼寇盗不杀人民，不足以止其贪／为国不患于无人，有人而不用之为患／读书占地位，在人品上，不在势位上／名者可以厉中人，君子所存非所汲汲／渚寒烟淡，棹移人远，缥缈行舟如叶／怀必贪，贪必谋人；谋人，人亦谋己／舜何人也，予何人也，有为者亦若是／立法之大要……邪人痛其祸而悔其行／与谗谄面谀之人居，国欲治，可得乎？／天地无全功，圣人无全能，万物无全用／天地之所贵者人也，圣人之所尚者义也／为人君而乐杀人，此不可使得志于天下／仁者在位而仁人来，义者在朝而义士至／佳人不同体，美人不同面，而皆悦于目／勿恃己善不服人仁，勿矜己艺不敬人文／待天以困之，用人以诱之。往蹇来返。／德不广不能使人来，量不宏不能使人安／进言有四难：审人、审己、审事、审时／弹指三十八年，人间变了，似天渊翻覆／杀人以自生，亡人以自存，君子不为也／意新语工，得前人所未道者，斯为善也／镜以曜明，故鉴人；蚌以含珠，故内照／百梅足以为百人酸，一梅不足以为一人和／内君子而外小人，君子道长，小人道消也／君子不以功轻人之身，不为彼功诎身之理／亲权者不能与人柄；操之则栗，舍之则悲／内不足者，急于人知；霈焉有余，厥闻四驰／乘人之车者载人之患，衣人之衣者忧人之忧／匠人成棺，不憎人死；利之所在，忘其丑也／倚势豪夺，飞食人肉，鼓吻弄翼，道路以目／人亦有言，忧令人老。嗟我白发，生一何早／人必先作，然后人名之；先求，然后人与之／君子不失足于人，不失色于人，不失口于人／君子之德风，小人之德草。草上之风，必偃／教学之法，本于人性，磨揉迁革，使趋于善／无恻隐之心，非人也……恻隐之心，仁之端也／无是非之心，非人也……是非之心，智之端也／无羞恶之心，非人也……羞恶之心，义之端也／世俗之人皆喜人之同乎己，而恶人之异于己也／为长者折枝，语人曰："我不能"，是不为也／利镞穿骨，惊沙人面……声折江河，势崩雷电／大臣则必取众人之选，能犯颜谏事公正无私者／知有己不知有人，闻人过不闻己过，此祸本也／楚王好小腰，美人省食；吴王好剑，国士轻死／礼之既设，其小人恒佚于礼之外，则辅礼以刑／天子者，有道则人推而为主，无道则人弃而不用／圣人之爱人也，人与之名，不告则不知其爱人也／水行者表深，使人无陷；治民者表乱，使人无失／先生不知何许人也……宅边有五柳树，因以为号焉／兵之情主速，乘人之不及，由不虞之道，攻其所不戒／舆人成舆，则欲人之富贵；匠人成棺，则欲人之夭死／君子防悔尤，贤人戒行藏，嫌疑远瓜李，言动慎毫芒／善为上者，能令人得欲无穷，故人之可得用亦无穷也／爱人者不阿，憎人者不害，爱恶各以其正，治之至也／竹不能自异，唯人异之；贤不能自异，唯用贤者异之／杀人之士民，兼人之土地，以养吾私与吾神者，其战不知孰善／患其有小恶，以人之小恶，亡人之大美，此人主之所以失天下之士也已／使六国各爱其人，则足以拒秦；使秦复爱六国之人，则递三世可至万世而为君，谁得而族灭也 ❽夫子循循然善诱人／天下治乱系于用人／观其文可以知其人／太平之世多长寿人／名声之善恶存乎人／知爱身而后知爱人／有治法而后有治人／上不怨天，下不尤人／上医医国，其次疾人／上化清净，下无贪人／万民之主，不阿一人／万方有罪，在予一人／夫有尤物，足以移人／天道无亲，常与善人／不能受谏，安能谏人／不镜于水，而镜于人／不精不诚，不能动人／不鉴于镜，而鉴于人／百姓有罪，在于一人／严于责己，宽以待人／非贤不理，惟在得人／兵不在多，贵乎得人／靠自己，胜于靠他人／义动君子，利动贪人／利器入手，手可假人／作诗须多诵古今人诗／人能弘道，非道弘人／今夕何夕，见此良人／幽山桂树，往往逢人／动不为己，先以为人／苟非其时，不如息人／藏之名山，传之其人／否泰无常，吉凶由人／知事人，然后能使人／国之政要，兴废在人／国家将败，必用奸人／得人之道，在于知人／治睦者不以睦，以人／溢美之言，置疑于人／避慊远疑，救不得人／己所不欲，勿施于人／树枳棘者，成而刺人／致安之本，惟在得人／有生最灵，莫过乎人／有人之形，故群于人／祖浊裔清，不膀奇人／福不择家，祸不索人／必推于物，而顺于人／怨不在大，可畏惟人／惑于听受，暗于知人／穷达有命，吉凶由人／自明，然后才能明人／金无足赤，人无完人／不勤不俭，无以为人上／不能正其身，如正人何／不耻不若人，何若人有／未闻枉己而能正人者也／为君子儒，无为小人儒／人病舍其田而芸人之田／色智而有能者，小人也／捕猛兽者不使美人举手／将相神仙，也要凡人做／吾未闻枉己而正人者也／礼义不愆，何恤于人言／毋以己之长而形人之短／毋因己之拙而忌人之能／一人之智，不如众人之愚／万人离心，不如百人同力／天地莫生金，生金人竞争／不乘人于利，不迫人于险／不以言举人，不以人废言／不蔽人之美，不言人之恶／不贵异物贱用物，人乃足／非德之威，虽猛而人不畏／非德之明，虽察而人不服／为人君者，荫德于人者也／以贤临人，未有得人者也／真文不媚时，甘受人弹弋／卧榻之侧，岂容他人鼾睡／仁则人亲之，义则人尊之／传闻不同，善恶随人所见／任不重，则无以知人之德／但有路可上，更高人也行／作甲者欲其坚，恐人之伤／作箭者欲其锐，恐人不伤／倏忽市朝变，苍茫人事非／先即制人，后则为人所制／劝我早归家，绿窗人似花／能为人则者，不为人下矣／受辱于跨下，无兼人之勇／大圣之所行，不慕人所主／常恨言语浅，不如人意深／常言道：酒不醉人人自醉／常言道：日久才把人心见／君子难进易退，小人反是／枉己者，未有能直人者也／是岁江南旱，衢州人食人／有人者累，见有于人者忧／风雷动，旌旗奋，是人寰／虎豹不相食，哀哉人食人／自有桃花容，莫言人劝我／既受人之托，必终人之事／其择人宜精，其任人宜久／无谋人之心而令人疑之，殆／不为世忧乐者，小人之志也／百人抗浮，不若一人挈而趋／事有以必然，虽常人足以致／利人乎即为，不利人乎即止／制人者握权，制于人者失命／能为可用，不能使人必用己／射不善而欲教人，人不学也／小惩而大诫，此小人之福也／吾心如秤，不能为人作轻重／君子之为书，犹工人之作器／君子惧失仁义，小人惧失利／君子道其常，而小人计其功／行不修而欲谈人，人不听也／敌国相观……相观于人而已／有谋人之心而令人知之，拙／用其言，弃其身，古人所耻／身不善之患，毋患人莫己知／万物固以自然，圣人又何事焉／巫医乐师百工之人，不耻相师／临义莫计利害，论人莫计成败／千人万人之情，一人之情是也／以道望人则难，以人望人则易／以欲从人者昌，以人乐己者亡／古人采铜于山，今人则买旧钱／哀莫大于心死，而人死亦次之／抑人者人抑之，容人者人容之／挤人者人挤之，侮人者人侮之／君子乐得其道，小人乐得其欲／君子周而不比，小人比而不周／君子之接如水，小人之接如醴／君子以义相褒，小人以利相欺／君子扬人之善，小人讦人之恶／君子和而不同，小人同而不和／君子得之固躬，小人得之轻命／君子得时如水，小人得时如火／君子相送以言，小人相送以财／君子泰而不骄，小人骄而不泰／善人富谓之赏，淫人富谓之殃／治于人者食人，治人者食于人／进退盈缩变化，圣人之常道也／道人之所不道，到人之所不到／杭州之有西湖，如人之有眉目／责己也重以周，待人也轻以约／贵远而贱近者，常人之用情也／赏罚不可轻行，用人弥须慎择／有天下之是非，有人人之是非／躬自厚而薄责于人，则远怨矣／天地之有水旱，犹人之有疾病也／不杀无辜，无释罪人，则民不惑／仰不愧天，俯不愧人，内不愧心／能自得师者王，谓人莫己若者亡／圣人教人，只是就人日用处开端／建法立制，强国富人，是谓法家／大夫以身殉家，圣人以身殉天下／君不见曲如钩，古人知尔封公侯／君不见直如弦，古人知尔死道边／有钱的纳宠妾、买人口、偏兴旺／胆力绝众，材略过人，是谓骁雄／盗贼之心必托圣人之道而后可行／顺我意而言者，小人也，急远之／自受弊薄，后己先人，天下敬之／天下之治乱，系乎人君仁与不仁耳／天之道莫非自然，人之道皆是当然／天若有情天亦老，人间正道是沧桑／无天灾，无物累，无人非，无鬼责／世上岂无千里马，人间难得九方皋／世事洞明皆学问，人情练达即文章／世间万物有盛衰，人生安得常少年／世路之蓁芜当剔，人心之茅塞须开／百心不可以得一人，一心可得百人／为人而欲一世之人好，吾悲其为人／为文而欲一世之人好，吾悲其为文／良将之为政也，使人择之，不自举／古往今来共一时，人生万事无不有／圣人正方以约己，人自正方以从化／圣人清廉以澡身，人自廉洁以顺教／圣贤千言万语，教人且从近处做去／土广不足以为安，人众不足以为强／地广非常安之术，人劳乃易乱之源／幸人之灾，不仁；背人之施，不义／节物后先南北异，人情冷暖古今同／狗不以善吠为良，人不以善言为贤／学诗须是熟看古人诗，求其用心处／马先驯而后求良，人先信而后求能／车辚辚，马萧萧，行人弓箭各在腰／此曲只应天上有，人间能得几回闻／昨是儿童今是翁，人间日月急如风／财已竭而敛不休，人已穷而赋愈急／贤者之作，思利乎人；反是，罪也／思苦自看明月苦，人愁不是月华愁／蹉跎莫遣韶光老，人生唯有读书好／誉人者，人誉之；谤人者，人谤之／天地之大德曰生，人受天地之气而生／天将降大任于是人也，必先苦其心志／两心不可以得一人，一心可以得百人／但无耻一事不如人，则事事不如人矣／凡理国者，务积于人，不在盈其仓库／大勋所任者唯一人，然群谋济之乃成／君子崇人之德，扬人之美，非谄谀也／虽干将、莫邪，非得人力则不能割刿／天之生万物以奉人也，主爱人以顺天也／天，有形之大者也；人，动物之尤者也／不可以私意喜一人。不可以私意怒一人／不责人小过，不发人阴私，不念人旧恶／“利”之一字，是学问人品一片试金石／剑之锷，砥之而光；人之名，砥之而扬／人一能之，己百之；人十能之，己千之／人爱我，我必爱之；人恶我，我必恶之／功不使鬼必在役人，物不天来终须地出／受命不于天于其人，休符不于祥于其仁／巧不使鬼必有役人，物不天来终须地出／小人非才不能动人，小人非才不能乱国／君子计行虑义；小人计行其利，乃不利／行于世间，目不随人视……鼻不随人气／戍卒叫，函谷举，楚人一炬，可怜焦土／爱亲者不敢恶于人，敬亲者不敢慢于人／有诸己而后求诸人，无诸己而后非诸人／欲做精金美玉的人品，定从烈火中锻来／毁人者，自毁之。誉人者，自誉之……／不肖者则不然，责人则以义，自责则以人／人善我，我亦善之；人不善我，我亦善之／从来谈诗，必摘古人佳句为证，最是小见／若意新语工，得前人所未道者，斯为善也／国无义，虽大必亡。人无善志，虽勇必伤／好音生于郑卫，而人皆乐之于耳，声同也／轻听发言，安知非人之谮诉，当忍耐三思／不以其所能者病人，不以人之所不能者愧人／为政之要，惟在得人。用非其才，必难致治／为政之本，莫若得人；褒贤显善，圣制所先／傲人不如者，必浅人；疑人不肖者，必小人／君子能罪己，斯罪人也；不报怨，斯报怨也／知得知失，可与为人；知存知亡，足别吉凶／情之所恶，不以强人；情之所欲，不以禁民／寡交多亲，谓之知人；寡事成功，谓之知用／录人一善，则无弃人；采材一用，则无弃材／昔葛天氏之乐，三人操牛尾，投足以歌八阕／明者不以其短疾人之长，不以其拙病人之工／财有害气，积则伤人；虽少犹累，而况多乎／致天下之治者在人才，成天下之才者在教化／有道之君，以逸逸人；无道之君，以乐乐身／用智为政，务欲理人。智变奸生，祸乱滋起／千人同心则得千人力，万人异心则无一人之用／乘不测之舟，入无人之地，以相从问文章为事／任人而不任法，则人各有意，无以定一成之论／治事不若治人，治人不若治法，治法不若治时／贤者以其昭昭使人昭昭，今以其昏昏使人昭昭／气之动物，物之感人，故摇荡性情，形诸舞咏／故凡得胜者，必与人也，凡得人者，必与道也／一人所以能敌万人者，非弓刀之技，盖威之至也／一人所以能悦万人者，非言笑之惠，盖和之至也／兰茝荪蕙之芳，众人之所好，而海畔有逐臭之夫／小人深情厚貌，毒人不可防范，殆其甚于豺狼也／毁人者失其直，誉人者失其实，近于乡原之人哉／穷困不能辱身，非人也；富贵不能快意，非贤也／性字从生从心，是人生来具是理于心，方名之曰性／天生一人，自有一人之用，不待取给于孔子而后足也／满堂而饮酒，有一人乡隅而悲泣，则一堂皆为之不乐／视政之得失，若越人视秦人之肥瘠忽焉不加喜戚于其心／瞒人之事弗为，害人之心弗存，有益国家之事虽死弗避

❾不可以律己之律律人／兵法贵在不战而屈人／古之道不苟誉毁于人／学之经莫速乎好其人／天下之主，道德出于人／先发制人，后发制于人／亡国之主，聪明出于人／地者国之本，奈何予人／唯仁者能好人，能恶人／国之利器，不可以示人／御人以口给，屡憎于人／过举不匿，则官无邪人／理国之主，仁义出于人／有德之君，以所乐乐人／一丛深色花，十户中人赋／上山擒虎易，开口告人难／不才明主弃，多病故人疏／可为智者道，难为俗人言／由来征战地，不见有人还／发言玄远，口不臧否人物／古人愁不尽，留与后人愁／偶然临险地，不信在人间／八公山上草木，皆类人形／凡听言，要先知言者人品／计口而受田，家给而人足／记问之学，不足以为人师／草木有本心，何求美人折／拂墙花影动，疑是玉人来／摧折寒山里，遂死无人窥／将军夸宝剑，功在杀人多／唯见月寒日暖，来煎人寿／“慷慨”二字不可以望人／官省则事省，事省则人清／官烦则事烦，事烦则人浊／道贵制人，不贵制于人也／好将前事错，传与后人知／学书者纸费，学医者人费／此处不留人，自有留人处／贫贱亲戚离，富贵他人合／视其所好，可以知其人焉／爱其书者，兼取其为人也／文章憎命达，魑魅喜人过／文繁者质荒，木胜者人亡／睡不落人前，起不落人后／秋来山雨多，落叶无人扫／用智则国乱，息智则人安／病多知药性，客久见人心／病多知药性，年长信人愁／穷天下而奉之者，一人也／穷巷隔深辙，颇回故人车／起舞弄清影，何似在人间／醉舞下山去，明月逐人归／路遥知马力，日久见人心／身轻一鸟过，枪急万人呼／无德于人而求用于人，罪也／不可以己所能而责人所不能／以天下之大，托于一人之才／以贤下人，未有不得人者也／人情皆欲求胜，故悦人之谦／人必其自敬也，然后人敬诸／人必其自爱也，然后人爱诸／凡人为善，不自誉而人誉之／豪杰之士者，必有过人之节／小人好己之恶，而忘人之好／君子服人之心，不服人之言／明君圣人亦不为一人枉其法／秦人不暇自哀，而后人哀之／身不用礼，而望礼于人……／天下不患无财，患无人以分之／天下之道，理安，斯得人者也／不排毁以取进，不刻人以自入／不治可见之美，不竞人间之名／不用其所拙，而用愚人之所工／求诸己谓之厚，求诸人谓之薄／以人言善我，亦必以人言恶我／外疾之害轻于秋毫，人知避之／养物而物为我用者，人之力也／今志人之所短，而忘人之所修／薄身厚民，故聚敛之人不得行／君子以其身之正，知人之不正／君子杀民如杀身，活人如活己／役一己之聪明，虽圣人不能智／怅望关河空吊影，正人间……／贤者之不足，不若众人之有余／有天下之是非，有人人之是非／毁道德以为仁义，圣人之过也／神清人无忽语，机活人无痴事／祸出者祸反，恶人者人亦恶之／用天下之耳目，虽众人不能愚／身不用德，而望德于人，乱也／其行公正无邪，故谗人不得入／其自为也过多，其为人也过少／天有其时，地有其财，人有其治／取诸人以为善，是与人为善者也／受人施者常畏人，与人者常骄人／听其言也，观其眸子，人焉廋哉／君子有失其所兮，小人有得其时／善胜敌者不与，善用人者为之下／威严不先行于己，则人怨而不服／孙卿言人性恶者，中人以下者也／孟轲言人性善者，中人以上者也／必出于己，不袭蹈前人一言一句／必躬自厚而薄责于人，斯无失也／矢人惟恐不伤人，函人惟恐伤人／鸟穷则啄，兽穷则触，人穷则诈／鸟穷则啄，兽穷则攫，人穷则诈／天可度，地可量，唯有人心不可防／不可学、不可事而在人者，谓之性／世人视宠以为荣，圣人观之以为下／百人誉之不加密，百人毁之不加疏／生人之性得以安，圣人之道得以光／疑人者为人所疑，防人者为人所防／为国无强于得人，用人莫先于求旧／举世尽从愁里老，谁人肯向死前闲／举世皆浊我独清，众人皆醉我独醒／仁义充塞，则率兽食人，人将相食／他乡怨而白露寒，故人去而青山迥／似把剪刀裁别恨，两人分得一般愁／何谓仁？仁者憯怛爱人，谨翕不争／侈，将以其力毙；专，则人实毙之／分人以财谓之惠，教人以善谓之忠／公道世间唯白发，贵人头上不曾饶／人主以狗彘畜人者，人亦狗彘其行／人人尽说江南好，游人只合江南老／凡闻言必熟论，其于人必验之以理／画虎画皮难画骨，知人知面不知心／若君不修德，舟中之人尽为敌国也／小人之反中庸也，小人而无忌惮也／常宽容于物，不削于人，可谓至极／君子无小人则饥，小人无君子则乱／君子之交淡若

水，小人之交甘若醴／君子之学进于道，小人之学进于利／君子之言寡而实，小人之言多而虚／君子先择而后交，小人先交而后择／君子志于泽天下，小人志于荣其身／君子居易以俟命，小人行险以徼幸／君子学道则爱人，小人学道则易使／君子病无能焉，不病人之不己知也／图人者适以自图，灭人者适以自灭／处世还须称晚来，逢人且莫夸畴昔／腐木不可以为柱，卑人不可以为主／汴水通淮利最多，生人为害亦相和／官仓老鼠大如斗，见人开仓亦不走／寄到玉关应万里，戍人犹在玉关西／进人若将加诸膝，退人若将队诸渊／好似和针吞却线，刺人肠肚系人心／皇天以无言为贵，圣人以不言为德／成事在理不在势，服人以诚不以言／战士军前半死生，美人帐下犹歌舞／贵耳贱目，荣古陋今，人之大情也／敬人而不必见敬，爱人而不必见爱／爱人者则人爱之，恶人者则人恶之／爱人者人常爱之，敬人者人常敬之／有乱君，无乱国；有治人，无治法／脱裙衫，穷不妨；布荆人，名自香／怨人不如自怨，求诸人不如求诸己／破额山前碧玉流，骚人遥驻木兰舟／白骨已枯沙上草，家人犹自寄寒衣／用人之知去其诈，用人之勇去其怒／蜡烛有心还惜别，替人垂泪到天明／自责以备谓之明，责人以备谓之惑／紫陌红尘拂面来，无人不道看花回／言学便以道为志，言人便以圣为志／天下无害菑，虽有圣人，无所施其才／天下大势之所趋，非人力之所能移也／天之道利而不害，圣人之道为而不争／不察事之是非而悦人赞己，暗莫甚焉／为国不患于无人，有人而不用之为患／人灭而为鬼，鬼而为人，则未之知也／阴阳之气，散则万殊，人莫知其一也／圣人先忤而后合，众人先合而后忤也／射者使人端，钓者使人恭，事使然也／怀必贪，贪必谋人；谋人，人亦谋己／过眼滔滔云共雾，算人间知己吾和汝／道不远而难极也，与人并处而难得也／并力西向，则吾恐秦人食之不得下咽也／诗人之赋，丽以则；辞人之赋，丽以淫／君子富，好行其德；小人富，以适其力／君子好成物，故吉；小人好败物，故凶／君子成人之美，不成人之恶。小人反是／违强陵弱，非勇也；乘人之约，非仁也／学诗者不可忽略古人，亦不可附会古人／学者所以为学，学为人而已，非有为也／规矩，方圆之至也；圣人，人伦之至也／爱人者，人恒爱之；敬人者，人恒敬之／目有昧则视白为黑，人有蔽则以薄为厚／虎之不可使知恩，犹人之不可使为虎也／其人存，则其政举；其人亡，则其政息／天下之势有强弱，圣人审其势而应之以权／内小人而外君子，小人道长，君子道消也／当与人同过，不当与人同功，同功则相忌／君子非不见贵，然小人亦得厕其间时而用／纵有良法美意，非其人而行之，反成弊政／缘循、偃侠、困畏，不若人三者，俱通达／烈士之所以异于恒人，以其仗节以死谊也／体不备不可以为成人，辞不足不可以为成文／人之乱也，由夺其食；人之危也，由竭其力／人将休，吾将不敢休；人将卧，吾将不敢卧／人有厚德，无问小节；人有大举，无訾小故／人有所优，固有所劣；人有所工，固有所拙／凡事皆须务本，国以人为本，人以衣食为本／色厉而内荏，譬诸小人，其犹穿窬之盗也与／能自治然后可以治人；能治人然后人为之用／圣人恶似是而非之人，国家忌似是而非之论／草木无情，有时飘零；人为动物，惟物之灵／河下天下之川，故广；人下天下之士，故大／居君子之位而为庶人之行者，其患祸必至也／马效千里，不必骥騄；人期贤知，不必孔墨／相鼠有皮，人而无仪；人而无仪，不死何为／日薄西山，气息奄奄；人命危浅，朝不虑夕／暗箭伤人，其深次骨；人之怨之，亦必次骨／罪至重而刑至轻，庸人不知恶矣，乱莫大焉／鸟之将死，其鸣也哀；人之将死，其言也善／鸟啼花落，皆与神通。人不能悟，付之飘风／不责人所不及，不强人所不能，不苦人所不好／知天乐者，无天怨，无人非，无物累，无鬼责／知有己不知有人，闻人过不闻己过，此祸本也／爱人不以理，适是害人；恶人不以理，适是害己／万物有自然之理，圣人只是顺之，不曾增加得一毫／非有卓然异绩结于人心，浃于骨髓，安能久而愈思／从时者，犹救火、追亡人也，蹶而趋之，唯恐弗及／合抱之松无庸于竫人之国，若瓮之茧见弃于裸体之邦／凡物之可喜，足以悦人而不足以移人者，莫若书与画／挟泰山以超北海，语人曰："我不能"，是诚不能也／天不可信，地不可信，人不可信，心不可信，惟道可信

❿不以天下之病而利一人／义之法在正我不在正人／将有作则思知止以安人／君子不镜于水而镜于人／无以谋胜人，无以战胜人／无藏逆于得，无以巧胜人／不可估者天，不可画者人／世乱奴欺主，年衰鬼弄人／可与言而不与之言，失人／百金买骏马，千金买美人／来说是非者，便是是非人／及时当勉励，岁月不待人／生有益于人，死不害于人／秉耒欢时务，解颜劝农人／为人择官，而非为官择人／以清俭自律，以恩信待人／考实按形，不能谩于一人／任贤使能，将相莫非其人／但恨多谬误，君当恕醉人／人生如逆旅，我亦是行人／人众则食狼，狼众则食人／入门见嫉，蛾眉不肯让人／今朝一杯酒，明日千里人／诗之外有事，诗之中有人／读书成底事，报国是何人／隔墙须有耳，窗外岂无人／圣人常善救人，故无弃人／工言治道，能以口辩

移人／土居三十载，无有不亲人／莫崇于一人，莫贵于一人／莫道人行早，还有早行人／寿陵失本步，笑杀邯郸人／君子求诸己，小人求诸人／知之始己自知，而后知人／唯仁人为能爱人，能恶人／善战者致人，而不致于人／善禁者，先禁其身而后人／间关如有意，愁绝若怀人／洗手奉职，不以一钱假人／恭者不侮人，俭者不夺人／家贫不是贫，路贫贫杀人／逸政多忠臣，劳政多乱人／遍身罗绮者，不是养蚕人／学广而闻多，不求闻于人／相识满天下，知心能几人／植之之人寡而拔之之人多／成人不自在，自在不成人／明年春色至，莫作未归人／是岁江南旱，衢州人食人／贤人于国，亦犹食之在人／欲人之从己也，必先从人／欲人之爱己也，必先爱人／料得行吟者，应怜长叹人／社稷依明主，安危托妇人／白苹之野，斯见不平之人／虎豹不相食，哀哉人食人／才高乎当世，而行出乎古人／不修，虽破万卷不失为小人／不修其身，虽君子而为小人／未有不能正身而能正人者也／每读其传，未尝不想见其人／以善胜人者，未有能服人者／发号出令以下行，期悦人意／人众者胜天，天定亦能破人／诛一乡之奸，则一乡之人悦／诛一国之奸，则一国之人悦／力多则人朝，力寡则朝于人／能静而自观者，可以用人矣／观其所爱亲，可以知其人矣／劳心者治人，劳力者治于人／萧瑟秋风今又是，换了人间／知不几者不可与及圣人之言／知所以修身，则知所以治人／团扇风轻，一径杨花不避人／处贵显者勿为矜己傲人之言／处患难者勿为怨天尤人之言／汤武革命，顺乎天而应乎人／宁过于君子，而毋失于小人／宁积粟腐仓而不忍贷人一斗／通于天下之理，则能通人矣／楚灵王好细腰而国中多饿人／有非常之功，必待非常之人／有备则制人，无备则制于人／施诸己而不愿，亦勿施于人／祸在于好利，害在于亲小人／怠者不能修，而忌者畏人修／触目皆新，谁识当年旧主人／一出焉，一入焉，涂巷之人也／一介不以与人，一介不取诸人／天时不如地利，地利不如人和／无恶于己，然后可以正人之恶／不可以一时之谤，断其为小人／不能容人者无亲，无亲者尽人／不赏而人自劝，不罚而人自畏／不患人之不己知，患不知人也／非其道，则一箪食不可受于人／良医服百病之方，治百人之疾／举千人之所爱，则得千人之心／以天下与人易，为天下得人难／以求干禄者败，以势临人者辱／以善养人者，未有不服人者也／以德胜人者昌，以力胜人者亡／以道望人则难，以人望人则易／古之学者为己，今之学者为人／剑一人敌，不足学，学万人敌／仁莫大于爱人，知莫大于知人／任人而不任法，则法简而人重／任法而不任人，则法繁而人轻／信义行于君子，刑戮施于小人／人主有私人以财，不私人以官／读书不耐苦，则无所用心之人／即以其人之道，还治其人之身／除害在于敢断，得众在于下人／境遇不耐苦，则无所成就之人／声乐之入人也深，其化人也速／药虽进于医手，方多传于古人／大着肚皮容物，立定脚跟做人／美言可以市尊，美行可以加人／扬雄言人性善恶混者，中人也／抑人者人抑之，容人者人容之／挤人者人挤之，侮人者人侮之／小人之好议论，不乐成人之美／君子不以言举人，不以人废言／君子不掩人之功，不蔽人之善／君子扬人之善，小人讦人之恶／彼肆其心之所为者，独何人耶／处人不可任己意，要悉人之情／闻善不可即亲，恐引奸人进身／治于人者食人，治人者食于人／宁见朽贯千万而不忍赐人一钱／宝剑赠与烈士，红粉赠与佳人／宠利毋居人前，德业毋落人后／官位得其人则生，失其人则死／录长补短，则天下无不用之人／己欲立而立人，己欲达而达人／威柄不以放下，利器不可假人／轻财足以聚人，律己足以服人／戴发含齿，倚而趣者，谓之人／旷怀足以御物，长策足以服人／明于天人之分，则可谓至人矣／明大数者得人，审小计者失人／晓来谁染霜林醉，总是离人泪／量宽足以得人，身先足以率人／责人以人则易足，易足则得人／贱敛无节，官上奢纵，则人贫／赏当则贤人劝，罚得则奸人止／有善于己，然后可以责人之善／文可以变风俗，学可以究天人／礼，当论其是非，不当以人废／田园有真乐，不潇洒终为忙人／用百人之所能，则得百人之力／聪明深察而死者，好议人者也／臣以自任为能，君以用人为能／精诚由中，故其文语感动人深／鉴貌在乎止水，鉴己在乎哲人／上知天时，下知地利，中知人事／上因天时，下尽地财，中用人力／与其食浮于人也，宁使人浮于食／天之所生，地之所产，足以养人／天覆地载，万物悉备，莫贵于人／非尽百家之美，不能成一人之奇／非礼之礼，非义之义，大人弗为／农功不妨，谷稼丰赡，故人富也／利害相摩，生火甚多，众人焚和／八音克谐，无相夺伦，神人以和／人情莫不欲处前，故恶人之自伐／禽鸟知山林之乐，而不知人之乐／蹇蹇之任，不在臣下，在于人主／圣人非不好利也，利在于利万人／受人施者常畏人，与人者常骄人／至人无己，神人无功，圣人无名／志士惜年，贤人惜日，圣人惜时／芷兰生于深林，非以无人而不芳／大江东去，浪淘尽千古风流人物／君子之度己则以绳，接人则用抴／君子能为可贵，不能使人必贵己／和以处众，宽以接下，恕以待人／备之以储蓄，虽凶荒而人无菜色／宽于用，此在位者多不得其人也／察于一事，通于一伎者，中人也／此理充塞宇宙间，如何人杜撰得／爱己者，仁之端也，可推以爱人／胜而不美，而美之者，是乐杀人／欲立非常之功者，必有知人之明／毁我之言可闻，毁我之人不必问／矢人惟恐不伤人，函人惟恐伤人／言无常是，行无常宜者，小人也／辩者，求服人心也，非屈人口也／默而识之，学而不厌，诲人不倦／一生所遇唯元白，天下无人重布衣／一失脚成千古恨，再回头是百年人／下国卧龙空误主，中原逐鹿不因人／天下是非俱不到，安闲一片道人心／无说诗，匡鼎来；匡说诗，解人颐／无君子莫治野人，无野人莫养君子／不以人之坏自成，不以人之卑自高／不到西湖看山色，定应未可作诗人／不务服人之貌，而思有以服人之心／不取于人谓之富，不屈于人谓之贵／不如意事常八九，可与语人无二三／不是交同兰气味，为何话出一人心／不服一人，与逢人便服者，皆妄人／不服一人与逢人便服者，皆妄人也／百心不可以得一人，一心可得百人／巫峡之水能覆舟，若比人心是安流／曲妙人不能尽和，言是人不能皆信／我劝天公重抖擞，不拘一格降人材／我自只如常日醉，满川风月替人愁／拜迎官长心欲碎，鞭挞黎庶令人悲／疑人者为人所疑，防人者为人所防／义胆包天，忠肝盖地，四海无人识／为之而欲人不知，言之而欲人不闻／为人而欲一世之人好，吾悲其为人／半开半落闲园里，何异荣枯世上人／以正辅人谓之忠，以邪导人谓之佞／尽意而不求于言，信己而不役于人／古来青史谁不见，今见功名胜古人／博辩广大危其身者，发人之恶者也／匿病者不得良医，羞问者圣人去之／刑罚不能加无罪，邪枉不能胜正人／荆王未辨连城价，肠断南州抱璧人／仁义充塞，则率兽食人，人将相食／休辞客路三千远，须念人生七十稀／仰天大笑出门去，我辈岂是蓬蒿人／何必奔冲山下去，更添波浪向人间／侯门一入深如海，从此萧郎是路人／公卿有党排宗泽，帷幄无人用岳飞／人生莫作妇人身，百年苦乐由他人／人主必信，信而又信，谁人不亲？／人意共怜花月满，花好月圆人又散／从农论田田夫胜，从商讲贾贾人贤／今年花似去年好，去年人到今年老／今人不见古时月，今月曾经照古人／今日重来应抵掌，十年分付未逢人／众中不敢分明语，暗掷金钱卜远人／众见者人为之伏，器见者人为之备／凡人主必信。信而又信，谁人不亲／高明者鬼瞰其门，正直者人怨其笔／词源倒流三峡水，笔阵独扫千人军／劝君更尽一杯酒，西出阳关无故人／劝君休饮无情水，醉后教人心意迷／功冠天下者不安，威震人主者不全／功名遂成，天也；循理受顺，人也／能以众不胜成大胜者，唯圣人能之／圣人不以智轻俗，王者不以人废言／观棋不语真君子，把酒多言是小人／难违一官之小情，顿为万人之大弊／在智则人与之讼；在力则人与之争／士进则世收其器，贤用即人献其能／声声解堕金铜泪，未信吴儿是木人／莫嫌举世无知己，未有庸人不忌才／莫愁前路无知己，天下谁人不识君／弊之难去，其难在仰食于弊之人乎／大贤虎变愚不测，当年颇似寻常人／太行之路能摧车，若比人心是坦途／将有非常之大事，必生希世之异人／当轩不是怜苍翠，只要人知耐岁寒／君门一入无由出，唯有宫莺得见人／君道立则利出其群，而人备可完矣／君王虽爱蛾眉好，无奈宫中妒杀人／待利而后拯溺，人亦必以利溺人矣／德莫高于博爱人，政莫高于博利人／德弥盛者文弥缛，德弥彰者人弥明／形相虽善而心术恶，无害为小人也／须知三绝韦编者，不是寻行数墨人／法禁者俗之堤防，刑罚者人之衔辔／洞庭波涌连天雪，长岛人歌动地诗／浮名浮利过于酒，醉得人心死不醒／清明时节雨纷纷，路上行人欲断魂／淡泊是高风，太枯则无以济人利物／溺于渊犹可缓也，溺于人不可救也／恭则不侮，宽则得众，信则人任焉／宁为宇宙闲吟客，怕作乾坤窃禄人／宁教我负天下人，休教天下人负我／宁用不材以旷职，不肯变例以求人／守正之人其气高，含章之人其词大／宏远深切之谋，固不能合庸人之意／审近所以知远也，成己所以成人也／富贵则人争趣之，贫贱则人争去之／逢人不说人间事，便是人间无事人／道非难知，亦非难行，患人无志耳／道人活计只如此，留与时人作见闻／居上克明，为下克忠，与人不求备／居前不能令人轻，居后不能令人轩／强中更有强中手，莫向人前满自夸／强中自有强中手，用诈还逢识诈人／好似和针吞却线，刺人肠肚系人心／要为天下奇男子，须历人间万里程／纵使长条似旧垂，也应攀折他人手／纵横正有凌云笔，俯仰随人亦可怜／驱妻逐子课工程，虽作人形俱菜色／骄溢之君无忠臣，口慧之人无必信／梓匠轮舆能与人规矩，不能使人巧／横空出世，莽昆仑，阅尽人间春色／此人如精金美玉，不即人而人即之／明珠自有千金价，莫为游人作弹丸／春残已是风和雨，更著游人撼落花／智者不用其所短，而用愚人之所长／智见者人为之谋，形见者人为之功／赏僭则惧及淫人，刑滥则惧及善人／物固莫不有长，莫不有短，人亦然／政烦苛则人奸伪，政省一则人醇朴／教化之废，推中人而坠入小人之域／教人至难，必尽人之材，乃不误人／斥不久，穷不极，虽有出于人……／新进之士喜勇锐，老成之人多持重／爱人者则人爱之，恶人者则人恶之／爱人者人常爱之，敬人者人常敬之／有财有势即相识，无财无势同路人／有雠而长之，祸不在己，则在后人／欲恶避就，固不待师，此人之性也／文武之功，未有不以得人而成者也／文章以自得，不蹈袭前人一言为贵／祸固多藏于隐微，而发于人之所忽／心病终须心药治，解铃还是系铃人／恶诸人则去诸己，欲诸人则求诸己／愚而好胜，一等；贤而尚人，二等／愿兄为水妹为土，和来捏做一个人／龙钟还忝二千石，愧尔东西南北人／错把黄金买词赋，相如自是薄情人／矮人看戏何曾见，都是随人说短长／聪明深察而近于死者，好议人者也／聪明秀出谓之英，胆力过人谓之雄／箇里谁知壮士心？沙头空照征人骨／衣带渐宽终不悔，为伊消得人憔悴／羊肠鸟道无人到，寂寞云中一个人／粉骨碎身全不怕，要留青白在人间／既以为人己愈有，既以与人己愈多／身老方知生计拙，家贫渐觉故人疏／誉人者，人誉之；谤人者，人谤之／其责己也重以周，其待人也轻以约／金满箱，银满箱，转眼乞丐人皆谤／上古结绳而治，后世圣人易之以书契／夫玄也者，天道也，地道也，人道也／天下不多管仲之贤而多鲍叔能知人也／天雄乌喙，药之凶毒也，良医以活人／不可貌古人而袭之，畏古人而拘束之／不能为五斗米折腰，拳拳事乡里小人／不胜其任，而处其位，非此位之人也／未有暴乱不止而能活生人、定国家者／求之者不及虚之者，夫圣人无求之也／两心不可以得一人，一心可以得百人／失火之家，岂暇先言大人而后救火乎／以弱为强者，非惟天时，抑亦人谋也／古之善用人者，必循天顺人而明赏罚／匠成舆者忧人不贵，作箭者恐人不伤／但无耻一事不如人，则事事不如人矣／但常以责人之心责己，恕己之心恕人／伯乐不可欺以马，而君子不可欺以人／人主之意欲见于外，则为人臣之所制／人主诚正，则直士任事，而奸人伏匿／入天下之声色而研其理者，人之道也／今善善恶恶，好荣憎辱，非人能自生／凡养稂莠者伤禾稼，惠奸宄者贼良人／诚者，天之道也；诚之者，人之道也／诚者，天之道也；思诚者，人之道也／诚意孚于未言之前，则言出而人信之／务学不如务求师。师者，人之模范也／圣人法天顺情，不拘于俗，不诱于人／大禹圣人，乃惜寸阴，众人当惜分阴／吾人立身天地间，只思量作得一个人／君不见管鲍贫时交，此道今人弃如土／君子不责人所不及……不苦人所不好／知人者以目正耳，不知人者以耳败目／唐太宗之贤，自西汉以来，一人而已／怀必贪，贪必谋人；谋人，人亦谋己／迂人执而不化，其决裂有甚于小人时／进退盈缩，与时变化，圣人之常道也／迷者不问路，溺者不问遂，亡人好独／逆耳之言，裨治也不可于人，可恨也／道若大路然，岂难知哉，人病不求耳／孝者，善继人之志，善述人之事者也／是技皆可成名，天下惟无技之人最苦／智如泉源，行可以为表仪者，人师也／物固有形，形固有名，名当谓之圣人／片技即足自立，天下惟多技之人最劳／断蛇不死，刺虎不毙，其伤人则愈多／爱人者必见爱也，而恶人者必见恶也／睹其终必原其始，故存其人而咏其道／种麦而得麦，种稷而得稷，人不怪也／积善在身，犹长日加益，而人不知也／积恶在身，犹火之销膏，而人不见也／补察得失之端，操于诗人美刺之间焉／豺狼能害人，其状易别，人得以避之／譬如养虎，当饱其肉，不饱则将噬人／鱼不可脱于渊；国之利器不可以示人／三人共牧一羊，羊不得食，人亦不得息／上不以诗补察时政，下不以歌泄导人情／万物者，以盛衰而谈语，使人想而知之／天之生万物以奉人也，主爱人以顺天也／天变不足畏，祖宗不足法，人言不足恤／天地之所贵者人也，圣人之所尚者义也／不可以私意喜一人。不可以私意怒一人／不失足于人，不失色于人，不失口于人／不让古人是谓有志，不让今人是谓无量／不知古人之世，不可妄论古人之文辞也／不责人小过，不发人阴私，不念人旧恶／可学无能、可事而成之在人者，谓之伪／临水远望，泣下沾衣，远道之人心思归／我不欲人之加诸我也，吾亦欲无加诸人／以镜自照者见形容，以人自照者见吉凶／俭葬，古人之美节；侈葬，古人之恶名／弟子盖三千焉，身通六艺者七十有二人／从道不从君，从义不从父，人之大行也／今之官人也，以己为天下累，故人忧之／勿恃己善不服人仁，勿矜己艺不敬人文／交友须带三分侠气，作人要存一点素心／负者歌于途，行者休于树……滁人游也／能当一人而天下取，失当一人而社稷危／能终而不能赏，虽有贤人，终不可用矣／在天曰阴阳，在地曰柔刚，在人曰仁义／艺者，德之枝叶也；德者，人之根干也／若能常保数百卷书，千载终不为小人也／小人非才不能动人，小人非才不能乱国／小人溺于水，君子溺于口，大人溺于民／各从所好，各骋所长，无一人之不中用／君子好闻过而无过，小人恶闻过而有过／君子成人之美，不成人之恶。小人反是／君子日孳孳以成辉，小人日怏怏以至辱／君子有机以成其善，小人有机以成其恶／君子思义而不虑利，小人贪利而不顾义／知天而不泥于神怪，知人而不遗于委琐／善歌者使人继其声，善教者使人继其志／国之将兴，必有祯祥，君子用而小人退／行于世间，目不随人视……鼻不随人气／德不广不能使人来，量不宏不能使人安／处难处之事愈宜宽，处难处之人愈宜厚／闭心塞意，不高瞻览者，死人之徒也哉／宫中积珍宝，狗马实外厩，美人充下陈／学诗者不可忽略古人，亦不可附会古人／楚虽三户能亡秦，岂有堂堂中国空无人／日月如梭，光阴似箭，少年人，早打点／泰山其颓乎，梁木其坏乎，哲人其萎乎／赏厚可令廉士动心，罚重可令凶人丧魄／见人有善如己有善，见人有过如己有过／规矩，方圆之至也；圣人，人伦之至也／物不正则不可为乐，乐不和则不能理人／物之有成必有坏，譬如人之有生必有死／特立独行，适于义而已，不顾人之是非／爱人者，人恒爱之；敬人者，人恒敬之／爱亲者不敢恶于人，敬亲者不敢慢于人／有诸己而后求诸人，无诸己而后非诸人／欲胜人者必先自胜，欲论人者必先自论／火形严，故人鲜灼；水形懦，故人多溺／老吾老以及人之老，幼吾幼以及人之幼／自瞽者乐言己之长，自聩者乐言人之短／既不能推心以奉母，亦安能死节以事人／貌则人，其心则禽兽，又恶可谓之人邪／鉴于水者见面之容，鉴于人者知吉与凶／开函关，掩函关，千古如何，不见一人闲／天下之非誉，无损益焉，是谓全德之人哉／天犹有春秋冬夏旦暮之期，人者厚貌深情／不肖者则不然，责人则以义，自责则以人／平日极好直言者，即患难时不肯负我之人／百梅足以为百人酸，一梅不足以为一人和／面垢不忘洗，衣垢不忘浣，此人之至情也／内君子而外小人，君子道长，小人道消也／乐之来，则人情出者也，其始非圣人作也／乘国者，其如乘航乎！航安，则人斯安矣／古人为诗，贵于意在言外，使人思而得之／真者，精诚之至也；不精不诚，不能动人／博之不必知，辩之不必慧，圣人以断之矣／厚者不毁人以自益也，仁者不危人以要名／仁者人也，仁字有生意，是言人之生道也／俭者，节其耳目口体之欲，节己而不节人／凡人能量己之能与不能，然后知人之艰难／观于海者难为水，游于圣人之门者难为言／大石侧立千尺，如猛兽奇鬼，森然欲搏人／吾闻中国之君子，明乎礼义而陋于知人心／君子与小人不两立，而小人与君子不同谋／君子之爱人也以德，细人之爱人也以姑息／君子笃于礼而薄于利，要其人而不要其土／虽有尧舜之智，而无众人之助，大功不立／唯至人乃能游于世而不僻，顺人而不失己／善举事者若乘舟而悲歌，一人唱而千人和／嗜欲者使人之气越，而好憎者使人之心劳／国家剩得数百万贯钱，何如得一有才行人／国家作事，以公共为心者，人必乐而从之／山空月明，仰视星斗皆光大，如适在人上／行路难，不在水不在山，只在人情反覆间／富贵骄人，固不善；学问骄人，害亦不细／道不远人。人之为道而远人，不可以为道／树林阴翳，鸣声上下，游人去而禽鸟乐也／物循乎自然，人能明于必然，此人物之异／爱人者兼其屋上之乌，不爱人者及其胥余／有六尺之躯，而不能庇一妇人，岂丈夫哉／愿赐尚方斩马剑，断佞臣一人，以厉其余／镜于水，见面之容；镜于人，则知吉与凶／鸟必择木而栖，附托匪人者必有危身之祸／言语简寡，在我可以少悔，在人可以少怨／一兔走衢，万人逐之；一人获之，贪者悉止／天下岂有不可为之国哉？亦存乎其人如何尔／不飞则已，一飞冲天；不鸣则已，一鸣惊人／不以其所能者病人，不以人之所不能者愧人／不学古人，法无一可；竟似古人，何处着我／不学问，无正义；以富利为隆，是俗人者也／非三代两汉之书不敢观，非圣人之志不敢存／反己者触事皆成药石，尤人者动念即是戈矛／后人哀之而不鉴之，亦使后人而复哀后人也／乘人之车者载人之患，衣人之衣者忧人之忧／为国失道，众叛亲离；为国以道，人必悦服／为忠甚易，得宜实难。忧人大过，以德取怨／为鬼为蜮，则不可得；有靦面目，视人罔极／以和氏之璧与百金以示鄙人，鄙人必取百金／以道以德为有国之基，无事无为乃聚人之本／以物与人，物尽而止；以法活人，法行无穷／以言取人，失之宰予；以貌取人，失之子羽／尽者情露，好人行尽于人，而不能纳人之径／云生日人，怪状迭发，水石卉木，杳非人寰／十室之邑，必有忠信；三人并行，厥有我师／直者性奋，好人行直于人，而不能受人之讦／厨有腐肉，国有饥民；厩有肥马，路有馁人／匿人之善，斯为蔽贤；扬人之恶，斯为小人／任人之长，不强其短；任人之工，不强其拙／伯乐相马，取之于瘦；圣人相士，取之于疏／使天为天者，非天也；使人为人者，非人也／傲人不如者，必浅人；疑人不肖者，必小人／兰薰而摧，玉缜则折；物忌坚芳，人讳明洁／黄钟毁弃，瓦釜雷鸣；谗人高张，贤士无名／人生至愚是恶闻己过，人生至恶是善谈人过／人必先作，然后人名之；先求，然后人与之／今之世不闻有师，有，辄哗笑之，以为狂人／今之君子则不然，其责人也详，其待己也廉／丛兰欲茂，秋风败之；王者欲明，谗人蔽之／众人重利，廉士重名；贤人尚志，圣人贵精／凡事皆须务本，国以人为本，人以衣食为本／变祸为福，易曲成直，宁关天命，在我人力／诗如鼓琴，声声见心。心为人籁，诚中形外／说之虽不以道，说也；及其使人也，求备焉／诸侯而骄人则失其国，大夫而骄人则失其家／潛下谩上，恒其心术，妒人之能，幸人之失／防民之口，甚于防川，川壅而溃，伤人必多／刀笔之吏专深文巧诋，陷人于罔，以自为功／争地以战，杀人盈野；争城以战，杀人盈城／务名者乐人之进趋过人，而不能出陵己之后／务进者趋前而不顾后，荣贵者矜己而不待人／能自治然后可以治人；能治人然后人为之用／圣人千虑，必有一失；愚人千虑，必有一得／圣人，大贤之清者也；贤人，中人之清者也／圣人虽有独知之明，常如阍昧，不以曜乱人／取士之方，必求其实；用人之术，当尽其材／至治之务，在于正名。名正则人主不忧劳矣／墓门有棘，斧以斯之；夫也不良，国人知之／士之特立独行，适于义而已，不顾人之是非／苟得其人，虽仇必举；苟非其人，虽亲不授／草木无大小，必待春而后生，人待义而后成／大丈夫不怕人，只怕理；不恃人，只是恃道／大丈夫……终不为邪暗小人所惑而易其所守／大禹圣人，乃惜寸阴，至于众人，当惜分阴／太上畏道，其次畏物，其次畏人，其次畏身／当人强盛，河山可拔，一朝羸缩，人情万端／常看得自家未必是，他人未必非，便有长进／君子不失足于人，不失色于人，不失口于人／君子百是，必有一非；小人百非，必有一是／君子之为言也，度可行于己，然后可责于人／君子务知大者、远者，小人务知小者、近者／君子怀德，小人怀土；君子怀刑，小人怀惠／君子见人之厄则矜之，小人见人之厄则幸之／君子有三畏：畏天命，畏大人，畏圣人之言／君子有诸己而后求诸人，无诸己而后非诸人／知熟必避，知生必避；人人意中，出人头地／善人者，不善人之师；不善人者，善人之资／善气迎人，亲如兄弟；恶气迎人，害于兵戈／善欲人见，不是真善；恶恐人知，便是大恶／因急而呼天，疾痛而呼父母者，人之至情也／岂不遽止？然犹防川，大决所犯，伤人必多／待人要丰，自奉要约；责己要厚，责人要薄／治道备，人斯为善矣；治道失，人斯为恶矣／安土重迁，黎民之性；骨肉相附，人情所愿／宽收严试，久任超迁。此八字，用人之良法／寒泉飞流，异竹杂华，回映之处，似藏人家／子有钟鼓，弗鼓弗考；宛其死矣，他人是保／学不倦，所以治己也；教不厌，所以治人也／绝言之道，去心与意；止为之术，去人与智／采采卷耳，不盈顷筐。嗟我怀人，置彼周行／桑椹甘香，鸱鸮革响，淳酪养性，人无嫉心／或誉人而适足以败之，或毁人而乃反以成之／明者不以其短疾人之长，不以其拙病人之工／易道良马，使人欲驰；饮酒而乐，使人欲歌／责我以过，皆当虚心体察，不必论其人何如／贤人在野，我将进之；佞人立朝，我将斥之／贵极禄位，权倾国都，达人视此，蚁聚何殊／赏罚信明，施与有节，记人之功，忽于小过／见人之过，得己之过；闻人之过，得己之过／视人之国，若己之国；视人之家，若己之家／物有盛衰，时有推移，事有激会，人有变化／故观于海者难为水，游于圣人之门者难为言／教羊牧兔，使鱼捕鼠，任非其人，费日无功／有味之物，蠹虫必生；有才之人，谗言必至／有道之世，以人与国；无道之世，以国与人／有杀人之威而下不惧，有生人之惠而下不喜／有赏罚之教则邪道进，有亲疏之分则小人入／肥于貌，孰与肥其道；求于人，孰与求其身／欲为君子，终身乃成；欲为小人，一朝可就／欲人勿闻，莫若勿言；欲人勿知，莫若勿为／欲人勿恶，必先自美；欲人勿疑，必先自信／欲论人者，必先自论；欲知人者，必先自知／文章无警策，则不足传世，盖不能竦动世人／火佚焚家，家不罪火；食过伤人，人不罪食／礼接于人，人不敢慢；辞交于人，人不敢侮／祸福相倚，吉凶同域，惟人所召，安可不思／心全于中，形全于外；不逢天灾，不遇人害／忠恕违道不远。施诸己而不愿，亦勿施于人／磐石千里，不可谓富；象人百万，不可谓强／目如炬，声如钟，则英伟刚毅之气使人兴起／睎骥之马，亦骥之乘，睎颜之人，亦颜之徒／盖棺始能定士之贤愚，临事始能见人之操守／聆《白雪》之九成，然后悟《巴人》之极鄙／言无常信，行无常贞……若是则可谓小人矣／上无所为，则下无事，家给人足，万物自化就／上善若水，水善利万物而不争，处众人之所恶／天下之患，不患材之不众，患上之人不欲其众／天地之精所以生物者莫贵于人，人受命乎天也／五色令人目盲，五音令人耳聋，五味令人口爽／不责人所不及，不强人所不能，不苦人所不好／世俗之人皆喜人之同乎己，而恶人之异于己也／千人同心则得千人力，万人异心则无一人之用／以人之言而遗我粟，至其罪我也又且以人之言／古之君子，其责己也重以周，其待人也轻以约／兼覆盖而并有之，度伎能而裁使之者，圣人也／人与骥逐走则不胜骥，托于车上则骥不能胜人／人之所难者二：乐攻其恶者难，以恶告人者难／从山阴道上行，山川自相映发，使人应接不暇／设使国家无有孤，不知当几人称帝，几人称王／谁不可喜，而谁不可惧；蚋蚁蜂虿，皆能害人／谨修而身，慎守其真，还以物与人，则无所累／君子之治人也，即以其人之道，还治其人之身／善人在患，弗救不祥；恶人在位，不去亦不祥／饥而欲食……好利而恶害，是人之所生而有也／饱而知人之饥，温而知人之寒，逸而知人之劳／闻难思解，见利思避，好成人之美，可以立矣／法令者示人以信，若成而数变，则人之心不安／清轻者上为天，浊重者下为地，冲和气者为人／枯藤老树昏鸦，小桥流水人家，古道西风瘦马／水之守土也审，影之守人也审，物之守物也审／贤者以其昭昭使人昭昭，今以其昏昏使人昭昭／故凡得胜者，必与人也，凡得人者，必与道也／爱其人者，爱其屋上乌；憎其人者，憎其余胥／忍所不能忍，容所不能容，惟识量过人者能之／碧云悠悠兮，泾水东流。伤美人兮，雨泣花愁／与父老约，法三章耳：杀人者死，伤人及盗抵罪／天子者，有道则人推而为主，无道则人弃而不用／北人看书，如显处视月；南人学问，如牖中窥日／禹汤罪己，其兴也悖焉；桀纣罪人，其亡也忽焉／以言伤人者，利如刀斧。以术害人者，毒如虎狼／先无爵，死无谥，实不聚，名不立，此之谓大人／动人以言者，其感不深；动人以行者，其应必速／能使人知己、爱己者，未有不能知人、爱人者也／圣人之爱人也，人与之名，不告则不知其爱人也／君子与君子以同道为朋，小人与小人以同利为朋／山中人不信有鱼大如木，海上人不信有木大如鱼／深者获公名，平者多后患，故治狱之吏皆欲人死／道千乘之国，敬事而信，节用而爱人，使民以时／子美……尽得古今之体势，而兼人人之所独专矣／明窗净几笔砚纸墨皆极精良，亦自是人生一乐事／水行者表深，使人无陷；治民者表乱，使人无失／见其远者大者，不食邪人之饵，方是二十分识力／爱人不以理，适是害人；恶人不以理，适是害己／有云水襟怀，有松柏气节，典型顿失，人尽含悲／毁人者失其直，誉人者失其实，近于乡原之人哉／季路问事鬼神。子曰："未能事人，焉能事鬼"／疾为诞而欲人之信己也，疾为诈而欲人之亲己也／老年人受病在作意步趋，少年人受病在假意超脱／颂其诗，读其书，不知其人可乎？是以论其世也／上不失天时，下不失地利，中得人和，而百事不废／乐非独以自乐，又以乐人，非独以自正，又以正人／以不忍人之心，行不忍人之政，治天下可运之掌上／人生一世，但当畏敬于人，若不善加己，直为受之／凡工妄匠，执规秉矩，错准引绳，则巧同于人倕也／国之强弱，不在甲兵，不在金谷，独在人才之多少／饰人之心，易人之意，能胜人之口，不能服人之心／要使诚意之交通，在于未言之前，则言出而人信矣／此理在宇宙间，固不以人之明不明、行不行而加损／必使为善者不越月逾时而得其赏，则人勇而有劝焉／愚者不自谓愚而愚见于言，虽自谓智，人犹谓之愚／一尺布，尚可缝；一斗粟，尚可舂。兄弟二人不相容／三晋多权变之士，夫言从衡强秦者，大抵皆三晋之人／天无时不风，地无时不尘，物无所不有，人无所不为／天公何时有，谈者皆不经。谁道贤人死，今为傅说星／不以众人待其身，而以圣人望于人，吾未见其尊己也／不知言之人，乌可与言？知言之人，默焉而其意已传／兵非益多也，惟无武进，足以并力，料敌，取人而已／兰茝生于茂林之中，深山之间，不为人莫见之故不芬／关山难越，谁悲失路之人？萍水相逢，尽是他乡之客／舆人成舆，则欲人之富贵；匠人成棺，则欲人之夭死／入夜思归切，笛声清更哀，愁人不愿听，自到枕前来／先王以是经夫妇，成孝敬，厚人伦，美教化，移风俗／凡物之可喜，足以悦人而不足以移人者，莫若书与画／去其家观人家，去其身观人身，所观益远，所见益少／莫道男儿心如铁，君不见满川红叶，尽是离人眼中血／君子小人本无常，行善事则为君子，行恶事则为小人／善为上者，能令人得欲无穷，故人之可得用亦无穷也／德万人者谓之俊，德千人者谓之豪，德百人者谓之英／己之才艺虽多，犹病以为少，仍就寡少之人更求所益／缓己急人，一等；急己急人，二等；急己宽人，三等／王曰："孰能一之？"对曰："不嗜杀人者能一之"／木末芙蓉花，山中发红萼。涧户寂无人，纷纷开且落／畜池鱼者必去猵獭，养禽兽者必去豺狼，又况治人乎／自古上书，率多激切。若不激切，则不能起人主之心／既知教之所由兴，又知教之所由废，然后可以为人师／上智不教而成，下愚虽教无益，中庸之人，不教不知也／万物纷纭，非有也，有之者人也，人不有，则万物何有／以天为宗，以德为本，以道为门，兆于变化，谓之圣人／真的猛士，敢于直面惨淡的人生，敢于正视淋漓的鲜血／人知出必由户，而不知行必由道。非道远人，人自远尔／进贤之难者，贤者用且使己废，贵且使己贱，故人难之／视政之得失，若越人视秦人之肥瘠忽焉不加喜戚于其心／物之美者，盈天地间皆是也。然必待人之神明才慧而见／文章如精金美玉，市有定价，非人所能以口舌定贵贱也／青未了，松耶？柏耶？独鸟来时，连峰断处，双髻人耶／一人一心，万人万心，若不以令一之，则人人之心各异矣／天不为人怨咨而辍其寒暑，君子不为人之丑恶而辍其正道／天地之大，四时之化，而犹不能以不信成物，又况乎人事／不以人之坏自成也，不以人之卑自高也，不以遭时自利也／我悲人之自丧者，吾又悲夫悲人者，吾又悲夫悲人之悲者／伯浑醉书，纸穷墨燥，如春龙奋蛰，奇鬼搏人，何其壮也／人品须从小作起，权宜苟且诡随之意多，则一生人品坏矣／君子所不至者三：不失色于人，不失口于人，不失足于人／行不充于内，德不备于人，虽盛其服，文其容，民不尊也／廉公之思赵将，吴子之泣西河，人之情也，将军独无情哉／视听言行，循礼法而动，所以教人忘嗜欲而归性命之道也／敬人者，非敬人也，自敬也；贵人者，非贵人也，自贵也／所贵于天下之士者，为人排患、释难、解纷乱而无所取也／其有发挥新体，孤飞百代之前，开凿古人，独步九流之上／人之欲虽多，而上无以令之，人虽得其欲，人犹不可得用也／众人皆知利利而病病也，唯圣人知病之为利，知利之为病也／忘乎物，忘乎天，其名曰为忘己；忘己之人，是之谓入于天／一夫耕，百人食之；一妇桑，百人衣之。以一奉百，孰能供之／不与凶人为仇，不与吉人为亲，不与诚人为媾，不与诈人为怨／不可以一时之誉，断其为君子；不可以一时之谤，断其为小人／君子易事而难说也。说之不以道，不说也；及其使人也，器之／赋敛以时，官上清约，则人富。赋敛无节，官上奢纵，则人贫／急乎其所自立，而无患乎人不己知，未尝闻有响大而声微者也／用其智于人，未若用其智于己；用其力于人，未若用其力于己／无为者，道之宗；故得道之宗，应物无穷，任人之才，难以至治／以玙璠之玭而弃其璞，以一人之罪而兼其众，则天下无美宝信士／鹰扬虎视，齿若编贝，肤如凝脂，昭昭乎若玉山上行，朗然映人／人有明珠，莫不贵重，若以弹雀，岂非可惜？况人之性命甚于明珠／李白之文，清雄奔放，名章俊语，络绎间起，光明洞彻，句句动人／体恭敬而心忠信，术礼义而情爱人，横行天下，虽困四夷，人莫不贵／若明而不信，严而不断，惠而不正，虽欲理身，终不自理，况于人哉／君人者不下庙堂之上，而知四海之外者，因物以识物，因人以知人也／君子先慎乎德，有德此有人，有人此有土，有土此有财，有财此有用／人莫欲学御龙，而皆欲学御马；莫欲学治鬼，而皆欲学治人：急所用也／患其有小恶，以人之小恶，亡人之大美，此人主之所以失天下之士也已／使六国各爱其人，则足以拒秦；使秦复爱六国之人，则递三世可至万世而为君，谁得而族灭也

入

rù 进；收入；合乎；缴纳。

❶入则心非，出则巷议

见秦·李斯《议烧诗书百家语》。

入山问樵，入水问渔

见明·庄元臣《叔苴子内篇》卷一。

入道弥深，所见弥大

见汉·王充《论衡·别通篇》。

入鲍忘臭，效尤致祸

见南朝·梁·萧纲《与湘东王书》。

入门见嫉，蛾眉不肯让人

见唐·骆宾王《为徐敬业讨武曌檄》。全句为："～；掩袖工谗，狐媚偏能惑主"。

入国而不存其士，则亡国矣

见《墨子·亲士》。

入于泽而问牧童，入于水而问渔师

见《吕氏春秋·慎行论·疑似》。

入之愈深，其进愈难，而其见愈奇

见宋·王安石《游褒禅山记》。

入门休问荣枯事，观看容颜便得知

见明·施耐庵《水浒传》。

入妙文章本平淡，等闲言语变瑰琦

见宋·戴复古《读放翁先生剑南诗草》。

入其国者从其俗，入其家者避其讳

见汉·刘安《淮南子·齐俗》。

入天下之声色而研其理者，人之道也

见清·王夫之《读四书大全说》卷七。全句为："耳有聪，目有明，心思有睿知，～"。

入竟而问禁，入国而问俗，入门而问讳

见《礼记·曲礼上》。

入泽随龟，不暇调足；深渊捕蛟，不暇定手

见汉·王充《论衡·自纪篇》。

入夜思归切，笛声清更哀，愁人不愿听，自到枕前来

见唐·李益《夜上受降城闻笛》。

❷量入以为出／子入太庙，每事问／清入梦魂，千里人长久／日入牛渚晦，苍然夕烟迷／日入群动息，归鸟趋林鸣／笑入荷花去，佯羞不出来／深入未必为得，不进未必为非／如入芝兰之室，久而不闻其香／如入鲍鱼之肆，久而不闻其臭／气入身来为之生，神去离形为之死／酒入舌出，舌出者言失，言失者身弃

❸无有入无间／祸不入慎家之门／利器入手，手可假人／美女入室，恶女之仇／白纱入缁，不染自黑／为国入宝，不如能献贤／由俭入奢易，由奢入俭难／出舆入辇，命曰蹶痿之机／高峰入云，清流见底……／理丝入残机，何悟不成匹／盛饰入朝者，不以私污义／自外入者，有主而不执；由中出者，有正而不距／人始入官，如入晦室，久而愈明，明乃治，治乃行／溺者入水，拯之者亦入水。入水则同，所以入水者则异

❹私怨不入公门／病从口入，祸从口出／病从口入，患自口出／货悖而入者，亦悖而出／一朝权入手，看取令行时／长材靡入用，大厦失巨楹／为水不入海，安得浮天波／随风潜入夜，润物细无声／声乐之入人也深，其化人也速／当途者入青云，失路者委沟渠／数罟不入洿池，鱼鳖不可胜食也／侯门一入深如海，从此萧郎是路人／君门一入无由出，唯有宫莺得见人／以无厚入有间，恢恢乎其于游刃必有余地矣／云生日入，怪状迭发，水石卉木，杳非人寰

❺闻学而后入政／升堂矣，未入室也／自外面推入去……／制国用，量入以为出／入山问樵，入水问渔／新人从门入，故人从阁去／一出焉，一入焉，涂巷之人也／生之厚必入死之地，故谓之大患／斧斤以时入山林，材木不可胜用也／无奇业旁入，而犹以富给，非俭则力也／水出于山，入于海；稼生乎野，而藏乎仓／譬如一灯，入于暗室，百千年暗，悉能破尽／女无美恶，入宫见妒。士无贤不肖，入朝见嫉

❻不得其门而入／笨鸟先飞早入林／禹之裸

国，裸入衣出／计校府库，量入为出／四序纷回，而入兴贵闲／过江千尺浪，入竹万竿斜／顺心之言易入也，有害于治／小人之学也，入乎耳，出乎口／思何忧而不入，心何虑而不攒／真积力久则入，学至乎没而后止／大其牖，天光入；公其心，万善出／筋疲力弊不入腹，未议县官租税足／与善人居，如入芝兰之室，久而自芳也／与恶人居，如入鲍鱼之肆，久而自臭也／入竟而问禁，入国而问俗，入门而问讳／虚其欲，神将入舍；扫除不洁，神乃留处／日出而作，日入而息，凿井而饮，耕田而食／乘不测之舟，入无人之地，以相从问文章为事／人始入官，如入晦室，久而愈明，明乃治，治乃行／君子之学也，入乎耳，箸乎心，布乎四体，形乎动静／与善人居，如入兰芷之室，久而不闻其香，则与之化矣／与恶人居，如入鲍鱼之肆，久而不闻其臭，亦与之化矣

❼三过其门而不入／陶匏异器，并为入耳之娱／舟非水不行，水入舟则没／桓公小白杀兄入嫂，而管仲为臣／悬言辞浅而不入，深言则逆耳而失指／操钩上山，揭斧入渊，欲得所求，难也

❽甘则易悦，直则难入／木朽虫生，墙罅蚁入／忠言逆耳，甘词易入／不善进，则善无由入矣／善进，则不善无由入矣／上天下天水，出地入地舟／万物皆出于机，皆入于机／由俭入奢易，由奢入俭难／苔痕上阶绿，草色入帘青／荡胸生曾云，决眦入归鸟／强弩之末，力不能入鲁缟／春风不相识，何事入罗帷／白日依山尽，黄河入海流／青天何处了？白鸟入空无／虎欲异群虎，舍山入市即擒／议论证据今古，出入经史百子／入于泽而问牧童，入于水而问渔师／入其国者从其俗，入其家者避其讳／画地为牢，势不可入；削木为吏，议不可对／是以与善人居，如入芝兰之室，久而自芳也／舟必漏也而后水入焉，土必湿也而后苔生焉／与邪佞人交，如雪入墨池，虽融为水，其色愈污／与端方人处，如炭入薰炉，虽化为灰，其香不灭

❾说变通则否戾而不入／人必先疑也，而后谗入之／爱静鱼争乐，依人鸟入怀／大德不逾闲，小德出入可也／惟君子能由是路，出入是门也／旧时王谢堂前燕，飞入寻常百姓家／苗疏税多不得食，输入官仓化为土／出见纷华盛丽而说，入闻夫子之道而乐／知熟必避，知生必避；人人意中，出人头地／方车而蹠越，乘桴而入胡，欲无穷，不可得也／溺者入水，拯之者亦入水。入水则同，所以入水者则异

❿函牛之鼎沸而蝇蚋弗敢入／良弓难张，然可以及高入深／安时而处顺，哀乐不能入也／风声雨声读书声，声声入耳／不排毁以取进，不刻人以自入／禹抑洪水十三年，过家不入门／君子之于人，无不欲其入于善／殚其地之出，竭其庐之入……／其行公正无邪，故谗人不得入／恶不在大，心术一坏，即入祸门／不敢望到酒泉郡，但愿生入玉门关／伏波惟愿裹尸还，定远何须生入关／健儿无粮百姓饥，谁遣朝朝入君口／惟有一天秋夜月，不随田亩入官租／日暮汉宫传蜡烛，轻烟散入五侯家／教化之废，推中人而坠入小人之域／有乎生，有乎死；有乎出，有乎入／爆竹声中一岁除，春风送暖入屠苏／悠悠生死别经年，魂魄不曾来入梦／斫轮徐则甘而不固，疾则苦而不入／老夫渴急月更急，酒落杯中月先入／其为人也多暇日者，其出入不远矣／黑云翻墨未遮山，白雨跳珠乱入船／枯朽之骨，凶秽之余，岂宜令入宫禁／以治身则危，以治国则乱，以入军则破／入竟而问禁，入国而问俗，入门而问讳／缀文者情动而辞发，观文者披文以入情／上不至天，下不至地，言出子口而入吾耳／矢之于十步贯兕甲，于三百步不能入鲁缟／谗不自来，因疑而来；间不自入，乘隙而入／吾见世人清名登而金贝入，信誉显而然诺亏／安卧扬帆，不见石滩；靠天多幸，白日入阱／梅花过时，槐色犹在，白云芳草，尽入诗兴／有赏罚之教则邪道进，有亲疏之分则小人入／朝乐朗日，啸歌丘林；夕玩望舒，入室鸣琴／欲见贤人而不以其道，犹欲其入而闭之门也／火烧到身，各自去扫；蜂虿入怀，随即解衣／女无美恶，入宫见妒。士无贤不肖，入朝见嫉／疗饥于附子，止渴于鸩毒，未入肠胃，已绝咽喉／解落三秋叶，能开二月花。过江千尺浪，入竹万竿斜／溺者入水，拯之者亦入水。入水则同，所以入水者则异／利之所在，虽千仞之山，无所不上，深源之下，无所不入／平易恬淡，则忧患不能入，邪气不能袭，故其德全而神不亏／忘乎物，忘乎天，其名曰为忘己；忘己之人，是之谓入于天

个

①gè 量词；单独；有所指之词；作语助；犹言枚；古指正堂两旁的屋舍。②gě 用于“自个儿”。

❷真个别离难，不似相逢好

❸待觅个同心伴侣……

❹吟安一个字，捻断数茎须／天生一个仙人洞，无限风光在险峰

❻智是心中一个知觉处

❼天只在我，更祷个什么／小小寰球，有几个苍蝇碰壁／千里搭长棚，没个不散的筵席

❾及在人，则又各自有个理／白发三千丈，缘愁似个长／盖世功劳，当不得一个“矜”字／三千宫女胭脂面，几个春来无泪痕

❿合天地万物而言，只是一个理／万两黄金容易得，知心一个也难求／衙门自古向南开，就中

无个不冤哉／弥天的罪过，当不住一个“悔”字／愿兄为水妹为土，和来捏做一个人／羊肠鸟道无人到，寂寞云中一个人／吾人立身天地间，只思量作得一个人／今且须去理会眼前事，那个鬼神事，无形无影，莫要枉费心力

介 jiè 处于二者之间起联系作用的；犹“居中”；庐舍；介绍；因；在意；耿直；边际；副、次；接近；通“甲”；通“个”；独特；节操；一介；大；辅助；戏曲术语；量词；姓。

❶介者不拘，无以守其介

见三国·魏·刘劭《人物志·八观》。全句为：“～。既悦其介，不可非其拘。拘也者，介之征也”。

介子推至忠也……抱木而燔死

见《庄子·盗跖》。删节处为：“自割其股以食文公；文公后背之，子推怒而去”。

❷一介不以与人，一介不取诸人／清介廉洁，节在俭固，失在拘扃

❸精诚介然，将贯金石／以一介之微挫其锋于顷刻

❹拘也者，介之征也／龟猬有介，狐貉不能擒／既悦其介，不可非其拘／善在身，介然必以自好也

❺刚者好断，介者殊俗／函车之兽，介而离山，则不免于罔罟之患

❻深溪见底，鳞介之所出没／彼尧舜之耿介兮，既遵道而得路

❽一介不以与人，一介不取诸人

❾介者不拘，无以守其介

❿烈士徇荣名，义士高贞介／安平则尊道术之士，有难则贵介胄之臣

从 ①cóng 跟随；跟随的人；依顺；附属的；任，听凭；参加，从事；自，由；从来；堂房亲属。②zòng 通“纵”，东西为横，南北为纵；放纵。③zōng 通“踪”，踪迹。④sǒng 通“怂”，[从容]亦通“怂恿”。

❶从善如流

见《左传·成公八年》。

从令纵敌，非良将也

见晋·陈寿《三国志·魏书·任城王传》。

从善如登，从恶是崩

见《国语·周语下》。

从政有经，而令行为上

见《战国策·赵策二》。全句为：“制国有常，而利民为本；～”。

从来天下士，只在布衣中

见明·屈大均《鲁连台》。

从来不著水，清净本因心

见唐·李颀《粲公院各赋一物得初荷》。

从谏如顺流，趣时如响起

见汉·班彪《王命论》。全句为：“见善如不及，用人如由己。～”。

从善则有誉，改过则无咎

见唐·吴兢《贞观政要·教戒太子诸王》。

从善如不及，去恶如探汤

见三国·吴·杨泉《赞善赋》。

从官重恭慎，立身贵廉明

见唐·陈子昂《座右铭》。

从极迷处识迷，则到处醒

见明·陈继儒《小窗幽记》。全句为：“～；将难放怀处放怀，则万境宽”。

从风还共落，照日不俱销

见南朝·陈·阴铿《雪里梅花》。全句为：“春近寒虽转，梅舒雪尚飘。～”。

从头越，苍山如海，残阳如血

见现代·毛泽东《忆秦娥·娄山关》。

从天而颂之，孰与制天命而用之

见《荀子·天论》。

从来夸有龙泉剑，试割相思得断无

见宋·计有功《唐诗纪事》卷七十九（彭伉妻诗）。

从来好事天生俭，自古瓜儿苦后甜

见元·白朴《喜春来·题情》。

从农论田田夫胜，从商讲贾贾人贤

见汉·王充《论衡·程材篇》。

从古求贤贵拔茅，素门平进有英豪

见清·袁枚《小仓山房诗文集·从古》。

从道不从君，从义不从父，人之大行也

见《荀子·子道》。

从水之道而不为私焉，此吾所以蹈之也

见《庄子·达生》。

从来谈诗，必摘古人佳句为证，最是小见

见清·薛雪《一瓢诗话》。

从善如流，尚恐不逮；饰非拒谏，必是招损

见唐·吴兢《贞观政要·规谏太子》。

从山阴道上行，山川自相映发，使人应接不暇

见南朝·宋·刘义庆《世说新语·言语》。

从时者，犹救火、追亡人也，蹶而趋之，唯恐弗及

见《国语·越语下》。

❷峰从灵鹫飞来／云从龙，风从虎／文从字顺各识职／不从糟粕，安得精英／病从口入，祸从口出／病从口入，患自口出／尝从人事，皆口腹自役／不从桓公猎，何能伏虎威／木从绳则正，后从谏则圣／恩从祥风翱，德与和气游／自从兵戈动，遂觉天地窄／气从以顺，各从其欲，皆得所愿／奇从奇，正从正，奇与正，恒不同廷／各从所好，各骋所长，无一人之不中用／源从天涯，或浊或清，所在之势使之然也

❸无傲从康／死节从来岂顾勋／云生从龙，风

生从虎／凡所从政，当须正己／礼贵从宜，事难泥古／赏疑从与，所以广恩也／恶人从游，则日生邪情／罚疑从去，所以慎刑也／壮岁从戎，曾是气吞残虏／大海从鱼跃，长空任鸟飞／探微从道管，结撰是心精／新人从门入，故人从阁去／扁舟从此去，鸥鸟自为群／民之从事，常于几成而败也／曲己从众，不自专，则全其身／以欲从人者昌，以人乐己者亡／饥不从猛虎食，暮不从野雀栖／词家从不觅知音，累汝千回带泪吟／沛然从肺腑中流出，殊不见斧凿痕／毁誉从来不可听，是非终久自分明／罗衣从风，长袖交横，骆驿飞散，飒擖合并／黾勉从事，不敢告劳；无罪无辜，谗口嚣嚣／性字从生从心，是人生来具是理于心，方名之曰性

❹甘苦常从极处回／修练多从苦处来／谋臧不从，不臧复用／汝无面从，退有后言／气同则从，声比则应／言则我从，斯我之贼／持己当从无过中求有过／仁行而从善，义立则俗易／择势而从，则恶之大者也／欲人之从己也，必先从人／惠迪吉，从逆凶，惟影响／善恶相从，如景乡之应形声／佯北勿从，锐卒勿攻，饵兵勿食／舍人而从欲，是以勤多而功少也／舍己而从众，是以事半而功倍也／举世尽从愁里老，谁人肯向死前闲／同类相从，同声相应，固天之理也／君正臣从谓之顺，君僻臣从谓之逆／多少事，从来急；天地转，光阴迫／富贵必从勤苦得，男儿须读五车书／好事尽从难处得，少年无向易中轻／惑而不从师，其为惑也，终不解矣／从道不从君，从义不从父，人之大行也／道合则从，不合则去，儒者进退之大节／不广其从，不为兵郛，不为乱首，不为宛谋／凡下之从上也，不从口之言，从上之所好也／凡下之从上也……不从力之制，从上之所为也／虎旅云从，词林响应，若毛羽之宗麟凤，众川之长江河／人品须从小作起，权宜苟且诡随之意多，则一生人品坏矣／文章当从三易：易见事，一也；易识字，二也；易读诵，三也

❺云从龙，风从虎／辞顺而弗从，不祥／长恶不悛，从自及也／发谋决策，从容指顾／从善如登，从恶是崩／说而不绎，从而不改／能者无名，从事无事／改过不吝，从善如流／欲他人己从，诬人也／以身教者从，以言教者讼／先生之不从世兮，惟道是就／缘道理以从事者，无不能成／因果相承，从微至著，通名为渐／欲变节而从俗兮，愧易初而屈志／以苟容曲从为贤，以拱默尸禄为智／入其国者从其俗，入其家者避其讳／委故都以从利兮，吾知先生之不忍／奇从奇，正从正，奇与正，恒不同廷／听讼者或从其情或从其词，词不可从必断以情／性字从生从心，是人生来具是理于心，方名之曰性

❻择其善者而从之／稽于众，舍己从人／爱人者人必从而爱之／病从口入，祸从口出／万物职职，皆从无为殖／振人不赡，先从贫贱始／求贤若不及，从善如转圜／以我径寸心，从君千里外／少见之人，如从管中窥天／岂不思故乡，从来感知己／慷慨赴死易，从容就义难／纳善若不及，从谏若转圜／成大事者，皆从战战兢兢之心来／气从以顺，各从其欲，皆得所愿／与时屈伸，柔从若蒲苇，非慑怯也／兽同足者相从游，鸟同翼者相从翔／从道不从君，从义不从父，人之大行也／避天下之逆，从天下之顺，天下不足取／歼厥渠魁，胁从罔治，旧染污俗，咸与惟新／貌曰恭，言曰从，视曰明，听曰聪，思曰睿／鞭扑之子，不从父之教；刑戮之民，不从君之政

❼先行其言而后从之／身不正，则人不从／中道而立，能者从之／云生从龙，风生从虎／人有善愿，天必从之／据慢骄奢，则凶从之／但使忠贞在，甘从玉石焚／君为正，则百姓从而正矣／驱天下之人而从善远罪也／木从绳则正，后从谏则圣／公生明，诚生明，从容生明／苟正其身矣，于从政乎何有／闻善速于雷动，从谏急于风移／感慨杀身者易，从容就义者难／理国长安，率身从道，言必信实／下之事上也，不从其令，从其所行／吾不能变心而从俗兮，固将愁苦而终穷／心狂志悖，视听从类，政令无常，下民作孽

❽一国三公，吾谁适从／孔德之容，惟道是从／同音相闻，同志相从／当官力争，不为面从／行合趋同，千里相从／淡然无极而众美从之／耄老失明，闻善不从／先定其规摹，而后从事／君子有远虑，小人从迩／文武并行，则天下从矣／富贵苟难图，税驾从所欲／新人从门入，故人从阁去／无所有而来，无所从而去者／观江水之寂寥，愿从流而东返／茎受露而将低，香从风而自远／立业建功，事事要从实地着脚／予违汝弼，汝无面从，退后有言／议不在己者易称，从旁议者易是／汽笛一声肠已断，从此天涯孤旅／不能自胜而强弗从者，此之谓重伤／侯门一入深如海，从此萧郎是路人／从农论田田夫胜，从商讲贾贾人贤／多闻，择其善者而从之；多见而识之／东西南北，某也何从；寒暑阴阳，时哉不与／凡下之从上也，不从口之言，从上之所好也／敖不可长，欲不可从；志不可满，乐不可极／不日不月，而事以从；不卜不筮，而谨知吉凶／凡下之从上也……不从力之制，从上之所为也／因其性，则天下听从；拂其性，则法县而不用

❾侈则肆，肆则百恶俱从／趋舍虽不合，不敢弗从／举善而任之，择善而从之／欲人之从己也，必先从人／简能而任之，择善而从之／饥不从

猛虎食，暮不从野雀栖／风起绿洲吹浪去，雨从青野上山来／使命之臣，取其识变从宜，不辱君命／六十而耳顺，七十而从心所欲不逾矩／从道不从君，从义不从父，人之大行也／风烟俱静，天山共色，从流飘荡，任意东西／听讼者或从其情或从其词，词不可从必断以情／释正而追曲，倍是而从众，是与俗俪走，而内行无绳

❿不可以家事匮乏而不从师／君子交有义，不必常相从／法正则民悫，罪当则民从／诚能爱而利之，天下可从也／知者必量其力所能至而从事／梦幻人世，明不能究其从也／法设而民不犯，令施而民从／秉纲而目自张，执本而末自从／圣人为善，非以求名而名从之／唯忠臣能逆意，惟圣君能从利／言多变则不信，令频改则难从／誉见即毁随之，善见即恶从之／城下之盟，有以国毙，不能从也／治世御众，建立辅弼，诫在面从／政者正也，上正其道，下必从之／心合意同，谋无不成，计无不从／下之事上也，不从其令，从其所行／千金未必能移性，一诺从来许杀身／兽同足者相从游，鸟同翼者相从翔／儿童相见不相识，笑问客从何处来／圣人正方以约己，人自正方以从化／圣贤千言万语，教人且从近处做去／暮色苍茫看劲松，乱云飞渡仍从容／大德之人不随世俗，所行独从于道／报国无门空自怨，济时有策从谁吐／君正臣从谓之顺，君僻臣从谓之逆／君子之于世，无去无就，惟道是从／响必应之于同声，道固从之于同类／国际悲歌歌一曲，狂飙为我从天落／杀身慷慨犹易免，取义从容未轻许／或争利而反强之，或听从而反止之／烦为教而过不识，数为令而非不从／顺指者爱所由来，逆意者恶所从至／雄关漫道真如铁，而今迈步从头越／安得因一摧折，自毁其道以从于邪也／是故圣人与时变而不化，从物而不移／为政不在言多，须息息从省身克己而出／责恶要为人留余步，劝善要思其势可从／欲做精金美玉的人品，定从烈火中锻来／忠者不饰行以侥荣，信者不食言以从利／国家作事，以公共为心者，人必乐而从之／悠悠素餐者，天下皆是，王道从何而兴乎／其身正，不令而行；其身不正，虽令不从／无为小人，反殉而天；无为君子，从天之理／罔违道以干百姓之誉，罔咈百姓以从己之欲／凡下之从上也，不从口之言，从上之所好也／高树靡阴，独木不林，随时之宜，道贵从凡／幽晦登昭，日月下藏；公正无私，反见从横／山树为盖，岩石为屏，云从栋生，水与阶平／自古乱亡之国，必先坏其法制，而后乱从之／乘不测之舟，入无人之地，以相从问文章为事／凡下之从上也……不从力之制，从上之所为也／听讼者或从其情或从其词，词不可从必断以情／制国有常，而利民为本；从政有经，而令行为上／今使愚教知，使不肖临贤，虽严刑罚，民弗从也／子贡问君子。子曰："先行，其言而后从之"。／鞭扑之子，不从父之教；刑戮之民，不从君之政／无为者，非谓其凝滞而不动也，以其言莫从己出也／三晋多权变之士，夫言从衡强秦者，大抵皆三晋之人／人非生而知之者，孰能了此无惑，故从其先得者而问焉／财之不丰，兵之不强，吏之不择，此三者存亡之所从出

仑

lún 条理，伦次；思，想；昆仑。

❼横空出世，莽昆仑，阅尽人间春色

❿盈握之璧，不必采于昆仑之山／我自横刀向天笑，去留肝胆两昆仑／河九折注于海，而流不绝者，昆仑之输也

今

jīn 现代；当前；此，这；即。

❶今年花胜去年红

见宋·欧阳修《浪淘沙》。

今夕何夕，见此良人

见《诗·唐风·绸缪》。

今日乌合，明日兽散

见明·张萱《复刘冲倩书》。

今之言通者，通于私曲

见唐·韩愈《通解》。全句为："古之言通者，通于道义；～，其亦异矣！将欲齐之者，其不犹矜粪丸而拟质随珠者乎？"

今主人之雁，以不材死

见《庄子·山木》。全句为："昨日山中之木，以不材得终其天年；～"。

今上好法，予晚受乎老庄

见唐·卢照邻《释疾文·粤若》。全句为："先朝好吏，予方学于孔墨；～"。

今之进学者，如登山……

见《二程集·河南程氏粹言》。全句为："～，方于平易，皆能阔步而进，一遇峻险，则止矣"。

今之视者，已非昔日之欢

见唐·王勃《三月上巳祓禊序》。全句为："～；后之视今，岂复今时之会"。

今人莫不失自然正性……

见唐·无名氏《无能子·质妄》。全句为："～，而趋之以至于诈伪激者，何也？所谓圣人者误之也"。

今人有过，不喜人规……

见宋·朱熹《四书集注·孟子·公孙丑上》周子注。全句为："～，如讳疾而忌医，宁灭其身而无悟也"。

今美于昨，明日复胜于今

见清·李渔《〈笠翁余集〉序》。

今岁今宵夜，明年明日催

见唐·王諲《除夜》。

今夕为何夕,他乡说故乡

见明·袁凯《客中除夕》。全句为:"~,看人儿女大,为客岁年长"。

今王与百姓同乐,则王矣

见《孟子·梁惠王下》。

今日乐相乐,别后莫相忘

见三国·魏·曹植《怨歌行》。

今日朱门者,曾恨朱门深

见唐·王镣《感事》。

今朝一杯酒,明日千里人

见唐·刘禹锡《送华阴尉张苕赴邕府使幕》。

今之视古,亦犹后之视今也

见南朝·宋·刘义庆《世说新语·夫箴》。

今布衣虽贱,犹足以方于此

见唐·韩愈《后十九日复上书》。全句为:"古之进人者,或取于盗,或举于管库,~"。

今处绣户洞房,则蓑不如裘

见北齐·刘昼《刘子·适才》。全句为:"~;被雪沐雨,则裘不及蓑"。

今日太平,即是江宁之小邑

见唐·王勃《江宁吴少府宅饯宴序》。全句为:"昔时地险,实为建业之雄都;~"。

今世之惑主多官,而反以害生

见唐·王士元《亢仓子·君道篇》。

今志人之所短,而忘人之所修

见汉·刘安《淮南子·氾论》。全句为:"~,而求得贤乎天下,则难矣"。

今吾于人也,听其言而观其行

见《论语·公冶长》。全句为:"始吾于人也,听其言而信其行;~"。

今虽不能如周公吐哺握发……

见唐·韩愈《后二十九日复上书》。全句为:"~,亦宜引而进之,察其所以而去就之,不宜默默而已也"。

今日长缨在手,何时缚住苍龙

见现代·毛泽东《清平乐·六盘山》。

今我受其直怠其事者,天下皆然

见唐·柳宗元《送薛存义之任序》。全句为:"~,岂惟怠之,又从而盗之"。

今之交乎人者,炎而附,寒而弃

见唐·柳宗元《宋清传》。

今之致其死,非恶之也,利其财

见唐·刘禹锡《因论·叹牛》。全句为:"昔之厚其生,非爱之也,利其力;~"。

今人皆知砺其剑,而弗知砺其身

见《尸子·劝学》。全句为:"~。夫学,身之砺砥也"。

今余遭有道,而违于理,悖于事

见唐·柳宗元《愚溪诗序》。全句为:"~,故凡为愚者莫我若也"。

今将以呼嘘为食,咀嚼为神……

见唐·柳宗元《送娄图南秀才游淮南将入道序》。全句为:"~,无事为闲,不死为生,则深山之木石,大泽之龟蛇,皆老而久,其于道何如也"。

今王公贵人,处于重屋之下……

见宋·苏轼《策别十六》。全句为:"~,出则乘舆,风则袭裘,雨则御盖。凡所以虑患之具,莫不备至"。

今来县宰加朱绂,便是生灵血染成

见唐·杜荀鹤《再经胡城县》。

今年花似去年好,去年人到今年老

见唐·岑参《韦员外家花树歌》。

今年花落颜色改,明年花开复谁在

见唐·刘希夷《代悲白头翁》。

今别子兮归故乡,旧怨平兮新怨长

见汉·蔡琰《胡笳十八拍》。

今人不见古时月,今月曾经照古人

见唐·李白《把酒问月》。全句为:"~。古人今人若流水,共看明月皆如此"。

今日重来应抵掌,十年分付未逢人

见宋·柯梦得《见旧题壁》。一说"抵"为"抵"。

今所任用,必须以德行、学识为本

见唐·吴兢《贞观政要·崇儒学》。

今朝有酒今朝醉,明日愁来明日愁

见唐·罗隐《自遣》。

今朝有酒今朝醉,且尽樽前有限杯

见元·白朴《中吕阳春曲·知机》。

今善善恶恶,好荣憎辱,非人能自生

见汉·董仲舒《春秋繁露·竹林》。全句为:"~,此天施之在人者也"。

今子使万里外国,独无几微出于言面

见唐·韩愈《送殷员外序》。全句为:"~,岂不真知轻重大丈夫哉"。

今恶死亡而乐不仁,是犹恶醉而强酒

见《孟子·离娄上》。

今之官人也,以己为天下累,故人忧之

见唐·皮日休《鹿门隐书》。全句为:"古之官人也,以天下为己累,故己忧之;~"。

今处昏上乱相之间,而欲无惫,奚可得邪

见《庄子·山木》。

今之世不闻有师,有,辄哗笑之,以为狂人

见唐·柳宗元《答韦中立论师道书》。全句为:"由魏晋氏以下,人益不事师。~"。

今之君子则不然,其责人也详,其待己也廉

见唐·韩愈《原毁》。

今以人之小过掩大美,则天下无圣王贤相矣

见汉·刘安《淮南子·氾论》。

今世之人主，多欲众之，而不知善，此多其雠也

见《吕氏春秋·离俗览·适威》。全句为：“～。不善则不有”。

今兵威已振，譬如破竹，数节之后，皆迎刃而解

见唐·房玄龄《晋书·杜预传》。

今使愚教知，使不肖临贤，虽严刑罚，民弗从也

见汉·刘安《淮南子·泰族》。

今人之性恶，必将待师法然后正，得礼义然后治

见《荀子·性恶》。

今人主有明其德者，则天下归之若蝉之归明火也

见《荀子·致士》。

今若不能服药，但知爱精节情，亦得一二百年寿也

见南朝·梁·陶弘景《养性延命录·教诫篇》。

今一以天地为大炉，以造化为大冶，恶乎往而不可哉

见《庄子·太宗师》。

今夫大海……旦则浴日而出之，夜则滔列星，涵太阴

见唐·柳宗元《东海若》。删节处为：“其东无东，其西无西，其北无北，其南无南”。

今不修身而求令名于世者，犹貌甚恶而责妍影于镜也

见北齐·颜之推《颜氏家训》。

今之所以知古，后之所以知今，不可口传，必凭诸史

见唐·韩愈《进顺宗皇帝实录表状》。

今世之人居高官尊爵者，皆重失之，见利轻亡其身，岂不惑哉

见《庄子·让王》。

今且须去理会眼前事，那个鬼神事，无形无影，莫要枉费心力

见宋·朱熹《朱子语类》卷三。

今以众地者，公作则迟，有所匿其力也；分地则速，无所匿迟也

见《吕氏春秋·审分览·审分》。

❷当今之世……／凡今之人，莫如兄弟／方今之务，在于力农／当今生民之患果安在哉／于今为神奇，信宿同尘滓／遗今而专乎古，则其失为固／某今所切，是坠于绝壑……／推今而鉴古兮，鲜克以保其生／疑今者察之古，不知来者视之往／古今之事，非知之难，言之亦难／居今之世，志古之道，所以自镜／于今腐草无萤火，终古垂杨有暮鸦／而今风物那堪画，县吏催钱夜打门／如今只说临安路，不较中原有几程／君今不幸离人世，国有疑难可问谁？／言今日难于前日，安知他日不难于今日乎／古今之喻多矣，而愚以为辨于味而后可以言诗／凡今能言者，皆谓天下少士，而不知养材之道／古今号文章为难，足下知其所以难乎？……得之为难，知之愈难耳

❸古与今如一丘之貉／早知今日，悔不当初／勿谓今年不学而有来年／勿谓今日不学而有来日／一时今夕会，万里故乡情／天将今夜月，一遍洗寰瀛／今岁今宵夜，明年明日催／岂知今夜月，还是去年愁／冬尽今宵促，年开明日长／江流今古愁，山雨兴亡泪／通古今之变，成一家之言／观古今于须臾，抚四海于一瞬／聚古今之精英，实治乱之龟鉴／不薄今人爱古人，清词丽句必为邻／古往今来共一时，人生万事无不有／请看今日之域中，竟是谁家之天下／吾哀今之为仕兮，庸有虑时之否臧／观古今之成败，能先见事机者，则恒受其福

❹不览古今，论事不实／揆古察今，深谋远虑／道者，古今之正权也／后之视今，犹今之视昔／后之视今，亦犹今之视古／后之视今，亦犹今之视昔／后之视今，岂复今时之会／昨日胜今日，今年老去年／以古制今者，不达于事之变／自古及今，法无不改，势无不积／君不见今人交态薄，黄金用尽还疏索／自古及今，穷其下能不危者，未之有也／自古于今，上以天子……好义而不彰者也／明于古今，温故知新，通达国体，故谓之博士

❺一年明月今宵多／父老长安今余几／《广陵散》于今绝矣／尊古而卑今，学者之流也／乱我心者，今日之日多烦忧／萧瑟秋风今又是，换了人间／议论证据今古，出入经史百子／利虽倍于今，而不便于后，弗为也／今朝有酒今朝醉，明日愁来明日愁／今朝有酒今朝醉，且尽樽前有限杯／君王旧迹今人赏，转见千秋万古情／阁中帝子今何在，槛外长江空自流／昨是儿童今是翁，人间日月急如风／虎踞龙盘今胜昔，天翻地覆慨而慷／自古至于今，与民为仇者，有迟有速，而民必胜之

❻不法古不修今／才难之叹，古今共之／表里相资，古今一也／后之视今，犹今之视昔／平生仗忠信，今日任风波／古有古之时，今有今之时／遗古而务乎今，则失为妄／此地曾居住，今来宛似归／昔去雪如花，今来花似雪／昨日胜今日，今年老去年／销兵铸农器，今古岁方宁／装点此关山，今朝更好看／居近识远，处今知古，惟学矣乎／萧墙祸起非今日，不赏军功在断桥／扫眉才子于今少，管领春风总不如／贫者士之常，今仆虽羸馁，亦甘如饴矣／子美……尽得

古今之体势，而兼人人之所独专矣／昔之所为，而今觉其非，虽日异而月不同，可也

❼作诗须多诵古今人诗／慧出本性，非适今有／后之视今，亦犹今之视古／后之视今，亦犹今之视昔／后之视今，岂复今时之会／待万世之利，在今日之胜／不知天上宫阙，今夕是何年／多读书达观古今，可以免忧／古之学者为己，今之学者为人／古人采铜于山，今人则买旧钱／贤者不得志于今，必取贵于后／欲观千岁，则数今日；欲知亿万，则审一二

❽宜于古而不戾于今／数风流人物，还看今朝／古有古之时，今有今之时／固一世之雄也，而今安在哉／为己者不待人，制今者不法古／信耳而遗目者，古今之所患也／褒有德，赏有功，古今之通义／实迷途其未远，觉今是而昨非／古来青史谁不见，今见功名胜古人／南方无穷而有穷，今日适越而昔来／何昔日之芳草兮，今直为此萧艾也／今人不见古时月，今月曾经照古人／诗人安得有青衫，今岁和戎百万缣／去年米贵阙军食，今年米贱大伤农／昨日之日不可追，今日之日须臾期／贵耳贱目，荣古陋今，人之大情也／如欲平治天下，当今之世，舍我其谁也／究天人之际，通古今之变，成一家之言／才有浅深，无有古今；文有真伪，无有故新／气往轹古，辞来切今，惊采绝艳，难与并能

❾法古之学，不足以制今／强学博览，足以通古今／何谓物我之异，无计今古之殊／往者不可复兮，冀来今之可望／痛乾坤而忽穷，嗟古今而长绝／丈夫盖棺事始定，君今幸未成老翁／为谁醉倒为谁醒？至今犹恨轻离别／察己则可以知人，察今则可以知古／李杜文章万口传，至今已觉不新鲜／风雅体变而兴同，古今调殊而理异／雄关漫道真如铁，而今迈步从头越／书者，皆所为不行乎今而行乎后世者也／事有古而可以质于今，言有大而可以征于小／古之隐也，志在其中；今之隐也，爵在其中／昔我往矣，杨柳依依；今我来思，雨雪霏霏

❿人事有代谢，往来成古今／今美于昨，明日复胜于今／逝水悲兴废，浮云阅古今／今之视古，亦犹后之视今也／凡人可以言古，不可以言今／上下四方曰宇，往古来今曰宙／天地四方曰宇，往古来今曰宙／虽为镜于前代，终抱痛于今日／明镜所以照形，古事所以知今／欲知来者察往，欲知古者察今／后生可畏，焉知来者之不如今也／俱往矣，数风流人物，还看今朝／变尽人间，君山一点，自古如今／必尽读天下之书，尽通古今之事／不为捣衣勤不睡，破除今夜夜如年／不知取将之无术，但云当今之无将／今年花似去年好，去年人到今年老／劝君莫作亏心事，古往今来放过谁／节物后先南北异，人情冷暖古今同／明鉴所以照形也，往古所以知今也／胜地几经兴废事，夕阳偏照古今愁／总教掬尽三江水，难洗今朝一面羞／章台柳，章台柳！昔日青青今在否／人以为偶一奋，遂名无穷，今大不然／君不见管鲍贫时交，此道今人弃如土／不让古人是谓有志，不让今人是谓无量／哀白日之不与吾谋兮，至今十年其犹初／打扫光明一片地，襄贮古今，研究经史／不学自知，不问自晓，古今行事未之有也／未成乎心而有是非，是今日适越而昔至也／炷尽沉烟，抛残绣线，恁今春关情似去年／言今日难于前日，安知他日不难于今日乎／天地之化，盈虚消息，往过来续，流行古今／生者有极，成者必亏；生生成成，今古不移／古之取天下也以民心，今之取天下也以民命／古之置吏也将以逐盗，今之置吏也将以为盗／薄施而厚望，畜怨而无患者，古今未之有也／经传之文，贤圣之语，古今言殊，四方谈异／任非其人而国家不倾者，自古至今，未尝闻也／贤者以其昭昭使人昭昭，今以其昏昏使人昭昭／天公何时有，谈者皆不经。谁道贤人死，今为傅说星／博取之象数，远征之古今，以求尽乎理，所谓格物也／今之所以知古，后之所以知今，不可口传，必凭诸史／安不忘危，治不忘乱，虽知今日无事，亦须思其终始／国以贤兴，以谄衰；君以忠安，以佞危，此古今之常论／韩愈辟佛，几至杀身，况敢议今世之尧、舜、周、孔者乎／其义则不足死，赏罚则不足去就，若是而能用其民者，古今无有

仓

①cāng 仓库；通"苍"，青色；通"舱"；通"沧"；姓。[仓卒]匆忙、急遽；[仓皇]匆促，慌张。②chuàng 通"怆"，悲伤。

❶仓无备粟，不可以待凶饥

见《墨子·七患》。

仓禀无宿储，徭役犹未已

见唐·韦应物《观田家》。

仓廪无宿储，徭役犹未已

见唐·韦应物《观田家》。

仓库实，知礼节；国多财，远者来

见唐·马总《意林·管子》。全句为："～；衣食足，知荣辱"。

仓廪实，则知礼节；衣食足，则知荣辱

见《管子·牧民》。

❷官仓老鼠大如斗，见人开仓亦不走／千仓万箱非一耕所得；干天之木非旬日所长

❸轻囷仓之蓄，而惜一杯钻／但使仓库可备凶年，此外何烦储蓄

❺一粒不出仓，仓中群鼠肥／宁积粟腐仓而不忍贷人一斗／善为国者，仓廪虽满，不偷于农／有田不耕仓廪虚，有书不读子孙愚／田野荒而仓廪实，百姓虚而府库满／墉基不可仓卒而成，

威名不可一朝而立

❻一粒不出仓，仓中群鼠肥／积于不涸之仓者，务五谷也

❽明修栈道，暗度陈仓／三年耕有九年储，仓谷满盈，斑白不负戴／合升鼓之微以满仓廪，合疏缕之纬以成帏幕

❿仅存之国富大夫，亡道之国富仓府／苗疏税多不得食，输入官仓化为土／官仓老鼠大如斗，见人开仓亦不走／顺针缕者成帷幕，合升斗者实仓廪／凡理国者，务积于人，不在盈其仓库／水出于山，入于海；稼生乎野，而藏乎仓／后嗣若贤，自能保其天下；如其不肖，多积仓库，徒益其奢侈，危亡之本也

从 cóng 聚集；密集生长在一起的草木；细碎；姓。

❶丛兰欲茂，秋风败之；王者欲明，谗人蔽之

见唐·吴兢《贞观政要·杜谗邪》。

❷一丛深色花，十户中人赋

❸瑶山丛桂，芳茂者先折

❹幽桂一丛，赏古人之明月

❻垂秋实于谈丛，绚春花于词苑

❼罢去浮巧轻媚丛错采绣之文

❾为渊驱鱼者，獭也；为丛驱爵者，鹯也

❿待到山花烂漫时，她在丛中笑

令 ①lìng 命令；召；使，使得；酒令；古代官名；美好；敬辞；季节，时节；小令，多用于词调、曲调名；中国古代关于国家体制和基本制度的法规。②líng 同"鸰"；[令狐]古地名，复姓。③lǐng 纸张的计量单位；亦称"型"。

❶令则行，禁则止

见《管子·立政》。全句为："～。宪之所及，俗之所被，如百体之从心，政之所期也。"

令名，德之舆也

见《左传·襄公二十四年》。

令一则行，推诚则化

见唐·白居易《策林一》。

令之不行，禁之不止

见汉·刘安《淮南子·本经训》。

令之以文，齐之以武

见《孙子兵法·行军篇》。

令在必信，法在必行

见宋·欧阳修《司门员外郎李公谨等磨勘改官制》。

令有缓急，故物有轻重

见汉·班固《汉书·食货志》。全句为："岁有凶穰，故谷有贵贱；～"。

令重于宝，社稷先于亲戚

见《管子·法法》。全句为："～；法重于民，威权贵于爵禄"。

令在必行，不当徒为文具

见宋·张孝祥《论治体札子》。

令苛则不听，禁多则不行

见《吕氏春秋·离俗览·适威》。

令烦则奸生，禁多则下诈

见《老子》五十七河上公注。

令天下重足而立，侧目而视矣

见汉·司马迁《史记·汲郑列传》。

令不行而禁不止，则无以为治

见《尹文子·大道下》。

令者，所以教民；法者，所以督奸

见汉·桓宽《盐铁论·刑德》。

❷利令智昏／布令信而不食言／法令善则民安乐／慢令致期谓之贼／严令繁刑不足以为威／出令不胜，反为大灾／以令率人，不若身先／从令纵敌，非良将也／政令不行，上下相怨／脊令在原，兄弟急难／但令身未死，随力报乾坤／便令江汉竭，未厌虎狼求／号令不虚出，赏罚不滥行／遂令一夫唱，四海欣提矛／命令昨颁，十万工农下吉安／政令时，则百姓一，贤良服／法令行则国治，法令弛则国乱／法令所以导民，刑罚所以禁奸／唯令德为不朽兮，身既没而名存／法令者，民之命也，为治之本也／假令风歘时下来，犹能簸却沧溟水／陶令不知何处去，桃花源里可耕田／法令更则利害易，利害易则民务变／遂令天下父母心，不重生男重生女／强令之笑，不乐；强令之哭，不悲／纵令然诺暂相许，终是悠悠行路心／政令多出，朝令夕改，则谓数穷也／法令者治之具，而非制治清浊之源也／法令不一则人情惑，职次数改则觊觎生／法令者，治恶之具也，而非至治之风也／强令之为道也，可以成小而不可以成大／纵令滋味当染于口，声色已开于心……／法令之不行、万民之不治，贫富之不齐也／法令明具，而用之至密，举天下惟法之知／号令烦而不信，赏罚行而不当，则天下不服／法令者，所以抑暴扶弱，欲其难犯而易避也／宁令吾庐独破受冻死，不忍四海赤子寒飕飕／此令兄弟，绰绰有裕；不令兄弟，交相为瘉／法令者示人以信，若成而数变，则人之心不安／法令赏罚者，诚治乱之枢机也，不可不严行也／政令不烦，则安其业，故不远迁徙，离其常处／一令蔓草难锄，涓流泛酌，岂直疥痒轻疴，容为重患

❸巧言令色，鲜矣仁／军多令则乱，酒多约则辩／言多令事败，器漏苦不密／出一令可以止横议，杀一犯可以儆百众／五色令人目盲，五音令人耳聋，五味令人口爽／若号令烦而不信，赏罚行而不当，则天下不服／强国令其民争乐用也，弱国令其民争竞不用也

❹国家法令，惟在简约／上无疑令，则众不二听／将失一令，而军破身死／发号出令以下行，期

悦人意／发号施令，若汗出于体，一出而不复也／赏厚可令廉士动心，罚重可令凶人丧魄／凡治国令其民争行义也，乱国令其民争为不义也

❺上下不和，令乃不行／凡将举事，令必先出／将在外，君令有所不受／安危在出令，存亡在所任／挟天子以令天下，天下莫敢不听／文之用，辞令褒贬导扬讽喻而已／挟天子而令诸侯，此诚不可与争锋／挟天子以令诸侯，四海可指麾而定／居前不能令人轾，居后不能令人轩／一天下者，令于天下则行，禁焉则止／其身正，不令而行；其身不正，虽令不从

❻十羊九牧，其令难行／从政有经，而令行为上／禁胜于身，则令行于民／法立而不犯，令行而不逆／水浊则鱼困，令苛则民乱／三军一心，则令可使无敌矣／误用恶人，假令强干，为害极多／异方之乐，只令人悲，增忉怛耳／以清廉清民，令去其邪，令去其污／政令多出，朝令夕改，则谓数穷也／文有二道：辞令褒贬，本乎著述者也／人亦有言，忧令人老。嗟我白发，生一何早／不修身而求令名于世者，犹貌甚恶而责妍影于镜也／善为上者，能令人得欲无穷，故人之可得用亦无穷也

❼伐罪吊民，古之令轨／昭明有融，高朗令终／进退无仪，则政令不行／赏罚不信，则禁令不行／莫取金汤固，长令宇宙新／松柏青青，不受令于霜雪／无谋人之心而令人疑之，殆／法设而民不犯，令施而民从／有谋人之心而令人知之，拙／言多变则不信，令频改则难从／明法制，去私恩，令必行，禁必止／今不修身而求令名于世者，犹貌甚恶而责妍影于镜也

❽一朝权入手，看取令行时／苍蝇间白黑，谗巧令亲疏／强人之所不能，虽令不劝／法令行则国治，法令弛则国乱／不必循常，法度制令，各因其宜／强令之笑，不乐；强令之哭，不悲／法立，有犯而必施；令出，惟行而不返

❾治国者，布施惠德，无令下知／下之事上也，不从其令，从其所行／何事将军封万户，却令红粉为和戎／但得贞心能不改，纵令移植亦何妨／莫见长安行乐处，空令岁月易蹉跎／凡权重者必谨于事，令行者必谨于言／慎简乃僚，无以巧言令色、便辟侧媚／但愿官民通有无，莫令租吏打门叫呼疾／若不推之于诚，虽三令五申，而令不明矣／政之不中，君之患也；令之不行，臣之罪也／五色令人目盲，五音令人耳聋，五味令人口爽／言著而不欺曰信。……教令失信，民得斯之矣

❿士有争友，则身不离于令名／苟不能以善始，未有能令终者／心不知治乱之源者，不可令制法／拜迎官长心欲碎，鞭挞黎庶令人悲／以清廉清民，令去其邪，令去其污／以时起居，恶者辄斥去，毋令败群／人有善，恒当掩之，有恶宜令彰露／圣王在上位，天覆地载，风令雨施／居前不能令人轾，居后不能令人轩／赏罚不信，则民易犯法，不可使令／烦为教而过不识，数为令而非不从／枯朽之骨，凶秽之余，岂宜令入宫禁／立法设禁而无刑以待之，则令而不行／不法法，则事毋常；法不法，则令不行／民心不得，性命不全，则号令不能动也／人主之于用法，无私好憎，故可以为令／圣王者不贵义而贵法，法必明，令必行／宵行者，能无为奸，而不能令狗无吠己／赏厚可令廉士动心，罚重可令凶人丧魄／若不推之于诚，虽三令五申，而令不明矣／其身正，不令而行；其身不正，虽令不从／宰相，陛下之腹心；刺史县令，陛下之手足／居上位而不恤其下，骄也；缓令急诛，暴也／此令兄弟，绰绰有裕；不令兄弟，交相为瘉／见危授命，士之美行；褒善录功，国之令典／有金鼓，所以一耳也；同法令，所以一心也／心狂志悖，视听从类，政令无常，下民作孽／五色令人目盲，五音令人耳聋，五味令人口爽／人主之立法，先自为检式仪表，故令行于天下／强国令其民争乐用也，弱国令其民争竞不用也／制国有常，而利民为本；从政有经，而令行为上／凡治国令其民争行义也，乱国令其民争为不义也／治国有常，而利民为本；政教有经，而令行为上／一人一心，万人万心，若不以令一之，则人人之心各异矣／人之欲虽多，而上无以令之，人虽得其欲，人犹不可得用也

全

quán 完整；使完整；全部；都；保全；通“痊”，痊愈；姓。

❷得全全昌，失全全亡／形全精复，与天为一／不全不粹不足以谓之美／以全举人固难，物之情也／功全则誉显，业谢则衅生／以全取胜，是以贵谋而贱战／意全胜者，辞愈朴而文愈高／信全则天下安，信失则天下危／万全之利，以小不便而废者有之矣／苟全性命于乱世，不求闻达于诸侯／心全于中，形全于外；不逢天灾，不遇人害

❸曲则全，枉则直／事难全遂，物不两兴／曲己全人，人必全之／得全全昌，失全全亡／出处全在人，路亦无通塞／楚山全控蜀，汉水半吞吴／以意全胜者，辞愈朴而文愈高／汝若全德，必忠必直；汝若全行，必方必正

❹事若求全何所乐／行不两全，名不两立／畏老身全老，逢春解惜春／忍怒以全阴气，抑喜以养阳气／积其凶，全其恶，而天下去之／人固难全，权而用其长者，当举也／天地无全功，圣人无全能，万物无全用

❺物固不可全也／立官者以全生也／直木先伐，全璧受疑／求士莫求全，用人如用木／性弱

则德全，性强则祸起／读书当读全书，节抄者不可读／粉骨碎身全不怕，要留青白在人间／圣人备道全美者也，是县天下之权称也／事苦，则矜全之情薄；生厚，故安存之虑深／苟去其名全其实，以其余易其不足，亦可交以为师矣

❻牵一发而动全身／得全全昌，失全全亡／心全于中，形全于外；不逢天灾，不遇人害／导筋骨则形全，剪情欲则神全，靖言语则福全

❼圣人万举而万全／无为养身，形骸全也／曲己全人，人必全之／得全全昌，失全全亡／尽规矩而进者，全礼义者也

❽若卵投石，岂可得全／治身者爱气，则身全／宁可玉碎，不能瓦全／善操理者，不能有全功／纵意于处安，不必全福／有不虞之誉，有求全之毁／无当之玉碗，不如全用之埏埴／编珠缀玉，不得为全璞之宝矣／鸿鹄之彀羽翼未全，而有四海之心／新竹高于旧竹枝，全凭老干为扶持／民心不得，性命不全，则号令不能动也／人才之行，自昔罕全，苟有所长，必有所短／人之才行，自昔罕全，苟有所长，必有所短／金以刚折，水以柔全；山以高陊，谷以卑安／宫殿中可以避世全身，何必深山之中，蒿庐之下

❾一发不可牵，牵之动全身／甘瓜苦蒂，天下物无全美／勿轻直折剑，犹胜曲全钩／要扫除一切害人虫，全无敌／曲己从众，不自专，则全其身／天地无全功，圣人无全能，万物无全用／窃位而苟禄，备员而全身者，亦无所取焉／胜敌者，一时之功也；全信者，万世之利也／建天下之大事功者，全要眼界大，眼界大则识见自别

❿不苟于论人，而非求其全／仁，则私欲尽去，而心德之全也／不学而废者，愧己而自卑，卑则全／百尺竿头须进步，十方世界是全身／乐莫乐于还故乡，难莫难于全大节／传其常情，无传其溢言，则几乎全／功冠天下者不安，威震人主者不全／少者殁而长者存，强者夭而病者全／逢人且说三分话，未可全抛一片心／逢人只可三分语，未可全抛一片心／眼前直下三千字，胸次全无一点尘／踏破铁鞋无觅处，得来全不费功夫／天地无全功，圣人无全能，万物无全用／凡人必别有然后知，别有则能全其天矣／当官者能洁身修己，然后在公之节乃全／鹰善击也，然日击之，则疲而无全翼矣／骥善驰也，然日驰之，则蹶而无全蹄矣／悬衡而知平，设规而知圆，万全之道也／天下之非誉，无损益焉，是谓全德之人哉／珠之有颣玉之有瑕，置之而全，去之而亏／人有悲欢离合，月有阴晴圆缺，此事古难全／得道之士，外化而内不化……所以全其身也／汝若全德，必忠必直；汝若全行，必方必正／经目之事，犹恐未真；背后之言，岂能全信／机械之心藏于胸中，则纯白不粹，神德不全／心虚白则神留而道存，腹充实则精全而寿长／导筋骨则形全，剪情欲则神全，靖言语则福全／得一官不荣，失一官不辱，勿说一官无用，地方全靠一官／平易恬淡，则忧患不能入，邪气不能袭，故其德全而神不亏

会

①huì 聚合；许多人有目的地集合；理解；有能力；盖子；时机；短暂的时间；当然，应当；恰巧，适逢；熟习，能；通“绘”；表示可能或结果；姓。②kuài 计算；总计。③kuò[会撮]颈椎。

❶会当凌绝顶，一览众山小

见唐·杜甫《望岳》。

会己则嗟讽，异我则沮弃

见南朝·梁·刘勰《文心雕龙·知音》。

会挽雕弓如满月，西北望，射天狼

见宋·苏轼《江城子》。

会心处不必在远，翳然林水，便自有濠濮间想也

见南朝·宋·刘义庆《世说新语·言语》。

❷头会箕敛，以供军费／意会心谋，目往神授／其会意也尚巧，其遣言也贵妍／教会宣明，不能尽力，士卒之罪也

❸以文会友，以友辅仁／情往会悲，文来引泣／生材会有用，天地岂无心／众水会涪万，瞿塘争一门／可心会而不可口传，可神通而不可语达／惟心会而不可口传，可神通而不可语达

❹可以意会，不可以言传／百川俱会，大海所以深／讲学以会友，则道益明／以文常会友，唯德自成邻

❺学者先要会疑／八方风雨会中央／能制敌者，会在出奇／一时今夕会，万里故乡情／君子以文会友，以友辅仁／长风破浪会有时，直挂云帆济沧海

❻丈夫皆有志，会见立功勋／浮沉各异势，会合何时谐／含情而能达，会景而生心，体物而得神／净心守志，可会至道，譬如磨镜，垢去明存／富于材积，领会神情，临景结构，不仿形迹／今且须去理会眼前事，那个鬼神事，无形无影，莫要枉费心力

❼忧艰常早至，欢会常苦晚／有缘千里来相会，无缘对面不相逢／澄川翠干，光影会合于轩户之间，尤与风月为相宜

❽百川派别，归海而会／书画之妙，当以神会／山水有真赏，不领会终为漫游／不妨举世无同志，会有方来可与期／窈然无际，天道自会；漠然无分，天道自运

❾因方以借巧，即势以会奇／熟读唐诗三百首，不会吟诗也会吟／作诗者陶冶物情，体会光景，必贵乎自得

❿后之视今，岂复今时之会／其指归在可解不

可解之会／大抵古人诗画，只取兴会神到／理贵在于得要兮，事终成于会机／无缘对面不相逢，有缘千里能相会／熟读唐诗三百首，不会吟诗也会吟／读史当观大伦理，大机会，大治乱得失／据沧海而观众水，则江河之会归可见也／学诗者不可忽略古人，亦不可附会古人／速则济，缓则不及，此圣贤所以贵机会也／百节成体，共资荣卫，万趣会文，不离辞情／圣贤之所以为知者，不过思与见闻之会而已／好读书，不求甚解；每有会意，便欣然忘食／物有盛衰，时有推移，事有激会，人有变化／繁略殊形，隐显异术，抑引随时，变通会适／听之善，亦必得于心而会于意，不可得而言也

合 ①hé 闭拢；聚集；共计；相符；融洽；协同，共同；全；应当；折算；匹配；与，和；通"盒"；古称两军交锋一次为一合。②gě 市制中的容量单位。

❶合则留，不合则去

见宋·苏轼《志林十三首》。

合不以得，违不以失

见晋·陈寿《三国志·蜀书·郤正传·释讥》。

合则混然，人不见其殊也

见宋·张载《正蒙·乾称下》。全句为："阴阳之气，散则万殊，人莫知其一也；～"。

合异以为同，散同以为异

见《庄子·则阳》。

合天地万物而言，只是一个理

见宋·朱熹《朱子语类》卷一。全句为："～。及在人，则又各自有个理"。

合天下之众者财，理天下之财者法

见宋·王安石《度支副使厅壁题名记》。

合之者善，可以为法，因世而权行

见汉·陆贾《新语·术事》。全句为："书不必起仲尼之门，药不必出扁鹊之方，～"。

合则离，成则毁，廉则挫，尊则议

见《庄子·山木》。全句为："～，有为则亏，贤则谋，不肖则欺"。

合升鼓之微以满仓廪，合疏缕之纬以成帏幕

见《晏子春秋·内篇·谏下》。

合抱之木，生于毫末……千里之行，始于足下

见《老子》六十四。删节处为："九层之台，起于累土"

合抱之松无庸于踔人之国，若瓮之茧见弃于裸体之邦

见明·刘基《拟连珠》。

❷六合殷昌／得合而欲多者危／九合诸侯，一匡天下／行合趋同，千里相从／收合馀烬，背城借一／外合不由中，虽固终必离／六合之内，圣人论而不议／六合之外，圣人存而不论／心合意同，谋无不成，计无不从／道合则从，不合则去，儒者进退之大节／偷合苟容，以持禄养交而已耳，谓之国贼也／六合为巨，未离其内；秋毫为小，待之成体／志合者不以山海为远，道乖者不以咫尺为近

❸志苟合，楚越无以异其同／行不合趋不同，对门不通／裁为合欢扇，团团似明月／事有合于己者而未始有是也／海以合流为大，君子以博识为弘／情行合而名副之，祸福不虚至矣／天地合而万物生，阴阳接而变化起／诚者，合内外之道，便是表里如一／文章合为时而著，歌诗合为事而作／趣舍合，即言忠而益亲；身疏，即谋当而见疑

❹小人先合而后忤／知有所合谓之智／人由意合，物以类同／今日乌合，明日兽散／行不苟合，言不苟忘／资有攸合，所谓宜也／以权利合者，权利尽而交疏／尘芥六合，谓天地为有穷也／君臣遇合，天下事迎刃而解／归同契合者，则不言而信著／不正而合，未有久而不离者也／通乎道，合乎德，退仁义，宾礼乐／河冰结合，非一日之寒；积土成山，非斯须之作

❺志同而气合／合则留，不合则去／天人之际，合而为一／同乎流俗，合乎污世／能致精，则合明而寿／物虽胡越，合则肝胆／趋舍虽不合，不敢弗从／人生有离合，岂择衰老端／君子忌苟合，择交如求师／富贵他人合，贫贱亲戚离／彼无故以合者，则无故以离／统者，所以合天下之不一也／无欲者，神合于虚，气合于无／美味期乎合口，工声调于比耳／天地之气合而为一，分为阴阳，判为四时，列为五行／地尽天水合，朝及洞庭湖，初日当中涌，莫辨东西隅

❻圣人与天地合其德／凡战者，以正合，以奇胜／仁也者，人也。合而言之，道也／道合则从，不合则去，儒者进退之大节／人有悲欢离合，月有阴晴圆缺，此事古难全／盈把之木无合拱之枝，荣泽之水无吞舟之鱼／内便于性，外合于义，循理而动，不系于物者，正气也／汝游心于淡，合气于漠，顺物自然而无容私焉，而天下治矣

❼乘风振奋出六合／浮沉各异势，会合何时谐／算来终不与时合，归去来兮翠如中／圣人先忤而后合，众人先合而后忤也／事顺神明者不合于俗，功配天地者不悦于众／和羹之美，在于合异；上下之益，在能相济／凡探明珠，不于合浦之渊，不得骊龙之夜光也

❽涛澜汹涌，风云开合／始终得其正，天下合于一／律诗要法：起、承、转、合／夫妇之道，有义则合，无义则离／天下大势，分久必合，合久必分／义者，比于人心而合于众适者也／朋友之道，有义则合，无义则离／类同相召，气同则合，

声比则应／民，别而听之则愚，合而听之则圣／顺针缕者成帷幕，合升斗者实仓廪／千古圣贤若同堂合席，必无尽合之理／虚言可以赏，则六合之内皆为己府矣／夕景欲沉，晓雾将合；孤鹤寒啸，游鸿远吟／洁其身而同焉者合矣，善其言而类焉者应矣／洲汀岛屿，向背离合；青树碧蔓，交罗蒙络／山沓水匝，树杂云合。……情往似赠，兴来如答／吾所谓道德云者，合仁与义言之也，天下之公言也／澄川翠干，光影会合于轩户之间，尤与风月为相宜

❾好尚或殊，富贵不求合／心凝形释，与万化冥合／坐潭上，四面竹树环合……／无欲者，神合于虚，气合于无／天下大势，分久必合，合久必分／阴阳变化，一上一下，合而成章／官输私负索交至，勺合不留但糠秕／胶漆至粘也，而不能合远；鸿毛至轻也，而不能自举

❿贫贱亲戚离，富贵他人合／不临誉以求亲，不愉悦以苟合／力田不如逢年，善仕不如遇合／意犹帅也；无帅之兵，谓之乌合／世间富贵应无分，身后文章合有名／丘山积卑而为高，江河合水而为大／人人尽说江南好，游人只合江南老／论贵是而不务华，事尚然而不苟合／名为公器无多取，利是身灾合少求／宏远深切之谋，固不能合庸人之意／文章合为时而著，歌诗合为事而作／求是者，非求道理也，求合于己者也／千古圣贤若同堂合席，必无尽合之理／圣人先忤而后合，众人先合而后忤也／咫尺之管，文敏者执而运之，所如皆合／蔚乎其相章，炳乎其相辉，志同而气合／爱惜、暴殄本是两意，愚者有时合成一病／天地者万物之父母也，合则成体，散则成始／以势交者，势尽则疏；以利合者，利尽则散／合升鼓之微以满仓廪，合疏缕之纬以成帏幕／异音者不可听以一律，异形者不可合于一体／山无陵，江水为竭……天地合，乃敢与君绝／罗衣从风，长袖交横，骆驿飞散，飒擖合并／苦我怨气兮浩于长空，六合虽广兮受之应不容／天无为以之清，地无为以之宁，故两无为相合，万物皆化生／奋六世之遗烈，振长策而御宇内，吞二周而亡诸侯，履至尊而制六合

企

qǐ 踮起脚跟；企及，赶上。

❶企者不立，跨者不行

见《老子》二十四。

❾磨肌戛骨，吐出心肝，企足以待，寘我雠冤

众

zhòng 多；许多人；大家。

❶众怒不可犯

见汉·司马迁《史记·楚世家》。

众不附者，仁不足也

见晋·陈寿《三国志·魏书·刘表传》。全句为："～；附而不治者，义不足也"。

众而不可欺者，民也

见宋·苏辙《陈州为张安道论时事书》。

众之所助，虽弱必强

见汉·刘安《淮南子·兵略》。全句为："～；众之所去，虽大必亡"。

众之所去，虽大必亡

见汉·刘安《淮南子·兵略》。全句为："众之所助，虽弱必强；～"。

众叛亲离，难以济矣

见《左传·隐公四年》。

众人唯唯，安定祸福

见宋·陆佃解《鹖冠子·世兵》。

众人成聚，圣人不犯

见汉·刘向《说苑·杂言》。

众口遭笑，虽贵必危

见汉·焦赣《易林·蒙·夬》。全句为："天之所坏，不可强支。～"。

众口铄金，三人成虎

见《邓析子·转辞》。

众口铄金，浮石沉木

见晋·陈寿《三国志·魏书·孙礼传》。

众口铄金，积毁销骨

见汉·邹阳《狱中上书自明》。

众煦漂山，聚蚊成雷

见汉·班固《汉书·景十三王传》。

众心成城，众口铄金

见《国语·周语下》。

众怒难犯，专欲难成

见《左传·襄公十年》。

众里寻他千百度……

见宋·辛弃疾《青玉案》。全句为："～，蓦然回首，那人却在，灯火阑珊处"。

众口之毁誉，浮石沉木

见汉·陆贾《新语·辨惑》。

众阜平寥廓，一岫独凌空

见晋·王乔之《奉和慧远游庐山诗》。

众人以不必必之，故多兵

见《庄子·列御》。全句为："圣人以必不必，故无兵；～"。

众寮宜洁白，万役但平均

见唐·杜甫《送陵州路使君赴任》。

众水会涪万，瞿塘争一门

见唐·杜甫《长江二首》之一。

众鸟欣有托，吾亦爱吾庐

见晋·陶潜《读山海经十三首》之一。

众趋明所避，时弃道犹存

见唐·陈子昂《感遇三十八首》之三十一。

众人诺诺，不若一士之谔谔

见汉·韩婴《韩诗外传》。全句为："千羊之

皮，不若一狐之腋；～”。

众人皆有以，而我独顽似鄙

见《老子》二十。

众之为福也大，其为祸也亦大

见《吕氏春秋·仲秋纪·决胜》。

众人安其所不安，不安其所安

见《庄子·列御寇》。全句为：“圣人安其所安，不安其所不安；～”。

众人皆安其所不安，即不安矣

见《西升经·常安章》。

众士之诺诺，不如一士之谔谔

见汉·司马迁《史记·商君列传》。

众听所倾，非假《北里》之操

见晋·陆机《演连珠》。全句为：“～；万夫婉娈，非俟西子之颜”。

众不能治众。治众者，至寡者也

见三国·魏·王弼《周易略例》。

众以亏形为辱，君子以亏义为辱

见《尸子》。

众人熙熙，如享大牢，如春登台

见《老子》二十。

众皆舍而己用兮，忽自惑其是非

见唐·韩愈《闵己赋》。

众踥蹀而日进兮，美超远而逾迈

见战国·楚·屈原《楚辞·九章·哀郢》。

众中不敢分明语，暗掷金钱卜远人

见唐·于鹄《江南曲》。

众卖花兮独卖松，青青颜色不如红

见宋·普济《五灯会元》卷一八。全句为：“～，算来终不与时合，归去来兮翠如中”。

众人知目前之利，而不为岁月之计

见宋·苏辙《私试进士策问二十八首》。

众见者人为之伏，器见者人为之备

见汉·刘安《淮南子·兵略》。全句为：“智见者人为之谋，形见者人为之功，～”。

众恶之，必察焉；众好之，必察焉

见《论语·卫灵公》。

众人皆以奢靡为荣，吾心独以俭素为美

见宋·司马光《训俭示康》。全句为：“～，人皆嗤吾固陋，吾不以为病”。

众人笑而忽之者，此则君子之所深畏也

见明·方孝孺《指喻》。全句为：“萌于不必忧之地，而寓于不可见之初，～”。

众人重利，廉士重名；贤人尚志，圣人贵精

见《庄子·刻意》。

众人欢乐，用生生也，动而失之，寿命竭也

见《西升经·身心章》。

众物之中，道无不在；秋毫之细，道亦居之

见五代·前蜀·杜光庭《道德真经广圣义》卷六。

众人皆知利利而病病也，唯圣人知病之为利，知利之为病也

见汉·刘安《淮南子·人间》。

❷好众辱人者殃／集众思，广忠益／识众寡之用者，胜／失众必败，得众必成／得众动天，美意延年／无众毛之助，则飞不远矣／乘众人之智，则无不任也／人众则食狼，狼众则食人／得众则得国，失众则失国／蠹众而木折，隙大而墙坏／反众人之所务，而归于虚无／人众者胜天，天定亦能破人／乘众人之制者，则天下不足有／以众人之力起事者，无不成也／得众而不得其心，则与独行者同实／与众乐之之谓乐，乐而不失其正，又乐之尤也

❸议，非众则私／能治众者其官大／稽于众，舍己从人／利居众后，责在人先／博询众庶，则才能者进／一鸣众鸟至，再鸣众鸟罗／日出众鸟散，山暝孤猿吟／畏落众花后，无人别意看／常与众庶同垢尘，不当自别殊／杀戮众，而心不服，则上位危矣／但得众生皆得饱，不辞羸病卧残阳／谦者，众善之基；傲者，众恶之魁／能以众不胜成大胜者，唯圣人能之／不以众人待其身，而以圣人望于人，吾未见其尊己也／今以众地者，公作则迟，有所匿其力也；分地则速，无所匿迟也

❹恶之者众则危／士大夫众则国贫／德均则众者胜寡／心虚则众欲不生／不惰者，众善之师也／百万之众，不如一贤／阻兵无众，安忍无亲／孤直者，众邪之所憎／文能附众，武能威敌／乱群败众者，惟在奸雄／和民一众，不知法不可／宽则得众，信则人任焉／与，不期众少，其于当厄／军欲其众也，心欲其一也／曲己从众，不自专，则全其身／为善与众行之，为巧与众能之／黩武之众易动，惊弓之鸟难安／以出乎众为心者，曷常出乎众哉／和以处众，宽以接下，恕以待人／治世御众，建立辅弼，诚在面从／胆力绝众，材略过人，是谓骁雄／举一纲，众目张；弛一机，万事隳／志正则众邪不生，心静则众事不躁／缋事以众色成文，蜜蜂以兼采为味／不动乎众人之非誉，不治观者之耳目／劫之以众，沮之以兵，见死不更其守／神人恶众至，众至则不比，不比则不利也／国有常众，战无常胜；地有常险，守无常势／宽则得众，信则民任焉，敏则有功，公则说／政以胜众，非以陵众；众以胜事，非以伤事／百官之众，四海之广，使其关节脉理相通为一／君子省众而动，监戒而谋，谋度而行，故无不济／恐沈于众，若火之燎于原，不可向迩，其犹可扑灭

❺不以寡犯众／奇兵不在众／一为不善，众美皆亡／下流之人，众毁所归／正身直行，众邪自息／事之当否，众口必公／长风一振，众萌自偃

／利口伪言，众所共恶／单则易折，众则难摧／众心成城，众口铄金／玄之又玄，众妙之门／勇士不以众强凌孤独／圣人积聚众善以为功／知之一字，众妙之门／善攻者，料众以攻众／行高于人，众必非之／独利则败，众谋则泄／沧海万仞，众流成也／时不可留，众不可逆／毁誉成党，众口熏天／羊羹虽美，众口难调／谨听节俭，众民之术也／立武以威众，诛恶以禁邪／凡军欲其众也，心欲其一也／众不能治众。治众者，至寡者也／舍己而从众，是以事半而功倍也／合天下之众者财，理天下之财者法／谗邪进则众贤退，群枉盛则正士消／锄一害而众苗成，刑一恶而万民悦／为人师者众笑之，举世不师，故道益离／智者不危众以举事，仁者不违义以要功／处世间事，众人皆见得非，而我独见得是／为国失道，众叛亲离；为国以道，人必悦服

❻兵在精，不在众／失众必败，得众必成／以强凌弱，以众暴寡／任独者暗，任众者明／独虑不若与众虑之工／淡然无极而众美从之／有田一成，有众一旅／上无疑令，则众不二听／为义不能用众，非义也／动无疑事，则众不二志／黎庶之安，乃众贤之力／视日月而知众星之蔑也／疾言厉色，处众之贼也／一骥骋长衢，众兽不敢陪／上邪下难正，众枉不可矫／圣人不曾高，众人不曾低／孤举者难起，众行者易趋／齐梁及陈隋，众作等蝉噪／词高则出于众，出于众则奇矣／临下以简，御众以宽，罚弗及嗣／言多诸者，事众而信，不可然也／据沧海而观众水，则江河之会归可见也／神人恶众至，众至则不比，不比则不利也／独视不若与众视之明，独听不若与众听之聪／雄以其力服众，以其勇排难，待英之智成之／大臣则必取众人之选，能犯颜谏事公正无私者／贵而下贱，则众弗恶；富能分贫，则穷士弗恶

❼师克在和不在众／制敌在谋不在众／兵有奇变，不在众／小善不足以掩众恶／廉洁而不为异众之行／举事以为人者，众助之／举事以自为者，众去之／一人之智，不如众人之愚／一目之察，不如众目之明／人众则食狼，狼众则食人／得众则得国，失众则失国／久利之事勿为，众争之地勿往／君人者，宽惠慈众，不身传诛／众不能治众。治众者，至寡者也／君子尊贤而容众，嘉善而矜不能／众恶之，必察焉；众好之，必察焉／小善不足以掩众恶，小疵不足以妨大美／兰茝荪蕙之芳，众人之所好，而海畔有逐臭之夫

❽善攻者，料众以攻众／智而明者，所伏必众／片辞折狱，寸言挫众／矫生于愧，愧生于众／谋有奇诡，而不徇众情／大智兴邦，不过集众思／一鸣众鸟至，再鸣众鸟罗／会当凌绝顶，一览众山小／争强量功，能以胜众者鲜／屠羊于肆，适味于众口也／有后而无先，则群众无门／除害在于敢断，得众在于下人／贤者之不足，不若众人之有余／用天下之耳目，虽众人不能愚／万目不张举其纲，众毛不整振其领／举世皆浊我独清，众人皆醉我独醒／恭则不侮，宽则得众，信则人任焉／圣人先忤而后合，众人先合而后忤也／必须出类拔萃，与众不同，才觉有趣／政以胜众，非以陵众；众以胜事，非以伤事／今世之人主，多欲众之，而不知善，此多其雠也

❾导师失路，则迷途者众／存亡在虚实，不在于众寡／不倍兵以攻弱，不恃众以轻敌／词高则出于众，出于众则奇矣／早已森严壁垒，更加众志成城／利害相摩，生火甚多，众人焚和／国君死社稷，大夫死众，士死制／谦者，众善之基；傲者，众恶之魁／土广不足以为安，人众不足以为强／折狱而非也，暗理迷众，与教相妨／大禹圣人，乃惜寸阴，众人当惜分阴／浮言可以事久而明，众嗤可以时久而息／虽有尧舜之智，而无众人之助，大功不立／三人成虎，十夫揉椎；众口所移，毋翼而飞／政以胜众，非以陵众；众以胜事，非以伤事／人生天地之中，殊于众类明矣。感则应，激则通

❿古之善用兵者，不必在众／至言逆俗耳，真语必违众／德盛者威广，力盛者骄众／赏一以劝百，罚一以惩众／为善与众行之，为巧与众能之／良田败于邪径，黄金铄于众口／小谨者无成，訾行者不容于众／不仁而在高位，是播其恶于众也／义者，比于人心而合于众适者也／以出乎众为心者，曷常出乎众哉／百足之虫，至死不僵，扶之者众也／百足之虫至断不蹶者，持之者众也／百足之虫，断而不蹶，持之者众也／非宽大无以兼覆，非慈厚无以怀众／利可共而不可独，谋可寡而不可众／志正则众邪不生，心静则众事不躁／始之有作人争觉，及至无为众始知／不诚于前而曰诚于后，众必疑而不信矣／出一令可以止横议，杀一犯可以儆百众／弟者，所以事长也；慈者，所以使众也／论至德者不和于俗，成大功者不谋于众／志不励则士不死节，士不死节则众不战／小慧者不可以御大，小辩者不可以说众／行己莫如恭，自责莫如厚，接众莫如宏／为政以德，譬如北辰，居其所而众星共之／国无小，不可易也；无备虽众，不可恃也／事顺神明者不合于俗，功配天地者不悦于众／圣人不求誉，不辟诽，正身直行，众邪自息／大禹圣人，乃惜寸阴，至于众人，当惜分阴／独视不若与众视之明，独听不若与众听之聪／战不必胜，不苟接刃；攻不必取，不苟劳众／其国弥大，而其主弥静，然后乃能广得众心／上善若水，水善利万物而不争，处众人之所恶／天下无粹白

之狐，而有粹白之裘，取之众白也／天下之患，不患材之不众，患上之人不欲其众／生之者甚少而靡之者甚众，天下之势何以不危／不得所以用之，国虽大，势虽便，卒无众，何益／矢之发无能贯，待其止而能有穿；唯止能止众止／主德者，聪明平淡，总达众材，而不以事自任者也／同于己而欲之，异于己而不欲者，以出乎众为心也／凡敢为大奸者，材必有过于众，而能自媚于上者也／人者，在阴阳之中央，为万物之师长，所能作最众多／释正而追曲，倍是而从众，是与俗俪走，而内行无绳／虎旅云从，词林响应，若毛羽之宗麟凤，众川之长江河／以玙璠之玼而弃其璞，以一人之罪而兼其众，则天下无美宝信士

余 ①yú 古时第一人称代词；剩余的；某种情况或某事以外的；饱足；姓。②xú[余吾水]古水名，今蒙古国境内的土拉河。

❶余生自负澄清志

见宋·文及翁《贺新郎》。

余平生所作文章多在三上……

见宋·欧阳修《归田录卷第二》。全句为："～，乃马上、枕上、厕上也"。

余生命之湮阨，曾二鸟之不如

见唐·韩愈《感二鸟赋》。

余将董道而不豫兮，固将重昏而终身

见战国·楚·屈原《楚辞·九章·涉江》。

❷唯余马首是瞻／钱余于库，米余于廪／苟余行之不迷，虽颠沛其何伤／今余遭有道，而违于理，悖于事／苟余心其端直兮，虽僻远之何伤／岂余身之惮殃兮，恐皇舆之败绩／亦余心之所善兮，虽九死其犹未悔／汩余若将不及兮，恐年岁之不吾与

❸三十余年，声名塞天／往者余弗及兮，来者吾不闻／女有余布，男有余粟，国家殷富，上下交足／文有余而质不足则流，才有余而雅不足则荡

❹义烈之余，色气猛厉／巧者有余，拙者不足／物有所余，有所不足／彼尸居余气，不足畏也／大小百余战，封侯竟蹉跎／照之有余辉，揽之不盈手／丰而不余一言，约而不失一辞／方宅十余亩，草屋八九间……／身后有余忘缩手，眼前无路想回头／居者有余蓄，行者有余资……可谓有治天下之效

❺欲勇者贾余余勇／文果载心，余心有寄／东南山水，余杭郡为最／定心广志，余何畏惧兮／让生于有余，争起于不足／覆压三百余里，隔离天日／富者犬马余菽粟，骄而为邪／凡事当留余地，得意不宜再往／虎豹之所余，乃狸鼠之所争也／冬者岁之余，夜者日之余，阴雨者时之余／日薄西山，余光横照，紫翠重叠，不可殚数／平为福，有余为害者，物莫不然，而财其甚者也

❻狗彘不食其余／父老长安今余几／欲勇者贾余余勇／人心之变，有余则骄／钱余于库，米余于廪／天之道，损有余而补不足／老禾不早杀，余种秽良田／长者不为有余，短者不为不足／览冀州兮有余，横四海兮焉穷

❼攻不足者守有余／损不足以奉有余／物色尽而情有余／畏首畏尾，身其余几／野多滞穗，亩有余粮／读之者尽而有余，久而更新／苟粟多而财有余，何为而不成／心足则物常有余，心贪则物常不足／眺望而林泉有余，奔走而烟霞足用／责恶要为人留余步，劝善要思其势可从／积善之家必有余庆，积不善之家必有余殃／一节省而国有余用，民有盖藏，不知其几也／女有余布，男有余粟，国家殷富，上下交足

❽五种俱熟，公私有余／攻其一点，不及其余／帝王之功，圣人之余事也／志大而量小，才有余而识不足／多闻阙疑，慎言其余，则寡尤／多见阙殆，慎言其余，则寡悔。／民生各有所乐兮，余独好修以为常／闻瑶质兮可变，知余采兮易夺……／宁溘死以流亡兮，余不忍为此态也／强者积于弱也，有余者积于不足也／枯朽之骨，凶秽之余，岂宜令入宫禁

❾炼辞得奇句，炼意得余味／愁杀芳年友，悲叹有余哀／竹死不变节，花落有余香／其人虽已没，千载有余情／不吾知其亦已兮，苟余情其信芳／礼者，断长续短，损有余，益不足／及至始皇，奋六世之余烈，振长策而御宇内／如怨如慕，如泣如诉，余音袅袅，不绝如缕／居者有余蓄，行者有余资……可谓有治天下之效／道之真以治身，其绪余以为国家，其土苴以治天下

❿百年养不足，一日毁有余／薄者之不足，厚者之有余／奢者富不足，俭者贫有余／学问藏之身，身在则有余／一凡人誉之，则自以为有余／道者，一人用之，不闻有余／老年人要心闲，闲则乐余年／民之情，贵所不足，贱所有余／日计之而不足，岁计之而有余／贤者之不足，不若众人之有余／见敌之所不足，则知其所有余／作字要熟，熟则神气完实而有余／人之道则不然，损不足以奉有余／凡学书者，得其一，可以通其余／白玉不雕，美珠不文，质有余也／诗者，人心之感物而形于言之余也／奢者富而不足，何如俭者贫而有余／虽体解吾犹未变兮，岂余心之可惩／昔人已乘黄鹤去，此地空余黄鹤楼／足国之道，节用裕民，而善藏其余／天授人以贤圣才能，岂使自有余而已／以天下之材为天下用，则用天下而有余／当急剧冗杂时只不动火，则神有余而不劳／冬者岁之余，夜者日之余，阴雨者时之余／爱人者兼其屋上之乌，不爱人者及其胥余／愿赐尚方斩马剑，断佞臣一人，以厉

其余／积善之家必有余庆，积不善之家必有余殃／世之所不足者，理义也；所有余者，妄苟也／内不足者，急于人知；霈焉有余，厥闻四驰／以无厚入有间，恢恢乎其于游刃必有余地矣／养形必先之以物，物有余而形不养者有之矣／大字难于密结而无间，小字难于宽绰而有余／文有余而质不足则流，才有余而雅不足则荡／蚊蚋负山，力诚不足；鹰鹯逐鸟，志则有余／为道不在多，自为已有金丹至要，可不用余耳／君子之所贵者，迁善惧其不及，改恶恐其有余／爱其人者，爱其屋上乌；憎其人者，憎其余胥／苟去其名全其实，以其余易其不足，亦可交以为师矣

含 ①hán 包含，包容；不咽也不吐；裹着；带有。②hàn 放在死者口中的珠、玉、贝等物。

❶含哺而熙，鼓腹而游

见《庄子·马蹄》。

含德之厚，比于赤子

见《老子》五十五。

含不尽之意，见于言外

见宋·欧阳修《六一诗话》。全句为："状难写之景，如在目前，～"。

含情欲说独无处，传与琵琶心自知

见宋·王安石《明妃曲二首》之一。

含情欲说宫中事，鹦鹉前头不敢言

见唐·朱庆馀《宫词》。

含情而能达，会景而生心，体物而得神

见清·王夫子《姜斋诗话》卷二。

含元一以为质，禀阴阳以立性，体五行而著形

见三国·魏·刘劭《人物志·九征》。全句为："凡有血气者，莫不～"。

含气之伦，有生必终，盖天地之常期，自然之至数

见南朝·宋·范晔《后汉书·赵咨传》。

❷口含黄柏味，有苦自家知／乃含章之玉牒，秉文之金科矣／窗含西岭千秋雪，门泊东吴万里船

❸忍辱含垢，常若畏惧／乾坤含疮痍，忧虞何时毕／人性含灵，待学成而为美／戴发含齿，倚而趣者，谓之人／春葩含日似笑，秋叶泫露如泣／荆玉含宝，要俟开莹；幽兰怀馨，事资扇发

❹故天地含精，万物化生／天地虽含囊万物，而万物非天地之所为也

❺化腐木而含彩，集枯草而藏烟／尤妙之人含精于内，外无饰姿／风下松而含曲，泉潆石而生文／类君子之含道，外蓬蒿而不怍

❻千亩竹林，气含烟雾／但愿亲友长含笑，相逢莫乏杖头钱／荆岫之玉必含纤瑕，骊龙之珠亦有微颣／岁寒霜雪苦，含彩独青青，岂不厌凝冽，羞比春木荣

❼虽发语已殚，而含意未尽／沧海溟漾，不以含垢累其无涯之广／云破月出，光气含吐，互相明灭，晶莹玲珑／阴晴显晦，昏旦含吐，千变万状，不可殚纪

❽昏旦变气候，山水含清晖／滓泥污秽之中，莲含香而自洁／露垂泣于幽草，风含悲于拱木／守正之人其气高，含章之人其词大

❾狗吠不惊，足下生氂；含哺鼓腹，焉知凶灾／积山万状，负气争高。含霞饮景，参差代雄

❿宁可后来相让，不可起初含糊／镜以曜明，故鉴人；蚌以含珠，故内照／状难写之景如在目前；含不尽之意见于言外／石列笋虡，藤蟠蛟螭；修竹万竿，夏含凉飔／眉如翠羽，肌如白雪，腰如束素，齿如含贝／有云水襟怀，有松柏气节，典型顿失，人尽含悲

舍 ①shě 丢弃；发；施舍；通"赦"。②shè 房屋，谦称自己的家；休息；客舍；住宿；宋元时官僚子弟习惯称作舍人。③shì 通"释"。

❶舍已而以物为法

见《管子·心术上》。

舍心腹而顾手足

见明·罗贯中《三国演义》第二十三回。

舍本而理末则辞构矣

见三国·魏·刘劭《人物志·材理》。全句为："善难者务释事本，不善难者舍本而理末；～"。

舍是与非，苟可以免

见《庄子·天下》。

舍远谋近者，逸而有终

见南朝·宋·范晔《后汉书·臧宫传》。全句为："舍近谋远者，劳而无功；～"。

舍近谋远者，劳而无功

见南朝·宋·范晔《后汉书·臧宫传》。全句为："～；舍远谋近者，逸而有终"。

舍生岂不易，处死诚独难

见晋·卢谌《览古》。

舍近取远，务高言而鲜事实

见宋·欧阳修《与张秀才第二书》。

舍邻之医，而求俞跗而后治病

见汉·桓宽《盐铁论·甲韩》。全句为："～；废污池之水，待江海而后救火"。

舍得一身剐，敢把皇帝拉下马

见清·曹雪芹《红楼梦》第六十八回。

舍人而从欲，是以勤多而功少也

见唐·白居易《策林一》。

舍已而从众，是以事半而功倍也

见唐·白居易《策林一》。

舍真筌而择士，沿虚谈以取才……

见唐·骆宾王《自叙状》。全句为:"～,将恐有其语而无其人,得其宾而丧其实"。
❷作舍道边,三年不成/施舍不倦,求善不厌/趋舍虽不合,不敢弗从/趣舍合,即言忠而益亲;身疏,即谋当而见疑
❸人病舍其田而芸人之田/虽趣舍万殊,静躁不同……/责短舍长,则天下无不弃之士/众皆舍而己用兮,忽自惑其是非/锲而舍之,朽木不折;锲而不舍,金石可镂/割而舍之,镆邪不断肉;执而不释,马憃截玉
❹稽于众,舍己从人/求田问舍,言无可采/人之所舍,谓之天民;天之所助,谓之天子
❺求则得之,舍则失之/用之则行,舍之则藏/百物可决舍,惟书最难别/为人之道,舍教其何以先/有恒者,人舍之,天助之/德者道之舍,物得以生生,知得以职道之精/用之则行,舍之则藏,进退无主,屈申无常
❻无为之谓道,舍之之谓德/虎欲异群虎,舍山入市即擒/鱼欲异群鱼,舍水跃岸即死/多病只思田舍乐,夜归烟火望茅檐/源泉混混,不舍昼夜,盈科而后进,放乎四海
❼无识,则不能取舍/得本以知末,不舍本以逐本/二者不可得兼,舍生而取义者也/二者不可得兼,舍鱼而取熊掌者也/利则行之,害则舍之,疑则少尝之/有所取必有所舍,有所禁必有所宽/公无私者,其取舍进退无择于亲疏远迩/虚其欲,神将入舍;扫除不洁,神乃留处
❽无掘壑而附丘,无舍本而治末/言贵实,使人信之,舍实何称乎/真伪有质矣,而趋舍舛忤,故两心不相为谋焉
❾凡事无小大,物自为舍
❿摄汝知,一汝度,神将来舍/君子不谓小善不足为也而舍之/子在川上曰:逝者如斯夫!不舍昼夜/世间奇男子,岂可以世俗趣舍量其心乎/善难者务释事本,不善难者舍本而理末/如欲平治天下,当今之世,舍我其谁也/亲权者不能与人柄;操之则栗,舍之则悲/不谓小善不足为也而舍之,小善积而为大善/善鄙不同,诽誉在俗;趋舍不同,逆顺在君/骐骥一跃,不能十步;驽马十驾,功在不舍/骐骥千里,一日而通;驽马十舍,旬亦至之/敬时爱日,非老不休,非疾不息,非死不舍/有法无法,因时为业;有度无度,与物趣舍/锲而舍之,朽木不折;锲而不舍,金石可镂/力不能问,然后语之,语之而不知,虽舍之可也/古之所谓公无私者,其取舍进退无择于亲疏远迩,惟其宜可焉

命 mìng 生命,寿命;天命;指人一生中遭遇;上级对下级的指示;确定;给与(名称等);命运;辞命;古代帝王以仪物爵位赐给臣子时的诏书。

❶命者,自然者也
见宋·陆佃解《鹖冠子·环流》。
命者,所遭于时也
见汉·刘安《淮南子·缪称》。全句为:"性者,所受于天也;～"。
命驹曰犊,终必为马
见汉·王符《潜夫论·卜列》。
命乃在天,虽扁鹊何益
见汉·班固《汉书·高帝纪》。
命令昨颁,十万工农下吉安
见现代·毛泽东《减字木兰花·广昌路上》。
命鸾凤兮逐雀,驱龙骥兮捕鼠
见唐·卢照邻《悲才难》。
命者,人所禀受,若贵贱夭寿之属
见唐·孔颖达《周易·乾》疏。
❷天命不易/天命难谌/君命有所不受/天命难知,人道易守/伺命在我,何求于天/人命危浅,朝不虑夕/人命至重,难生易杀/顺命为上,有功次之/天命有德,五服五章哉/我命浑小事,我死庸何伤/闻命而奔走者,好利者也/达命之情者,不务命之所无奈何/乃命羲和,钦若昊天……敬授民时/我命在我不在天,还丹成金亿万年/使命之臣,取其识变从宜,不辱君命/天命之谓性,率性之谓道,修道之谓教/受命不于天于其人,休符不于祥于其仁/因命而动,生思虑……别同异,谓之意
❸原天命则不惑祸福/将受命之日忘其家/匪面命之,言提其耳/莫非命也,顺受其正/不知命,无以为君子也/上有命而未行,则吏先之/人之命在天,国之命在礼/不忧命之短,而忧百姓之穷/余生命之湮阨,曾二鸟之不如/顺性命,适情意,牵于殊类……/不逆命,何羡寿?不矜贵,何羡名/死生,命也,其有夜旦之常,天也/原天命,治心术,理好恶,适情性,而治道毕
❹民不堪命矣/古来才命两相妨/时惟天命,无违/乐天知命,故不忧/一人拼命,万夫难当/振人之命,不矜其功/死生有命,富贵在天/穷达有命,吉凶由人/救人一命,胜造七级浮屠/文章憎命达,魑魅喜人过/汤武革命,顺乎天而应乎人/何况性命之重,乃以博财物耶/人生达命岂暇愁,且饮美酒登高楼/苟全性命于乱世,不求闻达于诸侯/见危授命,士之美行;褒善录功,国之令典
❺性者,天之命也/形骸者,性命之器也/物极则反,命曰环流/鹿生于野,命县于厨/士见危致命,见得思义/天所赋为命,物所受为性/甘脆肥脓,命曰腐肠之药/出舆入辇,命曰蹶痿之机/孔子罕称命,盖难言之也/民者,国之命而吏之仇也/使臣将王命,岂不如贼焉/谁能绝人命,以作时世贤/喘息为宅命,身寿立息端/

洞房清宫，命曰寒热之媒／皓齿娥眉，命曰伐性之斧／为将者，受命忘家，临敌忘身／大夫以君命出，闻丧徐行而不返／形骸非性命不立，性命假形骸以显／性不可易，命不可变，时不可止，道不可壅／性有精粗，命有长短，情有美恶，意有大小／时运不齐，命途多舛；冯唐易老，李广难封／外内皆顺，命曰天当，功成而不废，后不奉央／贤者出走，命曰崩；百姓不敢诽怨，命曰刑胜

❻五十而知天命／周虽旧邦，其命维新／侯服于周，天命靡常／困。君子以致命遂志／宜鉴于殷，骏命不易／匈奴未灭，受命而孰不忘家／财者，为国之命而万事之本／国有道，即顺命；无道，即衡命／法令者，民之命也，为治之本也／此道废兴吾命在，世间腾口任云云／民心不得，性命不全，则号令不能动也／我为女子，薄命如斯！君是丈夫，负心若此／将者，人之司命也，生死犹转机，得失如反掌

❼自古红颜多薄命／每一相思，千里命驾／位尊身危，财多命殆／弃身锋刃端，性命安可怀／君子行法，以俟命而已矣／五谷者万民之命，国之重宝／性通乎气之外，命行乎气之内／良医不能救无命，强梁不能与天争／但是诗人多薄命，就中沦落不过君／君子居易以俟命，小人行险以徼幸／自古圣贤多薄命，奸雄恶少皆封侯／意得则舒怀以命笔，理伏则投笔以卷怀／轩冕在身，非性命也，物之傥来，寄者也

❽求之有道，得之在命／临难忘身，见危致命／民为国基，谷为民命／乾道变化，各正性命／名无固宜，约之以命／君子安贫，达人知命／见利思义，见危授命／不知所以然而然，命也／蓄积者，天下之大命也／积贮者，天下之大命也／不待卞和显，自为命世珍／人之命在天，国之命在礼／临危而智勇奋，投命而高节亮／自知者不怨人，知命者不怨天／达命之情者，不务命之所无奈何／一国之政，万人之命，悬于宰相，可不慎欤／为善的受贫穷更命短，造恶的享富贵又寿延／名无固实，约之以命实，约定俗成谓之实名／君子有三畏：畏天命，畏大人，畏圣人之言

❾蔬食弊衣足以养性命／十年十一战，民不堪命／沐雨而栉风，为民请命／王其德之用，祈天永命／有生必有死，早终非命促／文士多数奇，诗人尤命薄／动摇文律，宫商有奔命之劳／万物以生，万物以成，命之曰道／受任于败军之际，奉命于危难之间／形骸非性命不立，性命假形骸以显／肥肉厚酒，务以自强，命之曰烂肠之食

❿国以民为本，民以谷为命／制人者握权，制于人者失命／君子以遏恶扬善，顺天休命／四十而不惑，五十而知天命／劳其形者长年，安其乐者短命／莫知其所始，若之何其有命也／莫知其所终，若之何其无命也／君子得之固躬，小人得之轻命／未形者有分，且然无间，谓之命／从天而颂之，孰与制天命而用之／国有道，即顺命；无道，即衡命／聊乘化以归尽，乐夫天命复奚疑／仕鄙在时不在行，利害在命不在智／机关算尽太聪明，反算了卿卿性命／见贤而不能举，举而不能先，命也／孔子曰：德之流行，速于置邮而传命／使命之臣，取其识变从宜，不辱君命／道之尊，德之贵，夫莫之命而常自然／天不欲使兹人有知乎？则吾之命不可期／民者，国之根也，诚宜重其食，爱其命／降年有永有不永，非天夭民，民中绝命／知不可奈何而安之若命，唯有德者能之／干大事而惜身，见小利而忘命，非英雄也／微乎微乎，至于无形……故能为敌之司命／不能说其志意，养其寿命者，皆非通道者也／古之取天下也以民心，今之取天下也以民命／贞以图国，义惟急病；临难忘身，见危致命／众人欢乐，用生生也，动而失之，寿命竭也／变祸为福，易曲成直，宁关天命，在我人力／国家有幸，当者受央；国家无幸，有延其命／行己有耻，使于四方，不辱君命，可谓士矣／日薄西山，气息奄奄；人命危浅，朝不虑夕／起居时，饮食节，寒暑适，则身利而寿命益／天地之精所以生物者莫贵于人，人受命乎天也／贤者出走，命曰崩；百姓不敢诽怨，命曰刑胜／能无私于一人，故万物至而制之，万物至而命之／国以民为本，民以财为命。取之过多，予者亦怨／人遇逆境，无可奈何，而安之若命，乃是见识超卓／起居不时，饮食不节，寒暑不适，则形体累而寿命损／天有恒日，民自则之，爽则损命，环自服之，天之道也／可以托六尺之孤，可以寄百里之命，临大节而不可夺也／大丈夫岂得苟贪财物，以害及身命，使子孙每怀愧耻耶／处患难，知其无可奈何，遂放意而不反，是岂安于义命者／视听言行，循礼法而动，所以教人忘嗜欲而归性命之道也／五福：一曰寿，二曰富，三曰康宁，四曰攸好德，五曰考终命／人之所以不能终其寿命，而中道夭于刑戮者，何也？以其生生之厚／人有明珠，莫不贵重，若以弹雀，岂非可惜？况人之性命甚于明珠

臾

①yú［须臾］一会儿。②yǔ 古弓名。

❻哀吾生之须臾，羡长江之无穷／观古今于须臾，抚四海于一瞬／流丸止于瓯臾，流言止于知者

❼道也者，不可须臾离也；可离，非道也

❽语曰：流丸止于瓯、臾，流言止于知者／莫之大祸，起于须臾之不忍，不可不谨

❾宛转蛾眉能几时，须臾鹤发乱如丝

❿贵人难得意，赏爱在须臾／人生不得长欢乐，年少须臾老到来／人生贵贱无终始，倏忽须臾难久恃／节物风光不相待，桑田碧海须臾改／昨日之日不可追，今日之日须臾期／吾尝终日而思矣，不如须臾之所学也／吾恐季孙之忧不在颛臾，而在萧墙之内也／江河之溢，不过三日，飘风暴雨，须臾而毕／超凡证圣，目击非遥；悟在须臾，何须皓首／人情得足，苦于放纵，快须臾之欲，忘慎罚之义

俞 ①yú 姓氏；犹言"然"，表示应允；安；姓。②yù 通"愈"，更加；病愈。③shù 通"腧"，[俞穴]同"腧穴"。

❶俞扁之门，不拒病夫；绳墨之侧，不拒枉材

见唐·柳宗元《与太学诸生喜诣阙留阳城司业书》。全句为："～；师儒之席，不拒曲士，理固然也"。

❹无为则俞俞，俞俞者忧患不能处，年寿长矣

❻无为则俞俞，俞俞者忧患不能处，年寿长矣

❼舍邻之医，而求俞跗而后治病／无为则俞俞，俞俞者忧患不能处，年寿长矣

俎 zǔ 古代切肉用的砧板；古代祭祀时盛牛羊等祭品的器具。

❹不出尊俎之间，而折冲于千里之外

❺人方为刀俎，我为鱼肉

❾禽将户内，拔城于尊俎之间

❿庖人虽不治庖，尸祝不越樽俎而代之／鸡知将旦，鹤知夜半，而不免于鼎俎

拿 ná 抓住，抓取，搬动；捕捉；得到；装出，做出；刁难；挟制；介词。

❻少年心事当拿云

舒 shū 伸展；轻松愉快；缓慢；姓。

❶舒吾陵霄羽，奋此千里足

见南朝·宋·范晔《后汉书·郦炎传》。全句为："～。超迈绝尘驱，倏忽谁能逐"。

舒之天下而不窕，内之寻常而不塞

见汉·刘安《淮南子·氾论》。

❷安舒沈重者，患在后世／卷舒不随乎时，文武唯其所用

❹盈缩卷舒，与时变化／意得则舒怀以命笔，理伏则投笔以卷怀／心志既舒则易以纵驰，议论无择则易以浮浅

❺用气常宽舒，不当急疾勤劳／登东皋以舒啸，临清流而赋诗／寂寞嫦娥舒广袖，万里长空且为忠魂舞

❻眉睫之前，卷舒风云之色／人在阳时则舒，在阴时则惨

❽富而不骄，贵而不舒／有眉不申，有志不舒／穷天下之声，无以舒其哀矣／为之者疾，用之者舒，则财恒足矣／一观其文，心朗目舒，炯若深井之下仰视白日之正中也

❾既变化而无穷，亦卷舒而莫定

❿昼作不辍手，猛烛继望舒／万里长江横渡，极目楚天舒／听远音者，闻其疾而不闻其舒／鸾凤骞翔而变态，烟云舒卷以呈姿／凡道必周必密，必宽必舒，必坚必固／内有一定之操，而外能诎伸、赢缩、卷舒／朝乐朗日，啸歌丘林；夕玩望舒，入室鸣琴／其夹岸有树木千万本，列立如揖，丹色鲜如霞，擢举欲动，灿若舒颜

翕 xī 敛缩；聚，合；统一或协调。

❻阳动吐，阴静翕，阳道常饶，阴道常乏，阴阳之道也

❿何谓仁？仁者憯怛爱人，谨翕不争

禽 qín 鸟类；鸟兽的总称；通"擒"；姓。

❶禽兽之行而欲人之善己也

见《荀子·荣辱》。全句为："疾为诞而欲人之信己也，疾为诈而欲人之亲己也，～"。

禽将户内，拔城于尊俎之间

见《战国策·齐策五》。

禽鸟知山林之乐，而不知人之乐

见宋·欧阳修《醉翁亭记》。

❷水禽嬉戏，引吭伸翮／伤禽恶弦惊，倦客恶离声／野禽殚，走犬烹；敌国破，谋臣亡

❹学尽百禽语，终无自己声

❺爱而不劳，禽犊之爱也／虎爪象牙，禽兽之利而我之害／狖失木，而禽于狐狸，非其处也

❻无父无君，是禽兽也／危叶畏风，惊禽易落

❼心如虎狼，行如禽兽／人之所以贵于禽兽者，以有礼也／至德之世，同与禽兽居，族与万物并／貌则人，其心则禽兽，又恶可谓之人邪

❽小人之学也，以为禽犊／人贤而不敬，则是禽兽也／凡人之所以贵于禽兽者，以有礼也

❾人而不学，虽无忧，如禽何

❿勿内荒于色，勿外荒于禽／川渊深而鱼鳖归之，山林茂而禽兽归之／仁义之行，唯且无诚，且假乎禽贪者器／饱食、暖衣，逸居而无教，则近于禽兽／树林阴翳，鸣声上下，游人去而禽鸟乐也／畜池鱼者必去猵獭，养禽兽者必去豺狼，又况治人乎

龠 yuè 古代一种像箫的乐器；古代容量单位，等于半合（读 gě）。

❽天地之间，其犹橐龠乎？虚而不屈，动而愈出

勺 ①sháo 舀东西的用具；像勺的。②zhuó 通"酌"，舀取；古乐器；古乐舞名。

❽官输私负索交至，勺合不留但糠秕

勿 wù 不；莫；表示劝阻、禁止。

❶勿谓言之不预
见清·李宝嘉《官场现形记》第一十九回。
勿以己才,而笑不才
见晋·司马曜《示殷仲堪》。
勿谓我尊而傲贤侮士
见唐·吴兢《贞观政要·刑法》。全句为:“~,勿谓我智而拒谏矜己”。
勿谓我智而拒谏矜己
见唐·吴兢《贞观政要·刑法》。全句为:“勿谓我尊而傲贤侮士,~”。
勿轻论人,勿轻说事
见晋·陈寿《三国志·魏书·李通传》。全句为:“凡人行事,年少立身,不可不慎,~”
勿轻小人,小人贼国
见《关尹子·九药》。全句为:“勿轻小事,小隙沈舟;勿轻小物,小虫毒身;~”。
勿烦勿乱,和乃自成
见《管子·内业》。
勿病无闻,病其晔晔
见唐·韩愈《五箴·知名箴》。
勿疏小善,方恢大略
见唐·王勃《平台秘略赞十首》。
勿以功高古人而自矜大
见唐·吴兢《贞观政要·灾祥》。全句为:“~,勿以太平渐久而自骄逸”。
勿以太平渐久而自骄逸
见唐·吴兢《贞观政要·灾祥》。全句为:“勿以功高古人而自矜大,~”。
勿谓今年不学而有来年
见宋·朱熹《劝学文》。全句为:“勿谓今日不学而有来日,~”。
勿谓今日不学而有来日
见宋·朱熹《劝学文》。全句为:“~,勿谓今年不学而有来年”。
勿挠勿撄,万物将自清
见汉·刘安《淮南子·缪称》。全句为:“勿惊勿骇,万物将自理;~”。
勿惊勿骇,万物将自理
见汉·刘安《淮南子·缪称》。全句为:“~;勿挠勿撄,万物将自清”。
勿内荒于色,勿外荒于禽
见唐·吴兢《贞观政要·刑法》。全句为:“~;勿贵难得之货,勿听亡国之音”。
勿使青衿子,嗟尔白头翁
见唐·陈子昂《登泽州城北楼宴》。
勿谓寸阴短,既过难再获
见清·朱经《责己》。
勿慕贵与富,勿忧贱与贫
见唐·白居易《续座右铭》。全句为:“~;自问道何如,贵贱安足云”。
勿轻一篑少,进往必千仞
见晋·谢混《诫族子诗》。
勿轻直折剑,犹胜曲全钩
见唐·白居易《折剑头》。
勿言一樽酒,明日难重持
见南朝·梁·沈约《别范安成诗》。
勿言年齿暮,寻途尚不迷
见南朝·陈·沈炯《咏老马》。
勿贪意外之财,勿饮过量之酒
见清·朱柏庐《治家格言》。
勿贵难得之货,勿听亡国之音
见唐·吴兢《贞观政要·刑法》。全句为:“勿内荒于色,勿外荒于禽;~”。
勿以恶小而为之,勿以善小而不为
见晋·陈寿《三国志·蜀书·先主传》。
勿多言,勿多事;多言多败,多事多害
见《太公金匮》。
勿恃己善不服人仁,勿矜己艺不敬人文
见唐·皮日休《六箴·耳箴》。
勿轻小事,小隙沈舟;勿轻小物,小虫毒身
见《关尹子·九药》。全句为:“~;勿轻小人,小人贼国”。
❷赏勿漏疏,罚勿容亲/其勿误于庶狱庶慎,惟正是乂之
❸穷寇勿迫/过,则勿惮改/婚姻勿贪势家/打蛇勿死终有害/疑则勿用,用则勿疑/匪言勿言,匪由勿语/任贤勿贰,去邪勿疑/勿烦勿乱,和乃自成/计福勿及,虑祸过之/虽畏勿畏,虽休勿休/宜勤勿懒,宜急勿缓/归师勿遏,围师必阙/有而勿失,得而勿忘/勿挠勿撄,万物将自清/勿惊勿骇,万物将自理/一饱勿易得,奈此官租钱/闻毁勿戚戚,闻誉勿欣欣/安宁勿懈堕,有事不迫遽/佯北勿从,锐卒勿攻,饵兵勿食/果而勿矜,果而勿伐,果而勿骄/非礼勿视,非礼勿听,非礼勿言,非礼勿动/欲人勿闻,莫若勿言;欲人勿知,莫若勿为/欲人勿恶,必先自美;欲人勿疑,必先自信
❹忠焉能勿诲乎/知道易,勿言难/爱之,能勿劳乎/施人慎勿念,受恩慎勿忘/施人慎勿念,受施慎勿忘/问楛者,勿告也;告楛者,勿问也/勿多言,勿多事;多言多败,多事多害
❺无食反鱼,勿乘驽马/出处默语,勿强相兼/勿轻论人,勿轻说事/己所不欲,勿施于人/处贵显者勿为矜已傲人之言/处患难者勿为怨天尤人之言/无稽之言勿听,弗询之谋勿庸/久利之事勿为,众争之地勿往/君为政焉勿卤莽,治民焉勿灭裂/非其事者勿仞也,非其名者勿就也/人言善,亦勿听;人言恶,亦勿听/兵不如者,勿与挑战;粟不如者,勿与持久
❻赏勿漏疏,罚勿容亲/如水月镜花,勿泥其迹

／勿内荒于色，勿外荒于禽／勿慕贵与富，勿忧贱与贫／此生泰山重，勿作鸿毛遗／临难而不能勿听，不可谓勇／物有所好，汝勿好之。德有所好，汝则效之

❼不取亦取，虽师勿师／疑则勿用，用则勿疑／匪言勿言，匪由勿语／任贤勿贰，去邪勿疑／虽畏勿畏，虽休勿休／困兽犹斗，穷寇勿遏／宜勤勿懒，宜急勿缓／有而勿失，得而勿忘／足用之本，在于勿夺时／生材贵适用，慎勿多苛求／当念贫时交，重勿弃如土／勿贪意外之财，勿饮过量之酒／勿贵难得之货，勿听亡国之音／宜未雨而绸缪，勿临渴而掘井／佯北勿从，锐卒勿攻，饵兵勿食／果而勿矜，果而勿伐，果而勿骄／一声而非，驷马勿追；一言而急，驷马不及／非礼勿视，非礼勿听，非礼勿言，非礼勿动／欲人勿闻，莫若勿言；欲人勿知，莫若勿为

❽闻毁勿戚戚，闻誉勿欣欣／谤之无实者，付之勿辩可矣／施诸己而不愿，亦勿施于人／勿以恶小而为之，勿以善小而不为

❾凡兵上义，不义虽利勿动／负恩必须酬，施恩慎勿色／施人慎勿念，受恩慎勿忘／施人慎勿念，受施慎勿忘／勿恃己善不服人仁，勿矜己艺不敬人文／勿轻小事，小隙沈舟；勿轻小物，小虫毒身／君子之于子，爱之而勿面，使之而勿貌，导之以道而勿强

❿无稽之言勿听，弗询之谋勿庸／久利之事勿为，众争之地勿往／佯北勿从，锐卒勿攻，饵兵勿食／君为政焉勿卤莽，治民焉勿灭裂／果而勿矜，果而勿伐，果而勿骄／非其事者勿仞也，非其名者勿就也／人言善，亦勿听；人言恶，亦勿听／问楛者，勿告也；告楛者，勿问也／非礼勿视，非礼勿听，非礼勿言，非礼勿动／我有禅灯，独照独知。不取亦取，虽师勿师／兵不如者，勿与挑战；粟不如者，勿与持久／萧何为法，颟若画一；曹参代之，守而勿失／欲人勿闻，莫若勿言；欲人勿知，莫若勿为／欲人勿恶，必先自美；欲人勿疑，必先自信／忠恕违道不远。施诸己而不愿，亦勿施于人／不可与往者，不知其道，慎勿与之，身乃无咎／自修自修，益处自家求；一刻千金，勿把韶光丢／君子之于子，爱之而勿面，使之而勿貌，导之以道而勿强／得一官不荣，失一官不辱，勿说一官无用，地方全靠一官

勾 ①gōu 勾销；删除；引出；结合；弯曲；用笔画勾；数学名词；音乐名词。②gòu 通“够”；亦作“句”，[勾当]通“句当”。

❶勾践栖山中，国人能致死

见清·顾炎武《秋山二首》之二。

句 ①jù 句子。②gōu 同“勾”，弯曲；姓。③qú 鞋头上的装饰；[句町]古县名。

❶句之清英，字不妄也

见南朝·梁·刘勰《文心雕龙·章句》。全句为：“篇之彪炳，章无疵也；章之明靡，句无玷也；～”。

句有可削，足见其疏；字不得减，乃知其密

见南朝·梁·刘勰《文心雕龙·熔裁》。

❷枳句来巢，空穴来风／二句三年得，一吟双泪流／首句标其目，卒章显其志／搜句忌于颠倒，裁章贵于顺序／炼句不如炼字，炼字不如炼意／炼句炉槌岂可无？句成未必尽缘渠

❸意好句亦好

❹不求好句，只求好意／钩章棘句，掐擢胃肾／寻章摘句老雕虫，晓月当帘挂玉弓／闭门觅句非诗法，只是征行自有诗／闭门觅句陈无已，对客挥毫秦少游

❺才吟五字句，又白几茎髭／吟成五字句，用破一生心／张翰黄花句，风流五百年／炼辞得奇句，炼意得余味／愚人诵千句，不解一句义／睹一事于句中，反三隅于字外／眼处心生句自神，暗中摸索总非真／每一章一句出，无胫而走，疾于珠玉

❻一事惬当，一句清巧，神厉九霄，志凌千载

❼别语缠绵不成句／多病题诗无好句／学诗谩有惊人句／君看夏木扶疏句，还许诗家更道不／有时忽得惊人句，费尽心机做不成／莫不拔地倚天，句句欲活，读之……莫可捉搦

❽百炼为字，千炼成句／百锻成字，千炼成句／绝笔之言，追媵前句之旨／炼句炉槌岂可无？句成未必尽缘渠／意少一字则义阙，句长一言则辞妨／莫不拔地倚天，句句欲活，读之……莫可捉搦

❾学其意，不必泥其字句也／愚人诵千句，不解一句义／人之立言，因字而生句，积句而成章，积章而成篇

❿读书贵神解，无事守章句／愧乏经济才，徒然守章句／俪采百字之偶，争价一句之奇／改章难于造篇，易字艰于代句／有境界则自成高格，自有名句／必出于己，不袭蹈前人一言一句／不薄今人爱古人，清词丽句必为邻／国家不幸诗家幸，赋到沧桑句便工／酒逢知己千杯少，话不投机半句多／胸中之气伊郁蜿蜒，泄为章句……／意不先立，止以文采辞句绕前捧后／老去读书随忘却，醉中得句若飞来／学贵变化气质，岂为猎章句、干利禄哉／风行水上之文，决不在于一字一句之奇／从来谈诗，必摘古人佳句为证，最是小见／思致之浅深，不在其磔裂章句，隳废声韵也／篇之彪炳，章无疵也；章之明靡，句无玷也／为文以意为主，气为辅，以辞彩章句为之兵卫／人之立言，因字而生句，积句而成章，积章而成篇／苟意不先立，止以文彩辞

句，绕前捧后，是言愈多而理愈乱／李白之文，清雄奔放，名章俊语，络绎间起，光明洞彻，句句动人

匆 cōng 急促；急忙。

❹聚散苦匆匆，此恨无穷
❾相逢难衮衮，告别莫匆匆
❿相逢难衮衮，告别莫匆匆

包 ①bāo 把东西裹起来；装裹好的东西；包容；保证；约定专用；负责按照规定承担任务；取；通"苞"，丛生；量词；姓。②páo 通"庖"，厨房。

❶包裹天地，禀授无形
见汉·刘安《淮南子·原道》。
包藏祸心，窥窃神器
见唐·骆宾王《为徐敬业讨武曌檄》。
包藏宇宙之机，吞吐天地之志
见明·罗贯中《三国演义》第二十一回。全句为："英雄者，胸怀大志，腹有良谋，有～者也"。
❷心包万理，万理具于一心
❸多方包容，则人材取次可用／义胆包天，忠肝盖地，四海无人识
❹圣人并包天地，泽及天下，而不知其谁氏
❻有席卷天下，包举宇内，囊括四海之意，并吞八荒之心
❽关节不到，有阎罗包老／胜败兵家事不期，包羞忍耻是男儿
❿日月五星逆天而行，并包乎地者也／道者……高不可际，深不可测；包裹天地，禀授无形

旬 xún 十天；十年，指人寿；周匝；通"徇"，巡行。

❷十旬休暇，胜友如云；千里逢迎，高朋满座
❿不宝咫尺玉，而爱寸阴旬／要囚，服念五六日，至于旬时／矜容者有经日之芳；工歌者有弥旬之韵／千仓万箱非一耕所得；干天之木非旬日所长／骐骥千里，一日而通；驽马十舍，旬亦至之

匈 xiōng 古代北方游牧民族；通"胸"；[匈匈]扰攘不安。

❶匈奴未灭不言家
见唐·李昂《从军行》。
匈奴未灭，受命而孰不忘家
见宋·杨亿《驾幸河北起居表》。
❽君子不为小人之匈匈也，辍行
❿壮志饥餐胡虏肉，笑谈渴饮匈奴血

甸 ①diàn 古时郭外称郊，郊外称甸；田野的出产物，指布帛和珍品；治理；通"淀"。②tián 通"畋"，打猎；[甸甸]车马声。③shèng 通"乘"，古代划分田、里的名称，每甸出车一乘，故名。

❿喧鸟覆春洲，杂英满芳甸

匍 pú[匍匐]爬行，紧贴地面或其他平面；竭力。

❸俯偻匍匐，唉恶求媚，舐痔自亲，美言谄笑
❺凡民有丧，匍匐救之

匐 fú[匍匐]爬行；竭力。

❹俯偻匍匐，唉恶求媚，舐痔自亲，美言谄笑
❻凡民有丧，匍匐救之

儿 ①ér 儿子；小孩子；年轻人；男孩子；雄性的；古时妇女自称。②er 作词助。③rén"人"的古文奇字。

❶儿妇人口不可用
见汉·司马迁《史记·陈丞相世家》。
儿孙自有儿孙福，莫为儿孙作远忧
见元·关汉卿《包待制三勘蝴蝶梦杂剧》。
儿孙自有儿孙计，莫与儿孙作马牛
见宋·徐守信《绝句》。
儿童相见不相识，笑问客从何处来
见唐·贺知章《回乡偶书》。
❷男儿须读五车书／是儿欲踞吾著炉火上邪／健儿须快马，快马须健儿／男儿当野死，岂为印如斗／男儿死耳，不可为不义屈／男儿爱后妇，女子重前夫／呼儿烹鲤鱼，中有尺素书／婴儿有常病，贵臣有常祸／男儿当死中求生，可坐穷乎／深儿女之怀，便短英雄之气／婴儿以不知益，高年以多事损／生儿不用识文字，斗鸡走马胜读书／健儿无粮百姓饥，谁遣朝朝入君口／痴儿不了公家事，男子要为天下奇／男儿要当死于边野，以马革裹尸还葬耳
❸教小儿宜严，严气足以平躁气／中华儿女多奇志，不爱红装爱武装／昨是儿童今是翁，人间日月急如风
❹一笑语儿子，此是却老方／饷妇念儿啼，逢人不敢立／朝扣富儿门，暮随肥马尘／牡丹花儿虽好，还要绿叶儿扶持／惟愿孩儿愚且鲁，无灾无难到公卿／三月婴儿，生而徙国，则不能知其故俗／莫道男儿心如铁，君不见满川红叶，尽是离人眼中血
❺英雄气短，儿女情长／垅上扶犁儿，手种腹长饥／视卒如婴儿，故可与之赴深溪／丈夫不作儿女别，临岐涕泪沾衣巾／不洒世间儿女泪，难堪亲友中年别／儿孙自有儿孙福，莫为儿孙作远忧／儿孙自有儿孙计，莫与儿孙作马牛／老去更无儿在膝，惟君怜我我怜君
❻教妇初来，教儿婴孩／百岁无智小儿，小儿有智百岁
❼功成身退是男儿／君不见长安女儿嫩如水，十指不动衣罗绮
❽百岁无智小儿，小儿有智百岁

❾运穷君子拙，家富小儿娇／人生富贵岂有极？男儿要在能死国／富贵必从勤苦得，男儿须读五车书／财色之于人，譬如小儿贪刀刃之饴／业无高卑志当坚，男儿有求安得闲／翁媪饥雷常转腹，大儿嗷嗷小儿哭／以百金与抟黍以示儿子，儿子必取抟黍

❿健儿须快马，快马须健儿／彼以成败评豪杰者，市儿之见也／牡丹花儿虽好，还要绿叶儿扶持／丈夫盖世英雄气，青学世间儿女愁／可能十万珍珠字，买尽千秋儿女心／从来好事天生俭，自古瓜儿苦后甜／儿孙自有儿孙福，莫为儿孙作远忧／儿孙自有儿孙计，莫与儿孙作马牛／劝君莫弹食客铗，劝君莫叩富儿门／声声解堕金铜泪，未信吴儿是木人／嘶酸雏雁失群夜，断绝胡儿恋母声／暗中时滴思亲泪，只恐思儿泪更多／胜败兵家事不期，包羞忍耻是男儿／翁媪饥雷常转腹，大儿嗷嗷小儿哭／生子当如孙仲谋，刘景升儿子若豚犬耳／以百金与抟黍以示儿子，儿子必取抟黍

允

yǔn 答应；许可；公平；适当；诚信。

❷肇允彼桃虫，拚飞维鸟

❹惟明克允

❼以公灭私，民其允怀／代虐以宽，兆民允怀

❿贱物而贵德，孰谓道远，将允蹈子

兄

①xiōng 哥哥；对男性朋友的尊称。②kuàng 同“况”，十分；更加；何况；况且。

❶兄弟无礼，不能久同

见《晏子春秋·外篇第一》。

兄弟谗阋，侮人百里

见《国语·周语中》。

兄弟不睦，则子侄不爱

见北齐·颜之推《颜氏家训·兄弟篇》。

兄弟阋于墙，外御其务

见《诗·小雅·常棣》。

兄弟虽有小忿，不废懿亲

见《左传·僖公二十四年》。

兄弟敦和睦，朋友笃信诚

见唐·陈子昂《座右铭》。

❷愿兄为水妹为土，和来捏做一个人

❸此令兄弟，绰绰有裕；不令兄弟，交相为瘉

❹落地为兄弟，何必骨肉亲／虽有亲兄，安知其不为狼／不党父兄，不偏富贵，不嬖颜色

❺脊令在原，兄弟急难

❻四海之内，皆兄弟也／桓公小白杀兄入嫂，而管仲为臣／打虎还得亲兄弟，上阵须教子弟兵

❼世间最难得者兄弟／凡今之人，莫如兄弟／朋友切切偲偲，兄弟怡怡／善气迎人，亲如兄弟；恶气迎人，害于兵戈

❾至世之衰，父子相图，兄弟相疑

❿豺则虎之弟，鹰则鹞之兄／卑躬曲己，若顺弟之奉暴兄／家富则疏族聚，家贫则兄弟离／善为国者，爱民如父母之爱子，兄之爱弟／此令兄弟，绰绰有裕；不令兄弟，交相为瘉／一尺布，尚可缝；一斗粟，尚可舂。兄弟二人不相容

光

guāng 一般指能引起视觉的电磁波；明亮；光荣；指礼乐文物；光滑；裸露；完了，净尽；单，只；通“广”；姓。

❶光阴者百代之过客

见唐·李白《春夜宴从弟桃花园序》。

光阴者，百代之过客

见唐·李白《春夜宴从弟桃李园序》。全句为：“天地者，万物之逆旅；～”。

光阴似箭催人老，日月如梭趱少年

见元·高明《琵琶记》第六出。

❷时光速流电／浮光跃金，静影沉璧／受光于户，照室中无遗物／夜光之珠，不必出于孟津之河／日光寒兮草短，月色苦兮霜白／受光于隙，照一隅；受光一牖，照北壁／日光顿生，霜露渐消；狂风顿息，波浪渐停

❸一寸光阴一寸金／日月光天德，山河壮帝居／心体光明，暗室中自有青天／石火光中争长竟短，几何光明／百岁光阴半归酒，一生事业略存诗／打扫光明一片地，襄贮古今，研究经史

❹买得风光不著钱／上下天光，一碧万顷／萤火之光，照人不亮／桑榆之光，理无远照／日月韬光，山河改色／火必有光，心必有思／神人无光，圣人无名／谦，尊而光，卑而不可逾／塞草烟光阔，渭水波声咽／灭烛怜光满，披衣觉露滋／金玉之光不得不炫于瓦石／节物风光不相待，桑田碧海须臾改／明月之光，可以望远而不可以细书／月本无光，如银丸。日耀之，乃光耳

❺岁晚惜流光／充实而有光辉之谓大／声华行实，光映儒林／岁月易尽，光阴难驻／昆峰积玉，光泽者前毁／床前明月光，疑是地上霜／窥寸隙之光而见日轮之体／蚌死留夜光，剑折留锋芒／大其牖，天光入；公其心，万善出／太阳初出光赫赫，千山万山如火发／日月如梭，光阴似箭，少年人，早打点／云破月出，光气含吐，互相明灭，晶莹玲珑／澄川翠干，光影会合于轩户之间，尤与风月为相宜

❻蹉跎莫遣韶光老／思革其弊，用光志业／白露横江，水光接天／波浪无穷，而光采有主／李杜文章在，光焰万丈长／物华天宝，龙光射牛斗之墟／才如白地明光锦，裁为负贩袴／澄明远水生光，重迭暮山耸翠／蹉跎莫遣韶光老，人生唯有读书好／日薄西山，余光横照，紫翠重叠，不可殚数／散珠喷雾，日光烛之，璀璨夺目，不可正视／歌台暖响，春光融融；舞殿冷袖，风雨

凄凄

❼刺股情方励，偷光思益深／失吾道者，上见光而下为土／披襟朗咏，饯斜光于碧岫之前／富贵比于浮云，光阴逾于尺璧／大丈夫得死所，光奕奕，照千古／凡欲显勋绩扬光烈者，莫良于学矣／清流洄洑眩波光，高崖古木争苍苍／剑之锷，砥之而光；人之名，砥之而扬／政庞而土裂，三光五岳之气分，大音不完，故必混一而后大振

❽爬罗剔抉，刮垢磨光／出轨躅而骧首，驰光芒而动俗／日月其犹坠落，萤光如何久留／乱极则治，暗极则光，天之道也／十指而掩日月之光，一口而没沧溟之水／我愿君王心，化作光明烛，不照绮罗筵，只照逃亡屋

❾幼而学者，如日出之光／壮而好学，如日中之光／百年能几日，忍不惜光阴／何以孝弟为，财多而光荣／动静不失其时，其道光明／倘非广见博闻，总觉光阴虚度／有超世之功者，必应光大之宠／潦水尽而寒潭清，烟光凝而暮山紫／经济文章磨白昼，幽光狂慧复中宵／飒爽英姿五尺枪，曙光初照演兵场／受光于隙，照一隅；受光一牖，照北壁／幼而学者，如日出之光；壮而学者，如炳烛之光／挫其锐，解其纷，和其光，同其尘，湛兮似或存

❿不伐功斯巨，惟谦道乃光／百星之明，不如一月之光／大贤秉高鉴，公烛无私光／日就月将，学有缉熙于光明／与天地兮同寿，与日月兮同光／以无涯之情爱，悼不驻之光阴／石火光中争长竞短，几何光明／其发于外者，烂如日星之光辉／大丈夫以正大立心，以光明行事／天生一个仙人洞，无限风光在险峰／丹青初炳而后渝，文章岁久而弥光／生人之性得以安，圣人之道得以光／少年易学老难成，一寸光阴不可轻／少年辛苦终身事，莫向光阴惰寸功／多少事，从来急；天地转，光阴迫／根之茂者其实遂，膏之沃者其光晔／蜀笺都有三千幅，总写离情寄孟光／起来自擘纱窗破，恰漏清光到枕前／月本无光，如银丸。日耀之，乃光耳／良玉度尺，虽有十仞之土，不能掩其光／作诗者陶冶物情，体会光景，必贵乎自得／山空月明，仰视星斗皆光大，如适在人上／长烟一空，皓月千里；浮光跃金，静影沉璧／冀以尘雾之微补益山海，荧烛末光增辉日月／春和景明，波澜不惊；上下天光，一碧万顷／凡探明珠，不于合浦之渊，不得骊龙之夜光也／日月出矣，而爝火不息，其于光也，不亦难乎／幼而学者，如日出之光；壮而学者，如炳烛之光／自修自修，益处自家求；一刻千金，勿把韶光丢／李白之文，清雄奔放，名章俊语，络绎间起，光明洞彻，句句动人

先 xiān 时间或次序在前的；祖先；尊称已故的人；以前，开始的时候；先导；首要的事情；上古的；先行致意；先生的简称；姓。

❶先施而后诛

见《晏子春秋·内篇问下第十一》。

先事预防之道也

见清·申涵光《荆园小语》。全句为："驰马思坠，趑人思跎，妄费思穷，滥交思累。～"。

先人有夺人之心

见《左传·文公七年》。

先识未然，圣也

见三国·魏·刘劭《人物志·八观》。

先避患而后就利

见汉·刘安《淮南子·说林》。全句为："兕虎在于后，随侯之珠在于前，弗及掇者，～"。

先行其言而后从之

见《论语·为政》。

先事后得，非崇德欤

见《论语·颜渊》。

先事虑事，先患虑患

见《荀子·大略》。

先生施教，弟子是则

见《管子·弟子职》。

先民有言，询于刍荛

见《诗·大雅·板》。

先人后己，所愿必得

见汉·焦赣《易林·需·旅》。

先国家之急而后私仇

见汉·司马迁《史记·廉颇蔺相如列传》。

先王贵礼乐而贱邪音

见《荀子·乐论》。

先发制人，后发制于人

见汉·班固《汉书·项籍传》。

先定其规摹，而后从事

见宋·苏轼《思治论》。

先针而后缕，可以成帷

见汉·刘安《淮南子·说山》。全句为："～；先缕而后针，不可以成衣"。

先下手为强，后下手遭殃

见元·纪君祥《赵氏孤儿》四折。

先师有遗训，忧道不忧贫

见晋·陶潜《癸卯岁始春怀古田舍二首》之二。

先之则太过，后之则不及

见唐·李筌《太白阴经·作战篇》。

先即制人，后则为人所制

见汉·司马迁《史记·项羽本纪》。

先圣不一其能，不同其事

见《庄子·至乐》。

先缕而后针，不可以成衣

见汉·刘安《淮南子·说山》。全句为："先针

而后缕，可以成帷；～”。

先王昧爽丕显，坐以待旦

见《商书·太甲上》。

先朝好史，予方学于孔墨

见唐·卢照邻《释疾文·粤若》。全句为：“～；今上好法，予晚受乎老庄”。

先自治而后治人之谓大器

见汉·扬雄《法言·先知》。

先生之不从世兮，惟道是就

见唐·柳宗元《吊屈原文》。

先为不可胜，以待敌之可胜

见汉·赵充国《条上屯田便宜十二事状》。

先王有郢书，而后世多燕说

见《韩非子·外储说左上》。

先事虑事谓之接，接则事优成

见《荀子·大略》。

先谋后事者昌，先事后谋者亡

见唐·马总《意林》引《太公金匮》。

先谋后事者逸，先事后图者失

见唐·陈子昂《谏灵驾入京书》。

先患虑患谓之豫，豫则祸不生

见《荀子·大略》。

先王之教，以正天之志者，礼也

见清·王夫之《尚书引义·舜典》。

先王恶其乱也，故制礼义以分之

见《荀子·礼论》。全句为：“～，以养人之欲，给人之求”。

先天下之忧而忧，后天下之乐而乐

见宋·范仲淹《岳阳楼记》。

先生之貌不可得兮，犹仿佛其文章

见唐·柳宗元《吊屈原文》。

先义而后利者荣，先利而后义者辱

见《荀子·荣辱》。

先唱者穷之路也，后动者达之原也

见汉·刘安《淮南子·原道》。

先忧事者后乐事，先乐事者后忧事

见汉·戴德《大戴礼记·曾子立事》。

先虑之，早谋之，斯须之言而足听

见《荀子·非相》。

先祖者，类之本也；君师者，治之本也

见《荀子·礼论》。全句为：“礼有三本：天地者，生之本也；～”。

先趋而后息，先问而后嘿，则什已者至

见《战国策·燕策一》。“嘿”同“默”。

先除尘垢后染善法，譬如浣衣先去垢然后可染

见《百论》。全句为：“不止恶不能修善，是故～”。

先无爵，死无谥，实不聚，名不立，此之谓大人

见《庄子·徐无鬼》。

先王之世，以道治天下，后世只是以法把持天下

见宋·朱熹《近思录·治体类》。

先生不知何许人也……宅边有五柳树，因以为号焉

见晋·陶潜《五柳先生传》。删节处为：“亦不详其姓字。”

先王以是经夫妇，成孝敬，厚人伦，美教化，移风俗

见春秋·子夏《诗谱序》。

先哲王之政，一曰承天，二曰正身，三曰任贤，四曰恤民，五曰明制，六曰立业

见汉·荀悦《申鉴·政体》。

❷奉先思孝／争先睹之为快／人先信而后求能／损，先难而后易／士先器识而后辞章／士先器识而后文艺／不先正本而成忧于末也／谋先事则昌，事先谋则亡／争先非吾事，静照在忘求／废先王之道，燔百家之言／论先后，知为先；论轻重，行为重／马先驯而后求良，人先信而后求能／必先知致弊之因，方可言变法之利／毛先生一至楚，而使赵重于九鼎大吕／不先审天下之势而欲应天下之务，难矣／务先穷昔人书，有不可者而后革之，则大善／毋先物动，以观其则；动则失位，静乃自得／昔先圣王之治天下也，必先公，公则天下平矣／敌先我动，则是见其形；彼躁我静，则是罢其力

❸兵贵先声后实／学者先要会疑／仁者先难而后获／小人先合而后忤／笨鸟先飞早入林／直木先伐，甘井先竭／直木先伐，全璧受疑／废阁先凉，古帘空暮／仁者先事后得，先难后获／人必先疑也，而后谗入之／射人先射马，擒贼先擒王／贿赂先至者，朝请而夕得／物必先腐也，而后虫生之／不以先进略后生，不以上官卑下吏／不闻先王之遗言，不知学问之大也／兴者，先言他物以引起所咏之词也／君子先择而后交，小人先交而后择／意不先立，止以文采辞句绕前捧后／圣人先忤而后合，众人先合而后忤也／观书先须熟读，使其言皆若出于吾之口／胜兵先胜而后求战，败兵先战而后求胜／欲以先王之政治当世之民，皆守株之类也／人必先作，然后人名之；先求，然后人与之／说以先民，民忘其劳。说以犯难，民忘其死／昔者先圣王，成其身而天下成，治其身而天下治／苟守先圣之道，由大中以出，虽万受摈弃，不更乎其内／君子先慎乎德，有德此有人，有人此有土，有土此有财，有财此有用

❹铦者必先挫／圣人必先适欲／凡人须先立志……／行者必先近而后远／不为福先，不为祸始／画竹必先得成竹于胸中／善禁者，先禁其身而后人／用武则先威，用文则先德／病叶多

先坠，寒花只暂香／义理不先尽，则多听而易惑／军未战先见败征，可谓知兵／志意不先定，则守善而或移／交友之先宜察，交友之后宜信／攻取者先兵权，建本者尚德化／治平者先仁义，治乱者先权谋／治身莫先于孝，治国莫先于公／理平者先仁义，理乱者先权谋／畜民者，先厚其业而后求其赡／筑城者，先厚其基而后求其高／不虚则先自满，假教之亦不能受／威严不先行于己，则人怨而不服／节物后先南北异，人情冷暖古今同／学视者先见舆薪，学听者先闻撞钟／躁急，则先自处于不暇，何暇治事／闻道有先后，术业有专攻，如是而已／用兵者，先为不可胜，以待敌之可胜也／养形必先之以物，物有余而形不养者有之矣／侍坐于先生，先生问焉，终则对。请业则起，请益则起／苟意不先立，止以文彩辞句，绕前捧后，是言愈多而理愈乱

❺未成曲调先有情／欲取之，必先予之／古人争战，先料其将／先事虑事，先患虑患／动不为己，先以为人／处事识为先，断次之／教之道，必先治学校／有物混成，先天地生／欲积资财，先戒奢费／龙欲腾翥，先阶尺木／秦失其鹿，先得者王／振人不赡，先从贫贱始／不善禁者，先禁人而后身／以行实为先，以才用为急／凡听言，要先知言者人品／治国家者先择佐而后定民／构大厦者先择匠而后简材／有后而无先，则群众无门／胡未灭，鬓先秋，泪空流／凡举事，必先审民心然后可举／诚国是之先定，虽民散而可收／心未滥而先谕教，则化易成也／兵未战而先见败征，此可谓知兵／是以圣王先成民，而后致力于神／自其所当先者为之，则其后必举／将回日月先反掌，欲作江河唯画地／近水楼台先得月，向阳花木易为春／欲致鱼者先通水，欲致鸟者先树木／老来行路先愁远，贫里辞家更觉难／为国者，必先知民之所苦，祸之所起／欲交其人，先观其友，乃择交第一良法也／读书做人，先要立志。志患不立，尤患不坚／欧公作文，先贴于壁……有终篇不留一字者／学为文章，先谋亲友，得其评裁，知可施行，然后出手／致治之术，先屏四患：……一曰伪，二曰私，三曰放，四曰奢

❻不敢为天下先／春江水暖鸭先知／其为政知所先后／事有大小，有先后／欲知人者必先自知／齿坚于舌而先之敝／天将与之，必先苦之／天将毁之，必先累之／为将之道，当先治心／握火投人，反先自热／治国之道，必先富民／欲治兵者，必先选将／欲胜人者，必先自胜／圣人者，人之先觉者也／若安天下，必先正其身／君子之治，必先死于国／清其流者，必先洁其源／所用之人，常先于智勇／欲正其末者，先端其本／欲正其心者，先诚其意／欲修其身者，先正其心／欲治其国者，先齐其家／欲齐其家者，先修其身／能胜强敌者，先自胜者也／骋者不贪最先，不恐独后／贵人而贱己，先人而后己／穷巷秋风起，先摧兰蕙芳／后其身而身先，外其身而身存／圣人不为物先，而常制之……／水下流，不争先，故疾而不迟／其语道也，必先淳朴而抑浮华／出师未捷身先死，长使英雄泪满襟／非左右为之先容，非亲旧为之请属／论先后，知为先；论轻重，行为重／读书好处心先觉，立雪深时道已传／立当青草人先见，行傍白莲鱼未知／未有天地之先，毕竟也只是先其俭也／良工之子必先为箕，良冶之子必先为裘／良弓之子必先为箕；良冶之子必先为裘／先趋而后息，先问而后嘿，则什己者至／欲胜人者必先自胜，欲论人者必先自论／未有天地之先，毕竟也只是先进谏斯易矣／观人察质，必先察其平淡，而后求其聪明／王天下者必先诸民，然后庇焉，则能长利／为学之道莫先于穷理，穷理之要必在于读书／欲人勿恶，必先自美；欲人勿疑，必先自信／欲论人者，必先自论；欲知人者，必先自知／未有天地之先，毕竟也只是先让者，德之主也／人主之立法，先自为检式仪表，故令行于天下／未有天地之先，毕竟也只是先有此理，便有此天地／侍坐于先生，先生问焉，终则对。请业则起，请益则起／感人心者，莫先乎情，莫始乎言，莫切乎声，莫深乎义

❼凡兵欲急疾捷先／大丈夫以断为先／不争之德，德之先也／兵义无敌，骄者先灭／义者无敌，骄者先灭／直木先伐，甘井先竭／凡将举事，令必先出／勤劳之师，将不先己／君子约言，小人先言／国之将亡，本必先颠／战如斗鸡，胜者先鸣／天下之安危，莫先乎兵／凡治国之道，必先富民／足天下之用，莫先乎财／为君之道，必须先存百姓／仁者先事后得，先难后获／令重于宝，社稷先于亲戚／谋先事则昌，事先谋则亡／工欲善其事，必先利其器／士欲宣其义，必先读其书／君有疾，饮药，臣先尝之／亲有疾，饮药，子先尝之／所谓无为者，不先物为也／文以行为本，在先诚其中／欲急人所务，当先除其所患／未曾灭项兴刘，先见筑坛拜将／先谋后事者昌，先事后谋者亡／先谋后事者逸，先事后图者失／去贫之法，惟有先戒懒惰……／要假修成九转，先须炼己持心／天下兴学取士，先德行不专文辞／自受弊薄，后己先人，天下敬之／并时以养民功，先德后刑，顺于天／劳苦之事则争先，饶乐之事则能让／失火之家，岂暇先言大人而后救火乎／察其小，忽其大，先其后，后其所先／急病让夷，义之先；图国忘死，贞之大／思在言与行之先，思无邪，则所

言所行皆无邪矣

❽以令率人，不若身先／利居众后，责在人先／凡主有识，言不欲先／建国君民，教学为先／经邦建国，教学为先／亲不隔疏，后不僭先／自古有死，奚论后先／平地注水，湿者必先濡／兴贤育才，为政之先务／抱薪加火，烁者必先然／狡兔依然在，良犬先烹／骐骥之衰也，驽马先之／瑶山丛桂，芳茂者先折／嘉禾始熟而农夫先尝其粒／射人先射马，擒贼先擒王／夏屋初成而大匠先立其下／欲人之从己也，必先从人／欲人之爱己也，必先爱人／心在汉室，原无分先主后主／伏久者飞必高，开先者谢独早／量宽足以得人，身先足以率人／凡人皆欲自达，仆先得显处……／先义而后利者荣，先利而后义者辱／先忧事者后乐事，先乐事者后忧事／圣人之治天下也，先文德而后武力／欲开壅蔽达人情，先向歌诗求讽刺／禁之以制，而身不先行，民不能止／善问者如攻坚木：先其易者，后其节目／亲贤臣，远小人，此先汉之所以兴隆也／观古今之成败，能先见事机者，则恒受其福／自古乱亡之国，必先坏其法制，而后乱从之／天之生此民也，使先知觉后知，使先觉觉后觉也／子贡问君子。子曰："先行，其言而后从之"。

❾豺狼当路而狐狸是先／利为害本，而福为祸先／防小人之道，正己为先／道民之门，在上之所先／上有命而未行，则吏先之／国之亡也，有道者必先去／用武则先威，用文则先德／巧匠目意中绳，然必先以规矩为度／马先驯而后求良，人先信而后求能／建大功于天下者，必先修于闺门之内／处事者不以聪明为先，而以尽心为急／垂大名于万世者，必先行之于纤微之事／大名垂于万世者，必先行之于纤微之事／云山苍苍，江水泱泱，先生之风，山高水长／虎狼当路，不治狐狸。先除大害，小害自已

❿为人之道，舍教其何以先／利则为害始，福则为祸先／静则能胜躁，后则能胜先／古之善将者，必以其身先之／教人治人，宜皆以正直为先／自形而上下言，岂得无先后／事至而后求，曷若未至而先备／事将为，其赏罚之数必先明之／治平者先仁义，治乱者先权谋／治身莫先于孝，治国莫先于公／理平者先仁义，理乱者先权谋／乘骐骥以驰骋兮，来吾道夫先路／自古兴俭以劝天下，必以身先之／自其所当后者为之，则先后并废／疑人者，人未必皆诈，己则先诈矣／为国无强于得人，用人莫先于求旧／古之欲明明德于天下者，先治其国／人生交契无老少，论交何必先同调／塞上长城空自许，镜中衰鬓已先斑／君子先择而后交，小人先交而后择／委故都以从利兮，吾知先生之不忍／学视者先见舆薪，学听者先闻撞钟／见贤而不能举，举而不能先，命也／欲影正者端其表，欲下廉者先之身／欲致鱼者先通水，欲致鸟者先树木／旌蔽日兮敌若云，矢交坠兮士争先／老夫渴急月更急，酒落杯中月先入／颠沛之揭，枝叶未有害，本实先拨／天将降大任于是人也，必先苦其心志／不问其德之所宜，而问其出身之后先／未有天地之先，毕竟也只是先其俭也／圣人先忤而后合，众人先合而后忤也／察其小，忽其大，先其后，后其所先／良工之子必先为箕，良冶之子必先为裘／良弓之子必先为箕；良冶之子必先为裘／吾师道也，夫庸知其年之先后生于吾乎／胜兵先胜而后求战，败兵先战而后求胜／欲胜人者必先自胜，欲论人者必先自论／不逆诈，不亿不信，抑亦先觉者，是贤乎／未有天地之先，毕竟也只是先进谏斯易矣／唯圣人知礼之不可以已也……必先去其礼／为政之本，莫若得人；褒贤显善，圣制所先／人必先作，然后人名之；先求，然后人与之／凡勤学，须是出于本心，不待父母先生督责／迷涂知反，往哲是与。不远而复，先典攸高／物有本末，事有终始。知所先后，则近道矣／欲上民，必以言下之；欲先民，必以身后之／欲人勿恶，必先自美；欲人勿疑，必先自信／欲论人者，必先自论；欲知人者，必先自知／略观围棋，法于用兵，怯者无功，贪者先亡／未有天地之先，毕竟也只是先让者，德之主也／先除尘垢后染善法，譬如浣衣先去垢然后可染／圣人守清道而抱雌节，因循应变，常后而不先／昔先圣王之治天下也，必先公，公则天下平矣／风化者，自上而行于下者也，自先而施于后者／天之生此民也，使先知觉后知，使先觉觉后觉也／如室斯构，而去其凿楔……国之将亡，本必先颠／未有天地之先，毕竟也只是先有此理，便有此天地／置其本，求之末，当后者反先之，无一焉不悖于极／人生寄一世，奄忽若飙尘；何不策高足，先据要路津／骐骥盛壮之时，一日而驰千里；至其衰也，驽马先之／人非生而知之者，孰能了此无惑，故从其先得者而问焉／天下莫柔弱于水，而攻坚强者莫之能先，以其无以易之也

充

chōng 满、足；充塞；充实；充任，担任；填满；假冒；声音洪亮；肥胖；姓。

❶充实之谓美

见《孟子·尽心下》。

充实而有光辉之谓大

见唐·韩愈《答侯生问论语书》。

❸天地充实，长保年也／朽索充羁，不收奔马之逸／其气充乎其中而溢于其貌／嗜欲充益，目不见色，耳不闻声／此理充塞宇宙间，如何人杜撰得／仁义充塞，则率兽食人，人将相食／烟霞充耳目之玩，鱼鸟尽江湖之赏／赠缴充蹊，阬阱

塞路，举手挂网罗，动足蹈机坎／行不充于内，德不备于人，虽盛其服，文其容，民不尊也

❺道者，所以充形也／赏罚皆有充实，则民无不用矣／地，积块耳，充塞四虚，亡处亡块／始而胎气充实……壮而声色有节者强而寿／食之道：大充，伤而形不臧；大摄，骨枯而血冱

❻好声而实不充则恢／其为书，处则充栋宇，出则汗牛马

❽置虚器于水中，未充则唱，既充则默／疗饥者半菽可以充腹，为政者一言可以兴邦

❾天下犹人之体，腹心充实，四支虽病，终无大患

❿制败则欲肆，虽四表不能充其求矣／置虚器于水中，未充则唱，既充则默／宫中积珍宝，狗马实外厩，美人充下陈／心虚白则神留而道存，腹充实则精全而寿长／缚草为形，实之腐肉，教之拜起，以充满朝市／盗取民食兮，私己不分；充嗛果腹兮，骄傲欢欣／人之饥所以不食乌喙者，以为虽偷充腹而与死同患也

尪 wāng 瘠病之人；行不正貌。

❽生男如狼，犹恐其尪；生女如鼠，犹恐其虎

兕 sì 古代犀牛一类的兽。

❷虎兕相据而蝼蚁得志，两敌相机而匹夫乘间

❼矢之于十步贯兕甲，于三百步不能入鲁缟

兖 yǎn 古九州之一，指兖州。

❷华兖灿烂，非只色之功

党 ①dǎng 政党；因利害关系而结合在一起的集团；处所；亲族；朋辈；古代地方组织。②tǎng 正直；通“傥”，或者。

❷朋党比周之誉，君子不听／不党父兄，不偏富贵，不嬖颜色／以党举官，则民务交而不求用矣

❸惟夫党人之偷乐兮，路幽昧以险隘／不阿党，不私色，故群徒之卒不得容

❹不偏不党，王道荡荡／毁誉成党，众口熏天／公卿有党排宗泽，帷幄无人用岳飞／无偏无党，王道荡荡；无党无偏，王道平平

❻人以义爱，以党群，以群强

❼奸臣欲窃位，树党自相群

❽人之过也，各于其党／矜而不争，群而不党／古之教者，家有塾，党有庠，术有序，国有学

❾不能大通，则各私其党而求利焉

❿保廉节者，必憎贪冒之党／君子矜而不争，群而不党／身行顺，治事公，故国无阿党之议／无偏无党，王道荡荡；无党无偏，王道平平／乘其名者，泽及宗族，利兼乡党，况子孙乎

几 ①jī 矮小的桌子；将近，几乎。②jǐ 多少；表示不定的少数；表示数量不多；［几几］形容鞋头装饰的美盛；偕，在一起。

❶几事不密则害成

见《周易·系辞上》

❷是几度斜阳，几度残月／无几微爽失，则理义以名

❸人生几何时，怀忧终年岁／明月几时有？把酒问青天／知不几者不可与及圣人之言／一生几许伤心事，不向空门何处销／人世几回伤往事，山形依旧枕江流／胜地几经兴废事，夕阳偏照古今愁

❹百年能几日，忍不惜光阴／君子见几而作，不俟终日／明窗净几笔砚纸墨皆极精良，亦自是人生一乐事

❺北风吹，能几时／好怀百岁几回开／一生复能几，倏如流电惊／利锁名缰，几阻当年欢笑／不知乘月几人归，落月摇情满江树／猛虎不看几上肉，洪炉不铸囊中锥／问君能有几多愁？恰似一江春水向东流／韩愈辟佛，几至杀身，况敢议今世之尧、舜、周、孔者乎

❻是几度斜阳，几度残月／一粒红稻饭，几滴牛颔血／青山依旧在，几度夕阳红／小小寰球，有几个苍蝇碰壁／名利之大者，几在无耻而信／如是，则终生几无可问之事／读其文章，庶几得其志之所存／一生大笑能几回，斗酒相逢须醉倒／宛转蛾眉能几时，须臾鹤发乱如丝／寓形宇内复几时，曷不委心任去留

❼父老长安今余几／未知一生当著几量屐／年少气锐，不识几微／俟河之清，人寿几何／对酒当歌，人生几何／恭俭节用，天下几至刑措／夫名利之大者几在无耻而信／民之从事，常于几成而败也／能甘淡泊，便有几分真学问

❽畏首畏尾，身其余几／一别二十年，人堪几回别／才吟五字句，又白几茎髭／不向东山久，蔷薇几度花／以色事他人，能得几时好／三千宫女胭脂面，几个春来无泪痕／不知织女萤窗下，几度抛梭织得成／忍泪失声询使者：“几时真有六军来”／因时而惕，不失其几，虽危而劳，可以无咎／有司一朝而受者几千万言，读不能十一……

❾无功食国禄，去窃能几何／人生开口笑，百年都几回／红豆生南国，春来发几枝／相识满天下，知心能几人／死者积如麻，生者能几口／知大己而小天下，则几于道矣／石火光中争长竞短，几何光明／苟不自满而中止，庶几终身而有成

❿兢兢业业，一日二日万几／圣人顺时以动，智者因几以发／看书多撷一部，游山多走几步／人能由昭昭于冥冥，则几于道矣／不到广寒冰雪窟，扇头能有几多风／传其常情，无传其溢言，则几乎全／常将冷眼看螃蟹，看你横行得几

时／闲云潭影日悠悠，物换星移几度秋／如今只说临安路，不较中原有几程／此曲只应天上有，人间能得几回闻／数亩秋禾满家食，一机官帛几梭丝／今子使万里外国，独无几微出于言面／虑不在千里之外，则患在几席之下矣／人能尽性知天，不为蓦然起见，则几矣／所生者弗德，所杀者非怨，则几于道也／一节省而国有余用，民有盖藏，不知其几也／设使国家无有孤，不知当几人称帝，几人称王／君不密则失臣，臣不密则失身，几事不密则害成／东风恶，欢情薄，一怀愁绪，几年离索。错！错！错

凡 fán 平常的，普通的；宗教迷信、神话中称人世间；共，总计；纲要，大概；我国民族音乐音阶上的一级；古国名。

❶凡重外者拙内

见《列子·黄帝》。

凡书画当观韵

见宋·黄庭坚《题摹燕郭尚父图》。

凡流言、流说

见《荀子·致士》。全句为："～、流事、流谋、流誉、流诉，不官而衡至者，君子慎之"。

凡物皆始于无

见三国·魏·王弼《老子》一注。

凡物皆有可观

见宋·苏轼《超然台记》。全句为："～。苟有可观，皆有可乐，非必怪奇伟丽者也"。

凡兵欲急疾捷先

见《吕氏春秋·仲秋纪·论威》。

凡法始立必有病

见唐·韩愈《钱重物轻状》。

凡成美，恶器也

见《庄子·徐无鬼》。

凡有血气者……

见三国·魏·刘劭《人物志·九征》。全句为："～，莫不含元一以为质，禀阴阳以立性，体五行而著形"。

凡事惟适中者可久

见清·申涵光《荆园进语》。

凡为文辞宜略识字

见唐·韩愈《科斗书后记》。

凡人须先立志……

见明·姚舜牧《药言》。全句为："～，志不先立，一生通是虚浮，如何可以任得事"。

凡性者，天之就也

见《荀子·性恶》。

凡为文，以神志为主

见唐·柳宗元《与杨京兆凭书》。

凡主有识，言不欲先

见《吕氏春秋·审应览·审应》。

凡民有丧，匍匐救之

见《诗·邶风·谷风》。

凡厥正人，既富方谷

见《尚书·洪范》。

凡作乐者，所以节乐

见汉·司马迁《史记·乐书》。

凡人之性，不能无争

见五代·前蜀·杜光庭《道德真经广圣义》卷十。

凡人之患，偏伤之也

见《荀子·不苟》。

凡人为贵，当使可贱

见南朝·宋·范晔《后汉书·马援传》。

凡今之人，莫如兄弟

见《诗·小雅·常棣》。

凡谋之道，周密为宝

见汉·无名氏《六韬·三疑》。

凡将举事，令必先出

见《管子·立政》。

凡彼万形，得一后成

见《吕氏春秋·季春纪·论人》。

凡学之道，严师为难

见《礼记·学记》。全句为："～。师严然后道尊。"

凡所从政，当须正己

见唐·姚崇《辞金诫》。

凡有所长，皆当不废

见宋·苏辙《荐王巩札子》。

凡有血气，皆有争心

见《左传·昭公十年》。

凡事无小大，物自为舍

见战国·佚书《经法·道法》。

凡事豫则立，不豫则废

见《礼记·中庸》。

凡为民去害兴利若嗜欲

见唐·韩愈《唐故江西观察使韦公墓志铭》。

凡为名者必廉，廉斯贫

见《列子·杨朱》。全句为："～；为名者必让，让斯贱"。

凡主伸已以屈天下之忧

见汉·荀悦《申鉴·政体》。全句为："圣王屈己以申天下之乐，～"。

凡民之生也，必以正平

见《管子·心术下》。全句为："～；所以失之者，必以喜乐哀怒"。

凡大事皆起于小事……

见唐·吴兢《贞观政要·政体》载唐太宗语。全句为："～，小事不论，大事又将不可救。社稷倾危，莫不由此。"

凡圜转之物，动必有机

语见宋·张载《正蒙·参两》。全句为："～。

既谓之机，则动非自外”。

凡得时者昌，失时者亡

见《列子·说符》。

凡治国之道，必先富民

见《管子·治国》。全句为：“～。民富则易治也。”

凡有怪征者，必有怪行

见《庄子·徐无鬼》。

凡看书不为书所愚始善

见清·爱新觉罗玄烨《庭训格言》。

凡兵上义，不义虽利勿动

见宋·苏洵《心术》。

凡为天下之务，莫大求士

见唐·王士元《亢仓子·政道篇》。

凡为文章，犹乘骐骥……

见北齐·颜之推《颜氏家训·文章》。全句为：“～，虽有逸气，当以衔策制之，勿使流乱轨躅，放意填坑岸也”。

凡二人来讼，必一曲一直

见唐·孔颖达《周易·讼》疏。

凡人之质，量中和最贵矣

见三国·魏·刘劭《人物志·九征》。

凡人处是，鲜不怨怼忿愤

见唐·柳宗元《送薛判官量移序》。全句为：“仕于世，有劳而见罪，～”。

凡人好辞工书，皆病癖也

见唐·柳宗元《报崔黯秀才论为文书》。

凡人立志胜人，易生傲慢

见清·刘沅《家言》。全句为：“～，惟立志学圣人，则无害也”。

凡营衣食，以不失时为本

见唐·吴兢《贞观政要·务农》。全句为：“国以人为本，人以衣食为本，～”。

凡听言，要先知言者人品

见明·吕坤《呻吟语》。全句为：“～，又要知言者意向，又要知言者识见，又要知言者气质，则听不爽矣”。

凡战者，以正合，以奇胜

见《孙子兵法·势篇》。

凡物无成与毁，复通为一

见《庄子·齐物论》。全句为：“其分也，成也；其成也，毁也。～”。

凡政之大经，法教而已矣

见汉·荀悦《申鉴·政体》。

凡用兵攻战之本在乎一民

见《荀子·议兵》。

凡自唐虞以来，编简所存

见唐·韩愈《上兵部李侍郎书》。全句为：“～，大之为河海，高之为山岳，明之为日月，幽之为鬼神，纤之为珠玑华实，变之为雷霆风雨。”

凡为文以意为主，以气为辅

见唐·杜牧《答庄充书》。全句为：“～，以辞采章句为之兵卫”。

凡以物治物者不以物，以睦

见汉·刘安《淮南子·齐俗》。全句为：“～；治睦者不以睦，以人；治人者不以人，以君；治君者不以君，以欲；治欲者不以欲，以性；治性者不以性，以德；治德者不以德，以道”。

凡人可以言古，不可以言今

见唐·柳宗元《与杨京兆凭书》。

凡人之欲为善者，为性恶也

见《荀子·性恶》。

凡人为善，不自誉而人誉之

见宋·苏轼《拟进士对廷试策》。全句为：“～；为恶，不自毁而人毁之”。

凡人情忽于见事而贵于异闻

见南朝·宋·范晔《后汉书·桓谭传》。

凡人心险于山川，难于知天

见《庄子·列御寇》。

凡弈棋与胜己者对，则日进

见清·申涵光《荆园进语》。

凡军欲其众也，心欲其一也

见《吕氏春秋·仲秋纪·论威》。全句为：“～，三军一心，则令可使无敌矣”。

凡将立国，制度不可不察也

见《商子·一言》。全句为：“～，治法不可不慎也”。

凡殖货财产，贵其能施赈也

见南朝·宋·范晔《后汉书·马援传》。全句为：“～，否则守钱虏耳”。

凡贤人君子，未尝不思效用

见唐·陈子昂《答制问事·明必得贤科》。全句为：“～，但无其类获进，所以堙没于时”。

凡物不以其道得之，皆邪也

见三国·魏·王弼《老子》五十三注。

凡物，穷则思变，困则谋通

见三国·魏·王弼《周易·困》注。

凡吏于土者，若知其职乎……

见唐·柳宗元《送薛存义之任序》。全句为：“～？盖民之役，非以役民而已也”。

凡事当留余地，得意不宜再往

见清·朱柏庐《治家格言》。

凡事省得一分，即受一分之益

见清·张英《聪训斋语》。

凡事有经必有权，有法必有化

见清·石涛《画语录》。

凡兵之用也，用于利，用于义

见《吕氏春秋·有始览·应同》。

凡举事，必先审民心然后可举

见《吕氏春秋·季秋纪·顺民》。

凡克己以济民，皆力行而不悔
见宋·苏辙《吕大防等乞御正殿复常膳不许不允批答二首》。
凡人坏品败名，钱财占了八分
见清·史典《愿体医话》。
凡将立国……治法不可不慎也
见《商子·一言》。删节处为："制度不可不察也"。
凡物置之安地则安，危地则危
见晋·陈寿《三国志·魏志·三少帝纪》。
凡数州之土壤，皆在衽席之下
见唐·柳宗元《始得西山宴游记》。全句为："攀援而登，箕踞而遨，则～"。
凡兵有本干：必义，必智，必勇
见《吕氏春秋·仲秋纪·决胜》。
凡人之情，冤则呼天，穷则叩心
见南朝·宋·范晔《后汉书·张奂传》。
凡人之用智有短长，其施设各异
见宋·欧阳修《孙子后序》。
凡人行事，年少立身，不可不慎
见晋·陈寿《三国志·魏书·李通传》。全句为："～，勿轻论人，勿轻说事"。
凡人皆欲自达，仆先得显处……
见唐·柳宗元《与萧翰林俛书》。全句为："～，才不能逾同列，声不能压当世，世之怒仆宜也"。
凡四方小大邦丧，罔非有辞于罚
见《尚书·多士》。全句为："惟天不畀不明厥德。～"
凡学书者，得其一，可以通其余
见宋·欧阳修《李邕书》。
凡物之生而美者，美本乎天者也
见清·叶燮《已畦文集》。全句为："～，本乎天自有之美也"。
凡物皆有两端，如小大厚薄之类
见宋·朱熹《四书集注·中庸》。
凡用兵者，攻坚则轫，乘瑕则神
见《管子·制分》。
凡用民，太上以义，其次以赏罚
见《吕氏春秋·离俗览·用民》。全句为："～。其义则不足死，赏罚则不足去就，若是而能用其民者，古今无有。民无常用也，无常不用也，唯得其道为可"。"去就"，去恶就善。
凡天下之事成于自同，而败于自异
见唐·韩愈《送许郢州序》。
凡为道者，常患于晚，不患于早也
见晋·葛洪《抱朴子·极言》。
凡同类同情者，其天官之意物也同
见《荀子·正名》。
凡人之谈，常誉成毁败，扶高抑下
见晋·陈寿《三国志·蜀书·姜维传》。
凡人之智，能见已然，不能见将然
见汉·班固《汉书·贾谊传》。
凡人之所以贵于禽兽者，以有礼也
见《晏子春秋·内篇谏上第二》。
凡人之患，蔽于一曲，而暗于大理
见《荀子·解蔽》。
凡人主必信。信而又信，谁人不亲
见《吕氏春秋·离俗览·贵信》。
凡人情之所安而有节者，举皆礼也
见宋·苏轼《礼以养人为本论》。
凡君之所毕世而经营者，为天下也
见清·黄宗羲《原君》。全句为："古者以天下为主，君为客，～"。
凡闻言必熟论，其于人必验之以理
见《吕氏春秋·慎行论·察传》。
凡道无根，无茎，无叶，无荣……
见《管子·内业》。全句为："～，万物以生，万物以成，命之曰道"。
凡欲显勋绩扬光烈者，莫良于学矣
见汉·王符《潜夫论·赞学》。
凡用人历试其能，苟败事必诛无赦
见宋·苏轼《谢馆职启》。
凡聚小所以就大，积一所以至亿也
见晋·葛洪《抱朴子·极言》。
凡举事必循法以动，变法者因时而化
见《吕氏春秋·慎大览·察今》。
凡以知，人之性；可以知，物之理也
见《荀子·解蔽》。
凡养稂莠者伤禾稼，惠奸宄者贼良人
见唐·吴兢《贞观政要·赦令》。
凡人不能无好恶，但能胜其私心则善
见清·爱新觉罗玄烨《庭训格言》。
凡读书到冷淡无味处，尤当着力推考
见宋·朱熹《朱子语类》卷一〇四。
凡道必周必密，必宽必舒，必坚必固
见《管子·内业》。
凡理国者，务积于人，不在盈其仓库
见唐·吴兢《贞观政要·辨兴亡》。
凡权重者必谨于事，令行者必谨于言
见汉·贾谊《新书·道术》。全句为："～，则过败鲜矣"。
凡上下之间有物间隔，当须用刑法去之
见唐·孔颖达《周易·噬嗑》疏。全句为："～，乃得亨通"。
凡为天下国家，当爱惜名器，谨重刑罚
见宋·苏轼《转对条上三事状》之二。
凡为人子之礼，冬温而夏凊，昏定晨省
见《礼记·曲礼上》。
凡养生，莫若知本，知本则疾无由至矣

见《吕氏春秋·季春纪·尽数》。

凡人必别宥然后知,别宥则能全其天矣

见《吕氏春秋·先识览·去宥》。

凡王者之德……要于其当,不可使易也

见唐·柳宗元《桐叶封弟辨》。删节处为:"在行之何若,设未得其当,虽十易之不为病"。

凡鬼神事眇茫荒惑无可准,明者所不道

见唐·柳宗元《与韩愈论史官书》。

凡万物异则莫不相为蔽,此心术之公患也

见《荀子·解蔽》。

凡生之长也,顺之也;使生不顺者,欲也

见《吕氏春秋·孟春纪·重己》。全句为:"~。故圣人必先适欲"。

凡兵,天下之凶器也;勇,天下之凶德也

见《吕氏春秋·仲秋纪·论威》。全句为:"~。举凶器,行凶德,犹不得已也"。

凡人能量己之能与不能,然后知人之艰难

见清·爱新觉罗玄烨《庭训格言》。

凡人好敖慢小事,大事至,然后兴之务之

见《荀子·强国》。全句为:"~,如是,则常不胜夫敦比于小事者矣"。

凡下之从上也,不从口之言,从上之所好也

见唐·白居易《策林一》。全句为:"~;不从力之制,从上之所为也"。

凡事行,有益于理者立之,无益于理者废之

见《荀子·儒效》。

凡事皆须务本,国以人为本,人以衣食为本

见唐·吴兢《贞观政要·务农》。

凡举事,无为亲厚者所痛,而为见仇者所快

见汉·朱浮《与彭宠书》。

凡人之性,少则猖狂,壮则暴强,老则好利

见汉·刘安《淮南子·诠言》。

凡勤学,须是出于本心,不待父母先生督责

见宋·包恢《论立身师法》。

凡物之精,化则为生,下生五谷,上为列星

见《管子·内业》。

凡下之从上也……不从力之制,从上之所为也

见唐·白居易《策林一》。删节处为:"不从口之言,从上之所好也"。

凡百事之成也,必在敬之;其败也,必在慢之

见《荀子·议兵》。

凡今能言者,皆谓天下少士,而不知养材之道

见唐·刘禹锡《奏记丞相府论学事》。

凡语治而待去欲者,无以道欲而困于有欲者也

见《荀子·正名》。

凡探明珠,不于合浦之渊,不得骊龙之夜光也

见晋·葛洪《抱朴子·祛惑》。

凡居其位,思直其道,道苟直,虽死不可回也

见唐·柳宗元《与韩愈论史官书》。全句为:"~;如回之,莫若亟去其位"。

凡治国令其民争行义也,乱国令其民争为不义也

见《吕氏春秋·离俗览·为欲》。全句为:"~;强国令其民争乐用也,弱国令其民争竟不用也。夫争行义乐用与争为不义竞不用,此其为祸福也,天不能覆,地不能载"。

凡乱也者,必始乎近而后及远,必始乎本而后及末

见《吕氏春秋·似顺论·处方》。

凡工妄匠,执规秉矩,错准引绳,则巧同于人倕也

见汉·王符《潜夫论·赞学》。

凡敢为大奸者,材必有过于众,而能自媚于上者也

见汉·王符《潜夫论·述赦》。

凡人于事务之来,无论大小,必审之又审,方无遗虑

见清·爱新觉罗玄烨《庭训格言》。

凡物之可喜,足以悦人而不足以移人者,莫若书与画

见宋·苏轼《宝绘堂记》。

凡用人之道,若以燧取火,疏之则弗得,数之则弗中

见汉·刘安《淮南子·说林》。全句为:"~,正在疏数之间"。"数",急速。

凡偏材之人,皆一味之美,故长于办一官而短于为一国

见三国·魏·刘劭《人物志·材能》。

凡人之性,莫不欲善其德,然而不能为善德者,利败之也

见汉·刘向《说苑·贵德》。

凡用人之道,采之欲博,辨之欲精,使之欲适,任之欲专

见宋·司马光《稽古录》卷一六。

❷大凡文之用四……/大凡读书,不能无疑/大凡物不得其平则鸣/大凡人无才,则心思不出/大凡善恶之人,各以类聚/一凡人沮之,则自以为不足/一凡人誉之,则自以为有余/大凡以智谋而进者,有时而衰/大凡做一件事,就要当一件事/大凡做好事的心,一日小一日/大凡人之感于事,则必动于情/大凡事之大害者,不能无小利也/超凡证圣,目击非遥;悟在须臾,何须皓首/诸凡万物万事之知,皆因习因悟因过因疑而然/故凡得胜者,必与人也,凡得人者,必与道也

❸声,则凡非雅声者举废

❺能持大体,凡事自可就也

❻何者为益友?凡事肯规我之过者是也/何者

为小人？凡事必徇己之私者是也
❼将相神仙，也要凡人做／心之于殉也殆，凡能其于府也殆
❽案头见蠹鱼，犹胜凡俦侣／天者，理之所自出，凡理皆天
❾天马行空而步骤不凡／礼之大本，以防乱也……凡为理者杀无赦
❿知足者仙境，不知足者凡境／精读书，著精采警语处，凡事皆然／高树靡阴，独木不林，随时之宜，道贵从凡／大禹圣人，犹惜寸阴，至于凡俗，当惜分阴／故凡得胜者，必与人也，凡得人者，必与道也／律者，乐之本也，而气达乎物，凡音之起者本焉／以小善为无益，以小恶为无伤，凡此皆非所以安身崇德也

凤

fèng 凤凰，传说中的神鸟；旧时指皇后的用物；旧时比喻有圣德的人；姓。

❶凤凰鸣矣，于彼高冈
见《诗·大雅·卷阿》。
凤凰芝草，贤愚皆以为美瑞
见唐·韩愈《与崔群书》。全句为："～；青天白日，奴隶亦知其清明"。
凤凰于飞，翙翙其羽，亦傅于天
见《诗·大雅·卷阿》。
凤凰生而有仁义之意，虎狼生而有贪戾之心
见汉·贾谊《新书·胎教》。
凤凰，凤凰，何不高飞还故乡，无故在此取灭亡
见晋·王嘉《歌》。
❷雏凤清于老凤声／鸾凤之音不得不锵于乌鹊／鸾凤竞粒于庭场，则受亵于鸡鹜／鸾凤骞翔而变态，烟云舒卷以呈姿／龙凤隐耀，应德而臻；明哲潜遁，俟时而动
❸鸾舆凤驾不能使驽马健捷／命鸾凤兮逐雀，驱龙骥兮捕鼠／龙蟠凤逸之士，皆欲收名定价于君侯／凤凰，凤凰，何不高飞还故乡，无故在此取灭亡
❹攀龙附凤，必在初举／腾蛟起凤，孟学士之词宗／鸟无世凤凰，兽无种麒麟／身无彩凤双飞翼，心有灵犀一点通
❺箫韶九成，凤凰来仪／攀龙鳞，附凤翼，以成其所志／枳棘非鸾凤所栖，百里岂大贤之路／昆山玉碎凤凰叫，芙蓉泣露香兰笑／龙不隐鳞，凤不藏羽，网罗高县，去将安所
❻雏凤清于老凤声／覆巢竭渊，龙凤逝而不至／覆巢破卵，则凤凰不翔；刳牲夭胎，则麒麟不臻
❼放鸱枭而囚鸾凤
❽龟龙闻而深藏、鸾凤见而高逝者，知其害身也
❾螭龙为蝘蜓，鸱枭为凤皇／乌鸢之卵不毁，而后凤凰集／如珠玉之在泥土，麟凤之在网罗
❿以梧桐之实养枭而冀其凤鸣／下笔则烟飞云动，落纸则鸾迴凤惊／字势雄逸，如龙跳天门，虎卧凤阙／言语巧偷鹦鹉舌，文章分得凤凰毛／骐骥不能与罢驴为驷，凤皇不与燕雀为群／金樽玉杯不能使薄酒更厚，鸾舆凤驾不能使驽马健捷／虎旅云从，词林响应，若毛羽之宗鳞凤，众川之长江河

夙

sù 早晨；过去就有的；肃敬；姓。

❶夙兴以求，夜寐以思
见汉·刘彻《贤良诏》。
夙兴夜寐，靡有朝矣
见《诗·卫风·氓》。
夙兴夜寐，无一日之懈
见宋·王安石《上皇帝万言书》。
夙兴以忧人，夕惕而修己
见唐·白居易《策林一》。

凫

fú 野鸭；在水里游。

❶凫胫虽短，续之则忧；鹤胫虽长，断之则悲
见《庄子·骈拇》。
❸鹤汀凫渚，穷岛屿之萦回；桂殿兰宫，列冈峦之体势
❹断鹤续凫，矫作者妄
❼宁作野中之双凫，不愿云间之别鹤
❿昂昂千里，泛泛不作水中凫

壳

ké，又读 qiào，外壳。

❿文墨辞说，士之荣叶皮壳也

秃

tū 人没有头发；山上没有草木；物体的尖端磨损。

❶秃而施髢，病而求医
见《庄子·天地》。
❷鬓秃难遮老，心宽不贮愁
❼石上不生五谷，秃山不游麋鹿

咒

zhòu 祝告，祷告；某些宗教或巫术中用以"除灾"或"降妖驱鬼"的口诀；诅咒；誓言。

❺在这可诅咒的地方击退了可诅咒的时代

凯

kǎi 军队得胜时所奏的乐曲；和乐，欢乐；和，柔和。

❸泽如凯风，惠如时雨

凭

píng 身子靠着；依靠，倚仗；证据；任凭；请；满。

❶凭谁问，廉颇老矣，尚能饭否
见宋·辛弃疾《永遇乐》。
❷方凭征鞍思往事，数声风笛马前闻
❸好风凭借力，送我上青云
❹失去所凭依，信不可软／断雁无凭，冉冉飞下汀洲，思悠悠／独自莫凭阑，无限江山，别时容

易见时难
❺怒发冲冠，凭栏处，潇潇雨歇
❻偏无自足，故凭乎外资
❽过耳之言，不足为凭／独闵闵其曷已兮，凭文章以自宣／马上相逢无纸笔，凭君传语报平安／资栋梁而成大厦，凭舟楫而济巨川
❾信，国之宝也，民之所凭也／新竹高于旧竹枝，全凭老干为扶持
❿城狐社鼠皆微物，为其有所凭恃，故除之犹不易／今之所以知古，后之所以知今，不可口传，必凭诸史

凰 huáng[凤凰]古代传说中的神鸟。
❷凤凰鸣矣，于彼高冈／凤凰芝草，贤愚皆以为美瑞／凤凰于飞，翙翙其羽，亦傅于天／凤凰生而有仁义之意，虎狼生而有贪戾之心／凤凰，凤凰，何不高飞还故乡，无故在此取灭亡
❺鸟无世凤凰，兽无种麒麟
❻箫韶九成，凤凰来仪／昆山玉碎凤凰叫，芙蓉泣露香兰笑
❼覆巢破卵，则凤凰不翔；刳牲夭胎，则麒麟不臻
❿乌鸢之卵不毁，而后凤凰集／言语巧偷鹦鹉舌，文章分得凤凰毛

亡 ①wáng 逃走；失去；死；出外；不在；灭。②wú 通"无"；犹"否"。
❶亡国之主一贯
见《韩非子·过理》。
亡在失道而不在于小也
见汉·刘安《淮南子·氾论》。全句为："存在得道而不在于大也，～"。
亡国之主，不可以直言
见《吕氏春秋·贵直论·壅塞》。
亡国之主，聪明出于人
见五代·南唐·谭峭《化书卷三·聪明》。全句为："天下之主，道德出于人；理国之主，仁义出于人；～"。
亡羊而补牢，未为迟也
见《战国策·楚策四》。全句为："见兔而顾犬，未为晚也；～"。
亡国之大夫，不可以图存
见汉·司马迁《史记·淮阴侯列传》。全句为："败军之将，不可以言勇；～"。另汉·班固《汉书·韩信传》中亦有此类句子。全句为："亡国之大夫不可以图存，败军之将不可以语勇"。
亡远大之略，贪万一之功
见北魏·元晖《上书论政要》。
亡国之音，哀以思，其民困
见《礼记·乐记》。
亡国之主，多以多威使其民矣
见《吕氏春秋·离俗览·用民》。全句为："人主之不肖者，有似于此。不得其道，而徒多其威。威愈多，民愈不用。～。故威不可无有，而不可专恃"。
亡我者，我也；我不自亡，谁能亡之
见明·吕坤《呻吟语·修身》。
亡而为有，虚而为盈，约而为泰，难乎有恒
见《论语·述而》。
❷追亡者趋，拯溺者濡／存亡祸福，其要在身／与亡国同事者，不可存也／存亡难异路，贞白本相成／存亡在虚实，不在于众寡／韩亡子房奋，秦帝鲁连耻／死亡贫苦，人之大恶存焉／死亡疾病，亦人所不能无／麟亡星落，月死珠伤，瓶罄罍耻，芝焚蕙叹
❸足欲，亡无日矣／不学亡术，暗于大理／瞰其亡也，而往拜之／邪行亡乎体，违言不存口／国之亡也，有道者必先去／投之亡地然后存，陷之死地然后生／恶死亡而乐不仁，是由恶醉而强酒
❹危急存亡之时／死而不亡者寿／思所以亡则存矣／天下兴亡，匹夫有责／利害俱亡，何往不臧／名存实亡，失其所业／国之将亡，本必先颠／国家兴亡，匹夫有责／天下将亡，其发必有门／骄而不亡者，未之有也／物物者，亡乎万物之中／国之将亡，贤人隐，乱臣贵／千古兴亡，百年悲笑，一时登览／存不忘亡，是以身安而国家可保也／今恶死亡而乐不仁，是犹恶醉而强酒／国之兴亡不由蓄积多少，唯在百姓苦乐／国之兴亡不由蓄积多少，惟在百姓苦乐／国之将亡必有大恶，恶者无大于杀忠臣／千古兴亡多少事，悠悠。不尽长江滚滚流／自古乱亡之国，必先坏其法制，而后乱从之／治乱存亡，其始若秋毫，察其秋毫，则大物不过
❺剖心非痛，亡殷为痛／过而不悛，亡之本也／楚虽三户，亡秦必楚／有备无患，亡战必危／思其所以亡，则存矣／天，积气耳，亡处亡气／兴，百姓苦；亡，百姓苦／人莫大焉亡亲戚君臣上下／前古之兴亡，未尝不经于心也／道者万世亡弊，弊者道之失也／使治乱存亡若高山之与深溪……／曲突徙薪亡恩泽，焦头烂额为上宾／商女不知亡国恨，隔江犹唱后庭花／春色不随亡国尽，野花只作旧时开／日知其所亡，月无忘其所能，可谓好学也已矣／斩伐林木，亡有时禁，水旱之灾，未必不由此也
❻敌国破，谋臣亡／士无常君，国亡定臣／药石去矣，吾亡无日／辅车相依，唇亡齿寒／将不预设，则亡以应卒／物速成则疾亡，晚就则善终／与其坐而待亡，孰若起而拯之／以乱攻治者亡，以邪攻正者亡／作诗火急追亡逋，清景一失后难摹／大道以多歧亡羊，学者以多方丧生／宁

溘死以流亡兮，余不忍为此态也／春风不识兴亡意，草色年年满故城／其物存，其人亡，不言哀而哀自至／杀人以自生，亡人以自存，君子不为也／楚虽三户能亡秦，岂有堂堂中国空无人

❼与乱同事，罔不亡／天道有常，王道亡常／天，积气耳，亡处亡气／势败休云贵，家亡莫论亲／法存则国安，法亡则国危／安危在出令，存亡在所任／朽木不可雕，情亡不可久／贫者愈困饿死亡而莫之省／臣奉暗后，则覆亡之祸至／桑间濮上之音，亡国之音也／乘理虽死而非亡，违义虽生而非存／人也不幸而则亡，名兮可大而不死／国无义，虽大必亡。人无善志，虽勇必伤／国虽大，好战必亡；天下虽安，忘战必危／国虽大，好战必亡；天下虽平，忘战必危

❽顾夫淫以鄙而偕亡／一为不善，众美皆亡／任贤则昌，失贤则亡／俭节则昌，淫佚则亡／众之所去，虽大必亡／变古乱常，不死则亡／国有常法，虽危不亡／行善则昌，行恶则亡／得人者昌，失人者亡／得全全昌，失全全亡／得士者强，失士者亡／得时者昌，失时者亡／得贤则昌，失贤则亡／德积者昌，殃积者亡／狂妄之威成乎灭亡也／恃德则固，失道则亡／恃德者昌，恃力者亡／安无忘危，存无忘亡／存物物存，去物物亡／智以险昌，愚以险亡／物有生死，理有存亡／有贤不用，安得不亡／顺天者存，逆天者亡／顺人者昌，逆人者亡／顺德者昌，逆德者亡／举错数失，必致危亡之道／山岳崩颓，既履危亡之运／祸与福相贯，生与亡为邻／穷兵极武，未有不亡者也／一以意许知己，死亡不相负／民存则社稷存，民亡则社稷亡／国将兴，听于民；将亡，听于神／仅存之国富大夫，亡道之国富仓府／将军不敢骑白马，亡者不敢夜揭烛／古者多有天下而亡者矣，其民不为用也／进有退之义，存有亡之机，得有丧之理／天下虽兴，好战必亡；天下虽安，忘战必危／圣人之道，若存若亡。援而用之，殁世不亡／从时者，犹救火、追亡人也，蹶而趋之，唯恐弗及

❾无敌国外患者，国恒亡／凡得时者昌，失时者亡／得道不得行，咎殃且亡／时日曷丧，予及汝皆亡／有默默谀臣者，其国亡／江流今古愁，山雨兴亡泪／鉴国之安危，必取于亡国／千里而袭人，未有不亡者也／入国而不存其士，则亡国矣／勿贵难得之货，勿听亡国之音／富者田连阡陌，贫者亡立锥之地／势在则威无不加，势亡则不保一身／地，积块耳，充塞四虚，亡处亡块／亡我者，我也；我不自亡，谁能亡之／周道衰于幽厉，非道亡也，幽厉不繇也／败军之将，不可言勇；亡国之臣，不可言智／乐高喜大，负威任势，亡忧失畏，不求于己也

❿甚爱必大费，多藏必厚亡／谋先事则昌，事先谋则亡／务广德者昌，务广地者亡／君子不为苟存，不为苟亡／善战者不败，善败者不亡／得贤者显昌，失贤者危亡／德薄者位危，去道者身亡／文繁者质荒，木胜者人亡／铠甲生虮虱，万姓以死亡／用篡臣者危，用态臣者亡／如是则下怨，下怨者可亡也／顺之者昌，逆之者不死则亡／无为而物自生，无为而物自亡／不失其所者久，死而不亡者寿／以乱攻治者亡，以邪攻正者亡／以德胜人者昌，以力胜人者亡／以欲从人者昌，以人乐己者亡／民存则社稷存，民亡则社稷亡／先谋后事者昌，先事后谋者亡／知得而不知丧，知存而不知亡／国离寇敌则伤，民见凶饥则亡／得之则安以荣，失之则亡以辱／得贤者则安昌，失之者则危亡／忧劳可以兴国，逸豫可以亡身／贼民之事非一，而好兵者必亡／有始者必有卒，有存者必有亡／天行有常，不为尧存，不为桀亡／不可于我而可于彼者，天下无亡／乐人者其乐长，乐身者不久而亡／以汤止沸，抱薪救火，愈甚亡益／能自得师者王，谓人莫己若者亡／忧所以为昌也，而喜所以为亡也／为社稷死则死之，为社稷亡则亡之／仁之所在无贫穷，仁之所亡无富贵／地，积块耳，充塞四虚，亡处亡块／狡兔尽则良犬烹，敌国灭则谋臣亡／强而骄者损其强，弱而骄者亟死亡／扁鹊不能肉白骨，微箕不能存亡国／西施若解倾吴国，越国亡来又是谁／野禽殚，走犬烹；敌国破，谋臣亡／身多疾病思田里，邑有流亡愧俸钱／未闻刀没而利存，岂容形亡而神在？／亡我者，我也；我不自亡，谁能亡之／迷者不问路，溺者不问遂，亡人好独／兵者，国之大事，死生之地，存亡之道／为主贪，必丧其国；为臣贪，必亡其身／民以财为本，财竭则下畔，下畔则上亡／仁者不以盛衰改节，义者不以存亡易心／安而不忘危，存而不忘亡，治而不忘乱／爱民而安，好士而荣，两者无一焉而亡／忠厚积，则致太平；浅薄积，则致危亡／其兴也必由于积善，其亡也皆在于积恶／其人存，则其政举；其人亡，则其政息／以骄主使罢民，然而国不亡者，天下少矣／据千乘之国，而信谗佞之计，未有不亡者／官职可以重求，爵禄可以货得者，可亡也／如不行道，足以丧身，不举贤，足以亡国／暴察之威成乎危弱，狂妄之威成乎灭亡也／三得者具而天下归之，三得者亡而天下去之／与死者同病难为良医，与亡国同道难与为谋／不畏于微，必畏于章，患大祸深，以至灭亡／公婿公孙，与民同门，暴傲其邻者，可亡也／圣人之道，若存若亡。援而用之，殁世不亡／君为暗主，臣为谀臣，君暗臣谀，危亡不远／知得知失，可与为人；知存知亡，足别吉凶／善日者王，善时者霸，补漏者危，大荒者亡／国之栋梁也，得之则安以

荣,失之则亡以辱/国家将兴,必有祯祥;国家将亡,必有妖孽/浮华鲜实,不特伤风败俗,亦杀身亡家之本/略观围棋,法于用兵,怯者无功,贪者先亡/积善多者,虽有一恶,是为过失,未足以亡/积微之善,以至吉祥。小恶不止,乃至灭亡/用国者,义立而王,信立而霸,权谋立而亡/舌之存,岂非以其柔;齿之亡,岂非以其刚/赴之若惊,用之若狂;当之者破,近之者亡/天下治乱,不在一姓之兴亡,而在万民之忧乐/天下之治乱,不在一姓之兴亡,而在万民之忧乐/百姓与之则安,辅之则强,非之则危,倍之则亡/禹汤罪己,其兴也悖焉;桀纣罪人,其亡也忽焉/凤凰,凤凰,何不高飞还故乡,无故在此取灭亡/若使人之所怀于内者……,则天下无亡国败家矣/君人者,爱民而安,好士而荣,两者无一焉而亡/如室斯构,而去其凿楔……国之将亡,本必先颠/纯柔纯弱兮,必削必薄;纯刚纯强兮,必丧必亡/见兔而顾犬,未为晚也;亡羊而补牢,未为迟也/上不访,下不谏,妇言用,私政行,此亡国之风也/天下不可一日而无政教,故学不可一日而亡于天下/古之人君,所以至于民散国亡而不悟者,皆吏误之/事无礼则不成,国无礼则不宁,王无礼则死亡无日矣/我愿君王心,化作光明烛,不照绮罗筵,只照逃亡屋/人生有限,情欲无厌。既不救其死亡,岂能保乎金玉/狡兔死,良狗烹;高鸟尽,良弓藏;敌国破,谋臣亡/沉默呵,沉默呵!不在沉默中爆发,就在沉默中灭亡/有石城十仞,汤池百步,带甲百万,而亡粟,弗能守/观其国则知其臣,观其臣则知其君,观其君则知其兴亡/财之不丰,兵之不强,吏之不择,此三者存亡之所从出/上智不处危以侥幸,中智能因危以为功,下愚安于危以自亡/历观前代拨乱创业之主,生长民间,皆识达情伪,罕至于败亡/今世之人居高官尊爵者,皆重失之,见利轻亡其身,岂不惑哉/道德之威成乎安强,暴察之威成乎危弱,狂妄之威成乎灭亡也/上士闻道,勤而行之;中士闻道,若存若亡;下士闻道,大笑之/国之兴也,视民如伤,是其福也;其亡也,以民为土芥,是其祸也/奋六世之遗烈,振长策而御宇内,吞二周而亡诸侯,履至尊而制六合/患其有小恶,以人之小恶,亡人之大美,此人主之所以失天下之士也已/后嗣若贤,自能保其天下;如其不肖,多积仓库,徒益其奢侈,危亡之本也

卞

biàn 法度;性急;角力,徒手搏斗;姓。

❶卞和之玉,得于荆山,其偶然耳

见《韩非子·和氏》。

卞和献宝,以离断趾;灵均纳忠,终于沉身

见南朝·宋·范晔《后汉书·班固传》。

❸不待卞和显,自为命世珍

❽伯乐之厩多良马,卞和之匮多美玉

六

①liù 数字;《周易》称卦中的阴爻;工尺谱中的音名之一。②lù 古国名。

❶六合殷昌

见南朝·梁·萧统《文选·张衡<东京赋>》。

六律为万事根本

见汉·司马迁《史记·律书》。

六亲不和,有孝慈

见《老子》十八。

六合之内,圣人论而不议

见《庄子·齐物论》。全句为:"六合之外,圣人存而不论;~"。

六合之外,圣人存而不论

见《庄子·齐物论》。全句为:"~;六合之内,圣人论而不议"。

六朝金粉地,落木更萧萧

见清·吴伟业《残画》。

六府修治洁如素,虚无自然道之固

见《黄庭经·上部经》。

六王毕,四海一,蜀山兀,阿房出

见唐·杜牧《阿房宫赋》。

六十而耳顺,七十而从心所欲不逾矩

见《论语·为政》。全句为:"吾十有五而志于学,三十而立,四十而不惑,五十而知天命,~"。

六国破灭,非兵不利,战不善,弊在赂秦

见宋·苏洵《六国论》。

六合为巨,未离其内;秋毫为小,待之成体

见《庄子·知北游》。

六经之治,贵于未乱;兵家之胜,贵于未战

见汉·班固《汉书·匈奴传》。

❷此六者,君子之弊也/灭六国者,六国也,非秦也/有六尺之躯,而不能庇一妇人,岂丈夫哉/奋六世之遗烈,振长策而御宇内,吞二周而亡诸侯,履至尊而制六合/使六国各爱其人,则足以拒秦;使秦复爱六国之人,则递三世可至万世而为君,谁得而族灭也

❸诗贯六义……/三十六策,走是上计/三万六千日,夜夜当秉烛/尘芥六合,谓天地为有穷也/恸哭六军俱缟素,冲冠一怒为红颜/病有六不治,信巫不信医,不治也/天有六极五常,帝王顺之则治,逆之则凶

❹骈四俪六,锦心绣口/予欲闻六律五声八音,在治忽,以出纳五言/可以托六尺之孤,可以寄百里之命,临大节而不可夺也

❺君义、……所谓六顺也/灭六国者,六国也,非秦也/秦汉而学六经,岂复有秦汉之文

❻乘风振奋出六合/要囚,服念五六日,至于旬时/鹿驰走无顾,六马莫能望其尘/及至始皇,

奋六世之余烈，振长策而御宇内／口不绝吟于六艺之文，手不停披于百家之编
❼文通三略，武解六韬／燕雀之畴不奋六翮之用／去就取与知能六者，塞道也／贵富显严名利六者，勃志也／一抔之土未干，六尺之孤安在／虚言可以赏，则六合之内皆为己府矣
❽懔乎若朽索之驭六马／鸟能远飞，远飞者，六翮之力也／千古风流歌舞地，六朝兴废帝王州／春风杨柳万千条，六亿神州尽舜尧／自古盛衰如转烛，六朝兴废同棋局／不随举子纸上学六韬，不学腐儒穿凿注五经
❾一进一退，一左一右，六骥不致／贱妨贵，少陵长……所谓六逆也／弟子盖三千焉，身通六艺者七十有二人
❿藏于不竭之府者，养桑麻育六畜也／忍泪失声询使者："几时真有六军来"／苦我怨气兮浩于长空，六合虽广兮受之应不容／奋六世之遗烈，振长策而御宇内，吞二周而亡诸侯，履至尊而制六合／先哲王之政，一曰承天，二曰正身，三曰任贤，四曰恤民，五曰明制，六曰立业／使六国各爱其人，则足以拒秦；使秦复爱六国之人，则递三世可至万世而为君，谁得而族灭也

亢

①kàng 高；高傲；极；通"抗"、"伉"，匹敌，相当；蔽护；星宿名；姓。②gāng 通"吭"，人颈的前部。③gēng 用于人名。

❸矫矫亢亢，恶圆喜方，羞为奸欺，不忍害伤

市

shì 集中做买卖的场所；买或卖；城镇，城市；行政区域名；属于市制的。

❶市之鬻鞭者，人问之……必五万而后可

见唐·柳宗元《鞭贾》。删节处为："其贾宜五十，必曰五万。复之以五十，则伏而笑；以五百，则小怒；五千，则大怒"。

❸扫尽市朝陈迹／倏忽市朝变，苍茫人事非／悄立市桥人不识，一星如月看多时
❹室于怒，市于色／臣门如市，臣心如水／商贾无市井之事则不比／三夫成市虎，慈母投杼趋／大兵如市，人死如林；持金易粟，粟贵于金
❺百年变朝市，千里异风云／美言可以市尊，美行可以加人
❼怒于室者色于市／孝子疑于屡至，市虎成于三夫／正获之问于监市履狶也，每下愈况／须知大隐居廛市，休问深山守静孤
❽千金之子，不死于市／争名于朝，争利于市／薄我货者，欲与我市者也／文章如精金美玉，市有定价，非人所能以口舌定贵贱也
❾诽谤者族，偶语者弃市／虎欲异群虎，舍山入市即擒／彼以成败评豪杰者，市儿之见也
❿小隐隐陵薮，大隐隐朝市／察伯乐之图，求骐骥于市／李白一斗诗百篇，长安市上酒家眠／钱神通灵于旁蹊，公器反类于互市／良农不为水旱不耕，良贾不为折阅不市／拘囹圄者，以日为修；当死市者，以日为短／缚草为形，实之腐肉，教之拜起，以充满朝市

玄

xuán 黑色；悠远；虚妄。

❶玄之又玄，众妙之门

见《老子》一。

玄龙，迎夏则陵云而奋鳞，乐时也

见南朝·宋·范晔《后汉书·张衡传》。全句为："～；涉冬则淈泥而潜蟠，避害也"。

玄古之君天下，无为也，天德而已矣

见《庄子·天地》。

❷听玄猿之悲吟，察鹤鸣于九皋／夫玄也者，天道也，地道也，人道也
❸追思玄事，睿也／上而玄者，世谓之天／天地玄黄，宇宙洪荒／发言玄远，口不臧否人物／虽无玄豹姿，终隐南山雾
❹玄之又玄，众妙之门
❺废弃智巧，玄德淳朴
❼无非无是，化育玄耀，生而如死／谷神不死，是谓玄牝。玄牝之门，是谓天地根
❽世途旦复旦，人情玄又玄
❾谷神不死，是谓玄牝。玄牝之门，是谓天地根
❿世途旦复旦，人情玄又玄／以非老子视老子，而老子玄／事莫大于必克，用莫大于玄默／记事者必提其要，纂言者必钩其玄／纪事者必提其要，纂言者必钩其玄／以老子视非老子，而非老子又胡不玄也／水动而景摇，人不以定美恶，水势玄也

交

jiāo 交叉；转送；交易；结交；交情；互相；同时；性交；同"跤"；共，俱；授受；先后交替之际；付与，缴纳；通"教"。

❶交不信，非吾友也

见汉·刘向《说苑·谈丛》。

交不为利，仕不谋禄

见三国·魏·嵇康《十疑集》。

交友投分，切磨箴规

见南朝·梁·周兴嗣《千字文》。

交浅而言深者，愚也

见南朝·宋·范晔《后汉书·崔骃传》。全句为："～；在贱而望贵者，惑也；未信而纳忠者，谤也"。

交浅言深，君子所戒

见宋·苏轼《上神宗皇帝书》。

交绝无恶声，去臣无怨辞

见晋·陈寿《三国志·蜀书·刘封传》。

交亲而不比，言辩而不辞

见《荀子·不苟》。

交友不宜滥，滥则贡谀者来

见明·洪应明《菜根谭》。全句为："用人不宜、

刻，刻则思效者去；～”。

交友之先宜察，交友之后宜信

见明·陈继儒《小窗幽记》。

交游之人，誉不三周，未必信

见三国·魏·刘劭《人物志·七缪》。

交气疾争者，为易口而自毁也

见三国·魏·刘劭《人物志·释争》。全句为：“～；并词竞说者，为贷手以自殴”。

交友不信，则离散郁怨，不能相亲

见《吕氏春秋·离俗览·贵信》。全句为：“天地之大，四时之化，而犹不能以不信成物，又况乎人事？君臣不信，则百姓诽谤，社稷不宁；处官不信，则少不畏长，贵贱相轻；赏罚不信，则民易犯法，不可使令；～；百工不信，则器械苦伪，丹漆染色不贞”。“苦”，不精细，粗劣；“伪”，作假。

交情老去淡如水，病骨秋来瘦似松

见宋·庆老《残句》。

交朋友增体面，不如交朋友益身心

见清·王永彬《围炉夜话》。全句为：“～；教子弟求显荣，不如教子弟立品行”。

交友须带三分侠气，作人要存一点素心

见明·洪应明《菜根谭》。

交财一事最难。虽至亲好友，亦须明白

见清·申涵光《荆园小语》。全句为：“～。宁可后来相让，不可起初含糊”。

交拱之木无把之枝，寻常之沟无吞舟之鱼

见汉·刘安《淮南子·缪称》。

交私养望者多得显官，独立营职者或见排沮

见宋·王安石《本朝百年无事札子》。

❷上交不谄，下交不渎／丰交之木，有时而落／不交好友，不如闭门／始交不慎，后必为仇／滥交朋友，不如终日读书／结交一言重，相期千里至／结交在相知，骨肉何必亲／结交莫羞贫，羞贫友不成／结交澹若水，履道直如弦／息交游闲业，卧起弄书琴／贫交此别无他赠，唯有青山远送君／新交与旧识俱欢，林壑共烟霞对赏／上交不谄，下交不骄，则可以有为矣／欲交其人，先观其友，乃择交第一良法也／寡交多亲，谓之知人；寡事成功，谓之知用／贩交买名之薄，吮痈舐痔之卑，安足议其是非

❸不强交，不苟绝／贵易交，富易妻／上下交征利而国危矣／君子交绝，不出恶声／以色交者，华落而爱渝／以财交者，财尽而交绝／君子交有义，不必常相从／观其交游，则其贤不肖可察也／有乍交之欢易，无久处之厌难／今之交乎人者，炎而附，寒而弃／不是交同兰气味，为何话出一人心／人生交契无老少，论交何必先同调／白刃交于前，视死若生者，烈士之勇也／以势交者，势尽则疏；以利合者，利尽则散／以势交者，势倾则绝；以利交者，利穷则散

❹天与人交相胜／不以利交则无咎／兼相爱，交相利／与朋友交，言而有信／君子绝交，不出恶言／以利相交者，利尽而疏／出门择交友，防慎畏薰莸／途穷见交态，世梗悲路涩／贫富常交战，道胜无戚颜／惮势而交人，势劣而交道息／知与恬交相养，而和理出其性／世人结交须黄金，黄金不多交不深／重友者交时极难，看得难以故转重／博弈之交不终日，饮食之交不终月／人生结交在终始，莫为升沉中路分／君子之交淡若水，小人之交甘若醴／君子择交莫恶于易与，莫善于胜己／轻友者交时极易，看得易以故转轻／遇朋友交游之失，宜剀切，不宜优游／贫富之交，可以情谅，鲍子所以让金／贫贱之交而不可忘，珠玉满堂而不足贵／势利之交不终年，惟道义之交，可以终身／小人之交以利，平时相亲不啻父子，一旦相噬不啻狗彘

❺一贵一贱，交情乃见／居必择邻，交必良友／面结口头交，肚里生荆棘／古之君子，交绝不出恶声／人非善不交，物非义不取／当念贫时交，重勿弃如土／本以势力交，势尽交情止／论行而结交者，立名之士也／情之所昏，交相攻伐，未始有穷……／与邪佞人交，如雪人墨池，虽融为水，其色愈污

❻上多求则下交争／上交不谄，下交不渎／官输私负索交至，勺合不留但糠秕／上交不谄，下交不骄，则可以有为矣／君不见今人交态薄，黄金用尽还疏索／要使诚意之交通，在于未言之前，则言出而人信矣

❼一死一生，乃知交情／一贫一富，乃知交态／士有妒友，则贤交不亲／至白涅不缁，至交淡不疑／君子忌苟合，择交如求师／积德者不倾，择交者不败／大丈夫处世，当交四海英雄／交友之先宜察，交友之后宜信／斯则贤达之素交，历万古而一遇／君子先择而后交，小人先交而后择／见闻之知，乃物交而知，非德性所知／罗衣从风，长袖交横，骆驿飞散，飒擖合并

❽天地既位，阴阳气交／以财交者，财尽而交绝／本以势力交，势尽交情止／天下兼相爱则治，交相恶则乱／民枕倚于墙壁，路交横于豺虎／以党举官，则民务交而不求用矣／君不见管鲍贫时交，此道今人弃如土／上兵伐谋，其次伐交，其次伐兵，下政攻城

❾知音者稀，常恐词林交丧／弦以明直道，漆以固交深／病知新事少，老别故交难／惮势而交人，势劣而交道息／人生交契无老少，论交何必先同调／交朋友增体面，不如交朋友益身心／君子违难不适仇国，交绝不出恶声／旌蔽日兮敌若云，矢交坠兮士争先／未信而谏，圣人不与。交浅言深，君子所戒／偷合苟容，以持禄养

交而已耳，谓之国贼也／不就利，不违害，不强交，不苟绝，惟有道者能之
❿强倨傲暴之人不可与交／骄倨傲暴之人，不可与交／以权利合者，权利尽而交疏／知天而不知人，则无以与俗交／世人结交须黄金，黄金不多交不深／博弈之交不终日，饮食之交不终月／君子之交淡若水，小人之交甘若醴／君子先择而后交，小人先交而后择／不思而立言，不知而定交，吾其惮也／势利之交不终年，惟道义之交，可以终身／好言人之恶，谓之谗；析交离亲，谓之贼／欲交其人，先观其友，乃择交第一良法也／以势交者，势倾则绝；以利交者，利穷则散／洲汀岛屿，向背离合；青树碧蔓，交罗蒙络／女有余布，男有余粟，国家殷富，上下交足／驰马思坠，挞人思毙，妄费思穷，滥交思累／此令兄弟，绰绰有裕；不令兄弟，交相为瘉／歌曲弥妙，和者弥寡；行操益清，交者益鲜／礼接于人，人不敢慢；辞交于人，人不敢侮／君子安其身而后动，易其心而后语，定其交而后求／万物之所以为无穷者，交相胜而已矣，还相用而已矣／苟去其名全其实，以其余易其不足，亦可交以为师矣

亦 yì 也；表示同样的关系；特，但；作语助；通"奕"，［奕世］累世，世世代代。

❶亦余心之所善兮，虽九死其犹未悔

见战国·楚·屈原《离骚》。

❷治亦进，乱亦进／人亦有言，进退维谷／是亦彼也，彼亦是也／国亦有猛狗，用事者是也／彼亦一是非，此亦一是非／达亦不足贵，穷亦不足悲／天亦有喜怒之气，哀乐之心／死亦我所恶，所恶有甚于死者／生，亦我所欲也；义，亦我所欲也／人亦有言，忧令人老。嗟我白发，生一何早／生亦我所欲，所欲有甚于生者，故不为苟得也／我亦物也，物亦物也，物之与物也，又何以相物也／教亦多术矣，予不屑之教诲也者，是亦教诲之而已矣／智亦有所不至。所不至，说者虽辩，为道虽精，不能见矣
❸不取亦取，虽师勿师／俊士亦俟明主以显其德／贤者亦不与不肖者同列／一钱亦分明，谁能肆谗毁／吾道亦如此，行之贵日新／君子亦仁而已矣，何必同／圣人亦行其所行，而百姓被其利／行身亦然，无涤垩之地则寡非矣／死生亦大矣而不变乎己，况爵禄乎／有形亦是气，无形亦是气，道寓其中也／用民亦有种，不审其种，而祈民之用，惑莫大焉
❹意好句亦好／礼有经，亦有权／诸葛亮亦一时之杰也／能食人，亦当为人所食／夫子步亦步，夫子趋亦趋／醉中语亦有醒时道不到者／人言善，亦勿听；人言恶，亦勿听／官大者，亦可小就；官小者，亦可大用／听之善，亦必得于心而会于意，不可得而言也／天下者亦吾有也，吾亦天下之有也，天下之与我岂有间哉
❺读书贵博亦贵精／治亦进，乱亦进／慢人者人亦慢之／天不变，道亦不变／善人者，人亦善之／病万变，药亦万变／来而不往，亦非礼也／民各有心，亦壅惟口／俚言巷语，亦足取也／学贵得师，亦贵得友／水能载舟，亦能覆舟／怨不在大，亦不在小／愚者千虑，亦有一得／好憎人者，亦为人所憎／后之视今，亦犹今之视古／后之视今，亦犹今之视昔／死亡疾病，亦人所不能无／贤人于国，亦犹食之在人／一觞一咏，亦足以畅叙幽情／博而能一，亦有助乎心力矣／今之视古，亦犹后之视今也／明君圣人亦不为一人枉其法／恣纵既成……亦制自家不得／不吾知其亦已兮，苟余情其信芳／世间行乐亦如此，古来万事东流水／人之生也亦少矣，而岁之往亦速矣／道非难知，亦非难行，患人无志耳／好鸟枝头亦朋友，落花水面皆文章／奉职顺道，亦可以为治，何必威严哉／人善我，我亦善之；人不善我，我亦善之／睎骥之马，亦骥之乘，睎颜之人，亦颜之徒／言贵尽心，亦各其所见也，若是非，则明智者裁之／为天下者，亦奚以异乎牧马者哉，亦去其害马者而已矣
❻天若有情天亦老／不疑于物，物亦诚焉／不私于物，物亦公焉／生得相亲，死亦何恨／乐之所生，哀亦至焉／名虽美焉，伪亦必生／室本无暗，垣亦有耳／是亦彼也，彼亦是也／服田力穑，乃亦有秋／福不虚至，祸亦易来／意有所极，梦亦同趣／毋为戎首，不亦善乎／乐人之乐，人亦乐其乐／动而得谤，名亦随之宜／知者不失人，亦不失言／忧人之忧，人亦忧其忧／好称人恶，人亦道其恶／货悖而入者，亦悖而出／有大志者，时亦有大言／秦爱纷奢，人亦念其家／苟虑危人，人亦必虑危之／苟虑害人，人亦必虑害之／学有思而获，亦有触而获／水所以载舟，亦所以覆舟／有恩必酬者，亦匹夫之义／无赫赫之势，亦无戚戚之忧／可与共安乐，亦可与共患难／好面誉人者，亦好背而毁之／与妄人相值，亦当存自反之心／以人言善我，亦必以人言恶我／以玉为石者，亦将以石为玉矣／以贤为愚者，亦将以愚为贤矣／变化不测，而亦不背于规矩也／君子诚仁，施亦仁，不施亦仁／天若有情天亦老，人间正道是沧桑／假作真时真亦假，无为有处有还无／相见时难别亦难，东风无力百花残／寒者颤，惧者亦颤，此同名而异实也／我独见得是，亦须缓缓调停，不可直遂／彼出于是，是亦因彼，彼是方生之说也／知足者，贫贱亦乐；不知足者，富贵亦忧／君苟有恶，人亦知之。知之又知之，其心去之／我亦物也，物亦物也，物之与物也，又何以相物也／志之所在，

气亦随之;气之所在,天地鬼神亦随之/以明察物,物亦竞以其明应之。以不信察物,物亦竞以其不信应之

❼民俗既迁,风气亦随/书中有画,画中亦有书/利天下者,天下亦利之/狂者东走,逐者亦东走/害天下者,天下亦害之/奸人难处,迂人亦难处/学而时习之,不亦说乎/出处全在人,路亦无通塞/非独羊也,治民亦犹是也/生当作人杰,死亦为鬼雄/乐民之乐者,民亦乐其乐/休言谷价贵,菜亦贵如金/人生如逆旅,我亦是行人/众鸟欣有托,吾亦爱吾庐/彼亦一是非,此亦一是非/忧民之忧者,民亦忧其忧/达亦不足贵,穷亦不足悲/信信,信也;疑疑,亦信也/施诸己而不愿,亦勿施于人/自小,小也;自大,亦小也/青天白日,奴隶亦知其清明/夫子焉不学?而亦何常师之有/古之得道者,穷亦乐,通亦乐/既变化而无穷,亦卷舒而莫定/不可以有乱急,亦不可以无乱弛/小人固当远,然亦不可显为仇敌/君子固当亲,然亦不可曲为附和/用规矩准绳者,亦有规矩准绳焉/不为当时所怪,亦必无后世之传也/以不信察物,物亦竞以其不信应之/善人为邦百年,亦可以胜残去杀矣/小人诚不仁,施亦不仁,不施亦不仁/仁以为己任,不亦重乎!死而后已,不亦远乎/道一不息,天地亦不息;天地之不息,固道之不息者为之

❽事诚无害,虽无例亦可/欲多者,其可得用亦多/百川日东流,客去亦不息/乃知四体勤,无衣亦自暖/乃知青史上,大半亦属诬/首夏犹清和,芳草亦未歇/诬而罔省,施之事亦为固/嘉谷虽已殖,恶草亦滋蔓/苟无济代心,独善亦何益/菩提本无树,明镜亦非台/纵浪大化中,不喜亦不惧/有朋自远方来,不亦乐乎/不能者退而休之,亦莫敢愠/人不知而不愠,不亦君子乎/人众者胜天,天定亦能破人/以国士待人者,人亦国士自奋/谓学不暇者,虽暇亦不能学矣/国以民为本,社稷亦为民而立/贵贤,仁也;贱不肖,亦仁也/心既托声于言,言亦寄形于字/鱼我所欲也,熊掌亦我所欲也/非惟使人情开涤,亦觉日月清朗/为国不可以生事,亦不可以畏事/既知退而知进兮,亦能刚而能柔/生,亦我所欲也;义,亦我所欲也/人生直作百岁翁,亦是万古一瞬中/待利而后拯溺,人亦必以利溺人矣/轻目重耳之过,此亦学者之一病也/非唯近事则相感,亦有远事遥相感者/有形亦是气,无形亦是气,道寓其中也/既不能流芳后世,亦不足复遗臭万载邪/人之生,动之死地亦十有三。夫何故?以其生生之厚/溺者入水,拯之者亦入水。入水则同,所以入水者则异

❾夫子步亦步,夫子趋亦趋/无贵贱不悲,无富贫亦足/诗家虽率意,而造语亦难/山中人自正,路险心亦平/然则无用之为用也亦明矣/大寒而后索衣裘,不亦晚乎/得意者无言,进知者亦无言/四时之景不同,而乐亦无穷也/得寸则王之寸,得尺亦王之尺/不知足者,虽处天堂,亦不称意/予尝为女妄言之,女亦以妄听之/凤凰于飞,翙翙其羽,亦傅于天/贤君择人为佐,贤臣亦择主而辅/常人皆能办大事,天亦不必产英雄/死犹未肯输心去,贫亦其能奈我何/贫无可奈惟求俭,拙亦何妨只求勤/天下未有无理之气,亦未有无气之理/既不知善之为善,则亦不知恶之为恶/邪正之人不宜共国,亦犹冰炭不可同器/徇私贪浊……恐惧既多,亦有因而致死/既不能推心以奉母,亦安能死节以事人/不逆诈,不亿不信,抑亦先觉者,是贤乎/后人哀之而不鉴之,亦使后人而复哀后人也/天下者亦吾有也,吾亦天下之有也,天下之与我岂有间哉/既死,岂在我哉!焚之亦可,沉之亦可,瘗之亦可,露之亦可

❿义兵之为天下良药也亦大矣/人之欲少者,其可得用亦少/人之欲多者,其可得用亦多/非独女以色媚,而士宦亦有之/古之得道者,穷亦乐,通亦乐/众之为福也大,其为祸也亦大/哀莫大于心死,而人死亦次之/君子诚仁,施亦仁,不施亦仁/日月星辰民所瞻仰者亦皆曰神/时闻声如蝉蝇之类,听之亦无/祸出者祸反,恶人者人亦恶之/不独为利而仕不可,为名亦不可/不虚则先自满,假教之亦不能受/兵虽诡道而本于正者,终亦必胜/古今之事,非知之难,言之亦难/动静皆动也,由动之静,亦动也/治国与养病无异也……治国亦然/无力买田聊种水,近来湖面亦收租/正论非不见容,然邪说亦有时而用/百姓多寒无可救,一身独暖亦何情/休说旧时王与谢,寻常百姓亦无家/但得贞心能不改,纵令移植亦何妨/人之生也亦少矣,而岁之往亦速矣/人主以狗彘畜人者,人亦狗彘其行/人言善,亦勿听;人言恶,亦勿听/功名富贵若长在,汉水亦应西北流/务免乎人之所不免者,岂不亦悲哉/均,天下之至理也,连于形物亦然/苦心虽呕何由出,病骨非馋亦自销/善者,吾善之;不善者,吾亦善之/汴水通淮利最多,生人为害亦相和/懒则不肯勤勉,学殖荒而志气亦坠/官仓老鼠大如斗,见人开仓亦不走/过取固害于廉,然过与亦反害其惠/道之大原出于天,天不变道亦不变/纵横正有凌云笔,俯仰随人亦可怜/骥一日而千里,驽马十驾则亦及之/贤俊者自可赏爱,顽鲁者亦当矜怜/贯穿百代尝探古,吟咏千篇亦造微/物固莫不有长,莫不有短,人亦然/身贤者,

贤也；能进贤者，亦贤也／以弱为强者，非惟天时，抑亦人谋也／信者吾信之，不信者吾亦信之，德信／苟能无以利害义，则耻辱亦无由至矣／大匠诲人必以规矩，学者亦必以规矩／小人诚不仁，施亦不仁，不施亦不仁／名者实之宾也，实有美恶，名亦随之／君子之恶恶道不甚，则好善道亦不甚／怀必贪，贪必谋人；谋人，人亦谋己／舜何人也，予何人也，有为者亦若是／欲平其心以养其疾，于琴亦将有得焉／必须困至乃虑，穷至乃图，不亦晚乎／三人共牧一羊，羊不得食，人亦不得息／天下事有难易乎？为之，则难者亦易矣／我不欲人之加诸我也，吾亦欲无加诸人／荆岫之玉必含纤瑕，骊龙之珠亦有微颣／使夸而有节，饰而不诬，亦可谓之懿也／交财一事最难。虽至亲好友，亦须明白／擅一壑之水而跨跱坎井之乐，此亦至矣／官大者，亦可小就；官小者，亦可大用／学诗者不可忽略古人，亦不可附会古人／李太白诗不专是豪放，亦有雍容和缓底／明者所以对昏，昏既灭，则明亦不立矣／是直用管窥天，用锥指地也，不亦小乎／贫者士之常，今仆虽羸馁，亦甘如饴矣／赏善而不罚恶则乱，罚恶而不赏善亦乱／物理不见不闻，虽圣哲亦不能索而知之／不知处阴以休影，处静以息迹，愚亦甚矣／伟人之一顾逾乎华章，而一非亦惨乎黥刖／人善我，我亦善之；人不善我，我亦善之／君子非不见贵，然小人亦得厕其间时而用／知足者，贫贱亦乐；不知足者，富贵亦忧／饭疏食饮水，曲肱而枕之，乐亦在其中矣／富贵骄人，固不善；学问骄人，害亦不细／祸之作也，非作于作之日，亦必有所由兆／窃位而苟禄，备员而全身者，亦无所取焉／天下之事，患常生于忽微，而志亦戒于渐习／天下岂有不可为之国哉？亦存乎其人如何尔／我有禅灯，独照独知。不取亦取，虽师勿师／众物之中，道无不在；秋毫之细，道亦居之／诗是心声，不可违心而出，亦不能违心而出／说者怀畏，听者怀骄，以此行义，不亦难乎／能出于材，材不同量，材能既殊，任政亦异／拱默取容，以徇一身之利者，亦当罢而去之／君者择臣而使之，臣虽贱，亦得择君而事之／虽常服药，而不知养性之术，亦难以长生也／浮华鲜实，不特伤风败俗，亦杀身亡家之本／如有德而无才，则不能为用，亦何足为君子／骐骥千里，一日而通；驽马十舍，旬亦至之／时雨降矣，而犹浸灌，其于泽也，不亦劳乎／暗箭伤人，其深次骨；人之怨之，亦必次骨／忠恕违道不远。施诸己而不愿，亦勿施于人／睎骥之马，亦骥之乘，睎颜之人，亦颜之徒／仁以为己任，不亦重乎！死而后已，不亦远乎／苟有所见，虽布衣之贱，远守之微，亦可施用／善人在患，弗救不祥；恶人在位，不去亦不祥／日月出矣，而爝火不息，其于光也，不亦难乎／贵者，夜以继日，思虑善否，其为形也亦疏矣／必且历日旷久，丝牦犹能挈石，驽马亦能致远／臣不得其所欲于君者，君亦不能得其所欲于臣／苦身焦思，置胆于坐，坐卧即仰胆，饮食亦尝胆／国以民为本，民以财为命。取之过多，予者亦怨／明窗净几笔砚纸墨皆极精良，亦自是人生一乐事／礼尚往来，往而不来非礼也，来而不往亦非礼也／今若不能服药，但知爱精节情，亦得一二百年寿也／志之所在，气亦随之；气之所在，天地鬼神亦随之／立大事者，不惟有超世之才，亦必有坚忍不拔之志／人当自信自守，虽承誉之，承奉之，亦不为之加喜爱／苟去其名全其实，以其余易其不足，亦可交以为师矣／口行相反，而欲贤者之至，不肖者之退也，不亦难乎／善为上者，能令人得欲无穷，故人之可得用亦无穷也／安不忘危，治不忘乱，虽知今日无事，亦须思其终始／屈平所以洞监《风》《骚》之情者，抑亦江山之助乎／教亦多术矣，予不屑之教诲也者，是亦教诲之而已矣／与恶人居，如入鲍鱼之肆，久而不闻其臭，亦与之化矣／为天下者，亦奚以异乎牧马者哉，亦去其害马者而已矣／古之立大事者，不惟有超世之才，亦必有坚忍不拔之志／人当自信自守，……虽毁谤之，侮慢之，亦不为之加沮／君子有为于天下，惟义而已，不可则止，无苟为，亦无必为／既死，岂在我哉！焚之亦可，沉之亦可，瘗之亦可，露之亦可／使亲而旧者愚，远而新者圣且贤，以是而间之，其为理本亦大矣／以明察物，物亦竞以其明应之。以不信察物，物亦竞以其不信应之／人之生也，与忧俱生，寿者惛惛，久忧不死，何苦也！其为形也亦远矣／病已成而后药之，乱已成而后治之，譬犹渴而穿井，斗而铸锥，不亦晚乎

产

chǎn 出生，生养；生产；创造；出产；物产；产业；乐器名。

❷海产明珠，所在为宝

❸无恒产而有恒心者，惟士为能／谈物产也，则重谷帛而贱珍奇／锐锋产乎钝石，明火炽乎暗木

❹殖货财产，贵其能施赈，否则守钱虏耳

❺凡殖货财产，贵其能施赈也

❼地薄者大物不产，水浅者大鱼不游／与其与子孙谋产业，不如教子孙习恒业

❽天之所生，地之所产，足以养人

❾海内之货，咸萃其庭，产匹铜山，家藏金穴

❿常人皆能办大事，天亦不必产英雄／和氏之璧，出于璞石；隋氏之珠，产于蜃蛤

亩

mǔ 土地面积单位；垄，田中高处。

❹千亩竹林，气含烟雾／五亩之宅，树墙下以桑矣……／数亩秋禾满家食，一机官帛几梭丝／百亩之田，匹夫耕之，八口之家足以无饥矣
❺野多滞穗，亩有余粮／方宅十余亩，草屋八九间……
❽良田百顷，不在一亩，但有远志，不在当归
❿农月无闲人，倾家事南亩／既滋兰之九畹兮，又树蕙之百亩／惟有一天秋夜月，不随田亩入官租

亨 ①hēng 顺利。②xiǎng 同"享"，飨宴。③pēng"烹"的本字。

❿绁食鹰鸢欲其鸷，鸷而亨之，将何用哉

弃 qì 舍去，扔掉；忘记。

❶弃己任物，则莫不理
见三国·魏·王弼《老子》五注。
弃德崇奸，祸之大者也
见《左传·僖公二十四年》。
弃世则无累，无累则正平
见《庄子·达生》。全句为："～，正平则与彼更生，更生则几矣"。
弃卧桥巷间，谁或顾生死
见宋·许棐《泥孩儿》。
弃子逐妻，以求口食……
见唐·韩愈《御史台上论大旱人饥状》。全句为："～，坼屋伐树，以纳税钱，寒馁道涂，毙踣沟壑"。
弃身锋刃端，性命安可怀
见三国·魏·曹植《白马篇》。
弃我去者，昨日之日不可留
见唐·李白《宣州谢朓楼饯别校书叔云》。全句为："～；乱我心者，今日之日多烦忧"。
弃事则形不劳，遗生则精不亏
见《庄子·达生》。
弃燕雀之小志，慕鸿鹄以高翔
见南朝·梁·丘迟《与陈伯之书》。
弃忠贞之正路，蹈奸宄之迷途
见唐·吴兢《贞观政要·教戒太子诸王》。
弃绝乎礼义之绪，夺攘乎利害之际
见宋·王安石《庄周上》。全句为："～，趋利而不以为辱，陨身而不以为怨"。
❷无弃其道，吾将何病／人弃我取，人取我与／废弃智巧，玄德淳朴／自弃者，不可与有为也／不弃狂夫之言者，然后嘉谟可闻也／不弃死马之骨者，然后良骥可得也／欲弃学而循性，是谓犹释船而欲蹿水也
❸绝圣弃知而天下大治／绝圣弃智，民利百倍／贪而弃义，必为祸阶／有永弃之悲，无自新之望／鸡肋，弃之如可惜，食之无所得／绝圣弃知，大盗乃止；擿玉毁珠，小盗不起
❹良匠无弃材，明君无弃士／外举不弃仇，内举不失亲／大匠无弃材，船车用不均／大匠无弃材，寻尺各有施／用其言，弃其身，古人所耻／不有所弃，不可以得天下之势／事固有弃彼取此，以权一时之势／黄钟毁弃，瓦釜雷鸣；谗人高张，贤士无名
❺贫贱则无弃旧之宾／取其所长，弃其所短／收罗英雄，弃瑕录用／食之无味，弃之可惜／不才明主弃，多病故人疏
❻炎而附，寒而弃／不以人所短弃其所长／掇芳刈楚，不弃幽远／濯溪见鳄必弃履而走／不可自暴、自弃、自屈／驱东复驱西，弃却锄与犁／不宜忽略，以弃日也。弃日乃是弃身／五谷养性而弃之于地，珠玉无用而宝之于身／冠至敝不可弃之于足，履虽新不可加之于首／虽有丝麻，无弃菅蒯；虽有姬姜，无弃蕉萃／虫堕一器，酒弃不饮；鼠涉一筐，饭捐不食
❼诚不忍奇宝横弃道侧／背施幸灾，民所弃也／治国无以智，犹弃智也／以目前之利而弃百世之功／众趋明所避，时弃道犹存／知者不倍时而弃利，勇士不怯死而灭名／由道废邪，用贤弃愚，推以革物，宜民之苏／录人一善，则无弃人；采材一用，则无弃材／以玙璠之玼而弃其璞，以一人之罪而兼其众，则天下无美宝信士
❽死生同归，誓不相弃／有罪之人，人所共弃／以不教民战，是谓弃之／诽谤者族，偶语者弃市／道听而途说，德之弃也／避其所短，则世无弃材／欲免为形者，莫如弃世／莫嫌一点苦，便拟弃莲心／当念贫时交，重勿弃如土／懈意一生，便是自弃自暴／既多又须择，储精弃其糠／不饱食以终日，不弃功于寸阴／为政犹沐也，虽有弃发，必为之／误尽平生是一官，弃家容易变名难／若甘心于自暴自弃，便是不能立志／人知贵生乐安而弃礼义，辟之是犹欲寿而殁颈也
❾中道而止，则前功尽弃／良匠无弃材，明君无弃士／圣人常善救人，故无弃人／事莫贵乎有验，言莫弃乎无征／圣人……常善救物，故无弃物／鼎铛玉石，金块珠砾，弃掷逦迤／国以任贤使能而兴，弃贤专己而衰／不宜忽略，以弃日也。弃日乃是弃身／量其当否，参其同异，弃其所短，收其所长
❿大木有尺寸之朽而不弃／会己则嗟讽，异我则沮弃／大匠构屋……尺寸之木无弃也／责短舍长，则天下无不弃之士／白玉微瑕，善贾之所不弃……／无赴而富，无殉而成，将弃而天／古之人知酒肉为甘鸩，弃之如遗／今之交乎人者，炎而附，寒而弃／掘井九轫而不及泉，犹为弃井也／吾身不能居仁由义，谓之自弃也／可用而不可恃也，可诚而不可弃也／君子可招而不可诱，可弃而不可慢／采玉者破石拔玉，选士者弃

恶取善／不宜忽略，以弃日也。弃日乃是弃身／君不见管鲍贫时交，此道今人弃如土／酒入舌出，舌出者言失，言失者身弃／杞梓连抱，而有数尺之朽，良工不弃／言之而是，虽在仆隶刍荛，犹不可弃／不可以年少而自恃，不可以年老而自弃／一发不中，百发尽息；一举不得，前功尽弃／将恐将惧，维予与女；将安将乐，女转弃予／虽有丝麻，无弃菅蒯；虽有姬姜，无弃蕉萃／录人一善，则无弃人；采材一用，则无弃材／昔君视我，如掌中珠；何意一朝，弃我沟渠／物有美恶，施用有宜，美不常珍，恶不终弃／为人友者不以道而以利，举世无友，故道益弃／知大备者，无求，无失，无弃，不以物易己也／天子者，有道则人推而为主，无道则人弃而不用／合抱之松无庸于竫人之国，若瓮之茧见弃于裸体之邦／学者自强不息，则积少成多；中道而止，则前功尽弃／语言文字，如春之花，或者必欲弃花而觅春，非愚即狂／苟守先圣之道，由大中以出，虽万受摈弃，不更乎其内

变

biàn 变化；使变化；突发的重大事件；怪诞的事物。

❶变故兴细微

见晋·傅玄《明月篇》。

变通者，趣时者也

见《周易·系辞下》。

变古乱常，不死则亡

见汉·司马迁《史记·袁盎晁错列传》。

变则堪久，通则不乏

见南朝·梁·刘勰《文心雕龙·通变》。

变化倏忽，动心骇目

见宋·苏辙《黄州快哉亭记》。

变化者，存乎运行也

见晋·韩康伯《周易·系辞上》注。

变形易色，随风东西

见三国·魏·曹睿《步出夏门行》。

变恒过度，以奇相御

见战国·佚书《经法·道法》。

变化者，乃天地之自然

见晋·葛洪《抱朴子·黄白》。

变通之道遍满天地之内

见唐·孔颖达《周易·系辞上》疏。

变故在斯须，百年谁能持

见三国·魏·曹植《赠白马王彪》。

变白以为黑兮，倒上以为下

见战国·楚·屈原《九章·怀沙》。

变化不测，而亦不背于规矩也

见宋·吕本中《夏均父集序》。全句为："规矩备具，而能出于规矩之外；～"。

变尽人间，君山一点，自古如今

见宋·戴复古《柳梢青》。

变在萌而争之，则祸成而不救矣

见三国·魏·刘劭《人物志·释争》。

变谓后来改前，以渐移改谓之变也

见唐·孔颖达《周易·乾》疏。

变则新，不变则腐；变则活，不变则板

见清·李渔《闲情偶寄》。

变祸为福，易曲成直，宁关天命，在我人力

见唐·柳宗元《愈膏肓疾赋》。

❷万变不离其宗／尚变者，天道也／说变通则否戾而不入／因变制宜，以敌为师／应变要机警，怕是迟／辩变白黑，巧言乱国／情变于内者，形见于外／文变染乎世情，兴废系乎时序／既变化而无穷，亦卷舒而莫定／欲变节而从俗兮，愧易初而屈志／天变不足畏，祖宗不足法，人言不足恤

❸天不变，道亦不变／病万变，药亦万变／天地变化，圣人效之／事留变生，后机祸至／乾道变化，各正性命／通其变，天下无弊法／气有变化，是道有变化／百年变朝市，千里异风云／将新变故易，持故为新难／四海变秋气，一室难为春／昏旦变气候，山水含清晖／穷则变，变则通，通则久／晦明变化者，山间之朝暮也／言多变则不信，令频改则难从／阴阳变化，一上一下，合而成章／幽音变调忽飘洒，长风吹林雨堕瓦／怒不变容，喜不失节，故是最为难／学贵变化气质，岂为猎章句、干利禄哉／长于变者不可穷以诈，通于道者不可惊以怪

❹物穷则变／一事能变曰智／兵有奇变，不在众／人心之变，有余则骄／法与时变，礼与俗化／情随境变，字逐情生／物无不变，变无不通／风云突变，军阀重开战／不为穷变节，不为贱易志／兵久则变生，事苦则虑易／物穷则变生，事急则计易／穷则变，变则通，通则久／竹死不变节，花落有余香／易穷则变，变则通，通则久／能因敌变化而取胜者，谓之神／文可以变风俗，学可以究天人／世异事变，治国不同，不可不察／事物之变，纷纭杂出，若不可知／死生无变于己，而况利害之端乎／大贤虎变愚不测，当年颇似寻常人／风雅体变而兴同，古今调殊而理异／吾不能变心而从俗兮，固将愁苦而终穷／自其不变者而观之，则物与我皆无尽也／风俗之变，迁染民志，关之盛衰，不可不慎／不为穷变节，不为贱易志；惟仁之处，惟义之行

❺事异则备变／芴漠无形，变化无常／四时转续，变于所极／物无不变，变无不通／刚柔相推，变在其中矣／意量所函变可通于意外／无动而不变，无时而不移／世异则事变，时移则俗易／倏忽市朝变，苍茫人事非／通古今之变，成一家之言／积雨时物变，夏绿满园新／不为难易变节，安危革行也／易穷则变，变则通，通则

久／事例无不变迁，风气无不移易／乐者，所以变民风，化民俗也／进退盈缩变化，圣人之常道也／利不百，不变法；功不十，不易器／意匠如神变化生，笔端有力任纵横／变则新，不变则腐；变则活，不变则板／好经大事，变更易常，以挂功名，谓之叨／读书不独变气质，且能养精神，盖理义收摄故也／君子有三变：望之俨然，即之也温，听其言也厉／三晋多权变之士，夫言从衡强秦者，大抵皆三晋之人

❻势物之徒乐变／天下无不可变之风俗／圣人不巧，时变是守／蛇化为龙，不变其文／达人识元气，变愁为高歌／无为为之，而变化不自知也／凡物，穷则思变，困则谋通／治大国而数变法，则民苦之／法者，所以适变也，不必尽同／明者因时而变，知者随事而制／智者睹危思变，贤者泥而不滓／阅千古而不变者，气种之有定也／见百金而色变者，不可以统三军／见十金而色变者，不可以治一邑／闻瑶质兮可变，知余采兮易夺……／鸾凤骞翔而变态，烟云舒卷以呈姿／能常而后能变，能常不已，所以能变／人能修炼，俗变淳和，则返朴之风，可臻太古矣

❼天不变，道亦不变／刚柔相推而生变化／病万变，药亦万变／过在自用，罪在变化／时有始终，世有变化／物盛而衰，固其变也／盈缩卷舒，与时变化／设文之体有常，变文之数无方／踵其事而增华，变其本而加厉／一阖一辟谓之变，往来不穷谓之通／高谈则龙腾豹变，下笔则烟飞雾凝／虽体解吾犹未变兮，岂余心之可惩／进退盈缩，与时变化，圣人之常道也／是故圣人与时变而不化，从物而不移

❽非君子不可与语变／世之质文，随教而变／观乎天文，以察时变／守其初心，始终不变／物极则反，数穷则变／气有变化，是道有变化／举动回山海，呼吸变霜露／寒暑之势不易，小变不足以妨大节／死生亦大矣而不变乎己，况爵禄乎／文章随世作抵昂，变尽风骚到晚唐／使命之臣，取其识变从宜，不辱君命／纤之为珠玑华实，变之为雷霆风雨。／变则新，不变则腐；变则活，不变则板／性不可易，命不可变，时不可止，道不可壅／引物连类，穷情尽变；宫商相宣，金石谐和

❾禹之治天下，使民心变／文不百代，不可以语变／兵久则力屈，人愁则变生／周乎志者，穷蹶不能变其操／礼仪法度者，应时而变者也／在天成象，在地成形，变化见矣／因事设奇，谲敌制胜，变化如神／形固造形，成固有伐，变固外战／至精而后阐其妙，至变而后通其数／凡举事必循法以动，变法者因时而化／弹指三十八年，人间变了，似天渊翻覆／临之以患难而能不变，邀之以宠利而能不回／泰山崩于前而色不变，麋鹿兴于左而目不瞬／民安土重迁，不可卒变。易以顺行，难以逆动

❿民情可与习常，难与适变／莫邪不为勇者兴，惧者变／风雨晦明之间，俯仰百变／以古制今者，不达于事之变／劲草不倚于疾风，零霜则变／兵者不可豫言，临难而制变者也／天地合而万物生，阴阳接而变化起／利不十者不易业，功不百者不变常／利不什，不易业；功不百，不变常／入妙文章本平淡，等闲言语变瑰琦／变谓后来改前，以渐移改谓之变也／误尽平生是一官，弃家容易变名难／圣人能与世推移，而俗士苦不知变／君失臣兮龙为鱼，权归臣兮鼠变虎／喑呜则山岳崩颓，叱咤则风云变色／法令更则利害易，利害易则民务变／宁用不材以旷职，不肯变例以求人／道之大原出于天，天不变道亦不变／弘爱人屈己之道，酌因时适变之宜／必先知致弊之因，方可言变法之利／天下之事，理胜力为常，力胜理为变／事虽易，而以难处之，未有不治之变／能常而后能变，能常不已，所以能变／变则新，不变则腐；变则活，不变则板／君开一源，下生百端之变，无不乱者也／君子能受纤微之小嫌，故无变斗之大讼／威严不足以易于位，重利不足以变其心／故在朝也则三孤之任，为国则变化之政／究天人之际，通古今之变，成一家之言／万态虽杂而吾心常彻，万变虽殊而吾心常寂／天下之牝，以静胜牡。千世不易，万世不变／两若有名，相与则成；阴阳备物，化变乃生／阴晴显晦，昏旦含吐，千变万状，不可殚纪／圣人之道，同诸天地，荡诸四海，变习易俗／君开一源，下生百端。百端之变，无不动乱／闻《秦中吟》，则权豪贵近者相目而变色矣／纯粹而不杂，静一而不变……此养神之道也／物有盛衰，时有推移，事有激会，人有变化／用无常道，事无轨度，动静屈伸，唯变所适／用智为政，务欲理人。智变奸生，祸乱滋起／繁略殊形，隐显异术，抑引随时，变通会适／未事而知其来，始事而知其终，定事而知其变／任法而不任人，则法有不通，无以尽万变之情／圣人守清道而抱雌节，因循应变，常后而不先／大匠不为拙工改废绳墨，羿不为拙射变其彀率／名言所绝理即具于名中，意量所函变可通意外／法令者示人以信，若成而数变，则人之心不安／中和之质，必平淡无味，故能调成五材变化应节／君子居安宜操一心以虑患，处变当坚百忍以图成／治国无法则乱，守法而弗变则悖，悖乱不可以持国／兵无常势，水无常形，能因敌变化而取胜者，谓之神／斟酌乎质文之间，而隐括乎雅俗之际，可与言通变矣／以天为宗，以德为本，以道为门，兆于变化，谓之圣人／胸中浩然廓然，纳烟云日月之伟观，揽雷霆风雨之奇变／

怨恩取与谏教生杀，八者，正之器也，唯循大变无所湮者为能用之

京 jīng 首都；北京的简称；圆形的大谷仓；大；古代数目名，一说为一千万（见《现代汉语词典》，商务印书馆，1999年版），一说为十兆或万万兆（见《辞海》上海辞书出版社，1999年版）；通“鲸”；古邑名、县名；人工筑起的高丘。

❶京城禁珠翠，天下尽琉璃

见宋·谣谚杂语《咸淳间语》。

❹冠盖满京华，斯人独憔悴

❻每依北斗望京华／名都多妖女，京洛出少年

❾关河景物异南北，神京不见双泪流

❿文之近古而尤壮丽，莫若汉之西京

享 xiǎng 祭献，上供；享受，享用；通“飨”。

❶享天下之利者，任天下之患

见宋·苏轼《赐新除中大夫守尚书右丞王存辞免恩命不允诏》。全句为：“～；居天下之乐者，同天下之忧”。

❸何谓享福之人，能读书者便是

❹多一分享用，减一分志气

❺家有敝帚，享之千金／鬼神无常享，享于克诚

❻众人熙熙，如享大牢，如春登台

❽用过其才则败事，享过其分则丧身

❾势不可使尽，福不可享尽／能除天下之忧者，必享天下之乐

❿为善的受贫穷更命短，造恶的享富贵又寿延

夜 yè 自天黑到天亮的时段；指夜行；通“液”。

❶夜来风雨声，花落知多少

见唐·孟浩然《春晓》。

夜光之珠，不必出于孟津之河

见南朝·宋·刘义庆《世说新语·言语》。全句为：“～；盈握之璧，不必采于昆仑之山”。

夜耿耿而不寐兮，魂茕茕而至曙

见战国·楚·屈原《远游》。

夜行者能无为奸，不能禁狗使无吠己

见《战国策·魏策四》。

夜行者掩目而前其手，涉水者解其马载之舟

见汉·刘安《淮南子·说林》。全句为：“～；事有所宜，而有所不施”。

❷厉夜生子，遽而求火／何夜无月？何处无竹柏／中夜四五叹，常为大国忧／朗夜之辉，不开矇叟之目／长夜难明赤县天，百年魔怪舞翩跹／早夜孜孜，何畏不日日新又日新也／人夜思归切，笛声清更哀，愁人不愿听，自到枕前来

❸夙兴夜寐，靡有朝矣／门不夜关，道不拾遗／夙兴夜寐，无一日之懈／子规夜半犹啼血，不信东风唤不回／贵者，夜以继日，思虑善否，其为形也亦疏矣

❹角声寒，夜阑珊／日不知夜，月不知昼／天将今夜月，一遍洗寰瀛／昼短苦夜长，何不秉烛游／索物于夜室者，莫良于火／仲夏苦夜短，开轩纳微凉／岂知今夜月，还是去年愁／早作而夜思，勤力而劳心／蚌死留夜光，剑折留锋芒／此生此夜不长好，明年明月何处看／忽如一夜春风来，千树万树梨花开／三五之夜，明月半墙，桂影斑驳，风移影动，珊珊可爱

❺死生为昼夜／昼无事者夜不梦／昼有所思，夜梦其事／夙兴以求，夜寐以思／今岁今宵夜，明年明日催／随风潜入夜，润物细无声／哲人归大夜，千古传圭璋／洞房花烛夜，金榜挂名时／清风动帘夜，孤月照窗时／旅情偏在夜，乡思岂唯秋／昼诵书传，夜观星宿，或不寐达旦／将军金甲夜不脱……风头如刀面如割／白日所为，夜来省己，是恶当惊，是善当喜／旦执机权，夜填坑谷；朔欢卓、郑，晦泣颜、原

❻三万六千日，夜夜当秉烛／溪中云隔寺，夜半雪添泉／盲人骑瞎马，夜半临深池／见卵而求时夜，见弹而求鸮炙／怵惕惟厉，中夜以兴，思免厥愆／鸡司晨，犬警夜，虽尧舜不能废／惟有一天秋夜月，不随田亩入官租／冬者岁之余，夜者日之余，阴雨者时之余／政如农功，日夜思之，思其始而成其终，朝夕而行之

❼人不读书，其犹夜行／朝行出攻，暮不夜归／三万六千日，夜夜当秉烛／四更山吐月，残夜水明楼／夏日抱长饥，寒夜无被眠／春蚕不应老，昼夜常怀思／春蚕不应老，昼夜常怀丝／嘶酸雏雁失群夜，断绝胡儿恋母声／死生，命也，其有夜旦之常，天也／春江花朝秋月夜，往往取酒还独倾／鸡知将旦，鹤知夜半，而不免于鼎俎／怀重宝者不以夜行，任大功者不以轻敌

❽久别年颜改，相逢夜话长／忧人不能寐，耿耿夜何长／水烟晴吐月，山火夜烧云／阴阳之不并曜，昼夜之有长短／太虚作室而共居，夜月为灯以同照／行宫见月伤心色，夜雨闻铃肠断声／多病只思田舍乐，夜归烟火望茅檐／姑苏城外寒山寺，夜半钟声到客船／鸟无声兮山寂寂，夜正长兮风淅淅／苦心焦思，以日继夜，苟利于国，知无不为／源泉混混，不舍昼夜，盈科而后进，放乎四海／吾尝终日不食、终夜不寝以思，无益，不如学也／老而学者，如秉烛夜行，犹贤乎瞑目而无见者也／追计往时咎过，日夜反覆，无一食而安于口平于心

❾志士惜日短，愁人知夜长／体曲者忌绳墨之容，夜裸者憎明烛之来

❿富贵不归故乡，如衣绣夜行／不为捣衣勤不睡，破除今夜夜如年／而今风物那堪画，县吏催钱夜打门／何当共剪西窗烛，却话巴山夜雨时

／将军不敢骑白马，亡者不敢夜揭烛／君问归期未有期，巴山夜雨涨秋池／国仇未报壮士老，匣中宝剑夜有声／金井梧桐秋叶黄，珠帘不卷夜来霜／子在川上曰：逝者如斯夫！不舍昼夜／昼则舟楫出没于其前，夜则鱼龙悲啸于其下／人面看年年岁岁之同，花枝见夜夜朝朝之好／晴空朗月，何处不可翱翔？而飞蛾独投夜烛／年过八十而以居位，譬犹钟鸣漏尽而夜行不休／凡探明珠，不于合浦之渊，不得骊龙之夜光也／非其人而欲有功，譬其若夏至之日而欲夜之长也／非其人而欲有功，譬之若夏至之日而欲夜之长也／今夫大海……旦则浴日而出之，夜则滔列星，涵太阴

氓 ①máng［流氓］本指没有正当职业的人，后指不务正业、胡作非为的人；下流无耻的行为，有专指侮辱妇女的行为。②méng 古代称百姓，也作"萌"。

❹僧是愚氓犹可训，妖为鬼蜮必成灾

❻大货之溺大氓

弯 wān 开弓；弯曲的部分；使弯曲。

❿一代天骄，成吉思汗，只识弯弓射大雕

哀 āi 悲痛；悲悼；悲悯；悲苦；姓。

❶哀乐失时，殃咎必至

见《左传·庄公二十年》。

哀哀父母，生我劬劳

见《诗·小雅·蓼莪》。

哀乐而乐哀，皆丧心也

见《左传·昭公二十五年》。

哀哉，死者用生者之器也

见《礼记·檀弓下》。

哀莫大于心死，而人死亦次之

见《庄子·田子方》。

哀吾生之须臾，羡长江之无穷

见宋·苏轼《前赤壁赋》。

哀乐不同而不远，吉凶相反而相袭

见唐·王勃《平台秘略论·规讽》。

哀无人，不哀无赌；哀无德，不哀无宠

见《国语·晋语九》。

哀白日之不与吾谋兮，至今十年其犹初

见唐·韩愈《复志赋》。

❷至哀反无泪／哀哀父母，生我劬劳／心哀而歌不乐，心乐而哭不哀／吾哀今之为仕兮，庸有虑时之否臧

❸喜怒哀乐，动人心深／喜怒哀乐之动乎中必见乎外／喜怒哀乐发而皆中节，天下之达道／后人哀之而不鉴之，亦使后人而复哀后人也／喜怒哀乐之未发谓之中，发而皆中节谓之和

❹生荣死哀，身没名显／丧贵致哀，礼存宁俭／处丧以哀，无问其礼矣／乐极则哀集，至盈必有亏

❺不乐寿，不哀夭／乐之所生，哀亦至焉／抗兵相加，哀者胜矣／鸿雁于飞，哀鸣嗷嗷／哀乐而乐哀，皆丧心也／亡国之音，哀以思，其民困／怨于心者，哀声可以应木石／世上万般哀苦事，无非死别与生离／人有喜怒哀乐，犹天之有春夏秋冬／哀无人，不哀无赌；哀无德，不哀无宠／乐未毕也，哀又继之；哀乐之来，吾不能御，其去弗能止

❻虎豹不相食，哀哉人食人／安时而处顺，哀乐不能入也／秦人不暇自哀，而后人哀之／何秋日之可哀，托芙蓉以为媒／真悲无声而哀，真怒未发而威，真亲未笑而和

❼强哭者虽悲不哀／《关雎》乐而不淫，哀而不伤／诚使博如庄周，哀如屈原……／礼之至者无文，哀之深者无节／闻其饥寒为之哀，见其劳苦为之悲／人之过也，在于哀死，而不在于爱生／狂夫之乐，知者哀焉；愚者之笑，贤者戚焉／愚者笑之，智者哀焉；狂夫之乐，贤者丧焉／何谓人情？喜、怒、哀、惧、爱、恶、欲，七者弗学而能

❽君国者不乐民之哀／乐不可极，极乐成哀／志士痛朝危，忠臣哀主辱／天亦有喜怒之气，哀乐之心／文章本乎作者，而哀乐系乎时／长太息以掩涕兮，哀民生之多艰／哀无人，不哀无赌；哀无德，不哀无宠／文生于情，情生于哀乐，哀乐生于治乱／鸟之将死，其鸣也哀；人之将死，其言也善

❾居同乐，行同和，死同哀……／其物存，其人亡，不言哀而哀自至／乐未毕也，哀又继之；哀乐之来，吾不能御，其去弗能止

❿愁杀芳年友，悲叹有余哀／所以失之者，必以喜乐哀怒／秦人不暇自哀，而后人哀之／穷天下之声，无以舒其哀矣／心哀而歌不乐，心乐而哭不哀／万家墨面没蒿莱，敢有歌吟动地哀／九州生气恃风雷，万马齐喑究可哀／诚知此恨人人有，贫贱夫妻百事哀／自滴阶前大梧叶，干君何事动哀吟／其物存，其人亡，不言哀而哀自至／贼做官，官做贼，混愚贤。哀哉可怜／目极千里兮伤春心，魂兮归来哀江南／鸟飞反乡，兔走归窟……各哀其所生／生不能相养以共居，殁不得抚汝以尽哀／哀无人，不哀无赌；哀无德，不哀无宠／文生于情，情生于哀乐，哀乐生于治乱／后人哀之而不鉴之，亦使后人而复哀后人也／嘻笑之怒，甚于裂眦；长歌之哀，过乎恸哭／入夜思归切，笛声清更哀，愁人不愿听，自到枕前来／其所以为情者七：曰喜、曰怒、曰哀、曰惧、曰爱、曰恶、曰欲

亭 tíng 一种开敞的小型建筑物；秦汉时乡以下的一种行政机构；为便利群众而设置的小型店铺；公平处理；养育；通“停”，[亭当]同“停当”；通“渟”，停滞，水不流通。

❶亭临大江，复在山上……

见唐·元结《殊亭记》。全句为：“～，佳木相荫，常多清风，巡回极望，目不厌远”。

亭之所见，南北百里……

见宋·苏辙《黄州快哉亭记》。全句为：“～，东西一舍，涛澜汹涌，风云开合”。

❷离亭北望，烟霞生故国之悲／兰亭也，不遭右军，则清湍修竹，芜没于空山矣

❹常记溪亭日暮，沉醉不知归路

❻大厦若抡材，亭亭托君子／峰攒望天小，亭午见日初／峰回路转，有亭翼然，临于泉上者，醉翁亭也

❼大厦若抡材，亭亭托君子

❾志烈秋霜，心贞昆玉，亭亭高竦，不染风尘

❿中通外直，不蔓不枝，香远益清，亭亭净植／就郡言，灵隐寺为尤；由寺观，冷泉亭为甲／志烈秋霜，心贞昆玉，亭亭高竦，不染风尘／峰回路转，有亭翼然，临于泉上者，醉翁亭也

亮 ①liàng 明亮；响亮；开朗，亮堂，清楚；诚实正直；清楚地显露出来；辅助。②liáng[亮阴]帝王居丧。

❸诸葛亮亦一时之杰也

❹君子不亮，恶乎执／坚明直亮，有文武之用

❽萤火之光，照人不亮

❿临危而智勇奋，投命而高节亮／诗缘情而绮靡，赋体物而浏亮

弈 yì 下棋；通“奕”，大。

❶弈之为数，小数也

见《孟子·告子上》。全句为：“～；不专心致志，则不得也”。

弈者举棋不定，不胜其耦

见《左传·襄公二十五年》。

❷凡弈棋与胜己者对，则日进／博弈之交不终日，饮食之交不终月

❺以弋猎博弈之日诵《诗》、《书》，闻识必博矣

❿年衰无酒食之娱，性拙无博弈之艺

奕 yì 大；精神焕发的样子；闲，闲习；重，累。

❷国奕不废旧谱，而不执旧谱

❽大丈夫得死所，光奕奕，照千古

帝 dì 指人间的最高统治者和神话中主宰万物的天神。

❶帝子亲王，必须克己

见唐·李世民《戒皇属》。全句为：“～。每著一衣，则悯蚕妇；每餐一食，则念耕夫”。

帝王之功，圣人之余事也

见《庄子·让王》。全句为：“～，非所以完身养生也”。

帝王之圣者，卑宫室，贱金玉……

见唐·韩愈《三器论》。全句为：“～，斥无用之器，以示天下，贻子孙”。

❷黄帝之治天下，使民心一／黄帝、尧、舜垂衣裳而天下治／五帝三皇神圣事，骗了无涯过客／五帝殊时，不相沿乐；三王异世，不相袭礼

❸古来帝子，生于深宫……／自古帝王多任情喜怒……／阁中帝子今何在，槛外长江空自流／惟上帝不常，作善降之百祥，作不善降之百殃

❹天高皇帝远，民少相公多／三皇五帝之礼仪法度，不矜于同而矜于治／三皇五帝之治天下，名曰治之，而乱莫甚焉

❺道自在天帝之前／秦中自古帝王州

❻峻法严刑，非帝王之隆业／富贵非吾愿，帝乡不可期／有时朝发白帝，暮到江陵……／经天纬地之帝，求制礼作乐之才

❼斗筲之才不秉帝王之重／韩亡子房奋，秦帝鲁连耻／他年我若为青帝，报与桃花一处开／天有六极五常，帝王顺之则治，逆之则凶／宫室富过度，上帝所亚；为者弗居，唯居必路／天下至大器也，帝王至重位也，得士则靖，失士则乱

❾日月光天德，山河壮帝居／胡然而天也，胡然而帝也／虎踞龙盘，三百年之帝国／舍得一身剐，敢把皇帝拉下马／物足则富贵，富贵则帝王公侯／凿井而饮，耕田而食；帝力于我何有哉

❿千古风流歌舞地，六朝兴废帝王州／仁人在上，百姓贵之如帝，亲之如父母／设使国家无有孤，不知当几人称帝，几人称王

衰 ①shuāi 由强转弱。②cuī 按照一定的标准递减。③suī[衰衰]疲弊貌；下垂貌。

❶衰草枯杨，曾为歌舞场

见清·曹雪芹《红楼梦》第一回。全句为：“陋室空堂，当年笏满床；～”。

衰世好信鬼，愚人好求福

见汉·王充《论衡·解除篇》。

衰为盛之终，盛为衰之始

见南朝·齐·张融《白日歌序》。

❷鼓衰兮力竭……／昌衰吉凶皆由己出／盛衰无常，唯爱所丁／盛衰各有时，立身苦不早／年衰无酒食之娱，性拙无博弈之艺／气衰则生物不育，世乱则礼废而乐淫

❸再而衰三而竭／国将衰，必贱师而轻傅／周道衰于幽厉，非道亡也，幽厉不繇也

❹向盛背衰，三可贱／昌必有衰，兴必有废／物盛而衰，固其变也／盛不忘衰，安必思危／齿发虽衰而风力犹在／骐骥之衰也，驽马先之／盛

之有衰，犹朝之必暮／不因感衰节，安能激壮心／冲风之衰也，不能起毛羽／当及未衰时，晚节早自励／至世之衰，父子相图，兄弟相疑／盛之有衰，生之有死，天之分也／人家盛衰，皆系乎积善与积恶而已／自古盛衰如转烛，六朝兴废同棋局／物有盛衰，时有推移，事有激会，人有变化／物盛而衰，乐极则悲，日中而移，月盈而亏

❺不尽天极，衰者复昌／处富而奢，衰之始也／既朽不雕，衰世难佐／治世之德，衰世之恶，常与爵位自相副

❻不学便老而衰／至则反，盛则衰／嗜欲得而信衰于友／木朽不雕，世衰难佐／世有盛名，则衰之日至矣／严罚厚赏，此衰世之政也／时危思报主，衰谢不能休／万物必有盛衰，万事必有弛张／不恤年之将衰，而忧志之有倦／能四时而不衰，历夷险而益固／极而反，盛而衰，天地之道也／文起八代之衰，而道济天下之溺／万物者，以盛衰而谈语，使人想而知之／仁者不以盛衰改节，义者不以存亡易心／盛于彼者必衰于此，长于左者必短于右

❼百姓朴素，狱讼衰息／世乱奴欺主，年衰鬼弄人／发少嫌梳利，颜衰恨镜明／清高之行，显示衰乱之世／一鼓作气，再而衰，三而竭／人之老也，形益衰而智益盛／智不公，则福日衰，灾日隆／世间万物有盛衰，人生安得常少年／国以贤兴，以谄衰；君以忠安，以佞危，此古今之常论

❽恃力者虽盛而必衰／兴者必废，盛者必衰／邪气袭内，正色乃衰／安不忘危，盛必虑衰／数尽则穷，盛满而衰／数穷则尽，盛满则衰／言不可极，极之而衰／人生有离合，岂择衰老端／衰为盛之终，盛为衰之始／君子不恤年之将衰，而忧志之有倦／国之隆替，时之盛衰，察其任臣而已／四时万物兮有盛衰，唯我愁苦兮不暂移／慎终如始，犹恐渐衰，始尚不慎，终将安保

❾春不留兮时已失，老衰飒兮逾疾

❿有兴必有废，有盛必有衰／天道之数，至则反，盛则衰／恃威网以使物者，治之衰也／草忌霜而逼秋，人恶老而逼衰／大凡以智谋而进者，有时而衰／天下之大乱，由虚文胜而实行衰也／塞上长城空自许，镜中衰鬓已先斑／国以任贤使能而兴，弃贤专己而衰／贤者不悲其身之死，而忧其国之衰／欲为圣朝除弊事，肯将衰朽惜残年／道足以忘物之得丧，志足以一气之盛衰／志为气之帅，有志则气不衰，故不觉其老／朝华之草，夕而零落；松柏之茂，隆寒不衰／风俗之变，迁染民志，关之盛衰，不可不慎／吐故纳新者，因气以长气，而气大衰者则难长也／月满则潮盛，月亏则潮衰。潮汐进退，皆由于月也／谋思危之音，危者将不久，不久将欲衰，衰者将不寿／骐骥盛壮之时，一日而驰千里；至其衰也，驽马先之

衷

①zhōng 内心；内衣；正中不偏；真诚；姓。②zhòng 通“中”，适当，恰当。

❹刑罚在衷，无取于轻

高

gāo 高度；指高处；高于一般水平的；尊贵；敬辞；指品德不同凡俗；热烈；盛大；远；岁数大；姓。

❶高处不胜寒

见宋·苏轼《水调歌头》。全句为：“我欲乘风归去，又恐琼楼玉宇，～”。

高山仰止，景行行止

见《诗·小雅·车辖》。

高岸为谷，深谷为陵

见《诗·小雅·十月之交》。

高风所泊，薄俗以敦

见宋·王安石《贺留守侍中启》。

高鸟已散，良弓将藏

见春秋·越·范蠡《自齐遗文种书》。全句为：“～；狡兔已尽，良犬就烹”。

高而不危，所以长守贵也

见唐·颜真卿《与郭仆射书》。全句为：“满而不溢，所以长守富也；～”。

高峰入云，清流见底……

见南朝·梁·陶弘景《答谢中书书》。全句为：“～。两岸石壁，五色交辉。青林翠竹，四时俱备”。

高者未必贤，下者未必愚

见唐·白居易《涧底松》。

高筑墙，广积粮，缓称王

见清·张廷玉《明史·朱升传》。

高山之松，霜霰不能渝其操

见唐·张九龄《与李让侍御书》。全句为：“太阿之剑，犀角不足齿其锋；～”。

高情壮思，有抑扬天地之心

见唐·王勃《游冀州韩家园序》。全句为：“～；雄笔奇才，有鼓怒风云之气”。

高论而相欺，不若忠论而诚实

见汉·王符《潜夫论·实贡》。

高莫高兮九阍，远莫远兮故园

见唐·刘禹锡《楚望赋》。

高山之巅无美木，伤于多阳也

见汉·刘向《说苑·谈丛》。全句为：“～；大树之下无美草，伤于多阴也”。

高议而不可及，不如卑论之有功

见汉·刘向《说苑·谈丛》。

高天滚滚寒流急，大地微微暖气吹

见现代·毛泽东《七律·冬云》。

高谈则龙腾豹变，下笔则烟飞雾凝

见唐·卢照邻《悲才难》。

高明者鬼瞰其门，正直者人怨其笔
见唐·卢照邻《悲才难》。
高视于万物之中，雄峙于百代之下
见唐·柳宗元《与友人论为文书》。全句为："谁不欲争裂绮绣，互攀日月，～"。
高台芳榭，家家而筑；花林曲池，园园而有
见北魏·杨衒之《洛阳伽蓝记·法云寺》。全句为："崇门丰室，洞户连房，飞馆生风，重楼起雾。～"。
高墙狭基，不可立矣；严法峻刑，不可久也
见汉·桓宽《盐铁论·诏圣》。
高山有前，流水在下，可以俯仰，可以宴乐
见唐·柳宗元《盩厔县新食堂记》。
高树靡阴，独木不林，随时之宜，道贵从凡
见南朝·宋·范晔《后汉书·崔骃传》。
高霞孤映，明月独举，青松落荫，白云谁侣
见南朝·齐·孔稚圭《北山移文》。

❷语高而旨深／登高必自卑／道高方知魔盛／居高屋之上建瓴水／墙高基下，虽得必失／志高虑远，祸发所忽／莫高者天，莫浚者泉／行高于人，众必非之／道高益安，势高益危／登高则望，临深则窥／位高者其责不可以不厚／增高者崩，贪富者致患／好高而不为，高不高矣／天高地迥，觉宇宙之无穷／天高皇帝远，民少相公多／天高露清，山空月明……／升高必自下，陟遐必自迩／为高者不高，为卑者不卑／功高人共嫉，事定我当烹／功高成怨府，权盛是危机／名高毁所集，言巧智难防／处高心不有，临节自为名／清高之行，显示衰乱之世／居高声自远，非是藉秋风／爵高者忧深，禄厚者责重／欲高，反下；欲取，反与／念高危，则思谦冲而自牧／登高以望远，摇桨以泳深／才高乎当世，而行出乎古人／才高人自服，不必其言之高／才高行洁，不可保以必尊贵／若高下相去差近，犹可与语／名高天下，何必辨襄阳南阳／行高人自重，不必其貌之高／有高人之行者，固见负于世／天高不敢不局，地厚不敢不蹐／为高必因丘陵，为下必因川泽／词高则出于众，出于众则奇矣／极高寓于极平，至难出于至易／南高峰，北高峰，南北高峰云淡浓／功高而居之以让，势尊而守之以卑／树高者，鸟宿之；德厚者，士趋之／贵高有危殆之惧，卑贱有沟壑之忧／爵高者，人妒之；官大者，主恶之／登高不可以为长，居下不可以为短／登高而招，臂非加长也，而见者远／志高则言洁，志大则辞宏，志远则旨永／穷高则危，大满则溢，月盈则缺，日中则移／乐高喜大，负威任势，亡忧失畏，不求于己也／登高临深，远见之乐，台榭不若丘山所见高也／两高不可重，两大不可容，两贵不可双，两势不可同

❸凛凛高风万古无／山之高，云之浮……／清谈高论，嘘枯吹生／鸟既高飞，罗将奈何／升于高以望江山之远近／位已高而擅权者君恶之／不登高山，不知天之高也／生有高世名，既没传无穷／高莫高兮九阍，远莫远兮故园／山不高则不灵，渊不深则不清／散发高吟，对明月于青溪之下／意莫高于爱民，行莫厚于乐民／不以高危为忧惧，岂知稼穑之艰难／识欲高而气欲下，量欲宏而守欲洁／若升高，必自下；若陟遐，必自迩／德莫高于博爱人，政莫高于博利人／新竹高于旧竹枝，全凭老干为扶持／业无高卑志当坚，男儿有求安得闲／辞必高然后为奇，意必深然后为工／立身高一步方超达，处世退一步方安乐／风霜高洁，水落而石出者，山间之四时也／神姿高彻，如瑶林琼树，自然是风尘外物／山虽高，水虽下，其为险而害也，要之不异／鸿鹄高飞，一举千里，羽翼以就，横绝四海／日思高其位，大其禄，而贪取滋甚，以近于危坠／道者……高不可际，深不可测；包裹天地，禀授无形／天之高也，星辰之远也，苟求其故，千岁之日至，可坐而致也

❹百尺楼高万里风／立志要高，不要卑／墙隙而高，其崩必疾／尚名好高，其身必疏／山致其高，云雨起焉／水涨船高，泥多佛大／自许太高，诋时太过／其曲弥高，其和弥寡／勿以功高古人而自矜大／万金买高爵，何处买青春／世胄蹑高位，英俊沉下僚／失身取高位，爵禄反为耻／佳人慕高义，求贤良独难／城中好高髻，四方高一尺／落尽最高树，始知松柏青／大贤秉高鉴，公烛无私光／沙角台高，乱帆收向天边／强弩弋高鸟，走犬逐狡兔／望云惭高鸟，临水愧游鱼／春色无高下，花枝有短长／首虽尊高，必资手足以成体／并兼者高诈力，安定者贵顺权／胸次山高水远，笔端云起风狂／大山之高，非一石也，累卑然后高／太山之高，非一石也，累卑然后高／淡泊是高风，太枯则无以济人利物／不忍登高临远，望故乡渺邈，归思难收／卑而言高，能言而不能行者，君子耻之矣／君不见高堂明镜悲白发，朝如青丝暮成雪／君不见高山万仞连苍旻，天长地久成埃尘／仰之弥高，钻之弥坚。瞻之在前，忽焉在后／谓天盖高，不敢不局；谓地盖厚，不敢不蹐／太山之高，背而弗见；秋毫之末，视之可察／山不厌高，海不厌深；周公吐哺，天下归心／山不在高，有仙则名；水不在深，有龙则灵／轻羽在高，遇风则飞；细石在谷，逢流则转／既已得高官巨富矣，仍讲道德、说仁义自若也

❺卑之无甚高论／惟仁者宜高位／才下而位高，二危也／长短相形，高下相倾／在上不骄，高而不危／昭明有融，高朗令终／手持文柄，高视寰海／方寸之木，高于岑楼／居庙堂之高，则

忧其民／非求宫律高，不务文字奇／为高者不高，为卑者不卑／圣人不曾高，众人不曾低／山锐则不高，水狭则不深／财不如义高，势不如德尊／积之而后高，尽之而后圣／鸟兽不厌高，鱼鳖不厌深／菌阁松楹，高枕于北山之北／仪必应乎高下，衣必适乎寒暑／苟或得其高朗，探其深赜……／鸟避弋而高翔，鱼畏网而深游／不仁而在高位，是播其恶于众也／鸿鹄巢于高林之上，暮而得所栖／腾波触天，高浪灌日，吞吐百川／南高峰，北高峰，南北高峰云淡浓／附赢以升高而枯，蝜蝂以任重而蹶／新松恨不高千尺，恶竹应须斩万竿／言峻则嵩高极天，论狭则河不容舠／古之人，有高世之才，必有遗俗之累／水之行避高而趋下，兵之形避实而击虚／在上不骄，高而不危；制节谨度，满而不溢／松柏生于高冈，散柯布叶，而草木为之不植／天不得不高，地不得不广，日月不得不行，万物不得不昌，此其道与

❻有志不在年高／廉吏可为者，高且洁／道高益安，势高益危／登山者处已高矣……／誉成毁败，扶高抑下／吾不见青天高，黄地厚／好高而不为，高不高矣／千里始足下，高山起微尘／险语破鬼胆，高词媲皇坟／功成耻受赏，高节卓不群／大之为河海，高之为山岳／美服患人指，高明逼神恶／纵横一川水，高下数家村／贵以贱为本，高以下为基／繁莺芳树，绕高台而共乐／舍近取远，务高言而鲜事实／不立异以为高，不逆情以干誉／伏久者飞必高，开先者谢独早／土处下，不在高，故安而不危／恶之所在，虽高隆，世不能贵／威赫赫爵禄高登，昏惨惨黄泉路近／登山始觉天高广，到海方知浪渺茫／闭心塞意，不高瞻览者，死人之徒也哉／今世之人居高官尊爵者，皆重失之，见利轻亡其身，岂不惑哉

❼欲与天公试比高／青云不及白云高／无虐茕独而畏高明／凤凰鸣矣，于彼高冈／行虽至卓，不离高下／饥则附人，饱便高扬／不清不见尘，不高不见危／事修而谤兴，德高而毁来／但有路可上，更高人也行／土暖春常在，峰高月易沉／器满才难御，功高主自疑／处满常惮溢，居高本虑倾／学者有两忌，自高与自狭／权重持难久，位高势易穷／春秋多佳日，登高赋新诗／水广者鱼大，山高者木修／穷居而野处，升高而望远／君子之仕，不以高下易其心／卑贱者最聪明，高贵者最愚蠢／冲隆不足为强，高城不足为固／婴儿以不知益，高年以多事损／有境界则自成高格，自有名句／使治乱存亡若高山之与深溪……／上悬之无极之高，下垂之不测之渊／才自清明志自高，生于末世运偏消／丘山积卑而为高，江河合水而为大／大马死，小马饿；高山崩，石自破／守正之人其气高，含章之人其词大／碧玉妆成一树高，万条垂下绿丝绦／能大而不小，能高而不下，非兼通也／处世让一步为高，退步即进步的张本／凤凰，凤凰，何不高飞还故乡，无故在此取灭亡／狡兔死，良狗烹；高鸟尽，良弓藏；敌国破，谋臣亡

❽储思必深，摛辞必高／积薄为厚，积卑为高／无功庸者，不敢居高位／好高而不为，高不高矣／毛羽未成，不可以高飞／文之异，在气格之高下／老成虑事，不必皆高年／不广其基，而增其高者覆／城中好高髻，四方高一尺／烈士徇荣名，义士高贞介／积山万状，负气争高……／口谈道德而心存高官，志在巨富／有恒者之与圣人，高下固悬绝矣／城上草，植根非不高，所恨风霜早／大海荡荡水所归，高贤愉愉民所怀／狡兔得而猎犬烹，高鸟尽而强弩藏／清流泂洑眩波光，高崖古木争苍苍／陵虚之鸟，爱其清高，不愿江汉之鱼／岑乎泰山不足为高，巍乎天地不足为容／登峻者戒在于穷高，济深者祸生于舟重／积山万状，负气争高。含霞饮景，参差代雄／天地之养也一，登高不可以为长，居下不可以为短

❾山不让土石以成其高／论大材体则弘博而高远／无功而厚赏，无劳而高爵／不登高山，不知天之高也／世情看冷暖，人面逐高低／国朝盛文章，子昂始高蹈／德之休明，不在位之高下／达人识元气，变愁为高歌／神龙藏深泉，猛兽步高冈／良弓难张，然可以及高入深／名须立而戒浮，志欲高而无妄／崇一篑而弗休必钧高乎峻极矣／治之盛也，德优矣，莫高于俭／南高峰，北高峰，南北高峰云淡浓／名重则于实难副，论高则与世常疏／病学者厌卑近而骛高远，卒无成焉／贵者必以贱为号，而高者必以下为基／世未有不自下而能高，不自近而能远者／学者不患立志之不高，患不足以继之耳／所谓阻且艰者，莫能高其高而深其深也／四时之运，功成则退，高爵厚宠，鲜不致灾

❿把酒酹滔滔，心潮逐浪高／山不辞土石，故能成其高／山明云气画，天静鸟飞高／水涵天影阔，山拔地形高／有理言自壮，负屈声必高／积上不止，必致嵩山之高／才高人自服，不必其言之高／大山不立好恶，故能成其高／行高人自重，不必其貌之高／毛羽不丰满者，不可以高飞／意全胜者，辞愈朴而文愈高／不穷异以为神，不引天以为高／世事如棋局，不着的才是高手／临危而智勇奋，投命而高节亮／升。君子以顺德，积小以高大／以意全胜者，辞愈朴而文愈高／八音与政通，而文章与时高下／弃燕雀之小志，慕鸿鹄以高翔／绳直而枉木斫，准夷而高科削／筑城者，先厚其基而后求其高／宇宙之

内，燕雀不知天地之高也／耳调玉石之声，目不见太山之高／一登一陟一回顾，我脚高地他更高／与其无义而有名兮，宁穷处而守高／不以人之坏自成，不以人之卑自高／不畏浮云遮望眼，自缘身在最高层／人生达命岂暇愁，且饮美酒登高楼／人怜直节生来瘦，自许高材老更刚／凡人之谈，常誉成毁败，扶高抑下／论贵是而不务华，事尚然而不高合／读书之乐乐陶陶，起弄明月霜天高／喜为异说而不让，敢为高论而不顾／大山之高，非一石也，累卑然后高／太山之高，非一石也，累卑然后高／吾尝跂而望矣，不如登高之博见也／德益盛者虑益微，功愈高者意愈下／德莫高于博爱人，政莫高于博利人／时人不识凌云木，直待凌云始道高／气盛则言之短长与声之高下者皆宜／臂健尚嫌弓力软，眼明犹识阵云高／旌旗日暖龙蛇动，宫殿风微燕雀高／鹊巢知风之所起，獭穴知水之高下／吞舟之鱼不游渊，鸿鹄高飞不就污池／身不肖而诬贤，是犹伛偻而好升高也／不大不小乃生大小，不高不卑乃生高卑／山舞银蛇，原驰蜡象，欲与天公试比高／河以逶蛇，故能远；山以陵迟，故能高／所谓阻且艰者，莫能高其高而深其深也／唯仁者可好也，可恶也，可高也，可下也／不揣其本而齐其末，方寸之木可使高于岑楼／云山苍苍，江水泱泱，先生之风，山高水长／十旬休暇，胜友如云；千里逢迎，高朋满座／黄钟毁弃，瓦釜雷鸣；谗人高张，贤士无名／负势竞上，互相轩邈，争高直指，千百成峰／坚甲利兵不足以为武，高城深池不足以为固／志烈秋霜，心贞昆玉，亭亭高竦，不染风尘／将欲毁之，必重累之；将欲踣之，必高举之／吞舟之鱼，不游枝流；鸿鹄高飞，不集污池／迷涂知反，往哲是与。不远而复，先典攸高／通才之人或见赘于时，高世之士或见排于俗／物至则反，冬夏是也；致高则危，累棊是也／龙不隐鳞，凤不藏羽，网罗高县，去将安所／穷而思达，人之情也；卑而应高，物之理也／虎之跃也，必伏乃厉；鹄之举也，必拊乃高／言不中法者，不听也；行不中法者，不高也／金以刚折，水以柔全；山以高陊，谷以卑安／龟龙闻而深藏、鸾凤见而高逝者，知其害身也／穷愁著书，古儒者之大同，非高冠长剑之比耳／登高临深，远见之乐，台榭不若丘山所见高也／非历览无以寄杼轴之怀，非高远无以开沉郁之绪／建安诗辩而不华，质而不俚，风调高雅，格力遒壮／君子之道，辟如行远，必自迩；辟如登高，必自卑／物非有大小也，自其内而观之，未有不高且大者也／求之而后得，为之而后成，积之而后高，尽之而后圣／人生寄一世，奄忽若飙尘；何不策高足，先据要路津／地虽胜，得人焉而居之，则山若增而高，水若辟而广／不以人之坏自成也，不以人之卑自高也，不以遭时自利也／君子之处世，贵能有益于物耳，不图高谈虚论，左琴右书／君子以争途之不可由也，是以越俗乘高，独行于三等之上／君子尊德性而道问学，致广大而尽精微，极高明而道中庸／学者四失：为人则失多，好高则失寡，不察则易，苦难则止／目察秋毫之末，耳不闻雷霆之声；耳调玉石之声，目不见泰山之高

离 ①lí 分开，分别；分解；圈点；割取；相并，成排；陈列；经历；背叛；明；相距；缺少；八卦之一；通"罹"，遭受；通"缡"，古代女子出嫁系的佩巾；姓。②lì 通"丽"，依附。③chī "螭"的古字。

❶离离原上草，一岁一枯荣

见唐·白居易《赋得古原草送别》。

离居见新月，那得不思君

见唐·钱起《送李秀才落第游荆楚》。

离亭北望，烟霞生故国之悲

见唐·王勃《绵州北亭群公宴序》。全句为："～；别馆南开，风雨积他乡之思"。

离别不堪无限意，艰危深仗济时才

见唐·杜甫《送王十五判官扶侍还黔中》。

离道而内自择，则不知祸福之所托

见《荀子·正名》。全句为："道者，古今之正权也。～"。

❷乱离之后，风俗难移／华离蒂而萎，条去干而枯／离离原上草，一岁一枯荣／流离重流离，忍冻复忍饥／国离寇敌则伤，民见凶饥则亡

❸蛟龙离水，匹夫可制／参之《离骚》以致其幽／万人离心，不如百人同力／道不离乎物，若离物则无所谓道／合则离，成则毁，廉则挫，尊则议

❹万变不离其宗／众叛亲离，难以济矣／良友远离别，各在天一方／真个别离难，不似相逢好／人生有离合，岂择衰老端／陌上新离别，苍茫四郊晦／存为久离别，没为长不归／理未尝离乎气，然理形而上者，气形而下者

❺不曾远别离，安知慕俦侣／流离重流离，忍冻复忍饥／贫贱亲戚离，富贵他人合／求取情状，离绝远去笔墨畦径间／立事者不离道德，调弦者不失宫商／君今不幸离人世，国有疑难可问谁？／尽若穷烟，离若箭弦，如影灭地，犹星殒天／人有悲欢离合，月有阴晴圆缺，此事古难全

❻莫教管弦作离声／不琢不错，不离砾石／能虽至神，不离巧拙／行虽至卓，不离高下／进退无恒，非离群也／貌虽至殊，不离妍丑／言虽至工，不离是非／郁郁涧底松，离离山上苗／食蔗渐渐佳，离官寸寸乐／交友不信，则离散郁怨，不能相亲／卞和献宝，以离断趾；灵均纳忠，终于沉身／六合为巨，未离其内；秋毫为小，待之

成体／鹦鹉能言，不离飞鸟；猩猩能言，不离走兽

❼圣王之治世，不离仁义／郁郁涧底松，离离山上苗／道不离乎物，若离物则无所谓道／悲莫悲兮生别离，乐莫乐兮新相知／函车之兽，介而离山，则不免于罔罟之患／洲汀岛屿，向背离合；青树碧蔓，交罗蒙络／屈原放逐，乃赋《离骚》；左丘失明，厥有《国语》

❽士穷不失义，达不离道／剪不断，理还乱，是离愁／气疲欲胜，则精灵离身矣／覆压三百余里，隔离天日／士有争友，则身不离于令名／道也者，不可须臾离也；可离，非道也／为国失道，众叛亲离；为国以道，人必悦服／同乎无知，其德不离；同乎无欲，是谓素朴

❾夫妇有恩矣，不诚则离／上言长相思，下言久离别／丈夫非无泪，不洒别离间／以胶投漆中，谁能别离此／伤禽恶弦惊，倦客恶离声／时来故旧少，乱后别离频／国医不泥古方，而不离古方／室人和则谤掩，外内离则恶扬／敬之为道也，严而相离，其势难久／知本无有思，动静皆离，寂然不动者，是至诚也

❿外合不由中，虽固终必离／富贵他人合，贫贱亲戚离／雄兔脚扑朔，雌兔眼迷离／虽载言载笑，赏风月于离前／彼无故以合者，则无故以离／暴王之恶天下，故天下可离／不正而合，未有久而不离者也／不实在于轻发，固陋在于离贤／家富则疏族聚，家贫则兄弟离／晓来谁染霜林醉，总是离人泪／欲福者或为祸，欲利者或离害／夫妇之道，有义则合，无义则离／朋友之道，有义则合，无义则离／言者以谕意也，言意相离，凶也／世上万般哀苦事，无非死别与生离／为谁醉倒为谁醒？至今犹恨轻离别／带长剑兮挟秦弓，首身离兮心不惩／杨柳枝，芳菲节，可恨年年赠离别／气入身来为之生，神去离形为之死／蜀笺都有三千幅，总写离情寄孟光／为人师者众笑之，举世不师，故道益离／德日新，万邦惟怀；志自满，九族乃离／道也者，不可须臾离也；可离，非道也／鱼鳖得免毒螫之渊，鸟兽得离罗网之纲／好言人之恶，谓之谗；析交离亲，谓之贼／百节成体，共资荣卫，万趣会文，不离辞情／吞舟之鱼荡而失水，则制于蝼蚁，离其居也／山，快马加鞭未下鞍。惊回首，离天三尺三／福善之门莫美于和睦，患咎之首莫大于内离／鹦鹉能言，不离飞鸟；猩猩能言，不离走兽／政令不烦，则安其业，故不远迁徙，离其常处／东风恶，欢情薄，一怀愁绪，几年离索。错！错！错／莫道男儿心如铁，君不见满川红叶，尽是离人眼中血／《国风》好色而不淫，《小雅》怨诽而不乱，若《离骚》者，可谓兼之

衮 gǔn 古代君王及上公的礼服。

❹相逢难衮衮，告别莫匆匆

旁 ①páng 侧，两边；别的，其他的；妄，乱；广泛；指汉字的偏旁。②bàng 依傍，沿。

❶旁通而无滞，日用而不匮

见南朝·梁·刘勰《文心雕龙·原道》。全句为："道沿圣以垂文，圣因文而明道，～"。

旁观虽拙，而灼于虚公之见

见清·陈确《乾初先生遗集·别集·瞽言》。全句为："当局虽工，而蔽于求胜之心；～"。

❷利旁有依刀，贪人还自贼

❹是气所旁薄，凛烈万古存／隐括之旁多枉木，砥砺之旁多顽钝／无奇业旁入，而犹以富给，非俭则力也

❺当局称迷，旁观必审

❻钱神通灵于旁蹊，公器反类于互市

❾议不在己者易称，从旁议者易是／悲愁天地白日昏，路旁过者无颜色

❿桃生露井上，李树生桃旁／隐括之旁多枉木，砥砺之旁多顽钝／当局者之十，不足以当旁观者之五／不求所无，不失所得，内无旁祸，外无旁福／饥马在厩，寂然无声，投刍其旁，争心乃生

毫 háo 毫毛；丝毫；毛笔；旧计量单位；姓。

❶毫毛不拔，将成斧柯

见《战国策·魏策一》。

毫毛虽小，视之可察

见汉·牟融《牟子》。全句为："～；泰山之大，背之不见"。

毫氂不伐，将用斧柯

见汉·司马迁《史记·苏秦列传》。

毫厘之根，无连抱之枝

见晋·葛洪《抱朴子·广譬》。全句为："浑沌之原，无皎澄之流；～"。

毫厘之差，或致弊于寰海

见唐·韩愈《为韦相公让官表》。全句为："～；晷刻之误，或遗患于历年"。

❷谛毫末者，不见天地之大

❸失之毫厘，差以千里／差若毫厘，缪以千里／损一毫利天下，不与也／褒秋毫之善，贬纤芥之恶

❹其益如毫，其损如刀／抱木生毫末，层台起累土／不以一毫私意自蔽，不以一毫私欲自累／目察秋毫之末，耳不闻雷霆之声；耳调玉石之声，目不见泰山之高

❻美曰美，不一毫虚美／犯法之人，丝毫无贷／过曰过，不一毫讳过／有所许诺，纤毫必偿／明

足以察秋毫之末，而不见舆薪／文章太守，挥毫万字，一饮千钟／事有所分，则毫末不遗而情伪必见

❼诗成珠玉在挥毫／千里之差，兴自毫端／君子慎始，差若毫厘，缪之千里／天下莫大于秋毫之末，而太山为小／荡涤胸中，无一毫之私累，可以言大矣／合抱之木，生于毫末……千里之行，始于足下

❽千里之缪，不容秋毫／死生之穴，乃在分毫／外疾之害轻于秋毫，人知避之

❾岂知千仞坠，只为一毫差／流落人间者，太山一毫芒／苟非吾之所有，虽一毫而莫取／治乱存亡，其始若秋毫，察其秋毫，则大物不过

❿悬日月于胸怀，挫风云于毫翰／八纮驰骋于思绪，万代出没于毫端／闭门觅句陈无己，对客挥毫秦少游／觉来落笔不经意，神妙独到秋毫颠／一切问答，如针锋相投，无纤毫参差／不以一毫私意自蔽，不以一毫私欲自累／众物之中，道无不在；秋毫之细，道亦居之／六合为巨，未离其内；秋毫为小，待之成体／勋劳宜赏，不吝千金；无功望施，分毫不与／太山之高，背而弗见；秋毫之末，视之可察／事当其可与，万金与之；义所不宜，毫发拒之／天下争名趋势，不计是非，析毫剖芒，视死如归／治乱存亡，其始若秋毫，察其秋毫，则大物不过／万物有自然之理，圣人只是顺之，不曾增加得一毫／不躬行，便如水行得车，陆行得舟，一毫受用不得／君子防悔尤，贤人戒行藏，嫌疑远瓜李，言动慎毫芒／感应者气也，如是而感则如是而应，有不容以毫发差者理也

孰

shú 代词，谁，哪个；“熟”的古字。

❶孰知养之之优，盖由责之之重

见宋·苏辙《刘昌祚免恩命不许不允批答四首》之一。

孰无施而有报兮，孰不实而有获

见战国·楚·屈原《九章·抽思》。

孰非义而可用兮，孰非善而可服

见战国·楚·屈原《离骚》。

孰恶孰美，成者为首，不成者为尾

见《庄子·盗跖》。

孰知有无死生之一守者，吾与之为友

见《庄子·庚桑楚》。

孰使予乐居夷而忘故土者，非兹潭也欤

见唐·柳宗元《钴鉧潭记》。

❷事孰为大？事亲为大。守孰为大？守身为大

❸百金孰为重，一诺良匪轻／人生孰无死，贵得死所耳／孰恶孰美，成者为首，不成者为尾／王曰：“孰能一之？”对曰：“不嗜杀人者能一之”

❹是可忍，孰不可忍／肥于貌，孰与肥其道；求于人，孰与求其身

❺人非圣贤，孰能无过／此而可忍，孰不可忍／白玉不毁，孰为珪璋／是可忍也，孰不可忍也／百姓足，君孰与不足？百姓不足，君孰与足／生而不淑，孰谓其寿？死而不朽，孰谓之夭

❻不有百炼火，孰知寸金精／大天而思之，孰与物畜而制之／望时而待之，孰与应时而使之／从天而颂之，孰与制天命而用之／贱物而贵德，孰谓道远，将允蹈子

❼与其坐而待亡，孰若起而拯之／与其有乐于身，孰若无忧于其心／与其有誉于前，孰若无毁于其后

❽匈奴未灭，受命而孰不忘家／孰无施而有报兮，孰不实而有获／孰非义而可用兮，孰非善而可服／人非生而知之者，孰能了此无惑，故从其先得者而问焉

❾人能虚己以游世，其孰能害之／精神通于死生，则物孰能惑之／何方圆之能周兮，夫孰异道而相安／政者，正也。子帅以正，孰敢不正？

❿因其所喜而为善，虽有愿忠而孰能／隐忍就功名，非烈丈夫孰能致此哉？／百姓足，君孰与不足？百姓不足，君孰与足／事孰为大？事亲为大。守孰为大？守身为大／生而不淑，孰谓其寿？死而不朽，孰谓之夭／赏之使谏，尚恐不言；罪其敢言，孰敢献纳／肥于貌，孰与肥其道；求于人，孰与求其身／若使民常畏死，而为奇者，吾得执而杀之孰敢／称牛之服重，不誉马速，誉手毁足，孰谓之慧／孔子谓季氏：“八佾舞于庭，是可忍也，孰不可忍也？”／一夫耕，百人食之；一妇桑，百人衣之。以一奉百，孰能供之／杀人之士民，兼人之土地，以养吾私与吾神者，其战不知孰善

烹

pēng 烧煮食物；古代一种杀人的酷刑。

❶烹饪起于热石，玉辂基于椎轮

见明·黄宗羲《张南桓传》。

❸呼儿烹鲤鱼，中有尺素书

❹太牢斯烹，安可荐羹藜之味／以烦手烹鱼则鱼必溃，使学者制锦则锦必伤

❺治大国若烹小鲜／能获而能烹，所以为善猎也

❻克为卿，失则烹／野禽殚，走犬烹；敌国破，谋臣亡／狡兔死，良狗烹；高鸟尽，良弓藏；敌国破，谋臣亡

❼狡兔尽则良犬烹，敌国灭则谋臣亡／狡兔得而猎犬烹，高鸟尽而强弩藏

❽狡兔已尽，良犬就烹

❾狡兔依然在，良犬先烹

❿功高人共嫉，事定我当烹／丈夫生不五鼎食，死即五鼎烹耳／飞鸟尽，良弓藏；狡兔死，走狗

烹／蜚鸟尽，良弓藏；狡兔死，走狗烹

商 shāng 买卖商品的活动；商人；朝代名；除法运算的得数；古代五音之一；心宿的主星；漏刻；古部落名；古地名；姓。

❶商贾比财，烈士比义

见《尸子·劝学》。

商贾无市井之事则不比

见《庄子·徐无鬼》。全句为："农夫无草莱之事则不比，～"。

商不出则三宝绝，虞不出则财匮少

见汉·司马迁《史记·货殖列传》。全句为："农不出则乏其食，工不出则乏其事，～"。

商女不知亡国恨，隔江犹唱后庭花

见唐·杜牧《泊秦淮》。

❷农商工贾……可为师表

❻巢许蔑四海，商贾争一钱／动摇文律，宫商有奔命之劳

❼天籁无假于宫商，贞�不争于柯叶

❽事事只在道理上商量，便是真体认／工不出则农用乏，商不出则宝货绝／名为山人而心同商贾，口谈道德而志在穿窬

❾从农论田田夫胜，从商讲贾贾人贤／能明申、韩之术而修商君之法，法修术明而天下乱者，未之闻也

❿师旷之调五音，不失宫商／人生不相见，动如参与商／以贫求富，农不如工，工不如商／用贫求富，农不如工，工不如商／无伎不可以为工，无资不可以为商／为文有三多：看多、做多、商量多／立事者不离道德，调弦者不失宫商／繁枝容易纷纷落，嫩蕊商量细细开／善为国者若弹琴；宫君商臣，则治国之道／有山海之货而民不足于财者，商工不备也／引物连类，穷情尽变；宫商相宣，金石谐和

率 ①shuài 捕鸟网，亦指用网捕鸟兽；带领；轻易地；直爽；遵循；楷范；潦草，粗疏；通常；循；姓。②lǜ 标准，规格。

❶率性而行谓之道，得其天性谓之德

见汉·刘安《淮南子·齐俗》。

率虎狼牧羊豕，而望其蕃息，岂可得也

见宋·邓牧《伯牙琴·吏道》。

❸以令率人，不若身先

❹学不进，率由因循／诗家虽率意，而造语亦难／贪鄙在率不在下，教训在政不在民／梁、陈间，率不过嘲风雪，弄花草而已

❺理国长安，率身从道，言必信实／为之政，以率其怠倦；为之刑，以锄其强梗／自古上书，率多激切。若不激切，则不能起人主之心

❻难任人，蛮夷率服／不勤不教，将率之过也／友道君逆，则率友以违君／仁义充塞，则率兽食人，人将相食／天命之谓性，率性之谓道，修道之谓教

❼三公者，百僚之率，万民之表／厉精，莫如自上率之，则壅蔽决矣

❽《春秋》之义，责知诛率

❾溥天之下，莫非王土；率土之滨，莫非王臣

❿量宽足以得人，身先足以率人／省事莫如任人，厉精莫如自上率之／大匠不为拙工改废绳墨，羿不为拙射变其彀率

亵 xiè 内衣；犹常见面；轻慢；不严肃，不庄重；言秽。

❼可远观而不可亵玩焉

❿鸾凤竞粒于庭场，则受亵于鸡鹜

就 jiù 接近；接触；完成；到；趁着；卒，终；归，趋；随即；即使；只；正，即；偏偏。

❶就其利，辞其害

见《庄子·盗跖》。

就郡言，灵隐寺为尤；由寺观，冷泉亭为甲

见唐·白居易《冷泉亭记》。全句为："东南山水，余杭郡为最；～"。

❷民就穷而敛愈急／所就者大，则必有所忍／去就取与知能六者，塞道也／日就月将，学有缉熙于光明／其就义若渴者，其去义若热／欲就麻姑买沧海，一杯春露冷如冰／恭就貌上说，敬就心上说。恭主容，敬主事／不就利，不违害，不强交，不苟绝，惟有道者能之

❸三径就荒，松菊犹存／陈力就列，不能者止／度能就位，忠臣所以事君／隐忍就功名，非烈丈夫孰能致此哉？

❹驾轻车，就熟路／功成事就，扶手安居／形莫若就，心莫若和／亲贤如就芝兰，避恶如畏蛇蝎／以千百就尽之卒，战百万日滋之师／欲恶避就，固不待师，此人之性也／能去能就，能柔能刚，能进能退，能弱能强

❺忍小忿而就大谋／瞒天讨价，就地还钱／纵横计不就，慷慨志犹存／闻恶不可就恶，恐为谗夫泄怒／君子之……所就者大，则必有所忍

❻先避患而后就利／凡性者，天之就也／大志非才不就，大才非学不成／凡聚小所以就大，积一所以至亿也／施薪若一，火就燥也；平地若一，水就湿也

❼狡兔已尽，良犬就烹／居必择乡，游必就士／尽输助徭役，聊就空自眠／木受绳则直，金就砺则利／鉴形之美恶，必就于止水／大凡做一件事，就要当一件事／事生则释公而就私，货数而任己／圣人教人，只是就人日用处开端／明好恶而定去就，崇敬让而民兴行／官大者，亦可小就；官小者，亦可大用／恭就貌上说，敬就心上说。恭主容，敬主事

❽天下无道，则修德就闲／圣人之教，常俯而就之／待到重阳日，还来就菊花／慷慨赴死易，从

容就义难／物速成则疾亡，晚就则善终／但是诗人多薄命，就中沦落不过君／衙门自古向南开，就中无个不冤哉／昨日春风欺不在，就床吹落读残书／敏于事而慎于言，就有道而正焉，可谓好学也已

❾能持大体，凡事自可就也／河海不择细流，故能就其深／感慨杀身者易，从容就义者难／君子之于世，无去无就，惟道是从／不是东风压了西风，就是西风压了东风／民之归仁也，犹水之就下、兽之走圹也／理之固然者：富贵则就之，贫贱则去之／君子居必择乡，游必就士，所以防邪僻而近中正也

❿先生之不从世兮，惟道是就／境遇不耐苦，则无所成就之人／少年作迟暮经营，异日决无成就／非其事者勿仞也，非其名者勿就也／凿井者起于三寸之坎，以就万仞之深／吞舟之鱼不游渊，鸿鹄高飞不就污池／磨砺当如百炼之金，急就者，非邃养／国耳忘家，公耳忘私，利不苟就，害不苟去／鸿鹄高飞，一举千里，羽翼以就，横绝四海／欲为君子，终身乃成；欲为小人，一朝可就／施薪若一，火就燥也；平地若一，水就湿也／上无所为，则下无事，家给人足，万物自化就／古之学者必有师，所以通其业，成就其道者也／名实相生，利用相成，是非相明，去就相安也／察乎安危，宁于祸福，谨于去就，莫之能害也／沉默呵，沉默呵！不在沉默中爆发，就在沉默中灭亡／己之才艺虽多，犹病以为少，仍就寡少之人更求所益／其义则不足死，赏罚则不足去就，若是而能用其民者，古今无有

啻 chì 但；只；止；仅。

❽邪正之不同也不啻若黑白

❿小人之交以利，平时相亲不啻父子，一旦相噬不啻狗彘

禀 ①bǐng 生就的；承受；报告。②lǐn 通“廪”，给予粮食。

❶禀正直之性，怀刚毅之姿

见唐·韩愈《举张正甫自代状》。全句为：“～，嫉恶如仇雠，见善若饥渴”。

禀道之性，本来清静……

见五代·前蜀·杜光庭《道德真经广圣义》卷十五。全句为：“～，及生之后，渐染诸尘，障翳内心，迷失真道”。

❷所禀生者谓之性／仓禀无宿储，徭役犹未已／虽禀极聪，而有声者不可尽闻焉

❸人物禀假，受有多少……

❹自道所禀谓之性，性之所迁谓之情／人生时禀得灵气，精明通悟，学无滞塞，则谓之神

❺包裹天地，禀授无形／人性虽同，禀气不能无偏重／命者，人所禀受，若贵贱夭寿之属

❼品而为族，则所禀者偏／含元一以为质，禀阴阳以立性，体五行而著形

❿道者……高不可际，深不可测；包裹天地，禀授无形

雍 yōng 和谐；古代撤膳时所奏的音乐；通“壅”，遮蔽，壅塞；水被壅塞而成的池沼；通“拥”，拥有；古九州之一；姓。

❿李太白诗不专是豪放，亦有雍容和缓底

裹 guǒ 包；指包裹的物品；花房；草的果实。

❷包裹天地，禀授无形

❺伏波惟愿裹尸还，定远何须生入关

❼内清外浊，弊衣裹玉／水之性胜火，如裹之以釜，水煎而不得胜，必矣

❽须晴日，看红装素裹，分外妖娆

❿也知渔父趁鱼急，翻着春衫不裹头／男儿要当死于边野，以马革裹尸还葬耳／道者……高不可际，深不可测；包裹天地，禀授无形

豪 háo 豪猪身上的刺，亦因其长而刚以喻有才德、威望或有权势的人；直爽；势力强盛；通“毫”；姓。

❶豪健俊伟，怪巧瑰琦

见宋·王安石《祭欧阳文忠公文》。

豪杰之士者，必有过人之节

见宋·苏轼《留侯论》。

豪华尽出成功后，逸乐安知与祸双

见宋·王安石《金陵怀古四首》之一。

❸磊落豪雄是第二等资质／有贤豪之士，不须限于下位／与贤豪相对，最不可有媚悦之色／倚势豪夺，飞食人肉，鼓吻弄翼，道路以目

❺威猛之能，豪杰之材也／严于取，则豪杰之老死丘壑者多矣

❻彼以成败评豪杰者，市儿之见也

❼邪说之移人，虽豪杰之士有不免者／闻《秦中吟》，则权豪贵近者相目而变色矣

❽一语天然万古新，豪华落尽见真淳／李太白诗不专是豪放，亦有雍容和缓底

❿宝器玩物，不可示于权豪／从古求贤贵拔茅，素门平进有英豪／独有英雄驱虎豹，更无豪杰怕熊罴／贫疑陋巷春偏少，贵想豪家月最明／出新意于法度之中，寄妙理于豪放之外／举将而限以资品，则英豪之士在下位者不可得／德万人者谓之俊，德千人者谓之豪，德百人者谓之英

膏 ①gāo 脂肪；肥沃；很稠的糊状物。②gào 在车轮或机器上涂油膏；滋润。

❶膏以朗煎，兰由芳凋

见晋·谢安《答王胡之诗六章》之一。

膏火自煎熬，多财为患害

见三国·魏·阮籍《咏怀诗八十二首》之六。

❷治膏肓者，必进苦口之药／焚膏油以继晷，恒兀兀以穷年
❹田夫寿，膏粱夭，嗜欲少多之验也
❺齿由刚折，膏为明销／十种之地，膏壤虽肥，弗耕不获／笔端肤寸，膏润天下；文章之用，极其至矣
❻良田无晚岁，膏泽多丰年／薰以香自烧，膏以明自销／铎以声自毁，膏烛以明自铄／山木，自寇也；膏火，自煎也／以此治人，则膏雨甘露降矣，寒暑四时当矣
❼事丰奇伟，辞富膏腴，无益经典，而有助文章
❽根之茂者其实遂，膏之沃者其光晔
❾积恶在身，犹火之销膏，而人不见也／巫山之上顺风纵火，膏夏紫芝与萧艾俱死
❿寒者愿为蛾，烧死彼华膏／可知他朱甍碧瓦，总是血膏涂／进苦口之药石，针害身之膏肓／疾不可为也，在肓之上、膏之下／东南四十三州地，取尽膏脂是此河／自伯之东，首如飞蓬；岂无膏沐，谁适为容／处顺境内，眼前尽兵刃戈矛，销膏靡骨而不知

褒 bāo 夸奖；称赞；衣襟宽大；古国名。
❶褒其可褒，而贬其可贬
见唐·韩愈《答李翊书》。
褒贬无一词，岂得为良史
见宋·王禹偁《对雪》。
褒秋毫之善，贬纤芥之恶
见晋·陈寿《三国志·蜀书·刘焉传》。
褒有德，赏有功，古今之通义
见汉·班固《汉书·张汤传》。
褒见一字，贵逾轩冕；贬在片言，诛深斧钺
见南朝·梁·刘勰《文心雕龙·史传》。
❹赏有功，褒有德／褒其可褒，而贬其可贬
❺君子不待褒而劝，不待贬而惩
❻君子以义相褒，小人以利相欺／文之用，辞令褒贬导扬讽喻而已
❼谤议之言，难用褒贬／文有二道：辞令褒贬，本乎著述者也
❽丁君十纸，不敌王褒数字
❾为文不渥，则事不足褒／为政之本，莫若得人；褒贤显善，圣制所先／见危授命，士之美行；褒善录功，国之令典
❿其谤且誉者，岂尽明而善褒贬也哉／惩劝善恶之柄，执于文士褒贬之际焉

羸 yíng 通“赢”，满；有余；获胜；姓氏。
❼季布无二诺，侯羸重一言
❽有祸则诎，有福则羸，有过则悔，有功则矜

壅 yōng 堵塞；蒙蔽；用泥土或肥料培育植物。
❶壅塞之任，不在臣下，在于人主
见《吕氏春秋·审分览·审分》。
❷虑壅蔽，则思虚心以纳下
❸欲开壅蔽达人情，先向歌诗求讽刺
❹涓涓不壅，终为江河／忠言有壅而未达，贤才有抑而未用
❺上下之情，壅而不通，天下之弊，由是而积
❻民各有心，亦壅惟口
❾何泛滥之浮云兮，猋壅蔽此明月
❿厉精，莫如自上率之，则壅蔽决矣／听政之初，当以通下情除壅蔽为急务／防民之口，甚于防川，川壅而溃，伤人必多／性不可易，命不可变，时不可止，道不可壅／聪明流通者戒于太察，寡闻少见者戒于壅蔽

襄 xiāng 帮助；冲上；上举；高；通“攘”，扫除；驾车的马；更移；姓。
❶襄邑俗织锦，钝妇无不巧
见汉·王充《论衡·程材》。全句为：“齐都世刺绣，恒女无不能；～”。
❽名高天下，何必辨襄阳南阳／打扫光明一片地，襄贮古今，研究经史

赢 yíng 胜；获利；过度；指行星的出现过早；通“盈”，充满；担负。
❺成功之道，赢缩为宝
❽了却君王天下事，赢得生前身后名
❿内有一定之操，而外能诎伸、赢缩、卷舒

蠃 ①luǒ［蠃虫］即倮虫。②luó 通“螺”；螺类动物的统称。
❷附蠃以升高而枯，蝡蝂以任重而蹶

羸 léi 瘦弱；衰败；通“累”，疲劳。
❹樵重身羸如疲鳖
❺羝羊触藩，羸其角
❽气别生者死，增减羸病勤／小人智浅而谋大，羸弱而任重，故中道而废
❾贫者士之常，今仆虽羸馁，亦甘如饴矣
❿但得众生皆得饱，不辞羸病卧残阳／当人强盛，河山可拔，一朝羸缩，人情万端

饔 yōng 烹调菜肴；熟食，亦专指早餐。
❷佐饔者尝焉，佐斗者伤焉

冯 ①píng 马行疾，引申为盛怒貌或盛貌；愤懑；欺凌；辅助；通“凭”，［暴虎冯河］空手打虎，徒步过河，比喻冒险蛮干，有勇无谋。②féng 姓。
❶冯唐易老，李广难封
见唐·王勃《滕王阁序》。
冯公岂不伟，白首不见招
见晋·左思《咏史诗》之二。
❸暴虎冯河，死而无悔者，吾不与也

❼不敢暴虎，不敢冯河
❾天子好年少，无人荐冯唐／时运不齐，命途多舛；冯唐易老，李广难封

沍 hù 同"冱"，冻结，寒冻；闭塞。

❿食之道：大充，伤而形不臧；大摄，骨枯而血沍

冲 ①chōng 本作"沖"。用水或酒浇注；空虚；谦和；幼小；山间平地；通"充"，冒充；古时战车；旧时术数家所说的相忌相克；通行的大道；迅猛地向前、撞击；上升；冲洗；交通要道。②chòng 向着，朝着；猛烈。

❶冲天鹏翅阔，报国剑芒寒

见唐·韩愈《送汴州监军俱文珍序》。

冲风之末，力不能漂鸿毛

见汉·韩安国《匈奴和亲议》。全句为："强弩之极，矢不能穿鲁缟；～"。

冲风之衰也，不能起毛羽

见汉·刘向《新序·善谋》。全句为："～；强弩之末，力不能入鲁缟"。

冲隆不足为强，高城不足为固

见汉·桓宽《盐铁论·险固》。

冲天香阵透长安，满城尽带黄金甲

见唐·黄巢《菊花》。全句为："待到秋来九月八，我花开后百花杀。～。"

❷折冲口舌之间／道冲，而用之或不盈／强冲风之末，力不能漂鸿毛／风冲之物不得育，水湍之岸不得峭／其冲然角列而上者，若熊罴之登于山
❸怒发冲冠，凭栏处，潇潇雨歇
❹怒发上冲冠／大盈若冲，其用不穷／何必奔冲山下去，更添波浪向人间
❺梁丽可以冲城，而不可以窒穴，言殊器也
❻一坐飞语，如冲骇机
❼美箭缺羽，尚无冲石之势／念高危，则思谦冲而自牧／不飞则已，一飞冲天；不鸣则已，一鸣惊人
❽恸哭六军俱缟素，冲冠一怒为红颜
❾端拱纳谏诤，和风日冲融／革坚则兵利，城成则冲生／不出尊俎之间，而折冲于千里之外
❿善守者不尽兵以守敌冲／居常待其尽，曲肱岂伤冲／万木霜天红烂漫，天兵怒气冲霄汉／班声动而北风起，剑气冲而南斗平／丈夫生不为将，得为使，折冲口舌之间足矣／大成若缺，其用不敝；大盈若冲，其用不穷／震雷电激，不崇一朝；大风冲发，希有极日／清轻者上为天，浊重者下为地，冲和气者为人

冰 ①bīng 水在零度以下的固体状态；像冰的；感觉寒冷；用冰使冷。②níng "凝"的本字。

❶冰炭不可同器

见《韩非子·显学》。

冰壶玉尺，纤尘弗污

见明·宋濂《元史·黄溍传》。

冰炭不言，冷热自明

见唐·房玄龄《晋书·王沉传》。

冰冻三尺，非一日之寒

见《金瓶梅》第九十二回。

冰，水为之，而寒于水

见《荀子·劝学》。全句为："青，取之于蓝，而青于蓝；～"。

冰不搭不寒，胆不试不苦

见元·关汉卿《谢天香》四折。全句为："话不说不知，木不钻不透，～"。

冰厚三尺，不是一日之寒

见明·兰陵笑笑生《金瓶梅词话》第九十二回。

冰炭不同器，日月不并明

见汉·桓宽《盐铁论·刺复》。

冰霜正惨凄，终岁常端正

见三国·魏·刘桢《赠从弟三首》。全句为："～；岂不罹凝寒？松柏有本性"。

冰炭不言，而冷热之质自明

见唐·房玄龄《晋书·王沉传》。

冰炭不同器而久，寒暑不兼时而至

见《韩非子·显学》。

冰心与贫流争激，霜情与晚节弥茂

见南朝·梁·沈约《宋书·陆徽传》。

冰雪林中著此身，不同桃李混芳尘

见元·王冕《白梅》。

冰炭不言，而冷势之质自明者，以其有实也

见清·申涵煜《省心短语》。

❷挟冰求温，抱炭希凉／斫冰为璧，见日而销／镂冰为璧，不可得而用也／同冰鱼之不绝，似蛰虫之犹苏／坚冰作于履霜，寻木起于蘖栽／河冰结合，非一日之寒；积土成山，非斯须之作
❸一片冰心在玉壶／创基冰泮之上，立足枳棘之林／水之冰生于寒，人之冰生于正
❹履霜，坚冰至／画水镂冰，与时消释／画脂镂冰，费日损功／履霜坚冰，其渐久矣／肌肤若冰雪，绰约若处子
❺进退维谷，冰炭在怀／珠玉随风，冰雪在口／睹瓶中之冰而知天下之寒／见瓶水之冰，而知天下之寒／挺秀色于冰涂，厉贞心于寒道／不到广寒冰雪窟，扇头能有几多风／霜封野树，冰冻寒苗，岸草无色，芦花自飘
❻夏虫不可语冰／夏虫不知冷冰／以狸致鼠，以冰致蝇／履深泉之薄冰不为啼／水无心而清，冰虚己而明
❼已是悬崖百丈冰，犹有花枝俏
❽危若踏虎尾涉春冰／名利与身，若炭与冰／

如临深渊，如履薄冰／缘木求鱼，煎水作冰／夏虫不可以语于冰者，笃于时也／飞雪蔽野，长河始冰，吾子勉之，慷慨而别

❾水之冰生于寒，人之冰生于正／尺薪不能温镬水，寸冰不足寒庖厨／炒沙作糜终不饱，镂冰文章费工巧

❿欲知千里寒，但看井水冰／战战兢兢，如临深渊，如履薄冰／心之忧危，若蹈虎尾，涉于春冰／修己者，慎于中也，栗然如履春冰／欲就麻姑买沧海，一杯春露冷如冰／邪正之人不宜共国，亦犹冰炭不可同器／虽有贤师良友，若画脂镂冰，费日损功／思立掀天揭地的事功，须向薄冰上履过／万木僵仆，梅英再吐，玉立冰姿，不易厥素／推微达著，寻端见绪，履霜知冰，践露知暑／当厄之施，甘于时雨；伤心之语，毒于阴冰／寒不累时，则霜不降；温不兼日，则冰不释

次 ①cì 顺序；表示排在第二的；量词；质量较差；回数；停留；时候；中间；接连；至，及。②zī[次且]且前且却，犹豫不进。

❷纪次无法，详略失中／其次禁其言，其次禁其事／胸次山高水远，笔端云起风狂／处次官，执利势，不可而不察于此

❹国失其次，则社稷大臣／言语之次，空生虚妄之美

❺君，利势也，次官也／论德而定次，量能而授官／贤能，不待次而举；罢不能，不待须而废

❻上医医国，其次疾人／民为贵，社稷次之，君为轻／上赏赏德，其次赏才，又其次赏功／上兵伐谋，其次伐交，其次伐兵，下政攻城／太上畏道，其次畏物，其次畏人，其次畏身／贤者辟世，其次辟地，其次辟色，其次辟言

❼不得已而求其次／困而学之，又其次也／处事识为先，断次之／顺命为上，有功次之／其次禁其言，其次禁其事／大上有立德，其次有立功，其次有立言／太上有立德，其次有立功，其次有立言／暗箭伤人，其深次骨；人之怨之，亦必次骨／要而学之，又其次也，困而不学，民斯为下矣

❽天地物之大者，人次之／诗以意为主，文词次之／太上，下知有之；其次亲而誉之……

❾多方包容，则人材取次可用／凡用民，太上以义，其次以赏罚／眼前直下三千字，胸次全无一点尘

❿哀莫大于心死，而人死亦次之／不仇民则大者无功，而其次有罪／处于堂上之阴，而知日月之次序／上赏赏德，其次赏才，又其次赏功／生而知之者上也，学而知之者次也／大上有立德，其次有立功，其次有立言／太上有立德，其次有立功，其次有立言／法令不一则人情惑，职次数改则觊觎生／上兵伐谋，其次伐交，其次伐兵，下政攻城／太上畏道，其次畏物，其次畏人，其次畏身／暗箭伤人，其深次骨；人之怨之，亦必次骨／贤者辟世，其次辟地，其次辟色，其次辟言／上士难进而易退也，其次易进易退也，其下易进难退也／刺史宜精选谨择以委任之，固不可拘限官次，得之货贿，出之权门者也

决 ①jué 开通水道；决定；判定；执行死刑；（堤岸）决口；通“诀”，分别；通“抉”，扳指；啮断。②xuè 急起貌。③quē 通“缺”。

❶决狐疑者，必告逆耳之言

见晋·孙楚《为石仲容与孙皓书》。全句为：“治膏肓者，必进苦口之药；～”。

决千金之货者不争铢两之价

见汉·刘安《淮南子·说林》。

❷防决不备，有水溢之害／不决浮云斩邪佞，直成龙去欲何为

❸发谋决策，从容指顾／智能决谋，以疾为奇

❹洪河已决，掬壤不能救／百物可决舍，惟书最难别／水则不决不流，不积不深／为川者，决之使导；为民者，宣之使言

❺为智不能决诡，非智也／枉直未定，决于绳墨之平／智贵乎早决，勇贵乎必为

❻辱骂和恐吓决不是战斗／荡胸生曾云，决眦入归鸟／耻辱者，勇之决也；立名者，行之极也

❼一人善射，百夫决拾／能欺一人一时，决不能欺天下后世／塞一蚁孔而河决息，施一车辖而覆乘止／声应气求之夫，决不在于寻行数墨之士／追风逐电之足，决不在于牝牡骊黄之间／风行水上之文，决不在于一字一句之奇

❽多端寡要，好谋无决／战如风发，攻如河决／运筹策帷帐之中，决胜于千里之外／军旅之臣，取其断决有谋，强干习事／迂人执而不化，其决裂有甚于小人时／礼者，所以定亲疏、决嫌疑、别同异、明是非也

❾战以勇为主，以气为决／闻君有两意，故来相决绝／谋泄者事无功，计不决者名不成

❿捉衿而肘见，纳履而踵决／多能者鲜精，多虑者鲜决／智者不后时，勇者不留决／心能辨事非，处事方能决断／损而不已必益，益而不已必决／寸火能焚云梦，蚁穴能决大堤／深言则似不逊，略言则事不决／少年作迟暮经营，异日决无成就／视人之瘼如瘝痘在身，不忘决去／厉精，莫如自上率之，则壅蔽决矣／当事有四要：际畔要果决，怕是绵／一政之出，上有意而未决，则吏赞之／岂不遽止？然犹防川，大决所犯，伤人必多／如镜之明，断可以平；如镜之洁，断可以决／毛嫱、丽姬，人之所美也……麋鹿见之决骤／罄南山之竹，书罪未穷；决东海之波，流恶难尽／兵静则固，专一则威，分决则勇，心

疑则北，力分则弱／不本其所以欲，而禁其所欲……是犹决江河之源而障之以手也

冻 dòng 遇冷凝结；凝结成胶状体的汤汁；受冷；形容珠和石头晶莹润泽；姓。

❷冰冻三尺，非一日之寒

❹东风解冻，河川流通

❺冬日之闭冻也不固，则春夏之长草木也不茂

❻霜封野树，冰冻寒苗，岸草无色，芦花自飘

❼流离重流离，忍冻复忍饥

❽朱门酒肉臭，路有冻死骨／梅花欢喜漫天雪，冻死苍蝇未足奇／宁令吾庐独破受冻死，不忍四海赤子寒飕飕

❿秋不得避阴雨，冬不得避寒冻／心中为念农桑苦，耳里如闻饥冻声

况 kuàng 情景；比方；况且；更加；通“贶”，赐予；姓。

❷何况性命之重，乃以博财物耶

❺困兽犹斗，况人乎／困兽犹斗，况国相乎

❻小人不忌刑，况于辱乎／君子不犯辱，况于刑乎

❽死生无变于己，而况利害之端乎

❾自古圣贤尽贫贱，何况我辈孤且直／韩愈辟佛，几至杀身，况敢议今世之尧、舜、周、孔者乎

❿正获之问于监市履狶也，每下愈况／死生亦大矣而不变乎己，况爵禄乎／泰山之为大，弗察弗见，而况微渺者乎／乘其名者，泽及宗族，利兼乡党，况子孙乎／财有害气，积则伤人；虽少犹累，而况多乎／鸟飞千仞之上……祸犹及之，又况编户齐民乎／兢兢自危，犹惧不终，而况沛然自足，可以成功者乎／畜池鱼者必去猵獭，养禽兽者必去豺狼，又况治人乎／天地之大，四时之化，而犹不能以不信成物，又况乎人事／人有明珠，莫不贵重，若以弹雀，岂非可惜？况人之性命甚于明珠／若明而不信，严而不断，惠而不正，虽欲理身，终不自理，况于人哉

冷 lěng 寒；闲散；冷落；冷僻；乘人不备；灰心、失望。

❶冷眼观人，冷耳听语，冷情当感，冷心思理
见明·洪应明《菜根谭》。

❸门前冷落车马稀／常将冷眼看螃蟹，看你横行得几时

❹世情看冷暖，人面逐高低／如渴思冷水，如饥念美食／残杯与冷炙，到处潜悲辛／坑灰未冷山东乱，刘项元来不读书

❺夏虫不知冷冰／冰炭不言，冷热自明／如人饮水，冷暖自知／不道山中冷，翻忧世上寒／藜羹麦饭冷不尝，要足平生五车读／凡读书到冷淡无味处，尤当着力推考／寻寻觅觅，冷冷清清，凄凄惨惨戚戚／冷眼观人，冷耳听语，冷情当感，冷心思理

❻冰炭不言，而冷热之质自明／可憎者人情冷暖，可厌者世态炎凉／寻寻觅觅，冷冷清清，凄凄惨惨戚戚／冰炭不言，而冷势之质自明者，以其有实也

❼易水萧萧西风冷……悲歌未彻

❽渚云低暗度，关月冷相随

❾冷眼观人，冷耳听语，冷情当感，冷心思理

❿节物后先南北异，人情冷暖古今同／欲就麻姑买沧海，一杯春露冷如冰／飒飒西风满院栽，蕊寒香冷蝶难来／就郡言，灵隐寺为尤；由寺观，冷泉亭为甲／冷眼观人，冷耳听语，冷情当感，冷心思理／墨翟之徒，世谓热腹；杨朱之侣，世谓冷肠／歌台暖响，春光融融；舞殿冷袖，风雨凄凄

冶 yě 熔炼金属；铸造金属器物的人；女子打扮娇媚；艳丽；通“野”，[冶葛]同“野葛”，毒草；[冶游]同“游冶”，即野游。

❷欧冶不能铸铅锡作干将／良冶之砥石，不能发无刃之金

❺慢藏诲盗，冶容诲淫／作诗者陶冶物情，体会光景，必贵乎自得

❾得十利剑，不若得欧冶之巧

❿得十良剑，不若得一欧冶／良工之子必先为箕，良冶之子必先为裘／良弓之子必先为箕；良冶之子必先为裘／驽蹇服御，良乐咨嗟；铅刀剖截，欧冶叹息／今一以天地为大炉，以造化为大冶，恶乎往而不可哉

冽 liè 寒冷。

❻穷阴凝闭，凛冽海隅……

❾酿泉为酒，泉香而酒冽

净 jìng 清洁；擦洗；尽了；纯粹；佛教用语；只管，全都；传统戏曲脚色行当，俗称“花脸”、“花面”。

❶净心守志，可会至道，譬如磨镜，垢去明存
见《四十二章经》。

❷林净藏烟，峰危限月，帆影摇空绿

❸明窗净几笔砚纸墨皆极精良，亦自是人生一乐事

❹上化清净，下无贪人／水真绿净不可唾，鱼若空行无所依

❺做到私欲净尽，天理流行，便是仁

❼从来不著水，清净本因心／还身意所欲，清净而自守

❽本源秽者，文不能净／安得壮士挽天河，净洗甲兵长不用／达于道者，反于清净；究于物者，终于无为

❿诚欲远彼腥膻，而即此清净也／中通外直，不蔓不枝，香远益清，亭亭净植

凌 líng 冰；通"陵"，侵犯，欺凌；通"淩"，逾越；升高，超越，登上；交错；姓。

❶凌寒独自开

见宋·王安石《梅花》。

凌雪乔松岂畏寒

见宋·王涣《睢阳五老会诗》。

凌烟阁上人，未必皆忠烈

见唐·于濆《戍卒伤春》。

凌大江之惊波兮，过洞庭之漫漫

见唐·韩愈《复志赋》。

❷气凌云汉，字挟风霜

❸以强凌弱，以众暴寡／久有凌云志，重上井冈山／会当凌绝顶，一览众山小／欲识凌冬性，唯有岁寒知／自有凌冬质，能守岁寒心／虚负凌云万丈才，一生襟抱未曾开

❹崇峻不凌霄，则无弥天之云

❺放船千里凌波去，略为吴山留顾／纵横正有凌云笔，俯仰随人亦可怜／时人不识凌云木，直待凌云始道高／金舟不能凌阳侯之波，玉马不任骋千里之迹

❻杨意不逢，抚凌云而自惜

❼勇士不以众强凌孤独／纵一苇之所如，凌万顷之茫然

❽庾信文章老更成，凌云健笔意纵横

❾众阜平寥廓，一岫独凌空

❿一抑一扬者，轻鸿所以凌虚也／兴酣落笔摇五岳，诗成笑傲凌沧洲／时人不识凌云木，直待凌云始道高／一事惬当，一句清巧，神厉九霄，志凌千载

凄 qī 寒冷；冷落，寂寞；悲伤，愁苦。

❸志士凄凉闲处老，名花零落雨中看

❺冰霜正惨凄，终岁常端正／当九秋之凄清，见一鹗之直上／其为声也，凄凄切切，呼号愤发

❻依阿权势者，凄凉万古／其为声也，凄凄切切，呼号愤发／其清音幽韵，凄如飘风急雨骤至

❼行子肠断，百感凄恻

❾善琴者有悲心则声凄凄然／寻寻觅觅，冷冷清清，凄凄惨惨戚戚

❿善琴者有悲心则声凄凄然／寻寻觅觅，冷冷清清，凄凄惨惨戚戚／布奠倾觞，哭望天涯。天地为愁，草木凄悲／歌台暖响，春光融融；舞殿冷袖，风雨凄凄

准 zhǔn 水平；允许；法则；比照；按照；依据；正确无误；一定；鼻子；射箭的标的；观望，窥测。

❷无准绳，虽鲁般不能以定曲直

❹用规矩准绳者，亦有规矩准绳焉

❼放之四海而皆准／绳直而枉木斫，准夷而高科削／欲知平直，则必准绳；欲知方圆，则必规矩

❽一目之人可使视准，五毒之石可使溃疡

❾万家之都，不可平以准

❿以公平为规矩，以仁义为准绳／用规矩准绳者，亦有规矩准绳焉／非规矩不能定方圆，非准绳不能正曲直／凡鬼神事眇茫荒惑无可准，明者所不道／水静则明烛须眉，平中准，大匠取法焉／凡工妄匠，执规秉矩，错准引绳，则巧同于人倕也

凋 diāo 草木花叶枯萎零落；衰败。

❺不学蒲柳凋，贞心常自保／亟战则民凋，不习则民怠

❽膏以朗煎，兰由芳凋

❾土地虽广，好战则民凋／山有玉，草木因之不凋／风烈无劲草，寒甚有凋松／松表岁寒，霜雪莫能凋其采

❿岁寒，然后知松柏之后凋也

凉 ①liáng 微寒；薄；古代六饮之一；十六国时期国名；姓；喻灰心或失望；用于避暑的；寂寞，冷清。②liàng 把热的东西放一会儿，使温度降低；辅佐；通"谅"，信。

❹废阁先凉，古帘空暮／志士凄凉闲处老，名花零落雨中看／徒觉炎凉节物非，不知关山千万里

❼依阿权势者，凄凉万古／极野苍茫，白露凉风之八月

❽挟冰求温，抱炭希凉

❾太平世界，环球同此凉热

❿一别隔千里，荣枯异炎凉／仲夏苦夜短，开轩纳微凉／可憎者人情冷暖，可厌者世态炎凉／石列笋虡，藤蟠蛟螭；修竹万竿，夏含凉飔

减 jiǎn 减少；减法；衰退；减轻；姓。

❻多一分享用，减一分志气

❼气别生者死，增减羸病勤

❽增之一分则太长，减之一分则太短

❾西施有所恶而不能减其美者，美多也

❿句有可削，足见其疏；字不得减，乃知其密

凛 lǐn 寒冷；严肃，严厉；通"懔"，敬畏。

❶凛凛高风万古无

见宋·陈荐《子房庙》。

❺昂然直上，凛有生气／穷阴凝闭，凛冽海隅……

❻是气所旁薄，凛烈万古存

凝 níng 凝结；凝聚；注意力集中；坚定，巩固。

❷心凝形释，与万化冥合／临凝结而能断，操绳墨而无私／舟凝滞于水滨，车逶迟于山侧／虚

凝淡泊怡其性,吐故纳新和其神
❸穷阴凝闭,凛冽海隅……
❹岂不罹凝寒?松柏有本性/圣人不凝滞于物,而能与世推移/圣人不凝滞于物,智士必推移于时/地纯阴凝聚于中,天浮阳运旋于外
❺投至两处凝眸,盼得一雁横秋
❼手如柔荑,肤如凝脂……螓首蛾眉/无为者,非谓其凝滞而不动也,以其言莫从己出也
❾捶字坚而难移,结响凝而不滞
❿迅川之水,束草投之则凝/法繁于秋荼,而网密于凝脂/高谈则龙腾豹变,下笔则烟飞雾凝/爽籁发而清风生,纤歌凝而白云遏/潦水尽而寒潭清,烟光凝而暮山紫/立望关河萧索,千里清秋,忍凝眸/清阳者薄靡而为天,重浊者凝滞而为地/百僚师师,百工惟时,抚于五辰,庶绩其凝/直视千里外,唯见起黄埃。凝思寂听,心伤已摧/岁寒霜雪苦,含彩独青青,岂不厌凝列,羞比春木荣/鹰扬虎视,齿若编贝,肤如凝脂,昭昭乎若玉山上行,朗然映人

冗 rǒng 多余的;烦琐;繁忙的事务;逃散。
❷三冗不去,不可为国/去冗官,用良吏,以抚疲民
❹官吏浮冗,最为天下之大患/当急剧冗杂时只不动火,则神有余而不劳
❺捐不急,罢冗员
❿读书趋简要,害说去杂冗

写 ①xiě 写字,作画;抄写;描摹,摹拟;移置。②xiè 通"卸",把驾车的马卸下;宣泄,通作"泻"。
❶写出江南烟水秋
见宋·郑獬《省中画屏芦雁》。
❷但写真情并实境,任他埋没与流传
❸以形写神/传神写照,正在阿堵中/我手写我口,古岂能拘牵/终日写路程而不能行一步,徒知无益也/状难写之景如在目前;含不尽之意见于言外
❹丹青难写是精神/诗穷莫写愁如海,酒薄难将梦到家
❺咫尺之图,写百千里之景
❻语议如悬河写水,注而不竭/情必极貌以写物,辞必穷力而追新
❼铺采摛文,体物写志/为情者要约而写真,为文者淫丽而烦滥
❾蜀笺都有三千幅,总写离情寄孟光
❿不是无端悲怨深,直将阅历写成吟

军 jūn 军队;与军队有关的;泛指有组织的群体;驻扎;唐时的设置单位;明初士兵名称;宋时地方行政区划。
❶军无私怒
见《左传·昭公二十六年》。
军井未达,将不言渴
见汉·黄石公《三略·上略》。全句为:"~;军幕未办,将不言倦;军灶未炊,将不言饥"。
军井成而后饮之……
见《尉缭子·战威》。全句为:"~,军食熟而后饭,军垒成而后舍,劳佚必以身同"。一说"饮"前无"后"。
军无适主,一举可灭
见晋·陈寿《三国志·魏书·武帝纪》。
军幕未办,将不言倦
见汉·黄石公《三略·上略》。全句为:"军井未达,将不言渴;~;军灶未炊,将不言饥"。
军有归心,必无斗志
见明·冯梦龙《东周列国志》第四十四回。
军灶未炊,将不言饥
见汉·黄石公《三略·上略》。全句为:"军井未达,将不言渴;军幕未办,将不言倦;~"。
军不五不战,城不十不围
见汉·司马迁《史记·楚世家》。
军之持麾者,妄指则乱矣
见汉·刘安《淮南子·主术》。全句为:"人主静漠而不躁,百官得修焉,譬如~"。
军则新有营,谁念民无室
见宋·王迈《简同年刁时中俊卿诗》。
军多令则乱,酒多约则辩
见汉·刘安《淮南子·诠言》。
军欲其众也,心欲其一也
见《吕氏春秋·仲秋纪·论威》。全句为:"~。三军一心,则令可使无敌矣"。
军未战先见败征,可谓知兵
见汉·班固《汉书·陈胜项籍传》。
军兴由乎寇生,寇生由乎政缺
见唐·白居易《才识兼茂明于体用科策一道》。全句为:"人疲由乎税重,税重由乎军兴,~"。
军民团结如一人,试看天下谁能敌
见现代·毛泽东《杂言诗·八连颂》。
军旅之臣,取其断决有谋,强干习事
见北齐·颜之推《颜氏家训·涉务》。
军暴而后戢之,兵乱而后遏之,善则善矣
见唐·白居易《才识兼茂明于体用科策一道》。全句为:"~;不若防其微,杜其渐,使不至于暴乱也"。
军无习练,百无当一;习而用之,一可当百
见三国·蜀·诸葛亮《将苑·习练》。
❷千军易得,一将难求/养军千日,用军一时/大军之后,必有凶年/败军之将,不可以言勇/三军一心,剑阁可以攻拔/三军可夺气,将军可夺心/将军夸宝剑,功在杀人多/三军一心,则

令可使无敌矣／凡军欲其众也，心欲其一也／三军以利用也，金鼓以声气也／三军可夺帅也，匹夫不可夺志也／敌军围困万千重，我自岿然不动／将军不敢骑白马，亡者不敢夜揭烛／将军金甲夜不脱……风头如刀面如割／败军之将，不可言勇；亡国之臣，不可言智

❸战士军前半死生，美人帐下犹歌舞／若将军、大夫必出旧族，或无可焉，犹用之耶

❹横扫千军如卷席／不畏将军成久别，只恐封侯心更移／何事将军封万户，却令红粉为和戎／恸哭六军俱缟素，冲冠一怒为红颜／不知三军之事而同三军之政者，则军士惑矣／国有三军何？所以戒非常，伐无道，尊宗庙，重社稷，安不忘危也

❺风云突变，军阀重开战／兵，诡道也，军事未发，不厌其密／受任于败军之际，奉命于危难之间／当时更有军中死，自是君王不动心

❻养军千日，用军一时／将失一令，而军破身死／都尉新降，将军覆没……／涂有所不在，军有所不击／但有断头将军，无有降将军／去年米贵阙军食，今年米贱大伤农／将不仁，则三军不亲；将不勇，则三军不锐

❼头会箕敛，以供军费／三军可夺气，将军可夺心／无路请缨，等终军之弱冠／杀尽田野人，将军犹爱武／紫电青霜，王将军之武库／兰亭也，不遭右军，则清湍修竹，芜没于空山矣

❽三尺之泉，足止三军之渴／朱门日日买朱娥，军事如何，民事如何

❾上马击狂胡，下马草军书／死是征人死，功是将军功／见可而进，知难而退，军之善政也／闻《宿紫阁村》诗，则握军要者切齿矣

❿但有断头将军，无有降将军／赋敛行赂不足以当三军之费／人疲由乎税重，税重由乎军兴／恨不得血贼于万载，肉贼于三军／见百金而色变者，不可以统三军／忠犯人主之怒，而勇夺三军之帅／词源倒流三峡水，笔阵独扫千人军／萧墙祸起非今日，不赏军功在断桥／辞家战士无旋踵，报国将军有断头／以治身则危，以治国则乱，以入军则破／忍泪失声询使者："几时真有六军来"／死生荣辱之道一，则三军之士可使一心矣／不知三军之事而同三军之政者，则军士惑矣／师之所处，荆棘生焉；大军之后，必有凶年／将不仁，则三军不亲；将不勇，则三军不锐／涤杯而食……可以养家老，而不可以飨三军／用兵之害，犹豫最大；三军之灾，生于狐疑／百里而趣利者蹶上将，五十里而趣利者军半至／廉公之思赵将，吴子之泣西河，人之情也，将军独无情哉

罕

hǎn 稀少；旌旗的代称；捕鸟用的长柄小网；罕网稀疏，引申为稀少，难得；姓。

❸孔子罕称命，盖难言之也

❼人才之行，自昔罕全，苟有所长，必有所短／人之才行，自昔罕全，苟有所长，必有所短

❿其言也约而达，微而臧，罕譬而喻／过洞庭，上湘江，非有罪左迁者罕至／历观前代拨乱创业之主，生长民间，皆识达情伪，罕至于败亡

冥

míng 昏暗；高远，远离；幽深；愚昧；默契；夜；神名；通"暝"，睡眠；通"溟"，北海；迷信的人称人死后去的地方，也称与死人有关的东西；姓。

❶冥冥花正开，扬扬燕新乳

见唐·韦应物《长安遇冯著》。

冥当寝兮不能安，饥当食兮不能餐

见汉·蔡琰《悲愤诗二首》之二。

❷冥冥花正开，扬扬燕新乳／无冥冥之志者，无昭昭之明

❸与道冥一，万虑皆遗／无冥冥之志者，无昭昭之明

❹禁邪于冥冥，绝恶于未萌

❼人能由昭昭于冥冥，则几于道矣／尽有天，循有照，冥有枢，始有彼

❽心凝形释，与万化冥合／人能由昭昭于冥冥，则几于道矣

❿举善不以窅窅，拾过不以冥冥／修仪操以显志兮，独驰思乎杳冥／谗夫似贤，美言似信，听之者惑，观之者冥／时之不来也，为雾豹，为冥鸿，寂兮寥兮，奉身而退

冤

yuān 冤枉；冤仇；上当。

❶冤者获信，死者无憾

见宋·苏轼《宋子仪大理寺丞》。

❷使冤者获信，死者无憾

❹自古此冤应未有，汉心汉语吐蕃身

❺狭路相逢，冤家路窄／凡人之情，冤则呼天，穷则叩心

❻天地有穷，此冤无穷

❽访民瘼于井邑，察冤枉于囹圄

❾治狱者得其情，则无冤死之囚

❿不取往者戒，恐贻来者冤／青蝇一相点，白璧遂成冤／衙门自古向南开，就中无个不冤哉／磨肌戛骨，吐出心肝，企足以待，寘我雠冤

冠

①guān 帽子；用作形状像帽子的东西。②guàn 戴帽子；加在前面；位居第一；覆盖。

❶冠虽穿弊，必戴于头

见《韩非子·外储说左下》。全句为："～；履虽五采，必践之于地"。

冠枝木之冠，带死牛之胁

见《庄子·盗跖》。

冠盖满京华，斯人独憔悴

见唐·杜甫《梦李白二首》之二。

冠履不同藏，贤不肖不同位

见汉·刘向《说苑·谈丛》。

冠衣不能移人迹，顾所履何如耳

见唐·罗隐《答贺兰友书》。

冠虽故必加于首，履虽新必关于足

见汉·刘向《说苑·说丛》。

冠虽敝，必加于首；履虽新，必关于足

见汉·司马迁《史记·儒林列传》。

冠至敝不可弃之于足，履虽新不可加之于首

见元·无名氏《梧桐叶》一折。

❷贵冠履，忘头足／裂冠毁冕，拔本塞原／衣冠不正，则宾者不肃／功冠天下者不安，威震人主者不全

❹怒发冲冠，凭栏处，潇潇雨歇／年将弱冠非童子，学不成名岂丈夫

❺怒发上冲冠／兹游奇绝冠平生／冠枝木之冠，带死牛之胁

❻一旦在位，鲜冠利剑／新沐者必弹冠，新浴者必振衣／由来犬羊着冠坐庙堂，安得四鄙无豺狼

❼纨绔不饿死，儒冠多误身

❽萧朱结绶，王贡弹冠／王阳在位，贡公弹冠／芳菊开林耀，青松冠岩列／人言楚人沐猴而冠耳，果然／为人子者，父母存，冠衣不纯素／履虽鲜不加于枕，冠虽敝不以苴履／履虽鲜，不加于枕；冠虽敝，不以苴履

❾以铜为镜，可以正衣冠／居官不爱子民，为衣冠盗／恸哭六军俱缟素，冲冠一怒为红颜

❿无路请缨，等终军之弱冠／瓜田不纳履，李下不正冠／牧守由将校以授，皆虎而冠／新浴者振其衣，新沐者弹其冠／养而害所养，譬犹削足而适履，杀头而便冠／穷愁著书，古儒者之大同，非高冠长剑之比耳／贤主忠臣，不能导愚教陋，则名不冠后、实不及世矣

幂

mì 覆盖，罩；巾；数学名词。

❿魂魄结兮天沉沉，鬼神聚兮云幂幂

计

jì 计算；计簿；策略；测量；念头；谋划；考虑；姓。

❶计利则害义

见宋·朱熹《四书集注·论语·子罕》。

计不设则事不成

见汉·刘向《说苑·谈丛》。

计其患，虑其反

见《庄子·盗跖》。

计校府库，量入为出

见晋·陈寿《三国志·魏书·卫觊传》。

计熟事定，举必有功

见唐·刘禹锡《为淮南杜相公论西戎表》。

计福勿及，虑祸过之

见汉·刘安《淮南子·人间》。全句为："～；同日被霜，蔽者不伤；愚者有备，与智者同功"。

计策之能，术家之材也

见三国·魏·刘劭《人物志·材能》。全句为："～。故在朝也则三孤之任，为国则变化之政"。

计功而行赏，程能而授事

见《韩非子·八说》。

计口而受田，家给而人足

见宋·欧阳修《原弊》。

计有一二者难悖也，听无失本末者难惑

见《战国策·秦策二》。

❷以计待战，一当万／日计之无近功，岁计之有大利／日计之而不足，岁计之而有余／追计往时咎过，日夜反覆，无一食而安于口平于心／善计天下者不视天下之安危，察其纪纲之理乱而已矣

❸主大计者，必执简以御繁／纵横计不就，慷慨志犹存／兵以计为本，故多算胜少算／君子计行虑义；小人计行其利，乃不利／自为计者虽弱必固，欲自溃者虽强必弱

❹术士乐计策之谋／好术而计不足则伪／临义莫计利害，论人莫计成败／砚以世计，墨以时计，笔以日计／一年之计在于春，一日之计在于晨／随人作计终后人，自成一家始逼真／道人活计只如此，留与时人作见闻／灵台无计逃神矢，风雨如磐暗故园／此情无计可消除，才下眉头，却上心头／或说听计当而身疏，或言不用、计不行而益亲

❺保国之大计，在结民心／恐此非名计，息驾归闲居／遇事多算计，较利悉锱铢，其过甚小，而积之甚大，慎之慎之

❻见义勇发，不计祸福／行行循归路，计日望旧居／善为天下者，计大而不计小／莫为终身之计，而有后世之虑／身老方知生计拙，家贫渐觉故人疏

❼为子孙作富贵计者，十败其九／谋泄者事无功，计不决者名不成／儿孙自有儿孙计，莫与儿孙作马牛

❽三十六策，走是上计／何谓物我之异，无计今古之殊／日计之无近功，岁计之有大利／日计之而不足，岁计之而有余／砚以世计，墨以时计，笔以日计／当世学士，恒以万计；而究涂者无数十焉／天下争名趋势，不计是非，析毫剖芒，视死如归

❾物穷则变生，事急则计易／君子道其常，而小人计其功／父母之爱子，则为之计深远／明大数者得人，审小计者失人／心合意同，谋无不

成，计无不从／君子计行虑义；小人计行其利，乃不利

❿不怀爱而听，不留说而计／将当以勇为本，行之以智计／善为天下者，计大而不计小／临义莫计利害，论人莫计成败／砚以世计，墨以时计，笔以日计／一年之计在于春，一日之计在于晨／古之良有司，忧其君而不恤其私计／任是深山更深处，也应无计避征徭／众人知目前之利，而不为岁月之计／贪日得则鼓刀利，要岁计而辐楱多／断送一生惟有酒，寻思百计不如闲／天下而有无害之利，则谁不能计之者？／当官务持大体，思事事皆民生国计所关／据千乘之国，而信谗佞之计，未有不亡者／仁人者，正其谊不谋其利，明其道不计其功／或说听计当而身疏，或言不用、计不行而益亲

认

rèn 辨别；承认；建立某种关系；接受。

❷不认真，作不得事

❹痴人妄认逆境，平地自生铁围

❾化作娇莺飞归去，犹认纱窗旧绿

❿事事只在道理上商量，便是真体认

讥

jī 讽刺；查问；进谏。

❹处世以讥讪为第一病痛／贤者闻讥笑，若不闻焉，此岂不省事

❺察实者不讥其辞

❽去国怀乡，忧谗畏讥，满目萧然，感极而悲者矣

❿喜怒相疑，愚知相欺，善否相非，诞信相讥／己之所无，不以责下；我之所有，不以讥彼

讦

jié 揭发他人隐私。

❶讦也者，直之征也

见三国·魏·刘劭《人物志·八观》。全句为："直者不讦，无以成其直；既悦其直，不可非其讦。～"。

❹正言似讦而情忠／直者不讦，无以成其直

❾既悦其直，不可非其讦／君子扬人之善，小人讦人之恶

❿厉直刚毅，材在矫正，失在激讦／直者性奋，好人行直于人，而不能受人之讦／恶徼以为知者，恶不孙以为勇者，恶讦以为直者

讯

xùn 询问；音信，消息；告，陈诉；通"迅"，迅速；西周时对俘虏的称谓。

❶讯问者智之本，思虑者智之道

见汉·刘向《说苑·建本》。

❿人之好怪也！不求其端，不讯其末，惟怪之欲闻

讨

tǎo 征伐；索取；惹；娶；治；公开谴责；探索，研究。

❷天讨有罪，五刑五用哉

❸瞒天讨价，就地还钱

❹怀恶而讨，虽死不服／叛而不讨，何以示威；服而不柔，何以示怀

❺人人得而讨之／兵者，所以讨暴，非所以为暴也

❼兵者所以禁暴讨乱也／威猛之政宜于讨乱，以之治善则暴

让

ràng 退让，谦让，辞让；出让、转让；表示指使、容许和听任；避开；责备；逊色，不及；通"攘"。

❶让之谓保德

见《晏子春秋·内篇杂下第十四》。

让一得百，争十失九

见唐·马总《意林·周生烈子》。

让礼一寸，得礼一尺

见三国·魏·杂歌谣辞《曹操引里谚》。

让生于有余，争起于不足

见汉·王充《论衡·治期篇》。

让人不算痴，过后是便宜

见民国·邹歧山《启后留言》。

❷崇让则人不争／辞让之心，礼之端也／卑让降下者，茂进之遂路也／不让古人是谓有志，不让今人是谓无量／争让之礼，尧桀之行，贵贱有时，未可以为常也

❸无辞让之心，非人也／推贤让能，庶官乃和／山不让土石以成其高／海不让水潦以成其大／崇推让之风，以销分争之讼／处世让一步为高，退步即进步的张本／急病让夷，义之先；图国忘死，贞之大

❹大海不让细流／当仁，不让于师／贤而能让，三等／度德而让，古人所贵／胜不相让，败不相救／太山不让土壤，故能成其大／江海不让纤流，所以存其广／见利争让，闻义争为，有不善争改

❺为名者必让，让斯贱／温、良、恭、俭、让／好事须相让，恶事莫相推

❻临财莫过乎让／为名者必让，让斯贱／长者问，不辞让而对，非礼也／宁可后来相让，不可起初含糊／博闻强识而让，敦善行而不怠，谓之君子

❼见贤忘贱，故能让／两贤未别，则能让者为俊／治民者，导之敬让，而争自息／功高而居之以让，势尊而守之以卑／喜为异说而不让，敢为高论而不顾

❽有道伐无道，无德让有德／以富为是者，不能让禄；以显为是者，不能让名

❾入门见嫉，蛾眉不肯让人／以夷坦去群疑，以礼让汰惨急／分争者不胜其祸，辞让者不失其福／衣食足而知荣辱，廉让生而争讼息

❿大行不顾细谨，大礼不辞小让／彼之理是，我之理非，我让之／芳林新叶催陈叶，流水前波让后波／劳苦之事则争先，饶乐之事则能让／明好恶而定去就，崇敬让而民兴行／临事而屡断，勇也；见利而让，义也／贫富之交，可以情谅，鲍子所以让金／不让古人是谓有志，不让今人是谓无量／不能则学，不知则问，虽知必让，然后为知／不知则问，不能则学，虽能必让，然后为德／动莫若敬，居莫若俭，德莫若让，事莫若咨／贤者在位，能者布职，朝廷崇礼，百僚敬让／聪明睿智，守之以愚；功被天下，守之以让／未有天地之先，毕竟也只是先让者，德之主也／以富为是者，不能让禄；以显为是者，不能让名／君臣父子人间之事谓之义，登降揖让，贵贱有等，亲疏之体，谓之礼

讪

shàn 讥讽；难为情。

❺处世以讥讪为第一病痛

❽罗织语言，以为谤讪

训

xùn 教诲；教诲或告诫的话；在一定时间内专门学习或操练；典式、法则；解释；通"顺"。

❷教训成俗而刑罚省，数也

❸俭以训子孙，智也

❹学于古训，乃有获

❺先师有遗训，忧道不忧贫／上士之耳训乎德，下士之耳顺乎己

❼无其性，不可教训／僧是愚氓犹可训，妖为鬼蜮必成灾

❽无竞维人，四方其训之／养子不教父之过，训导不严师之惰

❾义方失则师友不可训／十年生聚，而十年教训／善人同处，则日闻嘉训／贪鄙在率不在下，教训在政不在民／大建厥极，绥理群生，训物垂范，于是乎在

议

yì 商量；评论是非；意见、言论；文体的一种。

❶议，非众则私

见宋·杨万里《诗论》。

议论证据今古，出入经史百子

见唐·韩愈《柳子厚墓志铭》。全句为："俊杰廉悍，～，踔厉风发，率常屈其座人"。

议不在己者易称，从旁议者易是

见汉·桓宽《盐铁论·救匮》。全句为："～；其当局则乱"。

❷巷议臆度，不足取信／谤议之言，难用褒贬／谤议不足怨，宠辱讵须惊／谤议庸何伤？虚誉不足慕／语议如悬河写水，注而不竭／高议而不可及，不如卑论之有功

❸愧，非议则安／与狐议裘，无时焉可

❺公事不私议／小人之好议论，不乐成人之美／作诗切忌议论，此最易近腐，近絮，近学究

❻但攻吾过，毋议人非／谄谀在侧，善议障塞，则国危矣／破天下之浮议，使良法不废于中道

❼问其官，则曰谏议也／少不讽，壮不论议；虽可，未成也

❽私欲不可以胜公议／入则心非，出则巷议／出一令可以止横议，杀一犯可以儆百众

❾天下有道，则庶人不议／聪明深察而死者，好议人者也／筋疲力弊不入腹，未议县官租税足

❿六合之内，圣人论而不议／行事在审己，不必恤浮议／人之出言至善，而或有议之者／采择狂夫之言，不逆负薪之议／议不在己者易称，从旁议者易是／不如鄙性好诚实，退无所议进不谀／合则离，成则毁，廉则挫，尊则议／聪明深察而近于死者，好议人者也／身行顺，治事公，故国无阿党之议／居其位不论其能，赏其身不议其功……／士志于道，而耻恶衣恶食者，未足与议也／画地为牢，势不可入；削木为吏，议不可对／心志既舒则易以纵驰，议论无择则易以浮浅／贩交买名之薄，吮痈舐痔之卑，安足议其是非／知者作教，而愚者制焉；贤者议俗，不肖者拘焉／贤固可易知，人固可易识，但是议者不精思之耳／道，物之极，言默不足以载；非言非默，议有所极／韩愈辟佛，几至杀身，况敢议今世之尧、舜、周、孔者乎／天地有大美而不言，四时有明法而不议，万物有成理而不说

记

jì 思念；记录；记载；量词；古时一种公文；印章；标志；通"其"，作语助。

❶记人之长，忘人之短

见唐·张九龄《敕渤海王大武艺书》。

记人之善，忘人之过

见晋·陈寿《三国志·蜀书·秦宓传》注引。

记问之学，不足以为人师

见《礼记·学记》。

记事之体，欲简而且详，疏而不漏

见唐·刘知几《史通·书事》。全句为："～。若烦则尽取，省则多捐，此乃忘折中之宜，失均平之理"。

记事者必提其要，纂言者必钩其玄

见唐·韩愈《进学解》。

记短则兼折其长，贬恶则并伐其善

见南朝·宋·范晔《后汉书·朱穆传》。

❷常记古人言，思之每烂熟／常记溪亭日暮，沉醉不知归路

❸书不记，熟读可记；义不精，细思可精

❹博闻多记而守以浅者广／博文多记，而守以浅者广／一部《周记》，理财居其半／博闻强记，守之以浅者，智／虽有强记之力，而常废于不勤／徐行不记山深浅，一路莺啼送到家

❼书不记，熟读可记；义不精，细思可精
❾赏罚信明，施与有节，记人之功，忽于小过
❿人生识字忧患始，姓名粗记可以休

讲 jiǎng 说；解释、说明、论述；商议；谋划；和解；讲求。

❶讲学以会友，则道益明

见宋·朱熹《四书集注·论语·颜渊》。全句为："～；取善以辅仁，则德日进"。

讲之功有限，习之功无已

见清·颜元《颜李遗书·总论诸儒讲学》。

❸著述讲论之功多，而实学实教之力少
❹事不素讲，难以应猝
❺选贤与能，讲信修睦
❽为学为教，用力于讲读者一二，加功于习行者八九
❿仁者恕己以及人，智者讲功而处事／从农论田田夫胜，从商讲贾贾人贤／修礼以耕之，陈义以种之，讲学以耨之／既已得高官巨富矣，仍讲道德、说仁义自若也

讳 huì 有所顾忌而不敢说的；古时帝王或尊长的名字；避讳。

❶讳莫如深，深则隐

见《谷梁传·庄公三十二年》。

讳疾而忌医，宁灭其身而无悟也

见宋·朱熹《四书集注·孟子·公孙丑上》周子注。全句为："今人有过，不喜人规，如～"。

❸民多讳言，君有骄行／罚不讳强大，赏不私亲近
❹不有忌讳，则说直之路开矣／为尊者讳，为亲者讳，为贤者讳／为尊者讳耻，为贤者讳过，为亲者讳疾／国多忌讳，大人恒畏。结口无患，可以长存
❺天下多忌讳而民弥贫
❻春秋为尊者讳，为亲者讳，为贤者讳
❼君上好善，民无讳言／过曰过，不一毫讳过
❽事有是非，义难隐讳／为尊者讳，为亲者讳，为贤者讳
❾为尊者讳耻，为贤者讳过，为亲者讳疾
❿但伤民病痛，不识时忌讳／为尊者讳，为亲者讳，为贤者讳／入其国者从其俗，入其家者避其讳／春秋为尊者讳，为亲者讳，为贤者讳／为尊者讳耻，为贤者讳过，为亲者讳疾／入竟而问禁，入国而问俗，入门而问讳／兰薰而摧，玉缜则折；物忌坚芳，人讳明洁

讴 ōu 歌唱；民歌；姓。

❼俯于逵，惟行旅讴吟是采

讵 jù 岂；苟，假如；曾。

❸峨眉讵同貌，而俱动于魄
❺棹容与而讵前，马寒鸣而不息
❽谤议不足怨，宠辱讵须惊／纡謦诫可学，违己讵非迷

讶 yà 惊奇，诧异；同"迓"，迎接。

❷偏讶思君无限极，欲罢欲忘还复忆

讷 nè 迟钝，不善言辞。

❶讷于言，敏于行

见《论语·里仁》。

❹刚、毅、木、讷近仁／君子欲讷，吉人寡辞／君子欲讷于言而敏于行
❽大巧若拙，大辩若讷，大勇若怯者／外愚而内益智，外讷而内益辨，外柔而内益刚
❿穷天下之辩者，不在辩而在讷／大直若屈，大巧若拙，大辩若讷／巧辩纵横而可喜，忠言质朴而多讷／辩之极者，知辩果不足以喻物，故讷／刚毅，则不屈于物欲；木讷，则不至于外驰

许 xǔ 认可；允诺；赞许，心服；期望；处所，地方；可能；这样；许配；约数；作语助。

❶许之而不予，不可谓信

见《吕氏春秋·离俗览·贵信》。全句为："人特劫君而不盟，君不知，不可谓智；临难而不能勿听，不可谓勇；～。不智不勇不信，有此三者，不可以立功名"。"听"，听从，听任胁迫；"特"，仅，只。

❷自许太高，诋时太过／自许封侯在万里……／巢许蔑四海，商贾争一钱
❸梦中许人，觉且不背／有所许诺，纤毫必偿
❹丈夫誓许国，愤惋复何有／一以意许知己，死亡不相负／一生几许伤心事，不向空门何处销
❺父母存，不许友以死，不有私财
❻先生不知何许人也……宅边有五柳树，因以为号焉
❼塞上长城空自许，镜中衰鬓已先斑／问渠哪得清如许，为有源头活水来／纵令然诺暂相许，终是悠悠行路心
❽网开三面，危疑者许以自新用／人以义来，我以身许，褰裳赴急，不避寒暑
❾"聪明"二字不可以自许／蜗牛角上较雌论雄，许大世界／人怜直节生来瘦，自许高材老更刚／君看夏木扶疏句，还许诗家更道不
❿千金未必能移性，一诺从来许杀身／杀身慷慨犹易免，取义从容未轻许

论 ①lùn 分析；学说，主张；评价；辩论；文体；从某个角度，以某个标准来说。②lún 儒家经典《论语》的简称。

❶论必据迹

见宋·欧阳修《或问》。

论人不论官

见明·史可法《论人才疏》。全句为:"~。官大者,亦可小就;官小者,亦可大用"。

论必作,作必成

见宋·苏轼《荐诚禅院五百罗汉记》。

论则贱之,行则下之

见《庄子·盗跖》。

论仁义则弘详而长雅

见三国·魏·刘劭《人物志·材理》。全句为:"宽恕之人不能速捷,~,趋时务则迟缓而不及"。

论如析薪,贵能破理

见南朝·梁·刘勰《文心雕龙·论说》。

论之应理,犹矢之中的

见汉·王充《论衡·超奇篇》。全句为:"论说之出,犹弓矢之发也;~"。

论大材体则弘博而高远

见三国·魏·刘劭《人物志·材理》。全句为:"刚略之人不能理微,故其~,历纤理则宕往而疏越"。

论山水,则循声而得貌

见南朝·梁·刘勰《文心雕龙·辨骚》。全句为:"~;言节候,则披文而见时"。

论说之出,犹弓矢之发也

见汉·王充《论衡·超奇篇》。全句为:"~;论之应理,犹矢之中的"。

论德而定次,量能而授官

见《荀子·君道》。

论德序官,明主所以御世

见宋·王安石《辞拜相表》。全句为:"~;度能就位,忠臣所以事君"。

论文期摘瑕,求友惟攻阙

见清·黎志远《汉阳舟次》。

论行而结交者,立名之士也

见汉·司马迁《史记·乐毅列传》。全句为:"察能而授官者,成功之君也;~"。

论者不期于丽辞而务在事实

见汉·桓宽《盐铁论·相刺》。全句为:"歌者不期于利声而贵于中节;~"。

论世而为之事,权事而为之谋

见汉·刘安《淮南子·氾论》。

论事易,作事难;作事易,成事难

见宋·苏轼《荐诚禅院五百罗汉记》。

论先后,知为先;论轻重,行为重

见宋·朱熹《朱子语类》卷九。

论士必定于志行,毁誉必参于效验

见汉·王符《潜夫论·交际》。

论逆顺不论成败,论万世不论一生

见宋·谢枋得《与李养吾书》。全句为:"大丈夫行事,论是非不论利害,~"。

论贵是而不务华,事尚然而不高合

见汉·王充《论衡·自纪篇》。

论至德者不和于俗,成大功者不谋于众

见《商君书·更法》。

论大功者不录小过,举大善者不疵细瑕

见汉·班固《汉书·陈汤传》。

论其诗不如听其声,听其声不如察其形

见汉·傅毅《舞赋》。

❷孤论难持,犯欲难成/妙论精言,不以多为贵/不论天有眼,但管地无皮/其论人也,必贵忠良鄙邪佞/高论而相欺,不若忠论而诚实/议论证据今古,出入经史百子/无论海角与天涯,大抵心安即是家/正论非不见容,然邪说亦有时而用/不论其才之称否,而论其历任之多少/欲论人者,必先自论;欲知人者,必先自知

❸以近论远,以小知大/勿轻论人,勿轻说事/坐而论道,谓之王公/婚姻论财,夷虏之道/成败论千古,人间最不公/成败论古人,陋识殊未公/事当论其是非,不当问其难易/礼,当论其是非,不当以人废/从农论田田夫胜,从商讲贾贾人贤/昔人论诗词,有景语、情语之别……/一以论道德,二以论法制,三以论策术

❹论人不论官/王者之论……/清谈高论,嘘枯吹生/用民之论,不可不熟/言出为论,下笔成章/可以言论者,物之粗也/不苟于论人,而非求其全/心意之论,不足以定是非/书生之论,可言而不可用也/与朋友论学,须委曲谦下,宽以居之/著述讲论之功多,而实学实教之力少/不闻大论则志不宏,不听至言则心不固/买马不论足力,以黑白为仪,必无走马

❺不览古今,论事不实/尊师则不论其贵贱贫富/善《易》者不论《易》/胜事谁复论,丑声日已播/相形不如论心,论心不如择术/论逆顺不论成败,论万世不论一生/居其位不论其能,赏其身不议其功……

❻卑之无甚高论/不知有汉,无论魏晋/人心未泯,公论难逃/自古有死,奚论后先/事亲以适,不论所以矣/讼必有曲直,论必有是非/辞主乎达,不论其繁与简也/大丈夫行事,论是非不论利害/小人之好议论,不乐成人之美/凡闻言必熟论,其于人必验之以理/少不讽,壮不论议;虽可,未成也/鹪鹩不可与论云翼,井蛙难与量海鳌/举大体而不论小事,务实效而不为虚名/作诗切忌议论,此最易近腐,近絮,近学究

❼且乐杯中酒,谁论世上名/六合之内,圣人论而不议/字人无异术,至论不如清/鸿钟在听,不足论击缶之音/事莫明于有效,论莫定于有证/临义莫计利害,论人莫计成败/相形不如论心,论心不如择术/颂优游以彬蔚,论精微而

朗畅/蜗牛角上较雌论雄，许大世界/论先后，知为先；论轻重，行为重/穷其书，得其言，论其意，推而大之

❽一事殊法，同罪异论/人生交契无老少，论交何必先同调/论逆顺不论成败，论万世不论一生/谈欢则字与笑并，论戚则声共泣偕/名重则于实难副，论高则与世常疏/言峻则嵩高极天，论狭则河不容舠/一以论道德，二以论法制，三以论策术/贤人在世……退则称论贬说，以觉失俗/欲论人者，必先自论；欲知人者，必先自知/观貌之是非，不若论其心与其行事之可否为不失也

❾象见其牙，而大小可论/何时一樽酒，重与细论文/势败休云贵，家亡莫论亲/高论而相欺，不若忠论而诚实/读书不可无师承，立论不可无依据/不论其才之称否，而论其历任之多少/抗历之人不能回挠，论法直则括处而公正/凡人于事务之来，无论大小，必审之又审，方无遗虑

❿生人作死别，恨恨那可论/人生感意气，功名谁复论/六合之外，圣人存而不论/当其贯日月，死生安足论/自顾行何如，毁誉安足论/大丈夫行事，论是非不论利害/高议而不可及，不如卑论之有功/出处每怀心耿耿，是非谁较论悠悠/论逆顺不论成败，论万世不论一生/友如作画须求淡，山似论文不喜平/喜为异说而不让，敢为高论而不顾/是非之所在，不可以贵贱尊卑论也/一以论道德，二以论法制，三以论策术/不知古人之世，不可妄论古人之文辞也/欲胜人者必先自胜，欲论人者必先自论/毋私小惠而伤大体，毋借公论以快私情/人能贵其所贱，贱其所贵，可与言至论矣/所谓读书，须当明物理，揣事情，论事势/天下之患，莫大于举朝无公论，空国无君子/人之立身，所贵者惟在德行，何必要论荣贵/圣人恶似是而非之人，国家忌似是而非之论/荐贤能其气似孔文举，论经学其博似刘子骏/处大事贵乎明而能断，不明因无以知事论断/责我以过，皆当虚心体察，不必论其人何如/心志既舒则易以纵驰，议论无择则易以浮浅/任人而不任法，则人各有意，无以定一成之论/颂其诗，读其书，不知其人可乎？是以论其世也/国以贤兴，以谄衰；君以忠安，以佞危，此古今之常论/君子之处世，贵能有益于物耳，不图高谈虚论，左琴右书/匹夫而忧天下，无位而论世事，时俗以为狂，而君子之所取也

讼 ①sòng 通过法律争辩是非；争辩；诉讼；责备；六十四卦之一；通"颂"。②róng 通"容"，相容。③gōng 通"公"。

❶讼必有曲直，论必有是非

见汉·王充《论衡·物势篇》。全句为："～；非而曲者为负，是而直者为胜"。

❷听讼者或从其情或从其词，词不可从必断以情

❺居家戒争讼，讼则终凶/凡二人来讼，必一曲一直

❻百姓朴素，狱讼衰息/居家戒争讼，讼则终凶

❼在智则人与之讼；在力则人与之争

❿以身教者从，以言教者讼/崇推让之风，以销分争之讼/直者不能不争，曲者不能不讼/衣食足而知荣辱，廉让生而争讼息/君子能受纤微之小嫌，故无变斗之大讼

讽 fěng 用委婉含蓄的话劝告或批评；背诵。

❸谓之讽谕诗，兼济之志也/少不讽，壮不论议；虽可，未成也

❺会己则嗟讽，异我则沮弃

❼博览群书，不为讽咏/文有二道：……导扬讽谕，本乎比兴者也

❿文之用，辞令褒贬导扬讽喻而已/欲开壅蔽达人情，先向歌诗求讽刺

设 shè 安放；谋划，假想；完备；假如；突厥、回纥典兵官衔。

❶设文之体有常，变文之数无方

见南朝·梁·刘勰《文心雕龙·通变》。

设官置吏，署员太多，不精则十不如一

见元·胡祗遹《论沙汰》。

设使国家无有孤，不知当几人称帝，几人称王

见晋·陈寿《三国志·魏书·武帝纪》。

设必犯之法，不度民情之不堪，是陷民于罪也

见汉·荀悦《申鉴·时事》。

❷律设大法，礼顺人情/法设而民不犯，令施而民从

❸计不设则事不成/因事设奇，谲敌制胜，变化如神/立法设禁而无刑以待之，则令而不行/圣智设法，本以守国，智诈极矣，乃翻为盗国之盗资也

❹神施鬼设，间见层出/既食，未设备，可击/将不预设，则亡以应卒/无求无设则无虑，无虑则反复虚矣/礼之既设，其小人恒佚于礼之外，则辅礼以刑

❺正义之臣设，则朝廷不颇/道为智者设，马为御者良

❻悬衡而知平，设规而知圆，万全之道也/其应也，非所设也；其动也，非所取也

❽县法者，法不法也；设赏者，赏当赏也

❾园日涉以成趣，门虽设而常关

❿去知则奚求矣，无藏则奚设矣/凡人之用智有短长，其施设各异/自斗自竭，自崩自缺，是恶乎为我设/力不能济于用，而君臣上下不正，

虽抱空器奚何施设

访

fǎng 探访；调查，寻求；通“方”，始。

❶访民瘼于井邑，察冤枉于囹圄

见明·冯梦龙《警世通言·钱舍人题诗燕子楼》。

❸上不访，下不谏，妇言用，私政行，此亡国之风也

❿伐国不问仁人，战阵不访儒士

证

zhèng 凭据；证实；验证；谏正；症候。

❸议论证据今古，出入经史百子／超凡证圣，目击非遥；悟在须臾，何须皓首

❼仁者，积恩之见证也

❿曲木恶直绳，重罚恶明证／事莫明于有效，论莫定于有证／从来谈诗，必摘古人佳句为证，最是小见

诂

gǔ 古言古义；以今言解释古言。

❶诂形以形，以形务名，督言正名

见《管子·心术上》。

❹诗无达诂，易无达占，春秋无达辞

评

píng 议论或判定；议论的话或文章。

❺彼以成败评豪杰者，市儿之见也

❾千秋功罪，谁人曾与评说

❿学为文章，先谋亲友，得其评裁，知可施行，然后出手

诅

zǔ 诅咒，咒骂；盟誓。

❸一国诅，两人祝，虽善祝者不能胜也

❹在这可诅咒的地方击退了可诅咒的时代

识

①shí 认得；知识；意识；刚才。②zhì 记住；通“帜”，标志。

❶识时务者为俊杰

见元·曾先之《十八史略·东汉·献帝》。

识众寡之用者，胜

见《孙子兵法·谋攻篇》。

识时务者，在乎俊杰

见晋·陈寿《三国志·蜀书·诸葛亮传》裴松之注引《襄阳记》。

识事之有当，不任非当之事

见唐·司马承祯《坐忘论·简事》。全句为：“～。事非当则伤于智力，务过分则毙于形神”。

识量大，则毁誉欢戚不足以动其中

见明·薛瑄《薛文清要语》。

识欲高而气欲下，量欲宏而守欲洁

见明·袁衷《庭帏杂录》。全句为：“志欲大而心欲小，学欲博而业欲专，～”。

识物之动，则其所以然之理皆可知也

见三国·魏·王弼《周易·乾》注。

❷先识未然，圣也／无识，则不能取舍／小识伤德，小行伤道／不识风霜苦，安知零落期／前识者，道之华而愚之始／学识英博，非复吴下阿蒙／相识满天下，知心能几人／欲识凌冬性，唯有岁寒知／不识农夫辛苦力，骄骢蹋烂麦青青／不识庐山真面目，只缘身在此山中／博识者触物能名，洽闻者理无所惑耳／心识其所以然而不能然者，内外不一

❸板荡识诚臣／年妙识远，理丰词约／处事识为先，断次之／心能识壮毫而不觉其形／达人识元气，变愁为高歌／璧由识者显，龙因庆云翔／生不识水，则虽壮，见舟而畏之／居近识远，处今知古，惟学矣乎／默而识之，学而不厌，诲人不倦／人生识字忧患始，姓名粗记可以休／等闲识得东风面，万紫千红总是春／多闻识者，犹广储药物也，知所用为贵

❹有眼不识泰山／时危始识不世才／士先器识而后辞章／士先器识而后文艺／博学多识，疑则思问／凡主有识，言不欲先／小时不识月，呼作白玉盘／一字不识而有诗意者，得诗家真趣／时人不识凌云木，直待凌云始道高／春风不识兴亡意，草色年年满故城／古之人……识名位为香饵，逝而不顾／博闻强识而让，敦善行而不怠，谓之君子

❺兴尽悲来，识盈虚之有数／从极迷处识迷，则到处醒／春风不相识，何事入罗帏／有过人之识，则不以富贵为事／君子以多识前言往行，以畜其德／才胆实由识而济，故天下唯识为难／生儿不用识文字，斗鸡走马胜读书／望严雪而识寒松，观疾风而知劲草／新交与旧识俱欢，林壑共烟霞对赏／囊漏贮中，识者不吝；反裘负薪，存毛实难／才者璞也，识者工也，良璞授于贱工，器之陋也

❻反眼若不相识／文从字顺各识职／户内春浓不识寒／年少气锐，不识几微／伟才任于鄙识，行之缺也／触目皆新，谁识当年旧主人／词客有灵应识我，霸才无主始怜君／有伯乐而后识马，有匠石而后识梧檟／呱呱之子，各识其亲；譊譊之学，各习其师

❼相逢何必曾相识／凡为文辞宜略识字／德随量进，量由识长／思虑过度，则智识乱／史有三长：才、学、识／见之而不知，虽识必妄／不穷视听界，焉识宇宙广／但伤民病痛，不识时忌讳／人生处万类，知识最为贤／游子久不归，不识陌与阡／成败论古人，陋识殊未公／匿为物而愚不识，大为难而罪不敢／儿童相见不相识，笑问客从何处来／悄立市桥人不识，一星如月看多时／有财有势即相识，无财无势同路人／烦为教而过不识，数为令而非不从／使命之臣，取其识变从宜，不辱君命

❽学之乃知，不问不识／尺蠖知屈伸，体道识穷达／在火辨玉性，经霜识松贞／巢居觉风飘，穴处识阴雨／时危见臣节，世乱识忠良／疾风知劲草，板荡识诚臣／物有甘苦尝之者识，道有夷险履之者知／士穷见节义，世乱识忠臣，欲学者必周于德

❾处难处之事，可以长识／听草遥寻岸，闻香暗识莲／听笛始知岸，闻香暗识莲／后生虽天资聪明，而识终有不及／一生肝胆向人尽，相识不如不相识／寻芳者追深径之兰，识韵者探穷山之竹

❿道固不小行，德固不小识／经一番挫折，长一番见识／非学无以致疑，非问无以广识／志大而量小，才有余而识不足／海以合流为大，君子以博识为弘／一生肝胆向人尽，相识不如不相识／才胆实由识而济，故天下唯识为难／临喜临怒看涵养，群行群止看识见／生不用封万户侯，但愿一识韩荆州／义胆包天，忠肝盖地，四海无人识／同是天涯沦落人，相逢何必曾相识／今所任用，必须以德行、学识为本／莫愁前路无知己，天下谁人不识君／操千曲而后晓声，观千剑而后识器／强中自有强中手，用诈还逢识诈人／臂健尚嫌弓力软，眼明犹识阵云高／多闻，择其善者而从之；多见而识之／问事弥多而见弥博，官弥剧而识弥泥／有伯乐而后识马，有匠石而后识梧槚／一代天骄，成吉思汗，只识弯弓射大雕／制其末而不穷其源，见其粗而未识其精／垂髫之童，但习鼓舞，斑白之老，不识干戈／俭者，君子之德，世俗以俭为鄙，非远识也／人情险于山川，以其动静可识，而沉阻难徵／迩之事父，远之事君，多识于鸟兽草木之名／时无远近，事无巨细，必籍多闻，以成博识／有第一等襟抱，第一等学识，斯有第一等真诗／忍所不能忍，容所不能容，惟识量过人者能之／以弋猎博弈之日诵《诗》、《书》，闻识必博矣／贤固可易知，人固可易识，但是议者不精思之耳／见玉而指之曰石，非玉之不真也，待和氏而识焉／见其远者大者，不食邪人之饵，方是二十分识力／人遇逆境，无可奈何，而安之若命，乃是见识超卓／建天下之大事功者，全要眼界大，眼界大则识见自别／欲厚其德，不可不弘其量，欲弘其量，不可不大其识／历观前代拨乱创业之主，生长民间，皆识达情伪，罕至于败亡／文章当从三易：易见事，一也；易识字，二也；易读诵，三也／君人者不下庙堂之上，而知四海之外者，因物以识物，因人以知人也

诎

qū 通"屈"；言语迟钝；冤屈；穷；短缩；姓。

❷时诎则诎，时伸则伸／理诎者，巧为粉泽而隙间百出

❸士者诎乎不知己，而申乎知己

❹大直若诎，道固委蛇／时诎则诎，时伸则伸／君子时诎则诎，时伸则伸也／有祸则诎，有福则赢，有过则悔，有功则矜／孔子曰：诎寸而信尺，小枉而大直，吾为之也

❻君子时诎则诎，时伸则伸也

❿君子直而不挺，曲而不诎／内有一定之操，而外能诎伸、赢缩、卷舒／君子不以功轻人之身，不为彼功诎身之理

诈

zhà 假装；冒充；欺骗。

❷巧诈不如拙诚／伪诈不可长，空虚不可守／饰诈以图己，诈穷则道屈／奸诈既作，盗贼日多，谓之乱政／以诈应诈，以谲应谲，若披蓑而救火，毁渎而止水

❸兵以诈立，以利动／遇欺诈之人，以诚心感动之／奸人诈而好名，其行事有酷似君子处／不逆诈，不亿不信，抑亦先觉者，是贤乎

❹兵不厌诈／我无尔诈，尔无我虞／用心于诈，百补而千穴败／觉人之诈而不说破，待其自愧可也／新剑以诈刻加价，弊方以伪题见宝／以诈应诈，以谲应谲，若披蓑而救火，毁渎而止水／君自为诈，欲臣下行直，是犹源浊而望水清，理不可得

❺不防盟墨诈，须戒覆车新／并兼者高诈力，安定者贵顺权

❻大奸似忠，大诈似信／饰诈以图己，诈穷则道屈／明谓多见巧诈，蔽其朴也

❼上多故则下多诈／战陈之间，不厌诈伪／用人之知去其诈，用人之勇去其怒

❽以恩信接人，不尚诈力／与百姓争利，则狡诈之心生／人情繁则怠，怠则诈，诈则益乱／疑人者，人未必皆诈，己则先诈矣

❾有德之文信，无德文诈／人情繁则怠，怠则诈，诈则益乱／圣人在上，奇不得起，诈不得生／非兔狡，猎狡也；非民诈，吏诈也／强中自有强中手，用诈还逢识诈人／长于变者不可穷以诈，通于道者不可惊以怪

❿人情忌殊异，世路多权诈／令烦则奸生，禁多则下诈／用兵之道，抚士贵诚，制敌贵诈／鸟穷则啄，兽穷则触，人穷则诈／鸟穷则啄，兽穷则攫，人穷则诈／非兔狡，猎狡也；非民诈，吏诈也／疑人者，人未必皆诈，己则先诈矣／强中自有强中手，用诈还逢识诈人／辨而不当理则伪，知而不当理则诈／孔氏门人……恶其违仁义而尚权诈也／强执教之人，则失其情实，生于诈伪／公生明，偏生暗，端悫生通，诈为生塞／智惠之君贱德而贵言……以为大伪奸诈／嗜欲无穷，则必有贪鄙悖乱之心，淫佚奸诈之事／疾为诞而欲人之信己也，疾为诈而欲人之亲己也／圣

智设法，本以守国，智诈极矣，乃翻为盗国之盗资也／无形，则不可制迫也，不可度量也，不可巧诈也，不可规虑也／不与凶人为仇，不与吉人为亲，不与诚人为媾，不与诈人为怨

诉 sù 陈述；告诉；控告。

❶诉心中之不平，感数奇于千载

见明·李贽《杂说》。全句为："蓄极积久，势不能遏。一旦见景生情，触目兴叹；夺他人之酒杯，浇自己之垒块；～"。

❷笺诉天公休掠剩，半偿私债半输官

❹不能无诉，诉而必见察……

❻清音宛转，如诉如慕，坐客听之，不觉泪下

❽如怨如慕，如泣如诉，余音袅袅，不绝如缕

❿尽诚可以绝嫌猜，徇公可以弭谗诉／轻听发言，安知非人之谮诉，当忍耐三思

诋 dǐ 诬蔑；通"柢"，根底，要素。

❶诋訾之法者，伐贤之斧也

见汉·王符《潜夫论·潜叹》。全句为："～；而骄妒者，噬贤之狗也"。

❺自许太高，诋时太过

❽按其已然之迹而诋之也易

❾刀笔之吏专深文巧诋，陷人于罔，以自为功

诌 zhōu 随口瞎编。

❾正言不发，万口如封，诌媚相与，千颜一容

词 cí 语言里可以自由运用的最小单位；话语；通"辞"；一种诗歌体裁；文体名。

❶词以境界为最上

见清·王国维《人间词话》。全句为："～，有境界则自成高格，自有名句"。

词之妙，莫妙于不言言之

见清·刘熙载《艺概》卷四。全句为："～。非不言也，寄言也"。

词高则出于众，出于众则奇矣

见唐·皇甫湜《答李生第一书》。全句为："意新则异于常，异于常则怪矣；～。虎豹之文不得不炳于犬羊，鸾凤之音不得不锵于乌鹊，金玉之光不得不炫于瓦石，非有意先之也，乃自然也"。

词林增峻，反诸宏博，君之力焉

见唐·杨炯《王勃集序》。全句为："积年绮碎，一朝清廓，翰苑豁如，～"。

词源倒流三峡水，笔阵独扫千人军

见唐·杜甫《醉歌行》。

词客争新角短长，迭开风气递登场

见清·赵翼《论诗》。

词客有灵应识我，霸才无主始怜君

见唐·温庭筠《过陈琳墓》。

词家从不觅知音，累汝千回带泪吟

见清·龚自珍《己亥杂诗》。

词澹语要有味，壮语要有韵，秀语要有骨

见清·刘熙载《艺概·词曲概》。

词意书迹，无不宛然；唯是魂神，不知去处

见唐·白居易《祭郎中弟文》。全句为："～。每开一卷，刀搅肺肠；每读一篇，血滴文字"。

❷并词竞说者，为贷手以自殴／为词章，泛滥停蓄，为深博无涯涘

❸沃荡词源，河海无息肩之地／情在词外曰隐，状溢目前曰秀／屈平词赋悬日月，楚王台榭空山丘／意深词浅，思苦言甘。寥寥千载，此妙谁探

❹彼以文词而已者陋矣／世理则词直，世忌则词隐／惟古于词必己出，降而不能乃剽贼／不诡其词而词自丽，不异其理而理自新／诗文之词采贵典雅而贱粗俗，宜蕴藉而忌分明

❺褒贬无一词，岂得为良史／昔人论诗词，有景语、情语之别……／事以实之，词以章之，道以通之，法以检之／虎旅云从，词林响应，若毛羽之宗麟凤，众川之长江河

❻忠言逆耳，甘词易入／不假良史之词，不托飞驰之势／礼貌卑下，言词谦恭，所谓敬也／错把黄金买词赋，相如自是薄情人／不诡其词而词自丽，不异其理而理自新

❼年妙识远，理丰词约／诗以意为主，文词次之／险语破鬼胆，高词媲皇坟／知音者稀，常恐词林交丧／义虽深，理虽当，词不工者不成文

❽言泉共秋水同流，词峰与夏云争长

❾世理则词直，世忌则词隐／腾蛟起凤，孟学士之词宗／不薄今人爱古人，清词丽句必为邻

❿垂秋实于谈丛，绚春花于词苑／兴者，先言他物以引起所咏之词也／守正之人其气高，含章之人其词大／贤者任重而行恭，知者功大而词顺／气不可以不贯，不贯则虽有美词丽藻／悲斯叹，叹斯愤，愤必有泄，故见乎词／听讼者或从其情或从其词，词不可从必断以情／以意为主，则其旨必见；以文传意，则其词不流

诏 zhào 告；特指皇帝颁发的命令与文告；召见。

❷虽诏于天子，无使北面，所以尊师也

❽心知其意，未可明诏大号

诐 bì 辩论；偏颇；邪僻。

❶诐辞知其所蔽，淫辞知其所陷

见《孟子·公孙丑上》。

译 yì 把一种语言文字翻成另一种语言文字；古代称翻译北方民族语言的官。

❶译事三难：信、达、雅

见清·严复《天演论·译例言》。

诒 ①yí 通“贻”。遗留;送给。②dài 通“绐”,欺骗。

❻心之忧矣,自诒伊戚

试 shì 尝试;试验;考试;用;任用。

❸请日试万言,倚马可待/剑不试则利钝暗,弓不试则劲挠诬/鹰不试则巧拙惑,马不试则良驽疑

❹人用财试,金用火试/宽收严试,久任超迁。此八字,用人之良法

❺欲与天公试比高/德与力,非试之辕下不可辨/凡用人历试其能,苟败事必诛无赦

❻去帆若不见,试望白云中

❼虚争空言,不如试之易效

❽不夺能能,不与下试/人用财试,金用火试/冰不捁不寒,胆不试不苦/有智略之人,不必试以弓马/毋以日月为功,实试贤能为上/从来夸有龙泉剑,试割相思得断无/军民团结如一人,试看天下谁能敌

❾能者之相见也,不待试而知/非举无以知其贤,非试无以效其实

❿古之选贤,傅纳以言,明试以功/剑不试则利钝暗,弓不试则劲挠诬/休对故人思故国,且将新火试新茶/鹰不试则巧拙惑,马不试则良驽疑/“利”之一字,是学问人品一片试金石/山舞银蛇,原驰蜡象,欲与天公试比高/黄鹄白鹤,一举千里,使之与燕服翼试之堂庑之下/忽闻晓角吟风,一叶坠露,惊而试问,即红线回矣

诗 shī 一种文学体裁;《诗经》的简称。

❶诗人多蹇

见唐·白居易《与元九书》。

诗酒趁年华

见宋·苏轼《望江南》。

诗清立意新

见唐·杜甫《奉和严中丞西城晚眺》。

诗成觉有神

见唐·杜甫《独酌成诗》。

诗品出于人品

见清·刘熙载《艺概·诗概》。

诗贯六义……

见唐·司空图《与李生论诗书》。全句为:“~,则讽谕、抑扬、渟蓄、渊雅,皆在其间矣”。

诗不可无为而作

见清·薛雪《一瓢诗话》。

诗出于民之情性

见宋·欧阳修《定风雅颂解》。

诗情无限景无穷

见宋·曾肇《题多景楼》。

诗家气象贵雄浑

见宋·戴复古《论诗十绝》之三。

诗成珠玉在挥毫

见唐·杜甫《奉和贾至舍人早朝大明宫》。

诗思出门何处无

见宋·陆游《病中绝句》。

诗者,吟咏情性也

见宋·严羽《沧浪诗话》。

诗不厌改,贵乎精也

见明·谢榛《四溟诗话》卷二。

诗要避俗,更要避熟

见清·刘熙载《艺概·诗概》。

诗不着题,如隔靴搔痒

见宋·阮阅《诗话总龟》。

诗以意为主,文词次之

见宋·刘攽《中山诗话》。

诗在心为志,出口为辞

见汉·陆贾《新语·慎微》。

诗之外有事,诗之中有人

见清·黄遵宪《人境庐诗草自序》。

诗之基,其人之胸襟是也

见清·叶燮《原诗》内篇下。

诗书勤乃有,不勤腹空虚

见唐·韩愈《符读书城南》。

诗人甘寂寞,居处遍苍苔

见唐·朱庆馀《自述》。

诗画本一律,天工与清新

见宋·苏轼《书鄢陵王主簿所画折枝二首》其一。

诗情吟未足。酒兴断还续

见宋·黄机《霜天晓角》。

诗家虽率意,而造语亦难

见宋·欧阳修《六一诗话》引梅尧臣语。全句为:“~。若意新语工,得前人所未道者,斯为善也”。

诗是无形画,画是有形诗

见宋·张舜民《跋百之诗画》。

诗者,情动于中而形于言

见唐·孟棨《本事诗序》。全句为:“~,故怨思悲愁,常多感慨”。

诗如神龙,见其首不见其尾

见清·赵执信《谈龙录》。全句为:“~,或云中露一爪一鳞而已。”

诗缘情而绮靡,赋体物而浏亮

见晋·陆机《文赋》。

诗者:根情,苗言,华声,实义

见唐·白居易《与元九书》。全句为:“感人心者,莫先乎情,莫始乎言,莫切乎声,莫深乎义。~”。

诗无达诂,易无达占,春秋无达辞

见汉·董仲舒《春秋繁露·精华》。
诗中日月酒中仙，平地雄飞上九天
见唐·殷文圭《经李翰林墓》。
诗人安得有青衫，今岁和戎百万缣
见宋·刘克庄《戊辰即事》。
诗家之景，如蓝田日暖，良玉生烟
见唐·司空图《与极浦谈诗书》。全句为："～，可望而不可置于眉睫之前也。"
诗者，人心之感物而形于言之余也
见宋·朱熹《诗集传·序》。
诗穷莫写愁如海，酒薄难将梦到家
见宋·朱弁《春阴》。
诗言志，歌永言，声依永，律和声
见《尚书·舜典》。
诗之所谓风者，多出于里巷歌谣之作
见宋·朱熹《诗集传·序》。全句为："～。所谓男女相与咏歌，各言其情者也。"
诗，思然后积，积然后满，满然后发
见汉·刘向《说苑·贵德》。全句为："～，发由其道，而致其位焉"。
诗人之赋，丽以则；辞人之赋，丽以淫
见汉·扬雄《法言·吾子》。
诗言其志也，歌咏其声也，舞动其容也
见《礼记·乐记》。
《诗》三百篇，大抵贤圣发愤之所为作也
见汉·司马迁《报任少卿书》。全句为："文王拘而演《周易》；仲尼厄而作《春秋》；屈原放逐，乃赋《离骚》；左丘失明，厥有国语；孙子膑脚，《兵法》修列；不韦迁蜀，世传《吕览》；韩非囚秦，《说难》、《孤愤》；～"。
《诗》可以兴，可以观，可以群，可以怨
见《论语·阳货》。全句为："～。迩之事父，远之事君，多识于鸟兽草木之名"。
诗者，志之所之也。在心为志，发言为诗
见《诗·大序》。
诗言，志之所之也。在心为志，发言为诗
见汉·卫宏《诗大序》。
诗如鼓琴，声声见心。心为人籁，诚中形外
见清·袁枚《续诗品·斋心》。
诗是心声，不可违心而出，亦不能违心而出
见清·叶燮《原诗》外篇上。
诗者，不可以言语求而得，必将深观其意焉
见宋·苏轼《既醉备五福论》。
诗有别材，非关书也；诗有别趣，非关理也
见宋·严羽《沧浪诗话·诗辨》。
《诗》三百，一言以蔽之，曰："思无邪。"
见《论语·为政》。
诗文之词采贵典雅而贱粗俗，宜蕴藉而忌分明
见清·李渔《闲情偶寄·词采》。
诗人感而后思，思而后积，积而后满，满而后作
见汉·王褒《四子讲德论》。全句为："～。言之不足，故嗟叹之；嗟叹之不足，故咏歌之；咏歌之不厌，不知手之舞之、足之蹈之。"
❷一诗千改始心安／学诗谩有惊人句／新诗改罢自长吟／作诗须多诵古今人诗／燔诗书，起淳于越之谏／作诗贵雕琢，又畏斧凿痕／其诗之有故，其言之成理／律诗要法：起、承、转、合／非诗之能穷人，殆穷者而后工也／作诗火急追亡逋，清景一失后难摹／说诗者，不以文害辞，不以辞害志／谢诗如芙蓉出水，颜诗如错采镂金／学诗须是熟看古人诗，求其用心处／学诗者不可忽略古人，亦不可附会古人／作诗者陶冶物情，体会光景，必贵乎自得／作诗切忌议论，此最易近腐，近絮，近学究
❸三分诗，七分读／不读诗书形体陋／宜咏诗，诗韵清绝／不学《诗》，无以言／兴于诗，立于礼，成于乐／景乃诗之媒，情乃诗之胚／敏捷诗千首，飘零酒一杯／白也诗无敌，飘然思不群／无说诗，匡鼎来；匡说诗，解人颐／但是诗人多薄命，就中沦落不过君／老去诗篇浑漫与，春来花鸟莫深愁／论其诗不如听其声，听其声不如察其形／颂其诗，读其书，不知其人可乎？是以论其世也／建安诗辩而不华，质而不俚，风调高雅，格力遒壮／所谓诗，所谓文，实国事、世事、家事、身事、心事系焉
❹多病题诗无好句／宜咏诗，诗韵清绝／赋者，古诗之流也／孔子以诗书礼乐教……／存志乎诗书，寓辞乎咏歌／但肯寻诗便有诗，灵犀一点是吾师／熟读唐诗三百首，不会吟诗也会吟／昔人论诗词，有景语、情语之别……／齐、梁间诗，彩丽竞繁，而兴寄都绝／上不以诗补察时政，下不以歌泄导人情／李太白诗不专是豪放，亦有雍容和缓底／古人为诗，贵于意在言外，使人思而得之／从来谈诗，必摘古人佳句为证，最是小见
❺子美集开诗世界／晚节渐于诗律细／温柔敦厚，诗教也／味摩诘之诗，诗中有画／谓之讽谕诗，兼济之志也／谓之闲适诗，独善之义也／汝果欲学诗，工夫在诗外／大抵古人诗画，只取兴会神到／国家不幸诗家幸，赋到沧桑句便工／李白一斗诗百篇，长安市上酒家眠／子所雅言，《诗》、《书》、执礼，皆雅言也
❻搜天斡地觅诗情／大抵文善醒，诗善醉／味摩诘之诗，诗中有画／诗之外有事，诗之中有人／政简移风速，诗清立意新／歌罢海动色，诗成天改容／文士多数奇，诗人尤命薄／笔落惊风雨，诗成泣鬼神／思与境偕，乃诗家之所尚者／不因酒困因诗困，常被吟魂恼醉魂／闭门觅句

非诗法，只是征行自有诗／闻《宿紫阁村》诗，则握军要者切齿矣

❼作人贵直，而作诗文贵曲／一字不识而有诗意者，得诗家真趣／但肯寻诗便有诗，灵犀一点是吾师

❽不学博依，不能安诗／能理乱丝，始可读诗／景乃诗之媒，情乃诗之胚／兴酣落笔摇五岳，诗成笑傲凌沧洲／闻《乐游园》寄足下诗，则执政柄者扼腕矣

❾作诗须多诵古今人诗／观摩诘之画，画中有诗／汝果欲学诗，工夫在诗外／其为人也温柔敦厚，诗教也／无说诗，匡鼎来；匡说诗，解人颐／谢诗如芙蓉出水，颜诗如错采镂金／学诗须是熟看古人诗，求其用心处／爱好由来下笔难，一诗千改始心安／文章合为时而著，歌诗合为事而作／补察得失之端，操于诗人美刺之间焉／诗有别材，非关书也；诗有别趣，非关理也／以弋猎博弈之日诵《诗》、《书》，闻识必博矣／人之能为人，由腹有诗书。诗书勤乃有，不勤腹空虚

❿一心中国梦，万古下泉诗／诗是无形画，画是有形诗／宽心应是酒，遣兴莫过诗／春秋多佳日，登高赋新诗／登东皋以舒啸，临清流而赋诗／盛唐而学汉魏，岂复有盛唐之诗／一字不识而有诗意者，得诗家真趣／不到西湖看山色，定应未可作诗人／百岁光阴半归酒，一生事业略存诗／别来十年学不厌，读破万卷诗愈美／君看夏木扶疏句，还许诗家更道不／庾信平生最萧瑟，暮年诗赋动江关／闭门觅句非诗法，只是征行自有诗／洞庭波涌连天雪，长岛人歌动地诗／欲开壅蔽达人情，先向歌诗求讽刺／熟读唐诗三百首，不会吟诗也会吟／秀出天南笔一枝，为官风骨称其诗／正得失，动天地，感鬼神，莫近于诗／兴于嗟叹，发于吟咏，而形于歌诗矣／奉而始终之则为道，言而发明之则为诗／不名一格，不专一体，要不失乎为我之诗／使味之者无极，闻之者动心，是诗之至也／诗者，志之所之也。在心为志，发言为诗／诗言，志之所之也。在心为志，发言为诗／不学操缦，不能安弦；不学博依，不能安诗／梅花过时，槐色犹在，白云芳草，尽入诗兴／心之精微，发而为文；文之神妙，咏而为诗／古今之喻多矣，而愚以为辨于味而后可以言诗／行之乎仁义之途，游之乎《诗》、《书》之源／有第一等襟抱，第一等学识，斯有第一等真诗／意喻之米，文喻之炊而为饭，诗喻之酿而为酒／人之能为人，由腹有诗书。诗书勤乃有，不勤腹空虚

诘

jié 质问；查究；曲折；犹“翌”，［诘朝］早晨。

❸观摩诘之画，画中有诗／味摩诘之诗，诗中有画

❹奸回不诘，为恶肆其凶

❿枳棘当道，行者过之而必诘

诚

chéng 真诚；确实；果真；姓。

❶诚于中，形于外

见《礼记·大学》。

诚无垢，思无辱

见汉·刘向《说苑·敬慎篇》。

诚乎物而信乎道

见唐·柳宗元《零陵郡复乳穴记》。

诚者，圣人之性也

见唐·李翱《复性书上》。

诚不忍奇宝横弃道侧

见唐·韩愈《与袁相公书》。

诚之所感，触处皆通

见宋·吴处厚《青箱杂记》。

诚信生神，夸诞生惑

见《荀子·不苟》。全句为：“公生明，偏生暗，端悫生通，诈为生塞，～”。

诚信者，即其心易知

见唐·武则天《臣轨下·诚信章》。

诚心，而金石为之开

见汉·韩婴《韩诗外传》。

诚其意者，毋自欺也

见《礼记·大学》。

诚有功，则虽疏贱必赏

见《韩非子·主道》。全句为：“～；诚有过，则虽近爱必诛”。

诚有过，则虽近爱必诛

见《韩非子·主道》。全句为：“诚有功，则虽疏贱必赏；～”。

诚其意者，自修之首也

见宋·朱熹《四书集注·大学》。

诚信相接，如坐人春风中

见清·王晫《今世说》卷一。

诚之者，择善而固执之者也

见《礼记·中庸》。

诚能爱而利之，天下可从也

见汉·刘安《淮南子·缪称》。全句为：“～；弗爱弗利，亲子叛父”。

诚使博如庄周，哀如屈原……

见唐·柳宗元《与杨京兆凭书》。全句为：“～，奥如孟轲，壮如李斯，峻如马迁，富如相如，明如贾谊，专如扬雄，犹为今之人笑，则世之高者至少矣”。

诚国是之先定，虽民散而可收

见宋·苏轼《谢中书舍人启》。

诚欲远彼腥膻，而即此清净也

见晋·葛洪《抱朴子·明本》。全句为：“山林

之中非有道也，而为道者必入山林。～”

诚无悔，恕无怨，和无仇，忍无辱

见宋·李邦献《省心杂言》。

诚知此恨人人有，贫贱夫妻百事哀

见唐·元稹《遣悲怀二首》之二。

诚者，合内外之道，便是表里如一

见宋·朱熹《朱子语类》卷二三。

诚其心，正其志，实其事，定其分

见汉·荀悦《申鉴·杂言下》。全句为：“人之所以立检者四：～”。

诚者，天之道也；诚之者，人之道也

见《礼记·中庸》。

诚者，天之道也；思诚者，人之道也

见《孟子·离娄上》。

诚者，君子之所守也，而政事之本也

见《荀子·不苟》。

诚意孚于未言之前，则言出而人信之

见明·薛瑄《读书录》。

诚无不动者，修身则身正，治事则事理

见宋·杨时《二程粹言·论道篇》。

诚欲往来言所闻，则仆固愿悉陈中所得者

见唐·柳宗元《答韦中立论师道书》。全句为：“～。吾子苟自择之，取某事，去某事，则可矣”。

诚则始终不忒，表里一致，敬信真纯，往而必孚

见明·朱之瑜《朱舜水集·诚二首》。

❷利诚乱之始／开诚心，布公道／至诚则金石为开／至诚者，天之道也／地诚任，不患无财／精诚介然，将贯金石／精诚所加，金石为开／精诚所加，金石为亏／不诚则有累，诚则无累／事诚无害，虽无例亦可／罚诚当，虽赦之，不外／兵诚义，以诛暴君而振苦民／衡诚具矣，则不可欺以轻重／心诚求之，虽不中，不远矣／精诚由中，故其文语感动人深／尽诚可以绝嫌猜，徇公可以弭谗诉／不诚于前而曰诚于后，众必疑而不信矣／竭诚则吴越为一体，傲物则骨肉为行路

❸君子诚之为贵／贤者诚重其死／以至诚为道，以至仁为德／纡辔诚可学，违己讵非迷／君子诚仁，施亦仁，不施亦仁／绳墨诚陈矣，则不可欺以曲直／明与诚终岁不违，则能终身矣／人主诚正，则直士任事，而奸人伏匿／小人诚不仁，施亦不仁，不施亦不仁／行不诚义，动不缘义，俗虽谓之通，穷也／要使诚意之交通，在于未言之前，则言出而人信矣

❹板荡识诚臣／服人以诚不以言／不精不诚，不能动人／反身而诚，乐莫大焉／修辞立诚，在于无愧／小人不诚于内而求之于外／公生明，诚生明，从容生明／三德者诚乎上，则下应之如景响／但见丹诚赤如血，谁知伪言巧似簧／真者，精诚之至也；不精不诚，不能动人／藏大不诚于中者，必谨小诚于外，以成其大不诚

❺修辞立其诚／人之善恶，诚由近习／负舟登山，诚难事也／靡辞无忠诚，华繁竟不实／所谓天者诚难测，而神者诚难明矣／有能推至诚之心而加以不息之久，则天地可动，金石可移

❻巧诈不如拙诚／令一则行，推诚则化／观听不参，则诚不闻／推心置腹，开诚布公／不诚则有累，诚则无累／太史公曰：……利，诚乱之始也／不如鄙性好诚实，退无所议进不谀／古之成败者，诚有其才，虽弱必强／若不推之于诚，虽三令五申，而令不明矣／祸至后惧，是诚不知；君子之惧，惧乎未始／蚊蚋负山，力诚不足；鹰鹯逐鸟，志则有余／法令赏罚者，诚治乱之枢机也，不可不严行也

❼去苟礼而务至诚／不疑于物，物亦诚焉／夫妇有恩矣，不诚则离／谓其忠则委之诚，可也／欲正其心者，先诚其意／遇欺诈之人，以诚心感动之／自古驱民在信诚，一言为重百金轻／诚者，天之道也；诚之者，人之道也／不诚于前而曰诚于后，众必疑而不信矣／民者，国之根也，诚宜重其食，爱其命

❽君子养心莫善于诚／舍生岂不易，处死诚独难／文以行为本，在先诚其中／守身之道，摄养也，诚身也／用兵之道，抚士贵诚，制敌贵诈／诚者，天之道也；思诚者，人之道也／仁义之行，唯且无诚，且假乎禽贪者器

❾鬼神无常享，享于克诚／疾风知劲草，板荡识诚臣／挟天子而令诸侯，此诚不可与争锋／礼丰不足以效爱，而诚心可以怀远

❿百虑输一忘，百巧输一诚／兄弟敦和睦，朋友笃信诚／辞必端其本，修之乃立诚／以德服人者，中心悦而诚服也／高论而相欺，不若忠论而诚实／心之不虚，由好学之不能诚也／与人相处之道，第一要谦下诚实／去敌气与矜色兮，噤危言以端诚／不恤亲疏，不恤贵贱，唯诚能之求／成事在理不在势，服人以诚不以言／所谓天者诚难测，而神者诚难明矣／身不正不足以服，言不诚不足以动／不足于行者，说过；不足于信者，诚言／管子以小辱成大荣，苏秦以百诞成一诚／真者，精诚之至也；不精不诚，不能动人／诗如鼓琴，声声见心。心为人籁，诚中形外／赏不当，虽与之必辞；罚诚当，虽赦之不外／智而用私，不如愚而用公，故曰巧伪不如拙诚／人主之患，不在乎不言用贤，而在乎不诚必用贤／藏大不诚于中者，必谨小诚于外，以成其大不诚／知本无有思，动静皆离，寂然不动者，是至诚也／食人力之粟，守无事之官，拳拳血诚，无所陈露／挟泰山以超北海，语人曰：“我不能”，是诚

不能也／恶图犬马而好作鬼魅，诚以实事难形，而虚伪不穷也／君子之自行也，动必缘义，行必诚义，俗虽谓之穷，通也／不与凶人为仇，不与吉人为亲，不与诚人为媾，不与诈人为怨

诛

zhū 杀死（罪人）；责备；处罚；剪除。

❶诛不避贵，赏不遗贱

见《晏子春秋·内篇·问上》。

诛恶及本，本诛则恶消

见汉·谷永《说王音》。全句为："～；振裘持领，领正则毛理"。

诛者不怨君，罪之所当也

见汉·刘安《淮南子·主术》。全句为："～；赏者不德上，功之所致也"。

诛一乡之奸，则一乡之人悦

见宋·苏轼《策别十七》。全句为："～；诛一国之奸，则一国之人悦"。

诛一国之奸，则一国之人悦

见宋·苏轼《策别十七》。全句为："诛一乡之奸，则一乡之人悦；～"。

诛恶不避亲爱，举善不避仇雠

见汉·谷永《说王音》。

诛赏不可以缪，诛赏缪则善恶乱矣

见汉·刘向《说苑·政理》。

❷闻诛一夫纣矣，未闻弑君也

❸民知诛赏之来，皆在于身也／将以诛大为威，以赏小为明／古者诛罚不阿亲戚，故天下治

❹不教而诛谓之虐／受尧之诛，不能称尧／盗贼弗诛，则伤良民／窃钩者诛，窃国者侯／不教而诛，则刑繁而邪不胜／峭法刻诛者，非霸王之业也／窃钩者诛，窃国者为诸侯；诸侯之门而仁义存焉

❺先施而后诛／人人得而诛之／不有严刑，诛赏安置／有过而不诛，则恶不惧／不因怒以诛，不因喜以赏／兵诚义，以诛暴君而振苦民

❻诛恶及本，本诛则恶消／赏不避仇讐，诛不择骨肉／敕法以峻刑，诛一以警百／立武以威众，诛恶以禁邪／直言不避重诛者，国之福也／诽谤之罪不诛，而后良言进／忠臣不避重诛以直谏，则事无遗策，功流万世

❼庸史纪事，良史诛意／《春秋》之义，责知诛率／诛赏不可以缪，诛赏缪则善恶乱矣

❽惟教之不改，而后诛之／有功不赏，有罪不诛，虽唐虞犹不能以化天下

❾诚有过，则虽近爱必诛／薄刑之不已，遂至于诛／乱臣贼子，人人得而诛之／附顺者拔擢，忤恨者诛灭／君道友逆，则顺君以诛友／文章不成者，不可以诛罪／轻死以行礼谓之勇，诛暴不避强谓之力／视民如子，见不仁者诛之，如鹰鹯之逐鸟雀也

❿厚发奸之赏，峻欺下之诛／君人者，宽惠慈众，不身传诛／好刑，则有功者废，无罪者诛／不尊无功，不官无德，不诛无罪／天下敢怨而不敢言，敢怒而不敢诛／凡用人历试其能，苟败事必诛无赦／圣王为政，赏不避仇雠，诛不择骨肉／仇雠有善，不得不举；亲戚有恶，不得不诛／褒见一字，贵逾轩冕；贬在片言，诛深斧钺／草茅弗去，则害禾谷；盗贼弗诛，则伤良民／居上位而不恤其下，骄也；缓令急诛，暴也／怒笞不可偃于家，刑罚不可偃于国，诛伐不可偃于天下

话

huà 话语；说，告喻；指讲史或故事；谈论。

❶话不说不知，木不钻不透

见元·关汉卿《谢天香》四折。全句为："～，冰不搭不寒，胆不试不苦"。

❷有话即长，无话则短

❹乘兴说话，最难检点／明白如话，然浅中有深，平中有奇

❻有话即长，无话则短／悦亲戚之情话，乐琴书以消忧

❼逢人且说三分话，未可全抛一片心

❽酒逢知己千杯少，话不投机半句多

❾久别年颜改，相逢夜话长／何当共剪西窗烛，却话巴山夜雨时

❿不是交同兰气味，为何话出一人心／清风两袖朝天去，免得闾阎话短长

诞

dàn 本义为大言，引申为大，广阔；生育，出生；虚妄；欺骗；放荡；作语助，无义。

❷好诞者死于诞，好夸者死于夸

❸疾为诞而欲人之信己也，疾为诈而欲人之亲己也

❻诚信生神，夸诞生惑／好诞者死于诞，好夸者死于夸

❾事有所至，信反为过，诞反为功

❿管子以小辱成大荣，苏秦以百诞成一诚／喜怒相疑，愚知相欺，善否相非，诞信相讥

诟

gòu 耻辱；骂。

❽见利思辱，见恶思诟，嗜欲思耻，忿怒思患

❿君子见利思辱，见恶思诟，嗜欲思耻，忿怒思患

诡

guǐ 奸诈；怪异；违反；责成。

❷兵，诡道也，军事未发，不厌其密／不诡其词而词自丽，不异其理而理自新

❸兵者，诡道也／兵虽诡道而本于正者，终亦必胜

❹谋有奇诡，而不徇众情／虚无谲诡，此乱道之根／言行相诡，不祥莫大焉／其侧皆诡石怪木，

奇卉美箭……

❻此宇宙之奇诡也／为智不能决诡，非智也／曲辕且绳直，诡木遂雕藻

❽吃文为患，生于好诡／不曲道以媚时，不诡行以徼名

❿水虽平，必有波；衡虽正，必有差；尺寸虽齐，必有诡／人品须从小作起，权宜苟且诡随之意多，则一生人品坏矣

诣 yì 前往，到达；学业所达到的程度。

❿如修德而留意于事功名誉，必无实诣

询 xún 询问；通“洵”，信；通“均”，调协。

❶询事考言，循名责实

见宋·王安石《乞退表》。

❷知询于愚，或有得也／博询众庶，则才能者进

❸尚猷询兹黄发，则罔所愆

❹不好问询之道，则是伐智本而塞智原也

❺先民有言，询于刍荛／忍泪失声询使者：“几时真有六军来”

❽无稽之言勿听，弗询之谋勿庸

诤 zhèng，又读 zhēng，直言规谏；通“争”；[诤人]古代传说中的小人。

❶诤臣必谏其渐，及其满盈，无所复谏

见唐·吴兢《贞观政要·求谏》。

❺谦恭者无诤，知善之可迁／端拱纳谏诤，和风日冲融

❾贤圣不能正不食谏诤之君

该 gāi 欠；轮到；本当如此；包括一切；指上文说过的人或事物。

❺其叙事也该而要，其缀采也雅而泽

❿或简言以达旨，或博文以该情

详 ①xiáng 细密；清楚；详细地说明；审慎；公平；通“祥”，吉祥。②yáng 通“佯”，假装。

❶详于此而略于彼

见宋·苏轼《录进单锷吴中水利书》。全句为：“知其一而不知其二，知其末而不知其本，～”。

详其小，必废其大

见宋·苏辙《宇文融》。

❸以至详之法晓天下，使天下明知其所避

❹责人以详，待己以廉／博学而详说之，将以反说约也

❺纪次无法，详略失中／世治则礼详，世乱则礼简／治世之官详于下，乱世之官叠于上

❻论仁义则弘详而长雅／言思乃出，行详乃动

❽孟浪由于轻浮，精详出于豫暇／一切言动，都要安详；十差九错，只为慌张

❾明主好要，而暗主好详／记事之体，欲简而且详，疏而不漏

❿大吏不正而责小吏，法略于上而详于下／无善而好，不观其道；无悖而恶，不详其故／今之君子则不然，其责人也详，其待己也廉／文者，圣人假之以达其心……详之、略之也

诫 jiè 规劝；警戒；文告；文体名。

❶诫无垢，思无辱

见汉·刘向《说苑·敬慎》引谚语。

❹小惩大诫，乃得其福

❺小惩而大诫，此小人之福也

❼前车覆而后车诫

❽前车覆而后车不诫，是以后车覆也

❾治世御众，建立辅弼，诫在面从／可用而不可恃也，可诫而不可弃也／好善无厌，受谏而能诫。虽欲无进，得乎哉

❿虽则巧持其末，不如拙诫其本／其言直而切，欲闻之者深诫也／君子思过而预防之，所以有诫也

语 ①yǔ 话；特指语言；说；指词句；成语，谚语或古书中的话；用以示意的动作或信号。②yù 相告；告诫。

❶语高而旨深

见唐·韩愈《答陈商书》。

语不惊人死不休

见唐·杜甫《江上值水如海势聊短述》。全句为：“为人性僻耽佳句，～”。

语贵洒脱，不可拖泥带水

见宋·严羽《沧浪诗话》。

语云：猛兽易伏，人心难降

见明·洪应明《菜根谭·后集六十五》。

语议如悬河写水，注而不竭

见南朝·宋·刘义庆《世说新语·赏誉》。“写”同“泻”。

语微婉而多切，言流靡而不淫

见唐·刘知几《史通·言语》。

语曰：好女之色，恶者之孽也

见《荀子·君道》。

语者所习，习于胡则胡，习于越则越

见唐·张九龄《论教皇太子状》。全句为：“胡越之人，生则声同，长则语异，盖声者天然，～”。

语曰：流丸止于瓯、臾，流言止于知者

见《荀子·大略》。

语言文字，如春之花，或者必欲弃花而觅春，非愚即狂

见《紫柏老人集》卷一。

❷别语缠绵不成句／飞语一发，胪言四驰／一语不能践，万卷徒空虚／巽语为珍，苍璧喻而非宝／人语无生意，鸟啼空好音／险语破鬼胆，高词媲皇坟／寄语双莲子，须知用意深／恶语不

出口,苟言不留耳/言语之次,空生虚妄之美/措语遣意,有若自然生成者/言语者君子之枢机,谈何容易/其语道也,必先淳朴而抑浮华/一语天然万古新,豪华落尽见真淳/传语万古观潮客,莫观老潮观壮潮/言语巧偷鹦鹉舌,文章分得凤凰毛/古语有之"生相怜,死相捐"。此语至矣/言语简寡,在我可以少悔,在人可以少怨/凡语治而待去欲者,无以道欲而困于有欲者也

❸食不语,寝不言/罗织语言,以为谤讪/子不语怪、力、乱、神/一笑语儿子,此是却老方/虽发语已殚,而含意未尽/醉中语亦有醒时道不到者/纸上语可废坏,心中誓不可磨灭/事可语人酬对易,面无惭色去留轻/有其语而无其人,得其宾而丧其实/意新语工,得前人所未道者,斯为善也/词澹语要有味,壮语要有韵,秀语要有骨

❹一切景语,皆情语也/一坐飞语,如冲骇机/出处默语,勿强相兼/俚言巷语,亦足取也/附耳之语,流闻千里/参之《国语》以博其趣/常恨言语浅,不如人意深/求之言语之外,而得其所不言之意/主人闻语未开门,绕篱野菜飞黄蝶/观棋不语真君子,把酒多言是小人/若意新语工,得前人所未道者,斯为善也/下以言语为学,上以言语为治,世道之所以日降也/袭古人语言之迹,而冒以为古,是处严冬而袭夏之葛者也

❺夏虫不可语冰/夏虫不可语寒/不知音,莫语要/事以密成,语以泄败/面目可憎,语言无味/多言少实,语无成事/时观而弗语,存其心也/人作殊方语,莺为故国声/喜极不得语,泪尽方一哂/学尽百禽语,终无自己声/遇沉沉不语之士,切莫输心/居官有二语,曰:唯公则生明,唯廉则生威

❻不可同日而语/未可同日而语/水面风来笑语香/诽谤者族,偶语者弃市/君子以慎言语,节饮食/井鱼不可与语大,拘于隘也/夏虫不可与语寒,笃于时也/神清人无忽语,机活人无痴事/井蛙不可以语于海者,拘于虚也/夏虫不可以语于冰者,笃于时也/圣贤千言万语,教人且从近处做去/欲笺心事,独语斜阑。难!难!难!/为长者折枝,语人曰:"我不能",是不为也/文章丽矣,言语工矣,无异草木荣华之飘风,鸟兽好音之过耳

❼非君子不可与语变/一切景语,皆情语也/中人以上,可以语上也/天涯同此路,人语各殊方/至言逆俗耳,真语必违众/浩歌惊世俗,狂语任天真/相见情已深,未语可知心/恶言不出口,苟语不留耳/众中不敢分明语,暗掷金钱卜远人/逢人只可三分语,未可全抛一片心/欲赋生来惊人语,必须苦下死工夫/诗者,不可以言语求而得,必将深观其意焉/文不加点,兴到语耳!孔明天才,思十反矣/力不能问,然后语之,语之而不知,虽舍之可也/古之善歌者有语,谓"当使声中无字,字中有声"

❽匪言勿言,匪由勿语/书不千轴,不可以语化/文不百代,不可以语变/中人以下,不可以语上也/诗家虽率意,而造语亦难/潭深波浪静,学广语声低/田夫荷锄至,相见语依依/乱之所生也,则言语以为阶/坎井之蛙不可与语东海之乐/精诚由中,故其文语感动人深/及王则无不伸宣,语刘则无不公干/精读书,著精采警语处,凡事皆然/昔人论诗词,有景语、情语之别……/词澹语要有味,壮语要有韵,秀语要有骨/冷眼观人,冷耳听语,冷情当感,冷心思理/经传之文,贤圣之语,古今言殊,四方谈异/挟泰山以超北海,语人曰:"我不能",是诚不能也

❾金人三缄其口,慎言语也/万物者,以盛衰而谈语,使人想而知之/力不能问,然后语之,语之而不知,虽舍之可也/朴其身躬,恶其衣服,语无为以求名,言无欲以求利

❿石阙生口中,衔碑不得语/盈盈一水间,脉脉不得语/翠袖不胜寒,欲向荷花语/若高下相去差近,犹可与语/望夫处……行人归来石应语/解非常之纷者不可以常语谕/吟咏有真得,不解脱终为套语/有求贵贱之必,必有二价之语/天不言而四时行,地不语而百物生/不如意事常八九,可与语人无二三/入妙文章本平淡,等闲言语变瑰琦/切莫呕心并刿肺,须知妙语出天然/马上相逢无纸笔,凭君传语报平安/木有文章曾是病,虫多言语不能天/胸中襞积千般事,到得相逢一语无/悬牛头,卖马脯;盗跖行,孔子语/自古此冤应未有,汉心汉语吐蕃身/昔人论诗词,有景语、情语之别……/可心会而不可口传,可神通而不可语达/惟心会而不可口传,可神通而不可语达/古语有之"生相怜,死相捐"。此语至矣/词澹语要有味,壮语要有韵,秀语要有骨/大味必淡,大音必希;大语叫叫,大道低回/当厄之施,甘于时雨;伤心之语,毒于阴冰/导筋骨则形全,剪情欲则神全,靖言语则福全/胡越之人,生则声同,长则语异,盖声者天然/下以言语为学,上以言语为治,世道之所以日降也/君子安其身而后动,易其心而后语,定其交而后求/屈原放逐,乃赋《离骚》;左丘失明,厥有《国语》/李白之文,清雄奔放,名章俊语,络绎间起,光明洞彻,句句动人

诬 wū 捏造事实,硬说别人做了某种坏事;欺骗;冤屈。

❶诬善之人,其辞游

见《周易·系辞下》。

诬服之情,不可以折狱

见晋·陈寿《三国志·魏书·司马芝传》。

诬而罔省,施之事亦为固

见清·戴震《原善》。全句为:"凿者,其失诬;愚者,其失为固;～"。

❺内不自以诬,外不自以欺/凿者,其失诬;愚者,其失为固/身不肖而诬贤,是犹伛偻而好升高也

❻欲他人己从,诬人也

❼毁誉善恶不可诬/不以流之浊,而诬其源之清

❽后生可畏,来者难诬/夸而有节,饰而不诬/弗能必而据之者,诬也/行不逮则退,不以诬持禄

❾虚而失实,则夸耀而诬/使夸而有节,饰而不诬,亦可谓之懿也

❿乃知青史上,大半亦属诬/贤莫大于成功,愚莫大于吝且诬/剑不试则利钝暗,弓不试则劲挠诬/失于声,缪迷其四体,谓己当然,自诬也

误

wù 错误;失误;受惑;错的事物或行为;耽误;使人受损害;不是故意的。

❶误用恶人,不善者竞进

见唐·吴兢《贞观政要·择官》。全句为:"用得正人,为善者皆劝;～"。

误用聪明,何若一生守拙

见清·王永彬《围炉夜话》。全句为:"～;滥交朋友,不如终日读书"。

误用恶人,假令强干,为害极多

见唐·吴兢《贞观政要·择官》。

误尽平生是一官,弃家容易变名难

见清·吴伟业《自叹》。

❸大愚误国,只为好自用/其勿误于庶狱庶慎,惟正是乂之

❹晷刻之误,或遗患于历年/理有疑误而成过,事有形似而类真

❺但恨多谬误,君当恕醉人

❻乖僻自是,悔误必多/食人之食而误人之国者,非蝗乎/下国卧龙空误主,中原逐鹿不因人

❼香兰自判前因误,生不当门也被锄

❽欲得周郎顾,时时误拂弦/诸公可叹善谋身,误国当时岂一秦

❾纨绔不饿死,儒冠多误身

❿服食求神仙,多为药所误/当年不肯嫁春风,无端却被秋风误/教人至难,必尽人之材,乃不误人/口无择言,驷不及舌;笔之过误,愈尤不灭/积恶多者,虽有一善,是为误中,未足以存/古之人君,所以至于民散国亡而不悟者,皆吏误之

诰

gào 古代一种告诫性的文章;古代帝王对臣子的命令;警诫。

❷周诰殷盘,佶屈聱牙

诱

yòu 劝导;诱使;导致;称美之辞。

❷不诱于誉,不恐于诽/物诱气随,外适内和

❸利而诱之,乱而取之,实而备之,强而避之

❹见利不诱,见害不惧……是谓灵气

❺循循然善诱人

❻币重而言甘,诱我也/知己者不可诱以物,明于死生者不可却以危

❼夫子循循然善诱人/无望其速成,无诱于势利/开其自新之路,诱于改过之善

❽君子可招而不可诱,可弃而不可慢

❾知足者,不可以势利诱也/祸难生于邪心,邪心诱于可欲/待天以困之,用人以诱之。往蹇来返。

❿以名声称号,必为是所诱/世治则小人守政,而利不能诱也/一有偏好,则下必投其所好以诱之/御寇易,御物难;破阵易,破诱难/圣人法天顺情,不拘于俗,不诱于人/愚者易蔽也,不肖者易惧也,贪者易诱也

诲

huì 教导;训诲;教导的话。

❶诲尔谆谆,听我藐藐

见《诗·大雅·抑》。

❸大匠诲人以规矩/慢藏诲盗,冶容诲淫/大匠诲人必以规矩,学者亦必以规矩

❺忠焉能勿诲乎/学而不厌,诲人不倦

❼慢藏诲盗,冶容诲淫

❾默而识之,学而不厌,诲人不倦

❿自行束修以上,吾未尝无诲焉/教亦多术矣,予不屑之教诲也者,是亦教诲之而已矣

说

①shuō 用言语表达;解释;言论;说合;批评;谈论;文体的一种。②shuì 用话劝说他人听从自己的意见,通"税",休憩,止息。③yuè 通"悦"。④tuō 通"脱",解脱。

❶说大人则藐之

见《孟子·尽心下》。

说而不绎,从而不改

见《论语·子罕》。

说发胸臆,文成手中

见汉·王充《论衡·对作篇》。

说变通则否戾而不入

见三国·魏·刘劭《人物志·材理》。全句为:"抗厉之人不能回挠,论法直则括处而公正,～"。

说得一丈,不如行取一尺

见宋·普济《五灯会元》卷四。全句为:"～;说得一尺,不如行取一寸"。

说得一尺，不如行取一寸

见宋·普济《五灯会元》卷四。全句为："说得一丈，不如行取一尺；～"。

说诗者，不以文害辞，不以辞害志

见《孟子·万章上》。全句为："～，以意逆志，是为得之。"

说者持容而不极，听者自多而不得

见《吕氏春秋·有始览·谨听》。

说淫则可不可而然不然，是不是而非不非

见《吕氏春秋·先识览·正名》。

说之虽不以道，说也；及其使人也，求备焉

见《论语·子路》。全句为："小人难事而易说也。～"。

说以先民，民忘其劳。说以犯难，民忘其死

见《周易·兑》。

说者怀畏，听者怀骄，以此行义，不亦难乎

见《尸子·明堂》。

❷小说不足以累正史／来说是非者，便是是非人／论说之出，犹弓矢之发也／无说诗，匡鼎来；匡说诗，解人颐／休说旧时王与谢，寻常百姓亦无家／邪说之移人，虽豪杰之士有不免者／或说听计当而身疏，或言不用、计不行而益亲

❸民心说而天意得／毋剿说，毋雷同／乘兴说话，最难检点／如人说食，终不能饱／话不说不知，木不钻不透／皆知说镜之明己也，而恶士之明己也／不能说其志意，养其寿命者，皆非通道者也

❹街谈巷说，必有可采／捕景之说，不形于心。／礼，不妄说人，不辞费／并词竞说者，为贷手以自殴／文墨辞说，士之荣叶皮壳也／以仁心说，以学心听，以公心辨／成事不说，遂事不谏，既往不咎／人人尽说江南好，游人只合江南老／含情欲说独无处，传与琵琶心自知／含情欲说宫中事，鹦鹉前头不敢言／喜为异说而不让，敢为高论而不顾／逢人不说人间事，便是人间无事人／逢人且说三分话，未可全抛一片心／如今只说临安路，不较中原有几程／心虽不说，弗敢不誉；事业虽弗善，不敢不力

❺凡流言、流说／道听而途说，德之弃也／博学而详说之，将以反说约也／恭就貌上说，敬就心上说。恭主容，敬主事

❻损上益下，民说无疆／侮人还自侮，说人还自说／请谒任举之说胜，则绳墨不正／谄谗饰过之说胜，则巧佞者用／痴人之前莫说梦，梦中说梦愈阔迂／不足于行者，说过；不足于信者，诚言／行不贵苟难，说不贵苟察，名不贵苟传

❼道可安而不可说／辞穷理屈而妄说／小人难事而易说也／勿轻论人，勿轻说事／无道人之短，无说己之长／读书趋简要，害说去杂冗／辞不可不修，而说不可不善／谋莫难于周密，说莫难于悉听／觉人之诈而不说破，待其自愧可也／说之虽不以道，说也；及其使人也，求备焉／君子易事而难说也。说之不以道，不说也；及其使人也，器之

❽学而时习之，不亦说乎／不怀爱而听，不留说而计／今夕为何夕，他乡说故乡／无说诗，匡鼎来；匡说诗，解人颐／谁怜爱国千行泪，说到胡尘意不平／慧者心辩而不繁说，多力而不伐功／出见纷华盛丽而说，入闻夫子之道而乐

❾明乎坦涂，故生而不说／士为知己者用，女为说己者容／正论非不见容，然邪说亦有时而用／说以先民，民忘其劳。说以犯难，民忘其死／君子易事而难说也。说之不以道，不说也；及其使人也，器之

❿千秋功罪，谁人曾与评说／原始反终，故知死生之说／侮人还自侮，说人还自说／画西施之面，美而不可说／先王有郢书，而后世多燕说／博学而详说之，将以反说约也／事不师古，以克永世，匪说攸闻／以救时行道为贤，以犯颜纳说为忠／死后是非谁管得，满村听说蔡中郎／矮人看戏何曾见，都是随人说短长／痴人之前莫说梦，梦中说梦愈阔迂／小慧者不可以御大，小辩者不可以说众／彼出于是，是亦因彼，彼是方生之说也／贤人在世……退则称论贬说，以觉失俗／聪明者，英之分也，不得雄之胆则说不行／恭就貌上说，敬就心上说。恭主容，敬主事／宽则得众，信则民任焉，敏则有功，公则说／迂险之言，则欲反之；循常之说，则必信之／至治之世，其民不好空言虚辞，不好淫学流说／既已得高官巨富矣，仍讲道德、说仁义自若也／天公何时有，谈者皆不经。谁道贤人死，今为傅说星／得一官不荣，失一官不辱，勿说一官无用，地方全靠一官／智亦有所不至。所不至，说者虽辩，为道虽精，不能见矣／天地有大美而不言，四时有明法而不议，万物有成理而不说／君子易事而难说也。说之不以道，不说也；及其使人也，器之

诵

sòng 出声念；述说；背出；诗篇；通"讼"，公开。

❶诵读有真趣，不玩味终为鄙夫

见明·陈继儒《小窗幽记》。全句为："田园有真乐，不潇洒终为忙人；～；山水有真赏，不领会终为漫游；吟咏有真得，不解脱终为套语"。

❷昼诵书传，夜观星宿，或不寐达旦

❸愚人诵千句，不解一句义

❺对马牛而诵经／作诗须多诵古今人诗

❼读书以过目成诵为能，最是不济事

❽以弋猎博弈之日诵《诗》、《书》，闻识必博矣

❿文章当从三易：易见事，一也；易识字，二也；易读诵，三也

请 ①qǐng 请求;邀;敬辞;谒见;犹言愿;问;告诉。②qìng 朝会名。③qíng 通“情”。④qīng 通“清”,[请室]汉囚禁有罪官吏的牢狱。

❶请日试万言,倚马可待

见唐·李白《与韩荆州书》。

请谒任举之说胜,则绳墨不正

见《管子·立政九败》。

请君莫奏前朝曲,听唱新翻杨柳枝

见唐·刘禹锡《杨柳枝词九首》之一。

请看今日之域中,竟是谁家之天下

见唐·骆宾王《为徐敬业讨武曌檄》。

❸无路请缨,等终军之弱冠

❹无约而请和者,谋也

❼贿赂先至者,朝请而夕得

❽沐雨而栉风,为民请命

❾为长者不敢怀私以请间

❿非左右为之先容,非亲旧为之请属/罢无能,废无用,捐不急之官,塞私门之请/侍坐于先生,先生问焉,终则对。请业则起,请益则起

诸 zhū 众;相当于“之于”;相当于“之乎”;第三人称代词。

❶诸葛亮亦一时之杰也

见晋·陈寿《三国志·蜀志·邓芝传》。

诸有形之徒皆属于物类

见汉·严遵《道德指归论·道生一篇》。

诸侯之地有限,暴秦之欲无厌……

见宋·苏洵《六国论》。全句为:“~,奉之弥繁,侵之愈急,故不战而强弱胜负已判矣”。

诸公可叹善谋身,误国当时岂一秦

见宋·陆游《追感往事》。

诸人之文,犹山无烟霞,春无草树

见唐·李白《上安州裴长史书》。

诸君傅粉涂脂,问南北战争都不知

见宋·陈人杰《沁园春》。

诸侯而骄人则失其国,大夫而骄人则失其家

见汉·司马迁《史记·魏世家》。

诸凡万物万事之知,皆因习因悟因过因疑而然

见明·王廷相《雅述》。全句为:“~,人也,非天也”。

❷拔诸水火,登于衽席/施诸己而不愿,亦勿施于人/求诸己谓之厚,求诸人谓之薄/取诸人以为善,是与人为善者也/恶诸人则去诸己,欲诸人则求诸己/有诸中者必形乎表,发乎迩者必著乎远/有诸己而后求诸人,无诸己而后非诸人

❸九合诸侯,一匡天下

❹举直错诸枉,则民服/日居月诸,胡迭而微/举枉错诸直,则民不服/君子求诸己,小人求诸人/君子有诸己而后求诸人,无诸己而后非诸人

❺礼失而求诸野/不知来,视诸往/拨乱世,反诸正/推赤心于诸贤腹中/由心故画,诸法性如是/西望武昌诸山,冈陵起伏……/天子曰崩,诸侯曰薨,大夫曰卒,士曰不禄

❻不迁怒者,求诸己/坑儒士起自诸生为妖言/好书而不要诸仲尼书肆也/词林增峻,反诸宏博,君之力焉/挟天子而令诸侯,此诚不可与争锋/挟天子以令诸侯,四海可指麾而定/进人若将加诸膝,退人若将队诸渊/道在迩而求诸远,事在易而求诸难/恶诸人则去诸己,欲诸人则求诸己/圣人之道,同诸天地,荡诸四海,变习易俗/璧瑗成器,礛诸之功,镆邪断割,砥砺之力

❼闻人之善,若出诸己/恶声狼藉,布于诸国/所谓文者,必有诸其中/我不欲人之加诸我也,吾亦欲无加诸人/有诸己而后求诸人,无诸己而后非诸人/王天下者必先诸民,然后庇焉,则能长利/色厉而内荏,譬诸小人,其犹穿窬之盗也与

❽心如工画师,能画诸世间/求诸己谓之厚,求诸人谓之薄/怨人不如自怨,求诸人不如求诸己/忠恕违道不远。施诸己而不愿,亦勿施于人

❾少则习之学,长则材诸位/君子求诸己,小人求诸人/有言逆于汝心,必求诸道/有言逊于汝志,必求诸非道/恶诸人则去诸己,欲诸人则求诸己/君子有诸己而后求诸人,无诸己而后非诸人/小盗者拘,大盗者为诸侯;诸侯之门,义士存焉/窃钩者诛,窃国者为诸侯;诸侯之门而仁义存焉

❿人必其自敬也,然后人敬诸/人必其自爱也,然后人爱诸/一介不以与人,一介不取诸人/苟全性命于乱世,不求闻达于诸侯/江流千古英雄泪,山掩诸公富贵羞/进人若将加诸膝,退人若将队诸渊/道在迩而求诸远,事在易而求诸难/忘年忘义,振于无竟,故寓诸无竟/怨人不如自怨,求诸人不如求诸己/恶诸人则去诸己,欲诸人则求诸己/我不欲人之加诸我也,吾亦欲无加诸人/有诸己而后求诸人,无诸己而后非诸人/一地所生,一雨所润,而诸草木各有差别/圣人之道,同诸天地,荡诸四海,变习易俗/君子有诸己而后求诸人,无诸己而后非诸人/气之动物,物之感人,故摇荡性情,形诸舞咏/小盗者拘,大盗者为诸侯;诸侯之门,义士存焉/窃钩者诛,窃国者为诸侯;诸侯之门而仁义存焉/今之所以知古,后之所以知今,不可口传,必凭诸史/奋六世之遗烈,振长策而御宇内,吞二周而亡诸侯,履至尊而制六合

诺 nuò 答应的声音，表示同意、顺从；应允。

❶诺轻者，信必寡；面誉者，背必非

见宋·李邦献《省心杂言》。

❷轻诺者必寡信／轻诺似烈而寡信／然诺不行，政乱无绪／轻诺必寡信，多易必多难

❸千夫诺诺，不如一士之谔谔／众人诺诺，不若一士之谔谔／言多诺者，事众而信，不可然也

❹有所许诺，纤毫必偿／千夫诺诺，不如一士之谔谔／众人诺诺，不若一士之谔谔／千人之诺诺，不如一士之谔谔／众士之诺诺，不如一士之谔谔／纵令然诺暂相许，终是悠悠行路心

❺季布无二诺，侯嬴重一言／千人之诺诺，不如一士之谔谔／众士之诺诺，不如一士之谔谔

❼百金孰为重，一诺良匪轻／不可乘喜而轻诺，不可因醉而生嗔

❽白圭玷可灭，黄金诺不轻／白珪玷可灭，黄金诺不轻／营于利者多患，轻诺者寡信

❾千金未必能移性，一诺从来许杀身

❿得黄金百，不如得季布诺／得黄金百斤，不如得季布一诺／有道之君，修身之士，不为轻诺之约／吾见世人清名登而金贝入，信誉显而然诺亏／必得之事，不足赖也；必诺之言，不足信也

读 ①dú 照着文字念；阅览；指上学或学习。②dòu 诵读文章时较为短暂的停顿。

❶读书要玩味

见宋·程颢《遗书》。

读书万卷始通神

见宋·苏轼《柳氏二外甥求笔迹》。

读书求精不求多

见清·郑燮《板桥集序》。全句为："～。非不多也，唯精乃能运多，徒多徒烂耳"。

读书本意在元元

见宋·陆游《读书》。

读书贵博亦贵精

见明·袁衷《庭帏杂录》。

读书窗下有残灯

见宋·魏野《晨兴》。

读书百遍而义自见

见晋·陈寿《三国志·魏书·王肃传》。

读书乃学者第二事

见宋·朱熹《朱子语类》卷一〇。

读书务在循序渐进

见明·胡居仁《丽泽堂学约》。全句为："～。一书已熟，方读一书"。

读书最要限程……

见清·蔡世远《示子弟帖》。全句为："～，读经史性理，随力自限，总是每看必返己自考"。

读十篇不如做一篇

见清·唐彪《文章多做始能精熟》。

读书贵精熟，不贵贪多

见明·胡居仁《居业录·学问》。

读书与磨剑，旦夕但忘疲

见唐·李中《勉同志》。

读书之处，不可久坐闲谈

见清·申居郧《西岩赘语》。

读书虽可喜，何如躬践履

见清·刘岩《杂诗》。全句为："～？积金不积书，守财一何鄙"。

读书成底事，报国是何人

见宋·郑思肖《德祐二年岁旦》。

读书贵神解，无事守章句

见清·徐洪钧《书怀》。

读书患不多，思义患不明

见唐·韩愈《赠别元十八协律六首》其五。全句为："～，患足己不学，既学患不行"。

读书破万卷，下笔如有神

见唐·杜甫《奉赠韦左丞文二十二韵》。

读书趋简要，害说去杂冗

见宋·欧阳修《送焦千子秀才》。

读之者尽而有余，久而更新

见唐·房玄龄《晋书·文苑传》。

读书不耐苦，则无所用心之人

见清·左宗棠《左宗棠家训》。全句为："～；境遇不耐苦，则无所成就之人"。

读书之法，莫贵于循序而致精

见宋·朱熹《性理精义》。

读书当读全书，节抄者不可读

见清·冯班《钝吟杂录·家戒下》。

读文必期有用，不然宁可不读

见清·张英《聪训斋语》。

读其文章，庶几得其志之所存

见宋·王安石《答王景山书》。

读书有三到：心到、眼到、口到

见宋·朱熹《训学斋规·读书写文字》。

读书不可无师承，立论不可无依据

见清·王晫《今世说》卷二。

读书不了平生事，阅世空存后死身

见宋·梁栋《金陵三迁有感》。

读书而寄兴于吟咏风雅，定不深心

见明·洪应明《菜根谭》。全句为："如修德而留意于事功名誉，必无实诣；～"。

读书之乐乐陶陶，起弄明月霜天高

见宋·翁森《四时读书乐》。

读书以过目成诵为能，最是不济事

见清·郑燮《潍县署中寄弟墨第一书》。全句为："～。眼中了了，心下匆匆，方寸无多，往来应接不暇，如看场中美色，一眼即过，于我何与也"。

读书切戒在慌忙,涵泳工夫兴味长

见宋·陆九渊《读书》。

读书好处心先觉,立雪深时道已传

见清·袁枚《随园诗话》卷三。

读书占地位,在人品上,不在势位上

见明·姚舜牧《药言》。全句为:“世间极占地位的,是读书一著。然～”。

读书欲睡,引锥自刺其股,血流至足

见《战国策·秦策一》。

读史当观大伦理,大机会,大治乱得失

见宋·朱熹《朱子语类》卷一一。

读书做人,先要立志。志患不立,尤患不坚

见清·左宗棠《左宗棠家训》。

读来一百遍,不如亲见颜色,随问而对之易了

见唐·韩愈《与大颠师书》。

读书不独变气质,且能养精神,盖理义收摄故也

见明·陈继儒《小窗幽记》。

读书少则身暇,身暇则邪间,邪间则过恶作焉,忧患及之

见明·吴麟征《家诫要言》。

❷不读诗书形体陋/熟读精思,攻苦食淡/熟读王叔和,不如临症多/每读其传,未尝不想见其人/能读不能行,所谓两足书橱/多读书达观古今,可以免忧/诵读有真趣,不玩味终为鄙夫/能读千赋则善赋,能观千剑则晓剑/熟读唐诗三百首,不会吟诗也会吟/精读书,著精采警语处,凡事皆然/凡读书到冷淡无味处,尤当着力推考/好读书,不求甚解;每有会意,便欣然忘食

❸人不读书,其犹夜行/大凡读书,不能无疑/孔子读《易》,韦编三绝/挥汗读书不已,人皆怪我何求/必尽读天下之书,尽通古今之事/老去读书随忘却,醉中得句若飞来/咄咄读古,而不知此味……一堂木偶耳/所谓读书,须当明物理,揣事情,论事势

❹男儿须读五车书/有工夫读书,谓之福/读书当读全书,节抄者不可读/生来不读半行书,只把黄金买身贵/颂其诗,读其书,不知其人可乎?是以论其世也

❺宰相必用读书人/一行书不读,身封万户侯/风檐展书读,古道照颜色/风声雨声读书声,声声入耳/晚而好《易》,读之韦编三绝/书不记,熟读可记;义不精,细思可精

❻三分诗,七分读/观书先须熟读,使其言皆若出于吾之口

❼能理乱丝,乃可读书/能理乱丝,始可读诗/积财千万,无过读书/旧书不厌百回读,熟读深思子自知

❽士欲宣其义,必先读其书/何谓享福之人,能读书者便是/别来十年学不厌,读破万卷诗愈美/处事要代人作想,读书须切己用功

❾滥交朋友,不如终日读书/世间极占地位的,是读书一著/眼里无点灰尘,方可读书千卷/旧书不厌百回读,熟读深思子自知/见不尽者,天下之事;读不尽者,天下之书/为学为教,用力于讲读者一二,加功于习行者八九

❿读书当读全书,节抄者不可读/读文必期有用,不然宁可不读/不敢妄为些子事,只因曾读数行书/生儿不用识文字,斗鸡走马胜读书/坑灰未冷山东乱,刘项元来不读书/藜羹麦饭冷不尝,要足平生五车读/富贵必从勤苦得,男儿须读五车书/昨日邻家乞新火,晓窗分与读书灯/昨日春风欺不在,就床吹落读残书/有田不耕仓廪虚,有书不读子孙愚/蹉跎莫遣韶光老,人生唯有读书好/每开一卷,刀搅肺肠;每读一篇,血滴文字/为学之道莫先于穷理,穷理之要必在于读书/有司一朝而受者几千万言,读不能十一……/莫不拔地倚天,句句欲活,读之……莫可捉搦/文章当从三易:易见事,一也;易识字,二也;易读诵,三也

诽

①fěi 说别人的坏话。②pái 滑稽。

❶诽谤者族,偶语者弃市

见汉·司马迁《史记·高祖本纪》。

诽谤之罪不诛,而后良言进

见汉·路温舒《尚德缓刑书》。全句为:“乌鸢之卵不毁,而后凤凰集;～”。

❺善鄙不同,诽誉在俗;趋舍不同,逆顺在君

❼自信者,不可以诽誉迁也

❽不诱于誉,不恐于诽/君臣不信,则百姓诽谤,社稷不宁/圣人不求誉,不辟诽,正身直行,众邪自息

❿贤者出走,命曰崩;百姓不敢诽怨,命曰刑胜/《国风》好色而不淫,《小雅》怨诽而不乱,若《离骚》者,可谓兼之

课

kè 试验,考核;教学科目;教学的时间单元;旧时机关中按工作性质分设的办事单位;赋税;占卜的一种。

❷有课而无赏罚,是无课也

❺有官而无课,是无官也/有官必有课,有课必有赏罚/驱妻逐子课工程,虽作人形俱菜色

❼有官必有课,有课必有赏罚/量力所至,约其课程而谨守之

❾有课而无赏罚,是无课也

谀

yú 奉承,谄媚。

❶谀言顺意而易悦,直言逆耳而触怒

见宋·欧阳修《为君难论下》。

❷谄谀我者,吾贼也/谄谀宜惕,正直宜宣/阿

谀有福，深言近祸／谄谀苟免其身者，国之贼也／谄谀在侧，善议障塞，则国危矣
❸开谄谀之道，为佞者必多／恃谗谀以事君者，不足以责信
❹有默默谀臣者，其国亡／孝子不谀其亲，忠臣不谄其君，臣子之盛也
❺与谗谄面谀之人居，国欲治，可得乎？
❼不迩小人，则谗谀者自远矣／明王之任人，谄谀不迩乎左右／君为暗主，臣为谀臣，君暗臣谀，危亡不远
❽宠邪信惑，近佞好谀／足恭者必中薄，面谀者必背非
❾林中多疾风，富贵多谀言／交友不宜滥，滥则贡谀者来
❿不掩贤以隐长，不刻下以谀上／崇人之德，扬人之美，非谄谀也／不如鄙性好诚实，退无所议进不谀／君子崇人之德，扬人之美，非谄谀也／君为暗主，臣为谀臣，君暗臣谀，危亡不远／希意道言，谓之谄；不择是非而言，谓之谀／自私之念萌，则铲之；谗谀之徒至，则却之

谁 shéi，又读 shuí，什么人；犹"何"，什么；作语助。

❶谁持白羽静风尘
见宋·陈与义《次韵尹潜感怀》。
谁谓荼苦，其甘如荠
见《诗·邶风·谷风》。
谁谓河广，一苇杭之
见《诗·卫风·河广》。
谁非一丘土，参差前后间
见南朝·宋·吴迈远《临终诗》。
谁谓鼠无牙，何以穿我墉
见《诗·召南·行露》。
谁能绝人命，以作时世贤
见唐·元结《贼退示官吏》。
谁知盘中餐，粒粒皆辛苦
见唐·李绅《古风二首》之二。
谁道田家乐？春税秋未足
见宋·梅尧臣《田家语》。
谁言寸草心，报得三春晖
见唐·孟郊《游子吟》。
谁不欲争裂绮绣，互攀日月
见唐·柳宗元《与友人论为文书》。全句为："～，高视于万物之中，雄峙于百代之下"。
谁怜爱国千行泪，说到胡尘意不平
见清·梁启超《读陆放翁集》。
谁不可喜，而谁不可惧；蚋蚁蜂虿，皆能害人
见《国语·晋语九》。
❷为谁零落为谁开／凭谁问，廉颇老矣，尚能饭否／为谁醉倒为谁醒？至今犹恨轻离别
❸当路谁相假，知音世所稀／月下谁家砧，一声肠一绝／胜事谁复论，丑声日已播／晓来谁染霜林醉，总是离人泪／此生谁料，心在天山，身老沧洲／笛里谁知壮士心？沙头空照征人骨／人又谁能以身之察察，受物之汶汶者乎
❺未知鹿死谁手／人生穷达谁能料／非理所求，谁肯相与／信而又信，谁人不亲／有文字来，谁不为文／千秋功罪，谁人曾与评说／触目皆新，谁识当年旧主人／具曰"予圣"，谁知乌之雌雄／古来青史谁不见，今见功名胜古人／人生自古谁无死，留取丹心照汗青／号呼卖卜谁家子，想欠明朝籴米钱／死后是非谁管得，满村听说蔡中郎／此去与师谁共到？一船明月一帆风／天下英雄谁敌手？曹刘。生子当如孙仲谋／罚一惩百，谁敢复言者？民有饮恨而已矣／关山难越，谁悲失路之人？萍水相逢，尽是他乡之客
❻为谁零落为谁开／一国三公，吾谁适从／睢睢盱盱，而谁与居／问苍茫大地，谁主沉浮／一钱亦分明，谁能肆谗毁／不涉太行险，谁知斯路难／且乐杯中酒，谁论世上名／吏则日饱鲜，谁悯民艰食／后来有千日，谁与共平生／以胶投漆中，谁能别离此／但见沙场死，谁怜塞上孤／弃卧桥巷间，谁或顾生死／军则新有营，谁念民无室／自古悲摇落，谁人奈此何／为谁醉倒为谁醒？至今犹恨轻离别／谁不可喜，而谁不可惧；蚋蚁蜂虿，皆能害人
❼折尽长条为寄谁／汝死我葬，我死谁埋！汝倘有灵，可能告我
❽人生感意气，功名谁复论／变故在斯须，百年谁能持／在贵多忘贱，为恩谁能博／超迈绝尘驱，倏忽谁能逐／未必人间无好汉，谁与宽些尺度／随其成心而师之，谁独且无师乎／举世尽从愁里老，谁人肯向死前闲／但见丹诚赤如血，谁知伪言巧似簧／健儿无粮百姓饥，谁遣朝朝入君口／大梁襟带洪河险，谁遣神州陆地沉／赤橙黄绿青蓝紫，谁持彩练当空舞
❾车无轮安处，国无民谁与／怅寥廓，问苍茫大地，谁主沉浮／人主必信，信而又信，谁人不亲？／采得百花成蜜后，为谁辛苦为谁甜
❿知使兹人有知乎？非我其谁哉／出师一表真名世，千载谁堪伯仲间／出处每怀心耿耿，是非谁较论悠悠／今年花落颜色改，明年花开复谁在／凡人主必信。信而又信，谁人不亲／军民团结如一人，试看天下谁能敌／请看今日之域中，竟是谁家之天下／劝君莫作亏心事，古往今来放过谁／莫愁前路无知己，天下谁人不识君／报国无门空自怨，济时有策从谁吐／采得百花成蜜后，为谁辛苦为谁甜／短长肥瘠各有态，玉环飞燕谁敢憎／西施若解倾吴国，越国亡来又是谁／亡我者，我也；我不自亡，谁能亡之／

君今不幸离人世，国有疑难可问谁？／天下而有无害之利，则谁不能计之者？／如欲平治天下，当今之世，舍我其谁也／圣人并包天地，泽及天下，而不知其谁氏／高霞孤映，明月独举，青松落荫，白云谁侣／亲卿爱卿，是以卿卿。我不卿卿，谁当卿卿／意深词浅，思苦言甘。寥寥千载，此妙谁探／自伯之东，首如飞蓬；岂无膏沐，谁适为容／贱者有罪，贵者治之。君得罪于民，谁将治之？／天公何时有，谈者皆不经。谁道贤人死，今为傅说星／使六国各爱其人，则足以拒秦；使秦复爱六国之人，则递三世可至万世而为君，谁得而族灭也

调 ①diào 调动；调查；抽取；计算；曲调；声调；腔调；征调；人的才情风格。②tiáo 配合得当；挑逗；挑拨；调解；使和谐；嘲弄。③zhōu 通“朝”，见“调饥”，形容渴慕的心情。

❶调难调之人，可以练性，学在其中矣

见明·徐祯稷《耻言二》。全句为：“处难处之事，可以长识；～”。

❷耳调玉石之声，目不见太山之高／弓调而后求劲焉，马服而后求良焉

❸调难调之人，可以练性，学在其中矣／师旷调音，曲无不悲；狄牙和膳，肴无澹味

❹未成曲调先有情／师旷之调五音，不失宫商／治末者调其本，端影者正其形／琴瑟不调，甚者必解而更张之／幽音变调忽飘洒，长风吹林雨堕瓦

❺宜鼓琴，琴调虚畅／治外者必调内，平远者必正近

❻道犹金石，一调不更；事犹琴瑟，每弦改调

❼弓待檠而后能调，剑待砥而后能利／入泽随龟，不暇调足；深渊捕蛟，不暇定手

❽五音不同声而能调／羊羹虽美，众口难调／立事者不离道德，调弦者不失宫商／心苟无事则息自调，念苟无欲则中自守

❾美味期乎合口，工声调于比耳／理国譬若琴瑟，其不调者则解而更张／饰貌以强类者失形，调辞以务似者失情／气宜宣而遏之，体宜调而矫之，神宜平而抑之，必有失和者矣

❿莲生淤泥中，不与泥同调／梨橘枣栗不同味，而皆调于口／人生交契无老少，论交何必先同调／风雅体变而兴同，古今调殊而理异／我独见得是，亦须缓缓调停，不可直遂／吐纳文艺，务在节宣，清和其心，调畅其气／道犹金石，一调不更；事犹琴瑟，每弦改调／中和之质，必平淡无味，故能调成五材变化应节／建安诗辩而不华，质而不俚，风调高雅，格力遒壮／目察秋毫之末，耳不闻雷霆之声；耳调玉石之声，目不见泰山之高

谄 chǎn 谄媚，阿谀奉承，巴结讨好。

❶谄谀我者，吾贼也

见《荀子·修身》。全句为：“非我而当者，吾师也；是我而当者，吾友也；～”。

谄谀宜惕，正直宜宣

见唐·柳宗元《斩曲几文》。

谄成之风动，救失之道缺

见唐·白居易《与元九书》。全句为：“上不以诗补察时政，下不以歌泄导人情，乃至于～”。

谄谀苟免其身者，国之贼也

见北周·王明广《上书宣帝请重兴佛法》。

谄谗饰过之说胜，则巧佞者用

见《管子·立政九败解》。

谄谀在侧，善议障塞，则国危矣

见《墨子·亲士》。

❷开谄谀之道，为佞者必多／不谄上而慢下，不厌故而敬新

❸胁肩谄笑，病于夏畦／与谗谄面谀之人居，国欲治，可得乎？

❹事曲则谄意以行赇／上交不谄，下交不渎／贫而无谄，富而无骄／上交不谄，下交不骄，则可以有为矣

❻见富贵而生谄容者最可耻／见富贵而生谄容者，最可耻／明王之任人，谄谀不迩乎左右／称其仇，不为谄；立其子，不为比／国以贤兴，以谄衰；君以忠安，以佞危，此古今之常论

❼上无骄行，下无谄德／君日骄而臣日谄，未有不丧邦者也／希意道言，谓之谄；不择是非而言，谓之谀

❽在上不骄，在下不谄，此进退之中道也

❾乐道人之善而不为谄／忠臣者务崇君之德，谄臣者务广君之地

❿崇人之德，扬人之美，非谄谀也／君子崇人之德，扬人之美，非谄谀也／俯偻匍匐，唉恶求媚，舐痔自亲，美言谄笑／切而不指，勤而不怨，曲而不谄，直而有礼／孝子不谀其亲，忠臣不谄其君，臣子之盛也

谅 ①liàng 原谅、宽容；猜测，预料；固执；姓。②liáng[谅阴(ān)]指帝王居丧。

❹友直，友谅，友多闻，益矣

❺有多闻直谅之友，谓之福

❻君子贞而不谅

❽贫富之交，可以情谅，鲍子所以让金／益者三友：友直，友谅，友多闻，益矣

❿成大事者，不恤小耻；立大功者，不拘小谅

谆 ①zhūn 恳切。[谆谆]教诲不倦貌；忠诚，谨慎。②zhùn[谆谆]迟钝貌。

❶谆谆而后喻，譊譊而后服

见宋·王安石《庄周下》。
❸诲尔谆谆,听我藐藐/言之谆谆,听之藐藐
❹诲尔谆谆,听我藐藐/言之谆谆,听之藐藐

谈

tán 说;言论;姓。

❶谈何容易
见汉·东方朔《非有先生论》。
谈言微中,名士风流
见清·吴敬梓《儒林外史》第十回。
谈书者不贱,守田者不饥
见清·张英《聪训斋语》。全句为:"~;积德者不倾,择交者不败"。
谈笑有鸿儒,往来无白丁
见唐·刘禹锡《陋室铭》。
谈物产也,则重谷帛而贱珍奇
见唐·吴兢《贞观政要·慎终》。全句为:"其语道也,必先淳朴而抑浮华;其论人也,必贵忠良鄙邪佞;言制度也,则绝奢靡而崇俭约;~"。
谈欢则字与笑并,论戚则声共泣偕
见南朝·梁·刘勰《文心雕龙·夸饰》。
❷街谈巷说,必有可采/清谈高论,嘘枯吹生/良谈吐玉,长江与斜汉争流/口谈道德而心存高官,志在巨富/高谈则龙腾豹变,下笔则烟飞雾凝
❸卫君谈道,平子三倒/从来谈诗,必摘古人佳句为证,最是小见
❹凡人之谈,常誉成毁败,扶高抑下
❺老生之常谈,言无新奇/垂秋实于谈丛,绚春花于词苑/风流不在谈锋胜,袖手无言味最长/羽扇纶巾,谈笑间、强虏灰飞烟灭
❻束书不观,游谈无根/逍遥以针劳,谈笑以药倦/行不修而欲谈人,人不听也/天公何时有,谈者皆不经。谁道贤人死,今为傅说星
❽山川之美,古来共谈/万物者,以盛衰而谈语,使人想而知之
❾言语者君子之枢机,谈何容易/舍真筌而择士,沿虚谈以取才……/壮志饥餐胡虏肉,笑谈渴饮匈奴血
❿读书之处,不可久坐闲谈/蚂蚁缘槐夸大国,蚍蜉撼树谈何易/人生至愚是恶闻己过,人生至恶是善谈人过/名为山人而心同商贾,口谈道德而志在穿窬/经传之文,贤圣之语,古今言殊,四方谈异/君子之处世,贵能有益于物耳,不图高谈虚论,左琴右书

谊

yì 交情,人与人交往中产生的良好情感;字义,文义;议论。

❸正其谊不谋其利/屈贾谊于长沙,非无圣主
❻仁人者,正其谊不谋其利,明其道不计其功
❿烈士之所以异于恒人,以其仗节以死谊也

謚

xián 急。

❹谋稽乎謚,知出乎争

谋

móu 计策;主意;策划;商讨;设法寻求;姓。

❶谋夫孔多,是用不集
见《诗·小雅·小旻》。
谋无不当,举必有功
见《吕氏春秋·孝行览·慎人》。
谋事在人,成事在天
见明·罗贯中《三国演义》第一〇三回。
谋臧不从,不臧复用
见《诗·小雅·小旻》。
谋稽乎謚,知出乎争
见《庄子·外物》。
谋未发而闻于外,则危
见《战国策·燕策一》。
谋事不并仁义者后必败
见汉·陆贾《新语·道基》。全句为:"~;殖不固本而立高基者后必崩"。
谋有奇诡,而不徇众情
见五代·后晋·张昭远等《旧唐书·陆贽传》。全句为:"事有便宜,而不拘常制;~"。
谋无主则困,事无备则废
见《管子·霸言》。
谋先事则昌,事先谋则亡
见汉·刘向《说苑·谈丛》。
谋得于帷幄,则功施于天下
见汉·刘向《新序·善谋》。
谋莫难于周密,说莫难于悉听
见《鬼谷子·摩》。全句为:"~,事莫难于必成"。
谋,必素见成事焉,而后履之
见《国语·吴语》。
谋泄者事无功,计不决者名不成
见《战国策·齐策三》。
谋而不得,则以往知来,以见知隐
见《墨子·非攻中》。
谋度于义者必得,事因于民者必成
见《晏子春秋·内篇·问上》。
谋臣良将,何代无之;贵在见知,要在见用耳
见南朝·梁·郭祖深《舆榇诣阙上封事》。
谋思危之音,危者将不久,不久将欲衰,衰者将不寿
见《西升经·善诸章》。
❷发谋决策,从容指顾/人谋鬼谋,百姓与能/凡谋之道,周密为宝/无谋人之心而令人疑之,殆/有谋人之心而令人知之,拙/先谋后事者昌,先事后谋者亡/先谋后事者逸,先事后图者失/忠谋转改,祸必及己。退隐深山,身乃不殆

❸君子谋道不谋富／卑不谋尊，疏不间亲／舍远谋近者，逸而有终／舍近谋远者，劳而无功／无以谋胜人，无以战胜人／使好谋而不成，不如无谋／虑熟谋审，力不劳而功倍

❹制敌在谋不在众／敌国破，谋臣亡／人谋鬼谋，百姓与能／蓄疑败谋，怠忽荒政／知者善谋，不如当时／轻则寡谋，骄则无礼／智能决谋，以疾为奇／意会心谋，目往神授／轻躁寡谋，不必皆年少／天下智谋之士，所见略同／古之人谋黄发番番，则无所过／为一身谋则愚，而为天下谋则智／攻人以谋不以力，用兵斗智不斗多／上兵伐谋，其次伐交，其次伐兵，下政攻城

❺正其谊不谋其利／博览兼听，谋及疏贱／猛将如云，谋臣如雨／猛将如云，谋臣似雨／虑为功首，谋为赏本／度义因民，谋事之术也／智者取其谋，愚者取其力／智足以造谋，材足以立事／筑室于道谋，是用不溃于成／大凡以智谋而进者，有时而衰／心合意同，谋无不成，计无不从／先虑之，早谋之，斯须之言而足听／并天下之谋，兼天下之智，而理得矣／英以其聪谋始，以其明见机，待雄之胆行之／捷捷幡幡，谋欲谮言；岂不尔受，既其女迁

❻竖子不足与谋／不思虑，不预谋／君子谋道不谋富／不在其位，不谋其政／不期同时，不谋同辞／大智不智，大谋不谋／揆古察今，深谋远虑／独利则败，众谋则泄／多端寡要，好谋无决／忧国唯知重，谋身只觉轻／鸟尽良弓藏，谋极身必危／莫为一身之谋，而有天下之志／贤人不爱其谋，群士不遗其力／思通道化，策谋奇妙，是谓术家／诸公可叹善谋身，误国当时岂一秦／小知不可使谋事，小忠不可使主法／宏远深切之谋，固不能合庸人之意／怀必贪，贪必谋人；谋人，人亦谋己／与其与子孙谋产业，不如教子孙习恒业／小人智浅而谋大，羸弱而任重，故中道而废／上有素定之谋，下无趋向之惑，天下之事不难举也／学为文章，先谋亲友，得其评裁，知可施行，然后出手

❼小不忍则乱大谋／术士乐计策之谋／忍小忿而就大谋／道不同，不相为谋／无约而请和者，谋也／交不为利，仕不谋禄／虽有至知，万人谋之／利不在身，以之谋事则智／臣闻虑为功首，谋为赏本／虑于民也深，则谋其始也精／多言不可与远谋，多动不可与久处／智见者人为之谋，形见者人为之功／股肱罄帷幄之谋，爪牙竭熊罴之力／生子当如孙仲谋，刘景升儿子若豚犬耳／无为名尸，无为谋府，无为事任，无为知主

❽大智不智，大谋不谋／忠臣不谏，智士不谋／食肉者鄙，未能远谋／谋先事则昌，事先谋则亡／以全取胜，是以贵谋而贱战／知小而自畏，则深谋而必克／必也临事而惧，好谋而成者也／利可共而不可独，谋可寡而不可众／怀必贪，贪必谋人；谋人，人亦谋己／哀白日之不与吾谋兮，至今十年其犹初／仁人者，正其谊不谋其利，明其道不计其功

❾所行之策，常主于权谋／凡物，穷则思变，困则谋通／圣人不为名尸，不为谋府……／志强而气弱，故足于谋而寡于断／自古经纶足是非，阴谋最忌夺天机／德薄而位尊，知小而谋大，力小而任重，鲜不及矣

❿使好谋而不成，不如无谋／清心为治本，直道是身谋／强不能遍立，智不能尽谋／以赂秦之地，封天下之谋臣／无稽之言勿听，弗询之谋勿庸／先谋后事者昌，先事后谋者亡／论世而为之事，权事而为之谋／浅不足与测深，愚不足与谋知／治平者先仁义，治乱者先权谋／理平者先仁义，理乱者先权谋／千古江山，英雄无觅，孙仲谋处／为一身谋则愚，而为天下谋则智／兵在精而不在多，将在谋而不在勇／英雄者，胸怀大志，腹有良谋……／狡兔尽则良犬烹，敌国灭则谋臣亡／避席畏闻文字狱，著书都为稻粱谋／眼孔浅时无大量，心田偏处有奸谋／野禽殚，走犬烹；敌国破，谋臣亡／以弱为强者，非惟天时，抑亦人谋也／军旅之臣，取其断决有谋，强干习事／大勋所任者唯一人，然群谋济之乃成／怀必贪，贪必谋人；谋人，人亦谋己／自动自休，自峙自流，是恶乎与我谋／论至德者不和于俗，成大功者不谋于众／天下英雄谁敌手？曹刘。生子当如孙仲谋／君子与小人不两立，而小人与君子不同谋／一家失熛，百家皆烧；谗夫阴谋，百姓暴骸／与死者同病难为良医，与亡国同道难与为谋／无稽之言，不见之行，不闻之谋，君子慎之／不广其从，不为兵郛，不为乱首，不为宛谋／小人之情，缓则骄……危则谍乱，安则思欲／用国者，义立而王，信立而霸，权谋立而亡／真伪有质矣，而趋舍舛忤，故两心不相为谋焉／趣舍合，即言忠而益亲；身疏，即谋当而见疑／君子省众而动，监戒而谋，谋度而行，故无不济／狡兔死，良狗烹；高鸟尽，良弓藏；敌国破，谋臣亡／至礼有不人，至义不物，至知不谋，至仁无亲，至信辟金

谌

chén 相信；诚然；姓。

❹天命难谌

谏

jiàn 旧时指下级对上级的言行提出批评或规劝；止，挽救；姓。

❶谏不足听者，辞不足感心也

见唐·韩愈《上张仆射第二书》。

谏、争、辅、拂之人信，则君过不远

见《荀子·臣道》。

谏、争、辅、拂之人,社稷之臣也,国君之宝

见《荀子·臣道》。

❷拒谏者塞,专己者孤/距谏者塞,专己者孤/距谏所败,祸乱所成/从谏如顺流,趣时如响起

❸置直谏之士者,恐不得闻其过也

❹不能受谏,安能谏人/忠臣不谏,智士不谋/端拱纳谏诤,和风日冲融/诤臣必谏其渐,及其满盈,无所复谏/未信而谏,圣人不与。交浅言深,君子所戒/赏之使谏,尚恐不言;罪其敢言,孰敢献纳/虽有纳谏之明,而无力行之果断,则言愈多而听愈惑

❺往者不可谏,来者犹可追/怨恩取与谏教生杀,八者,正之器也,唯循大变无所湮者为能用之

❻专己者孤,拒谏者塞/问其官,则曰谏议也/悟已往之不谏,知来者之可追/见过不更,闻谏愈甚,谓之很/好善无厌,受谏而能诫。虽欲无进,得乎哉/忠贤事君,必谏君失,奸佞事主,必顺主情/上不访,下不谏,妇言用,私政行,此亡国之风也

❼不能受谏,安能谏人/勿谓我智而拒谏矜己/求贤如饥渴,受谏而不厌/纳善若不及,从谏若转圜

❽木从绳则正,后从谏则圣/木受绳则正,人受谏则圣/贤圣不能正不食谏诤之君/闻善速于雷动,从谏急于风移/乐闻过,罔不兴;拒谏,罔不乱/成事不说,遂事不谏,既往不咎/大臣重禄而不极谏,近臣畏罚而不敢言

❾君子见过忘罚,故能谏/燔诗书,起淳于越之谏/吾有小失,必犯颜而谏之/忠臣不避重诛以直谏,则事无遗策,功流万世

❿此能求过于天,必不逆谏矣/身之将败者,必不纳忠谏之言/诤臣必谏其渐,及其满盈,无所复谏/未有天地之先,毕竟也只是先进谏斯易矣/从善如流,尚恐不逮;饰非拒谏,必是招损/多见者博,多闻者智;拒谏者塞,专己者孤/大臣则必取众人之选,能犯颜谏事公正无私者

谐

xié 协调,配合适当;风趣。

❶谐和之政宜于治新,以之治旧则虚

见三国·魏·刘劭《人物志·材能》。

❷事谐则感,道洽斯亲

❹八音克谐,无相夺伦,神人以和

❻晖目知晏,阴谐知雨

❿浮沉各异势,会合何时谐/只系其逢,不系巧愚;不谐其须,有衔不祛/引物连类,穷情尽变;宫商相宣,金石谐和

谑

xuè 开玩笑。

❸善戏谑兮,不为虐兮

❻君子口无戏谑之言,言必有防;身无戏谑之行,行必有检

谒

yè 拜见;说明,陈述;请;名帖;姓。

❶谒而得位,道士不居也;争而得财,廉士不受

语见汉·韩婴《韩诗外传》卷二。

❷请谒任举之说胜,则绳墨不正

谓

wèi 说;称呼;因为;犹"与"。

❶谓予不信,有如皎日

见《诗·王风·大车》。

谓其忠则委之诚,可也

见宋·王安石《委任》。全句为:"知其能则任之重,可也;～"。

谓之讽谕诗,兼济之志也

见唐·白居易《与元九书》。全句为:"～;谓之闲适诗,独善之义也"。

谓之闲适诗,独善之义也

见唐·白居易《与元九书》。全句为:"谓之讽谕诗,兼济之志也;～"。

谓学不暇者,虽暇亦不能学矣

见汉·刘安《淮南子·说山》。

谓天盖高,不敢不局;谓地盖厚,不敢不蹐

见《诗·小雅·正月》。

谓马多力则有矣,若曰胜千钧,则不然者,何也?千钧,非马之任也

见《战国策·韩策一》。

❷勿谓言之不预/勿谓我尊而傲贤侮士/勿谓我智而拒谏矜己/谁谓荼苦,其甘如荠/谁谓河广,一苇杭之/是谓是、非谓非曰直/勿谓今年不学而有来年/勿谓今日不学而有来日/所谓壹刑者,刑无等级/所谓文者,必有诸其中/既谓之机,则动非自外/勿谓寸阴短,既过难再获/谁谓鼠无牙,何以穿我墉/明谓多见巧诈,蔽其朴也/所谓无为者,不先物为也/所谓无治者,不易自然也/所谓人者,恶死乐生者也/愚谓无知守真,顺自然也/不谓小不善为无伤也而为之/所谓无不为者,因物之所为/何谓创家之人,能教子者便是/何谓享福之人,能读书者便是/何谓物我之异,无计今古之殊/所谓无不治者,因物之相然也/所谓大丈夫者,谓其智之大也/所谓文者,务为有补于世而已矣/不谓之退,不敢退;不问,不敢对/何谓仁?仁者憯怛爱人,谨翕不争/变谓后来改前,以渐移改谓之变也/所谓天者诚难测,而神者诚难明矣/所谓伐天真而矜己者也,天祸必及/所谓理者不可推,而寿者不可知矣/子谓《韶》,"尽美矣,又尽善也"/所谓阻且艰者,莫能高其高而深其深也/自谓乱且危者,则自戒自强,虽

乱必理／自谓理且安者，则自骄自满，虽安必危／所谓读书，须当明物理，揣事情，论事势／不谓小善不足为也而舍之，小善积而为大善／所谓“能”者即己也，所谓“所”者即物也／既谓之才，则不宜以阶级限，不应以年齿齐／夫谓法不严则易犯，暴君酷吏假辞以饰其恶耳／不谓小不善为无伤也而为之，小不善积而为大不善／何谓人情？喜、怒、哀、惧、爱、恶、欲，七者弗学而能／所谓诗，所谓文，实国事、世事、家事、身事、心事系焉

❸让之谓保德／日新谓之盛德／一之谓甚，其可再乎／见乃谓之象，形乃谓之器／吾所谓乐者，人得其得者也／出无谓之言，行不必为之事，不如其已／太极，谓天地未分之前，元气混而为一／吾所谓道德云者，合仁与义言之也，天下之公言也／孔子谓季氏：“八佾舞于庭，是可忍也，孰不可忍也？”

❹生生之谓易／修道之谓教／充实之谓美／管仲可谓能因物矣／雅有所谓，不虚为文／君义、……所谓六顺也／无为之谓道，舍之之谓德／尽己之谓忠，推己之谓恕／使能之谓明，听信之谓圣／求诸己谓之厚，求诸人谓之薄／博爱之谓仁，行而宜之之谓义／君子不谓小善不足为也而舍之／善人富谓之赏，淫人富谓之殃／赏无功谓之乱，罪不知谓之虐／无财之谓贫，学而不能行之谓病／诗之所谓风者，多出于里巷歌谣之作／天命之谓性，率性之谓道，修道之谓教／反听之谓聪，内视之谓明，自胜之谓强／赏不劝，谓之止善；罚不惩，谓之纵恶／知我者，谓我心忧；不知我者，谓我何求／善不可谓小而无益，不善不可谓小而无伤／人人自谓握灵蛇之珠，家家自谓抱荆山之玉／古之所谓公无私者，其取舍进退无择于亲疏远迩，惟其宜可焉

❺当其可之谓时／无验而言谓之妄／不教而诛谓之虐／知有所合谓之智／慢令致期谓之贼／所禀生者谓之性／兼德而至谓之中庸／物得以生，谓之德／与天和者，谓之天乐／与人和者，谓之人乐／修身践言，谓之善行／坐而论道，谓之王公／是非、非是，谓之愚／是谓是、非谓非曰直／是是、非非、谓之知／作而行之，谓之士大夫／言非礼义，谓之自暴也／思能造端，谓之构架之材／尘芥六合，谓天地为有穷也／先事虑事谓之接，接则事优成／先患虑患谓之豫，豫则祸不生／适于用之谓才，堪其事之谓力／一阖一辟谓之变，往来不穷谓之通／不取于人谓之富，不屈于人谓之贵／不教而杀谓之虐；不戒视成谓之暴／以正辅人谓之忠，以邪导人谓之佞／仁者见之谓之仁，知者见之谓之知／分人以财谓之惠，教人以善谓之忠／率性而行谓之道，得其天性谓之德／君正臣从谓之顺，君僻臣从谓之逆／形而上者谓之道，形而下者谓之器／纵民之情谓之乱，绝民之情谓之荒／聪明秀出谓之英，胆力过人谓之雄／虚而无形谓之道，化育万物谓之德／自道所禀谓之性，性之所迁谓之情／自责以备谓之明，责人以备谓之惑／约定俗成谓之宜，异于约则谓之不宜／文质修者谓之君子，有质而无文谓之易野／人之所舍，谓之天民；天之所助，谓之天子／至大无外，谓之大一；至小无内，谓之小一／希意道言，谓之谄；不择是非而言，谓之谀／寡交多亲，谓之知人；寡事成功，谓之知用／竭所能之谓忠，履所明之谓信，平所施之谓恕／无为者，非谓其凝滞而不动也，以其言莫从己出也／愚者不自谓愚而愚见于言，虽自谓智，人犹谓之愚／不问而告谓之傲，问一告二谓之囋。傲非也，囋非也／若鄙人所谓致知格物者，致吾心之良知于事事物物也／德万人者谓之俊，德千人者谓之豪，德百人者谓之英／所谓诗，所谓文，实国事、世事、家事、身事、心事系焉

❻一阴一阳之谓道／天下归之之谓王／阴阳不测之谓神／相观而善之谓摩／无阴无阳乃谓之道／上而玄者，世谓之天／下而黄者，世谓之地／无是非到耳，谓之福／不私与己，是谓至公／过而不改，乃谓之过／过而不改，是谓过矣／学而不能行，谓之病／资有攸合，所谓宜也／有力量济人，谓之福／有工夫读书，谓之福／有学问著述，谓之福／受国之垢，是谓社稷主／寒而暑者，世谓之阴阳／道之大纲……方谓之道／见父之执，不谓之进，不敢进／不学者，虽存，谓之行尸走肉耳／无所不通之谓圣，妙而无方之谓神／乘时投隙非谓才，苟得未必为汝福／经纬天地之谓文，戡定祸乱之谓武／医能治一病谓之巧，能治百病谓之良／苟不知我而谓我盗跖，吾又安取惧焉／苟不知我而谓我仲尼，吾又安取荣焉／不让古人是谓有志，不让今人是谓无量／知善不行者谓之狂，知恶不改者谓之惑／轻死以行礼谓之勇，诛暴不避强谓之力／好言人之恶，谓之谗；析交离亲，谓之贼／生而不淑，孰谓其寿？死而不朽，孰谓之夭／乾坤倒覆，无谓不静，洪流滔天，无谓其动／墨翟之徒，世谓热腹；杨朱之侣，世谓冷肠／形精不亏，是谓能移；精而又精，反以相天／与众乐之之谓乐，乐而不失其正，又乐之尤也／谷神不死，是谓玄牝。玄牝之门，是谓天地根

❼不陵节而施之谓孙／大事不胡涂之谓才／未可与言而言谓之瞽／百发失一，不足谓善射／以不教民战，是谓弃之／因天时，伐天毁，谓之武／彼是莫得其偶，谓之道枢／道行之而成，物谓之而然／能读不能行，所谓两足书橱／所谓大丈夫者，谓其智之大也／能自得师者王，谓人

莫己若者亡／至于子美，盖所谓上薄风、骚……／贱物而贵德，孰谓道远，将允蹈子／君子之誉，非所谓誉也，其善显焉尔／小人之谤，非所谓谤也，其不善彰焉尔／简士苦民者是谓愚，敬士爱民者是谓智／由是而之焉之谓道，足乎己无待于外之谓德／比不应事，未可谓喻；文不称实，未可谓是／磐石千里，不可谓富；象人百万，不可谓强／凡今能言者，皆谓天下少士，而不知养材之道

❽充实而有光辉之谓大／不全不粹不足以谓之美／俭者，省约为礼之谓也／许之而不予，不可谓信／吝者，穷急不恤之谓也／闻人而不自闻者谓之聩／见人而不自见者谓之蒙／虑人而不自虑者谓之瞀／非其所取而取之，谓之盗／见乃谓之象，形乃谓之器／有多闻直谅之友，谓之福／人有非上之所过，谓之正士／浑然而中处者，世谓之元气／贱妨贵，少陵长……所谓六逆也／发乎声，见乎四支，谓非己心，不明也／欲弃学而循性，是谓犹释船而欲蹶水也／有必缘其心爱之谓也，有其形不可谓有之／喜怒哀乐之未发谓之中，发而皆中节谓之和／古之善歌者有语，谓"当使声中无字，字中有声"

❾无为之谓道，舍之之谓德／可与言而不与之言谓之隐／尽己之谓忠，推己之谓恕／仕之为美，利乎人之谓也／使能之谓明，听信之谓圣／先自治而后治人之谓大器／玉出于璞，而璞不可谓玉／穷民财力以供嗜欲谓之暴／千里跬步不至，不足谓善御／军未战先见败征，可谓知兵／因天之生也以养生，谓之文／因天之杀也以伐死，谓之武／物势之反，乃君子所谓道也／专知擅事，侵人自用，谓之贪／古文贵达，学达即所谓学古也／仁者不以位为惠：可谓无为矣／招麾祸福，功名所遂，谓之志／形体保神，各有仪则，谓之性／戴发含齿，倚而趣者，谓之人／明于天人之分，则可谓至人矣／见过不更，闻谏愈甚，谓之很／吾身不能居仁由义，谓之自弃也／奸诈既作，盗贼日多，谓之乱政／意犹帅也；无帅之兵，谓之乌合／知生而无以知为也，谓之以知养恬／天命之谓性，率性之谓道，修道之谓教／反听之谓聪，内视之谓明，自胜之谓强／四海之内共利之之谓悦，共给之之谓安／失于声，缪迷其四体，谓己当然，自诬也／谓天盖高，不敢不局；谓地盖厚，不敢不蹐／所谓"能"者即己也，所谓"所"者即物也／君臣父子人间之事谓之义，登降揖让，贵贱有等，亲疏之体，谓之礼

❿临难而不能勿听，不可谓勇／不加功于无用，不损财于无谓／求诸己谓之厚，求诸人谓之薄／临大利而不易其义，可谓廉矣／博爱之谓仁，行而宜之之谓义／能因敌变化而取胜者，谓之神／善人富谓之赏，淫人富谓之殃／四时四维者，天地至大之谓也／适于用之谓才，堪其事之谓力／赏无功谓之乱，罪不知谓之虐／有人则作，无人则辍之，谓伪／无财之谓贫，学而不能行之谓病／不可以边陲不耸，恬然便谓无事／不言而信，不怒而威，师之谓也／未形者有分，且然无间，谓之命／生之厚必入死之地，故谓之大患／兵未战而先见败征，此可谓知兵／切切偲偲，怡怡如也，可谓士矣／建法立制，强国富人，是谓法家／名有固善，径易而不拂谓之善名／恒舞于宫，酣歌于室，时谓巫风／道不离乎物，若离物则无所谓道／殉于货色，恒于游畋，时谓淫风／有所期约，时刻不易，所谓信也／胆力绝众，材略过人，是谓骁雄／礼貌卑下，言词谦恭，所谓敬也／思通道化，策谋奇妙，是谓术家／留动而生物，物成生理，谓之形／罚其忠，赏其贼，夫是之谓至暗／一阖一辟谓之变，往来不穷谓之通／无所不通之谓圣，妙而无方之谓神／不可学、不可事而在人者，谓之性／不能自胜而强弗从者，此之谓重伤／不取于人谓之富，不屈于人谓之贵／不教而杀谓之虐；不戒视成谓之暴／甚美之名生于大恶，所谓美恶同门／以正辅人谓之忠，以邪导人谓之佞／真知即所以为行，不行不足谓之知／仁者见之谓之仁，知者见之谓之知／分人以财谓之惠，教人以善谓之忠／变谓后来改前，以渐移改谓之变也／率性而行谓之道，得其天性谓之德／能使了然于口与手乎！是之谓辞达／常宽容于物，不削于人，可谓至极／名有固善，径易而不拂，谓之善名／君正臣从谓之顺，君僻臣从谓之逆／形而上者谓之道，形而下者谓之器／纵民之情谓之乱，绝民之情谓之荒／经纬天地之谓文，戡定祸乱之谓武／明为明，不明为不明，乃所谓明也／见利不诱，见害不惧……是谓灵气／政令多出，朝令夕改，则谓数穷也／聪明秀出谓之英，胆力过人谓之雄／虚而无形谓之道，化育万物谓之德／自道所禀谓之性，性之所迁谓之情／自责以备谓之明，责人以备谓之惑／天知，神知，我知，子知，何谓无知／不为而成，不求而得，夫是之谓天职／不以物乱官，不以官乱心，是谓中得／不见其形不闻其声，而序其成谓之道／医能治一病谓之巧，能治百病谓之良／人特劫君而不盟，君不知，不可谓智／知生也者，不以物害生，养生之谓也／约定俗成谓之宜，异于约则谓之不宜／物固有形，形固有名，名当谓之圣人／天命之谓性，率性之谓道，修道之谓教／天者，统元气焉，非止荡荡苍苍之谓也／不让古人是谓有志，不让今人是谓无量／可学无能、可事而成之在人者，谓之伪／反听之谓聪，内视之谓明，自胜之谓强／使夸而有节，饰而不诬，亦可谓之懿也／侮圣言，逆忠直，远耆德……时谓乱

风/圣人无为,其功广大……是太平之谓也/若能为能,不能为不能……乃所谓明也/知善不行者谓之狂,知恶不改者谓之惑/知死心也者,不以物害死,安死之谓也/四海之内共利之之谓悦,共给之之谓安/因命而动,生思虑……别同异,谓之意/情动于中,故形于声,声成文,谓之音/逆顺同道而异理,审知逆顺,是谓道纪/驴非驴,马非马,若龟兹王,所谓骡也/轻死以行礼谓之勇,诛暴不避强谓之力/智力不能接,而威德不能运者,谓之二/赏无功之人,罚不辜之民,非所谓明也/赏不劝,谓之止善;罚不惩,谓之纵恶/简士苦民者是谓愚,敬士爱民者是谓智/貌则人,其心则禽兽,又恶可谓之人邪/天下之非誉,无损益焉,是谓全德之人哉/不以曲故是非相尤,茫茫沉沉,是谓大治/长短不饰,以情自竭,若是则可谓直士矣/博闻强识而让,敦善行而不怠,谓之君子/圣人和之以是非而休乎天钧,是之谓两行/知我者,谓我心忧;不知我者,谓我何求/善不可谓小而无益,不善不可谓小而无伤/行不诚义,动不缘义,俗虽谓之通,穷也/彼民有常性,织而衣,耕而食,是谓同德/好经大事,变更易常,以挂功名,谓之叨/好言人之恶,谓之谗;析交离亲,谓之贼/有必缘其心爱之谓也,有其形不可谓有之/文质修者谓之君子,有质而无文谓之易野/称财多寡而节用之,富无金藏……谓之啬/不择善否,两容颊适,偷拔其所欲,谓之险/中春之月,阳在正东,阴在正西,谓之春分/中秋之月,阳在正西,阴在正东,谓之秋分/由是而之焉之谓道,足乎己无待于外之谓德/生而不淑,孰谓其寿?死而不朽,孰谓之夭/以贼其身,乃丧其躯,其行如此,是谓大忘/书以言事,行上行下,平行往复,统谓之书/乾坤倒覆,无谓不静,洪流滔天,无谓其动/同乎无知,其德不离;同乎无欲,是谓素朴/使死者反生,生者不愧乎其言,则可谓信矣/偷合苟容,以持禄养交而已耳,谓之国贼也/人之所舍,谓之天民;天之所助,谓之天子/人人自谓握灵蛇之珠,家家自谓抱荆山之玉/至大无外,谓之大一;至小无内,谓之小一/墨翟之徒,世谓热腹;杨朱之侣,世谓冷肠/喜怒哀乐之未发谓之中,发而皆中节谓之和/名无固实,约之以命实,约定俗成谓之实名/知标本者,万举万当;不知标本,是谓妄行/因性而动,接物感痦……进退取与,谓之情/希意道言,谓之谄;不择是非而言,谓之谀/行己有耻,使于四方,不辱君命,可谓士矣/冬不服裘,夏不操扇,雨不张盖,是谓将礼/寡交多亲,谓之知人;寡事成功,谓之知用/迷而知反,失道不远,过而能改,谓之不过/比不应事,未可谓喻;文不称实,未可谓是/磐石千里,不可谓富;象人百万,不可谓强/言无常信,行无常贞……若是则可谓小人矣/一言得而天下服,一言定而天下听,公之谓也/日知其所亡,月无忘其所能,可谓好学也已矣/明于古今,温故知新,通达国体,故谓之博士/是非之心,不虑而知,不学而能,所谓良知也/称牛之服重,不誉马速,誉手毁足,孰谓之慧/竭所能之谓忠,履所明之谓信,平所施之谓恕/谷神不死,是谓玄牝。玄牝之门,是谓天地根/以不二之悟,符不分之理,理智悉释,谓之顿悟/以辱为荣,以穷为通,虽失乎前,可谓后得之矣/先无爵,死无谥,实不聚,名不立,此之谓大人/居者有余蓄,行者有余资……可谓有治天下之效/敏于事而慎于言,就有道而正焉,可谓好学也已/人生时禀得灵气,精明通悟,学无滞塞,则谓之神/必曰赏以春夏,而刑以秋冬,而谓之至理者,伪也/愚者不自谓愚而愚见于言,虽自谓智,人犹谓之愚/不问而告谓之傲,问一告二谓之囋。傲非也,囋非也/兵无常势,水无常形,能因敌变化而取胜者,谓之神/博取之象数,远征之古今,以求尽乎理,所谓格物也/德万人者谓之俊,德千人者谓之豪,德百人者谓之英/以天为宗,以德为本,以道为门,兆于变化,谓之圣人/君子之自行也,动必缘义,行必诚义,俗虽谓之穷,通也/天下之民,知安而不知危,能逸而不能劳,此臣所谓大患也/忘乎物,忘乎天,其名曰为忘己;忘己之人,是之谓人于天/君臣父子人间之事谓之义,登降揖让,贵贱有等,亲疏之体,谓之礼/《国风》好色而不淫,《小雅》怨诽而不乱,若《离骚》者,可谓兼之

谔

è 形容说话直率。

❷有谔谔争臣者,其国昌/謇谔无一言,岂得为直士

❸有谔谔争臣者,其国昌

❼明君贤宰,不惮谔谔之言

❿千夫诺诺,不如一士之谔谔/众人诺诺,不若一士之谔谔/千人之诺诺,不如一士之谔谔/众士之诺诺,不如一士之谔谔

谕

yù 告知;知道;使理解;比喻。

❹谓之讽谕诗,兼济之志也/言者以谕意也,言意相离,凶也

❺爱利之心谕,威乃可行

❻心未滥而先谕教,则化易成也

❼此言虽小,可以谕大

❽文有二道:……导扬讽谕,本乎比兴者也/若近细人,不闻教谕,纵欲行善,犹未知所适

❿解非常之纷者不可以常语谕/其辞质而径,欲见之者易谕也

谗 chán 说别人的坏话。

❶谗言巧，佞言甘

见宋·林逋《省心录》。

谗言三至，慈母不亲

见三国·魏·曹植《当墙欲高行》。

谗言伤善，青蝇污白

见汉·王充《论衡·商虫篇》。

谗佞之徒，皆国之蟊贼也

见唐·吴兢《贞观政要·杜谗邪》。

谗邪害公正，浮云翳白日

见汉·孔融《临终诗》。

谗口成铄金，沉舟由积羽

见清·唐孙华《述金》。

谗媚之言甘，贤良之言直

见唐·张九龄《亲贤第一章》。全句为："～。甘则易悦，直则难入"。

谗邪进则众贤退，群枉盛则正士消

见汉·班固《汉书·刘向传》。

谗言巧，佞言甘，忠言直，信言寡

见宋·李邦献《省心杂言》。

谗夫似贤，美言似信，听之者惑，观之者冥

见汉·陆贾《新语·辅政》。

谗不自来，因疑而来；间不自入，乘隙而入

见明·刘基《诚意伯文集》。

谗人似实，巧言如簧，使听之者惑，视之者昏

见南朝·宋·范晔《后汉书·陈蕃传》。

❷惧谗邪，则思正身以黜恶／谄谗饰过之说胜，则巧佞者用／恃谗谀以事君者，不足以责信／与谗谄面谀之人居，国欲治，可得乎？

❸兄弟谗阋，侮人百里／毋听谗，听谗则失士

❹世乱则谗胜／知者除谗以自安也／一朝被谗言，二桃杀三士／掩袖工谗，狐媚偏能惑主／远贤近谗，忠臣蔽塞主势移

❺毋听谗，听谗则失士

❻为善者少，为谗者多／闻谤而怒者，谗之由也／苍蝇间白黑，谗巧令亲疏／不迩小人，则谗谀者自远矣／去国怀乡，忧谗畏讥，满目萧然，感极而悲者矣

❽人必先疑也，而后谗人之／君子不畏虎，独畏谗夫之口／其行公正无邪，故谗人不得人／据千乘之国，而信谗佞之计，未有不亡者／好言人之恶，谓之谗；析交离亲，谓之贼

❾一钱亦分明，谁能肆谗毁／闻恶不可就恶，恐为谗夫泄怒／一家失熛，百家皆烧；谗夫阴谋，百姓暴骸／黄钟毁弃，瓦釜雷鸣；谗人高张，贤士无名／自私之念萌，则铲之；谗谀之徒至，则却之

❿尽诚可以绝嫌猜，徇公可以弭谗诉／苦心虽呕何由出，病骨非谗亦自销／楚国青蝇何太多，连城白璧遭谗毁／聪明则视听不惑，公正则不迩谗邪／丛兰欲茂，秋风败之；王者欲明，谗人蔽之／有味之物，蠹虫必生；有才之人，谗言必至／黾勉从事，不敢告劳；无罪无辜，谗口嚣嚣

谙 ān 熟悉。

❹经事还谙事，阅人如阅川

❿世情闲静见，药性病多谙

谚 yàn 谚语，产生、流传于民间的通俗而简练的固定语句；通"喭"，粗野。

❸江南谚云：尺牍书疏，千里面目也

谛 ①dì 详细，仔细；佛教用语。②tí 通"啼"，哭泣啼号。

❶谛毫末者，不见天地之大

见《关尹子·九药》。全句为："～，审小音者，不闻雷霆之声"。

谟 mó 计划，谋略；通"无"。

❼知者，接也；知者，谟也

❿不弃狂夫之言者，然后嘉谟可闻也／玉不雕，玙璠不作器；言不文，典谟不作经

谠 dǎng 正直；公正。

❻不有忌讳，则谠直之路开矣

谢 xiè 对他人的好意或帮助示感激；辞去；认错，道歉；推辞；告，问；凋落；姓。

❶谢杨柳多情，还有绿阴时节

见宋·张炎《长亭怨》。

谢朝华于已披，启夕秀于未振

见晋·陆机《文赋》。

谢诗如芙蓉出水，颜诗如错采镂金

见南朝·梁·钟嵘《诗品》卷中引汤惠休语。

❸老而谢事，古之礼也／草不谢荣于春风，木不怨落于秋天

❹始楚而谢，终泣而对／亲则不谢，谢则不亲／潘陆颜谢，蹈迷津而不归／旧时王谢堂前燕，飞入寻常百姓家

❺亲则不谢，谢则不亲／人事有代谢，往来成古今／四时兮代谢，万物兮迁化／四时有不谢之花，八节有长青之草

❼功全则誉显，业谢则衅生／时危思报主，衰谢不能休／形存则神存，形谢则神灭也／休说旧时王与谢，寻常百姓亦无家／寒暑茫茫兮代谢，故叶新花兮往来

❽扁舟泛湖海，长揖谢公卿

❿伏久者飞必高，开先者谢独早／雪压冬云白絮飞，万花纷谢一时稀／疾病不可以自责除，水旱不可以祷谢去

谣

yáo 歌谣；没有事实根据的传言。

⑩诗之所谓风者，多出于里巷歌谣之作

谤

bàng 恶意中伤；指责。

❶谤议之言，难用褒贬

见三国·魏·曹操《为徐宣议陈矫下令》。

谤议不足怨，宠辱讵须惊

见唐·陈子昂《座右铭》。

谤议庸何伤？虚誉不足慕

见《崔氏家传座右铭》。

谤之无实者，付之勿辩可矣

见清·钱大昕《十驾斋养新录·止谤》。全句为："～；谤之有因者，非自修弗能止"。

谤之有因者，非自修弗能止

见清·钱大昕《十驾斋养新录·止谤》。全句为："谤之无实者，付之勿辩可矣；～"。

❷诽谤者族，偶语者弃市／闻谤而怒者，谗之由也／诽谤之罪不诛，而后良言进／其谤且誉者，岂尽明而善褒贬也哉

❹动而得谤，名亦随之宜／事修而谤兴，德高而毁来／小人之谤，非所谓谤也，其不善彰焉尔

❺好誉者，常谤人／名之所存，谤之所归／室人和则谤掩，外内离则恶扬／在下而多谤者，岂尽愚而狡也哉

❻修之至极，何谤不息／骇机一发，浮谤如川。巧言奇中，别白无路

❼未信而纳忠者，谤也／罗织语言，以为谤讪／省躬无疵而获谤者何伤／身轻于鸿毛，而谤重于泰山／不可以一时之谤，断其为小人／誉人者，人誉之；谤人者，人谤之

❽信而见疑，忠而被谤／尧舜，大圣也，民且谤之／御寒莫若重裘，止谤莫如自修／救寒莫如重裘，止谤莫如自修／小人之谤，非所谓谤也，其不善彰焉尔

❾君臣不信，则百姓诽谤，社稷不宁／好名则多树私恩，惧谤则执法不坚／人当自信自守，……虽毁谤之，侮慢之，亦不为之加沮

⑩标节义者，必以节义受谤／古之善为政者，其初不能无谤／誉人者，人誉之；谤人者，人谤之／金满箱，银满箱，转眼乞丐人皆谤／不可以一时之誉，断其为君子；不可以一时之谤，断其为小人

谥

shì 君主时代在人死后，依其生前事迹所给予评定褒贬的称号；称(做)、叫(做)。

❻先无爵，死无谥，实不聚，名不立，此之谓大人

谦

①qiān 虚心，不满意。②qiàn 心安理得之意。

❶谦谦君子，卑以自牧

见《周易·谦·初六·象》。

谦，尊而光，卑而不可逾

见《周易·谦》。

谦恭者无诤，知善之可迁

见宋·李邦献《省心杂言》。全句为："强辩者饰非，不知过之可改。～"。

谦也者，致恭以存其位者也

见《周易·系辞上》。

谦者，众善之基；傲者，众恶之魁

见明·王阳明《传习录下》。

❷我谦则民自谦／谦谦君子，卑以自牧／劳谦，君子有终，吉

❹满招损，谦受益，时乃天道

❺进学莫如谦

❻我谦则民自谦／贪满者多损，谦卑者多福／念高危，则思谦冲而自牧／履，德之基也；谦，德之柄也

❼天道恶满而好谦／不伐功斯巨，惟谦道乃光／慎是护身之符，谦是百行之本／礼貌卑下，言词谦恭，所谓敬也

❾与朋友论学，须委曲谦下，宽以居之

⑩人情皆欲求胜，故悦人之谦／与人相处之道，第一要谦下诚实／怨在微而下之，犹可以为谦德也／周公恐惧流言日，王莽谦恭未篡时／大德之人无所不容，能受垢浊，处谦卑

谨

jǐn 慎重；郑重；恭敬。

❶谨听节俭，众民之术也

见《晏子春秋·内篇问下第十四》。

谨在于畏小，智在于治大

见《尉缭子·十二陵》。

谨备其所憎，而祸在于所爱

见《战国策·赵策四》。

谨修而身，慎守其真，还以物与人，则无所累

语见《庄子·渔父》。

❷小谨者不大立／小谨者无成，訾行者不容于众

❸忠信谨慎，此德义之基／何以谨慎为，勇猛而临官／画者谨毛而失貌，射者仪小而遗大

❹力胜贫，谨胜祸，慎胜害，戒胜灾／明主必谨养其和，节其流，开其源

❺力能胜贫，谨能胜祸／故明主必谨养其和，节其流，开其源

❻志善者忘恶，谨小者致大／大行不顾细谨，大礼不辞小让／立身必由清谨，处职无废于忠勤／凡权重者必谨于事，令行者必谨于言／刺史宜精选谨择以委任之，固不可拘限官次，得之货贿，出之权门者也

❼小人寡欲则能谨身节用，远罪丰家／文宜易宜难？必谨对曰：无难易，唯其是尔

❽庸言之信，庸行之谨／毋以贫故，事人不谨／精良畏慎，善在恭谨，失在多疑
❾察乎安危，宁于祸福，谨于去就，莫之能害也／藏大不诚于中者，必谨小诚于外，以成其大不诚
❿量力所至，约其课程而谨守之／何谓仁？仁者憯怛爱人，谨翕不争／凡权重者必谨于事，令行者必谨于言／凡为天下国家，当爱惜名器，谨重刑罚／莫之大祸，起于须臾之不忍，不可不谨／在上不骄，高而不危；制节谨度，满而不溢／不日不月，而事以从；不卜不筮，而谨知吉凶

谩 ①màn 对人没礼貌，不尊重。②mán 欺骗，蒙蔽。
❸学诗谩有惊人句／谮下谩上，恒其心术，妒人之能，幸人之失
❼考实按形，不能谩于一人

谬 miù 差错，错误的；谦词，表示自己得到了过高的评价或待遇；姓。
❹但恨多谬误，君当恕醉人／一言之谬，一事之失，可救之于将然
❺事乃有大谬不然者
❻听者独闻，不谬于清浊
❾闻之而不见，虽博必谬
❿恩所加，则思无因喜以谬赏／必欲得人称职，不失士，不谬举／石称丈量，径而寡失，铢铢而称，至石必谬

譊 náo［譊譊］争辩声，引申为喧闹嘈杂。
❻谆谆而后喻，譊譊而后服
❾呱呱之子，各识其亲；譊譊之学，各习其师
❿呱呱之子，各识其亲；譊譊之学，各习其师

谮 ①zèn 诬陷。②jiàn 通"僭"，不亲不信。
❶谮下谩上，恒其心术，妒人之能，幸人之失
见唐·柳宗元《骂尸虫文》。
❸取彼谮人，投畀豺虎
❹浸润之谮，为患特深
❼捷捷幡幡，谋欲谮言；岂不尔受，既其女迁
❿轻听发言，安知非人之谮诉，当忍耐三思

谱 pǔ 按照事物的类别或系统编制的表册；作示范或供寻检的图书、样本；谱曲；大致的标准；曲谱；犹言左右，表示约数。
❻国奕不废旧谱，而不执旧谱
❿烈日秋霜，忠肝义胆，千载家谱

谲 jué 欺诈；奇异。
❸虚无谲诡，此乱道之根
❺因事设奇，谲敌制胜，变化如神
❻以诈应诈，以谲应谲，若披蓑而救火，毁渎而止水
❼多智韬情，权在谲略，失在依违
❽以诈应诈，以谲应谲，若披蓑而救火，毁渎而止水

谴 qiǎn 责备，责罚；罪责，罪过。
❷不谴是非，以与世俗处

卫 wèi 保护；担负；明代驻兵屯防的地点，后多沿用为地名；驴的别名；姓；箭尾的羽毛。
❶卫君谈道，平子三倒
见南朝·宋·刘义庆《世说新语·赏誉》。
卫后兴于鬒发，飞燕宠于体轻
见汉·张衡《西京赋》。全句为："盛衰无常，唯爱所丁；～"。
❷郑卫之音，乱世之音也／精卫衔微木，将以填沧海／精卫有情衔太华，杜鹃无血到天津
❻世治则以义卫身，世乱则以身卫义／好音生于郑卫，而人皆乐之于耳，声同也
❽独坐穷山，放虎自卫／百节成体，共资荣卫，万趣会文，不离辞情
❿与物委蛇而同其波，是卫生之经已／世治则以义卫身，世乱则以身卫义／生男无喜，生女无怒，独不见卫子夫霸天下／崇大厦者非一木之材，匡弊俗者非一日之卫／为文以意为主，气为辅，以辞彩章句为之兵卫／未有主强盛而辅不飘逸者，兵卫不华赫而庄整者／慈仁者，百姓亲附，并心一意，故以战则胜敌，以守卫则坚固

叩 kòu 敲；磕头；询问。
❶叩门无人室无釜，踯躅空巷泪如雨
见明·陈子龙《小车行》。
叩之而必闻，触之而必应，夫是以天下可使为一身
见宋·苏轼《决壅蔽》。全句为："百官之众，四海之广，使其关节脉理相通为一，～"。
❺抱景者咸叩，怀响者毕弹
❻金石有声，弗叩弗鸣；管箫有音，弗吹无声
❿凡人之情，冤则呼天，穷则叩心／劝君莫弹食客铗，劝君莫叩富儿门／有鄙夫问于我，空空如也。我叩其两端而竭焉

印 yìn 图章；印上文字或图画；痕迹；符合；姓。
❶印何累累、绶若若邪
见汉·班固《汉书·石显传》。
❽男儿当野死，岂为印如斗
❾吾病世之逐逐然，唯印组为务以相轧

危 ①wēi 危险；忧惧；危害；屋脊；高耸的；端正；指人快要死了；星宿名；姓。②guì 通"跪"指足。
❶危急存亡之时

见清·纪昀《阅微草堂笔记·槐西杂志三》。

危若踏虎尾涉春冰

见《尚书·君牙》。

危于累卵，难于上天

见汉·枚乘《上书谏吴王》。

危叶畏风，惊禽易落

见南朝·齐·王融《永明十一年策秀才文》。

危者望安，乱者仰治

见汉·班固《汉书·严助传》。

危者易倾，疑者易化

见汉·王符《潜夫论·救边》。

危言危行，独立不回

见宋·苏轼《杭州召还乞郡状》。

❷临危莫爱身／安危须仗出群材／时危始识不世才／以危为安，以乱为治／蹈危如平，嗜粝如精／扶危持颠，皆出于学者／事危则志远，情迫则思深／安危在出令，存亡在所任／安危在得人，国兴在贤辅／安危在是非，不在于强弱／时危见臣节，世乱识忠良／时危思报主，衰谢不能休／临危而智勇奋，投命而高节亮／国危则无乐君，国安则无忧民／安危不二其志，险易不革其心／身危由于势过，而不知去势以求安／历危乘险，匪杖不行，车耆力竭，匪杖不强／安危相易，祸福相生，缓急相摩，聚散以成／见危授命，士之美行；褒善录功，国之令典／睹危急则恻隐，将赴救则畏患，是仁而不恤者

❸疏必危，亲必乱／人命危浅，朝不虑夕／危言危行，独立不回／士见危致命，见得思义／苟虑危人，人亦必虑危之／栗栗危惧，若将陨于深渊／念高危，则思谦冲而自牧／身可危也，而志不可夺也／谋思危之音，危者将不久，不久将欲衰，衰者将不寿

❹乘人之危，非仁也／告之以危而观其节／于安思危，于治忧乱／于安思危，危则虑安／乱则国危，治则国安／位尊身危，财多命殆／依人者危，臣人者辱／人心惟危，道心惟微／陷人于危，必同其难／安无忘危，存无忘亡／安不忘危，治不忘战／安不忘危，盛必虑衰／居安思危，孜孜不怠／居安思危，戒奢以俭／居安思危，日慎一日／忘战者危，极武者伤／高而不危，所以长守贵也／理生于危心，乱生于肆志／历险乘危，则骐骥不如狐狸／情欲虽危，不染则无由累己／安不忘危，故能终而成霸功焉／智者睹危思变，贤者泥而不滓／居安思危；思则有备，有备无患／心之忧危，若蹈虎尾，涉于春冰／不以高危为忧惧，岂知稼穑之艰难／安不忘危臣所愿，常思危困必无危／贵高有危殆之惧，卑贱有沟壑之忧／思所以危则安矣，思所以乱则治矣／居安忘危，处治忘乱，所以不能长久／智者不危众以举事，仁者不违义以要功／处颠者危，势丰者亏，颓坠之类，常在悬垂／穷高则危，大满则溢，月盈则缺，日中则移／察乎安危，宁于祸福，谨于去就，莫之能害也／兢兢自危，犹惧不终，而况沛然自足，可以成功者乎／安不忘危，治不忘乱，虽知今日无事，亦须思其终始／不思安危终始之虑，是乐春藻之繁华，而忘秋实之甘口也

❺天下有三危／于安思危，危则虑安／兵，凶器；战，危事／乱者思理，危者求安／思其所以危，则安矣／怒则思理，危不忘义／身寄虎吻，危同朝露／天下之安危，莫先乎兵／甘心于履危，未必逢祸／偷安者后危，虑近者忧迩／志士痛朝危，忠臣哀主辱／拱木不生危，松柏不生埤／德薄者位危，去道者身亡／居治而忘危，则治无常治／用篡臣者危，用态臣者亡／鉴国之安危，必取于亡国／居累卵之危，而图太山之安／履非常之危者不可以常道安／网开三面，危疑者许以自新用／博辩广大危其身者，发人之恶者也／以治身则危，以治国则乱，以入军则破／仁者不乘危以邀利，智者不侥幸以成功／安而不忘危，存而不忘亡，治而不忘乱／自谓乱且危者，则自戒自强，虽乱必理／上智不处危以侥幸，中智能因危以为功，下愚安于危以自亡

❻恶之者众则危／临难忘身，见危致命／国有常法，虽危不亡／见利思义，见危授命／不念居安思危，戒奢以俭／慎者不观其危，观其势也／下比周则上危，下分争则上安／申生在内而危，重耳居外而安／知安而不知危，能逸而不能劳／能扶天下之危者，必据天下之安／圣人安不忘危，恒以忧思为本营／林净藏烟，峰危限月，帆影摇空绿／谋思危之音，危者将不久，不久将欲衰，衰者将不寿

❼得合而欲多者危／治身不静则身危／政不正则君位危／暴察之威成乎危弱／上下争利，国则危矣／才下而位高，二危也／少德而多宠，危也／道通行天地……不危殆／举错数失，必致危亡之道／公若登台辅，临危莫爱身／山岳崩颓，既履危亡之运／社稷依明主，安危托妇人／失贤人，国无不危，名无不辱／勇略震主者身危，功盖天下者不赏／德无以安之则危，政无以和之则乱／恃壮者一病必危，过懒者久闲愈懦／暴察之威成乎危弱，狂妄之威成乎灭亡也

❽上下不和，虽安必危／上下交征利而国危矣／天下虽安，忘战必危／平不肆险，安不忘危／众口遭笑，虽贵必危／在上不骄，高而不危／得人则安，失人则危／治不忘乱，安不忘危／深思远虑，安不忘危／道高益安，势高益危／履道者固，杖势者危／有备无患，亡战必危／盛不忘衰，安必思危／不为难易变节，安危革行也／安民可与行义，而危民易与为非／在上不骄，高而

不危；制节谨度，满而不溢／小人之情，缓则骄……危则谋乱，安则思欲

❾人有礼则安，无礼则危／谋未发而闻于外，则危／依世则废道，违俗则危殆／功高成怨府，权盛是危机／苟虑危人，人亦必虑危之／得贤者显昌，失贤者危亡／骏足思长阪，柴车畏危辙／法修则安且治，废则危且乱／凡物置之安地则安，危地则危／去敌气与矜色兮，噤危言以端诚／离别不堪无限意，艰危深仗济时才／风霜以别草木之性，危乱而见贞良之节／言切直则不用而身危，不切直则不可以明道

❿不清不见尘，不高不见危／制治于未乱，保邦于未危／法存则国安，法亡则国危／威强以自御，力损则身危／鸟尽良弓藏，谋极身必危／与民同其安者，人必拯其危／以邪莅国、以暴加民者，危／用兵必须审敌虚实而趋其危／身无大功而受厚禄，三危也／信全则天下安，信失则天下危／凡物置之安地则安，危地则危／土处下，不在高，故安而不危／得贤者则安昌，失之者则危亡／谄谀在侧，善议障塞，则国危矣／善人不能戚，恶人不能疏者，危／满则虑嗛，平则虑险，安则虑危／杀戮众，而心不服，则上位危矣／财尽则怨，力尽则怼，君子危之／一则治，异则乱；一则安，异则危／世途昏险，拟步如漆……圣智危栗／民之治乱在于吏，国之安危在于政／民之治乱在于上，国之安危在于政／受任于败军之际，奉命于危难之间／安不忘危臣所愿，常思危困必无危／如下有泰山之安，则上有累卵之危／明者远见于未萌，而智者避危于无形／上不信，下不忠，上下不和，虽安必危／丈夫不释故而改图，哲士不侥幸而出危／厚者不损人以自益，仁者不危躯以要名／能当一人而天下取，失当一人而社稷危／委之以财而观其仁，告之以危而观其节／忠厚积，则致太平；浅薄积，则致危亡／自古及今，穷其下能不危者，未之有也／自谓理且安者，则自骄自满，虽安必危／百孔千疮，随乱随失，其危如一发引千钧／厚者不毁人以自益也，仁者不危人以要名／国虽大，好战必亡；天下虽安，忘战必危／国虽大，好战必亡；天下虽平，忘战必危／鸟必择木而栖，附托匪人者必有危身之祸／自古失国之主，皆为居安忘危，处治忘乱／天下虽兴，好战必亡；天下虽安，忘战必危／百炼而南金不亏其真，危困而烈士不失其正／非所困而困焉名必辱，非所据而据焉身必危／贞以图国，义惟急病；临难忘身，见危致命／人之乱也，由夺其食；人之危也，由竭其力／君为暗主，臣为谀臣，君暗臣谀，危亡不远／知己者不可诱以物，明于死生者不可却以危／善日者王，善时者霸，补漏者危，大荒者亡／因时而惕，不失其几，虽危而劳，可以无咎／日薄西山，气息奄奄；人命危浅，朝不虑夕／贫生于富，弱生于强，乱生于化，危生于安／贫生于富，弱生于强，乱生于治，危生于安／物至则反，冬夏是也；致高则危，累棊是也／生之者甚少而靡之者甚众，天下之势何以不危／国之有民，犹水之有舟，停则以安，扰则以危／百姓与之则安，辅之则强，非之则危，倍之则亡／日思高其位，大其禄，而贪取滋甚，以近于危坠／贤不肖，善邪辟，可悖逆，国不乱身不危奚待也／所养非所用，所用非所养，理家必弊，在国必危／济世经邦，要段云水的趣味，若有贪着，便堕危机／善计天下者不视天下之安危，察其纪纲之理乱而已矣／国以贤兴，以谄衰；君以忠安，以佞危，此古今之常论／上下相疏，内外相蒙，小臣争宠，大臣争权，此危国之风也／上智不处危以侥幸，中智能因危以为功，下愚安于危以自亡／天下之民，知安而不知危，能逸而不能劳，此臣所谓大患也／道德之威成乎安强，暴察之威成乎危弱，狂妄之威成乎灭亡也／国有三军何？所以戒非常，伐无道，尊宗庙，重社稷，安不忘危也／后嗣若贤，自能保其天下；如其不肖，多积仓库，徒益其奢侈，危亡之本也

却

què 副词，表示转折；后退，使后退；推辞；去；还在。

❶却之不恭，受之太过

见明·施耐庵《水浒传》第七十二回。

❷公却是仁发处，无公则仁行不得／了却君王天下事，赢得生前身后名

❸大得却须防大失，多忧原只为求多

❺天下有道，却走马以粪

❻贪看飞花忘却愁／生之来不能却，其去不能止／用贤者，口也；却贤者，行也／好似和针吞却线，刺人肠肚系人心

❼医得眼前疮，剜却心头肉／驱东复驱西，弃却锄与犁／老去读书随忘却，醉中得句若飞来

❽一笑语儿子，此是却老方／何事将军封万户，却令红粉为和戎／何当共剪西窗烛，却话巴山夜雨时／致君事业堆胸臆，却伴溪童学钓鱼／蛱蝶飞来过墙去，却疑春色在邻家／人虽无艰难之时，却不可忘艰难之境

❾不可以一朝风月，昧却万古长空／曾经沧海难为水，除却巫山不是云／迷阳迷阳，无伤我行；却曲却曲，无伤吾足

❿天街小雨润如酥，草色遥看近却无／不随俗物皆成土，只待良时却补天／东边日出西边雨，道是无晴却有晴／假令风歇时下来，犹能簸却沧溟水／男不封侯女作妃，君看女却是门楣／当年不肯嫁春风，无端却被秋风误／看是寻常最奇崛，成如容易却艰辛／此情无计可消除，才下眉头，却上心头／人生天地之间，若白驹之过

却，忽然而已／一噎之故，绝谷不食；一蹶之故，却足不行／知己者不可诱以物，明于死生者不可却以危／迷阳迷阳，无伤我行；却曲却曲，无伤吾足／自私之念萌，则铲之；谗谀之徒至，则却之／但务其华，不寻其实，犹缘木希鱼，却行求前／是他春带愁来，春归何处，却不解、将愁归去／美人梳洗时，满头间珠翠，岂知两片云，戴却数乡税／君子者，易亲而难狎，畏祸而难却，嗜利而不为非，时动而不苟作

即 jí 靠近；目前；就是；立刻；当，当前；倘若；通"则"。

❶即事名篇，无复依傍

见唐·元稹《乐府古题序》。

即以其人之道，还治其人之身

见宋·朱熹《四书集注·中庸第十三章》。

❷性即理也／神即形也，形即神也／先即制人，后则为人所制

❸负民即负国何忍负之／招之即来，挥之即去／有话即长，无话则短／誉见即毁随之，善见即恶从之／真知即所以为行，不行不足谓之知／片技即足自立，天下惟多技之人最劳／元气即道体，有虚即有气，有气即有道

❹诚信者，即其心易知／敬他人，即是敬自己／利人乎即为，不利人乎即止／国有道，即顺命；无道，即衡命／趣舍合，即言忠而益亲；身疏，即谋当而见疑

❺望之弘深，即之坦夷／士别三日，即更刮目相待／神龙失势，即还与蚯蚓同／心无物欲，即是秋空霁海／今日太平，即是江宁之小邑／闻善不可即亲，恐引奸人进身／春一物枯即为灾，秋一物华即为异／有财有势即相识，无财无势同路人／欲出一言，即思此一言于百姓有利益否／所谓"能"者即己也，所谓"所"者即物也

❻仙没有，无欲即仙／神即形也，形即神也／因方以借巧，即势以会奇／悦乎故不能即乎新者，弱也／名言所绝理即具于名中，意量所函变可通意外

❼招之即来，挥之即去／古文贵达，学达即所谓学古也／凡事省得一分，即受一分之益／君子之治人也，即以其人之道，还治其人之身

❽天下无正声，悦耳即为娱／赠人以财者，唯申即日之欢／诚欲远彼腥膻，而即此清净也／但得官清吏不横，即是村中歌舞时／始知绝代佳人意，即有千秋国士风／元气即道体，有虚即有气，有气即有道／取其一，不责其二；即其新，不究其旧／平日极好直言者，即患难时不肯负我之人

❾众人皆安其所不安，即不安矣／宇宙便是吾心，吾心即是宇宙／誉见即毁随之，善见即恶从之／丈夫生不五鼎食，死即五鼎烹耳／使我有身后名，不如即时一杯酒／国有道，即顺命；无道，即衡命／情不可以显出也，故即事以寓情／理不可以直指也，故即物以明理／恶不在大，心术一坏，即入祸门／传闻之言无实，无实即唐丧唾津矣／此人如精金美玉，不即人而人即之

❿利人乎即为，不利人乎即止／心为万事主，动而无节即乱／虎欲异群虎，舍山入市即擒／鱼欲异群鱼，舍水跃岸即死／无论海角与天涯，大抵心安即是家／世事洞明皆学问，人情练达即文章／何必桑干方是远，中流以北即天涯／士进则世收其器，贤用即人献其能／此人如精金美玉，不即人而人即之／春一物枯即为灾，秋一物华即为异／水能性澹为吾友，竹解心虚即我师／岂得以人言不同己意，便即护短不纳／处世让一步为高，退步即进步的张本／元气即道体，有虚即有气，有气即有道／气之聚散于太虚……知太虚即气则无无／反己者触事皆成药石，尤人者动念即是戈矛／挺然尽心，敢任天下之责者，即当委而付之／所谓"能"者即己也，所谓"所"者即物也／火烧到身，各自去扫；蜂虿入怀，随即解衣／世之治乱，在赏当其功，罚当其罪，即无不治／困境起念，随物生情，不守道循常，即为妄矣／趣舍合，即言忠而益亲；身疏，即谋当而见疑／苦身焦思，置胆于坐，坐卧即仰胆，饮食亦尝胆／君子有三变：望之俨然，即之也温，听其言也厉／魂魄二字，正犹精神二字。神即是魂，精即是魄／忽闻晓角吟风，一叶坠露，惊而试问，即红线回矣／语言文字，如春之花，或者必欲弃花而觅春，非愚即狂／非情、才无以见性，非气质无所为情、才，即无所为性也

卿 qīng 高级官员；君称臣；古时夫妻或好友间的爱称；姓。

❷孙卿言人性恶者，中人以下者也／公卿有党排宗泽，帷幄无人用岳飞／亲卿爱卿，是以卿卿。我不卿卿，谁当卿卿

❸克为卿，失则烹

❹亲卿爱卿，是以卿卿。我不卿卿，谁当卿卿

❺也不赴，公卿约；也不慕，神仙学／伺候于公卿之门，奔走于形势之途

❻四郊多垒，此卿大夫之辱也／旦握权则为卿相，夕失势则为匹夫

❼天下无事，则公卿之言轻于鸿毛／亲卿爱卿，是以卿卿。我不卿卿，谁当卿卿

❽宁方为皂，不圆为卿／谷子云笔札，楼君卿唇舌／亲卿爱卿，是以卿卿。我不卿卿，谁当卿卿

❾言之而非，虽在王侯卿相，未必可容

❿扁舟泛湖海，长揖谢公卿／惟愿孩儿愚且鲁，无灾无难到公卿／机关算尽太聪明，反算了卿卿性命／亲卿爱卿，是以卿卿。我不卿卿，谁当卿卿

队 ①duì 行列；有组织的某种集体；量词。②zhuì 同“坠”，坠落，丧失。③suì 通“隧”，隘道。

❷星队木鸣，国人皆恐。……怪之，可也；而畏之，非也

❿进人若将加诸膝，退人若将队诸渊／国家无养兵之费则国富，队伍无老弱之卒则兵强

阡 qiān 田间的小路；墓道，坟墓；通“芊”；姓。

❷越阡度陌，互为主客

❺富者田连阡陌，贫者亡立锥之地

❾一生困尘土，半世走阡陌

❿游子久不归，不识陌与阡

阤 ①zhì 山坡；塌下，崩颓。②tuó 同“陀”，山冈。③yǐ［阤靡］山势绵延。

❿城峭则必崩，岸竦则必阤

阱 jǐng 为御敌或捕兽而挖的坑。

❸落陷阱，不一引手救，反挤之，又下石焉

❻矰缴充蹊，阬阱塞路，举手挂网罗，动足蹈机坎

❿安卧扬帆，不见石滩；靠天多幸，白日入阱／猛虎在深山，百兽震恐；及在槛阱之中，摇尾而求食／为一书，务富文采，不顾事实……是犹用文锦复陷阱也

阨 ①ài 通“隘”，险要的地方。②è 同“厄”，灾难；受困。

❻遗佚而不怨，阨穷而不悯／余生命之湮阨，曾二鸟之不如

❼君子不困人于阨

❽以一击十，莫善于阨；以十击百，莫善于险

阵 zhèn 古指作战时队伍的行列或组合方式；战场；一段时间。

❷雁阵惊寒，声断衡阳之浦

❸风樯阵马，不足为其勇也

❹冲天香阵透长安，满城尽带黄金甲

❽雨后复斜阳，关山阵阵苍／伐国不问仁人，战阵不访儒士／御寇易，御物难；破阵易，破诱难

❾功盖三分国，名成八阵图／雨后复斜阳，关山阵阵苍／词源倒流三峡水，笔阵独扫千人军／打虎还得亲兄弟，上阵须教子弟兵

❿无要正正之旗，无击堂堂之阵／臂健尚嫌弓力软，眼明犹识阵云高

阳 yáng 太阳；朝阳的；外显的；凸起的；活着的；与“阴”相对；山的南面或水的北面；指活人和人世；鲜明；温和；通“佯”；姓。

❶阳不极则阴不萌，阴不极则阳不牙

见汉·扬雄《太玄》卷七。

阳春召我以烟景，大块假我以文章

见唐·李白《春夜宴从弟桃花园序》。

阳者，天之德也；阴者，天之刑也

见汉·董仲舒《春秋繁露·阴阳义》。全句为：“天道之常，一阴一阳。～”。

阳春之曲，和者必寡；盛名之下，其实难副

见南朝·宋·范晔《后汉书·黄琼传》。

阳动吐，阴静翕，阳道常饶，阴道常乏，阴阳之道也

见汉·扬雄《太玄》卷四。

❷向阳花木易逢春／阴阳不测之谓神／夕阳虽好近黄昏／夕阳红蓼满汀州／阴阳不能且冬且夏／阴阳转易，以成化生／夕阳在山，人影散乱／王阳在位，贡公弹冠／夕阳照山，无奇而不见／夕阳无限好，只是近黄昏／阴阳之不并曜，昼夜之有长短／衡阳犹有雁传书，郴阳和雁无／阴阳五行，循环错综，升降往来／阴阳变化，一上一下，合而成章／阴阳者，气之大者也；道者为之公／阴阳水旱由天公，忧雨忧风愁煞侬／太阳初出光赫赫，千山万山如火发／夕阳一片寒鸦外，目断东西四百州／欧阳当日文名重，更要推敲畏后生／阴阳之气，散则万殊，人莫知其一也／清阳者薄靡而为天，重浊者凝滞而为地／阴阳之和，不长一类，甘露时雨，不私一物／阴阳尽，而四时成焉；刚柔尽，而四维成焉／迷阳迷阳，无伤我行；却曲却曲，无伤吾足

❸人在阳时则舒，在阴时则惨／阴与阳者，气而游乎其间者也

❹一阴一阳之谓道／无阴无阳乃谓之道／言无阴阳，行无内外／莫待山阳路，空闻吹笛悲／待到重阳日，还来就菊花／饥食首阳薇，渴饮易水流／迷阳迷阳，无伤我行；却曲却曲，无伤吾足

❺天之大，阴阳尽之矣／是几度斜阳，几度残月／葵藿倾太阳，物性固莫夺／雨后复斜阳，关山阵阵苍／在天曰阴阳，在地曰柔刚，在人曰仁义／聪明者，阴阳之精。阴阳清和则中睿外明／中春之月，阳在正东，阴在正西，谓之春分／中秋之月，阳在正西，阴在正东，谓之秋分／人者，在阴阳之中央，为万物之师长，所能作最众多

❻天地既位，阴阳气交／至阴肃肃，至阳赫赫／岁老根弥壮，阳骄叶更阴／阴之所求者阳也，阳之所求者阴也／天地有官，阴阳有藏；慎守女身，物将自壮／金舟不能凌阳侯之波，玉马不任骋千里之迹

❼满城风雨近重阳／以身役物，则阴阳食之／功业未及建，夕阳忽西流／归马于华山之阳，放牛于桃林之野／有阴德者必有阳报，有隐行者必有昭名／阳动吐，阴静翕，阳道常饶，阴道常乏，阴阳之道也

❽天道之常，一阴一阳／雁阵惊寒，声断衡阳之浦／吉凶在人，岂假阴阳拘忌／远而望之，皎若太阳升朝霞／阴之所求者阳也，阳之所求者阴

也／和者天之正也，阴阳之平也，其气最良，物之所生也

❾少而好学，如日出之阳／寒而暑者，世谓之阴阳／严冬不肃杀，何以见阳春／青山依旧在，几度夕阳红／名高天下，何必辨襄阳南阳／从头越，苍山如海，残阳如血／衡阳犹有雁传书，郴阳和雁无／天地合而万物生，阴阳接而变化起／匡庐小琐拳可碎，鄱阳触怒踢欲裂／酒力醒，茶烟歇，送夕阳，迎素月／近水楼台先得月，向阳花木易为春／水曲山限四五家，夕阳烟火隔芦花／新丰美酒斗十千，咸阳游侠多少年／胜地几经兴废事，夕阳偏照古今愁／聪明者，阴阳之精。阴阳清和则中睿外明／含元一以为质，禀阴阳以立性，体五行而著形

❿人心胜潮水，相送过浔阳／太一出两仪，两仪出阴阳／战血粘秋草，征尘搅夕阳／谷口未斜日，数峰生夕阳／人生易老天难老，岁岁重阳／名高天下，何必辨襄阳南阳／骊山北构而西折，直走咸阳／高山之巅无美木，伤于多阳也／忍怒以全阴气，抑喜以养阳气／自古通天者，生之本，本于阴阳／天时人事日相催，冬至阳生春又来／但得众生皆得饱，不辞羸病卧残阳／阳不极则阴不萌，阴不极则阳不牙／劝君更尽一杯酒，西出阳关无故人／地纯阴凝聚于中，天浮阳运旋于外／老牛粗了耕耘债，啮草坡头卧夕阳／东西南北，某也何从；寒暑阴阳，时哉不与／两若有名，相与则成；阴阳备物，化变乃生／以天为父，以地为母，阴阳为纲，四时为纪／旦为朝云，暮为行雨。朝朝暮暮，阳台之下／天地之气合而为一，分为阴阳，判为四时，列为五行／阳动吐，阴静翕，阳道常饶，阴道常乏，阴阳之道也／天地相对，日月相刿，山川相流，轻重相浮，阴阳相续

阪

bǎn 亦作“坂”，山坡。

❷逆阪走丸，迎风纵棹

❺骏足思长阪，柴车畏危辙

阶

jiē 台阶；高低不同的等级；因由；凭借。

❸自滴阶前大梧叶，干君何事动哀吟／何惜阶前盈尺之地，不使白扬眉吐气，激昂青云

❹苔痕上阶绿，草色入帘青

❻婚姻，祸福之阶也／龙欲腾翥，先阶尺木

❼为民族解放，为阶级翻身，事业垂成，公胡遽死

❽无拳无勇，职为乱阶／贪而弃义，必为祸阶／福为祸始，祸作福阶／起于微贱，无所因阶者难／比于善者，自进之阶，比于恶者，自退之原

❾蜘蛛网户牖，野草当阶生／睡起秋声无觅处，满阶梧叶月明中／既谓之才，则不宜以阶级限，不应以年齿齐

❿乱之所生也，则言语以为阶／山树为盖，岩石为屏，云从栋生，水与阶平

阴

①yīn 月亮；不露出来的；不见阳光的；不光明正大；背面；阴险；迷信指有关人死后的；山的北面，水的南面；日影。②yìn 通“荫”，覆蔽，庇护。

❶阴阳不测之谓神

见《周易·系辞上》。

阴阳不能且冬且夏

见汉·刘安《淮南子·说山》。

阴阳转易，以成化生

见晋·韩康伯《周易·系辞上》注。

阴，也是错；晴，也是错

见元·陈草庵《中吕·山坡羊》二十六首之一。全句为：“天公尚有妨农过，蚕怕雨寒苗怕火。～”。

阴雪兴岩侧，悲风鸣树端

见晋·陆机《苦寒行》。

阴与阳者，气而游乎其间者也

见唐·柳宗元《非国语》。全句为：“山川者，特天地之物也。～。自动自休，自峙自流，是恶乎与我谋？自斗自竭，自崩自缺，是恶乎为我设？”

阴阳之不并曜，昼夜之有长短

见汉·桓宽《盐铁论·非鞅》。全句为：“利于彼者必耗于此，犹～也”。

阴阳五行，循环错综，升降往来

见宋·朱熹《朱子语类》卷九八。全句为：“～，所以生人物之万殊，立天地之大义”。

阴阳变化，一上一下，合而成章

见《吕氏春秋·仲夏纪·大乐》。全句为：“太一出两仪，两仪出阴阳。～”。

阴之所求者阳也，阳之所求者阴也

见三国·魏·王弼《周易略例》。

阴阳者，气之大者也；道者为之公

见《庄子·则阳》。全句为：“天地者，形之大者也；～”。

阴阳水旱由天公，忧雨忧风愁煞侬

见宋·章甫《田家苦》。

阴风搜林山鬼啸，千丈寒藤绕崩石

见宋·黄庭坚《上大蒙笼》。

阴阳之气，散则万殊，人莫知其一也

见宋·张载《正蒙·乾称下》。全句为：“～；合则混然，人不见其殊也”。

阴阳之和，不长一类，甘露时雨，不私一物

见《吕氏春秋·孟春纪·贵公》。全句为：“～，万民之主，不阿一人”。

阴阳尽，而四时成焉；刚柔尽，而四维成焉

见宋·邵雍《皇极经世·观物篇》。

阴晴显晦，昏旦含吐，千变万状，不可殚纪

见唐·白居易《庐山草堂记》。

阴风怒号，浊浪排空，日星隐曜，山岳潜形

见宋·范仲淹《岳阳楼记》。全句为："霪雨霏霏，连日不开，～"。

❷一阴一阳之谓道／无阴无阳乃谓之道／光阴者百代之过客／光阴者，百代之过客／至阴肃肃，至阳赫赫／息阴无恶木，饮水必清源／穷阴凝闭，凛冽海隅……／光阴似箭催人老，日月如梭趱少年／秋阴不散霜飞晚，留得枯荷听雨声／有阴德者必有阳报，有隐行者必有昭名

❸言无阴阳，行无内外／花木阴阴，偶过垂杨院／不遇阴雨后，岂知明月好／夏云阴兮若山，秋水平兮若天／冬也阴气积兮，愁颜者为之鲜欢／地纯阴凝聚于中，天浮阳运旋于外／树林阴翳，鸣声上下，游人去而禽鸟乐也／从山阴道上行，山川自相映发，使人应接不暇

❹一寸光阴一寸金／天之大，阴阳尽之矣／朝晖夕阴，气象万千／花木阴阴，偶过垂杨院／勿谓寸阴短，既过难再获／百岁光阴半归酒，一生事业略存诗／在天曰阴阳，在地曰柔刚，在人曰仁义／不知处阴以休影，处静以息迹，愚亦甚矣／聪明者，阴阳之精。阴阳清和则中睿外明／高树靡阴，独木不林，随时之宜，道贵从凡／人者，在阴阳之中央，为万物之师长，所能作最众多／阳动吐，阴静翕，阳道常饶，阴道常乏，阴阳之道也

❺天地既位，阴阳气交／晖目知晏，阴谐知雨／忍怒以全阴气，抑喜以养阳气／秋不得避阴雨，冬不得避寒冻／阳不极则阴不萌，阴不极则阳不牙／天地有官，阴阳有藏；慎守女身，物将自壮

❻天道之常，一阴一阳／岁月易尽，光阴难驻／以身役物，则阴阳食之／处于堂上之阴，而知日月之次序／日月如梭，光阴似箭，少年人，早打点／知大一，知大阴，知大目，知大均，知大方，知大信，知大定，至矣

❼吉凶在人，岂假阴阳拘忌／德行修逾八百，阴功积满三千／阳者，天之德也；阴者，天之刑也／和者天之正也，阴阳之平也，其气最良，物之所生也

❽物贵尺璧，我重寸阴／寒而暑者，世谓之阴阳／人在阳时则舒，在阴时则惨／无猖狂以自彰，当阴沉以自深／富贵比于浮云，光阴逾于尺璧／天地合而万物生，阴阳接而变化起／阳不极则阴不萌，阴不极则阳不牙／自古经纶足是非，阴谋最忌夺天机／大禹圣人，乃惜寸阴，众人当惜分阴／聪明者，阴阳之精。阴阳清和则中睿外明／大禹圣人，乃惜寸阴，至于众人，当惜分阴／大禹圣人，犹惜寸阴，至于凡俗，当惜分阴／含元一以为质，禀阴阳以立性，体五行而著形／不爱尺璧而爱寸阴，时过不还，若年大不可少也

❾不宝咫尺玉，而爱寸阴旬／太一出两仪，两仪出阴阳／巢居觉风飘，穴处识阴雨／谢杨柳多情，还有绿阴时节／耻一物之不知，惜寸阴之徒靡／不责人小过，不发人阴私，不念人旧恶／两若有名，相与则成；阴阳备物，化变乃生／中春之月，阳在正东，阴在正西，谓之春分／中秋之月，阳在正西，阴在正东，谓之秋分／以天为父，以地为母，阴阳为纲，四时为纪／人有悲欢离合，月有阴晴圆缺，此事古难全

❿不饮浊泉水，不息曲木阴／百年能几日，忍不惜光阴／岁老根弥壮，阳骄叶更阴／不饱食以终日，不弃功于寸阴／以无涯之情爱，悼不驻之光阴／倘非广见博闻，总觉光阴虚度／大树之下无美草，伤于多阴也／渴不饮盗泉水，热不息恶木阴／野芳发而幽香，佳木秀而繁阴／自古通天者，生之本，本于阴阳／但使龙城飞将在，不教胡马渡阴山／阴之所求者阳也，阳之所求者阴也／少年易学老难成，一寸光阴不可轻／少年辛苦终身事，莫向光阴惰寸功／多少事，从来急；天地转，光阴迫／水鹗翔而大风作，穴蚁徙而阴雨零／着意种花花不活，无心栽柳柳成阴／大禹圣人，乃惜寸阴，众人当惜分阴／冬者岁之余，夜者日之余，阴雨者时之余／一家失熛，百家皆烧；谗夫阴谋，百姓暴骸／不贵尺之璧，而重寸之阴，时难得而易失也／东西南北，某也何从；寒暑阴阳，时哉不与／大禹圣人，乃惜寸阴，至于众人，当惜分阴／大禹圣人，犹惜寸阴，至于凡俗，当惜分阴／当厄之施，甘于时雨；伤心之语，毒于阴冰／清流触石，洄旋激注，佳木异竹，垂阴相荫／洼者为池而缺者为洞，若有鬼神异物阴来相之／圣人不贵尺之璧，而重寸之阴，时难得而易失也／天地之气合而为一，分为阴阳，判为四时，列为五行／今夫大海……旦则浴日而出之，夜则滔列星，涵太阴／阳动吐，阴静翕，阳道常饶，阴道常乏，阴阳之道也／天地相对，日月相刿，山川相流，轻重相浮，阴阳相续

阬

①kēng"坑"的异体字。②gāng 大土山。

❺矰缴充蹊，阬阱塞路，举手挂网罗，动足蹈机坎

防

fáng 堤防；预防；警戒，守卫；比，当；姓。

❶防人盗不如防我盗

见五代·南唐·谭峭《化书卷三·养民》。

防民之口，甚于防水

见汉·司马迁《史记·周本记》。

防决不备，有水溢之害

见汉·王充《论衡·对作篇》。全句为："～；网解不结，有兽失之患"。

防小人之道，正己为先

见宋·朱熹《近思录·政事类》。

防微于未兆，虑难于将来

见晋·陈寿《三国志·吴书·孙破虏讨逆传》。

防其微，杜其渐，使不至于暴乱也

见唐·白居易《才识兼茂明于体用科策一道》。全句为："军暴而后戢之，兵乱而后遏之，善则善矣；不若～"。

防民之口，甚于防川，川壅而溃，伤人必多

见《国语·周语上》。

❷慎防其端，禁于未然／不防盟墨诈，须戒覆车新／堤防成而民无水灾，礼义立，民无乱患

❸以明防前，以智虑后／君子防未然，不处嫌疑间／须用防微杜渐，毋为因小失大／明者防祸于未萌，智者图患于将来／君子防悔尤，贤人戒行藏，嫌疑远瓜李，言动慎毫芒

❹先事预防之道也／礼所以防淫，乐所以移风／礼所以防淫佚，节其侈靡也／积水于防，燎火于原，未尝暂静也／川不可防，言不可弭，下塞上聋，邦其倾矣

❺图匮于丰，防俭于逸／守口如瓶，防意如城／微不可不防，远不可不虑／大得却须防大失，多忧原只为求多／牢骚太盛防肠断，风物长宜放眼量／善为政者，防于未然，均其有无，省其徭役

❻防人盗不如防我盗／出门择交友，防慎畏薰莸／礼之大本，以防乱也……凡为理者杀无赦

❼民背如崩，势绝防断／防民之口，甚于防水／莫信直中直，须防仁不仁／其以止患，犹堤防之于江河／君子思过而预防之，所以有诫也／箴者，所以攻疾防患，喻针石也／法禁者俗之堤防，刑罚者人之衔辔／防民之口，甚于防川，川壅而溃，伤人必多／岂不遽止？然犹防川，大决所犯，伤人必多

❽君子以思患而豫防之／疑人者为人所疑，防人者为人所防

❾九河盈溢，非一块所防／得意浓时休进步，须防世事多番覆／惟能于其未然而预防之，故无后忧／衣缺不补，则日以甚；防漏不塞，则日以滋

❿名高毁所集，言巧智难防／见悻悻自好之徒，应须防口／闻忠善以损怨，不闻作威以防怨／天可度，地可量，唯有人心不可防／我闻忠善以损怨，不闻作威以防怨／疑人者为人所疑，防人者为人所防／吾闻忠善以损怨，不闻作威以防怨／小人深情厚貌，毒人不可防范，殆其甚于豺狼也／君子居必择乡，游必就士，所以防邪僻而近中正也／君子口无戏谑之言，言必有防；身无戏谑之行，行必有检

际 jì 靠边的地方；彼此之间；特定的时候；正当；中间；遭遇。

❷不际之际，际之不际者也／国际悲歌歌一曲，狂飙为我从天落

❹天人之际，合而为一／不际之际，际之不际者也／窈然无际，天道自会；漠然无分，天道自运

❺临利害之际而不失故常／不际之际，际之不际者也／玉城雪岭，际天而来……／究天人之际，通古今之变，成一家之言

❻大抵忿怒之际……／当事有四要：际畔要果决，怕是绵／道者……高不可际，深不可测；包裹天地，禀授无形

❼受任于败军之际，奉命于危难之间

❽舟行若穷，忽又无际／不际之际，际之不际者也／惟夫消磨靡烂之际，金久炼而愈精

❾毅魄归来日，灵旗空际看

❿弃绝乎礼义之绪，夺攘乎利害之际／贤者报国之功，乃在缓急有为之际／惩劝善恶之柄，执于文士褒贬之际焉／意授于思，言授于意，密则无际，疏则千里／斟酌乎质文之间，而隐括乎雅俗之际，可与言通变矣

陆 ①lù 陆地；姓；[陆续]或先或后，断断续续；[陆离]形容色彩驳杂。②liù 数目字"六"的大写。

❷随陆无武，绛灌无文／行陆者立而秦，有车也／潘陆颜谢，蹈迷津而不归

❺吞舟之鱼，陆处则不胜蝼蚁／水击鹄雁，陆断驹马，则臧获不疑钝利

❻神龙失水而陆居兮，为蝼蚁之所裁

❽天发杀机，龙蛇起陆／舟浮于水，车转于陆／洪涛未接，长鲸多陆死之忧／泉涸，鱼相与处于陆……不若相忘于江湖

❿强己才之所不逮，是行舟于陆也／大梁襟带洪河险，谁遣神州陆地沉／胸中有誓深于海，肯使神州竟陆沉／水处者渔，山处者木，谷处者牧，陆处者农／不躬行，便如水行得车，陆行得舟，一毫受用不得

阿 ①ā 前缀；音译用字；作语助。②ē 迎合；大的丘陵；弯曲的地方；通"婀"，柔美貌；屋栋；古代一种轻细的丝织物品；姓。

❶阿谀有福，深言近祸

见南朝·宋·范晔《后汉书·皇甫规传》。

❷依阿权势者，凄凉万古／太阿之剑，犀角不足齿其锋／不阿党，不私色，故群徒之卒不得容

❸法不阿贵，绳不挠曲

❹倒持泰阿，授楚其柄

❺无曲学以阿世／皇天无私阿兮，览民德焉错

辅／爱人者不阿，憎人者不害，爱恶各以其正，治之至也
❻当公法则不阿亲戚／万民之主，不阿一人／古者诛罚不阿亲戚，故天下治
❼赏不遗远，罚不阿近／传神写照，正在阿堵中／外不避仇，内不阿亲，贤者予
❽举事不私，听狱不阿／赏不遗疏远，罚不阿亲贵／必原情以定罪，不阿意以侮法
❾学识英博，非复吴下阿蒙
❿治强生于法，弱乱生于阿／死去何所道，托体同山阿／当官不挠贵势，执平不阿所私／六王毕，四海一，蜀山兀，阿房出／身行顺，治事公，故国无阿党之议

陇 lǒng 通“垄”，田埂；旺盛；甘肃的别称；[陇山]在陕西、甘肃交界处。
❻遗腹子之上陇，以礼哭泣之，而无所归心
❽人苦不知足；既平陇，复望蜀
❾落梅芳树，共体千篇；陇水巫山，殊名一意

陈 ①chén 陈列；述说；时间久的；宣扬；陈旧；朝代名；堂下至院门的通道；姓。②zhèn“阵”的古字。
❶陈力就列，不能者止
见《论语·季氏》。
❷惟陈言之务去／推陈出新，饶有别致／战陈之间，不厌诈伪／桃陈则李代，月满则哉生／梁、陈间，率不过嘲风雪，弄花草而已
❸杜甫陈子昂，才名括天地
❹战虽有陈，而勇为本／齐梁及陈隋，众作等蝉噪／绳墨诚陈矣，则不可欺以曲直／赋者，敷陈其事而直言之者也
❺扫尽市朝陈迹／事有本真，陈施于亿／善师者不陈，善陈者不战／闭门觅句陈无己，对客挥毫秦少游
❻芳林新叶催陈叶，流水前波让后波／修礼以耕之，陈义以种之，讲学以耨之
❼明修栈道，暗度陈仓／善师者不陈，善陈者不战
❽人杰地灵，徐孺下陈蕃之榻
❾书味在胸中，甘于饮陈酒／志深而喻切，因事以陈辞
❿预支五百年新意，到了千年又觉陈／言于国竭情无私，理于家陈信无愧／当其取于心而注于手也，惟陈言之务去／宫中积珍宝，狗马实外厩，美人充下陈／诚欲往来言所闻，则仆固愿悉陈中所得者／敌欲固守，攻其无备；敌欲兴陈，出其不意／食人力之粟，守无事之官，拳拳血诚，无所陈露／时之来也，为云龙，为风鹏，勃然突然，陈力以出

阻 zǔ 挡住；拦住；险恶的地方；疑惑；倚仗。
❶阻兵无众，安忍无亲
见《左传·隐公四年》。
❸所谓阻且艰者，莫能高其高而深其深也
❹前无所阻兮，跛鳖千里
❻利锁名缰，几阻当年欢笑
❽以千击万，莫善于阻
❿人情险于山川，以其动静可识，而沉阻难徵／力视损明，力听损聪，疾言阻德，功伪败功

附 ①fù 随带；挨近，靠近；依从；增益；施刑。②pǒu“附娄”同“培娄”，小土丘。
❶附耳之语，流闻千里
见《文子·微明》。
附耳之言，闻于千里
见汉·刘安《淮南子·说林》。
附而不治者，义不足也
见晋·陈寿《三国志·魏书·刘表传》。全句为：“众不附者，仁不足也；～”。
附顺者拔擢，忤恨者诛灭
见汉·班固《汉书·王莽传》。
附赢以升高而枯，蝜蝂以任重而踬
见明·刘基《拟连珠》。
附骥尾则涉千里，攀鸿翮则翔四海
见汉·王褒《四子讲德论》。
❸炎而附，寒而弃／众不附者，仁不足也／苍蝇附骥尾而致千里／饥则附人，饱便高扬／攀龙附凤，必在初举／文能附众，武能威敌／桑无附枝，麦穗两岐。张君为政，乐不可支
❹见势则附，俗人之所能也／攀龙鳞，附凤翼，以成其所志／疗饥于附子，止渴于鸩毒，未入肠胃，已绝咽喉
❺无掘壑而附丘，无舍本而治末
❻兵要在乎善附民而已／政在于民，下附其上则兵强／恩与信可以附吾民而服邻国
❼以割下为能，以附上为忠，此叛国之风也／鸟必择木而栖，附托匪人者必有危身之祸／慈仁者，百姓亲附，并心一意，故以战则胜敌，以守卫则坚固
❾小者乐致其小以自附于大／今之交乎人者，炎而附，寒而弃／强弱成败之要，在乎附士卒、教习之而已
❿善虽不吾与，吾将强而附／君子固当亲，然亦不可曲为附和／昔者明王之爱天下，故天下可附／学诗者不可忽略古人，亦不可附会古人／安土重迁，黎民之性；骨肉相附，人情所愿／结体散文，直而不野，婉转附物，惆怅切情／水性虚而沦漪结，木体实而花萼振，文附质也

陂 ①bēi 山坡；水岸；池塘；边际；壅塞；倾斜。②bì 倾斜，不平。③pō[陂陀]不平坦。④pí[黄陂]县名。
❹无平不陂，无往不复

❽城峭则崩,岸峭则陂/寻常之污,不能溉陂泽

陋 lòu 不好看,不精致;狭小,粗略;不文明的,有害处的;知识不丰富;鄙视。

❶陋室空堂,当年笏满床

见清·曹雪芹《红楼梦》第一回。全句为:"~;衰草枯杨,曾为歌舞场"。

❷恃陋而不备,罪之大者也

❸贫疑陋巷春偏少,贵想豪家月最明

❹明扬仄陋,唯才是举/杂似博,陋似约,学者不可不察也

❺明明扬侧陋

❻君子居之,何陋之有/成败论古人,陋识殊未公/立德者以幽陋好遗,显登者以贵途易引

❼不读诗书形体陋/贵耳贱目,荣古陋今,人之大情也

❽彼以文词而已者陋矣/独学而无友,则孤陋而寡闻/一箪食,一瓢饮,在陋巷……/不实在于轻发,固陋在于离贤

❾处屯而必行其道,居陋而不改其度

❿学欲博,不欲杂;守欲约,不欲陋/吾闻中国之君子,明乎礼义而陋于知人心/才者璞也,识者工也,良璞授于贱工,器之陋也/贤主忠臣,不能导愚教陋,则名不冠后、实不及世矣

陌 mò 田间的小路;泛指道路;钱一百文。[陌路]在路上遇到的生人;陌生,不熟悉,不认识。

❶陌上新离别,苍茫四郊晦

见唐·王维《别弟缙后登青龙寺望蓝田山》。全句为:"~,登高不见君,故山复云外"。

❷紫陌红尘拂面来,无人不道看花回

❸忽见陌头杨柳色,悔教夫婿觅封侯

❹越阡度陌,互为主客/三条九陌丽城限,万户千门平旦开

❻富者田连阡陌,贫者亡立锥之地

❽人生无根蒂,飘如陌上尘/游子久不归,不识陌与阡

❿一生困尘土,半世走阡陌/生前富贵草头露,身后风流陌上花

降 ①xiáng 向对手或敌人屈服;制服;和同;欢悦;悦服。②jiàng 降落;使落下;降生;谓公主下嫁;贬抑。

❶降矣哉? 终身夷狄

见唐·李华《吊古战场文》。全句为:"~;战矣哉? 暴骨沙砾"。

降年有永有不永,非天夭民,民中绝命

见《尚书·高宗肜日》。

❸卑让降下者,茂进之遂路也/天将降大任于是人也,必先苦其心志/时雨降矣,而犹浸灌,其于泽也,不亦劳乎

❹人之升降,与政隆替/霜露既降,木叶尽脱/都尉新降,将军覆没……

❺饱暖非天降,赖尔筋与力/秋也严霜降兮,殷忧者为之不乐

❻未闻烈士树降旗/下民之孽,匪降自天/大寒至,霜雪降,然后知松柏之茂/君王城上竖降旗,妾在深宫哪得知

❼祸莫大于杀已降/油然作云,沛然降雨,则苗浡然兴之矣

❽为学第一工夫,要降得浮躁之气定/惟古于词必己出,降而不能乃剽贼/寒不累时,则霜不降;温不兼日,则冰不释/惟上帝不常,作善降之百祥,作不善降之百殃

❾但有断头将军,无有降将军/回乐峰前沙似雪,受降城下月如霜

❿语云:猛兽易伏,人心难降/阴阳五行,循环错综,升降往来/我劝天公重抖擞,不拘一格降人材/以此治人,则膏雨甘露降矣,寒暑四时当矣/惟上帝不常,作善降之百祥,作不善降之百殃/下以言语为学,上以言语为治,世道之所以日降也/君臣父子人间之事谓之义,登降揖让,贵贱有等,亲疏之体,谓之礼

隋 duò 坠落,破败;落入。

❿金以刚折,水以柔全;山以高陊,谷以卑安

限 xiàn 范围;规定;限定,限制;门槛;指定的范围,限度。

❶限以资例,则取人之路狭

见宋·欧阳修《再论台官不可限资考札子》。全句为:"~;不限资例,则取人之路广"。

限之以爵,爵加则知荣,恩荣并济,上下有节

见三国·蜀·诸葛亮《答法正书》。全句为:"威之以法,法行则知恩,~"

❷不限资例,则取人之路广/目限于所见,则夺其天明/耳限于所闻,则夺其天聪/不限资考,惟择才堪者为之

❸不自限其昏与庸而力学不倦,自立者也/以易限之鉴,镜难原之才,使国罔遗授,野无滞器,其可得

❹诗情无限景无穷/夕阳无限好,只是近黄昏/用人不限资品,但择有才/世间无限丹青手,一片伤心画不成/举将而限以资品,则英豪之士在下位者不可得/人生有限,情欲无厌。既不救其死亡,岂能保乎金玉

❺读书最要限程……/讲之功有限,习之功无已/昏与庸,可限而不可限也

❻一人之鉴易限,而天下之才难原/偏讶思君无限极,欲罢欲忘还复忆/离别不堪无限意,艰危深仗济时才/诸侯之地有限,暴秦之欲无厌……

❼林净藏烟,峰危限月,帆影摇空绿/独自莫凭

阑，无限江山，别时容易见时难
❽持钱买水，所取有限／猜忍之人，志欲无限／有贤豪之士，不须限于下位／人生大期，百年为限，节护之者可至千岁
❾昏与庸，可限而不可限也／夫妻本是同林鸟，大限来时各自飞／天生一个仙人洞，无限风光在险峰
❿今朝有酒今朝醉，且尽樽前有限杯／莫思身外无穷事，且尽生前有限杯／既谓之才，则不宜以阶级限，不应以年齿齐／捣鬼有术，也有效，然而有限，所以以此成大事者，古来无有／刺史宜精选谨择以委任之，固不可拘限官次，得之货贿，出之权门者也

陛 bì 帝王宫殿的台阶。
❸宰相，陛下之腹心；刺史县令，陛下之手足

陟 zhì 登；上；提拔；晋升，进用；犹重峦叠嶂。
❷黜陟幽明，扬清激浊
❹一登一陟一回顾，我脚高地他更高
❺积微成大，陟遐自迩
❻升高必自下，陟遐必自迩
❽若升高，必自下；若陟遐，必自迩
❿五岳不能削其峻，以副陟者之欲

陨 ①yǔn 从高空掉下来；死亡；毁坏。②yuán 通"员"，幅员。
❻见机不遂者陨功
❼栗栗危惧，若将陨于深渊
❽趋利而不以为辱，陨身而不以为怨

除 ①chú 去掉；此外；数学求商的方法；台阶；修治；拜官授职。②zhù 施予；光阴过去。
❶除浮华则无忧患
见《老子》二十河上公注。
除日无岁，无内无外
见《庄子·则阳》。
除患无至，易于救患
见《战国策·燕策》。
除害在于敢断，得众在于下人
见《尉缭子·十二陵》。
除患于未萌，然后能转而为福
见宋·苏洵《审敌》。
除害之要，在于去之，不在南北
见汉·董仲舒《春秋繁露·考功名》。全句为："兴利之要，在于致之，不在于多少；～"。
❷务除其灾，思致其福／善除患者，不若无患之大也／能除患则为福，不能除患为贼／能除天下之忧者，必享天下之乐／善除害者，察其本；善理疾者，绝其源／先除尘垢后染善法，譬如浣衣先去垢然后可染
❸知者除谗以自安也／斩草除根，萌芽不发／要扫除一切害人虫，全无敌／人能除情欲，节滋味，清五藏，则神明居之
❹本弊不除，则其末难止／斩草不除根，萌芽春再发／一灯能除千年暗，一智能灭万年愚／爱人以除残为务，政理以去乱为心
❺树德务滋，除恶务本／萃。君子以除戎器，戒不虞／牧民之道，除其所疾，适其所安／欲为圣朝除弊事，肯将衰朽惜残年
❻疏广散金以除子孙之祸／制欲于未萌，除害于未兆／兴天下之利，除天下之害／去民之患，如除腹心之疾／祸之始也易除，其除之不可者避之；及其成也欲除之不可，欲避之不可
❼抽薪止沸，剪草除根／世未有小人不除而治者也／兴天下之同利，除天下之同害／治疾及其未笃，除患贵其未深／树善滋于务本，除恶穷于塞源／爆竹声中一岁除，春风送暖入屠苏／衣不洗则垢不除，刀不磨则锋不锐／此情无计可消除，才下眉头，却上心头
❽可行必守，有弊必除／理则顿悟，事非顿除／丑声，贯盈。迟和早除奸佞／欲急人所务，当先除其所患／曾经沧海难为水，除却巫山不是云／大丈夫当为国扫除天下，岂徒室中乎／彼兵者，所以禁暴除害也，非争夺也／大丈夫处世，当扫除天下，安事一室乎／疾病不可以自责除，水旱不可以祷谢去／有益于化，虽小弗除；无补于政，虽大弗与／用四海九州之力，除此小寇，难易可知……／治天下之要，存乎除奸；除奸之要，存乎治官／祸之始也易除，其除之不可者避之；及其成也欲除之不可，欲避之不可
❾积思勉之功，旧习自除／能除患则为福，不能除患为贼／不为捣衣勤不睡，破除今夜夜如年／虚其欲，神将入舍；扫除不洁，神乃留处
❿豺狼已毙，在狐鼠而宜除／树木者忧其蠹，保民者除其贼／听政之初，当以通下情除壅蔽为急务／古之贤人君子，大智经营，莫不除害兴利／治国者敬其宝，爱其器，任其用，除其妖／知足之人，体道同德，绝名除利，立我于无／虎狼当路，不治狐狸。先除大害，小害自已／治天下之要，存乎除奸；除奸之要，存乎治官／城狐社鼠皆微物，为其有所凭恃，故除之犹不易／仁人之所以为事者，必兴天下之利，除去天下之害／伪乱俗，私坏法，放越轨，奢败制。四者不除，则政未由行矣／祸之始也易除，其除之不可者避之；及其成也欲除之不可，欲避之不可

险 ①xiǎn 有可能遭受灾难、失败或损失的；危险的情况或境地；险要；狠毒；几乎。②yán 通"岩"。
❶险道狭路，可击
见《吴子·料敌》。

险语破鬼胆，高词媲皇坟

见唐·韩愈《醉赠张秘书》。

❷视险如夷，瞻程非邈／历险乘危，则骐骥不如狐狸／行险者不得履绳，出林者不得直道／迂险之言，则欲反之；循常之说，则必信之

❸智以险昌，愚以险亡／路不险，无以知马之良／人心险于山川，难于知天／路不险，则无以知马之良／履千险而不失其信，遇万折而不失其东／人情险于山川，以其动静可识，而沉阻难徵

❹平不肆险，安不忘危／铤而走险，急何能择／偶然临险地，不信在人间／凡人心险于山川，难于知天／昔时地险，实为建业之雄都／巫峡之险不能覆舟而覆于平流／世途昏险，拟步如漆……圣智危栗／路歧之险夷，必待身亲履历而后知／历危乘险，匪杖不行，车耆力竭，匪杖不强

❺方轨易因，险途难御／不涉太行险，谁知斯路难／世路山河险，君门烟雾深

❻群车方奔乎险路，安能与之齐轨／登山不以艰险而止，则必臻乎峻岭

❼智以险昌，愚以险亡／山中人自正，路险心亦平／遇繁而若一，履险而若夷／安危不二其志，险易不革其心／大梁襟带洪河险，谁遣神州陆地沉

❽敌近而静者，恃其险也／尚德行者，必无凶险之类／乐易者常寿长，忧险者常夭折／满则虑嗛，平则虑险，安则虑危

❾矜奋侵陵者，毁塞之险途也／能四时而不衰，历夷险而益固／琢雕自是文章病，奇险尤伤气骨多／山虽高，水虽下，其为险而害也，要之不异

❿不乘人于利，不迫人于险／天生一个仙人洞，无限风光在险峰／君子居易以俟命，小人行险以徼幸／惟夫党人之偷乐兮，路幽昧以险隘／世之奇伟瑰怪非常之观，常在于险远／域民不以封疆之界，固国不以山溪之险／亲履艰难者知下情，备经险易者达物伪／物有甘苦尝之者识，道有夷险履之者知／爱赤子者不慢于保，绝险历远者不慢于御／不择善否，两容颊适，偷拔其所欲，谓之险／以一击十，莫善于阨；以十击百，莫善于险／国有常众，战无常胜；地有常险，守无常势／方于平易，皆能阔步而进，一遇峻险，则止矣

院 yuàn 院子；某些机关和公共场所的名称；特指医院和学院。

❻飒飒西风满院栽，蕊寒香冷蝶难来

❾花木阴阴，偶过垂杨院／息燕归檐静，飞花落院闲

陵 líng 土山；特指帝王的坟墓，现也指领袖或烈士的坟墓；磨砺；严峻；经过；欺侮；登。

❶陵波微步，罗袜生尘

见三国·魏·曹植《洛神赋》。

陵涛鼓怒以伏注，天壁嵯峨而横立

见唐·王勃《入蜀纪行诗序》。全句为："丹壑争流，青峰杂起，～"。

陵虚之鸟，爱其清高，不愿江汉之鱼

见晋·陈寿《三国志·魏书·方技传》。全句为："～；渊沼之鱼，乐其濡湿，不易腾风之鸟"。

❷多陵人者皆不在／不陵节而施之谓孙／《广陵散》于今绝矣／巴陵胜状，在洞庭一湖／寿陵失本步，笑杀邯郸人／志陵青云之上，身晦泥污之下／冈陵起伏，草木行列，烟消日出

❸舒吾陵霄羽，奋此千里足／激波陵山，必成难升之势／震风陵雨，然后知夏屋之为帡幪也／违强陵弱，非勇也；乘人之约，非仁也／山无陵，江水为竭……天地合，乃敢与君绝

❹小隐隐陵薮，大隐隐朝市／矜奋侵陵者，毁塞之险途也

❺贱妨贵，少陵长……所谓六逆也／在上位，不陵下；在下位，不援上

❻城有时而复，陵有时而迁／君民者岂以陵民？社稷是主／为高必因丘陵，为下必因川泽／玄龙，迎夏则陵云而奋鳞，乐时也

❼政以胜众，非以陵众；众以胜事，非以伤事

❽高岸为谷，深谷为陵／西望武昌诸山，冈陵起伏……／智鄙相笼，强弱相陵，天下之乱何时而已乎

❿有时朝发白帝，暮到江陵……／河以逶蛇，故能远；山以陵迟，故能高／百川学海而至于海，丘陵学山而不至于山／世禄之家，鲜克由礼。以荡陵德，实悖天道／务名者乐人之进趋过人，而不能出陵己之后

陲 chuí 边疆；山脚下。

❺不可以边陲不耸，恬然便谓无事

陶 ①táo 瓦器；制造陶器；比喻造就，培养；喜，快乐；畅茂；姓。[陶陶]和乐貌；和暖貌。②yáo 通"窑"；[陶陶]漫长貌；思念貌。③dào[陶陶]驱驰貌。

❶陶钧文思，贵在虚静

见南朝·梁·刘勰《文心雕龙·神思》。全句为："～。疏瀹五藏，澡雪精神"。

陶尽门前土，屋上无片瓦

见宋·梅尧臣《陶者》。

陶匏异器，并为入耳之娱

见南朝·梁·萧统《文选序》。全句为："～；黼黻不同，俱为悦目之玩"。

陶令不知何处去，桃花源里可耕田

见现代·毛泽东《七律·登庐山》。

陶者能圆而不能方,矢者能直而不能曲
见宋·苏轼《送张道士序》。
❹作诗者陶冶物情,体会光景,必贵乎自得
❺挥兹一觞,陶然自乐
❻读书之乐乐陶陶,起弄明月霜天高
❿翳嘉林,坐石矶,投竿而渔,陶然以乐/尧以不得舜为己忧,舜以不得禹、皋陶为己忧

陷 xiàn 掉进沼泽或土质松软的地方;被攻破;设计害人;缺点;陷阱;深入;少,不足;刺入。
❶陷之死地而后生
见汉·班固《汉书·韩信传》。全句为:"~,投之亡地而后存"。
陷人于危,必同其难
见南朝·宋·范晔《后汉书·公孙瓒传》。
❷落陷阱,不一引手救,反挤之,又下石焉
❸善恶陷于成败,毁誉胁于势利/不可陷之楯与无不陷之矛不可同世而立
❺以子之矛,陷子之盾
❼出者突然成丘,陷者呀然成谷
❽父有争子,则身不陷于不义/投之亡地然后存,陷之死地然后生
❾不可陷之楯与无不陷之矛不可同世而立/水行者表深,使人无陷;治民者表乱,使人无失
❿与物推移,故万举而不陷/诐辞知其所蔽,淫辞知其所陷/刀笔之吏专深文巧诋,陷人于罔,以自为功/设必犯之法,不度民情之不堪,是陷民于罪也/为一书,务富文采,不顾事实……是犹用文锦复陷阱也

陪 péi 跟随做伴;辅佐;重叠;通"赔"。
❿一骥骋长衢,众兽不敢陪

隋 ①suí 朝代名;姓。②duò 残余的祭品;通"堕"。③tuǒ 通"椭",椭圆形。
❶隋侯之珠,不饰以银黄
见《韩非子·解老》。全句为:"和氏之璧,不饰以五采;~。其质至美,物不足以饰之"。
隋侯之珠,和氏之璧,得之者富,失之者贫
见汉·刘安《淮南子·览冥》。
隋侯之珠,国之宝也,然用之弹,曾不如泥丸
见汉·刘向《说苑·杂言》。
❷得隋侯之珠,不若得事之所由/以隋侯之珠,弹千仞之雀,世必笑之
❺齐梁及陈隋,众作等蝉噪
❾和氏之璧,出于璞石;隋氏之珠,产于蜃蛤

堕 ①duò 落;通"惰",懈怠。②huī 通"隳",毁坏。
❷如堕五里雾中/虫堕一器,酒弃不饮;鼠涉一筐,饭捐不食
❸荷甑堕地,不顾而去/虎狼堕井,仁者见之而不怜/沐者堕发,而犹为之不止,以所去者少,所利者多
❹平居不堕其业,穷困不易其素/声声解堕金铜泪,未信吴儿是木人
❺安宁勿懈堕,有事不迫遽
❾自伐者无功,功成者堕,名成者亏
❿日习则学不忘,自勉则身不堕/世人逐势争奔走,沥胆堕肝惟恐后/幽音变调忽飘洒,长风吹林雨堕瓦/宁期此地忽相遇,惊喜茫如堕烟雾/山,刺破青天锷未残。天欲堕,赖以拄其间/济世经邦,要段云水的趣味,若有贪着,便堕危机/三皇之知,上悖日月之明,下睽山川之精,中堕四时之施

随 suí 跟;顺着;顺便;任凭;像;六十四卦之一;古国名;足趾。
❶随陆无武,绛灌无文
见唐·房玄龄等《晋书·刘元海载记》。
随见随忘,随闻随废
见唐·杜牧《上池州李使君书》。全句为:"~,轻目重耳之过,此亦学者之一病也"。
随踵而立者,人之薄也
见南朝·宋·颜廷之《陶徵士诔》。全句为:"无足而至者,物之藉也;~"。
随风潜入夜,润物细无声
见唐·杜甫《春夜喜雨》。
随风飘荡,白云还卧深谷
见清·厉鹗《百字令》。全句为:"林净藏烟,峰危限月,帆影摇空绿。~"
随你官清似水,难逃吏滑如油
见明·冯梦龙《警世通言·金令史美婢酬秀童》。
随其成心而师之,谁独且无师乎
见《庄子·齐物论》。全句为:"~?奚必知代而心自取者有之?"。
随人作计终后人,自成一家始逼真
见宋·黄庭坚《以右军书数种赠丘十四》。
❷德随量进,量由识长/情随事迁,感慨系之/情随境变,字逐情生/愁随芳草,绿遍江南/愿随孤月影,流照伏波营/不随俗物皆成土,只待良时却补天/不随举子纸上学六韬,不学腐儒穿凿注五经
❸随见随忘,随闻随废/珠玉随风,冰雪在口/鼓声随听绝,帆势与云邻/芹泥随燕觜,花蕊上蜂须/是非随名实,赏罚随是非/韵者,随迹立形,备遗不俗/小则随事酬劳,大则量才录用/红雨随心翻作浪,青山着意化为桥/文章随世作抵昂,变尽风骚到晚唐/入泽随龟,不暇调足;深渊捕蛟,不暇定手
❹物诱气随,外适内和/气者,心随笔运,取象不惑/不以官随其爱,能当之者处之/卷舒不

随乎时，文武唯其所用／春色不随亡国尽，野花只作旧时开
❺世之质文，随教而变／变形易色，随风东西／随见随忘，随闻随废／损盈成亏，随世随死／誉见即毁随之，善见即恶从之／老去读书随忘却，醉中得句若飞来／事业文章随身销毁，而精神万古如新／百孔千疮，随乱随失，其危如一发引千钧／世必有才，随时所用，岂待……然后为治乎／困境起念，随物生情，不守道循常，即为妄矣
❻中材之人则随世损益／恋逐云飞，思随蓬卷／赞以洁白，而随以污德／但令身未死，随力报乾坤／轻缗振网，或随吞舟之势／逃名而名我随，避名而名我追／大德之人不随世俗，所行独从于道
❼行成于思，毁于随／矜粪丸而拟质随珠／随见随忘，随闻随废／苟不慎也，败辱随之／损盈成亏，随世随死／善恶昭彰，如影随形／有境界而二者随之也／动而得谤，名亦随之宜／传闻不同，善恶随人所见／宁与燕雀翔，不随黄鹄飞／朝扣富儿门，暮随肥马尘／行于世间，目不随人视……鼻不随人气／百孔千疮，随乱随失，其危如一发引千钧／志之所在，气亦随之；气之所在，天地鬼神亦随之
❽上和下睦，夫唱妇随／民俗既迁，风气亦随／是非随名实，赏罚随是非／荆山鹊飞而玉碎，随岸蛇生而珠死
❾良田千顷，不如薄艺随身／功业逐日以新，名声随风而流／明者因时而变，知者随事而制／惟有一天秋夜月，不随田亩入官租／宁可抱香枝上老，不随黄叶舞秋风／目送征鸿飞杳杳，思随流水去茫茫／钓者中大鱼，则纵而随之……则无不得也／高树靡阴，独木不林，随时之宜，道贵从凡
❿渚云低暗度，关月冷相随／人情曷似春山好，山色不随春老／贞操与日月俱悬，孤芳随山壑共远／人寰尚有遗民在，大节难随九鼎沦／纵横正有凌云笔，俯仰随人亦可怜／业精于勤荒于嬉，行成于思毁于随／矮人看戏何曾见，都是随人说短长／名者实之宾也，实有美恶，名亦随之／行于世间，目不随人视……鼻不随人气／慎尔言，将有和之；慎尔行，将有随之／鼻之所喜不可任也，口之所嗜不可随也／火烧到身，各自去扫；蜂虿入怀，随即解衣／繁略殊形，隐显异术，抑引随时，变通会适／读来一百遍，不如亲见颜色，随问而对之易了／志之所在，气亦随之；气之所在，天地鬼神亦随之／人品须从小作起，权宜苟且诡随之意多，则一生人品坏矣

隅

yú 角落；靠边的地方。

❷东隅已逝，桑榆非晚／见隅曲之一指，而不知八极之广大
❸举一隅不以三隅反，则不复也
❹失之东隅，收之桑榆／大方无隅，大器晚成，大音希声，大象无形
❼举一隅不以三隅反，则不复也／受光于隙，照一隅；受光一牖，照北壁
❽穷阴凝闭，凛冽海隅……
❾睹一事于句中，反三隅于字外
❿悠然念故乡，乃在天一隅／北海虽赊，扶摇可接；东隅已逝，桑榆非晚／不愤不启，不悱不发。举一隅不以三隅反，则不复也／地尽天水合，朝及洞庭湖，初日当中涌，莫辨东西隅／满堂而饮酒，有一人乡隅而悲泣，则一堂皆为之不乐

隈

wēi 水、山弯曲的地方；角，角落。

❹水曲山隈四五家，夕阳烟火隔芦花
❼三条九陌丽城隈，万户千门平旦开
❽驶雪多积荒城之隈，急风好起沙河之上

隍

huáng 没有水的护城壕。

❽璇玉致美，不为池隍之宝

隆

lóng 规模、场面大；兴旺；程度深；高；尊重；成长。

❶隆一而治，二而乱
见《荀子·致仕》。
❷冲隆不足为强，高城不足为固
❸物有隆杀，不得自若／赏不隆则善不劝，罚不重则恶不惩／国之隆替，时之盛衰，察其任臣而已
❺炎炎者灭，隆隆者绝／身安则道隆，饮食知节量／无德而福隆，犹无基而厚墉也
❻炎炎者灭，隆隆者绝
❼人之升降，与政隆替／恶之所在，虽高隆，世不能贵
❽意不并锐，事不两隆／和睦勤俭者家必隆，乖戾骄奢者家必败
❾峻法严刑，非帝王之隆业／礼者，以财物为用……以隆杀为要／锐者如簪，缺者如玦，隆者如髻，圆者如璧
❿君用忠良，则伯王之业隆／智不公，则福日衰，灾日隆／亲贤臣，远小人，此先汉之所以兴隆也／不学问，无正义，以富利为隆，是俗人者也／朝华之草，夕而零落；松柏之茂，隆寒不衰

隐

①yǐn 藏着；内里的；指秘密的事；隐讳；穷困；伤痛；矮墙；怜悯；审度。②yìn 凭倚。

❶隐，故不自隐
见《庄子·缮性》。
隐石那知玉，披沙始遇金

见唐·李群玉《赠元绂》。
隐括之旁多枉木，砥砺之旁多顽钝
见汉·刘向《说苑·杂言》。
隐忍就功名，非烈丈夫孰能致此哉？
见汉·司马迁《史记·伍子胥列传论赞》。
❷恻隐之心，仁也／恻隐之心，仁之端也／恻隐之心，人皆有之／小隐隐陵薮，大隐隐朝市／恻隐足以为仁，而仁不止于恻隐／雷隐隐，感妾心，倾耳清听非车音
❸无恻隐之心，非人也／民无隐情，治有异迹／小隐隐陵薮，大隐隐朝市／不以隐约而弗务，不以康乐而加思／居不隐者思不远，身不佚者志不广／雷隐隐，感妾心，倾耳清听非车音／古之隐也，志在其中；今之隐也，爵在其中／龙不隐鳞，凤不藏羽，网罗高县，去将安所／龙凤隐耀，应德而臻；明哲潜遁，俟时而动／无恻隐之心，非人也……恻隐之心，仁之端也／不恃隐括而有自直之箭自圆之木，百世无有一
❹菊，花之隐逸者也／接赜索隐，钩深致远／父为子隐，子为父隐／良才不隐世，江湖多贫贱／福生于隐约，而祸生于得意／须知大隐居廛市，休问深山守静孤／莫见乎隐，莫显乎微，故君子慎其独也
❺隐，故不自隐／不掩贤以隐长，不刻下以谀上／古之人，身隐而功著，形息而名彰／并时遭兵，隐者不中；同日被霜，蔽者不伤／就郡言，灵隐寺为尤；由寺观，冷泉亭为甲／繁略殊形，隐显异术，抑引随时，变通会适
❻天地闭，贤人隐／仁便藏在恻隐之心里面／事因理立，不隐理而成事／情在词外曰隐，状溢目前曰秀／祸固多藏于隐微，而发于人之所忽／睹危急则恻隐，将赴救则畏患，是仁而不恤者
❼讳莫如深，深则隐／下无直辞，上有隐君／事有是非，义难隐讳／道塞宇宙，非有隐遁／小隐隐陵薮，大隐隐朝市／虽无玄豹姿，终隐南山雾／国之将亡，贤人隐，乱臣贵
❽相引以名，相结以隐／父为子隐，子为父隐／枢机方通，则物无隐貌／小隐隐陵薮，大隐隐朝市／晦塞为深，虽奥非“隐”／恶之显者祸浅，而隐者祸深／荃荪孤植，不以岩隐而歇其芳／或明理以立体，或隐义以藏用
❾知人者举，则贤者不隐／声无小而不闻，行无隐而不形／斟酌乎质文之间，而隐括乎雅俗之际，可与言通变矣
❿天下有道则见，无道则隐／世理则词直，世忌则词隐／可与言而不与之言谓之隐／虚以生其明，思以穷其隐／事以明核为美，不以深隐为奇／物有出微而著，事有由隐而章／恻隐足以为仁，而仁不止于恻隐／不以富贵妨其道，不以隐约易其心／人主不正，则邪人得志，忠者隐蔽／谋而不得，则以往知来，以见知隐／察见渊鱼者不祥，智料隐匿者有殃／有美之而莫敢辞，有非之而莫敢隐／其文直，其事核，不虚美，不隐恶／小处不渗漏，暗处不欺隐，末路不怠荒／有阴德者必有阳报，有隐行者必有昭名／古之隐也，志在其中；今之隐也，爵在其中／阴风怒号，浊浪排空，日星隐曜，山岳潜形／忠谋转改，祸必及己。退隐深山，身乃不殆／无恻隐之心，非人也……恻隐之心，仁之端也／祸藏福中，福极则祸至。福隐祸内，祸尽则福来／搏攫抵噬之兽，其用齿角爪牙也，必托于卑微隐蔽／舜其大知也与！舜好问而好察迩言，隐恶而扬善，执其两端，用其中于民

隔

gé 隔断；阻拦；距离；紧邻；不相和；窗格；敲击。

❶隔墙须有耳，窗外岂无人
见明·施耐庵《水浒传》第十六回。
隔日一删，愈月一改，始能淘沙得金
见清·李渔《闲情偶寄》卷三。全句为：“～，无瑕瑜互见之失矣”。
❸亲不隔疏，后不僭先／一别隔千里，荣枯异炎凉／穷巷隔深辙，颇回故人车
❹夫妻无隔宿之仇／溪中云隔寺，夜半雪添泉
❺洞庭渔笛隔芦花／远山片云，隔层城而助兴
❻人面咫尺，心隔千里／雾里看花，终隔一层／诗不着题，如隔靴搔痒
❼意贵透彻，不可隔靴搔痒／覆压三百余里，隔离天日／烟才通，寒淙淙；隔山风，老鼓钟
❽位益尊，则贱者日隔／商女不知亡国恨，隔江犹唱后庭花／美人迈兮音尘阙，隔千里兮共明月
❾意之所向，虽金石莫隔／凡上下之间有物间隔，当须用刑法去之
❿水曲山隈四五家，夕阳烟火隔芦花

隙

xì 缝；比喻感情上的裂痕；闲置的；漏洞，机会；接近。

❶隙中之观斗，又乌知胜负之所在
见宋·苏轼《超然台记》。
❷墙隙而高，其崩必疾／乘隙插足，扼其主机，渐之进也
❸窥寸隙之光而见日轮之体／不塞隙穴，而劳力于赭垩，暴风疾雨必坏
❹位疑则隙生，累近则丧大／乘时投隙非谓才，苟得未必为汝福／受光于隙，照一隅；受光一牖，照北壁
❺墙坏于其隙，木毁于其节
❻蠹众而木折，隙大而墙坏／内无感恨之隙，外无侵侮之羞／墙之坏也于隙，剑之折必有啮／勿轻小事，小隙沈舟；勿轻小物，小虫毒身
❼百尺之室，以突隙之烟焚／百寻之屋，以突隙

之烟焚
❾理诎者，巧为粉泽而隙间百出
❿人生一世，如白驹之过隙／以不善意相待，无不致嫌隙也／木之折也，必通蠹；墙之坏也，必通隙／谗不自来，因疑而来；间不自入，乘隙而入

隘
①ài 狭窄；险要的地方。②è 阻塞；阻止；穷困。
❶隘与不恭，君子不由也
见《孟子·公孙丑上》。
❷心隘，则一发似车轮／世隘然后知其人之笃固也
❹崖谷峻隘，十里百折，负重而上，若蹈利刃
❼坎井无鼋鼍者，隘也
❿井鱼不可与语大，拘于隘也／惟夫党人之偷乐兮，路幽昧以险隘／不奋苦而求速效，只落得少日浮夸，老来窘隘而已

障
zhàng 阻挡；遮掩；用于阻挡或防卫的东西；用来遮挡视线的布帷和屏风；通“幛”，画轴；通“瘴”，瘴气。
❶障百川而东之，回狂澜于既倒
见唐·韩愈《进学解》。
❹以一篑障江河，用没其身
❺块土不能障狂澜，匹夫不能振颓俗
❼谄谀在侧，善议障塞，则国危矣
❽屹立大江干，仍能障狂澜
❿不本其所以欲，而禁其所欲……是犹决江河之源而障之以手也

隳
huī 毁坏。
❿举一纲，众目张；弛一机，万事隳／思致之浅深，不在其磔裂章句，隳废声韵也

邓
dèng 古国名；古地名；姓。
❶邓林千里，不能无偏枯之木
见晋·葛洪《抱朴子·博喻》。全句为：“琼琨山积，不能无挟瑕之器；～”。
❽群材既聚，故能成邓林

邛
qióng 汉代我国西南部的少数民族；土丘；忧病。
❾不恨归来迟，莫向临邛去

邦
bāng 古代诸侯的封国；国家；分封；姓。
❶邦无道，富且贵焉，耻也
见《论语·泰伯》。全句为：“邦有道，贫且贱焉，耻也；～”。
邦家用祀典，在德非馨香
见唐·杜甫《望岳》。
邦有道则知，邦无道则愚
见《论语·公冶长》。
邦有道，贫且贱焉，耻也
见《论语·泰伯》。全句为：“～；邦无道，富且贵焉，耻也”。
邦有道，如矢；邦无道，如矢
见《论语·卫灵公》。
❷爽邦由哲／经邦建国，教学为先
❸民惟邦本，本固邦宁／能爱邦内之民者，能服境外之不善
❹周虽旧邦，其命维新／克勤于邦，克俭于家／大智兴邦，不过集众思／宁武子邦有道则智；邦无道则愚／善人为邦百年，亦可以胜残去杀矣／不能爱邦内之民者，不能服境外之不善／济世经邦，要段云水的趣味，若有贪着，便堕危机
❺德日新，万邦惟怀；志自满，九族乃离
❻野无遗贤，万邦安宁／邦有道则知，邦无道则愚／一心可以丧邦，一心可以兴邦／邦有道，如矢；邦无道，如矢／凡四方小大邦丧，罔非有辞于罚
❼民惟邦本，本固邦宁／制治于未乱，保邦于未危／一言而可以兴邦，一言可以丧邦
❽田里绝愁叹之声，邦家闻宽厚之化
❾人安则财赡，本固则邦宁／宁武子邦有道则智；邦无道则愚
❿一心可以丧邦，一心可以兴邦／一言而可以兴邦，一言可以丧邦／君日骄而臣日谄，未有不丧邦者也／国以信而治天下，将以勇而镇外邦／有以无难而失守，有因多难而兴邦／川不可防，言不可弭，下塞上聋，邦其倾矣／疗饥者半菽可以充腹，为政者一言可以兴邦／合抱之松无庸于诤人之国，若瓮之茧见弃于裸体之邦

邪
①xié 不正当，不正派；离奇；迷信者指妖魔鬼怪带给人的灾祸；中医指各种致病因素。②yé 表疑问语气；同“也”。③yú 通“馀”。④xú 通“徐”，缓。⑤yá 通“琊”，用于地名。
❶邪气袭内，正色乃衰
见《管子·形势》。
邪秽在身，怨之所构
见《荀子·劝学》。
邪正之不同也不啻若黑白
见宋·苏轼《学士院试春秋定天下之邪正论》。
邪行亡乎体，违言不存口
见《管子·戒》。
邪僻争权，乃有忠臣匡正其君
见《老子》十八河上公注。全句为：“政令不行，上下相怨，～”。
邪说之移人，虽豪杰之士有不免者
见宋·苏轼《居士集叙》。
邪正之人不宜共国，亦犹冰炭不可同器

见南朝·宋·范晔《后汉书·傅燮传》。

邪之与正，犹水与火，不同原，不得并盛

见汉·王符《潜夫论·慎微》。

❷宠邪信惑，近佞好谀／群邪所抑，以直为曲／微邪者，大邪之所生也／上邪下难正，众枉不可矫／谗邪害公正，浮云翳白日／莫邪不为勇者兴，惧者变／禁邪于冥冥，绝恶于未萌／积邪在于上，蓄怨藏于民／以邪莅国、以暴加民者，危／谗邪进则众贤退，群枉盛则正士消／忠邪不可以并立，善恶不可以同道／微邪不禁，而求大邪之无伤国，不可得也／是邪，非邪？立而望之，偏何姗姗其来迟／以邪官举邪官，以俗士取俗士，国欲治得乎／与邪佞人交，如雪入墨池，虽融为水，其色愈污

❸启奸邪之路，长贪暴之心／惧谗邪，则思正身以黜恶／适知邪径之速，不虑失道之迷

❹不受于邪，邪气自去／正不容邪，邪复妒正／拔去凶邪，登崇畯良／是邪，非邪？立而望之，偏何姗姗其来迟／由道废邪，用贤弃愚，推以革物，宜民之苏

❺民贫则奸邪生／不受于邪，邪气自去／正不容邪，邪复妒正／孤直者，众邪之所憎／微邪者，大邪之所生也／尚干将莫邪，贵其立断也／其真无马邪？其真不知马也／良田败于邪径，黄金铄于众口／祸难生于邪心，邪心诱于可欲／妖不胜德，邪不伐正，天之经也／志正则众邪不生，心静则众事不躁／明所爱而邪僻繁，明所恶而贤良灭／虽干将、莫邪，非得人力则不能割劙／水至平而邪者取法，镜至明而丑者无怒／正则用之，邪则去之，是则行之，非则改之／以邪官举邪官，以俗士取俗士，国欲治得乎／贤不肖，善邪辟，可悖逆，国不乱身不危奚待也

❻信道而不信邪／正身直行，众邪自息／任贤勿贰，去邪勿疑／国有忠臣，奸邪为之不起／欲生于无度，邪生于无禁／表曲者景必邪，源清者流必洁／其行公正无邪，故谗人不得入／国乱则择其邪人去之，则国治矣／不决浮云斩邪佞，直成龙去欲何为／人主不正，则邪人得志，忠者隐蔽／心之所感有邪正，故言之所形有是非／立法之大要……邪人痛其祸而悔其行／割而舍之，镆邪不断肉；执而不释，马氂截玉

❼一念放恣，则百邪乘衅／曲木恶直绳，奸邪恶正法／务公正者，必无邪佞之朋／祸难生于邪心，邪心诱于可欲／恶言不出于口，邪行不及于己／苟无恒心，放辟邪侈，无不为已／胸中乱则择其邪欲而去之，则德正矣／大丈夫……终不为邪暗小人所惑而易其所守／国家之败，由官邪也；官之失德，宠赂章也／有赏罚之教则邪道进，有亲疏之分则小人入／骄、奢、淫、泆，所自邪也。四者之来，宠禄过也

❽先王贵礼乐而贱邪音／印何累累、绶若若邪／德以施惠，刑以正邪／过举不匿，则官无邪人／恶人从游，则日生邪情／以乱攻治者亡，以邪攻正者亡／正论非不见容，然邪说亦有时而用／刑罚不能加无罪，邪枉不能胜正人／人身正气稍不足，邪便得以干之矣／官长正而百姓化，邪心黜而奸匿绝／微邪不禁，而求大邪之无伤国，不可得也

❾博学而不自反，必有邪／反无非伤也，动无非邪也／君子行正气，小人行邪气／不教而诛，则刑繁而邪不胜／以正辅人谓之忠，以邪导人谓之佞／以清廉清民，令去其邪，令去其污／丑必托善以自为解，邪必蒙正以自为辟／见其远者大者，不食邪人之饵，方是二十分识力

❿是儿欲踞吾著炉火上邪／立武以威众，诛恶以禁邪／凡物不以其道得之，皆邪也／富者犬马余菽粟，骄而为邪／其论人也，必贵忠良鄙邪佞／无以相应也，若之何其有鬼邪／待小人宜敬，敬心可以化邪心／爱子，教之以义方，弗纳于邪／有以相应也，若之何其无鬼邪／为国之本，在于明赏罚，辨邪正／以柔顺而为不正，则佞邪之道也／奈何以四海之广，足一夫之用邪／聪明则视听不惑，公正则不迩谗邪／以德以义，不赏而民劝，不罚而邪止／安得因一摧折，自毁其道以从于邪也／轻士民之死力者，不能禁暴国之邪逆／形骸既适则神不烦，观听无邪则道以明／既不能流芳后世，亦不足复遗臭万载邪／貌则人，其心则禽兽，又恶可谓之人邪／今处昏上乱相之间，而欲无惫，奚可得邪／周于利者凶年不能杀，周于德者邪世不能乱／圣人不求誉，不辟诽，正身直行，众邪自息／璧瑗成器，礛诸之功，镆邪断割，砥砺之力／《诗》三百，一言以蔽之，曰："思无邪。"／善善不进而恶恶不退，则忠奸未别，邪正不分／礼者贱质而贵文，故正直日以少，邪乱日以生／赏不劝善，罚不惩恶，而望邪正不惑，其可得乎／思在言与行之先，思无邪，则所言所行皆无邪矣／君子居必择乡，游必就士，所以防邪僻而近中正也／读书少则身暇，身暇则邪间，邪间则过恶作焉，忧患及之／平易恬淡，则忧患不能入，邪气不能袭，故其德全而神不亏

那

①nà 指代较远的事物；那么。②nuó 多；美好；安闲；奈何；对于；通"挪"，移动；姓。③nǎ 同"哪"。

❶那切切实实、足踏在地上……

见现代·鲁迅《答托洛斯基派的信》。全句为："～，为着现在中国人的生存而流血奋斗者，我得引为同志，是自以为光荣的"。

❸隐石那知玉，披沙始遇金／早岁那知世事艰，中原北望气如山

❺而今风物那堪画，县吏催钱夜打门
❻离居见新月，那得不思君
❽生人作死别，恨恨那可论
❿今且须去理会眼前事，那个鬼神事，无形无影，莫要枉费心力

邯 hán 用于地名。

❽寿陵失本步，笑杀邯郸人

邮 yóu 邮寄；邮汇；用于地名；通“尤”，怨恨；最；超过；姓。

❾教化之移人也如置邮焉
❿孔子曰：德之流行，速于置邮而传命

邱 qiū 姓；表示小山、土堆时为“丘”的异体字。

❻川竭而谷虚，邱夷而渊塞，唇竭而齿寒

邻 lín 邻居；邻国；靠近，挨近；古指君主的近臣；周时以五家为邻。

❶邻国相望，鸡犬之声相闻，民至老死，不相往来

见《老子》八十。

❷舍邻之医，而求俞跗而后治病
❸昨日邻家乞新火，晓窗分与读书灯
❹无与祸邻，祸乃不存／德则有邻，才不必贵／居必择邻，交必良友／亲仁善邻，国之宝也
❻远亲不如近邻／德不孤，必有邻／非宅是卜，唯邻是卜／国家治，则四邻贺；国家乱，则四邻散
❽百万买宅，千万买邻／毋卜其居，而卜其邻居
❿丑女来效颦，还家惊四邻／以文常会友，唯德自成邻／鼓声随听绝，帆势与云邻／海内存知己，天涯若比邻／祸与福同门，利与害为邻／祸与福相贯，生与亡为邻／黔首本骨肉，天地本比邻／恩与信可以附吾民而服邻国／不薄今人爱古人，清词丽句必为邻／不见古人卜居者，千金只为买乡邻／豫焉，若冬涉川；犹兮，若畏四邻／厚性宽中近于仁，犯而不校邻于恕／蛱蝶飞来过墙去，却疑春色在邻家／国家治，则四邻贺；国家乱，则四邻散／公婿公孙，与民同门，暴傲其邻者，可亡也

邹 zōu 周代诸侯国名；姓。

❶邹、鲁多鸿儒，燕、赵饶壮士

见唐·李白《春于姑熟送赵四流炎方序》。

❿偏则成魔，分唐界宋。霹雳一声，邹鲁不哄

耶 yé 语气助词，用于句末表示疑问或反问。

❺青未了，松耶？柏耶？独鸟来时，连峰断处，双髻人耶
❿役于人而食其力，可无报耶／何况性命之重，乃以博财物耶／彼肆其心之所为者，独何人耶／后之来者，则吾未之见，其可忽耶／理无专在，而学无止境也，然则问可少耶／若将军、大夫必出旧族，或无可焉，犹用之耶／大丈夫岂得苟贪财物，以害及身命，使子孙每怀愧耻耶／青未了，松耶？柏耶？独鸟来时，连峰断处，双髻人耶

郁 yù 繁茂；忧愁积结于心；香气浓厚；文饰、文采明盛貌；通“燠”，温暖；闭塞；腐臭；果木名；姓。

❶郁郁涧底松，离离山上苗

见晋·左思《咏史》其二。下两句为：“以彼径寸茎，荫此百尺条”。

❺岸芷汀兰，郁郁青青
❻岸芷汀兰，郁郁青青／胸中之气伊郁蜿蜒，泄为章句……
❽交友不信，则离散郁怨，不能相亲
❿沙鸥翔集，锦鳞游泳；岸芷汀兰，郁郁青青／非历览无以寄杼轴之怀，非高远无以开沉郁之绪

邾 zhū 古国名；古邑名；姓。

❽不广其从，不为兵邾，不为乱首，不为宛谋

郊 jiāo 城市周围或附近的地区；古地名；祭天。

❷四郊多垒，此卿大夫之辱也
❾天下无道，戎马生于郊／陌上新离别，苍茫四郊晦

郑 zhèng 周代诸侯国名；郑重；姓。

❶郑卫之音，乱世之音也

见《礼记·乐记》。

郑板桥画竹，胸无成竹

见清·郑燮《题画·竹》。全句为：“文与可画竹，胸有成竹；～”。

❷恶郑声之乱雅乐也／雅郑有素矣，而好恶不同，故两耳不相为听焉
❺好音生于郑卫，而人皆乐之于耳，声同也
❿见明珠者始贱鱼目，知雅乐者方鄙郑声／旦执机权，夜填坑谷；朔欢卓、郑，晦泣颜、原

郎 láng 旧时对年轻男子的称呼；对某种人的称呼；女子称情人或丈夫；古时帝王侍从官的通称；宋明间对出身卑贱者的称呼；古代官名；古邑名；姓。

❷牛郎欲问瘟神事，一样悲欢逐逝波
❹欲得周郎顾，时时误拂弦
❺灶下养，中郎将……
❻东风不与周郎便，铜雀春深锁二乔
❿易求无价宝，难得有心郎／侯门一入深如海，从此萧郎是路人／死后是非谁管得，满村听说蔡中郎／日暮榆园拾青荚，可怜无数沈郎钱／

神女生涯原是梦，小姑居处本无郎

郢 yǐng 古都邑名。

❹先王有郢书，而后世多燕说

郡 jùn 春秋至隋唐时地方行政区划单位。

❷就郡言，灵隐寺为尤；由寺观，冷泉亭为甲
❸天下郡国向万城，无有一城无甲兵
❼东南山水，余杭郡为最／不敢望到酒泉郡，但愿生入玉门关／宽弘之人宜为郡国，使下得施其功而总成其事

都 ①dōu 全，完全。②dū 首都；头目；汇聚；总共；任职；美盛；犹"于"；表赞美；大城市；相传上古地方行政区划名；唐末五代军队编制。

❶都尉新降，将军覆没……

见唐·李华《吊古战场文》。全句为："～；尸填巨港之岸，血满长城之窟；无贵无贱，同为枯骨"。

都蔗虽甘，杖之必折；巧言虽美，用之必灭

见三国·魏·曹植《矫志诗》。

❷名都多妖女，京洛出少年／齐都世刺绣，恒女无不能／大都好物不坚牢，彩云易散琉璃脆／视都知野，视野知国，视国知天下
❸尧之都，舜之壤，禹之封／委故都以从利兮，吾知先生之不忍／蜀笺都有三千幅，总写离情寄孟光
❹万家之都，不可平以准／赤地炎都寸草无，百川水沸煮虫鱼
❺洒向人间都是怨，一枕黄粱再现／眼角眉梢都似恨，热泪欲零还住／直待自家都了得，等闲拈出便超然／一切言动，都要安详；十差九错，只为慌张
❼千金之家比一都之君，巨万者乃与王者同乐
❽只因一着错，满盘都是空／人生开口笑，百年都几回／愿普天下有情的都成了眷属／矮人看戏何曾见，都是随人说短长／贵极禄位，权倾国都，达人视此，蚁聚何殊
❾愁听，吹笛《关山》……月中都是断肠声
❿昔时地险，实为建业之雄都／诸君傅粉涂脂，问南北战争都不知／避席畏闻文字狱，著书都为稻粱谋／齐、梁间诗，彩丽竞繁，而兴寄都绝／争构纤微，竞为雕刻……；骨气都尽，刚健不闻

郴 chēn 用于地名。郴州，在湖南。

❽衡阳犹有雁传书，郴阳和雁无

郭 guō 一作"廓"，古代在城的外围加筑的城墙；物体的外框或外壳；皮；通"虢"；姓。

❷城郭如故人民非／城郭之固无以异于贞士之约

部 ①bù 部分；部位；统领；门类；安排布置；军队；量词。②pǒu 通"培"，小阜。

❷一部《周记》，理财居其半
❻看书多撷一部，游山多走几步
❼宰相必起于州部，猛将必发于卒伍

郸 dān 用于地名。

❾寿陵失本步，笑杀邯郸人

鄙 bǐ 边远、偏僻之地；看不起；粗俗；质朴；轻视；谦辞，自称；周代五百家为鄙。

❶鄙吝者必非大器

见清·蒲松龄《聊斋志异·僧术》。

鄙朴忤逆者未必悖，承顺惬可者未必忠

见唐·陆贽《论朝官阙员及刺史等改转伦序状》。全句为："呐呐寡言者未必愚，喋喋利口者未必智，～"。

❷仕鄙在时不在行，利害在命不在智／贪鄙在率不在下，教训在政不在民／善鄙不同，诽誉在俗；趋舍不同，逆顺在君／智鄙相笼，强弱相陵，天下之乱何时而已乎／有鄙夫问于我，空空如也。我叩其两端而竭焉／若鄙人所谓致知格物者，致吾心之良知于事事物物也
❸不如鄙性好诚实，退无所议进不谀
❹食肉者鄙，未能远谋
❺顾夫淫以鄙而偕亡／伟才任于鄙识，行之缺也
❽吾少也贱，故多能鄙事
❾其论人也，必贵忠良鄙邪佞／嗜欲无穷，则必有贪鄙悖乱之心，淫佚奸诈之事
❿积金不积书，守财一何鄙／众人皆有以，而我独顽似鄙／意不胜者，辞愈华而文愈鄙／诵读有真趣，不玩味终为鄙夫／尧舜行德则民仁寿；桀纣行暴则民鄙夭／由来犬羊着冠坐庙堂，安得四鄙无豺狼／见明珠者始贱鱼目，知雅乐者方鄙郑声／与百姓有缘才来此地，期寸心无愧不鄙斯民／以和氏之璧与百金以示鄙人，鄙人必取百金／俭者，君子之德，世俗以俭为鄙，非远识也／人之善恶，不必世族；性之贤鄙，不必世俗／聆《白雪》之九成，然后悟《巴人》之极鄙／处道而不贰，吐而不夺，利而不流，贵公正而贱鄙争

鄱 pó［鄱阳］郡名，湖名，在江西。

❽匡庐小琐拳可碎，鄱阳触怒蹋欲裂

凶 xiōng 灾祸；灾荒；性情或行为暴虐；残暴；非法的、侵犯性的杀人或伤人行为；厉害；争讼，吵闹；不吉；谷物不收；恐惧。

❶凶德有五，中德为首

见《庄子·列御寇》。

❷吉凶由人／丰凶相济，农末皆利／兵，凶器，未易数动／兵，凶器；战，危事／吉凶相救，患难相扶／吉凶在人，岂假阴阳拘忌／举凶器，行凶德，犹不得已也

❸吉藏凶，凶暗吉／兵者凶事，不可为首／拔去凶邪，登崇畯良／岁有凶穰，故谷有贵贱／将出凶门勇，兵因死地强／兵者，凶器，不得已而用之／积其凶，全其恶，而天下去之／兵者凶器也，甲坚兵利，为天下殃／兵者凶器，必有凶扰，扰则思乱，乱出不意／不与凶人为仇，不与吉人为亲，不与诚人为媾，不与诈人为怨

❹吉藏凶，凶暗吉／昌衰吉凶皆由己出／岁弊寒凶，雪虐风饕／人有吉凶事，不在鸟音中

❺举凶器，行凶德，犹不得已也／丰岁自少凶岁多，田家辛苦可奈何／枯朽之骨，凶秽之余，岂宜令人宫禁／周于利者凶年不能杀，周于德者邪世不能乱

❻顺则吉，逆则凶／不知常，妄作，凶／据慢骄奢，则凶从之／否泰无常，吉凶由人／忧喜聚门，吉凶同域／祸福无门，吉凶由己／穷达有命，吉凶由人／惠迪吉，从逆凶，惟影响／蓄谷者不病凶年，蓄珠玉者不虞殍死／凡兵，天下之凶器也；勇，天下之凶德也／祸福相倚，吉凶同域，惟人所召，安可不思／天下之物莫凶于鸡毒，然而良医橐而藏之，有所用

❼师出以律。否臧，凶／节用储蓄，以备凶灾／大军之后，必有凶年／尚德行者，必无凶险之类／备之以储蓄，虽凶荒而人无菜色／但使仓库可备凶年，此外何烦储蓄／天雄乌喙，药之凶毒也，良医以活人／兵者凶器，必有凶扰，扰则思乱，乱出不意

❽父子无礼，其家必凶／有忧而不知忧者凶，有忧而深忧之者吉／至福似祸，大吉若凶。天下醉饱，莫之能明

❾居家戒争讼，讼则终凶／奸回不诘，为恶肆其凶／仓无备粟，不可以待凶饥／国离寇敌则伤，民见凶饥则亡／哀乐不同而不远，吉凶相反而相袭

❿国家之任贤而吉，任不肖而凶／言者以谕意也，言意相离，凶也／人有穷，而道无不通，与道争则凶／以镜自照者见形容，以人自照者见吉凶／君子好成物，故吉；小人好败物，故凶／赏厚可令廉士动心，罚重可令凶人丧魄／鉴于水者见面之容，鉴于人者知吉与凶／天有六极五常，帝王顺之则治，逆之则凶／凡兵，天下之凶器也；勇，天下之凶德也／镜于水，见面之容；镜于人，则知吉与凶／师之所处，荆棘生焉；大军之后，必有凶年／同涉于川，其时在风；沿者之吉，溯者之凶／知得知失，可与为人；知存知亡，足别吉凶／狗吠不惊，足下生氂；含哺鼓腹，焉知凶灾／不日不月，而事以从；不卜不筮，而谨知吉凶／名也者，相轧也；知也者，争之器也，二者凶器，非所以尽行也

画

huà 描绘图形；绘出的或印制的图画；汉字的一笔；划分；划断、停止；谋划，筹划；姓。

❶画龙不成反为狗

见南朝·宋·范晔《后汉书·孔僖传》。

画虎不成反类狗

见汉·马援《诫兄子严敦书》。

画虎不成反类犬

见清·朱庭珍《筱园诗话》卷三。

画水镂冰，与时消释

见汉·桓谭《新论·启寤》。

画脂镂冰，费日损功

见汉·桓宽《盐铁论·殊路》。

画布为亟不可以当戈戟

见明·刘基《拟连珠》。全句为：“剪采为葩不可以受风雨，～”。

画竹必先得成竹于胸中

见宋·苏轼《文与可画筼筜谷偃竹记》。

画地为饼，不可得而食也

见唐·刘知几《史通·载文》。全句为：“镂冰为璧，不可得而用也；～”。

画西施之面，美而不可说

见汉·刘安《淮南子·说山》。全句为：“～；规孟贲之目，大而不可畏”。

画栋朝飞南浦云，珠帘暮卷西山雨

见唐·王勃《滕王阁序》。

画者谨毛而失貌，射者仪小而遗大

见汉·刘安《淮南子·说林》。

画虎画皮难画骨，知人知面不知心

见元·孟汉卿《张孔同智勘魔合罗杂剧》。

画地为牢，势不可入；削木为吏，议不可对

见汉·司马迁《报任少卿书》。

❷淡画春山不喜添／书画之妙，当以神会／刻画无盐，以唐突西子／诗画本一律，天工与清新／一画失所，如壮士之折一肱／点画皆有筋骨，字体自然雄媚／未画以前，不立一格；既画以后，不留一格

❸凡书画当观韵／名如画地作饼，不可啖也／求硕画于庶位，虑遗材于放臣／方圆画不俱成，左右视不并见／右手画圆，左手画方，不能两成／画虎画皮难画骨，知人知面不知心

❹由心故画，诸法性如是／书中有画，画中亦有书／郑板桥画竹，胸无成竹／所贵于画者，为其似也／文与可画竹，胸有成竹／心如工画师，能画诸世间／譬如工画师，不能知自心／图工好

画鬼魅而憎图狗马者……/友如作画须求淡，山似论文不喜平

❺满湖风月画船归/书中有画，画中亦有书/观摩诘之画，画中有诗/诗是无形画，画是有形诗/山明云气画，天静鸟飞高

❻观摩诘之画，画中有诗/诗是无形画，画是有形诗/字须熟后生，画须生外熟/文以达吾心，画以适吾意/虚实相生，无画处皆成妙境/大抵古人诗画，只取兴会神到/以气韵求其画，则形似在其间矣/不把黄金买画工，进身羞与自媒同/画虎画皮难画骨，知人知面不知心

❼云霞雕色，有逾画工之妙/心如工画师，能画诸世间/右手画圆，左手画方，不能两成/而今风物那堪画，县吏催钱夜打门/萧何为法，顜若画一；曹参代之，守而勿失

❽金玉不琢，美珠不画/不可怙者天，不可画者人/闻鼓鼙而思将帅，画云台而念旧臣/虽有贤师良友，若画脂镂冰，费日损功/官不得其才，比于画地作饼，不可食也

❾味摩诘之诗，诗中有画

❿辞者，犹器之有刻镂绘画也/世间无限丹青手，一片伤心画不成/薄富贵而厚于书，轻死生而重于画/将回日月先反掌，欲作江河唯画地/雨里孤村雪里山，看时容易画时难/未画以前，不立一格；既画以后，不留一格/若平直相似……便不是书法，但得其点画耳/已乎已乎，临人以德；殆乎殆乎，画地而趋/见骥一毛，不知其状；见画一色，不知其美/姆抱幼子立侧，眉眼如画，发漆黑，肌肉玉雪可念/凡物之可喜，足以悦人而不足以移人者，莫若书与画

函 ①hán 匣；信件；护身的铠甲；封套；信件；“函胡”，模糊不清；姓。②hàn 通“颔”，下颔内肉。

❶函牛之鼎沸而蝇蚋弗敢入

见汉·刘安《淮南子·诠言》。全句为：“～，昆山之玉瑱而尘垢弗能污”。

函坚则物必毁之，刚斯折矣

见《关尹子·九药》。全句为：“～；刀利则物必摧之，锐斯挫矣”。

函车之兽，介而离山，则不免于罔罟之患

见《庄子·庚桑楚》。全句为：“～；吞舟之鱼，砀而失水，则蚁能苦之”。

❷开函关，掩函关，千古如何，不见一人闲

❹意量所函变可通于意外/戍卒叫，函谷举，楚人一炬，可怜焦土

❺开函关，掩函关，千古如何，不见一人闲

❽矢人惟恐不伤人，函人惟恐伤人

❿日月为明而弗能兼也，唯天地能函之/明镜便于照形，其于以函食，不如箪/以一丸泥为大王东封函谷关，此万世一时也/名言所绝理即具于名中，意量所函变可通意外

幽 yōu 昏暗；深远；隐蔽的；囚禁；沉静；迷信者指人死后灵魂所在之处；通“黝”，黑色；古代九州之一。

❶幽山桂树，往往逢人

见唐·王勃《秋晚入洛于毕公宅别道王宴序》。全句为：“虽源水桃花，时时失路；而～”。

幽桂一丛，赏古人之明月

见唐·王勃《送白七序》。全句为：“～；长松百尺，对君子之清风”。

幽音变调忽飘洒，长风吹林雨堕瓦

见唐·李颀《听董大弹胡笳声兼寄语弄房给事》。全句为：“～，迸泉飒飒飞木末，野鹿呦呦走堂下”。

幽晦登昭，日月下藏；公正无私，反见从横

见《荀子·赋》。

❸出自幽谷，迁于乔木/黜陟幽明，扬清激浊/兰生幽谷，不为莫服而不芳/志士幽人莫怨嗟，古来材大难为用

❹大雨落幽燕，白浪滔天/其清音幽韵，凄如飘风急雨骤至

❺发思古之幽情/野芳发而幽香，佳木秀而繁阴/露垂泣于幽草，风含悲于拱木/吾闻“出于幽谷，迁于乔木”者/周道衰于幽厉，非道亡也，幽厉不繇也/立德者以幽陋好遗，显登者以贵途易引/君子之言，幽必有验乎明，远必有验乎近，大必有验乎小，微必有验乎著

❻明之为日月，幽之为鬼神/铿锵发金石，幽眇感鬼神

❼一鸟不鸣山更幽/伐木丁丁山更幽/掇芳刈楚，不弃幽远/览古玩青简，寻幽穷翠微

❽参之《离骚》以致其幽/天片片而云愁，山幽幽而谷哭/石泉潜流，不以涧幽而撤其清/经济文章磨白昼，幽光狂慧复中宵

❾天片片而云愁，山幽幽而谷哭/荆玉含宝，要俟开莹；幽兰怀馨，事资扇发

❿一觞一咏，亦足以畅叙幽情/摅怀旧之蓄念，发思古之幽情/惟夫党人之偷乐兮，路幽昧以险隘/周道衰于幽厉，非道亡也，幽厉不繇也

凿 ①záo 挖槽；穿孔用的工具；挖掘；穿孔；确实；榫眼；穿凿附会。②zuò 舂糙米为精米。③zào 隧道。

❶凿石索玉，剖蚌求珠

见晋·陈寿《三国志·蜀书·秦宓传》。

凿凿乎如五谷必可以疗饥

见宋·苏轼《凫绎先生诗集叙》。全句为：“～，断断乎如药石必可以伐病”。

凿者，其失诬；愚者，其失为固

见清·戴震《原善》。全句为：“～；诬而罔省，施之事亦为固”。“凿者”，指强词夺理的人。

凿井者起于三寸之坎，以就万仞之深

见北齐·刘昼《刘子·崇学》。

凿井而饮，耕田而食；帝力于我何有哉

见《古诗源·古逸·击壤歌》。全句为："日出而作，日入而息；～"。

❷凿凿乎如五谷必可以疗饥／方凿不受圆，直木不为轮

❸能自凿井及泉而汲之，不可胜用矣

❹心欲专，凿石穿

❺耕田而食，凿井而饮

❼剔大蠹者木必凿，去大奸者国必伤

❽如室斯构，而去其凿楔……国之将亡，本必先颠

❾作诗贵雕琢，又畏斧凿痕／日出而作，日入而息，凿井而饮，耕田而食

❿乞火不若取燧，寄汲不若凿井／喉中有病，无害于息，不可凿也／沛然从肺腑中流出，殊不见斧凿痕／不随举子纸上学六韬，不学腐儒穿凿注五经／操一己之绳墨，持前王之规矩，以方枘欲圆凿／学匪疑不明，而疑恶乎凿，疑而能辨，斯为善学／其有发挥新体，孤飞百代之前，开凿古人，独步九流之上

刀

dāo 兵器；像刀的；古代钱币；小船；纸张的计量单位；姓。

❶刀锥之末，将尽争之

见《左传·昭公六年》

刀刃有蜜，不足一餐之美

见《四十二章经》。全句为："～，小儿舐之，则有割舌之患"。

刀利则物必摧之，锐斯挫矣

见《关尹子·九药》。全句为："函坚则物必毁之，刚斯折矣；～"。

刀不能剪心愁，锥不能解肠结

见唐·白居易《四不如酒》。

刀笔之吏专深文巧诋，陷人于罔，以自为功

见汉·班固《汉书·汲黯传》

❷铅刀强可一割／并刀如水，吴盐胜雪／三刀梦益州，一箭取辽城／铅刀贵一割，梦想骋良图／牛刀可以割鸡，鸡刀难以屠牛／抽刀断水水更流，举杯消愁愁更愁／提刀而立，为之四顾，为之踌躇满志

❸未闻刀没而利存，岂容形亡而神在？

❹未能操刀而使割／以智慧刀，断烦恼锁／驽马铅刀，不可强扶／飏下屠刀，立地成佛／人方为刀俎，我为鱼肉／我自横刀向天笑，去留肝胆两昆仑／似把剪刀裁别恨，两人分得一般愁

❺利旁有依刀，贪人还自贼／每开一卷，刀搅肺肠；每读一篇，血滴文字

❻割鸡焉用牛刀／路见不平，拔刀相助／铅不可以为刀，铜不可以为弩／贪日得则鼓刀利，要岁计而辐楱多

❼二月春风似剪刀／文乏斧藻，艺惭刀笔／小人小善，乃铅刀之一割／焉得并州快剪刀，翦取吴松半江水／锦糊灯笼，玉镶刀口……不知落在何处矣

❽其益如毫，其损如刀／以言伤人者，利于刀斧／牛刀可以割鸡，鸡刀难以屠牛／衣不洗则垢不除，刀不磨则锋不锐／以言伤人者，利如刀斧。以术害人者，毒如虎狼

❾赏不以爵禄，刑不以刀锯

❿饮马渡秋水，水寒风似刀／欲将轻骑逐，大雪满弓刀／酒是烧身硝焰，色为割肉钢刀／曾因国难披金甲，不为家贫卖宝刀／财色之于人，譬如小儿贪刀刃之饴／镇相连似影追形，分不开如刀划水／端州石工巧如神，踏天磨刀割紫云／野夫怒见不平处，磨损胸中万古刀／将军金甲夜不脱……风头如刀面如割／任小能于大事者，犹狸搏虎而刀伐木也／驽蹇服御，良乐咨嗟；铅刀剖截，欧冶叹息／一人所以能敌万人者，非弓刀之技，盖威之至也

刃

rèn 刀剑等的锋利部分；刀剑等；杀。

❷刀刃有蜜，不足一餐之美／白刃扞乎胸，则目不见流矢／白刃交于前，视死若生者，烈士之勇也／五刃之伤，药之可平。一言成疴，智不能明

❹弃身锋刃端，性命安可怀／宁当血刃死，不作衽席完／干将之刃，人不推顿，苽瓠不能伤

❺刿目鉥心，刃迎缕解

❽兵不必胜，不苟接刃；攻不必取，不为苟发／战不必胜，不苟接刃；攻不必取，不苟劳众

❾君臣遇合，天下事迎刃而解／处顺境内，眼前尽兵刃戈矛，销膏靡骨而不知

❿学所以益才，砺所以致刃／良冶之砥石，不能发无刃之金／财色之于人，譬如小儿贪刀刃之饴／譬如破竹，数节之后，皆迎刃而解／以无厚入有间，恢恢乎其于游刃必有余地矣／崖谷峻隘，十里百折，负重而上，若蹈利刃／今兵威已振，譬如破竹，数节之后，皆迎刃而解／天下国家可均也，爵禄可辞也，白刃可蹈也，中庸不可能也

切

①qiè 符合；两物相磨，引申为贴近；急切；切实；极力；严厉；责备；切要；按脉诊病。②qiē 割；截；切换；直线。③qì 通"砌"，阶石。

❶切瑳琢磨，乃成宝器

见汉·王充《论衡·量知篇》。全句为："骨曰切，象曰瑳，玉曰琢，石曰磨，～"。

切不可因己无成而不教子

见明·何伦《何氏家规》。全句为："～，又不可以家事匮乏而不从师"。

切切偲偲，怡怡如也，可谓士矣
见《论语·子路》。
切莫呕心并剔肺，须知妙语出天然
见明·都穆《学诗诗》其一。
切而不指，勤而不怨，曲而不谄，直而有礼
见隋·王通《中说·问易》。全句为："～，其惟诚乎"。
❷一切景语，皆情语也／如切如磋，如琢如磨／塞切直之路，为忠者必少／那切切实实、足踏在地上……／切切偲偲，怡怡如也，可谓士矣／一切问答，如针锋相投，无纤毫参差／一切言动，都要安详；十差九错，只为慌张／言切直则不用而身危，不切直则不可以明道
❸博学切问，所以广知／朋友切切偲偲，兄弟怡怡／那切切实实、足踏在地上……／事有切而未能忘，情有深而未能遣／读书切戒在慌忙，涵泳工夫兴味长／嘈嘈切切错杂弹，大珠小珠落玉盘／作诗切忌议论，此最易近腐，近絮，近学究
❹问之不切，则其听之不专／朋友切切偲偲，兄弟怡怡／某今所切，是坠于绝壑……／嘈嘈切切错杂弹，大珠小珠落玉盘／宏远深切之谋，固不能合庸人之意
❺交友投分，切磨箴规／当官临事，切戒躁急／志深而喻切，因事以陈辞／要扫除一切害人虫，全无敌／其言直而切，欲闻之者深诫也／博学笃志，切问近思，此八字是收放心的功夫／入夜思归切，笛声清更哀，愁人不愿听，自到枕前来
❻空言无施，虽切何补／博学而笃志，切问而近思／悠悠天宇旷，切切故乡情／语微婉而多切，言流靡而不淫
❼宝剑未砥，犹乏切玉之功／悠悠天宇旷，切切故乡情／其为声也，凄凄切切，呼号愤发／饱霜孤竹声偏切，带火焦桐韵本悲／用意深而劝戒切，为言信而善恶明／其文博辩而深切，中于时病而不为空言／气往轹古，辞来切今，惊采绝艳，难与并能
❽遇沉沉不语之士，切莫输心／其为声也，凄凄切切，呼号愤发／自古上书，率多激切。若不激切，则不能起人主之心
❿莫等闲，白了少年头，空悲切／处事要代人作想，读书须切己用功／遇朋友交游之失，宜剀切，不宜优游／闻《宿紫阁村》诗，则握军要者切齿矣／忧人之言不绝于口，而乐身之事实切于心／结体散文，直而不野，婉转附物，怊怅切情／思焉而得，故其言深；感焉而得，故其言切／言切直则不用而身危，不切直则不可以明道／自古上书，率多激切。若不激切，则不能起人主之心／感人心者，莫先乎情，莫始乎言，莫切乎声，莫深乎义

召 ①zhào 呼唤；使来；招；招致。②shào 古邑名；姓。
❶召民之路，在上之所好恶
见《管子·牧民》。全句为："道民之门，在上之所先；～"。
❷饥召兵，疾召兵，劳召兵，乱召兵
❸阳春召我以烟景，大块假我以文章
❹赏由物召，兴以情迁／类同相召，气同则合，声比则应
❺饥召兵，疾召兵，劳召兵，乱召兵
❼敌存灭祸，敌去召过
❽祸福无门，唯人所召／饥召兵，疾召兵，劳召兵，乱召兵
❾天下本无事，庸人自召之／利丰者害厚，质美者召灾
❿饥召兵，疾召兵，劳召兵，乱召兵／兵不可玩，玩则无威；兵不可废，废则召寇／祸福相倚，吉凶同域，惟人所召，安可不思／不争而无所不胜，不言而无所不应，不召而无所不来

刍 chú 喂牲畜的草；割草；草把；谦称自己的见解、言论等。
❼先民有言，询于刍荛
❾天地不仁，以万物为刍狗／圣人不仁，以百姓为刍狗／言之而是，虽在仆隶刍荛，犹不可弃
❿被褐怀金玉，兰蕙化为刍／饥马在厩，寂然无声，投刍其旁，争心乃生

负 fù 背；承担；依仗；遭受；亏欠；享有；赔偿；背弃；失败；通"妇"。
❶负重者患途远
见《邓析子·无厚》。
负民即负国何忍负之
见清·魏向桓撰内乡县衙大堂抱柱联。全句为："欺人如欺天毋自欺也，～"。
负舟登山，诚难事也
见唐·苏晋《应贤良方正科对策》。
负重道远者，不择地而休
见汉·刘向《说苑·建本》。全句为："～；家贫亲老者，不择禄而仕"。
负恩必须酬，施恩慎勿色
见唐·王梵志《负恩必须酬》。
负者歌于途，行者休于树……滁人游也
见宋·欧阳修《醉翁亭记》。删节处为："前者呼，后者应，伛偻提携，往来而不绝者"。
负势竞上，互相轩邈，争高直指，千百成峰
见南朝·梁·吴均《与宋元思书》。
❷虚负凌云万丈才，一生襟抱未曾开
❸义不负心，忠不顾死／宁我负人，毋人负我／贵者负势而骄人，才士负能而遗行／人百负之而不恨，己信之终不疑其欺己／反裘负薪，里尽毛殚，刖趾适屦，刻肌伤骨／蚊蚋负山，力诚不

足;鹰鹯逐鸟,志则有余
❹余生自负澄清志／兵之胜负,实在赏罚／负民即负国何忍负之／宁教我负天下人,休教天下人负我／官输私负索交至,勺合不留但糠秕／反裘而负薪,爱其毛,不知其皮尽也
❺驽牛可以负重致远／积山万状,负气争高……／积山万状,负气争高。含霞饮景,参差代雄／乐高喜大,负威任势,亡忧失畏,不求于己也
❻事违于理则负结于意／难回者天,不负者心／有理言自壮,负屈声必高／非而曲者为负,是而直者为胜
❼宁我负人,毋人负我／不战而强弱胜负已判矣
❽负民即负国何忍负之
❾其父析薪,其子弗克负荷／有高人之行者,固见负于世／采择狂夫之言,不逆负薪之议／水之积也不厚,则其负大舟也无力／崖谷峻隘,十里百折,负重而上,若蹈利刃
❿一以意许知己,死亡不相负／才如白地明光锦,裁为负版袴／隙中之观斗,又乌知胜负之所在／一时之强弱在力,千古之胜负在理／宁教我负天下人,休教天下人负我／标格原因独立好,肯教富贵负初心／贵者负势而骄人,才士负能而遗行／三年耕有九年储,仓谷满盈,斑白不负戴／平日极好直言者,即患难时不肯负我之人／囊漏贮中,识者不吝;反裘负薪,存毛实难／我为女子,薄命如斯!君是丈夫,负心若此／权衡损益,斟酌浓淡,芟繁剪秽,弛于负担／古人有言曰:“其父析薪,其子弗克负荷。”／故马或奔踶而致千里,士或有负俗之累而立功名

争 ①zhēng 力求得到或夺到;争论;较量;竞争;差;怎么。②zhèng 通“诤”,诤谏。

❶争先睹之为快

见唐·韩愈《与少室李拾遗书》。

争名于朝,争利于市

见《战国策·秦策一》。

争鱼者濡,争兽者趋

见《列子·说符》。

争鱼者濡,逐兽者趋

见汉·刘安《淮南子·道应》。

争先非吾事,静照在忘求

见晋·王羲之《答许询》。

争强量功,能以胜众者鲜

见汉·王充《论衡·涧时篇》。全句为:“敌力角气,能以小胜大者希;～”。

争目前之事,则忘远大之图

见明·吴麟征《家诫要言》。

争地以战,杀人盈野;争城以战,杀人盈城

见《孟子·离娄上》。

争行义乐用与争为不义竞不用,此其为祸福也

见《吕氏春秋·离俗览·为欲》。全句为:“凡治国令其民争行义也,乱国令其民争为不义也;强国令其民争乐用也,弱国令其民争竞不用也。夫～,天不能覆,地不能载”。

争让之礼,尧桀之行,贵贱有时,未可以为常也

见《庄子·秋水》。

争构纤微,竞为雕刻……;骨气都尽,刚健不闻

见唐·杨炯《王勃集序》。删节处为:“揉之金玉龙凤,乱之朱紫青黄;影带以徇其功,假对以称其美”。

❷不争之德,德之先也／虚争空言,不如试之易效／分争者不胜其祸,辞让者不失其福／或争利而反强之,或听从而反止之／谏、争、辅、拂之人信,则君过不远／谏、争、辅、拂之人,社稷之臣也,国君之宝／不争而无所不胜,不言而无所不应,不召而无所不来
❸唯不争,故无尤／上下争利,国则危矣／丹壑争流,青峰杂起／古人争战,先料其将／士有争友,则身不离于令名／君臣争明……此乖国之风也／唯不争,故天下莫能与之争／父有争子,则身不陷于不义／邪僻争权,乃有忠臣匡正其君／词客争新角短长,迭开风气递登场／见利争让,闻义争为,有不善争改／两虎争人而斗,小者必死,大者必伤／与民争利,犯者辄免官削爵,不得仕宦／朝无争臣则不知过,国无达士则不闻善／杂花争发,非止桃蹊。群鸟乱飞,有逾鹦谷／天下争名趋势,不计是非,析毫剖芒,视死如归
❹毋与民争利／当官力争,不为面从／比力而争,智者为雄／鹬蚌相争,渔人得利／矜而不争,群而不党／不与人争者,常得利多／海与山争水,海必得之／居家戒争讼,讼则终凶／有谔谔争臣者,其国昌／无意苦争春,一任群芳妒／不与贪争利,不与勇争气／俏也不争春,只把春来报／晴日花争发,丰年酒易沽／贪求则争起,有知则事兴／爱静鱼争乐,依人鸟入怀／金与粟争贵,乡与朝争治／与百姓争利,则狡诈之心生／谁不欲争裂绮绣,互攀日月／交气疾争者,为易口而自毁也／因事相争,安知非我之不是,须平心暗想／君子以争途之不可由也,是以越俗乘高,独行于三等之上
❺君子无所争／让一得百,争十失九／争名于朝,争利于市／争鱼者濡,争兽者趋／君不与臣争功,而治道通矣／水下流,不争先,故疾而不迟／石火光中争长竞短,几何光明／眉将柳而

争绿,面共桃而竞红/天下文士,争执所长,与时而奋/变在萌而争之,则祸成而不救矣/世人逐势争奔走,沥胆堕肝惟恐后/富贵则人争趣之,贫贱则人争去之

❻崇让则人不争/兵革兴而分争生/让生于有余,争起于不足/君子矜而不争,群而不党/直者不能不争,曲者不能不讼/冰心与贫流争激,霜情与晚节弥茂/劳苦之事则争先,饶乐之事则能让/得在时,不在争;治在道,不在圣/始之有作人争觉,及至无为众始知/春心莫共花争发,一寸相思一寸灰/强国令其民争乐用也,弱国令其民争竞不用也

❼上多求则下交争/不尚贤,使民不争/人之道,为而不争/凡有血气,皆有争心/刀锥之末,将尽争之/江海不与坎井争其清/物无所主,人必争之/一万年太久,只争朝夕/积山万状,负气争高……/俪采百字之偶,争价一句之奇/闻善而行之如争,闻恶而改之如仇/见利争让,闻义争为,有不善争改/千岩竞秀,万壑争流……若云兴霞蔚/积山万状,负气争高。含霞饮景,参差代雄/争行义乐用与争为不义竞不用,此其为祸福也/凡治国令其民争行义也,乱国令其民争为不义也

❽思虑明达而辞不争/凡人之性,不能无争/谋稽乎誸,知出乎争/德荡乎名,知出乎争/众水会涪万,瞿塘争一门/巢许蔑四海,商贾争一钱/决千金之货者不争铢两之价/久利之事勿为,众争之地勿往/不是一番寒彻骨,争得梅花扑鼻香/好事者未尝不中,争利者未尝不穷/春来春去苦自驰,争名争利徒尔为/贵名不可以比周争也……不可以势重胁也/人之情,于害之中争取小焉,于利之中争取大焉

❾禄食之家不与百姓争利/不与贪争利,不与勇争气/物丰则欲省,求澹则争止/金与粟争贵,乡与朝争治/崇推让之风,以销分争之讼/下比周则上危,下分争则上安/治民者,导之敬让,而争自息/瀑布天落,半与银河争流……/善恶到头终有报,只争来早与来迟/食禄者不得与下民争利,受大者不得取小/负势竞上,互相轩邈,争高直指,千百成峰/争地以战,杀人盈野;争城以战,杀人盈城/人之情,于利之中则争取大焉,于害之中则争取小焉

❿天地莫生金,生金人竞争/城有所不攻,地有所不争/彼是而己非,不当与是争/己是而彼非,不当与非争/朴素而天下莫能与之争美/良谈吐玉,长江与斜汉争流/唯不争,故天下莫能与之争/汝惟不伐,天下莫与汝争功/汝惟不矜,天下莫与汝争能/虎豹之所余,乃狸鼠之所争也/天籁无假于宫商,贞筠不争于柯叶/良医不能救无命,强梁不能与天争/何谓仁?仁者憯怛爱人,谨翕不争/人有穷,而道无不通,与道争则凶/诸君傅粉涂脂,问南北战争都不知/在智则人与之讼;在力则人与之争/茂树恶木,嘉葩毒卉,乱杂而争植/挟天子而令诸侯,此诚不可与争锋/清流洄洑眩波光,高崖古木争苍苍/宁与黄鹄比翼乎,将与鸡鹜争食乎/富贵则人争趣之,贫贱则人争去之/春来春去苦自驰,争名争利徒尔为/见利争让,闻义争为,有不善争改/旌蔽日兮敌若云,矢交坠兮士争先/衣食足而知荣辱,廉让生而争讼息/言泉共秋水同流,词峰与夏云争长/天之道利而不害,圣人之道为而不争/彼兵者,所以禁暴除害也,非争夺也/法莫大于私不行,功莫大于使民不争/饥马在厩,寂然无声,投刍其旁,争心乃生/字中蝌蚪,竞落文河。笔下蛟龙,争投学海/上善若水,水善利万物而不争,处众人之所恶/谒而得位,道士不居也;争而得财,廉士不受/强国令其民争乐用也,弱国令其民争竞不用也/看万山红遍,层林尽染;漫江碧透,百舸争流/人之情,于害之中争取小焉,于利之中争取大焉/凡治国令其民争行义也,乱国令其民争为不义也/擅山海之富,居川林之饶,争修园宅,互相夸竞/人之情,于利之中则争取大焉,于害之中则争取小焉/处道而不贰,吐而不夺,利而不流,贵公正而贱鄙争/上下相疏,内外相蒙,小臣争宠,大臣争权,此危国之风也/名也者,相轧也;知也者,争之器也,二者凶器,非所以尽行也

色

①sè 颜色;脸上的神情;种类;景象;女子的美貌。②shǎi 颜色,用于口语;[色子]赌具。

❶色欲乃忘身之本

见明·冯梦龙《古今小说·任孝子烈性为神》。

色能置害,必须远之

见唐·佚名《太公家教》。全句为:"酒能败身,必须戒之。~。忿能积恶,必须忍之。心能造恶,必须戒之。口能招祸,必须慎之"。

色智而有能者,小人也

见三国·魏·王肃《孔子家语·三恕》。

色厉而内荏,譬诸小人,其犹穿窬之盗也与

见《论语·阳货》。

❷食色,性也/酒色乃身之仇也/春色无情容易去/物色尽而情有余/五色虽明,有时而渝/五色虽朗,有时而渝/以色交者,华落而爱渝/美色不同面,皆佳于目/物色虽繁,而析辞尚简/以色事他人,能得几时好/春色无高下,花枝有短长/暮色苍茫看劲松,乱云飞渡仍从容/春色不随亡国尽,野花只作旧时开/春色满园关不住,一枝红杏出墙来/财色之于人,譬如

小儿贪刀刃之饴／五色令人目盲，五音令人耳聋，五味令人口爽

❸务采色，夸声音而以为能也／挺秀色于冰涂，厉贞心于寒道／虽云色白，匪染弗丽；虽云味甘，匪和弗美

❹长堤柳色青如烟／巧言令色，鲜矣仁／变形易色，随风东西／贪淫好色，则伤精失明／目之于色也，有同美焉／疾言厉色，处众之贼也／一丛深色花，十户中人赋／云霞雕色，有逾画工之妙／明年春色至，莫作未归人／青枫暝色，尽是伤心之树／不动声色，而措天下于泰山之安／厚于财色必薄于德，自然之道也／殉于货色，恒于游畋，时谓淫风／春草碧色，春水渌波，送君南浦，伤如之何／《国风》好色而不淫，《小雅》怨诽而不乱，若《离骚》者，可谓兼之

❺怒于室者色于市／万株果树，色杂云霞／义烈之余，色气猛厉／黄金无足色，白璧有微瑕／勿内荒于色，勿外荒于禽／春露不染色，秋霜不改条／歌罢海动色，诗成天改容／秋菊有佳色，裛露掇其英／非独女以色媚，而士宦亦有之／见百金而色变者，不可以统三军／见十金而色变者，不可以治一邑／观者如山色沮丧，天地为之久低昂／缋事以众色成文，蜜蜂以兼采为味／心平愉，则色不及佣而可以养目，声不及佣而可以养耳

❻喜怒不形于色／室于怒，市于色／闻志广博而色不伐／邪气袭内，正色乃衰／所爱者，非美色则巧佞／圣人之于声色滋味也……／声不绝乎耳，色不绝乎目／语曰：好女之色，恶者之孽也／运退黄金失色，时来顽铁生辉／去敌气与矜色兮，噤危言以端诚／今年花落颜色改，明年花开复谁在／不阿党，不私色，故群徒之卒不得容／百姓之有此色，正缘士大夫不知此味／入天下之声色而研其理者，人之道也／美味腐腹，好色惑心，男夫招祸，辩口致殃／好者不必同色而皆美，丑者不必同状而皆恶／梅花过时，槐色犹在，白云芳草，尽入诗兴／秋天晚晴，碧色如归，横度一鸟，时时行云

❼拂水飘绵送行色／惟大英雄能本色／目所不见，非无色也／华兖灿烂，非只色之功／人烟寒橘柚，秋色老梧桐／苔痕上阶绿，草色入帘青／江流天地外，山色有无中／奸人外善内恶，色厉内荏／酒是烧身硝焰，色为割肉钢刀／音以比耳为美，色以悦目为欢／不到西湖看山色，定应未可作诗人／不要人夸好颜色，只留清气满乾坤／行宫见月伤心色，夜雨闻铃肠断声／得丧而不形于色，进退而不失其正／忽见陌头杨柳色，悔教夫婿觅封侯／泰山崩于前而色不变，麋鹿兴于左而目不瞬／人之情，目欲视色，耳欲听声，口欲察味，志气欲盈／伯夷，目不视恶色，耳不听恶声。非其君，不事；非其民，不使

❽杂之以处而观其色／树树秋声，山山寒色／日月韬光，山河改色／恶绝于心，仁形于色／粗服乱头，不掩国色／吾未见好德如好色者也／有病于内者，必有色于外／耳虽欲声，目虽欲色……／日光寒兮草短，月色苦兮霜白／嗜欲充益，目不见色，耳不闻声／不失足于人，不失色于人，不失口于人／风烟俱静，天山共色，从流飘荡，任意东西／沧波远天，混和暮色，孤舟一去，曷日而旋归

❾时花美女，不足为其色也／伤生之事非一，而好色者必死／士矜才则德薄，女衒色则情放／人情曷似春山好，山色不随春老／天街小雨润如酥，草色遥看近却无／春风不识兴亡意，草色年年满故城／春风不逐君王去，草色年年旧宫路／圣人不为华文，不为色利，不为残贼／无目者不可示以五色，无耳者不可告以五音／丹可磨而不可夺其色，兰可燔而不可灭其馨

❿负恩必须酬，施恩慎勿色／风檐展书读，古道照颜色／眉睫之前，卷舒风云之色／沧海横流，方显出英雄本色／有兼覆之厚，而无伐德之色／盲者无以与乎眉目颜色之好／风萧萧而异响，云漫漫而奇色／耳得之而为声，目遇之而成色／与贤豪相对，最不可有媚悦之色／不党父兄，不偏富贵，不嬖颜色／备之以储蓄，虽凶荒而人无菜色／事可语人酬对易，面无惭色去留轻／众卖花兮独卖松，青青颜色不如红／力能排天斡九地，壮颜毅色不可求／落霞与孤鹜齐飞，秋水共长天一色／喑呜则山岳崩颓，叱咤则风云变色／驱妻逐子课工程，虽作人形俱菜色／横空出世，莽昆仑，阅尽人间春色／悲愁天地白日昏，路旁过者无颜色／蛱蝶飞来过墙去，却疑春色在邻家／庸人者，口不能道善言，心不知色色／慎简乃僚，无以巧言令色、便辟侧媚／百工不信，则器械苦伪，丹漆染色不贞／纵令滋味当染于口，声色已开于心……／风雨急而不辍其音，霜雪零而不渝其色／治心须求妙悟，悟则神和气静，客敬色庄／始而胎气充实……壮而声色有节者强而寿／始而胎气虚耗……壮而声色自放者弱而夭／飞沙溅石，湍流百势；翠崄丹崖，冈峦万色／君子不失足于人，不失色于人，不失口于人／饮食不节，以生疾病；好色不倦，以致乏绝／庖有肥肉，厩有肥马，民有饥色，野有饿莩／闻《秦中吟》，则权豪贵近者相目而变色矣／快者掀髯，愤者扼腕，悲者掩泣，羡者色飞／贤者辟世，其次辟地，其次辟色，其次辟言／见骥一毛，不知其状；见画一色，不知其美／霜封野树，冰冻寒苗，岸草无色，芦花自飘／读来一百遍，不如亲见颜色，随问而对之易了／耳之欲五声，目之欲五色，口之欲五味，情也／与

邪佞人交，如雪入墨池，虽融为水，其色愈污／不是师法，而好自用，譬之是犹以盲辨色，以聋辨声也／君子所不至者三：不失色于人，不失口于人，不失足于人／其夹岸有树木千万本，列立如揖，丹色鲜如霞，擢举欲动，灿若舒颜

免 ①miǎn 去掉，除掉；避免；不可，不要；罢免；通"娩"，生育；免除刑罚。②wèn 通"絻"，古代丧服；新鲜的。

❷狡兔依然在，良犬先烹／欲免为形者，莫如弃世／务免乎人之所不免者，岂不亦悲哉

❸未能免俗，聊复尔尔

❹朽株难免蠹，空穴易来风／谄谀苟免其身者，国之贼也／鱼鳖得免毒螯之渊，鸟兽得离罗网之纲

❻临难而不苟免，见利而不苟得／贫民耕而不免于饥，富民坐而饱以嬉

❼闻恶能改，庶得免乎大过／杀身慷慨犹易免，取义从容未轻许／有罪者优游获免，无罪者妄受其辜

❽舍是与非，苟可以免／修己而不责人，则免于难／狡兔有三窟，仅得免其死耳／务免乎人之所不免者，岂不亦悲哉／清风两袖朝天去，免得闾阎话短长／已借蜡钱输麦税，免教缉捕闹门来／使为恶者不得幸免，疑似者有所辨明／与民争利，犯者辄免官削爵，不得仕宦／良将不怯死以苟免，烈士不毁节以求生／勇将不怯死以苟免，壮士不毁节而求生／立节者见难不苟免，贪禄者见利不顾身

❾不忍为非，而未能必免其祸／不雷同以害人，不苟免以伤义／死生……畏者不可以苟免，贪者不可以苟得也

❿临财毋苟得，临难毋苟免／多读书达观古今，可以免忧／为善若恐不及，备祸若恐不免／怵惕惟厉，中夜以兴，思免厥愆／昭昭乎如揭日月而行，故不免也／不为苟得以偷安，不为苟免而无耻／邪说之移人，虽豪杰之士有不免者／爵不可以无功取，刑不可以贵势免／徒恶之而不去其得之之道，不能免也／鸡知将旦，鹤知夜半，而不免于鼎俎／函车之兽，介而离山，则不免于罔罟之患／君之赏不可以无功求，君之罚不可以有罪免／常有小不快事，是好消息……知此理可免怨尤／知为为而不知所以为，是以贵为天子，富有天下，而不免于患也

初 chū 起头；最低的；当初，本来；根本，从来；夏历指每月的开头几天或开头十天。

❶初生牛犊不怕虎

见明·罗贯中《三国演义》第七十四回引俗语。

初虽啼号，后必庆笑

见汉·焦赣《易林·既济·兑》。

❷保初节易，保晚节难／在初则易，终之实难／泰初有无，无有，无名。一之所起，有一而未形

❸人之初，性本善／妾发初复额……／览予初其犹未悔／丹青初则炳，久则渝／守其初心，始终不变／教妇初来，教儿婴孩／中原初逐鹿，投笔事戎轩／夏屋初成而大匠先立其下／慎厥初，惟厥终，终以不困／丹青初炳而后渝，文章岁久而弥光／太阳初出光赫赫，千山万山如火发

❹靡不有初，鲜克有终／每至晴初霜旦，林寒涧肃／问姓惊初见，称名忆旧容／每至晴初霜旦，林寒涧肃……／听政之初，当以通下情除壅蔽为急务／恒无之初，迥同大虚。虚同为一，恒一而止

❺物之终始，初无极已

❻困人天气日初长／不因困顿移初志，肯为贪缘改寸丹

❼攀龙附凤，必在初举／毋恃久安，毋惮初难／百首如一首，卷初如卷终／始见新春，又逢初夏。四时若箭，两曜如梭。

❽早知今日，悔不当初／物塞而通，必艰其初／大略如行云流水，初无定质／古之善为政者，其初不能无谤／剑外忽传收蓟北，初闻涕泪满衣裳／天性正于受生之初，明觉发于既生之后

❾性修反德，德至同于初／东望望长安，正值日初出／兽形云不一，弓势月初三

❿下流不可处，君子慎厥初／峰攒望天小，亭午见日初／紫塞白云断，青春明月初／事穷势蹙之人，当原其初心／宁可后来相让，不可起初含糊／欲变节而从俗兮，愧易初而屈志／标格原因独立好，肯教富贵负初心／飒爽英姿五尺枪，曙光初照演兵场／萌于不必忧之地，而寓于不可见之初／哀白日之不与吾谋兮，至今十年其犹初／欲明两仪天地之体，必以太极虚无为初始／地尽天水合，朝及洞庭湖，初日当中涌，莫辨东西隅

兔 tù 一种哺乳动物。

❷打兔得獐，非意所望／狡兔已尽，良犬就烹／赤兔无人用，当须吕布骑／雄兔脚扑朔，雌兔眼迷离／狡兔有三窟，仅得免其死耳／两兔傍地走，安能辨我是雄雌／非兔狡，猎狡也；非民诈，吏诈也／狡兔尽则良犬烹，敌国灭则谋臣亡／狡兔得而猎犬烹，高鸟尽而强弩藏／一兔走衢，万人逐之；一人获之，贪者悉止／见兔而顾犬，未为晚也；亡羊而补牢，未为迟也／狡兔死，良狗烹；高鸟尽，良弓藏；敌国破，谋臣亡

❸有如兔走鹰隼落，骏马下注千丈坡

❹万人逐兔，一人获之，贪者悉止／使之搏兔，

不如豺狼，伎能殊也／教羊牧兔，使鱼捕鼠，任非其人，费日无功
❺鸟飞反乡，兔走归窟……各哀其所生
❻逐鹿者不顾兔／鼋鸣而鳖应，兔死则狐悲
❼雄兔脚扑朔，雌兔眼迷离
❽守如处女，出如脱兔／静如处女，动如脱兔／鹪鹩尚存一枝，狡兔犹藏三窟／飞鸟尽，良弓藏；狡兔死，走狗烹／蜚鸟尽，良弓藏；狡兔死，走狗烹
❿契船而求剑，守株而伺兔／强弩弋高鸟，走犬逐狡兔／始如处女，敌人开户；后如脱兔，敌不及拒

象 xiàng 哺乳动物；形状；模仿；想象；象征；古代一种舞的名称；指《象辞》。
❶象以典刑
见《尚书·舜典》。
象外之象，景外之景
见唐·司空图《与李生论诗书》。
象见其牙，而大小可论
见汉·刘安《淮南子·氾论》。全句为："蛇举首尺，而修短可知；～"。
象有齿以焚其身，贿也
见《左传·襄公二十四年》。
象以齿焚身，蚌以珠剖体
见汉·王符《潜夫论·遏利》。
❷见象之牙而知其大于牛也
❸虎爪象牙，禽兽之利而我之害
❹诗家气象贵雄浑／一蛇吞象，厥大何如／象外之象，景外之景／持萤烛象，得首失尾／白骨疑象，武夫类玉／在天成象，在地成形，变化见矣／无状无象，无声无响，故能无所不通，无所不往／博取之象数，远征之古今，以求尽乎理，所谓格物也
❺两仪生四象／见乃谓之象，形乃谓之器／散殊而可象为气，清通而不可象为神
❻大音希声，大象无形／朝晖夕阴，气象万千／思故旧以想象兮，长太息而掩涕
❼人心不足蛇吞象／贪痴无底蛇吞象，祸福难明螳捕蝉
❽气者，心随笔运，取象不惑／辩巧之文可悦，似象之言足惑／山舞银蛇，原驰蜡象，欲与天公试比高
❾磐石千里，不可谓富；象人百万，不可谓强
❿不敌其力，而消其势，兑下乾上之象／散殊而可象为气，清通而不可象为神／天无形而万物以成，至精无象而万物以化／大方无隅，大器晚成，大音希声，大象无形／法本不祖，术本无状；师之于心，得之于象／物类之起，必有所始；荣辱之来，必象其德

剪 jiǎn 剪刀；形状像剪子的；用剪子铰东西；除去；斩断，削弱；色浅。
❶剪恶如草，扬奸如秕
见唐·皮日休《手箴》。
剪采为葩不可以受风雨
见明·刘基《拟连珠》。全句为："～，画布为亟不可以当戈戟"。
剪不断，理还乱，是离愁
见五代·南唐·李煜《相见欢》。全句为："～，别是一般滋味在心头"。
剪枝去叶，本根俱露，枯槁可立而待
见明·冯梦龙《东周列国志》第五十二回。
剪纸为墙，不可止暴，抟沙为饼，不可疗饥
见明·刘基《拟连珠》。
❸似把剪刀裁别恨，两人分得一般愁
❹刀不能剪心愁，锥不能解肠结／何当共剪西窗烛，却话巴山夜雨时
❺抽薪止沸，剪草除根
❻二月春风似剪刀／焉得并州快剪刀，翦取吴松半江水
❼导筋骨则形全，剪情欲则神全，靖言语则福全
❿无物结同心，烟花不堪剪／屈长才于短用者，犹骥扑鼠而斧剪毛也／权衡损益，斟酌浓淡，芟繁剪秽，弛于负担

赖 lài 倚靠；刁钻撒泼；推脱；责备；诬陷；不好；留在某处不肯离开；通"懒"，懒惰；姓。
❻君明臣忠，民赖其福／牛蹄中鱼，冀赖江汉／饱暖非天降，赖尔筋与力／财须民生，强赖民力，威恃民势，福由民殖
❼必得之事，不足赖也；必诺之言，不足信也
❽足下家中百物，皆赖而用也……
❿性同而材倾则相援而相赖也／吏所以治民，能尽其治则民赖之／山，刺破青天锷未残。天欲堕，赖以拄其间

詹 ①zhān 多言；至；通"瞻"，仰望；姓；[詹詹]说话烦琐，喋喋不休的样子。②shàn 赡足。③chán 通"蟾"，蟾蜍。
❿大知闲闲，小知间间；大言炎炎，小言詹詹

力 lì 力气；能力；威力；事物蕴藏着的效力；努力；竭力地；功劳；甚；旧指体力劳动者；物理学名词。
❶力本任贤
见汉·班固《汉书·董仲舒传》。
力术止，义术行
见《荀子·强国》。
力敌则智者胜愚
见汉·刘安《淮南子·兵略》。全句为："德均则众者胜寡；～；智侔则有数者禽无数"。
力则力取，智则智取

见明·施耐庵《水浒传》第十六回。

力分者弱,心疑者背

见《尉缭子·攻权》。

力能胜贫,谨能胜祸

见北魏·贾思勰《齐民要术·序》。

力所不任而强举之,伤也

见宋·张君房《云笈七籤》卷三十六载《杂修摄·摄生月令》引《小有经》。全句为:“才所不胜而强思之,伤也。~”。

力胜其任,则举之者不重

见汉·刘安《淮南子·主术》。全句为:“~;能称其事,则为之者不难”。

力多则人朝,力寡则朝于人

见《韩非子·显学》。

力能则进,否则退,量力而行

见《左传·昭公十五年》。

力恶其不出于身也,不必为己

见《礼记·礼运》。

力田不如逢年,善仕不如遇合

见汉·司马迁《史记·佞幸列传》。

力士推山,天吴移水,作农桑地

见宋·陈德武《水龙吟》。

力足以举百钧,而不足以举一羽

见《孟子·梁惠王上》。全句为:“~;明足以察秋毫之末,而不见舆薪”。

力足者取乎人,力不足者取乎神

见唐·柳宗元《非国语·神降于莘》。全句为:“~。所谓足,足乎道之谓也”。

力能排天斡九地,壮颜毅色不可求

见宋·王安石《杜甫画像》。

力拔山兮气盖世,时不利兮骓不逝

见汉·司马迁《史记·项羽本记》。全句为:“~。骓不逝兮可奈何,虞兮虞兮奈若何”。

力胜贫,谨胜祸,慎胜害,戒胜灾

见汉·刘向《说苑·谈丛》。

力不足则伪,知不足则欺,财不足则盗

见《庄子·则阳》。全句为:“~。盗窃之行,于谁责而可乎?”

力可以得天下,不可以得匹夫匹妇之心

见宋·苏轼《潮州韩文公庙碑》。

力田者受旌显之赏,惰农者有不齿之罚

见唐·房玄龄《晋书·慕容皝载记》。

力能过人,勇能行之,而智不能断事……

见三国·魏·刘劭《人物志·英雄》。全句为:“~,可以为先登,未足以为将帅”。

力视损明,力听损聪,疾言阻德,功伪败功

见汉·严遵《道德指归论·天下有始篇》。

力不能问,然后语之,语之而不知,虽舍之可也

见《礼记·学记》。

力不能济于用,而君臣上下不正,虽抱空器奚何施设

见唐·罗隐《辨害》。全句为:“权济天下而君臣立,上下正,然后礼义正焉;~”。

❷量力而知攻/努力功名须黑头/笔力未饶弓力劲/恃力者虽盛而必衰/陈力就列,不能者止/比力而争,智者为雄/量力而动,其过鲜矣/有力量济人,谓之福/无力,则不能自成一家/任力者故劳,任人者故逸/量力而任之,度才而处之/量力守故辙,岂不寒与饥/无力于民而旅食,不恶贫贱/敌力角气,能以小胜大者希/民力尽于无用,财宝虚以待客/若力能过人,而勇不能行……/多力丰筋者圣,无力无筋者病/量力所至,约其课程而谨守之/尽力直友人之屈,不以权臣为意/胆力绝众,材略过人,是谓骁雄/无力买田聊种水,近来湖面亦收租/以力服人者,非心服也,力不赡也/酒力醒,茶烟歇,送夕阳,迎素月/火力不能销地力,乱前黄菊眼前开/并力西向,则吾恐秦人食之不得下咽也/尚力务本而种树繁,躬耕趣时而衣食足/智力不能接,而威德不能运者,谓之二/胆力者,雄之分也,不得英之智则事不立/宜力学为砻斫,亲贤为青黄,睦僚友为瑶金

❸力则力取,智则智取/当官力争,不为面从/服田力穑,乃亦有秋/民知力竭,则以伪继之/德与力,非试之辕下不可辨/真积力久则人,学至乎没而后止/丈夫力耕长忍饥,老妇勤织长无衣/筋疲力弊不入腹,未议县官租税足/食人力之粟,守无事之官,拳拳血诚,无所陈露

❹鼓衰兮力竭……/狂来笔力如牛弩/非其身力,不以衣食/将赡才力,务在博见/居事不力,用财不节/鞠躬尽力,死而后已/圣人去力去巧去知去贤/因人之力而敝之,不仁/兵久则力屈,人愁则变生/本以势力交,势尽交情止/穷民财力以供嗜欲谓之暴/人之不力于道者,昏不思也/用人之力而忘人之功,不可/丈人才力犹强健,岂傍青门学种瓜/君子有力于民则进爵禄,不辞富贵/不敌其力,而消其势,兑下乾上之象/下者尽力而无耗弊,上者量民而用有节/一卒毕力,百人不当;万夫致死,可以横行/人贵量力,不贵必成;事贵相时,不贵必遂/雄以其力服众,以其勇排难,待英之智成之/下之用力者甚勤,上之用物者有节,民无遗力,国不过费/谓马多力则有矣,若曰胜千钧,则不然者,何也?千钧,非马之任也

❺化悲痛为力量/烈士乐奋力之功/守少则固,力专则强/审乎物者,力约而功峻/子不语怪、力、乱、神/胜人者有力,自胜者强/冲风之末,力不能漂鸿毛/少也用其力,老也优其秩/少壮不努力,老大徒伤悲/强弩之末,力不能入

鲁缟／好风凭借力，送我上青云／虑熟谋审，力不劳而功倍／路遥知马力，日久见人心／不能尽其力，则不能成其功／因天下之力，以生天下之财／以众人之力起事者，无不成也／任一人之力者，则乌获不足恃／用武则以力胜，用文则以德胜／财尽则怨，力尽则怼，君子危之／侈，将以其力毙；专，则人实毙之／居之以强力，发之以果敢，而成之以无私／力视损明，力听损聪，疾言阻德，功伪败功／蚊蚋负山，力诚不足；鹰鹯逐鸟，志则有余／君子用以力学，借困衡为砥砺，不但顺受而已／得百姓之力者富，得百姓之死者强，得百姓之誉者荣

❻不度德，不量力／同其心，一其力／笔力未饶弓力劲／卑宫室而尽力乎沟洫／恃德者昌，恃力者亡／德盛者威广，力盛者骄众／威强以自御，力损则身危／衣食当须纪，力耕不吾欺／力多则人朝，力寡则朝于人／知者必量其力所能至而从事／强冲风之末，力不能漂鸿毛／并兼者高诈力，安定者贵顺权／虽有强记之力，而常废于不勤／举事而不时，力虽尽，其功不成／无功之赏，无力之礼，不可不察也／臂健尚嫌弓力软，眼明犹识阵云高／任天下之智力，以道御之，无所不可／少壮真当努力，年一过往，何可攀援／轻士民之死力者，不能禁暴国之邪逆／买马不论足力，以黑白为仪，必无走马／好学近乎知，力行近乎仁，知耻近乎勇／以明自察，量力而行，不失其所，必获久长矣／为学为教，用力于讲读者一二，加功于习行者八九／虽有国士之力，不能自举其身，非无力也，势不便也

❼艺可学而行可力／人有知学，则有力矣／易以理服，难以力胜／方今之务，在于力农／齿发虽衰而风力犹在／百害不能伤，知力不能取／但令身未死，随力报乾坤／度德而处之，量力而行之／早作而夜思，勤力而劳心／干将虽利，非人力不能自断／劳心者治人，劳力者治于人／役于人而食其力，可无报耶／形见则胜可制，力罢则威可立／力足者取乎人，力不足者取乎神／一时之强弱在力，千古之胜负在理／不识农夫辛苦力，骄骢蹋烂麦青青／向来枉费推移力，此日中流自在行／古人学问无遗力，少壮功夫老始成／攻人以谋不以力，用兵斗智不斗多／担水塞井徒用力，炊砂作饭岂堪吃／时来天地皆同力，运去英雄不自由／火力不能销地力，乱前黄菊眼前开／策马前途须努力，莫学龙钟虚叹息／天下之事，理胜力为常，力胜理为变／不塞隙穴，而劳力于赭垩，暴风疾雨必坏／用四海九州之力，除此小寇，难易可知……

❽各因其才而尽其力／仁不以勇，义不以力／各专其能，各致其力／轻徭薄赋，以宽民力／贪天之功，以为己力／恩之所加，不量其力／半丝半缕，恒念物力维艰／轧轧弄寒机，功多力渐微／以德胜人者昌，以力胜人者亡／民政之难，不惟其力而惟其才／凡克己以济民，皆力行而不悔／地利不如人和，武力不如文德／多力丰筋者圣，无力无筋者病／教会宣明，不能尽力，士卒之罪也／事非当则伤于智力，务过分则毙于形神／财须民生，强赖民力，威恃民势，福由民殖

❾以恩信接人，不尚诈力／黎庶之安，乃众贤之力／必因时之势，故易为力／百姓可以德胜，难以力服／骐骥之速，非一足之力也／战久则兵钝，攻久则力屈／此身傥未死，仁义尚力行／兵也者，威也；威也者，力也／力能则进，否则退，量力而行／虎鹿之不可同游者，力不敌也／为治者不在多言，顾力行何如耳／用人而不为之下，则力不为用也／在智则人与之讼；在力则人与之争／聪明秀出谓之英，胆力过人谓之雄／虽干将、莫邪，非得人力则不能割刿／顺天时，量地利，则用力少而成功多／不自限其昏与庸而力学不倦，自立者也／千人同心则得千人力，万人异心则无一人之用／凡下之从上也……不从力之制，从上之所为也／虽有纳谏之明，而无力行之果断，则言愈多而听愈惑

❿万人离心，不如百人同力／临战而思生，则战必不力／饱暖非天降，赖尔筋与力／智者取其谋，愚者取其力／不能尽其心，则不能尽其力／博而能一，亦有助乎心力矣／唯有志不立，直是无着力处／养物而物为我用者，人之力也／人穷事败者，释自然而任智力／适于用之谓才，堪其事之谓力／贤人不爱其谋，群士不遗其力／用百人之所能，则得百人之力／上因天时，下尽地财，中用人力／词林增峻，反诸宏博，君之力焉／拨乱反正之君，资拔山超海之力／昔之厚其生，非爱之也，利其力／是以圣王先成民，而后致力于神／鸟能远飞，远飞者，六翮之力也／生之有时而用之无度，则物力必屈／以力服人者，非心服也，力不赡也／伐深根者难为功，摧枯朽者易为力／圣人之治天下也，先文德而后武力／大抵学问只有两途，致知力行而已／情必极貌以写物，辞必穷力而追新／学不勤则不知道，耕不力则不得谷／相见时难别亦难，东风无力百花残／春时耕种夏时耘，粒粒颗颗费力勤／水之积也不厚，则其负大舟也无力／股肱罄帷幄之谋，爪牙竭熊罴之力／意匠如神变化生，笔端有力任纵横／慧者心辩而不繁说，多力而不伐功／镌金石者难为功，摧枯朽者易为力／病中何事最相宜，惟有摊书力尚支／万事以心为本，未有心至而力不能者／天下之事，理胜力为常，力胜理为变／天下大势之所趋，非人力之所能移也／凡读书到冷淡无味处，尤当着力

推考／著述讲论之功多，而实学实教之力少／无奇业旁入，而犹以富给，非俭则力也／凿井而饮，耕田而食；帝力于我何有哉／当其才则事或能济，逾其分则力所不堪／君子富，好行其德；小人富，以适其力／绳锯木断，水滴石穿，学道者须加力索／轻死以行礼谓之勇，诛暴不避强谓之力／兵贵于精，不贵于多；强于心，不强于力／君不见担雪塞井空用力，炊沙作饭岂堪食／师不欲久，行不欲远，守少则固，力专则强／历危乘险，匪杖不行，车耆力竭，匪杖不强／人之乱也，由夺其食；人之危也，由竭其力／变祸为福，易曲成直，宁关天命，在我人力／璧瑗成器，礛诸之功，镆邪断割，砥砺之力／文以气为主，气之清浊有体，不可力强而致／神明之事，不可以智巧为也，不可以筋力致也／心虽不说，弗敢不誉；事业虽弗善，不敢不力／见其远者大者，不食邪人之饵，方是二十分识力／敌先我动，则是见其形；彼躁我静，则是罢其力／粟米布帛生于地，长于时，聚于力，非可一日成／建安诗辩而不华，质而不俚，风调高雅，格力遒壮／德薄而位尊，知小而谋大，力小而任重，鲜不及矣／时之来也，为云龙，为风鹏，勃然突然，陈力以出／专以一身任天下，其智之所不见，力之所不举者多矣／未战养其财，将战养其力，既战养其气，既胜养其心／兵非益多也，惟无武进，足以并力，料敌，取人而已／虽有国士之力，不能自举其身，非无力也，势不便也／兵静则固，专一则威，分决则勇，心疑则北，力分则弱／下之用力者甚勤，上之用物者有节，民无遗力，国不过费／今且须去理会眼前事，那个鬼神事，无形无影，莫要枉费心力／用其智于人，未若用其智于己；用其力于人，未若用其力于己／今以众地者，公作则迟，有所匿其力也；分地则速，无所匿迟也

办

bàn 处理；置备；开设；惩罚。

❶办天下之大事者，有天下之大节者也

见宋·苏轼《伊尹论》。

❹军幕未办，将不言倦

❺常人皆能办大事，天亦不必产英雄

❿急小之人宜理百里，使事办于己／凡偏材之人，皆一味之美，故长于办一官而短于为一国

劝

quàn 说服；鼓励；劝告，劝解；提倡。

❶劝农节用，均丰补歉

见宋·欧阳修《汉高祖庙赛雨文》。

劝我早归家，绿窗人似花

见五代·前蜀·韦庄《菩萨蛮》。

劝君少干名，名为锢身锁

见唐·白居易《闲坐看书贻诸少年》。全句为："～；劝君少求利，利是焚身火"。

劝君少求利，利是焚身火

见唐·白居易《闲坐看书贻诸少年》。全句为："劝君少干名，名为锢身锁；～"。

劝农桑，益种树，可得衣食物

见汉·班固《汉书·景帝纪》。

劝君更尽一杯酒，西出阳关无故人

见唐·王维《渭城曲》。

劝君休饮无情水，醉后教人心意迷

见明·冯梦龙《警世通言·苏知县罗衫再合》。

劝君莫作亏心事，古往今来放过谁

见明·冯梦龙《古今小说·沈小官一鸟害七命》。

劝君莫惜金缕衣，劝君须惜少年时

见唐·无名氏《杂诗》。

劝君莫弹食客铗，劝君莫叩富儿门

见清·敦诚《寄怀曹雪芹》。全句为："～。残杯冷炙有德色，不如著书黄叶村"。

❷我劝天公重抖擞，不拘一格降人材／惩劝善恶之柄，执于文士褒贬之际焉／唯劝农业，无夺农时；唯薄赋敛，无尽民财

❸赏以劝善，罚以惩恶／敬教劝学，建国之大本／和睦劝俭者家必隆，乖戾骄奢者家必败／赏不劝，谓之止善；罚不惩，谓之纵恶／赏不劝善，罚不惩恶，而望邪正不惑，其可得乎

❹信赏以劝能，刑罚以惩恶／庆赏以劝善，刑罚以惩恶／赏一以劝百，罚一以惩众／有善必劝者，固国家之典／赏不足劝善，刑不足禁非，而政不成

❺文人之笔，劝善惩恶也／不赏而民劝，不罚而民治／以赏誉自劝者，惰乎为善／赏所以存劝，罚所以示惩／有必不可劝之人，不必多费唇舌／用意深而劝戒切，为言信而善恶明

❻不赏而人自劝，不罚而人自畏／赏当则贤人劝，罚得则奸人止／自古兴俭以劝天下，必以身先之

❼赏一人而天下劝／刑赏之本，在乎劝善而惩恶／君子不待褒而劝，不待贬而惩／赏不隆则善不劝，罚不重则恶不惩／赏务速而后有劝，罚务速而后有惩／为善者日以有劝，为不善者月以有惩／劳臣不赏，不可劝功；死士不赏，不可励勇

❽举善而教不能，则劝／赏罚无章，何以沮劝／秉耒欢时务，解颜劝农人／前事之不忘，期有劝且惩也／劝君莫惜金缕衣，劝君须惜少年时／劝君莫弹食客铗，劝君莫叩富儿门

❾以德报德，则民有所劝／有功而不赏，则善不劝／用得正人，为善者皆劝／自有桃花容，莫言人劝我／良药苦于口，而智者劝而饮之／天道

以爱人为心,以劝善惩恶为公/以德以义,不赏而民劝,不罚而邪止/责恶要为人留余步,劝善要思其势可从/举世而誉之而不加劝,举世而非之而不加沮/庶人有旦暮之业则劝,百工有器械之巧则壮

❿强人之所不能,虽令不劝/小人不激不励,不见利不劝/为赏罚者非他,所以惩劝者也/以道理天下者……不赏而民劝/威立则恶者惧,化行则善者劝/选之艰则材者出,赏之当则能者劝/婉而成章,尽而不污,惩恶而劝善/昔尧治天下,不赏而民劝,不罚而民畏/官寡而禄厚,则公家之费鲜,进仕之志劝/赏重而信,罚痛而必,群臣畏劝,竞思其职/安而不扰,使而不劳,是以百姓劝业而乐公赋/必使为善者不越月逾时而得其赏,则人勇而有劝焉/赏不当贤而罚不当暴,则是为贤者不劝而为暴者不沮

功

gōng 功劳;贡献;成效;技术;精善,坚固;功夫;通"工",事;丧服名。

❶功难成而易毁

见宋·欧阳修《尚书工部郎中充天章阁待制许公墓志铭》。

功成名遂身退

见汉·刘安《淮南子·道应》。

功成身退是男儿

见明·于谦《还京述怀》。

功成身退,天之道

见《老子》九。

功以才成,业由才广

见晋·陈寿《三国志·蜀志·董允传》注引。

功崇惟志,业广惟勤

见《尚书·周官》。

功成事就,扶手安居

见汉·焦赣《易林·师·大过》。

功成道洽,身没名扬

见唐·王勃《平台秘略赞·善政》。

功者自功,祸者自祸

见唐·柳宗元《天说》。

功全则誉显,业谢则衅生

见南朝·宋·范晔《后汉书·隗嚣传》。

功高人共嫉,事定我当烹

见宋·丁开《可惜》。

功高成怨府,权盛是危机

见宋·王迈《读渡江诸将传》。

功名之下,常有非实之加

见汉·王充《论衡·书虚篇》。全句为:"言语之次,空生虚妄之美;～"。

功名图麒麟,战骨当速朽

见唐·杜甫《前出塞九首》之三。

功多有厚赏,不迪有显戮

见《尚书·泰誓下》。

功多翻下狱,士卒但心伤

见唐·王昌龄《塞上曲》。

功成不受爵,长揖归田庐

见晋·左思《咏史诗八首》之一。

功成耻受赏,高节卓不群

见晋·左思《咏史诗八首》之三。

功成身不退,自古多愆尤

见唐·李白《古风五十九首》之十八。

功业未及建,夕阳忽西流

见晋·刘琨《重赠卢谌》。

功盛者赏显,罪多者罚重

见汉·董仲舒《春秋繁露·考功名》。

功盖三分国,名成八阵图

见唐·杜甫《八阵图》。

功当其事,事当其言,则赏

见《韩非子·二柄》。全句为:"～;功不当其事,事不当其言,则罚"。

功成行满之士,要观其末路

见明·洪应明《菜根谭》。全句为:"事穷势蹙之人,当原其初心;～"。

功不可以虚成,名不可以伪立

见汉·班固《答宾戏》。

功业逐日以新,名声随风而流

见唐·韩愈《与凤翔邢尚书书》。

功不当其事,事不当其言,则罚

见《韩非子·二柄》。全句为:"功当其事,事当其言,则赏;～"。

功高而居之以让,势尊而守之以卑

见晋·刁凿齿《曹操不存录张松》。

功冠天下者不安,威震人主者不全

见南朝·宋·范晔《后汉书·申屠刚传》。

功名只向马上取,真是英雄一丈夫

见唐·岑参《送李副使赴碛西官军》。

功名富贵若长在,汉水亦应西北流

见唐·李白《江上吟》。

功名遂成,天也;循理受顺,人也

见汉·刘安《淮南子·缪称》。

功成而弗居。夫唯弗居,是以不去

见《老子》二。

功者难成而易败,时者难得而易失

见汉·司马迁《史记·淮阴侯列传》。

功不使鬼必在役人,物不天来终须地出

见唐·狄仁杰《谏造大像疏》。

功之成,非成于成之日,盖必有所由起

见宋·苏洵《管仲论》。

功成事立,名迹称遂,不退身避位……

见《老子》九河上公注。全句为:"～,则遇于害,此乃天之常道"。

功莫大于去恶而为善,罪莫大于去善而为恶

见汉·贾谊《新书·修政语上》引古语。

功有难图，不可预见；事有易断，较然不疑

见南朝·宋·范晔《后汉书·袁安传》。

❷使功不如使过／成功而弗居也／无功不赏，无罪不罚／无功而受其禄者，辱／成功之下，不可久处／成功之道，赢缩为宝／有功而赏，有罪而罚／矜功不立，虚愿不至／无功庸者，不敢居高位／仁功难著，而乱源易成／使功在己，则功不可久／务功修业，不受赣于君／有功不赏，为善失其望／有功而不赏，则善不劝／无功而厚赏，无劳而高爵／无功之功大，有功之功小／无功食国禄，去窃能几何／计功而行赏，程能而授事／当功以受赏，当罪以受罚／其功异则其名不得不异也／君功见于选将，将功见于理兵／君功见于选吏，吏功见于治民／农功不妨，谷稼丰赡，故人富也／无功之赏，无力之礼，不可不察也／有功不赏，有罪不诛，虽唐虞犹不能以化天下

❸一将功成万骨枯／努力功名须黑头／因则功，专则拙／成大功者不小苛／赏有功，褒有德／虑为功首，谋为赏本／勿以功高古人而自矜大／诚有功，则虽疏贱必赏／法之功，莫大使私不行／不伐功斯巨，惟谦道乃光／千秋功罪，谁人曾与评说／讲之功有限，习之功无已／赏须功而加，罚待罪而施／不加功于无用，不损财于无谓／以武功定祸乱，以文德致太平／赏无功谓之乱，罪不知谓之虐／盖世功劳，当不得一个“矜”字／三十功名尘与土，八千里路云和月／文章功用不经世，何异丝窠缀露珠／建大功于天下者，必先修于闺门之内／论大功者不录小过，举大善者不疵细瑕／赏无功之人，罚不辜之民，非所谓明也／立大功者不求小疵，有大忠者不求小过／欲成功而反为败者，生于不知道理，而不肯问知而听能／本无功而自矜，一等；有功而伐之，二等；功大而不伐，三等

❹事求遂，功求成／士当以功名闻于世／才能成功，以速为贵／不求有功，但求无过／不赏无功，不养无用／功者自功，祸者自祸／贪天之功，以为己力／俗人有功则德，德则骄／太平之功，非一人之略／赏不当功，则不如无赏／无功之功大，有功之功小／帝王之功，圣人之余事也／争强量功，能以胜众者鲜／当知岁功应，唯是奉无私／身无大功而受厚禄，三危也／不官无功之臣，不赏不战之士／尊贤考功则治，简贤违功则乱／禄过其功者损，名过其实者蔽／立业建功，事事要从实地着脚／不尊无功，不官无德，不诛无罪／文武之功，未有不以得人而成者也／隐忍就功名，非烈丈夫孰能致此哉？／为治之功不在大，见大不明，见小乃明／事少而功多，守要也；身逸而国治，用贤也／才可伪，功不可伪；临民听政，长短贤不肖立见／政如农功，日夜思之，思其始而成其终，朝夕而行之

❺事由迹彰，功待事立／为山九仞，功亏一篑／名垂竹帛，功标青史／四时更运，功成则移／权不失机，功不厌速／权不失机，功在速捷／罪疑惟轻，功疑惟重／用尽身贱，功成祸归／积思勉之功，旧习自除／事辍者无功，耕怠者无获／裁此百日功，唯将一朝舞／臣闻虑为功首，谋为赏本／自伐者无功，自矜者不长／专必成之功，而忽蹉跌之败／有非常之功，必待非常之人／招麾祸福，功名所遂，谓之志／好刑，则有功者废，无罪者诛／有超世之功者，必应光大之宠／去浮华，举功实，绝末伎，同本务／自伐者无功，功成者堕，名成者亏／天地无全功，圣人无全能，万物无全用／君子不以功轻人之身，不为彼功诎身之理／四时之运，功成则退，高爵厚宠，鲜不致灾

❻事不节则无功／章有德，序有功／无事而求其功，难矣／缘法而治，按功而赏／顺命为上，有功次之／事半古之人，功必倍之／使功在己，则功不可久／赏当其劳，无功者自退／才微而任重，功薄而赏厚／但忧死无闻，功不挂青史／人生感意气，功名谁复论／将军夸宝剑，功在杀人多／名声若日月，功绩如天地／器满才难御，功高主自疑／死是征人死，功是将军功／轧轧弄寒机，功多力渐微／赏者不德上，功之所致也／君不与臣争功，而治道通矣／处世不必邀功，无过便是功／有其位，无其功，君子耻之／不作无补之功，不为无益之事／褒有德，赏有功，古今之通义／始取天下为功，始治天下为德／日计之无近功，岁计之有大利／赏不加于无功，罚不加于无罪／赏必加于有功，刑必断于有罪／毋以日月为功，实试贤能为上／言其是则有功，言其非则有罪／不自伐，故有功；不自矜，故长／谋泄者事无功，计不决者名不成／适于己而无功于国者，不施赏焉／贤莫大于成功，愚莫大于吝且诬／欲立非常之功者，必有知人之明／并时以养民功，先德后刑，顺于天／豪华尽出成功后，逸乐安知与祸双／劳而不伐，有功而不德，厚之至也／明君不官无功之臣，不赏不战之士／贤者报国之功，乃在缓急有为之际／爵不可以无功取，刑不可以贵势免／镜之明己也功细，士之明己也功大／自伐者无功，功成者堕，名成者亏／著述讲论之功多，而实学实教之力少／圣人无为，其功广大……是太平之谓也／罪驱之于后，功啖之于前……不可得也／才不半古，而功已倍之，盖得之于时势也／喜则滥赏无功，怒则滥杀无罪，是以天下丧乱，莫不由此

❼见机不遂者陨功／烈士乐奋力之功／用智褊者无遂功／事适于时者其功大／中道而止，则前功尽弃／务持重，不急近功小利／无功之功

大,有功之功小/量才而受爵,量功而受禄/用圣臣者王,用功臣者强/不以禄私其亲,功多者授之/谋得于帷幄,则功施于天下/事垂立而辄废,功未成而旋去/劳大者其禄厚,功多者其爵尊/君子不掩人之功,不蔽人之善/不必有非常之功,而皆有可纪之状/古之人,身隐而功著,形息而名彰/利不百,不变法;功不十,不易器/利不什,不易业;功不百,不变常/伐深根者难为功,摧枯朽者易为力/人主好仁,则无功者赏,有罪者释/国不兴无事之功,家不藏无用之器/赏赐不加于无功,刑罚不施于无罪/镌金石者难为功,摧枯朽者易为力/胜敌者,一时之功也;全信者,万世之利也/非其人而欲有功,譬其若夏至之日而欲夜之长也/非其人而欲有功,譬之若夏至之日而欲夜之长也/建天下之大事功者,全要眼界大,眼界大则识见自别

❽一家二贵,事乃无功/疑行无名,疑事无功/疑行无成,疑事无功/仁不轻绝,知不简功/计熟事定,举必有功/谋无不当,举必有功/画脂镂冰,费日损功/振人之命,不矜其功/学贵心悟,守旧无功/板筑以时,无夺农功/时动而济,则无败功/朝忘其事,夕失其功/不善学者,师勤而功半/渊智达洞,累学之功也/审乎物者,力约而功峻/不作无益害有益,功乃成/讲之功有限,习之功无已/安天下于覆盂,其功可大/察能而授官者,成功之君也/张良授策于圯桥,功崇佐汉/战如守,行如战,有功如幸/听言不求其能,举功不考其素/君功见于选将,将功见于理兵/君功见于选吏,吏功见于治民/德行修逾八百,阴功积满三千/不仇民则大者无功,而其次有罪/至人无己,神人无功,圣人无名/铭者,所以名其善功以昭后世也/利不十者不易业,功不百者不变常/勇略震主者身危,功盖天下者不赏/吾观自古贤达人,功成不退皆殒身/德益盛者虑益微,功愈高者意愈下/过在改而不复为,功惟立而不中倦/物暴长者必夭折,功卒成者必亟坏/法莫大于私不行,功莫大于使民不争/圣主者,举贤以立功;不肖主举其所同/劳臣不赏,不可劝功;死士不赏,不可励勇/君之赏不可以无功求,君之罚不可以有罪免/璧瑗成器,礛诸之功,镆邪断割,砥砺之力/有为之为,有废无功;无为之为,成遂无穷

❾圣人积聚众善以为功/恶小耻者不能立大功/华兖灿烂,非只色之功/舍近谋远者,劳而无功/圣主必待贤臣而弘功业/善操理者,不能有全功/役其所长,则事无废功/泛问远思,则劳而无功/必因人之情,故易为功/愚者有备,与知者同功/愚者有备,与智者同功/丈夫皆有志,会见立功勋/无功之功大,有功之功小/征实则效存,徇名则功浅/治平尚德行,有事赏功能/欲求真受用,须下死功夫/虑熟谋审,力不劳而功倍/用人之力而忘人之功,不可/不饱食以终日,不弃功于寸阴/生而不有,为而不恃,功成而弗居/立志欲坚不欲锐,成功在久不在速/如修德而留意于事功名誉,必无实诣/思立掀天揭地的事功,须向薄冰上履过/聪明睿智,守之以愚;功被天下,守之以让/世之治乱,在赏当其功,罚当其罪,即无不治/外内皆顺,命曰天当,功成而不废,后不奉央

❿无机则无以济万世之功/为善于世而不自伐其功/暗主妒贤畏能而灭其功/有小智者不可任以大功/不自大其事,不自尚其功/以目前之利而弃百世之功/真心实作,无不可图之功/亡远大之略,贪万一之功/因祸而为福,转败而为功/宝剑未砥,犹乏切玉之功/死是征人死,功是将军功/转祸而为福,因败而为功/礼烦则不庄,业烦则无功/无惛惛之事者,无赫赫之功/不能尽其力,则不能成其功/为朝露之行,而思传世之功/人之巧,乃可与造化者同功/芳兰之芬烈者,清风之功也/君子道其常,而小人计其功/行非常之事,乃有非常之功/处世不必邀功,无过便是功/汝惟不伐,天下莫与汝争功/天下之竹帛不足书阁下之功德/事有易成者名小,难成者功大/尊贤考功则治,简贤违功则乱/善教者以不倦之意须迟久之功/器博者无近用,道长者其功远/惟其才之不同,故其成功不齐/安不忘危,故能终而成霸功焉/宜守不移之志,以成可大之功/官贤者量其能,赋禄者称其功/有非常之事,然后有非常之功/上下和同,虽有贤才,无所立功/不塞其原,则物自生,何功之有/事有所至,信反为过,诞反为功/举事而不时,力虽尽,其功不成/古之选贤,傅纳以言,明试以功/舍人而从欲,是以勤多而功少也/舍己而从众,是以事半而功倍也/高议而不可及,不如卑论之有功/大丈夫处世,当为国家立功边境/善制事者,转祸为福,因败为功/善战者之胜也,无智名,无勇功/法与时转则治,治与世宜则有功/过而不文,犯而不校,有功不伐/上赏赏德,其次赏才,又其次赏功/事者,民之风雨也,事不节则无功/良医不能措其术,百药无所施其功/古来青史谁不见,今见功名胜古人/古人学问无遗力,少壮功夫老始成/仁者恕己以及人,智者讲功而处事/体道者逸而不穷,任数者劳而无功/萧墙祸起非今日,不赏军功在断桥/将治大者不治细,成大功者不成小/少年辛苦终身事,莫向光阴惰寸功/君子知自损之为益,故功一而美二/处事要代人作想,读书须切己用功/日改月化,日有所为,而莫见其功/智见者人为之

谋，形见者人为之功／贤者任重而行恭，知者功大而词顺／有其善，丧厥善；矜其能，丧厥功／殿前作赋声摩空，笔补造化天无功／慧者心辩而不繁说，多力而不伐功／镜之明己也功细，士之明己也功大／踏破铁鞋无觅处，得来全不费功夫／其心异则其事异，其事异则其功异／不肖用事而贤良伏，无功贵而劳苦贱／施为宜似千钧之弩，转发者，无宏功／盈而不溢，盛而不骄，劳而不矜其功／顺天时，量地利，则用力少而成功多／超俗拔萃之德，不能立功于未至之时／不言之化与天同德，不为之事与天同功／仁者不乘危以邀利，智者不侥幸以成功／任能者责成而不劳，任己者事废而无功／人事必将与天地相参，然后乃可以成功／论至德者不和于俗，成大功者不谋于众／大上有立德，其次有立功，其次有立言／太上有立德，其次有立功，其次有立言／虽有贤师良友，若画脂镂冰，费日损功／怀重宝者不以夜行，任大功者不以轻敌／居其位不论其能，赏其身不议其功……／智者不危众以举事，仁者不违义以要功／心不清则无以见道，志不确则无以立功／不智不勇不信，有此三者，不可以立功名／为人臣者，以富乐民为功，以贫苦民为罪／以言非信则百事不满也，故信之为功大矣／揽名责实不得虚言，有功者赏，有罪者罚／当与人同过，不当与人同功，同功则相忌／君子不以功轻人之身，不为彼功诎身之理／虽有尧舜之智，而无众人之助，大功不立／好经大事，变更易常，以挂功名，谓之叨／一发不中，百发尽息；一举不得，前功尽弃／无德不贵，无能不官，无功不赏，无罪不罚／事顺神明者不合于俗，功配天地者不悦于众／仁人者，正其谊不谋其利，明其道不计其功／使法择人，不自举也；使法量功，不自度也／刀笔之吏专深文巧诋，陷人于罔，以自为功／力视损明，力听损聪，疾言阻德，功伪败功／勋劳宜赏，不吝千金；无功望施，分毫不与／德不称位，能不称官，赏不当功，罚不当罪／宽则得众，信则民任焉，敏则有功，公则说／寡交多亲，谓之知人；寡事成功，谓之知用／马效千里，不必胡代；士贵成功，不必文辞／骐骥一跃，不能十步；驽马十驾，功在不舍／成大事者，不恤小耻；立大功者，不拘小谅／赏罚信明，施与有节，记人之功，忽于小过／见危授命，士之美行；褒善录功，国之令典／教羊牧兔，使鱼捕鼠，任非其人，费日无功／有祸则诎，有福则赢，有过则悔，有功则矜／虑时务者不能兴其德，为身求者不能成其功／略观围棋，法于用兵，怯者无功，贪者先亡／博学笃志，切问近思，此八字是收放心的功夫／能用非己之民，国虽小，卒虽少，功名犹可立／君子耻食其食而无其功，耻服其服而不知其事／宽弘之人宜为郡国，使下得施其功而总成其事／忠臣不避重诛以直谏，则事无遗策，功流万世／故马或奔踶而致千里，士或有负俗之累而立功名／为学为教，用力于讲读者一二，加功于习行者八九／兢兢自危，犹惧不终，而况沛然自足，可以成功者乎／君子之学，不为则已，为则必要其成，故常百倍其功／学者自强不息，则积少成多；中道而止，则前功尽弃／自见者不明，自是者不彰，自伐者无功，自矜者不长／上智不处危以侥幸，中智能因危以为功，下愚安于危以自亡／本无功而自矜，一等；有功而伐之，二等；功大而不伐，三等

加

jiā 增加；施及；加以；戴上；放在；加法；作、采取；任，居其位；超过；凌驾。

❶加我数年，五十以学《易》，可以无大过矣

见《论语·述而》。

❷欲加之罪，何患无辞／欲加之罪，其无辞乎／威加四海，而屈于匹夫／所加于人，必可行于己／不加功于无用，不损财于无谓／尘加嵩岱，雾集淮海，虽未有益，不为损也

❸抱薪加火，烁者必先然／恩所加，则思无因喜以谬赏／赏不加于无功，罚不加于无罪／赏必加于有功，刑必断于有罪／文不加点，兴到语耳！孔明天才，思十反矣

❹抗兵相加，哀者胜矣／恩之所加，不量其力／精诚所加，金石为开／精诚所加，金石为亏／义之所加者浅，则武之所制者小矣／书有以加乎其言，言有以加乎其心／赏赐不加于无功，刑罚不施于无罪／得志，泽加于民；不得志，修身见于世／山，快马加鞭未下鞍。惊回首，离天三尺三

❺赏须功而加，罚待罪而施／益之而不加益，损之而不加损／刑罚不能加无罪，邪枉不能胜正人／今来县宰加朱绂，便是生灵血染成／冠虽故必加于首，履虽新必关于足／行发于身加于人，言发乎迩见乎远／进人若将加诸膝，退人若将队诸渊／履虽鲜不加于枕，冠虽敝不以苴履／冠虽敝，必加于首；履虽新，必关于足／履虽鲜，不加于枕；冠虽敝，不以苴履

❻温乎其容，若加其新也／百人誉之不加密，百人毁之不加疏／新剑以诈刻加价，弊方以伪题见宝／我不欲人之加诸我也，吾亦欲无加诸人／限之以爵，爵加则知荣，恩荣并济，上下有节

❼有则改之，无则加勉／疏不间亲，新不加旧／笔不停缀，文不加点／才智英敏者，宜加浑厚学问／以邪莅国、以暴加民者，危／思仁恕则树德，加严暴则树怨／势在则威无不加，势亡则不保一身／登高而招，臂非加长也，而见者远

❽粉黛至则西施以加丽／法不至死，无容滥加酷罚／早已森严壁垒，更加众志成城／积善在

身，犹长日加益，而人不知也／无性则伪之无所加，无伪则性不能自美／举世而誉之而不加劝，举世而非之而不加沮

❾逆于己便于国者，不加罚焉／赏不加于无功，罚不加于无罪／大风起兮云飞扬，威加海内兮归故乡／藜藿之生，蠕蠕然日加数寸，不可以为庐栋／君子所性，虽大行不加焉，虽穷居不损焉，分定故也／有能推至诚之心而加以不息之久，则天地可动，金石可移

❿功名之下，常有非实之加／喜则爱心生，怒则毒螫加／益之而不加益，损之而不加损／美言可以市尊，美行可以加人／智而能愚，则天下之智莫加焉／踵其事而增华，变其本而加厉／日省其身，有则改之，无则加勉／不以隐约而弗务，不以康乐而加思／百人誉之不加密，百人毁之不加疏／书有以加乎其言，言有以加乎其心／卒然临之而不惊，无故加之而不怒／我不欲人之加诸我也，吾亦欲无加诸人／绳锯木断，水滴石穿，学道者须加力索／举世而誉之而不加劝，举世而非之而不加沮／冠至敝不可弃之于足，履虽新不可加之于首／有以为未始有物者，至矣，尽矣，弗可以加矣／万物有自然之理，圣人只是顺之，不曾增加得一毫／天下有大勇者，卒然临之而不惊，无故加之而不怒／为学为教，用力于讲读者一二，加功于习行者八九／人生一世，但当畏敬于人，若不善加己，直为受之／此理在宇宙间，固不以人之明不明、行不行而加损／使患无生易于救患，而莫能加务焉，则未可与言术也／人当自信自守，虽承誉之，承奉之，亦不为之加喜爱／人当自信自守，……虽毁谤之，侮慢之，亦不为之加沮／视政之得失，若越人视秦人之肥瘠忽焉不加喜戚于其心

务 ①wù 事情；从事；追求；必须；姓。②wǔ 通“侮”。③mào 通“冒”。

❶务本节用财无极

见《荀子·成相》。

务为不久，盖虚不长

见《管子·小称》。

务除其灾，思致其福

见《吕氏春秋·离俗览·适威》。全句为：“古之君民者，仁义以治之，爱利以安之，忠信以导之，～”。

务功修业，不受赣于君

见汉·刘安《淮南子·主术》。全句为：“民知诛赏之来，皆在于身也，故～”。

务持重，不急近功小利

见宋·欧阳修《文正范公神道碑铭序》。

务闻其过，不欲闻其善

见《战国策·燕策一》。

务理天下者，美在太平

见唐·陈子昂《谏刑书》。全句为：“～，太平之美者，在于刑措”。

务民之义，敬鬼神而远之

见《论语·雍也》。

务公正者，必无邪佞之朋

见唐·陈子昂《答制问事·明必得贤科》。全句为：“尚德行者，必无凶险之类；～；保廉节者，必憎贪冒之党；有信义者，必疾苟且之徒”。

务广地者荒，务广德者强

见南朝·宋·范晔《后汉书·臧宫传》。

务广德者昌，务广地者亡

见唐·张九龄《应道侔伊吕科对策·第二道》。

务言而缓行，虽辩必不听

见《墨子·修身》。

务采色，夸声音而以为能也

见唐·柳宗元《答韦中立论师道书》。全句为：“文者以明道，是固不苟为炳炳烺烺，～”。

务免乎人之所不免者，岂不亦悲哉

见《庄子·知北游》。

务学不如务求师。师者，人之模范也

见汉·扬雄《法言·学行》。

务先穷昔人书，有不可者而后革之，则大善

见唐·柳宗元《与刘禹锡论周易九六书》。

务名者乐人之进趋过人，而不能出陵己之后

见三国·魏·刘劭《人物志·七缪》。

务进者趋前而不顾后，荣贵者矜己而不待人

见南朝·宋·范晔《后汉书·朱穆传》。

❷无务富其家而饥其师／志务广远，多所不暇／不务服人之貌，而思有以服人之心／赏务速而后有劝，罚务速而后有惩／治务在无为而已，引大体，不拘文法／不务衣食而务无盗贼，是止水而不塞源也／但务其华，不寻其实，犹缘木希鱼，却行求前

❸识时务者为俊杰／读书务在循序渐进／识时务者，在乎俊杰／标情务远，比音则近／树德务滋，除恶务本／贪多务得，细大不捐／欲民务农，在于贵粟／趋时务则迟缓而不及／文者，务为有补于世而已矣／口则务在明言，笔则务在露文／居身务期俭朴，教子要有义方／人皆务于救患之备而莫能知使患无生／当官务持大体，思事事皆民生国计所关／尚力务本而种树繁，躬耕趣时而衣食足／言无务为多而务为智，无务为文而务为察／君子务知大者、远者，小人务知小者、近者／国不务大而务得民心，佐不务多而务得贤俊／虑时务者不能兴其德，为身求者不能成其功／君子务本，本立而道生。孝弟也者，其仁之本

❹才不济务，奸无所惩／广农为务，俭用为资／方今之务，在于力农／丰财者，务本而节用也／

经纶世务者，窥谷忘反／胜法之务，莫急于去奸／知人无务，不若愚而好学／官所以务禄，禄所以务食／遗古而务乎今，则失为妄／贾所以务财，财所以务食／欲粟者务时，欲治者因世／途殊别务者，虽忠告而见疑／善难者务释事本，不善难者舍本而理末／忠臣者务崇君之德，谄臣者务广君之地／至治之务，在于正名。名正则人主不忧劳矣／学者必务知要，知要则能守约，守约则足以尽博矣／为一书，务富文采，不顾事实……是犹用文锦复陷阱也

❺为国者当务实／惟陈言之务去／去苟礼而务至诚／以国家之务为己任／将赡才力，务在博见／秉耒欢时务，解颜劝农人／学者须是务实，不要近名／舍近取远，务高言而鲜事实／欲急人所务，当先除其所患／树善滋于务本，除恶穷于塞源／所谓文者，务为有补于世而已矣／凡理国者，务积于人，不在盈其仓库／务学不如务求师。师者，人之模范也／肥肉厚酒，务以自强，命之曰烂肠之食／凡事皆须务本，国以人为本，人以衣食为本／吐纳文艺，务在节宣，清和其心，调畅其气／用智为政，务欲理人。智变奸生，祸乱滋起／凡人于事务之来，无论大小，必审之又审，方无遗虑

❻农为国家急务／事无终始，无务多业／农，天下之本，务莫大焉／凡为天下之务，莫大求士／务广地者荒，务广德者强／务广德者昌，务广地者亡／反众人之所务，而归于虚无／事有不当民务者，皆禁而不行／有能以民为务者，则天下归之／论贵是而不务华，事尚然而不高合／不务衣食而务无盗贼，是止水而不塞源也／不治其本，而务其末，譬犹拯溺锤之以石／国不务大而务得民心，佐不务多而务得贤俊

❼大人不华，君子务实／树德务滋，除恶务本／百家殊业，而皆务于治／非求宫律高，不务文字奇／见恶，如农夫之务去草焉／以党举官，则民务交而不求用矣／诘形以形，以形务名，督言正名／达生之情者，不务生之所无以为／达命之情者，不务命之所无奈何／不以隐约而弗务，不以康乐而加思／爱人以除残为务，政理以去乱为心／言无务为多而务为智，无务为文而务为察／糟糠不饱者不务粱肉，短褐不完者不待文绣

❽观乎往复，稽中定务／知者无不知也，当务之为急／积于不涸之仓者，务五谷也／不求无害之言，而务无易之事／事者生于虑，成于务，失于傲／孤居而愿智，不如务学之必达也

❾兴贤育才，为政之先务／兄弟阋于墙，外御其务／官所以务禄，禄所以务食／贾所以务财，财所以务食／论者不期于丽辞而务在事实／口则务在明言，笔则务在露文／死者不可再生，用法务在宽简／赏务速而后有劝，罚务速而后有惩／事非当则伤于智力，务过分则毙于形神／举大体而不论小事，务实效而不为虚名

❿无权则无以成天下之务／政以得贤为本，理以去秽为务／致治在于任贤，兴国在于务农／衣食者民之本，稼穑者民之务／为治之大体，莫善于抑末而务本／去浮华，举功实，绝末伎，同本务／法令更则利害易，利害易则民务变／吾病世之逐逐然，唯印组为务以相轧／听政之初，当以通下情除壅蔽为急务／不先审天下之势而欲应天下之务，难矣／中于道则易以兴政，乖于务则难乎御物／当其取于心而注于手也，惟陈言之务去／饰貌以强类者失形，调辞以务似者失情／忠臣者务崇君之德，谄臣者务广君之地／凡人好敖慢小事，大事至，然后兴之务之／言无务为多而务为智，无务为文而务为察／并官省事，静事息役，上下用心，惟农是务／君子务知大者、远者，小人务知小者、近者／国不务大而务得民心，佐不务多而务得贤俊／综学在博，取事贵约，校练务精，捃理须核／致治之本，惟在于审；量才授职，务省官员／使患无生易于救患，而莫能加务焉，则未可与言术也

幼

①yòu 年纪小的；儿童；爱护儿童；蚕眠。②yào［幼眇］幽微，微妙；窈窕，美好。

❶幼而学，壮而行

见明·陆采《怀香记》二出。

幼而学者，如日出之光

见北齐·颜之推《颜氏家训》。全句为："～，老而学者，如秉烛夜行，犹贤乎瞑目而无见者也"。

幼而学者，如日出之光；壮而学者，如炳烛之光

见清·爱新觉罗·玄烨《庭训格言》。全句为："～；虽学之迟者，亦犹贤于始终不学者也"。

❸姆抱幼子立侧，眉眼如画，发漆黑，肌肉玉雪可念

❽选士用能，不拘长幼／礼者，贵贱有等，长幼有差

❾老吾老以及人之老，幼吾幼以及人之幼／犁牛之驳似虎，莠之幼似禾，事有似是而非者

❿任贤使能以清官曹，养老慈幼以厚风俗／老吾老以及人之老，幼吾幼以及人之幼／父子有亲，君臣有义，夫妇有别，长幼有叙，朋友有信

动

dòng 变动；行动；行为；感动；起始；使用；使情感起变化；往往。

❶动不为己，先以为人

见汉·严遵《道德指归论·江海篇》。全句为："圣人信道不信身，顺道不顺心，～"。

动乎其言而见乎其文

见宋·苏辙《上枢密韩太尉书》。全句为:"其气充乎其中而溢于其貌,~"。

动则三思,虑而后行

见晋·陈寿《三国志·魏书·杨阜传》。

动见臧否,言知利害

见唐·王勃《上刘右相书》。

动必三省,言必再思

见唐·白居易《策林一》。

动触时忌,言为身灾

见宋·苏轼《谢监司荐举启》。

动无疑事,则众不二志

见《尉缭子·战威》。全句为:"上无疑令,则众不二听;~"。

动而得谤,名亦随之宜

见唐·韩愈《进学解》。全句为:"~;投闲置散,乃分之"。

动得分曰适,言得分曰信

见《尸子·分》。全句为:"爱得分曰仁,施得分曰义,虑得分曰智,~"。

动静不失其时,其道光明

见《周易·艮》。

动摇文律,宫商有奔命之劳

见唐·杨炯《王勃集序》。全句为:"~;沃荡词源,河海无息肩之地"。

动容周旋中礼者,盛德之至也

见《孟子·尽心下》。

动静皆动也,由动之静,亦动也

见清·王夫之《读四书大全说》卷十。

动民以行不以言,应天以实不以文

见汉·班固《汉书·息夫躬传》。

动静者终始之道,聚散者化生之门也

见宋·张君房《云笈七签》卷九十三载《神仙可学论》。

动莫若敬,居莫若俭,德莫若让,事莫若咨

见《国语·周语下》。

动人以言者,其感不深;动人以行者,其应必速

见唐·陆贽《奉天论奏当今所切务状》。

动摇则谷气得消,血脉流通,病不得生,譬犹户枢不朽也

见晋·陈寿《三国志·魏志·方技传》。

❷义动君子,利动贪人/勇动多怨,仁义多责/时动而济,则无败功/水动流下,人动趋利/国动乱者,而民劳疲也/无动而不变,无时而不移/举动回山海,呼吸变霜露/不动声色,而措天下于泰山之安/留动而生物,物成生理,谓之形/不动乎众人之非誉,不治观者之耳目/自动自休,自峙自流,是恶乎与我谋/情动于中,故形于声,声成文,谓之音/水动而景摇,人不以定美恶,水势玄也/其动,止也;其死,生也;其废,起也/阳动吐,阴静翕,阳道常饶,阴道常乏,阴阳之道也

❸一节动而百枝摇/一枝动,百枝摇/得众动天,美意延年/晨飙动野,斜月在林/感心动耳,荡气回肠/天下动之至易,安之至难/清风动帘夜,孤月照窗时/风樯动,龟蛇静,起宏图/风雷动,旌旗奋,是人寰/疑心动于中,则视听惑于外/知者动,仁者静。知者乐,仁者寿/班声动而北风起,剑气冲而南斗平/胡风动地,朔雁成行;拔剑登车,慷慨而别/气之动物,物之感人,故摇荡性情,形诸舞咏

❹德惟一,动罔不吉/兵不妄动,师必有名/量力而动,其过鲜矣/虑善以动,动惟厥时/兵不妄动,而习武不辍/善攻者,动于九天之上/诗者,情动于中而形于言/坐对风动帷,卧见云间月/大鹏之动,非一羽之轻也/沿情而动兴,因物而多怀/日入群动息,归鸟趋林鸣/歌罢海动色,诗成天改容/静而圣,动而王,无为也而尊/动静皆动也,由动之静,亦动也/道也者,动不见其形,施不见其德/正得失,动天地,感鬼神,莫近于诗/识物之动,则其所以然之理皆可知也/诚无不动者,修身则身正,治事则事理/因命而动,生思虑……别同异,谓之意/天惟运动一气,鼓万物而生,无心以恤物/一切言动,都要安详;十差九错,只为慌张/因性而动,接物感痞……进退取与,谓之情/胡笳互动,牧马悲鸣,吟啸成群,边声四起/毋先物动,以观其则;动则失位,静乃自得/敌先我动,则是见其形;彼躁我静,则是罢其力/人之生,动之死地亦十有三。夫何故?以其生生之厚/言有教,动有法,昼有为,宵有得,息有养,瞬有存

❺牵一发而动全身/情者,性之动也/变化倏忽,动心骇目/喜怒哀乐,动人心深/虑善以动,动惟厥时/跋前踬后,动辄得咎/静如处女,动如脱兔/谄成之风动,敕失之道缺/拂墙花影动,疑是玉人来/见小利不动,见小患不避/有静必有动,有动必有静/自从兵戈动,遂觉天地窄/能循天理动者,造化在我也/万物虽并动作,卒复归于虚静/反者,道之动;弱者,道之用/圣人以顺动,则刑罚清而民服/财贿不以动其心,爵禄不以移其志/天地以顺动,故日月不过,而四时不忒/缀文者情动而辞发,观文者披文以入情/兵戢而时动,动则威,观则玩,玩则无震/行不诚义,动不缘义,俗虽谓之通,穷也/此人在位,动欲伤害,故物无有不畏恶也/因于情意,动而之外,与物相连,常有所悦/有起于虚,动起于静。故万物虽并动作,卒复归于虚静/君子所以动天地应神明正万物而成王治者,必本乎真实而已

❻任是无情也动人/义动君子,利动贪人/侵

掠如火，不动如山／性静情逸，心动神疲／奸生于国，时动必溃／水动流下，人动趋利／凡圜转之物，动必有机／既谓之机，则动非自外／反无非伤也，动无非邪也／人生不相见，动如参与商／纵欲而失性，动未尝正也／喜怒哀乐之动乎中必见乎外／心为万事主，动而无节即乱／圣人顺时以动，智者因几以发／闻善速于雷动，从谏急于风移／树临流而影动，岩薄暮而云披／黩武之众易动，惊弓之鸟难安／知者之为，故动以百姓，不违其度／真在内者，神动于外，是所以贵真也／兵戢而时动，动则威，观则玩，玩则无震／风摇其巅，韵动崖谷，视之既静，其听始远／喜怒、窘穷、……有动于心，必于草书焉发之／音乐者，所以动荡血脉，通流精神而和正心也／君子省众而动，监戒而谋，谋度而行，故无不济／知本无有思，动静皆离，寂然不动者，是至诚也

❼养身莫善于习动／大丈夫相时而动／兵以诈立，以利动／飞鸟之景未尝动也／不精不诚，不能动人／兵，凶器，未易数动／饥寒无衣食，举动鞭捶施／有静必有动，有动必有静／竹喧归浣女，莲动下渔舟／心者……静则生慧，动则成昏／动静皆动也，由动之静，亦动也／下笔则烟飞云动，落纸则鸾迴凤惊／旌旗日暖龙蛇动，宫殿风微燕雀高／小人非才不能动人，小人非才不能乱国／赏厚可令廉士动心，罚重可令凶人丧魄／两体者，虚实也，动静也，聚散也，清浊也，其究一而已／君子之自行也，动必缘义，行必诚义，俗虽谓之穷，通也

❽内无妄思，外无妄动／藏器于身，待时而动／言思乃出，行详乃动／一发不可牵，牵之动全身／乐者起于心，心者动于物／峨眉讵同貌，而俱动于魄／祸福之胚胎也，其动甚微／辩之不早，疑盛乃动，故必战／凡举事必循法以动，变法者因时而化／故圣人常顺时而动，智者必因机以发／感而后应，迫而后动，不得已而后起／贤者之于情，非不动也，能动而不乱耳／言行，君子之所以动天地也，可不慎乎／天且风，巢居之虫动；且雨，穴处之物扰／兵不刑天，兵不可动；不法地，兵不可昔／君子安其身而后动，易其心而后语，定其交而后求

❾强臣专国，则天下震动而易乱／先唱者穷之路也，后动者达之原也／多言不可与远谋，多动不可与久处／鲲鹏展翅，九万里，翻动扶摇羊角／时止则止，时行则行；动静不失其时／天，有形之大者也；人，动物之尤者也／其应也，非所设也；其动也，非所取也／当急剧冗杂时只不动火，则神有余而不劳／唯泰山不为飘风所动，磐石不为疾流所回／人情险于山川，以其动静可识，而沉阻难徵／众人欢乐，用生生也，动而失之，寿命竭也／毋先物动，以观其则；动则失位，静乃自得／用无常道，事无轨度，动静屈伸，唯变所适／视听言行，循礼法而动，所以教人忘嗜欲而归性命之道也

❿凡兵上义，不义虽利勿动／处晦而观明，处静而观动／遇欺诈之人，以诚心感动之／出轨蹋而骧首，驰光芒而动俗／大凡人之感于事，则必动于情／精诚由中，故其文语感动人深／动静皆动也，由动之静，亦动也／敌军围困万千重，我自岿然不动／万家墨面没蒿莱，敢有歌吟动地哀／识量大，则毁誉欢戚不足以动其中／当时更有军中死，自是君王不动心／庾信平生最萧瑟，暮年诗赋动江关／洞庭波涌连天雪，长岛人歌动地诗／昔有佳人公孙氏，一舞剑气动四方／旂如云兮帜如星，山可动兮石可铭／自滴阶前大梧叶，干君何事动哀吟／身不正不足以服，言不诚不足以动／身为野老已无责，路有流民终动心／民心不得，性命不全，则号令不能动也／诗言其志也，歌咏其声也，舞动其容也／君子藏器于身，待时而动，何不利之有／处身者，不为外物眩晃而动，则其心静／贤者之于情，非不动也，能动而不乱耳／真者，精诚之至也；不精不诚，不能动人／使味之者无极，闻之者动心，是诗之至也／君不见长安女儿嫩如水，十指不动衣罗绮／非礼勿视，非礼勿听，非礼勿言，非礼勿动／千里开年，且悲春目；一叶早落，足动秋襟／反己者触事皆成药石，尤人者动念即是戈矛／乾坤倒覆，无谓不静，洪流滔天，无谓其动／至虚之实，实而不固；至静之动，动而不穷／草木无情，有时飘零；人为动物，惟物之灵／君开一源，下生百端。百端之变，无不动乱／居知所为，行知所之，事知所秉，动知所由／文章无警策，则不足传世，盖不能竦动世人／龙凤隐耀，应德而臻；明哲潜遁，俟时而动／天地之间，其犹橐龠乎？虚而不屈，动而愈出／民安土重迁，不可卒变。易以顺行，难以逆动／本之《书》以求其质……本之《易》以求其动／动人以言者，其感不深；动人以行者，其应必速／知本无有思，动静皆离，寂然不动者，是至诚也／继世守文之君，生而富贵，不知疾苦，动至夷灭／赠缴充蹊，阬阱塞路，举手挂网罗，动足蹈机坎／无为者，非谓其凝滞而不动也，以其言莫从己出也／君子之学也，入乎耳，箸乎心，布乎四体，形乎动静／君子防悔尤，贤人戒行藏，嫌疑远瓜李，言动慎毫芒／三五之夜，明月半墙，桂影斑驳，风移影动，珊珊可爱／内便于性，外合于义，循理而动，不系于物者，正气也／有起于虚，动起于静。故万物虽并动作，卒复归于虚静／君子之处世也，甘恶衣粗食，甘艰苦劳动，斯可以无失矣／有能推至诚之心而加以不息之久，则

天地可动，金石可移／君子者，易亲而难狎，畏祸而难却，嗜利而不为非，时动而不苟作／李白之文，清雄奔放，名章俊语，络绎间起，光明洞彻，句句动人／其夹岸有树木千万本，列立如揖，丹色鲜如霞，擢举欲动，灿若舒颜

劣 liè 弱小；仅；坏，与"优"相对；低于一定标准的。

❼惮势而交人，势劣而交道息

❽人有所优，固有所劣；人有所工，固有所拙

劫 jié 用暴力强取；威胁；泛指灾难；佛教名词。

❶劫之以众，沮之以兵，见死不更其守

见《礼记·儒行》。

❸人恃劫君而不盟，君不知，不可谓智

❹强者不劫弱，贵者不傲贱

❿为国者无使为积威之所劫哉／有义者不可欺以利，有勇者不可劫以惧

助 ①zhù 帮；相传为殷代租赋制度。②chú 通"锄"，除去。

❶助之长者，揠苗者也，非徒无益，而又害之

见《孟子·公孙丑上》。

❸推波助澜，纵风止燎／尽输助徭役，聊就空自眠

❹众之所助，虽弱必强／天之所助者顺，人之所助者信／同恶相助，同好相留，同情相成

❺无众毛之助，则飞不远矣／得道者多助，失道者寡助／惟俭可以助廉，惟恕可以成德

❻江海不择小助，故能成其富

❼博而能一，亦有助乎心力矣／文章均得江山助，但觉前贤畏后贤／登临自有江山助，岂是胸中不得平

❽路见不平，拔刀相助／举事以为人者，众助之／有恒者，人舍之，天助之

❾远山片云，隔层城而助兴

❿得道者多助，失道者寡助／天之所助者顺，人之所助者信／天之所辅者仁，人之所助者信／烟霞为朝夕之资，风月得林泉之助／虽有尧舜之智，而无众人之助，大功不立／教化，所恃以为治也；刑法，所以助治也／人之所舍，谓之天民；天之所助，谓之天子／事丰奇伟，辞富膏腴，无益经典，而有助文章／屈平所以洞监《风》《骚》之情者，抑亦江山之助乎／失名失货，道德是佑，神明是助，名显自然，富配天地／孔子曰："吾闻之，古之善御者，执辔如组，两骖如舞，非策之助也"。

男 nán 古称能在田中出力劳动的壮丁；人类两性中的雄性，与"女"相对；儿子；古代分封爵位的第五等。

❶男儿须读五车书

见唐·杜甫《题柏学士茅屋》。

男子要为天下奇

见宋·王庭珪《送胡邦衡赴新州贬所》。

男女睽而其志通也

见《周易·睽》。

男大须婚，女大必嫁

见明·施耐庵《水浒传》第五回。

男女同姓，其生不蕃

见《左传·僖公二十三年》。

男女授受不亲，礼也

见《孟子·离娄上》。全句为："～；嫂溺援之以手者，权也"。

男耕女织，天下之大业

见汉·桓宽《盐铁论·园池》。

男儿当野死，岂为印如斗

见宋·张玟《出塞曲》。

男儿死耳，不可为不义屈

见唐·韩愈《张中丞传后叙》。

男儿爱后妇，女子重前夫

见汉·辛延年《羽林郎》。

男儿当死中求生，可坐穷乎

见南朝·宋·范晔《后汉书·公孙述传》。

男不封侯女作妃，君看女却是门楣

见唐·佚名《杨氏谣》。

男儿要当死于边野，以马革裹尸还葬耳

见南朝·宋·范晔《后汉书·马援传》。

男子疾耕不足于粮饷，女子纺绩不足于帷幕

见汉·班固《汉书·主父偃传》。

男子疾耕不足于糟糠，女子纺绩不足于盖形

见汉·司马迁《史记·淮南衡山列传》。

❷子男由胥徒以出，皆鹤而轩／多男子则多惧，富则多事，寿则多辱／生男无喜，生女无怒，独不见卫子夫霸天下／生男如狼，犹恐其尪；生女如鼠，犹恐其虎

❸饮食男女，人之大欲存焉／饮食男女皆性也，是乌可灭／古者男女之族，各择德焉，不以财为礼／莫道男儿心如铁，君不见满川红叶，尽是离人眼中血

❹世间奇男子，岂可以世俗趣舍量其心乎

❺女有余布，男有余粟，国家殷富，上下交足

❻功成身退是男儿／要为天下奇男子，须历人间万里程

❽人生富贵岂有极？男儿要在能死国／富贵必从勤苦得，男儿须读五车书／业无高卑志当坚，男儿有求安得闲／痴儿不了公家事，男子要为天下奇

❿遂令天下父母心，不重生男重生女／胜败兵家事不期，包羞忍耻是男儿／自古雄才多磨难，纨绔子弟少伟男

劬 qú 劳苦；慰劳。

❼哀哀父母，生我劬劳
❾或不知叫号，或惨惨劬劳
❿不出户而知天下兮，何必历远以劬劳

努 nǔ 勉力，出力；翘起，凸出；古时书法称直画为“努”。

❶努力功名须黑头
见宋·牟巘《送娄伯高游吴》。
❹少壮不努力，老大徒伤悲
❺少壮真当努力，年一过往，何可攀援
❻策马前途须努力，莫学龙钟虚叹息
❿春风吹蚕细如蚁，桑芽才努青鸦嘴

劲 ①jìn 力气；精神；神情；趣味。②jìng 坚强有力；猛烈。

❶劲翮挥风，雄姿触雾
见唐·王勃《驯鸢赋》。
劲草不倚于疾风，零霜则变
见明·王夫之《连珠》。全句为：“～；青葵善迎于白日，宇暖斯迷”。
劲操比松寒不挠，忠言如药苦非甘
见宋·王安石《送江宁彭给事赴阙》。
❷不劲直，不能矫奸／坚劲之人好攻其事实／胆劲心方，不畏强御／胆劲心方，不畏强御，义正所在，视死犹归
❸疾风劲草，实表岁寒之心
❹疾风知劲草／风烈无劲草，寒甚有凋松／疾风知劲草，板荡识诚臣／强楷坚劲，用在桢干，失在专固
❺悲落叶于劲秋，喜柔条于芳春
❻暮色苍茫看劲松，乱云飞渡仍从容／弓调而后求劲焉，马服而后求良焉
❼笔力未饶弓力劲／猛虎不处卑势，劲鹰不立垂枝／千磨万击还坚劲，任尔东西南北风
❽云厚者，雨必猛；弓劲者，箭必远
❾君不见长松百尺多劲节，狂风暴雨终摧折
❿剑不试则利钝暗，弓不试则劲挠诬／望严雪而识寒松，观疾风而知劲草

势 shì 权势、权利；自然界或物体的形貌；社会或事物发展的状态或趋向；姿态。

❶势不同而理同
见唐·柳宗元《送薛存义之任序》。
势物之徒乐变
见《庄子·徐无鬼》。
势扼长川万古雄
见宋·郭瑄《泾州怀古》。
势不可使尽，福不可享尽
见明·冯梦龙《警世通言·王安石三难苏学士》。全句为：“～，便宜不可占尽，聪明不可用尽”。
势家多所宜，咳唾自成珠
见汉·赵壹《刺世嫉邪赋》。
势败休云贵，家亡莫论亲
见清·曹雪芹《红楼梦》第五回。
势有所不可，虽圣哲不能为
见唐·白居易《才识兼明于体用科策一道》。全句为：“事有以必然，虽常人足以致；～”。
势在则威无不加，势亡则不保一身
见晋·陈寿《三国志·魏书·袁绍传》。
势利之交不终年，惟道义之交，可以终身
见《格言联璧·接物》。全句为：“博弈之交不终日，饮食之交不终月，～”。
❷大势所趋，人心所向／见势不趋，见威不惕／地势使之然，由来非一朝／择势而从，则恶之大者也／见势则附，俗人之所能也／惮势而交人，势劣而交道息／物势之反，乃君子所谓道也／字势雄逸，如龙跳天门，虎卧凤阙／以势交者，势尽则疏；以利合者，利尽则散／以势交者，势倾则绝；以利交者，利穷则散／倚势豪夺，飞食人肉，鼓吻弄翼，道路以目／负势竞上，互相轩邈，争高直指，千百成峰
❸虎卑势，狸卑身／君，利势也，次官也／无依势作威，无倚法以削／本以势力交，势尽交情止／事穷势蹙之人，当原其初心／其岸势犬牙差互，不可知其源／不要势，何羡位？不贪富，何羡货／或依势以干非其类，出技以怒强，窃时以肆暴
❹依阿权势者，凄凉万古／神龙失势，即还与蚯蚓同／性同而势均则相竞而相害也／天下大势，分久必合，合久必分／世人逐势争奔走，沥胆堕肝惟恐后／寒暑之势不易，小变不足以妨大节／贵者负势而骄人，才士负能而遗行／有财有势即相识，无财无势同路人／天下大势之所趋，非人力之所能移也／天下之势有强弱，圣人审其势而应之以权／兵无常势，水无常形，能因敌变化而取胜者，谓之神
❺婚姻勿贪势家／民背如崩，势绝防断／蓄极积久，势不能遏／道高益安，势高益危／必因时之势，故易为力／其水趣流，势与江河同／浮沉各异势，会合何时谐／无赫赫之势，亦无戚戚之忧／峻极巍峨势望雄，层峦迭嶂翠重重／身危由于势过，而不知去势以求安／守道而忘势，行义而忘利，修德而忘名／行货赂，趣势门，立私废公，比周而取容／以势交者，势尽则疏；以利合者，利尽则散／以势交者，势倾则绝；以利交者，利穷则散／画地为牢，势不可入；削木为吏，议不可对／处颠者危，势丰者亏，颓坠之类，常在悬垂
❻履道者固，杖势者危／风行草偃，其势必然／两虎共斗，其势不俱生／善战者因其势而利导之／人欲自见其势，以资明镜／苟由其道，其势

可以自得／本以势力交，势尽交情止／财不如义高，势不如德尊／事之行也有势，其成也有气／惮势而交人，势劣而交道息／当官不挠贵势，执平不阿所私／猛虎不处卑势，劲鹰不立垂枝／观理自难观势易，弹丸累到十枚时／处次官，执利势，不可而不察于此／天下争名趋势，不计是非，析毫剖芒，视死如归

❼兽形云不一，弓势月初三／鼓声随听绝，帆势与云邻／知足者，不可以势利诱也／因方以借巧，即势以会奇／不赂贵者之权势，不利传辟者之辞／举刺不避乎权势，犯颜不畏乎逆鳞／成事在理不在势，服人以诚不以言／成败极知无定势，是非元自要徐观／炎火成燎原之势，涓流兆江河之形／贵贱之间，易以势移，管宁所以割席／不先审天下之势而欲应天下之务，难矣／冰炭不言，而冷势之质自明者，以其有实也

❽古之用人，无择于势／封建，非圣人意也，势也／权重持难久，位高势易穷／以求干禄者败，以势临人者辱／功高而居之以让，势尊而守之以卑／势在则威无不加，势亡则不保一身／权钧则不能相使，势等则不能相并／不敌其力，而消其势，兑下乾上之象／飞沙溅石，湍流百势；翠崄丹崖，冈峦万色／虽有智慧，不如乘势；虽有镃基，不如待时／乐高喜大，负威任势，亡忧失畏，不求于己也／示之以形，禁之以势，使之望而不敢犯，犯而无所得／天下有至贵而非势位也，有至富而非金玉也，有至寿而非千岁也

❾涓流之水，无洪波之势／无望其速成，无诱于势利／慎者不观其危，观其势也／自古及今，法无不改，势无不积／乘木则朽木青黄，失势则田何粪土／贤不足以服不肖，而势位足以屈贤／跻攀分寸不可上，失势一落千丈强／权之所在，虽疏必重；势之所去，虽亲必轻／子美……尽得古今之体势，而兼人人之所独专矣

❿美箭缺羽，尚无冲石之势／激波陵山，必成难升之势／桂殿兰宫，列冈峦之体势／轻缗振网，或随吞舟之势／远贤近谗，忠臣蔽塞主势移／层风未翔，大鹏有云倾之势／不假良史之词，不托飞驰之势／不有所弃，不可以得天下之势／导人必因其性，治水必因其势／善恶陷于成败，毁誉胁于势利／国有累卵之忧，俗有土崩之势／贵以下人为德，贱以忘势为德／事固有弃彼取此，以权一时之势／明主急得其人，而阇主急得其势／爱恶相攻，利害相夺，其势常也／飞蓬遇飘风而行千里，乘风之势也／伺候于公卿之门，奔走于形势之途／道生之，德畜之，物形之，势成之／旦握权则为卿相，夕失势则为匹夫／敬之为道也，严而相离，其势难久／爵不可以无功取，刑不可以贵势免／有财有势即相识，无财无势同路人／身危由于势过，而不知去势以求安／读书占地位，在人品上，不在势位上／水动而景摇，人不以定美恶，水势玄也／责恶要为人留余步，劝善要思其势可从／钱财不积则贪者忧，权势不尤则夸者悲／才不半古，而功已倍之，盖得之于时势也／天下之势有强弱，圣人审其势而应之以权／冬有雷电，夏有霜雪，然而寒暑之势不易／源从天涯，或浊或清，所在之势使之然也／贵名不可以比周争也……不可以势重胁也／所谓读书，须当明物理，揣事情，论事势／举天下而无可与共处，则是其势岂可以久也／国有常众，战无常胜；地有常险，守无常势／财须民生，强赖民力，威恃民势，福由民殖／爵尊天下，富有四海，威势无量，专权擅柄／生之者甚少而靡之者甚众，天下之势何以不危／利镞穿骨，惊沙人面……声折江河，势崩雷电／五步一楼，十步一阁。……各抱地势，钩心斗角／不得所以用之，国虽大，势虽便，卒无众，何益／两高不可重，两大不可容，两贵不可双，两势不可同／虽有国士之力，不能自举其身，非无力也，势不便也／鹤汀凫渚，穷岛屿之萦回；桂殿兰宫，列冈峦之体势

勃

①bó 兴起；猝然；旺盛貌；通“渤”，渤海。②bèi 通“悖”，乖戾。

❹牛溲马勃，败鼓之皮，俱收并蓄，待用无遗

❽室无空虚，则妇姑勃谿

❾贵富显严名利六者，勃志也

❿古之善用兵者，用其翻然勃然于未悔之间／时之来也，为云龙，为风鹏，勃然突然，陈力以出

勋

xūn 对事业的极大贡献；勋章；有功勋的人。

❶勋劳宜赏，不吝千金；无功望施，分毫不与
见晋·陈寿《三国志·魏书·武帝纪》。

❷大勋所任者唯一人，然群谋济之乃成

❹千载之勋，一朝可立／凡欲显勋绩扬光烈者，莫良于学矣

❼死节从来岂顾勋

❿丈夫皆有志，会见立功勋／野绩不越庙堂，战多不逾国勋

勉

miǎn 尽力，努力；鼓励；勉强；姓。

❷赏勉罚偷，则民不怠／不勉己而勉人，难矣哉／黾勉从事，不敢告劳；无罪无辜，谗口嚣嚣

❸积思勉之功，旧习自除

❹及时当勉励，岁月不待人

❺不勉己而勉人，难矣哉／强者不自勉，或死而泯灭于无闻／道与德，可勉以进也；才不可强揠以进也

❻懒则不肯勤勉，学殖荒而志气亦坠

❽有则改之，无则加勉／日习则学不忘，自勉则身不堕

⓾时难得而易失也，学者勉之乎／人之才性，各有短长，固难勉强／日省其身，有则改之，无则加勉／或安而行之，或利而行之，或勉强而行之／飞雪蔽野，长河始冰，吾子勉之，慷慨而别

勇

yǒng 勇敢，勇猛；有胆量的；士兵。

❶勇动多怨，仁义多责

见《庄子·列御寇》。

勇士不以众强凌孤独

见《晏子春秋·内篇·谏下》。

勇敢而不为过物之操

见宋·苏轼《上富丞相书》。全句为："廉洁而不为异众之行；～"。

勇则不可犯，智则不可乱

见《太公六韬·龙韬·论将》。

勇者不逃死，智者不重困

见南朝·宋·范晔《后汉书·寇荣传》。

勇者取其威，怯者取其慎

见唐·李世民《帝范》。全句为："智者取其谋，愚者取其力，～"。

勇于敢则杀，勇于不敢则活

见《老子》七十三。

勇者不得独进，怯者不得独退

见汉·刘安《淮南子·兵略》。全句为："同其心，一其力，～，止如丘山，发如风雨"。

勇士不顾生，故能立天下之大名

见宋·苏轼《东林第一代广慧禅师真赞》。全句为："忠臣不畏死，故能立天下之大事；～"。

勇者以工，惧者以拙，能与不能也

见《吕氏春秋·离俗览·用民》。全句为："莫邪不为勇者兴惧者变，～"。

勇略震主者身危，功盖天下者不赏

见汉·司马迁《史记·淮阴侯列传》

勇之极者，知勇果不足以胜物，故怯

见《关尹子·九药》。全句为："智之极者，知智果不足以周物，故愚；辩之极者，知辩果不足以喻物，故讷；～"。

勇于气者，小人也；勇于义者，君子也

见《二程集·河南程氏粹言》。

勇将不怯死以苟免，壮士不毁节而求生

见明·罗贯中《三国演义》第七十四回。

❷大勇反为不勇／欲勇者贾余余勇／大勇若怯，大智若愚／好勇不好学，其蔽也乱／小勇者，血气之怒也；大勇者，理义之怒也

❸见义勇发，不计祸福／战以勇为主，以气为决

❹戆者类勇而非勇／一与一，勇者得前／无拳无勇，职为乱阶／不为易勇，不为崄怯／仁不以勇，义不以力／仁者之勇，雷霆不移／自治不勇，则恶日长／越王好勇而民多轻死／慈，故能勇；俭，故能广／将当以勇为本，行之以智计／义理之勇不可无，血气之勇不可有／知死必勇，非死者难也，处死者难／宜将剩勇追穷寇，不可沽名学霸王／耻辱者，勇之决也；立名者，行之极也／不智不勇不信，有此三者，不可以立功名

❺知耻近乎勇／急流中能勇退耳／莫邪不为勇者兴，惧者变／将出凶门勇，兵因死地强／临危而智勇奋，投命而高节亮／伏天下之勇者，不在勇而在怯／折而不挠，勇也；瑕適皆见，精也／力能过人，勇能行之，而智不能断事……／天下有大勇者，卒然临之而不惊，无故加之而不怒

❻万夫不当之勇／大勇反为不勇／死而不义，非勇也／见义不为，无勇也／悍戆好斗，似勇而非／战虽有陈，而勇为本／怯于邑斗，而勇于寇战／何以谨慎为，勇猛而临官／轻发者，始若勇，终必怯／智者不后时，勇者不留决／智者不妄为，勇者不妄杀／智贵乎早决，勇贵乎必为／勇于敢则杀，勇于不敢则活／新进之士喜勇锐，老成之人多持重／临事而屡断，勇也；见利而让，义也／勇之极者，知勇果不足以胜物，故怯／违强陵弱，非勇也；乘人之约，非仁也

❼欲勇者贾余余勇／戆者类勇而非勇／式于政，不式于勇／带甲百万，非一勇所抗／遇事无难易，而勇于敢为／若力能过人，而勇不能行……／智不足以为治，勇不足以为强／神闲气静，智深勇沉，此八字是干大事的本领／于为义若嗜欲，勇不顾前后；于利与禄，则畏避退处如怯夫然

❽不与贪争利，不与勇争气／善人喜于见传，则勇于自立／忠犯人主之怒，而勇夺三军之帅／志士不忘在沟壑，勇士不忘丧其元／智者不以位为事，勇者不以位为暴／勇于气者，小人也；勇于义者，君子也／轻死以行礼谓之勇，诛暴不避强谓之力／败军之将，不可言勇；亡国之臣，不可言智

❾败军之将，不可以言勇／所用之人，常先于智勇／慎重者，始若怯，终必勇／风樯阵马，不足为其勇也／香饵引泉鱼，重币购勇士／伏天下之勇者，不在勇而在怯／仁者不忧，知者不惑，勇者不惧／知者不惑，仁者不忧，勇者不惧／忠不暴君，智不重恶，勇不逃死／祸患常积于忽微，智勇多困于所溺／知者不倍时而弃利，勇士不怯死而灭名／凡兵，天下之凶器也；勇，天下之凶德也／美味腐腹，好色惑心，勇夫招祸，辩口致殃／雄以其力服众，以其勇排难，待英之智成之

⓾兵良而食足，将贤而士勇／受辱于跨下，无兼人之勇／好问近乎智，知耻近乎勇／用心莫如直，进道莫如勇／临难而不能勿听，不可谓勇／耕夫习牛则犷，猎夫习虎则勇／才觉私意起，便克去，此是大勇／凡兵有本干：必义，必智，必勇

/善战者之胜也,无智名,无勇功/多欲亏义,多忧害智,多惧害勇/兵在精而不在多,将在谋而不在勇/义理之勇不可无,血气之勇不可有/人多欲亏义,多忧害智,多惧害勇/大巧若拙,大辩若讷,大勇若怯者/择任而往,知也;知死不辟,勇也/国以信而治天下,将以勇而镇外邦/用人之知去其诈,用人之勇去其怒/仁常而不周,廉洁而不信,勇忮而不成/傲小物而志属于大,似无勇而未可恐狼/好学近乎知,力行近乎仁,知耻近乎勇/有义者不可欺以利,有勇者不可劫以惧/白刃交于前,视死若生者,烈士之勇也/国无义,虽大必亡。人无善志,虽勇必伤/劳臣不赏,不可劝功;死士不赏,不可励勇/将不仁,则三军不亲;将不勇,则三军不锐/小勇者,血气之怒也;大勇者,理义之怒也/智者多屈,辩者多辱,明者多蔽,勇者多死/匹夫见辱,拔剑而起,挺身而斗,此不足为勇/恶徼以为知者,恶不孙以为勇者,恶讦以为直者/必使为善者不越月逾时而得其赏,则人勇而有劝焉/兵静则固,专一则威,分决则勇,心疑则北,力分则弱/大道无形,大仁无亲,大辩无声,大廉不嗛,大勇不矜/大道不称,大辩不言,大仁不仁,大廉不嗛,大勇不忮/君子之求利也略,其远害也早,其避辱也惧,其行道理也勇

勘 kān,又读 kàn,校对;调查;审问。

❺天也,你错勘贤愚枉为天

勤 qín 努力;经常;辛苦;帮助;愁苦;殷切盼望;姓。

❶勤劳之师,将不先己

见《尉缭子·战威》。全句为:"~。暑不张盖,寒不重衣,险必下步,军井成而后饮(一说"饮"前无"后"字——编者注),军食熟而后饭,军垒成而后舍"。

勤民以自封,死无日矣

见《国语·楚下》。

勤学第一道,勤问第一方

见《大智度论》。

勤是无价之宝,学是明月神珠

见唐·佚名《太公家教》。

勤非俭,终年劳瘁,不当一日之侈靡

见清·孙奇逢《孝友堂家训》。

❷将勤补拙/不勤于始,将悔于终/克勤于邦,克俭于家/忧勤者,建业之本也/宜勤勿懒,宜急勿缓/不勤不俭,无以为人上/不勤不教,将率之过也/忧勤是美德,太苦则无以适性怡情/凡勤学,须是出于本心,不待父母先生督责

❸学向勤中得/少不勤苦,老必艰辛/唯廉勤二字,人人可至/但知勤作福,衣食自然丰/诗书勤乃有,不勤腹空虚/学不勤则不知道,耕不力则不得谷

❹民生在勤,勤则不匮/人生在勤,不索何获/四体不勤,五谷不分/少而不勤,无如之何矣/君子能勤小物,故无大患/忠足以勤上,惠足以存下/业精于勤荒于嬉,行成于思毁于随/厥父母勤劳稼穑,厥子乃不知稼穑之艰难/民生在勤,勤则不匮。宴安自逸,岁暮奚冀/虽有忧勤之心,而不知致治之要,则心愈劳而事愈乖

❺主雅客来勤/民生在勤,勤则不匮/取必以渐,勤则得多/慎而思之,勤而行之/乃知四体勤,无衣亦自暖/好学而不勤问,非真能好学者也/不为捣衣勤不睡,破除今夜夜如年/懒则不肯勤勉,学殖荒而志气亦坠/富贵必从勤苦得,男儿须读五车书/下之共上勤而不困,上之治下简而不劳/民生在勤,勤则不匮。宴安自逸,岁暮奚冀/切而不指,勤而不怨,曲而不谄,直而有礼/上士闻道,勤而行之;中士闻道,若存若亡;下士闻道,大笑之

❻不善学者,师勤而功半/勤学第一道,勤问第一方/早作而夜思,勤力而劳心

❼诗书勤乃有,不勤腹空虚/时过然后学,则勤苦而难成/遇灾则极其忧勤,时安则不骄不逸/下之用力者甚勤,上之用物者有节,民无遗力,国不过费

❽为政之要,曰公与勤/功崇惟志,业广惟勤/爱之太殷,忧之太勤/学无早晚,但恐始勤终惰/舍人而从欲,是以勤多而功少也/天下国家总以忧勤而得,怠荒而失

❾为官长当清,当慎,当勤/君无劳民之事,民得勤而耕农

❿气别生者死,增减羸病勤/塞其兑,闭其门,终身不勤/用气常宽舒,不当急疾勤劳/虽有强记之力,而常废于不勤/非真无人也,但求之不勤不至耳/立身必由清谨,处职无废于忠勤/丈夫力耕长忍饥,老妇勤织长无衣/历览前贤国与家,成由勤俭败由奢/春时耕种夏时耘,粒粒颗颗费力勤/贫无可奈惟求俭,拙亦何妨只求勤/当官之法,唯有三事:曰清,曰慎,曰勤/人之进退,唯问其志,取必以渐,勤则得多/不学而求知,犹愿鱼而无网焉,心虽勤而无获矣/人之能为人,由腹有诗书。诗书勤乃有,不勤腹空虚

去 ①qù 到别的地方;寄出;离开;除掉;失去;距离;以往的;婉词,指人死。②jǔ 藏。③qū 通"驱",驱赶。

❶去国故人稀

见宋·怀古《送田锡下第归宁》。

去私莫如强恕

见清·戴震《原善》。

去苟礼而务至诚

见宋·苏轼《策略第五》。

去事之戒,来事之师

见汉·陆贾《新语·至德》。

去甚去泰,身乃无害

见《韩非子·扬权》。

去人滋久,思人滋深

见《庄子·徐无鬼》。

去好去恶,群臣见素

见《韩非子·二柄》。

去货以廉,使下自平

见汉·严遵《道德指归论·方而不割篇》。

去奸之本,莫深于严刑

见《商君书·开塞》。全句为:"胜法之务,莫急于去奸;~"。

去民之患,如除腹心之疾

见宋·苏辙《上皇帝书》。

去帆若不见,试望白云中

见南朝·梁·何逊《赠韦记室黯别》。

去就取与知能六者,塞道也

见《庄子·庚桑楚》。

去冗官,用良吏,以抚疲民

见宋·欧阳修《论御贼四事札子》。

去小知而大知明,去善而自善

见《庄子·外物》。

去知则奚求矣,无藏则奚设矣

见《管子·心术上》。全句为:"~。无求无设则无虑,无虚则反复虚矣"。

去贫之法,惟有先戒懒惰……

见民国·邹歧山《启后留言》。全句为:"~,再学节俭,克勤克俭,劳心努力,断没有长贫穷的道理"。

去汝躬矜与汝容知,斯为君子矣

见《庄子·外物》。"躬矜",恃才自负貌。

去敌气与矜色兮,噤危言以端诚

见唐·刘禹锡《问大钧赋》。

去年米贵阙军食,今年米贱大伤农

见唐·杜甫《岁晏行》。

去浮华,举功实,绝末伎,同本务

见汉·荀悦《申鉴·时事》。全句为:"~,则事业修矣"。

去规矩而妄意度,奚仲不能成一轮

见《韩非子·用人》。

去国怀乡,忧谗畏讥,满目萧然,感极而悲者矣

见宋·范仲淹《岳阳楼记》。

去其家观人家,去其身观人身,所观益远,所见益少

见《老子》四十七河上公注。

❷老去逢春如病酒/不去草稗,禾实不成/不去庆父,鲁难未已/拔去凶邪,登崇畯良/濯去旧见,以来新意/革去旧例而惟材是择/不去小利,则大利不得/失去所凭依,信不可欤/死去何所道,托体同山阿/昔去雪如花,今来花似雪/归去来兮,田园将芜胡不归/罢去浮巧轻媚丛错采绣之文/欲去其弊也,莫如省事而厉精/不去扫清天北雾,只来卷起浪头山/好去长江千万里,不须辛苦上龙门/死去元知万事空,但悲不见九州同/此去与师谁共到?一船明月一帆风/老去更无儿在膝,惟君怜我我怜君/老去诗篇浑漫与,春来花鸟莫深愁/老去读书随忘却,醉中得句若飞来/春去细糠如剖玉,炊成香饭似堆银/能去能就,能柔能刚,能进能退,能弱能强/苟去其名全其实,以其余易其不足,亦可交以为师矣

❸农夫去草,嘉谷必茂/以杀去杀,虽杀可也/以战去战,虽战可也/仗剑去国,辞亲远游/去甚去泰,身乃无害/去好去恶,群臣见素/药石去矣,吾亡无日/圣人去甚、去奢、去泰/圣人去力去巧去知去贤/心知去不归,且有后世名/弃我去者,昨日之日不可留/剪枝去叶,本根俱露,枯槁可立而待/以肉去蚁,蚁愈多;以鱼驱蝇,蝇愈至

❹来得易,去得易/三冗不去,不可为国/众之所去,虽大必亡/凡为民去害兴利若嗜欲/罚疑从去,所以慎刑也/世治非去兵,国安岂忘战/恶人不去,则善人无由进也/白粲必去其沙砾而后食可餐/以夷坦去群疑,以礼让汰惨急/大江东去,浪淘尽千古风流人物/交情老去淡如水,病骨秋来瘦似松/弊之难去,其难在仰食于弊之人乎/行贤而去自贤之行,安往而不爱哉/明法制,去私恩,令必行,禁必止/春来春去苦自驰,争名争利徒尔为/牧童归去横牛背,短笛无腔信口吹/君子之去小人,惟能尽去,乃无后患/乡者已去,至者乃新,新故不翏,我有所周/草茅弗去,则害禾谷;盗贼弗诛,则伤良民/今且须去理会眼前事,那个鬼神事,无形无影,莫要枉费心力

❺今年花胜去年红/用人之仁去其贪/未尝一日去书不观/来如风雨,去如绝弦/来日苦短,去日苦长/任贤勿贰,去邪勿疑/存物物存,去物物亡/农夫之耨,去害苗者也/圣人去甚、去奢、去泰/圣人去力去巧去知去贤/贤者之治,去害义者也/我欲乘风去,击楫誓中流/飞黄腾踏去,不能顾蟾蜍/又送王孙去,萋萋满别情/远胜登仙去,飞鸾不假骖/扁舟从此去,鸥鸟自为群/忍别青山去,其如绿水何/盈虚倚伏,去来之不可常/笑入荷花去,佯羞不出来/醉舞下山去,明月逐人归/若高下相去差近,犹可与语/大胆天下去得,小心寸步难行/有梦常嫌去远,无书可恨来迟/时乎时乎,去不可邀,

来不可逃／譬如斩木，去寸无寸，去尺无尺／今年花似去年好，去年人到今年老／屋漏者，民去之；水浅者，鱼逃之／恶诸人则去诸己，欲诸人则求诸己／用人之知去其诈，用人之勇去其怒／善删者字去而意留，善敷者辞殊而意显／功莫大于去恶而为善，罪莫大于去善而为恶／绝言之道，去心与意；止为之术，去人与智

❻惟陈言之务去／流水落花春去也／自外面推入去……／扬清激浊，荡去滓秽／敌存灭祸，敌去召过／蝇营狗苟，驱去复还／其与人锐，其去人必速／无功食国禄，去窃能几何／人生处一世，去若朝露晞／从善如不及，去恶如探汤／交绝无恶声，去臣无怨辞／圣人所贵者，去祸于未萌／花下一禾生，去之为恶草／德薄者位危，去道者身亡／树德莫如滋，去疾莫如尽／时哉不我与，去乎若云浮／社鼠不可熏，去此乃治矣／三十八年过去，弹指一挥间／仁，则私欲尽去，而心德之全也／舞罢青蛾同去国，战残白骨尚盈丘／明好恶而定去就，崇敬让而民兴行／徒恶之而不去其得之之道，不能免也／敌存而惧，敌去而舞；废备自盈，只益为瘠／凡语治而待去欲者，无以道欲而困于有欲者也／如室斯构，而去其凿楔……国之将亡，本必先颠／畜池鱼者必去猵獭，养禽兽者必去豺狼，又况治人乎

❼无可奈何花落去／春色无情容易去／合则留，不合则去／唯弗居，是以不去／人欲长久，断情去欲／好不废过，恶不去善／老母终堂，生妻去帷／圣人去甚、去奢、去泰／圣人去力去巧去知去贤／百川日东流，客去亦不息／华离蒂而萎，条去干而枯／弦断犹可续，心去最难留／春秋迭代，必有去故之悲／有而不知足，失去所以有／化作娇莺飞归去，犹认纱窗旧绿／除害之要，在于去之，不在南北／放船千里凌波去，略为吴山留顾／义理有疑，则濯去旧见，以来新意／以清廉清民，令去其邪，令去其污／仰天大笑出门去，我辈岂是蓬蒿人／何必奔冲山下去，更添波浪向人间／人面不知何处去，桃花依旧笑春风／陶令不知何处去，桃花源里可耕田／君子之于世；无去无就，惟道是从／清泉自爱江湖去，流出红墙便不还／清风两袖朝天去，免得闾阎话短长／死犹未肯输心去，贫亦其能奈我何／昔人已乘黄鹤去，此地空余黄鹤楼／春风不逐君王去，草色年年旧宫路／风起绿洲吹浪去，雨从青野上山来／蛱蝶飞来过墙去，却疑春色在邻家／洁其宫，开其门，去私毋言，神明若存／正则用之，邪则去之，是则行之，非则改之／火烧到身，各自去扫；蜂虿入怀，随即解衣／去其家观人家，去其身观人身，所观益远，所见益少

❽不受于邪，邪气自去／为善则预，为恶则去／荷甑堕地，不顾而去／招之不来，麾之不去／招之即来，挥之即去／困鸟依人，终当飞去／举事以自为者，众去之／国家失政，则士民去之／浴不必江海，要之去垢／胜法之务，莫急于去奸／不求立名声，所贵去瑕玼／读书趋简要，害说去杂冗／士之闲居，无故不去琴瑟／蒙耻之宾，屡黜不去其国／岂知今夜月，还是去年愁／门前两条辙，何处去不得／清水出芙蓉，天然去雕饰／见恶，如农夫之务去草焉／生之来不能却，其去不能止／其就义若渴者，其去义若热／去小知而大知明，去善而自善／才觉私意起，便克去，此是大勇／求取情状，离绝远去笔墨畦径间／国乱则择其邪人去之，则国治矣／独立寒秋，湘江北去，橘子洲头／我自横刀向天笑，去留肝胆两昆仑／剔大蠹者木必凿，去大奸者国必伤／今年花似去年好，去年人到今年老／适来，夫子时也；适去，夫子顺也／道合则从，不合则去，儒者进退之大节／大人者，有容物，无去物，有爱物，无徇物

❾圣人去力去巧去知去贤／身已贵而骄人者民去之／扬汤止沸，不如灭火去薪／昨日胜今日，今年老去年／学古之道，犹食笋而去其箨也／政以得贤为本，理以去秽为务／寄之，其来不可圉，其去不可止／譬如斩木，去寸无寸，去尺无尺／以时起居，恶者辄斥去，毋令败群／时来天地皆同力，运去英雄不自由／气入身来为之生，神去离形为之死／算来终不与时合，归去来兮翠如中／以汤止沸，沸愈不止，去其火则止矣／绝祸之首，起福之元，去我情欲，取民所安

❿不恨归来迟，莫向临邛去／国之亡也，有道者必先去／闻所闻而来，见所见而去／新人从门入，故人从阁去／有官守者，不得其职则去／有言责者，不得其言则去／肤革既平，虽疥癣而必去／青山遮不住，毕竟东流去／无所有而来，无所从而去者／无罪而杀士，则大夫可以去／待士而不以道，则士必去矣／用人不宜刻，刻则思效者去／事垂立而辄废，功未成而旋去／善善而不能用，恶恶而不能去／总视其体，乃知其大相去之远／积其凶，全其恶，而天下去之／小人……以小恶为无伤而弗去也／视人之瘼如瘝疽在身，不忘决去／锄奸杜倖，要放他一条去路……／豆麦之种与稻粱殊，然食能去饥／譬如养鹰，饥则为用，饱则扬去／不决浮云斩邪佞，直成龙去欲何为／不能手提天下往，何忍身去游其间／事可语人酬对易，面无惭色去留轻／以清廉清民，令去其邪，令去其污／匿病者不得良医，羞问者圣人去之／他乡怨而白露寒，故人去而青山迥／功成而弗居。夫唯弗居，是以不去／圣贤千言万语，教人且从近处做去／按善恶见闻之实，断是非去取之疑／善人为邦百年，

亦可以胜残去杀矣／懊恨人心不如石，少时东去复西来／富贵则人争趣之，贫贱则人争去之／寓形宇内复几时，曷不委心任去留／爱人以除残为务，政理以去乱为心／目送征鸿飞杳杳，思随流水去茫茫／用人之知去其诈，用人之勇去其怒／身危由于势过，而不知去势以求安／苟能乐道人之善，则天下皆去恶为善／小人如恶草也，不种而生，去之复蕃／君子之去小人，惟能尽去，乃无后患／胸中乱则择其邪欲而去之，则德正矣／风萧萧兮易水寒，壮士一去兮不复还／凡上下之间有物间隔，当须用刑法去之／当其取于心而注于手也，惟陈言之务去／独游山水间，登极顶……欲空其形而去／理之固然者：富贵则就之，贫贱则去之／疾病不可以自责除，水旱不可以祷谢去／吾子苟自择之，取某事，去某事，则可矣／君子如嘉禾也，封殖之甚难，而去之甚易／唯圣人知礼之不可以已也……必先去其礼／珠之有颣玉之有瑕，置之而全，去之而亏／树林阴翳，鸣声上下，游人去而禽鸟乐也／炷尽沉烟，抛残绣线，恁今春关情似去年／三得者具而天下归之，三得者亡而天下去之／天道悠悠，人生若浮，古来贤圣，皆成去留／民有疾苦，得以安之；吏有侵渔，得以去之／净心守志，可会至道，譬如磨镜，垢去明存／词意书迹，无不宛然；唯是魂神，不知去处／功莫大于去恶而为善，罪莫大于去善而为恶／拱默取容，以徇一身之利者，亦当罢而去之／国耳忘家，公耳忘私，利不苟就，害不苟去／深耕概种，立苗欲疏，非其种者，锄而去之／绝言之道，去心与意；止为之术，去人与智／权之所在，虽疏必重；势之所去，虽亲必轻／龙不隐鳞，凤不藏羽，网罗高县，去将安所／先除尘垢后染善法，譬如浣衣先去垢然后可染／大丈夫必有四方之志，乃仗剑去国，辞亲远游／名实相生，利用相成，是非相明，去就相安也／君苟有恶，人亦知之。知之又知之，其心去之／善人在患，弗救不祥；恶人在位，不去亦不祥／沧波远天，混和暮色，孤舟一去，曷日而旋归／察乎安危，宁于祸福，谨于去就，莫之能害也／是他春带愁来，春归何处，却不解、将愁归去／君子不怵乎好，不迫乎恶，恬愉无为，去智与故／贫与贱，是人之所恶也，不以其道得之，不去也／仁人之所以为事者，必兴天下之利，除去天下之害／圣人之用兵，若栉发耨苗，所去者少，而所利者多／得其言者而不言，与不得其言而不去，无一可者也／沐者堕发，而犹为之不止，以所去者少，所利者多／以食噎而得病者，欲绝食以去病，乃不知食绝而身毙／畜池鱼者必去猵獭，养禽兽者必去豺狼，又况治人乎／为天下者，亦奚以异乎牧马者哉，亦去其害马者而已矣／乐未毕也，哀又继之；哀乐之来，吾不能御，其去弗能止／其义则不足死，赏罚则不足去就，若是而能用其民者，古今无有

台 ①tái 高而平的建筑物；像台的东西；量词；敬辞；星名；古代官爵名；台湾省的简称；桌子；台风。②yí 我；何；通"怡"，喜悦；姓。

❷崇台非一干，珍裘非一腋／灵台无计逃神矢，风雨如磐暗故园／章台柳，章台柳！昔日青青今在否／高台芳榭，家家而筑；花林曲池，园园而有／层台耸翠，上出重霄，飞阁流丹，下临无地／歌台暖响，春光融融；舞殿冷袖，风雨凄凄

❸沙角台高，乱帆收向天边

❹公若登台辅，临危莫爱身／又疑瑶台镜，飞在青云端／九层之台一倾，公输子不能正／近水楼台先得月，向阳花木易为春／烟云泉台，花鸟苔林，金铺锦帐，寓意则灵

❺章台柳，章台柳！昔日青青今在否

❼抱木生毫末，层台起累土／繁莺芳树，绕高台而共乐

❾登高临深，远见之乐，台榭不若丘山所见高也

❿菩提本无树，明镜亦非台／众人熙熙，如享大牢，如春登台／闻鼓鼙而思将帅，画云台而念旧臣／屈平词赋悬日月，楚王台榭空山丘／旦为朝云，暮为行雨。朝朝暮暮，阳台之下

牟 ①móu 想尽办法得到；牛鸣声；通"蛑"，食植物根的虫，引申为贪取，侵夺；通"侔"，等同；通"鍪"，釜属；通"鍪"，头盔；加倍；通"眸"；春秋时国名；姓。②mù 用于地名。

❶牟人之利以厌己之欲者，非蝗乎

见宋·孙因《蝗虫辞》。全句为："～？食人之食而误人之国者，非蝗乎"。

县 ①xiàn 行政区划单位；古时帝王所居之地。②xuán 同"悬"，悬挂；悬殊。

❶县法者，法不法也；设赏者，赏当赏也

见汉·刘安《淮南子·主术》。

❸室如县磬，野无青草／今来县宰加朱绂，便是生灵血染成

❺悠悠失乡县，处处尽云烟

❻鹿生于野，命县于厨／长夜难明赤县天，百年魔怪舞翩跹

❽而今风物那堪画，县吏催钱夜打门

❾探渊者知千仞之深，县绳之数也

❿不狩不猎，胡瞻尔庭有县貆兮／筋疲力弊不入腹，未议县官租税足／圣人备道全美者也，是县天下之权称也／宰相，陛下之腹心；刺史县令，陛下之手足／龙不隐鳞，凤不藏羽，网罗高县，去将安所／奋其智能，愿为辅弼，使寰区大定，海县清一／因其性，则天下听从；拂其性，则

法县而不用

矣 yǐ 了；表示对某种情况的明确肯定；犹“啊”，表停顿；犹“哉”，表感叹；犹“耳”，表限止。

❷降矣哉？终身夷狄／战矣哉？暴骨沙砾

参 ①cān 参加；进见；弹劾；探究；检验。②cēn［参差］长短、大小、高低不齐；大约；差错。③sān 同“三”；对立结合而成的统一物。④shēn 星名，二十八宿之一；人参。⑤sǎn 通“糁”，参杂，不纯。⑥càn 通“掺”，击鼓三次。

❶参不尽者，天下之理

见明·冯梦龙《警世通言·王安石三难苏学士》。全句为：“见不尽者，天下之事；读不尽者，天下之书；～”。

参之太史公以著其洁

见唐·柳宗元《答韦中论师道书》。全句为：“参之谷梁氏以厉其气，参之孟、荀以畅其支，参之庄、老以肆其端，参之《国语》以博其趣，参之《离骚》以致其幽，～”。

参之庄、老以肆其端

见唐·柳宗元《答韦中论师道书》。全句为：“参之谷梁氏以厉其气，参之孟、荀以畅其支，～，参之《国语》以博其趣，参之《离骚》以致其幽，参之太史公以著其洁”。

参之孟、荀以畅其支

见唐·柳宗元《答韦中论师道书》。全句为：“参之谷梁氏以厉其气，～，参之庄、老以肆其端，参之《国语》以博其趣，参之《离骚》以致其幽，参之太史公以著其洁”。

参之谷梁氏以厉其气

见唐·柳宗元《答韦中论师道书》。全句为：“～，参之孟、荀以畅其支，参之庄、老以肆其端，参之《国语》以博其趣，参之《离骚》以致其幽，参之太史公以著其洁”。

参以土宜，遂以物性

见唐·刘禹锡《为容州窦中丞谢上表》。

参之《离骚》以致其幽

见唐·柳宗元《答韦中论师道书》。全句为：“参之谷梁氏以厉其气，参之孟、荀以畅其支，参之庄、老以肆其端，参之《国语》以博其趣，～，参之太史公以著其洁”。

参之《国语》以博其趣

见唐·柳宗元《答韦中论师道书》。全句为：“参之谷梁氏以厉其气，参之孟、荀以畅其支，参之庄、老以肆其端，～，参之《离骚》以致其幽，参之太史公以著其洁”。

参差之上，无整齐之下

见晋·葛洪《抱朴子·广譬》。

参差远岫，断云将野鹤俱飞

见唐·骆宾王《冒雨寻菊序》。全句为：“～；滴沥空庭，竹响共雨声相乱”。

❷无参验而必之者，愚也

❸威恩参用以成化，文武相资以定业

❹观听不参，则诚不闻

❺秉德无私，参天地兮／博学而日参省乎己，则知明而行无过／量其当否，参其同异，弃其所短，收其所长

❻谁非一丘土，参差前后间

❼君子博学而日参省乎己，则知明而行无过矣

❽人生不相见，动如参与商

❾青树翠蔓，蒙络摇缀，参差披拂／人事必将与天地相参，然后乃可以成功

❿论士必定于志行，毁誉必参于效验／一切问答，如针锋相投，无纤毫参差／萧何为法，顜若画一；曹参代之，守而勿失／积山万状，负气争高。含霞饮景，参差代雄／闭心自慎，终不失过兮；秉德无私，参天地兮

能 ①néng 本领，才干；有本领的，有才干的；能够，胜任；到；够；犹“乃”；犹“而”；犹“只”；通“恁”，那么，这么；通“宁”，宁可；能量；古时称三足的鳖；一种像熊的野兽。②nài 通“耐”，受得住。③tài 通“态”。

❶能必副其所

见清·王夫之《尚书引义·召诰无逸》。

能信，不为人下

见《左传·昭公元年》。

能士乐治乱之事

见三国·魏·刘劭《人物志·八观》。

能治众者其官大

见汉·司马迁《史记·范雎蔡泽列传》。全句为：“劳大者其禄厚，功多者其爵尊，～”。

能欲多而事欲鲜

见汉·刘安《淮南子·主术》。全句为：“心欲小而志欲大，智欲员而行欲方，～”。

能制敌者，会在出奇

见唐·张九龄《敕安西节度王斛斯书》。全句为：“古之善用兵者，不必在众；～”。

能虽至神，不离巧拙

见《关尹子·三极》。全句为：“行虽至卓，不离高下；言虽至工，不离是非；～；貌虽至殊，不离妍丑”。

能理乱丝，乃可读书

见晋·杂歌谣辞《杨泉引里语》。

能理乱丝，始可读诗

见明·杨慎《古今谚》。

能者无名，从事无事

见《管子·白心》。

能致精，则合明而寿

见汉·董仲舒《春秋繁露·通国身》。全句

为:"~;能致贤,则德泽洽而国太平"。

能不称其位,其殃必大

见汉·王符《潜夫论·忠贵》。全句为:"德不称其任,其祸必酷;~"。

能养能举,悦贤之至也

见宋·朱熹《四书集注·孟子·万章下》。

能者以济,不能者以覆

见宋·陆佃解《鹖冠子·世兵》。全句为:"至得无私,泛泛乎若不系之舟,~"。

能究其本根而枝叶自举

见宋·苏辙《宋子仪大理寺丞》。

能食人,亦当为人所食

见汉·班固《汉书·王莽传》。

能周小事,然后能成大事

见《关尹子·九药》。

能为人则者,不为人下矣

见《左传·昭公元年》。

能均其食者,天下可以治

见五代·南唐·谭峭《化书卷五·食化·奢僭》。

能持大体,凡事自可就也

见清·颜元《存学编》卷一。

能役英与雄,故能成大业

见三国·魏·刘劭《人物志·英雄》。全句为:"一人之身兼有英雄,乃能役英与雄。~"。

能相奉成者,必同气者也

见汉·王充《论衡·谴告篇》。全句为:"物能相割截者,必异性者也;~"。

能者不可弊,败者不可饰

见《韩非子·有度》。

能者进而由之,使无所德

见唐·柳宗元《梓子传》。全句为:"~;不能者退而休之,亦莫敢愠"。

能胜强敌者,先自胜者也

见《商君书·画策》。

能忍事乃济,有容德乃大

见明·许相卿《许云邨贻谋》。

能称其事,则为之者不难

见汉·刘安《淮南子·主术》全句为:"力胜其任,则举之者不重~"。

能甘淡泊,便有几分真学问

见清·申居郧《西岩赘语》。

能为可用,不能使人必用己

见《荀子·大略》。全句为:"君子能为可贵,不能使人必贵己;~"。

能修其身,虽小人而为君子

见宋·欧阳修《答李翊第二书》。

能读不能行,所谓两足书橱

见清·申居郧《西岩赘语》。

能获而能烹,所以为善猎也

见宋·苏辙《私试进士策问二十八首》之一。全句为:"能稼而能穑,所以为良农也"。

能薄操浊,不可保以必卑贱

见汉·王充《论衡·逢遇篇》。全句为:"才高行洁,不可保以必尊贵;~"。

能循天理动者,造化在我也

见宋·邵雍《皇极经世·观物外篇下》。

能备患于未形也,故祸不萌

见《管子·牧民》。

能者之相见也,不待试而知

见汉·刘向《说苑·尊贤》。全句为:"贤圣之接也,不待久而亲;~"。

能致贤,则德泽洽而国太平

见汉·董仲舒《春秋繁露·通国身》。全句为:"能致精,则合明而寿;~"。

能稼而能穑,所以为良农也

见宋·苏辙《私试进士策问二十八首》之一。全句为:"~;能获而能烹,所以为善猎也"。

能用度外人,然后能周天下

见宋·沈括《梦溪笔谈》卷二十五。

能静而自观者,可以用人矣

见宋·苏洵《法制》。

能前知其当然,事至不惧……

见宋·苏轼《晁错论》。全句为:"~,而徐为之所,是以得至于成功"。

能除患则为福,不能除患为贼

见《荀子·大略》。

能四时而不衰,历夷险而益固

见三国·蜀·诸葛亮《论交》。全句为:"士之相知,温不增华,寒不改叶。~"。

能因敌变化而取胜者,谓之神

见《孙子兵法·虚实篇》。

能守而后可战,能战而后可和

见元·脱脱《宋史·李纲传》。

能除天下之忧者,必享天下之乐

见唐·杨炯《唐恒州刺史建昌公王公神道碑》。

能扶天下之危者,必据天下之安

见唐·杨炯《唐恒州刺史建昌公王公神道碑》。

能者进而由之,不能者退而休之

见唐·柳宗元《梓人传》。

能有名誉者,必无以趋行求者也

见汉·刘安《淮南子·俶真》。全句为:"能有天下者,必无以天下为也;~"。

能自得师者王,谓人莫己若者亡

见《尚书·仲虺之诰》。

能为国则能为主,能为家则能为父

见战国·佚书《经法·六分》。

能以众不胜成大胜者,唯圣人能之

见汉·刘安《淮南子·诠言》。

能使了然于口与手乎！是之谓辞达

见宋·苏轼《答谢民师书》。全句为："求物之妙，如系风捕影，能使是物了然于心者，盖千万人而不一遇也；而况～"。

能读千赋则善赋，能观千剑则晓剑

见汉·桓谭《新论》。

能知反复之道者，可以居兆民之职

见五代·南唐·谭峭《化书卷三·酒醴》。

能改，则瑕可为瑜，瓦砾可为珠玉

见唐·李沂《秋星阁诗话》。

能爱邦内之民者，能服境外之不善

见《晏子春秋·内篇·问上》。

能欺一人一时，决不能欺天下后世

见清·叶燮《原诗》外篇上。

能自凿井及泉而汲之，不可胜用矣

见明·宋濂《元史·尚野传》。全句为："持钱买水，所取有限，～"。

能之为能之，不能为不能，行之要也

见汉·韩婴《韩诗外传》。

能大而不小，能高而不下，非兼通也

见战国·楚·宋玉《小言赋》。

能常而后能变，能常不已，所以能变

见宋·朱熹《朱子语类》卷七二。

能克己，乃能成己；能胜物，乃能利物

见《关尹子·九药》。

能当一人而天下取，失当一人而社稷危

见《荀子·王霸》。

能行之者未必能言，能言之者未必能行

见汉·司马迁《史记·孙子吴起列传》。

能近见而后能远察，能利狭而后能泽广

见宋·王安石《荀卿》。

能终而不能赏，虽有贤人，终不可用矣

见唐·陈子昂《答制问事·重任贤科》。全句为："好贤而不能任，能任而不能信，能信而不能终，～"。

能出于材，材不同量，材能既殊，任政亦异

见三国·魏·刘劭《人物志·材能》。

能去能就，能柔能刚，能进能退，能弱能强

见明·罗贯中《三国演义》第一百回。全句为："为将者，～"。

能至素至精，浩弥无刑，然后可以为天下正

见战国·佚书《经法·道法》。

能自治然后可以治人；能治人然后人为之用

见宋·王安石《洪范传》。

能至于无乐者，则无不乐；无不乐，则至极乐

见汉·刘安《淮南子·原道》。

能苟焉以求静，而欲之翦抑窒绝，君子不取也

见清·戴震《原善》。

能用非己之民，国虽小，卒虽少，功名犹可立

见《吕氏春秋·离俗览·用民》。

能无私于一人，故万物至而制之，万物至而命之

见《尉缭子·将理》。

能使人知己、爱己者，未有不能知人、爱人者也

见宋·王安石《荀卿》。

能明申、韩之术而修商君之法，法修术明而天下乱者，未之闻也

见汉·司马迁《史记·李斯列传》。

能有天下者，必无以天下为也；能有名誉者，必无以趋行求者也

见汉·刘安《淮南子·俶真》。

❷未能操刀而使割／使能，国之利也／见能而不使，殆／言能听，道乃进／不能则学，疑则问／不能罪身者民罪之／子能知一，万事毕／才能成功，以速为贵／不能受谏，安能谏人／未能事人，焉能事鬼／未能免俗，聊复尔尔／人能弘道，非道弘人／人能胜乎天者，法也／色能置害，必须远之／力能胜贫，谨能胜祸／苟能修身，何患不荣／大能掩小，海纳百川／口能招祸，必须慎之／知能不举，则为失材／酒能败身，必须戒之／清能有容，仁能善断／量能授官，不可不审／智能决谋，以疾为奇／水能载舟，亦能覆舟／牛能任重，马有报德／文能附众，武能威敌／心能执静，道将自定／心能造恶，必须戒之／忿能积恶，必须忍之／食能以时，身必无灾／不能正其身，如正人何／不能兆其端者，菑及之／不能终善者，不遂其君／弗能必而据之者，诬也／任能黜否，则官府治理／彼能是，而我乃不能是／心能识壮毫而不觉其形／意能遣辞，辞不能成意／目能察黑白而不见其睫／眇能视，不足以有明也／跛能履，不足以与行也／身能，相能，如是者王／不能无为者，不能有为也／不能胜寸心，安能胜苍穹／使能之谓明，听信之谓圣／人能正静者，筋韧而骨强／谁能绝人命，以作时世贤／幸能修实操，何俟钓虚声／多能者鲜精，多虑者鲜决／度能就位，忠臣所以事君／有能则举之，无能则下之／思能造端，谓之构架之材／简能而任之，择善而从之／不能无诉，诉而必见察……／不能尽其力，则不能成其功／不能尽其心，则不能尽其力／不能者退而休之，亦莫敢愠／诚能爱而利之，天下可从也／杉能遂其性，不扶而直……／察能而授官者，成功之君也／此能求过于天，必不逆谏矣／物能相割截者，必异性者也／心能辨事非，处事方能决断／不能长进，只为昏弱两字所苦／不能容人者无亲，无亲者尽人／人能虚己以游世，其孰能害之／力能则进，否则退，量力而行／口能言之，身不能行，国用也／口能言

之，身能行之，国宝也／君能清静，百姓何得不安乐乎／有能而无益于事者，君子弗为／有能以民为务者，则天下归之／不能大通，则各私其党而求利焉／人能由昭昭于冥冥，则几于道矣／人能弘道，焉知来者不如昔也？／若能遗外声利，而不厌乎贫贱也／智能之士，不学不成，不问不知／鸟能远飞，远飞者，六翮之力也／不能手提天下往，何忍身去游其间／不能耕而欲黍粱，不能织而喜采裳／不能自胜而强弗从者，此之谓重伤／可能十万珍珠字，买尽千秋儿女心／尧能则天者，贵其能臣舜、禹二圣／力能排天斡九地，壮颜毅色不可求／惟能于其未然而预防之，故无后忧／水能性澹为吾友，竹解心虚即我师／不能为五斗米折腰，拳拳事乡里小人／医能治一病谓之巧，能治百病谓之良／苟能无以利害义，则耻辱亦无由至矣／苟能乐道人之善，则天下皆去恶为善／安能以皓皓之白，而蒙世俗之尘埃乎／心能知人者如明镜，善自知者如蚌镜／不能爱邦内之民者，不能服境外之不善／任能者责成而不劳，任己者事废而无功／人能尽性知天，不为蓦然起见，则几矣／若能为能，不能为不能……乃所谓明也／若能常保数百卷书，千载终不为小人也／安能摧眉折腰事权贵，使我不得开心颜／人能贵其所贱，贱其所贵，可与言至论矣／力能过人，勇能行之，而智不能断事……／贤能，不待次而举；罢不能，不待须而废／不能则学，不知则问，虽知必让，然后为知／不能说其志意，养其寿命者，皆非通道者也／人能除情欲，节滋味，清五藏，则神明居之／以能问于不能，以多问于寡；有若无，实若虚／人能修炼，俗变淳和，则返朴之风，可臻太古矣／君能尽礼，臣得竭忠，必在于内外无私，上下相信／有能推至诚之心而加以不息之久，则天地可动，金石可移

❸一事能变曰智／忠焉能勿诲乎／俭而能施，仁也／贤而能让，三等／爱之，能勿劳乎／天不能覆，地不能载／天之能，人固不能也／不夺能能，不与下试／以一能称，以一善书／以知能治民者，泗也／闻义能徙，视死如归／耻不能，不耻不见用／能养能举，悦贤之至也／君子能行是，不能御非／过而能改者，民之上也／贤者能节之，不使过度／百年能几日，忍不惜光阴／长者能博爱，天下寄其身／以材能任职，以兴义任俗／博而能容浅，粹而能容杂／人之能，天也有所不能也／君子能勤小物，故无大患／闻恶能改，庶得免乎大过／寒不能生寒，热不能生热／强不能遍立，智不能尽谋／好风能自至，明月不须期／贤而能容罢，知而能容愚／数则能胜疏，抟则能胜缺／文不能尽言，言不能尽意／慈，故能勇；俭，故能广／静则能胜躁，后则能胜先／博而能一，亦有助乎心力矣／人有能有不能，有明有不明／贤者能自反，则无往而不善／刀不能剪心愁，锥不能解肠结／若力能过人，而勇不能行……／苟不能以善始，未有能令终者／寸火能焚云梦，蚁穴能决大堤／口不能言，身能行之，国器也／君不能知其臣，则无以齐万国／君子能为善，而不能必得其福／富以能施为德，贫以无求为德／子不能治子之身，恶能治国政／智而能愚，则天下之智莫加焉／父不能知其子，则无以睦一家／慈石能引铁，及其于铜则不行／病无能焉，不病人之不己知也／臣以能言为能，君以能听为能／众不能治众。治众者，至寡者也／君子能为可贵，不能使人必贵己／善者能使敌卷甲趋远，倍道兼行／臣以能行为能，君以能赏罚为能／一灯能除千年暗，一智能灭万年愚／上不能宽国之利，下不能饱民之饥／天良能本吾良能，顾为有我所丧尔／圣人能与世推移，而俗士苦不知变／有不能求士之君，而无不可得之士／有不能治民之吏，而无不可治之民／目不能两视而明，耳不能两听而聪／巧者能生规矩，不能废规矩而正方圆／篙不能鸣钟，而萤火不爨鼎者，何也／豺狼能害人，其状易别，人得以避之／生不能相养以共居，殁不得抚汝以尽哀／任小能于大事者，犹狸搏虎而刀伐木也／人一能之，己百之；人十能之，己千之／陶者能圆而不能方，矢者能直而不能曲／大抵能立于一世，必有取重于一世之术／吾不能变心而从俗兮，固将愁苦而终穷／君子能受纤微之小嫌，故无变斗之大讼／问君能有几多愁？恰似一江春水向东流／目不能二视，耳不能二听，手不能二事／既不能推心以奉母，亦安能死节以事人／既不能流芳后世，亦不足复遗臭万载邪／良农能稼而不能穑，良工能巧而不能为顺／凡人能量己之能与不能，然后知人之艰难／能去能就，能柔能刚，能进能退，能弱能强／荐贤能其气似孔文举，论经学其博似刘子骏／君子能罪己，斯罪人也；不报怨，斯报怨也／所谓“能”者即己也，所谓“所”者即物也／罢无能，废无用，捐不急之官，塞私门之请／鹦鹉能言，不离飞鸟；猩猩能言，不离走兽／才不能逾同列，声不能压当世，世之怒仆宜也／凡今能言者，皆谓天下少士，而不知养材之道／威不能复制民，民不能堪其威，则上下大溃矣／有不能以有为有，必出乎无有，而无有一无有／竭所能之谓忠，履所明之谓信，平所施之谓恕／力不能问，然后语之，语之而不知，虽舍之可也／人之能为人，由腹有诗书。诗书勤乃有，不勤腹空虚／力不能济于用，而君臣上下不正，虽抱空器奚何施设／竹不能自异，唯人异之；贤不能自异，唯用贤者异之

❹非固不能惑是／北风吹，能几时／萤火焉能比月轮／大丈夫能屈能伸／得失不能疑其志／惟善人能受尽言／急流中能勇退耳／眸子不能掩其恶／阴阳不能且冬且夏／无所不能者有大不能／不夺能能，不与下试／千金不能救斯言之玷／奔骥不能及既往之失／推贤让能，庶官乃和／常才不能别逸伦之器／各专其能，各致其力／选士用能，不拘长幼／选贤与能，讲信修睦／学而不能行，谓之病／班翟不能削石作芒针／天之所能者，生万物也／为义不能用众，非义也／为仁不能胜暴，非仁也／为智不能决诡，非智也／司察之能，臧否之材也／任贤使能，天下之公义／人之所能者，治万物也／计策之能，术家之材也／尚贤使能，则主尊下安／唯仁者能好人，能恶人／威猛之能，豪杰之材也／欧冶不能铸铅锡作干将／立法之能，治家之材也／身能，相能，如是者王／其所不能，不强使为是／一生复能几，倏如流电惊／一语不能践，万卷徒空虚／百害不能伤，知力不能取／举贤任能，不时日而事利／直而不能枉，不可与大任／任贤使能，将相莫非其人／人性虽能智，不教则不达／闻义不能徙，不善不能改／治世之能臣，乱世之奸雄／忧人不能寐，耿耿夜何长／安而后能虑，止水能照也／水性虽能流，不导则不通／贤圣不能正不食谏诤之君／方而不能圆，不可以长存／扁鹊不能治不受针药之疾／心思不能言，肠中车轮转／未有不能正身而能正人者也／未有不能制兵而能止暴乱者／内难而能正其志，箕子以之／能读不能行，所谓两足书橱／能获而能烹，所以为善猎也／能稼而能穑，所以为良农也／圣人不能为时，时至而弗失／怠者不能修，而忌者畏人修／无为不能逭福，有为不能逃患／两坚不能相和，两强不能相服／为文不能关教事，虽工无益也／直者不能不争，曲者不能不讼／儒者口能言治乱，无能以行之／今虽不能如周公吐哺握发……／圣人不能为时，而能以事适时／对案不能食，拔剑击柱长叹息／唯忠臣能逆意，惟圣君能从利／行患不能成，无患有司之不公／涂车不能代劳，木马不中驰逐／惟君子能由是路，出入是门也／辞至于能达，则文不可胜用矣／天地不能顿为寒暑，必渐于春秋／五岳不能削其峻，以副陟者之欲／不骄方能师人之长，而自成其学／非诗之能穷人，殆穷者而后工也／冠衣不能移人迹，顾所履何如耳／大川不能促其涯，以适速济之情／吾身不能居仁由义，谓之自弃也／善人不能戚，恶人不能疏者，危／盲者口能言白黑，而无目以别之／立官不能使之方，以私欲乱之也／千羊不能扞独虎，万雀不能抵一鹰／川源不能实漏卮，山海不能赡溪壑／良师不能饰戚施，香泽不能化嫫母／良医不能措其术，百药无所施其功／良医不能救无命，强梁不能与天争／尺薪不能温镬水，寸冰不足寒庖厨／刑罚不能加无罪，邪枉不能胜正人／块土不能障狂澜，匹夫不能振颓俗／常人皆能办大事，天亦不必产英雄／山林不能给野火，江海不能实漏卮／宣父犹能畏后生，丈夫未可轻年少／居前不能令人轾，居后不能令人轩／火力不能销地力，乱前黄菊眼前开／扁鹊不能肉白骨，微箕不能存亡国／愚医类能杀人，而不服药者未必死／凡人不能无好恶，但能胜其私心则善／夜行者能无为奸，不能禁狗使无吠己／能之为能之，不能为不能，行之要也／可学无能、可事而成之在人者，谓之伪／任贤使能以清官曹，养老慈幼以厚风俗／尊贤使能，俊杰在位，则天下之士皆悦／人又谁能以身之察察，受物之汶汶者乎／含情而能达，会景而生心，体物而得神／若能为能，不能为不能……乃所谓明也／将事而能弭，当事而能救，既事而能挽／小人不能忍小忿之故，终有赫赫之败辱／当官者能洁身修己，然后在公之节乃全／宵行者，能无为奸，而不能令狗无吠己／富贵不能淫，贫贱不能移，威武不能屈／智力不能接，而威德不能运者，谓之二／骐骥不能与罢驴为驷，凤皇不与燕雀为群／不专一能，怪怪奇奇，不可时施，只以自嬉／日异其能，岁增其智，进如川行，浩浩而遂／明君不能畜无用之臣，慈父不能爱无用之子／盖棺始能定士之贤愚，临事始能见人之操守／金舟不能凌阳侯之波，玉马不任骋千里之迹／奋其智能，愿为辅弼，使寰区大定，海县清一／学而不能成其业，用而不能行其学，则非学也／忍所不能忍，容所不能容，惟识量过人者能之／穷困不能辱身，非人也；富贵不能快意，非贤也／今若不能服药，但知爱精节情，亦得一二百年寿也／王曰："孰能一之?"对曰："不嗜杀人者能一之"

❺不止恶不能修善／惟大英雄能本色／一以虚，故能生二／无识，则不能取舍／不劲直，不能矫奸／不明察，不能烛私／知人则哲，能官人／祸不好，不能为祸／管仲可谓能因物矣／天门开阖，能为雌乎／不寒不热，能生寒热／中道而立，能者从之／非知之难，能之难也／知困，然后能自强也／知学之人，能与闻迁／惟有道者能以往知来／亲权者，不能与人柄／贤者在位，能者在职／爱民治国，能无知乎／食言多矣，能无肥乎／无力，则不能自成一家／色智而有能者，小人也／善治人者，能自治者也／上材之人能行人所不能行／列士并学，能终善者为师／信赏以劝能，刑罚以惩恶／争强量功，能以胜众者鲜／工言治道，能以口辩移人／唯仁人为能爱人，能恶人／临难而不能勿听，不可谓勇

／生之来不能却，其去不能止／悦乎故不能即乎新者，弱也／敌力角气，能以小胜大者希／临凝结而能断，操绳墨而无私／举贤而授能兮，循绳墨而不颇／善善而不能用，恶恶而不能去／以虚无而能开通于物，故称曰道／圣人者不能生时，时至而弗失也／苍苍者焉能与吾事，而暇知之哉／汝身之不能治，而何暇治天下乎／一生大笑能几回，斗酒相逢须醉倒／巫峡之水能覆舟，若比人心是安流／曲妙人不能尽和，言是人不能皆信／千金未必能移性，一诺从来许杀身／何方圆之能周兮，夫孰异道而相安／但得贞心能不改，纵令移植亦何妨／凡人之智，能见已然，不能见将然／能为国则能为主，能为家则能为父／太行之路能摧车，若比人心是坦途／君子病无能焉，不病人之不己知也／宛转蛾眉能几时，须臾鹤发乱如丝／权钧则不能相使，势等则不能相并／梓匠轮舆能与人规矩，不能使人巧／水不激不能破舟，矢不激不能饮羽／见贤而不能举，举而不能先，命也／辞之所以能鼓天下者，乃道之文也／能常而后能变，能常不已，所以能变／江海所以能为百谷王者，以其善下之／非规矩不能定方圆，非准绳不能正曲直／能克己，乃能成己；能胜物，乃能利物／能终而不能赏，虽有贤人，终不可用矣／德不广不能使人来，量不宏不能使人安／楚虽三户能亡秦，岂有堂堂中国空无人／卑而言高，能言而不能行者，君子耻之矣／以割下为能，以附上为忠，此叛国之风也／若夫以火能焦木也，因使销金，则道行矣／唯至人乃能游于世而不僻，顺人而不失己／亲权者不能与人柄；操之则栗，舍之则悲／车之所以能转千里者，以其要在三寸之辖／不以其所能者病人，不以人之所不能者愧人／刺绣之师，能缝帷裳；纳缕之工，不能织锦／能去能就，能柔能刚，能进能退，能弱能强／德不称位，能不称官，赏不当功，罚不当罪／智如目也，能见百步之外，而不能自见其睫／贤者在位，能者布职，朝廷崇礼，百僚敬让／天地所以能长且久者，以其不自生，故能长生／人之情：不能乐其所不安，不能得于其所不乐／好贤而不能任，能任而不能信，能信而不能终／一人所以能敌万人者，非弓刀之技，盖威之至也／一人所以能悦万人者，非言笑之惠，盖和之至也／矢之发无能贯，待其止而能有穿；唯止能止众止／善为上者，能令人得欲无穷，故人之可得用亦无穷也

❻未有不学而能者／人生穷达谁能料／大丈夫能屈能伸／刚略之人不能理微／志忍私，然后能公／宽恕之人不能速捷／见贤忘贱，故能让／才不大者，不能博见／天行不信，不能成岁／不以规矩不能成方员／不能受谏，安能谏人／不知则问，不能则学／不深思则不能造其学／不学博依，不能安诗／不精不诚，不能动人／未能事人，焉能事鬼／两人俱溺，不能相拯／为地战者不能成其王／为禄仕者不能正其君／举善而教不能，则劝／人非圣贤，孰能无过／兄弟无礼，不能久同／凡人之性，不能无争／论如析薪，贵能破理／陈力就列，不能者止／力能胜贫，谨能胜祸／受尧之诛，不能称尧／大凡读书，不能无疑／小水长流，则能穿石／知事人，然后能使人／知足而止，故能长存／德不优者，不能怀远／清能有容，仁能善断／慎终如始，乃能长久／宁可玉碎，不能瓦全／学当以渐，乃能至也／日在井中，不能烛远／水能载舟，亦能覆舟／规小节者不能成荣名／欲知则问，欲能则学／文能附众，武能威敌／爝火虽微，卒能燎原／恶小耻者不能立大功／稽天之潦，不能终朝／西夕之景，吾能久留／自非圣人，不能无过／自明，然后才能明人／羊之乱群，犹能为害／食肉者鄙，未能远谋／不以规矩，不能成方圆／未闻枉己而能正人者也／百里之海，不能饮一夫／丘阜之木，不能成宫室／公输善匠，不能匠散木／人才有长短，能有巨细／能者以济，不能者以覆／在上位而不能进贤者逐／寻常之污，不能溉陂泽／知不足，然后能自反也／善操理者，不能有全功／善处身者，不能无过失／海不辞水，故能成其大／造父善御，不能御驽骀／道，虚之虚，故能生一／学问无大小，能者为尊／马肥，然后远能可致也／王事靡盬，不能艺稷黍／明主尚贤使能而飨其盛／暗主妒贤畏能而灭其功／效小节者，不能行大威／恶小耻者，不能立荣名／籍之虚辞，则能胜一国／群材既聚，故能成邓林／两贤未别，则能让者为俊／以色事他人，能得几时好／考实按形，不能谩于一人／先圣不一其能，不同其事／在上位而不能进贤者，逐／强人之所不能，虽令不劝／琴瑟不较，不能成其五音／枉己者，未有能直人者也／心如工画师，能画诸世间／鸾舆凤驾不能使驽马健捷／自有凌冬质，能守岁寒心／不可以己所能而责人所不能／事信言文，乃能表见于后世／乘舟楫者，不能游而绝江海／飞雪千里，不能改松柏之心／人有能有不能，有明有不明／邓林千里，不能无偏枯之木／去就取与知能六者，塞道也／能为可用，不能使人必用己／吾心如秤，不能为人作轻重／琼琚山积，不能无挟瑕之器／赠人以言者，能致终身之福／万里长江，何能不千里而一曲／世所相信，在能行，不在能言／巫峡之险不能覆舟而覆于平流／口不能言，身能行之，国器也／口能言之，身能行之，国宝也／听言不求其能，举功不考其素／知常顺道，故能公正而为王也／江河之流，不能盈无底之器也

／安不忘危，故能终而成霸功焉／官贤者量其能，赋禄者称其功／规矩备具，而能出于规矩之外／文以辨洁为能，不以繁缛为巧／用百人之所能，则得百人之力／臣以能言为能，君以能听为能／臣以自任为能，君以用人为能／羊肠之曲不能仆车而仆于剧骖／无制之兵，有能之将，不可以胜／吏所以治民，能尽其治则民赖之／假舟楫者，非能水也，而绝江河／宽以待人，柔能克刚，英雄莫敌／有制之兵，无能之将，不可以败／臣以能行为能，君以能赏罚为能／事有切而未能忘，情有深而未能遣／生非贵之所能存，身非爱之所能厚／尺泽之鲵，岂能与之量江海之大哉／冥当寝兮不能安，饥当食兮不能餐／受人养而不能自养者，犬豕之类也／小人寡欲则能谨身节用，远罪丰家／虽有千里之能……安求其能千里也／国以任贤使能而兴，弃贤专己而衰／弓待檠而后能调，剑待砥而后能利／教会宣明，不能尽力，士卒之罪也／身贤者，贤也；能进贤者，亦贤也／博识者触物能名，洽闻者理无所惑耳／能大而不小，能高而不下，非兼通也／庸人者，口不能道善言，心不知色色／悟者，吾心也。能见吾心，便是真悟／见不善而不能退，退而不能远，过也／事之急者不能安言，心之痛者不能缓声／为地战者不能成王，为禄仕者不能成政／能近见而后能远察，能利狭而后能泽广／至无者，无以能生，故始生者，自生也／若能为能，不能为不能……乃所谓明也／小人非才不能动人，小人非才不能乱国／形不得神不能自生，神不得形不能自成／河以逶蛇，故能远；山以陵迟，故能高／缓贤忘士，而能以其国存者，未曾有也／力能过人，勇能行之，而智不能断事……／抗厉之人不能回挠，论法直则括处而公正／无德不贵，无能不官，无功不赏，无罪不罚／不厚其栋，不能任重。重莫如国，栋莫如德／不知则问，不能则学，虽能必让，然后为德／不学操缦，不能安弦；不学博依，不能安诗／丹可火而不能使无赤，石可毁而不能使无坚／骐骥一跃，不能十步；驽马十驾，功在不舍／虑时务者不能兴其德，为身求者不能成其功／繁华，系累不能夺，则俗心日退、真心日进／以能问于不能，以多问于寡；有若无，实若虚／方于平易，皆能阔步而进，一遇峻险，则止矣／不深思则不能造于道，不深思而得者，其得易失／贤主忠臣，不能导愚教陋，则名不冠后、实不及世矣／有社稷者，不能爱其民，而求民亲己爱己，不可得也／解落三秋叶，能开二月花。过江千尺浪，入竹万竿斜／金樽玉杯不能使薄酒更厚，鸾舆凤驾不能使驽马健捷／人之所以不能终其寿命，而中道夭于刑戮者，何也？以其生生之厚／后嗣若贤，自能保其天下；如其不肖，多积仓库，徒益其奢侈，危亡之本也

❼人先信而后求能／烦使之而观其能／五味不同物而能和／五音不同声而能调／智足以使民不能欺／天不能覆，地不能载／天之能，人固不能也／至美素璞，物莫能饰／蓄极积久，势不能遏／行忍情性，然后能修／安土敦乎仁，故能爱／如人说食，终不能饱／本源秽者，文不能净／见不足忘贫，故能施／欲人无己疑，不能也／铤而走险，急何能择／穷不忘道，老而能学／精金百炼，在割能断／为国入宝，不如能献贤／博询众庶，则才能者进／保民而王，莫之能御也／圣人制天下，贵能至公／吾少也贱，故多能鄙事／君子能行是，不能御非／唯仁者能好人，能恶人／愚暗之人，皆矜能伐善／意能遣辞，辞不能成意／鸟则择木，木岂能择鸟／一钱亦分明，谁能肆谗毁／不从桓公猎，何能伏虎威／不能无为者，不能有为也／不能胜寸心，安能胜苍穹／不因感衰节，安能激壮心／不目见口问，不能尽知也／可使寸寸折，不能绕指柔／飞黄腾踏去，不能顾蟾蜍／以官为乐，必不能做好官／以胶投漆中，谁能别离此／人生不失意，焉能慕知己／冲风之末，力不能漂鸿毛／冲风之衰也，不能起毛羽／计功而行赏，程能而授事／论德而定次，量能而授官／能周小事，然后能成大事／能役英与雄，故能成大业／吾学无所学，乃能明自然／知止乎其所不能知，至矣／山不辞土石，故能成其高／屹立大江干，仍能障狂澜／进取之士，未必能有行也／道或乖，胶漆不能同其异／强弩之末，力不能入鲁缟／强弩之极，矢不能穿鲁缟／学之终身，有不能达者矣／朴素而天下莫能与之争美／有能则举之，无能则下之／慈，故能勇；俭，故能广／蛇固无足，子安能为之足／譬如工画师，不能知自心／青春须早为，岂能长少年／不忍为非，而未能必免其祸／未有学其小而能至其大者也／事之大利者，不能无小害也／梦幻人世，明不能究其从也／迟疑不断，未有能成事者也／有弗学，学之弗能，弗措也／不以官随其爱，能当之者处之／两兔傍地走，安能辨我是雄雌／良冶之砥石，不能发无刃之金／何谓创家之人，能教子者便是／何谓享福之人，能读书者便是／人之所不学而能者，其良能也／人主以好暴示能，以好唱自奋／能守而后可战，能战而后可和／大匠之斧斤，不能器不才之木／口能言之，身不能行，国用也／知安而不知危，能逸而不能劳／有善始者实繁，能克终者盖寡／勇士不顾生，故能立天下之大名／责人以其所不能，是使马代耕也／文不可以学而能，气可以养而致／忠臣不畏死，故能立天下之大事／稻生于水，而不能生于湍濑之流／天良能本吾良能，顾为有我所丧尔／凡用人历试其能，苟

败事必诛无赦／清时有味是无能，闲爱孤云静爱僧／举贤以临国，官能以敕民，则其道也／能之为能之，不能为不能，行之要也／能常而后能变，能常不已，所以能变／日月为明而弗能兼也，唯天地能函之／陶者能圆而不能方，矢者能直而不能曲／能行之者未必能言，能言之者未必能行／壮而不虚，刚而能润……非鼓怒以为资／当其才则事或能济，逾其分则力所不堪／居其位不论其能，赏其身不议其功……／殖货财产，贵其能施赈，否则守钱虏耳／是为是，非为非；能为能，不能为不能／天地生我而不能鞠我……成我者，夫子也／良农能稼而不能穑，良工能巧而不能为顺／凡人能量己之能与不能，然后知人之艰难／物循乎自然，人能明于必然，此人物之异／世治则愚者不能独乱，世乱则智者不能独治／临之以患难而能不变，邀之以宠利而能不回／能去能就，能柔能刚，能进能退，能弱能强／观古今之成败，能先见事机者，则恒受其福／少而不学，老无能也；老而不教，死无思也／形精不亏，是谓能移；精而又精，反以相天／金玉满堂，莫之能守。富贵而骄，自遗其咎／夏后氏之璜，不能无考；明月之珠，不能无颣／好贤而不能任，能任而不能信，能信而不能终／以富为是者，不能让禄；以显为是者，不能让名／心之精微，口不能言也；言之微妙，书不能文也／有行之士，未必能进取；进取之士，未必能有行也／君子之处世，贵能有益于物耳，不图高谈虚论，左琴右书

❽任有大小，惟其所能／人谋鬼谋，百姓与能／建官惟贤，位事惟能／察察小慧，类无大能／一言而非，四马不能追／龟猖有介，狐貉不能擒／尽荆越之竹，犹不能书／巨厦之崩，一木不能支／士信悫，而后求知能焉／君子见过忘罚，故能谏／彼能是，而我乃不能是／洪河已决，掬壤不能救／清真寡欲，万物不能移／无功食国禄，去窃能几何／无国而无士，或弗能得也／不好问者，由心不能虚也／出言不当，驷马不能追也／我手写我口，古岂能拘牵／良药苦口，惟疾者能甘之／博而能容浅，粹而能容杂／人有旦夕祸福，岂能自保／勾践栖山中，国人能致死／大丈夫当雄飞，安能雌伏／掩袖工谗，狐媚偏能惑主／唯仁人为能爱人，能恶人／鸿毛至轻也，而不能自举／安而后能虑，止水能照也／寒不能生寒，热不能生热／达士志寥廓，所在能忘机／强不能遍立，智不能尽谋／终日抄药方而不能瘳一疾／络首縻足兮，骥不能逾跬／相识满天下，知心能几人／死者积如麻，生者能几口／贤而能容罢，知而能容愚／数则能胜疏，抟则能胜缺／有其性无其养，不能遵道／文不能尽言，言不能尽意／忠言逆耳，惟达者能受之／静则能胜躁，后则能胜先／不能尽其力，则不能成其功／不能尽其心，则不能尽其力／未有不能正身而能正人者也／未有不能制兵而能止暴乱者／周乎志者，穷蹶不能变其操／周乎艺者，屈抑不能贬其名／以善胜人者，未有能服人者／人莫不饮食也，鲜能知味也／人性虽同，禀气不能无偏重／凡殖货财产，贵其能施赈也／高山之松，霜霰不能渝其操／能用度外人，然后能周天下／圣人终不为大，故能成其大／大山不立好恶，故能成其高／太山不让土壤，故能成其大／知者必量其力所能至而从事／唯不争，故天下莫能与之争／嵩衡不拒细壤，故能崇其峻／江海不择小助，故能成其富／河海不择细流，故能就其深／通于天下之理，则能通人矣／强冲风之末，力不能漂鸿毛／玉以洁润，丹紫莫能渝其质／松表岁寒，霜雪莫能凋其采／无以天下为者，必能治天下者／无准绳，虽鲁般不能以定曲直／无规矩，虽奚仲不能以定方圆／未有不自有恒而能至于圣者也／使日在井中，则不能烛十步矣／除患于未萌，然后能转而为福／能除患则为福，不能除患为贼／圣人不能为时，而能以事适时／吾岂匏瓜也哉，焉能系而不食／君子能为善，而不能必得其福／微事不通，粗事不能者，必劳／胸中没些渣滓，才能处世一番／非尽百家之美，不能成一人之奇／能者进而由之，不能者退而休之／君子能为可贵，不能使人必贵己／心之于殉也殆，凡能其于府也殆／不尤人则德益弘，能克己则学益进／尧能则天者，贵其能臣舜、禹二圣／能为国则能为主，能为家则能为父／能读千赋则善赋，能观千剑则晓剑／能爱邦内之民者，能服境外之不善／文、理、义三者兼并……能必传也／紫芝生于山，而不能生于盘石之上／金钩桂饵虽珍，不能制九渊之沉鳞／天授人以贤圣才能，岂使自有余而已／未有暴乱不止而能活生人、定国家者／巧者能生规矩，不能废规矩而正方圆／按贤察名，选才考能，名实俱得之也／君子之去小人，惟能尽去，乃无后患／西施有所恶而不能减其美者，美多也／超俗拔萃之德，不能立功于未至之时／不责人以细过，则能吏之志得以尽其效／世未有不自下而能高，不自近而能远者／能克己，乃能成己；能胜物，乃能利物／德不称，其祸必酷；能不称，其殃必大／终日写路程而不能行一步，徒知无益也／所谓阻且艰者，莫能高其高而深其深也／目不能二视，耳不能二听，手不能二事／自古及今，穷其下能不危者，未之有也／有六尺之躯，而不能庇一妇人，岂丈夫哉／周于利者凶年不能杀，周于德者邪世不能乱／处大事贵乎明而能断，不明因无以知事论断／官不及私昵，惟其能；爵罔及恶德，惟其贤／好善无厌，受谏

而能诫。虽欲无进，得乎哉／张而不弛，文武弗能也；弛而不张，文武弗为也／虽有国士之力，不能自举其身，非无力也，势不便也／胶漆至粘也，而不能合远；鸿毛至轻也，而不能自举

❾无所不能者有大不能／三人疑之，则慈母不能信／百害不能伤，知力不能取／乱或资理者，遭乱而能惧／巨川将溃，非捧土之能塞／人之能，天也有所不能也／变故在斯须，百年谁能持／在贵多忘贱，为恩谁能博／大厦将崩，非一木之能止／闻义不能徙，不善不能改／强本而节用，则天不能贫／死亡疾病，亦人所不能无／时危思报主，衰谢不能休／见势则附，俗人之所能也／矫枉者不过其正，弗能直／超迈绝尘驱，倏忽谁能逐／干将虽利，非人力不能自断／不贵于无过，而贵于能改过／飞不以尾，尾屈，飞不能远／古之人与民偕乐，故能乐也／人众者胜天，天定亦能破人／友治矣，非身治而不能得之／安时而处顺，哀乐不能入也／心能辨事非，处事方能决断／走不以手，缚手，走不能疾／野葛虽毒，不食则不能伤生／身治矣，非心治而不能致之／未有无腹心手足而能独理者也／以其终不自为大，故能成其大／儒者口能言治乱，无能以行之／凭谁问，廉颇老矣，尚能饭否／刀不能剪心愁，锥不能解肠结／若力能过人，而勇不能行……／苟不能以善始，未有能令终者／寸火能焚云梦，蚁穴能决大堤／因其材以取之，审其能以任之／安仁义而乐利世者，能服天下／嫫母倭傀，善誉者不能掩其丑／子不能治子之身，恶能治国政／明与诚终岁不违，则能终身矣／毛嫱西施，善毁者不能蔽其好／臣以能言为能，君以能听为能／越之西子，善毁者不能闭其美／鹿驰走无顾，六马莫能望其尘／无财之谓贫，学而不能行之谓病／圣人不凝滞于物，而能与世推移／巧者劳而知者忧，无能者无所求／大凡事之大害者，不能无小利也／善人不能戚，恶人不能疏者，危／库无备兵，虽有义，不能征无义／庐室之间，其使未必能过燕服翼／好学而不勤问，非真能好学者也／目见百步之外，而不能自见其眦／臣以能行为能，君以能赏罚为能／群车方奔乎险路，安能与之齐轨／既知退而知进兮，亦能刚而能柔／不能耕而欲黍粱，不能织而喜采裳／假令风歇时下来，犹能簸却沧溟水／读书以过目成诵为能，最是不济事／勇者以工，惧者以拙，能与不能也／能欺一人一时，决不能欺天下后世／大才怀百家之言，故能治百家之乱／宏远深切之谋，固不能合庸人之意／有善者虽远必升，无能者纵近必废／有死天下之心，而后能成天下之事／有成天下之心，而后能死天下之事／有其善，丧厥善；矜其能，丧厥功／称其任，则政立；枉其能，则事乖／医能治一病谓之巧，能治百病谓之良／凡人不能无好恶，但能胜其私心则善／夜行者能无为奸，不能禁狗使无吠己／轻士民之死力者，不能禁暴国之邪逆／心识其所以然而不能然者，内外不一／其盗机也，天下莫不能见，莫不能知／天下之善射者也，不能以拨弓曲矢中微／能行之者未必能言，能言之者未必能行／能近见而后能远察，能利狭而后能泽广／若能为能，不能为不能……乃所谓明也／大德之人无所不容，能受垢浊，处谦卑／将事而能弭，当事而能救，既事而能挽／彼寻常之污渎兮，岂能容夫吞舟之巨鱼／富贵不能淫，贫贱不能移，威武不能屈／是为是，非为非；能为能，不能为不能／内有一定之操，而外能诎伸、赢缩、卷舒／卑而言高，能言而不能行者，君子耻之矣／欲生于不足则民盗，能使无欲则民不为盗／人生贵得适意尔，何能羁宦数千里以要名爵／能去能就，能柔能刚，能进能退，能弱能强／如有德而无才，则不能为用，亦何足为君子／才不能逾同列，声不能压当世，世之怒仆宜也／威不能复制民，民不能堪其威，则上下大溃矣／有道以御之，身虽无能也，必使能者为己用也／忍所不能忍，容所不能容，惟识量过人者能之／读书不独变气质，且能养精神，盖理义收摄故也／饰人之心，易人之意，能胜人之口，不能服人之心／兵无常势，水无常形，能因敌变化而取胜者，谓之神／人非生而知之者，孰能了此无惑，故从其先得者而问焉／平易恬淡，则忧患不能入，邪气不能袭，故其德全而神不亏

❿毋因己之拙而忌人之能／上材之人能行人所不能行／不一则不专，不专则不能／治平尚德行，有事赏功能／骐骥长鸣，则伯乐照其能／昆山之玉瑱而尘垢弗能污／齐都世刺绣，恒女无不能／才与德异，而世俗莫之能辨／不可以己所能而责人所不能／生之来不能却，其去不能止／使民无欲，上虽贤犹不能用／谤之有因者，非自修弗能止／务采色，夸声音而以为能也／势有所不可，虽圣哲不能为／取天下与守天下，无机不能／汝惟不矜，天下莫与汝争能／缘道理以从事者，无不能成／比目之鱼，不相得则不能行／贱不足恶，可恶是贱而无能／三寸之管而无当，天下弗能满／天下之事非一人之所能独知也／天有不测风云，人又岂能料乎／无为不能遁福，有为不能逃患／无恒产而有恒心者，惟士为能／不可以一时之得意而自夸其能／不患人之不己知，患其不能也／世所相信，在能行，不在能言／求名莫如自修，善誉不能掩恶／两坚不能相和，两强不能相服／九层之台一倾，公输子不能正／为善与众行之，为巧与众能之／古之善为政者，其初不能无谤／直者不能不

争，曲者不能不讼／人之所不学而能者，其良能也／人能虚己以游世，其孰能害之／谓学不暇者，虽暇亦不能学矣／圣人之处世，不逆有伎能之士／美之所在，虽污辱，世不能贱／知安而不知危，能逸而不能劳／唯忠臣能逆意，惟圣君能从利／善善而不能用，恶恶而不能去／善恶之殊，如火与水不能相容／役一己之聪明，虽圣人不能智／日知其所不足，月无忘其所能／心之不虚，由好学之不能诚也／思在物之取譬，非斗斛而能量／恶之所在，虽高隆，世不能贵／毋以日月为功，实试贤能为上／用天下之耳目，虽众人不能愚／臣以能言为能，君以能听为能／臣以自任为能，君以用人为能／精神通于死生，则物孰能惑之／不待愤悱而发，则知之不能坚固／不虚则先自满，假教之亦不能受／甘酒醴而不酤饴蜜，未为能知味／世乱则君子为奸，而法弗能禁也／世治则小人守政，而利不能诱也／民不乐生，尚不避死，安能避罪／云中白鹤，非燕雀之网所能罗也／古之名将，必出于奇，然后能胜／使之搏兔，不如豺狼，伎能殊也／倍仁义而贪名实者，不能威当世／城下之盟，有以国毙，不能从也／右手画圆，左手画方，不能两成／君子尊贤而容众，嘉善而矜不能／鸡司晨，犬警夜，虽尧舜不能废／臣以能行为能，君以能赏罚为能／既知退而知进兮，亦能刚而能柔／豆麦之种与稻粱殊，然食能去饥／一人之身兼有英雄，乃能役英与雄／一灯能除千年暗，一智能灭万年愚／干将之刃，人不推顿，苽瓠不能伤／上不能宽国之利，下不能饱民之饥／无缘对面不相逢，有缘千里能相会／不到广寒冰雪窟，扇头能有几多风／不恤亲疏，不恤贵贱，唯诚能之求／事有切而未能忘，情有深而未能遣／曲妙人不能尽和，言是人不能皆信／千羊不能扞独虎，万雀不能抵一鹰／川源不能实漏卮，山海不能赡溪壑／生非贵之所能存，身非爱之所能厚／良师不能饰戚施，香泽不能化嫫母／良医不能救无命，强梁不能与天争／刑罚不能加无罪，邪枉不能胜正人／制败则欲肆，虽四表不能充其求矣／公输子之巧用材也，不能以檀为瑟／人生富贵岂有极？男儿要在能死国／凡人之智，能见已然，不能见将然／交友不信，则离散郁怨，不能相亲／军民团结如一人，试看天下谁能敌／冥当寝兮不能安，饥当食兮不能餐／勇者以工，惧者以拙，能与不能也／去规矩而妄意度，奚仲不能成一轮／能为国则能为主，能为家则能为父／能以众不胜成大胜者，唯圣人能之／块土不能障狂澜，匹夫不能振颓俗／士进则世收其器，贤用即人献其能／劳苦之事则争先，饶乐之事则能让／若甘心于自暴自弃，便是不能立志／吞舟之鱼，砀而失水，则蚁能苦之／虽有千里之能……安求其能千里也／因其所喜而为善，虽有愿忠而孰能／山林不能给野火，江海不能实漏卮／清越而瑕不自掩，洁白而物莫能污／惟古于词必己出，降而不能乃剽贼／官施而不失其宜，拔举而不失其能／选之艰则材者出，赏之当则能者劝／道满天下，普在民所，民不能知也／居前不能令人轾，居后不能令人轩／弓待檠而后能调，剑待砥而后能利／马先驯而后求良，人先信而后求能／木有文章曾是病，虫多言语不能天／权钧则不能相使，势等则不能相并／梓匠轮舆能与人规矩，不能使人巧／死犹未肯输心去，贫亦其能奈我何／轻天下者，身不累于物，故能处之／此曲只应天上有，人间能得几回闻／水不激不能破舟，矢不激不能饮羽／贵德而尊士，贤者在位，能者在职／贵者负势而骄人，才士负能而遗行／见贤而不能举，举而不能先，命也／扁鹊不能肉白骨，微箕不能存亡国／禁之以制，而身不先行，民不能止／目不能两视而明，耳不能两听而聪／金百炼以为鉴，而万物不能遁其形／一国诅，两人祝，虽善祝者不能胜也／一日暴之，十日寒之，未有能生者也／于其所达，行之终身，有不能至者矣／万事以心为本，未有心至而力不能者／天下不多管仲之贤而多鲍叔能知人也／天下之事，不有所摧挫则不能以有成／天下大势之所趋，非人力之所能移也／倨傲鲜腆而深折之，彼其能有所忍也／人皆务于救患之备而莫能知使患无生／今善善恶恶，好荣憎辱，非人能自生／亡我者，我也；我不自亡，谁能亡之／隐忍就功名，非烈丈夫孰能致此哉？／隔日一删，愈月一改，始能淘沙得金／能之为能之，不能为不能，行之要也／能常而后能变，能常不已，所以能变／听其言，迹其行，察其所能而慎予官／虽干将、莫邪，非得人力则不能割刿／徒恶之而不去其得之之道，不能免也／居安忘危，处治忘乱，所以不能长久／日月为明而弗能兼也，唯天地能函之／见不善而不能退，退而不能远，过也／其知也乃不知，其不知也而后能知之／其盗机也，天下莫不能见，莫不能知／罍水足以溢壶榼，而江河不能实漏卮／三月婴儿，生而徙国，则不能知其故俗／天下而有无害之利，则谁不能计之者？／天地无全功，圣人无全能，万物无全用／无性则伪之无所加，无伪则性不能自美／不及流莺日日啼花间，能使万家春意闲／不能爱邦内之民者，不能服境外之不善／正直者不可屈曲，有学问者必能辨是非／世未有不自下而能高，不自近而能远者／事之急者不能安言，心之痛者不能缓声／非规矩不能定方圆，非准绳不能正曲直／为地战者不能成王，为禄仕者不能成政／良玉度尺，虽有十仞之土，不能掩其光／良珠度寸，虽有百仞之水，不能掩其莹／民心不得，性命不全，则号令不能动也／人一能之，己百之；人十能之，己千之／凡人必别宥然后知，别宥则能全其天矣／陶者能圆而不能方，矢者能直而不能曲／能克己，乃能成己；能胜物，乃能利物／能行之者未必能言，能言之者未必能行／能近见而后能远察，能利狭而后能泽广／将事而能弭，当事而能救，既事而能挽／小人非才不能动人，小人非才不能乱国／君子遵道而行，半途而废，吾弗能已矣／知不可奈何而安之若命，唯有德者能之／德不广不能使人来，量不宏不能使人安／形不得神不能自生，神不得形不能自成／河以逶蛇，故能远；山以陵迟，故能高／忧愁惨怛，乐非轻死，则刑罚不能恐也／宵行者，能无为奸，而不能令狗无吠己／富贵不能淫，贫贱不能移，威武不能屈／是为是，非为非；能为能，不能为不能／智力不能接，而威德不能运者，谓之二／贤者之于情，非不动也，能动而不乱耳／物不正则不可为乐，乐不和则不能理人／物理不见不闻，虽圣哲亦不能索而知之／禄不患其不来，患禄来，而不能愧其禄／目不能二视，耳不能二听，手不能二事／置猿槛中，则与豚同……无所肆其能也／既不能推心以奉母，亦安能死节以事人／良农能稼而不能穑，良工能巧而不能为顺／真者，精诚之至也；不精不诚，不能动人／凡人能量己之能与不能，然后知人之艰难／力能过人，勇能行之，而智不能断事……／圣人之道，不用文则已，用则必尚其能者／若夫有道之士，必礼必知然后其智能可尽／微乎微乎，至于无形……故能为敌之司命／王天下者必先诸民，然后庇焉，则能长利／贤能，不待次而举；罢不能，不待须而废／矢之于十步贯兕甲，于三百步不能入鲁缟／繁弱，钜黍，古之良弓也……则不能自正／一日万机，一人听断，虽复忧劳，安能尽善／上失其道，民散久矣，苟非君子，焉能固穷／天下之物博而智浅，以澹浅博，未有能者也／无为则俞俞，俞俞者忧患不能处，年寿长矣／五刃之伤，药之可平。一言成痏，智不能明／不以其所能者病人，不以人之所不能者愧人／不尽知用兵之害者，则不能尽知用兵之利也／不知则问，不能则学，虽能必让，然后为德／不学操缦，不能安弦；不学博依，不能安诗／不痴不狂，其名不彰；不狂不痴，不能成事／世治则愚者不能独乱，世乱则智者不能独治／临之以患难而能不变，邀之以宠利而能不回／丹可灭而不能使无赤，石可毁而不能使无坚／周于利者凶年不能杀，周于德者邪世不能乱／尽者情露，好人行尽于人，而不能纳人之径／古昔多由布衣定一世者矣，皆能用非其有也／直者性奋，好人行直于人，而不能受人之讦／刺绣之师，能缝帷裳；纳缕之工，不能织锦／使天下畏刑而不敢盗，岂若能使无有盗心哉／诗是心声，不可违心而出，亦不能违心而出／谮下谩上，恒其心术，妒人之能，幸人之失／务名者乐人之进趋过人，而不能出陵己之后／能出于材，材不同量，材能既殊，任政亦异／能去能就，能柔能刚，能进能退，能弱能强／能自治然后可以治人；能治人然后人为之用／至福似祸，大吉若凶。天下醉饱，莫之能明／君子惟道是贵，惟德是守，所以能万世不朽／和羹之美，在于合异；上下之益，在能相济／虽有至圣，不生而知；虽有至材，不生而能／汝死我葬，我死谁埋！汝倘有灵，可能告我／迷而知反，失道不远，过而能改，谓之不过／经目之事，犹恐未真；背后之言，岂能全信／骥一日千里，车轻也，以重载，则不能数里／明君不能畜无用之臣，慈父不能爱无用之子／智如目也，能见百步之外，而不能自见其睫／贵不专权，罔惑上下；贱能守分，不苟求取／贵而不骄，胜而不恃，贤而能下，刚而能忍／气往轹古，辞来切今，惊采绝艳，难与并能／有司一朝而受者几千万言，读不能十一……／有大物者，不可以物；物而不物，故能物物／文章无警策，则不足传世，盖不能竦动世人／心苟至公，人将大同；心能执一，政乃无失／虑时务者不能兴其德，为身求者不能成其功／盖棺始能定士之贤愚，临事始能见人之操守／鸟啼花落，皆与神通。人不能悟，付之飘风／鹦鹉能言，不离飞鸟；猩猩能言，不离走兽／譬如一灯，入于暗室，百千年暗，悉能破尽／其国弥大，而其主弥静，然后乃能广得众心／天地所以能长且久者，以其不自生，故能长生／不责人所不及，不强人所不能，不苦人所不好／为长者折枝，语人曰："我不能"，是不为也／兼覆盖而并有之，度伎能而裁使之者，圣人也／人与骥逐走则不胜骥，托于车上则骥不能胜人／人之情：不能乐其所不安，不能得于其所不乐／谁不可喜，而谁不可惧；蚋蚁蜂虿，皆能害人／大臣则必取众人之选，能犯颜谏事公正无私者／处明者不见暗中一物，而处暗者能见明中区事／夏后氏之璜，不能无考；明月之珠，不能无颣／察乎安危，宁于祸福，谨于去就，莫之能害也／好贤而不能任，能任而不能信，能信而不能终／学而不能成其业，用而不能行其学，则非学也／日知其所亡，月无忘其所能，可谓好学也已矣／是非之心，不虑而知，不学而能，所谓良知也／贵而下贱，则众弗恶；富能分贫，则穷士弗恶／所学者非世之所可用，而所任者非身之所能为／有功不赏，有罪不诛，虽唐虞犹不能以化天下／有道以御之，身虽无能也，必使能者为己用也／必且历日旷久，丝牦犹能挈石，驽马亦能致远／

忍所不能忍，容所不能容，惟识量过人者能之／臣不得其所欲于君者，君亦不能得其所欲于臣／虚空者，乃可用盛受万物。故曰虚无能制有形／无状无象，无声无响，故能无所不通，无所不往／中和之质，必平淡无味，故能调成五材变化应节／以富为是者，不能让禄；以显为是者，不能让名／能使人知己、爱己者，未有不能知人、爱人者也／君子依乎中庸，遁世不见知而不悔，唯圣者能之／官无常贵而民无终贱，有能则举之，无能则下之／造父者，天下之善御者也，无舆马则无所见其能／学匪疑不明，而疑恶乎凿，疑而能辨，斯为善学／心之精微，口不能言也；言之微妙，书不能文也／矢之发无能贯，待其止而能有穿；唯止能止众止／季路问事鬼神。子曰："未能事人，焉能事鬼"／穷困不能辱身，非人也；富贵不能快意，非贤也／自太古以来，致理兴化，未有言之不行而能至矣／言虽简略，理皆要害，故能疏而不遗，俭而无阙／不就利，不违害，不强交，不苟绝，惟有道者能之／非有卓然异绩结于人心，浃于骨髓，安能久而愈思／人生所好，自当专一，若多好多能，反能耗神损精／凡敢为大奸者，材必有过于众，而能自媚于上者也／饰人之心，易人之意，能胜人之口，不能服人之心／学者必务知要，知要则能守约，守约则足以尽博矣／有行之士，未必能进取；进取之士，未必能有行也／复其性者贤人，循之而不已者也，不已则能归其源矣／使患无生易于救患，而莫能加务焉，则未可与言术也／人生有限，情欲无厌。既不救其死亡，岂能保乎金玉／人者，在阴阳之中央，为万物之师长，所能作最众多／地不改辟矣，民不改聚矣，行仁政而王，莫之能御也／挟泰山以超北海，语人曰："我不能"，是诚不能也／王曰："孰能一之？"对曰："不嗜杀人者能一之"／有石城十仞，汤池百步，带甲百万，而亡粟，弗能守／胶漆至粘也，而不能合远；鸿毛至轻也，而不能自举／竹不能自异，唯人异之；贤不能自异，唯用贤者异之／自古上书，率多激切。若不激切，则不能起人主之心／金樽玉杯不能使薄酒更厚，鸾舆凤驾不能使驽马健捷／卵之化为雏，非慈雌呕暖覆伏，累日积久，则不能为雏／君子之道，不以其所已能者为足，而尝以其未能者为歉／欲成功而反为败者，生于不知道理，而不肯问知而听能／文章如精金美玉，市有定价，非人所能以口舌定贵贱也／天下莫柔弱于水，而攻坚强者莫之能先，以其无以易之也／天地之大，四时之化，而犹不能以不信成物，又况乎人事／乐未毕也，哀又继之；哀乐之来，吾不能御，其去弗能止／何谓人情？喜、怒、哀、惧、爱、恶、欲，七者弗学而能／凡人之性，莫不欲善其德，然而不能为善德者，利败之也／智亦有所不至。所不至，说者虽辩，为道虽精，不能见矣／上智不处危以侥幸，中智能因危以为功，下愚安于危以自亡／天下之民，知安而不知危，能逸而不能劳，此臣所谓大患也／天下国家可均也，爵禄可辞也，白刃可蹈也，中庸不可能也／平易恬淡，则忧患不能入，邪气不能袭，故其德全而神不亏／气质偏驳者，欲使私欲不能引染，如之何？惟在明明德而已／一夫耕，百人食之；一妇桑，百人衣之。以一奉百，孰能供之／兵不可偃也，譬之若水火然，善用之则为福，不能用之则为祸／能有天下者，必无以天下为也；能有名誉者，必无以趋行求者也／达于道者，独见独闻，独为独存，父不能以授子，臣不能以授君／其义则不足死，赏罚则不足去就，若是而能用其民者，古今无有／怨恩取与谏教生杀，八者，正之器也，唯循大变无所湮者为能用之

垒

①lěi 古代的防御围墙；堆砌。②lèi 垒石。③léi 通"缧"，拘系。

❹四郊多垒，此卿大夫之辱也

❻早已森严壁垒，更加众志成城

❿夺他人之酒杯，浇自己之垒块

又

yòu 更；再；另外，附加；通"有"，通"宥"，宽宥，赦罪。

❶又不道，流年暗中偷换

见宋·苏轼《洞仙歌》。

又疑瑶台镜，飞在青云端

见唐·李白《古朗月行》。全句为："小时不识月，呼作白玉盘。～"。

又闻理与乱，系人不系天

见唐·李商隐《行次西郊作一百韵》。

又送王孙去，萋萋满别情

见唐·白居易《赋得古原草送别》。

又如食橄榄，真味久愈在

见宋·欧阳修《六一诗话》。

❷人又谁能以身之察察，受物之汶汶者乎

❸桃红又见一年春／春风又绿江南岸／信而又信，谁人不亲／玄之又玄，众妙之门／既多又须择，储精弃其糠／信而又信，重袭于身，乃通于天／明发又为千里别，相思应尽一生期

❹一治必又一乱，一乱必又一治／梦之中又占其梦焉，觉而后知其梦也／贵破的，又畏黏皮骨，此所以为难也

❺一年容易又秋风／芍药花开又一春／赔了夫人又折兵／困而学之，又其次也／国无常治，又无常乱／韶尽美矣，又尽善也／及在人，则又各自有个理／手中之竹，又不是胸中之竹也／始见新春，又逢初夏。四时若箭，两曜如梭。／要而学之，又其次也，困而不学，民斯为下矣

❻大不幸之中又大幸／求仁而得仁，又何怨／尤而效之，罪又甚焉／舟行若穷，忽又无际／才

吟五字句，又白几茎髭／作诗贵雕琢，又畏斧凿痕／萧瑟秋风今又是，换了人间／隙中之观斗，又乌知胜负之所在／材既难得，而又难知，则当博采而多蓄之／乐未毕也，哀又继之；哀乐之来，吾不能御，其去弗能止

❼魏耻未灭，赵患又起／苟日新，日日新，又日新／世有莫盛之福，又有莫痛之祸／人主必信，信而又信，谁人不亲？／子谓《韶》，"尽美矣，又尽善也"／乐非独以自乐，又以乐人，非独以自正，又以正人

❽天有不测风云，人又岂能料乎／宇宙内事，要担当，又要善摆脱／既滋兰之九畹兮，又树蕙之百亩／凡人主必信。信而又信，谁人不亲／两情若是久长时，又岂在、朝朝暮暮／既知教之所由兴，又知教之所由废，然后可以为人师

❾世途旦复旦，人情玄又玄／野火烧不尽，春风吹又生／伐木不自其根，则蘖又生也／万物固以自然，圣人又何事焉／称人之善，我有一善，又何妒焉／称人之善，我有一善，又何妨焉／称人之恶，我有一恶，又何毁焉／上赏赏德，其次赏才，又其次赏功／貌则人，其心则禽兽，又恶可谓之人邪／言之所载者不文而又小，则其传也不章／我悲人之自丧者，吾又悲夫悲人者，吾又悲夫悲人之悲者

❿一治必又一乱，一乱必又一治／天时人事日相催，冬至阳生春又来／为君者常病于察，为臣者又失之宽／人意共怜花月满，花好月圆人又散／山重水复疑无路，柳暗花明又一村／遗民泪尽胡尘里，南望王师又一年／早夜孜孜，何畏不日日新又日新也／西施若解倾吴国，越国亡来又是谁／预支五百年新意，到了千年又觉陈／苟不知我而谓我盗跖，吾又安取惧焉／苟不知我而谓我仲尼，吾又安取荣焉／以老子视非老子，而非老子又胡不玄也／落陷阱，不一引手救，反挤之，又下石焉／为善的受贫穷更命短，造恶的享富贵又寿延／助之长者，揠苗者也，非徒无益，而又害之／形精不亏，是谓能移；精而又精，反以相天／与众乐之之谓乐，乐而不失其正，又乐之尤也／为学日益，为道日损，损之又损，以至于无为／以人之言而遗我粟，至其罪我也又且以人之言／君苟有善，人必知之。知之又知之，其心归之／君苟有恶，人亦知之。知之又知之，其心去之／鸟飞千仞之上……祸犹及之，又况编户齐民乎／患之所在，非徒在智之不及，又在及而违之者矣／未尝闻身治而国乱者也，又未尝闻身乱而国治者也／乐非独以自乐，又以乐人，非独以自正，又以正人／我亦物也，物亦物也，物之与物也，又何以相物也／养子弟如养芝兰，既积学以培植之，又积善以滋润之／凡人于事务之来，无论大小，必审之又审，方无遗虑／畜池鱼者必去猵獭，养禽兽者必去豺狼，又况治人乎／天地之大，四时之化，而犹不能以不信成物，又况乎人事／我悲人之自丧者，吾又悲夫悲人者，吾又悲夫悲人之悲者／人声之精者为言，文辞之于言，又其精也，尤择其善鸣者而假之鸣

友 yǒu 有亲近、和睦关系的人；交好相聚；关系密切；帮助。

❶友道君逆，则率友以违君

见汉·刘向《说苑·立节》。全句为："君道友逆，则顺君以诛友；～"。

友直，友谅，友多闻，益矣

见《论语·季氏》。

友治矣，非身治而不能得之

见唐·杜牧《送卢秀才赴举序》。全句为："～；身治矣，非心治而不能致之"。

友便辟，友善柔，友便佞，损矣

见《论语·季氏》。

友也者，友其德也，不可以有挟也

见《孟子·万章》。

友如作画须求淡，山似论文不喜平

见元·翁朗夫《尚湖晚步》。

❷无友不如己者／交友投分，切磨箴规／良友远离别，各在天一方／朋友切切偲偲，兄弟怡怡／交友不宜滥，滥则贡谀者来／交友之先宜察，交友之后宜信／畏友胜于严师，群游不如独坐／朋友之道，有义则合，无义则离／重友者交时极难，看得难以故转重／交友不信，则离散郁怨，不能相亲／轻友者交时极易，看得易以故转轻／交友须带三分侠气，作人要存一点素心

❸非其友不友／与朋友交，言而有信／君道友逆，则顺君以诛友／友直，友谅，友多闻，益矣／交朋友增体面，不如交朋友益身心／与朋友论学，须委曲谦下，宽以居之／遇朋友交游之失，宜剀切，不宜优游／调师友，亲之取之，人胜塞居不潇洒也／为人友者不以道而以利，举世无友，故道益弃

❹责善，朋友之道也／不交好友，不如闭门／可取者友，可奉者师／以文会友，以友辅仁／士有妒友，则贤交不亲／滥交朋友，不如终日读书／士有争友，则身不离于令名／薄于朋友者，薄亲戚之渐也／希利而友人，利薄而友道退／尽力直友人之屈，不以权臣为意／友便辟，友善柔，友便佞，损矣／但愿亲友长含笑，相逢莫乏杖头钱／友也者，友其德也，不可以有挟也／益者三友：友直，友谅，友多闻，益矣／损者三友：友便辟，友善柔，友便佞，损矣

❺非其友不友／讲学以会友，则道益明／出门择交友，防慎畏薰莸／以文常会友，唯德自成邻／志道者少友，逐俗者多俦／枉士无正友，曲上

无直下／愁杀芳年友，悲叹有余哀／友直，友谅，友多闻，益矣／独学而无友，则孤陋而寡闻／何者为益友？凡事肯规我之过者是也／益者三友：友直，友谅，友多闻，益矣／损者三友：友便辟，友善柔，友便佞，损矣

❻交不信，非吾友也／义方失则师友不可训／以文会友，以友辅仁／昆弟世疏，朋友世亲／君子以文会友，以友辅仁／受益莫如择友，好学莫如改过／父母存，不许友以死，不有私财／老者安之，朋友信之，少者怀之／虽有贤师良友，若画脂镂冰，费日损功／十旬休暇，胜友如云；千里逢迎，高朋满座

❼不信之至欺其友／不知其人观其友／不知其人视其友／不知其子视其友／嘤其鸣矣，求其友声／是我而当者，吾友也／周公不求备，四友不相兼／利剑不在掌，结友何须多／兄弟敦和睦，朋友笃信诚／论文期摘瑕，求友惟攻阙／友道君逆，则率友以违君／巢林宜择木，结友使心晓／有多闻直谅之友，谓之福／友便辟，友善柔，友便佞，损矣／好鸟枝头亦朋友，落花水面皆文章／水能性澹为吾友，竹解心虚即我师／益者三友：友直，友谅，友多闻，益矣

❽嗜欲得而信衰于友／居必择邻，交必良友／要成好人，须寻好友／学贵得师，亦贵得友／君子以文会友，以友辅仁／结交莫羞贫，羞贫友不成／訾我行者，欲与我友者也／古之人，未有不须友以成者／交友之先宜察，交友之后宜信／朋而不心，面朋也；友而不心，面友也／欲交其人，先观其友，乃择交第一良法也／损者三友：友便辟，友善柔，友便佞，损矣／学为文章，先谋亲友，得其评裁，知可施行，然后出手

❾希利而友人，利薄而友道退／益者三友：友直，友谅，友多闻，益矣

❿乡无君子，则与云山为友／坐无君子，则与琴酒为友／君道友逆，则顺君以诛友／结发同枕席，黄泉共为友／里无君子，则与松柏为友／不洒世间儿女泪，难堪亲友中年别／交朋友增体面，不如交朋友益身心／自得、自成、自道，不倚师友载籍／孰知有无死生之一守者，吾与之为友／不知其君视其所使，不知其子视其所友／交财一事最难。虽至亲好友，亦须明白／朋而不心，面朋也；友而不心，面友也／非我而当者，吾师也；是我而当者，吾友也／损者三友：友便辟，友善柔，友便佞，损矣／宜力学为砻斫，亲贤为青黄，睦僚友为瑶金／上与造物者游，而下与外生死、无终始者为友／为人友者不以道而以利，举世无友，故道益弃／父子有亲，君臣有义，夫妇有别，长幼有叙，朋友有信

双 shuāng 两个；偶数的；成倍的；量词；姓。

❶双鬓多年作雪，寸心至死如丹

见宋·陆游《感事六言》。

❸福无双至，祸不单行／寄语双莲子，须知用意深／日月双悬于氏墓，乾坤半壁岳家祠

❺寒者不贪双璧而思短褐／赋情顿雪双鬓，飞梦逐尘沙／身无彩凤双飞翼，心有灵犀一点通

❻宁作野中之双凫，不愿云间之别鹤

❽猛兽不群，鸷鸟不双／李广才气，天下无双／二句三年得，一吟双泪流／稻熟江村蟹正肥，双螯如戟挺青坭

❿天子好美女，夫妇不成双／关河景物异南北，神京不见双泪流／豪华尽出成功后，逸乐安知与祸双／两高不可重，两大不可容，两贵不可双，两势不可同／青未了，松耶？柏耶？独鸟来时，连峰断处，双髻人耶

圣 shèng 崇高；有大智慧的；常识或技能等方面有极大成就的；君主时代称帝王；宗教徒称所崇拜的；清酒的代称。

❶圣人无常师

见唐·韩愈《师说》。

圣人必先适欲

见《吕氏春秋·孟春纪·重己》。全句为：“凡生之长也，顺之也；使生不顺者，欲也。故～”。

圣人被褐怀玉

见《老子》七十《老子注》。

圣人万举而万全

见汉·班固《汉书·伍被传》。全句为：“聪者听于无声，明者见于未形，故～”。

圣人行不言之教

见《庄子·知北游》。

圣人与天地合其德

见三国·魏·王弼《老子》五注。

圣人，百世之师也

见《孟子·尽心下》。

圣人甚祸无故之利

见《战国策·赵策一》。

圣人处物而不伤物

见《庄子·知北游》。

圣人者，德之正也

见宋·陆佃解《鹖冠子·度万》。

圣贤之言不得已也

见宋·朱熹《近思录·为学类》。

圣人于行藏之间……

见宋·朱熹《四书集注·论语·述而》谢氏曰。全句为：“～，无意无必，其行非贪位，其藏非独善也”。

圣人不巧，时变是守

见汉·班固《汉书·司马迁传》。

圣人之理，以身观身

见五代·前蜀·杜光庭《道德真经广圣义》卷

三十五。全句为:"~。身正则天下皆正,身理则天下皆理"。

圣人之见,终始微言

见汉·刘安《淮南子·齐俗》。

圣人也者,道之管也

见《荀子·儒效》。

圣人绝智,而为无为

见《西升经·经诫章》。

圣人裁物,不为物使

见《管子·心术下》。全句为:"~。心安是国安也,心治是国治也"。

圣人是为学而极至者

见宋·朱熹《朱子语类》卷二一。全句为:"学者是学圣人而未至者,~"。

圣人积聚众善以为功

见汉·董仲舒《春秋繁露·考功名》。

圣王虽大,以虚为主

见三国·魏·王弼《老子》三十八注。

圣主必待贤臣而弘功业

见汉·班固《汉书·王褒传》。全句为:"~,俊士亦俟明主以显其德"。

圣人久于道而天下化成

见《周易·恒》。

圣人之行道也,无强也

见《荀子·解蔽》。全句为:"仁者之行道也,无为也;~"。

圣人之教,常俯而就之

见宋·朱熹《近思录·教学类》。

圣人也者,人之所积也

见《荀子·儒效》。

圣人以必不必,故无兵

见《庄子·列御》。全句为:"~;众人以不必必之,故多兵"。

圣人制天下,贵能至公

见唐·陈子昂《答制问事·招谏科》。

圣人去甚、去奢、去泰

见《老子》二十九。

圣人去力去巧去知去贤

见汉·严遵《道德指归论·善建篇》。

圣人者,人之先觉者也

见唐·李翱《复性书上》。

圣人畏微,而愚人畏明

见《管子·霸言》。

圣人用人,犹匠之用木

见元·曾先之《十八史略·春秋战国·鲁》。

圣王之治世,不离仁义

见汉·桓宽《盐铁论·遵道》。全句为:"师旷之调五音,不失宫商;~"。

圣王屈己以申天下之乐

见汉·荀悦《申鉴·政体》。全句为:"~,凡主伸己以屈天下之忧"。

圣贤之学,以日新为要

见清·焦循《里堂家训》。

圣人无尺土,无以王天下

见《新论》。全句为:"龙无尺水,无以升天;~"。

圣人不利己,忧济在元元

见唐·陈子昂《感遇三十八首》之十九。

圣人不仁,以百姓为刍狗

见《老子》五。全句为:"天地不仁,以万物为刍狗;~"。

圣人不曾高,众人不曾低

见明·李贽《复京中友朋》。

圣人之于声色滋味也……

见《吕氏春秋·孟春纪·本生》。全句为:"~,利于性则取之,害于性则舍之,此全性之道也"。

圣人之弘也,而犹有惭德

见《左传·襄公二十九年》。

圣人为戒,必于方盛之时

见宋·朱熹《近思录·警戒类》。

圣人常善救人,故无弃人

见《老子》二十七。全句为:"~;常善救物,故无弃物"。

圣人法天贵真,不拘于俗

见《庄子·渔父》。

圣人所贵者,去祸于未萌

见唐·陈子昂《为乔补阙论突厥表》。

圣人感人心,而天下和平

见《周易·咸》。

圣人无常心,以百姓心为心

见《老子》四十九。

圣人不能为时,时至而弗失

见《战国策·秦策三》。

圣人未尝有知,由问乃有知

见宋·张载《正蒙·中正》。

圣人之于善也,无小而不举

见汉·刘安《淮南子·主术》。全句为:"~;其于过也,无微而不改"。

圣人之举事也,进退不失时

见汉·刘安《淮南子·缪称》。

圣人苟可以强国,不法其故

见《商君书·更法》。全句为:"~;苟可以利民,不循其礼"。

圣人常无心,以百姓心为心

见《老子》四十九。

圣人终不为大,故能成其大

见《老子》六十三。

圣人见端而知本,精之至也

见汉·董仲舒《春秋繁露·天道施》。全句

为："天道施，地道化，人道义，～"。

圣人不世出，贤人不时出……

见唐·韩愈《行难》。全句为："～，千百岁之间傥有焉"。

圣人不为名尸，不为谋府……

见汉·刘安《淮南子·诠言》。全句为："～，不为事任，不为智主"。

圣人不为物先，而常制之……

见汉·刘安《淮南子·缪称》。全句为："～，其类若积薪樵，后者在上"。

圣人不以人滑天，不以欲乱情

见汉·刘安《淮南子·原道》。

圣人不以身役物，不以欲滑和

见汉·刘安《淮南子·原道》。

圣人不能为时，而能以事适时

见《吕氏春秋·恃君览·召类》。全句为："～。事适于时者其功大"。

圣人之处世，不逆有伎能之士

见汉·刘安《淮南子·道应》。

圣人之政，仁足以使民不忍欺

见宋·王安石《三不欺》。全句为："～，智足以使民不能欺，政足以使民不敢欺"。

圣人为人所爱，神明所祐……

见《老子》七河上公注。全句为："～，非以其公正无私所致乎"。

圣人为善，非以求名而名从之

见汉·刘安《淮南子·缪称》。全句为："～，名不与利期而利归之"。

圣人以顺动，则刑罚清而民服

见《周易·豫》。

圣人信道不信身，顺道不顺心

见汉·严遵《道德指归论·江海篇》。全句为："～，动不为己，先以为人"。

圣人……常善救物，故无弃物

见《老子》二十七。删节处为："常善救人，故无弃人"。

圣人处无为之事，行不言之教

见《老子》二。

圣人深居以避辱，静安以待时

见汉·刘安《淮南子·人间》。

圣人安其所安，不安其所不安

见《庄子·列御寇》。全句为："～；众人安其所不安，不安其所安"。

圣人者常治无患之患，故无患

见汉·刘安《淮南子·说山》。全句为："良医者常治无病之病，故无病。～"。

圣人顺时以动，智者因几以发

见南朝·宋·范晔《后汉书·皇甫嵩传》。

圣人言不言之言，为不为之为

见汉·严遵《道德指归论·言甚易知篇》。全句为："～，言以绝食，为以止为"。

圣人……言以绝食，为以止为

见汉·严遵《道德指归论·言甚易知篇》。删节处为："言不言之言，为不为之为"。

圣王以贤为宝，不以珠玉为宝

见汉·桓宽《盐铁论·崇礼》。

圣必藉贤以明，国必待贤以昌

见唐·陈子昂《答制问事·贤不可疑科》。全句为："～，人必待贤以理，物必待贤以宁"。

圣人不凝滞于物，而能与世推移

见《楚辞·渔夫》。

圣人正在刚柔之间，乃得道之本

见汉·刘安《淮南子·氾论》。全句为："太刚则折，太柔则卷，～"。

圣人非不好利也，利在于利万人

见唐·白居易《策林二》。全句为："～；非不好富也，富在于富天下"。

圣人之道与神明相得，故曰道德

见宋·陆佃解《鹖冠子·泰鸿》。

圣人化性而起伪，伪起而生礼义

见《荀子·性恶》。

圣人亦行其所行，而百姓被其利

见《管子·白心》。全句为："天行其所行，而万物被其利；～"。

圣人在上，奇不得起，诈不得生

见汉·严遵《道德指归论·治大国篇》。

圣人安不忘危，恒以忧思为本营

见宋·张君房《云笈七签》卷三十三载唐·孙思邈《摄养枕中方·自慎》。全句为："～；无所畏忌则诸事隳坏"。

圣人者不能生时，时至而弗失也

见汉·刘安《淮南子·原道》。

圣人者，由近知远，而万殊为一

见汉·刘安《淮南子·本经》。

圣人教人，只是就人日用处开端

见宋·陆九渊《语录下》。

圣人……其于过也，无微而不改

见汉·刘安《淮南子·主术》。删节处为："之于善也，无小而不举"。

圣王布德施惠，非求报于百姓也

见汉·刘向《说苑·贵德》。

圣有所生，王有所成，皆原于一

见《庄子·天下》。

圣人不以独见为明，而以万物为心

见南朝·宋·范晔《后汉书·申屠刚传》。

圣人不以智轻俗，王者不以人废言

见晋·陈寿《三国志·魏书·刘廙传》。

圣人不凝滞于物，智士必推移于时

见唐·骆宾王《钓矶应诘文》。

圣人正方以约己，人自正方以从化

见五代·前蜀·杜光庭《道德真经广圣义》卷四十。

圣人之治天下也，先文德而后武力

见汉·刘向《说苑·指武》。

圣人之静也，非曰静也善，故静也

见《庄子·天道》。全句为："～；万物无足以铙心者，故静也"。

圣人能与世推移，而俗士苦不知变

见南朝·宋·范晔《后汉书·崔寔传》。

圣人因时以安其位，当世而乐其业

见汉·刘安《淮南子·精神》。

圣人清廉以澡身，人自廉洁以顺教

见五代·前蜀·杜光庭《道德真经广圣义》卷四十。

圣人转祸而为福，智士因败以成胜

见南朝·宋·范晔《后汉书·冯衍传》。

圣人爱念百姓，如孩婴赤子长养之

见《老子》四十九河上公注。全句为："～，而不责望其报"。

圣王以天下为忧，天下以圣王为乐

见汉·荀悦《申鉴·政体》。

圣王在上位，天覆地载，风令雨施

见汉·董仲舒《春秋繁露·暖燠孰多》。

圣贤千言万语，教人且从近处做去

见宋·朱熹《朱子语类》卷七。

圣人不为华文，不为色利，不为残贼

见《老子》六十四河上公注。全句为："～，故无坏败"。

圣人不行而知，不见而明，不为而成

见《老子》四十七。

圣人……非不好富也，富在于富天下

见唐·白居易《策林二》。删节处为："非不好利也，利在于利万人"。

圣人之行法也，如雷霆之震草木……

见宋·苏轼《乞常州居住表》。全句为："～，威怒虽盛，而归于欲其生"。

圣人之道，一龙一蛇，形见神臧……

见南朝·宋·范晔《后汉书·冯衍传》。全句为："～，与物变化，随时之宜，无有常处"。

圣人先忤而后合，众人先合而后忤也

见汉·刘安《淮南子·人间》。

圣人法天顺情，不拘于俗，不诱于人

见汉·刘安《淮南子·精神》。全句为："～，以天为父，以地为母，阴阳为纲，四时为纪"。

圣王为政，赏不避仇雠，诛不择骨肉

见汉·班固《汉书·东方朔传》。

圣主者，举贤以立功；不肖主举其所同

见汉·刘安《淮南子·泰族》。

圣人无为，其功广大……是太平之谓也

见五代·前蜀·杜光庭《道德真经广圣义》卷七。删节处为："物遂其性，不失其宜，天清于上，地宁于下，四海平一，泰然而宁"。

圣人不以一己治天下，而以天下治天下

见《关尹子·三极》。

圣人备道全美者也，是县天下之权称也

见《荀子·正论》。

圣人量腹而食，度形而衣，节于己而已

见汉·刘安《淮南子·俶真》。全句为："～，贪污之心奚由生哉？"

圣人视天下之不治，如赤子之在水火也

见宋·苏轼《学士院试孔子从先进论》。

圣人……心安是国安也，心治是国治也

见《管子·心术下》。删节处为："裁物，不为物使"。

圣王者不贵义而贵法，法必明，令必行

见《商君书·画策》。全句为："～，则已矣"。

圣人之道，不用文则已，用则必尚其能者

见南朝·宋·范晔《后汉书·冯衍传》。全句为："～，能者非他，能自树立，不因循者是也"。

圣人并包天地，泽及天下，而不知其谁氏

见《庄子·徐无鬼》。全句为："海不辞东流，大之至也。"。

圣人和之以是非而休乎天钧，是之谓两行

见《庄子·齐物论》。

圣人不求誉，不辟诽，正身直行，众邪自息

见汉·刘安《淮南子·缪称》。

圣人千虑，必有一失；愚人千虑，必有一得

见《晏子春秋·内篇·杂下》。

圣人之于事，似缓而急，似迟而速，以待时

见《吕氏春秋·孝行览·首时》。

圣人之道，同诸天地，荡诸四海，变习易俗

见汉·董仲舒《春秋繁露·基义》。

圣人之道，若存若亡。援而用之，殁世不亡

见《管子·心术下》。

圣人若天然，无私覆也；若地然，无私载也

见《管子·心术下》。

圣人，大贤之清者也；贤人，中人之清者也

见秦·孔鲋《孔丛子·连丛子下》。

圣人虽有独知之明，常如闇昧，不以曜乱人

见《老子》五十八河上公注。

圣人爱养万民，不以仁恩，法天地，行自然

见《老子》五河上公注。

圣人恶似是而非之人，国家忌似是而非之论

见清·魏源《默觚下·治篇六》。

圣贤之所以为知者，不过思与见闻之会而已

见明·王廷相《雅述》。

圣人之行虽不必同，然其要归，在洁其身而已

见宋·朱熹《四书集注·孟子·万章上》。

圣人之道，宽而栗，严而温，柔而直，猛而仁

见汉·刘安《淮南子·氾论》。

圣人守清道而抱雌节，因循应变，常后而不先

见汉·刘安《淮南子·原道》。

圣人不贵尺之璧，而重寸之阴，时难得而易失也

见汉·刘安《淮南子·原道》。

圣人之爱人也，人与之名，不告则不知其爱人也

见《庄子·则阳》。

圣智至孔子而极其盛，不过举条理以言之而已矣

见清·戴震《孟子字义疏证》卷上。

圣人之用兵，若栉发耨苗，所去者少，而所利者多

见汉·刘安《淮南子·兵略》。

圣人者常以事于无形之外，而不留思尽虑于成事之内

见汉·刘安《淮南子·人间》。全句为："～，是故患祸弗能伤也"。

圣智设法，本以守国，智诈极矣，乃翻为盗国之盗资也

见五代·前蜀·杜光庭《道德真经广圣义》卷十七。

❷唯圣人为不求知天／绝圣弃知而天下大治／绝圣弃智，民利百倍／古圣王有义兵而无有偃兵／先圣不一其能，不同其事／大圣之所行，不慕人所主／贤圣不能正不食谏诤之君／贤圣之接也，不待久而亲／故圣人也者，人之所积也／用圣臣者王，用功臣者强／惟圣罔念作狂，惟狂克念作圣／维圣哲以茂行兮，苟得用此下土／古圣贤玩琴以养心，穷则独善其身／惟圣君以逆耳者顺于心，故天下治／故圣人常顺时而动，智者必因机以发／侮圣言，逆忠直，远耆德……时谓乱风／唯圣人知礼之不可以已也……必先去其礼／绝圣弃知，大盗乃止；擿玉毁珠，小盗不起

❸诚者，圣人之性也／人非圣贤，孰能无过／自非圣人，不能无过／贤为圣者用，辩为智者通／孔子圣人，其学必始于观书／古之圣王有义兵而无有偃兵／名者，圣人之所以纪万物也／昔者圣人遗子孙以德、以礼／明君圣人亦不为一人枉其法／道沿圣以垂文，圣因文而明道／静而圣，动而王，无为也而尊／是以圣王先成民，而后致力于神／古来圣贤皆寂寞，惟有饮者留其名／古之圣人，虽出乎其类，拔乎其萃／欲为圣朝除弊事，肯将衰朽惜残年／自古圣贤尽贫贱，何况我辈孤且直／自古圣贤多薄命，奸雄恶少皆封侯／千古圣贤若同堂合席，必无尽合之理／大禹圣人，乃惜寸阴，众人当惜分阴／是故圣人与时变而不化，从物而不移／名者，圣人所以真物也，名之为言真也／自古圣人贤士，皆非有求于闻用也……／大禹圣人，乃惜寸阴，至于众人，当惜分阴／大禹圣人，犹惜寸阴，至于凡俗，当惜分阴／文者，圣人假之以达其心……详之、略之也／昔先圣王之治天下也，必先公，公则天下平矣

❹人情者，圣王之田也／尧舜，大圣也，民且谤之／封建，非圣人意也，势也／具曰"予圣"，谁知乌之雌雄／帝王之圣者，卑宫室，贱金玉……／虽有至圣，不生而知；虽有至材，不生而能／超凡证圣，目击非遥；悟在须臾，何须皓首／昔者先圣王，成其身而天下成，治其身而天下治／苟守先圣之道，由大中以出，虽万受摈弃，不更乎其内

❺先识未然，圣也／天下无道，圣人生焉／天下无道，圣人彰焉／天下有道，圣人藏焉／天下有道，圣人成焉／天生神物，圣人则之／天地变化，圣人效之／众人成聚，圣人不犯／狂夫之言，圣人择焉／神人无光，圣人无名／学者是学圣人而未至者／无世而无圣，或不得知也／六合之内，圣人论而不议／六合之外，圣人存而不论／帝王之功，圣人之余事也／惟立志学圣人，则无害也／苟不悖于圣道，而有以启明者之虑／未信而谏，圣人不与。交浅言深，君子所戒

❻至人无为，大圣不作／名正法备，则圣人无事／心小志大者，圣贤之伦也／多力丰筋者圣，无力无筋者病／天地养万物，圣人养贤以及万民／五帝三皇神圣事，骗了无涯过客／有恒者之与圣人，高下固悬绝矣／天授人以贤圣才能，岂使自有余而已／天地无全功，圣人无全能，万物无全用／经传之文，贤圣之语，古今言殊，四方谈异／法虽在，必待圣而后治；律虽具，必待耳而后听／天下大乱，贤圣不明，道德不一，天下多得一察焉以自好

❼势有所不可，虽圣哲不能为／万物固以自然，圣人又何事焉／进退盈缩变化，圣人之常道也／道沿圣以垂文，圣因文而明道／大夫以身殉家，圣人以身殉天下／盗贼之心必托圣人之道而后可行／无所不通之谓圣，妙而无方之谓神／若贵而愚，贱而圣且贤，以是而妨之，其为理本大矣

❽多难兴王，殷忧启圣／股肱惟人，良臣惟圣／唯忠臣能逆意，惟圣君能从利／役一己之聪明，虽圣人不能智／毁道德以为仁义，圣人之过也／一身而二任焉，虽圣者不可为也／世人视宠以为荣，圣人观之以为下／生人之性得以安，圣人之道得以光／皇天以无言为贵，圣人以不言为德／天下无害菑，虽有圣人，无所施其才／天之道利而不害，圣人之道为而不争／愚人以天地文理圣，我以时物文理哲／规矩，方圆之至也；圣人，人伦之至也／物理不见不闻，虽圣哲

亦不能索而知之／天下之势有强弱，圣人审其势而应之以权／《诗》三百篇，大抵贤圣发愤之所为作也／万物有自然之理，圣人只是顺之，不曾增加得一毫

❾屈贾谊于长沙，非无圣主／欲济无舟楫，端居耻圣明／知不几者不可与及圣人之言／至人无己，神人无功，圣人无名／志士惜年，贤人惜日，圣人惜时／世途昏险，拟步如漆……圣智危栗／上古结绳而治，后世圣人易之以书契／进退盈缩，与时变化，圣人之常道也／天地之所贵者人也，圣人之所尚者义也／速则济，缓则不及，此圣贤所以贵机会也／伯乐相马，取之于瘦；圣人相士，取之于疏

❿使能之谓明，听信之谓圣／木从绳则正，后从谏则圣／木受绳则正，人受谏则圣／积之而后高，尽之而后圣／未有不自有恒而能至于圣者也／惟圣罔念作狂，惟狂克念作圣／伏清白以死直兮，固前圣之所厚／但终日不见己过，便绝圣贤之路／尧能则天者，贵其能臣舜、禹二圣／民，别而听之则愚，合而听之则圣／匿病者不得良医，羞问者圣人去之／能以众不胜成大胜者，唯圣人能之／圣王以天下为忧，天下以圣王为乐／得在时，不在争；治在道，不在圣／积善成德，而神明自得，圣心备焉／言学便以道为志，言人便以圣为志／求之者不及虚之者，夫圣人无求之也／物固有形，形固有名，名当谓之圣人／逆则生，顺则夭矣；逆者圣，顺则狂矣／乐之来，则人情出者也，其始非圣人作也／博之不必知，辩之不必慧，圣人以断之矣／观于海者难为水，游于圣人之门者难为言／辩莫大于分，分莫大于礼，礼莫大于圣王／天道悠悠，人生若浮，古来贤圣，皆成去留／非三代两汉之书不敢观，非圣人之志不敢存／为政之本，莫若得人；褒贤显善，圣制所先／今以人之小过掩大美，则天下无圣王贤相矣／众人重利，廉士重名，贤人尚志，圣人贵精／君子有三畏：畏天命，畏大人，畏圣人之言／故观于海者难为水，游于圣人之门者难为言／兼覆盖而并有之，度伎能而裁使之者，圣人也／君子依乎中庸，遁世不见知而不悔，唯圣者能之／不以众人待其身，而以圣人望于人，吾未见其尊己也／求之而后得，为之而后成，积之而后高，尽之而后圣／以天为宗，以德为本，以道为门，兆于变化，谓之圣人／众人皆知利利而病病也，唯圣人知病之为利，知利之为病也／使亲而旧者愚，远而新者圣且贤，以是而间之，其为理本亦大矣

对 duì 正确；回答；向着；彼此相向，两相矛盾；互相；对于；对付；对子；比照，检查；适合；双；对等；配偶；量词。

❶对马牛而诵经

见宋·歌谣谚《俗语》。

对酒当歌，人生几何

见三国·魏·曹操《短歌行二首》之一。

对他乡之风景，忆故里之琴歌

见唐·王勃《守岁序》。

对苍茫之寒日，听萧瑟之悲蝉

见唐·李峤《楚望赋》。全句为："露团团而湿草，风烈烈而鸣泉，～"。

对案不能食，拔剑击柱长叹息

见南朝·宋·鲍照《拟行路难十八首》之六。

❷坐对风动帷，卧见云间月／休对故人思故国，且将新火试新茶

❸无缘对面不相逢，有缘千里能相会

❹临清风，对朗月，登山泛水，肆意酣歌／天地相对，日月相殄，山川相流，轻重相浮，阴阳相续

❺长松百尺，对君子之清风／散发高吟，对明月于青溪之下／与贤豪相对，最不可有媚悦之色／明者所以对昏，昏既灭，则明亦不立矣

❻名位苟无心，对君犹可眠／知肉味美则对屠门而大嚼／事可语人酬对易，面无惭色去留轻

❼一人奋死，可以对十／行不合趋不同，对门不通／闻鸣镝而股战，对穹庐以屈膝／王曰："孰能一之？"对曰："不嗜杀人者能一之"

❽天下之物未尝无对／天下物无独必有对／有妍必有丑为之对／始楚而谢，终泣而对／凡弈棋与胜己者对，则日进／长者问，不辞让而对，非礼也／闭门觅句陈无己，对客挥毫秦少游／文宜易宜难？必谨对曰：无难易，唯其是尔

❿不谓之退，不敢退；不问，不敢对／人生得意须尽欢，莫使金樽空对月／新交与旧识俱欢，林壑共烟霞对赏／月落乌啼霜满天，江枫渔火对愁眠／有缘千里来相会，无缘对面不相逢／画地为牢，势不可入；削木为吏，议不可对／广仁益智，莫善于问；乘事演道，莫善于对／读来一百遍，不如亲见颜色，随问而对之易了／侍坐于先生，先生问焉，终则对。请业则起，请益则起

戏 ①xì 戏剧、歌舞、杂技等表演；角力；玩耍；嘲弄；姓。②xī 通"羲"，伏羲；［戏水］水名。③huī 通"麾"。

❷善戏谑兮，不为虐兮／于戏君子，人不厌之，死虽千岁，其行可师

❸莫将戏事扰真情

❹水禽嬉戏，引吭伸翮／矮人看戏何曾见，都是随人说短长

❺君子口无戏谑之言，言必有防；身无戏谑之行，行必有检

❿澄潭至清，洞澈见底，往往有群鱼戏，历历如水上行／君子口无戏谑之言，言必有防；身无戏谑之行，行必有检

观 ①guān 看；对事物的看法或态度；景象；示人，给人看；游览；六十四卦之一。②guàn 道教的庙宇；宫门前的双阙；楼台之类建筑；通“贯”，引申为多。

❶观人必于其微

见清·李宝嘉《官场现形记》第五十六回。

观过，斯知仁矣

见《论语·里仁》。

观小节可以知大体

见汉·刘安《淮南子·氾论》。

观其文可以知其人

见清·王豫《蕉窗日记》。

观于物，见山水……

见唐·韩愈《送高闲上人序》。全句为：“崖谷、鸟兽、虫鱼、草木之花实、日月、列星、风雨、水火、雷霆、霹雳、歌舞、战斗、天地事”。

观乎天文，以察时变

见《周易·贲》。

观乎往复，稽中定务

见晋·裴頠《崇有论》。

观听不参，则诚不闻

见《韩非子·内储说上·七术》。

观摩诘之画，画中有诗

见宋·苏轼《书摩诘蓝田烟雨图》。全句为：“味摩诘之诗，诗中有画；～”。

观化百代后，独立万古前

见清·魏源《偶然吟》十八首之十八。

观人以言，美于黼黻文章

见《荀子·非相》。

观文章，宜若悬衡然……

见唐·柳宗元《答吴秀才谢示新文书》。全句为：“～，增之铢两则俯，反是则仰，无可私者”。

观天之道，执天之行，尽矣

见《阴符经》上。

观其所爱亲，可以知其人矣

见汉·戴德《大戴礼记·曾子立事》。

观天下书未遍，不得妄下雌黄

见北齐·颜之推《颜氏家训·勉学》。

观古今于须臾，抚四海于一瞬

见晋·陆机《文赋》。

观江水之寂寥，愿从流而东返

见南朝·梁·萧纲《述羁赋》。全句为：“恋逐云飞，思随蓬卷。～”。

观水而知学，观耨田而知治国

见明·刘基《赠弈棋相子先序》。

观其交游，则其贤不肖可察也

见《管子·权修》。

观书者当观其意，慕贤者当慕其心

见唐·刘禹锡《辨迹论》。

观大者不得处近，望远者不得居卑

见明·庄元臣《叔苴子》内篇卷二。

观理自难观势易，弹丸累到十枚时

见清·龚自珍《己亥杂诗》。

观棋不语真君子，把酒多言是小人

见明·冯梦龙《醒世恒言》卷九。

观者如山色沮丧，天地为之久低昂

见唐·杜甫《观公孙大娘弟子舞剑器行》。

观古人，得其时行其道，则无所为书

见唐·韩愈《重答张籍书》。

观逐者于其反也，而观行者于其终也

见汉·刘安《淮南子·泰族》。

观书先须熟读，使其言皆若出于吾之口

见宋·朱熹《读书之要》。全句为：“～。继以精思，使其意皆出于吾之心。然后可以有得尔”。

观于海者难为水，游于圣人之门者难为言

见《孟子·尽心上》。

观人察质，必先察其平淡，而后求其聪明

见三国·魏·刘劭《人物志·九征》。

观书贵要，观要贵博，博而知要，万流可一

见南朝·宋·颜延之《庭诰》。

观古今之成败，能先见事机者，则恒受其福

见晋·陈寿《三国志·魏书·王粲传》。

观貌之是非，不若论其心与其行事之可否为不失也

见唐·韩愈《杂说四首》其三。

观其国则知其臣，观其臣则知其君，观其君则知其兴亡

见五代·南唐·谭峭《化书卷三·太医》。

❷相观而善之谓摩／时观而弗语，存其心也／博观而约取，厚积而薄发／矮观场，嗔人长，不自量／旁观虽拙，而灼于虚公之见／概观世运，厚则治，薄则乱／吾观自古贤达人，功成不退皆殒身／吾观之本，其往无穷；吾求之末，其来无止／故观于海者难为水，游于圣人之门者难为言／欲观千岁，则数今日；欲知亿万，则审一二／略观围棋，法于用兵，怯者无功，贪者先亡／一观其文，心朗目舒，炯若深井之下仰视白日之正中也／历观前代拨乱创业之主，生长民间，皆识达情伪，罕至于败亡／仰观宇宙之大，俯察品类之盛，所以游目骋怀，足以极视听之娱

❸可远观而不可亵玩焉／达人观之，生死一耳／贵则观其所举，富则观其所施／贵则观其所举，富则观其所养……／穷则观其所不受，贱则观其所不为／冷眼观人，冷耳听语，冷情当感，冷心思理／贤人观时，而不观于时；制兵，而不制于兵

❹束书不观，游谈无根／达人大观兮，无物不可／处晦而观明，处静而观动／洁者不观其穷，观其富也／慎者不观其危，观其势也／敌国相观

……相观于人而已／察其言，观其行，而善恶彰焉／隙中之观斗，又乌知胜负之所在／坐井而观天，曰天小者，非天小也／读史当观大伦理，大机会，大治乱得失／苟有可观，皆有可乐，非必怪奇伟丽者也／去其家观人家，去其身观人身，所观益远，所见益少／古之人观于天地、山川、草木、虫鱼、鸟兽，往往有得

❺凡书画当观韵／不知其人观其友／近使之而观其敬／烦使之而观其能／欲知其人，观其所使／汝无自誉，观汝作家书／能静而自观者，可以用人矣／多读书达观古今，可以免忧／处天下所观之地，可不慎乎？／听乐而震，观美而眩，患莫甚焉／听其言也，观其眸子，人焉廋哉／传语万古观潮客，莫观老潮观壮潮／观书者当观其意，慕贤者当慕其心／观理自难观势易，弹丸累到十枚时／知天者仰观天文，知地者俯察地理／视其所以，观其所由，察其所安……／据沧海而观众水，则江河之会归可见也／聆其善言，观其善行，足以资吾之未逮／观书贵要，观要贵博，博而知要，万流可一／江南多临观之美，而滕王阁独为第一，有瑰伟绝特之称

❻凡物皆有可观／卒然问焉而观其知／告之以危而观其节／杂之以处而观其色／急与之期而观其信／醉之以酒而观其侧／当局称迷，旁观必审／敌国相观……相观于人而已／观水而知学，观耨田而知治国／昼诵书传，夜观星宿，或不寐达旦／委之以财而观其仁，告之以危而观其节／听言当以理观，一闻辄以为据，往往多失／故常无，欲以观其妙；常有，欲以观其徼／欲交其人，先观其友，乃择交第一良法也／用天下之目观而救之，夫岂无最远之见乎／无善而好，不观其道；无悖而恶，不详其故／宅宇逾制，楼观出云，车马服饰，拟于王者／毋先物动，以观其则；动则失位，静乃自得／平原广望，博观之乐，沼池不如川泽所见博也／贤者易知也：观其富之所分，达之所进，穷之所不取

❼万物并作，吾以观复／圣人之理，以身观身／君子远使之而观其忠／虽小道，必有可观者焉／洁者不观其穷，观其富也／慎者不观其危，观其势也／求天下奇闻壮观，以知天地之广大／自其不变者而观之，则物与我皆无尽也／《诗》可以兴，可以观，可以群，可以怨／贤人观时，而不观于时；制兵，而不制于兵

❽未尝一日去书不观／成败之迹，昭哉可观／功成行满之士，要观其末路／行者见罗敷……但坐观罗敷／入门休问荣枯事，观看容颜便得知／莫道昆明池水浅，观鱼胜过富春江／操千曲而后晓声，观千剑而后识器／望严雪而识寒松，观疾风而知劲草／登山则情满于山，观海则意溢于海／观其国则知其臣，观其臣则知其君，观其君则知其兴亡

❾处晦而观明，处静而观动／目短于自见，故以镜观面／贵则观其所举，富则观其所施／传语万古观潮客，莫观老潮观壮潮／能读千赋则善赋，能观千剑则晓剑／贵则观其所举，富则观其所养……／观逐者于其反也，而观行者于其终也／形骸既适则神不烦，观听无邪则道以明／缀文者情动而辞发，观文者披文以入情／兵戢而时动，动则威，观则玩，玩则无震／君子于细事，未必可观，而材德足以重任／听言之道，必以其事观之，则言者莫敢妄言／盈天地间皆物也。……通观天地，天地一物也

❿瞽者无以与乎文章之观／真伪因事显，人情难预观／钧天广乐，必有奇丽之观／貌重则有威，好重则有观／孔子圣人，其学必始于观书／瞽者无以与乎青黄黼黻之观／今吾于人也，听其言而观其行／乐不过以听耳，而美不过以观目／世人视宠以为荣，圣人观之以为下／传语万古观潮客，莫观老潮观壮潮／当局者之十，不足以当旁观者之五／成败极知无定势，是非元自要徐观／穷则观其所不受，贱则观其所不为／不动乎众人之非誉，不治观者之耳目／世之奇伟瑰怪非常之观，常在于险远／正明不为日月所眩，正观不为天道所迁／委之以财而观其仁，告之以危而观其节／收心简事日损有为，体静心闲方可观妙／故常无，欲以观其妙；常有，欲以观其徼／非三代两汉之书不敢观，非圣人之志不敢存／就郡言，灵隐寺为尤；由寺观，冷泉亭为甲／诗者，不可以言语求而得，必将深观其意焉／谗夫似贤，美言似信，听之者惑，观之者冥／怒如严霜，喜如时雨，臧否好恶，坦然可观／如有周公之材之美，使骄且吝，其馀不足观也已／涉浅水者见虾，其颇深者察鱼鳖，其尤甚者观蛟龙／物非有大小也，自其内而观之，未有不高且大者也／去其家观人家，去其身观人身，所观益远，所见益少／闻其声而知其风，察其风而知其志，观其志而知其德／观其国则知其臣，观其臣则知其君，观其君则知其兴亡／胸中浩然廓然，纳烟云日月之伟观，揽雷霆风雨之奇变

欢 huān 喜悦；恋人；活跃。

❶欢愉之辞难工，而穷苦之言易好

见唐·韩愈《荆潭唱和诗序》。全句为："和平之音淡薄，而秋思之声要妙；～"。

❷谈欢则字与笑并，论戚则声共泣偕

❸秉耒欢时务，解颜劝农人／梅花欢喜漫天雪，冻死苍蝇未足奇／众人欢乐，用生生也，动而失之，寿命竭也

❹裁为合欢扇，团团似明月／人有悲欢离合，月有阴晴圆缺，此事古难全／东风恶，欢情薄，一

怀愁绪，几年离索。错！错！错
❺苦日难熬，欢时易过／惨则鲜于欢，劳则褊于惠／有乍交之欢易，无久处之厌难
❻处涸辙以犹欢／四海安，天下欢／忧艰常早至，欢会常苦晚／人生不得长欢乐，年少须臾老到来
❼风物虽同候，悲欢各异伦／人生得意须尽欢，莫使金樽空对月／识量大，则毁誉欢戚不足以动其中／法得则马和而欢，道得则民安而集／新交与旧识俱欢，林壑共烟霞对赏
❽君臣节俭足，朝野欢呼同／伐人之国而以为欢，非仁者之兵也／人之生也，必以其欢。忧则失纪，怒则失端。忧悲喜怒，道乃无处
❾利锁名缰，几阻当年欢笑
❿今之视者，已非昔日之欢／赠人以财者，唯申即日之欢／甘忠言之逆耳，得百姓之欢心／有为之君，不敢失万民之欢心／酌贪泉而觉爽，处涸辙而犹欢／音以比耳为美，色以悦目为欢／冬也阴气积兮，愁颜者为之鲜欢／牛郎欲问瘟神事，一样悲欢逐逝波／安得广厦千万间，大庇天下寒士俱欢颜／旦执机权，夜填坑谷；朔欢卓、郑，晦泣颜、原／盗取民食兮，私己不分；充嗛果腹兮，骄傲欢欣

取 ①qǔ 拿；得到；采用；选取；通“娶”；姓。②qū 通“趣”，即“趋”，快走。

❶取之左右逢其原

见《孟子·离娄下》。

取利远，远故大

见唐·柳宗元《宋清传》。

取一文官不值一文钱

见河南内乡县衙县丞衙联。全句为：“宽一分民多受一分赐，～”。

取之无禁，用之不竭

见宋·苏轼《前赤壁赋》。

取之不尽，用之不竭

见宋·朱熹《朱子语类》。

取彼谮人，投畀豺虎

见《诗·小雅·巷伯》。

取法于上，反得其中

见唐·李世民《帝范》。

取必以渐，勤则得多

见汉·孔臧《与子琳书》。

取其所长，弃其所短

见秦·孔鲋《孔丛子·居卫》。

取善以辅仁，则德日进

见宋·朱熹《四书集注·论语·颜渊》。全句为：“讲学以会友，则道益明；～”。

取人者必畏，与人者必骄

见《尸子·明堂》。

取天下与守天下，无机不能

见宋·苏洵《远虑》。

取天下之财，以供天下之费

见宋·王安石《上皇帝万言书》。全句为：“因天下之力，以生天下之财；～”。

取诸人以为善，是与人为善者也

见《孟子·公孙丑上》。

取其一，不责其二；即其新，不究其旧

见唐·韩愈《原毁》。

取天下常以无事。及其有事，不足以取天下

见《老子》四十八。

取士之方，必求其实；用人之术，当尽其材

见宋·欧阳修《详定贡举条状》。

❷留取黄花点缀秋／欲取之，必先予之／不取亦取，虽师勿师／可取者友，可奉者师／当取不取，过后莫悔／可取之利，当有所不取／不取往者戒，恐贻来者冤／莫取金汤固，长令宇宙新／进取之士，未必能有行也／青，取之于蓝，而青于蓝／攻取者先兵权，建本者尚德化／始取天下为功，始治天下为德／求取情状，离绝远去笔墨畦径间／不取于人谓之富，不屈于人谓之贵／过取固害于廉，然过与亦反害其惠／逆取而以顺守之，文武并用，长久之术／盗取民食兮，私己不分；充嗛果腹兮，骄傲欢欣／博取之象数，远征之古今，以求尽乎理，所谓格物也
❸彼可取而代之／强自取柱，柔自取束／不偷取一世，则民无怨心／失身取高位，爵禄反为耻／勇者取其威，怯者取其慎／智者取其谋，愚者取其力／可以取，可以无取，取伤廉／以全取胜，是以贵谋而贱战／舍近取远，务高言而鲜事实／去就取与知能六者，塞道也／雕削取巧，虽美非“秀”矣／奈何取之尽锱铢，用之如泥沙／人思取材于人，不若取材于天地／不知取将之无术，但云当今之无将／严于取，则豪杰之老死丘壑者多矣／将欲取天下而为之，吾见其不得已／有所取必有所舍，有所禁必有所宽／当其取于心而注于手也，汩汩然来矣／当其取于心而注于手也，惟陈言之务去／以言取人，失之宰予；以貌取人，失之子羽／古之取天下也以民心，今之取天下也以民命／拱默取容，以徇一身之利者，亦当罢而去之／杖必取材，不必用味；相必取贤，不必所爱／怨恩取与谏教生杀，八者，正之器也，唯循大变无所湮者为能用之
❹天与弗取，反受其咎／不取亦取，虽师勿师／人弃我取，人取我与／力则力取，智则智取／当取不取，过后莫悔／非其所取而取之，谓之盗／利之中取大，害之中取小／以绳墨取木，则宫室不成矣／虎魄不取腐芥，磁石不受曲针／力足者取乎人，力不足者取乎神／刘备有取天下之量，而无取天下之才／项籍有取天下之才，而无取天下之虑／曹操有取天下之虑，而无取天下

之量

❺以逸击劳，取胜之道／以逸待劳，取之必也／施而不费，取而不贪／忘其前愆，取其后效／非其有而取之，非义也／知与之为取，政之宝也／博观而约取，厚积而薄发／不以求备取人，不以己长格物／不排毁以取进，不刻人以自入／乞火不若取燧，寄汲不若凿井／君子之所取者远，则必有所待／因其材以取之，审其能以任之／见世人可取者多，则德日进矣／视家国而取者，则曰救彼涂炭／视玉帛而取者，则曰牵于寒饿／思在物之取譬，非斗斛而能量／天下兴学取士，先德行不专文辞／无征而言，取不信、启作妄之道也／天下皆知取之为取，而莫知与之为取／使命之臣，取其识变从宜，不辱君命／军旅之臣，取其断决有谋，强干习事／藩屏之臣，取其明练风俗，清白爱民／朝廷之臣，取其鉴达治体，经纶博雅／消受尘，白取垢；青蝇所污，常在练素／清受尘、白取垢；青蝇所污，常在练素／其为不虚取直也的矣，其知恐而畏也审矣／为政在人，取人以身，修身以道，修道以仁／伯乐相马，取之于瘦；圣人相士，取之于疏／综学在博，取事贵约，校练务精，捃理须核／大臣则必取众人之选，能犯颜谏事公正无私者

❻战必胜，攻必取／无识，则不能取舍／刑罚在衷，无取于轻／人弃我取，人取我与／持钱买水，所取有限／用人如器，各取所长／大乐之成，非取乎一音／不限资例，则取人之路广／非其所取而取之，谓之盗／限以资例，则取人之路狭／待士之意周，取人之道广／爱其书者，兼取其为人也／欲高，反下；欲取，反与／用于国有节，取于民有制／用之而不弊，取之而不竭／不稼不穑，胡取禾三百廛兮／非理之财莫取，非理之事莫为／福兮可以善取，祸兮可以恶招／一尺之捶，日取其半，万世不竭／事固有弃彼取此，以权一时之势／焚林而田，偷取多兽，后必无兽／古之用人者，取之至宽而用之至狭／公无私者，其取舍进退无择于亲疏远迩／遇师友，亲之取之，大胜塞居不潇洒也／盈尺径寸，易取琢磨；南箕北斗，难为簸扬

❼非吾道，虽利不取／巷议臆度，不足取信／俚言巷语，亦足取也／强自取柱，柔自取束／其知弥精，其所取弥精／一朝权入手，看取令行时／贵出如粪土，贱取如珠玉／其处己也厚，其取名也廉／鉴国之安危，必取于亡国／可以取，可以无取，取伤廉／气者，心随笔运，取象不惑／能因敌变化而取胜者，谓之神／不择人而问焉，取其有益于身而已／功名只向马上取，真是英雄一丈夫／名为公器无多取，利是身灾合少求／爵不可以无功取，刑不可以贵势免／古之进人者，或取于盗，或举于管库／不廉，则无所不取；不耻，则无所不为／水至平而邪者取法，镜至明而丑者无怒／吾子苟自择之，取某事，去某事，则可矣／孔曰成仁，孟曰取义，惟其义尽，所以仁至／利而诱之，乱而取之，实而备之，强而避之

❽力则力取，智则智取／道不拾遗，民不妄取／名，公器也，不可多取／行而自衒，人莫之取也／三刀梦益州，一箭取辽城／古来存老马，不必取长途／说得一丈，不如行取一尺／说得一尺，不如行取一寸／勇者取其威，怯者取其慎／大国以下小国，则取小国／奚必知代而心自取者有之／小国以下大国，则取大国／河海有润，然后民取足焉／日出多伪，士民安取不伪／智者取其谋，愚者取其力／可以取，可以无取，取伤廉／多方包容，则人材取次可用／其思之不深，则其取之不固／无求不得其欲，无取不得其志／大抵古人诗画，只取兴会神到／贤君必恭俭礼下，取于民有制／东南四十三州地，取尽膏脂是此河／杀身慷慨犹易免，取义从容未轻许／天下皆知取之为取，而莫知与之为取／贤之所在，贵而贵取焉，贱而贱取焉／能当一人而天下取，失当一人而社稷危

❾可取之利，当有所不取／焉有君子而可以货取乎／利之中取大，害之中取小／乘骥而御之，不倦而取道多／贤者不得志于今，必取贵于后／人思取材于人，不若取材于天地／焉得并州快剪刀，翦取吴松半江水／人生自古谁无死，留取丹心照汗青／断指以存腕，利之中取大，害之中取小／一人之身，才有长短，取其长则不问其短／伐柯如何？匪斧不克。取妻如何？匪媒不得／人之进退，唯问其志，取必以渐，勤则得多／人之情，于害之中争取小焉，于利之中争取大焉／有行之士，未必能进取；进取之士，未必能有行也／凡用人之道，若以燧取火，疏之则弗得，数之则弗中

❿百害不能伤，知力不能取／人非善不交，物非义不取／君子之于人才，无所不取／犹如水中月，可见不可取／一介不以与人，一介不取诸人／苟非吾之所有，虽一毫而莫取／二者不可得兼，舍生而取义者也／力足者取乎人，力不足者取乎神／身之所短，上虽不知，不以取赏／不厚费者不多营，不妄用者不过取／二者不可得兼，舍鱼而取熊掌者也／舍真筌而择士，沿虚谈以取才……／按善恶见闻之实，断是非去取之疑／采玉者破石拔玉，选士者弃恶取善／春江花朝秋月夜，往往取酒还独倾／穷则视其所不为，贫则视其所不取／天下皆知取之为取，而莫知与之为取／事或夺之而反与之，或与之而反取之／以正治国，以奇用兵，以无事取天下／刘备有取天下之量，而无取天下之才／项籍有取天

下之才，而无取天下之虑／苟不知我而谓我盗跖，吾又安取惧焉／苟不知我而谓我仲尼，吾又安取荣焉／小人虽器量浅狭，而未必无一长可取／君子之于人也，苟有善焉，无所不取／曹操有取天下之虑，而无取天下之量／贤之所在，贵而贵取焉，贱而贱取焉／以百金与抟黍以示儿子，儿子必取抟黍／大抵能立于一世，必有取重于一世之术／避天下之逆，从天下之顺，天下不足取／杀一无罪非仁也，非其有而取之非义也／水静则明烛须眉，平中准，大匠取法焉／断指以存腕，利之中取大，害之中取小／其应也，非所设也；其动也，非所取也／行货赂，趣势门，立私废公，比周而取容／战未尝不胜，攻未尝不取，所当未尝不破／窃位而苟禄，备员而全身者，亦无所取焉／食禄者不得与下民争利，受大者不得取小／求道者不以目而以心，取道者不以手而以耳／我有禅灯，独照独知。不取亦取，虽师勿师／兵不必胜，不苟接刃；攻不必取，不为苟发／为忠甚易，得宜实难。忧人大过，以德取怨／以邪官举邪官，以俗士取俗士，国欲治得乎／以和氏之璧与百金以示鄙人，鄙人必取百金／以言取人，失之宰予；以貌取人，失之子羽／古之取天下也以民心，今之取天下也以民命／体无常轨，言无常宗，物无常用，景无常取／伯乐相马，取之于瘦；圣人相士，取之于疏／取天下常以无事。及其有事，不足以取天下／和神仙之药以治觝咳，制貂狐之裘以取薪菜／因性而动，接物感寤……进退取与，谓之情／得时无怠，时不再来，天予不取，反为之灾／治天下者，用人非止一端，故取士不以一路／绝祸之首，起福之元，去我情欲，取民所安／杖必取材，不必用味；相必取贤，不必所爱／战不必胜，不苟接刃；攻不必取，不苟劳众／贵不专权，罔惑上下；贱能守分，不苟求取／白石如玉，愚者宝之；鱼目似珠，愚者取之／天下无粹白之狐，而有粹白之裘，取之众白也／能苟焉以求静，而欲之翦抑窜绝，君子不取也／人之情，于害之中争取小焉，于利之中争取大焉／凤凰，凤凰，何不高飞还故乡，无故在此取灭亡／国以民为本，民以财为命。取之过多，予者亦怨／日思高其位，大其禄，而贪取滋甚，以近于危坠／以和氏之璧与道德之至言以示贤者，贤者必取至言／有行之士，未必能进取；进取之士，未必能有行也／天生一人，自有一人之用，不待取给于孔子而后足也／兵无常势，水无常形，能因敌变化而取胜者，谓之神／兵非益多也，惟无武进，足以并力，料敌，取人而已／人之情，于利之中则争取大焉，于害之中则争取小焉／贤者易知也：观其富之所分，达之所进，穷之所不取／所贵于天下之士者，为人排患、释难、解纷乱而无所取也／古之所谓公无私者，其取舍进退无择于亲疏远迩，惟其宜可焉／匹夫而忧天下，无位而论世事，时俗以为狂，而君子之所取也

叔

shū 父亲的弟弟；兄弟排行中代表第三；丈夫的弟弟；拾取。

❸伯夷、叔齐不念旧恶，怨用是希

❹熟读王叔和，不如临症多

❿天下不多管仲之贤而多鲍叔能知人也

受

shòu 接受；遭到某种不幸或损害；忍耐某种遭遇；适合；收回；收买；容纳；通“授”。

❶受尧之诛，不能称尧

见唐·房玄龄《晋书·刘毅传》。

受人之托，忠人之事

见明·冯梦龙《警世通言·王娇鸾百年长恨》。

受国不祥，是为天下王

见《老子》七十八。全句为：“受国之垢，是谓社稷主；～”。

受国之垢，是谓社稷主

见《老子》七十八。全句为：“～；受国不祥，是为天下王”。

受光于户，照室中无遗物

见汉·刘安《淮南子·说山》。全句为：“受光于隙，照一隅；受光一牖，照北壁；～”。

受辱于跨下，无兼人之勇

见汉·班固《汉书·韩信传》。全句为：“寄食于漂母，无资身之策；～”。

受屈不改心，然后知君子

见唐·李白《赠韦侍御黄裳二首》之一。

受益莫如择友，好学莫如改过

见唐·李翱《答朱载言书》。全句为：“行己莫如恭，自责莫如厚，接众莫如宏，用心莫如直，进道莫如勇，～”。

受人施者常畏人，与人者常骄人

见三国·魏·王肃《孔子家语·在厄》。

受天下之瑰丽，而泄天下之拗怒也

见清·龚自珍《送徐铁孙序》。

受任于败军之际，奉命于危难之间

见三国·蜀·诸葛亮《前出师表》。

受人养而不能自养者，犬豕之类也

见《列子·仲尼》。

受命不于天于其人，休符不于祥于其仁

见唐·柳宗元《贞符》。

受光于隙，照一隅；受光一牖，照北壁

见汉·刘安《淮南子·说山》。全句为：“～；受光于户，照室中无遗物”。

❷久受尊名不祥／将受命之日忘其家／不受于邪，邪气自去／夕受而不法，朝斥之矣／木受绳则正，人受谏则圣／木受绳则直，金就砺则利／

既受人之托，必终人之事／茎受露而将低，香从风而自远／不受虚誉，不祈妄福，不避死义／自受弊薄，后己先人，天下敬之／以受天下之瑰丽，而泄天下之拗怒也／消受尘，白取垢；青蝇所污，常在练素／清受尘、白取垢；青蝇所污，常在练素／不受虚言，不听浮术，不采华名，不兴伪事

❸君子受言以达聪明／不能受谏，安能谏人／因祸受福，喜盈我室／无甘受佞人而外敬正士／进贤受上赏，蔽贤蒙显戮／今我受其直怠其事者，天下皆然

❹人生莫受老来贫／心源不受一尘侵／性者，所受于天也／无功而受其禄者，辱／男女授受不亲，礼也／小杖则受，大杖则走／惑于听受，暗于知人／与不妄受，志士之所难也／计口而受田，家给而人足／功成不受爵，长揖归田庐／功成耻受赏，高节卓不群／当功以受赏，当罪以受罚／量才而受爵，量功而受禄／欲求真受用，须下死功夫／方凿不受圆，直木不为轮／为将者，受命忘家，临敌忘身／君子不受虚誉，不祈妄福，不避死义／力田者受旌显之赏，惰农者有不齿之罚／君子能受纤微之小嫌，故无变斗之大讼／为善的受贫穷更命短，造恶的享富贵又寿延／老年人受病在作意步趋，少年人受病在假意超脱

❺不自满者受益／君子以虚受人／惟善人能受尽言／却之不恭，受之太过／施惠无念，受恩莫忘／人物禀假，受有多少……／匈奴未灭，受命而孰不忘家／满招损，谦受益，时乃天道／真者，所以受于天也，自然不可易也／天性正于受生之初，明觉发于既生之后／火炎上而受制于水，水趋下而得志于火／好善无厌，受谏而能诫。虽欲无进，得乎哉／身体发肤，受之父母，不敢毁伤，孝之始也

❻君命有所不受／天与弗取，反受其咎／不听窕言，不受窕货／苛政害民，君受其患／莫非命也，顺受其正／当断不断，反受其乱／宽一分民多受一分赐／枉桡不当，反受其殃／时至弗行，反受其殃／毋为权首，反受其咎／眉寿万年，永受胡福／务功修业，不受赣于君／求贤如饥渴，受谏而不厌／朽烂之材，不受雕镂之饰／松柏青青，不受令于霜雪／施人慎勿念，受恩慎勿忘／施人慎勿念，受施慎勿忘／身无大功而受厚禄，三危也／命者，人所禀受，若贵贱夭寿之属／如其道，则舜受尧之天下，不以为泰／非其世者，不受其利。污其君者，不履其土／有司一朝而受者几千万言，读不能十一……

❼直木先伐，全璧受疑／狎昵恶少，久必受其累／古来贤达士，宁受外物牵／真文不媚时，甘受人弹弋／今上好法，予晚受乎老庄／木受绳则正，人受谏则圣／扁鹊不能治不受针药之疾／师者，所以传道受业解惑也／施德者贵不德，受恩者尚必报／穷则观其所不受，贱则观其所不为／责人斯无难，惟受责俾如流，是惟艰哉／国家有幸，当者受央；国家无幸，有延其命／宁令吾庐独破受冻死，不忍四海赤子寒飕飕／一夫不耕，天下受其饥；一妇不织，天下受其寒

❽大杖则走，小杖则受／剪采为葩不可以受风雨／天所赋为命，物所受为性／善治病者，必医其受病之处／凡事省得一分，即受一分之益／回乐峰前沙似雪，受降城下月如霜／致贵无渐失必暴，受爵非道殃必疾／受光于隙，照一隅；受光一牖，照北壁／虚空者，乃可用盛受万物。故曰虚无能制有形

❾将在外，君令有所不受／与好利人共事，己必受累／当功以受赏，当罪以受罚／江海之深，以其虚而受也／标节义者，必以节义受谤／量才而受爵，量功而受禄／忠言逆耳，惟达者能受之／鸾凤竞粒于庭场，则受亵于鸡鹜／功名遂成，天也；循理受顺，人也／天地之大德曰生，人受天地之气而生

❿非其道，则一箪食不可受于人／为上者不虚授，处下者不虚受／攻人之恶毋太严，要思其堪受／君择才而授官，臣量己而受职／虎魄不取腐芥，磁石不受曲针／不虚则先自满，假教之亦不能受／好臣其所教，而不好臣其所受教／田成子常杀君窃国，而孔子受币／丈夫丁壮而不耕，天下有受其饥者／妇人当年而不织，天下有受其寒者／横江湖之鳣鲸兮，固将受制于蝼蚁／有罪者优游获免，无罪者妄受其辜／不以一己之利为利，而使天下受其利／义死不避斧钺之罪，义穷不受轩冕之服／人又谁能以身之察察，受物之汶汶者乎／志士不饮盗泉之水，廉者不受嗟来之食／大德之人无所不容，能受垢浊，处谦卑／大其心容天下之物，虚其心受天下之善／当天时，与之皆断；当断不断，反受其乱／食禄者不得与下民争利，受大者不得取小／直者性奋，好人行直于人，而不能受人之讦／观古今之成败，能先见事机者，则恒受其福／捷捷幡幡，谋欲谮言；岂不尔受，既其女迁／称身居位，不为苟进；称事受禄，不为苟得／天地之精所以生物者莫贵于人，人受命乎天也／谒而得位，道士不居也；争而得财，廉士不受／苦我怨气兮浩于长空，六合虽广兮受之应不容／君子用以力学，借困衡为砥砺，不但顺受而已／日月虽以形相物，考其道则有施受健顺之差焉／一夫不耕，天下受其饥；一妇不织，天下受其寒／老年人受病在作意步趋，少年人受病在假意超脱／不躬行，便如水行得车，陆行得舟，一毫受用不得／人生一世，但当畏敬于人，若不善加己，直为受

之／苟守先圣之道，由大中以出，虽万受摈弃，不更乎其内

艰 jiān 艰难；险恶；指亲丧；慎重。

❶艰难奋长戟，万古用一夫

见唐·杜甫《潼关吏》。

❷忧艰常早至，欢会常苦晚

❸思其艰以图其易／躬履艰难而节乃见／选之艰则材者出，赏之当则能者劝／亲履艰难者知下情，备经险易者达物伪

❹非知之艰，行之惟艰／人虽无艰难之时，却不可忘艰难之境

❺登山不以艰险而止，则必臻乎峻岭／所谓阻且艰者，莫能高其高而深其深也

❻物塞而通，必艰其初

❼少不勤苦，老必艰辛／畯于野，惟稼穑艰难是知／早岁那知世事艰，中原北望气如山

❽非知之艰，行之惟艰／非知之难，行之惟艰／惟克果断，乃罔后艰／离别不堪无限意，艰危深仗济时才

❾吏则日饱鲜，谁悯民艰食／每一食，便念稼穑之艰难／改章难于造篇，易字艰于代句

❿半丝半缕，恒念物力维艰／长太息以掩涕兮，哀民生之多艰／不以高危为忧惧，岂知稼穑之艰难／看是寻常最奇崛，成如容易却艰辛／人虽无艰难之时，却不可忘艰难之境／责人斯无难，惟受责俾如流，是惟艰哉／厥父母勤劳稼穑，厥子乃不知稼穑之艰难／凡人能量己之能与不能，然后知人之艰难／君子之处世也，甘恶衣粗食，甘艰苦劳动，斯可以无失矣

叟 ①sǒu 老头。②sōu 古族名；汉至六朝时对部分少数民族的泛称；[叟叟]淘米声。

❽朗夜之辉，不开矇叟之目

叙 xù 叙谈；同"序"，序言；次第；述说；记述；古时按等级次第授职和按劳绩奖励称为叙。

❶叙事之工者，以简要为主

见唐·刘知几《史通·叙事》。全句为："国史之美者，以叙事为工；而～"。

❷天叙有典，敕我五典五惇哉／其叙事也该而要，其缀采也雅而泽

❼国史之美者，以叙事为工

❾一觞一咏，亦足以畅叙幽情

❿贵而犯法，义不得宥；过而知改，恩不废叙／父子有亲，君臣有义，夫妇有别，长幼有叙，朋友有信

爰 yuán 同"援"；改易，更换；曰，为；与；犹"是"；乃，于是；于；悲哀；古代的一种重量单位或货币单位；句首语气词；姓。

❶爰居避风，本无情于钟鼓

见北周·庾信《小国赋》。全句为："黄鹤戒露，非有意于轮轩；～"。

❿衡门之下，有琴有书，载弹载咏，爰得我娱／春发其华，秋收其实，有始有极，爰登其质

难 ①nán 艰难，费劲；使人不好办；不好；不大可能；②nàn 大的不幸；诘责；怨仇；拒斥。③nuó 茂盛貌；通"傩"，指古时人们在腊月驱逐疫鬼；恐惧。

❶难任人，蛮夷率服

见《尚书·舜典》。

难得之货塞人正路

见三国·魏·王弼《老子》十二注。

难回者天，不负者心

见宋·王炎午《望祭文丞相文》。

难成而易败者，名也

见汉·刘安《淮南子·氾论》。全句为："易为而难成者，事也；～"。

难于指言者，辄咏歌之

见唐·白居易《秦中吟》。

难行之言，当有所必行

见宋·苏轼《策别十二》。全句为："～；而可取之利，当有所不取"。

难将一人手，掩得天下目

见唐·曹邺《读李斯传》。

难因于易，非易无以知其难

见五代·前蜀·杜光庭《道德真经广圣义》卷七。全句为："～；易因于难，非难无以彰其易"。

难得易失者时也，易过难见者机也

见唐·陈子昂《为乔补阙论突厥表》。

难违一官之小情，顿为万人之大弊

见唐·吴兢《贞观政要·政体》。全句为："～。此实亡国之政"。

难留连，易消歇，塞北花，江南雪

见唐·白居易《真娘墓》。

难得而易失者时也，时至而不旋踵者机也

见晋·陈寿《三国志·魏书·贾诩传》。全句为："～。故圣人常顺时而动，智者必因机以发"。

❷临难守节／功难成而易毁／才难，不其然乎／才难之叹，古今共之／天难忱斯，不易维王／事难全遂，物不两兴／临难忘身，见危致命／大难不死，必有后禄／多难兴王，殷忧启圣／居难则易，在塞咸通／处难处之事，可以长识／艰难奋长戟，万古用一夫／图难于其易，为大于其细／材难矣，有蕴而不得其时／恩难酬白骨，泪可到黄泉／内难而能正其志，箕子以之／临难而不能勿听，不可谓勇／将难放怀处放怀，则万境宽／临难而不苟免，见利而不苟得／时难得而易失也，学者勉之乎／祸难生于邪心，邪心诱于

可欲／事难行，故要敏；言易出，故要慎／调难调之人，可以练性，学在其中矣／善难者务释事本，不善难者舍本而理末／处难处之事愈宜宽，处难处之人愈宜厚／状难写之景如在目前；含不尽之意见于言外／闻难思解，见利思避，好成人之美，可以立矣

❸天命难谌／事莫难于必成／丹青难写是精神／损，先难而后易／犯上难，摄下易／民，不难聚也……／小人难事而易说也／知人难，知己更难／时者，难得而易失／天命难知，人道易守／事不难，无以知君子／民之难治，以其智多／人心难测，海水难量／众怒难犯，专欲难成／苦日难熬，欢时易过／孤论难持，犯欲难成／仁功难著，而乱源易成／奸人难处，迂人亦难处／百胜难虑敌，三折乃良医／长绳难系日，自古共悲辛／民之难治，以其上之有为／君子难进易退，小人反是／存亡难异路，贞白本相成／朽株难免蠹，空穴易来风／相逢难衮衮，告别莫匆匆／贵人难得意，赏爱在须臾／鬓秃难遮老，心宽不贮愁／不为难易变节，安危革行也／良弓难张，然可以及高入深／良马难乘，然可以任重致远／创业难，守成难，知难不难／知之难，不在见人，在自见／处患难者勿为怨天尤人之言／勿贵难得之货，勿听亡国之音／谋莫难于周密，说莫难于悉听／改章难于造篇，易字艰于代句／事者难成而易败，名者难立而易废／长夜难明赤县天，百年魔怪舞翩跹／人生难得秋前雨，乞我虚堂自在眠／人固难全，权而用其长者，当举也／功者难成而易败，时者难得而易失／尘世难逢开口笑，菊花须插满头归／弊之难去，其难在仰食于弊之人乎／大事难事看担当，逆境顺境看襟度／道非难知，亦非难行，患人无志耳／欲心难厌如溪壑，财物易尽若漏卮／行路难，不在水不在山，只在人情反覆间／材既难得，而又难知，则当博采而多蓄之／天下难事，必作于易；天下大事，必作于细／功有难图，不可预见；事有易断，较然不疑／大字难于密结而无间，小字难于宽绰而有余／世之难得者，非财也，非荣也，患意之不足耳／鳏虽难得，贪以死饵；士虽怀道，贪以死禄矣／关山难越，谁悲失路之人？萍水相逢，尽是他乡之客／上士难进而易退也，其次易进易退也，其下易进难退也／处患难，知其无可奈何，遂放意而不反，是岂安于义命者

❹为学心难满／传神之难在目／仁者先难而后获／世间最难得者兄弟／躬履艰难而节乃见／非知之难，能之难也／非知之难，行之惟艰／知之非难，行之不易／犯其至难而图其至远／悦以犯难，人忘其死／易为而难成者，事也／言之非难，行之为难／非长生难也，闻道难也／非知之难，其在行之信／非行之难也，终之难也／非闻道难也，行之难也／非死之难，处死之难也／译事三难：信、达、雅／蜀道之难，难于上青天／上邪下难正，众枉不可矫／不悲道难行，所悲累身修／世上无难事，只要肯登攀／人远则难绥，事总则难了／基广则难倾，根深则难拔／君以为难，其易也将至矣／知人之难，莫难于别真伪／器满才难御，功高主自疑／得之之难，未若持之之难／流长则难竭，柢深则难朽／深根者难拔，据固者难迁／富贵苟难图，税驾从所欲／遇事无难易，而勇于敢为／孤举者难起，众行者易趋／权重持难久，位高势易穷／露重飞难进，风多响易沉／非才之难，所以自用者实难／易因于难，非难无以彰其易／民政之难，不惟其力而惟其才／胜非其难者也，持之其难者也／心轻躁，难制伏，故无恶不起／治国之难在于知贤，而不在自贤／事固有难明于一时而有待于后世者／曾因国难披金甲，不为家贫卖宝刀／观理自难观势易，弹丸累到十枚时／君子违难不适仇国，交绝不出恶声／相见时难别亦难，东风无力百花残／教人至难，必尽人之材，乃不误人／有以无难而失守，有因多难而兴邦／非得贤难，用之难；非用之难，任之难／非成业难，得贤难；非得贤难，用之难／亲履艰难者知下情，备经险易者达物伪／言今日难于前日，安知他日不难于今日乎／非知之难，行之惟难；非行之难，终之斯难／知过非难，改过为难；言善非难，行善为难／居官不难，听言为难；听言不难，明察为难／文章不难于巧而难于拙，不难于曲而难于直／人之所难者二：乐攻其恶者难，以恶告人者难／（文章）不难于细而难于粗，不难于华而难于质／进贤之难者，贤者用且使己废，贵且使己贱，故人难之

❺多易必多难／千秋青史难欺／异乡殊俗难知名／四美俱，二难并／事不素讲，难以应猝／人命至重，难生易杀／众叛亲离，难以济矣／谤议之言，难用褒贬／危于累卵，难于上天／大名之下，难以久居／常胜之家，难与虑敌／知人善察，难眩以伪／备不预具，难以应卒／尸位素餐，难以成名／易以理服，难以力胜／腓大于股，难于趣走／蜀道之难，难于上青天／真个别离难，不似相逢好／何处路最难？最难在长安／报国行赴难，古来皆共然／捐躯赴国难，视死忽如归／损躯赴国难，视死忽如归／时易失，志难成，鬓丝生／晓之则无难，不晓则无易／有无相生，难易相成……／有事不避难，有罪不避刑／可以共患难，不可以共安乐／捶字坚而难移，结响凝而不滞／欢愉之辞难工，而穷苦之言易好／士易得而难求也，易致而难留也／死，人之所难，然耻为狂夫所害／创业自知难两立，辍耕早已定三分／伐深根者难为功，摧枯朽者易为

力／曾经沧海难为水，除却巫山不是云／画虎画皮难画骨，知人知面不知心／好事尽从难处得，少年无向易中轻／镌金石者难为功，摧枯朽者易为力／为宰相不难，一心正，两眼明，足矣／人虽无艰难之时，却不可忘艰难之境／道不远而难极也，与人并处而难得也／天下事有难易乎？为之，则难者亦易矣／行不贵苟难，说不贵苟察，名不贵苟传／进言有四难：审人、审己、审事、审时／责人斯无难，惟受责俾如流，是惟艰哉／立节者见难不苟免，贪禄者见利不顾身／观于海者难为水，游于圣人之门者难为言／临之以患难而能不变，邀之以宠利而能不回／文宜易宜难？必谨对曰：无难易，唯其是尔／一令蔓草难锄，涓流泛酌，岂直疥痒轻疴，容为重患

❻不洗垢而察难知／知道易，勿言难／始之易，终之难／战胜易，守胜难／敢道人之所难言／血垂竭者则难益也／不去庆父，鲁难未已／事有是非，义难隐讳／乘兴说话，最难检点／负舟登山，诚难事也／吉凶相救，患难相扶／渴而穿井，临难铸兵／见胜而战，知难而退／礼贵从宜，事难泥古／士不素厉，则难使死敌／名可得闻，身难得而见／可为智者道，难为俗人言／以全举人固难，物之情也／君以为易，其难也将至矣／知人之难，莫难于别真伪／松柏本孤直，难为桃李颜／易求无价宝，难得有心郎／创业难，守成难，知难不难／人生易老天难老，岁岁重阳／易因于难，非难无以彰其易／以道望人则难，以人望人则易／君子易知而难狎，易惧而难胁／责人以义则难瞻，难瞻则失亲／论事易，作事难；作事易，成事难／弊之难去，其难在仰食于弊之人乎／少年易学老难成，一寸光阴不可轻／名重则于实难副，论高则与世常疏／御寇易，御物难；破阵易，破诱难／桑蚕苦，女工难，得新捐故后必寒／见可而进，知难而退，军之善政也／所谓天者诚难测，而神者诚难明矣／自责以义则难为非，难为非则形饰／事虽易，而以难处之，未有不治之变／交财一事最难。虽至亲好友，亦须明白／计有一二者难悖也，听无失本末者难惑／礼之始作也难而易行，既行也易而难久／与死者同病难为良医，与亡国同道难与为谋／弘而不毅，则难立；毅而不弘，则无以居之／故观于海者难为水，游于圣人之门者难为言／君子易事而难说也。说之不以道，不说也；及其使人也，器之

❼忍寒犹可忍饥难／起之易而收之难／知人难，知己更难／一人拼命，万夫难当／一言既出，驷马难追／无事而求其功，难矣／甘则易悦，直则难入／非知之难，能之难也／千军易得，一将难求／后生可畏，来者难诬／乱离之后，风俗难移／十羊九牧，其令难行／单丝不线，孤掌难鸣／单则易折，众则难摧／人心未泯，公论难逃／人心难测，海水难量／众怒难犯，专欲难成／冯唐易老，李广难封／巧言易信，孤愤难申／大器晚成，宝货难售／岁月易尽，光阴难驻／彩云易散，皓月难圆／浇风易渐，淳化难归／孤论难持，犯欲难成／经师易求，人师难得／王者易辅，霸者难佐／木朽不雕，世衰难佐／胜地不常，盛筵难再／方轨易因，险途难御／盛名之下，其实难副／羊羹虽美，众口难调／既朽不雕，衰世难佐／不勉己而勉人，难矣哉／文犹可长用，武难久行／百姓可以德胜，难以力服／由声以循实，则难在克终／临财毋苟得，临难毋苟免／孔子罕称命，盖难言之也／民情可与习常，难与适变／何处路最难？最难在长安／人心险于山川，难于知天／防微于未兆，虑难于将来／激波陵山，必成难升之势／贫是美称，只是难居其美／立实以致声，则难在经始／随你官清似水，难逃吏滑如油／君子以俭德辟难，不可荣以禄／重友者交时极难，看得难以故转重／人之情，易发而难制者，惟怒为甚／道非难知，亦非难行，患人无志耳／相见时难别亦难，东风无力百花残／爱好由来下笔难，一诗千改始心安／自古雄才多磨难，纨绔子弟少伟男／山盟虽在，锦书难托。莫！莫！莫！／道若大路然，岂难知哉，人病不求耳／非得贤难，用之难；非用之难，任之难／非成业难，得贤难；非得贤难，用之难／材既难得，而又难知，则当博采而多蓄之／知人之效有二难：有难知之难，有知之而无由得效之难／以易限之鉴，镜难原之才，使国罔遗授，野无滞器，其可得／古今号文章为难，足下知其所以难乎？……得之为难，知之愈难耳／君子者，易亲而难狎，畏祸而难却，嗜利而不为非，时动而不苟作

❽仁不异远，义不辞难／保初节易，保晚节难／凡学之道，严师为难／陷人于危，必同其难／在初则易，终之实难／志不求易，事不避难／知人之事，自古为难／得土地易，得人心难／属笔易巧，选和至难／脊令在原，兄弟急难／文章之道，自古称难／毋恃久安，毋惮初难／禁微则易，救末者难／言之非难，行之为难／非长生难也，闻道难也／非行之难也，终之难也／非闻道难也，行之难也／非死之难，处死之难也／奸人难处，迂人亦难处／本弊不除，则其末难止／乍暖还寒时候，最难将息／真伪因事显，人情难预观／仁者先事后得，先难后获／勿谓寸阴短，既过难再获／勿言一樽酒，明日难重持／四海变秋气，一室难为春／富贵易为善，贫贱难为工／瞰于野，惟稼穑艰难是知／盛年不重来，一日难再晨／白璧求善价，明珠难暗投／覆水不可收，

行云难重寻／创业难，守成难，知难不难／凡人心险于山川，难于知天／事有易成者名小，难成者功大／极高寓于极平，至难出于至易／责人以义则难瞻，难瞻则失亲／兵者不可豫言，临难而制变者也／古今之事，非知之难，言之亦难／君子可欺以其方，难罔以非其道／贪则多失，忿则多难，急则多蹶／不洒世间儿女泪，难堪亲友中年别／乐莫乐于还故乡，难莫难于全大节／人之愈深，其进愈难，而其见愈奇／知死必勇，非死者难也，处死者难／总教掬尽三江水，难洗今朝一面羞／居官者当事不避难，在位者恤民之患／策术之政宜于治难，以之治平则无奇／事前忍易，正事忍难，正事悔易，事后悔难／非知之难，行之惟难；非行之难，终之斯难／为忠甚易，得宜实难。忧人大过，以德取怨／知过非难，改过为难；言善非难，行善为难／居官不难，听言为难；听言不难，明察为难／威权外假，归之良难，虎翼一奋，卒不可制／文章不难于巧而难于拙，不难于曲而难于直／唯女子与小人为难养也；近之则不孙，远之则怨／（文章）不难于细而难于粗，不难于华而难于质

❾与不妄受，志士之所难也／百物可决舍，惟书最难别／千金何足惜，一士固难求／为人莫作女，作女实难为／人远则难绥，事总则难了／基广则难倾，根深则难拔／名高毁所集，言巧智难防／闻道有蚤莫，行道有难易／河长犹可涉，海阔故难飞／流长则难竭，柢深则难朽／深根者难拔，据固者难迁／家道穷必乖……乖必有难／弦断犹可续，心去最难留／风前灯易灭，川上月难留／蜀国多仙山，峨眉邈难匹／外听易为察，而内听难为聪／语云：猛兽易伏，人心难降／处听易为察，而内听难为聪／不求无益之物，不蓄难得之货／人情厌故而喜新，重难而轻易／谋莫难于周密，说莫难于悉听／饱食终日，无所用心，难矣哉／牛刀可以割鸡，鸡刀难以屠牛／民习礼义，易与为善，难与为非／内省而不疚于道，临难而不失其德／得之易，失之易；得之难，失之难／自责以义则难为非，难为非则形饰／欲笺心事，独语斜阑。难！难！难！／知人之效有二难：有难知之难，有知之而无由得效之难

❿上山擒虎易，开口告人难／天下动之至易，安之至难／不涉太行险，谁知斯路难／由俭人奢易，由奢人俭难／及之而后知，履之而后难／向君投此曲，所贵知音难／每一食，便念稼穑之艰难／为君既不易，为臣良独难／佳人慕高义，求贤良独难／修己而不责人，则免于难／舍生岂不易，处死诚独难／诗家虽率意，而造语亦难／能称其事，则为之者不难／推其未然之理而辨之也难／将新变故易，持故为新难／得之之难，未若持之之难／慷慨赴死易，从容就义难／轻诺必寡信，多易必多难／手挥五弦易，目送归鸿难／忠于治世易，忠于浊世难／病知新事少，老别故交难／起于微贱，无所因阶者难／其言之不怍，则为之也难／天之道事无大小，物无难易／可与共安乐，亦可与共患难／非才之难，所以自用者实难／创业难，守成难，知难不难／难因于易，非易无以知其难／纵使岁寒途远，此志应难夺／时过然后学，则勤苦而难成／事当论其是非，不当问其难易／为人使易以伪，为天使难以伪／以天下与人易，为天下得人难／以言责人甚易，以义持己实难／大不如海而欲以纳江河，难哉／大胆天下去得，小心寸步难行／君子易知而难狎，易惧而难胁／实有折枝之易，而无挟山之难／贤者之处世，皆以得时为至难／有面前之誉易，无背后之毁难／有乍交之欢易，无久处之厌难／胜非其难者也，持之其难者也／感慨杀身者易，从容就义者难／意翻空而易奇，言征实而难巧／言多变则不信，令频改则难从／黩武之众易动，惊弓之鸟难安／一人之鉴易限，而天下之才难原／可知之事，唯精思之，虽大无难／为恶之私易见，而为善之私难知／古今之事，非知之难，言之亦难／人之才性，各有短长，固难勉强／士易得而难求也，易致而难留也／万两黄金容易得，知心一个也难求／才胆实由识而济，故天下唯识为难／不以高危为忧惧，岂知稼穑之艰难／不吹毛而求小疵，不洗垢而察难知／世上岂无千里马，人间难得九方皋／事者难成而易败，名者难立而易废／乐莫乐于还故乡，难莫难于全大节／重友者交时极难，看得难以故转重／匿为物而愚不识，大为难而罪不敢／作诗火急追亡逋，清景一失后难摹／人生贵贱无终始，倏忽须臾难久恃／人寰尚有遗民在，大节难随九鼎沦／论事易，作事难；作事易，成事难／诗穷莫写愁如海，酒薄难将梦到家／误尽平生是一官，弃家容易变名难／功者难成而易败，时者难得而易失／受任于败军之际，奉命于危难之间／难得易失者时也，易过难见者机也／志士幽人莫怨嗟，古来材大难为用／知死必勇，非死者难也，处死者难／得之易，失之易；得之难，失之难／御寇易，御物难；破阵易，破诱难／惟愿孩儿愚且鲁，无灾无难到公卿／道在迩而求诸远，事在易而求诸难／贪痴无底蛇吞象，祸福难明螳捕蝉／敬之为道也，严而相离，其势难久／所谓天者诚难测，而神者诚难明矣／有以无难而失守，有因多难而兴邦／有过则当速改，不可畏难而苟安也／飒飒西风满院栽，蕊寒香冷蝶难来／怒不变容，喜不失节，故是最为难／目前之耳目可涂，身后之是非难罔／老来行路先愁远，贫里辞家更觉难／雨里

孤村雪里山，看时容易画时难／天道远，人道尔，报应之效迟速难量／人虽无艰难之时，却不可忘艰难之境／吾文如万斛泉源……虽一日千里无难／君今不幸离人世，国有疑难可问谁？／道不远而难极也，与人并处而难得也／贵破的，又畏黏皮骨，此所以为难也／欲笺心事，独语斜阑。难！难！难！／白璧有考，不得为宝：言至纯之难也／鷦鹩不可与论云翼，井蛙难与量海鳌／天下事有难易乎？为之，则难者亦易矣／不先审天下之势而欲应天下之务，难矣／不忍登高临远，望故乡渺邈，归思难收／中于道则易以兴政，乖于务则难乎御物／非得贤难，用之难；非用之难，任之难／非成业难，得贤难；非得贤难，用之难／偏而在外，犹可救也，疾自中起，是难／计有一二者难悖也，听无失本末者难惑／操钩上山，揭斧入渊，欲得所求，难也／善难者务释事本，不善难者舍本而理末／处难处之事愈宜宽，处难处之人愈宜厚／安平则尊道术之士，有难则贵介胄之臣／礼之始作也难而易行，既行也易而难久／平日极好直言者，即患难时不肯负我之人／厥父母勤劳稼穑，厥子乃不知稼穑之艰难／凡人能量己之能与不能，然后知人之艰难／观于海者难为水，游于圣人之门者难为言／君子如嘉禾也，封殖之甚难，而去之甚易／独自莫凭阑，无限江山，别时容易见时难／群居终日，言不及义，好行小慧，难矣哉／言今日难于前日，安知他日不难于今日乎／与死者同病难为良医，与亡国同道难与为谋／不贵尺之璧，而重寸之阴，时难得而易失也／事前忍易，正事忍难，正事悔易，事后悔难／囊漏贮中，识者不吝；反裘负薪，存毛实难／非知之难，行之惟难；非行之难，终之斯难／为政之要，惟在得人。用非其才，必难致治／贞以图国，义惟急病；临难忘身，见危致命／保生者寡欲，保身者避名，无欲易，无名难／人情险于山川，以其动静可识，而沉阻难徵／人有悲欢离合，月有阴晴圆缺，此事古难全／亡而为有，虚而为盈，约而为泰，难乎有恒／说以先民，民忘其劳。说以犯难，民忘其死／说者怀畏，听者怀骄，以此行义，不亦难乎／阳春之曲，和者必寡；盛名之下，其实难副／大字难于密结而无间，小字难于宽绰而有余／知过非难，改过为难；言善非难，行善为难／虽常服药，而不知养性之术，亦难以长生也／德不素积，人不为用；备不豫具，难以应卒／法令者，所以抑暴扶弱，欲其难犯而易避也／居官不难，听言为难；听言不难，明察为难／学不成章，无由而达；志不归一，终难成事／时运不齐，命途多舛；冯唐易老，李广难封／气往轹古，辞来切今，惊采绝艳，难与并能／故观于海者难为水，游于圣人之门者难为言／文宜易宜难？必谨对曰：无难易，唯其是尔／文章不难于巧而难于拙，不难于曲而难于直／盈尺径寸，易取琢磨；南箕北斗，难为簸挹／用四海九州之力，除此小寇，难易可知……／虐政用于下，而欲德教之被四海，故难成也／雄以其力服众，以其勇排难，待英之智成之／民安土重迁，不可卒变。易以顺行，难以逆动／人之所难者二：乐攻其恶者难，以恶告人者难／日月出矣，而爝火不息，其于光也，不亦难乎／圣人不贵尺之璧，而重寸之阴，时难得而易失也／吐故纳新者，因气以长气，而气大衰者则难长也／恒其道，一其志，不欺其心，斯固世之所难得也／(文章)不难于细而难于粗，不难于华而难于质／罄南山之竹，书罪未穷；决东海之波，流恶难尽／上有素定之谋，下无趋向之惑，天下之事不难举也／口行相反，而欲贤者之至，不肖者之退也，不亦难乎／恶图犬马而好作鬼魅，诚以实事难形，而虚伪不穷也／上士难进而易退也，其次易进易退也，其下易进难退也／知人之效有二难：有难知之难，有知之而无由得效之难／进贤之难者，贤者用且使己废，贵且使己贱，故人难之／所贵于天下之士者，为人排患、释难、解纷乱而无所取也／学者四失：为人则失多，好高则失寡，不察则易，苦难则止／无为者，道之宗；故得道之宗，应物无穷，任人之才，难以至治／古今号文章为难，足下知其所以难乎？……得之为难，知之愈难耳／君子者，易亲而难狎，畏祸而难却，嗜利而不为非，时动而不苟作

曼 màn 拉长，伸远；动作柔美；细腻。

❷路曼曼其修远兮，吾将上下而求索

❿上好紫则下皆女服，上好剑则士皆曼胡

叠 dié 重重叠叠；重复；折叠；乐曲的叠奏；通“慑”，恐惧。

❸排恨叠，怯衣单，花枝红泪弹

❽富贵之家，禄位重叠，犹再实之木，其本必伤

❿治世之官详于下，乱世之官叠于上／日薄西山，余光横照，紫翠重叠，不可殚数

廷 tíng 封建时代君主接受朝见、处理政事的地方；公正；通“庭”。

❶廷尉狱，平如砥；有钱生，无钱死

见晋·卫展《陈谤言表》。

❷朝廷之臣，取其鉴达治体，经纶博雅

❽正义之臣设，则朝廷不颇

❿奇从奇，正从正，奇与正，恒不同廷／贤人在世，进则尽忠宣化，以明朝廷／为人君者，正心以正朝廷，正朝廷以正百官／贤者在位，能者布职，朝廷崇礼，百僚敬让

延 yán 延长、伸展；连续；引进；推迟；邀请，聘请；搬运；通“埏”，墓道；通

"綖",冕上的盖;姓。

❼得众动天,美意延年

❾名不得过实,实不得延名

❿为善的受贫穷更命短,造恶的享富贵又寿延/国家有幸,当者受央;国家无幸,有延其命/有声之声,不过百里:无声之声,延及四海

建 jiàn 修筑;设立;提出;通"键",锁闭;通"蹇","蹇"通"瀽",倒水,泼水。

❶建大业者不拘小节

见晋·陈寿《三国志·魏书·文帝传》注引。

建大事者,不忌小怨

见南朝·宋·范晔《后汉书·岑彭传》。

建国君民,教学为先

见《礼记·学记》。

建官惟贤,位事惟能

见《尚书·武成》。

建官以利民,有害民而得官

见宋·杨万里《庸言》。

建法立制,强国富人,是谓法家

见三国·魏·刘劭《人物志·流业》。

建大功于天下者,必先修于闺门之内

见汉·陆贾《新语·慎微》。

建安诗辩而不华,质而不俚,风调高雅,格力遒壮

见宋·胡仔《苕溪渔隐丛话》前集卷一。

建天下之大事功者,全要眼界大,眼界大则识见自别

见明·吕坤《呻吟语》。

❷封建,非圣人意也,势也/善建者不拔,善抱者不脱/大建厥极,绥理群生,训物垂范,于是乎在

❸经邦建国,教学为先/宁饮建业水,不食武昌鱼/立业建功,事事要从实地着脚

❹君子贵建本而重立始/忧勤者,建业之本也

❺敬教劝学,建国之大本/功业未及建,夕阳忽西流/得道之士,建心于足,游志于止/治世御众,建立辅弼,诫在面从

❻居高屋之上建瓴水

❼昔时地险,实为建业之雄都/攻取者先兵权,建本者尚德化

工 gōng 各种手工技艺的劳动者;工作,生产劳动;工程;技巧;精巧;善于;细致,巧妙;工作量;乐谱符号;古指乐人;通"功",功效。

❶工夫深处独心知

见宋·陆游《夜吟》

工以纳言,时而扬之

见《尚书·益稷》。

工欲善其事,必先利其器

见《论语·卫灵公》。

工言治道,能以口辩移人

见唐·刘禹锡《子刘子自传》。

工不出则农用乏,商不出则宝货绝

见汉·桓宽《盐铁论·本议》。

工无二伎,士不兼官,各守其职,不得相奸

见汉·刘安《淮南子·主术》。

❷良工不示人以朴/有工夫读书,谓之福/百工制器,必贵于有用/良工之与马也,相得则然后成/图工好画鬼魅而憎图狗马者……/百工居肆以成其事,君子学以致其道/百工不信,则器械苦伪,丹漆染色不贞/良工之子必先为箕,良冶之子必先为裘/凡工妄匠,执规秉矩,错准引绳,则巧同于人倕也

❸百万工农齐踊跃/农商工贾……可为师表/掩袖工谗,狐媚偏能惑主/唤起工农千百万,同心干/心如工画师,能画诸世间/譬如工画师,不能知自心

❹言虽至工,不离是非/叙事之工者,以简要为主/当局虽工,而蔽于求胜之心/勇者以工,惧者以拙,能与不能也/端州石工巧如神,踏天磨刀割紫云/山有木,工则度之;宾有礼,主则择之/意新语工,得前人所未道者,斯为善也/作俑之工,非曰可珍;时有所用,贵于斫轮

❺愈穷则愈工/辞盛则文工/凡人好辞工书,皆病癖也/为学第一工夫,要降得浮躁之气定/桑蚕苦,女工难,得新捐故后必寒/若意新语工,得前人所未道者,斯为善也

❻器而不可用,工不为也/汝果欲学诗,工夫在诗外/残朴以为器,工匠之罪也/巫医乐师百工之人,不耻相师/欢愉之辞难工,而穷苦之言易好/驱妻逐子课工程,虽作人形俱菜色/百僚师师,百工惟时,抚于五辰,庶绩其凝/大匠不为拙工改废绳墨,羿不为拙射变其彀率

❼兵尚拙速,不贵工迟/理胜者,文不期工而工/诗画本一律,天工与清新/命令昨颁,十万工农下吉安/君子之为书,犹工人之作器/美味期乎合口,工声调于比耳/无伎不可以为工,无资不可以为商/不把黄金买画工,进身羞与自媒同/才者璞也,识者工也,良璞授于贱工,器之陋也/乐之道深矣,故工之善者,必得于心应于手,而不可述之言也/文章丽矣,言语工矣,无异草木荣华之飘风,鸟兽好音之过耳

❽天地为炉,造化为工……/云霞雕色,有逾画工之妙/大简必有不好,良工必有不巧/以贫求富,农不如工,工不如商/傀儡学技,音节虽工,面目非情/用贫求富,农不如工,工不如商/农不出则乏其食,工不出则乏其事/祸世之匠,乱国之工,绝逆天地,伤害我身,莫大乎名

❾独虑不若与众虑之工/茧之性为丝,弗得女工/理胜者,文不期工而工/欲求生富贵,须下

死工夫／为文不能关教事，虽工无益也／以贫求富，农不如工，工不如商／用贫求富，农不如工，工不如商／义虽深，理虽当，词不工者不成文／矜容者有经日之芳；工歌者有弥旬之韵

❿国史之美者，以叙事为工／怀道者须世，抱朴者待工／富贵易为善，贫贱难为工／气直则辞盛，辞盛则文工／不用其所拙，而用愚人之所工／茧之性为丝，然非得女工……／知是行的主意，行是知的工夫／非诗之能穷人，殆穷者而后工也／读书切戒在慌忙，涵泳工夫兴味长／国家不幸诗家幸，赋到沧桑句便工／欲赋生来惊人语，必须苦下死工夫／炒沙作糜终不饱，镂冰文章费工巧／辞必高然后为奇，意必深然后为工／杞梓连抱，而有数尺之朽，良工不弃／良农能稼而不能穑，良工能巧而不能为顺／有山海之货而民不足于财者，商工不备也／刺绣之师，能缝帷裳；纳缕之工，不能织锦／任人之长，不强其短；任人之工，不强其拙／人有所优，固有所劣；人有所工，固有所拙／庶人有旦暮之业则劝，百工有器械之巧则壮／明者不以其短疾人之长，不以其拙病人之工／才者璞也，识者工也，良璞授于贱工，器之陋也

左 zuǒ 方位词；偏邪，乖僻；不正；相反；不合；贬谪；降格；附近；地理上指东方；古礼主居右而客居左，故以"左"为尊位；姓。

❶左右为社鼠，用事者为猛狗

见《晏子春秋·内篇问上第九》。全句为："～，主安得无壅，国安得无患？"。

左右前后皆正人也，欲其身之不正

见唐·韩愈《爱直赠李君房别》。全句为："～，乌可得邪"。

左右前后，莫匪俊良；小大之材，咸尽其用

见《韩非子·功名》。

❷非左右为之先容，非亲旧为之请属

❸取之左右逢其原／王顾左右而言他／举足左右，便有轻重

❺篇章户牖，左右相瞰／右手画圆，左手画方，不能两成

❻治乱之本在左右／一进一退，一左一右，六骥不致／不念英雄江左老，用之可以尊中国

❼方圆画不俱成，左右视不并见

❽老夫聊发少年狂，左牵黄，右擎苍

❾屈原放逐，乃赋《离骚》；左丘失明，厥有《国语》

❿明王之任人，谄谀不迩乎左右／过洞庭，上湘江，非有罪左迁者罕至／盛于彼者必衰于此，长于左者必短于右／泰山崩于前而色不变，麋鹿兴于左而目不瞬／君子之处世，贵能有益于物耳，不图高谈虚论，左琴右书／吴人与越人相恶也，当其同舟而济遇风，其相救也如左右手

巧 qiǎo 灵敏；高超的技艺；恰好；虚浮；美好貌。

❶巧发微中

见宋·苏轼《石氏画苑记》。

巧言乱德

见《论语·卫灵公》。

巧诈不如拙诚

见《韩非子·说林上》。

巧言令色，鲜矣仁

见《论语·学而》。

巧者善度，知者善豫

见汉·刘安《淮南子·说山》。

巧者有余，拙者不足

见宋·黄庭坚《拙轩颂》。

巧笑倩兮，美目盼兮

见《诗·卫风·硕人》。

巧言虽美，用之必灭

见三国·魏·曹植《矫志诗》。

巧言如流，俾躬处休

见《诗·小雅·雨无正》。

巧言如簧，颜之厚矣

见《诗·小雅·巧言》。

巧言易信，孤愤难申

见唐·刘禹锡《苏州谢恩赐加章服表》。

巧者劳而知者忧，无能者无所求

见《庄子·列御寇》。

巧匠目意中绳，然必先以规矩为度

见《韩非子·有度》。

巧辩纵横而可喜，忠言质朴而多讷

见宋·欧阳修《为君难论下》。

巧者能生规矩，不能废规矩而正方圆

见《管子·法法》。

巧不使鬼必有役人，物不天来终须地出

见唐·狄仁杰《谏造大像疏》。

❷大巧在所不为，大智在所不虑／辩巧之文可悦，似象之言足惑／大巧因自然以成器。不造为异端／大巧若拙，大辩若讷，大勇若怯者／智巧，扰乱之罗也；有为，败事之纲也

❸谗言巧，佞言甘／性有巧拙，可以伏藏／人之巧，乃可与造化者同功／虽则巧持其末，不如拙诚其本／谗言巧，佞言甘，忠言直，信言寡／言语巧偷鹦鹉舌，文章分得凤凰毛／虽有巧目利手，不如拙规矩之正方圆

❹蜘蛛虽巧不如蚕／圣人不巧，时变是守／废弃智巧，玄德淳朴／属笔易巧，选和至难／罢去浮巧轻媚丛错采绣之文／雕削取巧，虽美非"秀"矣／理诎者，巧为粉泽而隙间百出

❺所历厌机巧／一失其原，巧愈弥甚／辩变白黑，巧言乱国／因方以借巧，即势以会奇／明谓多见巧诈，蔽其朴也／公输子之巧用材也，不能

以檀为瑟／鹰不试则巧拙惑，马不试则良驽疑／端州石工巧如神，踏天磨刀割紫云／释规而任巧，释法而任智，惑乱之道也／谗人似实，巧言如簧，使听之者惑，视之者昏

❻情欲信，辞欲巧／豪健俊伟，怪巧瑰琦／矫枉过正则巧伪滋生／圣人去力去巧去知去贤／苍蝇点垂棘，巧舌成锦绮／善贾笑蚕渔，巧宦贱农牧／其会意也尚巧，其遣言也贵妍／大直若屈，大巧若拙，大辩若讷／拙辞或孕于巧义，庸事或萌于新意／文章不难于巧而难于拙，不难于曲而难于直

❼能虽至神，不离巧拙／百虑输一忘，百巧输一诚／兵闻拙速，未睹巧之久也／苍蝇间白黑，谗巧令亲疏／名高毁所集，言巧智难防／慎简乃僚，无以巧言令色、便辟侧媚／只系其逢，不系巧愚；不谐其须，有衔不祛

❽所爱者，非美色则巧佞／无藏逆于得，无以巧胜人／有心雄泰华，无意巧玲珑／为善与众行之，为巧与众能之／医能治一病谓之巧，能治百病谓之良／一事惬当，一句清巧，神厉九霄，志凌千载／刀笔之吏专深文巧诋，陷人于罔，以自为功

❾谄谗饰过之说胜，则巧佞者用／都蔗虽甘，杖之必折；巧言虽美，用之必灭／骇机一发，浮谤如川。巧言奇中，别白无路／蛇蛇硕言，出自口矣；巧言如簧，颜之厚矣／神明之事，不可以智巧为也，不可以筋力致也

❿有大略者不可责以捷巧／襄邑俗织锦，钝妇无不巧／志足而言文，情信而辞巧／得十利剑，不若得欧冶之巧／恶于针石者，不可与言至巧／大简必有不好，良工必有不巧／文以辨洁为能，不以繁缛为巧／然则志足而言文，情信而辞巧／意翻空而易奇，言征实而难巧／但见丹诚赤如血，谁知伪言巧似簧／梓匠轮舆能与人规矩，不能使人巧／炒沙作糜终不饱，镂冰文章费工巧／良农能稼而不能穑，良工能巧而不能为顺／庶人有旦暮之业则劝，百工有器械之巧则壮／妙必假物而物非生妙，巧必因器而器非成巧／服罪输情者虽重必释，游辞巧饰者虽轻必戮／羿者，天下之善射者也，无弓矢则无所见其巧／智而用私，不如愚而用公，故曰巧伪不如拙诚／凡工妄匠，执规秉矩，错准引绳，则巧同于人倕也／上有无时之求，中有剥削曲巧之政，下有豺狼寇盗之害／无形，则不可制迫也，不可度量也，不可巧诈也，不可规虑也

式 shì 样子；一定的规格；典礼；仪式；榜样，楷范；法式，规格；通“拭”，揩拭；通“轼”，古代一种礼节；古时官署的公文程式。

❶式于政，不式于勇

见《战国策·秦策一》。

❿失其师表，而莫有所矜式／人主之立法，先自为检式仪表，故令行于天下

贡 gòng 古代向君主进献物品；所进献的物品；告；荐举；进入；姓。

❷子贡事孔子……／子贡问君子。子曰：“先行，其言而后从之”。

❺王阳在位，贡公弹冠

❻萧朱结绶，王贡弹冠

❽交友不宜滥，滥则贡谀者来

攻 gōng 攻打；进攻；对别人的错误、过失进行指责或对别人的议论进行驳斥；致力研究；学习；通“工”，巧，善于；制造，加工；坚固精致；姓。

❶攻不足者守有余

见汉·班固《汉书·赵充国传》。

攻乎异端，斯害也已

见《论语·为政》。

攻玉以石，治金以盐

见汉·王符《潜夫论·实贡》。

攻其一点，不及其余

见现代·郭沫若《三谈蔡文姬的〈胡笳十八拍〉》。

攻其无备，出其不意

见《孙子兵法·计篇》。全句为：“～，此兵家之胜，不可先传也”。

攻不必拔，不可以言攻

见汉·赵充国《条上屯田便宜十二事状》。全句为：“战不必胜，不可以言战；～”。

攻玉于山，俟知于独见也

见唐·刘禹锡《因论·原力》。全句为：“屠羊于肆，适味于众口也。～。贪日得则鼓刀利，要岁计而韫椟多”。

攻敌所不守，守敌所不攻

见宋·苏洵《攻守》。

攻其国爱其民，攻之可也

见《司马法·仁本》。全句为：“杀人安人，杀之可也；～；以战止战，虽战可也”。

攻人之恶毋太严，要思其堪受

见明·洪应明《菜根谭·前二十三》。

攻取者先兵权，建本者尚德化

见晋·陈寿《三国志·魏书·贾诩传》。

攻其恶，无攻人之恶，非修慝欤

见《论语·颜渊》。

攻人以谋不以力，用兵斗智不斗多

见宋·欧阳修《准诏言事上书》。

攻无道而伐不义，则福莫大焉，黔首利莫厚焉

见《吕氏春秋·孟秋纪·振乱》。

❷善攻不待坚甲而克／但攻吾过，毋议人非／善攻者，料众以攻众／禁攻寝兵，救世之战／善攻者不尽兵以攻坚城／善攻者，动于九天之上

/善攻者，敌不知其所守

❸繁为攻伐，此实天下之巨害/以乱攻治者亡，以邪攻正者亡/以禁攻寝兵为外，以情欲寡浅为内

❹战必胜，攻必克/战必胜，攻必取/朝行出攻，暮不夜归/凡用兵攻战之本在乎一民/爱恶相攻，利害相夺，其势常也

❺量力而知攻/战如风发，攻如河决/熟读精思，攻苦食淡/城有所不攻，地有所不争/不倍兵以攻弱，不恃众以轻敌/凡用兵者，攻坚则轫，乘瑕则神/攻其恶，无攻人之恶，非修慝欤/用兵之道，攻心为上，攻城为下/箴者，所以攻疾防患，喻针石也/恶犹疾也，攻之则益悛，不攻则日甚/善问者如攻坚木：先其易者，后其节目/敌欲固守，攻其无备；敌欲兴陈，出其不意/避人之长，攻人之短，见己之所长，避己之所短

❻坚劲之人好攻其事实/战久则兵钝，攻久则力屈/战未尝不胜，攻未尝不取，所当未尝不破

❼善攻者，料众以攻众/廉平之守，不可攻也/它山之石，可以攻玉/攻其国爱其民，攻之可也/良医之治病也，攻之于腠理/以天下之所顺，攻亲戚之所畔/情之所昏，交相攻伐，未始有穷……

❽善攻者不尽兵以攻坚城/佯北勿从，锐卒勿攻，饵兵勿食/人之所难者二：乐攻其恶者难，以恶告人者难

❾攻不必拔，不可以言攻/善守者，敌不知其所攻/三军一心，剑阁可以攻拔/论文期摘瑕，求友惟攻阙/以乱攻治者亡，以邪攻正者亡/用兵之道，攻心为上，攻城为下/兵不必胜，不苟接刃；攻不必取，不为苟发/战不必胜，不苟接刃；攻不必取，不苟劳众/天下莫柔弱于水，而攻坚强者莫之能先，以其无以易之也

❿攻敌所不守，守敌所不攻/闻道有先后，术业有专攻，如是而已/恶犹疾也，攻之则益悛，不攻则日甚/上兵伐谋，其次伐交，其次伐兵，下政攻城/为国之法，有似理身，平则致养，疾则攻焉/用兵之法：十则围之，五则攻之，倍则分之/兵之情主速，乘人之不及，由不虞之道，攻其所不戒/用兵之法：无恃其不来，恃吾有以待也；无恃其不攻，恃吾有所不可攻也

项 xiàng 事物的种类或条目；特指钱、经费；颈的后部；冠的后部；数学名词；古国名；姓。

❶项庄拔剑舞，其意常在沛公

见汉·司马迁《史记·项羽本纪》。

项籍有取天下之才，而无取天下之虑

见宋·苏洵《项籍》。全句为："～；曹操有取天下之虑，而无取天下之量；刘备有取天下之量，而无取天下之才"。

❹未曾灭项兴刘，先见筑坛拜将

❾坑灰未冷山东乱，刘项元来不读书

差 ①chā 不同；大体还行；错误；稍微；两数相减的余数。②chà 不相当；缺欠；通"诧"，出人意外。③chāi 派遣；公务；差役；挑选。④cī 等级，等次；[参差]长短、大小、高低不齐；大约；差错。⑤chài 同"瘥"，病愈。⑥cuō 通"蹉"，失误。

❶差若毫厘，缪以千里

见《礼记·经解》。

❷参差之上，无整齐之下/参差远岫，断云将野鹤俱飞

❹千里之差，兴自毫端/毫厘之差，或致弊于寰海

❺失之毫厘，差以千里/君子慎始，差若毫厘，缪之千里

❻若高下相去差近，犹可与语/其岸势犬牙差互，不可知其源

❼谁非一丘土，参差前后间

❽寸寸而度，至丈必差/寸而度之，至丈必差；铢而称之，至石必过

❾铢铢而称之，至石必差

❿岂知千仞坠，只为一毫差/礼者，贵贱有等，长幼有差/惟有才行是任，岂以新旧为差/青树翠蔓，蒙络摇缀，参差披拂/一切问答，如针锋相投，无纤毫参差/一地所生，一雨所润，而诸草木各有差别/一切言动，都要安详；十差九错，只为慌张/积山万状，负气争高。含霞饮景，参差代雄/日月虽以形相物，考其道则有施受健顺之差焉/水虽平，必有波；衡虽正，必有差；尺寸虽齐，必有诡/感应者气也，如是而感则如是而应，有不容以毫发差者理也

土 ①tǔ 土地；土壤；尘土；国土，领土；本地的；不时兴的；出自民间的；乡土；平地；旧指土地之神；五行之一；八音之一；犹"度"，量度，测量；居住；旧称鸦片为烟土；少数民族，土族。②dù 桑土。

❶土地虽广，好战则民凋

见唐·吴兢《贞观政要·征伐》。全句为："～；中国虽安，忘战则民殆"。

土积成山，则豫樟生焉

见汉·刘向《说苑·建本》。全句为："水积成川，则蛟龙生焉，～"。

土地博裕，而守以俭者安

见宋·刘清之《戒子通录》。全句为："德行广大，而守以恭者荣；～"。

土居三十载，无有不亲人

见明·冯梦龙《警世通言·俞伯牙摔琴谢知音》。

土暖春常在，峰高月易沉
见宋·夏竦《桐柏观》。
土地广大，守之以俭者，安
见汉·韩婴《韩诗外传》卷三。
土处下，不在高，故安而不危
见汉·刘安《淮南子·原道》。全句为："～；水下流，不争先，故疾而不迟"。
土积而成山阜，水积而成江河
见汉·桓宽《盐铁论·执务》。
土事不文，木事不镂，示民知节也
见《晏子春秋·内篇谏下第十四》。
土之美者善养禾，君之明者善养士
见汉·班固《汉书·李寻传》。
土地之生物不益，山泽之出财有尽
见汉·韩婴《韩诗外传》。
土广不足以为安，人众不足以为强
见《战国策·秦策四》。全句为："～。若土广者安，人众者强，则桀纣之后将存"。
土敝则草木不长，水烦则鱼鳖不大
见汉·司马迁《史记·乐书》。
土反其宅，水归其壑；昆虫毋作，草木归其泽
见《礼记·郊特牲》。
❷卷土重来未可知／得土地易，得人心难／安土敦乎仁，故能爱／积土成山，列树成林／无土壤而生嘉树美箭……／积土而为山，积水而为海／块土不能障狂澜，匹夫不能振颓俗／以土圭之法测土深，正日景，以求地中／安土重迁，黎民之性；骨肉相附，人情所愿／积土成山，风雨兴焉；积水成渊，蛟龙生焉
❸参以土宜，遂以物性／水来土掩，将至兵迎／处沃土则逸，处瘠土则劳／居常土思兮心内伤，愿为黄鹄兮归故乡／民安土重迁，不可卒变。易以顺行，难以逆动
❹山不让土石以成其高／山不辞土石，故能成其高／一抔之土未干，六尺之孤安在／凡吏于土者，若知其职乎……／水之守土也审，影之守人也审，物之守物也审／政庞而土裂，三光五岳之气分，大音不完，故必混一而后大振
❺一生困尘土，半世走阡陌／谁非一丘土，参差前后间／陶尽门前土，屋上无片瓦／圣人无尺土，无以王天下／贵出如粪土，贱取如珠玉／钱财如粪土，仁义值千金／太山不让土壤，故能成其大／凡数州之土壤，皆在衽席之下／水之性清，土者扣之，故不得清
❻百昌皆生于土而反于土／人情同于怀土兮，岂穷达而异心
❼视若游尘，遇同土梗／巨川将溃，非捧土之能塞／民寡则用易足，土广则物易生／如珠玉之在泥土，麟凤之在网罗／三十功名尘与土，八千里路云和月／不随俗物皆成土，只待良时却补天／虽信美而非吾土兮，曾何足以少留／所种者谷，虽瘠土惰农，不生稗也／愿兄为水妹为土，和来捏做一个人／以土圭之法测土深，正日景，以求地中
❽处沃土则逸，处瘠土则劳／侵淫溪谷，盛怒于土囊之口／死者无知，自同粪土，何烦厚葬／君子怀德，小人怀土；君子怀刑，小人怀惠／君子怀德，小人怀土；贤士徇名，贪夫死利／溥天之下，莫非王土；率土之滨，莫非王臣
❾国有累卵之忧，俗有土崩之势／为山者基于一篑之土，以成千丈之峭／近河之地湿，近山之土燥，以类相及也／槁竹有火，弗钻不然；土中有水，弗掘无泉／杀人之士民，兼人之土地，以养吾私与吾神者，其战不知孰善
❿百昌皆生于土而反于土／抱木生毫末，层台起累土／当念贫时交，重勿弃如土／锄禾日当午，汗滴禾下土／失吾道者，上见光而下为土／维圣哲以茂行兮，苟得用此下土／万夫喧喧不停杵，杵声丁丁惊后土／乘木则朽木青黄，失势则田何粪土／苗疏税多不得食，输入官仓化为土／植佳谷必以粪壤，铸洪钟必以土型／君不见管鲍贫时交，此道今人弃如土／良玉度尺，虽有十仞之土，不能掩其光／孰使予乐居夷而忘故土者，非兹潭也欤／酒罂饭囊，或醉或梦，块然泥土者……／戍卒叫，函谷举，楚人一炬，可怜焦土／君子笃于礼而薄于利，要其人而不要其土／非其世者，不受其利。污其君者，不履其土／溥天之下，莫非王土；率土之滨，莫非王臣／神龟虽寿，犹有竟时；腾蛇乘雾，终为土灰／舟必漏也而后水入焉，土必湿也而后苔生焉／河冰结合，非一日之寒；积土成山，非斯须之作／跬步而不休，跛鳖千里；累土而不辍，丘山崇成／道之真以治身，其绪余以为国家，其土苴以治天下／天有五行：一曰木，二曰火，三曰土，四曰金，五曰水／生有七尺之形，死唯 棺之土，唯立德扬名，可以不朽／国之兴也，视民如伤，是其福也；其亡也，以民为土芥，是其祸也／君子先慎乎德，有德此有人，有人此有土，有土此有财，有财此有用

圭

guī 古代玉器；古代测日影的工具；古代容量和重量单位。

❷白圭玷可灭，黄金诺不轻／白圭之玷，尚可磨也；斯言之玷，不可为也
❸筚门圭窬，蓬户瓮牖／以土圭之法测土深，正日景，以求地中
❾哲人归大夜，千古传圭璋

在

zài 活着；存在；留在；属于；在于；存问；察，视；表示（人或事物）所处的位置；表示动作的持续；姓。

❶在知人，在安民

见《尚书·皋陶谟》。

在天者莫明乎日月

见汉·韩婴《韩诗外传》。全句为："～，在地者莫明乎水火，在人者莫明乎礼义"。

在人者莫明乎礼义

见汉·韩婴《韩诗外传》。全句为："在天者莫明乎日月，在地者莫明乎水火，～"。

在地者莫明乎水火

见汉·韩婴《韩诗外传》。全句为："在天者莫明乎日月，～，在人者莫明乎礼义"。

在上不骄，为下不倍

见《礼记·中庸》。全句为："～。国有道，其言足以兴；国无道，其默足以容"。

在上不骄，高而不危

见汉·郑玄注《孝经·诸侯章》。

在初则易，终之实难

见唐·吴兢《贞观政要·务农》。

在贱而望贵者，惑也

见南朝·宋·范晔《后汉书·崔骃传》。全句为："交浅而言深者，愚也；～；未信而纳忠者，谤也"。

在上位而不能进贤者逐

见汉·王符《潜夫论·考绩》。全句为："与闻国政而无益于民者斥，～"。

在璇玑玉衡，以齐七政

见《尚书·舜典》。

在此为美兮，在彼为蚩

见唐·刘禹锡《何卜赋》。全句为："有天下之是非，有人人之是非；～"。

在上位而不能进贤者，逐

见周·姬发《大誓》逸文。全句为："与闻国政而无益于民者，退；～"。

在山泉水清，出山泉水浊

见唐·杜甫《佳人》。

在贵多忘贱，为恩谁能博

见三国·魏·曹植《赠丁仪》。

在火辨玉性，经霜识松贞

见唐·白居易《和思归乐》。

在位非其人，而恃法以为治

见宋·王安石《上皇帝万言书》。全句为："～，自古及今，未有能治者也"。

在其位而忘其德者其殃必至

见唐·房玄龄《晋书·吕隆载记》。全句为："非其人而处其位者其祸必速；～"。

在之也者，恐天下之淫其性也

见《庄子·在宥》。全句为："～；宥之也者，恐天下之迁其德也"。

在上而多誉者，岂尽仁而智也哉

见唐·柳宗元《谤誉》。全句为："在下而多谤者，岂尽愚而狡也哉？～？其谤且誉者，岂尽明而善褒贬也哉"。

在下而多谤者，岂尽愚而狡也哉

见唐·柳宗元《谤誉》。全句为："～？在上而多誉者，岂尽仁而智也哉？其谤且誉者，岂尽明而善褒贬也哉？"

在天成象，在地成形，变化见矣

见《周易·系辞上》。

在上位，不陵下；在下位，不援上

见《礼记·中庸》。

在天愿作比翼鸟，在地愿为连理枝

见唐·白居易《长恨歌》。

在智则人与之讼；在力则人与之争

见三国·魏·王弼《老子》四十九注。

在朝也则师氏之佐，为国则刻削之政

见三国·魏·刘劭《人物志·材能》。全句为："司察之能，臧否之材也。故～"。

在朝也则司寇之任，为国则公正之政

见三国·魏·刘劭《人物志·材能》。全句为："立法之能，治家之材也。故～"。

在朝也则将帅之任，为国则严厉之政

见三国·魏·刘劭《人物志·材能》。全句为："威猛之能，豪杰之材也。故～"。

在上不骄，在下不谄，此进退之中道也

见宋·王安石《上龚舍人书》。

在天曰阴阳，在地曰柔刚，在人曰仁义

见宋·陆九渊《与赵监》。全句为："道塞宇宙，非有隐遁，～"。

在这可诅咒的地方击退了可诅咒的时代

见现代·鲁迅《忽然想到》。全句为："世上如果还有真要活下去的人们，就先该敢说，敢笑，敢哭，敢怒，敢骂，敢打，～。"

在上者，必有武备，以戒不虞，以遏寇虐

见汉·荀悦《申鉴·政体》。

在上不骄，高而不危；制节谨度，满而不溢

见宋·王安石《上龚舍人书》。

❷政在节财／正在疏数之间／兵在精，不在众／奇在速，速在果／春在枝头已十分／不在憎爱，以道为贵／不在逆顺，以义为断／不在其位，不谋其政／事在四方，要在中央／网在纲，有条而不紊／人在气中，气在人中／令在必信，法在必行／志在兼济，行在独善／官在得人，不在员多／过在自用，罪在变化／日在井中，不能烛远／意在笔前，然后作字／矢在弦上，不得不发／箭在弦上，不得不发／亡在失道而不在于小也／诗在心为志，出口为辞／将在外，君令有所不受／存在得道而不在于大也／目在足下，不可以视近／一在天之涯，一在地之角／不在被中眠，安知被无边／久在樊笼里，复得返自然／及在人，则又各自有个理／令在必行，不当徒为文具／谨在于畏小，智在于治大／善在身，介

然必以自好也／慎在于畏小，智在于治大／机在于应事，战在于治气／目在足下，则不可以视矣／人在阳时则舒，在阴时则惨／闻在宥天下，不闻治天下也／政在于民，下附其上则兵强／祸在于好利，害在于亲小人／心在汉室，原无分先主后主／舟在江海，不为莫乘而不浮／忧在内者本也，忧在外者末也／情在词外曰隐，状溢目前曰秀／思在物之取譬，非斗斛而能量／言在耳目之内，情寄八荒之表／偏在于多私，不祥在于恶闻己过／变在萌而争之，则祸成而不救矣／子在齐闻《韶》，三月不知肉味／木在山，马在肆，遇之而不顾者／怨在微而下之，犹可以为谦德也／身在江海之上，心居乎魏阙之下／兵在精而不在多，将在谋而不在勇／势在则威无不加，势亡则不保一身／得在时，不在争；治在道，不在圣／独在异乡为异客，每逢佳节倍思亲／过在改而不复为，功惟立而不中倦／道在迩而求诸远，事在易而求诸难／玉在山而草木润，渊生珠而崖不枯／玉在椟中求善价，钗于奁内待时飞／睫在眼前长不见，道非身外更何求／真在内者，神动于外，是所以贵真也／子在川上曰：逝者如斯夫！不舍昼夜／道在天地之间也，其大无外，其小无内／故在朝也则三孤之任，为国则变化之政／刑在必澄，不在必惨；政在必信，不在必苛／思在言与行之先，思无邪，则所言所行皆无邪矣

❸教惟在于因人／疾学在于尊师／师克在和不在众／制敌在谋不在众／道自在天帝之前／理、乱，在上也／不祥在于恶闻己过／金心在中，不可匿／一旦在位，鲜冠利剑／曲戟在颈，不易其心／兵不在多，贵乎得人／兵要在乎善附民而已／民生在勤，勤则不匮／刑罚在衷，无取于轻／伺命在我，何求于天／人生在勤，不索何获／人何在？桂影自婵娟／谋事在人，成事在天／邪秽在身，怨之所构／善人在患，饥不及餐／夕阳在山，人影散乱／庆者在堂，吊者在闾／过不在小，知非则悛／屋漏在上，知者在下／屋漏在上，知之在下／屋漏在下，止之在上／王阳在位，贡公弹冠／贤者在位，能者在职／所忧在道，不在乎祸／脊令在原，兄弟急难／怨不在大，可畏惟人／怨不在大，亦不在小／怨岂在明？不见是图／祭如在，祭神如神在／豺狼在牢，其羊不繁／言犹在耳，忠岂忘心／天只在我，更祷个什么／使功在己，则功不可久／命乃在天，虽扁鹊何益／美成在久，恶成不及改／善人在上，则国无幸民／猛虎在山，百兽莫敢侵／不困在豫慎，见祸在未形／书味在胸中，甘于饮陈酒／靥辅在颊则好，在颡则丑／利不在身，以之谋事则智／位卑在下未必愚，不遇也／变故在斯须，百年谁能持／吉凶在人，岂假阴阳拘忌／常乐在空闲，心静乐精进／行事在审己，不必恤浮议／慎贵在举贤，慎民在置官／安危在出令，存亡在所任／安危在得人，国兴在贤辅／安危在是非，不在于强弱／存亡在虚实，不在于众寡／结交在相知，骨肉何必亲／结庐在人境，而无车马喧／松柏在冈，蒿艾为之不植／积邪在于上，蓄怨藏于民／不善在身，菑然必以自恶也／鸿钟在听，不足论击缶之音／致知在格物，物格而后知至／父母在，不远游，游必有方／不实在于轻发，固陋在于离贤／申生在内而危，重耳居外而安／使日在井中，则不能烛十步矣／除害在于敢断，得众在于下人／大巧在所不为，大智在所不虑／因时在乎善相，因俗在乎便安／致治在于任贤，兴国在于务农／鉴貌在乎止水，鉴己在乎哲人／议不在己者易称，从旁议者易是／谄谀在侧，善议障塞，则国危矣／圣人在上，奇不得起，诈不得生／理贵在于得要兮，事终成于会机／恶不在大，心术一坏，即入祸门／虎豹在山，鼋鼍在水，各有所托／我命在我不在天，还丹成金亿万年／仕鄙在时不在行，利害在命不在智／儒者在本朝则美政，在下位则美俗／人生在世不称意，明朝散发弄扁舟／圣王在上位，天覆地载，风令雨施／太山在前而不见，疾雷破柱而不惊／弹虽在指声在意，听不以耳而以心／成事在理不在势，服人以诚不以言／泰山在前而不见，疾雷破柱而不惊／贪鄙在率不在下，教训在政不在民／天地在我首之上，足之下，开目尽见／治务在无为而已，引大体，不拘文法／贤人在世，进则尽忠宣化，以明朝廷／虑不在千里之外，则患在几席之下矣／积善在身，犹长日加益，而人不知也／积恶在身，犹火之销膏，而人不见也／仁人在上，百姓贵之如帝，亲之如父母／仁者在位而仁人来，义者在朝而义士至／偏而在外，犹可救也，疾自中起，是难／贤人在世……退则称论贬说，以觉失俗／白黑在前而目不见，雷鼓在侧而耳不闻／轩冕在身，非性命也，物之傥来，寄者也／此人在位，动欲伤害，故物无有不畏恶也／为政在人，取人以身，修身以道，修道以仁／民生在勤，勤则不匮。宴安自逸，岁暮奚冀／人影在地，仰见明月，顾而乐之，行歌相答／山不在高，有仙则名；水不在深，有龙则灵／饥马在厩，寂然无声，投刍其旁，争心乃生／综学在博，取事贵约，校练务精，捃理须核／轻羽在高，遇风则飞；细石在谷，逢流则转／贤人在野，我将进之；佞人立朝，我将斥之／贤者在位，能者布职，朝廷崇礼，百僚敬让／贺者在门，吊者在途；吊者在门，贺者在途／言不在多，在于当理；施不在丰，期于救乏／善人在患，弗救不祥；恶人在位，不去亦不祥／心之在体，君之位也；九窍之有职，官之分

也／法虽在，必待圣而后治；律虽具，必待耳而后听／心不在焉，视而不见，听而不闻，食而不知其味／此理在宇宙间，固不以人之明不明、行不行而加损／人者，在阴阳之中央，为万物之师长，所能作最众多／猛虎在深山，百兽震恐；及在槛阱之中，摇尾而求食

❹奇兵不在众／打蛇打在七寸／惟治乱在庶官／有志不在年高／在知人，在安民／清香犹在野蔷薇／兵之要，在于修政／人之患在好为人师／读书务在循序渐进／兵法贵在不战而屈人／利之所在，天下趋之／义之法在正我不在正人／仁之法在爱人不在爱我／仁便藏在恻隐之心里面／文之异，在气格之高下／出处全在人，路亦无通塞／为政，不在于用一己之长／以正为在民，以枉为在己／以得为在民，以失为在己／承恩不在貌，教妾若为容／利剑不在掌，结友何须多／人之命在天，国之命在礼／授书不在徒多，但贵精熟／国之本在家，家之本在身／旅情偏在夜，乡思岂唯秋／其指归在可解不可解之会／其寄托在可言不可言之间／天之道在生植，其用在强弱／义之所在，身虽死，无憾悔／人之道在法制，其用在是非／福之本在于忧，而祸起于喜／仁之用在爱民，而其体在无私／美之所在，虽污辱，世不能贱／口则务在明言，笔则务在露文／君子虽在他乡，不忘父母之国／成德每在困穷，败身多因得志／恶之所在，虽高隆，世不能贵／不仁而在高位，是播其恶于众也／圣人正在刚柔之间，乃得道之本／学之广在于不倦，不倦在于固志／事事只在道理上商量，便是真体认／仁之所在无贫穷，仁之所亡无富贵／成名每在穷苦日，败事多因得志时／风流不在谈锋胜，袖手无言味最长／神州只在阑干北，度度来时怕上楼／山盟虽在，锦书难托。莫！莫！莫！／贤之所在，贵而贵取焉，贱而贱取焉／为政不在言多，须息息从省身克己而出／抗之则在青云之上，抑之则在深渊之下／结民心，在薄赋敛；薄赋敛，在节财用／理无专在，而学无止境也，然则问可少耶／此溪若在山野，则宜逸民退士之所游……／权之所在，虽疏必重；势之所去，虽亲必轻／为道不在多，自为已有金丹至要，可不用余耳／患之所在，非徒在智之不及，又在及而违之者矣／志之所在，气亦随之；气之所在，天地鬼神亦随之／义之所在，不倾于权，不顾其利，举国而与之，不为改视／利之所在，虽千仞之山，无所不上，深源之下，无所不入／既死，岂在我哉！焚之亦可，沉之亦可，瘗之亦可，露之亦可

❺传神之难在目／一片冰心在玉壶／兵在精，不在众／诗成珠玉在挥毫／读书本意在元元／奇在速，速在果／省事之本在节欲／治乱之本在左右／治乱废兴在于己／万方有罪，在予一人／百姓有罪，在于一人／修辞立诚，在于无愧／识时务者，在乎俊杰／知人之法，在于责实／得人之道，在于知人／流水清浊，在其源也／安民之本，在于足用／安民之术，在于丰财／居上不骄，在下不忧／居利思义，在约思纯／居难则易，在塞咸通／欲民务农，在于贵粟／方今之务，在于力农／必欲致治，在于积贤／自许封侯在万里……／精金百炼，在割能断／巴陵胜状，在洞庭一湖／狡兔依然在，良犬先烹／道民之门，在上之所先／存身宁国在于生杀之间／殷鉴不远，在夏后之世／足用之本，在于勿夺时／千家数人在，一税十年空／古者明君在上，下多直辞／但使忠贞在，甘从玉石焚／召民之路，在上之所好恶／土暖春常在，峰高月易沉／国破山河在，城春草木深／涂有所不在，军有所不击／定国之术，在于强兵足食／理国要道，在于公平正直／李杜文章在，光焰万丈长／成人不自在，自在不成人／救弊之道在实学不在空言／所思迷所在，长望独长叹／豺狼已毙，在狐鼠而宜除／言之信者，在乎区盖之间／青山依旧在，几度夕阳红／刑赏之本，在乎劝善而惩恶／荃者所以在鱼，得鱼而忘荃／知之难，不在见人，在自见／言者所以在意，得意而忘言／世所相信，在能行，不在能言／人之足传，在有德，不在有位／今日长缨在手，何时缚住苍龙／土处下，不在高，故安而不危／为国之本，在于明赏罚，辨邪正／为治者不在多言，顾力行何如耳／古之兴者，在德薄厚，不以大小／除害之要，在于去之，不在南北／在天成象，在地成形，变化见矣／治国之难在于知贤，而不在自贤／宽于用，此在位者多不得其人也／如珠玉之在泥土，麟凤之在网罗／木在山，马在肆，遇之而不顾者／贵粟之道，在于使民以粟为赏罚／赏罚者，不在于必重而在于必行／一年之计在于春，一日之计在于晨／天下顺治在民富，天下和静在民乐／民之治乱在于吏，国之安危在于政／民之治乱在于上，国之安危在于政／兴利之要，在于致之，不在于多少／人生结交在终始，莫为升沉中路分／人之寿夭在元气，国之长短在风俗／读书切戒在慌忙，涵泳工夫兴味长／志士不忘在沟壑，勇士不忘丧其元／知屋漏者在宇下，知政失者在草野／得在时，不在争；治在道，不在圣／是非之所在，不可以贵贱尊卑论也／自古驱民在信诚，一言为重百金轻／人之过也，在于哀死，而不在于爱生／人之过也……在于悔往，而不在于怀来／在上不骄，在下不谄，此进退之中道也／登峻者戒在于穷高，济深者祸生于舟重／行路难，不在水不在山，只在人情反覆间／言语简寡，在我可以少悔，在人可以少怨／关关雎

鸠，在河之洲。窈窕淑女，君子好逑／至治之务，在于正名。名正则人主不忧劳矣／和羹之美，在于合异；上下之益，在能相济／国之废兴，在于政事；政事得失，由乎辅佐／政之所兴，在顺民心；政之所废，在逆民心／立身成败，在于所染，兰芷鲍鱼，与之同化／言不在多，在于当理；施不在丰，期于救乏／世之治乱，在赏当其功，罚当其罪，即无不治／小人错其在己者，而慕其在天者，是以日退也／君子敬其在己者而不慕其在天者，是以日进也／《大学》之道，在明明德，在亲民，在止于至善

❻师克在和不在众／制敌在谋不在众／兵有奇变，不在众／墙有耳，伏寇在侧／天下桃李，悉在公门／不患不知，患在不行／事在四方，要在中央／非贤不理，惟在得人／兵之胜负，实在赏罚／兵之胜败，本在于政／为政之本，贵在无为／利居众后，责在人先／任人之道，要在不疑／人在气中，气在人中／令在必信，法在必行／陶钧文思，贵在虚静／能制敌者，会在出奇／志在兼济，行在独善／将赡才力，务在博见／国家法令，惟在简约／德惟善政，政在养民／法贵止奸，不在过酷／海产明珠，所在为宝／官在得人，不在员多／过在自用，罪在变化／道由心悟，岂在坐也／好丑必上，不在远近／权不失机，功在速捷／死生之穴，乃在分毫／死必得所，义在不苟／攀龙附凤，必在初举／致安之本，惟在得人／教无常师，道在则是／所忧在道，不在乎祸／必胜之师，必在速战／革俗之要，实在教学／非知之难，其在行之信／刚柔相推，变在其中矣／传神写照，正在阿堵中／保国之大计，在结民心／在此为美兮，在彼为蚩／士人修性，正在临事时／太平之美者，在于刑措／亭临大江，复在山上……／邦家用祀典，在德非馨香／待万世之利，在今日之胜／德之休明，不在位之高下／文以行为本，在先诚其中／曩之用才……溺在缘情之举／刺骨，故小痛在体而长利在身／人已古兮山在，泉无心兮道存／拂耳，故小逆在心而久福在国／厉直刚毅，材在矫正，失在激讦／蹇塞之任，不在臣下，在于人主／多智韬情，权在谲略，失在依违／清介廉洁，节在俭固，失在拘扃／强楷坚劲，用在桢干，失在专固／此生谁料，心在天山，身老沧洲／疾不可为也，在肓之上、膏之下／精良畏慎，善在恭谨，失在多疑／雄悍杰健，任在胆烈，失在多忌／一时之强弱在力，千古之胜负在理／我命在我不在天，还丹成金亿万年／兵在精而不在多，将在谋而不在勇／仕鄙在时不在行，利害在命不在智／道满天下，普在民所，民不能知也／弹虽在指声在意，听不以耳而以心／成事在理不在势，服人以诚不以言／贪鄙在率不在下，教训在政不在民／老去更无儿在膝，惟君怜我我怜君／醉翁之意不在酒，在乎山水之间也／读书占地位，在人品上，不在势位上／言之而非，虽在王侯卿相，未必可容／言之而是，虽在仆隶刍荛，犹不可弃／为治之功不在大，见大不明，见小乃明／伤其身者不在外物，皆由嗜欲以成其祸／功不使鬼必在役人，物不天来终须地出／在天曰阴阳，在地曰柔刚，在人曰仁义／中春之月，阳在正东，阴在正西，谓之春分／中秋之月，阳在正西，阴在正东，谓之秋分／为政之要，惟在得人。用非其才，必难致治／良田百顷，不在一亩，但有远志，不在当归／古之隐也，志在其中；今之隐也，爵在其中／刑在必澄，不在必惨；政在必信，不在必苛／吐纳文艺，务在节宣，清和其心，调畅其气／致治之本，惟在于审；量才授职，务省官员／老骥伏枥，志在千里；烈士暮年，壮心不已／天下治乱，不在一姓之兴亡，而在万民之忧乐／人主之患，不在乎不言用贤，而在乎不诚必用贤／会心处不必在远，翳然林水，便自有濠濮间想也／老年人受病在作意步趋，少年人受病在假意超脱／国之强弱，不在甲兵，不在金谷，独在人才之多少／正位居体，美在其中，而畅于四支，发于事业，美之至也

❼多陵人者皆不在／求之有道，得之在命／川广自源，成人在始／谋事在人，成事在天／国之政要，兴废在人／庆者在堂，吊者在闾／进退维谷，冰炭在怀／屋漏在上，知者在下／屋漏在上，知之在下／屋漏在下，止之在上／存亡祸福，其要在身／珠玉随风，冰雪在口／死生有命，富贵在天／晨飙动野，斜月在林／贤者在位，能者在职／教化之所本者在学校／怨不在大，亦不在小／乱群败众者，惟在奸雄／亡在失道而不在于小也／务理天下者，美在太平／安舒沈重者，患在后世／存在得道而不在于大也／一在天之涯，一在地之角／未言心相醉，不在接杯酒／良友远离别，各在天一方／民知至至矣，政在终终也／靥辅在颊则好，在颡则丑／人生意气豁，不在相逢早／人有吉凶事，不在鸟音中／从来天下士，只在布衣中／谨在于畏小，智在于治大／又疑瑶台镜，飞在青云端／苟怀四方志，所在可游盘／将军夸宝剑，功在杀人多／慎在于畏小，智在于治大／安危在是非，不在于强弱／达士志寥廓，所在能忘机／存亡在虚实，不在于众寡／学问藏之身，身在则有余／机在于应事，战在于治气／成人不自在，自在不成人／悠然念故乡，乃在天一隅／言处飞龙前，行在跛鳖后／不生于所畏，而在于所易也／人在阳时则舒，在阴时则惨／名利之大者，几在无耻而信／祸在于好利，害在于亲小人／一箪食，一瓢饮，在陋巷……／居上位而不骄，在下位而不忧

／欲求士之贤愚，在于精鉴博采之／虎豹在山，鼋鼍在水，各有所托／但使龙城飞将在，不教胡马渡阴山／人寰尚有遗民在，大节难随九鼎沦／功名富贵若长在，汉水亦应西北流／在上位，不陵下；在下位，不援上／弊之难去，其难在仰食于弊之人乎／阁中帝子今何在，槛外长江空自流／此道废兴吾命在，世间腾口任云云／昨日春风欺不在，就床吹落读残书／尊贤使能，俊杰在位，则天下之士皆悦／强弱成败之要，在乎附士卒、教习之而已／同涉于川，其时在风；沿者之吉，溯者之凶／高山有前，流水在下，可以俯仰，可以宴乐／善鄙不同，诽誉在俗；趋舍不同，逆顺在君／状难写之景如在目前；含不尽之意见于言外／贺者在门，吊者在途；吊者在门，贺者在途／致天下之治者在人才，成天下之才者在教化／思致之浅深，不在其磔裂章句，隳废声韵也／盈缩之期，不但在天；养怡之福，可得永年／天下之治乱，不在一姓之兴亡，而在万民之忧乐／患之所在，非徒在智之不及，又在及而违之者矣

❽我之有我，自由我在／祭如在，祭神如神在／天下无道，则正人在下／天下有道，则正人在上／义之法在正我不在正人／仁之法在爱人不在爱我／不困在豫慎，见祸在未形／由声以循实，则难在克终／代耕本非望，所业在田桑／何世无奇才，遗之在草泽／何处路最难？最难在长安／偶然临险地，不信在人间／凡用兵攻战之本在乎一民／争先非吾事，静照在忘求／圣人不利己，忧济在元元／汝果欲学诗，工夫在诗外／慎贵在举贤，慎民在置官／安危在出令，存亡在所任／安危在得人，国兴在贤辅／始驾马者反之：车在马前／昂昂累世士，结根在所固／贵人难得意，赏爱在须臾／文以纪实，浮文所在必删／立实以致声，则难在经始／起舞弄清影，何似在人间／夫名利之大者几在无耻而信／天下每每大乱，罪在于好知／民知诛赏之来，皆在于身也／谨备其所憎，而祸在于所爱／知之难，不在见人，在自见／伏天下之勇者，不在勇而在怯／凡数州之土壤，皆在衽席之下／那切切实实、足踏在地上……／困天下之智者，不在智而在愚／忧在内者本也，忧在外者末也／穷天下之辩者，不在辩而在讷／偏在于多私，不祥在于恶闻己过／视人之瘼如瘰疽在身，不忘决去／不可学、不可事而在人者，谓之性／在天愿作比翼鸟，在地愿为连理枝／在智则人与之讼；在力则人与之争／得在时，不在争；治在道，不在圣／得其精而忘其粗，在其内而忘其外／贤者报国之功，乃在缓急有为之际／贵德而尊士，贤者在位，能者在职／有雠而长之，祸不在己，则在后人／醉翁之意不在酒，在乎山水之间也／古人为诗，贵于意在言外，使人思而得之／诗者，志之所之也。在心为志，发言为诗／诗言，志之所之也。在心为志，发言为诗／吾恐季孙之忧不在颛臾，而在萧墙之内也／行路难，不在水不在山，只在人情反覆间／众物之中，道无不在；秋毫之细，道亦居之／梅花过时，槐色犹在，白云芳草，尽入诗兴／凡百事之成也，必在敬之；其败也，必在慢之／要使诚意之交通，在于未言之前，则言出而人信矣／沉默呵，沉默呵！不在沉默中爆发，就在沉默中灭亡

❾齿发虽衰而风力犹在／当今生民之患果安在哉／以正为在民，以枉为在己／以得为在民，以失为在己／古之善用兵者，不必在众／人之命在天，国之命在礼／国之本在家，家之本在身／贤人于国，亦犹食之在人／救弊之道在实学不在空言／积财千万，不如薄技在身／天之道在生植，其用在强弱／人之道在法制，其用在是非／能循天理动者，造化在我也／项庄拔剑舞，其意常在沛公／天气上，地气下，人气在其间／不实在于轻发，固陋在于离贤／世所相信，在能行，不在能言／人之足传，在有德，不在有位／余平生所作文章多在三上……／除害在于敢断，得众在于下人／大巧在所不为，大智在所不虑／因时在乎善相，因俗在乎便安／待到山花烂漫时，她在丛中笑／致治在于任贤，兴国在于务农／鉴貌在乎止水，鉴己在乎哲人／蹇塞之任，不在臣下，在于人主／圣人非不好利也，利在于利万人／士有未效之用，而身在无誉之间／败莫大于愚。愚之患，在必自用／兵在精而不在多，将在谋而不在勇／儒者在本朝则美政，在下位则美俗／君王城上竖降旗，妾在深宫哪得知／道在迩而求诸远，事在易而求诸难／扁舟一棹归何处，家在江南黄叶村／人若志趣不远，心不在焉，虽学无成／圣人……非不好富也，富在于富天下／居官者当事不避难，在位者恤民之患／古之君人者，以得为在民，以失为在己／声应气求之夫，决不在于寻行数墨之士／追风逐电之足，决不在于牝牡骊黄之间／风行水上之文，决不在于一字一句之奇／人之立身，所贵者惟在德行，何必要论荣贵／《大学》之道，在明明德，在亲民，在止于至善／天若不爱酒，酒星不在天；地若不爱酒，地应无酒泉

❿刑天舞干戚，猛志固常在／又如食橄榄，真味久愈在／论者不期于丽辞而务在事实／固一世之雄也，而今安在哉／一抔之土未干，六尺之孤安在／刺骨，故小痛在体而长利在身／仁之用在爱民，而其体在无私／伏天下之勇者，不在勇而在怯／拂耳，故小逆在心而久福在国／口则务在明言，笔则务在露文／困天下之智者，不在智而在愚／死者不可再生，用法务在宽简／穷

天下之辩者，不在辩而在讷／以气韵求其画，则形似在其间矣／厉直刚毅，材在矫正，失在激讦／除害之要，在于去之，不在南北／隙中之观斗，又乌知胜负之所在／口谈道德而心存高官，志在巨富／多智韬情，权在谲略，失在依违／治世御众，建立辅弼，诫在面从／治国之难在于知贤，而不在自贤／清介廉洁，节在俭固，失在拘扃／强楷坚劲，用在桢干，失在专固／如珠玉之在泥土，麟凤之在网罗／学之广在于不倦，不倦在于固志／赏罚者，不在于必重而在于必行／精良畏慎，善在恭谨，失在多疑／雄悍杰健，任在胆烈，失在多忌／一年之计在于春，一日之计在于晨／一时之强弱在力，千古之胜负在理／天下顺治在民富，天下和静在民乐／天生一个仙人洞，无限风光在险峰／不识庐山真面目，只缘身在此山中／不畏浮云遮望眼，自缘身在最高层／向来枉费推移力，此日中流自在行／兵在精而不在多，将在谋而不在勇／民之治乱在于吏，国之安危在于政／民之治乱在于上，国之安危在于政／仕鄙在时不在行，利害在命不在智／兴利之要，在于致之，不在于多少／人生难得秋前雨，乞我虚堂自在眠／人生富贵岂有极？男儿要在能死国／人之寿夭在元气，国之长短在风俗／今年花落颜色改，明年花开复谁在／萧墙祸起非今日，不赏军功在断桥／拾得断麻穿破衲，不知身在寂寥中／君子有三戒：少之时……戒之在得／知屋漏者在宇下，知政失者在草野／咬定青山不放松，立根原在破岩中／山泽不必有异士，异士不必在山泽／得在时，不在争；治在道，不在圣／定知直道传千古，杜牧文章在上头／寄到玉关应万里，戍人犹在玉关西／车辚辚，马萧萧，行人弓箭各在腰／贪鄙在率不在下，教训在政不在民／贵德而尊士，贤者在位，能者在职／物之其由者道也，道之在我者德也／有雠而长之，祸不在己，则在后人／立志欲坚不欲锐，成功在久不在速／章台柳，章台柳！昔日青青今在否／蛱蝶飞来过墙去，却疑春色在邻家／粉骨碎身全不怕，要留青白在人间／不泥古法，不执己见，惟在活而已矣／未闻刀没而利存，岂容形亡而神在？／世之人不知至理之所在也，迷而妄行／世之奇伟瑰怪非常之观，常在于险远／两情若是久长时，又岂在、朝朝暮暮／人之过也，在于哀死，而不在于爱生／凡理国者，务积于人，不在盈其仓库／读书占地位，在人品上，不在势位上／调难调之人，可以练性，学在其中矣／有相马而失马者，然良马犹在相之中／虑不在千里之外，则患在几席之下矣／可学无能、可事而成之在人者，谓之伪／失神之术本于纵恣，丧神之数在于自专／古之君人者，以得为在民，以失为在己／仁者在位而仁人来，义者在朝而义士至／人之过也……在于悔往，而不在于怀来／圣人视天下之不治，如赤子之在水火也／在天曰阴阳，在地曰柔刚，在人曰仁义／抗之则在青云之上，抑之则在深渊之下／当官者能洁身修己，然后在公之节乃全／国之兴亡不由蓄积多少，唯在百姓苦乐／国之兴亡不由蓄积多少，惟在百姓苦乐／消受尘，白取垢；青蝇所污，常在练素／清受尘、白取垢；青蝇所污，常在练素／结民心，在薄赋敛；薄赋敛，在节财用／白黑在前而目不见，雷鼓在侧而耳不闻／疾呼不过闻百步，志之所在，逾于千里／其兴也必由于积善，其亡也皆在于积恶／六国破灭，非兵不利，战不善，弊在赂秦／苟可以为天下国家之用者，则无不在于学／大人者，言不必信，行不必果，惟义所在／吾恐季孙之忧不在颛臾，而在萧墙之内也／山空月明，仰视星斗皆光大，如适在人上／行路难，不在水不在山，只在人情反覆间／饭疏食饮水，曲肱而枕之，乐亦在其中矣／源从天涯，或浊或清，所在之势使之然也／车之所以能转千里者，以其要在三寸之辖／锦糊灯笼，玉镶刀口……不知落在何处矣／言语简寡，在我可以少悔，在人可以少怨／中春之月，阳在正东，阴在正西，谓之春分／中秋之月，阳在正西，阴在正东，谓之秋分／为学之道莫先于穷理，穷理之要必在于读书／良田百顷，不在一亩，但有远志，不在当归／予欲闻六律五声八音，在治忽，以出纳五言／古之隐也，志在其中；今之隐也，爵在其中／匠人成棺，不憎人死；利之所在，忘其丑也／刑在必澄，不在必惨；政在必信，不在必苛／仰之弥高，钻之弥坚。瞻之在前，忽焉在后／变祸为福，易曲成直，宁关天命，在我人力／褒见一字，贵逾轩冕；贬在片言，诛深斧钺／大建厥极，绥理群生，训物垂范，于是乎在／名为山人而心同商贾，口谈道德而志在穿窬／和羹之美，在于合异；上下之益，在能相济／善鄙不同，诽誉在俗；趋舍不同，逆顺在君／四海之广，不患无贤，而患在信用之不至耳／山不在高，有仙则名；水不在深，有龙则灵／处颠者危，势丰者亏，颓坠之类，常在悬垂／骐骥一跃，不能十步；驽马十驾，功在不舍／轻羽在高，遇风则飞；细石在谷，逢流则转／贺者在门，吊者在途；吊者在门，贺者在途／政之所兴，在顺民心；政之所废，在逆民心／致天下之治者在人才，成天下之才者在教化／胆劲心方，不畏强御，义正所在，视死犹归／超凡证圣，目击非遥；悟在须臾，何须皓首／言不在多，在于当理；施不在丰，期于救乏／静则得之，躁则失之，灵气在心，一来一逝／天下治乱，不在一姓之兴亡，而在万民之忧乐／举将而限以资品，则英豪之士在下位者不可得／凡百事之成也，必在敬之；其败也，必在慢之／谋臣良将，何代无之；贵在见知，要在见用耳／圣人之行虽不必同，然其要归，在洁其身而已／小人错其在己者，而慕其在天者，是以日退也／君犹器也，人犹水也，方圆在于器，不在于水／君子敬其在己者而不慕其在天者，是以日进也／善人在患，弗救不祥；恶人在位，不去亦不祥／法大弛，则是非易位，赏恒在佞，而罚恒在直／妇人拾蚕，渔者握鳣，利之所在，则忘其所恶／天下之治乱，不在一姓之兴亡，而在万民之忧乐／人主之患，不在乎不言用贤，而在乎不诚必用贤／凤凰，凤凰，何不高飞还故乡，无故在此取灭亡／《大学》之道，在明明德，在亲民，在止于至善／所养非所用，所用非所养，理家必弊，在国必危／患之所在，非徒在智之不及，又在及而违之者矣／老年人受病在作意步趋，少年人受病在假意超脱／志之所在，气亦随之；气之所在，天地鬼神亦随之／君能尽礼，臣得竭忠，必在于内外无私，上下相信／国之强弱，不在甲兵，不在金谷，独在人才之多少／闰以正时，时以作事，事以厚生，生民之道在此矣／猛虎在深山，百兽震恐；及在槛阱之中，摇尾而求食／饥餐松柏叶，渴饮涧中泉，看罢青青竹，和衣自在眠／沉默呵，沉默呵！不在沉默中爆发，就在沉默中灭亡／盖吾儒起手便与禅异者，正在彻始彻终总是体用一致耳／气质偏驳者，欲使私欲不能引染，如之何？惟在明明德而已

寺 sì 佛教庙宇；古代官署名；通“侍”。

❺溪中云隔寺，夜半雪添泉

❻就郡言，灵隐寺为尤；由寺观，冷泉亭为甲

❼姑苏城外寒山寺，夜半钟声到客船

❿就郡言，灵隐寺为尤；由寺观，冷泉亭为甲

至 zhì 到；达到了极点；最好的；最正确的；大；古代指夏至、冬至；至于；得当。

❶至仁无亲

见《庄子·天地》。

至人不闻

见《庄子·山木》。

至言不繁

见宋·苏轼《与孙运句书》。

至哀反无泪

见唐·孟云卿《古挽歌》。

至公大义为正

见宋·苏轼《后正统论三首·辨论三》。

至公近乎无为

见唐·无名氏《无能子·答华阳子问》。

至人不留行焉

见《庄子·外物》。

至则反，盛则衰

见《管子·重令》。

至诚则金石为开

见汉·刘歆《西京杂记》卷五。

至治之极复后王

见《荀子·成相》。

至富，国财并焉

见《庄子·天运》。全句为：“至贵，国爵并焉；～；至显，名誉并焉”。

至显，名誉并焉

见《庄子·天运》。全句为：“至贵，国爵并焉；至富，国财并焉；～”。

至贵，国爵并焉

见《庄子·天运》。全句为：“～；至富，国财并焉；至显，名誉并焉”。

至诚者，天之道也

见唐·李翱《复性书中》。

至于大事，秘而不宣

见宋·欧阳修《论乞令百官议事札子》。

至乐无乐，至誉无誉

见《庄子·至乐》。

至仁必易，大智必简

见清·戴震《原善》。

至公者，群恶之所疾

见唐·陈子昂《申宗人冤狱书》。全句为：“孤直者，众邪之所憎；～”。

至人无为，大圣不作

见《庄子·知北游》。

至阴肃肃，至阳赫赫

见《庄子·田子方》。全句为：“～；肃肃出乎天，赫赫发乎地，两者交通成和而物生焉”。

至美素璞，物莫能饰

见汉·桓宽《盐铁论·殊路》。

至当归一，精义无二

见《墨子·七患》。全句为：“心，一心也；理，一理也。～。此心此理，实不容有二”。

至德之君，仁政且温

见汉·焦赣《易林·蒙·遯》。

至德小节备，大节举

见汉·刘安《淮南子·缪称》。

至赏不费，至刑不滥

见汉·刘安《淮南子·氾论》。

至言忤于耳而倒于心

见《韩非子·难言》。

至治之时，常不忘于武备

见宋·欧阳修《除李端懿宁远军节度使知澶州制》。

至贵不待爵，至富不待财

见汉·刘安《淮南子·精神》。

至白涅不缁，至交淡不疑

见唐·孟郊《劝友》。

至言逆俗耳,真语必违众

见晋·葛洪《抱朴子·辨问》。

至人消未起之患,治未病之疾

见晋·葛洪《抱朴子·地真》。

至得无私,泛泛乎若不系之舟

见宋·陆佃解《鹖冠子·世兵》。全句为:“～,能者以济,不能者以覆”。

至世之衰,父子相图,兄弟相疑

见宋·陆佃解《鹖冠子·备知》。全句为:“～。何者,其化薄而出于相以有为也”。

至人无己,神人无功,圣人无名

见《庄子·逍遥游》。

至哉坤元!万物资生,乃顺承天

见《周易·坤》。

至德之世,其行填填,其视颠颠

见《庄子·马蹄》。

至于子美,盖所谓上薄风、骚……

见唐·元稹《唐故工部员外郎杜君墓志铭序》。全句为:“～,下该沈、宋,言夺苏、李,气吞曹、刘,掩颜、谢之孤高,杂徐、庾之流丽,尽得古今之体势,而兼昔人之所独专矣”。

至乐不得恣所欲,主怒不得乱所为

见明·宋诩《宋氏家规部》。

至精而后阐其妙,至变而后通其数

见南朝·梁·刘勰《文心雕龙·神思》。

至德之世,同与禽兽居,族与万物并

见《庄子·马蹄》。全句为:“～,恶乎知君子小人哉”。

至极空虚而善应于物,则乃目之为道

见唐·孔颖达《周易·系辞上》疏。

至无者,无以能生,故始生者,自生也

见晋·裴頠《崇有论》。

至人之用心若镜,不将不迎,应而不藏

见《庄子·应帝王》。全句为:“～,故能胜物而不伤”。

至人之治,掩其聪明,灭其文章,依道废智

见汉·刘安《淮南子·原道》。全句为:“～,与民同出于公”。

至大无外,谓之大一;至小无内,谓之小一

见《庄子·天下》。

至味不慊,至言不文,至乐不笑,至音不叫

见汉·刘安《淮南子·说林》。

至治之务,在于正名。名正则人主不忧劳矣

见《吕氏春秋·审分览·审分》。

至治馨香,感于神明,黍稷非馨,明德惟馨

见《尚书·君陈》。

至是之是无非,至非之非无是,此真是非也

见汉·刘安《淮南子·齐俗》。

至福似祸,大吉若凶。天下醉饱,莫之能明

见汉·严遵《道德指归论·民不畏威篇》。

至虚之实,实而不固;至静之动,动而不穷

见宋·张载《正蒙·乾称下》。

至治之世,其民不好空言虚辞,不好淫学流说

见《吕氏春秋·审分览·知度》。全句为:“～,贤不肖各反其质”。

至礼有不人,至义不物,至知不谋,至仁无亲,至信辟金

见《庄子·庚桑楚》。“不人”,不分彼此;“亲”,偏私;“辟金”,不用金钱。

❷学至于行之而止矣/时至弗行,反受其殃/祸至不惧,福至不喜/及至匠石过之而不睨……/每至晴初霜旦,林寒涧肃/以至诚为道,以至仁为德/忠至者辞笃,爱重者言深/天至广不可度,地至大不可量/事至而后求,曷若未至而先备/每至晴初霜旦,林寒涧肃……/投至两处凝眸,盼得一雁横秋/冬至之后为呼,夏至之后为吸/树至德于生前,流遗爱于身后/水至清则无鱼,人至察则无徒/物至之时,其心昭昭然明辨焉/辞至于能达,则文不可胜用矣/蓄至精者,可以福生灵,保富寿/惟至公不敢私其所私,私则不正/宾至如归,无宁灾患,不畏寇盗/以至详之法晓天下,使天下明知其所避/论至德者不和于俗,成大功者不谋于众/水至平而邪者取法,镜至明而丑者无怒/唯至人乃能游于世而不僻,顺人而不失己/及至始皇,奋六世之余烈,振长策而御宇内/冠至敝不可弃之于足,履虽新不可加之于首/能至素至精,浩弥无刑,然后可以为天下正/物至则反,冬夏是也;致高则危,累棊是也/祸至后惧,是诚不知;君子之惧,惧乎未始/罪至重而刑至轻,庸人不知恶矣,乱莫大焉/能至于无乐者,则无不乐;无不乐,则至极乐

❸智不至则不信/老将至而耄及之/天之至私,用之至公/修之至极,何劳不息/人命至重,难生易杀/能虽至神,不离巧拙/虽有至知,万人谋之/行虽至卓,不离高下/犯其至难而图其至远/安坐至暮,祸灾不到/粉黛至则西施以加丽/貌虽至殊,不离妍丑/言虽至工,不离是非/民知至至矣,政在终终也/法不至死,无容滥加酷罚/鸿毛至轻也,而不能自举/不遇至刻之人,不知忠厚之善/虽有至道,弗学,不知其善也/礼之至者无文,哀之深者无节/虽有至明,而有形者不可毕见焉/大寒至,霜雪降,然后知松柏之茂/教人至难,必尽人之材,乃不误人/时不至不可强生也,事不究不可强成也/上不至天,下不至地,言出子口而入吾耳/人生至愚是恶闻己过,人生至恶是善谈人过/虽有至圣,不生而知;虽有至材,不生而能/山霤至柔,石为之穿;蝎虫至弱,木为之弊/

心苟至公，人将大同；心能执一，政乃无失／圣智至孔子而极其盛，不过举条理以言之而已矣／自古至于今，与民为仇者，有迟有速，而民必胜之／天下至大器也，帝王至重位也，得士则靖，失士则乱／澄潭至清，洞澈见底，往往有群鱼戏，历历如水上行／胶漆至粘也，而不能合远；鸿毛至轻也，而不能自举

❹不仁之至忽其亲／不信之至欺其友／兼德而至谓之中庸／事有必至，理有固然／谗言三至，慈母不亲／除患无至，易于救患／物有必至，事有固然／福无双至，祸不单行／福不虚至，祸亦易来／群贤毕至，少长咸集／一步未至，则犹不往也／无足而至者，物之藉也／民知至至矣，政在终终也／贿赂先至者，朝请而夕得／思有所至，有身不暇徇也／义兵之至也，至于不战而止／天下之至柔，驰骋天下之至坚／仕宦而至将相，富贵而归故乡／介子推至忠也……抱木而燔死／量力所至，约其课程而谨守之／物以远至为珍，士以稀见为贵／事有所至，信反为过，诞反为功／贤者宠至而益戒，不足者为宠骄／物有必至，事有常然，古之道也／天下之至文，未有不出于童心焉者也／必须困至乃虑，穷至乃图，不亦晚乎／自天地至于万物，无不须气以生者也／道也者，至精也，不可为形，不可为名／能至素至精，浩弥无刑，然后可以为天下正／有能推至诚之心而加以不息之久，则天地可动，金石可移／天下有至贵而非势位也，有至富而非金玉也，有至寿而非千岁也

❺履霜，坚冰至／使口如鼻，至老不失／至乐无乐，至誉无誉／至阴肃肃，至阳赫赫／至赏不费，至刑不滥／寸寸而度，至丈必差／一鸣众鸟至，再鸣众鸟罗／天下动之至易，安之至难／不官而衡至者，君子慎之／忧艰常早至，欢会常苦晚／好风能自至，明月不须期／望人者不至，恃人者不久／明年春色至，莫作未归人／田夫荷锄至，相见语依依／虎啸谷风至，龙兴景云起／天道之数，至则反，盛则衰／无私者知，至知者为天下稽／人之出言至善，而或有议之者／人有举事至当，而或有非之者／百足之虫，至死不僵，扶之者众也／百足之虫至断不蹶者，持之者众也／均，天下之至理也，连于形物亦然／毛先生一至楚，而使赵重于九鼎大吕／微乎微乎，至于无形……故能为敌之司命／神人恶众至，众至则不比，不比则不利也／乡者已去，至者乃新，新故不翏，我有所周／至味不慊，至言不文，至乐不笑，至音不叫／寸而度之，至丈必差；铢而称之，至石必过／貌言华也，至言实也，苦言药也，甘言疾也／其为气也，至大至刚，以直养而无害，则塞于天地之间／君子所不至者三：不失色于人，不失口于人，不失足于人

❻不知老之将至／去苟礼而务至诚／清静者，德之至也／好辩而理不至则烦／水来土掩，将至兵迎／祸至不惧，福至不喜／愚者纵之，多至失所／寸寸而度之，至丈必过／性修反德，德至同于初／铢铢而称之，至石必差／无有不可穷，至柔不可折／乐极则哀集，至盈必有亏／至贵不待爵，至富不待财／至白涅不缁，至交淡不疑／大明无偏照，至公无私亲／行海者坐而至越，有舟也／处世忌太洁，至人贵藏晖／字人无异术，至论不如清／千里跬步不至，不足谓善御／义兵之至也，至于不战而止／口惠而实不至，怨灾及其身／孝子疑于屡至，市虎成于三夫／敌人远来新至，行列未定，可击／老冉冉其将至兮，恐修名之不立／世之人不知至理之所在也，迷而妄行／规矩，方圆之至也；圣人，人伦之至也／百川学海而至于海，丘陵学山而不至于山／真者，精诚之至也；不精不诚，不能动人／居上者不以至公理物，为下者必以私路期荣／罪至重而刑至轻，庸人不知恶矣，乱莫大焉／积微之善，以至吉祥。小恶不止，乃至灭亡／至礼有不人，至义不物，至知不谋，至仁无亲，至信辟金／韩愈辟佛，几至杀身，况敢议今世之尧、舜、周、孔者乎／智亦有所不至。所不至，说者虽辩，为道虽精，不能见矣

❼天之至私，用之至公／不私与己，是谓至公／乐之所生，哀亦至焉／推美引过，德之至也／知止其所不知，至矣／属笔易巧，选和至难／学当以渐，乃能至也／不积跬步，无以至千里／薄刑之不已，遂至于诛／自强不息，则其至一也／可与往者与之，至于妙道／以至诚为道，以至仁为德／塞多幸之路，开至公之道／华骝、绿耳，一日至千里……／大羹必有淡味，至宝必有瑕秽／极高寓于极平，至难出于至易／农事废，饥寒并至，故盗贼多有／因果相承，从微至著，通名为渐／强胜不若已者，至于若已者而同／官输私负索交至，勺合不留但糠秕／道虽迩，不行不至；事虽小，不为不成／心不可乱，则利至而必知，害至而必察／上不至天，下不至地，言出子口而入吾耳／神人恶众至，众至则不比，不比则不利也／净心守志，可会至道，譬如磨镜，垢去明存／至是之是无非，至非之非无是，此真是非也／古之人君，所以至于民散国亡而不悟者，皆吏误之／其为气也，至大至刚，以直养而无害，则塞于天地之间

❽事留变生，后机祸至／非才而据，咎悔必至／为者常成，行者常至／民不畏威，则大威至／哀乐失时，殃咎必至／圣人是为学而极至者／地有远行，无有不至／犯其至难而图其至远／矜功不立，虚愿不至／能养能举，悦贤之至也／圣人制天下，贵能至公／海不辞东流，大之至也／

智出天下，而听于至愚／贵骐骥者，为其立至也／恭俭节用，天下几至刑措／未有学其小而能至其大者也／圣人不能为时，时至而弗失／富贵而有业，则不至于为非／贫贱而有业，则不至于饥寒／天至广不可度，地至大不可量／发纤秾于简古，寄至味于澹泊／能前知其当然，事至不惧……／四时四维者，天地至大之谓也／冬至之后为呼，夏至之后为吸／要囚，服念五六日，至于旬时／水至清则无鱼，人至察则无徒／穗兮不得获，秋风至兮殚零落／真积力久则入，学至乎没而后止／为谁醉倒为谁醒？至今犹恨轻离别／古之用人者，取之至宽而用之至狭／至精而后阐其妙，至变而后通其数／李杜文章万口传，至今已觉不新鲜／心暗则照有不通，至察则多疑于物／中庸之为德也，其至矣乎！民鲜久矣／选则不遍，教则不至，道则无遗者矣／必须困至乃虑，穷至乃图，不亦晚乎／交财一事最难。虽至亲好友，亦须明白／法令明具，而用之至密，举天下惟法之知

❾一心以为有鸿鹄将至／唯廉勤二字，人人可至／过则失中，不及则不至／学者是学圣人而未至者／天下动之至易，安之至难／世有盛名，则衰之日至矣／君以为难，其易也将至矣／君以为易，其难也将至矣／知止乎其所不能知，至矣／格物，是物物上穷其至理／知者必量其力所能至而从事／过则失中，不及则未至……／好直而恶枉，天下之至情也／未有不自有恒而能至于圣者也／事至而后求，曷若未至而先备／双鬓多年作雪，寸心至死如丹／众不能治众。治众者，至寡者也／圣人者不能生时，时至而弗失也／秦越远途也，安坐而至者，械也／天时人事日相催，冬至阳生春又来／临大节而不可夺，处至公而不可干／防其微，杜其渐，使不至于暴乱也／流深者其水不测，尊至者其敬无穷／始之有作人争常，及至无为众始知／心为道之器，宇虚静至极则道居而慧生／天无形而万物以成，至精无象而万物以化／贤不肖不杂则英杰至，是非不乱则国家治／至大无外，谓之大一；至小无内，谓之小一／至味不慊，至言不文，至乐不笑，至音不叫／至虚之实，实而不固；至静之动，动而不穷／大禹圣人，乃惜寸阴，至于众人，当惜分阴／大禹圣人，犹惜寸阴，至于凡俗，当惜分阴／贵不与骄期而骄自至，富不与侈期而侈自来／以人之言而遗我粟，至其罪我也又且以人之言／有以为未始有物者，至矣，尽矣，弗可以加矣／祸藏福中，福极则祸至。福隐祸内，祸尽则福来／天下至大器也，帝王至重位也，得士则靖，失士则乱／智亦有所不至。所不至，说者虽辩，为道虽精，不能见矣

❿闻其誉者誉日损而祸至／不患人不知，惟患学不至／非其道而行之，虽劳不至／门内有君子，门外君子至／结交一言重，相期千里至／恩甚则怨生，爱多则憎至／臣奉暗后，则覆亡之祸至／覆巢竭渊，龙凤逝而不至／正汝形，一汝视，天和将至／吏不与奸罔期，而奸罔自至／圣人见端而知本，精之至也／在其位而忘其德者其殃必至／拘于鬼神者，不可与言至德／快然自足，曾不知老之将至／致知在格物，物格而后知至／恶于针石者，不可与言至巧／天下之至柔，驰骋天下之至坚／仁远乎哉？我欲仁，斯仁至矣／使臣不患其不忠，患礼之不至／动容周旋中礼者，盛德之至也／闻人毁己而怒，则誉己者至矣／闻风声鹤唳，皆以为王师已至／始与善，善进善，不善蔑由至／极高寓于极平，至难出于至易／明于天人之分，则可谓至人矣／贤者之处世，皆以得时为至难／贾竖不与不仁期，而不仁自至／非真无人也，但求之不勤不至耳／倦立而思远，不如速行之必至也／夜耿耿而不寐兮，魂茕茕而至曙／情行合而名副之，祸福不虚至矣／轻始而傲微，则其流必至于大乱／罚其忠，赏其贼，夫是之谓至暗／其清音幽韵，凄如飘风急雨骤至／无身不善而怨人，无刑已至而呼天／世人得宠而不思其辱，故辱至则惊／古之用人者，取之至宽而用之至狭／凡聚小所以就大，积一所以至亿也／冰炭不同器而久，寒暑不兼时而至／劳而不伐，有功而不德，厚之至也／苟中心图民，智虽弗及，必将至焉／常宽容于物，不削于人，可谓至极／知天之所为，知人之所为者，至矣／始与不善，不善进不善，善蔑由至／顺指者爱所由来，逆意者恶所从至／言有尽而意无穷者，天下之至言也／其物存，其人亡，不言哀而哀自至／于其所达，行之终身，有不能至者矣／万事以心为本，未有心至而力不能者／天下未尝无才，患所以求才之道不至／不应于物者，是致知也，是知之至也／发愤忘食，乐以忘忧，不知老之将至／读书欲睡，引锥自刺其股，血流至足／苟能无以利害义，则耻辱亦无由至矣／过洞庭，上湘江，非有罪左迁者罕至／白璧有考，不得为宝；言至纯之难也／超俗拔萃之德，不能立功于未至之时／不闻大论则志不宏，不听至言则心不固／以肉去蚁，蚁愈多；以鱼驱蝇，蝇愈至／仁者在位而仁人来，义者在朝而义士至／先趋而后息，先问而后嘿，则什己者至／凡养生，莫若知本，知本则疾无由至矣／哀白日之不与吾谋兮，至今十年其犹初／擅一壑之水而跨跱坎井之乐，此亦至矣／君子日孳孳以成辉，小人日快快以至辱／法令者，治恶之具也，而非至治之风也／水至平而邪者取法，镜至明而丑者无怒／规矩，方圆之至也；圣人，人伦之至也／心不可乱，则利至而必知，害

至而必察／感乎心，明乎智，发而成形，精之至也／未成乎心而有是非，是今日适越而昔至也／百川学海而至于海，丘陵学山而不至于山／面垢不忘洗，衣垢不忘浣，此人之至情也／古语有之“生相怜，死相捐”。此语至矣／仁义礼乐者，可以救败，而非通治之至也／使味之者无极，闻之者动心，是诗之至也／人生大期，百年为限，节护之者可至千岁／人能贵其所贱，贱其所贵，可与言至论矣／凡人好敖慢小事，大事至，然后兴之务之／难得而易失者时也，时至而不旋踵者机也／贤者虽得卑位则旋而死，不贤者或至眉寿／有意而言，意尽而言止者，天下之至言也／天下稍安，尤须兢慎，若便骄逸，必至丧败／不畏于微，必畏于章，患大祸深，以至灭亡／孔曰成仁，孟曰取义，惟其义尽，所以仁至／刚毅，则不屈于物欲；木讷，则不至于外驰／人生至愚是恶闻己过，人生至恶是善谈人过／至味不慊，至言不文，至乐不笑，至音不叫／苟以细过自恕而轻蹈之，则不至于大恶不止／寸而度之，至丈必差；铢而称之，至石必过／虽有至圣，不生而知；虽有至材，不生而能／四海之广，不患无贤，而患在信用之不至耳／因急而呼天，疾痛而呼父母者，人之至情也／山霤至柔，石为之穿；蝎虫至弱，木为之弊／形如槁木，心若死灰，无感无求，寂泊之至／过之所始，必始于微；积而不已，遂至于著／居君子之位而为庶人之行者，其患祸必至也／骐骥千里，一日而通；驽马十舍，旬亦至之／有味之物，蠹虫必生；有才之人，谗言必至／文为之物，自然灵气。惚恍而来，不思而至／石称丈量，径而寡失，铢铢而称，至石必谬／积微之善，以至吉祥。小恶不止，乃至灭亡／笔端肤寸，膏润天下；文章之用，极其至矣／自私之念萌，则铲之；谗谀之徒至，则却之／百里而趣利者蹶上将，五十里而趣利者军半至／为道不在多，自为已有金丹至要，可不用余耳／为学日益，为道日损，损之又损，以至于无为／任非其人而国家不倾者，自古至今，未尝闻也／能至于无乐者，则无不乐；无不乐，则至极乐／灭其私而无其身，则四海莫不瞻，远近莫不至／一人所以能敌万人者，非弓刀之技，盖威之至也／一人所以能悦万人者，非言笑之惠，盖和之至也／非其人而欲有功，譬其若夏至之日而欲夜之长也／非其人而欲有功，譬之若夏至之日而欲夜之长也／邻国相望，鸡犬之声相闻，民至老死，不相往来／能无私于一人，故万物至而制之，万物至而命之／《大学》之道，在明明德，在亲民，在止于至善／君子之道也，造端乎夫妇，及其至也，察乎天地／知本无有思，动静皆离，寂然不动者，是至诚也／继世守文之君，生而富贵，不知疾苦，动至夷灭／自太古以来，致理兴化，未有言之不行而能至矣／以和氏之璧与道德之至言以示贤者，贤者必取至言／含气之伦，有生必终，盖天地之常期，自然之至数／必曰赏以春夏，而刑以秋冬，而谓之至理者，伪也／口行相反，而欲贤者之至，不肖者之退也，不亦难乎／骐骥盛壮之时，一日而驰千里；至其衰也，驽马先之／爱人者不阿，憎人者不害，爱恶各以其正，治之至也／胶漆至粘也，而不能合远；鸿毛至轻也，而不能自举／正位居体，美在其中，而畅于四支，发于事业，美之至也／至礼有不人，至义不物，至知不谋，至仁无亲，至信辟金／天之高也，星辰之远也，苟求其故，千岁之日至，可坐而致也／历观前代拨乱创业之主，生长民间，皆识达情伪，罕至于败亡／天下有至贵而非势位也，有至富而非金玉也，有至寿而非千岁也／无为者，道之宗；故得道之宗，应物无穷，任人之才，难以至治／奋六世之遗烈，振长策而御宇内，吞二周而亡诸侯，履至尊而制六合／知大一，知大阴，知大目，知大均，知大方，知大信，知大定，至矣／使六国各爱其人，则足以拒秦；使秦复爱六国之人，则递三世可至万世而为君，谁得而族灭也

尘 chén 灰尘、尘土；踪迹；污染；佛教谓色、声、香、味、触、法为六尘；道教称一世为一尘；通“陈”，长久；姓。

❶尘芥六合，谓天地为有穷也

见宋·张载《正蒙·大心》。全句为：“～；梦幻人世，明不能究其从也”。

尘世难逢开口笑，菊花须插满头归

见唐·杜牧《九日齐安登高》。

尘加嵩岱，雾集淮海，虽未有益，不为损也

见南朝·宋·范晔《后汉书·杨伦传》。

❸消受尘，白取垢；青蝇所污，常在练素／清受尘、白取垢；青蝇所污，常在练素／冀以尘雾之微补益山海，荧烛末光增辉日月／先除尘垢后染善法，譬如浣衣先去垢然后可染

❹视若游尘，遇同土梗／一生困尘土，半世走阡陌／超迈绝尘驱，倏忽谁能逐／鉴明则尘垢不止，止则不明也／衣上征尘杂酒痕，远游无处不消魂／紫陌红尘拂面来，无人不道看花回

❺不清不见尘，不高不见危／扬堁而弭尘，抱薪以救火／湿堂不洒尘，卑屋不蔽风／三十功名尘与土，八千里路云和月／竟日不知尘世事，长年占断白云乡

❻心源不受一尘侵／冰壶玉尺，纤尘弗污／春不得避风尘，夏不得避暑热／眼里无点灰尘，方可读书千卷／美人迈兮音尘阙，隔千里兮共明月／遗民泪尽胡尘里，南望王师又一年

❼谁持白羽静风尘／战血粘秋草，征尘搅夕阳／昆山之玉瑱而尘垢弗能污／常与众庶同垢

尘，不当自别殊／零落成泥碾作尘，只有香如故
❽陵波微步，罗袜生尘／青史内不标名，红尘外便是我
❾于今为神奇，信宿同尘滓／本来无一物，何处惹尘埃／清歌绕梁，白云将红尘并落／焚芰制而裂荷衣，抗尘容而走俗状
❿千里始足下，高山起微尘／人生无根蒂，飘如陌上尘／贵者虽自贵，视之若埃尘／朝扣富儿门，暮随肥马尘／白日曜青春，时雨静飞尘／言之如吹影，思之如镂尘／雄心志四海，万里望风尘／赋情顿雪双鬓，飞梦逐尘沙／鹿驰走无顾，六马莫能望其尘／内不失真，外不殊俗，同尘而不染／冰雪林中著此身，不同桃李混芳尘／谁怜爱国千行泪，说到胡尘意不平／宁作清水之沉泥，不为浊路之飞尘／眼前直下三千字，胸次全无一点尘／安能以皓皓之白，而蒙世俗之尘埃乎／生者，假借也；假之而生生者，尘垢也／君不见高山万仞连苍旻，天长地久成埃尘／神姿高彻，如瑶林琼树，自然是风尘外物／志烈秋霜，心贞昆玉，亭亭高竦，不染风尘／挫其锐，解其纷，和其光，同其尘，湛兮似或存／天无时不风，地无时不尘，物无所不有，人无所不为／人生寄一世，奄忽若飙尘；何不策高足，先据要路津

壮 ①zhuàng 强健有力；气势盛大，雄伟；加强；使雄壮；针灸学名词。②zhuāng 姓。

❶壮而好学，如日中之光

见汉·刘向《说苑·建本》。全句为："少而好学，如日出之阳；～；老而好学，如炳烛之明"。

壮岁从戎，曾是气吞残虏

见宋·陆游《谢池春》。

壮志饥餐胡虏肉，笑谈渴饮匈奴血

见宋·岳飞《满江红》。

壮而不虚，刚而能润……非鼓怒以为资

见唐·杨炯《王勃集序》。删节处为："雕而不碎，按而弥坚，大则用之以时，小则施之有序，徒纵横以取势"。

壮年竭忠孝于沙漠，疲劳则便捐死于旷野

见南朝·宋·范晔《后汉书·班超传》。

❷物壮则老／表壮不如里壮／少壮不努力，老大徒伤悲／恃壮者一病必危，过懒者久闲愈懦／少壮真当努力，年一过往，何可攀援
❸辞欲壮丽，义归博远／高情壮思，有抑扬天地之心／安得壮士挽天河，净洗甲兵长不用
❹幼而学，壮而行／师直为壮，曲为老／心能识壮耄而不觉其形／老当益壮，宁移白首之心／丈夫丁壮而不耕，天下有受其饥者／少不讽，壮不论议；虽可，未成也／骐骥盛壮之时，一日而驰千里；至其衰也，驽马先之
❺剑门天下壮／老有所终，壮有所用／蝮蛇螫手，壮士解其腕／不睹皇居壮，安知天子尊／岁老根弥壮，阳骄叶更阴／有理言自壮，负屈声必高／俱怀逸兴壮思飞，欲上青天揽明月／人世多违壮士悲，干戈未定书生老／国仇未报壮士老，匣中宝剑夜有声／笛里谁知壮士心？沙头空照征人骨
❻表壮不如里壮／物不可以终壮／时节忽已换，壮心空自惊／一画失所，如壮士之折一肱／求天下奇闻壮观，以知天地之广大／为有牺牲多壮志，敢教日月换新天／瘝病克寿，矜壮死暴。纵欲不戒，匪愚伊耄／伟哉横海鲸，壮矣垂天翼。一旦失风水，翻为蝼蚁食
❼何不借风雷，一壮天地颜／生不识水，则虽壮，见舟而畏之／文之近古而尤壮丽，莫若汉之西京／词澹语要有味，壮语要有韵，秀语要有骨／始而胎气充实……壮而声色有节者强而寿／始而胎气虚耗……壮而声色自放者弱而夭
❽穷当益坚，老当益壮／生为百夫雄，死为壮士规／忧国孤臣泪，平胡壮士心／日月光天德，山河壮帝居／力能排天斡九地，壮颜毅色不可求／如此如此复如此，壮心死尽生鬓丝／风萧萧兮易水寒，壮士一去兮不复还
❾不因感衰节，安能激壮心／邹、鲁多鸿儒，燕、赵饶壮士／古人学问无遗力，少壮功夫老始成／勇将不怯死以苟免，壮士不毁节而求生／凡人之性，少则猖狂，壮则暴强，老则好利
❿铭博约而温润，箴顿挫而清壮／丈夫为志，穷当益坚，老当益壮／传语万古观潮客，莫观老潮观壮潮／天地有官，阴阳有藏；慎守女身，物将自壮／庶人有旦暮之业则劝，百工有器械之巧则壮／老骥伏枥，志在千里；烈士暮年，壮心不已／幼而学者，如日出之光；壮而学者，如炳烛之光／建安诗辩而不华，质而不俚，风调高雅，格力遒壮／伯浑醉书，纸穷墨燥，如春龙奋蛰，奇鬼搏人，何其壮也

圹 kuàng 墓穴；原野；通"旷"，旷废，松懈。

❿民之归仁也，犹水之就下、兽之走圹也

圯 yí 桥。

❻张良授策于圯桥，功崇佐汉

地 ①dì 地球的表面层；地区，国土；土地，田地；地位，境地；地壳；地步；心地；底子，质地；通"第"。②de 犹言"着"；作词助。

❶地诚任，不患无财

见唐·李筌《太白阴经·国有富强》。

地不深厚则载物不博

见南朝·宋·范晔《后汉书·朱穆传》。全句

为："天不崇大则覆帱不广，～，人不敦庞则道数不远"。

地之大，刚柔尽之矣

见宋·邵雍《皇极经世·观物篇》。全句为："天之大，阴阳尽之矣；～"。

地行不信，草木不大

见《吕氏春秋·离俗览·贵信》。全句为："天行不信，不能成岁；～"。

地有远行，无有不至

见宋·文天祥《题戴行可进学斋》。

地者国之本，奈何予人

见汉·班固《汉书·匈奴传》。

地也，你不分好歹何为地

见元·关汉卿《感天动地窦娥冤杂剧》。全句为："～？天也，你错勘贤愚枉为天"。

地僻乡音别，年丰酒味醇

见宋·王操《村家》。

地势使之然，由来非一朝

见晋·左思《咏史》之二。全句为："世胄蹑高位，英俊沉下僚；～"。

地若无山川，何人重平道

见唐·唐备《失题二首》之一。全句为："天若无雪霜，青松不如草。～"。

地薄惟供税，年丰尚苦贫

见宋·刘子翚《策杖》。

地虽生尔材，天不与尔时

见唐·白居易《寓意诗五首》之一。

地利不如人和，武力不如文德

见汉·桓宽《盐铁论·险固》。

地道乱，而草木山川不得其平

见唐·韩愈《原人》。

地薄者大物不产，水浅者大鱼不游

见汉·黄石公《素书·安礼》。

地广非常安之术，人劳乃易乱之源

见唐·吴兢《贞观政要·征伐》。

地纯阴凝聚于中，天浮阳运旋于外

见宋·张载《正蒙·参两》。全句为："～，此天地之常体也"。

地，积块耳，充塞四虚，亡处亡块

见《列子·天瑞》。

地不改辟矣，民不改聚矣，行仁政而王，莫之能御也

见《孟子·公孙丑上》。

地尽天水合，朝及洞庭湖，初日当中涌，莫辨东西隅

见唐·宋之问《洞庭湖》。

地虽胜，得人焉而居之，则山若增而高，水若辟而广

见唐·柳宗元《潭州杨中丞作东池戴氏堂记》。全句为："～，常不待饰而已奂矣"。

❷天地有始／掷地作金石声／天地之性人为贵／天地节而四时成／天地闭，贤人隐／天地间，人为贵／天地革而四时成／天地之性，人为贵／天地所宝者，才也／在地者莫明乎水火／掷地，当作金石声／天地长久，风俗无恒／天地之外，别有天地／天地充实，长保年也／天地玄黄，宇宙洪荒／天地变化，圣人效之／天地虽广，以无为心／天地清静，皆守一也／天地，道德之形容也／天地者，万物之逆旅／天地者，形之大者也／天地有穷，此冤无穷／天地既位，阴阳气交／为地战者不能成其王／胜地不常，盛筵难再／天地无为也而无不为也／天地物之大者，人次之／平地注水，湿者必先濡／土地虽广，好战则民凋／天地不仁，以万物为刍狗／天地长不没，山川无改时／天地之道，生杀之理……／天地为炉，造化为工……／天地莫生金，生金人竞争／天地有正气，杂然赋流形／画地为饼，不可得而食也／土地博裕，而守以俭者安／落地为兄弟，何必骨肉亲／沃地之民多不才者，饶也／此地一为别，孤蓬万里征／此地曾居住，今来宛似归／瘠地之民多有心者，劳也／天地之道，极则反，盈则损／土地广大，守之以俭者，安／天地四方曰宇，往古来今曰宙／天地成于元气，万物乘于天地／天地与我并生，而万物与我为一／天地不能顿为寒暑，必渐于春秋／天地之有水旱，犹人之有疾病也／天地养万物，圣人养贤以及万民／天地合而万物生，阴阳接而变化起／土地之生物不益，山泽之出财有尽／坐地日行八万里，巡天遥看一千河／胜地几经兴废事，夕阳偏照古今愁／赤地炎都寸草无，百川水沸煮虫鱼／天地之大德曰生，人受天地之气而生／天地在我首之上，足之下，开目尽见／天地无全功，圣人无全能，万物无全用／天地之中，荡然任自然，故不可得而穷／天地之间空虚，和气流行，故万物自生／天地之所贵者人也，圣人之所尚者义也／天地以顺动，故日月不过，而四时不忒／为地战者不能成王，为禄仕者不能成政／方地为车，圆天为盖，长剑耿耿倚天外／一地所生，一雨所润，而诸草木各有差别／天地生我而不能鞠我……成我者，夫子也／天地之道，寒暑不时则疾，风雨不节则饥／天地虽含囊万物，而万物非天地之所为也／天地之化，盈虚消息，往过来续，流行古今／天地之间，万国并兴，小大愚智，皆愿为君／天地车轮，终则复始，极则复反，莫不咸当／天地者万物之父母也，合则成体，散则成始／天地所以独长且久者，以其安静，施不荣报／天地有官，阴阳有藏；慎守女身，物将自壮／画地为牢，势不可入；削木为吏，议不可对／争地以战，杀人盈野；争城以战，杀人盈城／如地如天，何私何亲？如日如

月，唯君之节／天地之间，其犹橐籥乎？虚而不屈，动而愈出／天地之精所以生物者莫贵于人，人受命乎天也／天地所以能长且久者，以其不自生，故能长生／天地任自然无为，无造万物，自相治理，故不仁／天地之养也一，登高不可以为长，居下不可以为短／天地之气合而为一，分为阴阳，判为四时，列为五行／天地相对，日月相刿，山川相流，轻重相浮，阴阳相续／天地之大，四时之化，而犹不能以不信成物，又况乎人事／天地有大美而不言，四时有明法而不议，万物有成理而不说

❸心远地自偏／方寸地，九折坂／天上地下，惟我独尊／天与地卑，山与泽平／得土地易，得人心难／非其地而树之，不生也／故天地含精，万物化生／天高地迥，觉宇宙之无穷／务广地者荒，务广德者强／岂伊地气暖？自有岁寒心／人杰地灵，徐孺下陈蕃之榻／昔时地险，实为建业之雄都／与天地兮同寿，与日月兮同光／天施地化，不以仁恩，任自然／合天地万物而言，只是一个理／殚其地之出，竭其庐之人……／水因地而制流，兵因敌而制胜／念天地之悠悠，独怆然而涕下／笼天地于形内，挫万物于笔端／天覆地载，万物悉备，莫贵于人／天长地久有时尽，此恨绵绵无绝期／蓝青地黄犹可假，仁义之事不可假乎／自天地至于万物，无不须气以生者也／非其地，树之不生；非其意，教之不成／盈天地间皆物也。……通观天地，天地一物也

❹轮不蹍地／不以位地矜人／陷之死地而后生／搜天斡地觅诗情／置之死地而后快／置之死地而后生／义者，天地之所宜／死生，天地之常理／包裹天地，禀授无形／荷甑堕地，不顾而去／道德，天地之神明也／身重天地，物轻鸿毛／天德施，地德化，人德义／天道施，地道化，人道义／天曰虚，地曰静，乃不忒／人生天地间，忽如远行客／名如画地作饼，不可啖也／江流天地外，山色有无中／途穷天地窄，世乱死生微／风生于地，起于青蘋之末／天主正，地主平，人主安静／飞霜迎地，兰萧衔共尽之悲／雷电震地，而聋者不闻其响／才如白地明光锦，裁为负版袴／天气上，地气下，人气在其间／两兔傍地走，安能辨我是雄雌／心如天地者明，行如绳墨者章／十种之地，膏壤虽肥，弗耕不获／经天纬地之帝，求制礼作乐之才／身譬如地，善意如禾，恶意如草／天可度，地可量，唯有人心不可防／休夸此地分天下，只得徐妃半面妆／诸侯之地有限，暴秦之欲无厌……／投之亡地然后存，陷之死地然后生／宁期此地忽相遇，惊喜茫如堕烟雾／经纬天地之谓文，戡定祸乱之谓武／果蓏失地则不实，鱼龙失水则不神／时来天地皆同力，运去英雄不自由／悲愁天地白日昏，路旁过者无颜色／譬如平地，虽覆一篑，进，吾往也／未有天地之先，毕竟也只是先其俭也／读书占地位，在人品上，不在势位上／近河之地湿，近山之土燥，以类相及也／道在天地之间也，其大无外，其小无内／未有天地之先，毕竟也只是先进谏斯易矣／人生天地之间，若白驹之过却，忽然而已／“无”名，天地之始；“有”名，万物之母／人影在地，仰见明月，顾而乐之，行歌相答／胡风动地，朔雁成行；拔剑登车，慷慨而别／未有天地之先，毕竟也只是先让者，德之主也／人肖天地之类，怀五常之性，有生之最灵者也／莫不拔地倚天，句句欲活，读之……莫可捉搦／人生天地之中，殊于众类明矣。感则应，激则通／未有天地之先，毕竟也只是先有此理，便有此天地／今以众地者，公作则迟，有所匿其力也；分地则速，无所匿迟也

❺圣人与天地合其德／天不能覆，地不能载／王者如天地之无私心／问苍茫大地，谁主沉浮／道通行天地……不危殆／一朝辞此地，四海遂为家／元气者，天地万物之宗统／东风满天地，贫家独无春／由来征战地，不见有人还／偶然临险地，不信在人间／六朝金粉地，落木更萧萧／风行常有地，云出本多峰／炉火照天地，红星乱紫烟／蜀山金碧地，此地饶英灵／以赂秦之地，封天下之谋臣／天时不如地利，地利不如人和／世间极占地位的，是读书一著／泻水置平地，各自东西南北流／逍遥于天地之间，而心意自得／致中和，天地位焉，万物育焉／天之所生，地之所产，足以养人／天有其时，地有其财，人有其治／天无私覆，地无私载，日月无私照／愚人以天地文理圣，我以时物文理哲／顺天时，量地利，则用力少而成功多／太极，谓天地未分之前，元气混而为一／天之所覆，地之所载，莫不尽其美致其用／天静以清，地定以宁，万物失之者死，法之者生／今一以天地为大炉，以造化为大冶，恶乎往而不可哉／天不可信，地不可信，人不可信，心不可信，惟道可信

❻立于不败之地／人发杀机，天地反覆／飏下屠刀，立地成佛／瞒天讨价，就地还钱／变化者，乃天地之自然／山川者，特天地之物也／浩然者乃天地之正气也／城有所不攻，地有所不争／书生报国无地，空白九分头／凡事当留余地，得意不宜再往／凡物置之安地则安，危地则危／寄蜉蝣于天地，渺沧海之一粟／风波作于平地，亲戚化为仇怨／礼有三本：天地者，生之本也／乐，所以达天地之和而饬化万物／在天成象，在地成形，变化见矣／道者，覆天载地，廓四方，柝八极／火力不能销地力，乱前黄菊眼前开／万物生于天地之间，其理不可以一概／正

得失，动天地，感鬼神，莫近于诗／吾人立身天地间，只思量作得一个人／礼，天之经也，地之义也，民之行也／思立掀天揭地的事功，须向薄冰上履过／圣人并包天地，泽及天下，而不知其谁氏／欲明两仪天地之体，必以太极虚无为初始／以天为父，以地为母，阴阳为纲，四时为纪／天无时不风，地无时不尘，物无所不有，人无所不为／天无私覆也，地无私载也，日月无私烛也，四时无私行也／道一不息，天地亦不息；天地之不息，固道之不息者为之／天不得不高，地不得不广，日月不得不行，万物不得不昌，此其道与

❼英雄无用武之地／情生于有情之地／秉德无私，参天地兮／有物混成，先天地生／大天苍苍兮，大地茫茫／善守者，藏于九地之下／上天下天水，出地入地舟／不临深溪，不知地之厚也／生材会有用，天地岂无心／行天莫如龙，行地莫如马／滔滔大江水，天地相终始／有天不雨粟，无地可埋尸／蜀山金碧地，此地饶英灵／黔首本骨肉，天地本比邻／生非汝有，是天地之委和也／尘芥六合，谓天地为有穷也／天高不敢不局，地厚不敢不蹐／天至广不可度，地至大不可量／天时不如地利，地利不如人和／播糠迷目，则天地四方易位矣／四时四维者，天地至大之谓也／处天下所观之地，可不慎乎？／错国于不倾之地者，授有德也／上知天时，下知地利，中知人事／上因天时，下尽地财，中用人力／知足之人，虽卧地上，犹为安乐／东南四十三州地，取尽膏脂是此河／千古风流歌舞地，六朝兴废帝王州／力能排天斡九地，壮颜毅色不可求／善游者死于梁地，善射者死于中野／定者，尽俗之极地……持安之毕事／植之而塞于天地，横之而弥于四海／萌于不必忧之地，而寓于不可见之初／有风波作于平地，亲戚化为仇怨者矣／人事必将与天地相参，然后乃可以成功／在天曰阴阳，在地曰柔刚，在人曰仁义／在这可诅咒的地方击退了可诅咒的时代／打扫光明一片地，襄贮古今，研究经史／各自责则天清地宁，各相责则天翻地覆／粟米布帛生于地，长于时，聚于力，非可一日成／人之生，动之死地亦十有三。夫何故？以其生生之厚／古之人观于天地、山川、草木、虫鱼、鸟兽，往往有得／物之美者，盈天地间皆是也。然必待人之神明才慧而见／天无为以之清，地无为以之宁，故两无为相合，万物皆化生／君子所以动天地应神明正万物而成王治者，必本乎真实而已

❽下而黄者，世谓之地／天地之外，别有天地／置将不善，一败涂地／用管窥天，用锥指地／变通之道遍满天地之内／吾不见青天高，黄地厚／一在天之涯，一在地之角／不论天有眼，但管地无皮／任重道远者，不择地而息／谛毫末者，不见天地之大／负重道远者，不择地而休／务广德者昌，务广地者亡／床前明月光，疑是地上霜／水涵天影阔，山拔地形高／人神之所同疾，天地之所不容／孙子非汝有，是天地之委蜕也／极而反，盛而衰，天地之道也／痴人妄认逆境，平地自生铁围／生之厚必入死之地，故谓之大患／知得是是非非，恁地确定，是智／怅寥廓，问苍茫大地，谁主沉浮／天不生无禄之人，地不长无根之草／天不言而四时行，地不语而百物生／天广而无以自覆，地厚而无以自载／义胆包天，忠肝盖地，四海无人识／圣王在上位，天覆地载，风令雨施／多少事，从来急；天地转，光阴迫／夫玄也者，天道也，地道也，人道也／上不至天，下不至地，言出子口而入吾耳／以管窥天，以锥刺地；所窥者大，所见者小／圣人之道，同诸天地，荡诸四海，变习易俗／贤者辟世，其次辟地，其次辟色，其次辟言／盘石千里，不为有地；愚民百万，不为有民／何惜阶前盈尺之地，不使白扬眉吐气，激昂青云

❾履虽五采，必践之于地／上天下天水，出地入地舟／何不借风雷，一壮天地颜／兴废由人事，山川空地形／将出凶门勇，兵因死地强／自从兵戈动，遂觉天地窄／高情壮思，有抑扬天地之心／生人物之万殊，立天地之大义／那切切实实、足踏在地上……／知杀而不知生者，反地之要也／行身亦然，无涤垩之地则寡非矣／人情旦暮有翻复，平地倏忽成山谿／高天滚滚寒流急，大地微微暖气吹／诗中日月酒中仙，平地雄飞上九天／观者如山色沮丧，天地为之久低昂／在天愿作比翼鸟，在地愿为连理枝／知天者仰观天文，知地者俯察地理／昔人已乘黄鹤去，此地空余黄鹤楼／善出奇者，无穷如天地，不竭如江河／善战者立于不败之地，而不失敌之败也／官不得其才，比于画地作饼，不可食也／与百姓有缘才来此地，期寸心无愧不鄙斯民／五谷养性而弃之于地，珠玉无用而宝之于身／国有常众，战无常胜；地有常险，守无常势／山无陵，江水为竭……天地合，乃敢与君绝／上不失天时，下不失地利，中得人和，而百事不废

❿地也，你不分好歹何为地／名声若日月，功绩如天地／杜甫陈子昂，才名括天地／沃荡词源，河海无息肩之地／天地成于元气，万物乘于天地／不忠不信，何以立于天地之间／久利之事勿为，众争之地勿往／包藏宇宙之机，吞吐天地之志／凡物置之安地则安，危地则危／立业建功，事事要从实地着脚／人思取材于人，不若取材于天地／力士推山，天吴移水，作农桑地／宇宙之内，燕雀不知天地之高也／富者田连阡陌，贫者亡立锥之地／一登一陟一回顾，我脚高地

他更高／万家墨面没蒿莱，敢有歌吟动地哀／无为者，道之身体，而天地之始也／求天下奇闻壮观，以知天地之广大／长恨人心不如水，等闲平地起波澜／大梁襟带洪河险，谁遣神州陆地沉／投之亡地然后存，陷之死地然后生／将回日月先反掌，欲作江河唯画地／知天者仰观天文，知地者俯察地理／闻鸡久听南天雨，立马曾挥北地鞭／洞庭波涌连天雪，长岛人歌动地诗／日月五星逆天而行，并包乎地者也／时不与兮岁不留，一叶落兮天地秋／礼之可以为国也久矣，与天地并立／虎踞龙盘今胜昔，天翻地覆慨而慷／天地之大德曰生，人受天地之气而生／大道吐气，布于虚无，为天地之本始／日月为明而弗能兼也，唯天地能函之／兵者，国之大事，死生之地，存亡之道／以土圭之法测土深，正日景，以求地中／功不使鬼必在役人，物不天来终须地出／巧不使鬼必有役人，物不天来终须地出／各自责则天清地宁，各相责则天翻地覆／岑乎泰山不足为高，巍乎天地不足为容／清阳者薄靡而为天，重浊者凝滞而为地／是直用管窥天，用锥指地也，不亦小乎／忠臣者务崇君之德，谄臣者务广君之地／言行，君子之所以动天地也，可不慎乎／天地虽含囊万物，而万物非天地之所为也／兵不刑天，兵不可动；不法地，兵不可昔／君不见高山万仞连苍旻，天长地久成埃尘／事顺神明者不合于俗，功配天地者不悦于众／以无厚入有间，恢恢乎其于游刃必有余地矣／尽若穷烟，离若箭弦，如影灭地，犹星殒天／人穷则反本，故劳苦倦极，未尝不呼天地也／谓天盖高，不敢不局；谓地盖厚，不敢不蹐／圣人若天然，无私覆也；若地然，无私载也／圣人爱养万民，不以仁恩，法天地，行自然／知彼知己，胜乃不殆；知天知地，胜乃不穷／知熟必避，知生必避；入人意中，出人头地／布奠倾觞，哭望天涯。天地为愁，卓木凄悲／层台耸翠，上出重霄，飞阁流丹，下临无地／已乎已乎，临人以德；殆乎殆乎，画地而趋／施薪若一，火就燥也；平地若一，水就湿也／福轻乎羽，莫之知载；祸重乎地，莫之知避／乘不测之舟，入无人之地，以相从问文章为事／化者，复归于无形也；不化者，与天地俱生也／闭心自慎，终不失过兮；秉德无私，参天地兮／清轻者上为天，浊重者下为地，冲和气者为人／盈天地间皆物也。……通观天地，天地一物也／谷神不死，是谓玄牝。玄牝之门，是谓天地根／五步一楼，十步一阁。……各抱地势，钩心斗角／君子之道也，造端乎夫妇，及其至也，察乎天地／未有天地之先，毕竟也只是先有此理，便有此天地／含气之伦，有生必终，盖天地之常期，自然之至数／志之所在，气亦随之；气之所在，天地鬼神亦随之／天若不爱酒，酒星不在天；地若不爱酒，地应无酒泉／恬淡、寂寞、虚无、无为，此天地之本而道德之质也／道者……高不可际，深不可测；包裹天地，禀授无形／失名失货，道德是佑，神明是助，名显自然，富配天地／道者何也？虚无之系，道化之根，神明之本，天地之源／祸世之匠，乱国之工，绝逆天地，伤害我身，莫大乎名／其为气也，至大至刚，以直养而无害，则塞于天地之间／得一官不荣，失一官不辱，勿说一官无用，地方全靠一官／道一不息，天地亦不息；天地之不息，固道之不息者为之／有能推至诚之心而加以不息之久，则天地可动，金石可移／杀人之士民，兼人之土地，以养吾私与吾神者，其战不知孰善／今以众地者，公作则迟，有所匿其力也；分地则速，无所匿迟也

坛 ①tán 古代举行祭祀、誓师等大典时用的高台；用土堆成的平台；泛指某个领域；报刊发表言论的栏目；指文艺界或体育界；讲学的场所；［坛子］一种陶器。②dàn［坛曼］平坦而宽广。

❿未曾灭项兴刘，先见筑坛拜将

坏 ①huài 劣；毁坏。②pēi 土丘。③péi 通“培”，用泥土涂塞空隙；屋的后墙。④pī 同“坯”。

❶坏崖破岩之水，原自涓涓

见宋·王安石《风俗》。全句为：“～；干云蔽日之木，起于青葱”。

坏崖破岩之水，源自涓涓

见南朝·宋·范晔《后汉书·丁鸿传》。全句为：“～；干云蔽日之木，起于葱青”。

❷墙坏于其隙，木毁于其节

❸凡人坏品败名，钱财占了八分／墙之坏也于隙，剑之折必有啮

❹天之所坏，不可强支／乌有城坏其徒俱死，独蒙愧耻求活

❺墙薄则亟坏……酒薄则亟酸／不以人之坏自成，不以人之卑自高／不以人之坏自成也，不以人之卑自高也，不以遭时自利也／伪乱俗，私坏法，放越轨，奢败制。四者不除，则政未由行矣

❻理因事彰，不坏事而显理／纸上语可废坏，心中誓不可磨灭

❼杂施而不孙，则坏乱而不修／物之有成必有坏，譬如人之有生必有死

❽泰山其颓，梁木其坏／恶不在大，心术一坏，即入祸门

❾泰山其颓乎，梁木其坏乎，哲人其萎乎／自古乱亡之国，必先坏其法制，而后乱从之

❿君子淡以成，小人甘以坏／蠹众而木折，隙大而墙坏／事不患于不成，而患于易坏／揣歪，使乖，枉自把心田坏／物暴长者必夭折，功卒成者

必亟坏／木之折也，必通蠹；墙之坏也，必通隙／不塞隙穴，而劳力于赭垩，暴风疾雨必坏／人品须从小作起，权宜苟且诡随之意多，则一生人品坏矣

坚 jiān 硬；坚固的；意志或信心坚定不动摇；可靠；姓。

❶坚则毁矣，锐则挫矣

见《庄子·天下》。

坚劲之人好攻其事实

见三国·魏·刘劭《人物志·材理》。全句为："～，指机理则颖灼而彻尽，涉大道则径露而单持"。

坚强处下，柔弱处上

见《老子》七十六。

坚明直亮，有文武之用

见唐·柳宗元《王侍郎母刘氏志》。

坚冰作于履霜，寻木起于蘖栽

见汉·张衡《东京赋》。

坚甲利兵不足以为武，高城深池不足以为固

见汉·韩婴《韩诗外传》。全句为："～，严令繁刑不足以为威"。

❷齿坚于舌而先之敝／革坚则兵利，城成则冲生／函坚则物必毁之，刚斯折矣／两坚不能相和，两强不能相服／内坚刚而外温润，有似君子者，玉也／被坚执锐，义不如公；坐而运策，公不如义

❸履霜，坚冰至／履霜坚冰，其渐久矣／摧其坚，夺其魁，以解其体／捶字坚而难移，结响凝而不滞／强楷坚劲，用在桢干，失在专固／内守坚固真之真，虚中恬淡自致神／我心坚，你心坚，各自心坚石也穿／不曰坚乎？磨而不磷；不曰白乎？涅而不缁

❹执持要坚耐，怕是脆／石生而坚，兰生而芳／穷当益坚，老当益壮／小敌之坚，大敌之擒也／穷且益坚，不坠青云之志／砥砺磨坚，莫见其损，有时而薄／立志欲坚不欲锐，成功在久不在速／石生而坚，兰生而芳，少自其质，长而愈明

❺广其学而坚其守／善攻不待坚甲而克

❻作甲者欲其坚，恐人之伤／凡用兵者，攻坚则轫，乘瑕则神／千磨万击还坚劲，任尔东西南北风／我心坚，你心坚，各自心坚石也穿／大都好物不坚牢，彩云易散琉璃脆／善问者如攻坚木：先其易者，后其节目

❼志比精金，心如坚石／强者折，锐者挫，坚者破／兵者凶器也，甲坚兵利，为天下殃／业无高卑志当坚，男儿有求安得闲

❽摧强易于折枯，消坚甚于汤雪／寸裂之锦縠，未若坚完之韦布／丈夫为志，穷当益坚，老当益壮／仰之弥高，钻之弥坚。瞻之在前，忽焉在后

❾大丈夫为志，穷当益坚／善攻者不尽兵以攻坚城／石可破也，而不可夺坚／立志要定，不要杂；要坚，不要缓

❿贞刚自有质，玉石乃非坚／蹈道之心一，而俟时之志坚／天下之至柔，驰骋天下之至坚／亲者割之不断，疏者续之不坚／不待愤悱而发，则知之不能坚固／桃李虽艳，何如松苍柏翠之坚贞／我心坚，你心坚，各自心坚石也穿／好名则多树私恩，惧谤则执法不坚／凡道必周必密，必宽必舒，必坚必固／丹可灭而不能使无赤，石可毁而不能使无坚／兰薰而摧，玉缜则折；物忌坚芳，人讳明洁／读书做人，先要立志。志患不立，尤患不坚／君子居安宜操一心以虑患，处变当坚百忍以图成／立大事者，不惟有超世之才，亦必有坚忍不拔之志／古之立大事者，不惟有超世之才，亦必有坚忍不拔之志／天下莫柔弱于水，而攻坚强者莫之能先，以其无以易之也／慈仁者，百姓亲附，并心一意，故以战则胜敌，以守卫则坚固／肮脏不平之气，不欲销而自销；坚贞不拔之志，不欲奋而自奋矣

坂 bǎn 通"阪"，山坡，斜坡。

❻方寸地，九折坂

坐 zuò 以臀部着物以支撑身体；位置所在；旧指获罪；定罪；因为；坐守；掌管；即将，遂；深；由于；恰好；犹"自"；空，徒然。

❶坐而论道，谓之王公

见晋·陈寿《三国志·魏书·王朗传》。全句为："～；作而行之，谓之士大夫"。

坐上客恒满，樽中饮不空

见汉·孔融《诗》。

坐无君子，则与琴酒为友

见唐·元结《丐论》。全句为："乡无君子，则与云山为友；里无君子，则与松柏为友；～"。

坐对风动帷，卧见云间月

见南朝·梁·宗夬《遥夜吟》。全句为："遥夜复遥夜，遥夜忧未歇。～"。

坐潭上，四面竹树环合……

见唐·柳宗元《至小丘西小石潭记》。全句为："～，寂寥无人，凄神寒骨，悄怆幽邃"。

坐茂树以终日，濯清泉以自洁

见唐·韩愈《送李愿归盘谷序》。全句为："穷居而野处，升高而望远，～"。

坐井而观天，曰天小者，非天小也

见唐·韩愈《原道》。

坐地日行八万里，巡天遥看一千河

见现代·毛泽东《七律二首·送瘟神》其一。

坐而玩之者，可濯足于床下；卧而狎之者，可垂钓于枕上

见唐·白居易《冷泉亭记》。全句为："山树为盖，岩石为屏，云从栋生，水与阶平。～"

❷一坐飞语，如冲骇机／独坐穷山，放虎自卫／安坐至暮，祸灾不到／侍坐于先生，先生问焉，终则对。请业则起，请益则起
❸与其坐而待亡，孰若起而拯之／伟士坐以俊杰之才，招致群吠之声／停车坐爱枫林晚，霜叶红于二月花
❹行海者坐而至越，有舟也／倚老松，坐怪石，殷殷潮声，起于月外／翳嘉林，坐石矶，投竿而渔，陶然以乐
❺白头翁妪坐看瓜／不偶流俗，坐忘人事／家累千金，坐不垂堂／人疑天上坐，鱼似镜中悬／居不主奥，坐不中席，行不中道，立不中门
❻久行伤筋，久坐伤肉／道德之教，自坐是也／诚信相接，如坐人春风中
❼道由心悟，岂在坐也／可起而索，不可坐而得／一别怀万恨，起坐为不宁／先王昧爽丕显，坐以待旦／行者见罗敷……但坐观罗敷／秦越远途也，安坐而至者，械也／由来犬羊着冠坐庙堂，安得四鄙无豺狼
❽读书之处，不可久坐闲谈／片言可以明百意，坐驰可以役万里／苦身焦思，置胆于坐，坐卧即仰胆，饮食亦尝胆
❾男儿当死中求生，可坐穷乎／养性之道：莫久行、久坐……／饱食便卧及终日久坐，皆损寿／清音宛转，如诉如慕，坐客听之，不觉泪下／被坚执锐，义不如公；坐而运策，公不如义／苦身焦思，置胆于坐，坐卧即仰胆，饮食亦尝胆
❿畏友胜于严师，群游不如独坐／贫民耕而不免于饥，富民坐而饱以嬉／小人朝为而夕求其成，坐施而立望其反／造父疾趋，百步而废；自托乘舆，坐致千里／天之高也，星辰之远也，苟求其故，千岁之日至，可坐而致也

坎 kǎn 坑；地洞；圹穴；田间高出地面的土埂；八卦之一；恨；酒樽名。

❶坎井无鼋鼍者，隘也

见汉·刘向《说苑·谈丛》。全句为："～；园中无修林者，小也"。

坎井之蛙，不知江海之大

见汉·桓宽《盐铁论·复古》。全句为："宇宙之内，燕雀不知天地之高也；～"。

坎井之蛙不可与语东海之乐

见《荀子·正论》。全句为："浅不足与测深，愚不足与谋知。～"。

❺江海不与坎井争其清
❾凿井者起于三寸之坎，以就万仞之深／擅一壑之水而跨跱坎井之乐，此亦至矣
❿罾缴充蹊，阬阱塞路，举手挂网罗，动足蹈机坎

均 ①jūn 均匀；全；调和；都，同；通"钧"，造瓦器的转轮；汉代量酒的单位；调节乐器的用具。②yùn 古"韵"字；音乐术语。

❶均，天下之至理也，连于形物亦然

见《列子·汤问》。

❷德均则众者胜寡／能均其食者，天下可以治
❸俭者，均食之道也／文章均得江山助，但觉前贤畏后贤／二好均平，无分轻重，则一俯一仰，乍进乍退
❹政赋不均，盗之源也
❺劝农节用，均丰补歉／性同而势均则相竞而相害也
❻天下国家可均也，爵禄可辞也，白刃可蹈也，中庸不可能也
❼不患寡而患不均，不患贫而患不安
❾善为政者，防于未然，均其有无，省其徭役
❿众寮宜洁白，万役但平均／大匠无弃材，船车用不均／卞和献宝，以离断趾；灵均纳忠，终于沉身／知大一，知大阴，知大目，知大均，知大方，知大信，知大定，至矣

坟 ①fén 本指高出地面的土堆，后专指坟墓；水边高地；大；指古代的大著作；顺貌。②fèn 高起。

❸李白坟三尺，嵯峨万古名
❿险语破鬼胆，高词媲皇坟

坑 ①kēng 地面低洼下去的地方；活埋；陷害；地道。②kàng 通"炕"，用土、坯等砌成的人们睡觉的台。

❶坑儒士起自诸生为妖言

见汉·王充《论衡·语增篇》。全句为："燔诗书起淳于越之谏，～"。

坑灰未冷山东乱，刘项元来不读书

见唐·章碣《焚书坑》。

❼旦执机权，夜填坑谷；朔欢卓、郑，晦泣颜、原

块 kuài 成块的东西；量词；无动于衷的样子；孤独貌。

❶块土不能障狂澜，匹夫不能振颓俗

见宋·李邦献《省心杂言》。

❸地，积块耳，充塞四虚，亡处亡块
❺雕琢复朴，块然独以其形立
❻鼎铛玉石，金块珠砾，弃掷逦迤
❼九河盈溢，非一块所防
❾阳春召我以烟景，大块假我以文章／茂林之下无丰草，大块之间无美苗／酒罂饭囊，或醉或梦，块然泥土者……／牛蹄之涔，无尺之鲤；块阜之山，无丈之材
❿夺他人之酒杯，浇自己之垒块／地，积块耳，充塞四虚，亡处亡块

坠 zhuì 掉下；下垂；失去。

❶坠井者求出，执热者愿濯

见唐·杜牧《上宰相求杭州启》。全句为：

"～,古人以此二者,譬喻所切也。某今所切,是坠于绝壑,而衣挂于树杪,覆在鼎中,下有热火,而水将沸,与古所喻,则复过之"。

❹驰马思坠,挞人思毙,妄费思穷,滥交思累

❺岂知千仞坠,只为一毫差/病叶多先坠,寒花只暂香/日月其犹坠落,萤光如何久留

❻穷且益坚,不坠青云之志/某今所切,是坠于绝壑……/朝饮木兰之坠露兮,夕餐秋菊之落英

❾教化之废,推中人而坠入小人之域/忽闻晓角吟风,一叶坠露,惊而试问,即红线回矣

❿不可以一时之失意而自坠其志/懒则不肯勤勉,学殖荒而志气亦坠/旌蔽日兮敌若云,矢交坠兮士争先/酌奇而不失其真,玩华而不坠其实/处颠者危,势丰者亏,颓坠之类,常在悬垂/日思高其位,大其禄,而贪取滋甚,以近于危坠

垄

lǒng 亦作"垅";田地里的土埂;农作物的行或行间的空地;田间作分界的小路;像垄的东西;[垄断]把持或独占。

❺搜寻仞之垄,求干天之木;漉牛迹之中,索吞舟之鳞

垅

lǒng 同"垄",田埂;坟墓。

❶垅上扶犁儿,手种腹长饥

见唐·于濆《苦辛吟》。全句为:"～;窗下抛梭女,手织身无衣"。

坦

tǎn 平而宽;比喻心地平静,胸怀宽广,没有隐讳;裸露;姓。

❸明乎坦涂,故生而不说/君子坦荡荡,小人长戚戚/以夷坦去群疑,以礼让汰惨急

❼望之弘深,即之坦夷

❿太行之路能摧车,若比人心是坦途/怒如严霜,喜如时雨,臧否好恶,坦然可观

坤

kūn 八卦之一;指女性。

❷乾坤之大,何处容我不得/乾坤含疮痍,忧虞何时毕/乾坤倒覆,无谓不静,洪流滔天,无谓其动

❸与乾坤齐其寿,与日月齐其明/痛乾坤而忽穷,嗟古今而长绝/至哉坤元!万物资生,乃顺承天

❹顾使乾坤同日月,不妨闽浙异江山/整顿乾坤手段,指授英雄方略,雅志若为酬

❼欲倾东海洗乾坤/江海三年客,乾坤百战场

❾日月双悬于氏墓,乾坤半壁岳家祠

❿但令身未死,随力报乾坤/蹉跎岁月,尽此身污秽乾坤/不要人夸好颜色,只留清气满乾坤/宁为宇宙闲吟客,怕作乾坤窃禄人

幸

xìng 出乎意料;为得福免祸而高兴;宠爱;幸亏;希冀;指帝王驾临;侥幸;姓。

❶幸能修实操,何俟钓虚声

见唐·陈子昂《座右铭》。

幸于始者怠于终,善其辞者嗜其利

见清·曹雪芹《红楼梦》第五十六回。

幸人之灾,不仁;背人之施,不义

见明·冯梦龙《东周列国志》第三十回。

❷射幸数跌,不如审发/开幸人之志,兆乱臣之心/侥幸者伐性之斧也,嗜欲者逐祸之马也

❸大不幸之中又大幸/背施幸灾,民所弃也/朝无幸位,民无幸生/塞多幸之路,开至公之道

❹民之多幸,国之不幸/人之不幸莫过于自足/小人之幸,君子之不幸/人也不幸而则亡,名兮可大而不死/国家不幸诗家幸,赋到沧桑句便工/君今不幸离人世,国有疑难可问谁?/国家有幸,当者受央;国家无幸,有延其命

❺背施无亲,幸灾不仁/必死则生,幸生则死/王者不以幸治国,治国固有前道/世虽有侥幸之事,断不可存侥幸之心

❻吾斯役之不幸,未若复吾赋不幸之甚也

❼不畏义死,不荣幸生/朝无幸位,民无幸生/国家不幸诗家幸,赋到沧桑句便工/宁以义死,不苟幸生,而视死如归/使为恶者不得幸免,疑似者有所辨明

❽大不幸之中又大幸/民之多幸,国之不幸/善人在上,则国无幸民/智者不背时而侥幸,明者不违道以干非/上智不处危以侥幸,中智能因危以为功,下愚安于危以自亡

❾少年富贵才俊为不幸/小人之幸,君子之不幸/所官者,非亲属则宠幸/人有祸患,不可生欣幸心

❿过不可以贰,赦不可以幸/战如守,行如战,有功如幸/丈夫盖棺事始定,君今幸未成老翁/君子居易以俟命,小人行险以徼幸/世虽有侥幸之事,断不可存侥幸之心/丈夫不释故而改图,哲士不侥幸而出危/仁者不乘危以邀利,智者不侥幸以成功/吾斯役之不幸,未若复吾赋不幸之甚也/潛下谩上,恒其心术,妒人之能,幸人之失/君子见人之厄则矜之,小人见人之厄则幸之/国家有幸,当者受央;国家无幸,有延其命/守法持正,嶷如秋山;火不侵玉,幸臣畏伏/安卧扬帆,不见石滩;靠天多幸,白日入阱/因循苟且逸豫而无为,可以侥幸一时,而不可旷日持久

坭

ní 同"泥",用于地名。

❿稻熟江村蟹正肥,双螯如戟挺青坭

坡

pō 地势倾斜的地方。

❿有如兔走鹰隼落，骏马下注千丈坡／老牛粗了耕耘债，啮草坡头卧夕阳

型

xíng 制造器物用的模子；规格；某种特定的形状或样式。

❿植佳谷必以粪壤，铸洪钟必以土型／有云水襟怀，有松柏气节，典型顿失，人尽含悲

垩

è 一种白色的土；用白色涂料粉刷墙壁。

❸宫有垩，器有涤，则洁矣

❼行身亦然，无涤垩之地则寡非矣

❿不塞隙穴，而劳力于赭垩，暴风疾雨必坏

垣

yuán 矮墙；泛指墙；城市；姓。

❺室本无暗，垣亦有耳

❿君子无易由言，耳属于垣

城

chéng 城墙；都市。

❶城郭如故人民非

见晋·无名氏《丁令威歌》。

城峭则崩，岸峭则陂

见汉·韩婴《韩诗外传》。

城门失火，殃及池鱼

见北齐·杜弼《檄梁文》。

城小而守固者，有委也

见《孙膑兵法·见威王》。全句为："～；卒寡而兵强者，有义也"。

城中好高髻，四方高一尺

见汉《城中谣》。

城峭则必崩，岸竦则必阤

见汉·刘向《说苑·政理》。全句为："水浊则鱼困，令苛则民乱，～"。

城有时而复，陵有时而迁

见唐·岑参《感旧赋》。全句为："东海之水化为田，北溟之鱼飞上天，～"。

城有所不攻，地有所不争

见《孙子兵法·九变篇》。全句为："涂有所不在，军有所不击，～"。

城郭之固无以异于贞士之约

见汉·班固《汉书·匈奴传》。全句为："赋敛行赂不足以当三军之费，～"。

城下之盟，有以国毙，不能从也

见《左传·宣公十五年》。

城上草，植根非不高，所恨风霜早

见南朝·宋·刘俣《城上草》。

城狐社鼠皆微物，为其有所凭恃，故除之犹不易

见唐·吴兢《贞观政要·纳谏》。

❷满城明月梨花／满城风雨近重阳／京城禁珠翠，天下尽琉璃／玉城雪岭，际天而来……／筑城者，先厚其基而后求其高

❸守一城，捍天下／乌有城坏其徒俱死，独蒙愧耻求活／君王城上竖降旗，妾在深宫哪得知／姑苏城外寒山寺，夜半钟声到客船／望长城内外，惟馀莽莽；大河上下，顿失滔滔／有石城十仞，汤池百步，带甲百万，而亡粟，弗能守

❹黑云压城城欲摧／众心成城，众口铄金／不到长城非好汉，屈指行程二万／但使龙城飞将在，不教胡马渡阴山／塞上长城空自许，镜中衰鬓已先斑

❺黑云压城城欲摧

❻收合馀烬，背城借一／军不五不战，城不十不围／国破山河在，城春草木深／革坚则兵利，城成则冲生／禽将户内，拔城于尊俎之间／三条九陌丽城隈，万户千门平旦开／荆王未辨连城价，肠断南州抱璧人／驶雪多积荒城之隈，急风好起沙河之上／梁丽可以冲城，而不可以窒穴，言殊器也

❼用贤无敌是长城／远山片云，隔层城而助兴／天下郡国向万城，无有一城无甲兵

❽守口如瓶，防意如城／冲隆不足为强，高城不足为固

❾死人如乱麻，暴骨长城之下／冲天香阵透长安，满城尽带黄金甲／楚国青蝇何太多，连城白璧遭谗毁

❿善攻者不尽兵以攻坚城／三刀梦益州，一箭取辽城／遗墟旧壤，数万里之皇城／早已森严壁垒，更加众志成城／用兵之道，攻心为上，攻城为下／天下郡国向万城，无有一城无甲兵／丞相祠堂何处寻，锦官城外柏森森／回乐峰前沙似雪，受降城下月如霜／春风不识兴亡意，草色年年满故城／上兵伐谋，其次伐交，其次伐兵，下政攻城／争地以战，杀人盈野；争城以战，杀人盈城／坚甲利兵不足以为武，高城深池不足以为固

垤

dié 小土堆；小土阜。

❽莫踬于山而踬于垤／不踬于山，而踬于垤

❾人莫蹪于山而蹪于垤

埏

①yán 边际，边远之地；墓道。②shān 本谓揉粘土，引申为制陶器的模型。

❿无当之玉碗，不如全用之埏埴

垢

gòu 污垢；肮脏；脏东西；通"诟"，侮辱；浊乱。

❷栉垢肥痒，民获苏醒／面垢不忘洗，衣垢不忘浣，此人之至情也

❸不洗垢而察难知／诚无垢，思无辱／诚无垢，思无辱

❹吹毛洗垢，求其痕疵／忍辱含垢，常若畏惧／

受国之垢，是谓社稷主／先除尘垢后染善法，譬如浣衣先去垢然后可染

❺鉴明则尘垢不止，止则不明也／衣不洗则垢不除，刀不磨则锋不锐

❻爬罗剔抉，刮垢磨光／常与众庶同垢尘，不当自别殊／消受尘，白取垢；青蝇所污，常在练素／清受尘、白取垢；青蝇所污，常在练素

❼面垢不忘洗，衣垢不忘浣，此人之至情也

❽昆山之玉瑱而尘垢弗能污／沧海滉瀁，不以含垢累其无涯之广

❾浴不必江海，要之去垢

❿不吹毛而求小疵，不洗垢而察难知／生者，假借也；假之而生生者，尘垢也／大德之人无所不容，能受垢浊，处谦卑／净心守志，可会至道，譬如磨镜，垢去明存／所好则钻皮出其毛羽，所恶则洗垢求其瘢痕／先除尘垢后染善法，譬如浣衣先去垢然后可染

埋 ①mái 用土、沙、雪等盖住；隐藏，隐瞒。②mán 埋怨，责备。

❸烈火埋冈，玉石抱俱焚之惨

❽汝死我葬，我死谁埋！汝倘有灵，可能告我

❾有天不雨粟，无地可埋尸

❿与求生而害义，宁抗节以埋魂／但写真情并实境，任他埋没与流传／生仍冀得兮归桑梓，死当埋骨兮长已矣

袁 yuán 长衣貌；姓。

❸宁为袁粲死，不作褚渊生

埃 āi 灰尘，沙尘；一种在专门领域使用的计量微小长度用的单位。

❾贵者虽自贵，视之若埃尘

❿本来无一物，何处惹尘埃／金猴奋起千钧棒，玉宇澄清万里埃／安能以皓皓之白，而蒙世俗之尘埃乎／君不见高山万仞连苍旻，天长地久成埃尘／直视千里外，唯见起黄埃。凝思寂听，心伤已摧

堵 dǔ 阻塞；心中不畅快；墙；量词；姓。

❽传神写照，正在阿堵中

基 jī 建筑物的底部；起始的；根据；化学名词。

❶基广则难倾，根深则难拔

见晋·干宝《晋纪总论》。

❷创基冰泮之上，立足枳棘之林／墉基不可仓卒而成，威名不可一朝而立

❸墙高基下，虽得必失／诗之基，其人之胸襟是也

❹民，国之基也／德，福之基也／民为国基，谷为民命／虽有兹基，不如逢时／福生有基，祸生有胎／不广其基，而增其高者覆／履，德之基也；谦，德之柄也／为山者基于一篑之土，以成千丈之峭／高墙狭基，不可立矣；严法峻刑，不可久也／福生有基，祸生有胎；纳其基，绝其胎，祸福何自来

❺国以民为基，贵以贱为本

❻德者事业之基／王者以民为基……／灭祸不自其基，必复乱／根深则本固，基美则上宁／谦者，众善之基；傲者，众恶之魁

❼虚己者，进德之基／清淡者，崇德之基也／殖不固本而立基者后必崩／筑城者，先厚其基而后求其高／为国者以民为基，民以衣食为本

❽恭为德首，慎为行基／无德而福隆，犹无基而厚墉也／革之匪时，物失其基；因之匪理，物丧其纪

❾忠信谨慎，此德义之基／五仞之墙，所以不毁，基厚也／烹饪起于热石，玉辂基于椎轮／以道以德为有国之基，无事无为乃聚人之本

❿贵以贱为本，高以下为基／为国者以富民为本，以正学为基／但见无为为要妙，岂知有作是根基／贵者必以贱为号，而高者必以下为基／虽有智慧，不如乘势；虽有镃基，不如待时／谷足食多，礼义之心生；礼丰义重，平安之基立／福生有基，祸生有胎；纳其基，绝其胎，祸福何自来

埴 zhí 制作陶器用的黏土。

❷墦埴为瓦则可，烁瓦为铜则不可

❿无当之玉碗，不如全用之埏埴

域 yù 区域；邦国；疆界；墓地；抽象代数学的重要概念。

❶域民不以封疆之界，固国不以山溪之险

见《孟子·公孙丑下》。全句为："～，威天下不以兵革之利"。

❻请看今日之域中，竟是谁家之天下

❽忧喜聚门，吉凶同域／祸福相倚，吉凶同域，惟人所召，安可不思

❿教化之废，推中人而坠入小人之域

堑 qiàn 阻隔交通的沟；陷坑，比喻挫折；挖掘。

❸吃一堑，长一智

堂 táng 古代宫室，前为堂，后为室；指厅堂；旧时官府审案办事的地方；用于厅堂和店铺的名号；量词；尊称对方的母亲；量词。

❷升堂矣，未入室也／湿堂不洒尘，卑屋不蔽风／禅堂茶散卷残经，竹杖芒鞋信脚行／满堂而饮酒，有一人乡隅而悲泣，则一堂皆为之不乐

❸居庙堂之高，则忧其民／不袭堂堂之寇，不击填填之旗／处于堂上之阴，而知日月之次序

❹上有天堂，下有苏杭／庆者在堂，吊者在闾／

老母终堂，生妻去帷／陋室空堂，当年笏满床／不袭堂堂之寇，不击填填之旗／丞相祠堂何处寻，锦官城外柏森森／金玉满堂，莫之能守。富贵而骄，自遗其咎

❺旧时王谢堂前燕，飞入寻常百姓家／君不见高堂明镜悲白发，朝如青丝暮成雪

❻野绩不越庙堂，战多不逾国勋

❼千金之子不垂堂，百金之子不骑衡／千古圣贤若同堂合席，必无尽合之理／君人者不下庙堂之上，而知四海之外者，因物以识物，因人以知人也

❽家累千金，坐不垂堂／见雨则裘不用，升堂则蓑不御／不知足者，虽处天堂，亦不称意

❾无要正正之旗，无击堂堂之阵／由来犬羊着冠坐庙堂，安得四鄙无豺狼

❿无要正正之旗，无击堂堂之阵／人生难得秋前雨，乞我虚堂自在眠／贫贱之知不可忘，糟糠之妻不下堂／咄咄读古，而不知此味……一堂木偶耳／楚虽三户能亡秦，岂有堂堂中国空无人／贫贱之交而不可忘，珠玉满堂而不足贵／黄鹄白鹤，一举千里，使之与燕服翼试之堂庑之下／满堂而饮酒，有一人乡隅而悲泣，则一堂皆为之不乐

堁

kè 尘埃。[堬堁]小土堆。

❷扬堁而弭尘，抱薪以救火

堆

duī 堆积；聚积在一起的东西；小山。

❺致君事业堆胸臆，却伴溪童学钓鱼

❾木秀于林，风必摧之；堆出于岸，流必湍之

❿乱石穿空，惊涛拍岸，卷起千堆雪／海上涛头一线来，楼前指顾雪成堆／春去细糠如剖玉，炊成香饭似堆银

埤

①pí 增加；矮墙。②pì[埤睨]城上矮墙。③bēi 同“卑”，低洼潮湿之地。

❺鸟以山为埤而增巢其上

❿拱木不生危，松柏不生埤

培

péi 培土；培育；培养。

❾民为国本根，岂不思培植

❿养子弟如养芝兰，既积学以培植之，又积善以滋润之

堪

kān 地面突起处；能够；能忍受；胜任；可，能。

❸民不堪命矣／变则堪久，通则不乏／有花堪折直须折，莫待无花空折枝

❹离别不堪无限意，艰危深仗济时才

❺用人但问堪否，岂以新故异情

❻而今风物那堪画，县吏催钱夜打门

❼一别二十年，人堪几回别／鬓边虽有丝，不堪织寒衣／适于用之谓才，堪其事之谓力／赵、魏、燕、韩，历历堪回首／贤哉，回也……人不堪其忧，回也不改其乐

❽木犹如此，人何以堪／十年十一战，民不堪命／不限资考，惟择才堪者为之

❾无物结同心，烟花不堪剪／不洒世间儿女泪，难堪亲友中年别／已分忍饥度残岁，更堪岁里闰添长

❿攻人之恶毋太严，要思其堪受／出师一表真名世，千载谁堪伯仲间／担水塞井徒用力，炊砂作饭岂堪吃／当其才则事或能济，逾其分则力所不堪／君不见担雪塞井空用力，炊沙作饭岂堪食／可厌之类，不独为害，死虽万代，独堪污秽／设必犯之法，不度民情之不堪，是陷民于罪也／威不能复制民，民不能堪其威，则上下大溃矣

堤

dī，又读 tí，沿着江河湖海修建的防洪建筑物；瓶类的座子。

❶堤溃蚁孔，气泄针芒

见汉·陈忠《清盗源疏》。

堤防成而民无水灾，礼义立，民无乱患

见汉·桓宽《盐铁论·论诽》。

❷长堤柳色青如烟／故堤溃蚁孔，气泄针芒／长堤溃蚁穴，君子慎其微

❹千里之堤，溃于蚁穴／千丈之堤，以蝼蚁之穴溃／千里之堤，以蝼蚁之穴漏

❻其以止患，犹堤防之于江河／法禁者俗之堤防，刑罚者人之衔辔

❿寸火能焚云梦，蚁穴能决大堤／万株松树青山上，十里沙堤明月中

墓

mù 人死后埋葬的地方。

❶墓门有棘，斧以斯之；夫也不良，国人知之

见《诗·陈风·墓门》。

❷古墓犁为田，松柏摧为薪

❼日月双悬于氏墓，乾坤半壁岳家祠

填

①tián 把低洼凹陷或空缺的地方塞满；补充；填写；象声。②tiǎn 通“殄”，殄瘁，穷困。③chén 通“尘”，长久。④zhèn 通“镇”，安定。⑤zhì 同“置”，安放。

❻遍人间烦恼填胸臆／旦执机权，夜填坑谷；朔欢卓、郑，晦泣颜、原

❼至德之世，其行填填，其视颠颠

❽精卫衔微木，将以填沧海／至德之世，其行填填，其视颠颠

❾不袭堂堂之寇，不击填填之旗

塘

táng 积水的池子；堤坝；坑状的东西。

❼好风将雨过横塘／众水会涪万，瞿塘争一门

涂 tú 泥；海涂；同“途”；同“涂”。

❿驽骞之乘不骋千里之涂／弃忠贞之正路，蹈奸宄之迷涂

塞 ①sè 阻塞；堵；充满；弥补。②sài 边界险要之处；同“赛”，酬神祭礼。③sāi 塞子；堵塞。

❶塞翁失马犹为福

见宋·陆游《长安道》。

塞翁失马，安知非福

见汉·刘安《淮南子·人间》。

塞其本源而末流自止

见晋·陈寿《三国志·魏书·张鲁传》。

塞水不自其源，必复流

见《国语·晋语一》。全句为：“～；灭祸不自其基，必复乱”。

塞切直之路，为忠者必少

见唐·李世民《金镜》。全句为：“～；开谄谀之道，为佞者必多”。

塞草烟光阔，渭水波声咽

见宋·寇准《阳关引》。

塞多幸之路，开至公之道

见唐·李峤《为欧阳通让夏官尚书表》。

塞其源者竭，背其本者枯

见汉·刘安《淮南子·说林》。

塞其兑，闭其门，终身不勤

见《老子》五十二。

塞上长城空自许，镜中衰鬓已先斑

见宋·陆游《书愤》。

塞一蚁孔而河决息，施一车辖而覆乘止

见晋·杨泉《物理论》。

❷不塞不流，不止不行／道塞宇宙，非有隐遁／物塞而通，必艰其初／通塞苟由己，志士不相卜／晦塞为深，虽奥非“隐”／紫塞白云断，青春明月初／不塞其原，则物自生，何功之有／壅塞之任，不在臣下，在于人主／不塞隙穴，而劳力于赭垩，暴风疾雨必坏

❸刚而塞，则恻怛有仁思／担水塞井徒用力，炊砂作饭岂堪吃／闭心塞意，不高瞻览者，死人之徒也哉

❹拒谏者塞，专己者孤／距谏者塞，专己者孤／关键将塞，则神有遁心／此理充塞宇宙间，如何人杜撰得／仁义充塞，则率兽食人，人将相食／植之而塞于天地，横之而弥于四海／涓涓不塞，将为江河；荧荧不救，炎炎奈何

❺难得之货塞人正路

❻将绝其末，必塞其原／居难则易，在塞咸通／地，积块耳，充塞四虚，亡处亡块／恶波横天山塞路，未央宫中常满库／君不见担雪塞井空用力，炊沙作饭岂堪食

❼公道通而私道塞／三十余年，声名塞天／裂冠毁冕，拔本塞原／矜奋侵陵者，毁塞之险途也／伐根以求木茂，塞源而欲流长／下不钳口，上不塞耳，则可有闻矣／难留连，易消歇，塞北花，江南雪／言出于己，不可塞也；行发于身，不可掩也／赠缴充蹊，阬阱塞路，举手挂网罗，动足蹈机坎

❽专己者孤，拒谏者塞／出门无通路，枳棘塞中途／但见沙场死，谁怜塞上孤／山岳移可尽，江海塞可绝／言路开则治，言路塞则乱／远贤近谗，忠臣蔽塞主势移／谄谀在侧，善议障塞，则国危矣／以伐根而求木茂，塞源而欲流长也

❾纵有还家梦，犹闻出塞声／怒潮风正急，酒醒闻塞笛／去就取与知能六者，塞道也／瞽无目而耳不可以塞，精于聪也／绝民用以实王府，犹塞川原而为潢污也

❿不才者进，则有才之路塞／出处全在人，路亦无通塞／巨川将溃，非捧土之能塞／树善滋于务本，除恶穷于塞源／世路之蓁芜当剔，人心之茅塞须开／舒之天下而不窕，内之寻常而不塞／道之委也……形生而万物所以塞也／不好问询之道，则是伐智本而塞智原也／川竭而谷虚，邱夷而渊塞，唇竭而齿寒／公生明，偏生暗，端悫生通，诈为生塞／遇师友，亲之取之，大胜塞居不潇洒也／不务衣食而务无盗贼，是止水而不塞源也／一叶蔽目，不见泰山；两豆塞耳，不闻雷霆／川不可防，言不可弭，下塞上聋，邦其倾矣／多见者博，多闻者智；拒谏者塞，专己者孤／罢无能，废无用，捐不急之官，塞私门之请／衣缺不补，则日以甚；防漏不塞，则日以滋／八百里分麾下炙，五十弦翻塞外声。沙场秋点兵／人生时禀得灵气，精明通悟，学无滞塞，则谓之神／其为气也，至大至刚，以直养而无害，则塞于天地之间

墙 qiáng 墙壁；门屏；出殡时棺材周围的帷帐。

❶墙有耳，伏寇在侧

见《管子·君臣下》。

墙高基下，虽得必失

见南朝·宋·范晔《后汉书·郭太传》。

墙隙而高，其崩必疾

见南朝·宋·范晔《后汉书·折像传》。

墙坏于其隙，木毁于其节

见《鬼谷子·谋》。

墙薄则亟坏……酒薄则亟酸

见汉·刘向《新序·杂事二》。删节处为：“缯薄则亟裂，器薄则亟毁”。

墙之坏也于隙，剑之折必有啮

见汉·刘安《淮南子·人间》。

❷隔墙须有耳，窗外岂无人／拂墙花影动，疑是

玉人来／萧墙祸起非今日，不赏军功在断桥／高墙狭基，不可立矣；严法峻刑，不可久也
❸高筑墙，广积粮，缓称王
❹五仞之墙，所以不毁，基厚也／剪纸为墙，不可止暴，搏沙为饼，不可疗饥
❺木朽虫生，墙罅蚁入／兄弟阋于墙，外御其务／民枕倚于墙壁，路交横于豺虎
❻五亩之宅，树墙下以桑矣……／蛱蝶飞来过墙去，却疑春色在邻家
❼顾小失大，福逃墙外
❽东向而望，不见西墙／东面望者不见西墙，南乡视者不睹北方／木之折也，必通蠹；墙之坏也，必通隙／穹庐为室兮旃为墙，以肉为食兮酪为浆／三五之夜，明月半墙，桂影斑驳，风移影动，珊珊可爱
❾蠹众而木折，隙大而墙坏
❿清泉自爱江湖去，流出红墙便不还／春色满园关不住，一枝红杏出墙来／吾恐季孙之忧不在颛臾，而在萧墙之内也

墟 xū 已废弃而残存痕迹的都城遗址；村落；土丘；亦作“圩”，［墟日］中国南方农村市集的日子。
❷遗墟旧壤，数万里之皇城
❿物华天宝，龙光射牛斗之墟

塾 shú 古时门东西两侧的堂屋；旧时私人设立的教学的地方。
❼古之教者，家有塾，党有庠，术有序，国有学

墉 yōng 城墙；垣墙。
❶墉基不可仓卒而成，威名不可一朝而立
见晋·陈寿《三国志·魏书·武文世王公传评》。
❿谁谓鼠无牙，何以穿我墉／无德而福隆，犹无基而厚墉也

境 jìng 疆界；地域，处所；境况，境地。
❶境遇不耐苦，则无所成就之人
见清·左宗棠《左宗棠家训》。全句为：“读书不耐苦，则无所用心之人；～”。
❷有境界，本也／有境界而二者随之也／边境之臣处，则疆垂不丧／有境界则自成高格，自有名句／拓境不宁，无益于强；多田不耕，何救饥敝／困境起念，随物生情，不守道循常，即为安矣
❸词以境界为最上／情随境变，字逐情生／以其境过清，不可久居／思与境偕，乃诗家之所尚者／处逆境心须用开拓法，处顺境心要用收敛法／处顺境内，眼前尽兵刃戈矛，销膏靡骨而不知／居逆境中，周身皆针砭药石，砥节砺行而不觉
❹文章之境，莫佳于平淡／人生福境祸区，皆念想造成／药来贼境灵何用，米出胡奴死不炊／人遇逆境，无可奈何，而安之若命，乃是见识超卓／身处困境，当视为天之爱我、成我，不当视为天之厄我、祸我也
❺结庐在人境，而无车马喧／知足者仙境，不知足者凡境
❻器量须大，心境须宽／不到极逆之境，不知平安之日／痴人妄认逆境，平地自生铁围
❼但写真情并实境，任他埋没与流传
❾大事难事看担当，逆境顺境看襟度／理无专在，而学无止境也，然则问可少耶
❿将难放怀处放怀，则万境宽／知足者仙境，不知足者凡境／虚实相生，无画处皆成妙境／大丈夫处世，当为国家立功边境／能爱邦内之民者，能服境外之不善／大事难事看担当，逆境顺境看襟度／人虽无艰难之时，却不可忘艰难之境／不能爱邦内之民者，不能服境外之不善／定乎内外之分，辨乎荣辱之境，斯已矣／处逆境心须用开拓法，处顺境心要用收敛法

墨 mò 颜料；颜色；比喻知识；书画；指战国时的墨翟及其创立的学派；古时五尺；烧田；通“冒”，贪污；准则、规矩的代称；绳索；通“默”，缄默；通“黥”，古代一种刑罚；姓。
❶墨池如江笔如帚，一扫万字不停肘
见宋·张孝祥《题蔡济所摹御府米帖》。
墨子见衢路而哭之，悲一跬而缪千里
见汉·贾谊《新书·审微》。
墨翟之徒，世谓热腹；杨朱之侣，世谓冷肠
见北齐·颜之推《颜氏家训·省事》。
❷绳墨之起，为不直也／文墨辞说，士之荣叶皮壳也／绳墨诚陈矣，则不可欺以曲直
❸以绳墨取木，则宫室不成矣／万家墨面没蒿莱，敢有歌吟动地哀
❹舞笔飞墨，应节而成／不防盟墨诈，须戒覆车新／引笔行墨，快意累累，意尽便止／黑云翻墨未遮山，白雨跳珠乱入船
❺无胆，则笔墨畏缩／孔席不暖，墨突不黔／案上一点墨，民间千点血／砚以世计，墨以时计，笔以日计
❻近朱者赤，近墨者黑／体曲者忌绳墨之容，夜裸者憎明烛之来／操一己之绳墨，持前王之规矩，以方枘欲圆凿
❼礼之正国，犹绳墨之于曲直／伯浑醉书，纸穷墨燥，如春龙奋蛰，奇鬼搏人，何其壮也
❽枉直未定，决于绳墨之平／明窗净几笔砚纸墨皆极精良，亦自是人生一乐事
❾修身絜行，言必由绳墨／临凝结而能断，操绳墨而无私／举贤而授能兮，循绳墨而不颇／与邪佞人交，如雪入墨池，虽融为水，其色愈污

❿先朝好史，予方学于孔墨／欲赤须近朱，欲黑须近墨／请谒任举之说胜，则绳墨不正／心如天地者明，行如绳墨者章／求取情状，离绝远去笔墨畦径间／须知三绝韦编者，不是寻行数墨人／声应气求之夫，决不在于寻行数墨之士／俞扁之门，不拒病夫；绳墨之侧，不拒枉材／马效千里，不必骥騄；人期贤知，不必孔墨／大匠不为拙工改废绳墨，羿不为拙射变其彀率／礼之于正国家也，如权衡之于轻重也，如绳墨之于曲直也

增 ①zēng 添加。②céng 通“层”，重复。

❶增高者崩，贪富者致患

见《老子》四十二河上公注。

增之一分则太长，减之一分则太短

见战国·楚·宋玉《登徒子好色赋》。全句为：“东家之子，～，著粉则太白，施朱则太赤”。

❷身，增则赘，而割则亏

❸抱日增丽，浮空不收／词林增峻，反诸宏博，君之力焉

❹誉人不增其美／夸愚适增累，矜智道逾昏／交朋友增体面，不如交朋友益身心

❺踵其事而增华，变其本而加厉

❻伯乐一顾，价增三倍／不广其基，而增其高者覆／气别生者死，增减羸病勤／日异其能，岁增其智，进如川行，浩浩而遂

❼鸟以山为埤而增巢其上／士之相知，温不增华，寒不改叶

❽世俗所患，患言事增其实，著文垂辞，辞出溢其真

❾异方之乐，只令人悲，增切怛耳

❿治水不自其源，末流弥增其广／冀以尘雾之微补益山海，荧烛末光增辉日月／万物有自然之理，圣人只是顺之，不曾增加得一毫／地虽胜，得人焉而居之，则山若增而高，水若辟而广

壑 hè 山沟或大水坑；亦作“库”。

❷丹壑争流，青峰杂起／筌壑之鱼穿于一丝之溜／豁壑可盈，是不可餍也

❸无掘壑而附丘，无舍本而治末／擅一壑之水而跨跱坎井之乐，此亦至矣

❹千岩万壑春风暖／洪波振壑，川无活鳞；惊飙拂野，林无静柯

❻千岩竞秀，万壑争流……若云兴霞蔚

❼志士不忘在沟壑，勇士不忘丧其元／胸中元自有丘壑，故作老木蟠风霜／欲心难厌如溪壑，财物易尽若漏卮

❽土反其宅，水归其壑；昆虫毋作，草木归其泽

❾壁立千峰峻，潈流万壑奔／某今所切，是坠于绝壑……／新交与旧识俱欢，林壑共烟霞对赏

❿严于取，则豪杰之老死丘壑者多矣／川源不能实漏卮，山海不能赡溪壑／贞操与日月俱悬，孤芳随山壑共远／贵高有危殆之惧，卑贱有沟壑之忧

壁 bì 墙；陡峭的山崖；营垒；一边；星名。

❶壁立千峰峻，潈流万壑奔

见唐·孟浩然《入峡寄弟》。

❹倚天绝壁，直下江千尺／丹崖翠壁千万丈，与公上上上上上

❺早已森严壁垒，更加众志成城

❻民枕倚于墙壁，路交横于豺虎

❽白马岩中出，黄牛壁上耕／欧公作文，先贴于壁……有终篇不留一字者

❾陵涛鼓怒以伏注，天壁嵯峨而横立

❿小小寰球，有几个苍蝇碰壁／日月双悬于氏墓，乾坤半壁岳家祠／受光于隙，照一隅；受光一牖，照北壁

疆 ①jiāng 边界；界限；极限，止境。②qiáng 通“强”，强盛。

❻域民不以封疆之界，固国不以山溪之险

❼边境之臣处，则疆垂不丧

❽损上益下，民说无疆

壤 ①rǎng 泥土；大地；同“攘”，[壤壤]同“攘攘”，纷乱貌。②ráng 通“穰”，五谷丰收。

❸无土壤而生嘉树美箭……

❹遗墟旧壤，数万里之皇城

❻洪河已决，掬壤不能救／尧之都，舜之壤，禹之封／太山不让土壤，故能成其大／嵩衡不拒细壤，故能崇其峻／凡数州之土壤，皆在衽席之下／十种之地，膏壤虽肥，弗耕不获

❼植佳谷必以粪壤，铸洪钟必以土型

士 shì 男子能任事之称；古称已达结婚年龄的男子；古为四民之一；古时掌刑狱之官；指军人；通“事”；商到春秋时最低级的贵族阶层；旧指读书的人；称某些专业人员；对人的美称。

❶士可杀不可辱

见《礼记·儒行》。

士为知己者死

见汉·司马迁《史记·游侠列传》。

士，理之本也

见唐·柳宗元《与杨京兆凭书》。

士有死不失义

见宋·欧阳修《与尹师鲁第一书》。

士穷乃见节义

见唐·韩愈《柳子厚墓志铭》。

士大夫众则国贫

见《荀子·富国》。

士者国家之大宝

见汉·班固《汉书·李寻传》。

士先器识而后辞章

见清·吴敬梓《儒林外史》。

士先器识而后文艺

见明·袁宗道《白苏斋集·士先器识而后文艺》。

士当以功名闻于世

见宋·苏轼《墨宝堂记》。

士者,将之肢体也

见汉·刘向《说苑·指武》。全句为:“将者,士之心也;～”。

士无事而食,不可也

见《孟子·滕文公下》。

士无常君,国亡定臣

见汉·班固《汉书·扬雄传》。

士以义怒,可与百战

见宋·苏洵《心术》。

士不必贤世,要之知道

见汉·司马迁《史记·外戚世家》。全句为:“～;女不必贵种,要之贞好”。

士不素厉,则难使死敌

见汉·班固《汉书·辛庆忌传》。全句为:“将不预设,则亡以应卒;～”。

士卒不尽饮,广不近水

见汉·司马迁《史记·李将军列传》。全句为:“～;士卒不尽食,广不尝食”。

士卒不尽食,广不尝食

见汉·司马迁《史记·李将军列传》。全句为:“士卒不尽饮,广不近水;～”。

士信悫,而后求知能焉

见《荀子·哀公》。

士人修性,正在临事时

见宋·刘清之《戒子通录》。

士虽有学,而行为本焉

见《墨子·修身》。

士见危致命,见得思义

见《论语·子张》。

士有妒友,则贤交不亲

见《荀子·大略》。

士穷不失义,达不离道

见《孟子·尽心上》。

士而怀居,不足以为士矣

见《论语·宪问》。

士之闲居,无故不去琴瑟

见宋·苏轼《私试进士策问二十八首》。

士民之所以叛,由偏之也

见《晏子春秋·外篇第八》。

士卒畏将者胜,畏敌者败

见宋·罗大经《鹤林玉露》。全句为:“～;爱将者胜,爱身者败”。

士别三日,即更刮目相待

见晋·陈寿《三国志·吴书·吕蒙传》。

士者贵其用也,不必求备

见南朝·宋·范晔《后汉书·王符传》。

士欲宣其义,必先读其书

见汉·王符《潜夫论·赞学》。全句为:“工欲善其事,必先利其器;～”。

士不事其所非,不非其所事

见晋·陈寿《三国志·魏书·苏则传》。

士君子一出口,无反悔之言

见明·吕坤《呻吟语》。全句为:“～;一动手,无更改之事。诚之于思故也”。

士有争友,则身不离于令名

见《孝经·谏诤》。

士不可以不弘毅,任重而道远

见《论语·泰伯》。

士之品有三:志于道德者为上

见明·袁衷《庭帏杂录》。全句为:“～,志于功名者为次,志于富贵者为下”。

士为知己者死,女为悦己者容

见《战国策·赵策一》。

士为知己者用,女为说己者容

见汉·司马迁《报任少卿书》。“说”通“悦”。

士者诎乎不知己,而申乎知己

见《晏子春秋·内篇杂上第二十四》。

士矜才则德薄,女衒色则情放

见明·冯梦龙《警世通言·蒋淑真刎颈鸳鸯会》。

士之相知,温不增华,寒不改叶

见三国·蜀·诸葛亮《论交》。全句为:“～。能四时而不衰,历夷险而益固”。

士易得而难求也,易致而难留也

见汉·贾谊《新书·大政下》。

士有未效之用,而身在无誉之间

见唐·张九龄《荔枝赋》。

士齐僚而不职,则贤与愚而不分

见汉·班固《拟连珠》。全句为:“马伏皂而不用,则驽与良而为群;～”。

士进则世收其器,贤用即人献其能

见南朝·宋·范晔《后汉书·王龚传》

士有一言中于道,不远千里而求之

见宋·苏轼《钱唐勤上人诗集叙》。

士之遇时,不患无位,患所以立而已

见宋·王安石《许将可大理评事》。

士好奢则民不足,民好奢则天下不足

见五代·南唐·谭峭《化书卷六·俭化·食象》。全句为:“王好奢则臣不足,臣好奢则士不足,～”。

士有靡衣鲜食而乐道者,吾未之见也

见隋·王通《中说·天地》。

士者,国之重器;得士则重,失士则轻

见汉·班固《汉书·梅福传》。

士志于道,而耻恶衣恶食者,未足与议也

见《论语·里仁》。

士之特立独行,适于义而已,不顾人之是非

见唐·韩愈《伯夷颂》。

士穷见节义,世乱识忠臣,欲学者必周于德

见宋·朱熹《四书集注·论语·子罕》谢氏曰。

士之修身立节而竟不遇知己,前古以来,不可胜数

见唐·韩愈《与汝州卢郎中论荐侯喜状》。

❷烈士不欺人/能士乐治乱之事/术士乐计策之谋/烈士乐奋力之功/列士徇名,贪夫徇财/勇士不以众强凌孤独/得士者富,失士者贫/得士者强,失士者亡/多士之林,不扶自直/选士用能,不拘长幼/俊士亦俟明主以显其德/求士莫求全,用人如用木/列士并学,能终善者为师/养士之大者,莫大乎太学/志士惜日短,愁人知夜长/志士痛朝危,忠臣哀主辱/待士而以敬,则士必居矣/待士之意周,取人之道广/多士成大业,群贤济弘绩/达士志寥廓,所在能忘机/达士如弦直,小人似钩曲/枉士无正友,曲上无直下/文士多数奇,诗人尤命薄/烈士徇荣名,义士高贞介/烈士多悲心,小人偷自闲/待士而不以道,则士必去矣/众士之诺诺,不如一士之谔谔/上士忘名,中士立名,下士窃名/博士买驴,书卷三纸,未有驴字/力士推山,天吴移水,作农桑地/勇士不顾生,故能立天下之大名/志士惜年,贤人惜日,圣人惜时/烈士为天下见善矣,未足以活身/上士之耳训乎德,下士之耳顺乎己/伟士坐以俊杰之才,招致群吠之声/论士必定于志行,毁誉必参于效验/志士不忘在沟壑,勇士不忘丧其元/志士凄凉闲处老,名花零落雨中看/志士幽人莫怨嗟,古来材大难为用/战士军前半死生,美人帐下犹歌舞/待士不敬,举士不信,则善士不往焉/轻士民之死力者,不能禁暴国之邪逆/志士不饮盗泉之水,廉者不受嗟来之食/简士苦民者是谓愚,敬士爱民者是谓智/志士仁人,无求生以害仁,有杀身以成仁/烈士之所以异于恒人,以其仗节以死谊也/取士之方,必求其实;用人之术,当尽其材/贤士之处世也,譬若锥之处囊中,其末立见/上士难进而易退也,其次易进易退也,其下易进难退也/上士闻道,勤而行之;中士闻道,若存若亡;下士闻道,大笑之

❸将者,士之心也/廉耻,士君子之大节/坑儒士起自诸生为妖言/楚战士无不一以当十……/战死士所有,耻复守妻孥/以国士待人者,人亦国士自奋/欲求士之贤愚,在于精鉴博采之/贫者士之常,今仆虽羸馁,亦甘如饴矣/善为士者不武,善战者不怒,善胜敌者不与/古者士登乎仕,吏执乎役,禄以报劳,官以授德/古者士之进,有以德,有以才,有以言,有以曲艺

❹未闻烈士树降旗/进取之士,未必能有行也/豪杰之士者,必有过人之节/兵戈之士乐战,枯槁之士宿名/州闾之士皆誉皆毁,未可为正/招世之士兴朝,中民之士荣官/天下文士,争执所长,与时而奋/得道之士,建心于足,游志于止/智能之士,不学不成,不问不知/安得壮士挽天河,净洗甲兵长不用/新进之士喜勇锐,老成之人多持重/辞家战士无旋踵,报国将军有断头/多才之士才储八斗,博学之儒学富五车/缓贤忘士,而能以其国存者,未曾有也/当世学士,恒以万计;而究涂者无数十焉/国有贤士而不用,非士之过,有国者之耻/不素养士而欲求贤,譬犹不琢玉而求文采也/得道之士,外化而内不化……所以全其身也/贤人智士之于子孙:……贻之以言,弗贻以财/有行之士,未必能进取;进取之士,未必能有行也/虽有国士之力,不能自举其身,非无力也,势不便也/真的猛士,敢于直面惨淡的人生,敢于正视淋漓的鲜血/杀人之士民,兼人之土地,以养吾私与吾神者,其战不知孰善

❺春女思,秋士悲/将砺如铁,士乃忘躯/择天下之士,使称其职/无国而无士,或弗能得也/古来贤达士,宁受外物牵/古来忠烈士,多出贫贱门/从来天下士,只在布衣中/君看磊落士,不肯易其身/日出多伪,士民安取不伪/昂昂累世士,结根在所固/无罪而杀士,则大夫可以去/有贤豪之士,不须限于下位/文墨辞说,士之荣叶皮壳也/置直谏之士者,恐不得闻其过也/进退天下士大夫,不惟其才惟其行/贵德而尊士,贤者在位,能者在职/有不能求士之君,而无不可得之士/志不励则士不死节,士不死节则众不战/太学者,贤士之所关也,教化之本原也/工无二伎,士不兼官,各守其职,不得相奸/见危授命,士之美行;褒善录功,国之令典

❻好货,天下贱士也/任贤无疑,求士不倦/商贾比财,烈士比义/谈言微中,名士风流/得士者富,失士者贫/得士者强,失士者亡/贪夫徇财,烈士徇名/忠臣不谏,智士不谋/卑贱贫穷,非士之耻也/国家失政,则士民去之/蝮蛇螫手,壮士解其腕/与不妄受,志士之所难也/天下智谋之士,所见略同/功多翻下狱,士卒但心伤/女为悦己容,士为知己死/功成行满之士,要观其末路/将有死之心,士卒无生之气/宝剑赠与烈士,红粉赠与佳人/上士忘名,中士

立名，下士窃名／天下兴学取士，先德行不专文辞／学问不厌，好士不倦，是天府也／用兵之道，抚士贵诚，制敌贵诈／人世多违壮士悲，干戈未定书生老／舍真筌而择士，沿虚谈以取才……／国仇未报壮士老，匣中宝剑夜有声／笛里谁知壮士心？沙头空照征人骨／待士不敬，举士不信，则善士不往焉／惟义可以怒士，士以义怒，可与百战／龙蟠凤逸之士，皆欲收名定价于君侯／赏厚可令廉士动心，罚重可令凶人丧魄／爱民而安，好士而荣，两者无一焉而亡／自古圣人贤士，皆非有求于闻用也……／若夫有道之士，必礼必知然后其智能可尽／众人重利，廉士重名；贤人尚志，圣人贵精／盖棺始能定士之贤愚，临事始能见人之操守／谒而得位，道士不居也；争而得财，廉士不受／有缺点的战士终竟是战士，完美的苍蝇也终竟不过是苍蝇

❼钓名之人无贤士焉／博求人才，广育士类／矜物之人，无大士焉／鞭笞之下，有贤士乎／作而行之，谓之士大夫／贪夫殉财兮，烈士殉名／丈夫不叹别，达士自安卑／无罪而戮民，则士可以徙／千金何足惜，一士固难求／良马不念秣，烈士不苟营／待士而以敬，则士必居矣／通塞苟由己，志士不相卜／腾蛟起凤，孟学士之词宗／相马失之瘦，相士失之贫／烈士徇荣名，义士高贞介／一画失所，如壮士之折一肱／人国而不存其士，则亡国矣／遇沉沉不语之士，切莫输心／物以远至为珍，士以稀见为贵／山泽不必有异士，异士不必在山泽／人主诚正，则直士任事，而奸人伏匿／惟义可以怒士，士以义怒，可与百战／贤主所贵莫如士，所以贵士，为其直言也／三晋多权变之士，夫言从衡强秦者，大抵皆三晋之人／所贵于天下之士者，为人排患、释难、解纷乱而无所取也

❽为者则已，有者则士／居必择乡，游必就士／王国富民，霸国富士／毋听谗，听谗则失士／闻一善若惊，得一士若赏／千夫诺诺，不如一士之谔谔／众人诺诺，不若一士之谔谔／待士而不以道，则士必去矣／非独女以色媚，而士宦亦有之／良骏败于拙御，智士踬于暗世／大器不可小用，小士不可大任／捐躯若得其所，烈士不爱其存／贤人不爱其谋，群士不遗其力／师儒之席，不拒曲士，理固然也／小人则以身殉利，士则以身殉名／镜之明己也功细，士之明己也功大／有道之君，修身之士，不为轻诺之约／士者，国之重器；得士则重，失士则轻／安平则尊道术之士，有难则贵介胄之臣／君子避三端：避文士之笔端，避武士之锋端，避辩士之舌端

❾勿谓我尊而傲贤侮士／人主欲自知，则必直士／生为百夫雄，死为壮士规／兵良而食足，将贤而士勇／士而怀居，不足以为士矣／忧国孤臣泪，平胡壮士心／巢林栖一枝，可为达士模／千人之诺诺，不如一士之谔谔／众士之诺诺，不如一士之谔谔／必欲得人称职，不失士，不谬举／上士之耳训乎德，下士之耳顺乎己／圣人不凝滞于物，智士必推移于时／圣人转祸而为福，智士因败以成胜／志士不忘在沟壑，勇士不忘丧其元／山泽不必有异士，异士不必在山泽／猛石可裂不可卷，义士可杀不可羞／采玉者破石拔玉，选士者弃恶取善／贵者负势而骄人，才士负能而遗行／教会宣明，不能尽力，士卒之罪也／鉴物于肇不于成，赏士于穷不于达／百姓之有此色，正缘士大夫不知此味／风萧萧兮易水寒，壮士一去兮不复还／志不励则士不死节，士不死节则众不战／国有贤士而不用，非士之过，有国者之耻／以邪官举邪官，以俗士取俗士，国欲治得乎／马效千里，不必胡代；士贵成功，不必文辞／女无美恶，入宫见妒。士无贤不肖，入朝见嫉／鳏鱼难得，贪以死饵；士虽怀道，贪以死禄矣／君人者，爱民而安，好士而荣，两者无一焉而亡

❿无甘受佞人而外敬正士／一朝被谗言，二桃杀三士／良匠无弃材，明君无弃士／凡为天下之务，莫大求士／謇谔无一言，岂得为直士／归国宝，不若献贤而进士／燕赵古称多感慨悲歌之士／香饵引泉鱼，重币购勇士／人有非上之所过，谓之正士／论行而结交者，立名之士也／城郭之固无以异于贞士之约／招来雄俊魁伟敦厚朴直之士／无恒产而有恒心者，惟士为能／不官无功之臣，不赏不战之士／兵戈之士乐战，枯槁之士宿名／以国士待人者，人亦国士自奋／伐国不问仁人，战阵不访儒士／邹、鲁多鸿儒，燕、赵饶壮士／圣人之处世，不逆有伎能之士／招世之士兴朝，中民之士荣官／责短舍长，则天下无不弃之士／上士忘名，中士立名，下士窃名／切切偲偲，怡怡如也，可谓士矣／国君死社稷，大夫死众，士死制／谗邪进则众贤退，群枉盛则正士消／邪说之移人，虽豪杰之士有不免者／圣人能与世推移，而俗士苦不知变／土之美者善养禾，君之明者善养士／始知绝代佳人意，即有千秋国士风／王好奢则臣不足，臣好奢则士不足／树高者，鸟宿之；德厚者，士趋之／明君不官无功之臣，不赏不战之士／有不能求士之君，而无不可得之士／有其志必成其事，盖烈士之所徇也／旌蔽日兮敌若云，矢交坠兮士争先／待士不敬，举士不信，则善士不往焉／皆知说镜之明己也，而恶士之明己也／惩劝善恶之柄，执于文士褒贬之际焉／上好紫则下皆女服，上好剑则士皆曼胡／丈夫不释故而改图，哲士不侥幸而出危／良将不怯死以苟免，烈士不毁节以求生／仁者在位而仁人来，义者在朝

而义士至／尊贤使能，俊杰在位，则天下之士皆悦／勇将不怯死以苟免，壮士不毁节而求生／士者，国之重器；得士则重，失士则轻／声应气求之夫，决不在于寻行数墨之士／吞舟之鱼不居潜泽，度量之士不居污世／知者不倍时而弃利，勇士不怯死而灭名／安得广厦千万间，大庇天下寒士俱欢颜／达人苦富贵之桎梏，修士伤声名之顿撼／朝无争臣则不知过，国无达士则不闻善／白刃交于前，视死若生者，烈士之勇也／简士苦民者是谓愚，敬士爱民者是谓智／长短不饰，以情自竭，若是则可谓直士矣／强弱成败之要，在乎附士卒、教习之而已／死生荣辱之道一，则三军之士可使一心矣／此溪若在山野，则宜逸民退士之所游……／贤主所贵莫如士，所以贵士，为其直言也／天子曰崩，诸侯曰薨，大夫曰卒，士曰不禄／不知三军之事而同三军之政者，则军士惑矣／百炼而南金不亏其真，危困而烈士不失其正／以邪官举邪官，以俗士取俗士，国欲治得乎／十步之间，必有茂草；十室之邑，必有俊士／伯乐相马，取之于瘦；圣人相士，取之于疏／黄钟毁弃，瓦釜雷鸣；谗人高张，贤士无名／劳臣不赏，不可劝功；死士不赏，不可励勇／君子怀德，小人怀土；贤士徇名，贪夫死利／行己有耻，使于四方，不辱君命，可谓士矣／河下天下之川，故广；人下天下之士，故大／治天下者，用人非止一端，故取士不以一路／通才之人或见赘于时，高世之士或见排于俗／水浊，则无掉尾之鱼；政苛，则无逸乐之士／老骥伏枥，志在千里；烈士暮年，壮心不已／举将而限以资品，则英豪之士在下位者不可得／凡今能言者，皆谓天下少士，而不知养材之道／谒而得位，道士不居也；争而得财，廉士不受／好贤乐善，孜孜以荐进良士、明白是非为己任／楚王好小腰，美人省食；吴王好剑，国士轻死／明于古今，温故知新，通达国体，故谓之博士／贵而下贱，则众弗恶；富能分贫，则穷士弗恶／礼下贤者，日中不暇食以待士，士以此多归之／小盗者拘，大盗者为诸侯；诸侯之门，义士存焉／故马或奔踶而致千里，士或有负俗之累而立功名／君子居必择乡，游必就士，所以防邪僻而近中正也／有行之士，未必能进取；进取之士，未必能有行也／天下至大器也，帝王至重位也，得士则靖，失士则乱／有缺点的战士终竟是战士，完美的苍蝇也终竟不过是苍蝇／君子避三端：避文士之笔端，避武士之锋端，避辩士之舌端／上士闻道，勤而行之；中士闻道，若存若亡；下士闻道，大笑之／以玙璠之玼而弃其璞，以一人之罪而兼其众，则天下无美宝信士／患其有小恶，以人之小恶，亡人之大美，此人主之所以失天下之士也已

吉

jí 吉利，吉祥；美好；朔日；吉林省的简称；姓。

❶吉凶由人

见《左传·僖公十六年》。

吉藏凶，凶暗吉

见元·关汉卿《双调乔牌儿》。

吉凶相救，患难相扶

见明·罗贯中《三国演义》第六〇回。

吉人之辞寡，躁人之辞多

见《周易·系辞下》。

吉凶在人，岂假阴阳拘忌

见唐·吴兢《贞观政要·务农》。

❸敦临，吉，无咎／顺则吉，逆则凶／昌衰吉凶皆由己出／人有吉凶事，不在鸟音中／惠迪吉，从逆凶，惟影响

❺否泰无常，吉凶由人／君子欲讷，吉人寡辞／忧喜聚门，吉凶同域／祸福无门，吉凶由己／穷达有命，吉凶由人／敬胜怠则吉，怠胜敬则灭／祸福相倚，吉凶同域，惟人所召，安可不思

❻吉藏凶，凶暗吉／一代天骄，成吉思汗，只识弯弓射大雕／至福似祸，大吉若凶。天下醉饱，莫之能明

❼德惟一，动罔不吉／劳谦，君子有终，吉／国家之任贤而吉，任不肖而凶／君子好成物，故吉；小人好败物，故凶／积微之善，以至吉祥。小恶不止，乃至灭亡

❽视履，考祥其旋，元吉／哀乐不同而不远，吉凶相反而相袭

❾不与凶人为仇，不与吉人为亲，不与诚人为媾，不与诈人为怨

❿命令昨颁，十万工农下吉安／以镜自照者见形容，以人自照者见吉凶／有忧而不知忧者凶，有忧而深忧之者吉／鉴于水者见面之容，鉴于人者知吉与凶／镜于水，见面之容；镜于人，则知吉与凶／同涉于川，其时在风；沿者之吉，溯者之凶／知得知失，可与为人；知存知亡，足别吉凶／行不如止，直不如曲，进不如退，可以安吉／不日不月，而事以从；不卜不筮，而谨知吉凶

志

zhì 意愿；理想；决心；记住；记载的文字；记号；通"帜"；标志；通"痣"。

❶志同而气合

见唐·韩愈《徐泗亳三州节度掌书记厅石记》。

志虽大而才不副

见宋·苏轼《扬州谢到任表二首》之二。

志忍私，然后能公

见《荀子·儒效》。全句为："～；行忍情性，然后能修；知而好问，然后能才"。

志不可满，乐不可极

见《礼记·曲礼上》。

志不求易,事不避难

见南朝·宋·范晔《后汉书·虞诩传》。

志高虑远,祸发所忽

见南朝·宋·范晔《后汉书·齐武王縯传》。

志务广远,多所不暇

见南朝·宋·范晔《后汉书·隗嚣传》。

志在兼济,行在独善

见唐·白居易《与元九书》。全句为:"~,奉而始终之则为道,言而发明之则为诗"。

志比精金,心如坚石

见明·冯梦龙《警世通言·况太守断死孩儿》。

志于虚无者可以忘生死

见五代·谭峭《化书卷二·虚无》。

志有所存,顾不见泰山

见汉·王充《论衡·书解篇》。全句为:"~;思有所至,有身不暇徇也"。一说"存"为"好"。

志不立,天下无可成之事

见明·王守仁《教条示龙场诸生》。全句为:"~,虽百工技艺,未有不本于志者"。

志士惜日短,愁人知夜长

见晋·傅玄《杂诗三首》之一。

志士痛朝危,忠臣哀主辱

见南朝·宋·刘义庆《世说新语·言语》。

志苟合,楚越无以异其同

见唐·李峤《与夏县崔少府书》。全句为:"道或乖,胶漆不能同其异;~"。

志善者忘恶,谨小者致大

见汉·桓宽《盐铁论·褒贤》。

志得则颜怡,意失则容戚

见晋·葛洪《抱朴子·博喻》。

志深而喻切,因事以陈辞

见唐·韩愈《答胡生书》。

志道者少友,逐俗者多俦

见汉·王符《潜夫论·实贡》。

志足而言文,情信而辞巧

见南朝·梁·刘勰《文心雕龙·征圣》。

志行万里者,不中道而辍足

见晋·陈寿《三国志·吴书·陆逊传》。

志意不先定,则守善而或移

见宋·程颢《上殿札子》。全句为:"义理不先尽,则多听而易惑;~"。

志陵青云之上,身晦泥污之下

见南朝·宋·范晔《后汉书·逸民传》。

志大而量小,才有余而识不足

见宋·苏轼《贾谊论》。

志士惜年,贤人惜日,圣人惜时

见清·魏源《默觚上·学篇三》。

志强而气弱,故足于谋而寡于断

见《列子·汤问》。

志不强者智不达,言不信者行不果

见《墨子·修身》。

志正则众邪不生,心静则众事不躁

见晋·陈寿《三国志·魏书·王基传》。

志士不忘在沟壑,勇士不忘丧其元

见《孟子·万章下》。

志士凄凉闲处老,名花零落雨中看

见宋·陆游《病起》。

志士幽人莫怨嗟,古来材大难为用

见唐·杜甫《古柏行》。

志欲大而心欲小,学欲博而业欲专

见明·袁衷《庭帏杂录》。全句为:"~,识欲高而气欲下,量欲宏而守欲洁"。

志不励则士不死节,士不死节则众不战

见《尉缭子·战威》。

志高则言洁,志大则辞宏,志远则旨永

见清·叶燮《原诗》外篇上。

志士不饮盗泉之水,廉者不受嗟来之食

见南朝·宋·范晔《后汉书·列女传》。

志闲而少欲,心安而不惧,形劳而不倦

见《黄帝内经·上古天真论》。全句为:"~,气从以顺,各从其欲,皆得所愿"。

志意修则骄富贵矣,道义重则轻王公矣

见《荀子·修身》。全句为:"~;内省则外物轻矣"。

志为气之帅,有志则气不衰,故不觉其老

见清·申涵光《荆园进语》。全句为:"老来益奋其志。~"。

志士仁人,无求生以害仁,有杀身以成仁

见《论语·卫灵公》。

志合者不以山海为远,道乖者不以咫尺为近

见晋·葛洪《抱朴子·博喻》。

志烈秋霜,心贞昆玉,亭亭高竦,不染风尘

见南朝·梁·刘峻《辨命论》。

志之所在,气亦随之;气之所在,天地鬼神亦随之

见宋·谢枋得《与李养吾书》。

❷有志不在年高/有志者事竟成/持志如心痛……/闻志广博而色不伐/立志要高,不要卑/笃志而体,君子也/得志有喜,不可不戒/屈志老成,急则可相依/得志万罪消,失志百丑生/存志乎诗书,寓辞乎咏歌/今志人之所短,而忘人之所修/大志非才不就,大才非学不成/把志气奋发得起,何事不可做/壮志饥餐胡虏肉,笑谈渴饮匈奴血/立志要定,不要杂;要坚,不要缓/立志欲坚不欲锐,成功在久不在速/得志遂茂而不骄,不得志瘁瘠而不辱/养志者忘形,养形者忘利,致道者忘心/得志,泽加于民;不得志,修身见于世/所志于古者,不惟其

辞之好，好其道焉／士志于道，而耻恶衣恶食者，未足与议也／心志既舒则易以纵驰，议论无择则易以浮浅

❸持其志，无暴其气／有其志，必有其事／守真志满，逐物意移／有大志者，时亦有大言／惟立志学圣人，则无害也／达士志寥廓，所在能忘机／心小志大者，圣贤之伦也／言者志之苗，行者文之根／雄心志四海，万里望风尘／周乎志者，穷踬不能变其操／唯有志不立，直是无着力处／有雄志而无雄才，其后果败／然则志足而言文，情信而辞巧／才疏志大不自量，西家东家笑我狂／诗言志，歌永言，声依永，律和声／报国志愿不敢忘，此身未暇归江乡／君子志于泽天下，小人志于荣其身／有其志必成其事，盖烈士之所徇也／人若志趣不远，心不在焉，虽学无成／诗者，志之所之也。在心为志，发言为诗／诗言，志之所之也。在心为志，发言为诗／心狂志悖，视听从类，政令无常，下民作孽

❹大丈夫志四方／一人立志，万夫莫夺／习俗移志，安久移质／功崇惟志，业广惟勤／小人得志，暂快一时／言以足志，文以足言／小有所志，而大有所忘／定心广志，余何畏惧兮／事危则志远，情迫则思深／凡人立志胜人，易生傲慢／时易失，志难成，鬓丝生／博学而志不笃，则大而无成／但患无志耳，事固未可知也／君子之志于道也，不成章不达／丈夫为志，穷当益坚，老当益壮／诗言其志也，歌咏其声也，舞动其容也／净心守志，可会至道，譬如磨镜，垢去明存／气以实志，志以定言，吐纳英华，莫非情性／古君子志于道，据于德，依于仁，而后艺可游／博学笃志，切问近思，此八字是收放心的功夫

❺做官夺人志／强行者有志／文者，言乎志者也／器满则倾，志满则覆／猜忍之人，志欲无限／枕戈待旦，志枭逆虏／不专心致志，则不得也／诗在心为志，出口为辞／大丈夫为志，穷当益坚／丈夫皆有志，会见立功勋／与不妄受，志士之所难也／开幸人之志，兆乱臣之心／久有凌云志，重上井冈山／博学而笃志，切问而近思／苟怀四方志，所在可游盘／虽无纪历志，四时自成岁／处则为远志，出则为小草／无冥冥之志者，无昭昭之明／贤者不得志于今，必取贵于后／物有微而志信，人有贱而言忠／吾之终日志于道德，犹惧未及也／居今之世，志古之道，所以自镜／才自清明志自高，生于末世运偏消／心欲小而志欲大，智欲员而行欲方／业无高卑志当坚，男儿有求安得闲／傲小物而志属于大，似无勇而未可恐狼／不能说其志意，养其寿命者，皆非通道者也／古之隐也，志在其中；今之隐也，爵在其中／气以实志，志以定言，吐纳英华，莫非情性／忠果正直，志怀霜雪，见善若惊，疾恶若仇／老骥伏枥，志在千里；烈士暮年，壮心不已

❻老来益奋其志／竹有节，人有志／凡人须先立志……／男女睽而其志通也／其德薄者，其志轻／同音相闻，同志相从／凡为文，以神志为主／有眉不申，有志不舒／忘其小丧而志于大得／一息尚存，此志不容稍懈／淡然虚而一，志虑则不分／通塞苟由己，志士不相卜／贫，气不改；达，志不改／身可危也，而志不可夺也／通其辞者，本志乎古道者也／有言逊于汝志，必求诸非道／不为轩冕肆志，不为穷约趋俗／弃燕雀之小志，慕鸿鹄以高翔／士之品有三：志于道德者为上／吾十有五而志于学，三十而立／安危不二其志，险易不革其心／宜守不移之志，以成可大之功／修仪操以显志兮，独驰思乎杳冥／鸿鹄固有远志，但燕雀自不知耳／人之为学，不志其大，虽多而何为／论士必定于志行，毁誉必参于效验／诚其心，正其志，实其事，定其分／不闻大论则志不宏，不听至言则心不固／志高则言洁，志大则辞宏，志远则旨永／学者不患立志之不高，患不足以继之耳／恒其道，一其志，不欺其心，斯固世之所难得也

❼余生自负澄清志／君子以钟鼓道志／得失不能疑其志／思革其弊，用光志业／刑天舞干戚，猛志固常在／得志万罪消，失志百丑生／子系中山狼，得志便猖狂／内难而能正其志，箕子以之／名须立而戒浮，志欲高而无妄／心懔懔以怀霜，志眇眇而临云／不因困顿移初志，肯为夤缘改寸丹／不妨举世无同志，会有方来可与期／中华儿女多奇志，不爱红装爱武装／非淡泊无以明志，非宁静无以致远／为有牺牲多壮志，敢教日月换新天／英雄者，胸怀大志，腹有良谋……／贤者多财损其志，愚者多财生其过／言学便以道为志，言人便以圣为志／孝者，善继人之志，善述人之事者也／志为气之帅，有志则气不衰，故不觉其老

❽燕雀安知鸿鹄之志／军有归心，必无斗志／困。君子以致命遂志／玩人丧德，玩物丧志／贤而多财，则损其志／铺采摛文，体物写志／未通乎此，则不敢志乎彼／处身而当逸者，则志不广／纵横计不就，慷慨志犹存／骀驷安局步，骐骥志千里／穷乃见节义，老当志弥刚／纵使岁寒途远，此志应难夺／非学无以广才，非志无以成学／人之材有大小，而志有远近也／听其雅、颂之声，而志意得广焉／其文约，其辞微，其志洁，其行廉／不让古人是谓有志，不让今人是谓无量／德日新，万邦惟怀；志自满，九族乃离／疾呼不过闻百步，志之所在，逾于千里／人之进退，唯问其志，取必以渐，勤则得多／读书做人，

先要立志。志患不立，尤患不坚／风俗之变，迁染民志，关之盛衰，不可不慎

❾动无疑事，则众不二志／知足者富，强行者有志／好大言者，不必有大志／怨人者穷，怨天者无志／为世忧乐者，君子之志也／谓之讽谕诗，兼济之志也／多一分享用，减一分志气／不恤年之将衰，而忧志之有倦／读其文章，庶几得其志之所存／屈己以富贵，不若抗志以贫贱／所挟持者甚大，而其志甚远也／先王之教，以正天之志者，礼也／人主不正，则邪人得志，忠者隐蔽／得志，泽加于民；不得志，修身见于世／道足以忘物之得丧，志足以一气之盛衰／心不清则无以见道，志不确则无以立功／读书做人，先要立志。志患不立，尤患不坚／学不成章，无由而达；志不归一，终难成事／敖不可长，欲不可从；志不可满，乐不可极／虎兕相据而蝼蚁得志，两敌相机而匹夫乘间／大丈夫必有四方之志，乃仗剑去国，辞亲远游

❿不为穷变节，不为贱易志／不以名害身，不以位易志／不以文害辞，不以辞害志／由外以铄己，因物以激志／首句标其目，卒章显其志／大言不惭，则无必为之志／君子内省不疚，无恶于志／理生于危心，乱生于肆志／穷且益坚，不坠青云之志／不为世忧乐者，小人之志也／贫不足羞，可羞是贫而无志／贵富显严名利六者，勃志也／登车揽辔，有澄清天下之志／蹈道之心一，而俟时之志坚／无求不得其欲，无取不得其志／不可以一时之失意而自坠其志／刻意则行不肆，牵物则其志流／包藏宇宙之机，吞吐天地之志／莫为一身之谋，而有天下之志／招麾祸福，功名所遂，谓之志／成德每在困穷，败身多因得志／早已森严壁垒，更加众志成城／攀龙鳞，附凤翼，以成其所志／三军可夺帅也，匹夫不可夺志也／口谈道德而心存高官，志在巨富／得道之士，建心于足，游志于止／学之广在于不倦，不倦在于固志／欲变节而从俗兮，愧易初而屈志／说诗者，不以文害辞，不以辞害志／若甘心于自暴自弃，便是不能立志／君子不恤年之将衰，而忧志之有倦／君子志于泽天下，小人志于荣其身／处逸乐而欲不放，居贫苦而志不倦／懒则不肯勤勉，学殖荒而志气亦坠／道非难知，亦非难行，患人无志耳／居不隐者思不远，身不佚者志不广／学者不患才之不赡，而患志之不立／成名每在穷苦日，败事多因得志时／财贿不以动其心，爵禄不以移其志／贤者恒无以自存，不贤者志满气得／言学便以道为志，言人便以圣为志／天将降大任于是人也，必先苦其心志／提刀而立，为之四顾，为之踌躇满志／得志遂茂而不骄，不得志瘁瘠而不辱／不责人以细过，则能吏之志得以尽其效／为人君而乐杀人，此不可使得志于天下／俯首帖耳，摇尾而乞怜者，非我之志也／志高则言洁，志大则辞宏，志远则旨永／蔚乎其相章，炳乎其相辉，志同而气合／善歌者使人继其声，善教者使人继其志／富贵足以愚人，而贫贱足以立志而浚慧／火炎上而受制于水，水趋下而得志于火／才须学也，非学无以广才，非志无以成学／诗者，志之所之也。在心为志，发言为诗／诗言，志之所之也。在心为志，发言为诗／国无义，虽大必亡。人无善志，虽勇必伤／官寡而禄厚，则公家之费鲜，进仕之志劝／贫贱时，眼中不著富贵，他日得志必不骄／一事惬当，一句清巧，神厉九霄，志凌千载／天下之事，患常生于忽微，而志亦戒于渐习／整顿乾坤手段，指授英雄方略，雅志若为酬／非三代两汉之书不敢观，非圣人之志不敢存／良田百顷，不在一亩，但有远志，不在当归／众人重利，廉士重名；贤人尚志，圣人贵精／名为山人而心同商贾，口谈道德而志在穿窬／蚊蚋负山，力诚不足；鹰鹯逐鸟，志则有余／人之所以立德者三：一曰贞，二曰达，三曰志／君之化下，如风偃草，上不节心，则下多逸志／不为穷变节，不为贱易志；惟仁之处，惟义之行／立大事者，不惟有超世之才，亦必有坚忍不拔之志／人之情，目欲视色，耳欲听声，口欲察味，志气欲盈／闻其声而知其风，察其风而知其志，观其志而知其德／古之立大事者，不惟有超世之才，亦必有坚忍不拔之志／肮脏不平之气，不欲销而自销；坚贞不拔之志，不欲奋而自奋矣

声

shēng 声音；发出声音；名誉；量词；声调；宣称；音讯。

❶声一无听，物一无文

见《国语·郑语》。

声华行实，光映儒林

见唐·韩愈《举荐张籍状》。

声振林木，响遏行云

见《列子·汤问》。

声得盐梅，响滑榆槿

见南朝·梁·刘勰《文心雕龙·声律》。

声闻过情，君子耻之

见《孟子·离娄下》。

声音之道，与政通矣

见《礼记·乐记》。

声，则凡非雅声者举废

见《荀子·王制》。

声不绝乎耳，色不绝乎目

见宋·苏洵《管仲论》。

声无小而不闻，行无隐而不形

见《荀子·劝学》。

声可托于弦管，名可留于竹帛

见汉·赵晔《吴越春秋·勾践伐吴外传》。

声乐之入人也深,其化人也速

见《荀子·乐论》。

声声解堕金铜泪,未信吴儿是木人

见元·刘因《海南岛》。全句为:"精卫有情衔太华,杜鹃无血到天津。~"。

声应气求之夫,决不在于寻行数墨之士

见明·李贽《杂说》。全句为:"追风逐电之足,决不在于牝牡骊黄之间;~;风行水上之文,决不在于一字一句之奇"。

❷橹声摇月过桥西/角声寒,夜阑珊/名声之善恶存乎人/好声而实不充则恢/同声相应,同气相求/吠声者多,辨实者寡/恶声狼藉,布于诸国/由声以循实,则难在克终/同声自相应,同心自相知/鼓声随听绝,帆势与云邻/名声若日月,功绩如天地/清声而便体,秀外而惠中/丑声,贯盈。迟和早除奸佞/风声雨声读书声,声声入耳/声声解堕金铜泪,未信吴儿是木人/班声动而北风起,剑气冲而南斗平/一声而非,驷马勿追;一言而急,驷马不及/有声之声,不过百里:无声之声,延及四海/人声之精者为言,文辞之于言,又其精也,尤择其善鸣者而假之鸣

❸感其声而求其类/恶郑声之乱雅乐也/以名声称号,必为是所诱/居高声自远,非是藉秋风/盗虚声者多,有实学者少/闻水声,如鸣珮环,心乐之/铎以声自毁,膏烛以明自铄/闻风声鹤唳,皆以为王师已至/时闻声如蝉蝇之类,听之亦无/不动声色,而措天下于泰山之安/其为声也,凄凄切切,呼号愤发/爆竹声中一岁除,春风送暖入屠苏/鸟无声兮山寂寂,夜正长兮风淅淅/发乎声,见乎四支,谓非己心,不明也/鬼无声也,无形也,无气也,果无鬼乎/失于声,缪迷其四体,谓己当然,自诬也/闻其声而知其风,察其风而知其志,观其志而知其德

❹野树秋声满/兵贵先声后实/四面边声连角起/布谷一声春水生/此时无声胜有声/铁骑无声望似水/雄鸡一声天下白/大音希声,大象无形/批扞之声,无出之口/清浊二声,为乐之本/如闻其声,如见其容/树树秋声,山山寒色/金石有声,不考不鸣/听于无声则得其所闻矣/是非之声,无翼而飞矣/耳虽欲声,目虽欲色……/风声雨声读书声,声声入耳/欲闻其声,反默;欲张,反敛/心既托声于言,言亦寄形于字/生而同声,长而异俗,教使之然/汽笛一声肠已断,从此天涯孤旅/耳乐和声,为制金石丝竹以道之/新年鸟声千种啭,二月杨花满路飞/睡起秋声无觅处,满阶梧叶月明中/忍泪失声询使者:"几时真有六军来"/诗是心声,不可违心而出,亦不能违心而出/渐闻水声潺潺,而泻出两峰之间者,酿泉也/有声之声,不过百里:无声之声,延及四海/目如炬,声如钟,则英伟刚毅之气使人兴起/金石有声,弗叩弗鸣;管箫有音,弗吹无声/真悲无声而哀,真怒未发而威,真亲未笑而和

❺五音不同声而能调/三十余年,声名塞天/鼓钟于宫,声闻于外/宜投壶,矢声铮铮然/宜围棋,子声丁丁然/气同则从,声比则应/悲音不共声,皆快于耳/上有弦歌声,音响一何悲/天下无正声,悦耳即为娱/不求立名声,所贵去瑕玼/雁阵惊寒,声断衡阳之浦/交绝无恶声,去臣无怨辞/夜来风雨声,花落知多少/圣人之于声色滋味也……/听鼓鼙之声则思将帅之臣/死别已吞声,生别常恻恻/立实以致声,则难在经始/务采色,夸声音而以为能也/穷天下之声,无以舒其哀矣/若能遗外声利,而不厌乎贫贱也/饱霜孤竹声偏切,带火焦桐韵本悲/弹虽在指声在意,听不以耳而以心/殿前作赋声摩空,笔补造化天无功/入天下之声色而研其理者,人之道也/乐者本于声,声者发于情,情者系于政/诗如鼓琴,声声见心。心为人籁,诚中形外/耳之欲五声,目之欲五色,口之欲五味,情也

❻掷地作金石声/一登龙门,则声誉十倍/论山水,则循声而得貌/声,则凡非雅声者举废/听著鸣蛩,一声声是怨/鹤鸣于九皋,声闻于天/怨于心者,哀声可以应木石/耳得之而为声,目遇之而成色/聪者听于无声,明者见于未形/霜晨月,马蹄声碎,喇叭声咽/听其雅、颂之声,而志意得广焉/耳调玉石之声,目不见太山之高/无翼而飞者声也,无根而固者情也/同类相从,同声相应,固天之理也/乐者本于声,声者发于情,情者系于政/树林阴翳,鸣声上下,游人去而禽鸟乐也/诗如鼓琴,声声见心。心为人籁,诚中形外/无状无象,无声无响,故能无所不通,无所不往

❼莫教管弦作离声/君子耳不听淫声/杀人如草不闻声/此时无声胜有声/肠断秋荷雨打声/雏凤清于老凤声/掷地,当作金石声/听著鸣蛩,一声声是怨/月下谁家砧,一声肠一绝/胜事谁复论,丑声日已播/心绪逢摇落,秋声不可闻/歌者不期于利声而贵于中节/风声雨声读书声,声声入耳/身与草木俱朽,声与日月并彰/虽禀极聪,而有声者不可尽闻焉/井梧飞叶送秋声,篱菊缄香待晚晴/诗言志,歌永言,声依永,律和声/把向空中捎一声,良马有心日驰千/操千曲而后晓声,观千剑而后识器/响必应之于同声,道固从之于同类/田里绝愁叹之声,邦家闻宽厚之化/予欲闻六律五声八音,在治忽,以出纳五言/才不能逾同列,声不能压

当世，世之怒仆宜也／胡越之人，生则声同，长则语异，盖声者天然／入夜思归切，笛声清更哀，愁人不愿听，自到枕前来

❽一犬吠形，百犬吠声／一手独拍，虽疾无声／君子交绝，不出恶声／嘤其鸣矣，求其友声／善琴者有悲心则声凄凄然／有理言自壮，负屈声必高／然饰穷其要，则心声锋起／风声雨声读书声，声声入耳／功业逐日以新，名声随风而流／美味期乎合口，工声调于比耳／诗者：根情，苗言，华声，实义／善为文者，发而为声，鼓而为气／不见其形不闻其声，而序其成谓之道／论其诗不如听其声，听其声不如察其形／善歌者使人继其声，善教者使人继其志／情动于中，故形于声，声成文，谓之音／夏宜急雨，有瀑布声；冬宜密雪，有碎玉声／饥马在厩，寂然无声，投刍其旁，争心乃生／邻国相望，鸡犬之声相闻，民至老死，不相往来

❾雷霆不与蛙蚓斗其声／塞草烟光阔，渭水波声咽／潭深波浪静，学广语声低／本深而末茂，形大而声宏／政和则情和，情和则声和／滴沥空庭，竹响共雨声相乱／风声雨声读书声，声声入耳／日进前而不御，遥闻声而相思／类同相召，气同则合，声比则应／万夫喧喧不停杵，杵声丁丁惊后土／气盛则言之短长与声之高下者皆宜／方凭征鞍思往事，数声风笛马前闻／心非木石岂无感，吞声踯躅不敢言／诗言其志也，歌咏其声也，舞动其容也／情动于中，故形于声，声成文，谓之音／纵令滋味当染于口，声色已开于心……／始而胎气充实……壮而声色有节者强而寿／始而胎气虚耗……壮而声色自放者弱而夭／利镞穿骨，惊沙人面……声折江河，势崩雷电

❿聋者无以与乎钟鼓之声／古之君子，交绝不出恶声／伤禽恶弦惊，倦客恶离声／人作殊方语，莺为故国声／随风潜入夜，润物细无声／幸能修实操，何俟钓虚声／吟咏之间，吐纳珠玉之声／审小音者，不闻雷霆之声／学尽百禽语，终无自己声／纵有还家梦，犹闻出塞声／胡风带秋月，嘶马杂笳声／善恶相从，如景乡之应形声／三军以利用也，金鼓以声气也／上将效于国用，下欲济其家声／使景曲者形也，使响浊者声也／景不为曲物直，响不为恶声美／霜晨月，马蹄声碎，喇叭声咽／和平之音淡薄，而秋思之声要妙／嗜欲充益，目不见色，耳不闻声／伟士坐以俊杰之才，招致群吠之声／使景曲者，形也；使响浊者，声也／诗言志，歌永言，声依永，律和声／谈欢则字与笑并，论戚则声共泣偕／君听浊浪金焦外，淘尽英雄是此声／君子违难不适仇国，交绝不出恶声／嘶酸雏雁失群夜，断绝胡儿恋母声／国仇未报壮士老，匣中宝剑夜有声／行宫见月伤心色，夜雨闻铃肠断声／衙斋卧听萧萧竹，疑是民间疾苦声／逆胡未灭心未平，孤剑床头铿有声／姑苏城外寒山寺，夜半钟声到客船／心事浩茫连广宇，于无声处听惊雷／心中为念农桑苦，耳里如闻饥冻声／秋阴不散霜飞晚，留得枯荷听雨声／白云山头云欲立，白云山下呼声急／虚檐立尽梧桐影，络纬数声山月寒／事之急者不能安言，心之痛者不能缓声／倚老松，坐怪石，殷殷潮声，起于月外／论其诗不如听其声，听其声不如察其形／达人苦富贵之桎梏，修士伤声名之顿撼／见明珠者始贱鱼目，知雅乐者方鄙郑声／好音生于郑卫，而人皆乐之于耳，声同也／愁听，吹笛《关山》……月中都是断肠声／偏则成魔，分唐界宋。霹雳一声，邹鲁不哄／大方无隅，大器晚成，大音希声，大象无形／夏宜急雨，有瀑布声；冬宜密雪，有碎玉声／有声之声，不过百里；无声之声，延及四海／胡笳互动，牧马悲鸣，吟啸成群，边声四起／思致之浅深，不在其磔裂章句，隳废声韵也／金石有声，弗叩弗鸣；管箫有音，弗吹无声／胡越之人，生则声同，长则语异，盖声者天然／八百里分麾下炙，五十弦翻塞外声。沙场秋点兵／古之善歌者有语，谓"当使声中无字，字中有声"／人之情，目欲视色，耳欲听声，口欲察味，志气欲盈／不是师法，而好自用，譬之是犹以盲辨色，以聋辨声也／大道无形，大仁无亲，大辩无声，大廉不嗛，大勇不矜／心平愉，则色不及佣而可以养目，声不及佣而可以养耳／感人心者，莫先乎情，莫始乎言，莫切乎声，莫深乎义／急乎其所自立，而无患乎人不己知，未尝闻有响大而声微者也／伯夷，目不视恶色，耳不听恶声。非其君，不事；非其民，不使／目察秋毫之末，耳不闻雷霆之声；耳调玉石之声，目不见泰山之高

壶

hú 器皿；通"瓠"，瓠瓜；古代投矢用的器具；姓。

❷冰壶玉尺，纤尘弗污

❸宜投壶，矢声铮铮然

❹花间一壶酒，独酌无相亲

❺觥饭不及壶飧

❻霤水足以溢壶榼，而江河不能实漏卮

❼一片冰心在玉壶

❾以戈舂黍也，以锥餐壶也

❿贱生于无所用，中流失船，一壶千金，贵贱无常，时使物然

喜

①xǐ 欢乐；高兴；爱好；可祝贺的；谓妇女怀孕；姓。②chì 通"饎"，酒食。

❶喜怒不形于色

见唐·房玄龄《晋书·阮籍传》。

喜无以赏，怒无以杀

见《管子·版法》。

喜怒哀乐，动人心深

见宋·欧阳修《送杨真序》。

喜而溢美，犹不失近厚

见宋·叶梦得《石林家训》。全句为："～；怒而溢恶，则为人之害多矣"。

喜乐无羡赏，忿怒无羡刑

见《晏子春秋·内篇·问下》。

喜则爱心生，怒则毒螫加

见汉·司马迁《史记·律书》。

喜极不得语，泪尽方一哂

见宋·陈师道《示三子》。

喜怒哀乐之动乎中必见乎外

见宋·欧阳修《左氏辨》。

喜名者必多怨，好与者必多辱

见汉·韩婴《韩诗外传》。

喜德者必多怨，喜予者必善夺

见汉·刘安《淮南子·诠言》。

喜为异说而不让，敢为高论而不顾

见宋·苏轼《荀卿论》。

喜时之言多失信，怒时之言多失体

见明·钱琦《钱子测语·规世》。

喜怒哀乐发而皆中节，天下之达道

见宋·朱熹《朱子语类》卷三〇。

喜怒哀乐之未发谓之中，发而皆中节谓之和

见《礼记·中庸》。

喜怒相疑，愚知相欺，善否相非，诞信相讥

见《庄子·在宥》。

喜怒、窘穷、……有动于心，必于草书焉发之

见唐·韩愈《送高闲上人序》。删节处为："忧悲、愉佚、思慕、酣醉、无聊、不平"。

喜则滥赏无功，怒则滥杀无罪，是以天下丧乱，莫不由此

见唐·吴兢《贞观政要·求谏》。全句为："自古帝王多任情喜怒，～"。

❷忧喜聚门，吉凶同域／临喜临怒看涵养，群行群止看识见／两喜必多溢美之言，两怒必多溢恶之言

❸人有喜庆，不可生妒忌心／嗜欲喜怒之情，贤愚皆同／善人喜于见传，则勇于自立／贪愎喜利，则灭国杀身之本也／人有喜怒哀乐，犹天之有春夏秋冬／乐高喜大，负威任势，亡忧失畏，不求于己也

❹一则以喜，一则以惧／不以物喜，不以己悲／得何足喜，失何足忧／得志有喜，不可不戒／始若可喜而终不可久／近其小喜，而远其大忧／见誉而喜者，佞之媒也／天亦有喜怒之气，哀乐之心／不可乘喜而多言，不可乘快而易事／不可乘喜而轻诺，不可因醉而生嗔／因其所喜而为善，虽有愿忠而孰能／梅花欢喜漫天雪，冻死苍蝇未足奇／鼻之所喜不可任也，口之所嗜不可随也／顺之则喜，逆之则怒，此有血气者之性也／生男无喜，生女无怒，独不见卫子夫霸天下／谁不可喜，而谁不可惧；蚋蚁蜂虿，皆能害人

❺因祸受福，喜盈我室／宠过若惊，喜深生惧／无其实而喜其名者，削／吏者，君之喜而国之忧也／读书虽可喜，何如躬践履／新进之士喜勇锐，老成之人多持重／怒不变容，喜不失节，故是最为难／怒不过夺，喜不过予，是法胜私也／忧不生忧，喜不生喜。不忧不喜，乃生忧喜／怒如严霜，喜如时雨，臧否好恶，坦然可观／敬之而不喜，侮之而不怒者，唯同乎天和者为然／凡物之可喜，足以悦人而不足以移人者，莫若书与画／何谓人情？喜、怒、哀、惧、爱、恶、欲，七者弗学而能

❻淡画春山不喜添／由来骨鲠材，喜被软弱吞／今人有过，不喜人规……／人情厌故而喜新，重难而轻易／大怒不怒，大喜不喜，可以养心／不可以私意喜一人。不可以私意怒一人／世俗之人皆喜人之同乎己，而恶人之异于己也

❼治心术则不妄喜怒／利剑多缺，真玉喜折／纵浪大化中，不喜亦不惧／喜德者必多怨，喜予者必善夺／悲落叶于劲秋，喜柔条于芳春／巧辩纵横而可喜，忠言质朴而多讷／得利则跃跃以喜，不利则戚戚以泣／矫矫亢亢，恶圆喜方，羞为奸欺，不忍害伤

❽时祀尽敬而不祈喜／祸至不惧，福至不喜／不因怒以诛，不因喜以赏／君子得意而忧，逢喜而惧／文章憎命达，魑魅喜人过／自古帝王多任情喜怒……／所以失之者，必以喜乐哀怒／恩所加，则思无因喜以谬赏／以同异为善恶，以喜怒为赏罚／忍怒以全阴气，抑喜以养阳气／大怒不怒，大喜不喜，可以养心／忧所以为昌也，而喜所以为亡也／爱憎不栖于情，忧喜不留于意，泊然无惑／忧不生忧，喜不生喜。不忧不喜，乃生忧喜／言吾善者，不足为喜；道吾恶者，不足为怒

❾有善而归之民，则民喜／宁期此地忽相遇，惊喜茫如堕烟雾／其所以为情者七：曰喜、曰怒、曰哀、曰惧、曰爱、曰恶、曰欲

❿闻善言则拜，告有过则喜／昔闻长者言，掩耳每不喜／福之本在于忧，而祸起于喜／不能耕而欲黍粱，不能织而喜采裳／友如作画须求淡，山似论文不喜平／子路人告之以有过则喜，禹闻善则拜／忧不生忧，喜不生喜。不忧不喜，乃生忧喜／有杀人之威而下不惧，有生人之惠而下不喜／心旷神怡，宠辱偕忘，把酒临风，其喜洋洋／白日所为，夜来省己，是恶当惊，是善当喜／父母之年，不可不知也，一则以喜，一则以惧／人当自信自守，虽承誉之，承奉之，亦不为

之加喜爱／视政之得失，若越人视秦人之肥瘠忽焉不加喜戚于其心／贤君之治也，温良而和，宽容而爱，刑清而省，喜赏而恶罚／人之生也，必以其欢。忧则失纪，怒则失端。忧悲喜怒，道乃无处

壹 ①yī 数目"一"的大写；同；均衡；稳定；统一；专一；一概，都；一旦；实在；稍，暂；作语助，表强调；姓。②yì 通"抑"，[壹郁]郁闷。③yīn[壹郁]同"絪缊"。

❶壹引其纪，万目皆起；壹引其纲，万目皆张

见《吕氏春秋·离俗览·用民》。全句为："用民有纪有纲，～。为民纪纲者何也？欲也恶也。何欲何恶？欲荣利，恶辱害。"

❸所谓壹刑者，刑无等级

❾举人之周也，与人之壹也／壹引其纪，万目皆起；壹引其纲，万目皆张

鼓 gǔ 打击乐器；敲击使发出声音；发动；膨胀；鼓风；凸出；鼓动；古量器名。

❶鼓衰兮力竭……

见唐·李华《吊古战场文》。全句为："～，矢尽兮弦绝，白刃交兮宝刀折，两军蹙兮生死决"。

鼓洪炉，燎毛发

见三国·魏·陈琳《谏何进召外兵》。

鼓舞其心，发泄其用

见唐·杨炯《王勃集序》。全句为："～，八纮驰骋于思绪，万代出没于毫端"。

鼓腹而歌，以乐其生

见唐·柳宗元《终南山祠堂碑》。

鼓钟于宫，声闻于外

见汉·东方朔《答客难》。

鼓声随听绝，帆势与云邻

见南朝·陈·阴铿《江津送刘光禄不及》。

鼓腹无所思，朝起暮归眠

见晋·陶潜《戊申岁六月中遇火》。

❷不鼓不成列／宜鼓琴，琴调虚畅／使鼓鸣者，乃不鸣者也／听鼓鼙之声则思将帅之臣／一鼓作气，再而衰，三而竭／闻鼓鼙而思将帅，画云台而念旧臣

❸陵涛鼓怒以伏注，天壁嵯峨而横立／合升鼓之微以满仓廪，合疏缕之纬以成帏幕／诗如鼓琴，声声见心。心为人籁，诚中形外／有金鼓，所以一耳也；同法令，所以一心也

❹君子不鼓不成列／子有钟鼓，弗鼓弗考；宛其死矣，他人是保

❺君子以钟鼓道志／含哺而熙，鼓腹而游／贪日得则鼓刀利，要岁计而韫椟多

❻窈窕淑女，钟鼓乐之／乐云乐云，钟鼓云乎哉／雄笔奇才，有鼓怒风云之气／辞之所以能鼓天下者，乃道之文也／子有钟鼓，弗鼓弗考；宛其死矣，他人是保／牛溲马勃，败鼓之皮，俱收并蓄，待用无遗

❼天惟运动一气，鼓万物而生，无心以恤物／垂髫之童，但习鼓舞，斑白之老，不识干戈

❽聋者无以与乎钟鼓之声／听人以言，乐于钟鼓琴瑟／三军以利用也，金鼓以声气也

❾善为文者，发而为声，鼓而为气／倚势豪夺，飞食人肉，鼓吻弄翼，道路以目

❿爰居避风，本无情于钟鼓／烟才通，寒淙淙；隔山风，老鼓钟／壮而不虚，刚而能润……非鼓怒以为资／白黑在前而目不见，雷鼓在侧而耳不闻／呦呦鹿鸣，食野之苹；我有嘉宾，鼓瑟吹笙／狗吠不惊，足下生氂；含哺鼓腹，焉知凶灾／礼云礼云，玉帛云乎哉；乐云乐云，钟鼓云乎哉

嘉 jiā 美好的；赞许；吉庆，幸福；欢乐；姓。

❶嘉禾始熟而农夫先尝其粒

见晋·陈寿《三国志·魏书·王粲传》。全句为："夏屋初成而大匠先立其下，～"。

嘉谷不夏熟，大器当晚成

唐·欧阳詹《徐十八晦落第》。

嘉谷虽已殖，恶草亦滋蔓

见元·赵孟頫《题耕织图二十四首·咏耕四月》。全句为："～。君子与小人，并处必为患"。

嘉谷奋兴，根叶肥润，抽茎展穗，不失时宜

见唐·韩愈《贺雨表》。

❷翳嘉林，坐石矶，投竿而渔，陶然以乐

❸虽有嘉肴，弗食，不知其旨也

❹斩茅而嘉树列，发石而清泉激／君子如嘉禾也，封殖之甚难，而去之甚易

❺农夫去草，嘉谷必茂／茂树恶木，嘉葩毒卉，乱杂而争植

❻无土壤而生嘉树美箭……／澧泉有故源，嘉禾有旧根

❽善人同处，则日闻嘉训／君子尊贤而容众，嘉善而矜不能

❾鹿鸣思野草，可以喻嘉宾

❿不弃狂夫之言者，然后嘉谟可闻也／呦呦鹿鸣，食野之苹；我有嘉宾，鼓瑟吹笙

瞽 gǔ 瞎；没有识别能力的；古乐官的代称。

❶瞽者无以与乎文章之观

见《庄子·逍遥游》。全句为："～，聋者无以与乎钟鼓之声"。

瞽者无以与乎青黄黼黻之观

见《庄子·大宗师》。全句为："盲者无以与乎眉目颜色之好，～"。

瞽无目而耳不可以塞，精于聪也

见汉·刘安《淮南子·说林》。全句为："～瞽无耳而目不可以蔽，精于明也；"。

❷自瞽者乐言己之长，自聩者乐言人之短
❻人主无贤，如瞽无相／仁义者，虽聋瞽不失为君子／日月丽天，而瞽者莫睹其明
❼见善不敬，与昏瞽同
❾未可与言而言谓之瞽
❿布衣穷贱之人，咸得献其狂瞽

馨

xīn 芳香；比喻好声誉；作语助。
❸至治馨香，感于神明，黍稷非馨，明德惟馨
❾邦家用祀典，在德非馨香
❿丹可磨而不可夺其色，兰可燔而不可灭其馨／荆玉含宝，要俟开莹；幽兰怀馨，事资扇发／至治馨香，感于神明，黍稷非馨，明德惟馨

蠹

dù 同"蠹"，蠹虫；蛀蚀。
❺有味之物，蠹虫必生；有才之人，谗言必至

鼙

pí 古代军队用的一种小鼓。
❸听鼓鼙之声则思将帅之臣／闻鼓鼙而思将帅，画云台而念旧臣

懿

yì 美好；叹声；深。
❶懿德茂行，可以励俗
见唐·韩愈《祭薛中丞文》。
❾兄弟虽有小忿，不废懿亲
❿使夸而有节，饰而不诬，亦可谓之懿也

艺

yì 才能，技能；艺术；种植；标准；犹言"文"。
❶艺可学而行可力
见汉·张衡《应闲》。
艺由己立，名自人成
见汉·班固《与弟超书》。
艺者，德之枝叶也；德者，人之根干也
见三国·魏·徐幹《中论·艺纪》。全句为："～。斯二物者，不偏行，不独立"。
❷挟艺射科，每发如望
❸周乎艺者，屈抑不能贬其名
❹吐纳文艺，务在节宣，清和其心，调畅其气／己之才艺虽多，犹病以为少，仍就寡少之人更求所益
❺文乏斧藻，艺惭刀笔
❼王事靡盬，不能艺稷黍／口不绝吟于六艺之文，手不停披于百家之编
❽士先器识而后文艺／良田千顷，不如薄艺随身
❿朝骋骛乎书林兮，夕翱翔乎艺苑／年衰无酒食之娱，性拙无博弈之艺／弟子盖三千焉，身通六艺者七十有二人／勿恃己善不服人仁，勿矜己艺不敬人文／古君子志于道，据于德，依于仁，而后艺可游／古者士之进，有以德，有以才，有以言，有以曲艺

艾

①ài 草本植物；老年人；停止，尽；漂亮；颜色，即苍白色；养育；姓。②yì 通"刈"，收获；通"乂"，治理。
❷耆艾而信，可以为师
❺视杀人若艾草菅然／搜索稚与艾，唯存跛无目
❻松柏在冈，蒿艾为之不植
❿宁为兰摧玉折，不作萧敷艾荣／何昔日之芳草兮，今直为此萧艾也／巫山之上顺风纵火，膏夏紫芝与萧艾俱死

节

jié 物体各段相连接的地方；段落；量词；节日；节气；删节；节约；节制；事项；礼节；节操；符节；古代乐器；屋柱上端顶房梁的方木；高峻貌；犹"适"，恰好；六十四卦之一；姓。
❶节同时异，物是人非
见三国·魏·曹丕《与吴质书》。
节俭爱费，天下不匮
见三国·魏·王弼《老子》六十七注。
节欲之道，万物不害
见《管子·内业》。
节用储蓄，以备凶灾
见南朝·宋·范晔《后汉书·肃宗孝章帝纪》。
节行失之，终身不可得
见明·刘元卿《贤奕编·家闲》。全句为："轩冕失之，有时而复来；～"。
节欲则民富，中听则民安
见《晏子春秋·内篇·问下》。
节怒莫若乐，节乐莫若礼
见《管子·心术下》。
节食则无疾，择言则无祸
见宋·何坦《西畴老人常言》。
节物后先南北异，人情冷暖古今同
见宋·姚孝锡《残句》。
节物风光不相待，桑田碧海须臾改
见唐·卢照邻《长安古意》。
节民以礼，故其刑罚甚轻而禁不犯者，教化行而习俗美也
见汉·董仲舒《天人三策》。
❷一节动而百枝摇／一节见则百节知／死节从来岂顾勋／晚节渐于诗律细／俭节则昌，淫佚则亡／关节不到，有阎罗包老／言节候，则披文而见时／标节义者，必以节义受谤／时节忽已换，壮心空自惊／立节者见难不苟免，贪禄者见利不顾身／一节省而国有余用，民有盖藏，不知其几也／百节成体，共资荣卫，万趣会文，不离辞情
❸政在节财／事不节则无功／天地节而四时成

／务本节用财无极／竹有节，人有志／不陵节而施之谓孙／临大节而不可夺也／观小节可以知大体／保初节易，保晚节难／劝农节用，均丰补歉／规小节者不能成荣名／谨听节俭，众民之术也／效小节者，不能行大威／保廉节者，必憎贪冒之党／君臣节俭足，朝野欢呼同／恭俭节用，天下几至刑措／时穷节乃见，一一垂丹青／强本节用，则人给家足之道／欲变节而从俗兮，愧易初而屈志／临大节而不可夺，处至公而不可干／俭者，节其耳目口体之欲，节己而不节人

❹临难守节／每逢佳节倍思亲／好花时节不闲身／侈而无节，则不可赡／至德小节备，大节举／夸而有节，饰而不诬／口腹不节，致疾之因／贤者能节之，不使过度／竹外有节理，中直空虚／强本而节用，则天不能贫／穷乃见节义，老当志弥刚／蹈海之节，千乘莫移其情／贱敛无节，官上奢纵，则人贫／人怜直节生来瘦，自许高材老更刚／清明时节雨纷纷，路上行人欲断魂／士穷见节义，世乱识忠臣，欲学者必周于德／饮食不节，以生疾病；好色不倦，以致乏绝

❺士穷乃见节义／侏儒见一节而短长可知／不为穷变节，不为贱易志／不因感衰节，安能激壮心／好雨知时节，当春乃发生／时危见臣节，世乱识忠良／用于国有节，取于民有制／竟抱固穷节，饥寒饱所更／竹死不变节，花落有余香／清介廉洁，节在俭固，失在拘扃／徒觉炎凉节物非，不知关山千万里／心治则百节皆安，心忧则百节皆乱／足国之道，节用裕民，而善藏其余／使夸而有节，饰而不诬，亦可谓之懿也／不为穷变节，不为贱易志；惟仁之处，惟义之行

❻一节见则百节知／省事之本在节欲／躬履艰难而节乃见／舞笔飞墨，应节而成／岁月不居，时节如流／节怒莫若乐，节乐莫若礼／不为难易变节，安危革行也／不遇盘根错节，何以别利器乎／虚死不如立节，苟殒不如成名／傀儡学技，音节虽工，面目非情／尺之木必有节目，寸之玉必有瑕璶／仓库实，知礼节；国多财，远者来／杨柳枝，芳菲节，可恨年年赠离别／譬如破竹，数节之后，皆迎刃而解／称财多寡而节用之，富无金藏……谓之啬／人能除情欲，节滋味，清五藏，则神明居之／起居时，饮食节，寒暑适，则身利而寿命益／士之修身立节而竟不遇知己，前古以来，不可胜数

❼知侈俭则百用节矣／保初节易，保晚节难／凡作乐者，所以节乐／至德小节备，大节举／妇子嘻嘻，失家节也／丰财者，务本而节用也／君子以慎言语，节饮食／无波古井水，有节秋竹竿／功成耻受赏，高节卓不群／当及未衰时，晚节早自励／处高心不有，临节自为名／饿死事极小，失节事极大／标节义者，必以节义受谤／畴昔叹时迟，晚节悲年促／礼所以防淫佚，节其侈靡也／读书当读全书，节抄者不可读／但将酩酊酬佳节，不用登临恨落晖／俭葬，古人之美节；侈葬，古人之恶名／仓廪实，则知礼节；衣食足，则知荣辱／吐纳文艺，务在节宣，清和其心，调畅其气

❽建大业者不拘小节／告之以危而观其节／一丝一粒，我之名节／奋不顾身，临时守节／廉耻，士君子之大节／居事不力，用财不节／明主必谨养其和，节其流，开其源／怒不变容，喜不失节，故是最为难／仁者不以盛衰改节，义者不以存亡易心／志不励则士不死节，士不死节则众不战／人有厚德，无问小节；人有大举，无訾小故／赏罚信明，施与有节，记人之功，忽于小过／起居不时，饮食不节，寒暑不适，则形体累而寿命损

❾身安则道隆，饮食知节量／心为万事主，动而无节即乱／与求生而害义，宁抗节以埋魂／饱肥甘，衣轻暖，不知节者损福／人寰尚有遗民在，大节难随九鼎沦／凡人情之所安而有节者，举皆礼也／喜怒哀乐发而皆中节，天下之达道／小人寡欲则能谨身节用，远罪丰家／四时有不谢之花，八节有长青之草／故明主必谨养其和，节其流，开其源／人生大期，百年为限，节护之者可至千岁／圣人守清道而抱雌节，因循应变，常后而不先

❿墙坏于其隙，木毁于其节／玉碎不改白，竹焚不改节／鸱目有所适，鹤胫有所节／疏之欲其通，廉之欲其节／豪杰之士者，必有过人之节／谢杨柳多情，还有绿阴时节／歌者不期于利声而贵于中节／临危而智勇奋，投命而高节亮／寒暑不时则疾，风雨不节则饥／进有忧国之心，退有死节之义／森森如千丈松，虽磊砢有节目／礼之至者无文，哀之深者无节／大丈夫见善明，则重名节如泰山／君子修道立德，不为穷困而改节／事者，民之风雨也，事不节则无功／乐莫乐于还故乡，难莫难于全大节／冰心与贫流争激，霜情与晚节弥茂／土事不文，木事不镂，示民知节也／虽惭老圃秋容淡，且看黄花晚节香／独在异乡为异客，每逢佳节倍思亲／寒暑之势不易，小变不足以妨大节／心治则百节皆安，心忧则百节皆乱／办天下之大事者，有天下之大节者也／下者尽力而无耗弊，上者量民而用有节／天生人而使有贪有欲，欲有情，情有节／良将不怯死以苟免，烈士不毁节以求生／勇将不怯死以苟免，壮士不毁节而求生／圣人量腹而食，度形而衣，节于己而已／志不励则士不死节，士不死节则众不战／当官者能洁身修己，然后在公之节乃全／善问者如攻坚木：先其易

者，后其节目／道合则从，不合则去，儒者进退之大节／委之以财而观其仁，告之以危而观其节／结民心，在薄赋敛；薄赋敛，在节财用／所守者道义，所行者忠信，所惜者名节／风霜以别草木之性，危乱而见贞良之节／既不能推心以奉母，亦安能死节以事人／天地之道，寒暑不时则疾，风雨不节则饥／俭者，节其耳目口体之欲，节己而不节人／君不见长松百尺多劲节，狂风暴雨终摧折／始而胎气充实……壮而声色有节者强而寿／烈士之所以异于恒人，以其仗节以死谊也／铁可折，玉可碎，海可枯……直节贯殊途／在上不骄，高而不危；制节谨度，满而不溢／喜怒哀乐之未发谓之中，发而皆中节谓之和／如地如天，何私何亲？如日如月，唯君之节／明日黄花，过晚之物；岁寒松柏，有节之称／百官之众，四海之广，使其关节脉理相通为一／限之以爵，爵加则知荣，恩荣并济，上下有节／君之化下，如风偃草，上不节心，则下多逸志／居逆境中，周身皆针砭药石，砥节砺行而不觉／中和之质，必平淡无味，故能调成五材变化应节／今兵威已振，譬如破竹，数节之后，皆迎刃而解／道千乘之国，敬事而信，节用而爱人，使民以时／有云水襟怀，有松柏气节，典型顿失，人尽含悲／今若不能服药，但知爱精节情，亦得一二百年寿也／可以托六尺之孤，可以寄百里之命，临大节而不可夺也／下之用力者甚勤，上之用物者有节，民无遗力，国不过费／赋敛以时，官上清约，则人富。赋敛无节，官上奢纵，则人贫

芊 qiān[芊芊]草木茂盛貌；浓绿色。

❿冬沙飞兮淅淅，春草磨兮芊芊

芍 ①sháo[芍药]多年生草本植物，花大而美，根可入药。②què[芍陂]古代淮水流域著名的水利工程。

❶芍药花开又一春

见宋·朱继芳《贫女》十首之一。

芒 ①máng 某些谷物上细长的刺；像芒一样锐细而引人注意的；一种草本植物；光芒；通"茫"，模糊，昏暗；姓。②huǎng 通"恍"，恍恍惚惚。

❹剑老无芒，人老无刚／兵寝星芒落，战解月轮空

❽堤溃蚁孔，气泄针芒／班翟不能削石作芒针

❾故堤溃蚁孔，气泄针芒／冲天鹏翅阔，报国剑芒寒／出轨躅而骧首，驰光芒而动俗

❿流落人间者，太山一毫芒／蚌死留夜光，剑折留锋芒／禅堂茶散卷残经，竹杖芒鞵信脚行／天下争名趋势，不计是非，析毫剖芒，视死如归／君子防悔尤，贤人戒行藏，嫌疑远瓜李，言动慎毫芒

芝 zhī 一种香草；通"芷"，亦香草；[灵芝]真菌的一种。

❶芝草无根，醴泉无源

见清·李渔《巧团圆·议赘》。

❷紫芝生于山，而不能生于盘石之上

❸凤凰芝草，贤愚皆以为美瑞／如入芝兰之室，久而不闻其香

❺亲贤如就芝兰，避恶如畏蛇蝎

❻养子弟如养芝兰，既积学以培植之，又积善以滋润之

❼与善人居，如入芝兰之室，久而自芳也

❾是以与善人居，如入芝兰之室，久而自芳也

❿巫山之上顺风纵火，膏夏紫芝与萧艾俱死／日月欲明而浮云盖之，兰芝欲修而秋风败之／麟亡星落，月死珠伤，瓶罄罍耻，芝焚蕙叹

芙 fú[芙蓉]荷花的别称；[木芙蓉]也称木莲。

❸木末芙蓉花，山中发红萼。涧户寂无人，纷纷开且落

❹清水出芙蓉，天然去雕饰／谢诗如芙蓉出水，颜诗如错采镂金

❼迫而察之，灼若芙蕖出渌波

❽何秋日之可哀，托芙蓉以为媒／采薜荔兮水中，搴芙蓉兮木末／昆山玉碎凤凰叫，芙蓉泣露香兰笑

❾制芰荷以为衣兮，集芙蓉以为裳

芜 wú 野草丛生；野草丛生的地方；文辞繁杂或事物粗制滥造。

❺世路之蓁芜当剔，人心之茅塞须开

❽归去来兮，田园将芜胡不归

❿兰亭也，不遭右军，则清湍修竹，芜没于空山矣

苇 wěi 芦苇。

❷蒲苇纫如丝，磐石无转移

❸纵一苇之所如，凌万顷之茫然

❻谁谓河广，一苇杭之

❾与时屈伸，柔从若蒲苇，非慑怯也

❿君当作磐石，妾当作蒲苇

芸 ①yún 植物名；通"耘"，除草；[芸芸]形容众多。②yùn 花草枯黄貌。

❼人病舍其田而芸人之田

芰 jì 古书指"菱"，植物名。

❷制芰荷以为衣兮，集芙蓉以为裳／焚芰制而裂荷衣，抗尘容而走俗状

芽 yá 植物可以发育成茎、叶或花的幼体；形状像芽的东西；草木发芽。

❻枯木逢春，萌芽便发／斩草除根，萌芽不发

❼斩草不除根，萌芽春再发
❾春风吹蚕细如蚁，桑芽才努青鸦嘴

芷 zhǐ 香草名，即白芷，可入药的多年生草本植物；兰槐之类香草的根。

❶芷兰生于深林，非以无人而不芳

见《荀子·宥坐》。

❷岸芷汀兰，郁郁青青
❹鲍鱼兰芷，不同箧而藏
❽与善人居，如入兰芷之室，久而不闻其香，则与之化矣
❿沙鸥翔集，锦鳞游泳；岸芷汀兰，郁郁青青／立身成败，在于所染，兰芷鲍鱼，与之同化

花 huā 花；形状像花的；种类或颜色错杂的；迷惑；视线模糊不清；耗用；比喻美女；棉花的简称；指痘；作战时受的伤；旋；耗费。

❶花不常好，月不常圆

见明·于谦《昔有〈莫恼翁〉曲，予因效之，改为〈翁莫恼〉，聊以调笑云耳》。全句为："～，世间万物有盛衰，人生安得常少年"。

花木阴阴，偶过垂杨院

见金·董解元《西厢记诸宫调》。全句为："～。香风散，半开朱户，瞥见如花面"。

花下一禾生，去之为恶草

见唐·聂夷中《公子家》。

花间一壶酒，独酌无相亲

见唐·李白《月下独酌四首》之一。全句为："～。举杯邀明月，对影成三人"。

花有重开日，人无再少年

见元·关汉卿《窦娥冤·楔子》。

❷芦花千里霜月白／落花流水仍依旧／藕花无数满汀洲／好花时节不闲身／莲，花之君子者也／菊，花之隐逸者也／弄花一年，看花十日／杂花如锦，傍缘石菌之崖／时花美女，不足为其色也／春花无数，毕竟何如秋实／梅花欢喜漫天雪，冻死苍蝇未足奇／有花无叶真潇洒，不向胭脂借淡红／有花堪折直须折，莫待无花空折枝／杂花争发，非止桃蹊。群鸟乱飞，有逾鹦谷／梅花过时，槐色犹在，白云芳草，尽入诗兴

❸向阳花木易逢春／今年花胜去年红／芍药花开又一春／牡丹，花之富贵者也／只言花是雪，不悟有香来／冥冥花正开，扬扬燕新乳／拂墙花影动，疑是玉人来／洞房花烛夜，金榜挂名时／晴日花争发，丰年酒易沽／感时花溅泪，恨别鸟惊心／铺落花以为茵，结垂杨而代幄／不贪花酒不贪财，一世无灾无害／牡丹花儿虽好，还要绿叶儿扶持／不是花中偏爱菊，此花开尽更无花／今年花似去年好，去年人到今年老／今年花落颜色改，明年花开复谁在／众卖花兮独卖松，青青颜色不如红／春江花朝秋月夜，往往取酒还独倾／鸟啼花落，皆与神通。人不能悟，付之飘风

❹天下真花独牡丹／人面桃花相映红／度柳穿花觅信音／流水落花春去也／贪看飞花忘却愁／留取黄花点缀秋／白日杨花满流水／老树着花无丑枝／雾里看花，终隔一层／张翰黄花句，风流五百年／春早见花枝，朝朝恨发迟／畏落众花后，无人别意看／笑入荷花去，佯羞不出来／自有桃花容，莫言人劝我／待到山花烂漫时，她在丛中笑／采得百花成蜜后，到头辛苦一场空／采得百花成蜜后，为谁辛苦为谁甜／日出江花红胜火，春来江水绿如蓝／着意种花花不活，无心栽柳柳成阴／明日黄花，过晚之物；岁寒松柏，有节之称

❺无可奈何花落去／云想衣裳花想容／春到江南花自开／虽源水桃花，时时失路／如水月镜花，勿泥其迹／一丛深色花，十户中人赋／树有百年花，人无一定颜／昔去雪如花，今来花似雪／春每归兮花开，花已阑兮春改／人意共怜花月满，花好月圆人又散／春风桃李花开日，秋雨梧桐叶落时／春心莫共花争发，一寸相思一寸灰／着意种花花不活，无心栽柳柳成阴／烟云泉台，花鸟苔林，金铺锦帐，寓意则灵／木末芙蓉花，山中发红萼。涧户寂无人，纷纷开且落

❻满城明月梨花／弄花一年，看花十日／轻翰暂飞，则花葩竞发／人情须耐久，花面长依旧／夜来风雨声，花落知多少／芹泥随燕觜，花蕊上蜂须／春色无高下，花枝有短长／竹死不变节，花落有余香

❼洞庭渔笛隔芦花／老树春深更著花／飞泉出窦，练缒花吐／无物结同心，烟花不堪剪／不待清明近，莺花已自忙／寥落古行宫，宫花寂寞红／息燕归檐静，飞花落院闲／病叶多先坠，寒花只暂香／草无忘忧之意，花无长乐之心／排恨叠，怯衣单，花枝红泪弹／春每归兮花开，花已阑兮春改／四时有不谢之花，八节有长青之草

❽不摇香已乱，无风花自飞／惜恐镜中春，不如花草新／昔去雪如花，今来花似雪／团扇风轻，一径杨花不避人／爱惜芳时，莫待无花空折枝／人意共怜花月满，花好月圆人又散／不及流莺日日啼花间，能使万家春意闲／语言文字，如春之花，或者必欲弃花而觅春，非愚即狂

❾翠袖不胜寒，欲向荷花语／垂秋实于谈丛，绚春花于词苑／滚滚长江东逝水，浪花淘尽英雄／不是花中偏爱菊，此花开尽更无花／人面不知何处去，桃花依旧笑春风／陶令不知何处去，桃花源里可耕田／难留连，易消歇，塞北花，江南雪／尘世难逢开口笑，菊花须插满头归／志士凄凉闲处老，名花零落雨中看／莫羡三春桃与李，桂花成实向秋荣／待到秋来九月八，我花

开后百花杀／好鸟枝头亦朋友，落花水面皆文章／春色不随亡国尽，野花只作旧时开／雪压冬云白絮飞，万花纷谢一时稀／高台芳榭，家家而筑；花林曲池，园园而有

❿不向东山久，蔷薇几度花／劝我早归家，绿窗人似花／待到重阳日，还来就菊花／已是悬崖百丈冰，犹有花枝俏／万户千门成野草，只缘一曲后庭花／不是一番寒彻骨，怎得梅花扑鼻香／不是一番寒彻骨，争得梅花扑鼻香／不是花中偏爱菊，此花开尽更无花／世情薄，人情恶，雨送黄昏花易落／生前富贵草头露，身后风流陌上花／他年我若为青帝，报与桃花一处开／借问酒家何处有，牧童遥指杏花村／停车坐爱枫林晚，霜叶红于二月花／今年花落颜色改，明年花开复谁在／商女不知亡国恨，隔江犹唱后庭花／落红不是无情物，化作春泥更护花／落红满路无人惜，踏作花泥透脚香／吴僧爱觅闲吟处，偷向花边竹里来／虽惭老圃秋容淡，且看黄花晚节香／山重水复疑无路，柳暗花明又一村／待到秋来九月八，我花开后百花杀／寒暑茫茫兮代谢，故叶新花兮往来／近水楼台先得月，向阳花木易为春／相见时难别亦难，东风无力百花残／春残已是风和雨，更著游人撼落花／水曲山隈四五家，夕阳烟火隔芦花／新年鸟声千种啭，二月杨花满路飞／有花堪折直须折，莫待无花空折枝／有时三点两点雨，到处十枝五枝花／忽如一夜春风来，千树万树梨花开／老去诗篇浑漫与，春来花鸟莫深愁／紫陌红尘拂面来，无人不道看花回／梁、陈间，率不过嘲风雪，弄花草而已／人面看年年岁岁之同，花枝见夜夜朝朝之好／暮春三月，江南草长，杂花生树，群莺乱飞／霜封野树，冰冻寒苗，岸草无色，芦花自飘／水性虚而沦漪结，木体实而花萼振，文附质也／碧云悠悠兮，泾水东流。伤美人兮，雨泣花愁／解落三秋叶，能开二月花。过江千尺浪，入竹万竿斜／语言文字，如春之花，或者必欲弃花而觅春，非愚即狂

芹

qín 芹菜。

❶芹泥随燕觜，花蕊上蜂须

见唐·杜甫《徐步》。

芥

①jiè 芥菜；小草，喻轻微纤细的事物。②gài[芥蓝]蔬菜。

❷尘芥六合，谓天地为有穷也

❸图浮芥之小利，忘丘山之大祸

❻视轩裳如草芥，屏嗜欲若泥沙／虎魄不取腐芥，磁石不受曲针

❽褒秋毫之善，贬纤芥之恶

❿仇无大小，只怕伤心；恩若救急，一芥千金／国之兴也，视民如伤，是其福也；其亡也，以民为土芥，是其祸也

芬

①fēn 花草的香气；比喻盛德或美名；通“纷”，众多貌。②fén 通“坟”，隆起貌。

❹芳兰之芬烈者，清风之功也

❿兰茝生于茂林之中，深山之间，不为人莫见之故不芬

苍

①cāng 青绿色或青蓝色；苍天，上天；灰白色；代指苍鹰。②cǎng[苍莽]亦作“莽苍”，郊野或天空一碧无际貌。

❶苍生忍倒悬

见宋·汪藻《已酉乱后寄常州使君侄》。

苍蝇附骥尾而致千里

见唐·司马贞《索隐》。

苍蝇间白黑，谗巧令亲疏

见三国·魏·曹植《赠白马王彪》。

苍蝇点垂棘，巧舌成锦绮

见唐·卢仝《玉川子专集二·感古之二》。

苍苍者焉能与吾事，而暇知之哉

见唐·柳宗元《断刑论》。

苍雁赪鲤，时传尺素；清风明月，俱寄相思

见南朝·陈·周弘正《答王褒书》。

苍蝇之飞，不过十步；自托骐骥之尾，乃腾千里之路

见南朝·宋·范晔《后汉书·隗嚣传》。

❷问苍茫大地，谁主沉浮／对苍茫之寒日，听萧瑟之悲蝉／苍苍者焉能与吾事，而暇知之哉／天苍苍，野茫茫，风吹草低见牛羊

❸悠悠苍天，曷其有极／大天苍苍兮，大地茫茫／染于苍则苍，染于黄则黄／极野苍茫，白露凉风之八月／天苍苍，野茫茫，风吹草低见牛羊／但愿苍生俱饱暖，不辞辛苦出山林／暮色苍茫看劲松，乱云飞渡仍从容／云山苍苍，江水泱泱，先生之风，山高水长

❹大天苍苍兮，大地茫茫／烟雨莽苍苍，龟蛇锁大江／从头越，苍山如海，残阳如血／云山苍苍，江水泱泱，先生之风，山高水长

❺巽语为珍，苍璧喻而非宝／染于苍则苍，染于黄则黄／烟雨莽苍苍，龟蛇锁大江／栖息有所，苍蝇同骐骥之速／怅寥廓，问苍茫大地，谁主沉浮

❻不有臭秽，则苍蝇不飞／倏忽市朝变，苍茫人事非／陌上新离别，苍茫四郊晦／日入牛渚晦，苍然夕烟迷／白骨成丘山，苍生竟何罪／当轩不是怜苍翠，只要人知耐岁寒

❽小小寰球，有几个苍蝇碰壁／桃李虽艳，何如松苍柏翠之坚贞

❾不能胜寸心，安能胜苍穹／诗人甘寂寞，居处遍苍苔／达人无不可，忘己爱苍生／蛟龙无定窟，黄鹄摩苍天／君不见高山万仞连苍旻，天长

地久成埃尘

❿雨后复斜阳，关山阵阵苍／今日长缨在手，何时缚住苍龙／清流洄洑眩波光，高崖古木争苍苍／梅花欢喜漫天雪，冻死苍蝇未足奇／老夫聊发少年狂，左牵黄，右擎苍／天者，统元气焉，非止荡荡苍苍之谓也／有缺点的战士终竟是战士，完美的苍蝇也终竟不过是苍蝇

芴 ①wù 植物名；一种稠环芳香烃。②hū 通"忽"；[芴芒]恍惚，模糊的样子。

❶芴漠无形，变化无常

见《庄子·天下》。

芟 shān 割；除掉；镰刀。

❶芟夷不可阙，疾恶信如仇

见唐·杜甫《除草》。

❾权衡损益，斟酌浓淡，芟繁剪秽，弛于负担

芳 fāng 有香味的；美好的，美好的品德、名声；敬辞；花卉。

❶芳草无情人自迷

见唐·温庭筠《经西坞偶题》。

芳草鲜美，落英缤纷

见晋·陶潜《桃花源记》。

芳草宁共气，而皆悦于魂

见南朝·梁·江淹《杂体诗序》。全句为："峨眉讵同貌，而俱动于魄；～"。

芳菊开林耀，青松冠岩列

见晋·陶潜《和郭主簿二首》之二。全句为："～。怀此贞秀姿，卓为霜下杰"。

芳槿无终日，贞松耐岁寒

见元·关汉卿《望江亭中秋切鲙》杂剧第一折。

芳兰之芬烈者，清风之功也

见晋·葛洪《抱朴子·外篇·交际》。

芳林新叶催陈叶，流水前波让后波

见唐·刘禹锡《乐天见示伤微之敦诗晦叔三君子皆有深分因成是诗以寄》。

芳饵之下必有悬鱼，重赏之下必有死夫

见南朝·宋·范晔《后汉书·耿纯传》。

❷野芳虽晚不须嗟／掇芳刈楚，不弃幽远／野芳发而幽香，佳木秀而繁阴／寻芳者追深径之兰，识韵者探穷山之竹

❸愁随芳草，绿遍江南／愁杀芳年友，悲叹有余哀／空嗟芳饵下，独见有贪心／繁莺芳树，绕高台而共乐／爱惜芳时，莫待无花空折枝／人生芳秽有千载，世上荣枯无百年／高台芳榭，家家而筑；花林曲池，园园而有／落梅芳树，共体千篇；陇水巫山，殊名一意

❹天意怜芳草，人间重晚晴／桂椒信芳，而非园林之实／杨柳枝，芳菲节，可恨年年赠离别

❺瑶山丛桂，芳茂者先折／为善则流芳百世，为恶则遗臭万年／何昔日之芳草兮，今直为此萧艾也／山中人兮芳杜若，饮石泉兮荫松柏／既不能流芳后世，亦不足复遗臭万载邪

❻天涯何处无芳草／首夏犹清和，芳草亦未歇／兰茝荪蕙之芳，众人之所好，而海畔有逐臭之夫

❼不应憔悴损年芳／膏以朗煎，兰由芳凋／十步之内，必有芳草；四海之中，岂无奇秀

❽名标青史，万古留芳／石生而坚，兰生而芳／矜容者有经日之芳；工歌者有弥旬之韵／石生而坚，兰生而芳，少自其质，长而愈明

❾无意苦争春，一任群芳妒／兰闺久寂寞，无事度芳春／知音少，人间何处寻芳草／喧鸟覆春洲，杂英满芳甸／贞操与日月俱悬，孤芳随山壑共远

❿穷巷秋风起，先摧兰蕙芳／兰生幽谷，不为莫服而不芳／荃荪孤植，不以岩隐而歇其芳／悲落叶于劲秋，喜柔条于芳春／不吾知其亦已兮，苟余情其信芳／芷兰生于深林，非以无人而不芳／冰雪林中著此身，不同桃李混芳尘／草树知春不久归，百般红紫斗芳菲／与善人居，如入芝兰之室，久而自芳也／兰薰而摧，玉缜则折；物忌坚芳，人讳明洁／梅花过时，槐色犹在，白云芳草，尽入诗兴／是以与善人居，如入芝兰之室，久而自芳也

芦 ①lú 芦苇，多年生草本植物；姓。②lu 葫芦。

❶芦花千里霜月白

见宋·欧阳修《归自谣》。

❹十里黄芦雪打船

❻洞庭渔笛隔芦花

❿水曲山限四五家，夕阳烟火隔芦花／霜封野树，冰冻寒苗，岸草无色，芦花自飘

劳 ①láo 劳动；辛苦；烦劳；功绩；用言语或实物慰问；姓；通"痨"，肺结核。②lào 农具名。③liáo 通"辽"。

❶劳谦，君子有终，吉

见《周易·系辞上》。

劳心者治人，劳力者治于人

见《孟子·滕文公上》。全句为："～。治于人者食人，治人者食于人"。

劳大者其禄厚，功多者其爵尊

见汉·司马迁《史记·范雎蔡泽列传》。全句为："～，能治众者其官大"。

劳其形者长年，安其乐者短命

见宋·欧阳修《删正黄庭经序》。

劳而不伐，有功而不德，厚之至也

见《周易·系辞上》。

劳苦之事则争先，饶乐之事则能让

见《荀子·修身》。

劳形按影皆非道，炼气吞霞更是狂

见宋·张伯端《悟真篇》。

劳臣不赏，不可劝功；死士不赏，不可励勇

见唐·陈子昂《答制问事·劝赏科》。

❷不劳则逸，逸则不才／勤劳之师，将不先己／惮劳怕怨，做不得事／一劳而久逸，暂费而永宁／忧劳可以兴国，逸豫可以亡身／身劳而心安，为之；利少而义多，为之／勋劳宜赏，不吝千金；无功望施，分毫不与／形劳而不休则弊，精用而不已则劳，劳则竭

❸贤主劳于求人，而佚于治事／君无劳民之事，民得勤而耕农／巧者劳而知者忧，无能者无所求／农夫劳而君子养焉，愚者言而智者择焉

❹作伪，心劳日拙／常亲小劳则身健／不赏私劳，不罚私怨／以佚代劳，以饱待饥／以逸击劳，取胜之道／以逸待劳，取之必也／少不服劳，老不安逸／赏当其劳，无功者自退／爱而不劳，禽犊之爱也／以逸待劳，兵家之大利也／盖世功劳，当不得一个"矜"字／民恶忧劳，我佚乐之；民恶贫贱，我富贵之

❺爱之，能勿劳乎／仕于世，有劳而见罪／独任之国，劳而多祸／独王之国，劳而多祸／骄人好好，劳人草草／任力者故劳，任人者故逸／逍遥以针劳，谈笑以药倦／数战则民劳，久师则兵弊／厥父母勤劳稼穑，厥子乃不知稼穑之艰难／惠而不费，劳而不怨，欲而不贪，泰而不骄，威而不猛

❻无伐善，无施劳／舍近谋远者，劳而无功／泛问远思，则劳而无功／饥者歌其食，劳者歌其事／惨则鲜于欢，劳则褊于惠／逸政多忠臣，劳政多乱人／劳心者治人，劳力者治于人／弃事则形不劳，遗生则精不亏／小则随事酬劳，大则量才录用／涂车不能代劳，木马不中驰逐／恭而无礼则劳，慎而无礼则葸／矜一事之微劳，遂有无厌之望／君子所役心劳神，宜于大者远者／勤非俭，终年劳瘁，不当一日之侈靡／不塞隙穴，而劳力于赭垩，暴风疾雨必坏／必静必清，无劳女形，无摇女精，乃可以长生

❼有事弟子服其劳／国动乱者，而民劳疲也／足趾一跌，而前劳并捐／无功而厚赏，无劳而高爵／虑熟谋审，力不劳而功倍／为政者不赏私劳，不罚私怨／假舆马者，足不劳而致千里／穷者欲达其言，劳者须歌其事／饥召兵，疾召兵，劳召兵，乱召兵／人穷则反本，故劳苦倦极，未尝不呼天地也／君子惠而不费，劳而不怨，欲而不贪，泰而不骄，威而不猛

❽举不失德，赏不失劳／哀哀父母，生我劬劳／顺天者逸，逆天者劳／百忧感其心，万事劳其形／非其道而行之，虽劳不至／神太用则竭，形太劳则弊／欲事之无繁，则必劳于始而逸于终／任能者责成而不劳，任己者事废而无功／水有猵獭而池鱼劳，国有强御而齐民消／以饱待饥，以逸击劳；师不欲久，行不欲远／说以先民，民忘其劳。说以犯难，民忘其死／黾勉从事，不敢告劳；无罪无辜，谗口嚣嚣／安而不扰，使而不劳，是以百姓劝业而乐公赋／民之性，饥而求食，劳而求佚，苦则索乐，辱则求荣

❾早作而夜思，勤力而劳心／瘠地之民多有心者，劳也／地广非常安之术，人劳乃易乱之源／盈而不溢，盛而不骄，劳而不矜其功／天下大扰，百姓遑遑，劳苦疲极，困穷生奸

❿处沃土则逸，处瘠土则劳／或不知叫号，或惨惨劬劳／动摇文律，宫商有奔命之劳／用气常宽舒，不当急疾勤劳／无丝竹之乱耳，无案牍之劳形／作德心逸日休，作伪心劳日拙／知安而不知危，能逸而不能劳／微事不通，粗事不能者，必劳／有未偿之厚责，无可录之微劳／用兵者，贵以饱待饥，以逸击劳／体道者逸而不穷，任数者劳而无功／常有小病则慎疾，常亲小劳则身健／闻其饥寒为之哀，见其劳苦为之悲／宁用不材以败事，不肯劳心而择材／不出户而知天下兮，何必历远以劬劳／不肖用事而贤良伏，无功贵而劳苦贱／嫉贪佞之洿浊兮，曰吾其既劳而后食／片技即足自立，天下惟多技之人最劳／下之共上勤而不困，上之治下简而不劳／志闲而少欲，心安而不惧，形劳而不倦／壮年竭忠孝于沙漠，疲劳则便捐死于旷野／当急剧冗杂时只不动火，则神有余而不劳／嗜欲者使人之气越，而好憎者使人之心劳／一日万机，一人听断，虽复忧劳，安能尽善／至治之务，在于正名。名正则人主不忧劳矣／因时而惕，不失其几，虽危而劳，可以无咎／形劳而不休则弊，精用而不已则劳，劳则竭／战不必胜，不苟接刃；攻不必取，不苟劳众／时雨降矣，而犹浸灌，其于泽也，不亦劳乎／饱而知人之饥，温而知人之寒，逸而知人之劳／古者士登乎仕，吏执乎役，禄以报劳，官以授德／民有三患：饥者不得食，寒者不得衣，劳者不得息／虽有忧勤之心，而不知致治之要，则心愈劳而事愈乖／君子之处世也，甘恶衣粗食，甘艰苦劳动，斯可以无失矣／天下之民，知安而不知危，能逸而不能劳，此臣所谓大患也

苏

①sū 从昏迷中醒过来；像胡须一样下垂的东西；江苏省的简称；古国名；植物名；取草；姓。②sù 朝向。

❶苏湖熟，天下足

见宋·谣谚杂语《宋世谚》。

苏世独立，横而不流

见战国·楚·屈原《九章·橘颂》。

❷姑苏城外寒山寺，夜半钟声到客船

❻文章到欧曾苏，道理到二程，方是畅
❼上有天堂，下有苏杭／栉垢肥痒，民获苏醒
❾管子以小辱成大荣，苏秦以百诞成一诚
❿同冰鱼之不绝，似蛰虫之犹苏／司空见惯浑闲事，断尽苏州刺史肠／但把穷愁博长健，不辞最后饮屠苏／爆竹声中一岁除，春风送暖入屠苏／由道废邪，用贤弃愚，推以革物，宜民之苏

苦 ①kǔ 五味之一；难受；艰辛；有耐心地；苦恼；受苦；竭力，极；急。②gǔ 粗劣。

❶苦饥寒，逐弹丸
见汉·谚语《逐弹丸》。
苦日难熬，欢时易过
见明·冯梦龙《古今小说·蒋兴哥重会珍珠衫》。
苦心中，常得悦心之趣
见明·洪应明《菜根谭》。全句为："～；得意时，便生失意之悲"。
苦言，药也；甘言，疾也
见汉·司马迁《史记·商君列传》。
苦吟莫向朱门里，满耳笙歌不听君
见唐·郭震《蛩》。
苦心虽呕何由出，病骨非谗亦自销
见宋·陆游《龟堂独坐遣闷》。
苦心焦思，以日继夜，苟利于国，知无不为
见唐·韩愈《为裴相公让官表》。
苦身为善者，其赏厚；苦身为非者，其罪重
见《晏子春秋·内篇·谏下》。
苦我怨气兮浩于长空，六合虽广兮受之应不容
见汉·蔡琰《胡笳十八拍》之十八。
苦身焦思，置胆于坐，坐卧即仰胆，饮食亦尝胆
见汉·司马迁《史记·越王勾践世家》。
❷甘苦常从极处回／人苦不知足；既平陇，复望蜀／进苦口之药石，针害身之膏肓／劳苦之事则争先，饶乐之事则能让／思苦自看明月苦，人愁不是月华愁／事苦，则矜全之情薄；生厚，故安存之虑深
❸来日苦短，去日苦长／名乃苦其身，燋其心／聚散苦匆匆，此恨无穷／无意苦争春，一任群芳妒／甘瓜苦蒂，天下物无全美／昼短苦夜长，何不秉烛游／良药苦口，惟疾者能甘之／仲夏苦夜短，开轩纳微凉／良药苦于口，而智者劝而饮之／良药苦口利于病，忠言逆耳利于行／桑蚕苦，女工难，得新捐故后必寒／富者，苦身疾作，多积财而不得尽用／良药苦口而利于病，忠言逆耳而便于行／良药苦口而利于病，忠言逆耳而利于行／达人苦富贵之桎梏，修士伤声名之顿撼／简士苦民者是谓愚，敬士爱民者是谓智／药酒苦于口而利于病，忠言逆于耳而利于行／不奋苦而求速效，只落得少日浮夸，老来窘隘而已
❹谁谓荼苦，其甘如荠／少不勤苦，老必艰辛／甘瓜抱苦蒂，美枣生荆棘／兴，百姓苦；亡，百姓苦／死亡贫苦，人之大恶存焉／少年辛苦终身事，莫向光阴惰寸功／物有甘苦尝之者识，道有夷险履之者知／民有疾苦，得以安之；吏有侵渔，得以去之
❺修练多从苦处来／不识风霜苦，安知零落期／不惜歌者苦，但伤知音稀／莫嫌一点苦，便拟弃莲心／尝甘以为苦，行非以为是／读书不耐苦，则无所用心之人／境遇不耐苦，则无所成就之人／春来春去苦自驰，争名争利徒尔为／人情得足，苦于放纵，快须臾之欲，忘慎罚之义／岁寒霜雪苦，含彩独青青，岂不厌凝列，羞比春木荣
❻苛政不亲，烦苦伤恩／战捷之后，常苦轻敌／熟读精思，攻苦食淡／哑子尝黄柏，苦味自家知／不识农夫辛苦力，骄骢蹋烂麦青青／世上万般哀苦事，无非死别与生离／富贵必从勤苦得，男儿须读五车书／成名每在穷苦日，败事多因得志时／意深词浅，思苦言甘。寥寥千载，此妙谁探
❼天将与之，必先苦之／来日苦短，去日苦长／兵久则变生，事苦则虑易／人心安则念善，苦则怨叛／口含黄柏味，有苦自家知／治膏肓者，必进苦口之药／必死之病，不下苦口之药／无情不似多情苦，一寸还成千万缕／千淘万漉虽辛苦，吹尽狂沙始到金／忧勤是美德，太苦则无以适性怡情／心中为念农桑苦，耳里如闻饥冻声／思苦自看明月苦，人愁不是月华愁
❽言之大甘，其中必苦／兴，百姓苦；亡，百姓苦／盛衰各有时，立身苦不早／里胥扣我门，日夕苦煎促／言多令事败，器漏苦不密／时过然后学，则勤苦而难成／百工不信，则器械苦伪，丹漆染色不贞／人穷则反本，故劳苦倦极，未尝不呼天地也
❾地薄惟供税，年丰尚苦贫／揆材各有用，反性生苦辛／忧艰常早至，欢会常苦晚／心事同漂泊，生涯共苦辛／日光寒兮草短，月色苦兮霜白／欢愉之辞难工，而穷苦之言易好／苦身为善者，其赏厚；苦身为非者，其罪重／貌言华也，至言实也，苦言药也，甘言疾也
❿万事有不平，尔何空自苦／每一衣，则思纺绩之辛苦／冰不掊不寒，胆不试不苦／谁知盘中餐，粒粒皆辛苦／兵诚义，以诛暴君而振苦民／治大国而数变法，则民苦之／不能长进，只为昏弱两字所苦／丰岁自少凶岁多，田家辛苦可奈何／但愿苍生俱饱暖，不辞辛苦出山林／人生

莫作妇人身，百年苦乐由他人／从来好事天生俭，自古瓜儿苦后甜／劲操比松寒不挠，忠言如药苦非甘／圣人能与世推移，而俗士苦不知变／吞舟之鱼，砀而失水，则蚁能苦之／衙斋卧听萧萧竹，疑是民间疾苦声／处逸乐而欲不放，居贫苦而志不倦／闻其饥寒为之哀，见其劳苦为之悲／字字看来皆是血，十年辛苦不寻常／好去长江千万里，不须辛苦上龙门／采得百花成蜜后，到头辛苦一场空／采得百花成蜜后，为谁辛苦为谁甜／欲赋生来惊人语，必须苦下死工夫／忠言逆耳利于行，毒药苦口利于病／斫轮徐则甘而不固，疾则苦而不入／天将降大任于是人也，必先苦其心志／不肖用事而贤良伏，无功贵而劳苦贱／为国者，必先知民之所苦，祸之所起／君子不责人所不及……不苦人所不好／是技皆可成名，天下惟无技之人最苦／吾不能变心而从俗兮，固将愁苦而终穷／四时万物兮有盛衰，唯我愁苦兮不暂移／国之兴亡不由蓄积多少，唯在百姓苦乐／国之兴亡不由蓄积多少，惟在百姓苦乐／为人臣者，以富乐民为功，以贫苦民为罪／天下大扰，百姓遑遑，劳苦疲极，困穷生奸／不责人所不及，不强人所不能，不苦人所不好／继世守文之君，生而富贵，不知疾苦，动至夷灭／民之性，饥而求食，劳而求佚，苦则索乐，辱则求荣／君子之处世也，甘恶衣粗食，甘艰苦劳动，斯可以无失矣／学者四失：为人则失多，好高则失寡，不察则易，苦难则止／人之生也，与忧俱生，寿者惛惛，久忧不死，何苦也！其为形也亦远矣

苛 ①kē 苛刻；烦琐；骚扰；通“疴”。②hē 通“诃”，谴责，责问。

❶苛政猛于虎

见《礼记·檀弓下》。

苛政不亲，烦苦伤恩

见汉·班固《汉书·薛宣传》。

苛政害民，君受其患

见汉·焦赣《易林·无妄·丰》。

❷以苛为密，以利为公／令苛则不听，禁多则不行

❺君子不为苛察

❼成大功者不小苛／水浊则鱼困，令苛则民乱

❾生材贵适用，慎勿多苛求

❿后生莫晓，更恨文律烦苛／刑在必澄，不在必惨；政在必信，不在必苛／水浊，则无掉尾之鱼；政苛，则无逸乐之士

若 ruò 好像；及，至于；才；假如；或者；尔，汝；此，如此；顺从；选择；作语助，犹“然”；海神名；香草名；姓。

❶若不早图，后君噬齐

见《左传·庄公六年》。

若卵投石，岂可得全

见晋·陈寿《三国志·魏书·吕布传》。

若涉大水，其无津涯

见《尚书·微子》。

若保赤子，惟民其康乂

见《尚书·康诰》。

若捕龙蛇，搏虎豹……

见唐·柳宗元《读韩愈所著〈毛颖传〉后题》。全句为：“～，急与之角而力不敢暇，信韩子之怪于文也”。

若安天下，必先正其身

见唐·吴兢《贞观政要·君道》。全句为：“～，未有身正而影曲，上治而下乱者”。

若教临水畔，字字恐成龙

见唐·韩偓《草书屏风》。

若高下相去差近，犹可与语

见宋·袁采《袁氏世范》。全句为：“～；若相去远甚，不如勿告，徒费舌颊尔”。

若其有害，虽百例不可用也

见宋·苏轼《论高丽买书利害札子》。全句为：“事诚无害，虽无例亦可；～”。

若力能过人，而勇不能行……

见三国·魏·刘劭《人物志·英雄》。全句为：“～，可以为力人，未可以为先登”。

若还苟且粗疏，定不成一件事

见明·吕坤《续小儿语》。全句为：“大凡做一件事，就要当一件事；～”。

若能遗外声利，而不厌乎贫贱也

见唐·韩愈《送区册序》。全句为：“翳嘉林，坐石矶，投竿而渔，陶然以乐，～”。

若甘心于自暴自弃，便是不能立志

见宋·陈淳《北溪字义》卷上。

若升高，必自下；若陟遐，必自迩

见《尚书·太甲下》。

若君不修德，舟中之人尽为敌国也

见汉·司马迁《史记·孙子吴起列传》。

若教纸上翻身看，应见团团董卓脐

见明·徐渭《题螃蟹诗》。全句为：“稻熟江村蟹正肥，双螯如戟挺青坭，～”。

若能为能，不能为不能……乃所谓明也

见宋·陆九渊《与曹立之书》。删节处为：“明为明，不明为不明”。

若能常保数百卷书，千载终不为小人也

见北齐·颜之推《颜氏家训》。

若火之燎于原，不可向迩，其犹可扑灭

见《尚书·盘庚上》。

若夫以火能焦木也，因使销金，则道行矣

见汉·刘安《淮南子·览冥》。全句为：“～；若以慈石之能连铁也，而求其引瓦，则难矣”。

若夫有道之士，必礼必知然后其智能可尽

见《吕氏春秋·有始览·谨听》。

若不推之于诚，虽三令五申，而令不明矣

见唐·白居易《策林一》。

若近正人，闻正事，虽欲为恶，固已不忍

见唐·张九龄《论教皇太子状》。全句为："～；若近细人，不闻教谕，纵欲行善，犹未知所适"。

若意新语工，得前人所未道者，斯为善也

见宋·欧阳修《六一诗话》引梅尧臣语。全句为："诗家虽率意，而造语亦难。～"。

若金，用汝作砺；若济巨川，用汝作舟楫

见《尚书·说命上》。全句为："～；若岁大旱，用汝作霖雨"。

若平直相似……便不是书法，但得其点画耳

见晋·王羲之《题卫夫人<笔阵图>》。其删节处为："状如算子，上下方整，前后平齐"。

若是若非，执而圆机；独成而意，与道徘徊

见《庄子·盗跖》。

若使民常畏死，而为奇者，吾得执而杀之孰敢

见《老子》七十四。

若将军、大夫必出旧族，或无可焉，犹用之耶

见唐·柳宗元《非国语》。全句为："～；必不出乎异族，或有可焉，犹弃之耶"。

若号令烦而不信，赏罚行而不当，则天下不服

见宋·欧阳修《准诏言事上书》。

若近细人，不闻教谕，纵欲行善，犹未知所适

见唐·张九龄《论教皇太子状》。全句为："若近正人，闻正事，虽欲为恶，固已不忍；～"。

若使人之所怀于内者……，则天下无亡国败家矣

见汉·刘安《淮南子·人间》。全句为："～与所见于外者若合符节"。

若鄙人所谓致知格物者，致吾心之良知于事事物物也

见明·王阳明《答顾东桥书》。

若贵而愚，贱而圣且贤，以是而妨之，其为理本大矣

见唐·柳宗元《六逆论》。

若明而不信，严而不断，惠而不正，虽欲理身，终不自理，况于人哉

见唐·元结《殊亭记》。

茂 mào 草木很多且长得好；丰富；通"懋"，勉。

❶茂木丰草，有时而落

见汉·刘安《淮南子·泰族》。全句为："五色虽朗，有时而渝；～；物有隆杀，不得自若"。

茂林之下无丰草，大块之间无美苗

见汉·桓宽《盐铁论·轻重》。

茂树恶木，嘉葩毒卉，乱杂而争植

见唐·柳宗元《永州韦使君新堂记》。

❷坐茂树以终日，濯清泉以自洁

❸懿德茂行，可以励俗／根之茂者其实遂，膏之沃者其光晔

❹得志遂茂而不骄，不得志瘁瘠而不辱／丛兰欲茂，秋风败之；王者欲明，谗人蔽之

❺本深而末茂，形大而声宏／维圣哲以茂行兮，苟得用此下土／广厦成而茂木畅，远求存而良马絷／兰茝生于茂林之中，深山之间，不为人莫见之故不芬

❻瑶山丛桂，芳茂者先折／卑让降下者，茂进之遂路也／伐根以求木茂，塞源而欲流长／根深而枝叶茂，行久而名誉远

❼如竹苞矣，如松茂矣／水积而鱼聚，木茂而鸟集／疾风而波兴，木茂而鸟集／根本不美，枝叶茂者，未之闻也／以伐根而求木茂，塞源而欲流长也／根生，叶安得不茂；源发，流安得不广／十步之间，必有茂草；十室之邑，必有俊士

❽农夫去草，嘉谷必茂

❾恰同学少年，风华正茂；书生意气，挥斥方遒

❿禾黍必刈其稂莠而后苗始茂／根深则道可长。蒂固则德可茂／冰心与贫流争激，霜情与晚节弥茂／大寒至，霜雪降，然后知松柏之茂／四支强而躬体固，华叶茂而本根据／川渊深而鱼鳖归之，山林茂而禽兽归之／治国犹如栽树，本根不摇，则枝叶茂荣／蒲柳之姿，望秋而落；松柏之质，经霜弥茂／冬日之闭冻也不固，则春夏之长草木也不茂／朝华之草，夕而零落；松柏之茂，隆寒不衰

苹 píng 植物名，也叫"藾蒿"；通"萍"；落叶乔木，果实叫苹果。

❷白苹之野，斯见不平之人

❼桃水涨而浦红，苹风摇而浪白

❽呦呦鹿鸣，食野之苹；我有嘉宾，鼓瑟吹笙

苴 ①jū 鞋底的草垫；麻子，结子的麻；包裹；通"粗"。［苴麻］大麻的雌株。②chá 浮草，枯草。

❿履虽鲜不加于枕，冠虽敝不以苴履／履虽鲜，不加于枕；冠虽敝，不以苴履／道之真以治身，其绪余以为国家，其土苴以治天下

苗 miáo 刚长出来的植物；后代；形状像苗的东西；事物出现的迹象；某些初生供饲养的动物；疫苗；苗裔；夏季的田猎；民众；古族名；古邑名；姓。

❶苗疏税多不得食，输入官仓化为土

见唐·张籍《野老歌》。

苗而不秀者有矣夫，秀而不实者有矣夫

见《论语·子罕》。

❸闵其苗之不长而揠之

❹雉雊麦苗秀，蚕眠桑叶稀

❺言者志之苗，行者文之根／诗者：根情，苗言，

华声，实义

❻锄一害而众苗成，刑一恶而万民悦／助之长者，揠苗者也，非徒无益，而又害之／深耕概种，立苗欲疏，非其种者，锄而去之

❼农夫之耨，去害苗者也

❽霜封野树，冰冻寒苗，岸草无色，芦花自飘

❿郁郁涧底松，离离山上苗／禾黍必刈其稂莠而后苗始茂／人莫知其子之恶，莫知其苗之硕／天公尚有妨农过，蚕怕雨寒苗怕火／茂林之下无丰草，大块之间无美苗／油然作云，沛然降雨，则苗浡然兴之矣／圣人之用兵，若栉发耨苗，所去者少，而所利者多

英

yīng 杰出；杰出的人；花；精华；矛上的羽饰；通"瑛"，似玉的美石；姓。

❶英雄出于少年

见清·吴敬梓《儒林外史》第七回。

英雄所见略同

见现代·老舍《离婚》一九。

英雄无用武之地

见宋·司马光《资治通鉴·汉献帝建安十三年》。

英雄气短，儿女情长

见《施公案》第二六二回。

英雄有屯邅，由来自古昔

见晋·左思《咏史八首》之七。

英雄者，胸怀大志，腹有良谋……

见明·罗贯中《三国演义》第二十一回。全句为："～，有包藏宇宙之机，吞吐天地之志者也"。

英以其聪谋始，以其明见机，待雄之胆行之

见三国·魏·刘劭《人物志·英雄》。

❷徒英而不雄，则雄材不服也

❸惟大英雄能本色／收罗英雄，弃瑕录用／时无英雄，使竖子成名／能役英与雄，故能成大业／学识英博，非复吴下阿蒙／才智英敏者，宜加浑厚学问／不念英雄江左老，用之可以尊中国／独有英雄驱虎豹，更无豪杰怕熊罴／飒爽英姿五尺枪，曙光初照演兵场／天下英雄谁敌手？曹刘。生子当如孙仲谋

❹句之清英，字不妄也／得天下英才而教育之／自知者英，自胜者雄／聪明者，英之分也，不得雄之胆则说不行

❺徒雄而不英，则智者不归往也／千古江山，英雄无觅，孙仲谋处／丈夫盖世英雄气，肯学世间儿女愁／江流千古英雄泪，山掩诸公富贵羞

❻芳草鲜美，落英缤纷／世胄蹑高位，英俊沉下僚／成败何足校？英雄自有真／聚古今之精英，实治乱之龟鉴／万木僵仆，梅英再吐，玉立冰姿，不易厥素

❼喧鸟覆春洲，杂英满芳甸／一人之身兼有英雄，乃能役英与雄／聪明秀出谓之英，胆力过人谓之雄／贤不肖不杂则英杰至，是非不乱则国家治

❽不从糟粕，安得精英／沧海横流，方显出英雄本色／深儿女之怀，便短英雄之气／目如炬，声如钟，则英伟刚毅之气使人兴起

❾清平之奸贼，乱世之英雄／蜀山金碧地，此地饶英灵／宽以待人，柔能克刚，英雄莫敌／整顿乾坤手段，指授英雄方略，雅志若为酬／举将而限以资品，则英豪之士在下位者不可得

❿秋菊有佳色，裛露掇其英／大丈夫处世，当交四海英雄／滚滚长江东逝水，浪花淘尽英雄／一人之身兼有英雄，乃能役英与雄／出师未捷身先死，长使英雄泪满襟／从古求贤贵拔茅，素门平进有英豪／功名只向马上取，真是英雄一丈夫／常人皆能办大事，天亦不必产英雄／君听浊浪金焦外，淘尽英雄是此声／江山如此多娇，引无数英雄竞折腰／时来天地皆同力，运去英雄不自由／朝饮木兰之坠露兮，夕餐秋菊之落英／干大事而惜身，见小利而忘命，非英雄也／胆力者，雄之分也，不得英之智则事不立／气以实志，志以定言，吐纳英华，莫非情性／雄以其力服众，以其勇排难，待英之智成之／德万人者谓之俊，德千人者谓之豪，德百人者谓之英

苽

gū 同"菰"，植物名。

❾干将之刃，人不推顿，苽瓠不能伤

苟

gǒu 草率，随便；姑且；假如；姓。

❶苟无民，何以有君

见《战国策·齐策四》。

苟有过，人必知之

见汉·司马迁《史记·孔子弟子列传》。

苟不慎也，败辱随之

见唐·韩愈《省试颜子不贰过论》。

苟非其人，虽强易弱

见晋·陈寿《三国志·魏书·荀彧传》。全句为："古之成败者，诚有其才，虽弱必强；～"。

苟非其时，不如息人

见南朝·宋·范晔《后汉书·臧宫传》。

苟利于时，其致一揆

见隋·杨坚《前代品爵依旧诏》。全句为："～。何谓物我之异，无计今古之殊"。

苟利国家，不求富贵

见《礼记·儒行》。

苟信不继，盟无益也

见《左传·桓公十二年》。

苟能修身，何患不荣

见汉·班固《汉书·东方朔传》。

苟可以利民，不循其礼

见《商君书·更法》。全句为："苟可以强国，

不法其故;～”。

苟可以强国,不法其故

见《商君书·更法》。全句为:“～;苟可以利民,不循其礼”。

苟无济代心,独善亦何益

见唐·李白《赠韦秘书子春二首》之一。

苟由其道,其势可以自得

见宋·苏辙《上皇帝书》。全句为:“～;苟不由其道,虽强求而不获”。

苟怀四方志,所在可游盘

见晋·欧阳建《临终诗》。

苟日新,日日新,又日新

见《礼记·大学》。

苟虑危人,人亦必虑危之

见《吕氏春秋·慎大览·顺说》。全句为:“苟虑害人,人亦必虑害之;～”。

苟虑害人,人亦必虑害之

见《吕氏春秋·慎大览·顺说》。全句为:“～;苟虑危人,人亦必虑危之”。

苟不由其道,虽强求而不获

见宋·苏辙《上皇帝书》。全句为:“苟由其道,其势可以自得;～”。

苟正其身矣,于从政乎何有

见《论语·子路》。全句为:“～?不能正其身,如正人何”。

苟不能以善始,未有能令终者

见晋·陈寿《三国志·魏书·后妃传》。

苟非吾之所有,虽一毫而莫取

见宋·苏轼《前赤壁赋》。

苟余行之不迷,虽颠沛其何伤

见唐·韩愈《祭田横墓文》。

苟或得其高朗,探其深赜……

见唐·柳宗元《与友人论为文书》。全句为:“～,虽有芜败,则为日月之蚀也、大圭之瑕也,曷足伤其明,黜其宝哉”。

苟粟多而财有余,何为而不成

见汉·班固《汉书·食货志》。全句为:“积贮者,天下之大命也,～”。

苟无恒心,放辟邪侈,无不为已

见《孟子·梁惠王上》。

苟余心其端直兮,虽僻远之何伤

见战国·楚·屈原《九章·涉江》。

苟不悖于圣道,而有以启明者之虑

见唐·柳宗元《与吕道州温论非国语书》。全句为:“～,则用是罪余者,虽累百世滋不憾而恧焉”。

苟不自满而中止,庶几终身而有成

见宋·欧阳修《答李诩第一书》。

苟中心图民,智虽弗及,必将至焉

见《国语·鲁语上》。

苟利国家生死以,岂因祸福避趋之

见清·林则徐《赴戍登程口占示家人》二首之一。

苟全性命于乱世,不求闻达于诸侯

见晋·陈寿《三国志·蜀书·诸葛亮传》。

苟其聪明蔽于嗜好,智虑溺于爱憎

见宋·苏轼《明君可以为忠言赋》。全句为:“～,因其所喜而为善,虽有愿忠而孰能”。

苟不知我而谓我盗跖,吾又安取惧焉

见唐·柳宗元《谤誉》。全句为:“～?苟不知我而谓我仲尼,吾又安取荣焉”。

苟不知我而谓我仲尼,吾又安取荣焉

见唐·柳宗元《谤誉》。全句为:“苟不知我而谓我盗跖,吾又安取惧焉?～”

苟能无以利害义,则耻辱亦无由至矣

见《荀子·法行》。

苟能乐道人之善,则天下皆去恶为善

见唐·韩愈《答元侍御书》。全句为:“～,善人得其所,其功实大”。

苟可以为天下国家之用者,则无不在于学

见宋·王安石《上仁宗皇帝言事书》。

苟有可观,皆有可乐,非必怪奇伟丽者也

见宋·苏轼《超然台记》。全句为:“凡物皆有可观。～”。

苟以细过自恕而轻蹈之,则不至于大恶不止

见清·方苞《原过》。

苟利于民,不必法古;苟周于事,不必循旧

见汉·刘安《淮南子·氾论》。

苟得于道,无自而不可;失焉者,无自而可

见《庄子·天运》。

苟得其养,无物不长;苟失其养,无物不消

见《孟子·告子上》。

苟得其人,不患贫贱;苟得其材,不嫌名迹

见汉·王符《潜夫论·本政》。

苟得其人,虽仇必举;苟非其人,虽亲不授

见晋·陈寿《三国志·蜀书·许靖传》。

苟有所见,虽布衣之贱,远守之微,亦可施用

见唐·刘禹锡《夔州论利害表》。

苟去其名全其实,以其余易其不足,亦可交以为师矣

见唐·柳宗元《答严厚舆秀才师道书》。

苟守先圣之道,由大中以出,虽万受摈弃,不更乎其内

见唐·柳宗元《答周君巢饵药久寿书》。

苟灭德忘公,崇浮饰傲,荣其外而枯其内,害其本而窒其源

见唐·陆龟蒙《蠹化》。全句为:“～,得不为大蝨网而胶之乎”。

苟意不先立,止以文彩辞句,绕前捧后,是言愈多而理愈乱

见唐·杜牧《答庄充书》。全句为:"～,如入阛阓,纷纷然莫知其谁,暮散而已"。

❷不苟訾,不苟笑/去苟礼而务至诚/心苟无瑕,何恤乎无家/不苟于论人,而非求其全/志苟合,楚越无以异其同/不苟一时之誉,思为利于无穷/以苟容曲从为贤,以拱默尸禄为智/心苟无事则息自调,念苟无欲则中自守/心苟至公,人将大同;心能执一,政乃无失/能苟焉以求静,而欲之翦抑窜绝,君子不取也/君苟有善,人必知之。知之又知之,其心归之/君苟有恶,人亦知之。知之又知之,其心去之

❸行不苟合,言不苟忘/情趣苟同,贫贱不易意/名位苟无心,对君犹可眠/知音苟不存,已矣何所悲/富贵苟难图,税驾从所欲/通塞苟由己,志士不相卜/谄谀苟免其身者,国之贼也/圣人苟可以强国,不法其故/若还苟且粗疏,定不成一件事/不为苟得以偷安,不为苟免而无耻/因循苟且之心作,强毅久大之性亏/政烦苟则人奸伪,政省一则人醇朴/富以苟不如贫以誉,生以辱不如死以荣/吾子苟自择之,取某事,去某事,则可矣/临财苟得,见利反义,不义而富,无名而贵/偷合苟容,以持禄养交而已耳,谓之国贼也/因循苟且逸豫而无为,可以侥幸一时,而不可旷日持久

❹蝇营狗苟,驱去复还/临财毋苟得,临难毋苟免/君子忌苟合,择交如求师/贤主不苟得,忠臣不苟利/行不贵苟难,说不贵苟察,名不贵苟传/窃位而苟禄,备员而全身者,亦无所取焉

❺不苟訾,不苟笑/不强交,不苟绝/不必法古,苟周于事/古之道不苟誉毁于人/舍是与非,苟可以免/君子不为苟存,不为苟亡/临难而不苟免,见利而不苟得/时不可以苟遇,道不可以虚行

❻恶语不出口,苟言不留耳/恶言不出口,苟语不留耳/不以爱之而苟善,不以恶之而苟非/宁以义死,不苟幸生,而视死如归/兵不必胜,不苟接刃;攻不必取,不为苟发/战不必胜,不苟接刃;攻不必取,不苟劳众/逍遥,无为也;苟简,易养也;不贷,无出也/逊以为子弟苟有才,不忧不用,不宜私出以为荣利/大丈夫岂得苟贪财物,以害及身命,使子孙每怀愧耻耶

❼行不苟合,言不苟忘/有信义者,必疾苟且之徒/虚死不如立节,苟殒不如成名/君子之于人也,苟有善焉,无所不取/良将不怯死以苟免,烈士不毁节以求生/勇将不怯死以苟免,壮士不毁节而求生/立节者见难不苟免,贪禄者见利不顾身/称身居位,不为苟进;称事受禄,不为苟得/不行王政云尔;苟行王政,四海之内皆举首而望之,欲以为君

❽死必得所,义在不苟/生不可不惜,不可苟惜/君子之于物,无所苟而已/君子于其言,无所苟而已矣/不雷同以害人,不苟免以伤义/不吾知其亦已兮,苟余情其信芳/维圣哲以茂行兮,苟得用此下土/乘时投隙非谓才,苟得未必为汝福/凡用人历试其能,苟败事必诛无赦/死生……畏者不可以苟免,贪者不可以苟得也

❾临财毋苟得,临难毋苟免/良马不念秣,烈士不苟营/君子不为苟存,不为苟亡/贤主不苟得,忠臣不苟利/文者以明道,是固不苟为炳炳烺烺/行不贵苟难,说不贵苟察,名不贵苟传/上失其道,民散久矣,苟非君子,焉能固穷/五谷者,种之美者也;苟为不熟,不如荑稗/人才之行,自昔罕全,苟有所长,必有所短/人之才行,自昔罕全,苟有所长,必有所短/苦心焦思,以日继夜,苟利于国,知无不为/苟利于民,不必法古;苟周于事,不必循旧/苟得其养,无物不长;苟失其养,无物不消/苟得其人,不患贫贱;苟得其材,不嫌名迹/苟得其人,虽仇必举;苟非其人,虽亲不授/爱善疾恶,人情所常,苟不明质,或疏善善非

❿不临誉以求亲,不愉悦以苟合/临难而不苟免,见利而不苟得/自责以人则易为,易为则行苟/食不偷而为饱兮,衣不苟而为温/不为苟得以偷安,不为苟免而无耻/不以爱之而苟善,不以恶之而苟非/事大君子当以道,不宜苟且求容悦/遭治世不避其任,遇乱世不为苟存/有过则当速改,不可畏难而苟安也/行不贵苟难,说不贵苟察,名不贵苟传/心苟无事则息自调,念苟无欲则中自守/君子所求于人者薄,而辨是与非也无所苟/世之所不足者,理义也;所有余者,妄苟也/兵不必胜,不苟接刃;攻不必取,不为苟发/小快害义,小慧害道,小辨害治,苟心伤德/国耳忘家,公耳忘私,利不苟就,害不苟去/战不必胜,不苟接刃;攻不必取,不苟劳众/贵不专权,罔惑上下;贱能守分,不苟求取/称身居位,不为苟进;称事受禄,不为苟得/生亦我所欲,所欲有甚于生者,故不为苟得也/凡居其位,思直其道,道苟直,虽死不可回也/死生……畏者不可以苟免,贪者不可以苟得也/不就利,不违害,不强交,不苟绝,惟有道者能之/学无二事,无二道,根本苟立,保养不替,自然日新/人品须从小作起,权宜苟且诡随之意多,则一生人品坏矣/君子有为于天下,惟义而已,不可则止,无苟为,亦无必为/天之高也,星辰之远也,苟求其故,千岁之日至,可坐而致也/君子者,易亲而难狎,畏祸而难却,嗜利而不为非,时动而不苟作

苑 ①yuàn,又读 yuǎn,饲养禽兽、种植林木的地方(多指帝王的花园);(学术、文艺)精品荟萃的地方;花纹;枯萎。②yùn 积

压，蕴结。③yù 茂盛的树木；树木茂盛貌。

❿垂秋实于谈丛，绚春花于词苑／朝骋骛乎书林兮，夕翱翔乎艺苑／积年绮碎，一朝清廓，翰苑豁如

苞 bāo 花蕾外的小叶片；草名；丛生茂密；通“包”，裹。

❸如竹苞矣，如松茂矣

范 fàn 榜样，标准；界限；限制；模子；蜂；姓。

❺材无不可范而成

❿务学不如务求师。师者，人之模范也／大建厥极，绥理群生，训物垂范，于是乎在／小人深情厚貌，毒人不可防范，殆其甚于豺狼也

茕 qióng 孤单。

❶茕茕孑立，形影相吊

见晋·陈寿《三国志·蜀书·杨戏传》。

❸无虐茕独而畏高明

❾夜耿耿而不寐兮，魂茕茕而至曙

茎 jīng 植物的主干；像茎的；根。

❶茎受露而将低，香从风而自远

见唐·杨炯《幽兰赋》。

❸霜夺茎上紫，风销叶中绿

❺以彼径寸茎，荫此百尺条

❻凡道无根，无茎，无叶，无荣……

❾才吟五字句，又白几茎髭／吟安一个字，捻断数茎须

❿愁与发相形，一愁白数茎／嘉谷奋兴，根叶肥润，抽茎展穗，不失时宜

苔 ①tái 苔藓植物的一纲。②tāi 舌苔。

❶苔痕上阶绿，草色入帘青

见唐·刘禹锡《陋室铭》。

❼烟云泉台，花鸟苔林，金铺锦帐，寓意则灵

❿诗人甘寂寞，居处遍苍苔／舟必漏也而后水入焉，土必湿也而后苔生焉

茅 máo 茅草；古国名；姓。

❶茅店惊寒半掩门

见宋·黄伯厚《晚泊》。

茅茨不翦，采椽不斫

见《韩非子·五蠹》。

❷斩茅而嘉树列，发石而清泉激／草茅弗去，则害禾谷；盗贼弗诛，则伤良民

❼从古求贤贵拔茅，素门平进有英豪

❿世路之蓁芜当剔，人心之茅塞须开／多病只思田舍乐，夜归烟火望茅檐

荐 jiàn 草；草垫；草肥厚；推举；献；通“洊”，屡次，连接；聚集。

❶荐贤贤于贤

见汉·韩婴《韩诗外传》。

荐我寸长，开君尺短

见南朝·齐·苟平《遗王秀之书》。

荐贤能其气似孔文举，论经学其博似刘子骏

见唐·刘禹锡《唐故中书侍郎平章事韦公集纪》。

❷民荐饥而望岁

❺报国莫如荐贤

❼太牢斯烹，安可荐羹藜之味

❽天子好年少，无人荐冯唐／好贤乐善，孜孜以荐进良士、明白是非为己任

❿寄意寒星荃不察，我以我血荐轩辕

荚 jiá 一般指豆类植物的果实。

❼日暮榆园拾青荚，可怜无数沈郎钱

荑 ①tí 茅草的嫩芽；通“稊”，一种似稗子的草。②yí 通“夷”，削平。

❹手如柔荑，肤如凝脂……螓首蛾眉

❿五谷者，种之美者也；苟为不熟，不如荑稗

荛 ①ráo 柴；打柴火，打柴火的人；菜名。②yáo［北江荛花］落叶灌木。

❽先民有言，询于刍荛

❿言之而是，虽在仆隶刍荛，犹不可弃

草 ①cǎo 草本植物的总称；山野；字体的一种；简略，马虎；起草；荒秽；牝，雌，母马。②zào 同“皂”。

❶草上之风必偃

见《论语·颜渊》。

草木秋死，松柏独存

见汉·刘向《说苑·谈丛》。

草木得常理，霜露荣悴之

见晋·陶潜《形赠影》。全句为：“天地长不没，山川无改时。～”。

草木贲华，无待锦匠之奇

见南朝·梁·刘勰《文心雕龙·原道》。全句为：“云霞雕色，有逾画工之妙；～”。

草木有本心，何求美人折

见唐·张九龄《感遇十二首》之一。

草无忘忧之意，花无长乐之心

见北周·庾信《小园赋》。

草忌霜而逼秋，人恶老而逼衰

见南朝·宋·鲍照《伤逝赋》。

草不谢荣于春风，木不怨落于秋天

见唐·李白《日出入行》。

草木荣华之飘风，鸟兽好音之过耳

见宋·欧阳修《送徐无党南归序》。全句为：“文章丽矣，言语工矣，无异～”。

草树知春不久归，百般红紫斗芳菲

见唐·韩愈《晚春》。一说“草树”为“草木”。

草茅弗去，则害禾谷；盗贼弗诛，则伤良民
见《管子·明法解》。
草木无大小，必待春而后生，人待义而后成
见唐·马总《意林·尸子》。
草木无情，有时飘零；人为动物，惟物之灵
见宋·欧阳修《秋声赋》。

❷芳草无情人自迷／真草书迹，微须留意／芝草无根，醴泉无源／芳草鲜美，落英缤纷／斩草除根，萌芽不发／衰草枯杨，曾为歌舞场／两草犹一心，人心不如草／兰草自然香，生于大路傍／塞草烟光阔，渭水波声咽／芳草宁共气，而皆悦于魂／听草遥寻岸，闻香暗识莲／斩草不除根，萌芽春再发／劲草不倚于疾风，零霜则变／春草碧色，春水渌波，送君南浦，伤如之何／缚草为形，实之腐肉，教之拜起，以充满朝市

❸不去草秽，禾实不成／风行草偃，其势必然／蓍，枯草也；龟，枯骨也／身与草木俱朽，声与日月并彰／万物草木之生也柔脆，其死也枯槁／城上草，植根非不高，所恨风霜早

❹杀人如草不闻声／农夫去草，嘉谷必茂／剪恶如草，扬奸如秕／茂木丰草，有时而落／洞庭青草，秋水深深／愁随芳草，绿遍江南／农夫无草莱之事则不比／山有玉，草木因之不凋／谁言寸草心，报得三春晖／疾风劲草，实表岁寒之心／凤凰芝草，贤愚皆以为美瑞／于今腐草无萤火，终古垂杨有暮鸦／土敝则草木不长，水烦则鱼鳖不大／夏也百草榛榛焉，见其盛而知其阑／立当青草人先见，行傍白莲鱼未知／朝华之草，夕而零落；松柏之茂，隆寒不衰／清泉绿草，何物不可饮啄？而鸱鸮者偏食腐鼠／一令蔓草难锄，涓流泛酌，岂直疥痒轻疴，容为重患

❺疾风知劲草／富贵何如草头露／春到人间草木知／人生一世，草生一秋／地行不信，草木不大／天意怜芳草，人间重晚晴／八公山上草木，皆类人形／离离原上草，一岁一枯荣／战血粘秋草，征尘搅夕阳／风烈无劲草，寒甚有凋松／疾风知劲草，板荡识诚臣／顺风激靡草，富贵者称贤／蝮蛇口中草，蝎子尾后针／鹿鸣思野草，可以喻嘉宾／地道乱，而草木山川不得其平／日光寒兮草短，月色苦兮霜白／视轩裳如草芥，屏嗜欲若泥沙／冈陵起伏，草木行列，烟消日出／生前富贵草头露，身后风流陌上花／玉在山而草木润，渊生珠而崖不枯／小人如恶草也，不种而生，去之复蕃／风霜以别草木之性，危乱而见贞良之节

❻搜尽奇峰打草稿／视杀人若艾草菅然／抽薪止沸，剪草除根／松柏之下，其草不殖／苔痕上阶绿，草色入帘青／迅川之水，束草投之则凝／迷路，迷路，边草无穷日暮／方宅十余亩，草屋八九间……／露垂泣于幽草，风含悲于拱木／露团团而湿草，风烈烈而鸣泉／何昔日之芳草兮，今直为此萧艾也／赤地炎都寸草无，百川水沸煮虫鱼

❼天涯何处无芳草／骄人好好，劳人草草／首夏犹清和，芳草亦未歇／嘉谷虽已殖，恶草亦滋蔓／房栊无行迹，庭草萋以绿／蜘蛛网户牖，野草当阶生／大树之下无美草，伤于多阴也／春之日，我爱其草薰薰，木欣欣／万户千门成野草，只缘一曲后庭花／茂林之下无丰草，大块之间无美苗／白骨已枯沙上草，家人犹自寄寒衣／暮春三月，江南草长，杂花生树，群莺乱飞／羊质而虎皮，见草而悦，见豺而战，忘其皮之虎矣

❽室如县罄，野无青草／骄人好好，劳人草草／上马击狂胡，下马草军书／国破山河在，城春草木深／冬沙飞兮淅淅，春草靡兮芊芊／王孙游兮不归，春草生兮萋萋／天街小雨润如酥，草色遥看近却无／春风不识兴亡意，草色年年满故城／春风不逐君王去，草色年年旧宫路／秋风起兮白云飞，草木黄落兮雁南归／十步之内，必有芳草；四海之中，岂无奇秀／十步之间，必有茂草；十室之邑，必有俊士／君之化下，如风偃草，上不节心，则下多逸志

❾上之化下，犹风之靡草／何世无奇才，遗之在草泽／惜恐镜中春，不如花草新／见恶，如农夫之务去草焉／化腐木而含彩，集枯草而藏烟／天苍苍，野茫茫，风吹草低见牛羊／老牛粗了耕耘债，啮草坡头卧夕阳

❿天若无雪霜，青松不如草／不结同心人，空结同心草／两草犹一心，人心不如草／花下一禾生，去之为恶草／知音少，人间何处寻芳草／处则为远志，出则为小草／文章之作，恒发于羁旅草野／身譬如地，善意如禾，恶意如草／天不生无禄之人，地不长无根之草／诸人之文，犹山无烟霞，春无草树／知屋漏者在宇下，知政失者在草野／四时有不谢之花，八节有长青之草／望严雪而识寒松，观疾风而知劲草／圣人之行法也，如雷霆之震草木……／梁、陈间，率不过嘲风雪，弄花草而已／蝮蝎终日而不螫，则噬啮草木以致其毒／一地所生，一雨所润，而诸草木各有差别／君子之德风，小人之德草。草上之风，必偃／布奠倾觞，哭望天涯。天地为愁，草木凄悲／冬日之闭冻也不固，则春夏之长草木也不茂／迩之事父，远之事君，多识于鸟兽草木之名／松柏生于高冈，散柯布叶，而草木为之不植／梅花过时，槐色犹在，白云芳草，尽入诗兴／霜封野树，冰冻寒苗，岸草无色，芦花自飘／土反其宅，水归其壑；昆虫毋作，草木归其泽／喜怒、窘穷、……有动于心，必于草书焉发之／古之人观于天地、山川、草木、虫鱼、鸟兽，往往有得／

文章丽矣，言语工矣，无异草木荣华之飘风，鸟兽好音之过耳

茧 jiǎn 一些昆虫的囊形保护物；同“趼”，手脚掌因磨擦而生的硬皮；形状如茧的。

❶茧之性为丝，弗得女工

见汉·韩婴《韩诗外传》。全句为：“～煯以沸汤，抽其统理，则不为丝；卵之性为雏，不得良鸡覆伏孚育，积日累久，则不成为雏”。

茧之性为丝，然非得女工……

见汉·刘安《淮南子·泰族》。全句为：“～以热汤而抽其统纪，则不能成丝”。

❼卵待复而为雏，茧待缫而为丝，性待教而为善

❿合抱之松无庸于狰人之国，若瓮之茧见弃于裸体之邦

茵 yīn 古代车上的垫子；泛指铺垫的东西；用于草名。

❻铺落花以为茵，结垂杨而代幄

莛 tíng 草本植物；草茎。

❼万石之钟不以莛撞起音

❿以管窥天，以蠡测海，以莛撞钟

荏 rěn 一年生草本植物，通称白苏；软弱，怯弱；[荏苒]（时光）慢慢过去。

❺色厉而内荏，譬诸小人，其犹穿窬之盗也与

❿奸人外善内恶，色厉内荏

荃 quán 即荪，香草名；通“筌”，捕鱼器。

❶荃者所以在鱼，得鱼而忘荃

见《庄子·外物》。

荃荪孤植，不以岩隐而歇其芳

见北齐·刘昼《刘子·慎独》。全句为：“～；石泉潜流，不以涧幽而撤其清”。

❺得鱼而忘荃／寄意寒星荃不察，我以我血荐轩辕

❿荃者所以在鱼，得鱼而忘荃

茶 chá 茶树；茶叶；茶水；一种颜色。

❶茶为涤烦子，酒为忘忧君

唐·施肩吾散句，见《全唐诗》。

❸禅堂茶散卷残经，竹杖芒鞵信脚行

❹酒力醒，茶烟歇，送夕阳，迎素月

❼采桑已闲当采茶

❿旋收松上雪，来煮雨前茶／休对故人思故国，且将新火试新茶

荀 xún 周代诸侯国名；传说中的草名；姓。

❹参之孟、荀以畅其支

❻干天之木，非荀日所长

❽孟氏醇乎醇者也，荀与扬大醇而小疵

荠 ①jì 荠菜；蒺藜。②qí 荸荠。

❽谁谓荼苦，其甘如荠／褰裳赴镬，其甘如荠

茨 cí 用茅草或芦苇盖房；蒺藜；堆积。

❷茅茨不翦，采椽不斫

荒 huāng 荒地；荒废；灾荒；冷僻；不正确的；掩，覆盖；空；迷乱；通“亡”，灭亡；有；柳衣，即棺罩；大；边陲；通“恍”，[荒忽]通“恍惚”；通“肓”。

❶荒者，乱之萌也

见清·魏源《默觚下·治篇十一》。

❷穷荒绝漠鸟不飞，万碛千山梦犹懒／丰荒异政，系乎时也；夷夏殊法，牵乎俗也

❸勿内荒于色，勿外荒于禽／田野荒而仓廪实，百姓虚而府库满

❹三径就荒，松菊犹存／晨兴理荒秽，带月荷锄归

❺务广地者荒，务广德者强／文繁者质荒，木胜者人亡／业精于勤荒于嬉，行成于思毁于随／驶雪多积荒城之隈，急风好起沙河之上

❻侧足无行径，荒畴不复田／以侈为博……此荒国之风也／风且起，一旦荒忽飞扬，化而为沙泥

❼蓄疑败谋，怠忽荒政／畜粟者，欲岁之荒饥也／才饱身自贵，巷荒门岂贫／凡鬼神事眇茫荒惑无可准，明者所不道

❽天地玄黄，宇宙洪荒／勿内荒于色，勿外荒于禽／备之以储蓄，虽凶荒而人无菜色

❾耕织之民日耗，则田荒而桑枯矣／懒则不肯勤勉，学殖荒而志气亦坠／兴国之君乐闻其过，荒乱之主乐闻其誉

❿言在耳目之内，情寄八荒之表／天下国家总以忧勤而得，怠荒而失／焉得铸甲作农器，一寸荒田牛得耕／纵民之情谓之乱，绝民之情谓之荒／小处不渗漏，暗处不欺隐，末路不怠荒／善日者王，善时者霸，补漏者危，大荒者亡／有席卷天下，包举宇内，囊括四海之意，并吞八荒之心

荡 dàng 摇动；冲洗；冲杀；放浪；清除；闲逛；流通；毁坏；平坦；浅水湖；积水长草的洼地。

❶荡胸生曾云，决眦入归鸟

见唐·杜甫《望岳》。

荡涤胸中，无一毫之私累，可以言大矣

见明·薛瑄《读书录·存养》。

❷板荡识诚臣／德荡乎名，知出乎争／沃荡词源，河海无息肩之地／流荡不返，使人有淫丽之心，此文病也

❸大海荡荡水所归，高贤愉愉民所怀

❹随风飘荡，白云还卧深谷／君子坦荡荡，小人长戚戚／大海荡荡水所归，高贤愉愉民所怀
❺扬清激浊，荡去滓秽／感心动耳，荡气回肠／君子坦荡荡，小人长戚戚／天地之中，荡然任自然，故不可得而穷／吞舟之鱼荡而失水，则制于蝼蚁，离其居也
❼不偏不党，王道荡荡／疾风知劲草，板荡识诚臣／无偏无党，王道荡荡；无党无偏，王道平平／音乐者，所以动荡血脉，通流精神而和正心也
❽不偏不党，王道荡荡／神越者其言华，德荡者其行伪／无偏无党，王道荡荡；无党无偏，王道平平
❾天者，统元气焉，非止荡荡苍苍之谓也／圣人之道，同诸天地，荡诸四海，变习易俗
❿四海翻腾云水怒，五洲震荡风雷激／天者，统元气焉，非止荡荡苍苍之谓也／世禄之家，鲜克由礼。以荡陵德，实悖天道／风烟俱静，天山共色，从流飘荡，任意东西／文有余而质不足则流，才有余而雅不足则荡／气之动物，物之感人，故摇荡性情，形诸舞咏

荣 róng 草木茂盛；兴盛；光彩；梧桐的别名；屋檐两头翘起的部分；姓。

❷不荣通，不丑穷／生荣死哀，身没名显／好荣恶辱，人之常情／有荣华者，必有憔悴／所荣者善行，所耻者恶名
❸仁则荣，不仁则辱／人貌荣名，岂有既乎／草木荣华之飘风，鸟兽好音之过耳／死生荣辱之道一，则三军之士可使一心矣
❹有死之荣，无生之辱／烈士徇荣名，义士高贞介／草不谢荣于春风，木不怨落于秋天／以辱为荣，以穷为通，虽失乎前，可谓后得之矣
❺衣食足，知荣辱／宠必有辱，荣必有患／以进死为荣，退生为辱／不汲汲于荣名，不戚戚于卑位／我岂更求荣达，日长聊以销忧／入门休问荣枯事，观看容颜便得知／贵耳贱目，荣古陋今，人之大情也／不以宠辱荣患损易其身，然后乃可以天下付之／得一官不荣，失一官不辱，勿说一官无用，地方全靠一官
❻衣食足而知荣辱／一损俱损，一荣俱荣／不畏义死，不荣幸生／一别隔千里，荣枯异炎凉／得之则安以荣，失之则亡以辱／木欣欣以向荣，泉涓涓而始流／教子弟求显荣，不如教子弟立品行／衣食足而知荣辱，廉让生而争讼息
❼不学夭桃姿，浮荣有俄顷／春生者繁华，秋荣者零悴／文墨辞说，士之荣叶皮壳也／世人视宠以为荣，圣人观之以为下／先义而后利者荣，先利而后义者辱／今善善恶恶，好荣憎辱，非人能自生／百节成体，共资荣卫，万趣会文，不离辞情
❽一损俱损，一荣俱荣／生以辱，不如死以荣／苟能修身，何患不荣／据非其称，惭甚于荣／源清流洁，本盛末荣／规小节者不能成荣名／恶小耻者，不能立荣名／草木得常理，霜露荣悴之／众人皆以奢靡为荣，吾心独以俭素为美／爱民而安，好士而荣，两者无一焉而亡／忠者不饰行以侥荣，信者不食言以从利／管子以小辱成大荣，苏秦以百诞成一诚
❾明德虽明，终假言而荣行／定乎内外之分，辨乎荣辱之境，斯已矣／物类之起，必有所始；荣辱之来，必象其德／限之以爵，爵加则知荣，恩荣并济，上下有节
❿何以孝弟为，财多而光荣／离离原上草，一岁一枯荣／德行广大，而守以恭者荣／宁方为污辱，不圆为显荣／德行宽裕，守之以恭者，荣／无源何以成河？无根何以垂荣／招世之士兴朝，中民之士荣官／君子以俭德辟难，不可荣以禄／得道者，穷而不慑，达而不荣／得贤人，国无不安，名无不荣／宁为兰摧玉折，不作萧敷艾荣／赏及淫人，则善者不以赏为荣／进不求于闻达兮，退不营于荣利／半开半落闲园里，何异荣枯世上人／人生芳秽有千载，世上荣枯无百年／凡道无根，无茎，无叶，无荣……／莫羡三春桃与李，桂花成实向秋荣／君子志于泽天下，小人志于荣其身／苟不知我而谓我仲尼，吾又安取荣焉／古之人未始不薄于当世，而荣于后世也／仓廪实，则知礼节；衣食足，则知荣辱／治国犹如栽树，本根不摇，则枝叶茂荣／富以苟不如贫以誉，生以辱不如死以荣／天地所以独长且久者，以其安静，施不荣报／人之立身，所贵者惟在德行，何必要论荣贵／务进者趋前而不顾后，荣贵者矜已而不待人／国之栋梁也，得之则安以荣，失之则亡以辱／居上者不以至公理物，为下者必以私路期荣／盈把之木无合拱之枝，荣泽之水无吞舟之鱼／言行，君子之枢机；枢机之发，荣辱之主也／世之难得者，非财也，非荣也，患意之不足耳／限之以爵，爵加则知荣，恩荣并济，上下有节／君人者，爱民而安，好士而荣，两者无一焉而亡／逊以为子弟苟有才，不忧不用，不宜私出以为荣利／民之性，饥而求食，劳而求佚，苦则索乐，辱则求荣／岁寒霜雪苦，含彩独青青，岂不厌凝列，羞比春木荣／得百姓之力者富，得百姓之死者强，得百姓之誉者荣／苟灭德忘公，崇浮饰傲，荣其外而枯其内，害其本而窒其源／文章丽矣，言语工矣，无异草木荣华之飘风，鸟兽好音之过耳

荧 yíng 形容光亮微弱；眩惑。

❾涓涓不塞，将为江河；荧荧不救，炎炎奈何
❿冀以尘雾之微补益山海，荧烛末光增辉日月／涓涓不塞，将为江河；荧荧不救，炎炎奈何

荫 ①yīn 树荫；日影。②yìn 阴凉；遮蔽；庇护；封建时代子孙以先代官爵或功勋而受封。

❹枝繁者荫根，条落者本孤
❺为人君者，荫德于人者也
❻以彼径寸茎，荫此百尺条
❾食其食者，不毁其器；荫其树者，不折其枝
❿树荆棘得刺，树桃李得荫／山中人兮芳杜若，饮石泉兮荫松柏／高霞孤映，明月独举，青松落荫，白云谁侣／清流触石，洄旋激注，佳木异竹，垂阴相荫

茹 rú 吃；蔬菜的总称；柔软；根相牵连的样子；猜想；腐臭；姓。

❻采于山，美可茹；钓于水，鲜可食
❽我心匪鉴，不可以茹

荔 lì 常绿乔木；草名。

❸采薜荔兮水中，搴芙蓉兮木末

荪 sūn 香草名。

❷荃荪孤植，不以岩隐而歇其芳
❸兰茝荪蕙之芳，众人之所好，而海畔有逐臭之夫

药 ①yào 药物；用药治疗；芍药的简称。②yuè 草名，即白芷；通“约”，缠裹。

❶药石去矣，吾亡无日
见唐・柳宗元《敌戒》。
药虽进于医手，方多传于古人
见宋・苏轼《乞校正陆贽奏议进御札子》。
药来贼境灵何用，米出胡奴死不炊
见宋・陆游《感兴》。
药酒，病之利也；正言，治之药也
见汉・桓宽《盐铁论・能言》。
药酒苦于口而利于病，忠言逆于耳而利于行
见汉・桓宽《盐铁论・国病》。
❷芍药花开又一春／良药苦口，惟疾者能甘之／非药曷以愈疾，非兵胡以定乱／良药苦于口，而智者劝而饮之／良药苦口利于病，忠言逆耳利于行／良药苦口而利于病，忠言逆耳而便于行／良药苦口而利于病，忠言逆耳而利于行
❸苦言，药也；甘言，疾也／服食药物者，因血以益血
❹病万变，药亦万变／终日抄药方而不能瘳一疾／病多知药性，客久见人心／病多知药性，年长信人愁／虽常服药，而不知养性之术，亦难以长生也／虽有神药，不如少年；虽有珠玉，不如金钱
❺杖起弱者，药治人病／君有疾，饮药，臣先尝之／如病忆良药，如蜂贪好蜜／亲有疾，饮药，子先尝之／断断乎如药石必可以伐病／进苦口之药石，针害身之膏肓／天雄乌喙，药之凶毒也，良医以活人／五刃之伤，药之可平。一言成疴，智不能明／和神仙之药以治鼽咳，制貂狐之裘以取薪菜
❻世情闲静见，药性病多谙／心病终须心药治，解铃还是系铃人／今若不能服药，但知爱精节情，亦得一二百年寿也／病已成而后药之，乱已成而后治之，譬犹渴而穿井，斗而铸锥，不亦晚乎
❽医不三世，不服其药／多将熇熇，不可救药／服食求神仙，多为药所误／义兵之为天下良药也亦大矣／多闻识者，犹广储药物也，知所用为贵／反己者触事皆成药石，尤人者动念即是戈矛
❾逍遥以针劳，谈笑以药倦／扁鹊不能治不受针药之疾／良医不能措其术，百药无所施其功／忠言逆耳利于行，毒药苦口利于病／书不必起仲尼之门，药不必出扁鹊之方／文学之于人也譬乎药，善服，有济；不善服，反为害
❿甘脆肥脓，命曰腐肠之药／治膏肓者，必进苦口之药／必死之病，不下苦口之药／博见为馈贫之粮，贯一为拯乱之药／劲操比松寒不挠，忠言如药苦非甘／药酒，病之利也；正言，治之药也／治世不得真贤，譬犹治疾不得真药／愚医类能杀人，而不服药者未必死／食有酒肉，衣有罗绮……非益生之良药／貌言华也，至言实也，苦言药也，甘言疾也／居逆境中，周身皆针砭药石，砥节砺行而不觉

茝 ①chǎi 古书上说的一种香草。②zhǐ 植物名，即白芷。

❷兰茝荪蕙之芳，众人之所好，而海畔有逐臭之夫／兰茝生于茂林之中，深山之间，不为人莫见之故不芬
❻鲍鱼不与兰茝同笥而藏

莽 mǎng 茂密的草；草木茂密貌；草木深邃的地方；竹的一种；草莽，也喻指民间；粗鲁，冒失；姓。

❸烟雨莽苍苍，龟蛇锁大江
❺横空出世，莽昆仑，阅尽人间春色
❼君为政焉勿卤莽，治民焉勿灭裂
❽望长城内外，惟馀莽莽；大河上下，顿失滔滔
❾周公恐惧流言日，王莽谦恭未篡时／望长城内外，惟馀莽莽；大河上下，顿失滔滔

莱 lái 藜；郊外休耕的田园或荒地；草名；除草；古国名；姓。

❺农夫无草莱之事则不比
❼万家墨面没蒿莱，敢有歌吟动地哀
❿感时思报国，拔剑起蒿莱

莲 lián 多年水生草本植物。

❶莲子已成荷叶老

见宋·李清照《怨王孙》。

莲，花之君子者也

见宋·周敦颐《爱莲说》。全句为："菊，花之隐逸者也；牡丹，花之富贵者也；～"。

莲生淤泥中，不与泥同调

见宋·黄庭坚《赣上食莲有感》。

莲有藕兮藕有枝，才有用兮用有时

见唐·王勃《采莲赋》。

❹寄语双莲子，须知用意深

❻竹喧归浣女，莲动下渔舟

❼滓泥污秽之中，莲含香而自洁

❽摘翠者菱，挽红者莲，举白者鱼

❾莫嫌一点苦，便拟弃莲心

❿临波笑脸，艳出浦之轻莲／听草遥寻岸，闻香暗识莲／听笛始知岸，闻香暗识莲／立当青草人先见，行傍白莲鱼未知

莫 ①mò 不要，不能；表示推测或反向；安定；通"谟"，谋划；勉励；通"漠"，广大；没有谁，没有什么东西；姓。②mù"暮"的本字；草名；通"幕"。

❶莫三人而迷

见《韩非子·内储说上·七术》。

莫将戏事扰真情

见宋·王安石《棋》。

莫教管弦作离声

见宋·欧阳修《别滁》。

莫怨春风当自嗟

见宋·欧阳修《再和明妃曲》。

莫蹶于山而蹶于垤

见汉·刘安《淮南子·人间》。

莫非命也，顺受其正

见《孟子·尽心上》。

莫高者天，莫浚者泉

见唐·刘禹锡《谪九年赋》。

莫赤匪狐，莫黑匪乌

见《诗·邶风·北风》。

莫以心如玉，探他明月珠

见唐·陈子昂《感遇三十八首》之十五。全句为："贵人难得意，赏爱在须臾。～"。

莫信直中直，须防仁不仁

见明·施耐庵《水浒传》第四十五回。

莫邪不为勇者兴，惧者变

见《吕氏春秋·离俗览·用民》。全句为："～。勇者以工，惧者以拙，能与不能也"。

莫取金汤固，长令宇宙新

见唐·杜甫《有感五首之三》。

莫寿于殇子，而彭祖为夭

见《庄子·齐物论》。全句为："天下莫大于秋毫之末，而太山为小；～"。

莫崇于一人，莫贵于一人

见宋·石介《辨惑》。全句为："～。无求不得其欲，无取不得其志"。

莫待山阳路，空闻吹笛悲

见北周·庾信《寄徐陵》。全句为："故人倘思我，及此平生时。～"。

莫道人行早，还有早行人

见清·石玉崑《三侠五义》第三十回。

莫道桑榆晚，为霞尚满天

见唐·刘禹锡《酬乐天咏老见示》。一说"为霞"为"微霞"。

莫嫌一点苦，便拟弃莲心

见唐·李群玉《寄人》。全句为："寄语双莲子，须知用意深。～"。

莫为一身之谋，而有天下之志

见宋·谢良佐《戒庵老人漫笔》。全句为："～。莫为终身之计，而有后世之虑"。

莫为终身之计，而有后世之虑

见宋·谢良佐《戒庵老人漫笔》。全句为："莫为一身之谋，而有天下之志。～"。

莫知其所始，若之何其有命也

见《庄子·寓言》。全句为："莫知其所终，若之何其无命也？～"。

莫知其所终，若之何其无命也

见《庄子·寓言》。全句为："～？莫知其所始，若之何其有命也"。

"莫须有"三字，何以服天下

见元·脱脱《宋史·岳飞传》载韩世忠语。

莫过乎所疑，而过于其所不疑

见《吕氏春秋·有始览·谨听》。全句为："～；不过乎所不知，而过于其所以知"。

莫怨无情流水，明月扁舟何处

见宋·贺铸《下水船》。

莫等闲，白了少年头，空悲切

见宋·岳飞《满江红》。

莫道昆明池水浅，观鱼胜过富春江

见现代·毛泽东《七律·和柳亚子先生》。

莫嫌举世无知己，未有庸人不忌才

见清·查慎行《三闾祠》。

莫见长安行乐处，空令岁月易蹉跎

见唐·李颀《送魏万之京》。

莫思身外无穷事，且尽生前有限杯

见唐·杜甫《绝句漫兴九首》之四。

莫愁前路无知己，天下谁人不识君

见唐·高适《别董大二首》之一。

莫羡三春桃与李，桂花成实向秋荣

见唐·刘禹锡《答乐天所寄咏怀且释其枯树之叹》。

莫之大祸，起于须臾之不忍，不可不谨

见清·王永彬《围炉夜话》。

莫见乎隐，莫显乎微，故君子慎其独也

见《礼记·中庸》。

莫知己德有极，则可以有社稷，为民致福

见《老子》五十九河上公注。

莫不拔地倚天，句句欲活，读之……莫可捉搦

见唐·孙樵《与王霖秀才书》。删节处为：“如赤手捕长蛇，不施控骑生马，急不得暇”。

莫道男儿心如铁，君不见满川红叶，尽是离人眼中血

见金·董解元《西厢记诸宫调》。

❷事莫难于必成／孤莫孤于自恃／败莫败于多私／祸莫大于轻敌／福莫长于无祸／悲莫悲于精散／乐莫乐兮新相知／败莫大于不自知／祸莫大于杀已降／讳莫如深，深则隐／恶莫大于毁人之善／人莫踬于山而踬于垤／形莫若就，心莫若和／衣莫若新，人莫若故／利莫大于治，害莫大于乱／人莫大焉亡亲戚君臣上下／赏莫如厚而信，使民利之／福莫大无祸，利莫美不丧／罚莫如重而必，使民畏之／人莫不饮食也，鲜能知味也／人莫不忽于微细，以致其大／人莫鉴于流水，而鉴于止水／事莫大于必克，用莫大于玄默／事莫明于有效，论莫定于有证／事莫贵乎有验，言莫弃乎无征／仁莫大于爱人，知莫大于知人／哀莫大于心死，而人死亦次之／高莫高兮九阍，远莫远兮故园／谋莫难于周密，说莫难于悉听／行莫大乎无过，事莫大乎无悔／日莫途远，吾故倒行而逆施之／智莫大于阙疑，行莫大于无悔／神莫大于化道，福莫长于无祸／祸莫惨于欲利，悲莫痛于伤心／意莫下于刻民，行莫贱于害民／意莫高于爱民，行莫厚于乐民／人莫知其子之恶，莫知其苗之硕／贤莫大于成功，愚莫大于吝且诬／败莫大于愚。愚之患，在必自用／祸莫大于不知足，咎莫大于欲得／乐莫乐于还故乡，难莫难于全人节／乐莫善于如意，而忧莫惨于不如意／人莫不以其生生，而不知其所以生／切莫呕心并刿肺，须知妙语出天然／德莫高于博爱人，政莫高于博利人／悲莫悲兮生别离，乐莫乐兮新相知／病莫大于不闻过，辱莫大于不知耻／痛莫大于不闻过，辱莫大于不知耻／法莫大于私不行，功莫大于使民不争／辩莫大于分，分莫大于礼，礼莫大于圣王／功莫大于去恶而为善，罪莫大于去善而为恶／动莫若敬，居莫若俭，德莫若让，事莫若咨／贼莫大乎德有心而心有睫，及其有睫也而内视，内视而败矣／人莫欲学御龙，而皆欲学御马；莫欲学治鬼，而皆欲学治人：急所用也

❸临危莫爱身／临财莫若廉／知子莫若父／治民莫若平／进学莫如谦／解蔽莫如学／万事莫贵于义／百思莫得其解／临财莫过乎让／利人莫大于教／去私莫如强恕／报国莫如荐贤／成身莫大于学／为学莫重于尊师／养心莫善于寡欲／养身莫善于习动／人生莫受老来贫／蹉跎莫遣韶光老／他人莫利，己独以愉／君子莫大乎与人为善／天地莫生金，生金人竞争／不患莫己知，求为可知也／求士莫求全，用人如用木／临官莫如平，临财莫如廉／后生莫晓，更恨文律烦苛／为人莫作女，作女实难为／人生莫依倚，依倚事不成／今人莫不失自然正性……／节怒莫若乐，节乐莫若礼／择福莫若重，择祸莫若轻／行天莫如龙，行地莫如马／彼是莫得其偶，谓之道枢／流年莫虚掷，华发不相容／结交莫羞贫，羞贫友不成／树德莫如滋，去疾莫如尽／用心莫如直，进道莫如勇／世远莫见其面，觇文辄见其心／世有莫盛之福，又有莫痛之祸／求名莫如自修，善誉不能掩恶／临义莫计利害，论人莫计成败／受益莫如择友，好学莫如改过／御寒莫若重裘，止谤莫如自修／治身莫先于孝，治国莫先于公／悔前莫如慎始，悔后莫如改图／救寒莫如重裘，止谤莫如自修／人情莫不欲处前，故恶人之自伐／溪虽莫利于世，而善鉴万类……／天下莫大于秋毫之末，而太山为小／厉精，莫如自上率之，则壅蔽决矣／人生莫作远行客，远行莫成黄沙碛／人生莫作妇人身，百年苦乐由他人／人主莫不欲其臣之忠，而忠未必信／人亲莫不欲其子之孝，而孝未必爱／人心莫厌如弦直，淮水长怜似镜清／诗穷莫写愁如海，酒薄难将梦到家／请君莫奏前朝曲，听唱新翻杨柳枝／劝君莫作亏心事，古往今来放过谁／劝君莫惜金缕衣，劝君须惜少年时／劝君莫弹食客铗，劝君莫叩富儿门／苦吟莫向朱门里，满耳笙歌不听君／省事莫如任人，厉精莫如自上率之／安身莫尚乎存正，存正莫重乎无私／时人莫小池中水，浅处无妨有卧龙／时人莫道蛾眉小，三五团圆照满天／春心莫共花争发，一寸相思一寸灰／物固莫不有长，莫不有短，人亦然／蹉跎莫遣韶光老，人生唯有读书好／行己莫如恭，自责莫如厚，接众莫如宏／独自莫凭阑，无限江山，别时容易见时难／君仁，莫不仁；君义，莫不义；君正，莫不正／天下莫柔弱于水，而攻坚强者莫之能先，以其无以易之也

❹销忧者莫若酒／不知音，莫语要／在天者莫明乎日月／在人者莫明乎礼义／在地者莫明乎水火／学之经莫速乎好其人／法之功，莫大使私不行／词之妙，莫妙于不言言之／尚干将莫邪，贵其立断也／其生也莫知，其往也始思／化当世莫若口，传来世莫若书／天之道莫非自然，人之道皆是当然／无君子莫治野人，无野人莫养君子／治之道莫如因智，智之道莫如因贤／虽干将、莫邪，非得人力则不能割刿／凡养生，莫若知本，知本则疾无由至矣

❺一民之轨，莫如法／君子养心莫善于诚／万物毕罗，莫足以归／天下之正莫如利民焉／天下之物，莫不有理／以千击万，莫善于阻／但行好事，莫问前程／人之不幸莫过于自足／人知其一，莫知其他／凡今之人，莫如兄弟／莫高者天，莫浚者泉／莫赤匪狐，莫黑匪乌／知而弗为，莫如弗知／迁善改过，莫善于益／理国之道莫大于无事／理身之道莫大于无欲／相视而笑，莫逆于心／亲而弗信，莫如弗亲／有生最灵，莫过乎人／解心释神，莫然无魂／保民而王，莫之能御也／去奸之本，莫深于严刑／存乎人者，莫良于眸子／胜法之务，莫急于去奸／文章之境，莫佳于平淡／天下之祸，莫大于不足为／知人之难，莫难于别真伪／闻道有蚤莫，行道有难易／当自益者，莫如改过而迁善／爱惜芳时，莫待无花空折枝／非理之财莫取，非理之事莫为／养性之道：莫久行、久坐……／读书之法，莫贵于循序而致精／天下之患，莫大于不知其然而然／生木之长，莫见其益，有时而修／弊政之大，莫若贿赂行而征赋乱／政之急者，莫大乎使民富且寿也／砥砺磨坚，莫见其损，有时而薄／志士幽人莫怨嗟，古来材大难为用／君子择交莫恶于易与，莫善于胜己／有美之而莫敢辞，有非之而莫敢隐／痴人之前莫说梦，梦中说梦愈阔迂／知之盛者莫大于成身，成身莫大于学／莫见乎隐，莫显乎微，故君子慎其独也／贤主所贵莫如士，所以贵士，为其直言也／天下之患，莫大于举朝无公论，空国无君子／为学之道莫先于穷理，穷理之要必在于读书／为政之本，莫若得人；褒贤显善，圣制所先／以一击十，莫善于阸；以十击百，莫善于险／左右前后，莫匪俊良；小大之材，咸尽其用／广仁益智，莫善于问；乘事演道，莫善于对／溥天之下，莫非王土；率土之滨，莫非王臣／存身之道莫急乎养神，养神之要莫甚乎素然／教民亲爱，莫善于孝；教民礼顺，莫善于悌／欲人不知，莫若无为；欲无悔吝，不若守慎／欲人勿闻，莫若勿言；欲人勿知，莫若勿为／福善之门莫美于和睦，患咎之首莫大于内离／福轻乎羽，莫之知载；祸重乎地，莫之知避／移风易俗，莫善于乐；安上治民，莫善于礼／金玉满堂，莫之能守。富贵而骄，自遗其咎／天下之物莫凶于鸡毒，然而良医橐而藏之，有所用／感人心者，莫先乎情，莫始乎言，莫切乎声，莫深乎义／凡人之性，莫不欲善其德，然而不能为善德者，利败之也／人有明珠，莫不贵重，若以弹雀，岂非可惜？况人之性命甚于明珠

❻心藏风云世莫知／不闻之闻，闻莫甚焉／不睹之睹，见莫大焉／反身而诚，乐莫大焉／弃己任物，则莫不理／至美素璞，物莫能饰／形莫若就，心莫若和／迁善改过，益莫大焉／自伐其善，则莫不恶／衣莫若新，人莫若故／天下之不正莫如害民焉／天下之安危，莫先乎兵／行而自衒，人莫之取也／欲免为形者，莫如弃世／足天下之用，莫先乎财／上好信，则民莫敢不用情／不恨归来迟，莫向临邛去／失其师表，而莫有所矜式／养士之大者，莫大乎太学／莫崇于一人，莫贵于一人／封侯早归来，莫作弦上箭／饮马犹尚可，莫使学操舟／朴素而天下莫能与之争美／明年春色至，莫作未归人／自有桃花容，莫言人劝我／欲去其弊也，莫如省事而厉精／为治之大体，莫善于抑末而务本／为天下及国，莫如以德，莫如行义／天下之学者莫不欲仕，仕者莫不欲贵／凡万物异则莫不相为蔽，此心术之公患也／动莫若敬，居莫若俭，德莫若让，事莫若咨

❼一夫当关，万夫莫开／一人立志，万夫莫夺／长天茫茫，信耗莫通／当取不取，过后莫悔／施惠无念，受恩莫忘／辞之怿矣，民之莫矣／善不善不分，乱莫大焉／猛虎在山，百兽莫敢侵／强恕而行，求仁莫近焉／言行相诡，不祥莫大焉／丁宁红与紫，慎莫一时开／农，天下之本，务莫大焉／索道于当世者，莫良于典／索物于夜室者，莫良于火／利天下之民者，莫大于治／利莫大于治，害莫大于乱／任贤使能，将相莫非其人／凡为天下之务，莫大求士／福莫大无祸，利莫美不丧／蹈海之节，千乘莫移其情／兰生幽谷，不为莫服而不芳／君子行义，不为莫知而止休／唯不争，故天下莫能与之争／汝惟不伐，天下莫与汝争功／汝惟不矜，天下莫与汝争能／玉以洁润，丹紫莫能渝其质／松表岁寒，霜雪莫能凋其采／舟在江海，不为莫乘而不浮／虽有营求之事，莫生得失之心／物固莫不有长，莫不有短，人亦然／其盗机也，天下莫不能见，莫不能知／所谓阻且艰者，莫能高其高而深其深也／汉魏风骨，晋宋莫传，然而文献有可征者／辩莫大于分，分莫大于礼，礼莫大于圣王／万物有乎生而莫见其根，有乎出而莫见其门

❽吏不良，则有法而莫守／法不善，则有财而莫理／意之所向，虽金石莫隔／无心与物竞，鹰隼莫相猜／临官莫如平，临财莫如廉／公若登台辅，临危莫爱身／今日乐相乐，别后莫相忘／势败休云贵，家亡莫论亲／节怒莫若乐，节乐莫若礼／择福莫若重，择祸莫若轻／行天莫如龙，行地莫如马／宽心应是酒，遣兴莫过诗／好事须相让，恶事莫相推／相逢难衮衮，告别莫匆匆／树德莫如滋，去疾莫如尽／用心莫如直，进道莫如勇／才与德异，而世俗莫之能辨／日月丽天，而瞽者莫睹其明／事莫大于必克，用莫大于玄默／事莫明于有效，论莫定于有证／事莫贵乎有验，言莫弃乎无征／仁莫大于爱人，知莫大于

知人／高莫高兮九阍，远莫远兮故园／谋莫难于周密，说莫难于悉听／行莫大乎无过，事莫大乎无悔／治之盛也，德优矣，莫高于俭／智莫大于阙疑，行莫大于无悔／神莫大于化道，福莫长于无祸／祸莫惨于欲利，悲莫痛于伤心／意莫下于刻民，行莫贱于害民／意莫高于爱民，行莫厚于乐民／鹿驰走无顾，六马莫能望其尘／人莫知其子之恶，莫知其苗之硕／贤莫大于成功，愚莫大于吝且诬／我愿天公怜赤子，莫生尤物为疮痏／传语万古观潮客，莫观老潮观壮潮／任君逐利轻江海，莫把风涛似妾轻／人生不得长少年，莫惜床头沽酒钱／人生得意须尽欢，莫使金樽空对月／人生结交在终始，莫为升沉中路分／儿孙自有儿孙福，莫为儿孙作远忧／儿孙自有儿孙计，莫与儿孙作马牛／少年辛苦终身事，莫向光阴惰寸功／常将有日思无日，莫待无时思有时／常将有日思无日，莫待无时想有时／强中更有强中手，莫向人前满自夸／明珠自有千金价，莫为游人作弹丸／有花堪折直须折，莫待无花空折枝／策马前途须努力，莫学龙钟虚叹息／道之尊，德之贵，夫莫之命而常自然／但愿官民通有无，莫令租吏打门叫呼疾／行己莫如恭，自责莫如厚，接众莫如宏／君仁，莫不仁；君义，莫不义；君正，莫不正

❾葵藿倾太阳，物性固莫夺／贫者愈困饿死亡而莫之省／不能者退而休之，亦莫敢愠／遇沉沉不语之士，切莫输心／悠悠乎与颢气俱而莫得其涯／身不善之患，毋患人莫已知／世有莫盛之福，又有莫痛之祸／临义莫计利害，论人莫计成败／受益莫如择友，好学莫如改过／御寒莫若重裘，止谤莫如自修／治身莫先于孝，治国莫先于公／悔前莫如慎始，悔后莫如改图／救寒莫如重裘，止谤莫如自修／天覆地载，万物悉备，莫贵于人／能自得师者王，谓人莫已若者亡／祸莫大于不知足，咎莫大于欲得／乐莫乐于还故乡，难莫难于全大节／乐莫善于如意，而忧莫惨于不如意／省事莫如任人，厉精莫如自上率之／德莫高于博爱人，政莫高于博利人／文之近古而尤壮丽，莫若汉之西京／悲莫悲兮生别离，乐莫乐兮新相知／病莫大于不闻过，辱莫大于不知耻／痛莫大于不闻过，辱莫大于不知耻／山盟虽在，锦书难托。莫！莫！莫！／法莫大于私不行，功莫大于使民不争／天之所覆，地之所载，莫不尽其美致其用／感人心者，莫先乎情，莫始乎言，莫切乎声，莫深乎义

❿遇贫穷而作骄态者贱莫甚／内疾之害重于太山而莫之避／遇贫穷而作骄态者，贱莫甚／非理之财莫取，非理之事莫为／化当世莫若口，传来世莫若书／苟非吾之所有，虽一毫而莫取／智而能愚，则天下之智莫加焉／既变化而无穷，亦卷舒而莫定／挟天子以令天下，天下莫敢不听／听乐而震，观美而眩，患莫甚焉／宽以待人，柔能克刚，英雄莫敌／病中必有悔悟处，病起莫教忘了／无君子莫治野人，无野人莫养君子／为天下及国，莫如以德，莫如行义／为国无强于得人，用人莫先于求旧／但愿亲友长含笑，相逢莫乏杖头钱／人生莫作远行客，远行莫成黄沙碛／凡欲显勋绩扬光烈者，莫良于学矣／劝君莫弹食客铗，劝君莫叩富儿门／君子不得已而临莅天下，莫若无为／君子择交莫恶于易与，莫善于胜己／处世还须称晚来，逢人且莫夸畴昔／治之道莫如因智，智之道莫如因贤／清越而瑕不自掩，洁白而物莫能污／安身莫尚乎存正，存正莫重乎无私／日改月化，日有所为，而莫见其功／有美之而莫敢辞，有非之而莫敢隐／老去诗篇浑漫与，春来花鸟莫深愁／天下之学者莫不欲仕，仕者莫不欲贵／天下皆知取之为取，而莫知与之为取／不察事之是非而悦人赞己，暗莫甚焉／正得失，动天地，感鬼神，莫近于诗／人皆务于救患之备而莫能知使患无生／阴阳之气，散则万殊，人莫知其一也／知之盛者莫大于成身，成身莫大于学／山盟虽在，锦书难托。莫！莫！莫！／璞玉浑金，人皆饮其宝，莫知名其器／欲是其所非而非其所是，则莫若以明／其盗机也，天下莫不能见，莫不能知／行己莫如恭，自责莫如厚，接众莫如宏／物之所以通，事之所以理，莫不由乎道／古之贤人君子，大智经营，莫不除害兴利／辩莫大于分，分莫大于礼，礼莫大于圣王／三皇五帝之治天下，名曰治之，而乱莫甚焉／万物有乎生而莫见其根，有乎出而莫见其门／天地车轮，终则复始，极则复反，莫不咸当／不厚其栋，不能任重。重莫如国，栋莫如德／以一击十，莫善于阨；以十击百，莫善于险／功莫大于去恶而为善，罪莫大于去善而为恶／动莫若敬，居莫若俭，德莫若让，事莫若咨／至福似祸，大吉若凶。天下醉饱，莫之能明／听言之道，必以其事观之，则言者莫敢妄言／广仁益智，莫善于问；乘事演道，莫善于对／溥天之下，莫非王土；率土之滨，莫非王臣／存身之道莫急乎养神，养神之要莫甚乎素然／权衡既悬，锱铢靡遁，厉驽习骥，终莫之近／气以实志，志以定言，吐纳英华，莫非情性／教民亲爱，莫善于孝；教民礼顺，莫善于悌／欲人勿闻，莫若勿言；欲人勿知，莫若勿为／福善之门莫美于和睦，患咎之首莫大于内离／福轻乎羽，莫之知载；祸重乎地，莫之知避／硕鼠硕鼠，无食我黍！三岁贯女，莫我肯顾／罪至重而刑至轻，庸人不知恶矣，乱莫大焉／移风易俗，莫善于乐；安上治民，莫善于礼／天地之精所以生物者莫贵于人，人受命乎天也／攻无道而伐不义，

则福莫大焉，黔首利莫厚焉／莫不拔地倚天，句句欲活，读之……莫可捉搦／君仁，莫不仁；君义，莫不义；君正，莫不正／察乎安危，宁于祸福，谨于去就，莫之能害也／灭其私而无其身，则四海莫不瞻，远近莫不至／平为福，有余为害者，物莫不然，而财其甚者也／用民亦有种，不审其种，而祈民之用，惑莫大焉／无为者，非谓其凝滞而不动也，以其言莫从己出也／使患无生易于救患，而莫能加务焉，则未可与言术也／兰茝生于茂林之中，深山之间，不为人莫见之故不芬／凡物之可喜，足以悦人而不足以移人者，莫若书与画／地不改辟矣，民不改聚矣，行仁政而王，莫之能御也／地尽天水合，朝及洞庭湖，初日当中涌，莫辨东西隅／祸世之匠，乱国之工，绝逆天地，伤害我身，莫大乎名／感人心者，莫先乎情，莫始乎言，莫切乎声，莫深乎义／天下莫柔弱于水，而攻坚强者莫之能先，以其无以易之也／喜则滥赏无功，怒则滥杀无罪，是以天下丧乱，莫不由此／吃百姓之饭，穿百姓之衣，莫道百姓可欺，自己也是百姓／今且须去理会眼前事，那个鬼神事，无形无影，莫要枉费心力／文章道弊五百年矣！汉魏风骨，晋宋莫传，然而文献有可征者／体恭敬而心忠信，术礼义而情爱人，横行天下，虽困四夷，人莫不贵／人莫欲学御龙，而皆欲学御马；莫欲学治鬼，而皆欲学治人：急所用也

莠

yǒu 混在禾苗中的野草；喻指品质不好的人。

❷有莠则锄，有疾则医／稂莠秕稗生于谷，反害谷者也

❹凡养稂莠者伤禾稼，惠奸宄者贼良人

❺好言自口，莠言自口

❼禾黍必刈其稂莠而后苗始茂／犁牛之驳似虎，莠之幼似禾，事有似是而非者

荷

①hè 背或扛；负担；承受恩惠。②hé 莲。③kē 通“苛”，繁琐。

❶荷枯雨滴闻

见唐·孟浩然《初出关旅亭夜坐怀王大校书》。

荷甑堕地，不顾而去

见南朝·宋·范晔《后汉书·郭太传》。

荷深水风阔，雨过清香发

见宋·欧阳修《和圣俞百花洲》。

荷裳桂楫，拂衣于东海之东

见唐·王勃《上刘右相书》。全句为：“～；菌阁松楹，高枕于北山之北”。

荷尽已无擎雨盖，菊残犹有傲霜枝

见宋·苏轼《赠刘景文》。

❷小荷才露尖尖角，早有蜻蜓立上头

❸田夫荷锄至，相见语依依／笑入荷花去，佯羞不出来／制芰荷以为衣兮，集芙蓉以为裳

❹肠断秋荷雨打声

❺莲子已成荷叶老

❻粢悦之材不荷栋梁之任／焚芰制而裂荷衣，抗尘容而走俗状

❽晨兴理荒秽，带月荷锄归／翠袖不胜寒，欲向荷花语／怀文武之才者，必荷社稷之重

❿其父析薪，其子弗克负荷／秋阴不散霜飞晚，留得枯荷听雨声／古人有言曰：“其父析薪，其子弗克负荷。”

莅

lì 来，到。

❸以邪莅国、以暴加民者，危

❽君子不得已而临莅天下，莫若无为

荼

①tú 茅草等植物的白花；一种苦菜；苦；通“涂”，涂炭。②chá“茶”的古体字。③shū 玉名；神名。

❶荼毒生灵，万里朱殷

见唐·李华《吊古战场文》。

❸谁谓荼苦，其甘如荠

❺法繁于秋荼，而网密于凝脂

莩

①piǎo 同“殍”，饿死的人。②fú 芦苇杆里的薄膜。

❿狗彘食人食而不知检，途有饿莩而不知发／庖有肥肉，厩有肥马，民有饥色，野有饿莩

获

huò 取得；擒住；收割农作物；古代对奴婢的贱称；能够；得到。

❶获一人而失一国，见黄雀而忘深井

见北齐·杜弼《檄梁文》。全句为：“～，食钓吻以疗饥，饮鸩毒以救渴”。

❷能获而能烹，所以为善猎也／正获之问于监市履狶也，每下愈况

❸冤者获信，死者无憾／不求获乎己，而己以有获／深者获公名，平者多后患，故治狱之吏皆欲人死

❹不索何获／一树一获者，谷也／一树百获者，人也／一树十获者，木也／弗虑胡获，弗为胡成／使冤者获信，死者无憾／一夫不获，则曰：“时予之辜”／一夫不获其所，若己推而内之沟中

❺学有思而获，亦有触而获／穗兮不得获，秋风至兮殚零落／匹夫无故获千金，必有非常之祸

❻栉垢爬痒，民获苏醒／春耕夏耘，秋获冬藏／省躬无疵而获谤者何伤／审己无善而获誉者不祥／为者如牛毛，获者如麟角／有罪者优游获免，无罪者妄受其辜

❼仁者先难而后获／学于古训，乃有获／千里而战，兵不获利／万人逐兔，一人获之，贪者悉止／焚薮而田，岂不获得？而明年无兽／竭泽而渔，岂不获得？而明年无鱼

❽人生在勤，不索何获／小挫之后，反有大获／

学以为耕,文以为获

❾任一人之力者,则乌获不足恃

❿不求获乎己,而已以有获/事辍者无功,耕怠者无获/仁者先事后得,先难后获/勿谓寸阴短,既过难再获/徒手而来者,终年而不获/学有思而获,亦有触而获/苟不由其道,虽强求而不获/十种之地,膏壤虽肥,弗耕不获/孰无施而有报兮,孰不实而有获/矫首而徇飞,不如修翼之必获也/言无有善恶也……则其辞不索而获/水击鹄雁,陆断驹马,则臧获不疑钝利/一兔走衢,万人逐之;一人获之,贪者悉止/以明自察,量力而行,不失其所,必获久长矣/不学而求知,犹愿鱼而无网焉,心虽勤而无获矣/闻古之君子相其君也,一夫不获其所,若己推而内之沟中

莸

yóu 无确指的臭草;植物名。

❷薰莸不同器,枭鸾不接翼/薰莸不共器,枭鸾不比翼

❹一薰一莸,十年尚犹有臭

❿出门择交友,防慎畏薰莸

莹

yíng 光洁如玉的美石;光洁明亮。

❽荆玉含宝,要俟开莹;幽兰怀馨,事资扇发

❿良珠度寸,虽有百仞之水,不能掩其莹/云破月出,光气含吐,互相明灭,晶莹玲珑

莺

yīng 一种鸟名;鸟羽有文采。

❷繁莺芳树,绕高台而共乐

❹化作娇莺飞归去,犹认纱窗旧绿/不及流莺日日啼花间,能使万家春意闲

❻不待清明近,莺花已自忙/人作殊方语,莺为故国声

❿君门一入无由出,唯有宫莺得见人/徐行不记山深浅,一路莺啼送到家/暮春三月,江南草长,杂花生树,群莺乱飞

莼

chún 多年生水草。

❹有千里莼羹,但未下盐豉耳

著

①zhù 显露;显明;撰写;著作。②zhuó“着”的本字。

❶著述讲论之功多,而实学实教之力少

见清·颜元《存学编》卷一。全句为:“秦汉以降,而～”。

❷不著一字,尽得风流/每著一衣,则悯蚕妇/听著鸣蛩,一声声是怨/不著梳栉,而求发治,不可得也/言著而不欺曰信。……教令失信,民得斯之矣

❸恶恶著,则小人退矣/痛不著身言忍之,钱不出家言与之/穷愁著书,古儒者之大同,非高冠长剑之比耳

❹有学问著述,谓之福/仁功难著,而乱源易成/从来不著水,清净本因心/精读书,著精采警语处,凡事皆然/推微达著,寻端见绪,履霜知冰,践露知暑

❺见微而知著/冰雪林中著此身,不同桃李混芳尘

❻买得风光不著钱/老树春深更著花/未知一生当著几量屐/是儿欲踞吾著炉火上邪/物有出微而著,事有由隐而章/上车不落则著作,体中何如则秘书

❼参之太史公以著其洁/文章合为时而著,歌诗合为事而作/贫贱时,眼中不著富贵,他日得志必不骄

❽尽小者大,慎微者著/珍好之物滋生彰著,则……/天下事当于大处著眼,小处下手/因果相承,从微至著,通名为渐/古之人,身隐而功著,形息而名彰/避席畏闻文字狱,著书都为稻粱谋

❾春残已是风和雨,更著游人撼落花

❿归同契合者,则不言而信著/世间极占地位的,是读书一著/枝顺以蓢逆……无其时而著业/文有二道:辞令褒贬,本乎著述者也/有诸中者必形乎表,发乎迩者必著乎远/过之所始,必始于微;积而不已,遂至于著/含元一以为质,禀阴阳以立性,体五行而著形/聪者耳闻,明者目见,聪明则仁爱著而廉耻分/世俗所患,患言事增其实,著文垂辞,辞出溢其真/君子之言,幽必有验乎明,远必有验乎近,大必有验乎小,微必有验乎著

菱

líng 植物名;菱角;菱形。

❹摘翠者菱,挽红者莲,举白者鱼

萁

①jī 一种细草;木名;作语助。②qí 豆茎。

❾各愿种成千百索,豆萁禾穗满青山

堇

①jǐn 药名;通“仅”,少。②qín 粘土;诚。

❼救病而饮之以堇

萋

qī 草生长茂盛;纹彩交错,比喻谗言。

❶萋兮斐兮,成是贝锦

见《诗·小雅·巷伯》。

❻又送王孙去,萋萋满别情

❽房栊无行迹,庭草萋以绿

❿王孙游兮不归,春草生兮萋萋

菲

①fēi 花草茂盛,香气浓郁;有机化合物。②fěi 芜菁类植物;微,薄。③fèi 草鞋。

❸不相菲薄不相师

❺不宜妄自菲薄／杨柳枝，芳菲节，可恨年年赠离别
❿草树知春不久归，百般红紫斗芳菲

菽 shū 本为大豆，泛指豆类。
❺疗饥者半菽可以充腹，为政者一言可以兴邦
❻富者犬马余菽粟，骄而为邪

萌 méng 植物的牙；草木发芽；比喻事物产生；除去；通"氓"，民。
❶萌于不必忧之地，而寓于不可见之初
见明·方孝孺《指喻》。全句为："～，众人笑而忽之者，此则君子之所深畏也"。
❸变在萌而争之，则祸成而不救矣
❺荒者，乱之萌也／枯木逢春，萌芽便发／斩草除根，萌芽不发／制欲于未萌，除害于未兆／见微以知萌，见端以知末／除患于未萌，然后能转而为福／自私之念萌，则铲之；谗谀之徒至，则却之
❻长风一振，众萌自偃／德性所知，不萌于见闻／启行之辞，逆萌中篇之意／斩草不除根，萌芽春再发／遏悔吝于未萌，验是非于往事／贵绝恶于未萌，而起教于微眇
❼祸患可销于未萌／有过则改之，未萌则戒之／阳不极则阴不萌，阴不极则阳不牙／明者防祸于未萌，智者图患于将来／明者远见于未萌，而智者避危于无形
❽治民者，禁奸于未萌
❿圣人所贵者，去祸于未萌／禁邪于冥冥，绝恶于未萌／能备患于未形也，故祸不萌／明者见于无形，智者虑于未萌／愚者暗于成事，知者见于未萌／拙辞或孕于巧义，庸事或萌于新意／言无法度不出于口，行非公道不萌于心／言非法度不出于口，行非公道不萌于心／所贵良吏者，贵其绝恶于未萌，使之不为非

萝 luó 某些爬蔓植物。
❷丝萝非独生，愿托乔木

菌 ①jūn 菌类。②jùn 竹笋。
❶菌阁松楹，高枕于北山之北
见唐·王勃《上刘右相书》。全句为："荷裳桂楫，拂衣于东海之东；～"。
❷朝菌不知晦朔，蟪蛄不知春秋
❽杂花如锦，傍缘石菌之崖

萎 wěi，又读 wēi，植物干枯；衰落。
❺华离蒂而萎，条去干而枯
❿泰山其颓乎，梁木其坏乎，哲人其萎乎

菜 cài 蔬菜；菜肴。
❹葶历似菜而味殊，玉石相似而异类
❻休言谷价贵，菜亦贵如金
❿备之以储蓄，虽凶荒而人无菜色／主人闻语未开门，绕篱野菜飞黄蝶／驱妻逐子课工程，虽作人形俱菜色／无舆马者不耻徒步，无鱼肉者不厌菜羹／和神仙之药以治鼽咳，制貂狐之裘以取薪菜

菊 jú 菊花，植物名。
❶菊，花之隐逸者也
见宋·周敦颐《爱莲说》。全句为："～；牡丹，花之富贵者也；莲，花之君子者也"。
❷秋菊春兰各有香／芳菊开林耀，青松冠岩列／秋菊有佳色，裛露掇其英
❻三径就荒，松菊犹存
❼不是花中偏爱菊，此花开尽更无花
❽尘世难逢开口笑，菊花须插满头归／荷尽已无擎雨盖，菊残犹有傲霜枝
❾待到重阳日，还来就菊花／井梧飞叶送秋声，篱菊缄香待晚晴
❿火力不能销地力，乱前黄菊眼前开／朝饮木兰之坠露兮，夕餐秋菊之落英

萃 cuì 荟萃；会集；聚集在一起的人或物；草丛生貌；止，到；六十四卦之一；通"悴"；通"倅"，副职。
❶萃。君子以除戎器，戒不虞
见《周易·萃》。
❸鸟何萃兮蘋中，罾何为兮木上
❹超俗拔萃之德，不能立功于未至之时
❻必须出类拔萃，与众不同，才觉有趣／海内之货，咸萃其庭，产匹铜山，家藏金穴
❽出于其类，拔乎其萃／虎啸风生，龙吟云萃，固非偶然也
❿古之圣人，虽出乎其类，拔乎其萃／虽有丝麻，无弃菅蒯；虽有姬姜，无弃蕉萃

菩 ①pú［菩萨］梵语。②bù，又读 bèi，草名；遮光用的草席。
❶菩提本无树，明镜亦非台
见《坛经》。全句为："～，本来无一物，何处惹尘埃"。

萍 píng［浮萍］一种水生草本植物；［萍踪］比喻行踪漂泊不定；［萍水相逢］比喻偶然相遇。
❹大海浮萍，也有相逢之日
❺雾尽披天，萍开见水
❿常闻夸大言，下顾皆细萍／关山难越，谁悲失路之人？萍水相逢，尽是他乡之客

菅 jiān 草本植物；古地名；姓。
❼视杀人若艾草菅然／虽有丝麻，无弃菅蒯；虽

有姬姜,无弃蕉萃

萤 yíng 一种腹部会发出微弱绿光的昆虫。

❶萤火焉能比月轮

见元·王实甫《西厢记》第五本第三折。

萤火之光,照人不亮

见明·施耐庵《水浒传》第二回。

❷持萤烛象,得首失尾

❺不知织女萤窗下,几度抛梭织得成

❻于今腐草无萤火,终古垂杨有暮鸦

❼日月其犹坠落,萤光如何久留/篙不能鸣钟,而萤火不爨鼎者,何也

营 yíng 谋求;营造;经营管理;军队的营地;围绕;惑乱;姓。

❶营于利者多患,轻诺者寡信

见汉·刘向《说苑·谈丛》。

❷蝇营狗苟,驱去复还/凡营衣食,以不失时为本/将营大厦,不忧乎群材之不足,而忧乎梁栋之不可得

❸虽有营求之事,莫生得失之心

❺军则新有营,谁念民无室

❼少年作迟暮经营,异日决无成就/不厚费者不多营,不妄用者不过取

❾凡君之所毕世而经营者,为天下也

❿良马不念秣,烈士不苟营/愿随孤月影,流照伏波营/圣人安不忘危,恒以忧思为本营/进不求于闻达兮,退不营于荣利/有必不可行之事,不必妄作经营/古之贤人君子,大智经营,莫不除害兴利/交私养望者多得显官,独立营职者或见排沮

萦 yíng 绕。

❹行行若萦春蚓,字字如绾秋蛇

❾鹤汀凫渚,穷岛屿之萦回;桂殿兰宫,列冈峦之体势

萧 xiāo 蒿类植物名;冷静;冷落;骚扰貌;通"肃";古国名;姓。

❶萧朱结绶,王贡弹冠

见汉·班固《汉书·萧育传》。

萧萧马鸣,悠悠旆旌

见《诗·小雅·车攻》。

萧然风雪意,可折不可辱

见宋·苏轼《御史台榆、槐、竹、柏四首·竹》。

萧瑟秋风今又是,换了人间

见现代·毛泽东《浪淘沙·北戴河》。

萧墙祸起非今日,不赏军功在断桥

见宋·汪元量《越州歌》。

萧何为法,颟若画一;曹参代之,守而勿失

见汉·司马迁《史记·曹参世家》。

❷萧萧马鸣,悠悠旆旌/风萧萧而异响,云漫漫而奇色/风萧萧兮易水寒,壮士一去兮不复还

❸成也萧何,败也萧何/秋风萧瑟,洪波涌起/穷途萧瑟,青山白云之万里/易水萧萧西风冷……悲歌未彻/风萧萧而异响,云漫漫而奇色/风萧萧兮易水寒,壮士一去兮不复还

❹易水萧萧西风冷……悲歌未彻

❺无边落木萧萧下,不尽长江滚滚来/衙斋卧听萧萧竹,疑是民间疾苦声/车辚辚,马萧萧,行人弓箭各在腰/立望关河萧索,千里清秋,忍凝眸

❻飞霜迎地,兰萧衔共尽之悲/无边落木萧萧下,不尽长江滚滚来/衙斋卧听萧萧竹,疑是民间疾苦声/庾信平生最萧瑟,暮年诗赋动江关/车辚辚,马萧萧,行人弓箭各在腰

❼成也萧何,败也萧何

❽对苍茫之寒日,听萧瑟之悲蝉

❾六朝金粉地,落木更萧萧/宁为兰摧玉折,不作萧敷艾荣

❿六朝金粉地,落木更萧萧/何昔日之芳草兮,今直为此萧艾也/侯门一入深如海,从此萧郎是路人/巫山之上顺风纵火,膏夏紫芝与萧艾俱死/吾恐季孙之忧不在颛臾,而在萧墙之内也/去国怀乡,忧谗畏讥,满目萧然,感极而悲者矣

菑 ①zī 开荒;初耕一年的土地。②zì 插入;树立;直立而枯死的树木。③zāi "灾"的异体字。

❺不善在身,菑然必以自恶也/天下无害菑,虽有圣人,无所施其才

❼不能兆其端者,菑及之

葬 zàng 埋葬;葬送,比喻断送,毁灭。

❷厚葬无益于死者/俭葬,古人之美节;侈葬,古人之恶名

❹汝死我葬,我死谁埋!汝倘有灵,可能告我

❺德弥厚者葬弥薄,知愈深者葬愈微

❻死人无知,厚葬无益

❾俭葬,古人之美节;侈葬,古人之恶名

❿朽骨无益于人,而文王葬之/死者无知,自同粪土,何烦厚葬/德弥厚者葬弥薄,知愈深者葬愈微/男儿要当死于边野,以马革裹尸还葬耳

葛 ①gé 多年生草本植物。[葛麻]用葛的茎皮做成的布;[葛藤]比喻纠缠不清的关系。②gě 姓。

❷诸葛亮亦一时之杰也/野葛虽毒,不食则不能伤生/昔葛天氏之乐,三人操牛尾,投足以歌八阕

❿冒以为古,是处严冬而袭夏之葛者也/袭古人语言之迹,而冒以为古,是处严冬而袭夏之葛者也

蒉 ①kuì 草编的筐子。②kuài 植物名；姓。

❿不知足而为屦，我知其不为蒉也

葸 xǐ 畏缩，胆怯。

❿恭而无礼则劳，慎而无礼则葸

萼 è 花萼。

❿水性虚而沦漪结，木体实而花萼振，文附质也／木末芙蓉花，山中发红萼。涧户寂无人，纷纷开且落

董 dǒng 董事；正；监督管理；姓。

❸余将董道而不豫兮，固将重昏而终身

❿若教纸上翻身看，应见团团董卓脐

葩 pā 花；华丽。

❷春葩含日似笑，秋叶泫露如泣

❹剪采为葩不可以受风雨

❻茂树恶木，嘉葩毒卉，乱杂而争植

❼轻翰暂飞，则花葩竞发

葱 cōng 用于调味的蔬菜；青色。

❾干云蔽日之木，起于葱青

❿干云蔽日之木，起于青葱

葶 tíng［葶苈］一年生草本植物。

❶葶历似菜而味殊，玉石相似而异类

见汉·桓宽《盐铁论·刺议》。

蒂 dì 花或瓜、果与枝、茎相连的部分。

❸华离蒂而萎，条去干而枯

❹甘瓜苦蒂，天下物无全美

❺甘瓜抱苦蒂，美枣生荆棘／人生无根蒂，飘如陌上尘

❼根深则道可长。蒂固则德可茂

❿信者道之根，敬者德之蒂

落 ①luò 物体掉下，降下；使降下；衰败，没有生气；跟不上，掉在外面；居住的地方；写上，留下；得到；死；最后归属；开始；耽误，妨碍；古代用血涂写新铸的钟；篱笆；屋檐上的滴水装置；稀少。②là 遗漏，丢失。③lào 曲艺"莲花落"的俗称。

❶落花流水仍依旧

见宋·王雱《倦寻芳慢》。

落日丹枫相映红

见宋·晁公遡《秋江》。

落尽最高树，始知松柏青

见唐·廖凝《落叶》。

落地为兄弟，何必骨肉亲

见晋·陶潜《杂诗八首》之一。

落红不是无情物，化作春泥更护花

见清·龚自珍《己亥杂诗》之一。

落红满路无人惜，踏作花泥透脚香

见宋·杨万里《小溪至新田四首》之一。

落其实者思其树，饮其流者怀其源

见北周·燕射歌辞《徵调曲六首》之六。

落霞与孤鹜齐飞，秋水共长天一色

见唐·王勃《滕王阁序》。

落陷阱，不一引手救，反挤之，又下石焉

见唐·韩愈《柳子厚墓志铭》。

落梅芳树，共体千篇；陇水巫山，殊名一意

见唐·卢照邻《乐府杂诗序》。

❷舞落银蟾不肯归／磊落豪雄是第二等资质／流落人间者，太山一毫芒／寥落古行宫，宫花寂寞红／畏落众花后，无人别意看／笔落惊风雨，诗成泣鬼神／悲落叶于劲秋，喜柔条于芳春／铺落花以为茵，结垂杨而代幄／零落成泥碾作尘，只有香如故／月落乌啼霜满天，江枫渔火对愁眠／解落三秋叶，能开二月花。过江千尺浪，入竹万竿斜

❸一叶落知天下秋／流水落花春去也／长松落落，卉木蒙蒙／大雨落幽燕，白浪滔天／睡不落人前，起不落人后／无边落木萧萧下，不尽长江滚滚来／半生落魄已成翁，独立书斋啸晚风／兴酣落笔摇五岳，诗成笑傲凌沧洲／人言落日是天涯，望极天涯不见家／觉来落笔不经意，神妙独到秋毫颠

❹为谁零落为谁开／门前冷落车马稀／长松落落，卉木蒙蒙／桑之未落，其叶沃若／轩昂磊落，突兀峥嵘／见一叶落而知岁之将暮／君看磊落士，不肯易其身／正西风落叶下长安，飞鸣镝／瀑布天落，半与银河争流……／上车不落则著作，体中何如则秘书／上穷碧落下黄泉，两处茫茫皆不见／半开半落闲园里，何异荣枯世上人／今年花落颜色改，明年花开复谁在／鸟啼花落，皆与神通。人不能悟，付之飘风／麟亡星落，月死珠伤，瓶罄罍耻，芝焚蕙叹

❺青山断处落霞明／芳草鲜美，落英缤纷／兵寝星芒落，战解月轮空／从风还共落，照日不俱销／梧桐一叶落，天下尽知秋／心绪逢摇落，秋声不可闻／自古悲摇落，谁人奈此何

❻无可奈何花落去／不用登临怨落晖／以色交者，华落而爱渝／六朝金粉地，落木更萧萧／秋来山雨多，落叶无人扫／循理以求道，落其华而收其实／日月其犹坠落，萤光如何久留／同是天涯沦落人，相逢何必曾相识／风霜高洁，水落而石出者，山间之四时也／字中蝌蚪，竞落文河。笔下蛟龙，争投学海／星斗张明，错落水中，如珠走镜，不可收拾

❼事忌脱空，人怕落套／学，殖也。不学将落／夜来风雨声，花落知多少／枝繁者荫根，条落者本孤／竹死不变节，花落有余香／有如兔走鹰隼落，骏马下注千丈坡／繁枝容易纷纷落，嫩蕊商量细细开

❽丰交之木，有时而落／危叶畏风，惊禽易落／茂木丰草，有时而落／水清迎过客，霜叶落行舟／息燕归檐静，飞花落院闲／睡不落人前，起不落人后／下笔则烟飞云动，落纸则鸾迴凤惊／不知乘月几人归，落月摇情满江树／好鸟枝头亦朋友，落花水面皆文章／龙蛇纸上飞腾，看落笔四筵风雨惊／蒲柳之姿，望秋而落；松柏之质，经霜弥茂／朝华之草，夕而零落；松柏之茂，隆寒不衰

❾不识风霜苦，安知零落期／老夫渴急月更急，酒落杯中月先入／大丈夫行事当磊磊落落，如日月皎然／不奋苦而求速效，只落得少日浮夸，老来窘隘而已

❿清歌绕梁，白云将红尘并落／宠利毋居人前，德业毋落人后／穗兮不得获，秋风至兮殚零落／一语天然万古新，豪华落尽见真淳／世情薄，人情恶，雨送黄昏花易落／但将酩酊酬佳节，不用登临恨落晖／但是诗人多薄命，就中沦落不过君／志士凄凉闲处老，名花零落雨中看／草不谢荣于春风，木不怨落于秋天／嘈嘈切切错杂弹，大珠小珠落玉盘／国际悲歌歌一曲，狂飙为我从天落／宁可枝头抱香死，何曾吹落北风中／时不与兮岁不留，一叶落兮天地秋／春残已是风和雨，更著游人撼落花／春风桃李花开日，秋雨梧桐叶落时／昨日春风欺不在，就床吹落读残书／跻攀分寸不可上，失势一落千丈强／大丈夫行事当磊磊落落，如日月皎然／朝饮木兰之坠露兮，夕餐秋菊之落英／秋风起兮白云飞，草木黄落兮雁南归／锦糊灯笼，玉镶刀口……不知落在何处矣／千里开年，且悲春目，一叶早落，足动秋襟／高霞孤映，明月独举，青松落荫，白云谁侣／木末芙蓉花，山中发红萼。涧户寂无人，纷纷开且落／天无一点云，星斗张明，错落水中，如珠走镜，不可收拾

葵

kuí 植物名；通“揆”，度量。

❶葵藿倾太阳，物性固莫夺

见唐·杜甫《自京赴奉先县咏怀五百字》。

❷青葵善迎于白日，宇暖斯迷

❽宫人得戟，则以刘葵……不知所施之也

❾虽迫桑榆之景，犹倾葵藿之心

❿我服布素则民自暖，我食葵藿则民自饱

蓁

①zhēn 草盛貌；通“榛”；荆棘；[蓁蓁]草木茂盛；积聚。②qín[蓁椒]亦作“秦椒”，即“花椒”。

❹世路之蓁芜当剔，人心之茅塞须开

蓍

shī 植物名。

❶蓍，枯草也；龟，枯骨也

见明·刘基《司马季主问卜》。全句为：“～。人灵于物者也，何不自听，而听于物乎?”。

蓝

lán 蓝色，像晴天天空那样的颜色；姓；植物名；通“襤”。

❶蓝青地黄犹可假，仁义之事不可假乎

见汉·韩婴《韩诗外传》。

❸筚路蓝缕，以启山林

❹青出于蓝而胜于蓝

❺青，取之于蓝，而青于蓝／青采出于蓝，而质青于蓝者，教使然也

❻诗家之景，如蓝田日暖，良玉生烟／赤橙黄绿青蓝紫，谁持彩练当空舞

❼譬犹练丝，染之蓝则青，染之丹则赤

❽青出于蓝而胜于蓝

❾青，取之于蓝，而青于蓝

❿日出江花红胜火，春来江水绿如蓝／青采出于蓝，而质青于蓝者，教使然也

幕

①mù 幕布；戏剧中的段落；古代战争时将帅办公的地方；窗帷；覆盖；古代作战时保护臂或腿的铠甲；幕府的简称，也指幕友这一行业；通“漠”，沙漠。②màn 钱币的背面。

❷军幕未办，将不言倦

❼顺针缕者成帷幕，合升斗者实仓廪

❾天下星河转，人间帘幕垂

❿鱼游于沸鼎之中，燕巢于飞幕之上／合升鼓之微以满仓廪，合疏缕之纬以成帏幕／男子疾耕不足于粮饷，女子纺绩不足于帷幕

蓏

luǒ 古书上指瓜类植物的果实。

❸果蓏失地则不实，鱼龙失水则不神

蓊

①wěng 茂盛貌；同“蕹”；[蓊郁]浓密貌；茂盛貌。

❿一条之枯，不损繁林之蓊蔼

蓟

jì 植物名；古地名；姓。

❻剑外忽传收蓟北，初闻涕泪满衣裳

蓬

péng 多年生草本植物，子实有毛，随风飞扬，故称飞蓬；松散开；量词；用于地名。

❶蓬生麻中，不扶而直

见《荀子·劝学》。

❷蒿蓬代柱，大厦颠仆／青蓬育于麻圃，不扶自直／飞蓬遇飘风而行千里，乘风之势也

❺村无大树，蓬蒿为林／筚门圭窬，蓬户瓮牖

❼恋逐云飞，思随蓬卷／此地一为别，孤蓬万里

征／举炎火以焚飞蓬，覆沧海而注熛炭

❽类君子之含道，外蓬蒿而不作／自伯之东，首如飞蓬；岂无膏沐，谁适为容

❿良人犹恐催耕早，自扯蓬窗看晓星／仰天大笑出门去，我辈岂是蓬蒿人

蓑 ①suō［蓑衣］用草或棕编成的披在身上防雨的用具。②suī［蓑蓑］下垂貌。

❷一蓑烟雨任平生／披蓑而救火，毁渎而止水，乃愈益多

❸孤舟蓑笠翁，独钓寒江雪

❽今处绣户洞房，则蓑不如裘

❾被雪沐雨，则裘不及蓑

❿见雨则裘不用，升堂则蓑不御／以诈应诈，以谲应谲，若披蓑而救火，毁渎而止水

蒿 hāo 蒿子，草本植物，可入药；气蒸发貌；消耗。

❶蒿蓬代柱，大厦颠仆

见汉·焦延寿《易林》。

❺松柏在冈，蒿艾为之不植

❻村无大树，蓬蒿为林／万家墨面没蒿莱，敢有歌吟动地哀

❾感时思报国，拔剑起蒿莱／类君子之含道，外蓬蒿而不作

❿仰天大笑出门去，我辈岂是蓬蒿人／宫殿中可以避世全身，何必深山之中，蒿庐之下

蓄 xù 贮存；长期存在心里；留着；通"畜"，积聚，储藏；等待。

❶蓄疑败谋，怠忽荒政

见《尚书·周官》。

蓄极积久，势不能遏

见明·李贽《杂说》。全句为："～。一旦见景生情，触目兴叹；夺他人之酒杯，浇自己之垒块；诉心中之不平，感数奇于千载"。

蓄积者，天下之大命也

见汉·贾谊《新书·无蓄》。

蓄至精者，可以福生灵，保富寿

见五代·南唐·谭峭《化书卷二·涧松》。全句为："君子藏正气者，可以远鬼神，伏奸佞；～"。

蓄谷者不病凶年，蓄珠玉者不虞殍死

见唐·柳宗元《报袁君陈秀才避师名书》。全句为："源而流者岁旱不涸，～"。

❹俱收并蓄，待用无遗／节用储蓄，以备凶灾／富若生蓄，万物必具……

❺躁心浮气，蓄德之贼也／轻困仓之蓄，而惜一杯钻／摅怀旧之蓄念，发思古之幽情／备之以储蓄，虽凶荒而人无菜色／居者有余蓄，行者有余资……可谓有治天下之效

❻积邪在于上，蓄怨藏于民

❼为词章，泛滥停蓄，为深博无涯涘／国之兴亡不由蓄积多少，唯在百姓苦乐／国之兴亡不由蓄积多少，惟在百姓苦乐

❽不求无益之物，不蓄难得之货／蓄谷者不病凶年，蓄珠玉者不虞殍死

❿其积于中者，浩如江河之停蓄／但使仓库可备凶年，此外何烦储蓄／材既难得，而又难知，则当博采而多蓄之／牛溲马勃，败鼓之皮，俱收并蓄，待用无遗

蒲 pú 一种多年生草本植物；茅草盖的圆屋；古邑名；通"匍"，［蒲伏］同"匍匐"。

❶蒲柳既秋，桑榆渐迫

见唐·李峤《为王方庆让凤阁侍郎表》。

蒲苇纫如丝，磐石无转移

见汉·无名氏《古诗为焦仲卿妻作》。全句为："君当作磐石，妾当作蒲苇；～"。

蒲柳之姿，望秋而落；松柏之质，经霜弥茂

见南朝·宋·刘义庆《世说新语·言语》。

❸不学蒲柳凋，贞心常自保

❽与时屈伸，柔从若蒲苇，非慑怯也

❾君当作磐石，妾当作蒲苇

蓉 róng 瓜果豆等制成的粉状物；四川成都的别称。［芙蓉］荷花的别称。

❹木末芙蓉花，山中发红萼。涧户寂无人，纷纷开且落

❺清水出芙蓉，天然去雕饰／谢诗如芙蓉出水，颜诗如错采镂金

❾何秋日之可哀，托芙蓉以为媒／采薜荔兮水中，搴芙蓉兮木末／昆山玉碎凤凰叫，芙蓉泣露香兰笑

❿制芰荷以为衣兮，集芙蓉以为裳

蒙 ①mēng 欺骗；随便乱猜；头脑混乱，神志不清。②méng 盖住；隐瞒，欺骗；遭受；没有受过教育的，不开化的；小雨细密的样子；失明，看不清；古时指朴实敦厚；姓。③měng 懵懂；地名用字，如蒙古。

❶蒙耻之宾，屡黜不去其国

见南朝·宋·范晔《后汉书·逸民传》。全句为："～；蹈海之节，千乘莫移其情"。

蒙矢石，赴汤火，视死如归

见汉·班固《汉书·晁错传》。

❸宁可蒙懂而聪明，不可聪明而蒙懂

❺青树翠蔓，蒙络摇缀，参差披拂

❻曲则为王，直蒙戮辱；宁戮不王，直而不曲

❼长松落落，卉木蒙蒙／智而教愚，则童蒙者弗恶

❽长松落落，卉木蒙蒙／进贤受上赏，蔽贤蒙显戮／上下相疏，内外相蒙，小臣争宠，大臣争权，此危国之风也

❾安能以皓皓之白，而蒙世俗之尘埃乎

⑩见人而不自见者谓之蒙／学识英博，非复吴下阿蒙／乌有城坏其徒俱死，独蒙愧耻求活／宁可蒙懂而聪明，不可聪明而蒙懂／丑必托善以自为解，邪必蒙正以自为辟／洲汀岛屿，向背离合；青树碧蔓，交罗蒙络

蒸 zhēng 蒸气；用蒸汽熱物；小的木柴；古以麻秸、竹、木作成的照明物；众；祭祀名；放在俎里的猪羊肉。

⑩遇暴戾之人，以和气薰蒸之

蓘 gǔn 以土壅苗根。

④是穮是蓘，虽有饥馑，必有丰年

蔷 ①qiáng［蔷薇］蔷薇一类观赏植物的泛称。②sè 植物名。

⑥清香犹在野蔷薇／不向东山久，蔷薇几度花／不栽桃李种蔷薇，荆棘满庭君思之

慕 mù 喜爱，向往；思念，依恋；姓。

❶慕虚名而处实祸

见晋·陈寿《三国志·魏书·武帝纪》。

慕名而不知实，一可贱

见汉·仲长统《昌言下》。全句为："～；不敢正是非于富贵，二可贱；向盛背衰，三可贱"。

❷勿慕贵与富，勿忧贱与贫

❸佳人慕高义，求贤良独难

❹闻善不慕，与聋聩同／闻善而慕，知过而惧／如怨如慕，如泣如诉，余音袅袅，不绝如缕

❺有怀投笔，慕宗悫之长风

❻平居里巷相慕悦……／鱼乐广闲，鸟慕静深……／四海悠悠，皆慕名者，盖因其情而致其善尔

❼大圣之所行，不慕人所主／弃燕雀之小志，慕鸿鹄以高翔／君子多欲则贪慕富贵，枉道速祸

❽不曾远别离，安知慕俦侣／人生不失意，焉能慕知己／观书者当观其意，慕贤者当慕其心／清音宛转，如诉如慕，坐客听之，不觉泪下

❾也不赴，公卿约；也不慕，神仙学／小人错其在己者，而慕其在天者，是以日退也

⑩谤议庸何伤？虚誉不足慕／观书者当观其意，慕贤者当慕其心／君子敬其在己者而不慕其在天者，是以日进也

暮 mù 傍晚；（时间）将尽。

❶暮色苍茫看劲松，乱云飞渡仍从容

见现代·毛泽东《七绝·为李进同志题所摄庐山仙人洞照》。

暮春三月，江南草长，杂花生树，群莺乱飞

见南朝·梁·丘迟《与陈伯之书》。

❷日暮汉宫传蜡烛，轻烟散入五侯家／日暮榆园拾青荚，可怜无数沈郎钱

❹安坐至暮，祸灾不到／人情旦暮有翻复，平地倏忽成山谿

❺朝吐面誉，暮行背毁／朝行出攻，暮不夜归／勿言年齿暮，寻途尚不迷／少年作迟暮经营，异日决无成就／庶人有旦暮之业则劝，百工有器械之巧则壮／旦为朝云，暮为行雨。朝朝暮暮，阳台之下

❻旦以为是，而暮已悔之／慌兮惚，朝朝暮暮生白发／朝扣富儿门，暮随肥马尘／蜉蝣朝生而暮死，而尽其乐／常记溪亭日暮，沉醉不知归路

❼慌兮惚，朝朝暮暮生白发／饥不从猛虎食，暮不从野雀栖／有时朝发白帝，暮到江陵……／沧波远天，混和暮色，孤舟一去，曷日而旋归

❽废阁先凉，古帘空暮／鼓腹无所思，朝起暮归眠／庾信平生最萧瑟，暮年诗赋动江关

❾盛之有衰，犹朝之必暮／澄明远水生光，重迭暮山耸翠／树临流而影动，岩薄暮而云披／鸿鹄巢于高林之上，暮而得所栖／天犹有春秋冬夏旦暮之期，人者厚貌深情

⑩见一叶落而知岁之将暮／迷路，迷路，边草无穷日暮／晦明变化者，山间之朝暮也／于今腐草无萤火，终古垂杨有暮鸦／画栋朝飞南浦云，珠帘暮卷西山雨／潦水尽而寒潭清，烟光凝而暮山紫／不闻道而死，曷异蜉蝣之朝生暮死乎／两情若是久长时，又岂在、朝朝暮暮／君不见高堂明镜悲白发，朝如青丝暮成雪／民生在勤，勤则不匮。宴安自逸，岁暮奚冀／子为王，母为虏，终日舂薄暮，常与死为伍／旦为朝云，暮为行雨。朝朝暮暮，阳台之下／老骥伏枥，志在千里；烈士暮年，壮心不已

摹 mó 按原样写或画。

❺先定其规摹，而后从事

⑩作诗火急追亡逋，清景一失后难摹

蔓 ①màn 草本植物细而软且不能直立的枝、茎；滋生，扩展。②wàn 瓜蔓。③mán 蔓菁。

❸一令蔓草难锄，涓流泛酌，岂直疥痒轻疴，容为重患

❹青树翠蔓，蒙络摇缀，参差披拂

❻中通外直，不蔓不枝，香远益清，亭亭净植

⑩嘉谷虽已殖，恶草亦滋蔓／洲汀岛屿，向背离合；青树碧蔓，交罗蒙络

蔑 miè 微小；造谣破坏他人名誉；没有；目受伤而不明；无视，轻视；无；灭。

❸巢许蔑四海，商贾争一钱

❾视日月而知众星之蔑也／始与善，善进善，不善蔑由至

⑩始与不善，不善进不善，善蔑由至

甍 méng 屋脊。

❺可知他朱甍碧瓦，总是血膏涂

蔡 cài 野草；占卜用的大龟；古国名；姓。②sà 流放；通"杀"。

❿死后是非谁管得，满村听说蔡中郎

蔗 zhè 甘蔗。

❷食蔗渐渐佳，离官寸寸乐／都蔗虽甘，杖之必折；巧言虽美，用之必灭

蔺 lìn 草名；通"棱"；姓。

❿为国忘私仇，千秋思廉蔺

蔽 bì 遮掩；概括；审断；博具；古时丧车两旁的帘子。

❷解蔽莫如学／不蔽人之美，不言人之恶／旌蔽日兮敌若云，矢交坠兮士争先

❸干云蔽日之木，起于葱青／干云蔽日之木，起于青葱／虑壅蔽，则思虚心以纳下／重云蔽天，江湖黯然；游鱼茫然……／一叶蔽目，不见泰山；两豆塞耳，不闻雷霆／飞雪蔽野，长河始冰，吾子勉之，慷慨而别

❹欲开壅蔽达人情，先向歌诗求讽刺／愚者易蔽也，不肖者易惧也，贪者易诱也

❺同日被霜，蔽者不伤／周听则不蔽，稽验则不惶／于此有所蔽，则于彼有所见／凡人之患，蔽于一曲，而暗于大理／苟其聪明蔽于嗜好，智虑溺于爱憎

❻进贤受上赏，蔽贤蒙显戮／当局虽工，而蔽于求胜之心／诐辞知其所蔽，淫辞知其所陷

❼日月欲明，浮云蔽之／好直不好学，其蔽也绞／好仁不好学，其蔽也愚／好勇不好学，其蔽也乱／日月之明，而时蔽于浮云／明谓多见巧诈，蔽其朴也／远贤近谗，忠臣蔽塞主势移／学所以开人之蔽，而致其知／匿人之善，斯为蔽贤；扬人之恶，斯为小人／《诗》三百，一言以蔽之，曰："思无邪。"

❽不以一毫私意自蔽，不以一毫私欲自累

❾湿堂不洒尘，卑屋不蔽风／君子不掩人之功，不蔽人之善／世溷浊而嫉贤兮，好蔽美而称恶／鳖无耳而目不可以蔽，精于明也

❿学而不知其方，则反以滋其蔽／毛嫱西施，善毁者不能蔽其好／禄过其功者损，名过其实者蔽／何泛滥之浮云兮，猋壅蔽此明月／厉精，莫如自上率之，则壅蔽决矣／人主不正，则邪人得志，忠者隐蔽／听政之初，当以通下情除壅蔽为急务／目有昧则视白为黑，人有蔽则以薄为厚／凡万物异则莫不相为蔽，此心术之公患也／并时遭兵，隐者不中；同日被霜，蔽者不伤／丛兰欲茂，秋风败之；王者欲明，谗人蔽之／智者多屈，辩者多辱，明者多蔽，勇者多死／贵远贱近，人之常情；重耳轻目，俗之恒蔽／聪明流通者戒于太察，寡闻少见者戒于壅蔽／搏攫抵噬之兽，其用齿角爪牙也，必托于卑微隐蔽

蕖 qú 芋头；[芙蕖]亦作"芙渠"、"扶渠"，即荷花。

❽迫而察之，灼若芙蕖出渌波

蔼 ǎi 和蔼；繁茂；油润貌；通"霭"，云气。

❼仁义之人，其言蔼如也

❿一条之枯，不损繁林之蓊蔼

蔚 ①wèi 茂盛；有文采的；荟萃，聚集；云兴貌。②yù 用于地名；通"郁"；姓。

❶蔚乎其相章，炳乎其相辉，志同而气合

见唐·韩愈《徐泗豪三州节度掌书记厅石记》。全句为："～，鱼川泳而鸟云飞"。

❻颂优游以彬蔚，论精微而朗畅

❿千岩竞秀，万壑争流……若云兴霞蔚

蓼 ①liǎo 草本植物，可入药；比喻辛苦；古国名。②lù 长大貌。

❹夕阳红蓼满汀州

蕙 huì 香草名；[蕙兰]一种多年生草本植物。

❹兰茝荪蕙之芳，众人之所好，而海畔有逐臭之夫

❼被褐怀金玉，兰蕙化为刍

❾穷巷秋风起，先摧兰蕙芳

❿既滋兰之九畹兮，又树蕙之百亩／麟亡星落，月死珠伤，瓶罄罍耻，芝焚蕙叹

蕞 zuì 同"蕝"；古代演习朝会礼仪时束茅以表位之称；古地名；[蕞尔]小貌。

❾人能尽性知天，不为蕞然起见，则几矣

蕉 ①jiāo 芭蕉科植物的统称；生麻；通"焦"，枯焦。②qiáo 通"憔"。

❿虽有丝麻，无弃菅蒯；虽有姬姜，无弃蕉萃／轻用民死，死者以国量乎泽若蕉，民其无如矣

蕃 ①fán(草木)茂盛；繁殖；通"藩"，屏障。②fān 古时通"番"，古时对外族的通称。③pí 姓。④bō 吐蕃。

❻恶直丑正，实蕃有徒

❽男女同姓，其生不蕃

❾人杰地灵，徐孺下陈蕃之榻

❿自古此冤应未有，汉心汉语吐蕃身／小人如恶草也，不种而生，去之复蕃／率虎狼牧羊豕，而望其蕃息，岂可得也

蕲 qí 香草，一说药草；通"祈"，祈求；马衔；古地名；姓。

❿予恶乎知夫死者不悔其始之蕲生乎／泽雉十步一啄，百步一饮，不蕲畜乎樊中

蕊 ruǐ 花蕊；未开的花，即花蕾。

❼芹泥随燕觜，花蕊上蜂须
❽飒飒西风满院栽，蕊寒香冷蝶难来
❾繁枝容易纷纷落，嫩蕊商量细细开

蔬 ①shū 蔬菜；可以做菜吃的植物。②xū 米粒。

❶蔬食弊衣足以养性命
见唐·司马承祯《坐忘论·简事》。全句为："～，岂待酒肉罗绮然后为生哉"。
❼饮食约而精，园蔬愈珍馐
❽衣不求华，食不厌蔬

蕴 ①yùn 蓄藏；事理的深奥之处；闷热；乱麻，可束以燃火。②wēn[蕴藻]水草。

❺材难矣，有蕴而不得其时
❿诗文之词采贵典雅而贱粗俗，宜蕴藉而忌分明

蘋 píng 一种蕨类植物。

❺鸟何萃兮蘋中，罾何为兮木上
❽风生于地，起于青蘋之末

薨 hōng 周代诸侯之死的称谓。[薨薨]许多虫一起飞的声音。

❽天子曰崩，诸侯曰薨，大夫曰卒，士曰不禄

薇 wēi 多年生草本植物。

❺饥食首阳薇，渴饮易水流
❼清香犹在野蔷薇／不向东山久，蔷薇几度花／不栽桃李种蔷薇，荆棘满庭君思之
❽登彼西山兮采其薇矣，以暴易暴兮不知其非矣

薪 xīn 柴火；薪水；草。

❷抽薪止沸，剪草除根／抱薪加火，烁者必先然／抱薪救火，薪不尽，火不灭／尺薪不能温镬水，寸冰不足寒庖厨／施薪若一，火就燥也；平地若一，水就湿也／称薪而爨，数米而炊，可以治小而未可以治大
❹论如析薪，贵能破理／翘翘错薪，言刈其楚／其父析薪，其子弗克负荷／曲突徙薪亡恩泽，焦头烂额为上宾／反裘负薪，里尽毛殚，刖趾适屦，刻肌伤骨
❺食贵于玉，薪贵于桂／抱薪救火，薪不尽，火不灭／反裘而负薪，爱其毛，不知其皮尽也
❻抱火措之积薪之下而寝其上／以汤止沸，抱薪救火，愈甚亡益
❼扬堁而弭尘，抱薪以救火／学视者先见舆薪，学听者先闻撞钟
❾持杯收水水已覆，徙薪避火火更燔／古人有言曰："其父析薪，其子弗克负荷。"
❿古墓犁为田，松柏摧为薪／扬汤止沸，不如釜底抽薪／扬汤止沸，不如灭火去薪／欲折月中桂，持为寒者薪／拯溺锤之以石，救火投之以薪／采择狂夫之言，不逆负薪之议／明足以察秋毫之末，而不见舆薪／不绝之于彼而救之于此，譬犹抱薪而救火／囊漏贮中，识者不吝；反裘负薪，存毛实难／和神仙之药以治鼽咳，制貂狐之裘以取薪菜

薮 sǒu 湖泽；人或物聚集的地方；通"搜"，搜求；量名；犹言草野。

❷焚薮而田，岂不获得？而明年无兽
❺小隐隐陵薮，大隐隐朝市
❻川泽纳污，山薮藏疾，瑾瑜匿瑕

薜 bì 植物名；麻属。[薜荔]常绿藤本植物。

❷采薜荔兮水中，搴芙蓉兮木末

藉 ①jí 践踏；姓；进贡。②jiè 垫；衬；坐卧其上；同"借"；[蕴藉]宽和有涵容；[慰藉]安慰。

❶藉贼兵而赍盗食
见《战国策·秦策三》。
❸圣必藉贤以明，国必待贤以昌
❹恶声狼藉，布于诸国
❺耳之闻也藉于静，目之见也藉于昭，心之知也藉于理
❻君虽明哲，必藉股肱以致治
❽肴核既尽，杯盘狼藉／无足而至者，物之藉也／居高声自远，非是藉秋风
❿人欲自照，必须明镜；主欲知过，必藉忠臣／诗文之词采贵典雅而贱粗俗，宜蕴藉而忌分明／耳之闻也藉于静，目之见也藉于昭，心之知也藉于理

藏 ①cáng 躲藏；隐藏；收藏。②zàng 储存大量东西的地方；佛教、道教经典的总称；中国少数民族之一；西藏的简称。③zāng 草名；通"赃"。

❶藏之名山，传之其人
见汉·司马迁《报任少卿书》。
藏器于身，待时而动
见《周易·系辞下》。
藏器待时，耻于自献
见宋·苏轼《乞擢用程遵彦状》。
藏珉石于金匮兮，捐赤瑾于中庭
见汉·刘向《九叹·忧苦》。
藏于不竭之府者，养桑麻育六畜也
见《管子·牧民》。全句为："积于不涸之仓者，务五谷也；～"。
藏书万卷可教子，遗金满籯常作灾
见宋·黄庭坚《题胡逸老致虚庵》。
藏金于山，沉珠于渊；不利货财，不近富贵
见《庄子·天地》。

藏大不诚于中者，必谨小诚于外，以成其大不诚

见《晏子春秋·外篇第十四》。

❷吉藏凶，凶暗吉／心藏风云世莫知／不藏怒焉，不宿怨焉／包藏祸心，窥窃神器／慢藏诲盗，冶容诲淫／无藏逆于得，无以巧胜人／包藏宇宙之机，吞吐天地之志／祸藏福中，福极则祸至。福隐祸内，祸尽则福来

❸中心藏之，何日忘之／仁便藏在恻隐之心里面／学问藏之身，身在则有余／神龙藏深泉，猛兽步高冈／万卷藏书宜子弟，十年种木长风烟／林净藏烟，峰危限月，帆影摇空绿／君子藏正气者，可以远鬼神，伏奸佞／君子藏器于身，待时而动，何不利之有

❹丹之所藏者赤／良贾深藏若虚／善守者，藏于九地之下／良贾深藏如虚，君子有盛教如无／良贾深藏若虚，君子盛德容貌若愚／祸固多藏于隐微，而发于人之所忽

❺圣人于行藏之间……／善为国者，藏之于民／鸟尽良弓藏，谋极身必危／冠履不同藏，贤不肖不同位／有才必韬藏，如浑金璞玉，暗然而日章也／机械之心藏于胸中，则纯白不粹，神德不全

❻飞鸟尽，良弓藏；狡兔死，走狗烹／君子之学也，藏焉修焉，息焉游焉／蜚鸟尽，良弓藏；狡兔死，走狗烹／道成于学而藏于书，学进于振而废于穷／龟龙闻而深藏、鸾凤见而高逝者，知其害身也

❼天下有道，圣人藏焉／甚爱必大费，多藏必厚亡／川泽纳污，山薮藏疾，瑾瑜匿瑕／龙不隐鳞，凤不藏羽，网罗高县，去将安所

❽高鸟已散，良弓将藏／性有巧拙，可以伏藏／寒来暑往，秋收冬藏／春耕夏耘，秋获冬藏／用之则行，舍之则藏／积邪在于上，蓄怨藏于民／去知则奚求矣，无藏则奚设矣／春生夏长，秋收冬藏，此天道之大经／天地有官，阴阳有藏；慎守女身，物将自壮／幽晦登昭，日月下藏；公正无私，反见从横／用之则行，舍之则藏，进退无主，屈申无常／仁人之于弟也，不藏怒焉，不宿怨焉，亲爱之而已矣

❾鲍鱼兰芷，不同箧而藏／处世忌太洁，至人贵藏晖／再实之木根必伤，掘藏之家必有殃／春主生，夏主养，冬主藏，秋主收

❿鲍鱼不与兰茝同笥而藏／毁则者为贼，掩贼者为藏／化腐木而含彩，集枯草而藏烟／或明理以立体，或隐义以藏用／鹪鹩尚存一枝，狡兔犹藏三窟／国不兴无事之功，家不藏无用之器／狡兔得而猎犬烹，高鸟尽而强弩藏／足国之道，节用裕民，而善藏其余／至人之用心若镜，不将不迎，应而不藏／德人者，居无思，行无虑，不藏是非善恶／水出于山，入于海；稼生乎野，而藏乎仓／称财多寡而节用之，富无金藏……谓之啬／一节省而国有余用，民有盖藏，不知其几也／人能除情欲，节滋味，清五藏，则神明居之／海内之货，咸萃其庭，产匹铜山，家藏金穴／寒泉飞流，异竹杂华，回映之处，似藏人家／天下之物莫凶于鸡毒，然而良医橐而藏之，有所用／君子防悔尤，贤人戒行藏，嫌疑远瓜李，言动慎毫芒／狡兔死，良狗烹；高鸟尽，良弓藏；敌国破，谋臣亡

薰

xūn 一种香草；花草香；通“熏”。

❶薰以香自烧，膏以明自销

见汉·班固《汉书·两龚传》。

薰莸不同器，枭鸾不接翼

见南朝·梁·刘峻《辨命论》。

薰莸不共器，枭鸾不比翼

见唐·王勃《为人与蜀城父老第二书》。

❷一薰一莸，十年尚犹有臭／兰薰而摧，玉缜则折；物忌坚芳，人讳明洁

❽春之日，我爱其草薰薰，木欣欣

❾出门择交友，防慎畏薰莸／遇暴戾之人，以和气薰蒸之／春之日，我爱其草薰薰，木欣欣／与端方人处，如炭入薰炉，虽化为灰，其香不灭

藐

miǎo 小；轻视，小看；通“邈”，远。

❶藐然数尺之躯，乃欲私造化以为己物

见明·罗钦顺《困知记》续卷下。全句为：“～，何其不知量哉！”

❺说大人则藐之

❼诲尔谆谆，听我藐藐／言之谆谆，听之藐藐

❽诲尔谆谆，听我藐藐／言之谆谆，听之藐藐

藕

ǒu 莲的地下茎，折断后有丝相连，可食用。

❶藕花无数满汀洲

见宋·道潜《经临平作》。

❸莲有藕兮藕有枝，才有用兮用有时

藜

lí 草本植物；蒺藜。

❶藜羹麦饭冷不尝，要足平生五车读

见宋·陆游《读书》。

藜藿之生，蠕蠕然日加数寸，不可以为庐栋

见汉·刘安《淮南子·修务》。全句为：“～；楩楠豫章之生也，七年而后知，故可以为棺舟”。

❺园有螯虫，藜藿为之不采／山有猛兽，藜藿为之不采

❻山有猛兽者，藜藿为之不采

❼珍腴之惭，不若藜藿之甘

❾太牢斯烹，安可荐羹藜之味

藤 téng 蔓生植物名；某些植物的攀缘茎或匍匐茎。

❷枯藤老树昏鸦，小桥流水人家，古道西风瘦马

❺石列笋虡，藤蟠蛟螭；修竹万竿，夏含凉飔

❿阴风搜林山鬼啸，千丈寒藤绕崩石／笔底明珠无处卖，闲抛闲掷野藤中

藩 fān 篱笆；屏障，掩蔽；车子；封建时代称属国、属地。

❶藩屏之臣，取其明练风俗，清白爱民

见北齐·颜之推《颜氏家训·涉务》。

❹羝羊触藩，羸其角

❺以白云为藩篱，碧山为屏风，昭其俭也

藿 huò 豆叶；藿香。

❷葵藿倾太阳，物性固莫夺／藜藿之生，蠕蠕然日加数寸，不可以为庐栋

❹屠者羹藿……为者不必用，用者弗肯为

❻园有螫虫，藜藿为之不采／山有猛兽，藜藿为之不采

❼山有猛兽者，藜藿为之不采

❽珍腴之惭，不若藜藿之甘

❿虽迫桑榆之景，犹倾葵藿之心／我服布素则民自暖，我食葵藿则民自饱

孽 niè 古时指庶子；病；忤逆；罪恶；妖邪，祸害；通"蘖"。

❸天作孽，犹可违；自作孽，不可逭

❹下民之孽，匪降自天／舌端之孽，惨乎楚铁／怨利生孽，维义可以为长存

❾天作孽，犹可违；自作孽，不可逭

❿语曰：好女之色，恶者之孽也／国家将兴，必有祯祥；国家将亡，必有妖孽／心狂志悖，视听从类，政令无常，下民作孽

藻 zǎo 藻类植物；华丽的文辞；古代帝王冕上系玉的五彩丝绳；垫玉的彩色板。

❹文乏斧藻，艺惭刀笔／淫辞丽藻生于文，反伤文者也

❿曲辕且绳直，诡木遂雕藻／气不可以不贯，不贯则虽有美词丽藻／杼轴得之，澹而无味，琢刻藻绘，弥不足贵／不思安危终始之虑，是乐春藻之繁华，而忘秋实之甘口也

蘖 niè 树木被砍伐以后从根部长出来的新芽；（稻、麦等）植物从茎的基部长出的分枝。

❽十围之木，始生如蘖／伐木不自其根，则蘖又生也

❿坚冰作于履霜，寻木起于蘖栽

异 yì 不同的；分开；另外的；惊奇；新奇；特殊。

❶异乡殊俗难知名

见宋·欧阳修《啼鸟》。

异方之乐，只令人悲，增忉怛耳

见汉·李陵《答苏武书》。

异物内流则国用饶，利不外泄则民用给

见汉·桓宽《盐铁论·力耕》。

异音者不可听以一律，异形者不可合于一体

见汉·刘安《淮南子·说林》。

❷世异则事异／事异则备变／世异则事变，时移则俗易／面异斯为人，心异斯为文／合异以为同，散同以为异／世异事变，治国不同，不可不察／日异其能，岁增其智，进如川行，浩浩而遂

❸同罪异罚，非刑也／仁不异远，义不辞难／攻乎异端，斯害也已／酒醴异气，饮之皆醉／穀则异室，死则同穴／百川异源，而皆归于海／文之异，在气格之高下／不贵异物贱用物，人乃足／陶匏异器，并为入耳之娱／其功异则其名不得不异也／虎欲异群虎，舍山入市即擒／自其异者视之，肝胆楚越也／鱼欲异群鱼，舍水跃岸即死／不立异以为高，不逆情以干誉／不穷异以为神，不引天以为高／以同异为善恶，以喜怒为赏罚／立小异以近名，托虚名以邀利／喜为异说而不让，敢为高论而不顾／独在异乡为异客，每逢佳节倍思亲／所见异辞，所闻异辞，所传闻异辞／其心异则其事异，其事异则其功异／丰荒异政，系乎时也；夷夏殊法，牵乎俗也

❹同中有异，异中有同／节同时异，物是人非／八方各异气，千里殊风雨／大厦须异材，廊庙非庸器／浮沉各异势，会合何时谐／字人无异术，至论不如清／存亡难异路，贞白本相成／才与德异，而世俗莫之能辨／意新则异于常，异于常则怪矣／一则治，异则乱；一则安，异则危／凡万物异则莫不相为蔽，此心术之公患也

❺世异则事异／同中有异，异中有同／人情忌殊异，世路多权诈／君子生非异也，善假于物也／风萧萧而异响，云漫漫而奇色／关河景物异南北，神京不见双泪流／有欲、无欲，异类也，生死也，非治乱也／寒泉飞流，异竹杂华，回映之处，似藏人家／非有卓然异绩结于人心，浃于骨髓，安能久而愈思／竹不能自异，唯人异之；贤不能自异，唯用贤者异之

❻各师成心，其异如面／廉洁而不为异众之行／会已则嗟讽，异我则沮弃／何谓物我之异，无计今古之殊／山泽不必有异士，异士不必在山泽／独在异乡为异客，每逢佳节倍思亲／逆顺同道而异理，审知逆顺，是谓道纪／烈士之所以异于恒人，以其仗节以死谊也／不知而不疑，异于己而不非者，公于求善也

❼睽。君子以同而异／一事殊法，同罪异论／民无隐情，治有异迹／口是心非，背向异辞／面

异斯为人，心异斯为文／城郭之固无以异于贞士之约／同于己为是之，异于己为非之／君子之穷通，有异乎俗者也。／意新则异于常，异于常则怪矣／生而同声，长而异俗，教使之然／治国与养病无异也……治国亦然／节物后先南北异，人情冷暖古今同／所见异辞，所闻异辞，所传闻异辞／其心异则其事异，其事异则其功异／不闻道而死，曷异蜉蝣之朝生暮死乎／繁略殊形，隐显异术，抑引随时，变通会适／同于己而欲之，异于己而不欲者，以出乎众为心也

❽非我族类，其心必异／辞尚体要，不惟好异／忠臣处国，天下无异心／一别隔千里，荣枯异炎凉／不宜偏私，使内外异法也／百年变朝市，千里异风云／志苟合，楚越无以异其同／物能相割截者，必异性者也／人与虫一也，所以异者形质尔／少年作迟暮经营，异日决无成就／山泽不必有异士，异士不必在山泽／约定俗成谓之宜，异于约则谓之不宜／和羹之美，在于合异；上下之益，在能相济／量其当否，参其同异，弃其所短，收其所长／竹不能自异，唯人异之；贤不能自异，唯用贤者异之／为天下者，亦奚以异乎牧马者哉，亦去其害马者而已矣

❾风物虽同候，悲欢各异伦／妍媸有定矣，而憎爱异情……／半开半落闲园里，何异荣枯世上人／文章功用不经世，何异丝窠缀露珠／虞夏以文，殷周以武，异时各有所施／同于我者何必可爱，异于我者何必可憎／盖吾儒起手便与禅异者，正在彻始彻终总是体用一致耳

❿合异以为同，散同以为异／道或乖，胶漆不能同其异／其功异则其名不得不异也／凡人情忽于见事而贵于异闻／风景不殊，正自有山河之异／其悲则同，其所以为悲则异／用人但问堪否，岂以新故异情／鸟兽之不可同群者，其类异也／人情同于怀土兮，岂穷达而异心／凡人之用智有短长，其施设各异／大巧因自然以成器。不造为异端／一则治，异则乱；一则安，异则危／传闻与指实不同，悬算与临事有异／何方圆之能周兮，夫孰异道而相安／凡天下之事成于自同，而败于自异／葶苈似菜而味殊，玉石相似而异类／将有非常之大事，必生希世之异人／春一物枯即为灾，秋一物华即为异／所见异辞，所闻异辞，所传闻异辞／风雅体变而兴同，古今调殊而理异／顾使乾坤同日月，不妨闽浙异江山／其心异则其事异，其事异则其功异／人品做到极处，无有他异，只是本然／寒者颤，惧者亦颤，此同名而异实也／不诡其词而词自丽，不异其理而理自新／制名以指实，上以明贵贱，下以辨同异／因命而动，生思虑……别同异，谓之意／物循乎自然，人能明于必然，此人物之异／五帝殊时，不相沿乐；三王异世，不相袭礼／能出于材，材不同量，材能既殊，任政亦异／异音者不可听以一律，异形者不可合于一体／噬虎之兽，知爱己子；搏狸之鸟，非护异巢／山虽高，水虽下，其为险而害也，要之不异／清流触石，洄旋激注，佳木异竹，垂阴相荫／经传之文，贤圣之语，古今言殊，四方谈异／世俗之人皆喜人之同乎己，而恶人之异于己也／千人同心则得千人力，万人异心则无一人之用／洼者为池而缺者为洞，若有鬼神异物阴来相之／胡越之人，生则声同，长则语异，盖声者天然／焕然如日月之经天也，炳然如虎豹之异犬羊也／昔之所为，而今觉其非，虽日异而月不同，可也／礼者，所以定亲疏、决嫌疑、别同异、明是非也／竹不能自异，唯人异之；贤不能自异，唯用贤者异之／溺者入水，拯之者亦入水。入水则同，所以入水者则异／一人一心，万人万心，若不以令一之，则人人之心各异矣／文章丽矣，言语工矣，无异草木荣华之飘风，鸟兽好音之过耳

弄 ①nòng 拿着玩，摆弄；搞，做，设法取得；搅扰；玩弄，炫耀；奏乐。②lòng 小巷，胡同。

❶弄花一年，看花十日

见宋代歌谣谚《天彭牡丹花语》。

❸轧轧弄寒机，功多力渐微／起舞弄清影，何似在人间

❺有时赤脚弄明月，踏破五湖波底天

❼薄雨收寒，斜照弄晴，春意空阔

❽不是撑船手，休来弄竹竿／息交游闲业，卧起弄书琴

❾世乱奴欺主，年衰鬼弄人／读书之乐乐陶陶，起弄明月霜天高

❿人生在世不称意，明朝散发弄扁舟／梁、陈间，率不过嘲风雪，弄花草而已／倚势豪夺，飞食人肉，鼓吻弄翼，道路以目

羿 yì 即"后羿"，也作"夷羿"。

❶羿者，天下之善射者也，无弓矢则无所见其巧

见《荀子·儒效》。全句为："造父者，天下之善御者也，无舆马则无所见其能；～"。

❿大匠不为拙工改废绳墨，羿不为拙射变其彀率

弊 ①bì 害处；欺骗；败，疲困；低劣；倒下；裁决；通"蔽"。②bá 杂糅。

❶弊政之大，莫若贿赂行而征赋乱

见唐·柳宗元《答元饶州论政理书》。

弊之难去，其难在仰食于弊之人乎

见清·魏源《淮北票盐志序》。

❷岁弊寒凶，雪虐风饕／本弊不除，则其末难止／救弊之道在实学不在空言

❸革往弊者则政不爽／蔬食弊衣足以养性命／

善救弊者,必寻其起弊之源/自受弊薄,后己先人,天下敬之

❹冠虽穿弊,必戴于头/思革其弊,用光志业/欲去其弊也,莫如省事而厉精/筋疲力弊不入腹,未议县官租税足/文章道弊五百年矣!汉魏风骨,晋宋莫传,然而文献有可征者

❺上安下顺,弊绝风清/内清外浊,弊衣裹玉/能者不可弊,败者不可饰/用之而不弊,取之而不竭/必先知致弊之因,方可言变法之利

❻可行必守,有弊必除/制俗以俭,其弊为奢/道者万世亡弊,弊者道之失也/欲为圣朝除弊事,肯将衰朽惜残年

❼通其变,天下无弊法/此六者,君子之弊也/毫厘之差,或致弊于寰海/道者万世亡弊,弊者道之失也/形劳而不休则弊,精用而不已则劳,劳则竭

❽吏多民烦,俗以之弊/大成若缺,其用不弊/政者正也,当矫其弊/新剑以诈刻加价,弊方以伪题见宝/下者尽力而无耗弊,上者量民而用有节

❾善救弊者,必寻其起弊之源

❿数战则民劳,久师则兵弊/神太用则竭,形太劳则弊/难违一官之小情,顿为万人之大弊/弊之难去,其难在仰食于弊之人乎/六国破灭,非兵不利,战不善,弊在赂秦/纵有良法美意,非其人而行之,反成弊政/上下之情,壅而不通,天下之弊,由是而积/山霤至柔,石为之穿;蝎虫至弱,木为之弊/崇大厦者非一木之材,匡弊俗者非一日之卫/所养非所用,所用非所养,理家必弊,在国必危

彝 yí 古代酒器;常理;一定的法则;中国少数民族名。

❷无彝酒,越庶国,惟饮祀,德将无醉

大 ①dà 表示大小的程度;程度深;重要的;排行第一的;再,如;敬辞;尊敬,注重;超过;姓。②dài 大夫,通“待”,将要。③tài 通“泰”、“太”。

❶大义灭亲

见《左传·隐公四年》。

大器晚成

见《老子》四十一。

大文弥朴

见汉·扬雄《法言·词神》。

大丈夫志四方

见明·冯惟敏《海浮山堂词稿·双调新水令》。

大勇反为不勇

见汉·刘安《淮南子·道应》。

大海不让细流

见《全宋文·圆觉经》。

大屈必有大伸

见清·李渔《凤求凰》三〇出。

大货之溺大氓

见唐·柳宗元《哀溺文》。

大丈夫以断为先

见宋·林逋《省心录》。

大丈夫能屈能伸

见清·李宝嘉《文明小史》第三十六回。

大丈夫相时而动

见清·曹雪芹《红楼梦》。

大厦如倾要梁栋

见唐·杜甫《古柏行》。

大匠诲人以规矩

见宋·欧阳修《大匠诲人以规矩赋》。

大网疏,小网数

见南朝·宋·范晔《后汉书·郎顗传》。

大抵不足则夸也

见宋·范镇《东斋记事补遗》。

大道废,有仁义

见《老子》一十八。

大智似愚而内明

见三国·魏·刘劭《人物志·八观》。

大丈夫以信义为重

见明·罗贯中《三国演义》。

大不幸之中又大幸

见清·曹雪芹《红楼梦》第二十六回。

大事不胡涂之谓才

见清·魏源《默觚下·治篇》。

大疑之下必有大悟

见《大慧语录》卷一七。

大凡文之用四……

见宋·苏洵《史论上》。全句为:“~:事以实之,词以章之,道以通之,法以检之”。

大抵忿怒之际……

见宋·袁采《袁氏世范》。全句为:“~,最不可指其隐讳之事,而暴其父祖之恶”。

大德灭小怨,道也

见《左传·定公五年》。

大愚者,终身不灵

见《庄子》。

大天之内,复有小天

见南朝·梁·陶弘景《华阳陶隐居集》下。

大而无当,往而不返

见《庄子·逍遥游》。

大直若诎,道固委蛇

见汉·司马迁《史记·刘敬叔孙通列传》。

大匠不斫,大庖不豆

见《吕氏春秋·孟春纪·贵公》。

大人不华,君子务实

见汉·王符《潜夫论·叙录》。

大凡读书，不能无疑
见元·赵孟頫《叶氏经疑序》。
大凡物不得其平则鸣
见唐·韩愈《送孟东野序》。
大军之后，必有凶年
见《老子》三十。
大势所趋，人心所向
见清·康有为《大同书》乙部。
大勇若怯，大智若愚
见宋·苏轼《贺欧阳少师致仕启》。
大能掩小，海纳百川
见元·李直夫《虎头牌》三折。
大难不死，必有后禄
见明·冯梦龙《古今小说·临安里钱婆留发迹》。
大抵文善醒，诗善醉
见清·刘熙载《艺概·诗概》。全句为："～，醉中语亦有醒时道不到者"。
大小多少，报怨以德
见《老子》六十三。
大名之下，难以久居
见汉·司马迁《史记·越王勾践世家》。
大器晚成，宝货难售
见汉·王充《论衡·状留篇》。
大尾小头，重不可摇
见汉·焦延寿《易林·咸》。
大奸似忠，大诈似信
见《宋史演义》第三十六回。
大木百寻，根积深也
见唐·马总《意林·唐子》。全句为："～；沧海万仞，众流成也；渊智达洞，累学之功也"。
大木为杗，细木为桷
见唐·韩愈《进学解》。
大杖则走，小杖则受
见南朝·宋·范晔《后汉书·隗嚣传》。
大成若缺，其用不弊
见《老子》四十五。
大智不智，大谋不谋
见《太公六韬·武韬·发启》。
大盈若冲，其用不穷
见《老子》四十五。
大音希声，大象无形
见《老子》四十一。
大丈夫为志，穷当益坚
见南朝·宋·范晔《后汉书·马援传》。
大天苍苍兮，大地茫茫
见唐·李朝威《柳毅传》。全句为："～。人各有志兮，何可思量"。
大乐之成，非取乎一音
见三国·魏·徐幹《中论·治学》。
大厦不倾，匪一瓦之积
见明·方孝孺《逊志斋集·瓦》。全句为："～；黎庶之安，乃众贤之力"。
大厦之材，非一丘之木
见汉·王褒《四子讲德论》。全句为："千金之裘，非一狐之腋；～；太平之功，非一人之略"。
大名之后，不宜无见焉
见唐·刘禹锡《唐故宣歙池都团练观察使王公神道碑》。
大富当赈贫，贵当怜贱
见《老子》九河上公注。
大道之行也，天下为公
见《礼记·礼运》。
大木将颠，非一绳所维
见汉·徐稚《与郭林宗书》。
大木有尺寸之朽而不弃
见清·朱琦《名实说》。全句为："～，骏马有奔踶之患而可驭"。
大树将颠，非一绳所维
见南朝·宋·范晔《后汉书·徐稚传》。
大智兴邦，不过集众思
见《格言联璧·从政》。全句为："～；大愚误国，只为好自用"。
大愚误国，只为好自用
见《格言联璧·从政》。全句为："大智兴邦，不过集众思；～"。
大白若辱，盛德若不足
见《庄子·寓言》。
大雨落幽燕，白浪滔天
见现代·毛泽东《浪淘沙·北戴河》。
大丈夫当雄飞，安能雌伏
见南朝·宋·范晔《后汉书·赵典传》。
大之为河海，高之为山岳
见唐·韩愈《上兵部李侍郎书》。全句为："凡自唐虞以来，编简所存，～，明之为日月，幽之为鬼神，纤之为珠玑华实，变之为雷霆风雨。"
大厦之成，非一木之材也
见明·冯梦龙《东周列国志》。全句为："～；大海之润，非一流之归也"。
大厦若抡材，亭亭托君子
见唐·陆龟蒙《杂讽九首》。
大厦将崩，非一木之能止
见唐·柳宗元《愈膏肓疾赋》。全句为："巨川将溃，非捧土之能塞；～"。
大厦将颠，非一木所支也
见隋·王通《文中子·事君》。
大厦须异材，廊庙非庸器
见南朝·宋·江文通《杂体诗·感交》。
大厦既焚，不可洒之以泪
见北周·庾信《庾子山集·拟连珠》。全句

为："～；长河一决，不可障之以手"。

大匠无弃材，船车用不均

见三国·魏·曹植《当欲游南山行》。

大匠无弃材，寻尺各有施

见唐·韩愈《送张道士序》。

大凡人无才，则心思不出

见清·叶燮《内篇》。全句为："～；无胆，则笔墨畏缩；无识，则不能取舍；无力，则不能自成一家"。

大凡善恶之人，各以类聚

见宋·欧阳修《准诏言事上书》。

大圣之所行，不慕人所主

见《西升经·观诸章》。全句为："还身意所欲，清净而自守。～"。

大抵为名者，只是内不足

见《二程集·河南程氏遗书》。全句为："～；内足者，自是无意于名"。

大小百余战，封侯竟蹉跎

见唐·陶翰《燕歌行》。

大国以下小国，则取小国

见《老子》六十一。全句为："～。小国以下大国，则取大国"。

大海之润，非一流之归也

见明·冯梦龙《东周列国志》。全句为："大厦之成，非一木之材也；～"。

大海从鱼跃，长空任鸟飞

唐·卫象诗句，见宋·计有功《唐诗纪事》。

大海波涛浅，小人方寸深

见唐·杜荀鹤《感遇》。全句为："～。海枯终见底，人死不知心。"

大海浮萍，也有相逢之日

见明·冯梦龙《警世通言·苏知县罗衫再合》。

大道夷且长，窘路狭且促

见南朝·宋·范晔《后汉书·郦炎传》。全句为："～。修翼无卑栖，远趾不步局"。

大道如青天，我独不得出

见唐·李白《行路难三首》。

大明无偏照，至公无私亲

见唐·吴兢《贞观政要·刑法》。

大者推明其大而不遗其小

见宋·苏辙《上两制诸公书》。全句为："～，小者乐致其小以自附于大"。

大贤秉高鉴，公烛无私光

见《孟东野诗集·上达奚舍人》。

大有其事，而忘生之道也

见汉·严遵《道德指归论·出生入死篇》。

大鹏不可笼，大椿不可植

见唐·皮日休《李翰林白》。

大鹏之动，非一羽之轻也

见汉·王符《潜夫论·释难》。全句为："～；骐骥之速，非一足之力也"。

大病只一自是，不肯克己

见清·陈确《乾初先生遗集·文集·书示仲儿叉》。

大舟有深利，沧海无浅波

见唐·黄滔《贾客》。全句为："～。利深波也深，君意竟如何"。

大言不惭，则无必为之志

见宋·朱熹《四书集注·论语·宪问》。

大丈夫处世，当交四海英雄

见晋·陈寿《三国志·蜀书·刘巴传》。

大丈夫所守者道，所待者时

见唐·白居易《与元九书》。

大器之于小用，固有所不宜

见南朝·宋·范晔《后汉书·边让传》。

大山不立好恶，故能成其高

见唐·魏征《群书治要·韩非子》。全句为："～；江海不择小助，故能成其富"。

大德不逾闲，小德出入可也

见《论语·子张》。

大寒而后索衣裘，不亦晚乎

见汉·扬雄《法言·寡见》。

大学之教也，时教必有正业

见《礼记·学记》。

大略如行云流水，初无定质

见宋·苏轼《答谢民师书》。全句为："～，但常行于所当行，常止于所不可不止"。

大丈夫，千山万水往长远处看

见清·华广生《白雪遗音·火炉热了》。

大丈夫行事，论是非不论利害

见宋·谢枋得《与李养吾书》。全句为："～，论逆顺不论成败，论万世不论一生"。

大天而思之，孰与物畜而制之

见《荀子·天论》。全句为："～？从天而颂之，孰与制天命而用之"。

大不如海而欲以纳江河，难哉

见明·刘基《郁离子·德量》。

大事不得，小事不为者，必贫

见《晏子春秋·外篇·重而异者》。全句为："微事不通，粗事不能者，必劳；～"。

大匠之斧斤，不能器不才之木

见宋·苏辙《除中书舍人谢执政启》。全句为："良冶之砥石，不能发无刃之金；～"。

大匠构屋……尺寸之木无弃也

见晋·傅玄《傅子·授职篇》。删节处为："必大材为栋梁，小材为榱榛，苟有所中"。

大人者，不失其赤子之心者也

见《孟子·离娄下》。

大凡以智谋而进者，有时而衰

见唐·刘禹锡《唐故宣歙池都团练观察使王公神道碑》。全句为:"～;以朴厚而知者,无迹而固"。

大凡做一件事,就要当一件事

见明·吕坤《续小儿语》。全句为:"～;若还苟且粗疏,定不成一件事"。

大凡做好事的心,一日小一日

见明·冯梦龙《东周列国志》。全句为:"～;做歹事的胆,一日大一日"。

大凡人之感于事,则必动于情

见唐·白居易《策林》六九。全句为:"～,然后兴于嗟叹,发于吟咏,而形于歌诗矣"。

大巧在所不为,大智在所不虑

见《荀子·天论》。

大志非才不就,大才非学不成

见明·郑心材《郑敬中摘语》。

大抵古人诗画,只取兴会神到

见清·王士禛《带经堂诗话》卷三。全句为:"～,若刻舟缘木求之,失其旨矣"。

大哉乾元,万物资始,乃统天

见《周易·乾》。

大器不可小用,小士不可大任

见南朝·梁·萧绎《金楼子·杂记下》。

大行不顾细谨,大礼不辞小让

见汉·司马迁《史记·项羽本纪》。

大树之下无美草,伤于多阴也

见汉·刘向《说苑·谈丛》。全句为:"高山之巅无美木,伤于多阳也;～"。

大胆天下去得,小心寸步难行

见明·冯梦龙《警世通言·赵太祖千里送京娘》。

大简必有不好,良工必有不巧

见汉·王充《论衡·自纪篇》。全句为:"大羹必有淡味,至宝必有瑕秽,～"。

大着肚皮容物,立定脚跟做人

见《格言联璧·持躬类》。

大羹必有淡味,至宝必有瑕秽

见汉·王充《论衡·自纪篇》。全句为:"～,大简必有不好,良工必有不巧"。

大丈夫以正大立心,以光明行事

见明·薛瑄《薛文清公从政录》。全句为:"～,终不为邪暗小人所惑而易其所守"。

大丈夫得死所,光奕奕,照千古

见清·沈德潜《清诗别裁·豹留皮》。

大丈夫处世,当为国家立功边境

见南朝·宋·范晔《后汉书·张奂传》。

大丈夫宁当玉碎,安可没没求活

见唐·李延寿《南史·王僧达传》。

大丈夫见善明,则重名节如泰山

见宋·林逋《省心录》。全句为:"～;用心刚,则轻死生如鸿毛"。

大夫以君命出,闻丧徐行而不返

见《公羊传·宣公八年》。

大夫以身殉家,圣人以身殉天下

见《庄子·骈拇》。全句为:"小人则以身殉利,士则以身殉名,～"。

大川不能促其涯,以适速济之情

见晋·葛洪《抱朴子·广譬》。全句为:"～;五岳不能削其峻,以副陟者之欲"。

大直若屈,大巧若拙,大辩若讷

见《老子》四十五。

大凡事之大害者,不能无小利也

见唐·白居易《策林二》。全句为:"～;事之大利者,不能无小害也"。

大巧因自然以成器。不造为异端

见三国·魏·王弼《老子》四十五注。

大江东去,浪淘尽千古风流人物

见宋·苏轼《念奴娇》。

大怒不怒,大喜不喜,可以养心

见《钱公良测语上·繇庚》。

大才怀百家之言,故能治百家之乱

见汉·王充《论衡·别通篇》。

大事难事看担当,逆境顺境看襟度

见明·吕坤《呻吟语·人品》。全句为:"～,临喜临怒看涵养,群行群止看识见"。

大仁者修治天下,大恶者扰乱天下

见清·曹雪芹《红楼梦》。

大都好物不坚牢,彩云易散琉璃脆

见唐·白居易《简简吟》。

大巧若拙,大辩若讷,大勇若怯者

见清·陈确《乾初先生遗集·别集·名利》。全句为:"～!吾师乎"。

大抵学问只有两途,致知力行而已

见《朱熹文集·答吕子约》。

大抵文字须熟乃妙,熟则利病自明

见清·姚鼐《惜抱见牍》。

大山之高,非一石也,累卑然后高

见《晏子春秋·内篇谏下》。

大山崔,百卉殖。民何贵,贵有德

见汉·班固《汉书·礼乐志》。

大得却须防大失,多忧原只为求多

见清·孙奇逢《孝友堂家训》。

大德之人不随世俗,所行独从于道

见《老子》二十一河上公注。

大海荡荡水所归,高贤愉愉民所怀

见汉·班固《汉书·礼乐志》

大寒至,霜雪降,然后知松柏之茂

见汉·刘安《淮南子·俶真》。

大道以多歧亡羊,学者以多方丧生

见《列子·说符》。

大马死，小马饿；高山崩，石自破
见晋《明帝太宁初童谣》。
大梁襟带洪河险，谁遣神州陆地沉
见宋·范成大《双庙》。
大贤虎变愚不测，当年颇似寻常人
见唐·李白《梁甫吟》。
大鹏一日同风起，扶摇直上九万里
见唐·李白《上李邕》。全句为：“～。假令风歇时下来，犹能簸却沧溟水”。
大其牖，天光入；公其心，万善出
见明·方孝孺《逊志斋集·牖》。
大丈夫当为国扫除天下，岂徒室中乎
见唐·欧阳询《艺文类聚·陈蕃语》。
大丈夫行事当磊磊落落，如日月皎然
见唐·房玄龄《晋书·石勒载记》。
大禹圣人，乃惜寸阴，众人当惜分阴
见元·曾先之《十八史略·东晋·明帝》。
大厦既燔，而运水于沧海；此无及也
见晋·葛洪《抱朴子·广譬》。
大匠诲人必以规矩，学者亦必以规矩
见《孟子·告子上》。
大勋所任者唯一人，然群谋济之乃成
见宋·石介《上范经略书》。
大道吐气，布于虚无，为天地之本始
见五代·前蜀·杜光庭《道德真经广圣义》卷六。
大风起兮云飞扬，威加海内兮归故乡
见汉·司马迁《史记·高祖本纪》。全句为：“～，安得猛士兮守四方”。
大上有立德，其次有立功，其次有立言
见《左传·襄公二十四年》。全句为：“～，虽久不废，有此之谓不朽”。
大丈夫处世，当扫除天下，安事一室乎
见南朝·宋·范晔《后汉书·陈蕃传》。
大吏不正而责小吏，法略于上而详于下
见宋·杨万里《驭方》上。全句为：“～，天下之不服，固也”。
大抵能立于一世，必有取重于一世之术
见明·陈献章《诫子弟书》。
大名垂于万世者，必先行之于纤微之事
见汉·陆贾《新语·慎微》。
大德之人无所不容，能受垢浊，处谦卑
见《老子》二十一河上公注。
大惑者，终身不解；大愚者，终身不灵
见《庄子·天地》。
大臣重禄而不极谏，近臣畏罚而不敢言
见汉·刘向《说苑·杂事》。全句为：“～，下情不上通，此患之大者也”。
大其心容天下之物，虚其心受天下之善
见明·吕坤《呻吟语·补遗》。

大人者，言不必信，行不必果，惟义所在
见《孟子·离娄下》。
大石侧立千尺，如猛兽奇鬼，森然欲搏人
见宋·苏轼《石钟山记》。
大丈夫不怕人，只怕理；不恃人，只是恃道
见明·吕坤《呻吟语》。
大丈夫……终不为邪暗小人所惑而易其所守
见明·薛瑄《薛文清公从政录》。删节处为：“以正大立心，以光明行事”。
大川未济，乃失巨舰；长途始半，而丧良骥
见唐·刘禹锡《为鄂州李大夫祭柳员外文》。
大兵如市，人死如林；持金易粟，粟贵于金
见汉·无名氏《江淮童谣》。
大禹圣人，乃惜寸阴，至于众人，当惜分阴
见宋·司马光《资治通鉴·晋纪》。
大禹圣人，犹惜寸阴，至于凡俗，当惜分阴
见南朝·宋·刘义庆《世说新语·政事》。
大人者，有容物，无去物，有爱物，无徇物
见宋·张载《正蒙·至当》。全句为：“～，天之道然”。
大建厥极，绥理群生，训物垂范，于是乎在
见晋·裴頠《崇有论》。全句为：“～，斯则圣人为政之由也”。
大味必淡，大音必希；大语叫叫，大道低回
见汉·班固《汉书·扬雄传》。
大知闲闲，小知间间；大言炎炎，小言詹詹
见《庄子·齐物论》。
大字难于密结而无间，小字难于宽绰而有余
见宋·苏轼《论书法》。
大富则骄，大贫则忧；忧则为盗，骄则为暴
见汉·董仲舒《春秋繁露·度制》。
大成若缺，其用不敝；大盈若冲，其用不穷
见汉·韩婴《韩诗外传》卷九。
大方无隅，大器晚成，大音希声，大象无形
见《老子》四十一。
大丈夫必有四方之志，乃仗剑去国，辞亲远游
见唐·李白《上安州裴长史书》。
大匠不为拙工改废绳墨，羿不为拙射变其彀率
见《孟子·尽心上》。全句为：“～。君子引而不发，跃如也”。
大臣则必取众人之选，能犯颜谏事公正无私者
见秦·孔鲋《孔丛子·对魏王》。
大丈夫举事，当赤心相示，浮言夸辞，吾甚厌之
见《太祖实录·明太祖语》。
《大学》之道，在明明德，在亲民，在止于至善
见《礼记·大学》。
大丈夫岂得苟贪财物，以害及身命，使子孙每

怀愧耻耶

见唐·吴兢《贞观政要·贪鄙》。

大道无形，大仁无亲，大辩无声，大廉不嗛，大勇不矜

见汉·刘安《淮南子·诠言》。全句为："～，五者无弃，而几乡方矣"。"乡"，通"向"，归向；"方"，道。

大道不称，大辩不言，大仁不仁，大廉不嗛，大勇不忮

见《庄子·齐物论》。

❷临大事而不乱／说大人则藐之／为大不足以为大／士大夫众则国贫／治大国若烹小鲜／惟大英雄能本色／成大功者不小苛／临大节而不可夺也／举大事必慎其终始／建大业者不拘小节／成大业者不修边幅／末大必折，尾大不掉／男大须婚，女大必嫁／建大事者，不忌小怨／尾大不掉，末大必折／弘大而辟，深闳而肆／有大誉，无疵其小故／腓大于股，难于趣走／愈大愈惧，愈强愈恐／凡大事皆起于小事……／论大材体则弘博而高远／好大而不为，大不大矣／好大言者，不必有大志／有大志者，时亦有大言／有大略者不可责以捷巧／为大者不大，为小者不小／主大计者，必执简以御繁／将大书特书，屡书不一书／小大不逾等，贵贱如其伦／治大者不可以烦，烦则乱／枝大者披心，尾大者不掉／构大厦者先择匠而后简材／舟大者任重，马骏者远驰／代大匠斫，希有不伤其手矣／治大国而数变法，则民苦之／恃大而不戒，则轻战而屡败／顺大道而行者，救天下者也／临大利而不易其义，可谓廉矣／志大而量小，才有余而识不足／劳大者其禄厚，功多者其爵尊／知大已而小天下，则几于道矣／明大数者得人，审小计者失人／凌大江之惊波兮，过洞庭之漫漫／法大行，则是为公是，非为公非／枝大于本，胫大于股，不折必披／成大事者，皆从战战兢兢之心来／事大君子当以道，不宜苟且求容悦／临大节而不可夺，处至公而不可干／剔大蠹者木必凿，去大奸者国必伤／观大者不得处近，望远者不得居卑／能大而不小，能高而不下，非兼通也／建大功于天下者，必先修于闺门之内／不大不小乃生大小，不高不卑乃生高卑／垂大名于万世者，必先行之于纤微之事／举大体而不论小事，务实效而不为虚名／论大功者不录小过，举大善者不疵细瑕／处大无患者恒多慢，处小有忧者恒思善／官大者，亦可小就；官小者，亦可大用／立大功者不求小疵，有大忠者不求小过／干大事而惜身，见小利而忘命，非英雄也／得大数而治，失大数而乱，此治乱之分也／至大无外，谓之大一；至小无内，谓之小一／崇大厦者非一木之材，匡弊俗者非一日之卫／处大事贵乎明而能断，不明因无以知事论断／成大事者，不恤小耻；立大功者，不拘小谅／有大物者，不可以物；物而不物，故能物物／小大修短，各得其所宜，规矩方圆，各有所施／知大备者，无求，无失，无弃，不以物易己也／法大弛，则是非易位，赏恒在佞，而罚恒在直／藏大不诚于中者，必谨小诚于外，以成其大不诚／立大事者，不惟有超世之才，亦必有坚忍不拔之志／知大一，知大阴，知大目，知大均，知大方，知大信，知大定，至矣

❸至公大义为正／祸莫大于轻敌／志虽大而才不副／明于大而暗于小／败莫大于不自知／祸莫大于杀已降／事有大小，有先后／恶莫大于毁人之善／才不大者，不能博见／天下大乱，无有安国／天下大治，千载一时／天之大，阴阳尽之矣／任有大小，惟其所能／至于大事，秘而不宣／地之大，刚柔尽之矣／若涉大水，其无津涯／小枉大直，君子为之／小惩大诫，乃得其福／国家大事，惟赏与罚／行于大道，唯施是畏／律设大法，礼顺人情／得其大者可以兼其小／深山大泽，实生龙蛇／村无大树，蓬蒿为林／欲当大任，须是笃实／忘我大德，思我小怨／言之大甘，其中必苦／才有大小，故养有厚薄／国家大政，须人无二心／达人大观兮，无物不可／道之大纲……方谓之道／政无大小，以得人为重／欲成大厦，必寄于瑰材／施之大厦，有栋梁之用／不自大其事，不自尚其功／尧舜，大圣也，民且谤之／利莫大于治，害莫大于乱／人莫大焉亡亲戚君臣上下／亡远大之略，贪万一之功／亭临大江，复在山上……／能持大体，凡事自可就也／屹立大江干，仍能障狂澜／滔滔大江水，天地相终始／学者大病痛，只是器度小／纵浪大化中，不喜亦不惧／福莫大无祸，利莫美不丧／事之大利者，不能无小害也／身无大功而受厚禄，三危也／事莫大于必克，用莫大于玄默／仁莫大于爱人，知莫大于知人／使人大迷惑者，必物之相似也／哀莫大于心死，而人死亦次之／行莫大乎无过，事莫大乎无悔／智莫大于阙疑，行莫大于无悔／所谓大丈夫者，谓其智之大也／神莫大于化道，福莫长于无祸／天下大势，分久必合，合久必分／不能大通，则各私其党而求利焉／贤莫大于成功，愚莫大于吝且诬／败莫大于愚。愚之患，在必自用／祸莫大于不知足，咎莫大于欲得／一生大笑能几回，斗酒相逢须醉倒／非宽大无以兼覆，非慈厚无以怀众／古之大臣废昏举明，所以康天下也／仰天大笑出门去，我辈岂是蓬蒿人／识量大，则毁誉欢戚不足以动其中／志欲大而心欲小，学欲博而业欲专／将治大者不治细，成大功者不成小／须知大隐居廛市，休问深山守静孤／道之大原出

于天,天不变道亦不变/胆欲大而心欲小,智欲圆而行欲方/胆欲大,心欲小;智欲圆,行欲方/病莫大于不闻过,辱莫大于不知耻/痛莫大于不闻过,辱莫大于不知耻/天下大势之所趋,非人力之所能移也/法莫大于私不行,功莫大于使民不争/宽于大事,急于小事……不可以为政/道,于大不终,于小不遗,故万物备/道若大路然,岂难知哉,人病不求耳/不闻大论则志不宏,不听至言则心不固/莫之大祸,起于须臾之不忍,不可不谨/人生大期,百年为限,节护之者可至千岁/国虽大,好战必亡;天下虽安,忘战必危/国虽大,好战必亡;天下虽平,忘战必危/好经大事,变更易常,以挂功名,谓之叨/礼之大本,以防乱也……凡为理者杀无赦/辩莫大于分,分莫大于礼,礼莫大于圣王/天下大扰,百姓遑遑,劳苦疲极,困穷生奸/仇无大小,只怕伤心;恩若救急,一芥千金/功莫大于去恶而为善,罪莫大于去善而为恶/圣人,大贤之清者也;贤人,中人之清者也/国家大事,牧不当官,言之实有罪,故作《罪言》/今夫大海……旦则浴日而出之,夜则滔列星,涵太阴/将营大厦,不忧乎群材之不足,而忧乎梁栋之不可得/天下大乱,贤圣不明,道德不一,天下多得一察焉以自好/贼莫大乎德有心而心有睫,及其有睫也而内视,内视而败矣/舜其大知也与!舜好问而好察迩言,隐恶而扬善,执其两端,用其中于民

❹利人莫大于教/成身莫大于学/生财有大道……/事乃有大谬不然者/天下有大知,有小知/天不崇大则覆帱不广/尽小者大,慎微者著/侈恶之大,俭为共德/圣王虽大,以虚为主/君子莫大乎与人为善/器量须大,心境须宽/宥过无大,刑故无小/根本盛大而出无穷也/泰山之大,背之不见/怨不在大,可畏惟人/怨不在大,亦不在小/积微成大,陟遐自迩/顾小失大,福逃墙外/越自尊人,越见器小/保国之大计,在结民心/小巫见大巫,神气尽矣/微邪者,大邪之所生也/问苍茫大地,谁主沉浮/治世以大德,不以小惠/学问无大小,能者为尊/所就者大,则必有所忍/文之细大,视道之行止/甚爱必大费,多藏必厚亡/乾坤之大,何处容我不得/养士之大者,莫大乎太学/凡政之大经,法教而已矣/亡国之大夫,不可以图存/常闻夸大言,下顾皆细萍/哲人归大夜,千古传圭璋/德行广大,而守以恭者荣/多士成大业,群贤济弘绩/敬贤如大宾,爱民如赤子/心小志大者,圣贤之伦也/虎豹爱大林,蛟龙爱大水/蚍蜉撼大树,可笑不自量/土地广大,守之以俭者,安/将以诛大为威,以赏小为明/小惩而大诫,此小人之福也/名利之大者,几在无耻而信/国家之大机,不可轻而失也/海水广大非独仰一川之流也/水清无大鱼,察政不得下和/为治之大体,莫善于抑末而务本/弊政之大,莫若贿赂行而征赋乱/恶不在大,心术一坏,即入祸门/才疏志大不自量,西家东家笑我狂/天下之大乱,由虚文胜而实行衰也/天下莫大于秋毫之末,而太山为小/博辩广大危其身者,发人之恶者也/地薄者大物不产,水浅者大鱼不游/死生亦大矣而不变乎已,况爵禄乎/自细视大者不尽,自大视细者不明/天地之大德曰生,人受天地之气而生/天将降大任于是人也,必先苦其心志/君子所大者生也,所大乎其生者时也/立法之大要……邪人痛其祸而悔其行/钓者中大鱼,则纵而随之……则无不得也/事孰为大? 事亲为大。守孰为大? 守身为大/草木无大小,必待春而后生,人待义而后成/小中见大,大中见小;一为千万,千万为一/国不务大而务得民心,佐不务多而务得贤俊/其国弥大,而其主弥静,然后乃能广得众心/乐高喜大,负威任势,亡忧失畏,不求于己也/若将军、大夫必出旧族,或无可焉,犹用之耶/食之道:大充,伤而形不臧;大摄,骨枯而血冱/天下有大勇者,卒然临之而不惊,无故加之而不怒/古之成大事者,规模远大与综理密微二者阙一不可/凡敢为大奸者,材必有过于众,而能自媚于上者也/物非有大小也,自其内而观之,未有不高且大者也/天下至大器也,帝王至重位也,得士则靖,失士则乱/古之立大事者,不惟有超世之才,亦必有坚忍不拔之志/天地之大,四时之化,而犹不能以不信成物,又况乎人事/天地有大美而不言,四时有明法而不议,万物有成理而不说

❺大屈必有大伸/大货之溺大氓/小不忍害大义/小谨者不大立/冒天下之大不韪/财上分明大丈夫/长舌乱家,大弃破车/伤化败俗,大乱之道/至仁必易,大智必简/至人无为,大圣不作/蒿蓬代柱,大厦颠仆/大匠不斫,大庖不豆/大勇若怯,大智若愚/大奸似忠,大诈似信/大智不智,大谋不谋/大音希声,大象无形/小杖则受,大杖则走/小时了了,大未必佳/见小利,则大事不成/天地物之大者,人次之/百川俱会,大海所以深/凡事无小大,物自为舍/小事糊涂,大事不糊涂/小敌之坚,大敌之擒也/行小忠,则大忠之贼也/法之功,莫大使私不行/顾小利,则大利之残也/无为虚唱大言而终归无用/无功之功大,有功之功小/无小而不大,无边而不中/非物有小大,盖心为虚实/为大者不大,为小者不小/民望之,若大旱之望云霓/利之中取大,害之中取小/小国以下大国,则取大国/安得长翮大翼如云生我身/水

广者鱼大，山高者木修／罚不讳强大，赏不私亲近／夫名利之大者几在无耻而信／天下每每大乱，罪在于好知／为天下之大害者，君而已矣／以天下之大，托于一人之才／吾所以有大患者，为吾有身／层风未翔，大鹏有云倾之势／刑过不避大臣，赏善不遗匹夫／人之材有大小，而志有远近也／去小知而大知明，去善而自善／不仇民则大者无功，而其次有罪／凡四方小大邦丧，罔非有辞于罚／大直若屈，大巧若拙，大辩若讷／大凡事之大害者，不能无小利也／大怒不怒，大喜不喜，可以养心／井中之无大鱼也，新林之无长木也／农，天下之大业；铁器、民之大用／厉法禁，自大臣始，则小臣不犯矣／大巧若拙，大辩若讷，大勇若怯者／官仓老鼠大如斗，见人开仓亦不走／水鹗翔而大风作，穴蚁徙而阴雨零／忽喇喇似大厦倾，昏惨惨似灯将尽／自滴阶前大梧叶，干君何事动哀吟／办天下之大事者，有天下之大节者也／过屠门而大嚼，虽不得肉，贵且快意／天，有形之大者也；人，动物之尤者也／百年，寿之大齐。得百年者，千无一焉／兵者，国之大事，死生之地，存亡之道／任小能于大事者，犹狸搏虎而刀伐木也／读史当观大伦理，大机会，大治乱得失／当官务持大体，思事事皆民生国计所关／泰山之为大，弗察弗见，而况微渺者乎／《诗》三百篇，大抵贤圣发愤之所为作也／国无义，虽大必亡。人无善志，虽勇必伤／至福似祸，大吉若凶。天下醉饱，莫之能明／大味必淡，大音必希；大语叫叫，大道低回／大富则骄，大贫则忧；忧则为盗，骄则为暴／大方无隅，大器晚成，大音希声，大象无形／小中见大，大中见小；一为千万，千万为一／君子务知大者、远者，小人务知小者、近者／国多忌讳，大人恒畏。结口无患，可以长存／绝圣弃知，大盗乃止；擿玉毁珠，小盗不起／穷高则危，大满则溢，月盈则缺，日中则移／顾小而忘大，后必有害；狐疑犹豫，后必有悔／小盗者拘，大盗者为诸侯；诸侯之门，义士存焉／见其远者大者，不食邪人之饵，方是二十分识力／建天下之大事功者，全要眼界大，眼界大则识见自别／大道无形，大仁无亲，大辩无声，大廉不嗛，大勇不矜／大道不称，大辩不言，大仁不仁，大廉不嗛，大勇不忮／知大一，知大阴，知大目，知大均，知大方，知大信，知大定，至矣

❻不以一眚掩大德／不以小故妨大美／不威小，不惩大／卑损之为道大矣／鄙吝者必非大器／取利远，远故大／士者国家之大宝／小不忍则乱大谋／小善积而为大善／忍小忿而就大谋／忍小忿而存大信／思小惠而忘大耻／小恶不足妨大美也／怀与安，实疚大事／一蛇吞象，厥大何如／天之无恩，而大恩生／天地者，形之大者也／末大必折，尾大不掉／民不畏威，则大威至／众之所去，虽大必亡／男大须婚，女大必嫁／至德小节备，大节举／尾大不掉，末大必折／理国之道莫大于无事／理身之道莫大于无欲／贪多务得，细大不捐／矜物之人，无大士焉／不去小利，则大利不得／象见其牙，而大小可论／大天苍苍兮，大地茫茫／小有所志，而大有所忘／听其言，则侈大而可乐／海不辞东流，大之至也／好大而不为，大不大矣／天下之祸，莫大于不足为／乃知青史上，大半亦属诬／长材靡入用，大厦失巨楹／嘉谷不夏熟，大器当晚成／大者推明其大而不遗其小／大鹏不可笼，大椿不可植／小隐隐陵薮，大隐隐朝市／夏屋初成而大匠先立其下／规孟贲之目，大而不可畏／欲将轻骑逐，大雪满弓刀／天之道事无大小，物无难易／圣人终不为大，故能成其大／自小，小也；自大，亦小也／众之为福也大，其为祸也亦大／国者，天下之大器也，重任也／水下流而广大，君下臣而聪明／政犹张琴瑟，大弦急则小弦绝／所挟持者甚大，而其志甚远也／天下事当于大处著眼，小处下手／天下之患，莫大于不知其然而然／大丈夫以正大立心，以光明行事／君子得时则大行，不得时则龙蛇／国君死社稷，大夫死众，士死制／海以合流为大，君子以博识为弘／枝大于本，胫大于股，不折必披／政之急者，莫大乎使民富且寿也／文章，经国之大业，不朽之盛事／言之所载者大且文，则其传也章／仅存之国富大夫，亡道之国富仓府／阴阳者，气之大者也；道者为之公／英雄者，胸怀大志，腹有良谋……／大得却须防大失，多忧原只为求多／将有非常之大事，必生希世之异人／常人皆能办大事，天亦不必产英雄／进退天下士大夫，不惟其才惟其行／资栋梁而成大厦，凭舟楫而济巨川／眼孔浅时无大量，心田偏处有奸谋／蚂蚁缘槐夸大国，蚍蜉撼树谈何易／知之盛者莫大于成身，成身莫大于学／察其小，忽其大，先其后，后其所先／天下之患，莫大于举朝无公论，空国无君子／以一丸泥为大王东封函谷关，此万世一时也／教也者，义之大者也；学也者，知之盛者也／日思高其位，大其禄，而贪取滋甚，以近于危坠／君子所性，虽大行不加焉，虽穷居不损焉，分定故也／其为气也，至大至刚，以直养而无害，则塞于天地之间／仰观宇宙之大，俯察品类之盛，所以游目骋怀，足以极视听之娱

❼为大不足以为大／能治众者其官大／操弥约而事弥大／为其养小以失大也／详其小，必废其大／观小节可以知大体／大不幸之中又大幸／大疑之下必有大悟／小疵不足以妨大美／小疵不足以损大器／一点贪污，便是大恶／无所

不能者有大不能／无所不知者有大不知／不学亡术，暗于大理／不睹之睹，见莫大焉／不矜细行，终累大德／出令不胜，反为大灾／反身而诚，乐莫大焉／乱而思理，生人大情／前虑不定，后有大患／任人当才，为政大体／勿疏小善，方恢大略／小不善积而为大不善／小挫之后，反有大获／廉耻，士君子之大节／家给人足，天下大治／察察小慧，类无大能／迁善改过，益莫大焉／背暗投明，古之大理／恶恐人知，便是大恶／积乱之后，当生大贤／言过其实，不可大用／中也者，天下之大本也／弃德崇奸，祸之大者也／蓄积者，天下之大命也／备豫不虞，善之大者也／积贮者，天下之大命也／精神者，物之贵大者也／养士之大者，莫大乎太学／少壮不努力，老大徒伤悲／图难于其易，为大于其细／饮食男女，人之大欲存焉／本深而末茂，形大而声宏／枝大者披心，尾大者不掉／死亡贫苦，人之大恶存焉／蠹众而木折，隙大而墙坏／井鱼不可与语大，拘于隘也／无罪而杀士，则大夫可以去／善为天下者，计大而不计小／四郊多垒，此卿大夫之辱也／问其禄，则曰下大夫之秩也／以其终不自为大，故能成其大／大巧在所不为，大智在所不虑／大志非才不就，大才非学不成／大行不顾细谨，大礼不辞小让／小则随事酬劳，大则量才录用／小恶不容于乡，大恶不容于国／众人熙熙，如享大牢，如春登台／怅寥廓，问苍茫大地，谁主沉浮／甚美之名生于大恶，所谓美恶同门／以我视物则我大，以道体物则道大／凡聚小所以就大，积一所以至亿也／能以众不胜成大胜者，唯圣人能之／君子之……所就者大，则必有所忍／心欲小而志欲大，智欲员而行欲方／不大不小乃生大小，不高不卑乃生高卑／为治之功不在大，见大不明，见小乃明／志高则言洁，志大则辞宏，志远则旨永／国之将亡必有大恶，恶者无大于杀忠臣／毋私小惠而伤大体，毋借公论以快私情／管子以小辱成大荣，苏秦以百诞成一诚／古之贤人君子，大智经营，莫不除害兴利／得大数而治，失大数而乱，此治乱之分也／微邪不禁，而求大邪之无伤国，不可得也／至大无外，谓之大一；至小无内，谓之小一／小人智浅而谋大，羸弱而任重，故中道而废／因材任人，国之大柄；考绩进秩，吏之常法／恒无之初，迥同大虚。虚同为一，恒一而止／心苟至公，人将大同；心能执一，政乃无失／饥而倍食，渴而大饮……虽暂怡性，必为后患／两高不可重，两大不可容，两贵不可双，两势不可同／今一以天地为大炉，以造化为大冶，恶乎往而不可哉

❽事适于时者其功大／不孝有三，无后为大／以内及外，以小成大／以近论远，以小知大／人道弥深，所见弥大／地行不信，草木不大／形于小微而通于大理／细事不察，不得言大／绝圣弃知而天下大治／此言虽小，可以谕大／水涨船高，泥多佛大／忘其小丧而志于大得／恶小耻者不能立大功／不闻其过，最患之大者／作而行之，谓之士大夫／男耕女织，天下之大业／善不善不分，乱莫大焉／国失其次，则社稷大匡／近其小喜，而远其大忧／好大而不为，大不大矣／好大言者，不必有大志／效小节者，不能行大威／敬教劝学，建国之大本／有大志者，时亦有大言／言行相诡，不祥莫大焉／中夜四五叹，常为大国忧／农，天下之本，务莫大焉／以迈往之气，行正大之言／以逸待劳，兵家之大利也／利天下之民者，莫大于治／利莫大于治，害莫大于乱／做歹事的胆，一日大一日／兰草自然香，生于大路傍／凡为天下之务，莫大求士／择势而从，则恶之大者也／善，以言乎天下之大共也／恃陋而不备，罪之大者也／张瑟者，小弦急而大弦缓／轻者重之端，小者大之源／见象之牙而知其大于牛也／见虎之尾而知其大于狸也／无厚，不可积也，其大千里／博学而志不笃，则大而无成／回狂澜于既倒，支大厦于将倾／总视其体，乃知其大相去之远／夫妻本是同林鸟，大限来时各自飞／无论海角与天涯，大抵心安即是家／匿为物而愚不识，大为难而罪不敢／人之为学，不志其大，虽多而何为／人寰尚有遗民在，大节难随九鼎沦／高天滚滚寒流急，大地微微暖气吹／阳春召我以烟景，大块假我以文章／茂林之下无丰草，大块之间无美苗／大仁者修治天下，大恶者扰乱天下／嘈嘈切切错杂弹，大珠小珠落玉盘／爵高者，人妒之；官大者，主恶之／翁媪饥雷常转腹，大儿嗷嗷小儿哭／金沙水拍云崖暖，大渡桥横铁索寒／傲小物而志属于大，似无勇而未可恐狼／读史当观大伦理，大机会，大治乱得失／圣人无为，其功广大……是太平之谓也／大惑者，终身不解；大愚者，终身不灵／小慧者不可以御大，小辩者不可以说众／安得广厦千万间，大庇天下寒士俱欢颜／遇师友，亲之取之，大胜塞居不潇洒也／褚小者不可以怀大，绠短者不可以汲深／凡人好敖慢小事，大事至，然后兴之务之／辩莫大于分，分莫大于礼，礼莫大于圣王／才所以为善也，故大才成大善，小才成小善／事孰为大？事亲为大。守孰为大？守身为大／仁者人也，亲亲为大；义者宜也，尊贤为大／今以人之小过掩大美，则天下无圣王贤相矣／用兵之害，犹豫最大；三军之灾，生于狐疑／山中人不信有鱼大如木，海上人不信有木大如鱼／美也者，上下、内外、大小、远近皆无害焉，故曰美／苟守先圣之道，由大中以出，虽万受摈弃，不更乎其内／知

大一，知大阴，知大目，知大均，知大方，知大信，知大定，至矣

❾充实而有光辉之谓大／海不让水潦以成其大／能不称其位，其殃必大／名由实生，故久而益大／海不辞水，故能成其大／存在得道而不在于大也／有小智者不可任以大功／非其人而行之，则为大害／十指不沾泥，鳞鳞居大厦／直而不能枉，不可与大任／能周小事，然后能成大事／能役英与雄，故能成大业／小国以下大国，则取大国／君子能勤小物，故无大患／得其人而行之，则为大利／闻恶能改，庶得免乎大过／寂寥乎短章，春容乎大篇／烟雨莽苍苍，龟蛇锁大江／礼不下庶人，刑不上大夫／心知其意，未可明诏大号／虎豹爱大林，蛟龙爱大水／自以为无过，而过乃大矣／下情不上通，此患之大者也／争目前之事，则忘远大之图／海不通百川，安得巨大之名／视方寸于牛，不知其大于羊／敌力角气，能以小胜大者希／天至广不可度，地至大不可量／事莫大于必克，用莫大于玄默／仁莫大于爱人，知莫大于知人／俭，德之共也；侈，恶之大也／四时四维者，天地至大之谓也／行莫大乎无过，事莫大乎无悔／智莫大于阙疑，行莫大于无悔／非礼之礼，非义之义，大人弗为／凡物皆有两端，如小大厚薄之类／大直若屈，大巧若拙，大辩若讷／贤莫大于成功，愚莫大于吝且诬／剔大蠹者木必凿，去大奸者国必伤／大巧若拙，大辩若讷，大勇若怯者／将治大者不治细，成大功者不成小／处有事当如无事，处大事当如小事／自细视大者不尽，自大视细者不明／失火之家，岂暇先言大人而后救火乎／君子所大者生也，所大乎其生者时也／治务在无为而已，引大体，不拘文法／火泄于密，而为用且大……反为灾矣／为治之功不在大，见大不明，见小乃明／汤沐具而虮虱相吊，大厦成而燕雀相贺／道在天地之间也，其大无外，其小无内／其称文小而其指极大，举类迩而见义远／天子曰崩，诸侯曰薨，大夫曰卒，士曰不禄／师之所处，荆棘生焉；大军之后，必有凶年／曲思于细者必忘其大，锐精于近者必略于远／大味必淡，大音必希；大语叫叫，大道低回／大知闲闲，小知间间；大言炎炎，小言詹詹／大成若缺，其用不敝；大盈若冲，其用不穷／大方无隅，大器晚成，大音希声，大象无形／小勇者，血气之怒也；大勇者，理义之怒也／岂不遽止？然犹防川，大决所犯，伤人必多／震雷电激，不崇一朝；大风冲发，希有极日／穷愁著书，古儒者之大同，非高冠长剑之比耳／不得所以用之，国虽大，势虽便，卒无众，何益／大道无形，大仁无亲，大辩无声，大廉不嗛，大勇不矜／大道不称，大辩不言，大仁不仁，大廉不嗛，大勇不忮

❿勿以功高古人而自矜大／位疑则隙生，累近则丧大／先自治而后治人之谓大器／谛毫末者，不见天地之大／谨在于畏小，智在于治大／能忍事乃济，有容德乃大／坎井之蛙，不知江海之大／志善者忘恶，谨小者致大／小者乐致其小以自附于大／知肉味美则对屠门而大嚼／图四海者，非怀细以害大／饿死事极小，失节事极大／慎在于畏小，智在于治大／安天下于覆盂，其功可大／官尊者忧深，禄多者责大／杀身之害小，存国之利大／气质之病小，心术之病大／所见所期，不可不远且大／未有学其小而能至其大者也／义兵之为天下良药也亦大矣／厉精乡进，不以小疵妨大材／人莫不忽于微细，以致其大／圣人终不为大，故能成其大／太山不让土壤，故能成其大／善除患者，不若无患之大也／官吏浮冗，最为天下之大患／事有易成者名小，难成者功大／升。君子以顺德，积小以高大／生人物之万殊，立天地之大义／以其终不自为大，故能成其大／众之为福也大，其为祸也亦大／大器不可小用，小士不可大任／寸火能焚云梦，蚁穴能决大堤／图浮芥之小利，忘丘山之大祸／须用防微杜渐，毋为因小失大／宜守不移之志，以成可大之功／皆知敌之害，而不知为利之大／日计之无近功，岁计之有大利／春秋采善不遗小，掇恶不遗大／所谓大丈夫者，谓其智之大也／有超世之功者，必应光大之宠／蜗牛角上较雌论雄，许大世界／才觉私意起，便克去，此是大勇／天下以言为戒，最国家之大患也／可知之事，唯精思之，虽大无难／生之厚必入死之地，故谓之大患／古之兴者，在德薄厚，不以大小／勇士不顾生，故能立天下之大名／君子所役心劳神，宜于大者远者／道，覆载万物者也，洋洋乎大哉／轻始而傲微，则其流必至于大乱／有忍，有乃有济；有容，德乃大／欲速则不达；见小利则大事不成／祸莫大于不知足，咎莫大于欲得／忠臣不畏死，故能立天下之大事／种树畜养，不见其益，有时而大／不闻先王之遗言，不知学问之大也／末不可以强于本，指不可以大于臂／世俗之君子，皆知小物而不知大物／求天下奇闻壮观，以知天地之广大／临事不信于民者，则不可使任大官／丘山积卑而为高，江河合水而为大／乐莫乐于还故乡，难莫难于全大节／农，天下之大业；铁器、民之大用／尺泽之鲵，岂能与之量江海之大哉／以我视物则我大，以道体物则道大／人也不幸而则亡，名兮可大而不死／凡人之患，蔽于一曲，而暗于大理／画者谨毛而失貌，射者仪小而遗大／去年米贵阙军食，今年米贱大伤农／难违一官之小情，顿为万人之大弊／土敝则草木不长，水烦则鱼鳖不大／地薄者大物不产，水浅者大鱼不游／

志士幽人莫怨嗟，古来材大难为用／因循苟且之心作，强毅久大之性亏／守正之人其气高，含章之人其词大／寒暑之势不易，小变不足以妨大节／枳棘非鸾凤所栖，百里岂大贤之路／水之积也不厚，则其负大舟也无力／贤者任重而行恭，知者功大而词顺／贵耳贱目，荣古陋今，人之大情也／见隅曲之一指，而不知八极之广大／所求多者所得少，所见大者所知小／必有忍，其乃有济；有容，德乃大／镜之明己也功细，士之明己也功大／短绠不可以汲深，器小不可以盛大／病莫大于不闻过，辱莫大于不知耻／痛莫大于不闻过，辱莫大于不知耻／言者不狂，而择者不明，国之大患／其施厚者其报美，其怨大者其祸深／才贤任轻则有名，不肖任大身死名废／百姓之有此色，正缘士大夫不知此味／两虎争人而斗，小者必死，大者必伤／人以为偶一奋，遂名无穷，今大不然／办天下之大事者，有天下之大节者也／知之盛者莫大于成身，成身莫大于学／法莫大于私不行，功莫大于使民不争／孟氏醇乎醇者也，荀与扬大醇而小疵／春生夏长，秋收冬藏，此天道之大经／毛先生一至楚，而使赵重于九鼎大吕／悬羽与炭，而知燥湿之气，以小明大／穷其书，得其言，论其意，推而大之／一代天骄，成吉思汗，只识弯弓射大雕／天下宝之者何也？其小恶不足妨大美也／由上室而上，有穴，北出之，乃临大野／从道不从君，从义不从父，人之大行也／论至德者不和于俗，成大功者不谋于众／论大功者不录小过，举大善者不疵细瑕／读史当观大伦理，大机会，大治乱得失／荡涤胸中，无一毫之私累，可以言大矣／射招者欲其中小也，射兽者欲其中大也／小人溺于水，君子溺于口，大人溺于民／小善不足以掩众恶，小疵不足以妨大美／君子能受纤微之小嫌，故无变斗之大讼／国之将亡必有大恶，恶者无大于杀忠臣／德不称，其祸必酷；能不称，其殃必大／怀重宝者不以夜行，任大功者不以轻敌／官大者，亦可小就；官小者，亦可大用／道合则从，不合则去，儒者进退之大节／强令之为道也，可以成小而不可以成大／智惠之君贱德而贵言……以为大伪奸诈／水静则明烛须眉，平中准，大匠取法焉／断指以存腕，利之中取大，害之中取小／急病让夷，义之先；图国忘死，贞之大／立大功者不求小疵，有大忠者不求小过／虎豹终日而不杀，则跳踉大叫以发其怒／言有浅而可以托深，类有微而可以喻大／不以曲故是非相尤，茫茫沉沉，是谓大治／以言非信则百事不满也，故信之为功大矣／虽有尧舜之智，而无众人之助，大功不立／善人为妖，是非反复，天下大迷而不复也／山空月明，仰视星斗皆光大，如适在人上／治国者譬若乎张琴然，大弦急则小弦绝矣／辩莫大于分，分莫大于礼，礼莫大于圣王／食禄者不得与下民争利，受大者不得取小／才所以为善也，故大才成大善，小才成小善／天下难事，必作于易；天下大事，必作于细／天地之间，万国并兴，小大愚智，皆愿为君／不谓小善不足为也而舍之，小善积而为大善／不畏于微，必畏于章，患大祸深，以至灭亡／事孰为大？事亲为大。守孰为大？守身为大／事有古而可以质于今，言有大而可以征于小／为忠甚易，得宜实难。忧人大过，以德取怨／以贼其身，乃丧其躯，其行如此，是谓大忘／以管窥天，以锥刺地；所窥者大，所见者小／仁者人也，亲亲为大；义者宜也，尊贤为大／人有厚德，无问小节；人有大举，无訾小故／诸侯而骄人则失其国，大夫而骄人则失其家／功莫大于去恶而为善，罪莫大于去善而为恶／加我数年，五十以学《易》，可以无大过矣／务先穷昔人书，有不可者而后革之，则大善／左右前后，莫匪俊良；小大之材，咸尽其用／苟以细过自恕而轻蹈之，则不至于大恶不止／大味必淡，大音必希；大语叫叫，大道低回／大方无隅，大器晚成，大音希声，大象无形／当怒不怒，奸臣为虎；当杀不杀，大贼乃发／君子有三畏：畏天命，畏大人，畏圣人之言／善日者王，善时者霸，补漏者危，大荒者亡／善欲人见，不是真善；恶恐人知，便是大恶／河下天下之川，故广；人下天下之士，故大／性有精粗，命有长短，情有美恶，意有大小／察一曲者不可与言化，审一时者不可与言大／成大事者，不恤小耻；立大功者，不拘小谅／有益于化，虽小弗除；无补于政，虽大弗与／福善之门莫美于和睦，患咎之首莫大于内离／罪至重而刑至轻，庸人不知恶矣，乱莫大焉／虎狼当路，不治狐狸。先除大害，小害自已／孔子曰：诎寸而信尺，小枉而大直，吾为之也／攻无道而伐不义，则福莫大焉，黔首利莫厚焉／奋其智能，愿为辅弼，使寰区大定，海县清一／威不能复制民，民不能堪其威，则上下大溃矣／望长城内外，惟馀莽莽；大河上下，顿失滔滔／神闲气静，智深勇沉，此八字是干大事的本领／短绠不可以汲深，器小不可以盛大，非其任也／称薪而爨，数米而炊，可以治小而未可以治大／于人无贤愚，于事无小大，咸推以信，同施以敬／天下犹人之体，腹心充实，四支虽病，终无大患／不爱尺璧而爱寸阴，时过不还，若年大不可少也／人之情，于害之中争取小焉，于利之中争取大焉／先无爵，死无谥，实不聚，名不立，此之谓大人／藏大不诚于中者，必谨小诚于外，以成其大不诚／吐故纳新者，因气以长气，而气大衰者则难长也／山中人不信有鱼大如木，海上人不信有木大如鱼／汰流、淫佚、侈靡之俗日以长,是天下之大祟也/治乱存亡,其始若秋毫,察其秋毫,则大物不过/用民亦有种,不审其种,而祈民之用,惑莫大焉/食之道:大充,伤而形不臧;大摄,骨枯而血冱/不谓小不善为无伤也而为之,小不善积而为大不善/古之成大事者,规模远大与综理密微二者阙一不可/位存焉而德无有,犹不足大其门,然世且乐为之下/德薄而位尊,知小而谋大,力小而任重,鲜不及矣/物非有大小也,自其内而观之,未有不高且大者也/三晋多权变之士,夫言从衡强秦者,大抵皆三晋之人/人之情,于利之中则争取大焉,于害之中则争取小焉/今一以天地为大炉,以造化为大冶,恶乎往而不可哉/凡人于事务之来,无论大小,必审之又审,方无遗虑/建天下之大事功者,全要眼界大,眼界大则识见自别/若贵而愚,贱而圣且贤,以是而妨之,其为理本大矣/消磨了三十多年层层心血,算不得大千世界小小文章/审内以知外,原小以知大,因我以然彼,明近以喻远/背法而治,此任重道远而无马牛,济大川而无舡楫也/欲厚其德,不可不弘其量,欲弘其量,不可不大其识/可以托六尺之孤,可以寄百里之命,临大节而不可夺也/大道无形,大仁无亲,大辩无声,大廉不嗛,大勇不矜/大道不称,大辩不言,大仁不仁,大廉不嗛,大勇不忮/祸世之匠,乱国之工,绝逆天地,伤害我身,莫大乎名/君子尊德性而道问学,致广大而尽精微,极高明而道中庸/上下相疏,内外相蒙,小臣争宠,大臣争权,此危国之风也/天下之民,知安而不知危,能逸而不能劳,此臣所谓大患也/捣鬼有术,也有效,然而有限,所以以此成大事者,古来无有/遇事多算计,较利悉锱铢,其过甚小,而积之甚大,慎之慎之/本无功而自矜,一等;有功而伐之,二等;功大而不伐,三等/政庞而土裂,三光五岳之气分,大音不完,故必混一而后大振/急乎其所自立,而无患乎人不己知,未尝闻有响大而声微者也/上士闻道,勤而行之;中士闻道,若存若亡;下士闻道,大笑之/使亲而旧者愚,远而新者圣且贤,以是而间之,其为理本亦大矣/怨恩取与谏教生杀,八者,正之器也,唯循大变无所湮者为能用之/知大一,知大阴,知大目,知大均,知大方,知大信,知大定,至矣/患其有小恶,以人之小恶,亡人之大美,此人主之所以失天下之士也已/君子之言,幽必有验乎明,远必有验乎近,大必有验乎小,微必有验乎著

太

tài 极端;过于;极大;对大两辈的人的称呼前所加的字。

❶太平之世多长寿人

见汉·王充《论衡·气寿篇》。

太刚则折,太柔则废

见汉·班固《汉书·隽不疑传》。

太刚则折,太柔则卷

见汉·刘安《淮南子·氾论》。全句为:"~,圣人正在刚柔之间,乃得道之本"。

太平之功,非一人之略

见汉·王褒《四子讲德论》。全句为:"千金之裘,非一狐之腋;大厦之材,非一丘之木;~"。

太平之美者,在于刑措

见唐·陈子昂《谏刑书》。全句为:"务理天下者,美在太平,~"。

太一出两仪,两仪出阴阳

见《吕氏春秋·仲夏纪·大乐》。全句为:"~。阴阳变化,一上一下,合而成章"。

太平世界,环球同此凉热

见现代·毛泽东《念奴娇·昆仑》。

太阿之剑,犀角不足齿其锋

见唐·张九龄《与李让侍御书》。全句为:"~;高山之松,霜霰不能渝其操"。

太山不让土壤,故能成其大

见秦·李斯《上书谏逐客》。全句为:"~;河海不择细流,故能就其深"。

太牢斯烹,安可荐羹藜之味

见唐·陈子昂《上薛令文章启》。全句为:"鸿钟在听,不足论击缶之音;~"。

太史公曰:……利,诚乱之始也

见宋·朱熹《四书集注·孟子·梁惠王上》。

太平之人,悦乐于德,不悦乐于刑

见唐·陈子昂《答制问事·请措刑科》。

太阳初出光赫赫,千山万山如火发

见宋·赵匡胤《咏初日》。

太山之高,非一石也,累卑然后高

见汉·刘安《淮南子·说林》。

太山在前而不见,疾雷破柱而不惊

见宋·欧阳修《六一居士传》。

太行之路能摧车,若比人心是坦途

见唐·白居易《太行路》。全句为:"~;巫峡之水能覆舟,若比人心是安流"。

太虚作室而共居,夜月为灯以同照

见唐·颜真卿《浪迹先生元真子张志和碑铭》。全句为:"~,,与四海诸公未尝离别,有何往来"。

太上,下知有之;其次亲而誉之……

见《老子》一十七。全句为:"~;其次畏之;其次侮之"。

太平之时,必须才行俱兼,始可任用

见唐·吴兢《贞观政要·择官》。全句为:"乱世惟求其才,不顾其行。~"。

太上有立德,其次有立功,其次有立言

见《左传·襄公二十四年》引古语。

太学者,贤士之所关也,教化之本原也

见汉·董仲舒《举贤良对策》。全句为："养士之大者，莫大乎太学；～"。

太极，谓天地未分之前，元气混而为一

见唐·孔颖达《周易·系辞上》疏。全句为："～，即是太初太一也"。

太上之道，生万物而不有，成化像而弗宰

见汉·刘安《淮南子·原道》。

太上畏道，其次畏物，其次畏人，其次畏身

见宋·张君房《云笈七签》。

太山之高，背而弗见；秋毫之末，视之可察

见汉·刘安《淮南子·说林》。

❷神太用则竭，形太劳则弊／谷太贱则伤农，太贵则伤末／长太息以掩涕兮，哀民生之多艰／唐太宗之贤，自西汉以来，一人而已／李太白诗不专是豪放，亦有雍容和缓底／自太古以来，致理兴化，未有言之不行而能至矣／威太甚则爱利之心息，爱利之心息而徒疾行威，身必咎矣

❸子入太庙，每事问／天下太平，万物安宁／参之太史公以著其洁／爱之太殷，忧之太勤／自许太高，诋时太过／勿以太平渐久而自骄逸／不涉太行险，谁知斯路难／今日太平，即是江宁之小邑／贵富太盛，则必骄佚而生过／文章太守，挥毫万字，一饮千钟／牢骚太盛防肠断，风物长宜放眼量

❹一万年太久，只争朝夕／先之则太过，后之则不及／葵藿倾太阳，物性固莫夺／处世忌太洁，至人贵藏晖／凡用民，太上以义，其次以赏罚

❺刚强者戒太暴／聪明者戒太察／太刚则折，太柔则废／太刚则折，太柔则卷／禁奸之法，太上禁其心／祸恒发于太忽，而事多败于不断／机关算尽太聪明，反算了卿卿性命

❻流落人间者，太山一毫芒／是气也者，乃太虚固有之物／攻人之恶毋太严，要思其堪受／增之一分则太长，减之一分则太短／淡泊是高风，太枯则无以济人利物／忧勤是美德，太苦则无以适性怡情／楚国青蝇何太多，连城白璧遭谗毁／精卫有情衔太华，杜鹃无血到天津／气之聚散于太虚……知太虚即气则无无／忠厚积，则致太平；浅薄积，则致危亡

❼逐兽者目不见太山／却之不恭，受之太过／爱之太殷，忧之太勤／自许太高，诋时太过／神太用则竭，形太劳则弊／内疾之害重于太山而莫之避／远而望之，皎若太阳升朝霞／谷太贱则伤农，太贵则伤末／设官置吏，署员太多，不精则十不如一／宁逢赤眉，不逢太师。太师尚可，更始杀我

❽务理天下者，美在太平／居累卵之危，而图太山之安／聪明流通者戒于太察，寡闻少见者戒于壅蔽

❾八月湖水平，涵虚混太清／养士之大者，莫大乎太学／浊之为暗，河水不见太山／本是同根生，相煎何太急／思故旧以想象兮，长太息而掩涕／气之聚散于太虚……知太虚即气则无无／宁逢赤眉，不逢太师。太师尚可，更始杀我

❿能致贤，则德泽洽而国太平／以武功定祸乱，以文德致太平／耳调玉石之声，目不见太山之高／天下莫大于秋毫之末，而太山为小／增之一分则太长，减之一分则太短／主道得而臣道序，官不易方而太平用成／圣人无为，其功广大……是太平之谓也／文臣不爱钱，武臣不惜死，天下太平矣／欲明两仪天地之体，必以太极虚无为初始／人能修炼，俗变淳和，则返朴之风，可臻太古矣／今夫大海……旦则浴日而出之，夜则滔列星，涵太阴

夸

①kuā 说大话；称赞；大，粗；奢侈；通"姱"，柔软，美好。②kuà 通"跨"，兼有。

❶夸而有节，饰而不诬

见南朝·梁·刘勰《文心雕龙·夸饰》。

夸过其理，则名实两乖

见南朝·梁·刘勰《文心雕龙·夸饰》。全句为："然饰穷其要，则心声锋起，～"。

夸愚适增累，矜智道逾昏

见唐·陈子昂《感遇三十八首》之十九。

❷休夸此地分天下，只得徐妃半面妆／使夸而有节，饰而不诬，亦可谓之懿也

❸将军夸宝剑，功在杀人多／常闻夸大言，下顾皆细萍／从来夸有龙泉剑，试割相思得断无

❹浅人好夸富，贫人好哭穷／务采色，夸声音而以为能也／不要人夸好颜色，只留清气满乾坤

❺诚信生神，夸诞生惑／蚂蚁缘槐夸大国，蚍蜉撼树谈何易

❻大抵不足则夸也／虚而失实，则夸耀而诬／嫫母饰姿而夸矜，西子彷徨而无家

❽好诞者死于诞，好夸者死于夸

❿不可以一时之得意而自夸其能／好诞者死于诞，好夸者死于夸／处世还须称晚来，逢人且莫夸畴昔／强中更有强中手，莫向人前满自夸／钱财不积则贪者忧，权势不尤则夸者悲／大丈夫举事，当赤心相示，浮言夸辞，吾甚厌之／擅山海之富，居川林之饶，争修园宅，互相夸竞／不奋苦而求速效，只落得少日浮夸，老来窘隘而已

夺

duó 强取；争取得到；使失去；作决定；压倒；脱漏；削除；失误；决定取舍；狭路。

❶夺我席上酒，掣我盘中飧

见唐·白居易《宿紫阁山北村》。全句为："～。主人退后立，敛手反如宾"。

夺我身上暖，买尔眼前恩

见唐·白居易《重赋》。全句为:"～,进入琼林库,岁久化为尘"。

夺他人之酒杯,浇自己之垒块

见明·李贽《杂说》。全句为:"蓄极积久,势不能遏。一旦见景生情,触目兴叹;～;诉心中之不平,感数奇于千载"。

❷不夺能能,不与下试/霜夺茎上紫,风销叶中绿

❸做官夺人志/事或夺之而反与之,或与之而反取之

❹先人有夺人之心/君子不夺人之所好/三军可夺气,将军可夺心/摧其坚,夺其魁,以解其体/三军可夺帅也,匹夫不可夺志也/怒不过夺,喜不过予,是法胜私也/倚势豪夺,飞食人肉,鼓吻弄翼,道路以目

❻板筑以时,无夺农功/长恐浮云生,夺我西窗月/剥我身上帛,夺我口中粟/人之乱也,由夺其食;人之危也,由竭其力/唯劝农业,无夺农时;唯薄赋敛,无尽民财

❼临大节而不可夺也/胆气以得失而夺也/目限于所见,则夺其天明/耳限于所闻,则夺其天聪/八音克谐,无相夺伦,神人以和/临大节而不可夺,处至公而不可干/丹可磨而不可夺其色,兰可燔而不可灭其馨/繁华,系累不能夺,则俗心日退、真心日进

❽一人立志,万夫莫夺/丹可磨也,而不可夺赤/石可破也,而不可夺坚/足用之本,在于勿夺时/鸟焚株而铩翮,鱼夺水而暴鳞/爱恶相攻,利害相夺,其势常也/弃绝乎礼义之绪,夺攘乎利害之际

❾三军可夺气,将军可夺心/恭者不侮人,俭者不夺人/身可危也,而志不可夺也/牵牛以蹊人之田,而夺之牛/忠犯人主之怒,而勇夺三军之帅/处道而不贰,吐而不夺,利而不流,贵公正而贱鄙争

❿葵藿倾太阳,物性固莫夺/纵使岁寒途远,此志应难夺/喜德者必多怨,喜予者必善夺/三军可夺帅也,匹夫不可夺志也/闻瑶质兮可变,知余采兮易夺……/自古经纶足是非,阴谋最忌夺天机/彼兵者,所以禁暴除害也,非争夺也/将欲废之,必固兴之;将欲夺之,必固与之/散珠喷雾,日光烛之,璀璨夺目,不可正视/可以托六尺之孤,可以寄百里之命,临大节而不可夺也

尖

jiān 细小的锐利物;像尖儿的某一部分;最优秀的;声音高细;尖刻。

❺小荷才露尖尖角,早有蜻蜓立上头

夷

yí 古代对东部民族的泛称;旧指外国或外国人;平安;削平;铲除;平坦;陈设;等辈;古代锄类农具;蹲踞;通"怡",喜悦;通"彝",常道;通"痍",创伤;无形象;作语助;姓。

❷芟夷不可阙,疾恶信如仇/以夷坦去群疑,以礼让汰惨急/伯夷、叔齐不念旧恶,怨用是希/伯夷,目不视恶色,耳不听恶声。非其君,不事;非其民,不使

❸创乎夷原,成乎乔岳/大道夷且长,窘路狭且促

❹视险如夷,瞻程非邈/急病让夷,义之先;图国忘死,贞之大

❺难任人,蛮夷率服/婚姻论财,夷虏之道/路歧之险夷,必待身亲履历而后知

❻降矣哉? 终身夷狄/孰使予乐居夷而忘故土者,非兹潭也欤

❼川竭而谷虚,邱夷而渊塞,唇竭而齿寒

❽望之弘深,即之坦夷/能四时而不衰,历夷险而益固/绳直而枉木斫,准夷而高科削

❾晏平仲问养生于管夷吾……/丰荒异政,系乎时也;夷夏殊法,牵乎俗也

❿恨无一尺捶,为国笞羌夷/遇繁而若一,履险而若夷/奔车之上无仲尼,覆舟之下无伯夷/顺天养财、御水旱、制蛮夷之原本也/物有甘苦尝之者识,道有夷险履之者知/继世守文之君,生而富贵,不知疾苦,动至夷灭/体恭敬而心忠信,术礼义而情爱人,横行天下,虽困四夷,人莫不贵

奁

lián 古代妇女梳妆用的镜匣。

❿玉在椟中求善价,钗于奁内待时飞

奈

nài 如何,怎么办;对付,处理;通"耐",禁得起。

❶奈何取之尽锱铢,用之如泥沙

见唐·杜牧《阿房宫赋》。全句为:"秦爱纷奢,人亦念其家。～"。

奈何以四海之广,足一夫之用邪

见宋·邓牧《君道》。

❸无可奈何花落去

❹贫无可奈惟求俭,拙亦何妨只求勤/知不可奈何而安之若命,唯有德者能之

❺民不畏死,奈何以死惧之

❻地者国之本,奈何予人/一饱勿易得,奈此官租钱

❼鸟既高飞,罗将奈何/人遇逆境,无可奈何,而安之若命,乃是见识超卓

❽自古悲摇落,谁人奈此何/处患难,知其无可奈何,遂放意而不反,是岂安于义命者

❾君王虽爱蛾眉好,无奈宫中妒杀人

❿达命之情者,不务命之所无奈何/丰岁自少凶岁多,田家辛苦可奈何/死犹未肯输心去,贫亦其能奈我何/涓涓不塞,将为江河;荧荧不救,炎炎奈何

奔 ①bēn 急走；迈向；逃跑；旧指女子与男子私奔；姓。②bèn 直接去目的地；为某事奔走；将近。③fèn 通“偾”，覆败。

❶奔竞，非病也

见宋·杨万里《庸言》。

奔骥不能及既往之失

见晋·葛洪《抱朴子·广譬》。全句为：“～，千金不能救斯言之玷”。

奔车朽索，其可忽乎

见唐·吴兢《贞观政要·君道》。全句为：“怨不在大，可畏惟人；载舟覆舟，所宜深慎；～”。

奔马之轮，拳石碍之而格

见明·刘基《拟连珠》。全句为：“～；迅川之水，束草投之则凝”。

奔车之上无仲尼，覆舟之下无伯夷

见《韩非子·安危》。

❸穷猿奔林，岂暇择木／何必奔冲山下去，更添波浪向人间

❹骏马有奔踶之患而可驭／闻命而奔走者，好利者也／群车方奔乎险路，安能与之齐轨／故马或奔踶而致千里，士或有负俗之累而立功名

❻世人逐势争奔走，沥胆堕肝惟恐后

❼怒猊抉石，渴骥奔泉／朽索充羁，不收奔马之逸／李白之文，清雄奔放，名章俊语，络绎间起，光明洞彻，句句动人

❽急湍甚箭，猛浪若奔／动摇文律，宫商有奔命之劳／乘溃水以胶船，驭奔驹以朽索／舟覆乃见善游，马奔乃见良御／伺候于公卿之门，奔走于形势之途／眺望而林泉有余，奔走而烟霞足用

❾山，倒海翻江卷巨澜。奔腾急，万马战犹酣

❿壁立千峰峻，潈流万壑奔／怀既往而不咎，指将来而骏奔／其雄辞宏辩，快如轻车骏马之奔驰／君不见黄河之水天上来，奔流到海不复回

奇 ①qí 特殊的，不常见的；出人意料的；极其，非常；惊异。②jī 单数；机遇不好。

❶奇身名废

见《管子·白心》。

奇兵不在众

见唐·杜甫《观安西兵过赴关中待命二首之二》。

奇在速，速在果

见宋·欧阳修《王彦章画像记》。

奇文共欣赏，疑义相与析

见晋·陶潜《移居二首》之一。

奇才总于文武，重任归于将相

见唐·杨炯《后周青州刺史齐贞公宇文公神道碑》。

奇从奇，正从正，奇与正，恒不同廷

见《马王堆汉墓帛书·称》。

❷搜奇抉怪，雕镂文字／酌奇而不失其真，玩华而不坠其实／无奇业旁入，而犹以富给，非俭则力也

❸兹游奇绝冠平生／搜尽奇峰打草稿／兵有奇变，不在众／匡庐奇秀，甲天下山／君有奇智，天下不臣／谋有奇诡，而不徇众情／雄笔奇才，有鼓怒风云之气／兵有奇正，旋相为用，如环之无端／世之奇伟瑰怪非常之观，常在于险远／奇从奇，正从正，奇与正，恒不同廷／善出奇者，无穷如天地，不竭如江河／世间奇男子，岂可以世俗趣舍量其心乎／事丰奇伟，辞富膏腴，无益经典，而有助文章

❹正复为奇，善复为妖／诚不忍奇宝横弃道侧／失正则奇生，奇生而民惑／何世无奇才，遗之在草泽／炼辞得奇句，炼意得余味／因事设奇，谲敌制胜，变化如神／求天下奇闻壮观，以知天地之广大

❺此宇宙之奇诡也／正者治，名奇者乱／于今为神奇，信宿同尘滓／文士多数奇，诗人尤命薄／圣人在上，奇不得起，诈不得生／要为天下奇男子，须历人间万里程

❻化腐朽为神奇／变恒过度，以奇相御／夕阳照山，无奇而不见／失正则奇生，奇生而民惑／意翻空而易奇，言征实而难巧／腐臭化为神奇，神奇复化为腐臭／中华儿女多奇志，不爱红装爱武装／看是寻常最奇崛，成如容易却艰辛／以正治国，以奇用兵，以无事取天下

❼男子要为天下奇／祖浊裔清，不膀奇人／钧天广乐，必有奇丽之观／思通道化，策谋奇妙，是谓术家／臭腐复化为神奇，神奇复化为臭腐／辞必高然后为奇，意必深然后为工／奇从奇，正从正，奇与正，恒不同廷／不专一能，怪怪奇奇，不可时施，只以自嬉

❽能制敌者，会在出奇／智能决谋，以疾为奇／得人则治，何世无奇才／凡战者，以正合，以奇胜／古之名将，必出于奇，然后能胜／腐臭化为神奇，神奇复化为腐臭／其侧皆诡石怪木，奇卉美箭……／琢雕自是文章病，奇险尤伤气骨多／不专一能，怪怪奇奇，不可时施，只以自嬉

❾老生之常谈，言无新奇／诉心中之不平，感数奇于千载／臭腐复化为神奇，神奇复化为臭腐／若使民常畏死，而为奇者，吾得执而杀之孰敢

❿非求宫律高，不务文字奇／草木贲华，无待锦匠之奇／因方以借巧，即势以会奇／以事秦之心，礼天下之奇才／事以明核为美，不以深隐为奇／俪采百字之偶，争价一句之奇／词高则出于众，出于众则奇矣／谈物产也，则重谷帛而贱珍奇／风萧萧而异响，云漫漫而奇色／非尽百家之美，不能成一人之奇／虎豹之形于犬羊，故

不得不奇也／人之愈深，其进愈难，而其见愈奇／梅花欢喜漫天雪，冻死苍蝇未足奇／明白如话，然浅中有深，平中有奇／痴儿不了公家事，男子要为天下奇／文章做到极处，无有他奇，只是恰好／策术之政宜于治难，以之治平则无奇／风行水上之文，决不在于一字一句之奇／言虽多而不要其中，文虽奇而不济于用／苟有可观，皆有可乐，非必怪奇伟丽者也／大石侧立千尺，如猛兽奇鬼，森然欲搏人／十步之内，必有芳草；四海之中，岂无奇秀／骇机一发，浮谤如川。巧言奇中，别白无路／胸中浩然廓然，纳烟云日月之伟观，揽雷霆风雨之奇变／伯浑醉书，纸穷墨燥，如春龙奋蛰，奇鬼搏人，何其壮也

奄 ①yǎn 覆盖；突然；古邑名；古国名。②yān 气息微弱貌；通"淹"，久；通"阉"，太监。

❻人生寄一世，奄忽若飙尘；何不策高足，先据要路津

❼日薄西山，气息奄奄；人命危浅，朝不虑夕

奋 fèn 鼓起劲来；举起，摇动；振作，发扬。

❶奋不顾身，临时守节

见宋・苏轼《乞擢用刘季孙状》。

奋始怠终，修业之贼也

见明・吕坤《呻吟语》。全句为："～。缓前急后，应事之贼也。躁心浮气，蓄德之贼也。疾言厉色，处众之贼也"。

奋其智能，愿为辅弼，使寰区大定，海县清一

见唐・李白《代寿山答孟少府移文书》。

奋六世之遗烈，振长策而御宇内，吞二周而亡诸侯，履至尊而制六合

见汉・贾谊《过秦论上》。

❷矜奋侵陵者，毁塞之险途也／不奋苦而求速效，只落得少日浮夸，老来窘隘而已

❸一人奋死，可以对十／艰难奋长戟，万古用一夫／常思奋不顾身以徇国家之急／金猴奋起千钧棒，玉宇澄清万里埃／嘉谷奋兴，根叶肥润，抽茎展穗，不失时宜

❹老来益奋其志／乘风振奋出六合／烈士乐奋力之功／把志气奋发得起，何事不可做／独韩愈奋不顾流俗……因抗颜而为师／直者性奋，好人行直于人，而不能受人之讦

❺韩亡子房奋，秦帝鲁连耻／及至始皇，奋六世之余烈，振长策而御宇内

❻燕雀之畴不奋六翮之用／舒吾陵霄羽，奋此千里足／风雷动，旌旗奋，是人寰／临危而智勇奋，投命而高节亮／人以为偶一奋，遂名无穷，今大不然

❼将飞者翼伏，将奋者足局／砻磨乎事业，而奋发乎文章

❽干戈森若林，长剑奋无前／有兼听之明，而无奋矜之容

❾玄龙，迎夏则陵云而奋鳞，乐时也

❿水不激不跃，人不激不奋／以国士待人者，人亦国士自奋／人主以好暴示能，以好唱自奋／天下文士，争执所长，与时而奋／振则须起风雷之益，惩则须奋刚健之乾／威权外假，归之良难，虎翼一奋，卒不可制／伯浑醉书，纸穷墨燥，如春龙奋蛰，奇鬼搏人，何其壮也／肮脏不平之气，不欲销而自销；坚贞不拔之志，不欲奋而自奋矣

契 ①qì 用刀子刻；刻下的文字；证明买卖、抵押、租赁等关系的文字、字据；相合，投合。②qiè[契阔]离合，聚散，久别思念的情意；劳苦，勤苦。③xiè 传说中商的始祖，子姓。

❶契船而求剑，守株而伺兔

见南朝・宋・范晔《后汉书・张衡传》。

❸归同契合者，则不言而信著

❹丹书铁契，金匮石室／人生交契无老少，论交何必先同调

❿上古结绳而治，后世圣人易之以书契

美 měi 漂亮；好得令人喜欢的；使变美；高兴；指才德或品质的好；好事；赞美；美洲、美国的简称；美学研究的中心范畴。

❶美女破舌

见《战国策・秦策一》。

美疢不如恶石

见《左传・襄公二十三年》。

美不自美，因人而彰

见唐・柳宗元《邕州柳中丞作马退山茅亭记》。

美人既醉，朱颜酡些

见战国・楚・屈原、宋玉《楚辞・招魂》。

美女入室，恶女之仇

见汉・司马迁《史记・外戚世家》。

美曰美，不一毫虚美

见明・海瑞《治安疏》。全句为："～；过曰过，不一毫讳过"。

美色不同面，皆佳于目

见汉・王充《论衡・自纪篇》。全句为："～；悲音不共声，皆快于耳"。

美成在久，恶成不及改

见《庄子・人间世》。

美者，人心之所乐进也

见三国・魏・王弼《老子》二注。全句为："～。恶者，人心之所恶疾也"。

美服患人指，高明逼神恶

见唐・张九龄《感遇十二首》之四。

美箭缺羽，尚无冲石之势

见后魏·温子升《为安丰王延明让国子祭酒表》。全句为:“宝剑未砥,犹乏切玉之功;~”。

美之所在,虽污辱,世不能贱

见汉·刘安《淮南子·说山》。全句为:“~;恶之所在,虽高隆,世不能贵”。

美味期乎合口,工声调于比耳

见汉·班固《汉书·扬雄传》。

美言可以市尊,美行可以加人

见《老子》六十二。

美人迈兮音尘阙,隔千里兮共明月

见南朝·宋·谢庄《月赋》。

美物者贵依其本,赞事者宜本其实

见晋·左思《三都赋序》。

美味腐腹,好色惑心,勇夫招祸,辩口致殃

见汉·王充《论衡·言毒篇》。

美也者,上下、内外、大小、远近皆无害焉,故曰美

见《国语·楚语上》。

美人梳洗时,满头间珠翠,岂知两片云,戴却数乡税

见唐·郑遨《富贵曲》。

❷甚美必有甚恶/四美俱,二难并/子美集开诗世界/至美素璞,物莫能饰/推美引过,德之至也/溢美之言,置疑于人/服美不称,必以恶终/誉美者,实未必副其名/今美于昨,明日复胜于今/彼美不琢雕,椟中竟何如/言美则响美,言恶则响恶/其美者自美,吾不知其美也/名美而实不副者,必无没世之风/甚美之名生于大恶,所谓美恶同门/有美之而莫敢辞,有非之而莫敢隐/人美于中,必播于外,而越于民,民实戴之/子美……尽得古今之体势,而兼人人之所独专矣

❸凡成美,恶器也/美曰美,不一毫虚美/名虽美焉,伪亦必生/韶尽美矣,又尽善也/时花美女,不足为其色也/贫是美称,只是难居其美/知矉美,而不知矉之所以美/知颦美,而不知颦之所以美/虽有美质,不学则不成君子/客之美我者,欲有求于我也/土之美者善养禾,君之明者善养士/虽信美而非吾土兮,曾何足以少留/新丰美酒斗十千,咸阳游侠多少年/服不美,人不汝尤;德不美,乃汝之羞/物有美恶,施用有宜,美不常珍,恶不终弃/女无美恶,入宫见妒。士无贤不肖,入朝见嫉/物之美者,盈天地间皆是也。然必待人之神明才慧而见

❹信言不美,美言不信/巧言虽美,用之必灭/芳草鲜美,落英缤纷/美不自美,因人而彰/将顺其美,匡救其恶/名誉之美,垂于无穷/山川之美,古来共谈/得非我美,失非我耻/羊羹虽美,众口难调/在此为美兮,在彼为蚩/喜而溢美,犹不失近厚/太平之美者,在于刑措/天子好美女,夫妇不成双/不如饮美酒,被服纨与素/仕之为美,利乎人之谓也/知肉味美则对屠门而大嚼/国史之美者,以叙事为工/璇玉致美,不为池隍之宝/鉴形之美恶,必就于止水/彼知颦美,而不知颦之所以美/里仁为美;择不处仁,焉得知/根本不美,枝叶茂者,未之闻也/胜而不美,而美之者,是乐杀人/孰恶孰美,成者为首,不成者为尾/至于子美,盖所谓上薄风、骚……/忧勤是美德,太苦则无以适性怡情/采于山,美可茹;钓于水,鲜可食/和羹之美,在于合异;上下之益,在能相济

❺充实之谓美/香饵非不美也/教化可以美风俗/良玉不雕,美言不文/信言不美,美言不信/巧笑倩兮,美目盼兮/得众动天,美意延年/饥者不待美馔而后饱/明镜鉴形,美恶必见/金玉不琢,美珠不画/万物归之,美恶乃自见/所爱者,非美色则巧佞/不蔽人之美,不言人之恶/观人以言,美于黼黻文章/嫫母有所美,西施有所丑/恶而知其美,好而知其恶/言美则响美,言恶则响恶/其美者自美,吾不知其美也/白玉不雕,美珠不文,质有余也/子谓《韶》,“尽美矣,又尽善也”/欲做精金美玉的人品,定从烈火中锻来/纵有良法美意,非其人而行之,反成弊政/谗夫似贤,美言似信,听之者惑,观之者冥/天下皆知美之为美,斯恶矣;皆知善之为善,斯不善矣/正位居体,美在其中,而畅于四支,发于事业,美之至也/天地有大美而不言,四时有明法而不议,万物有成理而不说

❻身尽其故则美/誉人不增其美/一为不善,众美皆亡/为言不益,则美不足称/务理天下者,美在太平/甘瓜抱苦蒂,美枣生荆棘/画西施之面,美而不可说/归来宴平乐,美酒斗十千/一点失所,若美女之眇一目/雕削取巧,虽美非“秀”矣/不治可见之美,不竞人间之名/事以明核为美,不以深隐为奇/高山之巅无美木,伤于多阳也/大树之下无美草,伤于多阴也/采善不逾其美,贬恶不溢其过/音以比耳为美,色以悦目为欢/非尽百家之美,不能成一人之奇/凡物之生而美者,美本乎天者也/听乐而震,观美而眩,患莫甚焉/善为师者,既美其道,有慎其行/胜而不美,而美之者,是乐杀人/德薄者恶闻美行,政乱者恶闻治言/此人如精金美玉,不即人而人即之/所种者稗,虽美田疾耕,不生谷也/两喜必多溢美之言,两怒必多溢恶之言/佳人不同体,美人不同面,而皆悦于目/俭葬,古人之美节;侈葬,古人之恶名/圣人备道全美者也,是县天下之权称也/君子成人之美,不成人之恶。小人反是/五谷者,种之美者也;苟为不熟,不如荑稗/福善之门莫美于和睦,患咎之首莫大于内离/楚王好小腰,美人省

食；吴王好剑，国士轻死／文章如精金美玉，市有定价，非人所能以口舌定贵贱也

❼不以小故妨大美／小恶不足妨大美也／淡然无极而众美从之／捕猛兽者不使美人举手／君子之学也，以美其身／利丰者害厚，质美者召灾／根深则本固，基美则上宁／美言可以市尊，美行可以加人／富老不如贫少，美游不如恶归／贵珠出乎贱蚌，美玉出乎丑璞／贵贱不嫌同号，美恶不嫌同辞／儒者在本朝则美政，在下位则美俗／甜不足一食之美，然有截舌之患也／其施厚者其报美，其怨大者其祸深／见危授命，士之美行；褒善录功，国之令典／江南多临观之美，而滕王阁独为第一，有瑰伟绝特之称

❽小疵不足以妨大美／义典则弘，文约为美／为善不同，同归于美／美曰美，不一毫虚美／饥者不愿千金而美一餐／目之于色也，有同美焉／无土壤而生嘉树美箭……／草木有本心，何求美人折／福莫大无祸，利莫美不丧／蜀酒浓无敌，江鱼美可求／乐不过以听耳，而美不过以观目／众踥蹀而日进兮，美超远而逾迈／凡物之生而美者，美本乎天者也／崇人之德，扬人之美，非谄谀也／一截遗欧，一截赠美，一截还东国／战士军前半死生，美人帐下犹歌舞／君子慎其实，实之美恶，其发也不掩／毛嫱、丽姬，人之所美也……麋鹿见之决骤／欲人勿恶，必先自美；欲人勿疑，必先自信／食必常饱，然后求美；衣必常暖，然后求丽／如有周公之材之美，使骄且吝，其馀不足观也已／天下皆知美之为美，斯恶矣；皆知善之为善，斯不善矣

❾百金买骏马，千金买美人／如渴思冷水，如饥念美食／周云成康，汉言文景，美矣／其文直，其事核，不虚美，不隐恶／名者实之宾也，实有美恶，名亦随之／今以人之小过掩大美，则天下无圣王贤相矣／好者不必同色而皆美，丑者不必同状而皆恶／物有美恶，施用有宜，美不常珍，恶不终弃

❿不全不粹不足以谓之美／甘瓜苦蒂，天下物无全美／人性含灵，待学成而为美／刀刃有蜜，不足一餐之美／朴素而天下莫能与之争美／贫是美称，只是难居其美／言语之次，空生虚妄之美／凤凰芝草，贤愚皆以为美瑞／知矉美，而不知矉之所以美／知颦美，而不知颦之所以美／其美者自美，吾不知其美也／小人之好议论，不乐成人之美／彼知颦美，而不知颦之所以美／景不为曲物直，响不为恶声美／越之西子，善毁者不能闭其美／世溷浊而嫉贤兮，好蔽美而称恶／物之待饰而后行者，其质不美也／文约而事丰，此述作之尤美者也／其侧皆诡石怪木，奇卉美箭……／甚美之名生于大恶，所谓美恶同门／别来十年学不厌，读破万卷诗愈美／伯乐之厩多良马，卞和之匮多美玉／儒者在本朝则美政，在下位则美俗／人生达命岂暇愁，且饮美酒登高楼／茂林之下无丰草，大块之间无美苗／君子知自损之为益，故功一而美二／君子崇人之德，扬人之美，非谄谀也／气不可以不贯，不贯则虽有美词丽藻／补察得失之端，操于诗人美刺之间焉／西施有所恶而不能减其美者，美多也／天下宝之者何也？其小恶不足妨大美也／无性则伪之无所加，无伪则性不能自美／众人皆以奢靡为荣，吾心独以俭素为美／小善不足以掩众恶，小疵不足以妨大美／宫中积珍宝，狗马实外厩，美人充下陈／好而知其恶，恶而知其美者，天下鲜矣／水动而景摇，人不以定美恶，水势玄也／服不美，人不汝尤；德不美，乃汝之羞／天之所覆，地之所载，莫不尽其美致其用／为人君者，固不以无过为贤，而以改过为美／俯偻匍匐，啖恶求媚，舐痔自亲，美言谄笑／都蔗虽甘，杖之必折；巧言虽美，用之必灭／虽云色白，匪染弗丽；虽云味甘，匪和弗美／性有精粗，命有长短，情有美恶，意有大小／见骥一毛，不知其状；见画一色，不知其美／天下之人所共趋之而不知止者，富贵与美名尔／闻难思解，见利思避，好成人之美，可以立矣／碧云悠悠兮，泾水东流。伤美人兮，雨泣花愁／辩言过理，则与义相失；丽靡过美，则与情相悖／先王以是经夫妇，成孝敬，厚人伦，美教化，移风俗／美也者，上下、内外、大小、远近皆无害焉，故曰美／凡偏材之人，皆一味之美，故长于办一官而短于为一国／正位居体，美在其中，而畅于四支，发于事业，美之至也／节民以礼，故其刑罚甚轻而禁不犯者，教化行而习俗美也／有缺点的战士终竟是战士，完美的苍蝇也终竟不过是苍蝇／以玙璠之玼而弃其璞，以一人之罪而兼其众，则天下无美宝信士／患其有小恶，以人之小恶，亡人之大美，此人主之所以失天下之士也已

牵 ①qiān 拉，领着向前；连带；牵连，牵累；关系；拘泥；姓。②qiàn 同“纤”，挽舟的绳子。

❶牵一发而动全身

见清·谭嗣同《以太说》。

牵牛以蹊人之田，而夺之牛

见《左传·宣公十一年》。

❹不拘文牵俗，则守职者辨治矣／道而弗牵，强而弗抑，开而弗达

❺一发不可牵，牵之动全身

❼三十四十五欲牵／千里姻缘一线牵／刻意则行不肆，牵物则其志流／顺性命，适情意，牵于殊类……

❾视玉帛而取者，则曰牵于寒饿／老夫聊发少

年狂，左牵黄，右擎苍
❿我手写我口，古岂能拘牵／古来贤达士，宁受外物牵／丰荒异政，系乎时也；夷夏殊法，牵乎俗也／晨看旅雁，心赴江淮；昏望牵牛，情驰扬越

套 tào 套子；同类事物组成的整体；模拟；陷害人的计策；罩在外边；地势弯曲的地方；已成格局的办法或语言；袭用现成的形式。
❽事忌脱空，人怕落套
❿吟咏有真得，不解脱终为套语

奚 xī 被役使的人；疑问代词；古族名；姓。
❶奚必知代而心自取者有之
见《庄子·齐物论》。全句为："随其成心而师之，谁独且无师乎？～"。
❹去知则奚求矣，无藏则奚设矣
❺自古有死，奚论后先／无规矩，虽奚仲不能以定方圆
❻为天下者，亦奚以异乎牧马者哉，亦去其害马者而已矣
❽去规矩而妄意度，奚仲不能成一轮
❾时有利不利，虽贤欲奚为
❿去知则奚求矣，无藏则奚设矣／聊乘化以归尽，乐夫天命复奚疑／心之所可中理，则欲虽多，奚伤于治／心之所可失理，则欲虽寡，奚止于乱／今处昏上乱相之间，而欲无惫，奚可得邪／民生在勤，勤则不匮。宴安自逸，岁暮奚冀／贤不肖，善邪辟，可悖逆，国不乱身不危奚待也／力不能济于用，而君臣上下不正，虽抱空器奚何施设

匏 páo 葫芦的一种；八音之一，指笙、竽一类的乐器。
❷陶匏异器，并为入耳之娱
❸吾岂匏瓜也哉，焉能系而不食

奢 ①shē 挥霍；过分的；阔，夸大。②shá 姓。
❶奢不僭上，俭不逼下
见晋·陈寿《三国志·魏书·刘表传》。
奢侈者，财之所以不足也
见三国·魏·王肃《孔子家语·入官》。全句为："怠惰者，时之所以后也；～"。
奢者富不足，俭者贫有余
见《慎子》外篇。全句为："～；奢者心常贫，俭者心常富"。
奢者心常贫，俭者心常富
见《慎子》外篇。全句为："奢者富不足，俭者贫有余；～"。
奢者富而不足，何如俭者贫而有余
见明·洪应明《菜根谭·前集五十五》。
奢则不孙，俭则固；与其不孙也，宁固
见《论语·述而》。
❷骄奢生于富贵，祸乱生于疏忽／救奢必于俭约，拯薄无若敦厚／国奢则视之以俭，矫枉者过其正／骄、奢、淫、泆，所自邪也。四者之来，宠禄过也
❸不以奢为乐，不以廉为悲／君之奢俭，为人富贫之源／上好奢靡而望下敦朴，未之有也／王好奢则臣不足，臣好奢则士不足／士好奢则民不足，民好奢则天下不足
❹据慢骄奢，则凶从之／处富而奢，衰之始也／秦爱纷奢，人亦念其家／由俭入奢易，由奢入俭难／富不学奢而奢，贫不学俭而俭／礼，与其奢也宁俭；丧，与其易也宁戚
❺众人皆以奢糜为荣，吾心独以俭素为美
❻居安思危，戒奢以俭／圣人去甚、去奢、去泰／富不学奢而奢，贫不学俭而俭
❼欲积资财，先戒奢费／由俭入奢易，由奢入俭难／贱敛无节，官上奢纵，则人贫／言制度也，则绝奢靡而崇俭约
❽制俗以俭，其弊为奢／贫不学俭，富不学奢／贵不敢骄，富不敢奢／人之困穷，由君之奢欲／不念居安思危，戒奢以俭
❿治国者当爱民，则不为奢泰／历览前贤国与家，成由勤俭败由奢／王好奢则臣不足，臣好奢则士不足／天下之事，常成于困约，而败于奢靡／士好奢则民不足，民好奢则天下不足／非有灾害疾疫，独以贫穷，非惰则奢也／和睦劝俭者家必隆，乖戾骄奢者家必败／伪乱俗，私坏法，放越轨，奢败制。四者不除，则政未由行矣／赋敛以时，官上清约，则人富。赋敛无节，官上奢纵，则人贫／致治之术，先屏四患：……一曰伪，二曰私，三曰放，四曰奢／后嗣若贤，自能保其天下；如其不肖，多积仓库，徒益其奢侈，危亡之本也

爽 ①shuǎng 明朗；痛快；舒适；伤败；违背。②shuāng 肃爽，良马名。
❶爽邦由哲
见《尚书·大诰》。
爽口物多终作疾，快心事过必为殃
见明·冯梦龙《古今小说·新桥市韩五卖春情》。
爽籁发而清风生，纤歌凝而白云遏
见唐·王勃《滕王阁序》。
❷飒爽英姿五尺枪，曙光初照演兵场
❹意气骏爽，则文风清焉／无几微爽失，则理义以名／先王昧爽丕显，坐以待旦
❻酌贪泉而觉爽，处涸辙而犹欢
❽革往弊者则政不爽
❾天有恒日，民自则之，爽则损命，环自服之，天

之道也

❿五色令人目盲，五音令人耳聋，五味令人口爽

攲 ①jī 用箸夹取。②qī 倾侧不平。③yī 通"倚"；靠着。

❾水抵两岸，悉皆怪石，攲嵌盘屈，不可名状

奥 ①ào 含义艰深；古指深宅大屋的西南角，也泛指房屋的深处。②yù 暖；浊；水边深曲的地方。

❹居不主奥，坐不中席，行不中道，立不中门

❺抑之欲其奥，扬之欲其明

❻晦塞为深，虽奥非"隐"

樊 ①fán 篱笆；筑起篱笆围绕起来；杂乱；古邑名；姓。[樊笼]关鸟兽的笼子；[樊篱]篱笆。②pán[樊缨]马饰。

❸久在樊笼里，复得返自然

❿泽雉十步一啄，百步一饮，不蕲畜乎樊中

尤 yóu 突出的；尤其；更加；奇怪；过失；罪责；怨恨；姓。

❶尤而效之，罪又甚焉

见《左传·僖公二十四年》。

尤妙之人含精于内，外无饰姿

见三国·魏·刘劭《人物志·七缪》。全句为："～；尤虚之人硕言瑰姿，内实乖反"。

尤虚之人硕言瑰姿，内实乖反

见三国·魏·刘劭《人物志·七缪》。全句为："尤妙之人含精于内，外无饰姿；～"。

❷不尤人则德益弘，能克己则学益进

❸夫有尤物，足以移人

❹君子寡尤，小人多怨

❺不怨天，不尤人／但求寡悔尤，焉用名炳炳／天下稍安，尤须兢慎，若便骄逸，必至丧败／君子防悔尤，贤人戒行藏，嫌疑远瓜李，言动慎毫芒

❻唯不争，故无尤／入鲍忘臭，效尤致祸／尽己而不以尤人，求身而不以责下／文之近古而尤壮丽，莫若汉之西京

❼上不怨天，下不尤人／好名者，好利之尤者也／服不美，人不汝尤；德不美，乃汝之羞

❽文士多数奇，诗人尤命薄／不以曲故是非相尤，茫茫沉沉，是谓大治／就郡言，灵隐寺为尤；由寺观，冷泉亭为甲

❾处患难者勿为怨天尤人之言

❿功成身不退，自古多愆尤／多闻阙疑，慎言其余，则寡尤／皆知敌之仇，而不知为益之尤／文约而事丰，此述作之尤美者也／我愿天公怜赤子，莫生尤物为疮痏／琢雕自是文章病，奇险尤伤气骨多／立言无显过之咎，明镜无见玼之尤／凡读书到冷淡无味处，尤当着力推考／天，有形之大者也；人，动物之尤者也／钱财不积则贪者忧，权势不尤则夸者悲／反己者触事皆成药石，尤人者动念即是戈矛／读书做人，先要立志。志患不立，尤患不坚／口无择言，驷不及舌；笔之过误，愆尤不灭／与众乐之之谓乐，乐而不失其正，又乐之尤也／常有小不快事，是好消息……知此理可免怨尤／君子不特贵乎才略之优，而尤贵乎用之得其当／涉浅水者见虾，其颇深者察鱼鳖，其尤甚者观蛟龙／澄川翠干，光影会合于轩户之间，尤与风月为相宜／人声之精者为言，文辞之于言，又其精也，尤择其善鸣者而假之鸣

打 ①dǎ 用手或器具击打物体；攻击；斗殴；放射；做；自，从。②dá 量词。

❶打蛇打在七寸

见清·王有光《吴下谚联》。

打蛇勿死终有害

见清·王有光《吴下谚联》。

打兔得獐，非意所望

见唐·张文成《游仙窟》。

打虎还得亲兄弟，上阵须教子弟兵

见明·吴承恩《西游记》第八十一回。

打扫光明一片地，襄贮古今，研究经史

见明·吴麟征《家诫要言》。

❸打蛇打在七寸

❹姻缘棒打不回

❺搜尽奇峰打草稿／是姻缘棒打不回

❻十里黄芦雪打船／肠断秋荷雨打声／不管风吹浪打，胜似闲庭信步／人生似瓦盆，打着了方见真空

❽宁撞金钟一下，不打铙钹三千

❿而今风物那堪画，县吏催钱夜打门／但愿官民通有无，莫令租吏打门叫呼疾／日月如梭，光阴似箭，少年人，早打点

扑 pū 猛力向前冲；拍，拍打；全身心地投入；古时责罚的刑杖；通"仆"，颠覆。

❷鞭扑之子，不从父之教；刑戮之民，不从君之政

❸灯蛾扑火，惹焰烧身

❹雄兔脚扑朔，雌兔眼迷离

❿不是一番寒彻骨，怎得梅花扑鼻香／不是一番寒彻骨，争得梅花扑鼻香／火之燎于原，不可向迩，其犹可扑灭／若火之燎于原，不可向迩，其犹可扑灭／屈长才于短用者，犹骥扑鼠而斧剪毛也／恐沈于众，若火之燎于原，不可向迩，其犹可扑灭

扔 ①rēng 投掷；抛弃，丢。②rèng 牵引，拉；摧毁。

❼行无行，攘无臂，扔无敌，执无兵

扞 hàn "捍"的异体字；同"擀"；拉开，张开；射箭手的一种皮质护袖；[扞格]互相抵触，格格不入。

❷批扞之声,无出之口
❸白刃扞乎胸,则目不见流矢
❺千羊不能扞独虎,万雀不能抵一鹰
❻发然后禁,则扞格而不胜

扛 ①gāng 用双手举起;抬东西。②káng 用肩膀承载东西。
❿因嫌纱帽小,致使锁枷扛

扣 kòu 拴住;绳结;纽扣;把器物口朝下放置;结子;同"叩",敲击;覆盖。
❷朝扣富儿门,暮随肥马尘
❸里胥扣我门,日夕苦煎促

托 tuō 用手或器物向上承受;委托;借故推委;仰仗;陪衬;底座;压强的一种单位;寄托。
❸其寄托在可言不可言之间/声可托于弦管,名可留于竹帛/心既托声于言,言亦寄形于字/丑必托善以自为解,邪必蒙正以自为辟/可以托六尺之孤,可以寄百里之命,临大节而不可夺也
❹受人之托,忠人之事/致远者托于骥,霸王者托于贤
❺绝江海者托于船/万族各有托,孤云独无依/众鸟欣有托,吾亦爱吾庐/既受人之托,必终人之事/游江海者托于船,致远道者托于乘/致远道者托于乘,欲霸王者托于贤
❻气外更无虚托孤立之理/死去何所道,托体同山阿/以天下之大,托于一人之才/盗贼之心必托圣人之道而后可行
❼丝萝非独生,愿托乔木/何秋日之可哀,托芙蓉以为媒/寄治乱于法术,托是非于赏罚/立小异以近名,托虚名以邀利/言有浅而可以托深,类有微而可以喻大
❽大厦若抡材,亭亭托君子/社稷依明主,安危托妇人/翠佩传情密,曾波托意遥/不假良史之词,不托飞驰之势/山盟虽在,锦书难托。莫!莫!莫!/鸟必择木而栖,附托匪人者必有危身之祸
❾爱以身为天下,若可托天下/爱以身为天下,若可托天下矣
❿致远者托于骥,霸王者托于贤/唯无以天下为者,可以托天下也/虎豹在山,鼋鼍在水,各有所托/离道而内自择,则不知祸福之所托/君子者,性非绝世,善自托于物也/游江海者托于船,致远道者托于乘/致远道者托于乘,欲霸王者托于贤/惟不以天下害其生者也,可以托天下/造父疾趋,百步而废;自托乘舆,坐致千里/人与骥逐走则不胜骥,托于车上则骥不能胜人/搏攫抵噬之兽,其用齿角爪牙也,必托于卑微隐蔽/苍蝇之飞,不过十步;自托骐骥之尾,乃腾千里之路

执 zhí 拿着;握;从事(某种职业);掌管;执行;坚持己见;杜塞;捉,逮捕;选择;控制,驾驭。
❶执中无权,犹执一也
见《孟子·尽心上》。全句为:"~。所恶执一者,为其贼道也,举一而废百也"。
执持要坚耐,怕是脆
见明·吕坤《呻吟语》。全句为:"当事有四要:际畔要果决,怕是绵;~;机括要深沉,怕是浅;应变要机警,怕是迟"。
❷强执教之人,则失其情实,生于诈伪/旦执机权,夜填坑谷;朔欢卓、郑,晦泣颜、原
❸心能执静,道将自定/安有执砺世之具而患乎无贤欤/理国执无为之道,民复朴而还淳/当以执两以兼听,而不以狐疑为兼听/迂人执而不化,其决裂有甚于小人时/所恶执一者,为其贼道也,举一而废百也/被坚执锐,义不如公;坐而运策,公不如义
❹见父之执,不谓之进,不敢进/处次官,执利势,不可而不察于此
❺观天之道,执天之行,尽矣/若是若非,执而圆机;独成而意,与道徘徊/凡工妄匠,执规秉矩,错准引绳,则巧同于人倕也
❻执中无权,犹执一也/主大计者,必执简以御繁/坠井者求出,执热者愿濯/天下文士,争执所长,与时而奋/不泥古法,不执己见,惟在活而已矣
❼君子不亮,恶乎执/秉纲而目自张,执本而末自从/当官不挠贵势,执平不阿所私/惩劝善恶之柄,执于文士褒贬之际焉/子所雅言,《诗》、《书》、执礼,皆雅言也/策之不以其道……执策而临之曰:"天下无马"
❽诚之者,择善而固执之者也/咫尺之管,文敏者执而运之,所如皆合/古者士登乎仕,吏执乎役,禄以报劳,官以授德
❾国奕不废旧谱,而不执旧谱/自外入者,有主而不执;由中出者,有正而不距
❿行无行,攘无臂,扔无敌,执无兵/好名则多树私恩,惧谤则执法不坚/天下神器,不可为也。为者败之,执者失之/闻《乐游园》寄足下诗,则执政柄者扼腕矣/心苟至公,人将大同;心能执一,政乃无失/割而舍之,镆邪不断肉;执而不释,马氂截玉/若使民常畏死,而为奇者,吾得执而杀之孰敢/万物以自然为性,故可因而不可为也,可通而不可执也/曰衣食足而后廉耻兴,财物阜而后礼乐作,是执末以求其本也/孔子曰:"吾闻之,古之善御者,执辔如组,两骖如舞,非策之助也"。/舜其大知也与!舜好问而好察迩言,隐恶而扬善,执其两端,用其中于民

扫　①sǎo 用扫帚等除去尘土等；消除；迅速地移动；全部；画，抹。②sào 扫帚。

❶扫尽市朝陈迹

见宋·陆游《好事近》其四。

扫眉才子于今少，管领春风总不如

见唐·王建《寄蜀中薛涛校书》。

❷横扫千军如卷席／要扫除一切害人虫，全无敌／打扫光明一片地，襄贮古今，研究经史

❸不去扫清天北雾，只来卷起浪头山

❹霜天如扫，低向朱崖……

❼大丈夫当为国扫除天下，岂徒室中乎／大丈夫处世，当扫除天下，安事一室乎

❽虚其欲，神将入舍；扫除不洁，神乃留处／火烧到身，各自去扫；蜂虿入怀，随即解衣

❾墨池如江笔如帚，一扫万字不停肘

❿秋来山雨多，落叶无人扫／词源倒流三峡水，笔阵独扫千人军

扬　yáng 高举；在空中飘动；向上抛撒；宣讲；传播，称颂；特指容貌出众；指眉毛及其上下部分；古兵器；古九州之一；姓。

❶扬清激浊，荡去滓秽

见《尸子·君治》。

扬堁而弭尘，抱薪以救火

见汉·刘安《淮南子·主术》。

扬汤止沸，不如釜底抽薪

见明·罗贯中《三国演义》第三回。

扬汤止沸，不如灭火去薪

见晋·陈寿《三国志·魏书·董卓传》。

扬威以弭乱，震武以止暴

见晋·陈寿《三国志·魏书·陶谦传》注引。

扬雄言人性善恶混者，中人也

见汉·王充《论衡·本性篇》。全句为："孟轲言人性善者，中人以上者也，孙卿言人性恶者，中人以下者也，～"。

❷明扬仄陋，唯才是举／鹰扬虎视，齿若编贝，肤如凝脂，昭昭乎若玉山上行，朗然映人

❸明明扬侧陋／掩恶扬善，君子所宗／激浊扬清，嫉恶好善／君子扬人之善，小人讦人之恶／安卧扬帆，不见石滩；靠天多幸，白日入阱

❹唯立德扬名，可以不朽／一抑一扬者，轻鸿所以凌虚也

❺剪恶如草，扬奸如秕／黜陟幽明，扬清激浊／崇人之德，扬人之美，非谄谀也

❻冥冥花正开，扬扬燕新乳／抑之欲其奥，扬之欲其明／多私者不义，扬言者寡信／君子以遏恶扬善，顺天休命／眉联娟以蛾扬兮，朱唇的其若丹／凡欲显勋绩扬光烈者，莫良于学矣／文有二道：……导扬讽谕，本乎比兴者也

❼工以纳言，时而扬之／冥冥花正开，扬扬燕新乳／见善思齐，足以扬名不朽／高情壮思，有抑扬天地之心／大风起兮云飞扬，威加海内兮归故乡／君子崇人之德，扬人之美，非谄谀也

❽功成道洽，身没名扬／饥则附人，饱便高扬

❾维南有箕，不可以簸扬／文之用，辞令褒贬导扬讽喻而已／风且起，一旦荒忽飞扬，化而为沙泥／匿人之善，斯为蔽贤；扬人之恶，斯为小人／秋山的翠，秋江澄空，扬帆迅征，不远千里

❿室人和则谤掩，外内离则恶扬／譬如养鹰，饥则为用，饱则扬去／孟氏醇乎醇者也，荀与扬大醇而小疵／剑之锷，砥之而光；人之名，砥之而扬／晨看旅雁，心赴江淮；昏望牵牛，情驰扬越／何惜阶前盈尺之地，不使白扬眉吐气，激昂青云／生有七尺之形，死唯一棺之土，唯立德扬名，可以不朽／舜其大知也与！舜好问而好察迩言，隐恶而扬善，执其两端，用其中于民

扶　①fú 用手支撑；扶起；帮助；古代女子肃拜的姿态；姓。②pú 通"匍"，伏地而行。

❶扶危持颠，皆出于学者

见宋·苏辙《私试进士策问二十八首》。

❷能扶天下之危者，必据天下之安

❸垅上扶犁儿，手种腹长饥

❺功成事就，扶手安居／誉成毁败，扶高抑下／君看夏木扶疏句，还许诗家更道不／北海虽赊，扶摇可接；东隅已逝，桑榆非晚

❻德者，性之所扶也／蓬生麻中，不扶而直／多士之林，不扶自直

❼千里之路，不可扶以绳／杉能遂其性，不扶而直……

❽吉凶相救，患难相扶／驽马铅刀，不可强扶／青蓬育于麻圃，不扶自直／大鹏一日同风起，扶摇直上九万里／法令者，所以抑暴扶弱，欲其难犯而易避也

❾百足之虫，至死不僵，扶之者众也／水波澜者源必远，树扶疏者根必深

❿牡丹花儿虽好，还要绿叶儿扶持／凡人之谈，常誉成毁败，扶高抑下／新竹高于旧竹枝，全凭老干为扶持／鲲鹏展翅，九万里，翻动扶摇羊角

抚　①fǔ 抚摸；抚育；安慰，慰问；占有；拍击。②hū 盖。

❶抚我则后，虐我则雠

见《尚书·泰誓》。

❺杨意不逢，抚凌云而自惜／用兵之道，抚士贵诚，制敌贵诈

❼观古今于须臾，抚四海于一瞬

❽去冗官，用良吏，以抚疲民

❿生不能相养以共居，殁不得抚汝以尽哀

抟　①tuán 盘旋；同"团"。②zhuān 同"专"。

❺以百金与抟黍以示儿子，儿子必取抟黍
❻数则能胜疏，抟则能胜缺
❼三千击水，九万抟风
❿以百金与抟黍以示儿子，儿子必取抟黍

技

jì 手艺；工匠。

❷是技皆可成名，天下惟无技之人最苦／片技即足自立，天下惟多技之人最劳
❹人之有技，若己有之／傀儡学技，音节虽工，面目非情
❻心散于博闻，技贫乎广畜
❽积财千万，不如薄技在身
❿是技皆可成名，天下惟无技之人最苦／片技即足自立，天下惟多技之人最劳／或依势以干非其类，出技以怒强，窃时以肆暴／一人所以能敌万人者，非弓刀之技，盖威之至也

抔

póu 用手捧东西；量词。

❷一抔之土未干，六尺之孤安在

扰

rǎo，又读 róu，使混乱或不安宁；客套话；侵扰；安抚；和顺；驯服；指家畜、家禽。

❸上烦扰则下不定／智巧，扰乱之罗也；有为，败事之纲也
❹天下大扰，百姓遑遑，劳苦疲极，困穷生奸／安而不扰，使而不劳，是以百姓劝业而乐公赋
❺莫将戏事扰真情
❽天下本无事，庸人扰之为烦耳／兵者凶器，必有凶扰，扰则思乱，乱出不意
❾天下本无事，庸人自扰之／百僚师师，百工惟时，扰于五辰，庶绩其凝／兵者凶器，必有凶扰，扰则思乱，乱出不意
❿大仁者修治天下，大恶者扰乱天下／道者以无为为治，而知者以多事为扰／天且风，巢居之虫动；且雨，穴处之物扰／国之有民，犹水之有舟，停则以安，扰则以危

扼

è 用力掐住；守卫；握持。

❷势扼长川万古雄
❺乘隙插足，扼其主机，渐之进也
❼快者掀髯，愤者扼腕，悲者掩泣，羡者色飞
❿闻《乐游园》寄足下诗，则执政柄者扼腕矣

拒

①jù 抵抗；不接受。②jǔ 通“矩”。

❶拒人于千里之外
见《孟子·告子下》。
拒谏者塞，专己者孤
见汉·桓宽《盐铁论·刺议》。
❹嵩衡不拒细壤，故能崇其峻
❺专己者孤，拒谏者塞
❻勿谓我智而拒谏矜己／师儒之席，不拒曲士，理固然也／俞扁之门，不拒病夫；绳墨之侧，不拒枉材
❼乐闻过，罔不兴；拒谏，罔不乱
❾瓮盎易盈，以其狭而拒也／多见者博，多闻者智；拒谏者塞，专己者孤
❿不善虽不吾恶，吾将强而拒／从善如流，尚恐不逮；饰非拒谏，必是招损／俞扁之门，不拒病夫；绳墨之侧，不拒枉材／始如处女，敌人开户；后如脱兔，敌不及拒／事当其可与，万金与之；义所不宜，毫发拒之／使六国各爱其人，则足以拒秦；使秦复爱六国之人，则递三世可至万世而为君，谁得而族灭也

批

pī 阅批；批评、批判；触；排除；削；用手掌打；大宗的，达到一定数量的；量词，用于较大数量；棉、麻未捻成线时的细缕。

❶批扞之声，无出之口
见《墨子·修身》。

扯

chě 拉扯；撕；漫无边际地闲谈。

❾良人犹恐催耕早，自扯蓬窗看晓星

抄

chāo 仿照着写；摘编的文稿；搜查并没收；掠夺；走捷径；姓。

❸终日抄药方而不能瘳一疾
❽读书当读全书，节抄者不可读

折

①zhé 折叠；折子；断；曲，弯；反转；挫折；毁掉；损失；折合；判断；折扣；折服；戏曲名词；姓。②zhē 翻转；倒过来倒过去。③shé 断；亏损。

❶折冲口舌之间
见宋·苏洵《送石昌言使北引》。
折尽长条为寄谁
见宋·吕本中《春日即事》。
折狱而是也，理益明，教益行
见汉·董仲舒《春秋繁露·精华第五》。全句为：“～；折狱而非也，暗理迷众，与教相妨”。
折而不挠，勇也；瑕適皆见，精也
见《管子·水地》。
折狱而非也，暗理迷众，与教相妨
见汉·董仲舒《春秋繁露·精华第五》。全句为：“折狱而是也，理益明，教益行；～”。
❷三折肱为良医／九折臂而成医／三折肱知为良医／摧折寒山里，遂死无人窥／欲折月中桂，持为寒者薪
❸刚者折，柔者卷／非佞折狱，惟良折狱／片辞折狱，寸言挫众／强者折，锐者挫，坚者破／实有折枝之易，而无挟山之难／木之折也，必通蠹；墙之坏也，必通隙／河九折注于海，而流不绝者，昆仑之输也／铁可折，玉可碎，海可枯……直节贯殊途

❹末大必折，尾大不掉／单则易折，众则难摧／太刚则折，太柔则废／太刚则折，太柔则卷／齿由刚折，膏为明销／金刚则折，革刚则裂／往车虽折，而来轸方遒／勿轻直折剑，犹胜曲全钩／有花堪折直须折，莫待无花空折枝／金以刚折，水以柔全；山以高陊，谷以卑安／为长者折枝，语人曰："我不能"，是不为也

❺方寸地，九折坂／可使寸寸折，不能绕指柔／经一番挫折，长一番见识／蠹众而木折，隙大而墙坏／片言可以折狱者，其由也与／摧强易于折枯，消坚甚于汤雪／记短则兼折其长，贬恶则并伐其善／自叹犹为折腰吏，可怜骢马路傍行／安能摧眉折腰事权贵，使我不得开心颜

❻赔了夫人又折兵／宁为兰摧玉折，不作萧敷艾荣／白杨为屋材，折则宁折，终不屈挠／安得因一摧折，自毁其道以从于邪也

❼非佞折狱，惟良折狱／积羽沉舟，群轻折轴／聚蚊成雷，群轻折轴／百胜难虑敌，三折乃良医／萧然风雪意，可折不可辱／蚌死留夜光，剑折留锋芒／骊山北构而西折，直走咸阳／潭西南而望，斗折蛇行，明灭可见／物暴长者必夭折，功卒成者必亟坏／有花堪折直须折，莫待无花空折枝／不能为五斗米折腰，拳拳事乡里小人／倨傲鲜腆而深折之，彼其能有所忍也／积羽沉舟，群轻折轴，故君子禁于微

❽利剑多缺，真玉喜折／尾大不掉，末大必折／覆车重寻，宁无摧折／诬服之情，不可以折狱／兵强则灭，木强则折，革固则裂／不出尊俎之间，而折冲于千里之外／兰薰而摧，玉缜则折；物忌坚芳，人讳明洁／都蔗虽甘，杖之必折；巧言虽美，用之必灭／崖谷峻隘，十里百折，负重而上，若蹈利刃／锲而舍之，朽木不折；锲而不舍，金石可镂

❾兵强则不胜，木强则折／瑶山丛桂，芳茂者先折／一画失所，如壮士之折一肱／墙之坏也于隙，剑之折必有啮／白杨为屋材，折则宁折，终不屈挠

❿无有不可穷，至柔不可折／草木有本心，何求美人折／所愧为人父，无食致夭折／函坚则物必毁之，刚斯折矣／爱惜芳时，莫待无花空折枝／乐易者常寿长，忧险者常夭折／枝大于本，胫大于股，不折必披／江山如此多娇，引无数英雄竞折腰／纵使长条似旧垂，也应攀折他人手／有花堪折直须折，莫待无花空折枝／良农不为水旱不耕，良贾不为折阅不市／履千险而不失其信，遇万折而不失其东／君不见长松百尺多劲节，狂风暴雨终摧折／丈夫生不为将，得为使，折冲口舌之间足矣／食其食者，不毁其器；食其实者，不折其枝／食其食者，不毁其器；荫其树者，不折其枝／利镞穿骨，惊沙人面……声折江河，势崩雷电

抡

①lún 选拔。②lūn 使劲用手臂挥动。

❹大厦若抡材，亭亭托君子

抵

zhǐ 击；拍；抛掷；排击。

❻今日重来应抵掌，十年分付未逢人

抑

yì 压制；文言连词；按，捺；低沉；谦下；俯；枉屈；表转折；如果。

❶抑之欲其奥，扬之欲其明

见唐·柳宗元《答韦中立论师道书》。全句为："～；疏之欲其通，廉之欲其节；激而发之欲其清，固而存之欲其重"。

抑人者人抑之，容人者人容之

见五代·南唐·谭峭《化书卷三·酒醴》。

❷一抑一扬者，轻鸿所以凌虚也／禹抑洪水十三年，过家不入门

❹群邪所抑，以直为曲

❺持满之道，抑而损之／抑人者人抑之，容人者人容之／神宜平而抑之，必有失和者矣

❻周乎艺者，屈抑不能贬其名／高情壮思，有抑扬天地之心／法令者，所以抑暴扶弱，欲其难犯而易避也

❼誉成毁败，扶高抑下／忍怒以全阴气，抑喜以养阳气

❽道而弗牵，强而弗抑，开而弗达／不逆诈，不亿不信，抑亦先觉者，是贤乎

❾为治之大体，莫善于抑末而务本／抗之则在青云之上，抑之则在深渊之下／繁略殊形，隐显异术，抑引随时，变通会适

❿其语道也，必先淳朴而抑浮华／贤者举而上之，不肖者抑而废之／凡人之谈，常誉成毁败，扶高抑下／忠言有壅而未达，贤才有抑而未用／以弱为强者，非惟天时，抑亦人谋也／能苟焉以求静，而欲之翦抑窜绝，君子不取也／屈平所以洞监《风》《骚》之情者，抑亦江山之助乎／民之于上也，若玺之于涂也，抑之以方则方，抑之以圜则圜／气宜宣而遏之，体宜调而娇之，神宜平而抑之，必有失和者矣

抛

pāo 扔，投；舍弃，丢下；暴露。

❸窗下抛梭女，手织身无衣

❺灶尽沉烟，抛残绣线，恁今春关情似去年

❾笔底明珠无处卖，闲抛闲掷野藤中

❿不知织女萤窗下，几度抛梭织得成／逢人且说三分话，未可全抛一片心／逢人只可三分语，未可全抛一片心

投

tóu 扔向；送出去；送进去；丢弃；跳入；投靠；投射；到，临；合得来；姓。

❶投我以桃，报之以李

见《诗·大雅·抑》。

投闲置散，乃分之宜

见唐·韩愈《进学解》。全句为："动而得谤，名亦随之；～"。

投死为国，以义灭身

见三国·魏·曹操《让县自明本志令》。

投我以木桃，报之以琼瑶

见《诗·卫风·木瓜》。

投我以木瓜，报之以琼琚

见《诗·卫风·木瓜》。

投躯报明主，身死为国殇

见南朝·宋·鲍照《代出自蓟北门行》。全句为："时危见臣节，世乱识忠良。～"。

投至两处凝眸，盼得一雁横秋

见元·马致远《破幽梦孤雁汉宫秋杂剧》。

投之亡地然后存，陷之死地然后生

见《孙子兵法·九地篇》。

❷欲投鼠而忌器／宜投壶，矢声铮铮然

❸千里投名，万里投主／以卵投石，以指挠沸／交友投分，切磨箴规／若卵投石，岂可得全／握火投人，反先自热／背暗投明，古之大理／穷猿投林，岂暇择木／向君投此曲，所贵知音难／以胶投漆中，谁能别离此／有怀投笔，慕宗悫之长风／乘时投隙非谓才，苟得未必为汝福

❹病笃乱投医

❺取彼谮人，投畀豺虎／春耕其丘，投种之日。释耒而叹，何时实粟

❻中原初逐鹿，投笔事戎轩

❼千里投名，万里投主／迅川之水，束草投之则凝／临危而智勇奋，投命而高节亮／翳嘉林，坐石矶，投竿而渔，陶然以乐

❽三夫成市虎，慈母投杼趋／一有偏好，则下必投其所好以诱之

❾拯溺锤之以石，救火投之以薪／一切问答，如针锋相投，无纤毫参差／饥马在厩，寂然无声，投刍其旁，争心乃生

❿白璧求善价，明珠难暗投／酒逢知己千杯少，话不投机半句多／意得则舒怀以命笔，理伏则投笔以卷怀／字中蝌蚪，竞落文河。笔下蛟龙，争投学海／昔葛天氏之乐，三人操牛尾，投足以歌八阙／晴空朗月，何处不可翱翔？而飞蛾独投夜烛

抗 ①kàng 抵抗；不接受；对等；收藏；举起；通"亢"，高亢；姓。②káng 通"扛"，担当。

❶抗兵相加，哀者胜矣

见《老子》六十九。

抗之则在青云之上，抑之则在深渊之下

见汉·东方朔《答客难》。全句为："尊之则为将，卑之则为虏；～；用之则为虎，不用则为鼠"。

抗厉之人不能回挠，论法直则括处而公正

见三国·魏·刘劭《人物志·材理》。全句为："～，说变通则否戾而不入"。

❸百人抗浮，不若一人挈而趋

❽与求生而害义，宁抗节以埋魂／屈己以富贵，不若抗志以贫贱／焚芰制而裂荷衣，抗尘容而走俗状

❾带甲百万，非一勇所抗

❿独韩愈奋不顾流俗……因抗颜而为师

抖 dǒu 哆嗦；鼓起；抖动；称人突然富贵起来而得意；全部倒出。

❻我劝天公重抖擞，不拘一格降人材

护 hù 保卫；袒护；监领。

❸慎是护身之符，谦是百行之本／始以护人之乱为义，而终掠乱以求之

❹短不可护，护短终短／乘车必护轮，治国必爱民／短不可护，护则终短；长不可矜，矜则不长

❺短不可护，护短终短／短不可护，护则终短；长不可矜，矜则不长

❿落红不是无情物，化作春泥更护花／明主思短而益善，暗主护短而永愚／岂得以人言不同己意，便即护短不纳／人生大期，百年为限，节护之者可至千岁／噬虎之兽，知爱己子；搏狸之鸟，非护异巢

抉 jué 剔出；选择；戳，穿；古代射箭的工具；[抉择]挑选。

❸搜奇抉怪，雕镂文字／怒猊抉石，渴骥奔泉

❹爬罗剔抉，刮垢磨光

❼比干剖心，子胥抉眼，忠之祸也

把 ①bǎ 掌握；紧靠；看守；执，持；拿；让；给；被。②bà 柄。

❶把酒酹滔滔，心潮逐浪高

见现代·毛泽东《菩萨蛮·黄鹤楼》。

把志气奋发得起，何事不可做

见明·吕坤《呻吟语·补遗》。全句为："把意念沉潜得下，何理不可得；～"。

把意念沉潜得下，何理不可得

见明·吕坤《呻吟语·补遗》。全句为："～；把志气奋发得起，何事不可做"。

把向空中捎一声，良马有心日驰千

见唐·高适《咏马鞭》

❷忍把浮名，换了浅斟低唱／不把黄金买画工，进身羞与自媒同／似把剪刀裁别恨，两人分得一般愁／但把穷愁博长健，不辞最后饮屠苏／欲把西湖比西子，淡妆浓抹总相宜／错把黄金买词赋，相如自是薄情人／盈把之木无合拱之枝，荣泽之水无吞舟之鱼

❻明月几时有？把酒问青天／交拱之木无把之

枝，寻常之沟无吞舟之鱼
❼俏也不争春，只把春来报／常言道：日久才把人心见／揣歪，使乖，枉自把心田坏／舍得一身剐，敢把皇帝拉下马
❽安得倚天抽宝剑，把汝裁为三截／观棋不语真君子，把酒多言是小人
❾千家万户曈曈日，总把新桃换旧符／生来不读半行书，只把黄金买身贵／任君逐利轻江海，莫把风涛似妾轻／暖风熏得游人醉，直把杭州作汴州／心旷神怡，宠辱偕忘，把酒临风，其喜洋洋
❿农夫心内如汤煮，公子王孙把扇摇／先王之世，以道治天下，后世只是以法把持天下／自修自修，益处自家求；一刻千金，勿把韶光丢

报 ①bào 禀告；回答；报刊；断狱；报答；报复；传达信息的文件或信号；旧指为报恩德而举行的祭祀活动。②fù 通"赴"，急速。

❶报国莫如荐贤
见元·张养浩《风宪忠告·荐举》。
报国之心，死而后已
见宋·苏轼《杭州召还乞郡状》。
报者倦矣，施者未厌
见《左传·僖公二十四年》。
报国行赴难，古来皆共然
见唐·崔颢《赠王威古》。
报国心皎洁，念时涕汍澜
见唐·韩愈《龊龊》。
报国无门空自怨，济时有策从谁吐
见宋·吴潜《满江红》。
报国志愿不敢忘，此身未暇归江乡
见宋·吕源《和韵》。
❷忽报人间曾伏虎，泪飞顿作倾盆雨
❸以直报怨，以德报德／以德报德，则民有所劝／以怨报怨，则民有所惩／投躯报明主，身死为国殇／书生报国无地，空白九分头／贤者报国之功，乃在缓急有为之际
❹时危思报主，衰谢不能休／感时思报国，拔剑起蒿莱／国仇未报壮士老，匣中宝剑夜有声／善有善报，恶有恶报；不是不报，时辰未到
❺大小多少，报怨以德／投我以桃，报之以李／尝有德，厚报之；有怨，必以法灭之／为善者天报之以福，为恶者天与之以殃
❻冲天鹏翅阔，报国剑芒寒／读书成底事，报国是何人／谁言寸草心，报得三春晖／投我以木桃，报之以琼瑶／投我以木瓜，报之以琼琚／孰无施而有报兮，孰不实而有获／其施厚者其报美，其怨大者其祸深
❼以直报怨，以德报德／牛能任重，马有报德／善恶到头终有报，只争来早与来迟／天道远，人道尔，报应之效迟速难量／不可假公法以报私仇，不可假公法以报私德
❽无言不雠，无德不报／慈父之爱子，非为报也／但令身未死，随力报乾坤／他年我若为青帝，报与桃花一处开／辞家战士无旋踵，报国将军有断头／有阴德者必有阳报，有隐行者必有昭名／善有善报，恶有恶报；不是不报，时辰未到
❾圣王布德施惠，非求报于百姓也
❿俏也不争春，只把春来报／枝无忘其根，德无忘其报／役于人而食其力，可无报耶／一饭之德必偿，睚眦之怨必报／所言无不义，故下无伪上之报／施德者贵不德，受恩者尚必报／睚眦之怨必仇，一餐之惠必报／马上相逢无纸笔，凭君传语报平安／天地所以独长且久者，以其安静，施不荣报／不可假公法以报私仇，不可假公法以报私德／君子能罪己，斯罪人也；不报怨，斯报怨也／善有善报，恶有恶报；不是不报，时辰未到／古者士登乎仕，吏执乎役，禄以报劳，官以授德

拟 nǐ 估量，猜测；起草；打算；类似；摹拟。

❺矜粪丸而拟质随珠／世途昏险，拟步如漆……圣智危栗
❼莫嫌一点苦，便拟弃莲心
❿宅宇逾制，楼观出云，车马服饰，拟于王者

扣 hú，又读 gǔ、jué，掘；通"淈"，搅浑。

❼水之性清，土者扣之，故不得清

抹 ①mǒ 涂；擦；去除；闪过；量词。②mò 把泥、灰等涂在墙上并抹平；绕过，不直接；紧贴着；用手指轻按。③mā 擦；用手按着移动。

❿欲把西湖比西子，淡妆浓抹总相宜

抴 yè 拖；拉；牵引。

❿君子之度已则以绳，接人则用抴

拓 ①tuò 用手推物；开辟。②tà 把石碑或器物上的文字、图像拓印在纸上。③zhí 通"摭"，拾取。

❶拓境不宁，无益于强；多田不耕，何救饥敝
见南朝·宋·范晔《后汉书·庞参传》。
❽处逆境心须用开拓法，处顺境心要用收敛法

拔 ①bá 往外拽；抽出；挑选；取；夺；移易；超出；猝然，迅速；箭的末端。②bèi 树木长大。

❶拔诸水火，登于衽席
见明·宋濂《阅江楼记》。
拔去凶邪，登崇畯良
见唐·韩愈《进学解》。
拔一毛而利天下，不为也

见《孟子·尽心上》。
❷力拔山兮气盖世，时不利兮骓不逝
❸项庄拔剑舞，其意常在沛公／超俗拔萃之德，不能立功于未至之时／莫不拔地倚天，句句欲活，读之……莫可捉搦
❹毫毛不拔，将成斧柯／确乎不拔，浩然自守／攻不必拔，不可以言攻／附顺者拔擢，忤恨者诛灭
❺出于其类，拔乎其萃／裂冠毁冕，拔本塞原／路见不平，拔刀相助／善建者不拔，善抱者不脱／深根者难拔，据固者难迁／禽将户内，拔城于尊俎之间／必须出类拔萃，与众不同，才觉有趣／匹夫见辱，拔剑而起，挺身而斗，此不足为勇
❻感时思报国，拔剑起蒿莱／对案不能食，拔剑击柱长叹息／从古求贤贵拔茅，素门平进有英豪／采玉者破石拔玉，选士者弃恶取善
❼植之之人寡而拔之之人多／水涵天影阔，山拔地形高／十人树杨，一人拔之，则无生杨矣
❽拨乱反正之君，资拔山超海之力／官施而不失其宜，拔举而不失其能／当人强盛，河山可拔，一朝羸缩，人情万端
❾胡风动地，朔雁成行；拔剑登车，慷慨而别
❿三军一心，剑阁可以攻拔／基广则难倾，根深则难拔／古之圣人，虽出乎其类，拔乎其萃／不择善否，两容颊适，偷拔其所欲，谓之险／立大事者，不惟有超世之才，亦必有坚忍不拔之志／古之立大事者，不惟有超世之才，亦必有坚忍不拔之志／肮脏不平之气，不欲销而自销；坚贞不拔之志，不欲奋而自奋矣

拈 ①diān 用手估量轻重。②niǎn 用手指搓转。③niān 用两三个手指捏着。
❿直待自家都了得，等闲拈出便超然

担 ①dān 肩荷，挑。②dàn 重量单位；扁担和挂在两端的东西。③jiē 通“揭”，举。
❶担水塞井徒用力，炊砂作饭岂堪吃
见宋·李昉等《文苑英华·行路难》。
❹君不见担雪塞井空用力，炊沙作饭岂堪食
❻宇宙内事，要担当，又要善摆脱／大事难事看担当，逆境顺境看襟度
❽爱惜精神，留他日担当宇宙
❿权衡损益，斟酌浓淡，芟繁剪秽，弛于负担

抽 chōu 抽取；引出；拔出；抽打；牵动。
❶抽薪止沸，剪草除根
见北齐·魏收《为侯景叛移梁朝文》。
抽刀断水水更流，举杯消愁愁更愁
见唐·李白《宣州谢朓楼饯别校书叔云》。
❸拔泥抽沦玉，澄川掇沈珠
❺安得倚天抽宝剑，把汝裁为三截
❾扬汤止沸，不如釜底抽薪／嘉谷奋兴，根叶肥润，抽茎展穗，不失时宜

拙 zhuō 笨；不灵巧；粗劣。
❶拙制伤锦，迂政损国
见宋·宋祁《杂说》。
拙辞或孕于巧义，庸事或萌于新意
见南朝·梁·刘勰《文心雕龙·神思》。
❸兵尚拙速，不贵工迟／兵闻拙速，未睹巧之久也
❹将勤补拙／性有巧拙，可以伏藏／旁观虽拙，而灼于虚公之见／大巧若拙，大辩若讷，大勇若怯者
❺凡重外者拙内／巧诈不如拙诚／巧者有余，拙者不足／毋因己之拙而忌人之能／运穷君子拙，家富小儿娇／不用其所拙，而用愚人之所工／良骏败于拙御，智士踬于暗世／大匠不为拙工改废绳墨，羿不为拙射变其彀率
❻作伪，心劳日拙／因则功，专则拙／鹰不试则巧拙惑，马不试则良驽疑
❼身老方知生计拙，家贫渐觉故人疏
❽能虽至神，不离巧拙／大直若屈，大巧若拙，大辩若讷／勇者以工，惧者以拙，能与不能也／贫无可奈惟求俭，拙亦何妨只求勤
❾虽则巧持其末，不如拙诚其本／年衰无酒食之娱，性拙无博弈之艺／虽有巧目利手，不如拙规矩之正方圆
❿误用聪明，何若一生守拙／有谋人之心而令人知之，拙／作德心逸日休，作伪心劳日拙／任人之长，不强其短；任人之工，不强其拙／人有所优，固有所劣；人有所工，固有所拙／明者不以其短疾人之长，不以其拙病人之工／文章不难于巧而难于拙，不难于曲而难于直／大匠不为拙工改废绳墨，羿不为拙射变其彀率／智而用私，不如愚而用公，故曰巧伪不如拙诚

拖 tuō 拖拉；拖延；夺；下垂。
❼语贵洒脱，不可拖泥带水

拊 fǔ 拍；同“抚”，保护，安慰；古乐器名；弓把；刀柄。
❼酒后耳热，仰天拊缶而呼乌乌
❿虎之跃也，必伏乃厉；鹄之举也，必拊乃高

拍 ①pāi 拍手；拍打；拍子；节拍；拍摄；发（电报）；乐曲的段落；拍照；声学名词。②bó 通“膊”，肩胛。
❹一手独拍，虽疾无声／金沙水拍云崖暖，大渡桥横铁索寒
❺新涨看看拍小桥
❼乱石穿空，惊涛拍岸，卷起千堆雪

抵 ①dǐ 顶住；挡；相当；相触；抵赖；至，到；抵偿；抵押；掷；成本。②zhǐ 通"抵"，击掌。

❶抵金玉于沙砾，碎珪璧于泥途

见南朝·宋·范晔《后汉书·黄琼传》。

❷大抵不足则夸也／大抵忿怒之际……／大抵文善醒，诗善醉／大抵为名者，只是内不足／大抵古人诗画，只取兴会神到／大抵学问只有两途，致知力行而已／大抵文字须熟乃妙，熟则利病自明／大抵能立于一世，必有取重于一世之术／水抵两岸，悉皆怪石，攲嵌盘屈，不可名状

❸搏攫抵噬之兽，其用齿角爪牙也，必托于卑微隐蔽

❺数行家信抵千金

❻文章随世作抵昂，变尽风骚到晚唐／《诗》三百篇，大抵贤圣发愤之所为作也

❽烽火连三月，家书抵万金

❾无论海角与天涯，大抵心安即是家

❿千羊不能扞独虎，万雀不能抵一鹰／与父老约，法三章耳：杀人者死，伤人及盗抵罪／三晋多权变之士，夫言从衡强秦者，大抵皆三晋之人

拘 ①jū 逮捕；拘束；拘泥；限制。②gōu 拥蔽；曲，不能伸直。

❶拘也者，介之征也

见三国·魏·刘劭《人物志·八观》。全句为："介者不拘，无以守其介。既悦其介，不可非其拘。～"。

拘于鬼神者，不可与言至德

见《黄帝内经·五藏别论》。全句为："～；恶于针石者，不可与言至巧"。

拘囹圄者，以日为修；当死市者，以日为短

见汉·刘安《淮南子·说山》。

❷不拘文牵俗，则守职者辨治矣／不拘一世之利以为己私分，不以王天下为己处显

❸文王拘而演《周易》／老不拘礼，病不拘礼

❹介者不拘，无以守其介／小盗者拘，大盗者为诸侯；诸侯之门，义士存焉

❻建大业者不拘小节／闲云野鹤，无拘无束／选士用能，不拘长幼

❼老不拘礼，病不拘礼／事有便宜，而不拘常制

❽圣人法天贵真，不拘于俗／井鱼不可与语大，拘于隘也／圣人法天顺情，不拘于俗，不诱于人

❾既悦其介，不可非其拘／我手写我口，古岂能拘牵／吉凶在人，岂假阴阳拘忌／我劝天公重抖擞，不拘一格降人材

❿井蛙不可以语于海者，拘于虚也／清介廉洁，节在俭固，失在拘扃／不可貌古人而袭之，畏古人而拘束之／治务在无为而已，引大体，不拘文法／学医者当博览群书，不得拘守一家之言／成大事者，不恤小耻；立大功者，不拘小谅／知者作教，而愚者制焉；贤者议俗，不肖者拘焉／刺史宜精选谨择以委任之，固不可拘限官次，得之货贿，出之权门者也

抱 bào 用臂膀围住；合围；存在心里；胸怀；禽鸟伏卵；抚育，扶持；姓。

❶抱一者，守道也

见五代·前蜀·杜光庭《道德真经广圣义》卷十一。

抱日增丽，浮空不收

见唐·韩愈《贺庆云表》。全句为："～，既变化而无穷，亦卷舒而莫定"。

抱薪加火，烁者必先然

见《邓析子·转辞》。全句为："～；平地注水，湿者必先濡"。

抱玉乘龙骥，不逢乐与和

见南朝·宋·范晔《后汉书·郦炎传》。

抱木生毫末，层台起累土

见《老子》。

抱景者咸叩，怀响者毕弹

见晋·陆机《文赋》。

抱薪救火，薪不尽，火不灭

见汉·司马迁《史记·魏世家》。

抱火措之积薪之下而寝其上

见汉·贾谊《新书·数宁》。全句为："～，火未及燃，因谓之安，偷安者也"。

抱不世之才，特立而独行，道方而事实

见唐·韩愈《与于襄阳书》。全句为："～，卷舒不随乎时，文武唯其所用"。

抱朴无为，不以物累其真，不以欲害其神

见三国·魏·王弼《老子》三十二注。

❷竟抱固穷节，饥寒饱所更／合抱之木，生于毫末……千里之行，始于足下／姆抱幼子立侧，眉眼如画，发漆黑，肌肉玉雪可念／合抱之松无庸于狰人之国，若瓮之茧见弃于裸体之邦

❸衔酸抱痛，且耻且惭／见素抱朴，少私寡欲／甘瓜抱苦蒂，美枣生荆棘／夏日抱长饥，寒夜无被眠／急来抱佛脚，闲时不烧香／万物抱一而成，得微妙气化／宁可抱香枝上老，不随黄叶舞秋风

❹杞梓连抱，而有数尺之朽，良工不弃

❺挟冰求温，抱炭希凉／以汤止沸，抱薪救火，愈甚亡益／宁可枝头抱香死，何曾吹落北风中

❻扬堁而弭尘，抱薪以救火／怀道者须世，抱朴者待工／有第一等襟抱，第一等学识，斯有第一等真诗

❼其母好者其子抱／毫厘之根，无连抱之枝／善建者不拔，善抱者不脱／烈火埋冈，玉石抱俱焚之惨／介子推至忠也……抱木而燔死／圣人守清道而抱雌节，因循应变，常后而不先

❽虽为镜于前代，终抱痛于今日

❾千呼万唤始出来，犹抱琵琶半遮面

❿荆王未辨连城价，肠断南州抱璧人／虚负凌云万丈才，一生襟抱未曾开／不绝之于彼而救之于此，譬犹抱薪而救火／人人自谓握灵蛇之珠，家家自谓抱荆山之玉／五步一楼，十步一阁。……各抱地势，钩心斗角／力不能济于用，而君臣上下不正，虽抱空器奚何施设

拄 zhǔ 用拐杖或棍棒等顶住地面以支撑身体；折服，驳倒。

❿山，刺破青天锷未残。天欲堕，赖以拄其间

拉 ①lā 拉动；用车载运；拖长；抚养；帮助；拉扯；组织；招揽；拉拢；闲谈；排泄。②lá 通"剌"，划开。③lǎ 剌开的部分。④là 同"落"，遗漏，丢失。

❿舍得一身剐，敢把皇帝拉下马

拂 ①fú 擦拭，掠过；甩动；违背，违逆；去，斫；到达，接近。②bì 通"弼"，拂士，辅弼的贤士。

❶拂水飘绵送行色

见宋·周邦彦《兰陵王》。

拂云之松生于一豆之实

见明·刘基《拟连珠》。全句为："～，绛鳌之鱼穿于一丝之溜"。

拂墙花影动，疑是玉人来

见元·王实甫《西厢记》第三本第二折。

拂耳，故小逆在心而久福在国

见《韩非子·安危》。全句为："刺骨，故小痛在体而长利在身；～"。

❹谏、争、辅、拂之人信，则君过不远／谏、争、辅、拂之人，社稷之臣也，国君之宝

❺荷裳桂楫，拂衣于东海之东／紫陌红尘拂面来，无人不道看花回

❾欲得周郎顾，时时误拂弦／名有固善，径易而不拂谓之善名／名有固善，径易而不拂，谓之善名／因其性，则天下听从；拂其性，则法县而不用

❿青树翠蔓，蒙络摇缀，参差披拂／洪波振壑，川无活鳞；惊飙拂野，林无静柯

招 ①zhāo 招手；招收；引来（不好的后果）；招惹；承认；技艺；办法；靶子；商店招揽顾客的幌子，姓。②qiáo 揭露，揭示；举。③sháo 通"韶"，乐名。

❶招之不来，麾之不去

见汉·司马迁《史记·汲黯传》。

招之即来，挥之即去

见陈明韬《卧虎令传奇》。

招来雄俊魁伟敦厚朴直之士

见宋·苏轼《欧阳内翰》。全句为："～，罢去浮巧轻媚丛错采绣之文"。

招世之士兴朝，中民之士荣官

见《庄子·徐无鬼》。

招麾祸福，功名所遂，谓之志

见汉·严遵《道德指归论·道生篇》。全句为："因于情意，动而之外，与物相连，常有所悦，～"。

❷满招损，谦受益，时乃天道／射招者欲其中小也，射兽者欲其中大也

❸口能招祸，必须慎之

❹貌轻则招辱，好轻则招淫／言轻则招忧，行轻则招辜／君子可招而不可诱，可弃而不可慢／登高而招，臂非加长也，而见者远

❺甘井近竭，招木近伐

❾貌轻则招辱，好轻则招淫／言轻则招忧，行轻则招辜／伟士坐以俊杰之才，招致群吠之声

❿冯公岂不伟，白首不见招／不自重者致辱，不自畏者招祸／福兮可以善取，祸兮可以恶招／祸积起于宠盛，而不知辞宠以招福／从善如流，尚恐不逮；饰非拒谏，必是招损／美味腐腹，好色惑心，勇夫招祸，辩口致殃

披 pī 覆盖在肩背上；劈开，打开，散开；分解；翻阅；揭开。

❶披泥抽沦玉，澄川掇沈珠

见晋·葛洪《抱朴子·擢才》。

披襟朗咏，饯斜光于碧岫之前

见唐·王勃《上巳浮江宴序》。全句为："～；散发高吟，对明月于青溪之下"。

披蓑而救火，毁渎而止水，乃愈益多

见汉·刘安《淮南子·说林》。全句为："以诈应诈，以谲应谲，若～"。"渎"，沟渠。

❸雾尽披天，萍开见水

❹枝大者披心，尾大者不掉

❺木实繁者，披枝害心／言节候，则披文而见时／曾因国难披金甲，不为家贫卖宝刀／木实繁者披其枝，披其枝者伤其心

❻隐石那知玉，披沙始遇金／灭烛怜光满，披衣觉露滋／谢朝华于已披，启夕秀于未振

❽木实繁者披其枝，披其枝者伤其心

❾人之水镜也，见之若披云雾睹青天

❿树临流而影动，岩薄暮而云披／枝大于本，胫大于股，不折必披／青树翠蔓，蒙络摇缀，参差披拂／缀文者情动而辞发，观文者披文以入情／口不绝吟于六艺之文，手不停披于百家之编／以诈应诈，以谲应谲，若披蓑而救火，毁渎而止水

拨 ①bō 拨动；调配；量词；除去，废除；弹；调拨；不正。②fá 大桶。

❶拨乱世而反之正

见汉·司马迁《史记·高帝本纪》。

拨乱世，反诸正

见《公羊传·哀公十四年》。

拨云雾而睹青天

见明·罗贯中《三国演义》第三十八回。

拨乱反正,承平百年

见宋·苏轼《参定叶祖洽廷试策状二首》之一。

拨乱反正之君,资拔山超海之力

见唐·杨炯《唐右将军魏哲神道碑》。全句为:"经天纬地之帝,求制礼作乐之才;~"。

❺历观前代拨乱创业之主,生长民间,皆识达情伪,罕至于败亡

❿颠沛之揭,枝叶未有害,本实先拨/天下之善射者也,不能以拨弓曲矢中微

择 ①zé 挑选;区别。②zhái 口语音,择菜。

❶择师不可不慎也

见《礼记·学记》。

择其善者而从之

见《论语·述而》。

择之以才,待之以礼

见宋·苏洵《广士》。

择其善鸣者而假之鸣

见唐·韩愈《送孟东野序》。全句为:"人之声精者为言,文辞之于言,又其精也,尤~"。

择天下之士,使称其职

见唐·柳宗元《梓人传》。全句为:"~;居天下之人,使安其业"。

择才不求备,任物不过涯

见唐·元稹《遣兴十首》之七。

择势而从,则恶之大者也

见宋·朱熹《近思录》。

择福莫若重,择祸莫若轻

见《国语·晋语六》。

择可言而后言,择可行而后行

见《管子·形势解》。

择任而往,知也;知死不辟,勇也

见《左传·昭公二十年》。

❷其择人宜精,其任人宜久/君择才而授官,臣量己而受职/采择狂夫之言,不逆负薪之议/不择人而问焉,取其有益于身而已/不择善否,两容颊适,偷拔其所欲,谓之险

❸居必择乡,游必就士/居必择邻,交必良友/福不择家,祸不索人/嫁女择佳婿,毋索重聘/鸟则择木,木岂能择鸟/出门择交友,防慎畏薰莸/为人择官,而非为官择人/君不择将,以其国予敌也/贤君择人为佐,贤臣亦择主而辅/君子择交莫恶于易与,莫善于胜己/多闻,择其善者而从之;多见而识之/鸟必择木而栖,附托匪人者必有危身之祸/使法择人,不自举也;使法量功,不自度也/口无择言,驷不及舌;笔之过误,愆尤不灭/君者择臣而使之,臣虽贱,亦得择君而事之

❹鹿死不择音/物竞天择,适者生存/多闻而择焉,所以明智也/巢林宜择木,结友使心晓/诚之者,择善而固执之者也/江海不择小助,故能成其富/河海不择细流,故能就其深/国乱则择其邪人去之,则国治矣/君子先择而后交,小人先交而后择/臣可以择君而仕,君可以择臣而任

❺既多又须择,储精弃其糠/言不可不择,术不可不择也/受益莫如择友,好学莫如改过/里仁为美;择不处仁,焉得知/舍真筌而择士,沿虚谈以取才……/胸中乱则择其邪欲而去之,则德正矣/吾子苟自择之,取某事,去某事,则可矣/君子居必择乡,游必就士,所以防邪僻而近中正也

❻古之用人,无择于势/举善而任之,择善而从之/节食则无疾,择言则无祸/择福莫若重,择祸莫若轻/君子忌苟合,择交如求师/治国家者先择佐而后定民/构大厦者先择匠而后简材/积德者不倾,择交者不败/简能而任之,择善而从之/不限资考,惟择才堪者为之/离道而内自择,则不知祸福之所托/言者不狂,而择者不明,国之大患/回之为人也,择乎中庸,得一善,则拳拳服膺,而弗失之矣

❼狂夫之言,圣人择焉/穷猿奔林,岂暇择木/穷猿投林,岂暇择木/任重道远者,不择地而息/人生有离合,岂择衰老端/负重道远者,不择地而休/家贫亲老者,不择官而仕/家贫亲老者,不择禄而仕/孟尝君客无所择,皆善遇之/百言百当,不如择趋而审行也/择可言而后言,择可行而后行/刺史宜精选谨择以委任之,固不可拘限官次,得之货贿,出之权门者也

❽三岁学不如三岁择师/临行而思,临言而择/情发于中,言无所择/铤而走险,急何能择/鸟则择木,木岂能择鸟/赏不避仇雠,诛不择骨肉/用人不限资品,但择有才/古者男女之族,各择德焉,不以财为礼

❾革去旧例而惟材是择/为人择官,而非为官择人/古之人虚中乐善,不择事而问焉/良将之为政也,使人择之,不自举/希意道言,谓之谄;不择是非而言,谓之谀

❿言不可不择,术不可不择也/相形不如论心,论心不如择术/赏罚不可轻行,用人弥须慎择/贤君择人为佐,贤臣亦择主而辅/君子先择而后交,小人先交而后择/宁用不材以败事,不肯劳心而择材/臣可以择君而仕,君可以择臣而任/圣王为政,赏不避仇雠,诛不择骨肉/农夫劳而君子养焉,愚者言而智者择焉/公无私者,其取舍进退无择于亲疏远迩/山有木,工则度之;宾有礼,主则择之/欲交其人,先观其友,

乃择交第一良法也／君者择臣而使之，臣虽贱，亦得择君而事之／心志既舒则易以纵驰，议论无择则易以浮浅／将不知兵，以其主予敌也；君不择将，以其国予敌也／财之不丰，兵之不强，吏之不择，此三者存亡之所从出／古之所谓公无私者，其取舍进退无择于亲疏远迩，惟其宜可焉／人声之精者为言，文辞之于言，又其精也，尤择其善鸣者而假之鸣

拚 ①pàn 舍弃，不顾惜。②pīn 同"拼"，连合，缀合。③fèn 扫除。④fān 通"翻"；飞的样子。

❻肇允彼桃虫，拚飞维鸟

拗 ①ǎo 用手折断。②ào 不顺口；违拗。③niù 固执；扭。

❿受天下之瑰丽，而泄天下之拗怒也／以受天下之瑰丽，而泄天下之拗怒也

拭 shì 擦拭。

❾流言雪污，譬犹以涅拭素

挂 guà 悬吊；牵记；登记；钩取；量词。

❸羚羊挂角，无迹可求

❹恨不得挂长绳于青天，系此西飞之白日

❺蟾蜍碾玉挂明弓

❽但忧死无闻，功不挂青史／洞房花烛夜，金榜挂名时

❾长风破浪会有时，直挂云帆济沧海

❿寻章摘句老雕虫，晓月当帘挂玉弓／好经大事，变更易常，以挂功名，谓之叨／矰缴充蹊，阬阱塞路，举手挂网罗，动足蹈机坎

持 chí 拿着；遵守不变；扶助；掌管；保持；相持；挟持。

❶持志如心痛……

见明·王守仁《语录·传心录上》。全句为："～，一心在痛上，岂有功夫说闲话，管闲事"。

持其志，无暴其气

见《孟子·公孙丑上》。

持而盈之，不如其已

见《老子》九。

持之有故，言之成理

见《荀子·非十二子》。

持萤烛象，得首失尾

见明·徐光启《刻〈几何原本〉序》。

持满之道，抑而损之

见汉·韩婴《韩诗外传》。

持钱买水，所取有限

见明·宋濂《元史·尚野传》。全句为："～，能自凿井及泉而汲之，不可胜用矣"。

持己当从无过中求有过

见《格言联璧·接物》。全句为："～；待人当于有过中求无过"。

持杯收水水已覆，徙薪避火火更燔

见唐·李益《汉宫少年行》。

❷谁持白羽静风尘／倒持干戈，授人以柄／倒持泰阿，授楚其柄／执持要坚耐，怕是脆／善持胜者，以强为弱／手持文柄，高视寰海／务持重，不急近功小利／能持大体，凡事自可就也／其持之有故，其言之成理

❸扶危持颠，皆出于学者／振裘持领，领正则毛理／军之持麾者，妄指则乱矣／权重持难久，位高势易穷／所挟持者甚大，而其志甚远也／人之持身立事，常成于慎而败于纵／说者持容而不极，听者自多而不得／守法持正，嶷如秋山；火不侵玉，幸臣畏伏

❹孤论难持，犯欲难成／鹬蚌相持，渔人得利／虽则巧持其末，不如拙诚其本／当官务持大体，思事事皆民生国计所关

❺十围之木持千钧之屋／言之成理，持之有故／我有三宝，持而保之……／学而废者，持学而有骄，骄必辱

❻将新变故易，持故为新难／欲折月中桂，持为寒者薪／偷合苟容，以持禄养交而已耳，谓之国贼也

❼得之之难，未若持之之难／胜非其难者也，持之其难者也／操一己之绳墨，持前王之规矩，以方枘欲圆凿

❽定者，尽俗之极地……持安之毕事

❾行不逮则退，不以诬持禄／以言责人甚易，以义持己实难／百足之虫，断而不蹶，持之者众也／赤橙黄绿青蓝紫，谁持彩练当空舞／大兵如市，人死如林；持金易粟，粟贵于金

❿勿言一樽酒，明日难重持／变故在斯须，百年谁能持／要假修成九转，先须炼己持心／牡丹花儿虽好，还要绿叶儿扶持／百足之虫至断不蹶者，持之者众也／新进之士喜勇锐，老成之人多持重／新竹高于旧竹枝，全凭老干为扶持／兵不如者，勿与挑战；粟不如者，勿与持久／举网以纲，千目皆张，振裘持领，万毛自整／先王之世，以道治天下，后世只是以法把持天下／治国无法则乱，守法而弗变则悖，悖乱不可以持国／因循苟且逸豫而无为，可以侥幸一时，而不可旷日持久

拱 gǒng 拱手，表示敬意；环绕；用身体撞动或拨动；建筑物成弧形；耸起或掀动；姓。

❶拱木不生危，松柏不生埤

见《国语·晋语八》。

拱默取容，以徇一身之利者，亦当罢而去之

见宋·包拯《论委任大臣》。

❷垂拱而天下治／端拱纳谏诤，和风日冲融／

交拱之木无把之枝，寻常之沟无吞舟之鱼
❼盈把之木无合拱之枝，荣泽之水无吞舟之鱼
❾以苟容曲从为贤，以拱默尸禄为智
❿露垂泣于幽草，风含悲于拱木

挞 tà 用鞭、棍等打人；迅速。
❺驰马思坠，挞人思毙，妄费思穷，滥交思累
❾拜迎官长心欲碎，鞭挞黎庶令人悲

挟 ①xié，又读 xiá，用胳膊夹在腋下；威胁；心怀；襟带；倚仗。②jiā 通"浃"，周匝。
❶挟冰求温，抱炭希凉
见晋·陈寿《三国志·魏书·高柔传》。
挟艺射科，每发如望
见唐·韩愈《唐故中散大夫少府监胡良公墓神道碑》。
挟天子以令天下，天下莫敢不听
见《战国策·秦策一》。
挟天子而令诸侯，此诚不可与争锋
见晋·陈寿《三国志·蜀书·诸葛亮传》。
挟天子以令诸侯，四海可指麾而定
见晋·陈寿《三国志·魏书·武帝纪》。
挟泰山以超北海，语人曰："我不能"，是诚不能也
见《孟子·梁惠王上》。
❷所挟持者甚大，而其志甚远也
❸不以挟私为政／日月挟虫鸟之瑕，不妨丽天之景
❺带长剑兮挟秦弓，首身离兮心不惩
❻气凌云汉，字挟风霜
❽琼珉山积，不能无挟瑕之器
❾实有折枝之易，而无挟山之难
❿友也者，友其德也，不可以有挟也

挠 náo 搅，搅和；扰乱，使事情不能顺利进行；弯曲；比喻屈服；搔。
❷勿挠勿撄，万物将自清
❹当官不挠贵势，执平不阿所私／折而不挠，勇也；瑕適皆见，精也
❻穷独善而无挠，达兼善而无矜
❼以卵投石，以指挠沸／法不阿贵，绳不挠曲／劲操比松寒不挠，忠言如药苦非甘／善战者，居之不挠，见胜则起，不胜则止
❽抗厉之人不能回挠，论法直则括处而公正
❿剑不试则利钝暗，弓不试则劲挠诬／白杨为屋材，折则宁折，终不屈挠

挺 tǐng 硬而直；伸直或凸出；勉强支撑；很；拔，举起；动，动摇。
❶挺秀色于冰涂，厉贞心于寒道
见南朝·梁·萧子晖《冬草赋》。
挺然尽心，敢任天下之责者，即当委而付之
见宋·包拯《论委任大臣》。
❻君子直而不挺，曲而不诎
❾匹夫见辱，拔剑而起，挺身而斗，此不足为勇
❿稻熟江村蟹正肥，双螯如戟挺青泥

括 kuò 结扎；箭的末端；搜求；来，聚；包容，包含；给文字加上括号。
❷机括要深沉，怕是浅／隐括之旁多枉木，砥砺之旁多顽钝
❹不恃隐括而有自直之箭自圆之木，百世无有一
❽杜甫陈子昂，才名括天地
❿抗厉之人不能回挠，论法直则括处而公正／斟酌乎质文之间，而隐括乎雅俗之际，可与言通变矣／有席卷天下，包举宇内，囊括四海之意，并吞八荒之心

拾 ①shí 从地上捡起来；收拾；数字"十"的大写。②shè 通"涉"。③jiè 更迭，轮流。
❶拾得断麻穿破衲，不知身在寂寥中
见宋·普济《五灯会元》卷二〇。全句为："地炉无火客囊空，雪似杨花落岁穷。～"。
❸道不拾遗，民不妄取／妇人拾蚕，渔者握鳣，利之所在，则忘其所恶
❺日暮榆园拾青荚，可怜无数沈郎钱
❼门不夜关，道不拾遗／举善不以窅窅，拾过不以冥冥
❽一人善射，百夫决拾
❿星斗张明，错落水中，如珠走镜，不可收拾／天无一点云，星斗张明，错落水中，如珠走镜，不可收拾

挑 ①tiāo 用肩担；选；在细小处苛求；弹奏弦乐器的一种指法。②tiǎo 挑拨；挑逗；撑，挂；用针穿。③tāo[挑达]往来貌。
❸远而挑战者，欲人之进也
❼兵不如者，勿与挑战；粟不如者，勿与持久

指 zhǐ 手指；用手指着；点明；斥责；批评；倚靠；仰仗；意向；（头发）直立；古时同"旨"，美好。
❷遥指空中雁作羹／多指乱视，多言乱听／十指不沾泥，鳞鳞居大厦／其指归在可解不可解之会／五指之更弹，不若卷手之一挃／顺指者爱所由来，逆意者恶所从至／十指而掩日月之光，一口而没沧溟之水／弹指三十八年，人间变了，似天渊翻覆／断指以存腕，利之中取大，害之中取小
❸难于指言者，辄咏歌之
❹千人所指，无病而死／头发上指，目眦尽裂／言近而指远者，善言也／伤其十指，不如断其一指／正义直指，举人之过，非毁疵也／传闻与指实不同，悬算与临事有异／弹虽在指声在意，听

不以耳而以心／制名以指实，上以明贵贱，下以辨同异／切而不指，勤而不怨，曲而不谄，直而有礼／见玉而指之曰石，非玉之不真也，待和氏而识焉

❺行得春风，指望夏雨／平居无事，指为贤良……／美服患人指，高明逼神恶／痈疽发于指，其痛遍于体

❻以卵投石，以指挠沸／言无不可晓，指无不可睹／理不可以直指也，故即物以明理／染鹭之毛而指为鸦，则虽愚必疑／见隅曲之一指，而不知八极之广大

❼发谋决策，从容指顾／用管窥天，用锥指地／百炼或致屈，绕指所以伸／军之持麾者，妄指则乱矣／怀既往而不咎，指将来而骏奔／其称文小而其指极大，举类迩而见义远／整顿乾坤手段，指授英雄方略，雅志若为酬

❽三十八年过去，弹指一挥间／十目所视，十手所指，其严乎／末不可以强于本，指不可以大于臂

❾可使寸寸折，不能绕指柔／何意百炼刚，化为绕指柔／不到长城非好汉，屈指行程二万／臣心一片磁针石，不指南方不肯休／是直用管窥天，用锥指地也，不亦小乎

❿伤其十指，不如断其一指／借问酒家何处有，牧童遥指杏花村／挟天子以令诸侯，四海可指麾而定／海上涛头一线来，楼前指顾雪成堆／目者，心之符也；言者，行之指也／恳言辞浅而不入，深言则逆耳而失指／君不见长安女儿嫩如水，十指不动衣罗绮／负势竞上，互相轩邈，争高直指，千百成峰／浩淼东流，赴海为期。斡而迁焉，逐我颐指

挤

jǐ 榨，用力压使排出；拥挤，挨挤；排挤。

❶挤人者人挤之，侮人者人侮之

见宋·张载《正蒙·有德》。

❿落陷阱，不一引手救，反挤之，又下石焉

拼

pīn 合在一起；不顾一切地。

❸一人拼命，万夫难当

按

àn 用手摁；按住；抑制；依据；审核；按照；巡行；按语。

❶按其已然之迹而诋之也易

见宋·苏轼《国学秋试策问二首》。全句为："～，推其未然之理而辨之也难"。

按其实而审其名，以求其情

见《吕氏春秋·审分览·审分》。全句为："～；听其言而察其类，无使放悖"。

按善恶见闻之实，断是非去取之疑

见宋·王安石《范镇加修撰》。

按贤察名，选才考能，名实俱得之也

见唐·马总《意林·太公六韬》。

❸文不按古，匠心独妙／考实按形，不能谩于一人／劳形按影皆非道，炼气吞霞更是狂

❺缘法而治，按功而赏

挥

huī 举起手臂摇摆；散发；舞动；洒，泼；通"徽"，旗幡。

❶挥兹一觞，陶然自乐

见晋·陶潜《时运》。

挥汗读书不已，人皆怪我何求

见宋·黄庭坚《宁浦书事六首》其一。全句为："～？我岂更求荣达，日长聊以销忧"。

❷手挥五弦易，目送归鸿难

❸劲翮挥风，雄姿触雾

❹其有发挥新体，孤飞百代之前，开凿古人，独步九流之上

❺招之即来，挥之即去／呼之则来，挥之则散／张袂成帷，挥汗成雨／文章太守，挥毫万字，一饮千钟

❻诗成珠玉在挥毫／目送归鸿，手挥五弦

❽往事越千年，魏武挥鞭，东临碣石有遗篇

❿三十八年过去，弹指一挥间／闭门觅句陈无已，对客挥毫秦少游／闻鸡久听南天雨，立马曾挥北地鞭／恰同学少年，风华正茂；书生意气，挥斥方遒

拯

zhěng 向上举；救援，救助。

❶拯溺锤之以石，救火投之以薪

见《邓析子·无厚》。

❺追亡者趋，拯溺者濡／待利而后拯溺，人亦必以利溺人矣／溺者入水，拯之者亦入水。入水则同，所以入水者则异

❼救奢必于俭约，拯薄无若敦厚

❽两人俱溺，不能相拯／欲灭迹而走雪中，拯溺者而欲无濡

❾与民同其安者，人必拯其危

❿与其坐而待亡，孰若起而拯之／博见为馈贫之粮，贯一为拯乱之药／不治其本，而务其末，譬犹拯溺锤之以石

挃

zhì 捣，撞；收割作物的声音。

❿五指之更弹，不若卷手之一挃

捄

①jū，又读 jiū，以手掬聚。②qiú 长貌。③jiù"救"的异体字。

❾有国有家，不思所以捄之

捕

bǔ 捉拿。

❶捕蝗之蝗甚于蝗

见明·崔旭《捕蝗谣》。

捕猛兽者不使美人举手

见汉·桓谭《新论·求辅》。全句为："～，钓

巨鱼者不使稚子轻预”。

捕景之说，不形于心。

见汉·刘安《淮南子·说林》。全句为：“象肉之味，不知于口；鬼神之貌，不著于目；～”。

捕雀而掩目，盗钟而掩耳

见唐·吴兢《贞观政要·公平》。全句为：“为之而欲人不知，言之而欲人不闻，此犹～者，只以取诮，将何益乎”。

❷若捕龙蛇，搏虎豹……

❼教羊牧兔，使鱼捕鼠，任非其人，费日无功

❽风不可系，影不可捕／求物之妙，如系风捕影

❿命鸾凤兮逐雀，驱龙骥兮捕鼠／已借蜡钱输麦税，免教缉捕闯门来／贪痴无底蛇吞象，祸福难明螳捕蝉／骐骥骅骝，一日而驰千里，捕鼠不如狸狌／入泽随龟，不暇调足；深渊捕蛟，不暇定手

振 ①zhèn“赈”的本字；开放，发放；拂拭，抖动；挥动；摇动；奋发兴起；整治，整顿；通“震”；起，自；[振振]群飞貌；理直气壮貌。②zhēn[振振]信实而仁厚貌；盛貌。③zhěn穿单衣。

❶振人之命，不矜其功

见汉·班固《汉书·游侠传》。

振穷救急，倾家无爱

见晋·陈寿《三国志·魏书·吕布传》。

振人不赡，先从贫贱始

见汉·班固《汉书·游侠传》。

振裘持领，领正则毛理

见汉·谷永《说王音》。全句为：“诛恶及本，本诛则恶消；～”。

振衣千仞冈，濯足万里流

见晋·左思《咏史八首》之五。

振则须起风雷之益，惩则须奋刚健之乾

见明·吕坤《呻吟语》。全句为：“～，不如是，海内大可忧矣”。

❷声振林木，响遏行云

❸乘风振奋出六合／轻缗振网，或随吞舟之势／纵横振锋颖之才，吐纳积江湖之量／洪波振壑，川无活鳞；惊飙拂野，林无静柯

❹长风一振，众萌自偃／新浴者振其衣，新沐者弹其冠

❺忘年忘义，振于无竟，故寓诸无竟／今兵威已振，譬如破竹，数节之后，皆迎刃而解

❻用心于正，一振而群纲举

❼奋六世之遗烈，振长策而御宇内，吞二周而亡诸侯，履至尊而制六合

❾兵诚义，以诛暴君而振苦民／举网以纲，千目皆张，振裘持领，万毛自整

❿食饱心自若，酒酣气益振／委肉当饿虎之蹊，祸必不振／谢朝华于已披，启夕秀于未振／新沐者必弹冠，新浴者必振衣／万目不张举其纲，众毛不整振其领／块土不能障狂澜，匹夫不能振颓俗／道成于学而藏于书，学进于振而废于穷／及至始皇，奋六世之余烈，振长策而御宇内／水性虚而沦漪结，木体实而花萼振，文附质也／政庞而土裂，三光五岳之气分，大音不完，故必混一而后大振

捎 ①shāo 拂掠；破除；顺便挈带。②xiāo 除。

❺把向空中捎一声，良马有心日驰千

捍 hàn 保卫，防御；袖套；坚实貌；张开、拉开；通“悍”，强悍。

❹守一城，捍天下

捏 niē 用拇指和别的手指拿着；用手指捻聚；虚构，假造。

❿愿兄为水妹为土，和来捏做一个人

捉 zhuō 逮；捕；使人或动物落入自己手中；握；拿；捉弄。

❶捉衿而肘见，纳履而踵决

见《庄子·让王》。

❹一沐三捉发，一饭三吐哺

❺一沐而三捉发，一食而三起

❻然我一沐三捉发，一饭三吐哺

❿莫不拔地倚天，句句欲活，读之……莫可捉搦

捐 ①juān 捐助；舍弃；奉献；旧指税收。②yuán[捐毒]古国名。

❶捐不急，罢冗员

见唐·白居易、宋·孔傅《白孔六帖》卷四十一。

捐躯赴国难，视死忽如归

见三国·魏·曹植《白马篇》。

捐躯若得其所，烈士不爱其存

见唐·房玄龄《晋书·忠义传》。

❻生相怜，死相捐

❼自我得之，自我捐之／一彼此于胸臆，捐好恶于心想／罢无能，废无用，捐不急之官，塞私门之请

❽贪多务得，细大不捐／藏珉石于金匮兮，捐赤瑾于中庭

❾足趾一跌，而前劳并捐／桑蚕苦，女工难，得新捐故后必寒

❿古语有之“生相怜，死相捐”。此语至矣／壮年竭忠孝于沙漠，疲劳则便捐死于旷野／虫随一器，酒弃不饮；鼠涉一筐，饭捐不食

损 sǔn 减少；使蒙受损失；用刻薄话挖苦人；毒辣；伤害；六十四卦之一；犹极，煞。

❶损不足以奉有余

见《老子》七十七。

损，先难而后易

见《周易·系辞下》。
损上益下,民说无疆
见《周易·益》。
损。君子以惩忿窒欲
见《周易·损》。
损盈成亏,随世随死
见《列子·天瑞》。
损一毫利天下,不与也
见《列子·杨朱》。
损益之名,无胫而走矣
见唐·白居易《策林一》。全句为:"是非之声,无翼而飞矣;~"。
损躯赴国难,视死忽如归
见三国·魏·曹植《白马篇》。
损而不已必益,益而不已必决
见《周易·序卦》。
损者三友:友便辟,友善柔,友便佞,损矣
见《论语·季氏》。
损百姓以奉其身,犹割股以啖腹,腹饱而身毙
见唐·吴兢《贞观政要·君道》。全句为:"为君之道,必须先存百姓,若~"。
❷卑损之为道大矣/一损俱损,一荣俱荣
❸不乐损年,长愁养病/满招损,谦受益,时乃天道/物或损之而益,或益之而损/力视损明,力听损聪,疾言阻德,功伪败功/权衡损益,斟酌浓淡,芟繁剪秽,弛于负担
❹一损俱损,一荣俱荣/以学自损,不如无学/天之道,损有余而补不足/厚者不损人以自益,仁者不危躯以要名
❺不应憔悴损年芳/贪满者多损,谦卑者多福/闻忠善以损怨,不闻作威以防怨/君子知自损之为益,故功一而美二/强而骄者损其强,弱而骄者亟死亡/贤者多财损其志,愚者多财生其过
❻小疵不足以损大器/贤而多财,则损其志/其益如毫,其损如刀/一条之枯,不损繁林之蓊蔼/禄过其功者损,名过其实者蔽/我闻忠善以损怨,不闻作威以防怨/吾闻忠善以损怨,不闻作威以防怨/收心简事日损有为,体静心闲方可观妙
❼画脂镂冰,费日损功/拙制伤锦,迂政损国/持满之道,抑而损之/闻其誉者誉日损而祸至/威强以自御,力损则身危/益之而不加益,损之而不加损/人之道则不然,损不足以奉有余/礼者,断长续短,损有余,益不足/因也者,无益无损也,以其形因为之名/天下之非誉,无损益焉,是谓全德之人哉/力视损明,力听损聪,疾言阻德,功伪败功/不以宠辱荣患损易其身,然后乃可以天下付之
❽中材之人则随世损益/小人之誉,人反为损/不加功于无用,不损财于无谓/砥砺磨坚,莫见其损,有时而薄/磨砻底厉,不见其损,有时而尽/为学日益,为道日损,损之又损,以至于无为
❾野夫怒见不平处,磨损胸中万古刀/小人不知自益之为损,故一伐而并失/为学日益,为道日损,损之又损,以至于无为
❿天地之道,极则反,盈则损/物或损之而益,或益之而损/益之而不加益,损之而不加损/饱食便卧及终日久坐,皆损寿/婴儿以不知益,高年以多事损/友便辟,友善柔,友便佞,损矣/饱肥甘,衣轻暖,不知节者损福/教笞不可废于家,刑罚不可损于国/虽有贤师良友,若画脂镂冰,费日损功/从善如流,尚恐不逮;饰非拒谏,必是招损/尘加嵩岱,雾集淮海,虽未有益,不为损也/损者三友:友便辟,友善柔,友便佞,损矣/为学日益,为道日损,损之又损,以至于无为/人生所好,自当专一,若多好多能,反能耗神损精/此理在宇宙间,固不以人之明不明、行不行而加损/君子所性,虽大行不加焉,虽穷居不损焉,分定故也/起居不时,饮食不节,寒暑不适,则形体累而寿命损/天有恒日,民自则之,爽则损命,环自服之,天之道也

挹

①yì 舀,汲取;牵引;通"抑",抑制,谦退。②yī 通"揖",作揖。
❽维北有斗,不可以挹酒浆
❿盈尺径寸,易取琢磨;南箕北斗,难为簸挹

挫

cuò 失败;打败;屈辱;折断;按抑;提去;书法用笔的一种方式。
❶挫其锐,解其纷,和其光,同其尘,湛兮似或存
见《老子》四。
❷小挫之后,反有大获
❹经一番挫折,长一番见识
❺铦者必先挫
❻以一介之微挫其锋于顷刻/强者折,锐者挫,坚者破
❼坚则毁矣,锐则挫矣/片辞折狱,寸言挫众/悬日月于胸怀,挫风云于毫翰/笼天地于形内,挫万物于笔端
❾铭博约而温润,箴顿挫而清壮/合则离,成则毁,廉则挫,尊则议/天下之事,不有所摧挫则不能以有成
❿刀利则物必摧之,锐斯挫矣

换

huàn 交换;更改;换取。
❶换我心,为你心,始知相忆深
见五代·后蜀·顾夐《诉衷情》。
❺时节忽已换,壮心空自惊/忍把浮名,换了浅斟低唱
❽日往月来,星移斗换/萧瑟秋风今又是,换了

人间

❾又不道，流年暗中偷换／闲云潭影日悠悠，物换星移几度秋

❿事往则迹移，岁迁则物换／千家万户曈曈日，总把新桃换旧符／为有牺牲多壮志，敢教日月换新天

挽 wǎn 拉；扭转；卷起；哀悼死者；用车运输；通"晚"。

❶挽弓当挽强，用箭当用长

见唐·杜甫《前出塞九首》之六。

❷会挽雕弓如满月，西北望，射天狼

❹挽弓当挽强，用箭当用长

❺摘翠者菱，挽红者莲，举白者鱼／安得壮士挽天河，净洗甲兵长不用

❿将事而能弭，当事而能救，既事而能挽

捣 dǎo 用棒槌一类工具砸、舂；搅乱。

❶捣鬼有术，也有效，然而有限，所以以此成大事者，古来无有

见现代·鲁迅《捣鬼心传》。

❸不为捣衣勤不睡，破除今夜夜如年

捃 jùn 亦作"攈"、"攟"；摘取，拾取。

❿综学在博，取事贵约，校练务精，捃理须核

捧 pěng 双手相对托着；奉承或替人吹嘘；量词，用于能捧的东西。

❻巨川将溃，非捧土之能塞

❿意不先立，止以文采辞句绕前捧后／苟意不先立，止以文彩辞句，绕前捧后，是言愈多而理愈乱

措 ①cuò 安放；筹划；筹办；废置；通"错"。②zé 追捕；轧。

❶措语遣意，有若自然生成者

见清·姚鼐《与王铁夫书》。全句为："文章之境，莫佳于平淡。～"。

❷举措施为，不失其宜

❸抱火措之积薪之下而寝其上

❺良医不能措其术，百药无所施其功

❻不动声色，而措天下于泰山之安

❾太平之美者，在于刑措／刑罚不中，则民无所措手足／有弗问，问之弗知，弗措也／有弗学，学之弗能，弗措也／有弗思，思之弗得，弗措也／有弗辨，辨之弗得，弗措也

❿恭俭节用，天下几至刑措／虎豹之文来射，猿狖之捷来措

掩 yǎn 遮盖；合上；隐匿；关闭；盖过；停止；趁人不备而袭取。

❶掩恶扬善，君子所宗

见《西升经·道生章》。

掩袖工谗，狐媚偏能惑主

见唐·骆宾王《为徐敬业讨武曌檄》。全句为："入门见嫉，娥眉不肯让人；～"。

❷不掩贤以隐长，不刻下以谀上

❸大能掩小，海纳百川／瑕不掩瑜，瑜不掩瑕

❹水来土掩，将至兵迎／捕雀而掩目，盗钟而掩耳／君子不掩人之功，不蔽人之善／十指而掩日月之光，一口而没沧溟之水／开函关，掩函关，千古如何，不见一人闲／夜行者掩目而前其手，涉水者解其马载之舟

❺迅雷不及掩耳／疾雷不及掩耳／不以一眚掩大德／眸子不能掩其恶／用其所长，掩其所短／疾雷不及掩耳，迅电不及瞑目／长太息以掩涕兮，哀民生之多艰／至人之治，掩其聪明，灭其文章，依道废智

❻茅店惊寒半掩门／小善不足以掩众恶／粗服乱头，不掩国色／难将一人手，掩得天下目／昔闻长者言，掩耳每不喜／毁则者为贼，掩贼者为藏／室人和则谤掩，外内离则恶扬／人有善，恒当掩之，有恶宜令彰露／小善不足以掩众恶，小疵不足以妨大美

❼瑕不掩瑜，瑜不掩瑕／清越而瑕不自掩，洁白而物莫能污／今以人之小过掩大美，则天下无圣王贤相矣

❾捕雀而掩目，盗钟而掩耳／江流千古英雄泪，山掩诸公富贵羞

❿求名莫如自修，善誉不能掩恶／嫫母倭傀，善誉者不能掩其丑／思故旧以想象兮，长太息而掩涕／吹波则江汉倒流，腾气则虹霓掩彩／君子慎其实，实之美恶，其发也不掩／良玉度尺，虽有十仞之土，不能掩其光／良珠度寸，虽有百仞之水，不能掩其莹／快者掀髯，愤者扼腕，悲者掩泣，羡者色飞／言出于己，不可塞也；行发于身，不可掩也／一出而不可反者，言也；一见而不可掩者，行也／言发于迩，不可止于远；行存于身，不可掩于名

捷 ①jié 战胜；快速的；战利品；迅速，敏捷；抄行小道。②qiè[捷捷]动作敏捷；贪得无厌；巧辩。

❶捷捷幡幡，谋欲谮言；岂不尔受，既其女迁

见《诗·小雅·巷伯》。

❷战捷之后，常苦轻敌／敏捷诗千首，飘零酒一杯／捷捷幡幡，谋欲谮言；岂不尔受，既其女迁

❹出师未捷悲移鼎，视死如归笑射钩／出师未捷身先死，长使英雄泪满襟

❺猿得木而捷，鱼得水而骛

❻凡兵欲急疾捷先

❽宽恕之人不能速捷／权不失机，功在速捷

❾有大略者不可责以捷巧

❿鸾舆凤驾不能使驽马健捷／虎豹之文来射，猿狖之捷来措／金樽玉杯不能使薄酒更厚，鸾

舆凤驾不能使驽马健捷

排 ①pái 排列；竹排、木排；排练（节目）；军队的编制单位；排挤；推，推开；排遣；排解；疏泄；量词。②pǎi 排子车。③bèi 通“鞴”，鼓风吹火之具。

❶排恨叠，怯衣单，花枝红泪弹

见明·汤显祖《牡丹亭·写真》。全句为：“断肠春色在眉弯，倩谁临远山？～”。

❷不排毁以取进，不刻人以自入

❸徒有排云心，何由生羽翼／人心，排下而进上，上下囚杀／力能排天斡九地，壮颜毅色不可求

❺公卿有党排宗泽，帷幄无人用岳飞

❼阴风怒号，浊浪排空，日星隐曜，山岳潜形

❿交私养望者多得显官，独立营职者或见排沮／通才之人或见赘于时，高世之士或见排于俗／雄以其力服众，以其勇排难，待英之智成之／所贵于天下之士者，为人排患、释难、解纷乱而无所取也

掉 diào 往下落；落在后面；脱落；摆动；摆弄；回，转；丢失，遗漏；对换。

❹尾大不掉，末大必折

❺水浊，则无掉尾之鱼；政苛，则无逸乐之士

❻世人闻此皆掉头，有如东风射马耳

❽末大必折，尾大不掉

❿枝大者披心，尾大者不掉／吾每为文章，未尝敢以轻心掉之

捶 chuí 用拳头或棍棒等敲打；舂；通“棰”，鞭子。

❶捶字坚而难移，结响凝而不滞

见南朝·梁·刘勰《文心雕龙·风骨》。

❹一尺之捶，日取其半，万世不竭

❺恨无一尺捶，为国笞羌夷

❾饥寒无衣食，举动鞭捶施／安则乐生，痛则思死；捶楚之下，何求而不得

推 tuī 推动；推断；举荐；将预定的时间往后挪；辞让；看重；推问；中国古代逻辑术语。

❶推赤心于诸贤腹中

见唐·李白《与韩荆州书》。

推陈出新，饶有别致

见清·戴延年《秋灯丛话·忠勇祠联》。

推美引过，德之至也

见晋·王祥《遗令》。

推波助澜，纵风止燎

见隋·王通《文中子·问易》。

推贤让能，庶官乃和

见《尚书·周官》。

推心置腹，开诚布公

见唐·张九龄《亲贤》。

推其未然之理而辨之也难

见宋·苏轼《国学秋试策问二首》。全句为：“按其已然之迹而诋之也易，～”。

推今而鉴古兮，鲜克以保其生

见唐·柳宗元《哀溺文》。全句为：“与害偕行兮，以死自绕；～”。

推恩足以保四海，不推恩无以保妻子

见《孟子·梁惠王上》。

推微达著，寻端见绪，履霜知冰，践露知暑

见南朝·宋·范晔《后汉书·蔡邕传》。

❷必推于物，而顺于人／崇推让之风，以销分争之讼／细推物理须行乐，何用浮名绊此身

❸与物推移，故万举而不陷／大者推明其大而不遗其小／介子推至忠也……抱木而燔死／力士推山，天吴移水，作农桑地／若不推之于诚，虽三令五申，而令不明矣／有能推至诚之心而加以不息之久，则天地可动，金石可移

❹恕，所以推情也／刚柔相推而生变化／自外面推入去……／刚柔相推，变在其中矣／既不能推心以奉母，亦安能死节以事人

❺令一则行，推诚则化／向来枉费推移力，此日中流自在行／教化之废，推中人而坠入小人之域／知贤，智也。推贤，仁也。引贤，义也

❻尽己之谓忠，推己之谓恕／圣人能与世推移，而俗士苦不知变

❼干将之刃，人不推顿，苽瓠不能伤／所谓理者不可推，而寿者不可知矣／物有盛衰，时有推移，事有激会，人有变化

❽天子者，有道则人推而为主，无道则人弃而不用

❾治一国者当与一国推实／爱己者，仁之端也，可推以爱人／一夫不获其所，若己推而内之沟中／推恩足以保四海，不推恩无以保妻子／吾恒恶世之人不知推己之本，而乘物以逞／由道废邪，用贤弃愚，推以革物，宜民之苏

❿好事须相让，恶事莫相推／圣人不凝滞于物，而能与世推移／圣人不凝滞于物，智士必推移于时／贫居往往无烟火，不独明朝为子推／欧阳当日文名重，更要推敲畏后生／天下之事不可为也，因其自然而推之／凡读书到冷淡无味处，尤当着力推考／穷其书，得其言，论其意，推而大之／于人无贤愚，于事无小大，咸推以信，同施以敬／闻古之君子相其君也，一夫不获其所，若己推而内之沟中／不法其已成之法，而法其所以为法。所以为法者，与化推移者也

掀 xiān 举起；发动；揭开；激荡；翻腾。

❸思立掀天揭地的事功，须向薄冰上履过／快者掀髯，愤者扼腕，悲者掩泣，羡者色飞

授

shòu 给予；教给知识、本领等；授职；姓。

❶授书不在徒多，但贵精熟

见明·王守仁《传习录》。

❷天授人以贤圣才能，岂使自有余而已／意授于思，言授于意，密则无际，疏则千里

❸男女授受不亲，礼也／量能授官，不可不审／张良授策于圯桥，功崇佐汉／见危授命，士之美行；褒善录功，国之令典

❹因任而授官，循名而责实／量材而授官，录德而定位／察能而授官者，成功之君也／举贤而授能兮，循绳墨而不颇／天……有相授之意，有为政之理，不可不审也

❺倒持干戈，授人以柄／倒持泰阿，授楚其柄／君择才而授官，臣量己而受职

❻包裹天地，禀授无形／为上者不虚授，处下者不虚受／意授于思，言授于意，密则无际，疏则千里

❼见利思义，见危授命／牧守由将校以授，皆虎而冠

❽意会心谋，目往神授／整顿乾坤手段，指授英雄方略，雅志若为酬

❾计功而行赏，程能而授事／论德而定次，量能而授官／错国于不倾之地者，授有德也

❿不以禄私其亲，功多者授之／乃命羲和，钦若昊天……敬授民时／苟得其人，虽仇必举；苟非其人，虽亲不授／致治之本，惟在于审；量才授职，务省官员／才者璞也，识者工也，良璞授于贱工，器之陋也／古者士登乎仕，吏执乎役，禄以报劳，官以授德／道者……高不可际，深不可测；包裹天地，禀授无形／以易限之鉴，镜难原之才，使国罔遗授，野无滞器，其可得／达于道者，独见独闻，独为独存，父不能以授子，臣不能以授君

捻

①niǎn 用手指捏着搓；用纸或布搓成的细条儿。②niē 通“捏”；闭塞。

❻吟安一个字，捻断数茎须

掐

qiā 手指甲用力夹；紧紧按住；量词。

❺钩章棘句，掐擢胃肾

掬

jū 用手捧起来。

❸总教掬尽三江水，难洗今朝一面羞

❺洪河已决，掬壤不能救

掠

lüè 抢，夺取；擦过或拂过；短暂地出现；梳理；拷打；砍伐。

❷侵掠如火，不动如山

❻笺诉天公休掠剩，半偿私债半输官

❿始以护人之乱为义，而终掠乱以求之

接

jiē 连接；靠近；收；承受；接替；迎；通“捷”，敏捷；连续；姓。

❶接赜索隐，钩深致远

见《周易·系辞上》。

❷礼接于人，人不敢慢；辞交于人，人不敢侮

❸温颜接群臣／知者，接也；知者，谟也

❹以恩信接人，不尚诈力／情也者，接于物而生也／诚信相接，如坐人春风中／贤圣之接也，不待久而亲／洪涛未接，长鲸多陆死之忧／君子之接如水，小人之接如醴

❺智力不能接，而威德不能运者，谓之二／因性而动，接物感寤……进退取与，谓之情

❼行则连舆，止则接席／白露横江，水光接天／悄乎其言，若不接其情也／水吞三楚白，山接九疑青／先事虑事谓之接，接则事优成／和以处众，宽以接下，恕以待人／兵不必胜，不苟接刃；攻不必取，不为苟发／战不必胜，不苟接刃；攻不必取，不苟劳众

❽未言心相醉，不在接杯酒／驾浪沉西月，吞空接曙河／先事虑事谓之接，接则事优成／北海虽赊，扶摇可接；东隅已逝，桑榆非晚

❾薰莸不同器，枭鸾不接翼／君子之度已则以绳，接人则用抴

❿君子之接如水，小人之接如醴／心不怡之长久兮，忧与愁其相接／天地合而万物生，阴阳接而变化起／操吴戈兮被犀甲，车错毂兮短兵接／行己莫如恭，自责莫如厚，接众莫如宏／生而影不与吾形相依，死而魂不与吾梦相接／性也者与生俱生也，情也者，接于物而生也／从山阴道上行，山川自相映发，使人应接不暇

掷

①zhì 抛；投；扔。②zhī 撒下。

❶掷地作金石声

见南朝·宋·刘义庆《世说新语·文学》。

掷地，当作金石声

见唐·房玄龄《晋书·孙绰传》。

❺流年莫虚掷，华发不相容

❾众中不敢分明语，暗掷金钱卜远人

❿鼎铛玉石，金块珠砾，弃掷逦迤／笔底明珠无处卖，闲抛闲掷野藤中

控

①kòng 告状；操纵；控制；控告。②qiāng 打。

❹楚山全控蜀，汉水半吞吴

❽解杂乱纷纠者不控卷，救斗者不搏撠

探

tàn 把手伸进去摸取；深入寻求；侦察；向前伸出。

❶探微从道管，结撰是心精

见清·高鹗《修辞立诚》。全句为：“辞必端其本，修之乃立诚。～”。

探渊者知千仞之深，县绳之数也

见《商君书·禁使》。全句为:"飞蓬遇飘风而行千里,乘风之势也;～"。"县"同"悬"。

❷不探虎穴,安得虎子/凡探明珠,不于合浦之渊,不得骊龙之夜光也

❻储积山崇崇,探求海茫茫/莫以心如玉,探他明月珠/贯穿百代尝探古,吟咏千篇亦造微

❼苟或得其高朗,探其深赜……

❾从善如不及,去恶如探汤

❿见善如不及,见不善如探汤/寻芳者追深径之兰,识韵者探穷山之竹/意深词浅,思苦言甘。寥寥千载,此妙谁探

据 ①jù 依仗;占有;可作证明的东西;通"倨",倨傲。②jū 拮据。

❶据非其称,慚甚于荣

见宋·王安石《谢知制诰启》。

据慢骄奢,则凶从之

见《战国策·齐策四》。

据天道,仍人事,笔则笔而削则削

见宋·欧阳修《石鷁论》。

据沧海而观众水,则江河之会归可见也

见唐·王勃《八卦大演论》。全句为:"～;登泰山而览群岳,则冈峦之本末可知也"。

据千乘之国,而信谗佞之计,未有不亡者

见汉·陆贾《新语·辅政》。

❸论必据迹

❹非才而据,咎悔必至/议论证据今古,出入经史百子/虎兕相据而蝼蚁得志,两敌相机而匹夫乘间

❺弗能必而据之者,诬也

❻深根者难拔,据固者难迁/猿狝猴错木据水,则不若鱼鳖

❼鱼处水而生,鸟据巢而卵/古君子志于道,据于德,依于仁,而后艺可游

❾能扶天下之危者,必据天下之安

❿读书不可无师承,立论不可无依据/四支强而躬体固,华叶茂而本根据/听言当以理观,一闻辄以为据,往往多失/非所困而困焉名必辱,非所据而据焉身必危/人生寄一世,奄忽若飙尘;何不策高足,先据要路津

掘 jué 挖;通"崛",特起貌;通"屈",尽,竭;通"窟"。

❶掘井九轫而不及泉,犹为弃井也

见《孟子·尽心上》。"轫"同"仞"。

❷无掘壑而附丘,无舍本而治末

❽井不达泉,则犹不掘也/再实之木根必伤,掘藏之家必有殃/再实之木根必伤,掘臧之家后必殃

❿宜未雨而绸缪,毋临渴而掘井/宜未雨而绸缪,勿临渴而掘井/槁竹有火,弗钻不然;土中有水,弗掘无泉

掇 duō 拾取,采取;收集;撺掇;掠夺,劫取。

❶掇芳刈楚,不弃幽远

见唐·崔颢《荐齐秀才书》。

❽披泥抽沦玉,澄川掇沈珠/秋菊有佳色,裛露掇其英/春秋采善不遗小,掇恶不遗大

❿忧端齐终南,澒洞不可掇/布帛寻常,庸人不释;铄金百溢,盗跖不掇

搙 nuò 同"搦",持,握,捏。

❸冰不搙不寒,胆不试不苦

搭 ①dā 支、架;乘坐;凑上;轻放;搭配;连接。②tà 通"拓",摹写。

❸千里搭长棚,没个不散的筵席

揠 yà 拔起。

❺助之长者,揠苗者也,非徒无益,而又害之

❽闵其苗之不长而揠之

❿道与德,可勉以进也;才不可强揠以进也

揽 lǎn 把持;把握;招徕;搂抱;采摘。

❶揽名责实不得虚言,有功者赏,有罪者罚

见汉·董仲舒《春秋繁露·考功名》。全句为:"～。功盛者赏显,罪多者罚重"。

❸登车揽辔,有澄清天下之志

❺可上九天揽月……

❻照之有余辉,揽之不盈手

❿俱怀逸兴壮思飞,欲上青天揽明月/胸中浩然廓然,纳烟云日月之伟观,揽雷霆风雨之奇变

提 ①tí 垂着手拿;提高;提前;提拔;率领;举出;取出;从关押的地方带出犯人;鼓名;姓。②dī[提防]本作"堤防",防备,料想。③dǐ 掷击。④shí[提月]月之晦日;[提提]安舒貌;群飞貌。

❶提刀而立,为之四顾,为之踌躇满志

见《庄子·养生主》。

❷菩提本无树,明镜亦非台

❹不能手提天下往,何忍身去游其间

❺记事者必提其要,纂言者必钩其玄/纪事者必提其要,纂言者必钩其玄

❻匪面命之,言提其耳

❾父善教子者,教于孩提/遂令一夫唱,四海欣提矛

揖 ①yī 拱手抱拳,表示敬意;谦让;通"壹"。②jí 通"辑",集合。

❼功成不受爵,长揖归田庐/扁舟泛湖海,长揖谢公卿

❿君臣父子人间之事谓之义,登降揖让,贵贱有等,亲疏之体,谓之礼/其夹岸有树木千万本,列立如揖,丹色鲜如霞,擢举欲动,灿若舒颜

揭 ①jiē 揭开；揭露；高举；扛在肩上；标帜。②qì 提起衣裳。

❹颠沛之揭，枝叶未有害，本实先拨

❺昭昭乎如揭日月而行，故不免也／斩木为兵，揭竿为旗，天下云集响应／操钩上山，揭斧入渊，欲得所求，难也／思立掀天揭地的事功，须向薄冰上履过

❻深则厉，浅则揭

❿将军不敢骑白马，亡者不敢夜揭烛

揣 ①chuǎi 估计；姓。②chuāi 藏在怀里。③zhuī 捶击。④tuán 通"团"，积聚。

❶揣而棁之，不可常保

见《老子》九。

揣歪，使乖，枉自把心田坏

见明·冯惟敏《海浮山堂词稿·朝天子·感述》。

❷不揣其本而齐其末，方寸之木可使高于岑楼

❿所谓读书，须当明物理，揣事情，论事势

插 chā 放入；中间或中途加入。

❸乘隙插足，扼其主机，渐之进也

❿尘世难逢开口笑，菊花须插满头归

搜 ①sōu 仔细查找；寻找。②shǎo 搅乱。

❶搜天斡地觅诗情

见唐·元稹《和乐天赠杨秘书》。

搜尽奇峰打草稿

见清·原济《苦瓜和尚语录》。

搜奇抉怪，雕镂文字

见唐·韩愈《荆潭唱和诗序》。

搜索稚与艾，唯存跛无目

见宋·梅尧臣《田家语》。

搜句忌于颠倒，裁章贵于顺序

见南朝·梁·刘勰《文心雕龙·章句》。

搜寻仞之垄，求千天之木；漉牛迹之中，索吞舟之鳞

见晋·葛洪《抱朴子·勤求》。

❸阴风搜林山鬼啸，千丈寒藤绕崩石

援 yuán 用手拉；攀附；引用；帮助；持，执。

❷攀援而登，箕踞而遨……

❸嫂溺援之以手者，权也

❻无信患作，失援必毙

❽性同而材倾则相援而相赖也

❾圣人之道，若存若亡。援而用之，殁世不亡

❿在上位，不陵下；在下位，不援上／少壮真当努力，年一过往，何可攀援

搀 chān 搀扶；杂，拌，混合；犹"抢"。

❼有照水一枝，已搀春意

搅 jiǎo 搅拌；打扰。

❻每开一卷，刀搅肺肠；每读一篇，血滴文字

❽战血粘秋草，征尘搅夕阳

握 wò 用手拿或攥；手指弯曲于掌中的动作；支配；处理。

❶握火投人，反先自热

见汉·刘安《淮南子·说林》。

❷盈握之璧，不必采于昆仑之山／旦握权则为卿相，夕失势则为匹夫

❸怀瑾握瑜兮，穷不知所示

❹制人者握权，制于人者失命

❺人人自谓握灵蛇之珠，家家自谓抱荆山之玉

❼妇人拾蚕，渔者握鳣，利之所在，则忘其所恶

❽闻《宿紫阁村》诗，则握军要者切齿矣

❿今虽不能如周公吐哺握发……

揆 kuí，又读 kuǐ，揣测；准则；道理；掌管；筹划；旧称总揽政务的人，指宰相。

❶揆古察今，深谋远虑

见晋·陈寿《三国志·魏书·文帝纪》。

揆材各有用，反性生苦辛

见唐·韦应物《任洛阳丞请告一首》。全句为："方凿不受圆，直木不为轮，～"。

❼委体渊沙，鸣弦揆日

❽苟利于时，其致一揆

搔 ①sāo 抓挠；通"骚"。②zhǎo 通"爪"，手足甲。

❸厌文搔法，法官理民者，有司也，君无事焉，犹尊君也

❽诗不着题，如隔靴搔痒

❾意贵透彻，不可隔靴搔痒

揉 róu 反复擦、搓；团弄；使木条弯曲；通"柔"，使顺服。

❼三人成虎，十夫揉椎；众口所移，毋翼而飞

❿教学之法，本于人性，磨揉迁革，使趋于善

摄 ①shè 吸取；指摄影；保养；收敛；代理；揭起；整顿；迫近；追捕；辅助；通"慑"，威慑，使之恐惧；古地名。②niè 安静。

❶摄汝知，一汝度，神将来舍

见《庄子·知北游》。全句为："正汝形，一汝视，天和将至；～"。

❹犯上难，摄下易

❺守身之道，摄养也，诚身也

❾少年人要心忙，忙则摄浮气

❿读书不独变气质，且能养精神，盖理义收摄故也／食之道：大充，伤而形不臧；大摄，骨枯而血沍

摸 ①mō 用手接触或轻抚；伸手探取；探求，尝试；在黑暗中行动。②mó 同

"摹",照原样描摹。

❿眼处心生句自神,暗中摸索总非真

搏

bó 搏斗;拍击;跳动;攫取。

❶搏沙为饼,不可疗饥

见明·刘基《拟连珠》。全句为:"剪纸为墙,不可止暴;～"。

搏牛之虻不可以破虮虱

见汉·司马迁《史记·项羽本纪》。

搏攫抵噬之兽,其用齿角爪牙也,必托于卑微隐蔽

见《吕氏春秋·仲秋纪·决胜》。全句为:"～,此所以成胜"。

❸使之搏兔,不如豺狼,伎能殊也

❹鸟穷则搏,兽穷则噬

❺若捕龙蛇,搏虎豹……

❾剪纸为墙,不可止暴,搏沙为饼,不可疗饥/噬虎之兽,知爱己子;搏狸之鸟,非护异巢

❿乳狗之噬虎也,伏鸡之搏狸也/解杂乱纷纠者不控卷,救斗者不搏撠/任小能于大事者,犹狸搏虎而刀伐木也/视之而不见,听之而不闻,搏之而不得/大石侧立千尺,如猛兽奇鬼,森然欲搏人/道,视之不可见,听之不可闻,搏之不可得/鸷鸟将击,卑飞敛翼;猛兽将搏,弭耳俯伏/伯浑醉书,纸穷墨燥,如春龙奋蛰,奇鬼搏人,何其壮也

摅

shū 抒发,舒散,舒展;腾跃。

❶摅怀旧之蓄念,发思古之幽情

见汉·班固《西都赋》。

摆

bǎi 拨开,摆脱;显示;讲述;摇动;放置,陈列;衣、裙的下摆。

❾一洗绮罗香泽之态,摆脱绸缪宛转之度

❿宇宙内事,要担当,又要善摆脱

携

xié 提,随身带着;牵着,引领;离心。

❶携来百侣曾游。忆往昔峥嵘岁月稠

见现代·毛泽东《沁园春·长沙》。

摇

yáo 来回摆动;动摇;上升貌;通"遥";姓。

❷不摇香已乱,无风花自飞/动摇文律,宫商有奔命之劳/风摇其巅,韵动崖谷,视之既静,其听始远/动摇则谷气得消,血脉流通,病不得生,譬犹户枢不朽也

❸橹声摇月过桥西

❹心绪逢摇落,秋声不可闻/自古悲摇落,谁人奈此何

❺兴酣落笔摇五岳,诗成笑傲凌沧洲/俯首帖耳,摇尾而乞怜者,非我之志也/水动而景摇,人不以定美恶,水势玄也

❻一枝动,百枝摇/登高以望远,摇桨以泳深/北海虽赊,扶摇可接;东隅已逝,桑榆非晚

❼一节动而百枝摇/梧桐生雾,杨柳摇风/青树翠蔓,蒙络摇缀,参差披拂

❽大尾小头,重不可摇

❾桃水涨而浦红,苹风摇而浪白/大鹏一日同风起,扶摇直上九万里

❿不知乘月几人归,落月摇情满江树/农夫心内如汤煮,公子王孙把扇摇/林净藏烟,峰危限月,帆影摇空绿/鲲鹏展翅,九万里,翻动扶摇羊角/卧不安席,食不甘味,心摇摇如悬旌/治国犹如栽树,本根不摇,则枝叶茂荣/气之动物,物之感人,故摇荡性情,形诸舞咏/必静必清,无劳女形,无摇女精,乃可以长生/猛虎在深山,百兽震恐;及在槛阱之中,摇尾而求食

摛

chī,又读 lí,舒展;散布;舒张。

❸铺采摛文,体物写志

❺储思必深,摛辞必高

摈

bìn 同"屏"、"摒";排斥,弃绝;同"傧",接引宾客。

❿苟守先圣之道,由大中以出,虽万受摈弃,不更乎其内

搦

nuò 按下,遏制;捏,握持;挑惹;摩。

❿莫不拔地倚天,句句欲活,读之……莫可捉搦

摊

tān 展开;摊贩;分担财物;遇到;量词;凝聚的一片。

❿病中何事最相宜,惟有摊书力尚支

摽

①biāo 挥之使去;高扬貌;通"标"。②biào 捆绑在一起;亲近;较劲儿;落。[摽梅]梅子成熟后坠落在地上,旧指女子已到结婚的年龄。③piāo 击,砸。

❼长木之毙,无不摽也

摧

①cuī 毁坏,折断;挫败;讥刺。②cuò 铡草。

❶摧折寒山里,遂死无人窥

见南朝·梁·吴均《伤友》。全句为:"可怜桂树枝,怀芳君不知。～"。

摧其坚,夺其魁,以解其体

见《三十六计·擒贼擒王》。全句为:"～。龙战于野,其道穷也"。

摧强易于折枯,消坚甚于汤雪

见南朝·宋·范晔《后汉书·皇甫嵩传》。

❸安能摧眉折腰事权贵,使我不得开心颜

❹为虺弗摧,为蛇将若何/宁为兰摧玉折,不作萧敷艾荣/兰薰而摧,玉缜则折;物忌坚芳,人讳明洁

❺安得因一摧折,自毁其道以从于邪也

❻刀利则物必摧之,锐斯挫矣/太行之路能摧

车,若比人心是坦途

❼黑云压城城欲摧／覆车重寻,宁无摧折／穷巷秋风起,先摧兰蕙芳／木秀于林,风必摧之;堆出于岸,流必湍之

❽单则易折,众则难摧／古墓犁为田,松柏摧为薪／伐深根者难为功,摧枯朽者易为力／镌金石者难为功,摧枯朽者易为力／天下之事,不有所摧挫则不能以有成

❿君不见长松百尺多劲节,狂风暴雨终摧折／直视千里外,唯见起黄埃。凝思寂听,心伤已摧

撄 yīng 接触;触犯;纠缠;扰乱;萦绕。

❹勿挠勿撄,万物将自清

摘 zhāi 采下;拿下;选取;因有急用而临时借钱。

❶摘翠者菱,挽红者莲,举白者鱼

见宋·王质《游东林山水记》。全句为:"小舟叶叶,纵横进退,～"。

❸寻章摘句老雕虫,晓月当帘挂玉弓

❹论文期摘瑕,求友惟攻阙

❻从来谈诗,必摘古人佳句为证,最是小见

撷 xié 采摘;捋;用衣襟兜着。

❹看书多撷一部,游山多走几步

❺愿君多采撷,此物最相思

擖 ①kā 用刀子刮(《现代汉语词典》商务印书馆 1999 年版注)。②yè 箕舌(《辞海》上海辞书出版社 1999 年版注)。

❿罗衣从风,长袖交横,骆驿飞散,飒擖合并

撑 chēng 支住;支持;竖起;支柱;装满;张开;美丽。

❸不是撑船手,休来弄竹竿

❺为学正如撑上水船,一篙不可放缓

播 ①bō 撒种;传播;传送;分散;舍弃;迁徙。②bǒ 通"簸",摇,扬。

❶播糠迷目,则天地四方易位矣

见《庄子·天运》。

播种有不收者矣,而稼穑不可废

见晋·葛洪《抱朴子·广譬》。

❻人美于中,必播于外,而越于民,民实戴之

❼自一气之所有,播万殊而种分

❽不仁而在高位,是播其恶于众也／其体顺而肆,可以播于乐章歌曲也

❿胜事谁复论,丑声日已播

擒 qín 捕捉。

❸上山擒虎易,开口告人难

❻射人先射马,擒贼先擒王

❽小敌之坚,大敌之擒也

❾龟猖有介,狐貉不能擒／射人先射马,擒贼先擒王

❿虎欲异群虎,舍山入市即擒

撞 zhuàng 碰撞;闯;猛冲;碰巧遇到。

❷宁撞金钟一下,不打铙钹三千

❻善待问者如撞钟……

❽万石之钟不以莛撞起音

❿以管窥天,以蠡测海,以莛撞钟／学视者先见舆薪,学听者先闻撞钟

撤 chè 撤去;拆除;撤退。

❿石泉潜流,不以涧幽而撤其清

撰 ①zhuàn 写作;指天地阴阳等自然现象的变化规律;善言;持、拿。②xuǎn,又读 suàn,通"选"、"算"。

❼探微从道管,结撰是心精

❿此理充塞宇宙间,如何人杜撰得

撠 jǐ 击刺;握持;著,接触。

❿解杂乱纷纠者不控卷,救斗者不搏撠

撼 hàn 摇动。

❸蚍蜉撼大树,可笑不自量

❿春残已是风和雨,更著游人撼落花／蚂蚁缘槐夸大国,蚍蜉撼树谈何易／达人苦富贵之桎梏,修士伤声名之顿撼

操 cāo 手持;操作;演练;掌握;从事;操守;姓。

❶操弥约而事弥大

见《荀子·不苟》。

操与霜雪明,量与江海宽

见唐·常建《赠三侍御》。

操行有常贤,仕宦无常遇

见汉·王充《论衡·逢遇篇》。

操数寸之管,书盈尺之纸

见唐·韩愈《答窦秀才书》。

操千曲而后晓声,观千剑而后识器

见南朝·梁·刘勰《文心雕龙·知音》。全句为:"～;故圆照之象,务先博观"。

操吴戈兮被犀甲,车错毂兮短兵接

见战国·楚·屈原《九歌·国殇》。全句为:"～;旌蔽日兮敌若云,矢交坠兮士争先"。

操钩上山,揭斧入渊,欲得所求,难也

见汉·刘安《淮南子·说山》。全句为:"～;方车而蹠越,乘桴而入胡,欲无穷,不可得也"。

操一己之绳墨,持前王之规矩,以方枘欲圆凿

见明·李贽《复周南士》。全句为:"～,此其用世才哉"。

操行有常贤,仕官无常遇,贤不贤才也,遇不遇时也

见唐·马总《意林·论衡》。

❷善操理者,不能有全功/贞操与日月俱悬,孤芳随山壑共远/劲操比松寒不挠,忠言如药苦非甘/曹操有取天下之虑,而无取天下之量

❸未能操刀而使割/不善操舟而恶河之曲/能薄操浊,不可保以必卑贱/修仪操以显志兮,独驰思乎杳冥/不学操缦,不能安弦;不学博依,不能安诗

❺幸能修实操,何俟钓虚声

❻内有一定之操,而外能诎伸、赢缩、卷舒/君子居安宜操一心以虑患,处变当坚百忍以图成

❼兵不完利,与无操者同实/临凝结而能断,操绳墨而无私/补察得失之端,操于诗人美刺之间焉/冬不服裘,夏不操扇,雨不张盖,是谓将礼

❾勇敢而不为过物之操/饮马犹尚可,莫使学操舟/亲权者不能与人柄;操之则栗,舍之则悲/昔葛天氏之乐,三人操牛尾,投足以歌八阙

❿周乎志者,穷蹶不能变其操/高山之松,霜霰不能渝其操/众听所倾,非假《北里》之操/水平布石上,流若织文,响若操琴/歌曲弥妙,和者弥寡;行操益清,交者益鲜/盖棺始能定士之贤愚,临事始能见人之操守

擅 shàn 超越职权,自作主张;独揽;善于;据有;通"禅"。

❶擅天下之利者,则失天下

见《太公六韬·文韬·文师》。全句为:"同天下之利者,则得天下;～"。

擅一壑之水而跨跱坎井之乐,此亦至矣

见《庄子·秋水》。

擅山海之富,居川林之饶,争修园宅,互相夸竞

见北魏·杨衒之《洛阳伽蓝记·法云寺》。

❸专知擅事,侵人自用,谓之贪

❺位已高而擅权者君恶之

❿爵尊天下,富有四海,威势无量,专权擅柄

擞 ①sǒu[抖擞]振作。②sòu 用扦子拨火。

❼我劝天公重抖擞,不拘一格降人材

擿 ①tì 发动,指使;揭发。②zhì 搔爬;即搔头,古代妇女的一种首饰;同"掷",投掷。

❾绝圣弃知,大盗乃止;擿玉毁珠,小盗不起

擢 zhuó 拔;提拔;耸起。

❺附顺者拔擢,忤恨者诛灭

❻钩章棘句,掐擢胃肾

❿其夹岸有树木千万本,列立如揖,丹色鲜如霞,擢举欲动,灿若舒颜

攒 ①cuán 聚集,凑集。②zǎn 储蓄,积聚;通"趱",催促。③zuān 通"钻"。

❷峰攒望天小,亭午见日初

❿思何忧而不人,心何虑而不攒

攫 jué 用爪子抓取,引申为夺取。

❷不攫所有,不强所无/搏攫抵噬之兽,其用齿角爪牙也,必托于卑微隐蔽

❽鸟穷则啄,兽穷则攫,人穷则诈

攘 ①rǎng 排斥;侵夺;窃取;容忍;乱;捋起。[攘攘]形容纷乱。②ráng 通"禳",求神消灾除病。③ràng 古"让"字。

❸天下攘攘,皆为利往

❹行无行,攘无臂,扔无敌,执无兵

❾弃绝乎礼义之绪,夺攘乎利害之际

寸 cùn 市制长度单位;谓短或小;中医指诊脉的部位之一。

❶寸寸山河寸寸金

见清·黄遵宪《赠梁任公同年》。

寸寸而度,至丈必差

见宋·陆九渊《与詹子南》。全句为:"石称丈量,径而寡失,铢铢而称,至石必谬,～"。

寸步千里,咫尺山河

见唐·卢照邻《释疾文并序》。

寸心万绪,咫尺千里

见宋·柳永《婆罗门令》。

寸寸而度之,至丈必过

见汉·枚乘《上书谏吴王》。全句为:"铢铢而称之,至石必差;～"。

寸火能焚云梦,蚁穴能决大堤

见晋·葛洪《抱朴子·备阙》。

寸裂之锦黻,未若坚完之韦布

见晋·葛洪《抱朴子·广譬》。

寸而度之,至丈必差;铢而称之,至石必过

见《文子·上行》。

❷一寸光阴一寸金/寸寸山河寸寸金/方寸地,九折坂/寸寸而度,至丈必差/方寸之木,高于岑楼/寸寸而度之,至丈必过/窥寸隙之光而见日轮之体/四寸之管无当,必不可满也/三寸之管而无当,天下弗能满/得寸则王之寸,得尺亦王之尺/五寸之键制开阖之门,岂其才巨小哉,所居要也

❸爱尺寸而忘千里/荐我寸长,开君尺短/可使寸寸折,不能绕指柔/勿谓寸阴短,既过难再获/谁言寸草心,报得三春晖/操数寸之管,书盈尺之纸/以三寸之舌,强于百万之师/视方寸于牛,不知其大于羊

❹让礼一寸,得礼一尺/不能胜寸心,安能胜苍穹/可使寸寸折,不能绕指柔/长将一寸身,衔木到终古/以我径寸心,从君千里外/以彼径

寸茎，荫此百尺条／官无一寸禄，名传千万里／跻攀分寸不可上，失势一落千丈强／良珠度寸，虽有百仞之水，不能掩其莹／盈尺径寸，易取琢磨；南箕北斗，难为簸挹／笔端肤寸，膏润天下；文章之用，极其至矣

❺寸寸山河寸寸金／尺有所短，寸有所长／云山万重，寸心千里／片辞折狱，寸言挫众／大木有尺寸之朽而不弃／赤地炎都寸草无，百川水沸煮虫鱼／孔子曰：诎寸而信尺，小枉而大直，吾为之也

❻打蛇打在七寸／一寸光阴一寸金／寸寸山河寸寸金／粒米不足舂，寸布不足缝／大匠构屋……尺寸之木无弃也／得寸则王之寸，得尺亦王之尺／譬如斩木，去寸无寸，去尺无尺

❼物贵尺璧，我重寸阴／双鬓多年作雪，寸心至死如丹／凿井者起于三寸之坎，以就万仞之深／大禹圣人，乃惜寸阴，众人当惜分阴／大禹圣人，乃惜寸阴，至于众人，当惜分阴／大禹圣人，犹惜寸阴，至于凡俗，当惜分阴／不爱尺璧而爱寸阴，时过不还，若年大不可少也

❽不宝咫尺玉，而爱寸阴旬／不有百炼火，孰知寸金精／文章千古事，得失寸心知／食蔗渐渐佳，离官寸寸乐／耻一物之不知，惜寸阴之徒靡／譬如斩木，去寸无寸，去尺无尺／尺之木必有节目，寸之玉必有瑕璃／尺薪不能温镬水，寸冰不足寒庖厨／不贵尺之璧，而重寸之阴，时难得而易失也

❾大海波涛浅，小人方寸深／食蔗渐渐佳，离官寸寸乐／缝缉，则长剑不及数寸之针／大胆天下去得，小心寸步难行／无情不似多情苦，一寸还成千万缕／焉得铸甲作农器，一寸荒田牛得耕／少年易学老难成，一寸光阴不可轻／春心莫共花争发，一寸相思一寸灰

❿说得一尺，不如行取一寸／不饱食以终日，不弃功于寸阴／不因困顿移初志，肯为贪缘改寸丹／不敢为主而为客，不敢进寸而退尺／少年辛苦终身事，莫向光阴惰寸功／春心莫共花争发，一寸相思一寸灰／车之所以能转千里者，以其要在三寸之辖／与百姓有缘才来此地，期寸心无愧不鄙斯民／不揣其本而齐其末，方寸之木可使高于岑楼／藜藿之生，蠕蠕然日加数寸，不可以为庐栋／圣人不贵尺之璧，而重寸之阴，时难得而易失也／有留死一尺，无北行一寸。刎颈不易，九裂不恨／水虽平，必有波；衡虽正，必有差；尺寸虽齐，必有诡

寻

xún 查找；古代长度单位，即八尺；长；连续不断而来；攀援，依附；使用；旋即，不久；探求；。

❶寻得桃源好避秦

见宋·谢枋得《庆全庵桃花》。

寻常之污，不能溉陂泽

见汉·桓宽《盐铁论·地广》。全句为："～；丘阜之木，不能成宫室"。

寻章摘句老雕虫，晓月当帘挂玉弓

见唐·李贺《南园十三首》之六。

寻寻觅觅，冷冷清清，凄凄惨惨戚戚

见宋·李清照《声声慢》。

寻芳者追深径之兰，识韵者探穷山之竹

见北周·燕射歌辞《角调曲二首》之二。

❷百寻之屋，以突隙之烟焚／寻寻觅觅，冷冷清清，凄凄惨惨戚戚／彼寻常之污渎兮，岂能容夫吞舟之巨鱼／搜寻仞之垄，求千天之木；漉牛迹之中，索吞舟之鳞

❸众里寻他千百度……／但肯寻诗便有诗，灵犀一点是吾师／看是寻常最奇崛，成如容易却艰辛／布帛寻常，庸人不释；铄金百溢，盗跖不掇

❹大木百寻，根积深也／覆车重寻，宁无摧折／覆车相寻，不绝于世／听草遥寻岸，闻香暗识莲

❺枉尺而直寻／推微达著，寻端见绪，履霜知冰，践露知暑

❻要成好人，须寻好友／废兴成毁，相寻于无穷／勿言年齿暮，寻途尚不迷／大匠无弃材，寻尺各有施／览古玩青简，寻幽穷翠微／善救弊者，必寻其起弊之源／但务其华，不寻其实，犹缘木希鱼，却行求前

❼坚冰作于履霜，寻木起于蘖栽／丞相祠堂何处寻，锦官城外柏森森

❽知音少，人间何处寻芳草／既来且住，风月闲寻秋好处／休说旧时王与谢，寻常百姓亦无家／断送一生惟有酒，寻思百计不如闲

❾交拱之木无把之枝，寻常之沟无吞舟之鱼

❿覆水不可收，行云难重寻／旧时王谢堂前燕，飞入寻常百姓家／舒之天下而不窕，内之寻常而不塞／大贤虎变愚不测，当年颇似寻常人／须知三绝韦编者，不是寻行数墨人／字字看来皆是血，十年辛苦不寻常／声应气求之夫，决不在于寻行数墨之士／甚雾之朝，可以细书而不可以远望寻常之外

导

dǎo 引；疏通；传送；开导；选择。

❶导师失路，则迷途者众

见南朝·宋·朱昭之《与顾欢书难夷夏论》。

导泉向涧，则为易下之流

见北齐·刘昼《刘子·思顺》。全句为："～；激波陵山，必成难升之势"。

导人必因其性，治水必因其势

见三国·魏·徐幹《中论·贵言》。

导筋骨则形全，剪情欲则神全，靖言语则福全

见唐·王士元《亢仓子·用道篇》。

❹治民者，导之敬让，而争自息
❺教以不知，导以无形／法令所以导民，刑罚所以禁奸／文有二道：……导扬讽谕，本乎比兴者也
❻道者，物之所导也
❼水性虽能流，不导则不通／为川者，决之使导；为民者，宣之使言／贤主忠臣，不能导愚教陋，则名不冠后、实不及世矣
❽文之用，辞令褒贬导扬讽喻而已
❾善战者因其势而利导之／爱利以安之，忠信以导之／养子不教父之过，训导不严师之惰
❿以正辅人谓之忠，以邪导人谓之佞／上不以诗补察时政，下不以歌泄导人情／君子之于子，爱之而勿面，使之而勿貌，导之以道而勿强

寿 shòu 活得久；年岁；生日；指老年人；祝寿；为死后装殓准备的（东西）；保存；姓。
❶寿陵失本步，笑杀邯郸人
见唐·李白《古风五十九》之三十五。全句为："丑女来效颦，还家惊四邻。～"。
❷眉寿万年，永受胡福／鹤寿千岁，以极其游／莫寿于殇子，而彭祖为夭／福寿康宁，固人之所同欲
❸不乐寿，不哀夭／静者寿，躁者夭／人之寿夭在元气，国之长短在风俗／田夫寿，膏粱夭，嗜欲少多之验也／百年，寿之大齐。得百年者，千无一焉
❹善不必寿，惟道之闻／神龟虽寿，犹有竟时；腾蛇乘雾，终为土灰／惩病克寿，矜壮死暴。纵欲不戒，匪愚伊耄
❺人之情，欲寿而恶夭……／乐易者常寿长，忧险者常夭折／五福：一曰寿，二曰富，三曰康宁，四曰攸好德，五曰考终命
❻死而不亡者寿／知者乐，仁者寿／俟河之清，人寿几何／人生忽如寄，寿无金石固／与天地兮同寿，与日月兮同光／与乾坤齐其寿，与日月齐其明／不逆命，何羡寿？不矜贵，何羡名
❼太平之世多长寿人／喘息为宅命，身寿立息端
❽能致精，则合明而寿／清心而寡欲，人之寿矣／无求无竞，虽欲不寿，得乎／尧舜行德则民仁寿；桀纣行暴则民鄙夭／生而不淑，孰谓其寿？死而不朽，孰谓之夭
❾所谓理者不可推，而寿者不可知矣／人生不得行胸怀，虽寿百岁，犹为夭也／不能说其志意，养其寿命者，皆非通道者也／人之所以不能终其寿命，而中道夭于刑戮者，何也？以其生生之厚／人之生也，与忧俱生，寿者惛惛，久忧不死，何苦也！其为形也亦远矣
❿唯见月寒日暖，来煎人寿／贤者不必贵，仁者不必寿／不失其所者久，死而不亡者寿／饱食便卧及终日久坐，皆损寿／蓄至精者，可以福生灵，保富寿／政之急者，莫大乎使民富且寿也／命者，人所禀受，若贵贱夭寿之属／知者动，仁者静。知者乐，仁者寿／多男子则多惧，富则多事，寿则多辱／始而胎气充实……壮而声色有节者强而寿／贤者虽得卑位则旋而死，不贤者或至眉寿／无为则俞俞，俞俞者忧患不能处，年寿长矣／为善的受贫穷更命短，造恶的享富贵又寿延／众人欢乐，用生生也，动而失之，寿命竭也／心虚白则神留而道存，腹充实则精全而寿长／起居时，饮食节，寒暑适，则身利而寿命益／人知贵生乐安而弃礼义，辟之是犹欲寿而歾颈也／今若不能服药，但知爱精节情，亦得一二百年寿也／谋思危之音，危者将不久，不久将欲衰，衰者将不寿／起居不时，饮食不节，寒暑不适，则形体累而寿命损／原心反性则贵矣，适情知足则富矣，明死生之分则寿矣／天下有至贵而非势位也，有至富而非金玉也，有至寿而非千岁也／生民之不得休息，为四事故：一为寿，二为名，三为位，四为货

封 fēng 密封；限制；量词；古代帝王把土地、爵位等赐给亲属及大臣；堆土；富厚；大；疆界；姓。
❶封侯早归来，莫作弦上箭
见唐·李贺《休洗红》。
封建，非圣人意也，势也
见唐·柳宗元《封建论》。
❷霜封野树，冰冻寒苗，岸草无色，芦花自飘
❸自许封侯在万里……／男不封侯女作妃，君看女却是门楣
❹生不用封万户侯，但愿一识韩荆州
❺勤民以自封，死无日矣／道未始有封，言未始有常／何事将军封万户，却令红粉为和戎／域民不以封疆之界，固国不以山溪之险
❻大小百余战，封侯竟蹉跎／以赂秦之地，封天下之谋臣
❼一行书不读，身封万户侯／君子如嘉禾也，封殖之甚难，而去之甚易
❽冯唐易老，李广难封／正言不发，万口如封，谄媚相与，千颜一容
❾尧之都，舜之壤，禹之封／以一丸泥为大王东封函谷关，此万世一时也
❿君不见曲如钩，古人知尔封公侯／不畏将军成久别，只恐封侯心更移／直如弦，死道边；曲如钩，反封侯／忽见陌头杨柳色，悔教夫婿觅封侯／自古圣贤多薄命，奸雄恶少皆封侯／时运不齐，命途多舛；冯唐易老，李广难封

耐 ①nài 能够承受，禁得住；宜，适宜；愿；古代一种刑罚；通"奈"。②néng

通"能"。
❷不耐烦者,做不成一件事业
❹人情须耐久,花面长依旧/读书不耐苦,则无所用心之人/境遇不耐苦,则无所成就之人
❺执持要坚耐,怕是脆
❽芳槿无终日,贞松耐岁寒
❿当轩不是怜苍翠,只要人知耐岁寒/轻听发言,安知非人之谮诉,当忍耐三思

将 ①jiāng 搀扶;刺激;将要;送;渐进;带领;秉承;养;随顺;强大;强壮;长;侧;取;拿;用;欲;打算;将近;与;共;且;又;做;作语助,表动作的开始。②jiàng 军衔名;泛指高级军官;统率。③qiāng 愿,请。

❶将勤补拙
见宋·歌谣谚《俗语入陈无已诗》。
将叛者,其辞惭
见《周易·系辞下》。
将者,士之心也
见汉·刘向《说苑·指武》。全句为:"~;士者,将之肢体也"。
将受命之日忘其家
见《尉缭子·武议》。
将兵治民,宽简有法
见宋·王安石《冯鲁公神道碑》。
将门之下,必有将类
见汉·司马迁《史记·田叔列传》。
将绝其末,必塞其原
见汉·王符《潜夫论·叙录》。
将赡才力,务在博见
见南朝·梁·刘勰《文心雕龙·事类》。
将欲败之,必姑辅之
见《战国策·魏策一》。
将砺如铁,士乃忘躯
见宋·宋祁《杂说》。
将顺其美,匡救其恶
见汉·郑玄注《孝经·事君章》。全句为:"君子之事上也,进思尽忠,退思补过;~"。
将不预设,则亡以应卒
见汉·班固《汉书·辛庆忌传》。全句为:"~;士不素厉,则难使死敌"。
将失一令,而军破身死
见《吕氏春秋·似顺论·慎小》。
将在外,君令有所不受
见汉·司马迁《史记·司马穰苴列传》。
将适远途,理归于骏足
见唐·宋之问《为田归道让殿中监表》。全句为:"欲成大厦,必寄于瑰材;~"。
将已笃疾,不宜废扁鹊
见晋·陈寿《三国志·魏书·公孙度传》。全句为:"欲进远路,不宜释骐骥;~"。
将相神仙,也要凡人做
见清·吴敬梓《儒林外史》第一回。
将有作则思知止以安人
见唐·魏征《论时政第二疏》。全句为:"见可欲则思知足以自戒,~"。
将出凶门勇,兵因死地强
见唐·李隆基《平胡并序》。
将飞者翼伏,将奋者足局
见清·沈德潜《古诗源·古逸·古谚古语》。
将以民为体,民以将为心
见汉·刘安《淮南子·兵略》。
将军夸宝剑,功在杀人多
见唐·刘商《行营即事》。全句为:"万姓厌干戈,三边尚未和。~"。
将大书特书,屡书不一书
见唐·韩愈《答元侍御书》。
将小人之心,度君子之腹
见清·名教中人《好逑传》第九回。
将缣来比素,新人不如故
见汉·无名氏《古诗四首》之一。
将新变故易,持故为新难
见唐·孟郊《古薄命妾》。
将以诛大为威,以赏小为明
见《太公六韬·龙韬·将威》。
将难放怀处放怀,则万境宽
见明·陈继儒《小窗幽记》。全句为:"从极迷处识迷,则到处醒;~"。
将当以勇为本,行之以智计
见晋·陈寿《三国志·魏书·夏侯渊传》。
将有死之心,士卒无生之气
见汉·刘向《说苑·指武》。
将军不敢骑白马,亡者不敢夜揭烛
见汉·刘安《淮南子·说山》。
将回日月先反掌,欲作江河唯画地
见唐·李贺《荣华乐》。
将治大者不治细,成大功者不成小
见《列子·杨朱》。
将有非常之大事,必生希世之异人
见宋·苏轼《王安石赠太傅》。
将欲取天下而为之,吾见其不得已
见《老子》二十九。
将军金甲夜不脱……风头如刀面如割
见唐·岑参《走马川行奉送出师西征》。删节处为:"半夜行军戈相拨"。
将事而能弭,当事而能救,既事而能挽
见明·吕坤《呻吟语》。全句为:"~,此之谓达权,此之谓才。未事而知其来,始事而知其终,定事而知其变,此之谓长虑,此之谓识"。
将不仁,则三军不亲;将不勇,则三军不锐
见汉·无名氏《六韬·奇兵》。

将欲废之，必固兴之；将欲夺之，必固与之

见《老子》三十六。

将欲歙之，必固张之；将欲弱之，必固强之

见《老子》三十六。

将欲毁之，必重累之；将欲踣之，必高举之

见《吕氏春秋·恃君览·行论》。

将恐将惧，维予与女；将安将乐，女转弃予

见《诗·小雅·谷风》。

将者，人之司命也，生死犹转机，得失如反掌

见五代·前蜀·杜光庭《道德真经广圣义》卷四十五。全句为："～，可不慎乎？"

将不知兵，以其主予敌也；君不择将，以其国予敌也

见汉·班固《汉书·晁错传》。

将营大厦，不忧乎群材之不足，而忧乎梁栋之不可得

见元·胡祗遹《营室喻》。

❷一将功成万骨枯／莫将戏事扰真情／强将下，无弱兵／老将至而耄及之／良将之为政也……／天将与之，必先苦之／天将毁之，必先累之／为将之道，当先治心／凡将举事，令必先出／猛将如云，谋臣如雨／猛将如云，谋臣似雨／多将熇熇，不可救药／爱将者胜，爱身者败／置将不善，一败涂地／国将兴，必贵师而重傅／国将衰，必贱师而轻傅／天将今夜月，一遍洗寰瀛／长将一寸身，衔木到终古／难将一人手，掩得天下目／常将一己作世间公共之物／好将前事错，传与后人知／欲将轻骑逐，大雪满弓刀／干将虽利，非人力不能自断／禽将户内，拔城于尊俎之间／凡将立国，制度不可不察也／上将效于国用，下欲济其家声／事将为，其赏罚之数必先明之／为将者，受命忘家，临敌忘身／凡将立国……治法不可不慎也／眉将柳而争绿，面共桃而竞红／足将进而趑趄，口将言而嗫嚅／今将以呼嘘为食，咀嚼为神……／国将兴，听于民；将亡，听于神／干将之刃，人不推蝢，瓜瓠不能伤／年将弱冠非童子，学不成名岂丈夫／良将之为政也，使人择之，不自举／但将酩酊酬佳节，不用登临恨落晖／侈，将以其力毙；专，则人实毙之／常将冷眼看螃蟹，看你横行得几时／常将有日思无日，莫待无时思有时／常将有日思无日，莫待无时想有时／宜将剩勇追穷寇，不可沽名学霸王／天将降大任于是人也，必先苦其心志／余将董道而不豫兮，固将重昏而终身／良将不怯死以苟免，烈士不毁节以求生／勇将不怯死以苟免，壮士不毁节而求生／人将休，吾将不敢休；人将卧，吾将不敢卧／举将而限以资品，则英豪之士在下位者不可得／若将军、大夫必出旧族，或无可焉，犹用之耶

❸好风将雨过横塘／士者，将之肢体也／王侯将相宁有种乎／侯王将相，宁有种乎／人之将死，其言也善／国之将亡，本必先颠／国家将败，必用奸人／治人将兵，无所不宜／天下将兴，其积必有源／天下将亡，其发必有门／关键将塞，则神有遁心／大木将颠，非一绳所维／大树将颠，非一绳所维／国之将兴，尊师而重傅／女神将守形，形乃长生／病之将死，不可为良医／巨川将溃，非捧土之能塞／使臣将王命，岂不如贼焉／大厦将崩，非一木之能止／大厦将颠，非一木所支也／尚干将莫邪，贵其立断也／人之将疾者必不甘鱼肉之味／国之将亡，贤人隐，乱臣贵／身之将败者，必不纳忠谏之言／不畏将军成久别，只恐封侯心更移／何事将军封万户，却令红粉为和戎／虽干将、莫邪，非得人力则不能割刿／鸡知将旦，鹤知夜半，而不免于鼎俎／国之将兴，必有祯祥，君子用而小人退／国之将亡必有大恶，恶者无大于杀忠臣／将恐将惧，维予与女；将安将乐，女转弃予／国家将兴，必有祯祥；国家将亡，必有妖孽／相臣将臣，文恬武嬉，习熟见闻，以为当然／鸟之将死，其鸣也哀；人之将死，其言也善／鸷鸟将击，卑飞敛翼；猛兽将搏，弭耳俯伏

❹关西出将，关东出相／战胜而将骄卒惰者败／败军之将，不可以言勇／久戍人将老，长征马不肥／士卒畏将者胜，畏敌者败／君不择将，以其国予敌也／古之善将者，必以其身先之／古之善将者，养人如养己子／日就月将，学有缉熙于光明／牧守由将校以授，皆虎而冠／古之名将，必出于奇，然后能胜／不知取将之无术，但云当今之无将／汩余若将不及兮，恐年岁之不吾与／进人若将加诸膝，退人若将队诸渊／人事必将与天地相参，然后乃可以成功／慎尔言，将有和之；慎尔行，将有随之／败军之将，不可言勇；亡国之臣，不可言智／谋臣良将，何代无之；贵在见知，要在见用耳

❺不知老之将至／无养乳虎，将伤天下／不勤于始，将悔于终／毫毛不拔，将成斧柯／毫毶不伐，将用斧柯／军井未达，将不言渴／军幕未办，将不言倦／军灶未炊，将不言饥／刀锥之末，将尽争之／勤劳之师，将不先己／官多则乱，将多则败／骄淫矜侉，将由恶终／相门有相，将门有将／水来土掩，将至兵迎／精诚介然，将贯金石／不勤不教，将率之过也／任贤使能，将相莫非其人／尊之则为将，卑之则为虏／都尉新降，将军覆没……／但有断头将军，无有降将军／不恤年之将衰，而忧志之有倦／仕宦而至将相，富贵而归故乡／茎受露而将低，香从风而自远／老冉冉其将至兮，恐修名之不立／在朝也则将帅之任，为国则严厉之政／虚其欲，神将入舍；扫除不洁，神乃留处／人将休，吾将

不敢休；人将卧，吾将不敢卧／涓涓不塞，将为江河；荧荧不救，炎炎奈何

❻无弃其道，吾将何病／千军易得，一将难求／学，殖也。不学将落／物极则反，害将及矣／灶下养，中郎将……／心能执静，道将自定／鸟既高飞，罗将奈何／皮之不存，毛将安傅／精而熟之，鬼将告之／三军可夺气，将军可夺心／兵良而食足，将贤而士勇／将飞者翼伏，将奋者足局／吾有小善，必将顺而成之／杀尽田野人，将军犹爱武／栗栗危惧，若将陨于深渊／精卫衔微木，将以填沧海／紫电青霜，王将军之武库／国有贤相良将，民之师表也／君功见于选将，将功见于理兵／但使龙城飞将在，不教胡马渡阴山／闻鼓鼙而思将帅，画云台而念旧臣／丈夫生不为将，得为使，折冲口舌之间足矣／古之置吏也将以逐盗，今之置吏也将以为盗／贤人在野，我将进之；佞人立朝，我将斥之／心苟至公，人将大同；心能执一，政乃无失／未战养其财，将战养其力，既战养其气，既胜养其心／廉公之思赵将，吴子之泣西河，人之情也，将军独无情哉

❼从令纵敌，非良将也／高鸟已散，良弓将藏／将门之下，必有将类／不欲以静，天下将自定／兵犹火也，不戢将自焚／为虺弗摧，为蛇将若何／勿挠勿撄，万物将自清／勿惊勿骇，万物将自理／兵犹火也，弗戢将自焚也／善虽不吾与，吾将强而附／裁此百日功，唯将一朝舞／参差远岫，断云将野鹤俱飞／清歌绕梁，白云将红尘并落／归去来兮，田园将芜胡不归／以玉为石者，亦将以石为玉矣／以贤为愚者，亦将以愚为贤矣／博学而详说之，将以反说约也／君功见于选将，将功见于理兵／国将兴，听于民；将亡，听于神／君子不恤年之将衰，而忧志之有倦／夕景欲沉，晓雾将合；孤鹤寒啸，游鸿远吟／见可怜则流涕，将分与则吝啬，是慈而不仁者／睹危急则恻隐，将赴救则畏患，是仁而不恤者／今人之性恶，必将待师法然后正，得礼义然后治

❽一心以为有鸿鹄将至／古人争战，先料其将／山东出相，山西出将／相门有相，将门有将／欲治兵者，必先选将／百万之师听于一将，则胜／将以民为体，民以将为心／听鼓鼙之声则思将帅之臣／君以为难，其易也将至矣／君以为易，其难也将至矣／死是征人死，功是将军功／不善虽不吾恶，吾将强而拒／摄汝知，一汝度，神将来舍／达治乱之要者，遏将来之患／怀既往而不咎，指将来而骏奔／足将进而趑趄，口将言而嗫嚅／无制之兵，有能之将，不可以胜／有制之兵，无能之将，不可以败／兵在精而不在多，将在谋而不在勇／国以信而治天下，将以勇而镇外邦／宁与黄鹄比翼乎，将与鸡鹜争食乎／谋思危之音，危者将不久，不久将欲衰，衰者将不寿

❾见一叶落而知岁之将暮／长江悲已滞，万里念将归／乍暖还寒时候，最难将息／防微于未兆，虑难于将来／正汝形，一汝视，天和将至／无赴而富，无殉而成，将弃而天／不是无端悲怨深，直将阅历写成吟／休对故人思故国，且将新火试新茶／宰相必起于州部，猛将必发于卒伍／横江湖之鳣鲸兮，固将受制于蝼蚁／欲为圣朝除弊事，肯将衰朽惜残年／路曼曼其修远兮，吾将上下而求索／"强梁者不得其死"，吾将以为教父／主不可以怒而兴师，将不可以愠而致战／至人之用心若镜，不将不迎，应而不藏／将不仁，则三军不亲；将不勇，则三军不锐／将欲废之，必固兴之；将欲夺之，必固与之／将欲歙之，必固张之；将欲弱之，必固强之／将欲毁之，必重累之；将欲踣之，必高举之／将恐将惧，维予与女；将安将乐，女转弃予／百里而趣利者蹶上将，五十里而趣利者军半至

❿欧冶不能铸铅锡作干将／但有断头将军，无有降将军／快然自足，曾不知老之将至／其醉也，傀俄若玉山之将崩／未曾灭项兴刘，先见筑坛拜将／良马非独骐骥，利剑非唯干将／奇才总于文武，重任归于将相／回狂澜于既倒，支大厦于将倾／法行于贱而屈于贵，天下将不服／不知取将之无术，但云当今之无将／仁义充塞，则率兽食人，人将相食／凡人之智，能见已然，不能见将然／诗穷莫写愁如海，酒薄难将梦到家／苟中心图民，智虽弗及，必将至焉／进人若将加诸膝，退人若将队诸渊／明者防祸于未萌，智者图患于将来／贱物而贵德，孰谓道远，将允蹈子／忽喇喇似大厦倾，昏惨惨似灯将尽／辞家战士无旋踵，报国将军有断头／醉后狂言醒时悔，安不将息病时悔／一言之谬，一事之失，可救之于将然／无彝酒，越庶国，惟饮祀，德将无醉／发愤忘食，乐以忘忧，不知老之将至／古之善为道者，非以明民，将以愚之／余将董道而不豫兮，固将重昏而终身／欲平其心以养其疾，于琴亦将有得焉／譬如养虎，当饱其肉，不饱则将噬人／吾不能变心而从俗兮，固将愁苦而终穷／慎尔言，将有和之；慎尔行，将有随之／绁食鹰鸢欲其鸷，鸷而亨之，将何用哉／天地有官，阴阳有藏；慎守女身，物将自壮／古之置吏也将以逐盗，今之置吏也将以为盗／人将休，吾将不敢休；人将卧，吾将不敢卧／诗者，不可以言语求而得，必将深观其意焉／将恐将惧，维予与女；将安将乐，女转弃予／国家将兴，必有祯祥；国家将亡，必有妖孽／冬不服裘，夏不操扇，雨不张盖，是谓将礼／慎终如始，犹恐渐衰，始尚不慎，终将安保／贤人在野，我将进之；佞人立朝，我将斥之／龙不隐鳞，凤不藏羽，网罗高

县，去将安所／畜水覆舟，养兽反害，悔之噬脐，将何所及／鸟之将死，其鸣也哀；人之将死，其言也善／鸷鸟将击，卑飞敛翼；猛兽将搏，弭耳俯伏／是他春带愁来，春归何处，却不解、将愁归去／爱故不二，威故不犯；故善将者，爱与威而已／如室斯构，而去其凿楔……国之将亡，本必先颠／贱者有罪，贵者治之。君得罪于民，谁将治之？／谋思危之音，危者将不久，不久将欲衰，衰者将不寿／将不知兵，以其主予敌也；君不择将，以其国予敌也／上古明王举乐者，非以娱心自乐，快意恣欲，将欲为治也／廉公之思赵将，吴子之泣西河，人之情也，将军独无情哉

辱 rǔ 耻辱；使名誉受到损害；谦词，犹言承蒙；辜负。

❶辱骂和恐吓决不是战斗

见现代·鲁迅《致〈文学月报〉编辑的一封信》。

❷忍辱含垢，常若畏惧／受辱于跨下，无兼人之勇／耻辱者，勇之决也；立名者，行之极也／以辱为荣，以穷为通，虽失乎前，可谓后得之矣

❸好众辱人者殃／生以辱，不如死以荣

❹知止不辱，知足不殆／宠必有辱，荣必有患／好荣恶辱，人之常情／大白若辱，盛德若不足／知足不辱，知止不殆，可以长久／死生荣辱之道一，则三军之士可使一心矣／见利思辱，见恶思诟，嗜欲思耻，忿怒思患／不以宠辱荣患损易其身，然后乃可以天下付之／匹夫见辱，拔剑而起，挺身而斗，此不足为勇

❺贤者不容辱／君子不犯辱，况于刑乎／宁方为污辱，不圆为显荣／貌轻则招辱，好轻则招淫／上以食而辱下，下以食而欺上／管子以小辱成大荣，苏秦以百诞成一诚／穷困不能辱身，非人也；富贵不能快意，非贤也

❻士可杀不可辱／诚无垢，思无辱／诚无垢，思无辱／衣食足，知荣辱／苟不慎也，败辱随之／不自重者致辱，不自畏者招祸／众以亏形为辱，君子以亏义为辱／心旷神怡，宠辱偕忘，把酒临风，其喜洋洋／君子见利思辱，见恶思诟，嗜欲思耻，忿怒思患

❼忠臣宁死而不辱／衣食足而知荣辱／仁则荣，不仁则辱／谤议不足怨，宠辱讵须惊／圣人深居以避辱，静安以待时／美之所在，虽污辱，世不能贱／衣食足而知荣辱，廉让生而争讼息／趋利而不以为辱，陨身而不以为怨

❽无功而受其禄者，辱／依人者危，臣人者辱／有死之荣，无生之辱／小人不忌刑，况于辱乎／病莫大于不闻过，辱莫大于不知耻／痛莫大于不闻过，辱莫大于不知耻／曲则为王，直蒙戮辱；宁戮不王，直而不曲／智者多屈，辩者多辱，明者多蔽，勇者多死

❾主过一言而国残名辱／以进死为荣，退生为辱／世人得宠而不思其辱，故辱至则惊／今善善恶恶，好荣憎辱，非人能自生／非所困而困焉名必辱，非所据而据焉身必危

❿志士痛朝危，忠臣哀主辱／萧然风雪意，可折不可辱／四郊多垒，此卿大夫之辱也／失贤人，国无不危，名无不辱／以求干禄者败，以势临人者辱／喜名者必多怨，好与者必多辱／得之则安以荣，失之则亡以辱／罪及善者，则恶者不以罚为辱／为国为民而得罪，君子不以为辱／众以亏形为辱，君子以亏义为辱／学而废者，持学而有骄，骄必辱／世人得宠而不思其辱，故辱至则惊／先义而后利者荣，先利而后义者辱／诚无悔，恕无怨，和无仇，忍无辱／君子直道而行，知必屈辱而不避也／使命之臣，取其识变从宜，不辱君命／苟能无以利害义，则耻辱亦无由至矣／得志遂茂而不骄，不得志瘁瘠而不辱／多男子则多惧，富则多事，寿则多辱／忠告而善道之，不可则止，毋自辱焉／仓廪实，则知礼节；衣食足，则知荣辱／小人不能忍小忿之故，终有赫赫之败辱／君子日孳孳以成辉，小人日快快以至辱／定乎内外之分，辨乎荣辱之境，斯已矣／富以苟不如贫以誉，生以辱不如死以荣／国之栋梁也，得之则安以荣，失之则亡以辱／行己有耻，使于四方，不辱君命，可谓士矣／物类之起，必有所始；荣辱之来，必象其德／言行，君子之枢机；枢机之发，荣辱之主也／民之性，饥而求食，劳而求佚，苦则索乐，辱则求荣／得一官不荣，失一官不辱，勿说一官无用，地方全靠一官／君子之求利也略，其远害也早，其避辱也惧，其行道理也勇

射 ①shè 射箭；射击；用压力或弹力送出；猜度；有所指；比赛；逐取，追求；官名。②yì［无射］不厌；古代十二音律之一。③yè［姑射］山名；亦称石孔山。

❶射幸数跌，不如审发

见三国·蜀·谯周《仇国论》。

射人先射马，擒贼先擒王

见唐·杜甫《前出塞九首》之六。

射不善而欲教人，人不学也

见《尸子·恕》。全句为：“～；行不修而欲谈人，人不听也”。

射者使人端，钓者使人恭，事使然也

见汉·刘安《淮南子·说山》。

射而不中者，不求之鹄，而反修之于己

见汉·贾谊《新书·君道》。

射招者欲其中小也，射兽者欲其中大也

见《吕氏春秋·似顺论·别类》。

❷善射者发不失的，善于射矣，而不善所射

❸挟艺射科，每发如望

❹以强弩射且溃之痈／一人善射，百夫决拾／射人先射马，擒贼先擒王
❺天下之善射者也，不能以拨弓曲矢中微
❻弹雀则失鶤，射鹄则失雁／虎豹之文来射，猿狖之捷来措／穿重云而下射，白龙倒饮于平湖
❼物华天宝，龙光射牛斗之墟／羿者，天下之善射者也，无弓矢则无所见其巧
❽画者谨毛而失貌，射者仪小而遗大
❾百发失一，不足谓善射／善游者死于梁地，善射者死于中野／射招者欲其中小也，射兽者欲其中大也
❿世人闻此皆掉头，有如东风射马耳／出师未捷悲移鼎，视死如归笑射钩／巨灵咆哮擘两山，洪波喷流射东海／会挽雕弓如满月，西北望，射天狼／青云衣兮白霓裳，举长矢兮射天狼／一代天骄，成吉思汗，只识弯弓射大雕／善射者发不失的，善于射矣，而不善所射／大匠不为拙工改废绳墨，羿不为拙射变其彀率

尉 ①wèi“慰”的本字；古代武官名；军衔名；姓。②yù 尉迟，复姓。
❷都尉新降，将军覆没……／廷尉狱，平如砥；有钱生，无钱死

弋 yì 一种系有绳子的箭；用带绳子的箭射鸟；小木桩；取；禽鸟；黑色；姓。
❷善弋者下鸟乎百仞之上，弓良也／以弋猎博弈之日诵《诗》、《书》，闻识必博矣
❸强弩弋高鸟，走犬逐狡兔／鸟避弋而高翔，鱼畏网而深游
❿真文不媚时，甘受人弹弋

忒 tè 差错，太，过甚。
❻诚则始终不忒，表里一致，敬信真纯，往而必孚
❾天曰虚，地曰静，乃不忒
❿天地以顺动，故日月不过，而四时不忒

鸢 yuān 鸟名，俗称老鹰；茶褐色。
❶鸢飞戾天，鱼跃于渊
见《诗·大雅·旱麓》。
鸢飞戾天者，望峰息止
见南朝·梁·吴均《与宋元思书》。全句为：“～；经纶世务者，窥谷忘反”。
❷乌鸢之卵不毁，而后凤凰集
❹继食鹰鸢欲其鸷，鸷而亨之，将何用哉

小 xiǎo 与“大”相对；时间短；非正式的；接近于；略微；年幼；卑贱的人；妾；以为小；小看；谦词。
❶小不忍害大义
见汉·司马迁《史记·梁孝王世家》。
小谨者不大立
见《管子·形势》。
小不忍则乱大谋
见《论语·卫灵公》。
小人之过也必文
见《论语·子张》。
小人以无法为奸
见宋·苏轼《策别第八》。
小人先合而后忤
见汉·桓宽《盐铁论·非鞅》。
小善积而为大善
见汉·刘安《淮南子·缪称》。全句为：“君子不谓小善不足为也而舍之，～；不谓小不善为无伤也而为之，小不善积而为大不善”。
小人难事而易说也
见《论语·子路》。全句为：“～。说之虽不以道，说也；及其使人也，求备焉”。
小说不足以累正史
见宋·欧阳修《与尹师鲁第二书》。
小善不足以掩众恶
见唐·吴兢《贞观政要·公平》。
小恶不足妨大美也
见汉·刘安《淮南子·氾论》。全句为：“夏后氏之璜不能无考；明月之珠不能无颣。然而天下宝之者，何也？其～”。
小疵不足以妨大美
见唐·吴兢《贞观政要·公平》。全句为：“白玉微瑕，善贾之所不弃，～”。
小疵不足以损大器
见晋·葛洪《抱朴子·博喻》。
小不善积而为大不善
见汉·刘安《淮南子·缪称》。全句为：“君子不谓小善不足为也而舍之，小善积而为大善；不谓小不善为无伤也而为之，～”。
小人之口，为祸天下
见汉·王充《论衡·言毒篇》。
小人之誉，人反为损
见汉·刘安《淮南子·说山》。
小人得志，暂快一时
见宋·欧阳修《祭丁学士文》。
小人殉财，君子殉名
见《庄子·盗跖》。
小识伤德，小行伤道
见《庄子·缮性》。全句为：“道固不小行，德固不小识。～”。
小挫之后，反有大获
见《续孽海花》第四三回。
小杖则受，大杖则走
见宋·陆九渊《经德堂记》。
小枉大直，君子为之
见汉·桓宽《盐铁论·论儒》。

小时了了,大未必佳

见南朝·宋·刘义庆《世说新语·言语》。

小水长流,则能穿石

见清·翟灏《通俗篇·地理》引《遗教经》。

小惩大诫,乃得其福

见三国·魏·王弼《周易·噬嗑》注。

小巫见大巫,神气尽矣

见晋·陈寿《三国志·吴书·张纮传》。

小事糊涂,大事不糊涂

见元·脱脱《宋史·吕端传》。

小人不忌刑,况于辱乎

见汉·荀悦《申鉴·政体》。

小人之幸,君子之不幸

见唐·吴兢《贞观政要·赦令》。

小人之学也,以为禽犊

见《荀子·劝学》。全句为:"君子之学也,以美其身;～"。

小敌之坚,大敌之擒也

见《孙子兵法·谋攻篇》。

小有所志,而大有所忘

见汉·刘安《淮南子·俶真》。

小人不诚于内而求之于外

见《荀子·大略》。

小人小善,乃铅刀之一割

见唐·魏征《论君子小人疏》。全句为:"小人非无小善,君子非无小过。君子小过,则白玉之微瑕;～"。

小人如酒颜,但得暂时热

见清·顾图河《息交》。全句为:"君子如春风,可爱不可竭;～"。

小隐隐陵薮,大隐隐朝市

见晋·王康琚《反招隐诗》。

小大不逾等,贵贱如其伦

见汉·董仲舒《春秋繁露·精华》。

小国以下大国,则取大国

见《老子》六十一。全句为:"大国以下小国,则取小国。～"。

小时不识月,呼作白玉盘

见唐·李白《古朗月行》。全句为:"～。又疑瑶台镜,飞在青云端"。

小者乐致其小以自附于大

见宋·苏辙《上两制诸公书》。全句为:"大者推明其大而不遗其小,～"。

小人不激不励,不见利不劝

见隋·王通《中说·王道》。

小人以小善为无益而弗为也

见《周易·系辞下》。全句为:"～,以小恶为无伤而弗去也"。

小人好己之恶,而忘人之好

见汉·扬雄《法言·君子》。全句为:"君子好人之好,而忘己之好;～"。

小人怨汝詈汝,则皇自敬德

见《尚书·无逸》。

小小寰球,有几个苍蝇碰壁

见现代·毛泽东《满江红·和郭沫若同志》。全句为:"～。嗡嗡叫,几声凄厉,几声抽泣"。

小惩而大诫,此小人之福也

见《周易·系辞下》。

小则随事酬劳,大则量才录用

见宋·苏轼《上神宗皇帝书》。

小人非无小善,君子非无小过

见唐·魏征《论君子小人疏》。全句为:"～。君子小过,则白玉之微瑕;小人小善,乃铅刀之一割"。

小人之好议论,不乐成人之美

见唐·韩愈《张中丞传后叙》。

小人之学也,入乎耳,出乎口

见《荀子·劝学》。

小谨者无成,訾行者不容于众

见汉·刘安《淮南子·氾论》。

小恶不容于乡,大恶不容于国

见宋·苏轼《策别十七》。

小人……以小恶为无伤而弗去也

见《周易·系辞下》。删节处为:"以小善为无益而弗为也"。

小人则以身殉利,士则以身殉名

见《庄子·骈拇》。全句为:"～,大夫以身殉家,圣人以身殉天下"。

小人固当远,然亦不可显为仇敌

见清·申涵光《荆园小语》。全句为:"～;君子固当亲,然亦不可曲为附和"。

小人多欲则多求妄用,败家丧身

见宋·司马光《温公文正司马公文集》。全句为:"君子多欲则贪慕富贵,枉道速祸;～"。

小人之反中庸也,小人而无忌惮也

见《礼记·中庸》。全句为:"君子之中庸也,君子而时中;～"。

小人寡欲则能谨身节用,远罪丰家

见宋·司马光《训俭示康》。全句为:"君子寡欲则不役于物,可以直道而行;～"。

小人所好者禄利也,所贪者财货也

见宋·欧阳修《朋党论》。

小荷才露尖尖角,早有蜻蜓立上头

见宋·杨万里《小池》。

小知不可使谋事,小忠不可使主法

见《韩非子·饰邪》。

小人不知自益之为损,故一伐而并失

见三国·魏·刘劭《人物志·释争》。全句为:"君子知自损之为益,故功一而美二。～"。

小人诚不仁,施亦不仁,不施亦不仁

见汉·刘安《淮南子·缪称》。

小人虽器量浅狭，而未必无一长可取

见宋·朱熹《四书集注·论语·卫灵公》。全句为："君子于细事，未必可观，而材德足以重任。～"。

小人……行一日之善，而求终身之誉

见三国·魏·徐幹《中论·修本》。删节处为："朝为而夕求其成，坐施而立望其反"。

小人如恶草也，不种而生，去之复蕃

见宋·苏轼《续欧阳子朋党论》。全句为："君子如嘉禾也，封殖之甚难，而去之甚易；～"。

小人不能忍小忿之故，终有赫赫之败辱

见三国·魏·刘劭《人物志·释争》。

小人非才不能动人，小人非才不能乱国

见明·海瑞《乞治党邪言官疏》。

小人之谤，非所谓谤也，其不善彰焉尔

见唐·柳宗元《谤誉》。全句为："君子之誉，非所谓誉也，其善显焉尔；～"。

小人溺于水，君子溺于口，大人溺于民

见《礼记·缁衣》。

小人贫斯约，富斯骄；约斯盗，骄斯乱

见《礼记·坊记》。

小人朝为而夕求其成，坐施而立望其反

见三国·魏·徐幹《中论·修本》。全句为："～。行一日之善，而求终身之誉"。

小善不足以掩众恶，小疵不足以妨大美

见唐·吴兢《贞观政要·公平》载魏征上疏语。

小处不渗漏，暗处不欺隐，末路不怠荒

见明·洪应明《菜根谭》。全句为："～，才是个真正英雄"。

小慧者不可以御大，小辩者不可以说众

见汉·陆贾《新语·辅政》。

小人非嗜欲无以活，失嗜欲则失其所以活

见汉·刘安《淮南子·缪称》。全句为："君子非仁义无以生，失仁义则失其所以生；～。故君子惧失仁义，小人惧失利"。

小人只怕他有才。有才以济之，流害无穷

见明·吕坤《呻吟语·用人》。

小中见大，大中见小；一为千万，千万为一

见宋·苏辙《洞山文长老语录叙》。

小人之情，缓则骄……危则谋乱，安则思欲

见汉·荀悦《申鉴·政体》。删节处为："骄则恣，恣则急，急则怨，怨则畔"。

小人君子，其心不同，惟乖于时，乃与天通

见唐·韩愈《送穷文》。

小人智浅而谋大，羸弱而任重，故中道而废

见汉·桓宽《盐铁论·遵道》。

小勇者，血气之怒也；大勇者，理义之怒也

见宋·朱熹《四书集注·孟子·梁惠王下》。全句为："～。血气之怒不可有，理义之怒不可无"。

小快害义，小慧害道，小辨害治，苟心伤德

见汉·刘向《说苑·谈丛》。

小人错其在己者，而慕其在天者，是以日退也

见《荀子·天论》。

小大修短，各得其所宜，规矩方圆，各有所施

见汉·刘安《淮南子·主术》。

小人深情厚貌，毒人不可防范，殆其甚于豺狼也

见宋·林逋《省心录》。全句为："豺狼能害人，其状易别，人得以避之；～"。

小盗者拘，大盗者为诸侯；诸侯之门，义士存焉

见《庄子·盗跖》。

小人之交以利，平时相亲不啻父子，一旦相噬不啻狗彘

见宋·刘炎《尔言》。

❷忍小忿而就大谋／忍小忿而存大信／思小惠而忘大耻／观小节可以知大体／尽小者大，慎微者著／大小多少，报怨以德／见小利，则大事不成／见小曰明，守柔曰强／规小节者不能成荣名／恶小耻者不能立大功／顾小失大，福逃墙外／防小人之道，正己为先／城小而守固者，有委也／虽小道，必有可观者焉／行小忠，则大忠之贼也／效小节者，不能行大威／有小智者不可任以大功／恶小耻者，不能立荣名／顾小利，则大利之残也／无小而不大，无边而不中／以小人之虑，度君子之心／大小百余战，封侯竟蹉跎／将小人之心，度君子之腹／国小则易理，民寡则易宁／治小者不可以怠，怠则废／恨小非君子，无毒不丈夫／审小音者，不闻雷霆之声／见小利不动，见小患不避／心小志大者，圣贤之伦也／小小寰球，有几个苍蝇碰壁／知小而自畏，则深谋而必克／自小，小也；自大，亦小也／去小知而大知明，去善而自善／待小人宜敬，敬心可以化邪心／教小儿宜严，严气足以平躁气／立小异以近名，托虚名以邀利／急小之人宜理百里，使事办于己／亲小人，远贤臣，此后汉所以倾颓也／任小能于大事者，犹狸搏虎而刀伐木也／傲小物而志属于大，似无勇而未可恐狼／褚小者不可以怀大，绠短者不可以汲深／内小人而外君子，小人道长，君子道消也／法小弛则是非驳，赏不必尽善，罚不必尽恶／顾小而忘大，后必有害；狐疑犹豫，后必有悔／以小善为无益，以小恶为无伤，凡此皆非所以安身崇德也

❸不以小故妨大美／不威小，不惩大／常亲小劳则身健／详其小，必废其大／勿轻小人，小人贼国／勿疏小善，方恢大略／至德小节备，大节

举／大尾小头，重不可摇／形于小微而通于大理／廉约小心，克己奉公／察察小慧，类无大能／或为小人，或为君子／贼是小人，智过君子／忘其小丧而志于大得／不去小利，则大利不得／不积小流，无以成江海／近其小喜，而远其大忧／能周小事，然后能成大事／小人小善，乃铅刀之一割／吾有小失，必犯颜而谏之／吾有小善，必将顺而成之／君子小过，则白玉之微瑕／不谓小不善为无伤也而为之／不迩小人，则谗谀者自远矣／巨屦小屦同贾，人岂为之哉／自小，小也；自大，亦小也／声无小而不闻，行无隐而不形／君子小人之分，义与利之间而已／桓公小白杀兄入嫂，而管仲为臣／天街小雨润如酥，草色遥看近却无／匡庐小琐拳可碎，鄱阳触怒踢欲裂／凡聚小所以就大，积一所以至亿也／常有小病则慎疾，常亲小劳则身健／心欲小而志欲大，智欲员而行欲方／察其小，忽其大，先其后，后其所先／毋私小惠而伤大体，毋借公论以快私情／国无小，不可易也；无备虽众，不可恃也／无为小人，反殉而天；无为君子，从天之理／不谓小善不足为也而舍之，小善积而为大善／勿轻小事，小隙沈舟；勿轻小物，小虫毒身／常有小不快事，是好消息……知此理可免怨尤／不谓小不善为无伤也而为之，小不善积而为大不善／君子小人本无常，行善事则为君子，行恶事则为小人

❹大网疏，小网数／事有大小，有先后／为其养小以失大也／大德灭小怨，道也／任有大小，惟其所能／毫毛虽小，视之可察／大能掩小，海纳百川／过不在小，知非则悛／此言虽小，可以谕大／才有大小，故养有厚薄／凡事无小大，物自为舍／政无大小，以得人为重／世未有小人不除而治者也／非物有小大，盖心为虚实／我命浑小事，我死庸何伤／君子与小人，并处必为患／道固不小行，德固不小识／张瑟者，小弦急而大弦缓／小人以小善为无益而弗为也／刺骨，故小痛在体而长利在身／拂耳，故小逆在心而久福在国／一旦临小利害，仅如毛发比……／世治则小人守政，而利不能诱也／凡四方小大邦丧，罔非有辞于罚／小人……以小恶为无伤而弗去也／勿以恶小而为之，勿以善小而不为／大马死，小马饿；高山崩，石自破／君子无小人则饥，小人无君子则乱／时人莫小池中水，浅处无妨有卧龙／何者为小人？凡事必徇己之私者是也／不大不小乃生大小，不高不卑乃生高卑／不责人小过，不发人阴私，不念人旧恶／管子以小辱成大荣，苏秦以百诞成一诚／其称文小而其指极大，举类迩而见义远／君子与小人不两立，而小人与君子不同谋／仇无大小，只怕伤心；恩若救急，一芥千金／楚王好小腰，美人省食；吴王好剑，国士轻死／但当退小人之伪朋，用君子之真朋，则天下治矣／患其有小恶，以人之小恶，亡人之大美，此人主之所以失天下之士也已

❺登泰山而小天下／弈之为数，小数也／勿轻小人，小人贼国／大杖则走，小杖则受／小识伤德，小行伤道／君子寡尤，小人多怨／君子道长，小人道消／君子约言，小人先言／恶恶著，则小人退矣／君子中庸，小人反中庸／学问无大小，能者为尊／兄弟虽有小忿，不废懿亲／谨在于畏小，智在于治大／大国以下小国，则取小国／君子能勤小物，故无大患／君子固穷，小人穷斯滥矣／因嫌纱帽小，致使锁枷扛／峰攒望天小，亭午见日初／饿死事极小，失节事极大／慎在于畏小，智在于治大／杀身之害小，存国之利大／旷野看人小，长空共鸟齐／气质之病小，心术之病大／未有学其小而能至其大者也／大器之于小用，固有所不宜／江海不择小助，故能成其富／百岁无智小儿，小儿有智百岁／弃燕雀之小志，慕鸿鹄以高翔／志大而量小，才有余而识不足／大事不得，小事不为者，必贫／大器不可小用，小士不可大任／小人非无小善，君子非无小过／君子不为小人之匈匈也，辍行／君子不谓小善不足为也而舍之／知大己而小天下，则几于道矣／图浮芥之小利，忘丘山之大祸／登东山而小鲁，登泰山而小天下／能大而不小，能高而不下，非兼通也／君子之去小人，惟能尽去，乃无后患／勇于气者，小人也；勇于义者，君子也／亲贤臣，远小人，此先汉之所以兴隆也／善不可谓小而无益，不善不可谓小而无伤／今以人之小过掩大美，则天下无圣王贤相矣／勿轻小事，小隙沈舟；勿轻小物，小虫毒身／草木无大小，必待春而后生，人待义而后成／大知闲闲，小知间间；大言炎炎，小言詹詹／小快害义，小慧害道，小辨害治，苟心伤德／君子怀德，小人怀土；君子怀刑，小人怀惠／君子怀德，小人怀土；贤士徇名，贪夫死利／爱名尚利，小人哉，未见仁者而好名利者也／唯女子与小人为难养也；近之则不孙，远之则怨／物非有大小也，自其内而观之，未有不高且大者也／人品须从小作起，权宜苟且诡随之意多，则一生人品坏矣

❻不可一日近小人／外君子而内小人／德无细，怨无小／治大国若烹小鲜／成大功者不小苛／新涨看看拍小桥／无欲速，无见小利／以内及外，以小成大／以近论远，以小知大／法施于人，虽小必慎／君子有徽猷，小人与属／君子有远虑，小人从迩／慈母有败子，小不忍也／佞以悦人者，小人之徒也／人伦明于上，小民亲如下／大海波涛浅，小人方寸深／小者乐致其小

以自附于大／君子求诸己，小人求诸人／君子以行言，小人以舌言／君子坦荡荡，小人长戚戚／君子喻于义，小人喻于利／君子行正气，小人行邪气／君子淡以亲，小人甘以绝／君子淡以成，小人甘以坏／达士如弦直，小人似钩曲／轻者重之端，小者大之源／烈士多悲心，小人偷自闲／能修其身，虽小人而为君子／大德不逾闲，小德出入可也／人之材有大小，而志有远近也／万全之利，以小不便而废者有之矣／不吹毛而求小疵，不洗垢而察难知／百世之患，以小利而不顾者有之矣／难违一官之小情，顿为万人之大弊／胆欲大，心欲小；智欲圆，行欲方／小人不能忍小忿之故，终有赫赫之败辱／官大者，亦可小就；官小者，亦可大用／内君子而外小人，君子道长，小人道消也／凡人好敖慢小事，大事至，然后兴之务之／君子之德风，小人之德草。草上之风，必偃／有益于化，虽小弗除；无补于政，虽大弗与／礼之既设，其小人恒佚于礼之外，则辅礼以刑

❼明于大而暗于小／建大业者不拘小节／万分廉洁，止是小善／天下有大知，有小知／建大事者，不忌小怨／大天之内，复有小天／园中无修林者，小也／有大誉，无疵其小故／忘我大德，思我小怨／为君子儒，无为小人儒／凡大事皆起于小事……／色智而有能者，小人也／象见其牙，而大小可论／为大者不大，为小者不小／志善者忘恶，谨小者致大／君子难进易退，小人反是／见小利不动，见小患不避／天之道事无大小，物无难易／不为世忧乐者，小人之志也／厉精乡进，不以小疵妨大材／小惩而大诫，此小人之福也／君子惧失仁义，小人惧失利／君子道其常，而小人计其功／敌力角气，能以小胜大者希／百岁无智小儿，小儿有智百岁／事有易成者名小，难成者功大／大器不可小用，小士不可大任／大胆天下去得，小心寸步难行／君子乐得其道，小人乐得其欲／君子周而不比，小人比而不周／君子之接如水，小人之接如醴／君子以义相褒，小人以利相欺／君子扬人之善，小人讦人之恶／君子和而不同，小人同而不和／君子得之固躬，小人得之轻命／君子得时如水，小人得时如火／君子相送以言，小人相送以财／君子泰而不骄，小人骄而不泰／春秋采善不遗小，掇恶不遗大／欲速则不达；见小利则大事不成／顺我意而言者，小人也，急远之／志欲大而心欲小，学欲博而业欲专／寒暑之势不易，小变不足以妨大节／时人莫道蛾眉小，三五团圆照满天／胆欲大而心欲小，智欲圆而行欲方／两虎争人而斗，小者必死，大者必伤／宽于大事，急于小事……不可以为政／道，于大不终，于小不遗，故万物备／举大体而不论小事，务实效而不为虚名／论大功者不录小过，举大善者不疵细瑕／大吏不正而责小吏，法略于上而详于下／射招者欲其中小也，射兽者欲其中大也／君子计行虑义；小人计行其利，乃不利／立大功者不求小疵，有大忠者不求小过／专习一家，硁硁小哉！宜善相之，多师为佳／人有厚德，无问小节；人有大举，无訾小故／成大事者，不恤小耻；立大功者，不拘小谅／枯藤老树昏鸦，小桥流水人家，古道西风瘦马／德薄而位尊，知小而谋大，力小而任重，鲜不及矣／审内以知外，原小以知大，因我以然彼，明近以喻远

❽忧心悄悄，愠于群小／宥过无大，刑故无小／好问则裕，自用则小／怨不在大，亦不在小／越自尊大，越见器小／务持重，不急近功小利／治世以大德，不以小惠／运穷君子拙，家富小儿娇／槛外低秦岭，窗中小渭川／圣人之于善也，无小而不举／自小，小也；自大，亦小也／升。君子以顺德，积小以高大／明大数者得人，审小计者失人／凡物皆有两端，如小大厚薄之类／君子有失其所兮，小人有得其时／世俗之君子，皆知小物而不知大物／坐井而观天，曰天小者，非天小也／小人之反中庸也，小人而无忌惮也／小知不可使谋事，小忠不可使主法／君子无小人则饥，小人无君子则乱／君子之交淡若水，小人之交甘若醴／君子之学进于道，小人之学进于利／君子之言寡而实，小人之言多而虚／君子先择而后交，小人先交而后择／君子志于泽天下，小人志于荣其身／君子居易以俟命，小人行险以徼幸／君子学道则爱人，小人学道则易使／财色之于人，譬如小儿贪刀刃之饴／神女生涯原是梦，小姑居处本无郎／不大不小乃生大小，不高不卑乃生高卑／君子能受纤微之小嫌，故无变斗之大讼／君子富，好行其德；小人富，以适其力／君子好成物，故吉；小人好败物，故凶／干大事而惜身，见小利而忘命，非英雄也／内小人而外君子，小人道长，君子道消也／君子非不见贵，然小人亦得厕其间时而用／色厉而内荏，譬诸小人，其犹穿窬之盗也与／小中见大，大中见小；一为千万，千万为一／以小善为无益，以小恶为无伤，凡此皆非所以安身崇德也／《国风》好色而不淫，《小雅》怨诽而不乱，若《离骚》者，可谓兼之

❾得其大者可以兼其小／亡在失道而不在于小也／大国以下小国，则取小国／处则为远志，出则为小草／道固不小行，德固不小识／事之大利者，不能无小害也／将以诛大为威，以赏小为明／厉法禁，自大臣始，则小臣不犯矣／短绠不可以汲深，器小不可以盛大／天下宝之者何也？其小恶不足妨大美也／小人非才不能动人，小人非才不能乱国／小善不足以掩众恶，小疵不

足以妨大美／小慧者不可以御大，小辩者不可以说众／君子好闻过而无过，小人恶闻过而有过／君子日孳孳以成辉，小人日怏怏以至辱／君子有机以成其善，小人有机以成其恶／君子思义而不虑利，小人贪利而不顾义／官大者，亦可小就；官小者，亦可大用／天地之间，万国并兴，小大愚智，皆愿为君／左右前后，莫匪俊良；小大之材，咸尽其用／大丈夫……终不为邪暗小人所惑而易其所守／小快害义，小慧害道，小辨害治，苟心伤德／君子百是，必有一非；小人百非，必有一是／君子务知大者、远者，小人务知小者、近者／积微之善，以至吉祥。小恶不止，乃至灭亡／孔子曰：诎寸而信尺，小枉而大直，吾为之也／能用非己之民，国虽小，卒虽少，功名犹可立／短绠不可以汲深，器小不可以盛大，非其任也／于人无贤愚，于事无小大，咸推以信，同施以敬／美也者，上下、内外、大小、远近皆无害焉，故曰美／上下相疏，内外相蒙，小臣争宠，大臣争权，此危国之风也／患其有小恶，以人之小恶，亡人之大美，此人主之所以失天下之士也已

❿无功之功大，有功之功小／为大者不大，为小者不小／利之中取大，害之中取小／会当凌绝顶，一览众山小／大者推明其大而不遗其小／学者大病痛，只是器度小／不修，虽破万卷不失为小人／不修其身，虽君子而为小人／未得兽者，惟恐其创之小也／今日太平，即是江宁之小邑／善为天下者，计大而不计小／宁过于君子，而毋失于小人／祸在于好利，害在于亲小人／不可以一时之谤，断其为小人／信义行于君子，刑戮施于小人／大凡做好事的心，一日小一日／大行不顾细谨，大礼不辞小让／小人非无小善，君子非无小过／须用防微杜渐，毋为因小失大／政犹张琴瑟，大弦急则小弦绝／天下事当于大处著眼，小处下手／古之兴者，在德薄厚，不以大小／大凡事之大害者，不能无小利也／登东山而小鲁，登泰山而小天下／言无常是，行无常宜者，小人也／天下莫大于秋毫之末，而太山为小／不可知之事，厉心学问，虽小无易／义之所加者浅，则武之所制者小矣／勿以恶小而为之，勿以善小而不为／画者谨毛而失貌，射者仪小而遗大／观棋不语真君子，把酒多言是小人／坐井而观天，曰天小者，非天小也／将治大者不治细，成大功者不成小／常有小病则慎疾，常亲小劳则身健／嘈嘈切切错杂弹，大珠小珠落玉盘／形相虽善而心术恶，无害为小人也／处有事当如无事，处大事当如小事／教化之废，推中人而坠入小人之域／所求多者所得少，所见大者所知小／翁媪饥雷常转腹，大儿嗷嗷小儿哭／不能为五斗米折腰，拳拳事乡里小人／迂人执而不化，其决裂有甚于小人时／孟氏醇乎醇者也，荀与扬大醇而小疵／悬羽与炭，而知燥湿之气，以小明大／不可轻微恶而不避，无容略小善而不为／为治之功不在大，见大不明，见小乃明／若能常保数百卷书，千载终不为小人也／君子成人之美，不成人之恶。小人反是／国之将兴，必有祯祥，君子用而小人退／处大无患者恒多慢，处小有忧者恒思善／道在天地之间也，其大无外，其小无内／道虽迩，不行不至；事虽小，不为不成／强令之为道也，可以成小而不可以成大／是直用管窥天，用锥指地也，不亦小乎／断指以存腕，利之中取大，害之中取小／立大功者不求小疵，有大忠者不求小过／言之所载者不文而又小，则其传也不章／内君子而外小人，君子道长，小人道消也／从来谈诗，必摘古人佳句为证，最是小见／君子与小人不两立，而小人与君子不同谋／善不可谓小而无益，不善不可谓小而无伤／治国者譬若乎张琴然，大弦急则小弦绝矣／群居终日，言不及义，好行小慧，难矣哉／食禄者不得与下民争利，受大者不得取小／才所以为善也，故大才成大善，小才成小善／不谓小善不足为也而舍之，小善积而为大善／事有古而可以质于今，言有大而可以征于小／以管窥天，以锥刺地；所窥者大，所见者小／匿人之善，斯为蔽贤；扬人之恶，斯为小人／傲人不如者，必浅人；疑人不肖者，必小人／人有厚德，无问小节；人有大举，无訾小故／勿轻小事，小隙沈舟；勿轻小物，小虫毒身／六合为巨，未离其内；秋毫为小，待之成体／至大无外，谓之大一；至小无内，谓之小一／大知闲闲，小知间间；大言炎炎，小言詹詹／大字难于密结而无间，小字难于宽绰而有余／君子务知大者、远者，小人务知小者、近者／君子怀德，小人怀土；君子怀刑，小人怀惠／君子见人之厄则矜之，小人见人之厄则幸之／性有精粗，命有长短，情有美恶，意有大小／绝圣弃知，大盗乃止；擿玉毁珠，小盗不起／成大事者，不恤小耻；立大功者，不拘小谅／赏罚信明，施与有节，记人之功，忽于小过／有赏罚之教则邪道进，有亲疏之分则小人入／欲为君子，终身乃成；欲为小人，一朝可就／祸之所生，必由积怨；过之所始，多因忽小／用四海九州之力，除此小寇，难易可知……／虎狼当路，不治狐狸。先除大害，小害自已／言无常信，行无常贞……若是则可谓小人矣／称薪而爨，数米而炊，可以治小而未可以治大／五寸之键制开阖之门，岂其才巨小哉，所居要也／人之情，于害之中争取小焉，于利之中争取大焉／藏大不诚于中者，必谨小诚于外，以成其大不诚／君子与君子以同道为朋，小人与小人以同利为朋／不谓小不善为无伤也而为

之，小不善积而为大不善／德薄而位尊，知小而谋大，力小而任重，鲜不及矣／人之情，于利之中则争取大焉，于害之中则争取小焉／凡人于事务之来，无论大小，必审之又审，方无遗虑／君子小人本无常，行善事则为君子，行恶事则为小人／消磨了三十多年层层心血，算不得大千世界小小文章／不可以一时之誉，断其为君子；不可以一时之谤，断其为小人／遇事多算计，较利悉锱铢，其过甚小，而积之甚大，慎之慎之／君子之言，幽必有验乎明，远必有验乎近，大必有验乎小，微必有验乎著

少 ①shǎo 数量小；不常有的；缺；稍微；丢失；轻视；不多时。②shào 年轻人；古代为长官辅佐之称；通“小”。

❶少年心事当拿云

见唐·李贺《致酒行》。

少则得，多则惑

见《老子》二十二。

少不勤苦，老必艰辛

见宋·李邦献《省心杂言》。全句为：“～；少不服劳，老不安逸”。

少不服劳，老不安逸

见宋·李邦献《省心杂言》。全句为：“少不勤苦，老必艰辛；～”。

少年富贵才俊为不幸

见元·胡祇遹《送王彦才序》。

少德而多宠，一危也

见汉·刘安《淮南子·人间》。全句为：“天下有三危：～；才下而位高，二危也；身无大功而受厚禄，三危也”。

少而不勤，无如之何矣

见宋·秦观《精骑集序》。

少而好学，如日出之阳

见汉·刘向《说苑·建本》。全句为：“～；壮而好学，如日中之光；老而好学，如炳烛之明”。

少无适俗韵，性本爱丘山

见晋·陶潜《归园田居五首》之一。

少也用其力，老也优其秩

见宋·欧阳修《内殿承制桑逵可左监门卫将军致仕制》。

少则习之学，长则材诸位

见汉·班固《汉书·董仲舒传》。

少壮不努力，老大徒伤悲

见汉·乐府古辞《长歌行》。

少成若天性，习贯如自然

见汉·班固《汉书·贾谊传》。

少见之人，如从管中窥天

见汉·司马迁《史记·梁孝王世家》。

少年人要心忙，忙则摄浮气

见明·陈继儒《小窗幽记》。全句为：“～；老年人要心闲，闲则乐余年”。

少年作迟暮经营，异日决无成就

见明·吴麟征《家诫要言》。

少不讽，壮不论议；虽可，未成也

见《荀子·大略》。据文义“讽”后似少一“诵”字。

少年易学老难成，一寸光阴不可轻

见宋·朱熹《偶成诗》。

少年辛苦终身事，莫向光阴惰寸功

见唐·杜荀鹤《题弟侄书堂》。

少者殁而长者存，强者夭而病者全

见唐·韩愈《祭十二郎文》。

少壮真当努力，年一过往，何可攀援

见晋·陈寿《三国志·魏书·王粲传》。

少君之费，寡君之欲，虽无粮而乃足

见《庄子·山木》。

少而不学，老无能也；老而不教，死无思也

见《荀子·法行》。全句为：“～；有而不施，穷无与也”。

少目之网，不可得鱼，三章之法，不可为治

见汉·桓宽《盐铁论·诏圣》。

❷利少而义多，为之／年少气锐，不识几微／以少总多，情貌无遗／民少官多，十羊九牧／守少则固，力专则强／吾少也贱，故多能鄙事／发少嫌梳利，颜衰恨镜明／人少好学则思专，长则善忘／多少事，从来急；天地转，光阴迫／意少一字则义阙，句长一言则辞妨／责少者易偿，职寡者易守，任轻者易权／事少而功多，守要也；身逸而国治，用贤也

❸多言少实，语无成事／劝君少干名，名为锢身锁／劝君少求利，利是焚身火／知音少，人间何处寻芳草／所见少则所怪多，世之常也／读书少则身暇，身暇则邪间，邪间则过恶作焉，忧患及之

❹爱不可少于敬／为善者少，为谗者多／大小多少，报怨以德／狎昵恶少，久必受其累／志道者少友，逐俗者多俦／人之欲少者，其可得用亦少／贱妨贵，少陵长……所谓六逆也／丰岁自少凶岁多，田家辛苦可奈何／志闲而少欲，心安而不惧，形劳而不倦／恰同学少年，风华正茂；书生意气，挥斥方遒

❺妻贤夫祸少／英雄出于少年／韶华不为少年留／见素抱朴，少私寡欲／自古治时少而乱时多／群贤毕至，少长咸集／与，不期众少，其于当厄／天子好年少，无人荐冯唐／勿轻一篑少，进往必千仞／时来故旧少，乱后别离频／病知新事少，老别故交难／自古贤者少不肖者多……／老夫聊发少年狂，左牵黄，右擎苍／不可以年少而自恃，不可以年老而自弃／凡人之性，少则猖狂，壮则暴强，老则好利／生之者甚少而

靡之者甚众，天下之势何以不危

❻莫等闲，白了少年头，空悲切／富老不如贫少，美游不如恶归／凡人行事，年少立身，不可不慎／人生不得长少年，莫惜床头沽酒钱／人之生也亦少矣，而岁之往亦速矣／君子有三戒：少之时……戒之在得／处官不信，则少不畏长，贵贱相轻／千古兴亡多少事，悠悠。不尽长江滚滚流

❼智者不愁，多为少忧／天高皇帝远，民少相公多／人生交契无老少，论交何必先同调／扫眉才子于今少，管领春风总不如／酒逢知己千杯少，话不投机半句多／贫疑陋巷春偏少，贵想豪家月最明／所求多者所得少，所见大者所知小／虽有神药，不如少年；虽有珠玉，不如金钱

❽贪货无厌，其身必少／所刺者巨，所中者少／其出弥远，其知弥少／人物禀假，受有多少……／古人学问无遗力，少壮功夫老始成／懊恨人心不如石，少时东去复西来／好事尽从难处得，少年无向易中轻／智载于私，则所知少；载于公，则所知多矣／无贵无贱，无长无少，道之所存，师之所存也

❾屠者割肉，则知牛长少／轻躁寡谋，不必皆年少／花有重开日，人无再少年／名都多妖女，京洛出少年／寂兮寞，岁岁年年长少乐／患生于官成，病始于少瘳／青春须早为，岂能长少年／儒者之病，多空文而少实用／老者安之，朋友信之，少者怀之／人生不得长欢乐，年少须臾老到来／田夫寿，膏粱夭，嗜欲少多之验也／日月如梭，光阴似箭，少年人，早打点／身劳而心安，为之；利少而义多，为之／言语简寡，在我可以少悔，在人可以少怨／石生而坚，兰生而芳，少自其质，长而愈明／学者自强不息，则积少成多；中道而止，则前功尽弃

❿夜来风雨声，花落知多少／塞切直之路，为忠者必少／盗虚声者多，有实学者少／兵以计为本，故多算胜少算／人之欲少者，其可得用亦少／事出于正，则其成多，其败少／其自为也过多，其为人也过少／舍人而从欲，是以勤多而功少也／世间万物有盛衰，人生安得常少年／利则行之，害则舍之，疑则少尝之／兴利之要，在于致之，不在于多少／光阴似箭催人老，日月如梭趱少年／商不出则三宝绝，虞不出则财匮少／劝君莫惜金缕衣，劝君须惜少年时／名为公器无多取，利是身灾合少求／虽信美而非吾土兮，曾何足以少留／闭门觅句陈无已，对客挥毫秦少游／宣父犹能畏后生，丈夫未可轻年少／新丰美酒斗十千，咸阳游侠多少年／自古圣贤多薄命，奸雄恶少皆封侯／自古雄才多磨难，纨绔子弟少伟男／不论其才之称否，而论其历任之多少／著述讲论之功多，而实学实教之力少／顺天时，量地利，则用力少而成功多／国之兴亡不由蓄积多少，唯在百姓苦乐／国之兴亡不由蓄积多少，惟在百姓苦乐／以骄主使罢民，然而国不亡者，天下少矣／忧天下之乱，犹忧河水之少，泣而益之也／理无专在，而学无止境也，然则问可少耶／言语简寡，在我可以少悔，在人可以少怨／师不欲久，行不欲远，守少则固，力专则强／财有害气，积则伤人；虽少犹累，而况多乎／聪明流通者戒于太察，寡闻少见者戒于壅蔽／凡今能言者，皆谓天下少士，而不知养材之道／能用非己之民，国虽小，卒虽少，功名犹可立／礼者贱质而贵文，故正直日以少，邪乱日以生／不爱尺璧而爱寸阴，时过不还，若年大不可少也／老年人受病在作意步趋，少年人受病在假意超脱／不奋苦而求速效，只落得少日浮夸，老来窘隘而已／圣人之用兵，若栉发耨苗，所去者少，而所利者多／国之强弱，不在甲兵，不在金谷，独在人才之多少／沐者堕发，而犹为之不止，以所去者少，所利者多／去其家观人家，去其身观人身，所观益远，所见益少／己之才艺虽多，犹病以为少，仍就寡少之人更求所益

尔

ěr 你；这；如此，这样；其，那；助词，罢了；华丽；句末语气词，犹“耳”，“而已”；犹“乎”；通“迩”，近；后缀，犹“然”。

❶尔心贵正，正则不敢私

见宋·欧阳修《三年无改问》。

尔以金玉为宝，吾以廉慎为师

见唐·姚崇《辞金诫》。

尔曹身与名俱灭，不废江河万古流

见唐·杜甫《戏为六绝句》之二。

❷见尔前，虑尔后／诲尔谆谆，听我藐藐／慎尔言，将有和之；慎尔行，将有随之

❸我无尔诈，尔无我虞／不明尔德，时无背无侧／出乎尔者，反乎尔者也

❹地虽生尔材，天不与尔时

❺见尔前，虑尔后／我无尔诈，尔无我虞／生死悠悠尔，一气聚散之

❻富贵者足物尔／万事有不平，尔何空自苦／天道远，人道尔，报应之效迟速难量／不行王政云尔；苟行王政，四海之内皆举首而望之，欲以为君

❼未能免俗，聊复尔尔／孝子不匮，永锡尔类／出乎尔者，反乎尔者也／勿使青衿子，嗟尔白头翁／夺我身上暖，买尔眼前恩／饱暖非天降，赖尔筋与力／不狩不猎，胡瞻尔庭有县貆兮／人生贵得适意尔，何能羁宦数千里以要名爵

❽未能免俗，聊复尔尔／文者，礼教治政云尔

❾地虽生尔材，天不与尔时／千磨万击还坚劲，任尔东西南北风／龙钟还忝二千石，愧尔东西南北人／慎尔言，将有和之；慎尔行，将有随之

⑩人与虫一也，所以异者形质尔／君不见曲如钩，古人知尔封公侯／君不见直如弦，古人知尔死道边／困而不学，终于不知，斯为下尔／天良能本吾良能，顾为有我所丧尔／春来春去苦自驰，争名争利徒尔为／君子之誉，非所谓誉也，其善显焉尔／小人之谤，非所谓谤也，其不善彰焉尔／天下岂有不可为之国哉？亦存乎其人如何尔／捷捷幡幡，谋欲谮言；岂不尔受，既其女迁／四海悠悠，皆慕名者，盖因其情而致其善尔／文宜易宜难？必谨对曰：无难易，唯其是尔／天下之人所共趋之而不知止者，富贵与美名尔／子思以为鼎肉使己仆仆尔亟拜也，非养君子之道也／继以精思，使其意皆出于吾之心。然后可以有得尔／人知出必由户，而不知行必由道。非道远人，人自远尔

当 ①dāng 担任；主持；承担；对着；抵挡；阻挡；抵敌；应该；值；在；是、为；乃；判罪；指过去的时日；拟声词。②dàng 合适；认为；作为；圈套；抵押；底；指事情发生的时日。

❶当局则乱

见汉·桓宽《盐铁论·救匮》。全句为："议不在己者易称，从旁议者易是；其～"。

当今之世……

见汉·班固《汉书·文帝纪》。全句为："～，咸嘉生而恶死，厚葬以破业，重服以伤生，吾甚不取"。

当其可之谓时

见《礼记·学记》。

当面输心背面笑

见唐·杜甫《莫相疑行》。

当仁，不让于师

见《论语·卫灵公》。

当家才知柴米价

见明·吴承恩《西游记》第二十八回。

当公法则不阿亲戚

见唐·武则天《臣轨上》。

当生者生，当死者死

见《管子·白心》。

当为秋霜，无为槛羊

见南朝·宋·范晔《后汉书·广陵思王荆传》。

当取不取，过后莫悔

见明·施耐庵《水浒传》第十五回。

当官临事，切戒躁急

见清·申涵煜《省心短语》。全句为："～。躁急，则先自处于不暇，何暇治事"。

当官力争，不为面从

见宋·司马光《资治通鉴·唐纪》。

当局称迷，旁观必审

见宋·欧阳修、宋祁《新唐书·元行冲传》。

当断不断，反受其乱

见汉·班固《汉书·霍光传》。

当其为师，则弗臣也

见《礼记·学记》。

当今生民之患果安在哉

见宋·苏轼《策别十六》。全句为："～？在于知安而不知危，能逸而不能劳"。

当及未衰时，晚节早自励

见清·周炜《五十》。

当功以受赏，当罪以受罚

见《吕氏春秋·离俗览·高义》。全句为："～。赏不当，虽与之必辞；罚诚当，虽赦之不外"。

当知岁功应，唯是奉无私

见唐·罗让《闰月定四时·试帖》。

当时而立法，因事而制礼

见《商君书·更法》。

当念贫时交，重勿弃如土

见宋·谢逸《广寿寺》。

当路谁相假，知音世所稀

见唐·孟浩然《留别王侍御维》。

当其贯日月，死生安足论

见宋·文天祥《正气歌》。

当局虽工，而蔽于求胜之心

见清·陈确《乾初先生遗集·别集·瞽言》。全句为："～；旁观虽拙，而灼于虚公之见"。

当自益者，莫如改过而迁善

见宋·叶适《习学记言》。

当世之得失，未尝不留于意也

见唐·韩愈《与凤翔邢尚书书》。全句为："前古之兴亡，未尝不经于心也；～"。

当九秋之凄清，见一鹗之直上

见唐·杜甫《雕赋》。全句为："～，以雄才为己任，横杀气而独往"。

当知器满则倾，须知物极必反

见清·程允升《幼学琼林·人事》。

当官不挠贵势，执平不阿所私

见晋·陈寿《三国志·魏书·杜畿传》。

当途者入青云，失路者委沟渠

见汉·班固《汉书·扬雄传》。全句为："～，旦握权则为卿相，夕失势则为匹夫"。

当轴者易生嫌，而退身者易为誉

见唐·刘禹锡《观博》。全句为："～。易生之嫌，不足贬也；易为之誉，不足多也"。

当事有四要：际畔要果决，怕是绵

见明·吕坤《呻吟语》。全句为："～；执持要坚耐，怕是脆；机括要深沉，怕是浅；应变要机警，怕是迟"。

当年不肯嫁春风，无端却被秋风误

见宋·贺铸《芳心苦》。

当局者之十，不足以当旁观者之五

见明·吕坤《呻吟语·应事》。

当轩不是怜苍翠，只要人知耐岁寒

见宋·韩琦《小桧》。

当时更有军中死，自是君王不动心

见宋·李觏《读<长恨辞>》。

当以执两以兼听，而不以狐疑为兼听

见清·魏源《默觚·治篇六》。

当杀而虽贵重，必杀之，是刑上究也

见《尉缭子·武议》。

当其取于心而注于手也，汩汩然来矣

见唐·韩愈《答李翊书》。

当官务持大体，思事事皆民生国计所关

见河南内乡县衙夫子院过厅楹联。全句为："为政不在言多，须息息从省身克己而出；～"。

当官者能洁身修己，然后在公之节乃全

见唐·房玄龄《晋书·良吏传》。

当其才则事或能济，逾其分则力所不堪

见唐·李峤《为欧阳通让司礼卿第二表》。

当其取于心而注于手也，惟陈言之务去

见唐·韩愈《答李翊书》。

当于有过中求无过，不当于无过中求有过

见明·陈继儒《小窗幽记》。全句为："君子于人，～"。

当与人同过，不当与人同功，同功则相忌

见明·洪应明《菜根谭·前集百四十一》。

当天时，与之皆断；当断不断，反受其乱

见《十六经·观》。

当世学士，恒以万计；而究涂者无数十焉

见汉·王符《潜夫论·讚学》。

当恃我之不可侵也，无恃鬼神之不侵我也

见晋·葛洪《抱朴子·道意》。

当官之法，唯有三事：曰清，曰慎，曰勤

见宋·吕本中《官箴》。

当急剧冗杂时只不动火，则神有余而不劳

见明·吕坤《呻吟语·问学》。

当厄之施，甘于时雨；伤心之语，毒于阴冰

见《格言联璧·悖凶》。

当人强盛，河山可拔，一朝羸缩，人情万端

见晋·陈寿《三国志·吴书·诸葛恪传》。

当怒不怒，奸臣为虎；当杀不杀，大贼乃发

见晋·葛洪《抱朴子·外篇·用刑》。

❷士当以功名闻于世／但当循理，不可使气／至当归一，精义无二／学当以渐，乃能至也／欲当大任，须是笃实／穷当益坚，老当益壮／赏当其劳，无功者自退／罚当其罪，为恶者戒惧／罚当其罪，为恶者咸惧／生当复来归，死当长相思／生当作人杰，死亦为鬼雄／会当凌绝顶，一览众山小／君当作磐石，妾当作蒲苇／宁当血刃死，不作衽席完／老当益壮，宁移白首之心／功当其事，事当其言，则赏／将当以勇为本，行之以智计／如当亲者疏，当尊者卑……／无当之玉碗，不如全用之埏埴／事当论其是非，不当问其难易／化当世莫若口，传来世莫若书／赏当则贤人劝，罚得则奸人止／礼，当论其是非，不当以人废／何当共剪西窗烛，却话巴山夜雨时／冥当寝兮不能安，饥当食兮不能餐／想当年，金戈铁马，气吞万里如虎／立当青草人先见，行傍白莲鱼未知／能当一人而天下取，失当一人而社稷危／事当其可与，万金与之；义所不宜，毫发拒之／但当退小人之伪朋，用君子之真朋，则天下治矣／人当自信自守，虽承誉之，承奉之，亦不为之加喜爱／人当自信自守，……虽毁谤之，侮慢之，亦不为之加沮

❸吴带当风／学者当自树其帜／非吾当，虽利不行／掷地，当作金石声／磨砺当如百炼之金／一夫当关，万夫莫开／与人当宽，自处当严／事之当否，众口必公／任人当才，为政大体／对酒当歌，人生几何／学书当自成一家之体／豺狼当路而狐狸是先／豺狼当路，安问狐狸／大富当赈贫，贵当怜贱／持己当从无过中求有过／待人当于有过中求无过／道德当身，故不以物惑／赏不当功，则不如无赏／罚不当罪，则不如无罚／罚诚当，虽赦之，不外／及时当勉励，岁月不待人／男儿当野死，岂为印如斗／挽弓当挽强，用箭当用长／衣食当须纪，力耕不吾欺／男儿当死中求生，可坐穷乎／委肉当饿虎之蹊，祸必不振／枳棘当道，行者过之而必诘／可欺当时之人，而不可欺后世／凡事当留余地，得意不宜再往／读书当读全书，节抄者不可读／功不当其事，事不当其言，则罚／君子当有所好恶，好恶不可不明／不为当时所怪，亦必无后世之传也／妇人当年而不织，天下有受其寒者／欧阳当日文名重，更要推敲畏后生／磨砺当如百炼之金，急就者，非邃养／事非当则伤于智力，务过分则毙丁形神／生子当如孙仲谋，刘景升儿子若豚犬耳／读史当观大伦理，大机会，大治乱得失／听言当以理观，一闻辄以为据，往往多失／量其当否，参其同异，弃其所短，收其所长／赏不当，虽与之必辞；罚诚当，虽赦之不外／虎狼当路，不治狐狸。先除大害，小害自已／赏不当贤而罚不当暴，则是为贤者不劝而为暴者不沮／文章当从三易：易见事，一也；易识字，二也；易读诵，三也

❹安步以当车／万夫不当之勇／为国者当务实／凡书画当观韵／言必中当世之过／处事最当熟思缓处／出言不当，反自伤也／谋无不当，举必有功／大而无当，往而不返／玉卮无当，虽宝非用／枉桡不当，反受其殃／是我而当者，吾友也／出言不当，驷马不能追也／为官长当清，当

慎，当勤／索道于当世者，莫良于典／大丈夫当雄飞，安能雌伏／处身而当逸者，则志不广／锄禾日当午，汗滴禾下土／才高乎当世，而行出乎古人／待人者，当于有过中求无过／待己者，当于无过中求有过／治国者当爱民，则不为奢泰／百言百当，不如择趋而审行也／事有不当民务者，皆禁而不行／行于所当行，止于所不可不止／天下事当于大处著眼，小处下手／小人固当远，然亦不可显为仇敌／君子固当亲，然亦不可曲为附和／自其所当后者为之，则先后并废／自其所当先者为之，则其后必举／观书者当观其意，慕贤者当慕其心／处有事当如无事，处大事当如小事／有过则当速改，不可畏难而苟安也／辨而不当理则伪，知而不当理则诈／大丈夫当为国扫除天下，岂徒室中乎／少壮真当努力，年一过往，何可攀援／居官者当事不避难，在位者恤民之患／男儿要当死于边野，以马革裹尸还葬耳／学医者当博览群书，不得拘守一家之言／晚食以当肉，安步以当车，无罪以当贵／一事惬当，一句清巧，神厉九霄，志凌千载／非我而当者，吾师也；是我而当者，吾友也／虑事而当，不若进贤；进贤而当，不若知贤

❺莫怨春风当自嗟／少年心事当拿云／采桑已闲当采茶／无于水监，当于民监／未知一生当著几量屐／为将之道，当先治心／书画之妙，当以神会／凡人为贵，当使可贱／凡所从政，当须正己／当生者生，当死者死／泰极而否，当歌而哭／政者正也，当矫其弊／积乱之后，当生大贤／无其德而当之，为不智／可取之利，当有所不取／陋室空堂，当年笏满床／能食人，亦当为人所食／难行之言，当有所必行／治一国者当与一国推实／统天下者当与天下同心／一粥一饭，当思来处不易／识事之有当，不任非当之事／生有闻于当时，死有传于后世／能前知其当然，事至不惧……／悲歌可以当泣，远望可以当归／大丈夫宁当玉碎，安可没没求活／盖世功劳，当不得一个“矜”字／事大君子当以道，不宜苟且求容悦／人有善，恒当掩之，有恶宜令彰露／常行于所当行，常止于所不可不止／怒其臂以当车辙，不知其不胜任也／听政之初，当以通下情除壅蔽为急务／譬如养虎，当饱其肉，不饱则将噬人／纵令滋味当染于口，声色已开于心……／国家有幸，当者受央；国家无幸，有延其命／或说听计当而身疏，或言不用、计不行而益亲／治天下者，当以天下之心为心，不得自专快意而已／身处困境，当视为天之爱我、成我，不当视为天之厄我、祸我也

❻以计待战，一当万／凡有所长，皆当不废／困鸟依人，终当飞去／穷当益坚，老当益壮／为官长当清，当慎，当勤／令在必行，不当徒为文具／当功以受赏，当罪以受罚／安求一时誉，当期千载知／好雨知时节，当春乃发生／神女应无恙，当惊世界殊／赤兔无人用，当须吕布骑／功当其事，事当其言，则赏／大丈夫处世，当交四海英雄／四寸之管无当，必不可满也／如当亲者疏，当尊者卑……／欲急人所务，当先除其所患／人有举事至当，而或有非之者／丈夫为志，穷当益坚，老当益壮／大丈夫处世，当为国家立功边境／世路之蓁芜当剔，人心之茅塞须开／事遇快意处当转，言遇快意处当住／义虽深，理虽当，词不工者不成文／弥天的罪过，当不住一个“悔”字／业无高卑志当坚，男儿有求安得闲／生民之本，要当稼穑而食，桑麻以衣／大丈夫行事当磊磊落落，如日月皎然／大丈夫处世，当扫除天下，安事一室乎／将事而能弭，当事而能救，既事而能挽／所谓读书，须当明物理，揣事情，论事势／责我以过，皆当虚心体察，不必论其人何如／大丈夫举事，当赤心相示，浮言夸辞，吾甚厌之／人生一世，但当畏敬于人，若不善加己，直为受之／人生所好，自当专一，若多好多能，反能耗神损精

❼与人当宽，自处当严／知者善谋，不如当时／法无常则网罗当前路／早知今日，悔不当初／大丈夫为志，穷当益坚／大富当赈贫，贵当怜贱／官达者，才未必当其位／言不贵文，贵于当而已／生当复来归，死当长相思／利锁名缰，几阻当年欢笑／但恨多谬误，君当恕醉人／君当作磐石，妾当作蒲苇／彼是而己非，不当与是争／法正则民悫，罪当则民从／己是而彼非，不当与非争／穷乃见节义，老当志弥刚／辨章事理，贵得当时之宜／事穷势蹙之人，当原其初心／知者无不知也，当务之为急／用气常宽舒，不当急疾勤劳／触目皆新，谁识当年旧主人／三寸之管而无当，天下弗能满／与妄人相值，亦当存自反之心／无猖狂以自彰，当阴沉以自深／利民岂一道哉，当其时而已矣／宇宙内事，要担当，又要善摆脱／大事难事看担当，逆境顺境看襟度／知有所待而后当，其所待者特未定也／螳螂之怒臂以当车轶，则必不胜任矣／凡为天下国家，当爱惜名器，谨重刑罚／如欲平治天下，当今之世，舍我其谁也／当与人同过，不当与人同功，同功则相忌／军无习练，百无当一；习而用之，一可当百／言不在多，在于当理；施不在丰，期于救乏／世之治乱，在赏当其功，罚当其罪，即无不治／国家大事，牧不当官，言之实有罪，故作《罪言》／置其本，求之末，当后者反先之，无一焉不悖于极

❽一人拼命，万夫难当／七穿八穴，百了千当／画布为亟不可以当戈戟／三万六千日，夜夜当秉烛／与，不期众少，其于当厄／为官长当清，

当慎，当勤／功名图麒麟，战骨当速朽／嘉谷不夏熟，大器当晚成／挽弓当挽强，用箭当用长／岂无一时好，不久当如何／楚战士无不一以当十……／有麝自然香，何必当风立／鸱枭鸣衡轭，豺狼当路衢／蜘蛛网户牖，野草当阶生／赋敛行赂不足以当三军之费／不以官随其爱，能当之者处之／事当论其是非，不当问其难易／礼，当论其是非，不当以人废／功不当其事，事不当其言，则罚／大贤虎变愚不测，当年颇似寻常人／当天时，与之皆断；当断不断，反受其乱／欲以先王之政治当世之民，皆守株之类也／一卒毕力，百人不当；万夫致死，可以横行／知标本者，万举万当；不知标本，是谓妄行／外内皆顺，命曰天当，功成而不废，后不奉央／赏不当贤而罚不当暴，则是为贤者不劝而为暴者不沮

❾贵其效，则汗漫而无当／诛者不怨君，罪之所当也／功高人共嫉，事定我当烹／憎我者之言刻，刻必当罪／识事之有当，不任非当之事／爱惜精神，留他日担当宇宙／大凡做一件事，就要当一件事／常与众庶同垢尘，不当自别殊／冥当寝兮不能安，饥当食兮不能餐／圣人因时以安其位，当世而乐其业／当局者之十，不足以当旁观者之五／勤非俭，终年劳瘁，不当一日之侈靡／古之人未始不薄于当世，而荣于后世也／凡王者之德……要于其当，不可使易也／晚食以当肉，安步以当车，无罪以当贵／拘囹圄者，以日为修；当死市者，以日为短／当怒不怒，奸臣为虎；当杀不杀，大贼乃发／赴之若惊，用之若狂；当之者破，近之者亡／古之善歌者有语，谓“当使声中无字，字中有声”／吴人与越人相恶也，当其同舟而济遇风，其相救也如左右手

❿事以简为上，言以简为当／得万人之兵，不如闻一言之当／熟思则得其情，缓处则得其当／悲歌可以当泣，远望可以当归／丈夫为志，穷当益坚，老当益壮／倍仁义而贪名实者，不能威当世／天之道莫非自然，人之道皆是当然／不知取将之无术，但云当今之无将／事遇快意处当转，言遇快意处当住／举一善必适其材，惩一恶必当其咎／侈言无验不必用，质言当理不必违／人固难全，权而用其长者，当举也／诸公可叹善谋身，误国当时岂一秦／观书者当观其意，慕贤者当慕其心／寻章摘句老雕虫，晓月当帘挂玉弓／处有事当如无事，处大事当如小事／选之艰则材者出，赏之当则能者劝／贤俊者自可赏爱，顽鲁者亦当矜怜／香兰自判前因误，生不当门也被锄／赤橙黄绿青蓝紫，谁持彩练当空舞／辨而不当理则伪，知而不当理则诈／凡读书到冷淡无味处，尤当着力推考／大禹圣人，乃惜寸阴，众人当惜分阴／物固有形，形固有名，名当谓之圣人／生仍冀得兮归桑梓，死当埋骨兮长已矣／凡上下之间有物间隔，当须用刑法去之／县法者，法不法也；设赏者，赏当赏也／能当一人而天下取，失当一人而社稷危／庶狱明则国无怨民，枉直当则民无不服／晚食以当肉，安步以当车，无罪以当贵／天下英雄谁敌手？曹刘。生子当如孙仲谋／失于声，缪迷其四体，谓己当然，自诬也／当于有过中求无过，不当于无过中求有过／材既难得，而又难知，则当博采而多蓄之／轻听发言，安知非人之谮诉，当忍耐三思／战未尝不胜，攻未尝不取，所当未尝不破／天地车轮，终则复始，极则复反，莫不咸当／非我而当者，吾师也；是我而当者，吾友也／良田百顷，不在一亩，但有远志，不在当归／以此治人，则膏雨甘露降矣，寒暑四时当矣／冷眼观人，冷耳听语，冷情当感，冷心思理／军无习练，百无当一；习而用之，一可当百／取士之方，必求其实；用人之术，当尽其材／大禹圣人，乃惜寸阴，至于众人，当惜分阴／大禹圣人，犹惜寸阴，至于凡俗，当惜分阴／拱默取容，以徇一身之利者，亦当罢而去之／挺然尽心，敢任天下之责者，即当委而付之／号令烦而不信，赏罚行而不当，则天下不服／德不称位，能不称官，赏不当功，罚不当罪／相臣将臣，文恬武嬉，习熟见闻，以为当然／亲卿爱卿，是以卿卿。我不卿卿，谁当卿卿／赏不当，虽与之必辞；罚诚当，虽赦之不外／虑事而当，不若进贤；进贤而当，不若知贤／白日所为，夜来省己，是恶当惊，是善当喜／才不能逾同列，声不能压当世，世之怒仆宜也／世之治乱，在赏当其功，罚当其罪，即无不治／设使国家无有孤，不知当几人称帝，几人称王／若号令烦而不信，赏罚行而不当，则天下不服／君子不特贵乎才略之优，而尤贵乎用之得其当／趣舍合，即言忠而益亲；身疏，即谋当而见疑／君子居安宜操一心以虑患，处变当坚百忍以图成／地尽天水合，朝及洞庭湖，初日当中涌，莫辨东西隅／身处困境，当视为天之爱我、成我，不当视为天之厄我、祸我也

肖

①xiào 像；容貌相似。②xiāo 通“消”，衰微。

❷不肖者自贤／不肖用事而贤良伏，无功贵而劳苦贱／不肖者则不然，责人则以义，自责则以人／人肖天地之类，怀五常之性，有生之最灵者也

❸贤不肖存乎己／贤不肖者材也，遇不遇者时也／置不肖之人于位，是为虎傅翼也／身不肖而诬贤，是犹伛偻而好升高也／贤不肖不杂则英杰至，是非不乱则国家治／贤不肖，善邪辟，可悖逆，国不乱身不危奚待也

❺人主之不肖者，有似于此。不得其道，而徒多

其威

❻愚者多悔，不肖者自贤／进贤而退不肖，君之明也／罚不行，则不肖者不可得而退也

❼任贤而理，任不肖而乱／贤者亦不与不肖者同列／自古贤者少不肖者多……／贵贤，仁也；贱不肖，亦仁也／贤不足以服不肖，而势位足以屈贤／使贤者居上，不肖者居下，而后可以理安／愚者易蔽也，不肖者易惧也，贪者易诱也

❽不任其身也，则不肖者不知／冠履不同藏，贤不肖不同位／贤者举而上之，不肖者抑而废之／今使愚教知，使不肖临贤，虽严刑罚，民弗从也

❾观其交游，则其贤不肖可察也／才贤任轻则有名，不肖任大身死名废

❿国家之任贤而吉，任不肖而凶／此三者贵贱愚智贤不肖欲之若一／此三者，贵贱愚智贤不肖欲之若一／圣主者，举贤以立功；不肖主举其所同／傲人不如者，必浅人；疑人不肖者，必小人／女无美恶，入宫见妒。士无贤不肖，入朝见嫉／贤者，用之则天下治；不肖者，用之则天下乱／才可伪，功不可伪；临民听政，长短贤不肖立见／知者作教，而愚者制焉；贤者议俗，不肖者拘焉／口行相反，而欲贤者之至，不肖者之退也，不亦难乎／后嗣若贤，自能保其天下；如其不肖，多积仓库，徒益其奢侈，危亡之本也

尚 shàng 超过；崇高；推崇；流行；夸；自负；久远；佑助；还，犹；尚且；差不多；管理帝王的事物；匹配，多用于匹配皇家的女儿；表示劝勉、祈使等的语气词；姓。

❶尚变者，天道也

见宋·王安石《河图洛书义》。

尚贤者，政之本也

见《墨子·尚贤上》。

尚名好高，其身必疏

见三国·魏·王弼《老子》四十四注。

尚贤使能，则主尊下安

见《荀子·君子》。

尚干将莫邪，贵其立断也

见汉·刘向《新序·杂事二》。

尚德行者，必无凶险之类

见唐·陈子昂《答制问事·明必得贤科》。全句为："～；务公正者，必无邪佞之朋；保廉节者，必憎贪冒之党；有信义者，必疾苟且之徒"。

尚猷询兹黄发，则罔所愆

见《尚书·秦誓》。

尚力务本而种树繁，躬耕趣时而衣食足

见汉·桓宽《盐铁论·力耕》。

❷不尚贤，使民不争／兵尚拙速，不贵工迟／辞尚体要，不惟好异／好尚或殊，富贵不求合／礼尚往来，往而不来非礼也，来而不往亦非礼也

❸守成尚文，遭遇右武／明主尚贤使能而飨其盛／一息尚存，此志不容稍懈／君子尚消息盈虚，天行也／治平尚德行，有事赏功能／鹪鹩尚存一枝，狡兔犹藏三窟／天公尚有妨农过，蚕怕雨寒苗怕火／人寰尚有遗民在，大节难随九鼎沦／臂健尚嫌弓力软，眼明犹识阵云高／愿赐尚方斩马剑，断佞臣一人，以厉其余／爱名尚利，小人哉，未见仁者而好名利者也

❹饮马犹尚可，莫使学操舟／安身莫尚乎存正，存正莫重乎无私／一尺布，尚可缝；一斗粟，尚可舂。兄弟二人不相容

❺刻鹄不成尚类鹜／春尽江南尚薄寒／美箭缺羽，尚无冲石之势／其会意也尚巧，其遣言也贵妍／民不乐生，尚不避死，安能避罪／从善如流，尚恐不逮；饰非拒谏，必是招损／赏之使谏，尚恐不言；罪其敢言，孰敢献纳／白圭之玷，尚可磨也；斯言之玷，不可为也

❻政贵有恒，辞尚体要／往者已不及，尚可以为来者之戒

❼以恩信接人，不尚诈力／一薰一莸，十年尚犹有臭

❽物色虽繁，而析辞尚简／万姓厌干戈，三边尚未和／不自大其事，不自尚其功／勿言年齿暮，寻途尚不迷／地薄惟供税，年丰尚苦贫／莫道桑榆晚，为霞尚满天／此身傥未死，仁义尚力行／断雾时通日，残云尚作雷／凭谁问，廉颇老矣，尚能饭否／明珠是身外之物，尚不可弹雀

❾正言斯重，元珠比而尚轻／论贵是而不务华，事尚然而不高合／愚而好胜，一等；贤而尚人，二等

❿思与境偕，乃诗家之所尚者／攻取者先兵权，建本者尚德化／施德者贵不德，受恩者尚必报／舞罢青蛾同去国，战残白骨尚盈丘／方其知之，而行未及之，则知尚浅／病中何事最相宜，惟有摊书力尚支／孔氏门人……恶其违仁义而尚权诈也／天地之所贵者人也，圣人之所尚者义也／圣人之道，不用文则已，用则必尚其能者／众人重利，廉士重名；贤人尚志，圣人贵精／慎终如始，犹恐渐衰，始尚不慎，终将安保／宁逢赤眉，不逢太师。太师尚可，更始杀我／一尺布，尚可缝；一斗粟，尚可舂。兄弟二人不相容

省 ①shěng 节约；免去；天灾，过失；古时王宫禁地之称；地方行政区划单位。②xǐng 反思，醒悟；察看；记忆；知觉；探望父母等尊亲。③xiǎn 通"狝"，秋季的田猎。

❶省事不如省官

见宋·苏辙《拟殿试策题二首》之一。

省事之本在节欲

见汉·刘安《淮南子·诠言》。

省躬无疵而获谤者何伤

见唐·吴筠《玄纲论·中篇辩法教》。全句为："审己无善而获誉者不祥，～"。

省事莫如任人，厉精莫如自上率之

见宋·苏轼《策别第八》。全句为："欲去其弊也，莫如省事而厉精，～"。

❷内省则外物轻矣／内省不疚，何恤人言／内省不疚，夫何忧何惧／事省而易治，求寡而易澹／官省则事省，事省则民清／官省则事省，事省则人清／内省既不愧己，焚香何用告天／日省其身，有则改之，无则加勉／内省而不疚于道，临难而不失其德

❸俭者，省约为礼之谓也／凡事省得一分，即受一分之益／一节省而国有余用，民有盖藏，不知其几也／并官省事，静事息役，上下用心，惟农是务／君子省众而动，监戒而谋，谋度而行，故无不济

❹惟干戈省厥躬／吾日三省吾身……／动必三省，言必再思／诬而罔省，施之事亦为固／君子内省不疚，无恶于志

❺省事不如省官／官省则事省，事省则民清／官省则事省，事省则人清／物丰则欲省，求澹则争止

❻博学而日参省乎己，则知明而行无过

❼官省则事省，事省则民清／官省则事省，事省则人清／白日所为，夜来省己，是恶当惊，是善当喜

❽教训成俗而刑罚省，数也／欲去其弊也，莫如省事而厉精／君子博学而日参省乎己，则知明而行无过矣／楚王好小腰，美人省食；吴王好剑，国士轻死

❾见不善，愀然，必以自省也／政烦苛则人奸伪，政省一则人醇朴

❿贫者愈困饿死亡而莫之省／广积不如教子，避祸不如自省／见贤思齐焉，见不贤而内自省也／贤者闻讥笑，若不闻焉，此岂不省事／为政不在言多，须息息从省身克己而出／凡为人子之礼，冬温而夏凊，昏定晨省／善为政者，防于未然，均其有无，省其徭役／致治之本，惟在于审；量才授职，务省官员／贤君之治也，温良而和，宽容而爱，刑清而省，喜赏而恶罚

尝

cháng 品味；试验；曾经；古代秋祭名；经历到。

❶尝从人事，皆口腹自役

见晋·陶潜《归去来兮辞序》。

尝一滴之咸而知沧海之性

见明·宋濂《松风阁记》。全句为："～，窥寸隙之光而见日轮之体"。

尝一脟肉，而知一镬之味

见《吕氏春秋·慎大览·察今》。

尝甘以为苦，行非以为是

见《列子·周穆王》。全句为："视白以为黑，飨香以为朽，～"。

尝有德，厚报之；有怨，必以法灭之

见汉·班固《汉书·栾布传》。

❷未尝一日去书不观／孟尝君客无所择，皆善遇之／予尝为女妄言之，女亦以妄听之／吾尝跂而望矣，不如登高之博见也／未尝敢以昏气出之，惧其昧没而杂也／未尝敢以怠心易之，惧其弛而不严也／未尝敢以矜气作之，惧其偃蹇而骄也／何尝见明镜疲于屡照，清流惮于惠风／吾尝终日而思矣，不如须臾之所学也／吾尝终日不食、终夜不寝以思，无益，不如学也／未尝闻身治而国乱者也，又未尝闻身乱而国治者也

❸哑子尝黄柏，苦味自家知／战未尝不胜，攻未尝不取，所当未尝不破／理未尝离乎气，然理形而上者，气形而下者

❹佐饔者尝焉，佐斗者伤焉／圣人未尝有知，由问乃有知／天下未尝无才，患所以求才之道不至

❺生生者未尝死也，其所生则死矣／化物者未尝化也，其所化则化矣／好事者未尝不中，争利者未尝不穷／贯穿百代尝探古，吟咏千篇亦造微／物有甘苦尝之者识，道有夷险履之者知

❻天下之物未尝无对／飞鸟之景未尝动也／每读其传，未尝不想见其人／疾痛惨怛，未尝不呼父母也

❼凡贤人君子，未尝不思效用／每念斯耻，汗未尝不发背沾衣／前古之兴亡，未尝不经于心也／当世之得失，未尝不留于意也／吾每为文章，未尝敢以轻心掉之／藜羹麦饭冷不尝，要足平生五车读

❽士卒不尽食，广不尝食／君有疾，饮药，臣先尝之／纵欲而失性，动未尝正也／亲有疾，饮药，子先尝之／酷好学问文章，未尝一日暂废／战未尝不胜，攻未尝不取，所当未尝不破／言无言，终身言，未尝言；终身不言，未尝不言

❾嘉禾始熟而农夫先尝其粒／自行束修以上，吾未尝无诲焉

❿丈夫穷空自其分，饿死吾肩未尝胁／利则行之，害则舍之，疑则少尝之／好事者未尝不中，争利者未尝不穷／积水于防，燎火于原，未尝暂静也／咸以孔子之是非为是非，故未尝有是非耳／战未尝不胜，攻未尝不取，所当未尝不破／人穷则反本，故劳苦倦极，未尝不呼天地也／任非其人而国家不倾者，自古至今，未尝闻也／苦身焦思，置胆于坐，坐卧即仰胆，饮食亦尝胆／言无言，终身言，未尝言；终身不言，未尝不言／未尝闻身治而国乱者也，又未尝闻身乱而国治者也／君子之道，不以其所已能者为足，而尝以

其未能者为歉／急乎其所自立，而无患乎人不己知，未尝闻有响大而声微者也

雀 ①què 鸟名；赤黑色。②qiāo 用于脸上的雀斑。

❷燕雀安知鸿鹄之志／燕雀之畴不奋六翮之用／捕雀而掩目，盗钟而掩耳／弹雀则失鹴，射鹊则失雁

❸弃燕雀之小志，慕鸿鹄以高翔

❹宁与燕雀翔，不随黄鹄飞

❻鹰鹯巢林，鸟雀为之不栖／命鸾凤兮逐雀，驱龙骥兮捕鼠／宇宙之内，燕雀不知天地之高也

❼鹞子经天飞，群雀两向波／云中白鹤，非燕雀之网所能罗也

❾鸿鹄固有远志，但燕雀自不知耳／东风不与周郎便，铜雀春深锁二乔／千羊不能扞独虎，万雀不能抵一鹰

❿饥不从猛虎食，暮不从野雀栖／明珠是身外之物，尚不可弹雀／获一人而失一国，见黄雀而忘深井／旌旗日暖龙蛇动，宫殿风微燕雀高／以隋侯之珠，弹千仞之雀，世必笑之／汤沐具而虮虱相吊，大厦成而燕雀相贺／骐骥不能与罢驴为驷，凤皇不与燕雀为群／视民如子，见不仁者诛之，如鹰鹯之逐鸟雀也／人有明珠，莫不贵重，若以弹雀，岂非可惜？况人之性命甚于明珠

常 cháng 长久；时时；平常的；古旗帜名；古长度单位名；通"尝"，曾经；普通；姓。

❶常亲小劳则身健

见清·申涵光《荆园小语》。

常才不能别逸伦之器

见晋·葛洪《抱朴子·博喻》。

常之为物，不偏不彰

见三国·魏·王弼《老子》十六注。

常胜之家，难与虑敌

见南朝·宋·范晔《后汉书·臧宫传》。

常乐在空闲，心静乐精进

见《童蒙止观》卷上。全句为："身安则道隆，饮食知节量，～"。

常记古人言，思之每烂熟

见清·袁枚《小仓山房诗文集·常记》。全句为："～，食蔗渐渐佳，离官寸寸乐"。

常将一己作世间公共之物

见清·陈确《乾初先生遗集·别集·瞽言》。

常闻夸大言，下顾皆细萍

见唐·孟郊《石淙十首》。

常恨言语浅，不如人意深

见唐·刘禹锡《视刀环歌》。

常胜者无忧，恒成者好怠

见南朝·齐·刘善明《上表陈事》。

常思稻粱遇，愿栖梧桐树

见唐·卢照邻《赠益府群官》。全句为："不息恶木枝，不饮盗泉水；～"。

常言道：酒不醉人人自醉

见清·华广生《白雪遗音·未曾斟酒》。

常言道：日久才把人心见

见清·华广生《白雪遗音·情人与我》。

常思奋不顾身以徇国家之急

见汉·班固《汉书·司马迁传》。

常与众庶同垢尘，不当自别殊

见《老子》四河上公注。

常民溺于习俗，学者沉于所闻

见《战国策·赵策二》。

常人安于故俗，学者溺于所闻

见汉·司马迁《史记·商君列传》。

常记溪亭日暮，沉醉不知归路

见宋·李清照《如梦令》。

常胜之道曰柔，常不胜之道曰强

见《列子·黄帝》。

常人皆能办大事，天亦不必产英雄

见宋·谢枋得《与李养吾书》。

常将冷眼看螃蟹，看你横行得几时

见元·杨显之《临江驿潇湘秋雨杂剧》。

常将有日思无日，莫待无时思有时

见明·冯梦龙《警世通言·桂员外途穷忏悔》。

常将有日思无日，莫待无时想有时

见明·张居正《张太岳文集》。

常行于所当行，常止于所不可不止

见宋·苏轼《答谢民师书》。全句为："大略如行云流水，初无定质，但～"。

常宽容于物，不削于人，可谓至极

见《庄子·天下》。

常有小病则慎疾，常亲小劳则身健

见清·申涵光《荆园小语》。全句为："～；恃壮者一病必危，过懒者久闲愈懦"。

常玉不琢，不成文章；君子不学，不成其德

见汉·班固《汉书·董仲舒传》。

常玉不瑑，不成文章；君子不学，不成其德

见汉·班固《汉书·董仲舒传》。

常看得自家未必是，他人未必非，便有长进

见明·吕坤《呻吟语·反己》。

常以事于无形之外，而不留思尽虑于成事之内

见汉·刘安《淮南子·人间》。全句为："～，是故患祸弗能伤也"。

常有小不快事，是好消息……知此理可免怨尤

见清·申涵光《荆园小语》。删节处为："若事事称心，即有大不称心者在其后"。

❷道常无为，而无不为／寻常之污，不能溉陂泽

／无常安之国，无恒治之民／居常待其尽，曲肱岂伤冲／无常乱之国，无不可理之民／知常顺道，故能公正而为王也／但常以责人之心责己，恕己之心恕人／能常而后能变，能常不已，所以能变／仁常而不周，廉洁而不信，勇忮而不成／居常土思兮心内伤，愿为黄鹄兮归故乡／故常无，欲以观其妙；常有，欲以观其徼／虽常服药，而不知养性之术，亦难以长生也

❸甘苦常从极处回／不知常，妄作，凶／国无常强，无常弱／为者常成，行者常至／民罔常怀，怀于有仁／士无常君，国亡定臣／花不常好，月不常圆／知止常止，终身不耻／国无常治，又无常乱／国有常法，虽危不亡／德无常师，主善为师／法无常则网罗当前路／家有常业，虽饥不饿／居必常安，然后求乐／日不常中，月盈有亏／教无常师，道在则是／心气常顺，百病自遁／治国常富，而乱国常贫／以文常会友，唯德自成邻／圣人常善救人，故无弃人／处满常惮溢，居高本虑倾／忧艰常早至，欢会常苦晚／贫富常交战，道胜无戚颜／风行常有地，云出本多峰／圣人常无心，以百姓心为心／行非常之事，乃有非常之功／履非常之危者不可以常道安／有非常之功，必待非常之人／用气常宽舒，不当急疾勤劳／解非常之纷者不可以常语谕／圣人……常善救物，故无弃物／廉者常乐无求，贪者常忧不足／有非常之事，然后有非常之功／有非常之后者，必有非常之臣／有非常之人，然后有非常之事／有非常之臣者，必有非常之绩／有梦常嫌去远，无书可恨来迟／贫民常衣牛马之衣，食犬彘之食／言无常是，行无常宜者，小人也／传其常情，无传其溢言，则几乎全／祸患常积于忽微，智勇多困于所溺／此心常卓然公正，无有私意，便是敬／若能常保数百卷书，千载终不为小人也／彼寻常之污渎兮，岂能容夫吞舟之巨鱼／民无常用也，无常不用也，唯得其道为可／体无常轨，言无常宗，物无常用，景无常取／国有常众，战无常胜；地有常险，守无常势／用无常道，事无轨度，动静屈伸，唯变所适／言无常信，行无常贞……若是则可谓小人矣／食必常饱，然后求美；衣必常暖，然后求丽／官无常贵而民无终贱，有能则举之，无能则下之／兵无常势，水无常形，能因敌变化而取胜者，谓之神

❹圣人无常师／好誉者，常谤人／天道之常，一阴一阳／天道有常，王道亡常／民心无常，惟惠之怀／变古乱常，不死则亡／否泰无常，吉凶由人／治民无常，唯法为治／道德可常，权不可常／马氏五常，白眉最良／胜地不常，盛筵难再／盛衰无常，唯爱所丁／苦心中，常得悦心之趣／老生之常谈，言无新奇／鬼神无常享，享于克诚／土暖春常在，峰高月易沉／草木得常理，霜露荣悴之／奢者心常贫，俭者心常富／操行有常贤，仕宦无常遇／婴儿有常病，贵臣有常祸／父母有常失，人君有常过／千里马常有，而伯乐不常有／圣人无常心，以百姓心为心／乐易者常寿长，忧险者常夭折／良医者常治无病之病，故无病／圣人者常治无患之患，故无患／天行有常，不为尧存，不为桀亡／不必循常，法度制令，各因其宜／欲立非常之功者，必有知人之明／田成子常杀君窃国，而孔子受币／为君者常病于察，为臣者又失之宽／地广非常安之术，人劳乃易乱之源／将有非常之大事，必生希世之异人／看是寻常最奇崛，成如容易却艰辛／故圣人常顺时而动，智者必因机以发／社稷无常奉，君臣无常位，自古以然／彼民有常性，织而衣，耕而食，是谓同德／取天下常以无事。及其有事，不足以取天下／布帛寻常，庸人不释；铄金百溢，盗跖不掇／若使民常畏死，而为奇者，吾得执而杀之孰敢／制国有常，而利民为本；从政有经，而令行为上／治国有常，而利民为本；政教有经，而令行为上／圣人者常以事于无形之外，而不留思尽虑于成事之内／操行有常贤，仕宦无常遇，贤不贤才也，遇不遇时也

❺不如意事常八九／心如老骥常千里／知足之足，常足矣／天道无亲，常与善人／退一步者，常进百步／战捷之后，常苦轻敌／有德之人，常宜近之／忍辱含垢，常若畏惧／圣人之教，常俯而就之／所行之策，常主于权谋／所用之人，常先于智勇／天下理无常是，事无常非／功名之下，常有非实之加／至治之时，常不忘于武备／知音者稀，常恐词林交丧／民之从事，常于几成而败也／君子道其常，而小人计其功／受人施者常畏人，与人者常骄人／不如意事常八九，可与语人无二三／不必有非常之功，而皆有可纪之状／我自只如常日醉，满川风月替人愁／凡为道者，常患于晚，不患于早也／凡人之谈，常誉成毁败，扶高抑下／道可道，非常道；名可名，非常名／爱人者人常爱之，敬人者人常敬之／心足则物常有余，心贪则物常不足／翁媪饥雷常转腹，大儿嗷嗷小儿哭／天下之事，常成于困约，而败于奢靡／贫者士之常，今仆虽羸馁，亦甘如饴矣／惟上帝不常，作善降之百祥，作不善降之百殃

❻胜败乃兵家常事／国无常强，无常弱／死生，天地之常理／畏之途果无常所哉／有事无辜，心常安泰／不与人争者，常得利多／中夜四五叹，常为大国忧／生年不满百，常怀千岁忧／民情可与习常，难与适变／只因神倒运，常恐鬼胡行／备周则意怠，常见则不疑／有一行而可常履者，正也／有一言而可常行者，恕也／设文之体有常，变文之数无方／意新则异于常，异于常

则怪矣／天有六极五常，帝王顺之则治，逆之则凶／天下之事，患常生于忽微，而志亦戒于渐习

❼不期修古，不法常可／不足不止，利心常起／为者常成，行者常至／花不常好，月不常圆／揣而棁之，不可常保／国无常治，又无常乱／备豫不虞，为国常道／好荣恶辱，人之常情／有无相通，盖为常理／事有以必然，虽常人足以致／贵远而贱近者，常人之用情也／常胜之道曰柔，常不胜之道曰强／物有必至，事有常然，古之道也／言无常是，行无常宜者，小人也／人之持身立事，常成于慎而败于纵／常行于所当行，常止于所不可不止／不法法，则事毋常；法不法，则令不行／民无常用也，无常不用也，唯得其道为可／体无常轨，言无常宗，物无常用，景无常取／国有常众，战无常胜；地有常险，守无常势／贵远贱近，人之常情；重耳轻目，俗之恒蔽／言无常信，行无常贞……若是则可谓小人矣／兵无常势，水无常形，能因敌变化而取胜者，谓之神／君子小人本无常，行善事则为君子，行恶事则为小人

❽天道有常，王道亡常／侯服于周，天命靡常／人之情安于其所常为／芴漠无形，变化无常／道德可常，权不可常／春生秋杀，天道之常／事有便宜，而不拘常制／治国常富，而乱国常贫／不学蒲柳凋，贞心常自保／为问频相见，何似常相守／任自然者久，得其常者济／冰霜正惨凄，终岁常端正／君子交有义，不必常相从／忧艰常早至，欢会常苦晚／恬淡无人见，年年常自清／死别已吞声，生别常恻恻／春蚕不应老，昼夜常怀思／春蚕不应老，昼夜常怀丝／项庄拔剑舞，其意常在沛公／圣人不为物先，而常制之……／虽有强记之力，而常废于不勤／不因酒困因诗困，常被吟魂恼醉魂／常有小病则慎疾，常亲小劳则身健／安不忘危臣所愿，常思危困必无危／世之奇伟瑰怪非常之观，常在于险远／能常而后能变，能常不已，所以能变／好经大事，变更易常，以挂功名，谓之叨／万态虽杂而吾心常彻，万变虽殊而吾心常寂／爱善疾恶，人情所常，苟不明质，或疏善善非

❾天下理无常是，事无常非／刑天舞干戚，猛志固常在／奢者心常贫，俭者心常富／操行有常贤，仕宦无常遇／居治而忘危，则治无常治／婴儿有常病，贵臣有常祸／父母有常失，人君有常过／行非常之事，乃有非常之功／有非常之功，必待非常之人／夫子焉不学？而亦何常师之有／廉者常乐无求，贪者常忧不足／意新则异于常，异于常则怪矣／以出乎众为心者，曷常出乎众哉／以慧治国者，始于治，常卒于乱／休说旧时王与谢，寻常百姓亦无家／天下之事，理胜力为常，力胜理为变／社稷无常奉，君臣无常位，自古以然／治世之德，衰世之恶，常与爵位自相副／故常无，欲以观其妙；常有，欲以观其徼／圣人虽有独知之明，常如阘昧，不以曜乱人／人肖天地之类，怀五常之性，有生之最灵者也／阳动吐，阴静翕，阳道常饶，阴道常乏，阴阳之道也／操行有常贤，仕宦无常遇，贤不贤才也，遇不遇时也

❿临利害之际而不失故常／道未始有封，言未始有常／好胜者灭理，肆欲者乱常／盈虚倚伏，去来之不可常／千里马常有，而伯乐不常有／履非常之危者不可以常道安／所见少则所怪多，世之常也／解非常之纷者不可以常语谕／百吏畏法循绳，然后国常不乱／乐易者常寿长，忧险者常夭折／园日涉以成趣，门虽设而常关／进退盈缩变化，圣人之常道也／有非常之事，然后有非常之功／有非常之后者，必有非常之臣／有非常之人，然后有非常之事／有非常之臣者，必有非常之绩／匹夫无故获千金，必有非常之祸／受人施者常畏人，与人者常骄人／爱恶相攻，利害相夺，其势常也／世间万物有盛衰，人生安得常少年／旧时王谢堂前燕，飞入寻常百姓家／民生各有所乐兮，余独好修以为常／利不十者不易业，功不百者不变常／利不什，不易业；功不百，不变常／舒之天下而不窕，内之寻常而不塞／藏书万卷可教子，遗金满籯常作灾／大贤虎变愚不测，当年颇似寻常人／名重则于实难副，论高则与世常疏／字字看来皆是血，十年辛苦不寻常／道可道，非常道；名可名，非常名／死生，命也，其有夜旦之常，天也／爱人者人常爱之，敬人者人常敬之／心足则物常有余，心贪则物常不足／恶波横天山塞路，未央宫中常满库／世之奇伟瑰怪非常之观，常在于险远／进退盈缩，与时变化，圣人之常道也／道之尊，德之贵，夫莫之命而常自然／消受尘，白取垢；青蝇所污，常在练素／清受尘、白取垢；青蝇所污，常在练素／交拱之木无把之枝，寻常之沟无吞舟之鱼／如张乐于洞庭之野，无首无尾，不主故常／物，量无穷，时无止，分无常，终始无故／万态虽杂而吾心常彻，万变虽殊而吾心常寂／甚雾之朝，可以细书而不可以远望寻常之外／体无常轨，言无常宗，物无常用，景无常取／因于情意，动而之外，与物相连，常有所悦／因材任人，国之大柄；考绩进秩，吏之常法／国有常众，战无常胜；地有常险，守无常势／处颠者危，势丰者亏，颓坠之类，常在悬垂／迂险之言，则欲反之；循常之说，则必信之／子为王，母为虏，终日舂薄暮，常与死为伍／物有美恶，施用有宜，美不常珍，恶不终弃／心狂志悖，视听从类，政令无常，下民作孽／用之则行，舍之则藏，进退无主，屈申无常／食必常饱，然后

求美;衣必常暖,然后求丽/圣人守清道而抱雌节,因循应变,常后而不先/困境起念,随物生情,不守道循常,即为妄矣/政令不烦,则安其业,故不远迁徙,离其常处/争让之礼,尧桀之行,贵贱有时,未可以为常也/含气之伦,有生必终,盖天地之常期,自然之至数/阳动吐,阴静翕,阳道常饶,阴道常乏,阴阳之道也/君子之学,不为则已,为则必要其成,故常百倍其功/国以贤兴,以谄衰;君以忠安,以佞危,此古今之常论/贱生于无所用,中流失船,一壶千金,贵贱无常,时使物然/国有三军何?所以戒非常,伐无道,尊宗庙,重社稷,安不忘危也

辉 huī 闪耀的光芒;照耀;辉煌。

❹朗夜之辉,不开朦叟之目
❺照之有余辉,揽之不盈手
❻充实而有光辉之谓大/石韫玉而山辉,水怀珠而川媚
❽君子日孳孳以成辉,小人日快快以至辱
❿运退黄金失色,时来顽铁生辉/其发于外者,烂如日星之光辉/蔚乎其相章,炳乎其相辉,志同而气合/冀以尘雾之微补益山海,荧烛末光增辉日月

掌 zhǎng 手掌;脚掌;用手掌打;拿着;持着;掌管;主持;把握。

❹玩于股掌之上/易于反掌,安于泰山
❺利剑不在掌,结友何须多
❻单丝不线,孤掌难鸣/昔君视我,如掌中珠;何意一朝,弃我沟渠
❼鱼我所欲也,熊掌亦我所欲也/今日重来应抵掌,十年分付未逢人/将回日月先反掌,欲作江河唯画地
❽乘所欲为,易于反掌,安于泰山
❿二者不可得兼,舍鱼而取熊掌者也/生死犹转机,得失如反掌,可不慎乎/将者,人之司命也,生死犹转机,得失如反掌/以不忍人之心,行不忍人之政,治天下可运之掌上

裳 ①cháng 古代裙式下衣。②shang [衣裳]衣服。

❷褰裳赴镬,其甘如荠/荷裳桂楫,拂衣于东海之东
❸视轩裳如草芥,屏嗜欲若泥沙
❹云想衣裳花想容
❼为他人作嫁衣裳/黄帝、尧、舜垂衣裳而天下治/青云衣兮白霓裳,举长矢兮射天狼
❽刺绣之师,能缝帷裳;纳缕之工,不能织锦
❾泰山成砥砺,黄河为裳带
❿制芰荷以为衣兮,集芙蓉以为裳/不能耕而欲黍粱,不能织而喜采裳/剑外忽传收蓟北,初闻涕泪满衣裳/人以义来,我以身许,褰裳赴急,不避寒暑

耀 yào 强光闪亮;炫耀;光荣;眩惑。

❹龙凤隐耀,应德而臻;明哲潜遁,俟时而动
❺芳菊开林耀,青松冠岩列
❼虚而失实,则夸耀而诬
❽无非无是,化育玄耀,生而如死
❾月本无光,如银丸。日耀之,乃光耳

口 kǒu 嘴;指人口;口味;进出通过的部位;破裂的地方;锋刃;指驴马等年龄;量词。

❶口言不忘信

见《尸子·四仪》。

口惠之人鲜信

见汉·韩婴《韩诗外传》。

口有蜜,腹有剑

见宋·司马光《资治通鉴·唐纪·玄宗天宝元年》。

口言之,躬行之

见汉·桓宽《盐铁论·能言》。

口可以食,不可以言

见《鬼谷子·权篇》。

口似悬河,辩才无碍

见明·罗贯中《三国演义》第六十回。

口能招祸,必须慎之

见唐·佚名《太公家教》。全句为:“酒能败身,必须戒之。色能置害,必须远之。忿能积恶,必须忍之。心能造恶,必须戒之。~”。

口是心非,背向异辞

见晋·葛洪《抱朴子·内篇·微旨》。

口腹不节,致疾之因

见宋·李邦献《省心杂言》。

口舌成疮,手肘成胝

见唐·白居易《与元九书》。

口含黄柏味,有苦自家知

见明·冯梦龙《古今小说·闲云庵阮三偿冤债》。

口衔山石细,心望海波平

见唐·韩愈《学诸进士作精卫衔石填海》。

口言善,身行恶,国妖也

见《荀子·大略》。全句为:“口能言之,身能行之,国宝也。口不能言,身能行之,国器也。口能言之,身不能行,国用也。~。治国者敬其宝,爱其器,任其用,除其妖”。

口惠而实不至,怨灾及其身

见《礼记·表记》。

口不能言,身能行之,国器也

见《荀子·大略》。全句为:“口能言之,身能行之,国宝也。~。口能言之,身不能行,国用也。口言善,身行恶,国妖也。治国者敬其宝,

爱其器,任其用,除其妖”。

口则务在明言,笔则务在露文

见汉·王充《论衡·自纪篇》。

口能言之,身不能行,国用也

见《荀子·大略》。全句为:“口能言之,身能行之,国宝也。口不能言,身能行之,国器也。～。口言善,身行恶,国妖也。治国者敬其宝,爱其器,任其用,除其妖”。

口能言之,身能行之,国宝也

见《荀子·大略》。全句为:“～。口不能言,身能行之,国器也。口能言之,身不能行,国用也。口言善,身行恶,国妖也。治国者敬其宝,爱其器,任其用,除其妖”。

口辩者其言深,笔敏者其文沉

见汉·王充《论衡·自纪篇》。

口谈道德而心存高官,志在巨富

见明·李贽《又与焦弱侯》。全句为:“～;既已得高官巨富矣,仍讲道德、说仁义自若也”。

口乃心之门,守口不密,泄尽真机

见明·洪应明《菜根谭·前集二百二十》。

口无择言,驷不及舌;笔之过误,愆尤不灭

见汉·李尤《笔铭》。

口不绝吟于六艺之文,手不停披于百家之编

见唐·韩愈《进学解》。

口行相反,而欲贤者之至,不肖者之退也,不亦难乎

见《荀子·致士》。全句为:“用贤者,口也;却贤者,行也;～”。

❷利口伪言,众所共恶/使口如鼻,至老不失/众口遭笑,虽贵必危/众口铄金,三人成虎/众口铄金,浮石沉木/众口铄金,积毁销骨/守口如瓶,防意如城/杜口结舌,言为祸母/众口之毁誉,浮石沉木/计口而受田,家给而人足/谗口成铄金,沉舟由积羽/谷口未斜日,数峰生夕阳/爽口物多终作疾,快心事过必为殃

❸折冲口舌之间/病从口入,祸从口出/病从口入,患自口出/面结口头交,肚里生荆棘/政者,口言之,身必行之/蝮蛇口中草,蝎子尾后针/儒者口能言治乱,无能以行之/进苦口之药石,针害身之膏肓/盲者口能言白黑,而无目以别之/君子口无戏谑之言,言必有防;身无戏谑之行,行必有检

❹人生心口宜相副/儿妇人口不可用/八面九口,长舌为斧/防民之口,甚于防水/小人之口,为祸天下/宁为鸡口,无为牛后/好言自口,莠言自口/御人以口给,屡憎于人/道之出口,淡乎其无味/不目见口问,不能尽知也/良药苦口,惟疾者能甘之/人生开口笑,百年都几回/石阙生口中,衔碑不得语/用贤者,口也;却贤者,行也/下不钳口,上不塞耳,则可有闻矣/良药苦口利于病,忠言逆耳利于行/庸人者,口不能道善言,心不知色色/良药苦口而利于病,忠言逆耳而便于行/良药苦口而利于病,忠言逆耳而利于行/防民之口,甚于防川,川壅而溃,伤人必多/彼妇之口,可以出走……盖优哉游哉,维以卒岁

❺心欲言而口不逮/心无结怨,口无烦言/我手写我口,古岂能拘牵/发言玄远,口不臧否人物/恶语不出口,苟言不留耳/恶言不出口,苟语不留耳/良药苦于口,而智者劝而饮之/药酒苦于口而利于病,忠言逆于耳而利于行/心之精微,口不能言也;言之微妙,书不能文也

❻事之当否,众口必公/众心成城,众口铄金/经耳不忘,历口不遗/毁誉成党,众口熏天/羊羹虽美,众口难调/厚酒肥肉,甘口而疾形/尝从人事,皆口腹自役/金人三缄其口,慎言语也/士君子一出口,无反悔之言/化当世莫若口,传来世莫若书/美味期乎合口,工声调于比耳/恶言不出于口,忿言不反于身/恶言不出于口,邪行不及于己/能使了然于口与手乎!是之谓辞达/尘世难逢开口笑,菊花须插满头归/李杜文章万口传,至今已觉不新鲜/言满天下,无口过;行满天下,无怨恶/正言不发,万口如封,谄媚相与,千颜一容

❼病从口入,祸从口出/病从口入,患自口出/诗在心为志,出口为辞/上山擒虎易,开口告人难/弃子逐妻,以求口食……/工言治道,能以口辩移人/须知香饵下,触口是铦钩/臣君者岂为其口实?社稷是养/足将进而趑趄,口将言而嗫嚅/口乃心之门,守口不密,泄尽真机/是非只为多开口,烦恼皆因强出头/可心会而不可口传,可神通而不可语达/惟心会而不可口传,可神通而不可语达/俭者,节其耳目口体之欲,节己而不节人/蛇蛇硕言,出自口矣;巧言如簧,颜之厚矣

❽民各有心,亦壅惟口/批扦之声,无出之口/好言自口,莠言自口/骈四俪六,锦心绣口/珠玉随风,冰雪在口/心为祸首,殃及身口/剥我身上帛,夺我口中粟/治膏肓者,必进苦口之药/必死之病,不下苦口之药/交气疾争者,为易口而自毁也/骄溢之君无忠臣,口慧之人无必信/何等为善?身正行、口正行、意正行/纵令滋味当染于口,声色已开于心……/言无法度不出于口,行非公道不萌于心/言非法度不出于口,行非公道不萌于心/忧人之言不绝于口,而乐身之事实切于心/锦糊灯笼,玉镶刀口……不知落在何处矣

❾屠羊于肆,适味于众口也/有钱的纳宠妾、买人口、偏兴旺/鼻之所喜不可任也,口之所嗜不可随也/凡下之从上也,不从口之言,从上之所

好也／多事害神，多言害身。口开舌举，必有祸患

❿邪行亡乎体，违言不存口／死者积如麻，生者能几口／侵淫溪谷，盛怒于土囊之口／君子不畏虎，独畏谗夫之口／见悻悻自好之徒，应须防口／良田败于邪径，黄金铄于众口／小人之学也，入乎耳，出乎口／梨橘枣栗不同味，而皆调于口／读书有三到：心到、眼到、口到／辩者，求服人心也，非屈人口也／健儿无粮百姓饥，谁遣朝朝入君口／此道废兴吾命在，世间腾口任云云／牧童归去横牛背，短笛无腔信口吹／忠言逆耳利于行，毒药苦口利于病／不失足于人，不失色于人，不失口于人／十指而掩日月之光，一口而没沧溟之水／观书先须熟读，使其言皆若出于吾之口／小人溺于水，君子溺于口，大人溺于民／呐呐寡言者未必愚，喋喋利口者未必智／目妄视则淫，耳妄听则惑，口妄言则乱／上不至天，下不至地，言出子口而入吾耳／橘柚生于江南，而民皆甘之于口，味同也／三人成虎，十夫揉椎；众口所移，毋翼而飞／丈夫生不为将，得为使，折冲口舌之间足矣／百亩之田，匹夫耕之，八口之家足以无饥矣／美味腐腹，好色惑心，勇夫招祸，辩口致殃／名为山人而心同商贾，口谈道德而志在穿窬／君子不失足于人，不失色于人，不失口于人／国多忌讳，大人恒畏。结口无患，可以长存／黾勉从事，不敢告劳；无罪无辜，谗口嚣嚣／五色令人目盲，五音令人耳聋，五味令人口爽／耳之欲五声，目之欲五色，口之欲五味，情也／饰人之心，易人之意，能胜人之口，不能服人之心／追计往时咎过，日夜反覆，无一食而安于口平于心／人之情，目欲视色，耳欲听声，口欲察味，志气欲盈／今之所以知古，后之所以知今，不可口传，必凭诸史／文章如精金美玉，市有定价，非人所能以口舌定贵贱也／不思安危终始之虑，是乐春藻之繁华，而忘秋实之甘口也／君子所不至者三：不失色于人，不失口于人，不失足于人

叶 ①yè 叶子；像叶子的；表示历史时期的分段；姓。②xié 通“协”，和洽，相合。

❷一叶落知天下秋／危叶畏风，惊禽易落／病叶多先坠，寒花只暂香／一叶蔽目，不见泰山；两豆塞耳，不闻雷霆

❸见一叶落而知岁之将暮／悲落叶于劲秋，喜柔条于芳春／根生，叶安得不茂；源发，流安得不广

❹一枝一叶总关情／君看一叶舟，出没风波里／梧桐一叶落，天下尽知秋／井梧飞叶送秋声，篱菊缄香待晚晴／芳林新叶催陈叶，流水前波让后波／有花无叶真潇洒，不向胭脂借淡红／剪枝去叶，本根俱露，枯槁可立而待

❺醉貌如霜叶，虽红不是春／正西风落叶下长安，飞鸣镝／根深而枝叶茂，行久而名誉远／饥餐松柏叶，渴饮涧中泉，看罢青青竹，和衣自在眠／解落三秋叶，能开二月花。过江千尺浪，入竹万竿斜

❻莲子已成荷叶老／桑之未落，其叶沃若／霜露既降，木叶尽脱／根本不美，枝叶茂者，未之闻也／颠沛之揭，枝叶未有害，本实先拨／金井梧桐秋叶黄，珠帘不卷夜来霜／艺者，德之枝叶也；德者，人之根干也／嘉谷奋兴，根叶肥润，抽茎展穗，不失时宜

❼君，根本也；臣，枝叶也／水清迎过客，霜叶落行舟／秋来山雨多，落叶无人扫／芳林新叶催陈叶，流水前波让后波／自滴阶前大梧叶，干君何事动哀吟

❽能究其本根而枝叶自举／岁老根弥壮，阳骄叶更阴／皎皎云间月，灼灼叶中华／霜夺茎上紫，风销叶中绿／文墨辞说，士之荣叶皮壳也／春葩含日似笑，秋叶泫露如泣／凡道无根，无茎，无叶，无荣……／忽闻晓角吟风，一叶坠露，惊而试问，即红线回矣

❾泉竭则流涸，根朽则叶枯／雉雊麦苗秀，蚕眠桑叶稀／停车坐爱枫林晚，霜叶红于二月花／四支强而躬体固，华叶茂而本根据／寒暑茫茫兮代谢，故叶新花兮往来／时不与兮岁不留，一叶落兮天地秋

❿道者文之根本，文者道之枝叶／士之相知，温不增华，寒不改叶／牡丹花儿虽好，还要绿叶儿扶持／天籁无假于宫商，贞筠不争于柯叶／江海相逢客恨多，秋风叶下洞庭波／宁可抱香枝上老，不随黄叶舞秋风／春风桃李花开日，秋雨梧桐叶落时／扁舟一棹归何处，家在江南黄叶村／睡起秋声无觅处，满阶梧叶月明中／渚寒烟淡，棹移人远，缥缈行舟如叶／治国犹如栽树，本根不摇，则枝叶茂荣／千里开年，且悲春目；一叶早落，足动秋襟／松柏生于高冈，散柯布叶，而草木为之不植／莫道男儿心如铁，君不见满川红叶，尽是离人眼中血

右 yòu 方位词；古时尚右，以指较高地位；崇尚；亦作“佑”；通“侑”，劝酒，劝食；用于地名；较高的等级或品质；姓。

❶右手画圆，左手画方，不能两成

见《韩非子·功名》。

❷左右为社鼠，用事者为猛狗／左右前后皆正人也，欲其身之不正／左右前后，莫匪俊良；小大之材，咸尽其用

❸非左右为之先容，非亲旧为之请属

❹取之左右逢其原／王顾左右而言他／举足左右，便有轻重

❻篇章户牖，左右相瞰／兰亭也，不遭右军，则清湍修竹，芜没于空山矣
❼治乱之本在左右／守成尚文，遭遇右武
❽方圆画不俱成，左右视不并见／一进一退，一左一右，六骥不致
❿明王之任人，谄谀不迩乎左右／老夫聊发少年狂，左牵黄，右擎苍／盛于彼者必衰于此，长于左者必短于右／君子之处世，贵能有益于物耳，不图高谈虚论，左琴右书／吴人与越人相恶也，当其同舟而济遇风，其相救也如左右手

号 ①hào 名称；人名外另起的字；商店；标志；次第；等级；种类；量词；号令。②háo 高声叫喊；高声哭；呼啸。
❶号令不虚出，赏罚不滥行
见宋·欧阳修《准诏言事上书》。
号呼卖卜谁家子，想欠明朝籴米钱
见宋·沈东《游沧浪亭》。
号令烦而不信，赏罚行而不当，则天下不服
见宋·欧阳修《准诏言事上书》。
❷发号出令以下行，期悦人意／发号施令，若汗出于体，一出而不复也／若号令烦而不信，赏罚行而不当，则天下不服
❸古今号文章为难，足下知其所以难乎？……得之为难，知之愈难耳
❹初虽啼号，后必庆笑／卢狗悲号，则韩国知其才／砥厉名号者，不以利伤行／阴风怒号，浊浪排空，日星隐曜，山岳潜形
❺是是非非，号为信史／以名声称号，必为是所诱／或不知叫号，或惨惨劬劳
❻贵贱不嫌同号，美恶不嫌同辞
❼贵者必以贱为号，而高者必以下为基
❿心知其意，未可明诏大号／其为声也，凄凄切切，呼号愤发／民心不得，性命不全，则号令不能动也／先生不知何许人也……宅边有五柳树，因以为号焉

叭 ①bā 象声词；同"吧(bā)"。②ba 用于物名，如喇叭。
❾霜晨月，马蹄声碎，嗽叭声咽

叱 chì 大声责骂；呼喝。
❽喑呜则山岳崩颓，叱咤则风云变色

叫 jiào 大声呼喊；通知别人；命令；容许；称呼；通"教"，让；表示被动。
❸一日叫娘，终身是母／戍卒叫，函谷举，楚人一炬，可怜焦土
❹或不知叫号，或惨惨劬劳
❼西风烈，长空雁叫霜晨月／昆山玉碎凤凰叫，芙蓉泣露香兰笑
❿但愿官民通有无，莫令租吏打门叫呼疾／虎豹终日而不杀，则跳踉大叫以发其怒／至味不慊，至言不文，至乐不笑，至音不叫／大味必淡，大音必希；大语叫叫，大道低回

叨 ①dāo 唠叨。②tāo 通"饕"，贪；谦词。
❷贪叨多积，自遗祸殃
❿好经大事，变更易常，以挂功名，谓之叨

叹 tàn 因忧伤郁闷或高兴而呼出长气并发出声音；赞叹；吟咏。
❶叹长河之流速，送驰波于东海
见唐·李白《惜余春赋》。全句为："春每归兮花开，花已阑兮春改。～"。
❷嗟叹之不足故永歌之／自叹犹为折腰吏，可怜骢马路傍行／嗟叹之不足，不知手之舞之足之蹈之也
❸畴昔叹时迟，晚节悲年促／悲斯叹，叹斯愤，愤必有泄，故见乎词
❹才难之叹，古今共之／丈夫不叹别，达士自安卑／老不足叹，可叹是老而虚生／诸公可叹善谋身，误国当时岂一秦／兴于嗟叹，发于吟咏，而形于歌诗矣／悲斯叹，叹斯愤，愤必有泄，故见乎词
❺一倡而三叹，有遗音者矣／中夜四五叹，常为大国忧／遵四时以叹逝，瞻万物而思纷／田里绝愁叹之声，邦家闻宽厚之化
❻穷年忧黎元，叹息肠内热／老不足叹，可叹是老而虚生
❼言之不足故嗟叹之／愁杀芳年友，悲叹有余哀
❾料得行吟者，应怜长叹人
❿一旦见景生情，触目兴叹／所思迷所在，长望独长叹／对案不能食，拔剑击柱长叹息／居悒悒之无解兮，独长思而永叹／策马前途须努力，莫学龙钟虚叹息／驽蹇服御，良乐咨嗟；铅刀剖截，欧冶叹息／春耕其丘，投种之日。释耒而叹，何时实栗／麟亡星落，月死珠伤，瓶罄罍耻，芝焚蕙叹／言之不足，故长言之；长言之不足，故嗟叹之

吁 ①yū 拟声词。②xū 叹息；忧愁。③yù 为某种要求而呼喊。
❶吁嗟身后名，于我若浮烟
见晋·陶潜《怨诗楚调示庞主簿邓治中》。

吐 ①tǔ 使东西从嘴里出来；说；泄漏；从缝隙里长出来或露出来。②tù 呕吐。
❶吐纳文艺，务在节宣，清和其心，调畅其气
见南朝·梁·刘勰《文心雕龙·养气》。
吐故纳新者，因气以长气，而气大衰者则难长也
见晋·葛洪《抱朴子·极言》。
❷朝吐面誉，暮行背毁
❸周公吐哺，天下归心／良谈吐玉，长江与斜汉

争流／大道吐气，布于虚无，为天地之本始／阳动吐，阴静翕，阳道常饶，阴道常乏，阴阳之道也
❹四更山吐月，残夜水明楼／水烟晴吐月，山火夜烧云／金蚕无吐丝之实，瓦鸡乏司晨之用
❺吹响呼吸，吐故纳新／吟咏之间，吐纳珠玉之声／磨肌戛骨，吐出心肝，企足以待，寘我雠冤
❻饭山逢彪必吐哺而逃／处道而不贰，吐而不夺，利而不流，贵公正而贱鄙争
❽飞泉出窦，练缁花吐／今虽不能如周公吐哺握发……／包藏宇宙之机，吞吐天地之志／纵横振锋颖之才，吐纳积江湖之量／虚凝淡泊怡其性，吐故纳新和其神／万木僵仆，梅英再吐，玉立冰姿，不易厥素／云破月出，光气含吐，互相明灭，晶莹玲珑／阴晴显晦，昏旦含吐，千变万状，不可殚纪
❾一沐三捉发，一饭三吐哺／气以实志，志以定言，吐纳英华，莫非情性
❿然我一沐三捉发，一饭三吐哺／腾波触天，高浪灌日，吞吐百川／报国无门空自怨，济时有策从谁吐／自古此冤应未有，汉心汉语吐蕃身／山不厌高，海不厌深；周公吐哺，天下归心／何惜阶前盈尺之地，不使白扬眉吐气，激昂青云

吓 ①xià 害怕；使害怕。②hè 恐吓；开；叹词。

❺辱骂和恐吓决不是战斗

吕 lǚ 中国古代十二音律中的阴律；古国名；姓。

❶吕望垂竿于渭涘，道峻匡周
见唐·杨炯《唐右将军魏哲神道碑》。全句为："～；张良授策于圯桥，功崇佐汉"。
❽赤兔无人用，当须吕布骑
❿毛先生一至楚，而使赵重于九鼎大吕

吊 ①diào 哀悼死者；怜悯；悬挂；提取；收回；通"淑"，善；旧时钱一千文叫做吊。②dì 至。

❸伐罪吊民，古之令轨
❺庆者在堂，吊者在闾／贺者在门，吊者在途；吊者在门，贺者在途
❻怅望关河空吊影，正人间……
❽茕茕孑立，形影相吊／汤沐具而虮虱相吊，大厦成而燕雀相贺
❾贺者在门，吊者在途；吊者在门，贺者在途

吃 chī 食物在嘴里经咀嚼后咽下去；消灭；领会；承受；耗费。

❶吃一堑，长一智
见《左传·昭公二十九年》。
吃文为患，生于好诡
见南朝·梁·刘勰《文心雕龙·声律》。
吃百姓之饭，穿百姓之衣，莫道百姓可欺，自己也是百姓
见清·高以永撰内乡县衙三堂楹联。上联为："得一官不荣，失一官不辱，勿说一官无用，地方全靠一官"。
❿担水塞井徒用力，炊砂作饭岂堪吃

名 míng 人或事物的称谓；声誉，声望，有声望的；说出；拥有；眉与眼之间；量词。

❶名定而实辨
见《荀子·正名》。
名者，实之宾也
见《庄子·逍遥游》。
名心胜者必作伪
见清·李惺《冰言》。
名心盛者必为伪
见明·吕坤《呻吟语》。
名非实，用之不效
见三国·魏·刘劭《人物志·效难》。
名声之善恶存乎人
见唐·韩愈《与卫中行书》。
名无固宜，约之以命
见《荀子·正名》。全句为："～，约定俗成谓之宜，异于约则谓之不宜"。
名不与利期而利归之
见汉·刘安《淮南子·缪称》。全句为："圣人为善，非以求名而名从之，～"。
名乃苦其身，燋其心
见《列子·杨朱》。全句为："～。乘其名者，泽及宗族，利兼乡党，况子孙乎？"。
名垂竹帛，功标青史
见明·罗贯中《三国演义》第三十六回。
名之所存，谤之所归
见唐·韩愈《答刘正夫书》。
名刑已定，物自为正
见战国·佚书《经法·道法》。
名利与身，若炭与冰
见汉·严遵《道德指归论·名身孰亲篇》。
名虽美焉，伪亦必生
见三国·魏·王弼《老子》三十八注。
名存实亡，失其所业
见唐·韩愈《处州孔子庙碑》。
名标青史，万古留芳
见元·纪君祥《赵氏孤儿》第二折。
名誉之美，垂于无穷
见汉·班固《汉书·贾谊传》。
名不徒生，则誉不自长
见《墨子·修身》。
名正法备，则圣人无事
见《管子·白心》。
名可得闻，身难得而见
见南朝·宋·范晔《后汉书·逸民传》。全句

为:"～,逃名而名我随,避名而名我追"。

名由实生,故久而益大

见唐·刘禹锡《唐故尚书主客员外郎卢公集纪》。

名,公器也,不可多取

见《庄子·天运》。

名闻而实喻,名之用也

见《荀子·正名》。

名不得过实,实不得延名

见《管子·心术上》。

名位苟无心,对君犹可眠

见唐·张谓《读后汉逸人传二首》之一。

名高毁所集,言巧智难防

见唐·刘禹锡《萋兮吟》。

名都多妖女,京洛出少年

见三国·魏·曹植《名都篇》。

名声若日月,功绩如天地

见《荀子·王霸》。

名如画地作饼,不可啖也

见晋·陈寿《三国志·魏书·卢毓传》。

名利之大者,几在无耻而信

见《庄子·盗跖》。

名高天下,何必辨襄阳南阳

见清·顾嘉蘅题南阳卧龙岗联。全句为:"心在汉室,原无分先主后主;～"。

名者,圣人之所以纪万物也

见《管子·心术上》。

名生于真,非其真,弗以为名

见汉·董仲舒《春秋繁露·深察名号》。全句为:"～。名者,圣人所以真物也,名之为言真也"。

名须立而戒浮,志欲高而无妄

见明·卢象升《忠肃集》。

名美而实不副者,必无没世之风

见晋·葛洪《抱朴子·博喻》。

名缰利锁,天还知道,和天也瘦

见宋·秦观《水龙吟》。

名有固善,径易而不拂谓之善名

见《荀子·正名》。"径",直接;"易",平易;"不拂",不违反。

名不正则言不顺,言不顺则事不成

见《论语·子路》。

名重则于实难副,论高则与世常疏

见宋·苏轼《谢馆职启》。

名为公器无多取,利是身灾合少求

见唐·白居易《感兴二首》之一。

名为治平无事,而其实有不测之忧

见宋·苏轼《晁错论》。

名有固善,径易而不拂,谓之善名

见《荀子·正名》。

名者可以厉中人,君子所存非所汲汲

见宋·朱熹《近思录·为学类》。

名者实之宾也,实有美恶,名亦随之

见宋·何坦《西畴老人常言》。

名者,圣人所以真物也,名之为言真也

见汉·董仲舒《春秋繁露·深察名号》。全句为:"名生于真,非其真,弗以为名。～"。

名无固实,约之以命实,约定俗成谓之实名

见《荀子·正名》。

名为山人而心同商贾,口谈道德而志在穿窬

见明·李贽《又与焦弱侯》。

名实相生,利用相成,是非相明,去就相安也

见隋·王通《中说·问易》。

名言所绝理即具于名中,意量所函变可通意外

见清·王夫之《连珠》。

名也者,相轧也;知也者,争之器也,二者凶器,非所以尽行也

见《庄子·人间世》。

❷盗名不如盗货／令名,德之舆也／钓名之人无贤士焉／为名者必让,让斯贱／争名于朝,争利于市／大名之下,难以久居／尚名好高,其身必疏／是名也,止于是实也／盛名之下,其实难副／身名俱裂,为天下笑／无名之名,生我之宅也／刑名立,则黑白之分已／慕名而不知实,一可贱／大名之后,不宜无见焉／好名者,好利之尤者也／有名之名,丧我之橐也／无名困蝼蚁,有名世所疑／以名声称号,必为是所诱／功名之下,常有非实之加／功名图麒麟,战骨当速朽／有名而无实,则其名不行／夫名利之大者几在无耻而信／无名故无为,无为而无不为／患名之不立,不患年之不长／求名莫如自修,善誉不能掩恶／喜名者必多怨,好与者必多辱／闻名不如见面,见面胜似闻名／逃名而名我随,避名而名我追／无名者道之体,而有名者道之用也／功名只向马上取,真是英雄一丈夫／功名富贵若长在,汉水亦应西北流／功名遂成,天也;循理受顺,人也／浮名浮利过于酒,醉得人心死不醒／好名则多树私恩,惧谤则执法不坚／成名每在穷苦日,败事多因得志时／得名得货,道德不居,神明不留……／制名以指实,上以明贵贱,下以辨同异／大名垂于万世者,必先行之于纤微之事／不名一格,不专一体,要不失乎为我之诗／揽名责实不得虚言,有功者赏,有罪者罚／贵名不可以比周争也……不可以势重胁也／"无"名,天地之始;"有"名,万物之母／务名者乐人之进趋过人,而不能出陵己之后／爱名尚利,小人哉,未见仁者而好名利者也／其名弥消,其德弥长;其身弥退,其道弥进／失名失货,道德是佑,神明是助,名显自然,富配天地

❸奇身名废／功成名遂身退／急求名者必锉／至显，名誉并焉／慕虚名而处实祸／悦其名而丧其实／黜虚名而求实效／求其名而不责其实／习其名而未稽其实／无伐名木，无斩山林／不好名者，斯不好利／即事名篇，无复依傍／藏之名山，传之其人／凡为名者必廉，廉斯贫／不以名害身，不以位易志／利锁名缰，几阻当年欢笑／问其名则是，校其行则非／砥厉名号者，不以利伤行／不使名浮于德，不以华伤其实／始得名于文章，终得罪于文章／或求名而不得，或欲盖而名章／古之名将，必出于奇，然后能胜／能有名誉者，必无以趋行求者也／实无名，名无实。名者，伪而已矣／欲尸名者必为善，欲为善者必生事／垂大名于万世者，必先行之于纤微之事／无为名尸，无为谋府，无为事任，无为知主／乘其名者，泽及宗族，利兼乡党，况子孙乎

❹师必有名／必也正名乎／久受尊名不祥／一举成名天下闻／努力功名须黑头／正者治，名奇者乱／世间唯名实不可欺／君子恶名之溢于实／千里投名，万里投主／生得其名，死得其所／兵出无名，事故不成／疑行无名，疑事无功／列士徇名，贪夫徇财／人貌荣名，岂有既乎／能者无名，从事无事／德荡乎名，知出乎争／相引以名，相结以隐／有意近名，则是伪也／无名之名，生我之宅也／损益之名，无胫而走矣／有名之名，丧我之橐也／无形无名者，万物之宗也／不求立名声，所贵去瑕玼／世有盛名，则衰之日至矣／古之人名为羞，以实为慊／大抵为名者，只是内不足／是非随名实，赏罚随是非／忍把浮名，换了浅斟低唱／恐此非名计，息驾归闲居／汲汲于名者，犹汲汲于利也／逃名而名我随，避名而名我追／上士忘名，中士立名，下士窃名／无问其名，无阚其情，物固自生／三十功名尘与土，八千里路云和月／甚美之名生于大恶，所谓美恶同门／实无名，名无实。名者，伪而已矣／按贤察名，选才考能，名实俱得之也／两若有名，相与则成；阴阳备物，化变乃生／所避者名也，所忧者其实也，实不可一日忘／贩交买名之薄，吮痈舐痔之卑，安足议其是非／天下争名趋势，不计是非，析毫剖芒，视死如归／苟去其名全其实，以其余易其不足，亦可交以为师矣

❺行不信者名必耗／士当以功名闻于世／谈言微中，名士风流／艺由己立，名自人成／行不两全，名不两立／动而得谤，名亦随之宜／唯立德扬名，可以不朽／事各顺于名，名各顺于天／生有高世名，既没传无穷／劝君少干名，名为锢身锁／吁嗟身后名，于我若浮烟／有实而无名，则其实不长／有惠人之名而无救患之实／烈士徇荣名，义士高贞介／用人不以名誉，必求其实／古之人以名为羞，以实为慊／贵富显严名利六者，勃志也／圣人不为名尸，不为谋府……／彼汲汲于名者，犹汲汲于利者／中情之人，名不副实，用之有效／情行合而名副之，祸福不虚至矣／铭者，所以名其善功以昭后世也／尔曹身与名俱灭，不废江河万古流／文章必自名一家，然后可以传不朽／古之人……识名位为香饵，逝而不顾／隐忍就功名，非烈丈夫孰能致此哉？／为善无近名，为恶无近刑，缘督以为经／功成事立，名迹称遂，不退身避位……／深者获公名，平者多后患，故治狱之吏皆欲人死

❻君子羞言利名／怀与安，实败名／三十余年，声名塞天／询事考言，循名责实／夸过其理，则名实两乖／名闻而实喻，名之用也／事各顺于名，名各顺于天／劝君少干名，名为锢身锁／功盖三分国，名成八阵图／官无一寸禄，名传千万里／其功异则其名不得不异也／不汲汲于荣名，不戚戚于卑位／事有易成者名小，难成者功大／凡人坏品败名，钱财占了八分／招麾祸福，功名所遂，谓之志／立小异以近名，托虚名以邀利／青史内不标名，红尘外便是我／使我有身后名，不如即时一杯酒／倍仁义而贪名实者，不能威当世／出师一表真名世，千载谁堪伯仲间／欧阳当日文名重，更要推敲畏后生／奸人诈而好名，其行事有酷似君子处／是技皆可成名，天下惟无技之人最苦／不痴不狂，其名不彰；不狂不痴，不能成事／吾见世人清名登而金贝入，信誉显而然诺亏

❼异乡殊俗难知名／一丝一粒，我之名节／生荣死哀，身没名显／功成道洽，身没名扬／难成而易败者，名也／无其实而喜其名者，削／君子疾没世而名不称焉／无名困蝼蚁，有名世所疑／以修身自强，则名配尧禹／人生感意气，功名谁复论／因任而授官，循名而责实／征实则效存，徇名则功浅／问姓惊初见，称名忆旧容／杜甫陈子昂，才名括天地／按其实而审其名，以求其情／功不可以虚成，名不可以伪立／功业逐日以新，名声随风而流／声可托于弦管，名可留于竹帛／善不由外来兮，名不可以虚作／禄过其功者损，名过其实者蔽／与其无义而有名兮，宁穷处而守高／实无名，名无实。名者，伪而已矣／道可道，非常道；名可名，非常名／才贤任轻则有名，不肖任大身死名废／博识者触物能名，洽闻者理无所惑耳／非所困而困焉名必辱，非所据而据焉身必危／四海悠悠，皆慕名者，盖因其情而致其善尔／不修身而求令名于世者，犹貌甚恶而责妍影于镜也

❽兵不妄动，师必有名／主过一言而国残名辱／小人殉财，君子殉名／逆顺死生，物自为名／尸位素餐，难以成名／贪夫徇财，烈士徇名／神人无光，圣人无名／豹死留皮，人死留名／但求

寡悔尤，焉用名炳炳／见善思齐，足以扬名不朽／有名而无实，则其名不行／其处己也厚，其取名也廉／论行而结交者，立名之士也／失贤人，国无不危，名无不辱／圣人为善，非以求名而名从之／得贤人，国无不安，名无不荣／逃名而名我随，避名而名我追／上士忘名，中士立名，下士窃名／诂形以形，以形务名，督言正名／事者难成而易败，名者难立而易废／人也不幸而则亡，名兮可大而不死／志士凄凉闲处老，名花零落雨中看／鞭鞑宁越以立威名，恐非致理之本／人以为偶一奋，遂名无穷，今大不然／物固有形，形固有名，名当谓之圣人／善不积不足以成名，恶不积不足以灭身／“无”名，天地之始；“有”名，万物之母／人必先作，然后人名之；先求，然后人与之／众人重利，廉士重名；贤人尚志，圣人贵精／至治之务，在于正名。名正则人主不忧劳矣／山不在高，有仙则名；水不在深，有龙则灵／泰初有无，无有，无名。一之所起，有一而未形／今不修身而求令名于世者，犹貌甚恶而责妍影于镜也／忘乎物，忘乎天，其名曰为忘己；忘己之人，是之谓人于天

❾规小节者不能成荣名／内足者，自是无意于名／时无英雄，使竖子成名／贪夫殉财兮，烈士殉名／恶小耻者，不能立荣名／誉美者，实未必副其名／洞房花烛夜，金榜挂名时／立小异以近名，托虚名以邀利／羞善行之不修，恶善名之不立／大丈夫见善明，则重名节如泰山／善战者之胜也，无智名，无勇功／无名者道之体，而有名者道之用也／人生识字忧患始，姓名粗记可以休／道可道，非常道；名可名，非常名／春来春去苦自驰，争名争利徒尔为／古之君子，守道以立名，修身以俟时／按贤察名，选才考能，名实俱得之也／物固有形，形固有名，名当谓之圣人／耻辱者，勇之决也；立名者，行之极也／三皇五帝之治天下，名曰治之，而乱莫甚焉／至治之务，在于正名。名正则人主不忧劳矣／名言所绝理即具于名中，意量所函变可通意外／李白之文，清雄奔放，名章俊语，络绎间起，光明洞彻，句句动人

❿无几微爽失，则理义以名／且乐杯中酒，谁论世上名／名不得过实，实不得延名／处高心不有，临节自为名／洗心得真情，洗耳徒买名／学者须是务实，不要近名／李白坟三尺，嵯峨万古名／所荣者善行，所耻者恶名／心知去不归，且有后世名／周乎艺者，屈抑不能贬其名／士有争友，则身不离于令名／海不通百川，安得巨大之名／神仙事本是虚妄，空有其名／不曲道以媚时，不诡行以徼名／不治可见之美，不竞人间之名／兵戈之士乐战，枯槁之士宿名／圣人为善，非以求名而名从之／名生于真，非其真，弗以为名／闻名不如见面，见面胜似闻名／逃名而名我随，避名而名我追／根深而枝叶茂，行久而名誉远／或求名而不得，或欲盖而名章／有境界则自成高格，自有名句／虚死不如立节，苟殒不如成名／上士忘名，中士立名，下士窃名／不独为利而仕不可，为名亦不可／原浊者流不清，行不信者名必秏／诂形以形，以形务名，督言正名／谋泄者事无功，计不决者名不成／勇士不顾生，故能立天下之大名／至人无己，神人无功，圣人无名／小人则以身殉利，士则以身殉名／名有固善，径易而不拂谓之善名／唯令德为不朽兮，身既没而名存／因果相承，从微至著，通名为渐／水倍源则川竭，人倍信则名不达／老冉冉其将至兮，恐修名之不立／天子者，养尊而处优，树恩而收名／不逆命，何羡寿？不矜贵，何羡名／世间富贵应无分，身后文章合有名／且乐生前一杯酒，何须身后千载名／非其事者勿仞也，非其名者勿就也／年将弱冠非童子，学不成名岂丈夫／了却君王天下事，赢得生前身后名／古来圣贤皆寂寞，惟有饮者留其名／古来青史谁不见，今见功名胜古人／古之人，身隐而功著，形息而名彰／误尽平生是一官，弃家容易变名难／名有固善，径易而不拂，谓之善名／宜将剩勇追穷寇，不可沽名学霸王／道可道，非常道；名可名，非常名／细推物理须行乐，何用浮名绊此身／脱裙衫，穷不妨；布荆人，名自香／自伐者无功，功成者堕，名成者亏／才贤任轻则有名，不肖任大身死名废／五百年必有王者兴，其间必有名世者／名者实之宾也，实有美恶，名亦随之／行未固于无非，而急求名者，必锉也／寒者颤，惧者亦颤，此同名而异实也／如修德而留意于事功名誉，必无实诣／璞玉浑金，人皆钦其宝，莫知名其器／龙蟠凤逸之士，皆欲收名定价于君侯／举大体而不论小事，务实效而不为虚名／厚者不损人以自益，仁者不危躯以要名／剑之锷，砥之而光；人之名，砥之而扬／俭葬，古人之美节；侈葬，古人之恶名／凡为天下国家，当爱惜名器，谨重刑罚／墉基不可仓卒而成，威名不可一朝而立／名者，圣人所以真物也，名之为言真也／知者不倍时而弃利，勇士不怯死而灭名／因也者，无益无损也，以其形因为之名／行不贵苟难，说不贵苟察，名不贵苟传／守道而忘势，行义而忘利，修德而忘名／达人苦富贵之桎梏，修士伤声名之顿撼／道也者，至精也，不可为形，不可为名／所守者道义，所行者忠信，所惜者名节／有阴德者必有阳报，有隐行者必有昭名／不智不勇不信，有此三者，不可以立功名／厚者不毁人以自益也，仁者不危人以要名／好经大事，变更易常，以挂功名，谓之叨／不与万物共尽，而卓然其不朽者，后世之名

/不受虚言,不听浮术,不采华名,不兴伪事/临财苟得,见利反义,不义而富,无名而贵/体道履仁,外和内敏,清而容物,善不近名/保生者寡欲,保身者避名,无欲易,无名难/黄钟毁弃,瓦釜雷鸣;谗人高张,贤士无名/人生贵得适意尔,何能羁宦数千里以要名爵/阳春之曲,和者必寡;盛名之下,其实难副/苟得其人,不患贫贱;苟得其材,不嫌名迹/落梅芳树,共体千篇;陇水巫山,殊名一意/名无固实,约之以命实,约定俗成谓之实名/君子怀德,小人怀土;贤士徇名,贪夫死利/知足之人,体道同德,绝名除利,立我于无/迩之事父,远之事君,多识于鸟兽草木之名/水抵两岸,悉皆怪石,敧嵌盘屈,不可名状/爱名尚利,小人哉,未见仁者而好名利者也/天下之人所共趋之而不知止者,富贵与美名尔/能用非己之民,国虽小,卒虽少,功名犹可立/以富为是者,不能让禄;以显为是者,不能让名/先无爵,死无谥,实不聚,名不立,此之谓大人/圣人之爱人也,人与之名,不告则不知其爱人也/赋役有定制,兵农有定业,官无虚名,职无废事/故马或奔踶而致千里,士或有负俗之累而立功名/言发于迩,不可止于远;行存于身,不可掩于名/性字从生从心,是人生来具是理于心,方名之曰性/朴其身躬,恶其衣服,语无为以求名,言无欲以求利/贤主忠臣,不能导愚教陋,则名不冠后、实不及世矣/生有七尺之形,死唯一棺之土,唯立德扬名,可以不朽/失名失货,道德是佑,神明是助,名显自然,富配天地/祸世之匠,乱国之工,绝逆天地,伤害我身,莫大乎名/生民之不得休息,为四事故:一为寿,二为名,三为位,四为货/能有天下者,必无以天下为也;能有名誉者,必无以趋行求者也

各

gè 每个;彼此不同的。

❶各因其才而尽其力

见宋·苏辙《上两制诸公书》。

各专其能,各致其力

见宋·苏轼《策略第二》。

各师成心,其异如面

见南朝·梁·刘勰《文心雕龙·体性》。

各进而身退,天之道也

见《管子·白心》。

各愿贻子孙,永为后世资

见唐·王建《求友》。全句为:"不求立名声,所贵去瑕玼。~"。

各愿种成千百索,豆萁禾穗满青山

见宋·王禹偁《畬田调》五首之一。

各从所好,各骋所长,无一人之不中用

见明·李贽《焚书》卷一。全句为:"~,何其事之易也"。

各自责则天清地宁,各相责则天翻地覆

见明·吕坤《呻吟语》。

❷民各有心,亦壅惟口/事各顺于名,名各顺于天

❸任人各以其材而百职修/万族各有托,孤云独无依/八方各异气,千里殊风雨/揆材各有用,反性生苦辛/浮沉各异势,会合何时谐/盛衰各有时,立身苦不早/民生各有所乐兮,余独好修以为常

❹使六国各爱其人,则足以拒秦;使秦复爱六国之人,则递三世可至万世而为君,谁得而族灭也

❺文从字顺各识职/秋菊春兰各有香/乾道变化,各正性命/人之过也,各于其党/各专其能,各致其力/用人如器,各取所长/形体保神,各有仪则,谓之性/人之才性,各有短长,固难勉强/气从以顺,各从其欲,皆得所愿/短长肥瘠各有态,玉环飞燕谁敢憎/各从所好,各骋所长,无一人之不中用/呱呱之子,各识其亲;譊譊之学,各习其师/火烧到身,各自去扫;蜂虿入怀,随即解衣/小大修短,各得其所宜,规矩方圆,各有所施

❻及在人,则又各自有个理/良友远离别,各在天一方/泻水置平地,各自东西南北流/不能大通,则各私其党而求利焉/言贵尽心,亦各其所见也,若是非,则明智者裁之

❼性情面目,人人各具/事各顺于名,名各顺于天/大凡善恶之人,各以类聚/我心坚,你心坚,各自心坚石也穿/古者男女之族,各择德焉,不以财为礼

❽天涯同此路,人语各殊方/大匠无弃材,寻尺各有施/风物虽同候,悲欢各异伦/维修卑下,然后乃各得其所/江山代有才人出,各领风骚数百年

❾不必循常,法度制令,各因其宜/虎豹在山,鼋鼍在水,各有所托/鸟飞反乡,兔走归窟……各哀其所生/各自责则天清地宁,各相责则天翻地覆/工无二伎,士不兼官,各守其职,不得相奸/任人而不任法,则人各有意,无以定一成之论/五步一楼,十步一阁。……各抱地势,钩心斗角

❿凡人之用智有短长,其施设各异/夫妻本是同林鸟,大限来时各自飞/传派传宗我替羞,作家各自一风流/车辚辚,马萧萧,行人弓箭各在腰/虞夏以文,殷周以武,异时各有所施/一地所生,一雨所润,而诸草木各有差别/呱呱之子,各识其亲;譊譊之学,各习其师/小大修短,各得其所宜,规矩方圆,各有所施/爱人者不阿,憎人者不害,爱恶各以其正,治之至也/一人一心,万人万心,若不以令一之,则人人之心

各异矣

吸 xī 把气体或液体等引人体内;摄入;引来;饮。

❹吹响呼吸,吐故纳新

❼举动回山海,呼吸变霜露

❿冬至之后为呼,夏至之后为吸

呈 chéng 敬辞,表示恭敬地送上;呈文;显出,显露;通“程”,限量;标准。

❿鸾凤骞翔而变态,烟云舒卷以呈姿

吴 wú 大声说话;周代诸侯国名;三国时国名;姓。

❶吴带当风

见宋·郭若虚《图画见闻志》。

吴王好剑客,百姓多创瘢

见南朝·宋·范晔《后汉书·马廖传》。全句为:“~;楚王好细腰,宫中多饿死”。

吴僧爱觅闲吟处,偷向花边竹里来

见宋·永颐《天竺秋日》。

吴人与越人相恶也,当其同舟而济遇风,其相救也如左右手

见《孙子兵法·九地篇》。

❷非吴丧越,越必丧吴/操吴戈兮被犀甲,车错毂兮短兵接

❸天低吴楚,眼空无物

❹竭诚则吴越为一体,傲物则骨肉为行路

❺并刀如水,吴盐胜雪

❻力士推山,天吴移水,作农桑地/西施若解倾吴国,越国亡来又是谁

❼学识英博,非复吴下阿蒙/廉公之思赵将,吴子之泣西河,人之情也,将军独无情哉

❽非吴丧越,越必丧吴

❿楚山全控蜀,汉水半吞吴/放船千里凌波去,略为吴山留顾/焉得并州快剪刀,翦取吴松半江水/声声解堕金铜泪,未信吴儿是木人/窗含西岭千秋雪,门泊东吴万里船/楚王好小腰,美人省食;吴王好剑,国士轻死

吞 tūn 不咀嚼就整个或大块咽下去;兼并;包含;姓。

❶吞舟之鱼,陆处则不胜蝼蚁

见《吕氏春秋·审分览·慎势》。

吞舟之鱼,砀而失水,则蚁能苦之

见《庄子·庚桑楚》。全句为:“函车之兽,介而离山,则不免于罔罟之患;~”。

吞舟之鱼不游渊,鸿鹄高飞不就污池

见汉·刘向《说苑·政理》。全句为:“~,何则?其志极远也”。

吞舟之鱼不居潜泽,度量之士不居污世

见汉·韩婴《韩诗外传》。

吞舟之鱼,不游枝流;鸿鹄高飞,不集污池

见《列子·杨朱》。

吞舟之鱼荡而失水,则制于蝼蚁,离其居也

见汉·刘安《淮南子·主术》。全句为:“~;猨失木,而禽于狐狸,非其处也”。

❷水吞三楚白,山接九疑青

❸一蛇吞象,厥大何如

❹衔远山,吞长江……/死别已吞声,生别常恻恻

❺好似和针吞却线,刺人肠肚系人心

❻人心不足蛇吞象/驾浪沉西月,吞空接曙河/贪痴无底蛇吞象,祸福难明螳捕蝉

❼轻缗振网,或随吞舟之势/明哲之君,网漏吞舟之鱼/包藏宇宙之机,吞吐天地之志

❽壮岁从戎,曾是气吞残虏/心非木石岂无感,吞声踯躅不敢言

❾楚山全控蜀,汉水半吞吴/腾波触天,高浪灌日,吞吐百川/想当年,金戈铁马,气吞万里如虎

❿由来骨鲠材,喜被软弱吞/劳形按影皆非道,炼气吞霞更是狂/彼寻常之污渎兮,岂能容夫吞舟之巨鱼/交拱之木无把之枝,寻常之沟无吞舟之鱼/盈把之木无合拱之枝,荣泽之水无吞舟之鱼/搜寻仞之垄,求干天之木;漉牛迹之中,索吞舟之鳞/有席卷天下,包举宇内,囊括四海之意,并吞八荒之心/奋六世之遗烈,振长策而御宇内,吞二周而亡诸侯,履至尊而制六合

杏 xìng 落叶乔木。

❷红杏枝头春意闹

❿借问酒家何处有,牧童遥指杏花村/春色满园关不住,一枝红杏出墙来

吾 ①wú 我,我们。②yù 通“御”,抵御。③yú[吾吾]疏远貌。

❶吾日三省吾身……

见《论语·学而》载曾子语。全句为:“~:为人谋而不忠乎?与朋友交而不信乎?传不习乎”。

吾问养树,得养人术

见唐·柳宗元《种树郭橐驼传》。

吾有知乎哉?无知也

见《论语·子罕》。全句为:“~。有鄙夫问于我,空空如也。我叩其两端而竭焉”。

吾不见青天高,黄地厚

见唐·李贺《苦昼短》。全句为:“~;唯见月寒日暖,来煎人寿”。

吾未闻枉己而正人者也

见《孟子·万章上》。

吾未见好德如好色者也

见《论语·子罕》。

吾少也贱,故多能鄙事

见《论语·子罕》。

吾生也有涯，而知也无涯

见《庄子·养生主》。全句为："～，以有涯随无涯，殆已"。

吾闻聪明主，治国用轻刑

见唐·杜甫《奉酬薛十二丈判官见赠》。

吾憎人也，不可得而知也

见《战国策·魏策四》。全句为："人之憎我也，不可不知也；～"。

吾道亦如此，行之贵日新

见唐·白居易《续座右铭》。全句为："千里始足下，高山起微尘；～"。

吾学无所学，乃能明自然

见《西升经·身心章》。

吾爱孟夫子，风流天下闻

见唐·李白《赠孟浩然》。

吾有小失，必犯颜而谏之

见唐·吴兢《贞观政要·任贤》。全句为："吾有小善，必将顺而成之；～"。

吾有小善，必将顺而成之

见唐·吴兢《贞观政要·任贤》。全句为："～；吾有小失，必犯颜而谏之"。

吾所以有大患者，为吾有身

见《老子》十三。全句为："～。及吾无身，吾有何患？"

吾所谓乐者，人得其得者也

见汉·刘安《淮南子·原道》。全句为："～。夫得其得者，不以奢为乐，不以廉为悲"。

吾有德于人也，不可不忘也

见《战国策·魏策四》。全句为："人之有德于我也，不可忘也；～"。

吾心如秤，不能为人作轻重

见三国·蜀·诸葛亮《书》。

吾虑不清，则未可定然否也

见《荀子·解蔽》。

吾十有五而志于学，三十而立

见《论语·为政》。全句为："～，四十而不惑，五十而知天命，六十而耳顺，七十而从心所欲不逾矩"。

吾岂匏瓜也哉，焉能系而不食

见《论语·阳货》。

吾每为文章，未尝敢以轻心掉之

见唐·柳宗元《答韦中立论师道书》。全句为："～，惧其剽而不留也；未尝敢以怠心易之，惧其驰而不严也；未尝敢以昏气出之，惧其昧没而杂也；未尝敢以矜气作之，惧其偃蹇而骄也"。

吾之终日志于道德，犹惧未及也

见唐·李翱《复性书下》。全句为："～。彼肆其心之所为者，独何人耶？"

吾闻"出于幽谷，迁于乔木"者

见《孟子·滕文公上》。全句为："～，未闻下乔木而入于幽谷者"。

吾究物始，而见夫妇之为造端也

见明·李贽《焚书》。

吾身不能居仁由义，谓之自弃也

见《孟子·离娄上》。全句为："言非礼义，谓之自暴也；～"。

吾哀今之为仕兮，庸有虑时之否臧

见唐·柳宗元《吊屈原文》。全句为："～？食君之禄畏不厚兮，悼得位之不昌"。

吾观自古贤达人，功成不退皆殒身

见唐·李白《行路难》。

吾尝跂而望矣，不如登高之博见也

见《荀子·劝学》。

吾闻忠善以损怨，不闻作威以防怨

见《左传·襄公三十一年》。

吾人立身天地间，只思量作得一个人

见明·高攀龙《家训》。

吾尝终日而思矣，不如须臾之所学也

见《荀子·劝学》。

吾文如万斛泉源……虽一日千里无难

见宋·苏轼《文说》。删节处为："不择地而出，在平地滔滔汩汩"。

吾病世之逐逐然，唯印组为务以相轧

见唐·柳宗元《送僧浩初序》。

吾不能变心而从俗兮，固将愁苦而终穷

见战国·楚·屈原《九章·涉江》。

吾师道也，夫庸知其年之先后生于吾乎

见唐·韩愈《师说》。

吾斯役之不幸，未若复吾赋不幸之甚也

见唐·柳宗元《捕蛇者说》。

吾闻中国之君子，明乎礼义而陋于知人心

见《庄子·田子方》。

吾恒恶世之人不知推己之本，而乘物以逞

见唐·柳宗元《三戒》。全句为："～；或依势以干非其类，出技以怒强，窃时以肆暴，然卒迨于祸"。

吾子苟自择之，取某事，去某事，则可矣

见唐·柳宗元《答韦中立论师道书》。全句为："诚欲往来言所闻，则仆固愿悉陈中所得者。～"。

吾恐季孙之忧不在颛臾，而在萧墙之内也

见《论语·季氏》。

吾观之本，其往无穷；吾求之末，其来无止

见《庄子·则阳》。

吾见世人清名登而金贝入，信誉显而然诺亏

见北齐·颜之推《颜氏家训》。全句为："～，不知后之矛戟毁前之干橹也"。

吾何以得知天下乎？察己以知之，不求于外也

见三国·魏·王弼《老子》五十四注。

吾尝终日不食、终夜不寝以思，无益，不如学也

见《论语·卫灵公》。

吾所谓道德云者，合仁与义言之也，天下之公言也

见唐·韩愈《原道》。

❷非吾仪，虽利不为／非吾当，虽利不行／非吾道，虽利不取／及吾无身，吾有何患／舒吾陵霄羽，奋此千里足／失吾道者，上见光而下为土／得吾道者，上为皇而下为王／今吾于人也，听其言而观其行／哀吾生之须臾，羡长江之无穷／逆吾者是吾师，顺吾者是吾贼／始吾于人也，听其言而信其行／不吾知其亦已兮，苟余情其信芳／以吾心之思足下，知足下悬悬于吾也／老吾老以及人之老，幼吾幼以及人之幼／言吾善者，不足为喜；道吾恶者，不足为怒／盖吾儒起手便与禅异者，正在彻始彻终总是体用一致耳

❸但攻吾过，毋议人非／求发吾所学者，施于物而已／苟非吾之所有，虽一毫而莫取／汝病吾不知时，汝殁吾不知日／善者，吾善之；不善者，吾亦善之／信者吾信之，不信者吾亦信之，德信／悟者，吾心也。能见吾心，便是真悟／宁令吾庐独破受冻死，不忍四海赤子寒飕飕

❹释氏虚，吾儒实／我善养吾浩然之气／致知，是吾心无所不知／争先非吾事，静照在忘求／告我以吾过者，吾之师也／善虽不吾与，吾将强而附／富贵非吾愿，帝乡不可期／文以达吾心，画以适吾意／虽体解吾犹未变兮，岂余心之可惩／人将休，吾将不敢休；人将卧，吾将不敢卧／孔子曰："吾闻之，古之善御者，执辔如组，两骖如舞，非策之助也"。

❺交不信，非吾友也／谄谀我者，吾贼也／吾日三省吾身……／悍吏之来吾乡……／一国三公，吾谁适从／万物并作，吾以观复／无弃其道，吾将何病／及吾无身，吾有何患／前事不远，吾属之师／药石去矣，吾亡无日／西夕之景，吾能久留／是儿欲踞吾著炉火上邪／不善虽不吾恶，吾将强而拒／宇宙便是吾心，吾心即是宇宙／逆吾者是吾师，顺吾者是吾贼／日莫途远，吾故倒行而逆施之／天良能本吾良能，顾为有我所丧尔／此道废兴吾命在，世间腾口任云云／其所善者，吾则行之；其所恶者，吾则改之／天下者亦吾有也，吾亦天下之有也，天下之与我岂有间哉

❻天上天下唯吾独尊／是我而当者，吾友也／烂死于泥沙，吾宁乐之／世人皆欲杀，吾意独怜才／众鸟欣有托，吾亦爱吾庐／善虽不吾与，吾将强而附／其美者自美，吾不知其美也／其恶者自恶，吾不知其恶也／后之来者，则吾未之见，其可忽耶／虽信美而非吾土兮，曾何足以少留／水能性澹为吾友，竹解心虚即我师／并力西向，则吾恐秦人食之不得下咽也／万态虽杂而吾心常彻，万变虽殊而吾心常寂／非我而当者，吾师也；是我而当者，吾友也／生而影不与吾形相依，死而魂不与吾梦相接

❼告我以吾过者，吾之师也／无恃其不来，恃吾有以待之／不善虽不吾恶，吾将强而拒／恩与信可以附吾民而服邻国／尔以金玉为宝，吾以廉慎为师／宇宙便是吾心，吾心即是宇宙／自行束修以上，吾未尝无诲焉／苍苍者焉能与吾事，而暇知之哉／哀白日之不与吾谋兮，至今十年其犹初

❽善万物之得时，感吾生之行休／逆吾者是吾师，顺吾者是吾贼／委故都以从利兮，吾知先生之不忍／路曼曼其修远兮，吾将上下而求索／悟者，吾心也。能见吾心，便是真悟／"强梁者不得其死"，吾将以为教父／天下者亦吾有也，吾亦天下之有也，天下之与我岂有间哉／我悲人之自丧者，吾又悲夫悲人者，吾又悲夫悲人之悲者

❾众鸟欣有托，吾亦爱吾庐／文以达吾心，画以适吾意／衣食当须纪，力耕不吾欺／吾所以有大患者，为吾有身／往者余弗及兮，来者吾不闻／汝病吾不知时，汝殁吾不知日／乘骐骥以驰骋兮，来吾道夫先路／将欲取天下而为之，吾见其不得已／善者，吾善之；不善者，吾亦善之／信者吾信之，不信者吾亦信之，德信／嫉贪佞之洿浊兮，曰吾其既劳而后食／众人皆以奢糜为荣，吾心独以俭素为美／飞雪蔽野，长河始冰，吾子勉之，慷慨而别／吾观之本，其往无穷；吾求之末，其来无止

❿沧浪之水浊兮，可以濯吾足／沧浪之水清兮，可以濯吾缨／晏平仲问养生于管夷吾……／逆吾者是吾师，顺吾者是吾贼／丈夫穷空自其分，饿死吾肩未尝胁／为人而欲一世之人好，吾悲其为人／为文而欲一世之人好，吾悲其为文／但肯寻诗便有诗，灵犀一点是吾师／汩余若将不及兮，恐年岁之不吾与／暴虎冯河，死而无悔者，吾不与也／譬如平地，虽覆一篑，进，吾往也／譬如为山，未成一篑，止，吾止也／无迷其途，无绝其源，终吾身而已矣／不思而立言，不知而定交，吾其惮也／以吾心之思足下，知足下悬悬于吾也／孰知有无死生之一守者，吾与之为友／士有靡衣鲜食而乐道者，吾未之见也／苟不知我而谓我盗跖，吾又安取惧焉／苟不知我而谓我仲尼，吾又安取荣焉／过眼滔滔云共雾，算人间知己吾和汝／天不欲使兹人有知乎？则吾之命不可期／我不欲人之加诸我也，吾亦欲无加诸人／从水之道而不为私焉，此吾所以蹈之也／观书先须熟读，使其言皆若出于吾之口／

吾师道也，夫庸知其年之先后生于吾乎／吾斯役之不幸，未若复吾赋不幸之甚也／君子遵道而行，半途而废，吾弗能已矣／老吾老以及人之老，幼吾幼以及人之幼／聆其善言，观其善行，足以资吾之未逮／上不至天，下不至地，言出子口而入吾耳／万态虽杂而吾心常彻，万变虽殊而吾心常寂／非我而当者，吾师也；是我而当者，吾友也／生而影不与吾形相依，死而魂不与吾梦相接／人将休，吾将不敢休；人将卧，吾将不敢卧／迷阳迷阳，无伤我行；却曲却曲，无伤吾足／言吾善者，不足为喜；道吾恶者，不足为怒／其所善者，吾则行之；其所恶者，吾则改之／孔子曰：诎寸而信尺，小枉而大直，吾为之也／若使民常畏死，而为奇者，吾得执而杀之孰敢／大丈夫举事，当赤心相示，浮言夸辞，吾甚厌之／继以精思，使其意皆出于吾之心。然后可以有得尔／不以众人待其身，而以圣人望于人，吾未见其尊己也／若鄙人所谓致知格物者，致吾心之良知于事事物物也／乐未毕也，哀又继之；哀乐之来，吾不能御，其去弗能止／我悲人之自丧者，吾又悲夫悲人者，吾又悲夫悲人之悲者／杀人之士民，兼人之土地，以养吾私与吾神者，其战不知孰善／用兵之法：无恃其不来，恃吾有以待也；无恃其不攻，恃吾有所不可攻也

否 ①fǒu 否认；否定；不；不然；无；在动词或形容词后，表示询问。②pǐ 坏，恶；穷，不通；六十四卦之一；贬低，认为不好。

❶否之匪人

见《周易·否》。

否泰无常，吉凶由人

见晋·陈寿《三国志·吴书·贺邵传》。

❷善否，我也；祸福，非我也

❹可则因，否则革／德惟治，否德乱／事之当否，众口必公／动见臧否，言知利害／泰极而否，当歌而哭／任能黜否，则官府治理／不择善否，两容颊适，偷拔其所欲，谓之险／量其当否，参其同异，弃其所短，收其所长

❺师出以律。否臧，凶／乐极生悲，否极泰来／说变通则否戾而不入／力能则进，否则退，量力而行

❻物不可以终否／司察之能，臧否之材也／用人但问堪否，岂以新故异情

❼不论其才之称否，而论其历任之多少

❽发言玄远，口不臧否人物／其本乱，而末治者，否矣

❾某篇是某体，某篇则否……

❿吾虑不清，则未可定然否也／凭谁问，廉颇老矣，尚能饭否／吾哀今之为仕兮，庸有虑时之否臧／章台柳，章台柳！昔日青青今在否／殖货财产，贵其能施赈，否则守钱虏耳／欲出一言，即思此一言于百姓有利益否／喜怒相疑，愚知相欺，善否相非，诞信相讥／怒如严霜，喜如时雨，臧否好恶，坦然可观／意无是非，赞之如流；言无可否，应之如响／贵者，夜以继日，思虑善否，其为形也亦疏矣／观貌之是非，不若论其心与其行事之可否为不失也

吠 fèi 狗叫。

❶吠声者多，辨实者寡

见唐·刘禹锡《上杜司徒书》。

❷狗吠深巷中，鸡鸣桑树颠／狗吠不惊，足下生氂；含哺鼓腹，焉知凶灾

❸一犬吠形，百犬吠声

❹跖之狗吠尧，尧非不仁，狗固吠非其主

❺邑犬之群吠兮，吠所怪也／狗不以善吠为良，人不以善言为贤

❼一犬吠形，百犬吠声／邑犬之群吠兮，吠所怪也

❿伟士坐以俊杰之才，招致群吠之声／夜行者能无为奸，不能禁狗使无吠己／宵行者，能无为奸，而不能令狗无吠己／跖之狗吠尧，尧非不仁，狗固吠非其主

呕 ①ōu 通"讴"，歌唱。②ǒu 吐。③òu 同"怄"，呕气；使呕气。④xū 和悦；谓呵气使温暖。

❸切莫呕心并剔肺，须知妙语出天然

❹苦心虽呕何由出，病骨非谗亦自销

❾卵之化为雏，非慈雌呕暖覆伏，累日积久，则不能为雏

呀 ①yā 叹词；拟声词。②xiā 张口貌；大而空阔。

❾出者突然成丘，陷者呀然成谷

员 ①yuán 指从事某种职业或担任某种职务的人；指团体、组织中的成员；周围。②yún 表决定语气，同"云"；增加。③yùn 姓。

❻捐不急，罢冗员／设官置吏，署员太多，不精则十不如一

❼官在得人，不在员多／窃位而苟禄，备员而全身者，亦无所取焉

❾不以规矩不能成方员

❿心欲小而志欲大，智欲员而行欲方／致治之本，惟在于审；量才授职，务省官员

呙 ①wāi 口不正。②guō 姓。

❷得呙氏之璧，不若得事之所适

呐 ①nà[呐喊]大声喊叫、助威。②nè 同"讷"，说话迟钝或口吃。

❶呐呐寡言者未必愚，喋喋利口者未必智

见唐·陆贽《论朝官阙员及刺史等改转伦序

状》。全句为:"～,鄙朴忤逆者未必悖,承顺惬可者未必忠"。

告 ①gào 告诉;控告;请求;表明;宣布或表示某种结果。②gù[告朔]古时年末天子将来年的历书颁发给诸侯,诸侯按照历书于朔日杀一羊告祭于庙,然后听政的礼节。③jū 通"鞫",审讯定罪。

❶告之以危而观其节

见《庄子·列御寇》。全句为:"君子远使之而观其忠,近使之而观其敬,烦使之而观其能,卒然问焉而观其知,急与之期而观其信,～,醉之以酒而观其侧,杂之以处而观其色"。"知"同"智";"侧",不正。亦作"则",指仪态。

告我以吾过者,吾之师也

见唐·韩愈《答冯宿书》。

告之以直而不改,必痛之而后畏

见唐·柳宗元《封建论》。

❷不告其过,非忠也/忠告而善道之,不可则止,毋自辱焉

❹不虐无告,不废困穷/子路人告之以有过则喜,禹闻善则拜/不问而告谓之傲,问一告二谓之囋。傲非也,囋非也

❺闻善以相告也,见善以相示也/问楛者,勿告也;告楛者,勿问也

❻决狐疑者,必告逆耳之言/闻善言则拜,告有过则喜/相逢难衮衮,告别莫匆匆

❼精而熟之,鬼将告之/为人子者,出必告,反必面/问楛者,勿告也;告楛者,勿问也/黾勉从事,不敢告劳;无罪无辜,谗口嚣嚣

❽上山擒虎易,开口告人难/途殊别务者,虽忠告而见疑

❾委之以财而观其仁,告之以危而观其节

❿内省既不愧己,焚香何用告天/王师北定中原日,家祭无忘告乃翁/无目者不可示以五色,无耳者不可告以五音/汝死我葬,我死谁埋!汝倘有灵,可能告我/人之所难者二:乐攻其恶者难,以恶告人者难/圣人之爱人也,人与之名,不告则不知其爱人也/不问而告谓之傲,问一告二谓之囋。傲非也,囋非也

听 ①tīng 用耳朵接收声音;依从;任凭;治理。②yín 张口笑貌。

❶听和则聪,视正则明

见《国语·周语下》。

听于无声则得其所闻矣

见汉·刘安《淮南子·说林》。全句为:"视于无形则得其所见矣;～"。

听著鸣蛩,一声声是怨

见宋·王月山《齐天乐》。

听者独闻,不谬于清浊

见南朝·宋·范晔《后汉书·陈元传》。全句为:"明者独见,不惑于朱紫;～"。

听其言,则侈大而可乐

见宋·苏轼《应制举上两制书》。全句为:"～;责其效,则汗漫而无当"。

听人以言,乐于钟鼓琴瑟

见《荀子·非相》。

听鼓鼙之声则思将帅之臣

见汉·司马迁《史记·乐书》。

听草遥寻岸,闻香暗识莲

见唐·姚崇《夜渡江》。

听笛始知岸,闻香暗识莲

见唐·柳中庸《夜渡江》。

听其言而察其类,无使放悖

见《吕氏春秋·审分览·审分》。全句为:"按其实而审其名,以求其情;～"。

听玄猿之悲吟,察鹤鸣于九皋

见晋·陈寿《三国志·蜀书·秦宓传》。全句为:"～,安身为乐,无忧为福"。

听远音者,闻其疾而不闻其舒

见《谷梁传·桓公十四年》。全句为:"～;望远者,察其貌而不察其形"。

听言不求其能,举功不考其素

见汉·班固《汉书·梅福传》。全句为:"纳善若不及,从谏若转圜。～"。

听乐而震,观美而眩,患莫甚焉

见《国语·周语下·单穆公谏景王铸大钟》。全句为:"乐不过以听耳,而美不过以观目。若～"。

听其言也,观其眸子,人焉廋哉

见《孟子·离娄上》。

听其雅、颂之声,而志意得广焉

见《荀子·乐论》。

听有音之音者聋,听无音之音者聪

见汉·刘安《淮南子·说林》。全句为:"～;不聋不聪,与神明通"。

听言不可不察,不察则善不善不分

见《吕氏春秋·有始览·听言》。全句为:"～。善不善不分,乱莫大焉"。

听政之初,当以通下情除壅蔽为急务

见宋·苏轼《朝辞赴定州论事状》。

听其言,迹其行,察其所能而慎予官

见《墨子·尚贤中》。

听言当以理观,一闻辄以为据,往往多失

见明·姚舜牧《药言》。

听言之道,必以其事观之,则言者莫敢妄言

见汉·贾谊《疏·治安策》。

听之善,亦必得于心而会于意,不可得而言也

见宋·欧阳修《书梅圣俞稿后》。全句为:"乐之道深矣,故工之善者,必得于心应于手,而不可述之言也;～"。

听讼者或从其情或从其词，词不可从必断以情

见秦·孔鲋《孔丛子·刑论》。

❷中听则民安／一听则愚智不分／不听琴，只是不知音／不听窕言，不受窕货／借听于聋，求道于盲／偏听生奸，独任成乱／兼听则明，偏听则暗／观听不参，则诚不闻／毋听谗，听谗则失士／谨听节俭，众民之术也／道听而途说，德之弃也／周听则不蔽，稽验则不惶／凡听言，要先知言者人品／不听其言也，则无术者不知／外听易为察，而内听难为聪／处听易为察，而内听难为聪／众听所倾，非假《北里》之操／君听浊浪金焦外，淘尽英雄是此声／反听之谓聪，内视之谓明，自胜之谓强／乐听其音，则知其俗；见其俗，则知其化／轻听发言，安知非人之谮诉，当忍耐三思／愁听，吹笛《关山》……月中都是断肠声／视听言行，循礼法而动，所以教人忘嗜欲而归性命之道也

❸孤篷听雨下潇湘／言能听，道乃进／惑于听受，暗于知人／有兼听之明，而无奋矜之容／聪者听于无声，明者见于未形／或说听计当而身疏，或言不用、计不行而益亲

❹无简不听／南面而听百里／造物者听其自然／博览兼听，谋及疏贱／声一无听，物一无文／毋听谗，听谗则失士／不穷视听界，焉识宇宙广／鼓声随听绝，帆势与云邻／谏不足听者，辞不足感心也／鸿钟在听，不足论击缶之音／国将兴，听于民；将亡，听于神／民，别而听之则愚，合而听之则圣／衙斋卧听萧萧竹，疑是民间疾苦声／闻鸡久听南天雨，立马曾挥北地鞭

❺君子耳不听淫声／举事不私，听狱不阿／诲尔谆谆，听我藐藐／视远惟明，听德惟聪／言之谆谆，听之藐藐／不怀爱而听，不留说而计／百万之师听于一将，则胜／令苛则不听，禁多则不行／乐不过以听耳，而美不过以观目／聪明则视听不惑，公正则不迩谗邪／是非不可听而发暴，曲直必宜察而辨明／说者怀畏，听者怀骄，以此行义，不亦难乎／居官不难，听言为难；听言不难，明察为难

❻兼听则明，偏听则暗／智出天下，而听于至愚／使能之谓明，听信之谓圣／明有所不见，听有所不闻／视之而不见，听之而不闻／以天下之耳听，则无不闻也／无稽之言勿听，弗询之谋勿庸／今吾于人也，听其言而观其行／始吾于人也，听其言而信其行／人言善，亦勿听；人言恶，亦勿听／论其诗不如听其声，听其声不如察其形／视之不足见，听之不足闻，用之不足既／视之而不见，听之而不闻，搏之而不得／不受虚言，不听浮术，不采华名，不兴伪事／力视损明，力听损聪，疾言阻德，功伪败功／异音者不可听以一律，异形者不可合于一体／心狂志悖，视听从类，政令无常，下民作孽

❼姑妄言之，姑妄听之／节欲则民富，中听则民安／问之不切，则其听之不专／临难而不能勿听，不可谓勇／对苍茫之寒日，听萧瑟之悲蝉／视强，则目不明；听甚，则耳不聪／毁誉从来不可听，是非终久自分明／当以执两以兼听，而不以狐疑为兼听／私视使目盲，私听使耳聋，私虑使心狂／一日万机，一人听断，虽复忧劳，安能尽善／冷眼观人，冷耳听语，冷情当感，冷心思理／道，视之不可见，听之不可闻，搏之不可得／言不中法者，不听也；行不中法者，不高也／因其性，则天下听从；拂其性，则法县而不用

❽侧目而视，倾耳而听／多指乱视，多言乱听／疑心动于中，则视听惑于外／义理不先尽，则多听而易惑／外听易为察，而内听难为聪／处听易为察，而内听难为聪／天视自我民视，天听自我民听／勿贵难得之货，勿听亡国之音／不窥人闺门之私，听闻中冓之言／以仁心说，以学心听，以公心辨／说者持容而不极，听者自多而不得／请君莫奏前朝曲，听唱新翻杨柳枝／听有音之音者聋，听无音之音者聪／弹虽在指声在意，听不以耳而以心／目妄视则淫，耳妄听则惑，口妄言则乱／非礼勿视，非礼勿听，非礼勿言，非礼勿动／君之所以明者，兼听也；其所以暗者，偏信也

❾上无疑令，则众不二听／百言不明一意则不听也／为女妄言之，女以妄听之／时闻声如蝉蝇之类，听之亦无／国将兴，听于民；将亡，听于神／临流不忍轻相别，吟听潺湲到天明／学视者先见舆薪，学听者先闻撞钟／或争利而反强之，或听从而反止之／计有一二者难悖也，听无失本末者难惑／论其诗不如听其声，听其声不如察其形／谗夫似贤，美言似信，听之者惑，观之者冥／居官不难，听言为难；听言不难，明察为难／心不在焉，视而不见，听而不闻，食而不知其味

❿务言而缓行，虽辩必不听／朋党比周之誉，君子不听／行不修而欲谈人，人不听也／天视自我民视，天听自我民听／谋莫难于周密，说莫难于悉听／臣以能言为能，君以能听为能／予尝为女妄言之，女亦以妄听之／挟天子以令天下，天下莫敢不听／民，别而听之则愚，合而听之则圣／人言善，亦勿听；人言恶，亦勿听／先虑之，早谋之，斯须之言而足听／苦吟莫向朱门里，满耳笙歌不听君／死后是非谁管得，满村听说蔡中郎／心事浩茫连广宇，于无声处听惊雷／目不能两视而明，耳不能两听而聪／秋阴不散霜飞晚，留得枯荷听雨声／雷隐隐，感妾心，倾耳清听非车音／当以执两以兼听，而不以狐疑为

兼听／不闻大论则志不宏，不听至言则心不固／人灵于物者也，何不自听，而听于物乎／形骸既适则神不烦，观听无邪则道以明／目不能二视，耳不能二听，手不能二事／独视不若与众视之明，独听不若与众听之聪／清音宛转，如诉如慕，坐客听之，不觉泪下／风摇其巅，韵动崖谷，视之既静，其听始远／貌曰恭，言曰从，视曰明，听曰聪，思曰睿／其有法者以法行，无法者以类举，听之尽也／一言得而天下服，一言定而天下听，公之谓也／谗人似实，巧言如簧，使听之者惑，视之者昏／雅郑有素矣，而好恶不同，故两耳不相为听焉／才可伪，功不可伪；临民听政，长短贤不肖立见／直视千里外，唯见起黄埃。凝思寂听，心伤已摧／君子有三变：望之俨然，即之也温，听其言也厉／法虽在，必待圣而后治；律虽具，必待耳而后听／人之情，目欲视色，耳欲听声，口欲察味，志气欲盈／入夜思归切，笛声清更哀，愁人不愿听，自到枕前来／虽有纳谏之明，而无力行之果断，则言愈多而听愈惑／欲成功而反为败者，生于不知道理，而不肯问知而听能／仰观宇宙之大，俯察品类之盛，所以游目骋怀，足以极视听之娱／伯夷，目不视恶色，耳不听恶声。非其君，不事；非其民，不使

吟 ①yín 呻吟；声音抑扬顿挫地诵读；作诗；诗体的名称；口气。②jìn 通“噤”，不开口。

❶吟咏之间，吐纳珠玉之声

见南朝·梁·刘勰《文心雕龙·神思》。全句为：“～；眉睫之前，卷舒风云之色”。

吟安一个字，捻断数茎须

见唐·卢延让《苦吟》。

吟成五字句，用破一生心

见唐·方干《感怀》。

吟咏有真得，不解脱终为套语

见明·陈继儒《小窗幽记》。全句为：“田园有真乐，不潇洒终为忙人；诵读有真趣，不玩味终为鄙夫；山水有真赏，不领会终为漫游；～”。

❷遥吟俯畅，逸兴遄飞／如吟如啸，非竹非丝／才吟五字句，又白几茎髭／苦吟莫向朱门里，满耳笙歌不听君／龙吟虎啸一时发，万籁百泉相与秋

❸诗者，吟咏情性也／诗情吟未足。酒兴断还续

❹一咏一吟，寄心期于别后／料得行吟者，应怜长叹人／散发高吟，对明月于青溪之下／口不绝吟于六艺之文，手不停披于百家之编／闻《秦中吟》，则权豪贵近者相目而变色矣

❺忽闻晓角吟风，一叶坠露，惊而试问，即红线回矣

❻听玄猿之悲吟，察鹤鸣于九皋／吴僧爱觅闲吟处，偷向花边竹里来／宁为宇宙闲吟客，怕作乾坤窃禄人／虎啸风生，龙吟云萃，固非偶然也

❼新诗改罢自长吟／万卷山积，一篇吟成／二句三年得，一吟双泪流／读书而寄兴于吟咏风雅，定不深心／兴于嗟叹，发于吟咏，而形于歌诗矣

❽俯于逵，惟行旅讴吟是采／临流不忍轻相别，吟听潺湲到天明／贯穿百代尝探古，吟咏千篇亦造微

❾胡笳互动，牧马悲鸣，吟啸成群，边声四起

❿日出众鸟散，山暝孤猿吟／万家墨面没蒿莱，敢有歌吟动地哀／不因酒困因诗困，常被吟魂恼醉魂／不是无端悲怨深，直将阅历写成吟／词家从不觅知音，累汝千回带泪吟／熟读唐诗三百首，不会吟诗也会吟／自滴阶前大梧叶，干君何事动哀吟／夕景欲沉，晓雾将合；孤鹤寒啸，游鸿远吟

吻 wěn 嘴唇；动物的嘴；用嘴接触人或物，表示亲爱。

❸食钩吻以疗饥，饮鸩毒以救渴

❹身寄虎吻，危同朝露

❻雌黄出其唇吻，朱紫由其月旦

❿倚势豪夺，飞食人肉，鼓吻弄翼，道路以目

吹 chuī 撮起嘴唇用力呼气；夸口；事情不成功。

❶吹呴呼吸，吐故纳新

见汉·刘安《淮南子·精神》。

吹毛洗垢，求其痕疵

见唐·张九龄《答严给事书》。

吹波则江汉倒流，腾气则虹霓掩彩

见唐·王勃《为人与蜀城父老书》。

❷不吹毛而求小疵，不洗垢而察难知

❸北风吹，能几时／春风吹蚕细如蚁，桑芽才努青鸦嘴／愁听，吹笛《关山》……月中都是断肠声

❹风乍起，吹皱一池春水／言之如吹影，思之如镂尘／不管风吹浪打，胜似闲庭信步

❺发为胡笳吹作雪，心因烽火炼成丹／风起绿洲吹浪去，雨从青野上山来

❼偏爱东风款款吹／清谈高论，嘘枯吹生

❽莫待山阳路，空闻吹笛悲／野火烧不尽，春风吹又生／天苍苍，野茫茫，风吹草低见牛羊／千淘万漉虽辛苦，吹尽狂沙始到金

❿舟遥遥以轻飏，风飘飘而吹衣／高天滚滚寒流急，大地微微暖气吹／幽音变调忽飘洒，长风吹林雨堕瓦／宁可枝头抱香死，何曾吹落北风中／昨日春风欺不在，就床吹落读残书／牧童归去横牛背，短笛无腔信口吹／呦呦鹿鸣，食野之苹；我有嘉宾，鼓瑟吹笙／金石有声，弗叩弗鸣；管箫有音，弗吹无声

呜 wū 拟声词；[呜呼]叹词；[呜咽]低声哭泣。

❷喑呜则山岳崩颓，叱咤则风云变色

❻丧乱死多门，呜呼泪如霰

吝 lìn 吝惜，舍不得；贪鄙，吝啬；耻辱。

❶吝者，穷急不恤之谓也

见北齐·颜之推《颜氏家训·治家》。全句为："俭者，省约为礼之谓也；～"。

❷鄙吝者必非大器

❸遏悔吝于未萌，验是非于往事

❹改过不吝，从善如流／"改过不吝，无咎"者，善补过也

❻勋劳宜赏，不吝千金；无功望施，分毫不与

❽用人惟己，改过不吝／囊漏贮中，识者不吝；反裘负薪，存毛实难

❿贤莫大于成功，愚莫大于吝且诬／欲人不知，莫若无为；欲无悔吝，不若守慎／见可怜则流涕，将分与则吝啬，是慈而不仁者／如有周公之材之美，使骄且吝，其馀不足观也已

吭 ①háng 喉咙。②kēng 出声。

❻水禽嬉戏，引吭伸翮

启 qǐ 打开；开始；开导；陈述；书信；古代指立春、立夏；古指军队的左翼；姓。

❶启行之辞，逆萌中篇之意

见南朝·梁·刘勰《文心雕龙·章句》。全句为："～；绝笔之言，追媵前句之旨"。

启奸邪之路，长贪暴之心

见北魏·拓跋濬《案诏迁代前逋诏》。全句为："有罪者优游获免，无罪者妄受其辜。是～"。

❷无启宠纳侮，无耻过作非

❹不愤不启，不悱不发。举一隅不以三隅反，则不复也

❻筚路蓝缕，以启山林／广直言之路，启进善之门

❼多难兴王，殷忧启圣／谢朝华于已披，启夕秀于未振／利天下者，天下启之；害天下者，天下闭之

❽无征而言，取不信、启作妄之道也

❿苟不悖于圣道，而有以启明者之虑

君 jūn 君主；对人的敬称；统治，主宰；妻称夫。

❶君子无所争

见《论语·八佾》。

君命有所不受

见《孙子兵法·九变篇》。

君子不为苛察

见《庄子·天下》。

君子以虚受人

见《周易·咸》。

君子贞而不谅

见《论语·卫灵公》。

君子诚之为贵

见《礼记·中庸》。

君子所其无逸

见《尚书·无逸》。

君子爱人以德

见清·李渔《慎鸾交》第十一出。

君子羞言利名

见汉·刘向《说苑·贵德》。

君子不重则不威

见《论语·学而》。

君子不鼓不成列

见《公羊传·僖公二十二年》。

君子不困人于阨

见元·曾先之《十八史略·春秋战国·宋》。

君子不欲多上人

见《左传·桓公五年》。

君子反经而已矣

见《孟子·尽心下》。

君子周急不继富

见《论语·雍也》。

君子之教，喻也

见《礼记·学记》。全句为："～；道而弗牵，强而弗抑，开而弗达"。

君子以直道待人

见现代·郭沫若《郑成功》五章四。

君子以厚德载物

见《周易·坤》。

君子以果行育德

见清·吴敬梓《儒林外史》第三十六回。

君子以文明为德

见三国·魏·王弼《周易·同人》注。

君子以钟鼓道志

见《荀子·乐论》。

君子谋道不谋富

见唐·柳宗元《吏商》。

君子问灾不问福

见明·施耐庵《水浒传》第六十一回。

君子有死而无贰

见唐·杨炯《泸川都督王湛神道碑》。

君子必慎其独也

见《礼记·大学》。

君子耳不听淫声

见《荀子·乐论》。

君原于德而成于天

见《庄子·天地》。

君国者不乐民之哀

见《晏子春秋·内篇谏下第十一》。

君子不亮，恶乎执

见《孟子·告子下》。“亮”，同“谅”，诚信；“恶”，怎么；“执”，把持。

君子不夺人之所好

见明·瞿汝稷《指月录》。

君子之行仁也无厌

见《荀子·非相》。

君子之学，贵慎始

见清·刘榕《习惯说》。

君子养心莫善于诚

见《荀子·不苟》。

君子受言以达聪明

见清·魏源《默觚下·治篇十二》。

君子忧道，不忧贫

见《论语·卫灵公》。

君子慎始而无后忧

见宋·苏洵《上文丞相书》。

君子恶名之溢于实

见宋·王安石《送陈升之序》。

君上好善，民无讳言

见《晏子春秋·内篇杂上第十一》。

君，利势也，次官也

见《吕氏春秋·离俗览·用民》。全句为：“～。处次官，执利势，不可而不察于此”。

君子不可以不刳心焉

见《庄子·天地》。

君子失心，鲜不夭昏

见《国语·晋语二》。

君子之学，死而后已

见清·顾炎武《与人书六》。

君子之言，信而有征

见《左传·昭公八年》载叔向语。

君子以思患而豫防之

见《周易·既济·象》。

君子使物，不为物使

见《管子·内业》。

君子交绝，不出恶声

见《战国策·燕策二》。

君子莫大乎与人为善

见《孟子·公孙丑上》。

君子宅情，无求于显

见晋·裴頠《崇有论》。

君子安贫，达人知命

见唐·王勃《滕王阁序》。

君子寡尤，小人多怨

见隋·王通《中说·魏相》。全句为：“君子先择而后交，小人先交而后择，故～”。

君子远使之而观其忠

见《庄子·列御寇》。全句为：“～，近使之而观其敬，烦使之而观其能，卒然问焉而观其知，急与之期而观其信，告之以危而观其节，醉之以酒而观其侧，杂之以处而观其色”。“知”同“智”；“侧”，不正。亦作“则”，指仪态。

君子道长，小人道消

见《周易·泰》。

君子居之，何陋之有

见《论语·子罕》。

君子约言，小人先言

见《礼记·坊记》。

君子绝交，不出恶言

见现代·郭沫若《甘愿做炮灰》四幕。

君子耻其言而过其行

见《论语·宪问》。

君子贵建本而重立始

见汉·刘向《说苑·建本》。全句为：“失之毫厘，差以千里，是故～”。

君子欲讷，吉人寡辞

见唐·姚崇《口箴》。

君子盛德，容貌若愚

见汉·司马迁《史记·老子韩非列传》。

君明臣忠，民赖其福

见《易林·解·明夷》。

君者政源，人庶犹水

见唐·吴兢《贞观政要·诚信》。全句为：“流水清浊，在其源也。～，君自为诈，欲臣下行直，是犹源浊而望水清，理不可得”

君有奇智，天下不臣

见五代·南唐·谭峭《化书卷三·异心》。

君义、……所谓六顺也

见《左传·隐公三年》。删节处为：“臣行、父慈、子孝、兄爱、弟敬”。

君人也者，无贵如其言

见《管子·君臣上》。

君子不犯辱，况于刑乎

见汉·荀悦《申鉴·政体》。

君子不镜于水而镜于人

见《墨子·非攻中》。

君子可欺也，不可罔也

见《论语·雍也》。

君子中庸，小人反中庸

见《礼记·中庸》。

君子出处不违道而无愧

见宋·欧阳修《与颜直讲》。

君子之治，必先死于国

见《西升经·身心章》。

君子之学也，以美其身

见《荀子·劝学》。全句为：“～；小人之学也，以为禽犊”。

君子以慎言语，节饮食

见《周易·颐》。

君子能行是，不能御非

见汉·桓宽《盐铁论·非鞅》。

君子居其位则思死其官

见唐·韩愈《进士策问》。全句为："～，未得位则思修其辞以明其道"。

君子引而不发，跃如也

见《孟子·尽心上》。全句为："大匠不为拙工改废绳墨，羿不为拙射变其彀率。～。"

君子耻不修，不耻见污

见《荀子·非十二子》。全句为："～；耻不信，不耻不见信，耻不能，不耻不见用"。

君子见过忘罚，故能谏

见汉·刘安《淮南子·缪称》。全句为："～；见贤忘贱，故能让；见不足忘贫，故能施。情系于中，行形于外"。

君子有徽猷，小人与属

见《诗·小雅·角弓》。

君子有远虑，小人从迩

见《左传·襄公二十八年》。

君子欲讷于言而敏于行

见《论语·里仁》。

君子疾没世而名不称焉

见《论语·卫灵公》。

君者舟也，庶人者水也

见三国·魏·王肃《孔子家语·五仪解》。全句为："～。水所以载舟，亦所以覆舟"。

君不择将，以其国予敌也

见汉·班固《汉书·晁错传》。全句为："将不知兵，以其主予敌也；～"。

君非民不立，民非谷不生

见晋·陈寿《三国志·吴书·吴主传》。

君之奢俭，为人富贫之源

见唐·白居易《策林二·人之困穷与君之奢欲》。

君为正，则百姓从而正矣

见三国·魏·王肃《孔子家语·大婚解》。

君以为难，其易也将至矣

见《国语·晋语四》。全句为："君以为易，其难也将至矣；～"。

君以为易，其难也将至矣

见《国语·晋语四》。全句为："～；君以为难，其易也将至矣"。

君使臣以礼，臣事君以忠

见《论语·八佾》。

君当作磐石，妾当作蒲苇

见汉·无名氏《古诗为焦仲卿妻作》。全句为："～；蒲苇纫如丝，磐石无转移"。

君君，臣臣，父父，子子

见《论语·颜渊》。

君门以九重，道远河无津

见三国·魏·曹植《当墙欲高行》。

君道友逆，则顺君以诛友

见汉·刘向《说苑·立节》。全句为："～；友道君逆，则率友以违君"。

君子与小人，并处必为患

见元·赵孟頫《题耕织图二十四首·咏耕四月》。全句为："嘉谷虽已殖，恶草亦滋蔓。～"。

君子无终食之间违仁……

见《论语·里仁》。全句为："～，造次必于是，颠沛必于是"。

君子无易由言，耳属于垣

见《诗·小雅·小弁》。

君子不为苟存，不为苟亡

见晋·陈寿《三国志·魏书·梁习传》。

君子求诸己，小人求诸人

见《论语·卫灵公》。

君子内省不疚，无恶于志

见《礼记·中庸》。

君子之于人才，无所不取

见唐·韩愈《上宰相书》。

君子之于物，无所苟而已

见《谷梁传·僖公十六年》。

君子之祥也，以政不以怪

见唐·柳宗元《零陵郡复乳穴记》。

君子以行言，小人以舌言

见三国·魏·王肃《孔子家语·颜回》。

君子以文会友，以友辅仁

见《论语·颜渊》。

君子以礼正外，以乐正内

见汉·刘向《说苑·修文》。

君子直而不挺，曲而不诎

见汉·班固《汉书·盖宽饶传》。

君子交有义，不必常相从

见三国·魏·郭遐叔《赠嵇康五首》之五。

君子亦仁而已矣，何必同

见《孟子·告子下》。

君子防未然，不处嫌疑间

见汉·乐府古辞《君子行》。

君子能勤小物，故无大患

见《国语·晋语九》。

君子难进易退，小人反是

见《宋名臣言行录》。

君子坦荡荡，小人长戚戚

见《论语·述而》。

君子小过，则白玉之微瑕

见唐·魏征《论君子小人疏》。全句为："小人非无小善，君子非无小过。～；小人小善，乃铅刀之一割"。

君子尚消息盈虚，天行也

见《周易·剥》。

君子喻于义，小人喻于利

见《论语·里仁》。

君子固穷，小人穷斯滥矣

见《论语·卫灵公》。

君子行正气，小人行邪气

见汉·刘安《淮南子·诠言》。

君子行法，以俟命而已矣

见《孟子·尽心下》。

君子得意而忧，逢喜而惧

见明·吕坤《呻吟语》。全句为："殃咎之来，未有不始于快心者。故～"。

君子淡以亲，小人甘以绝

见《庄子·山木》。全句为："君子之交淡若水，小人之交甘若醴；～"。

君子淡以成，小人甘以坏

见《礼记·表记》。全句为："君子之接如水，小人之接如醴；～"。

君子进德修业，欲及时也

见《周易·乾·文言》。

君子遗人以财，不若善言

见三国·魏·王肃《孔子家语·六本》。

君子忌苟合，择交如求师

见唐·贾岛《送沈秀才下第东归》。

君子如春风，可爱不可竭

见清·顾图河《息交》。全句为："～；小人如酒颜，但得暂时热"。

君子贵知足，知足万虑轻

见元·赵孟頫《九月》。

君子见几而作，不俟终日

见《周易·系辞下》。

君子矜而不争，群而不党

见《论语·卫灵公》。

君子笃于亲，则民兴于仁

见《论语·泰伯》。全句为："～；故旧不遗，则民不偷"。

君子食无求饱，居无求安

见《论语·学而》。全句为："～，敏于事而慎于言，就有道而正焉，可谓好学也已"。

君，根本也；臣，枝叶也

见汉·刘安《淮南子·缪称》。全句为："～。根本不美，枝叶茂者，未之闻也"。

君有疾，饮药，臣先尝之

见《礼记·曲礼下》。全句为："～；亲有疾，饮药，子先尝之"。

君欲自知其过，必待忠臣

唐·李世民语。全句为："人欲自见其势，以资明镜；～"。

君心似松柏，雁足寄珠玑

见宋·舒雅《答刘学士》。

君看一叶舟，出没风波里

见宋·范仲淹《江上渔者》。

君看磊落士，不肯易其身

见唐·杜甫《三韵三篇之一》。

君用忠良，则伯王之业隆

见晋·陈寿《三国志·魏书·袁绍传》。全句为："～；臣奉暗后，则覆亡之祸至"。

君臣节俭足，朝野欢呼同

见唐·杜甫《往在》。

君不与臣争功，而治道通矣

见汉·刘安《淮南子·缪称》。

君民者岂以陵民？社稷是主

见《晏子春秋·内篇杂上第二》。

君虽明哲，必藉股肱以致治

见唐·吴兢《贞观政要·鉴戒》。全句为："首虽尊高，必资手足以成体；～"。

君子一教，弟子一学，亟成

见《荀子·大略》。

君子于其所不知，盖阙如也

见《论语·子路》。

君子于其言，无所苟而已矣

见《论语·子路》。

君子不畏虎，独畏谗夫之口

见汉·王充《论衡·言毒篇》。

君子生非异也，善假于物也

见《荀子·劝学》。

君子之中庸也，君子而时中

见《礼记·中庸》。全句为："～；小人之反中庸也，小人而无忌惮也"。

君子之为书，犹工人之作器

见宋·苏洵《太玄论上》。

君子之仕，不以高下易其心

见宋·苏辙《张士澄通判定州》。

君子之守，修其身而天下平

见《孟子·尽心下》。全句为："君子之言也，不下带而道存焉；～"。

君子之过也，如日月之食焉

见《论语·子张》载子贡语。全句为："～：过也，人皆见之；更也，人皆仰之"。

君子以遏恶扬善，顺天休命

见《周易·大有》。

君子行义，不为莫知而止休

见汉·刘安《淮南子·说山》。全句为："兰生幽谷，不为莫服而不芳；舟在江海，不为莫乘而不浮；～"。

君子惧失仁义，小人惧失利

见汉·刘安《淮南子·缪称》。全句为："君子非仁义无以生，失仁义则失其所以生；小人非嗜欲无以活，失嗜欲则失其所以活。故～"。

君子道其常，而小人计其功

见《荀子·天论》。

君子好人之好,而忘己之好

见汉·扬雄《法言·君子》。全句为:"~;小人好己之恶,而忘人之好"。

君子时诎则诎,时伸则伸也

见《荀子·仲尼》。

君子致其道德,而福禄归焉

见汉·刘向《说苑·贵德》。全句为:"山致其高,云雨起焉;水致其深,蛟龙生焉;~"。

君子服人之心,不服人之言

见隋·王通《中说·立命篇》。

君臣争明……此乖国之风也

见汉·荀悦《申鉴·政体》。删节处为:"朝廷争功,士大夫争名,庶人争利"。

君臣遇合,天下事迎刃而解

见宋·苏辙《姚崇》。

君无劳民之事,民得勤而耕农

见五代·前蜀·杜光庭《道德真经广圣义》卷四十。全句为:"~。农功不妨,谷稼丰赡,故人富也"。

君不能知其臣,则无以齐万国

见唐·吴兢《贞观政要·择官》。全句为:"父不能知其子,则无以睦一家;~"。

君以知贤为明,吏以爱民为忠

见汉·贾谊《新书·大政上》。

君人者,宽惠慈众,不身传诛

见《晏子春秋·内篇谏下第三》。

君功见于选将,将功见于理兵

见唐·白居易《选将帅之方》。

君功见于选吏,吏功见于治民

见汉·贾谊《新书·大政下》。

君能清静,百姓何得不安乐乎

见唐·吴兢《贞观政要·政体》。全句为:"治国犹如栽树,本根不摇,则枝叶茂荣。~"。

君择才而授官,臣量己而受职

见宋·刘清之《戒子通录》。全句为:"良匠无弃材,明君无弃士。人才有长短,能有巨细。~,则委任责成,不劳而治"。

君子不为小人之匈匈也,辍行

见《荀子·天论》。

君子不以言举人,不以人废言

见《论语·卫灵公》。

君子不谓小善不足为也而舍之

见汉·刘安《淮南子·缪称》。

君子不掩人之功,不蔽人之善

见《公羊传·桓公十三年》。

君子不待褒而劝,不待贬而惩

见宋·苏洵《史论上》。

君子乐得其道,小人乐得其欲

见《礼记·乐记》。

君子周而不比,小人比而不周

见《论语·为政》。

君子之于人,无不欲其人于善

见唐·韩愈《重答李翊书》。

君子之不骄,虽暗室不敢自慢

见宋·王安石《周公》

君子之志于道也,不成章不达

见《孟子·尽心上》。全句为:"流水之为物也,不盈科不行;~"。

君子之接如水,小人之接如醴

见《礼记·表记》。全句为:"~;君子淡以成,小人甘以坏"。

君子之学也,其可一日而息乎

见宋·欧阳修《杂说三首》。

君子之所取者远,则必有所待

见宋·苏轼《贾谊论》。全句为:"~;所就者大,则必有所忍"。

君子之穷通,有异乎俗者也。

见《吕氏春秋·离俗览·高义》。全句为:"君子之自行也,动必缘义,行必诚义,俗虽谓之穷,通也;行不诚义,动不缘义,俗虽谓之通,穷也;然则~"

君子之言也,不下带而道存焉

见《孟子·尽心下》。全句为:"~;君子之守,修其身而天下平"。

君子以义相褒,小人以利相欺

见汉·陆贾《新语·道基》。

君子以俭德辟难,不可荣以禄

见《周易·否》。

君子以其身之正,知人之不正

见宋·苏轼《私试策问七首》之七。全句为:"~;以人之不正,知其身之有所未正也"。

君子诚仁,施亦仁,不施亦仁

见汉·刘安《淮南子·缪称》。

君子能为善,而不能必得其福

见汉·刘安《淮南子·缪称》。全句为:"~;不忍为非,而未能必免其祸"。

君子扬人之善,小人讦人之恶

见唐·吴兢《贞观政要·公平》。

君子和而不同,小人同而不和

见《论语·子路》。

君子虽在他乡,不忘父母之国

见明·冯梦龙《东周列国志》第四十三回。

君子得之固躬,小人得之轻命

见《阴符经》中。全句为:"其盗机也,天下莫不能见,莫不能知。~"。

君子得时如水,小人得时如火

见汉·刘向《说苑·谈丛》。

君子杀民如杀身,活人如活己

见汉·严遵《道德指归论·勇敢篇》。

君子相送以言，小人相送以财

见汉·司马迁《史记·滑稽列传》。

君子易知而难狎，易惧而难胁

见《荀子·不苟》。

君子泰而不骄，小人骄而不泰

见《论语·宪问》。

君子责人则以人，自责则以义

见《吕氏春秋·离俗览·举难》。全句为："～。责人以人则易足，易足则得人；自责以义则难为非，难为非则形饰；故任天地而有余。不肖者则不然，责人则以义，自责则以人。责人以义则难瞻，难瞻则失亲；自责以人则易为，易为则行苟；故天下之大而不容也，身取危、国取亡焉"。"瞻"，当作"赡"。难瞻，难以满足。

君子有终身之忧，无一朝之患

见《孟子·离娄下》。

君不见曲如钩，古人知尔封公侯

见唐·李白《笑歌行》。全句为："～；君不见直如弦，古人知尔死道边"。

君不见直如弦，古人知尔死道边

见唐·李白《笑歌行》。全句为："君不见曲如钩，古人知尔封公侯；～"。

君为政焉勿卤莽，治民焉勿灭裂

见《庄子·则阳》。

君子可欺以其方，难罔以非其道

见《孟子·万章上》。

君子之度已则以绳，接人则用抴

见《荀子·非相》。

君子为国，正其纲纪，治其法度

见宋·苏辙《新论下》。

君子以多识前言往行，以畜其德

见《周易·大畜》。

君子修道立德，不为穷困而改节

见三国·魏·王肃《孔子家语·在厄》。

君子尊贤而容众，嘉善而矜不能

见《论语·子张》。

君子能为可贵，不能使人必贵己

见《荀子·大略》。全句为："～；能为可用，不能使人必用己"。

君子小人之分，义与利之间而已

见宋·朱熹《四书集注·论语·雍也》。

君子当有所好恶，好恶不可不明

见唐·韩愈《与崔群书》。

君子固当亲，然亦不可曲为附和

见清·申涵光《荆园小语》。全句为："小人固当远，然亦不可显为仇敌；～"。

君子得时则大行，不得时则龙蛇

见汉·班固《汉书·扬雄传》。

君子多欲则贪慕富贵，枉道速祸

见宋·司马光《温公文正司马公文集》。全句为："～；小人多欲则多求妄用，败家丧身"。

君子慎始，差若毫厘，缪之千里

见汉·戴德《大戴礼记·礼察》引《易纬》。

君子如欲化民成俗，其必由学乎

见《礼记·学记》。

君子所役心劳神，宜于大者远者

见唐·王勃《平台秘略论十首·文艺》。

君子有失其所兮，小人有得其时

见唐·韩愈《闵己赋》。

君子思过而预防之，所以有诫也

见隋·王通《中说·问易》。

君子恶居下流，天下之恶皆归焉

见《论语·子张》。

君正臣从谓之顺，君僻臣从谓之逆

见《晏子春秋·内篇谏上第七》。

君失臣兮龙为鱼，权归臣兮鼠变虎

见唐·李白《远别离》。

君听浊浪金焦外，淘尽英雄是此声

见清·王图炳《渡江》。

君行仁政，斯民亲其上，死其长矣

见《孟子·梁惠王下》。

君门一入无由出，唯有宫莺得见人

见唐·顾况《宫词》。

君问归期未有期，巴山夜雨涨秋池

见唐·李商隐《夜雨寄北》。

君道立则利出其群，而人备可完矣

见《吕氏春秋·离俗览·恃君》。全句为："群之可聚也，相与利之也。利之出于群也，君道立也。故～"。

君好嫌，臣好逸……此弱国之风也

见汉·荀悦《申鉴·政体》。删节处为："士好游，民好流"。

君子无小人则饥，小人无君子则乱

见宋·朱熹《四书集注·孟子·滕文公上》。

君子不得已而临莅天下，莫若无为

见《庄子·在宥》。

君子不怀暴君之禄，不处乱国之位

见《晏子春秋·内篇问下第十》。

君子不恤年之将衰，而忧志之有倦

见三国·魏·徐幹《中论·修本》。

君子可招而不可诱，可弃而不可慢

见隋·王通《文中子·礼乐》。

君子之于世，无去无就，惟道是从

见明·薛应旂《薛方山纪述》。

君子之交淡若水，小人之交甘若醴

见《庄子·山木》。全句为："～；君子淡以亲，小人甘以绝"。

君子之学也，藏焉修焉，息焉游焉

见《礼记·学记》。

君子之学进于道，小人之学进于利

见隋·王通《中说·天地》。

君子之……所就者大,则必有所忍

见宋·苏轼《贾谊论》。删节处为:"所取者远,则必有所待"。

君子之言寡而实,小人之言多而虚

见汉·刘向《说苑·说丛》。

君子为国……故旷日长久而社稷安

见汉·贾谊《新书·过秦论下》。删节处为:"观之上古,验之当世,参以人事,察盛衰之理,审权势之宜,去就有序,变化有时"。

君子直道而行,知必屈辱而不避也

见汉·陆贾《新语·辨惑》。

君子任职则思利民,达上则思进贤

见汉·王符《潜夫论·忠贵》。

君子先择而后交,小人先交而后择

见隋·王通《文中子·中说·魏相》。

君子志于泽天下,小人志于荣其身

见宋·刘炎《迩言》。

君子择交莫恶于易与,莫善于胜己

见清·王夫之《张子正蒙注·有德篇》。

君子知自损之为益,故功一而美二

见三国·魏·刘劭《人物志·释争》。全句为:"~。小人不知自益之为损,故一伐而并失"。

君子独立不惭于影,独寝不惭于魂

见《晏子春秋·外篇·不合经术者》。

君子违难不适仇国,交绝不出恶声

见南朝·宋·范晔《后汉书·袁谭传》。

君子居易以俟命,小人行险以徼幸

见《礼记·中庸》。

君子学道则爱人,小人学道则易使

见《论语·阳货》。

君子者,性非绝世,善自托于物也

见汉·王符《潜夫论·赞学》。

君子有三戒:少之时……戒之在得

见《论语·季氏》。删节处为:"血气未定,戒之在色;及其壮也,血气方刚,戒之在斗;及其老也,血气既衰"。

君子有九思:视思明……见得思义

见《论语·季氏》。删节处为:"听思聪,色思温,貌思恭,言思忠,事思敬,疑思问,忿思难"。

君子有力于民则进爵禄,不辞富贵

见《晏子春秋·内篇杂上第一》。

君子病无能焉,不病人之不己知也

见《论语·卫灵公》。

君王旧迹今人赏,转见千秋万古情

见唐·杜甫《越王楼歌》。

君王城上竖降旗,妾在深宫哪得知

见唐·花蕊夫人《述国亡诗》。全句为:"~?十四万人齐解甲,更无一个是男儿"。

君王虽爱蛾眉好,无奈宫中妒杀人

见唐·李白《玉壶吟》。

君日骄而臣日谄,未有不丧邦者也

见宋·朱熹《四书集注·论语·子路》。

君者仪也,民者景也,仪正而景正

见《荀子·君道》。

君者槃也,民者水也,槃圆而水圆

见《荀子·君道》。

君看夏木扶疏句,还许诗家更道不

见宋·陆游《读陶诗》。

君臣不信,则百姓诽谤,社稷不宁

见《吕氏春秋·离俗览·贵信》。全句为:"天地之大,四时之化,而犹不能以不信成物,又况乎人事?~;处官不信,则少不畏长,贵贱相轻;赏罚不信,则民易犯法,不可使令;交友不信,则离散郁怨,不能相亲;百工不信,则器械苦伪,丹漆染色不贞"。"苦",不精细,粗劣;"伪",作假。

君不见今人交态薄,黄金用尽还疏索

见唐·高适《邯郸少年行》。

君不见管鲍贫时交,此道今人弃如土

见唐·杜甫《贫交行》。

君之视臣如手足……则臣视君如寇雠

见《孟子·离娄下》。删节处为:"则臣视君如腹心;君之视臣如犬马,则臣视君如国人;君之视臣如土芥"。

君今不幸离人世,国有疑难可问谁?

见现代·毛泽东《七律·吊罗荣桓同志》。

君子不受虚誉,不祈妄福,不避死义

见隋·王通《文中子·礼乐》。

君子不责人所不及……不苦人所不好

见隋·王通《中说·魏相》。删节处为:"不强人所不能"。

君子之于人也,苟有善焉,无所不取

见宋·欧阳修《宦者传论》。

君子之事上也,进思尽忠,退思补过

见汉·郑玄注《孝经·事君章》。全句为:"~;将顺其美,匡救其恶"。

君子之去小人,惟能尽去,乃无后患

见宋·苏洵《上皇帝书》。

君子之过,犹日月之蚀也,何害于明

见汉·刘向《说苑·谈丛》。

君子之学,或施之事业,或见于文章

见宋·欧阳修《薛简肃公文集序》。

君子之恶恶道不甚,则好善道亦不甚

见三国·魏·王肃《孔子家语·五仪解》。

君子之誉,非所谓誉也,其善显焉尔

见唐·柳宗元《谤誉》。全句为:"~;小人之谤,非所谓谤也,其不善彰焉尔"。

君子藏正气者,可以远鬼神,伏奸佞

见五代·南唐·谭峭《化书卷二·涧松》。全句为："～；蓄至精者，可以福生灵，保富寿"。

君子崇人之德，扬人之美，非谄谀也

见《荀子·不苟》。全句为："～；正义直指，举人之过，非毁疵也"。

君子慎其实，实之美恶，其发也不掩

见唐·韩愈《答尉迟生书》。全句为："所谓文者，必有诸其中，是故～"。

君子寡欲则不役于物，可以直道而行

见宋·司马光《训俭示康》。全句为："～；小人寡欲则能谨身节用，远罪丰家"。

君子所大者生也，所大乎其生者时也

见清·龚自珍《尊隐》。

君开一源，下生百端之变，无不乱者也

见唐·吴兢《贞观政要·鉴戒》。

君子不言，言必有中，不行，行必有称

见汉·扬雄《法言·君子》。

君子可以寓意于物，而不可以留意于物

见宋·苏轼《宝绘堂记》。

君子计行虑义；小人计行其利，乃不利

见《吕氏春秋·慎行》。

君子能受纤微之小嫌，故无变斗之大讼

见三国·魏·刘劭《人物志·释争》。

君子藏器于身，待时而动，何不利之有

见《周易·系辞下》。

君子富，好行其德；小人富，以适其力

见汉·司马迁《史记·货殖列传》。

君子遵道而行，半途而废，吾弗能已矣

见《礼记·中庸》。

君子好闻过而无过，小人恶闻过而有过

见唐·马总《意林》。

君子好成物，故吉；小人好败物，故凶

见《二程集·河南程氏粹言》。

君子成人之美，不成人之恶。小人反是

见《论语·颜渊》。

君子戒慎乎其所不睹，恐惧乎其所不闻

见《礼记·中庸》。

君子日孳孳以成辉，小人日快快以至辱

见汉·刘安《淮南子·缪称》。全句为："积薄为厚，积卑为高。故～"。"孳孳"，孜孜。

君子有机以成其善，小人有机以成其恶

见宋·苏洵《远虑》。

君子思义而不虑利，小人贪利而不顾义

见汉·刘安《淮南子·缪利训》。

君不见长安女儿嫩如水，十指不动衣罗绮

见宋·姚寅《养蚕行》。

君不见长松百尺多劲节，狂风暴雨终摧折

见唐·孟云卿《行路难》。

君不见黄河之水天上来，奔流到海不复回

见唐·李白《将进酒》。

君不见高堂明镜悲白发，朝如青丝暮成雪

见唐·李白《将进酒》。

君不见高山万仞连苍旻，天长地久成埃尘

见唐·孟云卿《行路难》。

君不见担雪塞井空用力，炊沙作饭岂堪食

见唐·顾况《行路难》。

君不见比来翁姥尽饥死，狐狸嘬骨乌啄眼

见宋·刘宰《开禧纪事》。

君信不足于下，下则应之以不信而欺其君

见《老子》十七河上公注。

君子于细事，未必可观，而材德足以重任

见宋·朱熹《四书集注·论语·卫灵公》。全句为："～。小人虽器量浅狭，而未必无一长可取"。

君子与小人不两立，而小人与君子不同谋

见唐·张九龄《远佞》第二章。

君子不以功轻人之身，不为彼功诎身之理

见《晏子春秋·内篇杂上第二十四》。

君子非不见贵，然小人亦得厕其间时而用

见宋·王安石《本朝百年无事札子》。全句为："～；正论非不见容，然邪说亦有"。

君子非仁义无以生，失仁义则失其所以生

见汉·刘安《淮南子·缪称》。全句为："～；小人非嗜欲无以活，失嗜欲则失其所以活。故君子惧失仁义，小人惧失利"。

君子之修身也，内正其心，外正其容而已

见宋·欧阳修《左氏辨》。

君子之爱人也以德，细人之爱人也以姑息

见《礼记·檀弓》。

君子居其室，出其言善，则千里之外应之

见《周易·系辞上》。全句为："～，况其迩者乎"。

君子如嘉禾也，封殖之甚难，而去之甚易

见宋·苏轼《续欧阳子朋党论》。全句为："～；小人如恶草也，不种而生，去之复蕃"。

君子所求于人者薄，而辨是与非也无所苟

见宋·王安石《中述》。

君子笃于礼而薄于利，要其人而不要其土

见《公羊传·宣公十三年》。

君开一源，下生百端。百端之变，无不动乱

见《老子》二河上公注。

君之赏不可以无功求，君之罚不可以有罪免

见唐·吴兢《贞观政要·择官》。

君为暗主，臣为谀臣，君暗臣谀，危亡不远

见唐·吴兢《贞观政要·求谏》。

君如杅，民如水，杅方则水方，杅圆则水圆

见南朝·宋·范晔《后汉书·宦者传》。

君子不失足于人，不失色于人，不失口于人

见《礼记·表记》。

君子百是，必有一非；小人百非，必有一是

见宋·刘炎《迩言》。

君子之为言也，度可行于已，然后可责于人
见宋·欧阳修《濮议卷第二》。
君子之德风，小人之德草。草上之风，必偃
见《论语·颜渊》。
君子博学而日参省乎己，则知明而行无过矣
见《荀子·劝学》。
君子务知大者、远者，小人务知小者、近者
见《左传·襄公三十一年》。
君子能罪己，斯罪人也；不报怨，斯报怨也
见五代·南唐·谭峭《化书卷四·仁化·神弓》。
君子怀德，小人怀土；君子怀刑，小人怀惠
见《论语·里仁》。
君子怀德，小人怀土；贤士徇名，贪夫死利
见汉·桓宽《盐铁论·毁学》。
君子惟道是贵，惟德是守，所以能万世不朽
见五代·南唐·谭峭《化书卷四·善恶》。
君子见人之厄则矜之，小人见人之厄则幸之
见《公羊传·宣公十五年》。
君子敬以直内，义以方外；敬义立而德不孤
见《周易·坤》。
君子有三畏：畏天命，畏大人，畏圣人之言
见《论语·季氏》。
君子有诸己而后求诸人，无诸己而后非诸人
见《礼记·大学》。
君者，民之源也。源清则流清，源浊则流浊
见汉·韩婴《韩诗外传》卷五。
君者择臣而使之，臣虽贱，亦得择君而事之
见《晏子春秋·内篇问上第二十八》。
君之化下，如风偃草，上不节心，则下多逸志
见唐·李世民《帝范》。
君之所以明者，兼听也；其所以暗者，偏信也
见汉·王符《潜夫论·明暗》。
君仁，莫不仁；君义，莫不义；君正，莫不正
见《孟子·离娄上》。
君苟有善，人必知之。知之又知之，其心归之
见唐·白居易《策林一》。
君苟有恶，人亦知之。知之又知之，其心去之
见唐·白居易《策林一》。
君犹器也，人犹水也，方圆在于器，不在于水
见唐·吴兢《贞观政要·慎所好》。
君子不特贵乎才略之优，而尤贵乎用之得其当
见明·方孝孺《王彪之》。
君子之治人也，即以其人之道，还治其人之身
见宋·朱熹《四书集注·中庸》。
君子之所贵者，迁善惧其不及，改恶恐其有余
见三国·魏·徐幹《中论·虚道》。
君子务本，本立而道生。孝弟也者，其仁之本
见《论语·学而》。
君子耻食其食而无其功，耻服其服而不知其事
见宋·苏洵《彭州圆觉禅院记》。
君子敬其在己者而不慕其在天者，是以日进也
见《荀子·天论》。
君子有三忧：弗知，可无忧与？……可无忧与
见汉·韩婴《韩诗外传》。删节处为："知而不学，可无忧与？学而不行"。
君子用以力学，借困衡为砥砺，不但顺受而已
见清·申涵光《荆园进语》。全句为："人遇逆境，无可奈何，而安之若命，乃是见识超卓。然～"。
君不密则失臣，臣不密则失身，几事不密则害成
见《周易·系辞上》。
君人者，爱民而安，好士而荣，两者无一焉而亡
见《荀子·强国》。
君子与君子以同道为朋，小人与小人以同利为朋
见宋·欧阳修《朋党论》。
君子不怵乎好，不迫乎恶，恬愉无为，去智与故
见《管子·心术上》。
君子之道也，造端乎夫妇，及其至也，察乎天地
见《礼记·中庸》。
君子依乎中庸，遁世不见知而不悔，唯圣者能之
见《礼记·中庸》。
君子省众而动，监戒而谋，谋度而行，故无不济
见《国语·晋语三》。
君子居安宜操一心以虑患，处变当坚百忍以图成
见明·洪应明《菜根谭·前集百十七》。
君子居必仁，行必义，反仁义而福，君子不有也
见宋·王安石《推命对》。全句为："～，由仁义而祸，君子不屑也"。
君子见利思辱，见恶思诟，嗜欲思耻，忿怒思患
见汉·戴德《大戴礼记·曾子立事》。
君子有三变：望之俨然，即之也温，听其言也厉
见《论语·子张》。
君能尽礼，臣得竭忠，必在于内外无私，上下相信
见唐·吴兢《贞观政要·诚信》。

君子之于学，惟日孜孜，毙而后已，惟恐其不及也

见宋·朱熹《四书集注·论语·公冶长》。

君子之道，辟如行远，必自迩；辟如登高，必自卑

见《礼记·中庸》。

君子安其身而后动，易其心而后语，定其交而后求

见《周易·系辞下》。

君子居必择乡，游必就士，所以防邪僻而近中正也

见《荀子·劝学》。

君者，舟也；庶人者，水也。水则载舟，水则覆舟

见《荀子·哀公》、《荀子·王制》。

君子之学，不为则已，为则必要其成，故常百倍其功

见宋·朱熹《四书集注·中庸二十章》。

君子之学也，入乎耳，箸乎心，布乎四体，形乎动静

见《荀子·劝学》。

君子防悔尤，贤人戒行藏，嫌疑远瓜李，言动慎毫芒

见唐·白居易《杂感》。

君子小人本无常，行善事则为君子，行恶事则为小人

见唐·吴兢《贞观政要·教戒太子诸王》。

君子所性，虽大行不加焉，虽穷居不损焉，分定故也

见《孟子·尽心上》。

君子之道，不以其所已能者为足，而尝以其未能者为歉

见宋·陈亮《赠武川陈童子序》。

君自为诈，欲臣下行直，是犹源浊而望水清，理不可得

见唐·吴兢《贞观政要·诚信》。全句为："流水清浊，在其源也。君者政源，人庶犹水，～"

君子之于子，爱之而勿面，使之而勿貌，导之以道而勿强

见《荀子·大略》。

君子之处世，贵能有益于物耳，不图高谈虚论，左琴右书

见北齐·颜之推《颜氏家训·涉务》。

君子之处世也，甘恶衣粗食，甘艰苦劳动，斯可以无失矣

见清·颜元《颜李遗书·颜习斋先生年谱》。

君子之自行也，动必缘义，行必诚义，俗虽谓之穷，通也

见《吕氏春秋·离俗览·高义》。全句为："～；行不诚义，动不缘义，俗虽谓之通，穷也；然则君子之穷通，有异乎俗者也。"

君子以争途之不可由也，是以越俗乘高，独行于三等之上

见三国·魏·刘劭《人物志·释争》。

君子尊德性而道问学，致广大而尽精微，极高明而道中庸

见《礼记·中庸》。

君子口无戏谑之言，言必有防；身无戏谑之行，行必有检

见三国·魏·徐幹《中论·法象》。

君子所不至者三：不失色于人，不失口于人，不失足于人

见宋·王安石《礼乐论》。

君子之求利也略，其远害也早，其避辱也惧，其行道理也勇

见《荀子·修身》。

君子避三端：避文士之笔端，避武士之锋端，避辩士之舌端

见汉·韩婴《韩诗外传》卷七。

君子所甚惧者，以申、韩之酷政，文饰儒术，而重毒天下也

见清·王夫之《尚书引义·舜典二》。

君子所以动天地应神明正万物而成王治者，必本乎真实而已

见汉·荀悦《申鉴·政体》。

君子有为于天下，惟义而已，不可则止，无苟为，亦无必为

见《二程集·河南程氏粹言》。

君子惠而不费，劳而不怨，欲而不贪，泰而不骄，威而不猛

见《论语·尧曰》。

君子易事而难说也。说之不以道，不说也；及其使人也，器之

见《论语·子路》。

君子之行者有二焉：其未发也，慎而已矣，其既发也，义而已矣

见宋·王安石《勇惠》。

君子知形恃神以立，神须形以存，悟生理之易失，知一过之害生

见三国·魏·嵇康《养生论》。

君子者，易亲而难狎，畏祸而难却，嗜利而不为非，时动而不苟作

见宋·陆佃解《鹖冠子·著希》。

君人者不下庙堂之上，而知四海之外者，因物以识物，因人以知人也

见汉·刘安《淮南子·主术》。

君子先慎乎德，有德此有人，有人此有土，有土此有财，有财此有用

见《礼记·大学》。

君臣父子人间之事谓之义，登降揖让，贵贱有

等，亲疏之体，谓之礼
见《管子·心术上》。
君子之言，幽必有验乎明，远必有验乎近，大必有验乎小，微必有验乎著
见汉·扬雄《法言·问神》。
❷不君不静则失威／外君子而内小人／非君子不可与语变／睽。君子以同而异／卫君谈道，平子三倒／损。君子以惩忿窒欲／困。君子以致命遂志／彼君子兮，不素餐兮／治君者不以君，以欲／送君千里，终须一别／明君贵五谷而贱金玉／为君子儒，无为小人儒／丁君十纸，不敌王褒数字／向君投此曲，所贵知音难／为君之道，必须先存百姓／为君既不易，为臣良独难／劝君少干名，名为锢身锁／劝君少求利，利是焚身火／君君，臣臣，父父，子子／闻君有两意，故来相决绝／明君贤宰，不惮谔谔之言／故君子有不战，战必胜矣／致君尧舜上，再使风俗淳／愿君多采撷，此物最相思／士君子一出口，无反悔之言／萃。君子以除戎器，戒不虞／明君圣人亦不为一人枉其法／事君不患其无礼，患忠之不足／升。君子以顺德，积小以高大／惟君子能由是路，出入是门也／贤君必恭俭礼下，取于民有制／臣君者岂为其口实？社稷是养／类君子之含道，外蓬蒿而不怍／为君不君，为臣不臣，乱之本也／益。君子以见善则迁，有过则改／国君死社稷，大夫死众，士死制／贤君择人为佐，贤臣亦择主而辅／旅。君子以明慎用刑，而不留狱／无君子莫治野人，无野人莫养君子／为君者常病于察，为臣者又失之宽／任君逐利轻江海，莫把风涛似妾轻／凡君之所毕世而经营者，为天下也／请君莫奏前朝曲，听唱新翻杨柳枝／诸君傅粉涂脂，问南北战争都不知／劝君更尽一杯酒，西出阳关无故人／劝君休饮无情水，醉后教人心意迷／劝君莫作亏心事，古往今来放过谁／劝君莫惜金缕衣，劝君须惜少年时／劝君莫弹食客铗，劝君莫叩富儿门／若君不修德，舟中之人尽为敌国也／明君不官无功之臣，不赏不战之士／致君事业堆胸臆，却伴溪童学钓鱼／食君之禄畏不厚兮，悼得位之不昌／少君之费，寡君之欲，虽无粮而乃足／惟君臣相遇，有同鱼水，则海内可安／问君能有几多愁？恰似一江春水向东流／内君子而外小人，君子道长，小人道消也／为君为臣为民为物为事而作，不为文而作也／居君子之位而为庶人之行者，其患祸必至也／昔君视我，如掌中珠；何意一朝，弃我沟渠／明君不能畜无用之臣，慈父不能爱无用之子／有君臣然后有上下，有上下然后礼义有所错／古君子志于道，据于德，依于仁，而后艺可游／贤君之治也，温良而和，宽容而爱，刑清而省，喜赏而恶罚
❸义动君子，利动贪人／谦谦君子，卑以自牧／建国君民，教学为先／劳谦，君子有终，吉／淑人君子，其仪一兮／朝多君子，野无遗贤／焉有君子而可以货取乎／吏者，君之喜而国之忧也／为人君者，荫德于人者也／乡无君子，则与云山为友／古之君民者，仁义以治之／古之君子，交绝不出恶声／友道君逆，则率友以违君／坐无君子，则与琴酒为友／运穷君子拙，家富小儿娇／里无君子，则与松柏为友／孟尝君客无所择，皆善遇之／古之君子爱其人也则忧其无成／事大君子当以道，不宜苟且求容悦／了却君王天下事，赢得生前身后名／惟圣君以逆耳者顺于心，故天下治／有乱君，无乱国；有治人，无治法／古之君子，守道以立名，修身以俟时／诚者，君子之所守也，而政事之本也／为人君而乐杀人，此不可使得志于天下／古之君人者，以得为在民，以失为在己／臣行君道则灭其身，君行臣事则伤其国／言行，君子之所以动天地也，可不慎乎／于戏君子，人不厌之，死虽千岁，其行可师／为人君者，正心以正朝廷，正朝廷以正百官／为人君者，固不以无过为贤，而以改过为美／古之君子，其过也，如日月之食，民皆见之／俭者，君子之德，世俗以俭为鄙，非远识也／今之君子则不然，其责人也详，其待己也廉／小人君子，其心不同，惟乖于时，乃与天通／有顺君意而害天下者，有逆君意而利天下者／欲为君子，终身乃成；欲为小人，一朝可就／言行，君子之枢机；枢机之发，荣辱之主也／古之君子，其责己也重以周，其待人也轻以约／我愿君王心，化作光明烛，不照绮罗筵，只照逃亡屋／欲为君，尽君道；欲为臣，尽臣道。二者皆法尧舜而已矣
❹莲，花之君子者也／无道之君，鬼哭其门／无父无君，是禽兽也／至德之君，仁政且温／士无常君，国亡定臣／廉耻，士君子之大节／此六者，君子之弊也／积德之君，仁政且温／无德之君，以所乐乐身／非其义，君子不轻其生／将在外，君令有所不受／得其所，君子不爱其死／有德之君，以所乐乐人／天行健，君子以自强不息／古者明君在上，下多直辞／门内有君子，门外君子至／恨小非君子，无毒不丈夫／明哲之君，网漏吞舟之鱼／凡贤人君子，未尝不思效用／宁过于君子，而毋失于小人／日日思君不见君，共饮长江水／有为之君，不敢失万民之欢心／言语者君子之枢机，谈何容易／世乱则君子为奸，而法弗能禁也／为君不君，为臣不臣，乱之本也／大夫以君命出，闻丧徐行而不返／忠不暴君，智不重恶，勇不逃死／世俗之君子，皆知小物而不知大物／借问瘟君欲何往，纸船明烛照天烧／偏讶思君无限极，欲罢欲忘还复忆／

骄溢之君无忠臣，口慧之人无必信／人特劫君而不盟，君不知，不可谓智／玄古之君天下，无为也，天德而已矣／有道之君，修身之士，不为轻诺之约／不知其君视其所使，不知其子视其所友／兴国之君乐闻其过，荒乱之主乐闻其誉／智惠之君贱德而贵言……以为大伪奸诈／百姓足，君孰与不足？百姓不足，君孰与足／有道之君，以逸逸人；无道之君，以乐乐身／忠贤事君，必谏君失，奸佞事主，必顺主情／君子与君子以同道为朋，小人与小人以同利为朋／子贡问君子。子曰："先行，其言而后从之"。／古之人君，所以至于民散国亡而不悟者，皆吏误之／闻古之君子相其君也，一夫不获其所，若己推而内之沟中／有道之君子，其处也若无知，其应物也若偶之，静因之道也

❺政不正则君位危／笃志而体，君子也／上有直刑，君之明也／民多讳言，君有骄行／交浅言深，君子所戒／声闻过情，君子耻之／苛政害民，君受其患／大人不华，君子务实／掩恶扬善，君子所宗／小人殉财，君子殉名／小枉大直，君子为之／善善明，则君子进矣／独富独贵，君子耻之／隘与不恭，君子不由也／小人之幸，君子之不幸／贱物贵我，君子不为也／立言而朽，君子不由也／诛者不怨君，罪之所当也／贤者用于君则以君之忧为忧／信义行于君子，刑戮施于小人／变尽人间，君山一点，自古如今／春风不逐君王去，草色年年旧宫路／臣可以择君而仕，君可以择臣而任／天下者，非君有也，天下使君主之耳／农夫劳而君子养焉，愚者言而智者择焉／从道不从君，从义不从父，人之大行也／虽相与为君臣，时也；易世而无以相贱／古之贤人君子，大智经营，莫不除害兴利／政之不中，君之患也；令之不行，臣之罪也／心之在体，君之位也；九窍之有职，官之分也／父子有亲，君臣有义，夫妇有别，长幼有叙，朋友有信／欲为君，尽君道；欲为臣，尽臣道。二者皆法尧舜而已矣

❻孝者，所以事君也／若不早图，后君噬齐／荐我寸长，开君尺短／治君者不以君，以欲／人之困穷，由君之奢欲／行母而索敬，君弗得臣／下流不可处，君子慎厥初／世路山河险，君门烟雾深／由仁义而祸，君子不屑也／长堤溃蚁穴，君子慎其微／长松百尺，对君子之清风／我住长江头，君住长江尾／为世忧乐者，君子之志也／利深波也深，君意竟如何／但恨多谬误，君当恕醉人／慎以自靖者，君子之徒也／不修其身，虽君子而为小人／物势之反，乃君子所谓道也／国危则无乐君，国安则无忧民／恃谗谀以事君者，不足以责信／拨乱反正之君，资拔山超海之力／田成子常杀君窃国，而孔子受币／观棋不语真君子，把酒多言是小人／君子不怀暴君之禄，不处乱国之位／少君之费，寡君之欲，虽无粮而乃足／社稷无常奉，君臣无常位，自古以然／小人溺于水，君子溺于口，大人溺于民／忠臣者务崇君之德，谄臣者务广君之地／内小人而外君子，小人道长，君子道消也／吾闻中国之君子，明乎礼义而陋于知人心／权济天下而君臣立，上下正，然后礼义正焉／君仁，莫不仁；君义，莫不义；君正，莫不正／继世守文之君，生而富贵，不知疾苦，动至夷灭

❼苟无民，何以有君／事不难，无以知君子／或为小人，或为君子／贼是小人，智过君子／文质彬彬，然后君子／不知命，无以为君子也／不官而衡至者，君子慎之／良匠无弃材，明君无弃士／以我径寸心，从君千里外／以小人之虑，度君子之心／利之出于群也，君道立也／将小人之心，度君子之腹／名位苟无心，对君犹可眠／君道友逆，则顺君以诛友／进贤而退不肖，君之明也／父母有常失，人君有常过／朋党比周之誉，君子不听／谷子云笔札，楼君卿唇舌／可言也不可行，君子弗言也／兵诚义，以诛暴君而振苦民／以智文其过，此君子之贼也／君子之中庸也，君子而时中／居其位，无其言，君子耻之／致远恐泥，是以君子不为也／有其位，无其功，君子耻之／有其德，无其位，君子安之／有其言，无其行，君子耻之／小人非无小善，君子非无小过／日日思君不见君，共饮长江水／水下流而广大，君下臣而聪明／臣以能言为能，君以能听为能／臣以自任为能，君以用人为能／良贾深藏如虚，君子有盛教如无／众以亏形为辱，君子以亏义为辱／海以合流为大，君子以博识为弘／臣以能行为能，君以能赏罚为能／千乘之国，弑其君者，必百乘之家／良贾深藏若虚，君子盛德容貌若愚／有不能求士之君，而无不可得之士／法者，治之端也；君子者，法之原也／文质修者谓之君子，有质而无文谓之易野／忠贤事君，必谏君失，奸佞事主，必顺主情／国之所以治者，君明也；其所以乱者，君暗也

❽下无直辞，上有隐君／治人者不以人，以君／轻则失根，躁则失君／尺书远达兮，以解君忧／位已高而擅权者君恶之／古者以天下为主，君为客／人莫大焉亡亲戚君臣上下／君使臣以礼，臣事君以忠／门内有君子，门外君子至／为天下之大害者，君而已矣／民为贵，社稷次之，君为轻／贤者用于君则以君之忧为忧／为国为民而得罪，君子不以为辱／丈夫盖棺事始定，君今幸未成老翁／古之良有司，忧其君而不恤其私计／男不封侯女作妃，君看女却是门楣／土之美者善养禾，君之明者善养士／君正臣从谓之顺，君僻臣从谓之逆／臣可以择君而仕，君可

以择臣而任／人特劫君而不盟，君不知，不可谓智／名者可以厉中人，君子所存非所汲汲／先祖者，类之本也；君师者，治之本也／内君子而外小人，君子道长，小人道消也／未有好利而爱其君者，未有好义而忘其君者／兵者不祥之器，非君子之器，不得已而用之／亟则黩，黩则不敬；君子之祭也，敬而不黩／迩之事父，远之事君，多识于鸟兽草木之名／臣不得其所欲于君者，君亦不能得其所欲于臣／力不能济于用，而君臣上下不正，虽抱空器奚何施设／莫道男儿心如铁，君不见满川红叶，尽是离人眼中血／国以贤兴，以谄衰；君以忠安，以佞危，此古今之常论／闻古之君子相其君也，一夫不获其所，若己推而内之沟中

❾为禄仕者不能正其君／不能终善者，不遂其君／务功修业，不受赣于君／处江湖之远，则忧其君／受屈不改心，然后知君子／大厦若抡材，亭亭托君子／王者行躁疾，则失其君位／人不知而不愠，不亦君子乎／唯忠臣能逆意，惟圣君能从利／有能而无益于事者，君子弗为／有理而无益于治者，君子弗言／词林增峻，反诸宏博，君之力焉／财尽则怨，力尽则怼，君子危之／天下之治乱，系乎人君仁与不仁耳／劝君莫惜金缕衣，劝君须惜少年时／劝君莫弹食客铗，劝君莫叩富儿门／马上相逢无纸笔，凭君传语报平安／老去更无儿在膝，惟君怜我我怜君／自滴阶前大梧叶，干君何事动哀吟／百工居肆以成其事，君子学以致其道／伯乐不可欺以马，而君子不可欺以人／谏、争、辅、拂之人信，则君过不远／国之将兴，必有祯祥，君子用而小人退／臣行君道则灭其身，君行臣事则伤其国／善为国者若弹琴；宫君商臣，则治国之道／千金之家比一都之君，巨万者乃与王者同乐／我为女子，薄命如斯！君是丈夫，负心若此／常玉不琢，不成文章；君子不学，不成其德／常玉不瑑，不成文章；君子不学，不成其德／君为暗主，臣为谀臣，君暗臣谀，危亡不远／君子怀德，小人怀土；君子怀刑，小人怀惠／祸至后惧，是诚不知；君子之惧，惧乎未始／贱者有罪，贵者治之。君得罪于民，谁将治之？

❿离居见新月，那得不思君／友道君逆，则率友以违君／茶为涤烦子，酒为忘忧君／度能就位，忠臣所以事君／贤圣不能正不食谏诤之君／仁义者，虽聋瞽不失为君子／能修其身，虽小人而为君子／虽有美质，不学则不成君子／闻诛一夫纣矣，未闻弑君也／察能而授官者，成功之君也／仁者必爱其亲，义者必急其君／邪僻争权，乃有忠臣匡正其君／去汝躬矜与汝容知，斯为君子矣／无君子莫治野人，无野人莫养君子／不栽桃李种蔷薇，荆棘满庭君思之／不惑于恒人之毁誉，故足以为君子／我之出而仕也，为天下，非为君也／但是诗人多薄命，就中沦落不过君／健儿无粮百姓饥，谁遣朝朝入君口／词客有灵应识我，霸才无主始怜君／苦吟莫向朱门里，满耳笙歌不听君／莫愁前路无知己，天下谁人不识君／当时更有军中死，自是君王不动心／君子无小人则饥，小人无君子则乱／山有木兮木有枝，心悦君兮君不知／形相虽恶而心术善，无害为君子也／贫交此别无他赠，唯有青山远送君／教化之行，引中人而纳于君子之涂／老去更无儿在膝，惟君怜我我怜君／天下者，非君有也，天下使君主之耳／内坚刚而外温润，有似君子者，玉也／生有厚利，死有遗教，此盛君之行也／使命之臣，取其识变从宜，不辱君命／君之视臣如手足……则臣视君如寇雠／奸人诈而好名，其行事有酷似君子处／龙蟠凤逸之士，皆欲收名定价于君侯／积羽沉舟，群轻折轴，故君子禁于微／民之不善，吏之罪；吏之不善，君之过／刑政平而百姓归之，礼义备而君子归之／众人笑而忽之者，此则君子之所深畏也／勇于气者，小人也；勇于义者，君子也／莫见乎隐，莫显乎微，故君子慎其独也／恨无昆山片玉以相赠，赠君桂林之一枝／杀人以自生，亡人以自存，君子不为也／忠臣者务崇君之德，谄臣者务广君之地／内小人而外君子，小人道长，君子道消也／卑而言高，能言而不能行者，君子耻之矣／博闻强识而让，敦善行而不怠，谓之君子／君信不足于下，下则应之以不信而欺其君／君子与小人不两立，而小人与君子不同谋／上失其道，民散久矣，苟非君子，焉能固穷／天下之患，莫大于举朝无公论，空国无君子／天地之间，万国并兴，小大愚智，皆愿为君／无为小人，反殉而天；无为君子，从天之理／无稽之言，不见之行，不闻之谋，君子慎之／未信而谏，圣人不与。交浅言深，君子所戒／未有仁而遗其亲者也，未有义而后其君者也／未有好利而爱其君者，未有好义而忘其君者／百姓足，君孰与不足？百姓不足，君孰与足／非其世者，不受其利。污其君者，不履其土／关关雎鸠，在河之洲。窈窕淑女，君子好逑／君之赏不可以无功求，君之罚不可以有罪免／君者择臣而使之，臣虽贱，亦得择君而事之／善鄙不同，诽誉在俗；趋舍不同，逆顺在君／山无陵，江水为竭……天地合，乃敢与君绝／行己有耻，使于四方，不辱君命，可谓士矣／如地如天，何私何亲？如日如月，唯君之节／如有德而无才，则不能为用，亦何足为君子／孝子不谀其亲，忠臣不谄其君，臣子之盛也／桑无附枝，麦穗两岐。张君为政，乐不可支／春草碧色，春水渌波，送君南浦，伤如之何／有道之君，以逸逸人；无道之君，以乐乐身／有顺君意

而害天下者，有逆君意而利天下者／夫谓法不严则易犯，暴君酷吏假辞以饰其恶耳／谏、争、辅、拂之人，社稷之臣也，国君之宝／能苟焉以求静，而欲之翦抑窜绝，君子不取也／君仁，莫不仁；君义，莫不义；君正，莫不正／国之所以治者，君明也；其所以乱者，君暗也／臣不得其所欲于君者，君亦不能得其所欲于臣／质胜文则野，文胜质则史。文质彬彬，然后君子／但当退小人之伪朋，用君子之真朋，则天下治矣／君子居必仁，行必义，反仁义而福，君子不有也／鞭扑之子，不从父之教；刑戮之民，不从君之政／子思以为鼎肉使己仆仆尔亟拜也，非养君子之道也／将不知兵，以其主予敌也；君不择将，以其国予敌也／君子小人本无常，行善事则为君子，行恶事则为小人／厌文搔法，法官理民者，有司也，君无事焉，犹尊君也／观其国则知其臣，观其臣则知其君，观其君则知其兴亡／天不为人怨咨而辍其寒暑，君子不为人之丑恶而辍其正道／不可以一时之誉，断其为君子；不可以一时之谤，断其为小人／不行王政云尔；苟行王政，四海之内皆举首而望之，欲以为君／匹夫而忧天下，无位而论世事，时俗以为狂，而君子之所取也／伯夷，目不视恶色，耳不听恶声。非其君，不事；非其民，不使／能明申、韩之术而修商君之法，法修术明而天下乱者，未之闻也／达于道者，独见独闻，独为独存，父不能以授子，臣不能以授君／使六国各爱其人，则足以拒秦；使秦复爱六国之人，则递三世可至万世而为君，谁得而族灭也

邑

yì 都市；旧时县的别称；京城。

❶邑犬之群吠兮，吠所怪也

见战国·楚·屈原《九章·怀沙》。全句为："～；非俊疑杰兮，固庸态也"。

❷襄邑俗织锦，钝妇无不巧

❸怯于邑斗，而勇于寇战

❹十室之邑，必有忠信；三人并行，厥有我师

❻访民瘼于井邑，察冤枉于囹圄

❽身多疾病思田里，邑有流亡愧俸钱

❿今日太平，即是江宁之小邑／见十金而色变者，不可以治一邑／十步之间，必有茂草；十室之邑，必有俊士

吮

shǔn 用嘴吸。

❼贩交买名之薄，吮痈舐痔之卑，安足议其是非

味

wèi 味道；体会；指某类菜肴；量词；意味；情趣。

❶味摩诘之诗，诗中有画

见宋·苏轼《书摩诘蓝田烟雨图》。全句为："～；观摩诘之画，画中有诗"。

❷五味不同物而能和／书味在胸中，甘于饮陈酒／美味期乎合口，工声调于比耳／使味之者无极，闻之者动心，是诗之至也／至味不慊，至言不文，至乐不笑，至音不叫／大味必淡，大音必希；大语叫叫，大道低回／美味腐腹，好色惑心，勇夫招祸，辩口致殃／有味之物，蠹虫必生；有才之人，谗言必至

❸知肉味美则对屠门而大嚼

❹百谷殊味，食之皆饱／食不甘味，卧不安席／食不重味，衣不重采／食不二味，居不重席／食之无味，弃之可惜／清时有味是无能，闲爱孤云静爱僧／纵令滋味当染于口，声色已开于心……

❺读书要玩味／繁采寡情，味之必厌／口含黄柏味，有苦自家知

❻屠羊于肆，适味于众口也／大羹必有淡味，至宝必有瑕秽／葶历似菜而味殊，玉石相似而异类／词澹语要有味，壮语要有韵，秀语要有骨

❼又如食橄榄，真味久愈在／哑子尝黄柏，苦味自家知／梨橘枣栗不同味，而皆调于口／物以不知而轻，味以无比而疑／不是交同兰气味，为何话出一人心

❽面目可憎，语言无味／寝不安席，食不甘味／衣不兼采，食不重味／圣人之于声色滋味也……／诵读有真趣，不玩味终为鄙夫／卧不安席，食不甘味，心摇摇如悬旌／凡读书到冷淡无味处，尤当着力推考／人能除情欲，节滋味，清五藏，则神明居之／杖必取材，不必用味；相必取贤，不必所爱／杼轴得之，澹而无味，琢刻藻绘，弥不足贵／凡偏材之人，皆一味之美，故长于办一官而短于为一国

❾道之出口，淡乎其无味／地僻乡音别，年丰酒味醇／发纤秾于简古，寄至味于澹泊／咄咄读古，而不知此味……一堂木偶耳／中和之质，必平淡无味，故能调成五材变化应节

❿尝一脟肉，而知一镬之味／炼辞得奇句，炼意得余味／人之将疾者必不甘鱼肉之味／人莫不饮食也，鲜能知味也／太牢斯烹，安可荐羹藜之味／居轩冕中，不可无山林趣味／食肉毋食马肝，未为不知味／甘酒醴而不酤饴蜜，未为能知味／子在齐闻《韶》，三月不知肉味／读书切戒在慌忙，涵泳工夫兴味长／沉于乐者洽于忧，厚于味者薄于行／缋事以众色成文，蜜蜂以兼采为味／风流不在谈锋胜，袖手无言味最长／百姓之有此色，正缘士大夫不知此味／橘柚生于江南，而民皆甘之于口，味同也／师旷调音，曲无不悲；狄牙和膳，肴无澹味／虽云色白，匪染弗丽；虽云味甘，匪和弗美／五色令人目盲，五音令人耳聋，五味令人口爽／古今之喻多矣，而愚以为辨于味而后可以言诗／耳之欲五声，目

之欲五色，口之欲五味，情也／心不在焉，视而不见，听而不闻，食而不知其味／以无为为居，以不言为教，以恬淡为味，治之极也／济世经邦，要段云水的趣味，若有贪着，便堕危机／人之情，目欲视色，耳欲听声，口欲察味，志气欲盈

呵 ①hē 斥责；哈气；笑声；吹气使温；笑声。②hā 弯；伛。③a 作语助，表停顿。

❸沉默呵，沉默呵！不在沉默中爆发，就在沉默中灭亡

咀 ①jǔ 含在嘴中慢嚼。②zǔ 通"诅"，诅咒。③zuǐ 嘴。

❽今将以呼嘘为食，咀嚼为神……

咄 duō 表示呵斥或惊叹。

❶咄咄读古，而不知此味……一堂木偶耳

见明·汤显祖《点校虞初志序》。删节处为："即日垂衣执笏，陈宝列俎，终是三馆画手"。

知 ①zhī 知道；知识；知己；旧指主管；见，显于颜色；相契，相亲；主持；接待。②zhì 通"智"；姓。

❶知人则哲

见《尚书·皋陶谟》。

知子莫若父

见《管子·大匡》。

知耻近乎勇

见《礼记·中庸》。

知止可以不殆

见《老子》三十二。

知而不言，不忠

见《韩非子·初见秦》。

知道易，勿言难

见《庄子·列御寇》。

知者乐，仁者寿

见《论语·雍也》。

知有所合谓之智

见《荀子·正名》。

知必言，言必尽

见清·张廷玉《明史·罗伦传》。

知侈俭则百用节矣

见《管子·乘马》。全句为："黄金者用之量也，辨于黄金之理则知侈俭，～"。

知人则哲，能官人

见《尚书·皋陶谟》。

知人难，知己更难

见蒋和森《风萧萧》二五。

知止而后有定……

见《礼记·大学》。全句为："～，定而后能静，静而后能安，安而后能虑，虑而后能得"。

知者除谗以自安也

见《左传·昭公二十七年》。

知爱身而后知爱人

见宋·苏辙《汉昭帝》。全句为："人必知道而后知爱身，～，知爱人而后知保天下"。

知足下遇火灾……

见唐·柳宗元《贺进士王参元失火书》。全句为："家无余储。仆始闻而骇，中而疑，终乃大喜，盖将吊而更以贺也"。

知足之足，常足矣

见《老子》四十六。

知无不言，言无不尽

见宋·苏洵《远虑》。

知无不言，言无不行

见宋·苏轼《策略第三》。

知而弗为，莫如弗知

见三国·魏·王肃《孔子家语·子路初见》。

知事人，然后能使人

见《礼记·文王世子》。

知之一字，众妙之门

见《禅源诸诠集都序》卷二。

知之非难，行之不易

见唐·吴兢《贞观政要·征伐》。

知人之事，自古为难

见唐·吴兢《贞观政要·择官》。

知人之法，在于责实

见宋·苏轼《议学校贡举状》。全句为："得人之道，在于知人；～"。

知人则哲，非贤罔乂

见唐·张说《姚文贞公神道碑奉敕撰》。

知人善察，难眩以伪

见晋·陈寿《三国志·魏书·武帝纪》。

知人者智，自知者明

见《老子》三十三。

知询于愚，或有得也

见唐·杨炯《公狱辨》。

知能不举，则为失材

见唐·李世民《金镜》。全句为："～；知恶不黜，则为祸始"。

知善不言，与嚚暗同

见唐·柳宗元《送从兄偁罢选归江淮诗序》。全句为："闻善不慕，与聋聩同；见善不敬，与昏瞀同；～"。

知困，然后能自强也

见《礼记·学记》。全句为："知不足然后能自反也；～"。

知彼知己，百战不殆

见《孙子兵法·谋攻篇》。

知微知彰，知柔知刚

见宋·王安石《致一论》。

知学之人，能与闻迁

见《战国策·赵策二》。

知止不辱,知足不殆

见汉·荀悦《汉纪·宣帝纪二》。

知止常止,终身不耻

见蒋和森《风萧萧》二十六。

知止其所不知,至矣

见《庄子·齐物论》。

知者不博,博者不知

见《老子》八十一。

知者不言,言者不知

见《老子》五十六。

知者乐水,仁者乐山

见《论语·雍也》。

知者善谋,不如当时

见《管子·霸言》。

知爱人而后知保天下

见宋·苏辙《汉昭帝》。全句为:"人必知道而后知爱身,知爱身而后知爱人,~"。

知恶不黜,则为祸始

见唐·李世民《金镜》。全句为:"知能不举,则为失材;~"。

知足而止,故能长存

见汉·严遵《道德指归论·名身孰亲篇》。

知足者不以利自累也

见《庄子·让王》。全句为:"~,审自得者失之而不惧,行修于内者无位而不怍"。

知与之为取,政之宝也

见汉·司马迁《史记·管晏列传》。

知无用而始可与言用矣

见《庄子·外物》。

知不足,然后能自反也

见《礼记·学记》。全句为:"~;知困,然后能自强也"。

知而不言,所以之天也

见《庄子·列御寇》。全句为:"~;知而言之,所以之人也"。

知之而不行,虽敦必困

见《荀子·儒效》。

知为吏者,奉法以利民

见三国·魏·王肃《孔子家语·辨政》。全句为:"~;不知为吏者,枉法以侵民"。

知人者举,则贤者不隐

见《尸子·分》。全句为:"胜任者治,则百官不乱;~"。

知者不失人,亦不失言

见《论语·卫灵公》。

知足者富,强行者有志

见《老子》三十三。

知不知,上;不知知,病

见《老子》七十一。

知焉,未可以得行之效也

见清·王夫之《尚书引义·说命中》。全句为:"行焉,可以得知之效也;~"。

知肉味美则对屠门而大嚼

见汉·桓谭《新论·祛蔽》。全句为:"闻长安乐则出门向西而笑,~"。

知之之要,未若行之之实

见宋·朱熹《朱子语类》卷十三。全句为:"学之之博,未若知之之要;~"。

知之始已自知,而后知人

见《鬼谷子·反应》。

知之曰知之,不知曰不知

见《荀子·儒效》。全句为:"~;内不自以诬,外不自以欺"。

知之曰明哲,明哲实作则

见《尚书·说命上》。

知人无务,不若愚而好学

见汉·刘安《淮南子·修务》。

知人之难,莫难于别真伪

见晋·傅玄《傅子》。

知止乎其所不能知,至矣

见《庄子·庚桑楚》。

知是行之始,行是知之成

见明·王守仁《传习录》。

知者之举事也,满则虑嗛

见《荀子·仲尼》。

知者,接也;知者,谟也

见《庄子·庚桑楚》。

知有所困,神有所不及也

见《庄子·外物》。

知短于自知,故以道正己

见《韩非子·观行》。全句为:"目短于自见,故以镜观面;~"。

知足者,不可以势利诱也

见汉·刘安《淮南子·诠言》。全句为:"自信者,不可以诽誉迁也;~"。

知音偶一时,千载为欣欣

见明·汤显祖《相如》。

知音苟不存,已矣何所悲

见晋·陶潜《咏贫士七首》之一。全句为:"量力守故辙,岂不寒与饥?~"。

知音少,人间何处寻芳草

见宋·朱敦儒《渔家傲》[谁转琵琶]。

知音徒自惜,聋俗本相轻

见唐·孟浩然《赠道士参寥》。

知音如不赏,归卧故山秋

见唐·贾岛《题诗后》。全句为:"二句三年得,一吟双泪流。~"。

知音者稀,常恐词林交丧

见唐·卢照邻《南阳公集序》。全句为:"后生莫晓，更恨文律烦苛；～”。

知不几者不可与及圣人之言

见《荀子·荣辱》。全句为：“短绠不可以汲深井之泉，～”。

知未生之乐，则不可畏以死

见汉·刘安《淮南子·精神》。

知之难，不在见人，在自见

见《韩非子·喻老》。

知小而自畏，则深谋而必克

见宋·苏轼《策断二十四》。全句为：“恃大而不戒，则轻战而屡败；～”。

知者无不知也，当务之为急

见《孟子·尽心上》。

知者必量其力所能至而从事

见《墨子·公孟》。

知所以修身，则知所以治人

见《礼记·中庸》。

知矉美，而不知矉之所以美

见《庄子·天运》。

知颦美，而不知颦之所以美

见《庄子·天运》。

知足者仙境，不知足者凡境

见明·洪应明《菜根谭·后集二十一》。

知与恬交相养，而和理出其性

见《庄子·缮性》。

知天而不知人，则无以与俗交

见汉·刘安《淮南子·人间》。全句为：“～；知人而不知天，则无以与道游”。

知不足者好学，耻下问者自满

见宋·林逋《省心录》。

知生而不知杀者，逆天之道也

见汉·严遵《道德指归论·勇敢篇》。全句为：“～；知杀而不知生者，反地之要也”。

知使兹人有知乎？非我其谁哉

见唐·韩愈《重答张籍书》。全句为：“天不欲使兹人有知乎？则吾之命不可期；～？”

知大己而小天下，则几于道矣

见汉·刘安《淮南子·原道》。

知常顺道，故能公正而为王也

见五代·前蜀·杜光庭《道德真经广圣义》卷十五。

知往日所行之非，则学日进矣

见清·王永彬《围炉夜话》。全句为：“～；见世人可取者多，则德日进矣”。

知得而不知丧，知存而不知亡

见宋·苏辙《上曾参政书》。全句为：“～，始若可喜而终不可久”。

知安而不知危，能逸而不能劳

见宋·苏轼《策别十六》。全句为：“当今生民之患果安在哉？在于～”。

知杀而不知生者，反地之要也

见汉·严遵《道德指归论·勇敢篇》。全句为：“知生而不知杀者，逆天之道也；～”。

知是行的主意，行是知的工夫

见明·王阳明《传习录上》。全句为：“～；知是行之始，行是知之成”。

知者之所短，不若愚者之所修

见汉·刘安《淮南子·修务》。全句为：“～；贤者之不足，不若众人之有余”。

知得是是非非，恁地确定，是智

见宋·陈淳《北溪字义》卷上。全句为：“智是心中一个知觉处。～”。

知者不惑，仁者不忧，勇者不惧

见《论语·子罕》。

知足不辱，知止不殆，可以长久

见《老子》四十四。

知足之人，虽卧地上，犹为安乐

见《佛遗教经》。全句为：“～；不知足者，虽处天堂，亦不称意”。

知天之所为，知人之所为者，至矣

见《庄子·太宗师》。

知天者仰观天文，知地者俯察地理

见汉·贾谊《新语·道基》。

知生而无以知为也，谓之以知养恬

见《庄子·缮性》。全句为：“古之治道者，以恬养知；～”。

知周乎万物，而道济天下，故不过

见《周易·系辞上》。

知之为知之，不知为不知，是知也

见《论语·为政》。

知冬日之箑、夏日之裘，无用于己

见汉·刘安《淮南子·精神》。

知屋漏者在宇下，知政失者在草野

见汉·王充《论衡·书解篇》。全句为：“～，知经误者在诸子”。

知死必勇，非死者难也，处死者难

见汉·司马迁《史记·廉颇蔺相如列传论赞》。

知者之为，故动以百姓，不违其度

见《庄子·盗跖》。

知者动，仁者静。知者乐，仁者寿

见《论语·雍也》。全句为：“知者乐水，仁者乐山。～”。

知天乐者，其生也天行，其死也物化

见《庄子·天道》。

知生也者，不以物害生，养生之谓也

见《吕氏春秋·孟冬纪·节丧》。全句为：“～；知死心也者，不以物害死，安死之谓也”。

知之盛者莫大于成身，成身莫大于学

见《吕氏春秋·孟夏纪·尊师》。

知人者以目正耳,不知人者以耳败目

见三国·魏·刘劭《人物志·七缪》。

知有所待而后当,其所待者特未定也

见《庄子·大宗师》。

知天而不泥于神怪,知人而不遗于委琐

见唐·刘禹锡《答饶州元使君书》。

知不可奈何而安之若命,唯有德者能之

见《庄子·德充符》。

知之者不如好之者,好之者不如乐之者

见《论语·雍也》。

知善不行者谓之狂,知恶不改者谓之惑

见《鬻子·曲阜鲁周公政甲》。

知道而不行,知贤而不举,甚乎穿窬也

见唐·皮日休《鹿门隐书六十篇》。

知死心也者,不以物害死,安死之谓也

见《吕氏春秋·孟冬纪·节丧》。全句为:"知生也者,不以物害生,养生之谓也;~"。

知者不倍时而弃利,勇士不怯死而灭名

见《国语·齐语六》。

知贤,智也。推贤,仁也。引贤,义也

见汉·韩婴《韩诗外传》卷七。

知我者,谓我心忧;不知我者,谓我何求

见《诗·王风·黍离》。

知足者,贫贱亦乐;不知足者,富贵亦忧

见宋·林逋《省心录》。

知不知,上矣;过者之患,不知而自以为知

见《吕氏春秋·似顺论·别类》。

知为吏者奉法利民,不知为吏者枉法以侵民

见汉·刘向《说苑·政理》。

知彼知己,胜乃不殆;知天知地,胜乃不穷

见《孙子兵法·地形篇》。

知得知失,可与为人;知存知亡,足别吉凶

见晋·陈寿《三国志·吴书·吕蒙传》。

知过非难,改过为难;言善非难,行善为难

见唐·陆贽《奉天论赦书事条状》。

知己者不可诱以物,明于死生者不可却以危

见汉·刘安《淮南子·说林》。全句为:"~,故善游者不可惧于涉"。"却",通"劫",胁迫。

知标本者,万举万当;不知标本,是谓妄行

见《黄帝内经·标本病传论》。

知熟必避,知生必避;入人意中,出人头地

见清·袁枚《续诗品·割忍》。

知足之人,体道同德,绝名除利,立我于无

见汉·严遵《道德指归论·名身孰亲篇》。

知天乐者,无天怨,无人非,无物累,无鬼责

见《庄子·天道》。

知大备者,无求,无失,无弃,不以物易己也

见《庄子·徐无鬼》。

知有己不知有人,闻人过不闻己过,此祸本也

见明·吴麟征《家诫要言》。

知本无有思,动静皆离,寂然不动者,是至诚也

见唐·李翱《复性书中》。

知者作教,而愚者制焉;贤者议俗,不肖者拘焉

见《战国策·赵策二》。

知人之效有二难:有难知之难,有知之而无由得效之难

见三国·魏·刘劭《人物志·效难》。

知为为而不知所以为,是以贵为天子,富有天下,而不免于患也

见《庄子·盗跖》。

知大一,知大阴,知大目,知大均,知大方,知大信,知大定,至矣

见《庄子·徐无鬼》。

❷不知者不罪/自知者为明/不知而后知之/不知老之将至/未知鹿死谁手/不知来,视诸往/不知戒,后必有/不知其人观其友/不知其人视其友/不知其子视其友/不知音,莫语要/未知生,焉知死/在知人,在安民/不知常,妄作,凶/不知礼,无以立也/欲知人者必先自知/不知义理,生于不学/不知则问,不能则学/不知道者,以言相烦/不知理义,生于不学/不知有汉,无论魏晋/不知言,无以知人也/未知一生当著几量屐/未知事实,不可虚行/非知之艰,行之惟艰/非知之难,能之难也/非知之难,行之惟艰/以知能治民者,泅也/人知其一,莫知其他/绝知为福,好知为贼/早知今日,悔不当初/见知之道,唯虚无有/欲知则问,欲能则学/欲知其人,观其所使/自知者英,自胜者雄/不知命,无以为君子也/不知所以然而然,命也/非知之难,其在行之信/民知力竭,则以伪继之/故知知一,则复归于朴/致知,是吾心无所不知/其知弥精,其所取弥精/不知为吏者,枉法以侵民/不知手之舞之、足之蹈之/乃知四体勤,无衣亦自暖/乃知青史上,大半亦属诬/民知至至矣,政在终终也/但知勤作福,衣食自然丰/谁知盘中餐,粒粒皆辛苦/当知岁功应,唯是奉无私/岂知千仞坠,只为一毫差/岂知今夜月,还是去年愁/须知香饵下,触口是铦钩/饰知以惊愚,修身以明污/遥知不是雪,为有暗香来/始知五岳外,别有他山尊/皆知善之为善,斯不善矣/欲知千里寒,但看井水冰/心知去不归,且有后世名/心知其意,未可明诏大号/病知新事少,老别故交难/自知不自见,自爱不自贵/不知天上宫阙,今夕是何年/不知彼,不知己,每战必殆/民知诛赏之来,皆在于身也/致知在格物,物格而后知至/专知擅事,侵人自用,谓之贪/不知而自以为知,百祸之宗也/可知他朱甍碧瓦,总是血膏涂

／孰知养之之优，盖由责之之重／去知则奚求矣，无藏则奚设矣／莫知其所始，若之何其有命也／莫知其所终，若之何其无命也／当知器满则倾，须知物极必反／彼知颦美，而不知颦之所以美／适知邪径之速，不虑失道之迷／皆知敌之仇，而不知为益之尤／皆知敌之害，而不知为利之大／日知其所不足，月无忘其所能／欲知来者察往，欲知古者察今／自知者不怨人，知命者不怨天／上知天时，下知地利，中知人事／不知足而为屦，我知其不为蒉也／不知足者，虽处天堂，亦不称意／可知之事，唯精思之，虽大无难／既知退而知进兮，亦能刚而能柔／不知而言，不智；知而不言，不忠／不知乘月几人归，落月摇情满江树／不知取将之无术，但云当今之无将／不知织女萤窗下，几度抛梭织得成／也知渔父趁鱼急，翻着春衫不裹头／弗知而言为不智，知而不言为不忠／真知即所以为行，不行不足谓之知／诚知此恨人人有，贫贱夫妻百事哀／能知反复之道者，可以居兆民之职／小知不可使谋事，小忠不可使主法／善知人者如明镜，善自知者如蚌镜／须知三绝韦编者，不是寻行数墨人／须知大隐居廛市，休问深山守静孤／定知直道传千古，杜牧文章在上头／始知绝代佳人意，即有千秋国士风／天知，神知，我知，子知，何谓无知／我知天下之中央，燕之北越之南是也／孰知有无死生之一守者，吾与之为友／皆知说镜之明己也，而恶士之明己也／鸡知将旦，鹤知夜半，而不免于鼎俎／其知也乃不知，其不知也而后能知之／不知周之梦为蝴蝶与，蝴蝶之梦为周与／不知古人之世，不可妄论古人之文辞也／不知其君视其所使，不知其子视其所友／欲知舜与蹠之分，无他，利与善之间也／不知处阴以休影，处静以息迹，愚亦甚矣／莫知己德有极，则可以有社稷，为民致福／不知三军之事而同三军之政者，则军士惑矣／不知而不疑，异于己而不非者，公于求善也／不知则问，不能则学，虽能必让，然后为德／不知者，非其人之罪也；知百不为者，惑也／非知之难，行之惟难；非行之难，终之斯难／大知闲闲，小知间间；大言炎炎，小言詹詹／居知所为，行知所之，事知所秉，动知所由／有知顺之为倒、倒之为顺者，则可与言化矣／欲知平直，则必准绳；欲知方圆，则必规矩／徒知伪得之中有真失，殊不知真得之中有真失／徒知伪是之中有真非，殊不知真是之中有真非／日知其所亡，月无忘其所能，可谓好学也已矣／人知贵生乐安而弃礼义，辟之是犹欲寿而殁颈也／不知言之人，乌可与言？知言之人，默焉而其意已传／既知教之所由兴，又知教之所由废，然后可以为人师／人知出必由户，而不知行必由道。非道远人，人自远尔

❸疾风知劲草／士为知己者死／汝不知夫螳螂乎／乐天知命，故不忧／良医知病人之死生／唯上知与下愚不移／惟上知与下愚不移／子能知一，万事毕／胜可知，而不可为／不复知人间有羞耻事／占往知来，不如朴质／人有知学，则有力矣／人必知道而后知爱身／吾有知乎哉？无知也／知彼知己，百战不殆／知微知彰，知柔知刚／迷而知反，得道不远／道远知骥，世伪知贤／如不知足，则失所欲／巢居知风，穴居知雨／日不知夜，月不知昼／晖目知晏，阴谐知雨／爱而知恶，憎而知善／聪之知远，明以察微／民未知礼，虽聚而易散／故知知一，则复归于朴／尺蠖知屈伸，体道识穷达／奚必知代而心自取者有之／知不知，上；不知知，病／行不知所之，居不知所为／好雨知时节，当春乃发生／或不知叫号，或惨惨劬劳／爱而知其恶，憎而知其善／恶而知其美，好而知其恶／病多知药性，客久见人心／病多知药性，年长信人愁／疾风知劲草，板荡识诚臣／登楼知日近，傍海见潮生／路遥知马力，日久见人心／人不知而不愠，不亦君子乎／摄汝知，一汝度，神将来舍／有独知之虑者，必见骜于民／其所知彼也，其所以知此也／诐辞知其所蔽，淫辞知其所陷／去小知而大知明，去善而自善／能前知其当然，事至不惧……／士为知己者死，女为悦己者容／士为知己者用，女为说己者容／君以知贤为明，吏以爱民为忠／不吾知其亦已兮，苟余情其信芳／以近知远，以一知万，以微知明／人莫知其子之恶，莫知其苗之硕／禽鸟知山林之乐，而不知人之乐／心不知治乱之源者，不可令制法／不可知之事，厉心学问，虽小无易／不师知虑，不知前后，魏然而已矣／生而知之者上也，学而知之者次也／众人知目前之利，而不为岁月之计／草树知春不久归，百般红紫斗芳菲／君子知自损之为益，故功一而美二／酒逢知己千杯少，话不投机半句多／视都知野，视野知国，视国知天下／方其知之，而行未及之，则知尚浅／必先知致弊之因，方可言变法之利／鹊巢知风之所起，獭穴知水之高下／凡以知，人之性；可以知，物之理也／苟不知我而谓我盗跖，吾又安取惧焉／苟不知我而谓我仲尼，吾又安取荣焉／心能知人者如明镜，善自知者如蚌镜／既不知善之为善，则亦不知恶之为恶／一人知俭则一家富，王者知俭则天下富／好而知其恶，恶而知其美者，天下鲜矣／不尽知用兵之害者，则不能尽知用兵之利也／知不知，上矣；过者之患，不知而自以为知／知彼知己，胜乃不殆；知天知地，胜乃不穷／知得知失，可与为人；知存知亡，足别吉凶／迷而知反，失道不远，过而能改，谓之不

过／迷涂知反，往哲是与。不远而复，先典攸高／饱而知人之饥，温而知人之寒，逸而知人之劳／将不知兵，以其主予敌也；君不择将，以其国予敌也／君子知形恃神以立，神须形以存，悟生理之易失，知一过之害生

❹闻一以知十／量力而知攻／见微而知著／五十而知天命／夏虫不知冷冰／道高方知魔盛／蚊睫安知鹏翼／一叶落知天下秋／三折肱知为良医／举目方知宇宙宽／观过，斯知仁矣／当家才知柴米价／衣食足，知荣辱／其为政知所先后／知人难，知己更难／燕雀安知鸿鹄之志／天命难知，人道易守／无所不知者有大不知／不患不知，患在不行／虽有至知，万人谋之／学之乃知，不问不识／绝圣弃知而天下大治／死人无知，厚葬无益／挈瓶之知，不失守器／教以不知，导以无形／思索生知，慢易生忧／恶恐人知，便是大恶／德性所知，不萌于见闻／隐石那知玉，披沙始遇金／听笛始知岸，闻香暗识莲／君子贵知足，知足万虑轻／君欲自知其过，必待忠臣／知之曰知之，不知曰不知／行可兼知，而知不可兼行／海内存知己，天涯若比邻／温故而知新，可以为师矣／忧国唯知重，谋身只觉轻／见微以知萌，见端以知末／见礼而知俗，闻乐而知政／有而不知足，失去所以有／欲而不知止，失其所以欲／愚谓无知守真，顺自然也／无私者知，至知者为天下稽／得本以知末，不舍本以逐本／人苦不知足；既平陇，复望蜀／观水而知学，观耨田而知治国／君不能知其臣，则无以齐万国／君子易知而难狎，易惧而难胁／憎而不知其善，则为善者必惧／学而不知其方，则反以滋其蔽／物以不知而轻，味以无比而疑／爱而不知其恶，则为恶者实繁／爱而不知其恶，憎而遂忘其善／父不能知其子，则无以睦一家／朝菌不知晦朔，蟪蛄不知春秋／古之人知酒肉为甘鸩，弃之如遗／今人皆知砺其剑，而弗知砺其身／士之相知，温不增华，寒不改叶／探渊者知千仞之深，县绳之数也／学，然后知不足；教，然后知困／死者无知，自同粪土，何烦厚葬／上不玷知人之明，下不失四海之望／不出户，知天下；不窥牖，见天道／予恶乎知夫死者不悔其始之蕲生乎／弗食，不知其旨；弗学，不知其善／创业自知难两立，辍耕早已定三分／人面不知何处去，桃花依旧笑春风／仓库实，知礼节；国多财，远者来／商女不知亡国恨，隔江犹唱后庭花／论先后，知为先；论轻重，行为重／陶令不知何处去，桃花源里可耕田／知之为知之，不知为不知，是知也／狠者类知而非知，愚者类仁而非仁／浮游，不知所求；猖狂，不知所往／道非难知，亦非难行，患人无志耳／死去元知万事空，但悲不见九州同／成败极知无定势，是非元自要徐观／早岁那知世事艰，中原北望气如山／贫贱之知不可忘，糟糠之妻不下堂／用人之知去其诈，用人之勇去其怒／竟日不知尘世事，长年占断白云乡／笛里谁知壮士心？沙头空照征人骨／身老方知生计拙，家贫渐觉故人疏／天下皆知取之为取，而莫知与之为取／天知，神知，我知，子知，何谓无知／太上，下知有之；其次亲而誉之……／小人不知自益之为损，故一伐而并失／闻以有知知者也，未闻以无知知者也／见闻之知，乃物交而知，非德性所知／或生而知之，或学而知之，或困而知之／悬衡而知平，设规而知圆，万全之道也／不学自知，不问自晓，古今行事未之有也／唯圣人知礼之不可以已也……必先去其礼／同乎无知，其德不离；同乎无欲，是谓素朴／君子务知大者、远者，小人务知小者、近者／绝圣弃知，大盗乃止；擿玉毁珠，小盗不起／欲人不知，莫若无为；欲无悔吝，不若守慎／未事而知其来，始事而知其终，定事而知其变／能使人知己、爱己者，未有不能知人、爱人者也／先生不知何许人也……宅边有五柳树，因以为号焉／审内以知外，原小以知大，因我以然彼，明近以喻远／权，然后知轻重；度，然后知长短。物皆然，心为甚／贤者易知也：观其富之所分，达之所进，穷之所不取／天下皆知美之为美，斯恶矣；皆知善之为善，斯不善矣／三皇之知，上悖日月之明，下睽山川之精，中堕四时之施／处患难，知其无可奈何，遂放意而不反，是岂安于义命者／众人皆知利利而病病也，唯圣人知病之为利，知利之为病也／知大一，知大阴，知大目，知大均，知大方，知大信，知大定，至矣／舜其大知也与！舜好问而好察迩言，隐恶而扬善，执其两端，用其中于民

❺不知而后知之／未知生，焉知死／清风明月知无价／衣食足而知荣辱／天下有大知，有小知／生也有涯，知也无涯／仁不轻绝，知不简功／公家之事，知无不为／公家之利，知无不为／谋稽乎誸，知出乎争／巧者善度，知者善豫／知微知彰，知柔知刚／知止不辱，知足不殆／德荡乎名，知出乎争／闻善而慕，知过而惧／过不在小，知非则悛／屋漏在上，知者在下／屋漏在上，知之在下／子非鱼，安知鱼之乐／见胜而战，知难而退／忠臣体国，知无不为／人主欲自知，则必直士／慕名而不知实，一可贱／见之而不知，虽识必妄／视日月而知众星之蔑也／万物安于知足，死于无厌／不患人不知，惟患学不至／不患莫己知，求为可知也／世隘然后知其人之笃固也／及之而后知，履之而后难／以朴厚而知者，无迹而固／人生贵相知，何必金与钱／人实不易知，更须慎其仪／话不说不知，木不

钻不透／邦有道则知，邦无道则愚／知者，接也；知者，谟也／知短于自知，故以道正己／结交在相知，骨肉何必亲／所不虑而知者，其良知也／其生也莫知，其往也始思／一以意许知己，死亡不相负／不知彼，不知己，每战必殆／去就取与知能六者，塞道也／知者无不知也，当务之为急／岁寒，然后知松柏之后凋也／事有不可知者，有不可不知者／知天而不知人，则无以与俗交／知生而不知杀者，逆天之道也／知得而不知丧，知存而不知亡／知安而不知危，能逸而不能劳／知杀而不知生者，反地之要也／汝病吾不知时，汝殁吾不知日／婴儿以不知益，高年以多事损／死而不祸，知终始之不可故也／仁者不忧，知者不惑，勇者不惧／巧者劳而知者忧，无能者无所求／知足不辱，知止不殆，可以长久／既知退而知进兮，亦能刚而能柔／非举无以知其贤，非试无以效其实／举秀才，不知书；察孝廉，父别居／仁者安仁，知者利仁，畏罪者强仁／人生到处知何似？应似飞鸿踏雪泥／择任而往，知也；知死不辟，勇也／审近所以知远也，成己所以成人也／见可而进，知难而退，军之善政也／衣食足而知荣辱，廉让生而争讼息／不出户而知天下兮，何必历远以劬劳／世之人不知至理之所在也，迷而妄行／勇之极者，知勇果不足以胜物，故怯／闻以有知知者也，未闻以无知知者也／智之极者，知智果不足以周物，故愚／贪物而不知止者，虽有天下，不富矣／辩之极者，知辩果不足以喻物，故讷／我非生而知之者，好古，敏以求之者也／人能尽性知天，不为蓦然起见，则几矣／仓廪实，则知礼节；衣食足，则知荣辱／好学近乎知，力行近乎仁，知耻近乎勇／有忧而不知忧者凶，有忧而深忧之者吉／尽其心者，知其性也；知其性，则知天矣／十年之相知，不若兹火一夕之为足下誉也／博之不必知，辩之不必慧，圣人以断之矣／知熟必避，知生必避；入人意中，出人头地／噬虎之兽，知爱己子；搏狸之鸟，非护异巢／狂夫之乐，知者哀焉；愚者之笑，贤者戚焉／吾何以得知天下乎？察己以知之，不求于外也／知有己不知有人，闻人过不闻己过，此祸本也／不学而求知，犹愿鱼而无网焉，心虽勤而无获矣／今使愚教知，使不肖临贤，虽严刑罚，民弗从也／贤固可易知，人固可易识，但是议者不精思之耳／恶徼以为知者，恶不孙以为勇者，恶讦以为直者／学者必务知要，知要则能守约，守约则足以尽博矣／今之所以知古，后之所以知今，不可口传，必凭诸史／闻其声而知其风，察其风而知其志，观其志而知其德／人非生而知之者，孰能了此无惑，故从其先得者而问焉／观其国则知其臣，观其臣则知其君，观其君则知其兴亡／天下之民，知安而不知危，能逸而不能劳，此臣所谓大患也／有贤而不知，一不祥；知而不用，二不祥；用而不任，三不祥

❻两相思，两不知／异乡殊俗难知名／观小节可以知大体／观其文可以知其人／苟有过，人必知之／知爱身而后知爱人／一死一生，乃知交情／一贫一富，乃知交态／不知言，无以知人也／事不难，无以知君子／人知其一，莫知其他／动见臧否，言知利害／塞翁失马，安知非福／知人者智，自知者明／知止其所不知，至矣／知爱人而后知保天下／岁不寒，无以知松柏／好学深思，心知其意／绝知为福，好知为贼／风驰电掣，不知所由／其出弥远，其知弥少／任不重，无以知人之才／人而无信，不知其可也／将有作则思知止以安人／和民一众，不知法不可／善攻者，敌不知其所守／善守者，敌不知其所攻／行焉，可以得知之效也／屠者割肉，则知牛长少／见一叶落而知岁之将暮／见可欲则思知足以自戒／物固多伪兮，知者盖寡／方其梦也，不知其梦也／愚者有备，与知者同功／路不险，无以知马之良／不临深溪，不知地之厚也／不登高山，不知天之高也／百害不能伤，知力不能取／原始反终，故知死生之说／人生处万类，知识最为贤／凡听言，要先知言者人品／谦恭者无诤，知善之可迁／攻玉于山，俟知于独见也／坎井之蛙，不知江海之大／当路谁相假，知音世所稀／尝一脟肉，而知一镬之味／君子贵知足，知足万虑轻／知不知，上；不知知，病／知之始已自知，而后知人／虽有亲兄，安知其不为狼／虽有亲父，安知其不为虎／行可兼知，而知不可兼行／行年五十而知四十九年非／好问近乎智，知耻近乎勇／相识满天下，知心能几人／《春秋》之义，责知诛率／贤而能容罢，知而能容愚／见象之牙而知其大于牛也／见虎之尾而知其大于狸也／无私者知，至知者为天下稽／生我者父母，知我者鲍子也／圣人未尝有知，由问乃有知／圣人见端而知本，精之至也／知矉美，而不知矉之所以美／知颦美，而不知颦之所以美／过者之患，不知而自以为知／万川归之，不知何时止而不盈／为恶而畏人知，恶中犹有善路／具曰"予圣"，谁知乌之雌雄／去小知而大知明，去善而自善／士者诎乎不知己，而申乎知己／知使兹人有知乎？非我其谁哉／尾闾泄之，不知何时已而不虚／耻一物之不知，惜寸阴之徒靡／总视其体，乃知其大相去之远／上知天时，下知地利，中知人事／不过乎所不知，而过于其所以知／后生可畏，焉知来者之不如今也／古今之事，非知之难，言之亦难／人能弘道，焉知来者不如昔也？／圣人者，由近知远，而万殊为一／祸莫大于不知足，咎莫大于欲得

／积德累行，不知其善，有时而用／不师知虑，不知前后，魏然而已矣／我贤而彼不知，则见轻，非我咎也／以人之不正，知其身之有所未正也／剖开顽石方知玉，淘尽泥沙始见金／词家从不觅知音，累汝千回带泪吟／莫嫌举世无知己，未有庸人不忌才／莫愁前路无知己，天下谁人不识君／知天之所为，知人之所为者，至矣／知生而无以知为也，谓之以知养恬／察己则可以知人，察今则可以知古／学不勤则不知道，耕不力则不得谷／心如老马虽知路，身似鸣蛙不属官／天知，神知，我知，子知，何谓无知／为国者，必先知民之所苦，祸之所起／圣人不行而知，不见而明，不为而成／悬羽与炭，而知燥湿之气，以小明大／鸡知将旦，鹤知夜半，而不免于鼎俎／其知也乃不知，其不知也而后能知之／凡养生，莫若知本，知本则疾无由至矣／力不足则伪，知不足则欺，财不足则盗／知道而不行，知贤而不举，甚乎穿窬也／德比于上，故知耻；欲比于下，故知足／亲履艰难者知下情，备经险易者达物伪／虎之不可使知恩，犹人之不可使为虎也／乐听其音，则知其俗；见其俗，则知其化／因事相争，安知非我之不是，须平心暗想／轻听发言，安知非人之谮诉，当忍耐三思／不能则学，不知则问，虽知必让，然后为知／圣人虽有独知之明，常如阇昧，不以曜乱人／喜怒相疑，愚知相欺，善否相非，诞信相讥／大知闲闲，小知间间；大言炎炎，小言詹詹／居知所为，行知所之，事知所秉，动知所由／见骥一毛，不知其状；见画一色，不知其美／见虎一文，不知其武；见骥一毛，不知善走／德薄而位尊，知小而谋大，力小而任重，鲜不及矣／知为为而不知所以为，是以贵为天子，富有天下，而不免于患也

❼一节见则百节知／不洗垢而察难知／百姓日用而不知／乐莫乐兮新相知／卷土重来未可知／工夫深处独心知／春到人间草木知／春江水暖鸭先知／败莫大于不自知／心藏风云世莫知／唯圣人为不求知天／不听琴，只是不知音／以近论远，以小知大／前车已覆，后未知更／人必知道而后知爱身／吾有知乎哉？无知也／君子安贫，达人知命／知微知彰，知柔知刚／得人之道，在于知人／道远知骥，世伪知贤／巢居知风，穴居知雨／日不知夜，月不知昼／是是、非非、谓之知／晖目知晏，阴谐知雨／智是心中一个知觉处／爱而知恶，憎而知善／爱民治国，能无知乎／惑于听受，暗于知人／以古为镜，可以知兴替／以人为镜，可以知得失／书不必多看，要知其约／士信悫，而后求知能焉／身失道，则无以知迷惑／不曾远别离，安知慕俦侣／不识风霜苦，安知零落期／不在被中眠，安知被无边／不涉太行险，谁知斯路难／不遇阴雨后，岂知明月好／不学而好思，虽知不广矣／不有百炼火，孰知寸金精／不睹皇居壮，安知天子尊／任不重，则无以知人之德／落尽最高树，始知松柏青／尝一滴之咸而知沧海之性／吾生也有涯，而知也无涯／知不知，上；不知知，病／知之曰知之，不知曰不知／寄语双莲子，须知用意深／学之之博，未若知之之要／贪求则争起，有知则事兴／视其所好，可以知其人焉／睹瓶中之冰而知天下之寒／路不险，则无以知马之良／久假而不归，恶知其非有也／创业难，守成难，知难不难／君子于其所不知，盖阙如也／知所以修身，则知所以治人／知足者仙境，不知足者凡境／得意者无言，进知者亦无言／快然自足，曾不知老之将至／强辩者饰非，不知过之可改／见瓶水之冰，而知天下之寒／视方寸于牛，不知其大于羊／有弗问，问之弗知，弗措也／不知而自以为知，百祸之宗也／不患人之不己知，患不知人也／不患人之不己知，患其不能也／仁莫大于爱人，知莫大于知人／凡吏于土者，若知其职乎……／知得而不知丧，知存而不知亡／彼知颦美，而不知颦之所以美／处富贵之时，要知贫贱的痛痒／悟已往之不谏，知来者之可追／战无不胜而不知止者，身且死／明者因时而变，知者随事而制／见瓶中之水，而知天下之寒暑／愚者暗于成事，知者见于未萌／自知者不怨人，知命者不怨天／以近知远，以一知万，以微知明／名缰利锁，天还知道，和天也瘦／治国之难在于知贤，而不在自贤／居近识远，处今知古，惟学矣乎／与天同心而无知，与道同身而无体／不知而言，不智；知而不言，不忠／世俗之君子，皆知小物而不知大物／为之而欲人不知，言之而欲人不闻／择任而往，知也；知死不辟，勇也／君子直道而行，知必屈辱而不避也／知之为知之，不知为不知，是知也／知者动，仁者静。知者乐，仁者寿／狠者类知而非知，愚者类仁而非仁／闻瑶质兮可变，知余采兮易夺……／视都知野，视野知国，视国知天下／震风陵雨，然后知夏屋之为帡幪也／不思而立言，不知而定交，吾其惮也／吾师道也，夫庸知其年之先后生于吾乎／咄咄读古，而不知此味……一堂木偶耳／嗟叹之不足，不知手之舞之足之蹈之也／永歌之不足，不知手之舞之，足之蹈之／朝无争臣则不知过，国无达士则不闻善／人有鸡犬放，则知求之；有放心而不知求／永歌之不足，不知手之舞之，足之蹈之也／圣贤之所以为知者，不过思与见闻之会而已／虽常服药，而不知养性之术，亦难以长生也／寡交多亲，谓之知人；寡事成功，谓之知用／智载于私，则所知少；载于公，则所知多矣／福轻乎羽，莫之知载；祸

重乎地，莫之知避／不可与往者，不知其道，慎勿与之，身乃无咎／君苟有善，人必知之。知之又知之，其心归之／君苟有恶，人亦知之。知之又知之，其心去之／君子有三忧：弗知，可无忧与？……可无忧与／明于古今，温故知新，通达国体，故谓之博士／道之不行也，我知之矣，知者过之，愚者不及也／学者必务知要，知要则能守约，守约则足以尽博矣／若鄙人所谓致知格物者，致吾心之良知于事事物物也／名也者，相轧也；知也者，争之器也，二者凶器，非所以尽行也／知大一，知大阴，知大目，知大均，知大方，知大信，知大定，至矣

❽卒然问焉而观其知／有真人然后有真知／欲知人者必先自知／天下有大知，有小知／博学切问，所以广知／诚信者，即其心易知／知而弗为，莫如弗知／知者不博，博者不知／知者不言，言者不知／涉千钧之发机不知惧／惟有道者能以往知来／如人饮水，冷暖自知／圣人去力去巧去知去贤／士不必贤世，要之知道／问其政，则曰我不知也／威之以法，法行则知恩／不惜歌者苦，但伤知音稀／向君投此曲，所贵知音难／卢狗悲号，则韩国知其才／人视水见形，视民知治不／夜来风雨声，花落知多少／受屈不改心，然后知君子／志士惜日短，愁人知夜长／知止乎其所不能知，至矣／知是行之始，行是知之成／行不知所之，居不知所为／怀瑾握瑜兮，穷不知所示／女为悦己容，士为知己死／爱而知其恶，憎而知其善／恶而知其美，好而知其恶／身安则道隆，饮食知节量／譬如工画师，不能知自心／观其所爱亲，可以知其人矣／君子行义，不为莫知而止休／慎女内，闭女外，多知为败／青天白日，奴隶亦知其清明／其美者自美，吾不知其美也／其恶者自恶，吾不知其恶也／不到极逆之境，不知平安之日／不遇至刻之人，不知忠厚之善／举贤则民相轧，任知则民相盗／换我心，为你心，始知相忆深／当知器满则倾，须知物极必反／君子以其身之正，知人之不正／虽有至道，弗学，不知其善也／虽有嘉肴，弗食，不知其旨也／皆知敌之仇，而不知为益之尤／皆知敌之害，而不知为利之大／见敌之所不足，则知其所有余／欲知来者察往，欲知古者察今／不知足而为屦，我知其不为蒉也／不待愤悱而发，则知之不能坚固／疑今者察之古，不知来者视之往／隙中之观斗，又乌知胜负之所在／去汝躬矜与汝容知，斯为君子矣／困而不学，终于不知，斯为下尔／处于堂上之阴，而知日月之次序／饱肥甘，衣轻暖，不知节者损福／广积聚，骄富贵，不知止者杀身／宇宙之内，燕雀不知天地之高也／家有千金之玉不知治，犹之贫也／身之所短，上虽不知，不以取赏／万两黄金容易得，知心一个也难求／弗知而言为不智，知而不言为不忠／仁者见之谓之仁，知者见之谓之知／谋而不得，则以往知来，以见知隐／画虎画皮难画骨，知人知面不知心／知天者仰观天文，知地者俯察地理／知屋漏者在宇下，知政失者在草野／德弥厚者葬弥薄，知愈深者葬愈微／贤者任重而行恭，知者功大而词顺／辨而不当理则伪，知而不当理则诈／天知，神知，我知，子知，何谓无知／不应于物者，是致知也，是知之至也／以吾心之思足下，知足下悬悬于吾也／道若大路然，岂难知哉，人病不求耳／天不欲使兹人有知乎？则吾之命不可期／凡养生，莫若知本，知本则疾无由至矣／凡人必别宥然后知，别宥则能全其天矣／好而知其恶，恶而知其美者，天下鲜矣／气之聚散于太虚……知太虚即气则无无／吾恒恶世之人不知推己之本，而乘物以逞／狗彘食人食而不知检，途有饿莩而不知发／材既难得，而又难知，则当博采而多蓄之／内不足者，急于人知；霈焉有余，厥闻四驰／我有禅灯，独照独知。不取亦取，虽师勿师／虽有至圣，不生而知；虽有至材，不生而能／学有未达，强以为知，理有未安，妄以臆度／祸至后惧，是诚不知；君子之惧，惧乎未始／天下之事，不可尽知，而以臆断之，不可任也／诸凡万物万事之知，皆因习因悟因过因疑而然／限之以爵，爵加则知荣，恩荣并济，上下有节／是非之心，不虑而知，不学而能，所谓良知也／父母之年，不可不知也，一则以喜，一则以惧／颂其诗，读其书，不知其人可乎？是以论其世也／今若不能服药，但知爱精节情，亦得一二百年寿也

❾无所不知者有大不知／且有真人，而后有真知／古之治道者，以恬养知／致知，是吾心无所不知／蛇举首尺，而修短可知／无世而无圣，或不得知也／不患莫己知，求为可知也／不目见口问，不能尽知也／出处虽殊迹，明月两知心／司马昭之心，路人所知也／民可使由之，不可使知之／人生不失意，焉能慕知己／人心险于山川，难于知天／吾憎人也，不可得而知也／知之始已自知，而后知人／岂不思故乡，从来感知己／相见情已深，未语可知心／梧桐一叶落，天下尽知秋／明体以及用，通经以知权／见微以知萌，见端以知末／见礼而知俗，闻乐而知政／所不虑而知者，其良知也／朝日乐相乐，酣饮不知醉／人莫不饮食也，鲜能知味也／难因于易，非易无以知其难／四十而不惑，五十而知天命／有谋人之心而令人知之，拙／其真无马邪？其真不知马也／其所知彼也，其所以知此也／不耻禄之不夥，而耻知之不博／内不觉其一身，外不知乎宇宙／诐辞知其所蔽，淫辞知其所陷／

知是行的主意，行是知的工夫／马逢伯乐而嘶，人遇知己而死／赏无功谓之乱，罪不知谓之虐／天下之患，莫大于不知其然而然／人莫知其子之恶，莫知其苗之硕／君不见曲如钩，古人知尔封公侯／君不见直如弦，古人知尔死道边／子在齐闻《韶》，三月不知肉味／不以高危为忧惧，岂知稼穑之艰难／不闻先王之遗言，不知学问之大也／求天下奇闻壮观，以知天地之广大／但见无为为要妙，岂知有作是根基／但见丹诚赤如血，谁知伪言巧似簧／离道而内自择，则不知祸福之所托／切莫呕心并剔肺，须知妙语出天然／大寒至，霜雪降，然后知松柏之茂／拾得断麻穿破衲，不知身在寂寥中／徒觉炎凉节物非，不知关山千万里／委故都以从利兮，吾知先生之不忍／纸上得来终觉浅，绝知此事要躬行／见隅曲之一指，而不知八极之广大／祸积起于宠盛，而不知辞宠以招福／怒其臂以当车辙，不知其不胜任也／身危由于势过，而不知去势以求安／凡以知，人之性；可以知，物之理也／知人者以目正耳，不知人者以耳败目／道者以无为为治，而知者以多事为扰／巢居者察风，穴处者知雨，忧存故也／见闻之知，乃物交而知，非德性所知／其知也乃不知，其不知也而后能知之／知天而不泥于神怪，知人而不遗于委琐／知善不行者谓之狂，知恶不改者谓之惑／逆顺同道而异理，审知逆顺，是谓道纪／或生而知之，或学而知之，或困而知之／见明珠者始贱鱼目，知雅乐者方鄙郑声／悬衡而知平，设规而知圆，万全之道也／尽其心者，知其性也；知其性，则知天矣／知我者，谓我心忧；不知我者，谓我何求／知足者，贫贱亦乐；不知足者，富贵亦忧／言今日难于前日，安知他日不难于今日乎／知彼知己，胜乃不殆；知天知地，胜乃不穷／知得知失，可与为人；知存知亡，足别吉凶／物有本末，事有终始。知所先后，则近道矣／设使国家无有孤，不知当几人称帝，几人称王／君苟有善，人必知之。知之又知之，其心归之／君苟有恶，人亦知之。知之又知之，其心去之／饱而知人之饥，温而知人之寒，逸而知人之劳／天之生此民也，使先知觉后知，使先觉觉后觉也／虽有忧勤之心，而不知致治之要，则心愈劳而事愈乖／审内以知外，原小以知大，因我以然彼，明近以喻远／既知教之所由兴，又知教之所由废，然后可以为人师／人知出必由户，而不知行必由道。非道远人，人自远尔／天下之民，知安而不知危，能逸而不能劳，此臣所谓大患也／有贤而不知，一不祥；知而不用，二不祥；用而不任，三不祥

⑩侏儒见一节而短长可知／久旱逢甘雨，他乡遇故知／同声自相应，同心自相知／使人日徙善远罪而不自知／口含黄柏味，有苦自家知／知之曰知之，不知曰不知／哑子尝黄柏，苦味自家知／惟歌生民病，愿得天子知／安求一时誉，当期千载知／好将前事错，传与后人知／欲识凌冬性，唯有岁寒知／文章千古事，得失寸心知／瞰于野，惟稼穑艰难是知／天下每每大乱，罪在于好知／无为为之，而变化不自知也／不任其身也，则不肖者不知／不听其言也，则无术者不知／以天下之心虑，则无不知也／原始以要终，虽百世可知也／何代无贤，但患遗而不知耳／但患无志耳，事固未可知也／凡人心险于山川，难于知天／军未战先见败征，可谓知兵／能者之相见也，不待试而知／圣人未尝有知，由问乃有知／过者之患，不知而自以为知／学所以开人之蔽，而致其知／致知在格物，物格而后知至／身不善之患，毋患人莫己知／食肉毋食马肝，未为不知味／一日而废一事，一月则可知也／天下之事非一人之所能独知也／不实心不成事，不虚心不知事／不患人之不己知，患不知人也／事有不可知者，有不可不知者／云无心以出岫，鸟倦飞而知还／外疾之害轻于秋毫，人知避之／仁莫大于爱人，知莫大于知人／观水而知学，观耨田而知治国／士者诎乎不知己，而申乎知己／常记溪亭日暮，沉醉不知归路／知得而不知丧，知存而不知亡／汝病吾不知时，汝殁吾不知日／浅不足与测深，愚不足与谋知／治国者，布施惠德，无令下知／流丸止于瓯臾，流言止于知者／审其所好恶，则其长短可知也／学者贵于行之，而不贵于知之／玉不琢不成器，人不学不知道／明镜所以照形，古事所以知今／朝菌不知晦朔，蟪蛄不知春秋／病无能焉，不病人之不己知也／耳有聪，目有明，心思有睿知／里仁为美；择不处仁，焉得知／其岸势犬牙差互，不可知其源／上知天时，下知地利，中知人事／不过乎所不知，而过于其所以知／甘酒醴而不酤饴蜜，未为能知味／事物之变，纷纭杂出，若不可知／兵未战而先见败征，此可谓知兵／为恶之私易见，而为善之私难知／以近知远，以一知万，以微知明／利害之相似者，唯智者知之而已／今人皆知砺其剑，而弗知砺其身／禽鸟知山林之乐，而不知人之乐／苍苍者焉能与吾事，而暇知之哉／洋洋乎与造物者游而不知其所穷／鸿鹄固有远志，但燕雀自不知耳／始或为终，终或为始，恶知其纪／学，然后知不足；教，然后知困／孪子之相似者，唯其母知之而已／智能之士，不学不成，不问不知／欲立非常之功者，必有知人之明／目无所见，耳无所闻，心无所知／不吹毛而求小疵，不洗垢而察难知／世俗之君子，皆知小物而不知大物／旧书不厌百回读，熟读深思子自知／生而知之者上也，学

而知之者次也／弗食，不知其旨；弗学，不知其善／真知即所以为行，不行不足谓之知／仁者见之谓之仁，知者见之谓之知／人莫不以其生生，而不知其所以生／入门休问荣枯事，观看容颜便得知／含情欲说独无处，传与琵琶心自知／豪华尽出成功后，逸乐安知与祸双／诸君傅粉涂脂，问南北战争都不知／谋而不得，则以往知来，以见知隐／画虎画皮难画骨，知人知面不知心／圣人能与世推移，而俗士苦不知变／土事不文，木事不镂，示民知节也／大抵学问只有两途，致知力行而已／当轩不是怜苍翠，只要人知耐岁寒／君子病无能焉，不病人之不己知也／君王城上竖降旗，妾在深宫哪得知／知生而无以知为也，谓之以知养恬／知之为知之，不知为不知，是知也／善知人者如明镜，善自知者如蚌镜／善战者，见敌之所长，则知其所短／山有木兮木有枝，心悦君兮君不知／夏也百草榛榛焉，见其盛而知其阑／浮游，不知所求；猖狂，不知所往／察己则可以知人，察今则可以知古／道满天下，普在民所，民不能知也／始之有作人争觉，及至无为众始知／望严雪而识寒松，观疾风而知劲草／明鉴所以照形也，往古所以知今也／视都知野，视野知国，视国知天下／所求多者所得少，所见大者所知小／所谓理者不可推，而寿者不可知矣／爱之则不觉其过，恶之则不知其善／方其知之，而行未及之，则知尚浅／悲莫悲兮生别离，乐莫乐兮新相知／鹊巢知风之所起，獭穴知水之高下／病莫大于不闻过，辱莫大于不知耻／病身最觉风露早，归梦不知山水长／痛莫大于不闻过，辱莫大于不知耻／立当青草人先见，行傍白莲鱼未知／登山始觉天高广，到海方知浪渺茫／路歧之险夷，必待身亲履历而后知／天下不多管仲之贤而多鲍叔能知人也／天下皆知取之为取，而莫知与之为取／天知，神知，我知，子知，何谓无知／不应于物者，是致知也，是知之至也／百姓之有此色，正缘士大夫不知此味／师严，然后道尊；道尊，然后知敬学／反裘而负薪，爱其毛，不知其皮尽也／发愤忘食，乐以忘忧，不知老之将至／博学而日参省乎己，则知明而行无过／人皆务于救患之备而莫能知使患无生／人特劫君而不盟，君不知，不可谓智／人灭而为鬼，鬼而为人，则未之知也／识物之动，则其所以然之理皆可知也／阴阳之气，散则万殊，人莫知其一也／梦之中又占其梦焉，觉而后知其梦也／庸人者，口不能道善言，心不知色色／闻以有知知者也，未闻以无知知者也／过眼滔滔云共雾，算人间知已吾和汝／璞玉浑金，人皆钦其宝，莫知名其器／见闻之知，乃物交而知，非德性所知／心能知人者如明镜，善自知者如蚌镜／积善在身，犹长日加益，而人不知也／既不知善之为善，则亦不知恶之为恶／其知也乃不知，其不知也而后能知之／其盗机也，天下莫不能见，莫不能知／一人知俭则一家富，王者知俭则天下富／三月婴儿，生而徙国，则不能知其故俗／万物者，以盛衰而谈语，使人想而知之／不知其君视其所使，不知其子视其所友／以至详之法晓天下，使天下明知其所避／仓廪实，则知礼节；衣食足，则知荣辱／语曰：流丸止于瓯、臾，流言止于知者／德比于上，故知耻；欲比于下，故知足／多闻识者，犹广储药物也，知所用为贵／宫人得戟，则以刈葵……不知所施之也／好学近乎知，力行近乎仁，知耻近乎勇／终日写路程而不能行一步，徒知无益也／或生而知之，或学而知之，或困而知之／物理不见不闻，虽圣哲亦不能索而知之／物有甘苦尝之者识，道有夷险履之者知／心不可乱，则利至而必知，害至而必察／私心胜者可以灭公，为己重者不知利物／登泰山而览群岳，则冈峦之本末可知也／鉴于水者见面之容，鉴于人者知吉与凶／乐听其音，则知其俗；见其俗，则知其化／为人母者不患不慈，患于知爱而不知教也／尽其心者，知其性也；知其性，则知天矣／厥父母勤劳稼穑，厥子乃不知稼穑之艰难／黄金者用之量也，辨于黄金之理则知侈俭／人有鸡犬放，则知求之；有放心而不知求／凡人能量己之能与不能，然后知人之艰难／圣人并包天地，泽及天下，而不知其谁氏／若夫有道之士，必礼必知然后其智能可尽／吾闻中国之君子，明乎礼义而陋于知人心／狗彘食人食而不知检，途有饿莩而不知发／法令明具，而用之至密，举天下惟法之知／愚者为一物一偏，而自以为知道，无知也／锦糊灯笼，玉镶刀口……不知落在何处矣／镜于水，见面之容；镜于人，则知吉与凶／其为不虚取直也的矣，其知恐而畏也审矣／一节省而国有余用，民有盖藏，不知其几也／天下无独燃之火，世间安得有无体独知之精／无为名尸，无为谋府，无为事任，无为知主／不尽知用兵之害者，则不能尽知用兵之利也／不能则学，不知则问，虽知必让，然后为知／不知者，非其人之罪也；知百不为者，惑也／前车已覆，袭轨而骛，曾不鉴祸，以知畏惧／人欲自照，必须明镜；主欲知过，必藉忠臣／句有可削，足见其疏；字不得减，乃知其密／词意书迹，无不宛然；唯是魂神，不知去处／观书贵要，观要贵博，博而知要，万流可一／墓门有棘，斧以斯之；夫也不良，国人知之／苦心焦思，以日继夜，苟利于国，知无不为／推微达著，寻端见绪，履霜知冰，践露知暑／君子博学而日参省乎己，则知明而行无过矣／君子务知大者、远者，小人务知小者、近者／知不知，上矣；过者之患，不知而自以为知／知为吏者奉法利民，不知为吏者枉法以侵民／知彼知己，胜乃不殆；知天知地，胜乃不穷／知得知失，可与为人；知存知亡，足别吉凶／知标本者，万举万当；不知标本，是谓妄行／善欲人见，不是真善；恶恐人知，便是大恶／德者道之舍，物得以生生，知得以职道之精／狗吠不惊，足下生氂；含哺鼓腹，焉知凶灾／处大事贵乎明而能断，不明因无以知事论断／寡交多亲，谓之知人；寡事成功，谓之知用／居知所为，行知所之，事知所秉，动知所由／马效千里，不必骥騄；人期贤知，不必孔墨／智载于私，则所知少；载于公，则所知多矣／贵而犯法，义不得宥；过而知改，恩不废叙／见骥一毛，不知其状；见画一色，不知其美／见虎一文，不知其武；见骥一毛，不知善走／教也者，义之大者也；学也者，知之盛者也／欲人勿闻，莫若勿言；欲人勿知，莫若勿为／欲论人者，必先自论；欲知人者，必先自知／欲观千岁，则数今日；欲知亿万，则审一二／欲知平直，则必准绳；欲知方圆，则必规矩／福轻乎羽，莫之知载；祸重乎地，莫之知避／虑事而当，不若进贤；进贤而当，不若知贤／罪至重而刑至轻，庸人不知恶矣，乱莫大焉／用四海九州之力，除此小寇，难易可知……／天下之人所共趋之而不知止者，富贵与美名尔／不日不月，而事以从；不卜不筮，而谨知吉凶／不思，故有惑；不求，故无得；不问，故不知／未事而知其来，始事而知其终，定事而知其变／龟龙闻而深藏、鸾凤见而高逝者，知其害身也／为学之道，必本于思。思则得知，不思则不得／凡今能言者，皆谓天下少士，而不知养材之道／谋臣良将，何代无之；贵在见知，要在见用耳／若近细人，不闻教谕，纵欲行善，犹未知所适／常有小不快事，是好消息……知此理可免怨尤／吾何以得知天下乎？察己以知之，不求于外也／君苟有善，人必知之。知之又知之，其心归之／君苟有恶，人亦知之。知之又知之，其心去之／君子耻食其食而无其功，耻服其服而不知其事／徒知伪得之中有真失，殊不知真得之中有真失／徒知伪是之中有真非，殊不知真是之中有真非／处顺境内，眼前尽兵刃戈矛，销膏靡骨而不知／饱而知人之饥，温而知人之寒，逸而知人之劳／楩楠豫章之生也，七年而后知，故可以为棺舟／是非之心，不虑而知，不学而能，所谓良知也／登彼西山兮采其薇矣，以暴易暴兮不知其非矣／天之生此民也，使先知觉后知，使先觉觉后觉也／朱丹既定，雌黄有别，使夫怀鼠知惭，滥竽自耻／今世之人主，多欲众之，而不知善，此多其雠也／力不能问，然后语之，语之而不知，虽舍之可也／能使人知己、爱己者，未有不能知人、爱人者也／圣人之爱人也，人与之名，不告则不知其爱人也／君子依乎中庸，遁世不见知而不悔，唯圣者能之／道之不行也，我知之矣，知者过之，愚者不及也／继世守文之君，生而富贵，不知疾苦，动至夷灭／心不在焉，视而不见，听而不闻，食而不知其味／士之修身立节而竟不遇知己，前古以来，不可胜数／不知言之人，乌可与言？知言之人，默焉而其意已传／以食噎而得病者，欲绝食以去病，乃不知食绝而身毙／今之所以知古，后之所以知今，不可口传，必凭诸史／若鄙人所谓致知格物者，致吾心之良知于事事物物也／美人梳洗时，满头间珠翠，岂知两片云，戴却数乡税／闻其声而知其风，察其风而知其志，观其志而知其德／安不忘危，治不忘乱，虽知今日无事，亦须思其终始／权，然后知轻重；度，然后知长短。物皆然，心为甚／耳之闻也藉于静，目之见也藉于昭，心之知也藉于理／一宿体宁，百宿心恬，三宿后颓然嗒然，不知其然而然／上智不教而成，下愚虽教无益，中庸之人，不教不知也／天下皆知美之为美，斯恶矣；皆知善之为善，斯不善矣／古之存身者，不以辩饰知，不以知穷天下，不以知穷德／原心反性则贵矣，适情知足则富矣，明死生之分则寿矣／观其国则知其臣，观其臣则知其君，观其君则知其兴亡／知人之效有二难：有难知之难，有知之而无由得效之难／学为文章，先谋亲友，得其评裁，知可施行，然后出手／欲成功而反为败者，生于不知道理，而不肯问知而听能／至礼有不人，至义不物，至知不谋，至仁无亲，至信辟金／众人皆知利利而病病也，唯圣人知病之为利，知利之为病也／有道之君子，其处也若无知，其应物也若偶之，静因之道也／不闻不若闻之，闻之不若见之，见之不若知之，知之不若行之／杀人之士民，兼人之土地，以养吾私与吾神者，其战不知孰善／急乎其所自立，而无患乎人不己知，未尝闻有响大而声微者也／君子知形恃神以立，神须形以存，悟生理之易失，知一过之害生／古今号文章为难，足下知其所以难乎？……得之为难，知之愈难耳／君人者不下庙堂之上，而知四海之外者，因物以识物，因人以知人也／知大一，知大阴，知大目，知大均，知大方，知大信，知大定，至矣

和 ①hé 平和；和缓；和谐；结束战争与争执；不分胜负；连带；介词，表示相关、比较；连词，表示联合；数学中加法运算的结果；姓；跟，与。②hè 与曲声和谐地唱或伴奏；依照别人的诗词的题材和体裁作诗词。③hú 打麻将和斗纸牌时某一家的牌合乎规定的要求，得胜。④huó 在粉状物中加水搅拌。⑤huò 混合，拌。

❶和气致祥，乖气致戾

见清·淮阴百一居士《壶天录》。

和氏之璧，不饰以五采

见《韩非子·解老》。全句为："～；隋侯之珠，不饰以银黄。其质至美，物不足以饰之"。

和也者，天下之达道也

见《礼记·中庸》。全句为："中也者，天下之大本也；～"。

和民一众，不知法不可

见《管子·七法》。

和愉虚无，所以养德也

见汉·刘安《淮南子·俶真》。

和者不慉，无以保其和

见三国·魏·刘劭《人物志·八观》。全句为："～。既悦其和，不可非其慉。慉也者，和之征也"。

和平之音淡薄，而秋思之声要妙

见唐·韩愈《荆潭唱和诗序》。全句为："～；欢愉之辞难工，而穷苦之言易好"。

和以处众，宽以接下，恕以待人

见宋·林逋《省心录》。

和睦劝俭者家必隆，乖戾骄奢者家必败

见清·申涵光《荆园小语》。

和氏之璧，出于璞石；隋氏之珠，产于蜃蛤

见汉·王符《潜夫论·论荣》。

和神仙之药以治齀咳，制貂狐之裘以取薪菜

见汉·王充《论衡·自纪篇》。

和羹之美，在于合异；上下之益，在能相济

见晋·陈寿《三国志·魏书·夏侯尚传》。

和氏之璧，价重千金，然以之间纺，曾不如瓦砖

见汉·刘向《说苑·杂言》。

和者天之正也，阴阳之平也，其气最良，物之所生也

见汉·董仲舒《春秋繁露·循天之道》。

❷上和下睦，夫唱妇随／听和则聪，视正则明／政和则情和，情和则声和／卞和之卞，得于荆山，其偶然耳／谐和之政宜于治新，以之治旧则虚／以和氏之璧与百金以示鄙人，鄙人必取百金／卞和献宝，以离断趾；灵均纳忠，终于沉身／春和景明，波阑不惊；上下天光，一碧万顷／中和之质，必平淡无味，故能调成五材变化应节／以和氏之璧与道德之至言以示贤者，贤者必取至言

❸上下和洽，海内康平／与天和者，谓之天乐／与人和者，谓之人乐／中正和平，无所偏倚／以德和民，不闻以乱／辱骂和恐吓决不是战斗／君子和而不同，小人同而不和／室人和则谤掩，外内离则恶扬／致中和，天地位焉，万物育焉／上下和同，虽有贤才，无所立功／天下和平，灾害不生，祸乱不作／天有和，有德，有平，有威……／耳乐和声，为制金石丝竹以道之／好似和针吞却线，刺人肠肚系人心／圣人和之以是非而休乎天钧，是之谓两行

❹师克在和不在众／礼之用，和为贵／六亲不和，有孝慈／上下不和，令乃不行／上下不和，虽安必危／庶政惟和，万国咸宁／政通人和，百废俱兴／不待卞和显，自为命世珍／兄弟敦和睦，朋友笃信诚／乃命羲和，钦若昊天……敬授民时／阴阳之和，不长一类，甘露时雨，不私一物／既悦其和，不可非其慉。慉也者，和之征也

❺无约而请和者，谋也／勿烦勿乱，和乃自成／明月之珠，和氏之璧／首夏犹清和，芳草亦未歇／政和则情和，情和则声和／熟读王叔和，不如临症多／法得则马和而欢，道得则民安而集／春者，天之和也；夏者，天之德也／阳春之曲，和者必寡；盛名之下，其实难副／隋侯之珠，和氏之璧，得之者富，失之者贫／歌曲弥妙，和者弥寡；行操益清，交者益鲜／歌曲妙者，和者则寡；言得实者，然者则鲜

❻属笔易巧，选和至难／贫非人患，惟和为贵／其曲弥高，其和弥寡／端拱纳谏诤，和风日冲融／丑声，贯盈。迟和早除奸佞／两坚不能相和，两强不能相服／地利不如人和，武力不如文德／居同乐，行同和，死同哀……／春残已是风和雨，更著游人撼落花／论至德者不和于俗，成大功者不谋于众／慎尔言，将有和之；慎尔行，将有随之／体道履仁，外和内敏，清而容物，善不近名／沧波远天，混和暮色，孤舟一去，曷日而旋归

❼天朗气清，惠风和畅／凡人之质，量中和最贵矣／政和则情和，情和则声和／遇暴戾之人，以和气薰蒸之／曲妙人不能尽和，言是人不能皆信／诚无悔，恕无怨，和无仇，忍无辱／明主必谨养其和，节其流，开其源／天地之间空虚，和气流行，故万物自生／挫其锐，解其纷，和其光，同其尘，湛兮似或存

❽五味不同物而能和／尊卑有序则上下和／推贤让能，庶官乃和／形莫若就，心莫若和／物诱气随，外适内和／暗于治者，唱繁而和寡／恩从祥风翱，德与和气游／正汝形，一汝视，天和将至／知与恬交相养，而和理出其性／乐，所以达天地之和而饬化万物／愿兄为水妹为土，和来捏做一个人／故明主必谨养其和，节其流，开其源／仁之与义，敬之与和，相反而皆相成也／福善之门莫美于和睦，患咎之首莫大于内离／人能修炼，俗变淳和，则返朴之风，可臻太古矣

❾和者不慉，无以保其和／圣人感人心，而天下和平／名缰利锁，天还知道，和天也瘦／伯乐之厩多良马，卞和之匮多美玉／洞然无为而天下自和，憺然无欲而民自朴／贤君之治也，温良而和，宽容而爱，刑清而省，喜赏而恶罚

❿万姓厌干戈，三边尚未和／抱玉乘龙骥，不逢乐与和／行峻而言厉，心醇而气和／治世之音安以乐，其政和／政和则情和，情和则声和／生非汝有，是天地之委和也／水清无大鱼，察政不得下和／天时不如地利，地利不如人和／能守而后可战，能战而后可和／圣人不以身役物，不以欲滑和／君子和而不同，小人同而不和／衡阳犹有雁传书，郴阳和雁无／已是黄昏独自愁，更着风和雨／神宜平而抑之，必有失和者矣／利害相摩，生火甚多，众人焚和／八音克谐，无相夺伦，神人以和／君子固当亲，然亦不可曲为附和／宽以济猛，猛以济宽，政是以和／见有人来，袜刬金钗溜，和羞走／三十功名尘与土，八千里路云和月／天下顺治在民富，天下和静在民乐／生，寄也；死，归也。何足以滑和／何事将军封万户，却令红粉为和戎／诗人安得有青衫，今岁和戎百万缣／诗言志，歌永言，声依永，律和声／德无以安之则危，政无以和之则乱／汴水通淮利最多，生人为害亦相和／强怒者虽严不威，强亲者虽笑不和／虚凝淡泊怡其性，吐故纳新和其神／过眼滔滔云共雾，算人间知己吾和汝／上不信，下不忠，上下不和，虽安必危／李太白诗不专是豪放，亦有雍容和缓底／物不正则不可为乐，乐不和则不能理人／百梅足以为百人酸，一梅不足以为一人和／善举事者若乘舟而悲歌，一人唱而千人和／治心须求妙悟，悟则神和气静，客敬色庄／聪明者，阴阳之精。阴阳清和则中睿外明／师旷调音，曲无不悲；狄牙和膳，肴无澹味／喜怒哀乐之未发谓之中，发而皆中节谓之和／吐纳文艺，务在节宣，清和其心，调畅其气／虽云色白，匪染弗丽；虽云味甘，匪和弗美／引物连类，穷情尽变；宫商相宣，金石谐和／既悦其和，不可非其懦。懦也者，和之征也／真悲无声而哀，真怒未发而威，真亲未笑而和／清轻者上为天，浊重者下为地，冲和气者为人／音乐者，所以动荡血脉，通流精神而和正心也／一人所以能悦万人者，非言笑之惠，盖和之至也／见玉而指之曰石，非玉之不真也，待和氏而识焉／敬之而不喜，侮之而不怒者，唯同乎天和者为然／上不失天时，下不失地利，中得人和，而百事不废／利非不善也，其害义则不善也，其和义则非不善也／饥餐松柏叶，渴饮涧中泉，看罢青青竹，和衣自在眠／气宜宣而遏之，体宜调而矫之，神宜平而抑之，必有失和者矣

呱 ①guā 拟声词。②gū 拟声词。

❶呱呱之子，各识其亲；譊譊之学，各习其师

见汉·扬雄《法言·寡见》。

呼 ①hū 口腔或鼻腔向外排气；高声喊；招呼；拟声词；姓。②xū 显出虚弱无力的声音。③hè 表示愤怒的呼声。

❶呼之则来，挥之则散

见宋·苏轼《王仲仪真赞》。

呼儿烹鲤鱼，中有尺素书

见汉·无名氏《古诗十九首·孟冬寒气至》。全句为："客从远方来，遗我双鲤鱼。～"。

❷千呼万唤始出来，犹抱琵琶半遮面／号呼卖卜谁家子，想欠明朝籴米钱／疾呼不过闻百步，志之所在，逾于千里

❸及溺呼船，悔之无及／吹呴呼吸，吐故纳新／天子呼来不上船，自称臣是酒中仙

❹今将以呼嘘为食，咀嚼为神……／因急而呼天，疾痛而呼父母者，人之至情也

❻举动回山海，呼吸变霜露／小时不识月，呼作白玉盘／冬至之后为呼，夏至之后为吸／截牛之角而呼为豕，则虽庸必骇

❼丧乱死多门，呜呼泪如霰／凡人之情，冤则呼天，穷则叩心

❽疾痛惨怛，未尝不呼父母也

❾君臣节俭足，朝野欢呼同／其为声也，凄凄切切，呼号愤发／因急而呼天，疾痛而呼父母者，人之至情也

❿老骥思千里，饥鹰待一呼／身轻一鸟过，枪急万人呼／酒后耳热，仰天拊缶而呼乌乌／无身不善而怨人，无刑已至而呼天／白云山头云欲立，白云山下呼声急／但愿官民通有无，莫令租吏打门叫呼疾／人穷则反本，故劳苦倦极，未尝不呼天地也

咎 ①jiù 灾祸；憎恨；罪责；责备；凶。②gāo 大鼓；通"皋"。

❷殃咎之来，未有不始于快心者／无咎，弗过，遇之。往厉，必戒

❹既往不咎，来事之师

❺敦临，吉，无咎／非才而据，咎悔必至／追计往时咎过，日夜反覆，无一食而安于口平于心

❻哀乐失时，殃咎必至／得道不得行，咎殃且亡／怀既往而不咎，指将来而骏奔／"改过不吝，无咎"者，善补过也

❼不以利交则无咎／富贵而骄，自遗咎也／立言无显过之咎，明镜无见玼之尤

❽天与弗取，反受其咎／载船渡海，虽深何咎／毋为权首，反受其咎／跋前踬后，动辄得咎／祸莫大于不知足，咎莫大于欲得

❿从善则有誉，改过则无咎／成事不说，遂事不谏，既往不咎／我贤而彼不知，则见轻，非我咎也／举一善必适其材，惩一恶必当其咎／因时而惕，不失其几，虽危而劳，可以无咎／福善之门莫美于和睦，患咎之首莫大于内离／金玉满

堂,莫之能守。富贵而骄,自遗其咎/不可与往者,不知其道,慎勿与之,身乃无咎/威太甚则爱利之心息,爱利之心息而徒疾行威,身必咎矣

鸣 míng 叫声;发出声响;使发出声响;表示,发表。

❷山鸣谷应,风起水涌/鹤鸣于九皋,声闻于天/一鸣众鸟至,再鸣众鸟罗/鼍鸣而鳖应,兔死则狐悲/鹿鸣思野草,可以喻嘉宾/闻鸣镝而股战,对穹庐以屈膝

❸趣织鸣,懒妇惊/凤凰鸣矣,于彼高冈/嘤其鸣矣,求其友声/使鼓鸣者,乃不鸣者也/听著鸣蛩,一声声是怨/鸱枭鸣衡轭,豺狼当路衢/以鸟鸣春,以雷鸣夏,以虫鸣秋,以风鸣冬

❹一鸟不鸣山更幽/萧萧马鸣,悠悠旆旌/择其善鸣者而假之鸣/骐骥长鸣,则伯乐照其能/篙不能鸣钟,而萤火不爨鼎者,何也/呦呦鹿鸣,食野之苹;我有嘉宾,鼓瑟吹笙/星队木鸣,国人皆恐。……怪之,可也;而畏之,非也

❺委体渊沙,鸣弦揆日/造夕思鸡鸣,及晨愿乌迁/闻水声,如鸣珮环,心乐之/树林阴翳,鸣声上下,游人去而禽鸟乐也

❻鸿雁于飞,哀鸣嗷嗷/风雨如晦,鸡鸣不已/鸟之将死,其鸣也哀;人之将死,其言也善

❼物不得其平则鸣/一夫得情,千室鸣弦/使鼓鸣者,乃不鸣者也/一鸣众鸟至,再鸣众鸟罗/狗吠深巷中,鸡鸣桑树颠/以鸟鸣春,以雷鸣夏,以虫鸣秋,以风鸣冬

❽单丝不线,孤掌难鸣/战如斗鸡,胜者先鸣/金石有声,不考不鸣/阴雪兴岩侧,悲风鸣树端/黄钟毁弃,瓦釜雷鸣;谗人高张,贤士无名/胡笳互动,牧马悲鸣,吟啸成群,边声四起/金石有声,弗叩弗鸣;管箫有音,弗吹无声

❾大凡物不得其平则鸣/择其善鸣者而假之鸣/听玄猿之悲吟,察鹤鸣于九皋/棹容与而讵前,马寒鸣而不息

❿枭骑战斗死,驽马徘徊鸣/日入群动息,归鸟趋林鸣/白骨露于野,千里无鸡鸣/正西风落叶下长安,飞鸣镝/以梧桐之实养枭而冀其凤鸣/露团团而湿草,风烈烈而鸣泉/心如老马虽知路,身似鸣蛙不属官/不飞则已,一飞冲天;不鸣则已,一鸣惊人/以鸟鸣春,以雷鸣夏,以虫鸣秋,以风鸣冬/泉水激石,泠泠作响;好鸟相鸣,嘤嘤成韵/朝乐朗日,啸歌丘林;夕玩望舒,入室鸣琴/年过八十而以居位,譬犹钟鸣漏尽而夜行不休/猛虎处于深山,向风长鸣,则百兽震恐而不敢出/人声之精者为言,文辞之于言,又其精也,尤择其善鸣者而假之鸣

咆 páo 咆哮猛兽怒吼、嗥叫,用以形容水流的轰鸣和人的暴怒喊叫。

❸巨灵咆哮擘两山,洪波喷流射东海

呴 ①xǔ 张口出气,嘘气;吐口水,吐沫;和悦。②hǒu 通"吼",吼叫。③gòu 通"雊",雉鸡叫。④hōu 象喉头喘气声。

❷吹呴呼吸,吐故纳新/相呴以湿,相濡以沫,不如相忘于江湖

咏 yǒng 依照一定的声调缓慢地诵读歌唱;用诗词形式叙述;诗体的名称。

❷宜咏诗,诗韵清绝/一咏一吟,寄心期于别后/吟咏之间,吐纳珠玉之声/吟咏有真得,不解脱终为套语

❸歌以咏言,舞以尽意

❹诗者,吟咏情性也/一觞一咏,亦足以畅叙幽情/披襟朗咏,饯斜光于碧岫之前

❼难于指言者,辄咏歌之/诗言其志也,歌咏其声也,舞动其容也

❽博览群书,不为讽咏/读书而寄兴于吟咏风雅,定不深心/兴于嗟叹,发于吟咏,而形于歌诗矣

❾存志乎诗书,寓辞乎咏歌/贯穿百代尝探古,吟咏千篇亦造微

❿曲水临流,自可一觞而一咏/兴者,先言他物以引起所咏之词也/睹其终必原其始,故存其人而咏其道/衡门之下,有琴有书,载弹载咏,爰得我娱/心之精微,发而为文;文之神妙,咏而为诗/气之动物,物之感人,故摇荡性情,形诸舞咏

咈 fú 乖戾,违逆;骚扰。

❾以私奉为心者,人必咈而叛之

❿罔违道以干百姓之誉,罔咈百姓以从己之欲

呦 yōu[呦呦]拟声词;鹿鸣声;哭泣声;惊诧声。

❶呦呦鹿鸣,食野之苹;我有嘉宾,鼓瑟吹笙

见《诗·小雅·鹿鸣》。

哉 zāi 文言助词,表示感叹;表疑问语气;表反诘语气;拟议之词;通"才",始;作语助。

❷悲哉秋之为气也/悠哉悠哉,辗转反侧/哀哉,死者用生者之器也/时哉不我与,去乎若云浮/钦哉,钦哉,惟刑之恤哉/大哉乾元,万物资始,乃统天/至哉坤元!万物资生,乃顺承天/贤哉,回也……人不堪其忧,回也不改其乐/伟哉横海鲸,壮矣垂天翼。一旦失风水,翻为蝼蚁食

哄 ①hōng 许多人同时发出喧哗声或大笑声。②hǒng 逗引;欺骗。③hòng 吵闹;扰乱。

❿偏则成魔,分唐界宋。霹雳一声,邹鲁不哄

哑 ①yǎ 因生理原因丧失说话能力;不说话的。②yā 拟声词。

❶哑子尝黄柏，苦味自家知

见明·冯梦龙《古今小说·金玉奴棒打薄情郎》。

哂

shěn 微笑；讥笑。

❿喜极不得语，泪尽方一哂

咸

xián 都，皆；普遍；盐的味道；六十四卦之一。

❶咸以孔子之是非为是非，故未尝有是非耳

见明·李贽《藏书》。

❹抱景者咸叩，怀响者毕弹／有道者咸屈，无用者必伸

❺尝一滴之咸而知沧海之性／海内之货，咸萃其庭，产匹铜山，家藏金穴

❼庶政惟和，万国咸宁／居难则易，在塞咸通／群贤毕至，少长咸集／布衣穷贱之人，咸得献其狂瞽

❽罚当其罪，为恶者咸惧／新丰美酒斗十千，咸阳游侠多少年

❿骊山北构而西折，直走咸阳／天地车轮，终则复始，极则复反，莫不咸当／左右前后，莫匪俊良；小大之材，咸尽其用／歼厥渠魁，胁从罔治，旧染污俗，咸与惟新／于人无贤愚，于事无小大，咸推以信，同施以敬

虽

suī 连词，表示让步或假设，相当于“即使”、“纵然”。

❶虽九死其犹未悔

见战国·楚·屈原《离骚》。

虽楚有材，晋实用之

见《左传·襄公二十六年》。

虽死之日，犹生之年

见晋·陈寿《三国志·吴书·孙登传》。

虽贫贱，不以利累形

见《庄子·让王》。全句为：“虽贵富，不以养伤身；～”。

虽贱如贵，虽贫如富

见汉·刘安《淮南子·诠言》。

虽有兹基，不如逢时

见汉·班固《汉书·樊哙夏侯婴灌婴传赞》。

虽有至知，万人谋之

见《庄子·外物》。

虽畏勿畏，虽休勿休

见《尚书·吕刑》。

虽鞭之长，不及马腹

见《左传·宣公十五年》。

虽无丝竹管弦之盛……

见晋·王羲之《兰亭集序》。全句为：“～，一觞一咏，亦足以畅叙幽情”。

虽小道，必有可观者焉

见《论语·子张》。全句为：“～；致远恐泥，是以君子不为也”。

虽源水桃花，时时失路

见唐·王勃《秋晚入洛于毕公宅别道王宴序》。全句为：“～；而幽山桂树，往往逢人”。

虽终身而不自睹其性焉

见唐·李翱《复性书上》。全句为：“情之所昏，交相攻伐，未始有穷，故～”。

虽有忮心者，不怨飘瓦

见《庄子·达生》。

虽无玄豹姿，终隐南山雾

见南朝·齐·谢朓《之宣城郡出新林浦向板桥》。

虽无纪历志，四时自成岁

见晋·陶潜《桃花源诗》。全句为：“草荣识节和，木衰知风厉。～”。

虽发语已殚，而含意未尽

见唐·刘知几《史通·叙事》。全句为：“言近而旨远，辞浅而义深，～”。

虽死而不朽，逾远而弥存

见宋·欧阳修《送徐无党南归序》。

虽有千黄金，无如我斗粟

见汉·无名氏《洛中童谣》。全句为：“～。斗粟自可饱，千金何所直”。

虽有亲兄，安知其不为狼

见汉·司马迁《史记·韩长孺列传》。全句为：“虽有亲父，安知其不为虎；～”。

虽有亲父，安知其不为虎

见汉·司马迁《史记·韩长孺列传》。全句为：“～；虽有亲兄，安知其不为狼”。

虽有慈父，不爱无益之子

见《墨子·亲士》。

虽载言载笑，赏风月于离前

见唐·骆宾王《初夏邪岭送益府窦参军宴诗序》。全句为：“～；而一咏一吟，寄心期于别后”。

虽有良玉，不刻镂则不成器

见汉·韩婴《韩诗外传》。全句为：“～；虽有美质，不学则不成君子”。

虽有美质，不学则不成君子

见汉·韩婴《韩诗外传》。全句为：“虽有良玉，不刻镂则不成器；～”。

虽趣舍万殊，静躁不同……

见晋·王羲之《兰亭集序》。全句为：“～，当其欣于所遇，暂得于己，快然自足，曾不知老之将至”。

虽为镜于前代，终抱痛于今日

见唐·卢照邻《悲才难》。

虽则巧持其末，不如拙诚其本

见唐·司马承祯《坐忘论·真观》。

虽假容于江皋，乃缨情于好爵

见南朝·齐·孔稚珪《北山移文》。

虽迫桑榆之景,犹倾葵藿之心

见唐·刘禹锡《谢分司东都表》。

虽有至道,弗学,不知其善也

见《礼记·学记》。全句为:"虽有嘉肴,弗食,不知其旨也;~"。

虽有嘉肴,弗食,不知其旨也

见《礼记·学记》。全句为:"~;虽有至道,弗学,不知其善也"。

虽有营求之事,莫生得失之心

见唐·司马承祯《坐忘论·真观》。全句为:"~,则有事无辜,心常安泰"。

虽有强记之力,而常废于不勤

见宋·秦观《精骑集序》。

虽有群书万卷,不及囊中一钱

见唐·卢照邻《悲今日》。

虽感目之一致,终寄怀而百端

见唐·李峤《楚望赋》。全句为:"思何忧而不入,心何虑而不攒,~"。

虽禀极聪,而有声者不可尽闻焉

见晋·葛洪《抱朴子·论仙》。全句为:"虽有至明,而有形者不可毕见焉。~"。

虽有至明,而有形者不可毕见焉

见晋·葛洪《抱朴子·论仙》。全句为:"~。虽禀极聪,而有声者不可尽闻焉"。

虽体解吾犹未变兮,岂余心之可惩

见战国·楚·屈原《离骚》。

虽信美而非吾土兮,曾何足以少留

见汉·王粲《登楼赋》。

虽惭老圃秋容淡,且看黄花晚节香

见宋·韩琦《九日水阁》。

虽有千里之能……安求其能千里也

见唐·韩愈《杂说四首》。删节处为:"食不饱,力不足,才美不外见,且欲与常马等不可得"。

虽干将、莫邪,非得人力则不能割刿

见《战国策·齐策五》。

虽诏于天子,无使北面,所以尊师也

见《礼记·学记》。

虽有巧目利手,不如拙规矩之正方圆

见《管子·法法》。

虽富贵不以养伤身,虽贫贱不以利累形

见《庄子·让王》。全句为:"能尊生者,~"。

虽相与为君臣,时也;易世而无以相贱

见《庄子·外物》。

虽有贤师良友,若画脂镂冰,费日损功

见汉·桓宽《盐铁论·殊路》。全句为:"内无其质,而外学其文,~"。

虽有尧舜之智,而无众人之助,大功不立

见《韩非子·观行》。

虽云色白,匪染弗丽;虽云味甘,匪和弗美

见晋·葛洪《抱朴子·勖学》。

虽常服药,而不知养性之术,亦难以长生也

见南朝·梁·陶弘景《养性延命录·食诫篇》。

虽曰爱之,其实害之;虽曰忧之,其实仇之

见唐·柳宗元《种树郭橐驼传》。

虽有丝麻,无弃菅蒯;虽有姬姜,无弃蕉萃

见《左传·成公九年》。

虽有至圣,不生而知;虽有至材,不生而能

见汉·王符《潜夫论·赞学》。

虽有智慧,不如乘势;虽有镃基,不如待时

见《孟子·公孙丑上》。

虽有神药,不如少年;虽有珠玉,不如金钱

见汉《古谚》。

虽有国士之力,不能自举其身,非无力也,势不便也

见汉·韩婴《韩诗外传》卷九。

虽有忧勤之心,而不知致治之要,则心愈劳而事愈乖

见宋·欧阳修《准诏言事上书》。全句为:"~;虽有纳谏之明,而无力行之果断,则言愈多而听愈惑"。

虽有纳谏之明,而无力行之果断,则言愈多而听愈惑

见宋·欧阳修《准诏言事上书》。全句为:"虽有忧勤之心,而不知致治之要,则心愈劳而事愈乖;~"。

❷志虽大而才不副/周虽旧邦,其命维新/冠虽穿弊,必戴于头/初虽啼号,后必庆笑/能虽至神,不离巧拙/名虽美焉,伪亦必生/行虽至卓,不离高下/楚虽三户,亡秦必楚/楚虽有才,晋实用之/战虽有陈,而勇为本/物虽胡越,合则肝胆/貌虽至殊,不离妍丑/言虽至工,不离是非/士虽有学,而行为本焉/法虽不善,犹愈于无法/履虽五采,必践之于地/外虽饶棘刺,内实有赤心/地虽生尔材,天不与尔时/善虽不吾与,吾将强而附/耳虽欲声,目虽欲色……/首虽尊高,必资手足以成体/君虽明哲,必藉股肱以致治/今虽不能如周公吐哺握发……/药虽进于医手,方多传于古人/兵虽诡道而本于正者,终亦必胜/溪虽莫利于世,而善鉴万类……/义虽深,理虽当,词不工者不成文/利虽倍于今,而不便于后,弗为也/冠虽故必加于首,履虽新必关于足/履虽鲜不加于枕,冠虽敝不以苴履/弹虽在指声在意,听不以耳而以心/世虽有侥幸之事,断不可存侥幸之心/事虽易,而以难处之,未有不治之变/人虽无艰难之时,却不可忘艰难之境/冠虽敝,必加于首;履虽新,必关于足/性虽善,待教而成;性虽

恶，待法而消／道虽迩，不行不至；事虽小，不为不成／履虽鲜，不加于枕；冠虽敝，不以苴履／楚虽三户能亡秦，岂有堂堂中国空无人／言虽多而不要其中，文虽奇而不济于用／国虽大，好战必亡；天下虽安，忘战必危／国虽大，好战必亡；天下虽平，忘战必危／山虽高，水虽下，其为险而害也，要之不异／心虽不说，弗敢不誉；事业虽弗善，不敢不力／鳏虽难得，贪以死饵；士虽怀道，贪以死禄矣／法虽在，必待圣而后治；律虽具，必待耳而后听／言虽简略，理皆要害，故能疏而不遗，俭而无阙／地虽胜，得人焉而居之，则山若增而高，水若辟而广／水虽平，必有波；衡虽正，必有差；尺寸虽齐，必有诡

❸夕阳虽好近黄昏／蜘蛛虽巧不如蚕／野芳虽晚不须嗟／天下虽平，不敢忘战／天下虽安，忘战必危／天地虽广，以无为心／五色虽明，有时而渝／五色虽朗，有时而渝／毫毛虽小，视之可察／圣王虽大，以虚为主／巧言虽美，用之必灭／涓流虽寡，浸成江河／溃痈虽痛，胜于养肉／此言虽小，可以谕大／熛火虽微，卒能燎原／羊羹虽美，众口难调／齿发虽衰而风力犹在／中国虽安，忘战则民殆／土地虽广，好战则民凋／往车虽折，而来轸方遒／物色虽繁，而析辞尚简／趋舍虽不合，不敢弗从／丽容虽丽，犹待镜以端形／出处虽殊迹，明月两知心／人性虽能智，不教则不达／兄弟虽有小忿，不废懿亲／诗家虽率意，而造语亦难／读书虽可喜，何如躬践履／嘉谷虽已殖，恶草亦滋蔓／梁园虽好，不是久恋之家／明德虽明，终假言而荣行／水性虽能流，不导则不通／贱者虽自贱，重之若千钧／贵者虽自贵，视之若埃尘／风物虽同候，悲欢各异伦／文籍虽满腹，不如一囊钱／其人虽已没，千载有余情／鬓边虽有丝，不堪织寒衣／干将虽利，非人力不能自断／不修，虽破万卷不失为小人／不善虽不吾恶，吾将强而拒／人性虽同，禀气不能无偏重／旁观虽拙，而灼于虚公之见／当局虽工，而蔽于求胜之心／情欲虽危，不染则无由累己／野葛虽毒，不食则不能伤生／万物虽并动作，卒复归于虚静／君子虽在他乡，不忘父母之国／狐裘虽敝，不可补以黄狗之皮／骐骥虽疾，不遇伯乐不致千里／后生虽天资聪明，而识终有不及／桃李虽艳，何如松苍柏翠之坚贞／乘理虽死而非亡，违义虽生而非存／苦心虽呕何由出，病骨非谗亦自销／君王虽爱蛾眉好，无奈宫中妒杀人／形相虽善而心术恶，无害为小人也／形相虽恶而心术善，无害为君子也／自家虽有这道理，须是经历过方得／小人虽器量浅狭，而未必无一长可取／山盟虽在，锦书难托。莫！莫！莫！／庖人虽不治庖，尸祝不越樽俎而代之／天地虽含囊万物，而万物非天地之所为也／贤者虽得卑位则旋而死，不贤者或至眉寿／万态虽杂而吾心常彻，万变虽殊而吾心常寂／天下虽兴，好战必亡；天下虽安，忘战必危／北海虽赊，扶摇可接；东隅已逝，桑榆非晚／凫胫虽短，续之则忧；鹤胫虽长，断之则悲／说之虽不以道，说也；及其使人也，求备焉／都蔗虽甘，杖之必折；巧言虽美，用之必灭／圣人虽有独知之明，常如阁昧，不以曜乱人／己之虽有，其状若无；己之虽实，其容若虚／神龟虽寿，犹有竟时；腾蛇乘雾，终为土灰／日月虽以形相物，考其道则有施受健顺之差焉

❹强哭者虽悲不哀／非吾仪，虽利不为／非吾当，虽利不行／非吾道，虽利不取／人好学，虽死若存／恃力者虽盛而必衰／罚诚当，虽赦之，不外／仁义者，虽聋瞽不失为君子／今布衣虽贱，犹足以方于此／无准绳，虽鲁般不能以定曲直／无规矩，虽奚仲不能以定方圆／不学者，虽存，谓之行尸走肉耳／强怒者虽严不威，强亲者虽笑不和／有善者虽远必升，无能者纵近必废／当杀而虽贵重，必杀之，是刑上究也／国无义，虽大必亡。人无善志，虽勇必伤／赏不当，虽与之必辞；罚诚当，虽赦之不外／人之欲虽多，而上无以令之，人虽得其欲，人犹不可得用也

❺一手独拍，虽疾无声／上下不和，虽安必危／与人以实，虽疏必密／与人以虚，虽戚必疏／不取亦取，虽师勿师／乌鸟之狡，虽善不亲／以杀去杀，虽杀可也／以战去战，虽战可也／以战止战，虽战可也／侈言无验，虽丽非经／众之所助，虽弱必强／众之所去，虽大必亡／众口遭笑，虽贵必危／墙高基下，虽得必失／苟非其人，虽强易弱／虽贱如贵，虽贫如富／虽畏勿畏，虽休勿休／国有常法，虽危不亡／法施于人，虽小必慎／怀恶而讨，虽死不服／家有常业，虽饥不饿／玉卮无当，虽宝非用／载船渡海，虽深何咎／空言无施，虽切何补／耳目不淫，虽远若近／事诚无害，虽无例亦可／民未知礼，虽聚而易散／命乃在天，虽扁鹊何益／诚有功，则虽疏贱必赏／诚有过，则虽近爱必诛／意之所向，虽金石莫隔／非德之威，虽猛而人不畏／非德之明，虽察而人不服／晦塞为深，虽奥非"隐"／肤革既平，虽疥癣而必去／无求无竞，虽欲不寿，得乎／不修其身，虽君子而为小人／人而不学，虽无忧，如禽何／能修其身，虽小人而为君子／若其有害，虽百例不可用也／心诚求之，虽不中，不远矣／雕削取巧，虽美非"秀"矣／美之所在，虽污辱，世不能贱／恶之所在，虽高隆，世不能贵／上下和同，虽有贤才，无所立功／不知足者，虽处天堂，亦不称意／知足之人，虽卧地上，犹为安乐／库无备兵，虽有义，不

能征无义／是穮是蓘，虽有饥馑，必有丰年／牡丹花儿虽好，还要绿叶儿扶持／千淘万漉虽辛苦，吹尽狂沙始到金／义虽深，理虽当，词不工者不成文／古之圣人，虽出乎其类，拔乎其萃／牧羊驱马虽戎服，白发丹心尽汉臣／所种者稗，虽美田疾耕，不生谷也／所种者谷，虽瘠土惰农，不生稗也／有偏宠者，虽欲厚之，更所以祸之／心如老马虽知路，身似鸣蛙不属官／譬如平地，虽覆一篑，进，吾往也／金钩桂饵虽珍，不能制九渊之沉鳞／言之而非，虽在王侯卿相，未必可容／言之而是，虽在仆隶刍荛，犹不可弃／良玉度尺，虽有十仞之土，不能掩其光／良珠度寸，虽有百仞之水，不能掩其莹／自为计者虽弱必固，欲自溃者虽强必弱／苟得其人，虽仇必举；苟非其人，虽亲不授／山虽高，水虽下，其为险而害也，要之不异／权之所在，虽疏必重；势之所去，虽亲必轻／有益于化，虽小弗除；无补于政，虽大弗与／积善多者，虽有一恶，是为过失，未足以亡／积恶多者，虽有一善，是为误中，未足以存／圣人之行虽不必同，然其要归，在洁其身而已／苟有所见，虽布衣之贱，远守之微，亦可施用／君子所性，虽大行不加焉，虽穷居不损焉，分定故也／己之才艺虽多，犹病以为少，仍就寡少之人更求所益／利之所在，虽千仞之山，无所不上，深源之下，无所不入

❻专明无胆，则虽见不断／尽忠益时者，虽仇必赏／知之而不行，虽敦必困／犯法怠慢者，虽亲必罚／闻之而不见，虽博必谬／见之而不知，虽识必妄／不学而好思，虽知不广矣／外合不由中，虽固终必离／务言而缓行，虽辩必不听／时有利不利，虽贤欲奚为／耳虽欲声，目虽欲色……／醉貌如霜叶，虽红不是春／事有以必然，虽常人足以致／义之所在，身虽死，无憾悔／原始以要终，虽百世可知也／使民无欲，上虽贤犹不能用／势有所不可，虽圣哲不能为／苟不由其道，虽强求而不获／途殊别务者，虽忠告而见疑／谓学不暇者，虽暇亦不能学矣／君子之不骄，虽暗室不敢自慢／生不识水，则虽壮，见舟而畏之／为政犹沐也，虽有弃发，必为之／多才而自用，虽有贤者无所复施／备之以储蓄，虽凶荒而人无菜色／身之所短，上虽不知，不以取赏／制败则欲肆，虽四表不能充其求矣／邪说之移人，虽豪杰之士有不免者／天下无害菑，虽有圣人，无所施其才／服罪输情者虽重必释，游辞巧饰者虽轻必戮

❼非其道而行之，虽劳不至／非其有而求之，虽强不得／凡兵上义，不义虽利勿动／强人之所不能，虽令不劝／禁人之所必犯，虽罚且违／诚国是之先定，虽民散而可收／苟非吾之所有，虽一毫而莫取／苟余行之不迷，虽颠沛其何伤／役一己之聪明，虽圣人不能智／森森如千丈松，虽磊砢有节目／用天下之耳目，虽众人不能愚／一身而二任焉，虽圣者不可为也／千里之马，骨法虽具，弗策不致／举事而不时，力虽尽，其功不成／十种之地，膏壤虽肥，弗耕不获／傀儡学技，音节虽工，面目非情／善为国者，仓廪虽满，不偷于农／鸡司晨，犬警夜，虽尧舜不能废／苟中心图民，智虽弗及，必将至焉／斥不久，穷不极，虽有出于人……／一国诅，两人祝，虽善祝者不能胜也／干泽而渔，得鱼虽多，而明年无复也／过屠门而大嚼，虽不得肉，贵且快意／焚林而田，得兽虽多，而明年无复也／交财一事最难。虽至亲好友，亦须明白／能终而不能赏，虽有贤人，终不可用矣／物理不见不闻，虽圣哲亦不能索而知之／若不推之于诚，虽三令五申，而令不明矣／有道以御之，身虽无能也，必使能者为己用也／人当自信自守，虽承誉之，承奉之，亦不为之加喜爱／人当自信自守，……虽毁谤之，侮慢之，亦不为之加沮

❽为文不能关教事，虽工无益也／园日涉以成趣，门虽设而常关／苟余心其端直兮，虽僻远之何伤／亦余心之所善兮，虽九死其犹未悔／少不讽，壮不论议；虽可，未成也／因其所喜而为善，虽有愿忠而孰能／驱妻逐子课工程，虽作人形俱菜色／吾文如万斛泉源……虽一日千里无难／贪物而不知止者，虽有天下，不富矣／人生不得行胸怀，虽寿百岁，犹为夭也／贫者士之常，今仆虽羸馁，亦甘如饴矣／若近正人，闻正事，虽欲为恶，固已不忍／能用非己之民，国虽小，卒虽少，功名犹可立／不得所以用之，国虽大，势虽便，卒无众，何益／水虽平，必有波；衡虽正，必有差；尺寸虽齐，必有诡

❾不慎其前而悔其后，虽悔，何及／可知之事，唯精思之，虽大无难／人之为学，不志其大，虽多而何为／冠虽故必加于首，履虽新必关于足／履虽鲜不加于枕，冠虽敝不以苴履／使其道由愈而粗传，虽灭死万万无恨／少君之费，寡君之欲，虽无粮而乃足／心之所可中理，则欲虽多，奚伤于治／心之所可失理，则欲虽寡，奚止于乱／冠虽敝，必加于首；履虽新，必关于足／虽富贵不以养伤身，虽贫贱不以利累形／性虽善，待教而成；性虽恶，待法而消／道虽迩，不行不至；事虽小，不为不成／履虽鲜，不加于枕；冠虽敝，不以苴履／一日万机，一人听断，虽复忧劳，安能尽善／不能则学，不知则问，虽知必让，然后为知／不知则问，不能则学，虽能必让，然后为德／尘加嵩岱，雾集淮海，虽未有益，不为损也／君者择臣而使之，臣虽贱，亦得择君而事之／虽云色白，匪染弗丽；虽云味甘，匪和弗美／虽曰爱之，其实害之；虽曰忧之，其实仇之／

虽有丝麻，无弃菅蒯；虽有姬姜，无弃蕉萃／虽有至圣，不生而知；虽有至材，不生而能／虽有智慧，不如乘势；虽有镃基，不如待时／虽有神药，不如少年；虽有珠玉，不如金钱／因时而惕，不失其几，虽危而劳，可以无咎／财有害气，积则伤人；虽少犹累，而况多乎／饥而倍食，渴而大饮……虽暂怡性，必为后患／有功不赏，有罪不诛，虽唐虞犹不能以化天下／以辱为荣，以穷为通，虽失乎前，可谓后得之矣／安不忘危，治不忘乱，虽知今日无事，亦须思其终始／上智不教而成，下愚虽教无益，中庸之人，不教不知也

❿染鹭之毛而指为鸦，则虽愚必疑／截牛之角而呼为豕，则虽庸必骇／不可知之事，厉心学问，虽小无易／乘理虽死而非亡，违义虽生而非存／古之成败者，诚有其才，虽弱必强／强怒者虽严不威，强亲者虽笑不和／人若志趣不远，心不在焉，虽学无成／气不可以不贯，不贯则虽有美词丽藻／上不信，下不忠，上下不和，虽安必危／自为计者虽弱必固，欲自溃者虽强必弱／自谓乱且危者，则自戒自强，虽乱必理／自谓理且安者，则自骄自满，虽安必危／言虽多而不要其中，文虽奇而不济于用／国无义，虽大必亡。人无善志，虽勇必伤／国无小，不可易也；无备虽众，不可恃也／国虽大，好战必亡；天下虽安，忘战必危／国虽大，好战必亡；天下虽平，忘战必危／行不诚义，动不缘义，俗虽谓之通，穷也／其身正，不令而行；其身不正，虽令不从／于戏君子，人不厌之，死虽千岁，其行可师／万态虽杂而吾心常彻，万变虽殊而吾心常寂／天下虽兴，好战必亡；天下虽安，忘战必危／可厌之类，不独为害，死虽万代，独堪污秽／百川朝海，流行不止。道虽辽远，无不到者／我有禅灯，独照独知。不取亦取，虽师勿师／凫胫虽短，续之则忧；鹤胫虽长，断之则悲／冠至敝不可弃之于足，履虽新不可加之于首／都蔗虽甘，杖之必折；巧言虽美，用之必灭／苟得其人，虽仇必举；苟非其人，虽亲不授／行与义乖，言与法违，后虽无害，汝可以悔／己之虽有，其状若无；己之虽实，其容若虚／好善无厌，受谏而能诫。虽欲无进，得乎哉／权之所在，虽疏必重；势之所去，虽亲必轻／赏不当，虽与之必辞；罚诚当，虽赦之不外／有益于化，虽小弗除；无补于政，虽大弗与／服罪输情者虽重必释，游辞巧饰者虽轻必戮／凡居其位，思直其道，道苟直，虽死不可回也／能用非己之民，国虽小，卒虽少，功名犹可立／苦我怨气兮浩于长空，六合虽广兮受之应不容／心虽不说，弗敢不誉；事业虽弗善，不敢不力／鳏虽难得，贪以死饵；士虽怀道，贪以死禄矣／与邪佞人交，如雪入墨池，虽融为水，其色愈污／与端方人处，如炭入薰炉，虽化为灰，其香不灭／天下犹人之体，腹心充实，四支虽病，终无大患／不得所以用之，国虽大，势虽便，卒无众，何益／不学而求知，犹愿鱼而无网焉，心虽勤而无获矣／今使愚教知，使不肖临贤，虽严刑罚，民弗从也／力不能问，然后语之，语之而不知，虽舍之可也／法虽在，必待圣而后治；律虽具，必待耳而后听／昔之所为，而今觉其非，虽日异而月不同，可也／愚者不自谓愚而愚见于言，虽自谓智，人犹谓之愚／人之饥所以不食乌喙者，以为虽偷充腹而与死同患也／力不能济于用，而君臣上下不正，虽抱空器奚何施设／君子所性，虽大行不加焉，虽穷居不损焉，分定故也／苟守先圣之道，由大中以出，虽万受摈弃，不更乎其内／水虽平，必有波；衡虽正，必有差；尺寸虽齐，必有诡／有起于虚，动起于静。故万物虽并动作，卒复归于虚静／瞒人之事弗为，害人之心弗存，有益国家之事虽死弗避／君子之自行也，动必缘义，行必诚义，俗虽谓之穷，通也／行不充于内，德不备于人，虽盛其服，文其容，民不尊也／智亦有所不至。所不至，说者虽辩，为道虽精，不能见矣／人之欲虽多，而上无以令之，人虽得其欲，人犹不可得用也／学贵得之心，求之于心而非也，虽其言之出于孔子，不敢以为是也／体恭敬而心忠信，术礼义而情爱人，横行天下，虽困四夷，人莫不贵／若明而不信，严而不断，惠而不正，虽欲理身，终不自理，况于人哉

品

pǐn 物品；等级，种类；封建时代官吏的级别；人的德行；体察；评论。

❶品而为族，则所禀者偏

见晋·裴頠《崇有论》。全句为："～；偏无自足，故凭乎外资"。

❷诗品出于人品／人品做到极处，无有他异，只是本然／人品须从小作起，权宜苟且诡随之意多，则一生人品坏矣

❸士之品有三：志于道德者为上

❹凡人坏品败名，钱财占了八分／政有三品：王者之政化之，霸者之政威之，强国之政胁之

❻诗品出于人品／百姓不亲，五品不逊／用人不限资品，但择有才

❼举将而限以资品，则英豪之士在下位者不可得

❽读书占地位，在人品上，不在势位上

❾"利"之一字，是学问人品一片试金石／欲做精金美玉的人品，定从烈火中锻来／仰观宇宙之大，俯察品类之盛，所以游目骋怀，足以极视听之娱

❿凡听言，要先知言者人品／教子弟求显荣，不如教子弟立品行／人品须从小作起，权宜苟且诡随之意多，则一生人品坏矣

咽 ①yān 呼吸和消化的共同通道；喻交通要道。②yàn 吞。③yè 因过分悲哀而声气阻塞或说不出话。

❿塞草烟光阔，渭水波声咽／霜晨月，马蹄声碎，喇叭声咽／并力西向，则吾恐秦人食之不得下咽也／疗饥于附子，止渴于鸩毒，未入肠胃，已绝咽喉

咶 ①huài，又读 huá，喘息。②shì 通"舐"。

❸伏而咶天，救经而引其足

哗 ①huá 人声大而杂乱。②huā 象声词。

❻慎于言者不哗，慎于行者不伐

❿今之世不闻有师，有，辄哗笑之，以为狂人

响 xiǎng 声音；声音高；回声。

❶响必应之于同声，道固从之于同类

见唐·骆宾王《萤火赋》。

❸疑皆响答，问必实归

❹言美则响美，言恶则响恶／歌台暖响，春光融融；舞殿冷袖，风雨凄凄

❺声振林木，响遏行云／声得盐梅，响滑榆槿／渔舟唱晚，响穷彭蠡之滨

❻滴沥空庭，竹响共雨声相乱／风萧萧而异响，云漫漫而奇色

❼上有弦歌声，音响一何悲／抱景者咸叩，怀响者毕弹／景不为曲物直，响不为恶声美／虎旅云从，词林响应，若毛羽之宗麟凤，众川之长江河

❽露重飞难进，风多响易沉／使景曲者形也，使响浊者声也／捶字坚而难移，结响凝而不滞／使景曲者，形也；使响浊者，声也／桑椹甘香，鸱鸮革响，淳酪养性，人无嫉心／泉水激石，泠泠作响；好鸟相鸣，嘤嘤成韵／无状无象，无声无响，故能无所不通，无所不往

❾从谏如顺流，趣时如响起／惠迪吉，从逆凶，惟影响／言美则响美，言恶则响恶

❿雷电震地，而聋者不闻其响／三德者诚乎上，则下应之如景响／水平布石上，流若织文，响若操琴／斩木为兵，揭竿为旗，天下云集响应／意无是非，赞之如流；言无可否，应之如响／急乎其所自立，而无患乎人不已知，未尝闻有响大而声微者也

咬 yǎo 上下牙齿用力夹紧或切碎东西；比喻话说定了不再改变。

❶咬定青山不放松，立根原在破岩中

见清·郑燮《竹石》。全句为："～；千磨万击还坚劲，任尔东西南北风"。

咨 zī 商议；询问；咨文；嗟叹声；同"兹"。

❻天不为人怨咨而辍其寒暑，君子不为人之丑恶而辍其正道

❼驽蹇服御，良乐咨嗟；铅刀剖截，欧冶叹息

❿动莫若敬，居莫若俭，德莫若让，事莫若咨

咳 ①ké[咳唾]比喻谈吐、言论。②hāi 叹词。

❻势家多所宜，咳唾自成珠

❾和神仙之药以治鼽咳，制貂狐之裘以取薪菜

咤 ①zhà 吃东西时口中作声；叱咤，发怒吆喝；慨叹；放置酒爵。②chà 通"诧"，矜夸。

❾喑呜则山岳崩颓，叱咤则风云变色

哪 ①nǎ，也读 něi，疑问代词；表反问；不确指。②né[哪吒]神话中人物名。

❸问渠哪得清如许，为有源头活水来

❿君王城上竖降旗，妾在深宫哪得知

哮 xiào 咆哮，怒吼。

❹巨灵咆哮擘两山，洪波喷流射东海

哺 bǔ 喂食；养育；口中的食物。

❷含哺而熙，鼓腹而游

❹周公吐哺，天下归心

❼饭山逢彪必吐哺而逃

❾今虽不能如周公吐哺握发……

❿一沐三捉发，一饭三吐哺／然我一沐三捉发，一饭三吐哺／山不厌高，海不厌深；周公吐哺，天下归心／狗吠不惊，足下生氂；含哺鼓腹，焉知凶灾

唇 chún 嘴唇；边。

❺辅车相依，唇亡齿寒／雌黄出其唇吻，朱紫由其月旦

❾谷子云笔札，楼君卿唇舌／眉联娟以蛾扬兮，朱唇的其若丹

❿思风发于胸臆，言泉流于唇齿／有必不可劝之人，不必多费唇舌／川竭而谷虚，邱夷而渊塞，唇竭而齿寒

哲 zhé 聪明；有智慧；智慧超群的人。

❶哲人归大夜，千古传圭璋

见唐·邵谒《览孟东野集》。全句为："蚌死留夜光，剑折留锋芒；～"。

❷靡哲不愚／明哲之君，网漏吞舟之鱼／先哲王之政，一曰承天，二曰正身，三曰任贤，四曰恤民，五曰明制，六曰立业

❸维圣哲以茂行兮，苟得用此下土

❹爽邦由哲／知人则哲／知人则哲，能官人／知人则哲，非贤罔乂／既明且哲，以保其身／君虽明哲，必藉股肱以致治

❺知之曰明哲，明哲实作则
❻迷涂知反，往哲是与。不远而复，先典攸高
❼知之曰明哲，明哲实作则
❽势有所不可，虽圣哲不能为
❾丈夫不释故而改图，哲士不侥幸而出危／物理不见不闻，虽圣哲亦不能索而知之
❿聪明睿智，守之以愚者，哲／鉴貌在乎止水，鉴己在乎哲人／愚人以天地文理圣，我以时物文理哲／泰山其颓乎，梁木其坏乎，哲人其萎乎／龙凤隐耀，应德而臻；明哲潜遁，俟时而动

哭 kū 因痛苦悲哀或激动而流泪；吊。
❷强哭者虽悲不哀／恸哭六军俱缟素，冲冠一怒为红颜
❺布奠倾觞，哭望天涯。天地为愁，草木凄悲
❻无道之君，鬼哭其门
❼墨子见衢路而哭之，悲一跬而缪千里
❽泰极而否，当歌而哭
❾浅人好夸富，贪人好哭穷／遗腹子之上陇，以礼哭泣之，而无所归心
❿天片片而云愁，山幽幽而谷哭／心哀而歌不乐，心乐而哭不哀／不见年年辽海上，文章何处哭秋风／强令之笑，不乐；强令之哭，不悲／翁媪饥雷常转腹，大儿嗷嗷小儿哭／嘻笑之怒，甚于裂眦；长歌之哀，过乎恸哭／有不得已者而后言。其歌也有思，其哭也有怀

唤 huàn 呼叫；召。
❶唤起工农千百万，同心干
见现代·毛泽东《渔家傲·反第一次大"围剿"》。全句为："～，不周山下红旗乱"。
❹千呼万唤始出来，犹抱琵琶半遮面
❿子规夜半犹啼血，不信东风唤不回

唐 táng 本义为大言，引申为广大貌；徒然；古时朝堂前或宗庙门内的大路；烘焙；朝代名；草名；姓。
❶唐太宗之贤，自西汉以来，一人而已
见宋·苏辙《唐太宗》。
❷冯唐易老，李广难封／盛唐而学汉魏，岂复有盛唐之诗
❸凡自唐虞以来，编简所存／熟读唐诗三百首，不会吟诗也会吟
❻刻画无盐，以唐突西子／偏则成魔，分唐界宋。霹雳一声，邹鲁不哄
❿天子好年少，无人荐冯唐／盛唐而学汉魏，岂复有盛唐之诗／传闻之言无实，无实即唐丧唾津矣／文章随世作抵昂，变尽风骚到晚唐／时运不齐，命途多舛；冯唐易老，李广难封／惜秦皇汉武，略输文采；唐宗宋祖，稍逊风骚／有功不赏，有罪不诛，虽唐虞犹不能以化天下

啄 zhuó 鸟类用嘴取食物或叩击东西。
❷蠹啄剖梁柱，蚊虻走牛羊
❹十步一啄，百步一饮／鸟穷则啄，兽穷则触，人穷则诈／鸟穷则啄，兽穷则攫，人穷则诈
❻泽雉十步一啄，百步一饮，不蕲畜乎樊中
❿君不见比来翁姥尽饥死，狐狸啮骨乌啄眼／清泉绿草，何物不可饮啄？而鸱鸮者偏食腐鼠

啭 zhuàn 鸟婉转地鸣叫。
❼新年鸟声千种啭，二月杨花满路飞

啮 niè（鼠、兔等）咬或啃；缺口。
❸虫来啮桃根，李树代桃僵
❽老牛粗了耕耘债，啮草坡头卧夕阳
❿墙之坏也于隙，剑之折必有啮／蝮蝎终日而不螫，则噬啮草木以致其毒

唱 chàng 歌唱；高呼；通"倡"，倡导。
❷一唱雄鸡天下白／先唱者穷之路也，后动者达之原也
❸渔舟唱晚，响穷彭蠡之滨
❹无为虚唱大言而终归无用
❺暗于治者，唱繁而和寡／遂令一夫唱，四海欣提矛
❻上和下睦，夫唱妇随
❾请君莫奏前朝曲，听唱新翻杨柳枝
❿忍把浮名，换了浅斟低唱／人主以好暴示能，以好唱自奋／商女不知亡国恨，隔江犹唱后庭花／置虚器于水中，未充则唱，既充则默／善举事者若乘舟而悲歌，一人唱而千人和

唾 tuò 口水；啐。
❼势家多所宜，咳唾自成珠／水真绿净不可唾，鱼若空行无所依
❿传闻之言无实，无实即唐丧唾津矣

唯 ①wéi 独；以，因为；只是；语首助词，无义。②wěi 应答声。
❶唯余马首是瞻
见《左传·襄公十四年》。
唯酒可以忘忧
见唐·房玄龄《晋书·顾荣传》。
唯不争，故无尤
见《老子》八。
唯上知与下愚不移
见《论语·阳货》。
唯弗居，是以不去
见《老子》二。

唯圣人为不求知天

见《荀子·天论》。

唯仁者能好人，能恶人

见《论语·里仁》。

唯廉勤二字，人人可至

见宋·赵鼎《家训笔录》。全句为："人之才性，各有短长，固难勉强。～"。

唯立德扬名，可以不朽

见晋·陈寿《三国志·魏书·文帝纪》。全句为："生有七尺之形，死唯一棺之土，～"。

唯仁人为能爱人，能恶人

见《礼记·大学》。

唯见月寒日暖，来煎人寿

见唐·李贺《苦昼短》。全句为："吾不见青天高，黄地厚；～"。

唯不争，故天下莫能与之争

见《老子》二十二。

唯有志不立，直是无着力处

见宋·朱熹《又谕学者》。全句为："书不记，熟读可记；义不精，细思可精。～"。

唯忠臣能逆意，惟圣君能从利

见唐·陈子昂《答制问事·请措刑科》。全句为："有顺君意而害天下者，有逆君意而利天下者；～"。

唯无以天下为者，可以托天下也

见《庄子·让王》。

唯令德为不朽兮，身既没而名存

见汉·班昭《东征赋》。

唯不求利者为无害，不求福者为无祸

见汉·韩婴《韩诗外传》。全句为："利为害本，而福为祸先。～"。

唯不求利者为无害，唯不求福者为无祸

见汉·刘安《淮南子·诠言》。全句为："利则为害始，福则为祸先。～"。

唯仁者可好也，可恶也，可高也，可下也

见《国语·楚语下》。

唯圣人知礼之不可以已也……必先去其礼

见《礼记·礼运》。删节处为："故坏国、丧家、亡人"。

唯至人乃能游于世而不僻，顺人而不失己

见《庄子·外物》。

唯泰山不为飘风所动，磐石不为疾流所回

见南朝·宋·释慧通《驳顾道士夷夏论》。全句为："轻羽在高，遇风则飞；细石在谷，逢流则转；～"。

唯劝农业，无夺农时；唯薄赋敛，无尽民财

见三国·蜀·诸葛亮《便宜十六策·治人》。

唯女子与小人为难养也；近之则不孙，远之则怨

见《论语·阳货》。

❷非唯近事则相感，亦有远事遥相感者

❸世间唯名实不可欺／众人唯唯，安定祸福／所贵唯贤，所宝为谷／忧国唯知重，谋身只觉轻

❹众人唯唯，安定祸福

❺天上天下唯吾独尊／上德之人，唯道是用／天生万物，唯人为贵／无私于物，唯贤是与／非宅是卜，唯邻是卜／行于大道，唯施是畏／治民无常，唯法为治／居家之方，唯俭与约／明扬仄陋，唯才是举／见知之道，唯虚无有／祸福无门，唯人所召／盛衰无常，唯爱所丁／用人无疑，唯才所宜／可知之事，唯精思之，虽大无难／人而无义，唯食而已，是鸡狗也／一生所遇唯元白，天下无人重布衣／公道世间唯白发，贵人头上不曾饶／仁义之行，唯且无诚，且假乎禽贪者器／当官之法，唯有三事：曰清，曰慎，曰勤／人之进退，唯问其志，取必以渐，勤则得多

❻以文常会友，唯德自成邻／搜索稚与艾，唯存跛无目／当知岁功应，唯是奉无私／裁此百日功，唯将一朝舞／欲识凌冬性，唯有岁寒知／黯然销魂者，唯别而已矣／赠人以财者，唯申即日之欢／贵可以问贱……唯道之所成而已矣／大勋所任者唯一人，然群谋济之乃成／直视千里外，唯见起黄埃。凝思寂听，心伤已摧／竹不能自异，唯人异之；贤不能自异，唯用贤者异之

❼利害之相似者，唯智者知之而已／李子之相似者，唯其母知之而已／天可度，地可量，唯有人心不可防／功成而弗居。夫唯弗居，是以不去／居官有二语，曰：唯公则生明，唯廉则生威

❽君门一入无由出，唯有宫莺得见人／贫交此别无他赠，唯有青山远送君／吾病世之逐逐然，唯印组为务以相轧／生有七尺之形，死唯一棺之土，唯立德扬名，可以不朽

❾旅情偏在夜，乡思岂唯秋／卷舒不随乎时，文武唯其所用／不恤亲疏，不恤贵贱，唯诚能之求／唯不求利者为无害，唯不求福者为无祸／四时万物兮有盛衰，唯我愁苦兮不暂移／词意书迹，无不宛然；唯是魂神，不知去处／唯劝农业，无夺农时；唯薄赋敛，无尽民财

❿良马非独骐骥，利剑非唯干将／才胆实由识而济，故天下唯识为难／能以众不胜成大胜者，唯圣人能之／将回日月先反掌，欲作江河唯画地／蹉跎莫遣韶光老，人生唯有读书好／日月为明而弗能兼也，唯天地能函之／知不可奈何而安之若命，唯有德者能之／国之兴亡不由蓄积多少，唯在百姓苦乐／民无常用也，无常不用也，唯得其道为可／居官有二语，曰：唯公则生明，唯廉则生威／如地如天，何私何亲？如日如月，唯君之节／文宜易宜难？必谨对曰：无难易，唯其是尔／用无常道，事无轨度，动静屈伸，唯变所适／宫室富过度，上帝所亚；为者弗居，

唯居必路／君子依乎中庸，遁世不见知而不悔，唯圣者能之／敬之而不喜，侮之而不怒者，唯同乎天和者为然／矢之发无能贯，待其止而能有穿；唯止能止众止／从时者，犹救火、追亡人也，蹶而趋之，唯恐弗及／竹不能自异，唯人异之；贤不能自异，唯用贤者异之／生有七尺之形，死唯一棺之土，唯立德扬名，可以不朽／可与为始，可与为终，可与尊通，可与卑穷者，其唯信乎／众人皆知利利而病病也，唯圣人知病之为利，知利之为病也／怨恩取与谏教生杀，八者，正之器也，唯循大变无所湮者为能用之

售 shòu 卖；施展（奸计）；达到，实现。

❽大器晚成，宝货难售

啖 dàn 吃或给人吃；引诱，利诱；通“淡”，清淡；姓。

❺俯偻匍匐，啖恶求媚，舐痔自亲，美言谄笑
❼罪驱之于后，功啖之于前……不可得也
❾名如画地作饼，不可啖也
❿损百姓以奉其身，犹割股以啖腹，腹饱而身毙

唳 lì 鹤、雁等高亢的鸣叫。

❺闻风声鹤唳，皆以为王师已至

啸 ①xiào 发出长而凄厉的声音。②chì 大声呼喝。

❷虎啸谷风至，龙兴景云起／虎啸风生，龙吟云萃，固非偶然也
❹如吟如啸，非竹非丝／龙吟虎啸一时发，万籁百泉相与秋
❺朝乐朗日，啸歌丘林；夕玩望舒，入室鸣琴
❻登东皋以舒啸，临清流而赋诗
❼猛虎潜深山，长啸自生风／阴风搜林山鬼啸，千丈寒藤绕崩石
❽箕而浩歌，踞而仰啸
❿半生落魄已成翁，独立书斋啸晚风／昼则舟楫出没于其前，夜则鱼龙悲啸于其下／夕景欲沉，晓雾将合；孤鹤寒啸，游鸿远吟／胡笳互动，牧马悲鸣，吟啸成群，边声四起

喷 ①pēn 喷涌，喷射；怒叱。②pèn 气味浓烈，香气浓厚扑鼻。③fèn 吹奏。

❶喷气则白日尽晦，刷马则清江倒流
见南朝·宋·刘休若《移檄东土讨孔觊等》。
❸散珠喷雾，日光烛之，璀璨夺目，不可正视
❿巨灵咆哮擘两山，洪波喷流射东海

喋 dié，又读 zhá，[喋喋]话多。

❾呐呐寡言者未必愚，喋喋利口者未必智

嗒 ①tà[嗒丧]心境空虚、物我皆失的样子；一般用作灰心丧气之意。②dā 拟声词。

❿一宿体宁，百宿心恬，三宿后颓然嗒然，不知其然而然

喇 ①lǎ 喇叭；喇嘛。②lā 拟声词。

❷忽喇喇似大厦倾，昏惨惨似灯将尽

喘 chuǎn 呼吸急促；哮喘。

❶喘息为宅命，身寿立息端
见《西升经·圣辞章》。

喉 hóu 喉咙。

❶喉中有病，无害于息，不可凿也
见汉·刘安《淮南子·氾论》。全句为：“目中有疵，不害于视，不可灼也；～”。
❿疗饥于附子，止渴于鸩毒，未入肠胃，已绝咽喉

喻 ①yù 说明，使人理解；明白；比方；譬喻；姓。②yú 通“愉”，愉快。

❷意喻之米，文喻之炊而为饭，诗喻之酿而为酒
❸君子喻于义，小人喻于利
❹志深而喻切，因事以陈辞／古今之喻多矣，而愚以为辨于味而后可以言诗
❺君子之教，喻也／名闻而实喻，名之用也／谆谆而后喻，譊譊而后服
❻意喻之米，文喻之炊而为饭，诗喻之酿而为酒
❼巽语为珍，苍璧喻而非宝
❽君子喻于义，小人喻于利／鹿鸣思野草，可以喻嘉宾／比不应事，未可谓喻；文不称实，未可谓是
❾辞约而旨丰，事近而喻远／箴者，所以攻疾防患，喻针石也
❿其术可以心得，不可以言喻／文之用，辞令褒贬导扬讽喻而已／其言也约而达，微而臧，罕譬而喻／辩之极者，知辩果不足以喻物，故讷／言有浅而可以托深，类有微而可以喻大／意喻之米，文喻之炊而为饭，诗喻之酿而为酒／审内以知外，原小以知大，因我以然彼，明近以喻远

喑 yīn，又读 yìn，哑，不能出声；沉默；鸣。

❶喑呜则山岳崩颓，叱咤则风云变色
见唐·骆宾王《为徐敬业讨武曌檄》。
❼知善不言，与嚚喑同
❿九州生气恃风雷，万马齐喑究可哀

啼 tí 出声地哭；鸣叫。

❷鸟啼花落，皆与神通。人不能悟，付之飘风
❸初虽啼号，后必庆笑
❹月落乌啼霜满天，江枫渔火对愁眠
❺饷妇念儿啼，逢人不敢立
❻子规夜半犹啼血，不信东风唤不回

❼人语无生意，鸟啼空好音／不及流莺日日啼花间，能使万家春意闲
❾履深泉之薄冰不为啼／春眠不觉晓，处处闻啼鸟／失意人逢失意事，新啼痕间旧啼痕
❿徐行不记山深浅，一路莺啼送到家

善 shàn 善良；善行；友好；良好；办好；擅长；容易；赞许；爱惜；犹言熟悉；通“缮”，修治；通“膳”；伦理学基本概念；姓。

❶善善而恶恶
见唐·吴兢《贞观政要·公平》。
善猎气不慑
见宋·王迈《观猎行》。
善张网者引其纲
见《韩非子·外储说右下》。
善为上者不忘其下
见汉·韩婴《韩诗外传》卷四。
善人者，人亦善之
见《管子·霸形》。
善攻不待坚甲而克
见汉·桓宽《盐铁论·繇役》。全句为：“～，善守不待渠梁而固”。
善守不待渠梁而固
见汉·桓宽《盐铁论·繇役》。全句为：“善攻不待坚甲而克，～”。
善不可失，恶不可长
见《左传·隐公六年》。
善不妄来，灾不空发
见南朝·宋·范晔《后汉书·杨赐传》。
善不必寿，惟道之闻
见唐·柳宗元《哭张后余词》。
善为国者，藏之于民
见晋·陈寿《三国志·魏书·赵俨传》。
善为国者，顺民之意
见《战国策·齐策五》。
善则赏之，过则匡之
见《左传·襄公十四年》。
善则称人，过则称己
见《礼记·坊记》。
善人在患，饥不及餐
见南朝·宋·范晔《后汉书·王龚传》。
善戏谑兮，不为虐兮
见《诗·卫风·淇奥》。
善攻者，料众以攻众
见《管子·霸言》。
善持胜者，以强为弱
见《列子·说符》。
善善也长，恶恶也短
见《公羊传·昭公二十年》。
善善明，则君子进矣
见唐·吴兢《贞观政要·公平》。全句为：“～；恶恶著，则小人退矣”。
善待问者如撞钟……
见《礼记·学记》。全句为：“～，叩之以小者则小鸣，叩之以大者则大鸣”。
善者不辩，辩者不善
见《老子》八十一。
善政不如善教之得民
见《孟子·尽心上》。
善欲人见，不是真善
见清·朱伯庐《治家格言》。全句为：“～；恶恐人知，便是大恶”。
善恶昭彰，如影随形
见清·李汝珍《镜花缘》第七十一回。
善积者昌，恶积者丧
见晋·陈寿《三国志·蜀书·后主传》。b
善不善不分，乱莫大焉
见《吕氏春秋·有始览·听言》。全句为：“听言不可不察，不察则善不善不分。～”。
善人同处，则日闻嘉训
见南朝·宋·范晔《后汉书·爰延传》。全句为：“～；恶人从游，则日生邪情”。
善人在上，则国无幸民
见《左传·宣公十六年》。
善攻者不尽兵以攻坚城
见宋·苏洵《攻守》。全句为：“～，善守者不尽兵以守敌冲”。
善攻者，动于九天之上
见《孙子兵法·形篇》。全句为：“善守者，藏于九地之下；～”。
善攻者，敌不知其所守
见《孙子兵法·虚实篇》。全句为：“～；善守者，敌不知其所攻”。
善操理者，不能有全功
见五代·后周·柴荣《求言诏》。全句为：“～；善处身者，不能无过失”。
善处身者，不能无过失
见五代·后周·柴荣《求言诏》。全句为：“善操理者，不能有全功；～”。
善治人者，能自治者也
见汉·桓宽《盐铁论·贫富》。
善守者不尽兵以守敌冲
见宋·苏洵《攻守》。全句为：“善攻者不尽兵以攻坚城，～”。
善守者，藏于九地之下
见《孙子兵法·形篇》。全句为：“～；善攻者，动于九天之上”。
善守者，敌不知其所攻
见《孙子兵法·虚实篇》。全句为：“善攻者，敌不知其所守；～”。
善进，则不善无由入矣

见汉·刘向《说苑·政理》。全句为:"~;不善进,则善无由入矣"。
善战者因其势而利导之
见汉·司马迁《史记·孙子吴起列传》。
善《易》者不论《易》
见南朝·宋·刘义庆《世说新语·规箴》。
善败由己,而由人乎哉
见《左传·僖公二十年》。
善罪身者,民不得罪也
见《管子·小称》。全句为:"~。不能罪身者民罪之"。
善师者不陈,善陈者不战
见汉·班固《汉书·礼乐志》。全句为:"~,善战者不败,善败者不亡"。
善,以言乎天下之大共也
见清·戴震《原善》。
善建者不拔,善抱者不脱
见《老子》五十四。
善在身,介然必以自好也
见《荀子·修身》。全句为:"~;不善在身,菑然必以自恶也"。
善虽不吾与,吾将强而附
见唐·韩愈《送孟秀才序》。全句为:"~;不善虽不吾恶,吾将强而拒"。
善始者实繁,克终者盖寡
见唐·魏征《谏太宗十思疏》。
善琴者有悲心则声凄凄然
见《关尹子·三极》。全句为:"~,有思心则声迟迟然,有怨心则声回回然,有慕心则声奕奕然"。
善战者不败,善败者不亡
见汉·班固《汉书·礼乐志》。全句为:"善师者不陈,善陈者不战,~"。
善战者不怒,善胜者不武
见元·王恽《从谏》。
善战者致人,而不致于人
见《孙子兵法·虚实篇》。
善贾笑蚕渔,巧宦贱农牧
见南朝·宋·鲍照《观圃人艺植》。
善禁者,先禁其身而后人
见汉·荀悦《申鉴·政体》。全句为:"~;不善禁者,先禁人而后身"。
善为天下者,计大而不计小
见唐·陈子昂《谏雅州讨生羌书》。全句为:"~,务德而不务刑,图其安则思其危,谋其利则虑其害"。
善为国者,赏不僭而刑不滥
见《左传·襄公二十六年》。
善为理者,举其纲,疏其网
见唐·白居易《策林四》。
善人喜于见传,则勇于自立
见宋·曾巩《寄欧阳舍人书》。全句为:"~;恶人无有所纪,则以愧而惧"。
善人赏而暴人罚,则国必治
见《墨子·尚同下》。
善除患者,不若无患之大也
见汉·严遵《道德指归论·为无为篇》。
善否,我也;祸福,非我也
见汉·刘安《淮南子·缪称》。
善治病者,必医其受病之处
见宋·欧阳修《准诏言事上书》。全句为:"~;善救弊者,必寻其起弊之源"。
善学者假人之长,以补其短
见《吕氏春秋·孟夏纪·用众》。
善教子者,一严之外无他术
见明·吕坤《吕新吾闺范》。全句为:"~;善用严者,一慎之外无他道"。
善救弊者,必寻其起弊之源
见宋·欧阳修《准诏言事上书》。全句为:"善治病者,必医其受病之处;~"。
善恶相从,如景乡之应形声
见汉·班固《汉书·董仲舒传》。"景"、"乡",分别同"影"、"响"。
善用严者,一慎之外无他道
见明·吕坤《吕新吾闺范》。全句为:"善教子者,一严之外无他术;~"。
善万物之得时,感吾生之行休
见晋·陶潜《归去来兮辞》。
善无微而不赏,恶无纤而不贬
见晋·陈寿《三国志·蜀书·诸葛亮传》。
善不由外来兮,名不可以虚作
见战国·楚·屈原《九章·抽思》。
善乐生者不窭,善逸身者不殖
见《列子·杨朱》。
善人富谓之赏,淫人富谓之殃
见《左传·襄公二十八年》。
善善而不能用,恶恶而不能去
见汉·桓谭《新论·谴非》。
善战者,见利不失,遇时不疑
见《太公六韬·龙韬·军势》。
善教者以不倦之意须迟久之功
见宋·欧阳修《吉州学记》。
善恶之殊,如火与水不能相容
见宋·欧阳修《祭丁学士文》。
善恶陷于成败,毁誉胁于势利
见晋·干宝《晋纪总论》。
善惩不如善政,善赏不如善教
见汉·李固《对策后复对》。
善为吏者树德,不善为吏者树怨
见汉·刘向《说苑·至公》。

善为师者，既美其道，有慎其行
见汉·董仲舒《春秋繁露·玉杯》。
善为国者，仓廪虽满，不偷于农
见《商君书·农战》。
善为文者，发而为声，鼓而为气
见唐·柳冕《答衢州郑使君论文书》。全句为："～。真则气雄，精则气生，使五彩并用，而气行其中"。
善为文者，富于万篇，贫于一字
见南朝·梁·刘勰《文心雕龙·练字》。
善制事者，转祸为福，因败为功
见汉·司马迁《史记·苏秦列传》。
善人不能戚，恶人不能疏者，危
见《晏子春秋·内篇·问上》。
善弋者下鸟乎百仞之上，弓良也
见《吕氏春秋·仲春·功名》。全句为："善钓者出鱼乎十仞之下，饵香也；～"。
善战者之胜也，无智名，无勇功
见《孙子兵法·形篇》。
善者能使敌卷甲趋远，倍道兼行
见《孙膑兵法·善者》。全句为："～，倦病而不得息，饥渴而不得食"。
善胜敌者不与，善用人者为之下
见《老子》六十八。
善钓者出鱼乎十仞之下，饵香也
见《吕氏春秋·仲春纪·功名》。全句为："～；善弋者下鸟乎百仞之上，弓良"。
善为政者积其德，善用兵者畜其怒
见汉·刘安《淮南子·兵略》。全句为："～；德积而民可用，怒畜而威可立"。
善作者不必善成，善始者不必善终
见《战国策·燕策二》。
善人为邦百年，亦可以胜残去杀矣
见《论语·子路》。
善知人者如明镜，善自知者如蚌镜
见汉《符子》。
善游者死于梁地，善射者死于中野
见《管子·枢言》。
善战者，见敌之所长，则知其所短
见《孙膑兵法·奇正》。全句为："～；见敌之所不足，则知其所有余"。
善者，吾善之；不善者，吾亦善之
见《老子》四十九。
善恶到头终有报，只争来早与来迟
见明·施耐庵《水浒传》。
善出奇者，无穷如天地，不竭如江河
见《孙子兵法·势篇》。
善不积不足以成名，恶不积不足以灭身
见《周易·系辞下》。
善删者字去而意留，善敷者辞殊而意显
见南朝·梁·刘勰《文心雕龙·熔裁》。
善除害者，察其本；善理疾者，绝其源
见唐·白居易《策林一》。
善难者务释事本，不善难者舍本而理末
见三国·魏·刘劭《人物志·材理》。全句为："～；舍本而理末则辞构矣"。
善问者如攻坚木：先其易者，后其节目
见《礼记·学记》。
善战者立于不败之地，而不失敌之败也
见《孙子兵法·形篇》。
善歌者使人继其声，善教者使人继其志
见《礼记·学记》。
善钓者无所失，善于钓矣，而不善所钓
见汉·刘安《淮南子·说山》。全句为："善射者发不失的，善于射矣，而不善所射；～"。
善不可谓小而无益，不善不可谓小而无伤
见汉·贾谊《新书·连语》。
善为国者若弹琴；宫君商臣，则治国之道
见唐·姚崇《弹琴诫》。
善为国者，爱民如父母之爱子，兄之爱弟
见汉·刘向《说苑·政理》。全句为："～，闻其饥寒为之哀，见其劳苦为之悲"。
善举事者若乘舟而悲歌，一人唱而千人和
见汉·刘安《淮南子·说林》。
善人为妖，是非反复，天下大迷而不复也
见汉·严遵《道德指归论·以正治国篇》。全句为："失正则奇生，奇生而民惑，～"。
善射者发不失的，善于射矣，而不善所射
见汉·刘安《淮南子·说山》。
善战者，居之不挠，见胜则起，不胜则止
见《太公六韬·龙韬·军势》。
善为士者不武，善战者不怒，善胜敌者不与
见《老子》六十八。
善为政者，防于未然，均其有无，省其徭役
见唐·张九龄《敕处分十道朝集使》。
善人者，不善人之师；不善人者，善人之资
见《老子》二十七。
善鄙不同，诽誉在俗；趋舍不同，逆顺在君
见汉·刘安《淮南子·人间》。
善日者王，善时者霸，补漏者危，大荒者亡
见《荀子·强国》。
善气迎人，亲如兄弟；恶气迎人，害于兵戈
见《管子·心术下》。
善有善报，恶有恶报；不是不报，时辰未到
见元·无名氏《来生债》第一折。
善欲人见，不是真善；恶恐人知，便是大恶
见清·朱柏庐《治家格言》。
善人在患，弗救不祥；恶人在位，不去亦不祥
见《国语·晋语八》。
善善不进而恶恶不退，则忠奸未别，邪正不分

见唐·张九龄《远佞》第二章。

善为上者，能令人得欲无穷，故人之可得用亦无穷也

见《吕氏春秋·离俗览·为欲》。

善计天下者不视天下之安危，察其纪纲之理乱而已矣

见唐·韩愈《杂说四首》。全句为："善医者不视人之瘠肥，察其脉之病否而已矣；～"。

❷从善如流／求善贾而沽／善善而恶恶／惟善以为宝／罚善必赏恶／不善使船嫌溪曲／小善积而为大善／闻善而不索，殆／惟善人能受尽言／我善养吾浩然之气／诬善之人，其辞游／小善不足以掩众恶／责善，朋友之道也／称善人，不善人远／不善操舟而恶河之曲／为善不同，同归于美／为善则预，为恶则去／为善者少，为谗者多／举善而教不能，则劝／从善如登，从恶是崩／知善不言，与嚚暗同／善善也长，恶恶也短／善善明，则君子进矣／行善则昌，行恶则亡／彰善瘅恶，王教之端／闻善不慕，与聋聩同／闻善而慕，知过而惧／迁善改过，益莫大焉／迁善改过，莫善于益／见善不敬，与昏瞽同／见善则迁，有过则改／见善若惊，疾恶若仇／有善必闻，有恶必见／虑善以动，动惟厥时／积善逢善，积恶逢恶／积善有征，终身无祸／不善进，则善无由入矣／不善学者，师勤而功半／为善于世而不自伐其功／取善以辅仁，则德日进／父善教子者，教于孩提／有善而归之民，则民喜／有善心之民，畏法自重／不善禁者，先禁人而后身／举善而任之，择善而从之／以善意相待，无不致快也／从善则有誉，改过则无咎／从善如不及，去恶如探汤／志善者忘恶，谨小者致大／闻善言则拜，告有过则喜／纳善若不及，从谏若转圜／见善，修然，必以自存也／见善如不及，用人如由己／见善思齐，足以扬名不朽／有善必劝者，固国家之典／不善在身，菑然必以自恶也／不善虽不吾恶，吾将强而拒／以善胜人者，未有能服人者／见善如不及，见不善如探汤／为善与众行之，为巧与众能之／为善若恐不及，备祸若恐不免／举善不以窅窅，拾过不以冥冥／以善养人者，未有不服人者也／善善而不能用，恶恶而不能去／闻善不可即亲，恐引奸人进身／闻善以相告也，见善以相示也／闻善速于雷动，从谏急于风移／采善不逾其美，贬恶不溢其过／树善滋于务本，除恶穷于塞源／有善于己，然后可以责人之善／有善始者实繁，能克终者盖寡／羞善行之不修，恶善名之不立／为善则流芳百世，为恶则遗臭万年／按善恶见闻之实，断是非去取之疑／闻善而行之如争，闻恶而改之如仇／有善则反之于身，有过则归之于民／有善者虽远必升，无能者纵近必废／积善成德，而神明自得，圣心备焉／类善则万世不忘，道恶则祸及其身／为善者日以有劝，为不善者月以有惩／今善善恶恶，好荣憎辱，非人能自生／积善在身，犹长日加益，而人不知也／与善人居，如入芝兰之室，久而自芳也／为善无近名，为恶无近刑，缘督以为经／为善者天报之以福，为恶者天与之以殃／小善不足以掩众恶，小疵不足以妨大美／知善不行者谓之狂，知恶不改者谓之惑／鹰善击也，然日击之，则疲而无全翼矣／骥善驰也，然日驰之，则蹶而无全蹄矣／赏善而不罚恶则乱，罚恶而不赏善亦乱／人善我，我亦善之；人不善我，我亦善之／积善之家必有余庆，积不善之家必有余殃／无善而好，不观其道；无悖而恶，不详其故／为善不同，同归于治；为恶不同，同归于乱／为善的受贫穷更命短，造恶的享富贵又寿延／从善如流，尚恐不逮；饰非拒谏，必是招损／好善无厌，受谏而能诫。虽欲无进，得乎哉／福善之门莫美于和睦，患咎之首莫大于内离／积善多者，虽有一恶，是为过失，未足以亡／上善若水，水善利万物而不争，处众人之所恶／善善不进而恶恶不退，则忠奸未别，邪正不分／爱善疾恶，人情所常，苟不明质，或疏善善非／与善人居，如入兰芷之室，久而不闻其香，则与之化矣

❸性无善无不善／无伐善，无施劳／无留善，无宿问／择其善者而从之／法令善则民安乐／毁誉善恶不可诬／一人善射，百夫决拾／与人善言，暖于布帛／长袖善舞，多钱善贾／人之善恶，诚由近习／人有善愿，天必从之／巧者善度，知者善豫／择其善鸣者而假之鸣／小不善积而为大不善／知人善察，难眩以伪／知者善谋，不如当时／德惟善政，政在养民／多闻善败，以鉴戒也／亲仁善邻，国之宝也／心有善恶，性无不善／公输善匠，不能匠散木／善不善不分，乱莫大焉／法不善，则有财而莫理／造父善御，不能御驽骀／古之善用兵者，不必在众／人非善不交，物非义不取／工欲善其事，必先利其器／大凡善恶之人，各以类聚／口言善，身行恶，国妖也／闻一善若惊，得一士若赏／皆知善之为善，斯不善矣／古之善将者，必以其身先之／古之善将者，养人如养己子／射不善而欲教人，人不学也／见不善，愀然，必以自省也／身不善之患，毋患人莫己知／青葵善迎于白日，宇暖斯迷／以不善意相待，无不致嫌隙也／古之善为政者，其初不能无谤／情有善有不善，而性无不善焉／始与善，善进善，不善蔑由至／罪及善者，则恶者不以罚为辱／穷独善而无挠，达兼善而无矜／得一善则拳拳服膺，而弗失之矣／闻忠善以损怨，不闻作威以防怨／乐莫善于如

意，而忧莫惨于不如意／举一善必适其材，惩一恶必当其咎／人有善，恒当掩之，有恶宜令彰露／人言善，亦勿听；人言恶，亦勿听／有其善，丧厥善；矜其能，丧厥功／古之善为道者，非以明民，将以愚之／古之善用人者，必循天顺人而明赏罚／今善善恶恶，好荣憎辱，非人能自生／闻人善，立以为己师；闻恶，若己仇／孝者，善继人之志，善述人之事者也／见不善而不能退，退而不能远，过也／惩劝善恶之柄，执于文士褒贬之际焉／性虽善，待教而成；性虽恶，待法而消／聆其善言，观其善行，足以资吾之未逮／古之善用兵者，用其翻然勃然于未悔之间／不择善否，两容颊适，偷拔其所欲，谓之险／人之善恶，不必世族；性之贤鄙，不必世俗／善有善报，恶有恶报；不是不报，时辰未到／比于善者，自进之阶，比于恶者，自退之原／言吾善者，不足为喜；道吾恶者，不足为怒／其所善者，吾则行之；其所恶者，吾则改之／听之善，亦必得于心而会于意，不可得而言也／古之善歌者有语，谓“当使声中无字，字中有声”／以小善为无益，以小恶为无伤，凡此皆非所以安身崇德也

❹循循然善诱人／达则兼善天下／不以私善害公法／养心莫善于寡欲／养身莫善于习动／好德乐善而无求／相观而善之谓摩／不以不善而废其善／名声之善恶存乎人／一为不善，众美皆亡／一日行善，天下归仁／一言之善，贵于千金／勿疏小善，方恢大略／记人之善，忘人之过／谗言伤善，青蝇污白／大抵文善醒，诗善醉／掩恶扬善，君子所宗／君上好善，民无讳言／闻人之善，若出诸己／闻人有善，若己有之／赏以劝善，罚以惩恶／置将不善，一败涂地／积善逢善，积恶逢恶／自伐其善，则莫不恶／一言之善，贵于千金然／不能终善者，不遂其君／为政……患善恶之不分／法虽不善，犹愈于无法／审己无善而获誉者不祥／以人言善我，必以言罪我／圣人常善救人，故无弃人／小人小善，乃铅刀之一割／吾有小善，必将顺而成之／奸人外善内恶，色厉内荏／所荣者善行，所耻者恶名／思赡者善敷，才核者善删／白璧求善价，明珠难暗投／凡人为善，不自誉而人誉之／以人言善我，亦必以人言恶我／圣人为善，非以求名而名从之／圣人……常善救物，故无弃物／始与善，善进善，不善蔑由至／春秋采善不遗小，掇恶不遗大／穷则独善其身，达则兼善天下／名有固善，径易而不拂谓之善名／称人之善，我有一善，又何妒焉／称人之善，我有一善，又何妨焉／无身不善而怨人，无刑已至而呼天／我闻忠善以损怨，不闻作威以防怨／合之者善，可以为法，因世而权行／谦者，众善之基；傲者，众恶之魁／名有固善，径易而不拂，谓之善名／吾闻忠善以损怨，不闻作威以防怨／善者，吾善之；不善者，吾亦善之／形相虽善而心术恶，无害为小人也／狗不以善吠为良，人不以善言为贤／始与不善，不善进不善，善蔑由至／言无有善恶也……则其辞不索而获／何等为善？身正行、口正行、意正行／忠告而善道之，不可则止，毋自辱焉／既不知善之为善，则亦不知恶之为恶／天下之善射者也，不能以拨弓曲矢中微／丑必托善以自为解，邪必蒙正以自为辟／民之不善，吏之罪；吏之不善，君之过／勿恃己善不服人仁，勿矜己艺不敬人文／见人有善如己有善，见人有过如己有过／不谓小善不足为也而舍之，小善积而为大善／匿人之善，斯为蔽贤；扬人之恶，斯为小人／仇雠有善，不得不举；亲戚有恶，不得不诛／苦身为善者，其赏厚；苦身为非者，其罪重／录人一善，则无弃人；采材一用，则无弃材／是以与善人居，如入芝兰之室，久而自芳也／忠心好善，而日新之；独居乐德，内悦于形／积微之善，以至吉祥。小恶不止，乃至灭亡／君苟有善，人必知之。知之又知之，其心归之／好贤乐善，孜孜以荐进良士、明白是非为己任／贤不肖，善邪辟，可悖逆，国不乱身不危奚待也／赏不劝善，罚不惩恶，而望邪正不惑，其可得乎／利非不善也，其害义则不善也，其和义则非不善也／必使为善者不越月逾时而得其赏，则人勇而有劝焉

❺多多而益善／称善人，不善人远／不惰者，众善之师也／正复为奇，善复为妖／乐道人之善而不为谄／兵要在乎善附民而已／善政不如善教之得民／不善进，则善无由入矣／善进，则不善无由入矣／备豫不虞，善之大者也／仁行而从善，义立则俗易／传闻不同，善恶随人所见／使人日徙善远罪而不自知／人求多闻善败，以监戒也／褒秋毫之善，贬纤芥之恶／庆赏以劝善，刑罚以惩恶／富贵易为善，贫贱难为工／教而不以善，犹为不教也／不谓小不善为无伤也而为之／诚之者，择善而固执之者也／圣人之于善也，无小而不举／小人以小善为无益而弗为也／教也者，长善而救其失者也／有心于为善，则与为不善同／以同异为善恶，以喜怒为赏罚／苟不能以善始，未有能令终者／君子能为善，而不能必得其福／善惩不如善政，善赏不如善教／因时在乎善相，因俗在乎便安／嫫母倭傀，善誉者不能掩其丑／毛嫱西施，善毁者不能蔽其好／福兮可以善取，祸兮可以恶招／恶不废则善不兴，自然之道也／白玉微瑕，善贾之所不弃……／舟覆乃见善游，马奔乃见良御／越之西子，善毁者不能闭其美／谄谀在侧，善议障塞，则国危矣／友便辟，友善柔，友便佞，损矣／大丈夫见善明，则重名节如泰山／精良畏慎，善

在恭谨，失在多疑／身譬如地，善意如禾，恶意如草／诸公可叹善谋身，误国当时岂一秦／士之美者善养禾，君之明者善养士／赏不隆则善不劝，罚不重则恶不惩／多闻，择其善者而从之；多见而识之／赏不足劝善，刑不足禁非，而政不成／才所以为善也，故大才成大善，小才成小善／善人者，不善人之师；不善人者，善人之资／善日者王，善时者霸，补漏者危，大荒者亡／不谓小不善为无伤也而为之，小不善积而为大不善

❻性无善无不善／人之初，性本善／锄一恶，长十善／夫子循循然善诱人／君子养心莫善于诚／善人者，人亦善之／乌鸟之狡，虽善不亲／以千击万，莫善于阻／圣人积聚众善以为功／德无常师，主善为师／迁善改过，莫善于益／耄老失明，闻善不从／改过不吝，从善如流／施舍不倦，求善不厌／人之性恶，其善者伪也／误用恶人，不善者竞进／有功不赏，为善失其望／文人之笔，劝善惩恶也／用得正人，为善者皆劝／百战百胜，非善之善者也／百战而胜，非善之善者也／人心安则念善，苦则怨叛／善师者不陈，善陈者不战／善建者不拔，善抱者不脱／善战者不败，善败者不亡／善战者不怒，善胜者不武／皆知善之为善，斯不善矣／凡人之欲为善者，为性恶也／教人者，养其善心而恶自消／恶人不去，则善人无由进也／人之出言至善，而或有议之者／扬雄言人性善恶混者，中人也／小人非无小善，君子非无小过／君子不谓小善不足为也而舍之／君子扬人之善，小人讦人之恶／情有善有不善，而性无不善焉／憎而不知其善，则为善者必惧／始与善，善进善，不善蔑由至／赏及淫人，则善者不以赏为荣／教人者，养其善心，而恶自消／益。君子以见善则迁，有过则改／取诸人以为善，是与人为善者也／孟轲言人性善者，中人以上者也／亦余心之所善兮，虽九死其犹未悔／能读千赋则善赋，能观千剑则晓剑／善作者不必善成，善始者不必善终／始与不善，不善进不善，善蔑由至／玉在椟中求善价，钗于奁内待时飞／有其善，丧厥善；矜其能，丧厥功／至极空虚而善应于物，则乃目之为道／性于人无不善，系其善反不善反而已／人善我，我亦善之；人不善我，我亦善之／以一击十，莫善于阨；以十击百，莫善于险／广仁益智，莫善于问；乘事演道，莫善于对／教民亲爱，莫善于孝；教民礼顺，莫善于悌／移风易俗，莫善于乐；安上治民，莫善于礼／上善若水，水善利万物而不争，处众人之所恶／羿者，天下之善射者也，无弓矢则无所见其巧

❼不止恶不能修善／小善积而为大善／天道无亲，常与善人／长袖善舞，多钱善贾／以一能称，以一善书／修身践言，谓之善行／巧者善度，知者善豫／大抵文善醒，诗善醉／清能有容，仁能善断／祸因恶积，福缘善庆／毋为戎首，不亦善乎／韶尽美矣，又尽善也／一念收敛，则万善来同／俭则约，约则百善俱兴／有功而不赏，则善不劝／有过必悛，有不善必惧／言近而指远者，善言也／求贤若不及，从善如转圜／举善而任之，择善而从之／列士并学，能终善者为师／谓之闲适诗，独善之义也／谦恭者无诤，知善之可迁／苟无济代心，独善亦何益／闻义不能徙，不善不能改／嫉恶如仇雠，见善若饥渴／简能而任之，择善而从之／君子生非异也，善假于物也／君子以遏恶扬善，顺天休命／一快不足以成善，积快而为德／求名莫如自修，善誉不能掩恶／力田不如逢年，善仕不如遇合／善乐生者不窭，善逸身者不殖／善惩不如善政，善赏不如善教／誉见即毁随之，善见即恶从之／不贰过者，见不善之端而止之也／为治之大体，莫善于抑末而务本／古之人虚中乐善，不择事而问焉／善胜敌者不与，善用人者为之下／烈士为天下见善矣，未足以活身／铭者，所以名其善功以昭后世也／不以爱之而苟善，不以恶之而苟非／不患立言之不善，患不足以践之耳／善者，吾善之；不善者，吾亦善之／因其所喜而为善，虽有愿忠而孰能／明主思短而益善，暗主护短而永愚／欲尸名者必为善，欲为善者必生事／苟能乐道人之善，则天下皆去恶为善／小人……行一日之善，而求终身之誉／既不知善之为善，则亦不知恶之为恶／善钓者无所失，善于钓矣，而不善所钓／赏不劝，谓之止善；罚不惩，谓之纵恶／聆其善言，观其善行，足以资吾之未逮／富贵骄人，固不善；学问骄人，害亦不细／善为士者不武，善战者不怒，善胜敌者不与／治道备，人斯为善矣；治道失，人斯为恶矣／先除尘垢后染善法，譬如浣衣先去垢然后可染／惟上帝不常，作善降之百祥，作不善降之百殃／举天下以赏其善者不足，举天下以罚其恶者不给／造父者，天下之善御者也，无舆马则无所见其能／譬之若水火然，善用之则为福，不善用之则为祸

❽不以不善而废其善／恶莫大于毁人之善／万分廉洁，止是小善／人之将死，其言也善／志在兼济，行在独善／善者不辩，辩者不善／善欲人见，不是真善／国有具官，其政可善／激浊扬清，嫉恶好善／好不废过，恶不去善／爱而知恶，憎而知善／心有善恶，性无不善／百发失一，不足谓善射／马不必骐骥，要之善走／丈夫贵兼济，岂独善一身／百战百胜，非善之善者也／百战而胜，非善之善者也／广直言之路，启进善之门／驱天下之人而从善远罪也／刑赏之

本，在乎劝善而惩恶／志意不先定，则守善而或移／见善如不及，见不善如探汤／不战而屈人之兵，善之善者也／刑过不避大臣，赏善不遗匹夫／诛恶不避亲爱，举善不避仇雠／闻善以相告也，见善以相示也／察其言，观其行，而善恶彰焉／始与善，善进善，不善蔑由至／羞善行之不修，恶善名之不立／民习礼义，易与为善，难与为非／善为吏者树德，不善为吏者树怨／溪虽莫利于世，而善鉴万类……／积德累行，不知其善，有时而用／称人之善，我有一善，又何妒焉／称人之善，我有一善，又何妨焉／幸于始者怠于终，善其辞者嗜其利／君子者，性非绝世，善自托于物也／善为政者积其德，善用兵者畜其怒／善作者不必善成，善始者不必善终／善知人者如明镜，善自知者如蚌镜／善游者死于梁地，善射者死于中野／形相虽恶而心术善，无害为君子也／"改过不吝，无咎"者，善补过也／忠邪不可以并立，善恶不可以同道／一国诅，两人祝，虽善祝者不能胜也／庸人者，口不能道善言，心不知色色／孝者，善继人之志，善述人之事者也／君子有机以成其善，小人有机以成其恶／善除害者，察其本；善理疾者，绝其源／见人有善如己有善，见人有过如己有过／其兴也必由于积善，其亡也皆在于积恶／博闻强识而让，敦善行而不怠，谓之君子／善射者发不失的，善于射矣，而不善所射／善欲人见，不是真善；恶恐人知，便是大恶／积恶多者，虽有一善，是为误中，未足以存／君子之所贵者，迁善惧其不及，改恶恐其有余／凡人之性，莫不欲善其德，然而不能为善德者，利败之也

❾小不善积而为大不善／君子莫大乎与人为善／务闻其过，不欲闻其善／愚暗之人，皆矜能伐善／禽兽之行而欲人之善己也／君子遗人以财，不若善言／愧斯娇，娇斯复，复斯善／皆知善之为善，斯不善矣／思赡者善敷，才核者善删／能获而能烹，所以为善猎也／孟尝君客无所择，皆善遇之／去小知而大知明，去善而自善／憎而不知其善，则为善者必惧／穷独善而无挠，达兼善而无矜／为恶之私易见，而为善之私难知／君子尊贤而容众，嘉善而矜不能／人家盛衰，皆系乎积善与积恶而已／始与不善，不善进不善，善蔑由至／君子之于人也，苟有善焉，无所不取／性于人无不善，系其善反不善反而已／子谓《韶》，"尽美矣，又尽善也"／心能知人者如明镜，善自知者如蚌镜／善删者字去而意留，善敷者辞殊而意显／善难者务释事本，不善难者舍本而理末／善歌者使人继其声，善教者使人继其志／君子居其室，出其言善，则千里之外应之／功莫大于去恶而为善，罪莫大于去善而为恶／喜怒相疑，愚知相欺，善否相非，诞信相讥／损者三友：友便辟，友善柔，友便佞，损矣／贵者，夜以继日，思虑善否，其为形也亦疏矣／君子小人本无常，行善事则为君子，行恶事则为小人／乐之道深矣，故工之善者，必得于心应于手，而不可述之言也／孔子曰："吾闻之，古之善御者，执辔如组，两骖如舞，非策之助也"。

❿凡看书不为书所愚始善／非非者行是，恶恶者行善／以赏誉自劝者，惰乎为善／爱而知其恶，憎而知其善／千里跬步不至，不足谓善御／人少好学则思专，长则善忘／当自益者，莫如改过而迁善／贤者能自反，则无往而不善／物速成则疾亡，晚就则善终／有心于为善，则与为不善同／辞不可不修，而说不可不善／开其自新之路，诱于改过之善／天下之人蹈道必赏，违善必罚／不遇至刻之人，不知忠厚之善／不战而屈人之兵，善之善者也／为政……贵于有以来天下之善／为恶而畏人知，恶中犹有善路／去小知而大知明，去善而自善／喜德者必多怨，喜予者必善夺／君子不掩人之功，不蔽人之善／君子之于人，无不欲其入于善／虽有至道，弗学，不知其善也／善惩不如善政，善赏不如善教／情有善有不善，而性无不善焉／威立则恶者惧，化行则善者劝／爱而不知其恶，憎而遂忘其善／有善于己，然后可以责人之善／穷则独善其身，达则兼善天下／孰非义而可用兮，孰非善而可服／取诸人以为善，是与人为善者也／名有固善，径易而不拂谓之善名／宇宙内事，要担当，又要善摆脱／赏罚必信，无恶不惩，无善不显／天道以爱人为心，以劝善惩恶为公／弗食，不知其旨；弗学，不知其善／古圣贤玩琴以养心，穷则独善其身／分人以财谓之惠，教人以善谓之忠／勿以恶小而为之，勿以善小而不为／记短则兼折其长，贬恶则并伐其善／诛赏不可以缪，诛赏缪则善恶乱矣／能爱邦内之民者，能服境外之不善／圣人之静也，非曰静也善，故静也／土之美者善养禾，君之明者善养士／大其牖，天光入；公其心，万善出／名有固善，径易而不拂，谓之善名／听言不可不察，不察则善不善不分／君子择交莫恶于易与，莫善于胜己／善作者不必善成，善始者不必善终／善者，吾善之；不善者，吾亦善之／狗不以善吠为良，人不以善言为贤／始与不善，不善进不善，善蔑由至／威猛之政宜于讨乱，以之治善则暴／婉而成章，尽而不污，惩恶而劝善／采玉者破石拔玉，选士者弃恶取善／赏僭则惧及淫人，刑滥则惧及善人／见可而进，知难而退，军之善政也／见利争让，闻义争为，有不善争改／爱之则不觉其过，恶之则不知其善／欲尸名者必为善，欲为善者必生事／用意深而劝戒切，为言信而善恶明／足国之道，节用裕民，而善藏其余／其谤且誉

者，岂尽明而善褒贬也哉／为善者日以有劝，为不善者月以有惩／凡人不能无好恶，但能胜其私心则善／苟能乐道人之善，则天下皆去恶为善／君子之恶恶道不甚，则好善道亦不甚／君子之誉，非所谓誉也，其善显焉尔／待士不敬，举士不信，则善士不往焉／江海所以能为百谷王者，以其善下之／性于人无不善，系其善反不善反而已／子路人告之以有过则喜，禹闻善则拜／不可轻微恶而不避，无容略小善而不为／不能爱邦内之民者，不能服境外之不善／民之不善，吏之罪；吏之不善，君之过／论大功者不录小过，举大善者不疵细瑕／大其心容天下之物，虚其心受天下之善／小人之谤，非所谓谤也，其不善彰焉尔／善钓者无所失，善于钓矣，而不善所钓／处大无患者恒多慢，处小有忧者恒思善／法者，所以禁民为非而使其迁善远罪也／责恶要为人留余步，劝善要思其势可从／赏善而不罚恶则乱，罚恶而不赏善亦乱／朝无争臣则不知过，国无达士则不闻善／欲知舜与蹠之分，无他，利与善之间也／意新语工，得前人所未道者，斯为善也／人善我，我亦善之；人不善我，我亦善之／六国破灭，非兵不利，战不善，弊在赂秦／军暴而后戢之，兵乱而后遏之，善则善矣／若意新语工，得前人所未道者，斯为善也／善不可谓小而无益，不善不可谓小而无伤／善射者发不失的，善于射矣，而不善所射／国无义，虽大必亡。人无善志，虽勇必伤／德人者，居无思，行无虑，不藏是非善恶／积善之家必有余庆，积不善之家必有余殃／一日万机，一人听断，虽复忧劳，安能尽善／才所以为善也，故大才成大善，小才成小善／专习一家，硁硁小哉！宜善相之，多师为佳／不谓小善不足为也而舍之，小善积而为大善／不知而不疑，异于己而不非者，公于求善也／为政之本，莫若得人；褒贤显善，圣制所先／以一击十，莫善于阸；以十击百，莫善于险／体道履仁，外和内敏，清而容物，善不近名／人生至愚是恶闻己过，人生至恶是善谈人过／功莫大于去恶而为善，罪莫大于去善而为恶／务先穷昔人书，有不可者而后革之，则大善／知过非难，改过为难；言善非难，行善为难／善为士者不武，善战者不怒，善胜敌者不与／善人者，不善人之师；不善人者，善人之资／四海悠悠，皆慕名者，盖因其情而致其善尔／广仁益智，莫善于问；乘事演道，莫善于对／法小弛则是非驳，赏不必尽善，罚不必尽恶／洁其身而同焉者合矣，善其言而类焉者应矣／明王有过，则反之于身，有善，则归之于民／见危授命，士之美行；褒善录功，国之令典／见虎一文，不知其武；见骥一毛，不知善走／教民亲爱，莫善于孝；教民礼顺，莫善于悌／教学之法，本于人性，磨揉迁革，使趋于善／忠果正直，志怀霜雪，见善若惊，疾恶若仇／移风易俗，莫善于乐；安上治民，莫善于礼／白日所为，夜来省己，是恶当惊，是善当喜／鸟之将死，其鸣也哀；人之将死，其言也善／卵待复而为雏，茧待缫而为丝，性待教而为善／若近细人，不闻教谕，纵欲行善，犹未知所适／惟上帝不常，作善降之百祥，作不善降之百殃／爱善疾恶，人情所常，苟不明质，或疏善善非／爱故不二，威故不犯；故善将者，爱与威而已／心虽不说，弗敢不誉；事业虽弗善，不敢不力／今世之人主，多欲众之，而不知善，此多其雠也／《大学》之道，在明明德，在亲民，在止于至善／学匪疑不明，而疑恶乎凿，疑而能辨，斯为善学／譬之若水火然，善用之则为福，不善用之则为祸／不谓小不善为无伤也而为之，小不善积而为大不善／利非不善也，其害义则不善也，其和义则非不善也／人生一世，但当畏敬于人，若不善加己，直为受之／养子弟如养芝兰，既积学以培植之，又积善以滋润之／文学之于人也譬乎药，善服，有济；不善服，反为害／天下皆知美之为美，斯恶矣；皆知善之为善，斯不善矣／凡人之性，莫不欲善其德，然而不能为善德者，利败之也／回之为人也，择乎中庸，得一善，则拳拳服膺，而弗失之矣／兵不可偃也，譬之若水火然，善用之则为福，不能用之则为祸／杀人之士民，兼人之土地，以养吾私与吾神者，其战不知孰善／人声之精者为言，文辞之于言，又其精也，尤择其善鸣者而假之鸣／舜其大知也与！舜好问而好察迩言，隐恶而扬善，执其两端，用其中于民

嗟 jiē 表示感叹。

❶嗟叹之不足故永歌之

见《诗·大序》。全句为："言之不足故嗟叹之，～，永歌之不足，不知手之舞之，足之蹈之"。

嗟叹之不足，不知手之舞之足之蹈之也

见《礼记·乐记》。全句为："言之不足，故长言之；长言之不足，故嗟叹之；～"。

❷吁嗟身后名，于我若浮烟／空嗟芳饵下，独见有贪心

❸不食嗟来之食／兴于嗟叹，发于吟咏，而形于歌诗矣

❹会己则嗟讽，异我则沮弃

❻言之不足故嗟叹之／勿使青衿子，嗟尔白头翁

❼莫怨春风当自嗟／野芳虽晚不须嗟／痛乾坤而忽穷，嗟古今而长绝／志士幽人莫怨嗟，古来材大难为用

❽驽蹇服御，良乐咨嗟；铅刀剖截，欧冶叹息

❾人亦有言，忧令人老。嗟我白发，生一何早／

采采卷耳，不盈顷筐。嗟我怀人，置彼周行
❿志士不饮盗泉之水，廉者不受嗟来之食／言之不足，故长言之；长言之不足，故嗟叹之

喧 ①xuān 声音大而嘈杂；同“喧”，显赫貌。②xuǎn 通“咺”，悲泣。

❶喧鸟覆春洲，杂英满芳甸
见南朝·齐·谢朓《晚登三山还望京邑》。
❷竹喧归浣女，莲动下渔舟
❸万夫喧喧不停杵，杵声丁丁惊后土
❿结庐在人境，而无车马喧

喙 huì 鸟嘴；喻人之嘴；疲困。

❹天雄乌喙，药之凶毒也，良医以活人
❾人之饥所以不食乌喙者，以为虽偷充腹而与死同患也

嗷 áo 嘈杂、号叫、哀鸣等声。

❼鸿雁于飞，哀鸣嗷嗷
❿翁媪饥雷常转腹，大儿嗷嗷小儿哭

嗜 shì 喜欢；爱好；贪；一般指不良爱好。

❶嗜欲得而信衰于友
见《荀子·性恶》。
嗜欲伤神，财多累身
见《老子》九河上公注。
嗜欲喜怒之情，贤愚皆同
见唐·吴兢《贞观政要·慎终》。全句为：“～。贤者能节之，不使过度；愚者纵之，多至失所”。
嗜欲充益，目不见色，耳不闻声
见《管子·心术上》。
嗜欲者使人之气越，而好憎者使人之心劳
见汉·刘安《淮南子·精神》。
嗜欲无穷，则必有贪鄙悖乱之心，淫佚奸诈之事
见《吕氏春秋·仲夏纪·侈乐》。
❷割嗜欲所以固血气
❸有不嗜杀人者，则天下之民皆引领而望之矣
❹小人非嗜欲无以活，失嗜欲则失其所以活／如有不嗜杀人者，则天下之民皆引领而望之矣
❺蹈危如平，嗜粝如精／于为义若嗜欲，勇不顾前后；于利与禄，则畏避退处如怯夫然
❼穷民财力以供嗜欲谓之暴／苟其聪明蔽于嗜好，智虑溺于爱憎／田夫寿，膏粱夭，嗜欲少多之验也
❽视轩裳如草芥，屏嗜欲若泥沙
❾凡为民去害兴利若嗜欲／侥幸者伐性之斧也，嗜欲者逐祸之马也／见利思辱，见恶思诟，嗜欲思耻，忿怒思患
❿幸于始者怠于终，善其辞者嗜其利／伤其身者不在外物，皆由嗜欲以成其祸／鼻之所喜不可任也，口之所嗜不可随也／小人非嗜欲无以活，失嗜欲则失其所以活／君子见利思辱，见恶思诟，嗜欲思耻，忿怒思患／王曰：“孰能一之？”对曰：“不嗜杀人者能一之”／视听言行，循礼法而动，所以教人忘嗜欲而归性命之道也／君子者，易亲而难狎，畏祸而难却，嗜利而不为非，时动而不苟作

嗫 niè［嗫嚅］口动，想说又停止；窃窃私语。

❿足将进而趑趄，口将言而嗫嚅

嗔 chēn 生气；对人不满。

❹矮观场，嗔人长，不自量
❺佳月了不嗔，曾何污洁白
❿不可乘喜而轻诺，不可因醉而生嗔

嗣 sì 继承；继承人；子孙。

❷后嗣若贤，自能保其天下；如其不肖，多积仓库，徒益其奢侈，危亡之本也
❿临下以简，御众以宽，罚弗及嗣

嗛 ①xián 衔在口中；怀恨。［嗛嗛］，衔恨隐忍貌。②qiǎn 猴子的颊囊。③qiàn［嗛嗛］微小貌；不足貌。同“歉”，不满足，歉收。④qiè 通“慊”，满足，快意。⑤qiān 通“谦”，［嗛嗛］谦逊貌。

❹满则虑嗛，平则虑险，安则虑危
❿知者之举事也，满则虑嗛／盗取民食兮，私己不分；充嗛果腹兮，骄傲欢欣／大道无形，大仁无亲，大辩无声，大廉不嗛，大勇不矜／大道不称，大辩不言，大仁不仁，大廉不嗛，大勇不忮

嗤 chī 讥笑。

❿浮言可以事久而明，众嗤可以时久而息

辔 pèi 驾驭牲口用的嚼子和缰绳。

❷纡辔诚可学，违己讵非迷／急辔数策者，非千里之御也
❹登车揽辔，有澄清天下之志
❿法禁者俗之堤防，刑罚者人之衔辔／孔子曰：“吾闻之，古之善御者，执辔如组，两骖如舞，非策之助也”。

嘈 cáo 声音杂乱。

❶嘈嘈切切错杂弹，大珠小珠落玉盘
见唐·白居易《琵琶行》。全句为：“大弦嘈嘈如急雨，小弦切切如私语。～”。

嗽 ①sòu 咳嗽。②shù 同“漱”。③sù，又读 shuò，吮吸。

❽霜晨月，马蹄声碎，喇叭声咽

嘘 xū 慢慢地呼气；[嘘唏]叹息；抽噎。

❺清谈高论，嘘枯吹生／今将以呼嘘为食，咀嚼为神……

嘤 yīng 拟声用字。

❶嘤其鸣矣，求其友声

见《诗·小雅·伐木》。

❿泉水激石，泠泠作响；好鸟相鸣，嘤嘤成韵

嘻 xī 拟声词；欢笑貌；叹词。

❶嘻笑之怒，甚于裂眦；长歌之哀，过乎恸哭

见唐·柳宗元《对贺者》。

❸妇子嘻嘻，失家节也

噎 yē 食品等塞住喉咙；气逆而呼吸困难；用尖刻的语言顶撞，使对方受窘而说不话来。

❷一噎之故，绝谷不食；一蹶之故，却足不行

❸有以噎死者，欲禁天下之食，悖／以食噎而得病者，欲绝食以去病，乃不知食绝而身毙

嘶 sī 叫；沙哑；虫鸟凄切幽咽之鸣；同“噝”。

❶嘶酸雏雁失群夜，断绝胡儿恋母声

见唐·李颀《听董大弹胡笳声兼寄语弄房给事》。全句为：“空山百鸟散还合，万里浮云阴且晴，～”。

❻胡风带秋月，嘶马杂笳声／马逢伯乐而嘶，人遇知己而死

嘲 ①cháo 讥笑；吟咏；鸟叫声。②zhāo 拟声用字，形容繁杂细碎的声音。

❼梁、陈间，率不过嘲风雪，弄花草而已

噆 cǎn 衔；叮，咬。

❸蚊虻噆肤，则通昔不寐矣

嘬 ①chuài 叮，咬；一口吃下去；引伸为贪吃、硬吃。②zuō 吮吸。

❿君不见比来翁姥尽饥死，狐狸嘬骨乌啄眼

嘿 ①mò 同“默”，不出声。②hēi 叹词。

❿先趋而后息，先问而后嘿，则什己者至

噤 jìn 闭嘴；因寒冷而身体打颤；关闭。

❽去敌气与矜色兮，噤危言以端诚

嘴 zuǐ 口；形状或作用像嘴的东西；指吃的东西；指说话。

❿春风吹蚕细如蚁，桑芽才努青鸦嘴

器 qì 用具的总称；生物体中具有独立生理作用的部分；人的度量、才干；看中，看得起。

❶器宝待人而后宝

见汉·扬雄《法言·寡见》。

器满则倾，志满则覆

见《太公六韬》佚文。

器量须大，心境须宽

见明·吴麟征《家诫要言》。

器而不可用，工不为也

见宋·杨时《二程粹言·论学篇》。全句为：“百工制器，必贵于有用；～”。

器具质而洁，瓦缶胜金玉

见清·朱柏庐《治家格言》。全句为：“～；饮食约而精，园蔬愈珍馐”。

器满才难御，功高主自疑

见清·洪昇《淮水吊韩侯》。

器博者无近用，道长者其功远

见南朝·宋·范晔《后汉书·宋弘传》。

❷大器晚成／利器入手，手可假人／藏器于身，待时而动／藏器待时，耻于自献／大器晚成，宝货难售／宝器玩物，不可示于权豪／大器之于小用，固有所不宜／大器不可小用，小士不可大任

❸士先器识而后辞章／士先器识而后文艺／兵，凶器，未易数动／兵，凶器；战，危事／名，公器也，不可多取／举凶器，行凶德，犹不得已也／当知器满则倾，须知物极必反／置虚器于水中，未充则唱，既充则默／君犹器也，人犹水也，方圆在于器，不在于水

❹用人如器，各取所长／百工制器，必贵于有用／国之利器，不可以示人／陶匏异器，并为入耳之娱／宫有垩，器有涤，则洁矣／兵者，凶器，不得已而用之／辞者，犹器之有刻镂绘画也／兵者凶器也，甲坚兵利，为天下殃／名为公器无多取，利是身灾合少求／小人虽器量浅狭，而未必无一长可取／君子藏器于身，待时而动，何不利之有／天下神器，不可为也。为者败之，执者失之／兵者凶器，必有凶扰，扰则思乱，乱出不意／璧瑗成器，礛诸之功，镆邪断割，砥砺之力／虫堕一器，酒弃不饮；鼠涉一筐，饭捐不食

❺凡成美，恶器也／冰炭不同器，日月不并明／薰莸不同器，枭鸾不接翼／薰莸不共器，枭鸾不比翼／残朴以为器，工匠之罪也／销兵铸农器，今古岁方宁／人惟求旧，器非求旧，惟新。／冰炭不同器而久，寒暑不兼时而至／心为道之器，宇虚静至极则道居而慧生／天下至大器也，帝王至重位也，得士则靖，失士则乱

❻冰炭不可同器／欲投鼠而忌器／校短量长，惟器是适／言多令事败，器漏苦不密／玉不琢不成器，人不学不知道／百工不信，则器械苦伪，丹漆染色不贞／士者，国之重器；得士则重，失士则轻／兵者，不祥之器，物或恶之，故有道者不处／兵者不祥之器，非君子之器，不得已而

用之／大方无隅，大器晚成，大音希声，大象无形
❼鄙吝者必非大器／形骸者，性命之器也／越自尊大，越见器小／嘉谷不夏熟，大器当晚成／萃。君子以除戎器，戒不虞／国者，天下之大器也，重任也／道无废而不兴，器无毁而不治／焉得铸甲作农器，一寸荒田牛得耕／士进则世收其器，贤用即人献其能／凡兵，天下之凶器也；勇，天下之凶德也
❽小疵不足以损大器／包藏祸心，窥窃神器／切瑳琢磨，乃成宝器／挈瓶之知，不失守器／觚而弗琢，不成于器／学者大病痛，只是器度小／大匠之斧斤，不能器不才之木／威柄不以放下，利器不可假人／大巧因自然以成器。不造为异端／农，天下之大业；铁器、民之大用／众见者人为之伏，器见者人为之备／短绠不可以汲深，器小不可以盛大／宜得敏锐兼人之器，以副厉精更化之怀／玉不雕，玙璠不作器；言不文，典谟不作经／食其食者，不毁其器；食其实者，不折其枝／食其食者，不毁其器；荫其树者，不折其枝／短绠不可以汲深，器小不可以盛大，非其任也
❾常才不能别逸伦之器／哀哉，死者用生者之器也／钱神通灵于旁蹊，公器反类于互市／治国者敬其宝，爱其器，任其用，除其妖
❿先自治而后治人之谓大器／工欲善其事，必先利其器／大厦须异材，廊庙非庸器／见乃谓之象，形乃谓之器／君子之为书，犹工人之作器／虽有良玉，不刻镂则不成器／琼琨山积，不能无挟瑕之器／不遇盘根错节，何以别利器乎／口不能言，身能行之，国器也／江河之流，不能盈无底之器也／利不百，不变法；功不十，不易器／操千曲而后晓声，观千剑而后识器／国不兴无事之功，家不藏无用之器／形而上者谓之道，形而下者谓之器／璞玉浑金，人皆饮其宝，莫知名其器／鱼不可脱于渊；国之利器不可以示人／仁义之行，唯且无诚，且假乎禽贪者器／凡为天下国家，当爱惜名器，谨重刑罚／邪正之人不宜共国，亦犹冰炭不可同器／梁丽可以冲城，而不可以窒穴，言殊器也／有沃野之饶而民不足于食者，器械不备也／兵者不祥之器，非君子之器，不得已而用之／庶人有旦暮之业则劝，百工有器械之巧则壮／妙必假物而物非生妙，巧必因器而器非成巧／君犹器也，人犹水也，方圆在于器，不在于水／气，物之原也；理，气之具也；器，气之成也／才者璞也，识者工也，良璞授于贱工，器之陋也／力不能济于用，而君臣上下不正，虽抱空器奚何施设／以易限之鉴，镜难原之才，使国罔遗授，野无滞器，其可得／君子易事而难说也。说之不以道，不说也；及其使人也，器之／名也者，相轧也；知也者，争之器也，二者凶器，非所以尽行也／怨恩取与谏教生杀，八者，正之器也，唯循大变无所湮者为能用之

噪 zào 虫鸣或鸟叫；大声吵嚷；(名声)广为传播；扬名。
❿齐梁及陈隋，众作等蝉噪

噬 shì 咬。
❶噬虎之兽，知爱己子；搏狸之鸟，非护异巢　见南朝·梁·裴子野《汉明帝诛诸弟论》。
❹骄妒者，噬贤之狗也／乳狗之噬虎也，伏鸡之搏狸也／搏攫抵噬之兽，其用齿角爪牙也，必托于卑微隐蔽
❼若不早图，后君噬齐
❽鸟穷则搏，兽穷则噬／虎豹不外其爪，而噬不见齿
❾蝮蝎终日而不螫，则噬啮草木以致其毒
❿譬如养虎，当饱其肉，不饱则将噬人／畜水覆舟，养兽反害，悔之噬脐，将何所及／小人之交以利，平时相亲不啻父子，一旦相噬不啻狗彘

嚅 rú［嗫嚅］形容嘴唇微动，吞吞吐吐，欲言又止的样子。
❿足将进而趑趄，口将言而嗫嚅

嚚 yín 蠢而顽固；奸诈。
❻知善不言，与嚚暗同

嚣 xiāo 吵闹；闲暇的样子。
❽尊德乐义，则可以嚣嚣矣
❿黾勉从事，不敢告劳；无罪无辜，谗口嚣嚣

鼍 tuó 动物名，亦称“扬子鳄”，俗称“猪婆龙”。
❷鼋鼍穴于深渊之下，夕而得所宿
❺坎井无鼋鼍者，隘也
❻虎豹在山，鼋鼍在水，各有所托

嚼 ①jiáo 咀嚼(亦读 jué，义同①，此读音用于复合词或成语)。②jiào 倒嚼，即牛羊等动物的反刍。
❻过屠门而大嚼，虽不得肉，贵且快意
❾今将以呼嘘为食，咀嚼为神……
❿知肉味美则对屠门而大嚼

囋 zàn 讲话多，没有节制。
❿不问而告谓之傲，问一告二谓之囋。傲非也，囋非也

囚 qiú 拘禁；被拘禁的人。
❷要囚，服念五六日，至于旬时
❺放鸱枭而囚鸾凤
❿人心，排下而进上，上下囚杀／治狱者得其

情，则无冤死之囚

四

sì 数目字。

❶四方无虞

见《尚书·毕命》。

四面边声连角起

见宋·范仲淹《渔家傲》。全句为："～。千嶂里，长烟落日孤城闭"。

四美俱，二难并

见唐·王勃《滕王阁序》。

四海安，天下欢

见晋代舞曲歌辞《晋杯盘舞歌》。

四方八面野香来

见宋·杨万里《过百家渡》。

四体不勤，五谷不分

见《论语·微子》。

四海之内，皆兄弟也

见《论语·颜渊》。

四时更运，功成则移

见三国·魏·王弼《老子》九注。

四时转续，变于所极

见唐·刘禹锡《何卜赋》。

四序纷回，而入兴贵闲

见南朝·梁·刘勰《文心雕龙·物色》。全句为："～；物色虽繁，而析辞尚简"。

四更山吐月，残夜水明楼

见唐·杜甫《月》。

四海无闲田，农夫犹饿死

见唐·李绅《古风二首》之一。

四海变秋气，一室难为春

见清·龚自珍《自春徂秋，偶有所触，拉杂书之，漫不诠次，得十五首》之二。

四马齐足，孟门可以长驱

见明·刘基《拟连珠》。全句为："三军一心，剑阁可以攻拔；～"。

四时兮代谢，万物兮迁化

见宋·欧阳修《醉翁亭记》。

四十而不惑，五十而知天命

见《论语·为政》。全句为："吾十有五而志于学，三十而立，～，六十而耳顺，七十而从心所欲不逾矩"。

四郊多垒，此卿大夫之辱也

见《礼记·曲礼上》。

四寸之管无当，必不可满也

见《商君书·靳令》。

四时之景不同，而乐亦无穷也

见南朝·宋·范晔《后汉书·梁冀传》。

四时四维者，天地至大之谓也

见宋·邵雍《皇极经世·观物篇》。

四支强而躬体固，华叶茂而本根据

见汉·桓宽《盐铁论·繇役》。

四海翻腾云水怒，五洲震荡风雷激

见现代·毛泽东《满江红·和郭沫若同志》。

四时有不谢之花，八节有长青之草

见清·李汝珍《镜花缘》第一回。

四海之内共利之之谓悦，共给之之谓安

见《庄子·天地》。

四时万物兮有盛衰，唯我愁苦兮不暂移

见汉·蔡琰《胡笳十八拍》之十四。

四海之广，不患无贤，而患在信用之不至耳

见宋·包拯《请录用杨纮等》。

四海悠悠，皆慕名者，盖因其情而致其善尔

见北齐·颜之推《颜氏家训》。

四时之运，功成则退，高爵厚宠，鲜不致灾

见南朝·宋·范晔《后汉书·梁冀传》。

❷骈四俪六，锦心绣口／图四海者，非怀细以害大／辟四门，明四目，达四聪／能四时而不衰，历夷险而益固／遵四时以叹逝，瞻万物而思纷／凡四方小大邦丧，罔非有辞于罚／用四海九州之力，除此小寇，难易可知……

❸三十四十五欲牵／放之四海而皆准／事在四方，要在中央／威加四海，而屈于匹夫／中夜四五叹，常为大国忧／乃知四体勤，无衣亦自暖／苟怀四方志，所在可游盘／子以四教：文、行、忠、信／耳达四聪，瑕累者期于录用／上下四方曰宇，往古来今曰宙／天地四方曰宇，往古来今曰宙／四时四维者，天地至大之谓也／东南四十三州地，取尽膏脂是此河／子绝四：毋意，毋必，毋固，毋我／学者四失：为人则失多，好高则失寡，不察则易，苦难则止

❹两仪生四象／巢许蔑四海，商贾争一钱／雄心志四海，万里望风尘／坐潭上，四面竹树环合……／奈何以四海之广，足一夫之用邪／六王毕，四海一，蜀山兀，阿房出／当事有四要：际畔要果决，怕是绵／进言有四难：审人、审己、审事、审时

❺大丈夫志四方／天地节而四时成／天地革而四时成／终朝为恶，四海倾覆／一言而非，四马不能追／无竞维人，四方其训之／辟四门，明四目，达四聪／天不言而四时行，地不语而百物生／水曲山限四五家，夕阳烟火隔芦花／国家治，则四邻贺；国家乱，则四邻散／天何言哉？四时行焉，百物生焉，天何言哉／阴阳尽，而四时成焉；刚柔尽，而四维成焉／百官之众，四海之广，使其关节脉理相通为一／天地之大，四时之化，而犹不能以不信成物，又况乎人事

❻大凡文之用四……／一朝辞此地，四海遂为家／九州犹虎豹，四海未桑麻／周公不求备，四友不相兼／但悲时易失，四序迭相侵／城中好高髻，四方高一尺／虽无纪历志，四时自成岁／

遂令一夫唱，四海欣提矛／推恩足以保四海，不推恩无以保妻子／发乎声，见乎四支，谓非己心，不明也／大丈夫必有四方之志，乃仗剑去国，辞亲远游

❼飞语一发，胪言四驰／行年五十而知四十九年非／制败则欲肆，虽四表不能充其求矣／地，积块耳，充塞四虚，亡处亡块／提刀而立，为之四顾，为之踌躇满志／失于声，缪迷其四体，谓己当然，自诬也／无教之教，洽流四海；无为之为，通达八方／行己有耻，使于四方，不辱君命，可谓士矣／爵尊天下，富有四海，威势无量，专权擅柄／致治之术，先屏四患：……一曰伪，二曰私，三曰放，四曰奢

❽人之所以立检者四／不忧一家寒，所忧四海饥／陌上新离别，苍茫四郊晦／辟四门，明四目，达四聪／大丈夫处世，当交四海英雄／观古今于须臾，抚四海于一瞬／播糠迷目，则天地四方易位矣／览冀州兮有余，横四海兮焉穷／挟天子以令诸侯，四海可指麾而定／道者，覆天载地，廓四方，柝八极

❾丑女来效颦，还家惊四邻／源发而横流，路开而四通／义胆包天，忠肝盖地，四海无人识／十步之内，必有芳草；四海之中，岂无奇秀／始见新春，又逢初夏。四时若箭，两曜如梭。／灭其私而无其身，则四海莫不瞻，远近莫不至／骄、奢、淫、泆，所自邪也。四者之来，宠禄过也／天地有大美而不言，四时有明法而不议，万物有成理而不说／生民之不得休息，为四事故：一为寿，二为名，三为位，四为货

❿上不玷知人之明，下不失四海之望／豫焉，若冬涉川；犹兮，若畏四邻／附骥尾则涉千里，攀鸿翮则翔四海／夕阳一片寒鸦外，目断东西四百州／鸿鹄之鷇羽翼未全，而有四海之心／植之而塞于天地，横之而弥于四海／昔有佳人公孙氏，一舞剑气动四方／易于泰山破鸡子，轻于四马载鸿毛／龙蛇纸上飞腾，看落笔四筵风雨惊／天地以顺动，故日月不过，而四时不忒／由来犬羊着冠坐庙堂，安得四鄙无豺狼／国家治，则四邻贺；国家乱，则四邻散／风霜高洁，水落而石出者，山间之四时也／内不足者，急于人知；霈焉有余，厥闻四驰／以天为父，以地为母，阴阳为纲，四时为纪／以此治人，则膏雨甘露降矣，寒暑四时当矣／阴阳尽，而四时成焉；刚柔尽，而四维成焉／圣人之道，同诸天地，荡诸四海，变习易俗／鸿鹄高飞，一举千里，羽翼以就，横绝四海／宁令吾庐独破受冻死，不忍四海赤子寒飕飕／经传之文，贤圣之语，古今言殊，四方谈异／赏罚不明，百事不成；赏罚若明，四方可行／有声之声，不过百里；无声之声，延及四海／胡笳互动，牧马悲鸣，吟啸成群，边声四起／虐政用于下，而欲德教之被四海，故难成也／源泉混混，不舍昼夜，盈科而后进，放乎四海／天下犹人之体，腹心充实，四支虽病，终无大患／其来无迹，其往无崖，无门无房，四达之皇皇也／天地之气合而为一，分为阴阳，判为四时，列为五行／君子之学也，入乎耳，箸乎心，布乎四体，形乎动静／天有五行：一曰木，二曰火，三曰土，四曰金，五曰水／有席卷天下，包举宇内，囊括四海之意，并吞八荒之心／三皇之知，上悖日月之明，下睽山川之精，中堕四时之施／天无私覆也，地无私载也，日月无私烛也，四时无私行也／正位居体，美在其中，而畅于四支，发于事业，美之至也／五福：一曰寿，二曰富，三曰康宁，四曰攸好德，五曰考终命／不行王政云尔；苟行王政，四海之内皆举首而望之，欲以为君／伪乱俗，私坏法，放越轨，奢败制。四者不除，则政末由行矣／致治之术，先屏四患：……一曰伪，二曰私，三曰放，四曰奢／生民之不得休息，为四事故：一为寿，二为名，三为位，四为货／体恭敬而心忠信，术礼义而情爱人，横行天下，虽困四夷，人莫不贵／君人者不下庙堂之上，而知四海之外者，因物以识物，因人以知人也／先哲王之政，一曰承天，二曰正身，三曰任贤，四曰恤民，五曰明制，六曰立业

因

yīn 依照旧有方式办理；根据；原因；因为；沿袭；犹如。

❶因时立政

见宋·苏辙《乞裁损浮费札子》。

因者无敌

见《吕氏春秋·慎大览·贵因》。全句为："～。国虽大，民虽众，何益"。"因"，因势利导。

因则功，专则拙

见《吕氏春秋·慎大览·贵因》。"因"，因势利导。

因变制宜，以敌为师

见汉·班固《汉书·江充传》。

因时施宜，无害于民

见宋·苏辙《论衙前及诸役人不便札子》。

因祸受福，喜盈我室

见汉·焦赣《易林·需·旅》。

因人之力而敝之，不仁

见《左传·僖公三十年》。

因天时，伐天毁，谓之武

见战国·佚书《经法·四度》。

因任而授官，循名而责实

见《韩非子·定法》。

因嫌纱帽小，致使锁枷扛

见清·曹雪芹《红楼梦》第一回。

因方以借巧，即势以会奇

见南朝·梁·刘勰《文心雕龙·物色》。

因祸而为福，转败而为功

见汉·班固《汉书·食货志》。

因天下之力，以生天下之财

见宋·王安石《上皇帝万言书》。全句为："～；取天下之财，以供天下之费"。

因天下之心以虑，则无不得

见唐·高郢《再上谏书》。全句为："～；因天下之目以视，则无不见"。

因天下之目以视，则无不见

见唐·高郢《再上谏书》。全句为："因天下之心以虑，则无不得；～"。

因天之生也以养生，谓之文

见战国·佚书《经法·四度》。全句为："～；因天之杀也以伐死，谓之武。文武并行，则天下从矣"。

因天之杀也以伐死，谓之武

见战国·佚书《经法·四度》。全句为："因天之生也以养生，谓之文；～。文武并行，则天下从矣"。

因时在乎善相，因俗在乎便安

见唐·刘禹锡《答饶州元使君书》。全句为："丰荒异政，系乎时也；夷夏殊法，牵乎俗也。～"。

因其材以取之，审其能以任之

见唐·吴兢《贞观政要·择官》。

因事设奇，谲敌制胜，变化如神

见晋·陈寿《三国志·魏书·武帝纪》。

因果相承，从微至著，通名为渐

见《华严一乘教义分齐章》卷一。

因事之是而是之，因事之非而非之

见《关尹子·三级》。

因供寨木无桑柘，为点乡兵绝子孙

见唐·杜荀鹤《乱后逢村叟》。

因循苟且之心作，强毅久大之性亏

见唐·白居易《为人上宰相书》。全句为："慎忌积于中，则政事废于表；～"。

因其所喜而为善，虽有愿忠而孰能

见宋·苏轼《明君可以为忠言赋》。全句为："苟其聪明蔽于嗜好，智虑溺于爱憎，～"。

因也者，无益无损也，以其形因为之名

见《管子·心术上》。

因命而动，生思虑……别同异，谓之意

见汉·严遵《道德指归论·道生篇》。删节处为："定计谋，决安厄，通万事，明是非"。

因事相争，安知非我之不是，须平心暗想

见清·朱伯庐《治家格言》。全句为："轻听发言，安知非人之谮诉，当忍耐三思；～"。

因于情意，动而之外，与物相连，常有所悦

见汉·严遵《道德指归论·道生篇》。全句为："～，招麾祸福，功名所遂，谓之志"。

因性而动，接物感寤……进退取与，谓之情

见汉·严遵《道德指归论·道生篇》。删节处为："爱恶好憎，惊恐喜怒，悲乐忧恚"。

因材任人，国之大柄；考绩进秩，吏之常法

见宋·苏辙《梁焘转朝奉大夫》。

因时而惕，不失其几，虽危而劳，可以无咎

见三国·魏·王弼《周易·乾》注。全句为："居上不骄，在下不忧，～"。

因急而呼天，疾痛而呼父母者，人之至情也

见宋·苏辙《为兄轼下狱上书》。

因其性，则天下听从；拂其性，则法县而不用

见汉·刘安《淮南子·泰族》。"县"同"悬"。

因循苟且逸豫而无为，可以侥幸一时，而不可旷日持久

见宋·王安石《上时政书》。

❷事因于民者必成／各因其才而尽其力／有因则成，无因则败／祸因恶积，福缘善庆／事因于世，而备适于事／必因人之情，故易为功／必因时之势，故易为力／毋因己之拙而忌人之能／不因怒以诛，不因喜以赏／不因感衰节，安能激壮心／事因理立，不隐理而成事／信因疑而立，信胜则疑忘／只因一着错，满盘都是空／只因神倒运，常恐鬼胡行／理因事彰，不坏事而显理／难因于易，非易无以知其难／易因于难，非难无以彰其易／能因敌变化而取胜者，谓之神／水因地而制流，兵因敌而制胜／上因天时，下尽地财，中用人力／不因困顿移初志，肯为贫缘改寸丹／不因酒困因诗困，常被吟魂恼醉魂／曾因国难披金甲，不为家贫卖宝刀

❸可则因，否则革／度义因民，谋事之术也／道有因有循，有革有化／真伪因事显，人情难预观／人皆因禄富，我独以官贫／明者因时而变，知者随事而制／大巧因自然以成器。不造为异端／圣人因时以安其位，当世而乐其业／法相因则事易成，事有渐则民不惊／安得因一摧折，自毁其道以从于邪也

❹方轨易因，险途难御／善战者因其势而利导之／切不可因己无成而不教子／谤之有因者，非自修弗能止／为高必因丘陵，为下必因川泽／导人必因其性，治水必因其势／标格原因独立好，肯教富贵负初心

❺教惟在于因人／未若柳絮因风起／美不自美，因人而彰／鬼神何灵？因人而灵／不因酒困因诗困，常被吟魂恼醉魂／谗不自来，因疑而来；间不自入，乘隙而入／情不自情，因性而情；性不自性，由情以明／有法无法，因时为业；有度无度，与物趣舍／人之立言，因字而生句，积句而成章，积章而成篇

❻学不进，率由因循／管仲可谓能因物矣／有因则成，无因则败／山有玉，草木因之不凋／由

外以铄己,因物以激志/志深而喻切,因事以陈辞/当时而立法,因事而制礼/沿情而动兴,因物而多怀/转祸而为福,因败而为功/服食药物者,因血以益血/天之生物,必因其材而笃焉/治之道莫如因智,智之道莫如因贤/香兰自判前因误,生不当门也被锄/吐故纳新者,因气以长气,而气大衰者则难长也

❼智者之举事必因时/不因怒以诛,不因喜以赏/将出凶门勇,兵因死地强/璧由识者显,龙因庆云翔/起于微贱,无所因阶者难/所谓无不为者,因物之所为/恩所加,则思无因喜以谬赏/因时在乎善相,因俗在乎便安/所谓无不治者,因物之相然也/必先知致弊之因,方可言变法之利/彼出于是,是亦因彼,彼是方生之说也

❽口腹不节,致疾之因/道沿圣以垂文,圣因文而明道/水因地而制流,兵因敌而制胜/因事之是而是之,因事之非而非之

❾从来不著水,清净本因心/欲粟者务时,欲治者因世/圣人顺时以动,智者因几以发/须用防微杜渐,毋为因小失大/善制事者,转祸为福,因败为功/不敢妄为些子事,只因曾读数行书/发为胡笳吹作雪,心因烽火炼成丹/合之者善,可以为法,因世而权行/谋度于义者必得,事因于民者必成/苟利国家生死以,岂因祸福避趋之/弘爱人屈己之道,酌因时适变之宜/有以无难而失守,有因多难而兴邦/天下之事不可为也,因其自然而推之/独韩愈奋不顾流俗……因抗颜而为师/若夫以火能焦木也,因使销金,则道行矣/革之匪时,物失其基;因之匪理,物丧其纪

❿为高必因丘陵,为下必因川泽/导人必因其性,治水必因其势/成德每在困穷,败身多因得志/不必循常,法度制令,各因其宜/行远者假于车,济江海者因于舟/下国卧龙空误主,中原逐鹿不因人/不可乘喜而轻诺,不可因醉而生嗔/不可乘快而多事,不可因倦而鲜终/圣人转祸而为福,智士因败以成胜/治之道莫如因智,智之道莫如因贤/成名每在穷苦日,败事多因得志时/是非只为多开口,烦恼皆因强出头/凡举事必循法以动,变法者因时而化/故圣人常顺时而动,智者必因机以发/因也者,无益无损也,以其形因为之名/徇私贪浊……恐惧既多,亦有因而致死/四海悠悠,皆慕名者,盖因其情而致其善尔/处大事贵乎明而能断,不明因无以知事论断/妙必假物而物非生妙,巧必因器而器非成巧/祸之所生,必由积怨;过之所始,多因忽小/诸凡万物万事之知,皆因习因悟因过因疑而然/圣人守清道而抱雌节,因循应变,常后而不先/先生不知何许人也……宅边有五柳树,因以为号焉/兵无常势,水无常形,能因敌变化而取胜者,谓之神/审内以知外,原小以知大,因我以然彼,明近以喻远/万物以自然为性,故可因而不可为也,可通而不可执也/上智不处危以侥幸,中智能因危以为功,下愚安于危以自亡/有道之君子,其处也若无知,其应物也若偶之,静因之道也/君人者不下庙堂之上,而知四海之外者,因物以识物,因人以知人也

团

tuán 圆形的;球状的;会合;从事某种工作、活动的集体;量词;猜度;球形食品。

❶团扇风轻,一径杨花不避人

见宋·朱藻《采桑子》。

❷露团团而湿草,风烈烈而鸣泉

❸树形团团如帷盖……/露团团而湿草,风烈烈而鸣泉/军民团结如一人,试看天下谁能敌

❹树形团团如帷盖……

❻裁为合欢扇,团团似明月

❿若教纸上翻身看,应见团团董卓脐/时人莫道蛾眉小,三五团圆照满天

回

huí 返还;掉转;环绕;答复;绕开;量词;违背;说书的一个段落;中国少数民族名。

❶回狂澜于既倒,支大厦于将倾

见宋·苏轼《告文宣王文》。

回乐峰前沙似雪,受降城下月如霜

见唐·李益《夜上受降城闻笛》。

回之为人也,择乎中庸,得一善,则拳拳服膺,而弗失之矣

见《礼记·中庸》。

❷难回者天,不负者心/奸回不诘,为恶肆其凶/将回日月先反掌,欲作江河唯画地/峰回路转,有亭翼然,临于泉上者,醉翁亭也

❸举动回山海,呼吸变霜露/贤哉,回也……人不堪其忧,回也不改其乐

❹四序纷回,而入兴贵闲/人世几回伤往事,山形依旧枕江流

❺扁舟泛月回

❻姻缘棒打不回/肠一日而九回/好怀百岁几回开/马行十步九回头/一登一陟一回顾,我脚高地他更高/旧书不厌百回读,熟读深思子自知

❼甘苦常从极处回/是姻缘棒打不回/感心动耳,荡气回肠/穷巷隔深辙,颇回故人车/障百川而东之,回狂澜于既倒/一生大笑能几回,斗酒相逢须醉倒/抗厉之人不能回挠,论法直则括处而公正

❽危言危行,独立不回/赵、魏、燕、韩,历历堪回首/机发矢直,涧曲湍回,自然之趣也

❾一别二十年，人堪几回别／一失脚成千古恨，再回头是百年人／寒泉飞流，异竹杂华，回映之处，似藏人家

❿人生开口笑，百年都几回／守职而不废，处义而不回／朝千悲而下泣，夕万绪以回肠／词家从不觅知音，累汝千回带泪吟／子规夜半犹啼血，不信东风唤不回／此曲只应天上有，人间能得几回闻／紫陌红尘拂面来，无人不道看花回／走马西来欲到天，辞家见月两回圆／身后有余忘缩手，眼前无路想回头／君不见黄河之水天上来，奔流到海不复回／唯泰山不为飘风所动，磐石不为疾流所回／临之以患难而能不变，邀之以宠利而能不回／大味必淡，大音必希；大语叫叫，大道低回／山，快马加鞭未下鞍。惊回首，离天三尺三／贤哉，回也……人不堪其忧，回也不改其乐／凡居其位，思直其道，道苟直，虽死不可回也／忽闻晓角吟风，一叶坠露，惊而试问，即红线回矣／鹤汀凫渚，穷岛屿之萦回；桂殿兰宫，列冈峦之体势

园 ①yuán 种植蔬菜、花木的地方；供人游览、娱乐的场所。②wán 圭角磨灭。

❶园中无修林者，小也

见汉·刘向《说苑·谈丛》。全句为："坎井无鼋鼍者，隘也；～"。

园有螯虫，藜藿为之不采

见汉·刘安《淮南子·说山》。全句为："山有猛兽，树木为之不斩；～"。

园日涉以成趣，门虽设而常关

见晋·陶潜《归去来兮辞》。

❷梁园虽好，不是久恋之家／田园有真乐，不潇洒终为忙人

❹日暮榆园拾青荚，可怜无数沈郎钱／春色满园关不住，一枝红杏出墙来／闻《乐游园》寄足下诗，则执政柄者扼腕矣

❻饮食约而精，园蔬愈珍馐／归去来兮，田园将芜胡不归／半开半落闲园里，何异荣枯世上人

❼桂椒信芳，而非园林之实

❾一枝何足贵，怜是故园春／积雨时物变，夏绿满园新

❿高莫高兮九阍，远莫远兮故园／灵台无计逃神矢，风雨如磐暗故园／高台芳榭，家家而筑；花林曲池，园园而有／擅山海之富，居川林之饶，争修园宅，互相夸竞

围 wéi 四周拦起来，环绕；四周；防守；量词。

❷十围之木持千钧之屋／十围之木，始生如蘖／宜围棋，子声丁丁然

❸敌军围困万千重，我自岿然不动／略观围棋，法于用兵，怯者无功，贪者先亡

❺归师勿遏，围师必阙

❼用兵之法：十则围之，五则攻之，倍则分之

❿军不五不战，城不十不围／痴人妄认逆境，平地自生铁围

困 kùn 陷入困境；围困；穷苦；疲乏；睡；六十四卦之一。

❶困，德之辨也

见《周易·系辞下》。

困乎上者必反下

见《周易·序卦》。

困人天气日初长

见宋·朱淑真《初夏》。

困兽犹斗，况人乎

见《左传·定公四年》。

困而学之，又其次也

见《论语·季氏》。全句为："生而知之者上也，学而知之者次也；～；困而不学，民斯为下矣"。

困兽犹斗，况国相乎

见《左传·宣公十二年》。

困兽犹斗，穷寇勿遏

见唐·张九龄《敕幽州节度张守珪书》。

困。君子以致命遂志

见《周易·困》。

困鸟依人，终当飞去

见明·冯梦龙《东周列国志》第四十四回。

困而不学，民斯为下矣

见《论语·季氏》。全句为："生而知之者上也，学而知之者次也；困而学之，又其次也；～"。

困天下之智者，不在智而在愚

见《关尹子·九药》。全句为："～；穷天下之辩者，不在辩而在讷；伏天下之勇者，不在勇而在怯"。

困而不学，终于不知，斯为下尔

见清·王夫之《读四书大全说》卷七。

困境起念，随物生情，不守道循常，即为妄矣

见五代·前蜀·杜光庭《道德真经广圣义》卷七。

❷知困，然后能自强也／不困在豫慎，见祸在未形／病困乃重良医，世乱而贵忠贞／穷困不能辱身，非人也；富贵不能快意，非贤也

❸人之困穷，由君之奢欲／一生困尘土，半世走阡陌／无名困蝼蚁，有名世所疑／不因困顿移初志，肯为贫缘改寸丹／必须困至乃虑，穷至乃图，不亦晚乎／非所困而困焉名必辱，非所据而据焉身必危／身处困境，当视为天之爱我、成我，不当视为天之厄我、祸我也

❹君子不困人于阨／知有所困，神有所不及也／贫者愈困饿死亡而莫之省／敌军围困万千重，我自岿然不动／不因酒困因诗困，常被吟魂

恼醉魂／待天以困之，用人以诱之。往蹇来返。
❺谋无主则困，事无备则废／水浊则鱼困，令苛则民乱／成德每在困穷，败身多因得志／缘循、偃佒、困畏，不若人三者，俱通达／非所困而困焉名必辱，非所据而据焉身必危
❻升而不已必困
❼养欲而意骄者困／不虞无告，不废困穷／凡物，穷则思变，困则谋通／不因酒困因诗困，常被吟魂恼醉魂
❽平居不堕其业，穷困不易其素／天下之事，常成于困约，而败于奢靡／下之共上勤而不困，上之治下简而不劳／君子用以力学，借困衡为砥砺，不但顺受而已
❾知之而不行，虽敦必困／慎始而敬终，终以不困／要而学之，又其次也，困而不学，民斯为下矣
❿勇者不逃死，智者不重困／亡国之音，哀以思，其民困／慎厥初，惟厥终，终以不困／学成而道益穷，年老而智益困／言前定则不跲，事前定则不困／君子修道立德，不为穷困而改节／学，然后知不足；教，然后知困／安不忘危臣所愿，常思危困必无危／祸患常积于忽微，智勇多困于所溺／或生而知之，或学而知之，或困而知之／天下大扰，百姓遑遑，劳苦疲极，困穷生奸／百炼而南金不亏其真，危困而烈士不失其正／凡语治而待去欲者，无以道欲而困于有欲者也／倚伏之矛楯也，其理甚明，困而后徼，斯弗及已／体恭敬而心忠信，术礼义而情爱人，横行天下，虽困四夷，人莫不贵

国

guó 国家；本国的；古代指都城。

❶国人皆曰可杀

见《孟子·梁惠王下》。

国无常强，无常弱

见《韩非子·有度》。全句为："～。奉法者强，则国强；奉法者弱，则国弱"。

国家昏乱，有忠臣

见《老子》十八。

国无常治，又无常乱

见汉·王符《潜夫论·述赦》。全句为："～，法令行则国治，法令弛则国乱"。

国之将亡，本必先颠

见晋·干宝《晋纪总论》。全句为："如室斯构，而去其凿楔；如水斯积，而决其堤防；如火斯畜，而离其薪燎也。～"。

国之政要，兴废在人

见唐·陈子昂《答制问事》。

国家兴亡，匹夫有责

见现代·阳翰笙《前夜》二幕。

国家大事，惟赏与罚

见唐·吴兢《贞观政要·封建》。全句为："～。若赏当其劳，无功者自退。罚当其罪，为恶者咸惧"。

国家将败，必用奸人

见《国语·楚语下》。

国家法令，惟在简约

见唐·吴兢《贞观政要·赦令》。

国有具官，其政可善

见《晏子春秋·内篇问上第六》。

国有常法，虽危不亡

见《韩非子·饰邪》。全句为："家有常业，虽饥不饿；～"。

国失其次，则社稷大匡

见战国·佚书《经法·国次》。

国之利器，不可以示人

见《老子》三六。

国之将兴，尊师而重傅

见汉·班固《汉书·萧望之传》。

国之所以存者，道德也

见汉·刘安《淮南子·氾论》。

国动乱者，而民劳疲也

见《西升经·无思章》。

国将兴，必贵师而重傅

见《荀子·大略》。全句为："～；国将衰，必贱师而轻傅"。

国将衰，必贱师而轻傅

见《荀子·大略》。全句为："国将兴，必贵师而重傅；～"。

国家失政，则士民去之

见《荀子·致士》。

国家之兴，尊尊而敬长

见汉·班固《汉书·翟方进传》。

国家大政，须人无二心

见唐·陈子昂《上军国机要事》。

国家用人，犹农家积粟

见明·陈继儒《小窗幽记》。全句为："～。粟积于丰年，乃可济饥；才储于平时，乃可济用"。

国必自伐，而后人伐之

见《孟子·离娄上》。

国正天心顺，官清民自安

见明·冯梦龙《警世通言·金令史美婢酬秀童》。

国史之美者，以叙事为工

见唐·刘知几《史通·叙事》。全句为："～；而叙事之工者，以简要为主"。

国之亡也，有道者必先去

见《吕氏春秋·先识览·先识》。

国之本在家，家之本在身

见《孟子·离娄上》。

国以民为基，贵以贱为本

见汉·王符《潜夫论·救边》。

国以民为本,民以谷为命

见南朝·宋·范晔《后汉书·张奋传》。

国以民为本,民以食为天

见明·陆华甫《双凤齐鸣记》三六折。

国以人为本,人安则国安

见唐·王士元《亢仓子·君道篇》。

国亦有猛狗,用事者是也

见《晏子春秋·内篇问上第九》。

国小则易理,民寡则易宁

见五代·前蜀·杜光庭《道德真经广圣义》卷五十。

国犹寝也,一榏蠹则无寝

见明·宋濂《燕书四十首》。

国有忠臣,奸邪为之不起

见汉·班固《汉书·盖宽饶传》。全句为:“山有猛兽,藜藿为之不采;~”。

国朝盛文章,子昂始高蹈

见唐·韩愈《荐士》。

国破山河在,城春草木深

见唐·杜甫《春望》。

国之将亡,贤人隐,乱臣贵

见汉·司马迁《史记·楚元王世家论赞》。全句为:“国之将兴,必有祯祥,君子用而小人退。~”。

国以人为本,人以衣食为本

见唐·吴兢《贞观政要·务农》。全句为:“~,凡营衣食,以不失时为本”。

国医不泥古方,而不离古方

见清·纪昀《阅微草堂笔记·滦阳消夏录三》。全句为:“国奕不废旧谱,而不执旧谱;~”。

国奕不废旧谱,而不执旧谱

见清·纪昀《阅微草堂笔记·滦阳消夏录三》。全句为:“~;国医不泥古方,而不离古方”。

国家之大机,不可轻而失也

见唐·陈子昂《上西蕃边州安危事》。全句为:“~;机事不密,则必害成”。

国有伤明之政,则民多病目

见汉·王符《潜夫论·德化》。全句为:“~;有伤聪之政,则民多病耳;有伤贤之政,则贤多横夭”。

国有贤相良将,民之师表也

见汉·司马迁《史记·太史公自序》。

国无三年之食者,国非其国也

见《墨子·七患》。

国以民为本,社稷亦为民而立

见宋·朱熹《四书集注·孟子·尽心下》。

国离寇敌则伤,民见凶饥则亡

见《墨子·七患》。

国危则无乐君,国安则无忧民

见《荀子·王霸》。

国家之任贤而吉,任不肖而凶

见汉·刘向《说苑·尊贤》。

国者,天下之大器也,重任也

见《荀子·王霸》。

国有累卵之忧,俗有土崩之势

见南朝·梁·何之元《梁典总论》。全句为:“~,开幸人之志,兆乱臣之心”。

国之兴也,视民如伤,是其福也

见《左传·哀公元年》。全句为:“~;其亡也,以民为土芥,是其祸也”。

国乱则择其邪人去之,则国治矣

见《尸子·处道》。全句为:“~;胸中乱则择其邪欲而去之,则德正矣”。

国奢则视之以俭,矫枉者过其正

见汉·班固《汉书·王莽传》。

国将兴,听于民;将亡,听于神

见《左传·庄公三十二年》。

国君死社稷,大夫死众,士死制

见《礼记·曲礼下》。

国有道,即顺命;无道,即衡命

见汉·司马迁《史记·管晏列传》。

国不兴无事之功,家不藏无用之器

见汉·陆贾《新语·本行》。

国以任贤使能而兴,弃贤专己而衰

见宋·王安石《兴贤》。

国以信而治天下,将以勇而镇外邦

见明·施耐庵《水浒传》第六十八回。

国仇未报壮士老,匣中宝剑夜有声

见宋·陆游《长歌行》。

国际悲歌歌一曲,狂飙为我从天落

见现代·毛泽东《蝶恋花·从汀洲向长沙》。

国家不幸诗家幸,赋到沧桑句便工

见清·赵翼《题元遗山集》。

国之隆替,时之盛衰,察其任臣而已

见唐·李德裕《任臣论》。

国之兴亡不由蓄积多少,唯在百姓苦乐

见唐·吴兢《贞观政要·奢纵》。

国之兴亡不由蓄积多少,惟在百姓苦乐

见唐·吴兢《贞观政要·奢纵》。全句为:“自古以来,~”。

国之将兴,必有祯祥,君子用而小人退

见汉·司马迁《史记·楚元王世家论赞》。全句为:“~。国之将亡,贤人隐,乱臣贵”。

国之将亡必有大恶,恶者无大于杀忠臣

见宋·王安石《读江南录》。

国家治,则四邻贺;国家乱,则四邻散

见汉·董仲舒《春秋繁露·楚庄王》。

国有道其言足以兴，国无道其默足以容

见《礼记·中庸》。全句为："在上不骄，为下不倍，～"。

国无义，虽大必亡。人无善志，虽勇必伤

见汉·刘安《淮南子·主术》。

国无小，不可易也；无备虽众，不可恃也

见《左传·僖公二十二年》。

国虽大，好战必亡；天下虽安，忘战必危

见《司马法·仁本》。

国虽大，好战必亡；天下虽平，忘战必危

见汉·主父偃《谏伐匈奴书》。

国家剩得数百万贯钱，何如得一有才行人

见唐·吴兢《贞观政要·贪鄙》。

国家作事，以公共为心者，人必乐而从之

见唐·陆贽《奉天请罢琼林大盈二库状》。其后为："以私奉为心者，人必咈而叛之"。

国有贤士而不用，非士之过，有国者之耻

见汉·桓宽《盐铁论·国病》。

国不务大而务得民心，佐不务多而务得贤俊

见汉·刘向《说苑·尊贤》。

国之废兴，在于政事；政事得失，由乎辅佐

见南朝·宋·范晔《后汉书·桓谭传》。

国之栋梁也，得之则安以荣，失之则亡以辱

见宋·王安石《材论》。

国多忌讳，大人恒畏。结口无患，可以长存

见汉·焦赣《易林·噬嗑·大有》。

国家之败，由官邪也；官之失德，宠赂章也

见《左传·桓公二年》。

国家将兴，必有祯祥；国家将亡，必有妖孽

见《礼记·中庸》。全句为："～。见乎蓍龟，动乎四体"。

国家有幸，当者受央；国家无幸，有延其命

见《十六经·兵容》。

国有常众，战无常胜；地有常险，守无常势

见晋·陈寿《三国志·魏书·王昶传》。

国耳忘家，公耳忘私，利不苟就，害不苟去

见汉·班固《汉书·贾谊传》。

国之所以治者，君明也；其所以乱者，君暗也

见汉·王符《潜夫论·明暗》。

国之有民，犹水之有舟，停则以安，扰则以危

见晋·陈寿《三国志·吴书·骆统传》。

国以民为本，民以财为命。取之过多，予者亦怨

见宋·林季仲《论军费札子》。

国家无养兵之费则国富，队伍无老弱之卒则兵强

见清·黄宗羲《兵制一》。

国之强弱，不在甲兵，不在金谷，独在人才之多少

见宋·张孝祥《论用才之路欲广札子》。

国家大事，牧不当官，言之实有罪，故作《罪言》

见唐·杜牧《罪言》。

国以贤兴，以谄衰；君以忠安，以佞危，此古今之常论

见汉·王符《潜夫论·实贡》。

国之兴也，视民如伤，是其福也；其亡也，以民为土芥，是其祸也

见《左传·哀公元年》。

国有三军何？所以戒非常，伐无道，尊宗庙，重社稷，安不忘危也

见汉·班固等《白虎通·三军》。

《国风》好色而不淫，《小雅》怨诽而不乱，若《离骚》者，可谓兼之

见汉·司马迁《史记·屈原贾生列传》。

❷去国故人稀／忧国不忧身／为国者当务实／民，国之基也／信，国之宝也／亡国之主一贯／报国莫如荐贤／为国者终不顾家／治国烦，则下乱／理国以得贤为本／杞国无事忧天倾／敌国破，谋臣亡／为国者以富民为本／以国家之务为己任／乱国之使其民……／君国者不乐民之哀／一国三公，吾谁适从／一国尽乱，无有安家／乱国之俗，甚多流言／制国用，量入以为出／先国家之急而后私仇／建国君民，教学为先／报国之心，死而后已／治国之道，爱民而已／治国之道，必先富民／治国者爱民，则国安／王国富民，霸国富士／理国之道莫大于无事／有国之母，可以长久／中国虽安，忘战则民殆／为国入宝，不如能献贤／保国之大计，在结民心／亡国之主，不可以直言／亡国之主，聪明出于人／受国不祥，是为天下王／受国之垢，是谓社稷主／治国无以智，犹弃智也／治国常富，而乱国常贫／治国者，必以奉法为重／理国之主，仁义出于人／无国而无士，或弗能得也／为国忘私仇，千秋思廉蔺／亡国之人大，不可以图存／大国以下小国，则取小国／报国行赴难，古来皆共然／报国心皎洁，念时涕汍澜／小国以下大国，则取大国／治国家者先择佐而后定民／忧国唯知重，谋身只觉轻／忧国孤臣泪，平胡壮士心／定国之术，在于强兵足食／归国宝，不若献贤而进士／理国要道，在于公平正直／故国三千里，深宫二十年／有国有家，不思所以捄之／思国之安者，必积其德义／蜀国多仙山，峨眉邈难匹／鉴国之安危，必取于亡国／为国者无使为积威之所劫哉／信，国之宝也，民之所凭也／入国而不存其士，则亡国矣／亡国之音，哀以思，其民困／治国者当爱民，则不为奢泰／敌国相观……相观于人而已／以国士待人者，人亦国士自奋／伐国不问仁人，战阵不访儒士／亡国之主，多以多威使其民矣／诚国是之先定，虽民散

而可收／治国者，布施惠德，无令下知／忧国者不顾身，爱民者不罔上／错国于不倾之地者，授有德也／为国不可以生事，亦不可以畏事／为国之本，在于明赏罚，辨邪正／为国为民而得罪，君子不以为辱／为国者以民为基，民以衣食为本／为国者以富民为本，以正学为基／治国与养病无异也……治国亦然／治国之难在于知贤，而不在自贤／治国之道，生民之本，啬为祖宗／理国长安，率身从道，言必信实／理国执无为之道，民复朴而还淳／下国卧龙空误主，中原逐鹿不因人／为国无强于得人，用人莫先于求旧／报国无门空自怨，济时有策从谁吐／报国志愿不敢忘，此身未暇归江乡／富国有道，无所不恤者，富之端也／楚国青蝇何太多，连城白璧遭谗毁／足国之道，节用裕民，而善藏其余／一国诅，两人祝，虽善祝者不能胜也／为国不患于无人，有人而不用之为患／为国者，必先知民之所苦，祸之所起／理国譬若琴瑟，其不调者则解而更张／兴国之君乐闻其过，荒乱之主乐闻其誉／治国犹如栽树，本根不摇，则枝叶茂荣／乘国者，其如乘航乎！航安，则人斯安矣／六国破灭，非兵不利，战不善，弊在赂秦／治国者敬其宝，爱其器，任其用，除其妖／治国者譬若乎张琴然，大弦急则小弦绝矣／一国之政，万人之命，悬于宰相，可不慎欤／为国失道，众叛亲离；为国以道，人必悦服／为国之法，有似理身，平则致养，疾则攻焉／用国者，义立而王，信立而霸，权谋立而亡／其国弥大，而其主弥静，然后乃能广得众心／强国令其民争乐用也，弱国令其民争竞不用也／制国有常，而利民为本；从政有经，而令行为上／邻国相望，鸡犬之声相闻，民至老死，不相往来／去国怀乡，忧谗畏讥，满目萧然，感极而悲者矣／治国有常，而利民为本；政教有经，而令行为上／治国无法则乱，守法而弗变则悖，悖乱不可以持国

❸主者，国之心／农为国家急务／使能，国之利也／至富，国财并焉／至贵，国爵并焉／士者国家之大宝／治大国若烹小鲜／民为国基，谷为民命／乱则国危，治则国安／苟利国家，不求富贵／善为国者，藏之于民／善为国者，顺民之意／无敌国外患者，国恒亡／凡治国之道，必先富民／参之《国语》以博其趣／地者国之本，奈何予人／治一国者当与一国推实／与亡国同事者，不可存也／与闻国政而无益于民者斥／民为国本根，岂不思培植／民者，国之命而吏之仇也／攻其国爱其民，攻之可也／用于国有节，取于民有制／与闻国政而无益于民者，退／诛一国之奸，则一国之人悦／善为国者，赏不僭而刑不滥／治大国而数变法，则民苦之／家事国事天下事，事事关心／灭六国者，六国也，非秦也／利于国者爱之，害于国者恶之／视家国而取者，则曰救彼涂炭／善为国者，仓廪虽满，不偷于农／天下国家总以忧勤而得，怠荒而失／曾因国难披金甲，不为家贫卖宝刀／入其国者从其俗，入其家者避其讳／能为国则能为主，能为家则能为父／苟利国家生死以，岂因祸福避趋之／言于国竭情无私，理于家陈信无愧／食者，国之宝也；兵者，国之爪也／凡理国者，务积于人，不在盈其仓库／兵者，国之大事，死生之地，存亡之道／民者，国之根也，诚宜重其食，爱其命／士者，国之重器；得士则重，失士则轻／善为国者若弹琴；宫君商臣，则治国之道／善为国者，爱民如父母之爱子，兄之爱弟／设使国家无有孤，不知当几人称帝，几人称王／凡治国令其民争行义也，乱国令其民争为不义也／法者，国仰以安也；顺则治，逆则乱，甚乱者灭／虽有国士之力，不能自举其身，非无力也，势不便也／观其国则知其臣，观其臣则知其君，观其君则知其兴亡／天下国家可均也，爵禄可辞也，白刃可蹈也，中庸不可能也／使六国各爱其人，则足以拒秦；使秦复爱六国之人，则递三世可至万世而为君，谁得而族灭也

❹法败则国乱／官正而国治／杜门忧国复忧民／上医医国，其次疾人／禹之裸国，裸入衣出／仗剑去国，辞亲远游／投死为国，以义灭身／独任之国，劳而多祸／独王之国，劳而多祸／奸生于国，时动必溃／经邦建国，教学为先／材之用，国之栋梁也／暴臣反国，良臣被殃／爱民治国，能无知乎／心很败国，面很不害／忠臣体国，知无不为／以道治国，崇本以息末／大愚误国，只为好自用／存身宁国在于生杀之间／轻用其国，而不见其过／欲治其国者，先齐其家／忠臣处国，天下无异心／用道治国，则国安民昌／一心中国梦，万古下泉诗／无功食国禄，去窃能几何／以之事国，则同心而共济／捐躯赴国难，视死忽如归／损躯赴国难，视死忽如归／法存则国安，法亡则国危／贤人于国，亦犹食之在人／用智则国乱，息智则人安／穷秋南国泪，残日故乡心／以邪莅国、以暴加民者，危／书生报国无地，空白九分头／凡将立国，制度不可不察也／财者，为国之命而万事之本／礼之正国，犹绳墨之于曲直／失贤人，国无不危，名无不辱／凡将立国……治法不可不慎也／得贤人，国无不安，名无不荣／进有忧国之心，退有死节之义／强臣专国，则天下震动而易乱／以慧治国者，始于治，常卒于乱／君子为国，正其纲纪，治其法度／文章，经国之大业，不朽之盛事／天下郡国向万城，无有一城无甲兵／千乘之国，弑其君者，必百乘之家／仅存之国富大夫，亡道之国富仓府／伐人之国而以为欢，非仁者之兵也／谁

怜爱国千行泪，说到胡尘意不平／君子为国……故旷日长久而社稷安／贤者报国之功，乃在缓急有为之际／以正治国，以奇用兵，以无事取天下／相忍为国也，忍其外不忍其内，焉用之／以智治国，国之贼；不以智治国，国之福／吾闻中国之君子，明乎礼义而陋于知人心／自古失国之主，皆为居安忘危，处治忘乱／贞以图国，义惟急病；临难忘身，见危致命／视人之国，若己之国；视人之家，若己之家

❺上下争利，国则危矣／民之多幸，国之不幸／负民即负国何忍负之／士无常君，国亡定臣／亲仁善邻，国之宝也／散乐移风，国富民康／苟可以强国，不法其故／丈夫誓许国，愤惋复何有／无常安之国，无恒治之民／功盖三分国，名成八阵图／得众则得国，失众则失国／红豆生南国，春来发几枝／轻生本为国，重气不关私／感时思报国，拔剑起蒿莱／无常乱之国，无不可理之民／上将效于国用，下欲济其家声／法令行则国治，法令弛则国乱／上不能宽国之利，下不能饱民之饥／为天下及国，莫如以德，莫如行义／历览前贤国与家，成由勤俭败由奢／举贤以临国，官能以敕民，则其道也／暴师久则国用不足，此兵所以贵速也／凡为天下国家，当爱惜名器，谨重刑罚／庶狱明则国无怨民，枉直当则民无不服／以智治国，国之贼；不以智治国，国之福／据千乘之国，而信谗佞之计，未有不亡者／一节省而国有余用，民有盖藏，不知其几也／厨有腐肉，国有饥民；厩有肥马，路有馁人／因材任人，国之大柄；考绩进秩，吏之常法／隋侯之珠，国之宝也，然用之弹，曾不如泥丸／有贤而用，国之福也；有之而不用，犹无有也／道千乘之国，敬事而信，节用而爱人，使民以时／星队木鸣，国人皆恐。……怪之，可也；而畏之，非也／礼之于正国家也，如权衡之于轻重也，如绳墨之于曲直也

❻士大夫众则国贫／德不厚而思国之理／一人贪戾，一国作乱／不信仁贤，则国空虚／未闻身乱而国治者也／主过一言而国残名辱／修身齐家治国平天下／困兽犹斗，况国相乎／备豫不虞，为国常道／庶政惟和，万国咸宁／王国富民，霸国富士／窃钩者诛，窃国者侯／起民之病，治国之疵／赤心事上，忧国如家／善人在上，则国无幸民／敬教劝学，建国之大本／用道治国，则国安民昌／世治非去兵，国安岂忘战／人之命在天，国之命在礼／勾践栖山中，国人能致死／谗佞之徒，皆国之蠹贼也／大国以下小国，则取小国／小国以下大国，则取大国／安危在得人，国兴在贤辅／家贫思良妻，国乱思良相／车无轮安处，国无民谁与／逆于己便于国者，不加罚焉／灭六国者，六国也，非秦也／忧劳可以兴国，逸豫可以亡身／世异事变，治国不同，不可不察／建法立制，强国富人，是谓法家／商女不知亡国恨，隔江犹唱后庭花／春色不随亡国尽，野花只作旧时开／有乱君，无乱国；有治人，无治法／礼之可以为国也久矣，与天地并立／无彝酒，越庶国，惟饮祀，德将无醉／大丈夫当为国扫除天下，岂徒室中乎／奉法者强，则国强；奉法者弱，则国弱／圣人……心安是国安也，心治是国治也／异物内流则国用饶，利不外泄则民用给／天地之间，万国并兴，小大愚智，皆愿为君／百姓所以养国家也，未闻以国家养百姓者也／德而不威，其国外削；威而不德，其民内溃／自古乱亡之国，必先坏其法制，而后乱从之／任非其人而国家不倾者，自古至今，未尝闻也／窃钩者诛，窃国者为诸侯；诸侯之门而仁义存焉／祸世之匠，乱国之工，绝逆天地，伤害我身，莫大乎名／赏一人而败国俗，仁者弗为也；以不信得厚赏，义者弗为也

❼位卑未敢忘忧国／上下交征利而国危矣／乱则国危，治则国安／治国者爱民，则国安／粗服乱头，不掩国色／无敌国外患者，国恒亡／治国常富，而乱国常贫／吏者，君之喜而国之忧也／乘车必护轮，治国必爱民／卢狗悲号，则韩国知其才／冲天鹏翅阔，报国剑芒寒／读书成底事，报国是何人／口言善，身行恶，国妖也／吾闻聪明主，治国用轻刑／君不择将，以其国予敌也／治家非一宝，富国非一道／恨无一尺捶，为国笞羌夷／杀身之害小，存国之利大／有善必劝者，固国家之典／用人如用己，理国如理家／食足货通，然后国实民富／以侈为博……此荒国之风也／圣人苟可以强国，不法其故／君臣争明……此乖国之风也／治世不一道，便国不必法古／圣必藉贤以明，国必待贤以昌／国危则无乐君，国安则无忧民／家贫则思良妻，国乱则思良相／贪愎喜利，则灭国杀身之本也／城下之盟，有以国毙，不能从也／王者不以幸治国，治国固有前道／舞罢青蛾同去国，战残白骨尚盈丘／休对故人思故国，且将新火试新茶／仓库实，知礼节；国多财，远者来／茫茫九派流中国，沉沉一线穿南北／获一人而失一国，见黄雀而忘深井／西施若解倾吴国，越国亡来又是谁／蚂蚁缘槐夸大国，蚍蜉撼树谈何易／今子使万里外国，独无几微出于言面／鱼不可脱于渊；国之利器不可以示人／为主贪，必丧其国；为臣贪，必亡其身／入竟而问禁，入国而问俗，入门而问讳／苟可以为天下国家之用者，则无不在于学／有以用兵丧其国者，欲偃天下之兵，悖。／以道以德为有国之基，无事无为乃聚人之本／凡事皆须务本，国以人为本，人以衣食为本／贵极禄位，权倾国都，达人视此，蚁聚何殊

／能用非己之民，国虽小，卒虽少，功名犹可立／不得所以用之，国虽大，势虽便，卒无众，何益／未尝闻身治而国乱者也，又未尝闻身乱而国治者也／事无礼则不成，国无礼则不宁，王无礼则死亡无日矣／使智惠之人治国之政事，必远道德，安作威福，为国之贼

❽一言偾事，一人定国／三冗不去，不可为国／天下大乱，无有安国／不仁不智，何以为国／勿轻小人，小人贼国／拙制伤锦，迂政损国／恶声狼藉，布于诸国／足寒伤心，民寒伤国／足寒伤心，民怨伤国／辩变白黑，巧言乱国／治一国者当与一国推实／有谔谔争臣者，其国昌／有默默谀臣者，其国亡／食者民之本，民者国之本／五谷者万民之命，国之重宝／直言不避重诛者，国之福也／诛一国之奸，则一国之人悦／谄谀苟免其身者，国之贼也／桑间濮上之音，亡国之音也／楚灵王好细腰而国中多饿人／国无三年之食者，国非其国也／治身莫先于孝，治国莫先于公／致治在于任贤，兴国在于务农／天下以言为戒，最国家之大患也／大丈夫处世，当为国家立功边境／适于已而无功于国者，不施赏焉／田成子常杀君窃国，而孔子受币／民之治乱在于吏，国之安危在于政／民之治乱在于上，国之安危在于政／人之寿夭在元气，国之长短在风俗／君子违难不适仇国，交绝不出恶声／视都知野，视野知国，视国知天下／野禽殚，走犬烹；敌国破，谋臣亡／身之病待医而愈，国之乱待贤而治／身行顺，治事公，故国无阿党之议／君今不幸离人世，国有疑难可问谁？／三月婴儿，生而徒国，则不能知其故俗／以治身则危，以治国则乱，以人军则破／邪正之人不宜共国，亦犹冰炭不可同器／国家治，则四邻贺；国家乱，则四邻散／不使智惠之人治国之政事……故为国之福／视人之国，若己之国；视人之家，若己之家／有道之世，以人与国；无道之世，以国与人／宽弘之人宜为郡国，使下得施其功而总成其事／轻用民死，死者以国量乎泽若蕉，民其无如矣／圣智设法，本以守国，智诈极矣，乃翻为盗国之盗资也／所谓诗，所谓文，实国事、世事、家事、身事、心事系焉

❾君子之治，必先死于国／籍之虚辞，则能胜一国／中夜四五叹，常为大国忧／人作殊方语，莺为故国声／投躯报明主，身死为国殇／国以人为本，人安则国安／法存则国安，法亡则国危／离亭北望，烟霞生故国之悲／能致贤，则德泽洽而国太平／常思奋不顾身以徇国家之急／善人赏而暴人罚，则国必治／百吏畏法循绳，然后国常不乱／以国士待人者，人亦国士自奋／利于国者爱之，害于国者恶之／口不能言，身能行之，国器也／口能言之，身不能行，国用也／口能言之，身能行之，国宝也／王者不以幸治国，治国固有前道／理世不必一其道，便国不必法古／食人之食而误人之国者，非蝗乎／诸公可叹善谋身，误国当时岂一秦／君好嫌，臣好逸……此弱国之风也／狡兔尽则良犬烹，敌国灭则谋臣亡／西施若解倾吴国，越国亡来又是谁／辞家战士无旋踵，报国将军有断头／食者，国之宝也；兵者，国之爪也／与谗谄面谀之人居，国欲治，可得乎？／国有道其言足以兴，国无道其默足以容／缓贤忘士，而能以其国存者，未曾有也／水有猵獭而池鱼劳，国有强御而齐民消／朝无争臣则不知过，国无达士则不闻善／急病让夷，义之先；图国忘死，贞之大／以骄主使罢民，然而国不亡者，天下少矣／天下岂有不可为之国哉？亦存乎其人如何尔／诸侯而骄人则失其国，大夫而骄人则失其家／国家将兴，必有祯祥；国家将亡，必有妖孽／国家有幸，当者受央；国家无幸，有延其命／女有余布，男有余粟，国家殷富，上下交足／国家无养兵之费则国富，队伍无老弱之卒则兵强

❿蒙耻之宾，屡黜不去其国／大国以下小国，则取小国／小国以下大国，则取大国／得众则得国，失众则失国／虎踞龙盘，三百年之帝国／鉴国之安危，必取于亡国／人国而不存其士，则亡国矣／恩与信可以附吾民而服邻国／勿贵难得之货，勿听亡国之音／观水而知学，观耨田而知治国／拂耳，故小逆在心而久福在国／小恶不容于乡，大恶不容于国／君不能知其臣，则无以齐万国／君子虽在他乡，不忘父母之国／国无三年之食者，国非其国也／法令行则国治，法令弛则国乱／子不能治子之身，恶能治国政／野绩不越庙堂，战多不逾国勋／谄谀在侧，善议障塞，则国危矣／国乱则择其邪人去之，则国治矣／治国与养病无异也……治国亦然／木生内蠹，上下相贼，祸乱我国／一截遗欧，一截赠美，一截还东国／不念英雄江左老，用之可以尊中国／古之欲明明德于天下者，先治其国／剔大蠹者木必凿，去大奸者国必伤／仅存之国富大夫，亡道之国富仓府／人生富贵岂有极？男儿要在能死国／若君不修德，舟中之人尽为敌国也／君子不怀暴君之禄，不处乱国之位／始知绝代佳人意，即有千秋国士风／存不忘亡，是以身安而国家可保也／贤者不悲其身之死，而忧其国之衰／贤臣不用，用臣不贤，则国非其国／视都知野，视野知国，视国知天下／教笞不可废于家，刑罚不可损于国／扁鹊不能肉白骨，微箕不能存亡国／言者不狂，而择者不明，国之大患／未有暴乱不止而能活生人、定国家者／奉公如法，则上下平，上下平则国强／在朝也则师氏之佐，为国则刻削之政／在朝也则司寇之任，为

国则公正之政／在朝也则将帅之任，为国则严厉之政／轻士民之死力者，不能禁暴国之邪逆／明主之赏罚，非以为己也，以为国也／奉法者强，则国强；奉法者弱，则国弱／圣人……心安是国安也，心治是国治也／域民不以封疆之界，固国不以山溪之险／小人非才不能动人，小人非才不能乱国／当官务持大体，思事事皆民生国计所关／治身者以积精为宝，治国者以积贤为道／楚虽三户能亡秦，岂有堂堂中国空无人／故在朝也则三孤之任，为国则变化之政／臣行君道则灭其身，君行臣事则伤其国／不使智惠之人治国之政事……故为国之福／以割下为能，以附上为忠，此叛国之风也／以智治国，国之贼；不以智治国，国之福／善为国者若弹琴；宫君商臣，则治国之道／国有贤士而不用，非士之过，有国者之耻／微邪不禁，而求大邪之无伤国，不可得也／如不行道，足以丧身，不举贤，足以亡国／贤不肖不杂则英杰至，是非不乱则国家治／与死者同病难为良医，与亡国同道难与为谋／天下之患，莫大于举朝无公论，空国无君子／不厚其栋，不能任重。重莫如国，栋莫如德／百姓所以养国家也，未闻以国家养百姓者也／事少而功多，守要也；身逸而国治，用贤也／为国失道，众叛亲离；为国以道，人必悦服／以邪官举邪官，以俗士取俗士，国欲治得乎／偷合苟容，以持禄养交而已耳，谓之国贼也／圣人恶似是而非之人，国家忌似是而非之论／墓门有棘，斧以斯之；夫也不良，国人知之／苦心焦思，以日继夜，苟利于国，知无不为／败军之将，不可言勇；亡国之臣，不可言智／见危授命，士之美行；褒善录功，国之令典／有道之世，以人与国；无道之世，以国与人／穷武之雄，毙于不仁；存义之国，丧于懦退／以子所长，游于不用之国，欲使无穷，其可得／古之教者，家有塾，党有庠，术有序，国有学／谏、争、辅、拂之人，社稷之臣也，国君之宝／大丈夫必有四方之志，乃仗剑去国，辞亲远游／强国令其民争乐用也，弱国令其民争竞不用也／楚王好小腰，美人省食；吴王好剑，国士轻死／明于古今，温故知新，通达国体，故谓之博士／凡治国令其民争行义也，乱国令其民争为不义也／若使人之所怀于内者……，则天下无亡国败家矣／如室斯构，而去其凿楔……国之将亡，本必先颠／贤不肖，善邪辟，可悖逆，国不乱身不危奚待也／所养非所用，所用非所养，理家必弊，在国必危／上不访，下不谏，妇言用，私政行，此亡国之风也／上多欲，下多端，法不定，政多门，此乱国之风也／未尝闻身治而国乱者也，又未尝闻身乱而国治者也／古之人君，所以至于民散国亡而不悟者，皆吏误之／治国无法则乱，守法而弗变则悖，悖乱不可以持国／道之真以治身，其绪余以为国家，其土苴以治天下／合抱之松无庸于竫人之国，若瓮之茧见弃于裸体之邦／将不知兵，以其主予敌也；君不择将，以其国予敌也／狡兔死，良狗烹；高鸟尽，良弓藏；敌国破，谋臣亡／屈原放逐，乃赋《离骚》；左丘失明，厥有《国语》／凡偏材之人，皆一味之美，故长于办一官而短于为一国／圣智设法，本以守国，智诈极矣，乃翻为盗国之盗资也／怒笞不可偃于家，刑罚不可偃于国，诛伐不可偃于天下／瞒人之事弗为，害人之心弗存，有益国家之事虽死弗避／下之用力者甚勤，上之用物者有节，民无遗力，国不过费／义之所在，不倾于权，不顾其利，举国而与之，不为改视／使智惠之人治国之政事，必远道德，妄作威福，为国之贼／政有三品：王者之政化之，霸者之政威之，强国之政胁之／上下相疏，内外相蒙，小臣争宠，大臣争权，此危国之风也／不仁之人骋其私智，可以盗千乘之国，而不可以得丘民之心／以易限之鉴，镜难原之才，使国罔遗授，野无滞器，其可得／使六国各爱其人，则足以拒秦；使秦复爱六国之人，则递三世可至万世而为君，谁得而族灭也

固

gù 牢固；坚定；不变动；固有的；鄙陋；必；姑且；姓。

❶固一世之雄也，而今安在哉

见宋·苏轼《前赤壁赋》。

❷非固不能惑是／物固不可全也／事固有所极，有所反／物固多伪兮，知者盖寡／道固不小行，德固不小识／蛇固无足，子安能为之足／迁固之史，有是非而无赏罚／事固有弃彼取此，以权一时之势／形固造形，成固有伐，变固外战／事固有难明于一时而有待于后世者／人固难全，权而用其长者，当举也／物固莫不有长，莫不有短，人亦然／祸固多藏于隐微，而发于人之所忽／物固有形，形固有名，名当谓之圣人／贤固可易知，人固可易识，但是议者不精思之耳／物固有所然，物固有所可；无物不然，无物不可

❸天者，固积气者也／名无固宜，约之以命／赠必固辞，求无不应／君子固穷，小人穷斯滥矣／殖不固本而立基者后必崩／竟抱固穷节，饥寒饱所更／万物固以自然，圣人又何事焉／小人固当远，然亦不可显为仇敌／名有固善，径易而不拂谓之善名／君子固当亲，然亦不可曲为附和／鸿鹄固有远志，但燕雀自不知耳／名有固善，径易而不拂，谓之善名／过取固害于廉，然过与亦反害其惠／行未固于无非，而急求名者，必铿也／理之固然者：富贵则就之，贫贱则去之／名无固实，约之以命实，约定俗成谓之实名／敌欲固守，攻其无备；敌欲兴陈，出其不意

❹行义不固毁誉／恒，德之固也／恃德则固，失

道则亡／守则同固，战则同强／守少则固，力专则强／履道者固，杖势者危／城郭之固无以异于贞士之约／内守坚固真之真，虚中恬淡自致神／兵静则固，专一则威，分决则勇，心疑则北，力分则弱

❺天之能，人固不能也／死轻鸿毛，固得其所／物盛而衰，固其变也／城小而守固者，有委也／以全举人固难，物之情也／莫取金汤固，长令宇宙新／根深则本固，基美则上宁／福寿康宁，固人之所同欲／悖者之患，固以不悖者为悖／君子得之固躬，小人得之轻命／欲恶避就，固不待师，此人之性也／富贵骄人，固不善；学问骄人，害亦不细／为人君者，固不以无过为贤，而以改过为美／人有所优，固有所劣；人有所工，固有所拙

❻万物自古而固存／割嗜欲所以固血气／民惟邦本，本固邦宁／大直若诎，道固委蛇／非俊疑杰兮，固庸态也／有善必劝者，固国家之典／毋意，毋必，毋固，毋我／形固造形，成固有伐，变固外战／物固有形，形固有名，名当谓之圣人／将欲废之，必固兴之；将欲夺之，必固与之／将欲歙之，必固张之；将欲弱之，必固强之

❼事有必至，理有固然／物有必至，事有固然／求木之长者，必固其根本／外合不由中，虽固终必离／人安则财赡，本固则邦宁／深根者难拔，据固者难迁／道固不小行，德固不小识／但患无志耳，事固未可知也／诚之者，择善而固执之者也／大器之于小用，固有所不宜／有高人之行者，固见负于世／不实在于轻发，固陋在于离贤／天末海门横北固，烟中沙岸似西兴／四支强而躬体固，华叶茂而本根据／宏远深切之谋，固不能合庸人之意／文者以明道，是固不苟为炳炳烺烺／奢则不孙，俭则固；与其不孙也，宁固／贤固可易知，人固可易识，但是议者不精思之耳／物固有所然，物固有所可；无物不然，无物不可／此理在宇宙间，固不以人之明不明、行不行而加损

❽善守不待渠梁而固／千金何足惜，一士固难求／刑天舞干戚，猛志固常在／人生归有道，衣食固其端／葵藿倾太阳，物性固莫夺／弦以明直道，漆以固交深／是气也者，乃太虚固有之物／根深则道可长。蒂固则德可茂／伏清白以死直兮，固前圣之所厚／清介廉洁，节在俭固，失在拘扃／激而发之欲其清，固而存之欲其重／横江湖之鳣鲸兮，固将受制于蝼蚁／斫轮徐则甘而不固，疾则苦而不入／自为计者虽弱必固，欲自溃者虽强必弱／至虚之实，实而不固；至静之动，动而不穷／冬日之闭冻也不固，则春夏之长草木也不茂

❾人之才性，各有短长，固难勉强／同类相从，同声相应，固天之理也／响必应之于同声，道固从之于同类／子绝四：毋意，毋必，毋固，毋我／虎啸风生，龙吟云萃，固非偶然也／余将董道而不豫兮，固将重昏而终身／域民不以封疆之界，固国不以山溪之险

❿世隘然后知其人之笃固也／以朴厚而知者，无迹而固／人生忽如寄，寿无金石固／诬而罔省，施之事亦为固／昂昂累世士，结根在所固／遗今而专乎古，则其失为固／其思之不深，则其取之不固／冲隆不足为强，高城不足为固／能四时而不衰，历夷险而益固／绳以柔而有立，金以刚而无固／礼所以定其位，权所以固其政／鸷鸟之不群兮，自前世而固然／无问其名，无阙其情，物固自生／不待愤悱而发，则知之不能坚固／师儒之席，不拒曲士，理固然也／兵强则灭，木强则折，革固则裂／凿者，其失诬；愚者，其失为固／形固造形，成固有伐，变固外战／强楷坚劲，用在桢干，失在专固／学之广在于不倦，不倦在于固志／王者不以幸治国，治国固有前道／有恒者之与圣人，高下固悬绝矣／无翼而飞者声也，无根而固者情也／六府修治洁如素，虚无自然道之固／凡道必周必密，必宽必舒，必坚必固／不闻大论则志不宏，不听至言则心不固／奢则不孙，俭则固；与其不孙也，宁固／吾不能变心而从俗兮，固将愁苦而终穷／源不深而望流之远，根不固而求木之长／跖之狗吠尧，尧非不仁，狗固吠非其主／诚欲往来言所闻，则仆固愿悉陈中所得者／若近正人，闻正事，虽欲为恶，固已不忍／上失其道，民散久矣，苟非君子，焉能固穷／师不欲久，行不欲远，守少则固，力专则强／人有所优，固有所劣；人有所工，固有所拙／坚甲利兵不足以为武，高城深池不足以为固／将欲废之，必固兴之；将欲夺之，必固与之／将欲歙之，必固张之；将欲弱之，必固强之／恒其道，一其志，不欺其心，斯固世之所难得也／使天下之人，不敢言而敢怒。独夫之心，日益骄固／道一不息，天地亦不息；天地之不息，固道之不息者为之／慈仁者，百姓亲附，并心一意，故以战则胜敌，以守卫则坚固／刺史宜精选谨择以委任之，固不可拘限官次，得之货贿，出之权门者也

囷

qūn 一种圆形的粮仓。

❷轻囷仓之蓄，而惜一杯钻

囹

líng［囹圄］监狱。

❷拘囹圄者，以日为修；当死市者，以日为短

❿访民瘼于井邑，察冤枉于囹圄

图

tú 图形、图象；谋划；画；计划；法度；私章；意图；旧时区划单位。

❶图穷而匕首见
见《战国策·燕策三》。
图匮于丰,防俭于逸
见晋·潘岳《藉田赋》。
图难于其易,为大于其细
见《老子》六十三。
图四海者,非怀细以害大
见晋·陈寿《三国志·吴书·陆逊传》。
图形于影,未尽纤丽之容
见晋·陆机《演连珠五十首》。全句为:"～;察火于灰,不睹洪赫之烈"。
图浮芥之小利,忘丘山之大祸
见北齐·魏收《为侯景叛移梁朝文》。
图工好画鬼魅而憎图狗马者……
见汉·刘安《淮南子·氾论》。全句为:"～,何也?鬼魅不世出,而狗马可日见也"。
图人者适以自图,灭人者适以自灭
见明·方孝孺《周济之事》。
❷恶图犬马而好作鬼魅,诚以实事难形,而虚伪不穷也
❸功名图麒麟,战骨当速朽/豫者图患于未然,犹者致疑于已是/贞以图国,义惟急病;临难忘身,见危致命
❹若不早图,后君噬齐/咫尺之图,写百千里之景/饰诈以图己,诈穷则道屈/苟中心图民,智虽弗及,必将至焉/功有难图,不可预见;事有易断,较然不疑
❺思其艰以图其易/思其始而图其终/富贵苟难图,税驾从所欲/察伯乐之图,求骐骥于市/任其事必图其效,欲责其效,必尽其方
❻犯其至难而图其至远/用天下之心图而济之,夫岂无最长之策乎
❼居累卵之危,而图太山之安/图人者适以自图,灭人者适以自灭
❽慎乃俭德,惟怀永图/赦其旧过,开以新图/怨岂在明?不见是图/真心实作,无不可图之功/至世之衰,父子相图,兄弟相疑/丈夫不释故而改图,哲士不侥幸而出危/急病让夷,义之先;图国忘死,贞之大
❾亡国之大夫,不可以图存/风樯动,龟蛇静,起宏图/图工好画鬼魅而憎图狗马者……
❿功盖三分国,名成八阵图/铅刀贵一割,梦想骋良图/争目前之事,则忘远大之图/先谋后事者逸,先事后图者失/悔前莫如慎始,悔后莫如改图/明者防祸于未萌,智者图患于将来/必须困至乃虑,穷至乃图,不亦晚乎/君子居安宜操一心以虑患,处变当坚百忍以图成/君子之处世,贵能有益于物耳,不图高谈虚论,左琴右书

圃 pǔ 种植蔬菜、花草、瓜果的园地。
❹虽惭老圃秋容淡,且看黄花晚节香
❻青蓬育于麻圃,不扶自直

圄 yǔ[囹圄]监狱;囚禁。
❸拘囹圄者,以日为修;当死市者,以日为短
❿访民瘼于井邑,察冤枉于囹圄

圆 yuán 圆形;圆形的;球形的;完备;周全;使完备;宛转;滑利;通"原",推详;丰满。
❷方圆画不俱成,左右视不并见
❸义贵圆通,辞忌枝碎/恃自圆之木,千世无轮/倏自圆之木,则千岁无一轮/何方圆之能周兮,夫孰异道而相安
❹方其中,圆其外/天,休使圆蟾照客眠/右手画圆,左手画方,不能两成/陶者能圆而不能方,矢者能直而不能曲/规矩,方圆之至也;圣人,人伦之至也
❺方而不能圆,不可以长存/方凿不受圆,直木不为轮/方地为车,圆天为盖,长剑耿耿倚天外
❻宁方为皂,不圆为卿/矫矫亢亢,恶圆喜方,羞为奸欺,不忍害伤
❼宁方为污辱,不圆为显荣/若是若非,执而圆机;独成而意,与道徘徊
❽花不常好,月不常圆/彩云易散,皓月难圆/玉不琢,则南山之圆石/非规矩不能定方圆,非准绳不能正曲直
❾不以规矩,不能成方圆/矩不方,规不可以为圆/胆欲大,心欲小;智欲圆,行欲方
❿处治世宜方,处乱世宜圆/不应有恨,何事长向别时圆/无规矩,虽奚仲不能以定方圆/人意共怜花月满,花好月圆人又散/君者槃也,民者水也,槃圆而水圆/时人莫道蛾眉小,三五团圆照满天/胆欲大而心欲小,智欲圆而行欲方/走马西来欲到天,辞家见月两回圆/巧者能生规矩,不能废规矩而正方圆/虽有巧目利手,不如拙规矩之正方圆/悬衡而知平,设规而知圆,万全之道也/矩不正不可以为方,规不正不可以为圆/人有悲欢离合,月有阴晴圆缺,此事古难全/君如杅,民如水,杅方则水方,杅圆则水圆/欲知平直,则必准绳;欲知方圆,则必规矩/锐者如簪,缺者如玦,隆者如髻,圆者如璧/不恃隐括而有自直之箭自圆之木,百世无有一/操一己之绳墨,持前王之规矩,以方枘欲圆凿/小大修短,各得其所宜,规矩方圆,各有所施/君犹器也,人犹水也,方圆在于器,不在于水

圉 yǔ 养马的地方。抵御,阻挡;边疆;[囹圉]牢狱。

❼寄之，其来不可圉，其去不可止

圜 ①yuán 通“圆”；指天体。②huán 通“环”，围绕。

❷凡圜转之物，动必有机

❿求贤若不及，从善如转圜／纳善若不及，从谏若转圜／民之于上也，若玺之于涂也，抑之以方则方，抑之以圜则圜

巾 jīn 块状纺织物；包裹，覆盖。

❹羽扇纶巾，谈笑间、强虏灰飞烟灭

❿丈夫不作儿女别，临岐涕泪沾衣巾

布 bù 棉、麻及化纤等织物的统称；古代钱币；宣告；陈述；施予；流传；展开；姓。

❶布令信而不食言

见汉·刘向《说苑·政理》。

布谷一声春水生

见宋·李缯《晓步》。

布德施惠，悦近来远

见唐·姚思廉《梁书·敬帝纪》。

布衣穷贱之人，咸得献其狂瞽

见南朝·梁·范缜《与王仆射书》。全句为：“明君贤宰，不惮谔谔之言；～”。

布奠倾觞，哭望天涯。天地为愁，草木凄悲

见唐·李华《吊古战场文》。

布帛寻常，庸人不释；铄金百溢，盗跖不掇

见《韩非子·五蠹》。

❷舜布衣而有天下／画布为亟不可以当戈戟／季布无二诺，侯赢重一言／今布衣虽贱，犹足以方于此／瀑布天落，半与银河争流……

❸圣王布德施惠，非求报于百姓也／水平布石上，流若织文，响若操琴／我服布素则民自暖，我食葵藿则民自饱／树恩布德，易以周洽，其犹顺惊风而飞鸿毛也／粟米布帛生于地，长于时，聚于力，非可一日成／一尺布，尚可缝；一斗粟，尚可舂。兄弟二人不相容

❹开诚心，布公道／治国者，布施惠德，无令下知／女有余布，男有余粟，国家殷富，上下交足

❺不以其人布衣不用／恶声狼藉，布于诸国／大道吐气，布于虚无，为天地之本始／古昔多由布衣定一世者矣，皆能用非其有也

❻苟有所见，虽布衣之贱，远守之微，亦可施用

❼与人善言，暖于布帛／推心置腹，开诚布公／粒米不足舂，寸布不足缝／脱裙衫，穷不妨；布荆人，名自香／夏宜急雨，有瀑布声；冬宜密雪，有碎玉声／贤者在位，能者布职，朝廷崇礼，百僚敬让

❽从来天下士，只在布衣中

❾得黄金百，不如得季布诺／施于人而不忘，非天布也／赤兔无人用，当须吕布骑／松柏生于高冈，散柯布叶，而草木为之不植

❿寸裂之锦黻，未若坚完之韦布／得黄金百斤，不如得季布一诺／一生所遇唯元白，天下无人重布衣／君子之学也，入乎耳，箸乎心，布乎四体，形乎动静

帅 shuài 军队中的主将；同“率”，带领；遵循；姓。

❷师帅不贤，则主德不宣，恩泽不流

❸简守帅，分其统，专其任／意犹帅也；无帅之兵，谓之乌合

❺三军可夺帅也，匹夫不可夺志也／志为气之帅，有志则气不衰，故不觉其老

❻意犹帅也；无帅之兵，谓之乌合／在朝也则将帅之任，为国则严厉之政／政者，正也。子帅以正，孰敢不正？

❼闻鼓鼙而思将帅，画云台而念旧臣

❾制法而自犯之，何以帅下／听鼓鼙之声则思将帅之臣

❿心者，一身之主，百神之帅／忠犯人主之怒，而勇夺三军之帅／才者，德之资也；德者，才之帅也

帆 ①fān 挂在船的桅杆上，借助风力使船前进的布篷；代指船。②fàn 张帆行驶。

❷满帆明月洞庭秋／去帆若不见，试望白云中

❹安卧扬帆，不见石滩；靠天多幸，白日入阱

❻碧峰千点数帆轻／鼓声随听绝，帆势与云邻／沙角台高，乱帆收向天边／沉舟侧畔千帆过，病树前头万木春

❾林净藏烟，峰危限月，帆影摇空绿

❿长风破浪会有时，直挂云帆济沧海／此去与师谁共到？一船明月一帆风／秋山的翠，秋江澄空，扬帆迅征，不远千里

帏 wéi 同“帷”；帐幕；古人佩带的香囊。

❿合升鼓之微以满仓廪，合疏缕之纬以成帏幕

帐 zhàng 用纱、布等做成的用于遮蔽的东西；同“账”，钱物出入的记录。

❺运筹策帷帐之中，决胜于千里之外

❿战士军前半死生，美人帐下犹歌舞／烟云泉台，花鸟苔林，金铺锦帐，寓意则灵

希 xī 盼望；稀疏；通“睎”，企望，仰慕。

❶希世之宝，违时则贱

见南朝·齐·刘祥《连珠》。

希利而友人，利薄而友道退

见唐·皮日休《鹿门隐书六十篇》。全句为：“惮势而交人，势劣而交道息；～”。

希意道言，谓之谄；不择是非而言，谓之谀

见《庄子·渔父》。

❸大音希声，大象无形
❺代大匠斫，希有不伤其手矣
❼挟冰求温，抱炭希凉
❽不念旧恶，怨是用希／大味必淡，大音必希；大语叫叫，大道低回
❿敌力角气，能以小胜大者希／伯夷、叔齐不念旧恶，怨用是希／不言之教，无为之益，天下希及之／将有非常之大事，必生希世之异人／大方无隅，大器晚成，大音希声，大象无形／震雷电激，不崇一朝；大风冲发，希有极日／但务其华，不寻其实，犹缘木希鱼，却行求前

帖 ①tiē 安定；妥当；顺从；粘；贴。②tiě 一种文告；小柬；旧时一种钱票的名称；指中药的方剂。③tiè 书法的临摹范本。
❸俯首帖耳，摇尾而乞怜者，非我之志也

帜 zhì 旗帜；标记。
❺旆如云兮帜如星，山可动兮石可铭
❼学者当自树其帜

帛 bó 丝织品的总称；指书籍；姓。
❷布帛寻常，庸人不释；铄金百溢，盗跖不掇
❸视玉帛而取者，则曰牵于寒饿
❹名垂竹帛，功标青史／老者衣帛食肉，黎民不饥不寒……／粟米布帛生于地，长于时，聚于力，非可一日成
❺剥我身上帛，夺我口中粟／天下之竹帛不足书阁下之功德
❻化干戈为玉帛／礼云礼云，玉帛云乎哉；乐云乐云，钟鼓云乎哉
❽与人善言，暖于布帛／食不重肉，妾不衣帛／谈物产也，则重谷帛而贱珍奇
❿声可托于弦管，名可留于竹帛／数亩秋禾满家食，一机官帛几梭丝

帘 lián 帘子，遮蔽门窗用具；店铺挂在门前作标志的旗子。
❹清风动帘夜，孤月照窗时
❻废阁先凉，古帘空暮
❽天下星河转，人间帘幕垂
❾仙宫云箔卷，露出玉帘钩／苔痕上阶绿，草色入帘青／画栋朝飞南浦云，珠帘暮卷西山雨／金井梧桐秋叶黄，珠帘不卷夜来霜
❿寻章摘句老雕虫，晓月当帘挂玉弓

帚 zhǒu 清除尘土、垃圾、污垢等的用具。
❹家有敝帚，享之千金
❼墨池如江笔如帚，一扫万字不停肘

带 dài 带子；像带子的；地带；携带；顺便做某种事情；引导；带动。
❶带甲百万，非一勇所抗
见南朝·宋·范晔《后汉书·蔡邕传》。全句为：“九河盈溢，非一块所防；～”。
带长剑兮挟秦弓，首身离兮心不惩
见战国·楚·屈原《国殇》。
❷吴带当风／衣带渐宽终不悔，为伊消得人憔悴
❸胡风带秋月，嘶马杂笳声
❹大梁襟带洪河险，谁遣神州陆地沉／交友须带三分侠气，作人要存一点素心／是他春带愁来，春归何处，却不解、将愁归去
❻冠枝木之冠，带死牛之胁／晨兴理荒秽，带月荷锄归
❽君子之言也，不下带而道存焉／饱霜孤竹声偏切，带火焦桐韵本悲
❾语贵洒脱，不可拖泥带水
❿泰山成砥砺，黄河为裳带／冲天香阵透长安，满城尽带黄金甲／词家从不觅知音，累汝千回带泪吟／有石城十仞，汤池百步，带甲百万，而亡粟，弗能守

帡 píng［帡幪］帐幕；在旁的称“帡”，在上的称“幪”；引申为覆盖。
❿震风陵雨，然后知夏屋之为帡幪也

帱 ①chóu 帐子；车和船的帷幔。②dào 覆盖。
❼天不崇大则覆帱不广

帷 wéi 帐子。
❹张袂成帷，挥汗成雨／谋得于帷幄，则功施于天下／运筹策帷帐之中，决胜于千里之外／股肱罄帷幄之谋，爪牙竭熊罴之力
❺坐对风动帷，卧见云间月
❻树形团团如帷盖……／顺针缕者成帷幕，合升斗者实仓廪
❼刺绣之师，能缝帷裳；纳缕之工，不能织锦
❽老母终堂，生妻去帷／公卿有党排宗泽，帷幄无人用岳飞
❾先针而后缕，可以成帷
❿春风不相识，何事入罗帷／男子疾耕不足于粮饷，女子纺绩不足于帷幕

幅 ①fú 泛指宽度；量词。②bī 绑腿布。
❼蜀笺都有三千幅，总写离情寄孟光
❽成大业者不修边幅

帽 mào 帽子；作用或形状像帽子的东西。
❷锦帽貂裘，千骑卷平冈
❹因嫌纱帽小，致使锁枷扛

幄 wò 篷帐。
❺谋得于帷幄，则功施于天下／股肱罄帷幄之

谋,爪牙竭熊罴之力

❾公卿有党排宗泽,帷幄无人用岳飞

❿铺落花以为茵,结垂杨而代幄

幡 fān 一种旗子;特指旧时出殡时孝子手持的一种像幡的器物;同"翻",变动貌。

❸捷捷幡幡,谋欲谮言;岂不尔受,既其女迁

幪 ①méng[帡幪]帐幕。②měng[幪幪]茂盛貌。

❿震风陵雨,然后知夏屋之为帡幪也

山 shān 地面形成的高耸的部分;像山的;比喻声响大;蚕蔟;姓。

❶山明松雪寒

见宋·崔鹏《题绩溪雪峰楼》。

山雨欲来风满楼

见唐·许浑《咸阳城东楼》。

山不让土石以成其高

见汉·刘安《淮南子·泰族》。全句为:"海不让水潦以成其大,~"。

山东出相,山西出将

见汉·班固《汉书·赵充国传赞》。

山川未改,容貌俱非

见唐·陈子昂《忠州江亭喜重遇吴参军牛司仓序》。

山川之美,古来共谈

见南朝·梁·陶弘景《答谢中书书》。

山之高,云之浮……

见唐·柳宗元《钴鉧潭西小丘记》。全句为:"~,溪之流,鸟兽之遨游,举熙熙然回巧献技,以效兹丘之下"。

山鸣谷应,风起水涌

见宋·苏轼《后赤壁赋》。

山峦为晴雪所洗……

见明·袁宏道《满井游记》。全句为:"~,娟然如拭,鲜妍明媚,如倩女之靧面,而髻鬟之始掠也"。

山致其高,云雨起焉

见汉·刘向《说苑·贵德》。全句为:"~;水致其深,蛟龙生焉;君子致其道德,而福禄归焉"。

山川者,特天地之物也

见唐·柳宗元《非国语》。全句为:"~。阴与阳者,气而游乎其间者也。自动自休,自峙自流,是恶乎与我谋?自斗自竭,自崩自缺,是恶乎为我设?"

山有玉,草木因之不凋

见唐·司马承祯《坐忘论·得道》。全句为:"~;人怀道,形体得之永固"。

山不辞土石,故能成其高

见《管子·形势解》。全句为:"海不辞水,故能成其大;~"。

山中人自正,路险心亦平

见唐·孟郊《游终南山》。

山岳崩颓,既履危亡之运

见北周·庾信《哀江南赋》。全句为:"~;春秋迭代,必有去故之悲"。

山岳有饶,然后百姓赡焉

见汉·桓宽《盐铁论·贫富》。全句为:"~;河海有润,然后民取足焉"。

山岳移可尽,江海塞可绝

见唐·元稹《酬乐天赴江州路上见寄三首》之一。全句为:"~,离恨若空虚,穷年思不彻"。

山明疑有雪,岸白不关沙

见北周·庾信《舟中望月》。

山明云气画,天静鸟飞高

见南朝·陈·张正见《秋晚还彭泽》。

山有猛兽,藜藿为之不采

见汉·班固《汉书·盖宽饶传》。全句为:"~;国有忠臣,奸邪为之不起"。

山有猛兽,树木为之不斩

见汉·刘安《淮南子·说山》。全句为:"~;园有螫虫,藜藿为之不采"。

山风飕飗,岭云峨峨……

见唐·冯宿《兰谿县灵隐寺东峰新亭记》。全句为:"~。飞轩凭虚,洞壑在下。向背殊状,昏明易色"。

山锐则不高,水狭则不深

见汉·刘向《新序·节士》。

山有猛兽者,藜藿为之不采

见南朝·宋·范晔《后汉书·孔融传》。

山不高则不灵,渊不深则不清

见南朝·宋·刘义庆《世说新语·排调》。

山木,自寇也;膏火,自煎也

见《庄子·人间世》。

山水之乐,得之心而寓之酒也

见宋·欧阳修《醉翁亭记》。

山水有真赏,不领会终为漫游

见明·陈继儒《小窗幽记》。全句为:"田园有真乐,不潇洒终为忙人;诵读有真趣,不玩味终为鄙夫;~;吟咏有真得,不解脱终为套语"。

山中人兮芳杜若,饮石泉兮荫松柏

见战国·楚·屈原《九歌·山鬼》。

山生金,反自刻;木生蠹,反自食

见汉·刘安《淮南子·说林》。全句为:"~;人生事,反自贼"。

山重水复疑无路,柳暗花明又一村

见宋·陆游《游山西村》。

山泽不必有异士,异士不必在山泽

见南朝·宋·范晔《后汉书·种暠传》。

山林不能给野火,江海不能实漏卮

见宋·王安石《风俗》。

山有木兮木有枝，心悦君兮君不知

见汉·刘向《说苑·越人歌》。

山盟虽在，锦书难托。莫！莫！莫！

见宋·陆游《钗头凤》。全句为："桃花落，闲池阁。～"。

山舞银蛇，原驰蜡象，欲与天公试比高

见现代·毛泽东《沁园春·雪》。

山有木，工则度之；宾有礼，主则择之

见《左传·隐公十一年》。

山空月明，仰视星斗皆光大，如适在人上

见宋·晁补之《新城游北山记》。

山无陵，江水为竭……天地合，乃敢与君绝

见汉乐府民歌《上邪》。删节处为："冬雷震震夏雨雪"。

山不厌高，海不厌深；周公吐哺，天下归心

见三国·魏·曹操《短歌行》。

山不在高，有仙则名；水不在深，有龙则灵

见唐·刘禹锡《陋室铭》。

山，刺破青天锷未残。天欲堕，赖以拄其间

见现代·毛泽东《十六字令》其三。

山，倒海翻江卷巨澜。奔腾急，万马战犹酣

见现代·毛泽东《十六字令三首》其二。

山虽高，水虽下，其为险而害也，要之不异

见唐·柳宗元《与杨诲之第二书》。

山，快马加鞭未下鞍。惊回首，离天三尺三

见现代·毛泽东《十六字令三首》其一。

山树为盖，岩石为屏，云从栋生，水与阶平

见唐·白居易《冷泉亭记》。全句为："～。坐而玩之者，可濯足于床下；卧而狎之者，可垂钓于枕上"。

山霤至柔，石为之穿；蝎虫至弱，木为之弊

见汉·孔臧《与子琳书》。

山中人不信有鱼大如木，海上人不信有木大如鱼

见北齐·颜之推《颜氏家训·归心》。

山沓水匝，树杂云合。……情往似赠，兴来如答

见南朝·梁·刘勰《文心雕龙·物色》。删节处为："目既往还，心亦吐纳。春日迟迟，秋风飒飒。"

❷青山断处落霞明／为山九仞，功亏一篑／云山万重，寸心千里／入山问樵，入水问渔／高山仰止，景行行止／幽山桂树，往往逢人／饭山逢彪必吐哺而逃／深山大泽，实生龙蛇／它山之石，可以攻玉／它山之石，可以为错／昆山之下，以玉为石／泰山之大，背之不见／泰山其颓，梁木其坏／有山可登，有水可浮／登山者处已高矣……／青山不老，绿水长存／论山水，则循声而得貌／瑶山丛桂，芳茂者先折／上山擒虎易，开口告人难／在山泉水清，出山泉水浊／远山片云，隔层城而助兴／楚山全控蜀，汉水半吞吴／昆山之玉瑱而尘垢弗能污／泰山成砥砺，黄河为裳带／破山之雷，不发聋夫之耳／蜀山金碧地，此地饶英灵／积山万状，负气争高……／空山新雨后，天气晚来秋／青山依旧在，几度夕阳红／青山遮不住，毕竟东流去／高山之松，霜霰不能渝其操／大山不立好恶，故能成其高／太山不让土壤，故能成其大／骊山北构而西折，直走咸阳／泰山之霤穿石，单极之断干／有山林之杰，不可薄其贫贱／高山之巅无美木，伤于多阳也／丘山积卑而为高，江河合水而为大／荆山鹊飞而玉碎，随岸蛇生而珠死／大山之高，非一石也，累卑然后高／大山崔，百卉殖。民何贵，贵有德／太山之高，非一石也，累卑然后高／太山在前而不见，疾雷破柱而不惊／江山代有才人出，各领风骚数百年／江山如此多娇，引无数英雄竞折腰／昆山玉碎凤凰叫，芙蓉泣露香兰笑／泰山在前而不见，疾雷破柱而不惊／登山不以艰险而止，则必臻乎峻岭／登山则情满于山，观海则意溢于海／登山始觉天高广，到海方知浪渺茫／为山者基于一篑之土，以成千丈之峭／泰山之为大，弗察弗见，而况微渺者乎／泰山其颓乎，梁木其坏乎，哲人其萎乎／巫山之上顺风纵火，膏夏紫芝与萧艾俱死／有山海之货而民不足于财者，商工不备也／云山苍苍，江水泱泱，先生之风，山高水长／高山有前，流水在下，可以俯仰，可以宴乐／太山之高，背而弗见；秋毫之末，视之可察／泰山崩于前而色不变，麋鹿兴于左而目不瞬／秋山的翠，秋江澄空，扬帆迅征，不远千里／积山万状，负气争高。含霞饮景，参差代雄／从山阴道上行，山川自相映发，使人应接不暇／擅山海之富，居川林之饶，争修园宅，互相夸竞／关山难越，谁悲失路之人？萍水相逢，尽是他乡之客

❸寸寸山河寸寸金／登泰山而小天下／万卷山积，一篇吟成／衔远山，吞长江……／退如山移，进如风雨／东南山水，余杭郡为最／海与山争水，海必得之／鸟以山为埤而增巢其上／不道山中冷，翻忧世上寒／世路山河险，君门烟雾深／储积山崇崇，探求海茫茫／八公山上草木，皆类人形／莫待山阳路，空闻吹笛悲／口衔山石细，心望海波平／四更山吐月，残夜水明楼／国破山河在，城春草木深／桥上山万重，桥下水千里／秋来山雨多，落叶无人扫／琼琨山积，不能无挟瑕之器／待到山花烂漫时，她在丛中笑／胸次山高水远，笔端云起风狂／皑如山上雪，皎若云间月……／木在山，马在肆，遇之而不顾者／登东山而小鲁，登泰山而小天下／天平山上白云泉，云自无心水自闲／临泰山之悬崖，窥

巨海之惊澜……／力拔山兮气盖世，时不利兮骓不逝／玉在山而草木润，渊生珠而崖不枯／采于山，美可茹；钓于水，鲜可食／昨日山中之木，以不材得终其天年／水曲山限四五家，夕阳烟火隔芦花／破额山前碧玉流，骚人遥驻木兰舟／白云山头云欲立，白云山下呼声急／独游山水间，登极顶……欲空其形而去／登泰山而览群岳，则冈峦之本末可知也／唯泰山不为飘风所动，磐石不为疾流所回／名为山人而心同商贾，口谈道德而志在穿窬／看万山红遍，层林尽染；漫江碧透，百舸争流／罄南山之竹，书罪未穷；决东海之波，流恶难尽／挟泰山以超北海，语人曰："我不能"，是诚不能也

❹云破春山明／洗出庐山万丈青／淡画春山不喜添／月满空山水满潭／莫踬于山而踬于垤／不踬于山，而踬于垤／众煦漂山，聚蚊成雷／负舟登山，诚难事也／藏之名山，传之其人／独坐穷山，放虎自卫／夕阳在山，人影散乱／止如丘山，发如风雨／积土成山，列树成林／土积成山，则豫樟生焉／猛虎在山，百兽莫敢侵／夕阳照山，无奇而不见／不向东山久，蔷薇几度花／不登高山，不知天之高也／举动回山海，呼吸变霜露／勾践栖山中，国人能致死／攻玉于山，俟知于独见也／地若无山川，何人重平道／摧折寒山里，遂死无人窥／激波陵山，必成难升之势／子系中山狼，得志便猖狂／此生泰山重，勿作鸿毛遗／忍别青山去，其如绿水何／白日依山尽，黄河入海流／醉舞下山去，明月逐人归／千古江山，英雄无觅，孙仲谋处／禽鸟知山林之乐，而不知人之乐／力士推山，天吴移水，作农桑地／虎豹在山，鼋鼍在水，各有所托／踏遍青山人未老，风景这边独好／不识庐山真面目，只缘身在此山中／任是深山更深处，也应无计避征徭／观者如山色沮丧，天地为之久低昂／咬定青山不放松，立根原在破岩中／喑呜则山岳崩颓，叱咤则风云变色／易于泰山破鸡子，轻于四马载鸿毛／譬如为山，未成一篑，止，吾止也／操钩上山，揭斧入渊，欲得所求，难也／崒乎泰山不足为高，巍乎天地不足为容／恨无昆山片玉以相赠，赠君桂林之一枝／水出于山，入于海；稼生乎野，而藏乎仓／藏金于山，沉珠于渊；不利货财，不近富贵／日薄西山，余光横照，紫翠重叠，不可殚数／日薄西山，气息奄奄；人命危浅，朝不虑夕／积土成山，风雨兴焉；积水成渊，蛟龙生焉／蚊蚋负山，力诚不足；鹰鹯逐鸟，志则有余／登彼西山兮采其薇矣，以暴易暴兮不知其非矣

❺一鸟不鸣山更幽／伐木丁丁山更幽／溪南北有山……／天与地卑，山与泽平／人莫蹪于山而蹪于垤／观于物，见山水……／山东出相，山西出将／树树秋声，山山寒色／日月韬光，山河改色／天高露清，山空月明……／人心险于山川，难于知天／猛虎潜深山，长啸自生风／松柏生深山，无心自贞直／蜀国多仙山，峨眉邈难匹／积土而为山，积水而为海／白骨成丘山，苍生竟何罪／装点此关山，今朝更好看／人已古兮山在，泉无心兮道存／从头越，苍山如海，残阳如血／土积而成山阜，水积而成江河／大丈夫，千山万水往长远处看／石韫玉而山辉，水怀珠而川媚／川泽纳污，山薮藏疾，瑾瑜匿瑕／何必奔冲山下去，更添波浪向人间／阴风搜林山鬼啸，千丈寒藤绕崩石／坑灰未冷山东乱，刘项元来不读书／徐行不记山深浅，一路莺啼送到家／归马于华山之阳，放牛于桃林之野／如下有泰山之安，则上有累卵之危／月出于东山之上，徘徊于斗牛之间／恶波横天山塞路，未央宫中常满库／鸟无声兮山寂寂，夜正长兮风淅淅／紫芝生于山，而不能生于盘石之上／君不见高山万仞连苍旻，天长地久成埃尘／此溪若在山野，则宜逸民退士之所游……／人情险于山川，以其动静可识，而沉阻难徵／水处者渔，山处者木，谷处者牧，陆处者农／猛虎在深山，百兽震恐；及在槛阱之中，摇尾而求食

❻有眼不识泰山／登临直见楚山雄／万世不移者，山也／峡水千里，巴山万重／缘木求鱼，升山采珠／树树秋声，山山寒色／煮海为盐，采山铸钱／玉不琢，则南山之圆石／天地长不没，山川无改时／兴废由人事，山川空地形／江流天地外，山色有无中／江流今古愁，山雨兴亡泪／泽人足乎木，山人足乎鱼／日出众鸟散，山暝孤猿吟／日月光天德，山河壮帝居／昏旦变气候，山水含清晖／水吞三楚白，山接九疑青／水广者鱼大，山高者木修／水涵天影阔，山拔地形高／水是眼波横，山是眉峰聚／水烟晴吐月，山火夜烧云／凡人心险于山川，难于知天／晦明变化者，山间之朝暮也／秋之为状也：……山川寂寥／穷途萧瑟，青山白云之万里／古人采铜于山，今人则买旧钱／夏云阴兮若山，秋水平兮若天／渔者不死于山，猎者不溺于渊／西望武昌诸山，冈陵起伏……／人情曷似春山好，山色不随春老／变尽人间，君山一点，自古如今／万株松树青山上，十里沙堤明月中／不到西湖看山色，定应未可作诗人／诸人之文，犹山无烟霞，春无草树／姑苏城外寒山寺，夜半钟声到客船／斧斤以时入山林，材木不可胜用也／文章均得江山助，但觉前贤畏后贤／登临自有江山助，岂是胸中不得平／愁听，吹笛《关山》……月中都是断肠声／志合者不以山海为远，道乖者不以咫尺为近／当人强盛，河山可拔，一朝羸缩，人情万端／风烟俱静，天山共色，从流飘荡，任

意东西／猛虎处于深山，向风长鸣，则百兽震恐而不敢出／木末芙蓉花，山中发红萼。涧户寂无人，纷纷开且落

❼无伐名木，无斩山林／寸步千里，咫尺山河／蛟龙水居，虎豹山处／筚路蓝缕，以启山林／升于高以望江山之远近／千里始足下，高山起微尘／亭临大江，复在山上……／在山泉水清，出山泉水浊／江上之清风与山间之明月／流落人间者，太山一毫芒／雨后复斜阳，关山阵阵苍／虎欲异群虎，舍山入市即擒／天片片而云愁，山幽幽而谷哭／地道乱，而草木山川不得其平／千锤万击出深山，烈火焚烧若等闲／巨灵咆哮擘两山，洪波喷流射东海／登山则情满于山，观海则意溢于海／雨里孤村雪里山，看时容易画时难／黑云翻墨未遮山，白雨跳珠乱入船／近河之地湿，近山之土燥，以类相及也／从山阴道上行，山川自相映发，使人应接不暇

❽逐兽者目不见太山／匡庐奇秀，甲天下山／侵掠如火，不动如山／知者乐水，仁者乐山／易于反掌，安于泰山／千里相思，空有关山之望／乡无君子，则与云山为友／今之进学者，如登山……／郁郁涧底松，离离山上苗／积上不止，必致嵩山之高／内疾之害重于太山而莫之避／居轩冕中，不可无山林趣味／风景不殊，正自有山河之异／其醉也，傀俄若玉山之将崩／石上不生五谷，秃山不游麋鹿／看书多撷一部，游山多走几步／使治乱存亡若高山之与深溪……／人情曷似春山好，山色不随春老／卞和之玉，得于荆山，其偶然耳／此生谁料，心在天山，身老沧洲／川源不能实漏卮，山海不能赡溪壑／人世几回伤往事，山形依旧枕江流／六王毕，四海一，蜀山兀，阿房出／友如作画须求淡，山似论文不喜平／土地之生物不益，山泽之出财有尽／大马死，小马饿；高山崩，石自破／江流千古英雄泪，山掩诸公富贵羞／旂如云兮帜如星，山可动兮石可铭／烟才通，寒淙淙；隔山风，老鼓钟／临清风，对朗月，登山泛水，肆意酣歌／以白云为藩篱，碧山为屏风，昭其俭也／河以逶蛇，故能远；山以陵迟，故能高／函车之兽，介而离山，则不免于罔罟之患／一叶蔽目，不见泰山；两豆塞耳，不闻雷霆／守法持正，嶷如秋山；火不侵玉，幸臣畏伏／古之人观于天地、山川、草木、虫鱼、鸟兽，往往有得

❾志有所存，顾不见泰山／会当凌绝顶，一览众山小／大之为河海，高之为山岳／知音如不赏，归卧故山秋／虽无玄豹姿，终隐南山雾／始知五岳外，别有他山尊／死去何所道，托体同山阿／菌阁松楹，高枕于北山之北／居累卵之危，而图太山之安／图浮芥之小利，忘丘山之大祸／拨乱反正之君，资拔山超海之力／登东山而小鲁，登泰山而小天下／太阳初出光赫赫，千山万山如火发／君问归期未有期，巴山夜雨涨秋池／红雨随心翻作浪，青山着意化为桥／川渊深而鱼鳖归之，山林茂而禽兽归之／行路难，不在水不在山，只在人情反覆间／独自莫凭阑，无限江山，别时容易见时难／冀以尘雾之微补益山海，荧烛末光增辉日月／金以刚折，水以柔全；山以高陊，谷以卑安／天地相对，日月相刿，山川相流，轻重相浮，阴阳相续／利之所在，虽千仞之山，无所不上，深源之下，无所不入

❿久有凌云志，重上井冈山／少无适俗韵，性本爱丘山／浊之为暗，河水不见太山／身轻于鸿毛，而谤重于泰山／澄明远水生光，重迭暮山耸翠／实有折枝之易，而无挟山之难／盈握之璧，不必采于昆仑之山／舟凝滞于水滨，车逶迟于山侧／天下有事，则匹夫之言重于泰山／不动声色，而措天下于泰山之安／乘所欲为，易于反掌，安于泰山／大丈夫见善明，则重名节如泰山／放船千里凌波去，略为吴山留顾／耳调玉石之声，目不见太山之高／天下莫大于秋毫之末，而太山为小／不识庐山真面目，只缘身在此山中／不去扫清天北雾，只来卷起浪头山／贞操与日月俱悬，孤芳随山壑共远／他乡怨而白露寒，故人去而青山迥／何当共剪西窗烛，却话巴山夜雨时／但使龙城飞将在，不教胡马渡阴山／但愿苍生俱饱暖，不辞辛苦出山林／曾经沧海难为水，除却巫山不是云／人情旦暮有翻复，平地倏忽成山谿／画栋朝飞南浦云，珠帘暮卷西山雨／太阳初出光赫赫，千山万山如火发／各愿种成千百索，豆萁禾穗满青山／山泽不必有异士，异士不必在山泽／徒觉炎凉节物非，不知关山千万里／须知大隐居廛市，休向深山守静孤／潦水尽而寒潭清，烟光凝而暮山紫／屈平词赋悬日月，楚王台榭空山丘／早岁那知世事艰，中原北望气如山／贫交此别无他赠，唯有青山远送君／风起绿洲吹浪去，雨从青野上山来／白云山头云欲立，白云山下呼声急／病身最觉风露早，归梦不知山水长／穷荒绝漠鸟不飞，万碛千山梦犹懒／顾使乾坤同日月，不妨闽浙异江山／虚檐立尽梧桐影，络纬数声山月寒／醉翁之意不在酒，在乎山水之间也／其冲然角列而上者，若熊罴之登于山／域民不以封疆之界，固国不以山溪之险／寻芳者追深径之兰，识韵者探穷山之竹／百川学海而至于海，丘陵学山而不至于山／风霜高洁，水落而石出者，山间之四时也／云山苍苍，江水泱泱，先生之风，山高水长／人人自谓握灵蛇之珠，家家自谓抱荆山之玉／阴风怒号，浊浪排空，日星隐曜，山岳潜形／落梅芳树，共体千篇；陇水巫山，殊名一意／海内之货，咸萃其庭，产匹铜山，家藏金

穴／牛蹄之涔，无尺之鲤；块阜之山，无丈之材／忠谋转改，祸必及已。退隐深山，身乃不殆／登高临深，远见之乐，台榭不若丘山所见高也／兰亭也，不遭右军，则清湍修竹，芜没于空山矣／河冰结合，非一日之寒；积土成山，非斯须之作／宫殿中可以避世全身，何必深山之中，蒿庐之下／跬步而不休，跛鳖千里；累土而不辍，丘山崇成／兰茝生于茂林之中，深山之间，不为人莫见之故不芬／地虽胜，得人焉而居之，则山若增而高，水若辟而广／屈平所以洞监《风》《骚》之情者，抑亦江山之助乎／三皇之知，上悖日月之明，下睽山川之精，中堕四时之施／鹰扬虎视，齿若编贝，肤如凝脂，昭昭乎若玉山上行，朗然映人／目察秋毫之末，耳不闻雷霆之声；耳调玉石之声，目不见泰山之高

屿

yǔ 小岛。

❹洲汀岛屿，向背离合；青树碧蔓，交罗蒙络

❼鹤汀凫渚，穷岛屿之萦回；桂殿兰宫，列冈峦之体势

屹

yì 高耸直立状。

❶屹立大江干，仍能障狂澜

见宋·戴复古《小孤山阻风因成小诗……》。

岁

suì 年；量词；指时间；光阴；星名；年龄；一年的农事收成。

❶岁晚惜流光

见宋·王安石《岁晚》。

岁寒松柏肯惊秋

见宋·苏轼《浣溪沙》。

岁不寒，无以知松柏

见《荀子·大略》。全句为："～；事不难，无以知君子，无日不在是"。

岁弊寒凶，雪虐风饕

见唐·韩愈《祭河南张员外文》。

岁饥无年，虐政害民

见汉·焦赣《易林·坤·大畜》。

岁月不居，时节如流

见晋·陈寿《三国志·吴书·孙韶传》注引。

岁月易尽，光阴难驻

见唐·王勃《守岁序》。

岁有其物，物有其容

见南朝·梁·刘勰《文心雕龙·物色》。全句为："～；情以物迁，辞以情发"。

岁有凶穰，故谷有贵贱

见汉·班固《汉书·食货志》。全句为："～；令有缓急，故物有轻重"。

岁老根弥壮，阳骄叶更阴

见宋·王安石《孤桐》。

岁寒，然后知松柏之后凋也

见《论语·子罕》。

岁寒霜雪苦，含彩独青青，岂不厌凝冽，羞比春木荣

见唐·陈子昂《与东方左史虬修竹篇》。

❷一岁典职，田宅并兼／三岁学不如三岁择师／今岁今宵夜，明年明日催／壮岁从戎，曾是气吞残虏／是岁江南旱，衢州人食人／百岁无智小儿，小儿有智百岁／丰岁自少凶岁多，田家辛苦可奈何／百岁光阴半归酒，一生事业略存诗／早岁那知世事艰，中原北望气如山

❸当知岁功应，唯是奉无私／纵使岁寒途远，此志应难夺／松表岁寒，霜雪莫能凋其采／蹉跎岁月，尽此身污秽乾坤／冬者岁之余，夜者日之余，阴雨者时之余

❹好怀百岁几回开／除日无岁，无内无外／鹤寿千岁，以极其游／寂兮寞，岁岁年年长少乐／兵者百岁不一用，然不可一日忘也／欲观千岁，则数今日；欲知亿万，则审一二

❺源而流者岁旱不涸／日月逝矣，岁不我与／畜粟者，欲岁之荒饥也／良田无晚岁，膏泽多丰年／寂兮寞，岁岁年年长少乐／考绩必以岁月，故官不失绪／明与诚终岁不违，则能终身矣／时不与兮岁不留，一叶落兮天地秋／日异其能，岁增其智，进如川行，浩浩而遂

❻民荐饥而望岁／事往则迹移，岁迁则物换／及时当勉励，岁月不待人／丰岁自少凶岁多，田家辛苦可奈何／人生直作百岁翁，亦是万古一瞬中／爆竹声中一岁除，春风送暖入屠苏／人面看年年岁岁之同，花枝见夜夜朝朝之好

❼三岁学不如三岁择师／见一叶落而知岁之将暮／离离原上草，一岁一枯荣／冰霜正惨凄，终岁常端正／疾风劲草，实表岁寒之心／日计之无近功，岁计之有大利／日计之而不足，岁计之而有余／已分忍饥度残岁，更堪岁里闰添长／人面看年年岁岁之同，花枝见夜夜朝朝之好

❽天行不信，不能成岁／无衣无褐，何以卒岁／岂伊地气暖？自有岁寒心／欲识凌冬性，唯有岁寒知／销兵铸农器，今古岁方宁／自有凌冬质，能守岁寒心／俟自圆之木，则千岁无一轮／人生易老天难老，岁岁重阳

❾生年不满百，常怀千岁忧／芳槿无终日，贞松耐岁寒／白璧无瑕玷，青松有岁寒／人生易老天难老，岁岁重阳／人之生也亦少矣，而岁之往亦速矣／诗人安得有青衫，今岁和戎百万缣／贪日得则鼓刀利，要岁计而韫椟多／明日黄花，过晚之物；岁寒松柏，有节之称

❿人生几何时，怀忧终年岁／虽无纪历志，四时自成岁／百岁无智小儿，小儿有智百岁／一仪不可以百发，一衣不可以出岁／丹青初炳而后渝，文章岁久而弥光／众人知目前之利，而不为

岁月之计／莫见长安行乐处，空令岁月易蹉跎／携来百侣曾游。忆往昔峥嵘岁月稠／当轩不是怜苍翠，只要人知耐岁寒／汩余若将不及兮，恐年岁之不吾与／已分忍饥度残岁，更堪岁里闰添长／人生不得行胸怀，虽寿百岁，犹为夭也／积微，月不胜日，时不胜月，岁不胜时／人生大期，百年为限，节护之者可至千岁／于戏君子，人不厌之，死虽千岁，其行可师／民生在勤，勤则不匮。宴安自逸，岁暮奚冀／硕鼠硕鼠，无食我黍！三岁贯女，莫我肯顾／彼妇之口，可以出走……盖优哉游哉，维以卒岁／天之高也，星辰之远也，苟求其故，千岁之日至，可坐而致也／天下有至贵而非势位也，有至富而非金玉也，有至寿而非千岁也

岌 jí 山高的样子，形容十分危险。

❺天下殆哉，岌岌乎

岂 ①qǐ 表示反问，相当于哪里、怎么、难道。②kǎi 通“恺”，［岂乐］欢乐；［岂弟］和蔼，平易近人。

❶岂无一时好，不久当如何

见晋·陶潜《拟古诗九首》之七。全句为：“皎皎云间月，灼灼叶中华。～”。

岂无感激者？时俗颓此风

见唐·陈子昂《感遇三十八首》之十八。全句为：“逶迤势已久，骨鲠道斯穷。～”。

岂不思故乡，从来感知己

见唐·高适《登垅》。

岂不罹凝寒？松柏有本性

见三国·魏·刘桢《赠从弟三首》。全句为：“冰霜正惨凄，终岁常端正；～”。

岂伊地气暖？自有岁寒心

见唐·张九龄《感遇十二首》之七。全句为：“江南有丹橘，经冬犹绿林。～”。

岂知千仞坠，只为一毫差

见唐·柳宗元《同刘二十八院长述旧言怀》。

岂知今夜月，还是去年愁

见唐·韦庄《避地越中作》。

岂待酒肉罗绮然后为生哉

见唐·司马承祯《坐忘论·简事》。全句为：“蔬食弊衣足以养性命，～”。

岂学书生辈，窗间老一经

见唐·王维《送赵都督赴代州得青字》。

岂余身之惮殃兮，恐皇舆之败绩

见战国·楚·屈原《离骚》。

岂得以人言不同己意，便即护短不纳

见唐·吴竞《贞观政要·求谏》。

岂不遽止？然犹防川，大决所犯，伤人必多

见《左传·襄公三十一年》。

岂无利事哉，我无利心；岂无安处哉，我无安心

见《管子·心术下》。

❷怨岂在明？不见是图／予岂好辩哉！予不得已也／我岂更求荣达，日长聊以销忧／吾岂匏瓜也哉，焉能系而不食

❸舍生岂不易，处死诚独难／冯公岂不伟，白首不见招／利民岂一道哉，当其时而已矣／世上岂无千里马，人间难得九方皋／天下岂有不可为之国哉？亦存乎其人如何尔／既死，岂在我哉！焚之亦可，沉之亦可，瘗之亦可，露之亦可

❹君民者岂以陵民？社稷是主／臣君者岂为其口实？社稷是养／舌之存，岂非以其柔；齿之亡，岂非以其刚／大丈夫岂得苟贪财物，以害及身命，使子孙每怀愧耻耶

❺不是虚心岂得贤／凌雪乔松岂畏寒／死节从来岂顾勋／人貌荣名，岂有既乎／若卵投石，岂可得全／道由心悟，岂在坐也／胸中泰然，岂有不乐／穷猿奔林，岂暇择木／穷猿投林，岂暇择木／后之视今，岂复今时之会／卧榻之侧，岂容他人鼾睡／吉凶在人，岂假阴阳拘忌／尺泽之鲵，岂能与之量江海之大哉／人生富贵岂有极？男儿要在能死国／人生达命岂暇愁，且饮美酒登高楼／炼句炉槌岂可无？句成未必尽缘渠／焚薮而田，岂不获得？而明年无兽／心非木石岂无感，吞声踯躅不敢言／竭泽而渔，岂不获得？而明年无鱼／失火之家，岂暇先言大人而后救火乎

❻言犹在耳，忠岂忘心／鸟则择木，木岂能择鸟／丈夫贵兼济，岂独善一身／不遇阴雨后，岂知明月好／民为国本根，岂不思培植／使臣将王命，岂不如贼焉／人生有离合，岂择衰老端／褒贬无一词，岂得为良史／男儿当野死，岂为印如斗／謇谔无一言，岂得为直士／量力守故辙，岂不寒与饥／青春须早为，岂能长少年／其谤且誉者，岂尽明而善褒贬也哉／道若大路然，岂难知哉，人病不求耳／世间奇男子，岂可以世俗趣舍量其心乎

❼我手写我口，古岂能拘牵／人有旦夕祸福，岂能自保／窜梁鸿于海曲，岂乏明时／自形而上下言，岂得无先后／惟有才行是任，岂以新旧为差／矧流客之归思，岂可忘于畴昔／用人但问堪否，岂以新故异情／在上而多誉者，岂尽仁而智也哉／在下而多谤者，岂尽愚而狡也哉／盛唐而学汉魏，岂复有盛唐之诗／秦汉而学六经，岂复有秦汉之文／学贵变化气质，岂为猎章句、干利禄哉

❽世治非去兵，国安岂忘战／生材会有用，天地岂无心／尺水无长澜，蛟龙岂其容／隔墙须有耳，窗外岂无人／居常待其尽，曲肱岂伤冲／旅情偏在夜，乡思岂唯秋／巨屦小屦同贾，人岂为

之哉／迹，履之所出，而迹岂履哉／人情同于怀土兮，岂穷达而异心／丈人才力犹强健，岂傍青门学种瓜／不以高危为忧惧，岂知稼穑之艰难／但见无为为要妙，岂知有作是根基／苟利国家生死以，岂因祸福避趋之／登临自有江山助，岂是胸中不得平／未闻刀没而利存，岂容形亡而神在？／彼寻常之污渎兮，岂能容夫吞舟之巨鱼／楚虽三户能亡秦，岂有堂堂中国空无人

❾才饱身自贵，巷荒门岂贫／天有不测风云，人又岂能料乎／彼一时也，此一时也，岂可同哉／虽体解吾犹未变兮，岂余心之可惩／天授人以贤圣才能，岂使自有余而已／两情若是久长时，又岂在、朝朝暮暮／枯朽之骨，凶秽之余，岂宜令人宫禁／世必有才，随时所用，岂待……然后为治乎／捷捷幡幡，谋欲谮言；岂不尔受，既其女迁／自伯之东，首如飞蓬；岂无膏沐，谁适为容

❿年将弱冠非童子，学不成名岂丈夫／仰天大笑出门去，我辈岂是蓬蒿人／诸公可叹善谋身，误国当时岂一秦／务免乎人之所不免者，岂不亦悲哉／担水塞井徒用力，炊砂作饭岂堪吃／枳棘非鸾凤所栖，百里岂大贤之路／责上责下而中自恕己，岂可任职分／文章自得方为贵，衣钵相传岂是真／大丈夫当为国扫除天下，岂徒室中乎／贤者闻讥笑，若不闻焉，此岂不省事／率虎狼牧羊豕，而望其蕃息，岂可得也／君不见担雪塞井空用力，炊沙作饭岂堪食／有六尺之躯，而不能庇一妇人，岂丈夫哉／用天下之心图而济之，夫岂无最长之策乎／用天下之目观而救之，夫岂无最远之见乎／举天下而无可与共处，则是其势岂可以久也／十步之内，必有芳草；四海之中，岂无奇秀／使天下畏刑而不敢盗，岂若能使无有盗心哉／经目之事，犹恐未真；背后之言，岂能全信／舌之存，岂非以其柔；齿之亡，岂非以其刚／仗其短浅之耳目，以断微妙之有无，岂不悲哉／五寸之键制开阖之门，岂其才巨小哉，所居要也／岂无利事哉，我无利心；岂无安处哉，我无安心／一令蔓草难锄，涓流泛酌，岂直疥痒轻疴，容为重患／人生有限，情欲无厌。既不救其死亡，岂能保乎金玉／美人梳洗时，满头间珠翠，岂知两片云，戴却数乡税／岁寒霜雪苦，含彩独青青，岂不厌凝列，羞比春木荣／天下者亦吾有也，吾亦天下之有也，天下之与我岂有间哉／处患难，知其无可奈何，遂放意而不反，是岂安于义命者／今世之人居高官尊爵者，皆重失之，见利轻亡其身，岂不惑哉／人有明珠，莫不贵重，若以弹雀，岂非可惜？况人之性命甚于明珠

岐

qí[岐山]地名。通“歧”；姓。

❺大道以多岐亡羊，学者以多方丧生

❽桑无附枝，麦穗两岐。张君为政，乐不可支

❾丈夫不作儿女别，临岐涕泪沾衣巾

岑

①cén 小而高的山；崖岸；姓。②yín [岑崟]形容山高峻。

❼方寸之木，高于岑楼

❿不揣其本而齐其末，方寸之木可使高于岑楼

岛

dǎo 岛屿；南北朝时，北朝对南朝人的蔑称。

❸洲汀岛屿，向背离合；青树碧蔓，交罗蒙络

❹洗兵海岛，刷马江洲

❻鹤汀凫渚，穷岛屿之萦回；桂殿兰宫，列冈峦之体势

❾洞庭波涌连天雪，长岛人歌动地诗

岸

àn 与江、河、湖、海和水库等相接的陆地；高大；高傲；牢狱。

❶岸芷汀兰，郁郁青青

见宋·范仲淹《岳阳楼记》。

❷高岸为谷，深谷为陵／其岸势犬牙差互，不可知其源

❸其夹岸有树木千万本，列立如揖，丹色鲜如霞，擢举欲动，灿若舒颜

❹乔林夹岸，羽毛之所翱翔／水抵两岸，悉皆怪石，攲嵌盘屈，不可名状

❺城峭则崩，岸峭则陂／听草遥寻岸，闻香暗识莲／听笛始知岸，闻香暗识莲

❻城峭则必崩，岸竦则必阤／山明疑有雪，岸白不关沙

❼春风又绿江南岸

❽乱石穿空，惊涛拍岸，卷起千堆雪

❾鱼欲异群鱼，舍水跃岸即死／荆山鹊飞而玉碎，随岸蛇生而珠死／沙鸥翔集，锦鳞游泳；岸芷汀兰，郁郁青青／霜封野树，冰冻寒苗，岸草无色，芦花自飘

❿天末海门横北固，烟中沙岸似西兴／风冲之物不得育，水湍之岸不得峭／木秀于林，风必摧之；堆出于岸，流必湍之

岩

yán 岩石；险要；险峻；岩石构成的山峰。

❷千岩万壑春风暖／千岩竞秀，万壑争流……若云兴霞蔚

❸白马岩中出，黄牛壁上耕

❹阴雪兴岩侧，悲风鸣树端／坏崖破岩之水，原自涓涓／坏崖破岩之水，源自涓涓／为人也，岩岩若孤松之独立

❺枯木倚寒岩，三冬无暖气／为人也，岩岩若孤松之独立／山树为盖，岩石为屏，云从栋生，水与阶平

❼荃荪孤植，不以岩隐而歇其芳／树临流而影动，岩薄暮而云披

❾芳菊开林耀，青松冠岩列
❿日出而林霏开，云归而岩穴暝／咬定青山不放松，立根原在破岩中

岿 kuī 高大；小山丛列。
❿敌军围困万千重，我自岿然不动

岫 xiù 岩穴；山峰。
❷荆岫之玉必含纤瑕，骊龙之珠亦有微颣
❹参差远岫，断云将野鹤俱飞
❻云无心以出岫，鸟倦飞而知还
❼众阜平寥廓，一岫独凌空
❿披襟朗咏，饯斜光于碧岫之前

岳 yuè 高大的山；[岳丈]即岳父，妻子的父亲；姓。
❷华岳眼前尽，黄河脚底来／山岳崩颓，既履危亡之运／山岳有饶，然后百姓赡焉／山岳移可尽，江海塞可绝／五岳不能削其峻，以副陟者之欲
❹始知五岳外，别有他山尊
❺喑呜则山岳崩颓，叱咤则风云变色
❼兴酣落笔摇五岳，诗成笑傲凌沧洲／登泰山而览群岳，则冈峦之本末可知也
❽创乎夷原，成乎乔岳
❾政庞而土裂，三光五岳之气分，大音不完，故必混一而后大振
❿大之为河海，高之为山岳／公卿有党排宗泽，帷幄无人用岳飞／日月双悬于氏墓，乾坤半壁岳家祠／阴风怒号，浊浪排空，日星隐曜，山岳潜形

岱 dài 泰山的别称。
❷嵩岱之峻，非一篑之积
❹尘加嵩岱，雾集淮海，虽未有益，不为损也

岭 lǐng 顶上有路可通的山；连绵的高山。
❷如岭之表、海之浒，磅礴浩汹……
❹玉城雪岭，际天而来……／窗含西岭千秋雪，门泊东吴万里船
❺山风飕飗，岭云峨峨……／槛外低秦岭，窗中小渭川
❿登山不以艰险而止，则必臻乎峻岭

峙 zhì 耸立。
❻自动自休，自峙自流，是恶乎与我谋
❾高视于万物之中，雄峙于百代之下

炭 tàn 木炭；像炭的；煤；炭火，喻指灾难；姓。
❷冰炭不可同器／冰炭不言，冷热自明／冰炭不同器，日月不并明／冰炭不言，而冷热之质自明／冰炭不同器而久，寒暑不兼时而至／冰炭不言，而冷势之质自明者，以其有实也
❹悬羽与炭，而知燥湿之气，以小明大
❻挟冰求温，抱炭希凉／名利与身，若炭与冰／进退维谷，冰炭在怀
❼与端方人处，如炭入薰炉，虽化为灰，其香不灭
❽心源为炉，笔端为炭。锻炼元本，雕砻群形
❿以狐白补犬羊，身涂其炭／视家国而取者，则曰救彼涂炭／举炎火以焚飞蓬，覆沧海而注熛炭／邪正之人不宜共国，亦犹冰炭不可同器

峡 xiá 两山夹着的水道；指两山之间。
❶峡水千里，巴山万重
见唐·刘禹锡《夔州谢上表》。
❷巫峡之险不能覆舟而覆于平流／巫峡之水能覆舟，若比人心是安流
❻词源倒流三峡水，笔阵独扫千人军

峣 yáo 高峻。
❶峣峣者易缺，皎皎者易污
见汉·李固《遗黄琼书》。全句为："～。《阳春》之曲和者必寡，盛名之下其实难副"。

峥 zhēng[峥嵘]高峻；比喻才气、品格超越寻常。
❼轩昂磊落，突兀峥嵘
❿携来百侣曾游。忆往昔峥嵘岁月稠

峦 luán 小而陡峭的山，亦指山峰。
❷山峦为晴雪所洗……
❼桂殿兰宫，列冈峦之体势
❾峻极巍峨势望雄，层峦迭嶂翠重重
❿登泰山而览群岳，则冈峦之本末可知也／飞沙溅石，湍流百势；翠崄丹崖，冈峦万色／鹤汀凫渚，穷岛屿之萦回，桂殿兰宫，列冈峦之体势

峭 qiào 山陡；严厉；苛刻；尖厉。
❶峭法刻诛者，非霸王之业也
见汉·刘安《淮南子·原道》。全句为："～；箠策繁用者，非致远之术也"。
❷城峭则崩，岸峭则陂／城峭则必崩，岸竦则必阤
❻城峭则崩，岸峭则陂
❿风冲之物不得育，水湍之岸不得峭／为山者基于一篑之土，以成千丈之峭

峨 é 高；叠起。
❶峨眉讵同貌，而俱动于魄
见南朝·梁·江淹《杂体诗序》。全句为："～；芳草宁共气，而皆悦于魄"。

❹峻极巍峨势望雄，层峦迭嶂翠重重
❻蜀国多仙山，峨眉邈难匹
❼山风飕飗，岭云峨峨……／李白坟三尺，嵯峨万古名
❽山风飕飗，岭云峨峨……
❿陵涛鼓怒以伏注，天壁嵯峨而横立

峻

jùn 山势高而陡峭；严厉；长大。

❶峻法严刑，非帝王之隆业

见晋·陈寿《三国志·吴书·陆逊传》。全句为："～；有罚无恕，非怀远之弘规"。

峻极巍峨势望雄，层峦迭嶂翠重重

见宋·陈纲《留题霍山应圣公庙》。

❷行峻而言厉，心醇而气和／崇峻不凌霄，则无弥天之云／言峻则嵩高极天，论狭则河不容舠／登峻者戒在于穷高，济深者祸生于舟重
❸崖谷峻隘，十里百折，负重而上，若蹈利刃
❹嵩岱之峻，非一篑之积／敕法以峻刑，诛一以警百／词林增峻，反诸宏博，君之力焉
❺虚教伤化，峻刑害民／壁立千峰峻，漻流万壑奔
❻厚发奸之赏，峻欺下之诛
❼五岳不能削其峻，以副陟者之欲
❾审乎物者，力约而功峻／吕望垂竿于渭涘，道峻匡周
❿嵩衡不拒细壤，故能崇其峻／崇一篑而弗休必钧高乎峻极矣／登山不以艰险而止，则必臻乎峻岭／高墙狭基，不可立矣；严法峻刑，不可久也／方于平易，皆能阔步而进，一遇峻险，则止矣

崄

xiǎn，又读 yán，同"险"；艰险崎岖。

❼不为易勇，不为崄怯
❿飞沙溅石，湍流百势；翠崄丹崖，冈峦万色

峰

fēng 山的尖顶；像山峰的；比喻顶点；量词。

❶峰从灵鹫飞来

见《佛祖统纪》。

峰攒望天小，亭午见日初

见唐·岑参《酬成少尹骆谷行见呈》。

峰回路转，有亭翼然，临于泉上者，醉翁亭也

见宋·欧阳修《醉翁亭记》。

❷碧峰千点数帆轻／昆峰积玉，光泽者前毁／高峰入云，清流见底……／中峰之下，水无鱼鳖，林无鸟兽／千峰顶上一间屋，老僧半间云半间／碧峰巉巉，出于柏梢，有如虎牙，夹天而立
❸南高峰，北高峰，南北高峰云淡浓／回乐峰前沙似雪，受降城下月如霜
❹搜尽奇峰打草稿／壁立千峰峻，漻流万壑奔
❺林净藏烟，峰危限月，帆影摇空绿
❻丹壑争流，青峰杂起／土暖春常在，峰高月易沉／南高峰，北高峰，南北高峰云淡浓
❼鸢飞戾天者，望峰息止／谷口未斜日，数峰生夕阳
❾水是眼波横，山是眉峰聚／言泉共秋水同流，词峰与夏云争长
❿风行常有地，云出本多峰／天生一个仙人洞，无限风光在险峰／南高峰，北高峰，南北高峰云淡浓／负势竞上，互相轩邈，争高直指，千百成峰／渐闻水声潺潺，而泻出两峰之间者，酿泉也／青未了，松耶？柏耶？独鸟来时，连峰断处，双髻人耶

崖

yá 陡山峭壁的侧面；边际；陡。

❶崖谷峻隘，十里百折，负重而上，若蹈利刃

见唐·柳宗元《兴州江运记》。全句为："～；盛秋水潦，穷冬雨雪，深泥积水，相辅为害"。

❷坏崖破岩之水，原自涓涓／坏崖破岩之水，源自涓涓／丹崖翠壁千万丈，与公上上上上上
❹已是悬崖百丈冰，犹有花枝俏
❻临泰山之悬崖，窥巨海之惊澜……／金沙水拍云崖暖，大渡桥横铁索寒
❼风摇其巅，韵动崖谷，视之既静，其听始远
❽霜天如扫，低向朱崖……／其来无迹，其往无崖，无门无房，四达之皇皇也
❾清流洄洑眩波光，高崖古木争苍苍／其问之也，不可以有崖，而不可以无崖
❿杂花如锦，傍缘石菌之崖／玉在山而草木润，渊生珠而崖不枯／其问之也，不可以有崖，而不可以无崖／飞沙溅石，湍流百势；翠崄丹崖，冈峦万色

崔

cuī［崔巍］高大雄伟；［崔嵬］有石头的土山；高大；古地名；姓。

❸大山崔，百卉殖。民何贵，贵有德

崩

bēng 倒塌；破裂；古代称帝王死亡。

❸山岳崩颓，既履危亡之运／泰山崩于前而色不变，麋鹿兴于左而目不瞬
❹民背如崩，势绝防断／城峭则崩，岸峭则陂／巨厦之崩，一木不能支／增高者崩，贪富者致患／大厦将崩，非一木之能止／天子曰崩，诸侯曰薨，大夫曰卒，士曰不禄
❺城峭则必崩，岸竦则必阤
❻墙隙而高，其崩必疾／喑呜则山岳崩颓，叱咤则风云变色／自斗自竭，自崩自缺，是恶乎为我设
❼贤者出走，命曰崩；百姓不敢诽怨，命曰刑胜
❽从善如登，从恶是崩／得人者兴，失人者崩
❾大马死，小马饿；高山崩，石自破
❿殖不固本而立基者后必崩／其醉也，傀俄若

玉山之将崩／国有累卵之忧，俗有土崩之势／阴风搜林山鬼啸，千丈寒藤绕崩石／利镞穿骨，惊沙人面……声折江河，势崩雷电

崒 zú 高耸而险峻；同“崪”。

❶崒乎泰山不足为高，巍乎天地不足为容

见唐·韩愈《伯夷颂》。全句为：“昭乎日月不足为明，～”。

崇 chóng 高；尊重；充满；积聚；增长；修饰；姓。

❶崇让则人不争

见后汉·马融《忠经·广至理章》。

崇台非一干，珍裘非一腋

见晋·卢谌《答魏子悌》。

崇推让之风，以销分争之讼

见汉·班固《汉书·楚元王传》。

崇峻不凌霄，则无弥天之云

见晋·葛洪《抱朴子·广譬》。

崇一篑而弗休必钧高乎峻极矣

见晋·葛洪《抱朴子·勖学》。

崇人之德，扬人之美，非谄谀也

见《荀子·不苟》。

崇大厦者非一木之材，匡弊俗者非一日之卫

见唐·王勃《上吏部裴侍郎启》。

崇门丰室，洞户连房，飞馆生风，重楼起雾

见北魏·杨衒之《洛阳伽蓝记·法云寺》。全句为：“～。高台芳榭，家家而筑；花林曲池，园园而有”。

❷功崇惟志，业广惟勤／莫崇于一人，莫贵于一人

❸天不崇大则覆帱不广／弃德崇奸，祸之大者也／君子崇人之德，扬人之美，非谄谀也

❹清淡者，崇德之基也／储积山崇崇，探求海茫茫

❺以道治国，崇本以息末／储积山崇崇，探求海茫茫／忠臣者务崇君之德，谄臣者务广君之地

❻先事后得，非崇德欤／拔去凶邪，登崇畯良／震雷电激，不崇一朝；大风冲发，希有极日／苟灭德忘公，崇浮饰傲，荣其外而枯其内，害其本而窒其源

❽明好恶而定去就，崇敬让而民兴行

❾嵩衡不拒细壤，故能崇其峻／张良授策于圯桥，功崇佐汉

❿不患位之不尊，而患德之不崇／言制度也，则绝奢靡而崇俭约／贤者在位，能者布职，朝廷崇礼，百僚敬让／跬步而不休，跛鳖千里；累土而不辍，丘山崇成／以小善为无益，以小恶为无伤，凡此皆非所以安身崇德也

崛 jué 高起，突出；崛起，兴起。

❼看是寻常最奇崛，成如容易却艰辛

嵌 ①qiàn 填镶，一般用于装饰；山石呈张口状。②kàn[赤嵌]古地名，今台湾台南市一带。

❿水抵两岸，悉皆怪石，攲嵌盘屈，不可名状

嵘 róng[峥嵘]（山势）高峻、突兀；比喻不平常。

❽轩昂磊落，突兀峥嵘

❿携来百侣曾游。忆往昔峥嵘岁月稠

嵚 qīn[嵚崎]山势高峻的样子；比喻品格特异，不同于众。

❷其嵚然相累而下者，若牛马之饮于溪

嵯 ①cuó[嵯峨]高峻。②cī[參嵯]不齐貌。

❻李白坟三尺，嵯峨万古名

❿陵涛鼓怒以伏注，天壁嵯峨而横立

嵩 sōng 山大而高；姓。

❶嵩岱之峻，非一篑之积

见晋·葛洪《抱朴子·博喻》。全句为：“华衮灿烂，非只色之功；～”。

嵩衡不拒细壤，故能崇其峻

见唐·王勃《上刘右相书》。全句为：“～；江海不让纤流，所以存其广”。

❸尘加嵩岱，雾集淮海，虽未有益，不为损也

❹言峻则嵩高极天，论狭则河不容舠

❼积上不止，必致嵩山之高

嶂 zhàng 高耸险峻像屏障一样的山峰。

❿峻极巍峨势望雄，层峦迭嶂翠重重

嶷 ①nì[嶷嶷]形容幼年聪慧；高尚。[嶷然]特立，超绝。②yí[九嶷]山名；九嶷山之神。

❺守法持正，嶷如秋山；火不侵玉，幸臣畏伏

巅 diān 山顶；同“颠”，下坠。

❹高山之巅无美木，伤于多阳也／风摇其巅，韵动崖谷，视之既静，其听始远

巍 wēi 高大。

❸峻极巍峨势望雄，层峦迭嶂翠重重

❾崒乎泰山不足为高，巍乎天地不足为容

巉 chán 山势高险的样子。

❸碧峰巉巉，出于柏梢，有如虎牙，夹天而立

行 ①xíng 走；外出；流通；流动性的；德行、操行；做，从事某项活动；有能耐；可以；书体的一种；路；巡视。②háng 行列；同辈长幼顺序；行业；质量差，不坚实。③hàng[行行]刚强貌。

❶行远必自迩

见《礼记·中庸》。

行不可不慎也

见《国语·晋语三》。全句为："人美于中，必播于外，而越于民，民实戴之。恶亦如之。故～"。

行义不固毁誉

见《战国策·秦策三》。"固"通"顾"。

行不正则民不服

见《管子·心术下》。

行不信者名必耗

见《墨子·修身》。

行成于思，毁于随

见唐·韩愈《进学解》。

行者必先近而后远

见《墨子·经说下》。

行于大道，唯施是畏

见《老子》五十三。

行不两全，名不两立

见汉·韩婴《韩诗外传》。

行不苟合，言不苟忘

见唐·宋之问《祭杨盈川文》。

行不违道，言不违仁

见宋·苏轼《孙觉可给事中》。

行百里者，半于九十

见《战国策·秦策五》。

行之以躬，不言而信

见宋·欧阳修《连处士墓表》。

行则连舆，止则接席

见三国·魏·曹丕《与吴质书》。

行合趋同，千里相从

见汉·刘安《淮南子·说山》。全句为："～；行不合趋不同，对门不通"。

行高于人，众必非之

见三国·魏·李康《运命论》。全句为："木秀于林，风必摧之；堆出于岸，流必湍之；～"。

行虽至卓，不离高下

见《关尹子·三极》。全句为："～；言虽至工，不离是非；能虽至神，不离巧拙；貌虽至殊，不离妍丑"。

行善则昌，行恶则亡

见汉·桓宽《盐铁论·险固》。

行得春风，指望夏雨

见明·冯梦龙《警世通言》卷二五。

行违于道则愧生于心

见南朝·宋·范晔《后汉书·朱穆传》。

行子肠断，百感凄恻

见南朝·梁·江淹《别赋》。全句为："～。风萧萧而异响，云漫漫而奇色"。

行有素履，事有成迹

见唐·吴兢《贞观政要·慎终》。

行忍情性，然后能修

见《荀子·儒效》。全句为："志忍私，然后能公；～；知而好问，然后能才"。

行而自衒，人莫之取也

见《墨子·公孟》。

行焉，可以得知之效也

见清·王夫之《尚书引义·说命中》。全句为："～；知焉，未可以得行之效也"。

行曾而索爱，父弗得子

见《马王堆汉墓帛书·称》。全句为："～；行母而索敬，君弗得臣"。

行陆者立而秦，有车也

见《慎子》。全句为："行海者坐而至越，有舟也；～。秦越远途也，安坐而至者，械也"。

行小忠，则大忠之贼也

见《韩非子·十过》。

行母而索敬，君弗得臣

见《马王堆汉墓帛书·称》。全句为："行曾而索爱，父弗得子；～"。

行天莫如龙，行地莫如马

见南朝·宋·范晔《后汉书·马援传》。

行不合趋不同，对门不通

见汉·刘安《淮南子·说山》。全句为："行合趋同，千里相从；～"。

行不知所之，居不知所为

见《庄子·庚桑楚》。全句为："～，与物委蛇而同其波，是卫生之经已"。

行不逮则退，不以诬持禄

见《晏子春秋·内篇问下第十八》。

行不期闻也，信其义而已

见宋·王安石《宝文阁侍制常公墓表》。全句为："学不期言也，正其行而已；～"。

行可兼知，而知不可兼行

见清·王夫之《尚书引义·说命中》。

行事在审己，不必恤浮议

见《二程集·河南程氏粹言》。全句为："～，恤浮议而忘审己，其心驰矣"。

行年五十而知四十九年非

见汉·刘安《淮南子·原道》。

行兵于井底，游步于牛蹄

见晋·陈寿《三国志·魏书·明帝纪》。

行峻而言厉，心醇而气和

见唐·韩愈《答尉迟告书》。全句为："本深而末茂，形大而声宏，～"。

行行循归路，计日望旧居

见晋·陶潜《庚子岁五月中从都还阻风于规林二首》之一。

行海者坐而至越，有舟也

见《慎子》。全句为："～；行陆者立而秦，有车也。秦越远途也，安坐而至者，械也"。

行不修而欲谈人，人不听也

见《尸子·恕》。全句为："射不善而欲教人，人不学也；～"。

行非常之事，乃有非常之功

见晋·陈寿《三国志·魏书·董昭传》。

行高人自重，不必其貌之高

见宋·袁采《袁氏世范》。全句为："～；才高人自服，不必其言之高"。

行者见罗敷……但坐观罗敷

见汉乐府古辞《陌上桑》。删节处为："下担捋髭须；少年见罗敷，脱帽著帩头；耕者忘其耕，锄者忘其锄，来归相怨怒"。

行于所当行，止于所不可不止

见宋·苏轼《与谢民师推官书》。

行前定则不疚，道前定则不穷

见《礼记·中庸》。全句为："言前定则不跲，事前定则不困，～"。

行莫大乎无过，事莫大乎无悔

见《荀子·议兵》。

行行若萦春蚓，字字如绾秋蛇

见唐·房玄龄《晋书·王羲之传》。

行赏不遗仇雠，用戮不违亲戚

见晋·陈寿《三国志·魏书·武文世王公传》。

行患不能成，无患有司之不公

见唐·韩愈《进学解》。

行远者假于车，济江海者因于舟

见汉·桓宽《盐铁论·贫富》。

行身亦然，无涤垩之地则寡非矣

见《韩非子·说林下》。全句为："宫有垩，器有涤，则洁矣。～"。

行无行，攘无臂，扔无敌，执无兵

见《老子》六十九。

行发于身加于人，言发乎迩见乎远

见唐·韩愈《省试颜子不贰过论》。

行险者不得履绳，出林者不得直道

见汉·刘安《淮南子·缪称》。

行宫见月伤心色，夜雨闻铃肠断声

见唐·白居易《长恨歌》。

行贤而去自贤之行，安往而不爱哉

见《列子·黄帝》。

行未固于无非，而急求名者，必铿也

见汉·刘安《淮南子·诠言》。

行一棋不足以见智，弹一弦不足以见悲

见汉·刘安《淮南子·说林》。

行于世间，目不随人视……鼻不随人气

见唐·元结《心规》。删节处为："耳不随人听，口不随人语"。

行不贵苟难，说不贵苟察，名不贵苟传

见《荀子·不苟》。

行己莫如恭，自责莫如厚，接众莫如宏

见唐·李翱《答朱载言书》。全句为："～，用心莫如直，进道莫如勇，受益莫如择友，好学莫如改过"。

行不诚义，动不缘义，俗虽谓之通，穷也

见《吕氏春秋·离俗览·高义》。全句为："君子之自行也，动必缘义，行必诚义，俗虽谓之穷，通也；～；然则君子之穷通，有异乎俗者也。"

行货赂，趣势门，立私废公，比周而取容

见汉·刘安《淮南子·泰族》。全句为："～，曰孔子之术也"。

行路难，不在水不在山，只在人情反覆间

见唐·白居易《太行路》。

行一不义，杀一不辜，而得天下，皆不为也

见《孟子·公孙丑上》。

行与义乖，言与法违，后虽无害，汝可以悔

见唐·韩愈《五箴》。

行不如止，直不如曲，进不如退，可以安吉

见汉·焦赣《易林·否·泰》。

行己有耻，使于四方，不辱君命，可谓士矣

见《论语·子路》。

行之乎仁义之途，游之乎《诗》、《书》之源

见唐·韩愈《答李翊书》。全句为："～，无迷其途，无绝其源，终吾身而已矣"。

行世者必真，悦俗者必媚，真久必见，媚久必厌

见明·袁宏道《行素园存稿引》。

行不充于内，德不备于人，虽盛其服，文其容，民不尊也

见宋·欧阳修《章望之字序》。

❷强行者有志／百行以德为首／风行水上，涣／多行无礼必自及／多行不义必自毙／马行十步九回头／数行家信抵千金／先行其言而后从之／天行不信，不能成岁／不行其野，不违其马／可行必守，有弊必除／临行而思，临言而择／久行伤筋，久坐伤肉／疑行无名，疑事无功／疑行无成，疑事无功／但行好事，莫问前程／地行不信，草木不大／宜行则行，宜止则止／威行如秋，仁行如春／朝行出攻，暮不夜归／风行草偃，其势必然／舟行若穷，忽又无际／言行者，治身之狱也／非行之难也，终之难也／难行之言，当有所必行／节行失之，终身不可得／所行之策，常主于权谋／言行相诡，不祥莫大焉／一行书不读，身封万户侯／天行健，君子以自强不息／以行实为先，以才用为急／仁行而从善，义立则俗易／人行明镜中，鸟度屏风里／邪行亡乎体，违言不存口／操行有常贤，仕宦无常遇／启行之辞，逆萌中篇之意／行行循归路，计日望旧居／德行广大，而守以恭者荣／道行之而成，物谓之而然／风行常有地，云出本多峰／天行

其所行，而万物被其利／论行而结交者，立名之士也／志行万里者，不中道而辍足／德行宽裕，守之以恭者，荣／大行不顾细谨，大礼不辞小让／行行若萦春蚓，字字如绾秋蛇／德行修逾八百，阴功积满三千／自行束修以上，吾未尝无诲焉／其行公正无邪，故谗人不得入／天行有常，不为尧存，不为桀亡／法行于贱而屈于贵，天下将不服／情行合而名副之，祸福不虚至矣／太行之路能摧车，若比人心是坦途／常行于所当行，常止于所不可不止／君行仁政，斯民亲其上，死其长矣／徐行不记山深浅，一路莺啼送到家／身行顺，治事公，故国无阿党之议／夜行者能无为奸，不能禁狗使无吠己／能行之者未必能言，能言之者未必能行／宵行者，能无为奸，而不能令狗无吠己／风行水上之文，决不在于一字一句之奇／臣行君道则灭其身，君行臣事则伤其国／言行，君子之所以动天地也，可不慎乎／夜行者掩目而前其手，涉水者解其马载之舟／言行，君子之枢机；枢机之发，荣辱之主也／争行义乐用与争为不义竞不用，此其为祸福也／水行者表深，使人无陷；治民者表乱，使人无失／有行之士，未必能进取；进取之士，未必能有行也／操行有常贤，仕官无常遇，贤不贤才也，遇不遇时也／口行相反，而欲贤者之至，不肖者之退也，不亦难乎／不行王政云尔；苟行王政，四海之内皆举首而望之，欲以为君

❸令则行，禁则止／圣人行不言之教／孤立行一意而已／文顾行，行顾文／私情行而公法毁／私道行则法度侵／一日行善，天下归仁／三人行，必有我师焉／天下行之，不闻不足／天马行空而步骤不凡／声华行实，光映儒林／遗生行义，视死如归／道不行，乘桴浮于海／礼以行之，逊以出之／作而行之，谓之士大夫／道通行天地……不危殆／身不行道，不行于妻子／人生行乐耳，须富贵何时／报国行赴难，古来皆共然／尚德行者，必无凶险之类／君子行正气，小人行邪气／君子行法，以俟命而已矣／知是行之始，行是知之成／王者行躁疾，则失其君位／有一行而可常履者，正也／文以行为本，在先诚其中／料得行吟者，应怜长叹人／自顾行何如，毁誉安足论／訾我行者，欲与我友者也／才高行洁，不可保以必尊贵／事之行也有势，其成也有气／功成行满之士，要观其末路／君子行义，不为莫知而止休／赋敛行赂不足以当三军之费／信义行于君子，刑戮施于小人／令不行而禁不止，则无以为治／苟余行之不迷，虽颠沛其何伤／知是行的主意，行是知的工夫／法令行则国治，法令弛则国乱／赏不行，则贤者不可得而进也／羞善行之不修，恶善名之不立／凡人行事，年少立身，不可不慎／法大行，则是为公是，非为公非／引笔行墨，快意累累，意尽便止／罚不行，则不肖者不可得而退也／世间行乐亦如此，古来万事东流水／事难行，故要敏；言易出，故要慎／利则行之，害则舍之，疑则少尝之／行无行，攘无臂，扔无敌，执无兵／老来行路先愁远，贫里辞家更觉难／小人……行一日之善，而求终身之誉／尧舜行德则民仁寿；桀纣行暴则民鄙夭／水之行避高而趋下，兵之形避实而击虚／如不行道，足以丧身，不举贤，足以亡国／凡事行，有益于理者立之，无益于理者废之／不躬行，便如水行得车，陆行得舟，一毫受用不得

❹文顾行，行顾文／言必信，行必果／君子之行仁也无厌／学至于行之而止矣／是非所行而行所非／上无骄行，下无谄德／不矜细行，终累大德／正身直行，众邪自息／千里之行，始于足下／乘兴而行，兴尽而返／乱政亟行，所以败也／令一则行，推诚则化／令之不行，禁之不止／危言危行，独立不回／圣人于行藏之间……／地有远行，无有不至／懿德茂行，可以励俗／法之不行，自上犯之／法之不行，自于贵戚／宜行则行，宜止则止／时至弗行，反受其殃／赏不空行，罚不虚出／政令不行，上下相怨／文武俱行，威德乃成／然诺不行，政乱无绪／用之则行，舍之则藏／言不顾行，行不顾言／与害偕行兮，以死自绕／仁者之行道也，无为也／修身絜行，言必由绳墨／圣人之行道也，无强也／大道之行也，天下为公／君子能行是，不能御非／强恕而行，求仁莫近焉／文武并行，则天下从矣／不涉太行险，谁知斯路难／非非者行是，恶恶者行善／直己而行道者，好义者也／侧足无行径，荒畴不复田／令在必行，不当徒为文具／禽兽之行而欲人之善己也／计功而行赏，程能而授事／莫道人行早，还有早行人／君子以行言，小人以舌言／清高之行，显示衰乱之世／寡欲则行清，多欲则神浊／寥落古行宫，宫花寂寞红／房栊无行迹，庭草萋以绿／施施而行，漫漫而游……／大略如行云流水，初无定质／望夫处……行人归来石应语／战如守，行如战，有功如幸／举凶器，行凶德，犹不得已也／刻意则行不肆，牵物则其志流／大丈夫行事，论是非不论利害／惟有才行是任，岂以新旧为差／居同乐，行同和，死同哀……／阴阳五行，循环错综，升降往来／圣人亦行其所行，而百姓被其利／积德累行，不知其善，有时而用／臣以能行为能，君以能赏罚为能／以救时行道为贤，以犯颜纳说为忠／率性而行谓之道，得其天性谓之德／动民以行不以言，应天以实不以文／坐地日行八万里，巡天遥看一千河／闻善而行之如争，闻恶而改之如仇／教化之行，引中人而纳于君子之涂／圣人不行而知，不见而明，不为而成／圣人

之行法也，如雷霆之震草木……／大丈夫行事当磊磊落落，如日月皎然／不足于行者，说过；不足于信者，诚言／仁义之行，唯且无诚，且假乎禽贪者器／君子计行虑义；小人计行其利，乃不利／知善不行者谓之狂，知恶不改者谓之惑／轻死以行礼谓之勇，诛暴不避强谓之力／特立独行，适于义而已，不顾人之是非／或安而行之，或利而行之，或勉强而行之／人才之行，自昔罕全，苟有所长，必有所短／人之才行，自昔罕全，苟有所长，必有所短／处若忘，行若遗，俨乎其若思，茫乎其若迷／日月之行，若出其中；星汉灿烂，若出其里／用之则行，舍之则藏，进退无主，屈申无常／圣人之行虽不必同，然其要归，在洁其身而已／道之不行也，我知之矣，知者过之，愚者不及也／天有五行：一曰木，二曰火，三曰土，四曰金，五曰水／视听言行，循礼法而动，所以教人忘嗜欲而归性命之道也／君子之行者有二焉；其未发也，慎而已矣，其既发也，义而已矣

❺三思而后行／不得已而行之／至人不留行焉／艺可学而行可力／口言之，躬行之／君子以果行育德／言不信者行不果／言有物而行有格／言有物而行有恒／放于利而行，多怨／非知之艰，行之惟艰／非知之难，行之惟艰／为者常成，行者常至／论则贱之，行则下之／志在兼济，行在独善／知之非难，行之不易／行善则昌，行恶则亡／情系于中，行形于外／学而不能行，谓之病／心如虎狼，行如禽兽／言无阴阳，行无内外／言不可失，行不可亏／言不顾行，行不顾言／言而无文，行之不远／言之无文，行而不远／言之无文，行之不远／言之不文，行之不远／言之非难，行之为难／言思乃出，行详乃动／知之而不行，虽敦必困／得道不得行，咎殃且亡／涉长道后行未息，可击／不悲道难行，所悲累身修／不言而教行，何为而不威／非其人而行之，则为大害／非其道而行之，虽劳不至／俯于逵，惟行旅讴吟是采／务言而缓行，虽辩必不听／大圣之所行，不慕人所主／口言善，身行恶，国妖也／得其人而行之，则为大利／治平尚德行，有事赏功能／道固不小行，德固不小识／威与信并行，德与法相济／本立而道行，本伤而道废／赏不可妄行，恩不可妄施／所荣者善行，所耻者恶名／舟非水不行，水入舟则没／其生也天行，其死也物化／天行其所行，而万物被其利／为朝露之行，而思传世之功／能读不能行，所谓两足书橱／枳棘当道，行者过之而必诘／有高人之行者，固见负于世／顺大道而行者，救天下者也／为善与众行之，为巧与众能之／知往日所行之非，则学日进矣／行于所当行，止于所不可不止／学者贵于行之，而不贵于知之／安民可与行义，而危民易与为非／威严不先行于己，则人怨而不服／有必不可行之事，不必妄作经营／言无常是，行无常宜者，小人也／莫见长安行乐处，空令岁月易蹉跎／处屯而必行其道，居陋而不改其度／于其所达，行之终身，有不能至者矣／智如泉源，行可以为表仪者，人师也／人生不得行胸怀，虽寿百岁，犹为夭也／君子富，好行其德；小人富，以适其力／知道而不行，知贤而不举，甚乎穿窬也／道虽迩，不行不至；事虽小，不为不成／忠者不饰行以侥荣，信者不食言以从利／法令之不行、万民之不治，贫富之不齐也／师不欲久，行不欲远，守少则固，力专则强／非知之难，行之惟难；非行之难，终之斯难／书以言事，行上行下，平行往复，统谓之书／居知所为，行知所之，事知所秉，动知所由／言无常信，行无常贞……若是则可谓小人矣／思在言与行之先，思无邪，则所言所行皆无邪矣／君子之自行也，动必缘义，行必诚义，俗虽谓之穷，通也

❻讷于言，敏于行／力术止，义术行／幼而学，壮而行／拂水飘绵送行色／是非所行而行所非／高山仰止，景行行止／小识伤德，小行伤道／庸言之信，庸行之谨／威行如秋，仁行如春／朝吐面誉，暮行背毁／非闻道难也，行之难也／士虽有学，而行为本焉／知足者富，强行者有志／威之以法，法行则知恩／身不行道，不行于妻子／上材之人能行人所不能行／上有命而未行，则吏先之／以迈往之气，行正大之言／尝甘以为苦，行非以为是／吾道亦如此，行之贵日新／知是行之始，行是知之成／行天莫如龙，行地莫如马／闻道有蚤莫，行道有难易／覆水不可收，行云难重寻／言重则有法，行重则有德／言处飞龙前，行在跛鳖后／言轻则招忧，行轻则招辜／言者志之苗，行者文之根／可言也不可行，君子弗言也／子以四教：文、行、忠、信／有其言，无其行，君子耻之／博爱之谓仁，行而宜之之谓义／察其言，观其行，而善恶彰焉／赏罚不可轻行，用人弥须慎择／蛇无头而不行，鸟无翅而不飞／至德之世，其行填填，其视颠颠／维圣哲以茂行兮，苟得用此下土／生来不读半行书，只把黄金买身贵／人生莫作远行客，远行莫成黄沙碛／谁怜爱国千行泪，说到胡尘意不平／常行于所当行，常止于所不可不止／君子直道而行，知必屈辱而不避也／细推物理须行乐，何用浮名绊此身／贤者任重而行恭，知者功大而词顺／方其知之，而行未及之，则知尚浅／听其言，迹其行，察其所能而慎予官／时止则止，时行则行；动静不失其时／出无谓之言，行不必为之事，不如其已／古者以仁义行法律，后世以法律行仁义／负者歌于途，行者休于树……滁人游

也／君子遵道而行，半途而废，吾弗能已矣／守道而忘势，行义而忘利，修德而忘名／百川朝海，流行不止。道虽辽远，无不到者／士之特立独行，适于义而已，不顾人之是非／从山阴道上行，山川自相映发，使人应接不暇／教明于上，化行于下，民有耻心，则何盗之为／君子居必仁，行必义，反仁义而福，君子不有也／居者有余蓄，行者有余资……可谓有治天下之效

❼过桥人似鉴中行／事曲则谄意以行赇／非吾当，虽利不行／下有直言，臣之行也／变化者，存乎运行也／高山仰止，景行行止／声振林木，响遏行云／恭为德首，慎为行基／慎而思之，勤而行之／非知之难，其在行之信／从政有经，而令行为上／问与学，相辅而行者也／效小节者，不能行大威／所加于人，必可行于己／禁胜于身，则令行于民／博学而不穷，笃行而不倦／伟才任于鄙识，行之缺也／说得一丈，不如行取一尺／说得一尺，不如行取一寸／知焉，未可以得行之效也／知之之要，未若行之之实／庸言必信之，庸行必慎之／法立而不犯，令行而不逆／孤举者难起，众行者易趋／有一言而可常行者，恕也／才高乎当世，而行出乎古人／正直者顺道而行，顺理而言／发号出令以下行，期悦人意／将当以勇为本，行之以智计／世所相信，在能行，不在能言／养性之道：莫久行、久坐……／声无小而不闻，行无隐而不形／小谨者无成，訾行者不容于众／口不能言，身能行之，国器也／口能言之，身能行之，国宝也／知是行的主意，行是知的工夫／根深而枝叶茂，行久而名誉远／时有薄而厚施，行有失而惠用／智莫大于阙疑，行莫大于无悔／心如天地者明，行如绳墨者章／意莫下于刻民，行莫贱于害民／意莫高于爱民，行莫厚于乐民／言则称于汤文，行则譬于狗豨／原浊者流不清，行不信者名必耗／冈陵起伏，草木行列，烟消日出／圣人亦行其所行，而百姓被其利／君子得时则大行，不得时则龙蛇／物之待饰而后行者，其质不美也／敌人远来新至，行列未定，可击／天不言而四时行，地不语而百物生／不依古法但横行，自有云雷绕膝生／飞蓬遇飘风而行千里，乘风之势也／真知即所以为行，不行不足谓之知／仕鄙在时不在行，利害在命不在智／论士必定于志行，毁誉必参于效验／德薄者恶闻美行，政乱者恶闻治言／车辚辚，马萧萧，行人弓箭各在腰／忠言逆耳利于行，毒药苦口利于病／孔子曰：德之流行，速于置邮而传命／何等为善？身正行、口正行、意正行／观古人，得其时行其道，则无所为书／法莫大于私不行，功莫大于使民不争／书者，皆所为不行乎今而行乎后世者也／好学近乎知，力行近乎仁，知耻近乎勇／所守者道义，所行者忠信，所惜者名节／力能过人，勇能行之，而智不能断事……／德人者，居无思，行无虑，不藏是非善恶／其身正，不令而行；其身不正，虽令不从／天何言哉？四时行焉，百物生焉，天何言哉／书以言事，行上行下，平行往复，统谓之书／尽者情露，好人行尽于人，而不能纳人之径／直者性奋，好人行直于人，而不能受人之讦／旦为朝云，暮为行雨。朝朝暮暮，阳台之下／其所善者，吾则行之；其所恶者，吾则改之／其有法者以法行，无法者以类举，听之尽也／风化者，自上而行于下者也，自先而施于后者／不躬行，便如水行得车，陆行得舟，一毫受用不得／以不忍人之心，行不忍人之政，治天下可运之掌上／君子之道，辟如行远，必自迩；辟如登高，必自卑／君子所性，虽大行不加焉，虽穷居不损焉，分定故也／上士闻道，勤而行之；中士闻道，若存若亡；下士闻道，大笑之

❽上下不和，令乃不行／不塞不流，不止不行／不患不知，患在不行／未知事实，不可虚行／吏无避忌，白昼肆行／非法不言，非道不行／民多讳言，君有骄行／十羊九牧，其令难行／使人以心，应言以行／修身践言，谓之善行／人不读书，其犹夜行／人之好我，示我周行／令在必信，法在必行／企者不立，跨者不行／动则三思，虑而后行／知无不言，言无不行／流沫成轮，然后徐行／进不失廉，退不失行／贱不害智，贫不妨行／福无双至，祸不单行／文之细大，视道之行止／跛能履，不足以与行也／君子行正气，小人行邪气／问其名则是，校其行则非／学不期言也，正其行而已／政者，口言之，身必行之／蚯蚓霸一穴，神龙行九天／观天之道，执天之行，尽矣／公义不亏于上，私行不失于下／圣人处无为之事，行不言之教／美言可以市尊，美行可以加人／口能言之，身不能行，国用也／性通乎气之外，命行乎气之内／好以智矫法，时以行杂公……／威立则恶者惧，化行则善者劝／日莫途远，吾故倒行而逆施之／恶言不出于口，邪行不及于己／镞矢之疾，而有不行不止之时／不学者，虽存，谓之行尸走肉耳／剑不徒断，车不自行，或使之也／行贤而去自贤之行，安往而不爱哉／道非难知，亦非难行，患人无志耳／日月五星逆天而行，并包乎地者也／思虑熟则得事理，行端直则无祸害／业精于勤荒于嬉，行成于思毁于随／立当青草人先见，行傍白莲鱼未知／太平之时，必须才行俱兼，始可任用／奸人诈而好名，其行事有酷似君子处／时止则止，时行则行；动静不失其时／怀重宝者不以夜行，任大功者不以轻敌／聆其善言，观其善行，足以资吾之未逮／言满天下，无口过；行满天下，无怨恶／大人者，言不必信，行不必果，

惟义所在／无稽之言，不见之行，不闻之谋，君子慎之／历危乘险，匪杖不行，车耆力竭，匪杖不强／迷阳迷阳，无伤我行；却曲却曲，无伤吾足／见危授命，士之美行；褒善录功，国之令典／胡风动地，朔雁成行；拔剑登车，慷慨而别／以明自察，量力而行，不失其所，必获久长矣／凡治国令其民争行义也，乱国令其民争为不义也／争让之礼，尧桀之行，贵贱有时，未可以为常也／有留死一尺，无北行一寸。刎颈不易，九裂不恨／君子小人本无常，行善事则为君子，行恶事则为小人／君自为诈，欲臣下行直，是犹源浊而望水清，理不可得／不行王政云尔；苟行王政，四海之内皆举首而望之，欲以为君

❾君子耻其言而过其行／廉洁而不为异众之行／凡有怪征者，必有怪行／难行之言，当有所必行／法之功，莫大使私不行／进退无仪，则政令不行／赏罚不信，则禁令不行／爱利之心谕，威乃可行／文犹可长用，武难久行／一朝权入手，看取令行时／非非者行是，恶恶者行善／仍怜故乡水，万里送行舟／人生天地间，忽如远行客／人生如逆旅，我亦是行人／莫道人行早，还有早行人／君子尚消息盈虚，天行也／度德而处之，量力而行之／进取之士，未必能有行也／水清迎过客，霜叶落行舟／不曲道以媚时，不诡行以徼名／凡克己以济民，皆力行而不悔／择可言而后言，择可行而后行／慎于言者不哗，慎于行者不伐／用贤者，口也；却贤者，行也／天下兴学取士，先德行不专文辞／倦立而思远，不如速行之必至也／弊政之大，莫若贿赂行而征赋乱／君子以多识前言往行，以畜其德／强己才之所不逮，是行舟于陆也／昭昭乎如揭日月而行，故不免也／方者，内外相应也，言行相称也／临喜临怒看涵养，群行群止看识见／真知即所以为行，不行不足谓之知／人生莫作远行客，远行莫戍黄沙碛／今所任用，必须以德行、学识为本／潭西南而望，斗折蛇行，明灭可见／明法制，去私恩，令必行，禁必止／悬牛头，卖马脯；盗跖行，孔子语／禁之以制，而身不先行，民不能止／目者，心之符也；言者，行之指也／知天乐者，其生也天行，其死也物化／终日写路程而不能行一步，徒知无益也／礼之始作也难而易行，既行也易而难久／言无法度不出于口，行非公道不萌于心／言非法度不出于口，行非公道不萌于心／其处上也，足以明政行教，不以威天下／为学无间断，如流水行云，日进而不已也／博闻强识而让，敦善行而不怠，谓之君子／或安而行之，或利而行之，或勉强而行之／号令烦而不信，赏罚行而不当，则天下不服／君子之为言也，度可行于己，然后可责于人／居不主奥，坐不中席，行不中道，立不中门／歌曲弥妙，和者弥寡；行操益清，交者益鲜／言不中法者，不听也；行不中法者，不高也／言出于己，不可塞也；行发于身，不可掩也／子贡问君子。子曰："先行，其言而后从之"。／老而学者，如秉烛夜行，犹贤乎瞑目而无见者也／君子防悔尤，贤人戒行藏，嫌疑远瓜李，言动慎毫芒

❿君子欲讷于言而敏于行／上材之人能行人所不能行／疑道不可由，疑事不可行／乱世惟求其才，不顾其行／但有路可上，更高人也行／只因神倒运，常恐鬼胡行／令苛则不听，禁多则不行／号令不虚出，赏罚不滥行／行可兼知，而知不可兼行／此身傥未死，仁义尚力行／明德虽明，终假言而荣行／有名而无实，则其名不行／患足已不学，既学患不行／砥厉名号者，不以利伤行／舟如空里泛，人似镜中行／不为难易变节，安危革行也／不耻身之贱，而愧道之不行／流水之为物也，不盈科不行／富贵不归故乡，如衣绣夜行／比目之鱼，不相得则不能行／天道乱，而日月星辰不得其行／世不患无法，而患无必行之法／百言百当，不如择趋而审行也／事有不当民务者，皆禁而不行／儒者口能言治乱，无能以行之／今吾于人也，听其言而观其行／力能则进，否则退，量力而行／若力能过人，而勇不能行……／薄身厚民，故聚敛之人不得行／大胆天下去得，小心寸步难行／折狱而是也，理益明，教益行／择可言而后言，择可行而后行／君子不为小人之匈匈也，辍行／善万物之得时，感吾生之行休／得饶人处且饶人，退步行最稳／慎是护身之符，谦是百行之本／始吾于人也，听其言而信其行／时不可以苟遇，道不可以虚行／神越者其言华，德荡者其行伪／慈石能引铁，及其于铜则不行／自责以人则易为，易为则行苟／无财之谓贫，学而不能行之谓病／不到长城非好汉，屈指行程二万／为治者不在多言，顾力行何如耳／以仁为恩，以义为理，以礼为行／公却是仁发处，无公则仁行不得／能有名誉者，必无以趋行求者也／大丈夫以正大立心，以光明行事／大夫以君命出，闻丧徐行而不返／善为师者，既美其道，有慎其行／善者能使敌卷甲趋远，倍道兼行／赏罚者，不在于必重而在于必行／盗贼之心必托圣人之道而后可行／下之事上也，不从其令，从其所行／天下之大乱，由虚文胜而实行衰也／不敢妄为些子事，只因曾读数行书／向来枉费推移力，此日中流自在行／为天下及国，莫如以德，莫如行义／为之无益于义而为之，此行之秽也／良药苦口利于病，忠言逆耳利于行／做到私欲净尽，天理流行，便是仁／人主以狗彘畜人者，人亦狗彘其行／合之者善，可以为法，因世而权行／论先后，知为先；论轻重，行为重／志不强者智不达，言

不信者行不果／大抵学问只有两途，致知力行而已／大德之人不随世俗，所行独从于道／常将冷眼看螃蟹，看你横行得几时／君子居易以俟命，小人行险以徼幸／得众而不得其心，则与独行者同实／须知三绝韦编者，不是寻行数墨人／闭门觅句非诗法，只是征行自有诗／沉于乐者洽于忧，厚于味者薄于行／清明时节雨纷纷，路上行人欲断魂／进退天下士大夫，不惟其才惟其行／纵令然诺暂相许，终是悠悠行路心／纸上得来终觉浅，绝知此事要躬行／明好恶而定去就，崇敬让而民兴行／水真绿净不可唾，鱼若空行无所依／贵者负势而骄人，才士负能而遗行／教子弟求显荣，不如教子弟立品行／胆欲大而心欲小，智欲圆而行欲方／胆欲大，心欲小；智欲圆，行欲方／禅堂茶散卷残经，竹杖芒鞋信脚行／心欲小而志欲大，智欲员而行欲方／鸟同翼者而聚居，兽同足者而俱行／自叹犹为折腰吏，可怜骢马路傍行／其文约，其辞微，其志洁，其行廉／一天下者，令于天下则行，禁焉则止／万物并育而不相害，道并行而不相悖／世之人不知至理之所在也，迷而妄行／生有厚利，死有遗教，此盛君之行也／博学而日参省乎己，则知明而行无过／何等为善？身正行、口正行、意正行／凡权重者必谨于事，令行者必谨于言／能之为能之，不能为不能，行之要也／观逐者于其反也，而观行者于其终也／君子寡欲则不役于物，可以直道而行／渚寒烟淡，棹移人远，缥缈行舟如叶／是故德之所施者博，则威之所行者远／礼，天之经也，地之义也，民之行也／立法之大要……邪人痛其祸而悔其行／立法设禁而无刑以待之，则令而不行／天地之间空虚，和气流行，故万物自生／不法法，则事毋常；法不法，则令不行／尧舜行德则民仁寿；桀纣行暴则民鄙夭／垂大名于万世者，必先行之于纤微之事／良药苦口而利于病，忠言逆耳而便于行／良药苦口而利于病，忠言逆耳而利于行／书者，皆所为不行乎今而行乎后世者也／古者以仁义行法律，后世以法律行仁义／从道不从君，从义不从父，人之大行也／能行之者未必能言，能言之者未必能行／圣王者不贵义而贵法，法必明，令必行／声应气求之夫，决不在于寻行数墨之士／大名垂于万世者，必先行之于纤微之事／抱不世之才，特立而独行，道方而事实／君子不言，言必有中，不行，行必有称／君子计行虑义；小人计行其利，乃不利／法立，有犯而必施；令出，惟行而不返／慎尔言，将有和之；慎尔行，将有随之／耻辱者，勇之决也；立名者，行之极也／有阴德者必有阳报，有隐行者必有昭名／礼之始作也难而易行，既行也易而难久／竭诚则吴越为一体，傲物则骨肉为行路／臣行君道则灭其身，君行臣事则伤其国／不学自知，不问自晓，古今行事未之有也／卑而言高，能言而不能行者，君子耻之矣／圣人和之以是非而休乎天钧，是之谓两行／若夫以火能焦木也，因使销金，则道行矣／国家剩得数百万贯钱，何如得一有才行人／纵有良法美意，非其人而行之，反成弊政／或安而行之，或利而行之，或勉强而行之／聪明者，英之分也，不得雄之胆则说不行／群居终日，言不及义，好行小慧，难矣哉／一卒毕力，百人不当；万夫致死，可以横行／一人之毁，未必有信；积年之行，不应顿亏／一噎之故，绝谷不食；一蹶之故，却足不行／于戏君子，人不厌之，死虽千岁，其行可师／天地之化，盈虚消息，往过来续，流行古今／正则用之，邪则去之，是则行之，非则改之／非知之难，行之惟难；非行之难，终之斯难／长桥卧波，未云何龙？复道行空，不霁何虹／以饱待饥，以逸击劳；师不欲久，行不欲远／以贼其身，乃丧其躯，其行如此，是谓大忘／以物与人，物尽而止；以法活人，法行无穷／书以言事，行上行下，平行往复，统谓之书／十室之邑，必有忠信；三人并行，厥有我师／博学之，审问之，慎思之，明辨之，笃行之／人之立身，所贵者惟在德行，何必要论荣贵／人影在地，仰见明月，顾而乐之，行歌相答／说者怀畏，听者怀骄，以此行义，不亦难乎／圣人不求誉，不辟诽，正身直行，众邪自息／圣人爱养万民，不以仁恩，法天地，行自然／英以其聪谋始，以其明见机，待雄之胆行之／药酒苦于口而利于病，忠言逆于耳而利于行／君子博学而日参省乎己，则知明而行无过矣／知过非难，改过为难；言善非难，行善为难／知标本者，万举万当；不知标本，是谓妄行／汝若全德，必忠必直；汝若全行，必方必正／居君子之位而为庶人之行者，其患祸必至也／采采卷耳，不盈顷筐。嗟我怀人，置彼周行／日异其能，岁增其智，进如川行，浩浩而遂／赏罚不明，百事不成；赏罚若明，四方可行／政之不中，君之患也；令之不行，臣之罪也／秋天晚晴，碧色如归，横度一鸟，时时行云／年过八十而以居位，譬犹钟鸣漏尽而夜行不休／民安土重迁，不可卒变。易以顺行，难以逆动／但务其华，不寻其实，犹缘木希鱼，却行求前／人主之立法，先自为检式仪表，故令行于天下／合抱之木，生于毫末……千里之行，始于足下／含元一以为质，禀阴阳以立性，体五行而著形／若号令烦而不信，赏罚行而不当，则天下不服／若近细人，不闻教谕，纵欲行善，犹未知所适／法令赏罚者，诚治乱之枢机也，不可不严行也／审自得者失之而不惧，行修于内者无位而不怍／居逆境中，周身皆针砭药石，砥节砺行而不觉／学而不能成其业，用而不能行其学，则非学也／或说听计当而身疏，或言不用、计不行而益亲／一出而不可反者，言也；一见而不可掩者，行也／不为穷变节，不为贱易志；惟仁之处，惟义之行／真则气雄，精则气生，使五彩并用，而气行其中／制国有常，而利民为本；从政有经，而令行为上／动人以言者，其感不深；动人以行者，其应必速／君子省众而动，监戒而谋，谋度而行，故无不济／治国有常，而利民为本；政教有经，而令行为上／思在言与行之先，思无邪，则所言所行皆无邪矣／自太古以来，致理兴化，未有言之不行而能至矣／言发于迩，不可止于远；行存于身，不可掩于名／上不访，下不谏，妇言用，私政行，此亡国之风也／不躬行，便如水行得车，陆行得舟，一毫受用不得／为学为教，用力于讲读者一二，加功于习行者八九／人始入官，如入晦室，久而愈明，明乃治，治乃行／观貌之是非，不若论其心与其行事之可否为不失也／此理在宇宙间，固不以人之明不明、行不行而加损／有行之士，未必能进取；进取之士，未必能有行也／天地之气合而为一，分为阴阳，判为四时，列为五行／地不改辟矣，民不改聚矣，行仁政而王，莫之能御也／君子小人本无常，行善事则为君子，行恶事则为小人／虽有纳谏之明，而无力行之果断，则言愈多而听愈惑／澄潭至清，洞澈见底，往往有群鱼戏，历历如水上行／政如农功，日夜思之，思其始而成其终，朝夕而行之／释正而追曲，倍是而从众，是与俗俪走，而内行无绳／人知出必由户，而不知行必由道。非道远人，人自远尔／学为文章，先谋亲友，得其评裁，知可施行，然后出手／天无私覆也，地无私载也，日月无私烛也，四时无私行也／节民以礼，故其刑罚甚轻而禁不犯者，教化行而习俗美也／君子之自行也，动必缘义，行必诚义，俗虽谓之穷，通也／君子以争途之不可由也，是以越俗乘高，独行于三等之上／君子口无戏谑之言，言必有防；身无戏谑之行，行必有检／威太甚则爱利之心息，爱利之心息而徒疾行威，身必咎矣／君子之求利也略，其远害也早，其避辱也惧，其行道理也勇／不闻不若闻之，闻之不若见之，见之不若知之，知之不若行之／伪乱俗，私坏法，放越轨，奢败制。四者不除，则政未由行矣／能有天下者，必无以天下为也；能有名誉者，必无以趋行求者也／名也者，相轧也；知也者，争之器也，二者凶器，非所以尽行也／鹰扬虎视，齿若编贝，肤如凝脂，昭昭乎若玉山上行，朗然映人／天不得不高，地不得不广，日月不得不行，万物不得不昌，此其道与／体恭敬而心忠信，术礼义而情爱人，横行天下，虽困四夷，人莫不贵

彻

chè 贯通；通达；遵循；剥取；毁坏；完；结束；周代的租赋制度。

❹意贯透彻，不可隔靴搔痒／神姿高彻，如瑶林琼树，自然是风尘外物

❻虹销雨霁，彩彻云衢／不是一番寒彻骨，怎得梅花扑鼻香／不是一番寒彻骨，争得梅花扑鼻香

❾万态虽杂而吾心常彻，万变虽殊而吾心常寂

❿杀人须见血，救人须救彻／易水萧萧西风冷……悲歌未彻／水面上秤锤浮，直待黄河彻底枯／盖吾儒起手便与禅异者，正在彻始彻终总是体用一致耳／李白之文，清雄奔放，名章俊语，络绎间起，光明洞彻，句句动人

役

yì 战争；指强制性无偿劳动；役使；旧时称供使唤的人；从者；门徒；行列；戍守边疆。

❶役其所长，则事无废功

见晋·葛洪《抱朴子·务正》。全句为："～；避其所短，则世无弃材"。

役于人而食其力，可无报耶

见唐·柳宗元《送宁国范明府诗序》。

役一己之聪明，虽圣人不能智

见明·吕坤《呻吟语》。全句为："～；用天下之耳目，虽众人不能愚"。

❷能役英与雄，故能成大业／赋役有定制，兵农有定业，官无虚名，职无废事

❸以身役物，则阴阳食之／吾斯役之不幸，未若复吾赋不幸之甚也

❹君子所役心劳神，宜于大者远者

❺为吏者人役也／尽输助徭役，聊就空自眠

❻圣人不以身役物，不以欲滑和

❼仓禀无宿储，徭役犹未已／仓廪无宿储，徭役犹未已／众寮宜洁白，万役但平均／君子寡欲则不役于物，可以直道而行／功不使鬼必在役人，物不天来终须地出／巧不使鬼必有役人，物不天来终须地出

❽并官省事，静事息役，上下用心，惟农是务

❾尝从人事，皆口腹自役

❿一人之身兼有英雄，乃能役英与雄／尽意而不求于言，信己而不役于人／片言可以明百意，坐驰可以役万里／善为政者，防于未然，均其有无，省其徭役／古者士登乎仕，吏执乎役，禄以报劳，官以授德

彷

①páng［彷徉］亦作"仿佯"、"方羊"、"方洋"；游散，游荡无定。［彷徨］亦作"傍偟"、"仿偟"、"方皇"、"旁皇"；徘徊，游移不定；盘旋；回转。②fǎng"仿"的异体字，相似，好像。

❿嫫母饰姿而夸矜，西子彷徨而无家

征 zhēng 远行；用武力讨伐；征收；寻求；证明；证验；显露出来的迹象；现象。

❶征实则效存，徇名则功浅

见唐·王勃《上刘右相书》。

❷无征不信／无征而言，取不信、启作妄之道也

❸由来征战地，不见有人还／死是征人死，功是将军功／方凭征鞍思往事，数声风笛马前闻／目送征鸿飞杳杳，思随流水去茫茫／衣上征尘杂酒痕，远游无处不消魂

❹上下交征利而国危矣／积善有征，终身无祸／凡有怪征者，必有怪行／天子好征战，百姓不种桑

❻讦也者，直之征也／拘也者，介之征也／战血粘秋草，征尘搅夕阳

❼事以靖民，非以征民／久戍人将老，长征马不肥／军未战先见败征，可谓知兵／博取之象数，远征之古今，以求尽乎理，所谓格物也

❽君子之言，信而有征／意翻空而易奇，言征实而难巧／兵未战而先见败征，此可谓知兵

❿此地一为别，孤蓬万里征／事莫贵乎有验，言莫弃乎无征／弊政之大，莫若贿赂行而征赋乱／库无备兵，虽有义，不能征无义／任是深山更深处，也应无计避征徭／闭门觅句非诗法，只是征行自有诗／笛里谁知壮士心？沙头空照征人骨／汉魏风骨，晋宋莫传，然而文献有可征者／事有古而可以质于今，言有大而可以征于小／秋山的翠，秋江澄空，扬帆迅征，不远千里／既悦其刚，不可非其厉。厉也者，刚之征也／既悦其和，不可非其懦。懦也者，和之征也／貌有不足，敷粉施朱。才有不足，征典求书／心不平平，其平也不平；以不征征，其征也不征／文章道弊五百年矣！汉魏风骨，晋宋莫传，然而文献有可征者

徂 cú 往、到；过去；开始；同"殂"。

❿来生不可忌，已死不可徂

往 wǎng 去；从前，过去；以下；以后；亡失；朝；归向；送致。往来；勾接；量词，犹言遍；马粪；古代井田区划名。

❶往车虽折，而来轸方遒

见南朝·宋·范晔《后汉书·黄琼传》。

往者不可及，来者犹可待

见汉·班固《汉书·晁错传》。

往者不可谏，来者犹可追

见《论语·微子》。

往者余弗及兮，来者吾不闻

见《楚辞·元游》。

往者不可复兮，冀来今之可望

见唐·韩愈《复志赋》。

往者已不及，尚可以为来者之戒

见宋·王安石《答王深甫书》。

往世不可及，来世不可待，求己者也

见《尉缭子·治本》。

往而不来者年也，不可得再见者亲也

见汉·刘向《说苑·敬慎》。

往事越千年，魏武挥鞭，东临碣石有遗篇

见现代·毛泽东《浪淘沙·北戴河》。

❷鉴往可以昭来／革往弊者则政不爽／占往知来，不如朴质／情往似赠，兴来如答／情往会悲，文来引泣／日往月来，星移斗换／既往不咎，来事之师／事往则迹移，岁迁则物换／寒往则暑来，暑往则寒来／知往日所行之非，则学日进矣／俱往矣，数风流人物，还看今朝／古往今来共一时，人生万事无不有／气往轹古，辞来切今，惊采绝艳，难与并能

❸观乎往复，稽中定务／薄言往愬，逢彼之怒／不取往者戒，恐贻来者冤／可与往者与之，至于妙道／以迈往之气，行正大之言／怀既往而不咎，指将来而骏奔／悟已往之不谏，知来者之可追／无所往而不乐者，盖游于物之外也／贫居往往无烟火，不独明朝为子推／诚欲往来言所闻，则仆固愿悉陈中所得者／昔我往矣，杨柳依依；今我来思，雨雪霏霏／礼尚往来，往而不来非礼也，来而不往亦非礼也／追计往时咎过，日夜反覆，无一食而安于口平于心

❹来而不往，亦非礼也／寒来暑往，秋收冬藏／择任而往，知也；知死不辟，勇也／贫居往往无烟火，不独明朝为子推／不可与往者，不知其道，慎勿与之，身乃无咎

❺幽山桂树，往往逢人／大而无当，往而不返／局外之言，往往多中／察消长之往来，辨利害于疑似／予之无所往而不乐者，盖游于物之外也／迷涂知反，往哲是与。不远而复，先典攸高／礼尚往来，往而不来非礼也，来而不往亦非礼也

❻不知来，视诸往／无平不陂，无往不复／历纡理则宕往而疏越／利害俱亡，何往不臧／幽山桂树，往往逢人／道无鬼神，独往独来／局外之言，往往多中／意会心谋，目往神授／瞰其亡也，而往拜之／人事有代谢，往来成古今／谈笑有鸿儒，往来无白丁／来世不可待，往世不可追也／欲知来者察往，欲知古者察今／人世几回伤往事，山形依旧枕江流／方凭征鞍思往事，数声风笛马前闻／吾观之本，其往无穷；吾求之末，其来无止／其来无迹，其往无崖，无门无房，四达之皇皇也

❼奔骥不能及既往之失／惟有道者能以往知来／勿轻一篑少，进往必千仞／寒往则暑来，暑往则寒来／爱出者爱反，福往者福来／其生也莫知，其往也始思／直道而事人，焉往而不三黜／上下四方曰宇，往古来今曰宙／天地四方曰宇，

往古来今曰宙／无咎，弗过，遇之。往厉，必戒／不能手提天下往，何忍身去游其间／借问瘟君欲何往，纸船明烛照天烧／谋而不得，则以往知来，以见知隐

❽天下攘攘，皆为利往／一步未至，则犹不往也／贤者能自反，则无往而不善／大丈夫，千山万水往长远处看／君子以多识前言往行，以畜其德／一阖一辟谓之变，往来不穷谓之通／携来百侣曾游。忆往昔峥嵘岁月稠／明鉴所以照形也，往古所以知今也／春江花朝秋月夜，往往取酒还独倾／人之过也……在于悔往，而不在于怀来

❾劝君莫作亏心事，古往今来放过谁／春江花朝秋月夜，往往取酒还独倾／天地之化，盈虚消息，往过来续，流行古今／澄潭至清，洞澈见底，往往有群鱼戏，历历如水上行

❿久利之事勿为，众争之地勿往／以雄才为己任，横杀气而独往／凡事当留余地，得意不宜再往／徒雄而不英，则智者不归往也／遏悔吝于未萌，验是非于往事／疑今者察之古，不知来者视之往／阴阳五行，循环错综，升降往来／成事不说，遂事不谏，既往不咎／人之生也亦少矣，而岁之往亦速矣／行贤而去自贤之行，安往而不爱哉／浮游，不知所求；猖狂，不知所往／寒暑茫茫兮代谢，故叶新花兮往来／譬如平地，虽覆一篑，进，吾往也／少壮真当努力，年一过往，何可攀援／待士不敬，举士不信，则善士不往焉／待天以困之，用人以诱之。往蹇来返。／听言当以理观，一闻辄以为据，往往多失／书以言事，行上行下，平行往复，统谓之书／春日迟迟，秋风飒飒。情往似赠，兴来如答／无状无象，无声无响，故能无所不通，无所不往／诚则始终不忒，表里一致，敬信真纯，往而必孚／邻国相望，鸡犬之声相闻，民至老死，不相往来／山沓水匝，树杂云合。……情往似赠，兴来如答／礼尚往来，往而不来非礼也，来而不往亦非礼也／今一以天地为大炉，以造化为大冶，恶乎往而不可哉／澄潭至清，洞澈见底，往往有群鱼戏，历历如水上行／古之人观于天地、山川、草木、虫鱼、鸟兽，往往有得

彼

bǐ 他；对方；那个。

❶彼可取而代之

见汉·司马迁《史记·项羽本纪》。

彼一时，此一时也

见《孟子·公孙丑下》。

彼其发短而心甚长

见《左传·昭公三年》。

彼以文词而已者陋矣

见宋·朱熹《近思录·为学类》。

彼，人也；予，人也

见唐·韩愈《原毁》。全句为："～。彼能是，而我乃不能是"。

彼君子兮，不素餐兮

见《诗·魏风·伐檀》。

彼裕我民，无远用戾

见《尚书·洛诰》。

彼能是，而我乃不能是

见唐·韩愈《原毁》。全句为："彼，人也；予，人也。"

彼尸居余气，不足畏也

见唐·杜光庭《虬髯客传》。

彼亦一是非，此亦一是非

见《庄子·齐物论》。

彼美不琢雕，椟中竟何如

见宋·文天祥《题钟圣举积学斋二首》。

彼是而已非，不当与是争

见三国·魏·杂歌谣辞《魏子引谚》。全句为："己是而彼非，不当与非争；～"。

彼是莫得其偶，谓之道枢

见《庄子·齐物论》。全句为："～；枢始得其环中，以应无穷"。

彼无故以合者，则无故以离

见《庄子·山木》。

彼之理非，我之理是，我容之

见《格言联璧·接物》。全句为："彼之理是，我之理非，我让之；～"。

彼之理是，我之理非，我让之

见《格言联璧·接物》。全句为："～；彼之理非，我之理是，我容之"。

彼知颦美，而不知颦之所以美

见《庄子·天运》。

彼汲汲于名者，犹汲汲于利者

见宋·司马光《谏院题名记》。

彼肆其心之所为者，独何人耶

见唐·李翱《复性书下》。全句为："吾之终日志于道德，犹惧未及也。～"。

彼一时也，此一时也，岂可同哉

见汉·班固《汉书·东方朔传》。

彼尧舜之耿介兮，既遵道而得路

见战国·楚·屈原《离骚》。

彼以成败评豪杰者，市儿之见也

见《钱公良测语上·淳风》。

彼兵者，所以禁暴除害也，非争夺也

见《荀子·议兵》。

彼出于是，是亦因彼，彼是方生之说也

见《庄子·齐物论》。

彼为盈虚非盈虚……彼为积散非积散也

见《庄子·知北游》。删节处为："彼为衰杀非衰杀，彼为本末非本末"。

彼寻常之污渎兮,岂能容夫吞舟之巨鱼

见汉·贾谊《吊屈原文》。全句为:"～;横江湖之鳣鲸兮,固将受制于蝼蚁"。

彼民有常性,织而衣,耕而食,是谓同德

见《庄子·马蹄》。全句为:"～;一而不党,命曰天放"。

彼妇之口,可以出走……盖优哉游哉,维以卒岁

见周·孔丘《去鲁歌》。删节处为:"彼妇之谒,可以死败"。

❷凡彼万形,得一后成/取彼谮人,投畀豺虎/知彼知己,百战不殆/沔彼流水,朝宗于海/以彼径寸茎,荫此百尺条/一彼此于胸臆,捐好恶于心想/知彼知己,胜乃不殆;知天知地,胜乃不穷/登彼西山兮采其薇矣,以暴易暴兮不知其非矣

❸利于彼者必耗于此/是亦彼也,彼亦是也/肇允彼桃虫,拚飞维鸟/不知彼,不知己,每战必殆/盛于彼者必衰于此,长于左者必短于右

❹物无非彼,物无非是/比者,以彼物比此物也/己是而彼非,不当与非争/其所知彼也,其所以知此也/诚欲远彼腥膻,而即此清净也/我薄而彼轻之,则由我曲而彼直也/我贤而彼不知,则见轻,非我咎也

❺是亦彼也,彼亦是也/事固有弃彼取此,以权一时之势/不绝之于彼而救之于此,譬犹抱薪而救火

❻凤凰鸣矣,于彼高冈/薄言往愬,逢彼之怒

❼详于此而略于彼/在此为美兮,在彼为蚩

❽寒者愿为蛾,烧死彼华膏/于此有所蔽,则于彼有所见/不可于我而可于彼者,天下无亡/道一而已,此是则彼非,此非则彼是/彼出于是,是亦因彼,彼是方生之说也/彼为盈虚非盈虚……彼为积散非积散也

❾于此有所不足,则于彼有所长/倨傲鲜腆而深折之,彼其能有所忍也/彼出于是,是亦因彼,彼是方生之说也

❿未通乎此,则不敢志乎彼/视家国而取者,则曰救彼涂炭/我薄而彼轻之,则由我曲而彼直也/尽有天,循有照,冥有枢,始有彼/道一而已,此是则彼非,此非则彼是/君子不以功轻人之身,不为彼功诎身之理/己之所无,不以责下;我之所有,不以讥彼/采采卷耳,不盈顷筐。嗟我怀人,置彼周行/天道无为,任物自然,无亲无疏,无彼无此也/敌先我动,则是见其形;彼躁我静,则是罢其力/审内以知外,原小以知大,因我以然彼,明近以喻远

径 jìng 狭长的小路;经过;捷径;副词,表示直接做某事;数学名词,"直径"、"半径"。

❷三径就荒,松菊犹存

❸以我径寸心,从君千里外/以彼径寸茎,荫此百尺条/盈尺径寸,易取琢磨;南箕北斗,难为簸挹

❹适知邪径之速,不虑失道之迷

❺侧足无行径,荒畴不复田/其辞质而径,欲见之者易谕也/名有固善,径易而不拂谓之善名/名有固善,径易而不拂,谓之善名/石称丈量,径而寡失,铢铢而称,至石必谬

❻团扇风轻,一径杨花不避人/良田败于邪径,黄金铄于众口/寻芳者追深径之兰,识韵者探穷山之竹

❿桃李灼灼,不自言于蹊径/求取情状,离绝远去笔墨畦径间/尽者情露,好人行尽于人,而不能纳人之径

待 ①dài 等;需要;对待;将;备;御。②dāi 停留,逗留。

❶待觅个同心伴侣……

见清·洪昇《长生殿·疑谶》。全句为:"～,怅钓鱼人去,射虎人遥,屠狗人无"。

待人当于有过中求无过

见《格言联璧·接物》。全句为:"持己当从无过中求有过;～"。

待万世之利,在今日之胜

见《韩非子·难一》。

待到重阳日,还来就菊花

见唐·孟浩然《过故人庄》。

待士而以敬,则士必居矣

见汉·贾谊《新书·大政下》。全句为:"～;待士而不以道,则士必去矣"。

待士之意周,取人之道广

见宋·欧阳修《颁贡举条制敕》。

待得雪消后,自然春到来

见宋·普济《五灯会元》卷八。

待月西厢下,迎风户半开

见元·王实甫《西厢记》第三本第二折。其后为:"拂墙花影动,疑是玉人来"。

待人者,当于有过中求无过

见《训俗遗规·史播臣愿体集》。全句为:"待己者,当于无过中求有过。～"。

待士而不以道,则士必去矣

见汉·贾谊《新书·大政下》。全句为:"待士而以敬,则士必居矣;～"。

待己者,当于无过中求有过

见《训俗遗规·史播臣愿体集》。全句为:"～;待人者,当于有过中求无过"。

待到山花烂漫时,她在丛中笑

见现代·毛泽东《卜算子·咏梅》。

待小人宜敬,敬心可以化邪心

见清·王永彬《围炉夜话》。全句为:"教小儿

宜严，严气足以平躁气；～”。

待利而后拯溺，人亦必以利溺人矣

见汉·刘安《淮南子·说林》。

待到秋来九月八，我花开后百花杀

见唐·黄巢《菊花》。全句为：“～。冲天香阵透长安，满城尽带黄金甲。”

待士不敬，举士不信，则善士不往焉

见《尸子·明堂》。

待西施、毛嫱而为配，则终身不家矣

见汉·刘安《淮南子·齐俗》。

待天以困之，用人以诱之。往蹇来返。

见《三十六计·调虎离山》。

待人要丰，自奉要约；责己要厚，责人要薄

见《养正遗规》卷下。

❷善待问者如撞钟……／不待卞和显，自为命世珍／不待清明近，莺花已自忙／莫待山阳路，空闻吹笛悲／岂待酒肉罗绮然后为生哉／不待愤悱而发，则知之不能坚固／直待自家都了得，等闲拈出便超然／弓待檠而后能调，剑待砥而后能利／卵待复而为雏，茧待缫而为丝，性待教而为善／不待相见，相信已熟；既相见，不要约，已相亲

❸以虞待不虞者胜／器宝待人而后宝／以计待战，一当万／以逸待劳，取之必也／藏器待时，耻于自献／枕戈待旦，志枭逆虏／以骥待马，则马皆骥也／我生待明日，万事成蹉跎／以逸待劳，兵家之大利也／居常待其尽，曲肱岂伤冲／人必待贤以理，物必待贤以宁／宽以待人，柔能克刚，英雄莫敌／物之待饰而后行者，其质不美也／以饱待饥，以逸击劳；师不欲久，行不欲远／无以待之，则十百而乱；有以待之，则千万若一

❹善攻不待坚甲而克／善守不待渠梁而固／饥者不待美馔而后饱／圣主必待贤臣而弘功业／至贵不待爵，至富不待财／以国士待人者，人亦国士自奋／君子不待褒而劝，不待贬而惩／望时而待之，孰与应时而使之／身之病待医而愈，国之乱待贤而治／知有所待而后当，其所待者特未定也／性虽善，待教而成；性虽恶，待法而消／贤能，不待次而举；罢不能，不待须而废

❺俱收并蓄，待用无遗／藏器于身，待时而动／择之以才，待之以礼／责人以详，待己以廉／以善意相待，无不致快也／人性含灵，待学成而为美／来世不可待，往世不可追也／与其坐而待亡，孰若起而拯之／为己者不待人，制令者不法古／凡语治而待去欲者，无以道欲而困于有欲者也／法虽在，必待圣而后治；律虽具，必待耳而后听／不以众人待其身，而以圣人望于人，吾未见其尊己也

❻君子以直道待人／事由迹彰，功待事立／丽容虽丽，犹待镜以端形／草木贲华，无待锦匠之奇／爱惜芳时，莫待无花空折枝／以不善意相待，无不致嫌隙也／废污池之水，待江海而后救火／寒之于衣，不待轻暖；饥之于食，不待甘旨

❼严于责己，宽以待人／以佚代劳，以饱待饥／贤圣之接也，不待久而亲／赏须功而加，罚待罪而施／先为不可胜，以待敌之可胜／有非常之功，必待非常之人／责己也重以周，待人也轻以约／用兵者，贵以饱待饥，以逸击劳／节物风光不相待，桑田碧海须臾改／欲恶避就，固不待师，此人之性也／路歧之险夷，必待身亲履历而后知／君子藏器于身，待时而动，何不利之有／草木无大小，必待春而后生，人待义而后成／矢之发无能贯，待其止而能有穿；唯止能止众止／清静处下，虚以待之，无为无求，而百川自为来也

❽仓无备粟，不可以待凶饥／君欲自知其过，必待忠臣／老骥思千里，饥鹰待一呼／能者之相见也，不待试而知／沽之哉，沽之哉，我待贾者也／水面上秤锤浮，直待黄河彻底枯／卵待复而为雏，茧待缫而为丝，性待教而为善／今人之性恶，必将待师法然后正，得礼义然后治

❾请日试万言，倚马可待／及时当勉励，岁月不待人／以清俭自律，以恩信待人／先王昧爽丕显，坐以待旦／至贵不待爵，至富不待财／怀道者须世，抱朴者待工／大丈夫所守者道，所待者时／人必待贤以理，物必待贤以宁／圣必藉贤以明，国必待贤以昌／君子不待褒而劝，不待贬而惩／居家自奉宜俭，养亲待客宜丰／不随俗物皆成土，只待良时却补天／常将有日思无日，莫待无时思有时／常将有日思无日，莫待无时想有时／弓待檠而后能调，剑待砥而后能利／时人不识凌云木，直待凌云始道高／觉人之诈而不说破，待其自愧可也／有花堪折直须折，莫待无花空折枝／其责己也重以周，其待人也轻以约／立法设禁而无刑以待之，则令而不行

❿士别三日，即更刮目相待／往者不可及，来者犹可待／无恃其不来，恃吾有以待之／民力尽于无用，财宝虚以待客／圣人深居以避辱，静安以待时／君子之所取者远，则必有所待／和以处众，宽以接下，恕以待人／井梧飞叶送秋声，篱菊绒香待晚晴／事固有难明于一时而有待于后世者／玉在椟中求善价，钗于奁内待时飞／身之病待医而愈，国之乱待贤而治／剪枝去叶，本根俱露，枯槁可立而待／知有所待而后当，其所待者特未定也／往世不可及，来世不可待，求己者也／虎豹无文，则鞟同犬羊……质待文也／性虽善，待教而成；性虽恶，待法而消／用兵者，先为不可胜，以待敌之可胜也／贤能，不待次而举；罢不能，不待须而废／世必有才，随时

所用，岂待……然后为治乎／由是而之焉之谓道，足乎己无待于外之谓德／今之君子则不然，其责人也详，其待己也廉／凡勤学，须是出于本心，不待父母先生督责／六合为巨，未离其内；秋毫为小，待之成体／务进者趋前而不顾后，荣贵者矜己而不待人／圣人之于事，似缓而急，似迟而速，以待时／英以其聪谋始，以其明见机，待雄之胆行之／草木无大小，必待春而后生，人待义而后成／虽有智慧，不如乘势；虽有镃基，不如待时／寒之于衣，不待轻暖；饥之于食，不待甘旨／牛溲马勃，败鼓之皮，俱收并蓄，待用无遗／磨肌戛骨，吐出心肝，企足以待，寘我雠冤／糟糠不饱者不务粱肉，短褐不完者不待文绣／雄以其力服众，以其勇排难，待英之智成之／卵待复而为雏，茧待缫而为丝，性待教而为善／古之君子，其责己也重以周，其待人也轻以约／礼下贤者，日中不暇食以待士，士以此多归之／无以待之，则十百而乱；有以待之，则千万若一／法虽在，必待圣而后治；律虽具，必待耳而后听／贤不肖，善邪辟，可悖逆，国不乱身不危奚待也／见玉而指之曰石，非玉之不真也，待和氏而识焉／天生一人，自有一人之用，不待取给于孔子而后足也／物之美者，盈天地间皆是也。然必待人之神明才慧而见／用兵之法：无恃其不来，恃吾有以待也；无恃其不攻，恃吾有所不可攻也

徊

huái，又读 huí，徘徊。

❾枭骑战斗死，驽马徘徊鸣／月出于东山之上，徘徊于斗牛之间

❿黄鹄一远别，千里顾徘徊／瞻望兮踊跃，伫立兮徘徊／若是若非，执而圆机；独成而意，与道徘徊

徇

xùn 曲从；无原则地服从；环绕；通“殉”，以身从物；对众宣示；占领土地。

❶徇私贪浊……恐惧既多，亦有因而致死

见唐·吴兢《贞观政要·贪鄙》。删节处为：“非止坏公法，损百姓，纵事未发闻，中心岂不常惧?”。

❸列士徇名，贪夫徇财／贪夫徇财，烈士徇名／烈士徇荣名，义士高贞介

❹矫首而徇飞，不如修翼之必获也

❻征实则效存，徇名则功浅／拱默取容，以徇一身之利者，亦当罢而去之

❼列士徇名，贪夫徇财／贪夫徇财，烈士徇名／谋有奇诡，而不徇众情

❽常思奋不顾身以徇国家之急／尽诚可以绝嫌猜，徇公可以弭谗诉

❾思有所至，有身不暇徇也／何者为小人？凡事必徇己之私者是也

❿有其志必成其事，盖烈士之所徇也／大人者，有容物，无去物，有爱物，无徇物／君子怀德，小人怀土；贤士徇名，贪夫死利

衍

yǎn 演化；展延；满溢；盛多；多余；低而平坦之地；山坡；沼泽；抄写刊印中有错而生出多余文字。

❷欲衍则速患，情佚则怨博

❸治则衍及百姓，乱则不足及王公

律

lǜ 法规，法则；约束；律诗，旧诗体裁之一；中国古代测定乐音高低的标准；古代爵命的等第；指佛教中专守戒律者。

❶律己足以服人

见宋·林逋《省心录》。

律设大法，礼顺人情

见南朝·宋·范晔《后汉书·卓茂传》。

律诗要法：起、承、转、合

见元·杨载《诗法家数》。

律者，乐之本也，而气达乎物，凡音之起者本焉

见唐·柳宗元《律》。

❷六律为万事根本

❹不可以律己之律律人／师出以律。否臧，凶／非求宫律高，不务文字奇／动摇文律，宫商有奔命之劳

❺以清俭自律，以恩信待人／诗画本一律，天工与清新／无一定之律，而有一定之妙／予欲闻六律五声八音，在治忽，以出纳五言

❻晚节渐于诗律细

❼不可以律己之律律人／轻财足以聚人，律己足以服人

❽不可以律己之律律人／后生莫晓，更恨文律烦苛／古者以仁义行法律，后世以法律行仁义

❾正身以俟时，守己而律物／异音者不可听以一律，异形者不可合于一体

❿诗言志，歌永言，声依永，律和声／古者以仁义行法律，后世以法律行仁义／法虽在，必待圣而后治；律虽具，必待耳而后听

很

hěn 甚；非常；通“狠”；争讼。

❹猛如虎，很如羊，贪如狼

❿见过不更，闻谏愈甚，谓之很

徒

tú 从师学道艺的人；信仰宗教的人；具有某种特性的人；步行；空的；仅仅。

❶徒手而来者，终年而不获

见宋·苏轼《策别第八》。全句为：“贿赂先至者，朝请而夕得；～”。

徒有排云心，何由生羽翼

见唐·韦应物《谢栎阳令归西郊赠别诸友

生》。

徒英而不雄，则雄材不服也

见三国·魏·刘劭《人物志·英雄》。全句为："～，徒雄而不英，则智者不归往也"。

徒雄而不英，则智者不归往也

见三国·魏·刘劭《人物志·英雄》。全句为："徒英而不雄，则雄材不服也；～"。

徒觉炎凉节物非，不知关山千万里

见唐·骆宾王《从军中行路难二首》之一。

徒恶之而不去其得之之道，不能免也

见宋·朱熹《四书集注·孟子·公孙丑上》。全句为："好荣恶辱，人之常情。然～"。

徒知伪得之中有真失，殊不知真得之中有真失

见《关尹子·九药》。全句为："～；徒知伪是之中有真非，殊不知真是之中有真非"。

徒知伪是之中有真非，殊不知真是之中有真非

见《关尹子·九药》。全句为："徒知伪得之中有真失，殊不知真得之中有真失；～"。

❷视徒如己，反己以教，则得教之情

❸世事徒惊日月新／名不徒生，则誉不自长／知音徒自惜，聋俗本相轻／剑不徒断，车不自行，或使之也

❹势物之徒乐变／怵迫之徒兮，或趋东西／谗佞之徒，皆国之蠹贼也／墨翟之徒，世谓热腹；杨朱之侣，世谓冷肠

❺诸有形之徒皆属于物类／生也死之徒，死也生之始／授书不在徒多，但贵精熟／子男由胥徒以出，皆鹤而轩／担水塞井徒用力，炊砂作饭岂堪吃

❻愧乏经济才，徒然守章句／乌有城坏其徒俱死，独蒙愧耻求活／患之所在，非徒在智之不及，又在及而违之者矣

❼令在必行，不当徒为文具／见悻悻自好之徒，应须防口／三月婴儿，生而徒国，则不能知其故俗／无舆马者不耻徒步，无鱼肉者不厌菜羹

❽恶直丑正，实蕃有徒／一语不能践，万卷徒空虚／少壮不努力，老大徒伤悲／洗心得真情，洗耳徒买名／与天下之贤者为徒，此文王之所以王也

❾佞以悦人者，小人之徒也／慎以自靖者，君子之徒也／不阿党，不私色，故群徒之卒不得容／不宜言而言是佞之徒，宜言而不言是愚之符

❿有信义者，必疾苟且之徒／耻一物之不知，惜寸阴之徒靡／水至清则无鱼，人至察则无徒／春来春去苦自驰，争名争利徒尔为／大丈夫当为国扫除天下，岂徒室中乎／闭心塞意，不高瞻览者，死人之徒也哉／终日写路程而不能行一步，徒知无益也／助之长者，揠苗者也，非徒无益，而又害之／睎骥之马，亦骥之乘，睎颜之人，亦颜之徒／自私之念萌，则铲之；谗谀之徒至，则却之／人主之不肖者，有似于此。不得其道，而徒多其威／威太甚则爱利之心息，爱利之心息而徒疾行威，身必咎矣／后嗣若贤，自能保其天下；如其不肖，多积仓库，徒益其奢侈，危亡之本也

徐

xú 缓慢；姓。

❶徐制其后，乃克有济

见宋·苏洵《项籍》。

徐娘半老，风韵犹存

语出《南史·元帝徐妃传》。

徐行不记山深浅，一路莺啼送到家

见明·杨基《天平山中》。

❷不徐不疾，得之于手而应之于心

❸清风徐来，水波不兴／斫轮徐则甘而不固，疾则苦而不入／其卧徐徐，其觉于于；一以已为马，一以已为牛

❺人杰地灵，徐孺下陈蕃之榻

❻其疾如风，其徐如林

❼流沫成轮，然后徐行

❾大夫以君命出，闻丧徐行而不返

❿休夸此地分天下，只得徐妃半面妆／成败极知无定势，是非元自要徐观

徘

pái，又读 péi，［徘徊］在一个地方来回走；比喻犹豫不决；比喻在某个范围内起伏、浮动。

❽枭骑战斗死，驽马徘徊鸣／月出于东山之上，徘徊于斗牛之间

❾黄鹄一远别，千里顾徘徊／瞻望兮踊跃，伫立兮徘徊

❿若是若非，执而圆机；独成而意，与道徘徊

徙

xǐ 迁移，引申指调动官职；古时流刑。

❸曲突徙薪亡恩泽，焦头烂额为上宾

❹闻义能徙，视死如归／使人日徙善远罪而不自知

❺闻义不能徙，不善不能改

❽持杯收水水已覆，徙薪避火火更燔

❿无罪而戮民，则士可以徙／水鹗翔而大风作，穴蚁徙而阴雨零／政令不烦，则安其业，故不远迁徙，离其常处

得

①dé 得到；得意；完成。②de 用在动词或形容词后面。③děi 必须；须要。

❶得道者必静

见《吕氏春秋·审分览·君守》。

得鱼而忘荃

见《庄子·外物》。

得失不能疑其志

见三国·魏·李康《运命论》。

得合而欲多者危

见《晏子春秋·内篇问上第二》。

得言不可以不察

见《吕氏春秋·慎行论·察传》。

得乎丘民而为天子

见《孟子·尽心下》。

得天下英才而教育之

见《孟子·尽心下》。

得非我美,失非我耻

见唐·刘禹锡《何卜赋》。

得之于手而应之于心

见《庄子·天道》。

得之也生,失之也死

见《庄子·徐无鬼》。全句为:"~;得之也死,失之也生"。

得之也死,失之也生

见《庄子·徐无鬼》。全句为:"得之也生,失之也死;~"。

得之若惊,失之若惊

见《老子》十三。

得何足喜,失何足忧

见明·罗贯中《三国演义》第十四回。

得人之道,在于知人

见宋·苏轼《议学校贡举状》。全句为:"~;知人之法,在于责实"。

得人则安,失人则危

见三国·魏·曹丕《秋胡行二首》之一。

得人者,卑而不可胜

见《管子·侈靡》。

得人者兴,失人者崩

见汉·司马迁《史记·商君列传》。

得人者昌,失人者亡

见唐·杨炯《唐幼将军魏哲神道碑》。

得全全昌,失全全亡

见汉·司马迁《史记·田敬仲完世家》。

得众动天,美意延年

见《荀子·致士》。

得土地易,得人心难

见元·脱脱《宋史·杨简传》。

得士者富,失士者贫

见汉·班固《汉书·扬雄传》。

得士者强,失士者亡

见汉·司马迁《史记·滑稽列传》。

得志有喜,不可不戒

见汉·董仲舒《春秋繁露·竹林》。

得时者昌,失时者亡

见《列子·说符》。

得贤则昌,失贤则亡

见汉·韩婴《韩诗外传》卷五。全句为:"无常安之国,无恒治之民,~"。

得其民,斯得天下矣

见《孟子·离娄上》。

得其大者可以兼其小

见宋·欧阳修《易或问三首》。全句为:"~,未有学其小而能至其大者也"。

得人则治,何世无奇才

见北周·燕射歌辞《商调曲四首》之三。

得道不得行,咎殃且亡

见汉·班固《汉书·李寻传》。

得意时,便生失意之悲

见明·洪应明《菜根谭》。全句为:"苦心中,常得悦心之趣;~"。

得其所利,必虑其所害

见汉·刘向《说苑·敬慎》。全句为:"~;乐其所成,必顾其所败"。

得其所,君子不爱其死

见唐·白居易《汉将李陵论》。全句为:"非其义,君子不轻其生;~"。

得之之难,未若持之之难

见唐·韩愈《猫相乳》。

得十良剑,不若得一欧冶

见《吕氏春秋·不苟论·赞能》。全句为:"得十良马,不若得一伯乐;~"。

得十良马,不若得一伯乐

见《吕氏春秋·离俗览·举难》。

得黄金百,不如得季布诺

见汉·班固《汉书·季布传》。

得众则得国,失众则失国

见《礼记·大学》。

得志万罪消,失志百丑生

见宋·李觏《感叹》。

得道者多助,失道者寡助

见《孟子·公孙丑下》。

得者,时也,失者,顺也

见《庄子·大宗师》。全句为:"~。安时而处顺,哀乐不能入也"。

得贤者显昌,失贤者危亡

见汉·贾谊《新书·胎教》。

得其人而行之,则为大利

见宋·王安石《上五事书》。全句为:"~;非其人而行之,则为大害"。

得百走马,不若得伯乐之数

见汉·刘安《淮南子·齐俗》。全句为:"得十利剑,不若得欧冶之巧;~"。

得十利剑,不若得欧冶之巧

见汉·刘安《淮南子·齐俗》。全句为:"~;得百走马,不若得伯乐之数"。

得吾道者,上为皇而下为王

见《庄子·在宥》。全句为:"~;失吾道者,上见光而下为土"。

得本以知末，不舍本以逐本

见三国·魏·王弼《老子》五十二注。

得意者无言，进知者亦无言

见《列子·仲尼》。

得万人之兵，不如闻一言之当

见汉·刘安《淮南子·说山》。全句为："～；得隋侯之珠，不若得事之所由；得呙氏之璧，不若得事之所适"。

得之则安以荣，失之则亡以辱

见宋·王安石《材论》。全句为："材之用，国之栋梁也。～"。

得黄金百斤，不如得季布一诺

见汉·司马迁《史记·季布栾布列传》。

得隋侯之珠，不若得事之所由

见汉·刘安《淮南子·说山》。全句为："得万人之兵，不如闻一言之当；～；得呙氏之璧，不若得事之所适"。

得寸则王之寸，得尺亦王之尺

见《战国策·秦策三》。

得呙氏之璧，不若得事之所适

见汉·刘安《淮南子·说山》。全句为："得万人之兵，不如闻一言之当；得隋侯之珠，不若得事之所由；～"。

得饶人处且饶人，退步行最稳

见明·冯惟敏《家训》。

得道者，穷而不慑，达而不荣

见汉·刘安《淮南子·原道》。

得贤人，国无不安，名无不荣

见《吕氏春秋·慎行论·求人》。全句为："～；失贤人，国无不危，名无不辱"。

得贤者则安昌，失之者则危亡

见汉·刘向《说苑·尊贤》。全句为："无常安之国，无恒治之民，～"。

得一善则拳拳服膺，而弗失之矣

见《礼记·中庸》。

得道之士，建心于足，游志于止

见汉·严遵《道德指归论·天下有道篇》。

得之易，失之易；得之难，失之难

见明·施耐庵《水浒传》第一百十六回。

得丧而不形于色，进退而不失其正

见唐·张说《姚文贞公神道碑奉敕撰》。

得利则跃跃以喜，不利则戚戚以泣

见唐·韩愈《韦侍讲盛山十二诗序》。

得众而不得其心，则与独行者同实

见《管子·参患》。

得在时，不在争；治在道，不在圣

见汉·刘安《淮南子·原道》。

得意浓时休进步，须防世事多番覆

见明·冯梦龙《古今小说·闹阴司司马貌断狱》。

得其精而忘其粗，在其内而忘其外

见《列子·说符》。

得志遂茂而不骄，不得志瘁瘠而不辱

见宋·苏轼《墨宝堂记》。

得名得货，道德不居，神明不留……

见汉·严遵《道德指归论·名身孰亲篇》。全句为："～，大命以绝，天不能救"。

得志，泽加于民；不得志，修身见于世

见《孟子·尽心上》。

得大数而治，失大数而乱，此治乱之分也

见汉·董仲舒《春秋繁露·楚庄王》。

得已而不已，不得已而已之，二者皆乱也

见宋·苏辙《晋武帝》。

得道之士，外化而内不化……所以全其身也

见汉·刘安《淮南子·人间》。删节处为："外化，所以入人也，内不化"。

得时无怠，时不再来，天予不取，反为之灾

见《国语·越语下》。

得贤须任，既任须信，既信须终，既终须赏

见唐·陈子昂《答制问事·贤不可疑科》。

得鸟者，罗之一目也，然张一目之罗，终不得鸟矣

见晋·陈寿《三国志·魏书·崔琰传》。

得其言者而不言，与不得其言而不去，无一可者也

见唐·韩愈《争臣论》。

得百姓之力者富，得百姓之死者强，得百姓之誉者荣

见《荀子·王霸》。全句为："～。三得者具而天下归之，三得者亡而天下去之"。

得一官不荣，失一官不辱，勿说一官无用，地方全靠一官

见清·高以永撰内乡县衙三堂楹联。下联为："吃百姓之饭，穿百姓之衣，莫道百姓可欺，自己也是百姓"。

❷不得已而为之／不得已而行之／不得已而用之／不得其门而入／不得已而求其次／不得越雷池一步／来得易，去得易／买得风光不著钱／寻得桃源好避秦／无得于心而侈于外／难得之货塞人正路／物得以生，谓之德／生得相亲，死亦何恨／生得其名，死得其所／声得盐梅，响滑榆槿／行得春风，指望夏雨／可得而利，则可得而害／可得而亲，则可得而疏／可得而贵，则可得而贱／凡得时者昌，失时者亡／用得正人，为善者皆劝／未得乎前，则不敢求乎后／以得为在民，以失为在己／医得眼前疮，剜却心头肉／说得一丈，不如行取一尺／说得一尺，不如行取一寸／动得分曰适，言得分曰信／志得则颜怡，意失则容戚／待得雪消后，自然春到来／猿得木而捷，鱼得水而骛／安得长翮大翼如云生

我身／已得之，惟恐伤肉之多也／欲得周郎顾，时时误拂弦／料得行吟者，应怜长叹人／忍得一时忿，终身无恼闷／未得位则思修其辞以明其道／未得兽者，惟恐其创之小也／谋得于帷幄，则功施于天下／安得万垂杨，系教春日长。／敌得生于我，则我得死于敌／敌得死于我，则我得生于敌／舍得一身剐，敢把皇帝拉下马／至得无私，泛泛乎若不系之舟／知得而不知丧，知存而不知亡／始得名于文章，终得罪于文章／耳得之而为声，目遇之而成色／知得是是非非，恁地确定，是智／安得倚天抽宝剑，把汝裁为三截／焉得并州快剪刀，翦取吴松半江水／焉得铸甲作农器，一寸荒田牛得耕／但得贞心能不改，纵令移植亦何妨／但得众生皆得饱，不辞羸病卧残阳／但得官清吏不横，即是村中歌舞时／偷得利而后有害，偷得乐而后有忧／难得易失者时也，易过难见者机也／大得却须防大失，多忧原只为求多／拾得断麻穿破衲，不知身在寂寥中／法得则马和而欢，道得则民安而集／安得壮士挽天河，净洗甲兵长不用／采得百花成蜜后，到头辛苦一场空／采得百花成蜜后，为谁辛苦为谁甜／自得、自成、自道，不倚师友载籍／不得以有学之贫贱，比于无学之富贵／未得之也，患得之；既得之，患失之／正得失，动天地，感鬼神，莫近于诗／岂得以人言不同己意，便即护短不纳／安得因一摧折，自毁其道以从于邪也／非得贤难，用之难；非用之难，任之难／安得广厦千万间，大庇天下寒士俱欢颜／宜得敏锐兼人之器，以副厉精更化之怀／爱得分曰仁，施得分曰义，虑得分曰智／意得则舒怀以命笔，理伏则投笔以卷怀／其得之，乃失之；其失之，非乃得之也／难得而易失者时也，时至而不旋踵者机也／三得者具而天下归之，三得者亡而天下去之／苟得于道，无自而不可；失焉者，无自而可／苟得其养，无物不长；苟失其养，无物不消／苟得其人，不患贫贱；苟得其材，不嫌名迹／苟得其人，虽仇必举；苟非其人，虽亲不授／知得知失，可与为人；知存知亡，足别吉凶／必得之事，不足赖也；必诺之言，不足信也／不得所以用之，国虽大，势虽便，卒无众，何益

❸人人得而讨之／人人得而诛之／少则得，多则惑／春风得意马蹄疾／物不得其平则鸣／嗜欲得而信衰于友／一夫得情，千室鸣弦／一人得道，鸡犬升天／求则得之，舍则失之／让一得百，争十失九／打兔得獐，非意所望／小人得志，暂快一时／官在得人，不在员多／学贵得师，亦贵得友／死必得所，义在不苟／自我得之，自我捐之／动而得谤，名亦随之宜／名可得闻，身难得而见／宽则得众，信则人任焉／存在得道而不在于大也／草木得常理，霜露荣悴之／名不得过实，实不得延名／君子得意而忧，逢喜而惧／洗心得真情，洗耳徒买名／始终得其正，天下合于一／枢始得其环中，以应无穷／炼辞得奇句，炼意得余味／龙弗得云，无以神其灵矣／蛟龙得云雨，终非池中物／马上得之，宁可以马上治乎／上不得不恶下，下不得不疑上／古之得道者，穷亦乐，通亦乐／苟或得其高朗，探其深赜……／君子得之固躬，小人得之轻命／君子得时如水，小人得时如火／官位得其人则生，失其人则死／时难得而易失也，学者勉之乎／春不得避风尘，夏不得避暑热／政以得贤为本，理以去秽为务／秋不得避阴雨，冬不得避寒冻／能自得师者王，谓人莫己若者亡／士易得而难求也，易致而难留也／君子得时则大行，不得时则龙蛇／恨不得血贼于万戟，肉贼于三军／必欲得人称职，不失士，不谬举／世人得宠而不思其辱，故辱至则惊／人生得意须尽欢，莫使金樽空对月／狡兔得而猎犬烹，高鸟尽而强弩藏／纸上得来终觉浅，绝知此事要躬行／贪日得则鼓刀利，要岁计而韫椟多／得名得货，道德不居，神明不留……／补察得失之端，操于诗人美刺之间焉／主道得而臣道序，官不易方而太平用成／形不得神不能自生，神不得形不能自成／条理得于心，其心渊然而条理，是为智／恨不得挂长绳于青天，系此西飞之白日／官不得其才，比于画地作饼，不可食也／宫人得戟，则以刘葵……不知所施之也／其未得之也，患得之。既得之，患失之／鱼鳖得免毒螫之渊，鸟兽得离罗网之纲／求而得之，必有失焉；为而成之，必有败焉／常看得自家未必是，他人未必非，便有长进／宽则得众，信则民任焉，敏则有功，公则说／如贫得宝，如暗得灯，如饥得食，如旱得云／杼轴得之，澹而无味，琢刻藻绘，弥不足贵／静则得之，躁则失之，灵气在心，一来一逝／一言得而天下服，一言定而天下听，公之谓也／谒而得位，道士不居也；争而得财，廉士不受／审自得者失之而不惧，行修于内者无位而不怍／故凡得胜者，必与人也，凡得人者，必与道也／有不得已者而后言。其歌也有思，其哭也有怀／臣不得其所欲于君者，君亦不能得其所欲于臣／既已得高官巨富矣，仍讲道德、说仁义自若也／人情得足，苦于放纵，快须臾之欲，忘慎罚之义／学贵得之心，求之于心而非也，虽其言之出于孔子，不敢以为是也／天不得不高，地不得不广，日月不得不行，万物不得不昌，此其道与

❹百思不得其故／百思莫得其解／理国以得贤为本／敬人者得人恒敬／时者，难得而易失／胆气以得失而夺也／求仁而得仁，又何怨／千

军易得，一将难求／失反为得，成反为败／合不以得，违不以失／先事后得，非崇德欤／沃然有得，笑傲万古／贪多务得，细大不捐／触焉而得，故其言易／失民而得财，明者不为／得道不得行，咎殃且亡／喜极不得语，泪尽方一哂／彼是莫得其偶，谓之道枢／得众则得国，失众则失国／安危在得人，国兴在贤辅／居祸者得福，居福者得祸／相见不得亲，不如不相见／树荆棘得刺，树桃李得荫／贵人难得意，赏爱在须臾／不仁而得天下者，未之有也／礼乐之得失，视之未必见也／无求不得其欲，无取不得其志／勿贵难得之货，勿听亡国之音／凡事省得一分，即受一分之益／勇者不得独进，怯者不得独退／大事不得，小事不为者，必贫／捐躯若得其所，烈士不爱其存／当世之得失，未尝不留于意也／君子乐得其道，小人乐得其欲／治狱者得其情，则无冤死之囚／居马上得之，宁可马上治之乎／贤者不得志于今，必取贵于后／熟思则得其情，缓处则得其当／穗兮不得获，秋风至兮殚零落／大丈夫得死所，光奕奕，照千古／明主急得其人，而阇主急得其势／不为苟得以偷安，不为苟免而无耻／人生不得长欢乐，年少须臾老到来／人生不得长少年，莫惜床头沽酒钱／人生难得秋前雨，乞我虚堂自在眠／诗人安得有青衫，今岁和戎百万缣／谋而不得，则以往知来，以见知隐／至乐不得恣所欲，主怒不得乱所为／打虎还得亲兄弟，上阵须教子弟兵／君子不得已而临莅天下，莫若无为／问渠哪得清如许，为有源头活水来／治世不得真贤，譬犹治疾不得真药／暖风熏得游人醉，直把杭州作汴州／有时忽得惊人句，费尽心机做不成／文章均得江山助，但觉前贤畏后贤／文章自得方为贵，衣钵相传岂是真／等闲识得东风面，万紫千红总是春／观古人，得其时行其道，则无所为书／种麦而得麦，种稷而得稷，人不怪也／穷其书，得其言，论其意，推而大之／生仍冀得兮归桑梓，死当埋骨兮长已矣／我独见得是，亦须缓缓调停，不可直遂／民心不得，性命不全，则号令不能动也／人生不得行胸怀，虽寿百岁，犹为夭也／力可以得天下，不可以得匹夫匹妇之心／舐痔者得车五乘，所治愈下，得车愈多／三代之得天下也以仁，其失天下也以不仁／国家剩得数百万贯钱，何如得一有才行人／材既难得，而又难知，则当博采而多蓄之／贤者虽得卑位则旋而死，不贤者或至眉寿／临财苟得，见利反义，不义而富，无名而贵／人生贵得适意尔，何能羁宦数千里以要名爵／思焉而得，故其言深；感焉而得，故其言切／世之难得者，非财也，非荣也，患意之不足耳／尧以不得舜为己忧，舜以不得禹、皋陶为己忧／吾何以得知天下乎？察己以知之，不求于外也／徒知伪得之中有真失，殊不知真得之中有真失／鳏虽难得，贪以死饵；士虽怀道，贪以死禄矣／子美……尽得古今之体势，而兼人人之所独专矣／地虽胜，得人焉而居之，则山若增而高，水若辟而广／视政之得失，若越人视秦人之肥瘠忽焉不加喜戚于其心

❺学向勤中得／来得易，去得易／世间最难得者兄弟／求之有道，得之在命／临乎死生得失而不惧／失众必败，得众必成／凡彼万形，得一后成／让礼一寸，得礼一尺／大凡物不得其平则鸣／持萤烛象，得首失尾／吾问养树，得养人术／得土地易，得人心难／得其民，斯得天下矣／迷而知反，得道不远／有而勿失，得而勿忘／画竹必先得成竹于胸中／苦心中，常得悦心之趣／行焉，可以得知之效也／一饱勿易得，奈此官租钱／无藏逆于得，无以巧胜人／临财毋苟得，临难毋苟免／以智而视，得形之微者也／以目而视，得形之粗者也／二句三年得，一吟双泪流／贤主不苟得，忠臣不苟利／所求无不得，所欲皆如意／祸生于欲得，福生于自禁／不广求，故得；不杂学，故明／吟咏有真得，不解脱终为套语／善万物之得时，感吾生之行休／山水之乐，得之心而寓之酒也／明大数者得人，审小计者失人／量宽足以得人，身先足以率人／不徐不疾，得之于手而应之于心／二者不可得兼，舍生而取义者也／凡学书者，得其一，可以通其余／卞和之玉，得于荆山，其偶然耳／理贵在于得要兮，事终成于会机／生人之性得以安，圣人之道得以光／二者不可得兼，舍鱼而取熊掌者也／匿病者不得良医，羞问者圣人去之／观大者不得处近，望远者不得居卑／行险者不得履绳，出林者不得直道／得众而不得其心，则与独行者同实／遭一蹶者得一便，经一事者长一智／文章以自得，不蹈袭前人一言为贵／思虑熟则得事理，行端直则无祸害／干泽而渔，得鱼虽多，而明年无复也／“强梁者不得其死”，吾将以为教父／焚林而田，得兽虽多，而明年无复也／非成业难，得贤难；非得贤难，用之难／根生，叶安得不茂；源发，流安得不广／意新语工，得前人所未道者，斯为善也／食禄者不得与下民争利，受大者不得取小／上之为政，得下之情则治，不得下之情则乱／为忠甚易，得宜实难。忧人大过，以德取怨／民有疾苦，得以安之；吏有侵渔，得以去之／见人之过，得己之过；闻人之过，得己之过／人生时禀得灵气，精明通悟，学无滞塞，则谓之神／求之而后得，为之而后成，积之而后高，尽之而后圣／以食噎而得病者，欲绝食以去病，乃不知食绝而身毙／大丈夫岂得苟贪财物，以害及身命，使子孙每怀愧耻耶／生民之不得休息，为四事故：一为寿，二为名，三为

位，四为货

❻不是虚心岂得贤／素朴而民性得矣／一与一，勇者得前／不认真，作不得事／事有求利而得害者／出林之中不得直道／圣贤之言不得已也／无欲者，不可得用也／不从糟粕，安得精英／不著一字，尽得风流／不探虎穴，安得虎子／生得其名，死得其所／取法于上，反得其中／墙高基下，虽得必失／小惩大诫，乃得其福／细事不察，不得言大／树曲木者，恶得直景／死轻鸿毛，固得其所／物有隆杀，不得自若／有贤不用，安得不亡／服民之心，必得其情／矢在弦上，不得不发／秦失其鹿，先得者王／箭在弦上，不得不发／衣服中，容貌得……／以理为主，理得而辞顺／听于无声则得其所闻矣／闻古人之过，得己之过／视于无形则得其所见矣／政无大小，以得人为重／欲多者，其可得用亦多／仁者先事后得，先难后获／任自然者久，得其常者济／知焉，未可以得行之效也／闻一善若惊，得一士若赏／闻恶能改，庶得免乎大过／子系中山狼，得志便猖狂／有官守者，不得其职则去／有言责者，不得其言则去／文章千古事，得失寸心知／鸾凤之音不得不锵于乌鹊／虎豹之文不得不炳于犬羊／辨章事理，贵得当时之宜／金玉之光不得不炫于瓦石／兵者，凶器，不得已而用之／其术可以心得，不可以言喻／大胆天下去得，小心寸步难行／把志气奋发得起，何事不可做／把意念沉潜得下，何理不可得／深入未必为得，不进未必为非／编珠缀玉，不得为全璞之宝矣／或求名而不得，或欲盖而名章／为国为民而得罪，君子不以为辱／良医不可必得，而庸医举目皆是／百心不可以得一人，一心可得百人／为国无强于得人，用人莫先于求旧／但得众生皆得饱，不辞羸病卧残阳／苗疏税多不得食，输入官仓化为土／情以感物则得利，伪以感物则致害／近水楼台先得月，向阳花木易为春／所求多者所得少，所见大者所知小／风冲之物不得育，水湍之岸不得峭／耳边要静不得静，心里欲闲终未闲／未得之也，患得之；既得之，患失之／两心不可以得一人，一心可以得百人／生死犹转机，得失如反掌，可不慎乎／使为恶者不得幸免，疑似者有所辨明／白璧有考，不得为宝：言至纯之难也／若意新语工，得前人所未道者，斯为善也／揽名责实不得虚言，有功者赏，有罪者罚／仇雠有善，不得不举；亲戚有恶，不得不诛／国之栋梁也，得之则安以荣，失之则亡以辱／思古人而不得见，学古道，则欲兼通其辞也／千人同心则得千人力，万人异心则无一人之用／小大修短，各得其所宜，规矩方圆，各有所施／听之善，亦必得于心而会于意，不可得而言也／君能尽礼，臣得竭忠，必在于内外无私，上下相信／动摇则谷气得消，血脉流通，病不得生，譬犹户枢不朽也

❼民心说而天意得／事佛求福，乃更得祸／非贤不理，惟在得人／兵不在多，贵乎得人／取必以渐，勤则得多／若卵投石，岂可得全／知询于愚，或有得也／惮劳怕怨，做不得事／避慊远疑，救不得人／学贵得师，亦贵得友／楚王遗弓，楚人得之／致安之本，惟在得人／鹬蚌相争，渔人得利／鹬蚌相持，渔人得利／跋前踬后，动辄得咎／万物非欲死，不得不死／不与人争者，常得利多／可得而利，则可得而害／可得而亲，则可得而疏／可得而贵，则可得而贱／士见危致命，见得思义／茧之性为丝，弗得女工／名可得闻，身难得而见／善罪身者，民不得罪也／久在樊笼里，复得返自然／为水不入海，安得浮天波／以色事他人，能得几时好／以贤临人，未有得人者也／乱臣贼子，人人得而诛之／人生孰无死，贵得死所耳／离居见新月，那得不思君／褒贬无一词，岂得为良史／谁言寸草心，报得三春晖／画地为饼，不可得而食也／动得分曰适，言得分曰信／难将一人手，掩得天下目／小人如酒颜，但得暂时热／吾憎人也，不可得而知也／得十良剑，不若得一欧冶／得十良马，不若得一伯乐／得黄金百，不如得季布诺／猿得木而捷，鱼得水而骛／溺爱者不明，贪得者无厌／惟歌生民病，愿得天子知／謇谔无一言，岂得为直士／易求无价宝，难得有心郎／镂冰为璧，不可得而用也／万物抱一而成，得微妙气化／凡物不以其道得之，皆邪也／荃者所以在鱼，得鱼而忘荃／吾所谓乐者，人得其得者也／得百走马，不若得伯乐之数／得十利剑，不若得欧冶之巧／狡兔有三窟，仅得免其死耳／海不通百川，安得巨大之名／比目之鱼，不相得则不能行／有弗思，思之弗得，弗措也／有弗辨，辨之弗得，弗措也／言者所以在意，得意而忘言／不可以一时之得意而自夸其能／甘忠言之逆耳，得百姓之欢心／凡事当留余地，得意不宜再往／读其文章，庶几得其志之所存／除害在于敢断，得众在于下人／得寸则王之寸，得尺亦王之尺／圣人在上，奇不得起，诈不得生／焚林而猎，愈多得兽，后必无兽／盖世功劳，当不得一个“矜”字／万两黄金容易得，知心一个也难求／直待自家都了得，等闲拈出便超然／先生之貌不可得兮，犹仿佛其文章／谋度于义者必得，事因于民者必成／得之易，失之易；得之难，失之难／恭则不侮，宽则得众，信则人任焉／富贵必从勤苦得，男儿须读五车书／好事尽从难处得，少年无向易中轻／桑蚕苦，女工难，得新捐故后必寒／死后是非谁管得，满村听说蔡中郎／虽干将、莫邪，非得人力则不能割刿／一箪食，一

豆羹，得之则生，弗得则死／百年，寿之大齐。得百年者，千无一焉／古之君人者，以得为在民，以失为在己／士者，国之重器；得士则重，失士则轻／道足以忘物之得丧，志足以一气之盛衰／爱得分曰仁，施得分曰义，虑得分曰智／其未得之也，患得之。既得之，患失之／得已而不已，不得已而已之，二者皆乱也／丈夫生不为将，得为使，折冲口舌之间足矣／为政之要，惟在得人。用非其才，必难致治／为政之本，莫若得人；褒贤显善，圣制所先／交私养望者多得显官，独立营职者或见排沮／少目之网，不可得鱼，三章之法，不可为治／国不务大而务得民心，佐不务多而务得贤俊／德者道之舍，物得以生生，知得以职道之精／如贫得宝，如暗得灯，如饥得食，如旱得云／贵而犯法，义不得宥；过而知改，恩不废叙／卵之性为雏，不得良鸡覆伏孚育，积日累久，则不成为雏

❽被头里做事终晓得／正形饰德，万物毕得／先人后己，所愿必得／善政不如善教之得民／经师易求，人师难得／愚人千虑，必有一得／愚者千虑，亦有一得／愚者千虑，或有一得／愚者千虑，必有一得／无饵之钓，不可以得鱼／不专心致志，则不得也／以人为镜，可以明得失／以人为镜，可以知得失／考之不良兮，求福得祸／论山水，则循声而得貌／行曾而索爱，父弗得子／行母而索敬，君弗得臣／海与山争水，海必得之／万物非不欲生，不得不生／无世而无圣，或不得知也／予岂好辩哉！予不得已也／同天下之利者，则得天下／公则天下平矣；平得于公／名不得过实，实不得延名／材难矣，有蕴而不得其时／明必死之路，开必得之门／炼辞得奇句，炼意得余味／其功异则其名不得不异也／由礼以达道，则自得而不眩／以贤下人，未有不得人者也／人之欲少者，其可得用亦少／人之欲多者，其可得用亦多／敌得生于我，则我得死于敌／敌得死于我，则我得生于敌／自形而上下言，岂得无先后／天下之道，理安，斯得人者也／不有所弃，不可以得天下之势／良工之与马也，相得则然后成／举千人之所爱，则得千人之心／劝农桑，益种树，可得衣食物／观天下书未遍，不得妄下雌黄／茧之性为丝，然非得女工……／投至两处凝眸，盼得一雁横秋／君无劳民之事，民得勤而耕农／君能清静，百姓何得不安乐乎／布衣穷贱之人，咸得献其狂瞽／得黄金百斤，不如得季布一诺／得隋侯之珠，不若得事之所由／得呙氏之璧，不若得事之所适／始得名于文章，终得罪于文章／贤者之处世，皆以得时为至难／赏当则贤人劝，罚得则奸人止／用百人之所能，则得百人之力／民非不可用也，不得所以用之也／求之言语之外，而得其所不言之意／人主不正，则邪人得志，忠者隐蔽／率性而行谓之道，得其天性谓之德／有其语而无其人，得其宾而丧其实／焚薮而田，岂不获得？而明年无兽／竭泽而渔，岂不获得？而明年无鱼／踏破铁鞋无觅处，得来全不费功夫／不为而成，不求而得，夫是之谓天职／徒恶之而不去其得之之道，不能免也／得志，泽加于民；不得志，修身见于世／心之官则思，思则得之，不思则不得也／不求所无，不失所得，内无旁祸，外无旁福／为鬼为蜮，则不可得；有靦面目，视人罔极／虎兕相据而蝼蚁得志，两敌相机而匹夫乘间／不躬行，便如水行得车，陆行得舟，一毫受用不得／民有三患：饥者不得食，寒者不得衣，劳者不得息／善为上者，能令人得欲无穷，故人之可得用亦无穷也／得百姓之力者富，得百姓之死者强，得百姓之誉者荣／无为者，道之宗；故得道之宗，应物无穷，任人之才，难以至治／天不得不高，地不得不广，日月不得不行，万物不得不昌，此其道与

❾忘其小丧而志于大得／不去小利，则大利不得／可起而索，不可坐而得／节行失之，终身不可得／性有不欲，无欲而不得／无国而无士，或弗能得也／世事波上舟，沿洄安得住／大道如青天，我独不得出／居祸者得福，居福者得祸／树荆棘得刺，树桃李得荫／文章本天成，妙手偶得之／石阙生口中，衔碑不得语／盈盈一水间，脉脉不得语／无求无竞，虽欲不寿，得乎／无人之情，故是非不得于身／吾所谓乐者，人得其得者也／维修卑下，然后乃各得其所／日与水居，则十五而得其道／水清无大鱼，察政不得下和／上不得不恶下，下不得不疑上／举凶器，行凶德，犹不得已也／君子得之固躬，小人得之轻命／君子得时如水，小人得时如火／虽有营求之事，莫生得失之心／春不得避风尘，夏不得避暑热／赏不行，则贤者不可得而进也／秋不得避阴雨，冬不得避寒冻／凡人皆欲自达，仆先得显处……／圣人之道与神明相得，故曰道德／君子得时则大行，不得时则龙蛇／维圣哲以茂行兮，苟得用此下土／置直谏之士者，恐不得闻其过也／不是一番寒彻骨，怎得梅花扑鼻香／不是一番寒彻骨，争得梅花扑鼻香／重友者交时极难，看得难以故转重／乘时投隙非谓才，苟得未必为汝福／为学第一工夫，要降得浮躁之气定／了却君王天下事，赢得生前身后名／仁而无止，则其极不得不反而为残／休夸此地分天下，只得徐妃半面妆／偷得利而后有害，偷得乐而后有忧／法得则马和而欢，道得则民安而集／浮名浮利过于酒，醉得人心死不醒／清风两袖朝天去，免得闾阎话短长／道者……庶物失之者死，得之者生／轻友者交时极易，看得易以

故转轻／胸中襞积千般事，到得相逢一语无／文武之功，未有不以得人而成者也／秋阴不散霜飞晚，留得枯荷听雨声／积善成德，而神明自得，圣心备焉／未得之也，患得之；既得之，患失之／得志遂茂而不骄，不得志瘁瘠而不辱／过屠门而大嚼，虽不得肉，贵且快意／种麦而得麦，种稷而得稷，人不怪也／三人共牧一羊，羊不得食，人亦不得息／非成业难，得贤难；非得贤难，用之难／处世间事，众人皆见得非，而我独见得是／胆力者，雄之分也，不得英之智则事不立／聪明者，英之分也，不得雄之胆则说不行／千仓万箱非一耕所得；干天之木非旬日所长／隋侯之珠，和氏之璧，得之者富，失之者贫／学为文章，先谋亲友，得其评裁，知可施行，然后出手

❿不为不可成，不求不可得／非其有而求之，虽强不得／乾坤之大，何处容我不得／苟由其道，其势可以自得／门前两条辙，何处去不得／贿赂先至者，朝请而夕得／鼎镬甘如饴，求之不可得／友治矣，非身治而不能得之／建官以利民，有害民而得官／因天下之心以虑，则无不得／福生于隐约，而祸生于得意／恣纵既成……亦制自家不得／悠悠乎与颢气俱而莫得其涯／天道乱，而日月星辰不得其行／无求不得其欲，无取不得其志／不求无益之物，不蓄难得之货／临难而不苟免，见利而不苟得／以天下与人易，为天下得人难／人主静漠而不躁，百官得修焉／勇者不得独进，怯者不得独退／地道乱，而草木山川不得其平／薄身厚民，故聚敛之人不得行／把意念沉潜得下，何理不可得／君子乐得其道，小人乐得其欲／君子能为善，而不能必得其福／逍遥于天地之间，而心意自得／成德每在困穷，败身多因得志／或贪生而反死，或轻死而得生／责人以人则易足，易足则得人／熟思则得其情，缓处则得其当／里仁为美；择不处仁，焉得知／其行公正无邪，故谗人不得入／不著梳栉，而求发治，不可得也／未遇明师，而求要道，未可得也／公却是仁发处，无公则仁行不得／圣人正在刚柔之间，乃得道之本／圣人在上，奇不得起，诈不得生／听其雅、颂之声，而志意得广焉／君子有失其所兮，小人有得其时／彼尧舜之耿介兮，既遵道而得路／鸿鹄巢于高林之上，暮而得所栖／宽于用，此在位者多不得其人也／此理充塞宇宙间，如何人杜撰得／明主急得其人，而闇主急得其势／水之性清，土者扫之，故不得清／气从以顺，各从其欲，皆得所愿／祸莫大于不知足，咎莫大于欲得／罚不行，则不肖者不可得而退也／鸡肋，弃之如可惜，食之无所得／虎豹之形于犬羊，故不得不奇也／鼋鼍穴于深渊之下，夕而得所宿／一字不识而有诗意者，得诗家真趣／天下国家总以忧勤而得，怠荒而失／不弃死马之骨者，然后良骥可得也／不知织女萤窗下，几度抛梭织得成／世上岂无千里马，人间难得九方皋／世间万物有盛衰，人生安得常少年／百心不可以得一人，一心可得百人／焉得铸甲作农器，一寸荒田牛得耕／生人之性得以安，圣人之道得以光／似把剪刀裁别恨，两人分得一般愁／人身正气稍不足，邪便得以干之矣／入门休问荣枯事，观看容颜便得知／从来夸有龙泉剑，试割相思得断无／说者持容而不极，听者自多而不得／功者难成而易败，时者难得而易失／观大者不得处近，望远者不得居卑／至乐不得恣所欲，主怒不得乱所为／将欲取天下而为之，吾见其不得已／常将冷眼看螃蟹，看你横行得几时／君门一入无由出，唯有宫莺得见人／君子有三戒：少之时……戒之在得／君子有九思：视思明……见得思义／君王城上竖降旗，妾在深宫哪得知／行险者不得履绳，出林者不得直道／治世不得真贤，譬犹治疾不得真药／惆怅不如边雁影，秋风犹得向南飞／通于一而万事毕，无心得而鬼神服／学不勤则不知道，耕不力则不得谷／成名每在穷苦日，败事多因得志时／此曲只应天上有，人间能得几回闻／昨日山中之木，以不材得终其天年／智略不专于古法，沈雄殆得于天资／贤者恒无以自存，不贤者志满气得／视徒如己，反己以教，则得教之情／有不能求士之君，而无不可得之士／风冲之物不得育，水湍之岸不得峭／烟霞为朝夕之资，风月得林泉之助／业无高卑志当坚，男儿有求安得闲／老去读书随忘却，醉中得句若飞来／自家虽有这道理，须是经历过方得／衣带渐宽终不悔，为伊消得人憔悴／登临自有江山助，岂是胸中不得平／言语巧偷鹦鹉舌，文章分得凤凰毛／食君之禄畏不厚兮，悼得位之不昌／不以物乱官，不以官乱心，是谓中得／不阿党，不私色，故群徒之卒不得容／两心不可以得一人，一心可以得百人／利害之路，祸福之门，不可求而得也／并天下之谋，兼天下之智，而理得矣／隔日一删，愈月一改，始能淘沙得金／按贤察名，选才考能，名实俱得之也／吾人立身天地间，只思量作得一个人／往而不来者年也，不可得再见者亲也／富者，苦身疾作，多积财而不得尽用／道不远而难极也，与人并处而难得也／欲平其心以养其疾，于琴亦将有得焉／感而后应，迫而后动，不得已而后起／豺狼能害人，其状易别，人得以避之／一箪食，一豆羹，得之则生，弗得则死／三人共牧一羊，羊不得食，人亦不得息／与民争利，犯者辄免官削爵，不得仕宦／与谗谄面谀之人居，国欲治，可得乎？／天地之中，荡然任自然，故

不可得而穷／不责人以细过，则能吏之志得以尽其效／求柴胡、桔梗于沮泽，则累世不得一焉／由来犬羊着冠坐庙堂，安得四鄙无豺狼／生不能相养以共居，殁不得抚汝以尽哀／为人君而乐杀人，此不可使得志于天下／以物同求而不同贪，与物同得而不同积／并力西向，则吾恐秦人食之不得下咽也／含情而能达，会景而生心，体物而得神／率虎狼牧羊豕，而望其蕃息，岂可得也／读史当观大伦理，大机会，大治乱得失／力可以得天下，不可以得匹夫匹妇之心／操钩上山，揭斧入渊，欲得所求，难也／形不得神不能自生，神不得形不能自成／安能摧眉折腰事权贵，使我不得开心颜／进有退之义，存有亡之机，得有丧之理／学医者当博览群书，不得拘守一家之言／根生，叶安得不茂；源发，流安得不广／视之而不见，听之而不闻，搏之而不得／爱得分曰仁，施得分曰义，虑得分曰智／火炎上而受制于水，水趋下而得志于火／心之官则思，思则得之，不思则不得也／罪驱之于后，功啖之于前……不可得也／用之者，必假于弗用也，而以长得其用／舐痔者得车五乘，所治愈下，得车愈多／其未得之也，患得之。既得之，患失之／其得之，乃失之；其失之，非乃得之也／鱼鳖得免毒螫之渊，鸟兽得离罗网之纲／才不半古，而功已倍之，盖得之于时势也／民无常用也，无常不用也，唯得其道为可／古人为诗，贵于意在言外，使人思而得之／作诗者陶冶物情，体会光景，必贵乎自得／今处昏上乱相之间，而欲无惫，奚可得邪／诚欲往来言所闻，则仆固愿悉陈中所得者／邪之与正，犹水与火，不同原，不得并盛／君子非不见贵，然小人亦得厕其间时而用／国家剩得数百万贯钱，何如得一有才行人／微邪不禁，而求大邪之无伤国，不可得也／处世间事，众人皆见得非，而我独见得是／官职可以重求，爵禄可以货得者，可亡也／贫贱时，眼中不著富贵，他日得志必不骄／钓者中大鱼，则纵而随之……则无不得也／食禄者不得与下民争利，受大者不得取小／一发不中，百发尽息；一举不得，前功尽弃／三得者具而天下归之，三得者亡而天下去之／上之为政，得下之情则治，不得下之情则乱／天下无独燃之火，世间安得有无体独知之精／不贵尺之璧，而重寸之阴，时难得而易失也／兵者不祥之器，非君子之器，不得已而用之／以邪官举邪官，以俗士取俗士，国欲治得乎／民有疾苦，得以安之；吏有侵渔，得以去之／仇雠有善，不得不举；亲戚有恶，不得不诛／伐柯如何？匪斧不克。取妻如何？匪媒不得／人之进退，唯问其志，取必以渐，勤则得多／句有可削，足见其疏；字不得减，乃知其密／诗者，不可以言语求而得，必将深观其意焉／圣人千虑，必有一失；愚人千虑，必有一得／工无二伎，士不兼官，各守其职，不得相奸／若平直相似……便不是书法，但得其点画耳／苟得其人，不患贫贱；苟得其材，不嫌名迹／君者择臣而使之，臣虽贱，亦得择君而事之／国不务大而务得民心，佐不务多而务得贤俊／国之废兴，在于政事；政事得失，由乎辅佐／行一不义，杀一不辜，而得天下，皆不为也／德者道之舍，物得以生生，知得以职道之精／衡门之下，有琴有书，载弹载咏，爰得我娱／法本不祖，术本无状；师之于心，得之于象／道，视之不可见，听之不可闻，搏之不可得／如贫得宝，如暗得灯，如饥得食，如旱得云／好善无厌，受谏而能诫。虽欲无进，得乎哉／见人之过，得己之过；闻人之过，得己之过／歌曲妙者，和者则寡；言得实者，然者则鲜／思焉而得，故其言深；感焉而得，故其言切／毋先物动，以观其则；动则失位，静乃自得／盈缩之期，不但在天；养怡之福，可得永年／称身居位，不为苟进；称事受禄，不为苟得／其国弥大，而其主弥静，然后乃能广得众心／不思，故有惑；不求，故无得；不问，故不知／尧以不得舜为己忧，舜以不得禹、皋陶为己忧／生亦我所欲，所欲有甚于生者，故不为苟得也／为学之道，必本于思。思则得知，不思则不得／举将而限以资品，则英豪之士在下位者不可得／以子所长，游于不用之国，欲使无穷，其可得／人之情：不能乐其所不安，不能得于其所不乐／凡探明珠，不于合浦之渊，不得骊龙之夜光也／谒而得位，道士不居也；争而得财，廉士不受／若使民常畏死，而为奇者，吾得执而杀之孰敢／将者，人之司命也，生死犹转机，得失如反掌／听之善，亦必得于心而会于意，不可得而言也／君子不特贵乎才略之优，而尤贵乎用之得其当／徒知伪得之中有真失，殊不知真得之中有真失／安则乐生，痛则思死；捶楚之下，何求而不得／宽弘之人宜为郡国，使下得施其功而总成其事／死生……畏者不可以苟免，贪者不可以苟得也／故凡得胜者，必与人也，凡得人者，必与道也／方车而蹠越，乘桴而入胡，欲无穷，不可得也／臣不得其所欲于君者，君亦不能得其所欲于臣／言著而不欺曰信。……教令失信，民得斯之矣／天下之事，急之则丧，缓之则得，而过缓则无及／不深思则不能造于道，不深思而得者，其得易失／以辱为荣，以穷为通，虽失乎前，可谓后得之矣／今人之性恶，必将待师法然后正，得礼义然后治／圣人不贵尺之璧，而重寸之阴，时难得而易失也／恒其道，一其志，不欺其心，斯固世之所难得也／富与贵，是人之所欲也，不以其道得之，不处也／水之性胜火，如裹之以釜，水煎而不得胜，必矣／贫与贱，是人之所恶也，不以其道得之，不去也／贱者有罪，贵者治之。君得罪于民，谁将治之？／赏不劝善，罚不惩恶，而望邪正不惑，其可得乎／上不失天时，下不失地利，中得人和，而百事不废／万物有自然之理，圣人只是顺之，不曾增加得一毫／不奋苦而求速效，只落得少日浮夸，老来窘隘而已／不躬行，便如水行得车，陆行得舟，一毫受用不得／民有三患：饥者不得食，寒者不得衣，劳者不得息／人主之不肖者，有似于此。不得其道，而徒多其威／今若不能服药，但知爱精节情，亦得一二百年寿也／得鸟者，罗之一目也，然张一目之罗，终不得鸟矣／得其言者而不言，与不得其言而不去，无一可者也／治天下者，当以天下之心为心，不得自专快意而已／继以精思，使其意皆出于吾之心。然后可以有得尔／必使为善者不越月逾时而得其赏，则人勇而有劝焉／天下至大器也，帝王至重位也，得士则靖，失士则乱／凡用人之道，若以燧取火，疏之则弗得，数之则弗中／将营大厦，不忧乎群材之不足，而忧乎梁栋之不可得／善为上者，能令人得欲无穷，故人之可得用亦无穷也／得百姓之力者富，得百姓之死者强，得百姓之誉者荣／消磨了三十多年层层心血，算不得大千世界小小文章／有社稷者，不能爱其民，而求民亲己爱己，不可得也／示之以形，禁之以势，使之望而不敢犯，犯而无所得／言有教，动有法，昼有为，宵有得，息有养，瞬有存／古之人观于天地、山川、草木、虫鱼、鸟兽，往往有得／人非生而知之者，孰能了此无惑，故从其先得者而问焉／君自为诈，欲臣下行直，是犹源浊而望水清，理不可得／知人之效有二难：有难知之难，有知之而无由得效之难／天下大乱，贤圣不明，道德不一，天下多得一察焉以自好／动摇则谷气得消，血脉流通，病不得生，譬犹户枢不朽也／不仁之人骋其私智，可以盗千乘之国，而不可以得丘民之心／以易限之鉴，镜难原之才，使国罔遗授，野无滞器，其可得／人之欲虽多，而上无以令之，人虽得其欲，人犹不可得用也／回之为人也，择乎中庸，得一善，则拳拳服膺，而弗失之矣／赏一人而败国俗，仁者弗为也；以不信得厚赏，义者弗为也／乐之道深矣，故工之善者，必得于心应于手，而不可述之言也／古今号文章为难，足下知其所以难乎？……得之为难，知之愈难耳／天不得不高，地不得不广，日月不得不行，万物不得不昌，此其道与／刺史宜精选谨择以委任之，固不可拘限官次，得之货贿，出之权门者也／使六国各爱其人，则足以拒秦；使秦复爱六国之人，则递三世可至万世而为君，谁得而族灭也

衔

xián 口含；心里怀着；接受；连接；官职或学识的称号。

❶衔远山，吞长江……

见宋·范仲淹《岳阳楼记》。全句为："～，浩浩汤汤，横无际涯，朝晖夕阴，气象万千"。

衔酸抱痛，且耻且惭

见唐·韩愈《贺册尊号表》。

❷口衔山石细，心望海波平／方衔感于一剑，非买价于泉里

❸精卫衔微木，将以填沧海

❹绠短者衔渴，足疲者辍途

❺精卫有情衔太华，杜鹃无血到天津

❻长将一寸身，衔木到终古／石阙生口中，衔碑不得语

❼飞霜迎地，兰萧衔共尽之悲

❿法禁者俗之堤防，刑罚者人之衔辔／只系其逢，不系巧愚；不谐其须，有衔不祛

衒

xuàn 炫耀。

❹行而自衒，人莫之取也

❽士矜才则德薄，女衒色则情放

街

jiē 城市的大道。

❶街谈巷说，必有可采

见晋·陈寿《三国志·魏书·陈思王值传》注引。

❷天街小雨润如酥，草色遥看近却无

御

yù 驾；旧指上级对下级的管理、支配；指和皇帝有关的；用；奉；姓；抵挡。

❶御人以口给，屡憎于人

见《论语·公冶长》。

御马有法矣，御民有道矣

见汉·韩婴《韩诗外传》卷二。全句为："～。法得则马和而欢，道得则民安而集"。

御寒莫若重裘，止谤莫如自修

见唐·张九龄《论政》。全句为："～，修之至极，何谤不息"。

御寇易，御物难；破阵易，破诱难

见清·唐甄《潜书·格定》。

❸以才御物，才有尽而物无穷／治世御众，建立辅弼，诚在面从

❹造父善御，不能御驽骀／其可驾御，救之所为也／狐白足御冬，焉念无衣客／乘骥而御之，不倦而取道多／以书为御者，不尽于马之情／御寇易，御物难；破阵易，破诱难／驽蹇服御，良乐咨嗟；铅刀剖截，欧冶叹息／有道以御之，身虽无能也，必使能者为己用也

❺器满才难御，功高主自疑／威强以自御，力损则身危／旷怀足以御物，长策足以服人／临下以简，御众以宽，罚弗及嗣／顺天养财、御水旱、

制蛮夷之原本也／驷马不驯，御者之过，百姓不治，有司之罪／人莫欲学御龙，而皆欲学御马；莫欲学治鬼，而皆欲学治人：急所用也

❻御马有法矣，御民有道矣／良骏败于拙御，智士踬于暗世／日进前而不御，遥闻声而相思

❼兄弟阋于墙，外御其务／造父善御，不能御驽骀／小慧者不可以御大，小辩者不可以说众

❽不侮矜寡，不畏强御／变恒过度，以奇相御／父母有疾，琴瑟不御／胆劲心方，不畏强御／方轨易因，险途难御／保民而王，莫之能御也／君子能行是，不能御非／走而踬者，终身不御马／道为智者设，马为御者良／胆劲心方，不畏强御，义正所在，视死犹归／造父者，天下之善御者也，无舆马则无所见其能

❾主大计者，必执简以御繁／论德序官，明主所以御世／任天下之智力，以道御之，无所不可

❿千里跬步不至，不足谓善御／急辔数策者，非千里之御也／见雨则裘不用，升堂则蓑不御／舟覆乃见善游，马奔乃见良御／中于道则易以兴政，乖于务则难乎御物／水有猵獭而池鱼劳，国有强御而齐民消／爱赤子者不慢于保，绝险历远者不慢于御／及至始皇，奋六世之余烈，振长策而御宇内／事不豫辨，不可以应卒；内无备，不可以御敌／地不改辟矣，民不改聚矣，行仁政而王，莫之能御也／乐未毕也，哀又继之；哀乐之来，吾不能御，其去弗能止／奋六世之遗烈，振长策而御宇内，吞二周而亡诸侯，履至尊而制六合／人莫欲学御龙，而皆欲学御马；莫欲学治鬼，而皆欲学治人：急所用也／孔子曰："吾闻之，古之善御者，执辔如组，两骖如舞，非策之助也"。

徨

huáng［彷徨］走来走去，犹疑不决。

❿嫫母饰姿而夸矜，西子彷徨而无家

循

xún 顺着；通"巡"，巡行；沿袭；抚摩。

❶循循然善诱人

见《论语·子罕》。

循序而进，与日俱新

见宋·何坦《西畴老人常言》。

循理以求道，落其华而收其实

见宋·苏辙《东轩记》。

❷循循然善诱人／能循天理动者，造化在我也／舟循川则游速，人顺路则不迷／因循苟且之心作，强毅久大之性亏／缘循、偃佚、困畏，不若人三者，俱通达／物循乎自然，人能明于必然，此人物之异／因循苟且逸豫而无为，可以侥幸一时，而不可旷日持久

❸夫子循循然善诱人／但当循理，不可使气／行行循归路，计日望旧居／不必循常，法度制令，各因其宜

❹夫子循循然善诱人／由声以循实，则难在克终／尽有天，循有照，冥有枢，始有彼

❺读书务在循序渐进／询事考言，循名责实／论山水，则循声而得貌／道有因有循，有革有化／百吏畏法循绳，然后国常不乱／阴阳五行，循环错综，升降往来／凡举事必循法以动，变法者因时而化／欲弃学而循性，是谓犹释船而欲蹶水也／视听言行，循礼法而动，所以教人忘嗜欲而归性命之道也

❻因任而授官，循名而责实

❼学不进，率由因循／苟可以利民，不循其礼／反古未可非，而循礼未足多／举贤而授能兮，循绳墨而不颇／功名遂成，天也；循理受顺，人也／复其性者贤人，循之而不已者也，不已则能归其源矣

❽不虑前事之失，复循覆车之轨／读书之法，莫贵于循序而致精／古之善用人者，必循天顺人而明赏罚

❾迂险之言，则欲反之；循常之说，则必信之／内便于性，外合于义，循理而动，不系于物者，正气也

❿苟利于民，不必法古；苟周于事，不必循旧／圣人守清道而抱雌节，因循应变，常后而不先／困境起念，随物生情，不守道循常，即为妄矣／贤者之兴，而愚者之废，废而复之为是，循而习之为非／怨恩取与谏教生杀，八者，正之器也，唯循大变无所湮者为能用之

衙

①yá 旧指官署；排列成行的事物；姓；衙参。②yú，又读 yǔ，行貌。

❶衙门自古向南开，就中无个不冤哉

见元·关汉卿《窦娥冤》第三折。

衙斋卧听萧萧竹，疑是民间疾苦声

见清·郑燮《潍县署中画竹呈年伯包大中丞括》。全诗为："～。些小吾曹州县吏，一枝一叶总关情"。

微

wēi 细小；贫贱；隐匿；暗中察访；非；无；衰落；地位低下；精妙的；程度浅的。

❶微邪者，大邪之所生也

见《管子·权修》。

微不可不防，远不可不虑

见唐·辛替否《陈时政疏》。

微事不通，粗事不能者，必劳

见《晏子春秋·外篇·重而异者》。全句为："～；大事不得，小事不为者，必贫"。

微乎微乎，至于无形……故能为敌之司命

见《孙子兵法·虚实篇》。删节处为："神乎神乎，至于无声"。

微邪不禁，而求大邪之无伤国，不可得也

见《管子·权修》。

❷见微而知著／知微知彰，知柔知刚／禁微则易，救末者难／积微成大，陟遐自迩／才微而任重，功薄而赏厚／防微于未兆，虑难于将来／探微从道管，结撰是心精／见微以知萌，见端以知末／语微婉而多切，言流靡而不淫／积微，月不胜日，时不胜月，岁不胜时／推微达著，寻端见绪，履霜知冰，践露知暑／积微之善，以至吉祥。小恶不止，乃至灭亡

❸巧发微中／祸自微而成／谈言微中，名士风流／陵波微步，罗袜生尘／无几微爽失，则理义以名／何惜微躯尽，缠绵自有时／道自微而生，祸自微而成／起于微贱，无所因阶者难／善无微而不赏，恶无纤而不贬／轻细微眇之渐，必生乖忤之患／物有微而志信，人有贱而言忠／白玉微瑕，善贾之所不弃……／怨在微而下之，犹可以为谦德也／防其微，杜其渐，使不至于暴乱也／微乎微乎，至于无形……故能为敌之司命

❹形于小微而通于大理／爝火虽微，卒能燎原／圣人畏微，而愚人畏明／体无纤微疾，安用问良医／精卫衔微木，将以填沧海／须用防微杜渐，毋为因小失大／物有出微而著，事有由隐而章／不可轻微恶而不避，无容略小善而不为／不畏于微，必畏于章，患大祸深，以至灭亡／心之精微，发而为文；文之神妙，咏而为诗／争构纤微，竞为雕刻……；骨气都尽，刚健不闻／心之精微，口不能言也；言之微妙，书不能文也

❺变故兴细微／真草书迹，微须留意／以一介之微挫其锋于顷刻／矜一事之微劳，遂有无厌之望／轻始而傲微，则其流必至于大乱／万物始于微而后成，始于无而后生／合升鼓之微以满仓廪，合疏缕之纬以成帏幕

❻观人必于其微／尽小者大，慎微者著／人莫不忽于微细，以致其大／因果相承，从微至著，通名为渐／其文约，其辞微，其志洁，其行廉／君子能受纤微之小嫌，故无变斗之大讼／冀以尘雾之微补益山海，荧烛末光增辉日月／城狐社鼠皆微物，为其有所凭恃，故除之犹不易

❼圣人之见，终始微言／德益盛者虑益微，功愈高者意愈下／祸固多藏于隐微，而发于人之所忽／祸患常积于忽微，智勇多困于所溺／虚华盛而忠信微，刻薄稠而纯笃稀／其言也约而达，微而臧，罕譬而喻

❽刚略之人不能理微／年少气锐，不识几微／人心惟危，道心惟微／日居月诸，胡迭而微／聪之知远，明以察微／以智而视，得形之微者也／道自微而生，祸自微而成／万物抱一而成，得微妙气化／圣人……其于过也，无微而不改／扁鹊不能肉白骨，微箕不能存亡国／莫见乎隐，莫显乎微，故君子慎其独也／过之所始，必始于微；积而不已，遂至于著

❾千里始足下，高山起微尘／仲夏苦夜短，开轩纳微凉／黄金无足色，白璧有微瑕／君子小过，则白玉之微瑕／颂优游以彬蔚，论精微而朗畅

❿长堤溃蚁穴，君子慎其微／途穷天地窄，世乱死生微／轧轧弄寒机，功多力渐微／览古玩青简，寻幽穷翠微／祸福之胚胎也，其动甚微／患生于所忽，祸发于细微／贵绝恶于未萌，而起教于微眇／有未偿之厚责，无可录之微劳／以近知远，以一知万，以微知明／高天滚滚寒流急，大地微微暖气吹／德弥厚者葬弥薄，知愈深者葬愈微／贯穿百代尝探古，吟咏千篇亦造微／旌旗日暖龙蛇动，宫殿风微燕雀高／今子使万里外国，独无几微出于言面／积羽沉舟，群轻折轴，故君子禁于微／天下之善射者也，不能以拨弓曲矢中微／垂大名于万世者，必先行之于纤微之事／荆岫之玉必含纤瑕，骊龙之珠亦有微颣／大名垂于万世者，必先行之于纤微之事／泰山之为大，弗察弗见，而况微渺者乎／疾如流矢，击如发机者，所以破精微也／言有浅而可以托深，类有微而可以喻大／天下之事，患常生于忽微，而志亦戒于渐习／为啬之道，不施不予，俭爱微妙，盈若无有。／仗其短浅之耳目，以断微妙之有无，岂不悲哉／苟有所见，虽布衣之贱，远守之微，亦可施用／心之精微，口不能言也；言之微妙，书不能文也／古之成大事者，规模远大与综理密微二者阙一不可／搏攫抵噬之兽，其用齿角爪牙也，必托于卑微隐蔽／君子尊德性而道问学，致广大而尽精微，极高明而道中庸／急乎其所自立，而无患乎人不己知，未尝闻有响大而声微者也／君子之言，幽必有验乎明，远必有验乎近，大必有验乎小，微必有验乎著

徭

yáo[徭役]旧时官府向百姓摊派的无偿劳动。

❷轻徭薄赋，以宽民力

❹尽输助徭役，聊就空自眠

❻仓禀无宿储，徭役犹未已／仓廪无宿储，徭役犹未已

❿任是深山更深处，也应无计避征徭／善为政者，防于未然，均其有无，省其徭役

徽

huī 美好；佩巾；标帜；束绑；弹奏；徽州的简称；绳索[琴徽]系弦之绳。

❹君子有徽猷，小人与属

❾风仪与秋月齐明，音徽与春云等润

德

dé 思想品质；恩惠；事物的属性；信念。

❶德以盛为本

见唐·孔颖达《周易·系辞上》疏。

德盛不狎侮

见《尚书·旅獒》。

德者事业之基

见明·洪应明《菜根谭·前集百五十八》。

德,福之基也

见《国语·晋语六》。全句为:"~,无德而福隆,犹无基而厚墉也,其坏也无日矣"。

德无细,怨无小

见汉·刘向《说苑·复恩》。

德不孤,必有邻

见《论语·里仁》。

德均则众者胜寡

见汉·刘安《淮南子·兵略》。全句为:"~;力敌则智者胜愚,智侔则有数者禽无数"。

德惟治,否德乱

见《尚书·太甲下》。

德不厚而思国之理

见唐·吴兢《贞观政要·君道》。全句为:"源不深而望流之远,根不固而求木之长,~,臣虽下愚,知其不可,而况于明哲乎"。

德惟一,动罔不吉

见《尚书·咸有一德》。

德者,性之所扶也

见汉·刘安《淮南子·缪称》。全句为:"道者,物之所导也;~;仁者,积恩之见证也;义者,比于人心而合于众适者也"。

德无常师,主善为师

见《尚书·咸有一德》。

德不优者,不能怀远

见汉·王充《论衡·别通篇》。全句为:"~;才不大者,不能博见"。

德以施惠,刑以正邪

见《左传·成公十六年》。

德则有邻,才不必贵

见唐·陈子昂《送吉州杜司户审言序》。

德随量进,量由识长

见明·洪应明《菜根谭》。全句为:"~,故欲厚其德,不可不弘其量,欲弘其量,不可不大其识"。

德荡乎名,知出乎争

见《庄子·人间世》。

德惟善政,政在养民

见《尚书·大禹谟》。

德威惟畏,德明惟明

见《尚书·吕刑》。

德有所长而形有所忘

见《庄子·德充符》。

德积者昌,殃积者亡

见《十大经·雌雄节》。全句为:"~。观其所积,乃知祸福之乡"。

德不称其任,其祸必酷

见汉·王符《潜夫论·忠贵》。全句为:"~;能不称其位,其殃必大"。

德则无德,不德则有德

见《韩非子·解老》。

德性所知,不萌于见闻

见宋·张载《正蒙·大心》。全句为:"见闻之知,乃物交而知,非德性所知;~"。

德之休明,不在位之高下

见唐·李白《武昌宰韩君去思颂碑》。

德薄者位危,去道者身亡

见汉·陆贾《新语·术事》。

德行广大,而守以恭者荣

见宋·刘清之《戒子通录》。全句为:"~;土地博裕,而守以俭者安"。

德盛者治也,德薄者乱也

见三国·魏·王肃《孔子家语·执辔》。

德盛者威广,力盛者骄众

见汉·陆贾《新语·通基》。

德与力,非试之辕下不可辨

见清·方苞《辕马说》。

德行宽裕,守之以恭者,荣

见汉·韩婴《韩诗外传》卷三。

德行修逾八百,阴功积满三千

见宋·张伯端《悟真篇》。全句为:"~。均齐物我与亲冤,始合神仙本愿"。

德积而民可用,怒畜而威可立

见汉·刘安《淮南子·兵略》。全句为:"善为政者积其德,善用兵者畜其怒;~"。

德必称位,位必称禄,禄必称用

见《荀子·富国》。

德无以安之则危,政无以和之则乱

见《晏子春秋·内篇问上第三》。

德不施则民不归,刑不缓则百姓愁

见汉·刘向《说苑·贵德》。

德益盛者虑益微,功愈高者意愈下

见唐·陆贽《奉天论前所答奏未施行状》。

德莫高于博爱人,政莫高于博利人

见汉·贾谊《新书·修政语上》。

德薄者恶闻美行,政乱者恶闻治言

见汉·王符《潜夫论·贤难》。

德弥厚者葬弥薄,知愈深者葬愈微

见汉·班固《汉书·楚元王传》。

德弥盛者文弥缛,德弥彰者人弥明

见汉·王充《论衡·书解篇》。

德不广不能使人来,量不宏不能使人安

见明·刘基《郁离子·德量》。

德不称,其祸必酷;能不称,其殃必大

见南朝·宋·范晔《后汉书·王符传》。

德比于上,故知耻;欲比于下,故知足

见汉·荀悦《申鉴·杂言下》。

德日新,万邦惟怀;志自满,九族乃离

见《尚书·仲虺之诰》。

德义之所成者智也，明智之所求者学问也

见汉·王符《潜夫论·赞学》。全句为："天地之所贵者人也，圣人之所尚者义也，～"。

德人者，居无思，行无虑，不藏是非善恶

见《庄子·天地》。

德不称位，能不称官，赏不当功，罚不当罪

见《荀子·正论》。全句为："～，不祥莫大焉"。

德不素积，人不为用；备不豫具，难以应卒

见南朝·宋·范晔《后汉书·冯衍传》。

德而不威，其国外削；威而不德，其民内溃

见明·冯梦龙《东周列国志》第二十六回。

德者道之舍，物得以生生，知得以职道之精

见《管子·心术上》。

德薄而位尊，知小而谋大，力小而任重，鲜不及矣

见《周易·系辞下》。

德万人者谓之俊，德千人者谓之豪，德百人者谓之英

见宋·陆佃解《鹖冠子·博选》。

❷有德不可敌／复，德之本也／以德兼人者王／困，德之辨也／恒，德之固也／无德而禄，殃也／好德乐善而无求／以德者愈迟而终显／兼德而至谓之中庸／大德灭小怨，道也／道德之威成乎安强／其德薄者，其志轻／上德之人，唯道是用／无德而望其福者，约／秉德无私，参天地兮／以德和民，不闻以乱／孔德之容，惟道是从／含德之厚，比于赤子／凶德有五，中德为首／至德之君，仁政且温／至德小节备，大节举／懿德茂行，可以励俗／少德而多宠，一危也／布德施惠，悦近来远／度德而让，古人所贵／治德者不以德，以道／恃德则固，失道则亡／恃德者昌，恃力者亡／道德，天地之神明也／道德可常，权不可常／道德之教，自坐是也／道德丧则礼乐不可理／树德务滋，除恶务本／有德之人，常宜近之／积德之君，仁政且温／积德之家，必无灾殃／顺德者昌，逆德者亡／下德不失德，是以无德／无德而贿丰，祸之胎也／无德之君，以所乐乐身／以德报德，则民有所劝／弃德崇奸，祸之大者也／道德当身，故不以物惑／威德相济，而后王业成／有德而有才，方见于用／有德之君，以所乐乐人／有德之文信，无德文诈／天德施，地德化，人德义／非德之威，虽猛而人不畏／非德之明，虽察而人不服／尊德乐义，则可以嚣嚣矣／论德而定次，量能而授官／论德序官，明主所以御世／尚德行者，必无凶险之类／度德而处之，量力而行之／道德不厚者，不可以使民／树德莫如滋，去疾莫如尽／明德虽明，终假言而荣行／积德者不倾，择交者不败／无德于人而求用于人，罪也／非德而可长久者，天下无之／大德不逾闲，小德出入可也／道德一于上，而习俗成于下／有德之德薄，而无德之德厚／无德而福隆，犹无基而厚墉也／以德服人者，中心悦而诚服也／以德胜人者昌，以力胜人者亡／作德心逸日休，作伪心劳日拙／俭，德之共也；侈，恶之大也／喜德者必多怨，喜予者必善夺／履，德之基也；谦，德之柄也／成德每在困穷，败身多因得志／施德者贵不德，受恩者尚必报／三德者诚乎上，则下应之如景响／至德之世，其行填填，其视颠颠／有德者必有言，有言者不必有德／积德累行，不知其善，有时而用／大德之人不随世俗，所行独从于道／贵德而尊士，贤者在位，能者在职／以德以义，不赏而民劝，不罚而邪止／至德之世，同与禽兽居，族与万物并／三德：一曰正直，二曰刚克，三曰柔克／上德无为而无以为，下德为之而有以为／大德之人无所不容，能受垢浊，处谦卑／立德者以幽陋好遗，显登者以贵途易引／无德不贵，无能不官，无功不赏，无罪不罚／上德不德，是以有德。下德不失德，是以无德／主德者，聪明平淡，总达众材，而不以事自任者也／道德之威成乎安强，暴察之威成乎危弱，狂妄之威成乎灭亡也

❸恭为德首／不度德，不量力／乐者，德之华也／乡原，德之贼也／令名，德之舆也／章有德，序有功／以道德治民者，舟也／恭为德首，慎为行基／无其德而当之，为不智／唯立德扬名，可以不朽／王其德之用，祈天永命／务广德者昌，务广地者亡／才与德异，而世俗莫之能辨／吾有德于人也，不可不忘也／有其德，无其位，君子安之／褒有德，赏有功，古今之通义／树至德于生前，流遗爱于身后／毁道德以为仁义，圣人之过也／唯令德为不朽兮，身既没而名存／才者，德之资也；德者，才之帅也／尝有德，厚报之；有怨，必以法灭之／如修德而留意于事功名誉，必无实诣／是故德之所施者博，则威之所行者远／论至德者不和于俗，成大功者不谋于众／艺者，德之枝叶也；德者，人之根干也／有阴德者必有阳报，有隐行者必有昭名／道与德，可勉以进也；才不可强揠以进也／如有德而无才，则不能为用，亦何足为君子／克明德慎罚，不敢侮鳏寡，庸庸，祇祇，威威／苟灭德忘公，崇浮饰傲，荣其外而枯其内，害其本而窒其源

❹巧言乱德／百行以德为首／圣人者，德之正也／君原于德而成于天／清静者，德之至也／天吏逸德，烈于猛火／天地，道德之形容也／不争之德，德之先也／不恒其德，无所容也／不忘久德，不思久怨／正形饰德，万物毕得／举不失德，赏不失劳／小识伤德，小行伤道／君子盛德，容貌若愚／慎乃俭德，惟怀永图／玩人丧

德，玩物丧志／贼仁伤德，天怒不福／忘我大德，思我小怨／天命有德，五服五章哉／不明尔德，时无背无侧／以德报德，则民有所劝／德则无德，不德则有德／性修反德，德至同于初／栖守道德者，寂寞一时／俭为贤德，不可着意求贤／君子进德修业，欲及时也／治平尚德行，有事赏功能／性弱则德全，性强则祸起／赏者不德上，功之所致也／政教积德，必致安泰之福／人之有德于我也，不可忘也／富润屋，德润身，心广体胖／有德之德薄，而无德之德厚／一饭之德必偿，睚眦之怨必报／是以非德道不尊，非道德不明／身不用德，而望德于人，乱也／圣王布德施惠，非求报于百姓也／口谈道德而心存高官，志在巨富／崇人之德，扬人之美，非谄谀也／妖不胜德，邪不伐正，天之经也／上赏赏德，其次赏才，又其次赏功／道生之，德畜之，物形之，势成之／积善成德，而神明自得，圣心备焉／不问其德之所宜，而问其出身之后先／孔子曰：德之流行，速于置邮而传命／道之尊，德之贵，夫莫之命而常自然／尧舜行德则民仁寿；桀纣行暴则民鄙夭／治世之德，衰世之恶，常与爵位自相副／为政以德，譬如北辰，居其所而众星共之／莫知己德有极，则可以有社稷，为民致福／以道以德为有国之基，无事无为乃聚人之本／人有厚德，无问小节；人有大举，无訾小故／君子之德风，小人之德草。草上之风，必偃／君子怀德，小人怀土；君子怀刑，小人怀惠／君子怀德，小人怀土；贤士徇名，贪夫死利／汝若全德，必忠必直；汝若全行，必方必正／上德不德，是以有德。下德不失德，是以无德／树恩布德，易以周洽，其犹顺惊风而飞鸿毛也／欲厚其德，不可不弘其量，欲弘其量，不可不大其识／君子尊德性而道问学，致广大而尽精微，极高明而道中庸

❺让之谓保德／君子以厚德载物／德惟治，否德乱／智愈多而德愈薄／虚己者，进德之基／不争之德，德之先也／推美引过，德之至也／德威惟畏，德明惟明／清淡者，崇德之基也／爵罔及恶德，惟其贤／下德不失德，是以无德／吾未见好德如好色者也／治世以大德，不以小惠／性修反德，德至同于初／天德施，地德化，人德义／天王日俭德，俊乂始盈庭／百姓可以德胜，难以力服／日月光天德，山河壮帝居／服民以道德，渐民以教化／能致贤，则德泽洽而国太平／士矜才则德薄，女衒色则情放／君子以俭德辟难，不可荣以禄／治之盛也，德优矣，莫高于俭／天有和，有德，有平，有威……／不尤人则德益弘，能克己则学益进／阳者，天之德也；阴者，天之刑也／若君不修德，舟中之人尽为敌国也／形不正者德不来，中不精者心不治／忧勤是美德，太苦则无以适性怡情／贱物而贵德，孰谓道远，将允蹈子／天地之大德曰生，人受天地之气而生／中庸之为德也，其至矣乎！民鲜久矣／一以论道德，二以论法制，三以论策术／凡王者之德……要于其当，不可使易也／大上有立德，其次有立功，其次有立言／太上有立德，其次有立功，其次有立言／所生者弗德，所杀者非怨，则几于道也／位存焉而德无有，犹不足大其门，然世且乐为之下／吾所谓道德云者，合仁与义言之也，天下之公言也／失道而后德，失德而后仁，失仁而后义，失义而后礼／贼莫大乎德有心而心有睫，及其有睫也而内视，内视而败矣

❻君子爱人以德／日新谓之盛德／赏有功，褒有德／忠信，所以进德也／无言不雠，无德不报／非兵不强，非德不昌／以直报怨，以德报德／凶德有五，中德为首／废弃智巧，玄德淳朴／治德者不以德，以道／皇天无亲，惟德是辅／视远惟明，听德惟聪／文武俱行，威德乃成／顺德者昌，逆德者亡／天下之主，道德出于人／无子非孤，无德乃为孤／俗人有功则德，德则骄／大白若辱，盛德若不足／德则无德，不德则有德／道听而途说，德之弃也／忠信谨慎，此德义之基／躁心浮气，蓄德之贼也／事修而谤兴，德高而毁来／为人君者，荫德于人者也／仁昭而义立，德博而化广／德盛者治也，德薄者乱也／道固不小行，德固不小识／道所以保神，德所以宏量／威与信并行，德与法相济／枝无忘其根，德无忘其报／恩从祥风翱，德与和气游／与人不求感德，无怨便是德／君子致其道德，而福禄归焉／不使名浮于德，不以华伤其实／升。君子以顺德，积小以高大／举凶器，行凶德，犹不得已也／富以能施为德，贫以无求为德／贵以下人为德，贱以忘势为德／爵禄以养其德，刑罚以威其恶／施德者贵不德，受恩者尚必报／思仁恕则树德，加严暴则树怨／古之兴者，在德薄厚，不以大小／君子修道立德，不为穷困而改节／善为吏者树德，不善为吏者树怨／古之欲明明德于天下者，先治其国／友也者，友其德也，不可以有挟也／通乎道，合乎德，退仁义，宾礼乐／君子崇人之德，扬人之美，非谄谀也／得名得货，道德不居，神明不留……／超俗拔萃之德，不能立功于未至之时／尊于位而无德者黜，富于财而无义者刑／道者，所以明德也；德者，所以尊道也／智惠之君贱德而贵言……以为大伪奸诈／非威何畏，非德何怀；不畏不怀，何以成霸／同乎无知，其德不离；同乎无欲，是谓素朴／俭者，君子之德，世俗以俭为鄙，非远识也／龙凤隐耀，应德而臻；明哲潜遁，俟时而动／其名弥消，其德弥长；其身弥退，其道弥进／人之所以立德者三：一曰贞，二曰达，三曰志／失名

失货，道德是佑，神明是助，名显自然，富配天地／以天为宗，以德为本，以道为门，兆于变化，谓之圣人／威有三：有道德之威者，有暴察之威者，有狂妄之威者／行不充于内，德不备于人，虽盛其服，文其容，民不尊也／君子先慎乎德，有德此有人，有人此有土，有土此有财，有财此有用

❼不以一眚掩大德／君子以果行育德／君子以文明为德／潜龙以不见成德／女子无才便有德／有言者不必有德／物得以生，谓之德／以威胜，不如以德胜／先事后得，非崇德欤／天下无道，则修德就闲／俗人有功则德，德则骄／取善以辅仁，则德日进／有德之文信，无德文诈／乐道而忘贱，安德而忘贫／以文常会友，唯德自成邻／邦家用祀典，在德非馨香／量材而授官，录德而定位／有道伐无道，无德让有德／在其位而忘其德者其殃必至／大德不逾闲，小德出入可也／人之足传，在有德，不在有位／治国者，布施惠德，无令下知／宠利毋居人前，德业毋落人后／履，德之基也；谦，德之柄也／神越者其言华，德荡者其行伪／身不用德，而望德于人，乱也／上士之耳训乎德，下士之耳顺乎己／才者，德之资也；德者，才之帅也／师帅不贤，则主德不宣，恩泽不流／非淡薄无以明德，非宁静无以致远／善为政者积其德，善用兵者畜其怒／树高者，鸟宿之；德厚者，士趋之／立事者不离道德，调弦者不失宫商／君子富，好行其德；小人富，以适其力／今人主有明其德者，则天下归之若蝉之归明火也／失道而后德，失德而后仁，失仁而后义，失义而后礼／威有三术，有道德之威者，有暴察之威者，有狂妄之威者

❽圣人与天地合其德／惟天不畀不明厥德／上无骄行，下无谄德／不矜细行，终累大德／正静不失，日新其德／以直报怨，以德报德／侈恶之大，俭为共德／侮慢自贤，反道败德／大小多少，报怨以德／治性者不以性，以德／牛能任重，马有报德／和愉虚无，所以养德也／国之所以存者，道德也／祸自怨起，而福繇德兴／天德施，地德化，人德义／反者道之验，弱者德之柄／信者道之根，敬者德之蒂／务广地者荒，务广德者强／能忍事乃济，有容德乃大／鬼神非人实亲，惟德是依／有德之德薄，而无德之德厚／念终始典于学，厥德修，罔觉／天下兴学取士，先德行不专文辞／不尊无功，不官无德，不诛无罪／厚于财色必薄于德，自然之道也／吾之终日志于道德，犹惧未及也／并时以养民功，先德后刑，顺于天／今所任用，必须以德行、学识为本／太平之人，悦乐于德，不悦乐于刑／德弥盛者文弥缛，德弥彰者人弥明／不言之化与天同德，不为之事与天同功／艺者，德之枝叶也；德者，人之根干也／道者，所以明德也；德者，所以尊道也／智力不能接，而威德不能运者，谓之二／服不美，人不汝尤；德不美，乃汝之羞／忠臣者务崇君之德，谄臣者务广君之地／君子之爱人也以德，细人之爱人也以姑息／君子惟道是贵，惟德是守，所以能万世不朽／知足之人，体道同德，绝名除利，立我于无／已乎已乎，临人以德；殆乎殆乎，画地而趋／虐政用于下，而欲德教之被四海，故难成也／上德不德，是以有德。下德不失德，是以无德／远人不服，则修文德以来之。既来之，则安之／《大学》之道，在明明德，在亲民，在止于至善／以和氏之璧与道德之至言以示贤者，贤者必取至言／古者士之进，有以德，有以才，有以言，有以曲艺／德万人者谓之俊，德千人者谓之豪，德百人者谓之英／君子先慎乎德，有德此有人，有人此有土，有土此有财，有财此有用

❾下德不失德，是以无德／德则无德，不德则有德／赞以洁白，而随以污德／财不如义高，势不如德尊／思国之安者，必积其德义／王者以仁义为丽，道德为威／昔者圣人遗子孙以德、以礼／有兼覆之厚，而无伐德之色／不患位之不尊，而患德之不崇／以武功定祸乱，以文德致太平／动容周旋中礼者，盛德之至也／士之品有三：志于道德者为上／皇天无私阿兮，览民德焉错辅／见世人可取者多，则德日进矣／仁，则私欲尽去，而心德之全也／有忍，有乃有济；有容，德乃大／为天下及国，莫如以德，莫如行义／劳而不伐，有功而不德，厚之至也／古者男女之族，各择德焉，不以财为礼／侮圣言，逆忠直，远耆德……时谓乱风／快心之事，悉败身丧德之媒，五分便无悔／动莫若敬，居莫若俭，德莫若让，事莫若咨／君子之德风，小人之德草。草上之风，必偃／物有所好，汝勿好之。德有所好，汝则效之／虑时务者不能兴其德，为身求者不能成其功／古君子志于道，据于德，依于仁，而后艺可游

❿俊士亦俟明主以显其德／无为之谓道，舍之之谓德／以至诚为道，以至仁为德／任不重，则无以知人之德／能者进而由之，使无所德／圣人之弘也，而犹有惭德／有道伐无道，无德让有德／用武则先威，用文则先德／言重则有法，行重则有德／与人不求感德，无怨便是德／拘于鬼神者，不可与言至德／小人怨汝詈汝，则皇自敬德／有德之德薄，而无德之德厚／一快不足以成善，积快而为德／天下之竹帛不足书阁下之功德／攻取者先兵权，建本者尚德化／地利不如人和，武力不如文德／惟俭可以助廉，惟恕可以成德／宥之也者，恐天下之迁其德也／富以能施为德，贫以无求为德／始取天下为功，始

治天下为德／根深则道可长。蒂固则德可茂／是以非德道不尊，非道德不明／贵以下人为德，贱以忘势为德／错国于不倾之地者，授有德也／用武则以力胜，用文则以德胜／圣人之道与神明相得，故曰道德／君子以多识前言往行，以畜其德／有德者必有言，有言者不必有德／怨在微而下之，犹可以为谦德也／内省而不疚于道，临难而不失其德／良贾深藏若虚，君子盛德容貌若愚／率性而行谓之道，得其天性谓之德／圣人之治天下也，先文德而后武力／大山崔，百卉殖。民何贵，贵有德／道也者，动不见其形，施不见其德／皇天以无言为贵，圣人以不言为德／春者，天之和也；夏者，天之德也／物之其由者道也，道之在我者德也／必有忍，其乃有济；有容，德乃大／虚而无形谓之道，化育万物谓之德／无彝酒，越庶国，惟饮祀，德将无醉／信者吾信之，不信者吾亦信之，德信／玄古之君天下，无为也，天德而已矣／见闻之知，乃物交而知，非德性所知／胸中乱则择其邪欲而去之，则德正矣／上德无为而无以为，下德为之而有以为／哀无人，不哀无贿；哀无德，不哀无宠／知不可奈何而安之若命，唯有德者能之／守道而忘势，行义而忘利，修德而忘名／天下不淫其性，不迁其德，有治天下者哉／天下之非誉，无损益焉，是谓全德之人哉／凡兵，天下之凶器也；勇，天下之凶德也／君子于细事，未必可观，而材德足以重任／彼民有常性，织而衣，耕而食，是谓同德／不可假公法以报私仇，不可假公法以报私德／不厚其栋，不能任重。重莫如国，栋莫如德／不知则问，不能则学，虽能必让，然后为德／世禄之家，鲜克由礼。以荡陵德，实悖天道／由是而之焉之谓道，足乎已无待于外之谓德／周于利者凶年不能杀，周于德者邪世不能乱／为忠甚易，得宜实难。忧人大过，以德取怨／人之立身，所贵者惟在德行，何必要论荣贵／力视损明，力听损聪，疾言阻德，功伪败功／至治馨香，感于神明，黍稷非馨，明德惟馨／士穷见节义，世乱识忠臣，欲学者必周于德／小快害义，小慧害道，小辨害治，苟心伤德／常玉不琢，不成文章；君子不学，不成其德／常玉不瑑，不成文章；君子不学，不成其德／名为山人而心同商贾，口谈道德而志在穿窬／君子敬以直内，义以方外；敬义立而德不孤／国家之败，由官邪也；官之失德，宠赂章也／德而不威，其国外削；威而不德，其民内溃／官不及私昵，惟其能；爵罔及恶德，惟其贤／机械之心藏于胸中，则纯白不粹，神德不全／物类之起，必有所始；荣辱之来，必象其德／爱非仁，爱之理是仁；心非仁，心之德是仁／忠心好善，而日新之；独居乐德，内悦于形／上德不德，是以有德。下德不失德，是以无德／未有天地之先，毕竟也只是先让者，德之主也／闭心自慎，终不失过兮；秉德无私，参天地兮／既已得高官巨富矣，仍讲道德、说仁义自若也／古者士登乎仕，吏执乎役，禄以报劳，官以授德／德万人者谓之俊，德千人者谓之豪，德百人者谓之英／闻其声而知其风，察其风而知其志，观其志而知其德／恬淡、寂寞、虚无、无为，此天地之本而道德之质也／生有七尺之形，死唯一棺之土，唯立德扬名，可以不朽／古之存身者，不以辩饰知，不以知穷天下，不以知穷德／天下大乱，贤圣不明，道德不一，天下多得一察焉以自好／以小善为无益，以小恶为无伤，凡此皆非所以安身崇德也／使智惠之人治国之政事，必远道德，妄作威福，为国之贼／凡人之性，莫不欲善其德，然而不能为善德者，利败之也／平易恬淡，则忧患不能入，邪气不能袭，故其德全而神不亏／气质偏驳者，欲使私欲不能引染，如之何？惟在明明德而已／五福：一曰寿，二曰富，三曰康宁，四曰攸好德，五曰考终命／治世所贵乎位者三：一曰达道于天下，二曰达惠于民，三曰达德于身

徵 ①zhēng 成；征召；证验；证明；姓。②chéng 通“惩”，惩戒。③zhǐ 古代五音（宫、商、角、徵、羽）之一。

❿人情险于山川，以其动静可识，而沉阻难徵

徼 ①jiǎo 通“缴”，缴绕，缠曲；［徼幸］同“侥幸”。②jiào 边塞；巡察。③jiāo 窃取，抄袭。④yāo 通“邀”，求取；拦截。

❷恶徼以为知者，恶不孙以为勇者，恶讦以为直者

❿不曲道以媚时，不诡行以徼名／君子居易以俟命，小人行险以徼幸／故常无，欲以观其妙；常有，欲以观其徼

衡 héng 秤杆；称重量；平；眉毛以上；古代掌管山林的官；姓。

❶衡门之下，可以栖迟

见《诗·陈风·衡门》。

衡无心而平，镜无心而明

见唐·无名氏《无能子·真修》。

衡诚县矣，则不可欺以轻重

见《荀子·礼论》。全句为：“绳墨诚陈矣，则不可欺以曲直；～”。

衡阳犹有雁传书，郴阳和雁无

见宋·秦观《阮郎归》其四。

衡门之下，有琴有书，载弹载咏，爰得我娱

见晋·陶潜《答庞参军》。

❷嵩衡不拒细壤，故能崇其峻／悬衡而知平，设规而知圆，万全之道也／权衡损益，斟酌浓淡，芟繁剪秽，弛于负担／权衡既悬，锱铢靡遁，厉驽习骥，终莫之近

❸寝迹衡门下，邈与世相绝
❹不官而衡至者，君子慎之／鸱枭鸣衡轭，豺狼当路衢／为之权衡，以信天下之轻重／度量权衡法，必资之官，资之官而后天下同
❺在璇玑玉衡，以齐七政
❻贵轻重，慎权衡／应化之道，平衡而止
❼雁阵惊寒，声断衡阳之浦／观文章，宜若悬衡然……／水虽平，必有波；衡虽正，必有差；尺寸虽齐，必有诡
❾君子用以力学，借困衡为砥砺，不但顺受而已
❿国有道，即顺命；无道，即衡命／千金之子不垂堂，百金之子不骑衡／三晋多权变之士，夫言从衡强秦者，大抵皆三晋之人／礼之于正国家也，如权衡之于轻重也，如绳墨之于曲直也

衢

qú 大路；形容纵横交错；姓。

❹墨子见衢路而哭之，悲一跬而缪千里／一兔走衢，万人逐之；一人获之，贪者悉止
❺一骥骋长衢，众兽不敢陪
❻是岁江南旱，衢州人食人
❽虹销雨霁，彩彻云衢
❿鸱枭鸣衡轭，豺狼当路衢

形

xíng 可以感知的实体；模样；表现出来；对比。

❶形具而神生
见《荀子·天论》。
形于小微而通于大理
见汉·刘安《淮南子·人间》。
形全精复，与天为一
见《庄子·达生》。
形若槁骸，心若死灰
见《庄子·知北游》。
形莫若就，心莫若和
见《庄子·人间世》。
形骸者，性命之器也
见唐·无名氏《无能子·析惑》。
形枉则影曲，形直则影正
见《列子·说符。》
形者神之质，神者形之用
见南朝·梁·范缜《神灭论》。
形存则神存，形谢则神灭也
见南朝·梁·范缜《神灭论》。全句为："神即形也，形即神也，是以～"。
形体保神，各有仪则，谓之性
见《庄子·天地》。
形见则胜可制，力罢则威可立
见汉·刘安《淮南子·兵略》。全句为："敌先我动，则是见其形；彼躁我静，则是罢其力；～"。
形固造形，成固有伐，变固外战
见《庄子·徐无鬼》。
形不正者德不来，中不精者心不治
见《管子·心术下》。全句为："～。正形饰德，万物毕得"。
形而上者谓之道，形而下者谓之器
见《周易·系辞上》。
形相虽善而心术恶，无害为小人也
见《荀子·非相》。全句为："形相虽恶而心术善，无害为君子也；～"。
形相虽恶而心术善，无害为君子也
见《荀子·非相》。全句为："～；形相虽善而心术恶，无害为小人"。
形骸非性命不立，性命假形骸以显
见唐·无名氏《无能子·析惑》。
形不得神不能自生，神不得形不能自成
见《西升经·神生章》。
形骸既适则神不烦，观听无邪则道以明
见宋·苏舜钦《沧浪亭记》。
形劳而不休则弊，精用而不已则劳，劳则竭
见《庄子·刻意》。
形如槁木，心若死灰，无感无求，寂泊之至
见唐·司马承祯《坐忘论·泰定》。全句为："～，无心于定而无所不定，故曰泰定"。
形精不亏，是谓能移；精而又精，反以相天
见《庄子·达生》。
❷以形写神／有形者生于无形／正形饰德，万物毕得／变形易色，随风东西／树形团团如帷盖……／其形之为马，马不可化／无形无名者，万物之宗也／兽形云不一，弓势月初三／图形于影，未尽纤丽之容／鉴形之美恶，必就于止水／此形，本清，不做作还真正／自形而上下言，岂得无先后／相形不如论心，论心不如择术／未形者有分，且然无间，谓之命／诘形以形，以形务名，督言正名／劳形按影皆非道，炼气吞霞更是狂／寓形宇内复几时，曷不委心任去留／有形亦是气，无形亦是气，道寓其中也／火形严，故人鲜灼；水形懦，故人多溺／养形必先之以物，物有余而形不养者有之矣／无形，则不可制迫也，不可度量也，不可巧诈也，不可规虑也
❸神即形也，形即神也／诸有形之徒皆属于物类／心凝形释，与万化冥合／正汝形，一汝视，天和将至／劳其形者长年，安其乐者短命／天，有形之大者也；人，动物之尤者也／天无形而万物以成，至精无象而万物以化
❹喜怒不形于色／诚于中，形于外／一犬吠形，百犬吠声／天地者，形之大者也／长短相形，高下相倾／伪道养形，真道养神／凡彼万形，得一后成／芴漠无形，变化无常／明镜鉴形，美恶必见／有人之形，故群于人／道以无形无为成济万物／视于无形则得其所见矣／欲免为形者，莫如弃世／钩曲之形，无绳直之影／考实按形，

不能谩于一人／诗是无形画，画是有形诗／弃事则形不劳，遗生则精不亏／众以亏形为辱，君子以亏义为辱／诂形以形，以形务名，督言正名／形固造形，成固有伐，变固外战／虎豹之形于犬羊，故不得不奇也／虚而无形谓之道，化育万物谓之德／不见其形不闻其声，而序其成谓之道／物固有形，形固有名，名当谓之圣人／繁略殊形，隐显异术，抑引随时，变通会适／缚草为形，实之腐肉，教之拜起，以充满朝市／示之以形，禁之以势，使之望而不敢犯，犯而无所得／大道无形，大仁无亲，大辩无声，大廉不嗛，大勇不矜／君子知形恃神以立，神须形以存，悟生理之易失，知一过之害生

❺不读诗书形体陋／无为养身，形骸全也／两世一身，形单影只／茕茕孑立，形影相吊／神即形也，形即神也／女神将守形，形乃长生／人视水见形，视民知治不／愁与发相形，一愁白数茎／人之老也，形益衰而智益盛／使景曲者形也，使响浊者声也／笼天地于形内，挫万物于笔端／使景曲者，形也；使响浊者，声也／得丧而不形于色，进退而不失其正／道之委也……形生而万物所以塞也／物固有形，形固有名，名当谓之圣人／养志者忘形，养形者忘利，致道者忘心／心全于中，形全于外；不逢天灾，不遇人害／导筋骨则形全，剪情欲则神全，靖言语则福全／日月虽以形相物，考其道则有施受健顺之差焉／道者，无也；形者，有也。有故有极，无故长存

❻文者气之所形／道者，所以充形也／天地，道德之形容也／德有所长而形有所忘／情系于中，行形于外／恶绝于心，仁形于色／捕景之说，不形于心。／情变于内者，形见于外／女神将守形，形乃长生／长本非长，矩形之则长矣／长本非长，短形之则长矣／以智而视，得形之微者也／以目而视，得形之粗者也／形枉则影曲，形直则影正／源洁则流清，形端则影直／木深而末茂，形大而声宏／见乃谓之象，形乃谓之器／神太用则竭，形太劳则弊／能备患于未形也，故祸不萌／形存则神存，形谢则神灭也／韵者，随迹立形，备遗不俗／明者见于无形，智者虑于未萌／明镜所以照形，古事所以知今／有生之气，有形之状，尽幻也／诂形以形，以形务名，督言正名／明鉴所以照形也，往古所以知今也／明镜便于照形，其于以函食，不如箪／情动于中，故形于声，声成文，谓之音／有诸中者必形乎表，发乎迩者必著乎远／鬼无声也，无形也，无气也，果无鬼乎／常以事于无形之外，而不留思尽虑于成事之内／生有七尺之形，死唯一棺之土，唯立德扬名，可以不朽

❼有形者生于无形／毋以己之长而形人之短／明者起福于无形，销患于未然／虽有至明，而有形者不可毕见焉／镇相连似影追形，分不开如刀划水／以镜自照者见形容，以人自照者见吉凶／养志者忘形，养形者忘利，致道者忘心／有形亦是气，无形亦是气，道寓其中也／生而影不与吾形相依，死而魂不与吾梦相接／化者，复归于无形也；不化者，与天地俱生也

❽包裹天地，禀授无形／大音希声，大象无形／虽贫贱，不以利累形／善恶昭彰，如影随形／教以不知，导以无形／诗者，情动于中而形于言／形者神之质，神者形之用／以气韵求其画，则形似在其间矣／在天成象，在地成形，变化见矣／形而上者谓之道，形而下者谓之器／道生之，德畜之，物形之，势成之／道也者，动不见其形，施不见其德／智见者人为之谋，形见者人为之功／见乎表者作乎里，形于事者发于心／圣人量腹而食，度形而衣，节于己而已／饰貌以强类者失形，调辞以务似者失情／微乎微乎，至于无形……故能为敌之司命／必静必清，无劳女形，无摇女精，乃可以长生／食之道：大充，伤而形不臧；大摄，骨枯而血冱／兵无常势，水无常形，能因敌变化而取胜者，谓之神

❾一虚一满，不位乎其形／厚酒肥肉，甘口而疾形／诗是无形画，画是有形诗／水涵天影阔，山拔地形高／古之人，身隐而功著，形息而名彰／人世几回伤往事，山形依旧枕江流／诗者，人心之感物而形于言之余也／有生则复于不生，有形则复于无形／圣人之道，一龙一蛇，形见神藏……／火形严，故人鲜灼；水形懦，故人多溺／理未尝离乎气，然理形而上者，气形而下者／敌先我动，则是见其形；彼躁我静，则是罢其力／圣人者常以事于无形之外，而不留思尽虑于成事之内

❿心能识壮毫而不觉其形／天地有正气，杂然赋流形／不困在豫慎，见祸在未形／百忧感其心，万事劳其形／丽容虽丽，犹待镜以端形／八公山上草木，皆类人形／兴废由人事，山川空地形／善恶相从，如景乡之应形声／望远者，察其貌而不察其形／雕琢复朴，块然独以其形立／天下之金石不足颂阁下之形容／无丝竹之乱耳，无案牍之劳形／传闻不如亲见，视影不如察形／人与虫一也，所以异者形质尔／声无小而不闻，行无隐而不形／治末者调其本，端影者正其形／心既托声于言，言亦寄形于字／聪者听于无声，明者见于未形／仁者爱万物，而智者备祸于未形／留动而生物，物成生理，谓之形／伺候于公卿之门，奔走于形势之途／均，天下之至理也，连于形物亦然／形骸非性命不立，性命假形骸以显／浊其源而望流清，曲其形而欲景直／驱妻逐子课工程，虽作人形俱菜色／理有疑误而成过，事有形似而类真／气入身来为之生，

神去离形为之死／有生则复于不生，有形则复于无形／炎火成燎原之势，涓流兆江河之形／自责以义则难为非，难为非则形饰／金百炼以为鉴，而万物不能遁其形／未闻刀没而利存，岂容形亡而神在？／兴于嗟叹，发于吟咏，而形于歌诗矣／明者远见于未萌，而智者避危于无形／心之所感有邪正，故言之所形有是非／事非当则伤于智力，务过分则毙于形神／论其诗不如听其声，听其声不如察其形／志闲而少欲，心安而不惧，形劳而不倦／虽富贵不以养伤身，虽贫贱不以利累形／因也者，无益无损也，以其形因为之名／形不得神不能自生，神不得形不能自成／独游山水间，登极顶……欲空其形而去／道也者，至精也，不可为形，不可为名／水之行避高而趋下，兵之形避实而击虚／感乎心，明乎智，发而成形，精之至也／夫人之相与，俯仰一世……放浪形骸之外／有必缘其心爱之谓也，有其形不可谓有之／养形必先之以物，物有余而形不养者有之矣／诗如鼓琴，声声见心。心为人籁，诚中形外／阴风怒号，浊浪排空，日星隐曜，山岳潜形／男子疾耕不足于糟糠，女子纺绩不足于盖形／异音者不可听以一律，异形者不可合于一体／大方无隅，大器晚成，大音希声，大象无形／富于材积，领会神情，临景结构，不仿形迹／理未尝离乎气，然理形而上者，气形而下者／心源为炉，笔端为炭。锻炼元本，雕砻群形／忠心好善，而日新之；独居乐德，内悦于形／含元一以为质，禀阴阳以立性，体五行而著形／贵者，夜以继日，思虑善否，其为形也亦疏矣／气之动物，物之感人，故摇荡性情，形诸舞咏／虚空者，乃可用盛受万物。故曰虚无能制有形／泰初有无，无有，无名。一之所起，有一而未形／君子之学也，入乎耳，箸乎心，布乎四体，形乎动静／道者……高不可际，深不可测；包裹天地，禀授无形／恶图犬马而好作鬼魅，诚以实事难形，而虚伪不穷也／起居不时，饮食不节，寒暑不适，则形体累而寿命损／今且须去理会眼前事，那个鬼神事，无形无影，莫要枉费心力／君子知形恃神以立，神须形以存，悟生理之易失，知一过之害生／人之生也，与忧俱生，寿者惛惛，久忧不死，何苦也！其为形也亦远矣

杉 shān，又读 shā，常绿乔木。

❶杉能遂其性，不扶而直……

见宋·苏辙《南康直节堂记》。全句为："其生能傲冰雪，而死能利栋宇者，与竹柏同，而以直过之"。

❼夹涧有古松、老杉……

衫 shān 古指短袖的单上衣；泛指衣服。

❸脱裙衫，穷不妨；布荆人，名自香

❼诗人安得有青衫，今岁和戎百万缣

❿也知渔父趁鱼急，翻着春衫不裹头

须 xū 务必，一定要；等待；胡子；必要；应当；本是；终于，终归；虽；却。

❶须知香饵下，触口是铦钩

见唐·李群玉《放鱼》。

须用防微杜渐，毋为因小失大

见明·宋诩《宋氏家规部》。

须晴日，看红装素裹，分外妖娆

见现代·毛泽东《沁园春·雪》。

须知三绝韦编者，不是寻行数墨人

见宋·朱熹《朱文公集·易诗之一》。

须知大隐居廛市，休问深山守静孤

见宋·张伯端《悟真篇》。

❷字须熟后生，画须生外熟／赏须功而加，罚待罪而施／"莫须有"三字，何以服天下／名须立而戒浮，志欲高而无妄／必须出类拔萃，与众不同，才觉有趣／必须困至乃虑，穷至乃图，不亦晚乎／才须学也，非学无以广才，非志无以成学／财须民生，强赖民力，威恃民势，福由民殖

❸举人须举好退者／男儿须读五车书／安危须仗出群材／凡人须先立志……／作诗须多诵古今人诗／男大须婚，女大必嫁／器量须大，心境须宽／健儿须快马，快马须健儿／人情须耐久，花面长依旧／隔墙须有耳，窗外岂无人／大厦须异材，廊庙非庸器／好事须相让，恶事莫相推／学者须是务实，不要近名／杀人须见血，救人须救彻／欲赤须近朱，欲黑须近墨／青春须早为，岂能长少年／文章须自出机杼，成一家风骨／学诗须是熟看古人诗，求其用心处／交友须带三分侠气，作人要存一点素心／振则须起风雷之益，惩则须奋刚健之乾／治心须求妙悟，悟则神和气静，客敬色庄／得贤须任，既任须信，既信须终，既终须赏／人品须从小作起，权宜苟且诡随之意多，则一生人品坏矣／今且须去理会眼前事，那个鬼神事，无形无影，莫要枉费心力

❹松柏何须羡桃李／负恩必须酬，施恩慎勿色／应尽便须尽，无复独多虑／怀道者须世，抱朴者待工／衣食当须纪，力耕不吾欺／既多又须择，储精弃其糠／用兵必须审敌虚实而趋其危／大得却须防大失，多忧原只为求多／处世还须称晚来，逢人且莫夸畴昔／春到也，须频寄，人到也、须频寄／心病终须心药治，解铃还是系铃人／羌笛何须怨杨柳，春风不度玉门关／观书先须熟读，使其言皆若出于吾之口／凡事皆须务本，国以人为本，人以衣食为本／凡勤学，须是出于本心，不待父母先生督责

❺百丈竿头须进步／努力功名须黑头／人之有

子，须使有业／要成好人，须寻好友／欲当大任，须是笃实／国家大政，须人无二心／贤人之才，须贤人用之／贤人之业，须贤人达之／变故在斯须，百年谁能持／哀吾生之须臾，羡长江之无穷／观古今于须臾，抚四海于一瞬／未必上流须鲁肃，腐儒空白九分头／世人结交须黄金，黄金不多交不深／百尺竿头须进步，十方世界是全身／人生得意须尽欢，莫使金樽空对月／友如作画须求淡，山似论文不喜平／大抵文字须熟乃妙，熟则利病自明／细推物理须行乐，何用浮名绊此身／策马前途须努力，莫学龙钟虚叹息／所谓读书，须当明物理，揣事情，论事势／处逆境心须用开拓法，处顺境心要用收敛法

❻只缘恐惧转须亲／野芳虽晚不须嗟／真草书迹，微须留意／凡所从政，当须正己／帝子亲王，必须克己／色能置害，必须远之／口能招祸，必须慎之／酒能败身，必须戒之／送君千里，终须一别／水到渠成，不须预虑／心能造恶，必须戒之／忿能积恶，必须忍之／不防盟墨诈，须戒覆车新／为君之道，必须先存百姓／人生行乐耳，须富贵何时／莫信直中直，须防仁不仁／寄语双莲子，须知用意深／欲求生富贵，须下死工夫／欲求真受用，须下死功夫／今所任用，必须以德行、学识为本／有花堪折直须折，莫待无花空折枝／与朋友论学，须委曲谦下，宽以居之／太平之时，必须才行俱兼，始可任用／道也者，不可须臾离也；可离，非道也／水静则明烛须眉，平中准，大匠取法焉／天下稍安，尤须兢慎，若便骄逸，必至丧败／人欲自照，必须明镜；主欲知过，必藉忠臣

❼器量须大，心境须宽／但使强胡灭，何须甲第成／人实不易知，更须慎其仪／字须熟后生，画须生外熟／赤兔无人用，当须吕布骑／古之人，未有不须友以成者／有贤豪之士，不须限于下位／当知器满则倾，须知物极必反／我独见得是，亦须缓缓调停，不可直遂／为政不在言多，须息息从省身克己而出／莫之大祸，起于须臾之不忍，不可不谨／得贤须任，既任须信，既信须终，既终须赏

❽目失镜，则无以正须眉／健儿须快马，快马须健儿／杀人须见血，救人须救彻／欲赤须近朱，欲黑须近墨／要假修成九转，先须炼己持心／休辞客路三千远，须念人生七十稀／先虑之，早谋之，斯须之言而足听／切莫呕心并剔肺，须知妙语出天然／得意浓时休进步，须防世事多番覆／宛转蛾眉能几时，须臾鹤发乱如丝／要为天下奇男子，须历人间万里程／自家虽有这道理，须是经历过方得

❾利剑不在掌，结友何须多／儒生直如弦，权贵不须干／谤议不足怨，宠辱讵须惊／好风能自至，明月不须期／贵人难得意，赏爱在须臾／见悻悻自好之徒，应须防口／善教者以不倦之意须迟久之功／穷者欲达其言，劳者须歌其事／且乐生前一杯酒，何须身后千载名／好去长江千万里，不须辛苦上龙门／欲赋生来惊人语，必须苦下死工夫

❿芹泥随燕觜，花蕊上蜂须／吟安一个字，捻断数茎须／赏罚不可轻行，用人弥须慎择／一生大笑能几回，斗酒相逢须醉倒／世路之蓁芜当剔，人心之茅塞须开／伏波惟愿裹尸还，定远何须生入关／人生不得长欢乐，年少须臾老到来／人生贵贱无终始，倏忽须臾难久恃／劝君莫惜金缕衣，劝君须惜少年时／尘世难逢开口笑，菊花须插满头归／节物风光不相待，桑田碧海须臾改／打虎还得亲兄弟，上阵须教子弟兵／处事要代人作想，读书须切己用功／富贵必从勤苦得，男儿须读五车书／春到也，须频寄，人到也、须频寄／昨日之日不可追，今日之日须臾期／新松恨不高千尺，恶竹应须斩万竿／翻手作云覆手雨，纷纷轻薄何须数／吾尝终日而思矣，不如须臾之所学也／自天地至于万物，无不须气以生者也／凡上下之间有物间隔，当须用刑法去之／交财一事最难。虽至亲好友，亦须明白／功不使鬼必在役人，物不天来终须地出／巧不使鬼必有役人，物不天来终须地出／振则须起风雷之益，惩则须奋刚健之乾／绳锯木断，水滴石穿，学道者须加力索／思立掀天揭地的事功，须向薄冰上履过／因事相争，安知非我之不是，须平心暗想／贤能，不待次而举；罢不能，不待须而废／只系其逢，不系巧愚；不谐其须，有衔不祛／得贤须任，既任须信，既信须终，既终须赏／江河之溢，不过三日，飘风暴雨，须臾而毕／综学在博，取事贵约，校练务精，捃理须核／超凡证圣，目击非遥；悟在须臾，何须皓首／人情得足，苦于放纵，快须臾之欲，忘慎罚之义／河冰结合，非一日之寒；积土成山，非斯须之作／安不忘危，治不忘乱，虽知今日无事，亦须思其终始／君子知形恃神以立，神须形以存，悟生理之易失，知一过之害生

彬 bīn［彬彬］文雅。

❸文质彬彬，然后君子

❺颂优游以彬蔚，论精微而朗畅

❿质胜文则野，文胜质则史。文质彬彬，然后君子

彪 biāo 小老虎；喻指身材高大；虎身上的斑纹，喻指文采斑斓、焕发；通“标”；姓。

❸篇之彪炳，章无疵也；章之明靡，句无玷也

❹饭山逢彪必吐哺而逃

彩

cǎi 多种颜色；文彩；光彩；式样；各色丝绸；表现或表演出色；比喻受伤留的血。

❶彩云易散，皓月难圆

见明·冯梦龙《警世通言·钱舍人题诗燕子楼》。

❸身无彩凤双飞翼，心有灵犀一点通

❺虹销雨霁，彩彻云衢／齐、梁间诗，彩丽竞繁，而兴寄都绝

❻雄州雾列，俊彩星驰／化腐木而含彩，集枯草而藏烟

❼岁寒霜雪苦，含彩独青青，岂不厌凝列，羞比春木荣

❽大都好物不坚牢，彩云易散琉璃脆

❾苟意不先立，止以文彩辞句，绕前捧后，是言愈多而理愈乱

❿剑戟横空金气肃，旌旗映日彩云飞／吹波则江汉倒流，腾气则虹霓掩彩／赤橙黄绿青蓝紫，谁持彩练当空舞／为文以意为主，气为辅，以辞彩章句为之兵卫／真则气雄，精则气生，使五彩并用，而气行其中

彭

①péng 古地名；通"篣"，笞击；姓；通"膨"，[彭亨]腹膨大貌。②pēng[彭湃]同"澎湃"。③páng 旁，近。

❶彭蠡之滨，以鱼食犬豕

见汉·王充《论衡·定贤篇》。全句为："昆山之下，以玉为石；～"。

❼莫寿于殇子，而彭祖为夭／渔舟唱晚，响穷彭蠡之滨

❿述而不作，信而好古，窃比于我老彭

彰

zhāng 明显；显著；表扬；宣扬。

❶彰善瘅恶，王教之端

见唐·柳宗元《柳常侍行状》。

❹事由迹彰，功待事立／知微知彰，知柔知刚／善恶昭彰，如影随形／理因事彰，不坏事而显理

❻无猖狂以自彰，当阴沉以自深

❼天下无道，圣人彰焉／珍好之物滋生彰著，则……

❽美不自美，因人而彰／常之为物，不偏不彰／不痴不狂，其名不彰；不狂不痴，不能成事

❾易因于难，非难无以彰其易

❿不自见，故明；不自是，故彰／察其言，观其行，而善恶彰焉／身与草木俱朽，声与日月并彰／古之人，身隐而功著，形息而名彰／人有善，恒当掩之，有恶宜令彰露／德弥盛者文弥缛，德弥彰者人弥明／小人之谤，非所谓谤也，其不善彰焉尔／自古于今，上以天子……好义而不彰者也／自见者不明，自是者不彰，自伐者无功，自矜者不长

影

yǐng 影象；模糊的形象；描摹。

❷欲影正者端其表，欲下廉者先之身／人影在地，仰见明月，顾而乐之，行歌相答

❸生而影不与吾形相依，死而魂不与吾梦相接

❹拂墙花影动，疑是玉人来／图形于影，未尽纤丽之容／形枉则影曲，形直则影正／水涵天影阔，山拔地形高／劳形按影皆非道，炼气吞霞更是狂／闲云潭影日悠悠，物换星移几度秋

❺人何在？桂影自婵娟／风不可系，影不可捕／愿随孤月影，流照伏波营／起舞弄清影，何似在人间／言之如吹影，思之如镂尘／树临流而影动，岩薄暮而云披／镇相连似影追形，分不开如刀划水

❻茕茕孑立，形影相吊／善恶昭彰，如影随形／夕阳在山，人影散乱／浮光跃金，静影沉璧／未有身正而影曲，上治而下乱者／澄川翠干，光影会合于轩户之间，尤与风月为相宜

❼两世一身，形单影只／怅望关河空吊影，正人间……／惆怅不如边雁影，秋风犹得向南飞／虚檐立尽梧桐影，络纬数声山月寒／不知处阴以休影，处静以息迹，愚亦甚矣／水之守土也审，影之守人也审，物之守物也审

❽但立直标，终无曲影／惠迪吉，从逆凶，惟影响／传闻不如亲见，视影不如察形／治末者调其本，端影者正其形／君子独立不惭于影，独寝不惭于魂

❾求物之妙，如系风捕影／钩曲之形，无绳直之影／形枉则影曲，形直则影正／源洁则流清，形端则影直

❿林净藏烟，峰危限月，帆影摇空绿／求远者不可失于近，治影者不可忘其容／长烟一空，皓月千里；浮光跃金，静影沉璧／尽若穷烟，离若箭弦，如影灭地，犹星殒天／不修身而求令名于世者，犹貌甚恶而责妍影于镜也／今不修身而求令名于世者，犹貌甚恶而责妍影于镜也／三五之夜，明月半墙，桂影斑驳，风移影动，珊珊可爱／今且须去理会眼前事，那个鬼神事，无形无影，莫要枉费心力

犯

fàn 抵触，违反；罪犯；侵犯；发作，引发；值得；毁坏。

❶犯天下之不韪

见清·顾炎武《日知录·正始》。

犯上难，摄下易

见南朝·宋·刘义庆《世说新语·品藻》。

犯法之人，丝毫无贷

见宋·苏轼《乞降度牒修定州禁军营房状》。

犯其至难而图其至远

见宋·苏轼《思治论》。

犯法怠慢者，虽亲必罚

见晋·陈寿《三国志·蜀书·诸葛亮传》。全句为:“尽忠益时者,虽仇必赏;～”。

❷忠犯人主之怒,而勇夺三军之帅

❸悦以犯难,人忘其死/贵而犯法,义不得宥;过而知改,恩不废叙/设必犯之法,不度民情之不堪,是陷民于罪也

❹不以寡犯众/众怒难犯,专欲难成/君子不犯辱,况于刑乎/法立,有犯而必施;令出,惟行而不返

❺众怒不可犯/孤论难持,犯欲难成/制法而自犯之,何以帅下/勇则不可犯,智则不可乱/法立而不犯,令行而不逆/过而不文,犯而不校,有功不伐/与民争利,犯者辄免官削爵,不得仕宦

❻怒而无威者犯/吾有小失,必犯颜而谏之/禁人之所必犯,虽罚且违/法设而民不犯,令施而民从

❼法之不行,自上犯之/有若无,实若虚,犯而不校

❽众人成聚,圣人不犯/举刺不避乎权势,犯颜不畏乎逆鳞/厚性宽中近于仁,犯而不校邻于恕/赏罚不信,则民易犯法,不可使令/夫谓法不严则易犯,暴君酷吏假辞以饰其恶耳/爱故不二,威故不犯;故善将者,爱与威而已

❾罪漏则民放佚而轻犯禁/儒以文乱法,侠以武犯禁/以救时行道为贤,以犯颜纳说为忠/其为人也孝悌,而好犯上者,鲜矣

❿法严而奸易息,政宽而民多犯/厉法禁,自大臣始,则小臣不犯矣/出一令可以止横议,杀一犯可以儆百众/说以先民,民忘其劳。说以犯难,民忘其死/岂不遽止?然犹防川,大决所犯,伤人必多/法令者,所以抑暴扶弱,欲其难犯而易避也/大臣则必取众人之选,能犯颜谏事公正无私者/示之以形,禁之以势,使之望而不敢犯,犯而无所得/节民以礼,故其刑罚甚轻而禁不犯者,教化行而习俗美也

犷

guǎng 粗野。

❻耕夫习牛则犷,猎夫习虎则勇

狂

kuáng 精神错乱;纵情地;傲慢;猛烈。

❶狂来笔力如牛弩

见唐·李商隐《偶成转韵七十二句韵赠四同舍》。

狂夫之言,圣人择焉

见汉·班固《汉书·韩信传》。

狂妄之威成乎灭亡也

见《荀子·强国》。全句为:“此三威者,不可不孰察也。道德之威成乎安强,暴察之威成乎危弱,～”。

狂者东走,逐者亦东走

见《韩非子·说林上》。全句为:“～;其东走则同,其所以东走之为则异”。

狂云妒佳月,怒气千里黑

见宋·苏轼《妒佳月》。

狂夫之乐,知者哀焉;愚者之笑,贤者戚焉

见《战国策·赵策二》。

❷回狂澜于既倒,支大厦于将倾/心狂志悖,视听从类,政令无常,下民作孽

❸无猖狂以自彰,当阴沉以自深/采择狂夫之言,不逆负薪之议/不弃狂夫之言者,然后嘉谟可闻也/醉后狂言醒时悔,安不将息病时悔

❹上马击狂胡,下马草军书/言者不狂,而择者不明,国之大患/不痴不狂,其名不彰;不狂不痴,不能成事

❻浩歌惊世俗,狂语任天真/惟圣罔念作狂,惟狂克念作圣/块土不能障狂澜,匹夫不能振颓俗

❼老夫聊发少年狂,左牵黄,右擎苍

❽障百川而东之,回狂澜于既倒/惟圣罔念作狂,惟狂克念作圣/国际悲歌歌一曲,狂飙为我从天落/浮游,不知所求;猖狂,不知所往/知善不行者谓之狂,知恶不改者谓之惑/凡人之性,少则猖狂,壮则暴强,老则好利/赴之若惊,用之若狂;当之者破,近之者亡

❾屹立大江干,仍能障狂澜/死,人之所难,然耻为狂夫所害/暴察之威成乎危弱,狂妄之威成乎灭亡也/日光顿生,霜露渐消;狂风顿息,波浪渐停/愚者笑之,智者哀焉;狂夫之乐,贤者丧焉

❿子系中山狼,得志便猖狂/布衣穷贱之人,咸得献其狂瞽/胸次山高水远,笔端云起风狂/才疏志大不自量,西家东家笑我狂/千淘万漉虽辛苦,吹尽狂沙始到金/劳形按影皆非道,炼气吞霞更是狂/经济文章磨白昼,幽光狂慧复中宵/逆则生,顺则夭矣;逆者圣,顺则狂矣/私视使目盲,私听使耳聋,私虑使心狂/君不见长松百尺多劲节,狂风暴雨终摧折/不痴不狂,其名不彰;不狂不痴,不能成事/今之世不闻有师,有,辄哗笑之,以为狂人/语言文字,如春之花,或者必欲弃花而觅春,非愚即狂/威有三:有道德之威者,有暴察之威者,有狂妄之威者/威有三术,有道德之威者,有暴察之威者,有狂妄之威者/匹夫而忧天下,无位而论世事,时俗以为狂,而君子之所取也/道德之威成乎安强,暴察之威成乎危弱,狂妄之威成乎灭亡也

犹

①yóu 兽名,猴属;如;还;仍;像;尚且;舒迟貌;姓。②yáo 通“摇”。

❶犹如水中月,可见不可取

见宋·释道原《景德传灯录》卷七。

❷过犹不及／木犹如此，人何以堪／爱犹冬日，罔若明珠／言犹在耳，忠岂忘心／兵犹火也，不戢将自焚／文犹可长用，武难久行／兵犹火也，弗戢将自焚也／国犹寝也，一榼蠹则无寝／政犹张琴瑟，大弦急则小弦绝／意犹帅也；无帅之兵，谓之乌合／死犹未肯输心去，贫亦其能奈我何／恶犹疾也，攻之则益悛，不攻则日甚／譬犹练丝，染之蓝则青，染之丹则赤／天犹有春秋冬夏旦暮之期，人者厚貌深情／道犹金石，一调不更；事犹琴瑟，每弦改调／君犹器也，人犹水也，方圆在于器，不在于水

❸清香犹在野蔷薇／纵死犹闻侠骨香／忍寒犹可忍饥难／困兽犹斗，况人乎／困兽犹斗，况国相乎／困兽犹斗，穷寇勿遏／两草犹一心，人心不如草／九州犹虎豹，四海未桑麻／首夏犹清和，芳草亦未歇／饮马犹尚可，莫使学操舟／河长犹可涉，海阔故难飞／弦断犹可续，心去最难留／辞者，犹器之有刻镂绘画也／衡阳犹有雁传书，郴阳和雁无／为政犹沐也，虽有弃发，必为之／良人犹恐催耕早，自扯蓬窗看晓星／宣父犹能畏后生，丈夫未可轻年少／自叹犹为折腰吏，可怜骢马路傍行／生死犹转机，得失如反掌，可不慎乎／治国犹如栽树，本根不摇，则枝叶茂荣／学者，犹种树也，春玩其华，秋登其实／天下犹人之体，腹心充实，四支虽病，终无大患

❹猛虎之犹豫，不若蜂虿致螫／日月其犹坠落，萤光如何久留／天作孽，犹可违；自作孽，不可逭／溺于渊犹可缓也，溺于人不可救也／从时者，犹救火、追亡人也，蹶而趋之，唯恐弗及

❺处涸辙以犹欢／塞翁失马犹为福／虽九死其犹未悔／览予初其犹未悔／人之百年，犹如一瞬／执中无权，犹执一也／虽死之日，犹生之年／学如不及，犹恐失之／羊之乱群，犹能为害／上之化下，犹风之靡草／后之视今，犹今之视昔／论之应理，犹矢之中的／圣人用人，犹匠之用木／喜而溢美，犹不失近厚／国家用人，犹农家积粟／法虽不善，犹愈于无法／胸中不学，犹手中无钱／盛之有衰，犹朝之必暮／丽容虽丽，犹待镜以端形／乱后易理，犹饥人易食也／凡为文章，犹乘骐骥……／论说之出，犹弓矢之发也／宝剑未砥，犹乏切玉之功／礼之正国，犹绳墨之于曲直／其以止患，犹堤防之于江河／学古之道，犹食笋而去其箨也／人之短生，犹如石火，炯然以过／豺狼死而犹饿兮，牛腹尸而不盈／丈人才力犹强健，岂傍青门学种瓜／僧是愚氓犹可训，妖为鬼蜮必成灾／诸人之文，犹山无烟霞，春无草树／虽体解吾犹未变兮，岂余心之可惩／子规夜半犹啼血，不信东风唤不回／杀身慷慨犹易免，取义从容未轻许／朝无贤人，犹鸿鹄之无羽翼也……／蓝青地黄犹可假，仁义之事不可假乎／君子之过，犹日月之蚀也，何害于明／积善在身，犹长日加益，而人不知也／积恶在身，犹火之销膏，而人不见也／偏而在外，犹可救也，疾自中起，是难／多闻识者，犹广储药物也，知所用为贵／邪之与正，犹水与火，不同原，不得并盛／生男如狼，犹恐其尪；生女如鼠，犹恐其虎／大禹圣人，犹惜寸阴，至于凡俗，当惜分阴／慎终如始，犹恐渐衰，始尚不慎，终将安保／经目之事，犹恐未真；背后之言，岂能全信／爱子不教，犹饥而食之以毒，适所以害之也／神龟虽寿，犹有竟时；腾蛇乘雾，终为土灰／用兵之害，犹豫最大；三军之灾，生于狐疑／国之有民，犹水之有舟，停则以安，扰则以危／兢兢自危，犹惧不终，而况沛然自足，可以成功者乎

❻人不读书，其犹夜行／过而改之，是犹不过／一步未至，则犹不往也／井不达泉，则犹不掘也／尽荆越之竹，犹不能书／治国无以智，犹弃智也／后之视今，亦犹今之视古／后之视今，亦犹今之视昔／勿轻直折剑，犹胜曲全钩／流言雪污，譬犹以涅拭素／纵有还家梦，犹闻出塞声／案头见蠹鱼，犹胜凡俦侣／贤人于国，亦犹食之在人／教而不以善，犹为不教也／今之视古，亦犹后之视今也／今布衣虽贱，犹足以方于此／君子之为书，犹工人之作器／汲汲于名者，犹汲汲于利也／孤之有孔明，犹鱼之有水也／毁誉之于己，犹蚊虻之一过／无德而福隆，犹无基而厚墉也／贵贱之于身，犹条风之时丽过／民之归仁也，犹水之就下、兽之走圹也／忧天下之乱，犹忧河水之少，泣而益之也／岂不遽止？然犹防川，大决所犯，伤人必多／时雨降矣，而犹浸灌，其于泽也，不亦劳乎／天地之间，其犹橐龠乎？虚而不屈，动而愈出／君犹器也，人犹水也，方圆在于器，不在于水／不学而求知，犹愿鱼而无网焉，心虽勤而无获矣／魂魄二字，正犹精神二字。神即是魂，精即是魄／沐者堕发，而犹为之不止，以所去者少，所利者多

❼三径就荒，松菊犹存／君者政源，人庶犹水／徐娘半老，风韵犹存／圣人之弘也，而犹有惭德／爱其子而不教，犹为不爱也／举凶器，行凶德，犹不得已也／虽迫桑榆之景，犹倾葵藿之心／彼汲汲于名者，犹汲汲于利者／天地之有水旱，犹人之有疾病也／怨在微而下之，犹可以为谦德也／豫焉，若冬涉川；犹兮，若畏四邻／人有喜怒哀乐，犹天之有春夏秋冬／无奇业旁人，而犹以富给，非俭则力也／养而害所养，譬犹削足而适履，杀头而便冠／梅花过时，槐色犹在，白云芳草，尽入诗兴／己之才艺虽多，犹病以为少，仍就寡少之人更求所益

❽齿发虽衰而风力犹在／一薰一莸，十年尚犹有臭／非独羊也，治民亦犹是也／仓廪无宿储，徭役犹未已／仓廪无宿储，徭役犹未已／名位苟无心，对君犹可眠／四海无闲田，农夫犹饿死／往者不可及，来者犹可待／往者不可谏，来者犹可追／杀尽田野人，将军犹爱武／使民无欲，上虽贤犹不能用／若高下相去差近，犹可与语／念头暗昧，白日下犹生厉鬼／已是悬崖百丈冰，犹有花枝俏／化作娇莺飞归去，犹认纱窗旧绿／千呼万唤始出来，犹抱琵琶半遮面／豫者图患于未然，犹者致疑于已是／假令风歇时下来，犹能簸却沧溟水／治世不得真贤，譬犹治疾不得真药／身不肖而诬贤，是犹伛偻而好升高也／任小能于大事者，犹狸搏虎而刀伐木也／屈长才于短用者，犹骥扑鼠而斧剪毛也／绝民用以实王府，犹塞川原而为潢污也／虎之不可使知恩，犹人之不可使为虎也／损百姓以奉其身，犹割股以啖腹，腹饱而身毙／鸟飞千仞之上……祸犹及之，又况编户齐民乎／位存焉而德无有，犹不足大其门，然世且乐为之下

❾众趋明所避，时弃道犹存／纵横计不就，慷慨志犹存／鱼失水则死，水失鱼犹为水／为恶而畏人知，恶中犹有善路／是而非之，非而是之，犹非也／鷦鹩尚存一枝，狡兔犹藏三窟／掘井九轫而不及泉，犹为弃井也／吾之终日志于道德，犹惧未及也／知足之人，虽卧地上，犹为安乐／先生之貌不可得兮，犹仿佛其文章／欲弃学而循性，是谓犹释船而欲蹶水也／但务其华，不寻其实，犹缘木希鱼，却行求前／富贵之家，禄位重叠，犹再实之木，其本必伤／必且历日旷久，丝牦犹能挈石，驽马亦能致远

❿同冰鱼之不绝，似蛰虫之犹苏／酌贪泉而觉爽，处涸辙而犹欢／家有千金之玉不知治，犹之贫也／为谁醉倒为谁醒？至今犹恨轻离别／亦余心之所善兮，虽九死其犹未悔／商女不知亡国恨，隔江犹唱后庭花／荷尽已无擎雨盖，菊残犹有傲霜枝／惆怅不如边雁影，秋风犹得向南飞／寄到玉关应万里，戍人犹在玉关西／战士军前半死生，美人帐下犹歌舞／臂健尚嫌弓力软，眼明犹识阵云高／白骨已枯沙上草，家人犹自寄寒衣／穷荒绝漠鸟不飞，万碛千山梦犹懒／今恶死亡而乐不仁，是犹恶醉而强酒／有相马而失马者，然良马犹在相之中／火之燎于原，不可向迩，其犹可扑灭／言之而是，虽在仆隶刍荛，犹不可弃／人生不得行胸怀，虽寿百岁，犹为夭也／哀白日之不与吾谋兮，至今十年其犹初／邪正之人不宜共国，亦犹冰炭不可同器／若火之燎于原，不可向迩，其犹可扑灭／不治其本，而务其末，譬犹拯溺锤之以石／不绝之于彼而救之于此，譬犹抱薪而救火／不素养士而欲求贤，譬犹不琢玉而求文采也／生男如狼，犹恐其尫；生女如鼠，犹恐其虎／尽若穷烟，离若箭弦，如影灭地，犹星殒天／色厉而内荏，譬诸小人，其犹穿窬之盗也与／山，倒海翻江卷巨澜。奔腾急，万马战犹酣／道犹金石，一调不更；事犹琴瑟，每弦改调／财有害气，积则伤人；虽少犹累，而况多乎／胆劲心方，不畏强御，义正所在，视死犹归／欲见贤人而不以其道，犹欲其人而闭之门也／雩而雨，何也？曰：无何也，犹不雩而雨也／天下悠悠，皆可长生也，患于犹豫，故不成耳／年过八十而以居位，譬犹钟鸣漏尽而夜行不休／能用非己之民，国虽小，卒虽少，功名犹可立／若将军、大夫必出旧族，或无可焉，犹用之耶／若近细人，不闻教谕，纵欲行善，犹未知所适／将者，人之司命也，生死犹转机，得失如反掌／树恩布德，易以周洽，其犹顺惊风而飞鸿毛也／有功不赏，有罪不诛，虽唐虞犹不能以化天下／有贤而用，国之福也；有之而不用，犹无有也／顾小而忘大，后必有害；狐疑犹豫，后必有悔／人知贵生乐安而弃礼义，辟之是犹欲寿而殁颈也／城狐社鼠皆微物，为其有所凭恃，故除之犹不易／老而学者，如秉烛夜行，犹贤乎瞑目而无见者也／不修身而求令名于世者，犹貌甚恶而责妍影于镜也／恐沈于众，若火之燎于原，不可向迩，其犹可扑灭／愚者不自谓愚而愚见于言，虽自谓智，人犹谓之愚／今不修身而求令名于世者，犹貌甚恶而责妍影于镜也／不是师法，而好自用，譬之是犹以盲辨色，以聋辨声也／为一书，务富文采，不顾事实……是犹用文锦复陷阱也／厌文搔法，法官理民者，有司也，君无事焉，犹尊君也／君自为诈，欲臣下行直，是犹源浊而望水清，理不可得／天地之大，四时之化，而犹不能以不信成物，又况乎人事／动摇则谷气得消，血脉流通，病不得生，譬犹户枢不朽也／人之欲虽多，而上无以令之，人虽得其欲，人犹不可得用也／不本其所以欲，而禁其所欲……是犹决江河之源而障之以手也／病已成而后药之，乱已成而后治之，譬犹渴而穿井，斗而铸锥，不亦晚乎

狄

①dí 古代北部的少数民族；古时最下级的官吏。②tì 往来疾速。

❼降矣哉？终身夷狄

❾师旷调音，曲无不悲；狄牙和膳，肴无澹味

狎

xiá 亲近，熟悉；轻忽；更迭，交替；拥挤；安于，习惯于。［狎客］指亲昵接近，常共宴饮冶游的人；指嫖客。

❶狎昵恶少，久必受其累

见清·朱柏庐《治家格言》。全句为："～；屈志老成，急则可相依"。

狎甚则相简，庄甚则不亲

见汉·刘向《说苑·谈丛》。
❸人皆狎我,必我无骨/贤者狎而敬之,畏而爱之
❹德盛不狎侮
❺豺狼不可狎/水懦弱,民狎而玩之,则多死焉
❼君子易知而难狎,易惧而难胁
❽君子者,易亲而难狎,畏祸而难却,嗜利而不为非,时动而不苟作
❿坐而玩之者,可濯足于床下;卧而狎之者,可垂钓于枕上

狌

①xīng 同“猩”;[狌狌]兽名,即猩猩。②shēng 同“鼪”,俗称黄鼠狼。

❿骐骥骅骝,一日而驰千里,捕鼠不如狸狌

狐

hú 哺乳动物;姓。

❶狐死首丘,代马依风
见南朝·宋·范晔《后汉书·班超传》。
狐白之裘,非一狐之腋
见《慎子·内篇》。全句为:“廊庙之材,非一木之枝;~”。
狐死归首丘,故乡安可忘
见三国·魏·曹操《却东西门行》。
狐白足御冬,焉念无衣客
见三国·魏·曹植《赠丁仪》。
狐裘虽敝,不可补以黄狗之皮
见汉·司马迁《史记·田敬仲完世家》。
❷与狐议裘,无时焉可/以狐白补犬羊,身涂其炭/决狐疑者,必告逆耳之言/城狐社鼠皆微物,为其有所凭恃,故除之犹不易
❹莫赤匪狐,莫黑匪乌
❺代马望北,狐死首丘/寒者不俟狐貉而后温/龟猖有介,狐貉不能擒/掩袖工谗,狐媚偏能惑主
❻豺狼当路而狐狸是先/豺狼已毙,在狐鼠而宜除
❼豺狼当路,安问狐狸/千金之裘,非一狐之腋/狐白之裘,非一狐之腋/千镒之裘,非一狐之白也/豹裘而杂,不若狐裘之粹/貂裘而杂,不若狐裘而粹/鸟飞返故乡兮,狐死必首丘/狖失木,而禽于狐狸,非其处也/虎狼当路,不治狐狸。先除大害,小害自已/天下无粹白之狐,而有粹白之裘,取之众白也
❽千羊之皮,不若一狐之腋/粹白之裘,盖非一狐之皮也
❾豺狼横道,不宜复问狐狸/鼍鸣而鳖应,兔死则狐悲
❿历险乘危,则骐骥不如狐狸/当以执两以兼听,而不以狐疑为兼听/君不见比来翁姥尽饥死,狐狸啮骨乌啄眼/和神仙之药以治鼽咳,制貂狐之裘以取薪菜/好便宜者不可与共财,多狐疑者不可与共事/用兵之害,犹豫最大;三军之灾,生于狐疑/顾小而忘大,后必有害;狐疑犹豫,后必有悔

狗

gǒu 犬的通称;比喻帮凶、坏人。

❶狗彘不食其余
见清·张廷玉《明史·李任传》。
狗吠深巷中,鸡鸣桑树颠
见晋·陶潜《归园田居五首》之一。
狗不以善吠为良,人不以善言为贤
见《庄子·徐无鬼》。全句为:“~,而况为大乎”。
狗彘食人食而不知检,途有饿莩而不知发
见《孟子·梁惠王上》。
狗吠不惊,足下生氂;含哺鼓腹,焉知凶灾
见南朝·宋·范晔《后汉书·岑彭传》。
❷卢狗悲号,则韩国知其才/乳狗之噬虎也,伏鸡之搏狸也
❸蝇营狗苟,驱去复还/跖之狗吠尧,尧非不仁,狗固吠非其主
❹貂不足,狗尾续/人主以狗彘畜人者,人亦狗彘其行
❺悬羊头,卖狗肉/国亦有猛狗,用事者是也/狡兔死,良狗烹;高鸟尽,良弓藏;敌国破,谋臣亡
❻宫中积珍宝,狗马实外厩,美人充下陈
❼画龙不成反为狗/画虎不成反类狗/骄妒者,噬贤之狗也
❿天地不仁,以万物为刍狗/圣人不仁,以百姓为刍狗/左右为社鼠,用事者为猛狗/狐裘虽敝,不可补以黄狗之皮/言则称于汤文,行则譬于狗豨/人而无义,唯食而已,是鸡狗也/图工好画鬼魅而憎图狗马者……/飞鸟尽,良弓藏;狡兔死,走狗烹/人主以狗彘畜人者,人亦狗彘其行/蜚鸟尽,良弓藏;狡兔死,走狗烹/夜行者能无为奸,不能禁狗使无吠己/宵行者,能无为奸,而不能令狗无吠己/跖之狗吠尧,尧非不仁,狗固吠非其主/小人之交以利,平时相亲不啻父子,一旦相噬不啻狗彘

狖

yòu 长尾猿;一种象狸的兽。

❶狖失木,而禽于狐狸,非其处也
见汉·刘安《淮南子·主术》。全句为:“吞舟之鱼荡而失水,则制于蝼蚁,离其居也;~”。
❽虎豹之文来射,猿狖之捷来措

狭

xiá 窄;不宽阔。

❶狭路相逢,冤家路窄
见清·西周生《醒世姻缘传》第六五回。
❸险道狭路,可击/高墙狭基,不可立矣;严法

峻刑，不可久也

❼山锐则不高，水狭则不深／瓮盎易盈，以其狭而拒也／小人虽器量浅狭，而未必无一长可取

❽大道夷且长，窘路狭且促

❾言峻则嵩高极天，论狭则河不容舠

❿限以资例，则取人之路狭／学者有两忌，自高与自狭／非患无旃罽橘柚，患无狭庐糟糠／古之用人者，取之至宽而用之至狭／好成者败之本也，愿广者狭之道也／能近见而后能远察，能利狭而后能泽广／好成者，败之本也；愿广者，狭之道也

独 dú 单个；年老没有儿子的人；特别；仅；自私；难道；作语助；动物名；姓。

❶独则明，明则神矣

见《管子·心术上》。

独思，则滞而不通

见三国·魏·徐幹《中论·自学》。

独利则败，众谋则泄

见宋·李邦献《省心杂言》。全句为："利可共而不可独，谋可寡而不可众。～"。

独任之国，劳而多祸

见《管子·形势解》。

独坐穷山，放虎自卫

见晋·陈寿《三国志·蜀书·张飞传》。

独富独贵，君子耻之

见三国·魏·王肃《孔子家语·弟子行》。

独王之国，劳而多祸

见《管子·形势》。

独虑不若与众虑之工

见汉·韩婴《韩诗外传》。全句为："独视不若与众视之明，独听不若与众听之聪，～"。

独柯不成树，独树不成林

见南朝·梁·横吹曲辞《紫骝马歌》。

独学而无友，则孤陋而寡闻

见《礼记·学记》。

独闵闵其曷已兮，凭文章以自宣

见唐·韩愈《闵己赋》。

独立寒秋，湘江北去，橘子洲头

见现代·毛泽东《沁园春·长沙》。

独在异乡为异客，每逢佳节倍思亲

见唐·王维《九月九日忆山东兄弟》。

独有英雄驱虎豹，更无豪杰怕熊罴

见现代·毛泽东《七律·冬云》。

独韩愈奋不顾流俗……因抗颜而为师

见唐·柳宗元《答韦中立论师道书》。删节处为："犯笑侮，收召后学，作《师说》"。

独游山水间，登极顶……欲空其形而去

见宋·郑思肖《一是居士传》。删节处为："狂歌浩哭，气润霄碧，举手掀舞"。

独自莫凭阑，无限江山，别时容易见时难

见五代·南唐·李煜《浪淘沙》[帘外雨潺潺]。

独视不若与众视之明，独听不若与众听之聪

见汉·韩婴《韩诗外传》。全句为："～，独虑不若与众虑之工"。

❷任独者暗，任众者明／专独者，事之所以不成也／非独羊也，治民亦犹是也／有独知之虑者，必见骜于民／非独女以色媚，而士宦亦有之／穷独善而无挠，达兼善而无矜／不独为利而仕不可，为名亦不可／我独见得是，亦须缓缓调停，不可直遂

❸凌寒独自开／一人独钓一江秋／无言独上西楼……／一手独拍，虽疾无声／苏世独立，横而不流／独富独贵，君子耻之／慎其独者，守其中也／听者独闻，不谬于清浊／明者独见，不惑于朱紫／逢时独为贵，历代非无才／穷则独善其身，达则兼善天下／君子独立不惭于影，独寝不惭于魂／特立独行，适于义而已，不顾人之是非／乐非独以自乐，又以乐人，非独以自正，又以正人

❹无虐茕独而畏高明／丝萝非独生，愿托乔木／良马非独骐骥，利剑非唯干将／天下无独燃之火，世间安得有无体独知之精／读书不独变气质，且能养精神，盖理义收摄故也

❺天下真花独牡丹／工夫深处独心知／天下物无独必有对／偏听生奸，独任成乱／危言危行，独立不回／道无鬼神，独往独来／群居不倚，独立不惧／勇者不得独进，怯者不得独退／已是黄昏独自愁，更着风和雨／众卖花兮独卖松，青青颜色不如红／含情欲说独无处，传与琵琶心自知／圣人不以独见为明，而以万物为心／标格原因独立好，肯教富贵负初心／欲笺心事，独语斜阑。难！难！难！／天地所以独长且久者，以其安静，施不荣报／我有禅灯，独照独知。不取亦取，虽师勿帅／高树靡阴，独木不林，随时之宜，道贵从凡／圣人虽有独知之明，常如阇昧，不以曜乱人／士之特立独行，适于义而已，不顾人之是非／宁令吾庐独破受冻死，不忍四海赤子寒飕飕／达于道者，独见独闻，独为独存，父不能以授子，臣不能以授君

❻君子必慎其独也／他人莫利，己独以愉／静则精，精则独立矣／谓之闲适诗，独善之义也／观化百代后，独立万古前／花间一壶酒，独酌无相亲／苟无济代心，独善亦何益／独柯不成树，独树不成林／迎春故早发，独自不疑寒／孤舟蓑笠翁，独钓寒江雪／空嗟芳饵下，独见有贪心／君子不畏虎，独畏谗夫之口／海水广大非独仰一川之流也／千羊不能扞独虎，万雀不能抵一鹰／举世皆浊我独清，众人皆醉我独醒／可厌之类，不独为害，死虽万代，独堪污秽

❼天上天下唯吾独尊／天上地下，惟我独尊／志在兼济，行在独善／草木秋死，松柏独存／道无鬼神，独往独来／文不按古，匠心独妙／丈夫贵兼济，岂独善一身／人皆因禄富，我独以官贫／大道如青天，我独不得出／雕琢复朴，块然独以其形立／念天地之悠悠，独怆然而涕下／飘飘乎如遗世独立，羽化而登仙／利可共而不可独，谋可寡而不可众／非有灾害疾疫，独以贫穷，非惰则奢也／我有禅灯，独照独知。不取亦取，虽师勿师／高霞孤映，明月独举，青松落荫，白云谁侣／达于道者，独见独闻，独为独存，父不能以授子，臣不能以授君

❽誉不虚出，而患不独生／万族各有托，孤云独无依／世人皆欲杀，吾意独怜才／东风满天地，贫家独无春／众阜平寥廓，一岫独凌空／冠盖满京华，斯人独憔悴／攻玉于山，俟知于独见也／应尽便须尽，无复独多虑／怀此王佐才，慷慨独不群／所思迷所在，长望独长叹／眼看人尽醉，何忍独为醒／众人皆有以，而我独顽似鄙／修仪操以显志兮，独驰思乎杳冥／居悒悒之无解兮，独长思而永叹／半生落魄已成翁，独立书斋啸晚风／今子使万里外国，独无几微出于言面／世治则愚者不能独乱，世乱则智者不能独治／岁寒霜雪苦，含彩独青青，岂不厌凝列，羞比春木荣／青未了，松耶？柏耶？独鸟来时，连峰断处，双髻人耶

❾勇士不以众强凌孤独／北方有佳人，绝世而独立／为君既不易，为臣良独难／佳人慕高义，求贤良独难／舍生岂不易，处死诚独难／骋者不贪最先，不恐独后／彼肆其心之所为者，独何人耶／随其成心而师之，谁独且无师乎／乌有城坏其徒俱死，独蒙愧耻求活／民生各有所乐兮，余独好修以为常／君子独立不惭于影，独寝不惭于魂／贫居往往无烟火，不独明朝为子推／抱不世之才，特立而独行，道方而事实／生男无喜，生女无怒，独不见卫子夫霸天下／若是若非，执而圆机；独成而意，与道徘徊／忠心好善，而日新之；独居乐德，内悦于形／达于道者，独见独闻，独为独存，父不能以授子，臣不能以授君

❿为天有眼兮何不见我独漂流／为人也，岩岩若孤松之独立／天下之事非一人之所能独知也／未有无腹心手足而能独理者也／以雄才为己任，横杀气而独往／伏久者飞必高，开先者谢独早／勇者不得独进，怯者不得独退／畏友胜于严师，群游不如独坐／踏遍青山人未老，风景这边独好／百姓多寒无可救，一身独暖亦何情／举世皆浊我独清，众人皆醉我独醒／古圣贤玩琴以养心，穷则独善其身／词源倒流三峡水，笔阵独扫千人军／大德之人不随世俗，所行独从于道／得众而不得其心，则与独行者同实／春江花朝秋月夜，往往取酒还独倾／觉来落笔不经意，神妙独到秋毫颠／迷者不问路，溺者不问遂，亡人好独／众人皆以奢靡为荣，吾心独以俭素为美／莫见乎隐，莫显乎微，故君子慎其独也／处世间事，众人皆见得非，而我独见得是／天下无独燃之火，世间安得有无体独知之精／世治则愚者不能独乱，世乱则智者不能独治／可厌之类，不独为害，死虽万代，独堪污秽／交私养望者多得显官，独立营职者或见排沮／独视不若与众视之明，独听不若与众听之聪／晴空朗月，何处不可翱翔？而飞蛾独投夜烛／子美……尽得古今之体势，而兼人人之所独专矣／乐非独以自乐，又以乐人，非独以自正，又以正人／使天下之人，不敢言而敢怒。独夫之心，日益骄固／国之强弱，不在甲兵，不在金谷，独在人才之多少／江南多临观之美，而滕王阁独为第一，有瑰伟绝特之称／君子以争途之不可由也，是以越俗乘高，独行于三等之上／廉公之思赵将，吴子之泣西河，人之情也，将军独无情哉／其有发挥新体，孤飞百代之前，开凿古人，独步九流之上／达于道者，独见独闻，独为独存，父不能以授子，臣不能以授君

狡

jiǎo 少壮的狗；壮健；年少而美好；狡猾；伤害。

❶狡兔已尽，良犬就烹

见春秋·越·范蠡《自齐遗文种书》。全句为："高鸟已散，良弓将藏；～"。

狡兔依然在，良犬先烹

见宋·刘过《六州歌头》。

狡吏不畏刑，贪官不避赃

见唐·皮日休《橡媪叹》。

狡兔有三窟，仅得免其死耳

见《战国策·齐策四》。

狡兔尽则良犬烹，敌国灭则谋臣亡

见《韩非子·内储说下》。

狡兔得而猎犬烹，高鸟尽而强弩藏

见汉·刘向《淮南子·说林》。

狡兔死，良狗烹；高鸟尽，良弓藏；敌国破，谋臣亡

见汉·司马迁《史记·淮阴侯列传》。

❸非兔狡，猎狡也；非民诈，吏诈也

❹乌鸟之狡，虽善不亲

❺非兔狡，猎狡也；非民诈，吏诈也

❼与百姓争利，则狡诈之心生／鷦鹩尚存一枝，狡兔犹藏三窟／飞鸟尽，良弓藏；狡兔死，走狗烹／蜚鸟尽，良弓藏；狡兔死，走狗烹

❾强弩弋高鸟，走犬逐狡兔

❿在下而多谤者，岂尽愚而狡也哉

狩 shòu 打猎；通“守”。

❷不狩不猎，胡瞻尔庭有县貆兮

狱 yù 官司；监禁罪犯的地方；法律条文。

❷折狱而是也，理益明，教益行／治狱者得其情，则无冤死之囚／折狱而非也，暗理迷众，与教相妨／庶狱明则国无怨民，枉直当则民无不服

❸廷尉狱，平如砥；有钱生，无钱死

❹非佞折狱，惟良折狱／片辞折狱，寸言挫众

❺百姓朴素，狱讼衰息／无书求出狱，有舌到临刑／功多翻下狱，士卒但心伤

❻举事不私，听狱不阿／片言可以折狱者，其由也与／教，政之本也；狱，政之末也／其勿误于庶狱庶慎，惟正是乂之

❼言行者，治身之狱也／避席畏闻文字狱，著书都为稻粱谋

❽非佞折狱，惟良折狱

❾诬服之情，不可以折狱

❿旅。君子以明慎用刑，而不留狱／深者获公名，平者多后患，故治狱之吏皆欲人死

狠 ①hěn 凶恶；强忍；严厉；坚决。②yín 犬争斗声；通作“狺”。

❶狠者类知而非知，愚者类仁而非仁

见汉·刘安《淮南子·氾论》。全句为：“～，戆者类勇而非勇”。

狸 ①lí 哺乳动物。②mái 通“埋”。

❷以狸致鼠，以冰致蝇

❹虎卑势，狸卑身

❼豺狼当路而狐狸是先／虎豹之所余，乃狸鼠之所争也

❽豺狼当路，安问狐狸／狖失木，而禽于狐狸，非其处也／虎狼当路，不治狐狸。先除大害，小害自已

❾任小能于大事者，犹狸搏虎而刀伐木也

❿见虎之尾而知其大于狸也／豺狼横道，不宜复问狐狸／历险乘危，则骐骥不如狐狸／乳狗之噬虎也，伏鸡之搏狸也／君不见比来翁媪尽饥死，狐狸啮骨乌啄眼／骐骥骅骝，一日而驰千里，捕鼠不如狸狌／噬虎之兽，知爱己子；搏狸之鸟，非护异巢

狶 xī 同“豨”，猪。

❾正获之问于监市履狶也，每下愈况

狼 láng 肉食动物。

❶狼子野心，是乃狼也，其可畜乎

见《左传·宣公四年》。

❷豺狼不可狎／虎狼并处，不可以仕／豺狼在牢，其羊不繁／豺狼当路而狐狸是先／豺狼当路，安问狐狸／豺狼守肉，鬼魅侍疾／饿狼守庖厨，饥虎牧牢豚／豺狼已毙，在狐鼠而宜除／豺狼横道，不宜复问狐狸／虎狼堕井，仁者见之而不怜／豺狼死而犹饿兮，牛腹尸而不盈／豺狼寇盗不杀人民，不足以止其贪／豺狼能害人，其状易别，人得以避之／虎狼当路，不治狐狸。先除大害，小害自已

❸恶声狼藉，布于诸国／率虎狼牧羊豕，而望其蕃息，岂可得也

❹养虎牧狼，还自贼伤／心如虎狼，行如禽兽／生男如狼，犹恐其尫；生女如鼠，犹恐其虎

❺人众则食狼，狼众则食人／子系中山狼，得志便猖狂

❻虺蜴为心，豺狼成性／人众则食狼，狼众则食人

❼肴核既尽，杯盘狼藉／鸱枭鸣衡轭，豺狼当路衢／狼子野心，是乃狼也，其可畜乎

❽天下之官虎而吏狼者，比比也／使之搏兔，不如豺狼，伎能殊也

❾便令江汉竭，未厌虎狼求／猛如虎，很如羊，贪如狼

❿虽有亲兄，安知其不为狼／会挽雕弓如满月，西北望，射天狼／青云衣兮白霓裳，举长矢兮射天狼／由来犬羊着冠坐庙堂，安得四鄙无豺狼／傲小物而志属于大，似无勇而未可恐狼／凤凰生而有仁义之意，虎狼生而有贪戾之心／以言伤人者，利如刀斧。以术害人者，毒如虎狼／小人深情厚貌，毒人不可防范，殆其甚于豺狼也／畜池鱼者必去猵獭，养禽兽者必去豺狼，又况治人乎／上有无时之求，中有剥削曲巧之政，下有豺狼寇盗之害

猜 cāi 推测；怀疑。

❶猜忍之人，志欲无限

见唐·李百药《北齐书·封隆之传》。

❼尽诚可以绝嫌猜，徇公可以弭谗诉

❿无心与物竞，鹰隼莫相猜

猎 liè 捕捉禽兽；引申指追求；揽；持。［猎猎］拟声词，形容风声或旗帜被风吹动的声音。

❷善猎气不慑

❸以弋猎博弈之日诵《诗》、《书》，闻识必博矣

❹不狩不猎，胡瞻尔庭有县貆兮／焚林而猎，愈多得兽，后必无兽／非兔狡，猎狡也；非民诈，吏诈也

❺不从桓公猎，何能伏虎威／狡兔得而猎犬烹，高鸟尽而强弩藏

❼渔者不死于山，猎者不溺于渊／耕夫习牛则犷，猎夫习虎则勇

❾学贵变化气质，岂为猎章句、干利禄哉
❿不涸泽而渔，不焚林而猎／能获而能烹，所以为善猎也

猖 chāng 凶狂。
❷龟猖有介，狐貉不能擒／无猖狂以自彰，当阴沉以自深
❼浮游，不知所求；猖狂，不知所往／凡人之性，少则猖狂，壮则暴强，老则好利
❾子系中山狼，得志便猖狂

猊 ní[狻猊]即狮子，亦称“狻麑”。
❷怒猊抉石，渴骥奔泉

猝 cù 突然；出乎意料。
❽事不素讲，难以应猝

猕 mí[猕猴]猴的一种。
❷猿猕猴错木据水，则不若鱼鳖

猛 měng 力量、气势很大；性情凶、力气大的；暴发性地，突然。
❶猛兽不群，鸷鸟不双
见汉·刘安《淮南子·说林》。
猛将如云，谋臣如雨
见现代·周而复《南京的陷落》。
猛将如云，谋臣似雨
见清·文康《儿女英雄传》第一八回。
猛虎在山，百兽莫敢侵
见北周·燕射歌辞《商调曲四首》之二。全句为：“～；忠臣处国，天下无异心”。
猛如虎，很如羊，贪如狼
见汉·司马迁《史记·项羽本纪》。
猛虎潜深山，长啸自生风
见南朝·宋·谢惠连《猛虎行》。
猛虎之犹豫，不若蜂虿致螫
见汉·司马迁《史记·淮阴侯列传》。全句为：“～；骐骥之跼躅，不如驽马之安步”。
猛虎不处卑势，劲鹰不立垂枝
见三国·魏·蒋济《蒋子万机论》。
猛石可裂不可卷，义士可杀不可羞
见唐·李朝威《柳毅传》。
猛虎不看几上肉，洪炉不铸囊中锥
见唐·李白《笑歌行》。
猛虎处于深山，向风长鸣，则百兽震恐而不敢出
见宋·苏辙《上刘长安书》。全句为：“～；松柏生于高冈，散柯布叶，而草木为之不植”。
猛虎在深山，百兽震恐；及在槛阱之中，摇尾而求食
见汉·司马迁《报任少卿书》。
❷捕猛兽者不使美人举手／威猛之能，豪杰之材也／威猛之政宜于讨乱，以之治善则暴
❸苛政猛于虎／山有猛兽，藜藿为之不采／山有猛兽，树木为之不斩／语云：猛兽易伏，人心难降／山有猛兽者，藜藿为之不采／刚强猛毅，靡所不信，非骄暴也／真的猛士，敢于直面惨淡的人生，敢于正视淋漓的鲜血
❹国亦有猛狗，用事者是也／饥不从猛虎食，暮不从野雀栖／宽以济猛，猛以济宽，政是以和
❺通而不流，猛而不暴／急湍甚箭，猛浪若奔／宽以济猛，猛以济宽，政是以和
❻昼作不辍手，猛烛继望舒／非德之威，虽猛而人不畏／刑天舞干戚，猛志固常在／神龙藏深泉，猛兽步高冈／云厚者，雨必猛；弓劲者，箭必远
❼天吏逸德，烈于猛火／义烈之余，色气猛厉／何以谨慎为，勇猛而临官／官吏非才，则宽猛失所宜
❽宰相必起于州部，猛将必发于卒伍／大石侧立千尺，如猛兽奇鬼，森然欲搏人
❾鸷鸟将击，卑飞敛翼；猛兽将搏，弭耳俯伏
❿左右为社鼠，用事者为猛狗／圣人之道，宽而栗，严而温，柔而直，猛而仁／惠而不费，劳而不怨，欲而不贪，泰而不骄，威而不猛／君子惠而不费，劳而不怨，欲而不贪，泰而不骄，威而不猛

猩 xīng[猩猩]哺乳动物；鲜艳红色。
❾鹦鹉能言，不离飞鸟；猩猩能言，不离走兽

猬 wèi 动物名，即“刺猬”。
❺马毛缩如猬，角弓不可张

猴 hóu 灵长类动物。
❷金猴奋起千钧棒，玉宇澄清万里埃
❸猿猕猴错木据水，则不若鱼鳖
❻人言楚人沐猴而冠耳，果然

猵 biān 獭的一种。
❸水有猵獭而池鱼劳，国有强御而齐民消
❼畜池鱼者必去猵獭，养禽兽者必去豺狼，又况治人乎

猿 yuán 除人以外的最高级的哺乳动物。
❶猿得木而捷，鱼得水而骛
见汉·刘安《淮南子·主术》。
猿猕猴错木据水，则不若鱼鳖
见《战国策·齐策三》。全句为：“～；历险乘危，则骐骥不如狐狸”。
❷穷猿奔林，岂暇择木／穷猿投林，岂暇择木／置猿槛中，则与豚同……无所肆其能也

❸鸟思猿情，绕梁历榱……／听玄猿之悲吟，察鹤鸣于九皋
❼虎豹之文来射，猿狖之捷来措
❾日出众鸟散，山暝孤猿吟

獐 zhāng 獐子，一种动物。

❹打兔得獐，非意所望

獭 tǎ 动物名，半水栖兽类。

❹水有猵獭而池鱼劳，国有强御而齐民消
❻为渊驱鱼者，獭也；为丛驱爵者，鹯也
❽鹊巢知风之所起，獭穴知水之高下／畜池鱼者必去猵獭，养禽兽者必去豺狼，又况治人乎

夕 xī 傍晚；晚上；古代傍晚见君之称；谓祀月；西向；斜；不正。

❶夕阳虽好近黄昏

见宋·苏轼《浣溪沙》。

夕阳红蓼满汀州

见宋·林尚仁《适越留别》。

夕阳在山，人影散乱

见宋·欧阳修《醉翁亭记》。

夕阳照山，无奇而不见

见唐·宋之问《上巳泛舟昆明池宴宗主簿席序》。

夕受而不法，朝斥之矣

见唐·柳宗元《封建论》。全句为："朝拜而不道，夕斥之矣；～"。

夕阳无限好，只是近黄昏

见唐·李商隐《乐游原》。

夕阳一片寒鸦外，目断东西四百州

见宋·汪元量《湖州歌》。

夕景欲沉，晓雾将合；孤鹤寒啸，游鸿远吟

见南朝·宋·鲍照《登大雷岸与妹书》。

❷今夕何夕，见此良人／西夕之景，吾能久留／今夕为何夕，他乡说故乡／造夕思鸡鸣，及晨愿乌迁
❸朝晖夕阴，气象万千
❹朝闻道，夕死可矣／今夕何夕，见此良人／一时今夕会，万里故乡情／人有旦夕祸福，岂能自保
❺朝忘其事，夕失其功／今夕为何夕，他乡说故乡／烟霞为朝夕之资，风月得林泉之助／朝华之草，夕而零落；松柏之茂，隆寒不衰
❻朝拜而不道，夕斥之矣／夙兴以忧人，夕惕而修己／功业未及建，夕阳忽西流／朝与仁义生，夕死复何求／病非一朝一夕之故，其所由来渐矣／小人朝为而夕求其成，坐施而立望其反
❼读书与磨剑，旦夕但忘疲／里胥扣我门，日夕苦煎促／朝千悲而下泣，夕万绪以回肠／政令多出，朝令夕改，则谓数穷也
❽人命危浅，朝不虑夕／日入牛渚晦，苍然夕烟迷／青山依旧在，几度夕阳红／不知天上宫阙，今夕是何年／谢朝华于已披，启夕秀于未振／朝骋骛乎书林兮，夕翱翔乎艺苑／酒力醒，茶烟歇，送夕阳，迎素月／旦握权则为卿相，夕失势则为匹夫／水曲山限四五家，夕阳烟火隔芦花／胜地几经兴废事，夕阳偏照古今愁
❾一万年太久，只争朝夕／施之无穷，而无所朝夕／战血粘秋草，征尘搅夕阳／贿赂先至者，朝请而夕得／谷口未斜日，数峰生夕阳／鼋鼍穴于深渊之下，夕而得所宿／朝饮木兰之坠露兮，夕餐秋菊之落英／朝乐朗日，啸歌丘林；夕玩望舒，入室鸣琴
❿闻多素心人，乐与数晨夕／天有不测风云，人有旦夕祸福／老牛粗了耕耘债，啮草坡头卧夕阳／十年之相知，不若兹火一夕之为足下誉也／日薄西山，气息奄奄；人命危浅，朝不虑夕／政如农功，日夜思之，思其始而成其终，朝夕而行之

舛 chuǎn 差错；不幸；不顺；违背。

❽时运不齐，命途多舛；冯唐易老，李广难封
❾真伪有质矣，而趋舍舛忤，故两心不相为谋焉

多 duō 数量大；胜过；超出；赞美；有余；过分的；姓。

❶多多而益善

见汉·司马迁《史记·淮阴侯列传》。

多易必多难

见《老子》六十三。

多陵人者皆不在

见《左传·哀公二十七年》。

多行无礼必自及

见《左传·襄公四年》。

多行不义必自毙

见《左传·隐公元年》。

多病题诗无好句

见宋·陈与义《定风波》[九日登临]。

多难兴王，殷忧启圣

见唐·张廷珪《因旱上直言疏》。

多士之林，不扶自直

见唐·杨炯《参军事卢恒庆赞》。

多指乱视，多言乱听

见明·余继登《典故见闻》卷一八。

多将熇熇，不可救药

见《诗·大雅·板》。

多闻善败，以鉴戒也

见《国语·楚语下》。

多沽伤费，多饮伤身

见清·霁园主人《夜谭随录·赣子》。

多端寡要，好谋无决

见晋·陈寿《三国志·魏书·郭嘉传》。

多言少实,语无成事

见汉·焦赣《易林·明夷·豫》。

多言多败,多事多害

见五代·前蜀·杜光庭《道德真经广圣义》卷九。

多言数穷,不如守中

见《老子》五。

多一分享用,减一分志气

见清·申涵光《荆园小语》。全句为:“经一番挫折,长一番见识;~”。

多能者鲜精,多虑者鲜决

见明·刘基《郁离子·一志》。

多士成大业,群贤济弘绩

见晋·卢谌《答魏子悌》。

多闻而择焉,所以明智也

见汉·刘向《说苑·建本》。

多好竟无成,不精安用夥

见宋·苏轼《和子由论书》。

多私者不义,扬言者寡信

见汉·戴德《大戴礼记·文王官人》。

多读书达观古今,可以免忧

见明·吴麟征《家诫要言》。

多方包容,则人材取次可用

见宋·苏轼《上神宗皇帝书》。

多力丰筋者圣,无力无筋者病

见晋·卫夫人《笔阵图》。

多闻阙疑,慎言其余,则寡尤

见《论语·为政》。全句为:“~;多见阙殆,慎言其余,则寡悔。”。

多才而自用,虽有贤者无所复施

见宋·苏辙《汉光武上》。

多智韬情,权在谲略,失在依违

见三国·魏·刘劭《人物志·体别》。

多见阙殆,慎言其余,则寡悔。

见《论语·为政》。全句为:“多闻阙疑,慎言其余,则寡尤;~”。

多欲亏义,多忧害智,多惧害勇

见汉·刘安《淮南子·缪称》。

多少事,从来急;天地转,光阴迫

见现代·毛泽东《满江红·和郭沫若同志》。全句为:“~。一万年太久,只争朝夕”。

多闻则守之以约,多见则守之以卓

见汉·扬雄《扬子法言·吾子》。

多官而反以害生,则失所为立之矣

见《吕氏春秋·孟春纪·本生》。全句为:“立官者以全生也。今世之惑主,~”。

多病只思田舍乐,夜归烟火望茅檐

见宋·韩驹《次韵〈馆中上元游葆真宫观灯〉》。

多言不可与远谋,多动不可与久处

见隋·王通《文中子·魏相》。

多男子则多惧,富则多事,寿则多辱

见《庄子·天地》引尧语。

多闻,择其善者而从之;多见而识之

见《论语·述而》。

多才之士才储八斗,博学之儒学富五车

见清·程允升《幼学琼林·文事》。

多闻识者,犹广储药物也,知所用为贵

见《二程集·河南程氏粹言》。

多事害神,多言害身。口开舌举,必有祸患

见《老子》五河上公注。

多见者博,多闻者智;拒谏者塞,专己者孤

见汉·桓宽《盐铁论·刺议》。

❷多多而益善/上多求则下交争/上多事则下多态/上多故则下多诈/吏多民烦,俗以之弊/民多讳言,君有骄行/官多则乱,将多则败/贪多务得,细大不捐/朝多君子,野无遗贤/野多滞穗,亩有余粮/欲多者,其可得用亦多/与多疑人共事,事必不成/军多令则乱,酒多约则辩/功多有厚赏,不迪有显戮/功多翻下狱,士卒但心伤/塞多幸之路,开至公之道/闻多素心人,乐与数晨夕/有多闻直谅之友,谓之福/病多知药性,客久见人心/病多知药性,年长信人愁/既多又须择,储精弃其糠/言多则背道,多欲则伤生/言多令事败,器漏苦不密/事多似倒而顺,多似顺而倒/兵多而战不速,则所费必广/力多则人朝,力寡则朝于人/辞多类非而是,多类是而非/言多变则不信,令频改则难从/言多诺者,事众而信,不可然也/人多欲亏义,多忧害智,多惧害勇/身多疾病思田里,邑有流亡愧俸钱/勿多言,勿多事;多言多败,多事多害/国多忌讳,大人恒畏。结口无患,可以长存/上多欲,下多端,法不定,政多门,此乱国之风也

❸医门多疾/诗人多蹇/修练多从苦处来/能欲多而事欲鲜/智逾多而迷益深/智愈多而德愈薄/言愈多而理愈乱/威愈多,民愈不用/天下多忌讳而民弥贫/民之多幸,国之不幸/博学多识,疑则思问/利剑多缺,真玉喜折/勇动多怨,仁义多责/大小多少,报怨以德/多言多败,多事多害/贤而多财,则损其志/贪叨多积,自遗祸殃/惠施多方,其书五车/愚而多财,则益其过/穷巷多怪,曲学多辨/食言多矣,能无肥乎/才子多傲,傲便不是才/不祈多积,多文以为富/博闻多记而守以浅者广/物固多伪兮,知者盖寡/愚者多悔,不肖者自贤/博文多记,而守以浅者广/但恨多谬误,君当恕醉人/人求多闻善败,以监戒也/势家多所宜,咳唾自成珠/在贵多忘贱,为恩谁能博/名都

多妖女，京洛出少年／渴人多梦饮，饥人多梦餐／逸政多忠臣，劳政多乱人／机权多门，是纷乱之原也／林中多疾风，富贵多谀言／日出多伪，士民安取不伪／明谓多见巧诈，蔽其朴也／春秋多佳日，登高赋新诗／文士多数奇，诗人尤命薄／烈士多悲心，小人偷自闲／愿君多采撷，此物最相思／蜀国多仙山，峨眉邈难匹／病叶多先坠，寒花只暂香／四郊多垒，此卿大夫之辱也／邹、鲁多鸿儒，燕、赵饶壮士／双鬓多年作雪，寸心至死如丹／苟粟多而财有余，何为而不成／看书多撷一部，游山多走几步／小人多欲则多求妄用，财家丧身／君子多欲则贪慕富贵，枉道速祸／贪则多失，忿则多难，急则多蹶／百姓多寒无可救，一身独暖亦何情／书卷多情似故人，晨昏忧乐每相亲／人世多违壮士悲，干戈未定书生老／贤者多财损其志，愚者多财生其过／政令多出，朝令夕改，则谓数穷也／所求多者所得少，所见大者所知小／祸固多藏于隐微，而发于人之所忽／古者多有天下而亡者矣，其民不为用也／驶雪多积荒城之隈，急风好起沙河之上／言虽多而不要其中，文虽奇而不济于用／称财多寡而节用之，富无金藏……谓之啬／古昔多由布衣定一世者矣，皆能用非其有也／寡交多亲，谓之知人；寡事成功，谓之知用／智者多屈，辩者多辱，明者多蔽，勇者多死／积善多者，虽有一恶，是为过失，未足以亡／积恶多者，虽有一善，是为误中，未足以存／三晋多权变之士，夫言从衡强秦者，大抵皆三晋之人／教亦多术矣，予不屑之教诲也者，是亦教诲之而已矣／江南多临观之美，而滕王阁独为第一，有瑰伟绝特之称／遇事多算计，较利悉锱铢，其过甚小，而积之甚大，慎之慎之／谓马多力则有矣，若曰胜千钧，则不然者，何也？千钧，非马之任也

❹多易必多难／少则得，多则惑／万物之多，皆阅一空／兵不在多，贵乎得人／以少总多，情貌无遗／民少官多，十羊九牧／作诗须多诵古今人诗／谋夫孔多，是用不集／少德而多宠，一危也／吠声者多，辨实者寡／书不必多看，要知其约／处世戒多言，言多必失／实言无多，而华文无寡／丧乱死多门，呜呼泪如霰／得道者多助，失道者寡助／好道者多资，好乐者多迷／贪满者多损，谦卑者多福／患生于多欲，害生于弗备／人之欲多者，其可得用亦多／谢杨柳多情，还有绿阴时节／富贵之多罪，不如贫贱之履道／偏在于多私，不祥在于恶闻己过／在上而多誉者，岂尽仁而智也哉／在下而多谤者，岂尽愚而狡也哉／君子以多识前言往行，以畜其德／苗疏税多不得食，输入官仓化为土／大道以多岐亡羊，学者以多方丧生／爽口物多终作疾，快心事过必为殃／好名则多树私恩，惧谤则执法不坚／天下不多管仲之贤而多鲍叔能知人也／问事弥多而见弥博，官弥剧而识弥泥／两喜必多溢美之言，两怒必多溢恶之言／言不在多，在于当理；施不在丰，期于救乏／谷足食多，礼义之心生；礼丰义重，平安之基立／兵非益多也，惟无武进，足以并力，料敌，取人而已

❺败莫败于多私／君子不欲多上人／得合而欲多者危／自古红颜多薄命／利少而义多，为之／太平之世多长寿人／无耻者富，多信者显／长袖善舞，多钱善贾／志务广远，多所不暇／多指乱视，多言乱听／多沽伤费，多饮伤身／多言多败，多事多害／宽一分民多受一分赐／智者不愁，多为少忧／愚者纵之，多至失所／不祈多积，多文以为富／读书患不多，思义患不明／沃地之民多不才者，饶也／学广而闻多，不求闻于人／燕赵古称多感慨悲歌之士／盗虚声者多，有实学者少／秋来山雨多，落叶无人扫／瘠地之民多有心者，劳也／自古帝王多任情喜怒……／儒者之病，多空文而少实用／营于利者多患，轻诺者寡信／亡国之主，多以多威使其民矣／语微婉而多切，言流靡而不淫／喜名者必多怨，好与者必多辱／喜德者必多怨，喜予者必善夺／多欲亏义，多忧害智，多惧害勇／无情不似多情苦，一寸还成千万缕／中华儿女多奇志，不爱红装爱武装／为有牺牲多壮志，敢教日月换新天／为文有三多：看多、做多、商量多／良医之门多病人，栝檃之侧多枉木／但是诗人多薄命，就中沦落不过君／伯乐之厩多良马，卞和之匮多美玉／隐括之旁多枉木，砥砺之旁多顽钝／喜时之言多失信，怒时之言多失体／江山如此多娇，引无数英雄竞折腰／是非只为多开口，烦恼皆因强出头／自古圣贤多薄命，奸雄恶少皆封侯／自古雄才多磨难，纨绔子弟少伟男／其为人也多暇日者，其出人不远矣／多男子则多惧，富则多事，寿则多辱／勿多言，勿多事；多言多败，多事多害／千古兴亡多少事，悠悠。不尽长江滚滚流／言无务为多而务为智，无务为文而务为察／事少而功多，守要也；身逸而国治，用贤也／多事害神，多言害身。口开舌举，必有祸患／多见者博，多闻者智；拒谏者塞，专己者孤／为道不在多，自为已有金丹至要，可不用余耳／古今之喻多矣，而愚以为辨于味而后可以言诗／上多欲，下多端，法不定，政多门，此乱国之风也／人之欲虽多，而上无以令之，人虽得其欲，人犹不可得用也

❻上多事则下多态／上多故则下多诈／放于利而行，多怨／乱国之俗，甚多流言／传闻之事，恒多失实／任重才轻，故多阙漏／位尊身危，财多命殆／嗜欲伤神，财多累身／官多则乱，将多

则败／水涨船高，泥多佛大／吾少也贱，故多能鄙事／不才明主弃，多病故人疏／甚爱必大费，多藏必厚亡／古来忠烈士，多出贫贱门／膏火自煎熬，多财为患害／授书不在徒多，但贵精熟／多能者鲜精，多虑者鲜决／寡欲则行清，多欲则神浊／轻诺必寡信，多易必多难／服食求神仙，多为药所误／言多则背道，多欲则伤生／友直，友谅，友多闻，益矣／今世之惑主多官，而反以害生／其自为也过多，其为人也过少／为治者不在多言，顾力行何如耳／小人多欲则多求妄用，败家丧身／焚林而猎，愈多得兽，后必无兽／不可乘喜而多言，不可乘快而易事／不可乘快而多事，不可因倦而鲜终／不厚费者不多营，不妄用者不过取／人多欲亏义，多忧害智，多惧害勇／名为公器无多取，利是身灾合少求／日南则景短多暑，日北则景长多寒／为政不在言多，须息息从省身克己而出／问君能有几多愁？恰似一江春水向东流／交私养望者多得显官，独立营职者或见排沮／今世之人主，多欲众之，而不知善，此多其雠也／消磨了三十多年层层心血，算不得大千世界小小文章／己之才艺虽多，犹病以为少，仍就寡少之人更求所益／自古上书，率多激切。若不激切，则不能起人主之心

❼一年明月今宵多／读书求精不求多／事无终始，无务多业／勇动多怨，仁义多责／君子寡尤，小人多怨／独任之国，劳而多祸／独王之国，劳而多祸／多言多败，多事多害／局外之言，往往多中／穷巷多恠，曲学多辨／越王好勇而民多轻死／名，公器也，不可多取／处世戒多言，言多必失／妙论精言，不以多为贵／何以孝弟为，财多而光荣／人物禀假，受有多少……／令苛则不听，禁多则不行／令烦则奸生，禁多则下诈／军多令则乱，酒多约则辩／功盛者赏显，罪多者罚重／官尊者忧深，禄多者责大／轧轧弄寒机，功多力渐微／恩甚则怨生，爱多则憎至／露重飞难进，风多响易沉／事多似倒而顺，多似顺而倒／兵以计为本，故多算胜少算／义理不先尽，则多听而易惑／洪涛未接，长鲸多陆死之忧／慎女内，闭女外，多知为败／所见少则所怪多，世之常也／辞多类非而是，多类是而非／亡国之主，多以多威使其民矣／见世人可取者多，则德日进矣／贪则多失，忿则多难，急则多蹶／焚林而田，偷取多兽，后必无兽／丰岁自少凶岁多，田家辛苦可奈何／兵在精而不在多，将在谋而不在勇／为文有三多：看多、做多、商量多／江海相逢客恨多，秋风叶下洞庭波／汴水通淮利最多，生人为害亦相和／楚国青蝇何太多，连城白璧遭谗毁／诗之所谓风者，多出于里巷歌谣之作／著述讲论之功多，而实学实教之力少／富者，苦身疾作，多积财而不得尽用／以肉去蚁，蚁愈多；以鱼驱蝇，蝇愈至／勿多言，勿多事；多言多败，多事多害／处大无患者恒多慢，处小有忧者恒思善／时运不齐，命途多舛；冯唐易老，李广难封／智者多屈，辩者多辱，明者多蔽，勇者多死

❽乖僻自是，悔误必多／为善者少，为谗者多／民之难治，以其智多／取必以渐，勤则得多／官在得人，不在员多／窃位既久，妨贤则多／生材贵适用，慎勿多苛求／良才不隐世，江湖多贫贱／良田无晚岁，膏泽多丰年／古者明君在上，下多直辞／人生譬朝露，居世多屯蹇／人情忌殊异，世路多权诈／功成身不退，自古多愆尤／吴王好剑客，百姓多创瘢／渴人多梦饮，饥人多梦餐／逸政多忠臣，劳政多乱人／纨绔不饿死，儒冠多误身／林中多疾风，富贵多谀言／楚王好细腰，宫中多饿死／有伤贤之政，则贤多横夭／有伤聪之政，则民多病耳／白璧不可为，容容多后福／不以禄私其亲，功多者授之／事出于正，则其成多，其败少／余平生所作文章多在三上……／劳大者其禄厚，功多者其爵尊／药虽进于医手，方多传于古人／野绩不越庙堂，战多不逾国勋／利害相摩，生火甚多，众人焚和／宽于用，此在位者多不得其人也／奸诈既作，盗贼日多，谓之乱政／仓库实，知礼节；国多财，远者来／大得却须防大失，多忧原只为求多／多闻则守之以约，多见则守之以卓／多言不可与远谋，多动不可与久处／干泽而渔，得鱼虽多，而明年无复也／焚林而田，得兽虽多，而明年无复也／设官置吏，署员太多，不精则十不如一／徇私贪浊……恐惧既多，亦有因而致死／兵贵于精，不贵于多；强于心，不强于力／君不见长松百尺多劲节，狂风暴雨终摧折／以能问于不能，以多问于寡；有若无，实若虚／深者获公名，平者多后患，故治狱之吏皆欲人死

❾自古治时少而乱时多／不与人争者，常得利多／读书贵精熟，不贵贪多／欲多者，其可得用亦多／世情闲静见，药性病多谙／为之量，以齐天下之多寡／众人以不必必之，故多兵／夜来风雨声，花落知多少／志道者少友，逐俗者多俦／应尽便须尽，无复独多虑／沿情而动兴，因物而多怀／慎重则必成，轻发则多败／已得之，惟恐伤肉之多也／好道者多资，好乐者多迷／轻诺必寡信，多易必多难／贪满者多损，谦卑者多福／风行常有地，云出本多峰／自古贤者少不肖者多……／乱我心者，今日之日多烦忧／先王有郢书，而后世多燕说／国有伤明之政，则民多病目／成德每在困穷，败身多因得志／看书多撷一部，游山多走几步／舍人而从欲，是以勤多而功少也／多欲亏义，多忧害智，多惧害勇／

祸恒发于太忽，而事多败于不断／为文有三多：看多、做多、商量多／木有文章曾是病，虫多言语不能天／慧者心辩而不繁说，多力而不伐功／多男子则多惧，富则多事，寿则多辱／见乱而不惕，所残必多；其饰，弥章／勿多言，勿多事；多言多败，多事多害／国之兴亡不由蓄积多少，唯在百姓苦乐／国之兴亡不由蓄积多少，惟在百姓苦乐／拓境不宁，无益于强；多田不耕，何救饥敝／迩之事父，远之事君，多识于鸟兽草木之名／学者四失：为人则失多，好高则失寡，不察则易，苦难则止

❿开谄谀之道，为佞者必多／天高皇帝远，民少相公多／长安有贫者，为瑞不宜多／民之饥，以其上食税之多／利剑不在掌，结友何须多／吉人之辞寡，躁人之辞多／将军夸宝剑，功在杀人多／植之之人寡而拔之之人多／明日复明日，明日何其多／熟读王叔和，不如临症多／反古未可非，而循礼未足多／乘骥而御之，不倦而取道多／人之欲多者，其可得用亦多／楚灵王好细腰而国中多饿人／福生于无为，而患生于多欲／怒而溢恶，则为人之害多矣／高山之巅无美木，伤于多阳也／喜名者必多怨，好与者必多辱／大树之下无美草，伤于多阴也／法严而奸易息，政宽而民多犯／婴儿以不知益，高年以多事损／明日复明日，明日何其多……／长太息以掩涕兮，哀民生之多艰／农事废，饥寒并至，故盗贼多有／误用恶人，假令强干，为害极多／水懦弱，民狎而玩之，则多死焉／贪则多失，忿则多难，急则多蹶／有必不可劝之人，不必多费唇舌／精良畏慎，善在恭谨，失在多疑／雄悍杰健，任在胆烈，失在多忌／不到广寒冰雪窟，扇头能有几多风／世人结交须黄金，黄金不多交不深／严于取，则豪杰之老死丘壑者多矣／为文有三多：看多、做多、商量多／良医之门多病人，栝櫽之侧多枉木／古之明天子，信其臣而不惑于多言／伯乐之厩多良马，卞和之匮多美玉／只言旋老转无事，欲到中年事更多／兴利之要，在于致之，不在于多少／人之为学，不志其大，虽多而何为／人多欲亏义，多忧害智，多惧害勇／说者持容而不极，听者自多而不得／隐括之旁多枉木，砥砺之旁多顽钝／观棋不语真君子，把酒多言是小人／巧辩纵横而可喜，忠言质朴而多讷／攻人以谋不以力，用兵斗智不斗多／喜时之言多失信，怒时之言多失体／大得却须防大失，多忧原只为求多／大道以多岐亡羊，学者以多方丧生／君子之言寡而实，小人之言多而虚／得意浓时休进步，须防世事多番覆／酒逢知己千杯少，话不投机半句多／悄立市桥人不识，一星如月看多时／琢雕自是文章病，奇险尤伤气骨多／成名每在穷苦日，败事多因得志时／日南则景短多暑，日北则景长多寒／日典春衣非为酒，家贫食粥已多时／暗中时滴思亲泪，只恐思儿泪更多／贤者多财损其志，愚者多财生其过／贪日得则鼓刀利，要岁计而韫椟多／新丰美酒斗十千，咸阳游侠多少年／新进之士喜勇锐，老成之人多持重／有以无难而失守，有因多难而兴邦／祸患常积于忽微，智勇多困于所溺／心暗则照有不通，至察则多疑于物／田夫寿，膏粱夭，嗜欲少多之验也／老成之人，言有迂阔，而更事为多／西家老人晓稼穑，白发空多缺衣食／既以为人己愈有，既以与人己愈多／天下不多管仲之贤而多鲍叔能知人也／不论其才之称否，而论其历任之多少／披蓑而救火，毁渎而止水，乃愈益多／多男子则多惧，富则多事，寿则多辱／多闻，择其善者而从之；多见而识之／道者以无为为治，而知者以多事为扰／片技即足自立，天下惟多技之人最劳／断蛇不死，刺虎不毙，其伤人则愈多／心之所可中理，则欲虽多，奚伤于治／西施有所恶而不能减其美者，美多也／顺天时，量地利，则用力少而成功多／两喜必多溢美之言，两怒必多溢恶之言／益者三友：友直，友谅，友多闻，益矣／勿多言，勿多事；多言多败，多事多害／火形严，故人鲜灼；水形懦，故人多溺／秋早寒，则冬必暖；春雨多，则夏必旱／舐痔者得车五乘，所治愈下，得车愈多／身劳而心安，为之；利少而义多，为之／听言当以理观，一闻辄以为据，往往多失／材既难得，而又难知，则当博采而多蓄之／专习一家，硁硁小哉！宜善相之，多师为佳／人之进退，唯问其志，取必以渐，勤则得多／防民之口，甚于防川，川壅而溃，伤人必多／国不务大而务得民心，佐不务多而务得贤俊／岂不遽止？然犹防川，大决所犯，伤人必多／安卧扬帆，不见石滩；靠天多幸，白日入阱／好便宜者不可与共财，多狐疑者不可与共事／时无远近，事无巨细，必籍多闻，以成博识／易生之嫌，不足贬也；易为之誉，不足多也／智载于私，则所知少；载于公，则所知多矣／智者多屈，辩者多辱，明者多蔽，勇者多死／财有害气，积则伤人；虽少犹累，而况多乎／祸之所生，必由积怨；过之所始，多因忽小／君之化下，如风偃草，上不节心，则下多逸志／礼下贤者，日中不暇食以待士，士以此多归之／今世之人主，多欲众之，而不知善，此多其雠也／国以民为本，民以财为命。取之过多，予者亦怨／上多欲，下多端，法不定，政多门，此乱国之风也／人生所好，自当专一，若多好多能，反能耗神损精／人主之不肖者，有似于此。不得其道，而徒多其威／圣人之用兵，若栉发耨苗，所去者少，而所利者多／国之强弱，不在甲兵，不在金谷，独在人才之多少

／沐者堕发，而犹为之不止，以所去者少，所利者多／专以一身任天下，其智之所不见，力之所不举者多矣／人者，在阴阳之中央，为万物之师长，所能作最众多／虽有纳谏之明，而无力行之果断，则言愈多而听愈惑／学者自强不息，则积少成多；中道而止，则前功尽弃／天下大乱，贤圣不明，道德不一，天下多得一察焉以自好／人品须从小作起，权宜苟且诡随之意多，则一生人品坏矣／苟意不先立，止以文彩辞句，绕前捧后，是言愈多而理愈乱／后嗣若贤，自能保其天下；如其不肖，多积仓库，徒益其奢侈，危亡之本也

罗 luó 捕鸟的网；用网捕捉；到处寻找；陈列；质地轻软、纹理稀疏的丝织品；孔比较密的筛子；指用罗筛东西；遭遇；古国名；姓。

❶罗织语言，以为谤讪

见宋·苏轼《杭州召还乞郡状》。

罗衣从风，长袖交横，骆驿飞散，飒擖合并

见汉·傅毅《舞赋》。

❷收罗英雄，弃瑕录用／爬罗剔抉，刮垢磨光

❸遍身罗绮者，不是养蚕人

❹万物毕罗，莫足以归／行者见罗敷……但坐观罗敷／一洗绮罗香泽之态，摆脱绸缪宛转之度／得鸟者，罗之一目也，然张一目之罗，终不得鸟矣

❺陵波微步，罗袜生尘／鸟既高飞，罗将奈何／岂待酒肉罗绮然后为生哉

❻法无常则网罗当前路／智巧，扰乱之罗也；有为，败事之纲也

❼关节不到，有阎罗包老／食有酒肉，衣有罗绮……非益生之良药

❾春风不相识，何事入罗帏／行者见罗敷……但坐观罗敷

❿一鸣众鸟至，再鸣众鸟罗／云中白鹤，非燕雀之网所能罗也／如珠玉之在泥土，麟凤之在网罗／鱼鳖得免毒螫之渊，鸟兽得离罗网之纲／君不见长安女儿嫩如水，十指不动衣罗绮／洲汀岛屿，向背离合；青树碧蔓，交罗蒙络／龙不隐鳞，凤不藏羽，网罗高县，去将安所／矰缴充蹊，阬阱塞路，举手挂网罗，动足蹈机坎／得鸟者，罗之一目也，然张一目之罗，终不得鸟矣／我愿君王心，化作光明烛，不照绮罗筵，只照逃亡屋

梦 ①mèng 睡眠时产生的幻象；做梦；比喻幻想。②méng[梦梦]形容昏愦。

❶梦中许人，觉且不背

见汉·贾谊《新书·匈奴》。

梦幻人世，明不能究其从也

见宋·张载《正蒙·大心》。全句为："尘芥六合，谓天地为有穷也；～"。

梦之中又占其梦焉，觉而后知其梦也

见《庄子·齐物论》。

❷有梦常嫌去远，无书可恨来迟

❸清入梦魂，千里人长久／方其梦也，不知其梦也／三刀梦益州，一箭取辽城

❹长安如梦里，何日是归朝／人生如梦，一尊还酹江月／渴人多梦饮，饥人多梦餐

❺意有所极，梦亦同趣／一心中国梦，万古下泉诗／纵有还家梦，犹闻出塞声／昔者庄周梦为胡蝶，栩栩然胡蝶也／不知周之梦为蝴蝶与，蝴蝶之梦为周与

❻昼有所思，夜梦其事／铅刀贵一割，梦想骋良图／寸火能焚云梦，蚁穴能决大堤

❼昼无事者夜不梦／神女生涯原是梦，小姑居处本无郎／痴人之前莫说梦，梦中说梦愈阔迂／梦之中又占其梦焉，觉而后知其梦也

❽方其梦也，不知其梦也／赋情顿雪双鬓，飞梦逐尘沙／痴人之前莫说梦，梦中说梦愈阔迂／酒罂饭囊，或醉或梦，块然泥土者……

❾渴人多梦饮，饥人多梦餐／病身最觉风露早，归梦不知山水长

❿诗穷莫写愁如海，酒薄难将梦到家／悠悠生死别经年，魂魄不曾来入梦／痴人之前莫说梦，梦中说梦愈阔迂／穷荒绝漠鸟不飞，万碛千山梦犹懒／梦之中又占其梦焉，觉而后知其梦也／不知周之梦为蝴蝶与，蝴蝶之梦为周与／生而影不与吾形相依，死而魂不与吾梦相接

飧 sūn 晚餐或熟食；简单的饭食。

❻觞饭不及壶飧

❿夺我席上酒，掣我盘中飧

夥 huǒ 多；同"伙"。

❻不耻禄之不夥，而耻知之不博

❿多好竟无成，不精安用夥

夤 yín 深；攀附；通"寅"。

❿不因困顿移初志，肯为夤缘改寸丹

处 ①chǔ 居住；安排；交往；置身；对待；相处；决断；定；常。②chù 地方；机关或机关的一个部门。

❶处贵不忘旧

见唐·张说《五君咏》。

处下则物自归

见三国·魏·王弼《老子》七十三注。

处涸辙以犹欢

见唐·王勃《滕王阁序》。

处事最当熟思缓处

见明·薛瑄《薛文清公从政录》。全句为：

"～,熟思则得其情,缓处则得其当"。

处世为人,信义为本

见现代·老舍《四世同堂·偷生》。

处事以智,不如守正

见清·申居郧《西岩赘语》。

处事识为先,断次之

见明·薛瑄《薛文清公从政录》。

处富而奢,衰之始也

见明·钱琦《钱子语测·巽语篇》。全句为:"处贵而骄,败之端也;～"。

处贵而骄,败之端也

见《钱子语测·巽语》。全句为:"～;处富而奢,衰之始也"。

处心不可着,着则偏

见明·陈继儒《小窗幽记》。全句为:"～;作事不可尽,尽则穷"。

处心积虑,成于杀也

见《谷梁传·隐公元年》。

处世以讥讪为第一病痛

见明·吕坤《呻吟语》卷中。

处世戒多言,言多必失

见清·朱柏庐《治家格言》。全句为:"居家戒争讼,讼则终凶;～"。

处丧以哀,无问其礼矣

见《庄子·渔父》。全句为:"事亲以适,不论所以矣;饮酒以乐,不选其具矣;～"。

处尊居显未必贤,遇也

见汉·王充《论衡·逢遇》。全句为:"～;位卑在下未必愚,不遇也"。

处难处之事,可以长识

见明·徐祯稷《耻言二》。全句为:"～;调难调之人,可以练性,学在其中矣"。

处江湖之远,则忧其君

见宋·范仲淹《岳阳楼记》。全句为:"居庙堂之高,则忧其民;～"。

处世忌太洁,至人贵藏晖

见唐·李白《沐浴子》。

处则为远志,出则为小草

见南朝·宋·刘义庆《世说新语·排调》。

处高心不有,临节自为名

见唐·张说《五君咏》。

处沃土则逸,处瘠土则劳

见汉·张衡《西京赋》。

处治世宜方,处乱世宜圆

见明·洪应明《菜根谭·前集五十》。

处满常惮溢,居高本虑倾

见唐·陈子昂《座右铭》。"溢"一作"盈"。

处晦而观明,处静而观动

见宋·苏轼《朝辞赴定州论事状》。

处身而当逸者,则志不广

见三国·魏·王肃《孔子家语·在厄》。

处世不必邀功,无过便是功

见明·洪应明《菜根谭·前集二十八》。

处听易为察,而内听难为聪

见南朝·梁·刘勰《文心雕龙·声律》。

处林泉中,不可无廊庙经纶

见明·洪应明《菜根谭》。全句为:"居轩冕中,不可无山林趣味;～"。

处贵显者勿为矜己傲人之言

见清·钱大昕《十驾斋养新录·文人勿相轻》。全句为:"处患难者勿为怨天尤人之言;～"。

处患难者勿为怨天尤人之言

见清·钱大昕《十驾斋养新录·文人勿相轻》。全句为:"～;处贵显者勿为矜己傲人之言"。

处其位而不履其事,则乱也

见《礼记·表记》。

处天下所观之地,可不慎乎?

见三国·魏·王弼《周易·观》注。

处事不可任己见,要悉事之理

见明·吕坤《呻吟语·识见》。

处人不可任己意,要悉人之情

见明·吕坤《呻吟语·识见》。全句为:"～;处事不可任己见,要悉事之理"。

处富贵之时,要知贫贱的痛痒

见《格言联璧·接物》。

处于堂上之阴,而知日月之次序

见汉·刘安《淮南子·兵略》。全句为:"～;见瓶中之水,而知天下之寒暑"。

处屯而必行其道,居陋而不改其度

见唐·张九龄《宋使君写真图赞序》。

处世还须称晚来,逢人且莫夸畴昔

见明·吴承恩《射阳先生存稿·忆昔行赠汪云岚分教巴陵》。

处事要代人作想,读书须切己用功

见清·王永彬《围炉夜话》。

处次官,执利势,不可而不察于此

见《吕氏春秋·离俗览·用民》。全句为:"君,利势也,次官也。～"。

处官不信,则少不畏长,贵贱相轻

见《吕氏春秋·离俗览·贵信》。全句为:"天地之大,四时之化,而犹不能以不信成物,又况乎人事?君臣不信,则百姓诽谤,社稷不宁;～;赏罚不信,则民易犯法,不可使令;交友不信,则离散郁怨,不能相亲;百工不信,则器械苦伪,丹漆染色不贞"。"苦",不精细,粗劣;"伪",作假。

处逸乐而欲不放,居贫苦而志不倦

见汉·王充《论衡·自纪》。

处有事当如无事,处大事当如小事

见《琼琚佩语·政术》。

处世让一步为高，退步即进步的张本

见明·洪应明《菜根谭·前集十七》。

处事者不以聪明为先，而以尽心为急

见宋·吕本中《官箴》。

处难处之事愈宜宽，处难处之人愈宜厚

见《格言联璧·处事》。

处大无患者恒多慢，处小有忧者恒思善

见晋·陈寿《三国志·蜀志·谯周传》。

处身者，不为外物眩晃而动，则其心静

见宋·欧阳修《非非堂记》。

处其厚，不居其薄；处其实，不居其华

见《老子》三十八。

处世间事，众人皆见得非，而我独见得是

见清·申涵煜《省心短语》。全句为："～，亦须缓缓调停，不可直遂"。

处若忘，行若遗，俨乎其若思，茫乎其若迷

见唐·韩愈《答李翊书》。

处大事贵乎明而能断，不明因无以知事论断

见明·薛瑄《薛文清公从政录》。

处逆境心须用开拓法，处顺境心要用收敛法

见《格言联璧·存养》。

处颠者危，势丰者亏，颓坠之类，常在悬垂

见汉·王充《论衡·累害》。

处明者不见暗中一物，而处暗者能见明中区事

见《关尹子·一宇》。

处顺境内，眼前尽兵刃戈矛，销膏靡骨而不知

见明·洪应明《菜根谭》。全句为："居逆境中，周身皆针砭药石，砥节砺行而不觉；～"。

处道而不贰，吐而不夺，利而不流，贵公正而贱鄙争

见《荀子·正名》。全句为："～，是士君子之辩说也"。

处患难，知其无可奈何，遂放意而不反，是岂安于义命者

见《二程集·河南程氏粹言》。

❷高处不胜寒／出处默语，勿强相兼／善处身者，不能无过失／出处全在人，路亦无通塞／出处虽殊迹，明月两知心／何处路最难？最难在长安／此处不留人，自有留人处／言处飞龙前，行在跛鳖后／其处己也厚，其取名也廉／鱼处水而生，鸟据巢而卵／鱼处水而生，人处水而死／今处绣户洞房，则蓑不如裘／土处下，不在高，故安而不危／出处每怀心耿耿，是非谁较论悠悠／眼处心生句自神，暗中摸索总非真／小处不渗漏，暗处不欺隐，末路不怠荒／其处上也，足以明政行教，不以威天下／今处昏上乱相之间，而欲无惫，奚可得邪／水处者渔，山处者木，谷处者牧，陆处者农／身处困境，当视为天之爱我、成我，不当视为天之厄我、祸我也

❸圣人处物而不伤物／坚强处下，柔弱处上／守如处女，出如脱兔／静如处女，动如脱兔／处难处之事，可以长识／忠臣处国，天下无异心／锥之处囊中，其末立见／人生处一世，去若朝露晞／人生处万类，知识最为贤／凡人处是，鲜不怨怼忿愤／望夫处……行人归来石应语／圣人处无为之事，行不言之教／和以处众，宽以接下，恕以待人／处难处之事愈宜宽，处难处之人愈宜厚／不知处阴以休影，处静以息迹，愚亦甚矣／始如处女，敌人开户；后如脱兔，敌不及拒／会心处不必在远，翳然林水，便自有濠濮间想也／猛虎处于深山，向风长鸣，则百兽震恐而不敢出／清静处下，虚以待之，无为无求，而百川自为来也

❹天涯何处无芳草／工夫深处独心知／青山断处落霞明／杂之以处而观其色／败不可处，时不可失／虎狼并处，不可以仕／登山者处已高矣……／君子出处不违道而无愧／善人同处，则日闻嘉训／奸人难处，迂人亦难处／纵意于处安，不必全福／于不疑处有疑，方是进矣／从极迷处识迷，则到处醒／读书之处，不可久坐闲谈／度德而处之，量力而行之／青天何处了？白鸟入空无／大丈夫处世，当交四海英雄／安时而处顺，哀乐不能入也／圣人之处世，不逆有伎能之士／投至两处凝眸，盼得一雁横秋／得饶人处且饶人，退步行最稳／猛虎不处卑势，劲鹰不立垂枝／贤者之处世，皆以得时为至难／与人相处之道，第一要谦下诚实／大丈夫处世，当为国家立功边境／断肠人处，天边残照水边霞……／人生到处知何似？应似飞鸿踏雪泥／读书好处心先觉，立雪深时道已传／其为书，处则充栋宇，出则汗牛马／大丈夫处世，当扫除天下，安事一室乎／师之所处，荆棘生焉；大军之后，必有凶年／贤士之处世也，譬若锥之处囊中，其末立见／君子之处世，贵能有益于物耳，不图高谈虚论，左琴右书／君子之处世也，甘恶衣粗食，甘艰苦劳动，斯可以无失矣／上智不处危以侥幸，中智能因危以为功，下愚安于危以自亡

❺慕虚名而处实祸／久与贤人处则无过／非死之难，处死之难也／疾言厉色，处众之贼也／下流不可处，君子慎厥初／边境之臣处，则疆垂不丧／车无轮安处，国无民谁与／穷居而野处，升高而望远／非其人而处其位者其祸必速／将难放怀处放怀，则万境宽／浑然而中处者，世谓之元气／居近识远，处今知古，惟学矣乎／事遇快意处当转，言遇快意处当住／居安忘危，处治忘乱，所以不能长久／与端方人处，如炭入薰炉，虽化为灰，其香不灭

❻甘苦常从极处回／修练多从苦处来／诗思出门何处无／与人当宽，自处当严／诚之所感，触处皆通／天，积气耳，亡处亡气／任以公法，而处以贪枉／何夜无月？何处无竹柏／有实而无乎处者，宇也／乾坤之大，何处容我不得／养气要使完，处身要使端／舍生岂不易，处死诚独难／处沃土则逸，处瘠土则劳／处治世宜方，处乱世宜圆／处晦而观明，处静而观动／守职而不废，处义而不回／春眠不觉晓，处处闻啼鸟／悠悠失乡县，处处尽云烟／吞舟之鱼，陆处则不胜蝼蚁／心能辨事非，处事方能决断／不知足者，虽处天堂，亦不称意／公却是仁发处，无公则仁行不得／人情莫不欲处前，故恶人之自伐／今王公贵人，处于重屋之下……／丞相祠堂何处寻，锦官城外柏森森／借问酒家何处有，牧童遥指杏花村／人面不知何处去，桃花依旧笑春风／陶令不知何处去，桃花源里可耕田／观大者不得处近，望远者不得居卑／志士凄凉闲处老，名花零落雨中看／好事尽从难处得，少年无向易中轻／笔底明珠无处卖，闲抛闲掷野藤中／躁急，则先自处于不暇，何暇治事／不胜其任，而处其位，非此位之人也／人品做到极处，无有他异，只是本然／冒以为古，是处严冬而袭夏之葛者也／文章做到极处，无有他奇，只是恰好／泉涸，鱼相与处于陆……不若相忘于江湖／晴空朗月，何处不可翱翔？而飞蛾独投夜烛／水处者渔，山处者木，谷处者牧，陆处者农／自修自修，益处自家求；一刻千金，勿把韶光丢

❼巧言如流，俾躬处休／坚强处下，柔弱处上／风止雨霁，云无处所／万金买高爵，何处买青春／诗人甘寂寞，居处遍苍苔／君子与小人，并处必为患／君子防未然，不处嫌疑间／知音少，人间何处寻芳草／门前两条辙，何处去不得／巢居觉风飘，穴处识阴雨／本来无一物，何处惹尘埃／残杯与冷炙，到处潜悲辛／春眠不觉晓，处处闻啼鸟／悠悠失乡县，处处尽云烟／鱼处水而生，人处水而死／虚实相生，无画处皆成妙境／为上者不虚授，处下者不虚受／怒发冲冠，凭栏处，潇潇雨歇／酌贪泉而觉爽，处涸辙而犹欢／里仁为美；择不处仁，焉得知／天下事当于大处著眼，小处下手／病中必有悔悟处，病起莫教忘了／立身必由清谨，处职无废于忠勤／天子者，养尊而处优，树恩而收名／任是深山更深处，也应无计避征徭／含情欲说独无处，传与琵琶心自知／莫见长安行乐处，空令岁月易蹉跎／吴僧爱觅闲吟处，偷向花边竹里来／扁舟一棹归何处，家在江南黄叶村／睡起秋声无觅处，满阶梧叶月明中／野夫怒见不平处，磨损胸中万古刀／踏破铁鞋无觅处，得来全不费功夫／事虽易，而以难处之，未有不治之变／巢居者察风，穴处者知雨，忧存故也／小处不渗漏，暗处不欺隐，末路不怠荒／北人看书，如显处视月；南人学问，如牖中窥日／有道之君子，其处也若无知，其应物也若偶之，静因之道也

❽处事最当熟思缓处／成功之下，不可久处／春夏用事，秋冬潜处／蛟龙水居，虎豹山处／一粥一饭，当思来处不易／熟思则得其情，缓处则得其当／为神有灵兮何事处我天南海北头／临大节而不可夺，处至公而不可干／处有事当如无事，处大事当如小事／不仁者，不可以久处约，不可以长处乐／处其厚，不居其薄；处其实，不居其华／不知处阴以休影，处静以息迹，愚亦甚矣

❾智是心中一个知觉处／贤者必与贤于己者处／不谴是非，以与世俗处／奸人难处，迂人亦难处／从极迷处识迷，则到处醒／量力而任之，度才而处之／肌肤若冰雪，绰约若处子／有乍交之欢易，无久处之厌难／胸中没些渣滓，才能处世一番／上穷碧落下黄泉，两处茫茫皆不见／时人莫小池中水，浅处无妨有卧龙／有时三点两点雨，到处十枝五枝花／精读书，著精采警语处，凡事皆然／凡读书到冷淡无味处，尤当着力推考／处难处之事愈宜宽，处难处之人愈宜厚／处大无患者恒多慢，处小有忧者恒思善／立身高一步方超达，处世退一步方安乐／举天下而无可与共处，则是其势岂可以久也

❿此处不留人，自有留人处／唯有志不立，直是无着力处／善治病者，必医其受病之处／既来且住，风月闲寻秋好处／不以官随其爱，能当之者处之／莫怨无情流水，明月扁舟何处／大丈夫，千山万水往长远处看／天下事当于大处著眼，小处下手／千古江山，英雄无觅，孙仲谋处／凡人皆欲自达，仆先得显处……／圣人教人，只是就人日用处开端／狖失木，而禽于狐狸，非其处也／一生几许伤心事，不向空门何处销／与其无义而有名兮，宁穷处而守高／不见年年辽海上，文章何处哭秋风／事遇快意处当转，言遇快意处当住／仁者恕己以及人，智者讲功而处事／他年我若为青帝，报与桃花一处开／假作真时真亦假，无为有处有还无／儿童相见不相识，笑问客从何处来／圣贤千言万语，教人且从近处做去／地，积块耳，充塞四虚，亡处亡块／君子不怀暴君之禄，不处乱国之位／知死必勇，非死者难也，处死者难／多言不可与远谋，多动不可与久处／学诗须是熟看古人诗，求其用心处／轻天下者，身不累于物，故能处之／此生此夜不长好，明年明月何处看／神女生涯原是梦，小姑居处本无郎／心事浩茫连广宇，于无声处听惊雷／眼孔浅时无大量，心田偏处有奸谋／衣上征尘杂酒痕，远游无处不消魂／天下

者非一人之天下，惟有道者处之／道不远而难极也，与人并处而难得也／奸人诈而好名，其行事有酷似君子处／不仁者，不可以久处约，不可以长处乐／大德之人无所不容，能受垢浊，处谦卑／处难处之事愈宜宽，处难处之人愈宜厚／天且风，巢居之虫动；且雨，穴处之物扰／抗厉之人不能回挠，论法直则括处而公正／锦糊灯笼，玉镶刀口……不知落在何处矣／虚其欲，神将入舍；扫除不洁，神乃留处／自古失国之主，皆为居安忘危，处治忘乱／无为则俞俞，俞俞者忧患不能处，年寿长矣／不学古人，法无一可；竟似古人，何处着我／兵者，不祥之器，物或恶之，故有道者不处／词意书迹，无不宛然；唯是魂神，不知去处／处逆境心须用开拓法，处顺境心要用收敛法／寒泉飞流，异竹杂华，回映之处，似藏人家／水处者渔，山处者木，谷处者牧，陆处者农／贤士之处世也，譬若锥之处囊中，其末立见／上善若水，水善利万物而不争，处众人之所恶／处明者不见暗中一物，而处暗者能见明中区事／是他春带愁来，春归何处，却不解、将愁归去／政令不烦，则安其业，故不远迁徙，离其常处／不为穷变节，不为贱易志；惟仁之处，惟义之行／不拘一世之利以为己私分，不以王天下为己处显／君子居安宜操一心以虑患，处变当坚百忍以图成／岂无利事哉，我无利心；岂无安处哉，我无安心／富与贵，是人之所欲也，不以其道得之，不处也／青未了，松耶？柏耶？独鸟来时，连峰断处，双髻人耶／袭古人语言之迹，而冒以为古，是处严冬而袭夏之葛者也／于为义若嗜欲，勇不顾前后；于利与禄，则畏避退处如怯夫然／人之生也，必以其欢。忧则失纪，怒则失端。忧悲喜怒，道乃无处

冬 dōng 冬季；拟声词。

❶冬日可爱，夏日可畏

见《左传·文公七年》杜预注。

冬尽今宵促，年开明日长

见唐·李世民《除夜》。

冬至之后为呼，夏至之后为吸

见宋·邵雍《皇极经世·观物篇四十三》。全句为："～，此天地一岁之呼吸也"。

冬沙飞兮淅淅，春草磨兮芊芊

见唐·张说《江上愁心赋寄赵子》。全句为："夏云阴兮若山，秋水平兮若天，～"。

冬也阴气积兮，愁颜者为之鲜欢

见唐·卢照邻《释疾文·悲夫》。全句为："春也万物熙熙焉，感其生而悼其死；夏也百草榛榛焉，见其盛而知其阑；秋也严霜降兮，殷忧者为之不乐；～"。

冬者岁之余，夜者日之余，阴雨者时之余

见晋·陈寿《三国志·魏书·王肃传》。

冬有雷电，夏有霜雪，然而寒暑之势不易

见汉·刘安《淮南子·说林》。全句为："～，小变不足以妨大节"。

冬不服裘，夏不操扇，雨不张盖，是谓将礼

见汉·黄石公《三略·上略》。

冬日之闭冻也不固，则春夏之长草木也不茂

见《韩非子·解老》。

❷严冬不肃杀，何以见阳春／涉冬则淈泥而潜蟠，避害也／知冬日之箑、夏日之裘，无用于己

❸爱犹冬日，冏若明珠／雪压冬云白絮飞，万花纷谢一时稀

❹欲识凌冬性，唯有岁寒知／自有凌冬质，能守岁寒心／豫焉，若冬涉川；犹兮，若畏四邻

❺狐白足御冬，焉念无衣客／秋早寒，则冬必暖；春雨多，则夏必旱／物至则反，冬夏是也；致高则危，累棊是也

❻阴阳不能且冬且夏／春夏用事，秋冬潜处／天犹有春秋冬夏旦暮之期，人者厚貌深情／盛秋水潦，穷冬雨雪，深泥积水，相辅为害

❼寒来暑往，秋收冬藏／春耕夏耘，秋获冬藏／枯木倚寒岩，三冬无暖气／秋不得避阴雨，冬不得避寒冻／春主生，夏主养，冬主藏，秋主收／秋者，天之平也；冬者，天之威也／春生夏长，秋收冬藏，此天道之大经／凡为人子之礼，冬温而夏凊，昏定晨省

❽天时人事日相催，冬至阳生春又来／冒以为古，是处严冬而袭夏之葛者也

❾夏宜急雨，有瀑布声；冬宜密雪，有碎玉声

❿天不为人之恶寒也，辍冬／人有喜怒哀乐，犹天之有春夏秋冬／以鸟鸣春，以雷鸣夏，以虫鸣秋，以风鸣冬／必曰赏以春夏，而刑以秋冬，而谓之至理者，伪也／袭古人语言之迹，而冒以为古，是处严冬而袭夏之葛者也

条 ①tiáo 量词；指狭长的；条理；项目；通达；事物的层次或秩序；植物细长的枝；木名。②tiāo 通"挑"，挑取。

❶条理得于心，其心渊然而条理，是为智

见清·戴震《原善》。

❷一条之枯，不损繁林之蓊蔼／三条九陌丽城隈，万户千门平旦开

❹折尽长条为寄谁／门前两条辙，何处去不得／纵使长条似旧垂，也应攀折他人手

❺网在纲，有条而不紊

❻华离蒂而萎，条去干而枯／枝繁者荫根，条落者本孤

❼春江一曲柳千条／贵贱之于身，犹条风之时丽过／春风杨柳万千条，六亿神州尽舜尧

❾悲落叶于劲秋，喜柔条于芳春／锄奸杜倖，要放他一条去路……／碧玉妆成一树高，万条垂

下绿丝绦

❿以彼径寸茎，荫此百尺条／春露不染色，秋霜不改条／条理得于心，其心渊然而条理，是为智／圣智至孔子而极其盛，不过举条理以言之而已矣

备 bèi 具备；完全；预防；设备；充当；后墙；富裕；美好；长的兵器；全；尽；有。

❶备不预具，难以应卒

见南朝·宋·范晔《后汉书·冯衍传》。

备豫不虞，为国常道

见唐·吴兢《贞观政要·纳谏》。

备豫不虞，善之大者也

见《左传·成公九年》。全句为："恃陋而不备，罪之大者也；～"。

备周则意怠，常见则不疑

见《三十六计·瞒天过海》。

备之以储蓄，虽凶荒而人无菜色

见唐·白居易《策林一》。

❷不备不虞，不可以师／有备无患，亡战必危／谨备其所憎，而祸在于所爱／能备患于未形也，故祸不萌／有备则制人，无备则制于人／刘备有取天下之量，而无取天下之才

❸无求备于一夫／无求备于一人／不求备于一人／仓无备粟，不可以待凶饥／规矩备具，而能出于规矩之外／库无备兵，虽有义，不能征无义／圣人备道全美者也，是县天下之权称也／体不备不可以为成人，辞不足不可以为成文／治道备，人斯为善矣；治道失，人斯为恶矣／知大备者，无求，无失，无弃，不以物易己也

❹事异则备变／万物皆备于我／春秋责备贤者／官不必备，惟其人／万事俱备，只欠东风／攻其无备，出其不意／防决不备，有水溢之害／名正法备，则圣人无事／愚者有备，与知者同功／愚者有备，与智者同功／不以求备取人，不以己长格物／自责以备谓之明，责人以备谓之惑

❺至德小节备，大节举／既食，未设备，可击／文必虚字备而后神态出／与人不求备，检身若不及／周公不求备，四友不相兼／择才不求备，任物不过涯／恃陋而不备，罪之大者也／辞卑而益备者，进也；辞强而进驱者，退也

❻节用储蓄，以备凶灾／事因于世，而备适于事／但使仓库可备凶年，此外何烦储蓄／窃位而苟禄，备员而全身者，亦无所取焉

❼惟事事乃其有备，有备无患／有备则制人，无备则制于人／韵者，随迹立形，备遗不俗／为善若恐不及，备祸若恐不免／在上者，必有武备，以戒不虞，以遏寇虐

❽谋无主则困，事无备则废／天覆地载，万物悉备，莫贵于人／居安思危；思则有备，有备无患／人皆务于救患之备而莫能知使患无生／有文事者必有武备，有武事者必有文备／敌欲固守，攻其无备；敌欲兴陈，出其不意／行不充于内，德不备于人，虽盛其服，文其容，民不尊也

❾惟事事乃其有备，有备无患／仁者爱万物，而智者备祸于未形／亲履艰难者知下情，备经险易者达物伪／国无小，不可易也；无备虽众，不可恃也／德不素积，人不为用；备不豫具，难以应卒

❿至治之时，常不忘于武备／士者贵其用也，不必求备／患生于多欲，害生于弗备／事至而后求，曷若未至而先备／居安思危；思则有备，有备无患／兵可千日而不用，不可一日而不备／众见者人为之伏，器见者人为之备／君道立则利出其群，而人备可完矣／居上克明，为下克忠，与人不求备／积善成德，而神明自得，圣心备焉／自责以备谓之明，责人以备谓之惑／黄鹄之飞，一举千里，有必飞之备也／道，于大不终，于小不遗，故万物备／刑政平而百姓归之，礼义备而君子归之／有文事者必有武备，有武事者必有文备／事或为之适足以败之，或备之适足以致之／有山海之货而民不足于财者，商工不备也／有沃野之饶而民不足于食者，器械不备也／两若有名，相与则成；阴阳备物，化变乃生／利而诱之，乱而取之，实而备之，强而避之／说之虽不以道，说也；及其使人也，求备焉／敌存而惧，敌去而舞；废备自盈，只益为痛／事不豫辨，不可以应卒；内无备，不可以御敌

夏 ①xià 一年四季中的第二季；朝代名；指中国；大屋；华彩；姓。②jiǎ［夏楚］古代扑责之具。

❶夏虫不可语冰

见《庄子·秋水》。

夏虫不可语寒

见汉·刘安《淮南子·原道》。

夏虫不知冷冰

见晋·陈寿《三国志·吴书·吴范刘惇赵达传》。

夏屋初成而大匠先立其下

见晋·陈寿《三国志·魏书·王粲传》。全句为："～，嘉禾始熟而农夫先尝其粒"。

夏日抱长饥，寒夜无被眠

见晋·陶潜《怨诗楚调示庞主簿邓治中》。

夏虫不可与语寒，笃于时也

见汉·刘安《淮南子·原道》。全句为："井鱼不可与语大，拘于隘也；～"。

夏云阴兮若山，秋水平兮若天

见唐·张说《江上愁心赋寄赵子》。全句为："～，冬沙飞兮淅淅，春草磨兮芊芊"。

夏虫不可以语于冰者，笃于时也

见《庄子·秋水》。全句为："井蛙不可以语于

海者，拘于虚也；～”。

夏也百草榛榛焉，见其盛而知其阑

见唐·卢照邻《释疾文·悲夫》。全句为：“春也万物熙熙焉，感其生而悼其死；～；秋也严霜降兮，殷忧者为之不乐；冬也阴气积兮，愁颜者为之鲜欢”。

夏宜急雨，有瀑布声；冬宜密雪，有碎玉声

见宋·王禹偁《黄州新建小竹楼记》。

夏后氏之璜，不能无考；明月之珠，不能无颣

见汉·刘安《淮南子·氾论》。全句为：“～。然而天下宝之者何也？其小恶不足妨大美也”。

❷春夏用事，秋冬潜处／仲夏苦夜短，开轩纳微凉／首夏犹清和，芳草亦未歇／虞夏以文，殷周以武，异时各有所施

❸春耕夏耘，秋获冬藏／君看夏木扶疏句，还许诗家更道不／春生夏长，秋收冬藏，此天道之大经

❹嘉谷不夏熟，大器当晚成／玄龙，迎夏则陵云而奋鳞，乐时也／春主生，夏主养，冬主藏，秋主收

❺冬日可爱，夏日可畏／春时耕种夏时耘，粒粒颗颗费力勤／冬有雷电，夏有霜雪，然而寒暑之势不易／冬不服裘，夏不操扇，雨不张盖，是谓将礼

❻殷鉴不远，在夏后之世／春无三日晴，夏无三日雨／积雨时物变，夏绿满园新／知冬日之箑、夏日之裘，无用于己／物至则反，冬夏是也；致高则危，累棊是也／必曰赏以春夏，而刑以秋冬，而谓之至理者，伪也

❼行得春风，指望夏雨／胁肩谄笑，病于夏畦／冬至之后为呼，夏至之后为吸／春不得避风尘，夏不得避暑热／春者，天之和也；夏者，天之德也／天犹有春秋冬夏旦暮之期，人者厚貌深情

❽阴阳不能且冬且夏／震风陵雨，然后知夏屋之为帡幪也／以鸟鸣春，以雷鸣夏，以虫鸣秋，以风鸣冬／始见新春，又逢初夏。四时若箭，两曜如梭。

❿人有喜怒哀乐，犹天之有春夏秋冬／言泉共秋水同流，词峰与夏云争长／冒以为古，是处严冬而袭夏之葛者也／凡为人子之礼，冬温而夏清，昏定晨省／秋早寒，则冬必暖；春雨多，则夏必旱／巫山之上顺风纵火，膏夏紫芝与萧艾俱死／丰荒异政，系乎时也；夷夏殊法，牵乎俗也／冬日之闭冻也不固，则春夏之长草木也不茂／石列笋虡，藤蟠蛟螭；修竹万竿，夏含凉飔／非其人而欲有功，譬其若夏至之日而欲夜之长也／非其人而欲有功，譬之若夏至之日而欲夜之长也／袭古人语言之迹，而冒以为古，是处严冬而袭夏之葛者也

惫

bèi 疲惫，困乏。

❿今处昏上乱相之间，而欲无惫，奚可得邪

饥

jī 饿；饥荒。

❶饥则附人，饱便高扬

见唐·房玄龄《晋书·慕容垂载记》。

饥者不待美馔而后饱

见晋·陈寿《三国志·吴书·华覈传》。全句为：“～，寒者不俟狐貉而后温”。

饥者不愿千金而美一餐

见明·宋濂《演连珠》。全句为：“寒者不贪双璧而思短褐，～”。

饥寒无衣食，举动鞭捶施

见三国·魏·阮瑀《驾出北郭门行》。全句为：“～，骨消肌肉尽，体若枯树皮”。

饥者易为食，渴者易为饮

见《孟子·公孙丑上》。

饥者歌其食，劳者歌其事

见汉·何休《春秋公羊传解诂·宣公十五年》。

饥食首阳薇，渴饮易水流

见晋·陶潜《拟古诗九首》之八。

饥不从猛虎食，暮不从野雀栖

见汉·无名氏《猛虎行》。

饥召兵，疾召兵，劳召兵，乱召兵

见《韩非子·说林上》。

饥马在厩，寂然无声，投刍其旁，争心乃生

见汉·刘安《淮南子·说林》。

饥而倍食，渴而大饮……虽暂怡性，必为后患

见北齐·刘昼《刘子·利害》。删节处为：“热而投水，寒而入火”。

饥而欲食……好利而恶害，是人之所生而有也

见《荀子·荣辱》。删节处为：“寒而欲暖，劳而欲息”。

饥餐松柏叶，渴饮涧中泉，看罢青青竹，和衣自在眠

见宋·普济《五灯会元》卷一六。

❷苦饥寒，逐弹丸／岁饥无年，虐政害民／疗饥者半菽可以充腹，为政者一言可以兴邦／疗饥于附子，止渴于鸩毒，未入肠胃，已绝咽喉

❸民荐饥而望岁／风露饥肠织到明／民之饥，以其上食税之多／壮志饥餐胡虏肉，笑谈渴饮匈奴血／闻其饥寒为之哀，见其劳苦为之悲／翁媪饥雷常转腹，大儿嗷嗷小儿哭／人之饥所以不食乌喙者，以为虽偷充腹而与死同患也

❹求贤如饥渴，受谏而不厌／农事废，饥寒并至，故盗贼多有／已分忍饥度残岁，更堪岁里闰添长／以饱待饥，以逸击劳；师不欲久，行不欲

远／民之性，饥而求食，劳而求佚，苦则索乐，辱则求荣

❺善人在患，饥不及餐／夏日抱长饥，寒夜无被眠／黄金珠玉，饥不可食，寒不可衣／珠玉金银，饥不可食，寒不可衣／譬如养鹰，饥则为用，饱则扬去／农事伤则饥之本，女红害则寒之原／民有三患：饥者不得食，寒者不得衣，劳者不得息

❻忍寒犹可忍饥难／家有常业，虽饥不饿／乱后易理，犹饥人易食也／饿狼守庖厨，饥虎牧牢豚／渴人多梦饮，饥人多梦餐／竟抱固穷节，饥寒饱所更／老骥思千里，饥鹰待一呼／食钩吻以疗饥，饮鸩毒以救渴／爱子不教，犹饥而食之以毒，适所以害之也／饱而知人之饥，温而知人之寒，逸而知人之劳

❼无务富其家而饥其师／如渴思冷水，如饥念美食／寒者利短褐，而饥者甘糟糠／毁誉不干其守，饥寒不累其心／是穮是蓘，虽有饥馑，必有丰年／丈夫力耕长忍饥，老妇勤织长无衣／健儿无粮百姓饥，谁遣朝朝入君口／君子无小人则饥，小人无君子则乱／厨有腐肉，国有饥民；厩有肥马，路有馁人

❽以佚代劳，以饱待饥／军灶未炊，将不言饥／搏沙为饼，不可疗饥／畜粟者，欲岁之荒饥也／贵有风雪兴，富无饥寒忧／用兵者，贵以饱待饥，以逸击劳／冥当寝兮不能安，饥当食兮不能餐／贫民耕而不免于饥，富民坐而饱以嬉

❾粟积于丰年，乃可济饥／嫉恶如仇雠，见善若饥渴／君不见比来翁姥尽饥死，狐狸啮骨乌啄眼／寒之于衣，不待轻暖；饥之于食，不待甘旨／一夫不耕，天下受其饥；一妇不织，天下受其寒

❿不忧一家寒，所忧四海饥／仓无备粟，不可以待凶饥／谈书者不贱，守田者不饥／凿凿乎如五谷必可以疗饥／垅上扶犁儿，手种腹长饥／流离重流离，忍冻复忍饥／量力守故辙，岂不寒与饥／贫贱而有业，则不至于饥寒／民可百年无货，不可一朝有饥／国离寇敌则伤，民见凶饥则亡／寒暑不时则疾，风雨不节则饥／豆麦之种与稻粱殊，然食能去饥／上不能宽国之利，下不能饱民之饥／丈夫丁壮而不耕，天下有受其饥者／心中为念农桑苦，耳里如闻饥冻声／老者衣帛食肉，黎民不饥不寒……／天地之道，寒暑不时则疾，风雨不节则饥／风雨不时，则伤农桑；伤农桑，则民饥寒／百亩之田，匹夫耕之，八口之家足以无饥矣／剪纸为墙，不可止暴，搏沙为饼，不可疗饥／拓境不宁，无益于强；多田不耕，何救饥敝／庖有肥肉，厩有肥马，民有饥色，野有饿莩／如贫得宝，如暗得灯，如饥得食，如旱得云

饪

rèn 煮熟。

❷烹饪起于热石，玉辂基于椎轮

饬

chì 整顿；谨慎；通"敕"，命令，告诫。

❿乐，所以达天地之和而饬化万物

饭

fàn 做熟的谷类食物；吃饭；每天按时吃的食物。

❶饭山逢彪必吐哺而逃

见明·宋濂《燕书四十书》。全句为："～，濯溪见鳄必弃履而走"。

饭疏食饮水，曲肱而枕之，乐亦在其中矣

见《论语·述而》。全句为："～。不义而富且贵，于我如浮云"。

❷觧饭不及壶飧／一饭之德必偿，睚眦之怨必报

❸酒罂饭囊，或醉或梦，块然泥土者……

❹一粥一饭，当思来处不易／藜羹麦饭冷不尝，要足平生五车读

❺一粒红稻饭，几滴牛颔血／吃百姓之饭，穿百姓之衣，莫道百姓可欺，自己也是百姓

❼一沐三捉发，一饭三吐哺

❾然我一沐三捉发，一饭三吐哺

❿凭谁问，廉颇老矣，尚能饭否／担水塞井徒用力，炊砂作饭岂堪吃／春去细糠如剖玉，炊成香饭似堆银／君不见担雪塞井空用力，炊沙作饭岂堪食／虫堕一器，酒弃不饮；鼠涉一筐，饭捐不食／意喻之米，文喻之炊而为饭，诗喻之酿而为酒

饮

①yǐn 喝；饮料；隐没；心中存有。②yìn 使喝。

❶饮水思源，缘木思本

见清·文康《儿女英雄传》第一三回。

饮酒以乐，不选其具矣

见《庄子·渔父》。全句为："事亲以适，不论所以矣；～；处丧以哀，无问其礼矣"。

饮食之人，则人贱之矣

见《孟子·告子上》。全句为："～，为其养小以失大也"。

饮马犹尚可，莫使学操舟

见宋·张嵲《防江》。

饮马渡秋水，水寒风似刀

见唐·王昌龄《塞下曲四首》之二。

饮食男女，人之大欲存焉

见《礼记·礼运》。全句为："～；死亡贫苦，人之大恶存焉"。

饮食约而精，园蔬愈珍馐

见清·朱柏庐《治家格言》。全句为："器具质而洁，瓦缶胜金玉；～"。

饮食男女皆性也，是乌可灭

见宋·张载《正蒙·乾称下》。

饮食不节，以生疾病；好色不倦，以致乏绝

见三国·魏·嵇康《养生论》。

❷不饮浊泉水，不息曲木阴／宁饮建业水，不食武昌鱼／朝饮木兰之坠露兮，夕餐秋菊之落英

❸偃鼠饮河，不过满腹／如人饮水，冷暖自知／不如饮美酒，被服纨与素／渴不饮盗泉水，热不息恶木阴

❹救病而饮之以堇／君有疾，饮药，臣先尝之／亲有疾，饮药，子先尝之／人莫不饮食也，鲜能知味也／劝君休饮无情水，醉后教人心意迷／凿井而饮，耕田而食；帝力于我何有哉／志士不饮盗泉之水，廉者不受嗟来之食／饭疏食饮水，曲肱而枕之，乐亦在其中矣／起居时，饮食节，寒暑适，则身利而寿命益／满堂而饮酒，有一人乡隅而悲泣，则一堂皆为之不乐

❺酒醴异气，饮之皆醉／士卒不尽饮，广不近水／渴人多梦饮，饥人多梦餐／起居不时，饮食不节，寒暑不适，则形体累而寿命损

❻军井成而后饮之……／多沽伤费，多饮伤身／息阴无恶木，饮水必清源／身安则道隆，饮食知节量／一箪食，一瓢饮，在陋巷……

❼百里之海，不能饮一夫／不息恶木枝，不饮盗泉水／饥食首阳薇，渴饮易水流／朝日乐相乐，酣饮不知醉／食钩吻以疗饥，饮鸩毒以救渴／璞玉浑金，人皆饮其宝，莫知名其器／饥餐松柏叶，渴饮涧中泉，看罢青青竹，和衣自在眠

❽十步一啄，百步一饮／耕田而食，凿井而饮／君子以慎言语，节饮食／书味在胸中，甘于饮陈酒／坐上客恒满，樽中饮不空／勿贪意外之财，勿饮过量之酒／博弈之交不终日，饮食之交不终月／落其实者思其树，饮其流者怀其源／山中人兮芳杜若，饮石泉兮荫松柏／无彝酒，越庶国，惟饮祀，德将无醉／虫堕一器，酒弃不饮；鼠涉一筐，饭捐不食／饥而倍食，渴而大饮……虽暂怡性，必为后患

❾日日思君不见君，共饮长江水／人生达命岂暇愁，且饮美酒登高楼／易道良马，使人欲驰；饮酒而乐，使人欲歌／清泉绿草，何物不可饮啄？而鸱鸮者偏食腐鼠

❿饥者易为食，渴者易为饮／良药苦于口，而智者劝而饮之／文章太守，挥毫万字，一饮千钟／穿重云而下射，白龙倒饮于平湖／古来圣贤皆寂寞，惟有饮者留其名／但把穷愁博长健，不辞最后饮屠苏／壮志饥餐胡虏肉，笑谈渴饮匈奴血／水不激不能破舟，矢不激不能饮羽／其嵚然相累而下者，若牛马之饮于溪／泽雉十步一啄，百步一饮，不蕲畜乎樊中／罚一惩百，谁敢复言者？民有饮恨而已矣／日出而作，日入而息，凿井而饮，耕田而食／积山万状，负气争高。含霞饮景，参差代雄／苦身焦思，置胆于坐，坐卧即仰胆，饮食亦尝胆／鹪鹩巢于深林，不过一枝；偃鼠饮河，不过满腹

饯

jiàn 以酒食送行；指用糖、糖浆等浸渍的果品。

❺披襟朗咏，饯斜光于碧岫之前

饰

shì 装点打扮以使美观；指装饰品；掩饰；伪装；整治；戏剧中称扮演角色。

❶饰诈以图己，诈穷则道屈

见南朝·宋·范晔《后汉书·杜林传》。全句为："威强以自御，力损则身危；～"。

饰知以惊愚，修身以明污

见《庄子·山木》。全句为："～，昭昭乎如揭日月而行，故不免也"。

饰貌以强类者失形，调辞以务似者失情

见汉·王充《论衡·自纪篇》。

饰人之心，易人之意，能胜人之口，不能服人之心

见《庄子·天下》。

❷好饰者作非之渐／然饰穷其要，则心声锋起／盛饰入朝者，不以私污义

❸正形饰德，万物毕得／谄谗饰过之说胜，则巧佞者用／嫫母饰姿而夸矜，西子彷徨而无家

❹强辩以饰非者，果何为也／强辩者饰非，不知过之可改／察而以饰非惑愚，则察为祸矣／物之待饰而后行者，其质不美也／忠者不饰行以侥荣，信者不食言以从利／长短不饰，以情自竭，若是则可谓直士矣

❺夸而有节，饰而不诬／良师不能饰戚施，香泽不能化嫫母

❻隋侯之珠，不饰以银黄／和氏之璧，不饰以五采／面誉者不忠，饰貌者不情／使夸而有节，饰而不诬，亦可谓之懿也

❼上好义则民暗饰矣，上好富则民死利矣

❽至美素璞，物莫能饰／苟灭德忘公，崇浮饰傲，荣其外而枯其内，害其本而窒其源

❾从善如流，尚恐不逮；饰非拒谏，必是招损／古之存身者，不以辩饰知，不以知穷天下，不以知穷德

❿能者不可弊，败者不可饰／清水出芙蓉，天然去雕饰／朽烂之材，不受雕镂之饰／尤妙之人含精于内，外无饰姿／丹漆不文，白玉不雕，宝珠不饰／自责以义则难为非，难为非则形饰／见乱而不惕，所残必多；其饰，弥章／宅宇逾制，楼观出云，车马服饰，拟于王者／服罪输情者虽重必释，游辞巧饰者虽轻必戮／夫谓法不严则易犯，暴君酷吏假辞以饰其恶耳／君子所甚惧者，以申、韩之酷政，文饰儒术，而重毒天下也

饱

bǎo 吃足了；满足；饱满；充分；中饱。

❶饱食伤心，忠言逆耳
见元·无名氏《勘头巾》。
饱暖非天降，赖尔筋与力
见明·刘基《田家》。
饱食便卧及终日久坐，皆损寿
见南朝·梁·陶弘景《养性延命录·食诫篇》。
饱食终日，无所用心，难矣哉
见《论语·阳货》。
饱肥甘，衣轻暖，不知节者损福
见宋·林逋《省心录》。全句为："～；广积聚，骄富贵，不知止者杀身"。
饱霜孤竹声偏切，带火焦桐韵本悲
见唐·刘禹锡《答杨八敬之绝句》。
饱食、暖衣，逸居而无教，则近于禽兽
见《孟子·滕文公上》。
饱而知人之饥，温而知人之寒，逸而知人之劳
见《晏子春秋·内篇谏上》。
❷一饱勿易得，奈此官租钱／才饱身自贵，巷荒门岂贫／食饱心自若，酒酣气益振／不饱食以终日，不弃功于寸阴／以饱待饥，以逸击劳；师不欲久，行不欲远
❹吏则日饱鲜，谁悯民艰食／食无求饱，居无求安，敏于事而慎于言／糟糠不饱者不务粱肉，短褐不完者不待文绣／食必常饱，然后求美；衣必常暖，然后求丽
❺饥则附人，饱便高扬／斗粟自可饱，千金何所直
❻以佚代劳，以饱待饥／君子食无求饱，居无求安／用兵者，贵以饱待饥，以逸击劳／食不偷而为饱兮，衣不苟而为温／但愿苍生俱饱暖，不辞辛苦出山林／譬如养虎，当饱其肉，不饱则将噬人
❼但得众生皆得饱，不辞羸病卧残阳／炒沙作糜终不饱，镂冰文章费工巧
❽百谷殊味，食之皆饱／居不求安，食不求饱／如人说食，终不能饱／竟抱固穷节，饥寒饱所更
❾饥者不待美馔而后饱／譬如养鹰，饥则为用，饱则扬去
❿上不能宽国之利，下不能饱民之饥／贫民耕而不免于饥，富民坐而饱以嬉／譬如养虎，当饱其肉，不饱则将噬人／我服布素则民自暖，我食葵藿则民自饱／至福似祸，大吉若凶。天下醉饱，莫之能明／损百姓以奉其身，犹割股以啖腹，腹饱而身毙

饴

yí 用米、麦芽等熬制的糖；通"贻"，赠送。
❺鼎镬甘如饴，求之不可得
❼甘酒醴而不酤饴蜜，未为能知味
❿财色之于人，譬如小儿贪刀刃之饴／贫者士之常，今仆虽羸馁，亦甘如饴矣

饵

ěr 糕饼；钓饵；用东西引诱。
❶饵鼠以虫，非爱之也
见《墨子·鲁问》。
❷香饵非不美也／无饵之钓，不可以得鱼／香饵引泉鱼，重币购勇士／芳饵之下必有悬鱼，重赏之下必有死夫／香饵之下，必有悬鱼；重赏之下，必有死夫
❹须知香饵下，触口是铦钩／空嗟芳饵下，独见有贪心／金钩桂饵虽珍，不能制九渊之沉鳞
❽鳏虽难得，贪以死饵；士虽怀道，贪以死禄矣
❾佯北勿从，锐卒勿攻，饵兵勿食／古之人……识名位为香饵，逝而不顾
❿善钓者出鱼乎十仞之下，饵香也／见其远者大者，不食邪人之饵，方是二十分识力

饶

ráo 宽恕；丰富；另外增添；任凭；尽管。
❷得饶人处且饶人，退步行最稳
❸外虽饶棘刺，内实有赤心
❹笔力未饶弓力劲／山岳有饶，然后百姓赡焉／敛之于饶，而民不以为暴
❺推陈出新，饶有别致／有沃野之饶而民不足于食者，器械不备也
❻得饶人处且饶人，退步行最稳
❽蜀山金碧地，此地饶英灵／邹、鲁多鸿儒，燕、赵饶壮士／劳苦之事则争先，饶乐之事则能让／异物内流则国用饶，利不外泄则民用给
❾沃地之民多不才者，饶也
❿公道世间唯白发，贵人头上不曾饶／擅山海之富，居川林之饶，争修园宅，互相夸竞／阳动吐，阴静翕，阳道常饶，阴道常乏，阴阳之道也

蚀

shí 虫子蛀坏东西；损伤；同"食"。
❾君子之过，犹日月之蚀也，何害于明

饷

xiǎng 军粮；赠送；赐给；用酒食招待客人；薪金；通"晌"，一会儿。
❶饷妇念儿啼，逢人不敢立
见宋·李觏《获稻》。
❾男子疾耕不足于粮饷，女子纺绩不足于帷幕

饼

bǐng 扁而圆的面食；像饼的；饼状物的计量单位。
❹搏沙为饼，不可疗饥／画地为饼，不可得而食也
❻名如画地作饼，不可啖也
❿官不得其才，比于画地作饼，不可食也／剪纸为墙，不可止暴，搏沙为饼，不可疗饥

饿

è 饥饿。
❶饿狼守庖厨，饥虎牧牢豚

见南朝·宋·范晔《后汉书·仲长统传》。
饿死事极小，失节事极大
见宋·朱熹《二程全书·遗书》卷二十二下载程颐语。
❹纨绔不饿死，儒冠多误身／委肉当饿虎之蹊，祸必不振
❺贫者愈困饿死亡而莫之省
❻豺狼死而犹饿兮，牛腹尸而不盈／大马死，小马饿；高山崩，石自破
❽家有常业，虽饥不饿／丈夫穷空自其分，饿死吾肩未尝胁
❾四海无闲田，农夫犹饿死／楚王好细腰，宫中多饿死
❿楚灵王好细腰而国中多饿人／使天下无农夫，举世皆饿死矣／视玉帛而取者，则曰牵于寒饿／狗彘食人食而不知检，途有饿莩而不知发／庖有肥肉，厩有肥马，民有饥色，野有饿莩

馀 yú 剩，多余；表示成数后的不定零数；以外，以后；饱足。"余"字上述义项的繁体字；姓。
❸收合馀烬，背城借一
❼望长城内外，惟馀莽莽；大河上下，顿失滔滔
❿如有周公之材之美，使骄且吝，其馀不足观也已

馁 něi 饥饿；指鱼类臭烂；失去勇气。
❿贫者士之常，今仆虽羸馁，亦甘如饴矣／厨有腐肉，国有饥民；厩有肥马，路有馁人

馆 guǎn 接待宾客的房舍；寓居；房舍建置的统称；书塾；一些公共场所。
❷别馆南开，风雨积他乡之思
❿崇门丰室，洞户连房，飞馆生风，重楼起雾

馈 kuì 赠给；传送；吃饭；运输。
❹博见为馈贫之粮，贯一为拯乱之药

馋 chán 好吃；贪吃；见到喜欢的事物就想得到或参与。
❶馋人自食其肉，肉尽必死
见唐·吴兢《贞观政要·辩兴亡》。全句为："～；人君赋敛不已，百姓既弊，其君亦亡"。

馐 xiū 美味食品。
❿饮食约而精，园蔬愈珍馐

馑 jǐn 指蔬菜歉收。
❽是穮是蓘，虽有饥馑，必有丰年

馔 ①zhuàn 安排食物；饭食；食用。②xuǎn 古时计量单位。
❻饥者不待美馔而后饱

妆 zhuāng(女子)修饰；打扮；女子的服饰；演员的装饰；女子的陪嫁。
❸碧玉妆成一树高，万条垂下绿丝绦
❾欲把西湖比西子，淡妆浓抹总相宜
❿休夸此地分天下，只得徐妃半面妆

状 zhuàng 形态；样子；情况；陈述或描摹；陈述事件或记载事迹的文字；特指诉状；褒奖、委任等的文字凭证；善状；礼貌。
❶状难写之景如在目前；含不尽之意见于言外
见宋·欧阳修《六一诗话》。
❷无状无象，无声无响，故能无所不通，无所不往
❹巴陵胜状，在洞庭一湖／积山万状，负气争高……／秋之为状也：……山川寂寥／求取情状，离绝远去笔墨畦径间／积山万状，负气争高，含霞饮景，参差代雄
❻云生日入，怪状迭发，水石卉木，杳非人寰／己之虽有，其状若无；己之虽实，其容若虚
❼情在词外曰隐，状溢目前曰秀／豺狼能害人，其状易别，人得以避之
❽万物一府，死生同状／有生之气，有形之状，尽幻也／法本不祖，术本无状；师之于心，得之于象／见骥一毛，不知其状；见画一色，不知其美
❿不必有非常之功，而皆有可纪之状／焚芰制而裂荷衣，抗尘容而走俗状／阴晴显晦，昏旦含吐，千变万状，不可殚纪／好者不必同色而皆美，丑者不必同状而皆恶／水抵两岸，悉皆怪石，攲嵌盘屈，不可名状

广 ①guǎng 宽阔；多；扩充；宏大；普遍；远大；宽慰；姓。②kuàng 通"旷"，开阔。③yǎn 倚山崖作成的房子。④guàng 春秋时楚国兵制，兵车十五辆为一广；宽度。⑤ān 同"庵"。
❶广其学而坚其守
见宋·欧阳修《送曾巩秀才序》。
广农为务，俭用为资
见晋·陈寿《三国志·魏志·高柔传》。全句为："～。夫农广则谷积，俭用则财畜"。
《广陵散》于今绝矣
见南朝·宋·刘义庆《世说新语·雅量》。
广直言之路，启进善之门
见唐·柳宗元《贺赦表》。
广引深远，以明治乱之原
见宋·欧阳修《准诏言事上书》。
广积不如教子，避祸不如自省
见宋·林逋《省心铨要》。
广积聚，骄富贵，不知止者杀身
见宋·林逋《省心录》。全句为："饱肥甘，衣轻暖，不知节者损福；～"。

广厦成而茂木畅，远求存而良马絷

见南朝·宋·范晔《后汉书·崔骃传》。

广仁益智，莫善于问；乘事演道，莫善于对

见隋·王通《中说·问易》。

❷心广，体胖／湖广熟，天下足／川广自源，成人在始／李广才气，天下无双／意广者，斗室宽若两间／疏广散金以除子孙之祸／不广不见削，不盈不见亏／不广其基，而增其高者覆／农广则谷积，用俭则财畜／务广地者荒，务广德者强／务广德者昌，务广地者亡／基广则难倾，根深则难拔／学广而闻多，不求闻于人／水广者鱼大，山高者木修／不广求，故得；不杂学，故明／天广而无以自覆，地厚而无以自载／土广不足以为安，人众不足以为强／地广非常安之术，人劳乃易乱之源／不广其从，不为兵郛，不为乱首，不为宛谋

❸闻志广博而色不伐／志务广远，多所不暇／定心广志，余何畏惧兮／德行广大，而守以恭者荣／钧天广乐，必有奇丽之观／鱼乐广闲，鸟慕静深……／夫农广则谷积，俭用则财畜／土地广大，守之以俭者，安／海水广大非独仰一川之流也／天至广不可度，地至大不可量／倘非广见博闻，总觉光阴虚度／学之广在于不倦，不倦在于固志／不到广寒冰雪窟，扇头能有几多风／博辩广大危其身者，发人之恶者也／德不广不能使人来，量不宏不能使人安／安得广厦千万间，大庇天下寒士俱欢颜／汉之广矣，不可泳思。江之永矣，不可方思／平原广望，博观之乐，沼池不如川泽所见博也

❹集众思，广忠益／天地虽广，以无为心／谁谓河广，一苇杭之／土地虽广，好战则民凋／水渊深广，则龙鱼生之／高筑墙，广积粮，缓称王／四海之广，不患无贤，而患在信用之不至耳

❺博求人才，广育士类／德盛者威广，力盛者骄众／非学无以广才，非志无以成学／水下流而广大，君下臣而聪明

❻冯唐易老，李广难封／功崇惟志，业广惟勤／士卒不尽饮，广不近水／士卒不尽食，广不尝食／心事浩茫连广宇，于无声处听惊雷／多闻识者，犹广储药物也，知所用为贵／寂寞嫦娥舒广袖，万里长空且为忠魂舞

❼博学切问，所以广知／赏疑从与，所以广恩也／务广地者荒，务广德者强／务广德者昌，务广地者亡／潭深波浪静，学广语声低／林深则鸟栖，水广则鱼游／奈何以四海之广，足一夫之用邪／登山始觉天高广，到海方知浪渺茫／圣人无为，其功广大……是太平之谓也

❽功以才成，业由才广／不益其厚，而张其广者毁／慈，故能勇；俭，故能广／富润屋，德润身，心广体胖／民寡则用易足，土广则物易生／河下天下之川，故广；人下天下之士，故大／百官之众，四海之广，使其关节脉理相通为一

❾天不崇大则覆帱不广／不学而好思，虽知不广矣／心散于博闻，技贫乎广畜／好成者败之本也，愿广者狭之道也／好成者，败之本也；愿广者，狭之道也／才须学也，非学无以广才，非志无以成学

❿博闻多记而守以浅者广／不限资例，则取人之路广／不穷视听界，焉识宇宙广／博文多记，而守以浅者广／仁昭而义立，德博而化广／待士之意周，取人之道广／处身而当逸者，则志不广／兵多而战不速，则所费必广／江海不让纤流，所以存其广／非学无以致疑，非问无以广识／治水不自其源，末流弥增其广／听其雅、颂之声，而志意得广焉／求天下奇闻壮观，以知天地之广大／沧海滉漾，不以含垢累其无涯之广／居不隐者思不远，身不佚者志不广／见隅曲之一指，而不知八极之广大／能近见而后能远察，能利狭而后能泽广／根生，叶安得不茂；源发，流安得不广／忠臣者务崇君之德，谄臣者务广君之地／时运不齐，命途多舛；冯唐易老，李广难封／其国弥大，而其主弥静，然后乃能广得众心／苦我怨气兮浩于长空，六合虽广兮受之应不容／地虽胜，得人焉而居之，则山若增而高，水若辟而广／君子尊德性而道问学，致广大而尽精微，极高明而道中庸／天不得不高，地不得不广，日月不得不行，万物不得不昌，此其道与

庄

zhuāng 村落；田舍；指大商号；四通八达的道路；封建社会中为皇室、贵族或地主所占有的大片土地；严肃；不随便；不轻浮。

❶庄敬日强，安肆日偷

见《礼记·表记》。

❷项庄拔剑舞，其意常在沛公

❸参之庄、老以肆其端／昔者庄周梦为胡蝶，栩栩然胡蝶也

❺礼烦则不庄，业烦则无功／诚使博如庄周，哀如屈原……

❻狎甚则相简，庄甚则不亲

❿今上好法，予晚受乎老庄／治心须求妙悟，悟则神和气静，客敬色庄／未有主强盛而辅不飘逸者，兵卫不华赫而庄整者

庆

①qìng 祝贺；值得祝贺的周年纪念日；幸福；奖赏。②qīng 通“卿”。③qiāng 作语助，用于句首。

❶庆者在堂，吊者在闾

见《荀子·大略》。

庆赏以劝善，刑罚以惩恶

见汉·班固《汉书·贾谊传》。

❸不去庆父，鲁难未已

❹人有喜庆，不可生妒忌心
❼初虽啼号，后必庆笑
❽祸因恶积，福缘善庆／璧由识者显，龙因庆云翔／积善之家必有余庆，积不善之家必有余殃

庑

①wǔ 正房对面或两侧的小屋子；大屋；堂下四周走廊。②wú 通“芜”，草盛貌。

❿黄鹄白鹤，一举千里，使之与燕服翼试之堂庑之下

床

chuáng 供睡卧的家具；像床的。

❶床前明月光，疑是地上霜
见唐·李白《静夜思》。
❾陋室空堂，当年笏满床／昨日春风欺不在，就床吹落读残书
❿人生不得长少年，莫惜床头沽酒钱／逆胡未灭心未平，孤剑床头铿有声／坐而玩之者，可濯足于床下；卧而狎之者，可垂钓于枕上

库

kù 先秦时指储存兵车和武器的处所；某类信息按一定方式的汇集；电量单位；姓。

❶库无备兵，虽有义，不能征无义
见《墨子·七患》。
❷仓库实，知礼节；国多财，远者来
❹计校府库，量入为出／钱余于库，米余于廪／但使仓库可备凶年，此外何烦储蓄
❿紫电青霜，王将军之武库／恶波横天山塞路，未央宫中常满库／田野荒而仓廪实，百姓虚而府库满／古之进人者，或取于盗，或举于管库／凡理国者，务积于人，不在盈其仓库／后嗣若贤，自能保其天下；如其不肖，多积仓库，徒益其奢侈，危亡之本也

庇

bì 遮蔽；掩护。

❺信，民之所庇也，不可失也
❾安得广厦千万间，大庇天下寒士俱欢颜／有六尺之躯，而不能庇一妇人，岂丈夫哉
❿王天下者必先诸民，然后庇焉，则能长利

应

①yīng 该当；允许；即；随；姓。②yìng 应答；承诺；应和；符合；应付；接受；适应；小鼓。

❶应化之道，平衡而止
见战国·佚书《经法·道法》。
应变要机警，怕是迟
见明·吕坤《呻吟语》。全句为：“当事有四要：际畔要果决，怕是绵；执持要坚耐，怕是脆；机括要深沉，怕是浅；～”。
应尽便须尽，无复独多虑
见晋·陶潜《神释》。全句为：“纵浪大化中，不喜亦不惧。～”。
❷不应憔悴损年芳／不应有恨，何事长向别时圆／不应于物者，是致知也，是知之至也／声应气求之夫，决不在于寻行数墨之士／其应也，非所设也；其动也，非所取也／感应者气也，如是而感则如是而应，有不容以毫发差者理也
❸论之应理，犹矢之中的／宽心应是酒，遣兴莫过诗／神女应无恙，当惊世界殊／以道应物，道无穷而物有尽／仪必应乎高下，衣必适乎寒暑／响必应之于同声，道固从之于同类／比不应事，未可谓喻；文不称实，未可谓是／以诈应诈，以谲应谲，若披蓑而救火，毁渎而止水
❹同声相应，同气相求／山鸣谷应，风起水涌／机在于应事，战在于治气／春蚕不应老，昼夜常怀思／春蚕不应老，昼夜常怀丝／无以相应也，若之何其有鬼邪／有以相应也，若之何其无鬼邪／此曲只应天上有，人间能得几回闻／感而后应，迫而后动，不得已而后起
❺不言之言，应也／舞笔飞墨，应节而成／使人以心，应言以行／缓前急后，应事之贼也／同声自相应，同心自相知／当知岁功应，唯是奉无私／心手不相应，不学之过也／鼍鸣而鳖应，兔死则狐悲／与己同则应，不与己同则反／世间富贵应无分，身后文章合有名／今日重来应抵掌，十年分付未逢人／词客有灵应识我，霸才无主始怜君／寄到玉关应万里，戍人犹在玉关西／自古此冤应未有，汉心汉语吐蕃身／上好智，下应之以伪；上好贤，下应之以妄／龙凤隐耀，应德而臻；明哲潜遁，俟时而动
❻得之于手而应之于心／料得行吟者，应怜长叹人／礼仪法度者，应时而变者也／方者，内外相应也，言行相称也
❼修其本而末自应／事不素讲，难以应猝／备不预具，难以应卒／伴人无寐，秦淮应是孤月／至极空虚而善应于物，则乃目之为道／以诈应诈，以谲应谲，若披蓑而救火，毁渎而止水
❽赠必固辞，求无不应／气同则从，声比则应／将不预设，则亡以应卒／枢始得其环中，以应无穷／见悻悻自好之徒，应须防口／望时而待之，孰与应时而使之／有超世之功者，必应光大之宠／同类相从，同声相应，固天之理也／人生到处知何似？应似飞鸿踏雪泥／动民以行不以言，应天以实不以文／若教纸上翻身看，应见团团董卓脐／天道远，人道尔，报应之效迟速难量／事不豫辨，不可以应卒；内无备，不可以御敌／虎旅云从，词林响应，若毛羽之宗麟凤，众川之长江河／君子所以动天地应神明正万物而成王治者，必本乎真实而已
❾善恶相从，如景乡之应形声／汤武革命，顺乎天而应乎人／纵使岁寒途远，此志应难夺／望夫处……行人归来石应语／怨于心者，哀声可

以应木石／三德者诚乎上，则下应之如景响／不到西湖看山色，定应未可作诗人／任是深山更深处，也应无计避征徭／清渚白沙茫不辨，只应灯火是渔船／纵使长条似旧垂，也应攀折他人手／君信不足于下，下则应之以不信而欺其君

❿不徐不疾，得之于手而应之于心／类同相召，气同则合，声比则应／以不信察物，物亦竞以其不信应之／功名富贵若长在，汉水亦应西北流／澄其源而清其流，统于一而应于万／明发又为千里别，相思应尽一生期／新松恨不高千尺，恶竹应须斩万竿／斩木为兵，揭竿为旗，天下云集响应／不先审天下之势而欲应天下之务，难矣／至人之用心若镜，不将不迎，应而不藏／天下之势有强弱，圣人审其势而应之以权／君子居其室，出其言善，则千里之外应之／一人之毁，未必有信；积年之行，不应顿亏／上好智，下应之以伪；上好贤，下应之以妄／德不素积，人不为用；备不豫具，难以应卒／洁其身而同焉者合矣，善其言而类焉者应矣／意无是非，赞之如流；言无可否，应之如响／穷而思达，人之情也；卑而应高，物之理也／既谓之才，则不宜以阶级限，不应以年齿齐／从山阴道上行，山川自相映发，使人应接不暇／圣人守清道而抱雌节，因循应变，常后而不先／苦我怨气兮浩于长空，六合虽广兮受之应不容／中和之质，必平淡无味，故能调成五材变化应节／人生天地之中，殊于众类明矣。感则应，激则通／动人以言者，其感不深；动人以行者，其应必速／叩之而必闻，触之而必应，夫是以天下可使为一身／天若不爱酒，酒星不在天；地若不爱酒，地应无酒泉／不争而无所不胜，不言而无所不应，不召而无所不来／有道之君子，其处也若无知，其应物也若偶之，静因之道也／感应者气也，如是而感则如是而应，有不容以毫发差者理也／乐之道深矣，故工之善者，必得于心应于手，而不可述之言也／无为者，道之宗；故得道之宗，应物无穷，任人之才，难以至治／以明察物，物亦竞以其明应之。以不信察物，物亦竞以其不信应之

庐 lú 简陋的小屋；寄居。

❶庐室之间，其便未必能过燕服翼

见汉·刘向《新序·杂事五》。全句为："黄鹄白鹤，一举千里，使之与燕服翼试之堂庑之下，～"。

❷匡庐奇秀，甲天下山／结庐在人境，而无车马喧／匡庐小项拳可碎，鄱阳触怒蹋欲裂／穹庐为室兮旃为墙，以肉为食兮酪为浆

❸洗出庐山万丈青／不识庐山真面目，只缘身在此山中

❹宁令吾庐独破受冻死，不忍四海赤子寒飕飕

❼咫尺愁风雨，匡庐不可登

❽殚其地之出，竭其庐之入……

❾闻鸣镝而股战，对穹庐以屈膝

❿众鸟欣有托，吾亦爱吾庐／功成不受爵，长揖归田庐／非患无旃罽橘柚，患无狭庐糟糠／藜藿之生，蠕蠕然日加数寸，不可以为庐栋／宫殿中可以避世全身，何必深山之中，蒿庐之下

序 xù 次第；排出次第；在正式内容之前的；一般指排列于书前的介绍或评述文章；季节。

❷循序而进，与日俱新／四序纷回，而入兴贵闲

❸言有序／论德序官，明主所以御世

❹章有德，序有功／尊卑有序则上下和

❻读书务在循序渐进

❼但悲时易失，四序迭相侵／主道得而臣道序，官不易方而太平用成

❾读书之法，莫贵于循序而致精

❿搜句忌于颠倒，裁章贵于顺序／文变染乎世情，兴废系乎时序／处于堂上之阴，而知日月之次序／日月忽其不淹兮，春与秋其代序／不见其形不闻其声，而序其成谓之道／古之教者，家有塾，党有庠，术有序，国有学

庞 ①páng 高大；坚实；多而杂乱；脸盘儿；姓。②lóng［庞庞］充实，强壮。

❷政庞而土裂，三光五岳之气分，大音不完，故必混一而后大振

❹人不敦庞则道数不远

店 diàn 有固定场所的经营单位；规模较小，设备相对简陋的旅馆。

❷茅店惊寒半掩门

庙 miào 供奉神佛、祖先、历史名人的建筑物；指朝廷；已死皇帝的代称。

❸廊庙之材，非一木之枝／居庙堂之高，则忧其民／廊庙之材，盖非一木之枝也

❹子入太庙，每事问

❺野绩不越庙堂，战多不逾国勋

❻君人者不下庙堂之上，而知四海之外者，因物以识物，因人以知人也

❼大厦须异材，廊庙非庸器／牺牛粹毛，宜于庙牲，其于以致雨，不若黑蜧

❽由来犬羊着冠坐庙堂，安得四鄙无豺狼

❾处林泉中，不可无廊庙经纶

❿国有三军何？所以戒非常，伐无道，尊宗庙，重社稷，安不忘危也

府 fǔ 府衙；政府；敬辞，用于称对方的家；旧时指高官、贵族的住宅；府库。

❷六府修治洁如素，虚无自然道之固

❸计校府库，量入为出

❹万物一府，死生同状

❺功高成怨府，权盛是危机
❻藏于不竭之府者，养桑麻育六畜也
❼任能黜否，则官府治理／绝民用以实王府，犹塞川原而为潢污也
❽无为名尸，无为谋府，无为事任，无为知主
❿圣人不为名尸，不为谋府……／学问不厌，好士不倦，是天府也／心之于殉也殆，凡能其于府也殆／仅存之国富大夫，亡道之国富仓府／田野荒而仓廪实，百姓虚而府库满／虚言可以赏，则六合之内皆为己府矣／委任不一，乱之媒也；监察不止，奸之府也

底 dǐ 物体最下面的部分；根源；末尾；草稿；尽头；终极；通“抵”，到；造诣；何；此；如此。

❷笔底明珠无处卖，闲抛闲掷野藤中
❸磨砻底厉，不见其损，有时而尽
❹读书成底事，报国是何人／郁郁涧底松，离离山上苗／深溪见底，鳞介之所出没／贪痴无底蛇吞象，祸福难明螳捕蝉
❺行兵于井底，游步于牛蹄
❽高峰入云，清流见底……／扬汤止沸，不如釜底抽薪／鹰击长空，鱼翔浅底，万类霜天竞自由／水皆缥碧，千丈见底；游鱼细石，直视无碍／澄潭至清，洞澈见底，往往有群鱼戏，历历如水上行
❾华岳眼前尽，黄河脚底来／江河之流，不能盈无底之器也／砚中斑驳遗民泪，井底千年恨未销
❿清流若镜，下照金沙之底／不称九天之顶，则言黄泉之底／水面上秤锤浮，直待黄河彻底枯／有时赤脚弄明月，踏破五湖波底天／风收云散波忽平，倒转青天作湖底／李太白诗不专是豪放，亦有雍容和缓底

庖 páo 厨房；厨师。

❶庖人虽不治庖，尸祝不越樽俎而代之
见《庄子·逍遥游》。
庖有肥肉，厩有肥马，民有饥色，野有饿莩
见《孟子·梁惠王上》。全句为：“～，此率兽而食人也”。
❹饿狼守庖厨，饥虎牧牢豚
❻大匠不斫，大庖不豆／庖人虽不治庖，尸祝不越樽俎而代之
❿尺薪不能温镬水，寸冰不足寒庖厨

庚 gēng 天干的第七位；年龄；道路；赔偿；姓。

❷盘庚曰：“……朕不肩好货”

废 fèi 停止；放下；败坏；衰微；没有用的；失去原有效用的；荒芜；失望；卖出；堕；偃伏；废弃；残废；沮丧。

❶废弃智巧，玄德淳朴
见汉·严遵《道德指归论·善为道者篇》。
废阁先凉，古帘空暮
见宋·史达祖《秋霁》。
废兴成毁，相寻于无穷
见宋·苏轼《凌虚台记》。
废先王之道，燔百家之言
见汉·贾谊《新书·过秦上》。
废上，非义也；杀民，非仁也
见《庄子·让王》。全句为：“～；人犯其难，我享其利，非廉也”。
废污池之水，待江海而后救火
见汉·桓宽《盐铁论·甲韩》。全句为：“舍邻之医，而求俞跗而后治病；～”。
❷兴废由人事，山川空地形
❸燕辟废其学／大道废，有仁义／治乱废兴在于己／好不废过，恶不去善／学而废者，不若不学而废者／道无废而不兴，器无毁而不治／恶不废则善不兴，自然之道也／农事废，饥寒并至，故盗贼多有／学而废者，持学而有骄，骄必辱／此道废兴吾命在，世间腾口任云云／由道废邪，用贤弃愚，推以革物，宜民之苏／将欲废之，必固兴之；将欲夺之，必固与之／国之废兴，在于政事；政事得失，由乎辅佐
❹奇身名废／不师者，废学之渐也／兴者必废，盛者必衰／纪纲一废，何事不生／依世则废道，违俗则危殆／国奕不废旧谱，而不执旧谱／一日而废一事，一月则可知也／不学而废者，愧己而自卑，卑则全／教化之废，推中人而坠入小人之域／罢无能，废无用，捐不急之官，塞私门之请
❺详其小，必废其大／守职而不废，处义而不回／逝水悲兴废，浮云阅古今／有兴必有废，有盛必有衰／纸上语可废坏，心中誓不可磨灭／古之大臣废昏举明，所以康天下也／教笞不可废于家，刑罚不可损于国
❻躁则妄，惰则废／不以不善而废其善／礼生于有而废于无／不虐无告，不废困穷／国之政要，兴废在人／政通人和，百废俱兴／事垂立而辄废，功未成而旋去／爱恶亲疏，兴废穷达，皆可以成义／胜地几经兴废事，夕阳偏照古今愁／有为之为，有废无功；无为之为，成遂无穷
❼将已笃疾，不宜废扁鹊／法修则安且治，废则危且乱／好刑，则有功者废，无罪者诛
❽凡有所长，皆当不废／随见随忘，随闻随废／太刚则折，太柔则废／昌必有衰，兴必有废／役其所长，则事无废功／简而廉，则严利无废怠／兄弟虽有小忿，不废懿亲／文变染乎世情，兴废系乎时序／造父疾趋，百步而废；自托乘舆，坐致千里／大匠不为拙工改废绳墨，羿不为拙射

变其彀率

❾凡事豫则立，不豫则废／声，则凡非雅声者举废／不以言举人，不以人废言／慎忌积于中，则政事废于表／虽有强记之力，而常废于不勤／尔曹身与名俱灭，不废江河万古流／巧者能生规矩，不能废规矩而正方圆／行货赂，趣势门，立私废公，比周而取容／敌存而惧，敌去而舞；废备自盈，只益为瘉／贤者之兴，而愚者之废，废而复之为是，循而习之为非

❿谋无主则困，事无备则废／治小者不可以怠，怠则废／本立而道行，本伤而道废／学而废者，不若不学而废者／君子不以言举人，不以人废言／礼，当论其是非，不当以人废／酷好学问文章，未尝一日暂废／播种有不收者矣，而稼穑不可废／贤者举而上之，不肖者抑而废之／鸡司晨，犬警夜，虽尧舜不能废／立身必由清谨，处职无废于忠勤／自其所当后者为之，则先后并废／万全之利，以小不便而废者有之矣／事者难成而易败，名者难立而易废／千古风流歌舞地，六朝兴废帝王州／圣人不以智轻俗，王者不以人废言／有善者虽远必升，无能者纵近必废／破天下之浮议，使良法不废于中道／自古盛衰如转烛，六朝兴废同棋局／才贤任轻则有名，不肖任大身死名废／气衰则生物不育，世乱则礼废而乐淫／任能者责成而不劳，任己者事废而无功／君子遵道而行，半途而废，吾弗能已矣／道成于学而藏于书，学进于振而废于穷／其动，止也；其死，生也；其废，起也／贤能，不待次而举；罢不能，不待须而废／所恶执一者，为其贼道也，举一而废百也／兵不可玩，玩则无威；兵不可废，废则召寇／为成者败，为利者害，为生者死，为兴者废／凡事行，有益于理者立之，无益于理者废之／至人之治，掩其聪明，灭其文章，依道废智／小人智浅而谋大，羸弱而任重，故中道而废／贵而犯法，义不得宥；过而知改，恩不废叙／政之所兴，在顺民心；政之所废，在逆民心／思致之浅深，不在其磔裂章句，隳废声韵也／外内皆顺，命曰天当，功成而不废，后不奉央／赋役有定制，兵农有定业，官无虚名，职无废事／上不失天时，下不失地利，中得人和，而百事不废／既知教之所由兴，又知教之所由废，然后可以为人师／进贤之难者，贤者用且使己废，贵且使己贱，故人难之／贤者之兴，而愚者之废，废而复之为是，循而习之为非

度

①dù 计量长短的标准；计量单位；程度；限额；法则；气量；人的外貌或气质；一定范围的时间或空间；考虑；越过；佛教用语；量词。②duó 量；计算；投入；填入；推测；图谋。

❶度柳穿花觅信音

见宋·陈东甫《长相思》。

度德而让，古人所贵

见晋·陈寿《三国志·魏书·袁绍传》。

度义因民，谋事之术也

见《晏子春秋·内篇问上第十二》。

度能就位，忠臣所以事君

见宋·王安石《辞拜相表》。全句为："论德序官，明主所以御世；～"。

度德而处之，量力而行之

见《左传·隐公十一年》。

度量权衡法，必资之官，资之官而后天下同

见宋·苏洵《申法》。

❷不度德，不量力／谋度于义者必得，事因于民者必成

❸越阡度陌，互为主客／是几度斜阳，几度残月／为之度，以一天下之长短／能用度外人，然后能周天下／言制度也，则绝奢靡而崇俭约／天可度，地可量，唯有人心不可防／良玉度尺，虽有十仞之土，不能掩其光／良珠度寸，虽有百仞之水，不能掩其莹／赏无度则费而无恩，罚无度则戮而无威／寸而度之，至丈必差；铢而称之，至石必过

❹罔失法度／巷议臆度，不足取信／变恒过度，以奇相御／巧者善度，知者善豫／寸寸而度，至丈必差／思虑过度，则智识乱／寸寸而度之，至丈必过／礼仪法度者，应时而变者也／君子之度已则以绳，接人则用抴／言无法度不出于口，行非公道不萌于心／言非法度不出于口，行非公道不萌于心

❺以己之心，度人之心／量腹而食，度身而衣／渚云低暗度，关月冷相随／欲生于无度，邪生于无禁／已分忍饥度残岁，更堪岁里闰添长／宫室富过度，上帝所亚；为者弗居，唯居必路

❻不足生于无度／私道行则法度侵／明修栈道，暗度陈仓／以小人之虑，度君子之心／将小人之心，度君子之腹／量力而任之，度才而处之／凡将立国，制度不可不察也／摄汝知，一汝度，神将来舍／天至广不可度，地至大不可量／不必循常，法度制令，各因其宜／出新意于法度之中，寄妙理于豪放之外／山有木，工则度之；宾有礼，主则择之

❼他人有心，予忖度之／众里寻他千百度……／是几度斜阳，几度残月／人行明镜中，鸟度屏风里／青山依旧在，几度夕阳红／去规矩而妄意度，奚仲不能成一轮／圣人量腹而食，度形而衣，节于己而已／君子之为言也，度可行于己，然后可责于人／设必犯之法，不度民情之不堪，是陷民于罪也／权，然后知轻重；度，然后知长短。物皆然，心为甚

❽侵欲无厌，规求无度／兰闺久寂寞，无事度芳

春／神州只在阑干北，度度来时怕上楼／用无常道，事无轨度，动静屈伸，唯变所适／兼覆盖而并有之，度伎能而裁使之者，圣人也
❾贤者能节之，不使过度／不向东山久，蔷薇几度花／学者大病痛，只是器度小／不知织女萤窗下，几度抛梭织得成／生之有时而用之无度，则物力必屈／神州只在阑干北，度度来时怕上楼／吞舟之鱼不居潜泽，度量之士不居污世／三皇五帝之礼仪法度，不矜于同而矜于治
❿倘非广见博闻，总觉光阴虚度／未必人间无好汉，谁与宽些尺度／君子为国，正其纲纪，治其法度／巧匠目意中绳，然必先以规矩为度／大事难事看担当，逆境顺境看襟度／知者之为，故动以百姓，不违其度／处屯而必行其道，居陋而不改其度／闲云潭影日悠悠，物换星移几度秋／羌笛何须怨杨柳，春风不度玉门关／一洗绮罗香泽之态，摆脱绸缪宛转之度／滔滔武溪一何深，鸟飞不度，兽不敢临／赏无度则费而无恩，罚无度则戮而无威／使法择人，不自举也；使法量功，不自度也／在上不骄，高而不危；制节谨度，满而不溢／女恶华丹之乱窈窕也，书恶淫辞之淈法度也／学有未达，强以为知，理有未安，妄以臆度／有法无法，因时为业；有度无度，与物趣舍／秋天晚晴，碧色如归，横度一鸟，时时行云／疾则如电，迟则如云，进止有度，约而不烦／君子省众而动，监戒而谋，谋度而行，故无不济／无形，则不可制迫也，不可度量也，不可巧诈也，不可规虑也

庭 tíng 院子；审理案件的处所或机构；厅堂；直。
❷洞庭渔笛隔芦花／满庭春雨绿如烟／洞庭青草，秋水深深／洞庭波涌连天雪，长岛人歌动地诗
❸过洞庭，上湘江，非有罪左迁者罕至
❹滴沥空庭，竹响共雨声相乱
❻满帆明月洞庭秋／房栊无行迹，庭草萋以绿／鸾凤竞粒于庭场，则受亵于鸡鹜／如张乐于洞庭之野，无首无尾，不主故常
❼巴陵胜状，在洞庭一湖
❽不狩不猎，胡瞻尔庭有县貆兮／海内之货，咸萃其庭，产匹铜山，家藏金穴
❾地尽天水合，朝及洞庭湖，初日当中涌，莫辨东西隅
❿天王日俭德，俊乂始盈庭／不管风吹浪打，胜似闲庭信步／凌大江之惊波兮，过洞庭之漫漫／藏珉石于金匮兮，捐赤瑾于中庭／万户千门成野草，只缘一曲后庭花／不栽桃李种蔷薇，荆棘满庭君思之／商女不知亡国恨，隔江犹唱后庭花／江海相逢客恨多，秋风叶下洞庭波／孔子谓季氏：“八佾舞于庭，是可忍也，孰不可忍也？”

庠 xiáng 古代地方学校。
❿古之教者，家有塾，党有庠，术有序，国有学

席 xí 席子；座次；成桌的饭菜；席位；职位；帆；酒筵；凭借；姓。
❷孔席不暖，墨突不黔／避席畏闻文字狱，著书都为稻粱谋／有席卷天下，包举宇内，囊括四海之意，并吞八荒之心
❸夺我席上酒，掣我盘中飧
❹寝不安席，食不甘味／师儒之席，不拒曲士，理固然也／卧不安席，食不甘味，心摇摇如悬旌
❺结发同枕席，黄泉共为友
❼横扫千军如卷席
❽天下无有不散筵席／拔诸水火，登于衽席／行则连舆，止则接席／食不甘味，卧不安席／食不二味，居不重席／居不主奥，坐不中席，行不中道，立不中门
❾天下没有不散的筵席／宁当血刃死，不作衽席完／千古圣贤若同堂合席，必无尽合之理
❿千里搭长棚，没个不散的筵席／凡数州之土壤，皆在衽席之下／贵贱之间，易以势移，管宁所以割席／虑不在千里之外，则患在几席之下矣／我心匪石，不可转也；我心匪席，不可卷也

座 zuò 坐位；位子；在座的；量词；器物的基础部分或托底的东西；指星座；旧时对官长的敬称。
❿十旬休暇，胜友如云；千里逢迎，高朋满座

庶 shù 众多；旧指家庭的旁支；古代指百姓，众民；幸，希冀之词；差不多。
❶庶政惟和，万国咸宁
见《尚书·周官》。
庶狱明则国无怨民，枉直当则民无不服
见晋·陈寿《三国志·魏书·毛玠传》。
庶人有旦暮之业则劝，百工有器械之巧则壮
见《庄子·徐无鬼》。
❷黎庶之安，乃众贤之力
❸无旷庶官／道者……庶物失之者死，得之者生
❹博询众庶，则才能者进／礼不下庶人，刑不上大夫／常与众庶同垢尘，不当自别殊
❺惟治乱在庶官／推贤让能，庶官乃和／君者舟也，庶人者水也／闻恶能改，庶得免乎大过／求硕画于庶位，虑遗材于放臣／读其文章，庶几得其志之所存／其勿误于庶狱庶慎，惟正是乂之／无彝酒，越庶国，惟饮祀，德将无醉／君者，舟也；庶人者，水也。水则载舟，水则覆舟
❻君者政源，人庶犹水／天下有道，则庶人不议
❼其勿误于庶狱庶慎，惟正是乂之
❽苟不自满而中止，庶几终身而有成／居君子

之位而为庶人之行者，其患祸必至也
❿拜迎官长心欲碎，鞭挞黎庶令人悲／百僚师师，百工惟时，抚于五辰，庶绩其凝

庾 yǔ 露天的积谷处；古容量单位；姓。
❶庾信平生最萧瑟，暮年诗赋动江关
见唐·杜甫《咏怀古迹五首》之一。
庾信文章老更成，凌云健笔意纵横
见唐·杜甫《戏为六绝句》之一。
❾万钟之尸居，不若釜庾之有为

廊 láng 有顶的过道。
❶廊庙之材，非一木之枝
见《慎子·内篇》。全句为："～；狐白之裘，非一狐之腋"。
廊庙之材，盖非一木之枝也
见《慎子·知忠》。全句为："～；粹白之裘，盖非一狐之皮也"。
❻大厦须异材，廊庙非庸器
❽处林泉中，不可无廊庙经纶

康 ①kāng 健康；安；乐；广大之意；褒扬；称颂；空；丰盛；旧地区名；姓。②kàng 通"亢"，高举。
❷无康好逸豫，乃其乂民
❸福寿康宁，固人之所同欲
❹无傲从康／周云成康，汉言文景，美矣
❼上下和洽，海内康平
❽何以解忧，惟有杜康／散乐移风，国富民康／若保赤子，惟民其康乂
❿不以隐约而弗务，不以康乐而加思／古之大臣废昏举明，所以康天下也／五福：一曰寿，二曰富，三曰康宁，四曰攸好德，五曰考终命

庸 yōng 平常；不高明；任用；须；或许；大概；岂；难道；古国名。
❶庸史纪事，良史诛意
见明·冯梦龙《东周列国志》第五十一回。
庸言之信，庸行之谨
见《周易·乾·文言》。
庸言必信之，庸行必慎之
见《荀子·不苟》。
庸人者，口不能道善言，心不知色色
见《荀子·哀公》。"色色"疑为"邑邑"，"邑邑"通"悒悒"，闷闷不乐貌。
❷中庸之为德也，其至矣乎！民鲜久矣
❸无功庸者，不敢居高位／谤议庸何伤？虚誉不足慕／昏与庸，可限而不可限也
❹君子中庸，小人反中庸
❺庸言之信，庸行之谨／贫贱忧戚，庸玉女于成也／君子之中庸也，君子而时中／布帛寻常，庸人不释；铄金百溢，盗跖不掇
❻天下本无事，庸人自扰之／天下本无事，庸人自召之／庸言必信之，庸行必慎之／天下本无事，庸人扰之为烦耳／小人之反中庸也，小人而无忌惮也／吾师道也，夫庸知其年之先后生于吾乎／君子依乎中庸，遁世不见知而不悔，唯圣者能之／合抱之松无庸于峥人之国，若瓮之茧见弃于裸体之邦
❼非俊疑杰兮，固庸态也／不自限其昏与庸而力学不倦，自立者也
❽兼德而至谓之中庸／我命浑小事，我死庸何伤／良医不可必得，而庸医举目皆是／拙辞或孕于巧义，庸事或萌于新意／吾哀今之为仕兮，庸有虑时之否臧／罪至重而刑至轻，庸人不知恶矣，乱莫大焉
❾君子中庸，小人反中庸／大厦须异材，廊庙非庸器／回之为人也，择乎中庸，得一善，则拳拳服膺，而弗失之矣
❿无稽之言勿听，弗询之谋勿庸／截牛之角而呼为豕，则虽庸必骇／莫嫌举世无知己，未有庸人不忌才／宏远深切之谋，固不能合庸人之意／克明德慎罚，不敢侮鳏寡，庸庸，祗祗，威威／上智不教而成，下愚虽教无益，中庸之人，不教不知也／君子尊德性而道问学，致广大而尽精微，极高明而道中庸／天下国家可均也，爵禄可辞也，白刃可蹈也，中庸不可能也

廋 sōu 隐匿；隈曲处；通"搜"，搜索。
❿听其言也，观其眸子，人焉廋哉

廓 kuò 物体的外缘；空旷；孤独；扩展；扩大。[廓清]澄清，肃清，清除。
❸怅寥廓，问苍茫大地，谁主沉浮
❺众阜平寥廓，一岫独凌空／达士志寥廓，所在能忘机／胸中浩然廓然，纳烟云日月之伟观，揽雷霆风雨之奇变
❼道者，覆天载地，廓四方，柝八极
❽积年绮碎，一朝清廓，翰苑豁如

廉 lián 侧边；棱角；不贪；便宜；考察；查访。
❶廉平之守，不可攻也
见汉·刘向《说苑·政理》。全句为："临官莫如平，临财莫如廉，～"。
廉吏可为者，高且洁
见明·冯梦龙《东周列国志》第五十四回。全句为："贪吏不可为者，污且卑；～"。
廉洁而不为异众之行
见宋·苏轼《上富丞相书》。全句为："～；勇敢而不为过物之操"。
廉约小心，克己奉公
见南朝·宋·范晔《后汉书·祭遵传》。
廉耻，士君子之大节

见宋·欧阳修《廉耻说》。

廉者常乐无求，贪者常忧不足

见隋·王通《中说·王道篇》。

廉者，民之表也；贪者，民之贼也

见宋·包拯《乞不用赃吏》。

廉公之思赵将，吴子之泣西河，人之情也，将军独无情哉

见南朝·梁·丘迟《与陈伯之书》。

❷惟廉可以服殊俗／唯廉勤二字，人人可至／保廉节者，必憎贪冒之党／有廉而贫者，贫者未必廉／不廉，则无所不取；不耻，则无所不为

❸万分廉洁，止是小善／简而廉，则严利无废怠／清介廉洁，节在俭固，失在拘扃／以清廉清民，令去其邪，令去其污

❹去货以廉，使下自平／进不失廉，退不失行／贫则见廉，富则见义／人不忘廉耻，立身自不卑污／凭谁问，廉颇老矣，尚能饭否／圣人清廉以澡身，人自廉洁以顺教

❺临财莫若廉／贪贾三之，廉贾五之／方而不割，廉而不刿／赏厚可令廉士动心，罚重可令凶人丧魄／众人重利，廉士重名；贤人尚志，圣人贵精

❻仕官之法，清廉为最／凡为名者必廉，廉斯贫／疏之欲其通，廉之欲其节／惟俭可以助廉，惟恕可以成德／过取固害于廉，然过与亦反害其惠／仁常而不周，廉洁而不信，勇忮而不成

❼居官者，公则自廉／凡为名者必廉，廉斯贫／贤人遗子孙以廉、以俭／合则离，成则毁，廉则挫，尊则议／曰衣食足而后廉耻兴，财物阜而后礼乐作，是执末以求其本也

❽责人以详，待己以廉／不以奢为乐，不以廉为悲／孝悌仁义，忠信贞廉……／智者不为非其事，廉者不求非其有／衣食足而知荣辱，廉让生而争讼息

❾为国忘私仇，千秋思廉蔺／从官重恭慎，立身贵廉明／尔以金玉为宝，吾以廉慎为师／举秀才，不知书；察孝廉，父别居／志士不饮盗泉之水，廉者不受嗟来之食

❿临官莫如平，临财莫如廉／有廉而贫者，贫者未必廉／其处己也厚，其取名也廉／可以取，可以无取，取伤廉／临大利而不易其义，可谓廉矣／圣人清廉以澡身，人自廉洁以顺教／欲影正者端其表，欲下廉者先之身／其文约，其辞微，其志洁，其行廉／夫立身之忠信也，立官之廉也，立家之俭也／今之君子则不然，其责人也详，其待己也廉／居官有二语，曰：唯公则生明，唯廉则生威／谒而得位，道士不居也；争而得财，廉士不受／聪者耳闻，明者目见，聪明则仁爱著而廉耻分／大道无形，大仁无亲，大辩无声，大廉不嗛，大勇不矜／大道不称，大辩不言，大仁不仁，大廉不嗛，大勇不忮

腐

fǔ 腐烂；陈旧迂阔；指豆腐类制品。

❶腐臭化为神奇，神奇复化为腐臭

见《庄子·知北游》。前句为："万物一也，是其所美者为神奇，其所恶者为腐臭"。

腐木不可以为柱，卑人不可以为主

见汉·班固《汉书·刘辅传》。

❷化腐朽为神奇／化腐木而含彩，集枯草而藏烟／臭腐复化为神奇，神奇复化为臭腐

❸于今腐草无萤火，终古垂杨有暮鸦／厨有腐肉，国有饥民；厩有肥马，路有馁人／美味腐腹，好色惑心，勇夫招祸，辩口致殃

❹流水不腐，户枢不蠹／物必先腐也，而后虫生之／宁积粟腐仓而不忍贷人一斗

❺虎魄不取腐芥，磁石不受曲针

❼甘脆肥脓，命曰腐肠之药／变则新，不变则腐；变则活，不变则板／缚草为形，实之腐肉，教之拜起，以充满朝市

❽未必上流须鲁肃，腐儒空白九分头

❿腐臭化为神奇，神奇复化为腐臭／臭腐复化为神奇，神奇复化为臭腐／不随举子纸上学六韬，不学腐儒穿凿注五经／作诗切忌议论，此最易近腐，近絮，近学究／清泉绿草，何物不可饮啄？而鸱鸮者偏食腐鼠

廖

①liào 姓。②liáo 人名。

❾终日抄药方而不能廖一疾

廛

chán 古代城市平民的房地；古代一家之居；市房。

❻须知大隐居廛市，休问深山守静孤

❿不稼不穑，胡取禾三百廛兮

廪

lǐn 粮仓；积聚，郁结；旧指官府发给的粮米；通"懔"，恐惧；通"凛"，寒冷。

❷仓廪无宿储，徭役犹未已／仓廪实，则知礼节；衣食足，则知荣辱

❻善为国者，仓廪虽满，不偷于农／有田不耕仓廪虚，有书不读子孙愚／田野荒而仓廪实，百姓虚而府库满

❽钱余于库，米余于廪

❿顺针缕者成帷幕，合升斗者实仓廪

廩

lǐn 粮仓；指粮食。

❾合升鼓之微以满仓廩，合疏缕之纬以成帏幕

膺

yīng 胸；马当胸的带；受；抵档；抗击。

❽得一善则拳拳服膺，而弗失之矣

❿回之为人也，择乎中庸，得一善，则拳拳服膺，而弗失之矣

鹰 yīng 一种猛禽。

❶鹰鹯巢林，鸟雀为之不栖

见明·宋濂《演连珠》。全句为："～；松柏在冈，蒿艾为之不植"。

鹰不试则巧拙惑，马不试则良驽疑

见汉·王符《潜夫论·考绩》。全句为："剑不试则利钝暗，弓不试则劲挠诬，～"。

鹰击长空，鱼翔浅底，万类霜天竞自由

见现代·毛泽东《沁园春·长沙》。

鹰善击也，然日击之，则疲而无全翼矣

见《慎子》。全句为："～；骥善驰也，然日驰之，则蹶而无全蹄矣"。

鹰扬虎视，齿若编贝，肤如凝脂，昭昭乎若玉山上行，朗然映人

见唐·李白《上安州裴长史书》。

❸继食鹰鸢欲其鸷，鸷而亨之，将何用哉

❹譬如养鹰，饥则为用，饱则扬去

❺有如兔走鹰隼落，骏马下注千丈坡

❻无心与物竞，鹰隼莫相猜／豺则虎之弟，鹰则鹞之兄

❼老骥思千里，饥鹰待一呼

❽猛虎不处卑势，劲鹰不立垂枝／赤肉悬则乌鹊集，鹰隼鸷则群鸟散

❾蚊蚋负山，力诚不足；鹰鹯逐鸟，志则有余

❿千羊不能扞独虎，万雀不能抵一鹰／麋鹿成群，虎豹避之；飞鸟成列，鹰鹫不击／视民如子，见不仁者诛之，如鹰鹯之逐鸟雀也

门 mén 房屋等的进出口，也指进出口上安的可以开关的装置；可以开关的或形状像门的东西；家庭或家族；方法，途径；宗教、学术派别，也指师承；量词。

❶门前冷落车马稀

见现代·刘绍棠《野丫头谷玉桃》。

门不夜关，道不拾遗

见汉·司马迁《史记·循吏列传》。

门内有君子，门外君子至

见明·冯梦龙《警世通言·俞伯牙摔琴谢知音》。

门前两条辙，何处去不得

见唐·聂夷中《行路难》。全句为："出处全在人，路亦无通塞。～"。

❷医门多疾／剑门天下壮／天门者，无有也／杜门忧国复忧民／天门开阖，能为雌乎／城门失火，殃及池鱼／将门之下，必有将类／衡门之下，可以栖迟／相门有相，将门有将／臣门如市，臣心如水／筚门圭窬，蓬户瓮牖／出门无通路，枳棘塞中途／出门择交友，防慎畏薰莸／朱门酒肉臭，路有冻死骨／入门见嫉，蛾眉不肯让人／君门以九重，道远河无津／侯门一入深如海，从此萧郎是路人／入门休问荣枯事，观看容颜便得知／叩门无人室无釜，踯躅空巷泪如雨／君门一入无由出，唯有宫莺得见人／衙门自古向南开，就中无个不冤哉／闭门觅句非诗法，只是征行自有诗／闭门觅句陈无己，对客挥毫秦少游／朱门日日买朱娥，军事如何，民事如何／墓门有棘，斧以斯之；夫也不良，国人知之／崇门丰室，洞户连房，飞馆生风，重楼起雾／衡门之下，有琴有书，载弹载咏，爰得我娱

❸陶尽门前土，屋上无片瓦／辟四门，明四目，达四聪／孔氏门人……恶其违仁义而尚权诈也／过屠门而大嚼，虽不得肉，贵且快意

❹不得其门而入／三过其门而不入／诗思出门何处无／忧喜聚门，吉凶同域／祸福无门，吉凶由己／祸福无门，唯人所召／静者生门，躁者死户／鱼跃龙门，过而为龙／一登龙门，则声誉十倍／道民之门，在上之所先／今日朱门者，曾恨朱门深／将出凶门勇，兵因死地强／寝迹衡门下，邈与世相绝／机权多门，是纷乱之原也／新人从门入，故人从阁去／万户千门成野草，只缘一曲后庭花／天末海门横北固，烟中沙岸似西兴／良医之门多病人，栝櫽之侧多枉木／报国无门空自怨，济时有策从谁吐／俞扁之门，不拒病夫；绳墨之侧，不拒枉材／贺者在门，吊者在途；吊者在门，贺者在途／福善之门莫美于和睦，患咎之首莫大于内离

❺僧敲月下门／义，路也；礼，门也／丧乱死多门，呜呼泪如霰／朝扣富儿门，暮随肥马尘／祸与福同门，利与害为邻／里胥扣我门，日夕苦煎促／悬牛首于门，而卖马肉于内／不窥人闺门之私，听闻中冓之言／口乃心之门，守口不密，泄尽真机

❻盗不过五女门／私怨不入公门／相门有相，将门有将／四马齐足，孟门可以长驱／门内有君子，门外君子至／塞其兑，闭其门，终身不勤／仰天大笑出门去，我辈岂是蓬蒿人／苦吟莫向朱门里，满耳笙歌不听君／洁其宫，开其门，去私毋言，神明若存／行货赂，趣势门，立私废公，比周而取容

❼茅店惊寒半掩门／祸不入慎家之门／世路山河险，君门烟雾深／闻长安乐则出门向西而笑／园日涉以成趣，门虽设而常关／主人闻语未开门，绕篱野菜飞黄蝶／伺候于公卿之门，奔走于形势之途／高明者鬼瞰其门，正直者人怨其笔

❽天下桃李，悉在公门／无道之君，鬼哭其门／不交好友，不如闭门／贞脆由人，祸福无门／玄之又玄，众妙之门／知之一字，众妙之门／才饱身自贵，巷荒门岂贫／知肉味美则对屠门而大嚼／行不合趋不同，对门不通／窗含西岭千秋

雪，门泊东吴万里船／利害之反，祸福之门户，不可不察也／利害之路，祸福之门，不可求而得也／书不必起仲尼之门，药不必出扁鹊之方／公婿公孙，与民同门，暴傲其邻者，可亡也

❾天下将亡，其发必有门／今日朱门者，曾恨朱门深／松柏为百木长，而守门闾／从古求贤贵拔茅，素门平进有英豪／字势雄逸，如龙跳天门，虎卧凤阙／五寸之键制开阖之门，岂其才巨小哉，所居要也

❿古来忠烈士，多出贫贱门／众水会涪万，瞿塘争一门／广直言之路，启进善之门／明必死之路，开必得之门／有后而无先，则群众无门／鸟宿池边树，僧敲月下门／禹抑洪水十三年，过家不入门／惟君子能由是路，出入是门也／恶不在大，心术一坏，即入祸门／一生几许伤心事，不向空门何处销／三条九陌丽城隈，万户千门平旦开／丈人才力犹强健，岂傍青门学种瓜／不敢望到酒泉郡，但愿生入玉门关／而今风物那堪画，县吏催钱夜打门／甚美之名生于大恶，所谓美恶同门／劝君莫弹食客铗，劝君莫叩富儿门／男不封侯女作妃，君看女却是门楣／已借蜡钱输麦税，免教缉捕闯门来／好去长江千万里，不须辛苦上龙门／香兰自判前因误，生不当门也被锄／羌笛何须怨杨柳，春风不度玉门关／动静者终始之道，聚散者化生之门也／建大功于天下者，必先修于闺门之内／言者，祸之户也；不言者，福之门也／但愿官民通有无，莫令租吏打门叫呼疾／入竟而问禁，入国而问俗，入门而问讳／观于海者难为水，游于圣人之门者难为言／三教一体，九流一源，百家一理，万法一门／万物有乎生而莫见其根，有乎出而莫见其门／居不主奥，坐不中席，行不中道，立不中门／贺者在门，吊者在途；吊者在门，贺者在途／故观于海者难为水，游于圣人之门者难为言／欲见贤人而不以其道，犹欲其入而闭之门也／罢无能，废无用，捐不急之官，塞私门之请／谷神不死，是谓玄牝。玄牝之门，是谓天地根／小盗者拘，大盗者为诸侯；诸侯之门，义士存焉／窃钩者诛，窃国者为诸侯；诸侯之门而仁义存焉／其来无迹，其往无崖，无门无房，四达之皇皇也／上多欲，下多端，法不定，政多门，此乱国之风也／位存焉而德无有，犹不足大其门，然世且乐为之下／以天为宗，以德为本，以道为门，兆于变化，谓之圣人／刺史宜精选谨择以委任之，固不可拘限官次，得之货贿，出之权门者也

闭

bì 关；堵；停；结束；门闩的孔；古时指立秋、立冬。

❶闭门觅句非诗法，只是征行自有诗

见宋·杨万里《下横山滩头望金华山四首》其一。

闭门觅句陈无己，对客挥毫秦少游

见宋·黄庭坚《病起荆江亭即事十首》。

闭心塞意，不高瞻览者，死人之徒也哉

见汉·王充《论衡·别通篇》。

闭心自慎，终不失过兮；秉德无私，参天地兮

见战国·楚·屈原《九章·桔颂》。

❸天地闭，贤人隐

❹穷阴凝闭，凛冽海隅……／塞其兑，闭其门，终身不勤／慎女内，闭女外，多知为败／冬日之闭冻也不固，则春夏之长草木也不茂

❼不交好友，不如闭门

❿越之西子，善毁者不能闭其美／利天下者，天下启之；害天下者，天下闭之／欲见贤人而不以其道，犹欲其入而闭之门也

问

wèn 请别人解答；慰问；审讯；聘问；馈赠；管；命令；书信；音信；追究；干涉；向；通"闻"，声誉；姓。

❶问其官，则曰谏议也

见唐·韩愈《争臣论》。全句为："～；问其禄，则曰下大夫之秩也；问其政，则曰我不知也"。

问与学，相辅而行者也

见清·刘开《问说》。全句为："～，非学无以致疑，非问无以广识"。

问苍茫大地，谁主沉浮

见现代·毛泽东《沁园春·长沙》。

问其政，则曰我不知也

见唐·韩愈《争臣论》。全句为："问其官，则曰谏议也；问其禄，则曰下大夫之秩也；～"。

问之不切，则其听之不专

见宋·王安石《书洪范传后》。全句为："～；其思之不深，则其取之不固"。

问姓惊初见，称名忆旧容

见唐·李益《喜见外弟又言别》。

问其名则是，校其行则非

见唐·韩愈《送浮屠文畅布序》。

问其禄，则曰下大夫之秩也

见唐·韩愈《争臣论》。全句为："问其官，则曰谏议也；～；问其政，则曰我不知也"。

问渠哪得清如许，为有源头活水来

见宋·朱熹《观书有感》之一。

问楛者，勿告也；告楛者，勿问也

见《荀子·劝学》。

问事弥多而见弥博，官弥剧而识弥泥

见汉·王充《论衡·书解篇》。

问君能有几多愁？恰似一江春水向东流

见五代·南唐·李煜《虞美人》[春花秋月]。

❷吾问养树，得养人术／好问则裕，自用则小／泛问远思，则劳而无功／学问无大小，能者为尊／为问频相见，何似常相守／记问之学，不足以

为人师／好问近乎智，知耻近乎勇／学问藏之身，身在则有余／自问道何如，贵贱安足云／讯问者智之本，思虑者智之道／无问其名，无阙其情，物固自生／学问不厌，好士不倦，是天府也／学问之道无他，求其放心而已矣／借问酒家何处有，牧童遥指杏花村／借问瘟君欲何往，纸船明烛照天烧／君问归期未有期，巴山夜雨涨秋池／不问其德之所宜，而问其出身之后先／善问者如攻坚木：先其易者，后其节目／其问之也，不可以有崖，而不可以无崖／不问而告谓之傲，问一告二谓之囋。傲非也，囋非也

❸每事问／君子问灾不问福／卒然问焉而观其知／不学问者，学必不进／求田问舍，言无可采／入山问樵，入水问渔／善待问者如撞钟……／有学问著述，谓之福／不好问者，由心不能虚也／有弗问，问之弗知，弗措也／长者问，不辞让而对，非礼也／疑而问，问而辩，问辩之道也／凭谁问，廉颇老矣，尚能饭否／白鸥问我泊孤舟，是身留，是心留／一切问答，如针锋相投，无纤毫参差／不好问询之道，则是伐智本而塞智原也／不学问，无正义；以富利为隆，是俗人者也／以能问于不能，以多问于寡；有若无，实若虚／子贡问君子。子曰："先行，其言而后从之"。／季路问事鬼神。子曰："未能事人，焉能事鬼"

❹无羞亟问，不愧下学／不知则问，不能则学／博学切问，所以广知／欲知则问，欲能则学／南人学问，如牖中窥日／晏平仲问养生于管夷吾……／有弗问，问之弗知，弗措也／疑而问，问而辩，问辩之道也／伐国不问仁人，战阵不访儒士／用人但问堪否，岂以新故异情／酷好学问文章，未尝一日暂废／怅寥廓，问苍茫大地，谁主沉浮／正获之问于监市履狶也，每下愈况／古人学问无遗力，少壮功夫老始成／入门休问荣枯事，观看容颜便得知／大抵学问只有两途，致知力行而已／贵可以问贱……唯道之所成而已矣／牛郎欲问瘟神事，一样悲欢逐逝波／迷者不问路，溺者不问遂，亡人好独／入竟而问禁，入国而问俗，入门而问讳／不知则问，不能则学，虽能必让，然后为德／有鄙夫问于我，空空如也。我叩其两端而竭焉／力不能问，然后语之，语之而不知，虽舍之可也

❺疑皆响答，问必实归／不目见口问，不能尽知也／不择人而问焉，取其有益于身而已／入于泽而问牧童，入于水而问渔师／博学之，审问之，慎思之，明辨之，笃行之

❻无留善，无宿问／君子问灾不问福／但行好事，莫问前程／学之乃知，不问不识／豺狼当路，安问狐狸／处丧以哀，无问其礼矣／好学而不勤问，非真能好学者也／不学自知，不问自晓，古今行事未之有也／人之进退，唯问其志，取必以渐，勤则得多／人有厚德，无问小节；人有大举，无訾小故／博学笃志，切问近思，此八字是收放心的功夫

❼不能则学，疑则问／子入太庙，每事问／入山问樵，入水问渔／鼎之轻重，未可问也／博学而笃志，切问而近思／勤学第一道，勤问第一方／疑而问，问而辩，问辩之道也／世事洞明皆学问，人情练达即文章／诸君傅粉涂脂，问南北战争都不知／"利"之一字，是学问人品一片试金石／先趋而后息，先问而后嘿，则什己者至／市之鬻鞭者，人问之……必五万而后可

❽博学多识，疑则思问／敏而好学，不耻下问／体无纤微疾，安用问良医／明月几时有？把酒问青天／豺狼横道，不宜复问狐狸／圣人未尝有知，由问乃有知／非学无以致疑，非问无以广识／不能则学，不知则问，虽知必让，然后为知／广仁益智，莫善于问；乘事演道，莫善于对／不问而告谓之傲，问一告二谓之囋。傲非也，囋非也／侍坐于先生，先生问焉，终则对。请业则起，请益则起／君子尊德性而道问学，致广大而尽精微，极高明而道中庸

❾如是，则终生几无可问之事／事当论其是非，不当问其难易／知不足者好学，耻下问者自满／不可知之事，厉心学问，虽小无易／不谓之退，不敢退；不问，不敢对／匿病者不得良医，羞问者圣人去之／儿童相见不相识，笑问客从何处来／须知大隐居廛市，休问深山守静孤／不问其德之所宜，而问其出身之后先／迷者不问路，溺者不问遂，亡人好独／入竟而问禁，入国而问俗，入门而问讳／富贵骄人，固不善；学问骄人，害亦不细／以能问于不能，以多问于寡；有若无，实若虚／舜其大知也与！舜好问而好察迩言，隐恶而扬善，执其两端，用其中于民

❿才智英敏者，宜加浑厚学问／能甘淡泊，便有几分真学问／古之人虚中乐善，不择事而问焉／智能之士，不学不成，不问不知／毁我之言可闻，毁我之人不必问／不闻先王之遗言，不知学问之大也／世间屈事万千千，欲觅长梯问老天／入于泽而问牧童，入于水而问渔师／问楛者，勿告也；告楛者，勿问也／君今不幸离人世，国有疑难可问谁？／正直者不可屈曲，有学问者必能辨是非／入竟而问禁，入国而问俗，入门而问讳／一人之身，才有长短，取其长则不问其短／德义之所成者智也，明智之所求者学问也／理无专在，而学无止境也，然则问可少耶／不思，故有惑；不求，故无得；不问，故不知／乘不测之舟，入无人之地，以相从问文章为事／读来一百遍，不如亲见颜色，随问而对之易了／北人看书，如显处视月；南人学问，如牖中窥日／忽

闻晓角吟风，一叶坠露，惊而试问，即红线回矣／人非生而知之者，孰能了此无惑，故从其先得者而问焉／欲成功而反为败者，生于不知道理，而不肯问知而听能

闯 ①chuǎng 猛冲；串；走；闯练；未获允许或未被邀请而自行前往；有目的的活动；惹。②chèn 出头的样子。

❿已借蜡钱输麦税，免教缉捕闯门来

闰 rùn 余数；偏；副。

❶闰以正时，时以作事，事以厚生，生民之道在此矣

见《左传·文公六年》。

❿已分忍饥度残岁，更堪岁里闰添长

闲 xián 木栏之类的遮拦物；限制；约束；没有事情做；闲置的；平常；不打紧；正事以外的；古时亦同"娴"，文雅；熟悉。

❶闲云野鹤，无拘无束

见清·曹雪芹《红楼梦》第一百十二回。

闲云潭影日悠悠，物换星移几度秋

见唐·王勃《滕王阁序》。全句为："～。阁中帝子今何在，槛外长江空自流"。

❷投闲置散，乃分之宜／等闲识得东风面，万紫千红总是春／志闲而少欲，心安而不惧，形劳而不倦／神闲气静，智深勇沉，此八字是干大事的本领

❸世情闲静见，药性病多谙／谓之闲适诗，独善之义也／士之闲居，无故不去琴瑟／渔父闲相引，时歌浩渺间／莫等闲，白了少年头，空悲切／大知闲闲，小知间间；大言炎炎，小言詹詹

❹采桑已闲当采茶／农月无闲人，倾家事南亩／四海无闲田，农夫犹饿死／息交游闲业，卧起弄书琴／鱼乐广闲，鸟慕静深……／大知闲闲，小知间间；大言炎炎，小言詹詹

❺常乐在空闲，心静乐精进／大德不逾闲，小德出入可也／半开半落闲园里，何异荣枯世上人／志士凄凉闲处老，名花零落雨中看／吴僧爱觅闲吟处，偷向花边竹里来／宁为宇宙闲吟客，怕作乾坤窃禄人

❻好花时节不闲身／急来抱佛脚，闲时不烧香／老年人要心闲，闲则乐余年／司空见惯浑闲事，断尽苏州刺史肠

❼老年人要心闲，闲则乐余年／既来且住，风月闲寻秋好处

❽清时有味是无能，闲爱孤云静爱僧／笔底明珠无处卖，闲抛闲掷野藤中

❾天下无道，则修德就闲／四序纷回，而入兴贵闲／读书之处，不可久坐闲谈／恐此非名计，息驾归闲居／不管风吹浪打，胜似闲庭信步／天下是非俱不到，安闲一片道人心／长恨人心不如水，等闲平地起波澜／直待自家都了得，等闲拈出便超然／入妙文章本平淡，等闲言语变瑰琦

❿烈士多悲心，小人偷自闲／息燕归檐静，飞花落院闲／天平山上白云泉，云自无心水自闲／千锤万击出深山，烈火焚烧若等闲／举世尽从愁里老，谁人肯向死前闲／恃壮者一病必危，过懒者久闲愈懦／断送一生惟有酒，寻思百计不如闲／业无高卑志当坚，男儿有求安得闲／耳边要静不得静，心里欲闲终未闲／笔底明珠无处卖，闲抛闲掷野藤中／不及流莺日日啼花间，能使万家春意闲／收心简事日损有为，体静心闲方可观妙／开函关，掩函关，千古如何，不见一人闲／此生不学，一可惜；此日闲过，二可惜；此身一败，三可惜

闳 hóng 巷门；宏大；中宽貌；姓。

❶闳其中而肆其外

见唐·韩愈《进学解》。

❻弘大而辟，深闳而肆

间 ①jiān 二者当中；一定空间或时间范围之内；量词；一会儿；顷刻；近来。②jiàn 缝隙，空隙；距离，更迭；间道；乘间；使合者离、亲者疏；参与；差别。

❶间关如有意，愁绝若怀人

见唐·陈子昂《居延海树闻莺同作》。全句为："边地无芳树，莺声忽听新。～"。

❷此间乐，不思蜀／世间唯名实不可欺／世间最难得者兄弟／花间一壶酒，独酌无相亲／桑间濮上之音，亡国之音也／世间极占地位的，是读书一著／世间万物有盛衰，人生安得常少年／世间无限丹青手，一片伤心画不成／世间行乐亦如此，古来万事东流水／世间富贵应无分，身后文章合有名／世间屈事万千千，欲觅长梯问老天／世间奇男子，岂可以世俗趣舍量其心乎

❸天地间，人为贵／遍人间烦恼填胸臆／疏不间亲，远不逾近／疏不间亲，新不加旧／苍蝇间白黑，谗巧令亲疏／齐、梁间诗，彩丽竞繁，而兴寄都绝／梁、陈间，率不过嘲风雪，弄花草而已／处世间事，众人皆见得非，而我独见得是

❹信马林间步月归／春到人间万物鲜／春到人间草木知／骨朽人间骂未销／战陈之间，不厌诈伪／吟咏之间，吐纳珠玉之声／流落人间者，太山一毫芒／皎皎云间月，灼灼叶中华／未必人间无好汉，谁与宽些尺度／变尽人间，君山一点，自古如今／庐室之间，其便未必能过燕服翼／洒向人间都是怨，一枕黄粱再现／不洒世间儿女泪，难堪亲友中年别／公道世间唯白发，贵人头上不曾饶／忽报人间曾伏虎，泪飞顿作倾

盆雨／贵贱之间，易以势移，管宁所以割席／天地之间空虚，和气流行，故万物自生／行于世间，目不随人视……鼻不随人气／为学无间断，如流水行云，日进而不已也／天地之间，万国并兴，小大愚智，皆愿为君／十步之间，必有茂草；十室之邑，必有俊士／天地之间，其犹橐龠乎？虚而不屈，动而愈出／盈天地间皆物也。……通观天地，天地一物也

❺无有入无间／不复知人间有羞耻事／神施鬼设，间见层出／人生天地间，忽如远行客／弃卧桥巷间，谁或顾生死／知音少，人间何处寻芳草／盈盈一水间，脉脉不得语／凡上下之间有物间隔，当须用刑法去之／独游山水间，登极顶……欲空其形而去

❻正在疏数之间／折冲口舌之间／麒麟不是人间物／风雨晦明之间，俯仰百变／不出尊俎之间，而折冲于千里之外／千峰顶上一间屋，老僧半间云半间／逢人不说人间事，便是人间无事人／道在天地之间也，其大无外，其小无内／人生天地之间，若白驹之过却，忽然而已／以无厚入有间，恢恢乎其于游刃必有余地矣／此理在宇宙间，固不以人之明不明、行不行而加损／君臣父子人间之事谓之义，登降揖让，贵贱有等，亲疏之体，谓之礼

❼卑不谋尊，疏不间亲／圣人于行藏之间……／物之不亲，由有间也／天下星河转，人间帘幕垂／天意怜芳草，人间重晚晴／常将一己作世间公共之物／君子无终食之间违仁……／岂学书生辈，窗间老一经／案上一点墨，民间千点血／成败论千古，人间最不公／晦明变化者，山间之朝暮也／逍遥于天地之间，而心意自得／此理充塞宇宙间，如何人杜撰得／羽扇纶巾，谈笑间、强虏灰飞烟灭／吾人立身天地间，只思量作得一个人／安得广厦千万间，大庇天下寒士俱欢颜／大知闲闲，小知间间；大言炎炎，小言詹詹／斟酌乎质文之间，而隐括乎雅俗之际，可与言通变矣

❽江上之清风与山间之明月／圣人正在刚柔之间，乃得道之本／万物生于天地之间，其理不可以一概／凡上下之间有物间隔，当须用刑法去之／弹指三十八年，人间变了，似天渊翻覆／今处昏上乱相之间，而欲无惫，奚可得邪／大知闲闲，小知间间；大言炎炎，小言詹詹／美人梳洗时，满头间珠翠，岂知两片云，戴却数乡税／物之美者，盈天地间皆是也。然必待人之神明才慧而见

❾意广者，斗室宽若两间／坐对风动帷，卧见云间月／皑如山上雪，皎若云间月……／未形者有分，且然无间，谓之命／天若有情天亦老，人间正道是沧桑／世上岂无千里马，人间难得九方皋／此曲只应天上有，人间能得几回闻／此道废兴吾命在，世间腾口任云云／昨是儿童今是翁，人间日月急如风／不及流莺日日啼花间，能使万家春意闲／天下无独燃之火，世间安得有无体独知之精／谗不自来，因疑而来；间不自人，乘隙而入／大字难于密结而无间，小字难于宽绰而有余

❿为长者不敢怀私以请间／存身宁国在于生杀之间／丈夫非无泪，不洒别离间／偶然临险地，不信在人间／谁非一丘土，参差前后间／君子防未然，不处嫌疑间／渔父闲相引，时歌浩渺间／心如工画师，能画诸世间／起舞弄清影，何似在人间／言之信者，在乎区盖之间／其寄托在可言不可言之间／三十八年过去，弹指一挥间／禽将户内，拔城于尊俎之间／萧瑟秋风今又是，换了人间／天气上，地气下，人气在其间／不治可见之美，不竞人间之名／不忠不信，何以立于天地之间／阴与阳者，气而游乎其间者也／怅望关河空吊影，正人间……／理诎者，巧为粉泽而隙间百出／方宅十余亩，草屋八九间……／求取情状，离绝远去笔墨畦径间／以气韵求其画，则形似在其间矣／士有未效之用，而身在无誉之间／君子小人之分，义与利之间而已／丈夫盖世英雄气，肯学世间儿女愁／不能手提天下往，何忍身去游其间／出师一表真名世，千载谁堪伯仲间／千峰顶上一间屋，老僧半间云半间／失意人逢失意事，新啼痕间旧啼痕／何必奔冲山下去，更添波浪向人间／受任于败军之际，奉命于危难之间／茂林之下无丰草，大块之间无美苗／衙斋卧听萧萧竹，疑是民间疾苦声／宁作野中之双凫，不愿云间之别鹤／逢人不说人间事，便是人间无事人／要为天下奇男子，须历人间万里程／横空出世，莽昆仑，阅尽人间春色／月出于东山之上，徘徊于斗牛之间／粉骨碎身全不怕，要留青白在人间／醉翁之意不在酒，在乎山水之间也／五百年必有王者兴，其间必有名世者／过眼滔滔云共雾，算人间知已吾和汝／补察得失之端，操于诗人美刺之间焉／追风逐电之足，决不在于牝牡骊黄之间／欲知舜与蹠之分，无他，利与善之间也／古之善用兵者，用其翻然勃然于未悔之间／君子非不见贵，然小人亦得厕其间时而用／行路难，不在水不在山，只在人情反覆间／风霜高洁，水落而石出者，山间之四时也／丈夫生不为将，得为使，折冲口舌之间足矣／山，刺破青天锷未残。天欲堕，赖以拄其间／渐闻水声潺潺，而泻出两峰之间者，酿泉也／虎兕相据而蝼蚁得志，两敌相机而匹夫乘间／会心处不必在远，翳然林水，便自有濠濮间想也／和氏之璧，价重千金，然以之间纺，曾不如瓦砖／澄川翠干，光

影会合于轩户之间，尤与风月为相宜／兰茝生于茂林之中，深山之间，不为人莫见之故不芬／其为气也，至大至刚，以直养而无害，则塞于天地之间／天下者亦吾有也，吾亦天下之有也，天下之与我岂有间哉／读书少则身暇，身暇则邪间，邪间则过恶作焉，忧患及之／历观前代拨乱创业之主，生长民间，皆识达情伪，罕至于败亡／使亲而旧者愚，远而新者圣且贤，以是而间之，其为理本亦大矣／李白之文，清雄奔放，名章俊语，络绎间起，光明洞彻，句句动人

闵 mǐn 怜念；忧伤；病困；凶丧；强悍；勉力；昏昧；糊涂。

❶闵其苗之不长而揠之

见《孟子·公孙丑上》。

❷独闵闵其曷已兮，凭文章以自宣

❻属乎其言，若闵其穷也

闷 ①mèn 心情不好，不舒畅；封闭，不透气。②mēn 由于空气不流通，使人有憋气的感觉；不出门；声音不响亮；不吭气，不张扬；捂住、盖紧，使不透气。

❸其政闷闷，其民淳淳；其政察察，其民缺缺

❺不教不学，闷然不见已缺

❿忍得一时忿，终身无恼闷

闹 nào 嘈杂；扰乱，争吵；发生；旺盛；激动；表现；干，搞；玩笑，玩耍。

❼红杏枝头春意闹

闺 guī 上圆下方的小门；未婚女子居住的内室。

❷兰闺久寂寞，无事度芳春

❹不窥人闺门之私，听闻中冓之言

❿建大功于天下者，必先修于闺门之内

闻 wén 听；听见；听到的事情；知识见闻；达；传报；名声；用鼻子嗅；姓。

❶闻一以知十

见《论语·公冶长》。

闻学而后入政

见《左传·襄公三十一年》。

闻善而不索，殆

见《管子·法法》。全句为："闻贤而不举，殆；～；见能而不使，殆"。

闻贤而不举，殆

见《管子·法法》。全句为："～；闻善而不索，殆；见能而不使，殆"。

闻而审，则为福矣

见《吕氏春秋·慎行论·察传》。全句为："～；闻而不审，不若无闻矣"。

闻志广博而色不伐

见汉·戴德《大戴礼记·哀公问五义》。全句为："～，思虑明达而辞不争"。

闻义能徙，视死如归

见明·冯梦龙《东周列国志》第五十回。

闻人之善，若出诸已

见南朝·宋·范晔《后汉书·孔融传》。

闻人有善，若已有之

见唐·吴兢《贞观政要·任贤》。

闻善不慕，与聋聩同

见唐·柳宗元《送从兄偁罢选归江淮诗序》。全句为："～；见善不敬，与昏瞀同；知善不言，与瘖同"。

闻善而慕，知过而惧

见宋·陆九渊《陆象山集·语录》。

闻所未闻，见所未见

见汉·扬雄《法言·渊骞》。

闻而不审，不若无闻矣

见《吕氏春秋·慎行论·察传》。全句为："闻而审，则为福矣；～"。

闻之而不见，虽博必谬

见《荀子·儒效》。全句为："～；见之而不知，虽识必妄"。

闻古人之过，得已之过

见宋·杨万里《庸言》。

闻人而不自闻者谓之聩

见三国·魏·徐幹《中论·修本》。全句为："见人而不自见者谓之蒙，～，虑人而不自虑者谓之瞀"。

闻谤而怒者，谗之由也

见隋·王通《文中子·魏相》。全句为："～；见誉而喜者，佞之媒也"。

闻其过者过日消而福臻

见晋·陈寿《三国志·吴书·贺邵传》。全句为："～，闻其誉者誉日损而祸至"。

闻其誉者誉日损而祸至

见晋·陈寿《三国志·吴书·贺邵传》。全句为："闻其过者过日消而福臻，～"。

闻一善若惊，得一士若赏

见《国语·楚语下》。

闻长安乐则出门向西而笑

见汉·桓谭《新论·祛蔽》。全句为："～，知肉味美则对屠门而大嚼"。

闻义不能徙，不善不能改

见《论语·述而》。

闻命而奔走者，好利者也

见唐·韩愈《上张仆射书》。全句为："～；直己而行道者，好义者也"。

闻君有两意，故来相决绝

见汉乐府民歌《白头吟》。全句为："皑如山上雪，皎若云间月。～"。

闻善言则拜，告有过则喜

见宋·林逋《省心录》。

闻多素心人，乐与数晨夕

见晋·陶潜《移居二首》之一。

闻道有蚤莫，行道有难易

见宋·朱熹《四书集注·中庸第二十章》。全句为："～，然能自强不息，则其至一也"。"蚤"同"早"；"莫"同"暮"。

闻所闻而来，见所见而去

见南朝·宋·刘义庆《世说新语·简傲》。

闻毁勿戚戚，闻誉勿欣欣

见唐·白居易《续座右铭》。全句为："～；自顾行何如，毁誉安足论"。

闻恶能改，庶得免乎大过

见唐·吴兢《贞观政要·教戒太子诸王》。全句为："见善思齐，足以扬名不朽；～"。

闻诛一夫纣矣，未闻弑君也

见《孟子·梁惠王下》。

闻在宥天下，不闻治天下也

见《庄子·在宥》。

闻水声，如鸣珮环，心乐之

见唐·柳宗元《至小丘西小石潭记》。

闻人毁己而怒，则誉己者至矣

见明·薛瑄《读书录》。

闻名不如见面，见面胜似闻名

见明·施耐庵《水浒传》第三回。

闻鸣镝而股战，对穹庐以屈膝

见南朝·梁·丘迟《与陈伯之书》。

闻善不可即亲，恐引奸人进身

见明·洪应明《菜根谭》。全句为："闻恶不可就恶，恐为谗夫泄怒；～"。

闻善以相告也，见善以相示也

见《礼记·儒行》。

闻善速于雷动，从谏急于风移

见晋·陈寿《三国志·吴书·诸葛恪传》。

闻风声鹤唳，皆以为王师已至

见唐·房玄龄《晋书·谢玄传》。

闻恶不可就恶，恐为谗夫泄怒

见明·洪应明《菜根谭》。全句为："～；闻善不可即亲，恐引奸人进身"。

闻忠善以损怨，不闻作威以防怨

见《左传·襄公三十一年》。

闻鼓鼙而思将帅，画云台而念旧臣

见北周·庾信《功臣不死王事请门袭封表》。

闻善而行之如争，闻恶而改之如仇

见汉·贾谊《新书·大政上》。全句为："～，然后祸灾可离，然后保福也"。

闻瑶质兮可变，知余采兮易夺……

见南朝·梁·江淹《知己赋》。全句为："～，唯华名与芳晖兮，争日月而无沫"。"沫"通"昧"，微暗。

闻鸡久听南天雨，立马曾挥北地鞭

见现代·毛泽东《七律·洪都》。

闻其饥寒为之哀，见其劳苦为之悲

见汉·刘向《说苑·政理》。全句为："善为国者，爱民如父母之爱子，兄之爱弟，～"。

闻以有知知者也，未闻以无知知者也

见《庄子·人间世》。全句为："闻以有翼飞者矣，未闻以无翼飞者也；～"。

闻以有翼飞者矣，未闻以无翼飞者也

见《庄子·人间世》。全句为："～；闻以有知知者也，未闻以无知知者也"。

闻人善，立以为己师；闻恶，若己仇

见唐·柳宗元《志从弟宗直殡》。

闻道有先后，术业有专攻，如是而已

见唐·韩愈《师说》。全句为："弟子不必不如师，师不必贤于弟子，～"。

闻《宿紫阁村》诗，则握军要者切齿矣

见唐·白居易《与元九书》。全句为："闻《秦中吟》，则权豪贵近者相目而变色矣；闻《乐游园》寄足下诗，则执政柄者扼腕矣；～"。

闻《乐游园》寄足下诗，则执政柄者扼腕矣

见唐·白居易《与元九书》。全句为："闻《秦中吟》，则权豪贵近者相目而变色矣；～；闻《宿紫阁村》诗，则握军要者切齿矣"。

闻《秦中吟》，则权豪贵近者相目而变色矣

见唐·白居易《与元九书》。全句为："～；闻《乐游园》寄足下诗，则执政柄者扼腕矣；闻《宿紫阁村》诗，则握军要者切齿矣"。

闻难思解，见利思避，好成人之美，可以立矣

见隋·王通《中说·魏相》。

闻其声而知其风，察其风而知其志，观其志而知其德

见《吕氏春秋·季夏纪·音初》。

闻古之君子相其君也，一夫不获其所，若己推而内之沟中

见唐·韩愈《上宰相书》。

❷百闻不如一见／传闻何可尽信／未闻烈士树降旗／朝闻道，夕死可矣／不闻之闻，闻莫甚焉／未闻身乱而国治者也／传闻之事，恒多失实／声闻过情，君子耻之／多闻善败，以鉴戒也／如闻其声，如见其容／一闻人之过，终身不忘／不闻其过，最患之大者／未闻枉己而能正人者也／非闻道难也，行之难也／博闻多记而守以浅者广／务闻其过，不欲闻其善／名闻而实喻，名之用也／与闻国政而无益于民者斥／兵闻拙速，未睹巧之久也／传闻不同，善恶随人所见／又闻理与乱，系人不系天／常闻夸大言，下顾皆细萍／吾闻聪明主，治国用轻刑／多闻而择焉，所以明智也／日闻所未闻，日见所未见／昔闻长者言，掩耳每不喜／臣闻虑为功首，谋为赏本／与闻国政而无益于民者，退／博闻强记，守之以浅者，智／恶闻忠言，乃自伐之精者也／传闻

不如亲见，视影不如察形／多闻阙疑，慎言其余，则寡尤／时闻声如蝉蝇之类，听之亦无／欲闻其声，反默；欲张，反敛／乐闻过，罔不兴；拒谏，罔不乱／吾闻“出于幽谷，迁于乔木”者／不闻先王之遗言，不知学问之大也／我闻忠善以损怨，不闻作威以防怨／传闻与指实不同，悬算与临事有异／传闻之言无实，无实即唐丧唾津矣／凡闻言必熟论，其于人必验之以理／吾闻忠善以损怨，不闻作威以防怨／多闻则守之以约，多见则守之以卓／不闻道而死，曷异蜉蝣之朝生暮死乎／未闻刀没而利存，岂容形亡而神在？／多闻，择其善者而从之；多见而识之／见闻之知，乃物交而知，非德性所知／不闻大论则志不宏，不听至言则心不固／多闻识者，犹广储药物也，知所用为贵／博闻强识而让，敦善行而不怠，谓之君子／吾闻中国之君子，明乎礼义而陋于知人心／渐闻水声潺潺，而泻出两峰之间者，酿泉也／耳闻之，不如目见之；目见之，不如足践之／忽闻晓角吟风，一叶坠露，惊而试问，即红线回矣／不闻不若闻之，闻之不若见之，见之不若知之，知之不若行之

❸不乐闻人过失／吾未闻枉己而正人者也／闻所闻而来，见所见而去／有多闻直谅之友，谓之福／生有闻于当时，死有传于后世／世人闻此皆掉头，有如东风射马耳／主人闻语未开门，绕篱野菜飞黄蝶／贤者闻讥笑，若不闻焉，此岂不省事／予欲闻六律五声八音，在治忽，以出纳五言／龟龙闻而深藏、鸾凤见而高逝者，知其害身也／未尝闻身治而国乱者也，又未尝闻身乱而国治者也／耳之闻也藉于静，目之见也藉于昭，心之知也藉于理／上士闻道，勤而行之；中士闻道，若存若亡；下士闻道，大笑之

❹至人不闻／纵死犹闻侠骨香／不闻之闻，闻莫甚焉／同音相闻，同志相从／勿病无闻，病其晔晔／闻所未闻，见所未见／有善必闻，有恶必见／名可得闻，身难得而见／听者独闻，不谬于清浊／人求多闻善败，以监戒也／行不期闻也，信其义而已／学广而闻多，不求闻于人／宁为有闻而死，不为无闻而生／子在齐闻《韶》，三月不知肉味／避席畏闻文字狱，著书都为稻粱谋／君子好闻过而无过，小人恶闻过而有过／欲人勿闻，莫若勿言；欲人勿知，莫若勿为／聪者耳闻，明者目见，聪明则仁爱著而廉耻分／道不可闻，闻而非也；道不可见，见而非也；道不可言，言而非也

❺荷枯雨滴闻／不闻之闻，闻莫甚焉／附耳之言，闻于千里／远不如近，闻不如见／好胜人，耻闻过……／耄老失明，闻善不从／言者无罪，闻者足戒／谋未发而闻于外，则危／但忧死无闻，功不挂青史／日闻所未闻，日见所未见／心散于博闻，技贫乎广畜／耳限于所闻，则夺其天聪／听远音者，闻其疾而不闻其舒／见过不更，闻谏愈甚，谓之很／进不求于闻达兮，退不营于荣利／求天下奇闻壮观，以知天地之广大／按善恶见闻之实，断是非去取之疑／德薄者恶闻美行，政乱者恶闻治言／见利争让，闻义争为，有不善争改／言者无罪闻者戒，下流上通上下泰／疾呼不过闻百步，志之所在，逾于千里／若近正人，闻正事，虽欲为恶，固已不忍／今之世不闻有师，有，辄哗笑之，以为狂人／叩之而必闻，触之而必应，夫是以天下可使为一身／不闻不若闻之，闻之不若见之，见之不若知之，知之不若行之／道不可闻，闻而非也；道不可见，见而非也；道不可言，言而非也／孔子曰：“吾闻之，古之善御者，执辔如组，两骖如舞，非策之助也”。

❻不自是者博闻／杀人如草不闻声／贱所见，贵所闻／不祥在于恶闻己过／士当以功名闻于世／天下行之，不闻不足／以德和民，不闻以乱／附耳之语，流闻千里／随见随忘，随闻随废／鼓钟于宫，声闻于外／非长生难也，闻道难也／闻人而不自闻者谓之聩／听草遥寻岸，闻香暗识莲／听笛始知岸，闻香暗识莲／闻毁勿戚戚，闻誉勿欣欣／审小音者，不闻雷霆之声／见礼而知俗，闻乐而知政／人主之患，欲闻枉而恶直言／言之者无罪，闻之者足以戒／倘非广见博闻，总觉光阴虚度／声无小而不闻，行无隐而不形／毁我之言可闻，毁我之人不必问／所见异辞，所闻异辞，所传闻异辞／病莫大于不闻过，辱莫大于不知耻／痛莫大于不闻过，辱莫大于不知耻／不见其形不闻其声，而序其成谓之道／事不目见耳闻，而臆断其有无，可乎？／兴国之君乐闻其过，荒乱之主乐闻其誉／物理不见不闻，虽圣哲亦不能索而知之／多见者博，多闻者智；拒谏者塞，专己者孤／若近细人，不闻教谕，纵欲行善，犹未知所适

❼一举成名天下闻／下无言则上无闻／知学之人，能与闻迁／务闻其过，不欲闻其善／善人同处，则日闻嘉训／鹤鸣于九皋，声闻于天／莫待山阳路，空闻吹笛悲／纵有还家梦，犹闻出塞声／时不乏人而患闻见之不博／所见既可骇，所闻良可悲／友直，友谅，友多闻，益矣／闻在宥天下，不闻治天下也／其言直而切，欲闻之者深诫也／大夫以君命出，闻丧徐行而不返／使味之者无极，闻之者动心，是诗之至也／诚欲往来言所闻，则仆固愿悉陈中所得者／人生至愚是恶闻己过，人生至恶是善谈人过／不闻不若闻之，闻之不若见之，见之不若知之，知之不若行之

❽观听不参，则诚不闻／善不必寿，惟道之闻／

闻而不审，不若无闻矣／时俗人有耳不自闻其过／学广而闻多，不求闻于人／春眠不觉晓，处处闻啼鸟／怒潮风正急，酒醒闻塞笛／闻诛一夫纣矣，未闻弑君也／道者，一人用之，不闻有余／得万人之兵，不如闻一言之当／日进前而不御，遥闻声而相思／闻忠善以损怨，不闻作威以防怨／目无所见，耳无所闻，心无所知／闻善而行之如争，闻恶而改之如仇／见日月不为明目，闻雷霆不为聪耳／贤者闻讥笑，若不闻焉，此岂不省事／听言当以理观，一闻辄以为据，往往多失／知有己不知有人，闻人过不闻己过，此祸本也／达于道者，独见独闻，独为独存，父不能以授子，臣不能以授君

❾听于无声则得其所闻矣／德性所知，不萌于见闻／身曲而景直者，未之闻也／雷电震地，而聋者不闻其响／不窥人闺门之私，听闻中冓之言／我闻忠善以损怨，不闻作威以防怨／剑外忽传收蓟北，初闻涕泪满衣裳／吾闻忠善以损怨，不闻作威以防怨／博识者触物能名，洽闻者理无所惑耳／闻以有知知者也，未闻以无知知者也／闻以有翼飞者矣，未闻以无翼飞者也／闻人善，立以为己师；闻恶，若己仇／见人之过，得己之过；闻人之过，得己之过／目察秋毫之末，耳不闻雷霆之声；耳调玉石之声，目不见泰山之高

❿吾爱孟夫子，风流天下闻／明有所不见，听有所不闻／视之而不见，听之而不闻／心绪逢摇落，秋声不可闻／以天下之耳听，则无不闻也／凡人情忽于见事而贵于异闻／往者余弗及兮，来者吾不闻／独学而无友，则孤陋而寡闻／常民溺于习俗，学者沉于所闻／常人安于故俗，学者溺于所闻／听远音者，闻其疾而不闻其舒／闻名不如见面，见面胜似闻名／宁为有闻而死，不为无闻而生／如入芝兰之室，久而不闻其香／如入鲍鱼之肆，久而不闻其臭／事不师古，以克永世，匪说攸闻／偏在于多私，不祥在于恶闻己过／虽禀极聪，而有声者不可尽闻焉／嗜欲充益，目不见色，耳不闻声／强者不自勉，或死而泯灭于无闻／根本不美，枝叶茂者，未之闻也／置直谏之士者，恐不得闻其过也／下不钳口，上不塞耳，则可有闻矣／不弃狂夫之言者，然后嘉谟可闻也／为之而欲人不知，言之而欲人不闻／苟全性命于乱世，不求闻达于诸侯／行宫见月伤心色，夜雨闻铃肠断声／德薄者恶闻美行，政乱者恶闻治言／道人活计只如此，留与时人作见闻／学视者先见舆薪，学听者先闻撞钟／此曲只应天上有，人间能得几回闻／所见异辞，所闻异辞，所传闻异辞／方凭征鞍思往事，数声风笛马前闻／心中为念农桑苦，耳里如闻饥冻声／田里绝愁叹之声，邦家闻宽厚之化／子路人告之以有过则喜，禹闻善则拜／出见纷华盛丽而说，入闻夫子之道而乐／兴国之君乐闻其过，荒乱之主乐闻其誉／益者三友：友直，友谅，友多闻，益矣／君子好闻过而无过，小人恶闻过而有过／君子戒慎乎其所不睹，恐惧乎其所不闻／视之不足见，听之不足闻，用之不足既／视之而不见，听之而不闻，搏之而不得／朝无争臣则不知过，国无达士则不闻善／白黑在前而目不见，雷鼓在侧而耳不闻／自古圣人贤士，皆非有求于闻用也……／一叶蔽目，不见泰山；两豆塞耳，不闻雷霆／无稽之言，不见之行，不闻之谋，君子慎之／百姓所以养国家也，未闻以国家养百姓者也／内不足者，急于人知；霈焉有余，厥闻四驰／圣贤之所以为知者，不过思与见闻之会而已／道，视之不可见，听之不可闻，搏之不可得／相臣将臣，文恬武嬉，习熟见闻，以为当然／时无远近，事无巨细，必籍多闻，以成博识／聪明流通者戒于太察，寡闻少见者戒于壅蔽／任非其人而国家不倾者，自古至今，未尝闻也／知有己不知有人，闻人过不闻己过，此祸本也／以弋猎博弈之日诵《诗》、《书》，闻识必博矣／人之好怪也！不求其端，不讯其末，惟怪之欲闻／邻国相望，鸡犬之声相闻，民至老死，不相往来／争构纤微，竞为雕刻……；骨气都尽，刚健不闻／心不在焉，视而不见，听而不闻，食而不知其味／未尝闻身治而国乱者也，又未尝闻身乱而国治者也／与善人居，如入兰芷之室，久而不闻其香，则与之化矣／与恶人居，如入鲍鱼之肆，久而不闻其臭，亦与之化矣／急乎其所自立，而无患乎人不己知，未尝闻有响大而声微者也／上士闻道，勤而行之；中士闻道，若存若亡；下士闻道，大笑之／能明申、韩之术而修商君之法，法修术明而天下乱者，未之闻也

闽

mǐn 古族名；五代时十国之一；［闽江］水名，在福建；福建省的别称。

❿顾使乾坤同日月，不妨闽浙异江山

闾

lǘ 古时以二十五家为一闾；里巷的大门；汇聚；传说中形状像驴的兽。

❷州闾之士皆誉皆毁，未可为正／尾闾泄之，不知何时已而不虚

❽庆者在堂，吊者在闾

❾方惭不耕者，禄食出闾里

❿松柏为百木长，而守门闾／鼎不可以柱车，马也不可使守闾／清风两袖朝天去，免得闾阎话短长

阀

fá 功劳；封建时代有权势有地位的家庭和家族；阀门；［阀阅］本作“伐阅”，指功绩和经历；古代仕宦人家大门外的左右柱，常用来榜贴功状。

❻风云突变，军阀重开战

阁 gé 供游玩、休闲或远望的建筑物；旧指女子卧室；内阁；古代收藏图书器物等房子；侧门；中国古代中央官署名。

❶阁中帝子今何在，槛外长江空自流

见唐·王勃《滕王阁序》。全句为："闲云潭影日悠悠，物换星移几度秋。～"。

❷废阁先凉，古帘空暮／菌阁松楹，高枕于北山之北

❸凌烟阁上人，未必皆忠烈

❹闻《宿紫阁村》诗，则握军要者切齿矣

❻三军一心，剑阁可以攻拔

❽五步一楼，十步一阁。……各抱地势，钩心斗角

❾新人从门入，故人从阁去／天下之竹帛不足书阁下之功德／天下之金石不足颂阁下之形容

❿层台耸翠，上出重霄，飞阁流丹，下临无地／江南多临观之美，而滕王阁独为第一，有瑰伟绝特之称

阅 yuè 看；检阅；省视；经历；容；总聚；本钱；长的椽子。

❶阅千古而不变者，气种之有定也

见明·王廷相《慎言》。

❹我躬不阅，遑恤我后

❻万物之多，皆阅一空／经事还谙事，阅人如阅川

❽逝水悲兴废，浮云阅古今／读书不了平生事，阅世空存后死身／横空出世，莽昆仑，阅尽人间春色

❾经事还谙事，阅人如阅川

❿不是无端悲怨深，直将阅历写成吟／良农不为水旱不耕，良贾不为折阅不市／毋逝我梁，毋发我笱；我躬不阅，遑恤我后

阇 ①dū 城门上的台。②shé［阇梨］高僧，泛指僧。

❽明主急得其人，而阇主急得其势

❿圣人虽有独知之明，常如阇昧，不以曜乱人

阋 xì 争吵。

❸兄弟阋于墙，外御其务

❹兄弟谗阋，侮人百里

阍 hūn 守门人；宫门。

❻高莫高兮九阍，远莫远兮故园

阎 yán 里巷的门，也指里巷；佛教称管地狱的神。

❻关节不到，有阎罗包老

❿清风两袖朝天去，免得闾阎话短长

阐 chǎn 开；广；尽；阐发；阐明；古邑名。

❺至精而后阐其妙，至变而后通其数

阑 lán 古时同"栏"、"拦"；遮拦用的东西；将尽；擅自闯入。

❺角声寒，夜阑珊／神州只在阑干北，度度来时怕上楼／独自莫凭阑，无限江山，别时容易见时难

❻春和景明，波阑不惊；上下天光，一碧万顷

❽欲笺心事，独语斜阑。难！难！难！

❾春每归兮花开，花已阑兮春改

❿夏也百草榛榛焉，见其盛而知其阑

阔 kuò 宽广；疏略；宽缓；空间；远；富有。

❺冲天鹏翅阔，报国剑芒寒／塞草烟光阔，渭水波声咽／荷深水风阔，雨过清香发／水涵天影阔，山拔地形高

❼河长犹可涉，海阔故难飞／方于平易，皆能阔步而进，一遇峻险，则止矣

❽霜尽川长，云平野阔／老成之人，言有迂阔，而更事为多

❿薄雨收寒，斜照弄晴，春意空阔／痴人之前莫说梦，梦中说梦愈阔迂

阖 hé 门扇；关闭；通"合"；全；盖墙用的草帘子。

❷一阖一辟谓之变，往来不穷谓之通

❹天门开阖，能为雌乎

❺学而不已，阖棺乃止

❼五寸之键制开阖之门，岂其才巨小哉，所居要也

阙 ①quē 过失；亏损；毁；除；同"缺"。②què 古代皇宫大门前两边供瞭望的楼，泛指帝王的住所；神庙、陵墓前的石雕。③jué 挖掘。

❷石阙生口中，衔碑不得语

❸多闻阙疑，慎言其余，则寡尤／多见阙殆，慎言其余，则寡悔。

❺芟夷不可阙，疾恶信如仇／智莫大于阙疑，行莫大于无悔／去年米贵阙军食，今年米贱大伤农

❻不知天上宫阙，今夕是何年

❼任重才轻，故多阙漏／美人迈兮音尘阙，隔千里兮共明月／意少一字则义阙，句长一言则辞妨

❽归师勿遏，围师必阙

❾君子于其所不知，盖阙如也

❿论文期摘瑕，求友惟攻阙／身在江海之上，心居乎魏阙之下／字势雄逸，如龙跳天门，虎卧凤阙／昔葛天氏之乐，三人操牛尾，投足以歌八阙／言虽简略，理皆要害，故能疏而不遗，俭而无阙／古之成大事者，规模远大与综理密微二者阙一不可

阚 ①kàn 望；古地名；姓。②hǎn 虎怒貌。

❻无问其名，无阚其情，物固自生

汀 tīng 水边平地。

❷洲汀岛屿，向背离合；青树碧蔓，交罗蒙络／鹤汀凫渚，穷岛屿之萦回；桂殿兰宫，列冈峦之体势

❸岸芷汀兰，郁郁青青

❻藕花无数满汀洲／夕阳红蓼满汀州

❾断雁无凭，冉冉飞下汀洲，思悠悠

❿沙鸥翔集，锦鳞游泳；岸芷汀兰，郁郁青青

汉 hàn 朝代名；汉族；男子；[汉水]水名。

❶汉魏风骨，晋宋莫传，然而文献有可征者

见唐·陈子昂《与东方左史虬修竹篇序》。全句为："文章道弊五百年矣！～"。

汉之广矣，不可泳思。江之永矣，不可方思

见《诗·周南·汉广》。

❷秦汉而学六经，岂复有秦汉之文

❸心在汉室，原无分先主后主／日暮汉宫传蜡烛，轻烟散入五侯家

❹不知有汉，无论魏晋／气凌云汉，字挟风霜／便令江汉竭，未厌虎狼求／惜秦皇汉武，略输文采；唐宗宋祖，稍逊风骚

❺周云成康，汉言文景，美矣／盛唐而学汉魏，岂复有盛唐之诗／吹波则江汉倒流，腾气则虹霓掩彩／非三代两汉之书不敢观，非圣人之志不敢存

❻楚山全控蜀，汉水半吞吴

❼兵民之分，自秦汉始／不到长城非好汉，屈指行程二万／未必人间无好汉，谁与宽些尺度

❽牛蹄中鱼，冀赖江汉／功名富贵若长在，汉水亦应西北流／自古此冤应未有，汉心汉语吐蕃身／唐太宗之贤，自西汉以来，一人而已

❾良谈吐玉，长江与斜汉争流／亲小人，远贤臣，此后汉所以倾颓也／亲贤臣，远小人，此先汉之所以兴隆也／文章道弊五百年矣！汉魏风骨，晋宋莫传，然而文献有可征者

❿张良授策于圯桥，功崇佐汉／秦汉而学六经，岂复有秦汉之文／万木霜天红烂漫，天兵怒气冲霄汉／为虏为王尽偶然，有何羞见汉江船／牧羊驱马虽戎服，白发丹心尽汉臣／文之近古而尤壮丽，莫若汉之西京／白日经天中则移，明月横汉满而亏／自古此冤应未有，汉心汉语吐蕃身／陵虚之鸟，爱其清高，不愿江汉之鱼／日月之行，若出其中；星汉灿烂，若出其里

汗 ①hàn 汗水；使出汗。②hán 古代鲜卑君王的称号。

❷挥汗读书不已，人皆怪我何求

❺贵其效，则汗漫而无当／每念斯耻，汗未尝不发背沾衣

❻张袂成帷，挥汗成雨／锄禾日当午，汗滴禾下土／发号施令，若汗出于体，一出而不复也

❽一代天骄，成吉思汗，只识弯弓射大雕

❿人生自古谁无死，留取丹心照汗青／其为书，处则充栋宇，出则汗牛马

污 ①wū 停积不流的水，池塘；浊水；不清洁；不廉洁；使不清洁；下降，衰落。②wù 洗去污垢；③wā 下陷；夸大。④yū 通"纡"，纡曲。

❷废污池之水，待江海而后救火／洗污泥者以水，燔腥生者用火

❸滓泥污秽之中，莲含香而自洁

❹一点贪污，便是大恶／寻常之污，不能溉陂泽／流言雪污，譬犹以涅拭素／宁方为污辱，不圆为显荣／川泽纳污，山薮藏疾，瑾瑜匿瑕

❺彼寻常之污渎兮，岂能容夫吞舟之巨鱼

❻美之所在，虽污辱，世不能贱

❼同乎流俗，合乎污世／谗言伤善，青蝇污白／贪吏不可为者，污且卑／耻不修，不耻见污；耻不信，不耻不见信

❽冰壶玉尺，纤尘弗污／赞以洁白，而随以污德／佳月了不嗔，曾何污洁白／蹉跎岁月，尽此身污秽乾坤／婉而成章，尽而不污，惩恶而劝善

❾君子耻不修，不耻见污／盛饰入朝者，不以私污义／非其世者，不受其利。污其君者，不履其土

❿峣峣者易缺，皎皎者易污／饰知以惊愚，修身以明污／昆山之玉瑱而尘垢弗能污／白沙混于泥涂，不染自污／人不忘廉耻，立身自不卑污／志陵青云之上，身晦泥污之下／以清廉清民，令去其邪，令去其污／清越而瑕不自掩，洁白而物莫能污／吞舟之鱼不游渊，鸿鹄高飞不就污池／吞舟之鱼不居潜泽，度量之士不居污世／消受尘，白取垢；青蝇所污，常在练素／清受尘，白取垢；青蝇所污，常在练素／绝民用以实王府，犹塞川原而为潢污也／可厌之类，不独为害，死虽万代，独堪污秽／吞舟之鱼，不游枝流；鸿鹄高飞，不集污池／歼厥渠魁，胁从罔治，旧染污俗，咸与惟新／与邪佞人交，如雪入墨池，虽融为水，其色愈污

江 jiāng 特指长江；泛指大河；古国名；姓。

❶江海不与坎井争其清

见明·刘基《郁离子·枸橼》。全句为："～，雷霆不与蛙蚓斗其声"。

江上之清风与山间之明月

见宋·苏轼《前赤壁赋》。全句为："～，耳得之而为声，目遇之而成色"。

江河之水，非一源之水也
见《墨子·亲士》。全句为："～；千镒之裘，非一狐之白也"。
江海三年客，乾坤百战场
见唐·李商隐《夜饮》。
江海之深，以其虚而受也
见明·方孝孺《逊志斋集》卷一。全句为："瓮盎易盈，以其狭而拒也；～。虚己者，进德之基"。
江流天地外，山色有无中
见唐·王维《汉江临汎》。
江流今古愁，山雨兴亡泪
见元·任昱《双调清江引·钱塘怀古》。
江海不让纤流，所以存其广
见唐·王勃《上刘右相书》。全句为："嵩衡不拒细壤，故能崇其峻；～"。
江海不择小助，故能成其富
见唐·魏征《群书治要·韩非子》。全句为："大山不立好恶，故能成其高；～"。
江河之流，不能盈无底之器也
见晋·葛洪《抱朴子·极言》。
江南谚云：尺牍书疏，千里面目也
见北齐·颜之推《颜氏家训·杂艺》。全句为："真草书迹，微须留意。～"。
江山代有才人出，各领风骚数百年
见清·赵翼《论诗五绝》之一。
江山如此多娇，引无数英雄竞折腰
见现代·毛泽东《沁园春·雪》。
江海相逢客恨多，秋风叶下洞庭波
见唐·温庭筠《赠少年》。
江流千古英雄泪，山掩诸公富贵羞
见宋·赵善伦《多景楼》。
江海所以能为百谷王者，以其善下之
见《老子》六十六。
江河之溢，不过三日，飘风暴雨，须臾而毕
见汉·刘向《说苑·谈丛》。
江南多临观之美，而滕王阁独为第一，有瑰伟绝特之称
见唐·韩愈《新修滕王阁记》。

❷长江后浪催前浪／绝江海者托于船／春江一曲柳千条／春江水暖鸭先知／处江湖之远，则忧其君／长江悲已滞，万里念将归／过江千尺浪，入竹万竿斜／观江水之寂寥，愿从流而东返／大江东去，浪淘尽千古风流人物／游江海者托于船，致远道者托于乘／横江湖之鳣鲸兮，固将受制于蝼蚁／春江花朝秋月夜，往往取酒还独倾／春江潮水连海平，海上明月共潮生

❸写出江南烟水秋／春尽江南尚薄寒／春到江南花自开／船到江心补漏迟／湛湛江水兮上有枫／任沈江刘，来乱辙而弥远／便令江汉竭，未厌虎狼求／是岁江南旱，衢州人食人／舟在江海，不为莫乘而不浮／千古江山，英雄无觅，孙仲谋处／凌大江之惊波兮，过洞庭之漫漫／身在江海之上，心居乎魏阙之下／日出江花红胜火，春来江水绿如蓝／稻熟江村蟹正肥，双螯如戟挺青坭

❹子胥沉江，比干剖心／白露横江，水光接天／浴不必江海，要之去垢／我住长江头，君住长江尾／亭临大江，复在山上……／屹立大江干，仍能障狂澜／滔滔大江水，天地相终始／澹澹长江水，悠悠远客情／万里长江横渡，极目楚天舒／万里长江，何能不千里而一曲／滚滚长江东逝水，浪花淘尽英雄／墨池如江笔如帚，一扫万字不停肘／吹波则江汉倒流，腾气则虹霓掩彩／好去长江千万里，不须辛苦上龙门／山无陵，江水为竭……天地合，乃敢与君绝

❺春风又绿江南岸／无面目见江东父老／以一篑障江河，用没其身／虽假容于江皋，乃缨情于好爵／不念英雄江左老，用之可以尊中国／人人尽说江南好，游人只合江南老／清泉自爱江湖去，流出红墙便不还／文章均得江山助，但觉前贤畏后贤／登临自有江山助，岂是胸中不得平／重云蔽天，江湖黯然；游鱼茫然……／橘柚生于江南，而民皆甘之于口，味同也／云山苍苍，江水泱泱，先生之风，山高水长／暮春三月，江南草长，杂花生树，群莺乱飞／山，倒海翻江卷巨澜。奔腾急，万马战犹酣

❻一人独钓一江秋／春风相送过江南／衔远山，吞长江……／升于高以望江山之远近／良才不隐世，江湖多贫贱／山岳移可尽，江海塞可绝／惧满溢，则思江海下百川／惧满盈，则思江海下百川／蜀酒浓无敌，江鱼美可求／良谈吐玉，长江与斜汉争流／独立寒秋，湘江北去，橘子洲头／任君逐利轻江海，莫把风涛似妾轻／总教掬尽三江水，难洗今朝一面羞／过洞庭，上湘江，非有罪左迁者罕至／秋山的翠，秋江澄空，扬帆迅征，不远千里

❼洗兵海岛，刷马江洲／涓涓不壅，终为江河／涓涓不绝，流为江河／涓流虽寡，浸成江河／牛蹄中鱼，冀赖江汉／愁随芳草，绿遍江南／倚天绝壁，直下江千尺／其水趣流，势与江河同／坎井之蛙，不知江海之大／厌其源，开其渎，江河可竭／今日太平，即是江宁之小邑／废污池之水，待江海而后救火／涓涓不塞，将为江河；荧荧不救，炎炎奈何／晨看旅雁，心赴江淮；昏望牵牛，情驰扬越

❽不积小流，无以成江海／操与霜雪明，量与江海宽／其积于中者，浩如江河之停蓄／行远者假于车，济江海者因于舟／丘山积卑而为高，江河合水而为大／人生代代无穷已，江月年年只

相似／山林不能给野火，江海不能实漏卮／月落乌啼霜满天，江枫渔火对愁眠／独自莫凭阑，无限江山，别时容易见时难

❾我住长江头，君住长江尾／人生如梦，一尊还酹江月／孤舟蓑笠翁，独钓寒江雪／哀吾生之须臾，羡长江之无穷／大不如海而欲以纳江河，难哉／有时朝发白帝，暮到江陵……／商女不知亡国恨，隔江犹唱后庭花／霤水足以溢壶榼，而江河不能实漏卮／据沧海而观众水，则江河之会归可见也／汉之广矣，不可泳思。江之永矣，不可方思

❿烟雨莽苍苍，龟蛇锁大江／乘舟楫者，不能游而绝江海／其以止患，犹堤防之于江河／土积而成山阜，水积而成江河／日日思君不见君，共饮长江水／假舟楫者，非能水也，而绝江河／无边落木萧萧下，不尽长江滚滚来／不知乘月几人归，落月摇情满江树／焉得并州快剪刀，翦取吴松半江水／为虏为王尽偶然，有何羞见汉江船／尺泽之鲵，岂能与之量江海之大哉／人世几回伤往事，山形依旧枕江流／人人尽说江南好，游人只合江南老／难留连，易消歇，塞北花，江南雪／莫道昆明池水浅，观鱼胜过富春江／报国志愿不敢忘，此身未暇归江乡／将回日月先反掌，欲作江河唯画地／尔曹身与名俱灭，不废江河万古流／喷气则白日尽晦，刷马则清江倒流／庾信平生最萧瑟，暮年诗赋动江关／阁中帝子今何在，槛外长江空自流／纵横振锋颖之才，吐纳积江湖之量／日出江花红胜火，春来江水绿如蓝／炎火成燎原之势，涓流兆江河之形／烟霞充耳目之玩，鱼鸟尽江湖之赏／扁舟一棹归何处，家在江南黄叶村／顾使乾坤同日月，不妨闽浙异江山／陵虚之鸟，爱其清高，不愿江汉之鱼／善出奇者，无穷如天地，不竭如江河／目极千里兮伤春心，魂兮归来哀江南／问君能有几多愁？恰似一江春水向东流／相呴以湿，相濡以沫，不如相忘于江湖／千古兴亡多少事，悠悠。不尽长江滚滚流／泉涸，鱼相与处于陆……不若相忘于江湖／利镞穿骨，惊沙人面……声折江河，势崩雷电／看万山红遍，层林尽染；漫江碧透，百舸争流／屈平所以洞监《风》《骚》之情者，抑亦江山之助乎／解落三秋叶，能开二月花。过江千尺浪，入竹万竿斜／虎旅云从，词林响应，若毛羽之宗麟凤，众川之长江河／不本其所以欲，而禁其所欲……是犹决江河之源而障之以手也

汐

xī 晚潮。

❿月满则潮盛，月亏则潮衰。潮汐进退，皆由于月也

汍

wán［汍澜］亦作"萑兰"，流泪貌。

❾报国心皎洁，念时涕汍澜

汲

jí 取水于井；引；姓。

❶汲汲于名者，犹汲汲于利也

见宋·司马光《谏院题名记》。

❷不汲汲于荣名，不戚戚于卑位／彼汲汲于名者，犹汲汲于利者

❸不汲汲于荣名，不戚戚于卑位／彼汲汲于名者，犹汲汲于利者

❻短绠不可以汲深井之泉／短绠不可以汲深，器小不可以盛大／短绠不可以汲深，器小不可以盛大，非其任也

❼汲汲于名者，犹汲汲于利也

❽不戚戚于贫贱，不汲汲于富贵／乞火不若取燧，寄汲不若凿井／彼汲汲于名者，犹汲汲于利者／能自凿井及泉而汲之，不可胜用矣

❾不戚戚于贫贱，不汲汲于富贵／彼汲汲于名者，犹汲汲于利者

❿名者可以厉中人，君子所存非所汲汲／褚小者不可以怀大，绠短者不可以汲深

池

chí 水塘；城池，指护城河；像池子的；衣被边缘的镶饰；姓。

❷墨池如江笔如帚，一扫万字不停肘／酒池，足以运舟；糟丘，足以望七里／畜池鱼者必去猵獭，养禽兽者必去豺狼，又况治人乎

❸鸟宿池边树，僧敲月下门／废污池之水，待江海而后救火

❹洼者为池而缺者为洞，若有鬼神异物阴来相之

❺不得越雷池一步／莫道昆明池水浅，观鱼胜过富春江／时人莫小池中水，浅处无妨有卧龙

❻羁鸟恋旧林，池鱼思故渊／数罟不入洿池，鱼鳖不可胜食也／水有猵獭而池鱼劳，国有强御而齐民消

❼城门失火，殃及池鱼／风乍起，吹皱一池春水／璇玉致美，不为池隍之宝／有石城十仞，汤池百步，带甲百万，而亡粟，弗能守

❽蛟龙得云雨，终非池中物

❿盲人骑瞎马，夜半临深池／君问归期未有期，巴山夜雨涨秋池／吞舟之鱼不游渊，鸿鹄高飞不就污池／高台芳榭，家家而筑；花林曲池，园园而有／坚甲利兵不足以为武，高城深池不足以为固／吞舟之鱼，不游枝流；鸿鹄高飞，不集污池／平原广望，博观之乐，沼池不如川泽所见博也／与邪佞人交，如雪入墨池，虽融为水，其色愈污

汝

rǔ 你；古水名；姓。

❶汝不知夫螳螂乎

见《庄子·人间世》。全句为:"～?怒其臂以当车辙,不知其不胜任也,是其才之美者也"。

汝无面从,退有后言

见《尚书·益稷》。

汝无自誉,观汝作家书

见三国·魏·曹丕《典论·太子篇序》。

汝果欲学诗,工夫在诗外

见宋·陆游《示子遹》。

汝惟不伐,天下莫与汝争功

见《尚书·大禹谟》。全句为:"汝惟不矜,天下莫与汝争能;～"。

汝惟不矜,天下莫与汝争能

见《尚书·大禹谟》。全句为:"～;汝惟不伐,天下莫与汝争功"。

汝病吾不知时,汝殁吾不知日

见唐·韩愈《祭十二郎文》。全句为:"～。生不能相养以共居,殁不得抚汝以尽哀"。

汝身之不能治,而何暇治天下乎

见《庄子·天地》。

汝若全德,必忠必直;汝若全行,必方必正

见唐·元结《自箴》。全句为:"～。终身如此,可谓君子"。

汝死我葬,我死谁埋!汝倘有灵,可能告我

见清·袁枚《祭妹文》。

汝游心于淡,合气于漠,顺物自然而无容私焉,而天下治矣

见《庄子·应帝王》。

❷正汝形,一汝视,天和将至/摄汝知,一汝度,神将来舍/去汝躬矜与汝容知,斯为君子矣

❸生非汝有,是天地之委和也/予违汝弼,汝无面从,退后有言

❹小人怨汝詈汝,则皇自敬德/孙子非汝有,是天地之委蜕也/若金,用汝作砺;若济巨川,用汝作舟楫

❺有言逆于汝心,必求诸道/正汝形,一汝视,天和将至/摄汝知,一汝度,神将来舍/有言逊于汝志,必求诸非道/予违汝弼,汝无面从,退后有言/物有所好,汝勿好之。德有所好,汝则效之

❻汝无自誉,观汝作家书/小人怨汝詈汝,则皇自敬德/去汝躬矜与汝容知,斯为君子矣/服不美,人不汝尤;德不美,乃汝之羞

❼时日曷丧,予及汝皆亡/汝病吾不知时,汝殁吾不知日

❾汝惟不伐,天下莫与汝争功/汝惟不矜,天下莫与汝争能/安得倚天抽宝剑,把汝裁为三截/词家从不觅知音,累汝千回带泪吟/汝若全德,必忠必直;汝若全行,必方必正/汝死我葬,我死谁埋!汝倘有灵,可能告我

❿乘时投隙非谓才,苟得未必为汝福/过眼滔滔云共雾,算人间知己吾和汝/生不能相养以共居,殁不得抚汝以尽哀/服不美,人不汝尤;德不美,乃汝之羞/若金,用汝作砺;若济巨川,用汝作舟楫/行与义乖,言与法违,后虽无害,汝可以悔/物有所好,汝勿好之。德有所好,汝则效之

汤 ①tāng 汁液状食物;热水;中药的汤剂;当。②tàng 通"烫";游荡;触;碰。③shāng 形容水流急而大。

❶汤武革命,顺乎天而应乎人

见《周易·革》。

汤沐具而虮虱相吊,大厦成而燕雀相贺

见汉·刘安《淮南子·说林》。

❷扬汤止沸,不如釜底抽薪/扬汤止沸,不如灭火去薪/为汤、武驱民者,桀与纣也/以汤止沸,抱薪救火,愈甚亡益/以汤止沸,沸愈不止,去其火则止矣/禹汤罪己,其兴也悖焉;桀纣罪人,其亡也忽焉

❹莫取金汤固,长令宇宙新

❺蒙矢石,赴汤火,视死如归/言则称于汤文,行则譬于狗豨

❻农夫心内如汤煮,公子王孙把扇摇/有石城十仞,汤池百步,带甲百万,而亡粟,弗能守

❿从善如不及,去恶如探汤/见善如不及,见不善如探汤/摧强易于折枯,消坚甚于汤雪

沐 mù 洗头发,泛指沐浴;泛指蒙受;休假;润泽;整治;姓。

❶沐甚雨,栉疾风

见《庄子·天下》。

沐雨而栉风,为民请命

见晋·陈寿《三国志·魏书·文帝传》。

沐者堕发,而犹为之不止,以所去者少,所利者多

见汉·刘安《淮南子·说山》。

❷一沐三捉发,一饭三吐哺/一沐而三捉发,一食而三起/新沐者必弹冠,新浴者必振衣/汤沐具而虮虱相吊,大厦成而燕雀相贺

❸被雪沐雨,则裘不及蓑

❹然我一沐三捉发,一饭三吐哺/为政犹沐也,虽有弃发,必为之

❺人言楚人沐猴而冠耳,果然

❽新浴者振其衣,新沐者弹其冠

❿自伯之东,首如飞蓬;岂无膏沐,谁适为容

沛 pèi 旺盛,充足;行动迅速;有水有草的沼泽地。

❶沛然从肺腑中流出,殊不见斧凿痕

见宋·胡仔《苕溪渔隐丛话》。

❷颠沛之揭,枝叶未有害,本实先拨

❺油然作云,沛然降雨,则苗浡然兴之矣

❽鸿阜之义，发于颠沛之朝
❾苟余行之不迷，虽颠沛其何伤
❿项庄拔剑舞，其意常在沛公／兢兢自危，犹惧不终，而况沛然自足，可以成功者乎

沔 miǎn 水流满貌；通"湎"，沉迷；水名：［沔水］古代通称汉水为沔水；玉带河的旧称。
❶沔彼流水，朝宗于海
见《诗·小雅·沔水》。

汰 tài 滑过；通"泰"，骄奢；除去差的或没有用的成分。
❶汰流、淫佚、侈靡之俗日以长，是天下之大祟也
见汉·贾谊《新书·无蓄》。
❿以夷坦去群疑，以礼让汰惨急

沥 lì 水下滴；液体的点滴。
❷滴沥空庭，竹响共雨声相乱
❽世人逐势争奔走，沥胆堕肝惟恐后

沌 ①dùn［混沌］古代传说中天地未分之前模糊一团的景象。②zhuàn［沌口］镇名。
❷浑沌之原，无皎澄之流

沙 shā 细石粒；像沙的；嗓音不亮；淘汰；姓。
❶沙角台高，乱帆收向天边
见清·林则徐《高阳台·和嶰筠前辈韵》。全句为："春雷欻破零丁穴，笑蜃楼气尽，无复灰然。～"。
沙鸥翔集，锦鳞游泳；岸芷汀兰，郁郁青青
见宋·范仲淹《岳阳楼记》。
❷抟沙为饼，不可疗饥／白沙混于泥涂，不染自污／冬沙飞兮淅淅，春草磨兮芊芊／炒沙作糜终不饱，镂冰文章费工巧／金沙水拍云崖暖，大渡桥横铁索寒／飞沙溅石，湍流百势；翠崄丹崖，冈峦万色
❸但见沙场死，谁怜塞上孤
❹委体渊沙，鸣弦揆日／清渚白沙茫不辨，只应灯火是渔船
❺烂死于泥沙，吾宁乐之／抵金玉于沙砾，碎珪璧于泥途／回乐峰前沙似雪，受降城下月如霜／白骨已枯沙上草，家人犹自寄寒衣
❻战矣哉？暴骨沙砾／屈贾谊于长沙，非无圣主／白粲必去其沙砾而后食可餐／利镞穿骨，惊沙人面……声折江河，势崩雷电
❼隐石那知玉，披沙始遇金／壮年竭忠孝于沙漠，疲劳则便捐死于旷野
❽清流若镜，下照金沙之底／笛里谁知壮士心？沙头空照征人骨
❿山明疑有雪，岸白不关沙／赋情顿雪双鬓，飞梦逐尘沙／奈何取之尽锱铢，用之如泥沙／视轩裳如草芥，屏嗜欲若泥沙／万株松树青山上，十里沙堤明月中／天末海门横北固，烟中沙岸似西兴／千淘万漉虽辛苦，吹尽狂沙始到金／剖开顽石方知玉，淘尽泥沙始见金／人生莫作远行客，远行莫成黄沙碛／隔日一删，愈月一改，始能淘沙得金／风且起，一旦荒忽飞扬，化而为沙泥／驶雪多积荒城之隈，急风好起沙河之上／君不见担雪塞井空用力，炊沙作饭岂堪食／剪纸为墙，不可止暴，抟沙为饼，不可疗饥／八百里分麾下炙，五十弦翻塞外声。沙场秋点兵

汩 ①gǔ 治理，疏通；扰乱；沉沦；水流貌。②yù 迅疾貌；光泽貌。③hú 涌出的泉水。
❶汩余若将不及兮，恐年岁之不吾与
见战国·楚·屈原《离骚》。
❿当其取于心而注于手也，汩汩然来矣

汽 qì 液体或某些固体受热而变成的气体。
❶汽笛一声肠已断，从此天涯孤旅
见现代·毛泽东《贺新郎》。

沃 wò 肥沃；肥美；灌溉；润泽；曲沃的简称；姓。
❶沃然有得，笑傲万古
见宋·苏舜钦《沧浪亭记》。
沃地之民多不才者，饶也
见汉·刘安《淮南子·修务》。全句为："瘠地之民多有心者，劳也；～"。
沃荡词源，河海无息肩之地
见唐·杨炯《王勃集序》。全句为："动摇文律，宫商有奔命之劳；～"。
❷处沃土则逸，处瘠土则劳／有沃野之饶而民不足于食者，器械不备也
❼桑之未落，其叶沃若
❿根之茂者其实遂，膏之沃者其光晔

沦 lún 起微波；沉没；比喻陷入恶劣的境地。
❹披泥抽沦玉，澄川掇沈珠
❺同是天涯沦落人，相逢何必曾相识／水性虚而沦漪结，木体实而花萼振，文附质也
❿但是诗人多薄命，就中沦落不过君／人寰尚有遗民在，大节难随九鼎沦

汹 xiōng 波涛翻滚；声势大；形容纷扰。
❸涛澜汹涌，风云开合
❿如岭之表、海之浒，磅礴浩汹……

泛 ①fàn 一般地；肤浅；浮现，透出；水漫溢；飘浮；指弹奏琴瑟。②fěng 翻；覆。［泛驾］不受驾驭。

❶泛泛杨舟，载沉载浮

见《诗·小雅·菁菁者莪》。

泛问远思，则劳而无功

见宋·朱熹《四书集注·论语·子张》。全句为："博学而志不笃，则大而无成；～"。

❷泛泛杨舟，载沉载浮／何泛滥之浮云兮，猋壅蔽此明月

❸扁舟泛月回／扁舟泛湖海，长揖谢公卿

❹为词章，泛滥停蓄，为深博无涯涘

❺舟如空里泛，人似镜中行／昂昂千里，泛泛不作水中凫／至得无私，泛泛乎若不系之舟

❻昂昂千里，泛泛不作水中凫／至得无私，泛泛乎若不系之舟／信宿渔人还泛泛，清秋燕子故飞飞

❾临清风，对朗月，登山泛水，肆意酣歌／一令蔓草难锄，涓流泛酌，岂直疥痒轻疴，容为重患

沧 cāng 水呈青绿色；寒冷。

❶沧海万仞，众流成也

见唐·马总《意林·唐子》。全句为："大木百寻，根积深也；～；渊智达洞，累学之功也"。

沧海横流，方显出英雄本色

见现代·郭沫若《满江红·领袖颂》。

沧浪之水浊兮，可以濯吾足

见战国·楚·佚名《渔父》。全句为："沧浪之水清兮，可以濯吾缨；～"。

沧浪之水清兮，可以濯吾缨

见战国·楚·佚名《渔父》。全句为："～；沧浪之水浊兮，可以濯吾足"。

沧海混漾，不以含垢累其无涯之广

见晋·葛洪《抱朴子·博喻》。

沧波远天，混和暮色，孤舟一去，曷日而旋归

见唐·任华《重送李审却赴广州序》。

❷据沧海而观众水，则江河之会归可见也

❸曾经沧海难为水，除却巫山不是云

❻大舟有深利，沧海无浅波／欲就麻姑买沧海，一杯春露冷如冰

❽尝一滴之咸而知沧海之性／寄蜉蝣于天地，渺沧海之一粟

❾精卫衔微木，将以填沧海／举炎火以焚飞蓬，覆沧海而注熛炭／大厦既燔，而运水于沧海；此无及也

❿此生谁料，心在天山，身老沧洲／天若有情天亦老，人间正道是沧桑／长风破浪会有时，直挂云帆济沧海／假令风歇时下来，犹能簸却沧溟水／兴酣落笔摇五岳，诗成笑傲凌沧洲／国家不幸诗家幸，赋到沧桑句便工／十指而掩日月之光，一口而没沧溟之水

沟 gōu 水道；类似沟的浅槽或低洼处；山谷；划断。

❻志士不忘在沟壑，勇士不忘丧其元

❽卑宫室而尽力乎沟洫

❿当途者入青云，失路者委沟渠／一夫不获其所，若己推而内之沟中／贵高有危殆之惧，卑贱有沟壑之忧／交拱之木无把之枝，寻常之沟无吞舟之鱼／昔君视我，如掌中珠；何意一朝，弃我沟渠／闻古之君子相其君也，一夫不获其所，若己推而内之沟中

没 ①méi 没有，无；尚未，不曾；不如。②mò 沉入，沉下；淹到，漫水；隐藏，消失；查扣；直到完结，终了；同"殁"，去世。

❶没齿无怨言

见《论语·宪问》。

❷仙没有，无欲即仙

❸天下没有不散的筵席／胸中没些渣滓，才能处世一番

❹渔舟出没浪为家／君子疾没世而名不称焉／三悔以没齿，不如不悔之无忧也／未闻刀没而利存，岂容形亡而神在？

❺天地长不没，山川无改时／其人虽已没，千载有余情／万家墨面没蒿莱，敢有歌吟动地哀

❻长林远树，出没烟霏／生荣死哀，身没名显／功成道洽，身没名扬／存为久离别，没为长不归／千里搭长棚，没个不散的筵席／昼则舟楫出没于其前，夜则鱼龙悲啸于其下

❼生有高世名，既没传无穷／君看一叶舟，出没风波里

❽以一篑障江河，用没其身／都尉新降，将军覆没……

❿深溪见底，鳞介之所出没／舟非水不行，水入舟则没／真积力久则入，学至乎没而后止／大丈夫宁当玉碎，安可没没求活／名美而实不副者，必无没世之风／唯令德为不朽兮，身既没而名存／但写真情并实境，任他埋没与流传／八纮驰骋于思绪，万代出没于毫端／未尝敢以昏气出之，惧其昧没而杂也／十指而掩日月之光，一口而没沧溟之水／兰亭也，不遭右军，则清湍修竹，芜没于空山矣

汴 biàn 水名；[汴京]今河南省开封市。

❶汴水通淮利最多，生人为害亦相和

见唐·李敬方《汴河直进船》。全句为："～。东南四十三州地，取尽膏脂是此河"。

❿暖风熏得游人醉，直把杭州作汴州

汶 ①wèn 水名，汶水。②mén[汶汶]犹惛惛，昏暗不明貌。

❿人又谁能以身之察察，受物之汶汶者乎

沉 chén 没入水中；陷落；陷入；隐伏；分量重；程度深。

❶沉于乐者洽于忧，厚于味者薄于行

见《管子·中匡》。

沉舟侧畔千帆过，病树前头万木春

见唐·刘禹锡《酬乐天扬州初逢席上见赠》。

沉默呵，沉默呵！不在沉默中爆发，就在沉默中灭亡

见现代·鲁迅《记念刘和珍君》。

❷升沉不改故人情／深沉厚道是第一等资质／浮沉各异势，会合何时谐／遇沉沉不语之士，切莫输心

❸与世沉浮，不自树立／子胥沉江，比干剖心／积羽沉舟，群轻折轴／驾浪沉西月，吞空接曙河／遇沉沉不语之士，切莫输心／积羽沉舟，群轻折轴，故君子禁于微／炷尽沉烟，抛残绣线，恁今春关情似去年

❹把意念沉潜得下，何理不可得／夕景欲沉，晓雾将合；孤鹤寒啸，游鸿远吟／沉默呵，沉默呵！不在沉默中爆发，就在沉默中灭亡

❺机括要深沉，怕是浅／藏金于山，沉珠于渊；不利货财，不近富贵

❻泛泛杨舟，载沉载浮／谗口成铄金，沉舟由积羽／宁作清水之沉泥，不为浊路之飞尘／魂魄结兮天沉沉，鬼神聚兮云幂幂

❼不出好言，不如沉默／众口铄金，浮石沉木／浮光跃金，静影沉璧／我愿平东海，身沉心不改／常记溪亭日暮，沉醉不知归路／魂魄结兮天沉沉，鬼神聚兮云幂幂

❽众口之毁誉，浮石沉木／问苍茫大地，谁主沉浮／世胄蹑高位，英俊沉下僚／茫茫九派流中国，沉沉一线穿南北／神闲气静，智深勇沉，此八字是干大事的本领

❾无猖狂以自彰，当阴沉以自深／常民溺于习俗，学者沉于所闻／茫茫九派流中国，沉沉一线穿南北／沉默呵，沉默呵！不在沉默中爆发，就在沉默中灭亡

❿嬉于水而逐鱼鸟之浮沉／土暖春常在，峰高月易沉／露重飞难进，风多响易沉／口辩者其言深，笔敏者其文沉／风横天而瑟瑟，云覆海而沉沉／怅寥廓，问苍茫大地，谁主沉浮／人生结交在终始，莫为升沉中路分／大梁襟带洪河险，谁遣神州陆地沉／胸中有誓深于海，肯使神州竟陆沉／金钩桂饵虽珍，不能制九渊之沉鳞／不以曲故是非相尤，茫茫沉沉，是谓大治／长烟一空，皓月千里；浮光跃金，静影沉璧／人情险于山川，以其动静可识，而沉阻难徵／卞和献宝，以离断趾；灵均纳忠，终于沉身／非历览无以寄杼轴之怀，非高远无以开沉郁之绪／沉默呵，沉默呵！不在沉默中爆发，就在沉默中灭亡／既死，岂在我哉！焚之亦可，沉之亦可，瘗之亦可，露之亦可

沈 ①shěn 姓。②tán［沈沈］深邃貌。

❷任沈江刘，来乱辙而弥远／恐沈于众，若火之燎于原，不可向迩，其犹可扑灭

❸安舒沈重者，患在后世

❼勿轻小事，小隙沈舟；勿轻小物，小虫毒身

❽智略不专于古法，沈雄殆得于天资

❾披泥抽沦玉，澄川掇沈珠

❿日暮榆园拾青荚，可怜无数沈郎钱

沫 mò 由液体形成的许多细泡；唾液；消散；终止；水名。

❷流沫成轮，然后徐行

❽鱼潜于渊，出水煦沫／相呴以湿，相濡以沫，不如相忘于江湖

浅 ①qiǎn 与深相对的；浅显；简明易懂；浅薄；不深厚；颜色淡；时间不长；程度低。②jiān［浅浅］水急流貌。

❶浅人好夸富，贪人好哭穷

见清·申居郧《西岩赘语》。

浅不足与测深，愚不足与谋知

见《荀子·正论》。全句为："～。坎井之蛙不可与语东海之乐"。

❷交浅而言深者，愚也／交浅言深，君子所戒／根浅则末短，本伤则枝枯／涉浅水者见虾，其颇深者察鱼鳖，其尤甚者观蛟龙

❸眼孔浅时无大量，心田偏处有奸谋／言有浅而可以托深，类有微而可以喻大／才有浅深，无有古今；文有真伪，无有故新

❹深则厉，浅则揭／人命危浅，朝不虑夕／恳言辞浅而不入，深言则逆耳而失指／小人智浅而谋大，羸弱而任重，故中道而废／思致之浅深，不在其磔裂章句，隳废声韵也／意深词浅，思苦言甘。寥寥千载，此妙谁探／仗其短浅之耳目，以断微妙之有无，岂不悲哉

❺鱼以泉为浅而穿穴其中／博而能容浅，粹而能容杂／大海波涛浅，小人方寸深／常恨言语浅，不如人意深／怨，不期深浅，其于伤心

❻恶之显者祸浅，而隐者祸深／义之所加者浅，则武之所制者小矣／明白如话，然浅中有深，平中有奇／小人虽器量浅狭，而未必无一长可取

❼本朽则末枯，源浅则流促／忍把浮名，换了浅斟低唱／言近而旨远，辞浅而义深／莫道昆明池水浅，观鱼胜过富春江／徐行不记山深浅，一路莺啼送到家／纸上得来终觉浅，绝知此事要躬行／鹰击长空，鱼翔浅底，万类霜天竞自由／傲人不如者，必浅人；疑人不肖者，必小人

❽机括要深沉，怕是浅／态浓意远，眉颦笑浅／博闻多记而守以浅者广／博文多记，而守以浅者广／博闻强记，守之以浅者，智／屋漏者，民去之；水浅者，鱼逃之／时人莫小池中水，浅处

无妨有卧龙／忠厚积，则致太平；浅薄积，则致危亡／天下之物博而智浅，以澹浅博，未有能者也

❾其耆欲深者，其天机浅／大舟有深利，沧海无浅波／地薄者大物不产，水浅者大鱼不游

❿乐止夫物之内者，乐其浅／征实则效存，徇名则功浅／以禁攻寝兵为外，以情欲寡浅为内／方其知之，而行未及之，则知尚浅／其道末者其文杂，其才浅者其意烦／天下之物博而智浅，以澹浅博，未有能者也／未信而谏，圣人不与。交浅言深，君子所戒／日薄西山，气息奄奄；人命危浅，朝不虑夕／心志既舒则易以纵驰，议论无择则易以浮浅

法 fǎ 由国家制定、公布的行为规则的总称；标准；方式；仿效；合法的；佛教的教义；《墨经》中的逻辑术语。

❶法败则国乱

见《韩非子·难一》。

法自儒家有

见唐·杜甫《偶题》。

法令善则民安乐

见汉·王符《潜夫论·本政》。

法出于仁，成于义

见宋·苏轼《王振大理少卿》。

法与时变，礼与俗化

见汉·刘安《淮南子·氾论》。

法无常则网罗当前路

见汉·仲长统《昌言上》。

法不阿贵，绳不挠曲

见《韩非子·有度》。

法之不行，自上犯之

见汉·司马迁《史记·商君列传》。

法之不行，自于贵戚

见汉·司马迁《史记·秦本纪》。

法贵止奸，不在过酷

见北魏·郭祚《奏奸吏逃刑止徙妻子》。

法有明文，情无可恕

见宋·欧阳修《论韩纲弃城乞依法札子》。

法施于人，虽小必慎

见宋·欧阳修《春秋论下》。

法立于上则俗成于下

见宋·苏辙《河南府进士策问三首》之一。

法立于上，教弘于下

见晋·陈寿《三国志·魏书·钟会传》注引。

法不善，则有财而莫理

见宋·王安石《度支副使厅壁题名记》。全句为："吏不良，则有法而莫守；～"。

法之功，莫大使私不行

见《慎子》逸文。

法古之学，不足以制今

见《战国策·赵策二》。

法虽不善，犹愈于无法

见《慎子·威德》。

法不至死，无容滥加酷罚

见唐·吴兢《贞观政要·纳谏》。

法正则民悫，罪当则民从

见汉·文帝刘恒《议除连坐诏》。

法重于民，威权贵于爵禄

见《管子·法法》。全句为："令重于宝，社稷先于亲戚；～"。

法存则国安，法亡则国危

见宋·杨万里《上寿皇乞留张栻黜韩玉书》。

法明则人信，法一则主尊

见宋·王溥《唐会要》卷三十九。

法立而不犯，令行而不逆

见汉·班固《汉书·贾谊传》。

法修则安且治，废则危且乱

见宋·曾巩《唐论》。

法设而民不犯，令施而民从

见汉·班固《汉书·元帝纪》。

法繁于秋荼，而网密于凝脂

见汉·桓宽《盐铁论·刑德》。

法严而奸易息，政宽而民多犯

见北魏·崔鸿《费羊皮张回罪议》。

法令行则国治，法令弛则国乱

见汉·王符《潜夫论·述赦》。全句为："国无常治，又无常乱，～"。

法令所以导民，刑罚所以禁奸

见汉·司马迁《史记·循吏列传》。

法者，所以适变也，不必尽同

见宋·曾巩《战国策目录序》。全句为："～；道者，所以立本也，不可不一"。

法与时转则治，治与世宜则有功

见《韩非子·心度》。

法令者，民之命也，为治之本也

见《商君书·定分》。

法大行，则是为公是，非为公非

见唐·刘禹锡《天论》。全句为："～。天下之人蹈道必赏，违善必罚"。

法行于贱而屈于贵，天下将不服

见宋·苏辙《上皇帝书》。

法令更则利害易，利害易则民务变

见《韩非子·解老》。

法得则马和而欢，道得则民安而集

见汉·韩婴《韩诗外传》卷二。全句为："御马有法矣，御民有道矣。～"。

法相因则事易成，事有渐则民不惊

见宋·苏轼《辨试馆职策问札子二首》之二。

法禁者俗之堤防，刑罚者人之衔辔

见南朝·宋·范晔《后汉书·虞诩传》。

法令者治之具，而非制治清浊之源也
见汉·司马迁《史记·酷吏列传》。
法莫大于私不行，功莫大于使民不争
见《邓析子·转辞》。
法者，治之端也；君子者，法之原也
见《荀子·君道》。
法令不一则人情惑，职次数改则觊觎生
见晋·郭璞《省刑疏》。
法令者，治恶之具也，而非至治之风也
见汉·桓宽《盐铁论·论菑》。
法者，所以禁民为非而使其迁善远罪也
见宋·欧阳修《剑州司理参军董寿可大理寺丞制》。
法立，有犯而必施；令出，惟行而不返
见唐·王勃《上刘右相书》。
法令之不行、万民之不治，贫富之不齐也
见《管子·国蓄》。
法令明具，而用之至密，举天下惟法之知
见宋·苏轼《策别第八》。
法令者，所以抑暴扶弱，欲其难犯而易避也
见汉·班固《汉书·刑法志》。
法小弛则是非驳，赏不必尽善，罚不必尽恶
见唐·刘禹锡《天论》。
法本不祖，术本无状；师之于心，得之于象
见五代·南唐·谭峭《化书卷二·术化·水窦》。
法令者示人以信，若成而数变，则人之心不安
见唐·李彭年《论刑法不便第二表》。
法令赏罚者，诚治乱之枢机也，不可不严行也
见汉·王符《潜夫论·三式》。
法大弛，则是非易位，赏恒在佞，而罚恒在直
见唐·刘禹锡《天论》。
法虽在，必待圣而后治；律虽具，必待耳而后听
见汉·刘安《淮南子·泰族》。
法者，国仰以安也；顺则治，逆则乱，甚乱者灭
见宋·宋祁《杂说》。

❷不法古不修今／慎法宽惠不刻／凡法始立必有病／好法而思不深则刻／非法不言，非道不行／兵法贵在不战而屈人／刑法不人，兵不可成／取法于上，反得其中／犯法之人，丝毫无贷／缘法而治，按功而赏／犯法怠慢者，虽亲必罚／胜法之务，莫急于去奸／立法之能，治家之材也／立法贵严，而责人贵宽／正法以齐官，平政以齐民／制法而自犯之，何以帅下／峻法严刑，非帝王之隆业／敕法以峻刑，诛一以警百／有法者而不用，与无法等／峭法刻诛者，非霸王之业也／任法而不任人，则法繁而人轻／建法立制，强国富人，是谓法家／厉法禁，自大臣始，则小臣不犯矣／明法制，去私恩，令必行，禁必止／立法之大要……邪人痛其祸而悔其行／立法设禁而无刑以待之，则令而不行／不法法，则事毋常；法不法，则令不行／奉法者强，则国强；奉法者弱，则国弱／县法者，法不法也；设赏者，赏当赏也／使法择人，不自举也；使法量功，不自度也／守法持正，嶷如秋山；火不侵玉，幸臣畏伏／有法无法，因时为业；有度无度，与物趣舍／任法而不任人，则法有不通，无以尽万变之情／背法而治，此任重道远而无马牛，济大川而无舡楫也／不法其已成之法，而法其所以为法。所以为法者，与化推移者也

❸罔失法度／当公法则不阿亲戚／有治法而后有治人／不必法古，苟周于事／国家法令，惟在简约／义之法在正我不在正人／仁之法在爱人不在爱我／名正法备，则圣人无事／圣人法天贵真，不拘于俗／礼仪法度者，应时而变者也／有正法则依法，无正法则原情／圣人法天顺情，不拘于俗，不诱于人／不法法，则事毋常；法不法，则令不行／言无法度不出于口，行非公道不萌于心／言非法度不出于口，行非公道不萌于心／其有法者以法行，无法者以类举，听之尽也／夫谓法不严则易犯，暴君酷吏假辞以饰其恶耳

❹一事殊法，同罪异论／事不中法者，不为也／仕官之法，清廉为最／知人之法，在于责实／国有常法，虽危不亡／律设大法，礼顺人情／惟察惟法，其审克之／纪次无法，详略失中／任以公法，而处以贪枉／威之以法，法行则知恩／禁奸之法，太上禁其心／今上好法，予晚受乎老庄／诋訾之法者，伐贤之斧也／君子行法，以俟命而已矣／御马有法矣，御民有道矣／律诗要法：起、承、转、合／百吏畏法循绳，然后国常不乱／读书之法，莫贵于循序而致精／去贫之法，惟有先戒懒惰……／事督乎法，法出乎权，权出乎道／不依古法但横行，自有云雷绕膝生／不泥古法，不执己见，惟在活而已矣／奉公如法，则上下平，上下平则国强／县法者，法不法也；设赏者，赏当赏也／当官之法，唯有三事：曰清，曰慎，曰勤／纵有良法美意，非其人而行之，反成弊政／为国之法，有似理身，平则致养，疾则攻焉／萧何为法，颟若画一；曹参代之，守而勿失／贵而犯法，义不得宥；过而知改，恩不废叙／教学之法，本于人性，磨揉迁革，使趋于善／有法无法，因时为业；有度无度，与物趣舍／用兵之法：十则围之，五则攻之，倍则分之／言不中法者，不听也；行不中法者，不高也／治国无法则乱，守法而弗变则悖，悖乱不可以持国／不是师法，而好自用，譬之是犹以盲辨色，以聋辨声也／厌文搔法，法官理民者，有司也，君无事焉，犹尊君也／圣智设法，本以守国，智诈极矣，乃

翻为盗国之盗资也／用兵之法：无恃其不来，恃吾有以待也；无恃其不攻，恃吾有所不可攻也

❺小人以无法为奸／私道行则法度侵／不以私害法，则治／俭以为家法，礼也／令在必信，法在必行／官不私亲，法不遗爱／夕受而不法，朝斥之矣／威之以法，法行则知恩／吏肃惟遵法，官清不爱钱／儒以文乱法，侠以武犯禁／当时而立法，因事而制礼／治强生于法，弱乱生于阿／言重则有法，行重则有德／人之道在法制，其用在是非／世不患无法，而患无必行之法／寄治乱于法术，托是非于赏罚／好以智矫法，时以行杂公……／不必循常，法度制令，各因其宜／事督乎法，法出乎权，权出乎道／自古及今，法无不改，势无不积／圣人之行法也，如雷霆之震草木……／世之专于法者，不患于不通而患于刻薄／出新意于法度之中，寄妙理于豪放之外／以土圭之法测土深，正日景，以求地中／以至详之法晓天下，使天下明知其所避／不可假公法以报私仇，不可假公法以报私德／不学古人，法无一可；竟似古人，何处着我／度量权衡法，必资之官，资之官而后天下同／略观围棋，法于用兵，怯者无功，贪者先亡／人主之立法，先自为检式仪表，故令行于天下／设必犯之法，不度民情之不堪，是陷民于罪也／与父老约，法三章耳：杀人者死，伤人及盗抵罪／厌文搔法，法官理民者，有司也，君无事焉，犹尊君也

❻私情行而公法毁／不期修古，不法常可／人心似铁，官法如炉／治民无常，唯法为治／道私者乱，道法者治／吏不良，则有法而莫守／由心故画，诸法性如是／知为吏者，奉法以利民／罔疏则兽失，法疏则罪漏／凡政之大经，法教而已矣／法存则国安，法亡则国危／法明则人信，法一则主尊／任人而不任法，则法简而人重／凡将立国……治法不可不慎也／有正法则依法，无正法则原情／千里之马，骨法虽具，弗策不致／利不百，不变法；功不十，不易器／凡举事必循法以动，变法者因时而化／人主之于用法，无私好憎，故可以为令／县法者，法不法也；设赏者，赏当赏也／知为吏者奉法利民，不知为吏者枉法以侵民／其有法者以法行，无法者以类举，听之尽也／任人而不任法，则人各有意，无以定一成之论／言有教，动有法，昼有为，宵有得，息有养，瞬有存／伪乱俗，私坏法，放越轨，奢败制。四者不除，则政未由行矣

❼不以私善害公法／舍己而以物为法／一民之轨，莫如法／人能胜乎天者，法也／苟可以强国，不法其故／和民一众，不知法不可／治国者，必以奉法为重／有善心之民，畏法自重／不知为吏者，枉法以侵民／治大国而数变法，则民苦之／法令行则国治，法令弛则国乱／礼禁未然之前，法施已然之后／令者，所以教民；法者，所以督奸／闭门觅句非诗法，只是征行自有诗／智略不专于古法，沈雄殆得于天资／古者以仁义行法律，后世以法律行仁义／释规而任巧，释法而任智，惑乱之道也／苟利于民，不必法古；苟周于事，不必循旧／行与义乖，言与法违，后虽无害，汝可以悔／上多欲，下多端，法不定，政多门，此乱国之风也／视听言行，循礼法而动，所以教人忘嗜欲而归性命之道也／不法其已成之法，而法其所以为法。所以为法者，与化推移者也

❽世有乱人而无乱法／以贵为道，以意为法／将兵治民，宽简有法／通其变，天下无弊法／无依势作威，无倚法以削／威与信并行，德与法相济／在位非其人，而恃法以为治／举贤不出世族，用法不及权贵／任人而不任法，则法简而人重／任法而不任人，则法繁而人轻／死者不可再生，用法务在宽简／合之者善，可以为法，因世而权行／不法法，则事毋常；法不法，则令不行／水至平而邪者取法，镜至明而丑者无怒／三皇五帝之礼仪法度，不矜于同而矜于治／任法而不任人，则法有不通，无以尽万变之情／先除尘垢后染善法，譬如浣衣先去垢然后可染／治国无法则乱，守法而弗变则悖，悖乱不可以持国

❾法虽不善，犹愈于无法／不宜偏私，使内外异法也／有法者而不用，与无法等／圣人苟可以强国，不法其故／凡事有经必有权，有法必有化／有正法则依法，无正法则原情／世乱则君子为奸，而法弗能禁也／赏罚不信，则民易犯法，不可使令／破天下之浮议，使良法不废于中道／一以论道德，二以论法制，三以论策术／奉法者强，则国强；奉法者弱，则国弱／圣王者不贵义而贵法，法必明，令必行／大吏不正而责小吏，法略于上而详于下／处逆境心须用开拓法，处顺境心要用收敛法／石以砥焉，化钝为利；法以砥焉，化愚为智／其有法者以法行，无法者以类举，听之尽也／不法其已成之法，而法其所以为法。所以为法者，与化推移者也

❿曲木恶直绳，奸邪恶正法／治世不一道，便国不必法古／明君圣人亦不为一人枉其法／世不患无法，而患无必行之法／为己者不待人，制令者不法古／民足则怀安，安则自重而畏法／必原情以定罪，不阿意以侮法／建法立制，强国富人，是谓法家／君子为国，正其纲纪，治其法度／理世不必一其道，便国不必法古／心不知治乱之源者，不可令制法／匹夫而为百世师，一言而为天下法／合天下之众者财，理天下之财者法／小知不可使谋事，小忠不可使主法／好名则多树私恩，惧谤则执法不坚／有乱君，无乱

国;有治人,无治法/必先知致弊之因,方可言变法之利/怒不过夺,喜不过予,是法胜私也/凡举事必循法以动,变法者因时而化/尝有德,厚报之;有怨,必以法灭之/法者,治之端也;君子者,法之原也/治务在无为而已,引大体,不拘文法/天变不足畏,祖宗不足法,人言不足恤/不法法,则事毋常;法不法,则令不行/古者以仁义行法律,后世以法律行仁义/凡上下之间有物间隔,当须用刑法去之/圣王者不贵义而贵法,法必明,令必行/性虽善,待教而成;性虽恶,待法而消/水静则明烛须眉,平中准,大匠取法焉/兵不刑天,兵不可动;不法地,兵不可昔/抗厉之人不能回挠,论法直则括处而公正/法令明具,而用之至密,举天下惟法之知/教化,所恃以为治也;刑法,所以助治也/欲交其人,先观其友,乃择交第一良法也/三教一体,九流一源,百家一理,万法一门/丰荒异政,系乎时也;夷夏殊法,牵乎俗也/不可假公法以报私仇,不可假公法以报私德/事以实之,词以章之,道以通之,法以检之/以物与人,物尽而止;以法活人,法行无穷/使法择人,不自举也;使法量功,不自度也/高墙狭基,不可立矣;严法峻刑,不可久也/圣人爱养万民,不以仁恩,法天地,行自然/若平直相似……便不是书法,但得其点画耳/少目之网,不可得鱼,三章之法,不可为治/知为吏者奉法利民,不知为吏者枉法以侵民/因材任人,国之大柄;考绩进秩,吏之常法/处逆境心须用开拓法,处顺境心要用收敛法/宽收严试,久任超迁。此八字,用人之良法/女恶华丹之乱窈窕也,书恶淫辞之淈法度也/有金鼓,所以一耳也;同法令,所以一心也/自古乱亡之国,必先坏其法制,而后乱从之/言不中法者,不听也;行不中法者,不高也/因其性,则天下听从;拂其性,则法县而不用/治事不若治人,治人不若治法,治法不若治时/天静以清,地定以宁,万物失之者死,法之者生/今人之性恶,必将待师法然后正,得礼义然后治/先王之世,以道治天下,后世只是以法把持天下/欲为君,尽君道;欲为臣,尽臣道。二者皆法尧舜而已矣/天地有大美而不言,四时有明法而不议,万物有成理而不说/不法其已成之法,而法其所以为法。所以为法者,与化推移者也/能明申、韩之术而修商君之法,法修术明而天下乱者,未之闻也

泄 ①xiè 排出;因防止不力而漏失;尽情发出;失去,松懈。②yì[泄泄]鼓翼貌;众多貌;和乐貌。

❷谋泄者事无功,计不决者名不成/火泄于密,而为用且大……反为灾矣

❸尾闾泄之,不知何时已而不虚

❻堤溃蚁孔,气泄针芒/鼓舞其心,发泄其用/积之涓涓而泄之浩浩

❼事以密成,语以泄败/怒中之言,必有泄漏/故堤溃蚁孔,气泄针芒

❽独利则败,众谋则泄/受天下之瑰丽,而泄天下之拗怒也

❾胸中之气伊郁蜿蜒,泄为章句……/以受天下之瑰丽,而泄天下之拗怒也

❿闻恶不可就恶,恐为谗夫泄怒/口乃心之门,守口不密,泄尽真机/上不以诗补察时政,下不以歌泄导人情/异物内流则国用饶,利不外泄则民用给/悲斯叹,叹斯愤,愤必有泄,故见乎词

沽 ①gū 买或卖;卖酒者。②gǔ 通"苦",粗劣;简略。

❶沽之哉,沽之哉,我待贾者也

见《论语·子罕》。

❷多沽伤费,多饮伤身

❹沽之哉,沽之哉,我待贾者也

❺求善贾而沽

❿晴日花争发,丰年酒易沽/人生不得长少年,莫惜床头沽酒钱/宜将剩勇追穷寇,不可沽名学霸王

河 hé 江河,河流;特指黄河;姓。

❶河水清,天下平

见南朝·宋·范晔《后汉书·襄楷传》。

河长犹可涉,海阔故难飞

见北周·王褒《咏雁》。

河海有润,然后民取足焉

见汉·桓宽《盐铁论·贫富》。全句为:"山岳有饶,然后百姓赡焉;~"。

河海不择细流,故能就其深

见秦·李斯《上书谏逐客》。全句为:"太山不让土壤,故能成其大;~"。

河以逶蛇,故能远;山以陵迟,故能高

见汉·刘安《淮南子·泰族》。

河九折注于海,而流不绝者,昆仑之输也

见汉·刘安《淮南子·览冥》。

河下天下之川,故广;人下天下之士,故大

见《尸子·明堂》。

河冰结合,非一日之寒;积土成山,非斯须之作

见汉·王充《论衡·状留篇》。

❷黄河水直人心曲/俟河之清,人寿几何/九河盈溢,非一块所防/洪河已决,掬壤不能救/黄河清有日,白发黑无缘/江河之水,非一源之水也/星河尽涵泳,俯仰迷上下/临河而羡鱼,不如归家织网/江河之流,不能盈无底之器也/关河景物异南北,神京不见双泪流/近河之

地湿，近山之土燥，以类相及也／江河之溢，不过三日，飘风暴雨，须臾而毕
❸谁谓河广，一苇杭之／叹长河之流速，送驰波于东海
❹寸寸山河寸寸金／偃鼠饮河，不过满腹／口似悬河，辩才无碍／三十年河东，三十年河西／天下星河转，人间帘幕垂／世路山河险，君门烟雾深／大之为河海，高之为山岳／国破山河在，城春草木深／怅望关河空吊影，正人间……／暴虎冯河，死而无悔者，吾不与也／立望关河萧索，千里清秋，忍凝眸
❺东风解冻，河川流通／浊之为暗，河水不见太山／语议如悬河写水，注而不竭／沃荡词源，河海无息肩之地／君不见黄河之水天上来，奔流到海不复回／当人强盛，河山可拔，一朝羸缩，人情万端
❻日月韬光，山河改色／以一篑障江河，用没其身／无源何以成河？无根何以垂荣／大梁襟带洪河险，谁遣神州陆地沉／塞一蚁孔而河决息，施一车辖而覆乘止／飞雪蔽野，长河始冰，吾子勉之，慷慨而别／关关雎鸠，在河之洲。窈窕淑女，君子好逑
❼不善操舟而恶河之曲／战如风发，攻如河决／思若云飞，辩同河泻／华岳眼前尽，黄河脚底来／日月光天德，山河壮帝居／泰山成砥砺，黄河为裳带／白日依山尽，黄河入海流／安得壮士挽天河，净洗甲兵长不用
❽不敢暴虎，不敢冯河／寸步千里，咫尺山河／涓涓不壅，终为江河／涓涓不绝，流为江河／涓流虽寡，浸成江河／其水趣流，势与江河同／君门以九重，道远河无津／厌其源，开其渎，江河可竭／瀑布天落，半与银河争流……／忧天下之乱，犹忧河水之少，泣而益之也／涓涓不塞，将为江河；荧荧不救，炎炎奈何／字中蝌蚪，竞落文河。笔下蛟龙，争投学海
❾三十年河东，三十年河西／风景不殊，正自有山河之异／其积于中者，浩如江河之停蓄／丘山积卑而为高，江河合水而为大
❿驾浪沉西月，吞空接曙河／其以止患，犹堤防之于江河／夜光之珠，不必出于孟津之河／土积而成山阜，水积而成江河／大不如海而欲以纳江河，难哉／假舟楫者，非能水也，而绝江河／水面上秤锤浮，直待黄河彻底枯／东南四十三州地，取尽膏脂是此河／坐地日行八万里，巡天遥看一千河／将回日月先反掌，欲作江河唯画地／尔曹身与名俱灭，不废江河万古流／炎火成燎原之势，涓流兆江河之形／言峻则嵩高极天，论狭则河不容舠／善出奇者，无穷如天地，不竭如江河／霤水足以溢壶榼，而江河不能实漏卮／据沧海而观众水，则江河之会归可见也／驶雪多积荒城之隈，急风好起沙河之上／利镞穿骨，惊沙人面……声折江河，势崩雷电／望长城内外，惟馀莽莽；大河上下，顿失滔滔／鹪鹩巢于深林，不过一枝；偃鼠饮河，不过满腹／虎旅云从，词林响应，若毛羽之宗麟凤，众川之长江河／廉公之思赵将，吴子之泣西河，人之情也，将军独无情哉／不本其所以欲，而禁其所欲……是犹决江河之源而障之以手也

沾

①zhān 浸湿；因接触而染上；稍微碰上或挨上；因有某种关系而得到（好处）。②tiān 薄。③chān 通“觇”，看。
❷衣沾不足惜，但使愿无违
❹十指不沾泥，鳞鳞居大厦
❼临水远望，泣下沾衣，远道之人心思归
❿每念斯耻，汗未尝不发背沾衣／丈夫不作儿女别，临岐涕泪沾衣巾

泪

lèi 眼泪。
❷忍泪失声询使者：“几时真有六军来”
❸遗民泪尽胡尘里，南望王师又一年
❹晓风干，泪痕残
❺至哀反无泪／丈夫非无泪，不洒别离间／忧国孤臣泪，平胡壮士心／感时花溅泪，恨别鸟惊心／穷秋南国泪，残日故乡心
❻喜极不得语，泪尽方一哂／恩难酬白骨，泪可到黄泉
❼胡未灭，鬓先秋，泪空流／不洒世间儿女泪，难堪亲友中年别／谁怜爱国千行泪，说到胡尘意不平／声声解堕金铜泪，未信吴儿是木人／江流千古英雄泪，山掩诸公富贵羞／暗中时滴思亲泪，只恐思儿泪更多／砚中斑驳遗民泪，井底千年恨未销
❽丧乱死多门，呜呼泪如霰／忽报人间曾伏虎，泪飞顿作倾盆雨
❾二句三年得，一吟双泪流／眼角眉梢都似恨，热泪欲零还住
❿大厦既焚，不可洒之以泪／江流今古愁，山雨兴亡泪／排恨叠，怯衣单，花枝红泪弹／晓来谁染霜林醉，总是离人泪／三千宫女胭脂面，几个春来无泪痕／丈夫不作儿女别，临岐涕泪沾衣巾／出师未捷身先死，长使英雄泪满襟／剑外忽传收蓟北，初闻涕泪满衣裳／关河景物异南北，神京不见双泪流／词家从不觅知音，累汝千回带泪吟／叩门无人室无釜，踯躅空巷泪如雨／春蚕到死丝方尽，蜡炬成灰泪始干／暗中时滴思亲泪，只恐思儿泪更多／蜡烛有心还惜别，替人垂泪到天明／清音宛转，如诉如慕，坐客听之，不觉泪下

沮

①jǔ 阻止；败坏。②jū 水名；姓。③jù［沮洳］低湿之地。

❹一凡人沮之，则自以为不足
❺劫之以众，沮之以兵，见死不更其守
❻观者如山色沮丧，天地为之久低昂
❼赏罚无章，何以沮劝／求柴胡、桔梗于沮泽，则累世不得一焉
❾会己则嗟讽，异我则沮弃
❿举世而誉之而不加劝，举世而非之而不加沮／交私养望者多得显官，独立营职者或见排沮／赏不当贤而罚不当暴，则是为贤者不劝而为暴者不沮／人当自信自守，……虽毁谤之，侮慢之，亦不为之加沮

油 yóu 动物体内所含的脂肪及植物或矿物中提炼出来的脂质物；圆滑，世故。
❶油然作云，沛然降雨，则苗浡然兴之矣
见《孟子·梁惠王上》。
❸焚膏油以继晷，恒兀兀以穷年
❿随你官清似水，难逃吏滑如油

泱 ①yāng［泱泱］云起貌；水面深广；气势宏大。②yǎng［泱漭］广大无涯；不明。
❼云山苍苍，江水泱泱，先生之风，山高水长

泅 qiú 游水。
❼以知能治民者，泅也

泗 sì 鼻涕；水名。
❻寤寐无为，涕泗滂沱

泆 yì 水满泛滥；通“逸”，放恣，放纵；安闲。
❹骄、奢、淫、泆，所自邪也。四者之来，宠禄过也

泊 ①bó 船停或靠岸；停留；清虚；恬静；通“薄”。②pō 湖泽；浪花。
❷淡泊是高风，太枯则无以济人利物
❸非淡泊无以明志，非宁静无以致远
❹能甘淡泊，便有几分真学问／虚凝淡泊怡其性，吐故纳新和其神
❺心事同漂泊，生涯共苦辛／白鸥问我泊孤舟，是身留，是心留
❾窗含西岭千秋雪，门泊东吴万里船
❿发纤秾于简古，寄至味于澹泊／爱憎不栖于情，忧喜不留于意，泊然无惑／形如槁木，心若死灰，无感无求，寂泊之至

泠 líng 轻妙貌；通“零”，降落；通“伶”；［泠人］即伶人，古代掌音乐之官；［泠泠］形容声音清越；清凉貌；姓。
❺泉水激石，泠泠作响；好鸟相鸣，嘤嘤成韵

沿 yán 顺着水道；依照原有的做法、规矩等；边缘。
❶沿情而动兴，因物而多怀
见唐·骆宾王《萤火赋》。
❷道沿圣以垂文，圣因文而明道
❻世事波上舟，沿洄安得住
❼舍真筌而择士，沿虚谈以取才……／五帝殊时，不相沿乐；三王异世，不相袭礼
❾同涉于川，其时在风；沿者之吉，溯者之凶

注 ①zhù 倒进去；灌入；关注；赌博时投入的钱物；记载；登记；注解。②zhòu 鸟嘴；柳星的别名。
❸平地注水，湿者必先濡
❹河九折注于海，而流不绝者，昆仑之输也
❻百川并流，不注海者不为川谷
❼陵涛鼓怒以伏注，天壁嵯峨而横立／当其取于心而注于手也，汩汩然来矣／当其取于心而注于手也，惟陈言之务去
❽语议如悬河写水，注而不竭／清流触石，洄旋激注，佳木异竹，垂阴相荫
❿举炎火以焚飞蓬，覆沧海而注熛炭／有如兔走鹰隼落，骏马下注千丈坡／不随举子纸上学六韬，不学腐儒穿凿注五经

泣 qì 小声或无声地哭；眼泪。
❸露垂泣于幽草，风含悲于拱木
❺临水远望，泣下沾衣，远道之人心思归
❻始楚而谢，终泣而对／朝千悲而下泣，夕万绪以回肠／悲歌可以当泣，远望可以当归／如怨如慕，如泣如诉，余音袅袅，不绝如缕
❼良璞不剖，必有泣血以相明者
❽情往会悲，文来引泣／笔落惊风雨，诗成泣鬼神
❿春葩含日似笑，秋叶泫露如泣／谈欢则字与笑并，论戚则声共泣偕／得利则跃跃以喜，不利则戚戚以泣／昆山玉碎凤凰叫，芙蓉泣露香兰笑／忧天下之乱，犹忧河水之少，泣而益之也／遗腹子之上陇，以礼哭泣之，而无所归心／快者掀髯，愤者扼腕，悲者掩泣，羡者色飞／碧云悠悠兮，泾水东流。伤美人兮，雨泣花愁／旦执机权，夜填坑谷；朔欢卓、郑，晦泣颜、原／满堂而饮酒，有一人乡隅而悲泣，则一堂皆为之不乐／廉公之思赵将，吴子之泣西河，人之情也，将军独无情哉

泫 xuàn 水珠滴下。
❾春葩含日似笑，秋叶泫露如泣

泮 pàn 融解；指泮宫，清代称考中秀才为“入泮”；姓。
❹创基冰泮之上，立足枳棘之林

沱 tuó 江水的支流；涕泪如雨；能够停泊船只的水湾。
❽寤寐无为，涕泗滂沱

泻

xiè 水急速地流动；拉肚子。

❶泻水置平地，各自东西南北流

见南朝·宋·鲍照《拟行路难十八首》之四。

❽思若云飞，辩同河泻／渐闻水声潺潺，而泻出两峰之间者，酿泉也

泳

yǒng 潜行水中；游泳。

❺星河尽涵泳，俯仰迷上下

❼汉之广矣，不可泳思。江之永矣，不可方思

❽沙鸥翔集，锦鳞游泳；岸芷汀兰，郁郁青青

❾登高以望远，摇桨以泳深／读书切戒在慌忙，涵泳工夫兴味长

泥

①ní 土和水较稠的混合物；像泥的东西；软弱。②nì 用灰、泥涂抹，使平整或不透气；死板，顽固；软求；软缠。③niè 通"涅"，染黑。

❷芹泥随燕觜，花蕊上蜂须／披泥抽沦玉，澄川掇沈珠／滓泥污秽之中，莲含香而自洁／不泥古法，不执己见，惟在活而已矣

❸出淤泥而不染，濯清涟而不妖／洗污泥者以水，燔腥生者用火

❹烂死于泥沙，吾宁乐之／莲生淤泥中，不与泥同调／国医不泥古方，而不离古方／致远恐泥，是以君子不为也／零落成泥碾作尘，只有香如故／以一丸泥为大王东封函谷关，此万世一时也

❺水涨船高，泥多佛大／十指不沾泥，鳞鳞居大厦／经非权则泥，权非经则悖／白沙混于泥涂，不染自污／涉冬则淈泥而潜蟠，避害也／知天而不泥于神怪，知人而不遗于委琐

❻学其意，不必泥其字句也／如珠玉之在泥土，麟凤之在网罗

❼礼贵从宜，事难泥古／如水月镜花，勿泥其迹／宁作清水之沉泥，不为浊路之飞尘

❽语贵洒脱，不可拖泥带水／莲生淤泥中，不与泥同调

❾弹鸟，则千金不及丸泥之用／志陵青云之上，身晦泥污之下／智者睹危思变，贤者泥而不滓

❿奈何取之尽锱铢，用之如泥沙／抵金玉于沙砾，碎珪璧于泥途／视轩裳如草芥，屏嗜欲若泥沙／剖开顽石方知玉，淘尽泥沙始见金／人生到处知何似？应似飞鸿踏雪泥／落红不是无情物，化作春泥更护花／落红满路无人惜，踏作花泥透脚香／问事弥多而见弥博，官弥剧而识弥泥／风且起，一旦荒忽飞扬，化而为沙泥／酒罂饭囊，或醉或梦，块然泥土者……／盛秋水潦，穷冬雨雪，深泥积水，相辅为害／隋侯之珠，国之宝也，然用之弹，曾不如泥丸

泯

mǐn 消除，丧失。

❹人心未泯，公论难逃

❽生则有涯，死宜不泯

❾强者不自勉，或死而泯灭于无闻

沸

fèi 水涌起貌；指液体烧滚的状态。

❹抽薪止沸，剪草除根／扬汤止沸，不如釜底抽薪／扬汤止沸，不如灭火去薪／以汤止沸，抱薪救火，愈甚亡益／鱼游于沸鼎之中，燕巢于飞幕之上／以汤止沸，沸愈不止，去其火则止矣

❺函牛之鼎沸而蝇蚋弗敢入／以汤止沸，沸愈不止，去其火则止矣

❽以卵投石，以指挠沸

❿赤地炎都寸草无，百川水沸煮虫鱼

沼

zhǎo 水池；一说圆曰池，曲曰沼。

❾平原广望，博观之乐，沼池不如川泽所见博也

波

bō 水的起伏现象；喻指突发情况；流动的目光；通"播"，播迁；奔跑。

❶波浪无穷，而光采有主

见明·谭元春《诗归序》。

❷陵波微步，罗袜生尘／推波助澜，纵风止燎／无波古井水，有节秋竹竿／临波笑脸，艳出浦之轻莲／分波而共源，百虑而一致／激波陵山，必成难升之势／情波也，心流也，性水也／风波作于平地，亲戚化为仇怨／腾波触天，高浪灌日，吞吐百川／伏波惟愿裹尸还，定远何须生入关／吹波则江汉倒流，腾气则虹霓掩彩／水波澜者源必远，树扶疏者根必深／恶波横天山塞路，未央宫中常满库／洪波振壑，川无活鳞；惊飙拂野，林无静柯／沧波远天，混和暮色，孤舟一去，曷日而旋归

❸世事波上舟，沿洄安得住／利深波也深，君意竟如何／大海波涛浅，小人方寸深／潭深波浪静，学广语声低／水不波则自定，鉴不翳则自明／洞庭波涌连天雪，长岛人歌动地诗／有风波作于平地，亲戚化为仇怨者矣

❹人心若波澜，世路有屈曲／水激则波兴，气乱则智昏／水是眼波横，山是眉峰聚／疾风而波兴，木茂而鸟集／长桥卧波，未云何龙？复道行空，不霁何虹

❺风收云散波忽平，倒转青天作湖底／春和景明，波澜不惊；上下天光，一碧万顷

❻人情翻覆似波澜／清风徐来，水波不兴／秋风萧瑟，洪波涌起／凌大江之惊波兮，过洞庭之漫漫／放船千里凌波去，略为吴山留顾／清流洄洑眩波光，高崖古木争苍苍／水虽平，必有波；衡虽正，必有差；尺寸虽齐，必有诡

❼涓流之水，无洪波之势／映渚蛾眉，丽穿波之

半月／翠佩传情密，曾波托意遥／白云满川，如海波起伏……

❽塞草烟光阔，渭水波声咽／与物委蛇而同其波，是卫生之经已／智昏不可以为政，波水不可以为平／春草碧色，春水渌波，送君南浦，伤如之何

❾口衔山石细，心望海波平／君看一叶舟，出没风波里／愿随孤月影，流照伏波营／叹长河之流速，送驰波于东海／巨灵咆哮擘两山，洪波喷流射东海／金舟不能凌阳侯之波，玉马不任骋千里之迹

❿平生仗忠信，今日任风波／为水不入海，安得浮天波／大舟有深利，沧海无浅波／鹞子经天飞，群雀两向波／迫而察之，灼若芙蕖出渌波／长恨人心不如水，等闲平地起波澜／何必奔冲山下去，更添波浪向人间／芳林新叶催陈叶，流水前波让后波／江海相逢客恨多，秋风叶下洞庭波／牛郎欲问瘟神事，一样悲欢逐逝波／有时赤脚弄明月，踏破五湖波底天／日光顿生，霜露渐消；狂风顿息，波浪渐停／罄南山之竹，书罪未穷；决东海之波，流恶难尽

泽

①zé 汇聚；金属、珠玉等物体发出的光亮；湿润；恩惠；指汗水或唾水；咸。②shì 通“释”。③yì 酿酒。④duó［洛泽］冻冰。

❶泽如凯风，惠如时雨

见三国·魏·曹植《矫志诗》。

泽人足乎木，山人足乎鱼

见汉·韩婴《韩诗外传》。

泽雉十步一啄，百步一饮，不蕲畜乎樊中

见《庄子·养生主》。

❷雨泽过润，万物之灾也／川泽纳污，山薮藏疾，瑾瑜匿瑕／尺泽之鲵，岂能与之量江海之大哉／山泽不必有异士，异士不必在山泽／竭泽而渔，岂不获得？而明年无鱼／干泽而渔，得鱼虽多，而明年无复也／入泽随龟，不暇调足；深渊捕蛟，不暇定手

❸不涸泽而渔，不焚林而猎／入于泽而问牧童，入于水而问渔师／得志，泽加于民；不得志，修身见于世

❹深山大泽，实生龙蛇

❺君子志于泽天下，小人志于荣其身／乘其名者，泽及宗族，利兼乡党，况子孙乎

❻焚林而田，竭泽而渔／昆峰积玉，光泽者前毁／能致贤，则德泽洽而国太平／一洗绮罗香泽之态，摆脱绸缪宛转之度

❼天与地卑，山与泽平／良田无晚岁，膏泽多丰年／理诎者，巧为粉泽而隙间百出／曲突徙薪亡恩泽，焦头烂额为上宾／公卿有党排宗泽，帷幄无人用岳飞／圣人并包天地，泽及天下，而不知其谁氏

❽求柴胡、桔梗于沮泽，则累世不得一焉／吞舟之鱼不居潜泽，度量之士不居污世

❾寻常之污，不能溉陂泽／良师不能饰戚施，香泽不能化嫫母／土地之生物不益，山泽之出财有尽

❿何世无奇才，遗之在草泽／为高必因丘陵，为下必因川泽／羁马思其华林，笼雉想其皋泽／师帅不贤，则主德不宣，恩泽不流／山泽不必有异士，异士不必在山泽／其叙事也该而要，其缀采也雅而泽／能近见而后能远察，能利狭而后能泽广／时雨降矣，而犹浸灌，其于泽也，不亦劳乎／焚林而畋，明年无兽；竭泽而渔，明年无鱼／盈把之木无合拱之枝，荥泽之水无吞舟之鱼／平原广望，博观之乐，沼池不如川泽所见博也／土反其宅，水归其壑；昆虫毋作，草木归其泽／轻用民死，死者以国量乎泽若蕉，民其无如矣

泾

jīng 水名；水径直涌流；沟渎，多用作地名。

❸渭以泾浊，玉以砾贞

❻碧云悠悠兮，泾水东流。伤美人兮，雨泣花愁

治

zhì 治理；管理；（社会）安定而有序；医疗；惩处；从事研究；旧称地方政府所在地。

❶治民莫若平

见三国·魏·王肃《孔子家语·辨政》。

治乱绳不可急

见汉·班固《汉书·龚遂传》。

治乱世，用重典

见《周礼·秋官》。

治乱之本在左右

见汉·荀悦《申鉴·政体》。

治乱废兴在于己

见汉·董仲舒《天人三策》。

治亦进，乱亦进

见《孟子·万章下》。

治大国若烹小鲜

见《老子》六十。

治国烦，则下乱

见《老子》六十河上公注。

治身不静则身危

见《老子》二十六河上公注。

治人不治，反其智

见《孟子·离娄上》。

治心术则不妄喜怒

见汉·刘安《淮南子·诠言》。

治天下者，以人为本

见唐·吴兢《贞观政要·择官》。

治不忘乱，安不忘危

见汉·扬雄《冀州箴》。

治民无常，唯法为治
见《韩非子·心度》。
治民者，禁奸于未萌
见《韩非子·心度》。
治乱者系乎言路而已
见宋·范祖禹《唐鉴》。全句为："言路开则治，言路塞则乱，～"。
治则刑重，乱则刑轻
见《荀子·正论》。
治人将兵，无所不宜
见唐·韩愈《凤翔陇州节度使李公墓志铭》。
治人者不以人，以君
见汉·刘安《淮南子·齐俗》。全句为："凡以物治物者不以物，以睦；治睦者不以睦，以人；～；治君者不以君，以欲；治欲者不以欲，以性；治性者不以性，以德；治德者不以德，以道"。
治君者不以君，以欲
见汉·刘安《淮南子·齐俗》。全句为："凡以物治物者不以物，以睦；治睦者不以睦，以人；治人者不以人，以君；～；治欲者不以欲，以性；治性者不以性，以德；治德者不以德，以道"。
治国之道，爱民而已
见汉·刘向《说苑·政理》。
治国之道，必先富民
见《管子·治国》。
治国者爱民，则国安
见《老子》十河上公注。
治德者不以德，以道
见汉·刘安《淮南子·齐俗》。全句为："凡以物治物者不以物，以睦；治睦者不以睦，以人；治人者不以人，以君；治君者不以君，以欲；治欲者不以欲，以性；治性者不以性，以德；～"。
治性者不以性，以德
见汉·刘安《淮南子·齐俗》。全句为："凡以物治物者不以物，以睦；治睦者不以睦，以人；治人者不以人，以君；治君者不以君，以欲；治欲者不以欲，以性；～；治德者不以德，以道"。
治欲者不以欲，以性
见汉·刘安《淮南子·齐俗》。全句为："凡以物治物者不以物，以睦；治睦者不以睦，以人；治人者不以人，以君；治君者不以君，以欲；～；治性者不以性，以德；治德者不以德，以道"。
治忽之端，或自是起
见宋·苏辙《孔平仲太常博士》。全句为："礼乐之得失，视之未必见也，而～"。
治睦者不以睦，以人
见汉·刘安《淮南子·齐俗》。全句为："凡以物治物者不以物，以睦；～；治人者不以人，以君；治君者不以君，以欲；治欲者不以欲，以性；治性者不以性，以德；治德者不以德，以道"。
治身者爱气，则身全
见《老子》十河上公注。
治一国者当与一国推实
见晋·陈寿《三国志·魏书·刘馥传》。全句为："统天下者当与天下同心，～"。
治世以大德，不以小惠
见晋·陈寿《三国志·蜀书·后主传》注引。
治国无以智，犹弃智也
见三国·魏·王弼《老子》十注。
治国常富，而乱国常贫
见《管子·治国》。
治国者，必以奉法为重
见明·罗贯中《三国演义》第九十六回。
治身躁疾，则失其精神
见《老子》二十六河上公注。
治世之能臣，乱世之奸雄
见晋·陈寿《三国志·魏书·武帝纪》注引。
治世之音安以乐，其政和
见《礼记·乐记》。全句为："～。乱世之音怨以怒，其政乖"。
治平尚德行，有事赏功能
见晋·陈寿《三国志·魏书·武帝纪》注引。
治膏肓者，必进苦口之药
见晋·孙楚《为石仲容与孙皓书》。全句为："～；决狐疑者，必告逆耳之言"。
治大者不可以烦，烦则乱
见汉·桓宽《盐铁论·刺复》。全句为："～；治小者不可以怠，怠则废"。
治小者不可以怠，怠则废
见汉·桓宽《盐铁论·刺复》。全句为："治大者不可以烦，烦则乱；～"。
治国家者先择佐而后定民
见唐·马总《意林》引《物理论》。全句为："构大厦者先择匠而后简材，～"。
治家非一宝，富国非一道
见汉·桓宽《盐铁论·力耕》。
治强生于法，弱乱生于阿
见《韩非子·外储说右下》。
治世不一道，便国不必法古
见《商君书·更法》。
治大国而数变法，则民苦之
见《韩非子·解老》。
治国者当爱民，则不为奢泰
见《老子》五十九河上公注。
治于人者食人，治人者食于人
见《孟子·滕文公上》。全句为："劳心者治人，劳力者治于人；～"。
治末者调其本，端影者正其形
见汉·陆贾《新语·术事》。
治平者先仁义，治乱者先权谋

见晋·陈寿《三国志·魏书·刘表传》。

治之盛也,德优矣,莫高于俭

见汉·司马迁《史记·津侯主父列传》。

治民者,导之敬让,而争自息

见宋·朱熹《近思录·治体类》。

治外者必调内,平远者必正近

见汉·陆贾《新语·怀虑》。

治国者,布施惠德,无令下知

见《老子》十河上公注。

治狱者得其情,则无冤死之囚

见晋·陈寿《三国志·魏书·王朗传》。

治水不自其源,末流弥增其广

见南朝·宋·范晔《后汉书·傅燮传》。

治疾及其未笃,除患贵其未深

见晋·陈寿《三国志·吴书·骆统传》。

治身莫先于孝,治国莫先于公

见宋·苏轼《司马温公行状》。

治世御众,建立辅弼,诫在面从

见晋·陈寿《三国志·魏书·武帝纪》注引。

治则衍及百姓,乱则不足及王公

见《荀子·君道》。

治国与养病无异也……治国亦然

见唐·吴兢《贞观政要·政体》。删节处为:“病人觉愈,弥须将护,若有触犯,必至殒命”。

治国之难在于知贤,而不在自贤

见《列子·说符》。

治国之道,生民之本,啬为祖宗

见汉·严遵《道德指归论·方面不割篇》。

治世不得真贤,譬犹治疾不得真药

见汉·王符《潜夫论·思贤》。

治世之官详于下,乱世之官叠于上

见清·钟錂《颜习斋先生言行录禁令》。

治之道莫如因智,智之道莫如因贤

见《尸子·治天下》。

治务在无为而已,引大体,不拘文法

见汉·班固《汉书·汲黯传》。

治世之德,衰世之恶,常与爵位自相副

见汉·王符《潜夫论·本政》。

治国犹如栽树,本根不摇,则枝叶茂荣

见唐·吴兢《贞观政要·政体》。全句为:“~。君能清静,百姓何得不安乐乎?”

治身者以积精为宝,治国者以积贤为道

见汉·董仲舒《春秋繁露·通国身》。

治国者敬其宝,爱其器,任其用,除其妖

见《荀子·大略》。全句为:“口能言之,身能行之,国宝也。口不能言,身能行之,国器也。口能言之,身不能行,国用也。口言善,身行恶,国妖也。~”。

治国者譬若乎张琴然,大弦急则小弦绝矣

见汉·韩婴《韩诗外传》卷一。

治心须求妙悟,悟则神和气静,客敬色庄

见《禅林宝训》卷一。

治天下者,用人非止一端,故取士不以一路

见宋·欧阳修《乞补馆职札子》。

治道备,人斯为善矣;治道失,人斯为恶矣

见宋·欧阳修《答李翊第二书》。

治天下之要,存乎除奸;除奸之要,存乎治官

见《吕氏春秋·审分览·知度》。

治事不若治人,治人不若治法,治法不若治时

见宋·苏轼《应制举上两制书》。

治乱存亡,其始若秋毫,察其秋毫,则大物不过

见《吕氏春秋·先识览·察微》。

治国有常,而利民为本;政教有经,而令行为上

见汉·刘安《淮南子·氾论》。

治天下者,当以天下之心为心,不得自专快意而已

见汉·班固《汉书·鲍宣传》。

治国无法则乱,守法而弗变则悖,悖乱不可以持国

见《吕氏春秋·慎大览·察今》。其后为:“世易时移,变法宜矣”。

治世所贵乎位者三:一曰达道于天下,二曰达惠于民,三曰达德于身

见汉·荀悦《申鉴·政体》。

❷惟治乱在庶官/能治众者其官大/至治之极复后王/与治同道,罔不兴/有治法而后有治人/欲治兵者,必先选将/自治不勇,则恶日长/凡治国之道,必先富民/善治人者,能自治者也/欲治其国者,先齐其家/世治非去兵,国安岂忘战/世治则礼详,世乱则礼简/为治有体,上下不可相侵/制治于未乱,保邦于未危/至治之时,常不忘于武备/处治世宜方,处乱世宜圆/居治而忘危,则治尢常治/友治矣,非身治而不能得之/善治病者,必医其受病之处/达治乱之要者,遏将来之患/明治病之术者,杜未生之疾/身治矣,非心治而不能致之/一治必又一乱,一乱必又一治/不治可见之美,不竞人间之名/寄治乱于法术,托是非于赏罚/致治在于任贤,兴国在于务农/世治则小人守政,而利不能诱也/为治之大体,莫善于抑末而务本/为治者不在多言,顾力行何如耳/使治乱存亡若高山之与深溪……/世治则以义卫身,世乱则以身卫义/将治大者不治细,成大功者不成小/遭治世不避其任,遇乱世不为苟存/心治则百节皆安,心忧则百节皆乱/为治之功不在大,见大不明,见小乃明/以治身则危,以治国则乱,以入军则破/不治其本,而务其末,譬犹拯溺锤之以石/世治则愚者不能独乱,世乱

则智者不能独治／至治之务，在于正名。名正则人主不忧劳矣／至治馨香，感于神明，黍稷非馨，明德惟馨／致治之本，惟在于审；量才授职，务省官员／至治之世，其民不好空言虚辞，不好淫学流说／凡治国令其民争行义也，乱国令其民争为不义也／致治之术，先屏四患：……一曰伪，二曰私，三曰放，四曰奢

❸德惟治，否德乱／天下治乱系于用人／正者治，名奇者乱／将兵治民，宽简有法／爱民治国，能无知乎／自古治时少而乱时多／尧之治天下，使民心亲／禹之治天下，使民心变／以道治国，崇本以息末／古之治道者，以恬养知／暗于治者，唱繁而和寡／舜之治天下，使民心竞／用道治国，则国安民昌／吏不治则乱，农事缓则贫／先自治而后治人之谓大器／工言治道，能以口辩移人／忠于治世易，忠于浊世难／教人治人，宜皆以正直为先／我心治，官乃治，我心安官乃安／以慧治国者，始于治，常卒于乱／一则治，异则乱；一则安，异则危／民之治乱在于吏，国之安危在于政／民之治乱在于上，国之安危在于政／名为治平无事，而其实有不测之忧／以正治国，以奇用兵，以无事取天下／医能治一病谓之巧，能治百病谓之良／法者，治之端也；君子者，法之原也／国家治，则四邻贺；国家乱，则四邻散／昔尧治天下，不赏而民劝，不罚而民畏／以智治国，国之贼；不以智治国，国之福／以此治人，则膏雨甘露降矣，寒暑四时当矣／能自治然后可以治人；能治人然后人为之用／天下治乱，不在一姓之兴亡，而在万民之忧乐／世之治乱，在赏当其功，罚当其罪，即无不治／凡语治而待去欲者，无以道欲而困于有欲者也

❹能士乐治乱之事／隆一而治，二而乱／治人不治，反其智／忠信尽治而无求焉／天下大治，千载一时／以知能治民者，泗也／以道德治民者，舟也／民之难治，以其智多／国无常治，又无常乱／安静则治，暴疾则乱／缘法而治，按功而赏／时移而治不易者，乱／必欲致治，在于积贤／积是为治，积非成虐／言行者，治身之狱也／附而不治者，义不足也／圣王之治世，不离仁义／君子之治，必先死于国／得人则治，何世无奇才／贤者之治，去害义者也／胜任者治，则百官不乱／民之难治，以其上之有为／黄帝之治天下，使民心一／德盛者治也，德薄者乱也／清心为治本，直道是身谋／所谓无治者，不易自然也／良医之治病也，攻之于腠理／凡以物治物者不以物，以睦／劳心者治人，劳力者治于人／以乱攻治者亡，以邪攻正者亡／子不能治子之身，恶能治国政／吏所以治民，能尽其治则民赖之／乱极则治，暗极则光，天之道也／众不能治众。治众者，至寡者也／心不知治乱之源者，不可令制法／起事致治者，不若默然者之贵也／天下之治乱，系乎人君仁与不仁耳／天下顺治在民富，天下和静在民乐／六府修治洁如素，虚无自然道之固／圣人之治天下也，先文德而后武力／有不能治民之吏，而无不可治之民／身行顺，治事公，故国无阿党之议／法令者治之具，而非制治清浊之源也／法令者，治恶之具也，而非至治之风也／如欲平治天下，当今之世，舍我其谁也／六经之治，贵于未乱；兵家之胜，贵于未战／至人之治，掩其聪明，灭其文章，依道废智／原天命，治心术，理好恶，适情性，而治道毕／君子之治人也，即以其人之道，还治其人之身／天下之治乱，不在一姓之兴亡，而在万民之忧乐／背法而治，此任重道远而无马牛，济大川而无舡楫也／贤君之治也，温良而和，宽容而爱，刑清而省，喜赏而恶罚

❺官正而国治／智不足以治天下／民无隐情，治有异迹／乱之上也，治之下也／乱则国危，治则国安／修身齐家治国平天下／攻玉以石，治金以盐／安不忘危，治不忘战／文者，礼教治政云尔／起民之病，治国之疵／立法之能，治家之材也／事省而易治，求寡而易澹／非独羊也，治民亦犹是也／刑称罪则治，不称罪则乱／利莫大于治，害莫大于乱／扁鹊不能治不受针药之疾／言路开则治，言路塞则乱／良医者常治无病之病，故无病／克己可以治怒，明理可以治惧／凡将立国……治法不可不慎也／圣人者常治无患之患，故无患／所谓无不治者，因物之相然也／世异事变，治国不同，不可不察／无君子莫治野人，无野人莫养君子／大仁者修治天下，大恶者扰乱天下／国以信而治天下，将以勇而镇外邦／用仁义以治天下，公赏罚以定干戈／病有六不治，信巫不信医，不治也／庖人虽不治庖，尸祝不越樽俎而代之／得大数而治，失大数而乱，此治乱之分也／致天下之治者在人才，成天下之才者在教化／国之所以治者，君明也；其所以乱者，君暗也／治事不若治人，治人不若治法，治法不若治时／未尝闻身治而国乱者也，又未尝闻身乱而国治者也／道之真以治身，其绪余以为国家，其土苴以治天下／安不忘危，治不忘乱，虽知今日无事，亦须思其终始

❻垂拱而天下治／贫可富，乱可治／于安思危，于治忧乱／杖起弱者，药治人病／教之道，必先治学校／人之所能者，治万物也／乘车必护轮，治国必爱民／为之于未有，治之于未乱／先自治而后治人之谓大器／吾闻聪明主，治国用轻刑／足食足兵，为治天下之具／其本乱，而末治者，否矣／友治矣，非身治而不能得之／法修则安且治，废则危且乱／身治矣，非心治而不能致

之／儒者口能言治乱，无能以行之／尊贤考功则治，简贤违功则乱／法令行则国治，法令弛则国乱／已信之民易治，已练之兵易使／智不足以为治，勇不足以为强／我心治，官乃治，我心安官乃安／众不能治众。治众者，至寡者也／汝身之不能治，而何暇治天下乎／法与时转则治，治与世宜则有功／王者不以幸治国，治国固有前道／义胜利者为治世，利克义者为乱世／将治大者不治细，成大功者不成小／上古结绳而治，后世圣人易之以书契／逆耳之言，裨治也不可于人，可恨也／居安忘危，处治忘乱，所以不能长久／三皇五帝之治天下，名曰治之，而乱莫甚焉／学不倦，所以治己也；教不厌，所以治人也／虎狼当路，不治狐狸。先除大害，小害自已／民之所以僻，治之所以乱，皆由上，不由其下／昔先圣王之治天下也，必先公，公则天下平矣／使智惠之人治国之政事，必远道德，妄作威福，为国之贼

❼不以私害法，则治／为无为，则无不治／有治法而后有治人／愚而自专，事不治／未闻身乱而国治者也／为将之道，当先治心／思其所以乱，则治矣／善治人者，能自治者也／广引深远，以明治乱之原／居治而忘危，则治无常治／欲粟者务时，欲治者因世／概观世运，厚则治，薄则乱／天下兼相爱则治，交相恶则乱／导人必因其性，治水必因其势／治于人者食人，治人者食于人／治平者先仁义，治乱者先权谋／治身莫先于孝，治国莫先于公／有理而无益于治者，君子弗言／法与时转则治，治与世宜则有功／谐和之政宜于治新，以之治旧则虚／得在时，不在争；治在道，不在圣／心病终须心药治，解铃还是系铃人／道者以无为为治，而知者以多事为扰／策术之政宜于治难，以之治平则无奇／以治身则危，以治国则乱，以人军则破／圣人不以一己治天下，而以天下治天下／不使智惠之人治国之政事……故为国之福／教化，所恃以为治也；刑法，所以助治也／欲以先王之政治当世之民，皆守株之类也／和神仙之药以治齁咳，制貂狐之裘以取薪菜／法令赏罚者，诚治乱之枢机也，不可不严行也／治事不若治人，治人不若治法，治法不若治时／道者，所由适于治之路也，仁义礼乐皆其具也／先王之世，以道治天下，后世只是以法把持天下／贱者有罪，贵者治之。君得罪于民，谁将治之？

❽以危为安，以乱为治／危者望安，乱者仰治／治民无常，唯法为治／家给人足，天下大治／道私者乱，道法者治／任能黜否，则官府治理／无常安之国，无恒治之民／乐与政为政，乐与治为治／君不与臣争功，而治道通矣／闻在宥天下，不闻治天下也／恃威网以使物者，治之衰也／良医服百病之方，治百人之疾／即以其人之道，还治其人之身／至人消未起之患，治未病之疾／始取天下为功，始治天下为德／聚古今之精英，实治乱之龟鉴／不著梳栉，而求发治，不可得也／以慧治国者，始于治，常卒于乱／君为政焉勿卤莽，治民焉勿灭裂／王者不以幸治国，治国固有前道／有乱君，无乱国；有治人，无治法／圣人视天下之不治，如赤子之在水火也／为善不同，同归于治；为恶不同，同归于乱／能自治然后可以治人；能治人然后人为之用／歼厥渠魁，胁从罔治，旧染污俗，咸与惟新／贤者，用之则天下治；不肖者，用之则天下乱

❾绝圣弃知而天下大治／百家殊业，而皆务于治／世未有小人不除而治者也／古之君民者，仁义以治之／人视水见形，视民知治不／谨在于畏小，智在于治大／慎在于畏小，智在于治大／机在于应事，战在于治气／社鼠不可熏，去此乃治矣／劳心者治人，劳力者治于人／无以天下为者，必能治天下者／未有身正而影曲，上治而下乱者／吏所以治民，能尽其治则民赖之／君子为国，正其纲纪，治其法度／法令者，民之命也，为治之本也／治国与养病无异也……治国亦然／家有千金之玉不知治，犹之贫也／药酒，病之利也；正言，治之药也／治世不得真贤，譬犹治疾不得真药／有为，乱之首也；无为，治之元也／礼不过实，仁不溢恩，治世之道也／奉职顺道，亦可以为治，何必威严哉／朝廷之臣，取其鉴达治体，经纶博雅／求远者不可失于近，治影者不可忘其容／治身者以积精为宝，治国者以积贤为道／舐痔者得车五乘，所治愈下，得车愈多／治道备，人斯为善矣；治道失，人斯为恶矣／法虽在，必待圣而后治；律虽具，必待耳而后听

❿不赏而民劝，不罚而民治／乐与政为政，乐与治为治／利天下之民者，莫大于治／能均其食者，天下可以治／居治而忘危，则治无常治／纷乎其若乱，静之而自治／金与粟争贵，乡与朝争治／在位非其人，而恃法以为治／君虽明哲，必藉股肱以致治／知所以修身，则知所以治人／善人赏而暴人罚，则国必治／马上得之，宁可以马上治乎／贤主劳于求人，而佚于治事／神物好安静，不可以有为治／顺心之言易人也，有害于治／一治必又一乱，一乱必又一治／无掘壑而附丘，无舍本而治末／不拘文牵俗，则守职者辨治矣／古者诛罚不阿亲戚，故天下治／克己可以治怒，明理可以治惧／黄帝、尧、舜垂衣裳而天下治／令不行而禁不止，则无以为治／舍邻之医，而求俞跗而后治病／观水而知学，观耨田而知治国／君功见于选吏，吏功见于治民／道无废而不兴，器无毁而不治／居马上得之，宁

可马上治之乎／子不能治子之身，恶能治国政／天有其时，地有其财，人有其治／国乱则择其邪人去之，则国治矣／汝身之不能治，而何暇治天下乎／学所以修身也，身修而无不治矣／见十金而色变者，不可以治一邑／古之欲明明德于天下者，先治其国／谐和之政宜于治新，以之治旧则虚／大才怀百家之言，故能治百家之乱／德薄者恶闻美行，政乱者恶闻治言／形不正者德不来，中不精者心不治／惟圣君以逆耳者顺于心，故天下治／威猛之政宜于讨乱，以之治善则暴／有不能治民之吏，而无不可治之民／有乱君，无乱国；有治人，无治法／思所以危则安矣，思所以乱则治矣／病有六不治，信巫不信医，不治也／躁急，则先自处于不暇，何暇治事／身之病待医而愈，国之乱待贤而治／不动乎众人之非誉，不治观者之耳目／事虽易，而以难处之，未有不治之变／医能治一病谓之巧，能治百病谓之良／法令者治之具，而非制治清浊之源也／心之所可中理，则欲虽多，奚伤于治／策术之政宜于治难，以之治平则无奇／下之共上勤而不困，上之治下简而不劳／与谗谄面谀之人居，国欲治，可得乎？／先祖者，类之本也；君师者，治之本也／诚无不动者，修身则身正，治事则事理／读史当观大伦理，大机会，大治乱得失／圣人不以一己治天下，而以天下治天下／圣人……心安是国安也，心治是国治也／法令者，治恶之具也，而非至治之风也／安而不忘危，存而不忘亡，治而不忘乱／文生于情，情生于哀乐，哀乐生于治乱／三皇五帝之礼仪法度，不矜于同而矜于治／天下不淫其性，不迁其德，有治天下者哉／天有六极五常，帝王顺之则治，逆之则凶／不以曲故是非相尤，茫茫沉沉，是谓大治／以智治国，国之贼；不以智治国，国之福／仁义礼乐者，可以救败，而非通治之至也／善为国者若弹琴；宫君商臣，则治国之道／得大数而治，失大数而乱，此治乱之分也／法令之不行、万民之不治，贫富之不齐也／贤不肖不杂则英杰至，是非不乱则国家治／教化，所恃以为治也；刑法，所以助治也／有欲、无欲，异类也，生死也，非治乱也／自古失国之主，皆为居安忘危，处治忘乱／三皇五帝之治天下，名曰治之，而乱莫甚焉／上之为政，得下之情则治，不得下之情则乱／世治则愚者不能独乱，世乱则智者不能独治／世必有才，随时所用，岂待……然后为治乎／事少而功多，守要也；身逸而国治，用贤也／为政之要，惟在得人。用非其才，必难致治／以邪官举邪官，以俗士取俗士，国欲治得乎／予欲闻六律五声八音，在治忽，以出纳五言／能自治然后可以治人；能治人然后人为之用／小快害义，小慧害道，小辨害治，苟心伤德／少目之网，不可得鱼，三章之法，不可为治／学不倦，所以治己也；教不厌，所以治人也／驷马不驯，御者之过，百姓不治，有司之罪／贫生于富，弱生于强，乱生于治，危生于安／移风易俗，莫善于乐；安上治民，莫善于礼／世之治乱，在赏当其功，罚当其罪，即无不治／原天命，治心术，理好恶，适情性，而治道毕／君子之治人也，即以其人之道，还治其人之身／治天下之要，存乎除奸；除奸之要，存乎治官／治事不若治人，治人不若治法，治法不若治时／称薪而爨，数米而炊，可以治小而未可以治大／天地任自然无为，无造万物，自相治理，故不仁／但当退小人之伪朋，用君子之真朋，则天下治矣／今人之性恶，必将待师法然后正，得礼义然后治／法者，国仰以安也；顺则治，逆则乱，甚乱者灭／深者获公名，平者多后患，故治狱之吏皆欲人死／居者有余蓄，行者有余资……可谓有治天下之效／昔者先圣王，成其身而天下成，治其身而天下治／水行者表深，使人无陷；治民者表乱，使人无失／贱者有罪，贵者治之。君得罪于民，谁将治之？／下以言语为学，上以言语为治，世道之所以日降也／未尝闻身治而国乱者也，又未尝闻身乱而国治者也／以无为为居，以不言为教，以恬淡为味，治之极也／以不忍人之心，行不忍人之政，治天下可运之掌上／人始入官，如入晦室，久而愈明，明乃治，治乃行／道之真以治身，其绪余以为国家，其土苴以治天下／虽有忧勤之心，而不知致治之要，则心愈劳而事愈乖／爱人者不阿，憎人者不害，爱恶各以其正，治之至也／畜池鱼者必去猵獭，养禽兽者必去豺狼，又况治人乎／上古明王举乐者，非以娱心自乐，快意恣欲，将欲为治也／君子所以动天地应神明正万物而成王治者，必本乎真实而已／汝游心于淡，合气于漠，顺物自然而无容私焉，而天下治矣／无为者，道之宗；故得道之宗，应物无穷，任人之才，难以至治／人莫欲学御龙，而皆欲学御马；莫欲学治鬼，而皆欲学治人：急所用也／病已成而后药之，乱已成而后治之，譬犹渴而穿井，斗而铸锥，不亦晚乎

洼 wā 水坑；凹陷的地方。

❶洼则盈，敝则新

见《老子》二十二。

洼者为池而缺者为洞，若有鬼神异物阴来相之

见唐·韩愈《燕喜亭记》。全句为："出者突然成丘，陷者呀然成谷，～"。

洁 jié 干净；元代民间称和尚为"洁郎"，省称"洁"。

❶洁者不观其穷，观其富也

见唐·皮日休《鹿门隐书六十篇》。全句为："～；慎者不观其危，观其势也"。

洁其宫，开其门，去私毋言，神明若存

见《管子·心术上》。

洁其身而同焉者合矣，善其言而类焉者应矣

见《荀子·不苟》。

❷廉洁而不为异众之行／源洁则流清，形端则影直

❸赞以洁白，而随以污德／玉以洁润，丹紫莫能渝其质

❹万分廉洁，止是小善／源清流洁，本盛末荣／众寮宜洁白，万役但平均／才高行洁，不可保以必尊贵／文以辨洁为能，不以繁缛为巧／清介廉洁，节在俭固，失在拘扃／风霜高洁，水落而石出者，山间之四时也

❺报国心皎洁，念时涕汍澜／器具质而洁，瓦缶胜金玉／处世忌太洁，至人贵藏晖／六府修治洁如素，虚无自然道之固／志高则言洁，志大则辞宏，志远则旨永／当官者能洁身修己，然后在公之节乃全

❻濯清泉以自洁

❼清其流者，必先洁其源／仁常而不周，廉洁而不信，勇忮而不成

❽廉吏可为者，高且洁／宫有垩，器有涤，则洁矣／清越而瑕不自掩，洁白而物莫能污

❾参之太史公以著其洁／佳月了不嗔，曾何污洁白／其文约，其辞微，其志洁，其行廉

❿表曲者景必邪，源清者流必洁／坐茂树以终日，濯清泉以自洁／滓泥污秽之中，莲含香而自洁／资绝伦之妙态，怀悫素之洁清／识欲高而气欲下，量欲宏而守欲洁／圣人清廉以澡身，人自廉洁以顺教／虚其欲，神将入舍；扫除不洁，神乃留处／兰薰而摧，玉缜则折，物忌坚芳，人讳明洁／如镜之明，断可以平；如镜之洁，断可以决／圣人之行虽不必同，然其要归，在洁其身而已

洪

hóng 大；大水；姓。

❶洪河已决，掬壤不能救

见隋·王义《上炀帝书陈成败》。

洪涛未接，长鲸多陆死之忧

见唐·王勃《为人与蜀城父老书》。其后为："层风未翔，大鹏有云倾之势"。

洪波振壑，川无活鳞；惊飙拂野，林无静柯

见晋·殷仲文《罪衅解尚书表》。

❷鼓洪炉，燎毛发

❸禹抑洪水十三年，过家不入门

❺秋风萧瑟，洪波涌起／大梁襟带洪河险，谁遣神州陆地沉

❻涓流之水，无洪波之势

❼天地玄黄，宇宙洪荒／察火于灰，不睹洪赫之烈

❽巨灵咆哮擘两山，洪波喷流射东海／猛虎不看几上肉，洪炉不铸囊中锥

❾植佳谷必以粪壤，铸洪钟必以土型／乾坤倒覆，无谓不静，洪流滔天，无谓其动

洒

①sǎ 淋水在地上；喷散；散落。②xǐ 通"洗"，洗雪。③xiǎn 肃敬貌；[洒淅]寒栗貌。④cuǐ 高峻貌。

❶洒向人间都是怨，一枕黄粱再现

见现代·毛泽东《清平乐·蒋桂战争》。

❷不洒世间儿女泪，难堪亲友中年别

❸语贵洒脱，不可拖泥带水

❹湿堂不洒尘，卑屋不蔽风

❼丈夫非无泪，不洒别离间／大厦既焚，不可洒之以泪／幽音变调忽飘洒，长风吹林雨堕瓦／有花无叶真潇洒，不向胭脂借淡红

❽田园有真乐，不潇洒终为忙人

❿遇师友，亲之取之，大胜塞居不潇洒也

洿

wū 同"污"，浊水；挖掘；不清洁；不廉洁；使不清洁；指声音的虚浮、散漫。

❺数罟不入洿池，鱼鳖不可胜食也／嫉贪佞之洿浊兮，曰吾其既劳而后食

浃

①jiā 湿透；通彻；周匝。②xiá [浃渫]水波相接。

❿非有卓然异绩结于人心，浃于骨髓，安能久而愈思

浇

jiāo 灌溉；刻薄；水的回波；姓。[浇风]浮薄之风。

❶浇风易渐，淳化难归

见唐·王勃《上刘右相书》。

❼夺他人之酒杯，浇自己之垒块

浊

zhuó 液体因含杂质而不透明；(社会)混乱；不清明；(声音)低沉粗重。

❶浊之为暗，河水不见太山

见汉·刘安《淮南子·说山》。全句为："清之为明，杯水见眸子；～"。

浊者清之路，昏久则昭明

见《周易参同契》卷中。

浊其源而望流清，曲其形而欲景直

见南朝·宋·范晔《后汉书·刘恺传》。"景"通"影"。

❷清浊二声，为乐之本／激浊扬清，嫉恶好善／祖浊裔清，不膀奇人／水浊则鱼困，令苛则民乱／原浊者流不清，行不信者名必秏／水浊，则无掉尾之鱼；政苛，则无逸乐之士

❸与其浊富，宁比清贫／不饮浊泉水，不息曲木阴／世溷浊而嫉贤兮，好蔽美而称恶／君听浊浪金焦外，淘尽英雄是此声／世混浊而不清，蝉翼为重，千钧为轻

❹涅于浑浊而不缁／内清外浊，弊衣裹玉／扬清激浊，荡去滓秽／流水清浊，在其源也／渭以泾浊，玉以砾贞／能薄操浊，不可保以必卑贱／举世皆浊我独清，众人皆醉我独醒／徇私贪浊……恐惧既多，亦有因而致死

❺不以流之浊，而诬其源之清／沧浪之水浊兮，可以濯吾足／阴风怒号，浊浪排空，日星隐曜，山岳潜形

❻嫉贪佞之洿浊兮，曰吾其既劳而后食／源从天涯，或浊或清，所在之势使之然也

❼宁可清贫，不可浊富／原清则流清，原浊则流浊／源清则流清，源浊则流浊／清轻者上为天，浊重者下为地，冲和气者为人

❽黜陟幽明，扬清激浊／忠于治世易，忠于浊世难

❾听者独闻，不谬于清浊／使景曲者形也，使响浊者声也／使景曲者，形也；使响浊者，声也／颍水清，灌氏宁；颍水浊，灌氏族／文以气为主，气之清浊有体，不可力强而致

❿原清则流清，原浊则流浊／在山泉水清，出山泉水浊／源清则流清，源浊则流浊／官烦则事烦，事烦则人浊／官烦则事繁，事繁则民浊／寡欲则行清，多欲则神浊／澄其源者流清，溷其本者末浊／宁作清水之沉泥，不为浊路之飞尘／法令者治之具，而非制治清浊之源也／大德之人无所不容，能受垢浊，处谦卑／清阳者薄靡而为天，重浊者凝滞而为地／君者，民之源也。源清则流清，源浊则流浊／君自为诈，欲臣下行直，是犹源浊而望水清，理不可得／两体者，虚实也，动静也，聚散也，清浊也，其究一而已

洞

①dòng 洞穴；透彻，深入；穿通；敞开；通晓、明察。②tóng［澒洞］弥漫无际。

❶洞庭渔笛隔芦花

见宋·陈尧佐《湖州碧澜堂》。

洞庭青草，秋水深深

见宋·戴复古《柳梢青》。

洞房花烛夜，金榜挂名时

见宋·汪洙《喜》。全句为："久旱逢甘雨，他乡遇故知，～"。

洞房清宫，命曰寒热之媒

见汉·枚乘《七发》。全句为："出舆入辇，命曰蹶痿之机；～；皓齿娥眉，命曰伐性之斧；甘脆肥脓，命曰腐肠之药"。

洞庭波涌连天雪，长岛人歌动地诗

见现代·毛泽东《七律·答友人》。

洞然无为而天下自和，憺然无欲而民自朴

见汉·刘安《淮南子·本经》。

❷过洞庭，上湘江，非有罪左迁者罕至

❸世事洞明皆学问，人情练达即文章

❹渊智达洞，累学之功也

❺满帆明月洞庭秋／今处绣户洞房，则蓑不如裘／如张乐于洞庭之野，无首无尾，不主故常／崇门丰室，洞户连房，飞馆生风，重楼起雾／澄潭至清，洞澈见底，往往有群鱼戏，历历如水上行／屈平所以洞监《风》《骚》之情者，抑亦江山之助乎

❻巴陵胜状，在洞庭一湖

❼忧端齐终南，澒洞不可掇／天生一个仙人洞，无限风光在险峰

❽地尽天水合，朝及洞庭湖，初日当中涌，莫辨东西隅

❾凌大江之惊波兮，过洞庭之漫漫／注者为池而缺者为洞，若有鬼神异物阴来相之

❿江海相逢客恨多，秋风叶下洞庭波／李白之文，清雄奔放，名章俊语，络绎间起，光明洞彻，句句动人

洄

huí 上水，逆流；水回旋而流。

❸清流洄洑眩波光，高崖古木争苍苍

❺清流触石，洄旋激注，佳木异竹，垂阴相荫

❼世事波上舟，沿洄安得住

测

cè 测量；估量；清；刑具。

❸乘不测之舟，入无人之地，以相从问文章为事

❹阴阳不测之谓神／人心难测，海水难量／天有不测风云，人有旦夕祸福／天有不测风云，人又岂能料乎／变化不测，而亦不背于规矩也

❺浅不足与测深，愚不足与谋知

❻以土圭之法测土深，正日景，以求地中

❼以管窥天，以蠡测海，以莛撞钟／大贤虎变愚不测，当年颇似寻常人／流深者其水不测，尊至者其敬无穷／所谓天者诚难测，而神者诚难明矣

❿上悬之无极之高，下垂之不测之渊／名为治平无事，而其实有不测之忧／福之为祸，祸之为福，化不可极，深不可测／道者……高不可际，深不可测；包裹天地，禀授无形

洗

①xǐ 用水或其他东西去除沾染的东西；除掉；像洗过一样地杀光；整理。②xiǎn［洗然］敬肃；安详；清晰。

❶洗出庐山万丈青

见宋·孔平仲《霁夜》。

洗兵海岛，刷马江洲

见晋·左思《魏都赋》。

洗手奉职，不以一钱假人

见唐·韩愈《唐故中散大夫少府监胡良公墓神道碑》。

洗心得真情，洗耳徒买名

见唐·李白《送裴十八图南归嵩山二首》之

二。

洗污泥者以水,燔腥生者用火

见汉·王充《论衡·程材篇》。

❷不洗垢而察难知/一洗绮罗香泽之态,摆脱绸缪宛转之度

❸吹毛洗垢,求其痕疵/衣不洗则垢不除,刀不磨则锋不锐

❹美人梳洗时,满头间珠翠,岂知两片云,戴却数乡税

❺欲倾东海洗乾坤/面垢不忘洗,衣垢不忘浣,此人之至情也

❻洗心得真情,洗耳徒买名

❼山峦为晴雪所洗……

❽天将今夜月,一遍洗寰瀛

❾不吹毛而求小疵,不洗垢而察难知/安得壮士挽天河,净洗甲兵长不用/总教掬尽三江水,难洗今朝一面羞

❿所好则钻皮出其毛羽,所恶则洗垢求其瘢痕

活 ①huó 生存;生动;工作;生计;不固定。[活活]活生生地。②guō[活活]水流声;泞滑貌。

❸道人活计只如此,留与时人作见闻

❼着意种花花不活,无心栽柳柳成阴/洪波振壑,川无活鳞;惊飙拂野,林无静柯

❽君子杀民如杀身,活人如活已/神清人无忽语,机活人无痴事/小人非嗜欲无以活,失嗜欲则失其所以活

❾未有暴乱不止而能活生人、定国家者

❿勇于敢则杀,勇于不敢则活/君子杀民如杀身,活人如活已/大丈夫宁当玉碎,安可没没求活/烈士为天下见善矣,未足以活身/乌有城坏其徒俱死,独蒙愧耻求活/问渠哪得清如许,为有源头活水来/天雄乌喙,药之凶毒也,良医以活人/不泥古法,不执己见,惟在活而已矣/变则新,不变则腐;变则活,不变则板/小人非嗜欲无以活,失嗜欲则失其所以活/以物与人,物尽而止;以法活人,法行无穷/莫不拔地倚天,句句欲活,读之……莫可捉搦

洑 ①fú 水伏流地下;回漩,漩涡。②fù 浮游。

❹清流洄洑眩波光,高崖古木争苍苍

洎 jì 往锅中添水;肉汁;浸润;及、到。

❹高风所洎,薄俗以敦

洫 xù 田间的水渠;护城河;水渠;使空;败坏。

❾卑宫室而尽力乎沟洫

派 pài 水的支流,泛指一个系统的分支;学术、宗教、政党等内部因主张、风格不同而形成的分支;作风,风度;分配,安排;量词,用于景色、气象、语言等。

❷传派传宗我替羞,作家各自一风流

❸百川派别,归海而会

❹茫茫九派流中国,沉沉一线穿南北

洽 qià 和谐一致;联系;广博;商量;交换意见。

❹上下和洽,海内康平/功成道洽,身没名扬

❺沉于乐者洽于忧,厚于味者薄于行/无教之教,洽流四海;无为之为,通达八方

❻事谐则感,道洽斯亲

❼辞之辑矣,民之洽矣/能致贤,则德泽洽而国太平

❽博识者触物能名,洽闻者理无所惑耳/树恩布德,易以周洽,其犹顺惊风而飞鸿毛也

洛 luò[洛河]水名,在陕西;[洛阳]地名,在河南境内;姓。

❼名都多妖女,京洛出少年

浏 liú 水流清澈;风疾。

❿诗缘情而绮靡,赋体物而浏亮

济 ①jì 过河;救助;补益;有利;成功;停止。②jǐ 水名;[济济]形容众多;美好貌;庄严恭敬貌。

❶济世经邦,要段云水的趣味,若有贪着,便堕危机

见明·洪应明《菜根谭》。

❷欲济无舟楫,端居耻圣明/经济文章磨白昼,幽光狂慧复中宵/权济天下而君臣立,上下正,然后礼义正焉

❸才不济务,奸无所惩/苟无济代心,独善亦何益/宽以济猛,猛以济宽,政是以和/速则济,缓则不及,此圣贤所以贵机会也

❹丰凶相济,农末皆利/志在兼济,行在独善/时动而济,则无败功/有力量济人,谓之福/能者以济,不能者以覆/威德相济,而后王业成/愧乏经济才,徒然守章句/开其兑,济其事,终身不救/大川未济,乃失巨舰;长途始半,而丧良骥/力不能济于用,而君臣上下不正,虽抱空器奚何施设

❺同心而共济,终始如一/丈夫贵兼济,岂独善一身/能忍事乃济,有容德乃大/舟者,所以济桥之所不及也/凡克己以济民,皆力行而不悔

❻无机则无以济万世之功/有忍,有乃有济;有容,德乃大

❼众叛亲离,难以济矣/刚者不厉,无以济其刚/谓之讽谕诗,兼济之志也/圣人不利己,忧济在元元/行远者假于车,济江海者因于舟/宽以济猛,猛以济宽,政是以和/才胆实由识而济,故天下唯识为难/必有忍,其乃有济;有容,德乃大

❽徐制其后，乃克有济／官无二业，事不并济／才储于平时，乃可济用／道以无形无为成济万物／粟积于丰年，乃可济饥／多士成大业，群贤济弘绩／不禁其性，则物自济，何为之恃／报国无门空自怨，济时有策从谁吐／知周乎万物，而道济天下，故不过／当其才则事或能济，逾其分则力所不堪／若金，用汝作砺；若济巨川，用汝作舟楫／用天下之心图而济之，夫岂无最长之策乎／共舆而驰，同舟而济，舆倾舟覆，患实共之

❾为相者不敢恃威以济欲／上将效于国用，下欲济其家声／文起八代之衰，而道济天下之溺／登峻者戒在于穷高，济深者祸生于舟重

❿以之事国，则同心而共济／任自然者久，得其常者济／威与信并行，德与法相济／大川不能促其涯，以适速济之情／长风破浪会有时，直挂云帆济沧海／离别不堪无限意，艰危深仗济时才／读书以过目成诵为能，最是不济事／淡泊是高风，太枯则无以济人利物／资栋梁而成大厦，凭舟楫而济巨川／大勋所任者唯一人，然群谋济之乃成／言虽多而不要其中，文虽奇而不济于用／小人只怕他有才。有才以济之，流害无穷／和羹之美，在于合异；上下之益，在能相济／限之以爵，爵加则知荣，恩荣并济，上下有节／君子省众而动，监戒而谋，谋度而行，故无不济／背法而治，此任重道远而无马牛，济大川而无舡楫也／文学之于人也譬乎药，善服，有济；不善服，反为害／吴人与越人相恶也，当其同舟而济遇风，其相救也如左右手

洋

yáng 充满；盛大；比海更广大的水域；外国的；旧指银元。

❶洋洋乎与造物者游而不知其所穷

见唐·柳宗元《始得西山宴游记》。全句为：“悠悠乎与颢气俱而莫得其涯，～”。

❺《关雎》之乱，洋洋乎盈耳哉

❻《关雎》之乱，洋洋乎盈耳哉

❽道，覆载万物者也，洋洋乎大哉

❿心旷神怡，宠辱偕忘，把酒临风，其喜洋洋

洲

zhōu 大陆及其附近岛屿的总称；水中的陆地。

❶洲汀岛屿，向背离合；青树碧蔓，交罗蒙络

见宋·王质《游东林山水记》。

❹风起绿洲吹浪去，雨从青野上山来

❺喧鸟覆春洲，杂英满芳甸

❼藕花无数满汀洲

❽洗兵海岛，刷马江洲／关关雎鸠，在河之洲。窈窕淑女，君子好逑

❾四海翻腾云水怒，五洲震荡风雷激

❿独立寒秋，湘江北去，橘子洲头／此生谁料，心在天山，身老沧洲／兴酣落笔摇五岳，诗成笑傲凌沧洲／断雁无凭，冉冉飞下汀洲，思悠悠

浑

①hún 水污浊不清；糊涂；天然的；混同；简直；全。②hùn 通“混”。③gǔn

［浑浑］浑浊，纷乱；浑厚博大；水流盛大貌。

❶浑沌之原，无皎澄之流

见晋·葛洪《抱朴子·广譬》。全句为：“～；毫厘之根，无连抱之枝”。

浑然而中处者，世谓之元气

见唐·柳宗元《天说》。全句为：“上而玄者，世谓之天；下而黄者，世谓之地；～；寒而暑者，世谓之阴阳”。

❷伯浑醉书，纸穷墨燥，如春龙奋蛰，奇鬼搏人，何其壮也

❸涅于浑浊而不缁／我命浑小事，我死庸何伤／璞玉浑金，人皆饮其宝，莫知名其器

❺司空见惯浑闲事，断尽苏州刺史肠／老去诗篇浑漫与，春来花鸟莫深愁

❼诗家气象贵雄浑／有才必韬藏，如浑金璞玉，暗然而日章也

❽才智英敏者，宜加浑厚学问

浒

①hǔ 水边。②xǔ 地名用字。

❼如岭之表、海之浒，磅礴浩汹……

浓

nóng 气体或液体所含的某种成分多，稠密，跟“淡”相对；程度深。

❷态浓意远，眉颦笑浅

❸蜀酒浓无敌，江鱼美可求／得意浓时休进步，须防世事多番覆

❹户内春浓不识寒

❼权衡损益，斟酌浓淡，芟繁剪秽，弛于负担

❿南高峰，北高峰，南北高峰云淡浓／欲把西湖比西子，淡妆浓抹总相宜

津

jīn 河流上的渡口；过渡，引申为传授；人的唾液；滋润；古地名；天津市的简称。

❼若涉大水，其无津涯／潘陆颜谢，蹈迷津而不归

❿君门以九重，道远河无津／夜光之珠，不必出于孟津之河／传闻之言无实，无实即唐丧唾津矣／精卫有情衔太华，杜鹃无血到天津／人生寄一世，奄忽若飙尘；何不策高足，先据要路津

浔

xún 水边；江西九江市的别名。

❾人心胜潮水，相送过浔阳

涛

tāo 大浪；像波涛的声音。

❶涛澜汹涌，风云开合

见宋·苏辙《黄州快哉亭记》。

❷洪涛未接，长鲸多陆死之忧／陵涛鼓怒以伏注，天壁嵯峨而横立

❸海上涛头一线来，楼前指顾雪成堆
❹大海波涛浅，小人方寸深
❻乱石穿空，惊涛拍岸，卷起千堆雪
❿任君逐利轻江海，莫把风涛似妾轻

浡 bó 兴起，旺盛；涌出。

❿油然作云，沛然降雨，则苗浡然兴之矣

浦 pǔ 水边或河与河、河与海交汇的地方，多用于地名；水滨。

❺桃水涨而浦红，苹风摇而浪白
❻画栋朝飞南浦云，珠帘暮卷西山雨
❼临波笑脸，艳出浦之轻莲
❽凡探明珠，不于合浦之渊，不得骊龙之夜光也
❿雁阵惊寒，声断衡阳之浦／春草碧色，春水渌波，送君南浦，伤如之何

酒 jiǔ 用高粱、大麦、米、葡萄或其他水果发酵制成的饮料。

❶酒之为患……

见明·方孝孺《幼仪杂箴》。全句为："～，俾谨者荒，俾庄者狂，俾贵者贱，而存者亡。有国有家，尚慎其防"。

酒色乃身之仇也

见三国·魏·嵇康《答向子期难养生论》。

酒能败身，必须戒之

见唐·佚名《太公家教》。全句为："～。色能置害，必须远之。忿能积恶，必须忍之。心能造恶，必须戒之。口能招祸，必须慎之"。

酒醴异气，饮之皆醉

见汉·王充《论衡·自纪篇》。全句为："～；百谷殊味，食之皆饱"。

酒后耳热，仰天拊缶而呼乌乌

见汉·杨恽《报孙会宗书》。

酒是烧身硝焰，色为割肉钢刀

见明·冯梦龙《警世通言·苏知县罗衫冉合》。

酒极则乱，乐极则悲，万事尽然

见汉·司马迁《史记·滑稽列传》。全句为："～。言不可极，极之而衰"。

酒力醒，茶烟歇，送夕阳，迎素月

见宋·王禹偁《黄州新建小竹楼记》。

酒逢知己千杯少，话不投机半句多

见明·佚名《名贤集》。

酒入舌出，舌出者言失，言失者身弃

见汉·刘向《说苑·敬慎》。

酒池，足以运舟；糟丘，足以望七里

见汉·刘向《新序·节士》。全句为："～，一鼓而牛饮者三千人"。

酒罂饭囊，或醉或梦，块然泥土者……

见元·钟嗣成《录鬼簿序》。全句为："～，则其人虽生，与死之鬼何异"。

❷诗酒趁年华／唯酒可以忘忧／对酒当歌，人生几何／厚酒肥肉，甘口而疾形／饮酒以乐，不选其具矣／把酒酹滔滔，心潮逐浪高／蜀酒浓无敌，江鱼美可求／甘酒醴而不酤饴蜜，未为能知味／药酒，病之利也；正言，治之药也／药酒苦于口而利于病，忠言逆于耳而利于行

❸朱门酒肉臭，路有冻死骨／岂待酒肉罗绮然后为生哉／不因酒困因诗困，常被吟魂恼醉魂／借问酒家何处有，牧童遥指杏花村／无彝酒，越庶国，惟饮祀，德将无醉／食有酒肉，衣有罗绮……非益生之良药

❹醉之以酒而观其侧／酿泉为酒，泉香而酒冽／小人如酒颜，但得暂时热／常言道：酒不醉人人自醉／不贪花酒不贪财，一世无灾无害／年衰无酒食之娱，性拙无博弈之艺／今朝有酒今朝醉，明日愁来明日愁／今朝有酒今朝醉，且尽樽前有限杯／新丰美酒斗十千，咸阳游侠多少年／肥肉厚酒，务以自强，命之曰烂肠之食

❺愁绝寒梅酒半销／不如饮美酒，被服纨与素／且乐杯中酒，谁论世上名／何时一樽酒，重与细论文／今朝一杯酒，明日千里人／勿言一樽酒，明日难重持／花间一壶酒，独酌无相亲／夺我席上酒，掣我盘中飧／宽心应是酒，遣兴莫过诗／夺他人之酒杯，浇自己之垒块／古之人知酒肉为甘鸩，弃之如遗／不敢望到酒泉郡，但愿生入玉门关／诗中日月酒中仙，平地雄飞上九天／虫堕一器，酒弃不饮；鼠涉一筐，饭捐不食／天若不爱酒，酒星不在天；地若不爱酒，地应无酒泉／满堂而饮酒，有一人乡隅而悲泣，则一堂皆为之不乐

❻销忧者莫若酒／军多令则乱，酒多约则辩／诗情吟未足，酒兴断还续／茶为涤烦子，酒为忘忧君／怒潮风正急，酒醒闻塞笛／食饱心自若，酒酣气益振／墙薄则亟坏……酒薄则亟酸／衣上征尘杂酒痕，远游无处不消魂／天若不爱酒，酒星不在天；地若不爱酒，地应无酒泉

❼老去逢春如病酒／归来宴平乐，美酒斗十千／明月几时有？把酒问青天／且乐生前一杯酒，何须身后千载名／百岁光阴半归酒，一生事业略存诗／劝君更尽一杯酒，西出阳关无故人／浮名浮利过于酒，醉得人心死不醒／日典春衣非为酒，家贫食粥已多时／断送一生惟有酒，寻思百计不如闲／醉翁之意不在酒，在乎山水之间也

❽酿泉为酒，泉香而酒冽／地僻乡音别，年丰酒味醇／坐无君子，则与琴酒为友／晴日花争发，丰年酒易沽／敏捷诗千首，飘零酒一杯／诗穷莫写愁如海，酒薄难将梦到家／老夫渴急月更急，酒落杯中月先入

❾维北有斗，不可以挹酒浆／一生大笑能几回，

斗酒相逢须醉倒／观棋不语真君子，把酒多言是小人／金樽玉杯不能使薄酒更厚，鸾舆凤驾不能使驽马健捷

❿未言心相醉，不在接杯酒／书味在胸中，甘于饮陈酒／勿贪意外之财，勿饮过量之酒／山水之乐，得之心而寓之酒也／使我有身后名，不如即时一杯酒／天子呼来不上船，自称臣是酒中仙／人生不得长少年，莫惜床头沽酒钱／人生达命岂暇愁，且饮美酒登高楼／李白一斗诗百篇，长安市上酒家眠／春江花朝秋月夜，往往取酒还独倾／恶死亡而乐不仁，是由恶醉而强酒／今恶死亡而乐不仁，是犹恶醉而强酒／易道良马，使人欲驰；饮酒而乐，使人欲歌／心旷神怡，宠辱偕忘，把酒临风，其喜洋洋／意喻之米，文喻之炊而为饭，诗喻之酿而为酒／天若不爱酒，酒星不在天；地若不爱酒，地应无酒泉

涟 lián 水面被风吹起的细小波纹；泪流不断的样子。

❾出淤泥而不染，濯清涟而不妖

浙 zhè 水名；浙江省的简称。

❿顾使乾坤同日月，不妨闽浙异江山

涉 ①shè 从水上过；经历；关连；动；姓。②dié 通“喋”，杀人流血。

❶涉水半渡，可击

见《吴子·料敌》。

涉千钧之发机不知惧

见南朝·宋·范晔《后汉书·冯衍传》。全句为：“履深泉之薄冰不为啼，～”。

涉长道后行未息，可击

见《吴子·料敌》。

涉冬则淈泥而潜蟠，避害也

见南朝·宋·范晔《后汉书·张衡传》。全句为：“玄龙，迎夏则陵云而奋鳞，乐时也；～”。

涉浅水者见虾，其颇深者察鱼鳖，其尤甚者观蛟龙

见汉·王充《论衡·别通篇》。全句为：“～，足行迹殊，故所见之物异”。

❷若涉大水，其无津涯／不涉太行险，谁知斯路难／同涉于川，其时在风；沿者之吉，溯者之凶

❸园日涉以成趣，门虽设而常关

❺河长犹可涉，海阔故难飞／豫焉，若冬涉川；犹兮，若畏四邻／附骥尾则涉千里，攀鸿翮则翔四海

❻危若踏虎尾涉春冰

❾心之忧危，若蹈虎尾，涉于春冰

❿夜行者掩目而前其手，涉水者解其马载之舟／虫堕一器，酒弃不饮；鼠涉一筐，饭捐不食

消 xiāo 逐渐逝去；除去；耗费；需要；禁受；承受得起。

❶消息盈亏，终则有始

见《庄子·秋水》。

消息盈虚，一晦一明……

见《庄子·田子方》。全句为：“～，日改月化，日有所为，而莫见其功”。

消受尘，白取垢；青蝇所污，常在练素

见《论衡·累害》。

消磨了三十多年层层心血，算不得大千世界小小文章

见清·李汝珍《镜花缘》第一百回。

❷骨消肌肉尽，体若枯树皮／察消长之往来，辨利害于疑似

❸至人消未起之患，治未病之疾／惟夫消磨靡烂之际，金久炼而愈精

❹君子尚消息盈虚，天行也／待得雪消后，自然春到来／其名弥消，其德弥长；其身弥退，其道弥进

❺火愈然而消愈亟／得志万罪消，失志百丑生／难留连，易消歇，塞北花，江南雪

❻不敌其力，而消其势，兑下乾上之象／此情无计可消除，才下眉头，却上心头

❼画水镂冰，与时消释／闻其过者过日消而福臻／摧强易于折枯，消坚甚于汤雪／天地之化，盈虚消息，往过来续，流行古今／动摇则谷气得消，血脉流通，病不得生，譬犹户枢不朽也

❽君子道长，小人道消／日光顿生，霜露渐消；狂风顿息，波浪渐停

❾诛恶及本，本诛则恶消／年不可举，时不可止，消息盈虚，终则有始／常有小不快事，是好消息……知此理可免怨尤

❿教人者，养其善心而恶自消／悦亲戚之情话，乐琴书以消忧／教人者，养其善心，而恶自消／冈陵起伏，草木行列，烟消日出／才自清明志自高，生于末世运偏消／谗邪进则众贤退，群枉盛则正士消／抽刀断水水更流，举杯消愁愁更愁／衣上征尘杂酒痕，远游无处不消魂／衣带渐宽终不悔，为伊消得人憔悴／性虽善，待教而成；性虽恶，待法而消／水有猵獭而池鱼劳，国有强御而齐民消／内小人而外君子，小人道长，君子道消也／内君子而外小人，君子道长，小人道消也／苟得其养，无物不长；苟失其养，无物不消

涅 niè 可作黑色染料的一种矿石；染黑；塞。

❶涅于浑浊而不缁

见宋·苏辙《冯京加恩制》。

❸至白涅不缁，至交淡不疑

❽流言雪污，譬犹以涅拭素／松柏寒仍翠，琼瑶涅不缁

❿不曰坚乎？磨而不磷；不曰白乎？涅而不缁

涓 ①juān 细流；除去；清除；选择；姓。②xuàn[涓然]流涕的样子。

❶涓涓不壅，终为江河

见三国·魏·王肃《孔子家语·观周》。

涓涓不绝，流为江河

见宋·欧阳修《新五代·史·康义诚传论》。

涓流虽寡，浸成江河

见南朝·宋·范晔《后汉书·酷吏传》。全句为："～；爝火虽微，卒能燎原"。

涓流之水，无洪波之势

见晋·陈寿《三国志·魏书·王修传》。全句为："积棘之林，无梁柱之质；～"。

涓涓不塞，将为江河；荧荧不救，炎炎奈何

见《太公六韬·文韬·守土》。

❷涓涓不壅，终为江河／涓涓不绝，流为江河／涓涓不塞，将为江河；荧荧不救，炎炎奈何

❸积之涓涓而泄之浩浩

❼一令蔓草难锄，涓流泛酌，岂直疥痒轻疴，容为重患

❽木欣欣以向荣，泉涓涓而始流／炎火成燎原之势，涓流兆江河之形

❾坏崖破岩之水，原自涓涓／坏崖破岩之水，源自涓涓／木欣欣以向荣，泉涓涓而始流

❿坏崖破岩之水，原自涓涓／坏崖破岩之水，源自涓涓

涔 cén 连续下雨，积水成潦；泪流或汗流不止。

❹牛蹄之涔，无尺之鲤；块阜之山，无丈之材

浩 hào 水广大；多余；犹高；姓。

❶浩然者乃天地之正气也

见宋·文天祥《正气歌序》。

浩歌惊世俗，狂语任天真

见宋·陆游《醉书》。

浩溔东流，赴海为期。斡而迁焉，逐我颐指

见唐·刘禹锡《机汲记》。

❸箕而浩歌，踞而仰啸／心事浩茫连广宇，于无声处听惊雷／胸中浩然廓然，纳烟云日月之伟观，揽雷霆风雨之奇变

❺我善养吾浩然之气／确乎不拔，浩然自守

❻其积于中者，浩如江河之停蓄／能至素至精，浩弥无刑，然后可以为天下正／苦我怨气兮浩于长空，六合虽广兮受之应不容

❽积之涓涓而泄之浩浩／渔父闲相引，时歌浩渺间

❾积之涓涓而泄之浩浩

❿如岭之表、海之浒，磅礴浩汹……／日异其能，岁增其智，进如川行，浩浩而遂

涂 ①tú 泥；涂抹；抹去；乱写；粉饰；污染；通"途"道路；泥沙沉积而成的浅海滩。②chú 古水名。

❶涂有所不在，军有所不击

见《孙子兵法·九变篇》。全句为："～，城有所不攻，地有所不争"。

涂车不能代劳，木马不中驰逐

见南朝·梁·萧绎《金楼子·立言上》。

❷迷涂知反，往哲是与。不远而复，先典攸高

❹小事糊涂，大事不糊涂／明乎坦涂，故生而不说

❺大事不胡涂之谓才／诸君傅粉涂脂，问南北战争都不知

❻白沙混于泥涂，不染自污／挺秀色于冰涂，厉贞心于寒道

❼置将不善，一败涂地／一出焉，一入焉，涂巷之人也／目前之耳目可涂，身后之是非难罔

❽以狐白补犬羊，身涂其炭

❾小事糊涂，大事不糊涂

❿可知他朱甍碧瓦，总是血膏涂／视家国而取者，则曰救彼涂炭／教化之行，引中人而纳于君子之涂／当世学士，恒以万计；而究涂者无数十焉／民之于上也，若玺之于涂也，抑之以方则方，抑之以圜则圜

浴 yù 洗澡；鸟忽上忽下飞翔。

❶浴不必江海，要之去垢

见汉·司马迁《史记·外戚世家》。全句为："～；马不必骐骥，要之善走"。

❷新浴者振其衣，新沐者弹其冠

❹鹄不日浴而白，乌不日黔而黑

❼今夫大海……旦则浴日而出之，夜则滔列星，涵太阴

❽新沐者必弹冠，新浴者必振衣

涣 huàn 消散；六十四卦之一；[涣涣]形容水势浩大。

❺风行水上，涣

涤 dí 洗涤；扫除；古指养祭牲之室；指音乐节奏急速。

❶涤杯而食……可以养家老，而不可以飨三军

见汉·刘安《淮南子·诠言》。删节处为："洗爵而饮，浣而后馈"。

❷漱涤万物，牢笼百态／荡涤胸中，无一毫之私累，可以言大矣

❸茶为涤烦子，酒为忘忧君

❻宫有垩，器有涤，则洁矣／行身亦然，无涤垩之地则寡非矣

❼非惟使人情开涤，亦觉日月清朗

流 liú 流动；移动，传播；往来无定或转运不停；水道；向坏的方向发展；流放；品类，等级；寻求。

❶流水落花春去也

见五代·南唐·李煜《浪淘沙·无限江山》。全句为:"~,天上人间"。

流而不返者,水也

见宋·苏轼《送杭州进士诗叙》。

流沫成轮,然后徐行

见唐·柳宗元《钴鉧潭记》。

流水不腐,户枢不蠹

见《吕氏春秋·季春纪·尽数》。

流水清浊,在其源也

见唐·吴兢《贞观政要·诚信》。全句为:"~。君者政源,人庶犹水,君自为诈,欲臣下行直,是犹源浊而望水清,理不可得"。

流长则难竭,柢深则难朽

见汉·张衡《西京赋》。

流年莫虚掷,华发不相容

见唐·方干《送从兄郜》。

流离重流离,忍冻复忍饥

见宋·尤袤《淮民谣》。

流落人间者,太山一毫芒

见唐·韩愈《调张籍》。

流言雪污,譬犹以涅拭素

见汉·刘安《淮南子·说山》。

流水之为物也,不盈科不行

见《孟子·尽心上》。全句为:"~;君子之志于道也,不成章不达"。

流丸止于瓯臾,流言止于知者

见《荀子·大略》。

流深者其水不测,尊至者其敬无穷

见汉·董仲舒《春秋繁露·奉本》。

流荡不返,使人有淫丽之心,此文病也

见唐·柳冕《与徐给事论文书》。全句为:"文有余而质不足则流,才有余而雅不足则荡。~"。

❷凡流言、流说/急流中能勇退耳/下流之人,众毁所归/涓流虽寡,浸成江河/涓流之水,无洪波之势/下流不可处,君子慎厥初/江流天地外,山色有无中/江流今古愁,山雨兴亡泪/清流若镜,下照金沙之底/欲流之远者,必浚其泉源/矧流客之归思,岂可忘于畴昔/临流不忍轻相别,吟听潺湲到天明/江流千古英雄泪,山掩诸公富贵羞/清流洄洑眩波光,高崖古木争苍苍/风流不在谈锋胜,袖手无言味最长/清流触石,洄旋激注,佳木异竹,垂阴相荫/汰流、淫佚、侈靡之俗日以长,是天下之大祟也

❸落花流水仍依旧/源而流者岁旱不涸/不偶流俗,坐忘人事/同乎流俗,合乎污世/沔彼流水,朝宗于海/源清流洁,本盛末荣/车如流水,马如游龙/水动流下,人动趋利/清其流者,必先洁其源/数风流人物,还看今朝/不以流之浊,而诬其源之清/树临流而影动,岩薄暮而云披/水下流,不争先,故疾而不迟/水下流而广大,君下臣而聪明/不及流莺日日啼花间,能使万家春意闲/语曰:流丸止于瓯、臾,流言止于知者/疾如流矢,击如发机者,所以破精微也/聪明流通者戒于太察,寡闻少见者戒于壅蔽

❹从善如流/岁晚惜流光/时光速流电/凡流言、流说/不塞不流,不止不行/丹壑争流,青峰杂起/失之末流,求之本源/巧言如流,俾躬处休/小水长流,则能穿石/通而不流,猛而不暴/不积小流,无以成江海/又不道,流年暗中偷换/其水趣流,势与江河同/原清则流清,原浊则流浊/流离重流离,忍冻复忍饥/源长者流深,道悠者利博/源洁则流清,形端则影直/源清则流清,源浊则流浊/泉竭则流涸,根朽则叶枯/曲水临流,自可一觞而一咏/沧海横流,方显出英雄本色/百川并流,不注海者不为川谷/江河之流,不能盈无底之器也/石泉潜流,不以涧幽而撤其清/原浊者流不清,行不信者名必秏/海以合流为大,君子以博识为弘/未必上流须鲁肃,腐儒空白九分头/千古风流歌舞地,六朝兴废帝王州/为善则流芳百世,为恶则遗臭万年/词源倒流三峡水,笔阵独扫千人军/异物内流则国用饶,利不外泄则民用给/既不能流芳后世,亦不足复遗臭万载邪/从善如流,尚恐不逮;饰非拒谏,必是招损/浩溔东流,赴海为期。斡而迁焉,逐我颐指/寒泉飞流,异竹杂华,回映之处,似藏人家

❺伏尸百万,流血漂卤/附耳之语,流闻千里/涓涓不绝,流为江河/海不辞东流,大之至也/百川日东流,客去亦不息/从谏如顺流,趣时如响起/源发而横流,路开而四通/情波也,心流也,性水也/水无暂停流,木有千载贞/水性虽能流,不导则不通/人莫鉴于流水,而鉴于止水/莫怨无情流水,明月扁舟何处/叹长河之流速,送驰波于东海/澄其源者流清,溷其本者末浊/周公恐惧流言日,王莽谦恭未篡时/冰心与贫流争激,霜情与晚节弥茂/茫茫九派流中国,沉沉一线穿南北/宁溘死以流亡兮,余不忍为此态也/百川朝海,流行不止。道虽辽远,无不到者/高山有前,流水在下,可以俯仰,可以宴乐/见可怜则流涕,将分与则吝啬,是慈而不仁者

❻大海不让细流/白日杨花满流水/赋者,古诗之流也/沧海万仞,众流成也/杀人如麻兮流血成湖/高峰入云,清流见底……/水则不决不流,不积不深/愿随孤月影,流照伏波营/大略如行云流水,初无定质/江海不让纤流,所以存其广/河海不择细流,故能就其深/水因地而制流,兵因敌而制胜/俱往矣,数风流人

物，还看今朝／君子恶居下流，天下之恶皆归焉／高天滚滚寒流急，大地微微暖气吹／浊其源而望流清，曲其形而欲景直／水平布石上，流若织文，响若操琴／孔子曰：德之流行，速于置邮而传命／源不深而望流之远，根不固而求木之长／三教一体，九流一源，百家一理，万法一门／无教之教，洽流四海；无为之为，通达八方／飞沙溅石，湍流百势；翠崯丹崖，冈峦万色

❼东风解冻，河川流通／乱国之俗，甚多流言／塞其本源而末流自止／近悦远来，归如流水／白露暖空，素月流天／壁立千峰峻，潨流万壑奔／大海之润，非一流之归也／吾爱孟夫子，风流天下闻／张翰黄花句，风流五百年／流丸止于瓯臾，流言止于知者／树至德于生前，流遗爱于身后／抽刀断水水更流，举杯消愁愁更愁／吹波则江汉倒流，腾气则虹霓掩彩／沛然从肺腑中流出，殊不见斧凿痕／澄其源而清其流，统于一而应于万／破额山前碧玉流，骚人遥驻木兰舟／言泉共秋水同流，词峰与夏云争长／独韩愈奋不顾流俗……因抗颜而为师／为学无间断，如流水行云，日进而不已也

❽不著一字，尽得风流／谈言微中，名士风流／苏世独立，横而不流／岁月不居，时节如流／林无静树，川无停流／物极则反，命曰环流／改过不吝，从善如流／一生复能几，倏如流电惊／语微婉而多切，言流靡而不淫／治水不自其源，末流弥增其广／轻始而傲微，则其流必至于大乱／芳林新叶催陈叶，流水前波让后波／清泉自爱江湖去，流出红墙便不还／千岩竞秀，万壑争流……若云兴霞蔚／自动自休，自峙自流，是恶乎与我谋／河九折注于海，而流不绝者，昆仑之输也／吞舟之鱼，不游枝流；鸿鹄高飞，不集污池／意无是非，赞之如流；言无可否，应之如响／一令蔓草难锄，涓流泛酌，岂直疥痒轻疴，容为重患／贱生于无所用，中流失船，一壶千金，贵贱无常，时使物然

❾塞水不自其源，必复流／浑沌之原，无皎澄之流／天地有正气，杂然赋流形／原清则流清，原浊则流浊／尊古而卑今，学者之流也／源清则流清，源浊则流浊／本朽则末枯，源浅则流促／胡未灭，鬓先秋，泪空流／青山遮不住，毕竟东流去／观江水之寂寥，愿从流而东返／思风发于胸臆，言泉流于唇齿／登东皋以舒啸，临清流而赋诗／天子之怒，伏尸百万，流血千里／何必桑干方是远，中流以北即天涯／做到私欲净尽，天理流行，便是仁／炎火成燎原之势，涓流兆江河之形／言者无罪闻者戒，下流上通上下泰／天地之间空虚，和气流行，故万物自生／语曰：流丸止于瓯、臾，流言止于知者／文有余而质不足则流，才有余而雅不足则荡／枯藤老树昏鸦，小桥流水人家，古道西风瘦马／碧云悠悠兮，泾水东流。伤美人兮，雨泣花愁

❿我欲乘风去，击楫誓中流／二句三年得，一吟双泪流／功业未及建，夕阳忽西流／振衣千仞冈，濯足万里流／导泉向涧，则为易下之流／饥食首阳薇，渴饮易水流／水可使不滥，不可使无流／白日依山尽，黄河入海流／为天有眼兮何不见我独漂流／良谈吐玉，长江与斜汉争流／海水广大非独仰一川之流也／白刃扞乎胸，则目不见流矢／巫峡之险不能覆舟而覆于平流／表曲者景必邪，源清者流必洁／刻意则行不肆，牵物则其志流／伐根以求木茂，塞源而欲流长／功业逐日以新，名声随风而流／泻水置平地，各自东西南北流／瀑布天落，半与银河争流……／木欣欣以向荣，泉涓涓而始流／大江东去，浪淘尽千古风流人物／稻生于水，而不能生于湍濑之流／世间行乐亦如此，古来万事东流水／巫峡之水能覆舟，若比人心是安流／师帅不贤，则主德不宣，恩泽不流／生前富贵草头露，身后风流陌上花／向来枉费推移力，此日中流自在行／以伐根而求木茂，塞源而欲流长也／巨灵咆哮擘两山，洪波喷流射东海／传派传宗我替羞，作家各自一风流／但写真情并实境，任他埋没与流传／关河景物异南北，神京不见双泪流／人世几回伤往事，山形依旧枕江流／功名富贵若长在，汉水亦应西北流／落其实者思其树，饮其流者怀其源／尔曹身与名俱灭，不废江河万古流／喷气则白日尽晦，刷马则清江倒流／阁中帝子今何在，槛外长江空自流／木与木相摩则然，金与火相守则流／明主必谨养其和，节其流，开其源／目送征鸿飞杳杳，思随流水去茫茫／身为野老已无责，路有流民终动心／身多疾病思田里，邑有流亡愧俸钱／何尝见明镜疲于屡照，清流惮于惠风／读书欲睡，引锥自刺其股，血流至足／故明主必谨养其和，节其流，开其源／问君能有几多愁？恰似一江春水向东流／根生，叶安得不茂；源发，流安得不广／责人斯无难，惟受责俾如流，是惟艰哉／千古兴亡多少事，悠悠。不尽长江滚滚流／小人只怕他有才。有才以济之，流害无穷／君不见黄河之水天上来，奔流到海不复回／唯泰山不为飘风所动，磐石不为疾流所回／天地之化，盈虚消息，往过来续，流行古今／乾坤倒覆，无谓不静，洪流滔天，无谓其动／观书贵要，观要贵博，博而知要，万流可一／君者，民之源也。源清则流清，源浊则流浊／层台耸翠，上出重霄，飞阁流丹，下临无地／木秀于林，风必摧之；堆出于岸，流必湍之／轻羽在高，遇风则飞；细石在谷，逢流则转／风烟俱静，天山共色，从流飘荡，任意东西／至治之世，其民不好空言虚辞，

不好淫学流说／忠臣不避重诛以直谏，则事无遗策，功流万世／看万山红遍，层林尽染；漫江碧透，百舸争流／音乐者，所以动荡血脉，通流精神而和正心也／以意为主，则其旨必见；以文传意，则其词不流／罄南山之竹，书罪未穷；决东海之波，流恶难尽／处道而不贰，吐而不夺，利而不流，贵公正而贱鄙争／天地相对，日月相刿，山川相流，轻重相浮，阴阳相续／动摇则谷气得消，血脉流通，病不得生，譬犹户枢不朽也／其有发挥新体，孤飞百代之前，开凿古人，独步九流之上

润 rùn 有光彩；使不干燥；利益；雨水；细腻。

❷浸润之谮，为患特深／富润屋，德润身，心广体胖

❸水曰润下，火曰炎上……

❹雨泽过润，万物之灾也／大海之润，非一流之归也／河海有润，然后民取足焉／玉以洁润，丹紫莫能渝其质

❺富润屋，德润身，心广体胖／天街小雨润如酥，草色遥看近却无

❻月晕而风，础润而雨／随风潜入夜，润物细无声／铭博约而温润，箴顿挫而清壮／笔端肤寸，膏润天下；文章之用，极其至矣

❼玉在山而草木润，渊生珠而崖不枯／内坚刚而外温润，有似君子者，玉也

❽壮而不虚，刚而能润……非鼓怒以为资／一地所生，一雨所润，而诸草木各有差别／嘉谷奋兴，根叶肥润，抽茎展穗，不失时宜

❿风仪与秋月齐明，音徽与春云等润／养子弟如养芝兰，既积学以培植之，又积善以滋润之

涧 jiàn 山间的小河沟；水名。

❷夹涧有古松、老杉……

❸郁郁涧底松，离离山上苗

❹导泉向涧，则为易下之流

❺机发矢直，涧曲湍回，自然之趣也

❼石泉潜流，不以涧幽而撤其清

❽饥餐松柏叶，渴饮涧中泉，看罢青青竹，和衣自在眠

❾每至晴初霜旦，林寒涧肃／每至晴初霜旦，林寒涧肃……

❿木末芙蓉花，山中发红萼。涧户寂无人，纷纷开且落

涕 tì 眼泪；鼻涕。

❺瘖痖无为，涕泗滂沱

❻长太息以掩涕兮，哀民生之多艰／见可怜则流涕，将分与则吝啬，是慈而不仁者

❽报国心皎洁，念时涕汍澜

❿念天地之悠悠，独怆然而涕下／思故旧以想象兮，长太息而掩涕／丈夫不作儿女别，临岐涕泪沾衣巾／剑外忽传收蓟北，初闻涕泪满衣裳

浣 ①huàn 洗濯；唐代制度，官吏每十天休息洗沐一次，后因称每月上、中、下旬为上、中、下浣。②guǎn 通“管”。

❹竹喧归浣女，莲动下渔舟

❼心之忧矣，如匪浣衣

❿面垢不忘洗，衣垢不忘浣，此人之至情也／先除尘垢后染善法，譬如浣衣先去垢然后可染

浪 làng 波浪；像波浪一样起伏的；放纵；淫荡；鼓动；徒然；姓。

❷波浪无穷，而光采有主／纵浪大化中，不喜亦不惧／驾浪沉西月，吞空接曙河／沧浪之水浊兮，可以濯吾足／沧浪之水清兮，可以濯吾缨／孟浪由于轻浮，精详出于豫暇

❹长江后浪催前浪／潭深波浪静，学广语声低／长风破浪会有时，直挂云帆济沧海／君听浊浪金焦外，淘尽英雄是此声

❺渔舟出没浪为家／过江千尺浪，入竹万竿斜／有风方起浪，无潮水自平／不管风吹浪打，胜似闲庭信步／大江东去，浪淘尽千古风流人物

❻急湍甚箭，猛浪若奔／春水无风无浪，春天半雨半晴／腾波触天，高浪灌日，吞吐百川／风起绿洲吹浪去，雨从青野上山来／阴风怒号，浊浪排空，日星隐曜，山岳潜形

❼长江后浪催前浪／乘长风破万里浪／大雨落幽燕，白浪滔天／红雨随心翻作浪，青山着意化为桥

❽滚滚长江东逝水，浪花淘尽英雄

❾把酒酹滔滔，心潮逐浪高

❿桃水涨而浦红，苹风摇而浪白／不去扫清天北雾，只来卷起浪头山／何必奔冲山下去，更添波浪向人间／登山始觉天高广，到海方知浪渺茫／夫人之相与，俯仰一世……放浪形骸之外／日光顿生，霜露渐消；狂风顿息，波浪渐停／解落三秋叶，能开二月花。过江千尺浪，入竹万竿斜

浸 ①jìn 浸泡；渗入；淹没；灌溉；大的河泽；渐渐；愈益；更加。②qīn[浸淫]积渐而扩及；渐进。

❶浸润之谮，为患特深

见唐·吴兢《贞观政要·公平》。

❺涓流虽寡，浸成江河

❼时雨降矣，而犹浸灌，其于泽也，不亦劳乎

涨 ①zhǎng 水位上升；增长；增高；多出、超出。②zhàng 扩大；充满。

❷新涨看看拍小桥／水涨船高，泥多佛大

❸桃水涨而浦红，苹风摇而浪白

❿君问归期未有期，巴山夜雨涨秋池

涩 sè 不光滑；文章不流畅；语言迟钝；道路阻滞。

❿途穷见交态，世梗悲路涩

涌 ①yǒng 水或其他液体、气体冒出来；从水、云气中冒出来；特别大的海浪。②chōng 小河。

❹涛澜汹涌，风云开合／思若泉涌，文若春华／洞庭波涌连天雪，长岛人歌动地诗

❼文若春华，思若涌泉／秋风萧瑟，洪波涌起

❽山鸣谷应，风起水涌

❿地尽天水合，朝及洞庭湖，初日当中涌，莫辨东西隅

涘 sì 水边、河岸。

❼吕望垂竿于渭涘，道峻匡周

❿为词章，泛滥停蓄，为深博无涯涘

清 qīng 纯净；使纯净；清楚；使清楚；寂静；廉正；单纯；不杂；不烦；朝代名。

❶清静为天下正

见《老子》四十五。

清明无客不思家

见明·高启《清明呈馆中诸公》。

清风明月知无价

见明·汤显祖《牡丹亭·幽媾》。

清风明月满船归

见宋·袁默《与刚中适甫游惠山》。

清香犹在野蔷薇

见宋·金梁之《赠郡士张梦锡赴南宫试》。

清静者，德之至也

见汉·刘安《淮南子·原道》。全句为："～；而柔弱者，道之要也；虚无恬愉者，万物之用也"。

清谈高论，嘘枯吹生

见南朝·宋·范晔《后汉书·郑太传》。

清能有容，仁能善断

见明·洪应明《菜根谭·前集八十三》。

清浊二声，为乐之本

见宋·欧阳修《论乐说》。

清淡者，崇德之基也

见明·徐祯稷《耻言》。全句为："～；忧勤者，建业之本也"。

清风徐来，水波不兴

见宋·苏轼《前赤壁赋》。

清之为明，杯水见眸子

见汉·刘安《淮南子·说山》。全句为："～；浊之为暗，河水不见太山"。

清真寡欲，万物不能移

见南朝·宋·刘义庆《世说新语·赏誉》。

清入梦魂，千里人长久

见宋·陈亮《点绛唇》。

清心而寡欲，人之寿矣

见宋·崔敦礼《刍言》卷上。

清其流者，必先洁其源

见唐·陈子昂《上军国利害事·出使》。全句为："欲正其末者，先端其本；～"。

清平之奸贼，乱世之英雄

见南朝·宋·范晔《后汉书·许劭传》。

清高之行，显示衰乱之世

见汉·王充《论衡·定贤篇》。全句为："鸿卓之义，发于颠沛之朝；～"。

清声而便体，秀外而惠中

见唐·韩愈《送李愿归盘谷序》。

清流若镜，下照金沙之底

见唐·张九龄《景龙观山亭集送密县高赞府序》。全句为："～；杂花如锦，傍缘石菌之崖"。

清者不必慎，慎者必自清

见晋·陈寿《三国志·魏书·李通传》。

清水出芙蓉，天然去雕饰

见唐·李白《经乱离后天恩流夜郎忆旧游书怀赠江夏韦太守良宰》。

清风动帘夜，孤月照窗时

见南朝·齐·谢朓《怀故人》。

清心为治本，直道是身谋

见宋·包拯《书端州郡斋壁》。

清歌绕梁，白云将红尘并落

见唐·王勃《三月上巳祓禊序》。全句为："良谈吐玉，长江与斜汉争流；～"。

清介廉洁，节在俭固，失在拘扃

见三国·魏·刘劭《人物志·体别》。

清流洄洑眩波光，高崖古木争苍苍

见宋·张洵《蒙亭倡和长句》。

清渚白沙茫不辨，只应灯火是渔船

见宋·秦观《金山晚眺》。

清时有味是无能，闲爱孤云静爱僧

见唐·杜牧《将赴吴兴登乐游原一绝》。

清明时节雨纷纷，路上行人欲断魂

见唐·杜牧《清明》。

清泉自爱江湖去，流出红墙便不还

见清·查慎行《玉泉山》。

清风两袖朝天去，免得闾阎话短长

见明·于谦《入京》。

清越而瑕不自掩，洁白而物莫能污

见唐·刘禹锡《明赞论》。全句为："～，内坚刚而外温润，有似君子者，玉也"。

清阳者薄靡而为天，重浊者凝滞而为地

见汉·刘安《淮南子·天文》。

清受尘、白取垢；青蝇所污，常在练素

见汉·王充《论衡·累害篇》。

清者则心平而意直，忠者惟正道而履之

见晋·陈寿《三国志·吴书·楼玄传》。

清流触石，洄旋激注，佳木异竹，垂阴相荫

见唐·元结《右溪记》。

清音宛转，如诉如慕，坐客听之，不觉泪下

见唐·李朝威《柳毅传》。

清轻者上为天，浊重者下为地，冲和气者为人

见《列子·天瑞》。全句为："～。故天地含精，万物化生"。

清泉绿草，何物不可饮啄？而鸱鸮者偏食腐鼠

见明·洪应明《菜根谭》。全句为："晴空朗月，何处不可翱翔？而飞蛾独投夜烛。～。噫，世之不为飞蛾鸱鸮者，几何人哉"。

清静处下，虚以待之，无为无求，而百川自为来也

见汉·严遵《道德指归论·江海篇》。

❷诗清立意新／水清石自见／濯清泉以自洁／内清外浊，弊衣裹玉／扬清激浊，荡去滓秽／源清流洁，本盛末荣／不清不见尘，不高不见危／以清俭自律，以恩信待人／原清则流清，原浊则流浊／源清则流清，源浊则流浊／水清迎过客，霜叶落行舟／水清无大鱼，察政不得下和／神清人无忽语，机活人无痴事／伏清白以死直兮，固前圣之所厚／其清音幽韵，凄如飘风急雨骤至／以清廉清民，令去其邪，令去其污／临清风，对朗月，登山泛水，肆意酣歌

❸河水清，天下平／雏凤清于老凤声／上化清净，下无贪人／天地清静，皆守一也／句之清英，字不妄也／流水清浊，在其源也／宁可清贫，不可浊富／不待清明近，莺花已自忙／黄河清有日，白发黑无缘／浊者清之路，昏久则昭明／洞房清宫，命曰寒热之媒／君能清静，百姓何得不安乐乎／水至清则无鱼，人至察则无徒／才自清明志自高，生于末世运偏消／圣人清廉以澡身，人自廉洁以顺教／宁作清水之沉泥，不为浊路之飞尘／颍水清，灌氏宁；颍水浊，灌氏族／时既清兮惟贤是急，贤既进兮其政必立／心不清则无以见道，志不确则无以立功

❹天朗气清，惠风和畅／俟河之清，人寿几何／激浊扬清，嫉恶好善／祖浊裔清，不牓奇人／天高露清，山空月明……／首夏犹清和，芳草亦未歇／江上之清风与山间之明月／起舞弄清影，何似在人间／吾虑不清，则未可定然否也／此形，本清，不做作还真正／随你官清似水，难逃吏滑如油／水之性清，土者扫之，故不得清／不去扫清天北雾，只来卷起浪头山／以清廉清民，令去其邪，令去其污／但得官清吏不横，即是村中歌舞时／圣人守清道而抱雌节，因循应变，常后而不先／必静必清，无劳女形，无摇女精，乃可以长生／天静以清，地定以宁，万物失之者死，法之者生／澄潭至清，洞澈见底，往往有群鱼戏，历历如水上行

❺仕宦之法，清廉为最／朗如日月，清如水镜／以其境过清，不可久居／为官长当清，当慎，当勤／原清则流清，原浊则流浊／高峰入云，清流见底……／在山泉水清，出山泉水浊／源洁则流清，形端则影直／源清则流清，源浊则流浊／寡欲则行清，多欲则神浊／水无心而清，冰虚己而明／沧浪之水清兮，可以濯吾缨／立身必由清谨，处职无废于忠勤／爽籁发而清风生，纤歌凝而白云遏／问渠哪得清如许，为有源头活水来／澄其源而清其流，统于一而应于万／吾见世人清名登而金贝入，信誉显而然诺亏／李白之文，清雄奔放，名章俊语，络绎间起，光明洞彻，句句动人

❻余生自负澄清志／娟娟明月照清秋／宜咏诗，诗韵清绝／黜陟幽明，扬清激浊／不念旧恶，此清者之量／从来不著水，清净本因心／还身意所欲，清净而自守／当九秋之凄清，见一鹗之直上／澄其源者流清，溷其本者末浊／原浊者流不清，行不信者名必秏／世混浊而不清，蝉翼为重，千钧为轻／任贤使能以清官曹，养老慈幼以厚风俗／各自责则天清地宁，各相责则天翻地覆／圣人，大贤之清者也；贤人，中人之清者也／天无为以之清，地无为以之宁，故两无为相合，万物皆化生

❼水到潇湘一样清／与其浊富，宁比清贫／吏肃惟遵法，官清不爱钱／禀道之性，本来清静……／国正天心顺，官清民自安／政简移风速，诗清立意新／芳兰之芬烈者，清风之功也／登车揽辔，有澄清天下之志／积年绮碎，一朝清廓，翰苑豁如／举世皆浊我独清，众人皆醉我独醒／浊其源而望流清，曲其形而欲景直／潦水尽而寒潭清，烟光凝而暮山紫／激而发之欲其清，固而存之欲其重／陵虚之鸟，爱其清高，不愿江汉之鱼／寻寻觅觅，冷冷清清，凄凄惨惨戚戚／一事惬当，一句清巧，神厉九霄，志凌千载／达于道者，反于清净；究于物者，终于无为／道者，虚无、平易、清静、柔弱、淳粹、素朴／赋敛以时，官上清约，则人富。赋敛无节，官上奢纵，则人贫

❽上安下顺，弊绝风清／为政之要，曰公曰清／成家之道，曰俭与清／听者独闻，不谬于清浊／意气骏爽，则文风清焉／荷深水风阔，雨过清香发／表曲者景必邪，源清者流必洁／出淤泥而不染，濯清涟而不妖／坐茂树以终日，濯清泉以自洁／登东皋以舒啸，临清流而赋诗／不薄今人爱古人，清词丽句必为邻／作诗火急追亡逋，清景一失后难摹／信宿渔人还泛泛，清秋燕子故飞飞／寻寻觅觅，冷冷清清，凄凄惨惨戚戚／散殊而可象为气，清通而不可象为神／源从天

涯，或浊或清，所在之势使之然也／君者，民之源也。源清则流清，源浊则流浊／文以气为主，气之清浊有体，不可力强而致／入夜思归切，笛声清更哀，愁人不愿听，自到枕前来

❾江海不与坎井争其清／勿挠勿撄，万物将自清／长松百尺，对君子之清风／诗画本一律，天工与清新／昏旦变气候，山水含清晖／息阴无恶木，饮水必清源／圣人以顺动，则刑罚清而民服／立望关河萧索，千里清秋，忍凝眸／雷隐隐，感妾心，倾耳清听非车音／体道履仁，外和内敏，清而容物，善不近名／人能除情欲，节滋味，清五藏，则神明居之／苍雁赪鲤，时传尺素；清风明月，俱寄相思／吐纳文艺，务在节宣，清和其心，调畅其气／兰亭也，不遭右军，则清湍修竹，芜没于空山矣

❿八月湖水平，涵虚混太清／清者不必慎，慎者必自清／恬淡无人见，年年常自清／字人无异术，至论不如清／官省则事省，事省则民清／官省则事省，事省则人清／不以流之浊，而诬其源之清／青天白日，奴隶亦知其清明／诚欲远彼腥膻，而即此清净也／山不高则不灵，渊不深则不清／斩茅而嘉树列，发石而清泉激／资绝伦之妙态，怀悫素之洁清／石泉潜流，不以涧幽而撤其清／铭博约而温润，箴顿挫而清壮／非惟使人情开涤，亦觉日月清朗／水之性清，土者抇之，故不得清／不要人夸好颜色，只留清气满乾坤／人心莫厌如弦直，淮水长怜似镜清／喷气则白日尽晦，刷马则清江倒流／起来自擘纱窗破，恰漏清光到枕前／金猴奋起千钧棒，玉宇澄清万里埃／何尝见明镜疲于屡照，清流惮于惠风／藩屏之臣，取其明练风俗，清白爱民／法令者治之具，而非制治清浊之源也／凡为人子之礼，冬温而夏清，昏定晨省／当官之法，唯有三事：曰清，曰慎，曰勤／聪明者，阴阳之精。阴阳清和则中睿外明／中通外直，不蔓不枝，香远益清，亭亭净植／圣人，大贤之清者也；贤人，中人之清者也／君者，民之源也。源清则流清，源浊则流浊／歌曲弥妙，和者弥寡；行操益清，交者益鲜／奋其智能，愿为辅弼，使寰区大定，海县清一／君自为诈，欲臣下行直，是犹源浊而望水清，理不可得／两体者，虚实也，动静也，聚散也，清浊也，其究一而已／贤君之治也，温良而和，宽容而爱，刑清而省，喜赏而恶罚

渍

zì 浸泡；沤；沾染；陷入；地面的积水；积存在物体上的脏东西。

❷乘渍水以胶船，驭奔驹以朽索

添

tiān 增加。

❼淡画春山不喜添

❾溪中云隔寺，夜半雪添泉／何必奔冲山下去，更添波浪向人间

❿已分忍饥度残岁，更堪岁里闰添长

渚

zhǔ 水中的小块陆地；水边。

❶渚云低暗度，关月冷相随

见唐·崔涂《孤雁二首》之二。全句为："暮雨相呼失，寒塘欲下迟。～"。

渚寒烟淡，棹移人远，缥缈行舟如叶

见宋·姜夔《八归》。

❷映渚蛾眉，丽穿波之半月／清渚白沙茫不辨，只应灯火是渔船

❹日入牛渚晦，苍然夕烟迷／鹤汀凫渚，穷岛屿之萦回；桂殿兰宫，列冈峦之体势

鸿

hóng 大雁；大；强盛。

❶鸿雁于飞，哀鸣嗷嗷

见《诗·小雅·鸿雁》。

鸿卓之义，发于颠沛之朝

见汉·王充《论衡·定贤篇》。全句为："～；清高之行，显示衰乱之世"。

鸿毛至轻也，而不能自举

见《战国策·赵策三》。全句为："胶漆至粘也，而不能合远；～"。

鸿钟在听，不足论击缶之音

见唐·陈子昂《上薛令文章启》。全句为："～；太牢斯烹，安可荐羹藜之味"。

鸿鹄固有远志，但燕雀自不知耳

见晋·陈寿《三国志·魏书·董卓传》。

鸿鹄巢于高林之上，暮而得所栖

见南朝·宋·范晔《后汉书·逸民传》。全句为："～；鼋鼍穴于深渊之下，夕而得所宿"。

鸿鹄之鷇羽翼未全，而有四海之心

见《尸子·卷下》。全句为："虎豹之驹未成文，而有食牛之气，～"。

鸿鹄高飞，一举千里，羽翼以就，横绝四海

见汉·班固《汉书·张良传》。

❸死轻鸿毛，固得其所／窜梁鸿于海曲，岂乏明时

❹目送归鸿，手挥五弦／翩若惊鸿，婉若游龙／谈笑有鸿儒，往来无白丁／身轻于鸿毛，而谤重于泰山／邹、鲁多鸿儒，燕、赵饶壮士／目送征鸿飞杳杳，思随流水去茫茫

❺心逐孤飞鸿／燕雀安知鸿鹄之志

❻一心以为有鸿鹄将至／朝无贤人，犹鸿鹄之无羽翼也……

❼身重天地，物轻鸿毛／一抑一扬者，轻鸿所以凌虚也

❽此生泰山重，勿作鸿毛遗／弃燕雀之小志，慕鸿鹄以高翔／吞舟之鱼不游渊，鸿鹄高飞不就污池

❾冲风之末，力不能漂鸿毛／手挥五弦易，目送归鸿难／用心刚，则轻死生如鸿毛／附骥尾则涉千里，攀鸿翮则翔四海／吞舟之鱼，不游枝流；鸿鹄高飞，不集污池

❿强冲风之末，力不能漂鸿毛／天下无事，则公卿之言轻于鸿毛／人生到处知何似？应似飞鸿踏雪泥／易于泰山破鸡子，轻于四马载鸿毛／夕景欲沉，晓雾将合；孤鹤寒啸，游鸿远吟／树恩布德，易以周洽，其犹顺惊风而飞鸿毛也／时之不来也，为雾豹，为冥鸿，寂兮寥兮，奉身而退／胶漆至粘也，而不能合远；鸿毛至轻也，而不能自举

淋 ①lín 自上向下浇落。②lìn 过滤。

❿真的猛士，敢于直面惨淡的人生，敢于正视淋漓的鲜血

淅 xī 淘米，淘过的米；水名。[淅沥]象声词。

❺冬沙飞兮淅淅，春草磨兮芊芊

❿鸟无声兮山寂寂，夜正长兮风淅淅

渎 ①dú 小沟渠；大川；烦渎，轻慢；通“黩”。②dòu 通“窦”，洞，穴。

❻厌其源，开其渎，江河可竭／彼寻常之污渎兮，岂能容夫吞舟之巨鱼

❼披蓑而救火，毁渎而止水，乃愈益多

❽上交不谄，下交不渎／其政不烦，其刑不渎，而民之化之也速

❿以诈应诈，以谲应谲，若披蓑而救火，毁渎而止水

涯 yá 水边；泛指边际；约束。

❷天涯何处无芳草／天涯同此路，人语各殊方

❸以无涯之情爱，悼不驻之光阴

❹生也有涯，知也无涯／生则有涯，死宜不泯／同是天涯沦落人，相逢何必曾相识／神女生涯原是梦，小姑居处本无郎／源从天涯，或浊或清，所在之势使之然也

❺一在天之涯，一在地之角／吾生也有涯，而知也无涯

❼海上生明月，天涯共此时／海内存知己，天涯若比邻／心事同漂泊，生涯共苦辛／大川不能促其涯，以适速济之情／无论海角与天涯，大抵心安即是家／人言落日是天涯，望极天涯不见家

❽生也有涯，知也无涯／若涉大水，其无津涯／布奠倾觞，哭望天涯。天地为愁，草木凄悲

❿择才不求备，任物不过涯／吾生也有涯，而知也无涯／悠悠乎与颢气俱而莫得其涯／五帝三皇神圣事，骗了无涯过客／汽笛一声肠已断，从此天涯孤旅／为词章，泛滥停蓄，为深博无涯涘／何必桑干方是远，中流以北即天涯／人言落日是天涯，望极天涯不见家／沧海溟漾，不以含垢累其无涯之广

淹 yān 淹没；皮肤被汗水浸渍而变色；久，迟滞；深入；居下位而未得升迁的人。

❻日月忽其不淹兮，春与秋其代序

渐 ①jiàn 逐渐；事物发展的开端；加剧；疏导；六十四卦之一；水名。②jiān 浸；流入；欺诈。③qián 通“潜”。

❶渐闻水声潺潺，而泻出两峰之间者，酿泉也
见宋·欧阳修《醉翁亭记》。

❸晚节渐于诗律细／食蔗渐渐佳，离官寸寸乐／衣带渐宽终不悔，为伊消得人憔悴

❹取必以渐，勤则得多／浇风易渐，淳化难归／学当以渐，乃能至也／食蔗渐渐佳，离官寸寸乐／致贵无渐失必暴，受爵非道殃必疾

❺勿以太平渐久而自骄逸

❻履霜坚冰，其渐久矣／服民以道德，渐民以教化／须用防微杜渐，毋为因小失大／轻细微眇之渐，必生乖忤之患／防其微，杜其渐，使不至于暴乱也／诤臣必谏其渐，及其满盈，无所复谏

❼好饰者作非之渐／读书务在循序渐进／不师者，废学之渐也／蒲柳既秋，桑榆渐迫／慎终如始，犹恐渐衰，始尚不慎，终将安保／日光顿生，霜露渐消；狂风顿息，波浪渐停

❽祸福之来，皆起于渐／福来有由，祸来有渐／变谓后来改前，以渐移改谓之变也

❾轧轧弄寒机，功多力渐微／乘隙插足，扼其主机，渐之进也

❿薄于朋友者，薄亲戚之渐也／天地不能顿为寒暑，必渐于春秋／因果相承，从微至著，通名为渐／法相因则事易成，事有渐则民不惊／病非一朝一夕之故，其所由来渐矣／身老方知生计拙，家贫渐觉故人疏／天下之事，患常生于忽微，而志亦戒于渐习／人之进退，唯问其志，取必以渐，勤则得多／日光顿生，霜露渐消；狂风顿息，波浪渐停

渠 ①qú 人工开凿的水道；古时车轮的外圈；盾；通“巨”，大；他；水名。②jù 通“讵”，岂；作语助，无义。

❷问渠哪得清如许，为有源头活水来

❸水到渠成，不须预虑／歼厥渠魁，胁从罔治，旧染污俗，咸与惟新

❺善守不待渠梁而固

❿当途者入青云，失路者委沟渠／炼句炉槌岂可无？句成未必尽缘渠／昔君视我，如掌中珠；何意一朝，弃我沟渠

淑 shū 美好；善良。

❶淑人君子,其仪一兮
见《诗·曹风·鸤鸠》。
❸窈窕淑女,钟鼓乐之
❹生而不淑,孰谓其寿?死而不朽,孰谓之夭
❿关关雎鸠,在河之洲。窈窕淑女,君子好逑

混 ①hùn 搀杂;苟且;冒充;胡乱;水势盛大;浑一而不可分。②hún 同"浑"。
❷世混浊而不清,蝉翼为重,千钧为轻
❸有物混成,先天地生/合则混然,人不见其殊也/白沙混于泥涂,不染自污/源泉混混,不舍昼夜,盈科而后进,放乎四海
❺沧波远天,混和暮色,孤舟一去,曷日而旋归
❼贼做官,官做贼,混愚贤。哀哉可怜
❽八月湖水平,涵虚混太清/扬雄言人性善恶混者,中人也
❿冰雪林中著此身,不同桃李混芳尘/太极,谓天地未分之前,元气混而为一/政庞而土裂,三光五岳之气分,大音不完,故必混一而后大振

涸 hé,又读 hào,水干;枯竭。
❷处涸辙以犹欢/不涸泽而渔,不焚林而猎/泉涸,鱼相与处于陆……不若相忘于江湖
❹积于不涸之仓者,务五谷也
❺泉竭则流涸,根朽则叶枯
❽源而流者岁旱不涸/酌贪泉而觉爽,处涸辙而犹欢

淮 huái[淮河]水名,源于河南。
❸橘逾淮北而为枳/橘生淮南则为橘,生于淮北于则为枳
❹汴水通淮利最多,生人为害亦相和
❻伴人无寐,秦淮应是孤月
❼尘加嵩岱,雾集淮海,虽未有益,不为损也
❽人心莫厌如弦直,淮水长怜似镜清/晨看旅雁,心赴江淮;昏望牵牛,情驰扬越
❿橘生淮南则为橘,生于淮北于则为枳

渊 yuān 深水;深潭;深;集聚之处。
❶渊智达洞,累学之功也
见唐·马总《意林·唐子》。全句为:"大木百寻,根积深也;沧海万仞,众流成也;~"。
❷一渊不两鲛/水渊深广,则龙鱼生之/临渊羡鱼,不如退而结网/探渊者知千仞之深,县绳之数也/川渊深而鱼鳖归之,山林茂而禽兽归之/为渊驱鱼者,獭也;为丛驱爵者,鹯也
❸委体渊沙,鸣弦揆日/溺于渊犹可缓也,溺于人不可救也/察见渊鱼者不祥,智料隐匿者有殃
❹如临深渊,如履薄冰/鱼潜于渊,出水煦沫/覆巢竭渊,龙凤逝而不至
❻鼋鼍穴于深渊之下,夕而得所宿/鱼不可脱于渊;国之利器不可以示人
❼无为而万物化,渊静而百姓定/山不高则不灵,渊不深则不清/吞舟之鱼不游渊,鸿鹄高飞不就污池
❽鸢飞戾天,鱼跃于渊/战战兢兢,如临深渊,如履薄冰/玉在山而草木润,渊生珠而崖不枯/操钩上山,揭斧入渊,欲得所求,难也/条理得于心,其心渊然而条理,是为智/鱼鳖得免毒螫之渊,鸟兽得离罗网之纲/藏金于山,沉珠于渊;不利货财,不近富贵
❾宁为衰粲死,不作褚渊生/川竭而谷虚,邱夷而渊塞,唇竭而齿寒
❿与其溺于人也,宁溺于渊/栗栗危惧,若将陨于深渊/羁鸟恋旧林,池鱼思故渊/渔者不死于山,猎者不溺于渊/天之道也,如迎浮云,若视深渊/上悬之无极之高,下垂之不测之渊/进人若将加诸膝,退人若将队诸渊/金钩桂饵虽珍,不能制九渊之沉鳞/抗之则在青云之上,抑之则在深渊之下/弹指三十八年,人间变了,似天渊翻覆/入泽随龟,不暇调足;深渊捕蛟,不暇定手/积土成山,风雨兴焉;积水成渊,蛟龙生焉/凡探明珠,不于合浦之渊,不得骊龙之夜光也

淫 yín 过多;放纵;迷惑;长久;沉溺;邪恶;奢侈;指不正当男女关系。
❶淫辞丽藻生于文,反伤文者也
见唐·白居易《议文学·碑碣词赋》。全句为:"稂莠秕稗生于谷,反害谷者也;~"。
❷骄淫矜侉,将由恶终/贪淫好色,则伤精失明/侵淫溪谷,盛怒于土囊之口/说淫则可不可而然不然,是不是而非不非
❸顾夫淫以鄙而偕亡/赏及淫人,则善者不以赏为荣/汰流、淫佚、侈靡之俗日以长,是天下之大祟也/骄、奢、淫、泆,所自邪也。四者之来,宠禄过也
❹赌近盗,淫近杀/耳目不淫,虽远若近/天下不淫其性,不迁其德,有治天下者哉
❺俭节则昌,淫佚则亡/礼所以防淫,乐所以移风/礼所以防淫佚,节其侈靡也/富贵不能淫,贫贱不能移,威武不能屈/目妄视则淫,耳妄听则惑,口妄言则乱
❻神福仁而祸淫/君子耳不听淫声/罔游于逸,罔淫于乐/《关雎》乐而不淫,哀而不伤/赏僭则惧及淫人,刑滥则惧及善人
❼诐辞知其所蔽,淫辞知其所陷/善人富谓之赏,淫人富谓之殃/《国风》好色而不淫,《小雅》怨诽而不乱,若《离骚》者,可谓兼之
❽慢藏诲盗,冶容诲淫/流荡不返,使人有淫丽之心,此文病也

❾在之也者，恐天下之淫其性也
❿貌轻则招辱，好轻则招淫／其穷也不忧，其乐也不淫／语微婉而多切，言流靡而不淫／殉于货色，恒于游畋，时谓淫风／气衰则生物不育，世乱则礼废而乐淫／为情者要约而写真，为文者淫丽而烦滥／诗人之赋，丽以则；辞人之赋，丽以淫／女恶华丹之乱窈窕也，书恶淫辞之淈法度也／至治之世，其民不好空言虚辞，不好淫学流说／嗜欲无穷，则必有贪鄙悖乱之心，淫佚奸诈之事

渔 yú 捕鱼；谋取。
❶渔舟出没浪为家
见宋·梅尧臣《时鱼》。
渔歌互答，此乐何极
见宋·范仲淹《岳阳楼记》。全句为："长烟一空，皓月千里；浮光跃金，静影沉璧；～"。
渔父闲相引，时歌浩渺间
见唐·许棠《过洞庭湖》。全句为："鸟高恒畏坠，帆远却如闲。～"。
渔舟唱晚，响穷彭蠡之滨
见唐·王勃《滕王阁序》。全句为："～；雁阵惊寒，声断衡阳之浦"。
渔者不死于山，猎者不溺于渊
见汉·王充《论衡·遭虎篇》。
❸洞庭渔笛隔芦花／也知渔父趁鱼急，翻着春衫不裹头／信宿渔人还泛泛，清秋燕子故飞飞
❹临溪而渔，溪深而鱼肥／竭泽而渔，岂不获得？而明年无鱼／干泽而渔，得鱼虽多，而明年无复也／水处者渔，山处者木，谷处者牧，陆处者农
❺鹬蚌相争，渔人得利／鹬蚌相持，渔人得利／不涸泽而渔，不焚林而猎／善贾笑蚕渔，巧宦贱农牧／妇人拾蚕，渔者握鳣，利之所在，则忘其所恶
❽入山问樵，入水问渔／焚林而田，竭泽而渔
❾竹喧归浣女，莲动下渔舟
❿入于泽而问牧童，入于水而问渔师／清渚白沙茫不辨，只应灯火是渔船／月落乌啼霜满天，江枫渔火对愁眠／翳嘉林，坐石矶，投竿而渔，陶然以乐／民有疾苦，得以安之；吏有侵渔，得以去之／焚林而畋，明年无兽；竭泽而渔，明年无鱼

淘 táo 把颗粒状的东西放在水里搅动，以除去泥沙等杂质；从深处舀出；顽皮；开挖。
❷千淘万漉虽辛苦，吹尽狂沙始到金
❻大江东去，浪淘尽千古风流人物
❽剖开顽石方知玉，淘尽泥沙始见金／君听浊浪金焦外，淘尽英雄是此声
❿滚滚长江东逝水，浪花淘尽英雄／隔日一删，愈月一改，始能淘沙得金

淳 ①chún 朴实；通"纯"，成对；大。②zhūn 浇灌。
❺浇风易渐，淳化难归／燔诗书，起淳于越之谏
❼废弃智巧，玄德淳朴／其语道也，必先淳朴而抑浮华／其政闷闷，其民淳淳；其政察察，其民缺缺／人能修炼，俗变淳和，则返朴之风，可臻太古矣
❽其政闷闷，其民淳淳；其政察察，其民缺缺
❾桑椹甘香，鸱鸮革响，淳酪养性，人无嫉心
❿致君尧舜上，再使风俗淳／理国执无为之道，民复朴而还淳／一语天然万古新，豪华落尽见真淳／道者，虚无、平易、清静、柔弱、淳粹、素朴

淬 cuì 浸染；冒；犯。[淬火]金属或玻璃的一种热处理工艺。
❼木以绳直，金以淬刚

淤 yū 泥沙沉积在水底；滞塞，不流通；通"饫"，宴饮。
❷出淤泥而不染，濯清涟而不妖
❸莲生淤泥中，不与泥同调

涪 fú 水名；[涪江]一称"内江"，嘉陵江支流。
❹众水会涪万，瞿塘争一门

淡 ①dàn 浅，薄；不兴旺；无关紧要；无聊；瘦。[淡淡]浅淡。②tán 通"痰"。③yǎn[淡淡]水动荡貌。④yàn 隐隐约约。
❶淡画春山不喜添
见宋·孙夫人《南乡子》。
淡然无极而众美从之
见《庄子·刻意》。全句为："无不忘也，无不有也。～"。
淡然虚而一，志虑则不分
见宋·郑侠《教子孙读书》诗。
淡泊是高风，太枯则无以济人利物
见明·陈继儒《小窗幽记》。全句为："忧勤是美德，太苦则无以适性怡情；～"。
❷清淡者，崇德之基也／恬淡无人见，年年常自清／非淡薄无以明德，非宁静无以致远／非淡泊无以明志，非宁静无以致远／恬淡、寂寞、虚无、无为，此天地之本而道德之质也
❸君子淡以亲，小人甘以绝／君子淡以成，小人甘以坏／能甘淡泊，便有几分真学问／虚凝淡泊怡其性，吐故纳新和其神
❹静漠恬淡，所以养性也／虚静恬淡寂寞无为者，万物之本也／渚寒烟淡，棹移人远，缥缈行舟如叶／大味必淡，大音必希；大语叫叫，大道低回／平易恬淡，则忧患不能入，邪气不能袭，故其德全而神不亏
❺道之出口，淡乎其无味／大羹必有淡味，至宝

必有瑕秽／和平之音淡薄，而秋思之声要妙／交情老去淡如水，病骨秋来瘦似松／君子之交淡若水，小人之交甘若醴／汝游心于淡，合气于漠，顺物自然而无容私焉，而天下治矣

❻人散后，一钩淡月天如水／凡读书到冷淡无味处，尤当着力推考

❼入妙文章本平淡，等闲言语变瑰琦／友如作画须求淡，山似论文不喜平／虽惭老圃秋容淡，且看黄花晚节香／中和之质，必平淡无味，故能调成五材变化应节／主德者，聪明平淡，总达众材，而不以事自任者也

❽熟读精思，攻苦食淡／至白涅不缁，至交淡不疑／欲把西湖比西子，淡妆浓抹总相宜／权衡损益，斟酌浓淡，芟繁剪秽，弛于负担

❾文章之境，莫佳于平淡

❿内守坚固真之真，虚中恬淡自致神／南高峰，北高峰，南北高峰云淡浓／有花无叶真潇洒，不向胭脂借淡红／观人察质，必先察其平淡，而后求其聪明／以无为为居，以不言为教，以恬淡为味，治之极也／真的猛士，敢于直面惨淡的人生，敢于正视淋漓的鲜血

淙 cóng 流水，急流；灌注；[淙淙]流水声。

❺烟才通，寒淙淙；隔山风，老鼓钟

深 shēn 与“浅”相对；深的程度；深奥，不易理解；茂盛；隐藏；缩进；关系密切；颜色浓；经历的时间久。

❶深则厉，浅则揭

见《诗·邶风·匏有苦叶》。

深山大泽，实生龙蛇

见《左传·襄公二十一年》。

深思远虑，安不忘危

见南朝·宋·范晔《后汉书·孝和孝殇帝纪》。

深沉厚道是第一等资质

见明·吕坤《呻吟语》。全句为：“～，磊落豪雄是第二等资质，聪明才辨是第三等资质”。

深溪见底，鳞介之所出没

见唐·张九龄《岁除陪王司马登薛公逍遥台序》。其后为：“乔林夹岸，羽毛之所翱翔”。

深根者难拔，据固者难迁

见晋·陈寿《三国志·蜀书·谯周传》。

深儿女之怀，便短英雄之气

见明·吴麟征《家诫要言》。

深入未必为得，不进未必为非

见南朝·宋·范晔《后汉书·马援传》。

深言则似不逊，略言则事不决

见南朝·宋·范晔《后汉书·隗嚣传》。

深耕概种，立苗欲疏，非其种者，锄而去之

见汉·司马迁《齐悼惠王世家》。

深者获公名，平者多后患，故治狱之吏皆欲人死

见汉·路温舒《尚德缓刑书》。

❷不深思则不能造其学／以深为根，以约为纪／履深泉之薄冰不为啼／义深则意远，意远则理辩／利深波也深，君意竟如何／志深而喻切，因事以陈辞／荷深水风阔，雨过清香发／潭深波浪静，学广语声低／本深而末茂，形大而声宏／林深则鸟栖，水广则鱼游／根深则本固，基美则上宁／根深而枝叶茂，行久而名誉远／根深则道可长。蒂固则德可茂／伐深根者难为功，摧枯朽者易为力／流深者其水不测，尊至者其敬无穷／意深词浅，思苦言甘。寥寥千载，此妙谁探／不深思则不能造于道，不深思而得者，其得易失

❸良贾深藏若虚／工夫深处独心知／思虑深，不轻言／地不深厚则载物不博／如临深渊，如履薄冰／好学深思，心知其意／水渊深广，则龙鱼生之／一丛深色花，十户中人赋／不临深溪，不知地之厚也／狗吠深巷中，鸡鸣桑树颠／广引深远，以明治乱之原／圣人深居以避辱，静安以待时／聪明深察而死者，好议人者也／良贾深藏如虚，君子有盛教如无／义虽深，理虽当，词不工者不成文／良贾深藏若虚，君子盛德容貌若愚／任是深山更深处，也应无计避征徭／宏远深切之谋，固不能合庸人之意／用意深而劝戒切，为言信而善恶明／聪明深察而近于死者，好议人者也／川渊深而鱼鳖归之，山林茂而禽兽归之／源不深而望流之远，根不固而求木之长／思必深，而深必怨；望必远，而远必伤／小人深情厚貌，毒人不可防范，殆其甚于豺狼也

❹老树春深更著花／讳莫如深，深则隐／储思必深，摛辞必高／人道弥深，所见弥大／交浅言深，君子所戒／望之弘深，即之坦夷／机括要深沉，怕是浅／水致其深，蛟龙生焉／其耆欲深者，其天机浅／无事则深忧，有事则不惧／大舟有深利，沧海无浅波／猛虎潜深山，长啸自生风／江海之深，以其虚而受也／松柏生深山，无心自贞直／晦塞为深，虽奥非“隐”／神龙藏深泉，猛兽步高冈／怨，不期深浅，其于伤心／穷巷隔深辙，颇回故人车／人之愈深，其进愈难，而其见愈奇／水发于深，而为用且远……反为患矣／才有浅深，无有古今；文有真伪，无有故新／登高临深，远见之乐，台榭不若丘山所见高也／猛虎在深山，百兽震恐；及在槛阱之中，摇尾而求食／乐之道深矣，故工之善者，必得于心应于手，而不可述之言也

❺语高而旨深／讳莫如深，深则隐／伤人之言，深于矛戟／交浅而言深者，愚也／高岸为谷，深谷为陵／阿谀有福，深言近祸／揆古察今，深谋

远虑／弘大而辟，深闳而肆／利深波也深，君意竟如何／源长者流深，道悠者利博／官尊者忧深，禄多者责大／相见情已深，未语可知心／爵高者忧深，禄厚者责重／虑于民也深，则谋其始也精／其思之不深，则其取之不固／芷兰生于深林，非以无人而不芳／鼋鼍穴于深渊之下，夕而得所宿／侯门一入深如海，从此萧郎是路人／胸中有誓深于海，肯使神州竟陆沉／寻芳者追深径之兰，识韵者探穷山之竹／思必深，而深必怨；望必远，而远必伤／思致之浅深，不在其磔裂章句，隳废声韵也／龟龙闻而深藏、鸾凤见而高逝者，知其害身也／猛虎处于深山，向风长鸣，则百兽震恐而不敢出／水行者表深，使人无陷；治民者表乱，使人无失／鹪鹩巢于深林，不过一枝；偃鼠饮河，不过满腹

❻好法而思不深则刻／接赜索隐，钩深致远／宠过若惊，喜深生惧／载船渡海，虽深何咎／登高则望，临深则窥／临溪而渔，溪深而鱼肥／去奸之本，莫深于严刑／故国三千里，深宫二十年／口辩者其言深，笔敏者其文沉／浅不足与测深，愚不足与谋知／千锤万击出深山，烈火焚烧若等闲／任是深山更深处，也应无计避征徭／徐行不记山深浅，一路莺啼送到家／据傲鲜腆而深折之，彼其能有所忍也／其文博辩而深切，中于时病而不为空言／刀笔之吏专深文巧诋，陷人于罔，以自为功／暗箭伤人，其深次骨；人之怨之，亦必次骨／神闲气静，智深勇沉，此八字是干大事的本领

❼智逾多而迷益深／大木百寻，根积深也／洞庭青草，秋水深深／载舟覆舟，所宜深慎／短绠不可以汲深井之泉／古来帝子，生于深宫……／基广则难倾，根深则难拔／流长则难竭，柢深则难朽／本伤者枝槁，根深者末厚／知小而自畏，则深谋而必克／声乐之入人也深，其化人也速／战战兢兢，如临深渊，如履薄冰／不是无端悲怨深，直将阅历写成吟／短绠不可以汲深，器小不可以盛大／滔滔武溪一何深，鸟飞不度，兽不敢临／短绠不可以汲深，器小不可以盛大，非其任也／道者……高不可际，深不可测；包裹天地，禀授无形

❽去人滋久，思人滋深／喜怒哀乐，动人心深／洞庭青草，秋水深深／浸润之谮，为患特深／鱼乐广闲，鸟慕静深……／探渊者知千仞之深，县绳之数也／恳言辞浅而不入，深言则逆耳而失指／以土圭之法测土深，正日景，以求地中／言有浅而可以托深，类有微而可以喻大／山不厌高，海不厌深；周公吐哺，天下归心／思焉而得，故其言深；感焉而得，故其言切

❾百川俱会，大海所以深／随风飘荡，白云还卧深谷／栗栗危惧，若将陨于深渊／盲人骑瞎马，夜半临深池／事以明核为美，不以深隐为奇／苟或得其高朗，探其深赜……／山不高则不灵，渊不深则不清／礼之至者无文，哀之深者无节／为词章，泛滥停蓄，为深博无涯涘／明白如话，然浅中有深，平中有奇／入泽随龟，不暇调足；深渊捕蛟，不暇定手／盛秋水潦，穷冬雨雪，深泥积水，相辅为害／动人以言者，其感不深；动人以行者，其应必速／涉浅水者见虾，其颇深者察鱼鳖，其尤甚者观蛟龙／兰茝生于茂林之中，深山之间，不为人莫见之故不芬

❿任重者其忧不可以不深／世路山河险，君门烟雾深／事危则志远，情迫则思深／乐超乎物之表者，其乐深／刺股情方励，偷光思益深／今日朱门者，曾恨朱门深／大海波涛浅，小人方寸深／常恨言语浅，不如人意深／国破山河在，城春草木深／山锐则不高，水狭则不深／寄语双莲子，须知用意深／弦以明直道，漆以固交深／水则不决不流，不积不深／忠至者辞笃，爱重者言深／积下不已，必极黄泉之深／鸟兽不厌高，鱼鳖不厌深／登高以望远，摇桨以泳深／言近而旨远，辞浅而义深／良弓难张，然可以及高入深／河海不择细流，故能就其深／父母之爱子，则为之计深远／恶之显者祸浅，而隐者祸深／无猖狂以自彰，当阴沉以自深／换我心，为你心，始知相忆深／治疾及其未笃，除患贵其未深／视卒如婴儿，故可与之赴深溪／鸟避弋而高翔，鱼畏网而深游／精诚由中，故其文语感动人深／其言直而切，欲闻之者深诫也／天之道也，如迎浮云，若视深渊／使治乱存亡若高山之与深溪……／世人结交须黄金，黄金不多交不深／东风不与周郎便，铜雀春深锁二乔／事有切而未能忘，情有深而未能遣／旧书不厌百回读，熟读深思子自知／离别不堪无限意，艰危深仗济时才／读书而寄兴于吟咏风雅，定不深心／读书好处心先觉，立雪深时道已传／获一人而失一国，见黄雀而忘深井／君王城上竖降旗，妾在深宫哪得知／德弥厚者葬弥薄，知愈深者葬愈微／须知大隐居廛市，休向深山守静孤／水波澜者源必远，树扶疏者根必深／爱之为道也，情亲意厚，深而感物／老去诗篇浑漫与，春来花鸟莫深愁／辞必高然后为奇，意必深然后为工／足不强则迹不远，锋不铦则割不深／其施厚者其报美，其怨大者其祸深／凿井者起于三寸之坎，以就万仞之深／众人笑而忽之者，此则君子之所深畏也／抗之则在青云之上，抑之则在深渊之下／所谓阻且艰者，莫能高其高而深其深也／有忧而不知忧者凶，有忧而深忧之者吉／褚小者不可以怀大，绠短者不可以汲深／登峻者戒在于穷高，济深者祸生于舟重／天犹有春秋冬夏旦暮之期，人者厚貌深情／不畏于微，

必畏于章，患大祸深，以至灭亡／未信而谏，圣人不与。交浅言深，君子所戒／事苦，则矜全之情薄；生厚，故安存之虑深／褒见一字，贵逾轩冕；贬在片言，诛深斧钺／诗者，不可以言语求而得，必将深观其意焉／坚甲利兵不足以为武，高城深池不足以为固／山不在高，有仙则名；水不在深，有龙则灵／福之为祸，祸之为福，化不可极，深不可测／忠谋转改，祸必及己。退隐深山，身乃不殆／不深思则不能造于道，不深思而得者，其得易失／宫殿中可以避世全身，何必深山之中，蒿庐之下／一观其文，心朗目舒，炯若深井之下仰视白日之正中也／感人心者，莫先乎情，莫始乎言，莫切乎声，莫深乎义／利之所在，虽千仞之山，无所不上，深源之下，无所不人

渌 lù 清澈；清酒；同“漉”。［渌水］发源于江西，流入湖南。

❼春草碧色，春水渌波，送君南浦，伤如之何
❿迫而察之，灼若芙蕖出渌波

涵 hán 包容；涵洞。

❷水涵天影阔，山拔地形高
❹星河尽涵泳，俯仰迷上下
❻八月湖水平，涵虚混太清／临喜临怒看涵养，群行群止看识见
❽读书切戒在慌忙，涵泳工夫兴味长
❿今夫大海……旦则浴日而出之，夜则滔列星，涵太阴

渗 shèn 液体渐渐地透过或漏出。

❹小处不渗漏，暗处不欺隐，末路不怠荒

淈 gǔ 搅浊；扰乱；水流畅通；枯竭。

❹涉冬则淈泥而潜蟠，避害也
❿女恶华丹之乱窈窕也，书恶淫辞之淈法度也

澒 ①hòng［澒洞］亦作“浲洞”、“洪洞”、“鸿洞”，弥漫无际。②gǒng 通“汞”，水银。

❻忧端齐终南，澒洞不可掇

湛 ①zhàn 澄清；浓重。②chén 通“沉”。③dān 喜乐；逸乐无度。④jiān 浸。

❶湛湛江水兮上有枫

见战国·楚·宋玉《招魂》。全句为：“～，目极千里兮伤春心，魂兮归来哀江南”。

❿挫其锐，解其纷，和其光，同其尘，湛兮似或存

湖 hú 周围是陆地的大片水域。

❶湖广熟，天下足

见清·梁章钜《农候杂占》卷二。

❷苏湖熟，天下足／满湖风月画船归
❸处江湖之远，则忧其君／八月湖水平，涵虚混太清／横江湖之鳣鲸兮，固将受制于蝼蚁
❹扁舟泛湖海，长揖谢公卿／不到西湖看山色，定应未可作诗人／欲把西湖比西子，淡妆浓抹总相宜
❻杭州之有西湖，如人之有眉目／清泉自爱江湖去，流出红墙便不还／重云蔽天，江湖黯然；游鱼茫然……
❼良才不隐世，江湖多贫贱／俯仰留连，疑是湖中别有天
❾杀人如麻兮流血成湖／巴陵胜状，在洞庭一湖
❿穿重云而下射，白龙倒饮于平湖／无力买田聊种水，近来湖面亦收租／纵横振锋颖之才，吐纳积江湖之量／有时赤脚弄明月，踏破五湖波底天／风收云散波忽平，倒转青天作湖底／烟霞充耳目之玩，鱼鸟尽江湖之赏／相呴以湿，相濡以沫，不如相忘于江湖／泉涸，鱼相与处于陆……不若相忘于江湖／地尽天水合，朝及洞庭湖，初日当中涌，莫辨东西隅

渣 zhā 渣滓；碎屑。

❺胸中没些渣滓，才能处世一番

湘 xiāng 烹煮；湖南的简称；［湘江］水名。

❹水到潇湘一样清
❺独立寒秋，湘江北去，橘子洲头／过洞庭，上湘江，非有罪左迁者罕至
❼孤篷听雨下潇湘

滞 zhì 积留；不通畅；遗落；形容死板，不灵活。

❸野多滞穗，亩有余粮／舟凝滞于水滨，车逶迟于山侧
❹独思，则滞而不通
❺长江悲已滞，万里念将归／旁通而无滞，日用而不匮／圣人不凝滞于物，而能与世推移／圣人不凝滞于物，智士必推移于时
❽无为者，非谓其凝滞而不动也，以其言莫从己出也
❿捶字坚而难移，结响凝而不滞／清阳者薄靡而为天，重浊者凝滞而为地／人生时禀得灵气，精明通悟，学无滞塞，则谓之神／以易限之鉴，镜难原之才，使国罔遗授，野无滞器，其可得

湮 ①yān 因年代久远而埋没；阻塞。②yīn 亦作“洇”，墨水着纸而漾开。

❺余生命之湮阨，曾二鸟之不如
❿怨恩取与谏教生杀，八者，正之器也，唯循大变无所湮者为能用之

渺 miǎo 水面广阔；微小；渺茫，离得远，看不清，也指事情的状况不清楚，难以确定。

❼寄蜉蝣于天地，渺沧海之一粟
❾渔父闲相引，时歌浩渺间
❿登山始觉天高广，到海方知浪渺茫／不忍登高临远，望故乡渺邈，归思难收／泰山之为大，弗察弗见，而况微渺者乎

湿

shī 潮湿；沾了水。

❶湿堂不洒尘，卑屋不蔽风

见汉·王充《论衡·累害》。全句为："～；风冲之物不得育，水湍之岸不得峭"。

❸宁可湿衣，不可乱步
❹相呴以湿，相濡以沫，不如相忘于江湖
❺平地注水，湿者必先濡／露团团而湿草，风烈烈而鸣泉／近河之地湿，近山之土燥，以类相及也
❽悬羽与炭，而知燥湿之气，以小明大
❿施薪若一，火就燥也；平地若一，水就湿也／舟必漏也而后水入焉，土必湿也而后苔生焉

温

①wēn 温暖；复习；温度；性情平和；中医指补养；中医热病之称；姓。②yùn 通"蕴"，[温藉]同"蕴藉"。

❶温颜接群臣

见元·曾先之《十八史略·唐太宗》。

温良者戒无断

见《格言联璧·持躬类》。全句为："聪明者戒太察，刚强者戒太暴，～"。

温柔敦厚，诗教也

见《礼记·经解》。

温、良、恭、俭、让

见《论语·学而》。

温乎其容，若加其新也

见唐·韩愈《与陈给事书》。全句为："～；属乎其言，若闵其穷也"。

温故而知新，可以为师矣

见《论语·为政》。

❸直而温，宽而栗，刚而无虐，简而无傲
❹挟冰求温，抱炭希凉
❺泰然若春，温兮如玉／其为人也温柔敦厚，诗教也／铭博约而温润，箴顿挫而清壮／士之相知，温不增华，寒不改叶／尺薪不能温镬水，寸冰不足寒庖厨／明于古今，温故知新，通达国体，故谓之博士
❻教胄子，直而温，宽而栗／内坚刚而外温润，有似君子者，玉也／贤君之治也，温良而和，宽容而爱，刑清而省，喜赏而恶罚
❼饱而知人之饥，温而知人之寒，逸而知人之劳
❽至德之君，仁政且温／积德之君，仁政且温／凡为人子之礼，冬温而夏凊，昏定晨省
❾寒者不俟狐貉而后温／寒不累时，则霜不降；温不兼日，则冰不释
❿食不偷而为饱兮，衣不苟而为温／圣人之道，宽而栗，严而温，柔而直，猛而仁／君子有三变：望之俨然，即之也温，听其言也厉

渴

①kě 口干想喝水的感觉；迫切。②jié 通"竭"，水干枯。③hé 水反流。

❶渴而穿井，临难铸兵

见南朝·梁元帝《金楼子》。

渴人多梦饮，饥人多梦餐

见唐·白居易《寄行简》。

渴者不思火，寒者不求水

见唐·韦应物《城中卧疾知阎薛二子屡从邑令饮因以赠之》。

渴不饮盗泉水，热不息恶木阴

见晋·陆机《猛虎行》。

❷如渴思冷水，如饥念美食
❸老夫渴急月更急，酒落杯中月先入
❺怒猊抉石，渴骥奔泉／求贤如饥渴，受谏而不厌／绠短者衔渴，足疲者辍途／其就义若渴者，其去义若热／饥而倍食，渴而大饮……虽暂怡性，必为后患
❻远井不救近渴／饥者易为食，渴者易为饮／饥食首阳薇，渴饮易水流／饥餐松柏叶，渴饮涧中泉，看罢青青竹，和衣自在眠
❼疗饥于附子，止渴于鸩毒，未入肠胃，已绝咽喉
❽军井未达，将不言渴
❾宜未雨而绸缪，毋临渴而掘井／宜未雨而绸缪，勿临渴而掘井
❿三尺之泉，足止三军之渴／嫉恶如仇雠，见善若饥渴／食钩吻以疗饥，饮鸩毒以救渴／壮志饥餐胡虏肉，笑谈渴饮匈奴血／病已成而后药之，乱已成而后治之，譬犹渴而穿井，斗而铸锥，不亦晚乎

渭

wèi [渭河]河流名称。

❶渭以泾浊，玉以砾贞

见南朝·宋·范晔《后汉书·党锢传》。

❻塞草烟光阔，渭水波声咽／吕望垂竿于渭涘，道峻匡周
❾槛外低秦岭，窗中小渭川

溃

kuì 水冲破堤防；散乱；败逃；烂；怒貌；达到。

❶溃痈虽痛，胜于养肉

见晋·陈寿《三国志·魏书·董卓传》。其后为："及溺呼船，悔之无及"。

❷堤溃蚁孔，气泄针芒
❸故堤溃蚁孔，气泄针芒／长堤溃蚁穴，君子慎其微
❹巨川将溃，非捧土之能塞
❺千里之堤，溃于蚁穴

❻以强弩射且溃之痈
❽奸生于国，时动必溃
❾筑室于道谋，是用不溃于成／以烦手烹鱼则鱼必溃，使学者制锦则锦必伤
❿千丈之堤，以蝼蚁之穴溃／一目之人可使视准，五毒之石可使溃疡／自为计者虽弱必固，欲自溃者虽强必弱／防民之口，甚于防川，川壅而溃，伤人必多／德而不威，其国外削；威而不德，其民内溃／威不能复制民，民不能堪其威，则上下大溃矣

湍 tuān 水流得很急；水势急。
❷急湍甚箭，猛浪若奔
❺飞沙溅石，湍流百势；翠崄丹崖，冈峦万色
❼机发矢直，涧曲湍回，自然之趣也
❾风冲之物不得育，水湍之岸不得峭
❿稻生于水，而不能生于湍濑之流／木秀于林，风必摧之；堆出于岸，流必湍之／兰亭也，不遭右军，则清湍修竹，芜没于空山矣

溅 ①jiàn 迸射。②jiān 同"浅"，[溅溅]流水声。
❸飞沙溅石，湍流百势；翠崄丹崖，冈峦万色
❹感时花溅泪，恨别鸟惊心

滑 ①huá 光滑；在平滑的物体表面移动；狡诈；浮而不实；古国名。②gǔ 通"汩"，汩乱；水流貌。
❻声得盐梅，响滑榆槿／圣人不以人滑天，不以欲乱情
❿随你官清似水，难逃吏滑如油／圣人不以身役物，不以欲滑和／生，寄也；死，归也。何足以滑和

溲 ①sōu 便溺。②sǒu 浸；调合；淘。
❷牛溲马勃，败鼓之皮，俱收并蓄，待用无遗

渝 yú 改变；违背；泛滥；重庆市的简称。
❼丹青初炳而后渝，文章岁久而弥光
❽五色虽明，有时而渝／五色虽朗，有时而渝／丹青初则炳，久则渝
❾以色交者，华落而爱渝／高山之松，霜霰不能渝其操／玉以洁润，丹紫莫能渝其质
❿人生有新故，贵贱不相渝／风雨急而不辍其音，霜雪零而不渝其色

湲 yuán[湲湲]起伏颠倒貌；[潺湲]水徐流貌；水流声；流泪貌。
❿临流不忍轻相别，吟听潺湲到天明

渡 dù 通过水面到对岸；通过；渡口。
❸载船渡海，虽深何咎／饮马渡秋水，水寒风似刀
❹涉水半渡，可击
❻万里长江横渡，极目楚天舒
❾金沙水拍云崖暖，大渡桥横铁索寒
❿但使龙城飞将在，不教胡马渡阴山／暮色苍茫看劲松，乱云飞渡仍从容

游 yóu 游泳；不固定；从容地行走；虚浮不实；游玩；游荡；逍遥；相互交往；江河的一段。
❶游子悲故乡
见汉·班固《汉书·高帝纪》。
游而不见敬，不恭也
见《邓析子·无厚》。全句为："～；子久居而不见爱，不仁也"。
游子久不归，不识陌与阡
见三国·魏·曹植《送应氏二首》。
游江海者托于船，致远道者托于乘
见汉·刘向《说苑·尊贤》。
❷兹游奇绝冠平生／罔游于逸，罔淫于乐／交游之人，誉不三周，未必信／善游者死于梁地，善射者死于中野／浮游，不知所求；猖狂，不知所往／鱼游于沸鼎之中，燕巢于飞幕之上／独游山水间，登极顶……欲空其形而去／汝游心于淡，合气于漠，顺物自然而无容私焉，而天下治矣
❸体如游龙，袖如素霓／视若游尘，遇同土梗／飘如游云，矫若惊龙／息交游闲业，卧起弄书琴／王孙游兮不归，春草生兮萋萋／颂优游以彬蔚，论精微而朗畅／闻《乐游园》寄足下诗，则执政柄者扼腕矣／腾蛇游雾，飞龙乘云，云罢雾霁，与蚯蚓同
❹恶人从游，则日生邪情／观其交游，则其贤不肖可察也
❺束书不观，游谈无根／居必择乡，游必就士／舟循川则游速，人顺路则不迷／暖风熏得游人醉，直把杭州作汴州／有罪者优游获免，无罪者妄受其辜／遇朋友交游之失，宜剀切，不宜优游／以子所长，游于不用之国，欲使无穷，其可得
❻精骛八极，心游万仞／行兵于井底，游步于牛蹄／慈母手中线，游子身上衣／父母在，不远游，游必有方／人能虚己以游世，其孰能害之／舟覆乃见善游，马奔乃见良御／携来百侣曾游。忆往昔峥嵘岁月稠／吞舟之鱼不游渊，鸿鹄高飞不就污池／唯至人乃能游于世而不僻，顺人而不失己／吞舟之鱼，不游枝流；鸿鹄高飞，不集污池／上与造物者游，而下与外生死、无终始者为友
❼诬善之人，其辞游／车如流水，马如游龙／翩若惊鸿，婉若游龙／乘舟楫者，不能游而绝江海／父母在，不远游，游必有方／阴与阳者，气而游乎其间者也／看书多撷一部，游山多走几步

／虎鹿之不可同游者，力不敌也／殉于货色，恒于游畋，时谓淫风／兽同足者相从游，鸟同翼者相从翔／沙鸥翔集，锦鳞游泳；岸芷汀兰，郁郁青青／君子居必择乡，游必就士，所以防邪僻而近中正也
❽仗剑去国，辞亲远游／含哺而熙，鼓腹而游／鹤寿千岁，以极其游／施施而行，漫漫而游……／富老不如贫少，美游不如恶归／畏友胜于严师，群游不如独坐／洋洋乎与造物者游而不知其所穷／人人尽说江南好，游人只合江南老／观于海者难为水，游于圣人之门者难为言／行之乎仁义之途，游之乎《诗》、《书》之源
❾苟怀四方志，所在可游盘／望云惭高鸟，临水愧游鱼／穷睇眄于中天，极娱游于暇日／得道之士，建心于足，游志于止／无所往而不乐者，盖游于物之外也／衣上征尘杂酒痕，远游无处不消魂／重云蔽天，江湖黯然；游鱼茫然……／树林阴翳，鸣声上下，游人去而禽鸟乐也／水皆缥碧，千丈见底；游鱼细石，直视无碍／故观于海者难为水，游于圣人之门者难为言
❿昼短苦夜长，何不秉烛游／林深则鸟栖，水广则鱼游／恩从祥风翱，德与和气游／山水有真赏，不领会终为漫游／石上不生五谷，秃山不游麋鹿／鸟避弋而高翔，鱼畏网而深游／不能手提天下往，何忍身去游其间／地薄者大物不产，水浅者大鱼不游／君子之学也，藏焉修焉，息焉游焉／闭门觅句陈无己，对客挥毫秦少游／明珠自有千金价，莫为游人作弹丸／春残已是风和雨，更著游人撼落花／新丰美酒斗十千，咸阳游侠多少年／遇朋友交游之失，宜剀切，不宜优游／予之无所往而不乐者，盖游于物之外也／负者歌于途，行者休于树……滁人游也／此溪若在山野，则宜逸民退士之所游……／以无厚入有间，恢恢乎其于游刃必有余地矣／夕景欲沉，晓雾将合；孤鹤寒啸，游鸿远吟／服罪输情者虽重必释，游辞巧饰者虽轻必戮／古君子志于道，据于德，依于仁，而后艺可游／大丈夫必有四方之志，乃仗剑去国，辞亲远游／彼妇之口，可以出走……盖优哉游哉，维以卒岁／仰观宇宙之大，俯察品类之盛，所以游目骋怀，足以极视听之娱

滋 zī 繁殖；增长；引起；供给；增添；喷射；液汁；润泽；滋味；香味。
❷既滋兰之九畹兮，又树蕙之百亩
❸去人滋久，思人滋深／树善滋于务本，除恶穷于塞源／纵令滋味当染于口，声色已开于心……
❹树德务滋，除恶务本
❺树德莫如滋，去疾莫如尽／珍好之物滋生彰著，则……
❼去人滋久，思人滋深／圣人之于声色滋味也……／人能除情欲，节滋味，清五藏，则神明居之
❽矫枉过正则巧伪滋生
❾嘉谷虽已殖，恶草亦滋蔓
❿灭烛怜光满，披衣觉露滋／学而不知其方，则反以滋其蔽／以千百就尽之卒，战百万日滋之师／用智为政，务欲理人。智变奸生，祸乱滋起／衣缺不补，则日以甚；防漏不塞，则日以滋／日思高其位，大其禄，而贪取滋甚，以近于危坠／养子弟如养芝兰，既积学以培植之，又积善以滋润之

溉 gài 浇灌；洗涤。
❼寻常之污，不能溉陂泽

渥 wò 沾湿；沾润；浓郁；厚；重。
❹为文不渥，则事不足褒

滁 chú 水名；[滁河]古称涂水，长江下游支流。
❿负者歌于途，行者休于树……滁人游也

滟 yàn[潋滟]形容水流波动。
❼蹁跹霞袖舞，潋滟羽觞飞

溘 kè 突然，忽然。
❷宁溘死以流亡兮，余不忍为此态也

满 ①mǎn 没有余地，达到容量饱和点；达到一定限度；完全；充实，符合心意；不虚心；使装满。②mèn 通“懑”，烦闷。
❶满城明月梨花
见宋·沈括《开元乐词》。
满川风雨看潮生
见宋·苏舜钦《淮中晚泊犊头》。
满城风雨近重阳
见宋·潘大临《残句》。
满帆明月洞庭秋
见宋·郭獬《送吴中复守长沙》。
满庭春雨绿如烟
见宋·王雱《绝句》。
满湖风月画船归
见宋·陈襄《和子瞻沿牒京口忆西湖出游见寄》。
满而不溢，泰而不骄
见汉·桓宽《盐铁论·褒贤》。
满场是假，矮人何辩也
见明·李贽《焚书》。
满而不溢，所以长守富也
见唐·颜真卿《与郭仆射书》。全句为：“～；高而不危，所以长守贵也”。

满招损，谦受益，时乃天道

见《尚书·大禹谟》。

满则虑嗛，平则虑险，安则虑危

见《荀子·仲尼》。

满堂而饮酒，有一人乡隅而悲泣，则一堂皆为之不乐

见汉·班固《汉书·刑法志》。“乡”通“向”。

❷月满空山水满潭／上满下漏，患无所救／持满之道，抑而损之／器满则倾，志满则覆／月满则亏，水满则溢／器满才难御，功高主自疑／处满常惮溢，居高本虑倾／惧满溢，则思江海下百川／惧满盈，则思江海下百川／贪满者多损，谦卑者多福／道满天下，普在民所，民不能知也／金满箱，银满箱，转眼乞丐人皆谤／言满天下，无口过；行满天下，无怨恶／月满则潮盛，月亏则潮衰。潮汐进退，皆由于月也

❸不自满者受益／恶有满而不覆者哉／东风满天地，贫家独无春／冠盖满京华，斯人独憔悴／相识满天下，知心能几人／白云满川，如海波起伏……／落红满路无人惜，踏作花泥透脚香／春色满园关不住，一枝红杏出墙来／金玉满堂，莫之能守。富贵而骄，自遗其咎

❹潮来风满衣／天道恶满而好谦／志不可满，乐不可极／守真志满，逐物意移／一虚一满，不位乎其形／生年不满百，常怀千岁忧／文籍虽满腹，不如一囊钱／功成行满之士，要观其末路／当知器满则倾，须知物极必反／苟不自满而中止，庶几终身而有成

❺为学心难满／野树秋声满／藕花无数满汀洲／夕阳红蓼满汀州／清风明月满船归／白日杨花满流水／坐上客恒满，樽中饮不空／遗子黄金满籝，不如一经／灭烛怜光满，披衣觉露滋／毛羽不丰满者，不可以高飞／遗子黄金满籝，不如教子一经／数亩秋禾满家食，一机官帛几梭丝／飒飒西风满院栽，蕊寒香冷蝶难来／登山则情满于山，观海则意溢于海／金满箱，银满箱，转眼乞丐人皆谤

❻山雨欲来风满楼／宝马雕车香满路／月满空山水满潭／器满则倾，志满则覆／日极则仄，月满则亏／数尽则穷，盛满而衰／数穷则尽，盛满则衰／月满则亏，水满则溢／变通之道遍满天地之内／只因一着错，满盘都是空／气忌盛，心忌满，才忌露／不虚则先自满，假教之亦不能受／会挽雕弓如满月，西北望，射天狼／月落乌啼霜满天，江枫渔火对愁眠／穷高则危，大满则溢，月盈则缺，日中则移／美人梳洗时，满头间珠翠，岂知两片云，戴却数乡税

❼水殿风来暗香满／偃鼠饮河，不过满腹／知者之举事也，满则虑嗛／桃陈则李代，月满则哉生／人意共怜花月满，花好月圆人又散／合升鼓之微以满仓廪，合疏缕之纬以成帏幕

❽陋室空堂，当年笏满床／又送王孙去，萋萋满别情／喧鸟覆春洲，杂英满芳甸／欲将轻骑逐，大雪满弓刀／积雨时物变，夏绿满园新／善为国者，仓廪虽满，不偷于农／我自只如常日醉，满川风月替人愁／冲天香阵透长安，满城尽带黄金甲／苦吟莫向朱门里，满耳笙歌不听君／死后是非谁管得，满村听说蔡中郎／睡起秋声无觅处，满阶梧叶月明中

❾莫道桑榆晚，为霞尚满天／诗，思然后积，积然后满，满然后发／诤臣必谏其渐，及其满盈，无所复谏／言满天下，无口过；行满天下，无怨恶／以言非信则百事不满也，故信之为功大矣／去国怀乡，忧谗畏讥，满目萧然，感极而悲者矣

❿四寸之管无当，必不可满也／三寸之管而无当，天下弗能满／知不足者好学，耻下问者自满／德行修逾八百，阴功积满三千／不知乘月几人归，落月摇情满江树／不要人夸好颜色，只留清气满乾坤／不栽桃李种蔷薇，荆棘满庭君思之／出师未捷身先死，长使英雄泪满襟／剑外忽传收蓟北，初闻涕泪满衣裳／尘世难逢开口笑，菊花须插满头归／藏书万卷可教子，遗金满籝常作灾／各愿种成千百索，豆萁禾穗满青山／强中更有强中手，莫向人前满自夸／战退玉龙三百万，败鳞残甲满天飞／时人莫道蛾眉小，三五团圆照满天／春风不识兴亡意，草色年年满故城／贤者恒无以自存，不贤者志满气得／新年鸟声千种啭，二月杨花满路飞／恶波横天山塞路，未央宫中常满库／田野荒而仓廪实，百姓虚而府库满／白日经天中则移，明月横汉满而亏／诗，思然后积，积然后满，满然后发／提刀而立，为之四顾，为之踌躇满志／德日新，万邦惟怀；志自满，九族乃离／贫贱之交而不可忘，珠玉满堂而不足贵／自谓理且安者，则自骄自满，虽安必危／三年耕有九年储，仓谷满盈，斑白不负戴／十旬休暇，胜友如云；千里逢迎，高朋满座／在上不骄，高而不危；制节谨度，满而不溢／敖不可长，欲不可从；志不可满，乐不可极／缚草为形，实之腐肉，教之拜起，以充满朝市／诗人感而后思，思而后积，积而后满，满而后作／鹪鹩巢于深林，不过一枝；偃鼠饮河，不过满腹／莫道男儿心如铁，君不见满川红叶，尽是离人眼中血

漠

mò 沙漠；冷淡，不关心。

❷芴漠无形，变化无常／静漠恬淡，所以养性也

❹人主静漠而不躁，百官得修焉／穷荒绝漠鸟不飞，万碛千山梦犹懒

❽壮年竭忠孝于沙漠，疲劳则便捐死于旷野

❾窈然无际,天道自会;漠然无分,天道自运/汝游心于淡,合气于漠,顺物自然而无容私焉,而天下治矣

溥 ①pǔ 广大;广泛,全面。②fū 通"敷",分布。

❶溥天之下,莫非王土;率土之滨,莫非王臣

见《诗·小雅·北山》。

源 yuán 水流流出的地方;事物的来由、根由。

❶源而流者岁旱不涸

见唐·柳宗元《报袁君陈秀才避师名书》。全句为:"~,蓄谷者不病凶年,蓄珠玉者不虞殍死"。

源清流洁,本盛末荣

见汉·班固《高祖泗水亭碑铭》。

源长者流深,道悠者利博

见唐·李峤《代百僚请立周七庙表》。

源发而横流,路开而四通

见南朝·宋·范晔《后汉书·仲长统传》。

源洁则流清,形端则影直

见唐·王勃《上刘右相书》。

源清则流清,源浊则流浊

见汉·韩婴《韩诗外传》。

源不深而望流之远,根不固而求木之长

见唐·吴兢《贞观政要·君道》。全句为:"~,德不厚而思国之理,臣虽下愚,知其不可,而况于明哲乎"。

源从天涯,或浊或清,所在之势使之然也

见汉·王充《论衡·率性篇》。全句为:"俱为一水,~"。

源泉混混,不舍昼夜,盈科而后进,放乎四海

见《孟子·离娄下》。

❷心源不受一尘侵/无源之水,无本之木/本源秽者,文不能净/虽源水桃花,时时失路/无源何以成河?无根何以垂荣/川源不能实漏卮,山海不能赡溪壑/词源倒流三峡水,笔阵独扫千人军/心源为炉,笔端为炭。锻炼元本,雕砻群形

❸塞其源者竭,背其本者枯/厌其源,开其渎,江河可竭/澄其源者流清,溷其本者末浊/水倍源则川竭,人倍信则名不达/浊其源而望流清,曲其形而欲景直/澄其源而清其流,统于一而应于万

❹寻得桃源好避秦/百乱之源,皆出嫌疑/川广自源,成人在始/塞其本源而末流自止/君者政源,人庶犹水/饮水思源,缘木思本/百川异源,而皆归于海/沃荡词源,河海无息肩之地/智如泉源,行可以为表仪者,人师也/君开一源,下生百端之变,无不乱者也/君开一源,下生百端。百端之变,无不动乱

❺分波而共源,百虑而一致/澧泉有故源,嘉禾有旧根/水波澜者源必远,树扶疏者根必深/君者,民之源也。源清则流清,源浊则流浊

❻无根之木,无源之水/塞水不自其源,必复流/源清则流清,源浊则流浊/本朽则末枯,源浅则流促/治水不自其源,末流弥增其广

❼流水清浊,在其源也/政赋不均,盗之源也/教化不修,盗之源也/衣食不足,盗之源也/仁功难著,而乱源易成/坏崖破岩之水,源自涓涓/江河之水,非一源之水也/表曲者景必邪,源清者流必洁/心不知治乱之源者,不可令制法/吾文如万斛泉源……虽一日千里无难/君者,民之源也。源清则流清,源浊则流浊

❽失之末流,求之本源/芝草无根,醴泉无源/木无本必枯,水无源必竭/伐根以求木茂,塞源而欲流长/无迷其途,无绝其源,终吾身而已矣/制其末而不穷其源,见其粗而未识其精/根生,叶安得不茂;源发,流安得不广/三教一体,九流一源,百家一理,万法一门

❾天下将兴,其积必有源/清其流者,必先洁其源/不以流之浊,而诬其源之清/以伐根而求木茂,塞源而欲流长也

❿君之奢俭,为人富贫之源/轻者重之端,小者大之源/欲流之远者,必浚其泉源/息阴无恶木,饮水必清源/善救弊者,必寻其起弊之源/树善滋于务本,除恶穷于塞源/其岸势犬牙差互,不可知其源/陶令不知何处去,桃花源里可耕田/地广非常安之术,人劳乃易乱之源/落其实者思其树,饮其流者怀其源/问渠哪得清如许,为有源头活水来/明主必谨养其和,节其流,开其源/法令者治之具,而非制治清浊之源也/故明主必谨养其和,节其流,开其源/尽公者,政之本也;树私者,乱之源也/善除害者,察其本;善理疾者,绝其源/不务衣食而务无盗贼,是止水而不塞源也/君者,民之源也。源清则流清,源浊则流浊/恶不可积,过不可长;积恶长过,丧乱之源/行之乎仁义之途,游之乎《诗》、《书》之源/复其性者贤人,循之而不已者也,不已则能归其源矣/君自为诈,欲臣下行直,是犹源浊而望水清,理不可得/道者何也?虚无之系,道化之根,神明之本,天地之源/利之所在,虽千仞之山,无所不上,深源之下,无所不入/苟灭德忘公,崇浮饰傲,荣其外而枯其内,害其本而窒其源/不本其所以欲,而禁其所欲……是犹决江河之源而障之以手也

滥 ①làn 水漫溢;不加选择;泛滥;过度;无节制;失实;沉浸;贪得。②lǎn 用水渍果子。③jiàn 浴盆。

❶滥交朋友,不如终日读书

见清·王永彬《围炉夜话》。全句为:"误用聪

明,何若一生守拙;~”。
❸心未滥而先谕教,则化易成也/何泛滥之浮云兮,猋壅蔽此明月/喜则滥赏无功,怒则滥杀无罪,是以天下丧乱,莫不由此
❹乏则思滥,滥则迫利而轻禁
❺水可使不滥,不可使无流/乏则思滥,滥则迫利而轻禁/交友不宜滥,滥则贡谀者来/为词章,泛滥停蓄,为深博无涯涘
❻赏不过,刑不滥/交友不宜滥,滥则贡谀者来
❼法不至死,无容滥加酷罚
❽至赏不费,至刑不滥/杀一人则千人恐,滥一罪则百夫愁
❾号令不虚出,赏罚不滥行/君子固穷,小人穷斯滥矣/赏僭则惧及淫人,刑滥则惧及善人/一炬有燎原之忧,而滥觞有滔天之祸/喜则滥赏无功,怒则滥杀无罪,是以天下丧乱,莫不由此
❿善为国者,赏不僭而刑不滥/罚所及,则思无以怒而滥刑/为情者要约而写真,为文者淫丽而烦滥/驰马思坠,挞人思毙,妄费思穷,滥交思累/朱丹既定,雌黄有别,使夫怀鼠知惭,滥竽自耻

滉 huàng 水深而广。
❸沧海滉漾,不以含垢累其无涯之广

溷 hùn 猪圈;厕所。
❷世溷浊而嫉贤兮,好蔽美而称恶
❼澄其源者流清,溷其本者末浊

滔 tāo 弥漫;水势盛大貌;激荡;倨慢;涌聚。
❶滔滔大江水,天地相终始
见唐·张九龄《登荆州城望江二首》之一。
滔滔武溪一何深,鸟飞不度,兽不敢临
见汉·马援《武溪深行》。
❷滔滔大江水,天地相终始/日滔滔以自新,忘老之及己也/滔滔武溪一何深,鸟飞不度,兽不敢临
❸日滔滔以自新,忘老之及己也/过眼滔滔云共雾,算人间知已吾和汝
❹把酒酹滔滔,心潮逐浪高/过眼滔滔云共雾,算人间知已吾和汝
❺把酒酹滔滔,心潮逐浪高
❽大雨落幽燕,白浪滔天
❿一炬有燎原之忧,而滥觞有滔天之祸/乾坤倒覆,无谓不静,洪流滔天,无谓其动/望长城内外,惟馀莽莽;大河上下,顿失滔滔/今夫大海……旦则浴日而出之,夜则滔列星,涵太阴

溪 xī,又读 qī,山间的流水;小河沟。
❶溪南北有山……
见唐·舒元舆《录桃源画记》。全句为:“~,山如屏形,接连而去,峰竖不险,翠秾不浮”。
溪中云隔寺,夜半雪添泉
见唐·项斯《寄石桥僧》。
溪虽莫利于世,而善鉴万类……
见唐·柳宗元《愚溪诗序》。全句为:“~,清莹秀澈,锵鸣金石”。
❷濯溪见鳄必弃履而走/临溪而渔,溪深而鱼肥/深溪见底,鳞介之所出没/此溪若在山野,则宜逸民退士之所游……
❸侵淫溪谷,盛怒于土囊之口/常记溪亭日暮,沉醉不知归路
❹不临深溪,不知地之厚也/滔滔武溪一何深,鸟飞不度,兽不敢临
❺临溪而渔,溪深而鱼肥
❻不善使船嫌溪曲/欲心难厌如溪壑,财物易尽若漏卮
❾道由白云尽,春与青溪长
❿视卒如婴儿,故可与之赴深溪/散发高吟,对明月于青溪之下/使治乱存亡若高山之与深溪……/川源不能实漏卮,山海不能赡溪壑/致君事业堆胸臆,却伴溪童学钓鱼/其嵚然相累而下者,若牛马之饮于溪/域民不以封疆之界,固国不以山溪之险

溜 ①liū 滑行;偷偷地走掉;光滑,圆润;顺着,沿着;一种烹调法。②liù 水流;屋檐下滴水处;串;条;排;通“遛”,慢步走。
❹一线之溜,可以达石者,一与不一故也
❾见有人来,袜划金钗溜,和羞走
❿耸壑之鱼穿于一丝之溜

漓 lí 用于水名,漓江;[淋漓]湿淋往下滴落的样子。
❿真的猛士,敢于直面惨淡的人生,敢于正视淋漓的鲜血

滚 gǔn 翻转;走开;大水奔流貌;液体沸腾;副词。
❶滚滚长江东逝水,浪花淘尽英雄
见明·罗贯中《三国演义》。
❸高天滚滚寒流急,大地微微暖气吹
❹高天滚滚寒流急,大地微微暖气吹
❿无边落木萧萧下,不尽长江滚滚来/千古兴亡多少事,悠悠。不尽长江滚滚流

滂 pāng 水涌出的样子。[滂沱]形容雨下得很大。[滂湃]形容水势浩大的样子。
❼寤寐无为,涕泗滂沱

溢 yì 液体充满而流出;流出;超出;过分;通“镒”。
❶溢美之言,置疑于人

见宋·王安石《与孙子高书》。
❷骄溢之君无忠臣，口慧之人无必信
❸盈必溢／喜而溢美，犹不失近厚／惧满溢，则思江海下百川／怒而溢恶，则为人之害多矣
❹满而不溢，泰而不骄／九河盈溢，非一块所防／满而不溢，所以长守富也／盈而不溢，盛而不骄，劳而不矜其功／江河之溢，不过三日，飘风暴雨，须臾而毕
❺处满常惮溢，居高本虑倾／霤水足以溢壶榼，而江河不能实漏卮／两喜必多溢美之言，两怒必多溢恶之言
❻君子恶名之溢于实
❼防决不备，有水溢之害／礼不过实，仁不溢恩，治世之道也
❽月满则亏，水满则溢／其气充乎其中而溢于其貌／情在词外曰隐，状溢目前曰秀／传其常情，无传其溢言，则几乎全／穷高则危，大满则溢，月盈则缺，日中则移
❿采善不逾其美，贬恶不溢其过／登山则情满于山，观海则意溢于海／两喜必多溢美之言，两怒必多溢恶之言／在上不骄，高而不危；制节谨度，满而不溢／布帛寻常，庸人不释；铄金百溢，盗跖不掇／世俗所患，患言事增其实，著文垂辞，辞出溢其真

溯 sù 逆着水流的方向走；追求根源。
❿同涉于川，其时在风；沿者之吉，溯者之凶

滨 bīn 临近水边；通"濒"，迫近，几至。
❹彭蠡之滨，以鱼食犬豕
❻舟凝滞于水滨，车逶迟于山侧
❿渔舟唱晚，响穷彭蠡之滨／溥天之下，莫非王土；率土之滨，莫非王臣

滓 zǐ 液体中沉淀的杂质。
❶滓泥污秽之中，莲含香而自洁
见明·吕坤《吕新吾闺范》。全句为："惟夫消磨靡烂之际，金久炼而愈精；～"。
❻胸中没些渣滓，才能处世一番
❼扬清激浊，荡去滓秽
❿于今为神奇，信宿同尘滓／智者睹危思变，贤者泥而不滓

溟 ①míng 海。②mǐng［溟涬］自然之气。
❿假令风歇时下来，犹能簸却沧溟水／十指而掩日月之光，一口而没沧溟之水

溺 nì 淹没；过分，缺乏控制。
❶溺爱者不明，贪得者无厌
见宋·朱熹《四书集注·大学第八章》。
溺于渊犹可缓也，溺于人不可救也
见《盥盘铭》。全句为："与其溺于人也，宁溺于渊；～"。
溺者入水，拯之者亦入水。入水则同，所以入水者则异
见汉·刘安《淮南子·说山》。
❷及溺呼船，悔之无及／嫂溺援之以手者，权也／拯溺锤之以石，救火投之以薪
❸与其溺于人也，宁溺于渊／常民溺于习俗，学者沉于所闻／小人溺于水，君子溺于口，大人溺于民
❹大货之溺大氓／两人俱溺，不能相拯
❺曩之用才……溺在缘情之举
❻追亡者趋，拯溺者濡／待利而后拯溺，人亦必以利溺人矣／迷者不问路，溺者不问遂，亡人好独
❽与其溺于人也，宁溺于渊／溺于渊犹可缓也，溺于人不可救也／小人溺于水，君子溺于口，大人溺于民
❾常人安于故俗，学者溺于所闻／欲灭迹而走雪中，拯溺者而欲无濡
❿渔者不死于山，猎者不溺于渊／文起八代之衰，而道济天下之溺／苟其聪明蔽于嗜好，智虑溺于爱憎／待利而后拯溺，人亦必以利溺人矣／祸患常积于忽微，智勇多困于所溺／小人溺于水，君子溺于口，大人溺于民／火形严，故人鲜灼；水形懦，故人多溺／不治其本，而务其末，譬犹拯溺锤之以石

滩 tān 河、海、湖边水深时淹没、水浅时露出的多砂少石的地方。
❽安卧扬帆，不见石滩；靠天多幸，白日入阱

溔 yǎo［溔溔］水无涯际貌。
❷浩溔东流，赴海为期。斡而迁焉，逐我颐指

潢 ①huáng 潢水；染纸。②huàng 大水涌至貌。③guāng［潢潢］威武貌。
❿绝民用以实王府，犹塞川原而为潢污也

潆 yíng 大水；［潆洄］水回旋貌。
❽风下松而含曲，泉潆石而生文

潇 xiāo 水清而深。
❸水到潇湘一样清
❻孤篷听雨下潇湘／有花无叶真潇洒，不向胭脂借淡红
❼田园有真乐，不潇洒终为忙人
❽怒发冲冠，凭栏处，潇潇雨歇
❿遇师友，亲之取之，大胜塞居不潇洒也

漆 qī 油漆；涂漆；黑色；漆树，落叶植物；姓。

❷丹漆不文，白玉不雕，宝珠不饰／胶漆至粘也，而不能合远；鸿毛至轻也，而不能自举
❹以胶投漆中，谁能别离此
❺道或乖，胶漆不能同其异
❻弦以明直道，漆以固交深
❼桂可食，故伐之；漆可用，故割之
❽世途昏险，拟步如漆……圣智危栗
❿百工不信，则器械苦伪，丹漆染色不贞／姆抱幼子立侧，眉眼如画，发漆黑，肌肉玉雪可念

漱 shù 把水含在口中荡洗；洗涤。
❶漱涤万物，牢笼百态
见唐·柳宗元《愚溪诗序》。

漂 ①piāo（在水面）漂浮，漂动；摇动；志节高远。②piǎo 用水冲去杂质。③piào 漂亮，美好；出色。
❸众煦漂山，聚蚊成雷／感子漂母惠，愧我非韩才
❹寄食于漂母，无资身之策／心事同漂泊，生涯共苦辛
❼伏尸百万，流血漂卤
❽冲风之末，力不能漂鸿毛
❾强冲风之末，力不能漂鸿毛
❿为天有眼兮何不见我独漂流

漫 màn，又读 mán，水太满而溢出；长，广阔；遍布；随意；不受约束；污；浸坏；不要；徒然。
❸雄关漫道真如铁，而今迈步从头越
❺施施而行，漫漫而游……／梅花欢喜漫天雪，冻死苍蝇未足奇
❻贵其效，则汗漫而无当／施施而行，漫漫而游……／待到山花烂漫时，她在丛中笑／老去诗篇浑漫与，春来花鸟莫深愁
❼万木霜天红烂漫，天兵怒气冲霄汉
❽风萧萧而异响，云漫漫而奇色
❿山水有真赏，不领会终为漫游／凌大江之惊波兮，过洞庭之漫漫／看万山红遍，层林尽染；漫江碧透，百舸争流

潋 liàn 水际；形容水波流动的样子。
❻蹁跹霞袖舞，潋滟羽觞飞

漪 yī 水面上的波纹。
❻水性虚而沦漪结，木体实而花萼振，文附质也

漉 lù 过滤；湿漉漉，湿透的样子；使干涸。
❹千淘万漉虽辛苦，吹尽狂沙始到金
❿搜寻仞之垄，求干天之木；漉牛迹之中，索吞舟之鳞

滴 dī 点状液体；一点一点往下落；量词。
❶滴沥空庭，竹响共雨声相乱
见唐·骆宾王《冒雨寻菊序》。全句为："参差远岫，断云将野鹤俱飞；～"。
❷自滴阶前大梧叶，干君何事动哀吟
❸尝一滴之咸而知沧海之性
❹荷枯雨滴闻／暗中时滴思亲泪，只恐思儿泪更多
❻绳锯木断，水滴石穿，学道者须加力索
❼一粒红稻饭，几滴牛颔血／锄禾日当午，汗滴禾下土
❿每开一卷，刀搅肺肠；每读一篇，血滴文字

漾 ①yàng 水面轻微动荡；液体太满而泛出。②yáng 通"飏"，丢的意思。
❹沧海滉漾，不以含垢累其无涯之广

演 yǎn 长流；引长；延及；润湿；演变；演化；发挥；演习；表演。
❺文王拘而演《周易》
❿飒爽英姿五尺枪，曙光初照演兵场／广仁益智，莫善于问；乘事演道，莫善于对

漏 lòu 泄漏；不严密，能使东西透过；脱免；逃避；引诱；因考虑不周出现欠缺或差错。
❷屋漏在上，知者在下／屋漏在上，知之在下／屋漏在下，止之在上／罪漏则民放佚而轻犯禁／屋漏者，民去之；水浅者，鱼逃之／囊漏贮中，识者不吝；反裘负薪，存毛实难
❸赏勿漏疏，罚勿容亲／知屋漏者在宇下，知政失者在草野／舟必漏也而后水入焉，土必湿也而后苔生焉
❹上满下漏，患无所救
❺小处不渗漏，暗处不欺隐，末路不怠荒
❻船到江心补漏迟／明哲之君，网漏吞舟之鱼／川源不能实漏卮，山海不能赡溪壑
❼言多令事败，器漏苦不密
❽天网恢恢，疏而不漏／任重才轻，故多阙漏／怒中之言，必有泄漏
❾起来自擘纱窗破，恰漏清光到枕前
❿千里之堤，以蝼蚁之穴漏／罔疏则兽失，法疏则罪漏／记事之体，欲简而且详，疏而不漏／山林不能给野火，江海不能实漏卮／欲心难厌如溪壑，财物易尽若漏卮／霤水足以溢壶榼，而江河不能实漏卮／善日者王，善时者霸，补漏者危，大荒者亡／衣缺不补，则日以甚；防漏不塞，则日以滋／年过八十而以居位，譬犹钟鸣漏尽而夜行不休

潨 cóng 水流汇合处；急流；水流声。
❻壁立千峰峻，潨流万壑奔

潜 qián 深入水下活动；深入；暗中；偷偷地。
❶潜龙以不见成德
见晋·陈寿《三国志·魏书·管宁传》。
潜移暗化，自然似之
见北齐·颜之推《颜氏家训·慕贤》。
❷鱼潜于渊，出水煦沫
❸随风潜入夜，润物细无声／猛虎潜深山，长啸自生风／石泉潜流，不以涧幽而撤其清
❺把意念沉潜得下，何理不可得
❼春夏用事，秋冬潜处／涉冬则淈泥而潜蟠，避害也／吞舟之鱼不居潜泽，度量之士不居污世
❽残杯与冷炙，到处潜悲辛／富时不俭贫时悔，潜时不学用时悔
❿阴风怒号，浊浪排空，日星隐曜，山岳潜形／龙凤隐耀，应德而臻；明哲潜遁，俟时而动

潮 cháo 海水定时涨落的现象；微湿；比喻大规模的社会变动和运动发展形势。
❶潮来风满衣
见宋·钱熙《九日溪偶成》。
❷怒潮风正急，酒醒闻塞笛
❸春江潮水连海平，海上明月共潮生
❹人心胜潮水，相送过浔阳／月满则潮盛，月亏则潮衰。潮汐进退，皆由于月也
❻满川风雨看潮生／传语万古观潮客，莫观老潮观壮潮
❼把酒酹滔滔，心潮逐浪高／有风方起浪，无潮水自平
❾登楼知日近，傍海见潮生／倚老松，坐怪石，殷殷潮声，起于月外／月满则潮盛，月亏则潮衰。潮汐进退，皆由于月也
❿传语万古观潮客，莫观老潮观壮潮／春江潮水连海平，海上明月共潮生／月满则潮盛，月亏则潮衰。潮汐进退，皆由于月也

潭 ①tán 深水池。②xún 水边。
❶潭深波浪静，学广语声低
见《续传灯录》卷八。
潭西南而望，斗折蛇行，明灭可见
见唐·柳宗元《至小丘西小石潭记》。全句为："～。其岸势犬牙差互，不可知其源"。
❷坐潭上，四面竹树环合……／澄潭至清，洞澈见底，往往有群鱼戏，历历如水上行
❸闲云潭影日悠悠，物换星移几度秋
❻潦水尽而寒潭清，烟光凝而暮山紫
❼月满空山水满潭
❿孰使予乐居夷而忘故土者，非兹潭也欤

潦 ①lǎo 雨后的积水。②liáo 不认真，不精细，字写得不工整；情绪低落，不得意；水名。③lào 同"涝"，雨水过多，淹没庄稼。
❶潦水尽而寒潭清，烟光凝而暮山紫
见唐·王勃《滕王阁序》。
❹稽天之潦，不能终朝／盛秋水潦，穷冬雨雪，深泥积水，相辅为害
❺海不让水潦以成其大

潘 ①pān 淘米水；姓。②pán 通"盘"，回旋的水流。③fān 水溢出。
❶潘陆颜谢，蹈迷津而不归
见唐·卢照邻《乐府杂诗序》。全句为："～；任沈江刘，来乱辙而弥远。其有发挥新体，孤飞百代之前，开凿古人，独步九流之上"。

澈 chè 水清。
❻澄潭至清，洞澈见底，往往有群鱼戏，历历如水上行

澜 lán 波浪；淘米水。
❷涛澜汹涌，风云开合
❸回狂澜于既倒，支大厦于将倾／水波澜者源必远，树扶疏者根必深
❹推波助澜，纵风止燎
❺尺水无长澜，蛟龙岂其容／人心若波澜，世路有屈曲
❼人情翻覆似波澜／块土不能障狂澜，匹夫不能振颓俗
❽山，倒海翻江卷巨澜。奔腾急，万马战犹酣
❾障百川而东之，回狂澜于既倒
❿报国心皎洁，念时涕汍澜／屹立大江干，仍能障狂澜／临泰山之悬崖，窥巨海之惊澜……／长恨人心不如水，等闲平地起波澜

潺 chán 形容流水声或水流动状。
❺渐闻水声潺潺，而泻出两峰之间者，酿泉也
❿临流不忍轻相别，吟听潺湲到天明

澄 ①chéng 水非常清澈；使清明。②dèng 使液体里的杂质沉淀下去。
❶澄明远水生光，重迭暮山耸翠
见宋·柳永《诉衷情近》。
澄其源者流清，溷其本者末浊
见南朝·宋·范晔《后汉书·郎顗传》。
澄其源而清其流，统于一而应于万
见唐·韩愈《为韦相公让官表》。
澄川翠干，光影会合于轩户之间，尤与风月为相宜
见宋·苏舜钦《沧浪亭记》。
澄潭至清，洞澈见底，往往有群鱼戏，历历如水上行
见唐·骆宾王《钓矶应诘文》。

❹刑在必澄,不在必惨;政在必信,不在必苛
❺余生自负澄清志/惟静惟默,澄神之极
❻披泥抽沦玉,澄川掇沈珠/登车揽辔,有澄清天下之志
❼浑沌之原,无皎澄之流/秋山的翠,秋江澄空,扬帆迅征,不远千里
❿金猴奋起千钧棒,玉宇澄清万里埃

濑 lài 湍急的水。

❿稻生于水,而不能生于湍濑之流

澧 lǐ 水名;[澧水]洞庭湖水系主要河流之一;[澧澧]波浪声。

❶澧泉有故源,嘉禾有旧根

见汉·王充《论衡·自纪篇》。

澡 zǎo 冲洗。

❻圣人清廉以澡身,人自廉洁以顺教

激 jī 水受到的震动;使发作;激动;急剧;指声调的高亢激烈;鲜明。

❶激浊扬清,嫉恶好善

见唐·吴兢《贞观政要·任贤》。

激波陵山,必成难升之势

见北齐·刘昼《刘子·思顺》。全句为:"导泉向涧,则为易下之流;～"。

激而发之欲其清,固而存之欲其重

见唐·柳宗元《答韦中立论师道书》。全句为:"抑之欲其奥,扬之欲其明;疏之欲其通,廉之欲其节;～"。

❷水激则悍,矢激则远/水激则波兴,气乱则智昏
❸扬清激浊,荡去滓秽/水不激不跃,人不激不奋/顺风激靡草,富贵者称贤/水不激不能破舟,矢不激不能饮羽/泉水激石,泠泠作响;好鸟相鸣,嘤嘤成韵
❹岂无感激者?时俗颓此风/小人不激不励,不见利不劝/震雷电激,不崇一朝;大风冲发,希有极日
❻水激则悍,矢激则远
❼黜陟幽明,扬清激浊/冰心与贫流争激,霜情与晚节弥茂/清流触石,洄旋激注,佳木异竹,垂阴相荫/自古上书,率多激切。若不激切,则不能起人主之心
❽不因感衰节,安能激壮心/水不激不跃,人不激不奋
❾由外以铄己,因物以激志
❿斩茅而嘉树列,发石而清泉激/厉直刚毅,材在矫正,失在激讦/四海翻腾云水怒,五洲震荡风雷激/水不激不能破舟,矢不激不能饮羽/物有盛衰,时有推移,事有激会,人有变化/何惜阶前盈尺之地,不使白扬眉吐气,激昂青云/人生天地之中,殊于众类明矣。感则应,激则通/自古上书,率多激切。若不激切,则不能起人主之心

澹 ①dàn 微波起伏的样子;安静;轻浅。[澹泊]同"淡泊";[澹然]同"淡然"。②shàn 通"赡",供给;供应。③tán[澹台]复姓。

❶澹澹长江水,悠悠远客情

见唐·崔道融《寄人》之二。全句为:"～。落花相与恨,到地一无声"。

❷词澹语要有味,壮语要有韵,秀语要有骨
❸结交澹若水,履道直如弦
❹水能性澹为吾友,竹解心虚即我师
❺杼轴得之,澹而无味,琢刻藻绘,弥不足贵
❼物丰则欲省,求澹则争止
❿事省而易治,求寡而易澹/发纤秾于简古,寄至味于澹泊/天下之物博而智浅,以澹浅博,未有能者也/师旷调音,曲无不悲;狄牙和膳,肴无澹味

濡 rú 沾湿;延迟;等待;柔顺;光泽;小便。

❹争鱼者濡,争兽者趋/争鱼者濡,逐兽者趋
❻相呴以湿,相濡以沫,不如相忘于江湖
❽追亡者趋,拯溺者濡
❾平地注水,湿者必先濡
❿欲灭迹而走雪中,拯溺者而欲无濡

濮 pú 用于地名、水名;姓。

❸桑间濮上之音,亡国之音也
❿会心处不必在远,翳然林水,便自有濠濮间想也

濠 háo 护城河;水名。

❿会心处不必在远,翳然林水,便自有濠濮间想也

濯 ①zhuó 洗涤;大;不洁净的水。②zhào 通"棹",船桨。

❶濯清泉以自洁

见唐·韩愈《送李愿归盘谷序》。

濯去旧见,以来新意

见宋·朱熹《学规类编》。

濯溪见鳄必弃履而走

见明·宋濂《燕书四十书》。全句为:"饭山逢彪必吐哺而逃,～"。

❻振衣千仞冈,濯足万里流/义理有疑,则濯去旧见,以来新意
❼出淤泥而不染,濯清涟而不妖/坐茂树以终日,濯清泉以自洁/坐而玩之者,可濯足于床下;卧而狎之者,可垂钓于枕上
❾沧浪之水浊兮,可以濯吾足/沧浪之水清兮,可以濯吾缨

⑩坠井者求出，执热者愿濯

瀑 ①pù 瀑布。②bào 急雨；溃起的水。

❶瀑布天落，半与银河争流……

见唐·李白《秋于敬亭送从侄游庐山序》。全句为："～，腾虹奔电，潈射万壑，此宇宙之奇诡也"。

❻夏宜急雨，有瀑布声；冬宜密雪，有碎玉声

瀛 yíng 池泽中；[瀛洲]传说中的仙山；[瀛海]大海。

⑩天将今夜月，一遍洗寰瀛

灌 guàn 输水浇土；注入；饮酒；炼铸；斟酒浇地降神，古代祭礼的一种仪式；姓。

❹颍水清，灌氏宁；颍水浊，灌氏族

❻随陆无武，绛灌无文

❼腾波触天，高浪灌日，吞吐百川

❽时雨降矣，而犹浸灌，其于泽也，不亦劳乎

⑩颍水清，灌氏宁；颍水浊，灌氏族

忆 yì 回想；想念；记住。

❸如病忆良药，如蜂贪好蜜

❼对他乡之风景，忆故里之琴歌／携来百侣曾游。忆往昔峥嵘岁月稠

❽问姓惊初见，称名忆旧容

⑩换我心，为你心，始知相忆深／偏讶思君无限极，欲罢欲忘还复忆

忉 dāo[忉忉]形容忧念；唠叨；形容忧愁。

⑩异方之乐，只令人悲，增忉怛耳

忖 cǔn 思量，揣度；姓。

❻他人有心，予忖度之

忏 chàn 忏悔；佛教、道教代人悔过的仪式或经文。

⑩真伪有质矣，而趋舍舛忏，故两心不相为谋焉

忙 máng 事情很多，没有空，与"闲"相对；急着去做，着急。

❻少年人要心忙，忙则摄浮气

❼读书切戒在慌忙，涵泳工夫兴味长

⑩不待清明近，莺花已自忙／田园有真乐，不潇洒终为忙人

忝 tiǎn 辱，有愧于。

❹龙钟还忝二千石，愧尔东西南北人

忮 zhì 忌恨，残害；违逆，刚愎。

❷不忮不求，何用不臧

❸虽有忮心者，不怨飘瓦

⑩仁常而不周，廉洁而不信，勇忮而不成／大道不称，大辩不言，大仁不仁，大廉不嗛，大勇不忮

怀 huái 胸部；心中存有；思念；心意；归向；安抚；包；围绕；来；古邑名；姓。

❶怀与安，实败名

见《左传·僖公二十三年》。

怀与安，实疚大事

见《国语·晋语四》。

怀恶而讨，虽死不服

见《谷梁传·昭公四年》。

怀道者须世，抱朴者待工

见汉·陆贾《新语·术事》。

怀瑾握瑜兮，穷不知所示

见战国·楚·屈原《楚辞·九章·怀沙》。

怀此贞秀姿，卓为霜下杰

见晋·陶潜《和郭主簿二首》之二。全句为："芳菊开林耀，青松冠岩列。～"。

怀此王佐才，慷慨独不群

见三国·魏·曹植《薤露行》。

怀文武之才者，必荷社稷之重

见晋·陈寿《三国志·吴书·陆逊传》。全句为："有超世之功者，必应光大之宠；～"。

怀既往而不咎，指将来而骏奔

见唐·王勃《上百里昌言疏》。

怀必贪，贪必谋人；谋人，人亦谋己

见《左传·宣公十四年》。

怀重宝者不以夜行，任大功者不以轻敌

见《战国策·赵策二》。

❷好怀百岁几回开／不怀爱而听，不留说而计／苟怀四方志，所在可游盘／有怀投笔，慕宗悫之长风／摅怀旧之蓄念，发思古之幽情／旷怀足以御物，长策足以服人／空怀向日之心，未有朝天之路／俱怀逸兴壮思飞，欲上青天揽明月

❸一别怀万恨，起坐为不宁／人情怀旧乡，客鸟思故林／士而怀居，不足以为士矣／被褐怀金玉，兰蕙化为刍／大才怀百家之言，故能治百家之乱／说者怀畏，听者怀骄，以此行义，不亦难乎／君子怀德，小人怀土；君子怀刑，小人怀惠／君子怀德，小人怀土；贤士徇名，贪夫死利／去国怀乡，忧谗畏讥，满目萧然，感极而悲者矣

❹民罔常怀，怀于有仁／将难放怀处放怀，则万境宽／民足则怀安，安则自重而畏法／出处每怀心耿耿，是非谁较论悠悠／君子不怀暴君之禄，不处乱国之位

❺圣人被褐怀玉／蜂虿作于怀袖／惟宽可以怀远人／民罔常怀，怀于有仁／匹夫无罪，怀璧其罪／深儿女之怀，便短英雄之气／心懔懔以怀霜，志眇眇而临云／人情同于怀土兮，岂穷达而异心／英雄者，胸怀大志，腹有良谋……／意得则舒怀以命笔，理伏则投笔以卷怀／有云水襟怀，有松柏气节，典型顿失，人尽含悲

❻果者，临敌不怀生／慎乃俭德，惟怀永图／为长者不敢怀私以请间／人生几何时，怀忧终年岁／禀正直之性，怀刚毅之姿／抱景者咸叩，怀响者毕弹／图四海者，非怀细以害大／有罚无恕，非怀远之弘规／悬日月于胸怀，挫风云于毫翰／忠果正直，志怀霜雪，见善若惊，疾恶若仇／若使人之所怀于内者……，则天下无亡国败家矣

❼德不优者，不能怀远／安民则惠，黎民怀之／宴安鸩毒，不可怀也／生年不满百，常怀千岁忧／将难放怀处放怀，则万境宽／资绝伦之妙态，怀悫素之洁清／人生不得行胸怀，虽寿百岁，犹为夭也／德日新，万邦惟怀；志自满，九族乃离／褚小者不可以怀大，绠短者不可以汲深／说者怀畏，听者怀骄，以此行义，不亦难乎／君子怀德，小人怀土；君子怀刑，小人怀惠／君子怀德，小人怀土；贤士徇名，贪夫死利／人肖天地之类，怀五常之性，有生之最灵者也

❽以公灭私，民其允怀／民心无常，惟惠之怀／代虐以宽，兆民允怀／进退维谷，冰炭在怀／石韫玉而山辉，水怀珠而川媚／既反黑以为白，恒怀蛆以自盈／非威何畏，非德何怀；不畏不怀，何以成霸／东风恶，欢情薄，一怀愁绪，几年离索。错！错！错

❾间关如有意，愁绝若怀人／春蚕不应老，昼夜常怀思／春蚕不应老，昼夜常怀丝／虽感目之一致，终寄怀而百端

❿弃身锋刃端，性命安可怀／沿情而动兴，因物而多怀／爱静鱼争乐，依人鸟入怀／老者安之，朋友信之，少者怀之／非宽大无以兼覆，非慈厚无以怀众／落其实者思其树，饮其流者怀其源／大海荡荡水所归，高贤愉愉民所怀／礼丰不足以效爱，而诚心可以怀远／标心于万古之上，而送怀于千载之下／人之过也……在于悔往，而不在于怀来／宜得敏锐兼人之器，以副厉精更化之怀／意得则舒怀以命笔，理伏则投笔以卷怀／非威何畏，非德何怀；不畏不怀，何以成霸／叛而不讨，何以示威；服而不柔，何以示怀／荆玉含宝，要俟开莹；幽兰怀馨，事资扇发／君子怀德，小人怀土；君子怀刑，小人怀惠／采采卷耳，不盈顷筐。嗟我怀人，置彼周行／火烧到身，各自去扫；蜂虿入怀，随即解衣／有不得已者而后言。其歌也有思，其哭也有怀／鳏虽难得，贪以死饵；士虽怀道，贪以死禄矣／非历览无以寄杼轴之怀，非高远无以开沉郁之绪／朱丹既定，雌黄有别，使夫怀鼠知惭，滥竽自耻／大丈夫岂得苟贪财物，以害及身命，使子孙每怀愧耻耶／仰观宇宙之大，俯察品类之盛，所以游目骋怀，足以极视听之娱

忧

yōu 愁闷；忧愁；劳困；疾病；指父母之丧。

❶忧国不忧身

见隋·杨素《出塞二首》之二。

忧患已空无复痛

见宋·苏辙《渔家傲》。

忧勤者，建业之本也

见明·徐祯稷《耻言》。全句为："清淡者，崇德之基也；～"。

忧喜聚门，吉凶同域

见宋·陆佃解《鹖冠子·世兵》。

忧心悄悄，愠于群小

见《诗·邶风·柏舟》。

忧人之忧，人亦忧其忧

见唐·白居易《策林一》。全句为："乐人之乐，人亦乐其乐；～"。

忧懈怠则思慎始而敬终

见唐·魏征《论时政》第二疏。

忧民之忧者，民亦忧其忧

见《孟子·梁惠王下》。全句为："乐民之乐者，民亦乐其乐；～"。

忧人不能寐，耿耿夜何长

见汉·无名氏《伤歌行》。

忧艰常早至，欢会常苦晚

见汉·秦嘉《赠妇诗》。

忧国唯知重，谋身只觉轻

见宋·陈公辅《李伯纪丞相挽诗》。

忧国孤臣泪，平胡壮士心

见宋·陆游《新春》。

忧端齐终南，澒洞不可掇

见唐·杜甫《自京赴奉先县咏怀五百字》。

忧在内者本也，忧在外者末也

见宋·苏洵《审敌》。

忧劳可以兴国，逸豫可以亡身

见宋·欧阳修《伶官传序》。

忧国者不顾身，爱民者不罔上

见宋·李邦献《省心杂言》。

忧所以为昌也，而喜所以为亡也

见《吕氏春秋·慎大览·慎大》。全句为："～。胜非其难者也，持之其难者也"。

忧勤是美德，太苦则无以适性怡情

见明·陈继儒《小窗幽记》。全句为："～；淡泊是高风，太枯则无以济人利物"。

忧愁惨怛，乐非轻死，则刑罚不能恐也

见汉·严遵《道德指归论·民不畏死篇》。

忧天下之乱，犹忧河水之少，泣而益之也

见汉·刘安《淮南子·诠言》。

忧人之言不绝于口，而乐身之事实切于心

见唐·吴兢《贞观政要·慎终》。

忧不生忧，喜不生喜。不忧不喜，乃生忧喜

见汉·严遵《道德指归论·为无为篇》。

❷销忧者莫若酒／下忧上烦，蠹政为患／所忧在道，不在乎祸／不忧一家寒，所忧四海饥／百忧感其心，万事劳其形／但忧死无闻，功不挂青史／不忧命之短，而忧百姓之穷／先忧事者后乐事，先乐事者后忧事／有忧而不知忧者凶，有忧而深忧之者吉

❸杜门忧国复忧民／君子忧道，不忧贫／心之忧矣，如匪浣衣／心之忧矣，视丹如绿／心之忧矣，自诒伊戚／生于忧患，而死于安乐／为世忧乐者，君子之志也／贫贱忧戚，庸玉女于成也／穷年忧黎元，叹息肠内热／进有忧国之心，退有死节之义／思何忧而不入，心何虑而不攒／心之忧危，若蹈虎尾，涉于春冰／民恶忧劳，我佚乐之；民恶贫贱，我富贵之／虽有忧勤之心，而不知致治之要，则心愈劳而事愈乖

❹忧国不忧身／临祸忘忧，忧必及之／何以解忧，惟有杜康／子如不忧，忧日以生／忧人之忧，人亦忧其忧／夙兴以忧人，夕惕而修己／忧民之忧者，民亦忧其忧／官尊者忧深，禄多者责大／爵高者忧深，禄厚者责重／不为世忧乐者，小人之志也／草无忘忧之意，花无长乐之心／树木者忧其蠹，保民者除其贼／仁者不忧，知者不惑，勇者不惧／忧不生忧，喜不生喜。不忧不喜，乃生忧喜／匹夫而忧天下，无位而论世事，时俗以为狂，而君子之所取也

❺杞国无事忧天倾／天下无内忧必有外惧／临祸忘忧，忧必及之／乐以天下，忧以天下／子如不忧，忧日以生／爱之太殷，忧之太勤／急人之急，忧人之忧／病人之病，忧人之忧／赤心事上，忧国如家／任重者其忧不可以不深／无事则深忧，有事则不惧／不贪故无忧，不积故无失／常胜者无忧，恒成者好怠／言轻则招忧，行轻则招辜／其穷也不忧，其乐也不淫／以天下为忧，而未以位为乐／人生识字忧患始，姓名粗记可以休／先天下之忧而忧，后天下之乐而乐／匠成舆者忧人不贵，作箭者恐人不伤／萌于不必忧之地，而寓于不可见之初／人亦有言，忧令人老。嗟我白发，生一何早／君子有三忧：弗知，可无忧与？……可无忧与／去国怀乡，忧谗畏讥，满目萧然，感极而悲者矣

❻外宁必有内忧／唯酒可以忘忧／位卑未敢忘忧国／除浮华则无忧患／杜门忧国复忧民／君子忧道，不忧贫／多难兴王，殷忧启圣／安身为乐，无忧为福／乾坤含疮痍，忧虞何时毕／先师有遗训，忧道不忧贫／圣人不利己，忧济在元元／君子得意而忧，逢喜而惧／福之本在于忧，而祸起于喜／国有累卵之忧，俗有土崩之势／能除天下之忧者，必享天下之乐／多欲亏义，多忧害智，多惧害勇／不以高危为忧惧，岂知稼穑之艰难／古之良有司，忧其君而不恤其私计／遇灾则极其忧勤，时安则不骄不逸／有忧而不知忧者凶，有忧而深忧之者吉／吾恐季孙之忧不在颛臾，而在萧墙之内也／将营大厦，不忧乎群材之不足，而忧乎梁栋之不可得／平易恬淡，则忧患不能入，邪气不能袭，故其德全而神不亏／人之生也，与忧俱生，寿者惛惛，久忧不死，何苦也！其为形也亦远矣

❼乐天知命，故不忧／于安思危，于治忧乱／不先正本而成忧于末也／内省不疚，夫何忧何惧／处江湖之远，则忧其君／忧人之忧，人亦忧其忧／居庙堂之高，则忧其民／不忧一家寒，所忧四海饥／不道山中冷，翻忧世上寒／同欲者相憎，同忧者相亲／人生几何时，怀忧终年岁／勿慕贵与富，勿忧贱与贫／不忧命之短，而忧百姓之穷／人而不学，虽无忧，如禽何／乐易者常寿长，忧险者常夭折／君子有终身之忧，无一朝之患／忧在内者本也，忧在外者末也／巧者劳而知者忧，无能者无所求／天下国家总以忧勤而得，怠荒而失／人多欲亏义，多忧害智，多惧害勇／先天下之忧而忧，后天下之乐而乐／圣王以天下为忧，天下以圣王为乐／沉于乐者洽于忧，厚于味者薄于行／一炬有燎原之忧，而滥觞有滔天之祸／知我者，谓我心忧；不知我者，谓我何求／忧天下之乱，犹忧河水之少，泣而益之也／爱憎不栖于情，忧喜不留于意，泊然无感／所避者名也，所忧者其实也，实不可一日忘

❽君子慎始而无后忧／人无远虑，必有近忧／得何足喜，失何足忧／居上不骄，在下不忧／智者不愁，多为少忧／思索生知，慢易生忧／急人之急，忧人之忧／病人之病，忧人之忧／忧民之忧者，民亦忧其忧／不恤年之将衰，而忧志之有倦／知者不惑，仁者不忧，勇者不惧／心不怡之长久兮，忧与愁其相接／秋也严霜降兮，殷忧者为之不乐／乐莫善于如意，而忧莫惨于不如意／阴阳水旱由天公，忧雨忧风愁煞侬／发愤忘食，乐以忘忧，不知老之将至／钱财不积则贪者忧，权势不尤则夸者悲／凫胫虽短，续之则忧；鹤胫虽长，断之则悲／大富则骄，大贫则忧；忧则为盗，骄则为暴／尧以不得舜为己忧，舜以不得禹、皋陶为己忧

❾尺书远达兮，以解君忧／忧人之忧，人亦忧其忧／近其小喜，而远其大忧／吏者，君之喜而国之忧也／偷安者后危，虑近者忧迩／先师有遗训，忧道不忧贫／茶为涤烦子，酒为忘忧君／与民共其乐者，人必忧其忧／圣人安不忘危，恒以忧思为本营／大得却须防大失，多忧原只为求多／心治则百节皆安，心忧则百节皆乱／无为则俞俞，俞俞者忧患不能处，年寿长矣／为忠甚易，得宜实难。忧人大过，以德取怨／大富则

骄,大贫则忧;忧则为盗,骄则为暴/贤哉,回也……人不堪其忧,回也不改其乐/人之生也,必以其欢。忧则失纪,怒则失端。忧悲喜怒,道乃无处

❿凡主伸己以屈天下之忧/中夜四五叹,常为大国忧/生年不满百,常怀千岁忧/忧民之忧者,民亦忧其忧/贵有风雪兴,富无饥寒忧/有人者累,见有于人者忧/与民共其乐者,人必忧其忧/无赫赫之势,亦无戚戚之忧/乱我心者,今日之日多烦忧/多读书达观古今,可以免忧/洪涛未接,长鲸多陆死之忧/居天下之乐者,同天下之忧/贤者用于君则以君之忧为忧/我岂更求荣达,日长聊以销忧/古之君子爱其人也则忧其无成/国危则无乐君,国安则无忧民/廉者常乐无求,贪者常忧不足/悦亲戚之情话,乐琴书以消忧/居上位而不骄,在下位而不忧/三悔以没齿,不如不悔之无忧也/与其有乐于身,孰若无忧于其心/书卷多情似故人,晨昏忧乐每相亲/偷得利而后有害,偷得乐而后有忧/儿孙自有儿孙福,莫为儿孙作远忧/先忧事者后乐事,先乐事者后忧事/阴阳水旱由天公,忧雨忧风愁煞侬/名为治平无事,而其实有不测之忧/君子不恤年之将衰,而忧志之有倦/惟能于其未然而预防之,故无后忧/贤者不悲其身之死,而忧其国之衰/贵高有危殆之惧,卑贱有沟壑之忧/巢居者察风,穴处者知雨,忧存故也/古之官人也,以天下为己累,故己忧之/今之官人也,以己为天下累,故人忧之/处大无患者恒多慢,处小有忧者恒思善/有忧而不知忧者凶,有忧而深忧之者吉/知足者,贫贱亦乐;不知足者,富贵亦忧/一日万机,一人听断,虽复忧劳,安能尽善/乘人之车者载人之患,衣人之衣者忧人之忧/至治之务,在于正名。名正则人主不忧劳矣/虽曰爱之,其实害之;虽曰忧之,其实仇之/忧不生忧,喜不生喜。不忧不喜,乃生忧喜/天下治乱,不在一姓之兴亡,而在万民之忧乐/尧以不得舜为己忧,舜以不得禹、皋陶为己忧/乐高喜大,负威任势,亡忧失畏,不求于己也/君子有三忧:弗知,可无忧与?……可无忧与/天下之治乱,不在一姓之兴亡,而在万民之忧乐/逊以为子弟苟有才,不忧不用,不宜私出以为荣利/将营大厦,不忧乎群材之不足,而忧乎梁栋之不可得/读书少则身暇,身暇则邪间,邪间则过恶作焉,忧患及之/人之生也,必以其欢。忧则失纪,怒则失端。忧悲喜怒,道乃无处/人之生也,与忧俱生,寿者惛惛,久忧不死,何苦也!其为形也亦远矣

忤

wǔ 不顺从;违背;姓。

❸至言忤于耳而倒于心/事……有忤于心者而未始有非也/鄙朴忤逆者未必悖,承顺惬可者未必忠

❹圣人先忤而后合,众人先合而后忤也

❻附顺者拔擢,忤恨者诛灭

❼小人先合而后忤

❿轻细微眇之渐,必生乖忤之患/圣人先忤而后合,众人先合而后忤也

怅

chàng 失意,伤感。

❶怅望关河空吊影,正人间……

见宋·张元幹《贺新郎》。全句为:"～、鼻息鸣鼍鼓,谁伴我,醉中舞"。

怅寥廓,问苍茫大地,谁主沉浮

见现代·毛泽东《沁园春·长沙》。

❷惆怅不如边雁影,秋风犹得向南飞

❿结体散文,直而不野,婉转附物,惆怅切情

怆

chuàng 悲伤;凄怆。

❽念天地之悠悠,独怆然而涕下

忱

chén 真诚的情意。

❸天难忱斯,不易维王

快

kuài 乐意,称心;舒畅;放肆;快速;锋利;干脆;将要;高兴;通"会",能;姓。

❶快我平生万里心

见宋·潘良贵《题三江亭》。

快然自足,曾不知老之将至

见晋·王羲之《兰亭集序》。

快心之事,悉败身丧德之媒,五分便无悔

见明·洪应明《菜根谭·前集百四》。

快者掀髯,愤者扼腕,悲者掩泣,羡者色飞

见明·臧懋循《元曲选序二》。全句为:"～,是惟优孟衣冠,然后可与于此"。

❷一快不足以成善,积快而为德/小快害义,小慧害道,小辨害治,苟心伤德/山,快马加鞭未下鞍。惊回首,离天三尺三

❸事遇快意处当转,言遇快意处当住

❹健儿须快马,快马须健儿/不可乘快而多事,不可因倦而鲜终

❺引笔行墨,快意累累,意尽便止/焉得并州快剪刀,翦取吴松半江水/常有小不快事,是好消息……知此理可免怨尤

❻争先睹之为快/小人得志,暂快一时/健儿须快马,快马须健儿/其雄辞宏辩,快如轻车骏马之奔驰

❼置之死地而后快/悲音不共声,皆快于耳

❽爽口物多终作疾,快心事过必为殃

❾以善意相待,无不致快也/一快不足以成善,积快而为德/人情得足,苦于放纵,快须臾之

欲，忘慎罚之义

❿殃咎之来，未有不始于快心者／不可乘喜而多言，不可乘快而易事／事遇快意处当转，言遇快意处当住／过屠门而大嚼，虽不得肉，贵且快意／毋私小惠而伤大体，毋借公论以快私情／凡举事，无为亲厚者所痛，而为见仇者所快／穷困不能辱身，非人也；富贵不能快意，非贤也／治天下者，当以天下之心为心，不得自专快意而已／上古明王举乐者，非以娱心自乐，快意恣欲，将欲为治也

怯

qiè 缺乏勇气；害怕；体质虚弱。

❶怯于邑斗，而勇于寇战

见《商君书·战法》。

❹大勇若怯，大智若愚／排恨叠，怯衣单，花枝红泪弹／良将不怯死以苟免，烈士不毁节以求生／勇将不怯死以苟免，壮士不毁节而求生

❻勇者取其威，怯者取其慎／慎重者，始若怯，终必勇

❼勇者不得独进，怯者不得独退

❽不为易勇，不为崄怯

❾轻发者，始若勇，终必怯／略观围棋，法于用兵，怯者无功，贪者先亡

❿伏天下之勇者，不在勇而在怯／与时屈伸，柔从若蒲苇，非慑怯也／大巧若拙，大辩若讷，大勇若怯者／勇之极者，知勇果不足以胜物，故怯／知者不倍时而弃利，勇士不怯死而灭名／于为义若嗜欲，勇不顾前后；于利与禄，则畏避退处如怯夫然

怙

hù 依仗，凭恃。

❸不可怙者天，不可画者人

❹无父何怙，无母何恃

怵

①chù 恐惧；害怕。②xù 被诱惑而动心。

❶怵迫之徒兮，或趋东西

见汉·贾谊《鹏鸟赋》。

怵惕惟厉，中夜以兴，思免厥愆

见《尚书·冏命》。

❹君子不怵乎好，不迫乎恶，恬愉无为，去智与故

❿人迫于恶，则失其所好；怵于好，则忘其所恶，非道也

怖

bù 惊惶，害怕；恐吓。

❷心怖，可击

❹畏其卒，怖其始

怛

dá 悲苦；畏惧；恐吓。

❹疾痛惨怛，未尝不呼父母也／忧愁惨怛，乐非轻死，则刑罚不能恐也

❻刚而塞，则恻怛有仁恩

❼何谓仁？仁者僭怛爱人，谨翕不争

❿异方之乐，只令人悲，增忉怛耳

怏

yàng 不满意或不高兴的样子。

❿君子日孳孳以成辉，小人日怏怏以至辱

性

xìng 性质，指事物所具有的本质、特点；生命；生机；性情；脾气；性别；语法范畴之一。

❶性即理也

见宋·朱熹《近思录·道体类》。

性无善无不善

见《孟子·告子上》。

性与情不相无也

见唐·李翱《复性书上》。全句为："情既昏，性斯匿矣；情不作，性斯充矣。"

性相近，习相远

见《论语·阳货》。

性者，天之命也

见唐·李翱《复性书上》。

性者，所受于天也

见汉·刘安《淮南子·缪称》。全句为："～；命者，所遭于时也"。

性情面目，人人各具

见清·沈德潜《说诗晬语》。

性有巧拙，可以伏藏

见《阴符经》上。

性静情逸，心动神疲

见南朝·梁·周兴嗣《千字文》。

性修反德，德至同于初

见《庄子·天地》。

性有不欲，无欲而不得

见汉·刘安《淮南子·缪称》。全句为："～；心有不乐，无乐而不为"。

性长非所断，性短非所续

见《庄子·骈拇》。

性情之生，斯乃自然而有

见唐·孔颖达《毛诗正义》。全句为："乐之所起，发于人之性情。～"。

性弱则德全，性强则祸起

见五代·前蜀·杜光庭《道德真经广圣义》卷二十九。

性者情之本，情者性之用

见宋·王安石《性情》。

性同而势均则相竞而相害也

见三国·魏·刘劭《人物志·七缪》。全句为："性同而材倾则相援而相赖也，～"。

性同而材倾则相援而相赖也

见三国·魏·刘劭《人物志·七缪》。全句

为:"～,性同而势均则相竞而相害也"。
性与事,一而二,二而一者也
见唐·柳宗元《东海若》。
性通乎气之外,命行乎气之内
见宋·张载《正蒙·诚明》。全句为:"～。气无内外,假有形而言尔"。
性于人无不善,系其善反不善反而已
见宋·张载《正蒙·诚明》。全句为:"～。过天地之化,不善反者也"。
性虽善,待教而成;性虽恶,待法而消
见汉·荀悦《申鉴·杂言下》。
性不可易,命不可变,时不可止,道不可壅
见《庄子·天运》。
性也者与生俱生也,情也者,接于物而生也
见唐·韩愈《原性》。
性有精粗,命有长短,情有美恶,意有大小
见汉·严遵《道德指归论·上德不德篇》。全句为:"人物禀假,受有多少,～。或为小人,或为君子"。
性字从生从心,是人生来具是理于心,方名之曰性
见宋·陈淳《北溪字义》卷上。
❷凡性者,天之就也／治性者不以性,以德／德性所知,不萌于见闻／人性含灵,待学成而为美／人性虽能智,不教则不达／水性虽能流,不导则不通／人性虽同,禀气不能无偏重／养性之道:莫久行、久坐……／顺性命,适情意,牵于殊类……／厚性宽中近于仁,犯而不校邻于恕／率性而行谓之道,得其天性谓之德／天性正于受生之初,明觉发于既生之后／无性则伪之无所加,无伪则性不能自美／因性而动,接物感寤……进退取与,谓之情／水性虚而沦漪结,木体实而花萼振,文附质也
❸习与性成／食色,性也／情者,性之动也／无其性,不可教训／德者,性之所扶也／人之性恶,其善者伪也／茧之性为丝,弗得女工／有其性无其养,不能遵道／何况性命之重,乃以博财物耶／茧之性为丝,然非得女工……／惟天性刚强之人,不为物欲所屈／水之性清,土者抇之,故不得清／苟全性命于乱世,不求闻达于诸侯／水能性澹为吾友,竹解心虚即我师／直者性奋,好人行直于人,而不能受人之讦／因其性,则天下听从;拂其性,则法县而不用／水之性胜火,如裹之以釜,水煎而不得胜,必矣／复其性者贤人,循之而不已者也,不已则能归其源矣／民之性,饥而求食,劳而求佚,苦则索乐,辱则求荣／卵之性为雏,不得良鸡覆伏孚育,积日累久,则不成为雏
❹天地之性人为贵／人之初,性本善／天地之性,人为贵／情既昏,性斯匿矣／凡人之性,不能无争／行忍情性,然后能修／形骸者,性命之器也／慧出本性,非适今有／偏材之性,不可移转矣／士人修性,正在临事时／禀道之性,本来清静……／不禁其性,则物自济,何为之恃／人之才性,各有短长,固难勉强／圣人化性而起伪,伪起而生礼义／不如鄙性好诚实,退无所议进不谀／生人之性得以安,圣人之道得以光／君子者,性非绝世,善自托于物也／形骸非性命不立,性命假形骸以显／人能尽性知天,不为蕞然起见,则几矣／五谷养性而弃之于地,珠玉无用而宝之于身／凡人之性,少则猖狂,壮则暴强,老则好利／今人之性恶,必将待师法然后正,得礼义然后治／君子所性,虽大行不加焉,虽穷居不损焉,分定故也／内便于性,外合于义,循理而动,不系于物者,正气也／原心反性则贵矣,适情知足则富矣,明死生之分则寿矣／凡人之性,莫不欲善其德,然而不能为善德者,利败之也
❺素朴而民性得矣／心有善恶,性无不善／禀正直之性,怀刚毅之姿／在火辨玉性,经霜识松贞／少成若天性,习贯如自然／纵欲而失性,动未尝正也／欲识凌冬性,唯有岁寒知／病多知药性,客久见人心／病多知药性,年长信人愁／杉能遂其性,不扶而直……／扬雄言人性善恶混者,中人也／孙卿言人性恶者,中人以下者也／孟轲言人性善者,中人以上者也／天命之谓性,率性之谓道,修道之谓教／民心不得,性命不全,则号令不能动也／侥幸者伐性之斧也,嗜欲者逐祸之马也／彼民有常性,织而衣,耕而食,是谓同德／君子尊德性而道问学,致广大而尽精微,极高明而道中庸
❻诗者,吟咏情性也／诚者,圣人之性也／治性者不以性,以德／弃身锋刃端,性命安可怀／少无适俗韵,性本爱丘山／性长非所断,性短非所续／性弱则德全,性强则祸起／饮食男女皆性也,是乌可灭／导人必因其性,治水必因其势／存其心,养其性,所以事天也／凡以知,人之性;可以知,物之理也／情横于内而性伏,必外寓于物而后遣／欲弃学而循性,是谓犹释船而欲蹶水也／天下不淫其性,不迁其德,有治天下者哉／轩冕在身,非性命也,物之傥来,寄者也／情不自情,因性而情;性不自性,由情以明
❼诗出于民之情性／所禀生者谓之性／乾道变化,各正性命／人生而静,天之性也／由心故画,诸法性如是／世情闲静见,药性病多谙／人之所以惑其性者,情也／葵藿倾太阳,物性固莫夺／揆材各有用,反性生苦辛／情波也,心流也,性水也／千金未必能移性,一诺从来许杀身／虚凝淡泊怡其性,吐故纳新和其神／自道所禀谓之性,性之所迁谓之情／天命之谓性,率性

之谓道，修道之谓教／尽其心者，知其性也；知其性，则知天矣／万物以自然为性，故可因而不可为也，可通而不可执也／非情、才无以见性，非气质无所为情、才，即无所为性也
❽参以土宜，遂以物性／蔬食弊衣足以养性命／治欲者不以欲，以性／情生于心，心生于性／虺蜴为心，豺狼成性／静漠恬淡，所以养性也／性者情之本，情者性之用／皓齿娥眉，命曰伐性之斧／情有善有不善，而性无不善焉／年衰无酒食之娱，性拙无博弈之艺／形骸非性命不立，性命假形骸以显／自道所禀谓之性，性之所迁谓之情／性虽善，待教而成；性虽恶，待法而消／风霜以别草木之性，危乱而见贞良之节／安土重迁，黎民之性；骨肉相附，人情所愿／教学之法，本于人性，磨揉迁革，使趋于善
❾虽终身而不自睹其性焉／乐之所起，发于人之性情／今人莫不失自然正性……／凡人之欲为善者，为性恶也／物能相割截者，必异性者也／调难调之人，可以练性，学在其中矣／人之善恶，不必世族；性之贤鄙，不必世俗／虽常服药，而不知养性之术，亦难以长生也／情不自情，因性而情；性不自性，由情以明
❿天所赋为命，物所受为性／尝一滴之咸而知沧海之性／岂不罹凝寒？松柏有本性／有无虚实通为一体者，性也／在之也者，恐天下之淫其性也／知与恬交相养，而和理出其性／形体保神，各有仪则，谓之性／不可学、不可事而在人者，谓之性／率性而行谓之道，得其天性谓之德／因循苟且之心作，强毅久大之性亏／忧勤是美德，太苦则无以适性怡情／机关算尽太聪明，反算了卿卿性命／欲恶避就，固不待师，此人之性也／见闻之知，乃物交而知，非德性所知／天下之理不可穷也，天下之性不可尽也／无性则伪之无所加，无伪则性不能自美／尽其心者，知其性也；知其性，则知天矣／顺之则喜，逆之则怒，此有血气者之性也／情不自情，因性而情；性不自性，由情以明／桑椹甘香，鸱鸮革响，淳酪养性，人无嫉心／气以实志，志以定言，吐纳英华，莫非情性／卵待复而为雏，茧待缫而为丝，性待教而为善／原天命，治心术，理好恶，适情性，而治道毕／人肖天地之类，怀五常之性，有生之最灵者也／含元一以为质，禀阴阳以立性，体五行而著形／因其性，则天下听从；拂其性，则法县而不用／饥而倍食，渴而大饮……虽暂怡性，必为后患／气之动物，物之感人，故摇荡性情，形诸舞咏／性字从生从心，是人生来具是理于心，方名之曰性／非情、才无以见性，非气质无所为情、才，即无所为性也／视听言行，循礼法而动，所以教人忘嗜欲而归性命之道也／人有明珠，莫不贵重，若以弹雀，岂非可惜？况人之性命甚于明珠

怍 zuò 惭愧；(颜面)色变。
❺其言之不怍，则为之也难
❿类君子之含道，外蓬蒿而不怍／审自得者失之而不惧，行修于内者无位而不怍

怕 ①pà 畏惧，害怕；岂；难道；倘或；[恐怕]表示担心；表示估计。②bó 通“泊”，恬淡。
❸惮劳怕怨，做不得事
❹小人只怕他有才。有才以济之，流害无穷
❺大丈夫不怕人，只怕理；不恃人，只是恃道
❻初生牛犊不怕虎／事忌脱空，人怕落套／执持要坚耐，怕是脆／应变要机警，怕是迟／机括要深沉，怕是浅／仇无大小，只怕伤心；恩若救急，一芥千金
❼粉骨碎身全不怕，要留青白在人间
❽宁为宇宙闲吟客，怕作乾坤窃禄人／大丈夫不怕人，只怕理；不恃人，只是恃道
❾天公尚有妨农过，蚕怕雨寒苗怕火
❿当事有四要：际畔要果决，怕是绵／独有英雄驱虎豹，更无豪杰怕熊罴／神州只在阑干北，度度来时怕上楼

怜 lián 同情；爱。
❷仍怜故乡水，万里送行舟／人怜直节生来瘦，自许高材老更刚／谁怜爱国千行泪，说到胡尘意不平
❸生相怜，死相捐／天意怜芳草，人间重晚晴／灭烛怜光满，披衣觉露滋／见可怜则流涕，将分与则吝啬，是慈而不仁者
❹人意共怜花月满，花好月圆人又散
❺我愿天公怜赤子，莫生尤物为疮痏／当轩不是怜苍翠，只要人知耐岁寒
❻一枝何足贵，怜是故园春
❼但见沙场死，谁怜塞上孤／料得行吟者，应怜长叹人／古语有之“生相怜，死相捐”。此语至矣
❽大富当赈贫，贵当怜贱
❾世人皆欲杀，吾意独怜才／日暮榆园拾青荚，可怜无数沈郎钱／自叹犹为折腰吏，可怜骢马路傍行／俯首帖耳，摇尾而乞怜者，非我之志也
❿虎狼堕井，仁者见之而不怜／人心莫厌如弦直，淮水长怜似镜清／词客有灵应识我，霸才无主始怜君／纵横正有凌云笔，俯仰随人亦可怜／贤俊者自可赏爱，顽鲁者亦当矜怜／老去更无儿在膝，惟君怜我我怜君／贼做官，官做贼，混愚贤。哀哉可怜／戍卒叫，函谷举，楚人一炬，可怜焦土

怿 yì 喜悦。

❸辞之怿矣，民之莫矣

怪 guài 奇异；妖魔；责备；惊异；非常。

❷见怪不怪，其怪自败

❸凡有怪征者，必有怪行

❹搜奇抉怪，雕镂文字／见怪不怪，其怪自败／子不语怪、力、乱、神／人之好怪也！不求其端，不讯其末，惟怪之欲闻

❺豪健俊伟，怪巧瑰琦／倚老松，坐怪石，殷殷潮声，起于月外／不专一能，怪怪奇奇，不可时施，只以自嬉／云生日入，怪状迭发，水石卉木，杳非人寰

❻见怪不怪，其怪自败／所见少则所怪多，世之常也／其侧皆诡石怪木，奇卉美箭……／不为当时所怪，亦必无后世之传也／世之奇伟瑰怪非常之观，常在于险远／不专一能，怪怪奇奇，不可时施，只以自嬉

❼水抵两岸，悉皆怪石，敧嵌盘屈，不可名状

❽凡有怪征者，必有怪行／知天而不泥于神怪，知人而不遗于委琐

❾邑犬之群吠兮，吠所怪也／挥汗读书不已，人皆怪我何求／星队木鸣，国人皆恐。……怪之，可也；而畏之，非也

❿君子之祥也，以政不以怪／意新则异于常，异于常则怪矣／长夜难明赤县天，百年魔怪舞翩跹／种麦而得麦，种稷而得稷，人不怪也／苟有可观，皆有可乐，非必怪奇伟丽者也／长于变者不可穷以诈，通于道者不可惊以怪／人之好怪也！不求其端，不讯其末，惟怪之欲闻

怡 yí 安适愉快；和悦；喜悦；姓。

❸心不怡之长久兮，忧与愁其相接

❹心旷神怡，宠辱偕忘，把酒临风，其喜洋洋

❺志得则颜怡，意失则容戚／切切偲偲，怡怡如也，可谓士矣／虚凝淡泊怡其性，吐故纳新和其神

❻切切偲偲，怡怡如也，可谓士矣

❾朋友切切偲偲，兄弟怡怡

❿忧勤是美德，太苦则无以适性怡情／盈缩之期，不但在天；养怡之福，可得永年／饥而倍食，渴而大饮……虽暂怡性，必为后患

恸 tòng 极其悲伤。

❶恸哭六军俱缟素，冲冠一怒为红颜

见清·吴伟业《圆圆曲》。

❿嘻笑之怒，甚于裂眦；长歌之哀，过乎恸哭

恃 shì 依仗；母之代称。

❶恃人不如自恃

见《韩非子·外储说右下》。

恃力者虽盛而必衰

见宋·欧阳修《尚书屯田员外郎赠兵部员外郎钱君墓表》。全句为："～，以德者愈迟而终显"。

恃德则固，失道则亡

见北魏·常景《洛桥铭》。

恃德者昌，恃力者亡

见汉·司马迁《史记·商君列传》。

恃自直之箭，百世无矢

见《韩非子·显学》。全句为："～；恃自圜之木，千世无轮"。

恃自圜之木，千世无轮

见《韩非子·显学》。全句为："恃自直之箭，百世无矢；～"。

恃陋而不备，罪之大者也

见《左传·成公九年》。全句为："～；备豫不虞，善之大者也"。

恃大而不戒，则轻战而屡败

见宋·苏轼《策断二十四》。全句为："～；知小而自畏，则深谋而必克"。

恃威网以使物者，治之衰也

见三国·魏·王弼《老子》六十注。

恃谗谀以事君者，不足以责信

见《晏子春秋·内篇谏上第十一》。

恃壮者一病必危，过懒者久闲愈懦

见清·申涵光《荆园小语》。全句为："常有小病则慎疾，常亲小劳则身健；～"。

❷自恃，无恃人／毋恃久安，毋惮初难／无恃其不来，恃吾有以待之／自恃其聪与敏而不学，自败者也／勿恃己善不服人仁，勿矜己艺不敬人文／当恃我之不可侵也，无恃鬼神之不侵我也／不恃隐括而有自直之箭自圜之木，百世无有一

❹自恃，无恃人／理直则恃正而不桡／教化，所恃以为治也；刑法，所以助治也

❺恃德者昌，恃力者亡／人主之所恃者，人心而已／聪与敏，可恃而不可恃也／九州生气恃风雷，万马齐喑究可哀／君子知形恃神以立，神须形以存，悟生理之易失，知一过之害生

❻恃人不如自恃／孤莫孤于自恃／为相者不敢恃威以济欲／敌近而静者，恃其险也／望人者不至，恃人者不久／无恃其不来，恃吾有以待之／理或生乱者，恃理而不修也／可用而不可恃也，可诫而不可弃也／用兵之法：无恃其不来，恃吾有以待也；无恃其不攻，恃吾有所不可攻也

❼在位非其人，而恃法以为治

❽无父何怙，无母何恃／不倍兵以攻弱，不恃众以轻敌／生而不有，为而不恃，功成而弗居／不

可以年少而自恃，不可以年老而自弃／贵而不骄，胜而不恃，贤而能下，刚而能忍
❾聪与敏，可恃而不可恃也
❿威不可无有，而不可专恃／任一人之力者，则乌获不足恃／不禁其性，则物自济，何为之恃／道无终始，物有死生，不恃其成／人生贵贱无终始，倏忽须臾难久恃／当恃我之不可侵也，无恃鬼神之不侵我也／国无小，不可易也；无备虽众，不可恃也／大丈夫不怕人，只怕理；不恃人，只是恃道／财须民生，强赖民力，威恃民势，福由民殖／城狐社鼠皆微物，为其有所凭恃，故除之犹不易／用兵之法：无恃其不来，恃吾有以待也；无恃其不攻，恃吾有所不可攻也

恭

gōng 谦逊有礼貌；奉行。

❶恭为德首

见晋·羊祜《诫子书》。

恭敬之心，礼也

见《孟子·告子上》。全句为："恻隐之心，仁也；羞恶之心，义也；～；是非之心，智也"。

恭为德首，慎为行基

见宋·刘清之《戒子通录》。

恭敬之心，人皆有之

见《孟子·告子上》。全句为："恻隐之心，人皆有之；羞恶之心，人皆有之；～；是非之心，人皆有之"。

恭俭节用，天下几至刑措

见宋·苏辙《唐太宗》。

恭者不侮人，俭者不夺人

见《孟子·离娄上》。

恭而无礼则劳，慎而无礼则葸

见《论语·泰伯》。"葸"，畏缩。

恭本为礼，过恭是非礼之礼也

见《二程集·河南程氏遗书》。全句为："～；以物与人为义，过与是非义之义也"。

恭者礼之本也，守者信之本也

见汉·王符《潜夫论·交际》。全句为："恕者仁之本也，平者义之本也，～"。

恭则不侮，宽则得众，信则人任焉

见《论语·阳货》。

恭就貌上说，敬就心上说。恭主容，敬主事

见宋·陈淳《北溪字义》。

❷谦恭者无诤，知善之可迁／足恭者必中薄，面谀者必背非／体恭敬而心忠信，术礼义而情爱人，横行天下，虽困四夷，人莫不贵
❸礼以恭为主／温、良、恭、俭、让／貌曰恭，言曰从，视曰明，听曰聪，思曰睿
❹却之不恭，受之太过／隘与不恭，君子不由也／从官重恭慎，立身贵廉明／贤君必恭俭礼下，取于民有制
❺前倨而后恭／谦也者，致恭以存其位者也／行己莫如恭，自责莫如厚，接众莫如宏
❻维桑与梓，必恭敬止／恭本为礼，过恭是非礼之礼也
❼游而不见敬，不恭也／精良畏慎，善在恭谨，失在多疑／贤者任重而行恭，知者功大而词顺
❽贫不学俭，卑不学恭／德行广大，而守以恭者荣／德行宽裕，守之以恭者，荣／礼貌卑下，言词谦恭，所谓敬也
❿周公恐惧流言日，王莽谦恭未篡时／射者使人端，钓者使人恭，事使然也／恭就貌上说，敬就心上说。恭主容，敬主事

恒

①héng 持久；指恒心；经常；普通的；六十四卦之一；姓。②gèng 月上弦，表示逐渐圆满；遍；满；通"亘"，绵延。

❶恒，德之固也

见《周易·系辞下》。

恒患意不称物，文不逮意

见晋·陆机《文赋》。全句为："～；盖非知之难，能之难也"。

恒舞于宫，酣歌于室，时谓巫风

见《尚书·伊训》。

恒无之初，迥同大虚。虚同为一，恒一而止

见《道原》。

恒其道，一其志，不欺其心，斯固世之所难得也

见唐·柳宗元《鹘说》。

❷不恒其德，无所容也／变恒过度，以奇相御／有恒者，人舍之，天助之／无恒产而有恒心者，惟士为能／有恒者之与圣人，高下固悬绝矣／祸恒发于太忽，而事多败于不断／吾恒恶世之人不知推己之本，而乘物以逞
❸福钟恒有兆，祸集非无端／贤者恒不遇，不贤者比肩青紫／苟无恒心，放辟邪侈，无不为已／贤者恒无以自存，不贤者志满气得／天有恒日，民自则之，爽则损命，环自服之，天之道也
❹进退无恒，非离群也／如月之恒，如日之升／政贵有恒，辞尚体要／坐上客恒满，樽中饮不空／不惑于恒人之毁誉，故足以为君子／人有善，恒当掩之，有恶宜令彰露
❺传闻之事，恒多失实／半丝半缕，恒念物力维艰／文章之作，恒发于羁旅草野／殉于货色，恒于游畋，时谓淫风／爱人者，人恒爱之；敬人者，人恒敬之／当世学士，恒以万计；而究涂者无数十焉／谮下谩上，恒其心术，妒人之能，幸人之失
❻敬人者得人恒敬／天下不如意，恒十居七八／常胜者无忧，恒成者好怠／齐都世刺绣，恒女无不能／无恒产而有恒心者，惟士为能／未有不自有恒而能至于圣者也／处大无患者恒多

慢,处小有忧者恒思善

❼言有物而行有恒/无常安之国,无恒治之民/焚膏油以继晷,恒兀兀以穷年/既反黑以为白,恒怀蛆以自盈/圣人安不忘危,恒以忧思为本营/国多忌讳,大人恒畏。结口无患,可以长存

❽天地长久,风俗无恒/无敌国外患者,国恒亡/烈士之所以异于恒人,以其仗节以死谊也/礼之既设,其小人恒佚于礼之外,则辅礼以刑

❿为之者疾,用之者舒,则财恒足矣/奇从奇,正从正,奇与正,恒不同廷/与其与子孙谋产业,不如教子孙习恒业/处大无患者恒多慢,处小有忧者恒思善/爱人者,人恒爱之;敬人者,人恒敬之/亡而为有,虚而为盈,约而为泰,难乎有恒/观古今之成败,能先见事机者,则恒受其福/恒无之初,迥同大虚。虚同为一,恒一而止/贵远贱近,人之常情;重耳轻目,俗之恒蔽/法大弛,则是非易位,赏恒在佞,而罚恒在直

恢

huī 扩大;发扬;全面;广大;宽广。

❸天网恢恢,疏而不漏/天网恢恢,疏而不失

❹天网恢恢,疏而不漏/天网恢恢,疏而不失

❻勿疏小善,方恢大略

❼以无厚入有间,恢恢乎其于游刃必有余地矣

❽好声而实不充则恢/察察者有所不见,恢恢者有所不容/以无厚入有间,恢恢乎其于游刃必有余地矣

❾察察者有所不见,恢恢者有所不容

恍

huǎng 忽然醒悟;仿佛;神志不清。

❿文为之物,自然灵气。惚恍而来,不思而至

恻

cè 悲伤;诚恳。

❶恻隐之心,仁也

见《孟子·告子上》。全句为:"～;羞恶之心,义也;恭敬之心,礼也;是非之心,智也"。

恻隐之心,仁之端也

见《孟子·公孙丑上》。全句为:"～;羞恶之心,义之端也;辞让之心,礼之端也;是非之心,智之端也"。

恻隐之心,人皆有之

见《孟子·告子上》。全句为:"～;羞恶之心,人皆有之;恭敬之心,人皆有之;是非之心,人皆有之"。

恻隐足以为仁,而仁不止于恻隐

见宋·苏轼《子思论》。全句为:"～;羞恶足以为义,而义不止于羞恶"。

❷无恻隐之心,非人也/无恻隐之心,非人也……恻隐之心,仁之端也

❺刚而塞,则恻怛有仁思/仁便藏在恻隐之心里面/睹危急则恻隐,将赴救则畏患,是仁而不恤者

❽行子肠断,百感凄恻

❾死别已吞声,生别常恻恻/无恻隐之心,非人也……恻隐之心,仁之端也

❿死别已吞声,生别常恻恻/恻隐足以为仁,而仁不止于恻隐

恬

tián 安静;心神安适;淡然;安然;不在乎。

❶恬淡无人见,年年常自清

见唐·储光羲《咏山泉》。

恬淡、寂寞、虚无、无为,此天地之本而道德之质也

见《庄子·刻意》。全句为:"～,故圣人休焉"。

❸静漠恬淡,所以养性也/虚无恬愉者,万物之用也/知与恬交相养,而和理出其性/虚静恬淡寂寞无为者,万物之本也/平易恬淡,则忧患不能入,邪气不能袭,故其德全而神不亏

❻相臣将臣,文恬武嬉,习熟见闻,以为当然

❼古之治道者,以恬养知

❽不可以边陲不耸,恬然便谓无事/一宿体宁,百宿心恬,三宿后颓然嗒然,不知其然而然

❿内守坚固真之真,虚中恬淡自致神/知生而无以知为也,谓之以知养恬/君子不怵乎好,不迫乎恶,恬愉无为,去智与故/以无为为居,以不言为教,以恬淡为味,治之极也

恤

xù 怜悯;忧虑;安置;周济;惊恐状;姓。

❷不恤年之将衰,而忧志之有倦/不恤亲疏,不恤贵贱,唯诚能之求

❹君子不恤年之将衰,而忧志之有倦

❻内省不疚,何恤人言/我躬不阅,遑恤我后/吝者,穷急不恤之谓也/礼义不愆,何恤于人言/心苟无瑕,何恤乎无家/罢官之无事,恤人之不足/不恤亲疏,不恤贵贱,唯诚能之求/居上位而不恤其下,骄也;缓令急诛,暴也/成大事者,不恤小耻;立大功者,不拘小谅

❽行事在审己,不必恤浮议/钦哉,钦哉,惟刑之恤哉/富国有道,无所不恤者,富之端也

❿古之良有司,忧其君而不恤其私计/居官者当事不避难,在位者恤民之患/天变不足畏,祖宗不足法,人言不足恤/天惟运动一气,鼓万物而生,无心以恤物/毋逝我梁,毋发我笱;我躬不阅,遑恤我后/睹危急则恻隐,将赴救则畏患,是仁而不恤者/先哲王之政,一曰承天,二曰正身,三曰任贤,四曰恤民,五曰明制,六曰立业

恰
qià 合适，妥当；正巧。

❶恰同学少年，风华正茂；书生意气，挥斥方遒
见现代·毛泽东《沁园春·长沙》。

❽起来自擘纱窗破，恰漏清光到枕前／问君能有几多愁？恰似一江春水向东流

❿文章做到极处，无有他奇，只是恰好

恂
xún 相信；畅通；恭顺；紧张；恐慌；通"眴"，瞬目。

❼其明察察，其政恂恂

恼
nǎo 恨；愤怒；忧愁；病痛。

❺遍人间烦恼填胸臆

❼以智慧刀，断烦恼锁

❾忍得一时忿，终身无恼闷／是非只为多开口，烦恼皆因强出头

❿不因酒困因诗困，常被吟魂恼醉魂

恨
hèn 怨；懊悔；仇视；悔恨。

❶恨不相逢未嫁时
见唐·张籍《节妇吟》。
恨无一尺捶，为国笞羌夷
见唐·韩愈《送张道士序》。
恨小非君子，无毒不丈夫
见明·施耐庵《水浒传》第一百〇三回。
恨不得血贼于万载，肉贼于三军
见唐·高适《贺安禄山死表》。
恨无昆山片玉以相赠，赠君桂林之一枝
见唐·任华《送李审秀才归湖南序》。
恨不得挂长绳于青天，系此西飞之白日
见唐·李白《惜余春赋》。全句为："春不留兮时已失，老衰飒兮逾疾。～"。

❷不恨归来迟，莫向临邛去／但恨多谬误，君当恕醉人／常恨言语浅，不如人意深／一恨不足以成非，积恨而成怨／排恨叠，怯衣单，花枝红泪弹／长恨人心不如水，等闲平地起波澜／懊恨人心不如石，少时东去复西来

❸新松恨不高千尺，恶竹应须斩万竿

❹登楼意，恨无天上梯／不应有恨，何事长向别时圆／内无感恨之隙，外无侵侮之羞／诚知此恨人人有，贫贱夫妻百事哀

❺一别怀万恨，起坐为不宁

❻自是人生长恨水长东／生人作死别，恨恨那可论／后生莫晓，更恨文律烦苛／感时花溅泪，恨别鸟惊心／江海相逢客恨多，秋风叶下洞庭波

❼一失足成千古恨／聚散苦匆匆，此恨无穷／生人作死别，恨恨那可论／今日朱门者，曾恨朱门深／附顺者拔擢，忤恨者诛灭／眼角眉梢都似恨，热泪欲零还住／一失脚成千古恨，再回头是百年人／似把剪刀裁别恨，两人分得一般愁／商女不知亡国恨，隔江犹唱后庭花／人百负之而不恨，己信之终不疑其欺己

❽生得相亲，死亦何恨／刎颈不易，九裂不恨／发少嫌梳利，颜衰恨镜明／春早见花枝，朝朝恨发迟／杨柳枝，芳菲节，可恨年年赠离别

❾一恨不足以成非，积恨而成怨／天长地久有时尽，此恨绵绵无绝期／人生自是有情痴，此恨不关风与月

❿有梦常嫌去远，无书可恨来迟／为谁醉倒为谁醒？至今犹恨轻离别／但将酩酊酬佳节，不用登临恨落晖／城上草，植根非不高，所恨风霜早／砚中斑驳遗民泪，井底千年恨未销／使其道由愈而粗传，虽灭死万万无恨／逆耳之言，裨治也不可于人，可恨也／罚一惩百，谁敢复言者？民有饮恨而已矣／有留死一尺，无北行一寸。刎颈不易，九裂不恨

悋
lìn"吝"的异体字。吝惜；舍不得；贪鄙；耻辱。

❹穷巷多悋，曲学多辨

悖
①bèi 违背；错谬；遮蔽。②bó 通"勃"，盛貌。

❶悖者之患，固以不悖者为悖
见《战国策·魏策一》。

❷货悖而入者，亦悖而出

❸苟不悖于圣道，而有以启明者之虑

❹心狂志悖，视听从类，政令无常，下民作孽

❻三皇之知，上悖日月之明，下睽山川之精，中堕四时之施

❼货悖而入者，亦悖而出／计有一二者难悖也，听无失本末者难惑

❽悖者之患，固以不悖者为悖／鄙朴忤逆者未必悖，承顺惬可者未必忠／禹汤罪己，其兴也悖焉；桀纣罪人，其亡也忽焉／贤不肖，善邪辟，可悖逆，国不乱身不危奚待也

❿经非权则泥，权非经则悖／听其言而察其类，无使放悖／悖者之患，固以不悖者为悖／今余遭有道，而违于理，悖于事／有以噎死者，欲禁天下之食，悖／有以乘舟死者，欲禁天下之船，悖／万物并育而不相害，道并行而不相悖／有以用兵丧其国者，欲偃天下之兵，悖。／无善而好，不观其道；无悖而恶，不详其故／世禄之家，鲜克由礼。以荡陵德，实悖天道／嗜欲无穷，则必有贪鄙悖乱之心，淫佚奸诈之事／辩言过理，则与义相失；丽靡过美，则与情相悖／治国无法则乱，守法而弗变则悖，悖乱不可以持国／置其本，求之末，当后者反先之，无一焉不悖于极

悟
wù 觉醒；明白；领会；通"忤"，违逆。

❶悟已往之不谏，知来者之可追

见晋·陶潜《归去来兮辞》。

悟者,吾心也。能见吾心,便是真悟

见明·吕坤《呻吟语》。

❹道由心悟,岂在坐也/学贵心悟,守旧无功/理则顿悟,事非顿除

❺以不二之悟,符不分之理,理智悉释,谓之顿悟

❻病中必有悔悟处,病起莫教忘了/染习轻者其悟速,染习重者其悟迟/治心须求妙悟,悟则神和气静,客敬色庄

❼只言花是雪,不悟有香来/理丝入残机,何悟不成匹/治心须求妙悟,悟则神和气静,客敬色庄

❽大疑之下必有大悟

❾聆《白雪》之九成,然后悟《巴人》之极鄙/超凡证圣,目击非遥;悟在须臾,何须皓首

❿讳疾而忌医,宁灭其身而无悟也/染习轻者其悟速,染习重者其悟迟/悟者,吾心也。能见吾心,便是真悟/鸟啼花落,皆与神通。人不能悟,付之飘风/诸凡万物万事之知,皆因习因悟因过因疑而然/以不二之悟,符不分之理,理智悉释,谓之顿悟/古之人君,所以至于民散国亡而不悟者,皆吏误之/人生时禀得灵气,精明通悟,学无滞塞,则谓之神/君子知形恃神以立,神须形以存,悟生理之易失,知一过之害生

悄

①qiǎo 静,声音很低或没有声音;忧愁貌;犹言"浑"、"直"。②qiāo[悄悄]动作没有声音或声音很轻。

❶悄乎其言,若不接其情也

见唐·韩愈《与陈给事书》。全句为:"邈乎其容,若不察其愚也;~"。

悄立市桥人不识,一星如月看多时

见清·黄景仁《癸巳除夕偶成》二首之一。

❸忧心悄悄,愠于群小

悍

hàn 勇猛;凶猛;蛮横;通"睅",眼睛瞪大、突出。

❶悍吏之来吾乡……

见唐·柳宗元《捕蛇者说》。全句为:"~,叫嚣乎东西,隳突乎南北,哗然而骇者,虽鸡狗不得宁焉"。

悍戆好斗,似勇而非

见《荀子·大略》。

❷雄悍杰健,任在胆烈,失在多忌

❹水激则悍,矢激则远/严家无悍虏,笃责急也/严家无悍虏,而慈母有败子

悒

yì 忧郁;郁闷。

❷居悒悒之无解兮,独长思而永叹

悔

huǐ 后悔;咎;灾祸;悔改。

❶悔前莫如慎始,悔后莫如改图

见明·吕坤《呻吟语》。全句为:"~,徒悔无益也"。

❷遏悔吝于未萌,验是非于往事/三悔以没齿,不如不悔之无忧也

❸盱豫,悔。迟,有悔/诚无悔,恕无怨,和无仇,忍无辱

❹败不可悔,时不可失/愚者多悔,不肖者自贤/但求寡悔尤,焉用名炳炳/君子防悔尤,贤人戒行藏,嫌疑远瓜李,言动慎毫芒

❺及溺呼船,悔之无及/乖僻自是,悔误必多/早知今日,悔不当初/病中必有悔悟处,病起莫教忘了

❻不勤于始,将悔于终/非才而据,咎悔必至/反水不收,后悔无及/盱豫,悔。迟,有悔/不慎其前而悔其后,虽悔,何及

❼虽九死其犹未悔/览予初其犹未悔/过生于心,则心悔之……/悔前莫如慎始,悔后莫如改图/富时不俭贫时悔,潜时不学用时悔/衣带渐宽终不悔,为伊消得人憔悴/醉后狂言醒时悔,安不将息病时悔/人之过也……在于悔往,而不在于怀来

❽事不三思,终有后悔/当取不取,过后莫悔/旦以为是,而暮已悔之/暴虎冯河,死而无悔者,吾不与也/忽见陌头杨柳色,悔教夫婿觅封侯

❾士君子一出口,无反悔之言/三悔以没齿,不如不悔之无忧也/予恶乎知夫死者不悔其始之蕲生乎/畜水覆舟,养兽反害,悔之噬脐,将何所及

❿义之所在,身虽死,无憾悔/凡克己以济民,皆力行而不悔/行莫大乎无过,事莫大乎无悔/智莫大于阙疑,行莫大于无悔/不慎其前而悔其后,虽悔,何及/多见阙殆,慎言其余,则寡悔。/亦余心之所善兮,虽九死其犹未悔/富时不俭贫时悔,潜时不学用时悔/弥天的罪过,当不住一个"悔"字/醉后狂言醒时悔,安不将息病时悔/立法之大要……邪人痛其祸而悔其行/古之善用兵者,用其翻然勃然于未悔之间/快心之事,悉败身丧德之媒,五分便无悔/言语简寡,在我可以少悔,在人可以少怨/事前忍易,正事忍难,正事悔易,事后悔难/行与义乖,言与法违,后虽无害,汝可以悔/有祸则诎,有福则赢,有过则悔,有功则矜/欲人不知,莫若无为;欲无悔吝,不若守慎/顾小而忘大,后必有害;狐疑犹豫,后必有悔/君子依乎中庸,遁世不见知而不悔,唯圣者能之

悯

mǐn 同情;忧郁。

❻每著一衣,则悯蚕妇

❼吏则日饱鲜，谁悯民艰食
❿遗佚而不怨，阨穷而不悯

悦 yuè 愉快；欣喜；使高兴；使愉快；姓。
❶悦其名而丧其实
见《尹文子·大道上》。
悦以犯难，人忘其死
见晋·司马炎《答杜预征吴节度诏》。
悦乎故不能即乎新者，弱也
见唐·韩愈《送浮屠文畅师序》。
悦亲戚之情话，乐琴书以消忧
见晋·陶潜《归去来兮辞》。
悦于目，悦于心，愚者之所利也
见汉·刘安《淮南子·人间》。全句为："～，然而有道者之所辟也"。"辟"，同"避"。
❷近悦远来，归如流水／窽悦之材不荷栋梁之任／既悦其直，不可非其讦／既悦其介，不可非其拘／既悦其刚，不可非其厉。厉也者，刚之征也／既悦其和，不可非其懦。懦也者，和之征也
❸佞以悦人者，小人之徒也／女为悦己容，士为知己死
❹甘则易悦，直则难入／悦于目，悦于心，愚者之所利也／聚者如悦，散者如别，整者如载，乱者如发
❺布德施惠，悦近来远／能养能举，悦贤之至也／太平之人，悦乐于德，不悦乐于刑
❻苦心中，常得悦心之趣／天下无正声，悦耳即为娱／辩巧之文可悦，似象之言足惑／一人所以能悦万人者，非言笑之惠，盖和之至也／行世者必真，悦俗者必媚，真久必见，媚久必厌
❼赏一人而万人悦／平居里巷相慕悦……／黼黻不同，俱为悦目之玩／谀言顺意而易悦，直言逆耳而触怒
❽芳草宁共气，而皆悦于魂／人情皆欲求胜，故悦人之谦／以德服人者，中心悦而诚服也／不察事之是非而悦人赞己，暗莫甚焉／凡物之可喜，足以悦人而不足以移人者，莫若书与画
❾发号出令以下行，期悦人意／不临誉以求亲，不愉悦以苟合／士为知己者死，女为悦己者容／音以比耳为美，色以悦目为欢／山有木兮木有枝，心悦君兮君不知／羊质而虎皮，见草而悦，见豺而战，忘其皮之虎矣
❿诛一乡之奸，则一乡之人悦／诛一国之奸，则一国之人悦／天下之乐无穷，而以适意为悦／与贤豪相对，最不可有媚悦之色／事大君子当以道，不宜苟且求容悦／太平之人，悦乐于德，不悦乐于刑／锄一害而众苗成，刑一恶而万民悦／佳人不同体，美人不同面，而皆悦于目／尊贤使能，俊杰在位，则天下之士皆悦／四海之内共利之之谓悦，共给之之谓安／事顺神明者不合于俗，功配天地者不悦于众／为国失道，众叛亲离；为国以道，人必悦服／因于情意，动而之外，与物相连，常有所悦／忠心好善，而日新之；独居乐德，内悦于形

悌 tì 敬爱兄长，引申为顺从长上。
❷孝悌仁义，忠信贞廉……
❻其为人也孝悌，而好犯上者，鲜矣
❿教民亲爱，莫善于孝；教民礼顺，莫善于悌

悛 quān①悔改；次序。②xún［悛悛］同"恂恂"，谦恭谨慎的样子。
❹长恶不悛，从自及也／过而不悛，亡之本也／有过必悛，有不善必惧
❽过不在小，知非则悛
❾恶犹疾也，攻之则益悛，不攻则日甚

情 qíng 心理反应；男女相爱的心理反应；对异性的欲望；事情的样子；情分和面子；情趣；情态。
❶情生于有情之地
见唐·李峤《答李清河书》。
情者，性之动也
见唐·李翱《复性书上》。
情欲信，辞欲巧
见《礼记·表记》。
情既昏，性斯匿矣
见唐·李翱《复性书上》。全句为："～；情不作，性斯充矣。性与情不相无也"。
情生于心，心生于性
见《关尹子·五鉴》。全句为："情波也，心流也，性水也"。
情系于中，行形于外
见汉·刘安《淮南子·缪称》。全句为："君子见过忘罚，故能谏；见贤忘贱，故能让；见不足忘贫，故能施。～"。
情以物迁，辞以情发
见南朝·梁·刘勰《文心雕龙·物色》。全句为："岁有其物，物有其容；～"。
情发于中，言无所择
见宋·苏轼《代滕甫辨谤乞郡主》。
情随事迁，感慨系之
见晋·王羲之《兰亭集序》。
情随境变，字逐情生
见明·袁宏道《叙小修诗》。
情往似赠，兴来如答
见南朝·梁·刘勰《文心雕龙·物色》。
情往会悲，文来引泣
见南朝·梁·刘勰《文心雕龙·哀吊》。
情也者，接于物而生也
见唐·韩愈《原性》。
情变于内者，形见于外

见《鬼谷子·揣》。

情爱过义，子孙之灾也

见明·吕坤《呻吟语·礼制》。全句为："雨泽过润，万物之灾也；～"。

情趣苟同，贫贱不易意

见南朝·宋·范晔《后汉书·刘陶传》。全句为："好尚或殊，富贵不求合；～"。

情波也，心流也，性水也

见《关尹子·五鉴》。全句为："情生于心，心生于性"。

情者文之经，辞者理之纬

见南朝·梁·刘勰《文心雕龙·情采》。全句为："～；经正而后纬成，理定而后辞畅，此立文之本源也"。

情以物感，而心由目畅……

见唐·李峤《楚望赋》。全句为："～，非历览无以寄杼轴之怀，非高远无以开沉郁之绪，是以骚人发兴于临水，柱史诠妙于登台"。

情欲虽危，不染则无由累己

见明·袁衷《庭帏杂录》。全句为："野葛虽毒，不食则不能伤生；～"。

情在词外曰隐，状溢目前曰秀

见宋·张戒《岁寒堂诗话》引刘勰《文心雕龙·隐秀》之佚文。

情有善有不善，而性无不善焉

见唐·李翱《复性书中》。

情有忠伪，信其忠则不疑其伪

见宋·王安石《委任》。

情不可以显出也，故即事以寓情

见清·刘大櫆《论文偶记》。全句为："理不可以直指也，故即物以明理；～"。

情行合而名副之，祸福不虚至矣

见汉·刘安《淮南子·缪称》。

情以感物则得利，伪以感物则致害

见晋·韩康伯《周易·系辞下》。

情必极貌以写物，辞必穷力而追新

见南朝·梁·刘勰《文心雕龙·明诗》。全句为："俪采百字之偶，争价一句之奇；～"。

情之所昏，交相攻伐，未始有穷……

见唐·李翱《复性书上》。全句为："～，故虽终身而不自睹其性焉"。

情横于内而性伏，必外寓于物而后遣

见宋·苏舜钦《沧浪亭记》。

情动于中，故形于声，声成文，谓之音

见《礼记·乐记》。

情不自情，因性而情；性不自性，由情以明

见唐·李翱《复性书上》。

情之所恶，不以强人；情之所欲，不以禁民

见汉·晁错《贤良文学对策》。

❷为情而造文／人情薄似秋云／慰情聊胜于无／人情成是而败非／人情翻覆似波澜／诗情无限景无穷／私情行而公法毁／人情者，圣王之田也／性情面目，人人各具／标情务远，比音则近／怠情忽略，必乱其政／世情闲静见，药性病多谙／世情看冷暖，人面逐高低／民情可与习常，难与适变／人情须耐久，花面长依旧／人情怀旧乡，客鸟思故林／人情忌殊异，世路多权诈／诗情吟未足。酒兴断还续／沿情而动兴，因物而多怀／性情之生，斯乃自然而有／旅情偏在夜，乡思岂唯秋／下情不上通，此患之大者也／人情皆欲求胜，故悦人之谦／高情壮思，有抑扬天地之心／赋情顿雪双鬓，飞梦逐尘沙／人情厌故而喜新，重难而轻易／中情之人，名不副实，用之有效／人情同于怀土兮，岂穷达而异心／人情莫不欲处前，故恶人之自伐／人情曷似春山好，山色不随春老／人情繁则怠，怠则诈，诈则益乱／无情不似多情苦，一寸还成千万缕／世情薄，人情恶，雨送黄昏花易落／人情旦暮有翻复，平地倏忽成山谿／含情欲说独无处，传与琵琶心自知／含情欲说宫中事，鹦鹉前头不敢言／交情老去淡如水，病骨秋来瘦似松／两情若是久长时，又岂在、朝朝暮暮／为情者要约而写真，为文者淫丽而烦滥／含情而能达，会景而生心，体物而得神／此情无计可消除，才下眉头，却上心头／人情险于山川，以其动静可识，而沉阻难徵／人情得足，苦于放纵，快须臾之欲，忘慎罚之义／非情、才无以见性，非气质无所为情、才，即无所为性也

❸性与情不相无也／人之情安于其所常为／行忍情性，然后能修／性静情逸，心动神疲／刺股情方励，偷光思益深／人之情，欲寿而恶夭……／诗者，情动于中而形于言／性者情之本，情者性之用／相见情已深，未语可知心／凡人情忽于见事而贵于异闻／民之情，贵所不足，贱所有余／诗缘情而绮靡，赋体物而浏亮／必原情以定罪，不阿意以侮法／求取情状，离绝远去笔墨畦径间／人之情，易发而难制者，惟怒为甚／凡人情之所安而有节者，举皆礼也／尽者情露，好人行尽于人，而不能纳人之径／因于情意，动而之外，与物相连，常有所悦／人之情：不能乐其所不安，不能得于其所不乐／人之情，于害之中争取小焉，于利之中争取大焉／兵之情主速，乘人之不及，由不虞之道，攻其所不戒／人之情，于利之中则争取大焉，于害之中则争取小焉／人之情，目欲视色，耳欲听声，口欲察味，志气欲盈

❹爱博而情不专／天若有情天亦老／任是无情也动人／芳草无情人自迷／春色无情容易去／一夫得情，千室鸣弦／民无隐情，治有异迹／声闻过情，君子耻之／君子宅情，无求于显／繁采

寡情，味之必厌／直意适情，则贤强贼之／诬服之情，不可以折狱／政和则情和，情和则声和／鸟思猿情，绕梁历榱……／翠佩传情密，曾波托意遥／无人之情，故是非不得于身／文生于情，情生于身之所历／莫怨无情流水，明月扁舟何处／凡人之情，冤则呼天，穷则叩心／诗者：根情，苗言，华声，实义／多智韬情，权在谲略，失在依违／达生之情者，不务生之所无以为／达命之情者，不务命之所无奈何／天若有情天亦老，人间正道是沧桑／书卷多情似故人，晨昏忧乐每相亲／传其常情，无传其溢言，则几乎全／但写真情并实境，任他埋没与流传／纵民之情谓之乱，绝民之情谓之荒／精卫有情衔太华，杜鹃无血到天津／登山则情满于山，观海则意溢于海／缀文者情动而辞发，观文者披文以入情／文生于情，情生于哀乐，哀乐生于治乱／上下之情，壅而不通，天下之弊，由是而积／人能除情欲，节滋味，清五藏，则神明居之／草木无情，有时飘零；人为动物，惟物之灵／小人之情，缓则骄……危则谋乱，安则思欲／情不自情，因性而情；性不自性，由情以明／服罪输情者虽重必释，游辞巧饰者虽轻必戮／小人深情厚貌，毒人不可防范，殆其甚于豺狼也／何谓人情？喜、怒、哀、惧、爱、恶、欲，七者弗学而能

❺贫甚见时情／情生于有情之地／物色尽而情有余／恕，所以推情也／诗者，吟咏情性也／言有尽而情不可终／以少总多，情貌无遗／法有明文，情无可恕／必因人之情，故易为功／洗心得真情，洗耳徒买名／谢杨柳多情，还有绿阴时节／文生于情，情生于身之所历／以无涯之情爱，悼不驻之光阴／悦亲戚之情话，乐琴书以消忧／非惟使人情开涤，亦觉日月清朗／顺性命，适情意，牵于殊类……／世情薄，人情恶，雨送黄昏花易落／可憎者人情冷暖，可厌者世态炎凉／凡同类同情者，其天官之意物也同／言于国竭情无私，理于家陈信无愧／贤者之于情，非不动也，能动而不乱耳／文生于情，情生于哀乐，哀乐生于治乱／东风恶，欢情薄，一怀愁绪，几年离索。错！错！错／人生有限，情欲无厌。既不救其死亡，岂能保乎金玉／其所以为情者七：曰喜、曰怒、曰哀、曰惧、曰爱、曰恶、曰欲

❻发思古之幽情／正言似讦而情忠／诗出于民之情性／一切景语，皆情语也／一贵一贱，交情乃见／同病相救，同情相成／人欲长久，断情去欲／一旦见景生情，触目兴叹／事危则志远，情迫则思深／志足而言文，情信而辞巧／嗜欲喜怒之情，贤愚皆同／性者情之本，情者性之用／朽木不可雕，情亡不可久／景乃诗之媒，情乃诗之胚／政和则情和，情和则声和／欲衍则速患，情佚则怨博／愿普天下有情的都成了眷属／千人万人之情，一人之情是也／治狱者得其情，则无冤死之囚／文变染乎世情，兴废系乎时序／熟思则得其情，缓处则得其当／无情不似多情苦，一寸还成千万缕／人生自是有情痴，此恨不关风与月／劝君休饮无情水，醉后教人心意迷／落红不是无情物，化作春泥更护花／爱之为道也，情亲意厚，深而感物／圣人法天顺情，不拘于俗，不诱于人／长短不饰，以情自竭，若是则可谓直士矣／乐之来，则人情出者也，其始非圣人作也／爱憎不栖于情，忧喜不留于意，泊然无感／引物连类，穷情尽变；宫商相宜，金石谐和／爱善疾恶，人情所常，苟不明质，或疏善善非

❼一枝一叶总关情／未成曲调先有情／升沉不改故人情／莫将戏事扰真情／搜天斡地觅诗情／英雄气短，儿女情长／情以物迁，辞以情发／情随境变，字逐情生／赏由物召，兴以情迁／物之不齐，物之情也／世途旦复旦，人情玄又玄／真伪因事显，人情难预观／爰居避风，本无情于钟鼓／自古帝王多任情喜怒……／言在耳目之内，情寄八荒之表／难违一官之小情，顿为万人之大弊／欲开壅蔽达人情，先向歌诗求讽刺／贫富之交，可以情谅，鲍子所以让金／法令不一则人情惑，职次数改则觊觎生／作诗者陶冶物情，体会光景，必贵乎自得／事苦，则矜全之情薄；生厚，故安存之虑深／穷而思达，人之情也；卑而应高，物之理也／听讼者或从其情或从其词，词不可从必断以情

❽一死一生，乃知交情／乱而思理，生人大情／律设大法，礼顺人情／好荣恶辱，人之常情／服民之心，必得其情／曩之用才……溺在缘情之举／然则志足而言文，情信而辞巧／无问其名，无阚其情，物固自生／王道如砥，本乎人情，出乎礼义／事有切而未能忘，情有深而未能遣／亲履艰难者知下情，备经险易者达物伪／上之为政，得下之情则治，不得下之情则乱／情不自情，因性而情；性不自性，由情以明／富于材积，领会神情，临景结构，不仿形迹／贵远贱近，人之常情；重耳轻目，俗之恒蔽／导筋骨则形全，剪情欲则神全，靖言语则福全／困境起念，随物生情，不守道循常，即为妄矣／感人心者，莫先乎情，莫始乎言，莫切乎声，莫深乎义

❾谋有奇诡，而不徇众情／恶人从游，则日生邪情／以全举人固难，物之情也／人之所以惑其性者，情也／悄乎其言，若不接其情也／本以势力交，势尽交情止／不立异以为高，不逆情以干誉／虽假容于江皋，乃缨情于好爵／心之明之所止，于事情区以别焉／世事洞明皆学问，人情练达即文章／以禁攻寝兵为外，以情欲寡浅为内／冰心与贫流争激，霜情与晚节弥茂／节物

后先南北异，人情冷暖古今同／听政之初，当以通下情除壅蔽为急务／强执教之人，则失其情实，生于诈伪／昔人论诗词，有景语、情语之别……／性也者与生俱生也，情也者，接于物而生也／性有精粗，命有长短，情有美恶，意有大小／情之所恶，不以强人；情之所欲，不以禁民／春日迟迟，秋风飒飒。情往似赠，兴来如答／设必犯之法，不度民情之不堪，是陷民于罪也／山沓水匝，树杂云合。……情往似赠，兴来如答／原心反性则贵矣，适情知足则富矣，明死生之分则寿矣

❿一时今夕会，万里故乡情／上好信，则民莫敢不用情／面誉者不忠，饰貌者不情／乐之所起，发于人之性情／又送王孙去，萋萋满别情／澹澹长江水，悠悠远客情／恶不失其理，欲不过其情／悠悠天宇旷，切切故乡情／蹈海之节，千乘莫移其情／其人虽已没，千载有余情／一觞一咏，亦足以畅叙幽情／以书为御者，不尽于马之情／按其实而审其名，以求其情／好直而恶枉，天下之至情也／错人而思天，则失万物之情／千人万人之情，一人之情是也／圣人不以人滑天，不以欲乱情／士矜才则德薄，女衒色则情放／大凡人之感于事，则必动于情／摅怀旧之蓄念，发思古之幽情／处人不可任己意，要悉人之情／妍媸有定矣，而憎爱异情……／或简言以达旨，或博文以该情／贵远而贱近者，常人之用情也／有正法则依法，无正法则原情／用人但问堪否，岂以新故异情／不吾知其亦已兮，苟余情其信芳／同恶相助，同好相留，同情相成／傀儡学技，音节虽工，面目非情／大川不能促其涯，以适速济之情／情不可以显出也，故即事以寓情／无翼而飞者声也，无根而固者情也／不知乘月几人归，落月摇情满江树／百姓多寒无可救，一身独暖亦何情／事有所分，则毫末不遗而情伪必见／君王旧迹今人赏，转见千秋万古情／忧勤是美德，太苦则无以适性怡情／纵民之情谓之乱，绝民之情谓之荒／贵耳贱目，荣古陋今，人之大情也／视徒如己，反己以教，则得教之情／蜀笺都有三千幅，总写离情寄孟光／错把黄金买词赋，相如自是薄情人／自道所禀谓之性，性之所迁谓之情／上不以诗补察时政，下不以歌泄导人情／天生人而使有贪有欲，欲有情，情有节／乐者本于声，声者发于情，情者系于政／饰貌以强类者失形，调辞以务似者失情／缀文者情动而辞发，观文者披文以入情／毋私小惠而伤大体，毋借公论以快私情／天犹有春秋冬夏旦暮之期，人者厚貌深情／面垢不忘洗，衣垢不忘浣，此人之至情也／行路难，不在水不在山，只在人情反覆间／所谓读书，须当明物理，揣事情，论事势／炷尽沉烟，抛残绣线，恁今春关情似去年／上之为政，得下之情则治，不得下之情则乱／百节成体，共资荣卫，万趣会文，不离辞情／冷眼观人，冷耳听语，冷情当感，冷心思理／当人强盛，河山可拔，一朝羸缩，人情万端／四海悠悠，皆慕名者，盖因其情而致其善尔／因性而动，接物感寤……进退取与，谓之情／因急而呼天，疾痛而呼父母者，人之至情也／情不自情，因性而情；性不自性，由情以明／安土重迁，黎民之性；骨肉相附，人情所愿／结体散文，直而不野，婉转附物，惆怅切情／绝祸之首，起福之元，去我情欲，取民所安／晨看旅雁，心赴江淮；昏望牵牛，情驰扬越／气以实志，志以定言，吐纳英华，莫非情性／忠贤事君，必谏君失，奸佞事主，必顺主情／原天命，治心术，理好恶，适情性，而治道毕／任法而不任人，则法有不通，无以尽万变之情／听讼者或从其情或从其词，词不可从必断以情／气之动物，物之感人，故摇荡性情，形诸舞咏／耳之欲五声，目之欲五色，口之欲五味，情也／辩言过理，则与情相悖；丽靡过美，则与情相悖／今若不能服药，但知爱精节情，亦得一二百年寿也／屈平所以洞监《风》《骚》之情者，抑亦江山之助乎／非情、才无以见性，非气质无所为情、才，即无所为性也／廉公之思赵将，吴子之泣西河，人之情也，将军独无情哉／历观前代拨乱创业之主，生长民间，皆识达情伪，罕至于败亡／体恭敬而心忠信，术礼义而情爱人，横行天下，虽困四夷，人莫不贵

惬

qiè 心里满足；恰当。

❸一事惬当，一句清巧，神厉九霄，志凌千载

❿鄙朴忤逆者未必悻，承顺惬可者未必忠

悻

xìng 怨恨、恼怒的样子。

❷见悻悻自好之徒，应须防口

惜

xī 珍爱；舍不得；哀伤；痛惜；遗憾。

❶惜衣有衣，惜食有食

见明·冯梦龙《警世通言·王安石三难苏学士》。

惜恐镜中春，不如花草新

见宋·张先《菩萨蛮》。

惜秦皇汉武，略输文采；唐宗宋祖，稍逊风骚

见现代·毛泽东《沁园春·雪》。

❷不惜歌者苦，但伤知音稀／何惜微躯尽，缠绵自有时／爱惜芳时，莫待无花空折枝／爱惜精神，留他日担当宇宙／爱惜、暴殄本是两意，愚者有时合成一病／何惜阶前盈尺之地，不使白扬眉吐气，激昂青云

❸岁晚惜流光／无衣惜衣，无食惜食／志士惜

日短，愁人知夜长／志士惜年，贤人惜日，圣人惜时
❹劝君莫惜金缕衣，劝君须惜少年时
❺惜衣有衣，惜食有食／生不可不惜，不可苟惜／千金何足惜，一士固难求／知音徒自惜，聋俗本相轻／衣沾不足惜，但使愿无违／干大事而惜身，见小利而忘命，非英雄也
❻蜡烛有心还惜别，替人垂泪到天明／大禹圣人，乃惜寸阴，众人当惜分阴／大禹圣人，乃惜寸阴，至于众人，当惜分阴／大禹圣人，犹惜寸阴，至于凡俗，当惜分阴
❼无衣惜衣，无食惜食／轻困仓之蓄，而惜一杯钻／耻一物之不知，惜寸阴之徒靡／志士惜年，贤人惜日，圣人惜时／鸡肋，弃之如可惜，食之无所得／落红满路无人惜，踏作花泥透脚香／此生不学，一可惜；此日闲过，二可惜；此身一败，三可惜
❽食之无味，弃之可惜／百年能几日，忍不惜光阴
❾生不可不惜，不可苟惜／畏老身全老，逢春解惜春／人生不得长少年，莫惜床头沽酒钱／凡为天下国家，当爱惜名器，谨重刑罚／文臣不爱钱，武臣不惜死，天下太平矣
❿杨意不逢，抚凌云而自惜／志士惜年，贤人惜日，圣人惜时／劝君莫惜金缕衣，劝君须惜少年时／欲为圣朝除弊事，肯将衰朽惜残年／大禹圣人，乃惜寸阴，众人当惜分阴／所守者道义，所行者忠信，所惜者名节／大禹圣人，乃惜寸阴，至于众人，当惜分阴／大禹圣人，犹惜寸阴，至于凡俗，当惜分阴／此生不学，一可惜；此日闲过，二可惜；此身一败，三可惜／人有明珠，莫不贵重，若以弹雀，岂非可惜？况人之性命甚于明珠

惭

cán 羞愧。

❷方惭不耕者，禄食出闾里／虽惭老圃秋容淡，且看黄花晚节香
❸望云惭高鸟，临水愧游鱼
❹大言不惭，则无必为之志／珍腴之惭，不若藜藿之甘
❺据非其称，惭甚于荣
❻将叛者，其辞惭／文乏斧藻，艺惭刀笔／君子独立不惭于影，独寝不惭于魂
❽衔酸抱痛，且耻且惭
❾圣人之弘也，而犹有惭德
❿事可语人酬对易，面无惭色去留轻／君子独立不惭于影，独寝不惭于魂／朱丹既定，雌黄有别，使夫怀鼠知惭，滥竽自耻

悱

fěi 想说又不知怎么说的样子。

❹不待愤悱而发，则知之不能坚固
❻不愤不启，不悱不发。举一隅不以三隅反，则不复也

悼

dào 哀痛；悲伤；恐惧；战栗；年幼者之称。

❻伤则感遥而悼近，怨则恋始而悲终
❼以无涯之情爱，悼不驻之光阴
❾食君之禄畏不厚兮，悼得位之不昌
❿春也万物熙熙焉，感其生而悼其死

惧

jù 害怕；通“瞿”，惊惶失措的样子。

❶惧谗邪，则思正身以黜恶

见唐·魏征《论时政第二疏》。全句为：“虑壅蔽，则思虚心以纳下；～”。

惧满溢，则思江海下百川

见唐·魏征《谏太宗十思疏》。

惧满盈，则思江海下百川

见唐·魏征《论时政第二疏》。全句为：“念高危，则思谦冲而自牧；～”。

❸君子惧失仁义，小人惧失利
❹虎畏不惧己者／只缘恐惧转须亲／祸至不惧，福至不喜／愈大愈惧，愈强愈恐／栗栗危惧，若将陨于深渊／周公恐惧流言日，王莽谦恭未篡时／赏僭则惧及淫人，刑滥则惧及善人／寒者颤，惧者亦颤，此同名而异实也／将恐将惧，维予与女；将安将乐，女转弃予／敌存而惧，敌去而舞；废备自盈，只益为痛／祸至后惧，是诚不知；君子之惧，惧乎未始
❺勇者以工，惧者以拙，能与不能也／君子所甚惧者，以申、韩之酷政，文饰儒术，而重毒天下也
❻威立则恶者惧，化行则善者劝／必也临事而惧，好谋而成者也／多男子则多惧，富则多事，寿则多辱／徇私贪浊……恐惧既多，亦有因而致死／兢兢自危，犹惧不终，而况沛然自足，可以成功者乎
❼不以高危为忧惧，岂知稼穑之艰难／贵高有危殆之惧，卑贱有沟壑之忧
❽一则以喜，一则以惧／闻善而慕，知过而惧／守正为心，疾恶不惧／宠过若惊，喜深生惧／忍辱含垢，常若畏惧／群居不倚，独立不惧／定心广志，余何畏惧兮／莫邪不为勇者兴，惧者变／好名则多树私恩，惧谤则执法不坚／见利不诱，见害不惧……是谓灵气／何谓人情？喜、怒、哀、惧、爱、恶、欲，七者弗学而能
❾天下无内忧必有外惧／临乎死生得失而不惧／涉千钧之发机不知惧／内省不疚，夫何忧何惧／有过而不诛，则恶不惧／有过而反之身，则身惧／有过必悛，有不善必惧／罚当其罪，为恶者戒惧／罚当其罪，为恶者咸惧／民不畏死，奈何以死惧之／君子惧失仁义，小人惧失利／君

子易知而难狎，易惧而难胁／未尝敢以昏气出之，惧其昧没而杂也／未尝敢以怠心易之，惧其驰而不严也／未尝敢以矜气作之，惧其偃蹇而骄也／有杀人之威而下不惧，有生人之惠而下不喜／谁不可喜，而谁不可惧；蚋蚁蜂虿，皆能害人／君子之所贵者，迁善惧其不及，改恶恐其有余／审自得者失之而不惧，行修于内者无位而不怍

❿无事则深忧，有事则不惧／乱或资理者，遭乱而能惧／君子得意而忧，逢喜而惧／纵浪大化中，不喜亦不惧／恶人无有所纪，则以愧而惧／孔子成《春秋》而乱臣贼子惧／克己可以治怒，明理可以治惧／能前知其当然，事至不惧……／憎而不知其善，则为善者必惧／仁者不忧，知者不惑，勇者不惧／吾之终日志于道德，犹惧未及也／知者不惑，仁者不忧，勇者不惧／多欲亏义，多忧害智，多惧害勇／人多欲亏义，多忧害智，多惧害勇／贫穷则父母不子，富贵则亲戚畏惧／赏僭则惧及淫人，刑滥则惧及善人／周公位尊愈卑，胜敌愈惧，家富愈俭／苟不知我而谓我盗跖，吾又安取惧焉／志闲而少欲，心安而不惧，形劳而不倦／君子戒慎乎其所不睹，恐惧乎其所不闻／有义者不可欺以利，有勇者不可劫以惧／愚者易蔽也，不肖者易惧也，贪者易诱也／前车已覆，袭轨而骛，曾不鉴祸，以知畏惧／祸至后惧，是诚不知；君子之惧，惧乎未始／父母之年，不可不知也，一则以喜，一则以惧／君子之求利也略，其远害也早，其避辱也惧，其行道理也勇／其所以为情者七：曰喜、曰怒、曰哀、曰惧、曰爱、曰恶、曰欲

惕

tì 敬畏；戒惧；谨慎；急速；疾。

❷怵惕惟厉，中夜以兴，思免厥愆

❹谄谀宜惕，正直宜宣／因时而惕，不失其几，虽危而劳，可以无咎

❺见乱而不惕，所残必多；其饰，弥章

❼夙兴以忧人，夕惕而修己

❽见势不趋，见威不惕

惟

wéi 单单；只是；由于；与；和；虽；思想；助词。

❶惟明克允

见《尚书·舜典》。

惟甲胄起戎

见《尚书·说命中》。

惟仁义为本

见汉·司马迁《史记·晋世家》。

惟善以为宝

见《礼记·大学》。

惟干戈省厥躬

见《尚书·说命中》。

惟仁者宜高位

见《孟子·离娄上》。全句为："～。不仁而在高位，是播其恶于众也"。

惟陈言之务去

见唐·韩愈《答李翊书》。

惟治乱在庶官

见《尚书·说命中》。

惟乐不可以为伪

见汉·刘向《说苑·修文》。

惟人，万物之灵

见《尚书·泰誓上》。

惟大英雄能本色

见清·曹雪芹《红楼梦》第六十三回。

惟善人能受尽言

见《国语·周语下》。

惟廉可以服殊俗

见宋·苏辙《胡田知诚州邢浩知钦州》。全句为："惟宽可以怀远人，～"。

惟宽可以怀远人

见宋·苏辙《胡田知诚州邢浩知钦州》。全句为："～，惟廉可以服殊俗"。

惟上知与下愚不移

见《论语·阳货》。

惟天不畀不明厥德

见《尚书·多士》。全句为："～。凡四方小大邦丧，罔非有辞于罚"。

惟克果断，乃罔后艰

见《尚书·周官》。

惟家之索，牝鸡之晨

见南朝·宋·范晔《后汉书·崔琦传》。

惟察惟法，其审克之

见《尚书·吕刑》。

惟日孜孜，无敢逸豫

见《尚书·君陈》。

惟有道者能以往知来

见汉·班固《汉书·京房传》。

惟静惟默，澄神之极

见唐·姚崇《口箴》。

惟教之不改，而后诛之

见宋·苏辙《新论中》。

惟歌生民病，愿得天子知

见唐·白居易《寄唐生》。全句为："非求宫律高，不务文字奇，～"。

惟立志学圣人，则无害也

见清·刘沅《家言》。全句为："凡人立志胜人，易生傲慢，～"。

惟事事乃其有备，有备无患

见《尚书·说命中》。

惟俭可以助廉，惟恕可以成德

见宋·范纯仁《范纯仁家训》。

惟圣罔念作狂，惟狂克念作圣

见《尚书·多方》。

惟君子能由是路，出入是门也

见《孟子·万章下》。全句为："义，路也；礼，门也。～"。

惟有才行是任，岂以新旧为差

见唐·吴兢《贞观政要·公平》。

惟其才之不同，故其成功不齐

见宋·苏辙《新论上》。

惟天性刚强之人，不为物欲所屈

见宋·朱熹《朱子语类》卷二四。

惟至公不敢私其所私，私则不正

见宋·欧阳修《三年无改问》。

惟辟作福，惟辟作威，惟辟玉食

见《尚书·洪范》。

惟夫党人之偷乐兮，路幽昧以险隘

见战国·楚·屈原《离骚》。

惟夫消磨靡烂之际，金久炼而愈精

见明·吕坤《吕新吾闺范》。全句为："～；滓泥污秽之中，莲含香而自洁"。

惟古于词必己出，降而不能乃剽贼

见唐·韩愈《南阳樊绍述墓志铭》。

惟能于其未然而预防之，故无后忧

见宋·苏辙《私试进士策问二十八首》。

惟圣君以逆耳者顺于心，故天下治

见明·吕坤《呻吟语》。全句为："顺心之言易入也，有害于治。逆耳之言，裨治也不可于人，可恨也。～"。

惟有一天秋夜月，不随田亩入官租

见宋·张惟中《镜湖》。

惟愿孩儿愚且鲁，无灾无难到公卿

见宋·苏轼《洗儿》。

惟不以天下害其生者也，可以托天下

见《吕氏春秋·仲春纪·贵生》。

惟义可以怒士，士以义怒，可与百战

见宋·苏洵《心术》。

惟君臣相遇，有同鱼水，则海内可安

见唐·吴兢《贞观政要·求谏》。

惟心会而不可口传，可神通而不可语达

见清·曹雪芹《红楼梦》第五回。

惟严惟明，其赏也思，惟宽惟惠，其罚也畏

见明·徐祯稷《耻言》。

惟上帝不常，作善降之百祥，作不善降之百殃

见《尚书·伊训》。

❷教惟在于因人／德惟治，否德乱／时惟天命，无违／德惟一，动罔不吉／民惟邦本，本固邦宁／人惟求旧，物惟求新／德惟善政，政在养民／汝惟不伐，天下莫与汝争功／汝惟不矜，天下莫与汝争能／人惟求旧，器非求旧，惟新。／非惟使人情开涤，亦觉日月清朗／天惟运动一气，鼓万物而生，无心以恤物

❸任官惟贤才／凡事惟适中者可久／人心惟危，道心惟微／功崇惟志，业广惟勤／建官惟贤，位事惟能／德威惟畏，德明惟明／庶政惟和，万国咸宁／惟察惟法，其审克之／惟静惟默，澄神之极／视远惟明，听德惟聪／股肱惟人，良臣惟圣／罪疑惟轻，功疑惟重／用人惟己，改过不吝／吏肃惟遵法，官清不爱钱／乱世惟求其才，不顾其行／地薄惟供税，年丰尚苦贫／用人惟其才，故政无不修／怵惕惟厉，中夜以兴，思免厥愆／矢人惟恐不伤人，函人惟恐伤人／伏波惟愿裹尸还，定远何须生入关／君子惟道是贵，惟德是守，所以能万世不朽／惟严惟明，其赏也思，惟宽惟惠，其罚也畏

❹天非虐，惟民自速辜／俯于逵，惟行旅讴吟是采／已得之，惟恐伤肉之多也／瞰于野，惟稼穑艰难是知／慎厥初，惟厥终，终以不困

❺官不必备，惟其人／天上地下，惟我独尊／非佞折狱，惟良折狱／非贤不理，惟在得人／孔德之容，惟道是从／民心无常，惟惠之怀／任有大小，惟其所能／何以解忧，惟有杜康／善不必寿，惟道之闻／国家大事，惟赏与罚／国家法令，惟在简约／慎乃俭德，惟怀永图／皇天无亲，惟德是辅／校短量长，惟器是适／贫非人患，惟和为贵／牝鸡之晨，惟家之索／致安之本，惟在得人／起居无时，惟适之安／若保赤子，惟民其康乂／良药苦口，惟疾者能甘之／忠言逆耳，惟达者能受之／钦哉，钦哉，惟刑之恤哉／不限资考，惟择才堪者为之／未得兽者，惟恐其创之小也／去贫之法，惟有先戒懒惰……／惟辟作福，惟辟作威，惟辟玉食／贫无可奈惟求俭，拙亦何妨只求勤／断送一生惟有酒，寻思百计不如闲／时既清兮惟贤是急，贤既进兮其政必立／为政之要，惟在得人。用非其才，必难致治／致治之本，惟在于审；量才授职，务省官员

❻人惟求旧，物惟求新／爵罔及恶德，惟其贤／虑善以动，动惟厥时／辞尚体要，不惟好异／革去旧例而惟材是择／乱群败众者，惟在奸雄／威不可立也，惟公则威／不伐功斯巨，惟谦道乃光／不患人不知，惟患学不至／百物可决舍，惟书最难别／民政之难，不惟其力而惟其才／德日新，万邦惟怀；志自满，九族乃离／责人斯无难，惟受责俾如流，是惟艰哉／贞以图国，义惟急病；临难忘身，见危致命／官不及私昵，惟其能；爵罔及恶德，惟其贤／望长城内外，惟馀莽莽；大河上下，顿失滔滔／君子之于学，惟日孜孜，毙而后已，惟恐其不及也／立大事者，不惟有超世之才，亦必有坚忍不拔之志／兵非益多也，惟无武进，足以并力，料敌，取人而已

❼非知之艰，行之惟艰／非知之难，行之惟艰／民各有心，亦壅惟口／人心惟危，道心惟微／功崇惟志，业广惟勤／建官惟贤，位事惟能／德威惟畏，德明惟明／视远惟明，听德惟聪／股肱惟人，良臣惟圣／怨不在大，可畏惟人／罪疑惟轻，功疑惟重／惠迪吉，从逆凶，惟影响／鬼神非人实亲，惟德是依／唯忠臣能逆意，惟圣君能从利／惟俭可以助廉，惟恕可以成德／惟圣罔念作狂，惟狂克念作圣／无彝酒，越庶国，惟饮祀，德将无醉／以弱为强者，非惟天时，抑亦人谋也／君子之去小人，惟能尽去，乃无后患／所志于古者，不惟其辞之好，好其道焉／百僚师师，百工惟时，抚于五辰，庶绩其凝／非知之难，行之惟难；非行之难，终之斯难／君子惟道是贵，惟德是守，所以能万世不朽

❽论文期摘瑕，求友惟攻阙／先生之不从世兮，惟道是就／古来圣贤皆寂寞，惟有饮者留其名／病中何事最相宜，惟有摊书力尚支／老去更无儿在膝，惟君怜我我怜君／势利之交不终年，惟道义之交，可以终身／人之立身，所贵者惟在德行，何必要论荣贵／古之立大事者，不惟有超世之才，亦必有坚忍不拔之志／君子有为于天下，惟义而已，不可则止，无苟为，亦无必为

❾无恒产而有恒心者，惟士为能／人惟求旧，器非求旧，惟新。／惟辟作福，惟辟作威，惟辟玉食／居近识远，处今知古，惟学矣乎／其勿误于庶狱庶慎，惟正是乂之／过在改而不复为，功惟立而不中倦／进退天下士大夫，不惟其才惟其行／不泥古法，不执己见，惟在活而已矣／是技皆可成名，天下惟无技之人最苦／片技即足自立，天下惟多技之人最劳／孔曰成仁，孟曰取义，惟其义尽，所以仁至／小人君子，其心不同，惟乖于时，乃与天通／惟严惟明，其赏也思，惟宽惟惠，其罚也畏／祸福相倚，吉凶同域，惟人所召，安可不思

❿民政之难，不惟其力而惟其才／矢人惟恐不伤人，函人惟恐伤人／世人逐势争奔走，沥胆堕肝惟恐后／人之情，易发而难制者，惟怒为甚／君子之于世，无去无就，惟道是从／进退天下士大夫，不惟其才惟其行／天下者非一人之天下，惟有道者处之／当其取于心而注于手也，惟陈言之务去／国之兴亡不由蓄积多少，惟在百姓苦乐／法立，有犯而必施；令出，惟行而不返／清者则心平而意直，忠者惟正道而履之／责人斯无难，惟受责俾如流，是惟艰哉／大人者，言不必信，行不必果，惟义所在／法令明具，而用之至密，举天下惟法之知／并官省事，静事息役，上下用心，惟农是务／至治馨香，感于神明，黍稷非馨，明德惟馨／草木无情，有时飘零；人为动物，惟物之灵／惟严惟明，其赏也思，惟宽惟惠，其罚也畏／官不及私昵，惟其能；爵罔及恶德，惟其贤／歼厥渠魁，胁从罔治，旧染污俗，咸与惟新／忍所不能忍，容所不能容，惟识量过人者能之／不为穷变节，不为贱易志；惟仁之处，惟义之行／人之好怪也！不求其端，不讯其末，惟怪之欲闻／不就利，不违害，不强交，不苟绝，惟有道者能之／君子之于学，惟日孜孜，毙而后已，惟恐其不及也／天不可信，地不可信，人不可信，心不可信，惟道可信／气质偏驳者，欲使私欲不能引染，如之何？惟在明明德而已／古之所谓公无私者，其取舍进退无择于亲疏远迩，惟其宜可焉

惆

chóu 失意；悲伤。

❶惆怅不如边雁影，秋风犹得向南飞

见唐·戴叔伦《昭君词》。

❿结体散文，直而不野，婉转附物，惆怅切情

惚

hū［恍惚］神志不清；精神不集中；不真切、不清楚。

❸慌兮惚，朝朝暮暮生白发

❾文为之物，自然灵气。惚恍而来，不思而至

惛

①hūn 糊涂；欺蒙；专一。②mèn 亦作“惽”，通“闷”，烦闷。

❷无惛惛之事者，无赫赫之功

❿人之生也，与忧俱生，寿者惛惛，久忧不死，何苦也！其为形也亦远矣

惊

jīng 因突然的刺激产生紧张或恐惧的情绪；惊动；震动；乱的样子。

❷勿惊勿骇，万物将自理

❸语不惊人死不休／茅店惊寒半掩门／翩若惊鸿，婉若游龙／雁阵惊寒，声断衡阳之浦／问姓惊初见，称名忆旧容／浩歌惊世俗，狂语任天真／笔落惊风雨，诗成泣鬼神

❹世事徒惊日月新／得之若惊，失之若惊／宠过若惊，喜深生惧／见善若惊，疾恶若仇／饰知以惊愚，修身以明污／狗吠不惊，足下生氂；含哺鼓腹，焉知凶灾／赴之若惊，用之若狂；当之者破，近之者亡

❺学诗漫有惊人句／危叶畏风，惊禽易落／伤禽恶弦惊，倦客恶离声／闻一善若惊，得一士若赏／凌大江之惊波兮，过洞庭之漫漫／乱石穿空，惊涛拍岸，卷起千堆雪／有时忽得惊人句，费尽心机做不成／欲赋生来惊人语，必须苦下死工夫／利镞穿骨，惊沙人面……声折江河，势崩雷电

❻岁寒松柏肯惊秋／趣织鸣，懒妇惊

❼飘如游云，矫若惊龙／神女应无恙，当惊世界殊／黩武之众易动，惊弓之鸟难安／卒然临之而不惊，无故加之而不怒

❽得之若惊，失之若惊／丑女来效颦，还家惊四

邻／宁期此地忽相遇，惊喜茫如堕烟雾／春和景明，波澜不惊；上下天光，一碧万顷

❾感时花溅泪，恨别鸟惊心／山，快马加鞭未下鞍。惊回首，离天三尺三／洪波振壑，川无活鳞；惊飙拂野，林无静柯／气往轹古，辞来切今，惊采绝艳，难与并能

❿一生复能几，倏如流电惊／谤议不足怨，宠辱讵须惊／时节忽已换，壮心空自惊／下笔则烟飞云动，落纸则鸾迴凤惊／万夫喧喧不停杵，杵声丁丁惊后土／世人得宠而不思其辱，故辱至则惊／临泰山之悬崖，窥巨海之惊澜……／太山在前而不见，疾雷破柱而不惊／法相因则事易成，事有渐则民不惊／泰山在前而不见，疾雷破柱而不惊／心事浩茫连广宇，于无声处听惊雷／龙蛇纸上飞腾，看落笔四筵风雨惊／不飞则已，一飞冲天；不鸣则已，一鸣惊人／长于变者不可穷以诈，通于道者不可惊以怪／忠果正直，志怀霜雪，见善若惊，疾恶若仇／白日所为，夜来省己，是恶当惊，是善当喜／树恩布德，易以周洽，其犹顺惊风而飞鸿毛也／天下有大勇者，卒然临之而不惊，无故加之而不怒／忽闻晓角吟风，一叶坠露，惊而试问，即红线回矣

惇

dūn 淳厚；纯朴；重视；勤勉；劝勉。

❿天叙有典，敕我五典五惇哉

悴

cuì 憔悴；忧伤；衰弱。

❹不应憔悴损年芳

❽有荣华者，必有憔悴

❾草木得常理，霜露荣悴之

❿冠盖满京华，斯人独憔悴／春生者繁华，秋荣者零悴／衣带渐宽终不悔，为伊消得人憔悴

惮

①dàn 怕；畏惧；通"瘅"，劳。②dá 通"怛"，震撼。

❶惮劳怕怨，做不得事

见清·申居郧《西岩赘语》。全句为："～；避慊远疑，救不得人"。

惮势而交人，势劣而交道息

见唐·皮日休《鹿门隐书六十篇》。全句为："～；希利而友人，利薄而友道退"。

❹过，则勿惮改／处满常惮溢，居高本虑倾

❺岂余身之惮殃兮，恐皇舆之败绩

❻毋恃久安，毋惮初难／明君贤宰，不惮谔谔之言

❿小人之反中庸也，小人而无忌惮也／不思而立言，不知而定交，吾其惮也／何尝见明镜疲于屡照，清流惮于惠风

惋

wǎn 怅恨，叹惜。

❼丈夫暂许国，愤惋复何有

惨

cǎn 凶狠；悲伤；残酷；通"黪"，阴暗；形容很严重；通"憯"，曾；乃。

❶惨则鲜于欢，劳则褊于惠

见汉·张衡《西京赋》。

❸疾痛惨怛，未尝不呼父母也／祸莫惨于欲利，悲莫痛于伤心／忧愁惨怛，乐非轻死，则刑罚不能恐也

❹冰霜正惨凄，终岁常端正

❺舌端之孽，惨乎楚铁

❼或不知叫号，或惨惨劬劳

❽刑在必澄，不在必惨；政在必信，不在必苛

❾威赫赫爵禄高登，昏惨惨黄泉路近／忽喇喇似大厦倾，昏惨惨似灯将尽／真的猛士，敢于直面惨淡的人生，敢于正视淋漓的鲜血

❿人在阳时则舒，在阴时则惨／烈火埋冈，玉石抱俱焚之惨／以夷坦去群疑，以礼让汰惨急／乐莫善于如意，而忧莫惨于不如意／威赫赫爵禄高登，昏惨惨黄泉路近／忽喇喇似大厦倾，昏惨惨似灯将尽／寻寻觅觅，冷冷清清，凄凄惨惨戚戚／伟人之一顾逾乎华章，而一非亦惨乎黥刖

惯

guàn 习惯，惯常；纵容，放任。

❹司空见惯浑闲事，断尽苏州刺史肠

愤

fèn 忿怒；怨恨；郁结。

❷发愤忘食，乐以忘忧，不知老之将至／不愤不启，不悱不发。举一隅不以三隅反，则不复也

❸不待愤悱而发，则知之不能坚固

❻巧言易信，孤愤难申／丈夫暂许国，愤惋复何有／悲斯叹，叹斯愤，愤必有泄，故见乎词

❿凡人处是，鲜不怨怼忿愤／其为声也，凄凄切切，呼号愤发／《诗》三百篇，大抵贤圣发愤之所为作也

慌

huāng 忙乱；恐慌；惊慌；置于动词后用作补语，表示难以忍受。

❶慌兮惚，朝朝暮暮生白发

见唐·卢照邻《释疾文·粤若》。全句为："寂兮寞，岁岁年年长少乐；～"。

❻读书切戒在慌忙，涵泳工夫兴味长

❿一切言动，都要安详；十差九错，只为慌张

惰

duò 懒；不易改变。

❷不惰者，众善之师也／怠惰者，时之所以后也

❹躁则妄，惰则废

❼避其锐气，击其惰归／战胜而将骄卒惰者败／以赏誉自劝者，惰乎为善

❽所种者谷，虽瘠土惰农，不生稗也

❾力田者受旌显之赏，惰农者有不齿之罚

❿学无早晚，但恐始勤终惰／去贫之法，惟有先

戒懒惰……/养不教，父之过；教不严，师之惰/养子不教父之过，训导不严师之惰/少年辛苦终身事，莫向光阴惰寸功/非有灾害疾疫，独以贫穷，非惰则奢也

愠 ①yùn 含怒；怨恨；通“蕴”，蕴蓄。②wěn 心有愠积状。

❺忧心悄悄，愠于群小
❻人不知而不愠，不亦君子乎
❿不能者退而休之，亦莫敢愠/主不可以怒而兴师，将不可以愠而致战

愦 kuì 昏乱；胡涂。

❺快者掀髯，愦者扼腕，悲者掩泣，羡者色飞

愀 qiǎo 形容脸色严肃；忧戚而色变。

❹见不善，愀然，必以自省也

愎 bì 倔强；固执。

❷贪愎喜利，则灭国杀身之本也

惶 huáng 恐惧。

❿周听则不蔽，稽验则不惶

愧 kuì 惭愧；引以为耻。

❶愧，非议则安
见宋·杨万里《诗论》。
愧乏经济才，徒然守章句
见明·王蒙《暮宿田家作》。
愧斯矫，矫斯复，复斯善
见宋·杨万里《诗论》。
❷不愧于人，不畏于天/所愧为人父，无食致夭折
❸仰不愧天，俯不愧人，内不愧心
❹矫生于愧，愧生于众
❺内省既不愧己，焚香何用告天
❻无羞亟问，不愧下学/行违于道则愧生于心/感子漂母惠，愧我非韩才/不学而废者，愧己而自卑，卑则全
❼不耻身之贱，而愧道之不行/仰不愧天，俯不愧人，内不愧心
❽修辞立诚，在于无愧/死者复生，生者不愧/望云惭高鸟，临水愧游鱼/欲变节而从俗兮，愧易初而屈志/龙钟还忝二千石，愧尔东西南北人
❾恶人无有所纪，则以愧而惧/使死者反生，生者不愧乎其言，则可谓信矣
❿君子出处不违道而无愧/仰不愧天，俯不愧人，内不愧心/乌有城坏其徒俱死，独蒙愧耻求活/觉人之诈而不说破，待其自愧可也/身多疾病思田里，邑有流亡愧俸钱/言于国竭情无私，理于家陈信无愧/禄不患其不来，患禄来，而不能愧其禄/与百姓有缘才来此地，期寸心无愧不鄙斯民/不以其所能者病人，不以人之所不能者愧人/学不必博，要之有用；仕不必达，要之无愧/大丈夫岂得苟贪财物，以害及身命，使子孙每怀愧耻耶

愉 ①yú 喜悦，快乐。②tōu 通“偷”，苟且；怠惰。

❷和愉虚无，所以养德也/欢愉之辞难工，而穷苦之言易好
❸心平愉，则色不及佣而可以养目，声不及佣而可以养耳
❹虚无恬愉者，万物之用也
❽他人莫利，己独以愉/不临誉以求亲，不愉悦以苟合
❿大海荡荡水所归，高贤愉愉民所怀/君子不怵乎好，不迫乎恶，恬愉无为，去智与故

慨 kǎi 愤激；感叹；豪爽；慷慨，无所吝惜。

❷“慷慨”二字不可以望人/慷慨赴死易，从容就义难/感慨杀身者易，从容就义者难
❹杀身慷慨犹易免，取义从容未轻许
❺慷他人之慨，费别姓之财
❻情随事迁，感慨系之
❼怀此王佐才，慷慨独不群/纵横计不就，慷慨志犹存/燕赵古称多感慨悲歌之士
❿虎踞龙盘今胜昔，天翻地覆慨而慷/飞雪蔽野，长河始冰，吾子勉之，慷慨而别/胡风动地，朔雁成行；拔剑登车，慷慨而别

慑 shè 恐惧，使恐惧；畏服。

❺善猎气不慑
❼得道者，穷而不慑，达而不荣
❿与时屈伸，柔从若蒲苇，非慑怯也

慎 shèn 谨慎；当心；姓。

❶慎习而贵学
见清·戴震《原善》。
慎法宽惠不刻
见唐·韩愈《唐故国子司业窦公墓志铭》。
慎厥身，修思永
见《尚书·皋陶谟》。
慎而思之，勤而行之
见唐·白居易《策林一》。
慎乃俭德，惟怀永图
见《尚书·太甲上》。
慎乎所习，不可不思
见唐·吴兢《贞观政要·慎终》。全句为：“立身成败，在于所染，兰芷鲍鱼，与之同化，～”。
慎防其端，禁于未然

见汉·班固《汉书·匡衡传》。
慎终如始,乃能长久
见汉·刘向《说苑·敬慎》。
慎终如始,则无败事
见《老子》六十四。
慎其独者,守其中也
见唐·李翱《复性书中》。
慎始而敬终,终以不困
见《左传·襄公二十五年》。
慎重则必成,轻发则多败
见宋·苏轼《拟进士对御试策》。
慎重者,始若怯,终必勇
见宋·苏轼《拟进士对御试策》。全句为:“～;轻发者,始若勇,终必怯”。
慎以自靖者,君子之徒也
见清·王夫之《读通鉴论》卷三。全句为:“～;佞以悦人者,小人之徒也”。
慎在于畏小,智在于治大
见《尉缭子·十二陵》。
慎者不观其危,观其势也
见唐·皮日休《鹿门隐书六十篇》。全句为:“洁者不观其穷,观其富也;～”。
慎贵在举贤,慎民在置官
见《管子·枢言》。
慎厥初,惟厥终,终以不困
见《尚书·蔡仲之命》。
慎忌积于中,则政事废于表
见唐·白居易《为人上宰相书》。全句为:“～;因循苟且之心作,强毅久大之性亏”。
慎女内,闭女外,多知为败
见《庄子·在宥》。
慎于言者不哗,慎于行者不伐
见汉·韩婴《韩诗外传》。
慎则祸之不及,贪则灾之所起
见唐·姚崇《辞金诫》。
慎是护身之符,谦是百行之本
见唐·佚名《太公家教》。
慎简乃僚,无以巧言令色、便辟侧媚
见《尚书·冏命》。
慎尔言,将有和之;慎尔行,将有随之
见《列子·说符》。
慎终如始,犹恐渐衰,始尚不慎,终将安保
见唐·吴兢《贞观政要·规谏太子》。

❷不慎其前而悔其后,虽悔,何及

❸君子慎始而无后忧/苟不慎也,败辱随之/施人慎勿念,受恩慎勿忘/施人慎勿念,受施慎勿忘/君子慎始,差若毫厘,缪之千里/君子慎其实,实之美恶,其发也不掩

❹君子必慎其独也/贵轻重,慎权衡/敏于事,慎于言/祸不入慎家之门/始交不慎,后必为仇/君子以慎言语,节饮食/子之所慎:斋、战、疾/忠信谨慎,此德义之基/何以谨慎为,勇猛而临官/精良畏慎,善在恭谨,失在多疑/修己者,慎于中也,栗然如履春冰/君子戒慎乎其所不睹,恐惧乎其所不闻/克明德慎罚,不敢侮鳏寡,庸庸,祗祗,威威/闭心自慎,终不失过兮;秉德无私,参天地兮/君子先慎乎德,有德此有人,有人此有土,有土此有财,有财此有用

❺行不可不慎也/举大事必慎其终始/尽小者大,慎微者著/恭为德首,慎为行基/不困在豫慎,见祸在未形/从官重恭慎,立身贵廉明/清者不必慎,慎者必自清/多闻阙疑,慎言其余,则寡尤/悔前莫如慎始,悔后莫如改图/多见阙殆,慎言其余,则寡悔。/谨修而身,慎守其真,还以物与人,则无所累/敏于事而慎于言,就有道而正焉,可谓好学也已

❻择师不可不慎也/君子之学,贵慎始/居安思危,日慎一日/忧懈怠则思慎始而敬终/丁宁红与紫,慎莫一时开/生材贵适用,慎勿多苛求/清者不必慎,慎者必自清/慎贵在举贤,慎民在置官/善用严者,一慎之外无他道/旅。君子以明慎用刑,而不留狱/常有小病则慎疾,常亲小劳则身健

❼口能招祸,必须慎之/罚疑从去,所以慎刑也/出门择交友,防慎畏薰莸/为官长当清,当慎,当勤/金人三缄其口,慎言语也/恭而无礼则劳,慎而无礼则葸/慎于言者不哗,慎于行者不伐/力胜贫,谨胜祸,慎胜害,戒胜灾/博学之,审问之,慎思之,明辨之,笃行之

❽法施于人,虽小必慎/载舟覆舟,所宜深慎/下流不可处,君子慎厥初/长堤溃蚁穴,君子慎其微/人实不易知,更须慎其仪/负恩必须酬,施恩慎勿色/施人慎勿念,受恩慎勿忘/施人慎勿念,受施慎勿忘/明王之使人也,必慎其所使/其勿误于庶狱庶慎,惟正是乂之/慎尔言,将有和之;慎尔行,将有随之/天下稍安,尤须兢慎,若便骄逸,必至丧败

❾不官而衡至者,君子慎之/刑一而正百,杀一而慎万/庸言必信之,庸行必慎之/天地有官,阴阳有藏;慎守女身,物将自壮

❿勇者取其威,怯者取其慎/凡将立国……治法不可不慎也/尔以金玉为宝,吾以廉慎为师/处天下所观之地,可不慎乎?/赏罚不可轻行,用人弥须慎择/凡人行事,年少立身,不可不慎/善为师者,既美其道,有慎其行/事难行,故要敏;言易出,故要慎/人之持身立事,常成于慎而败于纵/生死犹转机,得失如反掌,可不慎乎/听其言,迹其行,察其所能而慎予官/莫见乎隐,莫显乎微,故君子慎其独也/父母威严而有慈,则子女畏慎而生孝矣/言行,君子之

所以动天地也，可不慎乎／食无求饱，居无求安，敏于事而慎于言／当官之法，唯有三事：曰清，曰慎，曰勤／一国之政，万人之命，悬于宰相，可不慎欤／无稽之言，不见之行，不闻之谋，君子慎之／慎终如始，犹恐渐衰，始尚不慎，终将安保／欲人不知，莫若无为；欲无悔吝，不若守慎／风俗之变，迁染民志，关之盛衰，不可不慎／不可与往者，不知其道，慎勿与之，身乃无咎／人情得足，苦于放纵，快须臾之欲，忘慎罚之义／君子防悔尤，贤人戒行藏，嫌疑远瓜李，言动慎毫芒／遇事多算计，较利悉锱铢，其过甚小，而积之甚大，慎之慎之／君子之行者有二焉；其未发也，慎而已矣，其既发也，义而已矣

慊

①qiàn 憾；恨；不满足。②qiè 满足；惬意。③xián 通"嫌"，嫌疑。

❶慊慊为人，娇娇为官

见唐·韩愈《唐故江西观察使韦公墓志铭》。

❷避慊远疑，救不得人

❹至味不慊，至言不文，至乐不笑，至音不叫

❿古之人名为羞，以实为慊／古之人以名为羞，以实为慊

慢

màn 行动迟缓，速度低；态度冷淡，不礼貌；提醒延迟一段时间；词曲的一种格调。

❶慢人者人亦慢之

见明·冯梦龙《东周列国志》第五十二回。

慢令致期谓之贼

见《论语·尧曰》。全句为："不教而杀谓之虐；不戒视成谓之暴；～；犹之与人也，出纳之吝谓之有司"。

慢藏诲盗，冶容诲淫

见《周易·系辞上》。

❷侮慢自贤，反道败德／据慢骄奢，则凶从之／怠慢忘身，祸灾乃作

❹犯法怠慢者，虽亲必罚

❺祸生于懈慢／思索生知，慢易生忧／不谄上而慢下，不厌故而敬新／凡人好敖慢小事，大事至，然后兴之务之

❻慢人者人亦慢之／上不敬，则下慢；不信，则下疑／爱赤子者不慢于保，绝险历远者不慢于御

❽处大无患者恒多慢，处小有忧者恒思善／礼接于人，人不敢慢；辞交于人，人不敢侮

❿凡人立志胜人，易生傲慢／君子之不骄，虽暗室不敢自慢／君子可招而不可诱，可弃而不可慢／爱亲者不敢恶于人，敬亲者不敢慢于人／爱赤子者不慢于保，绝险历远者不慢于御／凡百事之成也，必在敬之；其败也，必在慢之／人当自信自守，……虽毁谤之，侮慢之，亦不为之加沮

慷

kāng 感慨。[慷慨]情绪激昂；心胸开阔；悲叹；大方。

❶慷他人之慨，费别姓之财

见明·李贽《焚书·卷四·寒灯小话》三。

"慷慨"二字不可以望人

见清·李惺《西沤外集·药言》。全句为："'聪明'二字不可以自许，～"。

慷慨赴死易，从容就义难

见宋·谢枋得《却聘书》。

❸杀身慷慨犹易免，取义从容未轻许

❻怀此王佐才，慷慨独不群／纵横计不就，慷慨志犹存

❿虎踞龙盘今胜昔，天翻地覆慨而慷／飞雪蔽野，长河始冰，吾子勉之，慷慨而别／胡风动地，朔雁成行；拔剑登车，慷慨而别

懂

dǒng 知道，了解；[懵懂]昏昧；糊涂。

❹宁可蒙懂而聪明，不可聪明而蒙懂

❻聪明一世，懵懂一时

❿宁可蒙懂而聪明，不可聪明而蒙懂

憔

qiáo[憔悴]瘦弱萎靡的样子；困苦。

❸不应憔悴损年芳

❼有荣华者，必有憔悴

❾冠盖满京华，斯人独憔悴

❿衣带渐宽终不悔，为伊消得人憔悴

懊

ào 烦恼；悔恨。

❶懊恨人心不如石，少时东去复西来

见唐·刘禹锡《竹枝词九首》。

憎

zēng 厌恶；恨。

❶憎我者之言刻，刻必当罪

见清·陈确《乾初先生遗集·别集·瞽言》。全句为："爱我者之言恕，恕故匿非，～"。

憎而不知其善，则为善者必惧

见唐·吴兢《贞观政要·鉴戒》。全句为："～；爱而不知其恶，则为恶者实繁"。

❷好憎人者，亦为人所憎／吾憎人也，不可得而知也／可憎者人情冷暖，可厌者世态炎凉／爱憎不栖于情，忧喜不留于意，泊然无感

❸不在憎爱，以道为贵／文章憎命达，魑魅喜人过

❹面目可憎，语言无味

❺爱而知恶，憎而知善／同欲者相憎，同忧者相亲／谨备其所憎，而祸在于所爱

❻保廉节者，必憎贪冒之党／爱而知其恶，憎而知其善／匠人成棺，不憎人死；利之所在，忘其丑也／爱人者不阿，憎人者不害，爱恶各以其正，治之至也

❼御人以口给，屡憎于人／妍媸有定矣，而憎爱异情……／爱而不知其恶，憎而遂忘其善
❽孤直者，众邪之所憎／图工好画鬼魅而憎图狗马者……／爱我者一何可爱，憎我者一何可憎／今善善恶恶，好荣憎辱，非人能自生
❾好憎人者，亦为人所憎／恩甚则怨生，爱多则憎至
❿苟其聪明蔽于嗜好，智虑溺于爱憎／爱我者一何可爱，憎我者一何可憎／短长肥瘠各有态，玉环飞燕谁敢憎／同于我者何必可爱，异于我者何必可憎／体曲者忌绳墨之容，夜裸者憎明烛之来／人主之于用法，无私好憎，故可以为令／嗜欲者使人之气越，而好憎者使人之心劳／爱其人者，爱其屋上乌；憎其人者，憎其余胥

懒

lǎn 怠惰；疲乏。

❶懒则不肯勤勉，学殖荒而志气亦坠

见清·蔡世元《示子弟帖》。

❹趣织鸣，懒妇惊／宜勤勿懒，宜急勿缓
❾去贫之法，惟有先戒懒惰……／恃壮者一病必危，过懒者久闲愈懦
❿穷荒绝漠鸟不飞，万碛千山梦犹懒

憾

hàn 恨；心感不足；失望。

❻养生丧死无憾，王道之始也
❽冤者获信，死者无憾
❾使冤者获信，死者无憾／义之所在，身虽死，无憾悔

懈

xiè 意志松散，做事散慢敷衍。

❶懈意一生，便是自弃自暴

见宋·程颐《遗书》六。

❷忧懈怠则思慎始而敬终
❹祸生于懈慢／安宁勿懈堕，有事不迫遽
❾夙兴夜寐，无一日之懈
❿一息尚存，此志不容稍懈

憺

dàn 意有所安的样子；通"惮"，使人畏惧；震动；忧愁。

❿洞然无为而天下自和，憺然无欲而民自朴

懔

lǐn 危惧；戒惧。

❶懔乎若朽索之驭六马

见《尚书·五子之歌》。

❷心懔懔以怀霜，志眇眇而临云

懦

nuò 胆小，软弱。

❷水懦弱，民狎而玩之，则多死焉
❹和者不懦，无以保其和
❾既悦其和，不可非其懦。懦也者，和之征也
❿恃壮者一病必危，过懒者久闲愈懦／火形严，故人鲜灼；水形懦，故人多溺／穷武之雄，毙于不仁；存义之国，丧于懦退／既悦其和，不可非其懦。懦也者，和之征也

懵

①měng 懵懂，糊涂。②mèng 不明。

❺聪明一世，懵懂一时

宁

①níng 平安；安静；康健；平和；使安定；已嫁的女子探望父母；古邑名。②nìng 宁可；难道；乃；曾；而；作语助，无义；姓。

❶宁可清贫，不可浊富

见明·罗贯中《平妖传》第二〇回。

宁可湿衣，不可乱步

见清·李汝珍《镜花缘》第二十回。

宁可玉碎，不能瓦全

见唐·李百药《北齐书·元景安传》。

宁我负人，毋人负我

见晋·陈寿《三国志·魏书·武帝纪》。

宁我薄人，无人薄我

见《左传·宣公十二年》。

宁为鸡口，无为牛后

见《战国策·韩策一》。

宁方为皂，不圆为卿

见唐·元结《恶圆》。全句为："～；宁方为污辱，不圆为显荣"。

宁与燕雀翔，不随黄鹄飞

见三国·魏·阮籍《咏怀八十三首》之八。

宁可信其有，不可信其无

见元·无名氏《盆儿鬼》楔子。

宁为百夫长，胜作一书生

见唐·杨炯《从军行》。

宁为袁粲死，不作褚渊生

见元·曾先之《十八史略·南北朝·宋》。

宁当血刃死，不作衽席完

见宋·韩希孟《练裙带诗》。

宁饮建业水，不食武昌鱼

见三国·吴·杂歌谣辞《孙皓初童谣》。

宁方为污辱，不圆为显荣

见唐·元结《恶圆》。全句为："宁方为皂，不圆为卿；～"。

宁过于君子，而毋失于小人

见《管子·立政三本》。

宁积粟腐仓而不忍贷人一斗

见汉·王符《潜夫论·忠贵》。全句为："宁见朽贯千万而不忍赐人一钱，～"。

宁可后来相让，不可起初含糊

见清·申涵光《荆园小语》。全句为："交财一事最难。虽至亲好友，亦须明白。～"。

宁为兰摧玉折，不作萧敷艾荣

见南朝·宋·刘义庆《世说新语·言语》。

宁为有闻而死，不为无闻而生

见唐·柳宗元《上扬州李吉甫相公献所著文启》。

宁撞金钟一下,不打铙钹三千

见清·曹雪芹《红楼梦》第七十二回。

宁见朽贯千万而不忍赐人一钱

见汉·王符《潜夫论·忠贵》。全句为:"~,宁积粟腐仓而不忍贷人一斗"。

宁武子邦有道则智;邦无道则愚

见《论语·公冶长》。全句为:"~。其智可及也,其愚不可及也"。

宁与黄鹄比翼乎,将与鸡鹜争食乎

见《楚辞·卜居》。

宁可蒙懂而聪明,不可聪明而蒙懂

见明·冯梦龙《警世通言·王安石三难苏学士》。

宁可抱香枝上老,不随黄叶舞秋风

见宋·朱淑真《黄花》。

宁可枝头抱香死,何曾吹落北风中

见宋·郑思肖《画菊》。

宁为宇宙闲吟客,怕作乾坤窃禄人

见唐·杜荀鹤《自叙》。

宁以义死,不苟幸生,而视死如归

见宋·欧阳修《纵因论》。

宁作清水之沉泥,不为浊路之飞尘

见三国·魏·曹植《九愁赋》。

宁作野中之双凫,不愿云间之别鹤

见南朝·宋·鲍照《拟行路难十八首》之三。

宁溘死以流亡兮,余不忍为此态也

见战国·楚·屈原《离骚》。

宁教我负天下人,休教天下人负我

见明·罗贯中《三国演义》第四回。

宁期此地忽相遇,惊喜茫如堕烟雾

见唐·李白《江夏赠韦南陵冰》。

宁用不材以败事,不肯劳心而择材

见宋·欧阳修《再论台官不可限资考札子》。

宁用不材以旷职,不肯变例以求人

见宋·欧阳修《论李昭亮不可将兵札子》。

宁令吾庐独破受冻死,不忍四海赤子寒飕飕

见宋·王安石《杜甫画像》。

宁逢赤眉,不逢太师。太师尚可,更始杀我

见汉·班固《汉书·王莽传》。

❷外宁必有内忧/丁宁红与紫,慎莫一时开/安宁勿懈堕,有事不迫遽

❸忠臣宁死而不辱/存身宁国在于生杀之间/芳草宁共气,而皆悦于魂/鞭鞑宁越以立威名,恐非致理之本

❹海内安宁,兴文匽武/福寿康宁,固人之所同欲/大丈夫宁当玉碎,安可没没求活/拓境不宁,无益于强;多田不耕,何救饥敝/一宿体宁,百宿心恬,三宿后颓然嗒然,不知其然而然

❺王侯将相宁有种乎/与其浊富,宁比清贫/侯王将相,宁有种乎/覆车重寻,宁无摧折/老当益壮,宁移白首之心/马上得之,宁可以马上治乎/察乎安危,宁于祸福,谨于去就,莫之能害也

❻与其杀不辜,宁失不经/可言而不信,宁无言也/古来贤达士,宁受外物牵/居马上得之,宁可马上治之乎/讳疾而忌医,宁灭其身而无悟也/宾至如归,无宁灾患,不畏寇盗/颍水清,灌氏宁;颍水浊,灌氏族/礼,与其奢也宁俭;丧,与其易也宁戚

❼丧贵致哀,礼存宁俭/烂死于泥沙,吾宁乐之/与其溺于人也,宁溺于渊/与求生而害义,宁抗节以埋魂

❽天下太平,万物安宁/民惟邦本,本固邦宁/庶政惟和,万国咸宁/野无遗贤,万邦安宁/今日太平,即是江宁之小邑/与其食浮于人也,宁使人浮于食/白杨为屋材,折则宁折,终不屈挠/各自责则天清地宁,各相责则天翻地覆/天静以清,地定以宁,万物失之者死,法之者生

❾读文必期有用,不然宁可不读/与其无义而有名兮,宁穷处而守高/非淡薄无以明德,非宁静无以致远/非淡泊无以明志,非宁静无以致远/曲则为王,直蒙戮辱;宁戮不王,直而不曲/变祸为福,易曲成直,宁关天命,在我人力

❿一别怀万恨,起坐为不宁/一劳而久逸,暂费而永宁/人安则财赡,本固则邦宁/国小则易理,民寡则易宁/根深则本固,基美则上宁/销兵铸农器,今古岁方宁/人必待贤以理,物必待贤以宁/君臣不信,则百姓诽谤,社稷不宁/贵贱之间,易以势移,管宁所以割席/奢则不孙,俭则固;与其不孙也,宁固/礼,与其奢也宁俭;丧,与其易也宁戚/事无礼则不成,国无礼则不宁,王无礼则死亡无日矣/天无为以之清,地无为以之宁,故两无为相合,万物皆化生/五福:一曰寿,二曰富,三曰康宁,四曰攸好德,五曰考终命

宄

guǐ 内乱;犯法作乱的人。

❾弃忠贞之正路,蹈奸宄之迷途

❿养稊稗者伤禾稼,惠奸宄者贼良民/凡养稂莠者伤禾稼,惠奸宄者贼良人

它

①tā 代词,称人以外的事物;邪。②shé 古"蛇"字。③tuó 同"驼"。

❶它山之石,可以攻玉

见《诗·小雅·鹤鸣》。

它山之石,可以为错

见《诗·小雅·鹤鸣》。

❺之死矢靡它

宇 yǔ屋檐；居处；国土；疆域；所有的空间；风度；仪表。

❶宇宙便是吾心，吾心即是宇宙

见宋·陆九渊《杂说》。

宇宙内事，要担当，又要善摆脱

见明·陈继儒《小窗幽记》。全句为："～。不担当则无经世之事业，不摆脱则无出世之襟期"。

宇宙之内，燕雀不知天地之高也

见汉·桓宽《盐铁论·复古》。全句为："～；坎井之蛙，不知江海之大"。

❷此宇宙之奇诡也／宅宇逾制，楼观出云，车马服饰，拟于王者

❸道塞宇宙，非有隐遁／包藏宇宙之机，吞吐天地之志／宁为宇宙闲吟客，怕作乾坤窃禄人／寓形宇内复几时，曷不委心任去留／仰观宇宙之大，俯察品类之盛，所以游目骋怀，足以极视听之娱

❹俯仰终宇宙，不乐复何如／悠悠天宇旷，切切故乡情／此理在宇宙间，固不以人之明不明、行不行而加损

❺举目方知宇宙宽／天地玄黄，宇宙洪荒／此理充塞宇宙间，如何人杜撰得

❻天高地迥，觉宇宙之无穷／上下四方曰宇，往古来今曰宙／天地四方曰宇，往古来今曰宙／知屋漏者在宇下，知政失者在草野／心为道之器，宇虚静至极则道居而慧生

❼心事浩茫连广宇，于无声处听惊雷

❽有实而无乎处者，宇也／不穷视听界，焉识宇宙广／莫取金汤固，长令宇宙新／青葵善迎于白日，宇暖斯迷／其为书，处则充栋宇，出则汗牛马／有席卷天下，包举宇内，囊括四海之意，并吞八荒之心

❾金猴奋起千钧棒，玉宇澄清万里埃

❿爱惜精神，留他日担当宇宙／内不觉其一身，外不知乎宇宙／宇宙便是吾心，吾心即是宇宙／及至始皇，奋六世之余烈，振长策而御宇内／奋六世之遗烈，振长策而御宇内，吞二周而亡诸侯，履至尊而制六合

守 ①shǒu保持；看护；遵守；掌管；奉行；守候；操守；请求；镇守；姓。②shòu职守；官职；犹"摄"，暂时代理空缺的官职；同"狩"，巡守。

❶守一城，捍天下

见唐·韩愈《张中丞传后叙》。全句为："～，以千百就尽之卒，战百万日滋之师"。

守正为心，疾恶不惧

见唐·柳宗元《先侍御史府君神道表》。

守真志满，逐物意移

见南朝·梁·周兴嗣《千字文》。

守则同固，战则同强

见《国语·齐语》。全句为："居同乐，行同和，死同哀，是故～"。

守少则固，力专则强

见晋·陈寿《三国志·魏书·三少帝纪》。全句为："以饱待饥，以逸击劳；师不欲久，行不欲远；～"。

守口如瓶，防意如城

见宋·周密《癸辛杂识别集下·守口如瓶》。

守强不强，守柔乃强

见三国·魏·王弼《老子》五十二注。

守如处女，出如脱兔

见清·曹雪芹《红楼梦》第七十三回。

守成尚文，遭遇右武

见汉·司马迁《史记·平津侯主父列传》。

守其初心，始终不变

见宋·苏轼《杭州召还乞郡状》。

守职而不废，处义而不回

见汉·黄石公《素书·正道》。全句为："～，临难而不苟免，见利而不苟得，此人之杰也"。

守身之道，摄养也，诚身也

见清·刘沅《家言》。

守正之人其气高，含章之人其词大

见唐·王维《京兆尹张公德政碑》。

守道而忘势，行义而忘利，修德而忘名

见宋·苏轼《文与可字说》。

守法持正，嶷如秋山；火不侵玉，幸臣畏伏

见唐·刘禹锡《故吏部侍郎奚公神道碑》。

❷善守不待渠梁而固／善守者不尽兵以守敌冲／善守者，藏于九地之下／善守者，敌不知其所攻／栖守道德者，寂寞一时／简守帅，分其统，专其任／牧守由将校以授，皆虎而冠／能守而后可战，能战而后可和／宜守不移之志，以成可大之功／内守坚固真之真，虚中恬淡自致神／所守者道义，所行者忠信，所惜者名节／苟守先圣之道，由大中以出，虽万受摈弃，不更乎其内

❸临难守节／何以守位？曰仁／失其守者，其辞屈／豺狼守肉，鬼魅侍疾／饿狼守庖厨，饥虎牧牢豚／量力守故辙，岂不寒与饥／有官守者，不得其职则去／战如守，行如战，有功如幸／净心守志，可会至道，譬如磨镜，垢去明存／圣人守清道而抱雌节，因循应变，常后而不先／水之守土也审，影之守人也审，物之守物也审／继世守文之君，生而富贵，不知疾苦，动至夷灭

❹抱一者，守道也／战胜易，守胜难／致虚极，守静笃／可行必守，有弊必除／廉平之守，不可攻也／城小而守固者，有委也／女神将守形，形乃长生／创业难，守成难，知难不难／君子之守，修其身而天下平／文章太守，挥毫万字，一饮千钟／多闻则守之以约，多见则守之以卓／

敌欲固守，攻其无备；敌欲兴陈，出其不意

❺攻不足者守有余／慎其独者，守其中也／守强不强，守柔乃强／学贵心悟，守旧无功／见小曰明，守柔曰强／攻敌所不守，守敌所不攻／愚谓无知守真，顺自然也／博闻强记，守之以浅者，智／取天下与守天下，无机不能／土地广大，守之以俭者，安／大丈夫所守者道，所待者时／德行宽裕，守之以恭者，荣／禄位尊盛，守之以卑者，贵／聪明睿智，守之以愚者，哲／古之君子，守道以立名，修身以俟时／聪明睿智，守之以愚；功被天下，守之以让

❻天地清静，皆守一也／博闻多记而守以浅者广／聪明睿智而守以愚者益／正身以俟时，守己而律物／博文多记，而守以浅者广／谈书者不贱，守田者不饥／攻敌所不守，守敌所不攻／土地博裕，而守以俭者安／契船而求剑，守株而伺兔／德行广大，而守以恭者荣／积金不积书，守财一何鄙／毁誉不干其守，饥寒不累其心／世治则小人守政，而利不能诱也／口乃心之门，守口不密，泄尽真机／逆取而以顺守之，文武并用，长久之术／欲刚，必以柔守之；欲强，必以弱保之／事少而功多，守要也；身逸而国治，用贤也／谨修而身，慎守其真，还以物与人，则无所累／食人力之粟，守无事之官，拳拳血诚，无所陈露／人当自信自守，虽承誉之，承奉之，亦不为之加喜爱／人当自信自守，……虽毁谤之，侮慢之，亦不为之加沮

❼广其学而坚其守／奋不顾身，临时守节／多言数穷，不如守中／处事以智，不如守正／挈瓶之知，不失守器／介者不拘，无以守其介／自有凌冬质，能守岁寒心／志意不先定，则守善而或移／不拘文牵俗，则守职者辨治矣／恭者礼之本也，守者信之本也／学欲博，不欲杂；守欲约，不欲陋／有以无难而失守，有因多难而兴邦／诚者，君子之所守也，而政事之本也／欲刚者必以柔守之，欲强者必以弱保之／治国无法则乱，守法而弗变则悖，悖乱不可以持国／圣智设法，本以守国，智诈极矣，乃翻为盗国之盗资也

❽天命难知，人道易守／圣人不巧，时变是守／确乎不拔，浩然自守／善守者不尽兵以守敌冲／高而不危，所以长守贵也／读书贵神解，无事守章句／满而不溢，所以长守富也／愧乏经济才，徒然守章句／松柏为百木长，而守门闾／战死士所有，耻复守妻孥／金玉满堂，莫之能守。富贵而骄，自遗其咎

❾吏不良，则有法而莫守／善攻者，敌不知其所守／误用聪明，何若一生守拙／孰知有无死生之一守者，吾与之为友／事孰为大？事亲为大。守孰为大？守身为大／师不欲久，行不欲远，守少则固，力专则强／水之守土也审，影之守人也审，物之守物也审

❿为问频相见，何似常相守／伪诈不可长，空虚不可守／还身意所欲，清净而自守／量力所至，约其课程而谨守之／见利不亏其义，见死不更其守／鼎不可以柱车，马也不可使守间／与其无义而有名兮，宁穷处而守高／识欲高而气欲下，量欲宏而守欲洁／功高而居之以让，势尊而守之以卑／须知大隐居廛市，休向深山守静孤／多闻则守之以约，多见则守之以卓／木与木相摩则然，金与火相守则流／劫之以众，沮之以兵，见死不更其守／学医者当博览群书，不得拘守一家之言／殖货财产，贵其能施赈，否则守钱虏耳／责少者易偿，职寡者易守，任轻者易权／心苟无事则息自调，念苟无欲则中自守／欲以先王之政治当世之民，皆守株之类也／天地有官，阴阳有藏；慎守女身，物将自壮／事孰为大？事亲为大。守孰为大？守身为大／工无二伎，士不兼官，各守其职，不得相奸／萧何为法，顜若画一；曹参代之，守而勿失／大丈夫……终不为邪暗小人所惑而易其所守／君子惟道是贵，惟德是守，所以能万世不朽／国有常众，战无常胜；地有常险，守无常势／贵不专权，罔惑上下；贱能守分，不苟求取／欲人不知，莫若无为；欲无悔吝，不若守慎／盖棺始能定士之贤愚，临事始能见人之操守／聪明睿智，守之以愚；功被天下，守之以让／苟有所见，虽布衣之贱，远守之微，亦可施用／困境起念，随物生情，不守道循常，即为妄矣／水之守土也审，影之守人也审，物之守物也审／学者必务知要，知要则能守约，守约则足以尽博矣／有石城十仞，汤池百步，带甲百万，而亡粟，弗能守／慈仁者，百姓亲附，并心一意，故以战则胜敌，以守卫则坚固

宅

①zhái 住处；辟为居住之地；葬地；墓穴；任职；居官；顺；安定；保持。②chè 通"坼"，开裂。

❶宅宇逾制，楼观出云，车马服饰，拟于王者

见北魏·杨衒之《洛阳伽蓝记·法云寺》。全句为："海内之货，咸萃其庭，产匹铜山，家藏金穴。～"

❷非宅是卜，唯邻是卜／方宅十余亩，草屋八九间……

❸君子宅情，无求于显

❹百万买宅，千万买邻／喘息为宅命，身寿立息端／五亩之宅，树墙下以桑矣……／土反其宅，水归其壑；昆虫毋作，草木归其泽

❻一岁典职，田宅并兼

❽无名之名，生我之宅也

❾先生不知何许人也……宅边有五柳树，因以为号焉

❿仁，天之尊爵也，人之安宅也／擅山海之富，

居川林之饶，争修园宅，互相夸竞

安 ān安全；平静；舒适；苟安；满足；习惯；安放；设置；哪里；如何；犹“乃”，“于是”；姓。

❶安步以当车

见《战国策·齐策四》。

安危须仗出群材

见唐·杜甫《诸将》

安逸，道之贼也

见清·王晫《今世说》卷二

安者非一日而安也

见汉·班固《汉书·贾谊传》。

安无忘危，存无忘亡

见汉·戴德《大戴礼记·武王几铭》。

安不忘危，治不忘战

见唐·张九龄《治府兵》第七章。

安不忘危，盛必虑衰

见汉·班固《汉书·陈汤传》。

安民之本，在于足用

见汉·刘安《淮南子·诠言》。全句为：“～；足用之本，在于勿夺时”。

安民之术，在于丰财

见晋·陈寿《三国志·魏书·杜畿传》。全句为：“～。丰财者，务本而节用也”。

安民则惠，黎民怀之

见《尚书·皋陶谟》。

安土敦乎仁，故能爱

见《周易·系辞上》。

安坐至暮，祸灾不到

见汉·焦赣《易林·遯·损》。

安有巢毁而卵不破乎

见南朝·宋·范晔《后汉书·孔融传》。

安身为乐，无忧为福

见晋·陈寿《三国志·蜀书·秦安传》。全句为：“听玄猿之悲吟，察鹤鸣于九皋，～”。

安静则治，暴疾则乱

见《尉缭子·兵令上》

安舒沈重者，患在后世

见唐·马总《意林·昌言》

安天下于覆盂，其功可大

见宋·王安石《归田录》引蔡齐置器赋。

安而后能虑，止水能照也

见明·吕坤《呻吟语》。

安求一时誉，当期千载知

见宋·梅尧臣《寄滁州欧永叔》

安危在出令，存亡在所任

见汉·司马迁《史记·楚元王世家》。

安危在得人，国兴在贤辅

见唐·房玄龄《晋书·慕容暐载记》。

安危在是非，不在于强弱

见《韩非子·安危》

安得长翮大翼如云生我身

见唐·韩愈《忽忽》。全句为：“～，乘风振奋出六合”。

安宁勿懈堕，有事不迫遽

见汉·仲长统《昌言》。

安得万垂杨，系教春日长。

见宋·程垓《菩萨蛮·访江东外家作》。

安时而处顺，哀乐不能入也

见《庄子·大宗师》。全句为：“得者，时也，失者，顺也。～”。

安不忘危，故能终而成霸功焉

见汉·刘向《说苑·君道》。全句为：“此能求过于天，必不逆谏矣。～”。

安仁义而乐利世者，能服天下

见《晏子春秋·内篇问上第一》。

安危不二其志，险易不革其心

见汉·仲长统《昌言下》。

安有执砺世之具而患乎无贤欤

见唐·刘禹锡《砥石赋并序》

安民可与行义，而危民易与为非

见汉·贾谊《过秦论》。

安得倚天抽宝剑，把汝裁为三截

见现代·毛泽东《念奴娇·昆仑》。

安不忘危臣所愿，常思危困必无危

见唐·周昙《鲍叔》。

安得壮士挽天河，净洗甲兵长不用

见唐·杜甫《洗兵马》。

安身莫尚乎存正，存正莫重乎无私

见唐·房玄龄《晋书·潘岳传》。

安能以皓皓之白，而蒙世俗之尘埃乎

见战国·楚·屈原《渔父》

安得因一摧折，自毁其道以从于邪也

见唐·韩愈《与孟尚书书》。

安平则尊道术之士，有难则贵介胄之臣

见南朝·宋·范晔《后汉书·桓谭传》。

安而不忘危，存而不忘亡，治而不忘乱

见《易经·系辞下》

安能摧眉折腰事权贵，使我不得开心颜

见唐·李白《梦游天姥吟留别》。

安得广厦千万间，大庇天下寒士俱欢颜

见唐·杜甫《茅屋为秋风所破歌》。

安卧扬帆，不见石滩；靠天多幸，白日入阱

见明·徐祯稷《耻言》。

安危相易，祸福相生，缓急相摩，聚散以成

见《庄子·则阳》。

安土重迁，黎民之性；骨肉相附，人情所愿

见汉·班固《汉书·元帝纪》。

安而不扰，使而不劳，是以百姓劝业而乐公赋

见《盐铁论·未通》。

安则乐生,痛则思死;捶楚之下,何求而不得

见汉·路温舒《尚德缓刑书》。

安不忘危,治不忘乱,虽知今日无事,亦须思其终始

见唐·吴兢《贞观政要·慎终》。

❷于安思危,于治忧乱/于安思危,危则虑安/上安下顺,弊绝风清/宴安鸩毒,不可怀也/居安思危,孜孜不怠/居安思危,戒奢以俭/居安思危,日慎一日/致安之本,惟在得人/若安天下,必先正其身/心安而虚,则道自来止/长安如梦里,何日是归朝/长安有贫者,为瑞不宜多/偷安者后危,虑近者忧迩/人安则财赡,本固则邦宁/吟安一个字,捻断数茎须/身安则道隆,饮食知节量/知安而不知危,能逸而不能劳/居安思危;思则有备,有备无患/居安忘危,处治忘乱,所以不能长久/或安而行之,或利而行之,或勉强而行之/民安土重迁,不可卒变。易以顺行,难以逆动/建安诗辩而不华,质而不俚,风调高雅,格力遒壮

❸蚊睫安知鹏翼/四海安,天下欢/怀与安,实败名/道可安而不可说/怀与安,实疚大事/燕雀安知鸿鹄之志/以仁安人,以义正我/君子安贫,达人知命/海内安宁,兴文匽武/寝不安席,食不甘味/杀人安人,杀之可也/万物安于知足,死于无厌/无常安之国,无恒治之民/人心安则念善,苦则怨叛/闻长安乐则出门向西而笑/骀驷安局步,骐骥志千里/贤人安下位,鸷鸟欲卑飞/众人安其所不安,不安其所安/圣人安其所安,不安其所不安/常人安于故俗,学者溺于所闻/百姓安则乐其生,不安则轻其死/圣人安不忘危,恒以忧思为本营/老者安之,朋友信之,少者怀之/仁者安仁,知者利仁,畏罪者强仁/诗人安得有青衫,今岁和戎百万缣/卧不安席,食不甘味,心摇摇如悬旌/察乎安危,宁于祸福,谨于去就,莫之能害也/君子安其身而后动,易其心而后语,定其交而后求/不思安危终始之虑,是乐春藻之繁华,而忘秋实之甘口也

❹天刑之,安可解/父老长安今余几/天下虽安,忘战必危/以危为安,以乱为治/人之情安于其所常为/危者望安,乱者仰治/得人则安,失人则危/道高益安,势高益危/居不求安,食不求饱/居必常安,然后求乐/子非鱼,安知鱼之乐/毋恃久安,毋惮初难/天下之安危,莫先乎兵/中国虽安,忘战则民殆/黎庶之安,乃众贤之力/不念居安思危,戒奢以俭/车无轮安处,国无民谁与/爱利以安之,忠信以导之/思国之安者,必积其德义/鉴国之安危,必取于亡国/可与共安乐,亦可与共患难/法修则安且治,废则危且乱/神物好安静,不可以有为治/众人皆安其所不安,即不安矣/得之则安以荣,失之则亡以辱/理国长安,率身从道,言必信实/莫见长安行乐处,空令岁月易蹉跎/德无以安之则危,政无以和之则乱/圣人……心安是国安也,心治是国治也/根生,叶安得不茂;源发,流安得不广/爱民而安,好士而荣,两者无一焉而亡/天下稍安,尤须兢慎,若便骄逸,必至丧败/君子居安宜操一心以虑患,处变当坚百忍以图成

❺中听则民安/愧,非议则安/在知人,在安民/既来之,则安之/不从糟粕,安得精英/不能受谏,安能谏人/不探虎穴,安得虎子/平不肆险,安不忘危/习俗移志,安久移质/众人唯唯,安定祸福/阻兵无众,安忍无亲/塞翁失马,安知非福/庄敬日强,安肆日偷/治不忘乱,安不忘危/深思远虑,安不忘危/易于反掌,安于泰山/有贤不用,安得不亡/盛不忘衰,安必思危/豺狼当路,安问狐狸/人有礼则安,无礼则危/纵意于处安,不必全福/东望望长安,正值日初出/虽有亲兄,安知其不为狼/虽有亲父,安知其不为虎/法存则国安,法亡则国危/治世之音安以乐,其政和/有其有者安,贪人有者残/与民同其安者,人必拯其危/太牢斯烹,安可荐羹藜之味/民足则怀安,安则自重而畏法/凡物置之安地则安,危地则危/得贤者则安昌,失之者则危亡/地广非常安之术,人劳乃易乱之源/自谓理且安者,则自骄自满,虽安必危/身劳而心安,为之;利少而义多,为之/君不见长安女儿嫩如水,十指不动衣罗绮/因事相争,安知非我之不是,须平心暗想/轻听发言,安知非人之谮诉,当忍耐三思

❻法令善则民安乐/上下不和,虽安必危/不曾远别离,安知慕俦侣/不识风霜苦,安知零落期/不能胜寸心,安能胜苍穹/不在被中眠,安知被无边/不因感衰节,安能激壮心/不睹皇居壮,安知天子尊/乐道而忘贱,安德而忘贫/为水不入海,安得浮天波/体无纤微疾,安用问良医/社稷依明主,安危托妇人/蛇固无足,子安能为之足/海不通百川,安得巨大之名/天下之道,理安,斯得人者也/两兔傍地走,安能辨我是雄雌/民足则怀安,安则自重而畏法/信全则天下安,信失则天下危/圣人安其所安,不安其所不安/秦越远途也,安坐而至者,械也/凡人情之所安而有节者,举皆礼也/圣人因时以安其位,当世而乐其业/如今只说临安路,不较中原有几程/思所以危则安矣,思所以乱则治矣/晚食以当肉,安步以当车,无罪以当贵/政令不烦,则安其业,故不远迁徙,离其常处/百姓与之则安,辅之则强,非之则危,倍之则亡/人知贵生乐安而弃礼义,辟之是犹欲寿而

殁颈也／法者，国仰以安也；顺则治，逆则乱，甚乱者灭／天下之民，知安而不知危，能逸而不能劳，此臣所谓大患也

❼一诗千改始心安／知者除谗以自安也／安者非一日而安也／道德之威成乎安强／一国尽乱，无有安家／一家皆乱，无有安身／天下大乱，无有安国／天下太平，万物安宁／不学博依，不能安诗／不有严刑，诛赏安置／功成事就，扶手安居／少不服劳，老不安逸／有事无辜，心常安泰／思其所以危，则安矣／皮之不存，毛将安傅／野无遗贤，万邦安宁／食不甘味，卧不安席／居天下之人，使安其业／用道治国，则国安民昌／天下动之至易，安之至难／世治非去兵，国安岂忘战／大丈夫当雄飞，安能雌伏／国以人为本，人安则国安／日出多伪，士民安取不伪／政教积德，必致安泰之福／不为难易变节，安危革行也／并兼者高诈力，安定者贵顺权／众人安其所不安，不安其所安／劳其形者长年，安其乐者短命／得贤人，国无不安，名无不荣／不为苟得以偷安，不为苟免而无耻／生人之性得以安，圣人之道得以光／冲天香阵透长安，满城尽带黄金甲／冥当寝兮不能安，饥当食兮不能餐／功冠天下者不安，威震人主者不全／土广不足以为安，人众不足以为强／虽有千里之能……安求其能千里也／如下有泰山之安，则上有累卵之危／心治则百节皆安，心忧则百节皆乱／事之急者不能安言，心之痛者不能缓声／圣人……心安是国安也，心治是国治也／志闲而少欲，心安而不惧，形劳而不倦／知不可奈何而安之若命，唯有德者能之／一切言动，都要安详；十差九错，只为慌张／不学操缦，不能安弦；不学博依，不能安诗／民有疾苦，得以安之；吏有侵渔，得以去之／君人者，爱民而安，好士而荣，两者无一焉而亡／道德之威成乎安强，暴察之威成乎危弱，狂妄之威成乎灭亡也

❽于安思危，危则虑安／乱则国危，治则国安／乱者思理，危者求安／治国者爱民，则国安／起居无时，惟适之安／生于忧患，而死于安乐／当今生民之患果安在哉／世事波上舟，沿洄安得住／弃身锋刃端，性命安可怀／当其贯日月，死生安足论／狐死归首丘，故乡安可忘／多好竟无成，不精安用夥／自问道何如，贵贱安足云／自顾行何如，毁誉安足论／正西风落叶下长安，飞鸣镝／上求寡而易赡，民安乐而无事／众人皆安其所不安，即不安矣／凡物置之安地则安，危地则危／圣人安其所安，不安其所不安／士处下，不在高，故安而不危／国危则无乐君，国安则无忧民／大丈夫宁当玉碎，安可没没求活／群车方奔乎险路，安能与之齐轨／天下是非俱不到，安闲一片道人心／存不忘亡，是以身安而国家可保也／醉后狂言醒时悔，安不将息病时悔／食无求饱，居无求安，敏于事而慎于言／言今日难于前日，安知他日不难于今日乎

❾将有作则思知止以安人／尚贤使能，则主尊下安／丈夫不叹别，达士自安卑／不妄于万姓，则天下安矣／天主正，地主平，人主安静／固一世之雄也，而今安在哉／有其德，无其位，君子安之／仁，天之尊爵也，人之安宅也／众人安其所不安，不安其所安／圣人深居以避辱，静安以待时／百姓安则乐其生，不安则轻其死／我心治，官乃治，我心安官乃安／乘所欲为，易于反掌，安于泰山／民不乐生，尚不避死，安能避罪／满则虑嗛，平则虑险，安则虑危／一则治，异则乱；一则安，异则危／行贤而去自贤之行，安往而不爱哉／定者，尽俗之极地……持安之毕事／达师之教也，使弟子安焉乐焉……／遇灾则极其忧勤，时安则不骄不逸／李白一斗诗百篇，长安市上酒家眠／国之栋梁也，得之则安以荣，失之则亡以辱／移风易俗，莫善于乐；安上治民，莫善于礼

❿何处路最难？最难在长安／土地博裕，而守以俭者安／节欲则民富，中听则民安／君子食无求饱，居无求安／国正天心顺，官清民自安／国以人为本，人安则国安／用智则国乱，息智则人安／可以共患难，不可以共安乐／命令昨颁，十万工农下吉安／土地广大，守之以俭者，安／居累卵之危，而图太山之安／履非常之危者不可以常道安／一抔之土未干，六尺之孤安在／下比周则上危，下分争则上安／不到极逆之境，不知平安之日／申生在内而危，重耳居外而安／倚南窗以寄傲，审容膝之易安／众人安其所不安，不安其所安／众人皆安其所不安，即不安矣／圣人安其所安，不安其所不安／君能清静，百姓何得不安乐乎／因时在乎善相，因俗在乎便安／委明珠而乐贱，辞白璧以安贫／骐骥之跼躅，不如驽马之安步／黩武之众易动，惊弓之鸟难安／不动声色，而措天下于泰山之安／我心治，官乃治，我心安官乃安／能扶天下之危者，必据天下之安／知足之人，虽卧地上，犹为安乐／牧民之道，除其所疾，适其所安／无论海角与天涯，大抵心安即是家／不患寡而患不均，不患贫而患不安／世间万物有盛衰，人生安得常少年／巫峡之水能覆舟，若比人心是安流／民之治乱在于吏，国之安危在于政／民之治乱在于上，国之安危在于政／何方圆之能周兮，夫孰异道而相安／豪华尽出成功后，逸乐安知与祸双／君子为国……故旷日长久而社稷安／法得则马和而欢，道得则民安而集／马上相逢无纸笔，凭君传语报平安／爱好由来下笔难，一诗千改始心安／有过则当速改，不可畏难而苟安

也／业无高卑志当坚，男儿有求安得闲／身危由于势过，而不知去势以求安／苟不知我而谓我盗跖，吾又安取惧焉／苟不知我而谓我仲尼，吾又安取荣焉／惟君臣相遇，有同鱼水，则海内可安／视其所以，观其所由，察其所安……／上不信，下不忠，上下不和，虽安必危／由来犬羊着冠坐庙堂，安得四鄙无豺狼／大丈夫处世，当扫除天下，安事一室乎／知死心也者，不以物害死，安死之谓也／四海之内共利之之谓悦，共给之之谓安／德不广不能使人来，量不宏不能使人安／根生，叶安得不茂；源发，流安得不广／立身高一步方超达，处世退一步方安乐／自谓理且安者，则自骄自满，虽安必危／既不能推心以奉母，亦安能死节以事人／乘国者，其如乘航乎！航安，则人斯安矣／使贤者居上，不肖者居下，而后可以理安／国虽大，好战必亡；天下虽安，忘战必危／自古失国之主，皆为居安忘危，处治忘乱／一日万机，一人听断，虽复忧劳，安能尽善／天下无独燃之火，世间安得有无体独知之精／天下虽兴，好战必亡；天下虽安，忘战必危／天地所以独长且久者，以其安静，施不荣报／不学操缦，不能安弦；不学博依，不能安诗／事苦，则矜全之情薄；生厚，故安存之虑深／民生在勤，勤则不匮。宴安自逸，岁暮奚冀／将恐将惧，维予与女；将安将乐，女转弃予／小人之情，缓则骄……危则谋乱，安则思欲／行不如止，直不如曲，进不如退，可以安吉／慎终如始，犹恐渐衰，始尚不慎，终将安保／学有未达，强以为知，理有未安，妄以臆度／绝祸之首，起福之元，去我情欲，取民所安／贫生于富，弱生于强，乱生于化，危生于安／贫生于富，弱生于强，乱生于治，危生于安／祸福相倚，吉凶同域，惟人所召，安可不思／龙不隐鳞，凤不藏羽，网罗高县，去将安所／金以刚折，水以柔全；山以高陊，谷以卑安／人之情：不能乐其所不安，不能得于其所不乐／名实相生，利用相成，是非相明，去就相安也／国之有民，犹水之有舟，停则以安，扰则以危／法令者示人以信，若成而数变，则人之心不安／远人不服，则修文德以来之。既来之，则安之／贩交买名之薄，吮痈舐痔之卑，安足议其是非／岂无利事哉，我无利心；岂无安处哉，我无安心／谷足食多，礼义之心生；礼丰义重，平安之基立／非有卓然异绩结于人心，浃于骨髓，安能久而愈思／人遇逆境，无可奈何，而安之若命，乃是见识超卓／追计往时咎过，日夜反覆，无一食而安于口平于心／善计天下者不视天下之安危，察其纪纲之理乱而已矣／国以贤兴，以谄衰；君以忠安，以佞危，此古今之常论／以小善为无益，以小恶为无伤，凡此皆非所以安身崇德也／处患难，知其无可奈何，遂放意而不反，是岂安于义命者／上智不处危以侥幸，中智能因危以为功，下愚安于危以自亡／国有三军何？所以戒非常，伐无道，尊宗庙，重社稷，安不忘危也

字

zì 文字；收据、借条等书面凭证；旧称女子许嫁；怀孕；养育；抚爱；字音。

❶字人无异术，至论不如清

见唐·杜荀鹤《送人宰吴县》。

字须熟后生，画须生外熟

见明·董其昌《画禅室随笔》卷二。

字势雄逸，如龙跳天门，虎卧凤阙

见南朝·梁·萧衍《古今书人优劣评》。

字字看来皆是血，十年辛苦不寻常

见清·曹雪芹《题<红楼梦>诗》。

字中蝌蚪，竞落文河。笔下蛟龙，争投学海

见唐·骆宾王《冒雨寻菊序》。

❷捶字坚而难移，结响凝而不滞／作字要熟，熟则神气完实而有余／一字不识而有诗意者，得诗家真趣／字字看来皆是血，十年辛苦不寻常／大字难于密结而无间，小字难于宽绰而有余／性字从生从心，是人生来具是理于心，方名之曰性

❸文从字顺各识职／有文字来，谁不为文

❹不著一字，尽得风流／百炼为字，千炼成句／百锻成字，千炼成句／知之一字，众妙之门／文必虚字备而后神态出／才吟五字句，又白几茎髭／吟成五字句，用破一生心／"慷慨"二字不可以望人／"聪明"二字不可以自许／俪采百字之偶，争价一句之奇／人生识字忧患始，姓名粗记可以休／谈欢则字与笑并，论戚则声共泣偕／大抵文字须熟乃妙，熟则利病自明／意少一字则义阙，句长一言则辞妨／"利"之一字，是学问人品一片试金石／善删者字去而意留，善敷者辞殊而意显／褒见一字，贵逾轩冕；贬在片言，诛深斧钺／魂魄二字，正犹精神二字。神即是魂，精即是魄／语言文字，如春之花，或者必欲弃花而觅春，非愚即狂

❺句之清英，字不妄也／情随境变，字逐情生／气凌云汉，字挟风霜／唯廉勤二字，人人可至／吟安一个字，捻断数茎须／亲朋无一字，老病有孤舟／"莫须有"三字，何以服天下

❻若教临水畔，字字恐成龙／炼句不如炼字，炼字不如炼意／避席畏闻文字狱，著书都为稻粱谋／仁者人也，仁字有生意，是言人之生道也／人之立言，因字而生句，积句而成章，积章而成篇

❼若教临水畔，字字恐成龙／行行若萦春蚓，字字如绾秋蛇／点画皆有筋骨，字体自然雄媚／可能十万珍珠字，买尽千秋儿女心／生儿不用识文字，斗鸡走马胜读书／眼前直下三千字，胸

次全无一点尘

❽凡为文辞宜略识字／搜奇抉怪，雕镂文字／意在笔前，然后作字／学其意，不必泥其字句也／行行若萦春蚓，字字如绾秋蛇／改章难于造篇，易字艰于代句／炼句不如炼字，炼字不如炼意／文章太守，挥毫万字，一饮千钟

❾非求宫律高，不务文字奇／书之要，统于"骨气"二字／句有可削，足见其疏；字不得减，乃知其密

❿丁君十纸，不敌王褒数字／不能长进，只为昏弱两字所苦／心既托声于言，言亦寄形于字／睹一事于句中，反三隅于字外／博士买驴，书卷三纸，未有驴字／善为文者，富于万篇，贫于一字／盖世功劳，当不得一个"矜"字／墨池如江笔如帚，一扫万字不停肘／弥天的罪过，当不住一个"悔"字／风行水上之文，决不在于一字一句之奇／每开一卷，刀搅肺肠；每读一篇，血滴文字／大字难于密结而无间，小字难于宽绰而有余／宽收严试，久任超迁。此八字，用人之良法／欧公作文，先贴于壁……有终篇不留一字者／博学笃志，切问近思，此八字是收放心的功夫／神闲气静，智深勇沉，此八字是干大事的本领／魂魄二字，正犹精神二字。神即是魂，精即是魄／古之善歌者有语，谓"当使声中无字，字中有声"／文章当从三易：易见事，一也；易识字，二也；易读诵，三也

完

wán 齐全；将事情全部做好；修筑；坚固；终尽；结束；消耗尽；交纳；保全；古代一种较轻的刑罚。

❸兵不完利，与无操者同实

❺养气要使完，处身要使端

❼金无足赤，人无完人／覆巢之下，复有完卵乎

❾寸裂之锦黻，未若坚完之韦布／作字要熟，熟则神气完实而有余

❿宁当血刃死，不作衽席完／君道立则利出其群，而人备可完矣／糟糠不饱者不务粱肉，短褐不完者不待文绣／有缺点的战士终竟是战士，完美的苍蝇也终竟不过是苍蝇／政庞而土裂，三光五岳之气分，大音不完，故必混一而后大振

宋

sòng 周代诸侯国名；朝代名；姓。

❻汉魏风骨，晋宋莫传，然而文献有可征者

❽偏则成魔，分唐界宋。霹雳一声，邹鲁不哄

❿惜秦皇汉武，略输文采；唐宗宋祖，稍逊风骚／文章道弊五百年矣！汉魏风骨，晋宋莫传，然而文献有可征者

宏

hóng 广博；宏大。

❶宏远深切之谋，固不能合庸人之意
见宋·苏洵《审敌》。

❹其雄辞宏辩，快如轻车骏马之奔驰

❼词林增峻，反诸宏博，君之力焉

❽风樯动，龟蛇静，起宏图／不闻大论则志不宏，不听至言则心不固

❾道所以保神，德所以宏量

❿本深而末茂，形大而声宏／识欲高而气欲下，量欲宏而守欲洁／施为宜似千钧之弩，转发者，无宏功／志高则言洁，志大则辞宏，志远则旨永／行己莫如恭，自责莫如厚，接众莫如宏／德不广不能使人来，量不宏不能使人安

牢

①láo 关牲畜和野兽的圈；古代祭祀用的牲畜；监狱；结实；靠得住；忧劳；公家发给的粮食；姓。②lóu 削。③lào[搜牢]掳掠。

❶牢骚太盛防肠断，风物长宜放眼量
见现代·毛泽东《七律·和柳亚子先生》。

❷太牢斯烹，安可荐羹藜之味

❹豺狼在牢，其羊不繁／画地为牢，势不可入；削木为吏，议不可对

❺漱涤万物，牢笼百态／亡羊而补牢，未为迟也

❼大都好物不坚牢，彩云易散琉璃脆

❽众人熙熙，如享大牢，如春登台

❾饿狼守庖厨，饥虎牧牢豚

❿见兔而顾犬，未为晚也；亡羊而补牢，未为迟也

灾

zāi 原指自然发生的火灾，后泛指灾害；个人遭遇的祸事。

❶灾人者，人必反灾之
见《庄子·人间世》。

❷遇灾则极其忧勤，时安则不骄不逸

❸无天灾，无物累，无人非，无鬼责／非有灾害疾疫，独以贫穷，非惰则奢也

❹乱政生灾／君子问灾不问福／务除其灾，思致其福／背施幸灾，民所弃也／幸人之灾，不仁；背人之施，不义

❺善不妄来，灾不空发／万物之有灾，人妖最可畏／天下和平，灾害不生，祸乱不作

❻知足下遇火灾……／安坐至暮，祸灾不到／背施无亲，幸灾不仁／怠慢忘身，祸灾乃作

❼灾人者，人必反灾之／积德之家，必无灾殃／见患而后虑，见灾而后救／宾至如归，无宁灾患，不畏寇盗／春一物枯即为灾，秋一物华即为异

❽出令不胜，反为大灾／动触时忌，言为身灾／节用储蓄，以备凶灾／欲不可纵，纵欲成灾／食能以时，身必无灾／情爱过义，子孙之灾也／雨泽过润，万物之灾也／口惠而实不至，怨灾及其身／智不公，则福日衰，灾日隆／堤防成而民无水灾，礼义立，民无乱患

❾慎则祸之不及，贪则灾之所起／惟愿孩儿愚

且鲁，无灾无难到公卿
⑩利丰者害厚，质美者召灾／不贪花酒不贪财，一世无灾无害／僧是愚氓犹可训，妖为鬼蜮必成灾／力胜贫，谨胜祸，慎胜害，戒胜灾／藏书万卷可教子，遗金满籝常作灾／名为公器无多取，利是身灾合少求／火泄于密，而为用且大……反为灾矣／四时之运，功成则退，高爵厚宠，鲜不致灾／得时无怠，时不再来，天予不取，反为之灾／狗吠不惊，足下生氂；含哺鼓腹，焉知凶灾／心全于中，形全于外；不逢天灾，不遇人害／用兵之害，犹豫最大；三军之灾，生于狐疑／斩伐林木，亡有时禁，水旱之灾，未必不由此也

宝 bǎo 玉器的总称，引申为泛指一切珍贵的物品；古代货币；珍爱；皇帝的印信；佛教称佛、法、僧为“三宝”；旧时对他人的敬称；姓。
❶宝马雕车香满路
见明·方孝孺《学箴》。
宝珠玉者，殃必及身
见《孟子·尽心下》。
宝剑未砥，犹乏切玉之功
见后魏·温子升《为安丰王延明让国子祭酒表》。全句为：“～；美箭缺羽，尚无冲石之势”。
宝器玩物，不可示于权豪
见明·李开先《林冲宝剑记》一一出。
宝剑赠与烈士，红粉赠与佳人
见清·王有光《吴下谚联》卷二。
❷器宝待人而后宝／不宝咫尺玉，而爱寸阴旬／不宝金玉，而忠信以为宝
❸归国宝，不若献贤而进士／天下宝之者何也？其小恶不足妨大美也／怀重宝者不以夜行，任大功者不以轻敌
❹信，国之宝也／天地所宝者，才也／希世之宝，违时则贱／为国人宝，不如能献贤／我有三宝，持而保之……／令重于宝，社稷先于亲戚／将军夸宝剑，功在杀人多／信，国之宝也，民之所凭也／物华天宝，龙光射牛斗之墟／荆玉含宝，要俟开莹；幽兰怀馨，事资扇发／卞和献宝，以离断趾；灵均纳忠，终于沉身／如贫得宝，如暗得灯，如饥得食，如旱得云
❺惟善以为宝／诚不忍奇宝横弃道侧／大器晚成，宝货难售／治家非一宝，富国非一道／易求无价宝，难得有心郎／食者，国之宝也；兵者，国之爪也／宫中积珍宝，狗马实外厩，美人充下陈
❻我以不贪为宝／义，天下之良宝也／玉卮无当，虽宝非用／所贵唯贤，所宝为谷／勤是无价之宝，学是明月神珠／圣王以贤为宝，不以珠玉为宝／尔以金玉为宝，吾以廉慎为师／安得倚天抽宝剑，把汝裁为三截／商不出则三宝绝，虞不出则财匮少／治国者敬其宝，爱其器，任其用，除其妖
❼士者国家之大宝／器宝待人而后宝／切磋琢磨，乃成宝器／亲仁善邻，国之宝也／白石如玉，愚者宝之；鱼目似珠，愚者取之／隋侯之珠，国之宝也，然用之弹，曾不如泥丸
❽凡谋之道，周密为宝／海产明珠，所在为宝／成功之道，赢缩为宝／知与之为取，政之宝也／民力尽于无用，财宝虚以待客／大羹必有淡味，至宝必有瑕秽／白璧有考，不得为宝；言至纯之难也／治身者以积精为宝，治国者以积贤为道
❾丹漆不文，白玉不雕，宝珠不饰／璞玉浑金，人皆饮其宝，莫知名其器
⑩不宝金玉，而忠信以为宝／巽语为珍，苍璧喻而非宝／璇玉致美，不为池隍之宝／五谷者万民之命，国之重宝／死马无所复用，而燕昭宝之／圣王以贤为宝，不以珠玉为宝／口能言之，身能行之，国宝也／编珠缀玉，不得为全璞之宝矣／曾因国难披金甲，不为家贫卖宝刀／工不出则农用乏，商不出则宝货绝／国仇未报壮士老，匣中宝剑夜有声／新剑以诈刻加价，弊方以伪题见宝／五谷养性而弃之于地，珠玉无用而宝之于身／谏、争、辅、拂之人，社稷之臣也，国君之宝／以玙璠之玼而弃其璞，以一人之罪而兼其众，则天下无美宝信士

宗 zōng 祖庙；祖先；家族；同一家族的；派别；根本；主旨；尊崇；效法；归往；朝见；尊崇或效法的人；量词；姓。
❸唐太宗之贤，自西汉以来，一人而已
❹传派传宗我替羞，作家各自一风流／以天为宗，以德为本，以道为门，兆于变化，谓之圣人
❻万变不离其宗／无私，百智之宗也／沔彼流水，朝宗于海／有怀投笔，慕宗悫之长风／公卿有党排宗泽，帷幄无人用岳飞／无为者，道之宗；故得道之宗，应物无穷，任人之才，难以至治
❼不教之教，教之宗也／天变不足畏，祖宗不足法，人言不足恤／乘其名者，泽及宗族，利兼乡党，况子孙乎
❽掩恶扬善，君子所宗／体无常轨，言无常宗，物无常用，景无常取
❾元气者，天地万物之宗统／无形无名者，万物之宗也
⑩腾蛟起凤，孟学士之词宗／不知而自以为知，百祸之宗也／治国之道，生民之本，啬为祖宗／惜秦皇汉武，略输文采；唐宗宋祖，稍逊风骚／虎旅云从，词林响应，若毛羽之宗麟凤，众川之长江河／无为者，道之宗；故得道之宗，应物无穷，任人之才，难以至治／国有三军何？所以戒非常，伐无道，尊宗庙，重社稷，安不忘危也

定 dìng 平静；安定；停留，静止；稳定；决定；已经确定；约定；必定；固定；究竟；通“颠”，额；古星名。

❶定心广志，余何畏惧兮
见战国·楚·屈原《楚辞·九章·怀沙》。
定国之术，在于强兵足食
见三国·魏·曹操《置屯田令》。
定知直道传千古，杜牧文章在上头
见宋·王巩《萧相楼》。
定者，尽俗之极地……持安之毕事
见唐·司马承祯《坐忘论·泰定》。删节处为：“致道之初基，习静之成功”。
定乎内外之分，辨乎荣辱之境，斯已矣
见《庄子·逍遥游》。全句为：“举世誉之而不加劝，举世非之而不加沮；～”。

❷名定而实辨／痛定思痛，痛何如哉／先定其规摹，而后从事／咬定青山不放松，立根原在破岩中／约定俗成谓之宜，异于约则谓之不宜

❸无一定之律，而有一定之妙／行前定则不疚，道前定则不穷／言前定则不跆，事前定则不困

❹举棋不定，不胜其耦／前虑不定，后有大患／计熟事定，举必有功／名刑已定，物自为正／论德而定次，量能而授官／枉直未定，决于绳墨之平／蛟龙无定窟，黄鹄摩苍天／以武功定祸乱，以文德致太平／妍媸有定矣，而憎爱异情……／礼所以定其位，权所以固其政／无心于定而无所不定，故曰泰定／论士必定于志行，毁誉必参于效验／王师北定中原日，家祭无忘告乃翁／立志要定，不要杂；要坚，不要缓／内有一定之操，而外能诎伸、赢缩、卷舒／朱丹既定，雌黄有别，使夫怀鼠知惭，滥竽自耻／赋役有定制，兵农有定业，官无虚名，职无废事／上有素定之谋，下无趋向之惑，天下之事不难举也

❺无为可以定是非／志意不先定，则守善而或移／必原情以定罪，不阿意以侮法／明好恶而定去就，崇敬让而民兴行／盖棺始能定士之贤愚，临事始能见人之操守／礼者，所以定亲疏、决嫌疑、别同异、明是非也

❻知止而后有定……／众人唯唯，安定祸福／弈者举棋不定，不胜其耦／诚国是之先定，虽民散而可收／水不波则自定，鉴不翳则自明／成败极知无定势，是非元自要徐观／非规矩不能定方圆，非准绳不能正曲直／天静以清，地定以宁，万物失之者死，法之者生

❼上烦扰则下不定／一言偾事，一人定国／天下纷纷，何时定乎／观乎往复，稽中定务／士无常君，国亡定臣／功高人共嫉，事定我当烹／人众者胜天，天定亦能破人／若还苟且粗疏，定不成一件事／丈夫盖棺事始定，君今幸未成老翁／古昔多由布衣定一世者矣，皆能用非其有也／气以实志，志以定言，吐纳英华，莫非情性

❽心能执静，道将自定／心意之论，不足以定是非／吾虑不清，则未可定然否也／并兼者高诈力，安定者贵顺权／大着肚皮容物，立定脚跟做人／经正而后纬成，理定而后辞畅／不到西湖看山色，定应未可作诗人／伏波惟愿裹尸还，定远何须生入关

❾不欲以静，天下将自定／树有百年花，人无一定颜／量材而授官，录德而定位／无一定之律，而有一定之妙／事莫明于有效，论莫定于有证／行前定则不疚，道前定则不穷／言前定则不跆，事前定则不困／无心于定而无所不定，故曰泰定／经纬天地之谓文，戡定祸乱之谓武／不思而立言，不知而定交，吾其惮也／水动而景摇，人不以定美恶，水势玄也／赋役有定制，兵农有定业，官无虚名，职无废事／上多欲，下多端，法不定，政多门，此乱国之风也

❿治国家者先择佐而后定民／大略如行云流水，初无定质／无为而万物化，渊静而百姓定／无准绳，虽鲁般不能以定曲直／无规矩，虽奚仲不能以定方圆／非药曷以愈疾，非兵胡以定乱／既变化而无穷，亦卷舒而莫定／无心于定而无所不定，故曰泰定／知得是是非非，恁地确定，是智／阅千古而不变者，气种之有定也／敌人远来新至，行列未定，可击／天下之事，不进则退，无一定之理／为学第一工夫，要降得浮躁之气定／创业自知难两立，辍耕早已定三分／人世多违壮士悲，干戈未定书生老／诚其心，正其志，实其事，定其分／读书而寄兴于吟咏风雅，定不深心／挟天子以令诸侯，四海可指麾而定／威恩参用以成化，文武相资以定业／用仁义以治天下，公赏罚以定干戈／未有暴乱不止而能活生人、定国家者／知有所待而后当，其所待者特未定也／龙蟠凤逸之士，皆欲收名定价于君侯／凡为人子之礼，冬温而夏清，昏定晨省／欲做精金美玉的人品，定从烈火中锻来／入泽随龟，不暇调足；深渊捕蛟，不暇定手／名无固实，约之以命实，约定俗成谓之实名／用明察非，非无不见；用理钤疑，疑无不定／一言得而天下服，一言定而天下听，公之谓也／未事而知其来，始事而知其终，定事而知其变／任人而不任法，则人各有意，无以定一成之论／奋其智能，愿为辅弼，使寰区大定，海县清一／君子安其身而后动，易其心而后语，定其交而后求／君子所性，虽大行不加焉，虽穷居不损焉，分定故也／文章如精金美玉，市有定价，非人所能以口舌定贵贱也／知大一，知大阴，知大目，知大均，知大方，知大信，知大定，至矣

宕 dàng 石矿；放荡；不受拘束；拖延。

❺历纤理则宕往而疏越

宠 chǒng 偏爱;受宠爱;荣耀;骄纵;尊崇。

❶宠邪信惑,近佞好谀

见唐·元结《至惑》。

宠过若惊,喜深生惧

见唐·刘禹锡《苏州谢恩赐加章服表》。

宠必有辱,荣必有患

见三国·魏·王弼《老子》十三注。

宠利毋居人前,德业毋落人后

见明·洪应明《菜根谭·前集十六》。

宠子未有不骄,骄子未有不败

见清·吴楚材、吴调侯《古文观止》。

宠位不足以尊我,而卑贱不足以卑己

见汉·王符《潜夫论·论荣》。

❸无启宠纳侮,无耻过作非/贤者宠至而益戒,不足者为宠骄/有偏宠者,虽欲厚之,更所以祸之/不以宠辱荣患损易其身,然后乃可以天下付之

❹世人得宠而不思其辱,故辱至则惊/世人视宠以为荣,圣人观之以为下

❺少德而多宠,一危也/有钱的纳宠妾、买人口、偏兴旺/祸积起于宠盛,而不知辞宠以招福/心旷神怡,宠辱偕忘,把酒临风,其喜洋洋

❻谤议不足怨,宠辱讵须惊

❽所官者,非亲属则宠幸

❾不傲才以骄人,不以宠而作威/卫后兴于鬒发,飞燕宠于体轻

❿有超世之功者,必应光大之宠/贤者宠至而益戒,不足者为宠骄/祸积起于宠盛,而不知辞宠以招福/哀无人,不哀无贿;哀无德,不哀无宠/临之以患难而能不变,邀之以宠利而能不回/四时之运,功成则退,高爵厚宠,鲜不致灾/国家之败,由官邪也;官之失德,宠赂章也/骄、奢、淫、泆,所自邪也。四者之来,宠禄过也/上下相疏,内外相蒙,小臣争宠,大臣争权,此危国之风也

宜 yí 烹调作为菜肴;适合;谓适宜的事;应该;大概;语助,无义;姓。

❶宜于古而不戾于今

见清·吴敬梓《儒林外史》第三十五回。

宜鼓琴,琴调虚畅

见宋·王禹偁《黄州新建小竹楼记》。全句为:"~;宜咏诗,诗韵清绝;宜围棋,子声丁丁然;宜投壶,矢声铮铮然"。

宜咏诗,诗韵清绝

见宋·王禹偁《黄州新建小竹楼记》。全句为:"宜鼓琴,琴调虚畅;~;宜围棋,子声丁丁然;宜投壶,矢声铮铮然"。

宜勤勿懒,宜急勿缓

见民国·邹岐山《启后留言》。全句为:"~,迟延一日,悔之已晚"。

宜投壶,矢声铮铮然

见宋·王禹偁《黄州新建小竹楼记》。全句为:"宜鼓琴,琴调虚畅;宜咏诗,诗韵清绝;宜围棋,子声丁丁然;~"。

宜围棋,子声丁丁然

见宋·王禹偁《黄州新建小竹楼记》。全句为:"宜鼓琴,琴调虚畅;宜咏诗,诗韵清绝;~;宜投壶,矢声铮铮然"。

宜行则行,宜止则止

见唐·韩愈《上留守郑相公启》。

宜鉴于殷,骏命不易

见《诗·大雅·文王》。

宜未雨而绸缪,毋临渴而掘井

见清·朱伯庐《治家格言》。

宜未雨而绸缪,勿临渴而掘井

见清·朱柏庐《治家格言》。

宜守不移之志,以成可大之功

见宋·苏轼《赐太师文彦博乞致仕不允断来章批答》。

宜将剩勇追穷寇,不可沽名学霸王

见现代·毛泽东《七律·人民解放军占领南京》。

宜得敏锐兼人之器,以副厉精更化之怀

见宋·苏轼《密州到任谢执政启》。

宜力学为砻斫,亲贤为青黄,睦僚友为瑶金

见唐·刘禹锡《犹子蔚适越戒》。

❷不宜妄自菲薄/不宜偏私,使内外异法也/便宜不可占尽,聪明不可用尽/神宜平而抑之,必有失和者矣/不宜忽略,以弃日也。弃日乃是弃身/不宜言而言是佞之徒,宜言而不言是愚之符/夏宜急雨,有瀑布声;冬宜密雪,有碎玉声/文宜易宜难?必谨对曰:无难易,唯其是尔/气宜宣而遏之,体宜调而矫之,神宜平而抑之,必有失和者矣

❸谄谀宜惕,正直宜宣/众寮宜洁白,万役但平均/巢林宜择木,结友使心晓/施为宜似千钧之弩,转发者,无宏功/勋劳宜赏,不吝千金;无功望施,分毫不与/好便宜者不可与共财,多狐疑者不可与共事/刺史宜精选谨择以委任之,固不可拘限官次,得之货贿,出之权门者也

❹惟仁者宜高位/参以土宜,遂以物性/名无固宜,约之以命/因变制宜,以敌为师/因时施宜,无害于民/礼贵从宜,事难泥古/事有便宜,而不拘常制/观文章,宜若悬衡然……/处治世宜方,处乱世宜圆/其择人宜精,其任人宜久/交友不宜滥,滥则贡谀者来/用人不宜刻,刻则思效者去/待小人宜敬,敬心可以化邪心/教小儿宜严,严气足以平躁气/文宜易宜难?

必谨对曰：无难易，唯其是尔
❺人生心口宜相副／凡为文辞宜略识字／之子于归，宜其室家／宜勤勿懒，宜急勿缓／宜行则行，宜止则止／势家多所宜，咳唾自成珠／教人治人，宜皆以正直为先／交友之先宜察，交友之后宜信／居家自奉宜俭，养亲待客宜丰／急小之人宜理百里，使事办于己／万卷藏书宜子弟，十年种木长风烟／谐和之政宜于治新，以之治旧则虚／威猛之政宜于讨乱，以之治善则暴／策术之政宜于治难，以之治平则无奇／宽弘之人宜为郡国，使下得施其功而总成其事／牺牛粹毛，宜于庙牲，其于以致雨，不若黑蜧／君子居安宜操一心以虑患，处变当坚百忍以图成
❻生则有涯，死宜不泯／载舟覆舟，所宜深慎／有德之人，常宜近之／大名之后，不宜无见焉／将已笃疾，不宜废扁鹊／欲进远路，不宜释骐骥／豺狼横道，不宜复问狐狸／才智英敏者，宜加浑厚学问／邪正之人不宜共国，亦犹冰炭不可同器／为忠甚易，得宜实难。忧人大过，以德取怨
❼义者，天地之所宜／谄谀宜惕，正直宜宣／资有攸合，所谓宜也／官施而不失其宜，拔举而不失其能／病中何事最相宜，惟有摊书力尚支／不问其德之所宜，而问其出身之后先／约定俗成谓之宜，异于约则谓之不宜／处难处之事愈宜宽，处难处之人愈宜厚／既谓之才，则不宜以阶级限，不应以年齿齐
❽举措施为，不失其宜／投闲置散，乃分之宜／治人将兵，无所不宜／用人无疑，唯才所宜／博爱之谓仁，行而宜之之谓义／君子所役心劳神，宜于大者远者／言无常是，行无常宜者，小人也／遇朋友交游之失，宜剀切，不宜优游／民者，国之根也，诚宜重其食，爱其命／此溪若在山野，则宜逸民退士之所游……／物有美恶，施用有宜，美不常珍，恶不终弃／气宜宣而遏之，体宜调而娇之，神宜平而抑之，必有失和者矣
❾动而得谤，名亦随之宜／长安有贫者，为瑞不宜多／处治世宜方，处乱世宜圆／豺狼已毙，在狐鼠而宜除／其择人宜精，其任人宜久／事大君子当以道，不宜苟且求容悦／专习一家，硁硁小哉！宜善相之，多师为佳／小大修短，各得其所宜，规矩方圆，各有所施／人品须从小作起，权宜苟且诡随之意多，则一生人品坏矣
❿让人不算疾，过后是便宜／官吏非才，则宽猛失所宜／辨章事理，贵得当时之宜／大器之于小用，固有所不宜／凡事当留余地，得意不宜再往／交友之先宜察，交友之后宜信／居家自奉宜俭，养亲待客宜丰／不必循常，法度制令，各因其宜／法与时转则治，治与世宜则有功／人有善，恒当掩之，有恶宜令彰露／美物者贵依其本，赞事者宜本其实／牢骚太盛防肠断，风物长宜放眼量／弘爱人屈己之道，酌因时适变之宜／气盛则言之短长与声之高下者皆宜／欲把西湖比西子，淡妆浓抹总相宜／使命之臣，取其识变从宜，不辱君命／遇朋友交游之失，宜剀切，不宜优游／约定俗成谓之宜，异于约则谓之不宜／枯朽之骨，凶秽之余，岂宜令入宫禁／处难处之事愈宜宽，处难处之人愈宜厚／是非不可听而发暴，曲直必宜察而辨明／不宜言而言是佞之徒，宜言而不言是愚之符／由道废邪，用贤弃愚，推以革物，宜民之苏／仁者人也，亲亲为大；义者宜也，尊贤为大／高树靡阴，独木不林，随时之宜，道贵从凡／嘉谷奋兴，根叶肥润，抽茎展穗，不失时宜／夏宜急雨，有瀑布声；冬宜密雪，有碎玉声／才不能逾同列，声不能压当世，世之怒仆宜也／事当其可与，万金与之；义所不宜，毫发拒之／诗文之词采贵典雅而贱粗俗，宜蕴藉而忌分明／澄川翠干，光影会合于轩户之间，尤与风月为相宜／逊以为子弟苟有才，不忧不用，不宜私出以为荣利／古之所谓公无私者，其取舍进退无择于亲疏远迩，惟其宜可焉／气宜宣而遏之，体宜调而娇之，神宜平而抑之，必有失和者矣

审

shěn 详知；明悉；慎重；果真；确实；仔细检查；审问；姓。

❶审乎物者，力约而功峻

见晋·陆机《演连珠》。全句为："暗于治者，唱繁而和寡；～"。

审己无善而获誉者不祥

见唐·吴筠《玄纲论·中篇辩法教》。全句为："～，省躬无疵而获谤者何伤"。

审小音者，不闻雷霆之声

见《关尹子·九药》。全句为："谛毫末者，不见天地之大，～"。

审其所好恶，则其长短可知也

见《管子·权修》。

审近所以知远也，成己所以成人也

见《吕氏春秋·孝行览·本味》。

审自得者失之而不惧，行修于内者无位而不怍

见《庄子·让王》。全句为："知足者不以利自累也，～"。

审内以知外，原小以知大，因我以然彼，明近以喻远

见汉·严遵《道德指归论·不出户篇》。

❸闻而审，则为福矣／不先审天下之势而欲应天下之务，难矣
❹闻而不审，不若无闻矣／行事在审己，不必恤浮议／虑熟谋审，力不劳而功倍／博学之，审问之，慎思之，明辨之，笃行之

❺按其实而审其名，以求其情／用兵必须审敌虚实而趋其危
❻惟察惟法，其审克之／凡举事，必先审民心然后可举／进言有四难：审人、审己、审事、审时／水之守土也审，影之守人也审，物之守物也审
❼射幸数跌，不如审发／倚南窗以寄傲，审容膝之易安／因其材以取之，审其能以任之／明大数者得人，审小计者失人／用民亦有种，不审其种，而祈民之用，惑莫大焉
❽当局称迷，旁观必审／量能授官，不可不审／进言有四难：审人、审己、审事、审时／逆顺同道而异理，审知逆顺，是谓道纪／致治之本，惟在于审；量才授职，务省官员
❿百言百当，不如择趋而审行也／进言有四难：审人、审己、审事、审时／天下之势有强弱，圣人审其势而应之以权／其为不虚取直也的矣，其知恐而畏也审矣／察一曲者不可与言化，审一时者不可与言大／欲观千岁，则数今日；欲知亿万，则审一二／天……有相授之意，有为政之理，不可不审也／水之守土也审，影之守人也审，物之守物也审／凡人于事务之来，无论大小，必审之又审，方无遗虑

宙 zhòu 时间的总称；栋梁；高空；地质年代单位分级中的最大一级单位。
❷宇宙便是吾心，吾心即是宇宙／宇宙内事，要担当，又要善摆脱／宇宙之内，燕雀不知天地之高也
❸此宇宙之奇诡也
❹道塞宇宙，非有隐遁／包藏宇宙之机，吞吐天地之志／宁为宇宙闲吟客，怕作乾坤窃禄人／仰观宇宙之大，俯察品类之盛，所以游目骋怀，足以极视听之娱
❺俯仰终宇宙，不乐复何如／此理在宇宙间，固不以人之明不明、行不行而加损
❻举目方知宇宙宽／天地玄黄，宇宙洪荒／此理充塞宇宙间，如何人杜撰得
❼天高地迥，觉宇宙之无穷
❽有长而无本剽者，宙也
❾不穷视听界，焉识宇宙广／莫取金汤固，长令宇宙新
❿爱惜精神，留他日担当宇宙／上下四方曰宇，往古来今曰宙／天地四方曰宇，往古来今曰宙／内不觉其一身，外不知乎宇宙／宇宙便是吾心，吾心即是宇宙

官 guān 旧称在国家或政府中担任职务者；为官；属于国家或政府的；职责；器官；局限；姓。
❶官正而国治
见《礼记·文王世子》。
官不必备，惟其人
见《尚书·周官》。
官无中人，不如归田
见晋·李密《赐饯东堂诏令赋诗》。
官无二业，事不并济
见南朝·宋·范晔《后汉书·张衡传》。
官不私亲，法不遗爱
见《慎子·君臣》。
官在得人，不在员多
见宋·司马光《资治通鉴·唐太宗贞观元年》。
官多则乱，将多则败
见清·顾炎武《医师》。
官达者，才未必当其位
见晋·葛洪《抱朴子·博喻》。全句为：“～；誉美者，实未必副其名”。
官无一寸禄，名传千万里
见唐·孙郃《哭方玄英先生》。
官吏非才，则宽猛失所宜
见唐·王士元《亢仓子·政道篇》。全句为：“～。与百姓争利，则狡诈之心生”。
官尊者忧深，禄多者责大
见汉·刘向《说苑·谈丛》。
官省则事省，事省则民清
见宋·王钦若等《册府元龟》卷四七三《台省部·奏议四》。全句为：“～；官烦则事繁，事繁则民浊”。
官省则事省，事省则人清
见唐·李延寿《北史·苏倬传》。全句为：“～；官烦则事烦，事烦则人浊”。
官所以务禄，禄所以务食
见五代·南唐·谭峭《化书卷五·食化·食迷》。全句为：“～；贾所以务财，财所以务食”。
官烦则事烦，事烦则人浊
见唐·李延寿《北史·苏倬传》。全句为：“官省则事省，事省则人清；～”。
官烦则事繁，事繁则民浊
见宋·王钦若等《册府元龟》卷四七三《台省部·奏议四》。全句为：“官省则事省，事省则民清；～”。
官吏浮冗，最为天下之大患
见宋·毕仲游《试荫补人议》。
官位得其人则生，失其人则死
见汉·班固等《白虎通·封神》。
官贤者量其能，赋禄者称其功
见《韩非子·八奸》。
官长正而百姓化，邪心黜而奸匿绝
见汉·王符《潜夫论·班禄》。
官仓老鼠大如斗，见人开仓亦不走
见唐·曹邺《官仓鼠》。全句为：“～，健儿无粮百姓饥，谁遣朝朝入君口”。

官输私负索交至，勺合不留但糠秕
见宋·赵汝鐩《耕织叹》。
官施而不失其宜，拔举而不失其能
见《庄子·天地》。
官不得其才，比于画地作饼，不可食也
见唐·吴兢《贞观政要·择官》。
官大者，亦可小就；官小者，亦可大用
见明·史可法《论人才疏》。全句为："论人不论官。～"。
官寡而禄厚，则公家之费鲜，进仕之志劝
见晋·陈寿《三国志·魏书·王朗传》。
官职可以重求，爵禄可以货得者，可亡也
见《韩非子·亡征》。
官不及私昵，惟其能；爵罔及恶德，惟其贤
见《尚书·说命中》。
官无常贵而民无终贱，有能则举之，无能则下之
见《墨子·尚贤上》。

❷任官惟贤才／做官夺人志／……居官之七要／立官者以全生也／居官者，公则自廉／仕官之法，清廉为最／建官惟贤，位事惟能／当官临事，切戒躁急／当官力争，不为面从／所官者，非亲属则宠幸／有官而无课，是无官也／不官而衡至者，君子慎之／临官莫如平，临财莫如廉／为官长当清，当慎，当勤／以官为乐，必不能做好官／从官重恭慎，立身贵廉明／居官不爱子民，为衣冠盗／有官守者，不得其职则去／罢官之无事，恤人之不足／建官以利民，有害民而得官／有官必有课，有课必有赏罚／不官无功之臣，不赏不战之士／当官不挠贵势，执平不阿所私／立官不能使之方，以私欲乱之也／多官而反以害生，则失所为立之矣／处官不信，则少不畏长，贵贱相轻／居官者当事不避难，在位者恤民之患／设官置吏，署员太多，不精则十不如一／当官务持大体，思事事皆民生国计所关／当官者能洁身修己，然后在公之节乃全／当官之法，唯有三事：曰清，曰慎，曰勤／并官省事，静事息役，上下用心，惟农是务／居官不难，听言为难；听言不难，明察为难／居官有二语，曰：唯公则生明，唯廉则生威／百官之众，四海之广，使其关节脉理相通为一

❸民少官多，十羊九牧／问其官，则曰谏议也／去冗官，用良吏，以抚疲民／不以官随其爱，能当之者处之／随你官清似水，难逃吏滑如油／拜迎官长心欲碎，鞭挞黎庶令人悲／但得官清吏不横，即是村中歌舞时／处次官，执利势，不可而不察于此／贼做官，官做贼，混愚贤。哀哉可怜／古之官人也，以天下为己累，故己忧之／但愿官民通有无，莫令租吏打门叫呼疾／今之官人也，以己为天下累，故人忧之／心之官则思，思则得之，不思则不得也／以邪官举邪官，以俗士取俗士，国欲治得乎／得一官不荣，失一官不辱，勿说一官无用，地方全靠一官

❹无旷庶官／取一文官不值一文钱／国有具官，其政可善／量能授官，不可不审／为人择官，而非为官择人／论德序官，明主所以御世／患生于官成，病始于少瘳／天下之官虎而吏狼者，比比也／我心治，官乃治，我心安官乃安／以党举官，则民务交而不求用矣／难违一官之小情，顿为万人之大弊／治世之官详于下，乱世之官叠于上／明君不官无功之臣，不赏不战之士／贼做官，官做贼，混愚贤。哀哉可怜／天地有官，阴阳有藏；慎守女身，物将自壮／人始入官，如入晦室，久而愈明，明乃治，治乃行

❺论人不论官／人心似铁，官法如炉／无以物乱官，毋以官乱心／正法以齐官，平政以齐民／因任而授官，循名而责实／量材而授官，录德而定位／察能而授官者，成功之君也／贱敛无节，官上奢纵，则人贫／不以物乱官，不以官乱心，是谓中得／既已得高官巨富矣，仍讲道德、说仁义自若也／赋敛以时，官上清约，则人富。赋敛无节，官上奢纵，则人贫

❻省事不如省官／惟治乱在庶官／能治众者其官大／知人则哲，能官人／推贤让能，庶官乃和／君，利势也，次官也／任能黜否，则官府治理／过举不匿，则官无邪人／吏肃惟遵法，官清不爱钱／国正天心顺，官清民自安／君择才而授官，臣量己而受职／不尊无功，不官无德，不诛无罪／举贤以临国，官能以敕民，则其道也／以邪官举邪官，以俗士取俗士，国欲治得乎／国家之败，由官邪也；官之失德，宠赂章也／厌文搔法，法官理民者，有司也，君无事焉，犹尊君也

❼胜任者治，则百官不乱／狡吏不畏刑，贪官不避赃／施之于不足，而官有羡谷／食蔗渐渐佳，离官寸寸乐／今世之惑主多官，而反以害生／误尽平生是一官，弃家容易变名难／爵高者，人妒之；官大者，主恶之／任贤使能以清官曹，养老慈幼以厚风俗／操行有常贤，仕官无常遇，贤不贤才也，遇不遇时也／今世之人居高官尊爵者，皆重失之，见利轻亡其身，岂不惑哉

❽慊慊为人，矫矫为官／有官而无课，是无官也／一饱勿易得，奈此官租钱／无以物乱官，毋以官乱心／为人择官，而非为官择人／家贫亲老者，不择官而仕／考绩必以岁月，故官不失绪／周而复始无休息，官租未了私租逼／不以物乱官，不以官乱心，是谓中得／主道得而臣道序，官不易方而太平用成／官大者，亦可小就；官小者，亦可大用／无德不贵，无能不官，无功不赏，无罪不罚／工无二伎，士不兼官，各守其职，不得相奸／德不称位，能不称官，赏不当功，罚不

当罪／国家大事，牧不当官，言之实有罪，故作《罪言》／得一官不荣，失一官不辱，勿说一官无用，地方全靠一官

❾人皆因禄富，我独以官贫／人主静漠而不躁，百官得修焉／口谈道德而心存高官，志在巨富／丞相祠堂何处寻，锦官城外柏森森／凡同类同情者，其天官之意物也同／秀出天南笔一枝，为官风骨称其诗／问事弥多而见弥博，官弥剧而识弥泥／与民争利，犯者辄免官削爵，不得仕宦／夫立身之忠信也，立官之廉也，立家之俭也／交私养望者多得显官，独立营职者或见排沮／国家之败，由官邪也；官之失德，宠赂章也／度量权衡法，必资之官，资之官而后天下同

❿君子居其位则思死其官／以官为乐，必不能做好官／何以谨慎为，勇猛而临官／论德而定次，量能而授官／慎贵在举贤，慎民在置官／建官以利民，有害民而得官／人主有私人以财，不私人以官／招世之士兴朝，中民之士荣官／我心治，官乃治，我心安官乃安／不以先进略后生，不以上官卑下吏／临事不信于民者，则不可使任大官／苗疏税多不得食，输入官仓化为土／治世之官详于下，乱世之官叠于上／惟有一天秋夜月，不随田亩入官租／数亩秋禾满家食，一机官帛几梭丝／心如老马虽知路，身似鸣蛙不属官／笺诉天公休掠剩，半偿私债半输官／筋疲力弊不入腹，未议县官租税足／听其言，迹其行，察其所能而慎予官／贤者，举而上之，富而贵之，以为官长／为人君者，正心以正朝廷，正朝廷以正百官／度量权衡法，必资之官，资之官而后天下同／致治之本，惟在于审；量才授职，务省官员／罢无能，废无用，捐不急之官，塞私门之请／治天下之要，存乎除奸；除奸之要，存乎治官／心之在体，君之位也；九窍之有职，官之分也／古者士登乎仕，吏执乎役，禄以报劳，官以授德／赋役有定制，兵农有定业，官无虚名，职无废事／食人力之粟，守无事之官，拳拳血诚，无所陈露／凡偏材之人，皆一味之美，故长于办一官而短于为一国／得一官不荣，失一官不辱，勿说一官无用，地方全靠一官／赋敛以时，官上清约，则人富。赋敛无节，官上奢纵，则人贫／刺史宜精选谨择以委任之，固不可拘限官次，得之货贿，出之权门者也

宛

①wǎn 曲折；小；仿佛；姓。②yù 通“郁”。③yuān 古时地名用字。

❶宛转蛾眉能几时，须臾鹤发乱如丝

见唐·刘希夷《代悲白头翁》。

❸清音宛转，如诉如慕，坐客听之，不觉泪下

❼词意书迹，无不宛然；唯是魂神，不知去处

❽此地曾居住，今来宛似归

❾子有钟鼓，弗鼓弗考；宛其死矣，他人是保

❿一洗绮罗香泽之态，摆脱绸缪宛转之度／不广其从，不为兵郛，不为乱首，不为宛谋

实

shí 财物；容受；坚实；实在；其实；是；此；事迹；物质；真的；实际；饱满；富裕；果实；佛教名词。

❶实言无多，而华文无寡

见汉·王充《论衡·自纪篇》。全句为：“～；为世用者，百篇无害；不为用者，一章无补”。

实迷途其未远，觉今是而昨非

见晋·陶潜《归去来兮辞》。

实有折枝之易，而无挟山之难

见南朝·宋·范晔《后汉书·王畅传》。

实无名，名无实。名者，伪而已矣

见《列子·杨朱》。

❷充实之谓美／察实者不讥其辞／充实而有光辉之谓大／木实繁者，披枝害心／有实而无乎处者，宇也／虚实之气，兵之贵者也／考实按形，不能谩于一人／人实不易知，更须慎其仪／征实则效存，徇名则功浅／有实而无名，则其实不长／立实以致声，则难在经始／虚实相生，无画处皆成妙境／不实在于轻发，固陋在于离贤／不实心不成事，不虚心不知事／再实之木根必伤，掘藏之家必有殃／再实之木根必伤，掘臧之家后必殃／木实繁者披其枝，披其枝者伤其心／名实相生，利用相成，是非相明，去就相安也

❸言无实，不祥／名者，实之宾也／名非实，用之不效／名存实亡，失其所业／无其实而喜其名者，削／名由实生，故久而益大／以行实为先，以才用为急／真心实作，无不可图之功／按其实而审其名，以求其情／垂秋实于谈丛，绚春花于词苑／言贵实，使人信之，舍实何称乎／才胆实由识而济，故天下唯识为难／仓库实，知礼节；国多财，远者来／落其实者思其树，饮其流者怀其源／名者实之宾也，实有美恶，名亦随之／仓廪实，则知礼节；衣食足，则知荣辱／事以实之，词以章之，道以通之，法以检之／气以实志，志以定言，吐纳英华，莫非情性

❹名定而实辨／华而不实，耻也／怀与安，实败名／言而无实，罪也／怀与安，实疚大事／好声而实不充则恢／与人以实，虽疏必密／天地充实，长保年也／未知事实，不可虚行／声华行实，光映儒林／多言少实，语无成事／灭而有实，鬼之一也／必有事实，乃有是文／言过其实，不可大用／华而不实，怨之所聚也／名闻而实喻，名之用也／虚而失实，则夸耀而诬／誉美者，实未必副其名／幸能修实操，何俟钓虚声／善始者实繁，克终者盖寡／文以纪实，浮文所在必删／谤之无实者，付之勿辩可矣／口惠而实不至，怨灾及其身／有无虚实通为一体者，性也

／有若无，实若虚，犯而不校／那切切实实、足踏在地上……／名美而实不副者，必无没世之风／礼不过实，仁不溢恩，治世之道也／揽名责实不得虚言，有功者赏，有罪者罚／至虚之实，实而不固；至静之动，动而不穷／名无固实，约之以命实，约定俗成谓之实名／浮华鲜实，不特伤风败俗，亦杀身亡家之本／谗人似实，巧言如簧，使听之者惑，视之者昏

❺世间唯名实不可欺／兵之胜负，实在赏罚／修学好古，实事求是／深山大泽，实生龙蛇／有生于无，实出于虚／恶直丑正，实蕃有徒／革俗之要，实在教学／由声以循实，则难在克终／名不得过实，实不得延名／存亡在虚实，不在于众寡／是非随名实，赏罚随是非／有名而无实，则其名不行／疾风劲草，实表岁寒之心／鬼神非人实亲，惟德是依／以梧桐之实养枭而冀其凤鸣／昔时地险，实为建业之雄都／那切切实实、足踏在地上……／有善始者实繁，能克终者盖寡／其事核而实，使采之者传信也／川源不能实漏卮，山海不能赡溪壑／传闻与指实不同，悬算与临事有异／名重则于实难副，论高则与世常疏／君子慎其实，实之美恶，其发也不掩／制名以指实，上以明贵贱，下以辨同异／绝民用以实王府，犹塞川原而为潢污也／至虚之实，实而不固；至静之动，动而不穷／缚草为形，实之腐肉，教之拜起，以充满朝市／两体者，虚实也，动静也，聚散也，清浊也，其究一而已

❻千虚不如一实／兵贵先声后实／为国者当务实／博爱似虚而实厚／慕虚名而处实祸／释氏虚，吾儒实／黜虚名而求实效／宪古章物不实者死／不去草稗，禾实不成／吠声者多，辨实者寡／虽楚有材，晋实用之／楚虽有才，晋实用之／盛名之下，其实难副／慕名而不知实，一可贱／名不得过实，实不得延名／学者须是务实，不要近名／救弊之道在实学不在空言／繁为攻伐，此实天下之巨害／赏罚皆有充实，则民无不用矣／传闻之言无实，无实即唐丧唾津矣／但写真情并实境，任他埋没与流传／去浮华，举功实，绝末伎，同本务／实无名，名无实。名者，伪而已矣／根之茂者其实遂，膏之沃者其光晔／君子慎其实，实之美恶，其发也不掩／始而胎气充实……壮而声色有节者强而寿／虽曰爱之，其实害之；虽曰忧之，其实仇之

❼悦其名而丧其实／疑皆响答，问必实归／在初则易，终之实难／是名也，止于是实也／夸过其理，则名实两乖／外虽饶棘刺，内实有赤心／盗虚声者多，有实学者少／毋以日月为功，实试贤能为上／聚古今之精英，实治乱之龟鉴／倍仁义而贪名实者，不能威当世／不如鄙性好诚实，退无所议进不谀／诚其心，正其志，实其事，定其分／按善恶见闻之实，断是非去取之疑／君子之言寡而实，小人之言多而虚／果蓏失地则不实，鱼龙失水则不神／田野荒而仓廪实，百姓虚而府库满／金蚕无吐丝之实，瓦鸡乏司晨之用／名者实之宾也，实有美恶，名亦随之／纤之为珠玑华实，变之为雷霆风雨。／为忠甚易，得宜实难。忧人大过，以德取怨／貌言华也，至言实也，苦言药也，甘言疾也／先无爵，死无谥，实不聚，名不立，此之谓大人／苟去其名全其实，以其余易其不足，亦可交以为师矣／所谓诗，所谓文，实国事、世事、家事、身事、心事系焉

❽求其名而不责其实／习其名而未稽其实／君子恶名之溢于实／一人传虚，万人传实／天之于物，春生秋实／不览古今，论事不实／百种奸伪，不如一实／传闻之事，恒多失实／询事考言，循名责实／大人不华，君子务实／知人之法，在于责实／欲当大任，须是笃实／不以虚为虚，而以实为虚／为人莫作女，作女实难为／古之人名为羞，以实为慊／功名之下，常有非实之加／知之曰明哲，明哲实作则／有实而无名，则其实不长／食足货通，然后国实民富／用兵必须审敌虚实而趋其危／臣君者岂为其口实？社稷是养／中情之人，名不副实，用之有效／自然者，无称之言，实极之辞也／传闻之言无实，无实即唐丧唾津矣／宫中积珍宝，狗马实外厩，美人充下陈／取士之方，必求其实；用人之术，当尽其材／春发其华，秋收其实，有始有极，爰登其质／但务其华，不寻其实，犹缘木希鱼，却行求前

❾坚劲之人好攻其事实／古之人以名为羞，以实为慊／意翻空而易奇，言征实而难巧／立业建功，事事要从实地着脚／诗者：根情，苗言，华声，实义／言贵实，使人信之，舍实何称乎／名为治平无事，而其实有不测之忧／著述讲论之功多，而实学实教之力少／利而诱之，乱而取之，实而备之，强而避之／名无固实，约之以命实，约定俗成谓之实名

❿拂云之松生于一豆之实／治一国者当与一国推实／非物有小大，盖心为虚实／兵不完利，与无操者同实／知之之要，未若行之之实／因任而授官，循名而责实／桂椒信芳，而非园林之实／春花无数，毕竟何如秋实／有惠人之名而无救患之实／用人不以名誉，必求其实／靡辞无忠诚，华繁竟不实／非才之难，所以自用者实难／儒者之病，多空文而少实用／舍近取远，务高言而鲜事实／论者不期于丽辞而务在事实／不使名浮于德，不以华伤其实／以言责人甚易，以义持己实难／高论而相欺，不若忠论而诚实／尤虚之人硕言瑰姿，内实乖反／循理以求道，落其华而收其实／爱而不知其恶，则为恶者实繁

／禄过其功者损，名过其实者蔽／与人相处之道，第一要谦下诚实／作字要熟，熟则神气完实而有余／孰无施而有报兮，孰不实而有获／理国长安，率身从道，言必信实／天下之大乱，由虚文胜而实行衰也／非举无以知其贤，非试无以效其实／侈，将以其力毙；专，则人实毙之／动民以行不以言，应天以实不以文／莫羡三春桃与李，桂花成实向秋荣／美物者贵依其本，赞事者宜本其实／山林不能给野火，江海不能实漏卮／得众而不得其心，则与独行者同实／有其语而无其人，得其宾而丧其实／顺针缕者成帷幕，合升斗者实仓廪／颠沛之揭，枝叶未有害，本实先拨／酌奇而不失其真，玩华而不坠其实／著述讲论之功多，而实学实教之力少／按贤察名，选才考能，名实俱得之也／寒者颤，惧者亦颤，此同名而异实也／强执教之人，则失其情实，生于诈伪／如修德而留意于事功名誉，必无实诣／霤水足以溢壶榼，而江河不能实漏卮／举大体而不论小事，务实效而不为虚名／苗而不秀者有矣夫，秀而不实者有矣夫／抱不世之才，特立而独行，道方而事实／处其厚，不居其薄；处其实，不居其华／学者，犹种树也，春玩其华，秋登其实／水之行避高而趋下，兵之形避实而击虚／忧人之言不绝于口，而乐身之事实切于心／世禄之家，鲜克由礼。以荡陵德，实悖天道／囊漏贮中，识者不吝；反裘负薪，存毛实难／共舆而驰，同舟而济，舆倾舟覆，患实共之／人美于中，必播于外，而越于民，民实戴之／冰炭不言，而冷势之质自明者，以其有实也／阳春之曲，和者必寡；盛名之下，其实难副／名无固实，约之以命实，约定俗成谓之实名／虽曰爱之，其实害之；虽曰忧之，其实仇之／已之虽有，其状若无；已之虽实，其容若虚／比不应事，未可谓喻；文不称实，未可谓是／春耕其丘，投种之日。释耒而叹，何时实粟／所避者名也，所忧者其实也，实不可一日忘／歌曲妙者，和者则寡；言得实者，然者则鲜／心虚白则神留而道存，腹充实则精全而寿长／食其食者，不毁其器；食其实者，不折其枝／以能问于不能，以多问于寡；有若无，实若虚／富贵之家，禄位重叠，犹再实之木，其本必伤／水性虚而沦漪结，木体实而花萼振，文附质也／天下犹人之体，腹心充实，四支虽病，终无大患／毁人者失其直，誉人者失其实，近于乡原之人哉／世俗所患，患言事增其实，著文垂辞，辞出溢其真／国家大事，牧不当官，言之实有罪，故作《罪言》／贤主忠臣，不能导愚教陋，则名不冠后、实不及世矣／恶图犬马而好作鬼魅，诚以实事难形，而虚伪不穷也／为一书，务富文采，不顾事实……是犹用文锦复陷阱也／不思安危终始之虑，是乐春藻之繁华，而忘秋实之甘口也／君子所以动天地应神明正万物而成王治者，必本乎真实而已

宣

xuān 传播；显示；发泄；疏通；普遍；头发黑白相杂；公开表示；六寸璧；姓。

❶宣父犹能畏后生，丈夫未可轻年少

见唐·李白《上李邕》。

❸士欲宣其义，必先读其书／教会宣明，不能尽力，士卒之罪也／气宜宣而遏之，体宜调而矫之，神宜平而抑之，必有失和者矣

❼及王则无不伸宣，语刘则无不公干

❽谄谀宜惕，正直宜宣／至于大事，秘而不宣／吐纳文艺，务在节宣，清和其心，调畅其气

❾师帅不贤，则主德不宣，恩泽不流／贤人在世，进则尽忠宣化，以明朝廷

❿独闵闵其曷已兮，凭文章以自宣／为川者，决之使导；为民者，宣之使言／引物连类，穷情尽变；宫商相宣，金石谐和

宦

huàn 做官；官吏；太监；姓。

❷仕宦而至将相，富贵而归故乡

❼操行有常贤，仕宦无常遇／善贾笑蚕渔，巧宦贱农牧

❾非独女以色媚，而士宦亦有之

❿何以礼义为，史书而仕宦／与民争利，犯者辄免官削爵，不得仕宦／人生贵得适意尔，何能羁宦数千里以要名爵

宥

yòu 宽宥，赦罪；通"侑"，陪人宴饮；通"囿"，拘泥，局限；同"右"。

❶宥过无大，刑故无小

见《尚书·大禹谟》。

宥之也者，恐天下之迁其德也

见《庄子·在宥》。全句为："在之也者，恐天下之淫其性也；～"。

❸闻在宥天下，不闻治天下也

❹一再则宥，三则不赦

❺凡人必别宥然后知，别宥则能全其天矣

❽贵而犯法，义不得宥；过而知改，恩不废叙

❿凡人必别宥然后知，别宥则能全其天矣

室

shì 住宅；家；形状像室的；坟墓；刀剑的鞘子；单位内部办公部门；指妻子；星宿名；姓。

❶室于怒，市于色

见《左传·昭公十九年》。

室如县罄，野无青草

见《左传·僖公二十六年》。

室本无暗，垣亦有耳

见唐·姚崇《口戒》。

室无空虚，则妇姑勃谿

见《庄子·外物》。

室人和则谤掩，外内离则恶扬

见南朝·宋·范晔《后汉书·列女传》。

❷其室则迩，其人甚远／陋室空堂，当年笏满床／筑室于道谋，是用不溃于成／庐室之间，其便未必能过燕服翼／十室之邑，必有忠信；三人并行，厥有我师／宫室富过度，上帝所亚；为者弗居，唯居必路／如室斯构，而去其凿楔……国之将亡，本必先颠

❸怒于室者色于市／卑宫室而尽力乎沟洫／由上室而上，有穴，北出之，乃临大野

❹美女入室，恶女之仇／穀则异室，死则同穴／百尺之室，以突隙之烟焚／心在汉室，原无分先主后主／太虚作室而共居，夜月为灯以同照／穹庐为室兮旃为墙，以肉为食兮酪为浆／崇门丰室，洞户连房，飞馆生风，重楼起雾

❺意广者，斗室宽若两间／索物于夜室者，莫良于火／叩门无人室无釜，踯躅空巷泪如雨／君子居其室，出其言善，则千里之外应之

❻升堂矣，未入室也／一夫得情，千室鸣弦／受光于户，照室中无遗物／心体光明，暗室中自有青天／如入芝兰之室，久而不闻其香

❼之子于归，宜其室家／四海变秋气，一室难为春

❽丹书铁契，金匮石室／因祸受福，喜盈我室／以绳墨取木，则宫室不成矣／君子之不骄，虽暗室不敢自慢／恒舞于宫，酣歌于室，时谓巫风／帝王之圣者，卑宫室，贱金玉……／譬如一灯，入于暗室，百千年暗，悉能破尽／人始入官，如入晦室，久而愈明，明乃治，治乃行

❾丘阜之木，不能成宫室

❿军则新有营，谁念民无室／大丈夫当为国扫除天下，岂徒室中乎／与善人居，如入芝兰之室，久而自芳也／大丈夫处世，当扫除天下，安事一室乎／十步之间，必有茂草；十室之邑，必有俊士／是以与善人居，如入芝兰之室，久而自芳也／朝乐朗日，啸歌丘林；夕玩望舒，入室鸣琴／与善人居，如入兰芷之室，久而不闻其香，则与之化矣

宫

gōng 古时房屋的通称；我国古代音级之一；古代刑罚之一；宫殿；宗庙；围；屏障；神话中神仙的住所；文化娱乐场所；姓。

❶宫有垩，器有涤，则洁矣

见《韩非子·说林下》。全句为："～。行身亦然，无涤垩之地则寡非矣"。

宫中积珍宝，狗马实外厩，美人充下陈

见《战国策·齐策四》。

宫人得戟，则以刈葵……不知所施之也

见汉·刘安《淮南子·人间》。删节处为："盲者得镜，则以盖卮"。

宫室富过度，上帝所亚；为者弗居，唯居必路

见《马王堆汉墓帛书·称》。

宫殿中可以避世全身，何必深山之中，蒿庐之下

见汉·东方朔《据地歌》。

❷卑宫室而尽力乎沟洫／仙宫云箔卷，露出玉帘钩／行宫见月伤心色，夜雨闻铃肠断声

❸非求宫律高，不务文字奇／三千宫女胭脂面，几个春来无泪痕／洁其宫，开其门，去私毋言，神明若存

❹鼓钟于宫，声闻于外／洞房清宫，命曰寒热之媒／桂殿兰宫，列冈峦之体势／恒舞于宫，酣歌于室，时谓巫风／日暮汉宫传蜡烛，轻烟散入五侯家

❺寥落古行宫，宫花寂寞红／不知天上宫阙，今夕是何年／动摇文律，宫商有奔命之劳／含情欲说宫中事，鹦鹉前头不敢言

❻寥落古行宫，宫花寂寞红／楚王好细腰，宫中多饿死／天籁无假于宫商，贞筠不争于柯叶／女无美恶，入宫见妒。士无贤不肖，入朝见嫉

❼故国三千里，深宫二十年／以绳墨取木，则宫室不成矣／帝王之圣者，卑宫室，贱金玉……

❽丘阜之木，不能成宫室／古来帝子，生于深宫……／旌旗日暖龙蛇动，宫殿风微燕雀高／善为国者若弹琴；宫君商臣，则治国之道

❾师旷之调五音，不失宫商／引物连类，穷情尽变；宫商相宜，金石谐和

❿君门一入无由出，唯有宫莺得见人／君王城上竖降旗，妾在深宫哪得知／君王虽爱蛾眉好，无奈宫中妒杀人／春风不逐君王去，草色年年旧宫路／恶波横天山塞路，未央宫中常满库／立事者不离道德，调弦者不失宫商／枯朽之骨，凶秽之余，岂宜令入宫禁／鹤汀凫渚，穷岛屿之萦回；桂殿兰宫，列冈峦之体势

宪

xiàn 法令；宪法的略称；显示；公布；旧指朝廷委驻各行省的高级官员；效法。

❶宪古章物不实者死

见《十六经·三禁》。

❺祖述尧舜，宪章文武

❼仲尼祖述尧舜，宪章文武

客

kè 来宾；旅客；寄居或迁居外地的人；顾客；商人；从事某种活动或具有某种专长的人；客观、客体；古代寄食于贵族豪门并为之服务的门客；纯然在外的；非职业的；量词；姓。

❶客之美我者，欲有求于我也

见《战国策·齐策一》。

❷词客争新角短长，迭开风气递登场／词客有灵应识我，霸才无主始怜君

❸主雅客来勤／坐上客恒满，樽中饮不空／矧流客之归思，岂可忘于畴昔／休辞客路三千远，

须念人生七十稀

❹清明无客不思家／孟尝君客无所择，皆善遇之

❺吴王好剑客，百姓多创瘢／江海三年客，乾坤百战场／水清迎过客，霜叶落行舟／江海相逢客恨多，秋风叶下洞庭波

❻百川日东流，客去亦不息／人情怀旧乡，客鸟思故林／病多知药性，客久见人心／劝君莫弹食客铗，劝君莫叩富儿门

❼天，休使圆蟾照客眠／伤禽恶弦惊，倦客恶离声／不敢为主而为客，不敢进寸而退尺／传语万古观潮客，莫观老潮观壮潮／人生莫作远行客，远行莫成黄沙碛／独在异乡为异客，每逢佳节倍思亲／宁为宇宙闲吟客，怕作乾坤窃禄人

❽光阴者百代之过客／富贵则无暴集之客／光阴者，百代之过客／越阡度陌，互为主客

❾澹澹长江水，悠悠远客情／闭门觅句陈无已，对客挥毫秦少游

❿古者以天下为主，君为客／人生天地间，忽如远行客／狐白足御冬，焉念无衣客／民力尽于无用，财宝虚以待客／居家自奉宜俭，养亲待客宜丰／五帝三皇神圣事，骗了无涯过客／儿童相见不相识，笑问客从何处来／姑苏城外寒山寺，夜半钟声到客船／治心须求妙悟，悟则神和气静，客敬色庄／清音宛转，如诉如慕，坐客听之，不觉泪下／关山难越，谁悲失路之人？萍水相逢，尽是他乡之客

害 ①hài 祸害；有祸害的；坏的；妨碍；妒忌；危害；患病；产生不安的心理反应。②hé 通“曷”、“盍”，何。

❶害天下者，天下亦害之

见晋·傅玄《傅子》。全句为：“利天下者，天下亦利之；～”。

害稼者有时，害民者无期

见宋·孙因《蝗虫辞》。

❷利害俱亡，何往不臧／与害偕行兮，以死自绕／百害不能伤，知力不能取／除害在于敢断，得众在于下人／利害之相似者，唯智者知之而已／利害相摩，生火甚多，众人焚和／除害之要，在于去之，不在南北／利害之反，祸福之门户，不可不察也／利害之路，祸福之门，不可求而得也

❸苛政害民，君受其患／贱不害智，贫不妨行／临利害之际而不失故常／利为害本，而福为祸先／或欲害之，乃反以利之／谗邪害公正，浮云翳白日／苟虑害人，人亦必虑害之／锄一害而众苗成，刑一恶而万民悦／善除害者，察其本；善理疾者，绝其源／养而害所养，譬犹削足而适履，杀头而便冠／小快害义，小慧害道，小辨害治，苟心伤德／多事害神，多言害身。口开舌举，必有祸患／财有害气，积则伤人；虽少犹累，而况多乎／爱民，害民之始也；为义偃兵，造兵之本也

❹不以私害公／计利则害义／小不忍害大义／不以私害法，则治／色能置害，必须远之／恩生于害，害生于恩／事诚无害，虽无例亦可／不以名害身，不以位易志／不以文害辞，不以辞害志／利丰者害厚，质美者召灾／利则为害始，福则为祸先／杀身之害小，存国之利大／内疾之害重于太山而莫之避／若其有害，虽百例不可用也／不求无害之言，而务无易之事／外疾之害轻于秋毫，人知避之／过取固害于廉，然过与亦反害其惠／天下无害菑，虽有圣人，无所施其才／豺狼能害人，其状易别，人得以避之／非有灾害疾疫，独以贫穷，非惰则奢也／用兵之害，犹豫最大；三军之灾，生于狐疑

❺不以私善害公法／不以私爱害公义／利于一必害于一／暴殄天物，害虐烝民／物极则反，害将及矣／恩生于害，害生于恩／凡为民去害兴利若嗜欲／不作无益害有益，功乃成／与求生而害义，宁抗节以埋魂／不雷同以害人，不苟免以伤义／皆知敌之害，而不知为利之大／利则行之，害则舍之，疑则少尝之／人之情，于害之中争取小焉，于利之中争取大焉

❻一事起则一害生／几事不密则害成／就其利，辞其害／攻乎异端，斯害也已／因时施宜，无害于民／农夫之耨，去害苗者也／贤者之治，去害义者也／利之中取大，害之中取小／利莫大于治，害莫大于乱／读书趋简要，害说去杂冗／害稼者有时，害民者无期／患生于多欲，害生于弗备／为天下之大害者，君而已矣／要扫除一切害人虫，全无敌／祸在于好利，害在于亲小人／临义莫计利害，论人莫计成败／一旦临小利害，仅如毛发比……／天下和平，灾害不生，祸乱不作／大凡事之大害者，不能无小利也／喉中有病，无害于息，不可凿也／爱恶相攻，利害相夺，其势常也／目中有疵，不害于视，不可灼也／多官而反以害生，则失所为立之矣／法令更则利害易，利害易则民务变／见利不诱，见害不惧……是谓灵气／不以一己之害为害，而使天下释其害／苟能无以利害义，则耻辱亦无由至矣／惟不以天下害其生者也，可以托天下／天下而有无害之利，则谁不能计之者？／草茅弗去，则害禾谷；盗贼弗诛，则伤良民／有顺君意而害天下者，有逆君意而利天下者／不就利，不违害，不强交，不苟绝，惟有道者能之

❼打蛇勿死终有害／事有求利而得害者／岁饥无年，虐政害民／木实繁者，披枝害心／机事不密，则必害成／虚教伤化，峻刑害民／制欲于未萌，除害于未兆／建官以利民，有害民而得官／

利于国者爱之，害于国者恶之／多欲亏义，多忧害智，多惧害勇／偷得利而后有害，偷得乐而后有忧／说诗者，不以文害辞，不以辞害志／天之道利而不害，圣人之道为而不争／不尽知用兵之害者，则不能尽知用兵之利也／小快害义，小慧害道，小辨害治，苟心伤德／虽曰爱之，其实害之；虽曰忧之，其实仇之／多事害神，多言害身。口开舌举，必有祸患／平为福，有余为害者，物莫不然，而财其甚者也／利非不善也，其害义则不善也，其和义则非不善也／瞒人之事弗为，害人之心弗存，有益国家之事虽死弗避

❽动见臧否，言知利害／去甚去泰，身乃无害／节欲之道，万物不害／多言多败，多事多害／心佷败国，面佷不害／羊之乱群，犹能为害／天下之不正莫如害民焉／害天下者，天下亦害之／生有益于人，死不害于人／祸与福同门，利与害为邻／进苦口之药石，针害身之膏肓／人多欲亏义，多忧害智，多惧害勇／万物并育而不相害，道并行而不相悖／不以一己之害为害，而使天下释其害／知生也者，不以物害生，养生之谓也／唯不求利者为无害，不求福者为无祸／唯不求利者为无害，唯不求福者为无祸／此人在位，动欲伤害，故物无有不畏恶也／可厌之类，不独为害，死虽万代，独堪污秽／为世用者，百篇无害；不为用者，一章无补／为成者败，为利者害，为生者死，为兴者废／畜水覆舟，养兽反害，悔之噬脐，将何所及／爱人不以理，适是害人；恶人不以理，适是害己／言虽简略，理皆要害，故能疏而不遗，俭而无阙

❾可得而利，则可得而害／防决不备，有水溢之害／得其所利，必虑其所害／不以文害辞，不以辞害志／苟虑害人，人亦必虑害之／图四海者，非怀细以害大／惟立志学圣人，则无害也／爱之不以道，适所以害之也／怒而溢恶，则为人之害多矣／顺心之言易入也，有害于治／察消长之往来，辨利害于疑似／稂莠秕稗生于谷，反害谷者也／仕鄙在时不在行，利害在命不在智／力胜贫，谨胜祸，慎胜害，戒胜灾／法令更则利害易，利害易则民务变／颠沛之揭，枝叶未有害，本实先拨／彼兵者，所以禁暴除害也，非争夺也／知死心也者，不以物害死，安死之谓也／志士仁人，无求生以害仁，有杀身以成仁／利天下者，天下启之；害天下者，天下闭之／饥而欲食……好利而恶害，是人之所生而有也／顾小而忘大，后必有害；狐疑犹豫，后必有悔

❿非其人而行之，则为大害／兴天下之利，除天下之害／膏火自煎熬，多财为患害／事之大利者，不能无小害也／事或欲以利之，适足以害之／涉冬则淈泥而潜蟠，避害也／性同而势均则相竞而相害也／睹暧昧之利，而忘昭晰之害／繁为攻伐，此实天下之巨害／兴天下之同利，除天下之同害／人能虚己以游世，其孰能害之／今世之惑主多官，而反以害生／大丈夫行事，论是非不论利害／欲福者或为祸，欲利者或离害／意莫下于刻民，行莫贱于害民／虎爪象牙，禽兽之利而我之害／不贪花酒不贪财，一世无灾无害／误用恶人，假令强干，为害极多／多欲亏义，多忧害智，多惧害勇／死生无变于己，而况利害之端乎／死，人之所难，然耻为狂夫所害／农事伤则饥之本，女红害则寒之原／人多欲亏义，多忧害智，多惧害勇／弃绝乎礼义之绪，夺攘乎利害之际／说诗者，不以文害辞，不以辞害志／形相虽善而心术恶，无害为小人也／形相虽恶而心术善，无害为君子也／汴水通淮利最多，生人为害亦相和／情以感物则得利，伪以感物则致害／过取固害于廉，然过与亦反害其惠／思虑熟则得事理，行端直则无祸害／不以一己之害为害，而使天下释其害／君子之过，犹日月之蚀也，何害于明／见其可利也，则必前后虑其可害也者／勿多言，勿多事；多言多败，多事多害／断指以存腕，利之中取大，害之中取小／心不可乱，则利至而必知，害至而必察／古之贤人君子，大智经营，莫不除害兴利／抱朴无为，不以物累其真，不以欲害其神／小人只怕他有才。有才以济之，流害无穷／富贵骄人，固不善；学问骄人，害亦不细／助之长者，揠苗者也，非徒无益，而又害之／小快害义，小慧害道，小辨害治，苟心伤德／善气迎人，亲如兄弟；恶气迎人，害于兵戈／国耳忘家，公耳忘私，利不苟就，害不苟去／山虽高，水虽下，其为险而害也，要之不异／行与义乖，言与法违，后虽无害，汝可以悔／爱子不教，犹饥而食之以毒，适所以害之也／心全于中，形全于外；不逢天灾，不遇人害／盛秋水潦，穷冬雨雪，深泥积水，相辅为害／矫矫亢亢，恶圆喜方，羞为奸欺，不忍害伤／虎狼当路，不治狐狸。先除大害，小害自已／龟龙闻而深藏、鸾凤见而高逝者，知其害身也／谁不可喜，而谁不可惧；蚋蚁蜂虿，皆能害人／察乎安危，宁于祸福，谨于去就，莫之能害也／以言伤人者，利如刀斧。以术害人者，毒如虎狼／君不密则失臣，臣不密则失身，几事不密则害成／爱人不以理，适是害人；恶人不以理，适是害己／仁人之所以为事者，必兴天下之利，除去天下之害／人之情，于利之中则争取大焉，于害之中则争取小焉／美也者，上下、内外、大小、远近皆无害焉，故曰美／爱人者不阿，憎人者不害，爱恶各以其正，治之至也／文学之于人也譬乎药，善服，有济；不善服，反为害／上有无时之求，中有剥削曲巧之政，下有豺狼寇盗之害／为天下者，亦奚以异乎牧马者哉，亦去其害马者而

已矣／大丈夫岂得苟贪财物，以害及身命，使子孙每怀愧耻耶／祸世之匠，乱国之工，绝逆天地，伤害我身，莫大乎名／其为气也，至大至刚，以直养而无害，则塞于天地之间／苟灭德忘公，崇浮饰傲，荣其外而枯其内，害其本而窒其源／君子之求利也略，其远害也早，其避辱也惧，其行道理也勇／君子知形恃神以立，神须形以存，悟生理之易失，知一过之害生

宽 kuān 阔；横向的距离；放开；松缓；宽大；富足；姓。

❶宽恕之人不能速捷

见三国·魏·刘劭《人物志·材理》。全句为："论仁义则弘详而长雅，趋时务则迟缓而不及"。

宽一分民多受一分赐

见河南内乡县衙县丞衙联。全句为："～，取一文官不值一文钱"。

宽则得众，信则人任焉

见宋·苏辙《新论下》。

宽心应是酒，遣兴莫过诗

见唐·杜甫《可惜》。

宽于用，此在位者多不得其人也

见明·黄宗羲《取士下》。全句为："严于取，则豪杰之老死丘壑者多矣；～"。

宽以待人，柔能克刚，英雄莫敌

见明·罗贯中《三国演义》第六十回。

宽以济猛，猛以济宽，政是以和

见《左传·昭公二十年》。

宽于大事，急于小事……不可以为政

见唐·吴兢《贞观政要·鉴戒》。删节处为："临时责怒，未免爱憎之心"。

宽则得众，信则民任焉，敏则有功，公则说

见《论语·尧曰》。

宽收严试，久任超迁。此八字，用人之良法

见清·陆世仪《思辨录辑要·治平类》。

宽弘之人宜为郡国，使下得施其功而总成其事

见三国·魏·刘劭《人物志·材能》。

❷惟宽可以怀远人／量宽足以得人，身先足以率人／非宽大无以兼覆，非慈厚无以怀众／常宽容于物，不削于人，可谓至极

❸慎法宽惠不刻／德行宽裕，守之以恭者，荣／厚性宽中近于仁，犯而不校邻于恕

❹与人当宽，自处当严／代虐以宽，兆民允怀／用气常宽舒，不当急疾勤劳／君人者，宽惠慈众，不身传诛／上不能宽国之利，下不能饱民之饥／衣带渐宽终不悔，为伊消得人憔悴／直而温，宽而栗，刚而无虐，简而无傲

❺严于责己，宽以待人／将兵治民，宽简有法／富足生于宽暇，贫穷起于无日／和以处众，宽以接下，恕以待人／恭则不侮，宽则得众，信则人任焉／圣人之道，宽而栗，严而温，柔而直，猛而仁

❻轻徭薄赋，以宽民力／意广者，斗室宽若两间／官吏非才，则宽猛失所宜

❼举目方知宇宙宽／教胄子，直而温，宽而栗／鬓秃难遮老，心宽不贮愁／敬以严乎己也，宽以恕乎物也

❽器量须大，心境须宽／法严而奸易息，政宽而民多犯／临下以简，御众以宽，罚弗及嗣／宽以济猛，猛以济宽，政是以和／凡道必周必密，必宽必舒，必坚必固／处难处之事愈宜宽，处难处之人愈宜厚

❾立法贵严，而责人贵宽／古之用人者，取之至宽而用之至狭

❿操与霜雪明，量与江海宽／将难放怀处放怀，则万境宽／死者不可再生，用法务在宽简／未必人间无好汉，谁与宽些尺度／为君者常病于察，为臣者又失之宽／有所取必有所舍，有所禁必有所宽／田里绝愁叹之声，邦家闻宽厚之化／与朋友论学，须委曲谦下，宽以居之／大字难于密结而无间，小字难于宽绰而有余／惟严惟明，其赏也思，惟宽惟惠，其罚也畏／缓己急人，一等；急己急人，二等；急己宽人，三等／贤君之治也，温良而和，宽容而爱，刑清而省，喜赏而恶罚

家 ①jiā 家庭；住处或生活的地方；用于称谓家里饲养的或家生的、用的；具有某种专业知识或从事某种职业的人；学术流派；古代大夫的家族；谦词；量词；姓。②gū[家翁]即家长。

❶家给人足，天下大治

见宋·王安石《上皇帝万言书》。

家有常业，虽饥不饿

见《韩非子·饰邪》。全句为："～；国有常法，虽危不亡"。

家有敝帚，享之千金

见汉·刘秀《下诏让刘尚》。

家累千金，坐不垂堂

见汉·司马相如《上书谏猎》。

家必自毁，而后人毁之

见《孟子·离娄上》。

家道穷必乖……乖必有难

见《周易·序卦》。

家贫不是贫，路贫贫杀人

见清·吴敬梓《儒林外史》第二十四回。

家贫亲老者，不择官而仕

见汉·韩婴《韩诗外传》。全句为："任重道远者，不择地而息；～"。

家贫亲老者，不择禄而仕

见汉・刘向《说苑・建本》。全句为:"负重道远者,不择地而休;～"。

家贫思良妻,国乱思良相

见元・曾先之《十八史略・春秋战国・魏》。

家事国事天下事,事事关心

见明・顾宪成题联。全句为:"风声雨声读书声,声声入耳;～"。

家富则疏族聚,家贫则兄弟离

见《慎子》。

家贫则思良妻,国乱则思良相

见汉・司马迁《史记・魏世家》。

家有千金之玉不知治,犹之贫也

见汉・韩婴《韩诗外传》。

❷医家有割股之心/诗家气象贵雄浑/当家才知柴米价/国家昏乱,有忠臣/一家二贵,事乃无功/一家皆乱,无有安身/公家之事,知无不为/公家之利,知无不为/国家兴亡,匹夫有责/国家大事,惟赏与罚/国家将败,必用奸人/国家法令,惟在简约/惟家之索,牝鸡之晨/居家之方,唯俭与约/成家之道,曰俭与清/万家之都,不可平以准/百家殊业,而皆务于治/严家无悍虏,笃责急也/国家失政,则士民去之/国家之兴,尊尊而敬长/国家大政,须人无二心/国家用人,犹农家积粟/居家戒争讼,讼则终凶/千家数人在,一税十年空/诗家虽率意,而造语亦难/邦家用祀典,在德非馨香/势家多所宜,咳唾自成珠/治家非一宝,富国非一道/严家无悍虏,而慈母有败子/国家之大机,不可轻而失也/国家之任贤而吉,任不肖而凶/居家自奉宜俭,养亲待客宜丰/视家国而取者,则曰救彼涂炭/万家墨面没蒿莱,敢有歌吟动地哀/千家万户曈曈日,总把新桃换旧符/人家盛衰,皆系乎积善与积恶而已/词家从不觅知音,累汝千回带泪吟/诗家之景,如蓝田日暖,良玉生烟/国家不幸诗家幸,赋到沧桑句便工/西家老人晓稼穑,白发空多缺衣食/辞家战士无旋踵,报国将军有断头/自家虽有这道理,须是经历过方得/国家治,则四邻贺;国家乱,则四邻散/国家剩得数百万贯钱,何如得一有才行人/国家作事,以公共为心者,人必乐而从之/一家失熛,百家皆烧;谗夫阴谋,百姓暴骸/国家之败,由官邪也;官之失德,宠赂章也/国家将兴,必有祯祥;国家将亡,必有妖孽/国家有幸,当者受央;国家无幸,有延其命/国家无养兵之费则国富,队伍无老弱之卒则兵强/国家大事,牧不当官,言之实有罪,故作《罪言》

❸数行家信抵千金/以国家之务为己任/先国家之急而后私仇/治国家者先择佐而后定民/足下家中百物,皆赖而用也……/去其家观人家,去其身观人身,所观益远,所见益少

❹法自儒家有/农为国家急务/士者国家之大宝/身修则家可教矣/俭以为家法,礼也/长舌乱家,大斧破车/修身齐家治国平天下/苟利国家,不求富贵/常胜之家,难与虑敌/福不择家,祸不索人/积德之家,必无灾殃/失火之家,三日不熟食/欲齐其家者,先修其身/禄食之家不与百姓争利/不可以家事匮乏而不从师/不忧一家寒,所忧四海饥/谁道田家乐?春税秋未足/纵有还家梦,犹闻出塞声/月下谁家砧,一声肠一绝/有国有家,不思所以捄之/何谓创家之人,能教子者便是/非尽百家之美,不能成一人之奇/天下国家总以忧勤而得,怠荒而失/直待自家都了得,等闲拈出便超然/借问酒家何处有,牧童遥指杏花村/苟利国家生死以,岂因祸福避趋之/昨日邻家乞新火,晓窗分与读书灯/胜败兵家事不期,包羞忍耻是男儿/失火之家,岂暇先言大人而后救火乎/积善之家必有余庆,积不善之家必有余殃/专习一家,硁硁小哉!宜善相之,多师为佳/世禄之家,鲜克由礼。以荡陵德,实悖天道/千金之家比一都之君,巨万者乃与王者同乐/国耳忘家,公耳忘私,利不苟就,害不苟去/火佚焚家,家不罪火;食过伤人,人不罪食/设使国家无有孤,不知当几人称帝,几人称王/富贵之家,禄位重叠,犹再实之木,其本必伤/天下国家可均也,爵禄可辞也,白刃可蹈也,中庸不可能也

❺傍早做人家/胜败乃兵家常事/祸不入慎家之门/无务富其家而饥其师/劝我早归家,绿窗人似花/国之本在家,家之本在身/大才怀百家之言,故能治百家之乱/高台芳榭,家家而筑;花林曲池,园园而有/常看得自家未必是,他人未必非,便有长进/火佚焚家,家不罪火;食过伤人,人不罪食/古之教者,家有塾,党有庠,术有序,国有学

❻婚姻勿贪势家/视天下如一家/振穷救急,倾家无爱/狭路相逢,冤家路窄/妇子嘻嘻,失家节也/牝鸡之晨,惟家之索/父子无礼,其家必凶/计策之能,术家之材也/父子不信,则家道不睦/立法之能,治家之材也/以逸待劳,兵家之大利也/但愿天下人,家家足稻粱/计口而受田,家给而人足/势败休云贵,家亡莫论亲/国之本在家,家之本在身/运穷君子拙,家富小儿娇/父父,子子……而家道正/烽火连三月,家书抵万金/大夫以身殉家,圣人以身殉天下/号呼卖卜谁家子,想欠明朝籴米钱/国家不幸诗家幸,赋到沧桑句便工/数亩秋禾满家食,一机官帛几梭丝/痴儿不了公家事,男子要为天下奇/凡为天下国家,当爱惜名器,谨重刑罚/和睦劝俭者家必隆,乖戾骄奢者家必败/一家失熛,百家皆烧;谗夫阴谋,百姓暴骸/高

台芳榭，家家而筑；花林曲池，园园而有／去其家观人家，去其身观人身，所观益远，所见益少／礼之于正国家也，如权衡之于轻重也，如绳墨之于曲直也

❼为国者终不顾家／匈奴未灭不言家／清明无客不思家／渔舟出没浪为家／学书当自成一家之体／国家用人，犹农家积粟／丑女来效颦，还家惊四邻／东风满天地，贫家独无春／农月无闲人，倾家事南亩／但愿天下人，家家足稻粱／思与境偕，乃诗家之所尚者／为将者，受命忘家，临敌忘身／家富则疏族聚，家贫则兄弟离／历览前贤国与家，成由勤俭败由奢／水曲山隈四五家，夕阳烟火隔芦花／教笞不可废于家，刑罚不可损于国／文章必自名一家，然后可以传不朽／一人知俭则一家富，王者知俭则天下富／百姓所以养国家也，未闻以国家养百姓者也／任非其人而国家不倾者，自古至今，未尝闻也／怒笞不可偃于家，刑罚不可偃于国，诛伐不可偃于天下

❽伤于外者必反于家／将受命之日忘其家／一国尽乱，无有安家／之子于归，宜其室家／克勤于邦，克俭于家／赤心事上，忧国如家／汝无自誉，观汝作家书／废先王之道，燔百家之言／通古今之变，成一家之言／有善必劝者，固国家之典／强本节用，则人给家足之道／恣纵既成……亦制自家不得／国不兴无事之功，家不藏无用之器／王师北定中原日，家祭无忘告乃翁／日典春衣非为酒，家贫食粥已多时／扁舟一棹归何处，家在江南黄叶村／白骨已枯沙上草，家人犹自寄寒衣／身老方知生计拙，家贫渐觉故人疏／苟可以为天下国家之用者，则无不在于学／官寡而禄厚，则公家之费鲜，进仕之志劝／涤杯而食……可以养家老，而不可以飨三军／自修自修，益处自家求；一刻千金，勿把韶光丢

❾无力，则不能自成一家／欲治其国者，先齐其家／心苟无瑕，何恤乎无家／秦爱纷奢，人亦念其家／偶失万户侯，遂老三家村／口含黄柏味，有苦自家知／哑子尝黄柏，苦味自家知／纵横一川水，高下数家村／临河而羡鱼，不如归家织网／禹抑洪水十三年，过家不入门／天下以言为戒，最国家之大患也／大丈夫处世，当为国家立功边境／才疏志大不自量，西家东家笑我狂／丰岁自少凶岁多，田家辛苦可奈何／传派传宗我替羞，作家各自一风流／误尽平生是一官，弃家容易变名难／田里绝愁叹之声，邦家闻宽厚之化／走马西来欲到天，辞家见月两回圆／国家治，则四邻贺；国家乱，则四邻散／上无所为，则下无事，家给人足，万物自化就

❿一朝辞此地，四海遂为家／梁园虽好，不是久恋之家／用人如用己，理国如理家／匈奴未灭，受命而孰不忘家／常思奋不顾身以徇国家之急／上将效于国用，下欲济其家声／父不能知其子，则无以睦一家／文章须自出机杼，成一家风骨／建法立制，强国富人，是谓法家／小人多欲则多求妄用，财家丧身／烈日秋霜，忠肝义胆，千载家谱／思通道化，策谋奇妙，是谓术家／一字不识而有诗意者，得诗家真趣／才疏志大不自量，西家东家笑我狂／无论海角与天涯，大抵心安即是家／再实之木根必伤，掘藏之家必有殃／再实之木根必伤，掘臧之家后必殃／旧时王谢堂前燕，飞入寻常百姓家／千乘之国，弑其君者，必百乘之家／休说旧时王与谢，寻常百姓亦无家／曾因国难披金甲，不为家贫卖宝刀／人言落日是天涯，望极天涯不见家／入其国者从其俗，入其家者避其讳／诗穷莫写愁如海，酒薄难将梦到家／请看今日之域中，竟是谁家之天下／随人作计终后人，自成一家始逼真／能为国则能为主，能为家则能为父／大才怀百家之言，故能治百家之乱／小人寡欲则能谨身节用，远罪丰家／君看夏木扶疏句，还许诗家更道不／徐行不记山深浅，一路莺啼送到家／嫫母饰姿而夸矜，西子彷徨而无家／存不忘亡，是以身安而国家可保也／李白一斗诗百篇，长安市上酒家眠／日暮汉宫传蜡烛，轻烟散入五侯家／日月双悬于氏墓，乾坤半壁岳家祠／贫疑陋巷春偏少，贵想豪家月最明／痛不著身言忍之，钱不出家言与之／老来行路先愁远，贫里辞家更觉难／蛱蝶飞来过墙去，却疑春色在邻家／言于国竭情无私，理于家陈信无愧／未有暴乱不止而能活生人、定国家者／周公位尊愈卑，胜敌愈惧，家富愈俭／待西施、毛嫱而为配，则终身不家矣／不及流莺日日啼花间，能使万家春意闲／和睦劝俭者家必隆，乖戾骄奢者家必败／学医者当博览群书，不得拘守一家之言／究天人之际，通古今之变，成一家之言／贤不肖不杂则英杰至，是非不乱则国家治／积善之家必有余庆，积不善之家必有余殃／三教一体，九流一源，百家一理，万法一门／夫立身之忠信也，立官之廉也，立家之俭也／百亩之田，匹夫耕之，八口之家足以无饥矣／百姓所以养国家也，未闻以国家养百姓者也／人人自谓握灵蛇之珠，家家自谓抱荆山之玉／六经之治，贵于未乱；兵家之胜，贵于未战／诸侯而骄人则失其国，大夫而骄人则失其家／圣人恶似是而非之人，国家忌似是而非之论／口不绝吟于六艺之文，手不停披于百家之编／国家将兴，必有祯祥；国家将亡，必有妖孽／国家有幸，当者受央；国家无幸，有延其命／海内之货，咸萃其庭，产匹铜山，家藏金穴／浮华鲜实，不特伤风败俗，

亦杀身亡家之本／寒泉飞流，异竹杂华，回映之处，似藏人家／女有余布，男有余粟，国家殷富，上下交足／视人之国，若己之国；视人之家，若己之家／枯藤老树昏鸦，小桥流水人家，古道西风瘦马／若使人之所怀于内者……，则天下无亡国败家矣／所养非所用，所用非所养，理家必弊，在国必危／道之真以治身，其绪余以为国家，其土苴以治天下／瞒人之事弗为，害人之心弗存，有益国家之事虽死弗避／所谓诗，所谓文，实国事、世事、家事、身事、心事系焉

宵 ①xiāo 夜间；[宵衣]天不亮就起床；通“绡”，古时妇女助祭之服。②xiǎo 通“小”。③xiào 通“肖”，相似。

❶宵中，星虚，以殷仲秋

见《尚书·尧典》。

宵行者，能无为奸，而不能令狗无吠己

见《战国策·韩策三》。

❹今岁今宵夜，明年明日催／冬尽今宵促，年开明日长

❻一年明月今宵多

❿经济文章磨白昼，幽光狂慧复中宵／言有教，动有法，昼有为，宵有得，息有养，瞬有存

宴 yàn 逸；闲居；乐；宴请；宴会；酒席。

❶宴安鸩毒，不可怀也

见《左传·闵公元年》。

❸归来宴平乐，美酒斗十千

❾民生在勤，勤则不匮。宴安自逸，岁暮奚冀

❿高山有前，流水在下，可以俯仰，可以宴乐

宾 ①bīn 客人；待人以宾客之礼；通“傧”，导；相；服从；归顺；姓。②bìn 通“摈”，遗弃；排斥。

❶宾至如归，无宁灾患，不畏寇盗

见《左传·襄公三十一年》。

❹蒙耻之宾，屡黜不去其国

❺名者，实之宾也／敬贤如大宾，爱民如赤子／名者实之宾也，实有美恶，名亦随之

❻衣冠不正，则宾者不肃

❽贫贱则无弃旧之宾／山有木，工则度之；宾有礼，主则择之

❿主人退后立，敛手反如宾／鹿鸣思野草，可以喻嘉宾／曲突徙薪亡恩泽，焦头烂额为上宾／通乎道，合乎德，退仁义，宾礼乐／有其语而无其人，得其宾而丧其实／呦呦鹿鸣，食野之苹；我有嘉宾，鼓瑟吹笙

宰 zǎi 古代官名；治理；支配；杀（牲畜）；坟墓；喻指商业活动中欺诈顾客的行为；姓。

❶宰相所职系天下

见唐·韩愈《赠太傅董公行状》。

宰相必用读书人

见清·程允升《幼学琼林·文臣》。

宰相必起于州部，猛将必发于卒伍

见《韩非子·显学》。

宰相，陛下之腹心；刺史县令，陛下之手足

见唐·陈子昂《上军国利害事·牧宰》。全句为：“～。未有无腹心手足而能独理者也”。

❷为宰相不难，一心正，两眼明，足矣

❹明君贤宰，不惮谔谔之言／今来县宰加朱绂，便是生灵血染成

❼以言取人，失之宰予；以貌取人，失之子羽

❿太上之道，生万物而不有，成化像而弗宰／一国之政，万人之命，悬于宰相，可不慎欤／道不施不与，而万物以存；不为不宰，而万物以然

寇 kòu 盗匪；敌人来侵犯或掠夺；砍伐；姓。

❷穷寇勿迫／御寇易，御物难；破阵易，破诱难

❸国离寇敌则伤，民见凶饥则亡／豺狼寇盗不杀人民，不足以止其贪

❹视民如寇仇，税之如豺虎／山木，自寇也；膏火，自煎也

❺墙有耳，伏寇在侧／军兴由乎寇生，寇生由乎政缺

❻困兽犹斗，穷寇勿遏／不袭堂堂之寇，不击填填之旗／在朝也则司寇之任，为国则公正之政

❼军兴由乎寇生，寇生由乎政缺／宜将剩勇追穷寇，不可沽名学霸王

❽怯于邑斗，而勇于寇战

❿宾至如归，无宁灾患，不畏寇盗／君之视臣如手足……则臣视君如寇雠／在上者，必有武备，以戒不虞，以遏寇虐／兵不可玩，玩则无威；兵不可废，废则召寇／用四海九州之力，除此小寇，难易可知……／上有无时之求，中有剥削曲巧之政，下有豺狼寇盗之害

寄 jì 托付；托人递送；依附；认作亲属；古代翻译民族语言的官。

❶寄语双莲子，须知用意深

见唐·李群玉《寄人》。全句为：“～。莫嫌一点苦，便拟弃莲心”。

寄食于漂母，无资身之策

见汉·班固《汉书·韩信传》。全句为：“～；受辱于跨下，无兼人之勇”。

寄治乱于法术，托是非于赏罚

见《韩非子·大体》。

寄蜉蝣于天地，渺沧海之一粟

见宋·苏轼《前赤壁赋》。

寄之，其来不可圉，其去不可止

见《庄子·缮性》。

寄到玉关应万里，戍人犹在玉关西

见宋·贺铸《杵声齐》。

寄意寒星荃不察，我以我血荐轩辕

见现代·鲁迅《自题小像》。

❷身寄虎吻，危同朝露／其寄托在可言不可言之间／生，寄也；死，归也。何足以滑和

❸人生寄一世，奄忽若飙尘；何不策高足，先据要路津

❹读书而寄兴于吟咏风雅，定不深心

❺非不言也，寄言也／一咏一吟，寄心期于别后／人生忽如寄，寿无金石固／倚南窗以寄傲，审容膝之易安／闻《乐游园》寄足下诗，则执政柄者扼腕矣

❻折尽长条为寄谁／欲成大厦，必寄于瑰材／春到也，须频寄，人到也、须频寄／非历览无以寄杼轴之怀，非高远无以开沉郁之绪

❼乞火不若取燧，寄汲不若凿井／发纤秾于简古，寄至味于澹泊

❽文果载心，余心有寄／长者能博爱，天下寄其身／君心似松柏，雁足寄珠玑／虽感目之一致，终寄怀而百端／言在耳目之内，情寄八荒之表

❾贵以身为天下，若可寄天下／心既托声于言，言亦寄形于字／出新意于法度之中，寄妙理于豪放之外

❿春到也，须频寄，人到也、须频寄／蜀笺都有三千幅，总写离情寄孟光／白骨已枯沙上草，家人犹自寄寒衣／齐、梁间诗，彩丽竞繁，而兴寄都绝／轩冕在身，非性命也，物之傥来，寄者也／苍雁赪鲤，时传尺素；清风明月，俱寄相思／可以托六尺之孤，可以寄百里之命，临大节而不可夺也

寂

jì 安静；无声；冷落；心神无杂念。

❶寂兮寞，岁岁年年长少乐

见唐·卢照邻《释疾文·粤若》。全句为："～；慌兮惚，朝朝暮暮生白发"。

寂寥乎短章，舂容乎大篇

见唐·韩愈《送权秀才序》。全句为："引物连类，穷情尽变；宫商相宣，金石谐和；～"。

寂寞嫦娥舒广袖，万里长空且为忠魂舞

见现代·毛泽东《蝶恋花·答李淑一》。

❸恬淡、寂寞、虚无、无为，此天地之本而道德之质也

❹兰闺久寂寞，无事度芳春／诗人甘寂寞，居处遍苍苔

❺观江水之寂寥，愿从流而东返／虚静恬淡寂寞无为者，万物之本也／饥马在厩，寂然无声，投刍其旁，争心乃生

❻栖守道德者，寂寞一时／驿外断桥边，寂寞开无主／古来圣贤皆寂寞，惟有饮者留其名／鸟无声兮山寂寂，夜正长兮风淅淅／自古逢秋悲寂寥，我言秋日胜春朝

❼鸟无声兮山寂寂，夜正长兮风淅淅

❽寥落古行宫，宫花寂寞红／秋之为状也：……山川寂寥／羊肠鸟道无人到，寂寞云中一个人

❿拾得断麻穿破衲，不知身在寂寥中／万态虽杂而吾心常彻，万变虽殊而吾心常寂／形如槁木，心若死灰，无感无求，寂泊之至／直视千里外，唯见起黄埃。凝思寂听，心伤已摧／知本无有思，动静皆离，寂然不动者，是至诚也／木末芙蓉花，山中发红萼。涧户寂无人，纷纷开且落／时之不来也，为雾豹，为冥鸿，寂兮寥兮，奉身而退

宿

①sù 住；隔夜；住宿的地方；旧时；安于；通"肃"，戒；平素；年老的；古国名；姓。②xiù 星的位次。③xiǔ 今北方谓一夜为"一宿"。

❷鸟宿池边树，僧敲月下门／信宿渔人还泛泛，清秋燕子故飞飞／闻《宿紫阁村》诗，则握军要者切齿矣／一宿体宁，百宿心恬，三宿后颓然嗒然，不知其然而然

❹仓禀无宿储，徭役犹未已／仓廪无宿储，徭役犹未已

❺夫妻无隔宿之仇／无留善，无宿问／适百里者宿舂粮／树高者，鸟宿之；德厚者，士趋之

❻不藏怒焉，不宿怨焉／一宿体宁，百宿心恬，三宿后颓然嗒然，不知其然而然

❼于今为神奇，信宿同尘滓

❽昼诵书传，夜观星宿，或不寐达旦

❿兵戈之士乐战，枯槁之士宿名／鼋鼍穴于深渊之下，夕而得所宿／仁人之于弟也，不藏怒焉，不宿怨焉，亲爱之而已矣／一宿体宁，百宿心恬，三宿后颓然嗒然，不知其然而然

密

mì 形状像堂屋的山；亲切；靠近；距离小；安定；寂静；不公开的，也指不能公开的事；精细；古国名。

❸事以密成，语以泄败／君不密则失臣，臣不密则失身，几事不密则害成

❹几事不密则害成／以苛为密，以利为公／机事不密，则必害成／火泄于密，而为用且大……反为灾矣

❺兵事上神密／翠佩传情密，曾波托意遥／大字难于密结而无间，小字难于宽绰而有余

❻凡谋之道，周密为宝／谋莫难于周密，说莫难于悉听／凡道必周必密，必宽必舒，必坚必固

❼百人誉之不加密，百人毁之不加疏

❽与人以实，虽疏必密／法繁于秋荼，而网密于凝脂

❾口乃心之门，守口不密，泄尽真机／法令明具，而用之至密，举天下惟法之知／意授于思，言授于意，密则无际，疏则千里／君不密则失臣，臣不密则失身，几事不密则害成

❿言多令事败，器漏苦不密／兵，诡道也，军事未发，不厌其密／句有可削，足见其疏；字不得减，乃知其密／夏宜急雨，有瀑布声；冬宜密雪，有碎玉声／君不密则失臣，臣不密则失身，几事不密则害成／古之成大事者，规模远大与综理密微二者阙一不可

寒 hán 冷；穷困；忧惧；战栗；冷却；淡忘；中医学名词；古国名。

❶寒来暑往，秋收冬藏

见南朝·梁·周兴嗣《千字文》。

寒者不佚狐貉而后温

见晋·陈寿《三国志·吴书·华覈传》。全句为："饥者不待美馔而后饱，～"。

寒而暑者，世谓之阴阳

见唐·柳宗元《天说》。全句为："上而玄者，世谓之天；下而黄者，世谓之地；浑然而中处者，世谓之元气；～"。

寒者不贪双璧而思短褐

见明·宋濂《演连珠》。全句为："～；饥者不愿千金而美一餐"。

寒不能生寒，热不能生热

见汉·刘安《淮南子·说山》。全句为："～。不寒不热，能生寒热"。

寒之之日长而暴之之日短

见宋·王安石《再乞表》。全句为："～，植之之人寡而拔之之人多"。

寒往则暑来，暑往则寒来

见南朝·宋·范晔《后汉书·郎顗传》。

寒者愿为蛾，烧死彼华膏

见唐·孟郊《寒地百姓吟》。

寒者利短褐，而饥者甘糟糠

见汉·贾谊《新书·过秦论中》。

寒暑不时则疾，风雨不节则饥

见《礼记·乐记》。

寒暑之势不易，小变不足以妨大节

见汉·刘安《淮南子·说林》。全句为："冬有雷电，夏有霜雪，然而～"。

寒暑茫茫兮代谢，故叶新花兮往来

见唐·宋之问《秋莲赋》。全句为："～。何秋日之可哀，托芙蓉以为媒"。

寒者颤，惧者亦颤，此同名而异实也

见汉·刘安《淮南子·说山》。

寒不累时，则霜不降；温不兼日，则冰不释

见汉·王充《论衡·感虚篇》。

寒之于衣，不待轻暖；饥之于食，不待甘旨

见汉·晁错《论贵粟疏》。

寒泉飞流，异竹杂华，回映之处，似藏人家

见唐·元结《九疑山图记》。

❷凌寒独自开／岁寒松柏肯惊秋／忍寒犹可忍饥难／不寒不热，能生寒热／极寒生热，极热生寒／足寒伤心，民寒伤国／足寒伤心，民怨伤国／饥寒无衣食，举动鞭捶施／大寒而后索衣裘，不亦晚乎／岁寒，然后知松柏之后凋也／御寒莫若重裘，止谤莫如自修／救寒莫如重裘，止谤莫如自修／大寒至，霜雪降，然后知松柏之茂／渚寒烟淡，棹移人远，缥缈行舟如叶／岁寒霜雪苦，含彩独青青，岂不厌凝列，羞比春木荣

❸苦饥寒，逐弹丸／愁绝寒梅酒半销／角声寒，夜阑珊／岁不寒，无以知松柏／岁弊寒凶，雪虐风饕／人烟寒橘柚，秋色老梧桐／摧折寒山里，遂死无人窥／松柏寒仍翠，琼瑶涅不缁／日光寒兮草短，月色苦兮霜白／独立寒秋，湘江北去，橘子洲头／寄意寒星荃不察，我以我血荐轩辕／秋旱寒，则冬必暖；春雨多，则夏必旱

❹茅店惊寒半掩门／炎而附，寒而弃／乍暖还寒时候，最难将息／雁阵惊寒，声断衡阳之浦／唯见月寒日暖，来煎人寿／枯木倚寒岩，三冬无暖气／轧轧弄寒机，功多力渐微／纵使岁寒途远，此志应难夺／松表岁寒，霜雪莫能凋其采／薄雨收寒，斜照弄晴，春意空阔／不到广寒冰雪窟，扇头能有几多风／百姓多寒无可救，一身独暖亦何情／闻其饥寒为之哀，见其劳苦为之悲／烟才通，寒淙淙；隔山风，老鼓钟／起烟于寒灰之上，生华于已枯之木

❺高处不胜寒／山明松雪寒／不忧一家寒，所忧四海饥／冰不掊不寒，胆不试不苦／岂不罹凝寒？松柏有本性／寒不能生寒，热不能生热／欲知千里寒，但看井水冰／翠袖不胜寒，欲向荷花语／对苍茫之寒日，听萧瑟之悲蝉／农事废，饥寒并至，故盗贼多有／不是一番寒彻骨，怎得梅花扑鼻香／不是一番寒彻骨，争得梅花扑鼻香／高天滚滚寒流急，大地微微暖气吹／劲操比松寒不挠，忠言如药苦非甘／夕阳一片寒鸦外，目断东西四百州／潦水尽而寒潭清，烟光凝而暮山紫／姑苏城外寒山寺，夜半钟声到客船／教者，民之寒暑也，教不时则伤世／天地之道，寒暑不时则疾，风雨不节则饥

❻东风轻扇春寒／夏虫不可语寒／侧目重足，不寒而栗／足寒伤心，民寒伤国／冰，水为之，而寒于水／夏日抱长饥，寒夜无被眠／渴者不思火，寒者不求水／风烈无劲草，寒甚有凋松／病叶多先坠，寒花只暂香／水之冰生于寒，人之冰生于正／望严雪而识寒松，观疾风而知劲草

❼凌雪乔松岂畏寒／春尽江南尚薄寒／户内春浓不识寒／不寒不热，能生寒热／树树秋声，山山寒色／天不为人之恶寒也，辍冬／饮马渡秋水，水寒风似刀／洞房清宫，命曰寒热之媒／竟抱固穷节，饥寒饱所更／夏虫不可与语寒，笃于时也／天地不能顿为寒暑，必渐于春秋／他乡怨而白露寒，故人去而青山迥／一日暴之，十日

寒之，未有能生者也／风萧萧兮易水寒，壮士一去兮不复还／起居时，饮食节，寒暑适，则身利而寿命益／霜封野树，冰冻寒苗，岸草无色，芦花自飘

❽极寒生热，极热生寒／辅车相依，唇亡齿寒／每至晴初霜旦，林寒涧肃／孤舟蓑笠翁，独钓寒江雪／量力守故辙，岂不寒与饥／欲折月中桂，持为寒者薪／疾风劲草，实表岁寒之心／不以富贵而骄之，寒贱而忽之／每至晴初霜旦，林寒涧肃……／棹容与而讵前，马寒鸣而不息／毁誉不干其守，饥寒不累其心／冰炭不同器而久，寒暑不兼时而至／暑极不生暑而生寒，寒极不生寒而生暑

❾冰冻三尺，非一日之寒／岂伊地气暖？自有岁寒心／寒往则暑来，暑往则寒来／贵有风雪兴，富无饥寒忧／欲识凌冬性，唯有岁寒知／自有凌冬质，能守岁寒心／鬓边虽有丝，不堪织寒衣／黄金珠玉，饥不可食，寒不可衣／士之相知，温不增华，寒不改叶／珠玉金银，饥不可食，寒不可衣／飒飒西风满院栽，蕊寒香冷蝶难来／暑极不生暑而生寒，寒极不生寒而生暑／东西南北，某也何从；寒暑阴阳，时哉不与／河冰结合，非一日之寒；积土成山，非斯须之作／起居不时，饮食不节，寒暑不适，则形体累而寿命损

❿不道山中冷，翻忧世上寒／冲天鹏翅阔，报国剑芒寒／冰厚三尺，不是一日之寒／芳槿无终日，贞松耐岁寒／迎春故早发，独自不疑寒／睹瓶中之冰而知天下之寒／白璧无瑕玷，青松有岁寒／贫贱而有业，则不至于饥寒／见瓶水之冰，而知天下之寒／仪必应乎高下，衣必适乎寒暑／挺秀色于冰涂，厉贞心于寒道／见瓶中之水，而知天下之寒暑／视玉帛而取者，则曰牵于寒饿／秋不得避阴雨，冬不得避寒冻／今之交乎人者，炎而附，寒而弃／天公尚有妨农讨，蚕怕雨寒苗怕火／农事伤则饥之本，女红害则寒之原／尺薪不能温镬水，寸冰不足寒庖厨／阴风搜林山鬼啸，千丈寒藤绕崩石／当轩不是怜苍翠，只要人知耐岁寒／妇人当年而不织，天下有受其寒者／桑蚕苦，女工难，得新捐故后必寒／日南则景短多暑，日北则景长多寒／白骨已枯沙上草，家人犹自寄寒衣／老者衣帛食肉，黎民不饥不寒……／虚檐立尽梧桐影，络纬数声山月寒／金沙水拍云崖暖，大渡桥横铁索寒／川竭而谷虚，邱夷而渊塞，唇竭而齿寒／安得广厦千万间，大庇天下寒士俱欢颜／暑极不生暑而生寒，寒极不生寒而生暑／冬有雷电，夏有霜雪，然而寒暑之势不易／风雨不时，则伤农桑；伤农桑，则民饥寒／以此治人，则膏雨甘露降矣，寒暑四时当矣／人以义来，我以身许，褰裳赴急，不避寒暑／夕景欲沉，晓雾将合；孤鹤寒啸，游鸿远吟／宁令吾庐独破受冻死，不忍四海赤子寒飕飕／明日黄花，过晚之物；岁寒松柏，有节之称／朝华之草，夕而零落；松柏之茂，隆寒不衰／饱而知人之饥，温而知人之寒，逸而知人之劳／一夫不耕，天下受其饥；一妇不织，天下受其寒／民有三患：饥者不得食，寒者不得衣，劳者不得息／天不为人恶寒而辍其冬，地不为人恶辽远而辍其广，君子不为人之丑恶而辍其正道

富

fù 钱财多；财富；丰盛；使富裕；姓。

❶富而不骄者鲜

见《左传·定公十三年》。

富贵者足物尔

见唐·无名氏《无能子·质妄》。全句为：“物足则富贵，富贵则帝王公侯，故曰～”。

富贵何如草头露

见唐·杜甫《送孔巢父谢病归游江东兼呈李白》。

富贵则无暴集之客

见南朝·宋·范晔《后汉书·朱穆传》。全句为：“～，贫贱则无弃旧之宾”。

富而不骄，贵而不舒

见汉·司马迁《史记·五帝本纪》。

富贵而骄，自遗咎也

见《老子》九。

富若生蓄，万物必具……

见唐·韩愈《南阳樊绍述墓志铭》。全句为：“～，海含地负，放恣横从，无所统纪”。

富者愈恣横侈泰而无所忌

见唐·柳宗元《答元饶州论政理书》。全句为：“贫者愈困饿死亡而莫之省，～”。

富贵非吾愿，帝乡不可期

见晋·陶潜《归去来兮辞》。

富贵他人合，贫贱亲戚离

见晋·曹摅《感旧诗》。

富贵苟难图，税驾从所欲

见晋·陆机《招隐诗》。

富贵易为善，贫贱难为工

见南朝·宋·范晔《后汉书·冯衍传》。

富贵有人籍，贫贱无天录

见南朝·宋·范晔《后汉书·郦炎传》。全句为：“～。通塞苟由己，志士不相卜”。

富润屋，德润身，心广体胖

见《礼记·大学》。

富者犬马余菽粟，骄而为邪

见汉·班固《汉书·王莽传》。全句为：“～；贫者不厌糟糠，穷而为奸”。

富贵不归故乡，如衣绣夜行

见汉·司马迁《史记·项羽本纪》。全句为：

“～,谁知之者”。

富贵而有业,则不至于为非

见宋·袁采《袁氏世范》。全句为:“人之有子,须使有业。贫贱而有业,则不至于饥寒;～”。

富不学奢而奢,贫不学俭而俭

见汉·汪弈《任子》。

富以能施为德,贫以无求为德

见明·吕坤《呻吟语》。全句为:“～,贵以下人为德,贱以忘势为德”。

富贵未必可重,贫贱未必可轻

见汉·王符《潜夫论·交际》。

富贵之多罪,不如贫贱之履道

见晋·葛洪《抱朴子·广譬》。

富贵比于浮云,光阴逾于尺璧

见唐·杨炯《王子安集·原序》。

富老不如贫少,美游不如恶归

见明·高启《悲歌》。

富足生于宽暇,贫穷起于无日

见南朝·宋·范晔《后汉书·王符传》。全句为:“礼义生于富足,盗窃起于贫穷;～”。

富者田连阡陌,贫者亡立锥之地

见汉·董仲舒《又言限民名田》。

富国有道,无所不恤者,富之端也

见宋·苏辙《上皇帝书》。

富时不俭贫时悔,潜时不学用时悔

见明·陈继儒《小窗幽记》。全句为:“～,醉后狂言醒时悔,安不将息病时悔,醉后狂言醒时悔,安不将息病时悔”。

富贵则人争趣之,贫贱则人争去之

见南朝·宋·范晔《后汉书·朱穆书》。

富贵必从勤苦得,男儿须读五车书

见唐·杜甫《柏学士茅屋》。

富者,苦身疾作,多积财而不得尽用

见《庄子·至乐》。全句为:“～,其为形也亦外矣”。

富以苟不如贫以誉,生以辱不如死以荣

见汉·戴德《大戴礼记·曾子制言上》。

富贵不能淫,贫贱不能移,威武不能屈

见《孟子·滕文公下》。全句为:“～,此之谓大丈夫”。

富贵足以愚人,而贫贱足以立志而浚慧

见清·郑燮《潍县寄舍弟墨第二书》。

富贵骄人,固不善;学问骄人,害亦不细

见《二程集·河南程氏遗书》。

富贵时,意中不忘贫贱,一日退休必不怨

见清·史典《愿体集》。全句为:“贫贱时,眼中不著富贵,他日得志必不骄。～”。

富于材积,领会神情,临景结构,不仿形迹

见明·何景明《与李空同论诗书》。

富贵之家,禄位重叠,犹再实之木,其本必伤

见南朝·宋·范晔《后汉书·明德马皇后传》。

富与贵,是人之所欲也,不以其道得之,不处也

见《论语·里仁》。全句为:“～;贫与贱,是人之所恶也,不以其道得之,不去也”。

❷至富,国财并焉/欲富乎,忍耻矣/独富独贵,君子耻之/处富而奢,衰之始也/学富五车,书通二酉/贫富轻重皆有称者也/大富当赈贫,贵当怜贱/为富不仁矣,为仁不富矣/贫富常交战,道胜无戚颜/见富贵而生谄容者最可耻/贵富太盛,则必骄佚而生过/贵富显严名利六者,勃志也/见富贵而生谄容者,最可耻/处富贵之时,要知贫贱的痛痒/家富则疏族聚,家贫则兄弟离/薄富贵而厚于书,轻死生而重于画/贫富之交,可以情谅,鲍子所以让金/虽富贵不以养伤身,虽贫贱不以利累形/大富则骄,大贫则忧;忧则为盗,骄则为暴/以富为是者,不能让禄;以显为是者,不能让名

❸贫可富,乱可治/无务富其家而饥其师/少年富贵才俊为不幸/王国富民,霸国富士/奢者富不足,俭者贫有余/朝扣富儿门,暮随肥马尘/不以富贵而骄之,寒贱而忽之/善人富谓之赏,淫人富谓之殃/不以富贵妨其道,不以隐约易其心/世间富贵应无分,身后文章合有名/生前富贵草头露,身后风流陌上花/人生富贵岂有极?男儿要在能死国/功名富贵若长在,汉水亦应西北流/奢者富而不足,何如俭者贫而有余/君子富,好行其德;小人富,以适其力/宫室富过度,上帝所亚;为者弗居,唯居必路

❹贵易交,富易妻/一贫一富,乃知交态/与其浊富,宁比清贫/无耻者富,多信者显/得士者富,失士者贫/知足者富,强行者有志/治国常富,而乱国常贫/邦无道,富且贵焉,耻也/欲求生富贵,须下死工夫/不义而富且贵,于我如浮云/屈己以富贵,不若抗志以贫贱/物足则富贵,富贵则帝王公侯/无赴而富,无殉而成,将弃而天/以贫求富,农不如工,工不如商/用贫求富,农不如工,工不如商/达人苦富贵之桎梏,修士伤声名之顿撼/贫生于富,弱生于强,乱生于化,危生于安/贫生于富,弱生于强,乱生于治,危生于安

❺礼义生于富足/为国者以富民为本/死生有命,富贵在天/贫不学俭,富不学奢/贫而无谄,富而无骄/贫而乐道,富而好礼/贫则见廉,富则见义/贵不敢骄,富不敢奢/牡丹,花之富贵者也/好尚或殊,富贵不求合/人皆因禄富,我独以官贫/勿慕贵与富,勿忧贱与贫/

节欲则民富,中听则民安/浅人好夸富,贪人好哭穷/爱之欲其富,亲之欲其贵/人有盗而富者,富者未必盗/为子孙作富贵计者,十败其九/骄奢生于富贵,祸乱生于疏忽/礼义生于富足,盗窃起于贫穷/为国者以富民为本,以正学为基/善为文者,富于万篇,贫于一字/广积聚,骄富贵,不知止者杀身/仅存之国富大夫,亡道之国富仓府/爵尊天下,富有四海,威势无量,专权擅柄/擅山海之富,居川林之饶,争修园宅,互相夸竞/为一书,务富文采,不顾事实……是犹用文锦复陷阱也

❻凡厥正人,既富方谷/散乐移风,国富民康/增高者崩,贪富者致患/治家非一宝,富国非一道/林中多疾风,富贵多谀言/贫贱亲戚离,富贵他人合/贵有风雪兴,富无饥寒忧/顺风激靡草,富贵者称贤/物足则富贵,富贵则帝王公侯/圣人……非不好富也,富在于富天下/志意修则骄富贵矣,道义重则轻王公矣/小人贫斯约,富斯骄;约斯盗,骄斯乱/理之固然者:富贵则就之,贫贱则去之/为人臣者,以富乐民为功,以贫苦民为罪/事丰奇伟,辞富膏腴,无益经典,而有助文章

❼君子周急不继富/君子谋道不谋富/苟利国家,不求富贵/治国之道,必先富民/王国富民,霸国富士/下贫则上贫,下富则上富/无贵贱不悲,无富贫亦足/人生行乐耳,须富贵何时/至贵不待爵,至富不待财/君之奢俭,为人富贫之源/运穷君子拙,家富小儿娇/不敢正是非于富贵,二可贱/人有盗而富者,富者未必盗/仕宦而至将相,富贵而归故乡/居则视其所亲,富则视其所与/贵则观其所举,富则观其所施/不党父兄,不偏富贵,不嬖颜色/建法立制,强国富人,是谓法家/天下顺治在民富,天下和静在民乐/不取于人谓之富,不屈于人谓之贵/我无事而民自富,我无欲而民自朴/贵则观其所举,富则观其所养……/多男子则多惧,富则多事,寿则多辱/贤者,举而上之,富而贵之,以为官长/既已得高官巨富矣,仍讲道德、说仁义自若也/可贵可贱也,可富可贫也,可杀而不可使为奸也/得百姓之力者富,得百姓之死者强,得百姓之誉者荣

❽虽贱如贵,虽贫如富/宁可清贫,不可浊富/凡治国之道,必先富民/君子多欲则贪慕富贵,枉道速祸/贫穷则父母不子,富贵则亲戚畏惧/圣人……非不好富也,富在于富天下/一人知俭则一家富,王者知俭则天下富/贫贱时,眼中不著富贵,他日得志必不骄/不学问,无正义;以富利为隆,是俗人者也/磐石千里,不可谓富;象人百万,不可谓强/贤者易知也:观其富之所分,达之所进,穷之所不取/五福:一曰寿,二曰富,三曰康宁,四曰攸好德,五曰考终命

❾不祈多积,多文以为富/为富不仁矣,为仁不富矣/洁者不观其穷,观其富也/满而不溢,所以长守富也/善人富谓之赏,淫人富谓之殃/有过人之识,则不以富贵为事/不要势,何羡位?不贪富,何羡货/贫民耕而不免于饥,富民坐而饱以嬉/无奇业旁入,而犹以富给,非俭则力也/尊于位而无德者黜,富于财而无义者刑/称财多寡而节用之,富无金藏……谓之啬/金玉满堂,莫之能守。富贵而骄,自遗其咎/贵而下贱,则众弗恶;富能分贫,则穷士弗恶/继世守文之君,生而富贵,不知疾苦,动至夷灭/舆人成舆,则欲人之富贵;匠人成棺,则欲人之夭死

❿尊师则不论其贵贱贫富/下贫则上贫,下富则上富/奢者心常贫,俭者心常富/食足货通,然后国实民富/江海不择小助,故能成其富/不戚戚于贫贱,不汲汲于富贵/农功不妨,谷稼丰赡,故人富也/蓄至精者,可以福生灵,保富寿/口谈道德而心存高官,志在巨富/政之急者,莫大乎使民富且寿也/仁之所在无贫穷,仁之所亡无富贵/仅存之国富大夫,亡道之国富仓府/劝君莫弹食客铗,劝君莫叩富儿门/莫道昆明池水浅,观鱼胜过富春江/君子有力于民则进爵禄,不辞富贵/江流千古英雄泪,山掩诸公富贵羞/富国有道,无所不恤者,富之端也/标格原因独立好,肯教富贵负初心/易其田畴,薄其税敛,民可使富也/不得以有学之贫贱,比于无学之富贵/周公位尊愈卑,胜敌愈惧,家富愈俭/圣人……非不好富也,富在于富天下/贪物而不知止者,虽有天下,不富矣/一人知俭则一家富,王者知俭则天下富/上好义则民暗饰矣,上好富则民死利矣/君子富,好行其德;小人富,以适其力/多才之士才储八斗,博学之儒学富五车/知足者,贫贱亦乐;不知足者,富贵亦忧/法令之不行、万民之不治,贫富之不齐也/临财苟得,见利反义,不义而富,无名而贵/为善的受贫穷更命短,造恶的享富贵又寿延/民恶忧劳,我佚乐之;民恶贫贱,我富贵之/隋侯之珠,和氏之璧,得之者富,失之者贫/藏金于山,沉珠于渊;不利货财,不近富贵/女有余布,男有余粟,国家殷富,上下交足/贵不与骄期而骄自至,富不与侈期而侈自来/天下之人所共趋之而不知止者,富贵与美名尔/国家无养兵之费则国富,队伍无老弱之卒则兵强/穷困不能辱身,非人也;富贵不能快意,非贤也/失名失货,道德是佑,神明是助,名显自然,富配天地/原心反性则贵矣,适情知足则富矣,明死生之分则寿矣/赋敛以时,官上清约,则人富。赋敛无节,官上奢纵,则人贫/天

下有至贵而非势位也，有至富而非金玉也，有至寿而非千岁也／知为为而不知所以为，是以贵为天子，富有天下，而不免于患也

寓 ①yù 居住；住处；寄托；寄递。②ǒu 通“偶”，木偶。

❶寓形宇内复几时，曷不委心任去留

见晋·陶潜《归去来兮辞》。

❸极高寓于极平，至难出于至易

❺君子可以寓意于物，而不可以留意于物

❻存志乎诗书，寓辞乎咏歌

❾山水之乐，得之心而寓之酒也／萌于不必忧之地，而寓于不可见之初

❿情不可以显出也，故即事以寓情／忘年忘义，振于无竟，故寓诸无竟／情横于内而性伏，必外寓于物而后遣／有形亦是气，无形亦是气，道寓其中也／烟云泉台，花鸟苔林，金铺锦帐，寓意则灵

寐 mèi 睡觉。

❷寤寐无为，涕泗滂沱

❹夙兴夜寐，靡有朝矣／夙兴夜寐，无一日之懈／伴人无寐，秦淮应是孤月

❺忧人不能寐，耿耿夜何长

❻夙兴以求，夜寐以思／夜耿耿而不寐兮，魂茕茕而至曙

❾蚊虻噆肤，则通昔不寐矣

❿昼诵书传，夜观星宿，或不寐达旦

骞 qiān 举，仰；高；违背；惊动；亏损；通“搴”，拔取；通“褰”，揭起衣服；通“愆”，过失。

❷驽骞之乘不骋千里之途

❸鸾凤骞翔而变态，烟云舒卷以呈姿

寞 mò 冷清。

❷寂寞嫦娥舒广袖，万里长空且为忠魂舞

❸寂兮寞，岁岁年年长少乐

❹恬淡、寂寞、虚无、无为，此天地之本而道德之质也

❺兰闺久寂寞，无事度芳春／诗人甘寂寞，居处遍苍苔

❻虚静恬淡寂寞无为者，万物之本也

❼栖守道德者，寂寞一时／驿外断桥边，寂寞开无主／古来圣贤皆寂寞，惟有饮者留其名

❾寥落古行宫，宫花寂寞红／羊肠鸟道无人到，寂寞云中一个人

寘 zhì 放置。“置”的异体字。

❿磨肌戛骨，吐出心肝，企足以待，寘我雠冤

寝 qǐn 睡觉；睡觉的地方；帝王的坟墓；停止；内堂；卧室；貌丑；通“浸”，逐渐。

❶寝不安席，食不甘味

见汉·司马迁《史记·司马穰苴列传》。

寝迹衡门下，邈与世相绝

见晋·陶潜《癸卯岁十二月中作与从弟敬远》。

❷兵寝星芒落，战解月轮空

❸禁攻寝兵，救世之战／国犹寝也，一榼蠹则无寝／冥当寝兮不能安，饥当食兮不能餐

❹食不语，寝不言／以禁攻寝兵为外，以情欲寡浅为内

❿国犹寝也，一榼蠹则无寝／抱火措之积薪之下而寝其上／君子独立不惭于影，独寝不惭于魂／吾尝终日不食、终夜不寝以思，无益，不如学也

寨 zhài 防守用的栅栏；旧时驻兵的地方；旧指起义者或强盗聚居的地方；四周有栅栏或围墙的村子。

❸因供寨木无桑柘，为点乡兵绝子孙

搴 qiān 拔取；通“褰”，撩起；揭起。

❼采薜荔兮水中，搴芙蓉兮木末

寡 guǎ 少；死了丈夫的妇女；古时男子无妻或丧偶；古代君主自称或臣子对别国自称其君主与夫人的谦词。

❶寡欲则行清，多欲则神浊

见五代·前蜀·杜光庭《道德真经广圣义》卷二十九。

寡交多亲，谓之知人；寡事成功，谓之知用

见《管子·戒》。

❷卒寡而兵强者，有义也／民寡则用易足，土广则物易生／官寡而禄厚，则公家之费鲜，进仕之志劝

❸俭则寡欲／不以寡犯众／俭而寡求，义也／识众寡之用者，胜／君子寡尤，小人多怨／多端寡要，好谋无决／轻则寡谋，骄则无礼／繁采寡情，味之必厌／清真寡欲，万物不能移／轻躁寡谋，不必皆年少／但求寡悔尤，焉用名炳炳／上求寡而易赡，民安乐而无事／不患寡而患不均，不患贫而患不安／小人寡欲则能谨身节用，远罪丰家／君子寡欲则不役于物，可以直道而行／呐呐寡言者未必愚，喋喋利口者未必智

❹不侮矜寡，不畏强御／涓流虽寡，浸成江河／清心而寡欲，人之寿矣／轻诺必寡信，多易必多难／称财多寡而节用之，富无金藏……谓之啬／言语简寡，在我可以少悔，在人可以少怨／保生者寡欲，保身者避名，无欲易，无名难

❺轻诺者必寡信／吉人之辞寡，躁人之辞多／植之之人寡而拔之之人多／君子之言寡而实，小人之言多而虚／少君之费，寡君之欲，虽无粮

而乃足

❻养心莫善于寡欲／轻诺似烈而寡信／诺轻者,信必寡;面誉者,背必非

❼德均则众者胜寡／君子欲讷,吉人寡辞／见素抱朴,少私寡欲／事省而易治,求寡而易澹／国小则易理,民寡则易宁／力多则人朝,力寡则朝于人／责少者易偿,职寡者易守,任轻者易权／石称丈量,径而寡失,铢铢而称,至石必谬

❽以强凌弱,以众暴寡／吠声者多,辨实者寡／其曲弥高,其和弥寡／阳春之曲,和者必寡;盛名之下,其实难副／歌曲弥妙,和者弥寡;行操益清,交者益鲜／歌曲妙者,和者则寡;言得实者,然者则鲜

❾实言无多,而华文无寡／暗于治者,唱繁而和寡／物固多伪兮,知者盖寡／得道者多助,失道者寡助／多私者不义,扬言者寡信／自以为有过,而过自寡矣／寡交多亲,谓之知人;寡事成功,谓之知用

❿为之量,以齐天下之多寡／善始者实繁,克终者盖寡／存亡在虚实,不在于众寡／营于利者多患,轻诺者寡信／独学而无友,则孤陋而寡闻／为其后可复者也,则事寡败矣／多闻阙疑,慎言其余,则寡尤／有善始者实繁,能克终者盖寡／众不能治众。治众者,至寡者也／志强而气弱,故足于谋而寡于断／行身亦然,无涤垩之地则寡非矣／多见阙殆,慎言其余,则寡悔。／以禁攻寝兵为外,以情欲寡浅为内／利可共而不可独,谋可寡而不可众／谗言巧,佞言甘,忠言直,信言寡／心之所可失理,则欲虽寡,奚止于乱／聪明流通者戒于太察,寡闻少见者戒于壅蔽／以能问于不能,以多问于寡;有若无,实若虚／克明德慎罚,不敢侮鳏寡,庸庸,祗祗,威威／己之才艺虽多,犹病以为少,仍就寡少之人更求所益／学者四失:为人则失多,好高则失寡,不察则易,苦难则止

察

chá 审视;细看;调查;昭著;苛求;考察后予以举荐。

❶察实者不讥其辞

见《晏子春秋·内篇杂上第二十四》。

察察小慧,类无大能

见汉·韦彪《上疏谏置官选职不以才》。

察伯乐之图,求骐骥于市

见汉·班固《汉书·枚福传》。

察火于灰,不睹洪赫之烈

见晋·陆机《演连珠五十首》。全句为:“图形于影,未尽纤丽之容;～”。

察能而授官者,成功之君也

见汉·司马迁《史记·乐毅列传》。全句为:“～;论行而结交者,立名之士也”。

察而以饰非惑愚,则察为祸矣

见《吕氏春秋·审应览·不屈》。全句为:“察而以达理明义,则察为福矣;～”。

察而以达理明义,则察为福矣

见《吕氏春秋·审应览·不屈》。全句为:“～;察而以饰非惑愚,则察为祸矣”。

察消长之往来,辨利害于疑似

见宋·苏轼《谢宣谕札子》。

察其言,观其行,而善恶彰焉

见晋·陈寿《三国志·魏书·锺繇传》裴松之引袁宏语。

察于一事,通于一伎者,中人也

见汉·刘安《淮南子·缪称》。全句为:“言无常是,行无常宜者,小人也;～;兼覆盖而并有之,度伎能而裁使之者,圣人也”。

察察者有所不见,恢恢者有所不容

见汉·陆贾《新语·辅政》。

察已则可以知人,察今则可以知古

见《吕氏春秋·慎大览·察今》。全句为:“～,古今一也”。

察见渊鱼者不祥,智料隐匿者有殃

见《列子·说符》。

察其小,忽其大,先其后,后其所先

见宋·程颢《论王霸札子》。全句为:“事有大小,有先后;～,皆不可以适治”。

察一曲者不可与言化,审一时者不可与言大

见汉·刘安《淮南子·缪称》。

察乎安危,宁于祸福,谨于去就,莫之能害也

见《庄子·秋水》。

❷暴察之威成乎危弱／惟察惟法,其审克之／察察小慧,类无大能／司察之能,臧否之材也／察察者有所不见,恢恢者有所不容／不察事之是非而悦人赞己,暗莫甚焉／补察得失之端,操于诗人美刺之间焉／暴察之威成乎危弱,狂妄之威成乎灭亡也／目察秋毫之末,耳不闻雷霆之声;耳调玉石之声,目不见泰山之高

❸不明察,不能烛私／揆古察今,深谋远虑／其明察察,其政恂恂／目能察黑白而不见其睫／迫而察之,灼若芙蕖出渌波／按贤察名,选才考能,名实俱得之也／观人察质,必先察其平淡,而后求其聪明／用明察非,非无不见;用理钤疑,疑无不定／以明察物,物亦竞以其明应之。以不信察物,物亦竞以其不信应之

❹知人善察,难眩以伪／细事不察,不得言大／其明察察,其政恂恂／一目之察,不如众目之明／耳目之察,不足以分物理／望远者,察其貌而不察其形／聪明深察而死者,好议人者也／疑今者察之古,不知来者视之往／明足以察秋毫之末,而不见舆薪／以不信察物,物亦竞以其不信应之／聪明深察而近于死者,好议人者也／巢居者察风,穴处者知雨,忧存故也／以明自

察，量力而行，不失其所，必获久长矣

❺不洗垢而察难知／外听易为察，而内听难为聪／听其言而察其类，无使放悖／处听易为察，而内听难为聪／欲知来者察往，欲知古者察今／众恶之，必察焉；众好之，必察焉／善除害者，察其本；善理疾者，绝其源

❻君子不为苛察／聪明者戒太察／观乎天文，以察时变／非德之明，虽察而人不服／天下有二：非察是，是察非／水清无大鱼，察政不得下和／交友之先宜察，交友之后宜信／听言不可不察，不察则善不善不分／上不以诗补察时政，下不以歌泄导人情

❼得言不可以不察／聪之知远，明以察微／邈乎其容，若不察其愚也／访民瘼于井邑，察冤枉于囹圄／听玄猿之悲吟，察鹤鸣于九皋／为君者常病于察，为臣者又失之宽／举秀才，不知书；察孝廉，父别居／寄意寒星荃不察，我以我血荐轩辕／听其言，迹其行，察其所能而慎予官／泰山之为大，弗察弗见，而况微渺者乎／观人察质，必先察其平淡，而后求其聪明

❽疑似之迹，不可不察／毫毛虽小，视之可察／听言不可不察，不察则善不善不分／察己则可以知人，察今则可以知古／人又谁能以身之察察，受物之汶汶者乎／能近见而后能远察，能利狭而后能泽广／闻其声而知其风，察其风而知其志，观其志而知其德／仰观宇宙之大，俯察品类之盛，所以游目骋怀，足以极视听之娱

❾天下有二：非察是，是察非／不能无诉，诉而必见察……／望远者，察其貌而不察其形／用非其有之心，不可察之本／察而以饰非惑愚，则察为祸矣／察而以达理明义，则察为福矣／水至清则无鱼，人至察则无徒／心暗则照有不通，至察则多疑于物／国之隆替，时之盛衰，察其任臣而已／视其所以，观其所由，察其所安……／人又谁能以身之察察，受物之汶汶者乎／聪明流通者戒于太察，寡闻少见者戒于壅蔽／吾何以得知天下乎？察己以知之，不求于外也

❿凡将立国，制度不可不察也／传闻不如亲见，视影不如察形／观其交游，则其贤不肖可察也／欲知来者察往，欲知古者察今／世异事变，治国不同，不可不察／无功之赏，无力之礼，不可不察也／不吹毛而求小疵，不洗垢而察难知／众恶之，必察焉；众好之，必察焉／知天者仰观天文，知地者俯察地理／处次官，执利势，不可而不察于此／杂似博，陋似约，学者不可不察也／利害之反，祸福之门户，不可不察也／论其诗不如听其声，听其声不如察其形／行不贵苟难，说不贵苟察，名不贵苟传／是非不可听而发暴，曲直必宜察而辨明／心不可乱，则利至而必知，害至而必察／言无务为多而务为智，无务为文而务为察／太山之高，背而弗见；秋毫之末，视之可察／居官不难，听言为难；听言不难，明察为难／委任不一，乱之媒也；监察不止，奸之府也／责我以过，皆当虚心体察，不必论其人何如／其政闷闷，其民淳淳；其政察察，其民缺缺／君子之道也，造端乎夫妇，及其至也，察乎天地／治乱存亡，其始若秋毫，察其秋毫，则大物不过／涉浅水者见虾，其颇深者察鱼鳖，其尤甚者观蛟龙／人之情，目欲视色，耳欲听声，口欲察味，志气欲盈／善计天下者不视天下之安危，察其纪纲之理乱而已矣／威有三：有道德之威者，有暴察之威者，有狂妄之威者／天下大乱，贤圣不明，道德不一，天下多得一察焉以自好／威有三术，有道德之威者，有暴察之威者，有狂妄之威者／学者四失：为人则失多，好高则失寡，不察则易，苦难则止／道德之威成乎安强，暴察之威成乎危弱，狂妄之威成乎灭亡也／以明察物，物亦竟以其明应之。以不信察物，物亦竟以其不信应之／舜其大知也与！舜好问而好察迩言，隐恶而扬善，执其两端，用其中于民

蜜

mì 蜂蜜；像蜜一样甜的；比喻甜美的事情。

❸口有蜜，腹有剑

❹刀刃有蜜，不足一餐之美

❻采得百花成蜜后，到头辛苦一场空／采得百花成蜜后，为谁辛苦为谁甜

❽甘酒醴而不酤饴蜜，未为能知味／绩事以众色成文，蜜蜂以兼采为味

❿如病忆良药，如蜂贪好蜜

寤

wù 睡醒；同“悟”；同“牾”，逆。

❶寤寐无为，涕泗滂沱

见《诗·陈风·泽陂》。

❽因性而动，接物感寤……进退取与，谓之情

寥

liáo 稀少，稀疏；空旷，静寂；指广阔的天空。

❶寥落古行宫，宫花寂寞红

见唐·元稹《行宫》。

❷寂寥乎短章，春容乎大篇／怅寥廓，问苍茫大地，谁主沉浮

❹众阜平寥廓，一岫独凌空／达士志寥廓，所在能忘机

❻观江水之寂寥，愿从流而东返

❼自古逢秋悲寂寥，我言秋日胜春朝

❾秋之为状也：……山川寂寥／意深词浅，思苦言甘。寥寥千载，此妙谁探

❿拾得断麻穿破衲，不知身在寂寥中／意深词浅，思苦言甘。寥寥千载，此妙谁探／时之不来也，为雾豹，为冥鸿，寂兮寥兮，奉身而退

寮 liáo 小屋；小窗；通“僚”，同官为寮。
❷众寮宜洁白，万役但平均

褰 qiān 抠；揭起；裤子的一种，即套裤；折叠成裥。
❶褰裳赴镬，其甘如荠
见晋・桓温《请还都洛阳疏》。
❾人以义来，我以身许，褰裳赴急，不避寒暑

寰 huán 广大的地域；通“环”；古时指距京都千里以内的地方，即王畿。
❷人寰尚有遗民在，大节难随九鼎沦
❸小小寰球，有几个苍蝇碰壁
❹不是人寰是天上
❼手持文柄，高视寰海
❾天将今夜月，一遍洗寰瀛／毫厘之差，或致弊于寰海／风雷动，旌旗奋，是人寰
❿云生日入，怪状迭发，水石卉木，杳非人寰／奋其智能，愿为辅弼，使寰区大定，海县清一

蹇 ①jiǎn 跛；迟钝；不顺利；驽马；口吃；忠诚，正直；句首语气词。②qiān 通“褰”，揭起。
❷驽蹇服御，良乐咨嗟；铅刀剖截，欧冶叹息
❹诗人多蹇
❿人生譬朝露，居世多屯蹇／未尝敢以矜气作之，惧其偃蹇而骄也／待天以困之，用人以诱之。往蹇来返。

謇 jiǎn 口吃；忠诚；正直；作语助。
❶謇谔无一言，岂得为直士
见宋・王禹偁《对雪》。

边 biān 边缘；四侧；近旁；方面；边界；边境；用在两动词前，表示这两个动作同时进行；姓。
❶边境之臣处，则疆垂不丧
见《荀子・臣道》。
❷鬓边虽有丝，不堪织寒衣／无边落木萧萧下，不尽长江滚滚来／东边日出西边雨，道是无晴却有晴／耳边要静不得静，心里欲闲终未闲
❸四面边声连角起
❹作舍道边，三年不成／鸟宿池边树，僧敲月下门／不可以边陲不耸，恬然便谓无事
❺驿外断桥边，寂寞开无主／迷路，迷路，边草无穷日暮／惆怅不如边雁影，秋风犹得向南飞
❻断肠人处，天边残照水边霞……／东边日出西边雨，道是无晴却有晴／直如弦，死道边；曲如钩，反封侯
❼成大业者不修边幅／万姓厌干戈，三边尚未和／无小而不大，无边而不中／男儿要当死于边野，以马革裹尸还葬耳
❿不在被中眠，安知被无边／沙角台高，乱帆收向天边／大丈夫处世，当为国家立功边境／君不见直如弦，古人知尔死道边／断肠人处，天边残照水边霞……／踏遍青山人未老，风景这边独好／吴僧爱觅闲吟处，偷向花边竹里来／胡笳互动，牧马悲鸣，吟啸成群，边声四起／先生不知何许人也……宅边有五柳树，因以为号焉

辽 liáo 遥远；久远；朝代名；辽宁省简称。
❺不见年年辽海上，文章何处哭秋风
❾三刀梦益州，一箭取辽城
❿百川朝海，流行不止。道虽辽远，无不到者

迂 yū 曲折；言行、见解拘泥于陈规，不合时宜；远。
❶迂人执而不化，其决裂有甚于小人时
见清・申涵光《荆园小语》。全句为：“奸人难处，迂人亦难处。奸人诈而好名，其行事有酷似君子处。～”。
迂险之言，则欲反之；循常之说，则必信之
见唐・杜牧《与人论谏书》。
❺拙制伤锦，迂政损国／奸人难处，迂人亦难处
❼老成之人，言有迂阔，而更事为多
❿痴人之前莫说梦，梦中说梦愈阔迂

达 ①dá 通；到；表达；显贵或指名气、影响大；引进；通晓；普遍；全面；夹室，度置食物的地方；姓。②tì 滑。
❶达则兼善天下
见《孟子・尽心上》。
达则视其所举
见汉・韩婴《韩诗外传》。全句为：“居则视其所亲，富则视其所与，～，穷则视其所不为，贫则视其所不取”。
达心则其言略
见《谷梁传・僖公二年》。
达人观之，生死一耳
见清・蒲松龄《聊斋志异・陆判》。全句为：“～。何必生之为乐，死之为悲”。
达人大观兮，无物不可
见汉・贾谊《鹏鸟赋》。
达人无不可，忘己爱苍生
见唐・王维《赠房卢氏琯》。
达人识元气，变愁为高歌
见《孟东野诗集・达士》。
达亦不足贵，穷亦不足悲
见唐・李白《答王十二寒夜独酌有怀》。
达士志寥廓，所在能忘机
见唐・储光羲《古意》。
达士如弦直，小人似钩曲
见唐・杜甫《写怀二首》。
达治乱之要者，遏将来之患
见晋・葛洪《抱朴子・用刑》。

达生之情者，不务生之所无以为

见《庄子·达生》。全句为："～。达命之情者，不务命之所无奈何"。

达命之情者，不务命之所无奈何

见《庄子·达生》。全句为："达生之情者，不务生之所无以为。～"

达师之教也，使弟子安焉乐焉……

见《吕氏春秋·孟夏纪·诬徒》。全句为："～，休焉游焉，肃焉严焉"。

达人苦富贵之桎梏，修士伤声名之顿撼

见明·黄宗羲《雁来红赋》。

达于道者，反于清净；究于物者，终于无为

见汉·刘安《淮南子·原道》。

达于道者，独见独闻，独为独存，父不能以授子，臣不能以授君

见汉·严遵《道德指归论·知者不言篇》。

❷辞达而已矣／穷达有命，吉凶由人／官达者，才未必当其位／耳达四聪，瑕累者期于录用

❸井不达泉，则犹不掘也／渊智达洞，累学之功也／文以达吾心，画以适吾意／人生达命岂暇愁，且饮美酒登高楼／诗无达诂，易无达占，春秋无达辞／推微达著，寻端见绪，履霜知冰，践露知暑

❹人生穷达谁能料／思虑明达而辞不争／无所不达，无所不通／军井未达，将不言渴／尺书远达兮，以解君忧／古来贤达士，宁受外物牵／由礼以达道，则自得而不眩／多读书达观古今，可以免忧／辞主乎达，不论其繁与简也／古文贵达，学达即所谓学古也／察而以达理明义，则察为福矣／穷者欲达其言，劳者须歌其事／乐，所以达天地之和而饬化万物／斯则贤达之素交，历万古而一遇／于其所达，行之终身，有不能至者矣／学有未达，强以为知，理有未安，妄以臆度／穷而思达，人之情也；卑而应高，物之理也

❺君子安贫，达人知命／贫，气不改；达，志不改／文章憎命达，魑魅喜人过／或简言以达旨，或博文以该情／辞至于能达，则文不可胜用矣／欲速则不达；见小利则大事不成／欲开壅蔽达人情，先向歌诗求讽刺／含情而能达，会景而生心，体物而得神

❻君子受言以达聪明／译事三难：信、达、雅／士穷不失义，达不离道／丈夫不叹别，达士自安卑／忠言逆耳，惟达者能受之／我岂更求荣达，日长聊以销忧／古文贵达，学达即所谓学古也／凡人皆欲自达，仆先得显处……／进不求于闻达兮，退不营于荣利／吾观自古贤达人，功成不退皆殒身／其言也约而达，微而臧，罕譬而喻

❼和也者，天下之达道也／辟四门，明四目，达四聪／以古制今者，不达于事之变／穷则独善其身，达则兼善天下／穷独善而无挠，达兼善而无矜／诗无达诂，易无达占，春秋无达辞／志不强者智不达，言不信者行不果／忠言有壅而未达，贤才有抑而未用／一线之溜，可以达石者，一与不一故也

❽贤人之业，须贤人达之／学之终身，有不能达者矣／巢林栖一枝，可为达士模／得道者，穷而不慑，达而不荣／爱恶亲疏，兴废穷达，皆可以成义／朝廷之臣，取其鉴达治体，经纶博雅／立身高一步方超达，处世退一步方安乐／学不成章，无由而达；志不归一，终难成事／文者，圣人假之以达其心……详之、略之也

❾己欲立而立人，己欲达而达人／君子任职则思利民，达上则思进贤／早成者未必有成，晚达者未必不达／贵极禄位，权倾国都，达人视此，蚁聚何殊／律者，乐之本也，而气达乎物，凡音之起者本焉／主德者，聪明平淡，总达众材，而不以事自任者也

❿尺蠖知屈伸，体道识穷达／人性虽能智，不教则不达／君子之志于道也，不成章不达／己欲立而立人，己欲达而达人／人情同于怀土兮，岂穷达而异心／道而弗牵，强而弗抑，开而弗达／孤居而愿智，不如务学之必达也／水倍源则川竭，人倍信则名不达／世事洞明皆学问，人情练达即文章／昼诵书传，夜观星宿，或不寐达旦／先唱者穷之路也，后动者达之原也／诗无达诂，易无达占，春秋无达辞／能使了然于口与手乎！是之谓辞达／喜怒哀乐发而皆中节，天下之达道／苟全性命于乱世，不求闻达于诸侯／早成者未必有成，晚达者未必不达／鉴物于肇不于成，赏士于穷不于达／可心会而不可口传，可神通而不可语达／惟心会而不可口传，可神通而不可语达／亲履艰难者知下情，备经险易者达物伪／朝无争臣则不知过，国无达士则不闻善／缘循、偃侠、困畏，不若人三者，俱通达／无教之教，洽流四海；无为之为，通达八方／学不必博，要之有用；仕不必达，要之无愧／人之所以立德者三：一曰贞，二曰达，三曰志／明于古今，温故知新，通达国体，故谓之博士／其来无迹，其往无崖，无门无房，四达之皇皇也／贤者易知也：观其富之所分，达之所进，穷之所不取／历观前代拨乱创业之主，生长民间，皆识达情伪，罕至于败亡／治世所贵乎位者三：一曰达道于天下，二曰达惠于民，三曰达德于身

迈 mài 远行；前进；超过；巡行；时光消逝；通"劢"，勤勉；提脚向前走；年老；英里的音译。

❷以迈往之气，行正大之言／超迈绝尘驱，倏忽谁能逐

❸美人迈兮音尘阙，隔千里兮共明月

❿众踥蹀而日进兮，美超远而逾迈／雄关漫道

真如铁，而今迈步从头越

过 ①guò 经过；转移；使经过；超过范围或限度；探望；去世；过失。②guō 过去；经过一段空间或时间；访；探望；姓。

❶过犹不及

见《论语·先进》。

过，则勿惮改

见《论语·学而》。

过也，人皆见之

见《论语·子张》载子贡语。全句为："君子之过也，如日月之食焉：～；更也，人皆仰之"。

过桥人似鉴中行

见宋·张先《题西溪无相院》。

过不在小，知非则悛

见唐·吴筠《玄纲论·中篇辩法教·立功改过章第二十》。

过而不悛，亡之本也

见《韩非子·难四》。

过而不改，乃谓之过

见三国·魏·王弼《周易·噬嗑》注。

过而不改，是谓过矣

见《论语·卫灵公》。

过而改之，是犹不过

见汉·刘向《说苑·君道》。

过在自用，罪在变化

见《管子·心术上》。

过曰过，不一毫讳过

见明·海瑞《治安疏》。全句为："美曰美，不一毫虚美；～"。

过耳之言，不足为凭

见现代·陈登科《风雷》下册。

过而能改者，民之上也

见《国语·鲁语上》。

过举不匿，则官无邪人

见《商君书·垦令》。

过则失中，不及则不全

见汉·班固《汉书·扬雄传》。

过不可以贰，赦不可以幸

见宋·欧阳修《前光禄寺丞王简言复旧官制》。

过生于心，则心悔之……

见宋·范浚《悔说》。全句为："～，勿复失诸言行而已矣"。

过江千尺浪，人竹万竿斜

见唐·李峤《风》。全句为："解落三秋叶，能开二月花，～"。

过则失中，不及则未至……

见宋·朱熹《四书集注·中庸》。全句为："～，故惟中庸之德为至"。

过者之患，不知而自以为知

见《吕氏春秋·似顺论·别类》。

过而不文，犯而不校，有功不伐

见隋·王通《文中子·天地篇》。

过取固害于廉，然过与亦反害其惠

见宋·朱熹《四书集注·离娄下》。全句为："～，过死亦反害其勇"。

过在改而不复为，功惟立而不中倦

见唐·吴筠《玄纲论·中篇辩法教·立功改过章第二十》。

过洞庭，上湘江，非有罪左迁者罕至

见唐·柳宗元《送李渭赴京师序》。

过屠门而大嚼，虽不得肉，贵且快意

见三国·魏·曹植《与吴季重书》。

过眼滔滔云共雾，算人间知己吾和汝

见现代·毛泽东《贺新郎》。

过之所始，必始于微；积而不已，遂至于著

见唐·孔颖达《周易·噬嗑》疏。

❷利过则为败／有过之无不及／三过其门而不入／观过，斯知仁矣／主过一言而国残名辱／宠过若惊，喜深生惧／宥过无大，刑故无小／改过不吝，从善如流／言过其实，不可大用／夸过其理，则名实两乖／有过而不诛，则恶不惧／有过而反之身，则身惧／有过必悛，有不善必惧／有过则改之，未萌则戒之／宁过于君子，而毋失于小人／时过然后学，则勤苦而难成／刑过不避大臣，赏善不遗匹夫／莫过乎所疑，而过于其所不疑／见过不更，闻谏愈甚，谓之很／有过人之识，则不以富贵为事／禄过其功者损，名过其实者蔽／不过乎所不知，而过于其所以知／"改过不吝，无咎"者，善补过也／有过则当速改，不可畏难而苟安也／用过其才则败事，享过其分则丧身／知过非难，改过为难；言善非难，行善为难／年过八十而以居位，譬犹钟鸣漏尽而夜行不休

❸无耻过作非／盗不过五女门／赏不过，刑不滥／见事过人，明也／苟有过，人必知之／人之过也，各于其党／变恒过度，以奇相御／声闻过情，君子耻之／过曰过，不一毫讳过／思虑过度，则智识乱／矫枉过正则巧伪滋生／诚有过，则虽近爱必诛／闻其过者过日消而福臻／情爱过义，子孙之灾也／雨泽过润，万物之灾也／丧不过三年，示民有终也／不贰过者，见不善之端而止之也／乐不过以听耳，而美不过以观目／乐闻过，罔不兴；拒谏，罔不乱／礼不过实，仁不溢恩，治世之道也／怒不过夺，喜不过予，是法胜私也／人之过也，在于哀死，而不在于爱生／人之过也……在于悔往，而不在于怀来／力能过人，勇能行之，而智不能断事……／梅花过时，槐色犹在，白云芳草，尽入诗兴／辩言过理，则与义相失；丽靡过美，则与情相悖

❹临财莫过乎让/小人之过也必文/不告其过,非忠也/但攻吾过,毋议人非/推美引过,德之至也/迁善改过,益莫大焉/迁善改过,莫善于益/好不废过,恶不去善/赦其旧过,开以新图/不闻其过,最患之大者/以其境过清,不可久居/务闻其过,不欲闻其善/君子见过忘罚,故能谏/今人有过,不喜人规……/名不得过实,实不得延名/君子小过,则白玉之微瑕/水清迎过客,霜叶落行舟/君子之过也,如日月之食焉/此能求过于天,必不逆谏矣/谄谗饰过之说胜,则巧佞者用/若力能过人,而勇不能行……/无咎,弗过,遇之。往厉,必戒/伯乐一过冀北之野,而马群遂空/君子思过而预防之,所以有诫也/读书以过目成诵为能,最是不济事/君子之过,犹日月之蚀也,何害于明/疾呼不过闻百步,志之所在,逾于千里/当于有过中求无过,不当于无过中求有过/苟以细过自恕而轻蹈之,则不至于大恶不止/明王有过,则反之于身,有善,则归之于民/责我以过,皆当虚心体察,不必论其人何如/见人之过,得己之过;闻人之过,得己之过/宫室富过度,上帝所亚;为者弗居,唯居必路

❺不乐闻人过失/好风将雨过横塘/橹声摇月过桥西/春风相送过江南/一言之赐,过乎玙璧/失爱不仁,过爱不义/当取不取,过后莫悔/善则赏之,过则匡之/善则称人,过则称己/鱼跃龙门,过而为龙/一闻人之过,终身不忘/闻古人之过,得己之过/闻其过者过日消而福臻/及至匠石过之而不睨……/先之则太过,后之则不及/告我以吾过者,吾之师也/暴虐之吏,过于水旱远矣/矫枉者不过其正,弗能直/自以为无过,而过乃大矣/自以为有过,而过自寡矣/身轻一鸟过,枪急万人呼/三十八年过去,弹指一挥间/不贵于无过,而贵于能改过/以智文其过,此君子之贼也/恭本为礼,过恭是非礼之礼也/其自为也过多,其为人也过少/圣人……其于过也,无微而不改/浮名浮利过于酒,醉得人心死不醒/弥天的罪过,当不住一个"悔"字/烦为教而过不识,数为令而非不从/立言无显过之咎,明镜无见玼之尤/蛱蝶飞来过墙去,却疑春色在邻家/不责人小过,不发人阴私,不念人旧恶/君子好闻过而无过,小人恶闻过而有过/当与人同过,不当与人同功,同功则相忌/明日黄花,过晚之物;岁寒松柏,有节之称/恶不可积,过不可长;积恶长过,丧乱之源

❻使功不如使过/不迁怒,不贰过/偃鼠饮河,不过满腹/人之不幸莫过于自足/勇敢而不为过物之操/闻善而慕,知过而惧/好胜人,耻闻过……/量力而动,其过鲜矣/贼是小人,智过君子/见善则迁,有过则改/有生最灵,莫过乎人/积财千万,无过读书/用人惟己,改过不吝/花木阴阴,偶过垂杨院/大智兴邦,不过集众思/持己当从无过中求有过/待人当于有过中求无过/让人不算疾,过后是便宜/君欲自知其过,必待忠臣/行莫大乎无过,事莫大乎无悔/养不教,父之过;教不严,师之惰/轻目重耳之过,此亦学者之一病也/身危由于势过,而不知去势以求安/古人教人,不过存心、养心、求放心/不责人以细过,则能吏之志得以尽其效/梁、陈间,率不过嘲风雪,弄花草而已/古之君子,其过也,如日月之食,民皆见之/今以人之小过掩大美,则天下无圣王贤相矣/知不知,上矣;过者之患,不知而自以为知/知过非难,改过为难;言善非难,行善为难/江河之溢,不过三日,飘风暴雨,须臾而毕/有声之声,不过百里:无声之声,延及四海/追计往时咎过,日夜反覆,无一食而安于口平于心/苍蝇之飞,不过十步;自托骐骥之尾,乃腾千里之路

❼言必中当世之过/光阴者百代之过客/光阴者,百代之过客/计福勿及,虑祸过之/君子耻其言而过其行/法贵止奸,不在过酷/过而不改,是谓过矣/物之不齐,由有过也/从善则有誉,改过则无咎/勿谓寸阴短,既过难再获/荷深水风阔,雨过清香发/自以为无过,而过乃大矣/自以为有过,而过自寡矣/人有非上之所过,谓之正士/待人者,当于有过中求无过/待己者,当于无过中求有过/积棘当道,行者过之而必诘/莫过乎所疑,而过于其所不疑/但终日不见己过,便绝圣贤之路/胆力绝众,材略过人,是谓骁雄/天公尚有妨农过,蚕怕雨寒苗怕火/以物与人为义,过与是非义之义也/养子不教父之过,训导不严师之惰/沉舟侧畔千帆过,病树前头万木春/理有疑误而成过,事有形似而类真/爱之则不觉其过,恶之则不知其善/怒不过夺,喜不过予,是法胜私也/病莫大于不闻过,辱莫大于不知耻/痛莫大于不闻过,辱莫大于不知耻/不足于行者,说过;不足于信者,诚言/言满天下,无口过;行满天下,无怨恶

❽不祥在于恶闻己过/久与贤人处则无过/毋以人誉而遂无过/不求有功,但求无过/人非圣贤,孰能无过/记人之善,忘人之过/却之不恭,受之太过/苦日难熬,欢时易过/过而不改,乃谓之过/过而改之,是犹不过/过曰过,不一毫讳过/进思尽忠,退思补过/敌存灭祸,敌去召过/愚而多财,则益其过/自非圣人,不能无过/自许太高,诋时太过/酌人之言,补己之过/不勤不教,将率之过也/善处身者,不能无过失/贤者能节之,不使过度/井中视星,所见不过数星/无启宠纳侮,无耻过作非/人心

胜潮水，相送过浔阳／闻善言则拜，告有过则喜／恶不失其理，欲不过其情／豪杰之士者，必有过人之节／当自益者，莫如改过而迁善／处世不必邀功，无过便是功／强辩者饰非，不知过之可改／禹抑洪水十三年，过家不入门／举善不以窅窅，拾过不以冥冥／禄过其功者损，名过其实者蔽／不过乎所不知，而过于其所以知／正义直指，举人之过，非毁疵也／事有所至，信反为过，诞反为功／凌大江之惊波兮，过洞庭之漫漫／恃壮者一病必危，过懒者久闲愈懦／过取固害于廉，然过与亦反害其惠／子路人告之以有过则喜，禹闻善则拜／兴国之君乐闻其过，荒乱之主乐闻其誉／论大功者不录小过，举大善者不疵细瑕／君子好闻过而无过，小人恶闻过而有过／朝无争臣则不知过，国无达士则不闻善／当于有过中求无过，不当于无过中求有过／驷马不驯，御者之过，百姓不治，有司之罪／见人之过，得己之过；闻人之过，得己之过／闭心自慎，终不失过兮；秉德无私，参天地兮／鹪鹩巢于深林，不过一枝；偃鼠饮河，不过满腹

❾薄于责人，而非匿其过／寸寸而度之，至丈必过／闻古人之过，得己之过／轻用其国，而不见其过／人生一世，如白驹之过隙／择才不求备，任物不过涯／宽心应是酒，遣兴莫过诗／心手不相应，不学之过也／自井中视星，所见不过数星／食方丈于前，所甘不过一肉／勿贪意外之财，勿饮过量之酒／难得易失者时也，易过难见者机也／有善则反之于身，有过则归之于民／用过其才则败事，享过其分则丧身／少壮真当努力，年一过往，何可攀援／为人君者，固不以无过为贤，而以改过为美／人生至愚是恶闻己过，人生至恶是善谈人过／务名者乐人之进趋过人，而不能出陵己之后／迷而知反，失道不远，过而能改，谓之不过／贵而犯法，义不得宥；过而知改，恩不废叙／祸之所生，必由积怨；过之所始，多因忽小

❿持己当从无过中求有过／待人当于有过中求无过／时俗人有耳不自闻其过／闻恶能改，庶得免乎大过／父母有常失，人君有常过／文章憎命达，魑魅喜人过／不贵于无过，而贵于能改过／待人者，当于有过中求无过／待己者，当于无过中求有过／贵富太盛，则必骄佚而生过／毁誉之于己，犹蚊虻之一过／上好则下必甚，矫枉故直必过／开其自新之路，诱于改过之善／古之人谋黄发番番，则无所过／受益莫如择友，子学莫如改过／小人非无小善，君子非无小过／采善不逾其美，贬恶不溢其过／贵贱之于身，犹条风之时丽过／毁道德以为仁义，圣人之过也／镜无见疵之罪，道无明过之恶／其自为也过多，其为人也过少／五帝三皇神圣事，骗了无涯过客／乐不过以听耳，而美不过以观目／偏在于多私，不祥在于恶闻己过／益。君子以见善则迁，有过则改／人之短生，犹如石火，炯然以过／国奢则视之以俭，矫枉者过其正／庐室之间，其便未必能过燕服翼／置直谏之士者，恐不得闻其过也／不厚费者不多营，不妄用者不过取／但是诗人多薄命，就中沦落不过君／劝君莫作亏心事，古往今来放过谁／草木荣华之飘风，鸟兽好音之过耳／莫道昆明池水浅，观鱼胜过富春江／爽口物多终作疾，快心事过必为殃／知周乎万物，而道济天下，故不过／贤者多财损其志，愚者多财生其过／“改过不吝，无咎”者，善补过也／政之不便于民者，未必皆上之过也／悲愁天地白日昏，路旁过者无颜色／聪明秀出谓之英，胆力过人谓之雄／自家虽有这道理，须是经历过方得／博学而日参省乎己，则知明而行无过／何者为益友？凡事肯规我之过者是也／谏、争、辅、拂之人信，则君过不远／君子之事上也，进思尽忠，退思补过／见不善而不能退，退而不能远，过也／天地以顺动，故日月不过，而四时不忒／事非当则伤于智力，务过分则毙于形神／为尊者讳耻，为贤者讳过，为亲者讳疾／民之不善，吏之罪；吏之不善，君之过／君子好闻过而无过，小人恶闻过而有过／见人有善如己有善，见人有过如己有过／思立掀天揭地的事功，须向薄冰上履过／矫枉者，欲其直也，矫之过则归于枉矣／立大功者不求小疵，有大忠者不求小过／人生天地之间，若白驹之过却，忽然而已／当于有过中求无过，不当于无过中求有过／国有贤士而不用，非士之过，有国者之耻／天地之化，盈虚消息，往过来续，流行古今／为人君者，固不以无过为贤，而以改过为美／为忠甚易，得宜实难。忧人大过，以德取怨／人生至愚是恶闻己过，人生至恶是善谈人过／人欲自照，必须明镜；主欲知过，必藉忠臣／加我数年，五十以学《易》，可以无大过矣／圣贤之所以为知者，不过思与见闻之会而已／寸而度之，至丈必差；铢而称之，至石必过／口无择言，驷不及舌；笔之过误，愆尤不灭／君子博学而日参省乎己，则知明而行无过矣／嘻笑之怒，甚于裂眦；长歌之哀，过乎恸哭／迷而知反，失道不远，过而能改，谓之不过／赏罚信明，施与有节，记人之功，忽于小过／见人之过，得己之过；闻人之过，得己之过／有祸则诎，有福则赢，有过则悔，有功则矜／火佚焚家，家不罪火；食过伤人，人不罪食／恶不可积，过不可长；积恶长过，丧乱之源／积善多者，虽有一恶，是为过失，未足以亡／诸凡万物万事之知，皆因习因悟因过因疑而然／知有己不知有人，闻人过不闻己过，此祸本也／忍所不能忍，容所不能容，惟识量过

人者能之／天下之事，急之则丧，缓之则得，而过缓则无及／不爱尺璧而爱寸阴，时过不还，若年大不可少也／圣智至孔子而极其盛，不过举条理以言之而已矣／国以民为本，民以财为命。取之过多，予者亦怨／治乱存亡，其始若秋毫，察其秋毫，则大物不过／道之不行也，我知之矣，知者过之，愚者不及也／鷦鷯巢于深林，不过一枝；偃鼠饮河，不过满腹／辩言过理，则与义相失；丽靡过美，则与情相悖／凡敢为大奸者，材必有过于众，而能自媚于上者也／骄、奢、淫、泆，所自邪也。四者之来，宠禄过也／解落三秋叶，能开二月花。过江千尺浪，入竹万竿斜／下之用力者甚勤，上之用物者有节，民无遗力，国不过费／读书少则身暇，身暇则邪间，邪间则过恶作焉，忧患及之／有缺点的战士终竟是战士，完美的苍蝇也终竟不过是苍蝇／此生不学，一可惜；此日闲过，二可惜；此身一败，三可惜／遇事多算计，较利悉锱铢，其过甚小，而积之甚大，慎之慎之／文章丽矣，言语工矣，无异草木荣华之飘风，鸟兽好音之过耳／君子知形恃神以立，神须形以存，悟生理之易失，知一过之害生

迁

qiān 迁移，迁徙；变动；调动官职。

❶迁善改过，益莫大焉

见三国·魏·王弼《周易·益》注。

迁善改过，莫善于益

见明·方孝孺《益斋记》。

迁固之史，有是非而无赏罚

见宋·苏洵《春秋论》。

❷不迁怒，不贰过／不迁怒者，求诸己

❹不以时迁者，松柏也／民俗既迁，风气亦随／情以物迁，辞以情发／情随事迁，感慨系之／见善则迁，有过则改／安土重迁，黎民之性；骨肉相附，人情所愿

❺出自幽谷，迁于乔木／风俗之变，迁染民志，关之盛衰，不可不慎／民安土重迁，不可卒变。易以顺行，难以逆动

❻事例无不变迁，风气无不移易

❼事往则迹移，岁迁则物换／吾闻“出于幽谷，迁于乔木”者／君子之所贵者，迁善惧其不及，改恶恐其有余

❽知学之人，能与闻迁／赏由物召，兴以情迁／益。君子以见善则迁，有过则改／天下不淫其性，不迁其德，有治天下者哉／宽收严试，久任超迁。此八字，用人之良法

❾四时兮代谢，万物兮迁化／自信者，不可以诽誉迁也／宥之也者，恐天下之迁其德也

❿谦恭者无诤，知善之可迁／城有时而复，陵有时而迁／深根者难拔，据固者难迁／造夕思鸡鸣，及晨愿乌迁／当自益者，莫如改过而迁善／自道所禀谓之性，性之所迁谓之情／过洞庭，上湘江，非有罪左迁者罕至／正明不为日月所眩，正观不为天道所迁／法者，所以禁民为非而使其迁善远罪也／捷捷幡幡，谋欲谮言；岂不尔受，既其女迁／浩渼东流，赴海为期。斡而迁焉，逐我颐指／教学之法，本于人性，磨揉迁革，使趋于善／政令不烦，则安其业，故不远迁徙，离其常处

迄

qì 始终；到；至；毕竟；终究。

❿旦旦而学之，久而不怠焉，迄乎成

迅

xùn 速度快。

❶迅雷不及掩耳

见唐·房玄龄《晋书·石勒载记上》。

迅川之水，束草投之则凝

见明·刘基《拟连珠》。全句为：“奔马之轮，拳石碍之而格；～”。

❼疾雷不及掩耳，迅电不及瞑目

❿秋山的翠，秋江澄空，扬帆迅征，不远千里

巡

①xún 按照一定的路线往来查看或活动；为客人斟酒一圈为一巡。②yán 通“沿”，衔接。

❽坐地日行八万里，巡天遥看一千河

进

jìn 前进；进入；纳入；恭敬地呈上；收入的钱财；房屋分成几个前后庭院的，每个庭院称为“一进”；通“尽”，竭尽。

❶进学莫如谦

见明·吴麟征《家诫要言》。

进必有所归

见《周易·序卦》。

进不失廉，退不失行

见《晏子春秋·内篇·问上》。

进退无恒，非离群也

见《周易·乾》。

进退维谷，冰炭在怀

见唐·刘禹锡《为杜司徒让度支盐铁等使表》。

进思尽忠，退思补过

见《左传·宣公十二年》。

进退无仪，则政令不行

见《管子·形势解》。

进取之士，未必能有行也

见晋·陈寿《三国志·魏书·武帝纪》。全句为：“有行之士，未必能进取；～”。

进贤而退不肖，君之明也

见汉·刘向《说苑·臣术》。

进贤受上赏，蔽贤蒙显戮

见汉·武帝刘彻《议不举孝廉者罪诏》。

进苦口之药石，针害身之膏肓

见宋·苏轼《乞校正陆贽奏议上进札子》。

进退盈缩变化，圣人之常道也

见《战国策·秦策三》。

进有忧国之心，退有死节之义

见汉·班固《汉书·盖宽饶传》。全句为："居不求安，食不求饱。～"。

进不求于闻达兮，退不营于荣利

见北魏·阳固《演赜赋》。

进人若将加诸膝，退人若将队诸渊

见《礼记·檀弓下》。

进退天下士大夫，不惟其才惟其行

见宋·苏辙《盛南仲知衡州》。

进退盈缩，与时变化，圣人之常道也

见汉·司马迁《史记·范雎蔡泽列传》。

进有退之义，存有亡之机，得有丧之理

见唐·吴兢《贞观政要·征伐》。

进言有四难：审人、审己、审事、审时

见明·吕坤《呻吟语》。全句为："～。一有未审，事必不济"。

进贤之难者，贤者用且使己废，贵且使己贱，故人难之

见《战国策·楚策三》。

❷其进锐者，其退速／以进死为荣，退生为辱／各进而身退，天之道也／善进，则不善无由入矣／欲进远路，不宜释骐骥／日进前而不御，遥闻声而相思／一进一退，一左一右，六骥不致／士进则世收其器，贤用即人献其能／新进之士喜勇锐，老成之人多持重／务进者趋前而不顾后，荣贵者矜己而不待人

❸治亦进，乱亦进／利则进，不利则退／学不进，率由因循／不善进，则善无由入矣／今之进学者，如登山……／能者进而由之，使无所德／君子进德修业，欲及时也／药虽进于医手，方多传于古人／足将进而趦趄，口将言而嗫嚅／能者进而由之，不能者退而休之／谗邪进则众贤退，群枉盛则正士消／古之进人者，或取于盗，或举于管库／人之进退，唯问其志，取必以渐，勤则得多

❹虚己者，进德之基／循序而进，与日俱新／德随量进，量由识长／不才者进，则有才之路塞／君子难进易退，小人反是／厉精乡进，不以小疵妨大材／不能长进，只为昏弱两字所苦／力能则进，否则退，量力而行／不以先进略后生，不以上官卑下吏／见可而进，知难而退，军之善政也／善善不进而恶恶不退，则忠奸未别，邪正不分／上士难进而易退也，其次易进易退也，其下易进难退也

❺忠信，所以进德也／人亦有言，进退维谷／退如山移，进如风雨／露重飞难进，风多响易沉／尽规矩而进者，全礼义者也／始与善，善进善，不善蔑由至／君子之学进于道，小人之学进于利／贤人在世，进则尽忠宣化，以明朝廷／古者士之进，有以德，有以才，有以言，有以曲艺

❻百丈竿头须进步／治亦进，乱亦进／言能听，道乃进／退一步者，常进百步／勿轻一篑少，进往必千仞／治膏肓者，必进苦口之药／用心莫如直，进道莫如勇／得意者无言，进知者亦无言／不排毁以取进，不刻人以自入／人心，排下而进上，上下囚杀／勇者不得独进，怯者不得独退／众踥蹀而日进兮，美超远而逾迈／既知退而知进兮，亦能刚而能柔／天下之事，不进则退，无一定之理／百尺竿头须进步，十方世界是全身／人之愈深，其进愈难，而其见愈奇／得意浓时休进步，须防世事多番覆／比于善者，自进之阶，比于恶者，自退之原

❼善善明，则君子进矣／在上位而不能进贤者逐／在上位而不能进贤者，逐／广直言之路，启进善之门／卑让降下者，茂进之遂路也／圣人之举事也，进退不失时／大凡以智谋而进者，有时而衰／始与不善，不善进不善，善蔑由至／身贤者，贤也；能进贤者，亦贤也／君子之事上也，进思尽忠，退思补过／道与德，可勉以进也；才不可强揠以进也／务名者乐人之进趋过人，而不能出陵己之后／贤人在野，我将进之；佞人立朝，我将斥之／虑事而当，不若进贤；进贤而当，不若知贤／辞卑而益备者，进也；辞强而进驱者，退也

❽读书务在循序渐进／不学问者，学必不进／美者，人心之所乐进也／深入未必为得，不进未必为非／见父之执，不谓之进，不敢进／不把黄金买画工，进身羞与自媒同／君子有力于民则进爵禄，不辞富贵／得丧而不形于色，进退而不失其正／公无私者，其取舍进退无择于亲疏远迩／称身居位，不为苟进；称事受禄，不为苟得／有行之士，未必能进取；进取之士，未必能有行也

❾为学患无疑，疑则有进／博询众庶，则才能者进／误用恶人，不善者竞进／取善以辅仁，则德日进／于不疑处有疑，方是进矣／远而挑战者，欲人之进也／归国宝，不若献贤而进士／譬如平地，虽覆一篑，进，吾往也／因性而动，接物感寤……进退取与，谓之情／行不如止，直不如曲，进不如退，可以安吉／日异其能，岁增其智，进如川行，浩浩而遂／有赏罚之教则邪道进，有亲疏之分则小人入／虑事而当，不若进贤；进贤而当，不若知贤／用之则行，舍之则藏，进退无主，屈申无常／疾则如电，迟则如云，进止有度，约而不烦／好贤乐善，孜孜以荐进良士、明白是非为己任／兵非益多也，惟无武进，足以并力，

料敌，取人而已

⑩常乐在空闲，心静乐精进／凡弈棋与胜己者对，则日进／诽谤之罪不诛，而后良言进／恶人不去，则善人无由进也／不使他事胜好学之心，则有进／知往日所行之非，则学日进矣／闻善不可即亲，恐引奸人进身／赏不行，则贤者不可得而进也／见世人可取者多，则德日进矣／见父之执，不谓之进，不敢进／乘隙插足，扼其主机，渐之进也／不尤人则德益弘，能克己则学益进／不如鄙性好诚实，退无所议进不谀／不敢为主而为客，不敢进寸而退尺／从古求贤贵拔茅，素门平进有英豪／君子之学进于道，小人之学进于利／君子任职则思利民，达上则思进贤／处世让一步为高，退步即进步的张本／在上不骄，在下不谄，此进退之中道也／道合则从，不合则去，儒者进退之大节／道成于学而藏于书，学进于振而废于穷／时既清兮惟贤是急，贤既进兮其政必立／未有天地之先，毕竟也只是先进谏斯易矣／为学无间断，如流水行云，日进而不已也／官寡而禄厚，则公家之费鲜，进仕之志劝／道与德，可勉以进也；才不可强揠以进也／能去能就，能柔能刚，能进能退，能弱能强／常看得自家未必是，他人未必非，便有长进／因材任人，国之大柄；考绩进秩，吏之常法／好善无厌，受谏而能诫。虽欲无进，得乎哉／辞卑而益备者，进也；辞强而进驱者，退也／繁华，系累不能夺，则俗心日退、真心日进／其名弥消，其德弥长；其身弥退，其道弥进／二好均平，无分轻重，则一俯一仰，乍进乍退／君子敬其在己者而不慕其在天者，是以日进也／源泉混混，不舍昼夜，盈科而后进，放乎四海／方于平易，皆能阔步而进，一遇峻险，则止矣／月满则潮盛，月亏则潮衰。潮汐进退，皆由于月也／有行之士，未必能进取；进取之士，未必能有行也／贤者易知也：观其富之所分，达之所进，穷之所不取／上士难进而易退也，其次易进易退也，其下易进难退也／古之所谓公无私者，其取舍进退无择于亲疏远迩，惟其宜可焉

远 ①yuǎn 空间或时间的距离长；关系不亲密；不接近；差距大；（含意）深刻。②yuàn 疏远；避开。

❶远井不救近渴

见宋·歌谣谚《俗语入陈无己诗》。

远亲不如近邻

见元·秦简夫《东堂老曲》。

远水不救近火

见《韩非子·说林上》。

远不如近，闻不如见

见汉·王充《论衡·案书篇》。

远而挑战者，欲人之进也

见《孙子兵法·行军篇》。全句为："敌近而静者，恃其险也；～"。

远山片云，隔层城而助兴

见唐·张说《南省就窦尚书山亭寻花柳宴序》。全句为："～；繁莺芳树，绕高台而共乐"。

远胜登仙去，飞鸾不假骖

见唐·韩愈《送桂州严大夫同用南字》。

远而望之，皎若太阳升朝霞

见三国·魏·曹植《洛神赋》。全句为："～；迫而察之，灼若芙蕖出渌波"。

远贤近谗，忠臣蔽塞主势移

见《荀子·成相》。

远人不服，则修文德以来之。既来之，则安之

见《论语·季氏》。

❷行远必自迩／心远地自偏／道远人则为不仁／可远观而不可亵玩焉／衔远山，吞长江……／道远知骥，世伪知贤／视远惟明，听德惟聪／舍远谋近者，逸而有终／人远则难绥，事总则难了／亡远大之略，贪万一之功／望远者，察其貌而不察其形／致远恐泥，是以君子不为也／世远莫见其面，觇文辄见其心／仁远乎哉？我欲仁，斯仁至矣／听远音者，闻其疾而不闻其舒／贵远而贱近者，常人之用情也／致远者托于骥，霸王者托于贤／行远者假于车，济江海者因于舟／宏远深切之谋，固不能合庸人之意／致远道者托于乘，欲霸王者托于贤／求远者不可失于近，治影者不可忘其容／贵远贱近，人之常情；重耳轻目，俗之恒蔽

❸同心远更亲／天道远，人道迩／取利远，远故大／长林远树，出没烟霏／人无远虑，必有近忧／地有远行，无有不至／君子远使之而观其忠／深思远虑，安不忘危／近悦远来，归如流水／避慊远疑，救不得人／尺书远达兮，以解君忧／将适远途，理归于骏足／泛问远思，则劳而无功／欲进远路，不宜释骐骥／不曾远别离，安知慕俦侣／良友远离别，各在天一方／参差远岫，断云将野鹤俱飞／诚欲远彼腥膻，而即此清净也／澄明远水生光，重迭暮山耸翠／物以远至为珍，士以稀见为贵／敌人远来新至，行列未定，可击／秦越远途也，安坐而至者，械也／鸟能远飞，远飞者，六翮之力也／天道远，人道尔，报应之效迟速难量／道不远而难极也，与人并处而难得也／明者远见于未萌，而智者避危于无形／临水远望，泣下沾衣，远道之人心思归／道不远人。人之为道而远人，不可以为道／时无远近，事无巨细，必籍多闻，以成博识／沧波远天，混和暮色，孤舟一去，曷日而旋归／见其远者大者，不食邪人之饵，方是二十分识力

❹取利远，远故大／年妙识远，理丰词约／以近论远，以小知大／前事不远，吾属之师／仁不异

远，义不辞难／任重道远，死而后已／志高虑远，祸发所忽／志务广远，多所不暇／标情务远，比音则近／明鉴未远，覆车如昨／赏不遗远，罚不阿近／态浓意远，眉颦笑浅／聪之知远，明以察微／其出弥远，其知弥少／舍近谋远者，劳而无功／君子有远虑，小人从迩／殷鉴不远，在夏后之世／发言玄远，口不臧否人物／任重道远者，不择地而息／黄鹄一远别，千里顾徘徊／负重道远者，不择地而休／处则为远志，出则为小草／广引深远，以明治乱之原／有朋自远方来，不亦乐乎／欲流之远者，必浚其泉源／舍近取远，务高言而鲜事实／日莫途远，吾故倒行而逆施之／以近知远，以一知万，以微知明／居近识远，处今知古，惟学矣乎／亲小人，远贤臣，此后汉所以倾颓也／亲贤臣，远小人，此先汉之所以兴隆也

❺敬鬼神而远之／疏不间亲，远不逾近／处江湖之远，则忧其君／马肥，然后远能可致也／言近而指远者，善言也／天高皇帝远，民少相公多／事危则志远，情迫则思深／义深则意远，意远则理辩／居高声自远，非是藉秋风／赏不遗疏远，罚不阿亲贵／登高以望远，摇桨以泳深／言近而旨远，辞浅而义深／父母在，不远游，游必有方／有意者反远，无心者自近也／倦立而思远，不如速行之必至也／小人固当远，然亦不可显为仇敌／鸿鹄固有远志，但燕雀自不知耳／鸟能远飞，远飞者，六翮之力也／人生莫作远行客，远行莫成黄沙碛／有善者虽远必升，无能者纵近必废／迩之事父，远之事君，多识于鸟兽草木之名／近而不浮，远而不尽，然后可以言韵外之致耳／登高临深，远见之乐，台榭不若丘山所见高也

❻负重者患途远／性相近，习相远／惟宽可以怀远人／彼裕我民，无远用戾／耳目不淫，虽远若近／近其小喜，而远其大忧／使人日徙善远罪而不自知／修翼尢卑栖，远趾不步局／微不可不防，远不可不虑／纵使岁寒途远，此志应难夺／实迷途其未远，觉今是而昨非／有梦常嫌去远，无书可恨来迟／胸次山高水远，笔端云起风狂／多言不可与远谋，多动不可与久处／审近所以知远也，成己所以成人也／路曼曼其修远兮，吾将上下而求索／人若志趣不远，心不在焉，虽学无成／不忍登高临远，望故乡渺邈，归思难收／忠恕违道不远。施诸己而不愿，亦勿施于人／博取之象数，远征之古今，以求尽乎理，所谓格物也

❼学愈博则思愈远／称善人，不善人远／事有是非，公无远近／仗剑去国，辞亲远游／色能置害，必须远之／揆古察今，深谋远虑／好丑必上，不在远近／桑榆之光，理无远照／食肉者鄙，未能远谋／义深则意远，意远则理辩／君门以九重，道远河无津／虽死而不朽，逾远而弥存／有罚无恕，非怀远之弘规／鞭策之所用，道远任重也／高莫高兮九阍，远莫远兮故园／君子之所取者远，则必有所待／悲歌可以当泣，远望可以当归／求取情状，离绝远去笔墨畦径间／圣人者，由近知远，而万殊为一／休辞客路三千远，须念人生七十稀／何必桑干方是远，中流以北即天涯／哀乐不同而不远，吉凶相反而相袭／道在迩而求诸远，事在易而求诸难／居不隐者思不远，身不佚者志不广／水波澜者源必远，树扶疏者根必深／老来行路先愁远，贫里辞家更觉难／足不强则迹不远，锋不铦则割不深／侮圣言，逆忠直，远耆德……时谓乱风／能近见而后能远察，能利狭而后能泽广／河以逶蛇，故能远；山以陵迟，故能高／君子务知大者、远者，小人务知小者、近者／会心处不必在远，翳然林水，便自有濠濮间想也／使亲而旧者愚，远而新者圣且贤，以是而间之，其为理本亦大矣

❽行者必先近而后远／驽牛可以负重致远／伐柯伐柯，其则不远／接赜索隐，钩深致远／掇芳刈楚，不弃幽远／布德施惠，悦近来远／德不优者，不能怀远／迷而知反，得道不远／日在井中，不能烛远／水激则悍，矢激则远／覆车之轨，其迹不远／辞欲壮丽，义归博远／言而无文，行之不远／言之无文，行而不远／言之无文，行之不远／言之不文，行之不远／其室则迩，其人甚远／不为近重施，不为远遗恩／人生天地间，忽如远行客／滟滟长江水，悠悠远客情／所见所期，不可不远且大／争目前之事，则忘远大之图／箠策繁用者，非致远之术也／治外者必调内，平远者必正近／人生莫作远行客，远行莫成黄沙碛／广厦成而茂木畅，远求存而良马絷／明月之光，可以望远而不可以细书／衣上征尘杂酒痕，远游无处不消魂／渚寒烟淡，棹移人远，缥缈行舟如叶／源不深而望流之远，根不固而求木之长／师不欲久，行不欲远，守少则固，力专则强／迷而知反，失道不远，过而能改，谓之不过／君子之道，辟如行远，必自迩；辟如登高，必自卑／天之高也，星辰之远也，苟求其故，千岁之日至，可坐而致也

❾人不敦庞则道数不远／犯其至难而图其至远／升于高以望江山之远近／马不伏枥，不可以趋远／其为也易，其传也不远／无众毛之助，则飞不远矣／务民之义，敬鬼神而远之／驱天下之人而从善远罪也／暴虐之吏，过于水旱远矣／舟大者任重，马骏者远驰／心诚求之，虽不中，不远矣／高莫高兮九阍，远莫远兮故园／善者能使敌卷甲趋远，倍道兼行／伏波惟愿裹尸还，定远何须生入关／观大者不得处近，望远者

不得居卑／士有一言中于道，不远千里而求之／游江海者托于船，致远道者托于乘／贱物而贵德，孰谓道远，将允蹈子／君子藏正气者，可以远鬼神，伏奸佞／水发于深，而为用且远……反为患矣／临水远望，泣下沾衣，远道之人心思归／志合者不以山海为远，道乖者不以咫尺为近／言发于迩，不可止于远；行存于身，不可掩于名／古之成大事者，规模远大与综理密微二者阙一不可／背法而治，此任重道远而无马牛，济大川而无舡楫也／君子之求利也略，其远害也早，其避辱也惧，其行道理也勇

❿论大材体则弘博而高远／一视而同仁，笃近而举远／任沈江刘，来乱辙而弥远／穷居而野处，升高而望远／辞约而旨丰，事近而喻远／不迩小人，则谗谀者自远矣／良马难乘，然可以任重致远／飞不以尾，尾屈，飞不能远／父母之爱子，则为之计深远／烟雾可依，腾蛇与蛟龙俱远／人之材有大小，而志有远近也／士不可以不弘毅，任重而道远／茎受露而将低，香从风而自远／大丈夫，千山万水往长远处看／器博者无近用，道长者其功远／根深而枝叶茂，行久而名誉远／所挟持者甚大，而其志甚远也／总视其体，乃知其大相去之远／躬自厚而薄责于人，则远怨矣／众踥蹀而日进兮，美超远而逾迈／苟余心其端直兮，虽僻远之何伤／君子所役心劳神，宜于大者远者／顺我意而言者，小人也，急远之／非淡薄无以明德，非宁静无以致远／非淡泊无以明志，非宁静无以致远／云厚者，雨必猛；弓劲者，箭必远／贞操与日月俱悬，孤芳随山壑共远／仓库实，知礼节；国多财，远者来／众中不敢分明语，暗掷金钱卜远人／儿孙自有儿孙福，莫为儿孙作远忧／小人寡欲则能谨身节用，远罪丰家／行发于身加于人，言发乎迩见乎远／贫交此别无他赠，唯有青山远送君／礼丰不足以效爱，而诚心可以怀远／病学者厌卑近而骛高远，卒无成焉／登高而招，臂非加长也，而见者远／其为人也多暇日者，其出人不远矣／万物之于人也，无私近也，无私远也／不出户而知天下兮，何必历远以劬劳／世之奇伟瑰怪非常之观，常在于险远／非唯近事则相感，亦有远事遥相感者／谏、争、辅、拂之人信，则君过不远／是故德之所施者博，则威之所行者远／见不善而不能退，退而不能远，过也／世未有不自下而能高，不自近而能远者／公无私者，其取舍进退无择于亲疏远迩／志高则言洁，志大则辞宏，志远则旨永／法者，所以禁民为非而使其迁善远罪也／有诸中者必形乎表，发乎迩者必著乎远／思必深，而深必怨；望必远，而远必伤／其称文小而其指极大，举类迩而见义远／道不远人。人之为道而远人，不可以为道／爱赤子者不慢于保，绝险历远者不慢于御／用天下之目观而救之，夫岂无最远之见乎／百川朝海，流行不止。道虽辽远，无不到者／甚雾之朝，可以细书而不可以远望寻常之外／中通外直，不蔓不枝，香远益清，亭亭净植／曲思于细者必忘其大，锐精于近者必略于远／良田百顷，不在一亩，但有远志，不在当归／以饱待饥，以逸击劳；师不欲久，行不欲远／俭者，君子之德，世俗以俭为鄙，非远识也／君为暗主，臣为谀臣，君暗臣谀，危亡不远／夕景欲沉，晓雾将合；孤鹤寒啸，游鸿远吟／迷涂知反，往哲是与。不远而复，先典攸高／风摇其巅，韵动崖谷，视之既静，其听始远／秋山的翠，秋江澄空，扬帆迅征，不远千里／仁以为己任，不亦重乎！死而后已，不亦远乎／苟有所见，虽布衣之贱，远守之微，亦可施用／大丈夫必有四方之志，乃仗剑去国，辞亲远游／政令不烦，则安其业，故不远迁徙，离其常处／灭其私而无其身，则四海莫不瞻，远近莫不至／必且历日旷久，丝牦犹能挈石，驽马亦能致远／非历览无以寄杼轴之怀，非高远无以开沉郁之绪／唯女子与小人为难养也；近之则不孙，远之则怨／凡乱也者，必始乎近而后及远，必始乎本而后及末／去其家观人家，去其身观人身，所观益远，所见益少／美也者，上下、内外、大小、远近皆无害焉，故曰美／君子防悔尤，贤人戒行藏，嫌疑远瓜李，言动慎毫芒／审内以知外，原小以知大，因我以然彼，明近以喻远／胶漆至粘也，而不能合远；鸿毛至轻也，而不能自举／人知出必由户，而不知行必由道。非道远人，人自远尔／使智惠之人治国之政事，必远道德，妄作威福，为国之贼／古之所谓公无私者，其取舍进退无择于亲疏远迩，惟其宜可焉／人之生也，与忧俱生，寿者惛惛，久忧不死，何苦也！其为形也亦远矣／君子之言，幽必有验乎明，远必有验乎近，大必有验乎小，微必有验乎著

违

wéi 背离；不遵循；离别；邪恶；错失；避去。

❶违强陵弱，非勇也；乘人之约，非仁也

见《左传·定公四年》。

❷事违于理则负结于意／行违于道则愧生于心／不违农时，谷不可胜食也／予违汝弼，汝无面从，退后有言／难违一官之小情，顿为万人之大弊／罔违道以干百姓之誉，罔咈百姓以从己之欲

❸行不违道，言不违仁／君子违难不适仇国，交绝不出恶声／忠恕违道不远。施诸己而不愿，亦勿施于人

❹人世多违壮士悲，干戈未定书生老

❺合不以得，违不以失／希世之宝，违时则贱／

不就利，不违害，不强交，不苟绝，惟有道者能之
❻时惟天命，无违／不行其野，不违其马／专胆无明，则违理失机／君子出处不违道而无愧／依世则废道，违俗则危殆／邪行亡乎体，违言不存口／纡臀诚可学，违己讵非迷／天作孽，犹可违；自作孽，不可逭
❼自然之道不可违／行不违道，言不违仁／明与诚终岁不违，则能终身矣／今余遭有道，而违于理，悖于事／孔氏门人……恶其违仁义而尚权诈也／诗是心声，不可违心而出，亦不能违心而出
❽君子无终食之间违仁……／乘理虽死而非亡，违义虽生而非存／行与义乖，言与法违，后虽无害，汝可以悔
❾友道君逆，则率友以违君／至言逆俗耳，真语必违众／天下之人蹈道必赏，违善必罚／尊贤考功则治，简贤违功则乱
❿禁人之所必犯，虽罚且违／衣沾不足惜，但使愿无违／行赏不遗仇雠，用戮不违亲戚／多智韬情，权在谲略，失在依违／侈言无验不必用，质言当理不必违／知者之为，故动以百姓，不违其度／智者不危众以举事，仁者不违义以要功／智者不背时而侥幸，明者不违道以干非／诗是心声，不可违心而出，亦不能违心而出／患之所在，非徒在智之不及，又在及而违之者矣

运 yùn 运动；运行；搬送；使用；命运；运气；南北的距离；也指某些事物的发展趋势。
❶运穷君子拙，家富小儿娇
见元·秦简夫《东堂老》一折。
运退黄金失色，时来顽铁生辉
见明·凌濛初《初刻拍案惊奇·转运汉遇巧洞庭红》。
运筹策帷帐之中，决胜于千里之外
见汉·司马迁《史记·高祖本纪》。
❷时运不齐，命途多舛；冯唐易老，李广难封
❸天惟运动一气，鼓万物而生，无心以恤物
❹四时更运，功成则移／概观世运，厚则治，薄则乱／精神不运则愚，气血不运则病／四时之运，功成则退，高爵厚宠，鲜不致灾
❺只因神倒运，常恐鬼胡行／酒池，足以运舟；糟丘，足以望七里
❻变化者，存乎运行也／气者，心随笔运，取象不惑／大厦既燔，而运水于沧海；此无及也
❽时来天地皆同力，运去英雄不自由
❿山岳崩颓，既履危亡之运／精神不运则愚，气血不运则病／才自清明志自高，生于末世运偏消／地纯阴凝聚于中，天浮阳运旋于外／咫尺之管，文敏者执而运之，所如皆合／智力不能接，而威德不能运者，谓之二／窈然无际，天道自会；漠然无分，天道自运／被坚执锐，义不如公；坐而运策，公不如义／以不忍人之心，行不忍人之政，治天下可运之掌上

还 ①huán 返回；把物品归还原主；偿还；报复；回报；犹言顾，顾虑；反而；犹言"若还"，如其；通"环"，环绕。②hái 依旧；更加；又；勉强；或者；用来加强反问的语气。③xuán 通"旋"，旋转；快；立刻；轻捷貌；姓。
❶还身意所欲，清净而自守
见《西升经·观诸章》。全句为："～。大圣之所行，不慕人所主"。
❷若还苟且粗疏，定不成一件事
❸解铃还要系铃人／乍暖还寒时候，最难将息／侮人还自侮，说人还自说／从风还共落，照日不俱销／纵有还家梦，犹闻出塞声／经事还谙事，阅人如阅川／打虎还得亲兄弟，上阵须教子弟兵／处世还须称晚来，逢人且莫夸畴昔／龙钟还忝二千石，愧尔东西南北人
❺养虎牧狼，还自贼伤／剪不断，理还乱，是离愁／千磨万击还坚劲，任尔东西南北风／乐莫乐于还故乡，难莫难于全大节／信宿渔人还泛泛，清秋燕子故飞飞／蜡烛有心还惜别，替人垂泪到天明
❻数风流人物，还看今朝／丑女来效颦，还家惊四邻／莫道人行早，还有早行人／岂知今夜月，还是去年愁／待到重阳日，还来就菊花／神龙失势，即还与蚯蚓同／谢杨柳多情，还有绿阴时节／名缰利锁，天还知道，和天也瘦
❼赏不逾日，罚不还面／瞒天讨价，就地还钱／人生如梦，一尊还酹江月／随风飘荡，白云还卧深谷／即以其人之道，还治其人之身／牡丹花儿虽好，还要绿叶儿扶持／伏波惟愿裹尸还，定远何须生入关
❽蝇营狗苟，驱去复还／极身毋二，尽公不还私／利旁有依刀，贪人还自贼／侮人还自侮，说人还自说／子孙日已长，世世还复然／此形，本清，不做作还真正／我命在我不在天，还丹成金亿万年／君看夏木扶疏句，还许诗家更道不
❾诗情吟未足。酒兴断还续／俱往矣，数风流人物，还看今朝／谨修而身，慎守其真，还以物与人，则无所累／凤凰，凤凰，何不高飞还故乡，无故在此取灭亡
❿由来征战地，不见有人还／云无心以出岫，鸟倦飞而知还／理国执无为之道，民复朴而还淳／眼角眉梢都似恨，热泪欲零还住／一截遗欧，一截赠美，一截还东国／天生我材必有用，千金散尽还复来／无情不似多情苦，一寸还成千万缕／偏讶思君无限极，欲罢欲忘还复忆／假作真时真亦假，无为有处有还无／清泉自爱江湖去，流出红墙便不还／强中自有强中手，用诈还

逢识诈人／春江花朝秋月夜，往往取酒还独倾／心病终须心药治，解铃还是系铃人／君不见今人交态薄，黄金用尽还疏索／风萧萧兮易水寒，壮士一去兮不复还／男儿要当死于边野，以马革裹尸还葬耳／君子之治人也，即以其人之道，还治其人之身／不爱尺璧而爱寸阴，时过不还，若年大不可少也／万物之所以为无穷者，交相胜而已矣，还相用而已矣

连 lián 互相衔接；姻亲关系；兼得；连同，引申为以至于之意；相牵引之意，引申为行路艰难貌；军队的编制单位；通“琏”；通“链”，铅矿；姓。

❶连环可解也

见《庄子·天下》。

❸行则连舆，止则接席／烽火连三月，家书抵万金／难留连，易消歇，塞北花，江南雪／镇相连似影追形，分不开如刀划水／杞梓连抱，而有数尺之朽，良工不弃／引物连类，穷情尽变；宫商相宣，金石谐和

❹俯仰留连，疑是湖中别有天／富者田连阡陌，贫者亡立锥之地

❺四面边声连角起／霪雨霏霏，连月不开／荆王未辨连城价，肠断南州抱璧人／洞庭波涌连天雪，长岛人歌动地诗／春江潮水连海平，海上明月共潮生／心事浩茫连广宇，于无声处听惊雷

❻毫厘之根，无连抱之枝

❼崇门丰室，洞户连房，飞馆生风，重楼起雾

❽均，天下之至理也，连于形物亦然／楚国青蝇何太多，连城白璧遭谗毁／君不见高山万仞连苍旻，天长地久成埃尘

❾韩亡子房奋，秦帝鲁连耻

❿在天愿作比翼鸟，在地愿为连理枝／因于情意，动而之外，与物相连，常有所悦／青未了，松耶？柏耶？独鸟来时，连峰断处，双髻人耶

近 jìn 距离短；关系密切的；指二者之间差异小；靠近；浅近。

❶近使之而观其敬

见《庄子·列御寇》。全句为：“君子远使之而观其忠，～，烦使之而观其能，卒然问焉而观其知，急与之期而观其信，告之以危而观其节，醉之以酒而观其侧，杂之以处而观其色”。“知”同“智”；“侧”，不正。亦作“则”，指仪态。

近朱者赤，近墨者黑

见晋·傅玄《太子少傅箴》。

近悦远来，归如流水

见唐·白居易《除李爽简西四川节度使制》。

近贤则聪，近愚则聩

见唐·皮日休《耳箴》。

近贤成智，近愚益惑

见《阿育王譬喻经》。

近其小喜，而远其大忧

见《国语·吴语》。

近水楼台先得月，向阳花木易为春

见宋·苏麟《残句》。

近河之地湿，近山之土燥，以类相及也

见汉·陆贾《新语·无为》。

近而不浮，远而不尽，然后可以言韵外之致耳

见唐·司空图《与李生论诗书》。

❷赌近盗，淫近杀／以近论远，以小知大／舍近谋远者，劳而无功／敌近而静者，恃其险也／言近而指远者，善言也／言近而旨远，辞浅而义深／舍近取远，务高言而鲜事实／以近知远，以一知万，以微知明／居近识远，处今知古，惟学矣乎／审近所以知远也，成己所以成人也／能近见而后能远察，能利狭而后能泽广／若近正人，闻正事，虽欲为恶，固已不忍／若近细人，不闻教谕，纵欲行善，犹未知所适

❸知耻近乎勇／至公近乎无为／性相近，习相远／甘井近竭，招木近伐／有意近名，则是伪也／民可近也，而不可上也／不为近重施，不为远遗恩／好问近乎智，知耻近乎勇／远贤近谗，忠臣蔽塞主势移／文之近古而尤壮丽，莫若汉之西京／非唯近事则相感，亦有远事遥相感者／好学近乎知，力行近乎仁，知耻近乎勇

❹远不如近，闻不如见／舍远谋近者，逸而有终／车轻道近，则鞭策不用／欲赤须近朱，欲黑须近墨／为善无近名，为恶无近刑，缘督以为经／时无远近，事无巨细，必籍多闻，以成博识／贵远贱近，人之常情；重耳轻目，俗之恒蔽

❺远井不救近渴／远亲不如近邻／远水不救近火／不可一日近小人／夕阳虽好近黄昏／满城风雨近重阳／赌近盗，淫近杀／行者必先近而后远／刚、毅、木、讷近仁／宠邪信惑，近佞好谀／近朱者赤，近墨者黑／近贤则聪，近愚则聩／近贤成智，近愚益惑／不待清明近，莺花已自忙／登楼知日近，傍海见潮生／器博者无近用，道长者其功远／日计之无近功，岁计之有大利／贵远而贱近者，常人之用情也／立小异以近名，托虚名以邀利／圣人者，由近知远，而万殊为一／厚性宽中近于仁，犯而不校邻于恕

❻布德施惠，悦近来远／诚有过，则虽近爱必诛／务持重，不急近功小利／病学者厌卑近而骛高远，卒无成焉／聪明深察而近于死者，好议人者也／近河之地湿，近山之土燥，以类相及也

❼甘井近竭，招木近伐／人无远虑，必有近忧／人之善恶，诚由近习／阿谀有福，深言近祸／有德之人，常宜近之／一视而同仁，笃近而举远／位疑则隙生，累近则丧大／偷安者后危，虑近者忧迩／辞约而旨丰，事近而喻远／若高下相去

差近，犹可与语／伤则感遥而悼近，怨则恋始而悲终／观大者不得处近，望远者不得居卑／博学笃志，切问近思，此八字是收放心的功夫

❽事有是非，公无远近／好丑必上，不在远近／标情务远，比音则近／赏不遗远，罚不阿近／疏不间亲，远不逾近／耳目不淫，虽远若近／士卒不尽饮，广不近水／喜而溢美，犹不失近厚／强恕而行，求仁莫近焉／夕阳无限好，只是近黄昏／好问近乎智，知耻近乎勇／无力买田聊种水，近来湖面亦收租／求远者不可失于近，治影者不可忘其容／好学近乎知，力行近乎仁，知耻近乎勇／凡乱也者，必始乎近而后及远，必始乎本而后及末

❾目在足下，不可以视近／博学而笃志，切问而近思／学者须是务实，不要近名／欲赤须近朱，欲黑须近墨／万物之于人也，无私近也，无私远也／为善无近名，为恶无近刑，缘督以为经／大臣重禄而不极谏，近臣畏罚而不敢言／闻《秦中吟》，则权豪贵近者相目而变色矣

❿升于高以望江山之远近／罚不讳强大，赏不私亲近／有意者反远，无心者自近也／人之材有大小，而志有远近也／治外者必调内，平远者必正近／天街小雨润如酥，草色遥看近却无／圣贤千言万语，教人且从近处做去／威赫赫爵禄高登，昏惨惨黄泉路近／有善者虽远必升，无能者纵近必废／正得失，动天地，感鬼神，莫近于诗／世未有不自下而能高，不自近而能远者／饱食、暖衣，逸居而无教，则近于禽兽／好学近乎知，力行近乎仁，知耻近乎勇／曲思于细者必忘其大，锐精于近者必略于远／体道履仁，外和内敏，清而容物，善不近名／作诗切忌议论，此最易近腐，近絮，近学究／志合者不以山海为远，道乖者不以咫尺为近／藏金于山，沉珠于渊；不利货财，不近富贵／君子务知大者、远者，小人务知小者、近者／权衡既悬，锱铢靡遁，厉弩习骥，终臭之近／物有本末，事有终始。知所先后，则近道矣／赴之若惊，用之若狂；当之者破，近之者亡／灭其私而无其身，则四海莫不瞻，远近莫不至／唯女子与小人为难养也；近之则不孙，远之则怨／日思高其位，大其禄，而贪取滋甚，以近于危坠／毁人者失其直，誉人者失其实，近于乡原之人哉／君子居必择乡，游必就士，所以防邪僻而近中正也／美也者，上下、内外、大小、远近皆无害焉，故曰美／审内以知外，原小以知大，因我以然彼，明近以喻远／君子之言，幽必有验乎明，远必有验乎近，大必有验乎小，微必有验乎著

返 fǎn 归，回来；更换；亦作“反”。

❸鸟飞返故乡兮，狐死必首丘

❹流而不返者，水也／流荡不返，使人有淫丽之心，此文病也

❽乘兴而行，兴尽而返／大而无当，往而不返／久在樊笼里，复得返自然

❿观江水之寂寥，愿从流而东返／大夫以君命出，闻丧徐行而不返／待天以困之，用人以诱之。往蹇来返。／法立，有犯而必施；令出，惟行而不返／人能修炼，俗变淳和，则返朴之风，可臻太古矣

迎 ①yíng 走向对方；向着，对着；逢迎；迎合。②yìng 迎娶。

❶迎春故早发，独自不疑寒

见南朝·陈·谢燮《早梅诗》。全句为：“～。畏落众花后，无人别意看”。

❷拜迎官长心欲碎，鞭挞黎庶令人悲

❸水清迎过客，霜叶落行舟／飞霜迎地，兰萧衔共尽之悲／玄龙，迎夏则陵云而奋鳞，乐时也／善气迎人，亲如兄弟；恶气迎人，害于兵戈

❹青葵善迎于白日，宇暖斯迷

❺逆阪走丸，迎风纵棹

❻刿目鉥心，刃迎缕解／待月西厢下，迎风户半开／天之道也，如迎浮云，若视深渊

❽水来土掩，将至兵迎／风雨送春归，飞雪迎春到／君臣遇合，天下事迎刃而解

❿酒力醒，茶烟歇，送夕阳，迎素月／譬如破竹，数节之后，皆迎刃而解／至人之用心若镜，不将不迎，应而不藏／十旬休暇，胜友如云；千里逢迎，高朋满座／善气迎人，亲如兄弟；恶气迎人，害于兵戈／今兵威已振，譬如破竹，数节之后，皆迎刃而解

这 zhè 指示代词，指比较近的人或事物；这时候；作语助，无义。

❷在这可诅咒的地方击退了可诅咒的时代

❺自家虽有这道理，须是经历过方得

❿踏遍青山人未老，风景这边独好

迟 ①chí 迟到；缓慢；晚；迟钝。②zhì 等待；通“值”，等到；犹“乃”。

❶迟疑不断，未有能成事者也

见唐·韩愈《论淮西事宜状》。

❷有迟有速，民必胜之／有迟有速，而民必胜之

❸春日迟迟，秋风飒飒。情往似赠，兴来如答

❹盱豫，悔。迟，有悔／少年作迟暮经营，异日决无成就／春日迟迟，秋风飒飒。情往似赠，兴来如答

❺以德者愈迟而终显／趋时务则迟缓而不及／不恨归来迟，莫向临邛去／畴昔叹时迟，晚节悲年促／丑声，贯盈。迟和早除奸佞／疾则如电，迟则如云，进止有度，约而不烦

❼船到江心补漏迟

❽兵尚拙速，不贵工迟／衡门之下，可以栖迟／

应变要机警，怕是迟／亡羊而补牢，未为迟也
❾舟凝滞于水滨，车逶迟于山侧／今以众地者，公作则迟，有所匿其力也；分地则速，无所匿迟也
❿春早见花枝，朝朝恨发迟／创巨者其日久，痛甚者其愈迟／善教者以不倦之意须迟久之功／水下流，不争先，故疾而不迟／有梦常嫌去远，无书可恨来迟／善恶到头终有报，只争来早与来迟／染习轻者其悟速，染习重者其悟迟／天道远，人道尔，报应之效迟速难量／河以逶蛇，故能远；山以陵迟，故能高／是邪，非邪？立而望之，偏何姗姗其来迟／圣人之于事，似缓而急，似迟而速，以待时／见兔而顾犬，未为晚也；亡羊而补牢，未为迟也／自古至于今，与民为仇者，有迟有速，而民必胜之／今以众地者，公作则迟，有所匿其力也；分地则速，无所匿迟也

述

shù 叙说；遵循；通“鹬”，古时一种冠饰。

❶述而不作，信而好古，窃比于我老彭

见《论语·述而》。

❷祖述尧舜，宪章文武／著述讲论之功多，而实学实教之力少
❹仲尼祖述尧舜，宪章文武
❺有学问著述，谓之福
❻无年非夭，无述乃为夭
❼文约而事丰，此述作之尤美者也
❾孝者，善继人之志，善述人之事者也
❿非虑无以临下，非言无以述虑／文有二道：辞令褒贬，本乎著述者也／学不为人，博而不俗；言不为华，述而不作／乐之道深矣，故工之善者，必得于心应于手，而不可述之言也

迪

dí 道理；开导；继承；进用；依照，实行；作语助，无义。

❷惠迪吉，从逆凶，惟影响
❼功多有厚赏，不迪有显戮

迥

jiǒng 遥远；差距大。

❹天高地迥，觉宇宙之无穷
❺恒无之初，迥同大虚。虚同为一，恒一而止
❿他乡怨而白露寒，故人去而青山迥

迭

①dié 更换；屡次；及。②yì 通“轶”，侵犯。

❸春秋迭代，必有去故之悲
❻日居月诸，胡迭而微
❼云生日入，怪状迭发，水石卉木，杳非人寰
❽但悲时易失，四序迭相侵／澄明远水生光，重迭暮山耸翠／词客争新角短长，迭开风气递登场
❿峻极巍峨势望雄，层峦迭嶂翠重重

迤

①yǐ 斜行，引申为斜倚；延伸，往。②yí[逶迤]斜行，曲折前进；（道路、河流等）弯弯曲曲连绵不绝的样子。③tuō[迤逗]挑逗，勾引。

❿鼎铛玉石，金块珠砾，弃掷逦迤

迫

pò 强迫；急促，急切；催促；接近。

❶迫而察之，灼若芙蕖出渌波

见三国·魏·曹植《洛神赋》。全句为：“远而望之，皎若太阳升朝霞；～”。

❷怵迫之徒兮，或趋东西／虽迫桑榆之景，犹倾葵藿之心／人迫于恶，则失其所好；怵于好，则忘其所恶，非道也
❹穷寇勿迫
❺感而后应，迫而后动，不得已而后起
❼不乘人于利，不迫人于险／事危则志远，情迫则思深／乏则思滥，滥则迫利而轻禁／无形，则不可制迫也，不可度量也，不可巧诈也，不可规虑也
❽蒲柳既秋，桑榆渐迫／君子不怵乎好，不迫乎恶，恬愉无为，去智与故
❾安宁勿懈堕，有事不迫遽
❿多少事，从来急；天地转，光阴迫

迩

ěr 近。

❶迩之事父，远之事君，多识于鸟兽草木之名

见《论语·阳货》。全句为：“诗可以兴，可以观，可以群，可以怨。～”。

❷不迩小人，则谗谀者自远矣
❸道在迩而求诸远，事在易而求诸难／道虽迩，不行不至；事虽小，不为不成
❹其室则迩，其人甚远／言发于迩，不可止于远；行存于身，不可掩于名
❺行远必自迩
❻天道远，人道迩
❽积微成大，陟遐自迩
❾君子有远虑，小人从迩／明王之任人，谄谀不迩乎左右／火之燎于原，不可向迩，其犹可扑灭
❿升高必自下，陟遐必自迩／偷安者后危，虑近者忧迩／若升高，必自下；若陟遐，必自迩／行发于身加于人，言发乎迩见乎远／聪明则视听不惑，公正则不迩谗邪／公无私者，其取舍进退无择于亲疏远迩／若火之燎于原，不可向迩，其犹可扑灭／有诸中者必形乎表，发乎迩者必著乎远／其称文小而其指极大，举类迩而见义远／君子之道，辟如行远，必自迩；辟如登高，必自卑／恐沈于众，若火之燎于原，不可向迩，其犹可扑灭／古之所谓公无私者，其取舍进退无择于亲疏远迩，惟其宜可焉／舜其大知也与！舜好问而好察迩言，隐恶而扬善，执其两端，用其

中于民

迴 huí 曲折环绕；运转；旋转。

❿下笔则烟飞云动，落纸则鸾迴凤惊

选 ①xuǎn 挑拣；以表决形式推举；被挑中或被推举的人或物；选集成册的作品；齐整；通“须”，等待；通“巽”，柔弱，惧怯。②suàn 通“算”；犹言“万”。

❶选士用能，不拘长幼

见晋·陈寿《三国志·蜀书·秦宓传》。

选贤与能，讲信修睦

见《礼记·礼运》。

选贤之义，无私为本

见唐·李世民《答房玄龄请解仆射诏》。

选之艰则材者出，赏之当则能者劝

见宋·欧阳修《国子博士陈淑等磨勘改官制》。

选则不遍，教则不至，道则无遗者矣

见《庄子·天下》。

❷简选精良，兵械铦利……

❸古之选贤，傅纳以言，明试以功

❺属笔易巧，选和至难／君功见于选将，将功见于理兵／君功见于选吏，吏功见于治民／按贤察名，选才考能，名实俱得之也／刺史宜精选谨择以委任之，固不可拘限官次，得之货贿，出之权门者也

❻饮酒以乐，不选其具矣

❼欲治兵者，必先选将

❽采玉者破石拔玉，选士者弃恶取善

❾大臣则必取众人之选，能犯颜谏事公正无私者

适 shì 符合；恰好；舒服；去到；刚才；通“啻”，仅仅；不过；如果；假如；女子出嫁。

❶适百里者宿舂粮

见《庄子·逍遥游》。

适于用之谓才，堪其事之谓力

见唐·韩愈《释言》。

适知邪径之速，不虑失道之迷

见南朝·宋·刘义庆《世说新语·言语》。

适于己而无功于国者，不施赏焉

见汉·刘安《淮南子·缪称》。全句为：“明主之赏罚，非以为己也，以为国也。～；逆于己便于国者，不加罚焉”。

适来，夫子时也；适去，夫子顺也

见《庄子·齐物论》。

❷事适于时者其功大／将适远途，理归于骏足

❸军无适主，一举可灭／直意适情，则贤强贼之／夸愚适增累，矜智道逾昏／少无适俗韵，性本爱丘山

❹凡事惟适中者可久／事亲以适，不论所以矣／生材贵适用，慎勿多苛求／谓之闲适诗，独善之义也／顺性命，适情意，牵于殊类……／图人者适以自图，灭人者适以自灭／形骸既适则神不烦，观听无邪则道以明

❺圣人必先适欲／物竞天择，适者生存／动得分曰适，言得分曰信／屠羊于肆，适味于众口也／鸱目有所适，鹤胫有所节／法者，所以适变也，不必尽同／举一善必适其材，惩一恶必当其咎／特立独行，适于义而已，不顾人之是非／事或为之适足以败之，或备之适足以致之／人生贵得适意尔，何能羁宦数千里以要名爵／或誉人而适足以败之，或毁人而乃反以成之／道者，所由适于治之路也，仁义礼乐皆其具也

❻物诱气随，外适内和／慧出本性，非适今有／起居无时，惟适之安／爱之不以道，适所以害之也／君子违难不适仇国，交绝不出恶声／爱人不以理，适是害人；恶人不以理，适是害己

❼一国三公，吾谁适从／事因于世，而备适于事／事或欲以利之，适足以害之／适来，夫子时也；适去，夫子顺也／士之特立独行，适于义而已，不顾人之是非

❽校短量长，惟器是适／文以达吾心，画以适吾意／不择善否，两容颊适，偷拔其所欲，谓之险／原心反性则贵矣，适情知足则富矣，明死生之分则寿矣

❾民情可与习常，难与适变／天下之乐无穷，而以适意为悦／仪必应乎高下，衣必适乎寒暑／大川不能促其涯，以适速济之情／牧民之道，除其所疾，适其所安／起居时，饮食节，寒暑适，则身利而寿命益

❿圣人不能为时，而能以事适时／得咼氏之璧，不若得事之所适／义者，比于人心而合于众适者也／南方无穷而有穷，今日适越而昔来／图人者适以自图，灭人者适以自灭／忧勤是美德，太苦则无以适性怡情／弘爱人屈己之道，酌因时适变之宜／君子富，好行其德；小人富，以适其力／未成乎心而有是非，是今日适越而昔至也／事或为之适足以败之，或备之适足以致之／山空月明，仰视星斗皆光大，如适在人上／反裘负薪，里尽毛殚，刖趾适屦，刻肌伤骨／养而害所养，譬犹削足而适履，杀头而便冠／爱子不教，犹饥而食之以毒，适所以害之也／用无常道，事无轨度，动静屈伸，唯变所适／自伯之东，首如飞蓬；岂无膏沐，谁适为容／繁略殊形，隐显异术，抑引随时，变通会适／原天命，治心术，理好恶，适情性，而治道毕／若近细人，不闻教谕，纵欲行善，犹未知所适／爱人不以理，适是害人；恶人不以理，适是害己／起居不时，饮食不节，寒暑不适，则形体累而寿命损／凡用人之

道，采之欲博，辨之欲精，使之欲适，任之欲专

追 ①zhuī 追赶；努力争取达到；特指追求异性；查究（根由、责任等）；回溯过去；补做过去的事；饯送。②duī 雕琢；古代乐钟上用以悬挂的钮眼。

❶追思玄事，睿也

见三国·魏·刘劭《人物志·八观》。

追亡者趋，拯溺者濡

见汉·桓宽《盐铁论·论儒》。

追风逐电之足，决不在于牝牡骊黄之间

见明·李贽《杂说》。全句为："～；声应气求之夫，决不在于寻行数墨之士；风行水上之文，决不在于一字一句之奇"。

追计往时咎过，日夜反覆，无一食而安于口平于心

见唐·柳宗元《送从弟谋归江陵序》。

❹寻芳者追深径之兰，识韵者探穷山之竹／释正而追曲，倍是而从众，是与俗俪走，而内行无绳

❺绝笔之言，追滕前句之旨／作诗火急追亡逋，清景一失后难摹／宜将剩勇追穷寇，不可沽名学霸王

❻镇相连似影追形，分不开如刀划水

❼风驰电逝，蹑景追飞／昨日之日不可追，今日之日须臾期／从时者，犹救火、追亡人也，蹶而趋之，唯恐弗及

❽一言既出，驷马难追／一声而非，驷马勿追；一言而急，驷马不及

❾一言而非，四马不能追／出言不当，驷马不能追也

❿往者不可谏，来者犹可追／来世不可待，往世不可追也／悟已往之不谏，知来者之可追／逃名而名我随，避名而名我追／情必极貌以写物，辞必穷力而追新

逃 táo 躲避；躲开；逃跑；脱离。

❶逃名而名我随，避名而名我追

见南朝·宋·范晔《后汉书·逸民传》。全句为："名可得闻，身难得而见，～"。

❹勇者不逃死，智者不重困

❺灵台无计逃神矢，风雨如磐暗故园

❻顾小失大，福逃墙外

❽人心未泯，公论难逃／随你官清似水，难逃吏滑如油

❾饭山逢彪必吐哺而逃

❿无为不能遁福，有为不能逃患／时乎时乎，去不可邀，来不可逃／忠不暴君，智不重恶，勇不逃死／屋漏者，民去之；水浅者，鱼逃之／我愿君王心，化作光明烛，不照绮罗筵，只照逃亡屋

迹 jì 印子；前人遗存的事物；追求踪迹；据实迹考知。

❶迹，履之所出，而迹岂履哉

见《庄子·天运》。

❷寝迹衡门下，邈与世相绝

❸事由迹彰，功待事立／欲灭迹而走雪中，拯溺者而欲无濡

❹论必据迹／疑似之迹，不可不察／真草书迹，微须留意／成败之迹，昭哉可观／事往则迹移，岁迁则物换／韵者，随迹立形，备遗不俗／君王旧迹今人赏，转见千秋万古情／听其言，迹其行，察其所能而慎予官／词意书迹，无不宛然；唯是魂神，不知去处／其来无迹，其往无崖，无门无房，四达之皇皇也

❺出处虽殊迹，明月两知心／房栊无行迹，庭草萋以绿／足不强则迹不远，锋不铦则割不深

❻扫尽市朝陈迹／覆车之轨，其迹不远／羚羊挂角，无迹可求／按其已然之迹而诋之也易／功成事立，名迹称遂，不退身避位……

❼迹，履之所出，而迹岂履哉／冠衣不能移人迹，顾所履何如耳／为之者，不为之迹也；不为者，为之途也／袭古人语言之迹，而冒以为古，是处严冬而袭夏之葛者也

❽民无隐情，治有异迹／行有素履，事有成迹／以朴厚而知者，无迹而固

❾如水月镜花，勿泥其迹

❿不知处阴以休影，处静以息迹，愚亦甚矣／苟得其人，不患贫贱；苟得其材，不嫌名迹／富于材积，领会神情，临景结构，不仿形迹／金舟不能凌阳侯之波，玉马不任骋千里之迹／搜寻仞之垄，求干天之木；漉牛迹之中，索吞舟之鳞

送 sòng 送行；运送；把东西给人；追逐；丧失。

❶送君千里，终须一别

见明·施耐庵《水浒传》第二十三回。

❷目送归鸿，手挥五弦／又送王孙去，萋萋满别情／断送一生惟有酒，寻思百计不如闲／目送征鸿飞杳杳，思随流水去茫茫

❸风雨送春归，飞雪迎春到

❹春风相送过江南／君子相送以言，小人相送以财

❺长风万里送归舟／拂水飘绵送行色／井梧飞叶送秋声，篱菊缄香待晚晴

❻好风凭借力，送我上青云

❼人心胜潮水，相送过浔阳／手挥五弦易，目送归鸿难／叹长河之流速，送驰波于东海／酒力醒，茶烟歇，送夕阳，迎素月

❽仍怜故乡水，万里送行舟／物轻人意重，千里送鹅毛／世情薄，人情恶，雨送黄昏花易落

❾标心于万古之上，而送怀于千载之下／春草

碧色，春水渌波，送君南浦，伤如之何

⑩君子相送以言，小人相送以财／徐行不记山深浅，一路莺啼送到家／贫交此别无他赠，唯有青山远送君／爆竹声中一岁除，春风送暖入屠苏

迷 mí 不能做出判断；入迷；极其喜爱某事物的人；昏乱；媚惑。

❶迷而知反，得道不远

见北齐·魏收《魏书·高谦之传》。

迷路，迷路，边草无穷日暮

见唐·韦应物《调笑令》。

迷者不问路，溺者不问遂，亡人好独

见《荀子·大略》。

迷而知反，失道不远，过而能改，谓之不过

见晋·陈寿《三国志·魏书·王朗传》。全句为："屋漏在上，知之在下。然～"。

迷阳迷阳，无伤我行；却曲却曲，无伤吾足

见《庄子·人间世》。

迷涂知反，往哲是与。不远而复，先典攸高

见南朝·梁·丘迟《与陈伯之书》。

❷实迷途其未远，觉今是而昨非／无迷其途，无绝其源，终吾身而已矣

❸从极迷处识迷，则到处醒／所思迷所在，长望独长叹／迷路，迷路，边草无穷日暮／播糠迷目，则天地四方易位矣／迷阳迷阳，无伤我行；却曲却曲，无伤吾足

❹当局称迷，旁观必审／使人大迷惑者，必物之相似也

❺莫三人而迷／智逾多而迷益深／毋为财货迷，毋为妻子蛊／失于声，缪迷其四体，谓己当然，自诬也

❻导师失路，则迷途者众／从极迷处识迷，则到处醒／潘陆颜谢，蹈迷津而不归／苟余行之不迷，虽颠沛其何伤

❼芳草无情人自迷

❽身失道，则无以知迷惑／星河尽涵泳，俯仰迷上下／折狱而非也，暗理迷众，与教相妨

❾雄兔脚扑朔，雌兔眼迷离

⑩勿言年齿暮，寻途尚不迷／好道者多资，好乐者多迷／纡辔诚可学，违己讵非迷／日入牛渚晦，苍然夕烟迷／青葵善迎于白日，宇暖斯迷／弃忠贞之正路，蹈奸宄之迷途／适知邪径之速，不虑失道之迷／舟循川则游速，人顺路则不迷／劝君休饮无情水，醉后教人心意迷／世之人不知至理之所在也，迷而妄行／善人为妖，是非反复，天下大迷而不复也／处若忘，行若遗，俨乎其若思，茫乎其若迷

逆 nì 反方向，与"顺"相对；不驯服，不听话；背叛；事先；迎接；接受；预先猜度；倒；反；叛乱；指民间上书。

❶逆阪走丸，迎风纵棹

见南朝·宋·范晔《后汉书·皇甫嵩传》。

逆顺死生，物自为名

见战国·佚书《经法·道法》。

逆于己便于国者，不加罚焉

见汉·刘安《淮南子·缪称》。全句为："明主之赏罚，非以为己也，以为国也。适于己而无功于国者，不施赏焉；～"。

逆吾者是吾师，顺吾者是吾贼

见唐·李世民《戒皇属》。

逆胡未灭心未平，孤剑床头铿有声

见宋·陆游《三月十七日夜醉中作》。

逆耳之言，裨治也不可于人，可恨也

见明·吕坤《呻吟语》。全句为："顺心之言易入也，有害于治。～。惟圣君以逆耳者顺于心，故天下治"。

逆则生，顺则夭矣；逆者圣，顺则狂矣

见清·魏源《默觚下·治篇二》。

逆取而以顺守之，文武并用，长久之术

见汉·司马迁《史记·郦生陆贾列传》。

逆顺同道而异理，审知逆顺，是谓道纪

见战国·佚书《经法·四度》。

❷不逆命，何羡寿？不矜贵，何羡名／论逆顺不论成败，论万世不论一生／不逆诈，不亿不信，抑亦先觉者，是贤乎／处逆境心须用开拓法，处顺境心要用收敛法／居逆境中，周身皆针砭药石，砥节砺行而不觉

❸燕朋逆其师／不在逆顺，以义为断／忠言逆耳，甘词易入／无藏逆于得，无以巧胜人／至言逆俗耳，真语必违众／有言逆于汝心，必求诸道／忠言逆耳，惟达者能受之／忠言逆耳利于行，毒药苦口利于病／人遇逆境，无可奈何，而安之若命，乃是见识超卓

❹顺则吉，逆则凶／人生如逆旅，我亦是行人／友道君逆，则率友以违君／君道友逆，则顺君以诛友／不到极逆之境，不知平安之日／侮圣言，逆忠直，远耆德……时谓乱风／鄙朴忤逆者未必悖，承顺惬可者未必忠

❺顺天者逸，逆天者劳／顺天者存，逆天者亡／顺我者生，逆我者死／顺人者昌，逆人者亡／顺德者昌，逆德者亡／启行之辞，逆萌中篇之意／惠迪吉，从逆凶，惟影响／顺之者昌，逆之者不死则亡／甘忠言之逆耳，得百姓之欢心／拂耳，故小逆在心而久福在国／唯忠臣能逆意，惟圣君能从利／杖顺以翦逆……无其时而著业／痴人妄认逆境，平地自生铁围／惟圣君以逆耳者顺于心，故天下治／道者……为事逆之则败，顺之则成／日月五星逆天而行，并包乎地者也／避天下之逆，从天下之顺，天下不足取／顺之则喜，逆之则怒，此有血气者之性也

❻相视而笑，莫逆于心
❼天地者，万物之逆旅／饱食伤心，忠言逆耳／枕戈待旦，志枭逆虏／决狐疑者，必告逆耳之言／圣人之处世，不逆有伎能之士／顺于己者爱之，逆于己者恶之
❽上枉下曲，上乱下逆／时不可留，众不可逆／不立异以为高，不逆情以干誉／知生而不知杀者，逆天之道也／采择狂夫之言，不逆负薪之议／大事难事看担当，逆境顺境看襟度／顺指者爱所由来，逆意者恶所从至／欲长生久视，而日逆其生，欲之何益／逆则生，顺则夭矣；逆者圣，顺则狂矣
❾此能求过于天，必不逆谏矣／贤不肖，善邪辟，可悖逆，国不乱身不危奚待也
❿法立而不犯，令行而不逆／日莫途远，吾故倒行而逆施之／贱妨贵，少陵长……所谓六逆也／良药苦口利于病，忠言逆耳利于行／举刺不避乎权势，犯颜不畏乎逆鳞／谀言顺意而易悦，直言逆耳而触怒／君正臣从谓之顺，君僻臣从谓之逆／轻士民之死力者，不能禁暴国之邪逆／悬言辞浅而不入，深言则逆耳而失指／良药苦口而利于病，忠言逆耳而便于行／良药苦口而利于病，忠言逆耳而利于行／逆顺同道而异理，审知逆顺，是谓道纪／天有六极五常，帝王顺之则治，逆之则凶／药酒苦于口而利于病，忠言逆于耳而利于行／善鄙不同，诽誉在俗；趋舍不同，逆顺在君／政之所兴，在顺民心；政之所废，在逆民心／有顺君意而害天下者，有逆君意而利天下者／民安土重迁，不可卒变。易以顺行，难以逆动／法者，国仰以安也；顺则治，逆则乱，甚乱者灭／祸世之匠，乱国之工，绝逆天地，伤害我身，莫大乎名

退

tuì 向后移动；使后退；下降；退还；离开；撤销；迟缓；畏缩；和柔貌；返；归。

❶退一步者，常进百步

见宋·刘清之《戒子通录》。全句为："不与人争者，常得利多；～"。

退如山移，进如风雨

见《吴子·应变》。

❷进退无恒，非离群也／进退维谷，冰炭在怀／进退无仪，则政令不行／进退盈缩变化，圣人之常道也／运退黄金失色，时来顽铁生辉／进退天下士大夫，不惟其才惟其行／战退玉龙三百万，败鳞残甲满天飞／进退盈缩，与时变化，圣人之常道也
❸主人退后立，敛手反如宾／既知退而知进兮，亦能刚而能柔／进有退之义，存有亡之机，得有丧之理／但当退小人之伪朋，用君子之真朋，则天下治矣
❹功成身退是男儿／功成身退，天之道／进贤而退不肖，君之明也／不能者退而休之，亦莫敢愠／一进一退，一左一右，六骥不致／不谓之退，不敢退；不问，不敢对／人之进退，唯问其志，取必以渐，勤则得多
❺汝无面从，退有后言／进不失廉，退不失行／进思尽忠，退思补过／各进而身退，天之道也／功成身不退，自古多愆尤／行不逮则退，不以诬持禄／贤人在世……退则称论贬说，以觉失俗
❻功成名遂身退／举人须举好退者／急流中能勇退耳／其进锐者，其退速／人亦有言，进退维谷／以进死为荣，退生为辱／君子难进易退，小人反是
❼利则进，不利则退／恶恶著，则小人退矣／临渊羡鱼，不如退而结网／力能则进，否则退，量力而行／进有忧国之心，退有死节之义／不谓之退，不敢退；不问，不敢对／谗邪进则众贤退，群枉盛则正士消／通乎道，合乎德，退仁义，宾礼乐／见不善而不能退，退而不能远，过也／上士难进而易退也，其次易进易退也，其下易进难退也
❽见胜而战，知难而退／圣人之举事也，进退不失时／得饶人处且饶人，退步行最稳／当轴者易生嫌，而退身者易为誉／进不求于闻达兮，退不营于荣利／天下之事，不进则退，无一定之理／不如鄙性好诚实，退无所议进不谀／进人若将加诸膝，退人若将队诸渊／见可而进，知难而退，军之善政也／处世让一步为高，退步即进步的张本／见不善而不能退，退而不能远，过也／四时之运，功成则退，高爵厚宠，鲜不致灾
❾赏当其劳，无功者自退／予违汝弼，汝无面从，退后有言／得丧而不形于色，进退而不失其正／公无私者，其取舍进退无择于亲疏远迩／忠谋转改，祸必及己。退隐深山，身乃不殆／善善不进而恶恶不退，则忠奸未别，邪正不分
❿与闻国政而无益于民者，退／希利而友人，利薄而友道退／勇者不得独进，怯者不得独退／能者进而由之，不能者退而休之／罚不行，则不肖者不可得而退也／不敢为主而为客，不敢进寸而退尺／吾观自古贤达人，功成不退皆殒身／君子之事上也，进思尽忠，退思补过／功成事立，名迹称遂，不退身避位……／在上不骄，在下不谄，此进退之中道也／在这可诅咒的地方击退了可诅咒的时代／国之将兴，必有祯祥，君子用而小人退／道合则从，不合则去，儒者进退之大节／立身高一步方超达，处世退一步方安乐／富贵时，意中不忘贫贱，一日退休必不怨／此溪若在山野，则宜逸民退士之所游……／能去能就，能柔能刚，能进能退，能弱能强／因性而动，接物感寤……进退取与，谓之情／行不如止，直不如曲，进不如退，可以安吉／比于善者，

自进之阶，比于恶者，自退之原／用之则行，舍之则藏，进退无主，屈申无常／穷武之雄，毙于不仁；存义之国，丧于懦退／辞卑而益备者，进也；辞强而进驱者，退也／繁华，系累不能夺，则俗心日退、真心日进／其名弥消，其德弥长；其身弥退，其道弥进／二好均平，无分轻重，则一俯一仰，乍进乍退／小人错其在己者，而慕其在天者，是以日退也／月满则潮盛，月亏则潮衰。潮汐进退，皆由于月也／口行相反，而欲贤者之至，不肖者之退也，不亦难乎／时之不来也，为雾豹，为冥鸿，寂兮寥兮，奉身而退／上士难进而易退也，其次易进易退也，其下易进难退也／于为义若嗜欲，勇不顾前后；于利与禄，则畏避退处如怯夫然／古之所谓公无私者，其取舍进退无择于亲疏远迩，惟其宜可焉

逊 xùn 让出；谦让；不及，有差距；逃遁。

❶逊以为子弟苟有才，不忧不用，不宜私出以为荣利

见三国·陆逊《诫子弟》。全句为："～；若其不佳，终为取祸"。

❸有言逊于汝志，必求诸非道

❺礼以行之，逊以出之

❻深言则似不逊，略言则事不决

❽百姓不亲，五品不逊

❿惜秦皇汉武，略输文采；唐宗宋祖，稍逊风骚

逑 qiú 配偶；聚合。

❿关关雎鸠，在河之洲。窈窕淑女，君子好逑

逋 bū 逃跑；拖欠；拖延。

❼作诗火急追亡逋，清景一失后难摹

速 sù 快；召；请；招致。

❶速则济，缓则不及，此圣贤所以贵机会也

见宋·苏轼《范景仁墓志铭》。

❷物速成则疾亡，晚就则善终／欲速则不达；见小利则大事不成

❸时光速流电／奇在速，速在果／无欲速，无见小利／闻善速于雷动，从谏急于风移／赏务速而后有劝，罚务速而后有惩

❹兵贵神速／奇在速，速在果／兵尚拙速，不贵工迟／有迟有速，民必胜之／有迟有速，而民必胜之／无望其速成，无诱于势利／兵闻拙速，未睹巧之久也／骐骥之速，非一足之力也／欲衍则速患，情佚则怨博

❺学之经莫速乎好其人／政简移风速，诗清立意新／有过则当速改，不可畏难而苟安也／兵之情主速，乘人之不及，由不虞之道，攻其所不戒

❻才能成功，以速为贵／兵多而战不速，则所费必广／叹长河之流速，送驰波于东海／适知邪径之速，不虑失道之迷／舟循川则游速，人顺路则不迷／不奋苦而求速效，只落得少日浮夸，老来窘隘而已

❼宽恕之人不能速捷／其进锐者，其退速／天非虐，惟民自速辜／权不失机，功在速捷／必胜之师，必在速战／染习轻者其悟速，染习重者其悟迟／惩之甚者改必速，畜之久者发必肆

❽不义而强，其毙甚速／权不失机，功不厌速／倦立而思远，不如速行之必至也／孔子曰：德之流行，速于置邮而传命

❾其与人锐，其去人必速／功名图麒麟，战骨当速朽／称牛之服重，不誉马速，誉手毁足，孰谓之慧

❿非其人而处其位者其祸必速／栖息有所，苍蝇同骐骥之速／声乐之入人也深，其化人也速／大川不能促其涯，以适速济之情／君子多欲则贪慕富贵，枉道速祸／人之生也亦少矣，而岁之往亦速矣／赏务速而后有劝，罚务速而后有惩／立志欲坚不欲锐，成功在久不在速／天道远，人道尔，报应之效迟速难量／暴师久则国用不足，此兵所以贵速也／其政不烦，其刑不渎，而民之化之也速／圣人之于事，似缓而急，似迟而速，以待时／动人以言者，其感不深；动人以行者，其应必速／自古至于今，与民为仇者，有迟有速，而民必胜之／今以众地者，公作则迟，有所匿其力也；分地则速，无所匿迟也

逦 lǐ［逦迤］犹迤逦，连绵不绝的样子。

❿鼎铛玉石，金块珠砾，弃掷逦迤

逐 zhú 驱赶；赶走；追赶；竞争；挨着次序。

❶逐鹿者不顾兔

见汉·刘安《淮南子·说林》。

逐兽者目不见太山

见汉·刘安《淮南子·说林》。全句为："～，嗜欲在外，则明所蔽矣"。

❷心逐孤飞鸿／恋逐云飞，思随蓬卷／观逐者于其反也，而观行者于其终也

❸弃子逐妻，以求口食……／功业逐日以新，名声随风而流／万人逐兔，一人获之，贪者悉止／世人逐势争奔走，沥胆堕肝惟恐后／任君逐利轻江海，莫把风涛似妾轻／驱妻逐子课工程，虽作人形俱菜色／追风逐电之足，决不在于牝牡骊黄之间

❹苦饥寒，逐弹丸／中原初逐鹿，投笔事戎轩／春风不逐君王去，草色年年旧宫路／人与骥逐走则不胜骥，托于车上则骥不能胜人／屈原放逐，乃赋《离骚》；左丘失明，厥有《国语》

❺争鱼者濡，逐兽者趋／守真志满，逐物意移／狂者东走，逐者亦东走／嬉于水而逐鱼鸟之浮沉／欲将轻骑逐，大雪满弓刀／命鸾凤兮逐雀，驱龙骥兮捕鼠／吾病世之逐逐然，唯印组为务以相轧

❻情随境变，字逐情生／志道者少友，逐俗者多俦／吾病世之逐逐然，唯印组为务以相轧

❼虎视眈眈，其欲逐逐／一兔走衢，万人逐之；一人获之，贪者悉止

❽虎视眈眈，其欲逐逐／秦失其鹿，天下共逐之／世情看冷暖，人面逐高低／把酒酹滔滔，心潮逐浪高／强弩弋高鸟，走犬逐狡兔／醉舞下山去，明月逐人归／古之置吏也将以逐盗，今之置吏也将以为盗

❾赋情顿雪双鬓，飞梦逐尘沙

❿在上位而不能进贤者逐／在上位而不能进贤者，逐／超迈绝尘驱，倏忽谁能逐／得本以知末，不舍本以逐本／涂车不能代劳，木马不中驰逐／下国卧龙空误主，中原逐鹿不因人／牛郎欲问瘟神事，一样悲欢逐逝波／侥幸者伐性之斧也，嗜欲者逐祸之马也／浩渼东流，赴海为期。斡而迁焉，逐我颐指／蚊蚋负山，力诚不足；鹰鹯逐鸟，志则有余／视民如子，见不仁者诛之，如鹰鹯之逐鸟雀也／兰茝荪蕙之芳，众人之所好，而海畔有逐臭之夫

逝 shì 死亡；水流、时光等消失；通“誓”，用于表决心。

❶逝水悲兴废，浮云阅古今

见宋·吕惠卿《留题兴安王庙》。

❷毋逝我梁，毋发我笱；我躬不阅，遑恤我后

❸日月逝矣，岁不我与

❹东隅已逝，桑榆非晚／风驰电逝，蹑景追飞

❻遵四时以叹逝，瞻万物而思纷／滚滚长江东逝水，浪花淘尽英雄／子在川上曰：逝者如斯夫！不舍昼夜

❼覆巢竭渊，龙凤逝而不至

❿力拔山兮气盖世，时不利兮骓不逝／牛郎欲问瘟神事，一样悲欢逐逝波／古之人……识名位为香饵，逝而不顾／北海虽赊，扶摇可接；东隅已逝，桑榆非晚／静则得之，躁则失之，灵气在心，一来一逝／龟龙闻而深藏、鸾凤见而高逝者，知其害身也

逍 xiāo[逍遥]自由自在，无拘无束。

❶逍遥以针劳，谈笑以药倦

见南朝·梁·刘勰《文心雕龙·养气》。

逍遥于天地之间，而心意自得

见《庄子·让王》。全句为：“日出而作，日入而息，～”。

逍遥，无为也；苟简，易养也；不贷，无出也

见《庄子·天运》。

逞 chěng 显示；实现预期目的；纵容、放任；称意；施展；炫耀；卖弄。

❿吾恒恶世之人不知推己之本，而乘物以逞

造 zào 制作；做；瞎编；虚构；开始；农作物收获的次数；培养；造就；往；到；通“猝”，仓促；突然；姓。

❶造物者听其自然

见宋·苏辙《除中书舍人谢执政启》。

造父善御，不能御驽骀

见唐·皮日休《鹿门隐书六十篇》。全句为：“～；公输善匠，不能匠散木”。

造夕思鸡鸣，及晨愿乌迁

见晋·陶潜《怨诗楚调示庞主簿邓治中》。

造父疾趋，百步而废；自托乘舆，坐致千里

见汉·王符《潜夫论·赞学》。

造父者，天下之善御者也，无舆马则无所见其能

见《荀子·儒效》。全句为：“～；羿者，天下之善射者也，无弓矢则无所见其巧”。

❸创意造言，皆不相师／心能造恶，必须戒之／思能造端，谓之构架之材／形固造形，成固有伐，变固外战／上与造物者游，而下与外生死、无终始者为友

❹为情而造文／智足以造谋，材足以立事

❺天地为炉，造化为工……／改章难于造篇，易字艰于代句／洋洋乎与造物者游而不知其所穷

❻救人一命，胜造七级浮屠／君子之道也，造端乎夫妇，及其至也，察乎天地

❼不深思则不能造其学／诗家虽率意，而造语亦难／人之巧，乃可与造化者同功／能循天理动者，造化在我也／不深思则不能造于道，不深思而得者，其得易失

❾天地任自然无为，无造万物，自相治理，故不仁

❿人生福境祸区，皆念想造成／大巧因自然以成器。不造为异端／吾究物始，而见夫妇之为造端也／贯穿百代尝探古，吟咏千篇亦造微／殿前作赋声摩空，笔补造化天无功／藐然数尺之躯，乃欲私造化以为己物／为善的受贫穷更命短，造恶的享富贵又寿延／爱民，害民之始也；为义偃兵，造兵之本也／今一以天地为大炉，以造化为大冶，恶乎往而不可哉

透 ①tòu 穿过；透露；泄露；彻底；极；显现出；犹“跳”。②shū 通“跛”，惊慌貌。

❸意贯透彻，不可隔靴搔痒

❺冲天香阵透长安，满城尽带黄金甲

❿话不说不知，木不钻不透／落红满路无人惜，踏作花泥透脚香／看万山红遍，层林尽染；漫江

碧透，百舸争流

途 tú道路。

❶途之人可以为禹

见《荀子·性恶》。

途穷天地窄，世乱死生微

见明·沈钦圻《乱后哭友》。

途穷见交态，世梗悲路涩

见唐·杜甫《送率府程录事还乡》。

途殊别务者，虽忠告而见疑

见晋·葛洪《抱朴子·微旨》。全句为："归同契合者，则不言而信著；～"。

❷世途旦复旦，人情玄又玄／穷途萧瑟，青山白云之万里／当途者入青云，失路者委沟渠／世途昏险，拟步如漆……圣智危栗

❸畏之途果无常所哉／实迷途其未远，觉今是而昨非／日莫途远，吾故倒行而逆施之

❹将适远途，理归于骏足／道听而途说，德之弃也／秦越远途也，安坐而至者，械也／策马前途须努力，莫学龙钟虚叹息／无迷其途，无绝其源，终吾身而已矣

❺负重者患途远／同归而殊途，一致而百虑／纵使岁寒途远，此志应难夺／负者歌于途，行者休于树……滁人游也／君子以争途之不可由也，是以越俗乘高，独行于三等之上

❻方轨易因，险途难御／时运不齐，命途多舛；冯唐易老，李广难封

❼导师失路，则迷途者众／勿言年齿暮，寻途尚不迷／行之乎仁义之途，游之乎《诗》、《书》之源

❽大抵学问只有两途，致知力行而已／君子遵道而行，半途而废，吾弗能已矣／贺者在门，吊者在途；吊者在门，贺者在途

❿出门无通路，枳棘塞中途／古来存老马，不必取长途／绠短者衔渴，足疲者辍途／矜奋侵陵者，毁塞之险途也／抵金玉于沙砾，碎珪璧于泥途／伺候于公卿之门，奔走于形势之途／太行之路能摧车，若比人心是坦途／立德者以幽陋好遗，显登者以贵途易引／为之者，不为之迹也；不为者，为之途也／狗彘食人食而不知检，途有饿莩而不知发／铁可折，玉可碎，海可枯……直节贯殊途／大川未济，乃失巨舰；长途始半，而丧良骥／贺者在门，吊者在途；吊者在门，贺者在途

逢 ①féng 碰到，遇见；迎合；大。②péng 鼓声。

❶逢昏不昧，智也

见唐·骆宾王《萤火赋》。

逢时独为贵，历代非无才

见唐·陈子昂《蓟丘览古赠卢居士藏用七首·郭隗》。

逢人不说人间事，便是人间无事人

见唐·杜荀鹤《赠质上人》。

逢人且说三分话，未可全抛一片心

见明·冯梦龙《警世通言·杜十娘怒沉百宝箱》。

逢人只可三分语，未可全抛一片心

见宋·普济《五灯会元》卷一五。

❷每逢佳节倍思亲／相逢何必曾相识／相逢难衮衮，告别莫匆匆／时逢矣，有用而不尽其施／马逢伯乐而嘶，人遇知己而死／酒逢知己千杯少，话不投机半句多／宁逢赤眉，不逢太师。太师尚可，更始杀我

❸老去逢春如病酒／饭山逢彪必吐哺而逃／枯木逢春，萌芽便发／积善逢善，积恶逢恶／久旱逢甘雨，他乡遇故知／心绪逢摇落，秋声不可闻／自古逢秋悲寂寥，我言秋日胜春朝

❹何不相逢未嫁时／恨不相逢未嫁时／狭路相逢，冤家路窄／杨意不逢，抚凌云而自惜／失意人逢失意事，新啼痕间旧啼痕／尘世难逢开口笑，菊花须插满头归／江海相逢客恨多，秋风叶下洞庭波／马上相逢无纸笔，凭君传语报平安／只系其逢，不系巧愚；不谐其须，有衔不祛

❺取之左右逢其原／薄言往愬，逢彼之怒／力田不如逢年，善仕不如遇合

❻向阳花木易逢春／饷妇念儿啼，逢人不敢立／畏老身全老，逢春解惜春／不服一人，与逢人便服者，皆妄人／不服一人与逢人便服者，皆妄人也／宁逢赤眉，不逢太师。太师尚可，更始杀我／始见新春，又逢初夏。四时若箭，两曜如梭。

❼幽山桂树，往往逢人／虽有兹基，不如逢时／积善逢善，积恶逢恶／久别年颜改，相逢夜话长／抱玉乘龙骥，不逢乐与和／君子得意而忧，逢喜而惧／无缘对面不相逢，有缘千里能相会

❽甘心于履危，未必逢祸／大海浮萍，也有相逢之日／处世还须称晚来，逢人且莫夸畴昔

❾真个别离难，不似相逢好／人生意气豁，不在相逢早／同是天涯沦落人，相逢何必曾相识／但愿亲友长含笑，相逢莫乏杖头钱／独在异乡为异客，每逢佳节倍思亲

❿一生大笑能几回，斗酒相逢须醉倒／今日重来应抵掌，十年分付未逢人／强中自有强中手，用诈还逢识诈人／有缘千里来相会，无缘对面不相逢／胸中襞积千般事，到得相逢一语无／十旬休暇，胜友如云；千里逢迎，高朋满座／轻羽在高，遇风则飞；细石在谷，逢流则转／心全于中，形全于外；不逢天灾，不遇人害／关山难越，谁悲失路之人？萍水相逢，尽是他乡之客

递 ①dì 传递；顺次；驿车。②dài 围绕。

⑩词客争新角短长，迭开风气递登场／使六国各爱其人，则足以拒秦；使秦复爱六国之人，则递三世可至万世而为君，谁得而族灭也

通 tōng没有阻碍；精通；通达；流通；往来；通奸；通顺；共同的；全部；连接；使知道；叙次，陈述；普通；一般；通"同"；古代井田区划；马粪；量词，犹"遍"。

❶通天下一气耳

见《庄子·知北游》。

通而不流，猛而不暴

见宋·苏辙《黄州师中庵记》。

通其变，天下无弊法

见隋·王通《中说·周公》。全句为："执其方，天下无善教，故曰存乎其人"。

通古今之变，成一家之言

见汉·班固《汉书·司马迁传》。

通塞荀由己，志士不相卜

见南朝·宋·范晔《后汉书·郦炎传》。全句为："富贵有人籍，贫贱无天录。～"

通于天下之理，则能通人矣

见三国·魏·刘劭《人物志·材理》。

通其辞者，本志乎古道者也

见唐·韩愈《题哀辞后》。全句为："思古人而不得见，学古道，则欲兼通其辞。～"。

通于一而万事毕，无心得而鬼神服

见《庄子·天地》。

通乎道，合乎德，退仁义，宾礼乐

见《庄子·天道》。全句为："～，圣人之心有所定矣"。

通才之人或见赘于时，高世之士或见排于俗

见宋·王安石《取材》。

❷变通者，趣时者也／政通人和，百废俱兴／文通三略，武解六韬／变通之道遍满天地之内／道通行天地……不危殆／未通乎此，则不敢志乎彼／旁通而无滞，日用而不匮／性通乎气之外，命行乎气之内／思通道化，策谋奇妙，是谓术家／中通外直，不蔓不枝，香远益清，亭亭净植

❸不荣通，不丑穷／公道通而私道塞／说变通则否戾而不入／海不通百川，安得巨大之名／精神通于死生，则物孰能惑之／音乐通乎政，而移风平俗者也／自古通天者，生之本，本于阴阳／汴水通淮利最多，生人为害亦相和／烟才通，寒淙淙；隔山风，老鼓钟／钱神通灵于旁蹊，公器反类于互市

❹义贵圆通，辞忌枝碎／物塞而通，必艰其初／有无相通，盖为常理／古之言通者，通于道义／今之言通者，通于私曲／枢机方通，则物无隐貌／出门无通路，枳棘塞中途／断雾时通日，残云尚作雷／食足货通，然后国实民富／微事不通，粗事不能者，必劳／不能大通，则各私其党而求利焉／无所不通之谓圣，妙而无方之谓神／聪明流通者戒于太察，寡闻少见者戒于壅蔽

❺变则堪久，通则不乏／疏之欲其通，廉之欲其节／下情不上通，此患之大者也／有无虚实通为一体者，性也／八音与政通，而文章与时高下／君子之穷通，有异乎俗者也。／察于一事，通于一伎者，中人也／但愿官民通有无，莫令租吏打门叫呼疾／物之所以通，事之所以理，莫不由乎道

❻读书万卷始通神／形于小微而通于大理／学富五车，书通二酉／古之言通者，通于道义／今之言通者，通于私曲／明体以及用，通经以知权／穷则变，变则通，通则久／蚊虻噆肤，则通昔不寐矣／欲致鱼者先通水，欲致鸟者先树木／木之折也，必通蠹；墙之坏也，必通隙／究天人之际，通古今之变，成一家之言

❼心有灵犀一点通／男女睽而其志通也／独思，则滞而不通／声音之道，与政通矣／辞者，人之所以通也／强学博览，足以通古今／意量所函变可通于意外／穷则变，变则通，通则久／易穷则变，变则通，通则久／以虚无而能开通于物，故称曰道／心暗则照有不通，至察则多疑于物／听政之初，当以通下情除壅蔽为急务／要使诚意之交通，在于未言之前，则言出而人信矣

❽虚无柔弱无所不通／无所不达，无所不通／不聋不聪，与神明通／东风解冻，河川流通／长天茫茫，信耗莫通／诚之所感，触处皆通／居难则易，在塞咸通／物无不变，变无不通／敏或以窒，钝或以通／凡物无成与毁，复通为一／易穷则变，变则通，通则久／人有穷，而道无不通，与道争则凶／弟子盖三千焉，身通六艺者七十有二人／上下之情，壅而不通，天下之弊，由是而积／骐骥千里，一日而通；驽马十舍，旬亦至之／鸟啼花落，皆与神通。人不能悟，付之飘风／盈天地间皆物也。……通观天地，天地一物也／以辱为荣，以穷为通，虽失乎前，可谓后得之矣

❾人才有长短，不必兼通／出处全在人，路亦无通塞／通于天下之理，则能通人矣／古之得道者，穷亦乐，通亦乐／因果相承，从微至著，通名为渐／必尽读天下之书，尽通古今之事／散殊而可象为气，清通而不可象为神／明于古今，温故知新，通达国体，故谓之博士

⑩行不合趋不同，对门不通／源发而横流，路开而四通／水性虽能流，不导则不通／贤为圣者用，辩为智者通／凡物，穷则思变，困则谋通／君不与臣争功，而治道通矣／褒有德，赏有功，古今之通义／信而又信，重袭于身，乃通于天／凡学书者，得其一，可以通其余／一阖一辟谓之

变，往来不穷谓之通／至精而后阐其妙，至变而后通其数／身无彩凤双飞翼，心有灵犀一点通／言者无罪闻者戒，下流上通上下泰／能大而不小，能高而不下，非兼通也／世之专于法者，不患于不通而患于刻薄／可心会而不可口传，可神通而不可语达／公生明，偏生暗，端悫生通，诈为生塞／惟心会而不可口传，可神通而不可语达／木之折也，必通蠹；墙之坏也，必通隙／仁义礼乐者，可以救败，而非通治之至也／行不诚义，动不缘义，俗虽谓之通，穷也／缘循、偃佒、困畏，不若人三者，俱通达／无教之教，洽流四海；无为之为，通达八方／不能说其志意，养其寿命者，皆非通道者也／事以实之，词以章之，道以通之，法以检之／长于变者不可穷以诈，通于道者不可惊以怪／小人君子，其心不同，惟乖于时，乃与天通／思古人而不得见，学古道，则欲兼通其辞也／繁略殊形，隐显异术，抑引随时，变通会适／百官之众，四海之广，使其关节脉理相通为一／古之学者必有师，所以通其业，成就其道者也／任法而不任人，则法有不通，无以尽万变之情／名言所绝理即具于名中，意量所函变可通意外／音乐者，所以动荡血脉，通流精神而和正心也／无状无象，无声无响，故能无所不通，无所不往／人生天地之中，殊于众类明矣。感则应，激则通／人生时禀得灵气，精明通悟，学无滞塞，则谓之神／斟酌乎质文之间，而隐括乎雅俗之际，可与言通变矣／万物以自然为性，故可因而不可为也，可通而不可执也／可与为始，可与为终，可与尊通，可与卑穷者，其唯信乎／动摇则谷气得消，血脉流通，病不得生，譬犹户枢不朽也／君子之自行也，动必缘义，行必诚义，俗虽谓之穷，通也

逵 kuí 四通八达的大路。［中逵］亦作“中馗”，纵横交错的道路中心。

❸俯于逵，惟行旅讴吟是采

逶 wēi［逶迤］弯曲而长的样子。

❸河以逶蛇，故能远；山以陵迟，故能高

❽舟凝滞于水滨，车逶迟于山侧

逸 yì 逃跑；散失；安乐，安逸；超过；隐居以逃避现实。

❶逸政多忠臣，劳政多乱人

见南朝·宋·范晔《后汉书·臧宫传》。

❷安逸，道之贼也／以逸击劳，取胜之道／以逸待劳，取之必也／以逸待劳，兵家之大利也／处逸乐而欲不放，居贫苦而志不倦

❸天吏逸德，烈于猛火／俱怀逸兴壮思飞，欲上青天揽明月

❹不劳则逸，逸则不才／罔游于逸，罔淫于乐／性静情逸，心动神疲／顺天者逸，逆天者劳／无康好逸豫，乃其乂民／作德心逸日休，作伪心劳日拙／体道者逸而不穷，任数者劳而无功／字势雄逸，如龙跳天门，虎卧凤阙／龙蟠凤逸之士，皆欲收名定价于君侯

❺菊，花之隐逸者也／不劳则逸，逸则不才／遥吟俯畅，逸兴遄飞／一劳而久逸，暂费而永宁／处沃土则逸，处瘠土则劳／处身而当逸者，则志不广／饱食、暖衣，逸居而无教，则近于禽兽／因循苟且逸豫而无为，可以侥幸一时，而不可旷日持久

❻君子所其无逸／常才不能别逸伦之器／舍远谋近者，逸而有终／先谋后事者逸，先事后图者失／君好嫌，臣好逸……此弱国之风也／以饱待饥，以逸击劳；师不欲久，行不欲远／有道之君，以逸逸人；无道之君，以乐乐身

❼惟日孜孜，无敢逸豫／忧劳可以兴国，逸豫可以亡身／有道之君，以逸逸人；无道之君，以乐乐身

❽少不服劳，老不安逸／图匮于丰，防俭于逸／知安而不知危，能逸而不能劳／善乐生者不窭，善逸身者不殖／豪华尽出成功后，逸乐安知与祸双

❾此溪若在山野，则宜逸民退士之所游……

❿勿以太平渐久而自骄逸／任力者故劳，任人者故逸／朽索充羁，不收奔马之逸／用兵者，贵以饱待饥，以逸击劳／遇灾则极其忧勤，时安则不骄不逸／欲事之无繁，则必劳于始而逸于终／天下稍安，尤须兢慎，若便骄逸，必至丧败／事少而功多，守要也；身逸而国治，用贤也／民生在勤，勤则不匮。宴安自逸，岁暮奚冀／水浊，则无掉尾之鱼；政苛，则无逸乐之士／君之化下，如风偃草，上不节心，则下多逸志／饱而知人之饥，温而知人之寒，逸而知人之劳／未有主强盛而辅不飘逸者，兵卫不华赫而庄整者／天下之民，知安而不知危，能逸而不能劳，此臣所谓大患也

逭 huàn 逃避。

❿天作孽，犹可违；自作孽，不可逭

逮 ①dài 达到；逮捕；捉拿。②dǎi 捉。③dì［逮逮］同“棣棣”，娴雅。

❸行不逮则退，不以诬持禄

❺禄厚者，怨逮之

❼心欲言而口不逮／强己才之所不逮，是行舟于陆也

❽从善如流，尚恐不逮；饰非拒谏，必是招损

❾恒患意不称物，文不逮意

❿古者言之不出，耻躬之不逮也／聆其善言，观其善行，足以资吾之未逮

逼 bī迫使；迫近；狭窄；局促。

❺草忌霜而逼秋，人恶老而逼衰

❼奢不僭上，俭不逼下

❽美服患人指，高明逼神恶

❿草忌霜而逼秋，人恶老而逼衰／周而复始无休息，官租未了私租逼／随人作计终后人，自成一家始逼真

遇 ①yù 碰到；对待；机会；投合；款待；姓。②ǒu 通"偶"，相对；偶然。

❶遇事无难易，而勇于敢为

见宋·欧阳修《尹师鲁墓志铭》。

遇贫穷而作骄态者贱莫甚

见清·朱伯庐《治家格言》。全句为："见富贵而生谄容者最可耻，～"。

遇繁而若一，履险而若夷

见宋·苏辙《观会通以行典礼论》。

遇沉沉不语之士，切莫输心

见明·陈继儒《小窗幽记》。全句为："～；见悻悻自好之徒，应须防口"。

遇暴戾之人，以和气薰蒸之

见明·洪应明《菜根谭·前集百七十九》。全句为："遇欺诈之人，以诚心感动之；～"。

遇贫穷而作骄态者，贱莫甚

见清·朱柏庐《治家格言》。全句为："见富贵而生谄容者，最可耻；～"。

遇欺诈之人，以诚心感动之

见明·洪应明《菜根谭·前集百七十九》。全句为："～；遇暴戾之人，以和气薰蒸之"。

遇灾则极其忧勤，时安则不骄不逸

见唐·吴兢《贞观政要·慎终》。全句为："有始有终，无为无欲，～"。

遇朋友交游之失，宜剀切，不宜优游

见明·洪应明《菜根谭》。

遇师友，亲之取之，大胜塞居不潇洒也

见清·傅山《霜红龛家训》。

遇事多算计，较利悉锱铢，其过甚小，而积之甚大，慎之慎之

见明·吴麟征《家诫要言》。

❷不遇阴雨后，岂知明月好／不遇至刻之人，不知忠厚之善／不遇盘根错节，何以别利器乎／境遇不耐苦，则无所成就之人／未遇明师，而求要道，未可得也／事遇快意处当转，言遇快意处当住／人遇逆境，无可奈何，而安之若命，乃是见识超卓

❸君臣遇合，天下事迎刃而解／飞蓬遇飘风而行千里，乘风之势也／士之遇时，不患无位，患所以立而已

❹知足下遇火灾……／一生所遇唯元白，天下无人重布衣

❺视若游尘，遇同土梗／常思稻粱遇，愿栖梧桐树／贤者恒不遇，不贤者比肩青紫／无咎，弗过，遇之。往厉，必戒／惟君臣相遇，有同鱼水，则海内可安／轻羽在高，遇风则飞；细石在谷，逢流则转

❻守成尚文，遭遇右武／骐骥虽疾，不遇伯乐不致千里／时不可以苟遇，道不可以虚行／贤不贤，才也；遇不遇，时也

❼贤不肖者材也，遇不遇者时也／木在山，马在肆，遇之而不顾者／宁期此地忽相遇，惊喜茫如堕烟雾

❽处尊居显未必贤，遇也／久旱逢甘雨，他乡遇故知／善战者，见利不失，遇时不疑／马逢伯乐而嘶，人遇知己而死／贤不贤，才也；遇不遇，时也／耳得之而为声，目遇之而成色／遭治世不避其任，遇乱世不为苟存

❾位卑在下未必愚，不遇也／隐石那知玉，披沙始遇金／贤不肖者材也，遇不遇者时也／事遇快意处当转，言遇快意处当住／履千险而不失其信，遇万折而不失其东

❿百人无一直，百直无一遇／操行有常贤，仕宦无常遇／孟尝君客无所择，皆善遇之／力田不如逢年，善仕不如遇合／斯则贤达之素交，历万古而一遇／心全于中，形全于外；不逢天灾，不遇人害／方于平易，皆能阔步而进，一遇峻险，则止矣／士之修身立节而竟不遇知己，前古以来，不可胜数／操行有常贤，仕宦无常遇，贤不贤才也，遇不遇时也／吴人与越人相恶也，当其同舟而济遇风，其相救也如左右手

遏 è阻止；通"害"。

❶遏悔吝于未萌，验是非于往事

见唐·杜甫《唐故万年县君京兆杜氏墓碑》。

❹归师勿遏，围师必阙／君子以遏恶扬善，顺天休命

❺气宜宣而遏之，体宜调而矫之，神宜平而抑之，必有失和者矣

❻声振林木，响遏行云

❼达治乱之要者，遏将来之患

❽蓄极积久，势不能遏／困兽犹斗，穷寇勿遏

❿爽籁发而清风生，纤歌凝而白云遏／军暴而后戢之，兵乱而后遏之，善则善矣／在上者，必有武备，以戒不虞，以遏寇虐

遗 ①yí 遗失；丢失的东西；余下；特指前人或死者留下的；不自主的排泄。②wèi 赠予；致送。

❶遗生行义，视死如归

见《吕氏春秋·季冬纪·士节》。

遗古而务乎今，则失为妄

见明·方孝孺《求古斋记》。全句为："遗今而

专乎古，则其失为固；～”。

遗佚而不怨，阨穷而不悯

见《孟子·万章下》。

遗墟旧壤，数万里之皇城

见唐·王勃《江宁吴少府宅饯宴序》。全句为：“～；虎踞龙盘，三百年之帝国”。

遗子黄金满籯，不如一经

见汉·班固《汉书·韦贤传》。

遗今而专乎古，则其失为固

见明·方孝孺《求古斋记》。全句为：“～；遗古而务乎今，则失为妄”。

遗子黄金满籯，不如教子一经

见明·陈继儒《小窗幽记》。

遗民泪尽胡尘里，南望王师又一年

见宋·陆游《秋夜将晓出篱门迎凉有感》。

遗腹子之上陇，以礼哭泣之，而无所归心

见汉·刘安《淮南子·修务》。

❸旧不遗，则民不偷／楚王遗弓，楚人得之／赏不遗远，罚不阿近／野无遗贤，万邦安宁／贤人遗子孙以廉、以俭／君子遗人以财，不若善言／赏不遗疏远，罚不阿亲贵／若能遗外声利，而不厌乎贫贱也／一截遗欧，一截赠美，一截还东国

❹道不拾遗，民不妄取／先师有遗训，忧道不忧贫／信耳而遗目者，古今之所患也／行赏不遗仇雠，用戮不违亲戚

❺昔者圣人遗子孙以德、以礼／飘飘乎如遗世独立，羽化而登仙／人寰尚有遗民在，大节难随九鼎沦／砚中斑驳遗民泪，井底千年恨未销／未有仁而遗其亲者也，未有义而后其君者也／奋六世之遗烈，振长策而御宇内，吞二周而亡诸侯，履至尊而制六合

❻富贵而骄，自遗咎也／贪叨多积，自遗祸殃／何世无奇才，遗之在草泽／晷刻之误，或遗患于历年／春秋采善不遗小，掇恶不遗大／不闻先王之遗言，不知学问之大也／古人学问无遗力，少壮功夫老始成／处若忘，行若遗，俨乎其若思，茫乎其若迷／以人之言而遗我粟，至其罪我也又且以人之言

❼诛不避贵，赏不遗贱／官不私亲，法不遗爱／朝多君子，野无遗贤／一倡而三叹，有遗音者矣／何代无贤，但患遗而不知耳／弃事则形不劳，遗生则精不亏／生有厚利，死有遗教，此盛君之行也

❽与道冥一，万虑皆遗／以少总多，情貌无遗／俱收并蓄，待用无遗／门不夜关，道不拾遗／经耳不忘，历口不遗／韵者，随迹立形，备遗不俗／求硕画于庶位，虑遗材于放臣／树至德于生前，流遗爱于身后／藏书万卷可教子，遗金满籯常作灾／立德者以幽陋好遗，显登者以贵途易引

❾不为近重施，不为远遗恩／受光于户，照室中无遗物／大者推明其大而不遗其小／事有所分，则毫末不遗而情伪必见／道，于大不终，于小不遗，故万物备

❿此生泰山重，勿作鸿毛遗／刑过不避大臣，赏善不遗匹夫／春秋采善不遗小，掇恶不遗大／贤人不爱其谋，群士不遗其力／古之人知酒肉为甘鸩，弃之如遗／为善则流芳百世，为恶则遗臭万年／画者谨毛而失貌，射者仪小而遗大／贵者负势而骄人，才士负能而遗行／古之人，有高世之才，必有遗俗之累／选则不遍，教则不至，道则无遗者矣／生以有为己分，则虚无是有之所遗者也／知天而不泥于神怪，知人而不遗于委琐／既不能流芳后世，亦不足复遗臭万载邪／往事越千年，魏武挥鞭，东临碣石有遗篇／牛溲马勃，败鼓之皮，俱收并蓄，待用无遗／金玉满堂，莫之能守。富贵而骄，自遗其咎／忠臣不避重诛以直谏，则事无遗策，功流万世／言虽简略，理皆要害，故能疏而不遗，俭而无阙／凡人于事务之来，无论大小，必审之又审，方无遗虑／下之用力者甚勤，上之用物者有节，民无遗力，国不过费／以易限之鉴，镜难原之才，使国罔遗授，野无滞器，其可得

遄

chuán 迅速；往来频繁。

❼遥吟俯畅，逸兴遄飞

遑

huáng 闲暇；通“徨”、“惶”。

❺我躬不阅，遑恤我后

❼天下大扰，百姓遑遑，劳苦疲极，困穷生奸

❿毋逝我梁，毋发我笱；我躬不阅，遑恤我后

遁

①dùn 逃走；隐藏，消失；回避；六十四卦之一。②xún 通“循”、“巡”。

❺无为不能遁福，有为不能逃患

❼君子依乎中庸，遁世不见知而不悔，唯圣者能之

❽道塞宇宙，非有隐遁／心气常顺，百病自遁／关键将塞，则神有遁心／权衡既悬，锱铢靡遁，厉驽习骥，终莫之近

❿金百炼以为鉴，而万物不能遁其形／龙凤隐耀，应德而臻；明哲潜遁，俟时而动

逾

yú 超过；更加，越发；遥远。

❷橘逾淮北而为枳／智逾多而迷益深

❸赏不逾日，罚不还面／宅宇逾制，楼观出云，车马服饰，拟于王者

❹小大不逾等，贵贱如其伦／大德不逾闲，小德出入可也／德行修逾八百，阴功积满三千／采善不逾其美，贬恶不溢其过／才不能逾同列，声不能压当世，世之怒仆宜也

❻云霞雕色，有逾画工之妙／虽死而不朽，逾远而弥存／伟人之一顾逾乎华章，而一非亦惨乎黥刖／褒见一字，贵逾轩冕；贬在片言，诛深斧钺
❼疏不间亲，远不逾近
❾谦，尊而光，卑而不可逾／夸愚适增累，矜智道逾昏／络首縻足兮，骥不能逾跬／富贵比于浮云，光阴逾于尺璧／当其才则事或能济，逾其分则力所不堪／必使为善者不越月逾时而得其赏，则人勇而有劝焉
❿野绩不越庙堂，战多不逾国勋／众踥蹀而日进兮，美超远而逾迈／春不留兮时已失，老衰飒兮逾疾／六十而耳顺，七十而从心所欲不逾矩／疾呼不过闻百步，志之所在，逾于千里／杂花争发，非止桃蹊。群鸟乱飞，有逾鹦谷

遒 qiú 强健；急迫；迫近；聚。
❾往车虽折，而来轸方遒
❿盛时不可再，百年忽我遒／恰同学少年，风华正茂；书生意气，挥斥方遒／建安诗辩而不华，质而不俚，风调高雅，格力遒壮

道 dào 道路；方向；方法；道德；规律；万物的本原、本体；古代诸侯外出时事先祭路神；从；由；治理；行导；疏导；说；讲；料想；量词，犹言“条”；犹言“得”、“到”；行政区划名；姓。
❶道高方知魔盛
见《童蒙止观》卷下。
道可安而不可说
见《管子·心术上》。
道远人则为不仁
见宋·张载《正蒙·至当》。
道自在天帝之前
见《老子》四河上公注。
道不同，不相为谋
见《论语·卫灵公》。
道德之威成乎安强
见《荀子·强国》。全句为：“～，暴察之威成乎危弱，狂妄之威成乎灭亡也”。
道者，物之所导也
见汉·刘安《淮南子·缪称》。全句为：“～；德者，性之所扶也；仁者，积恩之见证也；义者，比于人心而合于众适者也”。
道者，所以充形也
见《管子·内业》。
道者，虚无之称也
见五代·前蜀·杜光庭《道德真经广圣义》卷十九。全句为：“～。以虚无而能开通于物，故称曰道，无不通也，无不由也”。
道无鬼神，独往独来
见《关尹子·五鉴》。
道不拾遗，民不妄取
见《战国策·秦策一》。
道不行，乘桴浮于海
见《论语·公冶长》。
道由心悟，岂在坐也
见《坛经》。
道之本，仁义而已矣
见汉·荀悦《申鉴·政体》。
道高益安，势高益危
见汉·司马迁《史记·日者列传》。
道冲，而用之或不盈
见《老子》四。
道塞宇宙，非有隐遁
见宋·陆九渊《与赵监》。全句为：“～，在天曰阴阳，在地曰柔刚，在人曰仁义”。
道常无为，而无不为
见《老子》三十七。
道德，天地之神明也
见汉·严遵《道德指归论·道生一篇》。全句为：“～；天地，道德之形容也”。
道德可常，权不可常
见汉·刘安《淮南子·说林》。
道德之教，自坐是也
见汉·严遵《道德指归论·知不知篇》。
道德丧则礼乐不可理
见唐·吴筠《玄纲论·上篇明道德·化时俗章第八》。全句为：“义方失则师友不可训，～”。
道远知骥，世伪知贤
见三国·魏·曹植《矫志诗》。
道者，万物之所由也
见《庄子·渔父》。全句为：“～。庶物失之者死，得之者生；为事逆之则败，顺之则成”。
道者，古今之正权也
见《荀子·正名》。全句为：“～。离道而内自择，则不知祸福之所托”。
道私者乱，道法者治
见《韩非子·诡使》。
道之出口，淡乎其无味
见《老子》三十五。全句为：“～，视之不足见，听之不足闻，用之不足既”。
道之及，及乎物而已耳
见唐·柳宗元《报崔黯秀才论为文书》。
道之大纲……方谓之道
见宋·陈淳《北溪字义》卷下。删节处为：“只是日用间人伦事物所当行之理，众人所共由底”。
道以无形无为成济万物
见三国·魏·王弼《老子》二十三注。
道民之门，在上之所先

见《管子·牧民》。全句为："～；召民之路，在上之所好恶"。

道听而途说，德之弃也

见《论语·阳货》。

道德当身，故不以物惑

见《管子·戒》。

道通行天地……不危殆

见《老子》第二十五河上公注。删节处为："无所不入，在阳不焦，托阴不腐，无不贯穿"。

道有因有循，有革有化

见汉·扬雄《太玄》卷七。

道，虚之虚，故能生一

见汉·严遵《道德指归论·道生一篇》。

道未始有封，言未始有常

见《庄子·齐物论》。

道由白云尽，春与青溪长

见唐·刘昚虚《阙题》。

道为智者设，马为御者良

见汉·陆贾《新语·术事》。全句为："～，贤为圣者用，辩为智者通，书为晓者传，事为见者明"。

道固不小行，德固不小识

见《庄子·缮性》。全句为："～。小识伤德，小行伤道"。

道行之而成，物谓之而然

见《庄子·齐物论》。

道德不厚者，不可以使民

见《战国策·秦策一》。

道或乖，胶漆不能同其异

见唐·李峤《与夏县崔少府书》。全句为："～；志苟合，楚越无以异其同"。

道昭而不道，言辩而不及

见《庄子·齐物论》。全句为："～，仁常而不周，廉洁而不信，勇忮而不成"。

道贵制人，不贵制于人也

见《鬼谷子·中经》。全句为："～。制人者握权，制于人者失命"。

道所以保神，德所以宏量

见唐·王士元《亢仓子·全道篇》。

道自微而生，祸自微而成

见唐·马聪《意林》引《太公金匮》。

道德一于上，而习俗成于下

见宋·王安石《乞改科条制》。

道者，一人用之，不闻有余

见《管子·白心》。全句为："～；天下行之，不闻不足"。

道无废而不兴，器无毁而不治

见汉·陆贾《新语·慎微》。

道人之所不道，到人之所不到

见唐·孙樵《与王霖秀才书》。全句为："储思必深，摛辞必高，～"。

道沿圣以垂文，圣因文而明道

见南朝·梁·刘勰《文心雕龙·原道》。全句为："～，旁通而无滞，日用而不匮"。

道者万世亡弊，弊者道之失也

见汉·班固《汉书·董仲舒传》。

道者，所以立本也，不可不一

见宋·曾巩《战国策目录序》。全句为："法者，所以适变也，不必尽同；～"。

道者文之根本，文者道之枝叶

见宋·朱熹《朱子语类》卷一三九。

道无终始，物有死生，不恃其成

见《庄子·秋水》。全句为："～；一虚一满，不位乎其形"。

道不离乎物，若离物则无所谓道

见宋·陈淳《北溪字义》卷下。

道而弗牵，强而弗抑，开而弗达

见《礼记·学记》。全句为："君子之教，喻也；～"。

道，覆载万物者也，洋洋乎大哉

见《庄子·天地》。

道可道，非常道；名可名，非常名

见《老子》一。

道非难知，亦非难行，患人无志耳

见宋·陆九渊《与侄孙濬》。

道生之，德畜之，物形之，势成之

见《老子》五十一。

道之无益于义而道之，此言之秽也

见《尸子·恕》。全句为："虑之无益于义而虑之，此心之秽也；～；为之无益于义而为之，此行之秽也"。

道之大原出于天，天不变道亦不变

见汉·董仲舒《举贤良对策》。

道之委也……形生而万物所以塞也

见五代·南唐·谭峭《化书卷一·道化》。删节处为："虚化神，神化气，气化形"。

道也者，动不见其形，施不见其德

见《管子·心术上》。全句为："～，万物皆以得，然莫知其极"。

道人活计只如此，留与时人作见闻

见宋·普济《五灯会元》卷一八。全句为："竹笕二三升野水，松窗七五片闲云，～"。

道在迩而求诸远，事在易而求诸难

见《孟子·离娄上》。

道满天下，普在民所，民不能知也

见《管子·内业》。

道者……为事逆之则败，顺之则成

见《庄子·渔父》。全句为："道者，万物之所由也。庶物失之者死，得之者生；为事逆之则败，顺之则成"。

道者……庶物失之者死，得之者生

见《庄子·渔父》。全句为："道者，万物之所由也。庶物失之者死，得之者生；为事逆之则败，顺之则成"。

道者，覆天载地，廓四方，柝八极

见汉·刘安《淮南子·原道》。全句为："～；高不可际，深不可测；包裹天地，禀授无形"。

道一而已，此是则彼非，此非则彼是

见宋·张载《正蒙·乾称下》。

道，于大不终，于小不遗，故万物备

见《庄子·天道》。

道不远而难极也，与人并处而难得也

见《庄子·心术上》。

道生一，一生二，二生三，三生万物

见《老子》四十二。

道之尊，德之贵，夫莫之命而常自然

见《老子》五十一。

道若大路然，岂难知哉，人病不求耳

见《孟子·告子下》。

道者以无为为治，而知者以多事为扰

见汉·严遵《道德指归论·知不知篇》。

道也者，不可须臾离也；可离，非道也

见《礼记·中庸》。

道也者，至精也，不可为形，不可为名

见《吕氏春秋·仲夏纪·大乐》。全句为："～，强为之，谓之太一"。

道合则从，不合则去，儒者进退之大节

见《二程集·河南程氏文集》。

道在天地之间也，其大无外，其小无内

见《管子·心术上》。

道虽迩，不行不至；事虽小，不为不成

见《荀子·修身》。

道成于学而藏于书，学进于振而废于穷

见汉·王符《潜夫论·赞学》。

道者，所以明德也；德者，所以尊道也

见三国·魏·王肃《孔子家语·王言解》。全句为："～。是以非德道不尊，非道德不明"。

道足以忘物之得丧，志足以一气之盛衰

见宋·苏轼《贺欧阳少师致仕启》。

道与德，可勉以进也；才不可强揠以进也

见宋·苏洵《养才》。

道不远人。人之为道而远人，不可以为道

见《礼记·中庸》。

道假辞而明，辞假书而传，要之之道而已耳

见唐·柳宗元《报崔黯秀才论为文书》。

道犹金石，一调不更；事犹琴瑟，每弦改调

见汉·刘安《淮南子·氾论》。

道，视之不可见，听之不可闻，搏之不可得

见三国·魏·王弼《老子》四十七注。

道者，所由适于治之路也，仁义礼乐皆其具也

见汉·董仲舒《贤良对策》。

道者，虚无、平易、清静、柔弱、淳粹、素朴

见五代·前蜀·杜光庭《道德真经广圣义》卷二十。全句为："～，此六者，道之形体也"。

道千乘之国，敬事而信，节用而爱人，使民以时

见《论语·学而》。

道之不行也，我知之矣，知者过之，愚者不及也

见《礼记·中庸》。

道者，无也；形者，有也。有故有极，无故长存

见五代·前蜀·杜光庭《道德真经广圣义》卷十一。

道不施不与，而万物以存；不为不宰，而万物以然

见汉·严遵《道德指归论·方而不割篇》。

道之真以治身，其绪余以为国家，其土苴以治天下

见《庄子·让王》。

道，物之极，言默不足以载；非言非默，议有所极

见《庄子·则阳》。

道者……高不可际，深不可测；包裹天地，禀授无形

见汉·刘安《淮南子·原道》。删节处为："覆天载地，廓四方，柝八极"。

道者何也？虚无之系，道化之根，神明之本，天地之源

见唐·吴筠《玄纲论·上篇明道德·道德章第一》。

道一不息，天地亦不息；天地之不息，固道之不息者为之

见宋·文天祥《御试策一道》。

道德之威成乎安强，暴察之威成乎危弱，狂妄之威成乎灭亡也

见《荀子·强国》。全句为："此三威者，不可不孰察也。～"。

道不可闻，闻而非也；道不可见，见而非也；道不可言，言而非也

见《庄子·知北游》。

❷修道之谓教／得道者必静／直道不容于时／信道而不信邪／天道远，人道迩／天道恶满而好谦／公道通而私道塞／险道狭路，可击／大道废，有仁义／知道易，勿言难／敢道人之所难言／私道行则法度侵／与道冥一，万虑皆遗／天道无亲，常与善人／天道之常，一阴一阳／天道有常，王道亡常／无道之君，鬼哭其门／中道而立，能者从之／乐道人之善而不为谄／周道如砥，其直如矢／以道德治民者，舟也／乾道变化，各正性命／伪道养形，真道养神／人道弥

深，所见弥大／履道者固，杖势者危／中道而止，则前功尽弃／以道治国，崇本以息末／大道之行也，天下为公／得道不得行，咎殃且亡／蜀道之难，难于上青天／用道治国，则国安民昌／天道施，地道化，人道义／无道人之短，无说己之长／不道山中冷，翻忧世上寒／乐道而忘贱，安德而忘贫／疑道不可由，疑事不可行／尽道丰年瑞，丰年事若何／索道于当世者，莫良于典／禀道之性，本来清静……／谁道田家乐？春税秋未足／友道君逆，则率友以违君／志道者少友，逐俗者多俦／莫道人行早，还有早行人／莫道桑榆晚，为霞尚满天／大道夷且长，窘路狭且促／大道如青天，我独不得出／吾道亦如此，行之贵日新／君道友逆，则顺君以诛友／得道者多助，失道者寡助／闻道有蚤莫，行道有难易／怀道者须世，抱朴者待工／家道穷必乖……乖必有难／好道者多资，好乐者多迷／有道伐无道，无德让有德／有道者咸屈，无用者必伸／想道如念亲，恶货如失身／天道之数，至则反，盛则衰／以道应物，道无穷而物有尽／直道而事人，焉往而不三黜／缘道理以从事者，无不能成／有道之主，以百姓之心为心／蹈道之心一，而俟时之志坚／天道乱，而日月星辰不得其行／以道佐人主者，不以兵强天下／以道理天下者……不赏而民劝／以道望人则难，以人望人则易／地道乱，而草木山川不得其平／得道者，穷而不慑，达而不荣／毁道德以为仁义，圣人之过也／得道之士，建心于足，游志于止／王道如砥，本乎人情，出乎礼义／天道以爱人为心，以劝善惩恶为公／体道者逸而不穷，任数者劳而无功／公道世间唯白发，贵人头上不曾饶／凡道无根，无茎，无叶，无荣……／离道而内自择，则不知祸福之所托／莫道昆明池水浅，观鱼胜过富春江／大道以多岐亡羊，学者以多方丧生／君道立则利出其群，而人备可完矣／此道废兴吾命在，世间腾口任云云／自道所禀谓之性，性之所迁谓之情／其道末者其文杂，其才浅者其意烦／天道远，人道尔，报应之效迟速难量／凡道必周必密，必宽必舒，必坚必固／大道吐气，布于虚无，为天地之本始／闻道有先后，术业有专攻，如是而已／有道之君，修身之士，不为轻诺之约／周道衰于幽厉，非道亡也，幽厉不繇也／主道得而臣道序，官不易方而太平用成／从道不从君，从义不从父，人之大行也／知道而不行，知贤而不举，甚乎穿窬也／守道而忘势，行义而忘利，修德而忘名／天道悠悠，人生若浮，古来贤圣，皆成去留／求道者不以目而以心，取道者不以手而以耳／由道废邪，用贤弃愚，推以革物，宜民之苏／以道以德为有国之基，无事无为乃聚人之本／体道履仁，外和内敏，清而容物，善不近名／得道之士，外化而内不化……所以全其身也／治道备，人斯为善矣；治道失，人斯为恶矣／易道良马，使人欲驰；饮酒而乐，使人欲歌／有道之世，以人与国；无道之世，以国与人／有道之君，以逸逸人；无道之君，以乐乐身／天道无为，任物自然，无亲无疏，无彼无此也／为道不在多，自为已有金丹至要，可不用余耳／有道以御之，身虽无能也，必使能者为己用也／失道而后德，失德而后仁，失仁而后义，失义而后礼／莫道男儿心如铁，君不见满川红叶，尽是离人眼中血／处道而不贰，吐而不夺，利而不流，贵公正而贱鄙争／大道无形，大仁无亲，大辩无声，大廉不嗛，大勇不矜／大道不称，大辩不言，大仁不仁，大廉不嗛，大勇不忮／有道之君子，其处也若无知，其应物也若偶之，静因之道也

❸始者，道本也／安逸，道之贼也／非吾道，虽利不取／人之道，为而不争／朝闻道，夕死可矣／天地，道德之形容也／不知道者，以言相烦／世丧道矣，道丧世矣／古之道不苟誉毁于人／任重道远，死而后已／作舍道边，三年不成／功成道洽，身没名扬／君子道长，小人道消／惟有道者能以往知来／教之道，必先治学校／非闻道难也，行之难也／又不道，流年暗中偷换／虽小道，必有可观者焉／涉长道后行未息，可击／栖守道德者，寂寞一时／车轻道近，则鞭策不用／礼者道之华而乱之首也／身失道，则无以知迷惑／天之道，损有余而补不足／不悲道难行，所悲累身修／非其道而行之，虽劳不至／反者道之验，弱者德之柄／任重道远者，不择地而息／信者道之根，敬者德之蒂／邦无道，富且贵焉，耻也／邦有道则知，邦无道则愚／邦有道，贫且贱焉，耻也／负重道远者，不择地而休／常言道：酒不醉人人自醉／常言道：日久才把人心见／自问道何如，贵贱安足云／天之道事无大小，物无难易／天之道在生植，其用在强弱／失吾道者，上见光而下为土／人之道在法制，其用在是非／君子道其常，而小人计其功／得吾道者，上为皇而下为王／顺大道而行者，救天下者也／不曲道以媚时，不诡行以徼名／非其道，则一箪食不可受于人／反者，道之动；弱者，道之用／邦有道，如矢；邦无道，如矢／其语道也，必先淳朴而抑浮华／天之道也，如迎浮云，若视深渊／人之道则不然，损不足以奉有余／口谈道德而心存高官，志在巨富／国有道，即顺命；无道，即衡命／思通道化，策谋奇妙，是谓术家／天之道莫非自然，人之道皆是当然／兵，诡道也，军事未发，不厌其密／凡为道者，常患于晚，不患于早也／据天道，仍人事，笔则笔而削则削／治之道莫如因智，智之道莫如因贤／通乎道，

合乎德，退仁义，宾礼乐／道可道，非常道；名可名，非常名／致远道者托于乘，欲霸王者托于贤／天之道利而不害，圣人之道为而不争／不闻道而死，曷异蜉蝣之朝生暮死乎／使其道由愈而粗传，虽灭死万万无恨／如其道，则舜受尧之天下，不以为泰／中于道则易以兴政，乖于务则难乎御物／吾师道也，夫庸知其年之先后生于吾乎／国有道其言足以兴，国无道其默足以容／心为道之器，宇虚静至极则道居而慧生／罔违道以干百姓之誉，罔咈百姓以从己之欲／希意道言，谓之谄；不择是非而言，谓之谀／德者道之舍，物得以生生，知得以职道之精／达于道者，反于清净；究于物者，终于无为／攻无道而伐不义，则福莫大焉，黔首利莫厚焉／恒其道，一其志，不欺其心，斯固世之所难得也／食之道：大充，伤而形不臧；大摄，骨枯而血冱／乐之道深矣，故工之善者，必得于心应于手，而不可述之言也／文章道弊五百年矣！汉魏风骨，晋宋莫传，然而文献有可征者／达于道者，独见独闻，独为独存，父不能以授子，臣不能以授君

❹兵者，诡道也／反天之道无成者／君子谋道不谋富／自然之道不可违／言能听，道乃进／与治同道，罔不兴／天不变，道亦不变／君子忧道，不忧贫／柔弱者，道之要也／礼者，人道之极也／一人得道，鸡犬升天／天下无道，以身殉道／天下无道，圣人生焉／天下无道，圣人彰焉／天下有道，圣人藏焉／天下有道，圣人成焉／无弃其道，吾将何病／求之有道，得之在命／为将之道，当先治心／以贵为道，以意为法／任人之道，要在不疑／人能弘道，非道弘人／人必知道而后知爱身／凡谋之道，周密为宝／凡学之道，严师为难／卫君谈道，平子三倒／坐而论道，谓之王公／声音之道，与政通矣／节欲之道，万物不害／持满之道，抑而损之／行于大道，唯施是畏／行不违道，言不违仁／行违于道则愧生于心／得人之道，在于知人／应化之道，平衡而止／治国之道，爱民而已／治国之道，必先富民／理国之道莫大于无事／理身之道莫大于无欲／成功之道，赢缩为宝／成家之道，曰俭与清／明修栈道，暗度陈仓／贫而乐道，富而好礼／见知之道，唯虚无有／所忧在道，不在乎祸／文武之道，一张一弛／文章之道，自古称难／穷不忘道，老而能学／夫子之道，忠恕而已矣／天下无道，则修德就闲／天下无道，则正人在下／天下无道，戎马生于郊／天下有道，则庶人不议／天下有道，则与物皆昌／天下有道，则正人在上／天下有道，却走马以粪／古之治道者，以恬养知／亡在失道而不在于小也／变通之道遍满天地之内／深沉厚道是第一等资质／存在得道而不在于大也／衣食之道，必始于耕织／身不行道，不行于妻子／天下有道则见，无道则隐／天地之道，生杀之理……／为人之道，舍教其何以先／为君之道，必须先存百姓／前识者，道之华而愚之始／工言治道，能以口辩移人／苟由其道，其势可以自得／探微从道管，结撰是心精／理国要道，在于公平正直／本立而道行，本伤而道废／救弊之道在实学不在空言／服民以道德，渐民以教化／身安则道隆，饮食知节量／豺狼横道，不宜复问狐狸／上失其道而杀其下，非理也／天地之道，极则反，盈则损／观天之道，执天之行，尽矣／守身之道，摄养也，诚身也／枳棘当道，行者过之而必诘／筑室于道谋，是用不溃于成／天下之道，理安，斯得人者也／古之得道者，穷亦乐，通亦乐／养性之道：莫久行、久坐……／圣人信道不信身，顺道不顺心／知常顺道，故能公正而为王也／虽有至道，弗学，不知其善也／学古之道，犹食笋而去其箨也／学成而道益穷，年老而智益困／根深则道可长。蒂固则德可茂／目击而道已存，不言而意已传／夫妇之道，有义则合，无义则离／兵虽诡道而本于正者，终亦必胜／人能弘道，焉知来者不如昔也？／圣人之道与神明相得，故曰道德／常胜之道曰柔，常不胜之道曰强／君子修道立德，不为穷困而改节／治国之道，生民之本，啬为祖宗／学问之道无他，求其放心而已矣／贵粟之道，在于使民以粟为赏罚／牧民之道，除其所疾，适其所安／朋友之道，有义则合，无义则离／用兵之道，攻心为上，攻城为下／用兵之道，抚士贵诚，制敌贵诈／无为者，道之身体，而天地之始也／无名者道之体，而有名者道之用也／君子直道而行，知必屈辱而不避也／君子学道则爱人，小人学道则易使／定知直道传千古，杜牧文章在上头／富国有道，无所不恤者，富之端也／时人莫道蛾眉小，三五团圆照满天／敬之为道也，严而相离，其势难久／爱之为道也，情亲意厚，深而感物／用兵之道……心战为上，兵战为下／羊肠鸟道无人到，寂寞云中一个人／足国之道，节用裕民，而善藏其余／雄关漫道真如铁，而今迈步从头越／奉职顺道，亦可以为治，何必威严哉／余将董道而不豫兮，固将重昏而终身／圣人之道，一龙一蛇，形见神藏……／苟能乐道人之善，则天下皆去恶为善／文有二道：辞令褒贬，本乎著述者也／一以论道德，二以论法制，三以论策术／元气即道体，有虚即有气，有气即有道／从水之道而不为私焉，此吾所以蹈之也／圣人备道全美者也，是县天下之权称也／君子遵道而行，半途而废，吾弗能已矣／逆顺同道而异理，审知逆顺，是谓道纪／所守者道义，所行者忠信，所惜者名节／臣行君道则灭其身，君行臣事则伤其国／天地之道，寒暑不时

则疾，风雨不节则饥／圣人之道，不用文则已，用则必尚其能者／士志于道，而耻恶衣恶食者，未足与议也／若夫有道之士，必礼必知然后其智能可尽／太上之道，生万物而不有，成化像而弗宰／如不行道，足以丧身，不举贤，足以亡国／文有二道：……导扬讽谕，本乎比兴者也／上失其道，民散久矣，苟非君子，焉能固穷／为国失道，众叛亲离；为国以道，人必悦服／为学之道莫先于穷理，穷理之要必在于读书／圣人之道，同诸天地，荡诸四海，变习易俗／圣人之道，若存若亡。援而用之，殁世不亡／苟得于道，无自而不可；失焉者，无自而可／太上畏道，其次畏物，其次畏人，其次畏身／听言之道，必以其事观之，则言者莫敢妄言／君子惟道是贵，惟德是守，所以能万世不朽／存身之道莫急乎养神，养神之要莫甚乎素然／绝言之道，去心与意；止为之术，去人与智／忠恕违道不远。施诸己而不愿，亦勿施于人／用无常道，事无轨度，动静屈伸，唯变所适／为啬之道，不施不予，俭爱微妙，盈若无有。／为学之道，必本于思。思则得知，不思则不得／从山阴道上行，山川自相映发，使人应接不暇／圣人之道，宽而栗，严而温，柔而直，猛而仁／《大学》之道，在明明德，在亲民，在止于至善／君子之道也，造端乎夫妇，及其至也，察乎天地／吾所谓道德云者，合仁与义言之也，天下之公言也／君子之道，辟如行远，必自迩；辟如登高，必自卑／君子之道，不以其所已能者为足，而尝以其未能者为歉／上士闻道，勤而行之；中士闻道，若存若亡；下士闻道，大笑之／无为者，道之宗；故得道之宗，应物无穷，任人之才，难以至治

❺万有皆由道而生／天道远，人道迩／生财有大道……／卑损之为道大矣／抱一者，守道也／尚变者，天道也／君子以直道待人／天生天杀，道之理也／世丧道矣，道丧世矣／事谐则感，道洽斯亲／人心惟危，道心惟微／圣人也者，道之管也／大直若诎，道固委蛇／门不夜关，道不拾遗／道私者乱，道法者治／教无常师，道在则是／心能执静，道将自定／心静气理，道乃可止／天下之主，道德出于人／仁者之行道也，无为也／凡治国之道，必先富民／防小人之道，正己为先／圣人久于道而天下化成／圣人之行道也，无强也／朝拜而不道，夕斥之矣／开谄谀之道，为佞者必多／天道施，地道化，人道义／无为之谓道，舍之之谓德／可为智者道，难为俗人言／以至诚为道，以至仁为德／直己而行道者，好义者也／依世则废道，违俗则危殆／人生归有道，衣食固其端／勤学第一道，勤问第一方／废先王之道，燔百家之言／道昭而不道，言辩而不及／弦以明直道，漆以固交深／死去何所道，托体同山阿／有道伐无道，无德让有德／言多则背道，多欲则伤生／正直者顺道而行，顺理而言／由礼以达道，则自得而不眩／以道应物，道无穷而物有尽／苟不由其道，虽强求而不获／君子致其道德，而福禄归焉／治世不一道，便国不必法古／爱之不以道，适所以害之也／利民岂一道哉，当其时而已矣／仁是爱的道理，公是仁的道理／循理以求道，落其华而收其实／是以非德道不尊，非道德不明／今余遭有道，而违于理，悖于事／事事只在道理上商量，便是真体认／以救时行道为贤，以犯颜纳说为忠／直如弦，死道边；曲如钩，反封侯／人有穷，而道无不通，与道争则凶／文者以明道，是固不苟为炳炳烺烺／言学便以道为志，言人便以圣为志／天道远，人道尔，报应之效迟速难量／师严，然后道尊；道尊，然后知敬学／古之善为道者，非以明民，将以愚之／诚者，天之道也；诚之者，人之道也／诚者，天之道也；思诚者，人之道也／得名得货，道德不居，神明不留……／忠告而善道之，不可则止，毋自辱焉／安平则尊道术之士，有难则贵介胄之臣／强令之为道也，可以成小而不可以成大／众物之中，道无不在；秋毫之细，道亦居之／谒而得位，道士不居也；争而得财，廉士不受／圣人守清道而抱雌节，因循应变，常后而不先／天子者，有道则人推而为主，无道则人弃而不用／凡用人之道，若以燧取火，疏之则弗得，数之则弗中／失名失货，道德是佑，神明是助，名显自然，富配天地／威有三：有道德之威者，有暴察之威者，有狂妄之威者／凡用人之道，采之欲博，辨之欲精，使之欲适，任之欲专

❻开诚心，布公道／公道通而私道塞／先事预防之道也／君子以钟鼓道志／俭者，均食之道也／至诚者，天之道也／大德灭小怨，道也／好与，来怨之道也／责善，朋友之道也／盈必毁，天之道也／上德之人，唯道是用／天命难知，人道易守／天道有常，王道亡常／不偏不党，王道荡荡／不在憎爱，以道为贵／非法不言，非道不行／孔德之容，惟道是从／伪道养形，真道养神／侮慢自贤，反道败德／借听于聋，求道于盲／人不敦庞则道数不远／人能弘道，非道弘人／善不必寿，惟道之闻／恃德则固，失道则亡／迷而知反，得道不远／春生秋杀，天道之常／气有变化，是道有变化／文之细大，视道之行止／心安而虚，则道自来止／以之修身，则道同而相益／君门以九重，道远河无津／国之亡也，有道者必先去／源长者流深，道悠者利博／贫富常交战，道胜无戚颜／鞭策之所用，道远任重也／师者，所以传道受业解惑也／人之不力于道者，昏不思也／凡物不以其道得之，皆邪也／待士而

不以道，则士必去矣／天下之人蹈道必赏，违善必罚／头颅相属于道，不一日而无兵／即以其人之道，还治其人之身／君子乐得其道，小人乐得其欲／君子之志于道也，不成章不达／道人之所不道，到人之所不到／神莫大于化道，福莫长于无祸／类君子之含道，外蓬蒿而不怍／与人相处之道，第一要谦下诚实／宁武子邦有道则智；邦无道则愚／能知反复之道者，可以居兆民之职／苟不悖于圣道，而有以启明者之虑／道可道，非常道；名可名，非常名／物之其由者道也，道之在我者德也／立事者不离道德，调弦者不失宫商／自得、自成、自道，不倚师友载籍／自家虽有这道理，须是经历过方得／夫玄也者，天道也，地道也，人道也／求是者，非求道理也，求合于己者也／古之君子，守道以立名，修身以俟时／君子之恶恶道不甚，则好善道亦不甚／不好问询之道，则是伐智本而塞智原也／主道得而臣道序，官不易方而太平用成／死生荣辱之道一，则三军之士可使一心矣／无偏无党，王道荡荡；无党无偏，王道平平／说之虽不以道，说也；及其使人也，求备焉／知足之人，体道同德，绝名除利，立我于无／迷而知反，失道不远，过而能改，谓之不过／窈然无际，天道自会；漠然无分，天道自运／为学日益，为道日损，损之又损，以至于无为／古君子志于道，据于德，依于仁，而后艺可游／先王之世，以道治天下，后世只是以法把持天下／策之不以其道……执策而临之曰："天下无马"／苟守先圣之道，由大中以出，虽万受摈弃，不更乎其内／威有三术，有道德之威者，有暴察之威者，有狂妄之威者／欲为君，尽君道；欲为臣，尽臣道。二者皆法尧舜而已矣

❼一阴一阳之谓道／诚乎物而信乎道／功成身退，天之道／非其义也，非其道也／信者，成万物之道也／君子道长，小人道消／非长生难也，闻道难也／讲学以会友，则道益明／君子出处不违道而无愧／国之所以存者，道德也／好称人恶，人亦道其恶／父子不信，则家道不睦／虚无谲诡，此乱道之根／尺蠖知屈伸，体道识穷达／先师有遗训，忧道不忧贫／得道者多助，失道者寡助／德薄者位危，去道者身亡／闻道有蚤莫，行道有难易／清心为治本，直道是身谋／结交澹若水，履道直如弦／相见无杂言，但道桑麻长／父父，子子……而家道正／风檐展书读，古道照颜色／用心莫如直，进道莫如勇／大丈夫所守者道，所待者时／器博者无近用，道长者其功远／行前定则不疚，道前定则不穷／时不可以苟遇，道不可以虚行／镜无见疵之罪，道无明过之恶／吾之终日志于道德，犹惧未及也／理世不必一其道，便国不必法古／理国执无为之道，民复朴而还淳／不以富贵妨其道，不以隐约易其心／事大君子当以道，不宜苟且求容悦／内省而不疚于道，临难而不失其德／率性而行谓之道，得其天性谓之德／诚者，合内外之道，便是表里如一／士有一言中于道，不远千里而求之／劳形按影皆非道，炼气吞霞更是狂／君子之学进于道，小人之学进于利／知周乎万物，而道济天下，故不过／形而上者谓之道，形而下者谓之器／处屯而必行其道，居陋而不改其度／弘爱人屈己之道，酌因时适变之宜／学不勤则不知道，耕不力则不得谷／贵可以问贱……唯道之所成而已矣／虚而无形谓之道，化育万物谓之德／师严，然后道尊；道尊，然后知敬学／动静者终始之道，聚散者化生之门也／庸人者，口不能道善言，心不知色色／文章到欧曾苏，道理到二程，方是畅／为人友者不以道而以利，举世无友，故道益弃／以和氏之璧与道德之至言以示贤者，贤者必取至言／学无二事，无二道，根本苟立，保养不替，自然日新／君子尊德性而道问学，致广大而尽精微，极高明而道中庸

❽无阴无阳乃谓之道／出林之中不得直道／天下无道，以身殉道／以逸击劳，取胜之道／伤化败俗，大乱之道／诚不忍奇宝横弃道侧／小识伤德，小行伤道／备豫不虞，为国常道／治德者不以德，以道／婚姻论财，夷虏之道／一张一弛，文武之道也／古之言通者，通于道义／名进而身退，天之道也／和也者，天下之达道也／道之大纲……方谓之道／天下有道则见，无道则隐／天道施，地道化，人道义／不伐功斯巨，惟谦道乃光／利之出于群也，君道立也／众趋明所避，时弃道犹存／邦有道则知，邦无道则愚／动静不失其时，其道光明／夸愚适增累，矜智道逾昏／知短于自知，故以道正己／醉中语亦有醒时道不到者／不耻身之贱，而愧道之不行／养生丧死无憾，王道之始也／志行万里者，不中道而辍足／吕望垂竿于渭涘，道峻匡周／王者以仁义为丽，道德为威／反者，道之动；弱者，道之用／邦有道，如矢；邦无道，如矢／士之品有三：志于道德者为上／未遇明师，而求要道，未可得也／名缰利锁，天还知道，和天也瘦／善为师者，既美其道，有慎其行／国有道，即顺命；无道，即衡命／居今之世，志古之道，所以自镜／理国长安，率身从道，言必信实／政者正也，上正其道，下必从之／文起八代之衰，而道济天下之溺／东边日出西边雨，道是无晴却有晴／响必应之于同声，道固从之于同类／法得则马和而欢，道得则民安而集／道之无益于义而道之，此言之秽也／贱物而贵德，孰谓道远，将允蹈子／物之其由者道也，道之在我者德也／睫在眼前长不见，道非身外更何求／类善则万世不忘，

道恶则祸及其身／任天下之智力，以道御之，无所不可／奉而始终之则为道，言而发明之则为诗／周道衰于幽厉，非道亡也，幽厉不繇也／心不清则无以见道，志不确则无以立功／道不远人。人之为道而远人，不可以为道／无善而好，不观其道；无悖而恶，不详其故／无有作好，遵王之道；无有作恶，遵王之路／由是而之焉之谓道，足乎己无待于外之谓德／净心守志，可会至道，譬如磨镜，垢去明存／小快害义，小慧害道，小辨害治，苟心伤德／有赏罚之教则邪道进，有亲疏之分则小人入／肥于貌，孰与肥其道；求于人，孰与求其身／心虚白则神留而道存，腹充实则精全而寿长／凡居其位，思直其道，道苟直，虽死不可回也／君子务本，本立而道生。孝弟也者，其仁之本／君子与君子以同道为朋，小人与小人以同利为朋／阳动吐，阴静翕，阳道常饶，阴道常乏，阴阳之道也／背法而治，此任重道远而无马牛，济大川而无舡楫也

❾士不必贤世，要之知道／士穷不失义，达不离道／谄成之风动，救失之道缺／大有其事，而忘生之道也／彼是莫得其偶，谓之道枢／待士之意周，取人之道广／御马有法矣，御民有道矣／饰诈以图己，诈穷则道屈／本立而道行，本伤而道废／先生之不从世兮，惟道是就／君不与臣争功，而治道通矣／通其辞者，本志乎古道者也／圣人信道不信身，顺道不顺心／道者万世亡弊，弊者道之失也／道者文之根本，文者道之枝叶／是以非德道不尊，非道德不明／与天同心而无知，与道同身而无体／以我视物则我大，以道体物则道大／仅存之国富大夫，亡道之国富仓府／阴阳者，气之大者也；道者为之公／得在时，不在争；治在道，不在圣／万物并育而不相害，道并行而不相悖／夫玄也者，天道也，地道也，人道也／观古人，得其时行其道，则无所为书／士有靡衣鲜食而乐道者，吾未之见也／选则不遍，教则不至，道则无遗者矣／志意修则骄富贵矣，道义重则轻王公矣／物有甘苦尝之者识，道有夷险履之者知／势利之交不终年，惟道义之交，可以终身／所恶执一者，为其贼道也，举一而废百也／百川朝海，流行不止。道虽辽远，无不到者／事以实之，词以章之，道以通之，法以检之／欲见贤人而不以其道，犹欲其入而闭之门也／言吾善者，不足为喜；道吾恶者，不足为怒／无贵无贱，无长无少，道之所存，师之所存也／不可与往者，不知其道，慎勿与之，身乃无咎／凡居其位，思直其道，道苟直，虽死不可回也／不深思则不能造于道，不深思而得者，其得易失／道者何也？虚无之系，道化之根，神明之本，天地之源／天下大乱，贤圣不明，道德不一，天下多得一察焉以自好／无为者，道之宗；故得道之宗，应物无穷，任人之才，难以至治／道不可闻，闻而非也；道不可见，见而非也；道不可言，言而非也

❿可与往者与之，至于妙道／举错数失，必致危亡之道／以不息为体，以日新为道／地若无山川，何人重平道／塞多幸之路，开至公之道／治家非一宝，富国非一道／有言逆于汝心，必求诸道／有其性无其养，不能遵道／未得位则思修其辞以明其道／乘骥而御之，不倦而取道多／去就取与知能六者，塞道也／善用严者，一慎之外无他道／希利而友人，利薄而友道退／满招损，谦受益，时乃天道／惮势而交人，势劣而交道息／履非常之危者不可以常道安／强本节用，则人给家足之道／日与水居，则十五而得其道／物势之反，乃君子所谓道也／有元气则有生，有生则道显／有言逊于汝志，必求诸非道／疑而问，问而辩，问辩之道也／仁是爱的道理，公是仁的道理／人已古兮山在，泉无心兮道存／讯问者智之本，思虑者智之道／士不可以不弘毅，任重而道远／挺秀色于冰涂，厉贞心于寒道／君子之言也，不下带而道存焉／知生而不知杀者，逆天之道也／知大己而小天下，则几于道矣／富贵之多罪，不如贫贱之履道／进退盈缩变化，圣人之常道也／适知邪径之速，不虑失道之迷／道沿圣以垂文，圣因文而明道／玉不琢不成器，人不学不知道／极而反，盛而衰，天地之道也／恶不废则善不兴，自然之道也／万物以生，万物以成，命之曰道／事督乎法，法出乎权，权出乎道／乘骐骥以驰骋兮，来吾道夫先路／以柔顺而为不正，则佞邪之道也／以虚无而能开通于物，故称曰道／乱极则治，暗极则光，天之道也／厚于财色必薄于德，自然之道也／仁也者，人也。合而言之，道也／人能由昭昭于冥冥，则几于道矣／圣人正在刚柔之间，乃得道之本／圣人之道与神明相得，故曰道德／常胜之道曰柔，常不胜之道曰强／君不见直如弦，古人知尔死道边／君子可欺以其方，难罔以非其道／君子多欲则贪慕富贵，枉道速祸／善者能使敌卷甲趋远，倍道兼行／彼尧舜之耿介兮，既遵道而得路／宁武子邦有道则智；邦无道则愚／道不离乎物，若离物则无所谓道／王者不以幸治国，治国固有前道／物有必至，事有常然，古之道也／盗贼之心必托圣人之道而后可行／耳乐和声，为制金石丝竹以道之／天下是非俱不到，安闲一片道人心／天之道莫非自然，人之道皆是当然／天若有情天亦老，人间正道是沧桑／无名者道之体，而有名者道之用也／无征而言，取不信、启作妄之道也／不出户，知天下；不窥牖，见天道／生人之性得以安，圣人之道得以光／以我视物则我大，以道体物则道

大／古之学者必严其师，师严然后道尊／何方圆之能周兮，夫孰异道而相安／人之所贵者生也，生之所贵者道也／人有穷，而道无不通，与道争则凶／六府修治洁如素，虚无自然道之固／读书好处心先觉，立雪深时道已传／喜怒哀乐发而皆中节，天下之达道／大德之人不随世俗，所行独从于道／君子之于世，无去无就，惟道是从／君子学道则爱人，小人学道则易使／君看夏木扶疏句，还许诗家更道不／行险者不得履绳，出林者不得直道／治之道莫如因智，智之道莫如因贤／游江海者托于船，致远道者托于乘／道之大原出于天，天不变道亦不变／好成者败之本也，愿广者狭之道也／时人不识凌云木，直待凌云始道高／致贵无渐失必暴，受爵非道殃必疾／礼不过实，仁不溢恩，治世之道也／忠邪不可以并立，善恶不可以同道／破天下之浮议，使良法不废于中道／辞之所以能鼓天下者，乃道之文也／精于物者以物物，精于道者兼物物／紫陌红尘拂面来，无人不道看花回／夫玄也者，天道也，地道也，人道也／天下未尝无才，患所以求才之道不至／天下者非一人之天下，惟有道者处之／天之道利而不害，圣人之道为而不争／不见其形不闻其声，而序其成谓之道／百工居肆以成其事，君子学以致其道／举贤以临国，官能以敕民，则其道也／人天下之声色而研其理者，人之道也／诚者，天之道也；诚之者，人之道也／诚者，天之道也；思诚者，人之道也／至极空虚而善应于物，则乃目之为道／君不见管鲍贫时交，此道今人弃如土／君子之恶恶道不甚，则好善道亦不甚／君子寡欲则不役于物，可以直道而行／徒恶之而不去其得之之道，不能免也／安得因一摧折，自毁其道以从于邪也／进退盈缩，与时变化，圣人之常道也／春生夏长，秋收冬藏，此天道之大经／睹其终必原其始，故存其人而咏其道／与其誉尧而非桀也，不如两忘而化其道／天命之谓性，率性之谓道，修道之谓教／元气即道体，有虚即有气，有气即有道／正明不为日月所眩，正观不为天道所迁／出见纷华盛丽而说，入闻夫子之道而乐／临水远望，泣下沾衣，远道之人心思归／兵者，国之大事，死生之地，存亡之道／为人师者众笑之，举世不师，故道益离／养志者忘形，养形者忘利，致道者忘心／凡鬼神事眇茫荒惑无可准，明者所不道／在上不骄，在下不谄，此进退之中道也／抱不世之才，特立而独行，道方而事实／国有道其言足以兴，国无道其默足以容／形骸既适则神不烦，观听无邪则道以明／治身者以积精为宝，治国者以积贤为道／清者则心平而意直，忠者惟正道而履之／逆顺同道而异理，审知逆顺，是谓道纪／道也者，不可须臾离也；可离，非道也／道者，所以明德也；德者，所以尊道也／好成者，败之本也；愿广者，狭之道也／绳锯木断，水滴石穿，学道者须加力索／智者不背时而侥幸，明者不违道以干非／物之所以通，事之所以理，莫不由乎道／所生者弗德，所杀者非怨，则几于道也／所志于古者，不惟其辞之好，好其道焉／有形亦是气，无形亦是气，道寓其中也／心为道之器，宇虚静至极则道居而慧生／悬衡而知平，设规而知圆，万全之道也／意新语工，得前人所未道者，斯为善也／释规而任巧，释法而任智，惑乱之道也／言无法度不出于口，行非公道不萌于心／言非法度不出于口，行非公道不萌于心／内小人而外君子，小人道长，君子道消也／内君子而外小人，君子道长，小人道消也／民无常用也，无常不用也，唯得其道为可／仁者人也，仁字有生意，是言人之生道也／若夫以火能焦木也，因使销金，则道行矣／若意新语工，得前人所未道者，斯为善也／善为国者若弹琴；宫君商臣，则治国之道／道不远人。人之为道而远人，不可以为道／悠悠素餐者，天下皆是，王道从何而兴乎／愚者为一物一偏，而自以为知道，无知也／与死者同病难为良医，与亡国同道难与为谋／无偏无党，王道荡荡；无党无偏，王道平平／不能说其志意，养其寿命者，皆非通道者也／世禄之家，鲜克由礼。以荡陵德，实悖天道／求道者不以目而以心，取道者不以手而以耳／长于变者不可穷以诈，通于道者不可惊以怪／长桥卧波，未云何龙？复道行空，不霁何虹／兵者，不祥之器，物或恶之，故有道者不处／为国失道，众叛亲离；为国以道，人必悦服／为政在人，取人以身，修身以道，修道以仁／仁人者，正其谊不谋其利，明其道不计其功／倚势豪夺，飞食人肉，鼓吻弄翼，道路以目／众物之中，道无不在；秋毫之细，道亦居之／高树靡阴，独木不林，随时之宜，道贵从凡／至人之治，掩其聪明，灭其文章，依道废智／志合者不以山海为远，道乖者不以咫尺为近／若是若非，执而圆机；独成而意，与道徘徊／大丈夫不怕人，只怕理；不恃人，只是恃道／大味必淡，大音必希；大语叫叫，大道低回／小人智浅而谋大，羸弱而任重，故中道而废／名为山人而心同商贾，口谈道德而志在穿窬／德者道之舍，物得以生生，知得以职道之精／广仁益智，莫善于问；乘事演道，莫善于对／治道备，人斯为善矣；治道失，人斯为恶矣／性不可易，命不可变，时不可止，道不可壅／道假辞而明，辞假书而传，要之之道而已耳／居不主奥，坐不中席，行不中道，立不中门／纯粹而不杂，静一而不变……此养神之道也／物有本末，事有终始。知所先后，则近道矣／有道之世，以人与国；无道之世，以国与人／有道之君，以逸逸人；无道之君，以乐乐身／思古人而不得见，学古道，则欲兼通其辞也／窈然无际，天道自会；漠然无分，天道自运／言切直则不用而身危，不切直则不可以明道／其名弥消，其德弥长；其身弥退，其道弥进／为人友者不以道而以利，举世无友，故道益弃／古之学者必有师，所以通其业，成就其道者也／原天命，治心术，理好恶，适情性，而治道毕／凡今能言者，皆谓天下少士，而不知养材之道／凡语治而待去欲者，无以道欲而困于有欲者也／君子之治人也，即以其人之道，还治其人之身／困境起念，随物生情，不守道循常，即为妄矣／枯藤老树昏鸦，小桥流水人家，古道西风瘦马／日月虽以形相物，考其道则有施受健顺之差焉／故凡得胜者，必与人也，凡得人者，必与道也／既已得高官巨富矣，仍讲道德、说仁义自若也／鳏虽难得，贪以死饵；士虽怀道，贪以死禄矣／天子者，有道则人推而为主，无道则人弃而不用／富与贵，是人之所欲也，不以其道得之，不处也／贫与贱，是人之所恶也，不以其道得之，不去也／敏于事而慎于言，就有道而正焉，可谓好学也已／下以言语为学，上以言语为治，世道之所以日降也／不就利，不违害，不强交，不苟绝，惟有道者能之／人主之不肖者，有似于此。不得其道，而徒多其威／闰以正时，时以作事，事以厚生，生民之道在此矣／子思以为鼎肉使己仆仆尔亟拜也，非养君子之道也／天公何时有，谈者皆不经。谁道贤人死，今为傅说星／兵之情主速，乘人之不及，由不虞之道，攻其所不戒／阳动吐，阴静翕，阳道常饶，阴道常乏，阴阳之道也／恬淡、寂寞、虚无、无为，此天地之本而道德之质也／学者自强不息，则积少成多；中道而止，则前功尽弃／天不可信，地不可信，人不可信，心不可信，惟道可信／天有恒日，民自则之，爽则损命，环自服之，天之道也／以天为宗，以德为本，以道为门，兆于变化，谓之圣人／人知出必由户，而不知行必由道。非道远人，人自远尔／人迫于恶，则失其所好；怵于好，则忘其所恶，非道也／欲成功而反为败者，生于不知道理，而不肯问知而听能／天不为人怨咨而辍其寒暑，君子不为人之丑恶而辍其正道／使智惠之人治国之政事，必远道德，妄作威福，为国之贼／吃百姓之饭，穿百姓之衣，莫道百姓可欺，自己也是百姓／君子之于子，爱之而勿面，使之而勿貌，导之以道而勿强／君子尊德性而道问学，致广大而尽精微，极高明而道中庸／道一不息，天地亦不息；天地之不息，固道之不息者为之／智亦有所不至。所不至，说者虽辩，为道虽精，不能见矣／视听言行，循礼法而动，所以教人忘嗜欲而归性命之道也／欲为君，尽君道；欲为臣，尽臣道。二者皆法尧舜而已矣／君子之求利也略，其远害也早，其避辱也惧，其行道理也勇／有道之君子，其处也若无知，其应物也若偶之，静因之道也／君子易事而难说也。说之不以道，不说也；及其使人也，器之／上士闻道，勤而行之；中士闻道，若存若亡；下士闻道，大笑之／人之生也，必以其欢。忧则失纪，怒则失端。忧悲喜怒，道乃无处／人之所以不能终其寿命，而中道夭于刑戮者，何也？以其生生之厚／国有三军何？所以戒非常，伐无道，尊宗庙，重社稷，安不忘危也／道不可闻，闻而非也；道不可见，见而非也；道不可言，言而非也／天不得不高，地不得不广，日月不得不行，万物不得不昌，此其道与／治世所贵乎位者三：一曰达道于天下，二曰达惠于民，三曰达德于身

遂

①suì 道；通路；通达；进；荐；于是；竟；终；成功；如意；通“邃”，远；通“隧”，钟下部受击处；古国名。②suí 通“随”。

❶遂令一夫唱，四海欣提矛

见唐·元结《悯荒诗》。

遂令天下父母心，不重生男重生女

见唐·白居易《长恨歌》。

❸事求遂，功求成／杉能遂其性，不扶而直……／功名遂成，天也；循理受顺，人也／得志遂茂而不骄，不得志瘁瘠而不辱

❹功成名遂身退／见机不遂者陨功／事难全遂，物不两兴

❺参以土宜，遂以物性／成事不说，遂事不谏，既往不咎

❻用智褊者无遂功／毋以人誉而遂无过／薄刑之不已，遂至于诛／偶失万户侯，遂老三家村／摧折寒山里，遂死无人窥／自从兵戈动，遂觉天地窄

❼困。君子以致命遂志／不能终善者，不遂其君／矜一事之微劳，遂有无厌之望／根之茂者其实遂，膏之沃者其光晔／人以为偶一奋，遂名无穷，今大不然

❽一朝辞此地，四海遂为家／曲辕且绳直，诡木遂雕藻／青蝇一相点，白璧遂成冤／招麾祸福，功名所遂，谓之志／功成事立，名迹称遂，不退身避位……

❾卑让降下者，茂进之遂路也／爱而不知其恶，憎而遂忘其善

❿伯乐一过冀北之野，而马群遂空／迷者不问路，溺者不问遂，亡人好独／我独见得是，亦须缓缓调停，不可直遂／人贵量力，不贵必成；事贵相时，不贵必遂／过之所始，必始于微；积而不已，遂至于著／日异其能，岁增其智，进如川行，浩浩而遂／有为之为，有废无功；无为之为，

成遂无穷／处患难，知其无可奈何，遂放意而不反，是岂安于义命者

遍

biàn 到处；全；从头到尾经历一次。

❶遍人间烦恼填胸臆

见元·王实甫《西厢记》。全句为："～，量这些大小车儿如何载得起"。

遍身罗绮者，不是养蚕人

见唐·张俞《蚕妇》。

❷踏遍青山人未老，风景这边独好

❹读书百遍而义自见／强不能遍立，智不能尽谋／选则不遍，教则不至，道则无遗者矣

❺变通之道遍满天地之内／读来一百遍，不如亲见颜色，随问而对之易了／看万山红遍，层林尽染；漫江碧透，百舸争流

❻愁随芳草，绿遍江南／观天下书未遍，不得妄下雌黄

❼天将今夜月，一遍洗寰瀛

❽诗人甘寂寞，居处遍苍苔／痈疽发于指，其痛遍于体

遐

xiá 远；远去；长久；通"何"。

❻积微成大，陟遐自迩

❼升高必自下，陟遐必自迩

❾若升高，必自下；若陟遐，必自迩

遨

áo 游。

❽攀援而登，箕踞而遨……

遣

qiǎn 派遣；消除；使；教。

❸意能遣辞，辞不能成意／措语遣意，有若自然生成者

❹蹉跎莫遣韶光老／蹉跎莫遣韶光老，人生唯有读书好

❻宽心应是酒，遣兴莫过诗

❽其会意也尚巧，其遣言也贵妍

❾健儿无粮百姓饥，谁遣朝朝入君口／大梁襟带洪河险，谁遣神州陆地沉

❿事有切而未能忘，情有深而未能遣／情横于内而性伏，必外寓于物而后遣

遥

yáo 距离很远；飘荡。

❶遥指空中雁作羹

见元·无名氏《陈州粜米》一折。

遥吟俯畅，逸兴遄飞

见唐·王勃《滕王阁序》。

遥知不是雪，为有暗香来

见宋·王安石《梅花》。

❷逍遥以针劳，谈笑以药倦／路遥知马力，日久见人心／逍遥于天地之间，而心意自得／舟遥遥以轻飏，风飘飘而吹衣／逍遥，无为也；苟简，易养也；不贷，无出也

❸听草遥寻岸，闻香暗识莲／舟遥遥以轻飏，风飘飘而吹衣

❹伤则感遥而悼近，怨则恋始而悲终

❼日进前而不御，遥闻声而相思

❽超凡证圣，目击非遥；悟在须臾，何须皓首

❿翠佩传情密，曾波托意遥／天街小雨润如酥，草色遥看近却无／借问酒家何处有，牧童遥指杏花村／坐地日行八万里，巡天遥看一千河／破额山前碧玉流，骚人遥驻木兰舟／非唯近事则相感，亦有远事遥相感者

遭

zāo 遇到、碰见（不幸的事）；四周；次数。

❶遭一蹶者得一便，经一事者长一智

见宋·无名氏《五代·汉史平话》。

遭治世不避其任，遇乱世不为苟存

见《庄子·让王》。

❸众口遭笑，虽贵必危／今余遭有道，而违于理，悖于事／并时遭兵，隐者不中；同日被霜，蔽者不伤

❹命者，所遭于时也

❺守成尚文，遭遇右武／兰亭也，不遭右军，则清湍修竹，芜没于空山矣

❻乱或资理者，遭乱而能惧

❾先下手为强，后下手遭殃

❿楚国青蝇何太多，连城白璧遭谗毁／不以人之坏自成也，不以人之卑自高也，不以遭时自利也

遮

zhē 掩盖；掩饰；阻拦；通"庶"，众多；通"者"，这。

❸青山遮不住，毕竟东流去

❹鬓秃难遮老，心宽不贮愁

❺不畏浮云遮望眼，自缘身在最高层

❻黑云翻墨未遮山，白雨跳珠乱入船

❿千呼万唤始出来，犹抱琵琶半遮面

適

①shì 适的繁体字。②dí 主；厚；通"嫡"、"敌"；官爵相同的人。[適莫]厚薄。③zhé 通"谪"，责备。[瑕適]玉上的斑疵。④tì[適適]恐惧的样子。

❽折而不挠，勇也；瑕適皆见，精也

遵

zūn 按照；依从。

❶遵四时以叹逝，瞻万物而思纷

见晋·陆机《文赋》。全句为："～；悲落叶于劲秋，喜柔条于芳春"。

❸君子遵道而行，半途而废，吾弗能已矣

❹吏肃惟遵法，官清不爱钱

❺无有作好，遵王之道；无有作恶，遵王之路

❾有其性无其养，不能遵道／彼尧舜之耿介兮，

既遵道而得路

❿无有作好，遵王之道；无有作恶，遵王之路

遽

jù 仓促；惊慌；驿车；遂；就。

❸岂不遽止？然犹防川，大决所犯，伤人必多

❺厉夜生子，遽而求火

❿安宁勿懈堕，有事不迫遽／为民族解放，为阶级翻身，事业垂成，公胡遽死

邀

yāo 不正当地谋求；迎候；约请人到某处参与某项活动。

❺处世不必邀功，无过便是功

❼仁者不乘危以邀利，智者不侥幸以成功

❽时乎时乎，去不可邀，来不可逃

❿立小异以近名，托虚名以邀利／临之以患难而能不变，邀之以宠利而能不回

邅

zhān 难行；转，改变方向。

❺英雄有屯邅，由来自古昔

避

bì 躲；防止。

❶避慊远疑，救不得人

见清·申居郧《西岩赘语》。全句为："惮劳怕怨，做不得事；～"。

避其锐气，击其惰归

见《孙子兵法·军事篇》

避其所短，则世无弃材

见晋·葛洪《抱朴子·务正》。全句为："役其所长，则事无废功；～"。

避席畏闻文字狱，著书都为稻粱谋

见清·龚自珍《咏史》。

避天下之逆，从天下之顺，天下不足取

见《尸子》。

避人之长，攻人之短，见己之所长，避己之所短

见唐·李筌《太白阳经》。

❷先避患而后就利／罚避亲贵，不可使主兵／鸟避弋而高翔，鱼畏网而深游／所避者名也，所忧者其实也，实不可一日忘

❸吏无避忌，白昼肆行／诗要避俗，更要避熟／诛不避贵，赏不遗贱／爰居避风，本无情于钟鼓／赏不避仇雠，诛不择骨肉／外不避仇，内不阿亲，贤者予／欲恶避就，固不待师，此人之性也／君子避三端：避文士之笔端，避武士之锋端，避辩士之舌端

❹内举不避亲，外举不避仇／内举不避亲，外举不避雠／外举不避仇，内举不避子／有事不避难，有罪不避刑／直言不避重诛者，国之福也／刑过不避大臣，赏善不遗匹夫／诛恶不避亲爱，举善不避仇雠／春不得避风尘，夏不得避暑热／秋不得避阴雨，冬不得避寒冻／举刺不避乎权势，犯颜不畏乎逆鳞／义死不避斧钺之罪，义穷不受轩冕之服／水之行避高而趋下，兵之形避实而击虚／知熟必避，知生必避；人人意中，出人头地／忠臣不避重诛以直谏，则事无遗策，功流万世

❺众趋明所避，时弃道犹存／遭治世不避其任，遇乱世不为苟存

❻寻得桃源好避秦／圣人深居以避辱，静安以待时／宫殿中可以避世全身，何必深山之中，蒿庐之下／君子避三端：避文士之笔端，避武士之锋端，避辩士之舌端

❼诗要避俗，更要避熟／志不求易，事不避难／广积不如教子，避祸不如自省／逃名而名我随，避名而名我追／亲贤如就芝兰，避恶如畏蛇蝎／民不乐生，尚不避死，安能避罪／圣王为政，赏不避仇雠，诛不择骨肉／居官者当事不避难，在位者恤民之患／麋鹿成群，虎豹避之；飞鸟成列，鹰鹫不击

❽不可轻微恶而不避，无容略小善而不为／知熟必避，知生必避；人人意中，出人头地／闻难思解，见利思避，好成人之美，可以立矣

❾内举不避亲，外举不避仇／内举不避亲，外举不避雠／外举不避仇，内举不避子／狡吏不畏刑，贪官不避赃／有事不避难，有罪不避刑／涉冬则淈泥而潜蟠，避害也／保生者寡欲，保身者避名，无欲易，无名难

❿见小利不动，见小患不避／内疾之害重于太山而莫之避／团扇风轻，一径杨花不避人／外疾之害轻于秋毫，人知避之／诛恶不避亲爱，举善不避仇雠／春不得避风尘，夏不得避暑热／秋不得避阴雨，冬不得避寒冻／不受虚誉，不祈妄福，不避死义／民不乐生，尚不避死，安能避罪／任是深山更深处，也应无计避征徭／入其国者从其俗，入其家者避其讳／苟利国家生死以，岂因祸福避趋之／持杯收水水已覆，徙薪避火火更燔／君子直道而行，知必屈辱而不避也／君子不受虚誉，不祈妄福，不避死义／明者远见于未萌，而智者避危于无形／豺狼能害人，其状易别，人得以避之／以至详之法晓天下，使天下明知其所避／功成事立，名迹称遂，不退身避位……／轻死以行礼谓之勇，诛暴不避强谓之力／水之行避高而趋下，兵之形避实而击虚／利而诱之，乱而取之，实而备之，强而避之／人以义来，我以身许，褰裳赴急，不避寒暑／法令者，所以抑暴扶弱，欲其难犯而易避也／福轻乎羽，莫之知载；祸重乎地，莫之知避／避人之长，攻人之短，见己之所长，避己之所短／瞒人之事弗为，害人之心弗存，有益国家之事虽死弗避／君子之求利也略，其远害也早，其避辱也惧，其行道理也勇／君子避三端：避文士之笔端，避武

士之锋端，避辩士之舌端／于为义若嗜欲，勇不顾前后；于利与禄，则畏避退处如怯夫然／祸之始也易除，其除之不可者避之；及其成也欲除之不可，欲避之不可

邈 miǎo 遥远。

❶邈乎其容，若不察其愚也

见唐·韩愈《与陈给事书》。全句为：“～；悄乎其言，若不接其情也”。

❻寝迹衡门下，邈与世相绝

❽视险如夷，瞻程非邈／蜀国多仙山，峨眉邈难匹／负势竞上，互相轩邈，争高直指，千百成峰

❿不忍登高临远，望故乡渺邈，归思难收

邃 suì（空间、时间）深远。

❿磨砺当如百炼之金，急就者，非邃养

归 ①guī 返回；返还；趋向；合并；属于；划给；女子出嫁；投案自首；结局；归宿；姓。②kuì 通“馈”，赠送；通“愧”，惭愧。

❶归师勿遏，围师必阙

见《孙子兵法·军争篇》。

归来宴平乐，美酒斗十千

见三国·魏·曹植《名都篇》。

归国宝，不若献贤而进士

见《墨子·亲士》。

归同契合者，则不言而信著

见晋·葛洪《抱朴子·微旨》。全句为：“～；途殊别务者，虽忠告而见疑”。

归去来兮，田园将芜胡不归

见晋·陶潜《归去来兮辞》。

归之于民则民怒，反之于身则身骄

见《管子·小称》。全句为：“有善则反之于身，有过则归之于民；～”。

归马于华山之阳，放牛于桃林之野

见《尚书·武成》。

❷同归而殊途，一致而百虑

❸天下归之之谓王／天下归怨而不敢辞／长铗归来乎，食无鱼／军有归心，必无斗志／至当归一，精义无二／目送归鸿，手挥五弦／魂兮归来，反故居些／万物归之，美恶乃自见／不恨归来迟，莫向临邛去／人生归有道，衣食固其端／哲人归大夜，千古传圭璋／狐死归首丘，故乡安可忘／毅魄归来日，灵旗空际看／息燕归檐静，飞花落院闲／竹喧归浣女，莲动下渔舟／其指归在可解不可解之会／万川归之，不知何时止而不盈／春每归兮花开，花已阑兮春改／君问归期未有期，巴山夜雨涨秋池／牧童归去横牛背，短笛无腔信口吹／民之归仁也，犹水之就下、兽之走圹也

❹之子于归，宜其室家／死生同归，誓不相弃／有善而归之民，则民喜／劝我早归家，绿窗人似花／封侯早归来，莫作弦上箭／行行循归路，计日望旧居／富贵不归故乡，如衣绣夜行／宾至如归，无宁灾患，不畏寇盗／化者，复归于无形也；不化者，与天地俱生也／人夜思归切，笛声清更哀，愁人不愿听，自到枕前来

❺进必有所归／百川派别，归海而会／近悦远来，归如流水／生当复来归，死当长相思／游子久不归，不识陌与阡／风雨送春归，飞雪迎春到／心知去不归，且有后世名／久假而不归，恶知其非有也／罪生甲，祸归乙，伏怨乃结／矧流客之归思，岂可忘于畴昔／聊乘化以归尽，乐夫天命复奚疑／生，寄也；死，归也。何足以滑和／今别子兮归故乡，旧怨平兮新怨长／扁舟一棹归何处，家在江南黄叶村／威权外假，归之良难，虎翼一奋，卒不可制

❻处下则物自归／长风万里送归舟／为善不同，同归于美／辞欲壮丽，义归博远／既雕且琢，复归于朴／将适远途，理归于骏足／知音如不赏，归卧故山秋／日入群动息，归鸟趋林鸣／望夫处……行人归来石应语／王孙游兮不归，春草生兮萋萋／化作娇莺飞归去，犹认纱窗旧绿／百岁光阴半归酒，一生事业略存诗／生仍冀得兮归桑梓，死当埋骨兮长已矣／为善不同，同归于治；为恶不同，同归于乱／土反其宅，水归其壑；昆虫毋作，草木归其泽

❼舞落银蟾不肯归／信马林间步月归／清风明月满船归／满湖风月画船归／新春偷向柳梢归／仁义积则物自归之／一日行善，天下归仁／万物自有而终归于无／周公吐哺，天下归心／官无中人，不如归田／学经不明，不如归耕／爱施兆民，天下归之／百川异源，而皆归于海／故知知一，则复归于朴／不知乘月几人归，落月摇情满江树／草树知春不久归，百般红紫斗芳菲／大海荡荡水所归，高贤愉愉民所怀／德不施则民不归，刑不缓则百姓愁／鸟飞反乡，兔走归窟……各哀其所生／川渊深而鱼鳖归之，山林茂而禽兽归之／刑政平而百姓归之，礼义备而君子归之

❽丁年奉使，皓首而归／下流之人，众毁所归／万物毕罗，莫足以归／疑皆响答，问必实归／名不与利期而利归之／名之所存，谤之所归／闻义能徙，视死如归／浇风易渐，淳化难归／遗生行义，视死如归／避其锐气，击其惰归／朝行出攻，暮不夜归／用尽身贱，功成祸归／功成不受爵，长揖归田庐／手挥五弦易，目送归鸿难／恐此非名计，息驾归闲居／临河而羡鱼，不如归家织网／反众人之所务，而归于虚无／日出而林霏开，云归而岩穴暝／病身最觉风露早，归梦不知山水长／算来终不与时合，归去来兮翠如中

／三得者具而天下归之，三得者亡而天下去之／秋天晚晴，碧色如归，横度一鸟，时时行云／是他春带愁来，春归何处，却不解、将愁归去

❾无为虚唱大言而终归无用／长安如梦里，何日是归朝／鼓腹无所思，朝起暮归眠／荡胸生曾云，决眦入归鸟／大海之润，非一流之归也／明年春色至，莫作未归人／万物虽并动作，卒复归于虚静／奇才总于文武，重任归于将相／君失臣兮龙为鱼，权归臣兮鼠变虎／多病只思田舍乐，夜归烟火望茅檐

❿百川东到海，何时复西归／长江悲已滞，万里念将归／捐躯赴国难，视死忽如归／损躯赴国难，视死忽如归／潘陆颜谢，蹈迷津而不归／存为久离别，没为长不归／此地曾居住，今来宛似归／晨兴理荒秽，带月荷锄归／醉舞下山去，明月逐人归／蒙矢石，赴汤火，视死如归／君子致其道德，而福禄归焉／归去来兮，田园将芜胡不归／仕宦而至将相，富贵而归故乡／常记溪亭日暮，沉醉不知归路／徒雄而不英，则智者不归往也／富老不如贫少，美游不如恶归／有能以民为务者，则天下归之／悲歌可以当泣，远望可以当归／君子恶居下流，天下之恶皆归焉／甘死不如义死，义死不如视死如归／出师未捷悲移鼎，视死如归笑射钩／尘世难逢开口笑，菊花须插满头归／报国志愿不敢忘，此身未暇归江乡／宁以义死，不苟幸生，而视死如归／有善则反之于身，有过则归之于民／大风起兮云飞扬，威加海内兮归故乡／目极千里兮伤春心，魂兮归来哀江南／秋风起兮白云飞，草木黄落兮雁南归／不忍登高临远，望故乡渺邈，归思难收／临水远望，泣下沾衣，远道之人心思归／川渊深而鱼鳖归之，山林茂而禽兽归之／刑政平而百姓归之，礼义备而君子归之／据沧海而观众水，则江河之会归可见也／居常土思兮心内伤，愿为黄鹄兮归故乡／矫枉者，欲其直也，矫之过则归于枉矣／遗腹子之上陇，以礼哭泣之，而无所归心／为善不同，同归于治；为恶不同，同归于乱／良田百顷，不在一亩，但有远志，不在当归／山不厌高，海不厌深；周公吐哺，天下归心／学不成章，无由而达；志不归一，终难成事／明王有过，则反之于身，有善，则归之于民／胆劲心方，不畏强御，义正所在，视死犹归／圣人之行虽不必同，然其要归，在洁其身而已／土反其宅，水归其壑；昆虫毋作，草木归其泽／君苟有善，人必知之。知之又知之，其心归之／沧波远天，混和暮色，孤舟一去，曷日而旋归／是他春带愁来，春归何处，却不解、将愁归去／礼下贤者，日中不暇食以待士，士以此多归之／天下争名趋势，不计是非，析毫剖芒，视死如归／今人主有明其德者，则天下归之若蝉之归明火也／复其性者贤人，循之而不已者也，不已则能归其源矣／有起于虚，动起于静。故万物虽并动作，卒复归于虚静／视听言行，循礼法而动，所以教人忘嗜欲而归性命之道也

灵 ①líng 聪明，敏捷；精神，灵魂；美好；威灵；旧时称神仙或关于神仙的；有效；丧葬、祭奠中与死者有关的；姓。②lìng 通“令”。

❶灵丹一粒，点铁成金

见宋·黄庭坚《答洪驹父书》。

灵台无计逃神矢，风雨如磐暗故园

见现代·鲁迅《自题小像》。

❷龟灵而刳，龙智而屠／楚灵王好细腰而国中多饿人／巨灵咆哮擘两山，洪波喷流射东海／人灵于物者也，何不自听，而听于物乎

❸峰从灵鹫飞来／心有灵犀一点通

❹荼毒生灵，万里朱殷／有生最灵，莫过乎人／鬼神何灵？因人而灵／人性含灵，待学成而为美／人杰地灵，徐孺下陈蕃之榻／为神有灵兮何事处我天南海北头／词客有灵应识我，霸才无主始怜君／钱神通灵于旁蹊，公器反类于互市／就郡言，灵隐寺为尤；由寺观，冷泉亭为甲

❺药来贼境灵何用，米出胡奴死不炊

❻惟人，万物之灵／毅魄归来日，灵旗空际看／山不高则不灵，渊不深则不清／人人自谓握灵蛇之珠，家家自谓抱荆山之玉／人生时禀得灵气，精明通悟，学无滞塞，则谓之神

❼人者万物之最灵也／大愚者，终身不灵／气疲欲胜，则精灵离身矣／身既死兮神以灵，子魂魄兮为鬼雄／文为之物，自然灵气。惚恍而来，不思而至

❽鬼神何灵？因人而灵／但肯寻诗便有诗，灵犀一点是吾师

❾龙弗得云，无以神其灵矣／蓄至精者，可以福生灵，保富寿／卞和献宝，以离断趾，灵均纳忠，终于沉身／静则得之，躁则失之，灵气在心，一来一逝

❿蜀山金碧地，此地饶英灵／今来县宰加朱绂，便是生灵血染成／见利不诱，见害不惧……是谓灵气／身无彩凤双飞翼，心有灵犀一点通／大惑者，终身不解；大愚者，终身不灵／草木无情，有时飘零；人为动物，惟物之灵／山不在高，有仙则名；水不在深，有龙则灵／汝死我葬，我死谁埋！汝倘有灵，可能告我／烟云泉台，花鸟苔林，金铺锦帐，寓意则灵／人肖天地之类，怀五常之性，有生之最灵者也

录 ①lù 记载；记载事情的书或本册；采纳；收藏；逮捕；次第；总管；统领；检束；剑名；选拔，任用。②lǜ［录囚］亦作“虑囚”，古时由君主或官吏向囚犯讯察决狱情况，纠正

冤假错案的制度。

❶录长补短，则天下无不用之人

见唐·陆贽《请许台省长官举荐属吏状》。全句为："～；责短舍长，则天下无不弃之士"。

录人一善，则无弃人；采材一用，则无弃材

见唐·马总《意林》。

❻量材而授官，录德而定位／论大功者不录小过，举大善者不疵细瑕

❼收罗英雄，弃瑕录用

❾有未偿之厚责，无可录之微劳

❿富贵有人籍，贫贱无天录／耳达四聪，瑕累者期于录用／小则随事酬劳，大则量才录用／见危授命，士之美行；褒善录功，国之令典

彘 zhì 猪；古地名。

❷狗彘不食其余／狗彘食人食而不知检，途有饿莩而不知发

❺人主以狗彘畜人者，人亦狗彘其行

❿贫民常衣牛马之衣，食犬彘之食／人主以狗彘畜人者，人亦狗彘其行／小人之交以利，平时相亲不啻父子，一旦相噬不啻狗彘

蠡 ①lǐ 本谓虫蛀木，引申为器物经久磨损欲断；人名用字。②lí 贝壳；瓢。③luó 通"蠃"，螺。

❷彭蠡之滨，以鱼食犬豕

❻以管窥天，以蠡测海，以莛撞钟

❽渔舟唱晚，响穷彭蠡之滨

尸 shī 尸体；像尸体一样躺着；陈尸；收尸；不干实事，空占着职位；主持；阵法；古代祭祀时代表死者受祭的活人；姓。

❶尸位素餐，难以成名

见三国·魏·曹植《矫志诗》。

❷伏尸百万，流血漂卤／彼尸居余气，不足畏也／欲尸名者必为善，欲为善者必生事

❹万钟之尸居，不若釜庾之有为／无为名尸，无为谋府，无为事任，无为知主

❻圣人不为名尸，不为谋府……／天子之怒，伏尸百万，流血千里／伏波惟愿裹尸还，定远何须生入关

❼庖人虽不治庖，尸祝不越樽俎而代之

❾不学者，虽存，谓之行尸走肉耳

❿有天不雨粟，无地可埋尸／豺狼死而犹饿兮，牛腹尸而不盈／以苟容曲从为贤，以拱默尸禄为智／男儿要当死于边野，以马革裹尸还葬耳

尼 ①ní 信仰佛教、出家修行的女子；［仲尼］孔子的字。②nǐ 阻止。如：阻尼。

❷仲尼不为已甚者／仲尼可学不可为也／仲尼祖述尧舜，宪章文武

❻书不必起仲尼之门，药不必出扁鹊之方

❼奔车之上无仲尼，覆舟之下无伯夷

❽好书而不要诸仲尼书肆也

❾苟不知我而谓我仲尼，吾又安取荣焉

层 céng 重叠，重复；高；事物的结构单位。

❶层风未翔，大鹏有云倾之势

见唐·王勃《为人与蜀城父老书》。全句为："洪涛未接，长鲸多陆死之忧；～"。

层台耸翠，上出重霄，飞阁流丹，下临无地

见唐·王勃《滕王阁序》。

❷九层之台一倾，公输子不能正

❻抱木生毫末，层台起累土／远山片云，隔层城而助兴／看万山红遍，层林尽染；漫江碧透，百舸争流

❼神施鬼设，间见层出

❽雾里看花，终隔一层／峻极巍峨势望雄，层峦迭嶂翠重重／消磨了三十多年层层心血，算不得大千世界小小文章

❾欲穷千里目，更上一层楼／消磨了三十多年层层心血，算不得大千世界小小文章

❿不畏浮云遮望眼，自缘身在最高层

尾 wěi，又读 yǐ，尾巴；末端；底；在后面；主要部分以外的部分。

❶尾大不掉，末大必折

见汉·贾谊《新书·大都》。

尾闾泄之，不知何时已而不虚

见《庄子·秋水》。全句为："万川归之，不知何时止而不盈；～"。

❷大尾小头，重不可摇

❸附骥尾则涉千里，攀鸿翮则翔四海

❹畏首畏尾，身其余几／见虎之尾而知其大于狸也／飞不以尾，尾屈，飞不能远

❺貂不足，狗尾续／危若踏虎尾涉春冰／末大必折，尾大不掉／苍蝇附骥尾而致千里／飞不以尾，尾屈，飞不能远

❻枝大者披心，尾大者不掉／俯首帖耳，摇尾而乞怜者，非我之志也／水浊，则无掉尾之鱼；政苛，则无逸乐之士

❽持萤烛象，得首失尾／蝮蛇口中草，蝎子尾后针／心之忧危，若蹈虎尾，涉于春冰

❿我住长江头，君住长江尾／诗如神龙，见其首不见其尾／孰恶孰美，成者为首，不成者为尾／如张乐于洞庭之野，无首无尾，不主故常／昔葛天氏之乐，三人操牛尾，投足以歌八阙／苍蝇之飞，不过十步；自托骐骥之尾，乃腾千里之路／猛虎在深山，百兽震恐；及在槛阱之中，摇尾而求食

局 jú 局部；政府职能部门；棋盘；下棋；形势；邻居；近；圈套；人的器量；特指一些聚会；弯曲；约束；狭隘、拘泥。

❶局外之言，往往多中

见清·申涵光《荆园小语》。

❷当局则乱／当局称迷，旁观必审／当局虽工，而蔽于求胜之心／当局者之十，不足以当旁观者之五

❹骀驷安局步，骐骥志千里

❺世事如棋局，不着的才是高手

❻天高不敢不局，地厚不敢不蹐

❽谓天盖高，不敢不局；谓地盖厚，不敢不蹐

❿修翼无卑栖，远趾不步局／将飞者翼伏，将奋者足局／自古盛衰如转烛，六朝兴废同棋局

居 ①jū 住；住的处所；积存；处于某种位置；任；占有；积蓄；平常；坐；经过；活着的人；治理；姓。②jī 表语气，同“乎”。

❶……居官之七要

见明·陈继儒《小窗幽记》。全句为：“正以处心，廉以律己，忠以事君，恭以事长，信以接物，宽以待下，敬以治事。此～也”。

居移气，养移体

见《孟子·尽心上》。

居高屋之上建瓴水

见汉·司马迁《史记·高祖本纪》。

居官者，公则自廉

见明·钱琦《钱子语测·法语篇》。

居上不骄，在下不忧

见三国·魏·王弼《周易·乾》注。全句为：“～，因时而惕，不失其几，虽危而劳，可以无咎”。

居不求安，食不求饱

见汉·班固《汉书·盖宽饶传》。全句为：“～。进有忧国之心，退有死节之义”。

居而不见爱，不仁也

见《邓析子·无厚》。全句为：“游而不见敬，不恭也；～”。

居事不力，用财不节

见汉·桓宽《盐铁论·授时篇》。全句为：“～，虽有则如水火，穷之可立而待”。

居利思义，在约思纯

见《左传·昭公二十八年》。

居难则易，在塞咸通

见唐·杨炯《王勃集序》。

居安思危，孜孜不怠

见唐·吴兢《贞观政要·慎终》。

居安思危，戒奢以俭

见唐·魏征《论时政第二疏》。

居安思危，日慎一日

见唐·吴兢《贞观政要·规谏太子》。

居家之方，唯俭与约

见南朝·梁元帝《金楼子·立言篇》九上。

居必择乡，游必就士

见《荀子·劝学》。

居必择邻，交必良友

见明·佚名《名贤集》。

居必常安，然后求乐

见汉·刘向《说苑》引《墨子》佚文。全句为：“食必常饱，然后求美；衣必常暖，然后求丽；～”。

居天下之人，使安其业

见唐·柳宗元《梓人传》。全句为：“择天下之士，使称其职；～”。

居庙堂之高，则忧其民

见宋·范仲淹《岳阳楼记》。全句为：“～；处江湖之远，则忧其君”。

居家戒争讼，讼则终凶

见清·朱柏庐《治家格言》。全句为：“～；处世戒多言，言多必失”。

居高声自远，非是藉秋风

见唐·虞世南《蝉》。

居常待其尽，曲肱岂伤冲

见晋·陶潜《五月旦作和戴主簿》。

居治而忘危，则治无常治

见唐·房玄龄《晋书·武帝纪》。

居官不爱子民，为衣冠盗

见明·洪应明《菜根谭·前集五十六》。

居祸者得福，居福者得祸

见汉·严遵《道德指归论·为无为篇》。

居天下之乐者，同天下之忧

见宋·苏轼《赐新除中大夫守尚书右丞王存辞免恩命不允诏》。全句为：“享天下之利者，任天下之患；～”。

居轩冕中，不可无山林趣味

见明·洪应明《菜根谭》。全句为：“～；处林泉中，不可无廊庙经纶”。

居累卵之危，而图太山之安

见南朝·宋·范晔《后汉书·王符传》。全句为：“～；为朝露之行，而思传世之功”。

居其位，无其言，君子耻之

见《礼记·杂记下》。全句为：“～；有其言，无其行，君子耻之”。

居上位而不骄，在下位而不忧

见《周易·乾·文言》。

居则视其所亲，富则视其所与

见汉·韩婴《韩诗外传》。全句为：“～，达则视其所举，穷则视其所不为，贫则视其所不取”。

居同乐，行同和，死同哀……

见《国语·齐语》。全句为：“～，是故守则同固，战则同强”。

居家自奉宜俭，养亲待客宜丰

见清·李淦《燕翼篇》。

居马上得之，宁可马上治之乎

见汉·司马迁《史记·郦生陆贾列传》。

居身务期俭朴，教子要有义方

见清·朱柏庐《治家格言》。

居今之世，志古之道，所以自镜

见汉·司马迁《史记·高祖功臣侯者年表》。

居悒悒之无解兮，独长思而永叹

见唐·韩愈《复志赋》。

居安思危；思则有备，有备无患

见《左传·襄公十一年》。

居近识远，处今知古，惟学矣乎

见隋·王通《中说·礼乐》。

居上克明，为下克忠，与人不求备

见《尚书·伊训》。

居不隐者思不远，身不佚者志不广

见《荀子·宥坐》。

居前不能令人轾，居后不能令人轩

见南朝·宋·范晔《后汉书·马援传》。

居安忘危，处治忘乱，所以不能长久

见唐·吴兢《贞观政要·政体》。全句为："自古失国之主，皆为～"。

居官者当事不避难，在位者恤民之患

见《国语·鲁语上》。

居常土思兮心内伤，愿为黄鹄兮归故乡

见汉·班固《汉书·西域传下》。

居其位不论其能，赏其身不议其功……

见晋·袁准《袁子正书·王子主失》。全句为："～，则私门之路通，而公正之道塞"。

居之以强力，发之以果敢，而成之以无私

见宋·苏辙《新论中》。

居上位而不恤其下，骄也；缓令急诛，暴也

见汉·刘向《新序·杂文二》。

居上者不以至公理物，为下者必以私路期荣

见唐·房玄龄《晋书·文苑传》。

居不主奥，坐不中席，行不中道，立不中门

见《礼记·曲礼上》。

居君子之位而为庶人之行者，其患祸必至也

见汉·班固《汉书·董仲舒传》。

居知所为，行知所之，事知所秉，动知所由

见汉·刘安《淮南子·人间》。全句为："～，谓之道"。

居官不难，听言为难；听言不难，明察为难

见明·戚继光《将官到任宝鉴》。

居官有二语，曰：唯公则生明，唯廉则生威

见明·洪应明《菜根谭》。

居逆境中，周身皆针砭药石，砥节砺行而不觉

见明·洪应明《菜根谭》。全句为："～；处顺境内，眼前尽兵刃戈矛，销膏靡骨而不知"。

居者有余蓄，行者有余资……可谓有治天下之效

见宋·曾巩《唐论》。删节处为："人人自厚，几致刑措"。

❷朝居严则下无言／平居里巷相慕悦……／利居众后，责在人先／巢居知风，穴居知雨／日居月诸，胡迭而微／群居不倚，独立不惧／起居无时，惟适之安／平居无事，指为贤良……／离居见新月，那得不思君／爰居避风，本无情于钟鼓／土居三十载，无有不亲人／巢居觉风飘，穴处识阴雨／穷居而野处，升高而望远／平居不堕其业，穷困不易其素／孤居而愿智，不如务学之必达也／贫居往往无烟火，不独明朝为子推／巢居者察风，穴处者知雨，忧存故也／群居终日，言不及义，好行小慧，难矣哉／起居时，饮食节，寒暑适，则身利而寿命益／凡居其位，思直其道，道苟直，虽死不可回也／起居不时，饮食不节，寒暑不适，则形体累而寿命损

❸唯弗居，是以不去／君子居之，何陋之有／君子居其位则思死其官／彼尸居余气，不足畏也／处尊居显未必贤，遇也／不念居安思危，戒奢以俭／君子居易以俟命，小人行险以儌幸／百工居肆以成其事，君子学以致其道／君子居其室，出其言善，则千里之外应之／称身居位，不为苟进；称事受禄，不为苟得／君子居安宜操一心以虑患，处变当坚百忍以图成／君子居必仁，行必义，反仁义而福，君子不有也／君子居必择乡，游必就士，所以防邪僻而近中正也／正位居体，美在其中，而畅于四支，发于事业，美之至也

❹后来者居上／睹贤不居其上／岁月不居，时节如流／蛟龙水居，虎豹山处／毋卜其居，而卜其邻居／不睹皇居壮，安知天子尊／士而怀居，不足以为士矣／士之闲居，无故不去琴瑟／此地曾居住，今来宛似归／日与水居，则十五而得其道／圣人深居以避辱，静安以待时／宠利毋居人前，德业毋落人后／君子恶居下流，天下之恶皆归焉／以时起居，恶者辄斥去，毋令败群／功高而居之以让，势尊而守之以卑／与善人居，如入芝兰之室，久而自芳也／与恶人居，如入鲍鱼之肆，久而自臭也／使贤者居上，不肖者居下，而后可以理安／善战者，居之不挠，见胜则起，不胜则止／德人者，居无思，行无虑，不藏是非善恶／与善人居，如入兰芷之室，久而不闻其香，则与之化矣／与恶人居，如入鲍鱼之肆，久而不闻其臭，亦与之化矣

❺成功而弗居也／食不二味，居不重席／万钟之尸居，不若釜庾之有为／立片言而居要，乃一篇之警策／吾身不能居仁由义，谓之自弃也／功成而弗居。夫唯弗居，是以不去／须知大隐居廛市，休问深山守静孤／以刚健而居人之首，则物之所不与也／孰使予乐居夷而忘故土者，非兹潭也欤／处其厚，不居其薄；处其实，不居其华／食无求饱，居无求安，敏于事而慎于言／天且风，巢居之虫动；且雨，穴处之物扰／动莫

若敬，居莫若俭，德莫若让，事莫若咨／以无为为居，以不言为教，以恬淡为味，治之极也／今世之人居高官尊爵者，皆重失之，见利轻亡其身，岂不惑哉

❻巢居知风，穴居知雨／人生譬朝露，居世多屯蹇／诗人甘寂寞，居处遍苍苔／行不知所之，居不知所为／处满常惮溢，居高本虑倾／居祸者得福，居福者得祸／不见古人卜居者，千金只为买乡邻／才不称不可居其位，职不称不可食其禄／吞舟之鱼不居潜泽，度量之士不居污世／饱食、暖衣，逸居而无教，则近于禽兽／是以与善人居，如入芝兰之室，久而自芳也／擅山海之富，居川林之饶，争修园宅，互相夸竞

❼维鹊有巢，维鸠居之／魂兮归来，反故居些／无功庸者，不敢居高位／君子食无求饱，居无求安／欲济无舟楫，端居耻圣明／一部《周记》，理财居其半／太虚作室而共居，夜月为灯以同照／神龙失水而陆居兮，为蝼蚁之所裁／鸟同翼者而聚居，兽同足者而俱行／年过八十而以居位，譬犹钟鸣漏尽而夜行不休

❽功成事就，扶手安居／大名之下，难以久居／睢睢盱盱，而谁与居／天下不如意，恒十居七八／十指不沾泥，鳞鳞居大厦／贫是美称，只是难居其美／身在江海之上，心居乎魏阙之下／处屯而必行其道，居陋而不改其度／处逸乐而欲不放，居贫苦而志不倦／居前不能令人轻，居后不能令人轩／登高不可以为长，居下不可以为短／得名得货，道德不居，神明不留……／与谗谄面谀之人居，国欲治，可得乎？／生不能相养以共居，殁不得抚汝以尽哀／谒而得位，道士不居也；争而得财，廉士不受／地虽胜，得人焉而居之，则山若增而高，水若辟而广

❾以其境过清，不可久居／毋卜其居，而卜其邻居／待士而以敬，则士必居矣／申生在内而危，重耳居外而安／功成而弗居．夫唯弗居，是以不去／至德之世，同与禽兽居，族与万物并／为政以德，譬如北辰，居其所而众星共之／使贤者居上，不肖者居下，而后可以理安／自古失国之主，皆为居安忘危，处治忘乱

❿行行循归路，计日望旧居／日月光天德，山河壮帝居／恐此非名计，息驾归闲居／生而不有，为而不恃，功成而弗居／举秀才，不知书；察孝廉，父别居／能知反复之道者，可以居兆民之职／观大者不得处近，望远者不得居卑／神女生涯原是梦，小姑居处本无郎／与朋友论学，须委曲谦下，宽以居之／吞舟之鱼不居潜泽，度量之士不居污世／处其厚，不居其薄；处其实，不居其华／遇师友，亲之取之，大胜塞居不潇洒也／心为道之器，宇虚静至极则道居而慧生／人能除情欲，节滋味，清五藏，则神明居之／众物之中，道无不在；秋毫之细，道亦居之／吞舟之鱼荡而失水，则制于蝼蚁，离其居也／弘而不毅，则难立；毅而不弘，则无以居之／忠心好善，而日新之；独居乐德，内悦于形／宫室富过度，上帝所亚；为者弗居，唯居必路／五寸之键制开阖之门，岂其才巨小哉，所居要也／天地之养也一，登高不可以为长，居下不可以为短／君子所性，虽大行不加焉，虽穷居不损焉，分定故也

屈

①qū 弯曲；服从；缺，亏；冤枉；治；古邑名；姓。②jué 竭，穷尽。

❶屈志老成，急则可相依

见清·朱柏庐《治家格言》。全句为："狎昵恶少，久必受其累；～"。

屈贾谊于长沙，非无圣主

见唐·王勃《滕王阁序》。全句为："～；窜梁鸿于海曲，岂乏明时"。

屈己以富贵，不若抗志以贫贱

见秦·孔鲋《孔丛子·抗志》。

屈平词赋悬日月，楚王台榭空山丘

见唐·李白《江上吟》。

屈长才于短用者，犹骥扑鼠而斧剪毛也

见唐·白居易《策林二》。全句为："任小能于大事者，犹狸搏虎而刀伐木也；～"。

屈平所以洞监《风》《骚》之情者，抑亦江山之助乎

见南朝·梁·刘勰《文心雕龙·物色》。

屈原放逐，乃赋《离骚》；左丘失明，厥有《国语》

见汉·司马迁《报任少卿书》。全句为："文王拘而演《周易》；仲尼厄而作《春秋》；～"。

❷大屈必有大伸／受屈不改心，然后知君子／乍屈乍伸者，良才所以俟时也

❸圣王屈己以申天下之乐／与时屈伸，柔从若蒲苇，非慑怯也／世间屈事万千千，欲觅长梯问老天

❹辞穷理屈而妄说／尺蠖知屈伸，体道识穷达／不战而屈人之兵，善之善者也／大直若屈，大巧若拙，大辩若讷／弘爱人屈己之道，酌因时适变之宜／尺蠖之屈，以求信也。龙蛇之蛰，以存身也／智者多屈，辩者多辱，明者多蔽，勇者多死

❺大丈夫能屈能伸／百炼或致屈，绕指所以伸／兵久则力屈，人愁则变生／有道者咸屈，无用者必伸／周乎艺者，屈抑不能贬其名／刚毅，则不屈于物欲；木讷，则不至于外驰

❻不可为不义屈／周诰殷盘，佶屈聱牙／凡主伸己以屈天下之忧／威加四海，而屈于匹夫／飞不以尾，尾屈，飞不能远／法行于贱而屈于贵，天下将不服／正直者不可屈曲，有学问者必能辨是非

❼失其守者，其辞屈／有理言自壮，负屈声必高／尽力直友人之屈，不以权臣为意
❽兵法贵在不战而屈人／直而不倨，曲而不屈／不可自暴、自弃、自屈／不到长城非好汉，屈指行程二万
❾人心若波澜，世路有屈曲／诚使博如庄周，哀如屈原……／辩者，求服人心也，非屈人口也／不取于人谓之富，不屈于人谓之贵／君子直道而行，知必屈辱而不避也
❿男儿死耳，不可为不义屈／饰诈以图己，诈穷则道屈／战久则兵钝，攻久则力屈／闻鸣镝而股战，对穹庐以屈膝／人有欲，则无刚，刚则不屈于欲／惟天性刚强之人，不为物欲所屈／欲变节而从俗兮，愧易初而屈志／生之有时而用之无度，则物力必屈／贤不足以服不肖，而势位足以屈贤／白杨为屋材，折则宁折，终不屈挠／富贵不能淫，贫贱不能移，威武不能屈／水抵两岸，悉皆怪石，攲嵌盘屈，不可名状／用无常道，事无轨度，动静屈伸，唯变所适／用之则行，舍之则藏，进退无主，屈申无常／天地之间，其犹橐龠乎？虚而不屈，动而愈出

屋

wū房子；房间；泛指覆盖的帐幔；以屋覆盖；古代井田的区划，三百亩为屋。

❶屋漏在上，知者在下

见汉·王充《论衡·答佞篇》。全句为："～。漏大，下见之著；漏小，下见之微"。

屋漏在上，知之在下

见晋·陈寿《三国志·魏书·王朗传》。全句为："～。然迷而知反，失道不远，过而能改，谓之不过"。

屋漏在下，止之在上

见三国·蜀·诸葛亮《便宜十六策》。

屋漏者，民去之；水浅者，鱼逃之

见汉·刘向《说苑·说丛》。全句为："～；树高者，鸟宿之；德厚者，士趋之"。

❷夏屋初成而大匠先立其下／知屋漏者在宇下，知政失者在草野
❸居高屋之上建瓴水／富润屋，德润身，心广体胖
❹百寻之屋，以突隙之烟焚／大匠构屋……尺寸之木无弃也／白杨为屋材，折则宁折，终不屈挠
❻陶尽门前土，屋上无片瓦／爱人者兼其屋上之乌，不爱人者及其胥余
❼湿堂不洒尘，卑屋不蔽风／方宅十余亩，草屋八九间……／千峰顶上一间屋，老僧半间云半间／爱其人者，爱其屋上乌；憎其人者，憎其余胥
❾十围之木持千钧之屋／今王公贵人，处于重屋之下……／震风陵雨，然后知夏屋之为帡幪也
❿我愿君王心，化作光明烛，不照绮罗筵，只照逃亡屋

屏

①bǐng除去；隐退；忍住；抑制。②píng照壁；遮挡；遮挡物；字画的条幅；类似画屏的东西；当门的小墙。③bìng[屏当]收拾，料理。④bīng[屏营]犹彷徨；惶惧。

❷藩屏之臣，取其明练风俗，清白爱民
❻致治之术，先屏四患：……一曰伪，二曰私，三曰放，四曰奢
❼视轩裳如草芥，屏嗜欲若泥沙
❽人行明镜中，鸟度屏风里／山树为盖，岩石为屏，云从栋生，水与阶平
❿以白云为藩篱，碧山为屏风，昭其俭也

展

zhǎn张开；放开；陈列；察看；扩大；确实；诚然；放宽或延长（期限）；显出；发挥（才能）；古代妇女的一种礼服；姓。

❸风檐展书读，古道照颜色／鲲鹏展翅，九万里，翻动扶摇羊角
❾任而不信，其才无由展；信而不终，其业无由成
❿嘉谷奋兴，根叶肥润，抽茎展穗，不失时宜

屑

xiè碎末；研成细末；细微；顾惜；重视；倏忽貌。

❽教亦多术矣，予不屑之教诲也者，是亦教诲之而已矣
❾由仁义而祸，君子不屑也

屐

jī木底鞋。

❾未知一生当著几量屐

屠

tú宰杀；杀戮；屠夫；姓。

❶屠者割肉，则知牛长少

见《尸子》。

屠羊于肆，适味于众口也

见唐·刘禹锡《因论·原力》。全句为："～。攻玉于山，俟知于独见也。贪日得则鼓刀利，要岁计而韫椟多"。

屠者羹藿……为者不必用，用者弗肯为

见汉·刘安《淮南子·说林》。删节处为："为车者步行，陶者用缺盆，匠人处狭庐"。

❷过屠门而大嚼，虽不得肉，贵且快意
❸飏下屠刀，立地成佛
❼知肉味美则对屠门而大嚼
❽龟灵而刳，龙智而屠
❿救人一命，胜造七级浮屠／牛刀可以割鸡，鸡刀难以屠牛／但把穷愁博长健，不辞最后饮屠苏／爆竹声中一岁除，春风送暖入屠苏

犀 xī 犀牛，哺乳动物；坚固；通“栖”。

❹心有灵犀一点通

❺太阿之剑，犀角不足齿其锋

❻操吴戈兮被犀甲，车错毂兮短兵接

❾但肯寻诗便有诗，灵犀一点是吾师

❿身无彩凤双飞翼，心有灵犀一点通

属 ①shǔ 受管辖；隶属；有血缘关系或婚姻关系的人；属相；归属；族，类；系；是。②zhǔ 指连续；专注；集合；缀辑；撰著；佩；系；倾注；适值；即将；通“嘱”，托付。

❶属笔易巧，选和至难

见南朝·梁·刘勰《文心雕龙·声律》。

属乎其言，若闵其穷也

见唐·韩愈《与陈给事书》。全句为：“温乎其容，若加其新也；～”。

❸春意属黄鹂

❹头颅相属于道，不一日而无兵

❻前事不远，吾属之师／所官者，非亲属则宠幸／傲小物而志属于大，似无勇而未可恐狼

❼诸有形之徒皆属于物类

❽君子无易由言，耳属于垣

❾君子有徽猷，小人与属／乃知青史上，大半亦属诬

❿愿普天下有情的都成了眷属／非左右为之先容，非亲旧为之请属／命者，人所禀受，若贵贱夭寿之属／心如老马虽知路，身似鸣蛙不属官

屡 lǚ 多次。

❹临事而屡断，勇也；见利而让，义也

❺蒙耻之宾，屡黜不去其国／孝子疑于屡至，市虎成于三夫

❻御人以口给，屡憎于人／将大书特书，屡书不一书

❽何尝见明镜疲于屡照，清流惮于惠风

❿恃大而不戒，则轻战而屡败

履 lǚ 鞋；踩，走过；实现，执行；经历；步子；指领土；通“禄”；六十四卦之一。

❶履霜，坚冰至

见《周易·坤·初六》。

履深泉之薄冰不为嗁

见南朝·宋·范晔《后汉书·冯衍传》。全句为：“～，涉千钧之发机不知惧”。

履道者固，杖势者危

见南朝·宋·范晔《后汉书·崔琦传》。全句为：“日不常中，月盈有亏。～”。

履霜坚冰，其渐久矣

见明·冯梦龙《醒世恒言·隋炀帝逸游召谴》。

履虽五采，必践之于地

见《韩非子·外储说左下》。全句为：“冠虽穿弊，必戴于头；～”。

履非常之危者不可以常道安

见唐·陆贽《奉天论赦书事条状》。全句为：“～，解非常之纷者不可以常语谕”。

履，德之基也；谦，德之柄也

见《周易·系辞下》。

履虽鲜不加于枕，冠虽敝不以苴履

见汉·贾谊《上疏陈政事》。

履千险而不失其信，遇万折而不失其东

见宋·李霖《道德真经取善集》。

履虽鲜，不加于枕；冠虽敝，不以苴履

见汉·班固《汉书·贾谊传》。

❷躬履艰难而节乃见／视履，考祥其旋，元吉／冠履不同藏，贤不肖不同位／迹，履之所出，而迹岂履哉／亲履艰难者知下情，备经险易者达物伪

❸贵冠履，忘头足／跛能履，不足以与行也／体道履仁，外和内敏，清而容物，善不近名

❹行有素履，事有成迹／甘心于履危，未必逢祸

❺瓜田不纳履，李下不正冠／跛者不忘履，眇者不忘视／坚冰作于履霜，寻木起于蘖栽

❻如临深渊，如履薄冰／及之而后知，履之而后难／山岳崩颓，既履危亡之运／遇繁而若一，履险而若夷／结交澹若水，履道直如弦／处其位而不履其事，则乱也／行险者不得履绳，出林者不得直道

❼濯溪见鳄必弃履而走／捉衿而肘见，纳履而踵决／有一行而可常履者，正也／竭所能之谓忠，履所明之谓信，平所施之谓恕

❽正获之问于监市履狶也，每下愈况／冠虽故必加于首，履虽新必关于足／冠虽敝，必加于首；履虽新，必关于足

❾迹，履之所出，而迹岂履哉／推微达著，寻端见绪，履霜知冰，践露知暑

❿读书虽可喜，何如躬践履／毋贻盲者镜，毋予躄者履／谋，必素见成事焉，而后履之／富贵之多罪，不如贫贱之履道／冠衣不能移人迹，顾所履何如耳／战战兢兢，如临深渊，如履薄冰／修己者，慎于中也，栗然如履春冰／履虽鲜不加于枕，冠虽敝不以苴履／路歧之险夷，必待身亲履历而后知／清者则心平而意直，忠者惟正道而履之／履虽鲜，不加于枕；冠虽敝，不以苴履／物有甘苦尝之者识，道有夷险履之者知／思立掀天揭地的事功，须向薄冰上履过／非其世者，不受其利。污其君者，不履其土／养而害所养，譬犹削足而适履，杀头而便冠／冠至敝不可弃之于足，履虽新不可加之于首／奋六世之遗烈，振长策而御宇内，吞二周而亡诸侯，履至尊而制六合

屦 jù古代用麻或葛制成的一种鞋,后泛指各种鞋;践踏。

❷巨屦小屦同贾,人岂为之哉

❻不知足而为屦,我知其不为蒉也

❿反裘负薪,里尽毛殚,刖趾适屦,刻肌伤骨

己 jǐ自己;天干的第六位。

❶己所不欲,勿施于人

见《论语·颜渊》。

己是而彼非,不当与非争

见三国·魏·杂歌谣辞《魏子引谚》。全句为:"~;彼是而己非,不当与是争"。

己欲立而立人,己欲达而达人

见《论语·雍也》。

己之虽有,其状若无;己之虽实,其容若虚

见唐·吴兢《贞观政要·谦让》。

己之所无,不以责下;我之所有,不以讥彼

见汉·王符《潜夫论·交际》。

己好则好之,己恶则恶之,以是自信则惑也

见宋·苏轼《上曾丞相书》。

己之才艺虽多,犹病以为少,仍就寡少之人更求所益

见唐·吴兢《贞观政要·谦让》。

❷卑己而尊人/克己复礼为仁/律己足以服人/舍己而以物为法/虚己者,进德之基/专己者孤,拒谏者塞/曲己全人,人必全之/以己之心,度人之心/弃己任物,则莫不理/是己所是,非己所非/持己当从无过中求有过/审己无善而获誉者不祥/正己而不求于人,则无怨/尽己之谓忠,推己之谓恕/直己而行道者,好义者也/修己而不责人,则免于难/会己则嗟讽,异我则沮弃/枉己者,未有能直人者也/与己同则应,不与己同则反/待己者,当于无过中求有过/曲己从众,不自专,则全其身/为己者不待人,制今者不法古/克己可以治怒,明理可以治惧/屈己以富贵,不若抗志以贫贱/责己也重以周,待人也轻以约/舍己而从众,是以事半而功倍也/强己才之所不逮,是行舟于陆也/爱己者,仁之端也,可推以爱人/尽己而不以尤人,求身而不以责下/修己者,慎于中也,栗然如履春冰/察己则可以知人,察今则可以知古/以己之材为天下用,则用天下而不足/行己莫如恭,自责莫如厚,接众莫如宏/反己者触事皆成药石,尤人者动念即是戈矛/知己者不可诱以物,明于死生者不可劫以危/行己有耻,使于四方,不辱君命,可谓士矣/缓己急人,一等;急己急人,二等;急己宽人,三等

❸靠自己,胜于靠他人/勿以己才,而笑不才/艺由己立,名自人成/福由己发,祸由己生/不勉己而勉人,难矣哉/毋以己之长而形人之短/毋因己之拙而忌人之能/一以己为马,一心己为牛/患足己不学,既学患不行/其处己也厚,其取名也廉/逆于己便于国者,不加罚焉/施诸己而不愿,亦勿施于人/求诸己谓之厚,求诸人谓之薄/同于己为是之,异于己为非之/凡克己以济民,皆力行而不悔/知大己而小天下,则几于道矣/役一己之聪明,虽圣人不能智/顺于己者爱之,逆于己者恶之/适于己而无功于国者,不施赏焉/其责己也重以周,其待人也轻以约/勿恃己善不服人仁,勿矜己艺不敬人文/能克己,乃能成己;能胜物,乃能利物/有诸己而后求诸人,无诸己而后非诸人/莫知己德有极,则可以有社稷,为民致福/操一己之绳墨,持前王之规矩,以方枘欲圆凿/知有己不知有人,闻人过不闻己过,此祸本也/同于己而欲之,异于己而不欲者,以出乎众为心也

❹士为知己者死/不私与己,是谓至公/严于责己,宽以待人/为者则己,有者则士/先人后己,所愿必得/动不为己,先以为人/知彼知己,百战不殆/欲他人己从,诬人也/欲人无己疑,不能也/用人惟己,改过不吝/未闻枉己而能正人者也/疑人轻己者,皆内不足/使功在己,则功不可久/凡主伸己以屈天下之忧/圣王屈己以申天下之乐/善败由己,而由人乎哉/不患莫己知,求为可知也/人之视己,如见其肝肺然/常将一己作世间公共之物/彼是而己非,不当与是争/女为悦己容,士为知己死/虑不私己,以之断义必厉/不可以己所能而责人所不能/卑躬曲己,若顺弟之奉暴兄/小人好己之恶,而忘人之好/无恶于己,然后可以正人之恶/人能虚己以游世,其孰能害之/士为知己者死,女为悦己者容/士为知己者用,女为说己者容/闻人毁己而怒,则誉己者至矣/有善于己,然后可以责人之善/议不在己者易称,从旁议者易是/至人无己,神人无功,圣人无名/必出于己,不袭蹈前人一言一句/仁者恕己以及人,智者讲功而处事/酒逢知己千杯少,话不投机半句多/视徒如己,反己以教,则得教之情/镜之明己也功细,士之明己也功大/不以一己之害为害,而使天下释其害/不以一己之利为利,而使天下受其利/知彼知己,胜乃不殆;知天知地,胜乃不穷/言出于己,不可塞也;行发于身,不可掩也/仁以为己任,不亦重乎!死而后已,不亦远乎/能用非己之民,国虽小,卒虽少,功名犹可立/禹汤罪己,其兴也悖焉;桀纣罪人,其亡也忽焉

❺无友不如己者/以天下为己任/虎畏不惧己者/知人难,知己更难/稽于众,舍己从人/不可以律己之律律人/他人莫利,己独以愉/吾未闻枉己而正人者也/不求获乎己,而己以有

获／由外以铄已，因物以激志／切不可因已无成而不教子／圣人不利己，忧济在元元／君子求诸己，小人求诸人／行事在审己，不必恤浮议／饰诈以图己，诈穷则道屈／海内存知己，天涯若比邻／通塞苟由己，志士不相卜／贵人而贱己，先人而后己／欲人之从己也，必先从人／欲人之爱己也，必先爱人／忠足以尽己，恕足以尽物／用人如用己，理国如理家／事有合于己者而未始有是也／毁誉之于己，犹蚊虻之一过／以雄才为己任，横杀气而独往／敬以严乎己也，宽以恕乎物也／众皆舍而己用兮，忽自惑其是非／强胜不若己者，至于若己者而同／弘爱人屈己之道，酌因时适变之宜／既以为人己愈有，既以与人己愈多／生以有为己分，则虚无是有之所遗者也／人一能之，己百之；人十能之，己千之／凡人能量己之能与不能，然后知人之艰难／君子能罪己，斯罪人也；不报怨，斯报怨也／君子有诸己而后求诸人，无诸己而后非诸人／能使人知己、爱己者，未有不能知人、爱人者也

❻贤不肖存乎己／人之有技，若己有之／拒谏者塞，专己者孤／廉约小心，克己奉公／闻人有善，若己有之／是己所是，非己所非／责人以详，待己以廉／责人则明，恕己则昏／视人之身，若己之身／祸福无不自己求之者／酌人之言，补己之过／距谏者塞，专己者孤／来生不可忌，已死不可徂／一以意许知己，死亡不相负／不知彼，不知己，每战必殆／凡弈棋与胜己者对，则日进／不患人之不己知，患不知人也／不患人之不己知，患其不能也／内省既不愧己，焚香何用告天／古之学者为己，今之学者为人／处事不可任己见，要悉事之理／处人不可任己意，要悉人之情／但终日不见己过，便绝圣贤之路／死生无变于己，而况利害之端乎／自受弊薄，后己先人，天下敬之／惟古于词必己出，降而不能乃剽贼／视徒如己，反己以教，则得教之情／圣人不以一己治天下，而以天下治天下／见人有善如己有善，见人有过如己有过／自瞽者乐言己之长，自聩者乐言人之短／己好则好之，己恶则恶之，以是自信则惑也／见人之过，得己之过；闻人之过，得己之过／视人之国，若己之国；视人之家，若己之家／所谓"能"者即己也，所谓"所"者即物也／小人错其在己者，而慕其在天者，是以日退也／君子敬其在己者而不慕其在天者，是以日进也

❼治乱废兴在于己／不迁怒者，求诸己／不祥在于恶闻己过／以国家之务为己任／昌衰吉凶皆由己出／不以物喜，不以己悲／贤者必与贤于己者处／贪天之功，以为己力／福由己发，祸由己生／防小人之道，正己为先／闻古人之过，得己之过／与好利人共事，己必受累／不求获乎己，而己以有获／正身以俟时，守己而律物／尽己之谓忠，推己之谓恕／达人无不可，忘己爱苍生／纡辔诚可学，违己讵非迷／尽职者无他，正己格物而已／士者诎乎不知己，而申乎知己／己欲立而立人，己欲达而达人／牟人之利以厌己之欲者，非蝗乎／威严不先行于己，则人怨而不服／不学而废者，愧己而自卑，卑则全／圣人正方以约己，人自正方以从化／莫嫌举世无知己，未有庸人不忌才／莫愁前路无知己，天下谁人不识君／闭门觅句陈无己，对客挥毫秦少游／恶诸人则去诸己，欲诸人则求诸己／不泥古法，不执己见，惟在活而已矣／闻人善，立以为己师；闻恶，若己仇／皆知说镜之明己也，而恶士之明己也／今之官人也，以己为天下累，故人忧之／能克己，乃能成己；能胜物，乃能利物／噬虎之兽，知爱己子；搏狸之鸟，非护异巢／学不倦，所以治己也；教不厌，所以治人也／尧以不得舜为己忧，舜以不得禹、皋陶为己忧／古之君子，其责己也重以周，其待人也轻以约／能使人知己、爱己者，未有不能知人、爱人者也／盗取民食兮，私己不分；充嗛果腹兮，骄傲欢欣

❽凡所从政，当须正己／帝子亲王，必须克己／勤劳之师，将不先己／善则称人，过则称己／闻人之善，若出诸己／敬他人，即是敬自己／祸福无门，吉凶由己／一以己为马，一心己为牛／无道人之短，无说己之长／为政，不在于用一己之长／水无心而清，冰虚己而明／与己同则应，不与己同则反／处贵显者勿为矜己傲人之言／轻财足以聚人，律己足以服人／鉴貌在乎止水，鉴己在乎哲人／一夫不获其所，若己推而内之沟中／所谓伐天真而矜己者也，天祸必及／博学而日参省乎己，则知明而行无过／岂得以人言不同己意，便即护短不纳／人百负之而不恨，己信之终不疑其欺己／当官者能洁身修己，然后在公之节乃全／不知而不疑，异于己而不非者，公于求善也／人生至愚是恶闻己过，人生至恶是善谈人过／忠谋转改，祸必及己。退隐深山，身乃不殆／白日所为，夜来省己，是恶当惊，是善当喜／子思以为鼎肉使己仆仆尔亟拜也，非养君子之道也／缓己急人，一等；急己急人，二等；急己宽人，三等

❾勿谓我智而拒谏矜己／所加于人，必可行于己／不教不学，闷然不见己缺／女为悦己容，士为知己死／学尽百禽语，终无自己声／君子好人之好，而忘己之好／不以求备取人，不以己长格物／同于己为是之，异于己为非之／夺他人之酒杯，浇自己之垒块／君择才而授官，臣量己而受职／闻人毁己而怒，则誉己者至矣／顺于己者爱之，逆于己者恶之／疑人者，人未必皆

诈，己则先诈矣／尽意而不求于言，信己而不役于人／审近所以知远也，成己所以成人也／责上责下而中自恕己，岂可任职分／有雠而长之，祸不在己，则在后人／但常以责人之心责己，恕己之心恕人／明主之赏罚，非以为己也，以为国也／进言有四难：审人、审己、审事、审时／己之虽有，其状若无；己之虽实，其容若虚／忠恕违道不远。施诸己而不愿，亦勿施于人／不拘一世之利以为己私分，不以王天下为己处显／疾为诞而欲人之信己也，疾为诈而欲人之亲己也／同于己而欲之，异于己而不欲者，以出乎众为心也

❿以正为在民，以枉为在己／以得为在民，以失为在己／人生不失意，焉能慕知己／禽兽之行而欲人之善己也／夙兴以忧人，夕惕而修己／大病只一自是，不肯克己／知短于自知，故以道正己／岂不思故乡，从来感知己／贵人而贱己，先人而后己／见善如不及，用人如由己／古之善将者，养人如养己子／能为可用，不能使人必用己／情欲虽危，不染则无由累己／身不善之患，毋患人莫己知／以欲从人者昌，以人乐己者亡／以言责人甚易，以义持己实难／力恶其不出于身也，不必为己／士为知己者死，女为悦己者容／士为知己者用，女为说己者容／士者诎乎不知己，而申乎知己／君子杀民如杀身，活人如活己／要假修成九转，先须炼己持心／马逢伯乐而嘶，人遇知己而死／日滔滔以自新，忘老之及己也／恶言不出于口，邪行不及于己／病无能焉，不病人之不己知也／事生则释公而就私，货数而任己／偏在于多私，不祥在于恶闻己过／能自得师者王，谓人莫己若者亡／君子能为可贵，不能使人必贵己／强胜不若己者，至于若己者而同／急小之人宜理百里，使事办于己／上士之耳训乎德，下士之耳顺乎己／不尤人则德益弘，能克己则学益进／君子择交莫恶于易与，莫善于胜己／君子病无能焉，不病人之不己知也／知冬日之箑、夏日之裘，无用于己／国以任贤使能而兴，弃贤专己而衰／处事要代人作想，读书须切己用功／死生亦大矣而不变乎己，况爵禄乎／怨人不如自怨，求诸人不如求诸己／恶诸人则去诸己，欲诸人则求诸己／镜之明己也功细，士之明己也功大／既以为人己愈有，既以与人己愈多／不察事之是非而悦人赞己，暗莫甚焉／求是者，非求道理也，求合于己者也／何者为小人？凡事必徇己之私者是也／但常以责人之心责己，恕己之心恕人／夜行者能无为奸，不能禁狗使无吠己／藐然数尺之躯，乃欲私造化以为己物／往世不可及，来世不可待，求己者也／闻人善，立以为己师；闻恶，若己仇／怀必贪，贪必谋人；谋人，人亦谋己／宠位不足以尊我，而卑贱不足以卑己／皆知说镜之明己也，而恶士之明己也／虚言可以赏，则六合之内皆为己府矣／为政不在言多，须息息从省身克己而出／发乎声，见乎四支，谓非己心，不明也／古之君人者，以得为在民，以失为在己／古之官人也，以天下为己累，故己忧之／任能者责成而不劳，任己者事废而无功／人一能之，己百之；人十能之，己千之／人百负之而不恨，己信之终不疑其欺己／勿恃己善不服人仁，勿矜己艺不敬人文／先趋而后息，先问而后嘿，则什己者至／圣人量腹而食，度形而衣，节于己而已／射而不中者，不求之鹄，而反修之于己／宵行者，能无为奸，而不能令狗无吠己／见人有善如己有善，见人有过如己有过／有诸己而后求诸人，无诸己而后非诸人／私心胜者可以灭公，为己重者不知利物／失于声，缪迷其四体，谓己当然，自诬也／俭者，节其耳目口体之欲，节己而不节人／吾恒恶世之人不知推己之本，而乘物以逞／唯至人乃能游于世而不僻，顺人而不失己／由是而之焉之谓道，足乎己无待于外之谓德／罔违道以干百姓之誉，罔咈百姓以从己之欲／今之君子则不然，其责人也详，其待己也廉／务名者乐人之进趋过人，而不能出陵己之后／务进者趋前而不顾后，荣贵者矜己而不待人／君子之为言也，度可行于己，然后可责于人／君子博学而日参省乎己，则知明而行无过矣／君子有诸己而后求诸人，无诸己而后非诸人／待人要丰，自奉要约；责己要厚，责人要薄／多见者博，多闻者智；拒谏者塞，专己者孤／见人之过，得己之过；闻人之过，得己之过／视人之国，若己之国；视人之家，若己之家／世俗之人皆喜人之同乎己，而恶人之异于己也／尧以不得舜为己忧，舜以不得禹、皋陶为己忧／乐高喜大，负威任势，亡忧失畏，不求于己也／吾何以得知天下乎？察己以知之，不求于外也／知大备者，无求，无失，无弃，不以物易己也／知有己不知有人，闻人过不闻己过，此祸本也／好贤乐善，孜孜以荐进良士、明白是非为己任／有道以御之，身虽无能也，必使能者为己用也／不拘一世之利以为己私分，不以王天下为己处显／制之而不用，人之有也；制之而用之，己之有也／避人之长，攻人之短，见己之所长，避己之所短／爱人不以理，适是害人；恶人不以理，适是害己／疾为诞而欲人之信己也，疾为诈而欲人之亲己也／无为者，非谓其凝滞而不动也，以其言莫从己出也／人生一世，但当畏敬于人，若不善加己，直为受之／士之修身立节而竟不遇知己，前古以来，不可胜数／不以众人待其身，而以圣人望于人，吾未见其尊己也／缓己急人，一等；急己急人，二等；急己宽人，三等／有社稷者，不

能爱其民，而求民亲己爱己，不可得也／进贤之难者，贤者用且使己废，贵且使己贱，故人难之／吃百姓之饭，穿百姓之衣，莫道百姓可欺，自己也是百姓／闻古之君子相其君也，一夫不获其所，若己推而内之沟中／忘乎物，忘乎天，其名曰为忘己；忘己之人，是之谓入于天／急乎其所自立，而无患乎人不己知，未尝闻有响大而声微者也／用其智于人，未若用其智于己；用其力于人，未若用其力于己

已 yǐ 停止；已经，表示事情完成或时间过去；太；过；罢免；必，一定；从前的；随后；表确定语气；犹"唉"。

❶已得之，惟恐伤肉之多也

见汉·刘安《淮南子·道应》。全句为："未得兽者，惟恐其创之小也，～"。

已信之民易治，已练之兵易使

见宋·苏轼《张世矩再任镇戎军》。

已是黄昏独自愁，更着风和雨

见宋·陆游《卜算子》。全句为："驿外断桥边，寂寞开无主。～"

已是悬崖百丈冰，犹有花枝俏

见现代·毛泽东《卜算子·咏梅》。

已借蜡钱输麦税，免教缉捕闯门来

见宋·陈造《房陵十首》之一。

已分忍饥度残岁，更堪岁里闰添长

见宋·杨万里《悯农》。

已乎已乎，临人以德；殆乎殆乎，画地而趋

见《庄子·人间世》。

❷位已高而擅权者君恶之／将已笃疾，不宜废扁鹊／身已贵而骄人者民去之／人已古兮山在，泉无心兮道存／悟已往之不谏，知来者之可追／早已森严壁垒，更加众志成城／财已竭而敛不休，人已穷而赋愈急／得已而不已，不得已而已之，二者皆乱也／既已得高官巨富矣，仍讲道德、说仁义自若也／病已成而后药之，乱已成而后治之，譬犹渴而穿井，斗而铸锥，不亦晚乎

❸不为已甚者／不得已而为之／不得已而行之／不得已而用之／不得已而求其次／莲子已成荷叶老／忧患已空无复痛／采桑已闲当采茶／东隅已逝，桑榆非晚／前车已覆，后未知更／高鸟已散，良弓将藏／名刑已定，物自为正／狡兔已尽，良犬就烹／洪河已决，掬壤不能救／按其已然之迹而诋之也易／死别已吞声，生别常恻恻／豺狼已毙，在狐鼠而宜除／往者已不及，尚可以为来者之戒／荷尽已无擎雨盖，菊残犹有傲霜枝／昔人已乘黄鹤去，此地空余黄鹤楼／春残已是风和雨，更著游人撼落花／白骨已枯沙上草，家人犹自寄寒衣／乡者已去，至者乃新，新故不翏，我有所周／前车已覆，袭轨而骛，曾不鉴祸，以知畏惧／已乎已乎，临人以德；殆乎殆乎，画地而趋

❹辞达而已矣／升而不已必困／学而不已，阖棺乃止／不摇香已乱，无风花自飞／长江悲已滞，万里念将归／嘉谷虽已殖，恶草亦滋蔓／知之始已自知，而后知人／虽发语已殚，而含意未尽／子孙日已长，世世还复然／相见情已深，未语可知心／时节忽已换，壮心空自惊／所誉依已成，所毁依已败／积下不已，必极黄泉之深／其人虽已没，千载有余情／于不可已而已者，无所不已／损而不已必益，益而不已必决／道一而已，此是则彼非，此非则彼是／不飞则已，一飞冲天；不鸣则已，一鸣惊人／有不得已者而后言。其歌也有思，其哭也有怀／今兵威已振，譬如破竹，数节之后，皆迎刃而解／不法其已成之法，而法其所以为法。所以为法者，与化推移者也

❺学不可以已／仲尼不为已甚者／春在枝头已十分／登山者处已高矣……／薄刑之不已，遂至于诛／今之视者，已非昔日之欢／谢朝华于已披，启夕秀于未振／目击而道已存，不言而意已传／君子之度已则以绳，接人则用抴／半生落魄已成翁，独立书斋啸晚风／君子不得已而临莅天下，莫若无为／身为野老已无责，路有流民终动心／得已而不已，不得已而已之，二者皆乱也

❻君子反经而已矣／祸莫大于杀已降／彼以文词而已者陋矣／有照水一枝，已搀春意／君子亦仁而已矣，何必同／知音苟不存，已矣何所悲／于不可已而已者，无所不已／挥汗读书不已，人皆怪我何求／不吾知其亦已兮，苟余情其信芳／独闵闵其曷已兮，凭文章以自宣／汽笛一声肠已断，从此天涯孤旅／春不留兮时已失，老衰飒兮逾疾／持杯收水水已覆，徙薪避火火更燔

❼孤立行一意而已／圣贤之言不得已也／道之本，仁义而已矣／旦以为是，而暮已悔之／兵者，凶器，不得已而用之／已信之民易治，已练之兵易使／人生代代无穷已，江月年年只相似／凡人之智，能见已然，不能见将然／治务在无为而已，引大体，不拘文法／才不半古，而功已倍之，盖得之于时势也／不待相见，相信已熟；既相见，不要约，已相亲

❽不去庆父，鲁难未已／任重道远，死而后已／攻乎异端，斯害也已／报国之心，死而后已／持而盈之，不如其已／君子之学，死而后已／治国之道，爱民而已／孜孜矻矻，死而后已／物之终始，初无极已／风雨如晦，鸡鸣不已／鞠躬尽力，死而后已／夫子之道，忠恕而已矣／不战而强弱胜负已判矣／道之及，及乎物而已耳／不待清明近，莺花已自忙／此中有真意，欲辨已忘

言／春每归兮花开，花已阑兮春改／人而无义，唯食而已，是鸡狗也／得已而不已，不得已而已之，二者皆乱也／为道不在多，自为已有金丹至要，可不用余耳／君子之学，不为则已，为则必要其成，故常百倍其功

❾兵要在乎善附民而已／治乱者系乎言路而已／刑名立，则黑白之分已／言不贵文，贵于当而已／予岂好辩哉！予不得已也／凡政之大经，法教而已矣／君子行法，以俟命而已矣／所誉依已成，所毁依已败／胜事谁复论，丑声日已播／黯然销魂者，唯别而已矣／尾闾泄之，不知何时已而不虚／礼禁未然之前，法施已然之后／财已竭而敛不休，人已穷而赋愈急／特立独行，适于义而已，不顾人之是非／圣人之道，不用文则已，用则必尚其能者／君子之道，不以其所已能者为足，而尝以其未能者为歉／病已成而后药之，乱已成而后治之，譬犹渴而穿井，斗而铸锥，不亦晚乎

❿人主之所恃者，人心而已／仓廪无宿储，徭役犹未已／仓廪无宿储，徭役犹未已／讲之功有限，习之功无已／君子之于物，无所苟而已／行不期闻也，信其义而已／学不期言也，正其行而已／于不可已而已者，无所不已／求发吾所学者，施于物而已／为天下之大害者，君而已矣／尽职者无他，正已格物而已／君子于其言，无所苟而已矣／敌国相观……相观于人而已／文者，务为有补于世而已矣／举凶器，行凶德，犹不得已也／利民岂一道哉，当其时而已矣／损而不已必益，益而不已必决／闻风声鹤唳，皆以为王师已至／目击而道已存，不言而意已传／利害之相似者，唯智者知之而已／苟无恒心，放辟邪侈，无不为已／君子小人之分，义与利之间而已／学问之道无他，求其放心而已矣／孪子之相似者，唯其母知之而已／所谓文者，务为有补于世而已矣／文之用，辞令褒贬导扬讽喻而已／与物委蛇而同其波，是卫生之经已／无身不善而怨人，无刑已至而呼天／不师知虑，不知前后，魏然而已矣／不择人而问焉，取其有益于身而已／豫者图患于未然，犹者致疑于已是／创业自知难两立，辍耕早已定三分／人家盛衰，皆系乎积善与积恶而已／读书好处心先觉，立雪深时道已传／塞上长城空自许，镜中衰鬓已先斑／大抵学问只有两途，致知力行而已／将欲取天下而为之，吾见其不得已／实无名，名无实。名者，伪而已矣／李杜文章万口传，至今已觉不新鲜／日典春衣非为酒，家贫食粥已多时／贵可以问贱……唯道之所成而已矣／起烟于寒灰之上，生华于已枯之木／天授人以贤圣才能，岂使自有余而已／无迷其途，无绝其源，终吾身而已矣／不泥古法，不执己见，惟在活而已矣／玄古之君天下，无为也，天德而已矣／能常而后能变，能常不已，所以能变／士之遇时，不患无位，患所以立而已／唐太宗之贤，自西汉以来，一人而已／国之隆替，时之盛衰，察其任臣而已／闻道有先后，术业有专攻，如是而已／性于人无不善，系其善反不善反而已／过眼滔滔云共雾，算人间知已吾和汝／感而后应，迫而后动，不得已而后起／出无谓之言，行不必为之事，不如其已／生仍冀得兮归桑梓，死当埋骨兮长已矣／圣人量腹而食，度形而衣，节于己而已／君子遵道而行，半途而废，吾弗能已矣／定乎内外之分，辨乎荣辱之境，斯已矣／学者所以为学，学为人而已，非有为也／纵令滋味当染于口，声色已开于心……／梁、陈间，率不过嘲风雪，弄花草而已／为学无间断，如流水行云，日进而不已也／人生天地之间，若白驹之过却，忽然而已／若近正人，闻正事，虽欲为恶，固已不忍／君子之修身也，内正其心，外正其容而已／唯圣人知礼之不可以已也……必先去其礼／得已而不已，不得已而已之，二者皆乱也／强弱成败之要，在乎附士卒、教习之而已／罚一惩百，谁敢复言者？民有饮恨而已矣／不飞则已，一飞冲天；不鸣则已，一鸣惊人／北海虽赊，扶摇可接；东隅已逝，桑榆非晚／兵者不祥之器，非君子之器，不得已而用之／偷合苟容，以持禄养交而已耳，谓之国贼也／圣贤之所以为知者，不过思与见闻之会而已／士之特立独行，适于义而已，不顾人之是非／形劳而不休则弊，精用而不已则劳，劳则竭／过之所始，必始于微；积而不已，遂至于著／道假辞而明，辞假书而传，要之之道而已耳／智鄙相笼，强弱相陵，天下之乱何时而已乎／老骥伏枥，志在千里；烈士暮年，壮心不已／虎狼当路，不治狐狸。先除大害，小害自已／仁以为己任，不亦重乎！死而后已，不亦远乎／圣人之行虽不必同，然其要归，在洁其身而已／君子用以力学，借困衡为砥砺，不但顺受而已／日知其所亡，月无忘其所能，可谓好学也已矣／爱故不二，威故不犯；故善将者，爱与威而已／不待相见，相信已熟；既相见，不要约，已相亲／直视千里外，唯见起黄埃。凝思寂听，心伤已摧／倚伏之矛楯也，其理甚明，困而后儆，斯弗及已／圣智至孔子而极其盛，不过举条理以言之而已矣／如有周公之材之美，使骄且吝，其馀不足观也已／敏于事而慎于言，就有道而正焉，可谓好学也已／疗饥于附子，止渴于鸩毒，未入肠胃，已绝咽喉／其卧徐徐，其觉于于；一以已为马，一以已为牛／不奋苦而求速效，只落得少日浮夸，老来窘隘而已／君子之于学，惟日孜孜，毙而后已，惟恐其不及也／治天下者，当以天下之心为心，不得自专快意而已／万物

之所以为无穷者，交相胜而已矣，还相用而已矣／不知言之人，乌可与言？知言之人，默焉而其意已传／兵非益多也，惟无武进，足以并力，料敌，取人而已／复其性者贤人，循之而不已者也，不已则能归其源矣／仁人之于弟也，不藏怒焉，不宿怨焉，亲爱之而已矣／善计天下者不视天下之安危，察其纪纲之理乱而已矣／教亦多术矣，予不屑之教诲也者，是亦教诲之而已矣／为天下者，亦奚以异乎牧马者哉，亦去其害马者而已矣／两体者，虚实也，动静也，聚散也，清浊也，其究一而已／欲为君，尽君道；欲为臣，尽臣道。二者皆法尧舜而已矣／君子所以动天地应神明正万物而成王治者，必本乎真实而已／君子有为于天下，惟义而已，不可则止，无苟为，亦无必为／气质偏驳者，欲使私欲不能引染，如之何？惟在明明德而已／君子之行者有二焉；其未发也，慎而已矣，其既发也，义而已矣／患其有小恶，以人之小恶，亡人之大美，此人主之所以失天下之士也已

忌 jì 嫉妒；顾忌，害怕；禁戒；忌日；作语助。

❷事忌脱空，人怕落套／气忌盛，心忌满，才忌露／慎忌积于中，则政事废于表／草忌霜而逼秋，人恶老而逼衰

❸人情忌殊异，世路多权诈／君子忌苟合，择交如求师／处世忌太洁，至人贵藏晖／不有忌讳，则谠直之路开矣／搜句忌于颠倒，裁章贵于顺序／国多忌讳，大人恒畏。结口无患，可以长存

❹天下多忌讳而民弥贫／吏无避忌，白昼肆行／动触时忌，言为身灾／小人不忌刑，况于辱乎／讳疾而忌医，宁灭其身而无悟也／体曲者忌绳墨之容，夜裸者憎明烛之来／作诗切忌议论，此最易近腐，近絮，近学究

❺欲投鼠而忌器／来生不可忌，已死不可徂／学者有两忌，自高与自狭／气忌盛，心忌满，才忌露

❻义贵圆通，辞忌枝碎／建大事者，不忌小怨／蝮蛇有螫，人忌而不轻

❼毋因己之拙而忌人之能／世理则词直，世忌则词隐／怠者不能修，而忌者畏人修

❽气忌盛，心忌满，才忌露

❾但伤民病痛，不识时忌讳／人有喜庆，不可生妒忌心

❿吉凶在人，岂假阴阳拘忌／富者愈恣横侈泰而无所忌／雄悍杰健，任在胆烈，失在多忌／莫嫌举世无知己，未有庸人不忌才／小人之反中庸也，小人而无忌惮也／自古经纶足是非，阴谋最忌夺天机／当与人同过，不当与人同功，同功则相忌／兰薰而摧，玉缜则折；物忌坚芳，人讳明洁／圣人恶似是而非之人，国家忌似是而非之论／诗文之词采贵典雅而贱粗俗，宜蕴藉而忌分明

弓 gōng 射箭或发射弹丸的器械；像弓的用具；弯曲；旧时丈量土地的器具。

❶弓调而后求劲焉，马服而后求良焉

见《荀子·哀公》。

弓待檠而后能调，剑待砥而后能利

见汉·刘安《淮南子·修务》。

❷挽弓当挽强，用箭当用长／良弓难张，然可以及高入深／良弓之子必先为箕；良冶之子必先为裘

❹楚王遗弓，楚人得之／鸟尽良弓藏，谋极身必危／会挽雕弓如满月，西北望，射天狼

❺笔力未饶弓力劲／修身以为弓，矫思以为矢／飞鸟尽，良弓藏；狡兔死，走狗烹／臂健尚嫌弓力软，眼明犹识阵云高／蜚鸟尽，良弓藏；狡兔死，走狗烹

❻高鸟已散，良弓将藏／兽形云不一，弓势月初三／论说之出，犹弓矢之发也

❼蟾蜍碾玉挂明弓／马毛缩如猬，角弓不可张／云厚者，雨必猛；弓劲者，箭必远／带长剑兮挟秦弓，首身离兮心不惩

❽黩武之众易动，惊弓之鸟难安／剑不试则利钝暗，弓不试则劲挠诬／繁弱，钜黍，古之良弓也……则不能自正

❾欲将轻骑逐，大雪满弓刀／车辚辚，马萧萧，行人弓箭各在腰

❿有智略之人，不必试以弓马／善弋者下鸟乎百仞之上，弓良也／寻章摘句老雕虫，晓月当帘挂玉弓／一代天骄，成吉思汗，只识弯弓射大雕／天下之善射者也，不能以拨弓曲矢中微／羿者，天下之善射者也，无弓矢则无所见其巧／一人所以能敌万人者，非弓刀之技，盖威之至也／狡兔死，良狗烹；高鸟尽，良弓藏；敌国破，谋臣亡

引 yǐn 开弓；拉；领着；伸延；离开；招致；荐举；引用；避开；自承；自杀；正；划定；继续；持取；文体名；长度单位，古以十丈为一引；古代纸币名；乐曲体裁之一；拉车的绳子；用来作为依据。

❶引而不发，跃如也

见《孟子·尽心上》。

引笔行墨，快意累累，意尽便止

见唐·柳宗元《复杜温夫书》。

引物连类，穷情尽变；宫商相宜，金石谐和

见唐·韩愈《送权秀才序》。全句为："～；寂寥乎短章，舂容乎大篇"。

❷相引以名，相结以隐／广引深远，以明治乱之原／壹引其纪，万目皆起；壹引其纲，万目皆张

❸推美引过，德之至也／君子引而不发，跃如也

／香饵引泉鱼，重币购勇士

❹慈石能引铁，及其于铜则不行

❺善张网者引其纲／水禽嬉戏，引吭伸翮／渔父闲相引，时歌浩渺间／教化之行，引中人而纳于君子之涂／读书欲睡，引锥自刺其股，血流至足

❻落陷阱，不一引手救，反挤之，又下石焉

❼情往会悲，文来引泣／江山如此多娇，引无数英雄竞折腰

❽伏而咶天，救经而引其足／不穷异以为神，不引天以为高／闻善不可即亲，恐引奸人进身／兴者，先言他物以引起所咏之词也／治务在无为而已，引大体，不拘文法

❾才以用而日生，思以引而不竭／知贤，智也。推贤，仁也。引贤，义也

❿立德者以幽陋好遗，显登者以贵途易引／百孔千疮，随乱随失，其危如一发引千钧／壹引其纪，万目皆起；壹引其纲，万目皆张／有不嗜杀人者，则天下之民皆引领而望之矣／繁略殊形，隐显异术，抑引随时，变通会适／如有不嗜杀人者，则天下之民皆引领而望之矣／凡工妄匠，执规秉矩，错准引绳，则巧同于人倕也／气质偏驳者，欲使私欲不能引染，如之何？惟在明明德而已

弘

hóng 大；光大；姓。

❶弘大而辟，深闳而肆

见《庄子·天下》。

弘爱人屈己之道，酌因时适变之宜

见唐·刘禹锡《贺除虔王等表》。

弘而不毅，则难立；毅而不弘，则无以居之

见《二程集·河南程氏粹言》。

❷宽弘之人宜为郡国，使下得施其功而总成其事

❸人能弘道，非道弘人／望之弘深，即之坦夷／人能弘道，焉知来者不如昔也？

❹义典则弘，文约为美／圣人之弘也，而犹有惭德

❺论仁义则弘详而长雅

❻法立于上，教弘于下／论大材体则弘博而高远／士不可以不弘毅，任重而道远

❼人能弘道，非道弘人／不尤人则德益弘，能克己则学益进

❽圣主必待贤臣而弘功业／欲厚其德，不可不弘其量，欲弘其量，不可不大其识

❾多士成大业，群贤济弘绩／有罚无恕，非怀远之弘规

❿海以合流为大，君子以博识为弘／弘而不毅，则难立；毅而不弘，则无以居之／欲厚其德，不可不弘其量，欲弘其量，不可不大其识

弛

chí 放松弓弦；放松；延缓；减弱；解除；落下；毁坏。

❸法小弛则是非驳，赏不必尽善，罚不必尽恶／法大弛，则是非易位，赏恒在佞，而罚恒在直

❹一张一弛，文武之道也／张而不弛，文武弗能也；弛而不张，文武弗为也

❼举一纲，众目张；弛一机，万事隳

❽文武之道，一张一弛

❾法令行则国治，法令弛则国乱

❿万物必有盛衰，万事必有弛张／不可以有乱急，亦不可以无乱弛／权衡损益，斟酌浓淡，芟繁剪秽，弛于负担／张而不弛，文武弗能也；弛而不张，文武弗为也

张

①zhāng 本义为弓上弦，引申为开弓；紧，急；张开；使张开；张网；张贴；扩大；夸大；陈设；铺排；张望；量词；星宿名；姓。②zhàng 通“帐”；通“胀”；骄傲自大。

❶张袂成帷，挥汗成雨

见汉·刘向《说苑·奉使》。

张翰黄花句，风流五百年

见唐·李白《金陵送张十一再游东吴》。

张瑟者，小弦急而大弦缓

见汉·刘安《淮南子·泰族》。

张良授策于圯桥，功崇佐汉

见唐·杨炯《唐右将军魏哲神道碑》。全句为：“吕望垂竿于渭涘，道峻匡周；～”。

张而不弛，文武弗能也；弛而不张，文武弗为也

见《礼记·杂记下》。

❷善张网者引其纲／一张一弛，文武之道也／如张乐于洞庭之野，无首无尾，不主故常

❸政犹张琴瑟，大弦急则小弦绝／星斗张明，错落水中，如珠走镜，不可收拾

❹良弓难张，然可以及高入深／万目不张举其纲，众毛不整振其领

❻文武之道，一张一弛／不益其厚，而张其广者毁／秉纲而目自张，执本而末自从／举一纲，众目张；弛一机，万事隳

❼治国者譬若乎张琴然，大弦急则小弦绝矣／将欲歙之，必固张之；将欲弱之，必固强之

❽欲闻其声，反默；欲张，反敛／举网以纲，千目皆张，振裘持领，万毛自整／天无一点云，星斗张明，错落水中，如珠走镜，不可收拾

❾桑无附枝，麦穗两岐。张君为政，乐不可支

❿马毛缩如猬，角弓不可张／万物必有盛衰，万事必有弛张／琴瑟不调，甚者必解而更张之／处世让一步为高，退步即进步的张本／理国譬若琴瑟，其不调者则解而更张／一切言动，都要安详；十差九错，只为慌张／黄钟毁弃，瓦釜雷鸣；谗人高张，贤士无名／壹引其纪，万目皆起；

壹引其纲，万目皆张／冬不服裘，夏不操扇，雨不张盖，是谓将礼／张而不弛，文武弗能也；弛而不张，文武弗为也／得鸟者，罗之一目也，然张一目之罗，终不得鸟矣

弥 ①mí 到处都是；填补，掩盖；久；远；更加；终极；尽；姓。②mǐ 水满貌；通“弭”，止息。

❶弥天的罪过，当不住一个“悔”字

见明·洪应明《菜根谭》。全句为：“盖世功劳，当不得一个‘矜’字；～”。

❷操弥约而事弥大／德弥厚者葬弥薄，知愈深者葬愈微／德弥盛者文弥缛，德弥彰者人弥明

❸大文弥朴／入道弥深，所见弥大／其出弥远，其知弥少／其曲弥高，其和弥寡／其知弥精，其所取弥精／问事弥多而见弥博，官弥剧而识弥泥／仰之弥高，钻之弥坚。瞻之在前，忽焉在后／歌曲弥妙，和者弥寡；行操益清，交者益鲜／其名弥消，其德弥长；其身弥退，其道弥进／其国弥大，而其主弥静，然后乃能广得众心

❹岁老根弥壮，阳骄叶更阴

❻操弥约而事弥大／德弥厚者葬弥薄，知愈深者葬愈微／德弥盛者文弥缛，德弥彰者人弥明

❼一失其原，巧愈弥甚／入道弥深，所见弥大／其出弥远，其知弥少／其曲弥高，其和弥寡／问事弥多而见弥博，官弥剧而识弥泥／仰之弥高，钻之弥坚。瞻之在前，忽焉在后／能至素至精，浩弥无刑，然后可以为天下正／歌曲弥妙，和者弥寡；行操益清，交者益鲜／其名弥消，其德弥长；其身弥退，其道弥进

❽天下多忌讳而民弥贫／其知弥精，其所取弥精／崇峻不凌霄，则无弥天之云／其国弥大，而其主弥静，然后乃能广得众心

❾任沈江刘，来乱辙而弥远／虽死而不朽，逾远而弥存／穷乃见节义，老当志弥刚／治水不自其源，末流弥增其广／赏罚不可轻行，用人弥须慎择／德弥盛者文弥缛，德弥彰者人弥明

❿丹青初炳而后渝，文章岁久而弥光／冰心与贫流争激，霜情与晚节弥茂／德弥盛者文弥缛，德弥彰者人弥明／植之而塞于天地，横之而弥于四海／问事弥多而见弥博，官弥剧而识弥泥／见乱而不惕，所残必多；其饰，弥章／矜容者有经日之芳；工歌者有弥旬之韵／蒲柳之姿，望秋而落；松柏之质，经霜弥茂／杼轴得之，澹而无味，琢刻藻绘，弥不足贵／其名弥消，其德弥长；其身弥退，其道弥进

弦 xián 乐器上用以发音的线；绑在弓上用以发箭的线；月亮半圆时形状像弓，称“弦”，数学名词；姓；中医学脉象名。

❶弦以明直道，漆以固交深

见唐·韦应物《拟古诗十二首》之十一。

弦断犹可续，心去最难留

见南朝·梁·王僧孺《为姬人自伤》。

❸矢在弦上，不得不发／箭在弦上，不得不发／上有弦歌声，音响一何悲／直如弦，死道边；曲如钩，反封侯

❹莫教管弦作离声／伤禽恶弦惊，倦客恶离声／达士如弦直，小人似钩曲／手挥五弦易，目送归鸿难

❺儒生直如弦，权贵不须干／张瑟者，小弦急而大弦缓／声可托于弦管，名可留于竹帛

❻委体渊沙，鸣弦揆日／虽无丝竹管弦之盛……／君不见直如弦，古人知尔死道边／人心莫厌如弦直，淮水长怜似镜清

❼政犹张琴瑟，大弦急则小弦绝

❽一夫得情，千室鸣弦／来如风雨，去如绝弦／目送归鸿，手挥五弦／三百五篇孔子皆弦歌之／封侯早归来，莫作弦上箭／不学操缦，不能安弦；不学博依，不能安诗／尽若穷烟，离若箭弦，如影灭地，犹星殒天

❾张瑟者，小弦急而大弦缓／立事者不离道德，调弦者不失宫商

❿结交澹若水，履道直如弦／欲得周郎顾，时时误拂弦／政犹张琴瑟，大弦急则小弦绝／行一棋不足以见智，弹一弦不足以见悲／治国者譬若乎张琴然，大弦急则小弦绝矣／道犹金石，一调不更；事犹琴瑟，每弦改调／八百里分麾下炙，五十弦翻塞外声。沙场秋点兵

弩 nǔ 一种利用机械力量射箭的弓；同“努”。

❷强弩之末，力不能入鲁缟／强弩之极，矢不能穿鲁缟／强弩弋高鸟，走犬逐狡兔

❸以强弩射且溃之痈

❹千钧之弩不为鼷鼠发机

❼狂来笔力如牛弩

❽施为宜似千钧之弩，转发者，无宏功

❿铅不可以为刀，铜不可以为弩／狡兔得而猎犬烹，高鸟尽而强弩藏

弭 mǐ 弓末的弯曲处；平息，消除；安抚；顺服；古地名；姓。

❹扬堁而弭尘，抱薪以救火／扬威以弭乱，震武以止暴

❺将事而能弭，当事而能救，既事而能挽

❽川不可防，言不可弭，下塞上聋，邦其倾矣

❿尽诚可以绝嫌猜，徇公可以弭谗诉／鸷鸟将击，卑飞敛翼；猛兽将搏，弭耳俯伏

弱 ruò 实力差；体质差；年幼；丧亡；表示略少；示弱，害怕。

❷柔弱者，道之要也／性弱则德全，性强则祸起／以弱为强者，非惟天时，抑亦人谋也／强弱成败之要，在乎附士卒、教习之而已／繁弱，钜黍，

古之良弓也……则不能自正
❸杖起弱者,药治人病/水懦弱,民狎而玩之,则多死焉/年将弱冠非童子,学不成名岂丈夫
❹虚无柔弱无所不通/以强凌弱,以众暴寡/力分者弱,心疑者背/违强陵弱,非勇也;乘人之约,非仁也/纯柔纯弱兮,必削必薄;纯刚纯强兮,必丧必亡/国之强弱,不在甲兵,不在金谷,独在人才之多少
❺强将下,无弱兵/不战而强弱胜负已判矣/强者不劫弱,贵者不傲贱/志强而气弱,故足于谋而寡于断/一时之强弱在力,千古之胜负在理/强者积于弱也,有余者积于不足也/贫生于富,弱生于强,乱生于化,危生于安/贫生于富,弱生于强,乱生于治,危生于安/天下莫柔弱于水,而攻坚强者莫之能先,以其无以易之也
❻众之所助,虽弱必强/坚强处下,柔弱处上/反者道之验,弱者德之柄/治强生于法,弱乱生于阿/不倍兵以攻弱,不恃众以轻敌/反者,道之动;弱者,道之用/自为计者虽弱必固,欲自溃者虽强必弱/智鄙相笼,强弱相陵,天下之乱何时而已乎
❼国无常强,无常弱/天下之势有强弱,圣人审其势而应之以权
❽暴察之威成乎危弱/苟非其人,虽强易弱/善持胜者,以强为弱/积于柔则刚,积于弱则强/不能长进,只为昏弱两字所苦/积于柔,必刚;积于弱,必强/君好嫌,臣好逸……此弱国之风也/强而骄者损其强,弱而骄者亟死亡/暴察之威成乎危弱,狂妄之威成乎灭亡也
❾无路请缨,等终军之弱冠/由来骨鲠材,喜被软弱吞/小人智浅而谋大,羸弱而任重,故中道而废/法令者,所以抑暴扶弱,欲其难犯而易避也
❿安危在是非,不在于强弱/天之道在生植,其用在强弱/民胜其政,下畔其上则兵弱/悦乎故不能即乎新者,弱也/古之成败者,诚有其才,虽弱必强/奉法者强,则国强;奉法者弱,则国弱/欲刚者必以柔守之,欲强者必以弱保之/欲刚,必以柔守之;欲强,必以弱保之/自为计者虽弱必固,欲自溃者虽强必弱/始而胎气虚耗……壮而声色自放者弱而夭/能去能就,能柔能刚,能进能退,能弱能强/将欲歙之,必固张之;将欲弱之,必固强之/山霤至柔,石为之穿;蝎虫至弱,木为之弊/道者,虚无、平易、清静、柔弱、淳粹、素朴/强国令其民争乐用也,弱国令其民争竞不用也/国家无养兵之费则国富,队伍无老弱之卒则兵强/兵静则固,专一则威,分决则勇,心疑则北,力分则弱/道德之威成乎安强,暴察之威成乎危弱,狂妄之威成乎灭亡也

弹 ①tán 发射弹丸;用手指拨弄;用手指弹击。②dàn 以竹为弦的弓;弓弹、枪弹之类的总称。
❶弹雀则失鹳,射鹊则失雁
见汉·王充《论衡·书解篇》。全句为:"~。方圆画不俱成,左右视不并见"。
弹鸟,则千金不及丸泥之用
见晋·葛洪《抱朴子·备阙》。
弹虽在指声在意,听不以耳而以心
见宋·欧阳修《赠无为军李道士二首》。
弹指三十八年,人间变了,似天渊翻覆
见现代·毛泽东《念奴娇·井冈山》。
❹三日不弹,手生荆棘/劝君莫弹食客铗,劝君莫叩富儿门
❺苦饥寒,逐弹丸/五指之更弹,不若卷手之一挃/新沐者必弹冠,新浴者必振衣
❻以隋侯之珠,弹千仞之雀,世必笑之/善为国者若弹琴;宫君商臣,则治国之道
❼萧朱结绶,王贡弹冠/王阳在位,贡公弹冠/三十八年过去,弹指一挥间/嘈嘈切切错杂弹,大珠小珠落玉盘
❽见卵而求时夜,见弹而求鸮炙/观理自难观势易,弹丸累到十枚时
❾真文不媚时,甘受人弹弋/行一棋不足以见智,弹一弦不足以见悲
❿抱景者咸叩,怀响者毕弹/排恨叠,怯衣单,花枝红泪弹/明珠是身外之物,尚不可弹雀/新浴者振其衣,新沐者弹其冠/明珠自有千金价,莫为游人作弹丸/衡门之下,有琴有书,载弹载咏,爰得我娱/隋侯之珠,国之宝也,然用之弹,曾不如泥丸/人有明珠,莫不贵重,若以弹雀,岂非可惜?况人之性命甚于明珠

弼 bì 矫正弓弩的器具,引申为纠正、辅佐;违背。
❸立辅弼之臣者,恐骄也
❹予违汝弼,汝无面从,退后有言
❽治世御众,建立辅弼,诚在面从/奋其智能,愿为辅弼,使寰区大定,海县清一

强 ①qiáng 力量大;坚强;强制;超越;优越;勉力;有余;略多;程度高;古时男子四十岁之称;姓。②qiǎng 勉强;迫使;通"襁"。③jiàng 固执,不柔顺。
❶强行者有志
见《老子》三十三。
强将下,无弱兵
见宋代歌谣谚《苏轼引俗语》。
强哭者虽悲不哀
见《庄子·渔父》。全句为:"~,强怒者虽严不威,强亲者虽笑不和"。
强自取柱,柔自取束

见《荀子·劝学》。

强倨傲暴之人不可与交

见《管子·白心》。

强学博览,足以通古今

见宋·欧阳修《赐翰林学士吴奎乞知青州不允诏》。

强恕而行,求仁莫近焉

见《孟子·尽心上》。

强不能遍立,智不能尽谋

见《管子·心术上》。

强人之所不能,虽令不劝

见唐·张说《词标文苑科策第一道》。全句为:"~;禁人之所必犯,虽罚且违"。

强弩之末,力不能入鲁缟

见汉·刘向《新序·善谋》。全句为:"冲风之衰也,不能起毛羽;~"。

强弩之极,矢不能穿鲁缟

见汉·韩安国《匈奴和亲议》。全句为:"~;冲风之末,力不能漂鸿毛"。

强弩弋高鸟,走犬逐狡兔

见汉·刘安《淮南子·原道》。

强本而节用,则天不能贫

见《荀子·天论》。

强者不劫弱,贵者不傲贱

见《墨子·天志上》。

强者折,锐者挫,坚者破

见《管子·法法》。

强辩以饰非者,果何为也

见明·吕坤《呻吟语》。全句为:"有过是一过,不肯认过又是一过,一认则两过都无,一不认则两过不免。彼~"。

强冲风之末,力不能漂鸿毛

见汉·韩安国《匈奴和亲议》。全句为:"弩之极,矢不能穿鲁缟;~"。

强本节用,则人给家足之道

见汉·司马迁《史记·太史公自序》。

强辩者饰非,不知过之可改

见宋·李邦献《省心杂言》。全句为:"~。谦恭者无诤,知善之可迁"。

强臣专国,则天下震动而易乱

见宋·苏辙《新论中》。

强己才之所不逮,是行舟于陆也

见宋·何坦《西畴老人常言》。全句为:"责人以其所不能,是使马代耕也;~"。

强楷坚劲,用在桢干,失在专固

见三国·魏·刘劭《人物志·体别》。

强者不自勉,或死而泯灭于无闻

见宋·欧阳修《尚书屯田员外郎张君墓表》。全句为:"~;弱者能自力,则必有称于后世"。

强胜不若己者,至于若己者而同

见汉·刘安《淮南子·原道》。全句为:"~;柔胜出于己者,其力不可量"。

强而骄者损其强,弱而骄者亟死亡

见《管子·白心》。

强中更有强中手,莫向人前满自夸

见明·冯梦龙《警世通言·王安石三难苏学士》。

强中自有强中手,用诈还逢识诈人

见明·罗贯中《三国演义》第十七回。

强令之笑,不乐;强令之哭,不悲

见《吕氏春秋·仲春纪·功名》。全句为:"~。强令之为道也,可以成小而不可以成大"。

强者积于弱也,有余者积于不足也

见《鬼谷子·谋》。

强怒者虽严不威,强亲者虽笑不和

见《庄子·渔父》。全句为:"强哭者虽悲不哀,~"。

强执教之人,则失其情实,生于诈伪

见《老子》二十九河上公注。

"强梁者不得其死",吾将以为教父

见《老子》四十二。

强令之为道也,可以成小而不可以成大

见《吕氏春秋·仲春纪·功名》。全句为:"强令之笑,不乐;强令之哭,不悲。~"。

强弱成败之要,在乎附士卒、教习之而已

见汉·刘向《说苑·指武》。

强国令其民争乐用也,弱国令其民争竞不用也

见《吕氏春秋·离俗览·为欲》。全句为:"凡治国令其民争行义也,乱国令其民争为不义也;~。夫争行义乐用与争为不义竞不用,此其为祸福也,天不能覆,地不能载"。

❷刚强者戒太暴/不强交,不苟绝/以强弩射且溃之痈/以强凌弱,以众暴寡/坚强处下,柔弱处上/守强不强,守柔乃强/兵强则不胜,木强则折/自强不息,则其至一也/争强量功,能以胜众者鲜/治强生于法,弱乱生于阿/威强以自御,力损则身危/摧强易于折枯,消坚甚于汤雪/兵强则灭,木强则折,革固则裂/刚强猛毅,靡所不信,非骄暴也/志强而气弱,故足于谋而寡于断/视强,则目不明;听甚,则耳不聪/违强陵弱,非勇也;乘人之约,非仁也

❸铅刀强可一割/但使强胡灭,何须甲第成/能胜强敌者,先自胜者也/博闻强记,守之以浅者,智/虽有强记之力,而常废于不勤/志不强者智不达,言不信者行不果/四支强而躬体固,华叶茂而本根据/足不强则迹不远,锋不铦则割不深/博闻强识而让,敦善行而不怠,谓之君子/当人强盛,河山可拔,一朝赢缩,人情万端/国之强弱,不在甲兵,不在金谷,独在人才之

多少
❹国无常强，无常弱／不义而强，其毙甚速／不战而强，不威而武／非兵不强，非德不昌／得士者强，失士者亡／庄敬日强，安肆日偷／守强不强，守柔乃强／不战而强弱胜负已判矣／苟可以强国，不法其故／罚不讳强大，赏不私亲近／一时之强弱在力，千古之胜负在理／为国无强于得人，用人莫先于求旧／以弱为强者，非惟天时，抑亦人谋也／奉法者强，则国强；奉法者弱，则国弱／饰貌以强类者失形，调辞以务似者失情／居之以强力，发之以果敢，而成之以无私／未有主强盛而辅不飘逸者，兵卫不华赫而庄整者／学者自强不息，则积少成多；中道而止，则前功尽弃
❺理胜者为强／去私莫如强恕／卒寡而兵强者，有义也／知足者富，强行者有志／以修身自强，则名配尧禹／先下手为强，后下手遭殃／挽弓当挽强，用箭当用长／建法立制，强国富人，是谓法家／惟天性刚强之人，不为物欲所屈／道而弗牵，强而弗抑，开而弗达／末不可以强于本，指不可以大于臂／强中更有强中手，莫向人前满自夸／强中自有强中手，用诈还逢识诈人／学有未达，强以为知，理有未安，妄以臆度／智鄙相笼，强弱相陵，天下之乱何时而已乎／财须民生，强赖民力，威恃民势，福由民殖
❻不攫所有，不强所无／出处默语，勿强相兼／勇士不以众强凌孤独／苟非其人，虽强易弱／善持胜者，以强为弱／愈大愈惧，愈强愈恐／其所不能，不强使为是／才所不胜而强思之，伤也／力所不任而强举之，伤也／以三寸之舌，强于百万之师／圣人苟可以强国，不法其故／冲隆不足为强，高城不足为固／兵强则灭，木强则折，革固则裂／丈人才力犹强健，岂傍青门学种瓜／不能自胜而强弗从者，此之谓重伤／或争利而反强之，或听从而反止之／时不至不可强生也，事不究不可强成也／天下之势有强弱，圣人审其势而应之以权／任人之长，不强其短；任人之工，不强其拙
❼天之所坏，不可强支／不侮矜寡，不畏强御／知困，然后能自强也／驽马铅刀，不可强扶／胆劲心方，不畏强御／穿窬下禁，则致强盗／兵强则不胜，木强则折／直意适情，则贤强贼之／性弱则德全，性强则祸起／定国之术，在于强兵足食／苟不由其道，虽强求而不获／误用恶人，假令强干，为害极多／强而骄者损其强，弱而骄者亟死亡／强令之笑，不乐；强令之哭，不悲／奉法者强，则国强；奉法者弱，则国弱／情之所恶，不以强人；情之所欲，不以禁民／胆劲心方，不畏强御，义正所在，视死犹归
❽道德之威成乎安强／众之所助，虽弱必强／守则同固，战则同强／守少则固，力专则强／守强不强，守柔乃强／见小曰明，守柔曰强／圣人之行道也，无强也／天行健，君子以自强不息／非其有而求之，虽强不得／善虽不吾与，吾将强而附／两坚不能相和，两强不能相服／良医不能救无命，强梁不能与天争／少者殁而长者存，强者夭而病者全／因循苟且之心作，强毅久大之性亏／强怒者虽严不威，强亲者虽笑不和／羽扇纶巾，谈笑间、强虏灰飞烟灭／肥肉厚酒，务以自强，命之曰烂肠之食／拓境不宁，无益于强；多田不耕，何救饥敝／贫生于富，弱生于强，乱生于化，危生于安／贫生于富，弱生于强，乱生于治，危生于安／不责人所不及，不强人所不能，不苦人所不好／不就利，不违害，不强交，不苟绝，惟有道者能之／财之不丰，兵之不强，吏之不择，此三者存亡之所从出／道德之威成乎安强，暴察之威成乎危弱，狂妄之威成乎灭亡也
❾胜人者有力，自胜者强／安危在是非，不在于强弱／不善虽不吾恶，吾将强而拒／欲刚，必以柔守之；欲强，必以弱保之／兵贵于精，不贵于多；强于心，不强于力
❿人能正静者，筋韧而骨强／务广地者荒，务广德者强／将出凶门勇，兵因死地强／积于柔则刚，积于弱则强／用圣臣者王，用功臣者强／天之道在生植，其用在强弱／人以义爱，以党群，以群强／政在于民，下附其上则兵强／以道佐人主者，不以兵强天下／智不足以为治，勇不足以为强／积于柔，必刚；积于弱，必强／人之才性，各有短长，固难勉强／常胜之道曰柔，常不胜之道曰强／古之成败者，诚有其才，虽弱必强／仁者安仁，知者利仁，畏罪者强仁／土广不足以为安，人众不足以为强／狡兔得而猎犬烹，高鸟尽而强弩藏／是非只为多开口，烦恼皆因强出头／恶死亡而乐不仁，是由恶醉而强酒／跻攀分寸不可上，失势一落千丈强／奉公如法，则上下平，上下平则国强／今恶死亡而乐不仁，是犹恶醉而强酒／军旅之臣，取其断决有谋，强干习事／反听之谓聪，内视之谓明，自胜之谓强／轻死以行礼谓之勇，诛暴不避强谓之力／时不至不可强生也，事不究不可强成也／水有猵獭而池鱼劳，国有强御而齐民消／欲刚者必以柔守之，欲强者必以弱保之／自为计者虽弱必固，欲自溃者虽强必弱／自谓乱且危者，则自戒自强，虽乱必理／兵贵于精，不贵于多；强于心，不强于力／道与德，可勉以进也；才不可强揠以进也／始而胎气充实……壮而声色有节者强而寿／或安而行之，或利而行之，或勉强而行之／师不欲久，行不欲远，守少则固，力专则强／为之政，以率其怠倦；为之刑，以锄其强梗／历危乘险，匪杖不行，车耆力竭，匪杖不强／利而诱之，

乱而取之，实而备之，强而避之／任人之长，不强其短；任人之工，不强其拙／凡人之性，少则猖狂，壮则暴强，老则好利／能去能就，能柔能刚，能进能退，能弱能强／将欲歙之，必固张之；将欲弱之，必固强之／文以气为主，气之清浊有体，不可力强而致／磐石千里，不可谓富；象人百万，不可谓强／辞卑而益备者，进也；辞强而进驱者，退也／或依势以干非其类，出技以怒强，窃时以肆暴／百姓与之则安，辅之则强，非之则危，倍之则亡／国家无养兵之费则国富，队伍无老弱之卒则兵强／纯柔纯弱兮，必削必薄；纯刚纯强兮，必丧必亡／三晋多权变之士，夫言从衡强秦者，大抵皆三晋之人／得百姓之力者富，得百姓之死者强，得百姓之誉者荣／天下莫柔弱于水，而攻坚强者莫之能先，以其无以易之也／君子之于子，爱之而勿面，使之而勿貌，导之以道而勿强／政有三品：王者之政化之，霸者之政威之，强国之政胁之

粥 ①zhōu 用粮食等熬成的半流质食物。②yù 同“鬻”，卖；通“育”，生养。

❷一粥一饭，当思来处不易

❿日典春衣非为酒，家贫食粥已多时

蚩 chī 无知；欺侮；通“媸”，丑陋；通“嗤”，嘲笑；虫名。［蚩蚩］敦厚；忙乱。

❾在此为美兮，在彼为蚩

女 ①nǚ 女性，与“男”相对；女儿；柔弱；柔嫩；星宿名。②nǜ 嫁女于人。③rǔ 通“汝”，你。

❶女子无才便有德

见明·张岱《公祭祁夫人文》引明人陈眉公语。

女不必贵种，要之贞好

见汉·司马迁《史记·外戚世家》。全句为：“士不必贤世，要之知道；～”

女神将守形，形乃长生

见《庄子·在宥》。全句为：“目无所见，耳无所闻，心无所知，～”。

女为悦己容，士为知己死

见《战国策·赵策一》。

女有余布，男有余粟，国家殷富，上下交足

见汉·班固《汉书·扬雄传》。

女恶华丹之乱窈窕也，书恶淫辞之淈法度也

见汉·扬雄《法言·吾子》。

女无美恶，入宫见妒。士无贤不肖，入朝见嫉

见汉·邹阳《狱中上书自明》。

❷美女破舌／春女思，秋士悲／男女睽而其志通也／男女同姓，其生不蕃／男女授受不亲，礼也／美女入室，恶女之仇／嫁女择佳婿，毋索重聘／丑女来效颦，还家惊四邻／为女妄言之，女以妄听之／神女应无恙，当惊世界殊／慎女内，闭女外，多知为败／商女不知亡国恨，隔江犹唱后庭花／神女生涯原是梦，小姑居处本无郎／唯女子与小人为难养也；近之则不孙，远之则怨

❸男耕女织，天下之大业／深儿女之怀，便短英雄之气／非独女以色媚，而士宦亦有之／我为女子，薄命如斯！君是丈夫，负心若此

❹内无怨女，外无旷夫／守如处女，出如脱兔／窈窕淑女，钟鼓乐之／静如处女，动如脱兔／饮食男女，人之大欲存焉／时花美女，不足为其色也／饮食男女皆性也，是乌可灭／语曰：好女之色，恶者之孽也／予尝为女妄言之，女亦以妄听之／三千宫女胭脂面，几个春来无泪痕／不知织女萤窗下，几度抛梭织得成／中华儿女多奇志，不爱红装爱武装／桑蚕苦，女工难，得新捐故后必寒／古者男女之族，各择德焉，不以财为礼／始如处女，敌人开户；后如脱兔，敌不及拒

❺盗不过五女门／男大须婚，女大必嫁／天子好美女，夫妇不成双／为人莫作女，作女实难为／名都多妖女，京洛出少年／窗下抛梭女，手织身无衣／竹喧归浣女，莲动下渔舟／慎女内，闭女外，多知为败／男不封侯女作妃，君看女却是门楣

❻英雄气短，儿女情长／美女入室，恶女之仇／孟贲之倦也，女子胜之／为女妄言之，女以妄听之／男儿爱后妇，女子重前夫／丈夫不作儿女别，临岐涕泪沾衣巾／不洒世间儿女泪，难堪亲友中年别／君不见长安女儿嫩如水，十指不动衣罗绮／生男无喜，生女无怒，独不见卫子夫霸天下

❼为人莫作女，作女实难为／贫贱忧戚，庸玉女于成也／齐都世刺绣，恒女无不能／一点失所，若美女之眇一目／士为知己者死，女为悦己者容／十为知己者用，女为说己者容／士矜才则德薄，女衒色则情放／上好紫则下皆女服，上好剑则士皆曼胡／必静必清，无劳女形，无摇女精，乃可以长生

❽茧之性为丝，弗得女工／予尝为女妄言之，女亦以妄听之／农事伤则饥之本，女红害则寒之原／将恐将惧，维予与女；将安将乐，女转弃予

❾茧之性为丝，然非得女工……

❿丈夫盖世英雄气，肯学世间儿女愁／可能十万珍珠字，买尽千秋儿女心／男不封侯女作妃，君看女却是门楣／遂令天下父母心，不重生男重生女／父母威严而有慈，则子女畏慎而生孝矣／天地有官，阴阳有藏；慎守女身，物将自壮／生男如狼，犹恐其尪；生女如鼠，犹恐其虎／关关雎鸠，在河之洲。窈窕淑女，君子好逑／男子疾耕不足于粮饷，女子纺绩不足于帷幕／男子疾耕不足于糟糠，女子纺绩不足于盖形／捷

捷幡幡，谋欲谮言；岂不尔受，既其女迁／将恐将惧，维予与女；将安将乐，女转弃予／硕鼠硕鼠，无食我黍！三岁贯女，莫我肯顾／必静必清，无劳女形，无摇女精，乃可以长生

奴 nú受人压迫、役使并失去人身自由的人；比喻甘愿受人或某些事物驱使的人；像对待奴隶一样役使；早期白话中青年女子的自称；通“驽”。

❷匈奴未灭不言家／匈奴未灭，受命而孰不忘家

❸世乱奴欺主，年衰鬼弄人

❺青天白日，奴隶亦知其清明

❿壮志饥餐胡虏肉，笑谈渴饮匈奴血／药来贼境灵何用，米出胡奴死不炊

奸 ①jiān狡诈；对国家或君主不忠；出卖民族；自私；男女之间发生不正当性行为。②gān通“干”，犯；扰乱；求。

❶奸生于国，时动必溃

见《阴符经》上。

奸人难处，迂人亦难处

见清·申涵光《荆园小语》。全句为：“～。奸人诈而好名，其行事有酷似君子处。迂人执而不化，其决裂有甚于小人时”。

奸回不诘，为恶肆其凶

见南朝·宋·范晔《后汉书·杜乔传》。全句为：“有功不赏，为善失其望；～”。

奸人外善内恶，色厉内荏

见汉·王充《论衡·非韩篇》。

奸臣欲窃位，树党自相群

见唐·李白《古风五十九首》之五十三。

奸诈既作，盗贼日多，谓之乱政

见五代·前蜀·杜光庭《道德真经广圣义》卷四十。

奸人诈而好名，其行事有酷似君子处

见清·申涵光《荆园小语》。全句为：“奸人难处，迂人亦难处。～。迂人执而不化，其决裂有甚于小人时”。

❷大奸似忠，大诈似信／去奸之本，莫深于严刑／禁奸之法，太上禁其心／启奸邪之路，长贪暴之心／锄奸杜倖，要放他一条去路……

❸百种奸伪，不如一实／厚发奸之赏，峻欺下之诛

❹民贫则奸邪生／偏听生奸，独任成乱／法贵止奸，不在过酷／弃德崇奸，祸之大者也／令烦则奸生，禁多则下诈／清平之奸贼，乱世之英雄／吏不与奸罔期，而奸罔自至／法严而奸易息，政宽而民多犯

❺才不济务，奸无所惩／治民者，禁奸于未萌／白石似玉，奸佞似贤／国有忠臣，奸邪为之不起／为惠者生奸，而为暴者生乱／诛一乡之奸，则一乡之人悦／诛一国之奸，则一国之人悦／当怒不怒，奸臣为虎；当杀不杀，大贼乃发／凡敢为大奸者，材必有过于众，而能自媚于上者也

❻剪恶如草，扬奸如秕／曲木恶直绳，奸邪恶正法／政烦苛则人奸伪，政省一则人醇朴

❼小人以无法为奸／不劲直，不能矫奸／国家将败，必用奸人／世乱则君子为奸，而法弗能禁也／夜行者能无为奸，不能禁狗使无吠己／宵行者，能无为奸，而不能令狗无吠己

❽乱群败众者，惟在奸雄／吏不与奸罔期，而奸罔自至／弃忠贞之正路，蹈奸宄之迷途／自古圣贤多薄命，奸雄恶少皆封侯

❾胜法之务，莫急于去奸／治世之能臣，乱世之奸雄／丑声，贯盈。迟和早除奸佞／闻善不可即亲，恐引奸人进身／养稊稗者伤禾稼，惠奸宄者贼良民／忠贤事君，必谏君失，奸佞事主，必顺主情／治天下之要，存乎除奸；除奸之要，存乎治官

❿贫者不厌糟糠，穷而为奸／法令所以导民，刑罪所以禁奸／赏当则贤人劝，罚得则奸人止／刑罚不足以移风，杀戮不足以禁奸／剔大蠹者木必凿，去大奸者国必伤／令者，所以教民；法者，所以督奸／官长正而百姓化，邪心黜而奸匿绝／眼孔浅时无大量，心田偏处有奸谋／人主诚正，则直士任事，而奸人伏匿／凡养稂莠者伤禾稼，惠奸宄者贼良人／君子藏正气者，可以远鬼神，伏奸佞／智惠之君贱德而贵言……以为大伪奸诈／天下大扰，百姓遑遑，劳苦疲极，困穷生奸／工无二伎，士不兼官，各守其职，不得相奸／委任不一，乱之媒也；监察不止，奸之府也／矫矫亢亢，恶圆喜方，羞为奸欺，不忍害伤／用智为政，务欲理人。智变奸生，祸乱滋起／善善不进而恶恶不退，则忠奸未别，邪正不分／治天下之要，存乎除奸；除奸之要，存乎治官／可贵可贱也，可富可贫也，可杀而不可使为奸也／嗜欲无穷，则必有贪鄙悖乱之心，淫佚奸诈之事

如 rú顺遂，依照，遵从；适合；像；及；到；往；去；宜；应当；奈；而；或；乃；于；不如；假设；表示举例；古汉语某些形容词的后缀，表示状态；姓。

❶如堕五里雾中

见南朝·宋·范晔《后汉书·张楷传》。

如百谷之望时雨

见汉·司马迁《史记·晋世家》。

如不知足，则失所欲

见晋·陈寿《三国志·魏书·王昶传》。

如临深渊，如履薄冰

见《诗·小雅·小旻》。

如人说食，终不能饱

见《楞严经》卷一。

如人饮水，冷暖自知

见唐·慧能《六祖法宝坛经·行由第一》。

如切如磋，如琢如磨

见《诗·卫风·淇奥》。

如吟如啸，非竹非丝

见唐·刘禹锡《秋声赋》。

如闻其声，如见其容

见唐·韩愈《独孤申叔哀辞》。

如月之恒，如日之升

见《诗·小雅·天保》。

如虎如貔，如熊如罴

见《尚书·牧誓》。

如竹苞矣，如松茂矣

见《诗·小雅·斯干》。

如水月镜花，勿泥其迹

见明·谢榛《诗家直说》第一卷。

如有王者，必世而后仁

见《论语·子路》。

如渴思冷水，如饥念美食

见《华严经》卷三四。全句为："～，如病忆良药，如蜂贪好蜜"。

如病忆良药，如蜂贪好蜜

见《华严经》卷三四。全句为："如渴思冷水，如饥念美食，～"。

如当亲者疏，当尊者卑……

见宋·司马光《资治通鉴·汉纪二十一》。全句为："～，则佞巧之奸因时而动，以乱国家"。

如是则下怨，下怨者可亡也

见《韩非子·亡征》。全句为："不肖用事而贤良伏，无功贵而劳苦贱，～"。

如是，则终生几无可问之事

见清·刘开《孟涂文集·问说》。全句为："学有未达，强以为知，理有未安，妄以臆度。～"。

如入芝兰之室，久而不闻其香

见三国·魏·王肃《孔子家语·六本》。

如入鲍鱼之肆，久而不闻其臭

见三国·魏·王肃《孔子家语·六本》。

如珠玉之在泥土，麟凤之在网罗

见宋·苏轼《赐新除吏部侍郎傅尧俞辞免恩命乞知陈州……》。

如下有泰山之安，则上有累卵之危

见汉·班固《汉书·楚元王传》。

如今只说临安路，不较中原有几程

见宋·无名氏《题壁》。

如岭之表、海之浒，磅礴浩汹……

见清·龚自珍《送徐铁孙序》。全句为："～，以受天下之瑰丽，而泄天下之拗怒也"。

如此如此复如此，壮心死尽生鬓丝

见唐·卢仝《叹昨日三首》之一。全句为："昨日之日不可追，今日之日须臾期；～"。

如修德而留意于事功名誉，必无实诣

见明·洪应明《菜根谭》。全句为："～；读书而寄兴于吟咏风雅，定不深心"。

如其道，则舜受尧之天下，不以为泰

见《孟子·滕文公下》。全句为："非其道，则一箪食不可受于人；～"。

如欲平治天下，当今之世，舍我其谁也

见《孟子·公孙丑下》。

如不行道，足以丧身，不举贤，足以亡国

见唐·皮日休《鹿门隐书六十篇》。

如张乐于洞庭之野，无首无尾，不主故常

见宋·陈师道《后山诗话》。

如地如天，何私何亲？如日如月，唯君之节

见《管子·牧民》。

如贫得宝，如暗得灯，如饥得食，如旱得云

见明·冯梦龙《警世通言·李谪仙醉草吓蛮书》。

如有德而无才，则不能为用，亦何足为君子

见宋·朱熹《朱子语类》卷三五。全句为："有德而有才，方见于用。～"。

如怨如慕，如泣如诉，余音袅袅，不绝如缕

见宋·苏轼《前赤壁赋》。

如镜之明，断可以平；如镜之洁，断可以决

见唐·姚崇《执镜诫》。

如有不嗜杀人者，则天下之民皆引领而望之矣

见《孟子·梁惠王上》。

如室斯构，而去其凿楔……国之将亡，本必先颠

见晋·干宝《晋纪总论》。删节处为："如水斯积，而决其堤防；如火斯畜，而离其薪燎也"。

如有周公之材之美，使骄且吝，其馀不足观也已

见《论语·泰伯》。

❷不如意事常八九／心如老骥常千里／来如风雨，去如绝弦／体如游龙，袖如素霓／论如析薪，贵能破理／泽如凯风，惠如时雨／守如处女，出如脱兔／室如县罄，野无青草／退如山移，进如风雨／子如不忧，忧日以生／学如不及，犹恐失之／车如流水，马如游龙／战如风发，攻如河决／战如斗鸡，胜者先鸣／止如丘山，发如风雨／朗如日月，清如水镜／飘如游云，矫若惊龙／心如铁石，气若风云／心如虎狼，行如禽兽／祭如在，祭神如神在／疾如锥矢，战如雷电／静如处女，动如脱兔／不如饮美酒，被服纨与素／又如食橄榄，真味久愈在／名如画地作饼，不可啖也／犹如水中月，可见不可取／猛如虎，很如羊，贪如狼／心如工画师，能画诸世间／舟如空里泛，人似镜中行／譬如工

画师，不能知自心／诗如神龙，见其首不见其尾／战如守，行如战，有功如幸／才如白地明光锦，裁为负版袴／心如天地者明，行如绳墨者章／皑如山上雪，皎若云间月……／譬如养鹰，饥则为用，饱则扬去／譬如斩木，去寸无寸，去尺无尺／不如鄙性好诚实，退无所议进不谀／不如意事常八九，可与语人无二三／直如弦，死道边；曲如钩，反封侯／友如作画须求淡，山似论文不喜平／手如柔荑，肤如凝脂……螓首蛾眉／气如兰兮长不改，心若兰兮终不移／有如兔走鹰隼落，骏马下注千丈坡／旃如云兮帜如星，山可动兮石可铭／心如老马虽知路，身似鸣蛙不属官／忽如一夜春风来，千树万树梨花开／譬如平地，虽覆一篑，进，吾往也／譬如为山，未成一篑，止，吾止也／譬如破竹，数节之后，皆迎刃而解／智如泉源，行可以为表仪者，人师也／譬如养虎，当饱其肉，不饱则将噬人／疾如流矢，击如发机者，所以破精微也／诗如鼓琴，声声见心。心为人籁，诚中形外／君如杅，民如水，杅方则水方，杅圆则水圆／形如槁木，心若死灰，无感无求，寂泊之至／始如处女，敌人开户；后如脱兔，敌不及拒／智如目也，能见百步之外，而不能自见其睫／怒如严霜，喜如时雨，臧否好恶，坦然可观／目如炬，声如钟，则英伟刚毅之气使人兴起／眉如翠羽，肌如白雪，腰如束素，齿如含贝／譬如一灯，入于暗室，百千年暗，悉能破尽／政如农功，日夜思之，思其始而成其终，朝夕而行之

❸从善如流／爱民如子／爱民如身／空空如也／城郭如故人民非／大厦如倾要梁栋／持志如心痛……／杀人如草不闻声／讳莫如深，深则隐／周道如砥，其直如矢／民背如崩，势绝防断／使口如鼻，至老不失／侵掠如火，不动如山／并刀如水，吴盐胜雪／从善如登，从恶是崩／剪恶如草，扬奸如秕／巧言如流，俾躬处休／巧言如簧，颜之厚矣／将砺如铁，士乃忘躯／虽贱如贵，虽贫如富／猛将如云，谋臣如雨／猛将如云，谋臣似雨／慎终如始，乃能长久／慎终如始，则无败事／守口如瓶，防意如城／远不如近，闻不如见／如切如磋，如琢如磨／如吟如啸，非竹非丝／如虎如貔，如熊如罴／威行如秋，仁行如春／王者如天地之无私心／木犹如此，人何以堪／杀人如麻兮流血成湖／视险如夷，瞻程非邈／欺人如欺天毋自欺也／风雨如晦，鸡鸣不已／白头如新，倾盖如故／用人如器，各取所长／臣门如市，臣心如水／衣不如新，人不如故／蹈危如平，嗜粝如精／其益如毫，其损如刀／其疾如风，其徐如林／百首如一首，卷初如卷终／求贤如饥渴，受谏而不厌／长安如梦里，何日是归朝／为者如牛毛，获者如麟角／人生如梦，一尊还酹江月／人生如逆旅，我亦是行人／从谏如顺流，趣时如响起／从善如不及，去恶如探汤／大道如青天，我独不得出／小人如酒颜，但得暂时热／君子如春风，可爱不可竭／知音如不赏，归卧故山秋／间关如有意，愁绝若怀人／达士如弦直，小人似钩曲／嫉恶如仇雠，见善若饥渴／学者如牛毛，成者如麟角／杂花如锦，傍缘石菌之崖／财不如义高，势不如德尊／贵出如粪土，贱取如珠玉／赏莫如厚而信，使民利之／见善如不及，用人如由己／见恶，如农夫之务去草焉／视民如寇仇，税之如豺虎／敬贤如大宾，爱民如赤子／想道如念亲，恶货如失身／罚莫如重而必，使民畏之／钱财如粪土，仁义值千金／用人如用己，理国如理家／醉貌如霜叶，虽红不是春／言之如吹影，思之如镂尘／霜天如扫，低向朱崖……／语议如悬河写水，注而不竭／大略如行云流水，初无定质／吾心如秤，不能为人作轻重／死人如乱麻，暴骨长城之下／见善如不及，见不善如探汤／视卒如爱子，故可与之俱死／世事如棋局，不着的才是高手／大不如海而欲以纳江河，难哉／亲贤如就芝兰，避恶如畏蛇蝎／森森如千丈松，虽磊砢有节目／视卒如婴儿，故可与之赴深溪／君子如欲化民成俗，其必由学乎／宾至如归，无宁灾患，不畏寇盗／王道如砥，本乎人情，出乎礼义／身譬如地，善意如禾，恶意如草／谢诗如芙蓉出水，颜诗如错采镂金／观者如山色沮丧，天地为之久低昂／墨池如江笔如帚，一扫万字不停肘／江山如此多娇，引无数英雄竞折腰／如此如此复如此，壮心死尽生鬓丝／此人如精金美玉，不即人而人即之／明白如话，然浅中有深，平中有奇／视徒如己，反己以教，则得教之情／意匠如神变化生，笔端有力任纵横／奉公如法，则上下平，上下平则国强／小人如恶草也，不种而生，去之复蕃／吾文如万斛泉源……虽一日千里无难／日月如梭，光阴似箭，少年人，早打点／君子如嘉禾也，封殖之甚难，而去之甚易／生男如狼，犹恐其尪；生女如鼠，犹恐其虎／兵不如者，勿与挑战；粟不如者，勿与持久／伐柯如何？匪斧不克。取妻如何？匪媒不得／从善如流，尚恐不逮；饰非拒谏，必是招损／大兵如市，人死如林；持金易粟，粟贵于金／行不如止，直不如曲，进不如退，可以安吉／慎终如始，犹恐渐衰，始尚不慎，终将安保／如地如天，何私何亲？如日如月，唯君之节／如怨如慕，如泣如诉，余音袅袅，不绝如缕／锐者如簪，缺者如玦，隆者如髻，圆者如璧／白石如玉，愚者宝之；鱼目似珠，愚者取之／疾则如电，迟则如云，进止有度，约而不烦／聚者如悦，散者如别，整者如戟，乱者如发／视民如子，见不仁者

诛之，如鹰鹯之逐鸟雀也／焕然如日月之经天也，炳然如虎豹之异犬羊也／文章如精金美玉，市有定价，非人所能以口舌定贵贱也

❹进学莫如谦／解蔽莫如学／无友不如己者／百闻不如一见／表壮不如里壮／千虚不如一实／使功不如使过／去私莫如强恕／巧诈不如拙诚／美疢不如恶石／报国莫如荐贤／省事不如省官／恃人不如自恃／远亲不如近邻／视天下如一家／盗名不如盗货／富贵何如草头露／古与今如一丘之貉／磨砺当如百炼之金／善政不如善教之得民／天下不如意，恒十居七八／临官莫如平，临财莫如廉／儒生直如弦，权贵不须干／人生忽如寄，寿无金石固／凿凿乎如五谷必可以疗饥／莫以心如玉，探他明月珠／蒲苇纫如丝，磐石无转移／吾道亦如此，行之贵日新／行天莫如龙，行地莫如马／马毛缩如猬，角弓不可张／树德莫如滋，去疾莫如尽／死者积如麻，生者能几口／昔去雪如花，今来花似雪／断断乎如药石必可以伐病／鼎镬甘如饴，求之不可得／用心莫如直，进道莫如勇／闻水声，如鸣珮环，心乐之／天时不如地利，地利不如人和／求名莫如自修，善誉不能掩恶／传闻不如亲见，视影不如察形／诚使博如庄周，哀如屈原……／邦有道，如矢；邦无道，如矢／力田不如逢年，善仕不如遇合／受益莫如择友，好学莫如改过／地利不如人和，武力不如文德／善惩不如善政，善赏不如善教／广积不如教子，避祸不如自省／闻名不如见面，见面胜似闻名／悔前莫如慎始，悔后莫如改图／富老不如贫少，美游不如恶归／相形不如论心，论心不如择术／时闻声如蝉蝇之类，听之亦无／视轩裳如草芥，屏嗜欲若泥沙／救寒莫如重裘，止谤莫如自修／炼句不如炼字，炼字不如炼意／必死不如乐死，乐死不如甘死／虚死不如立节，苟殒不如成名／昭昭乎如揭日月而行，故不免也／飘飘乎如遗世独立，羽化而登仙／甘死不如义死，义死不如视死如归／我自只如常日醉，满川风月替人愁／为学正如撑上水船，一篙不可放缓／厉精，莫如自上率之，则壅蔽决矣／省事莫如任人，厉精莫如自上率之／惆怅不如边雁影，秋风犹得向南飞／怨人不如自怨，求诸人不如求诸己／务学不如务求师。师者，人之模范也／磨砺当如百炼之金，急就者，非邃养／生子当如孙仲谋，刘景升儿子若豚犬耳／善问者如攻坚木：先其易者，后其节目／行己莫如恭，自责莫如厚，接众莫如宏／治国犹如栽树，本根不摇，则枝叶茂荣／傲人不如者，必浅人；疑人不肖者，必小人／养子弟如养芝兰，既积学以培植之，又积善以滋润之

❺人心不同如面／作文之心如人目／狂来笔力如牛弩／横扫千军如卷席／憔重身羸如疲鳖／老去逢春如病酒／读十篇不如做一篇／防人盗不如防我盗／一坐飞语，如冲骇机／一日不见，如三秋兮／三岁学不如三岁择师／上之于下，如保赤子／生以辱，不如死以荣／以威胜，不如以德胜／兢兢业业，如霆如雷／人主无贤，如瞽无相／善待问者如撞钟……／善恶昭彰，如影随形／如临深渊，如履薄冰／如切如磋，如琢如磨／如闻其声，如见其容／如月之恒，如日之升／如虎如貔，如熊如罴／如竹苞矣，如松茂矣／树形团团如帷盖……／心之忧矣，如匪浣衣／足践之，不如手辨之／求物之妙，如系风捕影／南人学问，如牖中窥日／诗不着题，如隔靴搔痒／幼而学者，如日出之光／壮而好学，如日中之光／少而好学，如日出之阳／祭而丰，不如养之薄也／老而好学，如炳烛之明／身能，相能，如是者王／人生一世，如白驹之过隙／人之视己，如见其肝肺然／诚信相接，如坐人春风中／去民之患，如除腹心之疾／少见之人，如从管中窥天／猛如虎，很如羊，贪如狼／自问道何如，贵贱安足云／自顾行何如，毁誉安足论／一画失所，如壮士之折一肱／善恶相从，如景乡之应形声／战如守，行如战，有功如幸／白云满川，如海波起伏……／今虽不能如周公吐哺握发……／君子之接如水，小人之接如醴／君子得时如水，小人得时如火／君子杀民如杀身，活人如活己／善恶之殊，如火与水不能相容／天之道也，如迎浮云，若视深渊／良贾深藏如虚，君子有盛教如无／众人熙熙，如享大牢，如春登台／君不见曲如钩，古人知尔封公侯／君不见直如弦，古人知尔死道边／战战兢兢，如临深渊，如履薄冰／视人之瘼如瘝疽在身，不忘决去／鸡肋，弃之如可惜，食之无所得／乐莫善于如意，而忧莫惨于不如意／农夫心内如汤煮，公子王孙把扇摇／人心莫厌如弦直，淮水长怜似镜清／会挽雕弓如满月，西北望，射天狼／军民团结如一人，试看天下谁能敌／诗家之景，如蓝田日暖，良玉生烟／廷尉狱，平如砥；有钱生，无钱死／善知人者如明镜，善自知者如蚌镜／处有事当如无事，处大事当如小事／治之道莫如因智，智之道莫如因贤／字势雄逸，如龙跳天门，虎卧凤阙／欲心难厌如溪壑，财物易尽若漏卮／春去细糠如剖玉，炊成香饭似堆银／自古盛衰如转烛，六朝兴废同棋局／一切问答，如针锋相投，无纤毫参差／君之视臣如手足……则臣视君如寇雠／月本无光，如银丸。日耀之，乃光耳／与善人居，如入芝兰之室，久而自芳也／与恶人居，如入鲍鱼之肆，久而自臭也／论其诗不如听其声，听其声不如察其形／知之者不如好之者，好之者不如乐之者／富以苟不如贫以誉，

生以辱不如死以荣／见人有善如己有善，见人有过如己有过／乘国者，其如乘航乎！航安，则人斯安矣／神姿高彻，如瑶林琼树，自然是风尘外物／君如杅，民如水，杅方则水方，杅圆则水圆／清音宛转，如诉如慕，坐客听之，不觉泪下／如贫得宝，如暗得灯，如饥得食，如旱得云／如怨如慕，如泣如诉，余音袅袅，不绝如缕／昔君视我，如掌中珠；何意一朝，弃我沟渠／目如炬，声如钟，则英伟刚毅之气使人兴起／耳闻之，不如目见之；目见之，不如足践之／君之化下，如风偃草，上不节心，则下多逸志／北人看书，如显处视月；南人学问，如牖中窥日／幼而学者，如日出之光；壮而学者，如炳烛之光／老而学者，如秉烛夜行，犹贤乎瞑目而无见者也／不躬行，便如水行得车，陆行得舟，一毫受用不得／人始入官，如入晦室，久而愈明，明乃治，治乃行／与善人居，如入兰芷之室，久而不闻其香，则与之化矣／与恶人居，如入鲍鱼之肆，久而不闻其臭，亦与之化矣／语言文字，如春之花，或者必欲弃花而觅春，非愚即狂

❻长堤柳色青如烟／满庭春雨绿如烟／蜘蛛虽巧不如蚕／一民之轨，莫如法／引而不发，跃如也／天下之正莫如利民焉／不出好言，不如沉默／不交好友，不如闭门／百万之众，不如一贤／百种奸伪，不如一实／来如风雨，去如绝弦／以学自损，不如无学／占往知来，不如朴质／体如游龙，袖如素霓／黄金累千，不如一贤／人之百年，犹如一瞬／凡今之人，莫如兄弟／谓予不信，有如皎日／志比精金，心如坚石／苟非其时，不如息人／持而盈之，不如其已／射幸数跌，不如审发／知而弗为，莫如弗知／知者善谋，不如当时／虽有兹基，不如逢时／多言数穷，不如守中／处事以智，不如守正／泽如凯风，惠如时雨／守如处女，出如脱兔／官无中人，不如归田／近悦远来，归如流水／退如山移，进如风雨／学经不明，不如归耕／亲而弗信，莫如弗亲／车如流水，马如游龙／战如风发，攻如河决／止如丘山，发如风雨／肩若削成，腰如约素／朗如日月，清如水镜／心如虎狼，行如禽兽／心旷，则万钟如瓦缶／祭如在，祭神如神在／鸷鸟累百，不如一鹗／疾如锥矢，战如雷电／西头热海水如煮……／静如处女，动如脱兔／不能正其身，如正人何／为国入宝，不如能献贤／人心之不同，如其面焉／少而不勤，无如之何矣／吾未见好德如好色者也／一人之智，不如众人之愚／一目之察，不如众目之明／万人离心，不如百人同力／百星之明，不如一月之光／临渊羡鱼，不如退而结网／良田千顷，不如薄艺随身／十牖之开，不如一户之明／伤其十指，不如断其一指／今之进学者，如登山……／说得一丈，不如行取一尺／说得一尺，不如行取一寸／扬汤止沸，不如釜底抽薪／扬汤止沸，不如灭火去薪／得黄金百，不如得季布诺／滥交朋友，不如终日读书／如渴思冷水，如饥念美食／如病忆良药，如蜂贪好蜜／积财千万，不如薄技在身／积财千万，不如明解一经／虚争空言，不如试之易效／千夫诺诺，不如一士之谔谔／当自益者，莫如改过而迁善／君子之过也，如日月之食焉／留意于言，不如留意于不言／百言百当，不如择趋而审行也／尽信《书》，则不如无《书》／从头越，苍山如海，残阳如血／纵一苇之所如，凌万顷之茫然／使之搏兔，不如豺狼，伎能殊也／人之短生，犹如石火，炯然以过／桃李虽艳，何如松苍柏翠之坚贞／天街小雨润如酥，草色遥看近却无／世间行乐亦如此，古来万事东流水／长恨人心不如水，等闲平地起波澜／但见丹诚赤如血，谁知伪言巧似簧／侯门一入深如海，从此萧郎是路人／弟子不必不如师，师不必贤于弟子／六府修治洁如素，虚无自然道之固／交情老去淡如水，病骨秋来瘦似松／诗穷莫写愁如海，酒薄难将梦到家／墨池如江笔如帚，一扫万字不停肘／问渠哪得清如许，为有源头活水来／闻善而行之如争，闻恶而改之如仇／懊恨人心不如石，少时东去复西来／官仓老鼠大如斗，见人开仓亦不走／道人活计只如此，留与时人作见闻／如此如此复如此，壮心死尽生鬓丝／春风吹蚕细如蚁，桑芽才努青鸦嘴／手如柔荑，肤如凝脂……螓首蛾眉／旃如云兮帜如星，山可动兮石可铭／端州石工巧如神，踏天磨刀割紫云／雄关漫道真如铁，而今迈步从头越／心能知人者如明镜，善自知者如蚌镜／疾如流矢，击如发机者，所以破精微也／为学无间断，如流水行云，日进而不已也／为政以德，譬如北辰，居其所而众星共之／贤主所贵莫如士，所以贵士，为其直言也／有才必韬藏，如浑金璞玉，暗然而日章也／虽有智慧，不如乘势；虽有镃基，不如待时／虽有神药，不如少年；虽有珠玉，不如金钱／善气迎人，亲如兄弟；恶气迎人，害于兵戈／状难写之景如在目前；含不尽之意见于言外／守法持正，嶷如秋山；火不侵玉，幸臣畏伏／怒如严霜，喜如时雨，臧否好恶，坦然可观／眉如翠羽，肌如白雪，腰如束素，齿如含贝／自伯之东，首如飞蓬；岂无膏沐，谁适为容／智而用私，不如愚而用公，故曰巧伪不如拙诚／与邪佞人交，如雪入墨池，虽融为水，其色愈污／与端方人处，如炭入薰炉，虽化为灰，其香不灭／水之性胜火，如裹之以釜，水煎而不得胜，必矣／君子之道，辟如行远，必自迩；辟如登高，必自卑／莫道男儿心如铁，君不见满川红叶，尽是离人眼中血／感应者气

也，如是而感则如是而应，有不容以毫发差者理也

❼周道如砥，其直如矢／十围之木，始生如蘖／兢兢业业，如霆如雷／同心之言，其臭如兰／侵掠如火，不动如山／人心似铁，官法如炉／谁谓荼苦，其甘如荠／剪恶如草，扬奸如秕／挟艺射科，每发如望／各师成心，其异如面／虽贱如贵，虽贫如富／岁月不居，时节如流／猛将如云，谋臣如雨／闻义能徙，视死如归／情往似赠，兴来如答／守口如瓶，防意如城／褰裳赴镬，其甘如荠／远不如近，闻不如见／遗生行义，视死如归／如切如磋，如琢如磨／如虎如貔，如熊如罴／威行如秋，仁行如春／明鉴未远，覆车如昨／泰然若春，温兮如玉／改过不吝，从善如流／心之忧矣，视丹如绿／白头如新，倾盖如故／痛定思痛，痛何如哉／臣门如市，臣心如水／衣不如新，人不如故／赤心事上，忧国如家／蹈危如平，嗜粝如精／其益如毫，其损如刀／其疾如风，其徐如林／天下之不正莫如害民焉／君人也者，无贵如其言／赏不当功，则不如无赏／教化之移人也如置邮焉／欲免为形者，莫如弃世／罚不当罪，则不如无罚／一生复能几，倏如流电惊／人生天地间，忽如远行客／人生无根蒂，飘如陌上尘／人生不相见，动如参与商／读书虽可喜，何如躬践履／常恨言语浅，不如人意深／虽有千黄金，无如我斗粟／惜恐镜中春，不如花草新／安得长翮大翼如云生我身／相见不得亲，不如不相见／救死具八珍，不如一箪犒／文籍虽满腹，不如一囊钱／熟读王叔和，不如临症多／忍别青山去，其如绿水何／临河而羡鱼，不如归家织网／富贵不归故乡，如衣绣夜行／无当之玉碗，不如全用之埏埴／千人之诺诺，不如一士之谔谔／众士之诺诺，不如一士之谔谔／得万人之兵，不如闻一言之当／得黄金百斤，不如得季布一诺／富贵之多罪，不如贫贱之履道／骐骥之跼躅，不如驽马之安步／杭州之有西湖，如人之有眉目／欲去其弊也，莫如省事而厉精／其发于外者，烂如日星之光辉／其积于中者，浩如江河之停蓄／三悔以没齿，不如不悔之无忧也／以贫求富，农不如工，工不如商／倦立而思远，不如速行之必至也／凡物皆有两端，如小大厚薄之类／切切偲偲，怡怡如也，可谓士矣／国之兴也，视民如伤，是其福也／孤居而愿智，不如务学之必达也／矫首而徇飞，不如修翼之必获也／用贫求富，农不如工，工不如商／身譬如地，善意如禾，恶意如草／其清音幽韵，凄如飘风急雨骤至／世途昏险，拟步如漆……圣智危栗／为天下及国，莫如以德，莫如行义／圣人爱念百姓，如孩婴赤子长养之／财色之于人，譬如小儿贪刀刃之饴／其雄辞宏辩，快如轻车骏马之奔驰／但无耻一事不如人，则事事不如人矣／圣人之行法也，如雷霆之震草木……／善出奇者，无穷如天地，不竭如江河／大石侧立千尺，如猛兽奇鬼，森然欲搏人／善为国者，爱民如父母之爱子，兄之爱弟／正言不发，万口如封，谄媚相与，千颜一容／我为女子，薄命如斯！君是丈夫，负心若此／十旬休暇，胜友如云；千里逢迎，高朋满座／大兵如市，人死如林；持金易粟，粟贵于金／行不如止，直不如曲，进不如退，可以安吉／清音宛转，如诉如慕，坐客听之，不觉泪下／如怨如慕，如泣如诉，余音袅袅，不绝如缕／骇机一发，浮谤如川。巧言奇中，别白无路／是以与善人居，如入芝兰之室，久而自芳也／意无是非，赞之如流；言无可否，应之如响／锐者如簪，缺者如玦，隆者如髻，圆者如璧／秋天晚晴，碧色如归，横度一鸟，时时行云／疾则如电，迟则如云，进止有度，约而不烦／被坚执锐，义不如公；坐而运策，公不如义／聚者如悦，散者如别，整者如戟，乱者如发／读来一百遍，不如亲见颜色，随问而对之易了／谗人似实，巧言如簧，使听之者惑，视之者昏／以言伤人者，利如刀斧。以术害人者，毒如虎狼／今兵威已振，譬如破竹，数节之后，皆迎刃而解／国之兴也，视民如伤，是其福也；其亡也，以民为土芥，是其祸也

❽一蛇吞象，厥大何如／由心故画，诸法性如是／同心而共济，终始如一／仁义之人，其言蔼如也／君子引而不发，跃如也／百首如一首，卷初如卷终／求士莫求全，用人如用木／求贤若不及，从善如转圜／为者如牛毛，获者如麟角／使好谋而不成，不如无谋／使臣将王命，岂不如贼焉／从谏如顺流，趣时如响起／从善如不及，去恶如探汤／读书破万卷，下笔如有神／小大不逾等，贵贱如其伦／少成若天性，习贯如自然／名声若日月，功绩如天地／君子忌苟合，择交如求师／猛如虎，很如羊，贪如狼／遗子黄金满籝，不如一经／学者如牛毛，成者如麟角／经事还谙事，阅人如阅川／春花无数，毕竟何如秋实／财不如义高，势不如德尊／贵出如粪土，贱取如珠玉／见善如不及，用人如由己／视民如寇仇，税之如豺虎／敬贤如大宾，爱民如赤子／新裂齐纨素，皎皎如霜雪／想道如念亲，恶货如失身／用人如用己，理国如理家／用心刚，则轻死生如鸿毛／言之如吹影，思之如镂尘／古之善将者，养人如养己子／人而不学，虽无忧，如禽何／诚使博如庄周，哀如屈原……／虽则巧持其末，不如拙诫其本／遗子黄金满籝，不如教子一经／心如天地者明，行如绳墨者章／一旦临小利害，仅如毛发比……／使我有身后名，不如即时一杯酒／高议而不可及，不如卑论之有功

／此理充塞宇宙间，如何人杜撰得／直如弦，死道边；曲如钩，反封侯／交朋友增体面，不如交朋友益身心／奢者富而不足，何如俭者贫而有余／吾尝跂而望矣，不如登高之博见也／教子弟求显荣，不如教子弟立品行／生死犹转机，得失如反掌，可不慎乎／虽有巧目利手，不如拙规矩之正方圆／子在川上曰：逝者如斯夫！不舍昼夜／古之君子，其过也，如日月之食，民皆见之／礼之于正国家也，如权衡之于轻重也，如绳墨之于曲直也

❾天若无雪霜，青松不如草／两草犹一心，人心不如草／临官莫如平，临财莫如廉／主人退后立，敛手反如宾／丧乱死多门，呜呼泪如霰／利深波也深，君意竟如何／休言谷价贵，菜亦贵如金／人伦明于上，小民亲如下／人散后，一钩淡月天如水／男儿当野死，岂为印如斗／芰荑不可阙，疾恶信如仇／捐躯赴国难，视死忽如归／损躯赴国难，视死忽如归／将缣来比素，新人不如故／当念贫时交，重勿弃如土／岂无一时好，不久当如何／行天莫如龙，行地莫如马／字人无异术，至论不如清／结交澹若水，履道直如弦／树德莫如滋，去疾莫如尽／所求无不得，所欲皆如意／用心莫如直，进道莫如勇／不义而富且贵，于我如浮云／历险乘危，则骐骥不如狐狸／蒙矢石，赴汤火，视死如归／战如守，行如战，有功如幸／见善如不及，见不善如探汤／邦有道，如矢；邦无道，如矢／行行若萦春蚓，字字如绾秋蛇／亲贤如就芝兰，避恶如畏蛇蝎／日月其犹坠落，萤光如何久留／众人熙熙，如享大牢，如春登台／战战兢兢，如临深渊，如履薄冰／世人闻此皆掉头，有如东风射马耳／兵有奇正，旋相为用，如环之无端／看是寻常最奇崛，成如容易却艰辛／错把黄金买词赋，相如自是薄情人／吾尝终日而思矣，不如须臾之所学也／仁人在上，百姓贵之如帝，亲之如父母／圣人视天下之不治，如赤子之在水火也／行己莫如恭，自责莫如厚，接众莫如宏／物之有成必有坏，譬如人之有生必有死／开函关，掩函关，千古如何，不见一人闲／君不见长安女儿嫩如水，十指不动衣罗绮／尽若穷烟，离若箭弦，如影灭地，犹星殒天／如地如天，何私何亲？如日如月，唯君之节／如贫得宝，如暗得灯，如饥得食，如旱得云／如镜之明，断可以平；如镜之洁，断可以决／星斗张明，错落水中，如珠走镜，不可收拾／有鄙夫问于我，空空如也。我叩其两端而竭焉／山中人不信有鱼大如木，海上人不信有木大如鱼／姆抱幼子立侧，眉眼如画，发漆黑，肌肉玉雪可念／伯浑醉书，纸穷墨燥，如春龙奋蛰，奇鬼搏人，何其壮也

❿俯仰终宇宙，不乐复何如／彼美不琢雕，椟中竟何如／今处绣户洞房，则蓑不如裘／君子于其所不知，盖阙如也／天时不如地利，地利不如人和／传闻不如亲见，视影不如察形／从头越，苍山如海，残阳如血／余生命之湮厄，曾二鸟之不如／随你官清似水，难逃吏滑如油／力田不如逢年，善仕不如遇合／双鬓多年作雪，寸心至死如丹／受益莫如择友，好学莫如改过／地利不如人和，武力不如文德／奈何取之尽锱铢，用之如泥沙／君子之接如水，小人之接如醴／君子得时如水，小人得时如火／君子杀民如杀身，活人如活己／善惩不如善政，善赏不如善教／御寒莫若重裘，止谤莫如自修／广积不如教子，避祸不如自省／悔前莫如慎始，悔后莫如改图／富老不如贫少，美游不如恶归／学者非必为仕，而仕者必如学／相形不如论心，论心不如择术／春葩含日似笑，秋叶泫露如泣／救寒莫如重裘，止谤莫如自修／炼句不如炼字，炼字不如炼意／必死不如乐死，乐死不如甘死／畏友胜于严师，群游不如独坐／虚死不如立节，苟殒不如成名／零落成泥碾作尘，只有香如故／三德者诚乎上，则下应之如景响／无非无是，化育玄耀，生而如死／后生可畏，焉知来者之不如今也／为治者不在多言，顾力行何如耳／良贾深藏如虚，君子有盛教如无／以贫求富，农不如工，工不如商／古之人知酒肉为甘鸩，弃之如遗／人能弘道，焉知来者不如昔也？／变尽人间，君山一点，自古如今／冠衣不能移人迹，顾所履何如耳／大丈夫见善明，则重名节如泰山／因事设奇，谲敌制胜，变化如神／积年绮碎，一朝清廓，翰苑豁如／用贫求富，农不如工，工不如商／身譬如地，善意如禾，恶意如草／一生肝胆向人尽，相识不如不相识／上车不落则著作，体中何如则秘书／不为捣衣勤不睡，破除今夜夜如年／甘死不如义死，义死不如视死如归／出师未捷悲移鼎，视死如归笑射钩／乐莫善于如意，而忧莫惨于不如意／为天下及国，莫如以德，莫如行义／修己者，慎于中也，栗然如履春冰／众卖花兮独卖松，青青颜色不如红／光阴似箭催人老，日月如梭趱少年／诚者，合内外之道，便是表里如一／谢诗如芙蓉出水，颜诗如错采镂金／叩门无人室无釜，踯躅空巷泪如雨／劲操比松寒不挠，忠言如药苦非甘／太阳初出光赫赫，千山万山如火发／扫眉才子于今少，管领春风总不如／省事莫如任人，厉精莫如自上率之／善知人者如明镜，善自知者如蚌镜／回乐峰前沙似雪，受降城下月如霜／处有事当如无事，处大事当如小事／闻善而行之如争，闻恶而改之如仇／治之道莫如因智，智之道莫如因贤／悄立市桥人不识，一星如月看多时／宁以义死，不苟幸生，而视死如归／宁期此地忽相遇，惊喜

茫如堕烟雾／宛转蛾眉能几时，须臾鹤发乱如丝／灵台无计逃神矢，风雨如磐暗故园／日出江花红胜火，春来江水绿如蓝／早岁那知世事艰，中原北望气如山／昨是儿童今是翁，人间日月急如风／断送一生惟有酒，寻思百计不如闲／欲就麻姑买沧海，一杯春露冷如冰／心中为念农桑苦，耳里如闻饥冻声／怨人不如自怨，求诸人不如求诸己／想当年，金戈铁马，气吞万里如虎／镇相连似影追形，分不开如刀划水／稻熟江村蟹正肥，双螯如戟挺青泥／算来终不与时合，归去来兮翠如中／事业文章随身销毁，而精神万古如新／卧不安席，食不甘味，心摇摇如悬旌／但无耻一事不如人，则事事不如人矣／大丈夫行事当磊磊落落，如日月皎然／将军金甲夜不脱……风头如刀面如割／君不见管鲍贫时交，此道今人弃如土／君之视臣如手足……则臣视君如寇雠／善出奇者，无穷如天地，不竭如江河／闻道有先后，术业有专攻，如是而已／渚寒烟淡，棹移人远，缥缈行舟如叶／明镜便于照形，其于以函食，不如箪／心能知人者如明镜，善自知者如蚌镜／与其与子孙谋产业，不如教子孙习恒业／与其誉尧而非桀也，不如两忘而化其道／出无谓之言，行不必为之事，不如其已／朱门日日买朱娥，军事如何，民事如何／咫尺之管，文敏者执而运之，所如皆合／仁人在上，百姓贵之如帝，亲之如父母／论其诗不如听其声，听其声不如察其形／设官置吏，署员太多，不精则十不如一／知之者不如好之者，好之者不如乐之者／行己莫如恭，自责莫如厚，接众莫如宏／富以苟不如贫以誉，生以辱不如死以荣／相呴以湿，相濡以沫，不如相忘于江湖／责人斯无难，惟受责俾如流，是惟艰哉／贫者士之常，今仆虽羸馁，亦甘如饴矣／见人有善如己有善，见人有过如己有过／天下英雄谁敌手？曹刘。生子当如孙仲谋／百孔千疮，随乱随失，其危如一发引千钧／君不见高堂明镜悲白发，朝如青丝暮成雪／国家剩得数百万贯钱，何如得一有才行人／山空月明，仰视星斗皆光大，如适在人上／骐骥骅骝，一日而驰千里，捕鼠不如狸狌／天下岂有不可为之国哉？亦存乎其人如何尔／五谷者，种之美者也；苟为不熟，不如荑稗／不厚其栋，不能任重。重莫如国，栋莫如德／生男如狼，犹恐其尫；生女如鼠，犹恐其虎／兵不如者，勿与挑战；粟不如者，勿与持久／以贼其身，乃丧其躯，其行如此，是谓大忘／伐柯如何？匪斧不克。取妻如何？匪媒不得／净心守志，可会至道，譬如磨镜，垢去明存／圣人虽有独知之明，常如闇昧，不以曜乱人／虽有智慧，不如乘势；虽有镃基，不如待时／虽有神药，不如少年；虽有珠玉，不如金钱／行不如止，直不如曲，进不如退，可以安吉／如地如天，何私何亲？如日如月，唯君之节／如贫得宝，如暗得灯，如饥得食，如旱得云／如怨如慕，如泣如诉，余音袅袅，不绝如缕／始如处女，敌人开户；后如脱兔，敌不及拒／日异其能，岁增其智，进如川行，浩浩而遂／春草碧色，春水渌波，送君南浦，伤如之何／春日迟迟，秋风飒飒。情往似赠，兴来如答／责我以过，皆当虚心体察，不必论其人何如／意无是非，赞之如流；言无可否，应之如响／碧峰巉巉，出于柏梢，有如虎牙，夹天而立／眉如翠羽，肌如白雪，腰如束素，齿如含贝／锐者如簪，缺者如玦，隆者如髻，圆者如璧／被坚执锐，义不如公；坐而运策，公不如义／耳闻之，不如目见之；目见之，不如足践之／聚者如悦，散者如别，整者如戟，乱者如发／蛇蛇硕言，出自口矣；巧言如簧，颜之厚矣／平原广望，博观之乐，沼池不如川泽所见博也／先除尘垢后染善法，譬如浣衣先去垢然后可染／隋侯之珠，国之宝也，然用之弹，曾不如泥丸／将者，人之司命也，生死犹转机，得失如反掌／始见新春，又逢初夏。四时若箭，两曜如梭。／轻用民死，死者以国量乎泽若蕉，民其无如矣／智而用私，不如愚而用公，故曰巧伪不如拙诚／视民如子，见不仁者诛之，如鹰鹯之逐鸟雀也／焕然如日月之经天也，炳然如虎豹之异犬羊也／天下争名趋势，不计是非，析毫剖芒，视死如归／北人看书，如显处视月；南人学问，如牖中窥日／以言伤人者，利如刀斧。以术害人者，毒如虎狼／幼而学者，如日出之光；壮而学者，如炳烛之光／吾尝终日不食、终夜不寝以思，无益，不如学也／和氏之璧，价重千金，然以之间纺，曾不如瓦砖／山中人不信有鱼大如木，海上人不信有木大如鱼／山沓水匝，树杂云合。……情往似赠，兴来如答／君子之道，辟如行远，必自迩；辟如登高，必自卑／澄潭至清，洞澈见底，往往有群鱼戏，历历如水上行／天无一点云，星斗张明，错落水中，如珠走镜，不可收拾／礼之于正国家也，如权衡之于轻重也，如绳墨之于曲直也／吴人与越人相恶也，当其同舟而济遇风，其相救也如左右手／气质偏驳者，欲使私欲不能引染，如之何？惟在明明德而已／感应者气也，如是而感则如是而应，有不容以毫发差者理也／于为义若嗜欲，勇不顾前后；于利与禄，则畏避退处如怯夫然／鹰扬虎视，齿若编贝，肤如凝脂，昭昭乎若玉山上行，朗然映人／其夹岸有树木千万本，列立如揖，丹色鲜如霞，擢举欲动，灿若舒颜／孔子曰："吾闻之，古之善御者，执辔如组，两骖如舞，非策之助也"。／后嗣若贤，自能保其天下；如其不肖，多积仓库，徒益其奢侈，危亡之本也

妄 wàng 胡乱；不实；荒诞的；超出常规的。

❶妄誉，仁之贼也；妄毁，义之贼也

见汉·扬雄《法言·渊骞》。

❷狂妄之威成乎灭亡也／姑妄言之，姑妄听之／不妄于万姓，则天下安矣／与妄人相值，亦当存自反之心／目妄视则淫，耳妄听则惑，口妄言则乱

❸不宜妄自菲薄／躁则妄，惰则废／内无妄思，外无妄动／兵不妄动，师必有名／善不妄来，灾不空发／物无妄然，必由其理／兵不妄动，而习武不辍／礼，不妄说人，不辞费／与不妄受，志士之所难也／为女妄言之，女以妄听之／痴人妄认逆境，平地自生铁围／不敢妄为些子事，只因曾读数行书／凡工妄匠，执规秉矩，错准引绳，则巧同于人倕也

❹贤人无妄／不知常，妄作，凶／智者不妄为，勇者不妄杀／赏不可妄行，恩不可妄施

❺予尝为女妄言之，女亦以妄听之／去规矩而妄意度，奚仲不能成一轮

❻辞穷理屈而妄说／治心术则不妄喜怒／姑妄言之，姑妄听之／军之持麾者，妄指则乱矣

❼无验而言谓之妄／内无妄思，外无妄动／句之清英，字不妄也／道不拾遗，民不妄取／神仙事本是虚妄，空有其名／不受虚誉，不祈妄福，不避死义／妄誉，仁之贼也；妄毁，义之贼也／目妄视则淫，耳妄听则惑，口妄言则乱

❽断鹤续凫，矫作者妄／为女妄言之，女以妄听之／言语之次，空生虚妄之美／小人多欲则多求妄用，财家丧身

❾见之而不知，虽识必妄／智者不妄为，勇者不妄杀／赏不可妄行，恩不可妄施／观天下书未遍，不得妄下雌黄／不厚费者不多营，不妄用者不过取／君子不受虚誉，不祈妄福，不避死义／不知古人之世，不可妄论古人之文辞也／驰马思坠，挞人思毙，妄费思穷，滥交思累

❿事起乎所忽，祸生乎无妄／遗古而务乎今，则失为妄／名须立而戒浮，志欲高而无妄／予尝为女妄言之，女亦以妄听之／有必不可行之事，不必妄作经营／无征而言，取不信、启作妄之道也／不服一人，与逢人便服者，皆妄人／不服一人与逢人便服者，皆妄人也／有罪者优游获免，无罪者妄受其辜／世之人不知至理之所在也，迷而妄行／目妄视则淫，耳妄听则惑，口妄言则乱／暴察之威成乎危弱，狂妄之威成乎灭亡也／上好智，下应之以伪；上好贤，下应之以妄／世之所不足者，理义也；所有余者，妄苟也／听言之道，必以其事观之，则言者莫敢妄言／知标本者，万举万当；不知标本，是谓妄行／学有未达，强以为知，理有未安，妄以臆度／困境起念，随物生情，不守道循常，即为妄矣／威有三：有道德之威者，有暴察之威者，有狂妄之威者／使智惠之人治国之政事，必远道德，妄作威福，为国之贼／威有三术，有道德之威者，有暴察之威者，有狂妄之威者／道德之威成乎安强，暴察之威成乎危弱，狂妄之威成乎灭亡也

妇 fù 女性的通称；成年女子；已婚的女子；妻子；柔美貌。

❶妇无蚕织夫无耕

见宋·柳永《煮海歌》。

妇子嘻嘻，失家节也

见《周易·家人》。

妇人当年而不织，天下有受其寒者

见汉·刘安《淮南子·齐俗》。全句为："丈夫丁壮而不耕，天下有受其饥者；～"。

妇人拾蚕，渔者握鳣，利之所在，则忘其所恶

见《韩非子·内储说上·七术》。

❷儿妇人口不可用／教妇初来，教儿婴孩／夫妇有恩矣，不诚则离／饷妇念儿啼，逢人不敢立／夫妇之道，有义则合，无义则离／彼妇之口，可以出走……盖优哉游哉，维以卒岁

❺趣织鸣，懒妇惊／男儿爱后妇，女子重前夫／人生莫作妇人身，百年苦乐由他人

❻室无空虚，则妇姑勃谿

❼上和下睦，夫唱妇随／天子好美女，夫妇不成双／襄邑俗织锦，钝妇无不巧／上不访，下不谏，妇言用，私政行，此亡国之风也／先王以是经夫妇，成孝敬，厚人伦，美教化，移风俗

❽每著一衣，则悯蚕妇／吾究物始，而见夫妇之为造端也

❾社稷依明主，安危托妇人／丈夫力耕长忍饥，老妇勤织长无衣／一夫耕，百人食之；一妇桑，百人衣之。以一奉百，孰能供之

❿力可以得天下，不可以得匹夫匹妇之心／有六尺之躯，而不能庇一妇人，岂丈夫哉／一夫不耕，天下受其饥；一妇不织，天下受其寒／君子之道也，造端乎夫妇，及其至也，察乎天地／父子有亲，君臣有义，夫妇有别，长幼有叙，朋友有信

妃 ①fēi 配偶；妻；皇帝的妾，太子、王侯的妻子；古时对神女的尊称；通"绯"；[妃色]淡红色。②pèi 通"配"，婚配；[妃色]女色。

❼男不封侯女作妃，君看女却是门楣

❿休夸此地分天下，只得徐妃半面妆

她 tā 第三人称代词，指女性；称自己敬重或珍爱的事物。

❽待到山花烂漫时，她在丛中笑

好 ①hǎo 优秀的、使人满意的；友好；容易；完毕；完成；可以；表示应允；表示

程度深或数量多。②hào喜爱;圆形玉器中间的孔。

❶好学而不贰

见《左传·昭公十三年》。

好众辱人者殃

见汉·黄石公《素书·遵义章》。

好花时节不闲身

见唐·来鹏《蚕妇》。

好德乐善而无求

见宋·王安石《吴学士转官》。

好饰者作非之渐

见清·申居郧《西岩赘语》。

好怀百岁几回开

见宋·陈师道《绝句四首》之一。

好风将雨过横塘

见宋·沈括《姑熟》。

好誉者,常谤人

见明·彭汝让《木几冗谈》。

好与,来怨之道也

见汉·刘安《淮南子·诠言》。

好声而实不充则恢

见三国·魏·刘劭《人物志·八观》。

好法而思不深则刻

见三国·魏·刘劭《人物志·八观》。

好术而计不足则伪

见三国·魏·刘劭《人物志·八观》。

好货,天下贱士也

见宋·苏轼《志林十三首》之五。

好辩而理不至则烦

见三国·魏·刘劭《人物志·八观》。

好不废过,恶不去善

见《左传·哀公五年》。

好丑必上,不在远近

见南朝·宋·范晔《后汉书·张酺传》。

好荣恶辱,人之常情

见宋·朱熹《四书集注·孟子·公孙丑上》。全句为:"～。然徒恶之而不去其得之之道,不能免也"。

好问则裕,自用则小

见《尚书·仲虺之诰》。

好学深思,心知其意

见汉·司马迁《史记·五帝本纪》。

好胜人,耻闻过……

见宋·司马光《资治通鉴·唐纪》。全句为:"～,骋辩给,眩聪明,厉威严,恣强愎,此六者,君子之弊也"。

好言自口,莠言自口

见《诗·小雅·正月》。

好直不好学,其蔽也绞

见《论语·阳货》。

好仁不好学,其蔽也愚

见《论语·阳货》。

好高而不为,高不高矣

见汉·扬雄《法言·修身》。全句为:"好大而不为,大不大矣;～"。

好勇不好学,其蔽也乱

见《论语·阳货》。

好大而不为,大不大矣

见汉·扬雄《法言·修身》。全句为:"～;好高而不为,高不高矣"。

好大言者,不必有大志

见宋·刘炎《迩言》。全句为:"有大志者,时亦有大言;～"。

好尚或殊,富贵不求合

见南朝·宋·范晔《后汉书·刘陶传》。全句为:"～;情趣苟同,贫贱不易意"。

好名者,好利之尤者也

见《薛方山纪述·上篇》。全句为:"不好名者,斯不好利;～"。

好憎人者,亦为人所憎

见汉·刘向《说苑·谈丛》。全句为:"好称人恶,人亦道其恶;～"。

好称人恶,人亦道其恶

见汉·刘向《说苑·谈丛》。全句为:"～;好憎人者,亦为人所憎"。

好事须相让,恶事莫相推

见唐·王梵志《好事须相让》。

好书而不要诸仲尼书肆也

见汉·扬雄《法言·吾子》。

好将前事错,传与后人知

见明·冯梦龙《古今小说·新桥市韩五卖春情》。

好问近乎智,知耻近乎勇

见汉·司马迁《史记·平津侯主父列传》。

好道者多资,好乐者多迷

见汉·刘向《说苑·正谏》。

好胜者灭理,肆欲者乱常

见《二程集·河南程氏遗书》。

好风凭借力,送我上青云

见清·曹雪芹《红楼梦》第七十回。

好风能自至,明月不须期

见唐·钱起《秋夕与梁锽文宴》。

好雨知时节,当春乃发生

见唐·杜甫《春夜喜雨》。

好面誉人者,亦好背而毁之

见《庄子·盗跖》。

好直而恶枉,天下之至情也

见宋·朱熹《四书集注·论语·为政》。

好以智矫法,时以行杂公……

见《韩非子·亡征》。全句为:"～,法禁变易,号令数下者,可亡也”。

好刑,则有功者废,无罪者诛

见汉·刘安《淮南子·诠言》。全句为:“人主好仁,则无功者赏,有罪者释;~”。

好人之所恶,恶人之所好……

见《礼记·大学》。全句为:“~,是谓拂人之性,灾必逮夫身”。

好诞者死于诞,好夸者死于夸

见明·方孝孺《赵巫·吴士》。

好学而不勤问,非真能好学者也

见清·刘开《问说》。

好臣其所教,而不好臣其所受教

见《孟子·公孙丑下》。

好事尽从难处得,少年无向易中轻

见唐·李咸用《送谭孝廉赴举》。

好事者未尝不中,争利者未尝不穷

见汉·刘安《淮南子·原道》。

好似和针吞却线,刺人肠肚系人心

见元·高明《琵琶记》第十二出。

好去长江千万里,不须辛苦上龙门

见唐·窦巩《放鱼》。

好名则多树私恩,惧谤则执法不坚

见宋·苏洵《上韩枢密书》。

好成者败之本也,愿广者狭之道也

见隋·王通《中说·周公》。

好鸟枝头亦朋友,落花水面皆文章

见宋·翁森《四时读书乐》。

好而知其恶,恶而知其美者,天下鲜矣

见《礼记·大学》。

好学近乎知,力行近乎仁,知耻近乎勇

见《礼记·中庸》。

好成者,败之本也;愿广者,狭之道也

见隋·王通《文中子·周公》。

好经大事,变更易常,以挂功名,谓之叨

见《庄子·渔父》。

好言人之恶,谓之谗;析交离亲,谓之贼

见《庄子·渔父》。

好音生于郑卫,而人皆乐之于耳,声同也

见汉·桓宽《盐铁论·相刺》。全句为:“橘柚生于江南,而民皆甘之于口,味同也;~”。

好便宜者不可与共财,多狐疑者不可与共事

见清·申涵光《荆园小语》。

好读书,不求甚解;每有会意,便欣然忘食

见晋·陶潜《五柳先生传》。

好善无厌,受谏而能诫。虽欲无进,得乎哉

见《荀子·修身》。

好者不必同色而皆美,丑者不必同状而皆恶

见汉·陆贾《新语·思务》。

好贤而不能任,能任而不能信,能信而不能终

见唐·陈子昂《答制问事·重任贤科》。全句为:“~,能终而不能赏,虽有贤人,终不可用矣”。

好贤乐善,孜孜以荐进良士、明白是非为己任

见唐·韩愈《与祠部陆员外书》。

❷意好句亦好/不好黄金只好书/上好礼,则民易使/人好学,虽死若存/不好名者,斯不好利/去好去恶,群臣见素/上好信,则民莫敢不用情/与好利人共事,己必受累/不好问者,由心不能虚也/使好谋而不成,不如无谋/多好竟无成,不精安用夥/珍好之物滋生彰著,则……/其好之也一,其弗好之也一/上好则下必甚,矫枉故直必过/酷好学问文章,未尝一日暂废/上好奢靡而望下敦朴,未之有也/君好嫌,臣好逸……此弱国之风也/王好奢则臣不足,臣好奢则士不足/明好恶而定去就,崇敬让而民兴行/爱好由来下笔难,一诗千改始心安/士好奢则民不足,民好奢则天下不足/上好义则民暗饰矣,上好富则民死利矣/上好紫则下皆女服,上好剑则士皆曼胡/不好问询之道,则是伐智本而塞智原也/上好智,下应之以伪;上好贤,下应之以妄/己好则好之,己恶则恶之,以是自信则惑也/所好则钻皮出其毛羽,所恶则洗垢求其瘢痕/二好均平,无分轻重,则一俯一仰,乍进乍退

❸其义好生而恶杀/其母好者其子抱/祸不好,不能为祸/不求好句,只求好意/不出好言,不如沉默/不交好友,不如闭门/刚者好断,介者殊俗/但行好事,莫问前程/修学好古,实事求是/人之好我,示我周行/尚名好高,其身必疏/君上好善,民无讳言/悍戆好斗,似勇而非/要成好人,须寻好友/骄人好好,劳人草草/敏而好学,不耻下问/越王好勇而民多轻死/无康好逸豫,乃其乂民/伐矜好专,举事之祸也/壮而好学,如日中之光/少而好学,如日出之阳/明主好要,而暗主好详/贪淫好色,则伤精失明/老而好学,如炳烛之明/天子好年少,无人荐冯唐/天子好美女,夫妇不成双/天子好征战,百姓不种桑/予岂好辩哉!予不得已也/今上好法,予晚受乎老庄/先朝好史,予方学于孔墨/凡人好辞工书,皆病癖也/衰世好信鬼,愚人好求福/城中好高髻,四方高一尺/吴王好剑客,百姓多创瘢/浅人好夸富,贪人好哭穷/楚王好细腰,宫中多饿死/上有好者,下必有甚焉者矣/人少好学则思专,长则善忘/小人好己之恶,而忘人之好/君子好人之好,而忘己之好/神物好安静,不可以有为治/语曰:好女之色,恶者之孽也/晚而好《易》,读之韦编三绝/图工好画鬼魅而憎图狗马者……/人主好仁,则无功者赏,有罪者释/从来好事天生俭,自古瓜儿苦后甜/读书好处

心先觉，立雪深时道已传／大都好物不坚牢，彩云易散琉璃脆／愚而好胜，一等；贤而尚人，二等／君子好闻过而无过，小人恶闻过而有过／君子好成物，故吉；小人好败物，故凶／凡人好敖慢小事，大事至，然后兴之务之／未有好利而爱其君者，未有好义而忘其君者／忠心好善，而日新之；独居乐德，内悦于形／楚王好小腰，美人省食；吴王好剑，国士轻死／人之好怪也！不求其端，不讯其末，惟怪之欲闻／《国风》好色而不淫，《小雅》怨诽而不乱，若《离骚》者，可谓兼之

❹夕阳虽好近黄昏／上之所好，下必有甚／上之所好，民必甚焉／上有所好，下必甚焉／花不常好，月不常圆／骄人好好，劳人草草／吾未见好德如好色者也／好直不好学，其蔽也绞／好仁不好学，其蔽也愚／好勇不好学，其蔽也乱／好名者，好利之尤者也／钧材而好学，明者为师／不学而好思，虽知不广矣／梁园虽好，不是久恋之家／视其所好，可以知其人焉／楚灵王好细腰而国中多饿人／祸在于好利，害在于亲小人／民之所好好之，民之所恶恶之／人主以好暴示能，以好唱自奋／大凡做好事的心，一日小一日／小人之好议论，不乐成人之美／审其所好恶，则其长短可知也／一有偏好，则下必投其所好以诱之／小人所好者禄利也，所贪者财货也／各从所好，各骋所长，无一人之不中用／君子富，好行其德；小人富，以适其力／平日极好直言者，即患难时不肯负我之人／国虽大，好战必亡；天下虽安，忘战必危／国虽大，好战必亡；天下虽平，忘战必危／无善而好，不观其道；无悖而恶，不详其故／无有作好，遵王之道；无有作恶，遵王之路／己好则好之，己恶则恶之，以是自信则惑也／物有所好，汝勿好之。德有所好，汝则效之／人生所好，自当专一，若多好多能，反能耗神损精

❺意好句亦好／举人须举好退者／寻得桃源好避秦／人之患在好为人师／坚劲之人好攻其事实／多端寡要，好谋无决／绝知为福，好知为贼／土地虽广，好战则民凋／唯仁者能好人，能恶人／岂无一时好，不久当如何／夕阳无限好，只是近黄昏／大山不立好恶，故能成其高／见悻悻自好之徒，应须防口／民之所好好之，民之所恶恶之／知不足者好学，耻下问者自满／圣人非不好利也，利在于利万人／学问不厌，好士不倦，是天府也／不如鄙性好诚实，退无所议进不谀／不要人夸好颜色，只留清气满乾坤／君好嫌，臣好逸……此弱国之风也／圣人……非不好富也，富在于富天下／奸人诈而好名，其行事有酷似君子处／爱民而安，好士而荣，两者无一焉而亡／唯仁者可好也，可恶也，可高也，可下也／天下虽兴，好战必亡；天下虽安，忘战必危／尽者情露，好人行尽于人，而不能纳人之径／直者性奋，好人行直于人，而不能受人之讦／美味腐腹，好色惑心，勇夫招祸，辩口致殃／饥而欲食……好利而恶害，是人之所生而有也

❻天道恶满而好谦／不好黄金只好书／多病题诗无好句／靥辅在颊则好，在颡则丑／地也，你不分好歹何为地／好道者多资，好乐者多迷／恶而知其美，好而知其恶／貌重则有威，好重则有观／貌轻则招辱，好轻则招淫／君子好人之好，而忘己之好／不使他事胜好学之心，则有进／大简必有不好，良工必有不巧／心之不虚，由好学之不能诚也／不到长城非好汉，屈指行程二万／未必人间无好汉，谁与宽些尺度／同恶相助，同好相留，同情相成／君子当有所好恶，好恶不可不明／牡丹花儿虽好，还要绿叶儿扶持／今善善恶恶，好荣憎辱，非人能自生／凡人不能无好恶，但能胜其私心则善／知之者不如好之者，好之者不如乐之者／君子不怵乎好，不迫乎恶，恬愉无为，去智与故／恶图犬马而好作鬼魅，诚以实事难形，而虚伪不穷也／不是师法，而好自用，譬之是犹以盲辨色，以聋辨声也

❼不求好句，只求好意／不好名者，斯不好利／吃文为患，生于好诡／激浊扬清，嫉恶好善／宠邪信惑，近佞好谀／要成好人，须寻好友／学之经莫速乎好其人／贫而乐道，富而好礼／辞尚体要，不惟好异／大愚误国，只为好自用／吾未见好德如好色者也／直己而行道者，好义者也／闻命而奔走者，好利者也／好面誉人者，亦好背而毁之／受益莫如择友，好学莫如改过／喜名者必多怨，好与者必多辱／好诞者死于诞，好夸者死于夸／必也临事而惧，好谋而成者也／盘庚曰："……朕不肩好货"／人情曷似春山好，山色不随春老／人人尽说江南好，游人只合江南老／今年花似去年好，去年人到今年老／君王虽爱蛾眉好，无奈宫中妒杀人／标格原因独立好，肯教富贵负初心／此生此夜不长好，明年明月何处看／述而不作，信而好古，窃比于我老彭／立德者以幽陋好遗，显登者以贵途易引／物有所好，汝勿好之。德有所好，汝则效之／雅郑有素矣，而好恶不同，故两耳不相为听焉

❽君子不夺人之所好／明主好要，而暗主好详／衰世好信鬼，愚人好求福／浅人好夸富，贪人好哭穷／其好之也一，其弗好之也一／一彼此于胸臆，捐好恶于心想／伤生之事非一，而好色者必死／贼民之事非一，而好兵者必亡／聪明深察而死者，好议人者也／世溷浊而嫉贤兮，好蔽美而称恶／君子当有所好恶，好恶不可不明／好臣其所教，而不好臣其所受教／众恶之，必察焉；众好之，必察焉／苟其聪明蔽于嗜好，智

虑溺于爱憎/其为人也孝悌，而好犯上者，鲜矣/我非生而知之者，好古，敏以求之者也/原天命，治心术，理好恶，适情性，而治道毕/至治之世，其民不好空言虚辞，不好淫学流说/常有小不快事，是好消息……知此理可免怨尤/君人者，爱民而安，好士而荣，两者无一焉而亡/舜其大知也与！舜好问而好察迩言，隐恶而扬善，执其两端，用其中于民

❾女不必贵种，要之贞好/以官为乐，必不能做好官/人语无生意，鸟啼空好音/召民之路，在上之所好恶/常胜者无忧，恒成者好怠/知人无务，不若愚而好学/善在身，介然必以自好也/如病忆良药，如蜂贪好蜜/装点此关山，今朝更好看/人主以好暴示能，以好唱自奋/我无为而民自化，我好静而民自正/为人而欲一世之人好，吾悲其为人/为文而欲一世之人好，吾悲其为文/人意共怜花月满，花好月圆人又散/王好奢则臣不足，臣好奢则士不足/士好奢则民不足，民好奢则天下不足/人主之于用法，无私好憎，故可以为令/知之者不如好之者，好之者不如乐之者/自古于今，上以天子……好义而不彰者也/群居终日，言不及义，好行小慧，难矣哉/饮食不节，以生疾病；好色不倦，以致乏绝/泉水激石，泠泠作响；好鸟相鸣，嘤嘤成韵/闻难思解，见利思避，好成人之美，可以立矣/人迫于恶，则失其所好；怵于好，则忘其所恶，非道也

❿不遇阴雨后，岂知明月好/以色事他人，能得几时好/真个别离难，不似相逢好/天下每每大乱，罪在于好知/小人好己之恶，而忘人之好/君子好人之好，而忘己之好/盲者无以与乎眉目颜色之好/既来且住，风月闲寻秋好处/虽假容于江皋，乃缨情于好爵/好人之所恶，恶人之所好……/毛嫱西施，善毁者不能蔽其好/欢愉之辞难工，而穷苦之言易好/好学而不勤问，非真能好学者也/踏遍青山人未老，风景这边独好/一有偏好，则下必投其所好以诱之/民生各有所乐兮，余独好修以为常/草木荣华之飘风，鸟兽好音之过耳/聪明深察而近于死者，好议人者也/蹉跎莫遣韶光老，人生唯有读书好/君子不责人所不及……不苦人所不好/君子之恶恶道不甚，则好善道亦不甚/迷者不问路，溺者不问遂，亡人好独/绝愚之人，心无所别析，心无所好欲/文章做到极处，无有他奇，只是恰好/身不肖而诬贤，是犹伛偻而好升高也/上好义则民暗饰矣，上好富则民死利矣/上好紫则下皆女服，上好剑则士皆曼胡/交财一事最难。虽至亲好友，亦须明白/君子好成物，故吉；小人好败物，故凶/驶雪多积荒城之隈，急风好起沙河之上/所志于古者，不惟其辞之好，好其道焉/嗜欲者使人之气越，而好憎者使人之心劳/上好智，下应之以伪；上好贤，下应之以妄/未有好利而爱其君者，未有好义而忘其君者/关关雎鸠，在河之洲。窈窕淑女，君子好逑/人面看年年岁岁之同，花枝见夜夜朝朝之好/凡下之从上也，不从口之言，从上之所好也/凡人之性，少则猖狂，壮则暴强，老则好利/物有所好，汝勿好之。德有所好，汝则效之/爱名尚利，小人哉，未见仁者而好名利者也/怒如严霜，喜如时雨，臧否好恶，坦然可观/不责人所不及，不强人所不能，不苦人所不好/至治之世，其民不好空言虚辞，不好淫学流说/楚王好小腰，美人省食；吴王好剑，国士轻死/日知其所亡，月无忘其所能，可谓好学也已矣/兰茝荪蕙之芳，众人之所好，而海畔有逐臭之夫/人之可杀，以其恶死也；其可不利，以其好利也/敏于事而慎于言，就有道而正焉，可谓好学也已/人生所好，自当专一，若多好多能，反能耗神损精/人迫于恶，则失其所好；怵于好，则忘其所恶，非道也/天下大乱，贤圣不明，道德不一，天下多得一察焉以自好/学者四失：为人则失多，好高则失寡，不察则易，苦难则止/五福：一曰寿，二曰富，三曰康宁，四曰攸好德，五曰考终命/文章丽矣，言语工矣，无异草木荣华之飘风，鸟兽好音之过耳/舜其大知也与！舜好问而好察迩言，隐恶而扬善，执其两端，用其中于民

妍

yán 美丽；巧。

❶妍媸有定矣，而憎爱异情……

见晋·葛洪《抱朴子·塞难》。全句为：“～，故两耳不相为视焉”。

❷有妍必有丑为之对

❼貌虽至殊，不离妍丑

❽一肌一容，尽态极妍

❿其会意也尚巧，其遣言也贵妍/不修身而求令名于世者，犹貌甚恶而责妍影于镜也/今不修身而求令名于世者，犹貌甚恶而责妍影于镜也

妪

①yù 年老的妇女。②yǔ［妪伏］鸟孵卵。［妪煦］爱抚，养育。

❹白头翁妪坐看瓜

妙

①miào 好；神奇的；年少；神妙；奥妙。②miǎo 通“眇”，细微；眇小。

❶妙论精言，不以多为贵

见宋·欧阳修《六经简要说》。

妙不可尽之于言，事不可穷之于笔

见晋·郭璞《江赋》。

妙必假物而物非生妙，巧必因器而器非成巧

见北齐·刘昼《刘子·言苑》。

❷年妙识远，理丰词约／尤妙之人含精于内，外无饰姿／曲妙人不能尽和，言是人不能皆信／入妙文章本平淡，等闲言语变瑰琦
❸词之妙，莫妙于不言言之／歌曲妙者，和者则寡；言得实者，然者则鲜
❹书画之妙，当以神会／求物之妙，如系风捕影／歌曲弥妙，和者弥寡；行操益清，交者益鲜
❺词之妙，莫妙于不言言之／资绝伦之妙态，怀悫素之洁清／治心须求妙悟，悟则神和气静，客敬色庄
❻玄之又玄，众妙之门／知之一字，众妙之门／文章本天成，妙手偶得之
❼但见无为为要妙，岂知有作是根基／至精而后阐其妙，至变而后通其数
❽文不按古，匠心独妙／思通道化，策谋奇妙，是谓术家／无所不通之谓圣，妙而无方之谓神／大抵文字须熟乃妙，熟则利病自明／故常无，欲以观其妙；常有，欲以观其徼
❾可与往者与之，至于妙道／万物抱一而成，得微妙气化／觉来落笔不经意，神妙独到秋毫颠／妙必假物而物非生妙，巧必因器而器非成巧
❿云霞雕色，有逾画工之妙／无一定之律，而有一定之妙／虚实相生，无画处皆成妙境／和平之音淡薄，而秋思之声要妙／切莫呕心并剔肺，须知妙语出天然／出新意于法度之中，寄妙理于豪放之外／收心简事日损有为，体静心闲方可观妙／心之精微，发而为文；文之神妙，咏而为诗／意深词浅，思苦言甘。寥寥千载，此妙谁探／为啬之道，不施不予，俭爱微妙，盈若无有。／仗其短浅之耳目，以断微妙之有无，岂不悲哉／心之精微，口不能言也；言之微妙，书不能文也

妖 yāo 神话、传说中有超自然魔力、反常怪异的精灵或事物；邪恶的；艳丽；通"夭"，夭折。
❶妖不胜德，邪不伐正，天之经也
见汉·王符《潜夫论·巫列》。
❹名都多妖女，京洛出少年／善人为妖，是非反复，天下大迷而不复也
❼万物之有灾，人妖最可畏
❽正复为奇，善复为妖／口言善，身行恶，国妖也／僧是愚氓犹可训，妖为鬼蜮必成灾
❾坑儒士起自诸生为妖言
❿出淤泥而不染，濯清涟而不妖／须晴日，看红装素裹，分外妖娆／腊天日短不盈尺，何似妖姬一曲歌／治国者敬其宝，爱其器，任其用，除其妖／国家将兴，必有祯祥；国家将亡，必有妖孽

妨 fáng 阻碍；损害。
❷贱妨贵，少陵长……所谓六逆也／不妨举世无同志，会有方来可与期
❹农功不妨，谷稼丰赡，故人富也
❺不以小故妨大美／小恶不足妨大美也／窃位既久，妨贤则多／天公尚有妨农过，蚕怕雨寒苗怕火／不以富贵妨其道，不以隐约易其心
❻小疵不足以妨大美／脱裙衫，穷不妨；布荆人，名自香
❼古来才命两相妨／贱不害智，贫不妨行
❾厉精乡进，不以小疵妨大材／日月挟虫鸟之瑕，不妨丽天之景／顾使乾坤同日月，不妨闽浙异江山
❿天便教人，霎时厮见何妨／称人之善，我有一善，又何妨焉／但得贞心能不改，纵令移植亦何妨／折狱而非也，暗理迷众，与教相妨／寒暑之势不易，小变不足以妨大节／时人莫小池中水，浅处无妨有卧龙／贫无可奈惟求俭，拙亦何妨只求勤／意少一字则义阙，句长一言则辞妨／天下宝之者何也？其小恶不足妨大美也／小善不足以掩众恶，小疵不足以妨大美／若贵而愚，贱而圣且贤，以是而妨之，其为理本大矣

妒 dù 嫉妒；妒忌。
❷骄妒者，噬贤之狗也
❸士有妒友，则贤交不亲／暗主妒贤畏能而灭其功／狂云妒佳月，怒气千里黑
❺爵高者，人妒之；官大者，主恶之
❼正不容邪，邪复妒正
❽人有喜庆，不可生妒忌心／女无美恶，入宫见妒。士无贤不肖，入朝见嫉
❾民不恶其尊，而世不妒其业／谮下谩上，恒其心术，妒人之能，幸人之失
❿无意苦争春，一任群芳妒／称人之善，我有一善，又何妒焉／君王虽爱蛾眉好，无奈宫中妒杀人

妹 mèi 同辈的女性中年纪比自己小的；年轻的女子；古邑名。
❺愿兄为水妹为土，和来捏做一个人

姑 gū 父亲的姐妹；少女；出家女子；姑且，暂且。
❶姑妄言之，姑妄听之
见清·文康《儿女英雄传》第三〇回。
姑苏城外寒山寺，夜半钟声到客船
见唐·张继《枫桥夜泊》。
❹欲就麻姑买沧海，一杯春露冷如冰
❺姑妄言之，姑妄听之
❻将欲败之，必姑辅之
❼室无空虚，则妇姑勃谿
❾神女生涯原是梦，小姑居处本无郎
❿君子之爱人也以德，细人之爱人也以姑息

妻
①qī 男子的配偶。②qì 以女嫁人。

❶妻贤夫祸少

见清·曹雪芹《红楼梦》第六十八回。

❷夫妻无隔宿之仇／夫妻本是同林鸟，大限来时各自飞／驱妻逐子课工程，虽作人形俱菜色

❹弃子逐妻，以求口食……

❺家贫思良妻，国乱思良相／结发为夫妻，恩爱两不疑

❻贵易交，富易妻／老母终堂，生妻去帷／家贫则思良妻，国乱则思良相

❽身不行道，不行于妻子／毋为财货迷，毋为妻子蛊

❾战死士所有，耻复守妻孥

❿诚知此恨人人有，贫贱夫妻百事哀／贫贱之知不可忘，糟糠之妻不下堂／推恩足以保四海，不推恩无以保妻子／伐柯如何？匪斧不克。取妻如何？匪媒不得

姓
xìng 标志家族系统的称号；子，子孙。

❷百姓日用而不知／百姓不亲，五品不逊／百姓朴素，狱讼衰息／百姓有罪，在于一人／同姓不婚，恶不殖也／万姓厌干戈，三边尚未和／百姓可以德胜，难以力服／问姓惊初见，称名忆旧容／百姓安则乐其生，不安则轻其死／百姓多寒无可救，一身独暖亦何情／百姓之有此色，正缘士大夫不知此味／百姓所以养国家也，未闻以国家养百姓者也／百姓足，君孰与不足？百姓不足，君孰与足／百姓与之则安，辅之则强，非之则危，倍之则亡

❸以百姓欲为欲／兴，百姓苦；亡，百姓苦／与百姓争利，则狡诈之心生／与百姓有缘才来此地，期寸心无愧不鄙斯民／损百姓以奉其身，犹割股以啖腹，腹饱而身毙／得百姓之力者富，得百姓之死者强，得百姓之誉者荣／吃百姓之饭，穿百姓之衣，莫道百姓可欺，自己也是百姓

❹男女同姓，其生不蕃

❺王者以百姓为天……／不妄于万姓，则天下安矣／今王与百姓同乐，则王矣／慈仁者，百姓亲附，并心一意，故以战则胜敌，以守卫则坚固

❻人谋鬼谋，百姓与能／君为正，则百姓从而正矣／政令时，则百姓一，贤良服／君能清静，百姓何得不安乐乎／治则衍及百姓，乱则不足及王公／健儿无粮百姓饥，谁遣朝朝入君口／圣人爱念百姓，如孩婴赤子长养之／官长正而百姓化，邪心黜而奸匿绝／刑政平而百姓归之，礼义备而君子归之／仁人在上，百姓贵之如帝，亲之如父母／天下大扰，百姓遑遑，劳苦疲极，困穷生奸

❼天子好征战，百姓不种桑／兴，百姓苦；亡，百姓苦／圣人不仁，以百姓为刍狗／吴王好剑客，百姓多创瘢／铠甲生虮虱，万姓以死亡／有道之主，以百姓之心为心／君臣不信，则百姓诽谤，社稷不宁／罔违道以干百姓之誉，罔咈百姓以从己之欲

❽禄食之家不与百姓争利／山岳有饶，然后百姓赡焉／慷他人之慨，费别姓之财／圣人无常心，以百姓心为心／圣人常无心，以百姓心为心／人生识字忧患始，姓名粗记可以休／天下治乱，不在一姓之兴亡，而在万民之忧乐／吃百姓之饭，穿百姓之衣，莫道百姓可欺，自己也是百姓

❾不忧命之短，而忧百姓之穷／甘忠言之逆耳，得百姓之欢心／知者之为，故动以百姓，不违其度／田野荒而仓廪实，百姓虚而府库满／贤者出走，命曰崩；百姓不敢诽怨，命曰刑胜／天下之治乱，不在一姓之兴亡，而在万民之忧乐

❿为君之道，必须先存百姓／无为而万物化，渊静而百姓定／圣人亦行其所行，而百姓被其利／圣王布德施惠，非求报于百姓也／旧时王谢堂前燕，飞入寻常百姓家／休说旧时王与谢，寻常百姓亦无家／德不施则民不归，刑不缓则百姓愁／国之兴亡不由蓄积多少，唯在百姓苦乐／国之兴亡不由蓄积多少，惟在百姓苦乐／欲出一言，即思此一言于百姓有利益否／一家失熛，百家皆烧；谗夫阴谋，百姓暴骸／百姓所以养国家也，未闻以国家养百姓者也／百姓足，君孰与不足？百姓不足，君孰与足／罔违道以干百姓之誉，罔咈百姓以从己之欲／驷马不驯，御者之过，百姓不治，有司之罪／安而不扰，使而不劳，是以百姓劝业而乐公赋／得百姓之力者富，得百姓之死者强，得百姓之誉者荣／吃百姓之饭，穿百姓之衣，莫道百姓可欺，自己也是百姓

委
①wěi 委托；推托；曲折；积聚；精神不振作；丢弃，听任；末尾；确知；曲，屈；通“萎”，衰败、困顿的意思；通“猥”。②wēi［委蛇］同“逶迤”，迂回曲折；随顺，应付；庄重而又从容自得的样子；蛇名。

❶委体渊沙，鸣弦揆日

见南朝·宋·范晔《后汉书·逸民传》。

委肉当饿虎之蹊，祸必不振

见《战国策·燕策三》。

委明珠而乐贱，辞白璧以安贫

见北齐·颜之推《观我生赋》。

委故都以从利兮，吾知先生之不忍

见唐·柳宗元《吊屈原文》。

委之以财而观其仁，告之以危而观其节

见《庄子·列御寇》。

委任不一，乱之媒也；监察不止，奸之府也

见隋·王通《文中子·关朗》。
❸与物委蛇而同其波,是卫生之经已/道之委也……形生而万物所以塞也
❺谓其忠则委之诚,可也
❼大直若诎,道固委蛇/与朋友论学,须委曲谦下,宽以居之
❽城小而守固者,有委也
❾生非汝有,是天地之委和也/刺史宜精选谨择以委任之,固不可拘限官次,得之货贿,出之权门者也
❿当途者入青云,失路者委沟渠/孙子非汝有,是天地之委蜕也/寓形宇内复几时,曷不委心任去留/知天而不泥于神怪,知人而不遗于委琐/挺然尽心,敢任天下之责者,即当委而付之

姗 ①shān[姗姗]形容行走缓慢、从容的样子。②shàn 通"讪",讥议;嘲笑。③xiān[便姗]犹"蹁跹"。
❿是邪,非邪?立而望之,偏何姗姗其来迟

妾 qiè 旧时男子在正妻以外娶的女子;旧时女子的谦称;女奴隶。
❶妾发初复额……
见唐·李白《长干行二首》之一。全句为:"~,折花门前剧。郎骑竹马来,绕床弄青梅。同居长干里,两小无嫌猜"。
❺食不重肉,妾不衣帛/雷隐隐,感妾心,倾耳清听非车音
❻君当作磐石,妾当作蒲苇/有钱的纳宠妾、买人口、偏兴旺
❼承恩不在貌,教妾若为容
❽君王城上竖降旗,妾在深宫哪得知
❿任君逐利轻江海,莫把风涛似妾轻

始 shǐ 最初;开始;当初;尝,曾;才。
❶始者,道本也
见《老子》—河上公注。全句为:"~。吐气布化,出于虚无,为天地本始也"。
始之易,终之难
见《战国策·秦策四》。
始作俑者,其无后乎
见《孟子·梁惠王上》。
始交不慎,后必为仇
见清·申居郧《西岩赘语》。
始若可喜而终不可久
见宋·苏辙《上曾参政书》。全句为:"知得而不知丧,知存而不知亡,~"。
始楚而谢,终泣而对
见唐·李朝威《柳毅传》。
始知五岳外,别有他山尊
见唐·杜甫《木皮岭》。
始终得其正,天下合于一
见宋·苏轼《后正统论三首·辨论三》。
始驾马者反之:车在马前
见《礼记·学记》。
始与善,善进善,不善蔑由至
见《国语·晋语六》。
始取天下为功,始治天下为德
见汉贾谊《新书·数宁》。
始吾于人也,听其言而信其行
见《论语·公冶长》。全句为:"~;今吾于人也,听其言而观其行"。
始得名于文章,终得罪于文章
见唐·白居易《与元九书》。
始或为终,终或为始,恶知其纪
见《列子·汤问》。全句为:"物之终始,初无极已。~"。
始与不善,不善进不善,善蔑由至
见《国语·晋语六》。
始之有作人争觉,及至无为众始知
见宋·张伯端《悟真篇》。全句为:"~。但见无为为要妙,岂知有作是根基"。
始知绝代佳人意,即有千秋国士风
见清·吴雯《明妃》。全句为:"不把黄金买画工,进身羞与自媒同;~"。
始以护人之乱为义,而终掠乱以求之
见唐·元稹《莺莺传》。全句为:"~。是以乱易乱,其去几何"。
始而胎气充实……壮而声色有节者强而寿
见南朝·梁·陶弘景《养性延命录·教诫篇》。删节处为:"生而乳食有余,长而滋味不足"。
始而胎气虚耗……壮而声色自放者弱而夭
见南朝·梁·陶弘景《养性延命录·教诫篇》。删节处为:"生而乳食不足,长而滋味有余"。
始如处女,敌人开户;后如脱兔,敌不及拒
见《孙子兵法·九地篇》。
始见新春,又逢初夏。四时若箭,两曜如梭。
见宋·普济《五灯会元》卷一七。
❷有始有终,无为无欲/其始不立,其卒不成/奋始怠终,修业之贼也/慎始而敬终,终以不困/原始反终,故知死生之说/善始者实繁,克终者盖寡/枢始得其环中,以应无穷/原始以要终,虽百世可知也/有始者必有卒,有存者必有亡/轻始而傲微,则其流必至于大乱/人始入官,如入晦室,久而愈明,明乃治,治乃行
❸凡法始立必有病/时危始识不世才/思其始而图其终/时有始终,世有变化/千里始足下,高山起微尘/嘉禾始熟而农夫先尝其粒/听笛始知岸,闻香暗识莲/知之始已自知,而后知人/道未始有封,言未始有常/有善始者实繁,能

克终者盖寡／念终始典于学，厥德修，罔觉／万物始于微而后成，始于无而后生／幸于始者怠于终，善其辞者嗜其利／登山始觉天高广，到海方知浪渺茫／奉而始终之则为道，言而发明之则为诗／礼之始作也难而易行，既行也易而难久／及至始皇，奋六世之余烈，振长策而御宇内／盖棺始能定士之贤愚，临事始能见人之操守／诚则始终不忒，表里一致，敬信真纯，往而必孚／祸之始也易除，其除之不可者避之；及其成也欲除之不可，欲避之不可

❹天地有始／凡物皆始于无／君子慎始而无后忧／不勤于始，将悔于终／事无终始，无务多业／慎终如始，乃能长久／慎终如始，则无败事／物之终始，初无极已／福为祸始，祸作福阶／罚之所始，必始于薄刑／慎重者，始若怯，终必勇／轻发者，始若勇，终必怯／生，人之始也；死，人之终也／吾究物始，而见夫妇之为造端也／君子慎始，差若毫厘，缪之千里／道无终始，物有死生，不恃其成／周而复始无休息，官租未了私租逼／慎终如始，犹恐渐衰，始尚不慎，终将安保／过之所始，必始于微；积而不已，遂至于著／可与为始，可与为终，可与尊通，可与卑穷者，其唯信乎

❺利诚乱之始／一诗千改始心安／读书万卷始通神／千里之行，始于足下／十围之木，始生如蘖／能理乱丝，始可读诗／守其初心，始终不变／知无用而始可与言用矣／利则为害始，福则为祸先／知是行之始，行是知之成／莫知其所始，若之何其有命也／千呼万唤始出来，犹抱琵琶半遮面／动静者终始之道，聚散者化生之门也／古之人未始不薄于当世，而荣于后世也／见明珠者始贱鱼目，知雅乐者方鄙郑声／有以为未始有物者，至矣，尽矣，弗可以加矣

❻畏其卒，怖其始／穷则反，终则始／风者，百病之始也／圣人之见，终始微言／罚之所始，必始于薄刑／衣食之道，必始于耕织／落尽最高树，始知松柏青／民不可与虑始，而可与乐成／苟不能以善始，未有能令终者／悔前莫如慎始，悔后莫如改图／以慧治国者，始于治，常卒于乱／丈夫盖棺事始定，君今幸未成老翁／“无”名，天地之始；“有”名，万物之母／英以其聪谋始，以其明见机，待雄之胆行之／过之所始，必始于微；积而不已，遂至于著／爱民，害民之始也；为义偃兵，造兵之本也／治乱存亡，其始若秋毫，察其秋毫，则大物不过／凡乱也者，必始乎近而后及远，必始乎本而后及末／不思安危终始之虑，是乐春藻之繁华，而忘秋实之甘口也

❼君子之学，贵慎始／处富而奢，衰之始也／同心而共济，终始如一／忧懈怠则思慎始而敬终／学无早晚，但恐始勤终惰／患生于官成，病始于少瘳／换我心，为你心，始知相忆深／始取天下为功，始治天下为德／死而不祸，知终始之不可故也／厉法禁，自大臣始，则小臣不犯矣／人生识字忧患始，姓名粗记可以休／人生结交在终始，莫为升沉中路分／人生贵贱无终始，倏忽须臾难久恃／睹其终必原其始，故存其人而咏其道／飞雪蔽野，长河始冰，吾子勉之，慷慨而别／未事而知其来，始事而知其终，定事而知其变

❽举大事必慎其终始／不为福先，不为祸始／川广自源，成人在始／兵民之分，自秦汉始／知恶不黜，则为祸始／消息盈亏，终则有始／天王日俭德，俊乂始盈庭／隐石那知玉，披沙始遇金／国朝盛文章，子昂始高蹈／道未始有封，言未始有常／孔子圣人，其学必始于观书／大哉乾元，万物资始，乃统天／殃咎之来，未有不始于快心者／有生者必有死，有始者必有终／始或为终，终或为始，恶知其纪／天地车轮，终则复始，极则复反，莫不咸当／物有本末，事有终始。知所先后，则近道矣／物类之起，必有所始；荣辱之来，必象其德

❾君子贵建本而重立始／凡看书不为书所愚始善／振人不赡，先从贫贱始／其生也莫知，其往也始思／事有合于己者而未始有是也／虑于民也深，则谋其始也精／事……有忤于心者而未始有非也／太史公曰：……利，诚乱之始也／万物始于微而后成，始于无而后生／善作者不必善成，善始者不必善终／隔日一删，愈月一改，始能淘沙得金／至无者，无以能生，故始生者，自生也／慎终如始，犹恐渐衰，始尚不慎，终将安保

❿生也死之徒，死也生之始／民可以乐成，不可与虑始／前识者，道之华而愚之始／衰为盛之终，盛为衰之始／滔滔大江水，天地相终始／立实以致声，则难在经始／养生丧死无憾，王道之始也／禾黍必刈其稂莠而后苗始茂／木欣欣以向荣，泉涓涓而始流／万物之生也，皆元于虚，始于无／无为者，道之身体，而天地之始也／千淘万漉虽辛苦，吹尽狂沙始到金／予恶乎知夫死者不悔其始之蕲生乎／尽有天，循有照，冥有枢，始有彼／古人学问无遗力，少壮功夫老始成／剖开顽石方知玉，淘尽泥沙始见金／伤则感遥而悼近，怨则恋始而悲终／词客有灵应识我，霸才无主始怜君／随人作计终后人，自成一家始逼真／始之有作人争觉，及至无为众始知／时人不识凌云木，直待凌云始道高／春蚕到死丝方尽，蜡炬成灰泪始干／爱好由来下笔难，一诗千改始心安／欲事之无繁，则必劳于始而逸于终／大道吐气，布于虚无，为天地之本始／太平之时，必须才行俱兼，始可任用／情之所昏，

交相攻伐，未始有穷……／乐之来，则人情出者也，其始非圣人作也／物，量无穷，时无止，分无常，终始无故／欲明两仪天地之体，必以太极虚无为初始／天地者万物之父母也，合则成体，散则成始／年不可举，时不可止，消息盈虚，终则有始／大川未济，乃失巨舰；长途始半，而丧良骥／宁逢赤眉，不逢太师。太师尚可，更始杀我／春发其华，秋收其实，有始有极，爰登其质／风摇其巅，韵动崖谷，视之既静，其听始远／祸之所生，必由积怨；过之所始，多因忽小／祸至后惧，是诚不知；君子之惧，惧乎未始／盖棺始能定士之贤愚，临事始能见人之操守／身体发肤，受之父母，不敢毁伤，孝之始也／上与造物者游，而下与外生死、无终始者为友／合抱之木，生于毫末……千里之行，始于足下／凡乱也者，必始乎近而后及远，必始乎本而后及末／安不忘危，治不忘乱，虽知今日无事，亦须思其终始／政如农功，日夜思之，思其始而成其终，朝夕而行之／感人心者，莫先乎情，莫始乎言，莫切乎声，莫深乎义／盖吾儒起手便与禅异者，正在彻始彻终总是体用一致耳

姆 mǔ 古时教育未出嫁女子的妇人；弟妇对兄妇的称谓。[保姆]受雇为人照管儿童或料理家务的妇女。

❶姆抱幼子立侧，眉眼如画，发漆黑，肌肉玉雪可念

见唐·韩愈《殿中少监马君墓志》。

姥 ①mǔ 婆婆，丈夫的母亲；老妇人。②lǎo[姥姥]亦作"老老"，北方方言对外祖母的称呼。

❼君不见比来翁姥尽饥死，狐狸嚼骨乌啄眼

要 ①yāo"腰"的本字；通"邀"，中途拦截；相约；要挟。②yào 重要；总；月计的总帐；想，希望；讨，索要；叫，让；应该；将要；要是，如果。

❶要成好人，须寻好友

见明·吕德胜《小儿语》。

要扫除一切害人虫，全无敌

见现代·毛泽东《满江红·和郭沫若同志》。

要假修成九转，先须炼己持心

见宋·张伯端《悟真篇》。

要囚，服念五六日，至于旬时

见《尚书·康诰》。

要为天下奇男子，须历人间万里程

见明·冯梦龙《东周列国志》第三十四回。

要而学之，又其次也，困而不学，民斯为下矣

见《论语·季氏》。全句为："生而知之者上也，学而知之者次也，～"。

要使诚意之交通，在于未言之前，则言出而人信矣

见《二程集·河南程氏遗书》。

❷兵要在乎善附民而已／诗要避俗，更要避熟／无要正正之旗，无击堂堂之阵／不要人夸好颜色，只留清气满乾坤／不要势，何羡位？不贪富，何羡货

❸读书要玩味／男子要为天下奇／兵之要，在于修政／立志要高，不要卑／执持要坚耐，怕是脆／应变要机警，怕是迟／机括要深沉，怕是浅／养气要使完，处身要使端／理国要道，在于公平正直／书之要，统于"骨气"二字／律诗要法：起、承、转、合／作字要熟，熟则神气完实而有余／处事要代人作想，读书须切己用功／立志要定，不要杂；要坚，不要缓／耳边要静不得静，心里欲闲终未闲／男儿要当死于边野，以马革裹尸还葬耳／责恶要为人留余步，劝善要思其势可从／待人要丰，自奉要约；责己要厚，责人要薄

❹学者先要会疑／解铃还要系铃人／读书最要限程……／为政之要，曰公与勤／为政之要，曰公曰清／国之政要，兴废在人／多端寡要，好谋无决／辞尚体要，不惟好异／革俗之要，实在敦学／明主好要，而暗主好详／凡听言，要先知言者人品／知之之要，未若行之之实／原始以要终，虽百世可知也／少年人要心忙，忙则摄浮气／老年人要心闲，闲则乐余年／除害之要，在于去之，不在南北／兴利之要，在于致之，不在于多少／为情者要约而写真，为文者淫丽而烦滥／词澹语要有味，壮语要有韵，秀语要有骨／为政之要，惟在得人。用非其才，必难致治／观书贵要，观要贵博，博而知要，万流可一

❺大厦如倾要梁栋／……居官之七要／事在四方，要在中央／任人之道，要在不疑／读书趋简要，害说去杂冗／好书而不要诸仲尼书肆也／然饰穷其要，则心声锋起／达治乱之要者，遏将来之患／宇宙内事，要担当，又要善摆脱／锄奸杜倖，要放他一条去路……／事难行，故要敏；言易出，故要慎／当事有四要：际畔要果决，怕是绵／生民之本，要当稼穑而食，桑麻以衣／立法之大要……邪人痛其祸而悔其行／荆玉含宝，要俟开莹；幽兰怀馨，事资扇发／学不必博，要之有用；仕不必达，要之无愧／治天下之要，存乎除奸；除奸之要，存乎治官／济世经邦，要段云水的趣味，若有贪着，便堕危机

❻不知音，莫语要／柔弱者，道之要也／立志要高，不要卑／诗要避俗，更要避熟／存亡祸福，其要在身／书不必多看，要知其约／士不必贤世，要之知道／将相神仙，也要凡人做／浴不必江海，要之去垢／女不必贵种，要之贞好／马不必骐骥，要之善走／处富贵之时，要知贫贱的痛痒／立片言而居要，乃一篇之警策／理贵在于

得要兮，事终成于会机／但见无为为要妙，岂知有作是根基／立志要定，不要杂；要坚，不要缓／凡王者之德……要于其当，不可使易也／言虽多而不要其中，文虽奇而不济于用／强弱成败之要，在乎附士卒、教习之而已／一切言动，都要安详；十差九错，只为慌张／读书做人，先要立志。志患不立，尤患不坚／观书贵要，观要贵博，博而知要，万流可一／学者必务知要，知要则能守约，守约则足以尽博矣

❼世上无难事，只要肯登攀／功成行满之士，要观其末路／立业建功，事事要从实地着脚／未遇明师，而求要道，未可得也／为学第一工夫，要降得浮躁之气定／记事者必提其要，纂言者必钩其玄／纪事者必提其要，纂言者必钩其玄／其叙事也该而要，其缀采也雅而泽／事少而功多，守要也；身逸而国治，用贤也／待人要丰，自奉要约；责己要厚，责人要薄／言虽简略，理皆要害，故能疏而不遗，俭而无阙

❽政贵有恒，辞尚体要／养气要使完，处身要使端／叙事之工者，以简要为主／学者须是务实，不要近名／攻人之恶毋太严，要思其堪受／大凡做一件事，就要当一件事／处事不可任己见，要悉事之理／处人不可任己意，要悉人之情／牡丹花儿虽好，还要绿叶儿扶持／藜羹麦饭冷不尝，要足平生五车读／当事有四要：际畔要果决，怕是绵／贪日得则鼓刀利，要岁计而韫椟多／立志要定，不要杂；要坚，不要缓／粉骨碎身全不怕，要留青白在人间／学者必务知要，知要则能守约，守约则足以尽博矣

❾圣贤之学，以日新为要／居身务期俭朴，教子要有义方／与人相处之道，第一要谦下诚实／宇宙内事，要担当，又要善摆脱／当轩不是怜苍翠，只要人知耐岁寒／欧阳当日文名重，更要推敲畏后生／不名一格，不专一体，要不失乎为我之诗／词澹语要有味，壮语要有韵，秀语要有骨

❿学之之博，未若知之之要／知杀而不知生者，反地之要也／和平之音淡薄，而秋思之声要妙／事难行，故要敏；言易出，故要慎／人生富贵岂有极？男儿要在能死国／纸上得来终觉浅，绝知此事要躬行／成败极知无定势，是非元自要徐观／礼者，以财物为用……以隆杀为要／痴儿不了公家事，男子要为天下奇／立志要定，不要杂；要坚，不要缓／能之为能之，不能为不能，行之要也／厚者不损人以自益，仁者不危躯以要名／交友须带三分侠气，作人要存一点素心／闻《宿紫阁村》诗，则握军要者切齿矣／智者不危众以举事，仁者不违义以要功／责恶要为人留余步，劝善要思其势可从／厚者不毁人以自益也，仁者不危人以要名／词澹语要有味，壮语要有韵，秀语要有骨／君子笃于礼而薄于利，要其人而不要其土／车之所以能转千里者，以其要在三寸之辖／为学之道莫先于穷理，穷理之要必在于读书／人生贵得适意尔，何能羁宦数千里以要名爵／人之立身，所贵者惟在德行，何必要论荣贵／观书贵要，观要贵博，博而知要，万流可一／山虽高，水虽下，其为险而害也，要之不异／待人要丰，自奉要约；责己要厚，责人要薄／处逆境心须用开拓法，处顺境心要用收敛法／道假辞而明，辞假书而传，要之之道而已耳／存身之道莫急乎养神，养神之要莫甚乎素然／学不必博，要之有用；仕不必达，要之无愧／为道不在多，自为已有金丹至要，可不用余耳／谋臣良将，何代无之；贵在见知，要在见用耳／圣人之行虽不必同，然其要归，在洁其身而已／治天下之要，存乎除奸；除奸之要，存乎治官／五寸之键制开阖之门，岂其才巨小哉，所居要也／不待相见，相信已熟；既相见，不要约，已相亲／人生寄一世，奄忽若飙尘；何不策高足，先据要路津／建天下之大事功者，全要眼界大，眼界大则识见自别／君子之学，不为则已，为则必要其成，故常百倍其功／虽有忧勤之心，而不知致治之要，则心愈劳而事愈乖／今且须去理会眼前事，那个鬼神事，无形无影，莫要枉费心力

威

wēi 使人敬畏；凭借、使用威力；尊严；震惊；刑罚；通“畏”。

❶威愈多，民愈不用

见《吕氏春秋·离俗览·用民》。全句为：“人主之不肖者，有似于此。不得其道，而徒多其威。～。亡国之主，多以多威使其民矣。故威不可无有，而不可专恃”。

威天下不以兵革之利

见《孟子·公孙丑下》。全句为：“域民不以封疆之界，固国不以山溪之险，～”。

威行如秋，仁行如春

见唐·韩愈《与凤翔邢尚书书》。

威不可立也，惟公则威

见宋·苏轼《王彭知婺州孙昌龄知苏州岑象求知果州》。全句为：“～；明不可作也，惟虚则明”。

威之以法，法行则知恩

见三国·蜀·诸葛亮《答法正书》。全句为：“～，限之以爵，爵加则知荣，恩荣并济，上下有节”。

威加四海，而屈于匹夫

见宋·苏轼《上神宗皇帝书》。全句为：“智出天下，而听于至愚；～”。

威德相济，而后王业成

见明·罗贯中《三国演义》第六十六回。全句为：“用武则先威，用文则先德；～”。

威猛之能，豪杰之材也

见三国·魏·刘劭《人物志·材能》。全句为："～。故在朝也则将帅之任，为国则严厉之政"。

威与信并行，德与法相济

见宋·苏轼《张世矩再任镇戎军》。

威不可无有，而不可专恃

见《吕氏春秋·离俗览·用民》。全句为："人主之不肖者，有似于此。不得其道，而徒多其威。威愈多，民愈不用。亡国之主，多以多威使其民矣。故～"。

威强以自御，力损则身危

见南朝·宋·范晔《后汉书·杜林传》。全句为："～；饰诈以图己，诈穷则道屈"。

威柄不以放下，利器不可假人

见南朝·宋·范晔《后汉书·丁鸿传》。

威立则恶者惧，化行则善者劝

见宋·刘清之《戒子通录》。全句为："显罚以威之，明赏以化之。～"。

威严不先行于己，则人怨而不服

见宋·朱熹《近思录·家道类》。

威猛之政宜于讨乱，以之治善则暴

见三国·魏·刘劭《人物志·材能》。

威恩参用以成化，文武相资以定业

见唐·王勃《平台秘略论十首·忠武》。

威赫赫爵禄高登，昏惨惨黄泉路近

见清·曹雪芹《红楼梦》第五回。

威严不足以易于位，重利不足以变其心

见《战国策·赵策二》。

威权外假，归之良难，虎翼一奋，卒不可制

见南朝·宋·范晔《后汉书·翟酺传》。

威不能复制民，民不能堪其威，则上下大溃矣

见三国·魏·王弼《老子》七十二注。

威有三：有道德之威者，有暴察之威者，有狂妄之威者

见《荀子·强国》。全句为："～。此三威者，不可不孰察也"。

威太甚则爱利之心息，爱利之心息而徒疾行威，身必咎矣

见《吕氏春秋·离俗览·用民》。全句为："爱利之心谕，威乃可行。～，此殷、夏之所以绝也"。

威有三术，有道德之威者，有暴察之威者，有狂妄之威者

见汉·韩婴《韩诗外传》卷六。

❷不威小，不惩大／以威胜，不如以德胜／德威惟畏，德明惟明／扬威以弭乱，震武以止暴／恃威网以使物者，治之衰也／非威何畏，非德何怀；不畏不怀，何以成霸

❸不作威，不作福，靡有后羞／父母威严而有慈，则子女畏慎而生孝矣／今兵威已振，譬如破竹，数节之后，皆迎刃而解

❹怒而无威者犯／道德之威成乎安强／暴察之威成乎危弱／民不畏威，则大威至／狂妄之威成乎灭亡也／非德之威，虽猛而人不畏／德盛者威广，力盛者骄众／显罚以威之，明赏以化之／立武以威众，诛恶以禁邪／兵也者，威也；威也者，力也／势在则威无不加，势亡则不保一身／暴察之威成乎危弱，狂妄之威成乎灭亡也／德而不威，其国外削；威而不德，其民内溃／道德之威成乎安强，暴察之威成乎危弱，狂妄之威成乎灭亡也

❺文武俱行，威德乃成／无依势作威，无倚法以削／勇者取其威，怯者取其慎／法重于民，威权贵于爵禄／用武则先威，用文则先德／貌重则有威，好重则有观／有杀人之威而下不惧，有生人之惠而下不喜／爱故不二，威故不犯；故善将者，爱与威而已

❻不战而强，不威而武／见势不趋，见威不惕／爱利之心谕，威乃可行／将以诛大为威，以赏小为明／兵也者，威也；威也者，力也／乐高喜大，负威任势，亡忧失畏，不求于己也

❼不君不静则失威／君子不重则不威／民不畏威，则大威至／有文无武，无以威下／文能附众，武能威敌／为相者不敢恃威以济欲／强怒者虽严不威，强亲者虽笑不和／鞭駃宁越以立威名，恐非致理之本／智力不能接，而威德不能运者，谓之二

❽赏厚而利，刑重而威必／为国者无使为积威之所劫哉／亡国之主，多以多威使其民矣／不言而信，不怒而威，师之谓也／惟辟作福，惟辟作威，惟辟玉食／功冠天下者不安，威震人主者不全／大风起兮云飞扬，威加海内兮归故乡／兵戢而时动，动则威，观则玩，玩则无震／兵不可玩，玩则无威；兵不可废，废则召寇／叛而不讨，何以示威；服而不柔，何以示怀／兵静则固，专一则威，分决则勇，心疑则北，力分则弱／威有三：有道德之威者，有暴察之威者，有狂妄之威者

❾严令繁刑不足以为威／威不可立也，惟公则威／效小节者，不能行大威／天有和，有德，有平，有威……／墉基不可仓卒而成，威名不可一朝而立／德而不威，其国外削；威而不德，其民内溃／财须民生，强赖民力，威恃民势，福由民殖／爵尊天下，富有四海，威势无量，专权擅柄／威有三术，有道德之威者，有暴察之威者，有狂妄之威者

❿不从桓公猎，何能伏虎威／不言而教行，何为而不威／王者以仁义为丽，道德为威／不傲才以骄人，不以宠而作威／德积而民可用，怒畜而

威可立／形见则胜可制，力罢则威可立／爵禄以养其德，刑罚以威其恶／倍仁义而贪名实者，不能威当世／闻忠善以损怨，不闻作威以防怨／我闻忠善以损怨，不闻作威以防怨／吾闻忠善以损怨，不闻作威以防怨／秋者，天之平也；冬者，天之威也／奉职顺道，亦可以为治，何必威严哉／是故德之所施者博，则威之所行者远／富贵不能淫，贫贱不能移，威武不能屈／赏无度则费而无恩，罚无度则戮而无威／其处上也，足以明政行教，不以威天下／暴察之威成乎危弱，狂妄之威成乎灭亡也／居官有二语，曰：唯公则生明，唯廉则生威／克明德慎罚，不敢侮鳏寡，庸庸，祗祗，威威／真悲无声而哀，真怒未发而威，真亲未笑而和／威不能复制民，民不能堪其威，则上下大溃矣／爱故不二，威故不犯；故善将者，爱与威而已／一人所以能敌万人者，非弓刀之技，盖威之至也／人主之不肖者，有似于此。不得其道，而徒多其威／威有三：有道德之威者，有暴察之威者，有狂妄之威者／惠而不费，劳而不怨，欲而不贪，泰而不骄，威而不猛／使智惠之人治国之政事，必远道德，妄作威福，为国之贼／威太甚则爱利之心息，爱利之心息而徒疾行威，身必咎矣／威有三术，有道德之威者，有暴察之威者，有狂妄之威者／政有三品：王者之政化之，霸者之政威之，强国之政胁之／君子惠而不费，劳而不怨，欲而不贪，泰而不骄，威而不猛／道德之威成乎安强，暴察之威成乎危弱，狂妄之威成乎灭亡也

娆 ①rǎo 烦扰，扰乱。②ráo［娆娆］妩媚、柔弱的样子。

❿须晴日，看红装素裹，分外妖娆

姻 yīn 男女结成夫妻关系；因婚姻而发生的亲戚关系。

❶姻缘棒打不回

见清·曹雪芹《红楼梦》第九十回。

❷婚姻勿贪势家／是姻缘棒打不回／婚姻，祸福之阶也／婚姻论财，夷虏之道

❸千里姻缘一线牵

娇 jiāo 柔美可爱；指美女；娇气；过分宠爱。

❸化作娇莺飞归去，犹认纱窗旧绿

❻江山如此多娇，引无数英雄竞折腰

❿运穷君子拙，家富小儿娇

娈 luán 美好貌；同"恋"。

❹万夫婉娈，非俟西子之颜

姿 zī 身体的形态、样子；容貌；通"资"，资质。

❷神姿高彻，如瑶林琼树，自然是风尘外物

❹嫫母饰姿而夸矜，西子彷徨而无家／飒爽英姿五尺枪，曙光初照演兵场／蒲柳之姿，望秋而落；松柏之质，经霜弥茂

❺文理自然，姿态横生／不学夭桃姿，浮荣有俄顷／虽无玄豹姿，终隐南山雾／怀此贞秀姿，卓为霜下杰

❻劲翮挥风，雄姿触雾

❽尤虚之人硕言瑰姿，内实乖反

❿禀正直之性，怀刚毅之姿／尤妙之人含精于内，外无饰姿／鸾凤骞翔而变态，烟云舒卷以呈姿／万木僵仆，梅英再吐，玉立冰姿，不易厥素

姜 jiāng 用于调味的草本植物；姓；［姜黄］中药。

❿虽有丝麻，无弃菅蒯；虽有姬姜，无弃蕉萃

姬 jī 古代对女性的美称；旧时称妾；汉朝宫中女官；古代以乐舞为业的年轻女子；通"居"，坐；姓。

❹毛嫱、丽姬，人之所美也……麋鹿见之决骤

❿腊天日短不盈尺，何似妖姬一曲歌／虽有丝麻，无弃菅蒯；虽有姬姜，无弃蕉萃

娱 yú 欢乐；使人快乐。

❼年衰无酒食之娱，性拙无博弈之艺

❽穷睇眄于中天，极娱游于暇日

❿天下无正声，悦耳即为娱／陶匏异器，并为人耳之娱／衡门之下，有琴有书，载弹载咏，爰得我娱／上古明王举乐者，非以娱心自乐，快意恣欲，将欲为治也／仰观宇宙之大，俯察品类之盛，所以游目骋怀，足以极视听之娱

娟 juān 秀丽。

❶娟娟明月照清秋

见宋·詹羲《游武夷》。

❸眉联娟以蛾扬兮，朱唇的其若丹

❽人何在？桂影自婵娟

❿但愿人长久，千里共婵娟

娥 é 女子姿态美好；指美女。

❸皓齿娥眉，命曰伐性之斧

❹寂寞嫦娥舒广袖，万里长空且为忠魂舞

❼朱门日日买朱娥，军事如何，民事如何

娘 niáng 母亲；称亲戚中与母亲一辈的已婚妇女或年纪较大的妇女；对妇女的泛称。

❷徐娘半老，风韵犹存

❹一日叫娘，终身是母

婴 yīng 婴儿；缠绕。

❶婴儿有常病，贵臣有常祸

见汉·王符《潜夫论·忠贵》。全句为："～，父母有常失，人君有常过"。

婴儿以不知益，高年以多事损

见汉·严遵《道德指归论·知不知篇》。

❸三月婴儿，生而徒国，则不能知其故俗

❹视卒如婴儿，故可与之赴深溪

❼教妇初来，教儿婴孩

❾圣人爱念百姓，如孩婴赤子长养之

婚 hūn 妇家；男女正式结为夫妇；男子娶妻。

❶婚姻勿贪势家

见北齐·颜之推《颜氏家训·止足篇》。

婚姻，祸福之阶也

见《国语·周语中》。

婚姻论财，夷虏之道

见隋·王通《文中子》。

❹同姓不婚，恶不殖也／男大须婚，女大必嫁

婵 chán[婵娟]美女，美貌；月亮。[婵连]牵连，引申为亲族；[婵媛]眷恋；牵连；姿态美好。

❼人何在？桂影自婵娟

❾但愿人长久，千里共婵娟

婉 wǎn 温和；言语委婉；美好；顺从；亲爱；简约。

❶婉而成章，尽而不污，惩恶而劝善

见《左传·成公十四年》。

❸万夫婉娈，非俟西子之颜／语微婉而多切，言流靡而不淫

❺翩若惊鸿，婉若游龙

❾结体散文，直而不野，婉转附物，惆怅切情

媒 ①méi 介绍婚姻；在事物之间起联系作用者。②mèi[媒媒]昏暗不明。

❺景乃诗之媒，情乃诗之胚

❼委任不一，乱之媒也；监察不止，奸之府也／亲父不为其子媒。亲父誉之，不若非其父者也

❽见誉而喜者，佞之媒也

❿洞房清宫，命曰寒热之媒／何秋日之可哀，托芙蓉以为媒／不把黄金买画工，进身羞与自媒同／快心之事，悉败身丧德之媒，五分便无悔／伐柯如何？匪斧不克。取妻如何？匪媒不得

媪 ǎo 妇女的通称；对老年妇女的敬称。

❷翁媪饥雷常转腹，大儿嗷嗷小儿哭

嫂 sǎo[嫂子]兄之妻；称与自己年龄相仿的已婚妇女。

❶嫂溺援之以手者，权也

见《孟子·离娄上》。全句为："男女授受不亲，礼也；～"。

❽桓公小白杀兄入嫂，而管仲为臣

媚 mèi 有意讨好、巴结别人；美丽，惹人喜爱。

❷谗媚之言甘，贤良之言直

❹真文不媚时，甘受人弹弋

❺不曲道以媚时，不诡行以徼名

❻掩袖工谗，狐媚偏能惑主／罢去浮巧轻媚丛错采绣之文／非独女以色媚，而士宦亦有之

❽俯偻匍匐，啖恶求媚，舐痔自亲，美言谄笑

❿点画皆有筋骨，字体自然雄媚／石韫玉而山辉，水怀珠而川媚／与贤豪相对，最不可有媚悦之色／慎简乃僚，无以巧言令色、便辟侧媚／正言不发，万口如封，谄媚相与，千颜一容／行世者必真，悦俗者必媚，真久必见，媚久必厌／凡敢为大奸者，材必有过于众，而能自媚于上者也

婿 xù 丈夫；妹妹、女儿及其他晚辈的丈夫。

❷公婿公孙，与民同门，暴傲其邻者，可亡也

❺嫁女择佳婿，毋索重聘

❿忽见陌头杨柳色，悔教夫婿觅封侯

媾 gòu 重叠交互为婚姻；交合；讲和，求和；宠爱，厚待。

❿不与凶人为仇，不与吉人为亲，不与诚人为媾，不与诈人为怨

嫫 mó 用于人名。[嫫母]传说中的丑妇。

❶嫫母有所美，西施有所丑

见汉·刘安《淮南子·说山》。

嫫母倭傀，善誉者不能掩其丑

见汉·王褒《四子讲德论》。全句为："毛嫱西施，善毁者不能蔽其好；～"。

嫫母饰姿而夸矜，西子彷徨而无家

见汉·桓宽《盐铁论·大论》。

❿良师不能饰戚施，香泽不能化嫫母

媲 pì 比得上，可以相比。

❽险语破鬼胆，高词媲皇坟

媵 yìng 古代诸侯嫁女时陪嫁的女子；泛指随嫁之人；陪送。

❻绝笔之言，追媵前句之旨

嫉 jí 忌妒；憎恨。

❶嫉恶如仇雠，见善若饥渴

见唐·韩愈《举张正甫自代状》。

嫉贪佞之洿浊兮，曰吾其既劳而后食

见唐·韩愈《复志赋》。

❹毁生于嫉，嫉生于不胜／入门见嫉，蛾眉不肯让人

❺激浊扬清，嫉恶好善／毁生于嫉，嫉生于不胜／功高人共嫉，事定我当烹／世溷浊而嫉贤兮，好蔽美而称恶

❿桑椹甘香，鸱鸮革响，淳酪养性，人无嫉心／女无美恶，入宫见妒。士无贤不肖，入朝见嫉

嫌 xián 被怀疑有某种行为；不满意；怨恨；近似。

❷莫嫌一点苦，便拟弃莲心／因嫌纱帽小，致使锁枷扛／莫嫌举世无知己，未有庸人不忌才

❸发少嫌梳利，颜衰恨镜明／君好嫌，臣好逸……此弱国之风也

❹贵贱不嫌同号，美恶不嫌同辞／有梦常嫌去远，无书可恨来迟／臂健尚嫌弓力软，眼明犹识阵云高／易生之嫌，不足贬也；易为之誉，不足多也

❺不善使船嫌溪曲

❻当轴者易生嫌，而退身者易为誉／尽诚可以绝嫌猜，徇公可以弭谗诉

❼百乱之源，皆出嫌疑

❽君子防未然，不处嫌疑间

❾君子能受纤微之小嫌，故无变斗之大讼／礼者，所以定亲疏、决嫌疑、别同异、明是非也

❿以不善意相待，无不致嫌隙也／贵贱不嫌同号，美恶不嫌同辞／苟得其人，不患贫贱；苟得其材，不嫌名迹／君子防悔尤，贤人戒行藏，嫌疑远瓜李，言动慎毫芒

嫁 jià 女子结婚；转移；往；到。

❶嫁女择佳婿，毋索重聘

见清·朱柏庐《治家格言》。其后为："娶媳求淑女，勿计厚奁"。

❺为他人作嫁衣裳／当年不肯嫁春风，无端却被秋风误

❻何不相逢未嫁时／恨不相逢未嫁时

❽男大须婚，女大必嫁

媸 chī 相貌丑陋。

❷妍媸有定矣，而憎爱异情……

嫱 qiáng 古代宫廷女官名。

❷毛嫱西施，善毁者不能蔽其好／毛嫱、丽姬，人之所美也……麋鹿见之决骤

❺待西施、毛嫱而为配，则终身不家矣

嫩 nèn 新生的，柔弱的，与"老"相对；食物烹制的时间短，容易嚼；阅历少，处事不老练；(颜色)浅淡的。

❽繁枝容易纷纷落，嫩蕊商量细细开／君不见长安女儿嫩如水，十指不动衣罗绮

嫦 cháng[嫦娥]神话传说中月宫里的仙女。

❸寂寞嫦娥舒广袖，万里长空且为忠魂舞

嬉 xī 游戏，玩耍。

❶嬉笑怒骂，皆成文章

见宋·黄庭坚《东坡先生真赞》。

嬉于水而逐鱼鸟之浮沉

见宋·欧阳修《真州东园记》。全句为："升于高以望江山之远近，～"。

❸水禽嬉戏，引吭伸翮

❼业精于勤荒于嬉，行成于思毁于随

❽相臣将臣，文恬武嬉，习熟见闻，以为当然

❿贫民耕而不免于饥，富民坐而饱以嬉／不专一能，怪怪奇奇，不可时施，只以自嬉

嬖 bì 宠爱，宠幸。

❿不党父兄，不偏富贵，不嬖颜色

子 ①zǐ 儿子；幼小的；嫩的；利息；派生的；从属的；人的通称；对男子的美称；第二人称代词的尊称；古代贵族五等爵位的第四等；植物的子实；先秦诸子百家的著作；地支的第一位；十二时辰之一；姓。②zi 作后缀。

❶子贡事孔子……

见汉·王充《论衡·讲瑞篇》。全句为："～，一年自谓过孔子，二年自谓与孔子同，三年自知不及孔子"。

子美集开诗世界

见宋·王禹偁《日长简仲咸》。

子入太庙，每事问

见《论语·八佾》。

子能知一，万事毕

见《西升经·无思章》。

子非鱼，安知鱼之乐

见《庄子·秋水》。

子以母贵，母以子贵

见《公羊传·隐公元年》。

子如不忧，忧日以生

见唐·柳宗元《忧箴》。

子胥沉江，比干剖心

见《庄子·盗跖》。

子不语怪、力、乱、神

见《论语·述而》。

子之所慎：斋、战、疾

见《论语·述而》。

子系中山狼，得志便猖狂

见清·曹雪芹《红楼梦》第五回。

子孙日已长，世世还复然

见唐·柳宗元《田家三首》之一。全句为："尽输助徭役，聊就空自眠。～"。

子以四教：文、行、忠、信

见《论语·述而》。

子男由胥徒以出，皆鹤而轩

见唐·刘禹锡《因论·讯甿》。全句为："牧守由将校以授，皆虎而冠。～"。

子不能治子之身，恶能治国政

见《墨子·公孟》。

子在齐闻《韶》，三月不知肉味

见《论语·述而》。

子绝四：毋意，毋必，毋固，毋我

见《论语·子罕》。

子规夜半犹啼血，不信东风唤不回

见宋·王令《春晚二首》之一。

子谓《韶》，“尽美矣，又尽善也”

见《论语·八佾》。

子在川上曰：逝者如斯夫！不舍昼夜

见《论语·子罕》。

子路人告之以有过则喜，禹闻善则拜

见《孟子·公孙丑上》。

子为王，母为虏，终日舂薄暮，常与死为伍

见汉·班固《汉书·外戚传》。

子有钟鼓，弗鼓弗考；宛其死矣，他人是保

见《诗·唐风·山有枢》。

子所雅言，《诗》、《书》、执礼，皆雅言也

见《论语·述而》。

子贡问君子。子曰：“先行，其言而后从之”。

见《论语·为政》。

子美……尽得古今之体势，而兼人人之所独专矣

见唐·元稹《唐故工部员外郎杜君墓系铭序》。删节处为：“盖所谓上薄风、骚，下该沈、宋，言夺苏、李，气吞曹、刘，掩颜、谢之孤高，杂徐、庾之流丽”。

子思以为鼎肉使己仆仆尔亟拜也，非养君子之道也

见《孟子·万章下》。

❷君子无所争／知子莫若父／游子悲故乡／君子不为苛察／君子以虚受人／君子贞而不谅／君子诚之为贵／君子所其无逸／君子爱人以德／君子羞言利名／竖子不足与谋／男子要为天下奇／莲子已成荷叶老／君子不重则不威／君子不鼓不成列／君子不困人于阨／君子不欲多上人／君子反经而已矣／君子周急不继富／君子之教，喻也／君子以直道待人／君子以厚德载物／君子以果行育德／君子以文明为德／君子以钟鼓道志／君子谋道不谋富／君子问灾不问福／君子有死而无贰／君子必慎其独也／君子耳不听淫声／女子无才便有德／眸子不能掩其恶／夫子循循然善诱人／君子不亮，恶乎执／君子不夺人之所好／君子之行仁也无厌／君子之学，贵慎始／君子养心莫善于诚／君子受言以达聪明／君子忧道，不忧贫／君子慎始而无后忧／君子恶名之溢于实／之子于归，宜其室家／以子之矛，陷子之盾／帝子亲王，必须克己／君子不可以不刳心焉／君子失心，鲜不夭昏／君子之学，死而后已／君子之言，信而有征／君子以思患而豫防之／君子使物，不为物使／君子交绝，不出恶声／君子莫大乎与人为善／君子宅情，无求于显／君子安贫，达人知命／君子寡尤，小人多怨／君子远使之而观其忠／君子道长，小人道消／君子居之，何陋之有／君子约言，小人先言／君子绝交，不出恶言／君子耻其言而过其行／君子贵建本而重立始／君子欲讷，吉人寡辞／君子盛德，容貌若愚／行子肠断，百感凄恻／妇子嘻嘻，失家节也／孝子不匮，永锡尔类／父子无礼，其家必凶／才子多傲，傲便不是才／夫子之道，忠恕而已矣／无子非孤，无德乃为孤／孔子以诗书礼乐教……／君子不犯辱，况于刑乎／君子不镜于水而镜于人／君子可欺也，不可罔也／君子中庸，小人反中庸／君子出处不违道而无愧／君子之治，必先死于国／君子之学也，以美其身／君子以慎言语，节饮食／君子能行是，不能御非／君子居其位则思死其官／君子引而不发，跃如也／君子耻不修，不耻见污／君子见过忘罚，故能谏／君子有徽猷，小人与属／君子有远虑，小人从迩／君子欲讷于言而敏于行／君子疾没世而名不称焉／父子不信，则家道不睦／夫子何为者，栖栖一代中／夫子步亦步，夫子趋亦趋／天子好年少，无人荐冯唐／天子好美女，夫妇不成双／天子好征战，百姓不种桑／孔子罕称命，盖难言之也／孔子读《易》，韦编三绝／弃子逐妻，以求口食……／君子与小人，并处必为患／君子无终食之间违仁……／君子无易由言，耳属于垣／君子不为苟存，不为苟亡／君子求诸己，小人求诸人／君子内省不疚，无恶于志／君子之于人才，无所不取／君子之于物，无所苟而已／君子之祥也，以政不以怪／君子以行言，小人以舌言／君子以文会友，以友辅仁／君子以礼正外，以乐正内／君子直而不挺，曲而不诎／君子交有义，不必常相从／君子亦仁而已矣，何必同／君子防未然，不处嫌疑间／君子能勤小物，故无大患／君子难进易退，小人反是／君子坦荡荡，小人长戚戚／君子小过，则白玉之微瑕／君子尚消息盈虚，天行也／君子喻于义，小人喻于利／君子固穷，小人穷斯滥矣／君子行正气，小人行邪气／君子行法，以俟命而已矣／君子得意而忧，逢喜而惧／君子淡以亲，小人甘以绝／君子淡以成，小人甘以坏／君子进德修业，欲及时也／君子遗人以财，不若善言／君子忌苟合，择交如求师／君子如春风，可爱不可竭／君子贵知足，知足万虑轻／君子见几而作，不俟终日／君子矜而不争，群而不党／君子笃于亲，则民兴于仁／君子食无求饱，居无求安／哑子尝黄柏，苦味自家知／游子久不归，不识陌与阡／遗子黄金满籯，不如一经／易子而食之，析骸而炊之／感子漂母惠，愧我非韩才／鹞子经天飞，群雀

两向波／谷子云笔札，楼君卿唇舌／天子作民父母，以为天下王／孔子圣人，其学必始于观书／君子一教，弟子一学，亟成／君子于其所不知，盖阙如也／君子于其言，无所苟而已矣／君子不畏虎，独畏谗夫之口／君子生非异也，善假于物也／君子之中庸也，君子而时中／君子之为书，犹工人之作器／君子之仕，不以高下易其心／君子之守，修其身而天下平／君子之过也，如日月之食焉／君子以遏恶扬善，顺天休命／君子行义，不为莫知而止休／君子惧失仁义，小人惧失利／君子道其常，而小人计其功／君子好人之好，而忘己之好／君子时诎则诎，时伸则伸也／君子致其道德，而福禄归焉／君子服人之心，不服人之言／夫子焉不学？而亦何常师之有／为子孙作富贵计者，十败其九／孔子成《春秋》而乱臣贼子惧／介子推至忠也……抱木而燔死／君子不为小人之匈匈也，辍行／君子不以言举人，不以人废言／君子不谓小善不足为也而舍之／君子不掩人之功，不蔽人之善／君子不待褒而劝，不待贬而惩／君子乐得其道，小人乐得其欲／君子周而不比，小人比而不周／君子之于人，无不欲其入于善／君子之不骄，虽暗室不敢自慢／君子之志于道也，不成章不达／君子之接如水，小人之接如醴／君子之学也，其可一日而息乎／君子之所取者远，则必有所待／君子之穷通，有异乎俗者也。／君子之言也，不下带而道存焉／君子以义相褒，小人以利相欺／君子以俭德辟难，不可荣以禄／君子以其身之正，知人之不正／君子诚仁，施亦仁，不施亦仁／君子能为善，而不能必得其福／君子扬人之善，小人讦人之恶／君子和而不同，小人同而不和／君子虽在他乡，不忘父母之国／君子得之固躬，小人得之轻命／君子得时如水，小人得时如火／君子杀民如杀身，活人如活己／君子相送以言，小人相送以财／君子易知而难狎，易惧而难胁／君子泰而不骄，小人骄而不泰／君子责人则以人，自责则以义／君子有终身之忧，无一朝之患／宠子未有不骄，骄子未有不败／遗子黄金满籯，不如教子一经／孙子非汝有，是天地之委蜕也／孝子疑于屡至，市虎成于三夫／爱子，教之以义方，弗纳于邪／天子之怒，伏尸百万，流血千里／君子可欺以其方，难罔以非其道／君子之度已则以绳，接人则用抴／君子为国，正其纲纪，治其法度／君子以多识前言往行，以畜其德／君子修道立德，不为穷困而改节／君子尊贤而容众，嘉善而矜不能／君子能为可贵，不能使人必贵己／君子小人之分，义与利之间而已／君子当有所好恶，好恶不可不明／君子固当亲，然亦不可曲为附和／君子得时则大行，不得时则龙蛇／君子多欲则贪慕富贵，枉道速祸／君子慎始，差若毫厘，缪之千里／君子如欲化民成俗，其必由学乎／君子所役心劳神，宜于大者远者／君子有失其所兮，小人有得其时／君子思过而预防之，所以有诫也／君子恶居下流，天下之恶皆归焉／狼子野心，是乃狼也，其可畜乎／孪子之相似者，唯其母知之而已／天子呼来不上船，自称臣是酒中仙／天子者，养尊而处优，树恩而收名／弟子不必不如师，师不必贤于弟子／养子不教父之过，训导不严师之惰／君子无小人则饥，小人无君子则乱／君子不得已而临莅天下，莫若无为／君子不怀暴君之禄，不处乱国之位／君子不恤年之将衰，而忧志之有倦／君子可招而不可诱，可弃而不可慢／君子之于世，无去无就，惟道是从／君子之交淡若水，小人之交甘若醴／君子之学也，藏焉修焉，息焉游焉／君子之学进于道，小人之学进于利／君子之……所就者大，则必有所忍／君子之言寡而实，小人之言多而虚／君子为国……故旷日长久而社稷安／君子直道而行，知必屈辱而不避也／君子任职则思利民，达上则思进贤／君子先择而后交，小人先交而后择／君子志于泽天下，小人志于荣其身／君子择交莫恶于易与，莫善于胜己／君子知自损之为益，故功一而美二／君子独立不惭于影，独寝不惭于魂／君子违难不适仇国，交绝不出恶声／君子居易以俟命，小人行险以徼幸／君子学道则爱人，小人学道则易使／君子者，性非绝世，善自托于物也／君子有三戒：少之时……戒之在得／君子有九思：视思明……见得思义／君子有力于民则进爵禄，不辞富贵／君子病无能焉，不病人之不己知也／教子弟求显荣，不如教子弟立品行／孔子曰：德之流行，速于置邮而传命／今子使万里外国，独无几微出于言面／墨子见衢路而哭之，悲一跬而缪千里／君子不受虚誉，不祈妄福，不避死义／君子不责人所不及……不苦人所不好／君子之于人也，苟有善焉，无所不取／君子之事上也，进思尽忠，退思补过／君子之去小人，惟能尽去，乃无后患／君子之过，犹日月之蚀也，何害于明／君子之学，或施之事业，或见于文章／君子之恶恶道不甚，则好善道亦不甚／君子之誉，非所谓誉也，其善显焉尔／君子藏正气者，可以远鬼神，伏奸佞／君子崇人之德，扬人之美，非谄谀也／君子慎其实，实之美恶，其发也不掩／君子寡欲则不役于物，可以直道而行／君子所大者生也，所大乎其生者时也／天子之所是未必是，天子之所非未必非／生子当如孙仲谋，刘景升儿子若豚犬耳／弟子盖三千焉，身通六艺者七十有二人／君子不言，言必有中，不行，行必有称／君子可以寓意于物，而不可以留意于物／君子计行虑义；

小人计行其利，乃不利／君子能受纤微之小嫌，故无变斗之大讼／君子藏器于身，待时而动，何不利之有／君子富，好行其德；小人富，以适其力／君子遵道而行，半途而废，吾弗能已矣／君子好闻过而无过，小人恶闻过而有过／君子好成物，故吉；小人好败物，故凶／君子成人之美，不成人之恶。小人反是／君子戒慎乎其所不睹，恐惧乎其所不闻／君子日孳孳以成辉，小人日怏怏以至辱／君子有机以成其善，小人有机以成其恶／君子思义而不虑利，小人贪利而不顾义／管子以小辱成大荣，苏秦以百诞成一诚／吾子荀自择之，取某事，去某事，则可矣／君子于细事，未必可观，而材德足以重任／君子与小人不两立，而小人与君子不同谋／君子不以功轻人之身，不为彼功诎身之理／君子非不见贵，然小人亦得厕其间时而用／君子非仁义无以生，失仁义则失其所以生／君子之修身也，内正其心，外正其容而已／君子之爱人也以德，细人之爱人也以姑息／君子居其室，出其言善，则千里之外应之／君子如嘉禾也，封殖之甚难，而去之甚易／君子所求于人者薄，而辨是与非也无所苟／君子笃于礼而薄于利，要其人而不要其土／天子曰崩，诸侯曰薨，大夫曰卒，士曰不禄／男子疾耕不足于粮饷，女子纺绩不足于帷幕／男子疾耕不足于糟糠，女子纺绩不足于盖形／君子不失足于人，不失色于人，不失口于人／君子百是，必有一非；小人百非，必有一是／君子之为言也，度可行于己，然后可责于人／君子之德风，小人之德草。草上之风，必偃／君子博学而日参省乎己，则知明而行无过矣／君子务知大者、远者，小人务知小者、近者／君子能罪己，斯罪人也；不报怨，斯报怨也／君子怀德，小人怀土；君子怀刑，小人怀惠／君子怀德，小人怀土；贤士徇名，贪夫死利／君子惟道是贵，惟德是守，所以能万世不朽／君子见人之厄则矜之，小人见人之厄则幸之／君子敬以直内，义以方外；敬义立而德不孤／君子有三畏：畏天命，畏大人，畏圣人之言／君子有诸己而后求诸人，无诸己而后非诸人／孝子不谀其亲，忠臣不谄其君，臣子之盛也／爱子不教，犹饥而食之以毒，适所以害之也／以子所长，游于不用之国，欲使无穷，其可得／孔子曰：诎寸而信尺，小枉而大直，吾为之也／君子不特贵乎才略之优，而尤贵乎用之得其当／君子之治人也，即以其人之道，还治其人之身／君子之所贵者，迁善惧其不及，改恶恐其有余／君子务本，本立而道生。孝弟也者，其仁之本／君子耻食其食而无其功，耻服其服而不知其事／君子敬其在己者而不慕其在天者，是以日进也／君子有三忧：弗知，可无忧与？……可无忧与／君子用以力学，借困衡为砥砺，不但顺受而已／天子者，有道则人推而为主，无道则人弃而不用／君子与君子以同道为朋，小人与小人以同利为朋／君子不怵乎好，不迫乎恶，恬愉无为，去智与故／君子之道也，造端乎夫妇，及其至也，察乎天地／君子依乎中庸，遁世不见知而不悔，唯圣者能之／君子省众而动，监戒而谋，谋度而行，故无不济／君子居安宜操一心以虑患，处变当坚百忍以图成／君子居必仁，行必义，反仁义而福，君子不有也／君子见利思辱，见恶思诟，嗜欲思耻，忿怒思患／君子有三变：望之俨然，即之也温，听其言也厉／君子之于学，惟日孜孜，毙而后已，惟恐其不及也／君子之道，辟如行远，必自迩；辟如登高，必自卑／君子安其身而后动，易其心而后语，定其交而后求／君子居必择乡，游必就士，所以防邪僻而近中正也／养子弟如养芝兰，既积学以培植之，又积善以滋润之／君子之学，不为则已，为则必要其成，故常百倍其功／君子之学也，入乎耳，箸乎心，布乎四体，形乎动静／君子防悔尤，贤人戒行藏，嫌疑远瓜李，言动慎毫芒／君子小人本无常，行善事则为君子，行恶事则为小人／君子所性，虽大行不加焉，虽穷居不损焉，分定故也／君子之道，不以其所已能者为足，而尝以其未能者为歉／父子有亲，君臣有义，夫妇有别，长幼有叙，朋友有信／孔子谓季氏："八佾舞于庭，是可忍也，孰不可忍也？"／君子之于子，爱之而勿面，使之而勿貌，导之以道而勿强／君子之处世，贵能有益于物耳，不图高谈虚论，左琴右书／君子之处世也，甘恶衣粗食，甘艰苦劳动，斯可以无失矣／君子之自行也，动必缘义，行必诚义，俗虽谓之穷，通也／君子以争途之不可由也，是以越俗乘高，独行于三等之上／君子尊德性而道问学，致广大而尽精微，极高明而道中庸／君子口无戏谑之言，言必有防；身无戏谑之行，行必有检／君子所不至者三：不失色于人，不失口于人，不失足于人／君子之求利也略，其远害也早，其避辱也惧，其行道理也勇／君子避三端：避文士之笔端，避武士之锋端，避辩士之舌端／君子所甚惧者，以申、韩之酷政，文饰儒术，而重毒天下也／君子所以动天地应神明正万物而成王治者，必本乎真实而已／君子有为于天下，惟义而已，不可则止，无苟为，亦无必为／君子惠而不费，劳而不怨，欲而不贪，泰而不骄，威而不猛／君子易事而难说也。说之不以道，不说也；及其使人也，器之／君子之行者有二焉：其未发也，慎而已矣，其既发也，义而已矣／君子知形恃神以立，神须形以存，悟生理之易失，知一过之害生／君子者，易亲而难狎，畏祸而难却，嗜利而不为非，时动而不苟作／君子先慎乎德，有德此有人，有人此有土，有土此有财，有财此有用／孔子曰："吾闻之，古之善御者，执辔如组，两骖如舞，非策之助也"。／君子之言，幽必有验乎明，远必有验乎近，大必有验乎小，微必有验乎著

❸外君子而内小人／非君子不可与语变／睽。君子以同而异／损。君子以惩忿窒欲／困。君子以致命遂志／彼君子兮，不素餐兮／父为子隐，子为父隐／青青子衿，悠悠我心／为君子儒，无为小人儒／韩亡子房奋，秦帝鲁连耻／故君子有不战，战必胜矣／教胄子，直而温，宽而栗／父父，子子……而家道正／为人子者，出必告，反必面／士君子一出口，无反悔之言／萃。君子以除戎器，戒不虞／善教子者，一严之外无他术／爱其子而不教，犹为不爱也／升。君子以顺德，积小以高大／惟君子能由是路，出入是门也／类君子之含道，外蓬蒿而不怍／为人子者，父母存，冠衣不纯素／益。君子以见善则迁，有过则改／挟天子以令天下，天下莫敢不听／宁武子邦有道则智；邦无道则愚／旅。君子以明慎用刑，而不留狱／田成子常杀君窃国，而孔子受币／无君子莫治野人，无野人莫养君子／公输子之巧用材也，不能以檀为瑟／今别子兮归故乡，旧怨平兮新怨长／至于子美，盖所谓上薄风、骚……／挟天子而令诸侯，此诚不可与争锋／挟天子以令诸侯，四海可指麾而定／多男子则多惧，富则多事，寿则多辱／以老子视非老子，而非老子又胡不玄也／内君子而外小人，君子道长，小人道消也／遗腹子之上陇，以礼哭泣之，而无所归心／爱赤子者不慢于保，绝险历远者不慢于御／居君子之位而为庶人之行者，其患祸必至也／古君子志于道，据于德，依于仁，而后艺可游／唯女子与小人为难养也；近之则不孙，远之则怨

❹爱民如子／一朝天子一朝臣／不知其子视其友／有事弟子服其劳／俭以训子孙，智也／千金之子，不死于市／义动君子，利动贪人／厉夜生子，遽而求火／人之有子，须使有业／谦谦君子，卑以自牧／劳谦，君子有终，吉／淑人君子，其仪一兮／宜围棋，子声丁丁然／朝多君子，野无遗贤／焉有君子而可以货取乎／若保赤子，惟民其康乂／贤人遗子孙以廉、以俭／父善教子者，教于孩提／乡无君子，则与云山为友／乱臣贼子，人人得而诛之／古来帝子，生于深宫……／古之君子，交绝不出恶声／坐无君子，则与琴酒为友／各愿贻子孙，永为后世资／运穷君子拙，家富小儿娇／杜甫陈子昂，才名括天地／父父，子子……而家道正／里无君子，则与松柏为友／以非老子视老子，而老子玄／父有争子，则身不陷于不义／古之君子爱其人也则忧其无成／越之西子，善毁者不能闭其美／事大君子当以道，不宜苟且求容悦／千金之子不垂堂，百金之子不骑衡／扫眉才子于今少，管领春风总不如／阁中帝子今何在，槛外长江空自流／适来，夫子时也；适去，夫子顺也／驱妻逐子课工程，虽作人形俱菜色／古之君子，守道以立名，修身以俟时／诚者，君子之所守也，而政事之本也／与其与子孙谋产业，不如教子孙习恒业／良工之子必先为箕，良冶之子必先为裘／良弓之子必先为箕；良冶之子必先为裘／凡为人子之礼，冬温而夏凊，昏定晨省／言行，君子之所以动天地也，可不慎乎／咸以孔子之是非为是非，故未尝有是非耳／于戏君子，人不厌之，死虽千岁，其行可师／不随举子纸上学六韬，不学腐儒穿凿注五经／我为女子，薄命如斯！君是丈夫，负心若此／古之君子，其过也，如日月之食，民皆见之／俭者，君子之德，世俗以俭为鄙，非远识也／今之君子则不然，其责人也详，其待己也廉／小人君子，其心不同，惟乖于时，乃与天通／呱呱之子，各识其亲；譊譊之学，各习其师／欲为君子，终身乃成；欲为小人，一朝可就／言行，君子之枢机；枢机之发，荣辱之主也／古之君子，其责己也重以周，其待人也轻以约／视民如子，见不仁者诛之，如鹰鹯之逐鸟雀也／鞭扑之子，不从父之教；刑戮之民，不从君之政／逊以为子弟苟有才，不忧不用，不宜私出以为荣利／姆抱幼子立侧，眉眼如画，发漆黑，肌肉玉雪可念／君臣父子人间之事谓之义，登降揖让，贵贱有等，亲疏之体，谓之礼

❺子贡事孔子……／父不慈则子不孝／莲，花之君子者也／廉耻，士君子之大节／此六者，君子之弊也／父为子隐，子为父隐／非其义，君子不轻其生／得其所，君子不爱其死／情爱过义，子孙之灾也／慈父之爱子，非为报也／慈母有败子，小不忍也／一笑语儿子，此是却老方／天行健，君子以自强不息／勿使青衿子，嗟尔白头翁／茶为涤烦子，酒为忘忧君／莫寿于殇子，而彭祖为夭／吾爱孟夫子，风流天下闻／门内有君子，门外君子至／恨小非君子，无毒不丈夫／寄语双莲子，须知用意深／居官不爱子民，为衣冠盗／蛇固无足，子安能为之足／凡贤人君子，未尝不思效用／宁过于君子，而毋失于小人／视卒如爱子，故可与之俱死／父母之爱子，则为之计深远／子不能治子之身，恶能治国政／言语者君子之枢机，谈何容易／世乱则君子为奸，而法弗能禁也／人莫知其子之恶，莫知其苗之硕／比干剖心，子胥抉眼，忠之祸也／世俗之君子，皆知小物而不知大物／古之明天子，信其臣而不惑于多言／虽诏于天子，无使北面，所以尊师也／政者，正也。子帅以正，孰敢不正？／世间奇男子，岂可以世俗趣舍量其心乎／圣智至

孔子而极其盛，不过举条理以言之而已矣／君子与君子以同道为朋，小人与小人以同利为朋／子贡问君子。子曰："先行，其言而后从之"。／疗饥于附子，止渴于鸩毒，未入肠胃，已绝咽喉／君子之于子，爱之而勿面，使之而勿貌，导之以道而勿强／闻古之君子相其君也，一夫不获其所，若已推而内之沟中／有道之君子，其处也若无知，其应物也若偶之，静因之道也

❻其母好者其子抱／笃志而体，君子也／为臣死忠，为子死孝／以子之矛，陷子之盾／弗爱弗利，亲子叛父／先生施教，弟子是则／交浅言深，君子所戒／卫君谈道，平子三倒／声闻过情，君子耻之／大人不华，君子务实／掩恶扬善，君子所宗／小人殉财，君子殉名／小枉大直，君子为之／善善明，则君子进矣／独富独贵，君子耻之／孤犊触乳，骄子骂母／析骨而炊，易子而食／三百五篇孔子皆弦歌之／兄弟不睦，则子侄不爱／隘与不恭，君子不由也／小人之幸，君子之不幸／贱物贵我，君子不为也／立言而朽，君子不由也／国朝盛文章，子昂始高蹈／亲有疾，饮药，子先尝之／其父析薪，其子弗克负荷／君子一教，弟子一学，亟成／昔者圣人遗子孙以德、以礼／信义行于君子，刑戮施于小人／广积不如教子，避祸不如自省／父不能知其子，则无以睦一家／至世之衰，父子相图，兄弟相疑／万卷藏书宜子弟，十年种木长风烟／不敢妄为些子事，只因曾读数行书／农夫劳而君子养焉，愚者言而智者择焉／古之贤人君子，大智经营，莫不除害兴利／亲父不为其子媒。亲父誉之，不若非其父者也／胸中正，则眸子瞭焉；胸中不正，则眸子眊焉／子贡问君子。子曰："先行，其言而后从之"。

❼有其父必有其子／子以母贵，母以子贵／孟贲之倦也，女子胜之／时无英雄，使竖子成名／疏广散金以除子孙之祸／下流不可处，君子慎厥初／夫子步亦步，夫子趋亦趋／由仁义而祸，君子不屑也／长堤溃蚁穴，君子慎其微／长松百尺，对君子之清风／为世忧乐者，君子之志也／男儿爱后妇，女子重前夫／君君，臣臣，父父，子子／慎以自靖者，君子之徒也／慈母手中线，游子身上衣／蝮蛇口中草，蝎子尾后针／不修其身，虽君子而为小人／以非老子视老子，而老子玄／物势之反，乃君子所谓道也／年将弱冠非童子，学不成名岂丈夫／我愿天公怜赤子，莫生尤物为疮痏／人亲莫不欲其子之孝，而孝未必爱／观棋不语真君子，把酒多言是小人／藏书万卷可教子，遗金满籯常作灾／号呼卖卜谁家子，想欠明朝籴米钱／要为天下奇男子，须历人间万里程／易于泰山破鸡子，轻于四马载鸿毛／贫穷则父母不子，富贵则亲戚畏惧／欲把西湖比西子，淡妆浓抹总相宜／天知，神知，我知，子知，何谓无知／以老子视非老子，而非老子又胡不玄也／小人溺于水，君子溺于口，大人溺于民／内小人而外君子，小人道长，君子道消也／吾闻中国之君子，明乎礼义而陋于知人心／贤人智士之于子孙：……贻之以言，弗贻以财／季路问事鬼神。子曰："未能事人，焉能事鬼"

❽得乎丘民而为天子／上之于下，如保赤子／不探虎穴，安得虎子／事不难，无以知君子／含德之厚，比于赤子／或为小人，或为君子／贼是小人，智过君子／文质彬彬，然后君子／不知命，无以为君子也／钓巨鱼者不使稚子轻预／万夫婉娈，非俟西子之颜／不官而衡至者，君子慎之／以小人之虑，度君子之心／将小人之心，度君子之腹／君君，臣臣，父父，子子／朋党比周之誉，君子不听／可言也不可行，君子弗言也／以智文其过，此君子之贼也／君子之中庸也，君子而时中／居其位，无其言，君子耻之／致远恐泥，是以君子不为也／有其位，无其功，君子耻之／有其德，无其位，君子安之／有其言，无其行，君子耻之／大人者，不失其赤子之心者也／小人非无小善，君子非无小过／宠子未有不骄，骄子未有不败／居身务期俭朴，教子要有义方／良贾深藏如虚，君子有盛教如无／众以亏形为辱，君子以亏义为辱／听其言也，观其眸子，人焉廋哉／海以合流为大，君子以博识为弘／良贾深藏若虚，君子盛德容貌若愚／达师之教也，使弟子安焉乐焉……／身既死兮神以灵，子魂魄兮为鬼雄／法者，治之端也；君子者，法之原也／文质修者谓之君子，有质而无文谓之易野／自古于今，上以天子……好义而不彰者也／噬虎之兽，知爱己子；搏狸之鸟，非护异巢／廉公之思赵将，吴子之泣西河，人之情也，将军独无情哉

❾刻画无盐，以唐突西子／行曾而索爱，父弗得子／清之为明，杯水见眸子／存乎人者，莫良于眸子／身不行道，不行于妻子／不睹皇居壮，安知天子尊／门内有君子，门外君子至／惟歌生民病，愿得天子知／毋为财货迷，毋为妻子蛊／内难而能正其志，箕子以之／九层之台一倾，公输子不能正／何谓创家之人，能教子者便是／为国为民而得罪，君子不以为辱／农夫心内如汤煮，公子王孙把扇摇／嫫母饰姿而夸矜，西子彷徨而无家／称其仇，不为谄；立其子，不为比／痴儿不了公家事，男子要为天下奇／名者可以厉中人，君子所存非所汲汲／父母威严而有慈，则子女畏慎而生孝矣／内君子而外小人，君子道长，小人道消也／厥父母勤劳稼穑，厥子乃不知稼穑之艰难／兵者不祥之器，非君子之器，不得已而用之／亟则黩，黩则不敬；君子之祭

也，敬而不黩

❿外举不避仇，内举不避子／切不可因己无成而不教子／受屈不改心，然后知君子／大厦若抡材，亭亭托君子／虽有慈父，不爱无益之子／春种一粒粟，秋成万颗子／敬贤如大宾，爱民如赤子／肌肤若冰雪，绰约若处子／严家无悍虏，而慈母有败子／生我者父母，知我者鲍子也／以非老子视老子，而老子玄／古之善将者，养人如养己子／仁义者，虽聋瞽不失为君子／人不知而不愠，不亦君子乎／能修其身，虽小人而为君子／虽有美质，不学则不成君子／孔子成《春秋》而乱臣贼子惧／议论证据今古，出入经史百子／遗子黄金满籯，不如教子一经／有能而无益于事者，君子弗为／有理而无益于治者，君子弗言／去汝躬矜与汝容知，斯为君子矣／独立寒秋，湘江北去，橘子洲头／财尽则怨，力尽则怼，君子危之／田成子常杀君窃国，而孔子受币／无君子莫治野人，无野人莫养君子／不惑于恒人之毁誉，故足以为君子／旧书不厌百回读，熟读深思子自知／千金之子不垂堂，百金之子不骑衡／信宿渔人还泛泛，清秋燕子故飞飞／弟子不必不如师，师不必贤于弟子／圣人爱念百姓，如孩婴赤子长养之／打虎还得亲兄弟，上阵须教子弟兵／君子无小人则饥，小人无君子则乱／因供寨木无桑柘，为点乡兵绝子孙／形相虽恶而心术善，无害为君子也／适来，夫子时也；适去，夫子顺也／贫居往往无烟火，不独明朝为子推／贱物而贵德，孰谓道远，将允蹈子／教化之行，引中人而纳于君子之涂／教子弟求显荣，不如教子弟立品行／有田不耕仓廪虚，有书不读子孙愚／悬牛头，卖马脯；盗跖行，孔子语／自古雄才多磨难，纨绔子弟少伟男／百工居肆以成其事，君子学以致其道／内坚刚而外温润，有似君子者，玉也／伯乐不可欺以马，而君子不可欺以人／推恩足以保四海，不推恩无以保妻子／奸人诈而好名，其行事有酷似君子处／贫富之交，可以情谅，鲍子所以让金／积羽沉舟，群轻折轴，故君子禁于微／与其与子孙谋产业，不如教子孙习恒业／天子之所是未必是，天子之所非未必非／不知其君视其所使，不知其子视其所友／出见纷华盛丽而说，入闻夫子之道而乐／生子当如孙仲谋，刘景升儿子若豚犬耳／良工之子必先为箕，良冶之子必先为裘／良弓之子必先为箕；良冶之子必先为裘／以百金与抟黍以示儿子，儿子必取抟黍／以老子视非老子，而非老子又胡不玄也／刑政平而百姓归之，礼义备而君子归之／众人笑而忽之者，此则君子之所深畏也／勇于气者，小人也；勇于义者，君子也／圣人视天下之不治，如赤子之在水火也／莫见乎隐，莫显乎微，故君子慎其独也／国之将兴，必有祯祥，君子用而小人退／杀人以自生，亡人以自存，君子不为也／上不至天，下不至地，言出子口而入吾耳／天下英雄谁敌手？曹刘。生子当如孙仲谋／天地生我而不能鞠我……成我者，夫子也／内小人而外君子，小人道长，君子道消也／卑而言高，能言而不能行者，君子耻之矣／博闻强识而让，敦善行而不怠，谓之君子／君子与小人不两立，而小人与君子不同谋／善为国者，爱民如父母之爱子，兄之爱弟／上失其道，民散久矣，苟非君子，焉能固穷／天下之患，莫大于举朝无公论，空国无君子／无为小人，反殉而天；无为君子，从天之理／无稽之言，不见之行，不闻之谋，君子慎之／未信而谏，圣人不与。交浅言深，君子所戒／生男无喜，生女无怒，独不见卫子夫霸天下／乘其名者，泽及宗族，利兼乡党，况子孙乎／飞雪蔽野，长河始冰，吾子勉之，慷慨而别／以言取人，失之宰予；以貌取人，失之子羽／关关雎鸠，在河之洲。窈窕淑女，君子好逑／人之所舍，谓之天民；天之所助，谓之天子／男子疾耕不足于粮饷，女子纺绩不足于帷幕／男子疾耕不足于糟糠，女子纺绩不足于盖形／荐贤能其气似孔文举，论经学其博似刘子骏／常玉不琢，不成文章；君子不学，不成其德／常玉不琢，不成文章；君子不学，不成其德／君子怀德，小人怀土；君子怀刑，小人怀惠／宁令吾庐独破受冻死，不忍四海赤子寒飕飕／如有德而无才，则不能为用，亦何足为君子／孝子不谀其亲，忠臣不谄其君，臣子之盛也／明君不能畜无用之臣，慈父不能爱无用之子／祸至后惧，是诚不知；君子之惧，惧乎未始／古人有言曰："其父析薪，其子弗克负荷。"／能苟焉以求静，而欲之蓊抑窜绝，君子不取也／胸中正，则眸子瞭焉；胸中不正，则眸子眊焉／质胜文则野，文胜质则史。文质彬彬，然后君子／但当退小人之伪朋，用君子之真朋，则天下治矣／君子居必仁，行必义，反仁义而福，君子不有也／子思以为鼎肉使己仆仆尔亟拜也，非养君子之道也／天生一人，自有一人之用，不待取给于孔子而后足也／君子小人本无常，行善事则为君子，行恶事则为小人／大丈夫岂得苟贪财物，以害及身命，使子孙每怀愧耻耶／小人之交以利，平时相亲不啻父子，一旦相噬不啻狗彘／天不为人怨咨而辍其寒暑，君子不为人之丑恶而辍其正道／不可以一时之誉，断其为君子；不可以一时之谤，断其为小人／匹夫而忧天下，无位而论世事，时俗以为狂，而君子之所取也／知为为而不知所以为，是以贵为天子，富有天下，而不免于患也／达于道者，独见独闻，独为独存，父不能以授子，臣不能以授君／学贵得之心，求之于心而非也，虽其言之出于

孔子，不敢以为是也

孕 yùn 胎儿；怀胎；包裹。

❹拙辞或孕于巧义，庸事或萌于新意

存 cún 存在；蓄积；寄放；保留；抚养；想念，省问；道教名词"存思"的简称。

❶存亡祸福，其要在身

见汉·刘向《说苑·敬慎》。

存物物存，去物物亡

见汉·严遵《道德指归论·道生一篇》。全句为："～，智力不能接，而威德不能运者，谓之二"。

存乎人者，莫良于眸子

见《孟子·离娄上》。全句为："～；眸子不能掩其恶"。

存在得道而不在于大也

见汉·刘安《淮南子·汜论》。全句为："～，亡在失道而不在于小也"。

存身宁国在于生杀之间

见汉·严遵《道德指归论·勇敢篇》。

存为久离别，没为长不归

见南朝·宋·颜延之《秋胡诗一首》。

存亡难异路，贞白本相成

见唐·商媚生《悼亡诗》。

存亡在虚实，不在于众寡

见《韩非子·安危》。

存志乎诗书，寓辞乎咏歌

见唐·韩愈《荆潭唱和诗序》。

存其心，养其性，所以事天也

见《孟子·尽心上》。

存不忘亡，是以身安而国家可保也

见汉·刘向《说苑·指武》。

存身之道莫急乎养神，养神之要莫甚乎素然

见汉·严遵《道德指归论·民不畏威篇》。

❷名存实亡，失其所业／敌存灭祸，敌去召过／法存则国安，法亡则国危／形存则神存，形谢则神灭也／民存则社稷存，民亡则社稷亡／仅存之国富大夫，亡道之国富仓府／敌存而惧，敌去而舞；废备自盈，只益为痛／位存焉而德无有，犹不足大其门，然世且乐为之下

❸危急存亡之时／古来存老马，不必取长途／海内存知己，天涯若比邻／父母存，不许友以死，不有私财／其物存，其人亡，不言哀而哀自至／其人存，则其政举；其人亡，则其政息／舌之存，岂非以其柔；齿之亡，岂非以其刚／治乱存亡，其始若秋毫，察其秋毫，则大物不过／古之存身者，不以辩饰知，不以知穷天下，不以知穷德

❹贤不肖存乎己／变化者，存乎运行也／名之所存，谤之所归／存物物存，去物物亡／皮之不存，毛将安傅／顺天者存，逆天者亡／志有所存，顾不见泰山／一息尚存，此志不容稍懈／赏所以存劝，罚所以示惩／鹪鹩尚存一枝，狡兔犹藏三窟／使治乱存亡若高山之与深溪……／断指以存腕，利之中取大，害之中取小

❺忍小忿而存大信／安无忘危，存无忘亡／国之所以存者，道德也／知音苟不存，已矣何所悲／征实则效存，徇名则功浅／入国而不存其士，则亡国矣／形存则神存，形谢则神灭也／不学者，虽存，谓之行尸走肉耳

❻思所以亡则存矣／息有养，瞬有存／名声之善恶存乎人／丧贵致哀，礼存宁俭／时观而弗语，存其心也／君子不为苟存，不为苟亡／安危在出令，存亡在所任／杀身之害小，存国之利大／民存则社稷存，民亡则社稷亡／目击而道已存，不言而意已传／安身莫尚乎存正，存正莫重乎无私／安而不忘危，存而不忘亡，治而不忘乱／进有退之义，存有亡之机，得有丧之理／圣人之道，若存若亡。援而用之，殁世不亡／治天下之要，存乎除奸；除奸之要，存乎治官

❼万物自古而固存／人好学，虽死若存／物有生死，理有存亡／思其所以亡，则存矣／六合之外，圣人存而不论／搜索稚与艾，唯存跛无目／谦也者，致恭以存其位者也／为人子者，父母存，冠衣不纯素／口谈道德而心存高官，志在巨富／生非贵之所能存，身非爱之所能厚／投之亡地然后存，陷之死地然后生／少者殁而长者存，强者夭而病者全／贤者恒无以自存，不贤者志满气得／未闻刀没而利存，岂容形亡而神在？／古人教人，不过存心、养心、求放心

❽三径就荒，松菊犹存／无与祸邻，祸乃不存／草木秋死，松柏独存／知足而止，故能长存／徐娘半老，风韵犹存／物竞天择，适者生存／青山不老，绿水长存／为君之道，必须先存百姓／见善，修然，必以自存也／与妄人相值，亦当存自反之心／知得而不知丧，知存而不知亡／有始者必有卒，有存者必有亡／天行有常，不为尧存，不为桀亡／安身莫尚乎存正，存正莫重乎无私

❾与亡国同事者，不可存也／邪行亡乎体，违言不存口／饮食男女，人之大欲存焉／死亡贫苦，人之大恶存焉／忠足以勤上，惠足以存下／江海不让纤流，所以存其广／睹其终必原其始，故存其人而咏其道／心虚白则神留而道存，腹充实则精全而寿长／穷武之雄，毙于不仁；存义之国，丧于懦退

❿众趋明所避，时弃道犹存／凡自唐虞以来，编简所存／亡国之大夫，不可以图存／虽死而不朽，逾远而弥存／纵横计不就，慷慨志犹存／是气所旁薄，凛烈万古存／方而不能圆，不可以长

存／怨利生孽，维义可以为长存／后其身而身先，外其身而身存／人已古兮山在，泉无心兮道存／读其文章，庶几得其志之所存／捐躯若得其所，烈士不爱其存／君子之言也，不下带而道存焉／唯令德为不朽兮，身既没而名存／百岁光阴半归酒，一生事业略存诗／乘理虽死而非亡，违义虽生而非存／读书不了平生事，阅世空存后死身／广厦成而茂木畅，远求存而良马絷／激而发之欲其清，固而存之欲其重／遭治世不避其任，遇乱世不为苟存／扁鹊不能肉白骨，微箕不能存亡国／世虽有侥幸之事，断不可存侥幸之心／名者可以厉中人，君子所存非所汲汲／学之而不养，养之而不存，是空言也／巢居者察风，穴处者知雨，忧存故也／兵者，国之大事，死生之地，存亡之道／仁者不以盛衰改节，义者不以存亡易心／交友须带三分侠气，作人要存一点素心／洁其宫，开其门，去私毋言，神明若存／缓贤忘士，而能以其国存者，未曾有也／杀人以自生，亡人以自存，君子不为也／天下岂有不可为之国哉？亦存乎其人如何尔／事苦，则矜全之情薄；生厚，故安存之虑深／囊漏贮中，识者不吝；反裘负薪，存毛实难／非三代两汉之书不敢观，非圣人之志不敢存／尺蠖之屈，以求信也。龙蛇之蛰，以存身也／净心守志，可会至道，譬如磨镜，垢去明存／知得知失，可与为人；知存知亡，足别吉凶／国多忌讳，大人恒畏。结口无患，可以长存／积恶多者，虽有一善，是为误中，未足以存／无贵无贱，无长无少，道之所存，师之所存也／治天下之要，存乎除奸；除奸之要，存乎治官／挫其锐，解其纷，和其光，同其尘，湛兮似或存／小盗者拘，大盗者为诸侯；诸侯之门，义士存焉／道者，无也；形者，有也。有故有极，无故长存／窃钩者诛，窃国者为诸侯；诸侯之门而仁义存焉／言发于迩，不可止于远；行存于身，不可掩于名／道不施不与，而万物以存；不为不宰，而万物以然／言有教，动有法，昼有为，宵有得，息有养，瞬有存／财之不丰，兵之不强，吏之不择，此三者存亡之所从出／瞒人之事弗为，害人之心弗存，有益国家之事虽死弗避／上士闻道，勤而行之；中士闻道，若存若亡；下士闻道，大笑之／君子知形恃神以立，神须形以存，悟生理之易失，知一过之害生／达于道者，独见独闻，独为独存，父不能以授子，臣不能以授君

孙 ①sūn 儿子的子女；孙子以后的各代；某些植物再生或孳生的；姓。②xùn 通“逊”，顺；出逃。

❶孙子非汝有，是天地之委蜕也

见《庄子·知北游》。

孙卿言人性恶者，中人以下者也

见汉·王充《论衡·本性篇》。全句为：“孟轲言人性善者，中人以上者也，～，扬雄言人性善恶混者，中人也”。

❷子孙日已长，世世还复然／王孙游兮不归，春草生兮萋萋／儿孙自有儿孙福，莫为儿孙作远忧／儿孙自有儿孙计，莫与儿孙作马牛

❸为子孙作富贵计者，十败其九

❹又送王孙去，萋萋满别情／奢则不孙，俭则固；与其不孙也，宁固／吾恐季孙之忧不在颛臾，而在萧墙之内也／公婿公孙，与民同门，暴傲其邻者，可亡也

❺俭以训子孙，智也／贤人遗子孙以廉、以俭／各愿贻子孙，永为后世资／杂施而不孙，则坏乱而不修／与其与子孙谋产业，不如教子孙习恒业／生子当如孙仲谋，刘景升儿子若豚犬耳

❻情爱过义，子孙之灾也／儿孙自有儿孙福，莫为儿孙作远忧／儿孙自有儿孙计，莫与儿孙作马牛／昔有佳人公孙氏，一舞剑气动四方

❼昔者圣人遗子孙以德、以礼

❽不陵节而施之谓孙／疏广散金以除子孙之祸／贤人智士之于子孙：……贻之以言，弗贻以财

❾千古江山，英雄无觅，孙仲谋处／恶徼以为知者，恶不孙以为勇者，恶讦以为直者

❿农夫心内如汤煮，公子王孙把扇摇／儿孙自有儿孙福，莫为儿孙作远忧／儿孙自有儿孙计，莫与儿孙作马牛／因供寨木无桑柘，为点乡兵绝子孙／有田不耕仓廪虚，有书不读子孙愚／与其与子孙谋产业，不如教子孙习恒业／奢则不孙，俭则固；与其不孙也，宁固／天下英雄谁敌手？曹刘。生子当如孙仲谋／乘其名者，泽及宗族，利兼乡党，况子孙乎／唯女子与小人为难养也；近之则不孙，远之则怨／大丈夫岂得苟贪财物，以害及身命，使子孙每怀愧耻耶

孝 xiào 孝顺；居丧；居丧期的服饰；保育；姓。

❶孝者，所以事君也

见《礼记·大学》。全句为：“～；弟者，所以事长也；慈者，所以使众也”。

孝子不匮，永锡尔类

见《诗·大雅·既醉》。

孝悌仁义，忠信贞廉……

见《庄子·天地》。全句为：“～，此皆自勉以役其德者也，不足多也”。

孝子疑于屡至，市虎成于三夫

见南朝·宋·范晔《后汉书·博燮传》。

孝者，善继人之志，善述人之事者也

见《礼记·中庸》。

孝子不谀其亲，忠臣不谄其君，臣子之盛也

见《庄子·天地》。

❷不孝有三，无后为大

❸永言孝思，孝思维则／何以孝弟为，财多而光荣
❹奉先思孝
❺永言孝思，孝思维则／其为人也孝悌，而好犯上者，鲜矣／壮年竭忠孝于沙漠，疲劳则便捐死于旷野
❻六亲不和，有孝慈／治身莫先于孝，治国莫先于公
❼父不慈则子不孝
❽为臣死忠，为子死孝／举秀才，不知书；察孝廉，父别居／教民亲爱，莫善于孝；教民礼顺，莫善于悌
❾人亲莫不欲其子之孝，而孝未必爱／先王以是经夫妇，成孝敬，厚人伦，美教化，移风俗
❿不可死而死，是轻其生，非孝也／人亲莫不欲其子之孝，而孝未必爱／父母威严而有慈，则子女畏慎而生孝矣／身体发肤，受之父母，不敢毁伤，孝之始也／君子务本，本立而道生。孝弟也者，其仁之本

孜

zī[孜孜]勤勉不懈；憨笑的样子。
❶孜孜矻矻，死而后已
见唐·韩愈《争臣论》。
❸惟日孜孜，无敢逸豫／早夜孜孜，何畏不日日新又日新也
❹惟日孜孜，无敢逸豫／早夜孜孜，何畏不日日新又日新也
❺居安思危，孜孜不怠／好贤乐善，孜孜以荐进良士、明白是非为己任
❻居安思危，孜孜不怠／好贤乐善，孜孜以荐进良士、明白是非为己任
❽君子之于学，惟日孜孜，毙而后已，惟恐其不及也

孚

①fú 信用；令人信服；通“浮”；通“稃”；[孚甲]植物种子的外皮。②fū 通“孵”，卵化。
❸诚意孚于未言之前，则言出而人信之
❿诚则始终不忒，表里一致，敬信真纯，往而必孚／卵之性为雏，不得良鸡覆伏孚育，积日累久，则不成为雏

孟

mèng 兄弟姐妹中排行最大的；四季中每一季的头一个月；勤勉；努力；大；姓；[孟浪]莽撞，冒失。
❶孟贲之倦也，女子胜之
见《战国策·齐策五》。全句为：“骐骥之衰也，驽马先之；～”。
孟尝君客无所择，皆善遇之
见汉·司马迁《史记·孟尝君列传》。
孟浪由于轻浮，精详出于豫暇
见清·程允升《幼学琼林·人事》。
孟轲言人性善者，中人以上者也
见汉·王充《论衡·本性篇》。全句为：“～，孙卿言人性恶者，中人以下者也，扬雄言人性善恶混者，中人也”。
孟氏醇乎醇者也，荀与扬大醇而小疵
见唐·韩愈《读荀》。
❷规孟贲之目，大而不可畏
❸参之孟、荀以畅其支／吾爱孟夫子，风流天下闻
❺四马齐足，孟门可以长驱／腾蛟起凤，孟学士之词宗／孔曰成仁，孟曰取义，惟其义尽，所以仁至
❾夜光之珠，不必出于孟津之河
❿蜀笺都有三千幅，总写离情寄孟光

孤

gū 幼年丧父或父母双亡的；单独；负；抛弃；古代侯王的自称；古代官名；戏曲名词。
❶孤莫孤于自恃
见汉·黄石公《素书·本德宗道章》。
孤立行一意而已
见汉·司马迁《史记·酷吏列传》。
孤篷听雨下潇湘
见宋·严粲《午憩僧房》。
孤直者，众邪之所憎
见唐·陈子昂《申宗人冤狱书》。全句为：“～；至公者，群恶之所疾”。
孤论难持，犯欲难成
见晋·陈寿《三国志·魏书·任苏杜郑仓传》。
孤犊触乳，骄子骂母
见南朝·宋·范晔《后汉书·仇览传》。
孤举者难起，众行者易趋
见清·魏源《默觚下·治篇八》。
孤舟蓑笠翁，独钓寒江雪
见唐·柳宗元《江雪》。全句为：“千山鸟飞绝，万径人踪灭，～”。
孤之有孔明，犹鱼之有水也
见晋·陈寿《三国志·蜀书·诸葛亮传》。
孤居而愿智，不如务学之必达也
见三国·魏·徐幹《中论·治学》。
❸心逐孤飞鸿／孤莫孤于自恃／德不孤，必有邻／忧国孤臣泪，平胡壮士心／愿随孤月影，流照伏波营／荃荪孤植，不以岩隐而歇其芳／饱霜孤竹声偏切，带火焦桐韵本悲／雨里孤村雪里山，看时容易画时难／高霞孤映，明月独举，青松落荫，白云谁侣
❹专己者孤，拒谏者塞／无子非孤，无德乃为孤／松柏本孤直，难为桃李颜／落霞与孤鹜齐飞，秋水共长天一色
❺单丝不线，孤掌难鸣／巧言易信，孤愤难申

❻万族各有托，孤云独无依／清风动帘夜，孤月照窗时／此地一为别，孤蓬万里征／白鸥问我泊孤舟，是身留，是心留
❼气外更无虚托孤立之理／为人也，岩岩若孤松之独立／独学而无友，则孤陋而寡闻／故在朝也则三孤之任，为国则变化之政／设使国家无有孤，不知当几人称帝，几人称王／可以托六尺之孤，可以寄百里之命，临大节而不可夺也／其有发挥新体，孤飞百代之前，开凿古人，独步九流之上
❽勇士不以众强凌孤独／拒谏者塞，专己者孤／距谏者塞，专己者孤／日出众鸟散，山暝孤猿吟／贞操与日月俱悬，孤芳随山壑共远／逆胡未灭心未平，孤剑床头铿有声
❾无子非孤，无德乃为孤／伴人无寐，秦淮应是孤月／亲朋无一字，老病有孤舟／夕景欲沉，晓雾将合；孤鹤寒啸，游鸿远吟／沧波远天，混和暮色，孤舟一去，曷日而旋归
❿但见沙场死，谁怜塞上孤／枝繁者荫根，条落者本孤／一抔之土未干，六尺之孤安在／汽笛一声肠已断，从此天涯孤旅／须知大隐居廛市，休问深山守静孤／清时有味是无能，闲爱孤云静爱僧／自古圣贤尽贫贱，何况我辈孤且直／君子敬以直内，义以方外；敬义立而德不孤／多见者博，多闻者智；拒谏者塞，专己者孤

学 xué 学习；模仿；系统的知识；分门别类的知识系统；教育学生的机构。

❶学原于思
见宋·朱熹《近思录·致知类》。
学不可以已
见《荀子·劝学》。
学向勤中得
见宋·汪洙《神童诗》。
学者先要会疑
见宋·朱熹《近思录·致知类》。
学诗谩有惊人句
见宋·李清照《渔家傲》。
学者当自树其帜
见清·郑燮《与江宾谷江禹九书》。
学，所以成材也
见三国·魏·刘劭《人物志·体别》。
学愈博则思愈远
见清·王夫之《四书训义》。
学于古训，乃有获
见《尚书·说命下》。
学不进，率由因循
见明·薛瑄《读书录》。
学而不化，非学也
见宋·杨万里《庸言》。
学至于行之而止矣
见《荀子·儒效》。
学而不厌，诲人不倦
见《论语·述而》。
学而不能行，谓之病
见《庄子·让王》。
学而不已，阖棺乃止
见汉·韩婴《韩诗外传》。
学之乃知，不问不识
见汉·王充《论衡·实知篇》。
学之经莫速乎好其人
见《荀子·劝学》。
学以为耕，文以为获
见唐·韩愈《祭故陕府李司马文》。
学书当自成一家之体
见宋·欧阳修《学书自成家说》。
学当以渐，乃能至也
见宋·朱熹《四书集注·孟子·尽心上》。
学富五车，书通二酉
见明·冯梦龙《古今小说·闲云庵阮三偿冤情》。
学如不及，犹恐失之
见《论语·泰伯》。
学经不明，不如归耕
见汉·班固《汉书·夏侯胜传》。
学，殖也。不学将落
见《左传·昭公十八年》。
学贵得师，亦贵得友
见明·唐甄《潜书·讲学》。
学贵心悟，守旧无功
见宋·张载《经学理窟·义理篇》。
学文之端，急于明理
见宋·张耒《答李推官书》。
学而时习之，不亦说乎
见《论语·学而》。
学问无大小，能者为尊
见清·李汝珍《镜花缘》第二十三回。
学者是学圣人而未至者
见宋·朱熹《朱子语类》卷二一。全句为："～，圣人是为学而极至者"。
学无早晚，但恐始勤终惰
见宋·张孝祥《勉过子读书》。
学不期言也，正其行而已
见宋·王安石《宝文阁待制常公墓表》。全句为："～；行不期闻也，信其义而已"。
学之之博，未若知之之要
见宋·朱熹《朱子语类》卷十三。全句为："～；知之之要，未若行之之实"。
学之终身，有不能达者矣
见宋·欧阳修《答李翊第二书》。全句为："～。于其所达，行之终身，有不能至者矣"。

学书者纸费,学医者人费
见宋·苏轼《墨宝堂记》。
学尽百禽语,终无自己声
见宋·张舜民《百舌》。
学识英博,非复吴下阿蒙
见晋·陈寿《三国志·吴书·吕蒙传》注引。
学广而闻多,不求闻于人
见唐·韩愈《争臣论》。
学问藏之身,身在则有余
见唐·韩愈《符读书城南》。
学者大病痛,只是器度小
见明·吕坤《呻吟语》。
学者须是务实,不要近名
见宋·朱熹《四书集注·论语·颜渊》。
学者如牛毛,成者如麟角
见三国·魏·蒋济《蒋子万机论》引谚。
学者有两忌,自高与自狭
见清·无名氏《学忌》。
学所以益才,砺所以致刃
见汉·刘向《说苑·建本》。
学有思而获,亦有触而获
见宋·杨万里《庸言》。
学其意,不必泥其字句也
见明·袁宗道《论文》(上)。全句为:"古文贵达,学达即所谓学古也。~"。
学而废者,不若不学而废者
见唐·皮日休《鹿门隐书六十篇》。全句为:"~。学而废者,持学而有骄,骄必辱。不学而废者,愧己而自卑,卑则全"。
学所以开人之蔽,而致其知
见宋·陆九渊《送杨通老》。全句为:"~。学而不知其方,则反以滋其蔽"。
学而不知其方,则反以滋其蔽
见宋·陆九渊《送杨通老》。全句为:"学所以开人之蔽,而致其知。~"。
学而不思则罔,思而不学则殆
见《论语·为政》。
学古之道,犹食笋而去其箨也
见清·魏源《默觚·治篇五》。
学成而道益穷,年老而智益困
见唐·韩愈《上兵部李侍郎书》。
学者非必为仕,而仕者必如学
见《荀子·大略》。
学者贵于行之,而不贵于知之
见宋·司马光《答孔文仲司户书》。
学而废者,持学而有骄,骄必辱
见唐·皮日休《鹿门隐书六十篇》。全句为:"学而废者,不若不学而废者。~。不学而废者,愧己而自卑,卑则全"。
学之广在于不倦,不倦在于固志
见晋·葛洪《抱朴子·崇教》。
学问不厌,好士不倦,是天府也
见《荀子·大略》。
学问之道无他,求其放心而已矣
见《孟子·告子上》。
学所以修身也,身修而无不治矣
见宋·王安石《皇侄右卫大将军岳州团练使宗实可起复旧官》。全句为:"未有不学而能者,~"。
学,然后知不足;教,然后知困
见《礼记·学记》。
学不勤则不知道,耕不力则不得谷
见三国·魏·桓范《世要论》。
学诗须是熟看古人诗,求其用心处
见宋·魏庆之《诗人玉屑》载《漫斋语录》句。
学者不患才之不赡,而患志之不立
见三国·魏·徐幹《中论·治学》。
学视者先见舆薪,学听者先闻撞钟
见《列子·仲尼》。
学欲博,不欲杂;守欲约,不欲陋
见宋·胡宏《知言·仲尼》。全句为:"~。杂似博,陋似约,学者不可不察也"。
学之而不养,养之而不存,是空言也
见《二程集·河南程氏粹言》。
学医者当博览群书,不得拘守一家之言
见清·陆以湉《冷庐医话》。
学诗者不可忽略古人,亦不可附会古人
见清·叶燮《原诗》外篇下。
学者不患立志之不高,患不足以继之耳
见明·薛应旂《薛方山纪述》。全句为:"~;不患立言之不善,患不足以践之耳"。
学者,犹种树也,春玩其华,秋登其实
见北齐·颜之推《颜氏家训·勉学篇》。
学者所以为学,学为人而已,非有为也
见宋·陆九渊《语录下》。
学贵变化气质,岂为猎章句、干利禄哉
见明·庞尚鹏《庞氏家训》。
学不为人,博而不俗;言不为华,述而不作
见汉·班固《汉书·叙传》。
学不倦,所以治己也;教不厌,所以治人也
见《尸子·劝学》。
学不成章,无由而达;志不归一,终难成事
见明·李贽《藏书》。
学不必博,要之有用;仕不必达,要之无愧
见宋·罗大经《鹤林玉露》卷五。
学有未达,强以为知,理有未安,妄以臆度
见清·刘开《孟涂文集·问说》。全句为:"~。如是,则终生几无可问之事"。
学而不能成其业,用而不能行其学,则非学也
见清·颜元《存学编》卷四。

学匪疑不明，而疑恶乎凿，疑而能辨，斯为善学

见明·方孝孺《学箴》。

学者必务知要，知要则能守约，守约则足以尽博矣

见宋·朱熹《四书集注·论语·为政》。

学无二事，无二道，根本苟立，保养不替，自然日新

见宋·陆九渊《与高应朝》。

学者自强不息，则积少成多；中道而止，则前功尽弃

见宋·朱熹《四书集注·论语·子罕》。

学为文章，先谋亲友，得其评裁，知可施行，然后出手

见北齐·颜之推《颜氏家训·文章》。

学者四失：为人则失多，好高则失寡，不察则易，苦难则止

见宋·张载《正蒙·中正》。

学贵得之心，求之于心而非也，虽其言之出于孔子，不敢以为是也

见明·王阳明《传习录上》。

❷俗学可绝／教学相长／为学心难满／进学莫如谦／好学而不贰／不学便老而衰／闻学而后入政／疾学在于尊师／为学莫重于尊师／夫学，身之砺砥也／不学博依，不能安诗／不学亡术，暗于大理／不学《诗》，无以言／不学问者，学必不进／不学《礼》，无以立／以学自损，不如无学／博学切问，所以广知／博学多识，疑则思问／修学好古，实事求是／凡学之道，严师为难／知学之人，能与闻迁／好学深思，心知其意／有学问著述，谓之福／为学患无疑，疑则有进／博学而不自反，必有邪／讲学以会友，则道益明／强学博览，足以通古今／不学而好思，虽知不广矣／不学夭桃姿，浮荣有俄顷／不学蒲柳凋，贞心常自保／博学而不穷，笃行而不倦／博学而笃志，切问而近思／勤学第一道，勤问第一方／吾学无所学，乃能明自然／岂学书生辈，窗间老一经／博学而志不笃，则大而无成／大学之教也，时教必有正业／善学者假人之长，以补其短／独学而无友，则孤陋而寡闻／非学无以广才，非志无以成学／非学无以致疑，非问无以广识／博学而详说之，将以反说约也／谓学不暇者，虽暇亦不能学矣／不学者，虽存，谓之行尸走肉耳／凡学书者，得其一，可以通其余／好学而不勤问，非真能好学者也／不学而废者，愧己而自卑，卑则全／为学正如撑上水船，一篙不可放缓／为学第一工夫，要降得浮躁之气定／病学者厌卑近而骛高远，卒无成焉／言学便以道为志，言人便以圣为志／博学而日参省乎己，则知明而行无过／务学不如务求师。师者，人之模范也／可学无能、可事而成之在人者，谓之伪／太学者，贤士之所关也，教化之本原也／好学近乎知，力行近乎仁，知耻近乎勇／不学自知，不问自晓，古今行事未之有也／为学无间断，如流水行云，日进而不已也／不学古人，法无一可；竟似古人，何处着我／不学操缦，不能安弦；不学博依，不能安诗／不学问，无正义；以富利为隆，是俗人者也／为学之道莫先于穷理，穷理之要必在于读书／博学之，审问之，慎思之，明辨之，笃行之／综学在博，取事贵约，校练务精，捃理须核／教学之法，本于人性，磨揉迁革，使趋于善／为学之道，必本于思。思则得知，不思则不得／为学日益，为道日损，损之又损，以至于无为／博学笃志，切问近思，此八字是收放心的功夫／所学者非世之所可用，而所任者非身之所能为／不学而求知，犹愿鱼而无网焉，心虽勤而无获矣／《大学》之道，在明明德，在亲民，在止于至善／为学为教，用力于讲读者一二，加功于习行者八九／文学之于人也譬乎药，善服，有济；不善服，反为害

❸无曲学以阿世／幼而学，壮而行／艺可学而行可力／广其学而坚其守／人好学，虽死若存／三岁学不如三岁择师／困而学之，又其次也／贫不学俭，卑不学恭／贫不学俭，富不学奢／不善学者，师勤而功半／南人学问，如牖中窥日／幼而学者，如日出之光／问与学，相辅而行者也／未有学其小而能至其大者也／有弗学，学之弗能，弗措也／古之学者为己，今之学者为人／富不学奢而奢，贫不学俭而俭／酷好学问文章，未尝一日暂废／傀儡学技，音节虽工，面目非情／不可学、不可事而在人者，谓之性／古之学者必严其师，师严然后道尊／古人学问无遗力，少壮功夫老始成／大抵学问只有两途，致知力行而已／君子学道则爱人，小人学道则易使／欲弃学而循性，是谓犹释船而欲蹶水也／才须学也，非学无以广才，非志无以成学／百川学海而至于海，丘陵学山而不至于山／当世学士，恒以万计；而究涂者无数十焉／凡勤学，须是出于本心，不待父母先生督责／宜力学为砻斫，亲贤为青黄，睦僚友为瑶金／古之学者必有师，所以通其业，成就其道者也／恰同学少年，风华正茂；书生意气，挥斥方遒／要而学之，又其次也，困而不学，民斯为下矣／幼而学者，如日出之光；壮而学者，如炳烛之光／老而学者，如秉烛夜行，犹贤乎瞑目而无见者也

❹古者以学为政／思而不学则殆／未有不学而能者／不能则学，疑则问／仲尼可学不可为也／读书乃学者第二事／君子之学，贵慎始／人有知学，则有力矣／君子之学，死而后已／敏而好学，不耻下问／圣贤之学，以日新为要／壮而

好学，如日中之光／士虽有学，而行为本焉／小人之学也，以为禽犊／少而好学，如日出之阳／君子之学也，以美其身／困而不学，民斯为下矣／法古之学，不足以制今／学者是学圣人而未至者／敬教劝学，建国之大本／胸中不学，犹手中无钱／老而好学，如炳烛之明／不教不学，闷然不见已缺／列士并学，能终善者为师／今之进学者，如登山……／记问之学，不足以为人师／汝果欲学诗，工夫在诗外／惟立志学圣人，则无害也／人而不学，虽无忧，如禽何／人少好学则思专，长则善忘／有弗学，学之弗能，弗措也／小人之学也，入乎耳，出乎口／君子之学也，其可一日而息乎／日习则学不忘，自勉则身不堕／天下兴学取士，先德行不专文辞／困而不学，终于不知，斯为下尔／盛唐而学汉魏，岂复有盛唐之诗／秦汉而学六经，岂复有秦汉之文／人之为学，不志其大，虽多而何为／少年易学老难成，一寸光阴不可轻／君子之学也，藏焉修焉，息焉游焉／君子之学进于道，小人之学进于利／旦旦而学之，久而不怠焉，迄乎成／天下之学者莫不欲仕，仕者莫不欲贵／君子之学，或施之事业，或见于文章／道成于学而藏于书，学进于振而废于穷／不能则学，不知则问，虽知必让，然后为知／少而不学，老无能也；老而不教，死无思也／君子博学而日参省乎己，则知明而行无过矣／君子之学，不为则已，为则必要其成，故常百倍其功／君子之学也，入乎耳，箸乎心，布乎四体，形乎动静／此生不学，一可惜；此日闲过，二可惜；此身一败，三可惜／人莫欲学御龙，而皆欲学御马；莫欲学治鬼，而皆欲学治人：急所用也

❺慎习而贵学／燕辟废其学／解蔽莫如学／不师者，废学之渐也／不学问者，学必不进／圣人是为学而极至者／学，殖也。不学将落／斯文有传，学者有师／好直不好学，其蔽也绞／好仁不好学，其蔽也愚／好勇不好学，其蔽也乱／钧材而好学，明者为师／仕而优则学，学而优则仕／少则习之学，长则材诸位／吾学无所学，乃能明自然／纡辔诚可学，违已讵非迷／患足已不学，既学患不行／求发吾所学者，施于物而已／日就月将，学有缉熙于光明／时过然后学，则勤苦而难成／夫子焉不学？而亦何常师之有／古文贵达，学达即所谓学古也／人之所不学而能者，其良能也／观水而知学，观耨田而知治国／文不可以学而能，气可以养而致／默而识之，学而不厌，诲人不倦／别来十年学不厌，读破万卷诗愈美／与朋友论学，须委曲谦下，宽以居之／不得以有学之贫贱，比于无学之富贵／君子之于学，惟日孜孜，毙而后已，惟恐其不及也

❻成身莫大于学／教人便是自学／学而不化，非学也／建国君民，教学为先／经邦建国，教学为先／穷巷多怪，曲学多辨／天下未有不学而成者也／无财非贫，无学乃为贫／史有三长：才、学、识／勿谓今年不学而有来年／勿谓今日不学而有来日／渊智达洞，累学之功也／仕而优则学，学而优则仕／尊古而卑今，学者之流也／人性含灵，待学成而为美／潭深波浪静，学广语声低／学书者纸费，学医者人费／腾蛟起凤，孟学士之词宗／孔子圣人，其学必始于观书／虽有美质，不学则不成君子／知不足者好学，耻下问者自满／虽有至道，弗学，不知其善也／念终始典于学，厥德修，罔觉／无财之谓贫，学而不能行之谓病／以仁心说，以学心听，以公心辨／学而废者，持学而有骄，骄必辱／智能之士，不学不成，不问不知／世事洞明皆学问，人情练达即文章／上无礼，下无学，贼民兴，丧无日矣／“利”之一字，是学问人品一片试金石／学者所以为学，学为人而已，非有为也／才须学也，非学无以广才，非志无以成学／理无专在，而学无止境也，然则问可少耶／君子用以力学，借困衡为砥砺，不但顺受而已／下以言语为学，上以言语为治，世道之所以日降也

❼贫不学俭，卑不学恭／贫不学俭，富不学奢／教之道，必先治学校／教化之本，出于学校／先朝好史，予方学于孔墨／救弊之道在实学不在空言／心手不相应，不学之过也／患足已不学，既学患不行／内无其质，而外学其文……／不使他事胜好学之心，则有进／剑一人敌，不足学，学万人敌／勤是无价之宝，学是明月神珠／常民溺于习俗，学者沉于所闻／常人安于故俗，学者溺于所闻／文可以变风俗，学可以究天人／心之不虚，由好学之不能诚也／真积力久则入，学至乎没而后止／懒则不肯勤勉，学殖荒而志气亦坠／杂似博，陋似约，学者不可不察也／学者所以为学，学为人而已，非有为也／或生而知之，或学而知之，或困而知之／不随举子纸上学六韬，不学腐儒穿凿注五经

❽无羞亟问，不愧下学／不知义理，生于不学／不知则问，不能则学／不知理义，生于不学／以学自损，不如无学／教化之所本者在学校／欲知则问，欲能则学／穷不忘道，老而能学／革俗之要，实在教学／扶危持颠，皆出于学者／不患人不知，惟患学不至／饮马犹尚可，莫使学操舟／盗虚声者多，有实学者少／君子一教，弟子一学，亟成／学而废者，不若不学而废者／不广求，故得；不杂学，故明／剑一人敌，不足学，学万人敌／受益莫如择友，好学莫如改过／吾十有五而志于学，三十而立／时难得而易失也，学者勉之乎／不可知之事，厉心学问，虽小无易／生而知之者上也，学而知之者次也／年将弱冠

非童子,学不成名岂丈夫/弗食,不知其旨;弗学,不知其善/志欲大而心欲小,学欲博而业欲专/大道以多岐亡羊,学者以多方丧生/学视者先见舆薪,学听者先闻撞钟/富贵骄人,固不善;学问骄人,害亦不细/不知则问,不能则学,虽能必让,然后为德/加我数年,五十以学《易》,可以无大过矣/思古人而不得见,学古道,则欲兼通其辞也

❾不深思则不能造其学/古之学者为己,今之学者为人/知往日所行之非,则学日进矣/富不学奢而奢,贫不学俭而俭/玉不琢不成器,人不学不知道/孤居而愿智,不如务学之必达也/自恃其聪与敏而不学,自败者也/丈夫盖世英雄气,肯学世间儿女愁/轻目重耳之过,此亦学者之一病也/策马前途须努力,莫学龙钟虚叹息/大匠诲人必以规矩,学者亦必以规矩/正直者不可屈曲,有学问者必能辨是非/道成于学而藏于书,学进于振而废于穷/绳锯木断,水滴石穿,学道者须加力索/教也者,义之大者也;学也者,知之盛者也/君子尊德性而道问学,致广大而尽精微,极高明而道中庸

❿养士之大者,莫大乎太学/知人无务,不若愚而好学/才智英敏者,宜加浑厚学问/能甘淡泊,便有几分真学问/射不善而欲教人,人不学也/非学无以广才,非志无以成学/古文贵达,学达即所谓学古也/谓学不暇者,虽暇亦不能学矣/大志非才不就,大才非学不成/学而不思则罔,思而不学则殆/学者非必为仕,而仕者必如学/不骄方能师人之长,而自成其学/为国者以富民为本,以正学为基/君子如欲化民成俗,其必由学乎/居近识远,处今知古,惟学矣乎/好学而不勤问,非真能好学者也/丈人才力犹强健,岂傍青门学种瓜/不尤人则德益弘,能克己则学益进/不闻先王之遗言,不知学问之大也/也不赴,公卿约;也不慕,神仙学/今所任用,必须以德行、学识为本/凡欲显勋绩扬光烈者,莫良于学矣/君子之学进于道,小人之学进于利/君子学道则爱人,小人学道则易使/宜将剩勇追穷寇,不可沽名学霸王/富时不俭贫时悔,潜时不学用时悔/致君事业堆胸臆,却伴溪童学钓鱼/不得以有学之贫贱,比于无学之富贵/百工居肆以成其事,君子学以致其道/师严,然后道尊;道尊,然后知敬学/人若志趣不远,心不在焉,虽学无成/调难调之人,可以练性,学在其中矣/著述讲论之功多,而实学实教之力少/吾尝终日而思矣,不如须臾之所学也/知之盛者莫大于成身,成身莫大于学/不自限其昏与庸而力学不倦,自立者也/修礼以耕之,陈义以种之,讲学以耨之/多才之士才储八斗,博学之儒学富五车/才须学也,非学无以广才,非志无以成学/百川学海而至于海,丘陵学山而不至于山/苟可以为天下国家之用者,则无不在于学/德义之所成者智也,明智之所求者学问也/不随举子纸上学六韬,不学腐儒穿凿注五经/不学操缦,不能安弦;不学博依,不能安诗/以烦手烹鱼则鱼必溃,使学者制锦则锦必伤/作诗切忌议论,此最易近腐,近絮,近学究/士穷见节义,世乱识忠臣,欲学者必周于德/荐贤能其气似孔文举,论经学其博似刘子骏/常玉不琢,不成文章;君子不学,不成其德/常玉不瑑,不成文章;君子不学,不成其德/呱呱之子,各识其亲;譊譊之学,各习其师/字中蝌蚪,竞落文河。笔下蛟龙,争投学海/有所不为,为无不果;有所不学,学无不成/古之教者,家有塾,党有庠,术有序,国有学/至治之世,其民不好空言虚辞,不好淫学流说/要而学之,又其次也,困而不学,民斯为下矣/学而不能成其业,用而不能行其学,则非学也/日知其所亡,月无忘其所能,可谓好学也已矣/是非之心,不虑而知,不学而能,所谓良知也/有第一等襟抱,第一等学识,斯有第一等真诗/北人看书,如显处视月;南人学问,如牖中窥日/幼而学者,如日出之光;壮而学者,如炳烛之光/吾尝终日不食、终夜不寝以思,无益,不如学也/学匪疑不明,而疑恶乎凿,疑而能辨,斯为善学/敏于事而慎于言,就有道而正焉,可谓好学也已/天下不可一日而无政教,故学不可一日而亡于天下/人生时禀得灵气,精明通悟,学无滞塞,则谓之神/养子弟如养芝兰,既积学以培植之,又积善以滋润之/何谓人情?喜、怒、哀、惧、爱、恶、欲,七者弗学而能/人莫欲学御龙,而皆欲学御马;莫欲学治鬼,而皆欲学治人:急所用也

孥

nú 儿女,妻子和儿女的统称;通"奴"。

❿战死士所有,耻复守妻孥

孪

luán 双生。

❶孪子之相似者,唯其母知之而已

见《战国策·韩策三》。全句为:"~。利害之相似者,唯智者知之而已"

孩

hái 儿童;孩子;爱抚。

❸惟愿孩儿愚且鲁,无灾无难到公卿

❽教妇初来,教儿婴孩/父善教子者,教于孩提/圣人爱念百姓,如孩婴赤子长养之

孺

①rú 小孩;相亲。②rù 通"乳",孵生。

❻人杰地灵,徐孺下陈蕃之榻

纠 jiū 绞合的绳索；集结，连合；督察，矫正；通“赳”。

❺解杂乱纷纠者不控卷，救斗者不搏撠

纡 yū 曲折，弯曲；系结；屈抑。

❶纡辔诚可学，违己讵非迷

见晋·陶潜《饮酒二十首》之九。“纡辔”：回车；“讵”：岂。

红 ①hóng 颜色；象征喜庆；发迹，受宠信；特指利润。②gōng 通“工”，指妇女的生产作业；通“功”，丧服。

❶红杏枝头春意闹

见宋·宋祁《玉楼春》。

红豆生南国，春来发几枝

见唐·王维《相思》。全句为：“～？愿君多采撷，此物最相思”。

红雨随心翻作浪，青山着意化为桥

见现代·毛泽东《七律二首·送瘟神》其二。

❷桃红又见一年春／落红不是无情物，化作春泥更护花／落红满路无人惜，踏作花泥透脚香

❸夕阳红蓼满汀州／自古红颜多薄命／一粒红稻饭，几滴牛颔血／丁宁红与紫，慎莫一时开／紫陌红尘拂面来，无人不道看花回

❹看万山红遍，层林尽染；漫江碧透，百舸争流

❺须晴日，看红装素裹，分外妖娆／万木霜天红烂漫，天兵怒气冲霄汉／日出江花红胜火，春来江水绿如蓝

❻炉火照天地，红星乱紫烟／桃水涨而浦红，苹风摇而浪白／摘翠者菱，挽红者莲，举白者鱼

❼人面桃花相映红／今年花胜去年红／落日丹枫相映红／醉貌如霜叶，虽红不是春／宝剑赠与烈士，红粉赠与佳人／青史内不标名，红尘外便是我

❽清歌绕梁，白云将红尘并落

❾排恨叠，怯衣单，花枝红泪弹／农事伤则饥之本，女红害则寒之原／木末芙蓉花，山中发红萼。涧户寂无人，纷纷开且落

❿寥落古行宫，宫花寂寞红／青山依旧在，几度夕阳红／眉将柳而争绿，面共桃而竞红／中华儿女多奇志，不爱红装爱武装／何事将军封万户，却令红粉为和戎／停车坐爱枫林晚，霜叶红于二月花／众卖花兮独卖松，青青颜色不如红／草树知春不久归，百般红紫斗芳菲／清泉自爱江湖去，流出红墙便不还／恸哭六军俱缟素，冲冠一怒为红颜／春色满园关不住，一枝红杏出墙来／有花无叶真潇洒，不向胭脂借淡红／等闲识得东风面，万紫千红总是春／忽闻晓角吟风，一叶坠露，惊而试问，即红线回矣／莫道男儿心如铁，君不见满川红叶，尽是离人眼中血

纣 zhòu 马鞧；商朝末代君主，传说是一个暴君。

❷桀、纣之失天下也，失其民也

❺闻诛一夫纣矣，未闻弑君也

❾为汤、武驱民者，桀与纣也

❿尧舜行德则民仁寿；桀纣行暴则民鄙夭／禹汤罪己，其兴也悖焉；桀纣罪人，其亡也忽焉

纤 ①xiān 纹很细的绸帛；细小；吝啬。②qiàn 拉船前进的绳索。③jiān 通“歼”，刺。

❶纤之为珠玑华实，变之为雷霆风雨。

见唐·韩愈《上兵部李侍郎书》。全句为：“凡自唐虞以来，编简所存，大之为河海，高之为山岳，明之为日月，幽之为鬼神，～”

❷历纤理则宕往而疏越／发纤秾于简古，寄至味于澹泊

❸体无纤微疾，安用问良医／争构纤微，竞为雕刻……；骨气都尽，刚健不闻

❺冰壶玉尺，纤尘弗污／有所许诺，纤毫必偿／江海不让纤流，所以存其广／君子能受纤微之小嫌，故无变斗之大讼

❼褒秋毫之善，贬纤芥之恶／图形于影，未尽纤丽之容／荆岫之玉必含纤瑕，骊龙之珠亦有微颣

❽爽籁发而清风生，纤歌凝而白云遏

❾祸之所由生也，生自纤纤也／善无微而不赏，恶无纤而不贬

❿祸之所由生也，生自纤纤也／一切问答，如针锋相投，无纤毫参差／垂大名于万世者，必先行之于纤微之事／大名垂于万世者，必先行之于纤微之事

约 yuē 缠束；预先订立的共同遵守的条件；邀请；大略；隐微；屈曲；阻止；备办车驾；限制；拘束；节俭；简要；绳子；不很确定的。

❶约定俗成谓之宜，异于约则谓之不宜

见《荀子·正名》。全句为：“名无固宜，约之以命，～”。

❷以约失之者鲜矣／无约而请和者，谋也／廉约小心，克己奉公／辞约而旨丰，事近而喻远／文约而事丰，此述作之尤美者也

❸操弥约而事弥大／君子约言，小人先言／俭则约，约则百善俱兴／饮食约而精，园蔬愈珍馐／铭博约而温润，箴顿挫而清壮／其文约，其辞微，其志洁，其行廉

❹乘人之约，非仁也／俭则约，约则百善俱兴／俭者，省约为礼之谓也／博观而约取，厚积而薄发／有所期约，时刻不易，所谓信也／不以隐约而弗务，不以康乐而加思／其言也约而达，微而臧，罕譬而喻／与父老约，法三章耳：杀人者死，

伤人及盗抵罪
❺名无固宜,约之以命/不贪则俭约,极贪则殃身/福生于隐约,而祸生于得意/量力所至,约其课程而谨守之/为情者要约而写真,为文者淫丽而烦滥/小人贫斯约,富斯骄;约斯盗,骄斯乱/名无固实,约之以命实,约定俗成谓之实名
❻义典则弘,文约为美/以深为根,以约为纪/居利思义,在约思纯/审乎物者,力约而功峻/救奢必于俭约,拯薄无若敦厚/也不赴,公卿约;也不慕,神仙学/圣人正方以约己,人自正方以从化/杂似博,陋似约,学者不可不察也
❼肩若削成,腰如约素/月上柳梢头,人约黄昏后/肌肤若冰雪,绰约若处子/丰而不余一言,约而不失一辞/多闻则守之以约,多见则守之以卓
❽无德而望其福者,约/年妙识远,理丰词约/国家法令,惟在简约/居家之方,唯俭与约/军多令则乱,酒多约则辩/待人要丰,自奉要约;责己要厚,责人要薄/综学在博,取事贵约,校练务精,捃理须核/赋敛以时,官上清约,则人富。赋敛无节,官上奢纵,则人贫
❾书不必多看,要知其约/学欲博,不欲杂;守欲约,不欲陋/天下之事,常成于困约,而败于奢靡/不仁者,不可以久处约,不可以长处乐/小人贫斯约,富斯骄;约斯盗,骄斯乱/亡而为有,虚而为盈,约而为泰,难乎有恒
❿城郭之固无以异于贞士之约/不为轩冕肆志,不为穷约趋俗/博学而详说之,将以反说约也/责己也重以周,待人也轻以约/言制度也,则绝奢靡而崇俭约/不以富贵妨其道,不以隐约易其心/其责己也重以周,其待人也轻以约/约定俗成谓之宜,异于约则谓之不宜/有道之君,修身之士,不为轻诺之约/违强陵弱,非勇也;乘人之约,非仁也/名无固实,约之以命实,约定俗成谓之实名/疾则如电,迟则如云,进止有度,约而不烦/古之君子,其责己也重以周,其待人也轻以约/不待相见,相信已熟;既相见,不要约,已相亲/学者必务知要,知要则能守约,守约则足以尽博矣

纨 wán 白色细绢;[纨牛]小牛。
❶纨绔不饿死,儒冠多误身
见唐·杜甫《奉赠韦左丞丈二十二韵》。
❹新裂齐纨素,皎皎如霜雪
❽不如饮美酒,被服纨与素/自古雄才多磨难,纨绔子弟少伟男

级 jí 台阶;等次;年级;战争中或行刑时砍下的人头。
❽救人一命,胜造七级浮屠/为民族解放,为阶级翻身,事业垂成,公胡遽死
❾所谓壹刑者,刑无等级
❿既谓之才,则不宜以阶级限,不应以年齿齐

纪 ①jì 找出丝的头绪;道,纲,法度;整理,治理;记年单位;纪律;年岁;日月交会之处;旧时仆人之称;旧时史书的一种体裁;通"杞";古国名。②jǐ 姓。
❶纪次无法,详略失中
见宋·欧阳修《进新修唐书表》。
纪纲一废,何事不生
见宋·苏轼《上神宗皇帝书》。
纪事者必提其要,纂言者必钩其玄
见唐·韩愈《进学解》。
❸庸史纪事,良史诛意/虽无纪历志,四时自成岁/文以纪实,浮文所在必删/为民纪纲者何也?欲也恶也
❹用民有纪有纲/壹引其纪,万目皆起;壹引其纲,万目皆张
❺礼者民之纪/衣食当须纪,力耕不吾欺
❻恶人无有所纪,则以愧而惧
❽以深为根,以约为纪/名者,圣人之所以纪万物也/君子为国,正其纲纪,治其法度
❿始或为终,终或为始,恶知其纪/不必有非常之功,而皆有可纪之状/逆顺同道而异理,审知逆顺,是谓道纪/以天为父,以地为母,阴阳为纲,四时为纪/阴晴显晦,昏旦含吐,千变万状,不可殚纪/革之匪时,物失其基;因之匪理,物丧其纪/善计天下者不视天下之安危,察其纪纲之理乱而已矣/人之生也,必以其欢。忧则失纪,怒则失端。忧悲喜怒,道乃无处

纫 rèn 搓,捻;连缀;以线穿针;按摩;感佩不忘;通"韧",坚韧。
❸蒲苇纫如丝,磐石无转移

纬 wěi 编织物上的横线;东西的横路;行星的古称;筝上的弦;束;编织。
❷经纬天地之谓文,戡定祸乱之谓武
❸经天纬地之帝,求制礼作乐之才
❺经正而后纬成,理定而后辞畅
❾虚檐立尽梧桐影,络纬数声山月寒
❿情者文之经,辞者理之纬/合升鼓之微以满仓廪,合疏缕之纬以成帏幕

纭 yún[纭纭]形容多而乱。
❹万物纷纭,非有也,有之者人也,人不有,则万物何有
❻事物之变,纷纭杂出,若不可知

纮 hóng 古代帽子上的系带;维系;古时编磬成组的绳子;通"宏",宏大。
❷八纮驰骋于思绪,万代出没于毫端

纯 ①chún 丝；纯粹；善；好；皆；全；大；净；熟练。②zhǔn 古代衣服鞋帽等的镶边。③tún 匹、段，绸帛计量单位；[纯束]包裹。④quán 古计数单位，一双；一对。

❶纯粹而不杂，静一而不变……此养神之道也

见《庄子·刻意》。删节处为："惔而无为，动而以天行"。

纯柔纯弱兮，必削必薄；纯刚纯强兮，必丧必亡

见唐·柳宗元《佩韦赋》。

❷地纯阴凝聚于中，天浮阳运旋于外

❸纯柔纯弱兮，必削必薄；纯刚纯强兮，必丧必亡

❽居利思义，在约思纯

❿为人子者，父母存，冠衣不纯素／虚华盛而忠信微，刻薄稠而纯笃稀／白璧有考，不得为宝：言至纯之难也／机械之心藏于胸中，则纯白不粹，神德不全／诚则始终不忒，表里一致，敬信真纯，往而必孚／纯柔纯弱兮，必削必薄；纯刚纯强兮，必丧必亡

纱 ①shā 棉麻等纺成的细丝；用纱织成的经纬线较稀的织品；又轻又薄的纺织品的统称。②miǎo 细微。

❷白纱入缁，不染自黑

❸因嫌纱帽小，致使锁枷扛

❺起来自擘纱窗破，恰漏清光到枕前

❿化作娇莺飞归去，犹认纱窗旧绿

纲 gāng 鱼网上的总绳；生物分类系统的一个层次；比喻事物最主要的部分；旧时成批运输货物的组织；行列。

❷纪纲一废，何事不生／秉纲而目自张，执本而末自从

❸网在纲，有条而不紊／举一纲，众目张；弛一机，万事隳

❹道之人纲……方谓之道／为民纪纲者何也？欲也恶也／举网以纲，千目皆张，振裘持领，万毛自整

❻用民有纪有纲

❼善张网者引其纲／善为理者，举其纲，疏其网／君子为国，正其纲纪，治其法度／万目不张举其纲，众毛不整振其领

❾用心于正，一振而群纲举

❿智巧，扰乱之罗也；有为，败事之纲也／鱼鳖得免毒螫之渊，鸟兽得离罗网之纲／以天为父，以地为母，阴阳为纲，四时为纪／壹引其纪，万目皆起；壹引其纲，万目皆张／善计天下者不视天下之安危，察其纪纲之理乱而已矣

纳 nà 接受；上交；交付；给；缔结；使进入；享受；用针线密密地缝；通"衲"，补缀；通"軜"，古代四马驾车边马的内缰绳。

❶纳善若不及，从谏若转圜

见汉·班固《汉书·梅福传》。全句为："～；听言不求其能，举功不考其素"。

❷吐纳文艺，务在节宣，清和其心，调畅其气

❸工以纳言，时而扬之／端拱纳谏诤，和风日冲融／川泽纳污，山薮藏疾，瑾瑜匿瑕／吐故纳新者，因气以长气，而气大衰者则难长也／虽有纳谏之明，而无力行之果断，则言愈多而听愈惑

❹未信而纳忠者，谤也／无启宠纳侮，无耻过作非／瓜田不纳履，李下不正冠／有钱的纳宠妾、买人口、偏兴旺

❻大能掩小，海纳百川／捉衿而肘见，纳履而踵决／吟咏之间，吐纳珠玉之声／古之选贤，傅纳以言，明试以功

❼吹呴呼吸，吐故纳新／胸中浩然廓然，纳烟云日月之伟观，揽雷霆风雨之奇变

❽仲夏苦夜短，开轩纳微凉／大不如海而欲以纳江河，难哉／身之将败者，必不纳忠谏之言

❾虑壅蔽，则思虚心以纳下／爱子，教之以义方，弗纳于邪／纵横振锋颖之才，吐纳积江湖之量／教化之行，引中人而纳于君子之涂／刺绣之师，能缝帷裳；纳缕之工，不能织锦／福生有基，祸生有胎；纳其基，绝其胎，祸福何自来

❿以救时行道为贤，以犯颜纳说为忠／虚凝淡泊怡其性，吐故纳新和其神／岂得以人言不同己意，便即护短不纳／予欲闻六律五声八音，在治忽，以出纳五言／尽者情露，好人行尽于人，而不能纳人之径／卞和献宝，以离断趾；灵均纳忠，终于沉身／赏之使谏，尚恐不言；罪其敢言，孰敢献纳／气以实志，志以定言，吐纳英华，莫非情性

纵 ①zòng 直的；广泛地；任意地；腾跃；南北方向的；从前到后的；放任；身体猛然向前；纵深；即使。②zōng 通"踪"。③zǒng [纵纵]急遽状。④sǒng[纵臾]通"怂恿"，鼓动。

❶纵死犹闻侠骨香

见唐·王维《少年行》。

纵意于处安，不必全福

见南朝·宋·刘彧《答王景文手诏》。全句为："甘心于履危，未必逢祸；～"。

纵浪大化中，不喜亦不惧

见晋·陶潜《神释》。全句为："～。应尽便须尽，无复独多虑"。

纵横一川水，高下数家村

见宋·王安石《即事十五首》其七。

纵横计不就，慷慨志犹存

见唐·魏征《述怀》。全句为："中原初逐鹿，投笔事戎轩，～"。

纵有还家梦，犹闻出塞声

见唐·令狐楚《从军词五首》之四。

纵欲而失性，动未尝正也

见汉·刘安《淮南子·齐俗》。全句为："～。以治身则危，以治国则乱，以入军则破"。

纵使岁寒途远，此志应难夺

见宋·李纲《六么令》。

纵一苇之所如，凌万顷之茫然

见宋·苏轼《前赤壁赋》。

纵民之情谓之乱，绝民之情谓之荒

见汉·荀悦《申鉴·政体》。

纵使长条似旧垂，也应攀折他人手

见唐·韩翃《章台柳》。全句为："章台柳，章台柳！昔日青青今在否？～"。一说此句出于唐·许尧佐《柳氏传》。

纵令然诺暂相许，终是悠悠行路心

见唐·张谓《题长安壁主人》。全句为："世人结交须黄金，黄金不多交不深，～"。

纵横正有凌云笔，俯仰随人亦可怜

见金·元好问《论诗三十首》之二十一。

纵横振锋颖之才，吐纳积江湖之量

见唐·王勃《冬日羁游汾阴送韦少府入洛序》。

纵令滋味当染于口，声色已开于心……

见三国·魏·嵇康《答向子期难养生论》。全句为："～，可以至理遣之，多算胜之"。

纵有良法美意，非其人而行之，反成弊政

见明·胡居仁《居业录·古今》。

❷恣纵既成……亦制自家不得

❸一日纵敌，万世之患／从令纵敌，非良将也／愚者纵之，多至失所／一日纵敌，数世之患也／巧辩纵横而可喜，忠言质朴而多讷

❹欲不可纵，纵欲成灾

❺推波助澜，纵风止燎／欲不可纵，纵欲成灾

❼逆阪走丸，迎风纵棹／失神之术本于纵恣，丧神之数在于自专／巫山之上顺风纵火，膏夏紫芝与萧艾俱死／钓者中大鱼，则纵而随之……则无不得也

❽贱敛无节，官上奢纵，则人贫／但得贞心能不改，纵令移植亦何妨／心志既舒则易以纵驰，议论无择则易以浮浅／人情得足，苦于放纵，快须臾之欲，忘慎罚之义

❾惩病克寿，矜壮死暴。纵欲不戒，匪愚伊耄／若近细人，不闻教谕，纵欲行善，犹未知所适

❿人之持身立事，常成于慎而败于纵／庾信文章老更成，凌云健笔意纵横／有善者虽远必升，无能者纵近必废／意匠如神变化生，笔端有力任纵横／赏不劝，谓之止善；罚不惩，谓之纵恶／赋敛以时，官上清约，则人富。赋敛无节，官上奢纵，则人贫

纶 ①lún 某些人工合成的纤维；钓鱼用的丝线；青色丝带；理丝。②guān 古代配有青丝带的头巾。

❷经纶世务者，窥谷忘反

❸羽扇纶巾，谈笑间、强虏灰飞烟灭

❹自古经纶足是非，阴谋最忌夺天机

❿处林泉中，不可无廊庙经纶／朝廷之臣，取其鉴达治体，经纶博雅

纷 fēn 旗上的飘带；众多，杂乱；争执。

❶纷乎其若乱，静之而自治

见《管子·心术上》。

❸天下纷纷，何时定乎／四序纷回，而入兴贵闲／秦爱纷奢，人亦念其家／出见纷华盛丽而说，入闻夫子之道而乐／万物纷纭，非有也，有之者人也，人不有，则万物何有

❹天下纷纷，何时定乎／解杂乱纷纠者不控卷，救斗者不搏撠

❺解非常之纷者不可以常语谕／事物之变，纷纭杂出，若不可知／繁枝容易纷纷落，嫩蕊商量细细开

❻机权多门，是纷乱之原也／清明时节雨纷纷，路上行人欲断魂／繁枝容易纷纷落，嫩蕊商量细细开／挫其锐，解其纷，和其光，同其尘，湛兮似或存

❼清明时节雨纷纷，路上行人欲断魂

❽芳草鲜美，落英缤纷／翻手作云覆手雨，纷纷轻薄何须数

❿遵四时以叹逝，瞻万物而思纷／雪压冬云白絮飞，万花纷谢一时稀／木末芙蓉花，山中发红萼。涧户寂无人，纷纷开且落／所贵于天下之士者，为人排患、释难、解纷乱而无所取也

纸 zhǐ 可用于写字、绘画等的物品；量词，用于文书的件数或张数。

❶纸上语可废坏，心中誓不可磨灭

见宋·郑思肖《心史总后叙》。

纸上得来终觉浅，绝知此事要躬行

见宋·陆游《冬夜读书示子聿》八首之一。

❷剪纸为墙，不可止暴，搏沙为饼，不可疗饥

❸若教纸上翻身看，应见团团董卓脐／龙蛇纸上飞腾，看落笔四筵风雨惊

❹丁君十纸，不敌王褒数字／学书者纸费，学医者人费

❺不随举子纸上学六韬，不学腐儒穿凿注五经／伯浑醉书，纸穷墨燥，如春龙奋蛰，奇鬼搏人，何其壮也

❻马上相逢无纸笔，凭君传语报平安

❼明窗净几笔砚纸墨皆极精良，亦自是人生一乐事

❽博士买驴，书卷三纸，未有驴字／借问瘟君欲何往，纸船明烛照天烧

❾下笔则烟飞云动，落纸则鸾迴凤惊

❿操数寸之管，书盈尺之纸

纺 ①fǎng 把纤维制成纱或线；一种质地细软而轻薄的丝织品。②bǎng 同"绑"，绑缚。

❻每一衣，则思纺绩之辛苦

❿男子疾耕不足于粮饷，女子纺绩不足于帷幕／男子疾耕不足于糟糠，女子纺绩不足于盖形／和氏之璧，价重千金，然以之间纺，曾不如瓦砖

线 xiàn 用棉、丝等制成的细长物品；像线的；路线；界线；线索；用于抽象事物，表示微小。

❷一线之溜，可以达石者，一与不一故也

❹一丝不线，单木不林／单丝不线，孤掌难鸣

❺单丝不成线／慈母手中线，游子身上衣

❻千里姻缘一线牵／海上涛头一线来，楼前指顾雪成堆

❼好似和针吞却线，刺人肠肚系人心

❽炷尽沉烟，抛残绣线，恁今春关情似去年

❿茫茫九派流中国，沉沉一线穿南北／忽闻晓角吟风，一叶坠露，惊而试问，即红线回矣

绁 ①xiè 绳子；拴，捆。②yì 通"跇"，越度。

❶绁食鹰鸢欲其鸷，鸷而亨之，将何用哉

见南朝·宋·范晔《后汉书·盖勋传》。

绂 fú 同"市"，即蔽膝；亦作"韨"，系印的丝带。

❼今来县宰加朱绂，便是生灵血染成

练 liàn 把生丝或生丝织品煮熟，使柔软而洁白；熟绢；练习；老练、练达；通"拣"，选择；古时父母去世第十一个月，子女祭于家庙称"练"；姓。

❷修练多从苦处来

❸譬犹练丝，染之蓝则青，染之丹则赤

❹军无习练，百无当一；习而用之，一可当百

❺飞泉出窦，练缒花吐

❽已信之民易治，已练之兵易使／调难调之人，可以练性，学在其中矣／藩屏之臣，取其明练风俗，清白爱民

❿世事洞明皆学问，人情练达即文章／赤橙黄绿青蓝紫，谁持彩练当空舞／消受尘，白取垢；青蝇所污，常在练素／清受尘、白取垢；青蝇所污，常在练素／综学在博，取事贵约，校练务精，捃理须核

组 zǔ 用丝织成的阔带子；编织；组织；构成；结合；集合；音乐术语。

❿吾病世之逐逐然，唯印组为务以相轧／孔子曰："吾闻之，古之善御者，执辔如组，两骖如舞，非策之助也"。

细 xì 与"粗"相对的；音量小；周密；细微；仔细；琐屑；不重要。

❶细云新月耿黄昏

见宋·陆游《西村》。

细事不察，不得言大

见《称》。

细推物理须行乐，何用浮名绊此身

见唐·杜甫《曲江二首》之一。

❷轻细微眇之渐，必生乖忤之患／自细视大者不尽，自大视细者不明

❸德无细，怨无小／不矜细行，终累大德／文之细大，视道之行止／舂去细糠如剖玉，炊成香饭似堆银／苟以细过自恕而轻蹈之，则不至于大恶不止／若近细人，不闻教谕，纵欲行善，犹未知所适

❹变故兴细微／楚王好细腰，宫中多饿死／君子于细事，未必可观，而材德足以重任／曲思于细者必忘其大，锐精于近者必略于远

❺大海不让细流／大木为杗，细木为桷／贪多务得，细大不捐／口衔山石细，心望海波平／风起水面，细生鳞甲……／乱生于甚细，终于不救……／嵩衡不拒细壤，故能崇其峻／河海不择细流，故能就其深／楚灵王好细腰而国中多饿人／大行不顾细谨，大礼不辞小让／春风吹蚕细如蚁，桑芽才努青鸦嘴／不责人以细过，则能吏之志得以尽其效

❻(文章)不难于细而难于粗，不难于华而难于质

❼晚节渐于诗律细／图四海者，非怀细以害大／人莫不忽于微细，以致其大／将治大者不治细，成大功者不成小／镜之明己也功细，士之明己也功大／甚雾之朝，可以细书而不可以远望寻常之外

❽食不厌精，脍不厌细／何时一樽酒，重与细论文／随风潜入夜，润物细无声／时无远近，事无巨细，必籍多闻，以成博识

❾人才有长短，能有巨细／常闻夸大言，下顾皆细萍／患生于所忽，祸发于细微／君子之爱人也以德，细人之爱人也以姑息／轻羽在高，遇风则飞；细石在谷，逢流则转

❿图难于其易，为大于其细／明月之光，可以望远而不可以细书／自细视大者不尽，自大视细者不明／繁枝容易纷纷落，嫩蕊商量细细开／书不记，熟读可记；义不精，细思可精／论大功者不录小过，举大善者不疵细瑕／富贵骄人，固不善；学问骄人，害亦不细／天下难事，必作于易；天下大事，必作于细／众物之中，道无不在；秋毫之细，道亦居之／水皆缥碧，千丈见底；游鱼细石，直视无碍

织 ①zhī 纺织；编织。②zhì 丝织品；通“帜”。

❷趣织鸣，懒妇惊／罗织语言，以为谤讪／耕织之民日耗，则田荒而桑枯矣
❸不知织女萤窗下，几度抛梭织得成
❹妇无蚕织夫无耕／男耕女织，天下之大业／襄邑俗织锦，钝妇无不巧
❺风露饥肠织到明
❻彼民有常性，织而衣，耕而食，是谓同德
❼窗下抛梭女，手织身无衣／妇人当年而不织，天下有受其寒者
❽鬓边虽有丝，不堪织寒衣／水平布石上，流若织文，响若操琴
❾衣食之道，必始于耕织
❿临河而羡鱼，不如归家织网／丈夫力耕长忍饥，老妇勤织长无衣／不能耕而欲黍粱，不能织而喜采裳／不知织女萤窗下，几度抛梭织得成／刺绣之师，能缝帷裳；纳缕之工，不能织锦／一夫不耕，天下受其饥；一妇不织，天下受其寒

终 zhōng 末了；最后；结束；指人死；终归；从开始到最后的整段时间；竟；尽；既；古代田地面积单位；古时以十二年为一终；姓。

❶终朝为恶，四海倾覆

见南朝·宋·范晔《后汉书·朱穆传》。全句为：“一日行善，天下归仁；～”。

终日抄药方而不能瘳一疾

见清·申涵光《荆园进语》。全句为：“～，终日写路程而不能行一步，徒知无益也”。

终日写路程而不能行一步，徒知无益也

见清·申涵光《荆园进语》。全句为：“终日抄药方而不能瘳一疾，～”。

❷慎终如始，乃能长久／慎终如始，则无败事／虽终身而不自睹其性焉／始终得其正，天下合于一／念终始典于学，厥德修，罔觉／但终日不见己过，便绝圣贤之路／能终而不能赏，虽有贤人，终不可用矣／慎终如始，犹恐渐衰，始尚不慎，终将安保
❸事无终始，无务多业／物之终始，初无极已／老母终堂，生妻去帷／不能终善者，不遂其君／俯仰终宇宙，不乐复何如／学之终身，有不能达者矣／秀干终成栋，精钢不作钩／圣人终不为大，故能成其大／以其终不自为大，故能成其大／莫为终身之计，而有后世之虑／饱食终日，无所用心，难矣哉／吾之终日志于道德，犹惧未及也／道无终始，物有死生，不恃其成／心病终须心药治，解铃还是系铃人／算来终不与时合，归去来兮翠如中／吾尝终日而思矣，不如须臾之所学也／睹其终必原其始，故存其人而咏其道／虎豹终日而不杀，则跳踉大叫以发其怒／蝮蝎终日而不螫，则噬啮草木以致其毒／群居终日，言不及义，好行小慧，难矣哉／吾尝终日不食、终夜不寝以思，无益，不如学也
❹为国者终不顾家／始之易，终之难／穷则反，终则始／降矣哉？终身夷狄／大愚者，终身不灵／时有始终，世有变化／有始有终，无为无欲／老有所终，壮有所用／奋始怠终，修业之贼也／原始反终，故知死生之说／芳槿无终日，贞松耐岁寒／君子无终食之间违仁……／忧端齐终南，澒洞不可掇／飘风不终朝，骤雨不终日／如是，则终生几无可问之事／君子有终身之忧，无一朝之患／明与诚终岁不违，则能终身矣／始或为终，终或为始，恶知其纪／动静者终始之道，聚散者化生之门也／勤非俭，终年劳瘁，不当一日之侈靡／奉而始终之则为道，言而发明之则为诗／大惑者，终身不解；大愚者，终身不灵／大丈夫……终不为邪暗小人所惑而易其所守／诚则始终不忒，表里一致，敬信真纯，往而必孚／言无言，终身言，未尝言；终身不言，未尝不言
❺物不可以终否／物不可以终止／物不可以终壮／打蛇勿死终有害／一日叫娘，终身是母／不矜细行，终累大德／事不三思，终有后悔／但立直标，终无曲影／命驹曰犊，终必为马／圣人之见，终始微言／在初则易，终之实难／知止常止，终身不耻／困鸟依人，终当飞去／消息盈亏，终则有始／涓涓不壅，终为江河／送君千里，终须一别／如人说食，终不能饱／始楚而谢，终泣而对／积善有征，终身无祸／雾里看花，终隔一层／节行失之，终身不可得／慎始而敬终，终以不困／走而蹶者，终身不御马／衰为盛之终，盛为衰之始／明德虽明，终假言而荣行／原始以要终，虽百世可知也／故飘风不终朝，骤雨不终日／不饱食以终日，不弃功于寸阴／坐茂树以终日，濯清泉以自洁／莫知其所终，若之何其无命也／困而不学，终于不知，斯为下尔／始或为终，终或为始，恶知其纪／随人作计终后人，自成一家始逼真／爽口物多终作疾，快心事过必为殃／少年辛苦终身事，莫向光阴惰寸功／善恶到头终有报，只争来早与来迟／纸上得来终觉浅，绝知此事要躬行／炒沙作糜终不饱，镂冰文章费工巧／衣带渐宽终不悔，为伊消得人憔悴／道，于大不终，于小不遗，故万物备／天地车轮，终则复始，极则复反，莫不咸当／欲为君子，终身乃成；欲为小人，一朝可就／闭心自慎，终不失过兮；秉德无私，参天地兮／不思安危终始之虑，是乐春藻之繁华，而忘秋实之甘口也
❻被头里做事终晓得／万物自有而终归于无／劳谦，君子有终，吉／守其初心，始终不变／始

若可喜而终不可久／一闻人之过，终身不忘／非行之难也，终之难也／同心而共济，终始如一／慎始而敬终，终以不困／无路请缨，等终军之弱冠／列士并学，能终善者为师／冰霜正惨凄，终岁常端正／虽无玄豹姿，终隐南山雾／徒手而来者，终年而不获／学尽百禽语，终无自己声／忍得一时忿，终身无恼闷／蛟龙得云雨，终非池中物／乱生于甚细，终于不救……／慎厥初，惟厥终，终以不困／饱食便卧及终日久坐，皆损寿／死而不祸，知终始之不可故也／博弈之交不终日，饮食之交不终月／人生结交在终始，莫为升沉中路分／人生贵贱无终始，倏忽须臾难久恃／势利之交不终年，惟道义之交，可以终身

❼思其始而图其终／举大事必慎其终始／以德者愈迟而终显／短不可护，护短终短／稽天之潦，不能终朝／善始者实繁，克终者盖寡／滥交朋友，不如终日读书／慎重者，始若怯，终必勇／轻发者，始若勇，终必怯／有生必有死，早终非命促／既受人之托，必终人之事／开其兑，济其事，终身不救／塞其兑，闭其门，终身不勤／慎厥初，惟厥终，终以不困／虽为镜于前代，终抱痛于今日／虽感目之一致，终寄怀而百端／安不忘危，故能终而成霸功焉／始得名于文章，终得罪于文章／幸于始者怠于终，善其辞者嗜其利／于其所达，行之终身，有不能至者矣／子为王，母为虏，终日舂薄暮，常与死为伍／物有本末，事有终始。知所先后，则近道矣／短不可护，护则终短；长不可矜，矜则不长／吾尝终日不食、终夜不寝以思，无益，不如学也／有缺点的战士终竟是战士，完美的苍蝇也终竟不过是苍蝇／人之所以不能终其寿命，而中道夭于刑戮者，何也？以其生生之厚

❽言有尽而情不可终／不勤于始，将悔于终／骄淫矜侉，将由恶终／昭明有融，高朗令终／服美不称，必以恶终／靡不有初，鲜克有终／居家戒争讼，讼则终凶／无为虚唱大言而终归无用／民知至至矣，政在终终也／外合不由中，虽固终必离／人生几何时，怀忧终年岁／赠人以言者，能致终身之福／于今腐草无萤火，终古垂杨有暮鸦／纵令然诺暂相许，终是悠悠行路心／官无常贵而民无终贱，有能则举之，无能则下之／含气之伦，有生必终，盖天地之常期，自然之至数／兢兢自危，犹惧不终，而况沛然自足，可以成功者乎／可与为始，可与为终，可与尊通，可与卑穷者，其唯信乎

❾舍远谋近者，逸而有终／长将一寸身，衔木到终古／民知至至矣，政在终终也／丧不过三年，示民有终也／君子见几而作，不俟终日／滔滔大江水，天地相终始／学无早晚，但恐始勤终惰／飘风不终朝，骤雨不终日／生，人之始也；死，人之终也／诵读有真趣，不玩味终为鄙夫／吟咏有真得，不解脱终为套语／山水有真赏，不领会终为漫游／有善始者实繁，能克终者盖寡／田园有真乐，不潇洒终为忙人／理贵在于得要兮，事终成于会机／无迷其途，无绝其源，终吾身而已矣

❿忧懈怠则思慎始而敬终／百首如一首，卷初如卷终／由声以循实，则难在克终／物速成则疾亡，晚就则善终／故飘风不终朝，骤雨不终日／苟不能以善始，未有能令终者／明与诚终岁不违，则能终身矣／有生者必有死，有始者必有终／后生虽天资聪明，而识终有不及／兵虽诡道而本于正者，终亦必胜／不可乘快而多事，不可因倦而鲜终／博弈之交不终日，饮食之交不终月／伤则感遥而悼近，怨则恋始而悲终／苟不自满而中止，庶几终身而有成／善作者不必善成，善始者不必善终／昨日山中之木，以不材得终其天年／气如兰兮长不改，心若兰兮终不移／欲事之无繁，则必劳于始而逸于终／毁誉从来不可听，是非终久自分明／惑而不从师，其为惑也，终不解矣／白杨为屋材，折则宁折，终不屈挠／耳边要静不得静，心里欲闲终未闲／身为野老已无责，路有流民终动心／余将董道而不豫兮，固将重昏而终身／观逐者于其反也，而观行者于其终也／小人……行一日之善，而求终身之誉／待西施、毛嫱而为配，则终身不家矣／始以护人之乱为义，而终掠乱以求之／人百负之而不恨，己信之终不疑其欺己／功不使鬼必在役人，物不天来终须地出／能终而不能赏，虽有贤人，终不可用矣／巧不使鬼必有役人，物不天来终须地出／若能常保数百卷书，千载终不为小人也／大惑者，终身不解；大愚者，终身不灵／小人不能忍小忿之故，终有赫赫之败辱／吾不能变心而从俗兮，固将愁苦而终穷／势利之交不终年，惟道义之交，可以终身／君不见长松百尺多劲节，狂风暴雨终摧折／物，量无穷，时无止，分无常，终始无故／非知之难，行之惟难；非行之难，终之斯难／年不可举，时不可止，消息盈虚，终则有始／卞和献宝，以离断趾；灵均纳忠，终于沉身／得贤须任，既任须信，既信须终，既终须赏／慎终如始，犹恐渐衰，始尚不慎，终将安保／达于道者，反于清净；究于物者，终于无为／学不成章，无由而达；志不归一，终难成事／权衡既悬，锱铢靡遁，厉驽习骥，终莫之近／物有美恶，施用有宜，美不常珍，恶不终弃／欧公作文，先贴于壁……有终篇不留一字者／神龟虽寿，犹有竟时；腾蛇乘雾，终为土灰／上与造物者游，而下与外生死、无终始者为友／未事而知其来，始事而知其终，定事而知其变／好贤而不能任，能任而不能信，能信而不

能终/天下犹人之体,腹心充实,四支虽病,终无大患/任而不信,其才无由展;信而不终,其业无由成/言无言,终身言,未尝言;终身不言,未尝不言/得鸟者,罗之一目也,然张一目之罗,终不得鸟矣/安不忘危,治不忘乱,虽知今日无事,亦须思其终始/政如农功,日夜思之,思其始而成其终,朝夕而行之/侍坐于先生,先生问焉,终则对。请业则起,请益则起/盖吾儒起手便与禅异者,正在彻始彻终总是体用一致耳/有缺点的战士终竟是战士,完美的苍蝇也终竟不过是苍蝇/五福:一曰寿,二曰富,三曰康宁,四曰攸好德,五曰考终命/若明而不信,严而不断,惠而不正,虽欲理身,终不自理,况于人哉

绊 bàn 拘系马脚的绳索;阻碍。

❿细推物理须行乐,何用浮名绊此身

绎 yì 抽丝;理出头绪;连续不断;古时祭之次日又祭为绎;通"峄",用于山名。

❹说而不绎,从而不改

❿李白之文,清雄奔放,名章俊语,络绎间起,光明洞彻,句句动人

经 ①jīng 经线;南北的道路;历久不变的;经典;经营、治理;经过;禁受;经度;中医指人体气血运行的脉络;悬缢,上吊;妇女的月经;数目;姓。②jìng 梳理。

❶经一失,长一智

见明·冯梦龙《警世通言·王安石三难苏学士》。

经师易求,人师难得

见唐·令狐德棻等《周书·卢诞传》。

经邦建国,教学为先

见唐·房玄龄《晋书·孔愉传》。

经耳不忘,历口不遗

见唐·杨炯《大周明威将军梁公神道碑》。

经纶世务者,窥谷忘反

见南朝·梁·吴均《与宋元思书》。全句为:"鸢飞戾天者,望峰息止;~"。

经一番挫折,长一番见识

见清·申涵光《荆园小语》。全句为:"~;多一分享用,减一分志气"。

经事还谙事,阅人如阅川

见唐·刘禹锡《酬乐天咏老见示》。

经非权则泥,权非经则悖

见唐·柳宗元《断刑论》。"泥",拘泥。

经正而后纬成,理定而后辞畅

见南朝·梁·刘勰《文心雕龙·情采》。全句为:"情者文之经,辞者理之纬;~,此立文之本源也"。

经天纬地之帝,求制礼作乐之才

见唐·杨炯《唐右将军魏哲神道碑》。全句为:"~;拨乱反正之君,资拔山超海之力"。

经济文章磨白昼,幽光狂慧复中宵

见清·龚自珍《忏心》。全句为:"~。来何汹涌须挥剑,去尚缠绵可付箫"。"经济",经世济民。

经纬天地之谓文,戡定祸乱之谓武

见唐·韩愈《贺册尊号表》。

经传之文,贤圣之语,古今言殊,四方谈异

见汉·王充《论衡·自纪篇》。

经目之事,犹恐未真;背后之言,岂能全信

见明·施耐庵《水浒传》第二十六回。

❷不经一事,不长一智/学经不明,不如归耕/曾经沧海难为水,除却巫山不是云/好经大事,变更易常,以挂功名,谓之叨/六经之治,贵于未乱;兵家之胜,贵于未战

❸礼有经,亦有权/学之经莫速乎好其人/衣不经新,何由而故/愧乏经济才,徒然守章句/鹍子经天飞,群雀两向波/文章,经国之大业,不朽之盛事/白日经天中则移,明月横汉满而亏/自古经纶足是非,阴谋最忌夺天机/济世经邦,要段云水的趣味,若有贪着,便堕危机

❹君子反经而已矣/是非之经,不可不分/从政有经,而令行为上/凡事有经必有权,有法必有化/胜地几经兴废事,夕阳偏照古今愁/礼,天之经也,地之义也,民之行也

❺凡政之大经,法教而已矣/情者文之经,辞者理之纬/矜容者有经日之芳;工歌者有弥旬之韵/先王以是经夫妇,成孝敬,厚人伦,美教化,移风俗

❻对马牛而诵经/伏而咶天,救经而引其足/在火辨玉性,经霜识松贞/少年作迟暮经营,异日决无成就/秦汉而学六经,岂复有秦汉之文/觉来落笔不经意,神妙独到秋毫颠/文章功用不经世,何异丝窠缀露珠/悠悠生死别经年,魂魄不曾来入梦

❼明体以及用,通经以知权/禅堂茶散卷残经,竹杖芒鞋信脚行/焕然如日月之经天也,炳然如虎豹之异犬羊也

❽侈言无验,虽丽非经/经非权则泥,权非经则悖/凡君之所毕世而经营者,为天下也/遭一蹶者得一便,经一事者长一智

❾与其杀不辜,宁失不经/此物何足重,但感别经时/立实以致声,则难在经始/前古之兴亡,未尝不经于心也/议论证据今古,出入经史百子/古之贤人君子,大智经营,莫不除害兴利

❿岂学书生辈,窗间老一经/遗子黄金满籯,不如一经/积财千万,不如明解一经/处林泉中,不可无廊庙经纶/遗子黄金满籯,不如教子一经/妖不胜德,邪不伐正,天之经也/有必不可

行之事，不必妄作经营／与物委蛇而同其波，是卫生之经已／不是眼前无外物，不关心事不经心／今人不见古时月，今月曾经照古人／自家虽有这道理，须是经历过方得／春生夏长，秋收冬藏，此天道之大经／朝廷之臣，取其鉴达治体，经纶博雅／为善无近名，为恶无近刑，缘督以为经／打扫光明一片地，襄贮古今，研究经史／亲履艰难者知下情，备经险易者达物伪／不随举子纸上学六韬，不学腐儒穿凿注五经／荐贤能其气似孔文举，论经学其博似刘子骏／蒲柳之姿，望秋而落；松柏之质，经霜弥茂／玉不雕，玙璠不作器；言不文，典谟不作经／事丰奇伟，辞富膏腴，无益经典，而有助文章／制国有常，而利民为本；从政有经，而令行为上／治国有常，而利民为本；政教有经，而令行为上／天公何时有，谈者皆不经。谁道贤人死，今为傅说星

结

①jié 打结；像结的；结成某种关系；结束；字据；凝聚；屈曲，盘结；总结；扎缚；组织；旧时向官府承担责任或承认了结的证件；凸出的块状物。②jiē 植物长出果实或种子。③jì 同"髻"，发髻。

❶结言端直，则文骨成焉

见南朝·梁·刘勰《文心雕龙·风骨》。全句为："～；意气骏爽，则文风清焉"。

结发为夫妻，恩爱两不疑

见汉·苏武《别诗》。

结发同枕席，黄泉共为友

见汉·无名氏《古诗为焦仲卿妻作》。

结交一言重，相期千里至

见唐·虞世南《结客少年场行》。

结交在相知，骨肉何必亲

见汉·杂曲歌辞《古歌辞》。

结交莫羞贫，羞贫友不成

见汉·佚名《古诗·采葵莫伤根》。全句为："采葵莫伤根，伤根葵不生。～"。

结交澹若水，履道直如弦

见唐·杜淹《寄赠齐公》。

结庐在人境，而无车马喧

见晋·陶潜《饮酒二十首》之五。全句为："～。问君何能尔？心远地自偏"。

结民心，在薄赋敛；薄赋敛，在节财用

见宋·杨万里《转对札子》。全句为："保国之大计，在结民心；～"。

结体散文，直而不野，婉转附物，惆怅切情

见南朝·梁·刘勰《文心雕龙·明诗》。

❷不结同心人，空结同心草／面结口头交，肚里生荆棘

❸信以结之，则民不倍／萧朱结绶，王贡弹冠／杜口结舌，言为祸母／心无结怨，口无烦言／无物结同心，烟花不堪剪／临凝结而能断，操绳墨而无私／世人结交须黄金，黄金不多交不深／人生结交在终始，莫为升沉中路分／魂魄结兮天沉沉，鬼神聚兮云幂幂／上古结绳而治，后世圣人易之以书契／河冰结合，非一日之寒；积土成山，非斯须之作

❹网解不结，有兽失之患／论行而结交者，立名之士也／军民团结如一人，试看天下谁能敌

❻相引以名，相结以隐／利剑不在掌，结友何须多／探微从道管，结撰是心精／巢林宜择木，结友使心晓／昂昂累世士，结根在所固／大字难于密结而无间，小字难于宽绰而有余

❼事违于理则负结于意／保国之大计，在结民心／不结同心人，空结同心草／捶字坚而难移，结响凝而不滞／铺落花以为茵，结垂杨而代幄／水性虚而沦漪结，木体实而花萼振，文附质也／非有卓然异绩结于人心，浃于骨髓，安能久而愈思

❾临渊羡鱼，不如退而结网／国多忌讳，大人恒畏。结口无患，可以长存

❿罪生甲，祸归乙，伏怨乃结／刀不能剪心愁，锥不能解肠结／富于材积，领会神情，临景结构，不仿形迹

绔

kù 同"裤"。

❷纨绔不饿死，儒冠多误身

❾自古雄才多磨难，纨绔子弟少伟男

绕

①rào 围绕；绕开；不顺；（头绪）不清。②rǎo 姓。

❸清歌绕梁，白云将红尘并落

❺鸟思猿情，绕梁历榱……／繁莺芳树，绕高台而共乐

❻百炼或致屈，绕指所以伸

❽可使寸寸折，不能绕指柔／何意百炼刚，化为绕指柔／主人闻语未开门，绕篱野菜飞黄蝶

❾与害偕行兮，以死自绕／月明星稀，乌鹊南飞，绕树三匝，何枝可依

❿不依古法但横行，自有云雷绕膝生／阴风搜林山鬼啸，千丈寒藤绕崩石／意不先立，止以文采辞句绕前捧后／苟意不先立，止以文彩辞句，绕前捧后，是言愈多而理愈乱

绘

huì 五彩的绣花；描摹；绘画。

❶绘事后素

见《论语·八佾》。谓得到素绢之后方能行绘画之事，指本质、基础之重要。

❾辞者，犹器之有刻镂绘画也

❿杼轴得之，澹而无味，琢刻藻绘，弥不足贵

给

①jǐ 供应；供大于求；丰足；敏捷；及。②gěi 为，替；把；让；使；被；给予。

❷家给人足，天下大治
❺御人以口给，屡憎于人／山林不能给野火，江海不能实漏卮
❼上求薄而民用给／计口而受田，家给而人足／强本节用，则人给家足之道
❿无奇业旁人，而犹以富给，非俭则力也／异物内流则国用饶，利不外泄则民用给／四海之内共利之之谓悦，共给之之谓安／上无所为，则下无事，家给人足，万物自化就／举天下以赏其善者不足，举天下以罚其恶者不给／天生一人，自有一人之用，不待取给于孔子而后足也

绚 xuàn 色彩亮丽而华美。
❼垂秋实于谈丛，绚春花于词苑

绛 jiàng 大红色；古邑名。
❺随陆无武，绛灌无文

络 luò 像网的东西；中医指经脉的旁支、小支；网住；缠，绕；[络绎]前后接连不断。
❶络首縻足兮，骥不能逾跬
见唐·刘禹锡《何卜赋》。全句为："～。前无所阻兮，跛鳖千里"。"縻"，牵系；"跬"，半步。
❻青树翠蔓，蒙络摇缀，参差披拂
❽虚檐立尽梧桐影，络纬数声山月寒
❿洲汀岛屿，向背离合；青树碧蔓，交罗蒙络／李白之文，清雄奔放，名章俊语，络绎间起，光明洞彻，句句动人

绝 jué 断绝；穷尽；没有出路的；死亡；极；绝对；独特的；全然；缺乏；远隔；穿过；越过；旧体诗的一种体裁；冠绝当代。
❶绝江海者托于船
见汉·刘向《说苑·尊贤》。全句为："～，致远道者托于乘，欲霸王者托于贤"。
绝圣弃知而天下大治
见《庄子·在宥》。
绝圣弃智，民利百倍
见《老子》一九。
绝知为福，好知为贼
见汉·严遵《道德指归论·知不知篇》。
绝笔之言，追媵前句之旨
见南朝·梁·刘勰《文心雕龙·章句》。全句为："启行之辞，逆萌中篇之意；～"。
绝愚之人，心无所别析，心无所好欲
见三国·魏·王弼《老子》二十注。
绝民用以实王府，犹塞川原而为潢污也
见《国语·周语下》。全句为："～，其竭也无日矣"。
绝圣弃知，大盗乃止；擿玉毁珠，小盗不起
见《庄子·胠箧》。
绝祸之首，起福之元，去我情欲，取民所安
见汉·严遵《道德指归论·圣人无常心篇》。
绝言之道，去心与意；止为之术，去人与智
见汉·严遵《道德指归论·言甚易知篇》。
❷愁绝寒梅酒半销／将绝其末，必塞其原／恶绝于心，仁形于色／交绝无恶声，去臣无怨辞／贵绝恶于未萌，而起教于微眇／资绝伦之妙态，怀悫素之洁清／弃绝乎礼义之绪，夺攘乎利害之际／子绝四：毋意，毋必，毋固，毋我／不绝之于彼而救之于此，譬犹抱薪而救火
❸圣人绝智，而为无为／君子绝交，不出恶言／倚天绝壁，直下江千尺／谁能绝人命，以作时世贤／声不绝乎耳，色不绝乎目／超迈绝尘驱，倏忽谁能逐／胆力绝众，材略过人，是谓骁雄／始知绝代佳人意，即有千秋国士风／田里绝愁叹之声，邦家闻宽厚之化／穷荒绝漠鸟不飞，万碛千山梦犹懒／口不绝吟于六艺之文，手不停披于百家之编
❹俗学可绝／韦编三绝／兹游奇绝冠平生／仁不轻绝，知不简功／仁不轻绝，智不轻怨／君子交绝，不出恶声／涓涓不绝，流为江河／会当凌绝顶，一览众山小／须知三绝韦编者，不是寻行数墨人／名言所绝理即具于名中，意量所函变可通意外
❺鼓声随听绝，帆势与云邻／圣人……言以绝食，为以止为／尽诚可以绝嫌猜，徇公可以弭谗诉／一噎之故，绝谷不食；一蹶之故，却足不行
❻不强交，不苟绝／上安下顺，弊绝风清／民背如崩，势绝防断／《广陵散》于今绝矣／覆车相寻，不绝于世／北方有佳人，绝世而独立／古之君子，交绝不出恶声／禁邪于冥冥，绝恶于未萌／同冰鱼之不绝，似蛰虫之犹苏／言制度也，则绝奢靡而崇俭约／求取情状，离绝远去笔墨畦径间／君子者，性非绝世，善自托于物也／无迷其途，无绝其源，终吾身而已矣／忧人之言不绝于口，而乐身之事实切于心
❼宜咏诗，诗韵清绝／来如风雨，去如绝弦／间关如有意，愁绝若怀人／商不出则三宝绝，虞不出则财匮少／去浮华，举功实，绝末伎，同本务
❽炎炎者灭，隆隆者绝／孔子读《易》，韦编三绝／声不绝乎耳，色不绝乎目／某今所切，是坠于绝壑……／纵民之情谓之乱，绝民之情谓之荒／纸上得来终觉浅，绝知此事要躬行／以势交者，势倾则绝；以利交者，利穷则散／所贵良吏者，贵其绝恶于未萌，使之不为非
❾以财交者，财尽而交绝／乘舟楫者，不能游而绝江海／但终日不见己过，便绝圣贤之路／嘶酸雏雁失群夜，断绝胡儿恋母声／爱赤子者不慢于保，绝险历远者不慢于御／知足之人，体道同德，绝名除利，立我于无／以食噎而得病者，

欲绝食以去病,乃不知食绝而身毙/祸世之匠,乱国之工,绝逆天地,伤害我身,莫大乎名

❿君子淡以亲,小人甘以绝/山岳移可尽,江海塞可绝/闻君有两意,故来相决绝/寝迹衡门下,邈与世相绝/月下谁家砧,一声肠一绝/晚而好《易》,读之韦编三绝/政犹张琴瑟,大弦急则小弦绝/痛乾坤而忽穷,嗟古今而长绝/假舟楫者,非能水也,而绝江河/有恒者之与圣人,高下固悬绝矣/天长地久有时尽,此恨绵绵无绝期/工不出则农用乏,商不出则宝货绝/君子违难不适仇国,交绝不出恶声/因供寨木无桑柘,为点乡兵绝子孙/官长正而百姓化,邪心黜而奸匿绝/齐、梁间诗,彩丽竞繁,而兴寄都绝/降年有永有不永,非天夭民,民中绝命/善除害者,察其本;善理疾者,绝其源/河九折注于海,而流不绝者,昆仑之输也/治国者譬若乎张琴然,大弦急则小弦绝矣/山无陵,江水为竭……天地合,乃敢与君绝/饮食不节,以生疾病;好色不倦,以致乏绝/鸿鹄高飞,一举千里,羽翼以就,横绝四海/如怨如慕,如泣如诉,余音袅袅,不绝如缕/气往轹古,辞来切今,惊采绝艳,难与并能/能苟焉以求静,而欲之蕲抑窜绝,君子不取也/疗饥于附子,止渴于鸩毒,未入肠胃,已绝咽喉/不就利,不违害,不强交,不苟绝,惟有道者能之/以食噎而得病者,欲绝食以去病,乃不知食绝而身毙/福生有基,祸生有胎;纳其基,绝其胎,祸福何自来/江南多临观之美,而滕王阁独为第一,有瑰伟绝特之称

绞 jiǎo 纠缠不清;扭转;勒死;急切;量词。

❾好直不好学,其蔽也绞

统 tǒng 丝绪的总束;一脉相承的系统;事物之间延伸、发展关系;总起来;纲纪;从全局出发;全面;管辖。

❶统天下者当与天下同心

见晋·陈寿《三国志·魏书·刘馥传》。全句为:"~,治一国者当与一国推实"。

统者,所以合天下之不一也

见宋·欧阳修《正统论上》。全句为:"正者,所以正天下之不正也;~"。

❸天者,统元气焉,非止荡荡苍苍之谓也

❹书之要,统于"骨气"二字

❻简守帅,分其统,专其任

❼袭爵乘位,尊祖统业者易

❽澄其源而清其流,统于一而应于万

❿元气者,天地万物之宗统/大哉乾元,万物资始,乃统天/见百金而色变者,不可以统三军/书以言事,行上行下,平行往复,统谓之书

绠 ①gěng 汲水用的绳子。②bǐng 轮辐近轴处的突出部分。

❶绠短者衔渴,足疲者辍途

见南朝·梁·刘勰《文心雕龙·通变》。

❷短绠不可以汲深井之泉/短绠不可以汲深,器小不可以盛大/短绠不可以汲深,器小不可以盛大,非其任也

❾褚小者不可以怀大,绠短者不可以汲深

绣 xiù 刺绣;刺绣品;华丽的,精美的。

❷刺绣之师,能缝帷裳;纳缕之工,不能织锦

❸今处绣户洞房,则蓑不如裘

❺齐都世刺绣,恒女无不能

❼骈四俪六,锦心绣口/谁不欲争裂绮绣,互攀日月/炷尽沉烟,抛残绣线,恁今春关情似去年

❾富贵不归故乡,如衣绣夜行

❿罢去浮巧轻媚丛错采绣之文/朕若躬服珠玉,自玩锦绣……/糟糠不饱者不务粱肉,短褐不完者不待文绣

绥 ①suí 登车时用以拉手的绳索;安抚;平安;退军;制止。②tuǒ 通"妥",下垂。③ruí 通"緌",旌旗名。

❺人远则难绥,事总则难了/大建厥极,绥理群生,训物垂范,于是乎在

绦 tāo 用丝编织的带子或绳子。

❿碧玉妆成一树高,万条垂下绿丝绦

继 jì 前后相续;承受;接济,增益。

❶继世守文之君,生而富贵,不知疾苦,动至夷灭

见唐·吴兢《贞观政要·教戒太子诸王》。

继以精思,使其意皆出于吾之心。然后可以有得尔

见宋·朱熹《读书之要》。全句为:"观书先须熟读,使其言皆若出于吾之口。~"。

❹苟信不继,盟无益也/孝者,善继人之志,善述人之事者也

❺焚膏油以继晷,恒兀兀以穷年/贵者,夜以继日,思虑善否,其为形也亦疏矣

❻君子周急不继富/善歌者使人继其声,善教者使人继其志

❼苦心焦思,以日继夜,苟利于国,知无不为/乐未毕也,哀又继之;哀乐之来,吾不能御,其去弗能止

❽民知力竭,则以伪继之/昼作不辍手,猛烛继望舒

❿善歌者使人继其声,善教者使人继其志/学者不患立志之不高,患不足以继之耳

绩 jì 纺绩;功业;继续。

❷考绩必以岁月,故官不失绪/野绩不越庙堂,

战多不逾国勋

❺凡欲显勋绩扬光烈者,莫良于学矣

❻非有卓然异绩结于人心,浃于骨髓,安能久而愈思

❼每一衣,则思纺绩之辛苦/名声若日月,功绩如天地

❿多士成大业,群贤济弘绩/有非常之臣者,必有非常之绩/岂余身之惮殃兮,恐皇舆之败绩/百僚师师,百工惟时,抚于五辰,庶绩其凝/男子疾耕不足于粮饷,女子纺绩不足于帷幕/男子疾耕不足于糟糠,女子纺绩不足于盖形/因材任人,国之大柄;考绩进秩,吏之常法

绪 xù 丝头;前人未竟的事业;剩余;念头;反复推求。

❷心绪逢摇落,秋声不可闻

❹寸心万绪,咫尺千里

❼八纮驰骋于思绪,万代出没于毫端/弃绝乎礼义之绪,夺攘乎利害之际

❽然诺不行,政乱无绪/推微达著,寻端见绪,履霜知冰,践露知暑/道之真以治身,其绪余以为国家,其土苴以治天下

❾朝千悲而下泣,夕万绪以回肠

❿考绩必以岁月,故官不失绪/非历览无以寄杼轴之怀,非高远无以开沉郁之绪/东风恶,欢情薄,一怀愁绪,几年离索。错!错!错

续 xù 连接;连接下去;接代的人;姓。

❸断鹤续凫,矫作者妄

❹四时转续,变于所极

❺弦断犹可续,心去最难留/礼者,断长续短,损有余,益不足/凫胫虽短,续之则忧;鹤胫虽长,断之则悲

❻貂不足,狗尾续

❾亲者割之不断,疏者续之不坚

❿诗情吟未足。酒兴断还续/性长非所断,性短非所续/天地之化,盈虚消息,往过来续,流行古今/天地相对,日月相刿,山川相流,轻重相浮,阴阳相续

绮 qǐ 有花纹的丝织品;艳丽,美丽。

❸积年绮碎,一朝清廓,翰苑豁如/一洗绮罗香泽之态,摆脱绸缪宛转之度

❹遍身罗绮者,不是养蚕人

❺诗缘情而绮靡,赋体物而浏亮

❻岂待酒肉罗绮然后为生哉/谁不欲争裂绮绣,互攀日月

❽食有酒肉,衣有罗绮……非益生之良药

❿苍蝇点垂棘,巧舌成锦绮/君不见长安女儿嫩如水,十指不动衣罗绮/我愿君王心,化作光明烛,不照绮罗筵,只照逃亡屋

绰 ①chuò 宽,缓;通"擉",吹拂,搅乱。②chāo 通"抄",抄取;抓取。

❺此令兄弟,绰绰有裕;不令兄弟,交相为瘉

❻肌肤若冰雪,绰约若处子/此令兄弟,绰绰有裕;不令兄弟,交相为瘉

❿大字难于密结而无间,小字难于宽绰而有余

绳 ①shéng 绳子;标准;制约;纠正;继续;称誉;直;正。②yìng 草结子。③mǐn[绳绳]恍惚。

❶绳正于上,木直于下

见汉·刘安《淮南子·主术》。

绳墨之起,为不直也

见《荀子·性恶》。

绳以柔而有立,金以刚而无固

见唐·刘禹锡《机汲记》。

绳直而枉木斫,准夷而高科削

见《韩非子·有度》。

绳墨诚陈矣,则不可欺以曲直

见《荀子·礼论》。全句为:"~;衡诚县矣,则不可欺以轻重"。

绳锯木断,水滴石穿,学道者须加力索

见明·洪应明《菜根谭·后集百九》。

❷长绳难系日,自古共悲辛/以绳墨取木,则宫室不成矣

❸治乱绳不可急/木以绳直,金以淬刚/木从绳则正,后从谏则圣/木受绳则正,人受谏则圣/木受绳则直,金就砺则利/无准绳,虽鲁般不能以定曲直

❹曲辕且绳直,诡木遂雕藻/上古结绳而治,后世圣人易之以书契

❺法不阿贵,绳不挠曲/曲木恶直绳,奸邪恶正法/曲木恶直绳,重罚恶明证/用规矩准绳者,亦有规矩准绳焉/体曲者忌绳墨之容,夜裸者憎明烛之来/操一己之绳墨,持前王之规矩,以方枘欲圆凿

❻钩曲之形,无绳直之影/礼之正国,犹绳墨之于曲直/百吏畏法循绳,然后国常不乱/巧匠目意中绳,然必先以规矩为度/恨不得挂长绳于青天,系此西飞之白日

❼大木将颠,非一绳所维/大树将颠,非一绳所维/枉直未定,决于绳墨之平/行险者不得履绳,出林者不得直道

❽修身絜行,言必由绳墨/临凝结而能断,操绳墨而无私/举贤而授能兮,循绳墨而不颇/君子之度已则以绳,接人则用抴/欲知平直,则必准绳;欲知方圆,则必规矩

❾千里之路,不可扶以绳/请谒任举之说胜,则绳墨不正/心如天地者明,行如绳墨者章/俞扁之门,不拒病夫;绳墨之侧,不拒枉材/大匠不为拙工改废绳墨,羿不为拙射变其彀率

❿以公平为规矩,以仁义为准绳/探渊者知千仞之深,县绳之数也/用规矩准绳者,亦有规矩准绳焉/非规矩不能定方圆,非准绳不能正曲直/凡工妄匠,执规秉矩,错准引绳,则巧同于人倕也/释正而追曲,倍是而从众,是与俗俪走,而内行无绳/礼之于正国家也,如权衡之于轻重也,如绳墨之于曲直也

维 wéi 系物的大绳;连结;思考;保持;隅;以,因为;乃,是;与,和;作语助,用于句首或句中;数学名词。

❶维桑与梓,必恭敬止

见《诗·小雅·小弁》。

维鹊有巢,维鸠居之

见《诗·召南·鹊巢》。

维南有箕,不可以簸扬

见《诗·小雅·大东》。全句为:"~;维北有斗,不可以挹酒浆"。

维北有斗,不可以挹酒浆

见《诗·小雅·大东》。全句为:"维南有箕,不可以簸扬;~"。"斗",北斗;"挹",舀。

维修卑下,然后乃各得其所

见三国·魏·王弼《老子》六十一注。

维圣哲以茂行兮,苟得用此下土

见战国·楚·屈原《离骚》。

❸进退维谷,冰炭在怀/无竞维人,四方其训之

❹四时四维者,天地至大之谓也

❺维鹊有巢,维鸠居之/瓶之罄矣,维罍之耻/怨利生孽,维义可以为长存/将恐将惧,维予与女;将安将乐,女转弃予

❼天难忱斯,不易维王/周虽旧邦,其命维新/人亦有言,进退维谷/永言孝思,孝思维则

❽肇允彼桃虫,拚飞维鸟

❾大木将颠,非一绳所维/大树将颠,非一绳所维/半丝半缕,恒念物力维艰

❿阴阳尽,而四时成焉;刚柔尽,而四维成焉/彼妇之口,可以出走……盖优哉游哉,维以卒岁

绵 mián 丝绵;连续不断的样子;薄弱,柔软;久远。

❹别语缠绵不成句/拂水飘绵送行色

❼何惜微躯尽,缠绵自有时

❿天长地久有时尽,此恨绵绵无绝期/当事有四要:际畔要果决,怕是绵

绶 shòu 一种用以系官印或勋章等的彩色丝带。

❹萧朱结绶,王贡弹冠

❺印何累累、绶若若邪

绸 ①chóu 绸子;通"稠",稠密。②tāo 缠裹;套。

❺宜未雨而绸缪,毋临渴而掘井/宜未雨而绸缪,勿临渴而掘井

❿一洗绮罗香泽之态,摆脱绸缪宛转之度

综 ①zōng 总合;聚集。②zèng 织机上的构件。

❶综学在博,取事贵约,校练务精,捃理须核

见南朝·梁·刘勰《文心雕龙·事类》。"捃",摘取。

❽阴阳五行,循环错综,升降往来

❿古之成大事者,规模远大与综理密微二者阙一不可

绾 wǎn 把东西盘绕起来打成结;控扼。

❿行行若萦春蚓,字字如绾秋蛇

绿 ①lǜ 颜色。②lù 义同"绿"(lǜ),用于绿林、绿营等。

❸春水绿于染/人与绿杨俱瘦/华骝、绿耳,一日至千里……/水真绿净不可唾,鱼若空行无所依/风起绿洲吹浪去,雨从青野上山来/清泉绿草,何物不可饮啄?而鸱鸮者偏食腐鼠

❹春风又绿江南岸/赤橙黄绿青蓝紫,谁持彩练当空舞

❺满庭春雨绿如烟/愁随芳草,绿遍江南/青山不老,绿水长存/苔痕上阶绿,草色入帘青

❻劝我早归家,绿窗人似花/眉将柳而争绿,面共桃而竞红

❼积雨时物变,夏绿满园新

❽心之忧矣,视丹如绿/忍别青山去,其如绿水何/谢杨柳多情,还有绿阴时节

❾牡丹花儿虽好,还要绿叶儿扶持

❿房栊无行迹,庭草萋以绿/霜夺茎上紫,风销叶中绿/化作娇莺飞归去,犹认纱窗旧绿/林净藏烟,峰危限月,帆影摇空绿/日出江花红胜火,春来江水绿如蓝/碧玉妆成一树高,万条垂下绿丝绦

缀 ①zhuì 用针线缝合;连结;组合;装饰。②chuò 通"辍",停止;拘束。

❶缀文者情动而辞发,观文者披文以入情

见南朝·梁·刘勰《文心雕龙·知音》。全句为:"~。沿波讨源,虽幽必显"。

❸编珠缀玉,不得为全璞之宝矣

❹笔不停缀,文不加点

❻留取黄花点缀秋

❽青树翠蔓,蒙络摇缀,参差披拂

❾其叙事也该而要,其缀采也雅而泽

❿文章功用不经世,何异丝窠缀露珠

缁 zī 黑色。

❹白纱入缁,不染自黑

❺至白涅不缁,至交淡不疑

❼涅于浑浊而不缁

❿松柏寒仍翠,琼瑶涅不缁/不曰坚乎?磨而

不磷;不曰白乎?涅而不缁

缄 jiān 扎束器物的绳索,引申为封闭;特指将信封口封住;信函。

❹金人三缄其口,慎言语也

❿井梧飞叶送秋声,篱菊缄香待晚晴

缈 miǎo[缥缈]形容隐隐约约、若有若无的样子。

❿渚寒烟淡,棹移人远,缥缈行舟如叶

缉 ①jī 捻接,缉麻;缝衣边;搜捕;光明;通"辑",会合,协和。②qī 密针缝纫。

❷缝缉,则长剑不及数寸之针

❼日就月将,学有缉熙于光明

❿已借蜡钱输麦税,免教缉捕闯门来

缋 huì 成批布帛的头尾;通"绘",绘画。

❶缋事以众色成文,蜜蜂以兼采为味

见南朝·宋·裴松之《上三国志注表》。

缒 zhuì 用绳子拴着人、物从高处往下送。

❻飞泉出窦,练缒花吐

缓 huǎn 慢;推迟;缓和;恢复正常状态;柔软。

❶缓必有所失

见《周易·序卦》。

缓前急后,应事之贼也

见明·吕坤《呻吟语》。全句为:"奋始怠终,修业之贼也。~。躁心浮气,蓄德之贼也。疾言厉色,处众之贼也"。

缓于事则怠,急于事则忽

见明·宋诩《宋氏家规部》。

缓贤忘士,而能以其国存者,未曾有也

见《墨子·亲士》。

缓己急人,一等;急己急人,二等;急己宽人,三等

见三国·魏·刘劭《人物志·释争》。

❸令有缓急,故物有轻重

❹务言而缓行,虽辩必不听/速则济,缓则不及,此圣贤所以贵机会也

❺民事不可缓也/小人之情,缓则骄……危则谋乱,安则思欲

❻趋时务则迟缓而不及/溺于渊犹可缓也,溺于人不可救也

❼处事最当熟思缓处/高筑墙,广积粮,缓称王/熟思则得其情,缓处则得其当/圣人之于事,似缓而急,似迟而速,以待时

❽宜勤勿懒,宜急勿缓/吏不治则乱,农事缓则贫/我独见得是,亦须缓缓调停,不可直遂

❾贤者报国之功,乃在缓急有为之际/我独见得是,亦须缓缓调停,不可直遂/安危相易,祸福相生,缓急相摩,聚散以成/天下之事,急之则丧,缓之则得,而过缓则无及

❿张瑟者,小弦急而大弦缓/为学正如撑上水船,一篙不可放缓/德不施则民不归,刑不缓则百姓愁/立志要定,不要杂;要坚,不要缓/事之急者不能安言,心之痛者不能缓声/李太白诗不专是豪放,亦有雍容和缓底/居上位而不恤其下,骄也;缓令急诛,暴也/天下之事,急之则丧,缓之则得,而过缓则无及

缕 lǚ 线;一条一条,很细致,有条理;详尽;量词,用于细的东西。

❷先缕而后针,不可以成衣

❸以一缕之任,系千钧之重/顺针缕者成帷幕,合升斗者实仓廪

❹筚路蓝缕,以启山林/半丝半缕,恒念物力维艰

❺先针而后缕,可以成帷

❻劝君莫惜金缕衣,劝君须惜少年时

❼刿目鉥心,刃迎缕解

❿无情不似多情苦,一寸还成千万缕/刺绣之师,能缝帷裳;纳缕之工,不能织锦/合升鼓之微以满仓廪,合疏缕之纬以成帏幕/如怨如慕,如泣如诉,余音袅袅,不绝如缕

编 biān 古时穿联竹简的条、绳;编织;按一定顺序排列;编辑;捏造;创作。

❶编珠缀玉,不得为全璞之宝矣

见唐·李德裕《文章论》。全句为:"气不可以不贯,不贯则虽有美词丽藻,如~"。

❷韦编三绝

❻孔子读《易》,韦编三绝/须知三绝韦编者,不是寻行数墨人

❼凡自唐虞以来,编简所存/鹰扬虎视,齿若编贝,肤如凝脂,昭昭乎若玉山上行,朗然映人

❽晚而好《易》,读之韦编三绝

❿口不绝吟于六艺之文,手不停披于百家之编/鸟飞千仞之上……祸犹及之,又况编户齐民乎

缗 mín 钓丝;安弦线;穿钱的绳子;姓。

❷轻缗振网,或随吞舟之势

缘 ①yuán 原因;因为;为了;攀援;缘分;沿着;顺着;边。②yuàn 衣服的饰边。

❶缘法而治,按功而赏

见《商君书·君臣》。

缘木求鱼,升山采珠

见南朝·宋·范晔《后汉书·刘玄传》。

缘木求鱼,煎水作冰

见晋·陈寿《三国志·魏书·高堂隆传》。

缘道理以从事者,无不能成

见《韩非子·解老》。

缘循、偃侠、困畏,不若人三者,俱通达

见《庄子·列御寇》。
❷姻缘棒打不回／只缘恐惧转须亲／诗缘情而绮靡，赋体物而浏亮／无缘对面不相逢，有缘千里能相会／有缘千里来相会，无缘对面不相逢
❸是姻缘棒打不回／蚂蚁缘槐夸大国，蚍蜉撼树谈何易／有必缘其心爱之谓也，有其形不可谓有之
❹千里姻缘一线牵
❺饮水思源，缘木思本／与百姓有缘才来此地，期寸心无愧不鄙斯民
❻祸因恶积，福缘善庆／杂花如锦，傍缘石菌之崖／白发三千丈，缘愁似个长
❼曩之用才……溺在缘情之举／行不诚义，动不缘义，俗虽谓之通，穷也
❽百姓之有此色，正缘士大夫不知此味
❾万户千门成野草，只缘一曲后庭花／无缘对面不相逢，有缘千里能相会／不识庐山真面目，只缘身在此山中／不畏浮云遮望眼，自缘身在最高层／有缘千里来相会，无缘对面不相逢／君子之自行也，动必缘义，行必诚义，俗虽谓之穷，通也
❿黄河清有日，白发黑无缘／不因困顿移初志，肯为夤缘改寸丹／炼句炉槌岂可无？句成未必尽缘渠／蝮蛇不可以为足，虎豹不可使缘木／为善无近名，为恶无近刑，缘督以为经／但务其华，不寻其实，犹缘木希鱼，却行求前

缜

zhěn 周密，细致；通"鬒"，黑发。
❻兰薰而摧，玉缜则折；物忌坚芳，人讳明洁

缚

fù 捆绑；约束。
❶缚草为形，实之腐肉，教之拜起，以充满朝市
见清·龚自珍《与人笺五》。全句为："～。风且起，一旦荒忽飞杨，化而为沙泥"。
❺走不以手，缚手，走不能疾
❾今日长缨在手，何时缚住苍龙

缛

rù 繁密的采饰；繁琐；通"褥"。
❼德弥盛者文弥缛，德弥彰者人弥明
❿文以辨洁为能，不以繁缛为巧

缝

①féng 用针线连接。②fèng 缝合的地方；空隙。
❶缝缉，则长剑不及数寸之针
见晋·葛洪《抱朴子·备阙》。
❻刺绣之师，能缝帷裳；纳缕之工，不能织锦／一尺布，尚可缝；一斗粟，尚可舂。兄弟二人不相容
❿粒米不足舂，寸布不足缝

缟

gǎo 古代一种白色的丝织品；白色。
❻恸哭六军俱缟素，冲冠一怒为红颜
❿强弩之末，力不能入鲁缟／强弩之极，矢不能穿鲁缟／矢之于十步贯兕甲，于三百步不能入鲁缟

缠

chán 围绕；缠绕；搅扰；应付。
❸别语缠绵不成句
❻何惜微躯尽，缠绵自有时

缣

jiān 双丝的淡黄色绢。
❷将缣来比素，新人不如故
❿诗人安得有青衫，今岁和戎百万缣

缤

bīn 纷；繁。[缤纷]繁盛交杂。
❼芳草鲜美，落英缤纷

缥

①piāo[缥缈]隐隐约约、若有若无的样子。②piǎo 青白色的绢；淡青色。
❸水皆缥碧，千丈见底；游鱼细石，直视无碍
❾渚寒烟淡，棹移人远，缥缈行舟如叶

缦

màn 没有花纹的丝织品；通"慢"，疏慢；弦索。
❹不学操缦，不能安弦；不学博依，不能安诗

缨

yīng 丝线做的穗状饰品；带子，绳子；通"婴"，"撄"，接触，缠绕。
❹无路请缨，等终军之弱冠／今日长缨在手，何时缚住苍龙
❽虽假容于江皋，乃缨情于好爵
❿沧浪之水清兮，可以濯吾缨

缩

suō 捆束；缩小；没有伸开或不伸出；取；引，抽；收敛；直；滤去酒滓；后退；姓。
❷盈缩卷舒，与时变化／盈缩之期，不但在天；养怡之福，可得永年
❸马毛缩如猬，角弓不可张
❹进退盈缩变化，圣人之常道也／进退盈缩，与时变化，圣人之常道也
❻成功之道，赢缩为宝／身后有余忘缩手，眼前无路想回头
❼无胆，则笔墨畏缩
❿内有一定之操，而外能诎伸、赢缩、卷舒／当人强盛，河山可拔，一朝赢缩，人情万端

缪

①miù 假装；通"谬"，错误。[纰缪]错误。②móu[绸缪]绵密；缠绵。③jiū 通"摎"，绞。④mù 通"穆"，[穆然]深思的样子。⑤miào 姓。
❹千里之缪，不容秋毫／失于声，缪迷其四体，谓己当然，自诬也
❺差若毫厘，缪以千里
❻宜未雨而绸缪，毋临渴而掘井／宜未雨而绸缪，勿临渴而掘井／诛赏不可以缪，诛赏缪则善

恶乱矣

❾君子慎始,差若毫厘,缪之千里/诛赏不可以缪,诛赏缪则善恶乱矣

❿墨子见衢路而哭之,悲一跬而缪千里/一洗绮罗香泽之态,摆脱绸缪宛转之度

缫 ①sāo[缫丝]抽出茧丝。①zǎo 同"璪",冕旒的绳子;圭、璋等玉器的垫子。

❾卵待复而为雏,茧待缫而为丝,性待教而为善

缰 jiāng 牵牲口用的绳子。

❷名缰利锁,天还知道,和天也瘦

❹利锁名缰,几阻当年欢笑

缴 ①jiǎo 向对方交纳;迫使对方交出。②zhuó 拴在箭上的生丝绳。

❷矰缴充蹊,阬阱塞路,举手挂网罗,动足蹈机坎

马 mǎ 一种善跑的哺乳动物;古时官名;姓。

❶马行十步九回头

见明·高明《琵琶记》第五出。

马不可极,民不可剧

见《箠书》。全句为:"~;马极则蹶,民剧则败"。

马氏五常,白眉最良

见汉·杂歌谣辞《白眉》。

马极则蹶,民剧则败

见《箠书》。全句为:"马不可极,民不可剧;~"。

马不伏枥,不可以趋远

见汉·班固《汉书·李寻传》。

马不必骐骥,要之善走

见汉·司马迁《史记·外戚世家》。全句为:"浴不必江海,要之去垢;~"。

马肥,然后远能可致也

见汉·王符《潜夫论·班禄》。

马毛缩如猬,角弓不可张

见南朝·宋·鲍照《代出自蓟北门行》。全句为:"疾风冲塞起,沙砾自飞扬;~"。

马上得之,宁可以马上治乎

见汉·班固《汉书·陆贾传》。

马逢伯乐而嘶,人遇知己而死

见明·罗贯中《三国演义》第六十回。

马伏皂而不用,则驽与良而为群

见汉·班固《拟连珠》。全句为:"~;士齐僚而不职,则贤与愚而不分"。

马上相逢无纸笔,凭君传语报平安

见唐·岑参《逢入京使》。

马先驯而后求良,人先信而后求能

见汉·刘安《淮南子·说林》。

马效千里,不必胡代;士贵成功,不必文辞

见汉·桓宽《盐铁论·论儒》。

马效千里,不必骥騄;人期贤知,不必孔墨

见汉·王充《论衡·案书》。

❷白马非马/驽马恋栈豆/对马牛而诵经/风马牛不相及/信马林间步月归/宝马雕车香满路/天马行空而步骤不凡/代马望北,狐死首丘/驽马铅刀,不可强扶/骏马有奔踶之患而可驭/上马击狂胡,下马草军书/良马不念秣,烈士不苟营/司马昭之心,路人所知也/代马依北风,飞鸟栖故巢/代马依北风,飞鸟翔故巢/奔马之轮,拳石碍之而格/四马齐足,孟门可以长驱/御马有法矣,御民有道矣/饮马犹尚可,莫使学操舟/饮马渡秋水,水寒风似刀/相马失之瘦,相士失之贫/白马岩中出,黄牛壁上耕/良马难乘,然可以任重致远/良马期乎千里,不期乎骥骜/死马无所复用,而燕昭宝之/良马非独骐骥,利剑非唯干将/居马上得之,宁可马上治之乎/羁马思其华林,笼雉想其皋泽/大马死,小马饿;高山崩,石自破/归马于华山之阳,放牛于桃林之野/策马前途须努力,莫学龙钟虚叹息/走马西来欲到天,辞家见月两回圆/买马不论足力,以黑白为仪,必无走马/饥马在厩,寂然无声,投刍其旁,争心乃生/驰马思坠,挞人思毙,妄费思穷,滥交思累/驷马不驯,御者之过,百姓不治,有司之罪/故马或奔踶而致千里,士或有负俗之累而立功名/谓马多力则有矣,若曰胜千钧,则不然者,何也?千钧,非马之任也

❸唯余马首是瞻/乘肥马,衣轻裘/萧萧马鸣,悠悠旆旌/始驾马者反之:车在马前/千里马常有,而伯乐不常有/假舆马者,足不劳而致千里/有相马而失马者,然良马犹在相之中/无舆马者不耻徒步,无鱼肉者不厌菜羹/山,快马加鞭未下鞍。惊回首,离天三尺三/牛溲马勃,败鼓之皮,俱收并蓄,待用无遗

❹白马非马/塞翁失马犹为福/塞翁失马,安知非福/以骥待马,则马皆骥也/得十良马,不若得一伯乐/风樯阵马,不足为其勇也/路遥知马力,日久见人心/得百走马,不若得伯乐之数/富者犬马余菽粟,骄而为邪/其真无马邪?其真不知马也/霜晨月,马蹄声碎,喇叭声咽/千里之马,骨法虽具,弗策不致/木在山,马在肆,遇之而不顾者/不弃死马之骨者,然后良骥可得也/法得则马和而欢,道得则民安而集/车辚辚,马萧萧,行人弓箭各在腰/牧羊驱马虽戎服,白发丹心尽汉臣/心如老马虽知路,身似鸣蛙不属官/驴非驴,马非马,若龟兹王,所谓骡也/伯乐相马,取之于瘦;圣人相士,取之于疏/易道良马,使人欲驰;饮酒而乐,使人欲歌

／睎骥之马，亦骥之乘，睎颜之人，亦颜之徒／恶图犬马而好作鬼魅，诚以实事难形，而虚伪不穷也

❺春风得意马蹄疾／伯乐一顾，马价十倍／王良登车，马无罢驽／车如流水，马如游龙／牛能任重，马有报德／其形之为马，马不可化／一以己为马，一心己为牛／百金买骏马，千金买美人／古来存老马，不必取长途／健儿须快马，快马须健儿／射人先射马，擒贼先擒王／胡人便于马，越人便于舟／盲人骑瞎马，夜半临深池／食肉毋食马肝，未为不知味／良工之与马也，相得则然后成／功名只向马上取，真是英雄一丈夫／大马死，小马饿；高山崩，石自破／悬牛头，卖马脯；盗跖行，孔子语

❻门前冷落车马稀／一言既出，驷马难追／狐死首丘，代马依风／洗兵海岛，刷马江洲／一言而非，四马不能追／天下无道，戎马生于郊／以骥待马，则马皆骥也／其形之为马，马不可化／出言不当，驷马不能追也／道为智者设，马为御者良／舟大者任重，马骏者远驰／贫民常衣牛马之衣，食犬彘之食／有相马而失马者，然良马犹在相之中／驴非驴，马非马，若龟兹王，所谓骡也／愿赐尚方斩马剑，断佞臣一人，以厉其余／一声而非，驷马勿追；一言而急，驷马不及／胡笳互动，牧马悲鸣，吟啸成群，边声四起

❼虽鞭之长，不及马腹／天下有道，却走马以粪／请日试万言，倚马可待／骐骥之衰也，驽马先之／路不险，无以知马之良／上马击狂胡，下马草军书／健儿须快马，快马须健儿／枭骑战斗死，驽马徘徊鸣／胡风带秋月，嘶马杂笳声／棹容与而讵前，马寒鸣而不息／舟覆乃见善游，马奔乃见良御／鹿驰走无顾，六马莫能望其尘／鼎不可以柱车，马也不可使守间／世上岂无千里马，人间难得九方皋／伯乐之厩多良马，卞和之匮多美玉／将军不敢骑白马，亡者不敢夜揭烛／想当年，金戈铁马，气吞万里如虎／伯乐不可欺以马，而君子不可欺以人／有伯乐而后识马，有匠石而后识梧槚／宫中积珍宝，狗马实外厩，美人充下陈

❽无食反鱼，勿乘驽马／不行其野，不违其马／命驹曰犊，终必为马／久戍人将老，长征马不肥／朽索充羁，不收奔马之逸／路不险，则无以知马之良／马上得之，宁可以马上治乎／悬牛首于门，而卖马肉于内／涂车不能代劳，木马不中驰逐／居马上得之，宁可马上治之乎／鹰不试则巧拙惑，马不试则良驽疑／弓调而后求劲焉，马服而后求良焉／骥一日而千里，驽马十驾则亦及之／水击鹄雁，陆断驹马，则臧获不疑钝利／庖有肥肉，厩有肥马，民有饥色，野有饿莩／称牛之服重，不誉马速，誉手毁足，孰谓之慧

❾懔乎若朽索之驭六马／走而蹶者，终身不御马／始驾马者反之：车在马前／结庐在人境，而无车马喧／朝扣富儿门，暮随肥马尘／鸾舆凤驾不能使驽马健捷／以书为御者，不尽于马之情／骐骥之跼躅，不如驽马之安步／九州生气恃风雷，万马齐喑究可哀／把向空中捎一声，良马有心日驰千／喷气则白日尽晦，刷马则清江倒流／闻鸡久听南天雨，立马曾挥北地鞭／有如兔走鹰隼落，骏马下注千丈坡

❿世有伯乐，然后有千里马／行天莫如龙，行地莫如马／有智略之人，不必试以弓马／其真无马邪？其真不知马也／舍得一身剐，敢把皇帝拉下马／伯乐一过冀北之野，而马群遂空／图工好画鬼魅而憎图狗马者……／责人以其所不能，是使马代耕也／世人闻此皆掉头，有如东风射马耳／生儿不用识文字，斗鸡走马胜读书／但使龙城飞将在，不教胡马渡阴山／儿孙自有儿孙计，莫与儿孙作马牛／广厦成而茂木畅，远求存而良马絷／易于泰山破鸡子，轻于四马载鸿毛／方凭征鞍思往事，数声风笛马前闻／自叹犹为折腰吏，可怜骢马路傍行／其为书，处则充栋宇，出则汗牛马／其雄辞宏辩，快如轻车骏马之奔驰／有相马而失马者，然良马犹在相之中／其嵚然相累而下者，若牛马之饮于溪／买马不论足力，以黑白为仪，必无走马／侥幸者伐性之斧也，嗜欲者逐祸之马也／男儿要当死于边野，以马革裹尸还葬耳／禄之以天下，弗顾也；系马千驷，弗视也／一声而非，驷马勿追；一言而急，驷马不及／厨有腐肉，国有饥民；厩有肥马，路有馁人／夜行者掩目而前其手，涉水者解其马载之舟／山，倒海翻江卷巨澜。奔腾急，万马战犹酣／宅宇逾制，楼观出云，车马服饰，拟于王者／骐骥一跃，不能十步；驽马十驾，功在不舍／骐骥千里，一日而通；驽马十舍，旬亦至之／金舟不能凌阳侯之波，玉马不任骋千里之迹／割而舍之，镆邪不断肉；执而不释，马氂截玉／枯藤老树昏鸦，小桥流水人家，古道西风瘦马／必且历日旷久，丝牦犹能挈石，驽马亦能致远／造父者，天下之善御者也，无舆马则无所见其能／策之不以其道……执策而临之曰："天下无马"／其卧徐徐，其觉于于；一以己为马，一以己为牛／骐骥盛壮之时，一日而驰千里；至其衰也，驽马先之／背法而治，此任重道远而无马牛，济大川而无舡楫也／金樽玉杯不能使薄酒更厚，鸾舆凤驾不能使驽马健捷／为天下者，亦奚以异乎牧马者哉，亦去其害马者而已矣／谓马多力则有矣，若曰胜千钧，则不然者，何也？千钧，非马之任也／人莫欲学御龙，而皆欲学御马；莫欲学治鬼，而皆欲学治人：急所用也

驭 yù 驾御车马；统率；控制；车驾。

❼懔乎若朽索之驭六马／乘渍水以胶船，驭奔驹以朽索

❿骏马有奔踶之患而可驭

驯 xùn 马顺服；顺从的；使顺服；善良；渐进之意；通“训”，教导。

❸马先驯而后求良，人先信而后求能

❹驷马不驯，御者之过，百姓不治，有司之罪

驰 chí 车马疾行；追逐；奔跑；向往；传扬；通“移”，交换。

❶驰马思坠，挞人思毙，妄费思穷，滥交思累

见清·申涵光《荆园小语》。全句为：“～。先事预防之道也”。

❷风驰电逝，蹑景追飞／风驰电掣，不知所由／鹿驰走无顾，六马莫能望其尘

❸八纮驰骋于思绪，万代出没于毫端／骥善驰也，然日驰之，则蹶而无全蹄矣

❹借车者驰之，借衣者被之／共舆而驰，同舟而济，舆倾舟覆，患实共之

❺乘骐骥以驰骋兮，来吾道夫先路

❻天下之至柔，驰骋天下之至坚／山舞银蛇，原驰蜡象，欲与天公试比高

❼出轨躅而骧首，驰光芒而动俗／春来春去苦自驰，争名争利徒尔为／骥善驰也，然日驰之，则蹶而无全蹄矣

❽飞语一发，胪言四驰／物之生也，若骤若驰／雄州雾列，俊彩星驰／叹长河之流速，送驰波于东海／骐骥骅骝，一日而驰千里，捕鼠不如狸狌／易道良马，使人欲驰；饮酒而乐，使人欲歌

❾修仪操以显志兮，独驰思乎杳冥／片言可以明百意，坐驰可以役万里／心志既舒则易以纵驰，议论无择则易以浮浅

❿舟大者任重，马骏者远驰／不假良史之词，不托飞驰之势／涂车不能代劳，木马不中驰逐／把向空中捎一声，良马有心日驰千／其雄辞宏辩，快如轻车骏马之奔驰／未尝敢以怠心易之，惧其驰而不严也／内不足者，急于人知；霈焉有余，厥闻四驰／刚毅，则不屈于物欲；木讷，则不至于外驰／晨看旅雁，心赴江淮；昏望牵牛，情驰扬越／骐骥盛壮之时，一日而驰千里；至其衰也，驽马先之

驱 qū 驱赶；奔驰；行进；驾驭；役使；逼迫。

❶驱天下之人而从善远罪也

见唐·柳宗元《断刑论》。全句为：“为善者日以有劝，为不善者月以有惩，是～”。

驱东复驱西，弃却锄与犁

见宋·尤袤《淮民谣》。

驱妻逐子课工程，虽作人形俱菜色

见宋·柳永《煮海歌》。

❷罪驱之于后，功啖之于前……不可得也

❸牧羊驱马虽戎服，白发丹心尽汉臣／自古驱民在信诚，一言为重百金轻／为渊驱鱼者，獭也；为丛驱爵者，鹯也

❹驱东复驱西，弃却锄与犁／为汤、武驱民者，桀与纣也

❺蝇营狗苟，驱去复还／超迈绝尘驱，倏忽谁能逐／独有英雄驱虎豹，更无豪杰怕熊罴

❼命鸾凤兮逐雀，驱龙骧兮捕鼠

❿四马齐足，孟门可以长驱／为渊驱鱼者，獭也；为丛驱爵者，鹯也／以肉去蚁，蚁愈多；以鱼驱蝇，蝇愈至／辞卑而益备者，进也；辞强而进驱者，退也

驳 bó 马毛色不纯；批驳；反驳；驳运；传说中的猛兽。

❹砚中斑驳遗民泪，井底千年恨未销／犁牛之驳似虎，莠之幼似禾，事有似是而非者／气质偏驳者，欲使私欲不能引染，如之何？惟在明明德而已

❼法小弛则是非驳，赏不必尽善，罚不必尽恶

❿三五之夜，明月半墙，桂影斑驳，风移影动，珊珊可爱

驴 lǘ[驴子]动物名。

❶驴非驴，马非马，若龟兹王，所谓骡也

见汉·班固《汉书·西域传》。

❹博士买驴，书卷三纸，未有驴字

❼骐骥不能与罢驴为驷，凤皇不与燕雀为群

❿博士买驴，书卷三纸，未有驴字

驶 shǐ 车马等快速奔跑；开动。

❶驶雪多积荒城之隈，急风好起沙河之上

见北齐·刘昼《刘子·激通》。

驷 sì 同驾一辆车的四匹马；通“四”；古星名。

❶驷不及舌

见《论语·颜渊》。

驷马不驯，御者之过，百姓不治，有司之罪

见汉·桓宽《盐铁论·疾贪》。

❷骀驷安局步，骐骥志千里

❺一言既出，驷马难追／出言不当，驷马不能追也／一声而非，驷马勿追；一言而急，驷马不及／口无择言，驷不及舌；笔之过误，愆尤不灭

❾骐骥不能与罢驴为驷，凤皇不与燕雀为群

❿禄之以天下，弗顾也；系马千驷，弗视也／一声而非，驷马勿追；一言而急，驷马不及

驹 jū 幼马；喻少年英俊的人；健壮善跑的良马。

❷命驹曰犊，终必为马

❹虎豹之驹未成文，而有食牛之气
❼人生一世，如白驹之过隙／水击鹄雁，陆断驹马，则臧获不疑钝利
❾乘渍水以胶船，驭奔驹以朽索／人生天地之间，若白驹之过却，忽然而已

驻 zhù 车马停止；停止不前。
❽岁月易尽，光阴难驻
❾以无涯之情爱，悼不驻之光阴
❿破额山前碧玉流，骚人遥驻木兰舟

驽 nú 跑不快的马；比喻人愚笨，能力低。
❶驽马恋栈豆
见晋·陈寿《三国志·魏书·曹爽传》注引干宝。
驽牛可以负重致远
见南朝·宋·刘义庆《世说新语·品藻》。
驽马铅刀，不可强扶
见南朝·宋·范晔《后汉书·隗嚣传》。
驽蹇之乘不骋千里之涂
见汉·班固《汉书·叙传》。全句为："～，燕雀之畴不奋六翮之用，楶悦之材不荷栋梁之任，斗筲之才不秉帝王之重"。
驽蹇服御，良乐咨嗟；铅刀剖截，欧冶叹息
见三国·魏·曹丕《连珠》。
❻骐骥之衰也，驽马先之／枭骑战斗死，驽马徘徊鸣
❼无食反鱼，勿乘驽马／骥一日而千里，驽马十驾则亦及之
❽王良登车，马无罢驽／造父善御，不能御驽骀／鸾舆凤驾不能使驽马健捷／骐骥之跼躅，不如驽马之安步／马伏皂而不用，则驽与良而为群
❾骐骥一跃，不能十步；驽马十驾，功在不舍／骐骥千里，一日而通；驽马十舍，旬亦至之
❿鹰不试则巧拙惑，马不试则良驽疑／权衡既悬，锱铢靡遁，厉驽习骥，终莫之近／必且历日旷久，丝牦犹能挈石，驽马亦能致远／骐骥盛壮之时，一日而驰千里；至其衰也，驽马先之／金樽玉杯不能使薄酒更厚，鸾舆凤驾不能使驽马健捷

驾 jià 用牲口拉；骑；凌驾；超越；传布；架构；称人行动的敬辞；敬称对方的车；特指帝王的车舆。
❶驾轻车，就熟路
见唐·韩愈《送石处士序》。
驾浪沉西月，吞空接曙河
见唐·元稹《洞庭湖》。
❷始驾马者反之：车在马前
❸其可驾御，救之所为也
❹鸾舆凤驾不能使驽马健捷／羊不任驾盐车，椽不可为楣栋
❼富贵苟难图，税驾从所欲／恐此非名计，息驾归闲居
❽每一相思，千里命驾
❿骥一日而千里，驽马十驾则亦及之／骐骥一跃，不能十步；驽马十驾，功在不舍／金樽玉杯不能使薄酒更厚，鸾舆凤驾不能使驽马健捷

驿 yì 古时传递公文的人和往来官员中途换马或休息的地方；驿马；通"绎"，［骆驿］同"络绎"。
❶驿外断桥边，寂寞开无主
见宋·陆游《卜算子》。全句为："～。已是黄昏独自愁，更着风和雨"。
❿罗衣从风，长袖交横，骆驿飞散，飒揭合并

骀 ①tái 劣马。②dài［骀荡］放荡；舒缓荡漾；汉宫殿名。
❶骀驷安局步，骐骥志千里
见南朝·宋·刘义隆《北伐》。
❾造父善御，不能御驽骀

骁 xiāo 良马名；勇猛；古时投壶之称。
❿胆力绝众，材略过人，是谓骁雄

骂 mà 用粗野或恶毒的语言侮辱人；训斥。
❷辱骂和恐吓决不是战斗
❹嬉笑怒骂，皆成文章
❺骨朽人间骂未销
❼孤犊触乳，骄子骂母

骄 jiāo 六尺高的马；放纵；傲慢；猛烈；盛旺；宠爱。
❶骄人好好，劳人草草
见《诗·小雅·巷伯》。
骄淫矜侉，将由恶终
见《尚书·毕命》。
骄妒者，噬贤之狗也
见汉·王符《潜夫论·潜叹》。全句为："诋訾之法者，伐贤之斧也；而～"。
骄而不亡者，未之有也
见《左传·定公十三年》。
骄倨傲暴之人，不可与交
见《管子·白心》。
骄奢生于富贵，祸乱生于疏忽
见宋·司马光《资治通鉴·太宗贞观十二年》。
骄溢之君无忠臣，口慧之人无必信
见汉·刘安《淮南子·缪称》。
骄则恣，恣则极物；罢则怨，怨则极虑
见《吕氏春秋·离俗览·适威》。全句为："骤战则民罢，骤胜则主骄。以骄主使罢民，然而国

不亡者，天下少矣。～”。“罢”，疲。

骄、奢、淫、泆，所自邪也。四者之来，宠禄过也

见《左传·隐公三年》载石碏语。

❷不骄方能师人之长，而自成其学／以骄主使罢民，然而国不亡者，天下少矣

❸上无骄行，下无谄德／据慢骄奢，则凶从之／君日骄而臣日谄，未有不丧邦者也／强而骄者损其强，弱而骄者亟死亡／富贵骄人，固不善；学问骄人，害亦不细

❹富而不骄者鲜／在上不骄，为下不倍／在上不骄，高而不危／处贵而骄，败之端也／富而不骄，贵而不舒／富贵而骄，自遗咎也／居上不骄，在下不忧／贵不敢骄，富不敢奢／胜而不骄，败而不怨／广积聚，骄富贵，不知止者杀身／一代天骄，成吉思汗，只识弯弓射大雕／在上不骄，在下不谄，此进退之中道也／诸侯而骄人则失其国，大夫而骄人则失其家／在上不骄，高而不危；制节谨度，满而不溢／大富则骄，大贫则忧；忧则为盗，骄则为暴／贵不与骄期而骄自至，富不与侈期而侈自来／贵而不骄，胜而不恃，贤而能下，刚而能忍

❺不以尊贵骄人／养欲而意骄者困／兵义无敌，骄者先灭／义者无敌，骄者先灭／孤犊触乳，骄子骂母／轻则寡谋，骄则无礼／战胜而将骄卒惰者败／身已贵而骄人者民去之／不傲才以骄人，不以宠而作威／君子之不骄，虽暗室不敢自慢／志意修则骄富贵矣，道义重则轻王公矣

❻遇贫穷而作骄态者贱莫甚／遇贫穷而作骄态者，贱莫甚／不以富贵而骄之，寒贱而忽之／君子泰而不骄，小人骄而不泰／宠子未有不骄，骄子未有不败／居上位而不骄，在下位而不忧／贵者负势而骄人，才士负能而遗行

❼民多讳言，君有骄行／岁老根弥壮，阳骄叶更阴／戒心之易忘，而骄心之易生／贵富太盛，则必骄佚而生过／宠子未有不骄，骄子未有不败／得志遂茂而不骄，不得志瘁瘠而不辱／小人之情，缓则骄……危则谋乱，安则思欲／贵不与骄期而骄自至，富不与侈期而侈自来

❽人心之变，有余则骄／满而不溢，泰而不骄／贫而无谄，富而无骄／立辅弼之臣者，恐骄也／富者犬马余菽粟，骄而为邪／不识农夫辛苦力，骄骢蹋烂麦青青／上交不谄，下交不骄，则可以有为矣／盈而不溢，盛而不骄，劳而不矜其功／小人贫斯约，富斯骄；约斯盗，骄斯乱／说者怀畏，听者怀骄，以此行义，不亦难乎

❾俗人有功则德，德则骄／勿以太平渐久而自骄逸／德盛者威广，力盛者骄众／君子泰而不骄，小人骄而不泰／学而废者，持学而有骄，骄必辱／自谓理且安者，则自骄自满，虽安必危／居上位而不恤其下，骄也；缓令急诛，暴也

❿取人者必畏，与人者必骄／骤战则民罢，骤胜则主骄／刚强猛毅，靡所不信，非骄暴也／受人施者常畏人，与人者常骄人／学而废者，持学而有骄，骄必辱／果而勿矜，果而勿伐，果而勿骄／贤者宠至而益戒，不足者为宠骄／遇灾则极其忧勤，时安则不骄不逸／归之于民则民怒，反之于身则身骄／强而骄者损其强，弱而骄者亟死亡／未尝敢以矜气作之，惧其偃蹇而骄也／小人贫斯约，富斯骄；约斯盗，骄斯乱／和睦劝俭者家必隆，乖戾骄奢者家必败／富贵骄人，固不善；学问骄人，害亦不细／贫贱时，眼中不著富贵，他日得志必不骄／天下稍安，尤须兢慎，若便骄逸，必至丧败／诸侯而骄人则失其国，大夫而骄人则失其家／大富则骄，大贫则忧；忧则为盗，骄则为暴／金玉满堂，莫之能守。富贵而骄，自遗其咎／如有周公之材之美，使骄且吝，其馀不足观也已／盗取民食兮，私己不分；充嗛果腹兮，骄傲欢欣／使天下之人，不敢言而敢怒。独夫之心，日益骄固／惠而不费，劳而不怨，欲而不贪，泰而不骄，威而不猛／君子惠而不费，劳而不怨，欲而不贪，泰而不骄，威而不猛

骅

huá 赤色的骏马。

❸骐骥骅骝，一日而驰千里，捕鼠不如狸狌

骆

luò 古书上指黑鬃的白马；通“络”，［骆驿］同“络绎”；［骆驼］哺乳动物。姓。

❾罗衣从风，长袖交横，骆驿飞散，飒擖合并

骇

hài 马受到惊吓；惊吓；起；散。

❶骇机一发，浮谤如川。巧言奇中，别白无路

见唐·刘禹锡《上淮南李相公启》。“别白”即“辩白”。

❹勿惊勿骇，万物将自理

❺所见既可骇，所闻良可悲

❼一坐飞语，如冲骇机／变化倏忽，动心骇目

❿截牛之角而呼为豕，则虽庸必骇

骈

pián 两马并驾一车；并列的，对偶的；罗列，凑集。

❶骈四俪六，锦心绣口

见唐·柳宗元《乞巧文》。

骊

lí 纯黑色的马；并驾；［骊山］地名。

❶骊山北构而西折，直走咸阳

见唐·杜牧《阿房宫赋》全句为：“覆压三百余里，隔离天日。～”。

❾荆岫之玉必含纤瑕，骊龙之珠亦有微颣

❿追风逐电之足，决不在于牝牡骊黄之间／凡

探明珠，不于合浦之渊，不得骊龙之夜光也

骋 chěng 奔跑；放任；恣意发挥。

❶骋者不贪最先，不恐独后

见汉·刘安《淮南子·诠言》。

❷朝骋骛乎书林兮，夕翱翔乎艺苑

❸一骥骋长衢，众兽不敢陪

❹八纮驰骋于思绪，万代出没于毫端

❺不仁之人骋其私智，可以盗千乘之国，而不可以得丘民之心

❻驽骞之乘不骋千里之涂／乘骐骥以驰骋兮，来吾道夫先路／各从所好，各骋所长，无一人之不中用

❼天下之至柔，驰骋天下之至坚

❽铅刀贵一割，梦想骋良图

❿金舟不能凌阳侯之波，玉马不任骋千里之迹／仰观宇宙之大，俯察品类之盛，所以游目骋怀，足以极视听之娱

验 yàn 检验；产生预想的效果；实践后得到证实；征象，征兆；凭据，证据。

❷无验而言谓之妄

❸无参验而必之者，愚也

❹侈言无验，虽丽非经／侈言无验不必用，质言当理不必违

❺反者道之验，弱者德之柄

❻事莫贵乎有验，言莫弃乎无征

❼周听则不蔽，稽验则不惶／遏悔吝于未萌，验是非于往事

❽君子之言，幽必有验乎明，远必有验乎近，大必有验乎小，微必有验乎著

❿是非有考于前，而成败有验于后／凡闻言必熟论，其于人必验之以理／论士必定于志行，毁誉必参于效验／田夫寿，膏粱夭，嗜欲少多之验也／君子之言，幽必有验乎明，远必有验乎近，大必有验乎小，微必有验乎著

骏 jùn 跑得快的好马；迅速；大；长久；通"俊"，才华过人；通"峻"，高、险。

❶骏马有奔踶之患而可驭

见清·朱琦《名实说》。全句为："大木有尺寸之朽而不弃，～"。

骏足思长阪，柴车畏危辙

见南朝·齐·陆厥《奉答内兄希叔》。

❷良骏败于拙御，智士踬于暗世

❸意气骏爽，则文风清焉

❹百金买骏马，千金买美人

❺宜鉴于殷，骏命不易

❼舟大者任重，马骏者远驰

❽将适远途，理归于骏足／有如兔走鹰隼落，骏马下注千丈坡

❿怀既往而不咎，指将来而骏奔／其雄辞宏辩，快如轻车骏马之奔驰／荐贤能其气似孔文举，论经学其博似刘子骏

骐 qí 有青黑色花纹的马。

❶骐骥之衰也，驽马先之

见《战国策·齐策五》。全句为："～；孟贲之倦也，女子胜之"。

骐骥长鸣，则伯乐照其能

见晋·陈寿《三国志·魏书·陈思王传》。全句为："～；卢狗悲号，则韩国知其才"。"照"，洞察。

骐骥之速，非一足之力也

见汉·王符《潜夫论·释难》。全句为："大鹏之动，非一羽之轻也；～"。

骐骥之跼躅，不如驽马之安步

见汉·司马迁《史记·淮阴侯列传》。全句为："猛虎之犹豫，不若蜂虿致螫；～"。

骐骥虽疾，不遇伯乐不致千里

见汉·刘向《说苑·建本》。全句为："～；干将虽利，非人力不能自断"。

骐骥不能与罢驴为驷，凤皇不与燕雀为群

见汉·司马迁《史记·日者列传》。全句为："～，而贤者亦不与不肖者同列"。"罢"同"疲"。

骐骥骅骝，一日而驰千里，捕鼠不如狸狌

见《庄子·秋水》。全句为："～，言殊技也"。

骐骥一跃，不能十步；驽马十驾，功在不舍

见《荀子·劝学》。

骐骥千里，一日而通；驽马十舍，旬亦至之

见汉·刘安《淮南子·齐俗》。

骐骥盛壮之时，一日而驰千里；至其衰也，驽马先之

见《战国策·燕策三》。

❷贵骐骥者，为其立至也／乘骐骥以驰骋兮，来吾道夫先路

❹马不必骐骥，要之善走

❺良马非独骐骥，利剑非唯干将

❻骀驷安局步，骐骥志千里／历险乘危，则骐骥不如狐狸

❼凡为文章，犹乘骐骥……／察伯乐之图，求骐骥于市

❽欲进远路，不宜释骐骥／栖息有所，苍蝇同骐骥之速

❿苍蝇之飞，不过十步；自托骐骥之尾，乃腾千里之路

骑 ①qí 跨坐；兼跨两边；骑的马；骑兵，也泛指骑马人。②jì 坐骑。

❷铁骑无声望似水／枭骑战斗死，驽马徘徊鸣

❸盲人骑瞎马，夜半临深池

❹欲将轻骑逐，大雪满弓刀

❺将军不敢骑白马，亡者不敢夜揭烛

❻锦帽貂裘，千骑卷平冈
❿赤兔无人用，当须吕布骑／千金之子不垂堂，百金之子不骑衡

骓 zhuī 毛色黑白相间的马。
❿力拔山兮气盖世，时不利兮骓不逝

骖 cān 拉车的边马；一车驾三马；驾驭；泛指马或车；通"参"，陪。
❿远胜登仙去，飞鸾不假骖／羊肠之曲不能仆车而仆于剧骖／孔子曰："吾闻之，古之善御者，执辔如组，两骖如舞，非策之助也"。

騄 lù[騄耳]马名，周穆王八骏之一。
❽马效千里，不必骥騄；人期贤知，不必孔墨

骗 piàn 欺骗，欺诈；用欺骗的手段取得。
❽五帝三皇神圣事，骗了无涯过客

骚 sāo 动乱，骚扰；忧愁；不安定；指屈原的代表作《离骚》；泛指诗文；淫荡；通"臊"。
❷牢骚太盛防肠断，风物长宜放眼量
❹参之《离骚》以致其幽
❽破额山前碧玉流，骚人遥驻木兰舟／屈平所以洞监《风》《骚》之情者，抑亦江山之助乎／屈原放逐，乃赋《离骚》；左丘失明，厥有《国语》
❿至于子美，盖所谓上薄风、骚……／江山代有才人出，各领风骚数百年／文章随世作抵昂，变尽风骚到晚唐／惜秦皇汉武，略输文采；唐宗宋祖，稍逊风骚／《国风》好色而不淫，《小雅》怨诽而不乱，若《离骚》者，可谓兼之

骛 wù 纵横驰骋；传扬；追求。
❸朝骋骛乎书林兮，夕翱翔乎艺苑
❽病学者厌卑近而骛高远，卒无成焉
❿猿得木而捷，鱼得水而骛

骜 ào，又读 áo，古指骏马；不驯顺的马；比喻才能出众；恣纵奔驰；通"傲"，轻视。
❾有独知之虑者，必见骜于民
❿良马期乎千里，不期乎骥骜

腾 téng 上升；跳跃；使空出来；上下左右翻动；马奔跃；传，致；挪移。
❶腾蛟起凤，孟学士之词宗
见唐·王勃《滕王阁序》。全句为："～；紫电青霜，王将军之武库"。
腾波触天，高浪灌日，吞吐百川
见南朝·宋·鲍照《登大雷岸与妹书》。全句为："～，写泄万壑，轻烟不流，华鼎振沓"。
腾蛇游雾，飞龙乘云，云罢雾霁，与蚯蚓同
见《慎子·威德》。
❸龙欲腾翥，先阶尺木／飞黄腾踏去，不能顾蟾蜍
❹四海翻腾云水怒，五洲震荡风雷激
❺烟雾可依，腾蛇与蛟龙俱远／高谈则龙腾豹变，下笔则烟飞雾凝
❻龙蛇纸上飞腾，看落笔四筵风雨惊
❽吹波则江汉倒流，腾气则虹霓掩彩
❾神龟虽寿，犹有竟时；腾蛇乘雾，终为土灰
❿此道废兴吾命在，世间腾口任云云／山，倒海翻江卷巨澜。奔腾急，万马战犹酣／苍蝇之飞，不过十步；自托骐骥之尾，乃腾千里之路

骝 liú 黑鬣黑尾的红马。
❷华骝、绿耳，一日至千里……
❹骐骥骅骝，一日而驰千里，捕鼠不如狸狌

骡 luó 家畜名。
❿驴非驴，马非马，若龟兹王，所谓骡也

骢 cōng 青白色的马，今名菊花青马。
❾不识农夫辛苦力，骄骢蹋烂麦青青
❿自叹犹为折腰吏，可怜骢马路傍行

骤 zhòu 马奔驰；屡次；疾速；突然。
❶骤战则民罢，骤胜则主骄
见《吕氏春秋·离俗览·适威》。全句为："～。以骄主使罢民，然而国不亡者，天下少矣。骄则恣，恣则极物；罢则怨，怨则极虑"。"罢"，疲。
❻物之生也，若骤若驰／骤战则民罢，骤胜则主骄／飘风不终朝，骤雨不终日
❼天马行空而步骤不凡／故飘风不终朝，骤雨不终日
❿其清音幽韵，凄如飘风急雨骤至／毛嫱、丽姬，人之所美也……麋鹿见之决骤

骥 jì 好马；比喻优秀杰出的人才。
❶骥一日而千里，驽马十驾则亦及之
见《荀子·修身》。
骥善驰也，然日驰之，则蹶而无全蹄矣
见《慎子》。全句为："鹰善击也，然日击之，则疲而无全翼矣；～"。
骥一日千里，车轻也，以重载，则不能数里
见《吕氏春秋·不苟论·博志》。
❷奔骥不能及既往之失／以骥待马，则马皆骥也／并骥而走者，五里而罢／骐骥之衰也，驽马先之／一骥骋长衢，众兽不敢陪／骐骥长鸣，则伯乐照其能／骐骥之速，非一足之力也／老骥思千里，饥鹰待一呼／乘骥而御之，不倦而取道多／骐骥之跼躅，不如驽马之安步／骐骥虽疾，

不遇伯乐不致千里／附骥尾则涉千里，攀鸿翮则翔四海／骐骥不能与罢驴为驷，凤皇不与燕雀为群／骐骥骅骝，一日而驰千里，捕鼠不如狸狌／骐骥一跃，不能十步；驽马十驾，功在不舍／骐骥千里，一日而通；驽马十舍，旬亦至之／见骥一毛，不知其状；见画一色，不知其美／睎骥之马，亦骥之乘，睎颜之人，亦颜之徒／老骥伏枥，志在千里；烈士暮年，壮心不已／骐骥盛壮之时，一日而驰千里；至其衰也，驽马先之

❸贵骐骥者，为其立至也／乘骐骥以驰骋兮，来吾道夫先路／人与骥逐走则不胜骥，托于车上则骥不能胜人

❹心如老骥常千里／苍蝇附骥尾而致千里／道远知骥，世伪知贤

❺马不必骐骥，要之善走／抱玉乘龙骥，不逢乐与和

❻怒猊抉石，渴骥奔泉／络首縻足兮，骥不能逾跬／良马非独骐骥，利剑非唯干将／致远者托于骥，霸王者托于贤／睎骥之马，亦骥之乘，睎颜之人，亦颜之徒

❼骀驷安局步，骐骥志千里／历险乘危，则骐骥不如狐狸／马效千里，不必骥騄；人期贤知，不必孔墨

❽以骥待马，则马皆骥也／凡为文章，犹乘骐骥……／察伯乐之图，求骐骥于市

❾欲进远路，不宜释骐骥／栖息有所，苍蝇同骐骥之速／命鸾凤兮逐雀，驱龙骥兮捕鼠／屈长才于短用者，犹骥扑鼠而斧剪毛也／人与骥逐走则不胜骥，托于车上则骥不能胜人

❿良马期乎千里，不期乎骥骜／一进一退，一左一右，六骥不致／不弃死马之骨者，然后良骥可得也／大川未济，乃失巨舰；长途始半，而丧良骥／权衡既悬，锱铢靡遁，厉驽习骥，终莫之近／见虎一文，不知其武；见骥一毛，不知善走／人与骥逐走则不胜骥，托于车上则骥不能胜人／苍蝇之飞，不过十步；自托骐骥之尾，乃腾千里之路

骧 xiāng 马昂头，引申为上举；后右足白的马；奔驰。

❺出轨躅而骧首，驰光芒而动俗

幻 huàn 不真实的；奇异地变化；惑乱。

❷梦幻人世，明不能究其从也

❿有生之气，有形之状，尽幻也

巢 cháo 鸟和虫类的窝；喻指敌人或盗匪等盘踞的地方；[巢笙]古乐器名；古国名；姓。

❶巢居知风，穴居知雨

见南朝·宋·刘义庆《幽明录》。

巢许蔑四海，商贾争一钱

见三国·魏·曹植《乐府诗》。

巢居觉风飘，穴处识阴雨

见晋·张华《情诗五首》之五。全句为："～。不曾远别离，安知慕俦侣？"

巢林宜择木，结友使心晓

见晋·谢惠连《相逢行》。

巢林栖一枝，可为达士模

见晋·左思《咏史诗八首》之八。

巢居者察风，穴处者知雨，忧存故也

见《称》。

❷覆巢之下，复有完卵乎／覆巢竭渊，龙凤逝而不至／鹊巢知风之所起，獭穴知水之高下／覆巢破卵，则凤凰不翔；刳牲夭胎，则麒麟不臻

❸毋覆巢，杀胎夭／安有巢毁而卵不破乎／鹰鹯巢林，鸟雀为之不栖／鸿鹄巢于高林之上，暮而得所栖／鷦鹩巢于深林，不过一枝；偃鼠饮河，不过满腹

❹维鹊有巢，维鸠居之／枳句来巢，空穴来风／天且风，巢居之虫动；且雨，穴处之物扰

❽鸟以山为埤而增巢其上／鱼处水而生，鸟据巢而卵

❾鱼游于沸鼎之中，燕巢于飞幕之上

❿代马依北风，飞鸟栖故巢／代马依北风，飞鸟翔故巢／噬虎之兽，知爱己子；搏狸之鸟，非护异巢

王 ①wáng 君主；封建社会的最高爵位；首领；同类中居首位的或最大的；古时称中原以外的民族来朝；姓。②wàng 君临一国；成就王业；通"旺"。③wǎng 通"往"。

❶王者之论……

见《荀子·王制》。全句为："～，无德不贵，无能不官，无功不赏，无罪不罚"。

王者以民为天

见汉·司马迁《史记·郦生陆贾列传》

王顾左右而言他

见《孟子·梁惠王下》。

王侯将相宁有种乎

见汉·司马迁《史记·陈涉世家》。

王者以民为基……

见汉·班固《汉书·谷永传》。全句为："～，民以财为本，财竭则下畔，下畔则上亡"。"畔"同"叛"。

王良登车，马无罢驽

见汉·王充《论衡·非韩篇》。"罢"通"疲"。

王阳在位，贡公弹冠

见汉·班固《汉书·王吉传》。

王国富民，霸国富士

见汉·刘向《说苑·政理》。全句为："～。仅存之国富大夫，亡道之国富仓府"。

王者以百姓为天……

见汉·韩婴《韩诗外传》卷四。全句为:"～,百姓与之则安,辅之则强,非之则危,倍之则亡"。"倍"通"背"。

王者如天地之无私心

见宋·朱熹《近思录·观圣贤类》。

王者易辅,霸者难佐

见汉·桓谭《新论·求辅》。

王事靡盬,不能艺稷黍

见《诗·唐风·鸨羽》。"盬",息也,"靡盬",不停息;"艺",种植。

王其德之用,祈天永命

见《尚书·召诰》。

王者行躁疾,则失其君位

见《老子》二十六河上公注。

王者以仁义为丽,道德为威

见宋·司马光《资治通鉴·汉纪三》司马光评语。全句为:"～,未闻其以宫室填服天下也"。

王孙游兮不归,春草生兮萋萋

见汉·刘安《招隐士》。

王道如砥,本乎人情,出乎礼义

见宋·朱熹《近思录·治体类》。全句为:"～。若履大路而行无复回曲"。

王者不以幸治国,治国固有前道

见《十六经·前道》。全句为:"～,上知天时,下知地利,中知人事"。

王师北定中原日,家祭无忘告乃翁

见宋·陆游《示儿》。

王好奢则臣不足,臣好奢则士不足

见五代·南唐·谭峭《化书卷六·俭化·食象》。全句为:"～,士好奢则民不足,民好奢则天下不足"。

王天下者必先诸民,然后庇焉,则能长利

见《国语·周语中》。

王曰:"孰能一之?"对曰:"不嗜杀人者能一之"

见《孟子·梁惠王上》。

❷侯王将相,宁有种乎/先王贵礼乐而贱邪音/圣王虽大,以虚为主/独王之国,劳而多祸/楚王遗弓,楚人得之/文王拘而演《周易》/越王好勇而民多轻死/圣王之治世,不离仁义/圣王屈己以申天下之乐/天王日俭德,俊乂始盈庭/今王与百姓同乐,则王矣/先王昧爽丕显,坐以待旦/帝王之功,圣人之余事也/吴王好剑客,百姓多创瘢/楚王好细腰,宫中多饿死/先王有郢书,而后世多燕说/明王之使人也,必慎其所使/暴王之恶天下,故天下可离/圣王以贤为宝,不以珠玉为宝/明王之任人,谄谀不迩乎左右/今王公贵人,处于重屋之下……/先王之教,以正天之志者,礼也/先王恶其乱也,故制礼义以分之/圣王布德施惠,非求报于百姓也/及王则无不伸宣,语刘则无不公干/荆王未辨连城价,肠断南州抱璧人/六王毕,四海一,蜀山兀,阿房出/帝王之圣者,卑宫室,贱金玉……/圣王以天下为忧,天下以圣王为乐/圣王在上位,天覆地载,风令雨施/君王旧迹今人赏,转见千秋万古情/君王城上竖降旗,妾在深宫哪得知/君王虽爱蛾眉好,无奈宫中妒杀人/圣王为政,赏不避仇雠,诛不择骨肉/凡王者之德……要于其当,不可使易也/圣王者不贵义而贵法,法必明,令必行/明王有过,则反之于身,有善,则归之于民/楚王好小腰,美人省食;吴王好剑,国士轻死/先王之世,以道治天下,后世只是以法把持天下/先王以是经夫妇,成孝敬,厚人伦,美教化,移风俗

❸如有王者,必世而后仁/古圣王有义兵而无有偃兵/又送王孙去,萋萋满别情/废先王之道,燔百家之言/怀此王佐才,慷慨独不群/熟读王叔和,不如临症多/楚灵王好细腰而国中多饿人/旧时王谢堂前燕,飞入寻常百姓家/子为王,母为虏,终日舂薄暮,常与死为伍/不行王政云尔;苟行王政,四海之内皆举首而望之,欲以为君/先哲王之政,一曰承天,二曰正身,三曰任贤,四曰恤民,五曰明制,六曰立业

❹帝子亲王,必须克己/多难兴王,殷忧启圣/保民而王,莫之能御也/使臣将王命,岂不如贼焉/自古帝王多任情喜怒……/古之圣王有义兵而无有偃兵/得寸则王之寸,得尺亦王之尺/昔者明王之爱天下,故天下可附/是以圣王先成民,而后致力于神/不闻先王之遗言,不知学问之大也/为虏为王尽偶然,有何羞见汉江船/了却君王天下事,赢得生前身后名/欲以先王之政治当世之民,皆守株之类也/曲则为王,直蒙戮辱;宁戮不王,直而不曲/善日者王,善时者霸,补漏者危,大荒者亡/昔先圣王之治天下也,必先公,公则天下平矣/我愿君王心,化作光明烛,不照绮罗筵,只照逃亡屋/上古明王举乐者,非以娱心自乐,快意恣欲,将欲为治也

❺天道有常,王道亡常/不偏不党,王道荡荡/人情者,圣王之田也/萧朱结绶,王贡弹冠/彰善瘅恶,王教之端/用圣臣者王,用功臣者强/紫电青霜,王将军之武库/圣有所生,王有所成,皆原于一/休说旧时王与谢,寻常百姓亦无家/无偏无党,王道荡荡;无党无偏,王道平平/昔者先圣王,成其身而天下成,治其身而天下治/政有三品:王者之政化之,霸者之政威之,强国之政胁之

❻以德兼人者王/一醉累月轻王侯/秦中自古帝王州/静而圣,动而王,无为也而尊/能自得师者王,谓人莫己若者亡/春风不逐君王去,草

色年年旧宫路／五百年必有王者兴，其间必有名世者／绝民用以实王府，犹塞川原而为潢污也／无有作好，遵王之道；无有作恶，遵王之路

❼天下归之之谓王／至治之极复后王／坐而论道，谓之王公／威德相济，而后王业成／丁君十纸，不敌王褒数字／君用忠良，则伯王之业隆／峻法严刑，非帝王之隆业／养生丧死无憾，王道之始也／发政施仁，所以王天下之本也／言之而非，虽在王侯卿相，未必可容／以一丸泥为大王东封函谷关，此万世一时也／溥天之下，莫非王土；率土之滨，莫非王臣／用国者，义立而王，信立而霸，权谋立而亡

❽天难忱斯，不易维王／秦失其鹿，先得者王／斗筲之才不秉帝王之重／身能，相能，如是者王／圣人无尺土，无以王天下／峭法刻诛者，非霸王之业也／致远者托于骥，霸王者托于贤／周公恐惧流言日，王莽谦恭未篡时／圣人不以智轻俗，王者不以人废言／为地战者不能成王，为禄仕者不能成政／天有六极五常，帝王顺之则治，逆之则凶／天下至大器也，帝王至重位也，得士则靖，失士则乱

❾为地战者不能成其王／受国不祥，是为天下王／今王与百姓同乐，则王矣／高筑墙，广积粮，缓称王／春蚕收长丝，秋熟靡王税／朽骨无益于人，而文王葬之／闻风声鹤唳，皆以为王师已至／屈平词赋悬日月，楚王台榭空山丘／江海所以能为百谷王者，以其善下之／一人知俭则一家富，王者知俭则天下富／丛兰欲茂，秋风败之；王者欲明，谗人蔽之／操一己之绳墨，持前王之规矩，以方枘欲圆凿／不行王政云尔；苟行王政，四海之内皆举首而望之，欲以为君

❿公正无私，可以为天下王／射人先射马，擒贼先擒王／天子作民父母，以为天下王／得吾道者，上为皇而下为王／知常顺道，故能公正而为王也／得寸则王之寸，得尺亦王之尺／物足则富贵，富贵则帝王公侯／治则衍及百姓，乱则不足及王公／千古风流歌舞地，六朝兴废帝王州／农夫心内如汤煮，公子王孙把扇摇／黄金白璧买歌笑，一醉累月轻王侯／圣王以天下为忧，天下以圣王为乐／当时更有军中死，自是君王不动心／宜将剩勇追穷寇，不可沽名学霸王／遗民泪尽胡尘里，南望王师又一年／致远道者托于乘，欲霸王者托于贤／杀人者死，伤人者刑，是百王之所同／与天下之贤者为徒，此文王之所以王也／志意修则骄富贵矣，道义重则轻王公矣／驴非驴，马非马，若龟兹王，所谓骡也／悠悠素餐者，天下皆是，王道从何而兴乎／辩莫大于分，分莫大于礼，礼莫大于圣王／无偏无党，王道荡荡；无党无偏，王道平平／无有作好，遵王之道；无有作恶，遵王之路／五帝殊时，不相沿乐；三王异世，不相袭礼／曲则为王，直蒙戮辱；宁戮不王，直而不曲／千金之家比一都之君，巨万者乃与王者同乐／今以人之小过掩大美，则天下无圣王贤相矣／溥天之下，莫非王土；率土之滨，莫非王臣／宅宇逾制，楼观出云，车马服饰，拟于王者／设使国家无有孤，不知当几人称帝，几人称王／楚王好小腰，美人省食；吴王好剑，国士轻死／不拘一世之利以为己私分，不以王天下为己处显／事无礼则不成，国无礼则不宁，王无礼则死亡无日矣／地不改辟矣，民不改聚矣，行仁政而王，莫之能御也／江南多临观之美，而滕王阁独为第一，有瑰伟绝特之称／君子所以动天地应神明正万物而成王治者，必本乎真实而已

玉

yù 矿物的一种；比喻洁白，美丽；相爱，相助；姓；尊敬之辞。

❶玉卮无当，虽宝非用

见《韩非子·外储说右上》。晋·左思《三都赋序》中，此句后有："侈言无验，虽丽非经"。

玉不琢，则南山之圆石

见唐·马总《意林》引用《正部》语。

玉出于璞，而璞不可谓玉

见汉·董仲舒《春秋繁露·实性》。

玉城雪岭，际天而来……

见宋·周密《观潮》。全句为："～，大声如雷霆，震撼激射，吞天沃日"。

玉碎不改白，竹焚不改节

见明·罗贯中《三国演义》第七十六回。

玉以洁润，丹紫莫能渝其质

见隋·杨广《下苏威手诏》。全句为："～，松表岁寒，霜雪莫能凋其采"。

玉不琢不成器，人不学不知道

见《礼记·学记》。

玉在山而草木润，渊生珠而崖不枯

见《荀子·劝学》。

玉在椟中求善价，钗于奁内待时飞

见清·曹雪芹《红楼梦》第一回。

玉不雕，玙璠不作器；言不文，典谟不作经

见汉·扬雄《法言·寡见》。

玉可碎而不可改其白，金可销而不可易其刚

见北齐·刘昼《刘子·大质》。全句为："丹可磨而不可夺其色，兰可燔而不可灭其馨，～"。

❷良玉不雕，美言不文／攻玉以石，治金以盐／珠玉随风，冰雪在口／白玉不毁，孰为珪璋／金玉不琢，美珠不画／金玉其外，败絮其中／攻玉于山，俟知于独见也／抱玉乘龙骥，不逢乐与和／珠玉买歌笑，糟糠养贤才／璇玉致美，不为池隍之宝／金玉之光不得不炫于瓦石／以玉为石者，亦将以石为玉矣／视玉帛而取者，则曰牵于寒饿／白玉微瑕，善贾之所不弃……／珠玉金

银,饥不可食,寒不可衣/白玉不雕,美珠不文,质有余也/采玉者破石拔玉,选士者弃恶取善/碧玉妆成一树高,万条垂下绿丝绦/璞玉浑金,人皆钦其宝,莫知名其器/良玉度尺,虽有十仞之土,不能掩其光/荆玉含宝,要俟开莹;幽兰怀馨,事资扇发/常玉不琢,不成文章;君子不学,不成其德/常玉不瑑,不成文章;君子不学,不成其德/金玉满堂,莫之能守。富贵而骄,自遗其咎/见玉而指之曰石,非玉之不真也,待和氏而识焉

❸冰壶玉尺,纤尘弗污/宁可玉碎,不能瓦全/宝珠玉者,殃必及身/山有玉,草木因之不凋/抵金玉于沙砾,碎珪璧于泥途/石韫玉而山辉,水怀珠而川媚/如珠玉之在泥土,麟凤之在网罗/鼎铛玉石,金块珠砾,弃掷逦迤/耳调玉石之声,目不见太山之高/寄到玉关应万里,戍人犹在玉关西/战退玉龙三百万,败鳞残甲满天飞/昆山玉碎凤凰叫,芙蓉泣露香兰笑/金樽玉杯不能使薄酒更厚,鸾舆凤驾不能使驽马健捷

❹诗成珠玉在挥毫/蟾蜍碾玉挂明弓/丰年珠玉,俭年谷粟/凿石索玉,剖蚌求珠/白石似玉,奸佞似贤/食贵于玉,薪贵于桂/在璇玑玉衡,以齐七政/昆峰积玉,光泽者前毁/不宝金玉,而忠信以为宝/在火辨玉性,经霜识松贞/昆山之玉瑱而尘垢弗能污/良谈吐玉,长江与斜汉争流/虽有良玉,不刻镂则不成器/无当之玉碗,不如全用之埏埴/尔以金玉为宝,吾以廉慎为师/编珠缀玉,不得为全璞之宝矣/黄金珠玉,饥不可食,寒不可衣/卞和之玉,得于荆山,其偶然耳/荆岫之玉必含纤瑕,骊龙之珠亦有微颣/铁可折,玉可碎,海可枯……直节贯殊途/白石如玉,愚者宝之;鱼目似珠,愚者取之

❺化干戈为玉帛/渭以泾浊,玉以砾贞/水浮万物,玉石留止/火炎昆冈,玉石俱焚/不宝咫尺玉,而爱寸阴旬/隐石那知玉,披沙始遇金/莫以心如玉,探他明月珠/披泥抽沦玉,澄川掇沈珠/被褐怀金玉,兰蕙化为刍/烈火埋冈,玉石抱俱焚之惨/乃含章之玉牒,秉文之金科矣/宁为兰摧玉折,不作萧敷艾荣/珠之有颣玉之有瑕,置之而全,去之而亏/锦糊灯笼,玉镶刀口……不知落在何处矣/兰薰而摧,玉缜则折;物忌坚芳,人讳明洁/礼云礼云,玉帛云乎哉;乐云乐云,钟鼓云乎哉

❻圣人被褐怀玉/一片冰心在玉壶/利剑多缺,真玉喜折/黄金有疵,白玉有瑕/昆山之下,以玉为石/贞刚自有质,玉石乃非坚/贫贱忧戚,庸玉女于成也/朕若躬服珠玉,自玩锦绣……/丹漆不文,白玉不雕,宝珠不饰/大丈夫宁当玉碎,安可没没求活/家有千金之玉不知治,犹之贫也/荆山鹊飞而玉碎,随岸蛇生而珠死/破额山前碧玉流,骚人遥驻木兰舟/恨无昆山片玉以相赠,赠君桂林之一枝/欲做精金美玉的人品,定从烈火中锻来

❼君子小过,则白玉之微瑕/其醉也,傀俄若玉山之将崩/烹饪起于热石,玉辂基于椎轮/剖开顽石方知玉,淘尽泥沙始见金/采玉者破石拔玉,选士者弃恶取善/此人如精金美玉,不即人而人即之/春去细糠如剖玉,炊成香饭似堆银/文章如精金美玉,市有定价,非人所能以口舌定贵贱也

❽内清外浊,弊衣裹玉/它山之石,可以攻玉/泰然若春,温兮如玉/白骨疑象,武夫类玉/仙宫云箔卷,露出玉帘钩/但使忠贞在,甘从玉石焚/拂墙花影动,疑是玉人来/吟咏之间,吐纳珠玉之声/宝剑未砥,犹乏切玉之功/贵珠出乎贱蚌,美玉出乎丑璞/葶苈似菜而味殊,玉石相似而异类/短长肥瘠各有态,玉环飞燕谁敢憎/金猴奋起千钧棒,玉宇澄清万里埃/志烈秋霜,心贞昆玉,亭亭高竦,不染风尘

❾明君贵五谷而贱金玉/小时不识月,呼作白玉盘/万木僵仆,梅英再吐,玉立冰姿,不易厥素/见玉而指之曰石,非玉之不真也,待和氏而识焉

❿器具质而洁,瓦缶胜金玉/玉出于璞,而璞不可谓玉/贵出如粪土,贱取如珠玉/赠人以言,重于金石珠玉/以玉为石者,亦将以石为玉矣/圣王以贤为宝,不以珠玉为宝/惟辟作福,惟辟作威,惟辟玉食/不敢望到酒泉郡,但愿生入玉门关/尺之木必有节目,寸之玉必有瑕瓋/伯乐之厩多良马,卞和之匮多美玉/帝王之圣者,卑宫室,贱金玉……/诗家之景,如蓝田日暖,良玉生烟/能改,则瑕可为瑜,瓦砾可为珠玉/寻章摘句老雕虫,晓月当帘挂玉弓/嘈嘈切切错杂弹,大珠小珠落玉盘/寄到玉关应万里,戍人犹在玉关西/羌笛何须怨杨柳,春风不度玉门关/内坚刚而外温润,有似君子者,玉也/每一章一句出,无胫而走,疾于珠玉/蓄谷者不病凶年,蓄珠玉者不虞殍死/贫贱之交而不可忘,珠玉满堂而不足贵/有才必韬藏,如浑金璞玉,暗然而日章也/五谷养性而弃之于地,珠玉无用而宝之于身/不素养士而欲求贤,譬犹不琢玉而求文采也/人人自谓握灵蛇之珠,家家自谓抱荆山之玉/虽有神药,不如少年;虽有珠玉,不如金钱/夏宜急雨,有瀑布声;冬宜密雪,有碎玉声/守法持正,嶷如秋山;火不侵玉,幸臣畏伏/绝圣弃知,大盗乃止;擿玉毁珠,小盗不起/金舟不能凌阳侯之波,玉马不任骋千里之迹/割而舍之,镆邪不断肉;执而不释,马

麄截玉／姆抱幼子立侧，眉眼如画，发漆黑，肌肉玉雪可念／人生有限，情欲无厌。既不救其死亡，岂能保乎金玉／天下有至贵而非势位也，有至富而非金玉也，有至寿而非千岁也／鹰扬虎视，齿若编贝，肤如凝脂，昭昭乎若玉山上行，朗然映人／目察秋毫之末，耳不闻雷霆之声；耳调玉石之声，目不见泰山之高

玑 jī 不圆的或小的珍珠；中国古代观测天象的一种仪器；星名。

❸在璇玑玉衡，以齐七政

❺纤之为珠玑华实，变之为雷霆风雨。

❿君心似松柏，雁足寄珠玑

玙 yú 美玉。

❷以玙璠之玼而弃其璞，以一人之罪而兼其众，则天下无美宝信士

❹玉不雕，玙璠不作器；言不文，典谟不作经

❼一言之赐，过乎玙璧

玩 wán 娱乐活动；使用某种手段；观赏；供观赏的东西；研习；轻慢。

❶玩于股掌之上

见《国语·吴语》。

玩人丧德，玩物丧志

见《尚书·旅獒》。

❸宝器玩物，不可示于权豪／览古玩青简，寻幽穷翠微／坐而玩之者，可濯足于床下；卧而狎之者，可垂钓于枕上

❹读书要玩味／古圣贤玩琴以养心，穷则独善其身／兵不可玩，玩则无威；兵不可废，废则召寇

❺玩人丧德，玩物丧志／兵不可玩，玩则无威；兵不可废，废则召寇

❼诵读有真趣，不玩味终为鄙夫／水懦弱，民狎而玩之，则多死焉／烟霞充耳目之玩，鱼鸟尽江湖之赏

❽可远观而不可亵玩焉／朕若躬服珠玉，自玩锦绣……／酌奇而不失其真，玩华而不坠其实／学者，犹种树也，春玩其华，秋登其实

❿黼黻不同，俱为悦目之玩／兵戢而时动，动则威，观则玩，玩则无震／朝乐朗日，啸歌丘林；夕玩望舒，入室鸣琴

环 huán 圆圈形的玉器；泛指圈形物；围绕；环节；旋转；姓。

❷连环可解也

❺太平世界，环球同此凉热／枢始得其环中，以应无穷

❻阴阳五行，循环错综，升降往来

❼物极则反，命曰环流／闻水声，如鸣珮环，心乐之

❽坐潭上，四面竹树环合……

❾短长肥瘠各有态，玉环飞燕谁敢憎

❿兵有奇正，旋相为用，如环之无端／天有恒日，民自则之，爽则损命，环自服之，天之道也

现 xiàn 此时；当时；当场；当时就有的；显露；指现金。

❿洒向人间都是怨，一枕黄粱再现

玦 jué 一种环形有缺口的佩玉；通“决”。

❽锐者如簪，缺者如玦，隆者如髻，圆者如璧

珑 lóng 古代祈雨时所用的刻有龙纹的玉；玲珑精致、小巧、敏捷。［玲珑］器物精致；人灵活敏捷。

❿有心雄泰华，无意巧玲珑／云破月出，光气含吐，互相明灭，晶莹玲珑

玷 diàn 白玉上的斑点；污损；自谦之辞。

❸白圭玷可灭，黄金诺不轻／白珪玷可灭，黄金诺不轻／上不玷知人之明，下不失四海之望

❹白圭之玷，尚可磨也；斯言之玷，不可为也

❺白璧无瑕玷，青松有岁寒

❾千金不能救斯言之玷

❿白圭之玷，尚可磨也；斯言之玷，不可为也／篇之彪炳，章无疵也；章之明靡，句无玷也

珊 shān［珊珊］形容衣裾玉佩的声音；形容步履缓慢；摇曳多姿的样子。［珊瑚］海洋中珊瑚虫的钙质骨骼聚成物。

❻角声寒，夜阑珊

❿三五之夜，明月半墙，桂影斑驳，风移影动，珊珊可爱

皇 huáng 君主；古时通“惶”；大；犹言显；醒目；辉煌；黄白色；仪态庄严；“凰”的本字；通“匡”，匡正；通“遑”，闲暇；通“狂”；美；冠名；姓。

❶皇天无亲，惟德是辅

见《尚书·蔡仲之命》。

皇天无私阿兮，览民德焉错辅

见战国·楚·屈原《离骚》。

皇天以无言为贵，圣人以不言为德

见唐·吴兢《贞观政要·慎言语》。

❷三皇五帝之礼仪法度，不矜于同而矜于治／三皇五帝之治天下，名曰治之，而乱莫甚焉／三皇之知，上悖日月之明，下睽山川之精，中堕四时之施

❸天高皇帝远，民少相公多／不睹皇居壮，安知天子尊／惜秦皇汉武，略输文采；唐宗宋祖，稍逊风骚

❹五帝三皇神圣事，骗了无涯过客／及至始皇，奋六世之余烈，振长策而御宇内

❼得吾道者，上为皇而下为王

❽小人怨汝詈汝，则皇自敬德／舍得一身剐，敢

把皇帝拉下马

❾险语破鬼胆，高词媲皇坟／遗墟旧壤，数万里之皇城／岂余身之惮殃兮，恐皇舆之败绩

❿螭龙为蝘蜓，鸱枭为凤皇／骐骥不能与罢驴为驷，凤皇不与燕雀为群／其来无迹，其往无崖，无门无房，四达之皇皇也

珍 zhēn 珠玉类的宝贝；泛指宝贵东西；贵重或稀有的；精美的食品；看重。

❶珍腆之惭，不若藜藿之甘

见明·方孝孺《幼仪杂箴》。全句为：“～；万钟之尸居，不若釜庾之有为”。

珍好之物滋生彰著，则……

见《老子》五十七河上公注。全句为：“～农事废，饥寒并至，故盗贼多有”。

❹巽语为珍，苍璧喻而非宝／宫中积珍宝，狗马实外厩，美人充下陈

❺救死具八珍，不如一箪犒／可能十万珍珠字，买尽千秋儿女心

❻崇台非一干，珍裘非一腋／物以远至为珍，士以稀见为贵／金钩桂饵虽珍，不能制九渊之沉鳞

❽作俑之工，非曰可珍；时有所用，贵于斫轮

❾饮食约而精，园蔬愈珍馐

❿不待卞和显，自为命世珍／谈物产也，则重谷帛而贱珍奇／物有美恶，施用有宜，美不常珍，恶不终弃

玲 líng［玲玎］玉石相击声。［玲琅］清越的声音。

❾有心雄泰华，无意巧玲珑

❿云破月出，光气含吐，互相明灭，晶莹玲珑

珉 mín 亦作“瑉”；似玉的美石。

❷琼珉山积，不能无挟瑕之器／藏珉石于金匮兮，捐赤瑾于中庭

玼 ①cǐ 玉色鲜洁；引申为鲜明。②cī 通“疵”，玉的斑点；引申为事物的缺点。

❺以玙璠之玼而弃其璞，以一人之罪而兼其众，则天下无美宝信士

❿不求立名声，所贵去瑕玼／立言无显过之咎，明镜无见玼之尤

珪 guī 古玉器名，长条形，为帝王诸侯所执，用以表示符信的玉版。

❷白珪玷可灭，黄金诺不轻

❼白玉不毁，孰为珪璋

❽抵金玉于沙砾，碎珪璧于泥途

珠 zhū 珍珠；泛指状如珠子的；通“朱”，红色。

❶珠玉随风，冰雪在口

见明·宋濂《药房樵唱序》。

珠玉买歌笑，糟糠养贤才

见唐·李白《古风五十九首》之十五。

珠玉金银，饥不可食，寒不可衣

见汉·晁错《论贵粟疏》。

珠之有纇玉之有瑕，置之而全，去之而亏

见汉·刘安《淮南子·说林》。

❷宝珠玉者，殃必及身／编珠缀玉，不得为全璞之宝矣／明珠是身外之物，尚不可弹雀／贵珠出乎贱蚌，美玉出乎丑璞／如珠玉之在泥土，麟凤之在网罗／明珠自有千金价，莫为游人作弹丸／良珠度寸，虽有百仞之水，不能掩其莹／散珠喷雾，日光烛之，璀璨夺目，不可正视

❸诗成珠玉在挥毫／丰年珠玉，俭年谷粟／委明珠而乐贱，辞白璧以安贫／黄金珠玉，饥不可食，寒不可衣／见明珠者始贱鱼目，知雅乐者方鄙郑声

❹海产明珠，所在为宝／明月之珠，和氏之璧／隋侯之珠，不饰以银黄／京城禁珠翠，天下尽琉璃／明月之珠，蚌之病而我之利／夜光之珠，不必出于孟津之河／笔底明珠无处卖，闲抛闲掷野藤中／纤之为珠玑华实，变之为雷霆风雨。／隋侯之珠，和氏之璧，得之者富，失之者贫／凡探明珠，不于合浦之渊，不得骊龙之夜光也／隋侯之珠，国之宝也，然用之弹，曾不如泥丸／人有明珠，莫不贵重，若以弹雀，岂非可惜？况人之性命甚于明珠

❺被褐而丧珠，失皮而露质／得隋侯之珠，不若得事之所由／朕若躬服珠玉，自玩锦绣……／以隋侯之珠，弹千仞之雀，世必笑之

❻金玉不琢，美珠不画／正言斯重，元珠比而尚轻／白玉不雕，美珠不文，质有余也／可能十万珍珠字，买尽千秋儿女心／藏金于山，沉珠于渊；不利货财，不近富贵

❼吟咏之间，吐纳珠玉之声／白璧求善价，明珠难暗投／鼎铛玉石，金块珠砾，弃掷逦迤／麟亡星落，月死珠伤，瓶罄罍耻，芝焚蕙叹

❽矜粪丸而拟质随珠／凿石索玉，剖蚌求珠／缘木求鱼，升山采珠／爱犹冬日，冏若明珠／象以齿焚身，蚌以珠剖体／画栋朝飞南浦云，珠帘暮卷西山雨／金井梧桐秋叶黄，珠帘不卷夜来霜／昔君视我，如掌中珠；何意一朝，弃我沟渠

❾君心似松柏，雁足寄珠玑／贵出如粪土，贱取如珠玉／赠人以言，重于金石珠玉／圣王以贤为宝，不以珠玉为宝／石韫玉而山辉，水怀珠而川媚／嘈嘈切切错杂弹，大珠小珠落玉盘／蓄谷者不病凶年，蓄珠玉者不虞殍死／贫贱之交而不可忘，珠玉满堂而不足贵／人人自谓握灵蛇之珠，家家自谓抱荆山之玉／美人梳洗时，满头间珠翠，岂知两片云，戴却数乡税

❿势家多所宜，咳唾自成珠／莫以心如玉，探他明月珠／披泥抽沦玉，澄川掇沈珠／勤是无价

之宝，学是明月神珠／丹漆不文，白玉不雕，宝珠不饰／荆山鹊飞而玉碎，随岸蛇生而珠死／能改，则瑕可为瑜，瓦砾可为珠玉／嘈嘈切切错杂弹，大珠小珠落玉盘／玉在山而草木润，渊生珠而崖不枯／文章功用不经世，何异丝窠缀露珠／黑云翻墨未遮山，白雨跳珠乱入船／每一章一句出，无胫而走，疾于珠玉／荆岫之玉必含纤瑕，骊龙之珠亦有微颣／镜以曜明，故鉴人；蚌以含珠，故内照／五谷养性而弃之于地，珠玉无用而宝之于身／和氏之璧，出于璞石；隋氏之珠，产于蜃蛤／虽有神药，不如少年；虽有珠玉，不如金钱／绝圣弃知，大盗乃止；擿玉毁珠，小盗不起／星斗张明，错落水中，如珠走镜，不可收拾／白石如玉，愚者宝之；鱼目似珠，愚者取之／夏后氏之璜，不能无考；明月之珠，不能无颣／天无一点云，星斗张明，错落水中，如珠走镜，不可收拾／人有明珠，莫不贵重，若以弹雀，岂非可惜？况人之性命甚于明珠

珮 pèi 古时系在衣带上的玉饰。

❻闻水声，如鸣珮环，心乐之

玺 xǐ 秦以后专指皇帝的印；姓。

❼民之于上也，若玺之于涂也，抑之以方则方，抑之以圜则圜

班 bān 较小规模的组织；排列等级；遍及；同等；并列；铺开；分赐；分别；通“般”，盘旋；通“斑”；调动；工作岗位。

❶班翟不能削石作芒针

见唐·马总《意林·抱朴子》。全句为：“～，欧冶不能铸铅锡作干将”。

班声动而北风起，剑气冲而南斗平

见唐·骆宾王《为徐敬业讨武曌檄》。

球 qiú 圆球；近似球形的；特指地球；同“璆”，美玉。

❹小小寰球，有几个苍蝇碰壁

❻太平世界，环球同此凉热

琐 suǒ 细碎的玉声；细小；卑微；仔细；通“锁”，锁链；也用为门的代称；姓。

❹匡庐小琐拳可碎，鄱阳触怒踢欲裂

❿知天而不泥于神怪，知人而不遗于委琐

理 lǐ 治玉，引申为整治、治平；道理；名分；媒人；顺；答；顾；温习；玉石的纹路，引申为物的纹理或事的条理；通常指条理、准则和规律；通“吏”；古星名；姓。

❶理，一理也

见《墨子·七患》。全句为：“心，一心也；～。至当归一，精义无二。此心此理，实不容有二”。

理胜者为强

见明·冯梦龙《古今小说·闹阴司司马貌断狱》。

理、乱，在上也

见《管子·霸言》。

理国以得贤为本

见南朝·宋·范晔《后汉书·来歙传》。

理直则恃正而不桡

见南朝·宋·范晔《后汉书·王符传》。全句为：“～，事曲则谄意以行赇”。

理则顿悟，事非顿除

见《楞严经》卷一〇。

理国之道莫大于无事

见五代·前蜀·杜光庭《道德真经广圣义》卷四十。

理或生乱，乱或资理

见唐·陆贽《论叙迁幸之由状》。全句为：“～。有以无难而失守，有因多难而兴邦。理或生乱者，恃理而不修也。乱或资理者，遭乱而能惧”。

理身之道莫大于无欲

见五代·前蜀·杜光庭《道德真经广圣义》卷四十。

理国之主，仁义出于人

见五代·南唐·谭峭《化书卷三·聪明》。全句为：“天下之主，道德出于人；～；亡国之主，聪明出于人”。

理胜者，文不期工而工

见宋·张耒《答李推官书》。全句为：“～；理诎者，巧为粉泽而隙间百出”。

理丝入残机，何悟不成匹

见晋《子夜歌四十二首》之七。

理生于危心，乱生于肆志

见五代·后晋·张昭远等《旧唐书·李绛传》。

理因事彰，不坏事而显理

见《万善同归集》卷上。全句为：“事因理立，不隐理而成事；～”。

理国要道，在于公平正直

见唐·吴兢《贞观政要·公平》。

理辩则气直，气直则辞盛

见唐·李翱《答朱载言书》。全句为：“义深则意远，意远则理辩，～，辞盛则文工”。

理或生乱者，恃理而不修也

见唐·陆贽《论叙迁幸之由状》。全句为：“理或生乱，乱或资理。有以无难而失守，有因多难而兴邦。～。乱或资理者，遭乱而能惧”。

理财正辞，禁民为非，曰义

见《周易·系辞下》。

理平者先仁义，理乱者先权谋

见南朝·宋·范晔《后汉书·刘表传》。

理诎者，巧为粉泽而隙间百出

见宋·张耒《答李推官书》。全句为:“理胜者,文不期工而工;～”。

理不可以直指也,故即物以明理

见清·刘大櫆《论文偶记》。全句为:“～;情不可以显出也,故即事以寓情”。

理世不必一其道,便国不必法古

见《战国策·赵策二》。

理国长安,率身从道,言必信实

见五代·前蜀·杜光庭《道德真经广圣义》卷十。

理国执无为之道,民复朴而还淳

见五代·前蜀·杜光庭《道德真经广圣义》卷十四。

理贵在于得要兮,事终成于会机

见北魏·阳固《演赜赋》。

理有疑误而成过,事有形似而类真

见唐·李白《上安州李长史书》。

理国譬若琴瑟,其不调者则解而更张

见南朝·宋·范晔《后汉书·桓谭传》。

理之固然者:富贵则就之,贫贱则去之

见《战国策·齐策四》。

理无专在,而学无止境也,然则问可少耶

见清·刘开《问说》。

理未尝离乎气,然理形而上者,气形而下者

见宋·朱熹《朱子语类》卷一。全句为:“～。自形而上下言,岂得无先后”。

❷士,理之本也/非理所求,谁肯相与/能理乱丝,乃可读书/能理乱丝,始可读诗/文理自然,姿态横生/以理为主,理得而辞顺/务理天下者,美在太平/世理则词直,世忌则词隐/有理言自壮,负屈声必高/义理不先尽,则多听而易惑/非理之财莫取,非理之事莫为/循理以求道,落其华而收其实/有理而无益于治者,君子弗言/此理充塞宇宙间,如何人杜撰得/乘理虽死而非亡,违义虽生而非存/义理之勇不可无,血气之勇不可有/义理有疑,则濯去旧见,以来新意/观理自难观势易,弹丸累到十枚时/文、理、义三者兼并……能必传也/凡理国者,务积于人,不在盈其仓库/条理得于心,其心渊然而条理,是为智/物理不见不闻,虽圣哲亦不能索而知之/此理在宇宙间,固不以人之明不明、行不行而加损

❸性即理也/理,一理也/辞穷理屈而妄说/有是理,便有是气/不知理义,生于不学/历纡理则宕往而疏越/易以理服,难以力胜/善操理者,不能有全功/精于理者,其言易而明/天下理无常是,事无常非/事因理立,不隐理而成事/又闻理与乱,系人不系天/晨兴理荒秽,带月荷锄归/善为理者,举其纲,疏其网/缘道理以从事者,无不能成/天者,理之所自出,凡理皆天/以道理天下者……不赏而民劝/彼之理非,我之理是,我容之/彼之理是,我之理非,我让之/或明理以立体,或隐义以藏用/所谓理者不可推,而寿者不可知矣/自谓理且安者,则自骄自满,虽安必危

❹好辩而理不至则烦/无为则理,有为则乱/不知义理,生于不学/事违于理则负结于意/非贤不理,惟在得人/乱而思理,生人大情/乱者思理,危者求安/但当循理,不可使气/舍本而理末则辞构矣/圣人之理,以身观身/心静气理,道乃可止/怒则思理,危不忘义/言之成理,持之有故/任贤而理,任不肖而乱/论之应理,犹矢之中的/夸过其理,则名实两乖/乱后易理,犹饥人易食也/乱或资理者,遭乱而能惧/剪不断,理还乱,是离愁/心包万理,万理具于一心/辨章事理,贵得当时之宜/能循天理动者,造化在我也/义虽深,理虽当,词不工者不成文/细推物理须行乐,何用浮名绊此身/成事在理不在势,服人以诚不以言/天下之理不可穷也,天下之性不可尽也/辩言过理,则与义相失;丽靡过美,则与情相悖

❺势不同而理同/言愈多而理愈乱/事有必至,理有固然/年妙识远,理丰词约/桑榆之光,理无远照/物有生死,理有存亡/以理为主,理得而辞顺/将适远途,理归于骏足/竹外有节理,中直空虚/草木得常理,霜露荣悴之/国小则易理,民寡则易宁/好胜者灭理,肆欲者乱常/恶不失其理,欲不过其情/一部《周记》,理财居其半/天下之道,理安,斯得人者也/察而以达理明义,则察为福矣/辨而不当理则伪,知而不当理则诈/天下之事,理胜力为常,力胜理为变/听言当以理观,一闻辄以为据,往往多失/名言所绝理即具于名中,意量所函变可通意外/爱人不以理,适是害人;恶人不以理,适是害己/言虽简略,理皆要害,故能疏而不遗,俭而无阙/今且须去理会眼前事,那个鬼神事,无形无影,莫要枉费心力

❻正其本,万事理/制人而失其理,反制焉/推其未然之理而辨之也难/心包万理,万理具于一心/用人如用己,理国如理家/通于天下之理,则能通人矣/仁是爱的道理,公是仁的道理/人必待贤以理,物必待贤以宁/折狱而是也,理益明,教益行/急小之人宜理百里,使事办于己/事事只在道理上商量,便是真体认/均,天下之至理也,连于形物亦然/天下未有无理之气,亦未有无气之理/心之所可中理,则欲虽多,奚伤于治/心之所可失理,则欲虽寡,奚止于乱/大建厥极,绥理群生,训物垂范,于是乎在/爱非仁,爱之理是仁;心非仁,心之德是仁/气,物之原也;理,气之具也;器,气之成也

❼刚略之人不能理微／死生，天地之常理／天生天杀，道之理也／专胆无明，则违理失机／无几微爽失，则理义以名／事因理立，不隐理而成事／理或生乱者，悖理而不修也／彼之理非，我之理是，我容之／彼之理是，我之理非，我让之／经正而后纬成，理定而后辞畅／理平者先仁义，理乱者先权谋／政以得贤为本，理以去秽为务／折狱而非也，暗理迷众，与教相妨／文恶辞之华于理，不恶理之华于辞／思虑熟则得事理，行端直则无祸害／自家虽有这道理，须是经历过方得／世之人不知至理之所在也，迷而妄行／求是者，非求道理也，求合于己者也／愚人以天地文理圣，我以时物文理哲／读史当观大伦理，大机会，大治乱得失／逆顺同道而异理，审知逆顺，是谓道纪／世之所不足者，理义也；所有余者，妄苟也／为国之法，有似理身，平则致养，疾则攻焉／凡事行，有益于理者立之，无益于理者废之／用智为政，务欲理人。智变奸生，祸乱滋起／原天命，治心术，理好恶，适情性，而治道毕／自太古以来，致理兴化，未有言之不行而能至矣／万物有自然之理，圣人只是顺之，不曾增加得一毫／厌文搔法，法官理民者，有司也，君无事焉，犹尊君也

❽德不厚而思国之理／天下之物，莫不有理／天下之政，非贤不理／不学亡术，暗于大理／仁者爱人，义者政理／弃己任物，则莫不理／论如析薪，贵能破理／参不尽者，天下之理／持之有故，言之成理／学文之端，急于明理／理或生乱，乱或资理／物无妄然，必由其理／有无相通，盖为常理／背暗投明，古之大理／天地之道，生杀之理……／情者文之经，辞者理之纬／非理之财莫取，非理之事莫为／克己可以治怒，明理可以治惧／以仁为恩，以义为理，以礼为行／做到私欲净尽，大埋流行，便是仁／合天下之众者财，理天下之财者法／功名遂成，天也；循理受顺，人也／血气之怒不可有，理义之怒不可无／言于国竭情无私，理于家陈信无愧／文章到欧曾苏，道理到二程，方是畅／居上者不以至公理物，为下者必以私路期荣／理未尝离乎气，然理形而上者，气形而下者／言不在多，在于当理；施不在丰，期于救乏／倚伏之矛楯也，其理甚明，困而后儆，斯弗及已

❾形于小微而通于大理／道德丧则礼乐不可理／任能黜否，则官府治理／勿惊勿骇，万物将自理／振裘持领，领正则毛理／法不善，则有财而莫理／义深则意远，意远则理辩／用人如用己，理国如理家／无常乱之国，无不可理之民／正直者顺道而行，顺理而言／天者，理之所自出，凡理皆天／把意念沉潜得下，何理不可得／知与恬交相养，而和理出其性／师儒之席，不拒曲士，理固然也／今余遭有道，而违于理，悖于事／留动而生物，物成生理，谓之形／爱人以除残为务，政理以去乱为心／身正则天下皆正，身理则天下皆理／善除害者，察其本；善理疾者，绝其源／意得则舒怀以命笔，理伏则投笔以卷怀／所谓读书，须当明物理，揣事情，论事势／为学之道莫先于穷理，穷理之要必在于读书／大丈夫不怕人，只怕理；不恃人，只是恃道／学有未达，强以为知，理有未安，妄以臆度

❿气外更无虚托孤立之理／及在人，则又各自有个理／理因事彰，不坏事而显理／格物，是物物上穷其至理／耳目之察，不足以分物理／其诗之有故，其言之成理／其持之有故，其言之成理／上失其道而杀其下，非理也／良医之治病也，攻之于腠理／未有无腹心手足而能独理者也／仁是爱的道理，公是仁的道理／合天地万物而言，只是一个理／君功见于选将，将功见于理兵／处事不可任己见，要悉事之理／理不可以直指也，故即物以明理／一时之强弱在力，千古之胜负在理／天下之事，不进则退，无一定之理／同类相从，同声相应，固天之理也／侈言无验不必用，质言当理不必违／凡人之患，蔽于一曲，而暗于大理／凡闻言必熟论，其于人必验之以理／在天愿作比翼鸟，在地愿为连理枝／知天者仰观天文，知地者俯察地理／风雅体变而兴同，古今调殊而理异／文恶辞之华于理，不恶理之华于辞／身正则天下皆正，身理则天下皆理／辨而不当理则伪，知而不当理则诈／鞭鞑宁越以立威名，恐非致理之本／万物生于天地之间，其理不可以一概／天下未有无理之气，亦未有无气之理／天下之事，理胜力为常，力胜理为变／千古圣贤若同堂合席，必无尽合之理／博识者触物能名，洽闻者理无所惑耳／并天下之谋，兼天下之智，而理得矣／人天下之声色而研其理者，人之道也／凡以知，人之性；可以知，物之理也／识物之动，则其所以然之理皆可知也／愚人以天地文理圣，我以时物文理哲／不诡其词而词自丽，不异其理而理自新／出新意于法度之中，寄妙理于豪放之外／诚无不动者，修身则身正，治事则事理／善难者务释事本，不善难者舍本而理末／条理得于心，其心渊然而条理，是为智／进有退之义，存有亡之机，得有丧之理／物不正则不可为乐，乐不和则不能理人／物之所以通，事之所以理，莫不由乎道／自谓乱且危者，则自戒自强，虽乱必理／使贤者居上，不肖者居下，而后可以理安／黄金者用之量也，辨于黄金之理则知侈俭／君子不以功轻人之身，不为彼功诎身之理／齐桓公以管仲辅之则理，以易牙辅之则乱／礼之大本，以防乱也……凡为理者杀无赦／三教一体，九流一源，百

家一理，万法一门／无为小人，反殉而天；无为君子，从天之理／为学之道莫先于穷理，穷理之要必在于读书／凡事行，有益于理者立之，无益于理者废之／冷眼观人，冷耳听语，冷情当感，冷心思理／诗有别材，非关书也；诗有别趣，非关理也／小勇者，血气之怒也；大勇者，理义之怒也／综学在博，取事贵约，校练务精，捃理须核／用明察非，非无不见；用理铃疑，疑无不定／穷而思达，人之情也；卑而应高，物之理也／革之匪时，物失其基；因之匪理，物丧其纪／天……有相授之意，有为政之理，不可不审也／百官之众，四海之广，使其关节脉理相通为一／常有小不快事，是好消息……知此理可免怨尤／天地任自然无为，无造万物，自相治理，故不仁／以不二之悟，符不分之理，理智悉释，谓之顿悟／读书不独变气质，且能养精神，盖理义收摄故也／圣智至孔子而极其盛，不过举条理以言之而已矣／所养非所用，所用非所养，理家必弊，在国必危／爱人不以理，适是害人；恶人不以理，适是害己／未有天地之先，毕竟也只是先有此理，便有此天地／古之成大事者，规模远大与综理密微二者阙一不可／性字从生从心，是人生来具是理于心，方名之曰性／必曰赏以春夏，而刑以秋冬，而谓之至理者，伪也／博取之象数，远征之古今，以求尽乎理，所谓格物也／若贵而愚，贱而圣且贤，以是而妨之，其为理本大矣／善计天下者不视天下之安危，察其纪纲之理乱而已矣／耳之闻也藉于静，目之见也藉于昭，心之知也藉于理／内便于性，外合于义，循理而动，不系于物者，正气也／君自为诈，欲臣下行直，是犹源浊而望水清，理不可得／欲成功而反为败者，生于不知道理，而不肯问知而听能／天地有大美而不言，四时有明法而不议，万物有成理而不说／苟意不先立，止以文彩辞句，绕前捧后，是言愈多而理愈乱／君子之求利也略，其远害也早，其避辱也惧，其行道理也勇／感应者气也，如是而感则如是而应，有不容以毫发差者理也／使亲而旧者愚，远而新者圣且贤，以是而间之，其为理本亦大矣／君子知形恃神以立，神须形以存，悟生理之易失，知一过之害生／若明而不信，严而不断，惠而不正，虽欲理身，终不自理，况于人哉

望 wàng 往远处看；拜访；声誉；盼望；对；景仰；指门族；埋怨；责备；窗口；通“方”，比；酒旗；唐代县的等级名；夏历每月十五；姓。

❶望之弘深，即之坦夷

见唐·刘禹锡《武陵北亭记》。

望云惭高鸟，临水愧游鱼

见晋·陶潜《始作镇军参军经曲阿》。

望人者不至，恃人者不久

见汉·韩婴《韩诗外传》。

望夫处……行人归来石应语

见唐·王建《望夫石》。删节处为：“江悠悠，化为石，不回头，山头日日风复雨”。

望远者，察其貌而不察其形

见《谷梁传·桓公十四年》。全句为：“听远音者，闻其疾而不闻其舒；～”。

望时而待之，孰与应时而使之

见《荀子·天论》。

望严雪而识寒松，观疾风而知劲草

见唐·王勃《常州刺史平原郡开国公行状》。

望长城内外，惟馀莽莽；大河上下，顿失滔滔

见现代·毛泽东《沁园春·雪》。

❷无望其速成，无诱于势利／东望望长安，正值日初出／民望之，若大旱之望云霓／瞻望兮踊跃，伫立兮徘徊／吕望垂竿于渭涘，道峻匡周／怅望关河空吊影，正人间……／西望武昌诸山，冈陵起伏……／眺望而林泉有余，奔走而烟霞足用／立望关河萧索，千里清秋，忍凝眸

❸代马望北，狐死首丘／危者望安，乱者仰治／戴盆望天，不见星辰／东望望长安，正值日初出／举头望明月，低头思故乡／峰攒望天小，亭午见日初／远而望之，皎若太阳升朝霞／以道望人则难，以人望人则易／不敢望到酒泉郡，但愿生入玉门关／东面望者不见西墙，南乡视者不睹北方

❹无德而望其福者，约／东向而望，不见西墙／在贱而望贵者，惑也／登高则望，临深则窥／登高以望远，摇桨以泳深／离亭北望，烟霞生故国之悲／火烈，民望而畏之，故鲜死焉／临水远望，泣下沾衣，远道之人心思归／交私养望者多得显官，独立营职者或见排沮／平原广望，博观之乐，沼池不如川泽所见博也／邻国相望，鸡犬之声相闻，民至老死，不相往来

❺民荐饥而望岁／戴盆何以望天／每依北斗望京华／如百谷之望时雨／铁骑无声望似水／升于高以望江山之远近／代耕本非望，所业在田桑／吾尝跂而望矣，不如登高之博见也／浊其源而望流清，曲其形而欲景直／潭西南而望，斗折蛇行，明灭可见／源不深而望流之远，根不固而求木之长／蒲柳之姿，望秋而落；松柏之质，经霜弥茂／薄施而厚望，畜怨而无患者，古今未之有也

❻行得春风，指望夏雨／鸢飞戾天者，望峰息止／身不用礼，而望礼于人……／身不用德，而望德于人，乱也／上好奢靡而望下敦朴，未之有也／不畏浮云遮望眼，自缘身在最高层／峻极巍峨势望雄，层峦迭嶂翠重重／布奠倾觞，哭望天涯。天地为愁，草木凄悲／君子有三变：望之俨

然，即之也温，听其言也厉
❼去帆若不见，试望白云中／口衔山石细，心望海波平／所思迷所在，长望独长叹／明月之光，可以望远而不可以细书／不忍登高临远，望故乡渺邈，归思难收／是邪，非邪？立而望之，偏何姗姗其来迟
❽打兔得獐，非意所望／挟艺射科，每发如望／民望之，若大旱之望云霓／行行循归路，计日望旧居／“慷慨”二字不可以望人／雄心志四海，万里望风尘／悲歌可以当泣，远望可以当归／人言落日是天涯，望极天涯不见家／观大者不得处近，望远者不得居卑／率虎狼牧羊豕，而望其蕃息，岂可得也／思必深，而深必怨；望必远，而远必伤
❾有功不赏，为善失其望／昼作不辍手，猛烛继望舒／穷居而野处，升高而望远／以道望人则难，以人望人则易／遗民泪尽胡尘里，南望王师又一年
❿千里相思，空有关山之望／有永弃之悲，无自新之望／人苦不知足；既平陇，复望蜀／往者不可复兮，冀来今之可望／矜一事之微劳，遂有无厌之望／鹿驰走无顾，六马莫能望其尘／上不玷知人之明，下不失四海之望／会挽雕弓如满月，西北望，射天狼／多病只思田舍乐，夜归烟火望茅檐／早岁那知世事艰，中原北望气如山／酒池，足以运舟；糟丘，足以望七里／小人朝为而夕求其成，坐施而立望其反／甚雾之朝，可以细书而不可以远望寻常之外／勋劳宜赏，不吝千金；无功望施，分毫不与／晨看旅雁，心赴江淮；昏望牵牛，情驰扬越／有不嗜杀人者，则天下之民皆引领而望之矣／朝乐朗日，啸歌丘林；夕玩望舒，入室鸣琴／如有不嗜杀人者，则天下之民皆引领而望之矣／赏不劝善，罚不惩恶，而望邪正不惑，其可得乎／不以众人待其身，而以圣人望于人，吾未见其尊己也／示之以形，禁之以势，使之望而不敢犯，犯而无所得／君自为诈，欲臣下行直，是犹源浊而望水清，理不可得／不行王政云尔；苟行王政，四海之内皆举首而望之，欲以为君

琉

liú［琉璃］一种矿石质的有色半透明体材料。

❾京城禁珠翠，天下尽琉璃
❿大都好物不坚牢，彩云易散琉璃脆

琵

pí［琵琶］弹拨乐器。

❿千呼万唤始出来，犹抱琵琶半遮面／含情欲说独无处，传与琵琶心自知

琴

qín 部分乐器的总称；古琴；姓。

❶琴瑟不较，不能成其五音
见汉·司马迁《史记·田敬仲完世家》。
琴瑟不调，甚者必解而更张之
见汉·董仲舒《天人三策》。
❷善琴者有悲心则声凄凄然
❸宜鼓琴，琴调虚畅／不听琴，只是不知音
❹宜鼓琴，琴调虚畅／政犹张琴瑟，大弦急则小弦绝／诗如鼓琴，声声见心。心为人籁，诚中形外
❺父母有疾，琴瑟不御／古圣贤玩琴以养心，穷则独善其身／理国譬若琴瑟，其不调者则解而更张
❻衡门之下，有琴有书，载弹载咏，爰得我娱
❼坐无君子，则与琴酒为友／善为国者若弹琴；宫君商臣，则治国之道
❽悦亲戚之情话，乐琴书以消忧／治国者譬若乎张琴然，大弦急则小弦绝矣
❾士之闲居，无故不去琴瑟／听人以言，乐于钟鼓琴瑟
❿息交游闲业，卧起弄书琴／对他乡之风景，忆故里之琴歌／水平布石上，流若织文，响若操琴／欲平其心以养其疾，于琴亦将有得焉／道犹金石，一调不更；事犹琴瑟，每弦改调／朝乐朗日，啸歌丘林；夕玩望舒，入室鸣琴／君子之处世，贵能有益于物耳，不图高谈虚论，左琴右书

琶

pá［琵琶］弹拨乐器。

❿千呼万唤始出来，犹抱琵琶半遮面／含情欲说独无处，传与琵琶心自知

琦

qí 美玉；美好的；诡异。

❽豪健俊伟，怪巧瑰琦
❿入妙文章本平淡，等闲言语变瑰琦

琢

zhuó 加工玉石。

❶琢雕自是文章病，奇险尤伤气骨多
见宋·陆游《读近人诗》。
❷不琢不错，不离砾石／雕琢复朴，块然独以其形立
❸切瑳琢磨，乃成宝器／玉不琢，则南山之圆石／玉不琢不成器，人不学不知道
❹既雕且琢，复归于朴／觚而弗琢，不成于器／金玉不琢，美珠不画／彼美不琢雕，椟中竟何如／常玉不琢，不成文章；君子不学，不成其德
❺作诗贵雕琢，又畏斧凿痕
❻如切如磋，如琢如磨
❼盈尺径寸，易取琢磨；南箕北斗，难为簸挹
❽本自天然，不假雕琢
❾杼轴得之，澹而无味，琢刻藻绘，弥不足贵
❿不素养士而欲求贤，譬犹不琢玉而求文采也

琼 qióng 赤色玉；比喻精美的事物，杰出的人才；古代游戏用具；海南省的简称。

❶琼琨山积，不能无挟瑕之器

见晋·葛洪《抱朴子·博喻》。全句为："～；邓林千里，不能无偏枯之木"。

❻松柏寒仍翠，琼瑶涅不缁

❽神姿高彻，如瑶林琼树，自然是风尘外物

❾投我以木桃，报之以琼瑶／投我以木瓜，报之以琼琚

斑 bān 斑点、斑纹；杂有斑点、斑纹的；头发花白。

❸砚中斑驳遗民泪，井底千年恨未销

❽管中窥豹，时见一斑

❾垂髫之童，但习鼓舞，斑白之老，不识干戈

❿塞上长城空自许，镜中衰鬓已先斑／三年耕有九年储，仓谷满盈，斑白不负戴／三五之夜，明月半墙，桂影斑驳，风移影动，珊珊可爱

琚 jū 古代佩带的一种玉。

❿投我以木瓜，报之以琼琚

瑟 sè 古代的一种弦乐器，像琴；庄严貌；众多、茂密的样子；洁净鲜明貌。[瑟瑟]形容很轻的声音；形容发抖的样子；碧色珠宝。

❷张瑟者，小弦急而大弦缓／琴瑟不较，不能成其五音／萧瑟秋风今又是，换了人间／琴瑟不调，甚者必解而更张之

❹秋风萧瑟，洪波涌起／穷途萧瑟，青山白云之万里

❺政犹张琴瑟，大弦急则小弦绝／风横天而瑟瑟，云覆海而沉沉

❻父母有疾，琴瑟不御／风横天而瑟瑟，云覆海而沉沉／理国譬若琴瑟，其不调者则解而更张

❼庾信平生最萧瑟，暮年诗赋动江关

❾对苍茫之寒日，听萧瑟之悲蝉

❿士之闲居，无故不去琴瑟／听人以言，乐于钟鼓琴瑟／公输子之巧用材也，不能以檀为瑟／呦呦鹿鸣，食野之苹；我有嘉宾，鼓瑟吹笙／道犹金石，一调不更；事犹琴瑟，每弦改调

瑞 ruì[瑞玉]古时用作信物的玉；吉祥；征兆。

❺尽道丰年瑞，丰年事若何

❼长安有贫者，为瑞不宜多

❿凤凰芝草，贤愚皆以为美瑞

瑰 guī 一种像玉的石头；珍奇。

❺受天下之瑰丽，而泄天下之拗怒也／世之奇伟瑰怪非常之观，常在于险远

❻以受天下之瑰丽，而泄天下之拗怒也

❼豪健俊伟，怪巧瑰琦／尤虚之人硕言瑰姿，内实乖反

❽欲成大厦，必寄于瑰材

❿入妙文章本平淡，等闲言语变瑰琦／江南多临观之美，而滕王阁独为第一，有瑰伟绝特之称

瑜 yú 美玉；玉的光采；喻指优点。

❹瑕不掩瑜，瑜不掩瑕／怀瑾握瑜兮，穷不知所示

❺瑕不掩瑜，瑜不掩瑕

❼能改，则瑕可为瑜，瓦砾可为珠玉

❿川泽纳污，山薮藏疾，瑾瑜匿瑕

瑗 yuàn 孔大边小的璧。

❷璧瑗成器，礛诸之功，镆邪断割，砥砺之力

瑕 xiá 赤玉色；亦指赤色玉；玉的斑点；比喻事物的缺点或人的过失；罅隙；通"霞"，彩云；通"胡"，何；古地名；姓。

❶瑕不掩瑜，瑜不掩瑕

见《礼记·聘义》。

❹心苟无瑕，何恤乎无家／白璧无瑕玷，青松有岁寒／白玉微瑕，善贾之所不弃……／能改，则瑕可为瑜，瓦砾可为珠玉／清越而瑕不自掩，洁白而物莫能污

❺论文期摘瑕，求友惟攻阙／耳达四聪，瑕累者期于录用

❻收罗英雄，弃瑕录用

❼日月挟虫鸟之瑕，不妨丽天之景／折而不挠，勇也；瑕適皆见，精也

❽黄金有疵，白玉有瑕／瑕不掩瑜，瑜不掩瑕／荆岫之玉必含纤瑕，骊龙之珠亦有微颣／珠之有颣玉之有瑕，置之而全，去之而亏

❾不求立名声，所贵去瑕玼／琼琨山积，不能无挟瑕之器

❿黄金无足色，白璧有微瑕／君子小过，则白玉之微瑕／大羹必有淡味，至宝必有瑕秽／川泽纳污，山薮藏疾，瑾瑜匿瑕／凡用兵者，攻坚则轫，乘瑕则神／尺之木必有节目，寸之玉必有瑕瓋／论大功者不录小过，举大善者不疵细瑕

瑑 zhuàn 玉器上隆起的雕刻花纹。

❹常玉不瑑，不成文章；君子不学，不成其德

瑳 cuō 玉色洁白；巧笑貌；通"磋"，切磋。

❷切瑳琢磨，乃成宝器

瑱 ①tiàn 古人冠冕上垂在两侧以塞耳的玉；填塞；美玉；通"磌"，柱础。②zhèn 通"镇"，压；[瑱圭]亦作"镇圭"，古代帝王受诸侯朝见时所执的圭。

❺昆山之玉瑱而尘垢弗能污

瑶

yáo 美玉；光洁美好；少数民族之一。

❶瑶山丛桂，芳茂者先折

见北齐·祖鸿勋《与阳休之书》。全句为："昆峰积玉，光泽者前毁；～"。

❷闻瑶质兮可变，知余采兮易夺……

❸又疑瑶台镜，飞在青云端

❻神姿高彻，如瑶林琼树，自然是风尘外物

❼松柏寒仍翠，琼瑶涅不缁

❿投我以木桃，报之以琼瑶／宜力学为砻斫，亲贤为青黄，睦僚友为瑶金

璃

lí 用于琉璃、玻璃等物品名。

❿京城禁珠翠，天下尽琉璃／大都好物不坚牢，彩云易散琉璃脆

瑾

jǐn 美玉。

❷怀瑾握瑜兮，穷不知所示

❾川泽纳污，山薮藏疾，瑾瑜匿瑕

❿藏珉石于金匮兮，捐赤瑾于中庭

璜

huáng 古玉石器名，形状象璧的一半，古代贵族朝聘、祭祀、丧葬时所用的礼器，也作装饰用。

❺夏后氏之璜，不能无考；明月之珠，不能无纇

璀

cuǐ[璀璨]形容珠玉等光彩鲜明耀目。

❾散珠喷雾，日光烛之，璀璨夺目，不可正视

璋

zhāng 一种形状像半个圭的玉器。

❽白玉不毁，孰为珪璋

❿哲人归大夜，千古传圭璋

璇

xuán 美玉。

❶璇玉致美，不为池隍之宝

见南朝·宋·颜延之《陶徵士诔》。全句为："～；桂椒信芳，而非园林之实"。

❷在璇玑玉衡，以齐七政

璞

pú 含玉的石头，也指未雕琢的玉；比喻人的天真质朴。

❶璞玉浑金，人皆饮其宝，莫知名其器

见南朝·宋·刘义庆《世说新语·赏誉》。

❷良璞不剖，必有泣血以相明者

❸才者璞也，识者工也，良璞授于贱工，器之陋也

❹至美素璞，物莫能饰／玉出于璞，而璞不可谓玉

❼和氏之璧，出于璞石；隋氏之珠，产于蜃蛤

❾编珠缀玉，不得为全璞之宝矣／有才必韬藏，如浑金璞玉，暗然而日章也／以玙璠之玼而弃其璞，以一人之罪而兼其众，则天下无美宝信士

❿贵珠出乎贱蚌，美玉出乎丑璞／才者璞也，识者工也，良璞授于贱工，器之陋也

璠

fán 宝玉；[璠玙]同"玙璠"，美玉；比喻美好的事物。

❸以玙璠之玼而弃其璞，以一人之罪而兼其众，则天下无美宝信士

❺玉不雕，玙璠不作器；言不文，典谟不作经

璨

càn 明亮；灿烂。

❿散珠喷雾，日光烛之，璀璨夺目，不可正视

璼

zhè[瑕璼]玉上的疵斑。

❿尺之木必有节目，寸之玉必有瑕璼

璧

bì 古代一种扁平圆形的中间有孔的珍贵玉器；泛指美玉。

❶璧由识者显，龙因庆云翔

见晋·卢谌《重赠刘琨》。

璧瑗成器，礛诸之功，镆邪断割，砥砺之力

见汉·刘安《淮南子·说林》。

❷白璧青钱，欲买春无价／白璧无瑕玷，青松有岁寒／白璧不可为，容容多后福／白璧求善价，明珠难暗投／白璧有考，不得为宝：言至纯之难也

❹物贵尺璧，我重寸阴／斫冰为璧，见日而销／和氏之璧，不饰以五采／镂冰为璧，不可得而用也／盈握之璧，不必采于昆仑之山／黄金白璧买歌笑，一醉累月轻王侯／和氏之璧，出于璞石；隋氏之珠，产于蜃蛤／不爱尺璧而爱寸阴，时过不还，若年大不可少也／和氏之璧，价重千金，然以之间纺，曾不如瓦砖

❺得呙氏之璧，不若得事之所适／不贵尺之璧，而重寸之阴，时难得而易失也／以和氏之璧与百金以示鄙人，鄙人必取百金／以和氏之璧与道德之至言以示贤者，贤者必取至言

❻直木先伐，全璧受疑／匹夫无罪，怀璧其罪／寒者不贪双璧而思短褐／巽语为珍，苍璧喻而非宝

❼黄金无足色，白璧有微瑕／青蝇一相点，白璧遂成冤／圣人不贵尺之璧，而重寸之阴，时难得而易失也

❽一言之赐，过乎玙璧／浮光跃金，静影沉璧／明月之珠，和氏之璧／隋侯之珠，和氏之璧，得之者富，失之者贫

❾抵金玉于沙砾，碎珪璧于泥途／委明珠而乐贱，辞白璧以安贫

❿富贵比于浮云，光阴逾于尺璧／荆王未辨连城价，肠断南州抱璧人／楚国青蝇何太多，连城白璧遭谗毁／长烟一空，皓月千里；浮光跃金，静影沉璧／锐者如簪，缺者如玦，隆者如髻，圆者如璧

韦 wéi 熟皮子；通"围"，一抱；"违"的古字，违背；姓。

❶韦编三绝
见汉·司马迁《史记·孔子世家》。
❺孔子读《易》，韦编三绝／须知三绝韦编者，不是寻行数墨人
❼晚而好《易》，读之韦编三绝
❿寸裂之锦縠，未若坚完之韦布

韧 rèn 柔软而结实，不易断裂。

❼人能正静者，筋韧而骨强

韩 hán 战国国名；姓。

❶韩亡子房奋，秦帝鲁连耻
见南朝·宋·谢灵运《诗》。
韩愈辟佛，几至杀身，况敢议今世之尧、舜、周、孔者乎
见清·颜元《存学编》卷一。
❷独韩愈奋不顾流俗……因抗颜而为师
❹赵、魏、燕、韩，历历堪回首／能明申、韩之术而修商君之法，法修术明而天下乱者，未之闻也
❻卢狗悲号，则韩国知其才
❾感子漂母惠，愧我非韩才／君子所甚惧者，以申、韩之酷政，文饰儒术，而重毒天下也
❿生不用封万户侯，但愿一识韩荆州

韪 wěi 是，对。

❻犯天下之不韪
❼冒天下之大不韪

韫 yùn 藏；包含。

❷石韫玉而山辉，水怀珠而川媚
❿贪日得则鼓刀利，要岁计而韫椟多

韬 tāo 用兵的谋略；隐藏；弓袋；宽馀。

❸日月韬光，山河改色／多智韬情，权在谲略，失在依违
❹有才必韬藏，如浑金璞玉，暗然而日章也
❽文通三略，武解六韬
❾不随举子纸上学六韬，不学腐儒穿凿注五经

木 mù 树；指木本的；木料；指某些木质器物；木星；古时八音之一；五行之一；质朴，呆笨；失去知觉；姓。

❶木以绳直，金以淬刚
见汉·蔡邕《劝学篇》。
木犹如此，人何以堪
见南朝·宋·刘义庆《世说新语·言语》。
木实繁者，披枝害心
见南朝·宋·范晔《后汉书·梁冀传》。
木朽不雕，世衰难佐
见晋·陈寿《三国志·魏书·贾诩传》。
木朽虫生，墙罅蚁入
见《两晋演义》第一回。
木无本必枯，水无源必竭
见明·冯梦龙《东周列国志》第三十八回。
木从绳则正，后从谏则圣
见唐·吴兢《贞观政要·求谏》。
木受绳则正，人受谏则圣
见三国·魏·王肃《孔子家语·子路初见》。
木受绳则直，金就砺则利
见《荀子·劝学》。
木欣欣以向荣，泉涓涓而始流
见晋·陶潜《归去来兮辞》。
木生内蠹，上下相贼，祸乱我国
见汉·焦赣《易林·旅·履》。
木在山，马在肆，遇之而不顾者
见唐·韩愈《为人求荐书》。全句为："～，虽日累千万人，未为不材与下乘也；及至匠石过之而不睨，伯乐遇之而不顾，然后知其非栋梁之材、超逸之足也"。
木与木相摩则然，金与火相守则流
见《庄子·外物》。
木实繁者披其枝，披其枝者伤其心
见《战国策·秦策三》。
木有文章曾是病，虫多言语不能天
见清·龚自珍《释言》四首之一。
木之折也，必通蠹；墙之坏也，必通隙
见《韩非子·亡征》。
木秀于林，风必摧之；堆出于岸，流必湍之
见三国·魏·李康《运命论》。全句为："～；行高于人，众必非之"。
木末芙蓉花，山中发红萼。涧户寂无人，纷纷开且落
见唐·王维《辛夷坞》。
❷朽木不可雕也／直木伐，直人杀／伐木丁丁山更幽／长木之毙，无不摽也／直木先伐，甘井先竭／直木先伐，全璧受疑／茂木丰草，有时而落／草木秋死，松柏独存／大木百寻，根积深也／大木为杗，细木为桷／缘木求鱼，升山采珠／缘木求鱼，煎水作冰／枯木逢春，萌芽便发／花木阴阴，偶过垂杨院／大木将颠，非一绳所维／大木有尺寸之朽而不弃／求木之长者，必固其根本／曲木恶直绳，奸邪恶正法／曲木恶直绳，重罚恶明证／草木得常理，霜露荣悴之／草木贲华，无待锦匠之奇／草木有本心，何求美人折／抱木生毫末，层台起累土／拱木不生危，松柏不生埤／朽木不可雕，情亡不可久／枯木倚寒岩，三冬无暖气／伐木不自其根，则蘖又生也／山木，自寇也；膏火，自煎也／树木者忧其蠹，保民者除其贼／生木之长，莫见其益，有时而修／

万木霜天红烂漫，天兵怒气冲霄汉／乘木则朽木青黄，失势则田何粪土／草木荣华之飘风，鸟兽好音之过耳／腐木不可以为柱，卑人不可以为主／斩木为兵，揭竿为旗，天下云集响应／万木僵仆，梅英再吐，玉立冰姿，不易厥素／草木无大小，必待春而后生，人待义而后成／草木无情，有时飘零；人为动物，惟物之灵

❸刚、毅、木、讷近仁／树曲木者，恶得直景／冠枝木之冠，带死牛之胁／猿得木而捷，鱼得水而骛／化腐木而含彩，集枯草而藏烟／狖失木，而禽于狐狸，非其处也／尺之木必有节目，寸之玉必有瑕瓋／山有木兮木有枝，心悦君兮君不知／木与木相摩则然，金与火相守则流／心非木石岂无感，吞声踯躅不敢言／朝饮木兰之坠露兮，夕餐秋菊之落英／山有木，工则度之；宾有礼，主则择之／绳锯木断，水滴石穿，学道者须加力索／星队木鸣，国人皆恐。……怪之，可也；而畏之，非也

❹向阳花木易逢春／丰交之木，有时而落／无伐名木，无斩山林／无根之木，无源之水／十围之木持千钧之屋／十围之木，始生如蘖／声振林木，响遏行云／方寸之木，高于岑楼／翠羽之木，龙鳞之石／干天之木，非荀日所长／丘阜之木，不能成宫室／鸟则择木，木岂能择鸟／不息恶木枝，不饮盗泉水／投我以木桃，报之以琼瑶／投我以木瓜，报之以琼琚／蝎盛则木朽，欲盛则身枯／蠹众而木折，隙大而墙坏／身与草木俱朽，声与日月并彰／譬如斩木，去寸无寸，去尺无尺／万物草木之生也柔脆，其死也枯槁／无边落木萧萧下，不尽长江滚滚来／再实之木根必伤，掘藏之家必有殃／再实之木根必伤，掘臧之家后必殃／茂树恶木，嘉葩毒卉，乱杂而争植／君看夏木扶疏句，还许诗家更道不／因供寨木无桑柘，为点乡兵绝子孙／交拱之木无把之枝，寻常之沟无吞舟之鱼／鸟必择木而栖，附托匪人者必有危身之祸／形如槁木，心若死灰，无感无求，寂泊之至／盈把之木无合拱之枝，荣泽之水无吞舟之鱼／合抱之木，生于毫末……千里之行，始于足下／斩伐林木，亡有时禁，水旱之灾，未必不由此也

❺绳正于上，木直于下／霜露既降，木叶尽脱／山有玉，草木因之不凋／恃自圆之木，千世无轮／鸟则择木，木岂能择鸟／泽人足乎木，山人足乎鱼／巢林宜择木，结友使心晓／松柏为百木长，而守门闾／息阴无恶木，饮水必清源／精卫衔微木，将以填沧海／以绳墨取木，则宫室不成矣／俟自圆之木，则千岁无一轮／伐根以求木茂，塞源而欲流长／猿猕猴错木据水，则不若鱼鳖／绳直而枉木斫，准夷而高科削／兵强则灭，木强则折，革固则裂／乘木则朽木青黄，失势则田何粪土／剔大蠹者木必凿，去大奸者国必伤／土事不文，木事不镂，示民知节也／土敝则草木不长，水烦则鱼鳖不大／山有木兮木有枝，心悦君兮君不知

❻春到人间草木知／一树十获者，木也／一丝不线，单木不林／甘井近竭，招木近伐／长松落落，卉木蒙蒙／地行不信，草木不大／大木为杗，细木为桷／饮水思源，缘木思本／泰山其颓，梁木其坏／兵强则不胜，木强则折／巨厦之崩，一木不能支／干云蔽日之木，起于葱青／干云蔽日之木，起于青葱／八公山上草木，皆类人形／话不说不知，木不钻不透／墙坏于其隙，木毁于其节／山有猛兽，树木为之不斩／水无暂停流，木有千载贞／水积而鱼聚，木茂而鸟集／文繁者质荒，木胜者人亡／疾风而波兴，木茂而鸟集／地道乱，而草木山川不得其平／冈陵起伏，草木行列，烟消日出／上求材，臣残木；上求鱼，臣干谷／以伐根而求木茂，塞源而欲流长也／广厦成而茂木畅，远求存而良马絷／玉在山而草木润，渊生珠而崖不枯／昨日山中之木，以不材得终其天年／风霜以别草木之性，危乱而见贞良之节／高树靡阴，独木不林，随时之宜，道贵从凡／锲而舍之，朽木不折；锲而不舍，金石可镂／其夹岸有树木千万本，列立如揖，丹色鲜如霞，擢举欲动，灿若舒颜

❼廊庙之材，非一木之枝／悬千钧之重于木之一枝／曲辕且绳直，诡木遂雕藻／长将一寸身，衔木到终古／六朝金粉地，落木更萧萧／大厦之成，非一木之材也／大厦将崩，非一木之能止／大厦将颠，非一木所支也／方凿不受圆，直木不为轮／高山之巅无美木，伤于多阳也／涂车不能代劳，木马不中驰逐／其侧皆诡石怪木，奇卉美箭……／隐括之旁多枉木，砥砺之旁多顽钝／山生金，反自刻；木生蠹，反自食／时人不识凌云木，直待凌云始道高／善问者如攻坚木：先其易者，后其节目／泰山其颓乎，梁木其坏乎，哲人其萎乎／若夫以火能焦木也，因使销金，则道行矣／崇大厦者非一木之材，匡弊俗者非一日之卫／天有五行：一曰木，二曰火，三曰土，四曰金，五曰水

❽无源之水，无本之木／出自幽谷，迁于乔木／众口铄金，浮石沉木／龙欲腾翥，先阶尺木／穷猿奔林，岂暇择木／穷猿投林，岂暇择木／廊庙之材，盖非一木之枝也／介子推至忠也……抱木而燔死／坚冰作于履霜，寻木起于蘖栽／大匠构屋……尺寸之木无弃也／野芳发而幽香，佳木秀而繁阴／草不谢荣于春风，木不怨落于秋天／水处者渔，山处者木，谷处者牧，陆处者农／水性虚而沦漪结，木体实而花萼振，文附质也

❾丝萝非独生，愿托乔木／公输善匠，不能匠散木／众口之毁誉，浮石沉木／圣人用人，犹匠之用木／大厦之材，非一丘之木／不饮浊泉水，不息曲木阴／国破山河在，城春草木深／水广者鱼大，山高者木修／斧斤以时入山林，材木不可胜用也／秋风起兮白云飞，草木黄落兮雁南归／刚毅，则不屈于物欲；木讷，则不至于外驰

❿求士莫求全，用人如用木／邓林千里，不能无偏枯之木／怨于心者，哀声可以应木石／大匠之斧斤，不能器不才之木／渴不饮盗泉水，热不息恶木阴／采薜荔兮水中，搴芙蓉兮木末／锐锋产乎钝石，明火炽乎暗木／鸟何萃兮蘋中，罾何为兮木上／露垂泣于幽草，风含悲于拱木／吾闻"出于幽谷，迁于乔木"者／春之日，我爱其草薰薰，木欣欣／万卷藏书宜子弟，十年种木长风烟／井中之无大鱼也，新林之无长木也／良医之门多病人，栝檃之侧多枉木／声声解堕金铜泪，未信吴儿是木人／沉舟侧畔千帆过，病树前头万木春／清流洄洑眩波光，高崖古木争苍苍／近水楼台先得月，向阳花木易为春／胸中元自有丘壑，故作老木蟠风霜／欲致鱼者先通水，欲致鸟者先树木／破额山前碧玉流，骚人遥驻木兰舟／螣蛇不可以为足，虎豹不可使缘木／起烟于寒灰之上，生华于已枯之木／圣人之行法也，如雷霆之震草木……／任小能于大事者，犹狸搏虎而刀伐木也／咄咄读古，而不知此味……一堂木偶耳／源不深而望流之远，根不固而求木之长／蝮蝎终日而不螫，则噬啮草木以致其毒／一地所生，一雨所润，而诸草木各有差别／不揣其本而齐其末，方寸之木可使高于岑楼／千仓万箱非一耕所得；干天之木非旬日所长／云生日入，怪状迭发，水石卉木，杳非人寰／画地为牢，势不可入；削木为吏，议不可对／布奠倾觞，哭望天涯。天地为愁，草木凄悲／山霤至柔，石为之穿；蝎虫至弱，木为之弊／冬日之闭冻也不固，则春夏之长草木也不茂／清流触石，洄旋激注，佳木异竹，垂阴相荫／迩之事父，远之事君，多识于鸟兽草木之名／松柏生于高冈，散柯布叶，而草木为之不植／不恃隐括而有自直之箭自圆之木，百世无有一／但务其华，不寻其实，犹缘木希鱼，却行求前／土反其宅，水归其壑；昆虫毋作，草木归其泽／富贵之家，禄位重叠，犹再实之木，其本必伤／山中人不信有鱼大如木，海上人不信有木大如鱼／搜寻仞之垄，求干天之木；漉牛迹之中，索吞舟之鳞／岁寒霜雪苦，含彩独青青，岂不厌凝列，羞比春木荣／古之人观于天地、山川、草木、虫鱼、鸟兽，往往有得／文章丽矣，言语工矣，无异草木荣华之飘风，鸟兽好音之过耳

本

běn 植物的根或茎；事物的根基、根源；封建时代臣下奏事的文书；宇宙的本原或本体；自己或自己的；原有的；根据；重要的；犹这，那；本钱；犹"今"；本业；版本。

❶本不正者，末必倚

见汉·刘向《说苑·建本》。

本源秽者，文不能净

见清·恽敬《大云山房文稿·言事》。全句为："～；本源粗者，文不能细；本源小者，文不能大也"。

本自天然，不假雕琢

见宋·普济《五灯会元》卷四。

本弊不除，则其末难止

见汉·司马迁《史记·酷吏列传》。

本来无一物，何处惹尘埃

见《坛经》。全句为："菩提本无树，明镜亦非台，～"。

本以势力交，势尽交情止

见唐·崔膺《感兴》。

本伤者枝槁，根深者末厚

见汉·刘向《说苑·谈丛》。

本深而末茂，形大而声宏

见唐·韩愈《答尉迟生书》。全句为："～，行峻而言厉，心醇而气和"。

本朽则末枯，源浅则流促

见晋·葛洪《抱朴子·博喻》。

本是同根生，相煎何太急

见三国·魏·曹植《七步诗》。

本立而道行，本伤而道废

见汉·刘安《淮南子·本经训》。

本之《书》以求其质……本之《易》以求其动

见唐·柳宗元《答韦中立论师道书》。删节处为："本之《诗》以求其恒，本之《礼》以求其宜，本之《春秋》以求其断"。

本无功而自矜，一等；有功而伐之，二等；功大而不伐，三等

见三国·魏·刘劭《人物志·释争》。

❷力本任贤／务本节用财无极／以本为精，以物为粗／舍本而理末则辞构矣／室本无暗，垣亦有耳／根本盛大而出无穷也／长本非长，矩形之则长矣／长本非长，短形之则长矣／强本而节用，则天不能贫／其本乱，而末治者，否矣／得本以知末，不舍本以逐本／强本节用，则人给家足之道／恭本为礼，过恭是非礼之礼也／根本不美，枝叶茂者，未之闻也／月本无光，如银丸。日耀之，乃光耳／法本不祖，术本无状；师之于心，得之于象／知本无有思，动静皆离，寂然不动者，是至诚也／不本其所以欲，而禁其所欲……是犹决江河之源而障之以手也

❸正其本，万事理／修其本而末自应／读书本

意在元元／事有本真，陈施于亿／乱之本，鲜不成于上／塞其本源而末流自止／道之本，仁义而已矣／慧出本性，非适今有／天下本无事，庸人自扰之／天下本无事，庸人自召之／代耕本非望，所业在田桑／诗画本一律，天工与清新／菩提本无树，明镜亦非台／君，根本也；臣，枝叶也／国之本在家，家之本在身／木无本必枯，水无源必竭／松柏本孤直，难为桃李颜／轻生本为国，重气不关私／文章本天成，妙手偶得之／黔首本骨肉，天地本比邻／此形，本清，不做作还真正／福之本在于忧，而祸起于喜／天下本无事，庸人扰之为烦耳／文章本乎作者，而哀乐系乎时／夫妻本是同林鸟，大限来时各自飞／乐者本于声，声者发于情，情者系于政／知标本者，万举万当；不知标本，是谓妄行／物有本末，事有终始。知所先后，则近道矣／置其本，求之末，当后者反先之，无一焉不悖于极

❹复，德之本也／士，理之本也／始者，道本也／有境界，本也／省事之本在节欲／治乱之本在左右／为政之本，贵在无为／以人为本，以财为末／民惟邦本，本固邦宁／安民之本，在于足用／致安之本，惟在得人／教化之本，出于学校／礼乐为本，刑政为末／不先正本而成忧于末也／利为害本，而福为祸先／诛恶及本，本诛则恶消／去奸之本，莫深于严刑／能究其本根而枝叶自举／足用之本，在于勿夺时／民为国本根，岂不思培植／草木有本心，何求美人折／寿陵失本步，笑杀邯郸人／根深则本固，基美则上宁／殖不固本而立基者后必崩／刑赏之本，在乎劝善而惩恶／神仙事本是虚妄，空有其名／教，政之本也；狱，政之末也／礼有三本：天地者，生之本也／为国之本，在于明赏罚，辨邪正／凡兵有本干：必义，必智，必勇／枝大于本，胫大于股，不折必披／天良能本吾良能，顾为有我所丧尔／儒者在本朝则美政，在下位则美俗／生民之本，要当稼穑而食，桑麻以衣／尚力务本而种树繁，躬耕趣时而衣食足／不治其本，而务其末，譬犹拯溺锤之以石／礼之大本，以防乱也……凡为理者杀无赦／不揣其本而齐其末，方寸之木可使高于岑楼／为政之本，莫若得人；褒贤显善，圣制所先／吾观之本，其往无穷；吾求之末，其来无止／致治之本，惟在于审；量才授职，务省官员／君子务本，本立而道生。孝弟也者，其仁之本

❺德以盛为本／惟仁义为本／人之初，性本善／兵之胜败，本在于政／民惟邦本，本固邦宁／君子贵建本而重立始／国之将亡，本必先颠／源清流洁，本盛末荣／教化之所本者在学校／丰财者，务本而节用也／诛恶及本，本诛则恶消／地者国之本，奈何予人／有长而无本剽者，宙也／农，天下之本，务莫大焉／禀道之性，本来清静……／爰居避风，本无情于钟鼓／国以民为本，民以谷为命／国以民为本，民以食为天／国以人为本，人安则国安／清心为治本，直道是身谋／性者情之本，情者性之用／贵以贱为本，高以下为基／文以行为本，在先诚其中／辞必端其本，修之乃立诚／食者民之本，民者国之本／兵以计为本，故多算胜少算／国以人为本，人以衣食为本／通其辞者，本志乎古道者也／国以民为本，社稷亦为民而立／忧在内者本也，忧在外者末也／恭者礼之本也，守者信之本也／恕者仁之本也，平者义之本也／王道如砥，本乎人情，出乎礼义／入妙文章本平淡，等闲言语变瑰琦／剪枝去叶，本根俱露，枯槁可立而待／失神之术本于纵恣，丧神之数在于自专／民以财为本，财竭则下畔，下畔则上亡／爱惜、暴殄本是两意，愚者有时合成一病／人穷则反本，故劳苦倦极，未尝不呼天地也／教学之法，本于人性，磨揉迁革，使趋于善／君子务本，本立而道生。孝弟也者，其仁之本／国以民为本，民以财为命。取之过多，予者亦怨／律者，乐之本也，而气达乎物，凡音之起者本焉／君子小人本无常，行善事则为君子，行恶事则为小人／圣智设法，本以守国，智诈极矣，乃翻为盗国之盗资也

❻惟大英雄能本色／农者，天下之本也／尚贤者，政之本也／父母者，人之本也／无源之水，无本之木／裂冠毁冕，拔本塞原／以道治国，崇本以息末／人安则财赡，本固则邦宁／本立而道行，本伤而道废／根浅则末短，本伤则枝枯／民者，万世之本也，不可欺／将当以勇为本，行之以智计／讯问者智之本，思虑者智之道／治末者调其本，端影者正其形／道者，所以立本也，不可不一／道者文之根本，文者道之枝叶／树善滋于务本，除恶穷于塞源／政以得贤为本，理以去秽为务／衣食者民之本，稼穑者民之务／兵虽诡道而本于正者，终亦必胜／好成者败之本也，愿广者狭之道也／万事以心为本，未有心至而力不能者／尽公者，政之本也；树私者，乱之源也／先祖者，类之本也；君师者，治之本也／好成者，败之本也；愿广者，狭之道也／凡事皆须务本，国以人为本，人以衣食为本／法本不祖，术本无状；师之于心，得之于象／为学之道，必本于思。思则得知，不思则不得

❼天下以农桑为本／养生以不伤为本／六律为万事根本／色欲乃忘身之本／理国以得贤为本／失之末流，求之本源／忧勤者，建业之本也／过而不悛，亡之本也／怨之所聚，乱之本也／凡用兵攻战之本在乎一民／少无适俗韵，性本爱丘山／圣人见端而知本，精之至也／末不可以强于本，指不可以大于臂／农事伤则饥之本，女

红害则寒之原／美物者贵依其本，赞事者宜本其实／凡养生，莫若知本，知本则疾无由至矣／善除害者，察其本；善理疾者，绝其源／善难者务释事本，不善难者舍本而理末／治国犹如栽树，本根不摇，则枝叶茂荣

❽为国者以富民为本／处世为人，信义为本／饮水思源，缘木思本／治天下者，以人为本／清浊二声，为乐之本／选贤之义，无私为本／树德务滋，除恶务本／战虽有陈，而勇为本／虑为功首，谋为赏本／中也者，天下之大本也／士虽有学，而行为本焉／敦笃虚静者，仁之本也／从来不著水，清净本因心／塞其源者竭，背其本者枯／知音徒自惜，聋俗本相轻／国之本在家，家之本在身／处满常惮溢，居高本虑倾／存亡难异路，贞白本相成／风行常有地，云出本多峰／黔首本骨肉，天地本比邻／得本以知末，不舍本以逐本／秉纲而目自张，执本而末自从／攻取者先兵权，建本者尚德化／为国者以富民为本，以正学为基／治国之道，生民之本，啬为祖宗／自古通天者，生之本，本于阴阳／凡勤学，须是出于本心，不待父母先生督责／本之《书》以求其质……本之《易》以求其动／以天为宗，以德为本，以道为门，兆于变化，谓之圣人

❾夫食为民天，农为政本／政无旧新，以便民为本／敬教劝学，建国之大本／欲正其末者，先端其本／用兵有术矣，而义为本／岂不罹凝寒？松柏有本性／枝繁者荫根，条落者本孤／无掘壑而附丘，无舍本而治末／澄其源者流清，溷其本者末浊／踵其事而增华，变其本而加厉／凡物之生而美者，美本乎天者也／自古通天者，生之本，本于阴阳／文有二道：辞令褒贬，本乎著述者也／凡养生，莫若知本，知本则疾无由至矣／文有二道：……导扬讽谕，本乎比兴者也／制国有常，而利民为本；从政有经，而令行为上／治国有常，而利民为本；政教有经，而令行为上／学无二事，无二道，根本苟立，保养不替，自然日新／其夹岸有树木千万本，列立如揖，丹色鲜如霞，擢举欲动，灿若舒颜

❿求木之长者，必固其根本／凡营衣食，以不失时为本／国以民为基，贵以贱为本／臣闻虑为功首，谋为赏本／食者民之本，民者国之本／国以人为本，人以衣食为本／得本以知末，不舍本以逐本／沧海横流，方显出英雄本色／财者，为国之命而万事之本／用非其有之心，不可察之本／发政施仁，所以王天下之本也／虽则巧持其末，不如拙诚其本／恭者礼之本也，守者信之本也／慎是护身之符，谦是百行之本／贪愎喜利，则灭国杀身之本也／礼有三本：天地者，生之本也／恕者仁之本也，平者义之本也／为君不君，为臣不臣，乱之本也／为国者以民为基，民以衣食为本／为治之大体，莫善于抑末而务本／圣人正在刚柔之间，乃得道之本／圣人安不忘危，恒以忧思为本营／法令者，民之命也，为治之本也／文章以华采为末，而以体用为本／今所任用，必须以德行、学识为本／去浮华，举功实，绝末伎，同本务／美物者贵依其本，赞事者宜本其实／四支强而躬体固，华叶茂而本根据／饱霜孤竹声偏切，带火焦桐韵本悲／神女生涯原是梦，小姑居处本无郎／颠沛之揭，枝叶未有害，本实先拨／虚静恬淡寂寞无为者，万物之本也／鞭鞑宁越以立威名，恐非致理之本／人品做到极处，无有他异，只是本然／诚者，君子之所守也，而政事之本也／大道吐气，布于虚无，为天地之本始／处世让一步为高，退步即进步的张本／顺天养财、御水旱、制蛮夷之原本也／不好问询之道，则是伐智本而塞智原也／先祖者，类之本也；君师者，治之本也／计有一二者难悖也，听无失本末者难惑／太学者，贤士之所关也，教化之本原也／善难者务释事本，不善难者舍本而理末／登泰山而览群岳，则冈峦之本末可知也／吾恒恶世之人不知推己之本，而乘物以逞／以道以德为有国之基，无事无为乃聚人之本／凡事皆须务本，国以人为本，人以衣食为本／知标本者，万举万当；不知标本，是谓妄行／浮华鲜实，不特伤风败俗，亦杀身亡家之本／爱民，害民之始也；为义偃兵，造兵之本也／心源为炉，笔端为炭。锻炼元本，雕砻群形／君子务本，本立而道生。孝弟也者，其仁之本／知有己不知有人，闻人过不闻己过，此祸本也／富贵之家，禄位重叠，犹再实之木，其本必伤／神闲气静，智深勇沉，此八字是干大事的本领／律者，乐之本也，而气达乎物，凡音之起者本焉／如室斯构，而去其凿楔……国之将亡，本必先颠／凡乱也者，必始乎近而后及远，必始乎本而后及末／若贵而愚，贱而圣且贤，以是而妨之，其为理本大矣／恬淡、寂寞、虚无、无为，此天地之本而道德之质也／道者何也？虚无之系，道化之根，神明之本，天地之源／苟灭德忘公，崇浮饰傲，荣其外而枯其内，害其本而窒其源／君子所以动天地应神明正万物而成王治者，必本乎真实而已／曰衣食足而后廉耻兴，财物阜而后礼乐作，是执末以求其本也／使亲而旧者愚，远而新者圣且贤，以是而间之，其为理本亦大矣／后嗣若贤，自能保其天下；如其不肖，多积仓库，徒益其奢侈，危亡之本也

术

①shù 技艺；古时城邑中的道路；手段；策略；方法；学术；通“述”，省视；指天文历算、历法；语助词。②suì 通“遂”，古代行政区划。③zhú 草名。

❶术士乐计策之谋

见三国·魏·刘劭《人物志·八观》。

❷力术止，义术行／好术而计不足则伪／其术可以心得，不可以言喻／策术之政宜于治难，以之治平则无奇

❸治心术则不妄喜怒

❹不学亡术，暗于大理／安民之术，在于丰财／用兵有术矣，而义为本／定国之术，在于强兵足食／用人之术，任之必专，信之必笃／失神之术本于纵恣，丧神之数在于自专／教亦多术矣，予不屑之教诲也者，是亦教诲之而已矣／威有三术，有道德之威者，有暴察之威者，有狂妄之威者／捣鬼有术，也有效，然而有限，所以以此成大事者，古来无有／致治之术，先屏四患：……一曰伪，二曰私，三曰放，四曰奢

❺力术止，义术行／计策之能，术家之材也／宇人无异术，至论不如清／明治病之术者，杜未生之疾／法本不祖，术本无状；师之于心，得之于象

❻言不可不择，术不可不择也／寄治乱于法术，托是非于赏罚／恶不在大，心术一坏，即入祸门／闻道有先后，术业有专攻，如是而已／安平则尊道术之士，有难则贵介胄之臣／原天命，治心术，理好恶，适情性，而治道毕／能明申、韩之术而修商君之法，法修术明而天下乱者，未之闻也

❼气质之病小，心术之病大／不知取将之无术，但云当今之无将／良医不能措其术，百药无所施其功／地广非常安之术，人劳乃易乱之源／形相虽善而心术恶，无害为小人也／形相虽恶而心术善，无害为君子也

❽吾问养树，得养人术／谨听节俭，众民之术也／度义因民，谋事之术也／不听其言也，则无术者不知／不受虚言，不听浮术，不采华名，不兴伪事／潜下谩上，恒其心术，妒人之能，幸人之失／繁略殊形，隐显异术，抑引随时，变通会适／体恭敬而心忠信，术礼义而情爱人，横行天下，虽困四夷，人莫不贵

❿善教子者，一严之外无他术／箠策繁用者，非致远之术也／相形不如论心，论心不如择术／思通道化，策谋奇妙，是谓术家／一以论道德，二以论法制，三以论策术／大抵能立于一世，必有取重于一世之术／逆取而以顺守之，文武并用，长久之术／凡万物异则莫不相为蔽，此心术之公患也／取士之方，必求其实；用人之术，当尽其材／虽常服药，而不知养性之术，亦难以长生也／绝言之道，去心与意；止为之术，去人与智／古之教者，家有塾，党有庠，术有序，国有学／以言伤人者，利如刀斧。以术害人者，毒如虎狼／使患无生易于救患，而莫能加务焉，则未可与言术也／君子所甚惧者，以申、韩之酷政，文饰儒术，而重毒天下也／能明申、韩之术而修商君之法，法修术明而天下乱者，未之闻也

札 zhá 古代用来写字的小木片；书信；瘟疫；拔去。[札子]古时向下发指令或向上进言议事的公牍文种。

❺谷子云笔札，楼君卿唇舌

朽 xiǔ 因时间久而腐烂；衰老。

❶朽木不可雕也

见《论语·公冶长》。全句为："～，粪土之墙不可杇也"。

朽索充羁，不收奔马之逸

见唐·王勃《上刘右相书》。全句为："～；轻缗振网，或随吞舟之势"。

朽木不可雕，情亡不可久

见汉·韩婴《韩诗外传》。全句为："伪诈不可长，空虚不可守，～"。

朽株难免蠹，空穴易来风

见唐·白居易《初病风》。

朽烂之材，不受雕镂之饰

见晋·葛洪《抱朴子·博喻》。全句为："必死之病，不下苦口之药；～"。

朽骨无益于人，而文王葬之

见南朝·宋·范晔《后汉书·张奂传》。全句为："～；死马无所复用，而燕昭宝之"。

❷骨朽人间骂未销／木朽不雕，世衰难佐／木朽虫生，墙罅蚁入／既朽不雕，衰世难佐／本朽则末枯，源浅则流促／枯朽之骨，凶秽之余，岂宜令入宫禁

❸化腐朽为神奇／奔车朽索，其可忽乎／宁见朽贯千万而不忍赐人一钱

❹懔乎若朽索之驭六马／立言而朽，君子不由也／乘木则朽木青黄，失势则田何粪土

❺虽死而不朽，逾远而弥存／蝎盛则木朽，欲盛则身枯／锲而舍之，朽木不折；锲而不舍，金石可镂

❻自古皆死，不朽者文／身与草木俱朽，声与日月并彰／唯令德为不朽兮，身既没而名存

❼大木有尺寸之朽而不弃／泉竭则流涸，根朽则叶枯

❾唯立德扬名，可以不朽／文章，经国之大业，不朽之盛事

❿功名图麒麟，战骨当速朽／流长则难竭，柢深则难朽／见善思齐，足以扬名不朽／视白以为黑，飨香以为朽／乘渍水以胶船，驭奔驹以朽索／伐深根者难为功，摧枯朽者易为力／欲为圣朝除弊事，肯将衰朽惜残年／文章必自名一家，然后可以传不朽／镌金石者难为功，摧枯朽者易为力／杞梓连抱，而有数尺之朽，良工不弃／不与万物共尽，而卓然其不朽者，后世之名／生而不淑，孰谓其寿？死而不朽，孰谓之夭／君子

惟道是贵，惟德是守，所以能万世不朽／生有七尺之形，死唯一棺之土，唯立德扬名，可以不朽／动摇则谷气得消，血脉流通，病不得生，譬犹户枢不朽也

朴 ①pǔ 树皮；未经加工的木料，比喻纯真，不加修饰；老子认为“朴”即原始自然质朴的存在，即“道”；未晾干的鼠肉；原价；本钱；质朴。②piáo 姓。③pò 朴类植物的泛称。④pō[朴刀]古时一种兵器。

❶朴素而天下莫能与之争美

见《庄子·天道》。

朴其身躬，恶其衣服，语无为以求名，言无欲以求利

见《太公六韬·文韬·上贤》。全句为：“～，此伪人也”。

❷素朴而民性得矣／以朴厚而知者，无迹而固／残朴以为器，工匠之罪也／鄙朴忤逆者未必悖，承顺惬可者未必忠／抱朴无为，不以物累其真，不以欲害其神

❸百姓朴素，狱讼衰息

❹大文弥朴／见素抱朴，少私寡欲／雕琢复朴，块然独以其形立

❺敦兮其若朴，旷兮其若谷

❻居身务期俭朴，教子要有义方

❼良工不示人以朴／占往知来，不如朴质／怀道者须世，抱朴者待工／意全胜者，辞愈朴而文愈高

❽废弃智巧，玄德淳朴／既雕且琢，复归于朴／以意全胜者，辞愈朴而文愈高／其语道也，必先淳朴而抑浮华

❾故知知一，则复归于朴／明谓多见巧诈，蔽其朴也／招来雄俊魁伟敦厚朴直之士／上好奢靡而望下敦朴，未之有也

❿理国执无为之道，民复朴而还淳／我无事而民自富，我无欲而民自朴／巧辩纵横而可喜，忠言质朴而多讷／政烦苛则人奸伪，政省一则人醇朴／洞然无为而天下自和，憺然无欲而民自朴／同乎无知，其德不离；同乎无欲，是谓素朴／道者，虚无、平易、清静、柔弱、淳粹、素朴／人能修炼，俗变淳和，则返朴之风，可臻太古矣

杀 ①shā 使失去生命；战斗；猎取；肃杀；削减；败坏；同“煞”；收束，断绝；消灭，减除；犹言“死”；程度深。②shài 衰退；减少；羽毛雕落；剪裁；声音细小。③sà 颜色浅淡。④shè 同“设”。

❶杀人而死，职也

见汉·司马迁《史记·越王勾践世家》。

杀人如草不闻声

见明·沈明臣《凯歌》。

杀天下者，天下贼之

见《太公六韬·武韬·顺启》。

杀人安人，杀之可也

见《司马法·仁本》。全句为：“～；攻其国爱其民，攻之可也；以战止战，虽战可也”。

杀人如麻兮流血成湖

见宋·乐雷发《乌乌歌》。

杀生者不死，生生者不生

见《庄子·太宗师》。

杀尽田野人，将军犹爱武

见唐·曹邺《战城南》。

杀人须见血，救人须救彻

见明·施耐庵《水浒传》第九回。

杀身之害小，存国之利大

见唐·陈子昂《谏灵驾入京书》。

杀戮众，而心不服，则上位危矣

见《管子·牧民》。

杀一人则千人恐，滥一罪则百夫愁

见唐·陈子昂《答制问事·请措刑科》。

杀身慷慨犹易免，取义从容未轻许

见宋·文天祥《言志》。

杀人者死，伤人者刑，是百王之所同

见汉·班固《汉书·刑法志》。

杀一无罪非仁也，非其有而取之非义也

见《孟子·尽心上》。

杀人以自生，亡人以自存，君子不为也

见《公羊传·桓公十一年》。

杀人之士民，兼人之土地，以养吾私与吾神者，其战不知孰善

见《庄子·徐无鬼》。

❷视杀人若艾草菅然／以杀去杀，虽杀可也／愁杀芳年友，悲叹有余哀／知杀而不知生者，反地之要也／不杀无辜，无释罪人，则民不惑／当杀而虽贵重，必杀之，是刑上究也／有杀人之威而下不惧，有生人之惠而下不喜

❸士可杀不可辱／天发杀机，龙蛇起陆／生为杀元，杀为生首／人发杀机，天地反覆／与其杀不辜，宁失不经／君子杀民如杀身，活人如活己／感慨杀身者易，从容就义者难

❹丈夫可杀不可羞／毋覆巢，杀胎夭／天生天杀，道之理也／以杀去杀，虽杀可也／春生秋杀，天道之常／物有隆杀，不得自若／无罪而杀士，则大夫可以去／因天之杀也以伐死，谓之武／不教而杀谓之虐；不戒视成谓之暴／有不嗜杀人者，则天下之民皆引领而望之矣／人之可杀，以其恶死也；其可不利，以其好利也

❺祸莫大于杀已降／礼，是以有杀有等／生为杀元，杀为生首／杀人安人，杀之可也／世人皆欲杀，吾意独怜才／严冬不肃杀，何以见阳春／老禾不早杀，余种秽良田／勇于敢则杀，勇于不敢则活／桓公小白杀兄入嫂，而管仲为臣／田

成子常杀君窃国，而孔子受币／愚医类能杀人，而不服药者未必死／争地以战，杀人盈野；争城以战，杀人盈城／行一不义，杀一不辜，而得天下，皆不为也／如有不嗜杀人者，则天下之民皆引领而望之矣

❻国人皆曰可杀／直木伐，直人杀／赌近盗，淫近杀／以杀去杀，虽杀可也／明耻教战，求杀敌也／天地之道，生杀之理……／刑一而正百，杀一而慎万／上失其道而杀其下，非理也／君子杀民如杀身，活人如活己／知生而不知杀者，逆天之道也／废上，非义也；杀民，非仁也／豺狼寇盗不杀人民，不足以止其贪／为人君而乐杀人，此不可使得志于天下

❼其义好生而恶杀／处心积虑，成于杀也／寿陵失本步，笑杀邯郸人／所生者弗德，所杀者非怨，则几于道也／虎豹终日而不杀，则跳踉大叫以发其怒／韩愈辟佛，几至杀身，况敢议今世之尧、舜、周、孔者乎

❽人命至重，难生易杀／喜无以赏，怒无以杀／存身宁国在于生杀之间／一朝被谗言，二桃杀三士／将军夸宝剑，功在杀人多／以雄才为己任，横杀气而独往／贪愎喜利，则灭国杀身之本也／刑罚不足以移风，杀戮不足以禁奸／当杀而虽贵重，必杀之，是刑上究也／怨恩取与谏教生杀，八者，正之器也，唯循大变无所湮者为能用之

❾家贫不是贫，路贫贫杀人／出一令可以止横议，杀一犯可以儆百众／周于利者凶年不能杀，周于德者邪世不能乱／与父老约，法三章耳：杀人者死，伤人及盗抵罪

❿智者不妄为，勇者不妄杀／人心，排下而进上，上下囚杀／广积聚，骄富贵，不知止者杀身／胜而不美，而美之者，是乐杀人／千金未必能移性，一诺从来许杀身／君王虽爱蛾眉好，无奈宫中妒杀人／善人为邦百年，亦可以胜残去杀矣／待到秋来九月八，我花开后百花杀／猛石可裂不可卷，义士可杀不可羞／礼者，以财物为用……以隆杀为要／国之将亡必有大恶，恶者无大于杀忠臣／志士仁人，无求生以害仁，有杀身以成仁／礼之大本，以防乱也……凡为理者杀无赦／养而害所养，譬犹削足而适履，杀头而便冠／争地以战，杀人盈野；争城以战，杀人盈城／当怒不怒，奸臣为虎；当杀不杀，大贼乃发／浮华鲜实，不特伤风败俗，亦杀身亡家之本／宁逢赤眉，不逢太师。太师尚可，更始杀我／若使民常畏死，而为奇者，吾得执而杀之孰敢／可贵可贱也，可富可贫也，可杀而不可使为奸也／王曰："孰能一之？"对曰："不嗜杀人者能一之"／喜则滥赏无功，怒则滥杀无罪，是以天下丧乱，莫不由此

机

jī 古代弩箭的发动装置；织布机；古时抬尸体的用具；道家谓万物所由发生的虚无状态；关键因素或重要环节；事物发展的内部原因；机器；机关；灵巧；时机；心思；机密；素质，秉赋；危殆；生活机能；木名；通"几"，小桌。

❶机事不密，则必害成

见唐·陈子昂《上西蕃边州安危事》。全句为："国家之大机，不可轻而失也；～"。

机括要深沉，怕是浅

见明·吕坤《呻吟语》。全句为："当事有四要：际畔要果决，怕是绵；执持要坚耐，怕是脆；～；应变要机警，怕是迟"。

机在于应事，战在于治气

见《尉缭子·十二陵》。

机权多门，是纷乱之原也

见晋·陈寿《三国志·夏侯玄传》。

机发矢直，涧曲湍回，自然之趣也

见南朝·梁·刘勰《文心雕龙·定势》。

机关算尽太聪明，反算了卿卿性命

见清·曹雪芹《红楼梦》第五回。

机械之心藏于胸中，则纯白不粹，神德不全

见汉·刘安《淮南子·原道》。

❷见机不遂者陨功／无机则无以济万世之功／枢机方通，则物无隐貌／骇机一发，浮谤如川。巧言奇中，别白无路

❸其盗机也，天下莫不能见，莫不能知／旦执机权，夜填坑谷；朔欢卓、郑，晦泣颜、原

❹所历厌机巧／天发杀机，龙蛇起陆／乘时蹈机，祸不旋踵／人发杀机，天地反覆／应变要机警，怕是迟／权不失机，功不厌速／权不失机，功在速捷／既谓之机，则动非自外／君子有机以成其善，小人有机以成其恶／一日万机，一人听断，虽复忧劳，安能尽善

❺理丝入残机，何悟不成匹／轧轧弄寒机，功多力渐微／国家之大机，不可轻而失也／生死犹转机，得失如反掌，可不慎乎

❻事留变生，后机祸至／涉千钧之发机不知惧／万物皆出于机，皆入于机／包藏宇宙之机，吞吐天地之志／文章须自出机杼，成一家风骨

❼神清人无忽语，机活人无痴事／言行，君子之枢机；枢机之发，荣辱之主也

❽一坐飞语，如冲骇机／其耆欲深者，其天机浅／言语者君子之枢机，谈何容易／乘隙插足，扼其主机，渐之进也／疾如流矢，击如发机者，所以破精微也／若是若非，执而圆机；独成而意，与道徘徊

❾专胆无明，则违理失机／凡圜转之物，动必有机／取天下与守天下，无机不能／举一纲，众目张；弛一机，万事隳／数亩秋禾满家食，一机官

帛几梭丝／读史当观大伦理，大机会，大治乱得失／言行，君子之枢机；枢机之发，荣辱之主也

⓾千钧之弩不为鼷鼠发机／万物皆出于机，皆入于机／出舆人辇，命曰蹷痿之机／功高成怨府，权盛是危机／达士志寥廓，所在能忘机／理贵在于得要兮，事终成于会机／难得易失者时也，易过难见者机也／口乃心之门，守口不密，泄尽真机／酒逢知己千杯少，话不投机半句多／有时忽得惊人句，费尽心机做不成／自古经纶足是非，阴谋最忌夺天机／故圣人常顺时而动，智者必因机以发／来而不可失者时也，蹈而不可失者机也／君子有机以成其善，小人有机以成其恶／进有退之义，存有亡之机，得有丧之理／难得而易失者时也，时至而不旋踵者机也／速则济，缓则不及，此圣贤所以贵机会也／观古今之成败，能先见事机者，则恒受其福／英以其聪谋始，以其明见机，待雄之胆行之／虎兕相据而蝼蚁得志，两敌相机而匹夫乘间／将者，人之司命也，生死犹转机，得失如反掌／法令赏罚者，诚治乱之枢机也，不可不严行也／矰缴充蹊，阬阱塞路，举手挂网罗，动足蹈机坎／济世经邦，要段云水的趣味，若有贪着，便堕危机

杂 zá不纯的；多种多样的；搀合；聚集；共同；正规部分以外的；通“匝”，循环一周；传统戏曲脚色行当。

❶杂之以处而观其色

见《庄子·列御寇》。全句为：“君子远使之而观其忠，近使之而观其敬，烦使之而观其能，卒然问焉而观其知，急与之期而观其信，告之以危而观其节，醉之以酒而观其侧，～”。“知”同“智”；“侧”，不正。亦作“则”，指仪态。

杂花如锦，傍缘石菌之崖

见唐·张九龄《景龙观山亭集送密县高赞府序》。全句为：“清流若镜，下照金沙之底；～”。

杂施而不孙，则坏乱而不修

见《礼记·学记》。

杂似博，陋似约，学者不可不察也

见宋·胡宏《知言·仲尼》。全句为：“学欲博，不欲杂；守欲约，不欲陋。～”

杂花争发，非止桃蹊。群鸟乱飞，有逾鹦谷

见唐·王勃《三月上巳祓禊序》。

❷解杂乱纷纠者不控卷，救斗者不搏撠

❹相见无杂言，但道桑麻长／豹裘而杂，不若狐裘之粹／貂裘而杂，不若狐裘而粹／万态虽杂而吾心常彻，万变虽殊而吾心常寂

❺衣上征尘杂酒痕，远游无处不消魂／当急剧冗杂时只不动火，则神有余而不劳／贤不肖不杂则英杰至，是非不乱则国家治／纯粹而不杂，静一而不变……此养神之道也

❻万株果树，色杂云霞／天地有正气，杂然赋流形／喧鸟覆春洲，杂英满芳甸／嘈嘈切切错杂弹，大珠小珠落玉盘／学欲博，不欲杂；守欲约，不欲陋／山沓水匝，树杂云合。……情往似赠，兴来如答

❼丹壑争流，青峰杂起／不广求，故得；不杂学，故明／事物之变，纷纭杂出，若不可知／立志要定，不要杂；要坚，不要缓／其道未者其文杂，其才浅者其意烦／寒泉飞流，异竹杂华，回映之处，似藏人家

❽胡风带秋月，嘶马杂笳声

❾读书趋简要，害说去杂冗／好以智娇法，时以行杂公……／暮春三月，江南草长，杂花生树，群莺乱飞

⓾人之才成于专而毁于杂／博而能容浅，粹而能容杂／茂树恶木，嘉葩毒卉，乱杂而争植／未尝敢以昏气出之，惧其昧没而杂也

权 ①quán秤锤；称量；权力；通“颧”，面颊；有利的形势；暂且；指暂代官职；黄色；衡量利弊而应变。②guàn［权火］祭祀时的燎火。

❶权不失机，功不厌速

见南朝·宋·范晔《后汉书·袁绍传》。

权不失机，功在速捷

见晋·陈寿《三国志·魏书·袁绍传》注引。

权重持难久，位高势易穷

见唐·白居易《凶宅》。

权钧则不能相使，势等则不能相并

见《吕氏春秋·审分览·慎势》。

权之所在，虽疏必重；势之所去，虽亲必轻

见晋·陈寿《三国志·魏书·陈思王传》。

权衡损益，斟酌浓淡，芟繁剪秽，弛于负担

见南朝·梁·刘勰《文心雕龙·熔裁》。

权衡既悬，锱铢靡遁，厉驽习骥，终莫之近

见南朝·宋·傅亮《让尚书仆射表》。

权济天下而君臣立，上下正，然后礼义正焉

见唐·罗隐《辨害》。全句为：“～；力不能济于用，而君臣上下不正，虽抱空器奚何施设”。

权，然后知轻重；度，然后知长短。物皆然，心为甚

见《孟子·梁惠王上》。

❷亲权者，不能与人柄／无权则无以成天下之务／机权多门，是纷乱之原也／以权利合者，权利尽而交疏／凡权重者必谨于事，令行者必谨于言／亲权者不能与人柄；操之则栗，舍之则悲／威权外假，归之良难，虎翼一奋，卒不可制

❸毋为权首，反受其咎／依阿权势者，凄凉万古／一朝权入手，看取令行时／经非权则泥，权非经则悖／为之权衡，以信天下之轻重／旦握权则为卿相，夕失势则为匹夫／度量权衡法，必资之官，资之官而后天下同

❹执中无权，犹执一也／邪僻争权，乃有忠臣匡正其君／贵不专权，罔惑上下；贱能守分，不苟求取／旦执机权，夜填坑谷；朔欢卓、郑，晦泣颜、原／三晋多权变之士，夫言从衡强秦者，大抵皆三晋之人
❺贵轻重，慎权衡／道德可常，权不可常／制人者握权，制于人者失命／多智韬情，权在谲略，失在依违／人固难全，权而用其长者，当举也／贵极禄位，权倾国都，达人视此，蚁聚何殊
❻礼有经，亦有权／位已高而擅权者君恶之／儒生直如弦，权贵不须干／功高成怨府，权盛是危机／法重于民，威权贵于爵禄／经非权则泥，权非经则悖／以权利合者，权利尽而交疏／攻取者先兵权，建本者尚德化／不赂贵者之权势，不利传辟者之辞／举刺不避乎权势，犯颜不畏乎逆鳞／闻《秦中吟》，则权豪贵近者相目而变色矣
❼道者，古今之正权也／凡事有经必有权，有法必有化／论世而为之事，权事而为之谋／礼所以定其位，权所以固其政
❽嫂溺援之以手者，权也／所行之策，常主于权谋／事督乎法，法出乎权，权出乎道／君失臣兮龙为鱼，权归臣兮鼠变虎／安能摧眉折腰事权贵，使我不得开心颜／义之所在，不倾于权，不顾其利，举国而与之，不为改视／人品须从小作起，权宜苟且诡随之意多，则一生人品坏矣
❾人情忌殊异，世路多权诈／宝器玩物，不可示于权豪／事固有弃彼取此，以权一时之势／事督乎法，法出乎权，权出乎道／钱财不积则贪者忧，权势不尤则夸者悲／礼之于正国家也，如权衡之于轻重也，如绳墨之于曲直也
❿明体以及用，通经以知权／举贤不出世族，用法不及权贵／并兼者高诈力，安定者贵顺权／治平者先仁义，治乱者先权谋／理平者先仁义，理乱者先权谋／尽力直友人之屈，不以权臣为意／下僭礼则上失位，下侵权则上失政／合之者善，可以为法，因世而权行／孔氏门人……恶其违仁义而尚权诈也／圣人备道全美者也，是县天下之权称也／责少者易偿，职寡者易守，任轻者易权／天下之势有强弱，圣人审其势而应之以权／爵尊天下，富有四海，威势无量，专权擅柄／用国者，义立而王，信立而霸，权谋立而亡／上下相疏，内外相蒙，小臣争宠，大臣争权，此危国之风也／刺史宜精选谨择以委任之，固不可拘限官次，得之货贿，出之权门者也

杜

dù 木名；断绝；堵塞；古国名；姓。［杜撰］无根据编造。

❶杜门忧国复忧民

见宋·陆游《春晚即事》之一。

杜事之于前，易也

见《管子·侈靡》。

杜口结舌，言为祸母

见汉·焦赣《易林·否·巽》。

杜甫陈子昂，才名括天地

见唐·白居易《初授拾遗》。

❷李杜文章在，光焰万丈长／李杜文章万口传，至今已觉不新鲜
❸锄奸杜倖，要放他一条去路……
❹防其微，杜其渐，使不至于暴乱也
❺须用防微杜渐，毋为因小失大
❻山中人兮芳杜若，饮石泉兮荫松柏
❼何以解忧，惟有杜康／明治病之术者，杜未生之疾
❽定知直道传千古，杜牧文章在上头／精卫有情衔太华，杜鹃无血到天津
❿此理充塞宇宙间，如何人杜撰得

杖

zhàng 走路时拄着的棍子；泛指棍棒；古代五刑之一；扶杖；执持；倚任；靠托。

❶杖起弱者，药治人病

见晋·陈寿《三国志·魏书·周宣传》。

杖顺以翦逆……无其时而著业

见北魏·许谦《遗杨佛嵩书》。删节处为："乘义而攻昧，未有非其运而显功"。

杖必取材，不必用味；相必取贤，不必所爱

见隋·冯植《竹杖铭》。

❷大杖则走，小杖则受／小杖则受，大杖则走
❺履道者固，杖势者危／都蔗虽甘，杖之必折；巧言虽美，用之必灭
❻大杖则走，小杖则受／小杖则受，大杖则走／历危乘险，匪杖不行，车沓力竭，匪杖不强
❾禅堂茶散卷残经，竹杖芒鞋信脚行
❿但愿亲友长含笑，相逢莫乏杖头钱／历危乘险，匪杖不行，车沓力竭，匪杖不强

材

cái 木料；原材料；果实；通"才"，才能；通"裁"，裁处，安排；棺材的简称。

❶材无不可范而成

见宋·苏轼《贺时宰启》。

材之用，国之栋梁也

见宋·王安石《材论》。全句为："～。得之则安以荣，失之则亡以辱"。

材难矣，有蕴而不得其时

见宋·欧阳修《尚书工部郎中充天章阁待制许公墓志铭》。全句为："～；时逢矣，有用而不尽其施"。

材既难得，而又难知，则当博采而多蓄之

见宋·朱熹《宋名臣言行录后集》。

❷中材之人则随世损益／偏材之性，不可移转矣／钧材而好学，明者为师／群材既聚，故能成邓林／上材之人能行人所不能行／长材靡入

用，大厦失巨楹／生材会有用，天地岂无心／生材贵适用，慎勿多苛求／以材能任职，以兴义任俗／揆材各有用，反性生苦辛／量材而授官，录德而定位／因材任人，国之大柄；考绩进秩，吏之常法

❸论大材体则弘博而高远／有其材而辞之，为不仁／人之材有大小，而志有远近也／因其材以取之，审其能以任之／上求材，臣残木；上求鱼，臣干谷／富于材积，领会神情，临景结构，不仿形迹／凡偏材之人，皆一味之美，故长于办一官而短于为一国

❹虽楚有材，晋实用之／大厦之材，非一丘之木／廊庙之材，非一木之枝／椠悦之材不荷栋梁之任／朽烂之材，不受雕镂之饰／廊庙之材，盖非一木之枝也／性同而材倾则相援而相赖也／人思取材于人，不若取材于天地／天生我材必有用，千金散尽还复来／宁用不材以败事，不肯劳心而择材／宁用不材以旷职，不肯变例以求人／以己之材为天下用，则用天下而不足／诗有别材，非关书也；诗有别趣，非关理也／能出于材，材不同量，材能既殊，任政亦异／杖必取材，不必用味；相必取贤，不必所爱

❺学，所以成材也／由来骨鲠材，喜被软弱吞／良匠无弃材，明君无弃士／地虽生尔材，天不与尔时／大厦若抡材，亭亭托君子／大厦须异材，廊庙非庸器／大匠无弃材，船车用不均／大匠无弃材，寻尺各有施／贤不肖者材也，遇不遇者时也／厉直刚毅，材在矫正，失在激讦／胆力绝众，材略过人，是谓骁雄／选之艰则材者出，赏之当则能者劝／白杨为屋材，折则宁折，终不屈挠／以天下之材为天下用，则用天下而有余／能出于材，材不同量，材能既殊，任政亦异

❻良匠之目，无材弗良／任人各以其材而百职修／智足以造谋，材足以立事／如有周公之材之美，使骄且吝，其馀不足观也已

❼安危须仗出群材／革去旧例而惟材是择／多方包容，则人材取次可用／举一善必适其材，惩一恶必当其咎／公输子之巧用材也，不能以檀为瑟／天下之患，不患材之不众，患上之人不欲其众／凡敢为大奸者，材必有过于众，而能自媚于上者也

❽知能不举，则为失材／司察之能，臧否之材也／今主人之雁，以不材死／计策之能，术家之材也／威猛之能，豪杰之材也／立法之能，治家之材也／少则习之学，长则材诸位／天之生物，必因其材而笃焉／徒英而不雄，则雄材不服也／斧斤以时入山林，材木不可胜用也

❾避其所短，则世无弃材／欲成大厦，必寄于瑰材／大厦之成，非一木之材也／求硕画于庶位，虑遗材于放臣／昨日山中之木，以不材得终其天年／教人至难，必尽人之材，乃不误人／能出于材，材不同量，材能既殊，任政亦异／崇大厦者非一木之材，匡弊俗者非一日之卫／将营大厦，不忧乎群材之不足，而忧乎梁栋之不可得

❿构大厦者先择匠而后简材／思能造端，谓之构架之材／厉精乡进，不以小疵妨大材／人思取材于人，不若取材于天地／我劝天公重抖擞，不拘一格降人材／人怜直节生来瘦，自许高材老更刚／志士幽人莫怨嗟，古来材大难为用／宁用不材以败事，不肯劳心而择材／君子于细事，未必可观，而材德足以重任／俞扁之门，不拒病夫；绳墨之侧，不拒枉材／取士之方，必求其实；用人之术，当尽其材／左右前后，莫匪俊良；小大之材，咸尽其用／苟得其人，不患贫贱；苟得其材，不嫌名迹／虽有至圣，不生而知；虽有至材，不生而能／录人一善，则无弃人；采材一用，则无弃材／牛蹄之涔，无尺之鲤；块阜之山，无丈之材／凡今能言者，皆谓天下少士，而不知养材之道／中和之质，必平淡无味，故能调成五材变化应节／主德者，聪明平淡，总达众材，而不以事自任者也

村

cūn 乡民聚居的地方；粗俗；敦朴；讥诮，奚落。

❶村无大树，蓬蒿为林

见清·翟灏《通俗编》卷三十。

❹稻熟江村蟹正肥，双螯如戟挺青坭／雨里孤村雪里山，看时容易画时难

❺闻《宿紫阁村》诗，则握军要者切齿矣

❾死后是非谁管得，满村听说蔡中郎

❿偶失万户侯，遂老三家村／纵横一川水，高下数家村／但得官清吏不横，即是村中歌舞时／借问酒家何处有，牧童遥指杏花村／山重水复疑无路，柳暗花明又一村／扁舟一棹归何处，家在江南黄叶村

杅

yú 浴盆；同“盂”，盛汤类或其他食物的器皿。

❸君如杅，民如水，杅方则水方，杅圆则水圆

❿君如杅，民如水，杅方则水方，杅圆则水圆

极

jí 屋脊的正梁；古时帝王之位；准则；顶点；竭尽；副词，表示达到极点；通“亟”，急；通“殛”，杀，惩罚；疲倦；古时射箭用的指套；用于星名。

❶极寒生热，极热生寒

见汉·扬雄《太玄》卷七。

极身毋二，尽公不还私

见《战国策·秦策三》。

极野苍茫，白露凉风之八月

见唐·王勃《秋日饯别序》。全句为：“～；穷途萧瑟，青山白云之万里”。

极而反，盛而衰，天地之道也

见战国·佚书《经法·国次》。

极高寓于极平，至难出于至易

见明·洪应明《菜根谭·后集三十五》。全句为："～。有意者反远，无心者自近也"。

❷亲极反疏／物极则反／乐极生悲，否极泰来／蓄极积久，势不能遏／马极则踬，民剧则败／日极则仄，月满则亏／泰极而否，当歌而哭／物极则反，命曰环流／物极则反，害将及矣／物极则反，数穷则变／祸极于死，福极于生／乐极则哀集，至盈必有亏／从极迷处识迷，则到处醒／喜极不得语，泪尽方一哂／乱极则治，暗极则光，天之道也／酒极则乱，乐极则悲，万事尽然／峻极巍峨势望雄，层峦迭嶂翠重重／至极空虚而善应于物，则乃目之为道／目极千里兮伤春心，魂兮归来哀江南／太极，谓天地未分之前，元气混而为一／暑极不生暑而生寒，寒极不生寒而生暑／贵极禄位，权倾国都，达人视此，蚁聚何殊

❸致虚极，守静笃／穷兵极武，未有不亡者也／不到极逆之境，不知平安之日／世间极占地位的，是读书一著／贵上极则反贱，贱下极则反贵／虽禀极聪，而有声者不可尽闻焉／阳不极则阴不萌，阴不极则阳不牙／情必极貌以写物，辞必穷力而追新／成败极知无定势，是非元自要徐观／勇之极者，知勇果不足以胜物，故怯／智之极者，知智果不足以周物，故愚／辩之极者，知辩果不足以喻物，故讷／平日极好直言者，即患难时不肯负我之人

❹至治之极复后王／不尽天极，衰者复昌／乐不可极，极乐成哀／修之至极，何谤不息／淡然无极而众美从之／马不可极，民不可剧／意有所极，梦亦同趣／精骛八极，心游万仞／言不可极，极之而衰／饿死事极小，失节事极大／强弩之极，矢不能穿鲁缟／遇灾则极其忧勤，时安则不骄不逸／天有六极五常，帝王顺之则治，逆之则凶／生者有极，成者必亏；生生成成，今古不移／大建厥极，绥理群生，训物垂范，于是乎在／道，物之极，言默不足以载；非言非默，议有所极

❺甘苦常从极处回／事固有所极，有所反／乐不可极，极乐成哀／极寒生热，极热生寒／忘战者危，极武者伤／言不可极，极之而衰／天地之道，极则反，盈则损／极高寓于极平，至难出于至易／上悬之无极之高，下垂之不测之渊／人品做到极处，无有他异，只是本然／文章做到极处，无有他奇，只是恰好

❻无所不用其极／礼者，人道之极也／乐极生悲，否极泰来／祸极于死，福极于生／鹤寿千岁，以极其游／不贪则俭约，极贪则殃身／积下不已，必极黄泉之深／乱极则治，暗极则光，天之道也／酒极则乱，乐极则悲，万事尽然／重友者交时极难，看得难以故转重／定者，尽俗之极地……持安之毕事／轻友者交时极易，看得易以故转轻／斥不久，穷不极，虽有出于人……／言峻则嵩高极天，论狭则河不容舠／道不远而难极也，与人并处而难得也／骄则恣，恣则极物；罢则怨，怨则极虑／使味之者无极，闻之者动心，是诗之至也／莫知己德有极，则可以有社稷，为民致福／物盛而衰，乐极则悲，日中而移，月盈而亏／祸藏福中，福极则祸至。福隐祸内，祸尽则福来

❼务本节用财无极／一肌一容，尽态极妍／圣人是为学而极至者／物之终始，初无极已／鸟尽良弓藏，谋极身必危／万里长江横渡，极目楚天舒／穷睇眄于中天，极娱游于暇日／仁而无止，则其极不得不反而为残／偏讶思君无限极，欲罢欲忘还复忆／人生富贵岂有极？男儿要在能死国／说者持容而不极，听者自多而不得／大臣重禄而不极谏，近臣畏罚而不敢言／独游山水间，登极顶……欲空其形而去／圣智至孔子而极其盛，不过举条理以言之而已矣

❽志不可满，乐不可极／四时转续，变于所极／渔歌互答，此乐何极／惟静惟默，澄神之极／悠悠苍天，曷其有极／泰山之霤穿石，单极之断干／其称文小而其指极大，举类迩而见义远

❾饿死事极小，失节事极大／贵上极则反贱，贱下极则反贵／自然者，无称之言，实极之辞也／人言落日是天涯，望极天涯不见家／天地车轮，终则复始，极则复反，莫不咸当

❿当知器满则倾，须知物极必反／崇一篑而弗休必钧高乎峻极矣／误用恶人，假令强干，为害极多／阳不极则阴不萌，阴不极则阳不牙／常宽容于物，不削于人，可谓至极／道者，覆天载地，廓四方，柝八极／见隅曲之一指，而不知八极之广大／骄则恣，恣则极物；罢则怨，怨则极虑／耻辱者，勇之决也；立名者，行之极也／暑极不生暑而生寒，寒极不生寒而生暑／心为道之器，宇虚静至极则道居而慧生／欲明两仪天地之体，必以太极虚无为初始／天下大扰，百姓遑遑，劳苦疲极，困穷生奸／为鬼为蜮，则不可得；有靦面目，视人罔极／人穷则反本，故劳苦倦极，未尝不呼天地也／春发其华，秋收其实，有始有极，爰登其质／敖不可长，欲不可从；志不可满，乐不可极／福之为祸，祸之为福，化不可极，深不可测／聆《白雪》之九成，然后悟《巴人》之极鄙／笔端肤寸，膏润天下；文章之用，极其至矣／震雷电激，不崇一朝；大风冲发，希有极日／能至于无乐者，则无不乐；无不乐，则至极乐／去国怀乡，忧谗畏讥，满目萧然，感极而悲者矣／道者，无也；形者，有也。有故有极，无

故长存／明窗净几笔砚纸墨皆极精良，亦自是人生一乐事／以无为为居，以不言为教，以恬淡为味，治之极也／道，物之极，言默不足以载；非言非默，议有所极／置其本，求之末，当后者反先之，无一焉不悖于极／圣智设法，本以守国，智诈极矣，乃翻为盗国之盗资也／君子尊德性而道问学，致广大而尽精微，极高明而道中庸／仰观宇宙之大，俯察品类之盛，所以游目骋怀，足以极视听之娱

宋

máng 栋，房屋的正梁。

❹大木为宋，细木为桷

杞

qǐ 古指枸杞；地名；姓。[杞柳]一种落叶灌木。

❶杞国无事忧天倾

见唐·李白《梁甫吟》。全句为："白日不照吾精诚，～"。

杞梓连抱，而有数尺之朽，良工不弃

见元·曾先之《十八史略·春秋战国·卫》。

杨

yáng 落叶乔木；古国名；姓。

❶杨意不逢，抚凌云而自惜

见唐·王勃《滕王阁序》。全句为："～；钟期既遇，奏流水以何惭"。

杨柳枝，芳菲节，可恨年年赠离别

见唐·柳氏《答韩翃》。

❷谢杨柳多情，还有绿阴时节／白杨为屋材，折则宁折，终不屈挠

❸白日杨花满流水／泛泛杨舟，载沉载浮／春风杨柳万千条，六亿神州尽舜尧

❹人与绿杨俱瘦／衰草枯杨，曾为歌舞场／十人树杨，一人拔之，则无生杨矣

❺梧桐生雾，杨柳摇风／安得万垂杨，系教春日长。／忽见陌头杨柳色，悔教夫婿觅封侯／昔我往矣，杨柳依依；今我来思，雨雪霏霏

❻羌笛何须怨杨柳，春风不度玉门关

❼团扇风轻，一径杨花不避人

❽花木阴阴，偶过垂杨院

❾铺落花以为茵，结垂杨而代幄／墨翟之徒，世谓热腹；杨朱之侣，世谓冷肠

❿于今腐草无萤火，终古垂杨有暮鸦／十人树杨，一人拔之，则无生杨矣／请君莫奏前朝曲，听唱新翻杨柳枝／新年鸟声千种啭，二月杨花满路飞

李

lǐ 落叶乔木；通"理"，古指法官；姓。

❶李广才气，天下无双

见汉·班固《汉书·李广传》。

李杜文章在，光焰万丈长

见唐·韩愈《调张籍》。

李白坟三尺，嵯峨万古名

见唐·姚合《送潘传秀才归宣州》。

李杜文章万口传，至今已觉不新鲜

见清·赵翼《论诗绝句》。全句为："～。江山代有才人出，各领风骚数百年"。

李白一斗诗百篇，长安市上酒家眠

见唐·杜甫《饮中八仙歌》。全句为："～。天子呼来不上船，自称臣是酒中仙"。

李太白诗不专是豪放，亦有雍容和缓底

见宋·朱熹《朱子语类》卷一四〇。

李白之文，清雄奔放，名章俊语，络绎间起，光明洞彻，句句动人

见唐·李白《上安州裴长史书》。这是李白对自己文章的评价。

❷桃李不言，下自成蹊／桃李灼灼，不自言于蹊径／桃李虽艳，何如松苍柏翠之坚贞

❹天下桃李，悉在公门／桃陈则李代，月满则哉生／不栽桃李种蔷薇，荆棘满庭君思之／春风桃李花开日，秋雨梧桐叶落时

❺冯唐易老，李广难封

❻桃生露井上，李树生桃旁／瓜田不纳履，李下不正冠／虫来啮桃根，李树代桃僵

❼松柏何须羡桃李／莫羡三春桃与李，桂花成实向秋荣

❽投我以桃，报之以李／树荆棘得刺，树桃李得荫

❾松柏本孤直，难为桃李颜

❿冰雪林中著此身，不同桃李混芳尘／时运不齐，命途多舛；冯唐易老，李广难封／君子防悔尤，贤人戒行藏，嫌疑远瓜李，言动慎毫芒

枉

wǎng 曲；使歪曲；冤屈；徒然；屈就。

❶枉尺而直寻

见《孟子·滕文公下》。

枉桡不当，反受其殃

见《礼记·月令》。

枉直未定，决于绳墨之平

见宋·苏辙《傅尧俞御史中丞》。

枉士无正友，曲上无直下

见汉·黄石公《素书·安礼章》。

枉己者，未有能直人者也

见《孟子·滕文公下》。

❷上枉下曲，上乱下逆／小枉大直，君子为之／矫枉过正则巧伪滋生／举枉错诸直，则民不服／形枉则影曲，形直则影正／矫枉者不过其正，弗能直／矫枉者，欲其直也，矫之过则归于枉矣

❸未闻枉己而能正人者也／向来枉费推移力，此日中流自在行

❹曲则全，枉则直／吾未闻枉己而正人者也／绳直而枉木斫，准夷而高科削

❺举直错诸枉，则民服／直而不能枉，不可与大任／揣歪，使乖，枉自把心田坏／好直而恶枉，天下之至情也

❻天不为一物枉其时／不知为吏者，枉法以侵民／隐括之旁多枉木，砥砺之旁多顽钝

❼上邪下难正，众枉不可矫／以正为在民，以枉为在己／人主之患，欲闻枉而恶直言／称其任，则政立；枉其能，则事乖

❽天也，你错勘贤愚枉为天／上好则下必甚，矫枉故直必过

❾任以公法，而处以贪枉／访民瘼于井邑，察冤枉于囹圄／国奢则视之以俭，矫枉者过其正／刑罚不能加无罪，邪枉不能胜正人／谗邪进则众贤退，群枉盛则正士消／庶狱明则国无怨民，枉直当则民无不服

❿明君圣人亦不为一人枉其法／君子多欲则贪慕富贵，枉道速祸／良医之门多病人，栝檃之侧多枉木／矫枉者，欲其直也，矫之过则归于枉矣／俞扁之门，不拒病夫；绳墨之侧，不拒枉材／知为吏者奉法利民，不知为吏者枉法以侵民／孔子曰：诎寸而信尺，小枉而大直，吾为之也／今且须去理会眼前事，那个鬼神事，无形无影，莫要枉费心力

林

lín 成片的树木或竹子；同类的人或事物聚集而形成的群体；盛貌；隐居之地；姓。

❶林无静树，川无停流

见南朝·宋·刘义庆《世说新语·文学》。

林中多疾风，富贵多谀言

见汉·桓宽《盐铁论·国疾》。

林深则鸟栖，水广则鱼游

见唐·吴兢《贞观政要·仁义》。全句为："～。仁义积则物自归之"。

林净藏烟，峰危限月，帆影摇空绿

见清·厉鹗《百字令》。全句为："～。随风飘荡，白云还卧深谷"。

❷出林之中不得直道／长林远树，出没烟霏／焚林而田，竭泽而渔／乔林夹岸，羽毛之所翱翔／巢林宜择木，结友使心晓／巢林栖一枝，可为达士模／邓林千里，不能无偏枯之木／处林泉中，不可无廊庙经纶／词林增峻，反诸宏博，君之力焉／焚林而猎，愈多得兽，后必无兽／焚林而田，偷取多兽，后必无兽／芳林新叶催陈叶，流水前波让后波／茂林之下无丰草，大块之间无美苗／山林不能给野火，江海不能实漏卮／焚林而田，得兽虽多，而明年无复也／树林阴翳，鸣声上下，游人去而禽鸟乐也／焚林而畋，明年无兽；竭泽而渔，明年无鱼

❸信马林间步月归／声振林木，响遏行云／有山林之杰，不可薄其贫贱／冰雪林中著此身，不同桃李混芳尘／翳嘉林，坐石矶，投竿而渔，陶然以乐／斩伐林木，亡有时禁，水旱之灾，未必不由此也

❹千亩竹林，气含烟雾／多士之林，不扶自直／穷猿奔林，岂暇择木／穷猿投林，岂暇择木／枳棘之林，无梁柱之质／芳菊开林耀，青松冠岩列／鹰鹯巢林，鸟雀为之不栖／日出而林霏开，云归而岩穴暝／阴风搜林山鬼啸，千丈寒藤绕崩石／眺望而林泉有余，奔走而烟霞足用／木秀于林，风必摧之；堆出于岸，流必湍之

❺园中无修林者，小也／干戈森若林，长剑奋无前／羁鸟恋旧林，池鱼思故渊／虎豹爱大林，蛟龙爱大水／禽鸟知山林之乐，而不知人之乐

❻晓来谁染霜林醉，总是离人泪／羁马思其华林，笼雉想其皋泽／芷兰生于深林，非以无人而不芳／鸿鹄巢于高林之上，暮而得所栖／朝骋骛乎书林兮，夕翱翔乎艺苑／夫妻本是同林鸟，大限来时各自飞／停车坐爱枫林晚，霜叶红于二月花／鹪鹩巢于深林，不过一枝；偃鼠饮河，不过满腹／兰茝生于茂林之中，深山之间，不为人莫见之故不芬／虎旅云从，词林响应，若毛羽之宗麟凤，众川之长江河

❼笨鸟先飞早入林／每至晴初霜旦，林寒涧肃／每至晴初霜旦，林寒涧肃……／斧斤以时入山林，材木不可胜用也／神姿高彻，如瑶林琼树，自然是风尘外物／看万山红遍，层林尽染；漫江碧透，百舸争流

❽一丝不线，单木不林／无伐名木，无斩山林／声华行实，光映儒林／村无大树，蓬蒿为林／晨飙动野，斜月在林／积土成山，列树成林／筚路蓝缕，以启山林／其疾如风，其徐如林／不涸泽而渔，不焚林而猎／知音者稀，常恐词林交丧／桂椒信芳，而非园林之实／一条之枯，不损繁林之蓊蔼／新交与旧识俱欢，林壑共烟霞对赏／高树靡阴，独木不林，随时之宜，道贵从凡／大兵如市，人死如林；持金易粟，粟贵于金／朝乐朗日，啸歌丘林；夕玩望舒，入室鸣琴／烟云泉台，花鸟苔林，金铺锦帐，寓意则灵／擅山海之富，居川林之饶，争修园宅，互相夸竞

❾群材既聚，故能成邓林／日入群动息，归鸟趋林鸣／居轩冕中，不可无山林趣味／中峰之下，水无鱼鳖，林无鸟兽／井中之无大鱼也，新林之无长木也／行险者不得履绳，出林者不得直道

❿人情怀旧乡，客鸟思故林／独柯不成树，独树不成林／创基冰泮之上，立足枳棘之林／但愿苍生俱饱暖，不辞辛苦出山林／幽音变调忽飘洒，长风吹林雨堕瓦／归马于华山之阳，放牛于桃林之野／烟霞为朝夕之资，风月得林泉之助／川渊深而鱼鳖归之，山林茂而禽兽归之／恨无昆山片玉以相赠，赠君桂林之一枝／高台芳

榭，家家而筑；花林曲池，园园而有／洪波振壑，川无活鳞；惊飙拂野，林无静柯／会心处不必在远，翳然林水，便自有濠濮间想也

枝　①zhī 植物主干上分出来的较细的茎条；分支；分散；通“支”，支持；通“肢”，肢体；量词。②qí 通“歧”，［枝指］本指手大拇指旁枝生一指成六指，比喻重复无用之物。

❶枝无忘其根，德无忘其报

见汉·刘向《说苑·谈丛》。

枝大者披心，尾大者不掉

见晋·陈寿《三国志·吴书·吴主传》。

枝繁者荫根，条落者本孤

见晋·陈寿《三国志·魏书·武文世王公传》。

枝大于本，胫大于股，不折必披

见汉·司马迁《魏其武安侯列传》。“披”，破裂。

❷一枝一叶总关情／一枝动，百枝摇／一枝何足贵，怜是故园春／冠枝木之冠，带死牛之胁／繁枝容易纷纷落，嫩蕊商量细细开／剪枝去叶，本根俱露，枯槁可立而待

❸红杏枝头春意闹／春在枝头已十分／宁可枝头抱香死，何曾吹落北风中／好鸟枝头亦朋友，落花水面皆文章／杨柳枝，芳菲节，可恨年年赠离别

❹本伤者枝槁，根深者末厚／实有折枝之易，而无挟山之难／根深而枝叶茂，行久而名誉远／桑无附枝，麦穗两岐。张君为政，乐不可支

❺一枝动，百枝摇／有照水一枝，已搀春意／不息恶木枝，不饮盗泉水／巢林栖一枝，可为达士模／春早见花枝，朝朝恨发迟／根本不美，枝叶茂者，未之闻也／宁可抱香枝上老，不随黄叶舞秋风／颠沛之揭，枝叶未有害，本实先拨／艺者，德之枝叶也；德者，人之根干也／为长者折枝，语人曰：“我不能”，是不为也

❻一节动而百枝摇／木实繁者，披枝害心／君，根本也；臣，枝叶也／鹪鹩尚存一枝，狡兔犹藏三窟

❼老树着花无丑枝／义贵圆通，辞忌枝碎／能究其本根而枝叶自举／春色无高下，花枝有短长／莲有藕兮藕有枝，才有用兮用有时／山有木兮木有枝，心悦君兮君不知／木实繁者披其枝，披其枝者伤其心／新竹高于旧竹枝，全凭老干为扶持／秀出天南笔一枝，为官风骨称其诗／吞舟之鱼，不游枝流；鸿鹄高飞，不集污池

❽排恨叠，怯衣单，花枝红泪弹／交拱之木无把之枝，寻常之沟无吞舟之鱼／中通外直，不蔓不枝，香远益清，亭亭净植

❾毫厘之根，无连抱之枝／廊庙之材，非一木之枝／根浅则末短，本伤则枝枯／春色满园关不住，一枝红杏出墙来／盈把之木无合拱之枝，荣泽之水无吞舟之鱼

❿悬千钧之重于木之一枝／红豆生南国，春来发几枝／廊庙之材，盖非一木之枝也／爱惜芳时，莫待无花空折枝／猛虎不处卑势，劲鹰不立垂枝／道者文之根本，文者道之枝叶／已是悬崖百丈冰，犹有花枝俏／请君莫奏前朝曲，听唱新翻杨柳枝／在天愿作比翼鸟，在地愿为连理枝／荷尽已无擎雨盖，菊残犹有傲霜枝／木实繁者披其枝，披其枝者伤其心／有花堪折直须折，莫待无花空折枝／有时三点两点雨，到处十枝五枝花／治国犹如栽树，本根不摇，则枝叶茂荣／恨无昆山片玉以相赠，赠君桂林之一枝／人面看年年岁岁之同，花枝见夜夜朝朝之好／月明星稀，乌鹊南飞，绕树三匝，何枝可依／食其食者，不毁其器；食其实者，不折其枝／食其食者，不毁其器；荫其树者，不折其枝／鹪鹩巢于深林，不过一枝；偃鼠饮河，不过满腹

杯　bēi 盛液体的器皿；杯状奖品。

❷残杯与冷炙，到处潜悲辛／持杯收水水已覆，徙薪避火火更燔／涤杯而食……可以养家老，而不可以飨三军

❸且乐杯中酒，谁论世上名

❹今朝一杯酒，明日千里人／金樽玉杯不能使薄酒更厚，鸾舆凤驾不能使驽马健捷

❺肴核既尽，杯盘狼藉／清之为明，杯水见眸子

❻夺他人之酒杯，浇自己之垒块／且乐生前一杯酒，何须身后千载名／劝君更尽一杯酒，西出阳关无故人／酒逢知己千杯少，话不投机半句多

❾未言心相醉，不在接杯酒／轻困仓之蓄，而惜一杯钻／抽刀断水水更流，举杯消愁愁更愁／欲就麻姑买沧海，一杯春露冷如冰

❿敏捷诗千首，飘零酒一杯／使我有身后名，不如即时一杯酒／今朝有酒今朝醉，且尽樽前有限杯／莫思身外无穷事，且尽生前有限杯／老夫渴急月更急，酒落杯中月先入

枢　①shū 旧式门扇上的转轴；指中心的或重要的部分。②ōu 木名。

❶枢机方通，则物无隐貌

见南朝·梁·刘勰《文心雕龙·神思》。全句为：“～；关键将塞，则神有遁心”。

枢始得其环中，以应无穷

见《庄子·齐物论》。全句为：“彼是莫得其偶，谓之道枢；～”。

❻流水不腐，户枢不蠹／言行，君子之枢机；枢机之发，荣辱之主也

❼言语者君子之枢机，谈何容易

❽言行，君子之枢机；枢机之发，荣辱之主也

❾尽有天，循有照，冥有枢，始有彼
❿彼是莫得其偶，谓之道枢／法令赏罚者，诚治乱之枢机也，不可不严行也／动摇则谷气得消，血脉流通，病不得生，譬犹户枢不朽也

枥

lì 马槽；同"栎"，木名。

❹马不伏枥，不可以趋远／老骥伏枥，志在千里；烈士暮年，壮心不已

杳

yǎo 幽暗；深远；远得无影无息。

❻目送征鸿飞杳杳，思随流水去茫茫
❿修仪操以显志兮，独驰思乎杳冥／云生日入，怪状迭发，水石卉木，杳非人寰

杲

gǎo 光明，明亮。

❺其雨其雨，杲杲出日

果

①guǒ 果实；结局，结果；果断；成事实；终于，竟然；饱足。②luǒ 通"裸"。

❶果者，临敌不怀生

见《吴子·论将》。

果而勿矜，果而勿伐，果而勿骄

见《老子》三十。

果蓏失地则不实，鱼龙失水则不神

见宋代歌谣谚《苏轼引里谚》。

❷文果载心，余心有寄／汝果欲学诗，工夫在诗外／因果相承，从微至著，通名为渐／忠果正直，志怀霜雪，见善若惊，疾恶若仇
❸万株果树，色杂云霞／惟克果断，乃罔后艰
❹君子以果行育德／畏之途果无常所哉
❺果而勿矜，果而勿伐，果而勿骄
❻奇在速，速在果／言必信，行必果
❼言不信者行不果／当今生民之患果安在哉／强辩以饰非者，果何为也／勇之极者，知勇果不足以胜物，故怯／智之极者，知智果不足以周物，故愚／辩之极者，知辩果不足以喻物，故讷
❽有所不为，为无不果；有所不学，学无不成
❾果而勿矜，果而勿伐，果而勿骄／当事有四要：际畔要果决，怕是绵／居之以强力，发之以果敢，而成之以无私
❿临义而思利，则义必不果／人言楚人沐猴而冠耳，果然／有雄志而无雄才，其后果败／志不强者智不达，言不信者行不果／鬼无声也，无形也，无气也，果无鬼乎／大人者，言不必信，行不必果，惟义所在／盗取民食兮，私已不分；充嗛果腹兮，骄傲欢欣／虽有纳谏之明，而无力行之果断，则言愈多而听愈惑

枘

ruì 器物凹凸相接的凸出部分。

❿操一己之绳墨，持前王之规矩，以方枘欲圆凿

杵

chǔ 舂米等活动用的棒槌；捣；舂；古兵器。

❼万夫喧喧不停杵，杵声丁丁惊后土

枚

méi 树干；马鞭；谓钟乳，钟上突起的部分；量词，用以指小东西；姓。

❿观理自难观势易，弹丸累到十枚时

析

xī 分开；劈开；分解，剖析；解释；古邑名；姓。

❶析骨而炊，易子而食

见汉·司马迁《史记·宋微子世家》。

析飞糠以为舆，剖秕糟以为舟

见战国·楚·宋玉《小言赋》。

❸论如析薪，贵能破理／其父析薪，其子弗克负荷
❺骨肉之亲，析而不殊
❻物色虽繁，而析辞尚简／易子而食之，析骸而炊之
❽古人有言曰："其父析薪，其子弗克负荷。"
❾绝愚之人，心无所别析，心无所好欲／好言人之恶，谓之谗；析交离亲，谓之贼
❿奇文共欣赏，疑义相与析／天下争名趋势，不计是非，析毫剖芒，视死如归

板

bǎn 泛指较硬的片状物；诏书；朝笏；旧时笞刑所用的刑具；扁平的；呆板；表情严肃；通"版"，旧时印书用的板片；音乐术语。

❶板荡识诚臣

见唐·吴兢《贞观政要·忠义》。

板筑以时，无夺农功

见汉·刘向《说苑·建本》。

❷郑板桥画竹，胸无成竹
❻疾风知劲草，板荡识诚臣
❿变则新，不变则腐；变则活，不变则板

采

①cǎi 采摘；搜集；开采；神色；彩头，幸运；通"睬"，理睬。②cài 采地，采邑，古代诸侯赐给卿大夫的封地。

❶采桑已闲当采茶

见宋·范成大《夔州竹枝歌九首》之五。

采薜荔兮水中，搴芙蓉兮木末

见战国·楚·屈原《九歌·湘君》。

采择狂夫之言，不逆负薪之议

见南朝·宋·范晔《后汉书·班固传》。

采善不逾其美，贬恶不溢其过

见汉·王充《论衡·感类篇》。

采于山，美可茹；钓于水，鲜可食

见唐·韩愈《送李愿归盘谷序》。全句为："～。起居无时，惟适之安"。

采得百花成蜜后，到头辛苦一场空

见《三慧经》。

采得百花成蜜后，为谁辛苦为谁甜

见唐·罗隐《蜂》。

采玉者破石拔玉，选士者弃恶取善

见汉·王充《论衡·累害》。

采采卷耳，不盈顷筐。嗟我怀人，置彼周行

见《诗·周南·卷耳》。

❷铺采摛文，体物写志／繁采寡情，味之必厌／剪采为葩不可以受风雨／务采色，夸声音而以为能也／俪采百字之偶，争价一句之奇／青采出于蓝，而质青于蓝者，教使然也／采采卷耳，不盈顷筐。嗟我怀人，置彼周行

❸古人采铜于山，今人则买旧钱／春秋采善不遗小，掇恶不遗大

❹衣不兼采，食不重味／履虽五采，必践之于地／愿君多采撷，此物最相思

❺茅茨不翦，采椽不斫／煮海为盐，采山铸钱／文章以华采为末，而以体用为本／诗文之词采贵典雅而贱粗俗，宜蕴藉而忌分明

❻采桑已闲当采茶／精读书，著精采警语处，凡事皆然／登彼西山兮采其薇矣，以暴易暴兮不知其非矣／凡用人之道，采之欲博，辨之欲精，使之欲适，任之欲专

❼缘木求鱼，升山采珠／波浪无穷，而光采有主／盈握之璧，不必采于昆仑之山／其事核而实，使采之者传信也／为一书，务富文采，不顾事实……是犹用文锦复陷阱也

❽求田问舍，言无可采／街谈巷说，必有可采／食不重味，衣不重采／意不先立，止以文采辞句绕前捧后

❾和氏之璧，不饰以五采／罢去浮巧轻媚丛错采绣之文／闻瑶质兮可变，知余采兮易夺……／录人一善，则无弃人；采材一用，则无弃材／惜秦皇汉武，略输文采；唐宗宋祖，稍逊风骚

❿俯于逵，惟行旅讴吟是采／园有螫虫，藜藿为之不采／山有猛兽，藜藿为之不采／山有猛兽者，藜藿为之不采／松表岁寒，霜雪莫能凋其采／欲求士之贤愚，在于精鉴博采之／不能耕而欲黍粱，不能织而喜采裳／谢诗如芙蓉出水，颜诗如错采镂金／缋事以众色成文，蜜蜂以兼采为味／其叙事也该而要，其缀采也雅而泽／材既难得，而又难知，则当博采而多蓄之／不受虚言，不听浮术，不采华名，不兴伪事／不素养士而欲求贤，譬犹不琢玉而求文采也／气往轹古，辞来切今，惊采绝艳，难与并能

松

sōng 大部分松科植物的总称；不紧密；放开；经济宽裕；头发散乱；姓。

❶松柏何须羡桃李

见明·冯梦龙《警世通言·老门生三世报恩》。

松柏之下，其草不殖

见《左传·襄公二十九年》。

松柏生深山，无心自贞直

见唐·储光羲《泛茅山东溪》。

松柏为百木长，而守门闾

见汉·司马迁《史记·龟策列传》。全句为："竹外有节理，中直空虚；～"。

松柏在冈，蒿艾为之不植

见明·宋濂《演连珠》。全句为："鹰鹯巢林，鸟雀为之不栖；～"。

松柏寒仍翠，琼瑶涅不缁

见宋·王禹偁《谪居感事》。

松柏本孤直，难为桃李颜

见唐·李白《古风五十九首》之十二。

松柏青青，不受令于霜雪

见唐·张说《赠户部尚书河东公杨君神道碑》。全句为："桃李灼灼，不自言于蹊径；～"。

松表岁寒，霜雪莫能凋其采

见隋·杨广《下苏威手诏》。

松柏生于高冈，散柯布叶，而草木为之不植

见宋·苏辙《上刘长安书》。全句为："猛虎处于深山，向风长鸣，则百兽震恐而不敢出；～"。

❷长松落落，卉木蒙蒙／长松百尺，对君子之清风／新松恨不高千尺，恶竹应须斩万竿

❸山明松雪寒／岁寒松柏肯惊秋／旋收松上雪，来煮雨前茶／菌阁松楹，高枕于北山之北／风下松而含曲，泉潆石而生文／万株松树青山上，十里沙堤明月中／倚老松，坐怪石，殷殷潮声，起于月外／饥餐松柏叶，渴饮涧中泉，看罢青青竹，和衣自在眠

❹凌雪乔松岂畏寒／拂云之松生于一豆之实／君心似松柏，雁足寄珠玑／高山之松，霜霰不能渝其操／劲操比松寒不挠，忠言如药苦非甘／合抱之松无庸于竫人之国，若瓮之茧见弃于裸体之邦／青未了，松耶？柏耶？独鸟来时，连峰断处，双髻人耶

❺三径就荒，松菊犹存／草木秋死，松柏独存／夹涧有古松、老杉……／郁郁涧底松，离离山上苗／君不见长松百尺多劲节，狂风暴雨终摧折

❻不以时迁者，松柏也／如竹苞矣，如松茂矣／古墓犁为田，松柏摧为薪／拱木不生危，松柏不生埤／岂不罹凝寒？松柏有本性／岁寒，然后知松柏之后凋也／森森如千丈松，虽磊砢有节目

❼岁不寒，无以知松柏／天若无雪霜，青松不如草／芳菊开林耀，青松冠岩列／芳槿无终日，贞松耐岁寒／白璧无瑕玷，青松有岁寒／里无君子，则与松柏为友／桃李虽艳，何如松苍柏翠之坚贞／众卖花兮独卖松，青青颜色不如红／暮色苍茫看劲松，乱云飞渡仍从容／咬定青山不放松，立根原在破岩中／望严雪而识寒松，观疾

风而知劲草／有云水襟怀，有松柏气节，典型顿失，人尽含悲
❽落尽最高树，始知松柏青／为人也，岩岩若孤松之独立／飞雪千里，不能改松柏之心
❾在火辨玉性，经霜识松贞／蒲柳之姿，望秋而落；松柏之质，经霜弥茂／朝华之草，夕而零落；松柏之茂，隆寒不衰
❿风烈无劲草，寒甚有凋松／焉得并州快剪刀，翦取吴松半江水／交情老去淡如水，病骨秋来瘦似松／大寒至，霜雪降，然后知松柏之茂／山中人兮芳杜若，饮石泉兮荫松柏／高霞孤映，明月独举，青松落荫，白云谁侣／明日黄花，过晚之物；岁寒松柏，有节之称

枪 qiāng 掘草的工具；削尖的用以编篱笆的竹木片；茶叶的嫩芽；冲；碰撞；代替；武器；像枪的器具；姓。
❻身轻一鸟过，枪急万人呼
❼飒爽英姿五尺枪，曙光初照演兵场

枫 fēng 枫树。
❷青枫暝色，尽是伤心之树
❹落日丹枫相映红
❺停车坐爱枫林晚，霜叶红于二月花
❽湛湛江水兮上有枫
❾月落乌啼霜满天，江枫渔火对愁眠

枭 xiāo 鸟纲鸱鸮科各类鸟的泛称；骁勇，豪雄；悬头示众；搅扰；山顶；古代博戏的胜彩。
❶枭骑战斗死，驽马徘徊鸣
见汉·无名氏《战城南》。
❷鸱枭鸣衡轭，豺狼当路衢
❸放鸱枭而囚鸾凤
❻枕戈待旦，志枭逆虏／薰莸不同器，枭鸾不接翼／薰莸不共器，枭鸾不比翼
❼螭龙为蝘蜓，鸱枭为凤皇／以梧桐之实养枭而冀其凤鸣

构 gòu 架筑；设计；结成；建立，缔造；构思；缀合；图谋；挑拨离间；指文艺作品；通“购”，酬赏；通“篝”，篝火。
❶构九成之楼而以竹柱
见明·刘基《郁离子》。“成”，重、叠。
构大厦者先择匠而后简材
见唐·马总《意林》引《物理论》。全句为：“～，治国家者先择佐而后定民”。
❷争构纤微，竞为雕刻……；骨气都尽，刚健不闻
❸大匠构屋……尺寸之木无弃也
❹骊山北构而西折，直走咸阳／如室斯构，而去其凿楔……国之将亡，本必先颠
❼思能造端，谓之构架之材
❽舍本而理末则辞构矣／邪秽在身，怨之所构
❿富于材积，领会神情，临景结构，不仿形迹

杭 ①háng 通“航”，渡河；指杭州；姓。②kāng 通“康”。[杭庄]平坦的大道。
❶杭州之有西湖，如人之有眉目
见宋·苏轼《乞开杭州西湖状》。
❻东南山水，余杭郡为最
❼谁谓河广，一苇杭之
❽上有天堂，下有苏杭
❿暖风熏得游人醉，直把杭州作汴州

杰 jié 优异的；才能出众的人。
❷人杰地灵，徐孺下陈蕃之榻／豪杰之士者，必有过人之节
❸雄悍杰健，任在胆烈，失在多忌
❹非俊疑杰兮，固庸态也
❺生当作人杰，死亦为鬼雄／有山林之杰，不可薄其贫贱
❻威猛之能，豪杰之材也／严于取，则豪杰之老死丘壑者多矣／伟士坐以俊杰之才，招致群吠之声／尊贤使能，俊杰在位，则天下之士皆悦
❼识时务者为俊杰／彼以成败评豪杰者，市儿之见也
❽识时务者，在乎俊杰／诸葛亮亦一时之杰也／邪说之移人，虽豪杰之士有不免者／贤不肖不杂则英杰至，是非不乱则国家治
❿怀此贞秀姿，卓为霜下杰／独有英雄驱虎豹，更无豪杰怕熊罴

枕 zhěn 枕头；通“轸”，车后横木；以头枕物；靠近。
❶枕戈待旦，志枭逆虏
见晋·刘琨《与亲故书》。“枭”，杀敌悬首示众。
❷民枕倚于墙壁，路交横于豺虎
❹结发同枕席，黄泉共为友
❻菌阁松楹，高枕于北山之北
❼履虽鲜不加于枕，冠虽敝不以苴履／履虽鲜，不加于枕；冠虽敝，不以苴履
❾洒向人间都是怨，一枕黄粱再现／饭疏食饮水，曲肱而枕之，乐亦在其中矣
❿人世几回伤往事，山形依旧枕江流／起来自擘纱窗破，恰漏清光到枕前／入夜思归切，笛声清更哀，愁人不愿听，自到枕前来／坐而玩之者，可濯足于床下；卧而狎之者，可垂钓于枕上

杼 ①zhù 织布机的梭子；削薄。②shù 木名；通“抒”，舀，取出。
❶杼轴得之，澹而无味，琢刻藻绘，弥不足贵
见唐·李德裕《文章论》。全句为：“文为之物，自然灵气。惚恍而来，不思而至。～”。
❼文章须自出机杼，成一家风骨／非历览无以

寄杼轴之怀，非高远无以开沉郁之绪
❾三夫成市虎，慈母投杼趋

标 biāo 树木的枝端；枝节与表面；始端；标志；标准；标的；榜样；模范；表示竞赛优胜的旗帜；出色；记号；清代军队的编制名。
❶标情务远，比音则近
见南朝·梁·刘勰《文心雕龙·声律》。
标节义者，必以节义受谤
见明·洪应明《菜根谭·前集百七十八》。
标格原因独立好，肯教富贵负初心
见清·秋瑾《梅》。
标心于万古之上，而送怀于千载之下
见南朝·梁·刘勰《文心雕龙·诸子》。
❷名标青史，万古留芳／知标本者，万举万当；不知标本，是谓妄行
❸首句标其目，卒章显其志
❹但立直标，终无曲影
❺青史内不标名，红尘外便是我
❻名垂竹帛，功标青史
❿知标本者，万举万当；不知标本，是谓妄行

栈 zhàn 客栈；货栈；以竹、木搭建的饲养牲畜的栅栏；姓。
❸明修栈道，暗度陈仓
❹驽马恋栈豆

某 mǒu 指人、地、事、物而不明言其名的用词；指代失传的人名或时、地等；自称之词，指代"我"，或指代人名。
❶某今所切，是坠于绝壑……
见唐·杜牧《上宰相求杭州启》。全句为："坠井者求出，执热者愿濯，古人以此二者，譬喻所切也。～，而衣挂于树杪，覆在鼎中，下有热火，而水将沸，与古所喻，则复过之"。
某篇是某体，某篇则否……
见明·徐渭《叶子肃诗序》。全句为："～；某句似某人，某句则否；此虽极工逼肖，而已不免于鸟之为人言矣"。
❺东西南北，某也何从；寒暑阴阳，时哉不与
❽吾子苟自择之，取某事，去某事，则可矣
❿吾子苟自择之，取某事，去某事，则可矣

枯 kū 干；干瘦；憔悴；单调。
❶枯木逢春，萌芽便发
见清·魏秀仁《花月痕》第一回。
枯木倚寒岩，三冬无暖气
见宋·普济《五灯会元》卷六。
枯朽之骨，凶秽之余，岂宜令入宫禁
见唐·韩愈《论佛骨表》。
枯藤老树昏鸦，小桥流水人家，古道西风瘦马
见元·马致远《越调天净沙·秋思》。全句为："～。夕阳西下，断肠人在天涯"。
❷荷枯雨滴闻／蓍，枯草也；龟，枯骨也
❸衰草枯杨，曾为歌舞场
❹一条之枯，不损繁林之蓊蔼／春一物枯即为灾，秋一物华即为异／白骨已枯沙上草，家人犹自寄寒衣
❺木无本必枯，水无源必竭／本朽则末枯，源浅则流促
❻蛟龙失水似枯鱼／清谈高论，嘘枯吹生／蓍，枯草也；龟，枯骨也／摧强易于折枯，消坚甚于汤雪／入门休问荣枯事，观看容颜便得知
❼一将功成万骨枯／一别隔千里，荣枯异炎凉／兵戈之士乐战，枯槁之士宿名／附羸以升高而枯，蝜蝂以任重而蹶／淡泊是高风，太枯则无以济人利物
❽骨消肌肉尽，体若枯树皮／化腐木而含彩，集枯草而藏烟
❾离离原上草，一岁一枯荣／邓林千里，不能无偏枯之木／伐深根者难为功，摧枯朽者易为力／镌金石者难为功，摧枯朽者易为力／剪枝去叶，本根俱露，枯槁可立而待／铁可折，玉可碎，海可枯……直节贯殊途
❿华离蒂而萎，条去干而枯／塞其源者竭，背其本者枯／根浅则末短，本伤则枝枯／泉竭则流涸，根朽则叶枯／蝎盛则木朽，欲盛则身枯／水面上秤锤浮，直待黄河彻底枯／耕织之民日耗，则田荒而桑枯矣／万物草木之生也柔脆，其死也枯槁／半开半落闲园里，何异荣枯世上人／人生芳秽有千载，世上荣枯无百年／玉在山而草木润，渊生珠而崖不枯／秋阴不散霜飞晚，留得枯荷听雨声／起烟于寒灰之上，生华于已枯之木／赤日炎炎似火烧，野田禾稻半枯焦／食之道：大充，伤而形不臧；大摄，骨枯而血沍／苟灭德忘公，崇浮饰傲，荣其外而枯其内，害其本而窒其源

栉 zhì 梳头用具的通称；梳理；剔除。
❶栉垢爬痒，民获苏醒
见唐·韩愈《试大理评事王君墓志铭》。
❹沐甚雨，栉疾风／简发而栉，数米而炊／沐雨而栉风，为民请命／不著梳栉，而求发治，不可得也
❼圣人之用兵，若栉发耨苗，所去者少，而所利者多

柯 kē 柯属植物的泛称；草木的枝茎；斧柄；碗、盂类器皿；用于地名；姓。
❷伐柯伐柯，其则不远／独柯不成树，独树不成林／伐柯如何？匪斧不克。取妻如何？匪媒不得
❹伐柯伐柯，其则不远
❽毫毛不拔，将成斧柯／毫毛不伐，将用斧柯／

松柏生于高冈，散柯布叶，而草木为之不植
❿天籁无假于宫商，贞筠不争于柯叶／洪波振壑，川无活鳞；惊飙拂野，林无静柯

柄 bǐng，又读 bìng，器物的把儿；植物花、叶与枝茎相连的部分；把柄；执掌；权力；根本。
❷威柄不以放下，利器不可假人
❹手持文柄，高视寰海
❺赏罚，政之柄也
❻惩劝善恶之柄，执于文士褒贬之际焉
❽俭可以为万化之柄／倒持干戈，授人以柄／倒持泰阿，授楚其柄／亲权者，不能与人柄／亲权者不能与人柄；操之则栗，舍之则悲／因材任人，国之大柄；考绩进秩，吏之常法
❾履，德之基也；谦，德之柄也
❿反者道之验，弱者德之柄／闻《乐游园》寄足下诗，则执政柄者扼腕矣／爵尊天下，富有四海，威势无量，专权擅柄

柘 zhè 植物名；通“蔗”，［柘浆］甘蔗汁；姓。
❼因供寨木无桑柘，为点乡兵绝子孙

栊 lóng 窗户；养兽的栅栏。
❷房栊无行迹，庭草萋以绿

栋 dòng 房屋的脊檩；量词。
❷画栋朝飞南浦云，珠帘暮卷西山雨／资栋梁而成大厦，凭舟楫而济巨川
❸国之栋梁也，得之则安以荣，失之则亡以辱
❹不厚其栋，不能任重。重莫如国，栋莫如德
❺秀干终成栋，精钢不作钩
❻材之用，国之栋梁也／施之大厦，有栋梁之用
❼大厦如倾要梁栋／窾悦之材不荷栋梁之任／其为书，处则充栋宇，出则汗牛马
❿羊不任驾盐车，椽不可为楣栋／不厚其栋，不能任重。重莫如国，栋莫如德／藜藿之生，蠕蠕然日加数寸，不可以为庐栋／山树为盖，岩石为屏，云从栋生，水与阶平／将营大厦，不忧乎群材之不足，而忧乎梁栋之不可得

相 ①xiāng 互相；质；实质；表示一方对另一方有所动作之词；姓。②xiàng 视察；貌相；观察容貌以测定贵贱安危，占视宅地以断吉凶等迷信活动；辅助；官员；选择；舂杵声；古乐器；琵琶的构件；夏历“七月”的别称；古城名。
❶相观而善之谓摩
　见《礼记·学记》。
　相逢何必曾相识
　见唐·白居易《琵琶行》。
　相门有相，将门有将
　见晋·陈寿《三国志·魏书·陈思王传》。
　相引以名，相结以隐
　见《庄子·外物》。
　相视而笑，莫逆于心
　见《庄子·大宗师》。
　相识满天下，知心能几人
　见明·冯梦龙《警世通言·俞伯牙摔琴谢知音》。
　相逢难衮衮，告别莫匆匆
　见唐·杜甫《酬孟云卿》。
　相马失之瘦，相士失之贫
　见汉·司马迁《史记·滑稽列传》。
　相见无杂言，但道桑麻长
　见晋·陶潜《归田园居五首》之一。
　相见不得亲，不如不相见
　见唐·李白《相逢行》。全句为：“～，相见情已深，未语可知心”。
　相见情已深，未语可知心
　见唐·李白《相逢行》。全句为：“相见不得亲，不如不相见，～”。
　相形不如论心，论心不如择术
　见《荀子·非相》。
　相见时难别亦难，东风无力百花残
　见唐·李商隐《无题》。
　相呴以湿，相濡以沫，不如相忘于江湖
　见《庄子·大宗师》。
　相忍为国也，忍其外不忍其内，焉用之
　见《左传·昭公元年》。
　相臣将臣，文恬武嬉，习熟见闻，以为当然
　见唐·韩愈《平淮西碑》。
　相鼠有皮，人而无仪；人而无仪，不死何为
　见《诗·鄘风·相鼠》。
❷不相非薄不相师／两相思，两不知／生相怜，死相捐／兼相爱，交相利／性相近，习相远／宰相所职系天下／宰相必用读书人／为相者不敢恃威以济欲／将相神仙，也要凡人做／能相奉成者，必同气者也／丞相祠堂何处寻，锦官城外柏森森／形相虽善而心术恶，无害为小人也／形相虽恶而心术善，无害为君子也／法相因则事易成，事有渐则民不惊／宰相必起于州部，猛将必发于卒伍／镇相连似影追形，分不开如刀划水／有相马而失马者，然良马犹在相之中／虽相与为君臣，时也；易世而无以相贱／宰相，陛下之腹心；刺史县令，陛下之手足
❸教学相长／何不相逢未嫁时／恨不相逢未嫁时／春风相送过江南／刚柔相推而生变化／丰凶相济，农末皆利／两虎相斗，必有一伤／表里相资，古今一也／长短相形，高下相倾／生得相亲，死亦何恨／每一相思，千里命驾／同声相应，同气相求／同明相照，同类相求／同欲相

趋，同利相死／同病相救，同情相成／同音相闻，同志相从／吉凶相救，患难相扶／抗兵相加，哀者胜矣／狭路相逢，冤家路窄／辅车相依，唇亡齿寒／有无相通，盖为常理／胜不相让，败不相救／文人相轻，自古而然／鹬蚌相争，渔人得利／鹬蚌相持，渔人得利／覆车相寻，不绝于世／以利相交者，利尽而疏／刚柔相推，变在其中矣／威德相济，而后王业成／身能，相能，如是者王／言行相诡，不祥莫大焉／千里相思，空有关山之望／诚信相接，如坐人春风中／有无相生，难易相成……／善恶相从，如景乡之应形声／物能相割截者，必异性者也／敌国相观……相观于人而已／虚实相生，无画处皆成妙境／无以相应也，若之何其有鬼邪／世所相信，在能行，不在能言／头颅相属于道，不一日而无兵／君子相送以言，小人相送以财／有以相应也，若之何其无鬼邪／与人相处之道，第一要谦下诚实／利害相摩，生火甚多，众人焚和／同恶相助，同好相留，同情相成／士之相知，温不增华，寒不改叶／因果相承，从微至著，通名为渐／爱恶相攻，利害相夺，其势常也／类同相召，气同则合，声比则应／同类相从，同声相应，固天之理也／儿童相见不相识，笑问客从何处来／江海相逢客恨多，秋风叶下洞庭波／马上相逢无纸笔，凭君传语报平安／为宰相不难，一心正，两眼明，足矣／因事相争，安知非我之不是，须平心暗想／伯乐相马，取之于瘦；圣人相士，取之于疏／喜怒相疑，愚知相欺，善否相非，诞信相讥／安危相易，祸福相生，缓急相摩，聚散以成／智鄙相笼，强弱相陵，天下之乱何时而已乎／祸福相倚，吉凶同域，惟人所召，安可不思／虎兕相据而蝼蚁得志，两敌相机而匹夫乘间／天……有相授之意，有为政之理，不可不审也／名实相生，利用相成，是非相明，去就相安也／不待相见，相信已熟；既相见，不要约，已相亲／邻国相望，鸡犬之声相闻，民至老死，不相往来／口行相反，而欲贤者之至，不肖者之退也，不亦难乎／天地相对，日月相刿，山川相流，轻重相浮，阴阳相续／上下相疏，内外相蒙，小臣争宠，大臣争权，此危国之风也

❹大丈夫相时而动／王侯将相宁有种乎／侯王将相，宁有种乎／山东出相，山西出将／相门有相，将门有将／问与学，相辅而行者也／上言长相思，下言久离别／未言心相醉，不在接杯酒／为问频相见，何似常相守／以善意相待，无不致快也／同声自相应，同心自相知／同欲者相憎，同忧者相亲／人生不相见，动如参与商／人生贵相知，何必金与钱／今日乐相乐，别后莫相忘／当路谁相假，知音世所稀／狎甚则相简，庄甚则不亲／渔父闲相引，时歌浩渺间／好事须相让，恶事莫相推／结交在相知，骨肉何必亲／春风不相识，何事入罗帏／朝日乐相乐，酣饮不知醉／祸与福相贯，生与亡为邻／心手不相应，不学之过也／愁与发相形，一愁白数茎／虎豹不相食，哀哉人食人／青蝇一相点，白璧遂成冤／能者之相见也，不待试而知／若高下相去差近，犹可与语／国有贤相良将，民之师表也／与妄人相值，亦当存自反之心／天下兼相爱则治，交相恶则乱／高论而相欺，不若忠论而诚实／闻善以相告也，见善以相示也／与贤豪相对，最不可有媚悦之色／利害之相似者，唯智者知之而已／孪子之相似者，唯其母知之而已／木与木相摩则然，金与火相守则流／惟君臣相遇，有同鱼水，则海内可安／其嵚然相累而下者，若牛马之饮于溪／生不能相养以共居，殁不得抚汝以尽哀／蔚乎其相章，炳乎其相辉，志同而气合／夫人之相与，俯仰一世……放浪形骸之外／十年之相知，不若兹火一夕之为足下誉也／泉涸，鱼相与处于陆……不若相忘于江湖／若平直相似……便不是书法，但得其点画耳／名也者，相轧也；知也者，争之器也，二者凶器，非所以尽行也

❺天与人交相胜／反眼若不相识／风马牛不相及／生相怜，死相捐／兼相爱，交相利／人面桃花相映红／落日丹枫相映红／性与情不相无也／性相近，习相远／道不同，不相为谋／平居里巷相慕悦……／相引以名，相结以隐／废兴成毁，相寻于无穷／敌国相观……相观于人而已／两坚不能相和，两强不能相服／举贤则民相轧，任知则民相盗／以不善意相待，无不致嫌隙也／君子以义相褒，小人以利相欺／知与恬交相养，而和理出其性／宁可后来相让，不可起初含糊／方者，内外相应也，言行相称也／兽同足者相从游，鸟同翼者相从翔／相呴以湿，相濡以沫，不如相忘于江湖／两若有名，相与则成；阴阳备物，化变乃生／不待相见，相信已熟；既相见，不要约，已相亲

❻不相非薄不相师／乐莫乐兮新相知／古来才命两相妨／人生心口宜相副／相逢何必曾相识／外内表里，自相副称／久别年颜改，相逢夜话长／任贤使能，将相莫非其人／人心胜潮水，相送过浔阳／结交一言重，相期千里至／本是同根生，相煎何太急／相马失之瘦，相士失之贫／田夫荷锄至，相见语依依／群之可聚也，相与利之也／比目之鱼，不相得则不能行／仕宦而至将相，富贵而归故乡／因时在乎善相，因俗在乎便安／八音克谐，无相夺伦，神人以和／天时人事日相催，冬至阳生春又来／无缘对面不相逢，有缘千里能相会／临流不忍轻相别，吟听潺湲到天明／兵有奇正，旋相为用，如环之无端／儿

童相见不相识，笑问客从何处来／节物风光不相待，桑田碧海须臾改／宁期此地忽相遇，惊喜茫如堕烟雾／纵令然诺暂相许，终是悠悠行路心／权钧则不能相使，势等则不能相并／有缘千里来相会，无缘对面不相逢／有财有势即相识，无财无势同路人／病中何事最相宜，惟有摊书力尚支／非唯近事则相感，亦有远事遥相感者／情之所昏，交相攻伐，未始有穷……／古语有之"生相怜，死相捐"。此语至矣／今处昏上乱相之间，而欲无惫，奚可得邪／五帝殊时，不相沿乐；三王异世，不相袭礼／负势竞上，互相轩邈，争高直指，千百成峰／日月虽以形相物，考其道则有施受健顺之差焉／闻古之君子相其君也，一夫不获其所，若己推而内之沟中／吴人与越人相恶也，当其同舟而济遇风，其相救也如左右手

❼不知道者，以言相烦／两人俱溺，不能相拯／出处默语，勿强相兼／非理所求，谁肯相与／长短相形，高下相倾／创意造言，皆不相师／同声相应，同气相求／同明相照，同类相求／同欲相趋，同利相死／同病相救，同情相成／同音相闻，同志相从／变恒过度，以奇相御／吉凶相救，患难相扶／茕茕孑立，形影相吊／困兽犹斗，况国相乎／行合趋同，千里相从／死生同归，誓不相弃／政令不行，上下相怨／胜不相让，败不相救／篇章户牖，左右相瞰／路见不平，拔刀相助／大海浮萍，也有相逢之日／有无相生，难易相成……／性同而势均则相竞而相害也／性同而材倾则相援而相赖也／良工之与马也，相得则然后成／同恶相助，同好相留，同情相成／至世之衰，父子相图，兄弟相疑／木生内蠹，上下相贼，祸乱我国／爱恶相攻，利害相夺，其势常也／同类相从，同声相应，固天之理也／旦握权则为卿相，夕失势则为匹夫／万物并育而不相害，道并行而不相悖／汤沐具而虮虱相吊，大厦成而燕雀相贺／不以曲故是非相尤，茫茫沉沉，是谓大治／喜怒相疑，愚知相欺，善否相非，诞信相讥／安危相易，祸福相生，缓急相摩，聚散以成／智鄙相笼，强弱相陵，天下之乱何时而已乎／名实相生，利用相成，是非相明，去就相安也／天地相对，日月相刿，山川相流，轻重相浮，阴阳相续／上下相疏，内外相蒙，小臣争宠，大臣争权，此危国之风也

❽关西出将，关东出相／人主无贤，如瞽无相／屈志老成，急则可相依／天高皇帝远，民少相公多／真个别离难，不似相逢好／人生意气豁，不在相逢早／奇文共欣赏，疑义相与析／闻君有两意，故来相决绝／滔滔大江水，天地相终始／圣人之道与神明相得，故曰道德／一生肝胆向人尽，相识不如不相识／同是天涯沦落人，相逢何必曾相识／但愿亲友长含笑，相逢莫乏杖头钱／明发又为千里别，相思应尽一生期／敬之为道也，严而相离，其势难久／错把黄金买词赋，相如自是薄情人／一切问答，如针锋相投，无纤毫参差／人事必将与天地相参，然后乃可以成功／恨无昆山片玉以相赠，赠君桂林之一枝／凡万物异则莫不相为蔽，此心术之公患也／生而影不与吾形相依，死而魂不与吾梦相接／辩言过理，则与义相失；丽靡过美，则与情相悖

❾上贵见肝胆，下贵不相疑／无心与物竞，鹰隼莫相猜／生当复来归，死当长相思／周公不求备，四友不相兼／为问频相见，何似常相守／为治有体，上下不可相侵／以之修身，则道同而相益／同声自相应，同心自相知／同欲者相憎，同忧者相亲／但悲时易失，四序迭相侵／人生有新故，贵贱不相渝／今日乐相乐，别后莫相忘／士别三日，即更刮目相待／花间一壶酒，独酌无相亲／君子交有义，不必常相从／知音徒自惜，聋俗本相轻／流年莫虚掷，华发不相容／渚云低暗度，关月冷相随／寝迹衡门下，邈与世相绝／通塞苟由己，志士不相卜／奸臣欲窃位，树党自相群／好事须相让，恶事莫相推／威与信并行，德与法相济／存亡难异路，贞白本相成／相见不得亲，不如不相见／愿君多采撷，此物最相思／天下兼相爱则治，交相恶则乱／换我心，为你心，始知相忆深／君子相送以言，小人相送以财／总视其体，乃知其大相去之远／何者，其化薄而出于相以有为也／言者以谕意也，言意相离，凶也／仁之与义，敬之与和，相反而皆相成也／蔚乎其相章，炳乎其相辉，志同而气合／古语有之"生相怜，死相捐"。此语至矣／杖必取材，不必用味；相必取贤，不必所爱／邻国相望，鸡犬之声相闻，民至老死，不相往来／大丈夫举事，当赤心相示，浮言夸辞，吾甚厌之／小人之交以利，平时相亲不啻父子，一旦相噬不啻狗彘

❿家贫思良妻，国乱思良相／一以意许知己，死亡不相负／滴沥空庭，竹响共雨声相乱／性同而势均则相竞而相害也／性同而材倾则相援而相赖也／巫医乐师百工之人，不耻相师／两坚不能相和，两强不能相服／良璞不剖，必有泣血以相明者／举贤则民相轧，任知则民相盗／使人大迷惑者，必物之相似也／奇才总于文武，重任归于将相／君子以义相褒，小人以利相欺／善恶之殊，如火与水不能相容／闻善以相告也，见善以相示也／家贫则思良妻，国乱则思良相／日进前而不御，遥闻声而相思／所谓无不治者，因物之相然也／同恶相助，同好相留，同情相成／仁可为也，义可亏也，礼相伪也／至世之衰，父子相图，兄弟相疑／方者，内外相应也，言

行相称也／心不怡之长久兮，忧与愁其相接／一生大笑能几回，斗酒相逢须醉倒／一生肝胆向人尽，相识不如不相识／无缘对面不相逢，有缘千里能相会／书卷多情似故人，晨昏忧乐每相亲／同是天涯沦落人，相逢何必曾相识／仁义充塞，则率兽食人，人将相食／何方圆之能周兮，夫孰异道而相安／兽同足者相从游，鸟同翼者相从翔／人生代代无穷已，江月年年只相似／从来夸有龙泉剑，试割相思得断无／交友不信，则离散郁怨，不能相亲／哀乐不同而不远，吉凶相反而相袭／葶历似菜而味殊，玉石相似而异类／折狱而非也，暗理迷众，与教相妨／处官不信，则少不畏长，贵贱相轻／汴水通淮利最多，生人为害亦相和／威恩参用以成化，文武相资以定业／木与木相摩则然，金与火相守则流／权钧则不能相使，势等则不能相并／春心莫共花争发，一寸相思一寸灰／有缘千里来相会，无缘对面不相逢／胸中襞积千般事，到得相逢一语无／欲把西湖比西子，淡妆浓抹总相宜／文章自得方为贵，衣钵相传岂是真／悲莫悲兮生别离，乐莫乐兮新相知／龙吟虎啸一时发，万籁百泉相与秋／万物并育而不相害，道并行而不相悖／非唯近事则相感，亦有远事遥相感者／吾病世之逐逐然，唯印组为务以相轧／有相马而失马者，然良马犹在相之中／言之而非，虽在王侯卿相，未必可容／仁之与义，敬之与和，相反而皆相成也／各自责则天清地宁，各相责则天翻地覆／虽相与为君臣，时也；易世而无以相贱／汤沐具而虮虱相吊，大厦成而燕雀相贺／治世之德，衰世之恶，常与爵位自相副／近河之地湿，近山之土燥，以类相及也／相呴以湿，相濡以沫，不如相忘于江湖／当与人同过，不当与人同功，同功则相忌／泉涸，鱼相与处于陆……不若相忘于江湖／一国之政，万人之命，悬于宰相，可不慎欤／专习一家，硁硁小哉！宜善相之，多师为佳／五帝殊时，不相沿乐；三王异世，不相袭礼／正言不发，万口如封，谄媚相与，千颜一容／生而影不与吾形相依，死而魂不与吾梦相接／云破月出，光气含吐，互相明灭，晶莹玲珑／伯乐相马，取之于瘦；圣人相士，取之于疏／人影在地，仰见明月，顾而乐之，行歌相答／人贵量力，不贵必成；事贵相时，不贵必遂／今以人之小过掩大美，则天下无圣王贤相矣／工无二伎，士不兼官，各守其职，不得相奸／喜怒相疑，愚知相欺，善否相非，诞信相讥／苍雁赪鲤，时传尺素；清风明月，俱寄相思／和羹之美，在于合异；上下之益，在能相济／因于情意，动而之外，与物相连，常有所悦／形精不亏，是谓能移；精而又精，反以相天／闻《秦中吟》，则权豪贵近者相目而变色矣／清流触石，洄旋激注，佳木异竹，垂阴相荫／安危相易，祸福相生，缓急相摩，聚散以成／安土重迁，黎民之性；骨肉相附，人情所愿／引物连类，穷情尽变；宫商相宣，金石谐和／此令兄弟，绰绰有裕；不令兄弟，交相为瘉／泉水激石，泠泠作响；好鸟相鸣，嘤嘤成韵／盛秋水潦，穷冬雨雪，深泥积水，相辅为害／虎兕相据而蝼蚁得志，两敌相机而匹夫乘间／百官之众，四海之广，使其关节脉理相通为一／乘不测之舟，入无人之地，以相从问文章为事／真伪有质矣，而趋舍舛忤，故两心不相为谋焉／从山阴道上行，山川自相映发，使人应接不暇／名实相生，利用相成，是非相明，去就相安也／洼者为池而缺者为洞，若有鬼神异物阴来相之／雅郑有素矣，而好恶不同，故两耳不相为听焉／天地任自然无为，无造万物，自相治理，故不仁／不待相见，相信已熟；既相见，不要约，已相亲／邻国相望，鸡犬之声相闻，民至老死，不相往来／擅山海之富，居川林之饶，争修园宅，互相夸竞／辩言过理，则与义相失；丽靡过美，则与情相悖／我亦物也，物亦物也，物之与物也，又何以相物也／君能尽礼，臣得竭忠，必在于内外无私，上下相信／澄川翠干，光影会合于轩户之间，尤与风月为相宜／一尺布，尚可缝；一斗粟，尚可舂。兄弟二人不相容／万物之所以为无穷者，交相胜而已矣，还相用而已矣／关山难越，谁悲失路之人？萍水相逢，尽是他乡之客／天地相对，日月相刿，山川相流，轻重相浮，阴阳相续／小人之交以利，平时相亲不啻父子，一旦相噬不啻狗彘／天无为以之清，地无为以之宁，故两无为相合，万物皆化生／吴人与越人相恶也，当其同舟而济遇风，其相救也如左右手

柚 ①yòu 果木名。②yóu［柚木］落叶大乔木。③zhú 通“轴”。［杼柚］亦作“杼轴”；因杼、柚都是织布机的主要部件，且古以纺织为女功，故以“杼柚”为妇女、妻室的代称；比喻作文时的组织、构思。

❷橘柚生于江南，而民皆甘之于口，味同也

❺人烟寒橘柚，秋色老梧桐／树相梨橘柚者，食之则甘

❼非患无旃罽橘柚，患无狭庐糟糠

枳 ①zhǐ 即枸橘，落叶灌木或小乔木。②zhí 木桩。

❶枳句来巢，空穴来风

见战国·楚·宋玉《风赋》。

枳棘之林，无梁柱之质

见晋·陈寿《三国志·魏书·王修传》。全句为：“～；涓流之水，无洪波之势”。

枳棘当道，行者过之而必诘

见明·刘基《拟连珠》。全句为：“虎狼堕井，

仁者见之而不怜；～”。

枳棘非鸾凤所栖，百里岂大贤之路

见南朝·宋·范晔《后汉书·仇览传》。

❷树枳棘者，成而刺人

❻出门无通路，枳棘塞中途

❼橘逾淮北而为枳

❾创基冰泮之上，立足枳棘之林

❿橘生淮南则为橘，生于淮北于则为枳

柤 ①zhā 同“楂”；山楂。②jū，又读 zhā，木阑；[柤中]古地区名，一作“沮中”。③zǔ 通“俎”，陈放祭物的礼器。

❷树柤梨橘柚者，食之则甘

柏 ①bǎi 柏树。常与松树合称“松柏”，喻耐风雪严寒的品格。②pò 通“迫”，靠近，贴近。

❷松柏何须羡桃李／松柏之下，其草不殖／松柏生深山，无心自贞直／松柏为百木长，而守门闾／松柏在冈，蒿艾为之不植／松柏寒仍翠，琼瑶涅不缁／松柏本孤直，难为桃李颜／松柏青青，不受令于霜雪／松柏生于高冈，散柯布叶，而草木为之不植

❹岁寒松柏肯惊秋／口含黄柏味，有苦自家知／饥餐松柏叶，渴饮涧中泉，看罢青青竹，和衣自在眠

❺君心似松柏，雁足寄珠玑／哑子尝黄柏，苦味自家知

❻草木秋死，松柏独存／青未了，松耶？柏耶？独鸟来时，连峰断处，双髻人耶

❼不以时迁者，松柏也／古墓犁为田，松柏摧为薪／拱木不生危，松柏不生埤／岂不罹凝寒？松柏有本性／岁寒，然后知松柏之后凋也／碧峰巉巉，出于柏梢，有如虎牙，夹天而立

❽岁不寒，无以知松柏／里无君子，则与松柏为友／有云水襟怀，有松柏气节，典型顿失，人尽含悲

❾何夜无月？何处无竹柏／落尽最高树，始知松柏青／飞雪千里，不能改松柏之心／桃李虽艳，何如松苍柏翠之坚贞

❿丞相祠堂何处寻，锦官城外柏森森／大寒至，霜雪降，然后知松柏之茂／山中人兮芳杜若，饮石泉兮荫松柏／蒲柳之姿，望秋而落；松柏之质，经霜弥茂／明日黄花，过晚之物；岁寒松柏，有节之称／朝华之草，夕而零落；松柏之茂，隆寒不衰

柝 tuò 古代打更用的梆子；通“拓”，开拓。

❿道者，覆天载地，廓四方，柝八极

柢 dǐ 树的主根；也泛指树根。

❻流长则难竭，柢深则难朽

栎 lì 木名；栏杆；古时都邑名；传说中的鸟名；敲击；搏击。②láo“敲击；搏击”义项的又一读音。③yuè 用于地名。

❿乐于用则豫章贵，厚其生则社栎贤／乐止夫物之内者，厚其生则社栎贤

柳 liǔ 柳树；古时装饰棺木的帷盖；通“瘤”；星宿名；姓。

❷度柳穿花觅信音／蒲柳既秋，桑榆渐迫／杨柳枝，芳菲节，可恨年年赠离别／蒲柳之姿，望秋而落；松柏之质，经霜弥茂

❸未若柳絮因风起／长堤柳色青如烟／月上柳梢头，人约黄昏后／谢杨柳多情，还有绿阴时节／眉将柳而争绿，面共桃而竞红／章台柳，章台柳！昔日青青今在否

❹不学蒲柳凋，贞心常自保／春风杨柳万千条，六亿神州尽舜尧

❺春江一曲柳千条／新春偷向柳梢归

❻梧桐生雾，杨柳摇风／忽见陌头杨柳色，悔教夫婿觅封侯／章台柳，章台柳！昔日青青今在否／昔我往矣，杨柳依依；今我来思，雨雪霏霏

❼羌笛何须怨杨柳，春风不度玉门关

❽山重水复疑无路，柳暗花明又一村

❿请君莫奏前朝曲，听唱新翻杨柳枝／着意种花花不活，无心栽柳柳成阴／先生不知何许人也……宅边有五柳树，因以为号焉

柱 ①zhù 柱子；状如柱子的东西；直立，高耸。②zhǔ 支撑；拄持。

❹蒿蓬代柱，大厦颠仆／强自取柱，柔自取束

❺蠹啄剖梁柱，蚊虻走牛羊／鼎不可以柱车，马也不可使守间

❼枳棘之林，无梁柱之质／腐木不可以为柱，卑人不可以为主

❾构九成之楼而以竹柱／对案不能食，拔剑击柱长叹息

❿太山在前而不见，疾雷破柱而不惊／泰山在前而不见，疾雷破柱而不惊

亲 ①qīn 父母；亲生的；血统最近的；泛指有血统、婚姻关系的；婚姻；新娘；关系近；用唇接触，表示爱；动作行为是自己发出的。②qìng 夫妻双方之父母互称对方为“亲家”。

❶亲极反疏

见清·曹雪芹《红楼梦》第八十九回。

亲不隔疏，后不僭先

见清·曹雪芹《红楼梦》第二十回。

亲而弗信，莫如弗亲

见三国·魏·王肃《孔子家语·子路初见》。

亲则不谢，谢则不亲

见唐·张文成《游仙窟》。

亲仁善邻，国之宝也

见《左传·隐公六年》。

亲权者,不能与人柄

见《庄子·天运》。全句为:“以富为是者,不能让禄;以显为是者,不能让名;～”。

亲有疾,饮药,子先尝之

见《礼记·曲礼下》。全句为:“君有疾,饮药,臣先尝之;～”。

亲朋无一字,老病有孤舟

见唐·杜甫《登岳阳楼》。

亲者割之不断,疏者续之不坚

见清·张廷玉《明史·高巍传》。

亲贤如就芝兰,避恶如畏蛇蝎

见宋·刘清之《戒子通录》。全句为:“人非善不交,物非义不取。～”。

亲小人,远贤臣,此后汉所以倾颓也

见三国·蜀·诸葛亮《前出师表》。全句为:“亲贤臣,远小人,此先汉之所以兴隆也;～”。

亲履艰难者知下情,备经险易者达物伪

见南朝·宋·范晔《后汉书·张衡传》。

亲贤臣,远小人,此先汉之所以兴隆也

见三国·蜀·诸葛亮《前出师表》。全句为:“～;亲小人,远贤臣,此后汉所以倾颓也”。

亲权者不能与人柄;操之则栗,舍之则悲

见《庄子·天运》。

亲卿爱卿,是以卿卿。我不卿卿,谁当卿卿

见南朝·宋·刘义庆《世说新语·惑溺》。

亲父不为其子媒。亲父誉之,不若非其父者也

见《庄子·寓言》。全句为:“～;非吾罪也,人之罪也”。

❷远亲不如近邻/常亲小劳则身健/六亲不和,有孝慈/事亲以适,不论所以矣/交亲而不比,言辩而不辞/悦亲戚之情话,乐琴书以消忧/人亲莫不欲其子之孝,而孝未必爱/爱亲者不敢恶于人,敬亲者不敢慢于人/使亲而旧者愚,远而新者圣且贤,以是而间之,其为理本亦大矣

❸身教亲于言教/众叛亲离,难以济矣/帝子亲王,必须克己/罚避亲贵,不可使主兵/虽有亲兄,安知其不为狼/虽有亲父,安知其不为虎/家贫亲老者,不择官而仕/家贫亲老者,不择禄而仕/贫贱亲戚离,富贵他人合/如当亲者疏,当尊者卑……/不恤亲疏,不恤贵贱,唯诚能之求/但愿亲友长含笑,相逢莫乏杖头钱/爱恶亲疏,兴废穷达,皆可以成义/教民亲爱,莫善于孝;教民礼顺,莫善于悌

❹至仁无亲/大义灭亲/仁,是以亲亲/疏必危,亲必乱/爱人不亲,反其仁/天道无亲,常与善人/无所甚亲,无所甚疏/百姓不亲,五品不逊/生得相亲,死亦何恨/苛政不亲,烦苦伤恩/官不私亲,法不遗爱/皇天无亲,惟德是辅/物之不亲,由有间也/背施无亲,幸灾不仁/疏不间亲,远不逾近/疏不间亲,新不加旧/骨肉之亲,析而不殊/可得而亲,则可得而疏/仁则人亲之,义则人尊之/遇师友,亲之取之,大胜塞居不潇洒也/寡交多亲,谓之知人;寡事成功,谓之知用/父子有亲,君臣有义,夫妇有别,长幼有叙,朋友有信

❺同心远更亲/赏不私其亲/仁,是以亲亲/弗爱弗利,亲子叛父/所官者,非亲属则宠幸/内举不避亲,外举不避仇/内举不避亲,外举不避雠/内称不辟亲,外举不辟怨/君子淡以亲,小人甘以绝/君子笃于亲,则民兴于仁/相见不得亲,不如不相见/敬甚则不亲;亲甚则不敬/想道如念亲,恶货如失身/观其所爱亲,可以知其人矣/传闻不如亲见,视影不如察形/诛恶不避亲爱,举善不避仇雠/君子固当亲,然亦不可曲为附和/打虎还得亲兄弟,上阵须教子弟兵/仁者人也,亲亲为大;义者宜也,尊贤为大/善气迎人,亲如兄弟;恶气迎人,害于兵戈/君子者,易亲而难狎,畏祸而难却,嗜利而不为非,时动而不苟作

❻仗剑去国,辞亲远游/男女授受不亲,礼也/人莫大焉亡亲戚君臣上下/敬甚则不亲;亲甚则不敬/爱之欲其富,亲之欲其贵/鬼神非人实亲,惟德是依/不以禄私其亲,功多者授之/不临誉以求亲,不愉悦以苟合/仁者必爱其亲,义者必急其君/闻善不可即亲,恐引奸人进身/居则视其所亲,富则视其所与/为尊者讳,为亲者讳,为贤者讳/暗中时滴思亲泪,只恐思儿泪更多/事孰为大?事亲为大。守孰为大?守身为大/仁者人也,亲亲为大;义者宜也,尊贤为大/凡举事,无为亲厚者所痛,而为见仇者所快/孝子不谀其亲,忠臣不谄其君,臣子之盛也/礼者,所以定亲疏、决嫌疑、别同异、明是非也/慈仁者,百姓亲附,并心一意,故以战则胜敌,以守卫则坚固

❼不仁之至忽其亲/每逢佳节倍思亲/只缘恐惧转须亲/当公法则不阿亲戚/犯法怠慢者,虽亲必罚/薄于朋友者,薄亲戚之渐也/不能容人者无亲,无亲者尽人/古者诛罚不阿亲戚,故天下治/风波作于平地,亲戚化为仇怨/君行仁政,斯民亲其上,死其长矣/爱之为道也,情亲意厚,深而感物/未有仁而遗其亲者也,未有义而后其君者也/为国失道,众叛亲离;为国以道,人必悦服/宜力学为砻斫,亲贤为青黄,睦僚友为瑶金/学为文章,先谋亲友,得其评裁,知可施行,然后出手

❽事谐则感,道洽斯亲/乌鸟之狡,虽善不亲/卑不谋尊,疏不间亲/信而又信,谁人不亲/谗

言三至，慈母不亲／阻兵无众，安忍无亲／亲而弗信，莫如弗亲／亲则不谢，谢则不亲／昆弟世疏，朋友世亲／赏勿漏疏，罚勿容亲／有武无文，民畏不亲／人伦明于上，小民亲如下／富贵他人合，贫贱亲戚离／以天下之所顺，攻亲戚之所畔／外不避仇，内不阿亲，贤者予／居家自奉宜俭，养亲待客宜丰／春秋为尊者讳，为亲者讳，为贤者讳／有风波作于平地，亲戚化为仇怨者矣／将不仁，则三军不亲；将不勇，则三军不锐／呱呱之子，各识其亲；譊譊之学，各习其师／如地如天，何私何亲？如日如月，唯君之节／读来一百遍，不如亲见颜色，随问而对之易了／亲父不为其子媒。亲父誉之，不若非其父者也／大道无形，大仁无亲，大辩无声，大廉不嗛，大勇不矜

❾尧之治天下，使民心亲／上有妒友，则贤交不亲／令重于宝，社稷先于亲戚／土居三十载，无有不亲人／苍蝇间白黑，谗巧令亲疏／赏不遗疏远，罚不阿亲贵／罚不讳强大，赏不私亲近／祸在于好利，害在于亲小人／不能容人者无亲，无亲者尽人／非左右为之先容，非亲旧为之请属／常有小病则慎疾，常亲小劳则身健／强怒者虽严不威，强亲者虽笑不和／路歧之险夷，必待身亲履历而后知／太上，下知有之；其次亲而誉之……／交财一事最难。虽至亲好友，亦须明白／仇雠有善，不得不举；亲戚有恶，不得不诛／趣舍合，即言忠而益亲；身疏，即谋当而见疑

❿外举不弃仇，内举不失亲／同欲者相憎，同忧者相亲／兄弟虽有小忿，不废懿亲／势败休云贵，家亡莫论亲／花间一壶酒，独酌无相亲／落地为兄弟，何必骨肉亲／大明无偏照，至公无私亲／狎甚则相简，庄甚则不亲／结交在相知，骨肉何必亲／贤圣之接也，不待久而亲／行赏不遗仇雠，用戮不违亲戚／责人以义则难瞻，难瞻则失亲／不洒世间儿女泪，难堪亲友中年别／书卷多情似故人，晨昏忧乐每相亲／人主必信，信而又信，谁人不亲？／凡人主必信。信而又信，谁人不亲／交友不信，则离散郁怨，不能相亲／独在异乡为异客，每逢佳节倍思亲／贫穷则父母不子，富贵则亲戚畏惧／往而不来者年也，不可得再见者亲也／一朝之忿，忘其身，以及其亲，非惑欤／为尊者讳耻，为贤者讳过，为亲者讳疾／仁人在上，百姓贵之如帝，亲之如父母／公无私者，其取舍进退无择于亲疏远迩／爱亲者不敢恶于人，敬亲者不敢慢于人／好言人之恶，谓之谗；析交离亲，谓之贼／俯偻匍匐，炎恶求媚，舐痔自亲，美言谄笑／苟得其人，虽九必举；苟非其人，虽亲不授／权之所在，虽疏必重；势之所去，虽亲必轻／有赏罚之教则邪道进，有亲疏之分则小人入／天道无为，任物自然，无亲无疏，无彼无此也／真悲无声而哀，真怒未发而威，真亲未笑而和／大丈夫必有四方之志，乃仗剑去国，辞亲远游／或说听计当而身疏，或言不用、计不行而益亲／不待相见，相信已熟；既相见，不要约，已相亲／《大学》之道，在明明德，在亲民，在止于至善／疾为诞而欲人之信己也，疾为诈而欲人之亲己也／仁人之于弟也，不藏怒焉，不宿怨焉，亲爱之而已矣／有社稷者，不能爱其民，而求民亲己爱己，不可得也／小人之交以利，平时相亲不啻父子，一旦相噬不啻狗彘／至礼有不人，至义不物，至知不谋，至仁无亲，至信辟金／不与凶人为仇，不与吉人为亲，不与诚人为媾，不与诈人为怨／古之所谓公无私者，其取舍进退无择于亲疏远迩，惟其宜可焉／君臣父子人间之事谓之义，登降揖让，贵贱有等，亲疏之体，谓之礼

栏

①lán 遮拦用的东西；饲养家畜的圈；书刊报章用线条或空白分成的各个部分；表格的分项；固定张贴布告、报纸等的地方或装置。②liàn 木名，即楝。

❻怒发冲冠，凭栏处，潇潇雨歇

染

rǎn 使着色；沾上；豆酱；姓。

❶染于苍则苍，染于黄则黄

见《墨子·所染》。

染鹭之毛而指为鸦，则虽愚必疑

见明·刘基《拟连珠》。全句为：“截牛之角而呼为豕，则虽庸必骇；～”。

染习轻者其悟速，染习重者其悟迟

见《惟则禅师语录》卷二。

❸文变染乎世情，兴废系乎时序

❹春露不染色，秋霜不改条／晓来谁染霜林醉，总是离人泪

❺春水绿于染／譬犹练丝，染之蓝则青，染之丹则赤

❻白纱入缁，不染自黑／染于苍则苍，染于黄则黄／情欲虽危，不染则无由累己／出淤泥而不染，濯清涟而不妖／纵令滋味当染于口，声色已开于心……／虽云色白，匪染弗丽；虽云味甘，匪和弗美／风俗之变，迁染民志，关之盛衰，不可不慎／先除尘垢后染善法，譬如浣衣先去垢然后可染

❽白沙混于泥涂，不染自污／染习轻者其悟速，染习重者其悟迟／立身成败，在于所染，兰芷鲍鱼，与之同化

❾看万山红遍，层林尽染；漫江碧透，百舸争流

❿内不失真，外不殊俗，同尘而不染／今来县宰加朱绂，便是生灵血染成／譬犹练丝，染之蓝则青，染之丹则赤／百工不信，则器械苦伪，丹漆

染色不贞／志烈秋霜，心贞昆玉，亭亭高竦，不染风尘／歼厥渠魁，胁从罔治，旧染污俗，咸与惟新／先除尘垢后染善法，譬如浣衣先去垢然后可染／气质偏驳者，欲使私欲不能引染，如之何？惟在明明德而已

枷 ①jiā 古代加在罪犯颈项上的刑具；同“枷”，[连枷]打谷用具。②jià 衣架。

❾因嫌纱帽小，致使锁枷扛

架 jià 架子；物体的结构或骨架；支撑；抵挡；搀扶；捏造，虚构；殴打或争吵之类的事；通“驾”；量词。

❽思能造端，谓之构架之材

树 shù 木本植物的总称；种植；培养；建立；门屏，照墙；量词。

❶树欲静而风不止

见汉·韩婴《韩诗外传》。

树曲木者，恶得直景

见汉·刘向《说苑·君道》。“景”通“影”。

树德务滋，除恶务本

见《尚书·泰誓下》。

树形团团如帷盖……

见唐·白居易《荔枝图序》。全句为：“～，叶如桂，冬青；华如桔，春荣；实如丹，夏熟；朵如蒲萄，核如枇杷，壳如红缯，膜如紫绡，瓤肉莹白如冰雪，浆液甘酸如醴酪”。

树枳棘者，成而刺人

见《韩非子·外储说左下》。全句为：“树柤梨橘柚者，食之则甘；～”。

树树秋声，山山寒色

见北周·庾信《周谯国公夫人步陆孤氏墓志铭》。

树荆棘得刺，树桃李得荫

见明·冯梦龙《警世通言·老门生三世报恩》。

树德莫如滋，去疾莫如尽

见《左传·哀公元年》。

树柤梨橘柚者，食之则甘

见《韩非子·外储说左下》。全句为：“～；树枳棘者，成而刺人”。

树有百年花，人无一定颜

见唐·孟郊《杂怨三首》之二。

树临流而影动，岩薄暮而云披

见南朝·梁·萧纲《晚春赋》。

树至德于生前，流遗爱于身后

见唐·吴兢《贞观政要·教戒太子诸王》。

树善滋于务本，除恶穷于塞源

见北周·燕射歌辞《羽调曲五首》之五。

树木者忧其蠹，保民者除其贼

见汉·王褒《四子讲德论》。

树高者，鸟宿之；德厚者，士趋之

见汉·刘向《说苑·说丛》。全句为：“屋漏者，民去之；水浅者，鱼逃之；～”。

树林阴翳，鸣声上下，游人去而禽鸟乐也

见宋·欧阳修《醉翁亭记》。

树恩布德，易以周洽，其犹顺惊风而飞鸿毛也

见南朝·宋·范晔《后汉书·冯衍传》。

❷野树秋声满／老树春深更著花／老树着花无丑枝／一树一获者，谷也／一树百获者，人也／一树十获者，木也／树树秋声，山山寒色／大树将颠，非一绳所维／大树之下无美草，伤于多阴也／种树畜养，不见其益，有时而大／青树翠蔓，蒙络摇缀，参差披拂／茂树恶木，嘉葩毒卉，乱杂而争植／草树知春不久归，百般红紫斗芳菲／高树靡阴，独木不林，随时之宜，道贵从凡／山树为盖，岩石为屏，云从栋生，水与阶平

❸坐茂树以终日，濯清泉以自洁／十人树杨，一人拔之，则无生杨矣

❹万株果树，色杂云霞／长林远树，出没烟霏／幽山桂树，往往逢人／吾问养树，得养人术／村无大树，蓬蒿为林／林无静树，川无停流／繁莺芳树，绕高台而共乐／万株松树青山上，十里沙堤明月中／非其地，树之不生；非其意，教之不成／落梅芳树，共体千篇；陇水巫山，殊名一意／霜封野树，冰冻寒苗，岸草无色，芦花自飘／枯藤老树昏鸦，小桥流水人家，古道西风瘦马

❺未闻烈士树降旗／学者当自树其帜／非其地而树之，不生也／菩提本无树，明镜亦非台／落尽最高树，始知松柏青／山有猛兽，树木为之不斩／独柯不成树，独树不成林／鸟宿池边树，僧敲月下门／蚍蜉撼大树，可笑不自量／五亩之宅，树墙下以桑矣……／斩茅而嘉树列，发石而清泉激／思仁恕则树德，加严暴则树怨／善为吏者树德，不善为吏者树怨／好名则多树私恩，惧谤则执法不坚／学者，犹种树也，春玩其华，秋登其实／山沓水匝，树杂云合。……情往似赠，兴来如答／其夹岸有树木千万本，列立如揖，丹色鲜如霞，擢举欲动，灿若舒颜

❻积土成山，列树成林／奸臣欲窃位，树党自相群／树荆棘得刺，树桃李得荫／劝农桑，益种树，可得衣食物／碧玉妆成一树高，万条垂下绿丝绦／治国犹如栽树，本根不摇，则枝叶茂荣

❼与世沉浮，不自树立／无土壤而生嘉树美箭……／独柯不成树，独树不成林／桃生露井上，李树生桃旁／虫来啮桃根，李树代桃僵／坐潭上，四面竹树环合……／落其实者思其树，饮其流者怀其源／尚力务本而种树繁，躬耕趣时而衣食足

❽水波澜者源必远，树扶疏者根必深／尽公者，政之本也；树私者，乱之源也

❾阴雪兴岩侧，悲风鸣树端／狗吠深巷中，鸡鸣

桑树颠／骨消肌肉尽，体若枯树皮／既滋兰之九畹兮，又树蕙之百亩／天子者，养尊而处优，树恩而收名／沉舟侧畔千帆过，病树前头万木春／忽如一夜春风来，千树万树梨花开／神姿高彻，如瑶林琼树，自然是风尘外物

❿常思稻粱遇，愿栖梧桐树／青枫暝色，尽是伤心之树／思仁恕则树德，加严暴则树怨／善为吏者树德，不善为吏者树怨／不知乘月几人归，落月摇情满江树／诸人之文，犹山无烟霞，春无草树／欲致鱼者先通水，欲致鸟者先树木／忽如一夜春风来，千树万树梨花开／蚂蚁缘槐夸大国，蚍蜉撼树谈何易／负者歌于途，行者休于树……滁人游也／暮春三月，江南草长，杂花生树，群莺乱飞／洲汀岛屿，向背离合；青树碧蔓，交罗蒙络／月明星稀，乌鹊南飞，绕树三匝，何枝可依／食其食者，不毁其器；荫其树者，不折其枝／先生不知何许人也……宅边有五柳树，因以为号焉

柔

róu 嫩；柔软；温和；安抚。

❶柔弱者，道之要也

见汉·刘安《淮南子·原道》。全句为："清静者，德之至也；而～；虚无恬愉者，万物之用也"。

❷刚柔相推而生变化／温柔敦厚，诗教也／刚柔相推，变在其中矣／以柔顺而为不正，则佞邪之道也／纯柔纯弱兮，必削必薄；纯刚纯强兮，必丧必亡

❸虚无柔弱无所不通／积于柔则刚，积于弱则强／绳以柔而有立，金以刚而无固／积于柔，必刚；积于弱，必强／手如柔荑，肤如凝脂……螓首蛾眉

❹刚者折，柔者卷／山霤至柔，石为之穿；蝎虫至弱，木为之弊／天下莫柔弱于水，而攻坚强者莫之能先，以其无以易之也

❺地之大，刚柔尽之矣／坚强处下，柔弱处上／强自取柱，柔自取束／天下之至柔，驰骋天下之至坚／宽以待人，柔能克刚，英雄莫敌／与时屈伸，柔从若蒲苇，非慑怯也／欲刚，必以柔守之；欲强，必以弱保之

❻太刚则折，太柔则废／太刚则折，太柔则卷／知微知彰，知柔知刚／守强不强，守柔乃强／见小曰明，守柔曰强／其为人也温柔敦厚，诗教也／友便辟，友善柔，友便佞，损矣／圣人正在刚柔之间，乃得道之本／常胜之道曰柔，常不胜之道曰强／欲刚者必以柔守之，欲强者必以弱保之／能去能就，能柔能刚，能进能退，能弱能强

❼无有不可穷，至柔不可折／金以刚折，水以柔全；山以高陊，谷以卑安

❽悲落叶于劲秋，喜柔条于芳春／万物草木之生也柔脆，其死也枯槁／舌之存，岂非以其柔；齿之亡，岂非以其刚

❾在天曰阴阳，在地曰柔刚，在人曰仁义／道者，虚无、平易、清静、柔弱、淳粹、素朴

❿可使寸寸折，不能绕指柔／何意百炼刚，化为绕指柔／既知退而知进兮，亦能刚而能柔／三德：一曰正直，二曰刚克，三曰柔克／叛而不讨，何以示威；服而不柔，何以示怀／阴阳尽，而四时成焉；刚柔尽，而四维成焉／损者三友：友便辟，友善柔，友便佞，损矣／外愚而内益智，外讷而内益辨，外柔而内益刚／圣人之道，宽而栗，严而温，柔而直，猛而仁

桂

guì 植物名；用于地名；姓。

❶桂椒信芳，而非园林之实

见南朝·宋·颜延之《陶徵士诔》。全句为："璇玉致美，不为池隍之宝；～"。

桂殿兰宫，列冈峦之体势

见唐·王勃《滕王阁序》。全句为："鹤汀凫渚，穷岛屿之萦回；～"。

桂可食，故伐之；漆可用，故割之

见《庄子·人间世》。

❷幽桂一丛，赏古人之明月

❸幽山桂树，往往逢人／荷裳桂楫，拂衣于东海之东／金钩桂饵虽珍，不能制九渊之沉鳞

❹人何在？桂影自婵娟／瑶山丛桂，芳茂者先折

❺欲折月中桂，持为寒者薪

❽食贵于玉，薪贵于桂／莫羡三春桃与李，桂花成实向秋荣

❾三五之夜，明月半墙，桂影斑驳，风移影动，珊珊可爱

❿恨无昆山片玉以相赠，赠君桂林之一枝／鹤汀凫渚，穷岛屿之萦回；桂殿兰宫，列冈峦之体势

桔

①jú 俗作"橘"。②jié［桔梗］多年生草本植物。③xié［桔柣］春秋时郑国远郊之门。

❹求柴胡、桔梗于沮泽，则累世不得一焉

栽

①zāi 种植；插上；硬给安上；跌倒，比喻事业受挫。②zài 筑墙立板。

❷不栽桃李种蔷薇，荆棘满庭君思之

❺治国犹如栽树，本根不摇，则枝叶茂荣

❼飒飒西风满院栽，蕊寒香冷蝶难来

❿坚冰作于履霜，寻木起于蘖栽／着意种花花不活，无心栽柳柳成阴

桓

huán 华表；大；姓。

❶桓公小白杀兄入嫂，而管仲为臣

见《庄子·盗跖》。全句为："～；田成子常杀君窃国，而孔子受币"。

❷齐桓公以管仲辅之则理，以易牙辅之则乱
❸不从桓公猎，何能伏虎威

栖 ①qī 居住；停留；歇处，卧床；囤放。②xī［栖栖］忙碌不定；孤寂冷落。

❶栖守道德者，寂寞一时
见明·洪应明《菜根谭·前集一》。全句为："～；依阿权势者，凄凉万古"。
栖息有所，苍蝇同骐骥之速
见隋·李德林《霸朝杂集序》。全句为："烟雾可依，腾蛇与蛟龙俱远；～"。
❸勾践栖山中，国人能致死／巢林栖一枝，可为达士模
❹爱憎不栖于情，忧喜不留于意，泊然无惑
❺修翼无卑栖，远趾不步局／林深则鸟栖，水广则鱼游
❻夫子何为者，栖栖一代中／鸟必择木而栖，附托匪人者必有危身之祸
❼衡门之下，可以栖迟／夫子何为者，栖栖一代中／常思稻粱遇，愿栖梧桐树／枳棘非鸾凤所栖，百里岂大贤之路
❽代马依北风，飞鸟栖故巢
❿鹰鹯巢林，鸟雀为之不栖／饥不从猛虎食，暮不从野雀栖／鸿鹄巢于高林之上，暮而得所栖

栗 lì 栗子；坚实；肥满；通"裂"；通"历"，经历；因寒冷或害怕而发抖；姓；恐惧。

❶栗栗危惧，若将陨于深渊
见《尚书·汤诰》。
❹梨橘枣栗不同味，而皆调于口
❻直而温，宽而栗，刚而无虐，简而无傲
❼圣人之道，宽而栗，严而温，柔而直，猛而仁
❽侧目重足，不寒而栗／修己者，慎于中也，栗然如履春冰
❾教胄子，直而温，宽而栗
❿世途昏险，拟步如漆……圣智危栗／亲权者不能与人柄；操之则栗，舍之则悲／春耕其丘，投种之日。释耒而叹，何时实栗

桡 ①náo 弯曲；屈服；削弱；扰乱。②ráo 船桨。

❷枉桡不当，反受其殃
❽理直则恃正而不桡

桎 zhì 脚镣；引申为束缚。［桎梏］脚镣手铐，古代用来拘系罪人手脚的刑具。

❼达人苦富贵之桎梏，修士伤声名之顿撼

柴 ①chái 柴火；姓。②zhài 通"寨"，守望的营垒；用木柴围护。③zì 堆积。④cī［柴池］同"差池"，参差不齐。

❷求柴胡、桔梗于沮泽，则累世不得一焉
❺当家才知柴米价
❻数米而炊，称柴而爨／骏足思长阪，柴车畏危辙

桢 zhēn 木名，即女贞。古时筑墙时所立的柱子。

❼强楷坚劲，用在桢干，失在专固

桐 ①tóng 泡桐，落叶乔木；古地名。②tōng 通"通"；轻脱貌。

❷梧桐生雾，杨柳摇风／梧桐一叶落，天下尽知秋
❸以梧桐之实养枭而冀其凤鸣
❹金井梧桐秋叶黄，珠帘不卷夜来霜
❻虚檐立尽梧桐影，络纬数声山月寒
❾常思稻粱遇，愿栖梧桐树
❿人烟寒橘柚，秋色老梧桐／饱霜孤竹声偏切，带火焦桐韵本悲／春风桃李花开日，秋雨梧桐叶落时

株 zhū 露出地面的树根、树干或树桩；泛指草木；量词。

❷万株果树，色杂云霞／朽株难免蠹，空穴易来风／万株松树青山上，十里沙堤明月中
❸鸟焚株而铩翮，鱼夺水而暴鳞
❼契船而求剑，守株而伺兔
❿欲以先王之政治当世之民，皆守株之类也

栝 ①guā，又读 kuò，木名，即桧树；箭末扣弦处。②tiàn 拨动灶中柴火的木棒。

❽良医之门多病人，栝櫽之侧多枉木

桥 ①qiáo 桥梁；像桥的；井上桔槔；通"乔"，高；木名。②jiǎo 通"矫"，正；整。③gāo 劲疾貌。④qiāo 山轿。

❶桥上山万重，桥下水千里
见宋·普济《五灯会元》卷一〇。全句为："～，唯有白鹭鸶，见我常来此"。
❷过桥人似鉴中行／长桥卧波，未云何龙？复道行空，不霁何虹
❸郑板桥画竹，胸无成竹／弃卧桥巷间，谁或顾生死
❹驿外断桥边，寂寞开无主／悄立市桥人不识，一星如月看多时
❻橹声摇月过桥西／桥上山万重，桥下水千里／舟者，所以济桥之所不及也
❼新涨看看拍小桥／张良授策于圯桥，功崇佐汉
❽枯藤老树昏鸦，小桥流水人家，古道西风瘦马
❿萧墙祸起非今日，不赏军功在断桥／红雨随心翻作浪，青山着意化为桥／金沙水拍云崖暖，大渡桥横铁索寒

桃 táo 落叶乔木；这种果树的果实；形状像桃的东西；核桃；桃花色。

❶桃红又见一年春

见宋·谢枋得《庆全庵桃花》。

桃之夭夭，灼灼其华

见《诗·周南·桃夭》。

桃李不言，下自成蹊

见汉·司马迁《史记·李将军列传》。

桃生露井上，李树生桃旁

见汉·乐府古辞《鸡鸣》。全句为："～。虫来啮桃根，李树代桃僵"。

桃陈则李代，月满则哉生

见清·李渔《闲情偶寄》卷四。

桃李灼灼，不自言于蹊径

见唐·张说《赠户部尚书河东公杨君神道碑》。全句为："～；松柏青青，不受令于霜雪"。

桃水涨而浦红，苹风摇而浪白

见唐·宋之问《上巳泛舟昆明池宴宗主簿席序》。

桃李虽艳，何如松苍柏翠之坚贞

见明·洪应明《菜根谭·前集二百二十四》。

❸人面桃花相映红／寻得桃源好避秦／天下桃李，悉在公门／自有桃花容，莫言人劝我／不栽桃李种蔷薇，荆棘满庭君思之／春风桃李花开日，秋雨梧桐叶落时

❹投我以桃，报之以李／虽源水桃花，时时失路／肇允彼桃虫，拚飞维鸟／不学夭桃姿，浮荣有俄顷／虫来啮桃根，李树代桃僵

❺投我以木桃，报之以琼瑶／莫羡三春桃与李，桂花成实向秋荣

❻松柏何须羡桃李

❼一朝被谗言，二桃杀三士／树荆棘得刺，树桃李得荫／杂花争发，非止桃蹊。群鸟乱飞，有逾鹦谷

❽松柏本孤直，难为桃李颜／人面不知何处去，桃花依旧笑春风／陶令不知何处去，桃花源里可耕田

❾桃生露井上，李树生桃旁／虫来啮桃根，李树代桃僵／眉将柳而争绿，面共桃而竞红

❿千家万户曈曈日，总把新桃换旧符／他年我若为青帝，报与桃花一处开／冰雪林中著此身，不同桃李混芳尘／归马于华山之阳，放牛于桃林之野

桀

jié 栖鸡的木桩；通"揭"，举起；凶暴；古时同"杰"；夏朝末代君主，暴君；姓。

❶桀、纣之失天下也，失其民也

见《孟子·离娄上》。全句为："～；失其民者，失其心也"。

❻争让之礼，尧桀之行，贵贱有时，未可以为常也

❼为汤、武驱民者，桀与纣也／与其誉尧而非桀也，不如两忘而化其道

❾尧舜行德则民仁寿；桀纣行暴则民鄙夭

❿天行有常，不为尧存，不为桀亡／禹汤罪己，其兴也悖焉；桀纣罪人，其亡也忽焉

格

①gé 格子；支架；规格；风格；品质，风度；纠正；格斗；击打；抵敌；受阻碍；来；至；推究；量度；古代极残酷的刑具；树木的枝条；古代官署的办事规则；姓。②gē[格格]互相抵触；清代皇帝女儿的称号；象声词。

❶格物，是物物上穷其至理

见宋·朱熹《朱子语类》卷一五。全句为："～。致知，是吾心无所不知。格物是零细说，致知是全体说"。

❷标格原因独立好，肯教富贵负初心

❹致知在格物，物格而后知至／不名一格，不专一体，要不失乎为我之诗

❻文之异，在气格之高下

❼言有物而行有格／发然后禁，则扞格而不胜／致知在格物，物格而后知至

❽尽职者无他，正己格物而已／有境界则自成高格，自有名句／未画以前，不立一格；既画以后，不留一格／若鄙人所谓致知格物者，致吾心之良知于事事物物也

❿奔马之轮，拳石碍之而格／不以求备取人，不以己长格物／我劝天公重抖擞，不拘一格降人材／未画以前，不立一格；既画以后，不留一格／建安诗辩而不华，质而不俚，风调高雅，格力遒壮／博取之象数，远征之古今，以求尽乎理，所谓格物也

桨

jiǎng 划船用具。

❼登高以望远，摇桨以泳深

校

①xiào 学校；军衔；仿效；古代军营的名称；姓。②jiào 校对；校正；比较；栅栏；较量；查对；考核；差；病愈；古代刑具，即"枷"。③jiǎo 通"绞"，紧，牢。④xiáo 通"骹"，器物的脚。

❶校短量长，惟器是适

见唐·韩愈《进学解》。

❷计校府库，量入为出

❺成败何足校？英雄自有真／牧守由将校以授，皆虎而冠

❻问其名则是，校其行则非

❽教之道，必先治学校／教化之本，出于学校／过而不文，犯而不校，有功不伐

❾教化之所本者在学校／综学在博，取事贵约，校练务精，捃理须核

❿有若无，实若虚，犯而不校／厚性宽中近于仁，犯而不校邻于恕

核

①hé 果实中心包含果仁的坚硬部分；事物或物体的中心部分；原子核的简

称；仔细地对照；翔实正确。②gāi 草根。

❷肴核既尽，杯盘狼藉

❸其事核而实，使采之者传信也

❹事以明核为美，不以深隐为奇

❻其文直，其事核，不虚美，不隐恶

❼思赡者善敷，才核者善删

❿综学在博，取事贵约，校练务精，捃理须核

样 ①yàng 样子，情形；扔下；量词，种类。②yáng 承架蚕箔的木柱。③xiàng 同“橡”，橡实。

❹事无两样人心别

❻水到潇湘一样清

❾牛郎欲问瘟神事，一样悲欢逐逝波

案 àn 条桌；古时进食用的木托盘；通“抚”，用手按下；考察；考据；犹“榜”，公布名单的形式；安定；关于建议、计划等的文件；涉及法律的事件或政治上的重大事件；处理公事的记录；乃；于是。

❶案上一点墨，民间千点血

见《沅湘耆旧集》载明代歌谣。

案头见蠹鱼，犹胜凡俦侣

见唐·皮日休《读书》。

❷对案不能食，拔剑击柱长叹息

❽无丝竹之乱耳，无案牍之劳形

根 gēn 植物的根部；物体的基础；事物的本原；比喻子孙后代；依据；彻底地；计量单位；生殖器官；佛教称眼、耳、鼻、舌、身、意为六根。

❶根本盛大而出无穷也

见宋·朱熹《四书集注·中庸》。

根浅则末短，本伤则枝枯

见汉·刘安《淮南子·缪称》。

根深则本固，基美则上宁

见汉·刘安《淮南子·泰族》。

根深而枝叶茂，行久而名誉远

见三国·魏·徐幹《中论·贵验》。

根深则道可长。蒂固则德可茂

见唐·司马承祯《坐忘论·信敬》。全句为：“信者道之根，敬者德之蒂。～”。

根本不美，枝叶茂者，未之闻也

见汉·刘安《淮南子·缪称》。全句为：“君，根本也；臣，枝叶也。～”。

根之茂者其实遂，膏之沃者其光晔

见唐·韩愈《答李翊书》。全句为：“～，仁义之人，其言蔼如也”。

根生，叶安得不茂；源发，流安得不广

见汉·王充《论衡·异虚篇》。

❷无根之木，无源之水／君，根本也；臣，枝叶也／深根者难拔，据固者难迁／伐根以求木茂，塞源而欲流长

❸岁老根弥壮，阳骄叶更阴／诗者：根情，苗言，华声，实义／以伐根而求木茂，塞源而欲流长也／伐深根者难为功，摧枯朽者易为力

❹以深为根，以约为纪／芝草无根，醴泉无源／斩草除根，萌芽不发／轻则失根，躁则失君／毫厘之根，无连抱之枝／人生无根蒂，飘如陌上尘／本是同根生，相煎何太急／不遇盘根错节，何以别利器乎／凡道无根，无茎，无叶，无荣……

❺大木百寻，根积深也／能究其本根而枝叶自举／生者死之根，死者生之根／民为国本根，岂不思培植／信者道之根，敬者德之蒂／枝无忘其根，德无忘其报／枝繁者荫根，条落者本孤／斩草不除根，萌芽春再发／虫来啮桃根，李树代桃僵／道者文之根本，文者道之枝叶／再实之木根必伤，掘藏之家必有殃／再实之木根必伤，掘臧之家后必殃／城上草，植根非不高，所恨风霜早／民者，国之根也，诚宜重其食，爱其命／嘉谷奋兴，根叶肥润，抽茎展穗，不失时宜

❻六律为万事根本／基广则难倾，根深则难拔／本伤者枝槁，根深者末厚／泉竭则流涸，根朽则叶枯／伐木不自其根，则蘖又生也／剪枝去叶，本根俱露，枯槁可立而待

❼昂昂累世士，结根在所固

❽无为之为，万物之根／束书不观，游谈无根／抽薪止沸，剪草除根／无源何以成河？无根何以垂荣／治国犹如栽树，本根不摇，则枝叶茂荣／学无二事，无二道，根本苟立，保养不替，自然日新

❾虚无谲诡，此乱道之根／求木之长者，必固其根本／无翼而飞者声也，无根而固者情也／咬定青山不放松，立根原在破岩中／源不深而望流之远，根不固而求木之长

❿生者死之根，死者生之根／澧泉有故源，嘉禾有旧根／言者志之苗，行者文之根／天不生无禄之人，地不长无根之草／但见无为为要妙，岂知有作是根基／四支强而躬体固，华叶茂而本根据／水波澜者源必远，树扶疏者根必深／艺者，德之枝叶也；德者，人之根干也／万物有乎生而莫见其根，有乎出而莫见其门／谷神不死，是谓玄牝。玄牝之门，是谓天地根／道者何也？虚无之系，道化之根，神明之本，天地之源

栩 xǔ 木名，即柞木；姓；[栩栩]形容活灵活现；欣然自得状。

❾昔者庄周梦为胡蝶，栩栩然胡蝶也

桑 sāng 桑树，落叶乔木，叶子可喂蚕；姓。

❶桑之未落，其叶沃若

见《诗·卫风·氓》。

桑榆之光，理无远照

见南朝·宋·刘义庆《世说新语·规箴》。全

句为:"～但愿朝阳之晖,与时并明"。

桑间濮上之音,亡国之音也

见《礼记·乐记》。

桑蚕苦,女工难,得新捐故后必寒

据传为周·姬发《衣铭》中之句。

桑无附枝,麦穗两岐。张君为政,乐不可支

见南朝·宋·范晔《后汉书·张堪传》。

桑椹甘香,鸱鸮革响,淳酪养性,人无嫉心

见南朝·宋·刘义庆《世说新语·言语》。

❷采桑已闲当采茶／维桑与梓,必恭敬止

❸莫道桑榆晚,为霞尚满天／劝农桑,益种树,可得衣食物／虽迫桑榆之景,犹倾葵藿之心／何必桑干方是远,中流以北即天涯

❺天下以农桑为本／东隅已逝,桑榆非晚／蒲柳既秋,桑榆渐迫

❻因供寨木无桑柘,为点乡兵绝子孙／心中为念农桑苦,耳里如闻饥冻声

❼失之东隅,收之桑榆／生仍冀得兮归桑梓,死当埋骨兮长已矣

❽狗吠深巷中,鸡鸣桑树颠／相见无杂言,但道桑麻长／雉雊麦苗秀,蚕眠桑叶稀／节物风光不相待,桑田碧海须臾改／春风吹蚕细如蚁,桑芽才努青鸦嘴／风雨不时,则伤农桑;伤农桑,则民饥寒

❾九州犹虎豹,四海未桑麻／五亩之宅,树墙下以桑矣……／藏于不竭之府者,养桑麻育六畜也

❿天子好征战,百姓不种桑／代耕本非望,所业在田桑／力士推山,天吴移水,作农桑地／耕织之民日耗,则田荒而桑枯矣／天若有情天亦老,人间正道是沧桑／国家不幸诗家幸,赋到沧桑句便工／生民之本,要当稼穑而食,桑麻以衣／风雨不时,则伤农桑;伤农桑,则民饥寒／北海虽赊,扶摇可接;东隅已逝,桑榆非晚／一夫耕,百人食之;一妇桑,百人衣之。以一奉百,孰能供之

械　xiè 器械;器具;指武器;指桎梏,刑具。

❷机械之心藏于胸中,则纯白不粹,神德不全

❻简选精良,兵械铦利……

❼百工不信,则器械苦伪,丹漆染色不贞

❿秦越远途也,安坐而至者,械也／有沃野之饶而民不足于食者,器械不备也／庶人有旦暮之业则劝,百工有器械之巧则壮

梗　gěng 植物的茎或枝;挺立;直爽;阻碍;顽固;有刺的草木;灾害;大略。

❺求柴胡、桔梗于沮泽,则累世不得一焉

❼途穷见交态,世梗悲路涩

❽视若游尘,遇同土梗

❿为之政,以率其怠倦;为之刑,以锄其强梗

梧　①wú 支架,支柱;支撑。[梧桐]落叶乔木。②wù[抵梧]抵触,矛盾。③yǔ[强梧]同"强圉",强壮多力;强暴有势力的;十干中丁的别称,用以纪年。

❶梧桐生雾,杨柳摇风

见唐·王勃《游冀州韩家园序》。全句为:"～,眺望而林泉有余,奔走而烟霞足用"。

梧桐一叶落,天下尽知秋

语出宋·唐庚《文录》。

❷以梧桐之实养枭而冀其凤鸣／井梧飞叶送秋声,篱菊绒香待晚晴

❸金井梧桐秋叶黄,珠帘不卷夜来霜

❺虚檐立尽梧桐影,络纬数声山月寒

❻自滴阶前大梧叶,干君何事动哀吟

❽常思稻粱遇,愿栖梧桐树

❾人烟寒橘柚,秋色老梧桐

❿春风桃李花开日,秋雨梧桐叶落时／睡起秋声无觅处,满阶梧叶月明中／有伯乐而后识马,有匠石而后识梧槚

梢　①shāo 树木的末端;泛指末尾或尽头;事情的结束;下场;竿子;小柴;通"艄";通"箾",以竿打击。②xiāo 通"消",水冲击。

❹月上柳梢头,人约黄昏后／眼角眉梢都似恨,热泪欲零还住

❻新春偷向柳梢归

❽碧峰巉巉,出于柏梢,有如虎牙,夹天而立

梏　①gù 古代木制的手铐;械系;拘禁;束缚,限制;[桎梏]脚镣手铐,古代用来拘系罪人手脚的刑具。②jué 大;正直。

❽达人苦富贵之桎梏,修士伤声名之顿撼

梨　lí 落叶乔木;老;割,剥。

❶梨橘枣栗不同味,而皆调于口

见汉·刘安《淮南子·说林》。全句为:"佳人不同体,美人不同面,而皆悦于目;～"。

❸树柤梨橘柚者,食之则甘

❺满城明月梨花

❿忽如一夜春风来,千树万树梨花开

梅　méi 落叶乔木;梅花;节候;姓。

❶梅花欢喜漫天雪,冻死苍蝇未足奇

见现代·毛泽东《七律·冬云》。

梅花过时,槐色犹在,白云芳草,尽人诗兴

见唐·刘长卿《首夏于越亭奉饯韦卿使君公赴婺州序》。

❷百梅足以为百人酸,一梅不足以为一人和／落梅芳树,共体千篇;陇水巫山,殊名一意

❹愁绝寒梅酒半销／声得盐梅,响滑榆槿

❺万木僵仆,梅英再吐,玉立冰姿,不易厥素

❿不是一番寒彻骨，怎得梅花扑鼻香／不是一番寒彻骨，争得梅花扑鼻香／百梅足以为百人酸，一梅不足以为一人和

检 jiǎn 封书题签；法度；品行；考查；察验；限制；约束；同"捡"；姓。

❶检身若不及

见《尚书·伊训》。

❻人之所以立检者四／与人不求备，检身若不及

❼乘兴说话，最难检点

❾狗彘食人食而不知检，途有饿莩而不知发／人主之立法，先自为检式仪表，故令行于天下

❿事以实之，词以章之，道以通之，法以检之／君子口无戏谑之言，言必有防；身无戏谑之行，行必有检

桴 fú 房屋的二梁；鼓槌；竹木筏子。

❺道不行，乘桴浮于海

❼方车而蹠越，乘桴而入胡，欲无穷，不可得也

桷 jué 方椽；平直的树枝。

❽大木为宗，细木为桷

梓 zǐ 落叶乔木；指故乡；印书的雕版；刻印书籍；儿子的代称；姓。

❶梓匠轮舆能与人规矩，不能使人巧

见《孟子·尽心下》。

❷杞梓连抱，而有数尺之朽，良工不弃

❹维桑与梓，必恭敬止

❽生仍冀得兮归桑梓，死当埋骨兮长已矣

梳 shū 用竹、木等制成的理顺头发的用具；以梳理发。

❸不著梳栉，而求发治，不可得也／美人梳洗时，满头间珠翠，岂知两片云，戴却数乡税

❹发少嫌梳利，颜衰恨镜明

棁 ①zhuō 梁上短柱。②tuō 木棒；通"脱"；疏略。③ruì 通"锐"，锐利。

❸揣而棁之，不可常保

梯 tī 供人登高或下降用的器具或设备；作用或形状像梯子的；凭。

❽登楼意，恨无天上梯

❿世间屈事万千千，欲觅长梯问老天

梁 liáng 桥；水中用于捕鱼的筑堰；屋梁；像梁的；朝代名；古国名；战国时魏惠王迁都大梁后"魏"也称为"梁"；姓。

❶梁园虽好，不是久恋之家

见明·施耐庵《水浒传》第六回。

梁、陈间，率不过嘲风雪，弄花草而已

见唐·白居易《与元九书》。

梁丽可以冲城，而不可以窒穴，言殊器也

见《庄子·秋水》。"梁丽"，房屋的大梁。

❷齐梁及陈隋，众作等蝉噪／窜梁鸿于海曲，岂乏明时／大梁襟带洪河险，谁遣神州陆地沉／"强梁者不得其死"，吾将以为教父／齐、梁间诗，彩丽竞繁，而兴寄都绝

❸资栋梁而成大厦，凭舟楫而济巨川

❹参之谷梁氏以厉其气／蠹啄剖梁柱，蚊虻走牛羊／清歌绕梁，白云将红尘并落／国之栋梁也，得之则安以荣，失之则亡以辱／毋逝我梁，毋发我笱；我躬不阅，遑恤我后

❺泰山其颓，梁木其坏

❻大厦如倾要梁栋／善守不待渠梁而固／枳棘之林，无梁柱之质／鸟思猿情，绕梁历榱……／善游者死于梁地，善射者死于中野／泰山其颓乎，梁木其坏乎，哲人其萎乎

❼材之用，国之栋梁也／施之大厦，有栋梁之用

❽粢悦之材不荷栋梁之任

❾良医不能救无命，强梁不能与天争

❿将营大厦，不忧乎群材之不足，而忧乎梁栋之不可得

梭 suō 梭子，织布机上牵引纬线的工具；比喻不断地来往。

❹窗下抛梭女，手织身无衣／日月如梭，光阴似箭，少年人，早打点

❿不知织女萤窗下，几度抛梭织得成／光阴似箭催人老，日月如梭趱少年／数亩秋禾满家食，一机官帛几梭丝／始见新春，又逢初夏。四时若箭，两曜如梭。

棒 bàng 棍子；身体健壮。

❸姻缘棒打不回

❹是姻缘棒打不回

❼金猴奋起千钧棒，玉宇澄清万里埃

棋 ①qí 文体项目；指棋子。②jī 根柢。

❷败棋有胜着／举棋不定，不胜其耦／观棋不语真君子，把酒多言是小人

❸宜围棋，子声丁丁然／凡弈棋与胜己者对，则日进／行一棋不足以见智，弹一弦不足以见悲

❹弈者举棋不定，不胜其耦／世事如棋局，不着的才是高手／略观围棋，法于用兵，怯者无功，贪者先亡

❿自古盛衰如转烛，六朝兴废同棋局

棊 qí 同"棋"。

❿物至则反，冬夏是也；致高则危，累棊是也

楛 ①hù 古书上指荆一类的植物，茎可制箭杆。②kǔ 粗劣；不坚固；不精致。

❷问楛者，勿告也；告楛者，勿问也

植 zhí 栽种；树立；植物；筑墙时所竖的木柱；关闭门户所用的直木；古代军

队中监督工事的将官；承架蚕箔的木柱；通“置”，放置。

❶植之之人寡而拔之之人多

见宋·王安石《再乞表》。全句为：“寒之之日长而暴之之日短，～”。

植之而塞于天地，横之而弥于四海

见汉·刘安《淮南子·原道》。全句为：“～，施之无穷，而无所朝夕”。

植佳谷必以粪壤，铸洪钟必以土型

见明·刘基《拟连珠》。

❹茎荪孤植，不以岩隐而歇其芳／城上草，植根非不高，所恨风霜早

❻天之道在生植，其用在强弱

❿民为国本根，岂不思培植／大鹏不可笼，大椿不可植／松柏在冈，蒿艾为之不植／但得贞心能不改，纵令移植亦何妨／茂树恶木，嘉葩毒卉，乱杂而争植／中通外直，不蔓不枝，香远益清，亭亭净植／松柏生于高冈，散柯布叶，而草木为之不植／养子弟如养芝兰，既积学以培植之，又积善以滋润之

森

sēn 树木多；阴冷；森严。

❶森森如千丈松，虽磊砢有节目

见南朝·宋·刘义庆《世说新语·赏誉》。全句为：“～，施之大厦，有栋梁之用”。

❸干戈森若林，长剑奋无前／早已森严壁垒，更加众志成城

❿丞相祠堂何处寻，锦官城外柏森森／大石侧立千尺，如猛兽奇鬼，森然欲搏人

椟

dú 匣子，柜子；收藏在椟中；棺木。

❸玉在椟中求善价，钗于奁内待时飞

❻彼美不琢雕，椟中竟何如／垂棘与瓦同椟，明月与砾同囊

❿贪口得则鼓刀利，要岁计而韫椟多

椒

jiāo 草本植物，指花椒、胡椒等有刺激性的调味品；山巅；姓。

❷桂椒信芳，而非园林之实

棹

zhào 船桨；也指船；划行。

❶棹容与而讵前，马寒鸣而不息

见南朝·梁·江淹《别赋》。全句为：“舟凝滞于水滨，车逶迟于山侧，～”。

❹扁舟一棹归何处，家在江南黄叶村

❺渚寒烟淡，棹移人远，缥缈行舟如叶

❽逆阪走丸，迎风纵棹

椎

①chuí 槌子，敲击的器具；朴实；迟钝。②zhuī 构成脊柱的短骨。

❽三人成虎，十夫揉椎；众口所移，毋翼而飞

❿烹饪起于热石，玉辂基于椎轮

集

jí 会合；诸多单篇文献或图片汇辑成的书册；相对独立的组成部分；进行商品交易的市场；成就；通“辑”，辑睦，安定；即“类”；集合，数学概念之一。

❶集众思，广忠益

见晋·陈寿《三国志·蜀书·董和传》。

❸子美集开诗世界

❹沙鸥翔集，锦鳞游泳；岸芷汀兰，郁郁青青

❺乐极则哀集，至盈必有亏／名高毁所集，言巧智难防

❻富贵则无暴集之客／尘加嵩岱，雾集淮海，虽未有益，不为损也

❼大智兴邦，不过集众思／福钟恒有兆，祸集非无端／化腐木而含彩，集枯草而藏烟／赤肉悬则乌鹊集，鹰隼鸷则群鸟散

❽谋夫孔多，是用不集／群贤毕至，少长咸集／制芰荷以为衣兮，集芙蓉以为裳

❿水积而鱼聚，木茂而鸟集／疾风而波兴，木茂而鸟集／乌鸢之卵不毁，而后凤凰集／法得则马和而欢，道得则民安而集／斩木为兵，揭竿为旗，天下云集响应／吞舟之鱼，不游枝流；鸿鹄高飞，不集污池

棚

péng 遮蔽风雨、日光或起保温作用的设备；朋党。

❺千里搭长棚，没个不散的筵席

棺

guān 棺材。

❷鬻棺者，欲民之疾病也／盖棺始能定士之贤愚，临事始能见人之操守

❹丈夫盖棺事始定，君今幸未成老翁／匠人成棺，不憎人死；利之所在，忘其丑也

❻学而不已，阖棺乃止

❾生为并身物，死为同棺灰

❿楩楠豫章之生也，七年而后知，故可以为棺舟／舆人成舆，则欲人之富贵；匠人成棺，则欲人之夭死／生有七尺之形，死唯一棺之土，唯立德扬名，可以不朽

楔

xiē 钉子；门两侧的木柱；木名。

❾如室斯构，而去其凿楔……国之将亡，本必先颠

椿

chūn 椿树；比喻长寿；亦为父亲的代称。

❼大鹏不可笼，大椿不可植

椹

①zhēn 砧板。②shèn 通“葚”，桑实；树上长出的菌。

❷桑椹甘香，鸱鸮革响，淳酪养性，人无嫉心

楠

nán 一种常绿乔木。

❷楩楠豫章之生也，七年而后知，故可以为棺舟

楚 chǔ 痛苦；清晰；周代诸侯国名；灌木名；鲜明；古国名；姓。

❶楚虽三户，亡秦必楚

见汉·司马迁《史记·项羽本纪》。

楚虽有才，晋实用之

见晋·陈寿《三国志·吴书·张纮传》。全句为："海产明珠，所在为宝；～"。

楚王遗弓，楚人得之

见《公孙龙子·迹府》。

楚山全控蜀，汉水半吞吴

见宋·晁冲之《与秦少章题汉江远帆》。

楚王好细腰，宫中多饿死

见南朝·宋·范晔《后汉书·马廖传》。全句为："吴王好剑客，百姓多创瘢；～"。

楚战士无不一以当十……

见汉·司马迁《史记·项羽本纪》。全句为："～，楚兵呼声动天，诸侯军无不人人惴恐"。成语"以一当十"本此。

楚灵王好细腰而国中多饿人

见《韩非子·二柄》。

楚国青蝇何太多，连城白璧遭谗毁

见唐·李白《鞠歌行》。

楚虽三户能亡秦，岂有堂堂中国空无人

见宋·陆游《金错刀行》。

楚王好小腰，美人省食；吴王好剑，国士轻死

见唐·马总《意林·管子》。

❷虽楚有材，晋实用之／始楚而谢，终泣而对

❸人言楚人沐猴而冠耳，果然

❹天低吴楚，眼空无物／掇芳刈楚，不弃幽远／志苟合，楚越无以异其同／水吞三楚白，山接九疑青

❺登临直见楚山雄／楚王遗弓，楚人得之

❻倒持泰阿，授楚其柄／毛先生一至楚，而使赵重于九鼎大吕

❼舌端之孽，惨乎楚铁／戍卒叫，函谷举，楚人一炬，可怜焦土

❽楚虽三户，亡秦必楚／翘翘错薪，言刈其楚／屈平词赋悬日月，楚王台榭空山丘

❾万里长江横渡，极目楚天舒／自其异者视之，肝胆楚越也

❿安则乐生，痛则思死；捶楚之下，何求而不得

楷 ①kǎi 楷书；典范；取法；效法。②jiē 木名；因传说其干疏而不屈以喻人刚直。

❷强楷坚劲，用在桢干，失在专固

榄 lǎn 指橄榄的果实。

❺又如食橄榄，真味久愈在

楫 jí 桨；划船；通"辑"，聚合。

❸乘舟楫者，不能游而绝江海／假舟楫者，非能水也，而绝江河

❹荷裳桂楫，拂衣于东海之东／昼则舟楫出没于其前，夜则鱼龙悲啸于其下

❺欲济无舟楫，端居耻圣明

❼我欲乘风去，击楫誓中流

❿资栋梁而成大厦，凭舟楫而济巨川／若金，用汝作砺；若济巨川，用汝作舟楫／背法而治，此任重道远而无马牛，济大川而无舡楫也

槐 huái 槐树；姓。

❹蚂蚁缘槐夸大国，蚍蜉撼树谈何易

❺梅花过时，槐色犹在，白云芳草，尽入诗兴

槌 chuí 承架蚕箔的木柱；棒槌；通"捶"，拍，敲击。

❹炼句炉槌岂可无？句成未必尽缘渠

楩 pián 南方大木名。

❶楩楠豫章之生也，七年而后知，故可以为棺舟

见汉·刘安《淮南子·修务》。全句为："藜藿之生，蠕蠕然日加数寸，不可以为庐栋；～"。

楯 ①dùn 同"盾"，即藤牌。②shǔn 阑杆的横木；拔擢。

❺不可陷之楯与无不陷之矛不可同世而立／倚伏之矛楯也，其理甚明，困而后儆，斯弗及已

榆 yú 一种落叶乔木。

❷桑榆之光，理无远照

❸日暮榆园拾青荚，可怜无数沈郎钱

❹莫道桑榆晚，为霞尚满天／虽迫桑榆之景，犹倾葵藿之心

❻东隅已逝，桑榆非晚／蒲柳既秋，桑榆渐迫

❼声得盐梅，响滑榆槿

❽失之东隅，收之桑榆

❿北海虽赊，扶摇可接；东隅已逝，桑榆非晚

楹 yíng 厅堂前部的柱子；计算房屋的单位。

❹菌阁松楹，高枕于北山之北

❻国犹寝也，一楹蠹则无寝

❿长材靡入用，大厦失巨楹

楼 lóu 楼房；姓。

❷登楼意，恨无天上梯／登楼知日近，傍海见潮生

❸百尺楼高万里风／近水楼台先得月，向阳花木易为春

❹五步一楼，十步一阁。……各抱地势，钩心斗角

❺构九成之楼而以竹柱／宅宇逾制，楼观出云，车马服饰，拟于王者

❻无言独上西楼……／谷子云笔札，楼君卿唇舌

❼山雨欲来风满楼

❽方寸之木，高于岑楼／海上涛头一线来，楼前指顾雪成堆

❿四更山吐月，残夜水明楼／欲穷千里目，更上一层楼／人生达命岂暇愁，且饮美酒登高楼／昔人已乘黄鹤去，此地空余黄鹤楼／神州只在阑干北，度度来时怕上楼／不揣其本而齐其末，方寸之木可使高于岑楼／崇门丰室，洞户连房，飞馆生风，重楼起雾

楶

jié 柱头斗栱。

❶楶棁之材不荷栋梁之任

见汉·班固《汉书·叙传》。全句为："驽骞之乘不骋千里之涂，燕雀之畴不奋六翮之用，～，斗筲之才不秉帝王之重"。

概

gài 大略；气度，风度；限量；系念；要略；全；景象，状况；洗涤；漆饰的酒尊；通"慨"，感慨；副词，表示全部，没有例外。

❶概观世运，厚则治，薄则乱

见清·张履祥《张杨园训子语》。

❾万殊之类，不可以一概断之

❿万物生于天地之间，其理不可以一概

楣

méi 门框上方的横木；屋檐口椽端的横板。

❿羊不任驾盐车，椽不可为楣栋／男不封侯女作妃，君看女却是门楣

椽

chuán 房屋里的椽子；房屋的间数。

❻茅茨不翦，采椽不斫

❼羊不任驾盐车，椽不可为楣栋

榛

zhēn 落叶乔木；这种植物的果实，榛子；树丛。

❺夏也百草榛榛焉，见其盛而知其阑

榼

kē 古代盛酒或贮水的器具；鞘。

❼霤水足以溢壶榼，而江河不能实漏卮

模

①mó 木名；制作器物的模具或模型；规范，法式；榜样；按已有的样子去做。②mú 模样；模子。

❽古之成大事者，规模远大与综理密微二者阙一不可

❿巢林栖一枝，可为达士模／务学不如务求师。师者，人之模范也

槚

jiǎ 楸树的别称；茶树的古称。

❿有伯乐而后识马，有匠石而后识梧槚

槛

①jiàn 关野兽或牲畜用的木笼；栏杆；拘禁；四方加板的船。②kǎn 门槛。

❶槛外低秦岭，窗中小渭川

见唐·岑参《登总持阁》。

❸置猿槛中，则与豚同……无所肆其能也

❼当为秋霜，无为槛羊

❽阁中帝子今何在，槛外长江空自流

❿猛虎在深山，百兽震恐；及在槛阱之中，摇尾而求食

榻

tà 狭长而较矮的床；几案。

❷卧榻之侧，岂容他人鼾睡

❿人杰地灵，徐孺下陈蕃之榻

榭

xiè 建在高台上的观览、娱乐用的敞屋；古时讲武堂；没有房间的庙堂；藏器之所。

❹高台芳榭，家家而筑；花林曲池，园园而有

❿屈平词赋悬日月，楚王台榭空山丘／登高临深，远见之乐，台榭不若丘山所见高也

槃

pán 承盘，亦特指承水器；转，盘绕；快乐；[槃槃]大貌。

❸君者槃也，民者水也，槃圆而水圆

榱

cuī 古代指椽子。

❽鸟思猿情，绕梁历榱……

槁

gǎo 干枯；枯木；通"稿"，草。[槁葬]草草埋葬。

❶槁竹有火，弗钻不然；土中有水，弗掘无泉

见汉·刘安《淮南子·说林》。

❸形若槁骸，心若死灰／形如槁木，心若死灰，无感无求，寂泊之至

❺本伤者枝槁，根深者末厚

❽兵戈之士乐战，枯槁之士宿名

❿万物草木之生也柔脆，其死也枯槁／剪枝去叶，本根俱露，枯槁可立而待

榜

①bǎng 木片；公布的文告；匾额；题署。②péng 捶击，打。③bàng 船桨；划船。④bēng 正弓弩器。

❼洞房花烛夜，金榜挂名时

槿

jǐn 落叶灌木。

❷芳槿无终日，贞松耐岁寒

❽声得盐梅，响滑榆槿

横

①hèng 粗暴；意外的；不走正道；不循正理。②héng 左右或东西向的，跟竖、直、纵相对的；纷杂；充溢；侧，旁边；广远。

❶横扫千军如卷席

见现代·毛泽东《渔家傲·反第二次大"围剿"》。

横江湖之鳣鲸兮，固将受制于蝼蚁

见汉·贾谊《吊屈原文》。全句为："彼寻常之污渎兮，岂能容夫吞舟之巨鱼；～"。

横空出世，莽昆仑，阅尽人间春色

见现代·毛泽东《念奴娇·昆仑》。

❷纵横一川水，高下数家村／纵横计不就，慷慨志犹存／风横天而瑟瑟，云覆海而沉沉／纵横正有凌云笔，俯仰随人亦可怜／纵横振锋颖之才，吐纳积江湖之量／情横于内而性伏，必外寓于物而后遣

❸白露横江，水光接天／豺狼横道，不宜复问狐狸／沧海横流，方显出英雄本色／我自横刀向天笑，去留肝胆两昆仑／剑戟横空金气肃，旌旗映日彩云飞／恶波横天山塞路，未央宫中常满库／伟哉横海鲸，壮矣垂天翼。一旦失风水，翻为蝼蚁食

❹源发而横流，路开而四通／巧辩纵横而可喜，忠言质朴而多讷

❺苏世独立，横而不流／富者愈恣横侈泰而无所忌／水是眼波横，山是眉峰聚／万里长江横渡，极目楚天舒／天末海门横北固，烟中沙岸似西兴／牧童归去横牛背，短笛无腔信口吹

❻好风将雨过横塘／诚不忍奇宝横弃道侧／不依古法但横行，自有云雷绕膝生

❼文理自然，姿态横生／以雄才为己任，横杀气而独往／览冀州兮有余，横四海兮焉穷／但得官清吏不横，即是村中歌舞时／出一令可以止横议，杀一犯可以儆百众／日薄西山，余光横照，紫翠重叠，不可殚数

❽植之而塞于天地，横之而弥于四海／罗衣从风，长袖交横，骆驿飞散，飒揭合并

❾有伤贤之政，则贤多横夭／民枕倚于墙壁，路交横于豺虎／秋天晚晴，碧色如归，横度一鸟，时时行云

❿投至两处凝眸，盼得一雁横秋／陵涛鼓怒以伏注，天壁嵯峨而横立／常将冷眼看螃蟹，看你横行得几时／庾信文章老更成，凌云健笔意纵横／意匠如神变化生，笔端有力任纵横／白日经天中则移，明月横汉满而亏／金沙水拍云崖暖，大渡桥横铁索寒／一卒毕力，百人不当；万夫致死，可以横行／幽晦登昭，日月下藏；公正无私，反见从横／鸿鹄高飞，一举千里，羽翼以就，横绝四海／体恭敬而心忠信，术礼义而情爱人，横行天下，虽困四夷，人莫不贵

樯

qiáng 桅杆。

❷风樯阵马，不足为其勇也／风樯动，龟蛇静，起宏图

樟

zhāng[樟树]常绿乔木。

❼土积成山，则豫樟生焉

橄

gǎn[橄榄]常绿乔木。

❹又如食橄榄，真味久愈在

檠

qíng，又读 jìng，灯架；指灯；矫正；矫正弓弩的器具；通“擎”，举，托。

❸弓待檠而后能调，剑待砥而后能利

橐

tuó 袋子；鼓风吹火器；[橐驼]即骆驼。

❼天地之间，其犹橐龠乎？虚而不屈，动而愈出

❽有名之名，丧我之橐也

❿天下之物莫凶于鸡毒，然而良医橐而藏之，有所用

橱

chú 放置衣物等的家具；橱窗；橱柜。

❿能读不能行，所谓两足书橱

樵

qiáo 柴；砍柴；烧柴；通“谯”，谯楼；指樵夫。

❶樵重身羸如疲鳖

见宋·吕南公《老樵》。

❹入山问樵，入水问渔

❺百里不贩樵，千里不贩籴

橹

lǔ 一种用人力使船前进的工具；大盾牌；望楼；[楼橹]古时军中用以侦察、防御或攻城的高台。

❶橹声摇月过桥西

见宋·道全《秋晓》。

❿忠信以为甲胄，礼义以为干橹

樽

①zūn 古代盛酒的器具。②zǔn 通“撙”，抑止。

❷金樽玉杯不能使薄酒更厚，鸾舆凤驾不能使驽马健捷

❹何时一樽酒，重与细论文／勿言一樽酒，明日难重持

❻坐上客恒满，樽中饮不空

❿人生得意须尽欢，莫使金樽空对月／今朝有酒今朝醉，且尽樽前有限杯／庖人虽不治庖，尸祝不越樽俎而代之

檃

yǐn 同“檃”。[檃栝]矫揉弯曲竹木等的器具；剪裁文章等作品；将别的文体的作品改写成另一种体裁。

❾良医之门多病人，栝檃之侧多枉木

橙

①chéng，又读 chén，常绿小乔木；其果实；由红和黄两色合成的颜色。②dèng 同“凳”。

❷赤橙黄绿青蓝紫，谁持彩练当空舞

橘

jú 果名；常绿乔木。

❶橘逾淮北而为枳

见《周礼·冬官考功记》。

橘生淮南则为橘，生于淮北于则为枳

见《晏子春秋·内篇杂下》。全句为：“～；叶徒相似，其实味不同”。

橘柚生于江南，而民皆甘之于口，味同也

见汉·桓宽《盐铁论·相刺》。全句为："～；好音生于郑卫，而人皆乐之于耳，声同也"。

❷梨橘枣栗不同味，而皆调于口

❹人烟寒橘柚，秋色老梧桐／树柤梨橘柚者，食之则甘

❻非患无旃罽橘柚，患无狭庐糟糠

❼橘生淮南则为橘，生于淮北于则为枳

❾独立寒秋，湘江北去，橘子洲头

檐 ①yán 屋顶伸出屋墙外的边沿部分；檐下的平台或走廊。②dàn 肩负；扁担。

❷风檐展书读，古道照颜色／虚檐立尽梧桐影，络纬数声山月寒

❹息燕归檐静，飞花落院闲

❿多病只思田舍乐，夜归烟火望茅檐

檀 tán 落叶乔木，木质坚硬；浅绛色。

❿公输子之巧用材也，不能以檀为瑟

犬 quǎn 动物名，即狗；旧时常用作自谦或鄙视他人之词。

❷一犬吠形，百犬吠声／邑犬之群吠兮，吠所怪也

❸富者犬马余菽粟，骄而为邪／由来犬羊着冠坐庙堂，安得四鄙无豺狼／恶图犬马而好作鬼魅，诚以实事难形，而虚伪不穷也

❹其岸势犬牙差互，不可知其源／鸡司晨，犬警夜，虽尧舜不能废／人有鸡犬放，则知求之；有放心而不知求

❺以狐白补犬羊，身涂其炭／野禽殚，走犬烹；敌国破，谋臣亡／见兔而顾犬，未为晚也；亡羊而补牢，未为迟也

❻一人得道，鸡犬升天／一犬吠形，百犬吠声／狡兔已尽，良犬就烹／虎豹之形于犬羊，故不得不奇也／狡兔尽则良犬烹，敌国灭则谋臣亡／狡兔得而猎犬烹，高鸟尽而强弩藏／邻国相望，鸡犬之声相闻，民至老死，不相往来

❼画虎不成反类犬／狡兔依然在，良犬先烹／强弩弋高鸟，走犬逐狡兔

❽一人飞升，仙及鸡犬／彭蠡之滨，以鱼食犬豕／虎豹无文，则鞟同犬羊……质待文也

❿虎豹之文不得不炳于犬羊／贫民常衣牛马之衣，食犬彘之食／受人养而不能自养者，犬豕之类也／生子当如孙仲谋，刘景升儿子若豚犬耳／焕然如日月之经天也，炳然如虎豹之异犬羊也

戾 ①lì 违背；罪；乖张，暴戾；猛烈；到达；安定；吹干。②liè 扭转。

❸鸢飞戾天，鱼跃于渊／鸢飞戾天者，望峰息止／遇暴戾之人，以和气薰蒸之

❹一人贪戾，一国作乱

❻宜于古而不戾于今／说变通则否戾而不入

❽和气致祥，乖气致戾／彼裕我民，无远用戾

❿和睦劝俭者家必隆，乖戾骄奢者家必败／凤凰生而有仁义之意，虎狼生而有贪戾之心

臭 ①chòu 气味难闻；令人厌恶；狠狠地；形容技艺低劣。②xiù 气味；同"嗅"。

❶臭腐复化为神奇，神奇复化为臭腐

见《庄子·知北游》。

❷腐臭化为神奇，神奇复化为腐臭

❸不有臭秽，则苍蝇不飞

❹入鲍忘臭，效尤致祸

❺朱门酒肉臭，路有冻死骨

❻同心之言，其臭如兰

❿一薰一莸，十年尚犹有臭／如入鲍鱼之肆，久而不闻其臭／腐臭化为神奇，神奇复化为腐臭／为善则流芳百世，为恶则遗臭万年／臭腐复化为神奇，神奇复化为臭腐／与恶人居，如入鲍鱼之肆，久而自臭也／既不能流芳后世，亦不足复遗臭万载邪／兰茝荪蕙之芳，众人之所好，而海畔有逐臭之夫／与恶人居，如入鲍鱼之肆，久而不闻其臭，亦与之化矣

猋 biāo 犬急奔状，引申为迅捷；通"飙"，暴风，旋风。

❽何泛滥之浮云兮，猋壅蔽此明月

献 ①xiàn 恭敬而庄严地送给；贤者；表现给人看；姓。②suō［献尊］牲尊，古时酒器。

❸卞和献宝，以离断趾；灵均纳忠，终于沉身

❻归国宝，不若献贤而进士

❽藏器待时，耻于自献／为国入宝，不如能献贤

❾布衣穷贱之人，咸得献其狂瞽

❿士进则世收其器，贤用即人献其能／汉魏风骨，晋宋莫传，然而文献有可征者／赏之使谏，尚恐不言；罪其敢言，孰敢献纳／文章道弊五百年矣！汉魏风骨，晋宋莫传，然而文献有可征者

猷 yóu 计划；道术；发语词。

❷尚猷询兹黄发，则罔所愆

❺君子有徽猷，小人与属

歹 dǎi 坏；恶。

❷做歹事的胆，一日大一日

❼地也，你不分好歹何为地

死 sǐ 生物失去生命；不顾性命地做；不能活动；不通的；表示程度很深；通"尸"；古代的死刑。

❶死生为昼夜

见《庄子·至乐》。

死而不亡者寿

见《老子》三十三。

死节从来岂顾勋

见唐·高适《燕歌行》。

死而不义,非勇也

见《左传·文公二年》。

死生,天地之常理

见宋·欧阳修《唐华阳颂》。全句为:"~,畏者不可以苟免,贪者不可以苟得也"。

死而无益,何用死为

见晋·陈寿《三国志·吴书·吴范传》。

死生之穴,乃在分毫

见宋·李昉《太平广记·治针道士》。

死生同归,誓不相弃

见唐·柳宗元《祭弟宗直文》。

死生有命,富贵在天

见《论语·颜渊》。

死人无知,厚葬无益

见汉·王充《论衡·薄葬篇》。

死轻鸿毛,固得其所

见唐·刘禹锡《谢中书张相公启》。

死者复生,生者不愧

见汉·司马迁《史记·赵世家》。

死必得所,义在不苟

见晋·陈寿《三国志·吴书·周鲂传》。

死别已吞声,生别常恻恻

见唐·杜甫《梦李白二首》之一。

死亡贫苦,人之大恶存焉

见《礼记·礼运》。全句为:"饮食男女,人之大欲存焉;~"。

死亡疾病,亦人所不能无

见清·程允升《幼学琼林·疾病死丧》。全句为:"福寿康宁,固人之所同欲;~"。

死去何所道,托体同山阿

见晋·陶潜《拟挽歌辞三首》之三。

死是征人死,功是将军功

见唐·刘湾《出塞曲》。

死者积如麻,生者能几口

见宋·尤袤《淮民谣》。

死不足悲,可悲是死而无补

见明·陈继儒《小窗幽记》。全句为:"贫不足羞,可羞是贫而无志;贱不足恶,可恶是贱而无能;老不足叹,可叹是老而虚生;~"。

死人如乱麻,暴骨长城之下

见汉·班固《汉书·武五子传》。全句为:"~,头颅相属于道,不一日而无兵"。

死马无所复用,而燕昭宝之

见南朝·宋·范晔《后汉书·张奂传》。全句为:"朽骨无益于人,而文王葬之;~"。

死而不祸,知终始之不可故也

见《庄子·秋水》。全句为:"明乎坦涂,故生而不说,~"。

死亦我所恶,所恶有甚于死者

见《孟子·告子上》。全句为:"~,故患有所不辟也"。

死者不可再生,用法务在宽简

见唐·吴兢《贞观政要·刑法》。

死生无变于己,而况利害之端乎

见《庄子·齐物论》。

死,人之所难,然耻为狂夫所害

晋·陈寿《三国志·魏书·袁绍传》。

死者无知,自同粪土,何烦厚葬

见唐·姚崇《遗令诫子孙文》。

死生,命也,其有夜旦之常,天也

见《庄子·大宗师》。

死生亦大矣而不变乎己,况爵禄乎

见《庄子·田子方》。

死后是非谁管得,满村听说蔡中郎

见宋·陆游《小舟游近村舍舟步归》。

死去元知万事空,但悲不见九州同

见宋·陆游《示儿》。

死犹未肯输心去,贫亦其能奈我何

见明·黄宗羲《山居杂咏》六首之一。

死生荣辱之道一,则三军之士可使一心矣

见《吕氏春秋·仲秋纪·论威》。全句为:"人情欲生而恶死,欲荣而恶辱。~"。

死生……畏者不可以苟免,贪者不可以苟得也

见宋·欧阳修《唐华阳颂》。删节处为:"天地之常理"。

❷之死矢靡它/鹿死不择音/纵死犹闻侠骨香/起死人而肉白骨/一死一生,乃知交情/不死不生,不断不成/投死为国,以义灭身/虽死之日,犹生之年/狐死首丘,代马依风/有死之荣,无生之辱/必死则生,幸生则死/豹死留皮,人死留名/非死之难,处死之难也/烂死于泥沙,吾宁乐之/与死人同病者,不可生也/生死悠悠尔,一气聚散之/虽死而不朽,逾远而弥存/狐死归首丘,故乡安可忘/饿死事极小,失节事极大/战死士所有,耻复守妻孥/救死具八珍,不如一箪犒/必死之病,不下苦口之药/蚌死留夜光,剑折留锋芒/竹死不变节,花落有余香/必死不如乐死,乐死不如甘死/虚死不如立节,苟殒不如成名/可死而不死,是重其死,非忠也/甘死不如义死,义死不如视死如归/知死必勇,非死者难也,处死者难/有死天下之心,而后能成天下之事/恶死亡而乐不仁,是由恶醉而强酒/生死犹转机,得失如反掌,可不慎乎/义死不避斧钺之罪,义穷不受轩冕之服/知死心也者,不以物害死,安死之谓也/轻死以行礼谓之勇,诛暴不避强谓之力/与死者同

病难为良医，与亡国同道难与为谋／使死者反生，生者不愧乎其言，则可谓信矣／汝死我葬，我死谁埋！汝倘有灵，可能告我／既死，岂在我哉！焚之亦可，沉之亦可，瘗之亦可，露之亦可
❸士有死不失义／陷之死地而后生／虽九死其犹未悔／置之死地而后快／置之死地而后生／不以死生祸福累其心／临乎死生得失而不惧／生荣死哀，身没名显／为臣死忠，为子死孝／逆顺死生，物自为名／以进死为荣，退生为辱／生也死之徒，死也生之始／生者死之根，死者生之根／丧乱死多门，呜呼泪如霰／但忧死无闻，功不挂青史／哀哉，死者用生者之器也／男儿死耳，不可为不义屈／明必死之路，开必得之门／将有死之心，士卒无生之气／敌得死于我，则我得生于敌／不可死而死，是轻其生，非孝也／国君死社稷，大夫死众，士死制／豺狼死而犹饿兮，牛腹尸而不盈／不弃死马之骨者，然后良骥可得也／大马死，小马饿；高山崩，石自破／宁溘死以流亡兮，余不忍为此态也／身既死兮神以灵，子魂魄兮为鬼雄／今恶死亡而乐不仁，是犹恶醉而强酒／有留死一尺，无北行一寸。刎颈不易，九裂不恨／狡兔死，良狗烹；高鸟尽，良弓藏；敌国破，谋臣亡
❹未知鹿死谁手／生相怜，死相捐／打蛇勿死终有害／君子有死而无贰／杀人而死，职也／忠臣宁死而不辱／一人奋死，可以对十／不畏义死，不荣幸生／人之将死，其言也善／草木秋死，松柏独存／大难不死，必有后禄／得之也死，失之也生／物有生死，理有存亡／祸极于死，福极于生／恶欲其死而爱欲其生／自古皆死，不朽者文／自古有死，奚论后先／病之将死，不可为良医／生人作死别，恨恨那可论／民不畏死，奈何以死惧之／法不至死，无容滥加酷罚／慷慨赴死易，从容就义难／为生方死，方死方生……／养生丧死无憾，王道之始也／男儿当死中求生，可坐穷乎／民之轻死，以其上求生生之厚／渔者不死于山，猎者不溺于渊／好诞者死于诞，好夸者死于夸／有以噎死者，欲禁天下之食，悖／生，寄也；死，归也。何足以滑和／乘理虽死而非亡，违义虽生而非存／为社稷死则死之，为社稷亡则亡之／直如弦，死道边；曲如钩，反封侯／善游者死于梁地，善射者死于中野／宁以义死，不苟幸生，而视死如归／春蚕到死丝方尽，蜡炬成灰泪始干／悠悠生死别经年，魂魄不曾来入梦／杀人者死，伤人者刑，是百王之所同／断蛇不死，刺虎不毙，其伤人则愈多／鸟之将死，其鸣也哀；人之将死，其言也善／轻用民死，死者以国量乎泽若蕉，民其无如矣／谷神不死，是谓玄牝。玄牝之门，是谓天地根／先无爵，死无谥，实不聚，名不立，此之谓大人
❺语不惊人死不休／人好学，虽死若存／朝闻道，夕死可矣／万物一府，死生同状／百足之虫，死而不僵／生乎由是，死乎由是／生则有涯，死宜不泯／生得相亲，死亦何恨／生得其名，死得其所／任重道远，死而后已／冤者获信，死者无憾／报国之心，死而后已／君子之学，死而后已／孜孜矻矻，死而后已／穀则异室，死则同穴／鞠躬尽力，死而后已／万物非欲死，不得不死／但令身未死，随力报乾坤／但见沙场死，谁怜塞上孤／人生孰无死，贵得死所耳／男儿当野死，岂为印如斗／勇者不逃死，智者不重困／宁为袁粲死，不作褚渊生／宁当血刃死，不作衽席完／纨绔不饿死，儒冠多误身／杀生者不死，生生者不生／枭骑战斗死，驽马徘徊鸣／死是征人死，功是将军功／此身傥未死，仁义尚力行／气别生者死，增减羸病勤／有生必有死，早终非命促／鱼失水则死，水失鱼犹为水／古者不以死伤生，不以厚为礼／精神通于死生，则物孰能惑之／不可死而死，是轻其生，非孝也／可死而不死，是重其死，非忠也／伏清白以死直兮，固前圣之所厚／今之致其死，非恶之也，利其财／大丈夫得死所，光奕奕，照千古／忠臣不畏死，故能立天下之大事／暴虎冯河，死而无悔者，吾不与也／有以乘舟死者，欲禁天下之船，悖／不闻道而死，曷异蜉蝣之朝生暮死乎／生有厚利，死有遗教，此盛君之行也／孰知有无死生之一守者，吾与之为友／轻士民之死力者，不能禁暴国之邪逆／良将不怯死以苟免，烈士不毁节以求生／男儿要当死于边野，以马革裹尸还葬耳／勇将不怯死以苟免，壮士不毁节而求生／轻用民死，死者以国量乎泽若蕉，民其无如矣
❻士为知己者死／贤者诚重其死／未知生，焉知死／厚葬无益于死者／千金之子，不死于市／生以辱，不如死以荣／失州则刑，失死则死／代马望北，狐死首丘／变古乱常，不死则亡／当生者生，当死者死／闻义能徙，视死如归／怀恶而讨，虽死不服／达人观之，生死一耳／遗生行义，视死如归／豹死留皮，人死留名／其生若浮，其死若休／非死之难，处死之难也／生于忧患，而死于安乐／使冤者获信，死者无憾／勤民以自封，死无日矣／生为百夫雄，死为壮士规／生为并身物，死为同棺灰／生也死之徒，死也生之始／生当复来归，死当长相思／生当作人杰，死亦为鬼雄／生者死之根，死者生之根／生有益于人，死不害于人／当其贯日月，死生安足论／贫者愈困饿死亡而莫之省／所谓人者，恶死乐生者也／方生方死，方死方生……／用心刚，则轻死生如鸿毛／生，人之始也；死，人之终也／哀莫大于心死，而人死亦次之／士为知己者

死，女为悦己者容／宁为有闻而死，不为无闻而生／或贪生而反死，或轻死而得生／有生者必有死，有始者必有终／必死不如乐死，乐死不如甘死／聪明深察而死者，好议人者也／生生者未尝死也，其所生则死矣／生之厚必入死之地，故谓之大患／甘死不如义死，义死不如视死如归／百足之虫，至死不僵，扶之者众也／为社稷死则死之，为社稷亡则亡之／予恶乎知夫死者不悔其始之蕲生乎／苟利国家生死以，岂因祸福避趋之／知死必勇，非死者难也，处死者难／战士军前半死生，美人帐下犹歌舞／有乎生，有乎死；有乎出，有乎入／其动，止也；其死，生也；其废，起也／大兵如市，人死如林；持金易粟，粟贵于金／汝死我葬，我死谁埋！汝倘有灵，可能告我／麟亡星落，月死珠伤，瓶罄罍耻，芝焚蕙叹／若使民常畏死，而为奇者，吾得执而杀之孰敢／人之生，动之死地亦十有三。夫何故？以其生生之厚／其义则不足死，赏罚则不足去就，若是而能用其民者，古今无有

❼良医知病人之死生／为臣死忠，为子死孝／形若槁骸，心若死灰／死而无益，何用死为／日有短长，月有死生／静者生门，躁者死户／与害偕行兮，以死自绕／民弗为用，弗为死……／君子之治，必先死于国／万物安于知足，死于无厌／来生不可忌，已死不可徂／我命浑小事，我死庸何伤／以生为丧也，以死为反也／原始反终，故知死生之说／何必生之为乐，死之为悲／舍生岂不易，处死诚独难／冠枝木之冠，带死牛之胁／投躯报明主，身死为国殇／捐躯赴国难，视死忽如归／损躯赴国难，视死忽如归／摧折寒山里，遂死无人窥／寒者愿为蛾，烧死彼华膏／朝与仁义生，夕死复何求／其生也天行，其死也物化／鼋鸣而鳖应，兔死则狐悲／一以意许知己，死亡不相负／义之所在，身虽死，无憾悔／蜉蝣朝生而暮死，而尽其乐／不失其所者久，死而不亡者寿／生有闻于当时，死有传于后世／居同乐，行同和，死同哀……／道无终始，物有死生，不恃其成／强者不自勉，或死而泯灭于无闻／出师未捷身先死，长使英雄泪满襟／人生自古谁无死，留取丹心照汗青／当时更有军中死，自是君王不动心／宁可枝头抱香死，何曾吹落北风中／"强梁者不得其死"，吾将以为教父／兵者，国之大事，死生之地，存亡之道／志不励则士不死节，士不死节则众不战／白刃交于前，视死若生者，烈士之勇也／形如槁木，心若死灰，无感无求，寂泊之至／瘥病克寿，矜壮死暴。纵欲不戒，匪愚伊耄／鳏虽难得，贪以死饵；士虽怀道，贪以死禄矣／生有七尺之形，死唯一棺之土，唯立德扬名，可以不朽

❽宪古章物不实者死／千人所指，无病而死／失刑则刑，失死则死／义不负心，忠不顾死／同欲相趋，同利相死／损盈成亏，随世随死／当生者生，当死者死／得之也生，失之也死／悦以犯难，人忘其死／必死则生，幸生则死／顺我者生，逆我者死／士不素厉，则难使死敌／君子居其位则思死其官／民不畏死，奈何以死惧之／人生孰无死，贵得死所耳／将出凶门勇，兵因死地强／途穷天地窄，世乱死生微／欲求生富贵，须下死工夫／欲求真受用，须下死功夫／蒙矢石，赴汤火，视死如归／因天之杀也以伐死，谓之武／死不足悲，可悲是死而无补／鸟飞返故乡兮，狐死必首丘／见利不亏其义，见死不更其守／必死不如乐死，乐死不如甘死／丈夫生不五鼎食，死即五鼎烹耳／民不乐生，尚不避死，安能避罪／国君死社稷，大夫死众，士死制／父母存，不许友以死，不有私财／盛之有衰，生之有死，天之分也／甘死不如义死，义死不如视死如归／乌有城坏其徒俱死，独蒙愧耻求活／择任而往，知也；知死不辟，勇也／道者……庶物失之者死，得之者生／贤者不悲其身之死，而忧其国之衰／聪明深察而近于死者，好议人者也／人之过也，在于哀死，而不在于爱生／忧愁惨怛，乐非轻死，则刑罚不能恐也／古语有之"生相怜，死相捐"。此语至矣／匠人成棺，不憎人死；利之所在，忘其丑也／安则乐生，痛则思死；捶楚之下，何求而不得／人之可杀，以其恶死也；其可不利，以其好利也

❾越王好勇而民多轻死／万物非欲死，不得不死／今主人之雁，以不材死／将失一令，而军破身死／得其所，君子不爱其死／朱门酒肉臭，路有冻死骨／铠甲生虮虱，万姓以死亡／洪涛未接，长鲸多陆死之忧／敌得生于我，则我得死于敌／顺之者昌，逆之者不死则亡／哀莫大于心死，而人死亦次之／进有忧国之心，退有死节之义／或贪生而反死，或轻死而得生／可死而不死，是重其死，非忠也／丈夫穷空自其分，饿死吾肩未尝胁／严于取，则豪杰之老死丘壑者多矣／出师未捷悲移鼎，视死如归笑射钩／飞鸟尽，良弓藏；狡兔死，走狗烹／薄富贵而厚于书，轻死生而重于画／梅花欢喜漫天雪，冻死苍蝇未足奇／蜚鸟尽，良弓藏；狡兔死，走狗烹／生仍冀得兮归桑梓，死当埋骨兮长已矣／有欲、无欲，异类也，生死也，非治乱也／于戏君子，人不厌之，死虽千岁，其行可师／可厌之类，不独为害，死虽万代，独堪污秽／生而不淑，孰谓其寿？死而不朽，孰谓之夭／劳臣不赏，不可劝功；死士不赏，不可励勇／宁令吾庐独破受冻死，不忍四海赤子寒飕飕／将者，人之司命也，生死犹转机，得失如反掌

❿志于虚无者可以忘生死／勾践栖山中，国人

能致死／弃卧桥巷间，谁或顾生死／四海无闲田，农夫犹饿死／馋人自食其肉，肉尽必死／女为悦己容，士为知己死／楚王好细腰，宫中多饿死／爱之欲其生，恶之欲其死／鱼处水而生，人处水而死／知未生之乐，则不可畏以死／狡兔有三窟，仅得免其死耳／视卒如爱子，故可与之俱死／鱼欲异群鱼，舍水跃岸即死／伤生之事非一，而好色者必死／使天下无农夫，举世皆饿死矣／介子推至忠也……抱木而燔死／双鬓多年作雪，寸心至死如丹／治狱者得其情，则无冤死之囚／官位得其人则生，失其人则死／好诞者死于诞，好夸者死于夸／马逢伯乐而嘶，人遇知己而死／死亦我所恶，所恶有甚于死者／战无不胜而不知止者，身且死／日，方中方睨；物，方生方死／火烈，民望而畏之，故鲜死焉／必死不如乐死，乐死不如甘死／无非无是，化育玄耀，生而如死／不受虚誉，不祈妄福，不避死义／百姓安则乐其生，不安则轻其死／生生者未尝死也，其所生则死矣／君不见直如弦，古人知尔死道边／国君死社稷，大夫死众，士死制／水懦弱，民狎而玩之，则多死焉／忠不暴君，智不重恶，勇不逃死／万物草木之生也柔脆，其死也枯槁／甘死不如义死，义死不如视死如归／世上万般哀苦事，无非死别与生离／举世尽从愁里老，谁人肯向死前闲／荆山鹊飞而玉碎，随岸蛇生而珠死／人生富贵岂有极？男儿要在能死国／人也不幸而则亡，名兮可大而不死／亦余心之所善兮，虽九死其犹未悔／读书不了平生事，阅世空存后死身／廷尉狱，平如砥；有钱生，无钱死／药来贼境灵何用，米出胡奴死不炊／投之亡地然后存，陷之死地然后生／君行仁政，斯民亲其上，死其长矣／知死必勇，非死者难也，处死者难／善游者死于梁地，善射者死于中野／浮名浮利过于酒，醉得人心死不醒／宁以义死，不苟幸生，而视死如归／强而骄者损其强，弱而骄者亟死亡／如此如此复如此，壮心死尽生鬓丝／春也万物熙熙焉，感其生而悼其死／气人身来为之生，神去离形为之死／有成天下之心，而后能死天下之事／欲赋生来惊人语，必须苦下死工夫／愚医类能杀人，而不服药者未必死／才贤任轻则有名，不肖任大身死名废／不闻道而死，曷异蜉蝣之朝生暮死乎／两虎争人而斗，小者必死，大者必伤／使其道由愈而粗传，虽灭死万万无恨／劫之以众，沮之以兵，见死不更其守／蓄谷者不病凶年，蓄珠玉者不虞殍死／君子不受虚誉，不祈妄福，不避死义／知天乐者，其生也天行，其死也物化／一箪食，一豆羹，得之则生，弗得则死／上好义则民暗饰矣，上好富则民死利矣／志不励则士不死节，士不死节则众不战／芳饵之下必有悬鱼，重赏之下必有死夫／知死心也者，不以物害死，安死之谓也／知者不倍时而弃利，勇士不怯死而灭名／徇私贪浊……恐惧既多，亦有因而致死／闭心塞意，不高瞻览者，死人之徒也哉／富以苟不如贫以誉，生以辱不如死以荣／物之有成必有坏，譬如人之有生必有死／文臣不爱钱，武臣不惜死，天下太平矣／急病让夷，义之先；图国忘死，贞之大／既不能推心以奉母，亦安能死节以事人／巫山之上顺风纵火，膏夏紫芝与萧艾俱死／人之生，气之聚也；聚则为生，散则为死／壮年竭忠孝于沙漠，疲劳则便捐死于旷野／君不见比来翁姥尽饥死，狐狸嚼骨乌啄眼／贤者虽得卑位则旋而死，不贤者或至眉寿／烈士之所以异于恒人，以其仗节以死谊也／一卒毕力，百人不当；万夫致死，可以横行／生而影不与吾形相依，死而魂不与吾梦相接／为成者败，为利者害，为生者死，为兴者废／说以先民，民忘其劳。说以犯难，民忘其死／拘囹圄者，以日为修；当死市者，以日为短／少而不学，老无能也；老而不教，死无思也／君子怀德，小人怀土；贤士徇名，贪夫死利／知己者不可诱以物，明于死生者不可却以危／子为王，母为虏，终日舂薄暮，常与死为伍／子有钟鼓，弗鼓弗考；宛其死矣，他人是保／相鼠有皮，人而无仪；人而无仪，不死何为／智者多屈，辩者多辱，明者多蔽，勇者多死／敬时爱日，非老不休，非疾不息，非死不舍／胆劲心方，不畏强御，义正所在，视死犹归／香饵之下，必有悬鱼；重赏之下，必有死夫／鸟之将死，其鸣也哀；人之将死，其言也善／上与造物者游，而下与外生死、无终始者为友／仁以为己任，不亦重乎！死而后已，不亦远乎／凡居其位，思直其道，道苟直，虽死不可回也／楚王好小腰，美人省食；吴王好剑，国士轻死／螺虽难得，贪以死饵；士虽怀道，贪以死禄矣／与父老约，法三章耳：杀人者死，伤人及盗抵罪／天下争名趋势，不计是非，析毫剖芒，视死如归／天静以清，地定以宁，万物失之者死，法之者生／为民族解放，为阶级翻身，事业垂成，公胡遽死／邻国相望，鸡犬之声相闻，民至老死，不相往来／深者获公名，平者多后患，故治狱之吏皆欲人死／天公何时有，谈者皆不经。谁道贤人死，今为傅说星／事无礼则不成，国无礼则不宁，王无礼则死亡无日矣／舆人成舆，则欲人之富贵；匠人成棺，则欲人之夭死／人生有限，情欲无厌。既不救其死亡，岂能保乎金玉／人之饥所以不食乌喙者，以为虽偷充腹而与死同患也／得百姓之力者富，得百姓之死者强，得百姓之誉者荣／原心反性则贵矣，适情知足则富矣，明死生之分则寿矣／瞒人之事弗为，害人之心弗存，有益国家之事虽死弗避／人之生也，与

忧俱生，寿者惛惛，久忧不死，何苦也！其为形也亦远矣

歼

jiān 消灭。

❶歼厥渠魁，胁从罔治，旧染污俗，咸与惟新

见《尚书·胤征》。

殁

mò 死亡；通"没"，隐没。

❸少者殁而长者存，强者夭而病者全

❽汝病吾不知时，汝殁吾不知日

❾生不能相养以共居，殁不得抚汝以尽哀

❿圣人之道，若存若亡。援而用之，殁世不亡

殁

①mò 同"殁"死，终；尽。②wěn 通"刎"。

❿人知贵生乐安而弃礼义，辟之是犹欲寿而殁颈也

残

cán 凶狠地伤害或毁坏；凶恶；有缺损或缺陷的；将尽的；剩余。

❶残朴以为器，工匠之罪也

见《庄子·马蹄》。全句为："～；毁道德以为仁义，圣人之过也"。

残杯与冷炙，到处潜悲辛

见唐·杜甫《奉赠韦左丞丈二十二韵》。全句为："朝扣富儿门，暮随肥马尘；～"。

❷春残已是风和雨，更著游人撼落花

❹理丝入残机，何悟不成匹

❺上求材，臣残木；上求鱼，臣干谷／爱人以除残为务，政理以去乱为心

❻读书窗下有残灯／晓风干，泪痕残／四更山吐月，残夜水明楼／断雾时通日，残云尚作雷／穷秋南国泪，残日故乡心／已分忍饥度残岁，更堪岁里闰添长／禅堂茶散卷残经，竹杖芒鞵信脚行／炷尽沉烟，抛残绣线，恁今春关情似去年

❼主过一言而国残名辱／断肠人处，天边残照水边霞……／见乱而不惕，所残必多；其饰，弥章

❽是几度斜阳，几度残月／顾小利，则大利之残也／从头越，苍山如海，残阳如血／山，刺破青天锷未残。天欲堕，赖以拄其间

❾壮岁从戎，曾是气吞残虏／舞罢青蛾同去国，战残白骨尚盈丘／荷尽已无擎雨盖，菊残犹有傲霜枝

❿有其有者安，贪人有者残／仁而无止，则其极不得不反而为残／但得众生皆得饱，不辞羸病卧残阳／善人为邦百年，亦可以胜残去杀矣／相见时难别亦难，东风无力百花残／战退玉龙三百万，败鳞残甲满天飞／昨日春风欺不在，就床吹落读残书／欲为圣朝除弊事，肯将衰朽惜残年／圣人不为华文，不为色利，不为残贼

殃

yāng 祸事；将祸乱强加于；罪咎。

❶殃咎之来，未有不始于快心者

见明·吕坤《呻吟语》。全句为："～。故君子得意而忧，逢喜而惧"。

❺无德而禄，殃也／哀乐失时，殃咎必至／城门失火，殃及池鱼／德积者昌，殃积者亡／宝珠玉者，殃必及身／心为祸首，殃及身口

❻好众辱人者殃／岂余身之惮殃兮，恐皇舆之败绩

❼能不称其位，其殃必大／得道不得行，咎殃且亡

❽枉桡不当，反受其殃／时至弗行，反受其殃／暴臣反国，良臣被殃／贪叨多积，自遗祸殃／积德之家，必无灾殃

❾不贪则俭约，极贪则殃身

❿先下手为强，后下手遭殃／在其位而忘其德者其殃必至／善人富谓之赏，淫人富谓之殃／再实之木根必伤，掘藏之家必有殃／再实之木根必伤，掘臧之家后必殃／兵者凶器也，甲坚兵利，为天下殃／爽口物多终作疾，快心事过必为殃／察见渊鱼者不祥，智料隐匿者有殃／致贵无渐失必暴，受爵非道殃必疾／为善者天报之以福，为恶者天与之以殃／德不称，其祸必酷；能不称，其殃必大／积善之家必有余庆，积不善之家必有余殃／美味腐腹，好色惑心，勇夫招祸，辩口致殃／惟上帝不常，作善降之百祥，作不善降之百殃

殇

shāng 战死的人；为国死难者；未成年而死。

❹莫寿于殇子，而彭祖为夭

❿投躯报明主，身死为国殇

殄

tiǎn 灭绝；绝尽；通"腆"。

❷暴殄天物，害虐烝民

❹爱惜、暴殄本是两意，愚者有时合成一病

殆

dài 危险；几乎；疑惑；大概；恐怕；仅，只；几乎；通"怠"，懈怠；通"迨"，赶上。

❸天下殆哉，岌岌乎

❹多见阙殆，慎言其余，则寡悔。

❺贵高有危殆之惧，卑贱有沟壑之忧

❻知止可以不殆／思而不学则殆／闻善而不索，殆／闻贤而不举，殆／见能而不使，殆／目之于明也殆，耳之于聪也殆／心之于殉也殆，凡能其于府也殆

❼非诗之能穷人，殆穷者而后工也

❽位尊身危，财多命殆／知彼知己，百战不殆／知止不辱，知足不殆／道通行天地……不危殆／知足不辱，知止不殆，可以长久／知彼知己，

胜乃不殆;知天知地,胜乃不穷

❾中国虽安,忘战则民殆/已乎已乎,临人以德;殆乎殆乎,画地而趋

❿依世则废道,违俗则危殆/无谋人之心而令人疑之,殆/不知彼,不知己,每战必殆/学而不思则罔,思而不学则殆/目之于明也殆,耳之于聪也殆/心之于殉也殆,凡能其于府也殆/智略不专于古法,沈雄殆得于天资/已乎已乎,临人以德;殆乎殆乎,画地而趋/忠谋转改,祸必及己。退隐深山,身乃不殆/小人深情厚貌,毒人不可防范,殆其甚于豺狼也

毙

bì 死亡,灭亡;仆倒,倒下。

❹长木之毙,无不摽也/豺狼已毙,在狐鼠而宜除

❺穷武之雄,毙于不仁;存义之国,丧于懦退

❻不义而强,其毙甚速/侈,将以其力毙;专,则人实毙之

❼多行不义必自毙

❽无信患作,失援必毙/城下之盟,有以国毙,不能从也/断蛇不死,刺虎不毙,其伤人则愈多/驰马思坠,挞人思毙,妄费思穷,滥交思累

❿侈,将以其力毙;专,则人实毙之/事非当则伤于智力,务过分则毙于形神/损百姓以奉其身,犹割股以啖腹,腹饱而身毙/君子之于学,惟日孜孜,毙而后已,惟恐其不及也/以食噎而得病者,欲绝食以去病,乃不知食绝而身毙

殊

shū 断绝;特别的;不同的;很;超过。

❷万殊之类,不可以一概断之/途殊别务者,虽忠告而见疑/散殊而可象为气,清通而不可象为神

❸异乡殊俗难知名/一事殊法,同罪异论/百谷殊味,食之皆饱/百家殊业,而皆务于治/人作殊方语,莺为故国声/五帝殊时,不相沿乐;三王异世,不相袭礼/繁略殊形,隐显异术,抑引随时,变通会适

❹貌虽至殊,不离妍丑/好尚或殊,富贵不求合/出处虽殊迹,明月两知心/同归而殊途,一致而百虑/人情忌殊异,世路多权诈/风景不殊,正自有山河之异/善恶之殊,如火与水不能相容

❺虽趣舍万殊,静躁不同……

❻惟廉可以服殊俗/生人物之万殊,立天地之大义

❼刚者好断,介者殊俗/内不失真,外不殊俗,同尘而不染/葶历似菜而味殊,玉石相似而异类/人生天地之中,殊于众类明矣。感则应,激则通

❽一简之内,音韵尽殊/骨肉之亲,析而不殊/八方各异气,千里殊风雨/成败论古人,陋识殊未公/豆麦之种与稻粱殊,然食能去饥/阴阳之气,散则万殊,人莫知其一也

❾天涯同此路,人语各殊方/合则混然,人不见其殊也/自一气之所有,播万殊而种分/顺性命,适情意,牵于殊类……/沛然从肺腑中流出,殊不见斧凿痕

❿神女应无恙,当惊世界殊/何谓物我之异,无计今古之殊/常与众庶同垢尘,不当自别殊/使之搏兔,不如豺狼,伎能殊也/圣人者,由近知远,而万殊为一/风雅体变而兴同,古今调殊而理异/善删者字去而意留,善敷者辞殊而意显/梁丽可以冲城,而不可以窒穴,言殊器也/铁可折,玉可碎,海可枯……直节贯殊途/万态虽杂而吾心常彻,万变虽殊而吾心常寂/丰荒异政,系乎时也;夷夏殊法,牵乎俗也/能出于材,材不同量,材能既殊,任政亦异/落梅芳树,共体千篇;陇水巫山,殊名一意/经传之文,贤圣之语,古今言殊,四方谈异/贵极禄位,权倾国都,达人视此,蚁聚何殊/徒知伪得之中有真失,殊不知真得之中有真失/徒知伪是之中有真非,殊不知真是之中有真非

殉

xùn 古代用人或物随葬;为了事业、追求而牺牲生命。

❶殉于货色,恒于游畋,时谓淫风

见《尚书·伊训》。

❸小人殉财,君子殉名/贪夫殉财兮,烈士殉名

❹心之于殉也殆,凡能其于府也殆

❺大夫以身殉家,圣人以身殉天下

❻无赴而富,无殉而成,将弃而天/小人则以身殉利,士则以身殉名/无为小人,反殉而天;无为君子,从天之理

❼天下无道,以身殉道/小人殉财,君子殉名

❽贪夫殉财兮,烈士殉名

❿大夫以身殉家,圣人以身殉天下/小人则以身殉利,士则以身殉名

殒

yǔn 死亡;通"陨",坠落,雕落。

❽虚死不如立节,苟殒不如成名

❿吾观自古贤达人,功成不退皆殒身/尽若穷烟,离若箭弦,如影灭地,犹星殒天

殍

piǎo 饿死的人。

❿蓄谷者不病凶年,蓄珠玉者不虞殍死

殖

zhí 繁殖,生长;种植;经商;树立;姓。

❶殖不固本而立基者后必崩

见汉·陆贾《新语·道基》。全句为:"谋事不并仁义者后必败,~"。

殖货财产,贵其能施赈,否则守钱虏耳

见南朝·宋·范晔《后汉书·马援传》。
❷学，殖也。不学将落／凡殖货财产，贵其能施赈也
❺嘉谷虽已殖，恶草亦滋蔓
❻大山崔，百卉殖。民何贵，贵有德
❼同姓不婚，恶不殖也
❽松柏之下，其草不殖／懒则不肯勤勉，学殖荒而志气亦坠／君子如嘉禾也，封殖之甚难，而去之甚易
❾万物职职，皆从无为殖
❿善乐生者不窭，善逸身者不殖／财须民生，强赖民力，威恃民势，福由民殖

殚

dān 竭尽；通"瘅"，病；通"惮"，恐惧。
❶殚其地之出，竭其庐之入……
见唐·柳宗元《捕蛇者说》。全句为："～，号呼而转徙，饥渴而顿踣，触风雨，犯寒暑，呼嘘毒疠，往往而死者相藉也"。
❸野禽殚，走犬烹；敌国破，谋臣亡
❺虽发语已殚，而含意未尽
❽反裘负薪，里尽毛殚，刖趾适屦，刻肌伤骨
❿穗兮不得获，秋风至兮殚零落／阴晴显晦，昏旦含吐，千变万状，不可殚纪／日薄西山，余光横照，紫翠重叠，不可殚数

车

①chē 车子；泛指机器；牙床。②jū 中国象棋中的一种棋子。
❶车如流水，马如游龙
汉·明德皇后马氏《辞封舅氏诏》。
车载斗量，不可胜数
见晋·陈寿《三国志·吴书·吴主传》。
车轻道近，则鞭策不用
见《尸子》逸文。全句为："～；鞭策之所用，道远任重也"。
车无轮安处，国无民谁与
见汉·冯衍《车铭》。全句为："乘车必护轮，治国必爱民；～"。
车辚辚，马萧萧，行人弓箭各在腰
见唐·杜甫《兵车行》。
车之所以能转千里者，以其要在三寸之辖
见汉·刘安《淮南子·人间》。
❷前车覆而后车诫／前车已覆，后未知更／奔车朽索，其可忽乎／辅车相依，唇亡齿寒／覆车重寻，宁无摧折／覆车之轨，其迹不远／覆车相寻，不绝于世／往车虽折，而来轸方遒／乘车必护轮，治国必爱民／前车既覆而后车不改辙也／借车者驰之，借衣者被之／登车揽辔，有澄清天下之志／涂车不能代劳，木马不中驰逐／群车方奔乎险路，安能与之齐轨／上车不落则著作，体中何如则秘书／前车覆而后车不诫，是以后车覆也／停车坐爱枫林晚，霜叶红于二月花／奔车之上无仲尼，覆舟之下无伯夷／函车之兽，介而离山，则不免于罔罟之患／前车已覆，袭轨而骛，曾不鉴祸，以知畏惧／方车而蹠越，乘桴而入胡，欲无穷，不可得也
❸驾轻车，就熟路／天地车轮，终则复始，极则复反，莫不咸当
❹宝马雕车香满路／学富五车，书通二酉／王良登车，马无罢驽／目睹覆车，不改前辙／方地为车，圆天为盖，长剑耿耿倚天外／乘人之车者载人之患，衣人之衣者忧人之忧
❺安步以当车／门前冷落车马稀／舟浮于水，车转于陆／剑不徒断，车不自行，或使之也／舐痔者得车五乘，所治愈下，得车愈多
❻前车覆而后车诫／男儿须读五车书／明鉴未远，覆车如昨／羊不任驾盐车，椽不可为楣栋／行远者假于车，济江海者因于舟／鼎不可以柱车，马也不可使守闾／前车覆而后车不诫，是以后车覆也／怒其臂以当车辙，不知其不胜任也／骥一日千里，车轻也，以重载，则不能数里
❼心隘，则一发似车轮／前车既覆而后车不改辙也／大匠无弃材，船车用不均／始驾马者反之：车在马前／骏足思长阪，柴车畏危辙／舟凝滞于水滨，车逶迟于山侧／太行之路能摧车，若比人心是坦途
❽长舌乱家，大斧破车／惠施多方，其书五车／行陆者立而秦，有车也／结庐在人境，而无车马喧／心思不能言，肠中车轮转／羊肠之曲不能仆车而仆于剧骖／操吴戈兮被犀甲，车错毂兮短兵接／螳螂之怒臂以当车轶，则必不胜任矣
❾不防盟墨诈，须戒覆车新／其雄辞宏辩，快如轻车骏马之奔驰／历危乘险，匪杖不行，车耆力竭，匪杖不强／宅宇逾制，楼观出云，车马服饰，拟于王者／不躬行，便如水行得车，陆行得舟，一毫受用不得
❿穷巷隔深辙，颇回故人车／不虑前事之失，复循覆车之轨／前车覆而后车不诫，是以后车覆也／藜羹麦饭冷不尝，要足平生五车读／富贵必从勤苦得，男儿须读五车书／雷隐隐，感妾心，倾耳清听非车音／塞一蚁孔而河决息，施一车辖而覆乘止／多才之士才储八斗，博学之儒学富五车／晚食以当肉，安步以当车，无罪以当贵／舐痔者得车五乘，所治愈下，得车愈多／胡风动地，朔雁成行；拔剑登车，慷慨而别／人与骥逐走则不胜骥，托于车上则骥不能胜人

轧

①yà 碾压；排挤；倾轧。②zhá 轧钢。
❶轧轧弄寒机，功多力渐微
见唐·薛莹《锦》。全句为："～，惟忧机上锦，不称舞人衣"。
❺名也者，相轧也；知也者，争之器也，二者凶

器，非所以尽行也
❻举贤则民相轧，任知则民相盗
❿吾病世之逐逐然，唯印组为务以相轧

轨 guǐ 车辙；一定线路；比喻秩序、规矩、法度；遵照；轴头；古代的一种户口编制；通"宄"，内乱。

❷方轨易因，险途难御／出轨躅而骧首，驰光芒而动俗
❹一民之轨，莫如法／覆车之轨，其迹不远／体无常轨，言无常宗，物无常用，景无常取
❻前车已覆，袭轨而骛，曾不鉴祸，以知畏惧
❼用无常道，事无轨度，动静屈伸，唯变所适
❽伐罪吊民，古之令轨
❾伪乱俗，私坏法，放越轨，奢败制。四者不除，则政未由行矣
❿不虑前事之失，复循覆车之轨／群车方奔乎险路，安能与之齐轨

轩 ①xuān 一种前顶较高的车；高；敞亮的廊子；楼板，槛板；姓。②xiàn 肉片。

❶轩昂磊落，突兀峥嵘
见宋·欧阳修《祭石曼卿文》。
轩冕失之，有时而复来
见明·刘元卿《贤奕编·家闲》。全句为："～；节行失之，终身不可得"。
轩冕在身，非性命也，物之傥来，寄者也
见《庄子·缮性》。
❷居轩冕中，不可无山林趣味／视轩裳如草芥，屏嗜欲若泥沙／当轩不是怜苍翠，只要人知耐岁寒
❸不为轩冕肆志，不为穷约趋俗
❼仲夏苦夜短，开轩纳微凉／褒见一字，贵逾轩冕；贬在片言，诛深斧钺／负势竞上，互相轩邈，争高直指，千百成峰
❿中原初逐鹿，投笔事戎轩／黄鹤戒露，非有意于轮轩／子男由胥徒以出，皆鹤而轩／寄意寒星荃不察，我以我血荐轩辕／居前不能令人轾，居后不能令人轩／义死不避斧钺之罪，义穷不受轩冕之服／澄川翠干，光影会合于轩户之间，尤与风月为相宜

轫 rèn 支住车轮不使滚动的木头；车轮；柔弱；通"仞"，古时八尺。

❹掘井九轫而不及泉，犹为弃井也
❽凡用兵者，攻坚则轫，乘瑕则神

转 ①zhuǎn 改变方向、位置、情势等；转移；转入；迁调官职；转变；诵经；翻转；把一方的物品传给另一方。②zhuàn 装衣服甲胄的袋子；旋绕；旋绕一圈为一转。

❶转祸而为福，因败而为功
见《战国策·燕策一》。
❷宛转蛾眉能几时，须臾鹤发乱如丝
❸阴阳转易，以成化生／四时转续，变于所极／凡圜转之物，动必有机／圣人转祸而为福，智士因败以成胜／忠谋转改，祸必及己。退隐深山，身乃不殆
❹法与时转则治，治与世宜则有功／生死犹转机，得失如反掌，可不慎乎／清音宛转，如诉如慕，坐客听之，不觉泪下／峰回路转，有亭翼然，临于泉上者，醉翁亭也
❺只缘恐惧转须亲／天下星河转，人间帘幕垂／善制事者，转祸为福，因败为功／只言旋老转无事，欲到中年事更多
❻悠哉悠哉，辗转反侧／舟浮于水，车转于陆／因祸而为福，转败而为功／要假修成九转，先须炼己持心／自古盛衰如转烛，六朝兴废同棋局／翁媪饥雷常转腹，大儿嗷嗷小儿哭／车之所以能转千里者，以其要在三寸之辖
❼律诗要法：起、承、转、合／事遇快意处当转，言遇快意处当住／金满箱，银满箱，转眼乞丐人皆谤／我心匪石，不可转也；我心匪席，不可卷也
❽偏材之性，不可移转矣／君王旧迹今人赏，转见千秋万古情
❾求贤若不及，从善如转圜／侬作北辰星，千年无转移／蒲苇纫如丝，磐石无转移／纳善若不及，从谏若转圜／除患于未萌，然后能转而为福／多少事，从来急；天地转，光阴迫／风收云散波忽平，倒转青天作湖底／施为宜似千钧之弩，转发者，无宏功
❿心思不能言，肠中车轮转／重友者交时极难，看得难以故转重／轻友者交时极易，看得易以故转轻／一洗绮罗香泽之态，摆脱绸缪宛转之度／将恐将惧，维予与女；将安将乐，女转弃予／结体散文，直而不野，婉转附物，惆怅切情／轻羽在高，遇风则飞；细石在谷，逢流则转／将者，人之司命也，生死犹转机，得失如反掌

轭 è 驾车时套在牛马颈部的人字形器具；束缚，控制。

❺鸱枭鸣衡轭，豺狼当路衢

斩 zhǎn 砍断；砍杀；丧服不缉边；执行死刑。

❶斩草除根，萌芽不发
见明·冯梦龙《警世通言·万秀娘仇报山亭儿》。
斩草不除根，萌芽春再发
见明·凌濛初《初刻拍案惊奇》卷一一。
斩茅而嘉树列，发石而清泉激
见唐·韩愈《燕喜亭记》。
斩木为兵，揭竿为旗，天下云集响应
见汉·贾谊《过秦论》。

斩伐林木，亡有时禁，水旱之灾，未必不由此也

见汉·班固《汉书·贡禹传》。

❸譬如斩木，去寸无寸，去尺无尺

❺不决浮云斩邪佞，直成龙去欲何为／愿赐尚方斩马剑，断佞臣一人，以厉其余

❻无伐名木，无斩山林

❿山有猛兽，树木为之不斩／新松恨不高千尺，恶竹应须斩万竿

轮 ①lún 轮子；像轮子的东西；车和轮船的代称；按次序替换；钓鱼用具；边缘，外围；盘旋屈曲而上，引申为高大的样子；量词。②lūn 通“抡”，举臂挥动。

❶轮不蹍地

见《庄子·天下》。

❷斫轮徐则甘而不固，疾则苦而不入

❸车无轮安处，国无民谁与／梓匠轮舆能与人规矩，不能使人巧

❹流沫成轮，然后徐行／奔马之轮，拳石碍之而格／天地车轮，终则复始，极则复反，莫不咸当

❺乘车必护轮，治国必爱民

❼萤火焉能比月轮

❽心隘，则一发似车轮

❾恃自圆之木，千世无轮／兵寝星芒落，战解月轮空／黄鹤戒露，非有意于轮轩／心思不能言，肠中车轮转／窥寸隙之光而见日轮之体

❿方凿不受圆，直木不为轮／俟自圆之木，则千岁无一轮／烹饪起于热石，玉辂基于椎轮／去规矩而妄意度，奚仲不能成一轮／作俑之工，非曰可珍；时有所用，贵于斫轮

软 ruǎn 与“硬”相对的，柔软；温和；没有力气；容易被感动或动摇；懦弱；以食物慰劳。

❼臂健尚嫌弓力软，眼明犹识阵云高

❽由来骨鲠材，喜被软弱吞

轲 kē 接轴车；通“坷”；[轗轲]同“坎坷”，道路不平，比喻境遇差，不得志。

❷孟轲言人性善者，中人以上者也

轴 zhóu 轮轴；像轴的；舵；中心或枢纽；病不能行；织布的器具；机械零件的一种。

❷当轴者易生嫌，而退身者易为誉／杼轴得之，澹而无味，琢刻藻绘，弥不足贵

❹书不千轴，不可以语化

❽积羽沉舟，群轻折轴／聚蚊成雷，群轻折轴／积羽沉舟，群轻折轴，故君子禁于微／非历览无以寄杼轴之怀，非高远无以开沉郁之绪

轶 ①yì 超过；通“逸”、“佚”，散失；安逸；突击；通“溢”。②dié 更迭。③zhé 车辙。

❾螳螂之怒臂以当车轶，则必不胜任矣

轸 zhěn 车厢底部的横木，借指车；方形；多盛貌；扭转；弯曲；悲痛；星宿名。

❼往车虽折，而来轸方遒

轹 lì 车轮辗过；超越；敲击；欺凌。

❸气往轹古，辞来切今，惊采绝艳，难与并能

轻 qīng 与重相对；不笨重；没有负担；不重要；不看重；不庄重；不慎重；程度不深；用力不大。

❶轻诺者必寡信

见清·申涵光《荆园小语》。

轻诺似烈而寡信

见三国·魏·刘劭《人物志·八观》。

轻则失根，躁则失君

见《老子》二十六。

轻则寡谋，骄则无礼

见《国语·周语中》。

轻徭薄赋，以宽民力

见宋·方勺《青溪寇轨》。

轻翰暂飞，则花葩竞发

见唐·吴兢《贞观政要·征伐》。“暂”，初。

轻用其国，而不见其过

见《庄子·人间世》。全句为：“～；轻用民死，死者以国量乎泽若蕉，民其无如矣”。

轻躁寡谋，不必皆年少

见宋·刘炎《迩言》。全句为：“老成虑事，不必皆高年；～”。

轻生本为国，重气不关私

见南朝·陈·江晖《雨雪曲》。

轻发者，始若勇，终必怯

见宋·苏轼《拟进士对御试策》。全句为：“慎重者，始若怯，终必勇；～”。

轻诺必寡信，多易必多难

见《老子》六十三。

轻囷仓之蓄，而惜一杯钻

见汉·王符《潜夫论·边议》。“囷”，古时圆形粮仓；“钻”，同“攒”，积攒。

轻缗振网，或随吞舟之势

见唐·王勃《上刘右相书》。全句为：“朽索充羁，不收奔马之逸；～”。

轻者重之端，小者大之源

见南朝·宋·范晔《后汉书·陈忠传》。全句为：“～，故堤溃蚁孔，气泄针芒”。

轻细微眇之渐，必生乖忤之患

见汉·班固《汉书·外戚传》。“眇”，同“渺”，细小。

轻财足以聚人，律己足以服人

见宋·李邦献《省心杂言》。全句为：“～，量宽足以得人，身先足以率人”。

轻始而傲微，则其流必至于大乱

见汉·贾谊《新书·审微》。

轻天下者，身不累于物，故能处之

见汉·刘安《淮南子·诠言》。

轻友者交时极易，看得易以故转轻

见明·陈继儒《小窗幽记》。全句为："重友者交时极难，看得难以故转重；～"。

轻目重耳之过，此亦学者之一病也

见唐·杜牧《上池州李使君书》。全句为："随见随忘，随闻随废，～"。

轻士民之死力者，不能禁暴国之邪逆

见《晏子春秋·内篇问上第一》。

轻死以行礼谓之勇，诛暴不避强谓之力

见《晏子春秋·内篇·谏上》。

轻听发言，安知非人之谮诉，当忍耐三思

见清·朱伯庐《治家格言》。全句为："～；因事相争，安知非我之不是，须平心暗想"。

轻羽在高，遇风则飞；细石在谷，逢流则转

见南朝·宋·释慧通《驳顾道士夷夏论》。全句为："～；唯泰山不为飘风所动，磐石不为疾流所回"。

轻用民死，死者以国量乎泽若蕉，民其无如矣

见《庄子·人间世》。全句为："轻用其国，而不见其过；～"。"泽"，山泽；"蕉"同"焦"。

❷驾轻车，就熟路／贵轻重，慎权衡／勿轻论人，勿轻说事／勿轻小人，小人贼国／死轻鸿毛，固得其所／车轻道近，则鞭策不用／勿轻一篑少，进往必千仞／勿轻直折剑，犹胜曲全钩／物轻人意重，千里送鹅毛／身轻一鸟过，枪急万人呼／貌轻则招辱，好轻则招淫／言轻则招忧，行轻则招辜／身轻于鸿毛，而谤重于泰山／心轻躁，难制伏，故无恶不起／诺轻者，信必寡；面誉者，背必非／勿轻小事，小隙沈舟；勿轻小物，小虫毒身／福轻乎羽，莫之知载；祸重乎地，莫之知避／清轻者上为天，浊重者下为地，冲和气者为人

❸东风轻扇春寒／仁不轻绝，知不简功／仁不轻绝，智不轻怨／贫富轻重皆有称者也／鼎之轻重，未可问也／疑人轻己者，皆内不足／欲将轻骑逐，大雪满弓刀／民之轻死，以其上求生生之厚／染习轻者其悟速，染习重者其悟迟／不可轻微恶而不避，无容略小善而不为

❹任重才轻，故多阙漏／文人相轻，自古而然／罪疑惟轻，功疑惟重／鸿毛至轻也，而不能自举／团扇风轻，一径杨花不避人／才贤任轻则有名，不肖任大身死名废

❺祸莫大于轻敌／一醉累月轻王侯／乘肥马，衣轻裘／思虑深，不轻言／用心刚，则轻死生如鸿毛／罢去浮巧轻媚丛错采绣之文／不实在于轻发，固陋在于离贤／外疾之害轻于秋毫，人知避之／孟浪由于轻浮，精详出于豫暇／赏罚不可轻行，用人弥须慎择／舟遥遥以轻飏，风飘飘而吹衣／饱肥甘，衣轻暖，不知节者损福／临流不忍轻相别，吟听潺湲到天明／我薄而彼轻之，则由我曲而彼直也／任君逐利轻江海，莫把风涛似妾轻／权，然后知轻重；度，然后知长短。物皆然，心为甚

❻内省则外物轻矣／勿轻论人，勿轻说事／积羽沉舟，群轻折轴／聚蚊成雷，群轻折轴／身重天地，物轻鸿毛／慎重则必成，轻发则多败／一抑一扬者，轻鸿所以凌虚也／物以不知而轻，味以无比而疑／不可乘喜而轻诺，不可因醉而生嗔／圣人不以智轻俗，王者不以人废言／积羽沉舟，群轻折轴，故君子禁于微／君子不以功轻人之身，不为彼功诎身之理

❼碧峰千点数帆轻／其德薄者，其志轻／举足左右，便有轻重／仁不轻绝，智不轻怨／战捷之后，常苦轻敌／非其义，君子不轻其生／貌轻则招辱，好轻则招淫／言轻则招忧，行轻则招辜／营于利者多患，轻诺者寡信／恃大而不戒，则轻战而屡败／不可死而死，是轻其生，非孝也／忧愁惨怛，乐非轻死，则刑罚不能恐也／寒之于衣，不待轻暖；饥之于食，不待甘旨／骥一日千里，车轻也，以重载，则不能数里／罪至重而刑至轻，庸人不知恶矣，乱莫大焉／二好均平，无分轻重，则一俯一仰，乍进乍退

❽为人者重，自为者轻／刑罚在衷，无取于轻／治则刑重，乱则刑轻／爵以货重，才由贫轻／越王好勇而民多轻死／令有缓急，故物有轻重／国将衰，必贱师而轻傅／罪漏则民放佚而轻犯禁／国家之大机，不可轻而失也／或贪生而反死，或轻死而得生／论先后，知为先；论轻重，行为重／薄富贵而厚于书，轻死生而重于画／日暮汉宫传蜡烛，轻烟散入五侯家／易于泰山破鸡子，轻于四马载鸿毛／其雄辞宏辩，快如轻车骏马之奔驰／苟以细过自恕而轻蹈之，则不至于大恶不止

❾钓巨鱼者不使稚子轻预／蝮蛇有螫，人忌而不轻／临波笑脸，艳出浦之轻莲／大鹏之动，非一羽之轻也／吾闻聪明主，治国用轻刑／我贤而彼不知，则见轻，非我咎也

❿正言斯重，元珠比而尚轻／百金孰为重，一诺良匪轻／择福莫若重，择祸莫若轻／君子贵知足，知足万虑轻／知音徒自惜，聋俗本相轻／忧国唯知重，谋身只觉轻／白圭玷可灭，黄金诺不轻／白珪玷可灭，黄金诺不轻／乏则思滥，滥则迫利而轻禁／为之权衡，以信天下之轻重／民为贵，社稷次之，君为轻／吾心如秤，不能为人作轻重／衡诚具矣，则不可欺以轻重／不倍兵以攻弱，不恃众以轻敌／任法而不任人，则法繁

而人轻／人情厌故而喜新，重难而轻易／卫后兴于鬒发，飞燕宠于体轻／君子得之固躬，小人得之轻命／富贵未必可重，贫贱未必可轻／责己也重以周，待人也轻以约／天下无事，则公卿之言轻于鸿毛／百姓安则乐其生，不安则轻其死／吾每为文章，未尝敢以轻心掉之／事可语人酬对易，面无惭色去留轻／为谁醉倒为谁醒？至今犹恨轻离别／任君逐利轻江海，莫把风涛似妾轻／黄金白璧买歌笑，一醉累月轻王侯／少年易学老难成，一寸光阴不可轻／处官不信，则少不畏长，贵贱相轻／宣父犹能畏后生，丈夫未可轻年少／好事尽从难处得，少年无向易中轻／杀身慷慨犹易免，取义从容未轻许／轻友者交时极易，看得易以故转轻／自古驱民在信诚，一言为重百金轻／翻手作云覆手雨，纷纷轻薄何须数／其责己也重以周，其待人也轻以约／世混浊而不清，蝉翼为重，千钧为轻／有道之君，修身之士，不为轻诺之约／士者，国之重器；得士则重，失士则轻／志意修则骄富贵矣，道义重则轻王公矣／怀重宝者不以夜行，任大功者不以轻敌／责少者易偿，职寡者易守，任轻者易权／勿轻小事，小隙沈舟；勿轻小物，小虫毒身／权之所在，虽疏必重；势之所去，虽亲必轻／贵远贱近，人之常情；重耳轻目，俗之恒蔽／服罪输情者虽重必释，游辞巧饰者虽轻必戮／古之君子，其责己也重以周，其待人也轻以约／楚王好小腰，美人省食；吴王好剑，国士轻死／一令蔓草难锄，涓流泛酌，岂直疥痒轻疴，容为重患／胶漆至粘也，而不能合远；鸿毛至轻也，而不能自举／天地相对，日月相刿，山川相流，轻重相浮，阴阳相续／节民以礼，故其刑罚甚轻而禁不犯者，教化行而习俗美也／礼之于正国家也，如权衡之于轻重也，如绳墨之于曲直也／今世之人居高官尊爵者，皆重失之，见利轻亡其身，岂不惑哉

载 ①zǎi 年；记录；刊登。②zài 装载；充满；装饰；陈，陈设；开始；通"戴"；通"事"；作语助。

❶载舟覆舟，所宜深慎

见唐·吴兢《贞观政要·君道》。全句为："怨不在大，可畏惟人；～；奔车朽索，其可忽乎"。

载船渡海，虽深何咎

见汉·焦赣《易林·剥·井》。

❷千载之勋，一朝可立／车载斗量，不可胜数／虽载言载笑，赏风月于离前／智载于私，则所知少；载于公，则所知多矣

❸水则载舟，水则覆舟／水能载舟，亦能覆舟／文果载心，余心有寄／道，覆载万物者也，洋洋乎大哉

❹水所以载舟，亦所以覆舟／虽载言载笑，赏风月于离前／天覆地载，万物悉备，莫贵于人／言之所载者大且文，则其传也章／言之所载者不文而又小，则其传也不章

❺泛泛杨舟，载沉载浮／土居三十载，无有不亲人／道者，覆天载地，廓四方，柝八极

❻君子以厚德载物／天下大治，千载一时／百世一人，千载一时／地不深厚则载物不博／乘人之车者载人之患，衣人之衣者忧人之忧

❼泛泛杨舟，载沉载浮／知音偶一时，千载为欣欣／其人虽已没，千载有余情／人生芳秽有千载，世上荣枯无百年

❽天不能覆，地不能载／天无私覆，地无私载，日月无私照／天之所覆，地之所载，莫不尽其美致其用／福轻乎羽，莫之知载；祸重乎地，莫之知避

❾安求一时誉，当期千载知／水无暂停流，木有千载贞／出师一表真名世，千载谁堪伯仲间／圣王在上位，天覆地载，风令雨施／衡门之下，有琴有书，载弹载咏，爰得我娱／智载于私，则所知少；载于公，则所知多矣／天无私覆也，地无私载也，日月无私烛也，四时无私行也

❿诉心中之不平，感数奇于千载／烈日秋霜，忠肝义胆，千载家谱／天广而无以自覆，地厚而无以自载／且乐生前一杯酒，何须身后千载名／易于泰山破鸡子，轻于四马载鸿毛／自得、自成、自道，不倚师友载籍／标心于万古之上，而送怀于千载之下／若能常保数百卷书，千载终不为小人也／既不能流芳后世，亦不足复遗臭万载邪／一事惬当，一句清巧，神厉九霄，志凌千载／夜行者掩目而前其手，涉水者解其马载之舟／圣人若天然，无私覆也；若地然，无私载也／衡门之下，有琴有书，载弹载咏，爰得我娱／骥一日千里，车轻也，以重载，则不能数里／意深词浅，思苦言甘。寥寥千载，此妙谁探／君者，舟也；庶人者，水也。水则载舟，水则覆舟／道，物之极，言默不足以载；非言非默，议有所极

轾 zhì 指车子前低后高。

❼居前不能令人轾，居后不能令人轩

晕 ①yūn，又读 yùn，头昏目眩；昏迷。②yùn 日、月光线经云层中冰晶的折射或反射而形成的光象；光影或色彩四周模糊的部分。

❷月晕而风，础润而雨

辂 ①lù 古代一种大车。②hé 古时车辕上用以挽车的横木。③yà 通"迓"，迎上前去。

❽烹饪起于热石，玉辂基于椎轮

较 ①jiào 比较；计较；明显；概略，大旨。②jué 车厢两旁板上的横木；通"角"，

竞逐。

❹琴瑟不较，不能成其五音

❺蜗牛角上较雌论雄，许大世界

❻遇事多算计，较利悉锱铢，其过甚小，而积之甚大，慎之慎之

❾如今只说临安路，不较中原有几程

❿出处每怀心耿耿，是非谁较论悠悠／功有难图，不可预见；事有易断，较然不疑

辄 zhé 车轮的部件；总是、就；擅自；犹“即”；不动。

❺事垂立而辄废，功未成而旋去

❻跋前踬后，动辄得咎／难于指言者，辄咏歌之

❼以时起居，恶者辄斥去，毋令败群／与民争利，犯者辄免官削爵，不得仕宦

❾世远莫见其面，觇文辄见其心／听言当以理观，一闻辄以为据，往往多失／今之世不闻有师，有，辄哗笑之，以为狂人

辅 fǔ 车轮的部件；协助；特指宰相；指面颊，颊骨；古指国都附近的地方；姓。

❶辅车相依，唇亡齿寒

见《左传·僖公五年》。

❷立辅弼之臣者，恐骄也／靥辅在颊则好，在颡则丑

❸以正辅人谓之忠，以邪导人谓之佞／谏、争、辅、拂之人信，则君过不远／谏、争、辅、拂之人，社稷之臣也，国君之宝

❹王者易辅，霸者难佐／取善以辅仁，则德日进／天之所辅者仁，人之所助者信

❺问与学，相辅而行者也／公若登台辅，临危莫爱身

❼以文会友，以友辅仁／将欲败之，必姑辅之／治世御众，建立辅弼，诚在面从／齐桓公以管仲辅之则理，以易牙辅之则乱／仚其智能，愿为辅弼，使寰区大定，海县清一／未有主强盛而辅不飘逸者，兵卫不华赫而庄整者／百姓与之则安，辅之则强，非之则危，倍之则亡

❽皇天无亲，惟德是辅

❾君子以文会友，以友辅仁／为文以意为主，气为辅，以辞彩章句为之兵卫

❿安危在得人，国兴在贤辅／凡为文以意为主，以气为辅／皇天无私阿兮，览民德焉错辅／贤君择人为佐，贤臣亦择主而辅／齐桓公以管仲辅之则理，以易牙辅之则乱／国之废兴，在于政事；政事得失，由乎辅佐／盛秋水潦，穷冬雨雪，深泥积水，相辅为害／礼之既设，其小人恒佚于礼之外，则辅礼以刑

辇 niǎn 人推挽的车；京都的别称；挽车；乘车；载运。

❹出舆入辇，命曰蹶痿之机

辈 bèi 辈分；某一范围或类型的人；毕生；比；车百辆，亦指分行列的车。

❺岂学书生辈，窗间老一经

❾仰天大笑出门去，我辈岂是蓬蒿人

❿自古圣贤尽贫贱，何况我辈孤且直

辍 chuò 中途停止；舍弃。

❷事辍者无功，耕怠者无获

❹昼作不辍手，猛烛继望舒

❻风雨急而不辍其音，霜雪零而不渝其色

❽有人则作，无人则辍之，谓伪／创业自知难两立，辍耕早已定三分／天不为人怨咨而辍其寒暑，君子不为人之丑恶而辍其正道

❾兵不妄动，而习武不辍／天不为人之恶寒也，辍冬／绠短者衔渴，足疲者辍途

❿志行万里者，不中道而辍足／君子不为小人之匈匈也，辍行／跬步而不休，跛鳖千里；累土而不辍，丘山崇成／天不为人怨咨而辍其寒暑，君子不为人之丑恶而辍其正道

毂 gǔ 车轮中心部分，有圆孔，可插轴。

❿操吴戈兮被犀甲，车错毂兮短兵接

辑 jí 泛指车舆；搜集有关材料；整套书籍、资料的各个组成部分；和同；齐一；聚集；敛；通“缉”，连缀；和睦。

❸辞之辑矣，民之洽矣

输 shū 从一个地方运到另一个地方；败；堕坏，败坏；送给；报告；送达。

❷公输善匠，不能匠散木／尽输助徭役，聊就空自眠／公输子之巧用材也，不能以檀为瑟／官输私负索交至，勺合不留但糠秕

❸当面输心背面笑／百虑输一忘，百巧输一诚／服罪输情者虽重必释，游辞巧饰者虽轻必戮

❺已借蜡钱输麦税，免教缉捕闯门来／死犹未肯输心去，贫亦其能奈我何

❼惜秦皇汉武，略输文采；唐宗宋祖，稍逊风骚

❽百虑输一忘，百巧输一诚／九层之台一倾，公输子不能正／苗疏税多不得食，输入官仓化为土

❿遇沉沉不语之士，切莫输心／笺诉天公休掠剩，半偿私债半输官／河九折注于海，而流不绝者，昆仑之输也

辕 yuán 车前驾牲畜的两根木杆；车的代称；姓。

❷曲辕且绳直，诡木遂雕藻

❼德与力，非试之辕下不可辨

❿寄意寒星荃不察，我以我血荐轩辕

辖 xiá 管理；大车轴头上用以管束车轮不脱落的小棍。

❿塞一蚁孔而河决息，施一车辖而覆乘止／车

之所以能转千里者，以其要在三寸之辖

辗 ①zhǎn（躺在床上）翻来覆去；经过很多人的手或经过很多地方，比喻事情的承办过程很曲折。②niǎn 通“碾”。

❺悠哉悠哉，辗转反侧

辙 zhé 车辙；行车规定的路线方向；戏曲、歌词的韵脚。

❸处涸辙以犹欢

❺门前两条辙，何处去不得／量力守故辙，岂不寒与饥／穷巷隔深辙，颇回故人车

❼任沈江刘，来乱辙而弥远／怒其臂以当车辙，不知其不胜任也

❽目睹覆车，不改前辙

❾酌贪泉而觉爽，处涸辙而犹欢

❿前车既覆而后车不改辙也／骏足思长阪，柴车畏危辙

辚 ①lín 门槛；轮子。［辚辚］拟声词，形容车行走的声音。②lìn［辚轹］车轮辗压。

❷车辚辚，马萧萧，行人弓箭各在腰

戈 gē 古代兵器；指战争；古国名；姓。

❷枕戈待旦，志枭逆虏／干戈森若林，长剑奋无前／以戈舂黍也，以锥餐壶也／兵戈之士乐战，枯槁之士宿名

❸化干戈为玉帛／惟干戈省厥躬／操吴戈兮被犀甲，车错毂兮短兵接

❹倒持干戈，授人以柄／自从兵戈动，遂觉天地窄

❺万姓厌干戈，三边尚未和／想当年，金戈铁马，气吞万里如虎

❽兵恶不戢，武贵止戈

❾画布为亟不可以当戈戟／人世多违壮士悲，干戈未定书生老

❿用仁义以治天下，公赏罚以定干戈／反己者触事皆成药石，尤人者动念即是戈矛／垂髫之童，但习鼓舞，斑白之老，不识干戈／善气迎人，亲如兄弟；恶气迎人，害于兵戈／处顺境内，眼前尽兵刃戈矛，销膏靡骨而不知

戎 róng 兵器；军事；征战；大；相助；汝，你；古时对西部少数民族的统称；古国名；古地名；姓。

❸毋为戎首，不亦善乎

❹壮岁从戎，曾是气吞残虏

❺惟甲胄起戎／天下无道，戎马生于郊

❻萃。君子以除戎器，戒不虞／牧羊驱马虽戎服，白发丹心尽汉臣

❾中原初逐鹿，投笔事戎轩

❿何事将军封万户，却令红粉为和戎／诗人安得有青衫，今岁和戎百万缣

戍 shù 防守边疆；守边的士兵；边防的营垒或城堡；官名。

❶戍卒叫，函谷举，楚人一炬，可怜焦土

见唐·杜牧《阿房宫赋》。全句为：“使天下之人，不敢言而敢怒。独夫之心，日益骄固。～”。

❷久戍人将老，长征马不肥

❽寄到玉关应万里，戍人犹在玉关西

❿人生莫作远行客，远行莫戍黄沙碛

成 ①chéng 完成；成就、成绩；已经做好的；古邑名；平定，讲和；定，必；古称地方十里为一成；重，层；十分之一；姓。②shèng 同“盛乐”，县名。

❶成功而弗居也

见《老子》。

成身莫大于学

见《吕氏春秋·孟夏纪·尊师》。

成大功者不小苛

见汉·刘向《说苑·政理》。

成大业者不修边幅

见现代·茅盾《创造》一。

成也萧何，败也萧何

见宋·洪迈《容斋随笔续笔》卷八。

成功之下，不可久处

见汉·司马迁《史记·范雎蔡泽列传》。

成功之道，赢缩为宝

见《管子·势》。

成家之道，曰俭与清

见宋·李邦献《省心杂言》。全句为：“为政之要，曰公与勤。～”。

成败之迹，昭哉可观

见唐·韩愈《子产不毁乡校颂》。

成人不自在，自在不成人

见宋·罗大经《鹤林玉露引·朱熹小简》。

成败何足校？英雄自有真

见清·万邦荣《偶感》三首之二。

成败论千古，人间最不公

见清·袁枚《成败》。

成败论古人，陋识殊未公

见清·沈德潜《咏史》。

成德每在困穷，败身多因得志

见清·王豫《蕉窗日记》卷二。

成事不说，遂事不谏，既往不咎

见《论语·八佾》。

成大事者，皆从战战兢兢之心来

见《琼琚佩语·敬畏》。

成事在理不在势，服人以诚不以言

见宋·苏轼《拟进士对御试策》。

成名每在穷苦日，败事多因得志时

见明·陈继儒《小窗幽记》。

成败极知无定势，是非元自要徐观

见宋·陆游《次韵季长见示》。

成大事者,不恤小耻;立大功者,不拘小谅

见明·冯梦龙《东周列国志》第十六回。

❷诗成觉有神/功成名遂身退/未成曲调先有情/凡成美,恶器也/诗成珠玉在挥毫/功成身退是男儿/功成身退,天之道/行成于思,毁于随/功成事就,扶手安居/功成道洽,身没名扬/难成而易败者,名也/大成若缺,其用不弊/守成尚文,遭遇右武/要成好人,须寻好友/誉成毁败,扶高抑下/美成在久,恶成不及改/欲成大厦,必寄于瑰材/老成虑事,不必皆高年/谄成之风动,救失之道缺/功成不受爵,长揖归田庐/功成耻受赏,高节卓不群/功成身不退,自古多愆尤/少成若天性,习贯如自然/吟成五字句,用破一生心/功成行满之士,要观其末路/学成而道益穷,年老而智益困/田成子常杀君窃国,而孔子受币/功成而弗居。夫唯弗居,是以不去/好成者败之本也,愿广者狭之道也/早成者未必有成,晚达者未必不达/有成天下之心,而后能死天下之事/老成之人,言有迂阔,而更事为多/匠成舆者忧人不贵,作箭者恐人不伤/非成业难,得贤难;非得贤难,用之难/功成事立,名迹称遂,不退身避位……/道成于学而藏于书,学进于振而废于穷/好成者,败之本也;愿广者,狭之道也/未成乎心而有是非,是今日适越而昔至也/为成者败,为利者害,为生者死,为兴者废/大成若缺,其用不敝;大盈若冲,其用不穷/欲成功而反为败者,生于不知道理,而不肯问知而听能

❸功难成而易毁/一举成名天下闻/人情成是而败非/才能成功,以速为贵/百锻成字,千炼成句/信者,成万物之道也/众人成聚,圣人不犯/众心成城,众口铄金/军井成而后饮之……/损盈成亏,随世随死/口舌成疮,手肘成胝/各师成心,其异如面/流沫成轮,然后徐行/近贤成智,近愚益惑/张袂成帷,挥汗成雨/构九成之楼而以竹柱/毁誉成党,众口熏天/积土成山,列树成林/积微成大,陟遐自迩/聚蚊成雷,群轻折轴/言之成理,持之有故/土积成山,则豫樟生焉/废兴成毁,相寻于无穷/水积成川,则蛟龙生焉/三夫成市虎,慈母投杼趋/读书成底事,报国是何人/谗口成铄金,沉舟由积羽/功高成怨府,权盛是危机/多士成大业,群贤济弘绩/泰山成砥砺,黄河为裳带/教训成俗而刑罚省,数也/白骨成丘山,苍生竟何罪/专必成之功,而忽蹉跌之败/周云成康,汉言文景,美矣/物速成则疾亡,晚就则善终/天地成于元气,万物乘于天地/孔子成《春秋》而乱臣贼子惧/零落成泥碾作尘,只有香如故/随其成心而师之,谁独且无师乎/在天成象,在地成形,变化见矣/彼以成败评豪杰者,市儿之见也/古之成败者,诚有其才,虽弱必强/广厦成而茂木畅,远求存而良马絷/婉而成章,尽而不污,惩恶而劝善/炎火成燎原之势,涓流兆江河之形/积善成德,而神明自得,圣心备焉/功之成,非成于成之日,盖必有所由起/堤防成而民无水灾,礼义立,民无乱患/君子成人之美,不成人之恶。小人反是/强弱成败之要,在乎附士卒、教习之而已/三人成虎,十夫揉椎;众口所移,毋翼而飞/百节成体,共资荣卫,万趣会文,不离辞情/孔曰成仁,孟曰取义,惟其义尽,所以仁至/匠人成棺,不憎人死;利之所在,忘其丑也/偏则成魔,分唐界宋。霹雳一声,邹鲁不哄/学不成章,无由而达;志不归一,终难成事/璧瑗成器,礛诸之功,镆邪断割,砥砺之力/积土成山,风雨兴焉;积水成渊,蛟龙生焉/立身成败,在于所染,兰芷鲍鱼,与之同化/麋鹿成群,虎豹避之;飞鸟成列,鹰鹫不击/古之成大事者,规模远大与综理密微二者阙一不可/舆人成舆,则欲人之富贵;匠人成棺,则欲人之夭死/病已成而后药之,乱已成而后治之,譬犹渴而穿井,斗而铸锥,不亦晚乎

❹习与性成/大器晚成/无侮老成人/不鼓不成列/单丝不成线/一失足成千古恨/一将功成万骨枯/刻鹄不成尚类鹜/画龙不成反为狗/画虎不成反类狗/画虎不成反类犬/莲子已成荷叶老/学,所以成材也/事以密成,语以泄败/疑行无成,疑事无功/为者常成,行者常至/功以才成,业由才广/大器晚成,宝货难售/水到渠成,不须预虑/有因则成,无因则败/有物混成,先天地生/有田一成,有众一旅/肩若削成,腰如约素/箫韶九成,凤凰来仪/乐其所成,必顾其所败/人之才成于专而毁于杂/大乐之成,非取乎一音/屈志老成,急则可相依/毛羽未成,不可以高飞/凡物无成与毁,复通为一/能相奉成者,必同气者也/大厦之成,非一木之材也/独柯不成树,独树不成林/夏屋初成而大匠先立其下/文章不成者,不可以诛罪/秀干终成栋,精钢不作钩/恣纵既成……亦制自家不得/事有易成者名小,难成者功大/土积而成山阜,水积而成江河/要假修成九转,先须炼己持心/其分也,成也;其成也,毁也/一失脚成千古恨,再回头是百年人/事者难成而易败,名者难立而易废/合则离,成则毁,廉则挫,尊则议/功名遂成,天也;循理受顺,人也/功者难成而易败,时者难得而易失/各愿种成千百索,豆萁禾穗满青山/碧玉妆成一树高,万条垂下绿丝绦/自得、自成、自道,不倚师友载籍/不为而成,不求而得,夫是之谓天职/约定俗成谓之宜,异于约则谓之不宜/君子好成

物，故吉；小人好败物，故凶／物之有成必有坏，譬如人之有生必有死

❺祸自微而成／九折臂而成医／法出于仁，成于义／道德之威成乎安强／暴察之威成乎危弱／川广自源，成人在始／失反为得，成反为败／创乎夷原，成乎乔岳／谋事在人，成事在天／萋兮斐兮，成是贝锦／狂妄之威成乎灭亡也／处心积虑，成于杀也／学书当自成一家之体／树枳棘者，成而刺人／易为而难成者，事也／无望其速成，无诱于势利／不为不可成，不求不可得／民可以乐成，不可与虑始／君子淡以成，小人甘以坏／多好竟无成，不精安用夥／慎重则必成，轻发则多败／道行之而成，物谓之而然／所誉依已成，所毁依已败／文章本天成，妙手偶得之／患生于官成，病始于少瘳／创业难，守成难，知难不难／无源何以成河？无根何以垂荣／不实心不成事，不虚心不知事／出者突然成丘，陷者呀然成谷／谋，必素见成事焉，而后履之／小谨者无成，訾行者不容于众／善恶陷于成败，毁誉胁于势利／园日涉以成趣，门虽设而常关／行患不能成，无患有司之不公／玉不琢不成器，人不学不知道／愚者暗于成事，知者见于未萌／形固造形，成固有伐，变固外战／贤莫大于成功，愚莫大于吝且诬／万户千门成野草，只缘一曲后庭花／不畏将军成久别，只恐封侯心更移／孰恶孰美，成者为首，不成者为尾／豪华尽出成功后，逸乐安知与祸双／采得百花成蜜后，到头辛苦一场空／采得百花成蜜后，为谁辛苦为谁甜／资栋梁而成大厦，凭舟楫而济巨川／有其志必成其事，盖烈士之所徇也／顺针缕者成帷幕，合升斗者实仓廪／是技皆可成名，天下惟无技之人最苦／一代天骄，成吉思汗，只识弯弓射大雕／任能者责成而不劳，任己者事废而无功／功之成，非成于成之日，盖必有所由起／德义之所成者智也，明智之所求者学问也／暴察之威成乎危弱，狂妄之威成乎灭亡也／生者有极，成者必亏；生生成成，今古不移／观古今之成败，能先见事机者，则恒受其福／凡百事之成也，必在敬之；其败也，必在慢之／学而不能成其业，用而不能行其学，则非学也／道德之威成乎安强，暴察之威成乎危弱，狂妄之威成乎灭亡也／不法其已成之法，而法其所以为法。所以为法者，与化推移者也

❻事莫难于必成／有志者事竟成／事求遂，功求成／反天之道无成者／别语缠绵不成句／论必作，作必成／君子不鼓不成列／潜龙以不见成德／君原于德而成于天／乱之本，鲜不成于上／毫毛不拔，将成斧柯／说发胸臆，文成手中／阴阳转易，以成化生／切瑳琢磨，乃成宝器／四时更运，功成则移／涓流虽寡，浸成江河／嬉笑怒骂，皆成文章／用尽身贱，功成祸归／觚而弗琢，不成于器／无权则无以成天下之务／不先正本而成忧于末也／画竹必先得成竹于胸中／美成在久，恶成不及改／使好谋而不成，不如无谋／激波陵山，必成难升之势／通古今之变，成一家之言／学者如牛毛，成者如麟角／时易失，志难成，鬓丝生／万物抱一而成，得微妙气化／事不患于不成，而患于易坏／一快不足以成善，积快而为德／一恨不足以成非，积恨而成怨／事者生于虑，成于务，失于傲／功不可以虚成，名不可以伪立／经正而后纬成，理定而后辞畅／有境界则自成高格，自有名句／方圆画不俱成，左右视不并见／禁必以武而成，赏必以文而成／是以圣王先成民，而后致力于神／虎豹之驹未成文，而有食牛之气／不随俗物皆成土，只待良时却补天／半生落魄已成翁，独立书斋啸晚风／凡天下之事成于自同，而败于自异／论逆顺不论成败，论万世不论一生／读书以过目成诵为能，最是不济事／能以众不胜成大胜者，唯圣人能之／威恩参用以成化，文武相资以定业／缋事以众色成文，蜜蜂以兼采为味／理有疑误而成过，事有形似而类真／譬如为山，未成一篑，止，吾止也／天下之事，常成于困约，而败于奢靡／百工居肆以成其事，君子学以致其道／能克己，乃能成己；能胜物，乃能利物／君子有机以成其善，小人有机以成其恶／管子以小辱成大荣，苏秦以百诞成一诚／常玉不琢，不成文章；君子不学，不成其德／常玉不瑑，不成文章；君子不学，不成其德／四时之运，功成则退，高爵厚宠，鲜不致灾／聆《白雪》之九成，然后悟《巴人》之极鄙／昔者先圣王，成其身而天下成，治其身而天下治／事无礼则不成，国无礼则不宁，王无礼则死亡无日矣／上智不教而成，下愚虽教无益，中庸之人，不教不知也

❼天地节而四时成／天地革而四时成／事因于民者必成／几事不密则害成／计不设则事不成／材无不可范而成／天下有道，圣人成焉／天行不信，不能成岁／不以规矩不能成方员／百炼为字，千炼成句／百锻成字，千炼成句／乐不可极，极乐成哀／为地战者不能成其王／以内及外，以小成大／偏听生奸，独任成乱／众口铄金，三人成虎／众煦漂山，聚蚊成雷／持之有故，言之成理／口舌成疮，手肘成胝／山不让土石以成其高／行有素履，事有成迹／多言少实，语无成事／沧海万仞，众流成也／法立于上则俗成于下／海不让水潦以成其大／灵丹一粒，点铁成金／尸位素餐，难以成名／张袂成帷，挥汗成雨／桃李不言，下自成蹊／规小节者不能成荣名／欲不可纵，纵欲成灾／飏下屠刀，立地成佛／积土成山，列树成林／积是为治，积非成

虐／虺蜴为心，豺狼成性／言出为论，下笔成章／无力，则不能自成一家／不以规矩，不能成方圆／不积小流，无以成江海／丘阜之木，不能成宫室／直者不讦，无以成其直／海不辞水，故能成其大／道以无形无为成济万物／群材既聚，故能成邓林／兴于诗，立于礼，成于乐／人性含灵，待学成而为美／切不可因己无成而不教子／功盖三分国，名成八阵图／常胜者无忧，恒成者好怠／琴瑟不较，不能成其五音／春种一粒粟，秋成万颗子／歌罢海动色，诗成天改容／笔落惊风雨，诗成泣鬼神／革坚则兵利，城成则冲生／不耐烦者，做不成一件事业／察能而授官者，成功之君也／事出于正，则其成多，其败少／其分也，成也；其成也，毁也／在天成象，在地成形，变化见矣／大巧因自然以成器。不造为异端／君子如欲化民成俗，其必由学乎／留动而生物，物成生理，谓之形／不以人之坏自成，不以人之卑自高／凡人之谈，常誉成毁败，扶高抑下／少年易学老难成，一寸光阴不可轻／善作者不必善成，善始者不必善终／庾信文章老更成，凌云健笔意纵横／法相因则事易成，事有渐则民不惊／早成者未必有成，晚达者未必不达／锄一害而众苗成，刑一恶而万民悦／自伐者无功，功成者堕，名成者亏／鉴物于肇不于成，赏士于穷不于达／为地战者不能成王，为禄仕者不能成政／功之成，非成于成之日，盖必有所由起／君子日孳孳以成辉，小人日快快以至辱／善不积不足以成名，恶不积不足以灭身／性虽善，待教而成；性虽恶，待法而消／反己者触事皆成药石，尤人者动念即是戈矛／变祸为福，易曲成直，宁关天命，在我人力／阴阳尽，而四时成焉；刚柔尽，而四维成焉／胡风动地，朔雁成行，拔剑登车，慷慨而别／不以人之坏自成也，不以人之卑自高也，不以遭时自利也

❽万卷山积，一篇吟成／天下之业，非贤不成／不去草稗，禾实不成／不死不生，不断不成／失众必败，得众必成／兵出无名，事故不成／舞笔飞墨，应节而成／弗虑胡获，弗为胡成／刑法不人，兵不可成／同病相救，同情相成／作舍道边，三年不成／众怒难犯，专欲难成／勿烦勿乱，和乃自成／凡彼万形，得一后成／艺由己立，名自人成／孤论难持，犯欲难成／杀人如麻兮流血成湖／机事不密，则必害成／见小利，则大事不成／文武俱行，威德乃成／辞不足不可以为成文／距谏所败，祸乱所成／其始不立，其卒不成／天下未有不学而成者也／先针而后缕，可以成帷／郑板桥画竹，胸无成竹／结言端直，则文骨成焉／时无英雄，使竖子成名／文与可画竹，胸有成竹／意能遣辞，辞不能成意／我生待明日，万事成蹉跎／人事有代谢，往来成古今／能周小事，然后能成大事／能役英与雄，故能成大业／志不立，天下无可成之事／苍蝇点垂棘，巧舌成锦绮／山不辞土石，故能成其高／有无相生，难易相成……／事之行也有势，其成也有气／民之从事，常于几成而败也／迟疑不断，未有能成事者也／宜守不移之志，以成可大之功／攀龙鳞，附凤翼，以成其所志／文章须自出机杼，成一家风骨／万物以生，万物以成，命之曰道／无赴而富，无殉而成，将弃而天／圣有所生，王有所成，皆原于一／是非有考于前，而成败有验于后／智能之士，不学不成，不问不知／心合意同，谋无不成，计无不从／万物始于微而后成，始于无而后生／历览前贤国与家，成由勤俭败由奢／人之持身立事，常成于慎而败于纵／将治大者不治细，成大功者不成小／审近所以知远也，成己所以成人也／看是寻常最奇崛，成如容易却艰辛／立志欲坚不欲锐，成功在久不在速／知之盛者莫大于成身，成身莫大于学／可学无能、可事而成之在人者，谓之伪／墉基不可仓卒而成，威名不可一朝而立／君子成人之美，不成人之恶。小人反是／天无形而万物以成，至精无象而万物以化／两若有名，相与则成；阴阳备物，化变乃生／体不备不可以为成人，辞不足不可以为成文／人贵量力，不贵必成；事贵相时，不贵必遂／大方无隅，大器晚成，大音希声，大象无形／赏罚不明，百事不成；赏罚若明，四方可行／欲为君子，终身乃成；欲为小人，一朝可就／名实相生，利用相成，是非相明，去就相安也／先王以是经夫妇，成孝敬，厚人伦，美教化，移风俗

❾仁功难著，而乱源易成／威德相济，而后王业成／天子好美女，夫妇不成双／专独者，事之所以不成也／事因理立，不隐理而成事／以文常会友，唯德自成邻／先缕而后针，不可以成衣／势家多所宜，咳唾自成珠／若教临水畔，字字恐成龙／吾有小善，必将顺而成之／虽无纪历志，四时自成岁／独柯不成树，独树不成林／理丝入残机，何悟不成匹／成人不自在，自在不成人／贫贱忧戚，庸玉女于成也／青蝇一相点，白璧遂成冤／其诗之有故，其言之成理／其持之有故，其言之成理／不能尽其力，则不能成其功／圣人终不为大，故能成其大／大山不立好恶，故能成其高／太山不让土壤，故能成其大／虽有美质，不学则不成君子／江海不择小助，故能成其富／道德一于上，而习俗成于下／愿普天下有情的都成了眷属／虚实相生，无画处皆成妙境／事垂立而辄废，功未成而旋去／事有易成者名小，难成者功大／境遇不耐苦，则无所成就之人／若还苟且粗疏，定不成一件事／小人之好议论，不乐成人之美／君子之志于道也，不成

章不达/惟其才之不同，故其成功不齐/安不忘危，故能终而成霸功焉/孝子疑于屡至，市虎成于三夫/心者……静则生慧，动则成昏/非尽百家之美，不能成一人之奇/变在萌而争之，则祸成而不救矣/不决浮云斩邪佞，直成龙去欲何为/兴酣落笔摇五岳，诗成笑傲凌沧洲/随人作计终后人，自成一家始逼真/吾观自古贤达人，功成不退皆殒身/新进之士喜勇锐，老成之人多持重/炼句炉槌岂可无？句成未必尽缘渠/业精于勤荒于嬉，行成于思毁于随/春去细糠如剖玉，炊成香饭似堆银/论至德者不和于俗，成大功者不谋于众/小人朝为而夕求其成，坐施而立望其反/强令之为道也，可以成小而不可以成大/感乎心，明乎智，发而成形，精之至也/法令者示人以信，若成而数变，则人之心不安

⑩圣人久于道而天下化成/与多疑人共事，事必不成/不作无益害有益，功乃成/但使强胡灭，何须甲第成/人生莫依倚，依倚事不成/嘉谷不夏熟，大器当晚成/知是行之始，行是知之成/道自微而生，祸自微而成/存亡难异路，贞白本相成/结交莫羞贫，羞贫友不成/赏罚信乎民，何事而不成/以绳墨取木，则宫室不成矣/民不可与虑始，而可与乐成/古之人，未有不须友以成者/博学而志不笃，则大而无成/首虽尊高，必资手足以成体/人生福境祸区，皆念想造成/措语遣意，有若自然生成者/君子一教，弟子一学，亟成/虽有良玉，不刻镂则不成器/缘道理以从事者，无不能成/时过然后学，则勤苦而难成/筑室于道谋，是用不溃于成/一恨不足以成非，积恨而成怨/出者突然成丘，陷者呀然成谷/非学无以广才，非志无以成学/临义莫计利害，论人莫计成败/良工之与马也，相得则然后成/以众人之力起事者，无不成也/以其终不自为大，故能成其大/古之君子爱其人也则忧其无成/先事虑事谓之接，接则事优成/土积而成山阜，水积而成江河/苟粟多而财有余，何为而不成/大志非才不就，大才非学不成/惟俭可以助廉，惟恕可以成德/早已森严壁垒，更加众志成城/心未滥而先谕教，则化易成也/必也临事而惧，好谋而成者也/禁必以武而成，赏必以文而成/耳得之而为声，目遇之而成色/虚死不如立节，苟殒不如成名/不骄方能师人之长，而自成其学/举事而不时，力虽尽，其功不成/同恶相助，同好相留，同情相成/谋泄者事无功，计不决者名不成/阴阳变化，一上一下，合而成章/少年作迟暮经营，异日决无成就/右手画圆，左手画方，不能两成/道无终始，物有死生，不恃其成/理贵在于得要兮，事终成于会机/欲速则不达；见小利则大事不成/丈夫盖棺事始定，君今幸未成老翁/无情不似多情苦，一寸还成千万缕/不知织女萤窗下，几度抛梭织得成/不是无端悲怨深，直将阅历写成吟/不教而杀谓之虐；不戒视成谓之暴/世间无限丹青手，一片伤心画不成/生而不有，为而不恃，功成而弗居/年将弱冠非童子，学不成名岂丈夫/我命在我不在天，还丹成金亿万年/义虽深，理虽当，词不工者不成文/发为胡笳吹作雪，心因烽火炼成丹/古人学问无遗力，少壮功夫老始成/僧是愚氓犹可训，妖为鬼蜮必成灾/人情旦暮有翻复，平地倏忽成山谿/今来县宰加朱绂，便是生灵血染成/孰恶孰美，成者为首，不成者为尾/论事易，作事难；作事易，成事难/谋度于义者必得，事因于民者必成/去规矩而妄意度，奚仲不能成一轮/圣人转祸而为福，智士因败以成胜/苟不自满而中止，庶几终身而有成/莫羡三春桃与李，桂花成实向秋荣/将治大者不治细，成大功者不成小/少不讽，壮不论议；虽可，未成也/名不正则言不顺，言不顺则事不成/海上涛头一线来，楼前指顾雪成堆/审近所以知远也，成己所以成人也/道生之，德畜之，物形之，势成之/道者……为事逆之则败，顺之则成/旦旦而学之，久而不息焉，迄乎成/春蚕到死丝方尽，蜡炬成灰泪始干/贵可以问贱……唯道之所成而已矣/物暴长者必夭折，功卒成者必亟坏/爱恶亲疏，兴废穷达，皆可以成义/有死天下之心，而后能成天下之事/有时忽得惊人句，费尽心机做不成/文武之功，未有不以得人而成者也/病学者厌卑近而骛高远，卒无成焉/自伐者无功，功成者堕，名成者亏/着意种花花不活，无心栽柳柳成阴/天下之事，不有所摧挫则不能以有成/不见其形不闻其声，而序其成谓之道/为山者基于一篑之土，以成千丈之峭/人若志趣不远，心不在焉，虽学无成/圣人不行而知，不见而明，不为而成/大勋所任者唯一人，然群谋济之乃成/知之盛者莫大于成身，成身莫大于学/赏不足劝善，刑不足禁非，而政不成/顺天时，量地利，则用力少而成功多/非其地，树之不生；非其意，教之不成/为地战者不能成王，为禄仕者不能成政/主道得而臣道序，官不易方而太平用成/仁之与义，敬之与和，相反而皆相成也/仁常而不周，廉洁而不信，勇忮而不成/仁者不乘危以邀利，智者不侥幸以成功/伤其身者不在外物，皆由嗜欲以成其祸/人事必将与天地相参，然后乃可以成功/君子有机以成其善，小人有机以成其恶/形不得神不能自生，神不得形不能自成/汤沐具而虮虱相吊，大厦成而燕雀相贺/情动于中，故形于声，声成文，谓之音/道虽迩，不行不至；事虽

小，不为不成／强令之为道也，可以成小而不可以成大／时不至不可强生也，事不究不可强成也／究天人之际，通古今之变，成一家之言／管子以小辱成大荣，苏秦以百诞成一诚／才须学也，非学无以广才，非志无以成学／天地生我而不能鞠我……成我者，夫子也／志士仁人，无求生以害仁，有杀身以成仁／太上之道，生万物而不有，成化像而弗宰／君不见高堂明镜悲白发，朝如青丝暮成雪／君不见高山万仞连苍旻，天长地久成埃尘／居之以强力，发之以果敢，而成之以无私／纵有良法美意，非其人而行之，反成弊政／暴察之威成乎危弱，狂妄之威成乎灭亡也／爱惜、暴殄本是两意，愚者有时合成一病／才所以为善也，故大才成大善，小才成小善／天地者万物之父母也，合则成体，散则成始／天道悠悠，人生若浮，古来贤圣，皆成去留／五刃之伤，药之可平。一言成疴，智不能明／不痴不狂，其名不彰；不狂不痴，不能成事／求而得之，必有失焉；为而成之，必有败焉／非威何畏，非德何怀；不畏不怀，何以成霸／生者有极，成者必亏；生生成成，今古不移／体不备不可以为成人，辞不足不可以为成文／合升鼓之微以满仓廪，合疏缕之纬以成帏幕／六合为巨，未离其内；秋毫为小，待之成体／阴阳尽，而四时成焉；刚柔尽，而四维成焉／负势竞上，互相轩邈，争高直指，千百成峰／若是若非，执而圆机；独成而意，与道徘徊／草木无大小，必待春而后生，人待义而后成／常玉不琢，不成文章；君子不学，不成其德／常玉不瑑，不成文章；君子不学，不成其德／名无固实，约之以命实，约定俗成谓之实名／安危相易，祸福相生，缓急相摩，聚散以成／寡交多亲，谓之知人；寡事成功，谓之知用／妙必假物而物非牛妙，巧必因器而器非成巧／学不成章，无由而达；志不归一，终难成事／马效千里，不必胡代；士贵成功，不必文辞／或誉人而适足以败之，或毁人而乃反以成之／时无远近，事无巨细，必籍多闻，以成博识／泉水激石，泠泠作响；好鸟相鸣，嘤嘤成韵／致天下之治者在人才，成天下之才者在教化／有为之为，有废无功；无为之为，成遂无穷／有所不为，为无不果；有所不学，学无不成／胡笳互动，牧马悲鸣，吟啸成群，边声四起／虑时务者不能兴其德，为身求者不能成其功／积土成山，风雨兴焉；积水成渊，蛟龙生焉／虐政用于下，而欲德教之被四海，故难成也／雄以其力服众，以其勇排难，待英之智成之／麋鹿成群，虎豹避之；飞鸟成列，鹰鹫不击／天下悠悠，皆可长生也，患于犹豫，故不成耳／古之学者必有师，所以通其业，成就其道者也／外内皆顺，命曰天当，功成而不废，后不奉央／任人而不任法，则人各有意，无以定一成之论／常以事于无形之外，而不留思尽虑于成事之内／闻难思解，见利思避，好成人之美，可以立矣／宽弘之人宜为郡国，使下得施其功而总成其事／气，物之原也；理，气之具也；器，气之成也／中和之质，必平淡无味，故能调成五材变化应节／为民族解放，为阶级翻身，事业垂成，公胡遽死／任而不信，其才无由展；信而不终，其业无由成／藏大不诚于中者，必谨小诚于外，以成其大不诚／君不密则失臣，臣不密则失身，几事不密则害成／君子居安宜操一心以虑患，处变当坚百忍以图成／河冰结合，非一日之寒；积土成山，非斯须之作／昔者先圣王，成其身而天下成，治其身而天下治／粟米布帛生于地，长于时，聚于力，非可一日成／跬步而不休，跛鳖千里；累土而不辍，丘山崇成／人之立言，因字而生句，积句而成章，积章而成篇／求之而后得，为之而后成，积之而后高，尽之而后圣／兢兢自危，犹惧不终，而况沛然自足，可以成功者乎／舆人成舆，则欲人之富贵；匠人成棺，则欲人之夭死／圣人者常以事于无形之外，而不留思尽虑于成事之内／君子之学，不为则已，为则必要其成，故常百倍其功／学者自强不息，则积少成多；中道而止，则前功尽弃／政如农功，日夜思之，思其始而成其终，朝夕而行之／天地之大，四时之化，而犹不能以不信成物，又况乎人事／卵之性为雏，不得良鸡覆伏孚育，积日累久，则不成为雏／天地有大美而不言，四时有明法而不议，万物有成理而不说／君子所以动天地应神明正万物而成王治者，必本乎真实而已／捣鬼有术，也有效，然而有限，所以以此成大事者，古来无有／道德之威成乎安强，暴察之威成乎危弱，狂妄之威成乎灭亡也／身处困境，当视为天之爱我、成我，不当视为天之厄我、祸我也／祸之始也易除，其除之不可者避之；及其成也欲除之不可，欲避之不可／病已成而后药之，乱已成而后治之，譬犹渴而穿井，斗而铸锥，不亦晚乎

戒

jiè 提防；去掉；命令；谨慎；禁制；佛教徒必须遵守的律规。

❶戒心之易忘，而骄心之易生

见宋·苏辙《陆贽》。

❸不知戒，后必有／处世戒多言，言多必失／居家戒争讼，讼则终凶／黄鹤戒露，非有意于轮轩／君子戒慎乎其所不睹，恐惧乎其所不闻

❹刚强者戒太暴／温良者戒无断／聪明者戒太察／去事之戒，来事之师／圣人为戒，必于方盛之时／读书切戒在慌忙，涵泳工夫兴味长／登峻者戒在于穷高，济深者祸生于舟重

❺居安思危，戒奢以俭／不取往者戒，恐贻来者冤／恃大而不戒，则轻战而屡败／名须立而戒

浮，志欲高而无妄／君子有三戒：少之时……戒之在得

❻当官临事，切戒躁急／欲积资财，先戒奢费／天下以言为戒，最国家之大患也／用意深而劝戒切，为言信而善恶明／聪明流通者戒于太察，寡闻少见者戒于壅蔽

❼多闻善败，以鉴戒也／酒能败身，必须戒之／心能造恶，必须戒之／不防盟墨诈，须戒覆车新／不念居安思危，戒奢以俭／贤者宠至而益戒，不足者为宠骄／言者无罪闻者戒，下流上通上下泰

❽前事昭昭，足为明戒／交浅言深，君子所戒／得志有喜，不可不戒／言者无罪，闻者足戒／罚当其罪，为恶者戒惧／萃。君子以除戎器，戒不虞／去贫之法，惟有先戒懒惰……／君子省众而动，监戒而谋，谋度而行，故无不济／君子防悔尤，贤人戒行藏，嫌疑远瓜李，言动慎毫芒／国有三军何？所以戒非常，伐无道，尊宗庙，重社稷，安不忘危也

❾人求多闻善败，以监戒也／有过则改之，未萌则戒之／不教而杀谓之虐；不戒视成谓之暴／君子有三戒：少之时……戒之在得／自谓乱且危者，则自戒自强，虽乱必理／在上者，必有武备，以戒不虞，以遏寇虐

❿见可欲则思知足以自戒／言之者无罪，闻之者足以戒／无咎，弗过，遇之。往厉，必戒／往者已不及，尚可以为来者之戒／力胜贫，谨胜祸，慎胜害，戒胜灾／天下之事，患常生于忽微，而志亦戒于渐习／未信而谏，圣人不与。交浅言深，君子所戒／惩病克寿，矜壮死暴。纵欲不戒，匪愚伊耄／聪明流通者戒于太察，寡闻少见者戒于壅蔽／兵之情主速，乘人之不及，由不虞之道，攻其所不戒

或

huò 连词；也许；有；又；作语助；若，倘或；不定代词；副词；"域"的古字。

❶或为小人，或为君子

见汉·严遵《道德指归论·上德不德篇》。全句为："人物禀假，受有多少，性有精粗，命有长短，情有美恶，意有大小。～"。

或欲害之，乃反以利之

见汉·刘安《淮南子·人间》。全句为："事或欲以利之，适足以害之；～"。

或不知叫号，或惨惨劬劳

见《诗·小雅·北山》。

或类之而非，或不类之而是

见汉·刘安《淮南子·人间》。

或求名而不得，或欲盖而名章

见《左传·昭公三十一年》。"章"通"彰"。

或明理以立体，或隐义以藏用

见南朝·梁·刘勰《文心雕龙·征圣》。全句为："或简言以达旨，或博文以该情，～"。

或贪生而反死，或轻死而得生

见汉·刘安《淮南子·人间》。

或简言以达旨，或博文以该情

见南朝·梁·刘勰《文心雕龙·征圣》。全句为："～，或明理以立体，或隐义以藏用"。

或争利而反强之，或听从而反止之

见汉·刘安《淮南子·人间》。

或生而知之，或学而知之，或困而知之

见《礼记·中庸》。全句为："～，及其知者一也"。

或安而行之，或利而行之，或勉强而行之

见《礼记·中庸》。全句为："～，及其成功一也"。

或誉人而适足以败之，或毁人而乃反以成之

见汉·刘安《淮南子·人间》。

或依势以干非其类，出技以怒强，窃时以肆暴

见唐·柳宗元《三戒》。全句为："吾恒恶世之人不知推己之本，而乘物以逞；～，然卒迨于祸"。

或说听计当而身疏，或言不用、计不行而益亲

见汉·刘安《淮南子·人间》。

❷理或生乱，乱或资理／敏或以窒，钝或以通／乱或资理者，遭乱而能惧／道或乖，胶漆不能同其异／是或化为非，非或化为是／恩或化为仇，仇或化为恩／事或欲以利之，适足以害之／理或生乱者，恃理而不修也／物或损之而益，或益之而损／苟或得其高朗，探其深赜……／始或为终，终或为始，恶知其纪／事或夺之而反与之，或与之而反取之／事或为之适足以败之，或备之适足以致之

❸好尚或殊，富贵不求合／百炼或致屈，绕指所以伸／拙辞或孕于巧义，庸事或萌于新意／故马或奔踶而致千里，士或有负俗之累而立功名

❹欲福者或为祸，欲利者或离害／听讼者或从其情或从其词，词不可从必断以情

❺知询于愚，或有得也／治忽之端，或自是起／或为小人，或为君子／愚者千虑，或有一得／毫厘之差，或致弊于寰海／轻缗振网，或随吞舟之势／晷刻之误，或遗患于历年／君子之学，或施之事业，或见于文章／酒罂饭囊，或醉或梦，块然泥土者……／源从天涯，或浊或清，所在之势使之然也／通才之人或见赘于时，高世之士或见排于俗

❻道冲，而用之或不盈／理或生乱，乱或资理／敏或以窒，钝或以通／福不再来，时或易失／怵迫之徒兮，或趋东西／无世而无圣，或不得知也／无国而无士，或弗能得也／或不知叫号，或惨惨劬劳／或类之而非，或不类之而是／强者不自勉，或死而泯灭于无闻／始或为终，终或为

始，恶知其纪／古之进人者，或取于盗，或举于管库／当其才则事或能济，逾其分则力所不堪／或生而知之，或学而知之，或困而知之／或安而行之，或利而行之，或勉强而行之

❼弃卧桥巷间，谁或顾生死／是或化为非，非或化为是／恩或化为仇，仇或化为恩／物或损之而益，或益之而损／或求名而不得，或欲盖而名章／或明理以立体，或隐义以藏用／或贪生而反死，或轻死而得生／或简言以达旨，或博文以该情／酒罂饭囊，或醉或梦，块然泥土者……／源从天涯，或浊或清，所在之势使之然也

❽人之出言至善，而或有议之者／人有举事至当，而或有非之者／或争利而反强之，或听从而反止之／兵者，不祥之器，物或恶之，故有道者不处／听讼者或从其情或从其词，词不可从必断以情

❾剑不徒断，车不自行，或使之也／昼诵书传，夜观星宿，或不寐达旦／事或夺之而反与之，或与之而反取之／或说听计当而身疏，或言不用、计不行而益亲／语言文字，如春之花，或者必欲弃花而觅春，非愚即狂

❿志意不先定，则守善而或移／欲福者或为祸，欲利者或离害／拙辞或孕于巧义，庸事或萌于新意／古之进人者，或取于盗，或举于管库／君子之学，或施之事业，或见于文章／或生而知之，或学而知之，或困而知之／事或为之适足以败之，或备之适足以致之／或安而行之，或利而行之，或勉强而行之／贤者虽得卑位则旋而死，不贤者或至眉寿／交私养望者多得显官，独立营职者或见排沮／通才之人或见赘于时，高世之士或见排于俗／或誉人而适足以败之，或毁人而乃反以成之／若将军、大夫必出旧族，或无可焉，犹用之耶／爱善疾恶，人情所常，苟不明质，或疏善善非／挫其锐，解其纷，和其光，同其尘，湛兮似或存／故马或奔踶而致千里，士或有负俗之累而立功名

战

zhàn 打仗，战争；决斗，斗争；颤抖；姓。

❶战胜易，守胜难

见《吴子·图国》。

战必胜，攻必克

见宋·曾巩《元丰类稿·唐论》。

战必胜，攻必取

见汉·司马迁《史记·高祖本纪》。

战矣哉？暴骨沙砾

见唐·李华《吊古战场文》。全句为："降矣哉？终身夷狄；～"。

战陈之间，不厌诈伪

见《韩非子·难一》。"战陈"同"战阵"。

战捷之后，常苦轻敌

见晋·陈寿《三国志·吴书·陆逊传》。

战虽有陈，而勇为本

见《墨子·修身》。

战如风发，攻如河决

见汉·黄石公《三略·上略》。

战如斗鸡，胜者先鸣

见《尸子》。

战胜而将骄卒惰者败

见汉·司马迁《史记·项羽本纪》。

战不必胜，不可以言战

见汉·赵充国《条上屯田便宜十二事状》。全句为："～；攻不必拔，不可以言攻"。

战以勇为主，以气为决

见宋·苏轼《策别二十二》。

战久则兵钝，攻久则力屈

见宋·范浚《用奇》。全句为："～，暴师久则国用不足，此兵所以贵速也"。

战死士所有，耻复守妻孥

见宋·陆游《夜读兵书》。

战血粘秋草，征尘搅夕阳

见唐·薛能《柘枝词三首》之一。

战如守，行如战，有功如幸

见《荀子·议兵》。

战无不胜而不知止者，身且死

见《战国策·齐策二》。

战战兢兢，如临深渊，如履薄冰

见《诗·小雅·小旻》。

战士军前半死生，美人帐下犹歌舞

见唐·高适《燕歌行》。

战退玉龙三百万，败鳞残甲满天飞

见宋·胡仔《苕溪渔隐丛话》。

战未尝不胜，攻未尝不取，所当未尝不破

见《战国策·秦策一》。

战不必胜，不苟接刃；攻不必取，不苟劳众

见《尉缭子·攻权》。

❷不战而强，不威而武／以战去战，虽战可也／以战止战，虽战可也／忘战者危，极武者伤／不战而强弱胜负已判矣／善战者因其势而利导之／百战百胜，非善之善者也／百战而胜，非善之善者也／临战而思生，则战必不力／亟战则民凋，不习则民怠／凡战者，以正合，以奇胜／善战者不败，善败者不亡／善战者不怒，善胜者不武／善战者致人，而不致于人／骤战则民罢，骤胜则主骄／楚战士无不一以当十……／数战则民劳，久师则兵弊／不战而屈人之兵，善之善者也／善战者，见利不失，遇时不疑／善战者之胜也，无智名，无勇功／战战兢兢，如临深渊，如履薄冰／善战者，见敌之所长，则知其所短／善战者立于不败之地，而不失敌之败也／善战者，居之不挠，见胜则起，不胜则止／未战养其财，将

战养其力，既战养其气，既胜养其心
❸为地战者不能成其王／枭骑战斗死，驽马徘徊鸣／军未战先见败征，可谓知兵／兵未战而先见败征，此可谓知兵／辞家战士无旋踵，报国将军有断头／为地战者不能成王，为禄仕者不能成政
❹以计待战，一当万／千里而战，兵不获利／兵，凶器；战，危事／以战去战，虽战可也／以战止战，虽战可也／古人争战，先料其将／明耻教战，求杀敌也／见胜而战，知难而退／由来征战地，不见有人还／远而挑战者，欲人之进也／兵多而战不速，则所费必广／争地以战，杀人盈野；争城以战，杀人盈城
❺春秋无义战／兵有利钝，战无百胜／守则同固，战则同强／疾如锥矢，战如雷电／以不教民战，是谓弃之／十年十一战，民不堪命／天子好征战，百姓不种桑／凡用兵攻战之本在乎一民／军不五不战，城不十不围／大小百余战，封侯竟蹉跎／贫富常交战，道胜无戚颜／国虽大，好战必亡；天下虽安，忘战必危／国虽大，好战必亡；天下虽平，忘战必危／国有常众，战无常胜；地有常险，守无常势／有缺点的战士终竟是战士，完美的苍蝇也终竟不过是苍蝇
❻天下虽安，忘战必危／兵法贵在不战而屈人／以战去战，虽战可也／以战止战，虽战可也／知彼知己，百战不殆／有备无患，亡战必危／中国虽安，忘战则民殆／土地虽广，好战则民凋／子之所慎：斋、战、疾／兵寝星芒落，战解月轮空／功名图麒麟，战骨当速朽／机在于应事，战在于治气／故君子有不战，战必胜矣／战如守，行如战，有功如幸／兵戈之士乐战，枯槁之士宿名／能守而后可战，能战而后可和／闻鸣镝而股战，对穹庐以屈膝／用兵之道……心战为上，兵战为下／天下虽兴，好战必亡；天下虽安，忘战必危
❼临战而思生，则战必不力／故君子有不战，战必胜矣／伐国不问仁人，战阵不访儒士／野绩不越庙堂，战多不逾国勋／成大事者，皆从战战兢兢之心来／未战养其财，将战养其力，既战养其气，既胜养其心
❽天下虽平，不敢忘战／信赏必罚，其足以战／士以义怒，可与百战／安不忘危，治不忘战／必胜之师，必在速战／禁攻寝兵，救世之战／无以谋胜人，无以战胜人／不知彼，不知己，每战必殆／恃大而不戒，则轻战而屡败／能守而后可战，能战而后可和／成大事者，皆从战战兢兢之心来／舞罢青蛾同去国，战残白骨尚盈丘／以千百就尽之卒，战百万日滋之师／胜兵先胜而后求战，败兵先战而后求胜／兵不如者，勿与挑战；粟不如者，勿与持久／善为士者不武，善战者不怒，善胜敌者不与
❾辱骂和恐吓决不是战斗／怯于邑斗，而勇于寇战／战不必胜，不可以言战／风云突变，军阀重开战／江海三年客，乾坤百战场／义兵之至也，至于不战而止／六国破灭，非兵不利，战不善，弊在赂秦
❿世治非去兵，国安岂忘战／善师者不陈，善陈者不战／以全取胜，是以贵谋而贱战／不官无功之臣，不赏不战之士／辩之不早，疑盛乃动，故必战／形固造形，成固有伐，变固外战／诸君傅粉涂脂，问南北战争都不知／明君不官无功之臣，不赏不战之士／用兵之道……心战为上，兵战为下／惟义可以怒士，士以义怒，可与百战／主不可以怒而兴师，将不可以愠而致战／志不励则士不死节，士不死节则众不战／胜兵先胜而后求战，败兵先战而后求胜／国虽大，好战必亡；天下虽安，忘战必危／国虽大，好战必亡；天下虽平，忘战必危／天下虽兴，好战必亡；天下虽安，忘战必危／六经之治，贵于未乱；兵家之胜，贵于未战／争地以战，杀人盈野；争城以战，杀人盈城／山，倒海翻江卷巨澜。奔腾急，万马战犹酣／羊质而虎皮，见草而悦，见豺而战，忘其皮之虎矣／未战养其财，将战养其力，既战养其气，既胜养其心／有缺点的战士终竟是战士，完美的苍蝇也终竟不过是苍蝇／杀人之士民，兼人之土地，以养吾私与吾神者，其战不知孰善／慈仁者，百姓亲附，并心一意，故以战则胜敌，以守卫则坚固

戚

qī 亲戚；亲近；忧愁，悲伤；古兵器名；古邑名；姓。
❷不戚戚于贫贱，不汲汲于富贵
❸悦亲戚之情话，乐琴书以消忧
❹闻毁勿戚戚，闻誉勿欣欣／贫贱忧戚，庸玉女于成也／贫贱亲戚离，富贵他人合
❺刑天舞干戚，猛志固常在／闻毁勿戚戚，闻誉勿欣欣／善人不能戚，恶人不能疏者，危
❻与人以虚，虽戚必疏／良师不能饰戚施，香泽不能化嫫母
❼人莫大焉亡亲戚君臣上下
❽当公法则不阿亲戚／法之不行，自于贵戚／心之忧矣，自诒伊戚／无赫赫之势，亦无戚戚之忧／薄于朋友者，薄亲戚之渐也／不汲汲于荣名，不戚戚于卑位／古者诛罚不阿亲戚，故天下治／风波作于平地，亲戚化为仇怨／识量大，则毁誉欢戚不足以动其中
❾君子坦荡荡，小人长戚戚／富贵他人合，贫贱亲戚离／贫富常交战，道胜无戚颜／无赫赫之势，亦无戚戚之忧／不汲汲于荣名，不戚戚于卑位／以天下之所顺，攻亲戚之所畔／谈欢则字与笑并，论戚则声共泣偕／有风波作于平地，亲

戚化为仇怨者矣
❿令重于宝，社稷先于亲戚／志得则颜怡，意失则容戚／君子坦荡荡，小人长戚戚／行赏不遗仇雠，用戮不违亲戚／得利则跃跃以喜，不利则戚戚以泣／贫穷则父母不子，富贵则亲戚畏惧／寻寻觅觅，冷冷清清，凄凄惨惨戚戚／礼，与其奢也宁俭；丧，与其易也宁戚／仇雠有善，不得不举；亲戚有恶，不得不诛／狂夫之乐，知者哀焉；愚者之笑，贤者戚焉／视政之得失，若越人视秦人之肥瘠忽焉不加喜戚于其心

戛 ①jiá 古时兵器；轻轻敲打；常礼，常法；击；研磨；拟声词。②jiē 通“秸”。

［戛服］古代一种赋税制度。“戛”，通“秸”，谷子；“服”，输送。
❸磨肌戛骨，吐出心肝，企足以待，寘我雠冤

戟 jǐ 古代兵器；刺激。

❷曲戟在颈，不易其心／剑戟横空金气肃，旌旗映日彩云飞
❹宫人得戟，则以刘葵……不知所施之也
❺艰难奋长戟，万古用一夫
❽伤人之言，深于矛戟／恨不得血贼于万戟，肉贼于三军
❿画布为亟不可以当戈戟／稻熟江村蟹正肥，双螯如戟挺青坭／聚者如悦，散者如别，整者如戟，乱者如发

裁 cái 剪裁；削减；控制；文章的体式；估量，识别；通“才”，仅仅；体制；节制；刎颈。

❶裁为合欢扇，团团似明月
见汉·班婕妤《怨歌行》。全句为：“新裂齐纨素，皎皎如霜雪，～”。
裁此百日功，唯将一朝舞
见唐·韦应物《杂体五首》之三。全句为：“～，舞罢复裁新，岂思劳者苦”。
❸圣人裁物，不为物使
❺似把剪刀裁别恨，两人分得一般愁
❼搜句忌于颠倒，裁章贵于顺序
❽才如白地明光锦，裁为负版袴
❿安得倚天抽宝剑，把汝裁为三截／神龙失水而陆居兮，为蝼蚁之所裁／兼覆盖而并有之，度伎能而裁使之者，圣人也／言贵尽心，亦各其所见也，若是非，则明智者裁之／学为文章，先谋亲友，得其评裁，知可施行，然后出手

戢 jí 收敛；收藏；聚集；止息；约束。

❷兵戢而时动，动则威，观则玩，玩则无震
❹兵恶不戢，武贵止戈
❺军暴而后戢之，兵乱而后遏之，善则善矣
❻兵犹火也，不戢将自焚／兵犹火也，弗戢将自焚也

戡 kān 攻克，平定；通“堪”，胜任。

❽经纬天地之谓文，戡定祸乱之谓武

截 jié 切断；在中途阻拦；截止；截至；量词，段；横渡。

❶截牛之角而呼为豕，则虽庸必骇
见明·刘基《拟连珠》。全句为：“～；染鹭之毛而指为鸦，则虽愚必疑”。
❷一截遗欧，一截赠美，一截还东国
❺物能相割截者，必异性者也
❻一截遗欧，一截赠美，一截还东国
❿安得倚天抽宝剑，把汝裁为三截／一截遗欧，一截赠美，一截还东国／甜不足一食之美，然有截舌之患也／驽蹇服御，良乐咨嗟；铅刀剖截，欧冶叹息／割而舍之，镆邪不断肉；执而不释，马氂截玉

臧 ①zāng 善；好；褒扬；奴仆；通“赃”。②cáng 同“藏”，收藏。③ zàng 通“藏”，积贮；库藏。

❷谋臧不从，不臧复用
❸动见臧否，言知利害
❺司察之能，臧否之材也
❻师出以律。否臧，凶／谋臧不从，不臧复用
❼发言玄远，口不臧否人物
❽不忮不求，何用不臧／利害俱亡，何往不臧
❾再实之木根必伤，掘臧之家后必殃／其言也约而达，微而臧，罕譬而喻／怒如严霜，喜如时雨，臧否好恶，坦然可观
❿吾哀今之为仕兮，庸有虑时之否臧／圣人之道，一龙一蛇，形见神臧……／水击鹄雁，陆断驹马，则臧获不疑钝利／食之道：大充，伤而形不臧；大摄，骨枯而血冱

戮 lù 杀；合，并；陈尸示众；羞辱。

❷杀戮众，而心不服，则上位危矣
❹无罪而戮民，则士可以徙
❼曲则为王，直蒙戮辱；宁戮不王，直而不曲
❽信义行于君子，刑戮施于小人／行赏不遗仇雠，用戮不违亲戚
❾刑罚不足以移风，杀戮不足以禁奸
❿功多有厚赏，不迪有显戮／进贤受上赏，蔽贤蒙显戮／赏无度则费而无恩，罚无度则戮而无威／曲则为王，直蒙戮辱；宁戮不王，直而不曲／服罪输情者虽重必释，游辞巧饰者虽轻必戮／鞭扑之子，不从父之教；刑戮之民，不从君之政／人之所以不能终其寿命，而中道夭于刑戮者，何也？以其生生之厚

戴 dài 穿戴；拥护、尊敬；姓；古国名。

❶戴盆何以望天

见汉·班固《汉书·司马迁传》。

戴盆望天，不见星辰

见汉·焦赣《易林·贲·蒙》。全句为：“～。顾小失大，福逃墙外”。

戴发含齿，倚而趣者，谓之人

见《列子·黄帝》。全句为：“～，而人未必无兽心”。

❻冠虽穿弊，必戴于头

❿三年耕有九年储，仓谷满盈，斑白不负戴／人美于中，必播于外，而越于民，民实戴之／美人梳洗时，满头间珠翠，岂知两片云，戴却数乡税

比 bǐ 和顺；比拟；比较；类似；按照；向，对；并列；亲近；勾结；近来；屡屡；每；连；并；都；及；等到；为；替；较量；法律名词；介词；表示数量之间的比例关系；六十四卦之一。

❶比力而争，智者为雄

见三国·魏·刘劭《人物志·八观》。

比者，以彼物比此物也

见宋·朱熹《诗集传》。

比目之鱼，不相得则不能行

见《战国策·燕策》。

比干剖心，子胥抉眼，忠之祸也

见《庄子·盗跖》。

比于善者，自进之阶，比于恶者，自退之原

见汉·韩婴《韩诗外传》。

比不应事，未可谓喻；文不称实，未可谓是

见汉·王充《论衡·物势篇》。

❷志比精金，心如坚石／下比周则上危，下分争则上安／德比于上，故知耻；欲比于下，故知足

❸商贾比财，烈士比义／朋党比周之誉，君子不听／富贵比于浮云，光阴逾于尺璧／音以比耳为美，色以悦目为欢／义者，比于人心而合于众适者也／劲操比松寒不挠，忠言如药苦非甘

❹将缣来比素，新人不如故／君不见比来翁姥尽饥死，狐狸嘬骨乌啄眼

❺萤火焉能比月轮／含德之厚，比于赤子／子胥沉江，比干剖心／标情务远，比音则近／交亲而不比，言辩而不辞／在天愿作比翼鸟，在地愿为连理枝／宁与黄鹄比翼乎，将与鸡鹜争食乎／欲把西湖比西子，淡妆浓抹总相宜／千金之家比一都之君，巨万者乃与王者同乐

❻欲与天公试比高／与其浊富，宁比清贫／气同则从，声比则应／比者，以彼物比此物也／君子周而不比，小人比而不周／官不得其才，比于画地作饼，不可食也／贵名不可以比周争也……不可以势重胁也

❼商贾比财，烈士比义／正言斯重，元珠比而尚轻

❾薰莸不共器，枭鸾不比翼／海内存知己，天涯若比邻／黔首本骨肉，天地本比邻／君子周而不比，小人比而不周／贤者恒不遇，不贤者比肩青紫／巫峡之水能覆舟，若比人心是安流／太行之路能摧车，若比人心是坦途／不得以有学之贫贱，比于无学之富贵／德比于上，故知耻；欲比于下，故知足／比于善者，自进之阶，比于恶者，自退之原

❿农夫无草莱之事则不比／商贾无市井之事则不比／天下之官虎而吏狼者，比比也／美味期乎合口，工声调于比耳／物以不知而轻，味以无比而疑／一旦临小利害，仅如毛发比……／类同相召，气同则合，声比则应／称其仇，不为谄；立其子，不为比／述而不作，信而好古，窃比于我老彭／山舞银蛇，原驰蜡象，欲与天公试比高／行货赂，趣势门，立私废公，比周而取容／文有二道：……导扬讽谕，本乎比兴者也／神人恶众至，众至则不比，不比则不利也／穷愁著书，古儒者之大同，非高冠长剑之比耳／岁寒霜雪苦，含彩独青青，岂不厌凝冽，羞比春木荣

皆 jiē 全；普遍；相同。

❶皆知善之为善，斯不善矣

见《老子》二。全句为：“天下皆知美之为美，斯恶矣；～”。

皆为物矣，非不物而物物者

见汉·刘安《淮南子·诠言》。全句为：“～，物物者，亡乎万物之中”。

皆知敌之仇，而不知为益之尤

见唐·柳宗元《敌戒》。全句为：“～；皆知敌之害，而不知为利之大”。

皆知敌之害，而不知为利之大

见唐·柳宗元《敌戒》。全句为：“皆知敌之仇，而不知为益之尤；～”。

皆知说镜之明己也，而恶士之明己也

见《吕氏春秋·恃君览·达郁》。全句为：“～；镜之明己也功细，士之明己也功大”。

❷疑皆响答，问必实归／人皆狎我，必我无骨／人皆畏我，必我无养／人皆因禄富，我独以官贫／众皆舍而己用兮，忽自惑其是非／人皆务于救患之备而莫能知使患无生／水皆缥碧，千丈见底；游鱼细石，直视无碍

❸万物皆备于我／飞鸟皆视其背／凡物皆始于无／凡物皆有可观／国人皆曰可杀／万有皆由道而生／一家皆乱，无有安身／自古皆死，不朽者文／百昌皆生于土而反于土／丈夫皆有志，会见立功勋／万物皆出于机，皆入于机／世人皆欲杀，吾意独怜才／人情皆欲求胜，故悦人之谦／众人皆有以，而我独顽似鄙／触目皆新，谁识当年旧主人／众人皆安其所不安，即不安矣／赏罚皆有充实，则民无不用矣／点画皆有筋

骨，字体自然雄媚／今人皆知砺其剑，而弗知砺其身／凡人皆欲自达，仆先得显处……／凡物皆有两端，如小大厚薄之类／动静皆动也，由动之静，亦动也／其侧皆诡石怪木，奇卉美箭……／举世皆浊我独清，众人皆醉我独醒／常人皆能办大事，天亦不必产英雄／天下皆知取之为取，而莫知与之为取／是技皆可成名，天下惟无技之人最苦／书者，皆所为不行乎今而行乎后世者也／众人皆以奢靡为荣，吾心独以俭素为美／凡事皆须务本，国以人为本，人以衣食为本／外内皆顺，命曰天当，功成而不废，后不奉央／天下皆知美之为美，斯恶矣；皆知善之为善，斯不善矣／众人皆知利利而病病也，唯圣人知病之为利，知利之为病也

❹更也，人皆仰之／过也，人皆见之／凡大事皆起于小事……

❺多陵人者皆不在／昌衰吉凶皆由己出／一切景语，皆情语也／万物之多，皆阅一空／天下攘攘，皆为利往／天下熙熙，皆为利来／天地清静，皆守一也／百乱之源，皆出嫌疑／创意造言，皆不相师／凡有所长，皆当不废／凡有血气，皆有争心／四海之内，皆兄弟也／嬉笑怒骂，皆成文章／贫富轻重皆有称者也／祸福之来，皆起于渐／万物职职，皆从无为殖／扶危持颠，皆出于学者／尝从人事，皆口腹自役／愚暗之人，皆矜能伐善／谗佞之徒，皆国之蠡贼也／饮食男女皆性也，是乌可灭／州闾之士皆誉皆毁，未可为正／成大事者，皆从战战兢兢之心来／不随俗物皆成土，只待良时却补天／世事洞明皆学问，人情练达即文章／世人闻此皆掉头，有如东风射马耳／古来圣贤皆寂寞，惟有饮者留其名／但得众生皆得饱，不辞羸病卧残阳／人家盛衰，皆系乎积善与积恶而已／左右前后皆正人也，欲其身之不正／劳形按影皆非道，炼气吞霞更是狂／字字看来皆是血，十年辛苦不寻常／时来天地皆同力，运去英雄不自由／天下万物皆生于两，不生于一，明矣／苟有可观，皆有可乐，非必怪奇伟丽者也／四海悠悠，皆慕名者，盖因其情而致其善尔／责我以过，皆当虚心体察，不必论其人何如／鸟啼花落，皆与神通。人不能悟，付之飘风／天下悠悠，皆可长生也，患于犹豫，故不成耳／世俗之人皆喜人之同乎已，而恶人之异于已也／方于平易，皆能阔步而进，一遇峻险，则止矣／盈天地间皆物也。……通观天地，天地一物也／城狐社鼠皆微物，为其有所凭恃，故除之犹不易

❻放之四海而皆准／恭敬之心，人皆有之／恻隐之心，人皆有之／是非之心，人皆有之／父母之心，人皆有之／羞恶之心，人皆有之／百川异源，而皆归于海／百家殊业，而皆务于治／疑人轻已者，皆内不足／亿万千百十，皆起于一／哀乐而乐哀，皆丧心也／诸有形之徒皆属于物类／美色不同面，皆佳于目／悲音不共声，皆快于耳／教人治人，宜皆以正直为先／闻风声鹤唳，皆以为王师已至／贤者之处世，皆以得时为至难／万物之生也，皆元于虚，始于无／世俗之君子，皆知小物而不知大物／心治则百节皆安，心忧则百节皆乱／身正则天下皆正，身理则天下皆理／璞玉浑金，人皆饮其宝，莫知名其器／上好紫则下皆女服，上好剑则士皆曼胡／当天时，与之皆断；当断不断，反受其乱／反己者触事皆成药石，尤人者动念即是戈矛／水抵两岸，悉皆怪石，皲嵌盘屈，不可名状／凡今能言者，皆谓天下少士，而不知养材之道／言虽简略，理皆要害，故能疏而不遗，俭而无阙／凡偏材之人，皆一味之美，故长于办一官而短于为一国

❼一为不善，众美皆亡／与道冥一，万虑皆遗／丰凶相济，农末皆利／百谷殊味，食之皆饱／诚之所感，触处皆通／酒醴异气，饮之皆醉／三百五篇孔子皆弦歌之／以骥待马，则马皆骥也／轻躁寡谋，不必皆年少／老成虑事，不必皆高年／万物皆出于机，皆入于机／八公山上草木，皆类人形／凡人好辞工书，皆病癖也／芳草宁共气，而皆悦于魂／民知诛赏之来，皆在于身也／人生福境祸区，皆念想造成／凤凰芝草，贤愚皆以为美瑞／州闾之士皆誉皆毁，未可为正／凡克己以济民，皆力行而不悔／凡数州之土壤，皆在衽席之下／足下家中百物，皆赖而用也……／疑人者，人未必皆诈，己则先诈矣／喜怒哀乐发而皆中节，天下之达道／龙蟠凤逸之士，皆欲收名定价于君侯／自古圣人贤士，皆非有求于闻用也……／处世间事，众人皆见得非，而我独见得是／自古失国之主，皆为居安忘危，处治忘乱／一家失熛，百家皆烧；谗夫阴谋，百姓暴骸／举网以纲，千目皆张，振裘持领，万毛自整／壹引其纪，万目皆起；壹引其纲，万目皆张／居逆境中，周身皆针砭药石，砥节砺行而不觉／星队木鸣，国人皆恐。……怪之，可也；而畏之，非也

❽天下有道，则与物皆昌／时日曷丧，予及汝皆亡／用得正人，为善者皆劝／凌烟阁上人，未必皆忠烈／谁知盘中餐，粒粒皆辛苦／报国行赴难，古来皆共然／常闻夸大言，下顾皆细萍／所求无不得，所欲皆如意／子男由胥徒以出，皆鹤而轩／孟尝君客无所择，皆善遇之／牧守由将校以授，皆虎而冠／虚实相生，无画处皆成妙境／静后见万物，自然皆有春意／事有不当民务者，皆禁而不行／挥汗读书不已，人皆怪我何求／悠悠素餐者，天下皆是，王道从何而兴乎／好者不必同色而皆美，丑者不必同状而皆恶／知

本无有思，动静皆离，寂然不动者，是至诚也／继以精思，使其意皆出于吾之心。然后可以有得尔／天公何时有，谈者皆不经。谁道贤人死，今为傅说星／人莫欲学御龙，而皆欲学御马；莫欲学治鬼，而皆欲学治人：急所用也

❾嗜欲喜怒之情，贤愚皆同／凡物不以其道得之，皆邪也／自其同者视之，万物皆一也／使天下无农夫，举世皆饿死矣／梨橘枣栗不同味，而皆调于口／天下之祸，不由于外，皆兴于内／圣有所生，王有所成，皆原于一／气从以顺，各从其欲，皆得所愿／不必有非常之功，而皆有可纪之状／折而不挠，勇也；瑕适皆见，精也／爱恶亲疏，兴废穷达，皆可以成义／譬如破竹，数节之后，皆迎刃而解／伤其身者不在外物，皆由嗜欲以成其祸／山空月明，仰视星斗皆光大，如适在人上／好音生于郑卫，而人皆乐之于耳，声同也／橘柚生于江南，而民皆甘之于口，味同也／诸凡万物万事之知，皆因习因悟因过因疑而然／子所雅言，《诗》、《书》、执礼，皆雅言也／明窗净几笔砚纸墨皆极精良，亦自是人生一乐事／物之美者，盈天地间皆是也。然必待人之神明才慧而见

❿天者，理之所自出，凡理皆天／饱食便卧及终日久坐，皆损寿／日月星辰民所瞻仰者亦皆曰神／良医不可必得，而庸医举目皆是／今我受其直怠其事者，天下皆然／君子恶居下流，天下之恶皆归焉／上穷碧落下黄泉，两处茫茫皆不见／天之道莫非自然，人之道皆是当然／不服一人，与逢人便服者，皆妄人／不服一人与逢人便服者，皆妄人也／曲妙人不能尽和，言是人不能皆信／举世皆浊我独清，众人皆醉我独醒／凡人情之所安而有节者，举皆礼也／吾观自古贤达人，功成不退皆殒身／好鸟枝头亦朋友，落花水面皆文章／是非只为多开口，烦恼皆因强出头／气盛则言之短长与声之高下者皆宜／政之不便于民者，未必皆上之过也／心治则百节皆安，心忧则百节皆乱／自古圣贤多薄命，奸雄恶少皆封侯／精读书，著精采警语处，凡事皆然／身正则天下皆正，身理则天下皆理／金满箱，银满箱，转眼乞丐人皆谤／识物之动，则其所以然之理皆可知也／苟能乐道人之善，则天下皆去恶为善／虚言可以赏，则六合之内皆为已府矣／上好紫则下皆女服，上好剑则士皆曼胡／咫尺之管，文敏者执而运之，所如皆合／仁之与义，敬之与和，相反而皆相成也／佳人不同体，美人不同面，而皆悦于目／尊贤使能，俊杰在位，则天下之士皆悦／观书先须熟读，使其言皆若出于吾之口／当官务持大体，思事事皆民生国计所关／自其不变者而观之，则物与我皆无尽也／其兴也必由于积善，其亡也皆在于积恶／得已而不已，不得已而已之，二者皆乱也／欲以先王之政治当世之民，皆守株之类也／天地之间，万国并兴，小大愚智，皆愿为君／天道悠悠，人生若浮，古来贤圣，皆成去留／不能说其志意，养其寿命者，皆非通道者也／古之君子，其过也，如日月之食，民皆见之／古昔多由布衣定一世者矣，皆能用非其有也／喜怒哀乐之未发谓之中，发而皆中节谓之和／壹引其纪，万目皆起；壹引其纲，万目皆张／行一不义，杀一不辜，而得天下，皆不为也／好者不必同色而皆美，丑者不必同状而皆恶／有不嗜杀人者，则天下之民皆引领而望之矣／民之所以僻，治之所以乱，皆由上，不由其下／谁不可喜，而谁不可惧；蚋蚁蜂虿，皆能害人／道者，所由适于治之路也，仁义礼乐皆其具也／如有不嗜杀人者，则天下之民皆引领而望之矣／今兵威已振，譬如破竹，数节之后，皆迎刃而解／深者获公名，平者多后患，故治狱之吏皆欲人死／思在言与行之先，思无邪，则所言所行皆无邪矣／古之人君，所以至于民散国亡而不悟者，皆吏误之／月满则潮盛，月亏则潮衰。潮汐进退，皆由于月也／三晋多权变之士，夫言从衡强秦者，大抵皆三晋之人／美也者，上下、内外、大小、远近皆无害焉，故曰美／满堂而饮酒，有一人乡隅而悲泣，则一堂皆为之不乐／权，然后知轻重；度，然后知长短。物皆然，心为甚／天下皆知美之为美，斯恶矣；皆知善之为善，斯不善矣／以小善为无益，以小恶为无伤，凡此皆非所以安身崇德也／欲为君，尽君道；欲为臣，尽臣道。二者皆法尧舜而已矣／天无为以之清，地无为以之宁，故两无为相合，万物皆化生／不行王政云尔；苟行王政，四海之内皆举首而望之，欲以为君／历观前代拨乱创业之主，生长民间，皆识达情伪，罕至于败亡／今世之人居高官尊爵者，皆重失之，见利轻亡其身，岂不惑哉／人莫欲学御龙，而皆欲学御马；莫欲学治鬼，而皆欲学治人：急所用也

毖 bì 小心，谨慎；告诫；劳心；犒劳，慰劳；通"泌"，泉水涌流貌。

❺予其惩而，毖后患

瓦 ①wǎ 用黏土烧制的铺盖屋顶用的建筑材料；宋元时城市娱乐场所；原始的纺锤。②wà 铺瓦。

❹垂棘与瓦同椟，明月与砾同囊／人生似瓦盆，打着了方见真空／燔埴为瓦则可，烁瓦为铜则不可

❺黄钟毁弃，瓦釜雷鸣；谗人高张，贤士无名

❻器具质而洁，瓦缶胜金玉

❼宁可玉碎，不能瓦全／心旷，则万钟如瓦缶／立身一败，万事瓦裂／大厦不倾，匪一瓦之积／可知他朱甍碧瓦，总是血膏涂

❽燔埴为瓦则可，烁瓦为铜则不可／能改，则瑕可为瑜，瓦砾可为珠玉／金蚕无吐丝之实，瓦鸡乏司晨之用
❾虽有忮心者，不怨飘瓦
❿陶尽门前土，屋上无片瓦／金玉之光不得不炫于瓦石／幽音变调忽飘洒，长风吹林雨堕瓦／和氏之璧，价重千金，然以之间纺，曾不如瓦砖

瓯

ōu 小盆；杯子；乐器名。
❺流丸止于瓯臾，流言止于知者
❼语曰：流丸止于瓯、臾，流言止于知者

瓮

wèng 一种盛酒、水等东西的陶器。
❶瓮盎易盈，以其狭而拒也
见明·方孝孺《逊志斋集》卷一。全句为："～；江海之深，以其虚而受也。虚己者，进德之基"。
❼筚门圭窬，蓬户瓮牖
❿合抱之松无庸于竫人之国，若瓮之茧见弃于裸体之邦

瓴

líng 房屋上的瓦沟；古代一种像瓶子的器皿。
❼居高屋之上建瓴水

瓶

píng 瓶子，容器；姓。
❶瓶之罄矣，维罍之耻
见《诗·小雅·蓼莪》。
❷挈瓶之知，不失守器／睹瓶中之冰而知天下之寒／见瓶水之冰，而知天下之寒／见瓶中之水，而知天下之寒暑
❹守口如瓶，防意如城
❾麟亡星落，月死珠伤，瓶罄罍耻，芝焚蕙叹

甑

zèng 古代蒸饭用的一种瓦制炊具。
❷荷甑堕地，不顾而去

止

zhǐ"趾"的古字；停止；使停住；到；居住；栖息；留住，扣留；只，仅；截止；禁止；举止，特指守礼法的行为；乐器；表确定语气。
❶止如丘山，发如风雨
见汉·刘安《淮南子·兵略》。全句为："同其心，一其力，勇者不得独进，怯者不得独退，～"。
❷知止可以不殆／不止恶不能修善／知止而后有定……／知止不辱，知足不殆／知止常止，终身不耻／知止其所不知，至矣／风止雨霁，云无处所／乐止夫物之内者，乐其浅／知止乎其所不能知，至矣／乐止夫物之内者，厚其生则社栎贤／时止则止，时行则行；动静不失其时
❸力术止，义术行／以战止战，虽战可也／抽薪止沸，剪草除根／法贵止奸，不在过酷／扬汤止沸，不如釜底抽薪／扬汤止沸，不如灭火去薪／其以止患，犹堤防之于江河／流丸止于瓯臾，流言止于知者／以汤止沸，抱薪救火，愈甚亡益／以汤止沸，沸愈不止，去其火则止矣／其动，止也；其死，生也；其废，起也
❹不足不止，利心常起／高山仰止，景行行止／知止常止，终身不耻／知足而止，故能长存／是名也，止于是实也／禁而不止，则刑罚侮／中道而止，则前功尽弃／积上不止，必致嵩山之高／仁而无止，则其极不得不反而为残／时止则止，时行则行；动静不失其时／岂不遽止？然犹防川，大决所犯，伤人必多／行不如止，直不如曲，进不如退，可以安吉
❺万分廉洁，止是小善／行则连舆，止则接席／屋漏在下，止之在上／欲而不知止，失其所以欲／鉴貌在乎止水，鉴己在乎哲人／意不先立，止以文采辞句绕前捧后／语曰：流丸止于瓯、臾，流言止于知者
❻物不可以终止／令则行，禁则止／不塞不流，不止不行／宜行则行，宜止则止／三尺之泉，足止三军之渴／安而后能虑，止水能照也／行于所当行，止于所不可不止／知足不辱，知止不殆，可以长久／心之明之所止，于事情区以别焉／未有暴乱不止而能活生人、定国家者／贪物而不知止者，虽有天下，不富矣／出一令可以止横议，杀一犯可以儆百众／赏不劝，谓之止善；罚不惩，谓之纵恶／杂花争发，非止桃蹊。群鸟乱飞，有逾鹦谷／疗饥于附子，止渴于鸩毒，未入肠胃，已绝咽喉／苟意不先立，止以文彩辞句，绕前捧后，是言愈多而理愈乱
❼树欲静而风不止／学至于行之而止矣／兵恶不戢，武贵止戈／推波助澜，纵风止燎／将有作则思知止以安人／令不行而禁不止，则无以为治／御寒莫若重裘，止谤莫如自修／救寒莫如重裘，止谤莫如自修／鉴明则尘垢不止，止则不明也／苟不自满而中止，庶几终身而有成／物，量无穷，时无止，分无常，终始无故／剪纸为墙，不可止暴，抟沙为饼，不可疗饥／言发于迩，不可止于远；行存于身，不可掩于名
❽令之不行，禁之不止／高山仰止，景行行止／陈力就列，不能者止／应化之道，平衡而止／宜行则行，宜止则止／学而不已，阖棺乃止／维桑与梓，必恭敬止／水浮万物，玉石留止／心静气理，道乃可止／战无不胜而不知止者，身且死／鉴明则尘垢不止，止则不明也／常行于所当行，常止于所不可不止／登山不以艰险而止，则必臻乎峻岭／以汤止沸，沸愈不止，去其火则止矣／天者，统元气焉，非止荡荡苍苍之谓也／理无专在，而学无止境也，然则问可少耶／百川朝

海，流行不止。道虽辽远，无不到者／年不可举，时不可止，消息盈虚，终则有始／以物与人，物尽而止；以法活人，法行无穷／治天下者，用人非止一端，故取士不以一路／绝圣弃知，大盗乃止；擿玉毁珠，小盗不起

❾塞其本源而末流自止／鸢飞戾天者，望峰息止／本弊不除，则其末难止／文之细大，视道之行止／心安而虚，则道自来止／扬威以弭乱，震武以止暴／鉴形之美恶，必就于止水／未有不能制兵而能止暴乱者／万川归之，不知何时止而不盈／圣人……言以绝食，为以止为／流丸止于瓯臾，流言止于知者／广积聚，骄富贵，不知止者杀身／譬如为山，未成一篑，止，吾止也／披蓑而救火，毁渎而止水，乃愈益多／有意而言，意尽而言止者，天下之至言也／绝言之道，去心与意；止为之术，去人与智／矢之发无能贯，待其止而能有穿；唯止能止众止

❿大厦将崩，非一木之能止／本以势力交，势尽交情止／物丰则欲省，求澹则争止／生之来不能却，其去不能止／义兵之至也，至于不战而止／利人乎即为，不利人乎即止／人莫鉴于流水，而鉴于止水／谤之有因者，非自修弗能止／君子行义，不为莫知而止休／行于所当行，止于所不可不止／赏当则贤人劝，罚得则奸人止／镞矢之疾，而有不行不止之时／万人逐兔，一人获之，贪者悉止／不贰过者，见不善之端而止之也／真积力久则入，学至乎没而后止／得道之士，建心于足，游志于止／恻隐足以为仁，而仁不止于恻隐／寄之，其来不可圉，其去不可止／引笔行墨，快意累累，意尽便止／羞恶足以为义，而义不止于羞恶／临喜临怒看涵养，群行群止看识见／常行于所当行，常止于所不可不止／或争利而反强之，或听从而反止之／明法制，去私恩，令必行，禁必止／禁之以制，而身不先行，民不能止／豺狼寇盗不杀人民，不足以止其贪／譬如为山，未成一篑，止，吾止也／一天下者，令于天下则行，禁焉则止／以德以义，不赏而民劝，不罚而邪止／以汤止沸，沸愈不止，去其火则止矣／心之所可失理，则欲虽寡，奚止于乱／忠告而善道之，不可则止，毋自辱焉／语曰：流丸止于瓯、臾，流言止于知者／塞一蚁孔而河决息，施一车辖而覆乘止／不务衣食而务无盗贼，是止水而不塞源也／善战者，居之不挠，见胜则起，不胜则止／一兔走衢，万人逐之；一人获之，贪者悉止／苟以细过自恕而轻蹈之，则不至于大恶不止／吾观之本，其往无穷；吾求之末，其来无止／性不可易，命不可变，时不可止，道不可壅／恒无之初，迥同大虚。虚同为一，恒一而止／委任不一，乱之媒也；监察不止，奸之府也／积微之善，以至吉祥。小恶不止，乃至灭亡／疾则如电，迟则如云，进止有度，约而不烦／天下之人所共趋之而不知止者，富贵与美名尔／方于平易，皆能阔步而进，一遇峻险，则止矣／《大学》之道，在明明德，在亲民，在止于至善／矢之发无能贯，待其止而能有穿；唯止能止众止／以诈应诈，以谲应谲，若披蓑而救火，毁渎而止水／沐者堕发，而犹为之不止，以所去者少，所利者多／学者自强不息，则积少成多；中道而止，则前功尽弃／乐未毕也，哀又继之；哀乐之来，吾不能御，其去弗能止／君子有为于天下，惟义而已，不可则止，无苟为，亦无必为／学者四失：为人则失多，好高则失寡，不察则易，苦难则止

此

cǐ 这个；此时此地；这样；乃；则。

❶此间乐，不思蜀

见晋·陈寿《三国志·蜀书·后主传》注引《汉晋春秋》。

此宇宙之奇诡也

见唐·李白《秋于敬亭送从侄游庐山序》。全句为："瀑布天落，半与银河争流，腾虹奔电，潨射万壑，～"。

此时无声胜有声

见唐·白居易《琵琶行》。

此而可忍，孰不可忍

见唐·房玄龄《晋书·解系传》。

此六者，君子之弊也

见宋·司马光《资治通鉴·唐纪》。全句为："好胜人，耻闻过，骋辩给，眩聪明，厉威严，恣强愎，～"。

此言虽小，可以谕大

见汉·班固《汉书·司马相如传》。

此中有真意，欲辨已忘言

见晋·陶潜《饮酒二十首》之五。

此生泰山重，勿作鸿毛遗

见宋·苏轼《和陶咏三良》。

此地一为别，孤蓬万里征

见唐·李白《送友人》。

此地曾居住，今来宛似归

见唐·岑参《题平阳郡汾桥边柳树》。全句为："～，可怜汾上柳，相见也依依"。

此处不留人，自有留人处

见南朝·陈·陈叔宝《戏赠沈后》。

此物何足重，但感别经时

见汉·无名氏《古诗十九首·庭中有奇树》。

此身傥未死，仁义尚力行

见宋·陆游《读叔党汝州北山杂诗次其韵》。

此能求过于天，必不逆谏矣

见汉·刘向《说苑·君道》。全句为："～。安不忘危，故能终而成霸功焉"。

此形，本清，不做作还真正

见明·冯惟敏《海浮山堂词稿·前腔·乌须》。

此三者贵贱愚智贤不肖欲之若一

见《吕氏春秋·仲春纪·情欲》。全句为："耳之欲五声，目之欲五色，口之欲五味，情也。～"。

此生谁料，心在天山，身老沧洲

见宋·陆游《诉衷情》。

此理充塞宇宙间，如何人杜撰得

见宋·陆象山《象山全集·语录》。

此三者，贵贱愚智贤不肖欲之若一

见《吕氏春秋·仲春纪·情欲》。全句为："～，虽神农、黄帝其与桀、纣同"。"此三者"，指"耳之欲五声，目之欲五色，口之欲五味"。

此曲只应天上有，人间能得几回闻

见唐·杜甫《赠花卿》。

此生此夜不长好，明年明月何处看

见宋·苏轼《中秋月》。

此人如精金美玉，不即人而人即之

见宋·苏轼《答黄鲁直书》。

此去与师谁共到？一船明月一帆风

见唐·韦庄《送日本国僧敬龙归》。

此道废兴吾命在，世间腾口任云云

见《王文公文集·和平甫寄陈正叔》。

此心常卓然公正，无有私意，便是敬

见宋·朱熹《朱子语类》卷四四。

此情无计可消除，才下眉头，却上心头

见宋·李清照《一剪梅》。

此人在位，动欲伤害，故物无有不畏恶也

见《老子》二十四河上公注。

此溪若在山野，则宜逸民退士之所游……

见唐·元结《右溪记》。全句为："～；处在人间，则可为都邑之胜境，静者之林亭；而置州已来，无人赏爱，徘徊溪上，为之怅然"。

此令兄弟，绰绰有裕；不令兄弟，交相为瘉

见《诗·小雅·角弓》。

此理在宇宙间，固不以人之明不明、行不行而加损

见宋·陆九渊《与朱元晦二》。

此生不学，一可惜；此日闲过，二可惜；此身一败，三可惜

见《琼琚佩语·为学》。

❷在此为美兮，在彼为蚩／怀此贞秀姿，卓为霜下杰／怀此王佐才，慷慨独不群／裁此百日功，唯将一朝舞／恐此非名计，息驾归闲居／于此有所蔽，则于彼有所见／于此有所不足，则于彼有所长／如此如此复如此，壮心死尽生鬓丝／以此治人，则膏雨甘露降矣，寒暑四时当矣

❸详于此而略于彼／装点此关山，今朝更好看／一彼此于胸臆，捐好恶于心想／休夸此地分天下，只得徐妃半面妆／诚知此恨人人有，贫贱夫妻百事哀／宁期此地忽相遇，惊喜茫如堕烟雾／此生此夜不长好，明年明月何处看／贫交此别无他赠，唯有青山远送君／自古此冤应未有，汉心汉语吐蕃身

❹彼一时，此一时也／我自乐此，不为疲也／木犹如此，人何以堪／一朝辞此地，四海遂为家／天涯同此路，人语各殊方／未通乎此，则不敢志乎彼／向君投此曲，所贵知音难／扁舟从此去，鸥鸟自为群／宽于用，此在位者多不得其人也／世人闻此皆掉头，有如东风射马耳／江山如此多娇，引无数英雄竞折腰／如此如此复如此，壮心死尽生鬓丝／天之生此民也，使先知觉后知，使先觉觉后觉也

❺天地有穷，此冤无穷／渔歌互答，此乐何极／不念旧恶，此清者之量／忠信谨慎，此德义之基／虚无谲诡，此乱道之根／一息尚存，此志不容稍懈／严罚厚赏，此衰世之政也／吾道亦如此，行之贵日新／以侈为博……此荒国之风也／君臣争明……此乖国之风也／四郊多垒，此卿大夫之辱也／繁为攻伐，此实天下之巨害／彼一时也，此一时也，岂可同哉／百姓之有此色，正缘士大夫不知此味／道一而已，此是则彼非，此非则彼是／背法而治，此任重道远而无马牛，济大川而无舡楫也

❻今夕何夕，见此良人／聚散苦匆匆，此恨无穷／一笑语儿子，此是却老方／彼亦一是非，此亦一是非／愿君多采撷，此物最相思／蜀山金碧地，此地饶英灵／下情不上通，此患之大者也／以智文其过，此君子之贼也／小惩而大诫，此小人之福也／蹉跎岁月，尽此身污秽乾坤／文约而事丰，此述作之尤美者也／冰雪林中著此身，不同桃李混芳尘

❼比者，以彼物比此物也／一饱匆易得，余此官租钱／以彼径寸茎，荫此百尺条／舒吾陵霄羽，奋此千里足／社鼠不可熏，去此乃治矣／纵使岁寒途远，此志应难夺／事固有弃彼取此，以权一时之势／世间行乐亦如此，古来万事东流水／君好嫌，臣好逸……此弱国之风也／道人活计只如此，留与时人作见闻／如此如此复如此，壮心死尽生鬓丝／轻目重耳之过，此亦学者之一病也／亲小人，远贤臣，此后汉所以倾颓也／亲贤臣，远小人，此先汉之所以兴隆也／欲出一言，即思此一言于百姓有利益否／作诗切忌议论，此最易近腐，近絮，近学究

❽利于彼者必耗于此／太平世界，环球同此凉热／天长地久有时尽，此恨绵绵无绝期／不是花中偏爱菊，此花开尽更无花／向来枉费推移力，此日中流自在行／人生自是有情痴，此恨不

关风与月／报国志愿不敢忘，此身未暇归江乡／挟天子而令诸侯，此诚不可与争锋／昔人已乘黄鹤去，此地空余黄鹤楼／寒者颤，惧者亦颤，此同名而异实也／为人君而乐杀人，此不可使得志于天下／众人笑而忽之者，此则君子之所深畏也／咄咄读古，而不知此味……一堂木偶耳／盛于彼者必衰于此，长于左者必短于右／不智不勇不信，有此三者，不可以立功名／速则济，缓则不及，此圣贤所以贵机会也／与百姓有缘才来此地，期寸心无愧不鄙斯民／此生不学，一可惜；此日闲过，二可惜；此身一败，三可惜

❾岂无感激者？时俗颓此风／海上生明月，天涯共此时／自古悲摇落，谁人奈此何／诚欲远彼腥膻，而即此清净也／才觉私意起，便克去，此是大勇／兵未战而先见败征，此可谓知兵／汽笛一声肠已断，从此天涯孤旅／但使仓库可备凶年，此外何烦储蓄／侯门一入深如海，从此萧郎是路人／欲恶避就，固不待师，此人之性也／生有厚利，死有遗教，此盛君之行也／君不见管鲍贫时交，此道今人弃如土／春生夏长，秋收冬藏，此天道之大经／暴师久则国用不足，此兵所以贵速也／贵破的，又畏黏皮骨，此所以为难也／与天下之贤者为徒，此文王之所以王也／在上不骄，在下不谄，此进退之中道也／顺之则喜，逆之则怒，此有血气者之性也／宽收严试，久任超迁。此八字，用人之良法／用四海九州之力，除此小寇，难易可知……／博学笃志，切问近思，此八字是收放心的功夫／神闲气静，智深勇沉，此八字是干大事的本领／恬淡、寂寞、虚无、无为，此天地之本而道德之质也／君子先慎乎德，有德此有人，有人此有土，有土此有财，有财此有用

❿以胶投漆中，谁能别离此／今布衣虽贱，犹足以方于此／其所知彼也，其所以知此也／何泛滥之浮云兮，猋壅蔽此明月／维圣哲以茂行兮，苟得用此下土／不识庐山真面目，只缘身在此山中／不能自胜而强弗从者，此之谓重伤／东南四十三州地，取尽膏脂是此河／为之无益于义而为之，此行之秽也／何昔日之芳草兮，今直为此萧艾也／君听浊浪金焦外，淘尽英雄是此声／处次官，执利势，不可而不察于此／宁溘死以流亡兮，余不忍为此态也／道之无益于义而道之，此言之秽也／纸上得来终觉浅，绝知此事要躬行／细推物理须行乐，何用浮名绊此身／虑之无益于义而虑之，此心之秽也／不胜其任，而处其位，非此位之人也／百姓之有此色，正缘士大夫不知此味／隐忍就功名，非烈丈夫孰能致此哉？／大厦既燔，而运水于沧海；此无及也／道一而已，此是则彼非，此非则彼是／贤者闻讥笑，若不闻焉，此岂不省事／从水之道而不为私焉，此吾所以蹈之也／擅一壑之水而跨跱坎井之乐，此亦至矣／流荡不返，使人有淫丽之心，此文病也／恨不得挂长绳于青天，系此西飞之白日／不绝之于彼而救之于此，譬犹抱薪而救火／面垢不忘洗，衣垢不忘浣，此人之至情也／以割下为能，以附上为忠，此叛国之风也／古语有之“生相怜，死相捐”。此语至矣／凡万物异则莫不相为蔽，此心术之公患也／得大数而治，失大数而乱，此治乱之分也／物循乎自然，人能明于必然，此人物之异／我为女子，薄命如斯！君是丈夫，负心若此／以一丸泥为大王东封函谷关，此万世一时也／以贼其身，乃丧其躯，其行如此，是谓大忘／人有悲欢离合，月有阴晴圆缺，此事古难全／说者怀畏，听者怀骄，以此行义，不亦难乎／至是之是无非，至非之非无是，此真是非也／纯粹而不杂，静一而不变……此养神之道也／贵极禄位，权倾国都，达人视此，蚁聚何殊／意深词浅，思苦言甘。寥寥千载，此妙谁探／天道无为，任物自然，无亲无疏，无彼无此也／匹夫见辱，拔剑而起，挺身而斗，此不足为勇／争行义乐用与争为不义竞不用，此其为祸福也／常有小不快事，是好消息……知此理可免怨尤／知有己不知有人，闻人过不闻己过，此祸本也／礼下贤者，日中不暇食以待士，士以此多归之／今世之人主，多欲众之，而不知善，此多其雠也／先无爵，死无谥，实不聚，名不立，此之谓大人／凤凰，凤凰，何不高飞还故乡，无故在此取灭亡／斩伐林木，亡有时禁，水旱之灾，未必不由此也／上不访，下不谏，妇言用，私政行，此亡国之风也／上多欲，下多端，法不定，政多门，此乱国之风也／未有天地之先，毕竟也只是先有此理，便有此天地／人主之不肖者，有似于此。不得其道，而徒多其威／闰以正时，时以作事，事以厚生，生民之道在此矣／人之所以为人者，非以此八尺之身也，乃以其有精神／人非生而知之者，孰能了此无惑，故从其先得者而问焉／国以贤兴，以谄衰；君以忠安，以佞危，此古今之常论／财之不丰，兵之不强，吏之不择，此三者存亡之所从出／以小善为无益，以小恶为无伤，凡此皆非所以安身崇德也／喜则滥赏无功，怒则滥杀无罪，是以天下丧乱，莫不由此／上下相疏，内外相蒙，小臣争宠，大臣争权，此危国之风也／天下之民，知安而不知危，能逸而不能劳，此臣所谓大患也／此生不学，一可惜；此日闲过，二可惜；此身一败，三可惜／捣鬼有术，也有效，然而有限，所以以此成大事者，古来无有／天不得不高，地不得不广，日月不得不行，万物不得不昌，此其道与／君子先慎乎德，有德此有人，有人此有土，有土此有

财，有财此有用／患其有小恶，以人之小恶，亡人之大美，此人主之所以失天下之士也已

步 bù 步行；长度单位；跟着；运行，命运；水边停靠船只的地方；姓。

❷安步以当车／十步一啄，百步一饮／寸步千里，咫尺山河／跬步不休，跛鳖千里／一步未至，则犹不往也／十步之内，必有芳草；四海之中，岂无奇秀／十步之间，必有茂草；十室之邑，必有俊士／五步一楼，十步一阁。……各抱地势，钩心斗角／跬步而不休，跛鳖千里；累土而不辍，丘山崇成

❸退一步者，常进百步／夫子步亦步，夫子趋亦趋

❹马行十步九回头／陵波微步，罗袜生尘／不积跬步，无以至千里／千里跬步不至，不足谓善御／目见百步之外，而不能自见其眦／泽雉十步一啄，百步一饮，不蕲畜乎樊中

❺信马林间步月归／夫子步亦步，夫子趋亦趋／寿陵失本步，笑杀邯郸人／骀驷安局步，骐骥志千里／处世让一步为高，退步即进步的张本／立身高一步方超达，处世退一步方安乐／矢之于十步贯兕甲，于三百步不能入鲁缟

❻天马行空而步骤不凡／十步一啄，百步一饮／世途昏险，拟步如漆……圣智危栗／造父疾趋，百步而废；自托乘舆，坐致千里／五步一楼，十步一阁。……各抱地势，钩心斗角

❼不得越雷池一步／百丈竿头须进步／行兵于井底，游步于牛蹄／百尺竿头须进步，十方世界是全身／得意浓时休进步，须防世事多番覆／晚食以当肉，安步以当车，无罪以当贵／疾呼不过闻百步，志之所在，逾于千里

❽宁可湿衣，不可乱步／退一步者，常进百步／神龙藏深泉，猛兽步高冈／无舆马者不耻徒步，无鱼肉者不厌菜羹／责恶要为人留余步，劝善要思其势可从／泽雉十步一啄，百步一饮，不蕲畜乎樊中／骐骥一跃，不能十步；驽马十驾，功在不舍／智如目也，能见百步之外，而不能自见其睫／方于平易，皆能阔步而进，一遇峻险，则止矣／苍蝇之飞，不过十步；自托骐骥之尾，乃腾千里之路

❾修翼无卑栖，远趾不步局／得饶人处且饶人，退步行最稳／处世让一步为高，退步即进步的张本／老年人受病在作意步趋，少年人受病在假意超脱／有石城十仞，汤池百步，带甲百万，而亡粟，弗能守

❿不管风吹浪打，胜似闲庭信步／使日在井中，则不能烛十步矣／大胆天下去得，小心寸步难行／骐骥之跼躅，不如驽马之安步／看书多撷一部，游山多走几步／雄关漫道真如铁，而今迈步从头越／处世让一步为高，退步即进步的张本／终日写路程而不能行一步，徒知无益也／立身高一步方超达，处世退一步方安乐／矢之于十步贯兕甲，于三百步不能入鲁缟／其有发挥新体，孤飞百代之前，开凿古人，独步九流之上

武 wǔ 与军事有关的；与技击有关的；勇猛；足迹；继承；古以六尺为古时冠上的结带；步，半步为武；姓。

❷有武无文，民畏不亲／文武之道，一张一弛／文武俱行，威德乃成／文武并行，则天下从矣／用武则先威，用文则先德／立武以威众，诛恶以禁邪／汤武革命，顺乎天而应乎人／以武功定祸乱，以文德致太平／用武则以力胜，用文则以德胜／黩武之众易动，惊弓之鸟难安／宁武子邦有道则智；邦无道则愚／文武之功，未有不以得人而成者也／穷武之雄，毙于不仁；存义之国，丧于懦退

❸为汤、武驱民者，桀与纣也／怀文武之才者，必荷社稷之重／西望武昌诸山，冈陵起伏……／滔滔武溪一何深，鸟飞不度，兽不敢临

❹随陆无武，绛灌无文／有文无武，无以威下／穷兵极武，未有不亡者也／禁必以武而成，赏必以文而成

❺英雄无用武之地／兵恶不戢，武贵止戈／文能附众，武能威敌／文通三略，武解六韬／白骨疑象，武夫类玉／惜秦皇汉武，略输文采；唐宗宋祖，稍逊风骚

❻忘战者危，极武者伤／一张一弛，文武之道也／文犹可长用，武难久行／奇才总于文武，重任归于将相／文臣不爱钱，武臣不惜死，天下太平矣／在上者，必有武备，以戒不虞，以遏寇虐／善为士者不武，善战者不怒，善胜敌者不与／张而不弛，文武弗能也；弛而不张，文武弗为也

❼兵不妄动，而习武不辍／坚明直亮，有文武之用／扬威以弭乱，震武以止暴／地利不如人和，武力不如文德／有文事者必有武备，有武事者必有文备／往事越千年，魏武挥鞭，东临碣石有遗篇／相臣将臣，文恬武嬉，习熟见闻，以为当然

❽不战而强，不威而武／令之以文，齐之以武／海内安宁，兴文匽武／守成尚文，遭遇右武／祖述尧舜，宪章文武／儒以文乱法，侠以武犯禁／宁饮建业水，不食武昌鱼／卷舒不随乎时，文武唯其所用／义之所加者浅，则武之所制者小矣／虞夏以文，殷周以武，异时各有所施／见虎一文，不知其武；见骥一毛，不知善走／兵非益多也，惟无武进，足以并力，料敌，取人而已

❾至治之时，常不忘于武备／因天时，伐天毁，谓之武／紫电青霜，王将军之武库／威恩参用以成化，文武相资以定业／逆取而以顺守之，文

武并用，长久之术／坚甲利兵不足以为武，高城深池不足以为固

❿仲尼祖述尧舜，宪章文武／善战者不怒，善胜者不武／杀尽田野人，将军犹爱武／因天之杀也以伐死，谓之武／中华儿女多奇志，不爱红装爱武装／圣人之治天下也，先文德而后武力／经纬天地之谓文，戡定祸乱之谓武／富贵不能淫，贫贱不能移，威武不能屈／有文事者必有武备，有武事者必有文备／张而不弛，文武弗能也；弛而不张，文武弗为也／君子避三端：避文士之笔端，避武士之锋端，避辩士之舌端

歧 qí 大路分出的岔路；不同，有差异。

❷路歧之险夷，必待身亲履历而后知

肯 kěn 附着在骨头上的肉；主观上乐意；肯定；许可。

❷但肯寻诗便有诗，灵犀一点是吾师

❹当年不肯嫁春风，无端却被秋风误／懒则不肯勤勉，学殖荒而志气亦坠／死犹未肯输心去，贫亦其能奈我何

❺岁寒松柏肯惊秋

❻舞落银蟾不肯归／非理所求，谁肯相与

❼君看磊落士，不肯易其身

❽世上无难事，只要肯登攀／入门见嫉，蛾眉不肯让人／大病只一自是，不肯克己／丈夫盖世英雄气，肯学世间儿女愁／不因困顿移初志，肯为夤缘改寸丹／标格原因独立好，肯教富贵负初心／胸中有誓深于海，肯使神州竟陆沉／欲为圣朝除弊事，肯将衰朽惜残年／何者为益友？凡事肯规我之过者是也

❾宁用不材以败事，不肯劳心而择材／宁用不材以旷职，不肯变例以求人

❿举世尽从愁里老，谁人肯向死前闲／臣心一片磁针石，不指南方不肯休／屠者羹藿……为者不必用，用者弗肯为／平日极好直言者，即患难时不肯负我之人／硕鼠硕鼠，无食我黍！三岁贯女，莫我肯顾／欲成功而反为败者，生于不知道理，而不肯问知而听能

耻 chǐ 羞愧；耻辱；侮辱。

❶耻不能，不耻不见用

见《荀子·非十二子》。全句为："耻不修，不耻见污；耻不信，不耻不见信；～"。

耻一物之不知，惜寸阴之徒靡

见南朝·梁·王僧孺《太常敬子任府君传》。

耻辱者，勇之决也；立名者，行之极也

见汉·司马迁《报任少卿书》。

耻不修，不耻见污；耻不信，不耻不见信

见《荀子·非十二子》。全句为："～；耻不能，不耻不见用"。

❷无耻过作非／知耻近乎勇／无耻者富，多信者显／廉耻，士君子之大节／明耻教战，求杀敌也／魏耻未灭，赵患又起／不耻不若人，何若人有／蒙耻之宾，屡黜不去其国／不耻身之贱，而愧道之不行／不耻禄之不夥，而耻知之不博

❸君子耻其言而过其行／恶小耻者不能立大功／君子耻不修，不耻见污／恶小耻者，不能立荣名／功成耻受赏，高节卓不群／但无耻一事不如人，则事事不如人矣／君子耻食其食而无其功，耻服其服而不知其事

❹好胜人，耻闻过……／每念斯耻，汗未尝不发背沾衣／行己有耻，使于四方，不辱君命，可谓士矣

❺中不胜貌，耻也／华而不实，耻也／欲富乎，忍耻矣／藏器待时，耻于自献／耻不能，不耻不见用／人不忘廉耻，立身自不卑污／为尊者讳耻，为贤者讳过，为亲者讳疾／耻不修，不耻见污；耻不信，不耻不见信

❻衔酸抱痛，且耻且惭／敏而好学，不耻下问／无位非贱，无耻乃为贱／战死士所有，耻复守妻孥／无舆马者不耻徒步，无鱼肉者不厌菜羹／士志于道，而耻恶衣恶食者，未足与议也

❼思小惠而忘大耻／声闻过情，君子耻之／独富独贵，君子耻之／君子耻不修，不耻见污／无启宠纳侮，无耻过作非／好问近乎智，知耻近乎勇／所荣者善行，所耻者恶名／古者言之不出，耻躬之不逮也／知不足者好学，耻下问者自满／死，人之所难，然耻为狂夫所害／德比于上，故知耻；欲比于下，故知足

❽不复知人间有羞耻事／知止常止，终身不耻／得非我美，失非我耻／瓶之罄矣，维罍之耻／卑贱贫穷，非士之耻也／邦无道，富且贵焉，耻也／邦有道，贫且贱焉，耻也／欲济无舟楫，端居耻圣明／不耻禄之不夥，而耻知之不博／耻不修，不耻见污；耻不信，不耻不见信／成大事者，不恤小耻；立大功者，不拘小谅／曰衣食足而后廉耻兴，财物阜而后礼乐作，是执末以求其本也

❾名利之大者，几在无耻而信／居其位，无其言，君子耻之／有其位，无其功，君子耻之／有其言，无其行，君子耻之／苟能无以利害义，则耻辱亦无由至矣／不廉，则无所不取；不耻，则无所不为

❿失身取高位，爵禄反为耻／韩亡子房奋，秦帝鲁连耻／见富贵而生谄容者最可耻／夫名利之大者几在无耻而信／见富贵而生谄容者，最可耻／用其言，弃其身，古人所耻／巫医乐师百工之人，不耻相师／不为苟得以偷安，不为苟免而无耻／乌有城坏其徒俱死，独蒙愧耻求活／胜败兵家事不期，包羞忍耻是男儿／病莫大于不

闻过，辱莫大于不知耻／痛莫大于不闻过，辱莫大于不知耻／好学近乎知，力行近乎仁，知耻近乎勇／卑而言高，能言而不能行者，君子耻之矣／国有贤士而不用，非士之过，有国者之耻／耻不修，不耻见污；耻不信，不耻不见信／见利思辱，见恶思诟，嗜欲思耻，忿怒思患／麟亡星落，月死珠伤，瓶罄罍耻，芝焚蕙叹／君子耻食其食而无其功，耻服其服而不知其事／教明于上，化行于下，民有耻心，则何盗之为／聪者耳闻，明者目见，聪明则仁爱著而廉耻分／朱丹既定，雌黄有别，使夫怀鼠知惭，滥竽自耻／君子见利思辱，见恶思诟，嗜欲思耻，忿怒思患／大丈夫岂得苟贪财物，以害及身命，使子孙每怀愧耻耶

敲

qiāo 击打；敲诈；短杖。

❷僧敲月下门

❼鸟宿池边树，僧敲月下门

❿欧阳当日文名重，更要推敲畏后生

日

rì 太阳；每天；一昼夜；他日；往日；从前；光阴；指白天；日子；一天天地；旧指日辰的吉凶禁忌；泛指某一段时间；特指某一天；指日本国。

❶日新谓之盛德

见《周易·系辞上》。

日不常中，月盈有亏

见南朝·宋·范晔《后汉书·崔琦传》。全句为："～。履道者固，杖势者危"。

日不知夜，月不知昼

见汉·刘安《淮南子·缪称》。全句为："～，日月为明而弗能兼也，唯天地能函之"。

日在井中，不能烛远

见《尸子·君治》。全句为："～；目在足下，不可以视近"。

日往月来，星移斗换

见明·冯梦龙《古今小说·明悟禅师赶五戒》。

日居月诸，胡迭而微

见《诗·邶风·柏舟》。

日极则仄，月满则亏

见《管子·白心》。

日月逝矣，岁不我与

见《论语·阳货》。

日月韬光，山河改色

见宋·王炎午《望祭文丞相文》。

日月欲明，浮云蔽之

见《文子·上德》。

日有短长，月有死生

见《孙子兵法·虚实篇》。

日出众鸟散，山暝孤猿吟

见南朝·齐·谢朓《和徐都曹出新亭渚》。

日出多伪，士民安取不伪

见《庄子·则阳》。全句为："民知力竭，则以伪继之；～"。"取"，效法。

日入牛渚晦，苍然夕烟迷

见唐·李白《登黄山凌歊台送族弟溧阳尉济充泛舟赴华阴》。

日入群动息，归鸟趋林鸣

见晋·陶潜《饮酒二十首》之七。"群动"，各种活动。

日闻所未闻，日见所未见

见唐·吴兢《贞观政要·尊敬师傅》。

日月之明，而时蔽于浮云

见汉·司马迁《史记·龟策列传》。全句为："人虽贤，不能左画方，右画圆；～"。

日月光天德，山河壮帝居

见南朝·陈·陈叔宝《入隋侍宴应诏诗》。

日与水居，则十五而得其道

见宋·苏轼《日喻》。全句为："～；生不识水，则虽壮，见舟而畏之"。

日就月将，学有缉熙于光明

见《诗·周颂·敬之》。

日月丽天，而瞽者莫睹其明

见晋·释道恒《释驳论》。全句为："～；雷电震地，而聋者不闻其响"。

日出而林霏开，云归而岩穴暝

见宋·欧阳修《醉翁亭记》。全句为："～，晦明变化者，山间之朝暮也"。

日习则学不忘，自勉则身不堕

见三国·魏·徐幹《中论·治学》。

日光寒兮草短，月色苦兮霜白

见唐·李华《吊古战场文》。全句为："鸟无声兮山寂寂，夜正长兮风淅淅；魂魄结兮天沉沉，鬼神聚兮云幂幂；～"。

日计之无近功，岁计之有大利

见唐·李白《化城寺大钟铭》。

日计之而不足，岁计之而有余

见《庄子·庚桑楚》。

日莫途远，吾故倒行而逆施之

见汉·司马迁《史记·伍子胥列传》。"莫"同"暮"。

日知其所不足，月无忘其所能

见唐·吴兢《贞观政要·规谏太子》。

日滔滔以自新，忘老之及己也

见汉·刘安《淮南子·缪称》。

日进前而不御，遥闻声而相思

见南朝·梁·刘勰《文心雕龙·知音》。

日日思君不见君，共饮长江水

见宋·李之仪《卜算子》[我住长江头]。全句为："我住长江头，君住长江尾。～"。

日月星辰民所瞻仰者亦皆曰神

见宋·陈淳《北溪字义》卷下。全句为:"山林川谷丘陵能出气为云雨者皆是神,～"。

日月其犹坠落,萤光如何久留

见唐·王勃《释迦如来成道记》。

日,方中方睨;物,方生方死

见《庄子·天下》。

日省其身,有则改之,无则加勉

见宋·朱熹《四书集注·论语·学而》。

日月挟虫鸟之瑕,不妨丽天之景

见晋·葛洪《抱朴子·外篇·博喻》。

日月忽其不淹兮,春与秋其代序

见战国·楚·屈原《离骚》。"淹",久留。

日出江花红胜火,春来江水绿如蓝

见唐·白居易《忆江南词三首》之一。

日南则景短多暑,日北则景长多寒

见《周礼·地官·大司徒》。"景"同"影"。

日典春衣非为酒,家贫食粥已多时

见宋·秦观《春日偶题呈上尚书钱文》。

日暮汉宫传蜡烛,轻烟散入五侯家

见唐·韩翃《寒食》。"五侯",指汉桓帝在一天之内封五名宦官为侯的典故,这里指当朝当权的宦官。

日暮榆园拾青荚,可怜无数沈郎钱

见宋·晁补之《流民》。"沈郎钱",晋代沈充铸造的小钱。

日改月化,日有所为,而莫见其功

见《庄子·田子方》。全句为:"消息盈虚,一晦一明,～"。

日月五星逆天而行,并包乎地者也

见宋·张载《正蒙·参两》。"五星",金、木、水、火、土星。

日月双悬于氏墓,乾坤半壁岳家祠

见清·张煌言《甲辰八月辞故里》。全句为:"～。惭将赤手分三席,敢为丹心借一枝"。

日月为明而弗能兼也,唯天地能函之

见汉·刘安《淮南子·缪称》。全句为:"日不知夜,月不知昼,～"。

日月如梭,光阴似箭,少年人,早打点

见清代儿歌《早打点歌》。

日出而作,日入而息,凿井而饮,耕田而食

见汉·王充《论衡·感虚篇》。

日光顿生,霜露渐消;狂风顿息,波浪渐停

见《禅源诸诠集都序》。

日薄西山,余光横照,紫翠重叠,不可殚数

见宋·朱熹《百丈山记》。

日薄西山,气息奄奄;人命危浅,朝不虑夕

见晋·李密《陈情表》。

日异其能,岁增其智,进如川行,浩浩而遂

见唐·柳宗元《祭吕敬叔文》。

日月之行,若出其中;星汉灿烂,若出其里

见三国·魏·曹操《步出夏门行·观沧海》。

日月欲明而浮云盖之,兰芝欲修而秋风败之

见汉·刘安《淮南子·说林》。

日知其所亡,月无忘其所能,可谓好学也已矣

见《论语·子张》。

日月出矣,而爝火不息,其于光也,不亦难乎

见《庄子·逍遥游》。

日月虽以形相物,考其道则有施受健顺之差焉

见宋·张载《正蒙·参两》。

日思高其位,大其禄,而贪取滋甚,以近于危坠

见唐·柳宗元《蝜蝂传》。全句为:"～,观前之死亡不知戒"。

❷落日丹枫相映红／白日杨花满流水／吾日三省吾身……／一日不作,一日不食／一日不见,如三秋兮／一日叫娘,终身是母／一日行善,天下归仁／一日纵敌,万世之患／三日不弹,手生荆棘／来日苦短,去日苦长／同日被霜,蔽者不伤／今日乌合,明日兽散／除日无岁,无内无外／苦日难熬,欢时易过／抱日增丽,浮空不收／冬日可爱,夏日可畏／惟日孜孜,无敢逸豫／白日一照,浮云自开／一日纵敌,数世之患也／请日试万言,倚马可待／时日曷丧,予及汝皆亡／视日月而知众星之蔑也／今日乐相乐,别后莫相忘／今日朱门者,曾恨朱门深／苟日新,日日新,又日新／夏日抱长饥,寒夜无被眠／终日抄药方而不能廖一疾／明日复明日,明日何其多／昨日胜今日,今年老去年／晴日花争发,丰年酒易沽／朝日乐相乐,酣饮不知醉／白日依山尽,黄河入海流／白日曜青春,时雨静飞尘／今日太平,即是江宁之小邑／一日而废一事,一月则可知也／使日在井中,则不能烛十步矣／今日长缨在手,何时缚住苍龙／园日涉以成趣,门虽设而常关／日日思君不见君,共饮长江水／明日复明日,明日何其多……／悬日月于胸怀,挫风云于毫翰／烈日秋霜,忠肝义胆,千载家谱／今日重来应抵掌,十年分付未逢人／君日骄而臣日谄,未有不丧邦者也／昨日之日不可追,今日之日须臾期／昨日邻家乞新火,晓窗分与读书灯／昨日山中之木,以不材得终其天年／昨日春风欺不在,就床吹落读残书／贪日得则鼓刀利,要岁计而韫椟多／见日月不为明目,闻雷霆不为聪耳／白日经天中则移,明月横汉满而亏／竟日不知尘世事,长年占断白云乡／赤日炎炎似火烧,野田禾稻半枯焦／一日暴之,十日寒之,未有能生者也／隔日一删,愈月一改,始能淘沙得金／德日新,万邦惟怀;志自满,九族乃离／终日写路程而不能行一步,徒知无益也／平日极好直言者,即患难时不肯负我之人

／一日万机，一人听断，虽复忧劳，安能尽善／善日者王，善时者霸，补漏者危，大荒者亡／冬日之闭冻也不固，则春夏之长草木也不茂／明日黄花，过晚之物；岁寒松柏，有节之称／春日迟迟，秋风飒飒。情往似赠，兴来如答／白日所为，夜来省己，是恶当惊，是善当喜／不日不月，而事以从；不卜不筮，而谨知吉凶

❸肠一日而九回／百姓日用而不知／昭乎日月不足为明／庄敬日强，安肆日偷／朗如日月，清如水镜／天王日俭德，俊乂始盈庭／吏则日饱鲜，谁悯民艰食／百川日东流，客去亦不息／使人日徙善远罪而不自知／子孙日已长，世世还复然／锄禾日当午，汗滴禾下土／何秋日之可哀，托芙蓉以为媒／知往日所行之非，则学日进矣／毋以日月为功，实试贤能为上／鹄不日浴而白，乌不日黔而黑／但终日不见己过，便绝圣贤之路／须晴日，看红装素裹，分外妖娆／春之日，我爱其草薰薰，木欣欣／东边日出西边雨，道是无晴却有晴／何昔日之芳草兮，今直为此萧艾也／诗中日月酒中仙，平地雄飞上九天／坐地日行八万里，巡天遥看一千河／将回日月先反掌，欲作江河唯画地／知冬日之箑、夏日之裘，无用于己／骥一日而千里，驽马十驾则亦及之／腊天日短不盈尺，何似妖姬一曲歌／旌蔽日兮敌若云，矢交坠兮士争先／旌旗日暖龙蛇动，宫殿风微燕雀高／朱门日日买朱娥，军事如何，民事如何／哀白日之不与吾谋兮，至今十年其犹初／君子日孳孳以成辉，小人日怏怏以至辱／言今日难于前日，安知他日不难于今日乎／云生日入，怪状迭发，水石卉木，杳非人寰／骥一日千里，车轻也，以重载，则不能数里／为学日益，为道日损，损之又损，以至于无为

❹不可同日而语／未可同日而语／不可一日近小人／未尝一日去书不观／养兵千日，用兵一时／养军千日，用军一时／虽死之日，犹生之年／早知今日，悔不当初／赏不逾日，罚不还面／爱犹冬日，间若明珠／勿谓今日不学而有来日／干云蔽日之木，起于葱青／干云蔽日之木，起于青葱／士别三日，即更刮目相待／志士惜日短，愁人知夜长／苟日新，日日新，又日新／当其贯日月，死生安足论／常言道：日久才把人心见／名声若日月，功绩如天地／寒之之日长而暴之之日短／裁此百日功，唯将一朝舞／明之为日月，幽之为鬼神／春无三日晴，夏无三日雨／登楼知日近，傍海见潮生／青天白日，奴隶亦知其清明／功业逐日以新，名声随风而流／饱食终日，无所用心，难矣哉／春葩含日似笑，秋叶泫露如泣／空怀向日之心，未有朝天之路／吾之终日志于道德，犹惧未及也／兵可千日而不用，不可一日而不备／贞操与日月俱悬，孤芳随山壑共远／人言落日是天涯，望极天涯不见家／请看今日之域中，竟是谁家之天下／大鹏一日同风起，扶摇直上九万里／常将有日思无日，莫待无时思有时／常将有日思无日，莫待无时想有时／昨日之日不可追，今日之日须臾期／欧阳当日文名重，更要推敲畏后生／为善者日以有劝，为不善者月以有惩／博学而日参省乎己，则知明而行无过／吾尝终日而思矣，不如须臾之所学也／朱门日日买朱娥，军事如何，民事如何／虎豹终日而不杀，则跳踉大叫以发其怒／蝮蝎终日而不螫，则噬啮草木以致其毒／群居终日，言不及义，好行小慧，难矣哉／敬时爱日，非老不休，非疾不息，非死不舍／朝乐朗日，啸歌丘林；夕玩望舒，入室鸣琴／焕然如日月之经天也，炳然如虎豹之异犬羊也／必且历日旷久，丝牦犹能挈石，驽马亦能致远／吾尝终日不食、终夜不寝以思，无益，不如学也／天有恒日，民自则之，爽则损命，环自服之，天之道也

❺世事徒惊日月新／作伪，心劳日拙／困人天气日初长／足欲，亡无日矣／将受命之日忘其家／安者非一日而安也／正静不失，日新其德／居安思危，日慎一日／三万六千日，夜夜当秉烛／百年能几日，忍不惜光阴／长绳难系日，自古共悲辛／后来有千日，谁与共平生／我生待明日，万事成蹉跎／黄河清有日，白发黑无缘／花有重开日，人无再少年／芳槿无终日，贞松耐岁寒／苟日新，日日新，又日新／唯见月寒日暖，来煎人寿／待到重阳日，还来就菊花／明日复明日，明日何其多／春秋多佳日，登高赋新诗／昨日胜今日，今年老去年／断雾时通日，残云尚作雷／毅魄归来日，灵旗空际看／谷口未斜日，数峰生夕阳／才以用而日生，思以引而不竭／天道乱，而日月星辰不得其行／创巨者其日久，痛甚者其愈迟／作德心逸日休，作伪心劳日拙／常记溪亭日暮，沉醉不知归路／明日复明日，明日何其多……／一尺之捶，日取其半，万世不竭／众踥蹀而日进兮，美超远而逾迈／耕织之民日耗，则田荒而桑枯矣／天时人事日相催，冬至阳生春又来／喷气则白日尽晦，刷马则清江倒流／闲云潭影日悠悠，物换星移几度秋／日改月化，日有所为，而莫见其功／小人……行一日之善，而求终身之誉／不及流莺日日啼花间，能使万家春意闲／正明不为日月所眩，正观不为天道所迁／十指而掩日月之光，一口而没沧溟之水／收心简事日损有为，体静心闲方可观妙／三年不目日，视必盲；三年不目月，精必朦／幽晦登昭，日月下藏；公正无私，反见从横／日出而作，日入而息，凿井而饮，耕田而食／散珠喷雾，日光烛之，璀璨夺目，不可正视／礼下贤者，日中不暇食以待士，士以此多归之／

政如农功，日夜思之，思其始而成其终，朝夕而行之／天地相对，日月相刿，山川相流，轻重相浮，阴阳相续

❻一日不作，一日不食／来日苦短，去日苦长／中心藏之，何日忘之／今日乌合，明日兽散／画脂镂冰，费日损功／循序而进，与日俱新／冬日可爱，夏日可畏／如月之恒，如日之升／子如不忧，忧日以生／易衣而出，并日而食／斫冰为璧，见日而销／失火之家，三日不熟食／幼而学者，如日出之光／圣贤之学，以日新为要／壮而好学，如日中之光／少而好学，如日出之阳／善人同处，则日闻嘉训／闻其过者过日消而福臻／闻其誉者誉日损而祸至／恶人从游，则日生邪情／兢兢业业，一日二日万几／今美于昨，明日复胜于今／旁通而无滞，日用而不匮／冰炭不同器，日月不并明／日闻所未闻，日见所未见／里胥扣我门，日夕苦煎促／路遥知马力，日久见人心／乱我心者，今日之日多烦忧／弃我去者，昨日之日不可留／智不公，则福日衰，灾日隆／念头暗昧，白日下犹生厉鬼／不饱食以终日，不弃功于寸阴／华骝、绿耳，一日至千里……／对苍茫之寒日，听萧瑟之悲蝉／坐茂树以终日，濯清泉以自洁／昭昭乎如揭日月而行，故不免也／我自只如常日醉，满川风月替人愁／君日骄而臣日谄，未有不丧邦者也／屈平词赋悬日月，楚王台榭空山丘／悲愁天地白日昏，路旁过者无颜色／顾使乾坤同日月，不妨闽浙异江山／一日暴之，十日寒之，未有能生者也／君子之过，犹日月之蚀也，何害于明／不及流莺日日啼花间，能使万家春意闲／鹰善击也，然日击之，则疲而无全翼矣／骥善驰也，然日驰之，则蹶而无全蹄矣／积微，月不胜日，时不胜月，岁不胜时／矜容者有经日之芳；工歌者有弥旬之韵／骐骥骅骝，一日而驰千里，捕鼠不如狸狌／苦心焦思，以日继夜，苟利于国，知无不为／拘囹圄者，以日为修；当死市者，以日为短／君子博学而日参省乎己，则知明而行无过矣／骐骥千里，一日而通；驽马十舍，旬亦至之／忠心好善，而日新之；独居乐德，内悦于形／衣缺不补，则日以甚；防漏不塞，则日以滋／贵者，夜以继日，思虑善否，其为形也亦疏矣／幼而学者，如日出之光；壮而学者，如炳烛之光／天下不可一日而无政教，故学不可一日而亡于天下

❼在天者莫明乎日月／位益尊，则贱者日隔／庄敬日强，安肆日偷／自治不勇，则恶日长／干天之木，非荀日所长／夙兴夜寐，无一日之懈／冰冻三尺，非一日之寒／平生仗忠信，今日任风波／百年养不足，一日毁有余／长安如梦里，何日是归朝／举贤任能，不时日而事利／以不息为体，以日新为道／做歹事的胆，一日大一日／从风还共落，照日不俱销／今朝一杯酒，明日千里人／勿言一樽酒，明日难重持／行行循归路，计日望旧居／明日复明日，明日何其多／盛年不重来，一日难再晨／穷秋南国泪，残日故乡心／君子之过也，如日月之食焉／爱惜精神，留他日担当宇宙／青葵善迎于白日，宇暖斯迷／我岂更求荣达，日长聊以销忧／饱食便卧及终日久坐，皆损寿／要囚，服念五六日，至于旬时／明日复明日，明日何其多……／奸诈既作，盗贼日多，谓之乱政／千家万户曈曈日，总把新桃换旧符／周公恐惧流言日，王莽谦恭未篡时／博弈之交不终日，饮食之交不终月／萧墙祸起非今日，不赏军功在断桥／常将有日思无日，莫待无时思有时／常将有日思无日，莫待无时想有时／君子为国……故旷日长久而社稷安／知冬日之箑、夏日之裘，无用于己／王师北定中原日，家祭无忘告乃翁／成名每在穷苦日，败事多因得志时／春风桃李花开日，秋雨梧桐叶落时／其为人也多暇日者，其出入不远矣／不宜忽略，以弃日也。弃日乃是弃身／欲长生久视，而日逆其生，欲之何益／积善在身，犹长日加益，而人不知也／天地以顺动，故日月不过，而四时不忒／言今日难于前日，安知他日不难于今日乎／为学日益，为道日损，损之又损，以至于无为／以弋猎博弈之日诵《诗》、《书》，闻识必博矣／河冰结合，非一日之寒；积土成山，非斯须之作／君子之于学，惟日孜孜，毙而后已，惟恐其不及也／追计往时咎过，日夜反覆，无一食而安于口平于心／三皇之知，上悖日月之明，下睽山川之精，中堕四时之施

❽谓予不信，有如皎日／药石去矣，吾亡无日／弄花一年，看花十日／居安思危，日慎一日／委体渊沙，鸣弦揆日／其雨其雨，杲杲出日／勤民以自封，死无日矣／取善以辅仁，则德日进／世有盛名，则衰之日至矣／东望望长安，正值日初出／兢兢业业，一日二日万几／今之视者，已非昔日之欢／冰厚三尺，不是一日之寒／苟日新，日日新，又日新／待万世之利，在今日之胜／滥交朋友，不如终日读书／胜事谁复论，丑声日已播／端拱纳谏诤，和风日冲融／窥寸隙之光而见日轮之体／乱我心者，今日之日多烦忧／弃我去者，昨日之日不可留／与天地兮同寿，与日月兮同光／与乾坤齐其寿，与日月齐其明／其发于外者，烂如日星之光辉／志士惜年，贤人惜日，圣人惜时／腾波触天，高浪灌日，吞吐百川／光阴似箭催人老，日月如梭趱少年／诗家之景，如蓝田日暖，良玉生烟／日南则景短多暑，日北则景长多寒／早夜孜孜，何畏不日日新又日新也／章台柳，章台柳！昔日青青今在否／月本无光，如银丸。日耀之，乃光耳／冬者岁之

余，夜者日之余，阴雨者时之余／藜藿之生，蠕蠕然日加数寸，不可以为庐栋／江河之溢，不过三日，飘风暴雨，须臾而毕／子为王，母为虏，终日舂薄暮，常与死为伍／春耕其丘，投种之日。释耒而叹，何时实栗／欲观千岁，则数今日；欲知亿万，则审一二／今夫大海……旦则浴日而出之，夜则滔列星，涵太阴／骐骥盛壮之时，一日而驰千里；至其衰也，驽马先之

❾南人学问，如牖中窥日／今岁今宵夜，明年明日催／吾道亦如此，行之贵日新／峰攒望天小，亭午见日初／冬尽今宵促，年开明日长／春无三日晴，夏无三日雨／安得万垂杨，系教春日长。／迷路，迷路，边草无穷日暮／智不公，则福日衰，灾日隆／赠人以财者，唯申即日之欢／头颅相属于道，不一日而无兵／大凡做好事的心，一日小一日／君子之学也，其可一日而息乎／鹄不日浴而白，乌不日黔而黑／身与草木俱朽，声与日月并彰／圣人教人，只是就人日用处开端／少年作迟暮经营，异日决无成就／处于堂上之阴，而知日月之次序／一年之计在于春，一日之计在于晨／天无私覆，地无私载，日月无私照／向来枉费推移力，此日中流自在行／南方无穷而有穷，今日适越而昔来／今朝有酒今朝醉，明日愁来明日愁／早夜孜孜，何畏不日日新又日新也／昨日之日不可追，今日之日须臾期／功之成，非成于成之日，盖必有所由起／古之君子，其过也，如日月之食，民皆见之／阴风怒号，浊浪排空，日星隐曜，山岳潜形／物盛而衰，乐极则悲，日中而移，月盈而亏／汰流、淫佚、侈靡之俗日以长，是天下之大祟也／此生不学，一可惜；此日闲过，二可惜；此身一败，三可惜

❿勿谓今日不学而有来日／做歹事的胆，一日大一日／谗邪害公止，浮云翳白日／大海浮萍，也有相逢之日／君子见几而作，不俟终日／寒之之日长而暴之之日短／飘风不终朝，骤雨不终日／覆压三百余里，隔离天日／凡弈棋与胜己者对，则日进／谁不欲争裂绮绣，互攀日月／故飘风不终朝，骤雨不终日／不到极逆之境，不知平安之日／作德心逸日休，作伪心劳日拙／大凡做好事的心，一日小一日／知往日所行之非，则学日进矣／虽为镜于前代，终抱痛于今日／汝病吾不知时，汝殁吾不知日／富足生于宽暇，贫穷起于无日／见世人可取者多，则德日进矣／穷睇眄于中天，极娱游于暇日／酷好学问文章，未尝一日暂废／非惟使人情开涤，亦觉日月清朗／冈陵起伏，草木行列，烟消日出／砚以世计，墨以时计，笔以日计／兵可千日而不用，不可一日而不备／兵者百岁不一用，然不可一日忘也／为有牺牲多壮志，敢教日月换新天／以千百就尽之卒，战百万日滋之师／剑戟横空金气肃，旌旗映日彩云飞／今朝有酒今朝醉，明日愁来明日愁／把向空中捎一声，良马有心日驰千／早夜孜孜，何畏不日日新又日新也／昨日之日不可追，今日之日须臾期／昨是儿童今是翁，人间日月急如风／自古逢秋悲寂寥，我言秋日胜春朝／上无礼，下无学，贼民兴，丧无日矣／不宜忽略，以弃日也。弃日乃是弃身／勤非俭，终年劳瘁，不当一日之侈靡／大丈夫行事当磊磊落落，如日月皎然／吾文如万斛泉源……虽一日千里无难／恶犹疾也，攻之则益悛，不攻则日甚／以土圭之法测土深，正日景，以求地中／君子日孳孳以成辉，小人日快快以至辱／虽有贤师良友，若画脂镂冰，费日损功／恨不得挂长绳于青天，系此西飞之白日／未成乎心而有是非，是今日适越而昔至也／为学无间断，如流水行云，日进而不已也／富贵时，意中不忘贫贱，一日退休必不怨／贫贱时，眼中不著富贵，他日得志必不骄／有才必韬藏，如浑金璞玉，暗然而日章也／祸之作也，非作于作之日，亦必有所由兆／言今日难于前日，安知他日不难于今日乎／千仓万箱非一耕所得；干天之木非旬日所长／并时遭兵，隐者不中；同日被霜，蔽者不伤／冀以尘雾之微补益山海，荧烛末光增辉日月／拘囹圄者，以日为修；当死市者，以日为短／崇大厦者非一木之材，匡弊俗者非一日之卫／安卧扬帆，不见石滩；靠天多幸，白日入阱／寒不累时，则霜不降；温不兼日，则冰不释／如地如天，何私何亲？如日如月，唯君之节／教羊牧兔，使鱼捕鼠，任非其人，费日无功／所避者名也，所忧者其实也，实不可一日忘／穷高则危，大满则溢，月盈则缺，日中则移／衣缺不补，则日以甚；防漏不塞，则日以滋／繁华，系累不能夺，则俗心日退、真心日进／震雷电激，不崇一朝；大风冲发，希有极日／小人错其在己者，而慕其在天者，是以日退也／君子敬其在己者而不慕其在天者，是以日进也／沧波远天，混和暮色，孤舟一去，曷日而旋归／礼者贱质而贵文，故正直日以少，邪乱日以生／北人看书，如显处视月；南人学问，如牖中窥日／非其人而欲有功，譬其若夏至之日而欲夜之长也／非其人而欲有功，譬之若夏至之日而欲夜之长也／昔之所为，而今觉其非，虽日异而月不同，可也／粟米布帛生于地，长于时，聚于力，非可一日成／下以言语为学，上以言语为治，世道之所以日降也／天下不可一日而无政教，故学不可一日而亡于天下／不奋苦而求速效，只落得少日浮夸，老来窘隘而已／使天下之人，不敢言而敢怒。独夫之心，日益骄固／事无礼则不成，国无礼则不宁，王无礼则死亡无日矣／地尽天水合，

朝及洞庭湖，初日当中涌，莫辨东西隅／安不忘危，治不忘乱，虽知今日无事，亦须思其终始／学无二事，无二道，根本苟立，保养不替，自然日新／一观其文，心朗目舒，炯若深井之下仰视白日之正中也／卵之化为雏，非慈雌呕暖覆伏，累日积久，则不能为雏／因循苟且逸豫而无为，可以侥幸一时，而不可旷日持久／胸中浩然廓然，纳烟云日月之伟观，揽雷霆风雨之奇变／天无私覆也，地无私载也，日月无私烛也，四时无私行也／卵之性为雏，不得良鸡覆伏孚育，积日累久，则不成为雏／天之高也，星辰之远也，苟求其故，千岁之日至，可坐而致也／天不得不高，地不得不广，日月不得不行，万物不得不昌，此其道与

旦

dàn 天亮，早晨；日；天亮的时候；指某一天；明亮；传统戏曲脚色行当。

❶旦以为是，而暮已悔之

见明·方孝孺《益斋记》。全句为："～；昔之所为，而今觉其非，虽日异而月不同，可也"。

旦握权则为卿相，夕失势则为匹夫

见汉·班固《汉书·扬雄传》。全句为："当途者入青云，失路者委沟渠，～"。

旦旦而学之，久而不怠焉，迄乎成

见清·彭端淑《为学一首示子侄》。

旦为朝云，暮为行雨。朝朝暮暮，阳台之下

见战国·楚·宋玉《高唐赋》。

旦执机权，夜填坑谷；朔欢卓、郑，晦泣颜、原

见北齐·颜之推《颜氏家训·止足》。"朔"、"晦"，分别指农历每月的第一天和最后一天；""、""，分别指汉代豪富卓王孙与程郑；"颜"、"原"，分别指孔子的学生颜回与原宪。

❷一旦在位，鲜冠利剑／一旦见景生情，触目兴叹／昏旦变气候，山水含清晖／一旦临小利害，仅如毛发比……／旦旦而学之，久而不怠焉，迄乎成

❸信誓旦旦，不思其反／世途旦复旦，人情玄又玄／人有旦夕祸福，岂能自保／人情旦暮有翻复，平地倏忽成山谿

❹信誓旦旦，不思其反／枕戈待旦，志枭逆虏／鸡知将旦，鹤知夜半，而不免于鼎俎／庶人有旦暮之业则劝，百工有器械之巧则壮

❺世途旦复旦，人情玄又玄／风且起，一旦荒忽飞扬，化而为沙泥／今夫大海……旦则浴日而出之，夜则滔列星，涵太阴

❻每至晴初霜旦，林寒涧肃／读书与磨剑，旦夕但忘疲／每至晴初霜旦，林寒涧肃……／阴晴显晦，昏旦含吐，千变万状，不可殚纪

❽死生，命也，其有夜旦之常，天也／天犹有春秋冬夏旦暮之期，人者厚貌深情

❾天有不测风云，人有旦夕祸福

❿先王昧爽丕显，坐以待旦／雌黄出其唇吻，朱紫由其月旦／三条九陌丽城隈，万户千门平旦开／昼诵书传，夜观星宿，或不寐达旦／伟哉横海鲸，壮矣垂天翼。一旦失风水，翻为蝼蚁食／小人之交以利，平时相亲不啻父子，一旦相噬不啻狗彘

早

zǎo 清晨；表示很久以前；本来，已经；时间靠前的；姓。

❶早知今日，悔不当初

见明·施耐庵《水浒传》第四十一回。

早作而夜思，勤力而劳心

见唐·柳宗元《送薛存义之任序》。

早已森严壁垒，更加众志成城

见现代·毛泽东《西江月·井冈山》。

早夜孜孜，何畏不日日新又日新也

见唐·柳宗元《答吴秀才谢示新文书》。

早岁那知世事艰，中原北望气如山

见宋·陆游《书愤》。

早成者未必有成，晚达者未必不达

见明·冯梦龙《警世通言·老门生三世报恩》。

❷傍早做人家／春早见花枝，朝朝恨发迟／秋早寒，则冬必暖；春雨多，则夏必旱

❸若不早图，后君噬齐／劝我早归家，绿窗人似花／封侯早归来，莫作弦上箭／学无早晚，但恐始勤终惰

❹忧艰常早至，欢会常苦晚／迎春故早发，独自不疑寒／智贵乎早决，勇贵乎必为／老禾不早杀，余种秽良田／青春须早为，岂能长少年／辩之不早，疑盛乃动，故必战／先虑之，早谋之，斯须之言而足听

❺笨鸟先飞早入林／莫道人行早，还有早行人

❻有生必有死，早终非命促

❼丑声，贯盈。迟和早除奸佞／良人犹恐催耕早，自扯蓬窗看晓星／病身最觉风露早，归梦不知山水长

❽莫道人行早，还有早行人／当及未衰时，晚节早自励／小荷才露尖尖角，早有蜻蜓立上头

❿人生意气豁，不在相逢早／盛衰各有时，立身苦不早／伏久者飞必高，开先者谢独早／创业自知难两立，辍耕早已定三分／凡为道者，常患于晚，不患于早也／城上草，植根非不高，所恨风霜早／善恶到头终有报，只争来早与来迟／日月如梭，光阴似箭，少年人，早打点／千里开年，且悲春目；一叶早落，足动秋襟／人亦有言，忧令人老。嗟我白发，生一何早／君子之求利也略，其远害也早，其避辱也惧，其行道理也勇

旱

hàn 长久无雨；陆地；冷落，置之不理。

❶旱斯具舟，热斯具裘

见明·刘基《郁离子》。
❷久旱逢甘雨,他乡遇故知
❹阴阳水旱由天公,忧雨忧风愁煞侬
❺是岁江南旱,衢州人食人
❻源而流者岁旱不涸/民望之,若大旱之望云霓/天地之有水旱,犹人之有疾病也/良农不为水旱不耕,良贾不为折阅不市
❼顺天养财、御水旱、制蛮夷之原本也
❽暴虐之吏,过于水旱远矣
❿秋旱寒,则冬必暖;春雨多,则夏必旱/疾病不可以自责除,水旱不可以祷谢去/如贫得宝,如暗得灯,如饥得食,如旱得云/斩伐林木,亡有时禁,水旱之灾,未必不由此也

时 shí 指时间;较长的一段时间;规定的时间;通"伺",伺候;通"司",掌管;季节;现在的;小时;时辰;时机;时势;时尚;善,嘉;是,此;经常;时代;种植;姓。

❶时光速流电
见唐·李白《赠汉阳》。
时乎时,不再来
见汉·班固《汉书·蒯通传》。
时危始识不世才
见唐·杜甫《寄秋明府博济》。
时惟天命,无违
见《尚书·多士》。
时者,难得而易失
见汉·司马迁《史记·淮阴侯列传》。
时祀尽敬而不祈喜
见《庄子·让王》。
时不可留,众不可逆
见南朝·宋·范晔《后汉书·光武帝纪》。
时诎则诎,时伸则伸
见《荀子·仲尼》。
时动而济,则无败功
见《国语·周语中》。
时至弗行,反受其殃
见汉·班固《汉书·蒯通传》。全句为:"天与弗取,反受其咎;~"。
时有始终,世有变化
见《庄子·则阳》。
时移而治不易者,乱
见《韩非子·心度》。
时无英雄,使竖子成名
见唐·房玄龄等《晋书·阮籍传》。
时俗人有耳不自闻其过
见唐·韩愈《答冯宿书》。
时观而弗语,存其心也
见《礼记·学记》。
时日曷丧,予及汝皆亡
见《尚书·汤誓》。
时不乏人而患闻见之不博
见宋·欧阳修《范文度模本兰亭序》。
时来故旧少,乱后别离频
见唐·杜甫《寄张十二山人彪三十韵》。
时危见臣节,世乱识忠良
见南朝·宋·鲍照《代出自蓟北门行》。
时危思报主,衰谢不能休
见唐·杜甫《江山》。
时节忽已换,壮心空自惊
见宋·欧阳修《虫鸣》。
时花美女,不足为其色也
见唐·杜牧《李贺集序》。
时哉不我与,去乎若云浮
见晋·刘琨《重赠卢谌》。
时逢矣,有用而不尽其施
见宋·欧阳修《尚书工部郎中充天章阁待制许公墓志铭》。全句为:"材难矣,有蕴而不得其时;~"。
时易失,志难成,鬓丝生
见宋·陆游《诉衷情》。
时有利不利,虽贤欲奚为
见唐·韩愈《送张道士序》。
时穷节乃见,一一垂丹青
见宋·文天祥《正气歌》。
时过然后学,则勤苦而难成
见《礼记·学记》。
时不可以苟遇,道不可以虚行
见唐·王勃《常州刺史平原郡开国公行状》。
时难得而易失也,学者勉之乎
见汉·贾谊《新书·劝学》。
时闻声如蝉蝇之类,听之亦无
见唐·元结《九疑山图记》。全句为:"中峰之下,水无鱼鳖,林无鸟兽,~"。
时有薄而厚施,行有失而惠用
见南朝·宋·范晔《后汉书·朱穆传》。
时乎时乎,去不可邀,来不可逃
见唐·刘禹锡《何卜赋》。
时不与兮岁不留,一叶落兮天地秋
见唐·李子卿《听秋声歌》。
时来天地皆同力,运去英雄不自由
见唐·罗隐《筹笔驿》。
时人不识凌云木,直待凌云始道高
见唐·杜荀鹤《小松》。
时人莫小池中水,浅处无妨有卧龙
见唐·窦庠《醉中赠符载》。
时人莫道蛾眉小,三五团圆照满天
见唐·缪氏子《赋新月》。
时止则止,时行则行;动静不失其时
见《周易·艮》。
时不至不可强生也,事不究不可强成也

见汉·刘向《说苑·说丛》。

时既清兮惟贤是急，贤既进兮其政必立

见唐·梁洽《进贤冠赋》。

时无远近，事无巨细，必籍多闻，以成博识

见唐·刘知几《史通·杂说中》。

时运不齐，命途多舛；冯唐易老，李广难封

见唐·王勃《滕王阁序》。

时雨降矣，而犹浸灌，其于泽也，不亦劳乎

见《庄子·逍遥游》。

时之来也，为云龙，为风鹏，勃然突然，陈力以出

见唐·白居易《与元九书》。

时之不来也，为雾豹，为冥鸿，寂兮寥兮，奉身而退

见唐·白居易《与元九书》。

❷因时立政／视时而立仪／识时务者为俊杰／此时无声胜有声／乘时蹈机，祸不旋踵／识时务者，在乎俊杰／小时了了，大未必佳／四时更运，功成则移／四时转续，变于所极／因时施宜，无害于民／得时者昌，失时者亡／趋时务则迟缓而不及／一时今夕会，万里故乡情／及时当勉励，岁月不待人／何时一樽酒，重与细论文／小时不识月，呼作白玉盘／当时而立法，因事而制礼／四时兮代谢，万物兮迁化／逢时独为贵，历代非无才／感时花溅泪，恨别鸟惊心／感时思报国，拔剑起蒿莱／盛时不可再，百年忽我遒／安时而处顺，哀乐不能入也／昔时地险，实为建业之雄都／天时不如地利，地利不如人和／四时之景不同，而乐亦无穷也／四时四维者，天地至大之谓也／因时在乎善相，因俗在乎便安／望时而待之，孰与应时而使之／有时朝发白帝，暮到江陵……／一时之强弱在力，千古之胜负在理／与时屈伸，柔从若蒲苇，非慑怯也／天时人事日相催，冬至阳生春又来／旧时王谢堂前燕，飞入寻常百姓家／乘时投隙非谓才，苟得未必为汝福／以时起居，恶者辄斥去，毋令败群／并时以养民功，先德后刑，顺于天／喜时之言多失信，怒时之言多失体／当时更有军中死，自是君王不动心／四时有不谢之花，八节有长青之草／清时有味是无能，闲爱孤云静爱僧／富时不俭贫时悔，潜时不学用时悔／春时耕种夏时耘，粒粒颗颗费力勤／有时三点两点雨，到处十枝五枝花／有时忽得惊人句，费尽心机做不成／有时赤脚弄明月，踏破五湖波底天／四时万物兮有盛衰，唯我愁苦兮不暂移／并时遭兵，隐者不中；同日被霜，蔽者不伤／四时之运，功成则退，高爵厚宠，鲜不致灾／因时而惕，不失其几，虽危而劳，可以无咎／得时无怠，时不再来，天予不取，反为之灾／敬时爱日，非老不休，非疾不息，非死不舍／虑时务者不能兴其德，为身求者不能成其功／从时者，犹救火、追亡人也，蹶而趋之，唯恐弗及

❸好花时节不闲身／时乎时，不再来／彼一时，此一时也／不以时迁者，松柏也／甘露时雨，不私一物／动触时忌，言为身灾／节同时异，物是人非／法与时变，礼与俗化／凡得时者昌，失时者亡／得意时，便生失意之悲／学而时习之，不亦说乎／必因时之势，故易为力／但悲时易失，四序迭相侵／城有时而复，陵有时而迁／因天时，伐天毁，谓之武／得者，时也，失者，顺也／断雾时通日，残云尚作雷／积雨时物变，夏绿满园新／君子时诎则诎，时伸则伸也／政令时，则百姓一，贤良服／能四时而不衰，历夷险而益固／遵四时以叹逝，瞻万物而思纷／彼一时也，此一时也，岂可同哉／法与时转则治，治与世宜则有功／时乎时乎，去不可邀，来不可逃／以救时行道为贤，以犯颜纳说为忠／得在时，不在争；治在道，不在圣／清明时节雨纷纷，路上行人欲断魂／相见时难别亦难，东风无力百花残／暗中时滴思亲泪，只恐思儿泪更多／顺天时，量地利，则用力少而成功多／当天时，与之皆断；当断不断，反受其乱／富贵时，意中不忘贫贱，一日退休必不怨／贫贱时，眼中不著富贵，他日得志必不骄／起居时，饮食节，寒暑适，则身利而寿命益／人生时禀得灵气，精明通悟，学无滞塞，则谓之神／天无时不风，地无时不尘，物无所不有，人无所不为

❹贫甚见时情／事适于时者其功大／不期同时，不谋同辞／哀乐失时，殃咎必至／苟非其时，不如息人／苟利于时，其致一揆／藏器待时，耻于自献／板筑以时，无夺农功／自古治时少而乱时多／起居无时，惟适之安／食能以时，身必无灾／尽忠益时者，虽仇必赏／心若留时，何事锁眉头／怠惰者，时之所以后也／不违农时，谷不可胜食也／秉耒欢时务，解颜劝农人／至治之时，常不忘于武备／当念贫时交，重勿弃如土／岂无一时好，不久当如何／安求一时誉，当期千载知／好雨知时节，当春乃发生／明月几时有？把酒问青天／忍得一时忿，终身无恼闷／畴昔叹时迟，晚节悲年促／人在阳时则舒，在阴时则惨／爱惜芳时，莫待无花空折枝／不苟一时之誉，思为利于无穷／可欺当时之人，而不可欺后世／圣人顺时以动，智者因几以发／君子得时如水，小人得时如火／寒暑不时则疾，风雨不节则饥／明者因时而变，知者随事而制／物至之时，其心昭昭然明辨焉／上知天时，下知地利，中知人事／上因天时，下尽地财，中用人力／天有其时，地有其财，人有其治／君子得时则大行，不得时则龙蛇／不为当时所怪，亦必无后世之传也／生之有时而用之无度，则物力

必屈／仕鄙在时不在行，利害在命不在智／休说旧时王与谢，寻常百姓亦无家／假作真时真亦假，无为有处有还无／圣人因时以安其位，当世而乐其业／得意浓时休进步，须防世事多番覆／斧斤以时入山林，材木不可胜用也／眼孔浅时无大量，心田偏处有奸谋／士之遇时，不患无位，患所以立而已／太平之时，必须才行俱兼，始可任用／兵戢而时动，动则威，观则玩，玩则无震／风雨不时，则伤农桑；伤农桑，则民饥寒／五帝殊时，不相沿乐；三王异世，不相袭礼／寒不累时，则霜不降；温不兼日，则冰不释／梅花过时，槐色犹在，白云芳草，尽入诗兴／贤人观时，而不观于时；制兵，而不制于兵／革之匪时，物失其基；因之匪理，物丧其纪／闰以正时，时以作事，事以厚生，生民之道在此矣／追计往时咎过，日夜反覆，无一食而安于口平于心／天公何时有，谈者皆不经。谁道贤人死，今为傅说星／起居不时，饮食不节，寒暑不适，则形体累而寿命损／上有无时之求，中有剥削曲巧之政，下有豺狼寇盗之害／赋敛以时，官上清约，则人富。赋敛无节，官上奢纵，则人贫

❺大丈夫相时而动／变通者，趣时者也／天不再与，时不久留／便不可失，时不再来／圣人不巧，时变是守／工以纳言，时而扬之／岁月不居，时节如流／奸生于国，时动必溃／时诎则诎，时伸则伸／败不可处，时不可失／败不可悔，时不可失／福不再来，时或易失／管中窥豹，时见一斑／才储于平时，乃可济用／不明尔德，时无背无侧／有大志者，时亦有大言／正身以俟时，守己而律物／乍暖还寒时候，最难将息／古有古之时，今有今之时／真文不媚时，甘受人弹弋／人生几何时，怀忧终年岁／当及未衰时，晚节早自励／知音偶一时，千载为欣欣／害稼者有时，害民者无期／智者不后时，勇者不留决／欲粟者务时，欲治者因世／盛衰各有时，立身苦不早／不可以一时之谤，断其为小人／不可以一时之得意而自夸其能／不可以一时之失意而自坠其志／处富贵之时，要知贫贱的痛痒／见卵而求时夜，见弹而求鸮炙／举事而不时，力虽尽，其功不成／春不留兮时已失，老衰飒兮逾疾／有所期约，时刻不易，所谓信也／重友者交时极难，看得难以故转重／假令风歇时下来，犹能簸却沧溟水／适来，夫子时也；适去，夫子顺也／轻友者交时极易，看得易以故转轻／文章合为时而著，歌诗合为事而作／国之隆替，时之盛衰，察其任臣而已／时止则止，时行则行；动静不失其时／知者不倍时而弃利，勇士不怯死而灭名／智者不背时而侥幸，明者不违道以干非／物，量无穷，时无止，分无常，终始无故／年不可举，时不可止，消息盈虚，终则有始／苍雁赪鲤，时传尺素；清风明月，俱寄相思／得时无怠，时不再来，天予不取，反为之灾／物有盛衰，时有推移，事有激会，人有变化／胜敌者，一时之功也；全信者，万世之利也／上不失天时，下不失地利，中得人和，而百事不废／闰以正时，时以作事，事以厚生，生民之道在此矣／美人梳洗时，满头间珠翠，岂知两片云，戴却数乡税／不可以一时之誉，断其为君子；不可以一时之谤，断其为小人

❻直道不容于时／危急存亡之时／当其可之谓时／天地节而四时成／天地革而四时成／北风吹，能几时／如百谷之望时雨／命者，所遭于时也／彼一时，此一时也／与狐议裘，无时焉可／丰交之木，有时而落／天下纷纷，何时定乎／五色虽明，有时而渝／五色虽朗，有时而渝／诸葛亮亦一时之杰也／画水镂冰，与时消释／苦日难熬，欢时易过／茂木丰草，有时而落／藏器于身，待时而动／奋不顾身，临时守节／希世之宝，违时则贱／得时者昌，失时者亡／盈缩卷舒，与时变化／自许太高，诋时太过／虽源水桃花，时时失路／轩冕失之，有时而复来／天便教人，霎时厮见何妨／世异则事变，时移则俗易／举贤任能，不时日而事利／众趋明所避，时弃道犹存／动静不失其时，其道光明／岂无感激者？时俗颓此风／渔父闲相引，时歌浩渺间／日月之明，而时蔽于浮云／欲得周郎顾，时时误拂弦／白日曜青春，时雨静飞尘／圣人不能为时，时至而弗失／大学之教也，时教必有正业／不曲道以媚时，不诡行以徼名／生有闻于当时，死有传于后世／卷舒不随乎时，文武唯其所用／圣人不能为时，而能以事适时／善万物之得时，感吾生之行休／汝病吾不知时，汝殁吾不知日／好以智矫法，时以行杂公……／天不言而四时行，地不语而百物生／天长地久有时尽，此恨绵绵无绝期／今人不见古时月，今月曾经照古人／能欺一人一时，决不能欺天下后世／难得易失者时也，易过难见者机也／富时不俭贫时悔，潜时不学用时悔／春时耕种夏时耘，粒粒颗颗费力勤／龙吟虎啸一时发，万籁百泉相与秋／算来终不与时合，归去来兮翠如中／醉后狂言醒时悔，安不将息病时悔／观古人，得其时行其道，则无所为书／进退盈缩，与时变化，圣人之常道也／是故圣人与时变而不化，从物而不移／故圣人常顺时而动，智者必因机以发／当急剧冗杂时只不动火，则神有余而不劳／天何言哉？四时行焉，百物生焉，天何言哉／世必有才，随时所用，岂待……然后为治乎／同涉于川，其时在风；沿者之吉，溯者之凶／阴阳尽，而四时成焉；刚柔尽，而四维成焉／草木无情，有时飘零；人为动物，惟物之灵／善日者王，善时

者霸，补漏者危，大荒者亡／有法无法，因时为业；有度无度，与物趣舍／骐骥盛壮之时，一日而驰千里；至其衰也，驽马先之／天地之大，四时之化，而犹不能以不信成物，又况乎人事

❼何不相逢未嫁时／恨不相逢未嫁时／观乎天文，以察时变／泽如凯风，惠如时雨／凡得时者昌，失时者亡／虽源水桃花，时时失路／无动而不变，无时而不移／百川东到海，何时复西归／从谏如顺流，趣时如响起／报国心皎洁，念时涕泬澜／虽无纪历志，四时自成岁／欲得周郎顾，时时误拂弦／急来抱佛脚，闲时不烧香／醉中语亦有醒时道不到者／圣人不能为时，时至而弗失／君子时诎则诎，时伸则伸也／满招损，谦受益，时乃天道／礼仪法度者，应时而变者也／待到山花烂漫时，她在丛中笑／运退黄金失色，时来顽铁生辉／一夫不获，则曰："时予之辜"／圣人者不能生时，时至而弗失也／彼一时也，此一时也，岂可同哉／砚以世计，墨以时计，笔以日计／长风破浪会有时，直挂云帆济沧海／古往今来共一时，人生万事无不有／宛转蛾眉能几时，须臾鹤发乱如丝／寓形宇内复几时，曷不委心任去留／两情若是久长时，又岂在、朝朝暮暮／人虽无艰难之时，却不可忘艰难之境／君不见管鲍贫时交，此道今人弃如土／上不以诗补察时政，下不以歌泄导人情／来而不可失者时也，蹈而不可失者机也／虽相与为君臣，时也；易世而无以相贱／积微，月不胜日，时不胜月，岁不胜时／难得而易失者时也，时至而不旋踵者机也／丰荒异政，系乎时也；夷夏殊法，牵乎俗也／当厄之施，甘于时雨；伤心之语，毒于阴冰／怒如严霜，喜如时雨，臧否好恶，坦然可观／斩伐林木，亡有时禁，水旱之灾，未必不由此也

❽天不为一物枉其时／智者之举事必因时／天下大治，千载一时／百世一人，千载一时／养兵千日，用兵一时／养军千日，用军一时／小人得志，暂快一时／知者善谋，不如当时／虽有兹基，不如逢时／虑善以动，动惟厥时／聪明一世，懵懂一时／自古治时少而乱时多／后之视今，岂复今时之会／但伤民病痛，不识时忌讳／凡营衣食，以不失时为本／谁能绝人命，以作时世贤／城有时而复，陵有时而迁／辨章事理，贵得当时之宜／蹈道之心一，而俟时之志坚／万川归之，不知何时止而不盈／今日长缨在手，何时缚住苍龙／尾闾泄之，不知何时已而不虚／枤顺以覉逆……无其时而著业／圣人者不能生时，时至而弗失也／事固有难明于一时而有待于后世者／力拔山兮气盖世，时不利兮骓不逝／功者难成而易败，时者难得而易失／君子有三戒：少之时……戒之在得／遇灾则极其忧勤，时安则不骄不逸／君子藏器于身，待时而动，何不利之有／天地之道，寒暑不时则疾，风雨不节则饥／百僚师师，百工惟时，抚于五辰，庶绩其凝／唯劝农业，无夺农时；唯薄赋敛，无尽民财／神龟虽寿，犹有竟时；腾蛇乘雾，终为土灰／天无时不风，地无时不尘，物无所不有，人无所不为／小人之交以利，平时相亲不啻父子，一旦相噬不啻狗彘

❾士人修性，正在临事时／栖守道德者，寂寞一时／足用之本，在于勿夺时／言节候，则披文而见时／丁宁红与紫，慎莫一时开／以色事他人，能得几时好／乾坤含疮痍，忧虞何时毕／小人如酒颜，但得暂时热／君子进德修业，欲及时也／浮沉各异势，会合何时谐／人在阳时则舒，在阴时则惨／利民岂一道哉，当其时而已矣／圣人不世出，贤人不时出……／善战者，见利不失，遇时不疑／望时而待之，孰与应时而使之／贤不贤，才也；遇不遇，时也／贤者之处世，皆以得时为至难／恒舞于宫，酣歌于室，时谓巫风／殉于货色，恒于游畋，时谓淫风／喜时之言多失信，怒时之言多失体／报国无门空自怨，济时有策从谁吐／懊恨人心不如石，少时东去复西来／富时不俭贫时悔，潜时不学用时悔／雨里孤村雪里山，看时容易画时难／以弱为强者，非惟天时，抑亦人谋也／忍泪失声询使者："几时真有六军来"／难得而易失者时也，时至而不旋踵者机也／作俑之工，非曰可珍；时有所用，贵于斫轮／性不可易，命不可变，时不可止，道不可壅／通才之人或见赘于时，高世之士或见排于俗／贤人观时，而不观于时；制兵，而不制于兵／不爱尺璧而爱寸阴，时过不还，若年大不可少也

❿一朝权入手，看取令行时／天地长不没，山川无改时／古有古之时，今有今之时／何惜微躯尽，缠绵自有时／人生行乐耳，须富贵何时／圣人为戒，必于方盛之时／地虽生尔材，天不与尔时／洞房花烛夜，金榜挂名时／海上生明月，天涯共此时／清风动帘夜，孤月照窗时／材难矣，有蕴而不得其时／此物何足重，但感别经时／窜梁鸿于海曲，岂乏明时／不应有恨，何事长向别时圆／谢杨柳多情，还有绿阴时节／圣人之举事也，进退不失时／大丈夫所守者道，所待者时／君子之中庸也，君子而时中／夏虫不可与语寒，笃于时也／乍屈乍伸者，良才所以俟时也／八音与政通，而文章与时高下／圣人不能为时，而能以事适时／圣人深居以避辱，静安以待时／大凡以智谋而进者，有时而衰／君子得时如水，小人得时如火／要囚，服念五六日，至于旬时／贤不肖者材也，遇不遇者时也／贵贱之于身，犹条风之时丽过／文变染乎世情，兴废系

乎时序／文章本乎作者，而哀乐系乎时／镞矢之疾，而有不行不止之时／天下文士，争执所长，与时而奋／事固有弃彼取此，以权一时之势／千古兴亡，百年悲笑，一时登览／生木之长，莫见其益，有时而修／使我有身后名，不如即时一杯酒／志士惜年，贤人惜日，圣人惜时／君子得时则大行，不得时则龙蛇／君子有失其所兮，小人有得其时／夏虫不可以语于冰者，笃于时也／砥砺磨坚，莫见其损，有时而薄／磨砻底厉，不见其损，有时而尽／种树畜养，不见其益，有时而大／积德累行，不知其善，有时而用／夫妻本是同林鸟，大限来时各自飞／不随俗物皆成土，只待良时却补天／正论非不见容，然邪说亦有时而用／乃命羲和，钦若昊天……敬授民时／周公恐惧流言日，王莽谦恭未篡时／何当共剪西窗烛，却话巴山夜雨时／但得官清吏不横，即是村中歌舞时／玄龙，迎夏则陵云而奋鳞，乐时也／离别不堪无限意，艰危深仗济时才／冰炭不同器而久，寒暑不兼时而至／诸公可叹善谋身，误国当时岂一秦／读书好处心先觉，立雪深时道已传／劝君莫惜金缕衣，劝君须惜少年时／圣人不凝滞于物，智士必推移于时／观理自难观势易，弹丸累到十枚时／莲有藕兮藕有枝，才有用兮用有时／常将冷眼看螃蟹，看你横行得几时／常将有日思无日，莫待无时思有时／常将有日思无日，莫待无时想有时／吾哀今之为仕兮，庸有虑时之否臧／悄立市桥人不识，一星如月看多时／富时不俭贫时悔，潜时不学用时悔／道人活计只如此，留与时人作见闻／弘爱人屈己之道，酌因时适变之宜／玉在椟中求善价，钗于奁内待时飞／成名每在穷苦日，败事多因得志时／日典春衣非为酒，家贫食粥已多时／春色不随亡国尽，野花只作旧时开／春风桃李花开日，秋雨梧桐叶落时／教者，民之寒暑也，教不时则伤世／神州只在阑干北，度度来时怕上楼／醉后狂言醒时悔，安不将息病时悔／雨里孤村雪里山，看时容易画时难／雪压冬云白絮飞，万花纷谢一时稀／古之君子，守道以立名，修身以俟时／凡举事必循法以动，变法者因时而化／君子所大者生也，所大乎其生者时也／迂人执而不化，其决裂有甚于小人时／时止则止，时行则行；动静不失其时／愚人以天地文理圣，我以时物文理哲／虞夏以文，殷周以武，异时各有所施／超俗拔萃之德，不能立功于未至之时／天地以顺动，故日月不过，而四时不忒／侮圣言，逆忠直，远耆德……时谓乱风／在这可诅咒的地方击退了可诅咒的时代／尚力务本而种树繁，躬耕趣时而衣食足／浮言可以事久而明，众嗤可以时久而息／进言有四难：审人、审己、审事、审时／积微，月不胜日，时不胜月，岁不胜时／其文博辩而深切，中于时病而不为空言／才不半古，而功已倍之，盖得之于时势也／平日极好直言者，即患难时不肯负我之人／君子非不见贵，然小人亦得厕其间时而用／独自莫凭阑，无限江山，别时容易见时难／冬者岁之余，夜者日之余，阴雨者时之余／爱惜、暴殄本是两意，愚者有时合成一病／风霜高洁，水落而石出者，山间之四时也／不专一能，怪怪奇奇，不可时施，只以自嬉／不贵尺之璧，而重寸之阴，时难得而易失也／东西南北，某也何从；寒暑阴阳，时哉不与／以一丸泥为大王东封函谷关，此万世一时也／以天为父，以地为母，阴阳为纲，四时为纪／以此治人，则膏雨甘露降矣，寒暑四时当矣／人贵量力，不贵必成；事贵相时，不贵必遂／高树靡阴，独木不林，随时之宜，道贵从凡／阴阳之和，不长一类，甘露时雨，不私一物／圣人之于事，似缓而急，似迟而速，以待时／嘉谷奋兴，根叶肥润，抽茎展穗，不失时宜／小人君子，其心不同，惟乖于时，乃与天通／虽有智慧，不如乘势；虽有镃基，不如待时／善有善报，恶有恶报；不是不报，时辰未到／察一曲者不可与言化，审一时者不可与言大／春耕其丘，投种之日。释耒而叹，何时实栗／智鄙相笼，强弱相陵，天下之乱何时而已乎／龙凤隐耀，应德而臻；明哲潜遁，俟时而动／秋天晚晴，碧色如归，横度一鸟，时时行云／繁略殊形，隐显异术，抑引随时，变通会适／治事不若治人，治人不若治法，治法不若治时／始见新春，又逢初夏。四时若箭，两曜如梭。／或依势以干非其类，出技以怒强，窃时以肆暴／争让之礼，尧桀之行，贵贱有时，未可以为常也／圣人不贵尺之璧，而重寸之阴，时难得而易失也／道千乘之国，敬事而信，节用而爱人，使民以时／粟米布帛生于地，长于时，聚于力，非可一日成／必使为善者不越月逾时而得其赏，则人勇而有劝焉／天地之气合而为一，分为阴阳，判为四时，列为五行／操行有常贤，仕官无常遇，贤不贤才也，遇不遇时也／因循苟且逸豫而无为，可以侥幸一时，而不可旷日持久／青未了，松耶？柏耶？独鸟来时，连峰断处，双髻人耶／三皇之知，上悖日月之明，下睽山川之精，中堕四时之施／天无私覆也，地无私载也，日月无私烛也，四时无私行也／不以人之坏自成也，不以人之卑自高也，不以遭时自利也／天地有大美而不言，四时有明法而不议，万物有成理而不说／贱生于无所用，中流失船，一壶千金，贵贱无常，时使物然／不可以一时之誉，断其为君子；不可以一时之谤，断其为小人／匹夫而忧天下，无位而论世事，时俗以为狂，而君子之所取也／君子者，易亲而难狎，畏祸而难却，嗜利而不为非，时

动而不苟作

旷　kuàng 空阔；久远；心境开阔；荒废；姓。

❶旷野看人小，长空共鸟齐

见唐·岑参《酬崔十三侍御登玉垒山思故园见寄》。

旷怀足以御物，长策足以服人

见唐·王勃《益州夫子庙碑》。

❷无旷庶官／心旷，则万钟如瓦缶／师旷之调五音，不失宫商／师旷调音，曲无不悲；狄牙和膳，肴无澹味／心旷神怡，宠辱偕忘，把酒临风，其喜洋洋

❺悠悠天宇旷，切切故乡情／必且历日旷久，丝牦犹能挈石，驽马亦能致远

❻敦兮其若朴，旷兮其若谷／君子为国……故旷日长久而社稷安／宁用不材以旷职，不肯变例以求人

❼内无怨女，外无旷夫

❿壮年竭忠孝于沙漠，疲劳则便捐死于旷野／因循苟且逸豫而无为，可以侥幸一时，而不可旷日持久

旺　wàng 火势炽烈，引申为兴隆繁盛。

❿有钱的纳宠妾、买人口、偏兴旺

昊　hào 广大无边的天；姓。

❼乃命羲和，钦若昊天……敬授民时

昔　①xī 从前；通“夕”，往日；终结；“腊”的古字；姓。②cuò 通“错”，粗糙。

❶昔去雪如花，今来花似雪

见南朝·梁·范云《别诗》。

昔闻长者言，掩耳每不喜

见晋·陶潜《杂诗十二首》之六。全句为：“～。奈何五十年，忽已亲此事”。

昔时地险，实为建业之雄都

见唐·王勃《江宁吴少府宅饯宴序》。全句为：“～；今日太平，即是江宁之小邑”。

昔者圣人遗子孙以德、以礼

见宋·司马光《家范》。全句为：“～，贤人遗子孙以廉、以俭”。

昔之厚其生，非爱之也，利其力

见唐·刘禹锡《因论·叹牛》。全句为：“～；今之致其死，非恶之也，利其财”。

昔者明王之爱天下，故天下可附

见《管子·心术下》。全句为：“～；暴王之恶天下，故天下可离”。

昔人已乘黄鹤去，此地空余黄鹤楼

见唐·崔颢《黄鹤楼》。

昔者庄周梦为胡蝶，栩栩然胡蝶也

见《庄子·齐物论》。全句为：“～，自喻适志与！”。

昔有佳人公孙氏，一舞剑气动四方

见唐·杜甫《观公孙大娘弟子舞剑器行》。

昔人论诗词，有景语、情语之别……

见清·王国维《人间词话》。全句为：“，不知一切景语，皆情语也～”。

昔尧治天下，不赏而民劝，不罚而民畏

见《庄子·天地》。

昔我往矣，杨柳依依；今我来思，雨雪霏霏

见《诗·小雅·采薇》。

昔葛天氏之乐，三人操牛尾，投足以歌八阙

见《吕氏春秋·仲夏纪·古乐》。

昔君视我，如掌中珠；何意一朝，弃我沟渠

见晋·傅玄《短歌行》。

昔先圣王之治天下也，必先公，公则天下平矣

见《吕氏春秋·仲春纪·贵生》。

昔之所为，而今觉其非，虽日异而月不同，可也

见明·方孝孺《益斋记》。全句为：“旦以为是，而暮已悔之；～”。

昔者先圣王，成其身而天下成，治其身而天下治

见《吕氏春秋·季春纪·先己》。

❷畴昔叹时迟，晚节悲年促／何昔日之芳草兮，今直为此萧艾也／古昔多由布衣定一世者矣，皆能用非其有也

❹务先穷昔人书，有不可者而后革之，则大善

❻人才之行，自昔罕全，苟有所长，必有所短／人之才行，自昔罕全，苟有所长，必有所短

❼今之视者，已非昔日之欢／蚊虻噆肤，则通昔不寐矣／章台柳，章台柳！昔日青青今在否／虎踞龙盘今胜昔，天翻地覆慨而慷

❾后之视今，犹今之视昔／携来百侣曾游。忆往昔峥嵘岁月稠

❿后之视今，亦犹今之视昔／英雄有屯邅，由来自古昔／矧流客之归思，岂可忘于畴昔／人能弘道，焉知来者不如昔也？／南方无穷而有穷，今日适越而昔来／处世还须称晚来，逢人且莫夸畴昔／未成乎心而有是非，是今日适越而昔至也／兵不刑天，兵不可动；不法地，兵不可昔

昆　①kūn 众；哥哥；子孙。②hùn 通“混”。

❶昆弟世疏，朋友世亲

见汉·王符《潜夫论·交际》。

昆山之下，以玉为石

见汉·王充《论衡·定贤篇》。全句为：“～；彭蠡之滨，以鱼食犬豕”。

昆峰积玉，光泽者前毁

见北齐·祖鸿勋《与阳休之书》。全句为：

"～;瑶山丛桂,芳茂者先折"。

昆山之玉瑱而尘垢弗能污

见汉·刘安《淮南子·诠言》。全句为:"函牛之鼎沸而蝇蚋弗敢入,～"。

昆山玉碎凤凰叫,芙蓉泣露香兰笑

见唐·李贺《李凭箜篌引》。

❸火炎昆冈,玉石俱焚/莫道昆明池水浅,观鱼胜过富春江/恨无昆山片玉以相赠,赠君桂林之一枝

❻横空出世,莽昆仑,阅尽人间春色

❼志烈秋霜,心贞昆玉,亭亭高竦,不染风尘

❾盈握之璧,不必采于昆仑之山/土反其宅,水归其壑;昆虫毋作,草木归其泽

❿我自横刀向天笑,去留肝胆两昆仑/河九折注于海,而流不绝者,昆仑之输也

昌

①chāng 兴旺繁盛;泛指有生之物;善;正当;壮大强盛美好;通"猖"、"菖";姓。②chàng 通"倡",倡导,首倡。

❶昌衰吉凶皆由己出

见汉·严遵《道德指归论·民不畏威篇》。

昌必有衰,兴必有废

见汉·王充《论衡·治期篇》。

❷百昌皆生于土而反于土

❹六合殷昌/任贤则昌,失贤则亡/俭节则昌,淫佚则亡/善积者昌,恶积者丧/行善则昌,行恶则亡/得人者昌,失人者亡/得全全昌,失全全亡/得时者昌,失时者亡/得贤则昌,失贤则亡/德积者昌,殃积者亡/恃德者昌,恃力者亡/智以险昌,愚以险亡/顺人者昌,逆人者亡/顺德者昌,逆德者亡/顺之者昌,逆之者不死则亡/西望武昌诸山,冈陵起伏……

❺凡得时者昌,失时者亡/谋先事则昌,事先谋则亡/务广德者昌,务广地者亡/得贤者显昌,失贤者危亡/忧所以为昌也,而喜所以为亡也

❻以德胜人者昌,以力胜人者亡/以欲从人者昌,以人乐己者亡/先谋后事者昌,先事后谋者亡/得贤者则安昌,失之者则危亡

❽天有五贼,见之者昌/不尽天极,衰者复昌/非兵不强,非德不昌

❾天下有道,则与物皆昌/有谔谔争臣者,其国昌/用道治国,则国安民昌/宁饮建业水,不食武昌鱼

❿圣必藉贤以明,国必待贤以昌/食君之禄畏不厚兮,悼得位之不昌/天不得不高,地不得不广,日月不得不行,万物不得不昌,此其道与

明

míng 明亮;清楚;公开;指贤明的人;洁净;认识事物清楚、准确;了解;视力;人世间;朝代名;姓。

❶明明扬侧陋

见《尚书·尧典》。

明人不做暗事

见明·冯梦龙《古今小说·李秀卿义结黄贞女》。

明于大而暗于小

见宋·苏洵《高祖》。

明修栈道,暗度陈仓

语出《史记·高祖本纪》。

明扬仄陋,唯才是举

见三国·魏·曹操《求贤令》。

明君贵五谷而贱金玉

见汉·班固《汉书·食货志》。

明耻教战,求杀敌也

见《左传·僖公二十二年》。

明月之珠,和氏之璧

见《战国策·赵策一》。

明镜鉴形,美恶必见

见唐·吴兢《贞观政要·求谏》。

明其为贼,敌乃可服

见汉·班固《汉书·高帝纪》。

明鉴未远,覆车如昨

见南朝·宋·范晔《后汉书·陈蕃传》。

明乎坦涂,故生而不说

见《庄子·秋水》。全句为:"～,死而不祸,知终始之不可故也"。

明主尚贤使能而飨其盛

见《荀子·臣道》。全句为:"～,暗主妒贤畏能而灭其功"。

明主好要,而暗主好详

见《荀子·王霸》。

明者独见,不惑于朱紫

见南朝·宋·范晔《后汉书·陈元传》。全句为:"～;听者独闻,不谬于清浊"。

明年春色至,莫作未归人

见唐·崔橹《三月晦日送客》。

明之为日月,幽之为鬼神

见唐·韩愈《上兵部李侍郎书》。全句为:"凡自唐虞以来,编简所存,大之为河海,高之为山岳,～,纤之为珠玑华实,变之为雷霆风雨。"

明体以及用,通经以知权

见唐·刘禹锡《答饶州元使君书》。

明谓多见巧诈,蔽其朴也

见三国·魏·王弼《老子》六十五注。全句为:"～;愚谓无知守真,顺自然也"。

明君贤宰,不惮谔谔之言

见南朝·梁·范缜《与王仆射书》。全句为:"～;布衣穷贱之人,咸得献其狂瞽"。

明哲之君,网漏吞舟之鱼

见南朝·宋·范晔《后汉书·王畅传》。

明德虽明,终假言而荣行

见唐·武则天《臣轨序》。全句为:"丽容虽

丽,犹待镜以端形;～"。

明日复明日,明日何其多

见清·钱鹤滩《明日歌》。全句为:"～!我生待明日,万事成蹉跎"。

明月几时有?把酒问青天

见宋·苏轼《水调歌头》[明月几时有]。全句为:"～。不知天上宫阙,今夕是何年"。

明有所不见,听有所不闻

见汉·司马迁《史记·龟策列传》。

明必死之路,开必得之门

见《管子·牧民》。

明君圣人亦不为一人枉其法

见《管子·白心》。全句为:"天不为一物枉其时;～"。

明治病之术者,杜未生之疾

见晋·葛洪《抱朴子·用刑》。

明王之使人也,必慎其所使

见汉·韩婴《韩诗外传》卷七。全句为:"～;既使之,任之以心,不任之以辞也"。

明月之珠,蚌之病而我之利

见汉·刘安《淮南子·说林》。全句为:"～;虎爪象牙,禽兽之利而我之害"。

明于天人之分,则可谓至人矣

见《荀子·天论》。

明与诚终岁不违,则能终身矣

见唐·李翱《复性书中》。

明大数者得人,审小计者失人

见《管子·霸言》。

明王之任人,谄谀不迩乎左右

见《晏子春秋·内篇问上第二十四》。

明珠是身外之物,尚不可弹雀

见唐·吴兢《贞观政要·贪鄙》。全句为:"～,何况性命之重,乃以博财物耶"。

明日复明日,明日何其多……

见明·文嘉《明日歌》。全句为:"～,日日待明日,万事成蹉跎"。

明者因时而变,知者随事而制

见汉·桓宽《盐铁论·忧边》。

明者见于无形,智者虑于未萌

见南朝·宋·范晔《后汉书·冯衍传》。

明者起福于无形,销患于未然

见汉·班固《汉书·楚元王传》。

明镜所以照形,古事所以知今

见晋·陈寿《三国志·吴书·孙奋传》。

明主急得其人,而阍主急得其势

见《荀子·君道》。

明足以察秋毫之末,而不见舆薪

见《孟子·梁惠王上》全句为:"力足以举百钧,而不足以举一羽;～"。

明为明,不明为不明,乃所谓明也

见宋·陆九渊《与曹立之书》。全句为:"若能为能,不能为不能;～"。

明主必谨养其和,节其流,开其源

见《荀子·富国》。

明主思短而益善,暗主护短而永愚

见唐·吴兢《贞观政要·求谏》。

明发又为千里别,相思应尽一生期

见宋·严羽《临川逢郑遐之之云梦》。

明君不官无功之臣,不赏不战之士

见三国·魏·曹操《论吏士行能令》。

明法制,去私恩,令必行,禁必止

见《韩非子·饰邪》。

明好恶而定去就,崇敬让而民兴行

见汉·班固《汉书·元帝纪》。

明珠自有千金价,莫为游人作弹丸

见宋·夏竦《再徙西都咏青雀寄张升谏院》。

明者防祸于未萌,智者图患于将来

见晋·陈寿《三国志·吴书·吕蒙传》。

明所爱而邪僻繁,明所恶而贤良灭

见《晏子春秋·内篇·谏上》。全句为:"顺于己者爱之,逆于己者恶之;故～"。

明月之光,可以望远而不可以细书

见汉·刘安《淮南子·说林》。全句为:"～;甚雾之朝,可以细书而不可以远望寻常之外"。

明白如话,然浅中有深,平中有奇

见清·刘熙载《艺概·诗概》。全句为:"～,故足令人咀味"。

明鉴所以照形也,往古所以知今也

见汉·贾谊《新书·胎教》。

明主之赏罚,非以为己也,以为国也

见汉·刘安《淮南子·缪称》。全句为:"～。适于己而无功于国者,不施赏焉;逆于己便于国者,不加罚焉"。

明者远见于未萌,而智者避危于无形

见汉·司马相如《上书谏猎》。

明镜便于照形,其于以函食,不如箪

见汉·刘安《淮南子·齐俗》。

明者所以对昏,昏既灭,则明亦不立矣

见唐·李翱《复性书上》。

明君不能畜无用之臣,慈父不能爱无用之子

见唐·王勃《上百里昌言疏》。

明王有过,则反之于身,有善,则归之于民

见《管子·小称》。全句为:"～。有过而反之身,则身惧;有善而归之民,则民喜"。

明日黄花,过晚之物;岁寒松柏,有节之称

见清·程允升《幼学琼林·花木》。

明者不以其短疾人之长,不以其拙病人之工

见《邓析子·转辞》。

明于古今,温故知新,通达国体,故谓之博士

见汉·班固《汉书·成帝纪》。

明窗净几笔砚纸墨皆极精良，亦自是人生一乐事

见宋·欧阳修《学书为乐》。

❷惟明克允／敬明乃罚／山明松雪寒／明明扬侧陋／以明示下者暗／聪明者戒太察／清明无客不思家／聪明正直者为神／不明察，不能烛私／以明防前，以智虑后／同明相照，同类相求／君明臣忠，民赖其福／昭明有融，高朗令终／聪明一世，懵懂一时／自明，然后才能明人／既明且哲，以保其身／其明察察，其政恂恂／专明无胆，则虽见不断／不明尔德，时无背无侧／坚明直亮，有文武之用／聪明才辨是第三等资质／聪明睿智而守以愚者益／大明无偏照，至公无私亲／山明疑有雪，岸白不关沙／山明云气画，天静鸟飞高／法明则人信，法一则主尊／"聪明"二字不可以自许／晦明变化者，山间之朝暮也／聪明睿智，守之以愚者，哲／澄明远水生光，重迭暮山耸翠／委明珠而乐贱，辞白璧以安贫／或明理以立体，或隐义以藏用／聪明深察而死者，好议人者也／鉴明则尘垢不止，止则不明也／高明者鬼瞰其门，正直者人怨其笔／清明时节雨纷纷，路上行人欲断魂／聪明则视听不惑，公正则不迩谗邪／聪明深察而近于死者，好议人者也／聪明秀出谓之英，胆力过人谓之雄／故明主必谨养其和，节其流，开其源／正明不为日月所眩，正观不为天道所迁／见明珠者始贱鱼目，知雅乐者方鄙郑声／欲明两仪天地之体，必以太极虚无为初始／聪明者，阴阳之精。阴阳清和则中睿外明／聪明者，英之分也，不得雄之胆则说不行／月明星稀，乌鹊南飞，绕树三匝，何枝可依／用明察非，非无不见；用理钤疑，疑无不定／聪明流通者戒于太察，寡闻少见者戒于壅蔽／聪明睿智，守之以愚；功被天下，守之以让／以明自察，量力而行，不失其所，必获久长矣／克明德慎罚，不敢侮鳏寡，庸庸，祗祗，威威／处明者不见暗中一物，而处暗者能见明中区事／教明于上，化行于下，民有耻心，则何盗之为／神明之事，不可以智巧为也，不可以筋力致也／能明申、韩之术而修商君之法，法修术明而天下乱者，未之闻也／以明察物，物亦竞以其明应之。以不信察物，物亦竞以其不信应之／若明而不信，严而不断，惠而不正，虽欲理身，终不自理，况于人哉

❸满城明月梨花／一年明月今宵多／清风明月知无价／清风明月满船归／满帆明月洞庭秋／娟娟明月照清秋／独则明，明则神矣／思虑明达而辞不争／天聪明，自我民聪明／善善明，则君子进矣／法有明文，情无可恕／海产明珠，所在为宝／是非明辨而赏罚必信／智而明者，所伏必众／是非明而后可以施赏罚／不才明主弃，多病故人疏／古者明君在上，下多直辞／人伦明于上，小民亲如下／人行明镜中，鸟度屏风里／众趋明所避，时弃道犹存／床前明月光，疑是地上霜／弦以明直道，漆以固交深／目贵明，耳贵聪，心贵公／公生明，诚生明，从容生明／君虽明哲，必藉股肱以致治／事以明核为美，不以深隐为奇／事莫明于有效，论莫定于有证／未遇明师，而求要道，未可得也／昔者明王之爱天下，故天下可附／心之明之所止，于事情区以别焉／古之明天子，信其臣而不惑于多言／明为明，不明为不明，乃所谓明也／镜之明己也功细，士之明己也功大／笔底明珠无处卖，闲抛闲掷野藤中／公生明，偏生暗，端悫生通，诈为生塞／庶狱明则国无怨民，枉直当则民无不服／法令明具，而用之至密，举天下惟法之知／凡探明珠，不于合浦之渊，不得骊龙之夜光也／上古明王举乐者，非以娱心自乐，快意恣欲，将欲为治也／人有明珠，莫不贵重，若以弹雀，岂非可惜？况人之性命甚于明珠

❹无作聪明乱旧章／财上分明大丈夫／独则明，明则神矣／五色虽明，有时而渝／兼听则明，偏听则暗／学经不明，不如归耕／日月欲明，浮云蔽之／责人则明，恕己则昏／见小曰明，守柔曰强／视远惟明，听德惟聪／耄老失明，闻善不从／背暗投明，古之大理／怨岂在明？不见是图／黜陟幽明，扬清激浊／专胆无明，则违理失机／百言不明一意则不听也／清之为明，杯水见眸子／不待清明近，莺花已自忙／百星之明，不如一月之光／非德之明，虽察而人不服／我生待明日，万事成蹉跎／举头望明月，低头思故乡／误用聪明，何若一生守拙／大者推明其大而不遗其小／投躯报明主，身死为国殇／吾闻聪明主，治国用轻刑／知之曰明哲，明哲实作则／德之休明，不在位之高下／海上生明月，天涯共此时／日月之明，而时蔽于浮云／明德虽明，终假言而荣行／明日复明日，明日何其多／风雨晦明之间，俯仰百变／社稷依明主，安危托妇人／辟四门，明四目，达四聪／君臣争明……此乖国之风也／国有伤明之政，则民多病目／心体光明，暗室中自有青天／明日复明日，明日何其多……／目之于明也殆，耳之于聪也殆／虽有至明，而有形者不可毕见焉／才自清明志自高，生于末世运偏消／世事洞明皆学问，人情练达即文章／长夜难明赤县天，百年魔怪舞翩跹／古之欲明明德于天下者，先治其国／苟其聪明蔽于嗜好，智虑溺于爱憎／莫道昆明池水浅，观鱼胜过富春江／居上克明，为下克忠，与人不求备／教会宣明，不能尽力，士卒之罪也／文者以明道，是固不苟为炳炳烺烺／何尝见明镜疲于屡照，清流惮于惠风／日月

为明而弗能兼也，唯天地能函之／打扫光明一片地，襄贮古今，研究经史／水静则明烛须眉，平中准，大匠取法焉／感乎心，明乎智，发而成形，精之至也／镜以曜明，故鉴人；蚌以含珠，故内照／山空月明，仰视星斗皆光大，如适在人上／事顺神明者不合于俗，功配天地者不悦于众／力视损明，力听损聪，疾言阻德，功伪败功／惟严惟明，其赏也思，惟宽惟惠，其罚也畏／如镜之明，断可以平；如镜之洁，断可以决／日月欲明而浮云盖之，兰芝欲修而秋风败之／春和景明，波阑不惊；上下天光，一碧万顷／星斗张明，错落水中，如珠走镜，不可收拾／赏罚不明，百事不成；赏罚若明，四方可行／赏罚信明，施与有节，记人之功，忽于小过

❺云破春山明／月是故乡明／自知者为明／君子以文明为德／见事过人，明也／在天者莫明乎日月／在人者莫明乎礼义／在地者莫明乎水火／今日乌合，明日兽散／聪之知远，明以察微／俊士亦俟明主以显其德／一钱亦分明，谁能肆谗毁／使能之谓明，听信之谓圣／今美于昨，明日复胜于今／论德序官，明主所以御世／操与霜雪明，量与江海宽／处晦而观明，处静而观动／溺爱者不明，贪得者无厌／虚以生其明，思以穷其隐／梦幻人世，明不能究其从也／孤之有孔明，犹鱼之有水也／有兼听之明，而无奋矜之容／才如白地明光锦，裁为负版袴／不自见，故明；不自是，故彰／口则务在明言，笔则务在露文／旅。君子以明慎用刑，而不留狱／事固有难明于一时而有待于后世者／古之欲明明德于天下者，先治其国／明为明，不明为不明，乃所谓明也／片言可以明百意，坐驰可以役万里／思苦自看明月苦，人愁不是月华愁／道者，所以明德也；德者，所以尊道也／高霞孤映，明月独举，青松落荫，白云谁侣／道假辞而明，辞假书而传，要之之道而已耳／焚林而畋，明年无兽；竭泽而渔，明年无鱼／君之所以明者，兼听也；其所以暗者，偏信也／聪者耳闻，明者目见，聪明则仁爱著而廉耻分／今人主有明其德者，则天下归之若蝉之归明火也／学匪疑不明，而疑恶乎凿，疑而能辨，斯为善学／主德者，聪明平淡，总达众材，而不以事自任者也／自见者不明，自是者不彰，自伐者无功，自矜者不长／三五之夜，明月半墙，桂影斑驳，风移影动，珊珊可爱

❻蟾蜍碾玉挂明弓／人以不作聪明为贤／惟天不畀不明厥德／能致精，则合明而寿／德威惟畏，德明惟明／失民而得财，明者不为／亡国之主，聪明出于人／钩材而好学，明者为师／出处虽殊迹，明月两知心／良匠无弃材，明君无弃士／今岁今宵夜，明年明日催／今朝一杯酒，明日千里人／勿言一樽酒，明日难重持／菩提本无树，明镜亦非台／知之曰明哲，明哲实作则／广引深远，以明治乱之原／好风能自至，明月不须期／明日复明日，明日何其多／显罚以威之，明赏以化之／白璧求善价，明珠难暗投／醉舞下山去，明月逐人归／公生明，诚生明，从容生明／卑贱者最聪明，高贵者最愚蠢／圣必藉贤以明，国必待贤以昌／君以知贤为明，吏以爱民为忠／役一己之聪明，虽圣人不能智／察而以达理明义，则察为福矣／明日复明日，明日何其多……／散发高吟，对明月于青溪之下／心如天地者明，行如绳墨者章／耳有聪，目有明，心思有睿知／大丈夫见善明，则重名节如泰山／非淡薄无以明德，非宁静无以致远／非淡泊无以明志，非宁静无以致远／众中不敢分明语，暗掷金钱卜远人／善知人者如明镜，善自知者如蚌镜／见日月不为明目，闻雷霆不为聪耳／视强，则目不明；听甚，则耳不聪／有时赤脚弄明月，踏破五湖波底天／皆知说镜之明己也，而恶士之明己也／君不见高堂明镜悲白发，朝如青丝暮成雪／处大事贵乎明而能断，不明因无以知事论断／正则静，静则明，明则虚，虚则无为而无不为也／《大学》之道，在明明德，在亲民，在止于至善／虽有纳谏之明，而无力行之果断，则言愈多而听愈惑

❼大智似愚而内明／风露饥肠织到明／青山断处落霞明／上有直刑，君之明也／不聋不聪，与神明通／前事昭昭，足为明戒／道德，天地之神明也／学文之端，急于明理／爱犹冬日，闿若明珠／自明，然后才能明人／齿由刚折，膏为明销／以人为镜，可以明得失／美服患人指，高明逼神恶／心知其意，未可明诏大号／积财千万，不如明解一经／垂棘与瓦同椟，明月与砾同囊／克己可以治怒，明理可以治惧／去小知而大知明，去善而自善／莫怨无情流水，明月扁舟何处／锐锋产乎钝石，明火炽乎暗木／聪者听于无声，明者见于未形／后生虽天资聪明，而识终有不及／为国之本，在于明赏罚，辨邪正／圣人之道与神明相得，故曰道德／上不玷知人之明，下不失四海之望／宁可蒙懂而聪明，不可聪明而蒙懂／机关算尽太聪明，反算了卿卿性命／风仪与秋月齐明，音徽与春云等润／目不能两视而明，耳不能两听而聪／积善成德，而神明自得，圣心备焉／自责以备谓之明，责人以备谓之惑／藩屏之臣，取其明练风俗，清白爱民／处事者不以聪明为先，而以尽心为急／心能知人者如明镜，善自知者如蚌镜／其处上也，足以明政行教，不以威天下／所谓读书，须当明物理，揣事情，论事势／人影在地，仰见明月，顾而乐之，行歌相答／人欲自照，必须明镜；主欲知过，必

藉忠臣／正则静，静则明，明则虚，虚则无为而无不为也／《大学》之道，在明明德，在亲民，在止于至善

❽无虐茕独而畏高明／君子受言以达聪明／昭乎日月不足为明／天聪明，自我民聪明／任独者暗，任众者明／冰炭不言，冷热自明／听和则聪，视正则明／知人者智，自知者明／德威惟畏，德明惟明／眇能视，不足以有明也／天高露清，山空月明……／不遇阴雨后，岂知明月好／今岁今宵夜，明年明日催／莫以心如玉，探他明月珠／薰以香自烧，膏以明自销／吾学无所学，乃能明自然／多闻而择焉，所以明智也／冬尽今宵促，年开明日长／消息盈虚，一晦一明……／紫塞白云断，青春明月初／人有能有不能，有明有不明／便宜不可占尽，聪明不可用尽／圣人为人所爱，神明所祐……／折狱而是也，理益明，教益行／古之大臣废昏举明，所以康天下也／人生在世不称意，明朝散发弄扁舟／今年花落颜色改，明年花开复谁在／今朝有酒今朝醉，明日愁来明日愁／圣人不以独见为明，而以万物为心／君子有九思：视思明……见得思义／此生此夜不长好，明年明月何处看／明为明，不明为不明，乃所谓明也／明所爱而邪僻繁，明所恶而贤良灭／白日经天中则移，明月横汉满而亏／立言无显过之咎，明镜无见玭之尤／其谤且誉者，岂尽明而善褒贬也哉／制名以指实，上以明贵贱，下以辨同异／浮言可以事久而明，众嗤可以时久而息／吾闻中国之君子，明乎礼义而陋于知人心／物循乎自然，人能明于必然，此人物之异／圣人虽有独知之明，常如阇昧，不以曜乱人／至人之治，掩其聪明，灭其文章，依道废智／至治馨香，感于神明，黍稷非馨，明德惟馨／国之所以治者，君明也；其所以乱者，君暗也／天下大乱，贤圣不明，道德不一，天下多得一察焉以自好

❾讲学以会友，则道益明／圣人畏微，而愚人畏明／贪淫好色，则伤精失明／老而好学，如炳烛之明／精于理者，其言易而明／曲木恶直绳，重罚恶明证／人欲自见其势，以资明镜／幽桂一丛，赏古人之明月／四更山吐月，残夜水明楼／饰知以惊愚，修身以明污／进贤而退不肖，君之明也／裁为合欢扇，团团似明月／窜梁鸿于海曲，岂乏明时／铎以声自毁，膏烛以明自铄／勤是无价之宝，学是明月神珠／镜无见疵之罪，道无明过之恶／不可以万古长空，不明一朝风月／古之选贤，傅纳以言，明试以功／臂健尚嫌弓力软，眼明犹识阵云高／言者不狂，而择者不明，国之大患／古之善为道者，非以明民，将以愚之／天性正于受生之初，明觉发于既生之后／智者不背时而侥幸，明者不违道以干非／德义之所成者智也，明智之所求者学问也／英以其聪谋始，以其明见机，待雄之胆行之／知己者不可诱以物，明于死生者不可却以危／独视不若与众视之明，独听不若与众听之聪／智者多屈，辩者多辱，明者多蔽，勇者多死／龙凤隐耀，应德而臻；明哲潜遁，俟时而动／貌曰恭，言曰从，视曰明，听曰聪，思曰睿／竭所能之谓忠，履所明之谓信，平所施之谓恕／人生时禀得灵气，精明通悟，学无滞塞，则谓之神／我愿君王心，化作光明烛，不照绮罗筵，只照逃亡屋／天无一点云，星斗张明，错落水中，如珠走镜，不可收拾

❿一目之察，不如众目之明／书为晓者传，事为见者明／发少嫌梳利，颜衰恨镜明／十牖之开，不如一户之明／从官重恭慎，立身贵廉明／冰炭不同器，日月不并明／读书患不多，思义患不明／动静不失其时，其道光明／抑之欲其奥，扬之欲其明／衡无心而平，镜无心而明／江上之清风与山间之明月／浊者清之路，昏久则昭明／水无心而清，冰虚己而明／物有所不足，智有所不明／欲济无舟楫，端居耻圣明／然则无用之为用也亦明矣／目限于所见，则夺其天明／无冥冥之志者，无昭昭之明／未得位则思修其辞以明其道／公生明，诚生明，从容生明／人有能有不能，有明有不明／冰炭不言，而冷热之质自明／将以诛大为威，以赏小为明／日就月将，学有缉熙于光明／日月丽天，而瞽者莫睹其明／青天白日，奴隶亦知其清明／与乾坤齐其寿，与日月齐其明／不广求，故得；不杂学，故明／事将为，其赏罚之数必先明之／良璞不剖，必有泣血以相明者／道沿圣以垂文，圣因文而明道／是以非德道不尊，非道德不明／水下流而广大，君下臣而聪明／水不波则自定，鉴不翳则自明／物至之时，其心昭昭然明辨焉／石火光中争长竞短，几何光明／鉴明则尘垢不止，止则不明也／以近知远，以一知万，以微知明／何泛滥之浮云兮，猋壅蔽此明月／大丈夫以正大立心，以光明行事／君子当有所好恶，好恶不可不明／理不可以直指也，故即物以明理／欲立非常之功者，必有知人之明／鳖无耳而目不可以蔽，精于明也／万株松树青山上，十里沙堤明月中／临流不忍轻相别，吟听潺湲到天明／借问瘟君欲何往，纸船明烛照天烧／俱怀逸兴壮思飞，欲上青天揽明月／今朝有酒今朝醉，明日愁来明日愁／读书之乐乐陶陶，起弄明月霜天高／土之美者善养禾，君之明者善养士／苟不悖于圣道，而有以启明者之虑／大抵文字须熟乃妙，熟则利病自明／美人迈兮音尘阙，隔千里兮共明月／号呼卖卜谁家子，想欠明朝籴米钱／山重水复疑无路，柳暗花明又一村／德弥盛者文弥缛，德弥彰者人弥明／潭西南而望，斗折蛇

行，明灭可见／宁可蒙懂而聪明，不可聪明而蒙懂／此生此夜不长好，明年明月何处看／此去与师谁共到？一船明月一帆风／明为明，不明为不明，乃所谓明也／春江潮水连海平，海上明月共潮生／贪痴无底蛇吞象，祸福难明螳捕蝉／贫疑陋巷春偏少，贵想豪家月最明／贫居往往无烟火，不独明朝为子推／所谓天者诚难测，而神者诚难明矣／毁誉从来不可听，是非终久自分明／焚薮而田，岂不获得？而明年无兽／睡起秋声无觅处，满阶梧叶月明中／镜之明己也功细，士之明己也功大／用意深而劝戒切，为言信而善恶明／竭泽而渔，岂不获得？而明年无鱼／蜡烛有心还惜别，替人垂泪到天明／自细视大者不尽，自大视细者不明／干泽而渔，得鱼虽多，而明年无复也／天下万物皆生于两，不生于一，明矣／为宰相不难，一心正，两眼明，足矣／古之善用人者，必循天顺人而明赏罚／博学而日参省乎己，则知明而行无过／使为恶者不得幸免，疑似者有所辨明／圣人不行而知，不见而明，不为而成／君子之过，犹日月之蚀也，何害于明／得名得货，道德不居，神明不留……／皆知说镜之明己也，而恶士之明己也／贤人在世，进则尽忠宣化，以明朝廷／欲是其所非而非其所是，则莫若以明／焚林而田，得兽虽多，而明年无复也／悬羽与炭，而知燥湿之气，以小明大／奉而始终之则为道，言而发明之则为诗／反听之谓聪，内视之谓明，自胜之谓强／为治之功不在大，见大不明，见小乃明／以至详之法晓天下，使天下明知其所避／发乎声，见乎四支，谓非己心，不明也／体曲者忌绳墨之容，夜裸者憎明烛之来／凡鬼神事眇茫荒惑无可准，明者所不道／交财一事最难。虽至亲好友，亦须明白／圣王者不贵义而贵法，法必明，令必行／若能为能，不能为不能……乃所谓明也／形骸既适则神不烦，观听无邪则道以明／洁其宫，开其门，去私毋言，神明若存／明者所以对昏，昏既灭，则明亦不立矣／是非不可听而发暴，曲直必宜察而辨明／水至平而邪者取法，镜至明而丑者无怒／赏无功之人，罚不辜之民，非所谓明也／观人察质，必先察其平淡，而后求其聪明／若不推之于诚，虽三令五申，而令不明矣／聪明者，阴阳之精。阴阳清和则中睿外明／五刃之伤，药之可平。一言成疴，智不能明／云破月出，光气含吐，互相明灭，晶莹玲珑／博学之，审问之，慎思之，明辨之，笃行之／仁人者，正其谊不谋其利，明其道不计其功／兰薰而摧，玉缜则折；物忌坚芳，人讳明洁／人能除情欲，节滋味，清五藏，则神明居之／丛兰欲茂，秋风败之；王者欲明，谗人蔽之／冰炭不言，而冷势之质自明者，以其有实也／净心守志，可会至道，譬如磨镜，垢去明存／至治馨香，感于神明，黍稷非馨，明德惟馨／至福似祸，大吉若凶。天下醉饱，莫之能明／苍雁赪鲤，时传尺素；清风明月，俱寄相思／君子博学而日参省乎己，则知明而行无过矣／处大事贵乎明而能断，不明因无以知事论断／情不自情，因性而情；性不自性，由情以明／居官不难，听言为难；听言不难，明察为难／居官有二语，曰：唯公则生明，唯廉则生威／赏罚不明，百事不成；赏罚若明，四方可行／文不加点，兴到语耳！孔明天才，思十反矣／焚林而畋，明年无兽；竭泽而渔，明年无鱼／石生而坚，兰生而芳，少自其质，长而愈明／篇之彪炳，章无疵也；章之明靡，句无玷也／言切直则不用而身危，不切直则不可以明道／诗文之词采贵典雅而贱粗俗，宜蕴藉而忌分明／名实相生，利用相成，是非相明，去就相安也／处明者不见暗中一物，而处暗者能见明中区事／夏后氏之璜，不能无考；明月之珠，不能无颣／好贤乐善，孜孜以荐进良士、明白是非为己任／爱善疾恶，人情所常，苟不明质，或疏善善非／聪者耳闻，明者目见，聪明则仁爱著而廉耻分／倚伏之矛楯也，其理甚明，困而后儆，斯弗及已／人生天地之中，殊于众类明矣。感则应，激则通／今人主有明其德者，则天下归之若蝉之归明火也／礼者，所以定亲疏、决嫌疑、别同异、明是非也／人始入官，如入晦室，久而愈明，明乃治，治乃行／此理在宇宙间，固不以人之明不明、行不行而加损／言贵尽心，亦各其所见也，若是非，则明智者裁之／审内以知外，原小以知大，因我以然彼，明近以喻远／屈原放逐，乃赋《离骚》；左丘失明，厥有《国语》／失名失货，道德是佑，神明是助，名显自然，富配天地／原心反性则贵矣，适情知足则富矣，明死生之分则寿矣／道者何也？虚无之系，道化之根，神明之本，天地之源／物之美者，盈天地间皆是也。然必待人之神明才慧而见／三皇之知，上悖日月之明，下睽山川之精，中堕四时之施／君子尊德性而道问学，致广大而尽精微，极高明而道中庸／天地有大美而不言，四时有明法而不议，万物有成理而不说／君子所以动天地应神明正万物而成王治者，必本乎真实而已／气质偏驳者，欲使私欲不能引染，如之何？惟在明明德而已／能明申、韩之术而修商君之法，法修术明而天下乱者，未之闻也／以明察物，物亦竞以其明应之。以不信察物，物亦竞以其不信应之／人有明珠，莫不贵重，若以弹雀，岂非可惜？况人之性命甚于明珠／李白之文，清雄奔放，名章俊语，络绎间起，光明洞彻，句句动人／君子之言，幽必有验乎明，远必有验乎近，大必有验乎小，微必有验乎著／先哲王之政，一曰承天，二曰正

身，三曰任贤，四曰恤民，五曰明制，六曰立业

昏 ①hūn 天色即将变黑的时候；天色暗；糊涂；失去知觉；通“婚”。②mǐn 勉励。

❶昏与庸，可限而不可限也

见清·彭端淑《白鹤堂集》。

昏旦变气候，山水含清晖

见南朝·宋·谢灵运《石壁精舍还湖中作》。全句为：“～；清晖能娱人，游子憺忘归”。

❷逢昏不昧，智也／智昏不可以为政，波水不可以为平

❸国家昏乱，有忠臣／情既昏，性斯匿矣／天下昏乱，忠臣乃见／以其昏昏，使人昭昭／世途昏险，拟步如漆……圣智危栗／今处昏上乱相之间，而欲无惫，奚可得邪

❹利令智昏／以其昏昏，使人昭昭／已是黄昏独自愁，更着风和雨／情之所昏，交相攻伐，未始有穷……

❺未尝敢以昏气出之，惧其昧没而杂也／不自限其昏与庸而力学不倦，自立者也／阴晴显晦，昏旦含吐，千变万状，不可殚纪／枯藤老树昏鸦，小桥流水人家，古道西风瘦马

❻见善不敬，与昏瞽同／浊者清之路，昏久则昭明／古之大臣废昏举明，所以康天下也／明者所以对昏，昏既灭，则明亦不立矣

❼夕阳虽好近黄昏／细云新月耿黄昏／不能长进，只为昏弱两字所苦／悲愁天地白日昏，路旁过者无颜色／明者所以对昏，昏既灭，则明亦不立矣

❽君子失心，鲜不夭昏／责人则明，恕己则昏／人之不力于道者，昏不思也／威赫赫爵禄高登，昏惨惨黄泉路近／忽喇喇似大厦倾，昏惨惨似灯将尽

❾粗于事者，其言费而昏／月上柳梢头，人约黄昏后／书卷多情似故人，晨昏忧乐每相亲／晨看旅雁，心赴江淮；昏望牵牛，情驰扬越

❿夸愚适增累，矜智道逾昏／夕阳无限好，只是近黄昏／水激则波兴，气乱则智昏／心者……静则生慧，动则成昏／世情薄，人情恶，雨送黄昏花易落／余将董道而不豫兮，固将重昏而终身／凡为人子之礼，冬温而夏凊，昏定晨省／谗人似实，巧言如簧，使听之者惑，视之者昏／贤者以其昭昭使人昭昭，今以其昏昏使人昭昭

易 yì 容易；平和；改变；交换；和悦；平坦；散漫；简率；轻贱，轻视；修治；通“埸”，边界；《周易》的简称。

❶易于反掌，安于泰山

见汉·枚乘《上书谏吴王》。

易为而难成者，事也

见汉·刘安《淮南子·氾论》。全句为：“～；难成而易败者，名也”。

易以理服，难以力胜

见宋·苏轼《西浙转运副使孙昌龄可秘阁校理知福州》。

易衣而出，并日而食

见《礼记·儒行》。

易求无价宝，难得有心郎

见唐·鱼玄机《赠邻女》。

易子而食之，析骸而炊之

见《公羊传·宣公十五年》。

易因于难，非难无以彰其易

见五代·前蜀·杜光庭《道德真经广圣义》卷七。全句为：“难因于易，非易无以知其难；～”。

易穷则变，变则通，通则久

见《周易·系辞下》。

易水萧萧西风冷……悲歌未彻

见宋·辛弃疾《贺新郎》。删节处为：“满座衣冠似雪，正壮士、”。

易于泰山破鸡子，轻于四马载鸿毛

见汉·刘荆《诈为郭况与东海王彊书》。

易其田畴，薄其税敛，民可使富也

见《孟子·尽心上》。

易生之嫌，不足贬也；易为之誉，不足多也

见唐·刘禹锡《观博》。全句为：“当轴者易生嫌，而退身者易为誉。～”。

易道良马，使人欲驰；饮酒而乐，使人欲歌

见汉·刘安《淮南子·说林》。

❷多易必多难／贵易交，富易妻／善《易》者不论《易》／时易失，志难成，鬓丝生／乐易者常寿长，忧险者常夭折／士易得而难求也，易致而难留也／平易恬淡，则忧患不能入，邪气不能袭，故其德全而神不亏／以易限之鉴，镜难原之才，使国罔遗授，野无滞器，其可得

❸来得易，去得易／知道易，勿言难／始之易，终之难／战胜易，守胜难／起之易而收之难／不为易勇，不为崄怯／甘则易悦，直则难入／千军易得，一将难求／单则易折，众则难摧／变形易色，随风东西／冯唐易老，李广难封／危者易倾，疑者易化／巧言易信，孤愤难申／岁月易尽，光阴难驻／彩云易散，皓月难圆／浇风易渐，淳化难归／属笔易巧，选和至难／经师易求，人师难得／王者易辅，霸者难佐／方轨易因，险途难御／乱后易理，犹饥人易食也／饥者易为食，渴者易为饮／富贵易为善，贫贱难为工／瓮盎易盈，以其狭而拒也／外听易为察，而内听难为聪／人生易老天难老，岁岁重阳／处听易为察，而内听难为聪／事有易成者名小，难成者功大／摧强易于折枯，消坚甚于汤雪／君子易知而难狎，易惧而难胁／论事易，作事难；作事易，成事难／难得易失者时也，易过难见者机

也／少年易学老难成，一寸光阴不可轻／得之易，失之易；得之难，失之难／御寇易，御物难；破阵易，破诱难／事虽易，而以难处之，未有不治之变／愚者易蔽也，不肖者易惧也，贪者易诱也／文宜易宜难？必谨对曰：无难易，唯其是尔／移风易俗，莫善于乐；安上治民，莫善于礼／贤者易知也：观其富之所分，达之所进，穷之所不取／君子易事而难说也。说之不以道，不说也；及其使人也，器之

❹天命不易／谈何容易／一年容易又秋风／刎颈不易，九裂不恨／保初节易，保晚节难／阴阳转易，以成化生／难成而易败者，名也／在初则易，终之实难／至仁必易，大智必简／志不求易，事不避难／得土地易，得人心难／居难则易，在蹇咸通／禁微则易，救末者难／其为也易，其传也不远／一饱匆易得，奈此官租钱／事省而易治，求寡而易澹／孔子读《易》，韦编三绝／但悲时易失，四序迭相侵／人实不易知，更须慎其仪／君以为易，其难也将至矣／君子无易由言，耳属于垣／国小则易理，民寡则易宁／峣峣者易缺，皎皎者易污／风前灯易灭，川上月难留／不为难易变节，安危革行也／难因于易，非易无以知其难／戒心之易忘，而骄心之易生／为人使易以伪，为天使难以伪／晚而好《易》，读之韦编三绝／当轴者易生嫌，而退身者易为誉／人之情，易发而难制者，惟怒为甚／难留连，易消歇，塞北花，江南雪／君子居易以俟命，小人行险以徼幸／繁枝容易纷纷落，嫩蕊商量细细开／责少者易偿，职寡者易守，任轻者易权／难得而易失者时也，时至而不旋踵者机也／事前忍易，正事忍难，正事悔易，事后悔难／为忠甚易，得宜实难。忧人大过，以德取怨／性不可易，命不可变，时不可止，道不可壅／安危相易，祸福相生，缓急相摩，聚散以成／方于平易，皆能阔步而进，一遇峻险，则止矣／贤固可易知，人固可易识，但是议者不精思之耳／君子者，易亲而难狎，畏祸而难却，嗜利而不为非，时动而不苟作

❺生生之谓易／功难成而易毁／向阳花木易逢春／贵易交，富易妻／兵，凶器，未易数动／使患无生，易于救患／除患无至，易于救患／析骨而炊，易子而食／上山擒虎易，开口告人难／由俭入奢易，由奢入俭难／为君既不易，为臣良独难／舍生岂不易，处死诚独难／将新变故易，持故为新难／君子难进易退，小人反是／图难于其易，为大于其细／慷慨赴死易，从容就义难／遇事无难易，而勇于敢为／手挥五弦易，目送归鸿难／忠于治世易，忠于浊世难／语云：猛兽易伏，人心难降／顺心之言易入也，有害于治／上求寡而易赡，民安乐而无事／民寡则用易足，土广则物易生／法严而奸易息，政宽而民多犯／已信之民易治，已练之兵易使／时难得而易失也，学者勉之乎／意翻空而易奇，言征实而难巧／黩武之众易动，惊弓之鸟难安／一人之鉴易限，而天下之才难原／乘所欲为，易于反掌，安于泰山／为恶之私易见，而为善之私难知／民习礼义，易与为善，难与为非／利不什，不易业；功不百，不变常／诗无达诂，易无达占，春秋无达辞／贵贱之间，易以势移，管宁所以割席／风萧萧兮易水寒，壮士一去兮不复还／中于道则易以兴政，乖于务则难乎御物／变祸为福，易曲成直，宁关天命，在我人力／盈尺径寸，易取琢磨；南箕北斗，难为簸扬／树恩布德，易以周洽，其犹顺惊风而飞鸿毛也／饰人之心，易人之意，能胜人之口，不能服人之心／使患无生易于救患，而莫能加务焉，则未可与言术也／祸之始也易除，其除之不可者避之；及其成也欲除之不可，欲避之不可

❻风俗与化移易／上公正则下易直／来得易，去得易／损，先难而后易／犯上难，摄下易／春色无情容易去／上好礼，则民易使／小人难事而易说也／杜事之于前，易也／时者，难得而易失／天难忱斯，不易维王／曲戟在颈，不易其心／时移而治不易者，乱／思索生知，慢易生忧／善《易》者不论《易》／天下动之至易，安之至难／君以为难，其易也将至矣／有无相生，难易相成……／难因于易，非易无以知其难／临大利而不易其义，可谓廉矣／以天下与人易，为天下得人难／以言责人甚易，以义持己实难／实有折枝之易，而无挟山之难／责人以人则易足，易足则得人／有面前之誉易，无背后之毁难／有乍交之欢易，无久处之厌难／感慨杀身者易，从容就义者难／自责以人则易为，易为则行苟／议不在已者易称，从旁议者易是／名有固善，径易而不拂谓之善名／万两黄金容易得，知心一个也难求／事者难成而易败，名者难立而易废／利不十者不易业，功不百者不变常／谀言顺意而易悦，直言逆耳而触怒／功者难成而易败，时者难得而易失／名有固善，径易而不拂，谓之善名／得之易，失之易；得之难，失之难／法相因则事易成，事有渐则民不惊／寒暑之势不易，小变不足以妨大节／杀身慷慨犹易免，取义从容未轻许／天下事有难易乎？为之，则难者亦易矣／威严不足以易于位，重利不足以变其心／国无小，不可易也；无备虽众，不可恃也／心志既舒则易以纵驰，议论无择则易以浮浅／道者，虚无、平易、清静、柔弱、淳粹、素朴／上士难进而易退也，其次易进易退也，其下易进难退也／文章当从三易：易见事，一也；易识字，二也；易读诵，三也

❼思其艰以图其易／天命难知，人道易守／人命至重，难生易杀／诚信者，即其心易知／危叶畏风，惊禽易落／危者易倾，疑者易化／苦日难熬，欢时易过／苟非其人，虽强易弱／文王拘而演《周易》／福不再来，时或易失／福不虚至，祸亦易来／忠言逆耳，甘词易入／必因人之情，故易为功／必因时之势，故易为力／精于理者，其言易而明／凡人立志胜人，易生傲慢／导泉向涧，则为易下之流／轻诺必寡信，多易必多难／所谓无治者，不易自然也／交气疾争者，为易口而自毁也／改章难于造篇，易字艰于代句／事可语人酬对易，面无惭色去留轻／观理自难观势易，弹丸累到十枚时／法令更则利害易，利害易则民务变／轻友者交时极易，看得易以故转轻／赏罚不信，则民易犯法，不可使令／未尝敢以怠心易之，惧其驰而不严也／好经大事，变更易常，以挂功名，谓之叨／夫谓法不严则易犯，暴君酷吏假辞以饰其恶耳／法大弛，则是非易位，赏恒在佞，而罚恒在直／文章当从三易：易见事，一也；易识字，二也；易读诵，三也

❽知之非难，行之不易／宜鉴于殷，骏命不易／触焉而得，故其言易／民未知礼，虽聚而易散／仁功难著，而乱源易成／情趣苟同，贫贱不易意／乱后易理，犹饥人易食也／君看磊落士，不肯易其身／饥者易为食，渴者易为饮／饥食首阳薇，渴饮易水流／朽株难免蠹，空穴易来风／君子易知而难狎，易惧而难胁／安危不二其志，险易不革其心／责人以人则易足，易足则得人／自责以人则易为，易为则行苟／士易得而难求也，易致而难留也／有所期约，时刻不易，所谓信也／事难行，故要敏；言易出，故要慎／难得易失者时也，易过难见者机也／君子择交莫恶于易与，莫善于胜己／豺狼能害人，其状易别，人得以避之／礼之始作也难而易行，既行也易而难久／天下难事，必作于易；天下大事，必作于细／不以宠辱荣患损易其身，然后乃可以天下付之／逍遥，无为也；苟简，易养也；不贷，无出也

❾不为穷变节，不为贱易志／不以名害身，不以位易志／事省而易治，求寡而易澹／土暖春常在，峰高月易沉／国小则易理，民寡则易宁／峣峣者易缺，皎皎者易污／孤举者难起，众行者易趋／权重持难久，位高势易穷／晴日花争发，丰年酒易沽／虚争空言，不如试之易效／露重飞难进，风多响易沉／君子之仕，不以高下易其心／欲变节而从俗兮，愧易初而屈志／论事易，作事难；作事易，成事难／御寇易，御物难；破阵易，破诱难／虽相与为君臣，时也；易世而无以相贱／责少者易偿，职寡者易守，任轻者易权／愚者易蔽也，不肖者易惧也，贪者易诱也／作诗切忌议论，此最易近腐，近絮，近学究／加我数年，五十以学《易》，可以无大过矣／易生之嫌，不足贬也；易为之誉，不足多也／不为穷变节，不为贱易志；惟仁之处，惟义之行／贤固可易知，人固可易识，但是议者不精思之耳／君子安其身而后动，易其心而后语，定其交而后求

❿一粥一饭，当思来处不易／世异则事变，时移则俗易／兵久则变生，事苦则虑易／仁行而从善，义立则俗易／按其已然之迹而诋之也易／闻道有蚤莫，行道有难易／晓之则无难，不晓则无易／物穷则变生，事急则计易／袭爵乘位，尊祖统业者易／天之道事无大小，物无难易／不生于所畏，而在于所易也／事不患于不成，而患于易坏／义理不先尽，则多听而易惑／戒心之易忘，而骄心之易生／易因于难，非难无以彰其易／不求无害之言，而务无易之事／平居不堕其业，穷困不易其素／事例无不变迁，风气无不移易／事当论其是非，不当问其难易／以道望人则难，以人望人则易／民寡则用易足，土广则物易生／倚南窗以寄傲，审容膝之易安／人情厌故而喜新，重难而轻易／播糠迷目，则天地四方易位矣／已信之民易治，已练之兵易使／强臣专国，则天下震动而易乱／极高寓于极平，至难出于至易／心未滥而先谕教，则化易成也／言语者君子之枢机，谈何容易／其辞质而径，欲见之者易谕也／议不在己者易称，从旁议者易是／欢愉之辞难工，而穷苦之言易好／当轴者易生嫌，而退身者易为誉／安民可与行义，而危民易与为非／不可乘喜而多言，不可乘快而易事／不可知之事，厉心学问，虽小无易／不以富贵妨其道，不以隐约易其心／世情薄，人情恶，雨送黄昏花易落／事者难成而易败，名者难立而易废／利不百，不变法；功不十，不易器／伐深根者难为功，摧枯朽者易为力／误尽平生是一官，弃家容易变名难／功者难成而易败，时者难得而易失／地广非常安之术，人劳乃易乱之源／莫见长安行乐处，空令岁月易蹉跎／大都好物不坚牢，彩云易散琉璃脆／君子学道则爱人，小人学道则易使／闻瑶质兮可变，知余采兮易夺……／法令更则利害易，利害易则民务变／近水楼台先得月，向阳花木易为春／道在迩而求诸远，事在易而求诸难／好事尽从难处得，少年无向易中轻／轻友者交时极易，看得易以故转轻／欲心难厌如溪壑，财物易尽若漏卮／看是寻常最奇崛，成如容易却艰辛／镌金石者难为功，摧枯朽者易为力／蚂蚁缘槐夸大国，蚍蜉撼树谈何易／雨里孤村雪里山，看时容易画时难／上古结绳而治，后世圣人易之以书契／真者，所以受于天也，自然不可易也／天下事有难易乎？为之，则难者亦易矣／主道得而臣道

序，官不易方而太平用成／仁者不以盛衰改节，义者不以存亡易心／凡王者之德……要于其当，不可使易也／善问者如攻坚木：先其易者，后其节目／亲履艰难者知下情，备经险易者达物伪／责少者易偿，职寡者易守，任轻者易权／礼，与其奢也宁俭；丧，与其易也宁戚／礼之始作也难而易行，既行也易而难久／立德者以幽陋好遗，显登者以贵途易引／未有天地之先，毕竟也只是先进谏斯易矣／君子如嘉禾也，封殖之甚难，而去之甚易／独自莫凭阑，无限江山，别时容易见时难／冬有雷电，夏有霜雪，然而寒暑之势不易／文质修者谓之君子，有质而无文谓之易野／齐桓公以管仲辅之则理，以易牙辅之则乱／愚者易蔽也，不肖者易惧也，贪者易诱也／万木僵仆，梅英再吐，玉立冰姿，不易厥素／天下之牝，以静胜牡。千世不易，万世不变／不贵尺之璧，而重寸之阴，时难得而易失也／事前忍易，正事忍难，正事悔易，事后悔难／保生者寡欲，保身者避名，无欲易，无名难／功有难图，不可预见；事有易断，较然不疑／圣人之道，同诸天地，荡诸四海，变习易俗／大丈夫……终不为邪暗小人所惑而易其所守／大兵如市，人死如林；持金易粟，粟贵于金／法令者，所以抑暴扶弱，欲其难犯而易避也／玉可碎而不可改其白，金可销而不可易其刚／时运不齐，命途多舛；冯唐易老，李广难封／文宜易宜难？必谨对曰：无难易，唯其是尔／心志既舒则易以纵驰，议论无择则易以浮浅／用四海九州之力，除此小寇，难易可知……／民安土重迁，不可卒变。易以顺行，难以逆动／读来一百遍，不如亲见颜色，随问而对之易了／知大备者，无求，无失，无弃，不以物易己也／本之《书》以求其质……本之《易》以求其动／登彼西山兮采其薇矣，以暴易暴兮不知其非矣／不深思则不能造于道，不深思而得者，其得易失／圣人不贵尺之璧，而重寸之阴，时难得而易失也／城狐社鼠皆微物，为其有所凭恃，故除之犹不易／有留死一尺，无北行一寸。刎颈不易，九裂不恨／苟去其名全其实，以其余易其不足，亦可交以为师矣／上士难进而易退也，其次易进易退也，其下易进难退也／天下莫柔弱于水，而攻坚强者莫之能先，以其无以易之也／学者四失：为人则失多，好高则失寡，不察则易，苦难则止／文章当从三易：易见事，一也；易识字，二也；易读诵，三也／君子知形恃神以立，神须形以存，悟生理之易失，知一过之害生

昂

áng 上仰；高昂；抬起；上升；振奋。

❶昂然直上，凛有生气

见唐·王勃《平台秘略论十首·善政》。

昂昂累世士，结根在所固

见汉·孔融《杂诗二首》

昂昂千里，泛泛不作水中凫

见宋·辛弃疾《水调歌头·将迁新居不成……》。

❷轩昂磊落，突兀峥嵘／昂昂累世士，结根在所固／昂昂千里，泛泛不作水中凫

❺杜甫陈子昂，才名括天地

❼国朝盛文章，子昂始高蹈／文章随世作抵昂，变尽风骚到晚唐

❿观者如山色沮丧，天地为之久低昂／何惜阶前盈尺之地，不使白扬眉吐气，激昂青云

旻

mín 天；秋季的天空；痛伤；痛惜。

❿君不见高山万仞连苍旻，天长地久成埃尘

春

①chūn 春天；春季；比喻生机；指一年。②chǔn 振作。

❶春水绿于染

见宋·欧阳修《春日西湖寄谢法曹歌》。

春意属黄鹂

见宋·李昭玘《道中书怀》。

春秋无义战

见《孟子·尽心下》。

春秋责备贤者

见清·李汝珍《镜花缘》第十二回。

春尽江南尚薄寒

见宋·陆游《病起》。

春到人间万物鲜

见明·冯梦龙《警世通言·王娇鸾百年长恨》。

春到人间草木知

见宋·张栻《立春禊亭偶成》。

春到江南花自开

见宋·苏轼《次荆公韵四绝》其二。

春色无情容易去

见宋·欧阳修《玉楼春》。

春在枝头已十分

见宋·罗大经《鹤林玉露》。

春江一曲柳千条

见唐·刘禹锡《杨柳枝》。

春江水暖鸭先知

见宋·苏轼《惠崇春江晚景二首》其一。

春女思，秋士悲

见汉·刘安《淮南子·缪称》。

春风又绿江南岸

见宋·王安石《泊船瓜州》。全句为："～，明月何时照我还"。

春风得意马蹄疾

见唐·孟郊《登科后》。全句为："～，一日看尽长安花"。

春风相送过江南

见宋·吴则礼《绝句》。

春生秋杀，天道之常

见南朝·宋·范晔《后汉书·张敏传》。全句为：“～。春一物枯即为灾，秋一物华即为异”。

春夏用事，秋冬潜处

见汉·蔡邕《圆扇赋》。

春风不信，其华不盛

见宋·李昉《太平御览》引《吕氏春秋》语。

春耕夏耘，秋获冬藏

见汉·班固《汉书·食货志》。

春无三日晴，夏无三日雨

见《克文禅师语录》。

春生者繁华，秋荣者零悴

见三国·魏·应璩《与侍郎曹长思书》。

春色无高下，花枝有短长

见《华严纶贯》。

春花无数，毕竟何如秋实

见宋·陈亮《三部乐》。

春早见花枝，朝朝恨发迟

见唐·刘禹锡《抛毬乐词》。全句为：“～，及看花落后，却忆未开时”。

春风不相识，何事入罗帷

见唐·李白《春思》。

春眠不觉晓，处处闻啼鸟

见唐·孟浩然《春晓》。

春种一粒粟，秋成万颗子

见唐·李绅《古风二首》之一。“秋成”一作“秋收”。

《春秋》之义，责知诛率

见汉·王符《潜夫论·断讼》。

春秋多佳日，登高赋新诗

见晋·陶潜《移居二首》之二。

春秋迭代，必有去故之悲

见北周·庾信《哀江南赋》。全句为：“山岳崩颓，既履危亡之运；～”。

春蚕不应老，昼夜常怀思

见南朝·宋·鲍令晖《蚕丝歌》。全句为：“～。何惜微躯尽，缠绵自有时”。

春蚕不应老，昼夜常怀丝

见南朝·陈·清商曲辞《作蚕丝》。全句为：“～。何惜微躯尽，缠绵自有时”。

春蚕收长丝，秋熟靡王税

见晋·陶潜《桃花源诗》。

春露不染色，秋霜不改条

见晋·袁山松《菊诗》。

春不得避风尘，夏不得避暑热

见汉·班固《汉书·食货志》。全句为：“～，秋不得避阴雨，冬不得避寒冻”。

春每归兮花开，花已阑兮春改

见唐·李白《惜余春赋》。全句为：“～。叹长河之流速，送驰波于东海”。

春葩含日似笑，秋叶泫露如泣

北齐·刘昼《刘子·言苑》。

春水无风无浪，春天半雨半晴

见五代·后周·和凝《春光好》。

春秋采善不遗小，掇恶不遗大

见汉·董仲舒《春秋繁露·威德所生》。

春不留兮时已失，老衰飒兮逾疾

见唐·李白《惜余春赋》。全句为：“～。恨不得挂长绳于青天，系此西飞之白日”。

春之日，我爱其草薰薰，木欣欣

见唐·白居易《冷泉亭记》。全句为：“～，可以导和纳粹，畅人气血。夏之夜，我爱其泉渟渟，风泠泠，可以蠲烦析酲，起人心情”。“蠲”，免除；“酲”，昏困。

春一物枯即为灾，秋一物华即为异

见南朝·宋·范晔《后汉书·张敏传》。全句为：“春生秋杀，天道之常。～”。

春来春去苦自驰，争名争利徒尔为

见唐·骆宾王《帝京篇》。

春主生，夏主养，冬主藏，秋主收

见汉·董仲舒《春秋繁露·阳尊阴卑》。

春也万物熙熙焉，感其生而悼其死

见唐·卢照邻《释疾文·悲夫》。全句为：“～；夏也百草榛榛焉，见其盛而知其阑；秋也严霜降兮，殷忧者为之不乐；冬也阴气积兮，愁颜者为之鲜欢”。

春到也，须频寄，人到也、须频寄

见宋·程垓《酷相思》。

春色不随亡国尽，野花只作旧时开

见元·萨都剌《登凌歊台》。

春色满园关不住，一枝红杏出墙来

见宋·叶绍翁《游园不值》。

春江花朝秋月夜，往往取酒还独倾

见唐·白居易《琵琶行》。

春江潮水连海平，海上明月共潮生

见唐·张若虚《春江花月夜》。

春残已是风和雨，更著游人撼落花

见宋·黄庭坚《同元明过洪福寺戏题》。

春时耕种夏时耘，粒粒颗颗费力勤

见明·冯梦龙《警世通言·钝秀才一朝交泰》。全句为：“～；春去细糠如剖玉，炊成香饭似堆银”。

春者，天之和也；夏者，天之德也

见汉·董仲舒《春秋繁露·威德所生》。全句为：“～；秋者，天之平也；冬者，天之威也”。

春风不识兴亡意，草色年年满故城

见唐·柳宗元《酬曹侍御过象县见寄》。

春风不逐君王去，草色年年旧宫路

见唐·王建《铜雀台》。
春风吹蚕细如蚁,桑芽才努青鸦嘴
见唐·唐彦谦《采桑女》。
春风杨柳万千条,六亿神州尽舜尧
见现代·毛泽东《七律二首·送瘟神》其二。
春风桃李花开日,秋雨梧桐叶落时
见唐·白居易《长恨歌》。
春心莫共花争发,一寸相思一寸灰
见唐·李商隐《无题四首》之二。
春蚕到死丝方尽,蜡炬成灰泪始干
见唐·李商隐《无题》。
春生夏长,秋收冬藏,此天道之大经
见汉·司马迁《史记·太史公自序》。
春秋为尊者讳,为亲者讳,为贤者讳
见《公羊传·闵公元年》。
春发其华,秋收其实,有始有极,爰登其质
见南朝·宋·范晔《后汉书·崔骃传》。
春草碧色,春水渌波,送君南浦,伤如之何
见南朝·梁·江淹《别赋》。
春和景明,波澜不惊;上下天光,一碧万顷
见宋·范仲淹《岳阳楼记》。
春日迟迟,秋风飒飒。情往似赠,兴来如答
见南朝·梁·刘勰《文心雕龙·物色》。
春耕其丘,投种之日。释耒而叹,何时实栗
见唐·刘禹锡《问大多钧赋》。"实栗",似应作"实粟"。

❷新春偷向柳梢归/迎春故早发,独自不疑寒/青春须早为,岂能长少年/阳春召我以烟景,大块假我以文章/中春之月,阳在正东,阴在正西,谓之春分/阳春之曲,和者必寡;盛名之下,其实难副/暮春三月,江南草长,杂花生树,群莺乱飞

❸云破春山明/二月春风似剪刀/莫怨春风当自嗟/淡画春山不喜添/满庭春雨绿如烟/户内春浓不识寒/秋菊春兰各有香/老树春深更著花/行得春风,指望夏雨/文若春华,思若涌泉/土暖春常在,峰高月易沉/明年春色至,莫作未归人/日典春衣非为酒,家贫食粥已多时/春来春去苦自驰,争名争利徒尔为/昨日春风欺不在,就床吹落读残书/是他春带愁来,春归何处,却不解、将愁归去

❹老去逢春如病酒/枯木逢春,萌芽便发/泰然若春,温兮如玉/君子如春风,可爱不可竭/喧鸟覆春洲,杂英满芳甸/风雨送春归,飞雪迎春到/孔子成《春秋》而乱臣贼子惧/草树知春不久归,百般红紫斗芳菲/莫羡三春桃与李,桂花成实向秋荣/天犹有春秋冬夏旦暮之期,人者厚貌深情/以鸟鸣春,以雷鸣夏,以虫鸣秋,以风鸣冬/始见新春,又逢初夏。四时若箭,两曜如梭。

❺东风轻扇春寒/千岩万壑春风暖/布谷一声春水生/流水落花春去也/红杏枝头春意闹/天之于物,春生秋实/无意苦争春,一任群芳妒/俏也不争春,只把春来报/惜恐镜中春,不如花草新/白日曜青春,时雨静飞尘/行行若萦春蚓,字字如绾秋蛇/人情曷似春山好,山色不随春老/贫疑陋巷春偏少,贵想豪家月最明/忽如一夜春风来,千树万树梨花开/春草碧色,春水渌波,送君南浦,伤如之何/歌台暖响,春光融融;舞殿冷袖,风雨凄凄/必曰赏以春夏,而刑以秋冬,而谓之至理者,伪也

❻谁道田家乐?春税秋未足/道由白云尽,春与青溪长/红豆生南国,春来发几枝/野火烧不尽,春风吹又生/草不谢荣于春风,木不怨落于秋天/当年不肯嫁春风,无端却被秋风误/语言文字,如春之花,或者必欲弃花而觅春,非愚即狂

❼向阳花木易逢春/芍药花开又一春/桃红又见一年春/危若踏虎尾涉春冰/思若泉涌,文若春华/白璧青钱,欲买春无价/国破山河在,城春草木深/好雨知时节,当春乃发生/畏老身全老,逢春解惜春/紫塞白云断,青春明月初/冬沙飞兮淅淅,春草磨兮芊芊/王孙游兮不归,春草生兮萋萋/春水无风无浪,春天半雨半晴/一年之计在于春,一日之计在于晨/目极千里兮伤春心,魂兮归来哀江南/学者,犹种树也,春玩其华,秋登其实/千里开年,且悲春目;一叶早落,足动秋襟/是他春带愁来,春归何处,却不解、将愁归去

❽威行如秋,仁行如春/有照水一枝,已搀春意/风乍起,吹皱一池春水/俏也不争春,只把春来报/诚信相接,如坐人春风中/待得雪消后,自然春到来/斩草不除根,萌芽春再发/安得万垂杨,系教春日长。/垂秋实于谈丛,绚春花于词苑/日月忽其不淹兮,春与秋其代序/日出江花红胜火,春来江水绿如蓝/爆竹声中一岁除,春风送暖入屠苏/老去诗篇浑漫与,春来花鸟莫深愁/羌笛何须怨杨柳,春风不度玉门关/秋早寒,则冬必暖;春雨多,则夏必旱/草木无大小,必待春而后生,人待义而后成

❾谁言寸草心,报得三春晖/风雨送春归,飞雪迎春到/薄雨收寒,斜照弄晴,春意空阔/诗无达诂,易无达占,春秋无达辞

❿一枝何足贵,怜是故园春/万金买高爵,何处买青春/东风满天地,贫家独无春/严冬不肃杀,何以见阳春/兰闺久寂寞,无事度芳春/四海变秋气,一室难为春/畏老身全老,逢春解惜春/醉貌如霜叶,虽红不是春/静后见万物,自然皆有春意/春每归兮花开,花已阑兮春改/朝菌不知晦朔,蟪蛄不知春秋/悲落叶于劲秋,

喜柔条于芳春／天地不能顿为寒暑，必渐于春秋／人情曷似春山好，山色不随春老／众人熙熙，如享大牢，如春登台／心之忧危，若蹈虎尾，涉于春冰／三千宫女胭脂面，几个春来无泪痕／天时人事日相催，冬至阳生春又来／东风不与周郎便，铜雀春深锁二乔／也知渔父趁鱼急，翻着春衫不裹头／修己者，慎于中也，栗然如履春冰／人面不知何处去，桃花依旧笑春风／人有喜怒哀乐，犹天之有春夏秋冬／诸人之文，犹山无烟霞，春无草树／莫道昆明池水浅，观鱼胜过富春江／落红不是无情物，化作春泥更护花／扫眉才子于今少，管领春风总不如／沉舟侧畔千帆过，病树前头万木春／近水楼台先得月，向阳花木易为春／横空出世，莽昆仑，阅尽人间春色／欲就麻姑买沧海，一杯春露冷如冰／风仪与秋月齐明，音徽与春云等润／蛱蝶飞来过墙去，却疑春色在邻家／等闲识得东风面，万紫千红总是春／自古逢秋悲寂寥，我言秋日胜春朝／不及流莺日日啼花间，能使万家春意闲／问君能有几多愁？恰似一江春水向东流／炷尽沉烟，抛残绣线，恁今春关情似去年／中春之月，阳在正东，阴在正西，谓之春分／冬日之闭冻也不固，则春夏之长草木也不茂／岁寒霜雪苦，含彩独青青，岂不厌凝列，羞比春木荣／语言文字，如春之花，或者必欲弃花而觅春，非愚即狂／不思安危终始之虑，是乐春藻之繁华，而忘秋实之甘口也／伯浑醉书，纸穷墨燥，如春龙奋蛰，奇鬼搏人，何其壮也

昧 mèi 糊涂，头脑不清楚；隐藏；冒昧，不顾；昏暗；古乐名。

❸先王昧爽丕显，坐以待旦／睹暧昧之利，而忘昭晰之害／目有昧则视白为黑，人有蔽则以薄为厚

❹逢昏不昧，智也／念头暗昧，白日下犹生厉鬼

❽不可以一朝风月，昧却万古长空

❿惟夫党人之偷乐兮，路幽昧以险隘／未尝敢以昏气出之，惧其昧没而杂也／圣人虽有独知之明，常如阁昧，不以曜乱人

是 shì 对；认为正确；答应；这个；表示肯定；表语助；于是；订正；凡是；姓。

❶是是而非非

见唐·韩愈《行难》。

是不是，然不然

见《庄子·齐物论》。

是非之心，智也

见《孟子·告子上》。全句为："恻隐之心，仁也；羞恶之心，义也；恭敬之心，礼也；～"。

是姻缘棒打不回

见清·曹雪芹《红楼梦》第九十回。

是可忍，孰不可忍

见唐·房玄龄《晋书·王敦传》。

是非所行而行所非

见汉·刘安《淮南子·说山》。全句为："欲灭迹而走雪中，拯溺者而欲无濡，～"。

是非、非是，谓之愚

见《荀子·修身》。全句为："是是、非非、谓之知；～"。

是非之经，不可不分

见《吕氏春秋·慎行论·察传》。全句为："辞多类非而是，多类是而非。～"。

是非之心，人皆有之

见《孟子·告子上》。全句为："恻隐之心，人皆有之；羞恶之心，人皆有之；恭敬之心，人皆有之；～"。

是非之心，智之端也

见《孟子·公孙丑上》。全句为："恻隐之心，仁之端也；羞恶之心，义之端也；辞让之心，礼之端也；～"。

是非明辨而赏罚必信

见宋·苏轼《赵清献公神道碑》。

是我而当者，吾友也

见《荀子·修身》。全句为："非我而当者，吾师也；～；谄谀我者，吾贼也"。

是亦彼也，彼亦是也

见《庄子·齐物论》。全句为："～；彼亦一是非，此亦一是非"。

是谓是、非谓非曰直

见《荀子·修身》。

是名也，止于是实也

见《墨子·经说上》。

是己所是，非己所非

见唐·杜牧《书处州韩吏部孔子庙碑阴》。

是是、非非、谓之知

见《荀子·修身》。全句为："～；是非、非是，谓之愚"。

是是非非，号为信史

见明·冯梦龙《东周列国志》。

是可忍也，孰不可忍也

见《论语·八佾》。

是非之声，无翼而飞矣

见唐·白居易《策林一》。全句为："～；损益之名，无胫而走矣"。

是非明而后可以施赏罚

见宋·王安石《九变而赏罚可言》。

是儿欲踞吾著炉火上邪

见晋·陈寿《三国志·魏书·武帝纪》。"是儿"，指三国时吴主孙权；"著"，着，放置。

是几度斜阳，几度残月

见宋·周密《齐天乐》。全句为："～！转眼西风，一襟幽恨向谁说"。

是非随名实，赏罚随是非
见《尸子·发蒙》。
是岁江南旱，衢州人食人
见唐·白居易《轻肥》。全句为："食饱心自若，酒酣气益振。～"。
是或化为非，非或化为是
见《关尹子·七釜》。全句为："～；恩或化为仇，仇或化为恩"。
是气所旁薄，凛烈万古存
见宋·文天祥《正气歌》。
是气也者，乃太虚固有之物
见明·王廷相《雅述》。全句为："～，无所有而来，无所从而去者"。
是而非之，非而是之，犹非也
见《晏子春秋·外篇·不合经术者》。
是以非德道不尊，非道德不明
见三国·魏·王肃《孔子家语·王言解》。全句为："道者，所以明德也；德者，所以尊道也。～"
是非有考于前，而成败有验于后
见宋·苏轼《乐全先生文集叙》。
是以圣王先成民，而后致力于神
见《左传·桓公六年》。全句为："民，神之主也。～"。
是穮是蓘，虽有饥馑，必有丰年
见《左传·昭公元年》。
是非之所在，不可以贵贱尊卑论也
见汉·刘安《淮南子·主术》。
是非只为多开口，烦恼皆因强出头
见明·冯梦龙《古今小说·木绵庵郑虎臣报冤》。
是技皆可成名，天下惟无技之人最苦
见明·陈继儒《小窗幽记》。全句为："～；片技即足自立，天下惟多技之人最劳"。
是故圣人与时变而不化，从物而不移
见《管子·内业》。
是故德之所施者博，则威之所行者远
见汉·刘安《淮南子·缪称》。全句为："人以义爱，以党群，以群强。～；义之所加者浅，则武之所制者小矣"。
是非不可听而发暴，曲直必宜察而辨明
见明·宋诩《宋氏家规部》。
是为是，非为非；能为能，不能为不能
见《荀子·修身》。
是直用管窥天，用锥指地也，不亦小乎
见《庄子·秋水》。
是邪，非邪？立而望之，偏何姗姗其来迟
见汉·班固《汉书·外戚传》。
是以与善人居，如入芝兰之室，久而自芳也
见北齐·颜之推《颜氏家训》。全句为："～；与恶人居，如入鲍鱼之肆，久而自臭也"。
是非之心，不虑而知，不学而能，所谓良知也
见明·王阳明《传习录上》。
是他春带愁来，春归何处，却不解、将愁归去
见宋·辛弃疾《祝英台近》。

❷是是而非非／月是故乡明／仁，是以亲亲／不是人寰是天上／不是虚心岂得贤／任是无情也动人／有是理，便有是气／礼，是以有杀有等／无是非之心，非人也／无是非到耳，谓之福／舍是与非，苟可以免／口是心非，背向异辞／是是、非非、谓之知／是是非非，号为信史／智是心中一个知觉处／贼是小人，智过君子／积是为治，积非成虐／自是人生长恨水长东／不是撑船手，休来弄竹竿／诗是无形画，画是有形诗／知是行之始，行是知之成／彼是而己非，不当与是争／彼是莫得其偶，谓之道枢／己是而彼非，不当与非争／本是同根生，相煎何太急／死是征人死，功是将军功／水是眼波横，山是眉峰聚／贫是美称，只是难居其美／如是则下怨，下怨者可亡也／如是，则终生几无可问之事／仁是爱的道理，公是仁的道理／勤是无价之宝，学是明月神珠／知是行的主意，行是知的工夫／酒是烧身硝焰，色为割肉钢刀／慎是护身之符，谦是百行之本／已是黄昏独自愁，更着风和雨／已是悬崖百丈冰，犹有花枝俏／不是一番寒彻骨，怎得梅花扑鼻香／不是一番寒彻骨，争得梅花扑鼻香／不是无端悲怨深，直将阅历写成吟／不是交同兰气味，为何话出一人心／不是花中偏爱菊，此花开尽更无花／不是眼前无外物，不关心事不经心／同是天涯沦落人，相逢何必曾相识／任是深山更深处，也应无计避征徭／但是诗人多薄命，就中沦落不过君／僧是愚氓犹可训，妖为鬼蜮必成灾／昨是儿童今是翁，人间日月急如风／看是寻常最奇崛，成如容易却艰辛／求是者，非求道理也，求合于己者也／欲是其所非而非其所是，则莫若以明／不是东风压了西风，就是西风压了东风／由是而之焉之谓道，足乎己无待于外之谓德／诗是心声，不可违心而出，亦不能违心而出／至是之是无非，至非之非无是，此真是非也／若是若非，执而圆机；独成而意，与道徘徊／无是非之心，非人也……是非之心，智之端也／不是师法，而好自用，譬之是犹以盲辨色，以聋辨声也

❸不自是者博闻／是不是，然不然／事有是非，义难隐讳／事有是非，公无远近／非宅是卜，唯邻是卜／圣人是为学而极至者／是谓是、非谓非曰直／不谴是非，以与世俗处／彼能是，而我乃不能是／满场是假，矮人何辩也／学者是学圣人而未至者／致知，是吾心无所不知／来说是非者，便是是非人／阴，也是错；晴，也是错／

格物，是物物上穷其至理／某篇是某体，某篇则否……／诚国是之先定，虽民散而可收／明珠是身外之物，尚不可弹雀／言其是则有功，言其非则有罪／公却是仁发处，无公则仁行不得／知得是是非非，恁地确定，是智／是穮是蓘，虽有饥馑，必有丰年／天下是非俱不到，安闲一片道人心／论贵是而不务华，事尚然而不高合／淡泊是高风，太枯则无以济人利物／忧勤是美德，太苦则无以适性怡情／死后是非谁管得，满村听说蔡中郎／是为是，非为非；能为能，不能为不能／意无是非，赞之如流；言无可否，应之如响

❹教人便是自学／人情成是而败非／麒麟不是人间物／唯弗居，是以不去／生乎由是，死乎由是／乖僻自是，悔误必多／是非、非是，谓之愚／是己所是，非己所非／旦以为是，而暮已悔之／只言花是雪，不悟有香来／凡人处是，鲜不怨怼忿愤／彼亦一是非，此亦一是非／安危在是非，不在于强弱／宽心应是酒，遣兴莫过诗／家贫不是贫，路贫贫杀人／遥知不是雪，为有暗香来／学者须是务实，不要近名／不敢正是非于富贵，二可贱／折狱而是也，理益明，教益行／彼之理是，我之理非，我让之／宇宙便是吾心，吾心即是宇宙／逆吾者是吾师，顺吾者是吾贼／无非无是，化育玄耀，生而如死／知得是是非非，恁地确定，是智／言无常是，行无常宜者，小人也／夫妻本是同林鸟，大限来时各自飞／人生自是有情痴，此恨不关风与月／落红不是无情物，化作春泥更护花／当轩不是怜苍翠，只要人知耐岁寒／因事之是而是之，因事之非而非之／学诗须是熟看古人诗，求其用心处／琢雕自是文章病，奇险尤伤气骨多／春残已是风和雨，更著游人撼落花／两情若是久长时，又岂在、朝朝暮暮／言之而是，虽在仆隶刍荛，犹不可弃／彼出于是，是亦因彼，彼是方生之说也／有形亦是气，无形亦是气，道寓其中也／至是之是无非，至非之非无是，此真是非也／君子百是，必有一非；小人百非，必有一是／徒知伪是之中有真非，殊不知真是之中有真非／以富为是者，不能让禄；以显为是者，不能让名／富与贵，是人之所欲也，不以其道得之，不处也／贫与贱，是人之所恶也，不以其道得之，不去也／观貌之是非，不若论其心与其行事之可否为不失也／先王以是经夫妇，成孝敬，厚人伦，美教化，移风俗

❺唯余马首是瞻／不是人寰是天上／丹青难写是精神／功成身退是男儿／用贤无敌是长城／无父无君，是禽兽也／不听琴，只是不知音／不私与己，是谓至公／谋夫孔多，是用不集／过而不改，是谓过矣／过而改之，是犹不过／敬他人，即是敬自己／不敬他人，是自不敬也／内足者，自是无意于名／受国不祥，是为天下王／受国之垢，是谓社稷主／君子能行是，不能御非／深沉厚道是第一等资质／气有变化，是道有变化／磊落豪雄是第二等资质／聪明才辨是第三等资质／谿壑可盈，是不可餍也／非非者行是，恶恶者行善／问其名则是，校其行则非／机权多门，是纷乱之原也／眼见方为是，传言未必真／生非汝有，是天地之委和也／以全取胜，是以贵谋而贱战／某今所切，是坠于绝壑……／致远恐泥，是以君子不为也／神仙事本是虚妄，空有其名／事当论其是非，不当问其难易／同于己为是之，异于己为非之／惟有才行是任，岂以新旧为差／有天下之是非，有人人之是非／礼，当论其是非，不当以人废／狼子野心，是乃狼也，其可畜乎／法大行，则是为公是，非为公非／人言落日是天涯，望极天涯不见家／误尽平生是一官，弃家容易变名难／清时有味是无能，闲爱孤云静爱僧／存不忘亡，是以身安而国家可保也／不察事之是非而悦人赞己，暗莫甚焉／冒以为古，是处严冬而袭夏之葛者也／天子之所是未必是，天子之所非未必非／不让古人是谓有志，不让今人是谓无量／我独见得是，亦须缓缓调停，不可直遂／“利”之一字，是学问人品一片试金石／圣人……心安是国安也，心治是国治也／彼出于是，是亦因彼，彼是方生之说也／不以曲故是非相尤，茫茫沉沉，是谓大治／善人为妖，是非反复，天下大迷而不复也／人生至愚是恶闻己过，人生至恶是善谈人过／凡勤学，须是出于本心，不待父母先生督责／圣人恶似是而非之人，国家忌似是而非之论／君子惟道是贵，惟德是守，所以能万世不朽／形精不亏，是谓能移；精而又精，反以相天／法小弛则是非驳，赏不必尽善，罚不必尽恶／亲卿爱卿，是以卿卿。我不卿卿，谁当卿卿／祸至后惧，是诚不知；君子之惧，惧乎未始／上德不德，是以有德。下德不失德，是以无德／法大弛，则是非易位，赏恒在佞，而罚恒在直／谷神不死，是谓玄牝。玄牝之门，是谓天地根

❻非固不能惑是／无为可以定是非／有是理，便有是气／一点贪污，便是大恶／三十六策，走是上计／万分廉洁，止是小善／不念旧恶，怨是用希／节同时异，物是人非／萋兮斐兮，成是贝锦／善欲人见，不是真善／是名也，止于是实也／有意近名，则是伪也／欲当大任，须是笃实／恶恐人知，便是大恶／下德不失德，是以无德／以不教民战，是谓弃之／有官而无课，是无官也／身能，相能，如是者王／天下理无常是，事无常非／冰厚三尺，不是一日之寒／壮岁从戎，曾是气吞残虏／大病只一自是，不肯克己／懈意

一生，便是自弃自暴／梁园虽好，不是久恋之家／贫是美称，只是难居其美／心无物欲，即是秋空霁海／青枫暝色，尽是伤心之树／无人之情，故是非不得于身／俯仰留连，疑是湖中别有天／今日太平，即是江宁之小邑／迁固之史，有是非而无赏罚／辞多类非而是，多类是而非／筑室于道谋，是用不溃于成／惟君子能由是路，出入是门也／孙子非汝有，是天地之委蜕也／不可死而死，是轻其生，非孝也／可死而不死，是重其死，非忠也／舍人而从欲，是以勤多而功少也／舍己而从众，是以事半而功倍也／圣人教人，只是就人日用处开端／洒向人间都是怨，一枕黄粱再现／何必桑干方是远，中流以北即天涯／因事之是而是之，因事之非而非之／字字看来皆是血，十年辛苦不寻常／木有文章曾是病，虫多言语不能天／昨是儿童今是翁，人间日月急如风／文者以明道，是固不苟为炳炳烺烺／神女生涯原是梦，小姑居处本无郎／自古经纶足是非，阴谋最忌夺天机／不应于物者，是致知也，是知之至也／道一而已，此是则彼非，此非则彼是／简士苦民者是谓愚，敬士爱民者是谓智／圣人和之以是非而休乎天钧，是之谓两行／咸以孔子之是非为是非，故未尝有是非耳／爱惜、暴殄本是两意，愚者有时合成一病／不宜言而言是佞之徒，宜言而不言是愚之符／善欲人见，不是真善；恶恐人知，便是大恶／敌先我动，则是见其形；彼躁我静，则是罢其力

❼一日叫娘，终身是母／上德之人，唯道是用／无私于物，唯贤是与／事有曲直，言有是非／非宅是卜，唯邻是卜／孔德之容，惟道是从／从善如登，从恶是崩／先生施教，弟子是则／圣人不巧，时变是守／执持要坚耐，怕是脆／行于大道，唯施是畏／应变要机警，怕是迟／治忽之端，或自是起／道德之教，自坐是也／皇天无亲，惟德是辅／机括要深沉，怕是浅／校短量长，惟器是适／明扬仄陋，唯才是举／是亦彼也，彼亦是也／必有事实，乃有是文／怨岂在明？不见是图／言虽至工，不离是非／赋敛之毒，有甚是蛇者／一枝何足贵，怜是故园春／一笑语儿子，此是却老方／来说是非者，便是是非人／人贤而不敬，则是禽兽也／诗是无形画，画是有形诗／阴，也是错；晴，也是错／剪不断，理还乱，是离愁／劝君少求利，利是焚身火／大抵为名者，只是内不足／拂墙花影动，疑是玉人来／当知岁功应，唯是奉无私／知是行之始，行是知之成／岂知今夜月，还是去年愁／夕阳无限好，只是近黄昏／床前明月光，疑是地上霜／遍身罗绮者，不是养蚕人／居高声自远，非是藉秋风／学者大病痛，只是器度小／死是征人死，功是将军功／水是眼波横，山是眉峰聚／有课而无赏罚，是无课也／风雷动，旌旗奋，是人寰／天下有二：非察是，是察非／萧瑟秋风今又是，换了人间／唯有志不立，直是无着力处／死不足悲，可悲是死而无补／贫不足羞，可羞是贫而无志／贱不足恶，可恶是贱而无能／老不足叹，可叹是老而虚生／非而曲者为负，是而直者为胜／大丈夫行事，论是非不论利害／恭本为礼，过恭是非礼之礼也／是而非之，非而是之，犹非也／手中之竹，又不是胸中之竹也／胸中之竹，并不是眼中之竹也／不仁而在高位，是播其恶于众也／取诸人以为善，是与人为善者也／天将降大任于是人也，必先苦其心志／身不肖而诬贤，是犹伛偻而好升高也／李太白诗不专是豪放，亦有雍容和缓底／时既清兮惟贤是急，贤既进兮其政必立／欲弃学而循性，是谓犹释船而欲蹑水也／未成乎心而有是非，是今日适越而昔至也／迷涂知反，往哲是与。不远而复，先典攸高／物至则反，冬夏是也；致高则危，累棊是也／爱非仁，爱之理是仁；心非仁，心之德是仁／常有小不快事，是好消息……知此理可免怨尤／爱人不以理，适是害人；恶人不以理，适是害己／性字从生从心，是人生来具是理于心，方名之曰性／自见者不明，自是者不彰，自伐者无功，自矜者不长／释正而追曲，倍是而从众，是与俗俪走，而内行无绳／失名失货，道德是佑，神明是助，名显自然，富配天地／感应者气也，如是而感则如是而应，有不容以毫发差者理也

❽生乎由是，死乎由是／修学好古，实事求是／物无非彼，物无非是／教无常师，道在则是／豺狼当路而狐狸是先／革去旧例而惟材是择／才子多傲，傲便不是才／辱骂和恐吓决不是战斗／听著鸣蛩，一声声是怨／于不疑处有疑，方是进矣／来说是非者，便是是非人／长安如梦里，何日是归朝／以名声称号，必为是所诱／伴人无寐，秦淮应是孤月／人生如逆旅，我亦是行人／让人不算痪，过后是便宜／读书成底事，报国是何人／功高成怨府，权盛是危机／探微从道管，结撰是心精／须知香饵下，触口是铦钩／清心为治本，直道是身谋／天下有二：非察是，是察非／饮食男女皆性也，是乌可灭／不自见，故明；不自是，故彰／世间极占地位的，是读书一著／仁是爱的道理，公是仁的道理／勤是无价之宝，学是明月神珠／知是行的主意，行是知的工夫／彼之理非，我之理是，我容之／慎是护身之符，谦是百行之本／寄治乱于法术，托是非于赏罚／遏悔吝于未萌，验是非于往事／法大行，则是为公是，非为公非／强己才之所不逮，是行舟于陆也／责人以其所不能，是使马代耕也／罚其忠，赏其贼，夫是之谓至暗／置不肖之人于

位，是为虎傅翼也／出处每怀心耿耿，是非谁较论悠悠／成败极知无定势，是非元自要徐观／毁誉从来不可听，是非终久自分明／恶死亡而乐不仁，是由恶醉而强酒／白鸥问我泊孤舟，是身留，是心留／天子之所是未必是，天子之所非未必非／不好问询之道，则是伐智本而塞智原也／若平直相似……便不是书法，但得其点画耳／常看得自家未必是，他人未必非，便有长进

❾由心故画，诸法性如是／彼能是，而我乃不能是／其所不能，不强使为是／不贪财，不失言，不自是／非独羊也，治民亦犹是也／俯于逵，惟行旅讴吟是采／只因一着错，满盘都是空／讼必有曲直，论必有是非／诗之基，其人之胸襟是也／国亦有猛狗，用事者是也／彼亦一是非，此亦一是非／彼是而己非，不当与是争／是非随名实，赏罚随是非／心意之论，不足以定是非／瞰于野，惟稼穑艰难是知／醉貌如霜叶，虽红不是春／鬼神非人实亲，惟德是依／不知天上宫阙，今夕是何年／辞多类非而是，多类是而非／可知他朱甍碧瓦，总是血膏涂／合天地万物而言，只是一个理／实迷途其未远，觉今是而昨非／晓来谁染霜林醉，总是离人泪／人而无义，唯食而已，是鸡狗也／建法立制，强国富人，是谓法家／国之兴也，视民如伤，是其福也／学问不厌，好士不倦，是天府也／胆力绝众，材略过人，是谓骁雄／胜而不美，而美之者，是乐杀人／思通道化，策谋奇妙，是谓术家／与物委蛇而同其波，是卫生之经已／东边日出西边雨，道是无晴却有晴／曲妙人不能尽和，言是人不能皆信／以物与人为义，过与是非义之义也／前车覆而后车不诫，是以后车覆也／但得官清吏不横，即是村中歌舞时／假金方用真金镀，若是真金不镀金／人生直作百岁翁，亦是万古一瞬中／今来县宰加朱绂，便是生灵血染成／诚者，合内外之道，便是表里如一／请看今日之域中，竟是谁家之天下／功名只向马上取，真是英雄一丈夫／按善恶见闻之实，断是非去取之疑／当时更有军中死，自是君王不动心／名为公器无多取，利是身灾合少求／衙斋卧听萧萧竹，疑是民间疾苦声／须知三绝韦编者，不是寻行数墨人／闭门觅句非诗法，只是征行自有诗／逢人不说人间事，便是人间无事人／纵令然诺暂相许，终是悠悠行路心／见利不诱，见害不惧……是谓灵气／怒不过夺，喜不过予，是法胜私也／矮人看戏何曾见，都是随人说短长／自家虽有这道理，须是经历过方得／登临自有江山助，岂是胸中不得平／真在内者，神动于外，是所以贵真也／今恶死亡而乐不仁，是犹恶醉而强酒／杀人者死，伤人者刑，是百王之所同／自动自休，自峙自流，是恶乎与我谋／自斗自竭，自崩自缺，是恶乎为我设／我专为一，敌分为十，是以十共其一也／圣人无为，其功广大……是太平之谓也／圣人备道全美者也，是县天下之权称也／有形亦是气，无形亦是气，道寓其中也／未成乎心而有是非，是今日适越而昔至也／咸以孔子之是非为是非，故未尝有是非耳／悠悠素餐者，天下皆是，王道从何而兴乎／正则用之，邪则去之，是则行之，非则改之／非我而当者，吾师也；是我而当者，吾友也／君子惟道是贵，惟德是守，所以能万世不朽／积善多者，虽有一恶，是为过失，未足以亡／积恶多者，虽有一善，是为误中，未足以存／白日所为，夜来省己，是恶当惊，是善当喜／无是非之心，非人也……是非之心，智之端也／名实相生，利用相成，是非相明，去就相安也／安而不扰，使而不劳，是以百姓劝业而乐公赋／天下争名趋势，不计是非，析毫剖芒，视死如归／不思安危终始之虑，是乐春藻之繁华，而忘秋实之甘口也／有缺点的战士终竟是战士，完美的苍蝇也终竟不过是苍蝇／国之兴也，视民如伤，是其福也；其亡也，以民为土芥，是其祸也

❿尝甘以为苦，行非以为是／君子难进易退，小人反是／是或化为非，非或化为是／与人不求感德，无怨便是德／事有合于己者而未始有是也／人之道在法制，其用在是非／先生之不从世兮，惟道是就／君民者岂以陵民？社稷是主／处世不必邀功，无过便是功／或类之而非，或不类之而是／世事如棋局，不着的才是高手／两兔傍地走，安能辨我是雄雌／千人万人之情，一人之情是也／何谓创家之人，能教子者便是／何谓享福之人，能读书者便是／惟君子能由是路，出入是门也／宇宙便是吾心，吾心即是宇宙／逆吾者是吾师，顺吾者是吾贼／有天下之是非，有人人之是非／臣君者岂为其口实？社稷是养／青史内不标名，红尘外便是我／才觉私意起，便克去，此是大勇／良医不可必得，而庸医举目皆是／伯夷、叔齐不念旧恶，怨用是希／众皆舍而己用兮，忽自惑其是非／议不在己者易称，从旁议者易是／知得是是非非，恁地确定，是智／宽以济猛，猛以济宽，政是以和／其勿误于庶狱庶慎，惟正是乂之／一失脚成千古恨，再回头是百年人／天之道莫非自然，人之道皆是当然／天若有情天亦老，人间正道是沧桑／天子呼来不上船，自称臣是酒中仙／无论海角与天涯，大抵心安即是家／东南四十三州地，取尽膏脂是此河／百尺竿头须进步，十方世界是全身／巫峡之水能覆舟，若比人心是安流／事事只在道理上商量，便是真体认／豫者图患于未然，犹者致疑于已是／仰天大笑出门去，我辈岂是蓬蒿人／但肯寻诗便有诗，灵犀一点是

吾师／但见无为为要妙，岂知有作是根基／侯门一入深如海，从此萧郎是路人／做到私欲净尽，天理流行，便是仁／曾经沧海难为水，除却巫山不是云／读书以过目成诵为能，最是不济事／功成而弗居。夫唯弗居，是以不去／男不封侯女作妃，君看女却是门楣／能使了然于口与手乎！是之谓辞达／观棋不语真君子，把酒多言是小人／声声解堕金铜泪，未信吴儿是木人／劳形按影皆非道，炼气吞霞更是狂／若甘心于自暴自弃，便是不能立志／太行之路能摧车，若比人心是坦途／当事有四要：际畔要果决，怕是绵／君听浊浪金焦外，淘尽英雄是此声／君子之于世，无去无就，惟道是从／知之为知之，不知为不知，是知也／清渚白沙茫不辨，只应灯火是渔船／贤者之作，思利乎人；反是，罪也／胜败兵家事不期，包羞忍耻是男儿／文章自得方为贵，衣钵相传岂是真／心病终须心药治，解铃还是系铃人／思苦自看明月苦，人愁不是月华愁／怒不变容，喜不失节，故是最为难／目前之耳目可涂，身后之是非难罔／错把黄金买词赋，相如自是薄情人／白鸥问我泊孤舟，是身留，是心留／西施若解倾吴国，越国亡来又是谁／等闲识得东风面，万紫千红总是春／不为而成，不求而得，夫是之谓天职／不以物乱官，不以官乱心，是谓中得／不应于物者，是致知也，是知之至也／不宜忽略，以弃日也。弃日乃是弃身／未有天地之先，毕竟也只是先其俭也／我知天下之中央，燕之北越之南是也／何者为益友？凡事肯规我之过者是也／何者为小人？凡事必徇己之私者是也／人品做到极处，无有他异，只是本然／当杀而虽贵重，必杀之，是刑上究也／闻道有先后，术业有专攻，如是而已／悟者，吾心也。能见吾心，便是真悟／道一而已，此是则彼非，此非则彼是／学之而不养，养之而不存，是空言也／此心常卓然公正，无有私意，便是敬／舜何人也，予何人也，有为者亦若是／欲是其所非而非其所是，则莫若以明／文章到欧曾苏，道理到二程，方是畅／文章做到极处，无有他奇，只是恰好／心之所感有邪正，故言之所形有是非／不让古人是谓有志，不让今人是谓无量／不是东风压了西风，就是西风压了东风／正直者不可屈曲，有学问者必能辨是非／生以有为己分，则虚无是有之所遗者也／偏而在外，犹可救也，疾自中起，是难／圣人……心安是国安也，心治是国治也／君子成人之美，不成人之恶。小人反是／彼出于是，是亦因彼，彼是方生之说也／条理得于心，其心渊然而条理，是为智／逆顺同道而异理，审知逆顺，是谓道纪／责人斯无难，惟受责俾如流，是惟艰哉／特立独行，适于义而已，不顾人之是非／简士苦民者是谓愚，敬士爱民者是谓智／天下之非誉，无损益焉，是谓全德之人哉／不以曲故是非相尤，茫茫沉沉，是谓大治／不务衣食而务无盗贼，是止水而不塞源也／不逆诈，不亿不信，抑亦先觉者，是贤乎／未有天地之先，毕竟也只是先进谏斯易矣／长短不饰，以情自竭，若是则可谓直士矣／仁者人也，仁字有生意，是言人之生道也／使味之者无极，闻之者动心，是诗之至也／从来谈诗，必摘古人佳句为证，最是小见／说淫则可不可而然不然，是不是而非不非／圣人和之以是非而休乎天钧，是之谓两行／君子所求于人者薄，而辨是与非也无所苟／咸以孔子之是非为是非，故未尝有是非耳／因事相争，安知非我之不是，须平心暗想／彼民有常性，织而衣，耕而食，是谓同德／德人者，居无思，行无虑，不藏是非善恶／处世间事，众人皆见得非，而我独见得是／贤不肖不杂则英杰至，是非不乱则国家治／神姿高彻，如瑶林琼树，自然是风尘外物／愁听，吹笛《关山》……月中都是断肠声／上下之情，壅而不通，天下之弊，由是而积／不宜言而言是佞之徒，宜言而不言是愚之符／不学问，无正义；以富利为隆，是俗人者也／反己者触事皆成药石，尤人者动念即是戈矛／我为女子，薄命如斯！君是丈夫，负心若此／举天下而无可与共处，则是其势岂可以久也／以贼其身，乃丧其躯，其行如此，是谓大忘／同乎无知，其德不离；同乎无欲，是谓素朴／并官省事，静事息役，上下用心，惟农是务／人生至愚是恶闻己过，人生至恶是善谈人过／从善如流，尚恐不逮；饰非拒谏，必是招损／词意书迹，无不宛然；唯是魂神，不知去处／圣人恶似是而非之人，国家忌似是而非之论／至是之是无非，至非之非无是，此真是非也／士之特立独行，适于义而已，不顾人之是非／大丈夫不怕人，只怕理；不恃人，只是恃道／大建厥极，绥理群生，训物垂范，于是乎在／君子百是，必有一非；小人百非，必有一是／知标本者，万举万当；不知标本，是谓妄行／善有善报，恶有恶报；不是不报，时辰未到／善欲人见，不是真善；恶恐人知，便是大恶／希意道言，谓之谄；不择是非而言，谓之谀／冬不服裘，夏不操扇，雨不张盖，是谓将礼／己好则好之，己恶则恶之，以是自信则惑也／子有钟鼓，弗鼓弗考；宛其死矣，他人是保／比不应事，未可谓喻；文不称实，未可谓是／物至则反，冬夏是也；致高则危，累棊是也／爱非仁，爱之理是仁；心非仁，心之德是仁／文宜易宜难？必谨对曰：无难易，唯其是尔／白日所为，夜来省己，是恶当惊，是善当喜／言无常信，行无常贞……若是则可谓小人矣／上德不德，是以有德。下德不失德，是以无德／未有天地之先，毕竟也只是先让者，德之主也／为长者折枝，语人曰："我不能"，是不为也／博学笃志，切问近思，此八字是收放心的功夫／设必犯之法，不度民情之不堪，是陷民于罪也／小人错其在己者，而慕其在天者，是以日退也／君子敬其在己者而不慕其在天者，是以日进也／徒知伪是之中有真非，殊不知真是之中有真非／饥而欲食……好利而恶害，是人之所生而有也／好贤乐善，孜孜以荐进良士、明白是非为己任／贩交买名之薄，吮痈舐痔之卑，安足议其是非／见可怜则流涕，将分与则吝啬，是慈而不仁者／犁牛之驳似虎，莠之幼似禾，事有似是而非者／神闲气静，智深勇沉，此八字是干大事的本领／睹危急则恻隐，将赴救则畏患，是仁而不恤者／谷神不死，是谓玄牝。玄牝之门，是谓天地根／以富为是者，不能让禄；以显为是者，不能让名／人知贵生乐安而弃礼义，辟之是犹欲寿而殁颈也／先王之世，以道治天下，后世只是以法把持天下／知本无有思，动静皆离，寂然不动者，是至诚也／汰流、淫佚、侈靡之俗日以长，是天下之大祟也／明窗净几笔砚纸墨皆极精良，亦自是人生一乐事／贤固可易知，人固可易识，但是议者不精思之耳／见其远者大者，不食邪人之饵，方是二十分识力／敌先我动，则是见其形；彼躁我静，则是罢其力／爱人不以理，适是害人；恶人不以理，适是害己／礼者，所以定亲疏、决嫌疑、别同异、明是非也／颂其诗，读其书，不知其人可乎？是以论其世也／魂魄二字，正犹精神二字。神即是魂，精即是魄／万物有自然之理，圣人只是顺之，不曾增加得一毫／未有天地之先，毕竟也只是先有此理，便有此天地／人遇逆境，无可奈何，而安之若命，乃是见识超卓／叩之而必闻，触之而必应，夫是以天下可使为一身／性字从生从心，是人生来具是理于心，方名之曰性／言贵尽心，亦各其所见也，若是非，则明智者裁之／关山难越，谁悲失路之人？萍水相逢，尽是他乡之客／若贵而愚，贱而圣且贤，以是而妨之，其为理本大矣／莫道男儿心如铁，君不见满川红叶，尽是离人眼中血／挟泰山以超北海，语人曰："我不能"，是诚不能也／赏不当贤而罚不当暴，则是为贤者不劝而为暴者不沮／教亦多术矣，予不屑之教诲也者，是亦教诲之而已矣／释正而追曲，倍是而从众，是与俗俪走，而内行无绳／不是师法，而好自用，譬之是犹以盲辨色，以聋辨声也／失名失货，道德是佑，神明是助，名显自然，富配天地／为一书，务富文采，不顾事实……是犹用文锦复陷阱也／君自为诈，欲臣下行直，是犹源浊而望水清，理不可得／贤者之兴，而愚者之废，废而复之为是，循而习之为非／物之美者，盈天地间皆是也。然必待人之神明才慧而见／盖吾儒起手便与禅异者，正在彻始彻终总是体用一致耳／孔子谓季氏："八佾舞于庭，是可忍也，孰不可忍也？"／喜则滥赏无功，怒则滥杀无罪，是以天下丧乱，莫不由此／吃百姓之饭，穿百姓之衣，莫道百姓可欺，自己也是百姓／君子以争途之不可由也，是以越俗乘高，独行于三等之上／处患难，知其无可奈何，遂放意而不反，是岂安于义命者／有缺点的战士终竟是战士，完美的苍蝇也终竟不过是苍蝇／袭古人语言之迹，而冒以为古，是处严冬而袭夏之葛者也／苟意不先立，止以文彩辞句，绕前捧后，是言愈多而理愈乱／忘乎物，忘乎天，其名曰为忘己；忘己之人，是之谓入于天／感应者气也，如是而感则如是而应，有不容以毫发差者理也／不本其所以欲，而禁其所欲……是犹决江河之源而障之以手也／曰衣食足而后廉耻兴，财物阜而后礼乐作，是执末以求其本也／使亲而旧者愚，远而新者圣且贤，以是而间之，其为理本亦大矣／知为为而不知所以为，是以贵为天子，富有天下，而不免于患也／其义则不足死，赏罚则不足去就，若是而能用其民者，古今无有／国之兴也，视民如伤，是其福也；其亡也，以民为土芥，是其祸也／学贵得之心，求之于心而非也，虽其言之出于孔子，不敢以为是也

显 xiǎn 露在外面或对比分明、容易看出来的；高贵；显扬；表现；有名声；姓。

❶显罚以威之，明赏以化之

见宋·刘清之《戒子通录》。全句为："～。威立则恶者惧，化行则善者劝"。

❷至显，名誉并焉

❸处贵显者勿为矜己傲人之言／贵富显严名利六者，勃志也／恶之显者祸浅，而隐者祸深／凡欲显励绩扬光烈者，莫良于学矣／阴晴显晦，昏旦含吐，千变万状，不可殚纪

❹处尊居显未必贤，遇也／得贤者显昌，失贤者危亡／立言无显过之咎，明镜无见玼之尤

❺不待卞和显，自为命世珍／真伪因事显，人情难预观／功全则誉显，业谢则衅生／功盛者赏显，罪多者罚重／清高之行，显示衰乱之世／璧由识者显，龙因庆云翔／修仪操以显志兮，独驰思乎杳冥／情不可以显出也，故即事以寓情／教子弟求显荣，不如教子弟立品行

❻先王昧爽丕显，坐以待旦／沧海横流，方显出英雄本色／力田者受旌显之赏，惰农者有不齿之罚／莫见乎隐，莫显乎微，故君子慎其独也／繁略殊形，隐显异术，抑引随时，变通会适／北人看书，如显处视月；南人学问，如牖中窥日

❽以德者愈迟而终显／无耻者富，多信者显／生荣死哀，身没名显／君子宅情，无求于显／俊

士亦俟明主以显其德／首句标其目，卒章显其志／交私养望者多得显官，独立营职者或见排沮

❾功多有厚赏，不迪有显戮／宁方为污辱，不圆为显荣／进贤受上赏，蔽贤蒙显戮／理因事彰，不坏事而显理／立德者以幽陋好遗，显登者以贵途易引

❿有元气则有生，有生则道显／凡人皆欲自达，仆先得显处……／小人固当远，然亦不可显为仇敌／赏罚必信，无恶不惩，无善不显／形骸非性命不立，性命假形骸以显／君子之誉，非所谓誉也，其善显焉尔／善删者字去而意留，善敷者辞殊而意显／为政之本，莫若得人；褒贤显善，圣制所先／吾见世人清名登而金贝入，信誉显而然诺亏／不拘一世之利以为己私分，不以王天下为己处显／以富为是者，不能让禄；以显为是者，不能让名／失名失货，道德是佑，神明是助，名显自然，富配天地

映

yìng 照；反映；未时，午后一时至三时；遮蔽。

❶映渚蛾眉，丽穿波之半月

见唐·骆宾王《扬州看竞渡序》。全句为：“临波笑脸，艳出浦之轻莲；～”。

❹高霞孤映，明月独举，青松落荫，白云谁侣

❻人面桃花相映红／落日丹枫相映红／声华行实，光映儒林

❿剑戟横空金气肃，旌旗映日彩云飞／寒泉飞流，异竹杂华，回映之处，似藏人家／从山阴道上行，山川自相映发，使人应接不暇／鹰扬虎视，齿若编贝，肤如凝脂，昭昭乎若玉山上行，朗然映人

星

xīng 能发射光或反射光的天体；观感像星星一样的东西；很少的；明星，比喻有突出才能或特长的人；形容细小轻微；打击乐器；姓。

❶星星之火，可以燎原

见《续孽海花》第五七回。

星之昭昭，不若月之曀曀

见《晏子春秋·内篇谏下》二十一。

星河尽涵泳，俯仰迷上下

见唐·韩愈《岳阳楼别窦司直》。

星斗张明，错落水中，如珠走镜，不可收拾

见宋·王质《游东林山水记》。全句为：“天无一点云，～”。

星队木鸣，国人皆恐。……怪之，可也；而畏之，非也

见《荀子·天论》。

❷星星之火，可以燎原／百星之明，不如一月之光

❸宵中，星虚，以殷仲秋／天下星河转，人间帘幕垂／兵寝星芒落，战解月轮空／日月星辰民所瞻仰者亦皆曰神／月明星稀，乌鹊南飞，绕树三匝，何枝可依／麟亡星落，月死珠伤，瓶罄罍耻，芝焚蕙叹

❹井中视星，所见不过数星／寄意寒星荃不察，我以我血荐轩辕／日月五星逆天而行，并包乎地者也

❺日往月来，星移斗换／依作北辰星，千年无转移／自井中视星，所见不过数星／天之高也，星辰之远也，苟求其故，千岁之日至，可坐而致也

❻天无一点云，星斗张明，错落水中，如珠走镜，不可收拾

❼戴盆望天，不见星辰／雄州雾列，俊彩星驰／视日月而知众星之蔑也／炉火照天地，红星乱紫烟／天道乱，而日月星辰不得其行／昼诵书传，夜观星宿，或不寐达旦／旆如云兮帜如星，山可动兮石可铭／山空月明，仰视星斗皆光大，如适在人上／天若不爱酒，酒星不在天；地若不爱酒，地应无酒泉

❾其发于外者，烂如日星之光辉／悄立市桥人不识，一星如月看多时／日月之行，若出其中；星汉灿烂，若出其里

❿井中视星，所见不过数星／自井中视星，所见不过数星／良人犹恐催耕早，自扯蓬窗看晓星／闲云潭影日悠悠，物换星移几度秋／为政以德，譬如北辰，居其所而众星共之／尽若穷烟，离若箭弦，如影灭地，犹星殒天／凡物之精，化则为生，下生五谷，上为列星／阴风怒号，浊浪排空，日星隐曜，山岳潜形／天公何时有，谈者皆不经。谁道贤人死，今为傅说星／今夫大海……旦则浴日而出之，夜则滔列星，涵太阴

昨

zuó 昨天；过去。

❶昨日胜今日，今年老去年

见唐·刘采春《啰唝曲六首》之五。全句为：“～，黄河清有日，白发黑无缘”。

昨日之日不可追，今日之日须臾期

见唐·卢仝《叹昨日三首》之一。全句为：“～；如此如此复如此，壮心死尽生鬓丝”。

昨日邻家乞新火，晓窗分与读书灯

见宋·王禹偁《清明》。

昨日山中之木，以不材得终其天年

见《庄子·山木》。全句为：“～；今主人之雁，以不材死”。

昨日春风欺不在，就床吹落读残书

见唐·薛能《老圃堂》。

昨是儿童今是翁，人间日月急如风

见唐·姚合《酬令狐郎中见寄》。

❸命令昨颁，十万工农下吉安

❹今美于昨，明日复胜于今

❺弃我去者，昨日之日不可留
❽明鉴未远，覆车如昨
❿实迷途其未远，觉今是而昨非

昵 ①nì 亲近，亲昵。②nǐ 通"祢"，父庙。③zhì 粘；胶合。

❷狎昵恶少，久必受其累
❺官不及私昵，惟其能；爵罔及恶德，惟其贤

昭 zhāo 明显；显著；明亮；彰明；光；姓。

❶昭乎日月不足为明
见唐·韩愈《伯夷颂》。全句为："～，崒乎泰山不足为高，巍乎天地不足为容"。
昭明有融，高朗令终
见《诗·大雅·既醉》。
昭昭乎如揭日月而行，故不免也
见《庄子·山木》。全句为："饰知以惊愚，修身以明污，～"。
❷仁昭而义立，德博而化广／道昭而不道，言辩而不及／昭昭乎如揭日月而行，故不免也
❸前事昭昭，足为明戒／善恶昭彰，如影随形／司马昭之心，路人所知也／星之昭昭，不若月之曀曀
❹前事昭昭，足为明戒／星之昭昭，不若月之曀曀／人能由昭昭于冥冥，则几于道矣／幽晦登昭，日月下藏；公正无私，反见从横
❺鉴往可以昭来／成败之迹，昭哉可观／人能由昭昭于冥冥，则几于道矣／贤者以其昭昭使人昭昭，今以其昏昏使人昭昭
❼以其昏昏，使人昭昭／物至之时，其心昭昭然明辨焉
❽以其昏昏，使人昭昭／无冥冥之志者，无昭昭之明／睹暧昧之利，而忘昭晰之害／物至之时，其心昭昭然明辨焉
❾浊者清之路，昏久则昭明／无冥冥之志者，无昭昭之明／死马无所复用，而燕昭宝之／贤者以其昭昭使人昭昭，今以其昏昏使人昭昭
❿铭者，所以名其善功以昭后世也／以白云为藩篱，碧山为屏风，昭其俭也／有阴德者必有阳报，有隐行者必有昭名／贤者以其昭昭使人昭昭，今以其昏昏使人昭昭／耳之闻也藉于静，目之见也藉于昭，心之知也藉于理／鹰扬虎视，齿若编贝，肤如凝脂，昭昭乎若玉山上行，朗然映人

耆 ①qí 古指六十岁以上的老人；泛指老年人；强横；憎怒。②zhǐ 致使；达到。③shì 通"嗜"，爱好。

❶耆艾而信，可以为师
见《荀子·致士》。
❷其耆欲深者，其天机浅
❽侮圣言，逆忠直，远耆德……时谓乱风
❿历危乘险，匪杖不行，车耆力竭，匪杖不强

晋 jìn 进；晋升；周代诸侯国名；朝代名；六十四卦之一；插；姓。

❷三晋多权变之士，夫言从衡强秦者，大抵皆三晋之人
❸由魏晋氏以下，人益不事师
❺虽楚有材，晋实用之／楚虽有才，晋实用之／汉魏风骨，晋宋莫传，然而文献有可征者
❽不知有汉，无论魏晋
❿三晋多权变之士，夫言从衡强秦者，大抵皆三晋之人／文章道弊五百年矣！汉魏风骨，晋宋莫传，然而文献有可征者

晓 xiǎo 天刚亮；知道；告知。

❶晓风干，泪痕残
见宋·唐婉《钗头凤》。全句为："～。欲笺心事，独语斜阑。难！难！难！"。
晓之则无难，不晓则无易
见汉·王充《论衡·定贤篇》。
晓来谁染霜林醉，总是离人泪
见元·王实甫《西厢记》第四本第三折。全句为："碧云天，黄花地，西风紧，北雁南飞。～"。
❸书为晓者传，事为见者明／忽闻晓角吟风，一叶坠露，惊而试问，即红线回矣
❹后生莫晓，更恨文律烦苛
❺春眠不觉晓，处处闻啼鸟／言无不可晓，指无不可睹／西家老人晓稼穑，白发空多缺衣食／夕景欲沉，晓雾将合；孤鹤寒啸，游鸿远吟
❻操千曲而后晓声，观千剑而后识器／以至详之法晓天下，使天下明知其所避
❼被头里做事终晓得／晓之则无难，不晓则无易
❽寻章摘句老雕虫，晓月当帘挂玉弓／昨日邻家乞新火，晓窗分与读书灯／不学自知，不问自晓，古今行事未之有也
❿巢林宜择木，结友使心晓／良人犹恐催耕早，自扯蓬窗看晓星／能读千赋则善赋，能观千剑则晓剑

晔 yè 光亮、光彩的样子。

❼勿病无闻，病其晔晔
❿根之茂者其实遂，膏之沃者其光晔

晏 yàn 晴朗；鲜艳；安宁；迟，晚；姓。

❶晏平仲问养生于管夷吾……
见《列子·杨朱》。全句为："～。管夷吾曰：'肆之而已，勿壅勿阏'"。
❹晖目知晏，阴谐知雨

晖 huī 阳光；光彩照耀。

❶晖目知晏，阴谐知雨

见汉·刘安《淮南子·缪称》。全句为："鹊巢知风之所起，獭穴知水之高下；～"。"晏"，晴天无云。另，"目"似应为"日"字。

❷朝晖夕阴，气象万千

❼不用登临怨落晖

❿谁言寸草心，报得三春晖／处世忌太洁，至人贵藏晖／昏旦变气候，山水含清晖／但将酩酊酬佳节，不用登临恨落晖

晃

①huǎng 光线亮得刺眼；瞬间闪过。②huàng 摇摆。

❾处身者，不为外物眩晃而动，则其心静

曹

cáo 群，众；偶，对；辈；诉讼的双方；古代官署；周代诸侯国；古邑名；姓。

❶曹衣出水

见宋·郭若虚《图画见闻志》。

曹操有取天下之虑，而无取天下之量

见宋·苏洵《项籍》。全句为："项籍有取天下之才，而无取天下之虑；～；刘备有取天下之量，而无取天下之才"。

❷尔曹身与名俱灭，不废江河万古流

❽任贤使能以清官曹，养老慈幼以厚风俗／天下英雄谁敌手？曹刘。生子当如孙仲谋

❾萧何为法，颟若画一；曹参代之，守而勿失

晨

chén 早晨；鸡啼报晓；星名。

❶晨飙动野，斜月在林

见唐·袁郊《红线》。

晨兴理荒秽，带月荷锄归

见晋·陶潜《归园田居五首》之三。

晨看旅雁，心赴江淮；昏望牵牛，情驰扬越

见南朝·陈·徐陵《与齐尚书仆射杨遵彦书》。全句为："～。朝千悲而下泣，夕万绪以回肠"。

❷霜晨月，马蹄声碎，喇叭声咽

❸鸡司晨，犬警夜，虽尧舜不能废

❹牝鸡之晨，惟家之索

❼造夕思鸡鸣，及晨愿乌迁

❽惟家之索，牝鸡之晨／书卷多情似故人，晨昏忧乐每相亲

❾闻多素心人，乐与数晨夕／西风烈，长空雁叫霜晨月

❿盛年不重来，一日难再晨／一年之计在于春，一日之计在于晨／金蚕无吐丝之实，瓦鸡乏司晨之用／凡为人子之礼，冬温而夏清，昏定晨省

晦

huì 昏暗；黑夜；不明显；隐藏；倒霉；草木凋零；夏历月终的那一天。

❶晦塞为深，虽奥非"隐"

见南朝·梁·刘勰《文心雕龙·隐秀》。全句为："～；雕削取巧，虽美非"秀"矣"。

晦明变化者，山间之朝暮也

见宋·欧阳修《醉翁亭记》。全句为："日出而林霏开，云归而岩穴暝，～"。

❷处晦而观明，处静而观动／幽晦登昭，日月下藏；公正无私，反见从横

❸风雨晦明之间，俯仰百变

❹风雨如晦，鸡鸣不已／阴晴显晦，昏旦含吐，千变万状，不可殚纪

❺日入牛渚晦，苍然夕烟迷／朝菌不知晦朔，蟪蛄不知春秋

❻消息盈虚，一晦一明……

❼喷气则白日尽晦，刷马则清江倒流／人始入官，如入晦室，久而愈明，明乃治，治乃行

❽志陵青云之上，身晦泥污之下

❿陌上新离别，苍茫四郊晦／旦执机权，夜填坑谷；朔欢卓、郑，晦泣颜、原

晞

xī 干躁；晒；破晓。

❿人生处一世，去若朝露晞

晚

wǎn 太阳落山的时候；晚上；时间靠后的；迟；后来的；旧时晚辈对长辈的自称。

❶晚节渐于诗律细

见唐·杜甫《遣闷戏呈路十九曹长》。

晚而好《易》，读之韦编三绝

见汉·班固《汉书·儒林传》。

晚食以当肉，安步以当车，无罪以当贵

见《战国策·齐策四》。

❷岁晚惜流光

❸大器晚成／大器晚成，宝货难售／秋天晚晴，碧色如归，横度一鸟，时时行云

❹野芳虽晚不须嗟／良田无晚岁，膏泽多丰年／渔舟唱晚，响穷彭蠡之滨／学无早晚，但恐始勤终惰

❺莫道桑榆晚，为霞尚满天

❻保初节易，保晚节难／今上好法，予晚受乎老庄／当及未衰时，晚节早自励／畴昔叹时迟，晚节悲年促／处世还须称晚来，逢人且莫夸畴昔／明日黄花，过晚之物；岁寒松柏，有节之称

❼物速成则疾亡，晚就则善终／停车坐爱枫林晚，霜叶红于二月花／秋阴不散霜飞晚，留得枯荷听雨声／大方无隅，大器晚成，大音希声，大象无形

❽东隅已逝，桑榆非晚／空山新雨后，天气晚来秋／凡为道者，常患于晚，不患于早也／早成者未必有成，晚达者未必不达／见兔而顾犬，未为晚也；亡羊而补牢，未为迟也

❾天意怜芳草，人间重晚晴／嘉谷不夏熟，大器当晚成

❿忧艰常早至，欢会常苦晚／大寒而后索衣裘，

不亦晚乎／井梧飞叶送秋声，篱菊缄香待晚晴／半生落魄已成翁，独立书斋啸晚风／冰心与贫流争激，霜情与晚节弥茂／虽惭老圃秋容淡，且看黄花晚节香／文章随世作抵昂，变尽风骚到晚唐／必须困至乃虑，穷至乃图，不亦晚乎／北海虽赊，扶摇可接；东隅已逝，桑榆非晚／病已成而后药之，乱已成而后治之，譬犹渴而穿井，斗而铸锥，不亦晚乎

晴

qíng 天空无云或云很少。

❶晴日花争发，丰年酒易沽

见宋·张祁《渡湘江》。

晴空朗月，何处不可翱翔？而飞蛾独投夜烛

见明·洪应明《菜根谭》。全句为："～。清泉绿草，何物不可饮啄？而鸱鸮者偏食腐鼠。噫，世之不为飞蛾鸱鸮者，几何人哉"。

❷须晴日，看红装素裹，分外妖娆／阴晴显晦，昏旦含吐，千变万状，不可殚纪

❸每至晴初霜旦，林寒涧肃／水烟晴吐月，山火夜烧云／每至晴初霜旦，林寒涧肃……

❹山峦为晴雪所洗……／秋天晚晴，碧色如归，横度一鸟，时时行云

❺阴，也是错；晴，也是错／春无三日晴，夏无三日雨

❽薄雨收寒，斜照弄晴，春意空阔

❿天意怜芳草，人间重晚晴／春水无风无浪，春天半雨半晴／井梧飞叶送秋声，篱菊缄香待晚晴／东边日出西边雨，道是无晴却有晴／人有悲欢离合，月有阴晴圆缺，此事古难全

替

tì 代换；为；衰落；废弃；更；代；断绝；通"屉"。

❹国之隆替，时之盛衰，察其任臣而已

❻传派传宗我替羞，作家各自一风流

❽人之升降，与政隆替／蜡烛有心还惜别，替人垂泪到天明

❾以古为镜，可以知兴替

❿我自只如常日醉，满川风月替人愁／学无二事，无二道，根本苟立，保养不替，自然日新

暑

shǔ 炎热；炎热的季节。

❶暑极不生暑而生寒，寒极不生寒而生暑

见清·魏源《默觚上·学篇七》。

❷寒暑不时则疾，风雨不节则饥／寒暑之势不易，小变不足以妨大节／寒暑茫茫兮代谢，故叶新花兮往来

❸寒来暑往，秋收冬藏／寒而暑者，世谓之阴阳

❹寒往则暑来，暑往则寒来

❺暑极不生暑而生寒，寒极不生寒而生暑

❻寒往则暑来，暑往则寒来／教者，民之寒暑也，教不时则伤世／天地之道，寒暑不时则疾，风雨不节则饥

❼日南则景短多暑，日北则景长多寒

❽天地不能顿为寒暑，必渐于春秋／起居时，饮食节，寒暑适，则身利而寿命益

❾冰炭不同器而久，寒暑不兼时而至

❿仪必应乎高下，衣必适乎寒暑／春不得避风尘，夏不得避暑热／见瓶中之水，而知天下之寒暑／暑极不生暑而生寒，寒极不生寒而生暑／冬有雷电，夏有霜雪，然而寒暑之势不易／东西南北，某也何从；寒暑阴阳，时哉不与／以此治人，则膏雨甘露降矣，寒暑四时当矣／人以义来，我以身许，褰裳赴急，不避寒暑／推微达著，寻端见绪，履霜知冰，践露知暑／起居不时，饮食不节，寒暑不适，则形体累而寿命损／天不为人怨咨而辍其寒暑，君子不为人之丑恶而辍其正道

晰

xī 清楚；人的皮肤白。

❾睹暧昧之利，而忘昭晰之害

量

①liàng 古代指测量东西多少的器物；能容纳或禁受的限度；数量；估计；双。②liáng 计量、测量；计算；考虑；商酌。

❶量入以为出

见《礼记·王制》。

量力而知攻

见《管子·霸言》。

量力而动，其过鲜矣

见《左传·僖公二十年》。

量能授官，不可不审

见三国·魏·刘劭《人物志·材能》。

量腹而食，度身而衣

见《墨子·鲁问》。

量才而受爵，量功而受禄

见《尸子》。

量力而任之，度才而处之

见唐·韩愈《上张仆射书》。

量力守故辙，岂不寒与饥

见晋·陶潜《咏贫士七首》之一。全句为："～？知音苟不存，已矣何所悲"。

量材而授官，录德而定位

见汉·董仲舒《天人三策》。全句为："毋以日月为功，实试贤能为上，～"。

量力所至，约其课程而谨守之

见宋·朱熹《读书之要》。

量宽足以得人，身先足以率人

见宋·李邦献《省心杂言》。全句为："轻财足以聚人，律己足以服人，～"。

量其当否，参其同异，弃其所短，收其所长

见北魏·李谧《明堂制度论》。

❷器量须大，心境须宽／意量所函变可通于意

外／识量大，则毁誉欢戚不足以动其中／物，量无穷，时无止，分无常，终始无故／度量权衡法，必资之官，资之官而后天下同

❸德随量进，量由识长／校短量长，惟器是适／有力量济人，谓之福／为之量，以齐天下之多寡／争强量功，能以胜众者鲜／圣人量腹而食，度形而衣，节于己而已／人贵量力，不贵必成；事贵相时，不贵必遂

❹制国用，量入以为出／车载斗量，不可胜数／知者必量其力所能至而从事／志大而量小，才有余而识不足／官贤者量其能，赋禄者称其功／顺天时，量地利，则用力少而成功多／凡人能量己之能与不能，然后知人之艰难／石称丈量，径而寡失，铢铢而称，至石必谬

❺不度德，不量力／计校府库，量入为出／德随量进，量由识长／凡人之质，量中和最贵矣／小人虽器量浅狭，而未必无一长可取／以明自察，量力而行，不失其所，必获久长矣

❻化悲痛为力量／恩之所加，不量其力／论德而定次，量能而授官／操与霜雪明，量与江海宽／度德而处之，量力而行之／量才而受爵，量功而受禄／天可度，地可量，唯有人心不可防／黄金者用之量也，辨于黄金之理则知侈俭

❼才疏志大不自量，西家东家笑我狂／眼孔浅时无大量，心田偏处有奸谋

❽未知一生当著几量屐／人心难测，海水难量／力能则进，否则退，量力而行／君择才而授官，臣量己而受职／识欲高而气欲下，量欲宏而守欲洁／刘备有取天下之量，而无取天下之才／能出于材，材不同量，材能既殊，任政亦异

❾不念旧恶，此清者之量／矮观场，嗔人长，不自量／小则随事酬劳，大则量才录用／事事只在道理上商量，便是真体认／尺泽之鲵，岂能与之量江海之大哉／德不广不能使人来，量不宏不能使人安／致治之本，惟在于审；量才授职，务省官员／轻用民死，死者以国量乎泽若蕉，民其无如矣

❿道所以保神，德所以宏量／蚍蜉撼大树，可笑不自量／身安则道隆，饮食知节量／天至广不可度，地至大不可量／勿贪意外之财，勿饮过量之酒／思在物之取譬，非斗斛而能量／为文有三多：看多、做多、商量多／牢骚太盛防肠断，风物长宜放眼量／纵横振锋颖之才，吐纳积江湖之量／繁枝容易纷纷落，嫩蕊商量细细开／天道远，人道尔，报应之效迟速难量／吾人立身天地间，只思量作得一个人／曹操有取天下之虑，而无取天下之量／鷦鹩不可与论云翼，井蛙难与量海鳌／下者尽力而无耗弊，上者量民而用有节／不让古人是谓有志，不让今人是谓无量／世间奇男子，岂可以世俗趣舍量其心乎／吞舟之鱼不居潜泽，度量之士不居污世／使法择人，不自举也；使法量功，不自度也／爵尊天下，富有四海，威势无量，专权擅柄／名言所绝理即具于名中，意量所函变可通意外／忍所不能忍，容所不能容，惟识量过人者能之／欲厚其德，不可不弘其量，欲弘其量，不可不大其识／无形，则不可制迫也，不可度量也，不可巧诈也，不可规虑也

暂

zàn 短时间；突然；刚刚，始。

❸轻翰暂飞，则花葩竞发／水无暂停流，木有千载贞

❺小人得志，暂快一时／纵令然诺暂相许，终是悠悠行路心

❻一劳而久逸，暂费而永宁

❽小人如酒颜，但得暂时热

❾病叶多先坠，寒花只暂香

❿酷好学问文章，未尝一日暂废／积水于防，燎火于原，未尝暂静也／四时万物兮有盛衰，唯我愁苦兮不暂移／饥而倍食，渴而大饮……虽暂怡性，必为后患

晶

jīng 光亮；晶体；晴朗。

❿云破月出，光气含吐，互相明灭，晶莹玲珑

智

①zhì 智慧、智力；聪明而有见识。②zhī 通“知”，知道。

❶智不至则不信

见《吕氏春秋·先识览·悔过》。

智不足以治天下

见汉·刘安《淮南子·主术》。

智逾多而迷益深

见汉·严遵《道德指归论·含德之厚篇》。

智愈多而德愈薄

见汉·刘安《淮南子·本经》。

智者之举事必因时

见《吕氏春秋·慎大览·不广》。全句为：“～。时不可必成，其人事则不广，成亦可，不成亦可”。

智足以使民不能欺

见宋·王安石《三不欺》。全句为：“圣人之政，仁足以使民不忍欺，～，政足以使民不敢欺”。

智而明者，所伏必众

见唐·柳宗元《封建论》。

智以险昌，愚以险亡

见唐·白居易《策林三》。

智能决谋，以疾为奇

见北齐·刘昼《刘子·贵速》。全句为：“才能成功，以速为贵；～”。

智是心中一个知觉处

见宋·陈淳《北溪字义》卷上。全句为:"～。知得是是非非,恁地确定,是智"。

智者不愁,多为少忧

见汉·乐府古辞《满歌行》。

智者千虑,必有一失

见汉·司马迁《史记·淮阴侯列传》。

智出天下,而听于至愚

见宋·苏轼《上神宗皇帝书》。全句为:"～;威加四海,而屈于匹夫"。

智而教愚,则童蒙者弗恶

见汉·韩婴《韩诗外传》。全句为:"贵而下贱,则众弗恶;富能分贫,则穷士弗恶;～"。

智而用私,不若愚而用公

见《吕氏春秋·孟春纪·贵公》。

智者不后时,勇者不留决

见南朝·宋·范晔《后汉书·皇甫嵩传》。

智者不妄为,勇者不妄杀

见汉·刘向《说苑·谈丛》。

智者取其谋,愚者取其力

见唐·李世民《帝范》。全句为:"～,勇者取其威,怯者取其慎"。

智贵乎早决,勇贵乎必为

见宋·苏轼《代侯公说项羽辞》。

智足以造谋,材足以立事

见唐·韩愈《送杨支使序》。全句为:"～,忠足以勤上,惠足以存下"。

智不公,则福日衰,灾日隆

见《吕氏春秋·季冬纪·序意》。

智者不必仁,而仁者则必智

见清·蒲松龄《聊斋志异·折狱》。

智不足以为治,勇不足以为强

见汉·刘安《淮南子·主术》。全句为:"～,则人材不足任,明也"。

智而能愚,则天下之智莫加焉

见明·刘基《郁离子》。

智莫大于阙疑,行莫大于无悔

见汉·刘向《说苑·谈丛》。

智者睹危思变,贤者泥而不滓

见南朝·宋·范晔《后汉书·隗嚣传》。"滓",沾染。

智能之士,不学不成,不问不知

见汉·王充《论衡·实知篇》。

智昏不可以为政,波水不可以为平

见汉·刘安《淮南子·齐俗》。全句为:"水激则波兴,气乱则智昏;～"。

智者不为非其事,廉者不求非其有

见汉·韩婴《韩诗外传》卷一。

智者不以位为事,勇者不以位为暴

见汉·刘安《淮南子·诠言》。全句为:"～,仁者不以位为患:可谓无为矣"。

智者不用其所短,而用愚人之所长

见《鬼谷子·权》。全句为:"～;不用其所拙,而用愚人之所工"。

智见者人为之谋,形见者人为之功

见汉·刘安《淮南子·兵略》。全句为:"～,众见者人为之伏,器见者人为之备"。

智略不专于古法,沈雄殆得于天资

见宋·周必大《岳飞叙复元官制》。

智之极者,知智果不足以周物,故愚

见《关尹子·九药》。全句为:"～;辩之极者,知辩果不足以喻物,故讷;勇之极者,知勇果不足以胜物,故怯"。

智如泉源,行可以为表仪者,人师也

见汉·韩婴《韩诗外传》卷五。

智力不能接,而威德不能运者,谓之二

见汉·严遵《道德指归论·道生一篇》。全句为:"存物物存,去物物亡,～"。

智巧,扰乱之罗也;有为,败事之纲也

见汉·严遵《道德指归论·知不知篇》。

智者不危众以举事,仁者不违义以要功

见南朝·宋·范晔《后汉书·窦融传》引古语。

智者不背时而侥幸,明者不违道以干非

见唐·卢照邻《对蜀父老问》。

智惠之君贱德而贵言……以为大伪奸诈

见《老子》十八河上公注。删节处为:"贱质而贵文,下则应之"。

智鄙相笼,强弱相陵,天下之乱何时而已乎

见宋·邓牧《君道》。全句为:"有国有家,不思所以救之,～"。

智如目也,能见百步之外,而不能自见其睫

见《韩非子·喻老》。

智载于私,则所知少;载于公,则所知多矣

见《尸子·广泽》。

智者多屈,辩者多辱,明者多蔽,勇者多死

见五代·南唐·谭峭《化书卷四·海鱼》。

智而用私,不如愚而用公,故曰巧伪不如拙诚

见汉·刘向《说苑·谈丛》。

智亦有所不至。所不至,说者虽辩,为道虽精,不能见矣

见《吕氏春秋·先识览·悔过》。全句为:"～。故箕子穷于商,范蠡流乎江"。"见",接受。

❷大智似愚而内明/用智褊者无遂功/以智慧刀,断烦恼锁/大智不智,大谋不谋/为智不能决诡,非智也/色智而有能者,小人也/大智兴邦,不过集众思/渊智达洞,累学之功也/以智而视,得形之微者也/用智则国乱,息智则人安/才智英敏者,宜加浑厚学问/以智文其过,此君子之贼也/有智略之人,不必试以弓马/其

智可及也，其愚不可及也／多智韬情，权在谲略，失在依违／在智则人与之讼；在力则人与之争／不智不勇不信，有此三者，不可以立功名／以智治国，国之贼；不以智治国，国之福／用智为政，务欲理人。智变奸生，祸乱滋起／圣智至孔子而极其盛，不过举条理以言之而已矣／上智不教而成，下愚虽教无益，中庸之人，不教不知也／圣智设法，本以守国，智诈极矣，乃翻为盗国之盗资也／使智惠之人治国之政事，必远道德，妄作威福，为国之贼／上智不处危以侥幸，中智能因危以为功，下愚安于危以自亡

❸利令智昏／废弃智巧，玄德淳朴／有小智者不可任以大功／天下智谋之士，所见略同／可为智者道，难为俗人言／道为智者设，马为御者良／好以智矫法，时以行杂公……／知贤，智也。推贤，仁也。引贤，义也／不使智惠之人治国之政事……故为国之福／上好智，下应之以伪；上好贤，下应之以妄／小人智浅而谋大，羸弱而任重，故中道而废／虽有智慧，不如乘势；虽有镃基，不如待时／奋其智能，愿为辅弼，使寰区大定，海县清一／贤人智士之于子孙：……贻之以言，弗贻以财／用其智于人，未若用其智于己；用其力于人，未若用其力于己

❹力敌则智者胜愚／无私，百智之宗也／不仁不智，何以为国／勿谓我智而拒谏矜己／圣人绝智，而为无为／大智不智，大谋不谋／君有奇智，天下不臣／知人者智，自知者明／处事以智，不如守正／近贤成智，近愚益惑／绝圣弃智，民利百倍／贱不害智，贫不妨行／聪明睿智而守以愚者益／一人之智，不如众人之愚／聪明睿智，守之以愚者，哲／百岁无智小儿，小儿有智百岁／临危而智勇奋，投命而高节亮／讯问者智之本，思虑者智之道／大凡以智谋而进者，有时而衰／凡人之智，能见已然，不能见将然／广仁益智，莫善于问；乘事演道，莫善于对／聪明睿智，守之以愚；功被天下，守之以让

❺一听则愚智不分／逢昏不昧，智也／是非之心，智也／仁不轻绝，智不轻怨／力则力取，智则智取／比力而争，智者为雄／是非之心，智之端也／贼是小人，智过君子／忠臣不谏，智士不谋／治国无以智，犹弃智也／乘众人之智，则无不任也／人性虽能智，不教则不达／好问近乎智，知耻近乎勇／困天下之智者，不在智而在愚／凡人之用智有短长，其施设各异／孤居而愿智，不如务学之必达也／忠不暴君，智不重恶，勇不逃死／圣人不以智轻俗，王者不以人废言／志不强者智不达，言不信者行不果／任天下之智力，以道御之，无所不可／愚者笑之，智者哀焉；狂夫之乐，贤者丧焉／神闲气静，智深勇沉，此八字是干大事的本领

❻一事能变曰智／吃一堑，长一智／经一失，长一智／俭以训子孙，智也／龟灵而刳，龙智而屠／以明防前，以智虑后／至仁必易，大智必简／大勇若怯，大智若愚／思虑过度，则智识乱／愚者有备，与智者同功／谨在于畏小，智在于治大／勇则不可犯，智则不可乱／勇者不逃死，智者不重困／慎在于畏小，智在于治大／强不能遍立，智不能尽谋／物有所不足，智有所不明／不知而言，不智；知而不言，不忠／苟中心图民，智虽弗及，必将至焉／智之极者，知智果不足以周物，故愚／感乎心，明乎智，发而成形，精之至也／虽有尧舜之智，而无众人之助，大功不立／外愚而内益智，外讷而内益辨，外柔而内益刚

❼下下人有上上智／知有所合谓之智／治人不治，反其智／民之难治，以其智多／力则力取，智则智取／夸愚适增累，矜智道逾昏／用智则国乱，息智则人安／一举而两利，斯智者之为也／良药苦于口，而智者劝而饮之／良骏败于拙御，智士踬于暗世／圣人顺时以动，智者因几以发／徒雄而不英，则智者不归往也／明者见于无形，智者虑于未萌／仁者爱万物，而智者备祸于未形／此三者贵贱愚智贤不肖欲之若一／弗知而言为不智，知而不言为不忠／治之道莫如因智，智之道莫如因贤／此三者，贵贱愚智贤不肖欲之若一／胆欲大，心欲小；智欲圆，行欲方／事非当则伤于智力，务过分则毙于形神／德义之所成者智也，明智之所求者学问也／天下之物博而智浅，以澹浅博，未有能者也

❽不经一事，不长一智／为智不能决诡，非智也／治国无以智，犹弃智也／所用之人，常先于智勇／名高毁所集，言巧智难防／贤为圣者用，辩为智者通／大巧在所不为，大智在所不虑／利害之相似者，唯智者知之而已／善战者之胜也，无智名，无勇功／多欲亏义，多忧害智，多惧害勇／宁武子邦有道则智；邦无道则愚／仁者恕己以及人，智者讲功而处事／圣人不凝滞于物，智士必推移于时／圣人转祸而为福，智士因败以成胜／治之道莫如因智，智之道莫如因贤／察见渊鱼者不祥，智料隐匿者有殃／明者防祸于未萌，智者图患于将来／胆欲大而心欲小，智欲圆而行欲方／祸患常积于忽微，智勇多困于所溺／心欲小而志欲大，智欲员而行欲方／行一棋不足以见智，弹一弦不足以见悲／古之贤人君子，大智经营，莫不除害兴利／多见者博，多闻者智；拒谏者塞，专己者孤／日异其能，岁增其智，进如川行，浩浩而遂／神明之事，不可以智巧为也，不可以筋力致也／患之所在，非徒在智之不及，又在及而违之者矣／不仁之人骋其私智，可以盗千乘之国，而不可以得丘民之心

❾无其德而当之，为不智／多闻而择焉，所以明

智也／水激则波兴，气乱则智昏／人之老也，形益衰而智益盛／困天下之智者，不在智而在愚／智而能愚，则天下之智莫加焉／所谓大丈夫者，谓其智之大也／凡兵有本干：必义，必智，必勇／一灯能除千年暗，一智能灭万年愚／人多欲亏义，多忧害智，多惧害勇／苟其聪明蔽于嗜好，智虑溺于爱憎／明者远见于未萌，而智者避危于无形／故圣人常顺时而动，智者必因机以发／仁者不乘危以邀利，智者不侥幸以成功／言无务为多而务为智，无务为文而务为察／用智为政，务欲理人。智变奸生，祸乱滋起／专以一身任天下，其智之所不见，力之所不举者多矣／圣智设法，本以守国，智诈极矣，乃翻为盗国之盗资也

❿利不在身，以之谋事则智／博闻强记，守之以浅者，智／将当以勇为本，行之以智计／智者不必仁，而仁者则必智／百岁无智小儿，小儿有智百岁／人穷事败者，释自然而任智力／讯问者智之本，思虑者智之道／役一己之聪明，虽圣人不能智／学成而道益穷，年老而智益困／为一身谋则愚，而为天下谋则智／在上而多誉者，岂尽仁而智也哉／知得是是非非，恁地确定，是智／世途昏险，拟步如漆……圣智危栗／以苟容曲从为贤，以拱默尸禄为智／仕鄙在时不在行，利害在命不在智／攻人以谋不以力，用兵斗智不斗多／遭一蹶者得一便，经一事者长一智／并天下之谋，兼天下之智，而理得矣／人特劫君而不盟，君不知，不可谓智／不好问询之道，则是伐智本而塞智原也／农夫劳而君子养焉，愚者言而智者择焉／呐呐寡言者未必愚，喋喋利口者未必智／条理得于心，其心渊然而条理，是为智／爱得分曰仁，施得分曰义，虑得分曰智／简士苦民者是谓愚，敬士爱民者是谓智／释规而任巧，释法而任智，惑乱之道也／以智治国，国之贼；不以智治国，国之福／力能过人，勇能行之，而智不能断事……／若夫有道之士，必礼必知然后其智能可尽／德义之所成者智也，明智之所求者学问也／胆力者，雄之分也，不得英之智则事不立／天地之间，万国并兴，小大愚智，皆愿为君／五刃之伤，药之可平。一言成疴，智不能明／世治则愚者不能独乱，世乱则智者不能独治／至人之治，掩其聪明，灭其文章，依道废智／绝言之道，去心与意；止为之术，去人与智／败军之将，不可言勇；亡国之臣，不可言智／石以砥焉，化钝为利；法以砥焉，化愚为智／雄以其力服众，以其勇排难，待英之智成之／无是非之心，非人也……是非之心，智之端也／以不二之悟，符不分之理，理智悉释，谓之顿悟／君子不怵乎好，不迫乎恶，恬愉无为，去智与故／愚者不自谓愚而愚见于言，虽自谓智，人犹谓之愚／言贵尽心，亦各其所见也，若是非，则明智者裁之／上智不处危以侥幸，中智能因危以为功，下愚安于危以自亡／用其智于人，未若用其智于己；用其力于人，未若用其力于己

晷

guǐ 太阳光的影子；古代测日影以定时刻的仪器；通“轨”。

❶晷刻之误，或遗患于历年

见唐·韩愈《为韦相公让官表》。全句为：“毫厘之差，或致弊于寰海；～”。

❻焚膏油以继晷，恒兀兀以穷年

景

①jǐng 风景；景观；情景；景物；仰慕；古代称罩衣；高，大；姓。②yǐng“影”的本字。

❶景乃诗之媒，情乃诗之胚

见明·谢榛《四溟诗话·即景》。

景不为曲物直，响不为恶声美

见《管子·宙合》。“景”同“影”。

❷捕景之说，不形于心。／抱景者咸叩，怀响者毕弹／风景不殊，正自有山河之异／使景曲者形也，使响浊者声也／使景曲者，形也；使响浊者，声也／夕景欲沉，晓雾将合；孤鹤寒啸，游鸿远吟

❸一切景语，皆情语也／关河景物异南北，神京不见双泪流／春和景明，波澜不惊；上下天光，一碧万顷

❹飞鸟之景未尝动也／西夕之景，吾能久留／一旦见景生情，触目兴叹／身曲而景直者，未之闻也／表曲者景必邪，源清者流必洁／四时之景不同，而乐亦无穷也／诗家之景，如蓝田日暖，良玉生烟／日南则景短多暑，日北则景长多寒／水动而景摇，人不以定美恶，水势玄也

❺诗情无限景无穷／高山仰止，景行行止／象外之象，景外之景／状难写之景如在目前；含不尽之意见于言外

❻风驰电逝，蹑景追飞／善恶相从，如景乡之应形声／对他乡之风景，忆故里之琴歌／虽迫桑榆之景，犹倾葵藿之心

❼阳春召我以烟景，大块假我以文章／君者仪也，民者景也，仪正而景正／昔人论诗词，有景语、情语之别……／含情而能达，会景而生心，体物而得神

❽象外之象，景外之景／树曲木者，恶得直景／虎啸谷风至，龙兴景云起／周云成康，汉言文景，美矣

❾踏遍青山人未老，风景这边独好／作诗火急追亡逋，清景一失后难摹／生子当如孙仲谋，刘景升儿子若豚犬耳

❿咫尺之图，写百千里之景／三德者诚乎上，则下应之如景响／日月挟虫鸟之瑕，不妨丽天之景／君者仪也，民者景也，仪正而景正／浊其源

而望流清，曲其形而欲景直／日南则景短多暑，日北则景长多寒／以土圭之法测土深，正日景，以求地中／作诗者陶冶物情，体会光景，必贵乎自得／体无常轨，言无常宗，物无常用，景无常取／富于材积，领会神情，临景结构，不仿形迹／积山万状，负气争高。含霞饮景，参差代雄

暖 ①nuǎn（天气）不冷，暖和；使变暖。②xuān［暖暖姝姝］自满的样子。

❶暖风熏得游人醉，直把杭州作汴州

见宋·林升《题临安邸》。

❷乍暖还寒时候，最难将息／土暖春常在，峰高月易沉／饱暖非天降，赖尔筋与力

❸饱食、暖衣，逸居而无教，则近于禽兽／歌台暖响，春光融融；舞殿冷袖，风雨凄凄

❹春江水暖鸭先知／孔席不暖，墨突不黔／旌旗日暖龙蛇动，宫殿风微燕雀高

❺与人善言，暖于布帛／世情看冷暖，人面逐高低／夺我身上暖，买尔眼前恩／岂伊地气暖？自有岁寒心

❻如人饮水，冷暖自知／唯见月寒日暖，来煎人寿／饱肥甘，衣轻暖，不知节者损福

❼千岩万壑春风暖／可憎者人情冷暖，可厌者世态炎凉／但愿苍生俱饱暖，不辞辛苦出山林／金沙水拍云崖暖，大渡桥横铁索寒／秋早寒，则冬必暖；春雨多，则夏必旱

❽我服布素则民自暖，我食葵藿则民自饱／寒之于衣，不待轻暖；饥之于食，不待甘旨

❾枯木倚寒岩，三冬无暖气／青葵善迎于白日，宇暖斯迷／诗家之景，如蓝田日暖，良玉生烟

❿乃知四体勤，无衣亦自暖／百姓多寒无可救，一身独暖亦何情／高天滚滚寒流急，大地微微暖气吹／节物后先南北异，人情冷暖古今同／爆竹声中一岁除，春风送暖入屠苏／食必常饱，然后求美；衣必常暖，然后求丽／卵之化为雏，非慈雌呕暖覆伏，累日积久，则不能为雏

暗 àn 黑暗；隐秘；糊涂；通“谙”。

❶暗于治者，唱繁而和寡

见晋·陆机《演连珠》。全句为：“～；审乎物者，力约而功峻”。

暗主妒贤畏能而灭其功

见《荀子·臣道》。全句为：“明主尚贤使能而飨其盛，～”。

暗中时滴思亲泪，只恐思儿泪更多

见清·倪瑞璿《忆母》。

暗箭伤人，其深次骨；人之怨之，亦必次骨

见宋·刘炎《迩言》卷六。

❷背暗投明，古之大理／愚暗之人，皆矜能伐善／心暗则照有不通，至察则多疑于物

❸潜移暗化，自然似之／臣奉暗后，则覆亡之祸至／念头暗昧，白日下犹生厉鬼／愚者暗于成事，知者见于未萌／君为暗主，臣为谀臣，君暗臣谀，危亡不远

❹任独者暗，任众者明／室本无暗，垣亦有耳／浊之为暗，河水不见太山／渚云低暗度，关月冷相随

❺明人不做暗事／吉藏凶，凶暗吉／明于大而暗于小／水殿风来暗香满／不学亡术，暗于大理／明修栈道，暗度陈仓／惑于听受，暗于知人／心体光明，暗室中自有青天／乱极则治，暗极则光，天之道也

❻以明示下者暗／又不道，流年暗中偷换／明主好要，而暗主好详／折狱而非也，暗理迷众，与教相妨／上好义则民暗饰矣，上好富则民死利矣／公生明，偏生暗，端悫生通，诈为生塞／小处不渗漏，暗处不欺隐，末路不怠荒／如贫得宝，如暗得灯，如饥得食，如旱得云／处明者不见暗中一物，而处暗者能见明中区事

❼君子之不骄，虽暗室不敢自慢／一灯能除千年暗，一智能灭万年愚／剑不试则利钝暗，弓不试则劲挠诬／譬如一灯，入于暗室，百千年暗，悉能破尽

❽兼听则明，偏听则暗／听草遥寻岸，闻香暗识莲／听笛始知岸，闻香暗识莲／遥知不是雪，为有暗香来／众中不敢分明语，暗掷金钱卜远人／明主思短而益善，暗主护短而永愚／眼处心生句自神，暗中摸索总非真／大丈夫……终不为邪暗小人所惑而易其所守

❾白璧求善价，明珠难暗投／山重水复疑无路，柳暗花明又一村

❿良骏败于拙御，智士踬于暗世／锐锋产乎钝石，明火炽乎暗木／罚其忠，赏其贼，夫是之谓至暗／凡人之患，蔽于一曲，而暗于大理／灵台无计逃神矢，风雨如磐暗故园／不察事之是非而悦人赞己，暗莫甚焉／因事相争，安知非我之不是，须平心暗想／有才必韬藏，如浑金璞玉，暗然而日章也／君为暗主，臣为谀臣，君暗臣谀，危亡不远／譬如一灯，入于暗室，百千年暗，悉能破尽／君之所以明者，兼听也；其所以暗者，偏信也／国之所以治者，君明也；其所以乱者，君暗也／处明者不见暗中一物，而处暗者能见明中区事

暇 ①xiá 空闲，空余时间；无所事事，浪费时间；悠闲。②jiǎ 通“假”，借，利用。

❹秦人不暇自哀，而后人哀之／谓学不暇者，虽暇亦不能学矣／十旬休暇，胜友如云；千里逢迎，高朋满座

❻穷猿奔林，岂暇择木／穷猿投林，岂暇择木／富足生于宽暇，贫穷起于无日／人生达命岂暇

愁,且饮美酒登高楼/其为人也多暇日者,其出入不远矣/失火之家,岂暇先言大人而后救火乎/入泽随龟,不暇调足;深渊捕蛟,不暇定手/读书少则身暇,身暇则邪间,邪间则过恶作焉,忧患及之

❼谓学不暇者,虽暇亦不能学矣

❽志务广远,多所不暇/思有所至,有身不暇徇也/礼下贤者,日中不暇食以待士,士以此多归之/读书少则身暇,身暇则邪间,邪间则过恶作焉,忧患及之

❾汝身之不能治,而何暇治天下乎/躁急,则先自处于不暇,何暇治事

❿孟浪由于轻浮,精详出于豫暇/穷睇眄于中天,极娱游于暇日/苍苍者焉能与吾事,而暇知之哉/报国志愿不敢忘,此身未暇归江乡/躁急,则先自处于不暇,何暇治事/入泽随龟,不暇调足;深渊捕蛟,不暇定手/从山阴道上行,山川自相映发,使人应接不暇

暧

ài 昏暗;隐蔽。

❷睹暧昧之利,而忘昭晰之害

❸白露暧空,素月流天

暝

míng,又读 mìng,黄昏;昏暗不明。

❸青枫暝色,尽是伤心之树

❼日出众鸟散,山暝孤猿吟

❿日出而林霏开,云归而岩穴暝

暴

①bào 突然而猛烈、急速;短促;凶残;糟践;露出;急躁;徒手搏击,如"暴虎",姓。②pù 晒,同"曝"。③bó 鼓起,突出;[暴乐]脱落稀疏的样子。

❶暴察之威成乎危弱

见《荀子·强国》。全句为:"此三威者,不可不孰察也。道德之威成乎安强,~,狂妄之威成乎灭亡也"。

暴殄天物,害虐烝民

见《尚书·武成》。

暴臣反国,良臣被殃

见汉·焦赣《易林·咸·解》。

暴虐之吏,过于水旱远矣

见宋·高弁《望岁》。

暴王之恶天下,故天下可离

见《管子·心术下》。全句为:"昔者明王之爱天下,故天下可附;~"。

暴虎冯河,死而无悔者,吾不与也

见《论语·述而》。

暴师久则国用不足,此兵所以贵速也

见宋·范浚《用奇》。全句为:"战久则兵钝,攻久则力屈。~"。

暴察之威成乎危弱,狂妄之威成乎灭亡也

见《荀子·强国》。全句为:"道德之威成乎安强,~"。

❷自暴者,不可与有言也/遇暴戾之人,以和气薰蒸之/物暴长者必夭折,功卒成者必亟坏/军暴而后戢之,兵乱而后遏之,善则善矣

❸不敢暴虎,不敢冯河/忠不暴君,智不重恶,勇不逃死/一日暴之,十日寒之,未有能生者也/未有暴乱不止而能活生人、定国家者/爱惜、暴殄本是两意,愚者有时合成一病

❹战矣哉?暴骨沙砾/不可自暴、自弃、自屈/强倨傲暴之人不可与交/骄倨傲暴之人,不可与交

❺持其志,无暴其气/富贵则无暴集之客/安静则治,暴疾则乱/善人赏而暴人罚,则国必治/人主以好暴示能,以好唱自奋/君子不怀暴君之禄,不处乱国之位

❻刚强者戒太暴/兵者所以禁暴讨乱也/为仁不能胜暴,非仁也/兵诚义,以诛暴君而振苦民/以邪莅国、以暴加民者,危/死人如乱麻,暴骨长城之下/兵者,所以讨暴,非所以为暴也/若甘心于自暴自弃,便是不能立志

❼以强凌弱,以众暴寡/寒之之日长而暴之之日短/诸侯之地有限,暴秦之欲无厌……/致贵无渐失必暴,受爵非道殃必疾/彼兵者,所以禁暴除害也,非争夺也/法令者,所以抑暴扶弱,欲其难犯而易避也

❽通而不流,猛而不暴/言非礼义,谓之自暴也/启奸邪之路,长贪暴之心/为惠者生奸,而为暴者生乱/是非不可听而发暴,曲直必宜察而辨明/剪纸为墙,不可止暴,搏沙为饼,不可疗饥/惩病克寿,矜壮死暴。纵欲不戒,匪愚伊耄

❾思仁恕则树德,加严暴则树怨/公婿公孙,与民同门,暴傲其邻者,可亡也/夫谓法不严则易犯,暴君酷吏假辞以饰其恶耳/赏不当贤而罚不当暴,则是为贤者不劝而为暴者不沮/道德之威成乎安强,暴察之威成乎危弱,狂妄之威成乎灭亡也

❿扬威以弭乱,震武以止暴/懈意一生,便是自弃自暴/敛之于饶,而民不以为暴/穷民财力以供嗜欲谓之暴/未有不能制兵而能止暴乱者/卑躬曲己,若顺弟之奉暴兄/鸟焚株而铩翮,鱼夺水而暴鳞/兵者,所以讨暴,非所以为暴也/刚强猛毅,靡所不信,非骄暴也/不教而杀谓之虐;不戒视成谓之暴/防其微,杜其渐,使不至于暴乱也/威猛之政宜于讨乱,以之治善则暴/智者不以位为事,勇者不以位为暴/轻士民之死力者,不能禁暴国之邪逆/尧舜行德则民仁寿;桀纣行暴则民鄙夭/轻死以行礼谓之勇,诛暴不避强谓之力/不塞隙穴,而劳力于赭垩,暴风疾雨必坏/君不见长松百尺多劲节,狂

风暴雨终摧折／一家失熛，百家皆烧；谗夫阴谋，百姓暴骸／凡人之性，少则猖狂，壮则暴强，老则好利／大富则骄，大贫则忧；忧则为盗，骄则为暴／江河之溢，不过三日，飘风暴雨，须臾而毕／居上位而不恤其下，骄也；缓令急诛，暴也／或依势以干非其类，出技以怒强，窃时以肆暴／登彼西山兮采其薇矣，以暴易暴兮不知其非矣／赏不当贤而罚不当暴，则是为贤者不劝而为暴者不沮／威有三：有道德之威者，有暴察之威者，有狂妄之威者／威有三术，有道德之威者，有暴察之威者，有狂妄之威者

曀

yì 阴暗，昏暗。

❾星之昭昭，不若月之曀曀

曈

tóng 太阳初升时由暗而明的样子。

❺千家万户曈曈日，总把新桃换旧符

❻千家万户曈曈日，总把新桃换旧符

曙

shǔ 天刚亮；明，显露。

❽飒爽英姿五尺枪，曙光初照演兵场

❾驾浪沉西月，吞空接曙河

❿夜耿耿而不寐兮，魂茕茕而至曙

罾

zēng 鱼网；网起。

❼鸟何萃兮蘋中，罾何为兮木上

曜

yào 照耀；炫耀；日、月与金、木、水、火、土五星的统称。

❸白日曜青春，时雨静飞尘／镜以曜明，故鉴人；蚌以含珠，故内照

❻阴阳之不并曜，昼夜之有长短

❿阴风怒号，浊浪排空，日星隐曜，山岳潜形／圣人虽有独知之明，常如阍昧，不以曜乱人／始见新春，又逢初夏。四时若箭，两曜如梭。

曩

nǎng 以往，过去。

❶曩之用才……溺在缘情之举

见唐·张九龄《上姚令公书》。删节处为："非无知人之鉴，其所以失"。

曰

yuē 说；叫做；作语助，无义。

❶曰衣食足而后廉耻兴，财物阜而后礼乐作，是执末以求其本也

见清·王夫之《诗广传》。

❷美曰美，不一毫虚美／过曰过，不一毫讳过／天曰虚，地曰静，乃不忒／水曰润下，火曰炎上……／具曰"予圣"，谁知乌之雌雄／语曰：好女之色，恶者之孽也／语曰：流丸止于瓯、臾，流言止于知者／不曰坚乎？磨而不磷；不曰白乎？涅而不缁／孔曰成仁，孟曰取义，惟其义尽，所以仁至／虽曰爱之，其实害之；虽曰忧之，其实仇之／貌曰恭，言曰从，视曰明，听曰聪，思曰睿／必曰赏以春夏，而刑以秋冬，而谓之至理者，伪也／王曰："孰能一之？"对曰："不嗜杀人者能一之"

❸益生曰祥／命驹曰犊，终必为马／见小曰明，守柔曰强／粗者曰侵，精者曰伐／知之曰知之，不知曰不知／知之曰明哲，明哲实作则／盘庚曰："……朕不肩好货"／孔子曰：德之流行，速于置邮而传命／在天曰阴阳，在地曰柔刚，在人曰仁义／天子曰崩，诸侯曰薨，大夫曰卒，士曰不禄／孔子曰：诎寸而信尺，小枉而大直，吾为之也／孔子曰："吾闻之，古之善御者，执辔如组，两骖如舞，非策之助也"。

❹国人皆曰可杀／动得分曰适，言得分曰信／太史公曰：……利，诚乱之始也／三德：一曰正直，二曰刚克，三曰柔克／爱得分曰仁，施得分曰义，虑得分曰智／五福：一曰寿，二曰富，三曰康宁，四曰攸好德，五曰考终命

❺一事能变曰智／何以守位？曰仁／为政之要，曰公与勤／为政之要，曰公曰清／问其官，则曰谏议也／成家之道，曰俭与清／问其政，则曰我不知也／天曰虚，地曰静，乃不忒／问其禄，则曰下大夫之秩也／上下四方曰宇，往古来今曰宙／天地四方曰宇，往古来今曰宙／情在词外曰隐，状溢目前曰秀／常胜之道曰柔，常不胜之道曰强／子在川上曰：逝者如斯夫！不舍昼夜／貌曰恭，言曰从，视曰明，听曰聪，思曰睿／古人有言曰："其父析薪，其子弗克负荷。"

❻物极则反，命曰环流／甘脆肥脓，命曰腐肠之药／出舆入辇，命曰蹶痿之机／洞房清宫，命曰寒热之媒／水曰润下，火曰炎上……／皓齿娥眉，命曰伐性之斧／一夫不获，则曰："时予之辜"／坐井而观天，曰天小者，非天小也／天地之大德曰生，人受天地之气而生／不诚于前而曰诚于后，众必疑而不信矣／孔曰成仁，孟曰取义，惟其义尽，所以仁至／作俑之工，非曰可珍；时有所用，贵于斫轮／居官有二语，曰：唯公则生明，唯廉则生威／雩而雨，何也？曰：无何也，犹不雩而雨也／外内皆顺，命曰天当，功成而不废，后不奉央／贤者出走，命曰崩；百姓不敢诽怨，命曰刑胜／言著而不欺曰信。……教令失信，民得斯之矣／见玉而指之曰石，非玉之不真也，待和氏而识焉／天有五行：一曰木，二曰火，三曰土，四曰金，五曰水

❼为政之要，曰公曰清／是谓是、非谓非曰直／见小曰明，守柔曰强／粗者曰侵，精者曰伐／圣人之静也，非曰静也善，故静也／天子曰崩，诸侯曰薨，大夫曰卒，士曰不禄／子贡问君子。子曰："先行，其言而后从之"。／五福：一曰寿，二

曰富，三曰康宁，四曰攸好德，五曰考终命／先哲王之政，一曰承天，二曰正身，三曰任贤，四曰恤民，五曰明制，六曰立业

❽知之曰知之，不知曰不知／视家国而取者，则曰救彼涂炭／视玉帛而取者，则曰牵于寒饿／嫉贪佞之洿浊兮，曰吾其既劳而后食／三德：一曰正直，二曰刚克，三曰柔克／在天曰阴阳，在地曰柔刚，在人曰仁义／貌曰恭，言曰从，视曰明，听曰聪，思曰睿／为长者折枝，语人曰："我不能"，是不为也／季路问事鬼神。子曰："未能事人，焉能事鬼"／王曰："孰能一之?"对曰："不嗜杀人者能一之"／其所以为情者七：曰喜、曰怒、曰哀、曰惧、曰爱、曰恶、曰欲

❾动得分曰适，言得分曰信／理财正辞，禁民为非，曰义／爱得分曰仁，施得分曰义，虑得分曰智／当官之法，唯有三事：曰清，曰慎，曰勤／文宜易宜难？必谨对曰：无难易，唯其是尔／《诗》三百，一言以蔽之，曰："思无邪。"／天有五行：一曰木，二曰火，三曰土，四曰金，五曰水／忘乎物，忘乎天，其名曰为忘己；忘己之人，是之谓人于天／谓马多力则有矣，若曰胜千钧，则不然者，何也？千钧，非马之任也

❿上下四方曰宇，往古来今曰宙／天地四方曰宇，往古来今曰宙／情在词外曰隐，状溢目前曰秀／日月星辰民所瞻仰者亦皆曰神／万物以生，万物以成，命之曰道／无心于定而无所不定，故曰泰定／以虚无而能开通于物，故称曰道／圣人之道与神明相得，故曰道德／常胜之道曰柔，常不胜之道曰强／三德：一曰正直，二曰刚克，三曰柔克／在天曰阴阳，在地曰柔刚，在人曰仁义／爱得分曰仁，施得分曰义，虑得分曰智／肥肉厚酒，务以自强，命之曰烂肠之食／当官之法，唯有三事：曰清，曰慎，曰勤／三皇五帝之治天下，名曰治之，而乱莫甚焉／天子曰崩，诸侯曰薨，大夫曰卒，士曰不禄／不曰坚乎？磨而不磷；不曰白乎？涅而不缁／虽曰爱之，其实害之；虽曰忧之，其实仇之／貌曰恭，言曰从，视曰明，听曰聪，思曰睿／人之所以立德者三：一曰贞，二曰达，三曰志／智而用私，不如愚而用公，故曰巧伪不如拙诚／贤者出走，命曰崩；百姓不敢诽怨，命曰刑胜／虚空者，乃可用盛受万物。故曰虚无能制有形／策之不以其道……执策而临之曰："天下无马"／性字从生从心，是人生来具是理于心，方名之曰性／美也者，上下、内外、大小、远近皆无害焉，故曰美／挟泰山以超北海，语人曰："我不能"，是诚不能也／天有五行：一曰木，二曰火，三曰土，四曰金，五曰水／五福：一曰寿，二曰富，三曰康宁，四曰攸好德，五曰考终命／致治之术，先屏四患：……一曰伪，二曰私，三曰放，四曰奢／其所以为情者七：曰喜、曰怒、曰哀、曰惧、曰爱、曰恶、曰欲／治世所贵乎位者三：一曰达道于天下，二曰达惠于民，三曰达德于身／先哲王之政，一曰承天，二曰正身，三曰任贤，四曰恤民，五曰明制，六曰立业

旨

zhǐ 目的；用意；帝王的诏谕；味美。

❹语高而旨深／辞约而旨丰，事近而喻远／言近而旨远，辞浅而义深

❻或简言以达旨，或博文以该情／弗食，不知其旨；弗学，不知其善

❼以意为主，则其旨必见；以文传意，则其词不流

❿绝笔之言，追縢前句之旨／虽有嘉肴，弗食，不知其旨也／志高则言洁，志大则辞宏，志远则旨永／寒之于衣，不待轻暖；饥之于食，不待甘旨

者

①zhě 指事(物、时、地、人)之词，用在动词或形容词(词组)后面，表示有此属性或动作的；作语助：表提示，表假设；表肯定；表祈使；犹"这"；应诺声，表示同意。②zhū 通"诸"。

❷仁者无敌／因者无敌／乐者，乐也／贤者不容辱／礼者民之纪／铦者必先挫／兵者，诡道也／主者，国之心／古者以学为政／德者事业之基／始者，道本也／学者先要会疑／王者之论……

沓

①tà 重复；会合；姓。②dá 迭；叠。

❷山沓水匝，树杂云合。……情往似赠，兴来如答

冒

mào"帽"的古字；统括；假冒；向外涌出，往上露出；不顾；贪污；以假当真；轻率，鲁莽；古指覆盖尸体的布；触犯，冲撞；妒忌；通"懋"，勉励。

❶冒天下之大不韪

见现代·孙中山《致国民党员书》。

冒以为古，是处严冬而袭夏之葛者也

见明·袁宏道《雪涛阁集序》。全句为："古有古之时，今有今之时，袭古人语言之迹，而～"。

❽保廉节者，必憎贪冒之党

❾袭古人语言之迹，而冒以为古，是处严冬而袭夏之葛者也

曷

①hé 什么；何故；何不；难道。②è 通"遏"，止。③xiē 通"蝎"。

❸时日曷丧，予及汝皆亡／非药曷以愈疾，非兵胡以定乱／人情曷似春山好，山色不随春老

❺悠悠苍天，曷其有极／独闵闵其曷已兮，凭文章以自宣

❻事至而后求，曷若未至而先备／不闻道而死，

曷异蜉蝣之朝生暮死乎

❽以出乎众为心者，曷常出乎众哉／寓形宇内复几时，曷不委心任去留

❿沧波远天，混和暮色，孤舟一去，曷日而旋归

冕 miǎn 古代天子、诸侯、卿大夫所戴的礼帽，后来专指帝王的皇冠。

❷轩冕失之，有时而复来／轩冕在身，非性命也，物之傥来，寄者也

❸居轩冕中，不可无山林趣味

❹裂冠毁冕，拔本塞原／不为轩冕肆志，不为穷约趋俗

❽褒见一字，贵逾轩冕；贬在片言，诛深斧钺

❿义死不避斧钺之罪，义穷不受轩冕之服

最 zuì 居首位的；极，尤；功劳最大；聚集；合计，总计。

❸世间最难得者兄弟／读书最要限程……／处事最当熟思缓处／有生最灵，莫过乎人／落尽最高树，始知松柏青／病身最觉风露早，归梦不知山水长

❹何处路最难？最难在长安／卑贱者最聪明，高贵者最愚蠢

❺乘兴说话，最难检点／不闻其过，最患之大者／骋者不贪最先，不恐独后／官吏浮冗，最为天下之大患／庾信平生最萧瑟，暮年诗赋动江关／看是寻常最奇崛，成如容易却艰辛／病中何事最相宜，惟有摊书力尚支／交财一事最难。虽至亲好友，亦须明白

❻词以境界为最上／人者万物之最灵也／何处路最难？最难在长安／与贤豪相对，最不可有媚悦之色／汴水通淮利最多，生人为害亦相和

❼马氏五常，白眉最良／乍暖还寒时候，最难将息／天下以言为戒，最国家之大患也／用兵之害，犹豫最大；三军之灾，生于狐疑

❽仕宦之法，清廉为最／万物之有灾，人妖最可畏／百物可决舍，惟书最难别／人生处万类，知识最为贤／凡人之质，量中和最贵矣／弦断犹可续，心去最难留／成败论千古，人间最不公／愿君多采撷，此物最相思／作诗切忌议论，此最易近腐，近絮，近学究

❾东南山水，余杭郡为最／见富贵而生谄容者最可耻／见富贵而生谄容者，最可耻

❿卑贱者最聪明，高贵者最愚蠢／得饶人处且饶人，退步行最稳／不畏浮云遮望眼，自缘身在最高层／但把穷愁博长健，不辞最后饮屠苏／读书以过目成诵为能，最是不济事／贫疑陋巷春偏少，贵想豪家月最明／风流不在谈锋胜，袖手无言味最长／怒不变容，喜不失节，故是最为难／自古经纶足是非，阴谋最忌夺天机／是技皆可成名，天下惟无技之人最苦／片技即足自立，天下惟多技之人最劳／从来谈诗，必摘古人佳句为证，最是小见／用天下之心图而济之，夫岂无最长之策乎／用天下之目观而救之，夫岂无最远之见乎／人肖天地之类，怀五常之性，有生之最灵者也／人者，在阴阳之中央，为万物之师长，所能作最众多／和者天之正也，阴阳之平也，其气最良，物之所生也

水 shuǐ 一种无色、无臭、无味的透明的液体；河流；游泳；量词；太阳系九大行星之一；姓；泛指液体。

❶水清石自见

见汉·无名氏《艳歌行》。"见"同"现"。

水面风来笑语香

见宋·尚用之《和韵》。

水到潇湘一样清

见《大慧语录》卷六。

水殿风来暗香满

见宋·苏轼《洞仙歌》。

水来土掩，将至兵迎

见明·罗贯中《三国演义》第七十三回。

水则载舟，水则覆舟

见《荀子·王制》。

水到渠成，不须预虑

见宋·苏轼《答秦太虚书》。

水禽嬉戏，引吭伸翮

见唐·刘禹锡《楚望赋》。全句为："～；纷惊鸣而决起，舍彩翠于砂砾"。

水动流下，人动趋利

见汉·严遵《道德指归论·大国篇》。

水能载舟，亦能覆舟

语出《荀子·王制》，见宋·陆贽《奉天论延访朝臣表》。

水浮万物，玉石留止

见汉·刘向《说苑·谈丛》。

水涨船高，泥多佛大

见宋·释道原《景德传灯录》。

水激则悍，矢激则远

见汉·刘向《说苑·说丛》。

水致其深，蛟龙生焉

见汉·刘向《说苑·贵德》。全句为："山致其高，云雨起焉；～；君子致其道德，而福禄归焉"。

水渊深广，则龙鱼生之

见汉·韩婴《韩诗外传》。全句为："～；山林茂盛，则禽兽归之"。

水积成川，则蛟龙生焉

见汉·刘向《说苑·建本》。全句为："～，土积成山，则豫樟生焉"。

水无暂停流，木有千载贞

见晋·湛方生《还都帆诗》。

水无心而清，冰虚已而明

见唐·刘长卿《冰赋》。

水不激不跃，人不激不奋

见明·冯梦龙《古今小说·穷马周遭际卖锤媪》。

水可使不滥，不可使无流

见汉·荀悦《申鉴·政体》。

水则不决不流，不积不深

见晋·葛洪《抱朴子·勖学》。

水吞三楚白，山接九疑青

见明·杨基《岳阳楼》。全句为："春色醉巴陵，阑干落洞庭。～"。"三楚"，秦汉时原楚国被分为三楚；"九疑"，山名。

水广者鱼大，山高者木修

见汉·刘安《淮南子·说山》。

水浊则鱼困，令苛则民乱

见汉·刘向《说苑·政理》。

水清迎过客，霜叶落行舟

见唐·郎士元《送奚贾归吴》。

水涵天影阔，山拔地形高

见唐·可朋《赋洞庭》。

水激则波兴，气乱则智昏

见汉·刘安《淮南子·齐俗》。全句为："～；智昏不可以为政，波水不可以为平"。

水性虽能流，不导则不通

见唐·马总《意林》引《成败志》。

水是眼波横，山是眉峰聚

见宋·王观《卜算子》。全句为："～，欲问行人去那边，眉眼盈盈处"。

水曰润下，火曰炎上……

见《尚书·洪范》。全句为："～，木曰曲直，金曰从革，土爰稼穑"。

水所以载舟，亦所以覆舟

见三国·魏·王肃《孔子家语·五仪解》。全句为："君者舟也，庶人者水也。～"。

水烟晴吐月，山火夜烧云

见唐·岑参《江行夜宿龙吼滩临眺思峨眉隐者兼寄幕中诸公》。

水积而鱼聚，木茂而鸟集

见汉·刘安《淮南子·说山》。

水清无大鱼，察政不得下和

见南朝·宋·范晔《后汉书·班超传》。

水下流，不争先，故疾而不迟

见汉·刘安《淮南子·原道》。全句为："土处下，不在高，故安而不危；～"。

水下流而广大，君下臣而聪明

见汉·刘安《淮南子·缪称》。

水不波则自定，鉴不翳则自明

见明·洪应明《菜根谭·前集百五十一》。

水之冰生于寒，人之冰生于正

见唐·刘长卿《冰赋》。全句为："～，无弃其道，吾将何病"。

水至清则无鱼，人至察则无徒

见晋·陈寿《三国志·蜀书·李严传》注引习凿齿语。

水因地而制流，兵因敌而制胜

见《孙子兵法·虚实篇》。

水面上秤锤浮，直待黄河彻底枯

见唐·无名氏《菩萨蛮》。全句为："枕前发尽千般愿，要休且待青山烂，～"。

水之性清，土者扣之，故不得清

见《吕氏春秋·孟春季·本生》。全句为："～；人之性寿，物者扣之，故不得寿"。"扣"，搅浊。

水倍源则川竭，人倍信则名不达

见汉·刘向《说苑·谈丛》。"倍"通"背"。

水懦弱，民狎而玩之，则多死焉

见《左传·昭公二十年》。

水不激不能破舟，矢不激不能饮羽

见汉·冯衍《与阴就书》。

水平布石上，流若织文，响若操琴

见唐·柳宗元《石涧记》。

水曲山限四五家，夕阳烟火隔芦花

见宋·徐积《渔父乐》。

水之积也不厚，则其负大舟也无力

见《庄子·逍遥游》。

水真绿净不可唾，鱼若空行无所依

见宋·楼钥《顷游龙井》。

水能性澹为吾友，竹解心虚即我师

见唐·白居易《池上竹下作》。

水波澜者源必远，树扶疏者根必深

见北周·燕射歌辞《徵调曲六首》之一。

水鹄翔而大风作，穴蚁徙而阴雨零

见明·刘基《郁离子》。

水发于深，而为用且远……反为患矣

见唐·韩愈《择言解》。全句为："～。能不违于道，可浮可载，可饮可灌，以济乎生物，及其导而不防，反为患矣"。

水击鹄雁，陆断驹马，则臧获不疑钝利

见《韩非子·显学》。"臧获"，奴仆。

水之行避高而趋下，兵之形避实而击虚

见《孙子兵法·虚实篇》。

水动而景摇，人不以定美恶，水势玄也

见《荀子·解蔽》。"景"通"影"；"玄"，通"眩"。

水至平而邪者取法，镜至明而丑者无怒

见晋·陈寿《三国志·蜀书·李严传》。

水有猵獭而池鱼劳，国有强御而齐民消

见汉·桓宽《盐铁论·轻重》。"强御"，豪强；"齐民"，平民百姓；"消"，损害。

水静则明烛须眉，平中准，大匠取法焉

见《庄子·天道》。

水出于山，入于海；稼生乎野，而藏乎仓

见汉·刘安《淮南子·缪称》。

水抵两岸，悉皆怪石，攲嵌盘屈，不可名状

见唐·元结《右溪记》。

水处者渔，山处者木，谷处者牧，陆处者农

见汉·刘安《淮南子·齐俗》。

水浊，则无掉尾之鱼；政苛，则无逸乐之士

见《邓析子·无厚篇》。

水皆缥碧，千丈见底；游鱼细石，直视无碍

见南朝·梁·吴均《与宋元思书》。全句为："～；急湍甚箭，猛浪若奔"。

水之守土也审，影之守人也审，物之守物也审

见《庄子·徐无鬼》。"守"，依靠；"审"，安定，显露。

水性虚而沦漪结，木体实而花萼振，文附质也

见南朝·梁·刘勰《文心雕龙·情采》。

水之性胜火，如裹之以釜，水煎而不得胜，必矣

见汉·王充《论衡·非韩篇》。

水行者表深，使人无陷；治民者表乱，使人无失

见《荀子·大略》。全句为："～。礼者，其表也"。

水虽平，必有波；衡虽正，必有差；尺寸虽齐，必有诡

见汉·刘安《淮南子·说林》。"诡"，不同。

❷春水绿于染／覆水不可收／远水不救近火／拂水飘绵送行色／河水清，天下平／涉水半渡，可击／流水落花春去也／反水不收，后悔无及／画水镂冰，与时消释／小水长流，则能穿石／峡水千里，巴山万重／饮水思源，缘木思本／流水不腐，户枢不蠹／流水清浊，在其源也／冰，水为之，而寒于水／塞水不自其源，必复流／如水月镜花，勿泥其迹／其水趣流，势与江河同／为水不入海，安得浮天波／尺水无长澜，蛟龙岂其容／众水会涪万，瞿塘争一门／清水出芙蓉，天然去雕饰／逝水悲兴废，浮云阅古今／覆水不可收，行云难重寻／曲水临流，自可一觞而一咏／闻水声，如鸣珮环，心乐之／海水广大非独仰一川之流也／流水之为物也，不盈科不行／观水而知学，观耨田而知治国／山水之乐，得之心而寓之酒也／山水有真赏，不领会终为漫游／泻水置平地，各自东西南北流／治水不自其源，末流弥增其广／桃水涨而浦红，苹风摇而浪白／易水萧萧西风冷……悲歌未彻／春水无风无浪，春天半雨半晴／担水塞井徒用力，炊砂作饭岂堪吃／汴水通淮利最多，生人为害亦相和／潦水尽而寒潭清，烟光凝而暮山紫／近水楼台先得月，向阳花木易为春／颍水清，灌氏宁；颍水浊，灌氏族／积水于防，燎火于原，未尝暂静也／霤水足以溢壶榼，而江河不能实漏卮／临水远望，泣下沾衣，远道之人心思归／从水之道而不为私焉，此吾所以蹈之也／泉水激石，泠泠作响；好鸟相鸣，嘤嘤成韵／畜水覆舟，养兽反害，悔之噬脐，将何所及

❸风行水上，涣／黄河水直人心曲／春江水暖鸭先知／无于水监，当于民监／拔诸水火，登于衽席／蛟龙水居，虎豹山处／论山水，则循声而得貌／虽源水桃花，时时失路／嬉于水而逐鱼鸟之浮沉／有照水一枝，已搀春意／人视水见形，视民知治不／荷深水风阔，雨过清香发／犹如水中月，可见不可取／风起水面，细生鳞甲……／舟非水不行，水入舟则没／鱼处水而生，鸟据巢而卵／鱼处水而生，人处水而死／日与水居，则十五而得其道／见瓶水之冰，而知天下之寒／鱼失水则死，水失鱼犹为水／乘渍水以胶船，驭奔驹以朽索／观江水之寂寥，愿从流而东返／人之水镜也，见之若披云雾睹青天／阴阳水旱由天公，忧雨忧风愁煞侬／山重水复疑无路，柳暗花明又一村／金沙水拍云崖暖，大渡桥横铁索寒／风行水上之文，决不在于一字一句之奇／鉴于水者见面之容，鉴于人者知吉与凶／镜于水，见面之容；镜于人，则知吉与凶／渐闻水声潺潺，而泻出两峰之间者，酿泉也／盛秋水潦，穷冬雨雪，深泥积水，相辅为害／山沓水匝，树杂云合。……情往似赠，兴来如答／有云水襟怀，有松柏气节，典型顿失，人尽含悲／涉浅水者见虾，其颇深者察鱼鳖，其尤甚者观蛟龙

❹曹衣出水／落花流水仍依旧／蛟龙失水似枯鱼／湛湛江水兮上有枫／三千击水，九万抟风／无源之水，无本之木／不镜于水，而镜于人／并刀如水，吴盐胜雪／若涉大水，其无津涯／持钱买水，所取有限／知者乐水，仁者乐山／沔彼流水，朝宗于海／海不让水潦以成其大／如人饮水，冷暖自知／车如流水，马如游龙／龙无尺水，无以升天／蛟龙离水，匹夫可制／舟浮于水，车转于陆／平地注水，湿者必先濡／东南山水，余杭郡为最／涓流之水，无洪波之势／海不辞水，故能成其大／八月湖水平，涵虚混太清／在山泉水清，出山泉水浊／若教临水畔，字字恐成龙／江河之水，非一源之水也／迅川之水，束草投之则凝／盈盈一水间，脉脉不得语／沧浪之水浊兮，可以濯吾足／沧浪之水清兮，可以濯吾缨／禹抑洪水十三年，过家不入门／澄明远水生光，重迭暮山耸翠／生不识水，则虽壮，见舟而畏之／稻生于水，而不能生于湍濑之流／巫峡之水能覆舟，若比人心是安流／抽刀断水水更流，举杯消愁愁更愁／持杯收水水已覆，徙薪避火火更燔／宁作清水之沉泥，不为浊路之

飞尘／春江潮水连海平，海上明月共潮生／神龙失水而陆居兮，为蝼蚁之所裁／愿兄为水妹为土，和来捏做一个人／独游山水间，登极顶……欲空其形而去／山虽高，水虽下，其为险而害也，要之不异／上善若水，水善利万物而不争，处众人之所恶／譬之若水火然，善用之则为福，不善用之则为祸／地尽天水合，朝及洞庭湖，初日当中涌，莫辨东西隅／溺者入水，拯之者亦入水。入水则同，所以入水者则异

❺月满空山水满潭／清风徐来，水波不兴／水则载舟，水则覆舟／月满则亏，水满则溢／白露横江，水光接天／西头热海水如煮……／海与山争水，海必得之／上天下天水，出地入地舟／无波古井水，有节秋竹竿／不饮浊泉水，不息曲木阴／仍怜故乡水，万里送行舟／人心胜潮水，相送过浔阳／从来不著水，清净本因心／饮马渡秋水，水寒风似刀／滔滔大江水，天地相终始／澹澹长江水，悠悠远客情／宁饮建业水，不食武昌鱼／如渴思冷水，如饥念美食／纵横一川水，高下数家村／结交澹若水，履道直如弦／废污池之水，待江海而后救火／采薜荔兮水中，搴芙蓉兮木末／见瓶中之水，而知天下之寒暑／胸次山高水远，笔端云起风狂／舟凝滞于水滨，车逶迟于山侧／天地之有水旱，犹人之有疾病也／中峰之下，水无鱼鳖，林无鸟兽／大海荡荡水所归，高贤愉愉民所怀／抽刀断水水更流，举杯消愁愁更愁／持杯收水水已覆，徙薪避火火更燔／流深者其水不测，尊至者其敬无穷／言泉共秋水同流，词峰与夏云争长／置虚器于水中，未充则唱，既充则默／良农不为水旱不耕，良贾不为折阅不市／擅一壑之水而跨跱坎井之乐，此亦至矣／小人溺于水，君子溺于口，大人溺于民／绳锯木断，水滴石穿，学道者须加力索／饭疏食饮水，曲肱而枕之，乐亦在其中矣／风霜高洁，水落而石出者，山间之四时也／山无陵，江水为竭……天地合，乃敢与君绝／金以刚折，水以柔全；山以高陊，谷以卑安／上善若水，水善利万物而不争，处众人之所恶／土反其宅，水归其壑；昆虫毋作，草木归其泽／兵无常势，水无常形，能因敌变化而取胜者，谓之神

❻写出江南烟水秋／布谷一声春水生／流而不返者，水也／以火救火，以水救水／人心难测，海水难量／入山问樵，入水问渔／观于物，见山水……／洞庭青草，秋水深深／缘木求鱼，煎水作冰／有山可登，有水可浮／青山不老，绿水长存／鱼潜于渊，出水煦沫／防决不备，有水溢之害／君子不镜于水而镜于人／清之为明，杯水见眸子／坏崖破岩之水，原自涓涓／坏崖破岩之水，源自涓涓／山锐则不高，水狭则不深／饮马渡秋水，水寒风似刀／浊之为暗，河水不见太山／木无本必枯，水无源必竭／林深则鸟栖，水广则鱼游／舟非水不行，水入舟则没／人莫鉴于流水，而鉴于止水／鱼失水则死，水失鱼犹为水／随你官清似水，难逃吏滑如油／莫怨无情流水，明月扁舟何处／君子之接如水，小人之接如醴／君子得时如水，小人得时如火／洗污泥者以水，燔腥生者用火／渴不饮盗泉水，热不息恶木阴／鉴貌在乎止水，鉴己在乎哲人／莫道昆明池水浅，观鱼胜过富春江／四海翻腾云水怒，五洲震荡风雷激／风萧萧兮易水寒，壮士一去兮不复还／顺天养财、御水旱、制蛮夷之原本也／邪之与正，犹水与火，不同原，不得并盛／行路难，不在水不在山，只在人情反覆间／云山苍苍，江水泱泱，先生之风，山高水长／高山有前，流水在下，可以俯仰，可以宴乐／君如杅，民如水，杅方则水方，杅圆则水圆／春草碧色，春水渌波，送君南浦，伤如之何／国之有民，犹水之有舟，停则以安，扰则以危／不躬行，便如水行得车，陆行得舟，一毫受用不得

❼铁骑无声望似水／白日杨花满流水／在地者莫明乎水火／山鸣谷应，风起水涌／朗如日月，清如水镜／自是人生长恨水长东／塞草烟光阔，渭水波声咽／安而后能虑，止水能照也／望云惭高鸟，临水愧游鱼／楚山全控蜀，汉水半吞吴／昏旦变气候，山水含清晖／暴虐之吏，过于水旱远矣／息阴无恶木，饮水必清源／积土而为山，积水而为海／语议如悬河写水，注而不竭／大略如行云流水，初无定质／鱼欲异群鱼，舍水跃岸即死／土积而成山阜，水积而成江河／大丈夫，千山万水往长远处看／猿猕猴错木据水，则不若鱼鳖／石韫玉而山辉，水怀珠而川媚／假舟楫者，非能水也，而绝江河／滚滚长江东逝水，浪花淘尽英雄／无力买田聊种水，近来湖面亦收租／长恨人心不如水，等闲平地起波澜／为学正如撑上水船，一篙不可放缓／尺薪不能温镬水，寸冰不足寒庖厨／曾经沧海难为水，除却巫山不是云／交情老去淡如水，病骨秋来瘦似松／词源倒流三峡水，笔阵独扫千人军／谢诗如芙蓉出水，颜诗如错采镂金／劝君休饮无情水，醉后教人心意迷／君子之交淡若水，小人之交甘若醴／君者槃也，民者水也，槃圆而水圆／屋漏者，民去之；水浅者，鱼逃之／时人莫小池中水，浅处无妨有卧龙／欲致鱼者先通水，欲致鸟者先树木／总教掬尽三江水，难洗今朝一面羞／大厦既燔，而运水于沧海；此无及也／民之归仁也，犹水之就下、兽之走圹也／堤防成而民无水灾，礼义立，民无乱患／据沧海而观众水，则江河之会归可见也／观于海者难为水，游于圣人之门者难为言／君不见黄河之水天上来，奔流到海不复回／星斗张明，错落水中，如

珠走镜，不可收拾／舟必漏也而后水入焉，土必湿也而后苔生焉／君犹器也，人犹水也，方圆在于器，不在于水／碧云悠悠兮，泾水东流。伤美人兮，雨泣花愁／天下莫柔弱于水，而攻坚强者莫之能先，以其无以易之也

❽居高屋之上建瓴水／无根之木，无源之水／以火救火，以水救水／防民之口，甚于防水／君者政源，人庶犹水／近悦远来，归如流水／臣门如市，臣心如水／雾尽披天，萍开见水／冰，水为之，而寒于水／君者舟也，庶人者水也／四更山吐月，残夜水明楼／猿得木而捷，鱼得水而骛／情波也，心流也，性水也／桥上山万重，桥下水千里／有风方起浪，无潮水自平／鱼处水而生，人处水而死／导人必因其性，治水必因其势／善恶之殊，如火与水不能相容／夏云阴兮若山，秋水平兮若天／力士推山，天吴移水，作农桑地／虎豹在山，鼋鼍在水，各有所托／土敝则草木不长，水烦则鱼鳖不大／地薄者大物不产，水浅者大鱼不游／吞舟之鱼，砀而失水，则蚁能苦之／颍水清，灌氏宁；颍水浊，灌氏族／风冲之物不得育，水湍之岸不得峭／志士不饮盗泉之水，廉者不受嗟来之食／火形严，故人鲜灼；水形懦，故人多溺／火炎上而受制于水，水趋下而得志于火／为学无间断，如流水行云，日进而不已也／吞舟之鱼荡而失水，则制于蝼蚁，离其居也／故观于海者难为水，游于圣人之门者难为言／君者，舟也；庶人者，水也。水则载舟，水则覆舟／济世经邦，要段云水的趣味，若有贪着，便堕危机

❾士卒不尽饮，广不近水／风乍起，吹皱一池春水／在山泉水清，出山泉水浊／饥食首阳薇，渴饮易水流／江河之水，非一源之水也／欲知千里寒，但看井水冰／忍别青山去，其如绿水何／昂昂千里，泛泛不作水中凫／鸟焚株而铩翮，鱼夺水而暴鳞／断肠人处，天边残照水边霞……／人心莫厌如弦直，淮水长怜似镜清／功名富贵若长在，汉水亦应西北流／芳林新叶催陈叶，流水前波让后波／落霞与孤鹜齐飞，秋水共长天一色／采于山，美可茹；钓于水，鲜可食／智昏不可以为政，波水不可以为平／惟君臣相遇，有同鱼水，则海内可安／火炎上而受制于水，水趋下而得志于火／疾病不可以自责除，水旱不可以祷谢去／忧天下之乱，犹忧河水之少，泣而益之也／云生日入，怪状迭发，水石卉木，杳非人寰／山不在高，有仙则名；水不在深，有龙则灵／斩伐林木，亡有时禁，水旱之灾，未必不由此也／兵不可偃也，譬之若水火然，善用之则为福，不能用之则为祸

❿不息恶木枝，不饮盗泉水／人散后，一钩淡月天如水／语贵洒脱，不可拖泥带水／渴者不思火，寒者不求水／虎豹爱大林，蛟龙爱大水／鉴形之美恶，必就于止水／人莫鉴于流水，而鉴于止水／孤之有孔明，犹鱼之有水也／鱼失水则死，水失鱼犹为水／日日思君不见君，共饮长江水／天平山上白云泉，云自无心水自闲／世间行乐亦如此，古来万事东流水／焉得并州快剪刀，翦取吴松半江水／丘山积卑而为高，江河合水而为大／假令风歇时下来，犹能簸却沧溟水／入于泽而问牧童，入于水而问渔师／君者槃也，民者水也，槃圆而水圆／问渠哪得清如许，为有源头活水来／好鸟枝头亦朋友，落花水面皆文章／果蓏失地则不实，鱼龙失水则不神／日出江花红胜火，春来江水绿如蓝／目送征鸿飞杳杳，思随流水去茫茫／镇相连似影追形，分不开如刀划水／鹊巢知风之所起，獭穴知水之高下／病身最觉风露早，归梦不知山水长／赤地炎都寸草无，百川水沸煮虫鱼／醉翁之意不在酒，在乎山水之间也／披蓑而救火，毁渎而止水，乃愈益多／临清风，对朗月，登山泛水，肆意酣歌／良珠度寸，虽有百仞之水，不能掩其莹／十指而掩日月之光，一口而没沧溟之水／圣人视天下之不治，如赤子之在水火也／问君能有几多愁？恰似一江春水向东流／水动而景摇，人不以定美恶，水势玄也／欲弃学而循性，是谓犹释船而欲蹶水也／不务衣食而务无盗贼，是止水而不塞源也／君不见长安女儿嫩如水，十指不动衣罗绮／云山苍苍，江水泱泱，先生之风，山高水长／夜行者掩目而前其手，涉水者解其马载之舟／落梅芳树，共体千篇；陇水巫山，殊名一意／君如杅，民如水，杅方则水方，杅圆则水圆／山树为盖，岩石为屏，云从栋生，水与阶平／槁竹有火，弗钻不然；土中有水，弗掘无泉／施薪若一，火就燥也；平地若一，水就湿也／盈把之木无合拱之枝，荣泽之水无吞舟之鱼／盛秋水潦，穷冬雨雪，深泥积水，相辅为害／积土成山，风雨兴焉；积水成渊，蛟龙生焉／君犹器也，人犹水也，方圆在于器，不在于水／枯藤老树昏鸦，小桥流水人家，古道西风瘦马／与邪佞人交，如雪入墨池，虽融为水，其色愈污／会心处不必在远，翳然林水，便自有濠濮间想也／水之性胜火，如裹之以釜，水煎而不得胜，必矣／以诈应诈，以谲应谲，若披蓑而救火，毁渎而止水／君者，舟也；庶人者，水也。水则载舟，水则覆舟／伟哉横海鲸，壮矣垂天翼。一旦失风水，翻为蝼蚁食／关山难越，谁悲失路之人？萍水相逢，尽是他乡之客／地虽胜，得人焉而居之，则山若增而高，水若辟而广／澄潭至清，洞澈见底，往往有群鱼戏，历历如水上行／天有五行：一曰木，二曰火，三曰土，四曰金，五曰水／君自为诈，欲臣下行直，是犹源浊而望水清，理

不可得／溺者入水，拯之者亦入水。入水则同，所以入水者则异／天无一点云，星斗张明，错落水中，如珠走镜，不可收拾

永 yǒng 长久，久远；通“咏”。

❶永言孝思，孝思维则

见《诗·大雅·下武》。

永歌之不足，不知手之舞之，足之蹈之

见《诗·大序》。全句为：“言之不足故嗟叹之，嗟叹之不足故永歌之，～”。

永歌之不足，不知手之舞之，足之蹈之也

见汉·卫宏《诗大序》。

❷有永弃之悲，无自新之望

❹降年有永有不永，非天夭民，民中绝命

❺孝子不匮，永锡尔类／眉寿万年，永受胡福／诗言志，歌永言，声依永，律和声

❻慎厥身，修思永／各愿贻子孙，永为后世资

❼嗟叹之不足故永歌之／慎乃俭德，惟怀永图／事不师古，以克永世，匪说攸闻／降年有永有不永，非天夭民，民中绝命

❽王其德之用，祈天永命

❾一劳而久逸，暂费而永宁／诗言志，歌永言，声依永，律和声

❿居悒悒之无解兮，独长思而永叹／明主思短而益善，暗主护短而永愚／志高则言洁，志大则辞宏，志远则旨永／汉之广矣，不可泳思。江之永矣，不可方思／盈缩之期，不但在天；养怡之福，可得永年

隶 lì 旧指社会地位低下，受奴役而没有人身自由的人；附属；旧指衙门中的差役；汉字形体的一种。

❻青天白日，奴隶亦知其清明

❽言之而是，虽在仆隶刍荛，犹不可弃

泰 tài 安定；平安；极；过，甚。

❶泰山之大，背之不见

见汉·牟融《牟子》。全句为：“毫毛虽小，视之可察；～”。

泰山其颓，梁木其坏

见《礼记·檀弓上》。

泰极而否，当歌而哭

见唐·刘禹锡《唐故邠宁节度使史公神道碑》。

泰然若春，温兮如玉

见唐·王维《为兵部祭库部王郎中文》。

泰山成砥砺，黄河为裳带

见三国·魏·阮籍《咏怀诗八十二首》之三十。

泰山之霤穿石，单极之断干

见汉·班固《汉书·枚乘传》。

泰山在前而不见，疾雷破柱而不惊

见宋·欧阳修《六一居士传》。

泰山之为大，弗察弗见，而况微渺者乎

见汉·董仲舒《春秋繁露·竹林》。

泰山其颓乎，梁木其坏乎，哲人其萎乎

见《礼记·檀弓上》。

泰山崩于前而色不变，麋鹿兴于左而目不瞬

见宋·苏洵《心术》。

泰初有无，无有，无名。一之所起，有一而未形

见《庄子·天地》。

❷登泰山而小天下／否泰无常，吉凶由人／临泰山之悬崖，窥巨海之惊澜……／登泰山而览群岳，则冈峦之本末可知也／唯泰山不为飘风所动，磐石不为疾流所回／挟泰山以超北海，语人曰：“我不能”，是诚不能也

❸倒持泰阿，授楚其柄／胸中泰然，岂有不乐／此生泰山重，勿作鸿毛遗／君子泰而不骄，小人骄而不泰／易于泰山破鸡子，轻于四马载鸿毛／岸乎泰山不足为高，巍乎天地不足为容

❹去甚去泰，身乃无害／有心雄泰华，无意巧玲珑／如下有泰山之安，则上有累卵之危

❺有眼不识泰山／满而不溢，泰而不骄

❼乐极生悲，否极泰来／易于反掌，安于泰山／富者愈恣横侈泰而无所忌／一叶蔽目，不见泰山；两豆塞耳，不闻雷霆

❽有事无辜，心常安泰／圣人去甚、去奢、去泰／志有所存，顾不见泰山／政教积德，必致安泰之福／登东山而小鲁，登泰山而小天下

❿治国者当爱民，则不为奢泰／身轻于鸿毛，而谤重于泰山／君子泰而不骄，小人骄而不泰／天下有事，则匹夫之言重于泰山／无心于定而无所不定，故曰泰定／不动声色，而措天下于泰山之安／乘所欲为，易于反掌，安于泰山／大丈夫见善明，则重名节如泰山／言者无罪闻者戒，下流上通上下泰／如其道，则舜受尧之天下，不以为泰／亡而为有，虚而为盈，约而为泰，难乎有恒／惠而不费，劳而不怨，欲而不贪，泰而不骄，威而不猛／君子惠而不费，劳而不怨，欲而不贪，泰而不骄，威而不猛／目察秋毫之末，耳不闻雷霆之声；耳调玉石之声，目不见泰山之高

泉 quán 泉水；泉水涌出的地方；钱币；布面油画。

❶泉竭则流涸，根朽则叶枯

见晋·陈寿《三国志·魏书·武文世王公传》。

泉涸，鱼相与处于陆……不若相忘于江湖

见《庄子·大宗师》。删节处为：“相呴以湿，相濡以沫”。

泉水激石，泠泠作响；好鸟相鸣，嘤嘤成韵

见南朝·梁·吴均《与宋元思书》。

❷飞泉出窦，练缟花吐／酿泉为酒，泉香而酒洌／导泉向涧，则为易下之流／澧泉有故源，嘉禾有旧根／石泉潜流，不以涧幽而撤其清／清泉自爱江湖去，流出红墙便不还／言泉共秋水同流，词峰与夏云争长／寒泉飞流，异竹杂华，回映之处，似藏人家／清泉绿草，何物不可饮啄？而鸱鸮者偏食腐鼠／源泉混混，不舍昼夜，盈科而后进，放乎四海

❸濯清泉以自洁／履深泉之薄冰不为啼／思若泉涌，文若春华／鱼以泉为浅而穿穴其中／在山泉水清，出山泉水浊／处林泉中，不可无廊庙经纶／酌贪泉而觉爽，处涸辙而犹欢／智如泉源，行可以为表仪者，人师也／烟云泉台，花鸟苔林，金铺锦帐，寓意则灵

❹井不达泉，则犹不掘也／三尺之泉，足止三军之渴／不饮浊泉水，不息曲木阴／香饵引泉鱼，重币购勇士

❺酿泉为酒，泉香而酒冽／神龙藏深泉，猛兽步高冈／渴不饮盗泉水，热不息恶木阴／眺望而林泉有余，奔走而烟霞足用

❻芝草无根，醴泉无源／不敢望到酒泉郡，但愿生入玉门关／从来夸有龙泉剑，试割相思得断无／能自凿井及泉而汲之，不可胜用矣／吾文如万斛泉源……虽一日千里无难／志士不饮盗泉之水，廉者不受嗟来之食

❼结发同枕席，黄泉共为友／人已古兮山在，泉无心兮道存／木欣欣以向荣，泉涓涓而始流／风下松而含曲，泉萦石而生文／上穷碧落下黄泉，两处茫茫皆不见／天平山上白云泉，云自无心水自闲

❽莫高者天，莫浚者泉／文若春华，思若涌泉／怒猊抉石，渴骥奔泉／在山泉水清，出山泉水浊／积下不已，必极黄泉之深／思风发于胸臆，言泉流于唇齿／掘井九轫而不及泉，犹为弃井也

❾一心中国梦，万古下泉诗／不息恶木枝，不饮盗泉水／欲流之远者，必浚其泉源／坐茂树以终日，濯清泉以自洁

❿短绠不可以汲深井之泉／溪中云隔寺，夜半雪添泉／恩难酬白骨，泪可到黄泉／不称九天之顶，则言黄泉之底／斩茅而嘉树列，发石而清泉激／方衔感于一剑，非买价于泉里／露团团而湿草，风烈烈而鸣泉／山中人兮芳杜若，饮石泉兮荫松柏／威赫赫爵禄高登，昏惨惨黄泉路近／烟霞为朝夕之资，风月得林泉之助／龙吟虎啸一时发，万籁百泉相与秋／就郡言，灵隐寺为尤；由寺观，冷泉亭为甲／渐闻水声潺潺，而泻出两峰之间者，酿泉也／槁竹有火，弗钻不然；土中有水，弗掘无泉／峰回路转，有亭翼然，临于泉上者，醉翁亭也／天若不爱酒，酒星不在天；地若不爱酒，地应无酒泉／饥餐松柏叶，渴饮涧中泉，看罢青青竹，和衣自在眠

浆 ①jiāng 较浓的汁液；浆洗。②jiàng 糨。

❿维北有斗，不可以挹酒浆／穹庐为室兮旃为墙，以肉为食兮酪为浆

颍 yǐng［颍河］发源于河南，流入安徽。姓。

❶颍水清，灌氏宁；颍水浊，灌氏族

见汉·班固《汉书·灌夫传》引童谣。

黎 lí 古时用黍米做成的胶质用以粘鞋；通“旅”，众多的意思；黑色；徐徐；少数民族名；姓。

❶黎庶之安，乃众贤之力

见明·方孝孺《逊志斋集·瓦》。全句为：“大厦不倾，匪一瓦之积；～”。

❹穷年忧黎元，叹息肠内热

❺安民则惠，黎民怀之／安土重迁，黎民之性；骨肉相附，人情所愿

❼老者衣帛食肉，黎民不饥不寒……

❿拜迎官长心欲碎，鞭挞黎庶令人悲

滕 téng 周代诸侯国名；水向上腾涌；姓。

❾江南多临观之美，而滕王阁独为第一，有瑰伟绝特之称

贝 bèi 介壳类软体动物的通称；古代用贝壳做的货币；织成贝文的锦；姓。

❼萋兮斐兮，成是贝锦

❽鹰扬虎视，齿若编贝，肤如凝脂，昭昭乎若玉山上行，朗然映人

❿吾见世人清名登而金贝入，信誉显而然诺亏／眉如翠羽，肌如白雪，腰如束素，齿如含贝

财 cái 金钱和物资的总称；通“材”；通“才”；通“裁”，节制，制裁。

❶财上分明大丈夫

见元·石君宝《秋胡戏妻》。

财不如义高，势不如德尊

见汉·刘向《说苑·谈丛》。

财聚则民散，财散则民聚

见《礼记·大学》。

财者，为国之命而万事之本

见宋·苏辙《上皇帝书》。

财尽则怨，力尽则怼，君子危之

见《谷梁传·庄公三十一年》。

财色之于人，譬如小儿贪刀刃之饴

见《佛说四十二章经》。全句为：“～，甜不足一食之美，然有截舌之患也”。

财已竭而敛不休，人已穷而赋愈急

见唐·韩愈《送许郢州序》。全句为：“～，其不去为盗也亦幸矣”。

财贿不以动其心，爵禄不以移其志

见明·罗贯中《三国演义》第二十七回。

财须民生，强赖民力，威恃民势，福由民殖

见晋·陈寿《三国志·吴书·骆统传》。

财有害气，积则伤人；虽少犹累，而况多乎

见唐·司马承祯《坐忘论·简事》。

财之不丰，兵之不强，吏之不择，此三者存亡之所从出

见宋·苏轼《思治论》。

❷临财莫若廉／临财莫过乎让／生财有大道……／积财千万，无过读书／丰财者，务本而节用也／无财非贫，无学乃为贫／以财交者，财尽而交绝／临财毋苟得，临难毋苟免／钱财如粪土，仁义值千金／积财千万，不如薄技在身／积财千万，不如明解一经／理财正辞，禁民为非，曰义／轻财足以聚人，律己足以服人／无财之谓贫，学而不能行之谓病／有财有势即相识，无财无势同路人／交财一事最难。虽至亲好友，亦须明白／钱财不积则贪者忧，权势不尤则夸者悲／称财多寡而节用之，富无金藏……谓之啬／临财苟得，见利反义，不义而富，无名而贵

❸人用财试，金用火试／不贪财，不失言，不自是／毋为财货迷，毋为妻子蛊／穷民财力以供嗜欲谓之暴／厚于财色必薄于德，自然之道也／民以财为本，财竭则下畔，下畔则上亡／殖货财产，贵其能施赈，否则守钱虏耳

❹政在节财／至富，国财并焉／商贾比财，烈士比义／小人殉财，君子殉名／婚姻论财，夷虏之道／贤而多财，则损其志／贪夫徇财，烈士徇名／欲积资财，先戒奢费／愚而多财，则益其过／贪夫殉财兮，烈士殉名／非无足财也，我无足心也／人安则财赡，本固则邦宁／奢侈者，财之所以不足也／凡殖货财产，贵其能施赈也／赠人以财者，唯申即日之欢／非理之财莫取，非理之事莫为／仁者以财发身，不仁者以身发财／分人以财谓之惠，教人以善谓之忠／贤者多财损其志，愚者多财生其过／礼者，以财物为用……以隆杀为要／顺天养财、御水旱、制蛮夷之原本也／委之以财而观其仁，告之以危而观其节

❺务本节用财无极／无政事，则财用不足／位尊身危，财多命殆／嗜欲伤神，财多累身／失民而得财，明者不为／以财交者，财尽而交绝／贾所以务财，财所以务食／取天下之财，以供天下之费／苟粟多而财有余，何为而不成／未战养其财，将战养其力，既战养其气，既胜养其心

❻以人为本，以财为末／居事不力，用财不节／法不善，则有财而莫理／何以孝弟为，财多而光荣／君子遗人以财，不若善言／财聚则民散，财散则民聚／贾所以务财，财所以务食／一部《周记》，理财居其半／天下不患无财，患无人以分之／勿贪意外之财，勿饮过量之酒／民以财为本，财竭则下畔，下畔则上亡

❼地诚任，不患无财／临官莫如平，临财莫如廉／膏火自煎熬，多财为患害／积金不积书，守财一何鄙／民力尽于无用，财宝虚以待客／人主有私人以财，不私人以官／不贪花酒不贪财，一世无灾无害／合天下之众者财，理天下之财者法／世之难得者，非财也，非荣也，患意之不足耳

❽上无羡赏，下无羡财／列士徇名，贪夫徇财／安民之术，在于丰财／聚敛之臣，则以货财为急／凡人坏品败名，钱财占了八分／上因天时，下尽地财，中用人力／天有其时，地有其财，人有其治／欲心难厌如溪壑，财物易尽若漏卮／国以民为本，民以财为命。取之过多，予者亦怨／大丈夫岂得苟贪财物，以害及身命，使子孙每怀愧耻耶

❾足天下之用，莫先乎财／农广则谷积，用俭则财畜／不加功于无用，不损财于无谓／仓库实，知礼节；国多财，远者来／有财有势即相识，无财无势同路人／富者，苦身疾作，多积财而不得尽用／好便宜者不可与共财，多狐疑者不可与共事

❿至贵不待爵，至富不待财／慷他人之慨，费别姓之财／夫农广则谷积，俭用则财畜／因天下之力，以生天下之财／何况性命之重，乃以博财物耶／君子相送以言，小人相送以财／仁者以财发身，不仁者以身发财／今之致其死，非恶之也，利其财／小人多欲则多求妄用，财家丧身／父母存，不许友以死，不有私财／为之者疾，用之者舒，则财恒足矣／合天下之众者财，理天下之财者法／商不出则三宝绝，虞不出则财匮少／土地之生物不益，山泽之出财有尽／小人所好者禄利也，所贪者财货也／贤者多财损其志，愚者多财生其过／古者男女之族，各择德焉，不以财为礼／尊于位而无德者黜，富于财而无义者刑／力不足则伪，知不足则欺，财不足则盗／结民心，在薄赋敛；薄赋敛，在节财用／有山海之货而民不足于财者，商工不备也／藏金于山，沉珠于渊；不利货财，不近富贵／唯劝农业，无夺农时；唯薄赋敛，无尽民财／谒而得位，道士不居也；争而得财，廉士不受／贤人智士之于子孙：……贻之以言，弗贻以财／平为福，有余为害者，物莫不然，而财其甚者也／曰衣食足而后廉耻兴，财物阜而后礼乐作，是执末以求其本也／君子先慎乎德，有德此有人，有人此有土，有土此有财，有财此有用

责

①zé 要求；责任；质问；诘问；索取；责求；旧指为惩罚过失而打。②zhài 同“债”。

❶责善,朋友之道也

见宋·朱熹《四书集注·孟子·离娄下》。

责人以详,待己以廉

见唐·韩愈《原毁》。

责人则明,恕己则昏

见宋·朱熹《名臣言行录·范纯仁》。

责人以义则难瞻,难瞻则失亲

见《吕氏春秋·离俗览·举难》。全句为:"君子责人则以人,自责则以义。责人以人则易足,易足则得人;自责以义则难为非,难为非则形饰;故任天地而有余。不肖者则不然,责人则以义,自责则以人。~;自责以人则易为,易为则行苟;故天下之大而不容也,身取危、国取亡焉"。"瞻",当作"赡"。难赡,难以满足。

责人以人则易足,易足则得人

见《吕氏春秋·离俗览·举难》。全句为:"君子责人则以人,自责则以义。~;自责以义则难为非,难为非则形饰;故任天地而有余。不肖者则不然,责人则以义,自责则以人。责人以义则难瞻,难瞻则失亲;自责以人则易为,易为则行苟;故天下之大而不容也,身取危、国取亡焉"。"瞻",当作"赡"。难赡,难以满足。

责己也重以周,待人也轻以约

见唐·韩愈《原毁》。

责短舍长,则天下无不弃之士

见唐·陆贽《请许台省长官举荐属吏状》。全句为:"录长补短,则天下无不用之人;~"。

责人以其所不能,是使马代耕也

见宋·何坦《西畴老人常言》。全句为:"~;强己才之所不逮,是行舟于陆也"。

责上责下而中自恕己,岂可任职分

见《二程集·河南程氏遗书》。

责人斯无难,惟受责俾如流,是惟艰哉

见《尚书·泰誓》。

责少者易偿,职寡者易守,任轻者易权

见汉·刘安《淮南子·主术》。

责恶要为人留余步,劝善要思其势可从

见清·申居郧《西岩赘语》。

责我以过,皆当虚心体察,不必论其人何如

见清·申涵光《荆园小语》。全句为:"~。局外之言,往往多中"。

❷自责以人则易为,易为则行苟/自责以义则难为非,难为非则形饰/自责以备谓之明,责人以备谓之惑/其责己也重以周,其待人也轻以约/不责人以细过,则能吏之志得以尽其效/不责人小过,不发人阴私,不念人旧恶/不责人所不及,不强人所不能,不苦人所不好

❸春秋责备贤者/严于责己,宽以待人/薄于责人,而非匿其过/有言责者,不得其言则去/以言责人甚易,以义持己实难/君子责人则以人,自责则以义/责上责下而中自恕己,岂可任职分/各自责则天清地宁,各相责则天翻地覆/揽名责实不得虚言,有功者赏,有罪者罚

❹不管人责,但求自尽/但常以责人之心责己,恕己之心恕人/君子不责人所不及……不苦人所不好/任能者责成而不劳,任己者事废而无功

❺利居众后,责在人先/位高者其责不可以不厚/修己而不责人,则免于难/《春秋》之义,责知诛率/取其一,不责其二;即其新,不究其旧

❻求其名而不责其实/立法贵严,而责人贵宽/有未偿之厚责,无可录之微劳/躬自厚而薄责于人,则远怨矣/大吏不正而责小吏,法略于上而详于下/古之君子,其责己也重以周,其待人也轻以约

❼询事考言,循名责实/知人之法,在于责实/严家无悍虏,笃责急也/有大略者不可责以捷巧/必躬自厚而薄责于人,斯无失也/身为野老已无责,路有流民终动心/行己莫如恭,自责莫如厚,接众莫如宏/疾病不可以自责除,水旱不可以祷谢去/不肖者则不然,责人则以义,自责则以人/己之所无,不以责下;我之所有,不以讥彼

❽天下兴亡,匹夫有责/勇动多怨,仁义多责/国家兴亡,匹夫有责/不可以己所能而责人所不能/自责以备谓之明,责人以备谓之惑/但常以责人之心责己,恕己之心恕人/责人斯无难,惟受责俾如流,是惟艰哉

❾因任而授官,循名而责实/官尊者忧深,禄多者责大/爵高者忧深,禄厚者责重/孰知养之之优,盖由责之之重/君子责人则以人,自责则以义/有善于己,然后可以责人之善/任其事必图其效,欲责其效,必尽其方/今之君子则不然,其责人也详,其待己也廉/待人要丰,自奉要约;责己要厚,责人要薄

❿恃谗谀以事君者,不足以责信/无天灾,无物累,无人非,无鬼责/尽己而不以尤人,求身而不以责下/保天下者,匹夫之贱,与有责焉耳/各自责则天清地宁,各相责则天翻地覆/不肖者则不然,责人则以义,自责则以人/凡勤学,须是出于本心,不待父母先生督责/挺然尽心,敢任天下之责者,即当委而付之/君子之为言也,度可行于己,然后可责于人/待人要丰,自奉要约;责己要厚,责人要薄/知天乐者,无天怨,无人非,无物累,无鬼责/不修身而求令名于世者,犹貌甚恶而责妍影于镜也/今不修身而求令名于世者,犹貌甚恶而责妍影于镜也

贤

xián 有德有才;有德有才的人;善;器重;通"艰",艰苦;对人的敬称;车毂内端用以贯穿车轴的大孔。

❶贤人无安
见三国·魏·王肃《孔子家语·弟子行》。
贤者不容辱
见汉·桓宽《盐铁论·备胡》。
贤不肖存乎己
见唐·韩愈《与卫中行书》。
贤者诚重其死
见汉·司马迁《史记·季布栾布列传》。
贤而能让,三等
见三国·魏·刘劭《人物志·释争》。
贤而多财,则损其志
见汉·班固《汉书·疏广传》。全句为:"~;愚而多财,则益其过"。
贤者在位,能者在职
见《孟子·公孙丑上》。
贤者必与贤于己者处
见《吕氏春秋·先识览·观世》。
贤人之才,须贤人用之
见唐·陈子昂《答制问事·明必得贤科》。全句为:"贤人之业,须贤人达之;~"。
贤人之业,须贤人达之
见唐·陈子昂《答制问事·明必得贤科》。全句为:"~;贤人之才,须贤人用之"。
贤人遗子孙以廉、以俭
见宋·司马光《家范》。全句为:"昔者圣人遗子孙以德、以礼,~"。
贤者之治,去害义者也
见《尸子·恕》。全句为:"农夫之耨,去害苗者也;~"。
贤者亦不与不肖者同列
见汉·司马迁《史记·日者列传》。全句为:"骐骥不能与罢驴为驷,凤皇不与燕雀为群,而~"。
贤者能节之,不使过度
见唐·吴兢《贞观政要·慎终》。全句为:"嗜欲喜怒之情,贤愚皆同。~;愚者纵之,多至失所"。
贤而能容罢,知而能容愚
见《荀子·非相》。全句为:"~,博而能容浅,粹而能容杂"。"罢",疲弱无能。
贤为圣者用,辩为智者通
见汉·陆贾《新语·术事》。全句为:"道为智者设,马为御者良,~,书为晓者传,事为见者明"。
贤主不苟得,忠臣不苟利
见汉·刘安《淮南子·人间》。
贤人于国,亦犹食之在人
见唐·陈子昂《答制问事·贤不可疑科》。全句为:"~。固不为一噎而绝粮粮,亦不可以谬贤而远正士"。
贤人安下位,鸷鸟欲卑飞
见唐·张九龄《送苏主簿赴偃师》。
贤圣不能正不食谏诤之君
见汉·桓宽《盐铁论·相刺》。全句为:"扁鹊不能治不受针药之疾,~"。
贤圣之接也,不待久而亲
见汉·刘向《说苑·尊贤》。全句为:"~;能者之相见也,不待试而知"。
贤者不必贵,仁者不必寿
见宋·苏轼《三槐堂铭》。
贤者狎而敬之,畏而爱之
见《礼记·曲礼上》。
贤主劳于求人,而佚于治事
见《吕氏春秋·季冬纪·士节》。
贤者能自反,则无往而不善
见宋·袁采《袁氏世范》。
贤者用于君则以君之忧为忧
见宋·王安石《子贡》。全句为:"~,食于民则以民之患为患"。
贤不肖者材也,遇不遇者时也
见汉·韩婴《韩诗外传》卷七。
贤不贤,才也;遇不遇,时也
见汉·王充《论衡·逢遇篇》。
贤人不爱其谋,群士不遗其力
见晋·陈寿《三国志·魏书·武帝纪》。
贤君必恭俭礼下,取于民有制
见《孟子·滕文公上》。
贤者不得志于今,必取贵于后
见唐·柳宗元《寄许京兆孟容书》。全句为:"~,古之著书者皆是也"。
贤者之不足,不若众人之有余
见汉·刘安《淮南子·修务》。全句为:"知者之所短,不若愚者之所修;~"。
贤者之处世,皆以得时为至难
见宋·苏轼《贺吴副枢启》。
贤者恒不遇,不贤者比肩青紫
见唐·韩愈《与崔群书》。全句为:"~;贤者恒无以自存,不贤者志满气得;贤者虽得卑位则旋而死,不贤者或至眉寿"。
贤莫大于成功,愚莫大于吝且诬
见唐·柳宗元《全义县复北门记》。
贤君择人为佐,贤臣亦择主而辅
见明·冯梦龙《东周列国志》第十八回。
贤者举而上之,不肖者抑而废之
见《墨子·尚贤中》。
贤者宠至而益戒,不足者为宠骄
见《国语·晋语六》。
贤者……食于民则以民之患为患
见宋·王安石《子贡》。删节处为:"用于君则以君之忧为忧"。

贤不足以服不肖，而势位足以屈贤
见《慎子·威德》。
贤俊者自可赏爱，顽鲁者亦当矜怜
见北齐·颜之推《颜氏家训·教子》。
贤者不悲其身之死，而忧其国之衰
见宋·苏洵《管仲论》。
贤者之作，思利乎人；反是，罪也
见唐·柳宗元《全义县复北门记》。
贤者任重而行恭，知者功大而词顺
见《战国策·赵策二》。全句为："～。故民不恶其尊，而世不妒其业"。
贤者报国之功，乃在缓急有为之际
见宋·苏轼《答试馆职人启》。
贤者多财损其志，愚者多财生其过
见唐·吴兢《贞观政要·贪鄙》。
贤者恒无以自存，不贤者志满气得
见唐·韩愈《与崔群书》。全句为："贤者恒不遇，不贤者比肩青紫；～；贤者虽得卑位则旋而死，不贤者或至眉寿"。
贤臣不用，用臣不贤，则国非其国
见汉·荀悦《申鉴·政体》。
贤之所在，贵而贵取焉，贱而贱取焉
见宋·苏洵《广士》。
贤人在世，进则尽忠宣化，以明朝廷
见汉·王充《论衡·对作篇》。全句为："～；退则称论贬说，以觉失俗"。
贤者闻讥笑，若不闻焉，此岂不省事
见宋·袁采《袁氏世范》。
贤人在世……退则称论贬说，以觉失俗
见汉·王充《论衡·对作篇》。删节处为："进则尽忠宣化，以明朝廷"。
贤者之于情，非不动也，能动而不乱耳
见宋·王开祖《儒志编》。
贤者，举而上之，富而贵之，以为官长
见《墨子·尚贤中》。
贤不肖不杂则英杰至，是非不乱则国家治
见《荀子·王制》。
贤主所贵莫如士，所以贵士，为其直言也
见《吕氏春秋·贵直论·贵直》。全句为："～。言直则枉者见矣"。
贤能，不待次而举；罢不能，不待须而废
见《荀子·王制》。
贤者虽得卑位则旋而死，不贤者或至眉寿
见唐·韩愈《与崔群书》。全句为："贤者恒不遇，不贤者比肩青紫；贤者恒无以自存，不贤者志满气得；～"。
贤人观时，而不观于时；制兵，而不制于兵
见《战国策·赵策二》。
贤人在野，我将进之；佞人立朝，我将斥之
见宋·王禹偁《待漏院记》。
贤士之处世也，譬若锥之处囊中，其末立见
见汉·司马迁《史记·平原君列传》。
贤哉，回也……人不堪其忧，回也不改其乐
见《论语·雍也》。删节处为："一箪食，一瓢饮，在陋巷"。
贤者在位，能者布职，朝廷崇礼，百僚敬让
见汉·班固《汉书·匡衡传》。
贤者辟世，其次辟地，其次辟色，其次辟言
见《论语·宪问》。
贤人智士之于子孙：……贻之以言，弗贻以财
见汉·王符《潜夫论·遏利》。删节处为："厉之以志，弗厉以诈；劝之以正，弗劝以诈；示之以俭，弗示以奢"。
贤者出走，命曰崩；百姓不敢诽怨，命曰刑胜
见《吕氏春秋·慎大览·贵因》。全句为："～；其乱至矣"。
贤者以其昭昭使人昭昭，今以其昏昏使人昭昭
见《孟子·尽心下》。
贤者，用之则天下治；不肖者，用之则天下乱
见《韩非子·难势》。
贤不肖，善邪辟，可悖逆，国不乱身不危奚待也
见《吕氏春秋·先识览·正名》。
贤固可易知，人固可易识，但是议者不精思之耳
见唐·陈子昂《答制问事·明必得贤科》。
贤主忠臣，不能导愚教陋，则名不冠后、实不及世矣
见《吕氏春秋·先识览·乐成》。"实"，利。
贤者易知也：观其富之所分，达之所进，穷之所不取
见《尸子·劝学》。
贤者之兴，而愚者之废，废而复之为是，循而习之为非
见唐·柳宗元《全义县复北门记》。
贤君之治也，温良而和，宽容而爱，刑清而省，喜赏而恶罚
见汉·韩婴《韩诗外传》卷八。
❷荐贤贤于贤／妻贤夫祸少／睹贤不居其上／闻贤而不举，殆／用贤无敌是长城／圣贤之言不得已也／尚贤者，政之本也／见贤忘贱，故能让／非贤不理，惟在得人／任贤无疑，求士不倦／任贤则昌，失贤则亡／任贤勿贰，去邪勿疑／推贤让能，庶官乃和／得贤则昌，失贤则亡／近贤则聪，近愚则聩／近贤成智，近愚益惑／选贤与能，讲信修睦／选贤之义，无私为本／有贤不用，安得不亡／群贤毕至，少长咸集／任贤而理，任不肖而乱／任贤使能，天下之公义／兴贤育才，为政之先务／圣贤之学，以日新为要／尚

贤使能，则主尊下安／求贤若不及，从善如转圜／求贤如饥渴，受谏而不厌／两贤未别，则能让者为俊／举贤任能，不时日而事利／以贤临人，未有得人者也／任贤使能，将相莫非其人／人贤而不敬，则是禽兽也／大贤秉高鉴，公烛无私光／得贤者显昌，失贤者危亡／进贤而退不肖，君之明也／进贤受上赏，蔽贤蒙显戮／敬贤如大宾，爱民如赤子／以贤下人，未有不得人者也／凡贤人君子，未尝不思效用／远贤近谗，忠臣蔽塞主势移／有贤豪之士，不须限于下位／失贤人，国无不危，名无不辱／举贤不出世族，用法不及权贵／举贤而授能兮，循绳墨而不颇／举贤则民相轧，任知则民相盗／以贤为愚者，亦将以愚为贤矣／尊贤考功则治，简贤违功则乱／得贤人，国无不安，名无不荣／得贤者则安昌，失之者则危亡／官贤者量其能，赋禄者称其功／亲贤如就芝兰，避恶如畏蛇蝎／贵贤，仁也；贱不肖，亦仁也／用贤者，口也；却贤者，行也／与贤豪相对，最不可有媚悦之色／见贤思齐焉，见不贤而内自省也／我贤而彼不知，则见轻，非我咎也／圣贤千言万语，教人且从近处做去／大贤虎变愚不测，当年颇似寻常人／行贤而去自贤之行，安往而不爱哉／见贤而不能举，举而不能先，命也／身贤者，贤也；能进贤者，亦贤也／才贤任轻则有名，不肖任大身死名废／举贤以临国，官能以敕民，则其道也／按贤察名，选才考能，名实俱得之也／任贤使能以清官曹，养老慈幼以厚风俗／尊贤使能，俊杰在位，则天下之士皆悦／知贤，智也。推贤，仁也。引贤，义也／缓贤忘士，而能以其国存者，未曾有也／亲贤臣，远小人，此先汉之所以兴隆也／使贤者居上，不肖者居下，而后可以理安／圣贤之所以为知者，不过思与见闻之会而已／荐贤能其气似孔文举，论经学其博似刘子骏／得贤须任，既任须信，既信须终，既终须赏／忠贤事君，必谏君失，奸佞事主，必顺主情／好贤而不能任，能任而不能信，能信而不能终／好贤乐善，孜孜以荐进良士、明白是非为己任／有贤而用，国之福也；有之而不用，犹无有也／进贤之难者，贤者用且使己废，贵且使己贱，故人难之／有贤而不知，一不祥；知而不用，二不祥；用而不任，三不祥

❸荐贤贤于贤／不尚贤，使民不争／久与贤人处则无过／古来贤达士，宁受外物牵／俭为贤德，不可着意求贤／明君贤宰，不惮谔谔之言／有伤贤之政，则贤多横夭／自古贤者少不肖者多……／能致贤，则德泽洽而国太平／国有贤相良将，民之师表也／不掩贤以隐长，不刻下以谀上／贤不贤，才也；遇不遇，时也／斯则贤达之素交，历万古而一遇／古圣贤玩琴以养心，穷则独善其身／朝无贤人，犹鸿鹄之无羽翼也……／非得贤难，用之难；非用之难，任之难／虽有贤师良友，若画脂镂冰，费日损功／古之贤人君子，大智经营，莫不除害兴利／国有贤士而不用，非士之过，有国者之耻／欲见贤人而不以其道，犹欲其人而闭之门也／礼下贤者，日中不暇食以待士，士以此多归之／国以贤兴，以谄衰；君以忠安，以佞危，此古今之常论

❹力本任贤／任官惟贤才／天地闭，贤人隐／不信仁贤，则国空虚／侮慢自贤，反道败德／人非圣贤，孰能无过／人主无贤，如瞽无相／建官惟贤，位事惟能／所贵唯贤，所宝为谷／野无遗贤，万邦安宁／士不必贤世，要之知道／明主尚贤使能而飨其盛／暗主妒贤畏能而灭其功／何代无贤，但患遗而不知耳／人必待贤以理，物必待贤以宁／圣王以贤为宝，不以珠玉为宝／圣必藉贤以明，国必待贤以昌／君以知贤为明，吏以爱民为忠／赏当则贤人劝，罚得则奸人止／政以得贤为本，理以去秽为务／古之选贤，傅纳以言，明试以功／君子尊贤而容众，嘉善而矜不能／师帅不贤，则主德不宣，恩泽不流／古来圣贤皆寂寞，惟有饮者留其名／历览前贤国与家，成由勤俭败由奢／从古求贤贵拔茅，素门平进有英豪／国以任贤使能而兴，弃贤专己而衰／自古圣贤尽贫贱，何况我辈孤且直／自古圣贤多薄命，奸雄恶少皆封侯／身贤者，贤也；能进贤者，亦贤也／千古圣贤若同堂合席，必无尽合之理／太学者，贤士之所关也，教化之本原也／谗夫似贤，美言似信，听之者惑，观之者冥／圣人，大贤之清者也；贤人，中人之清者也／于人无贤愚，于事无小大，咸推以信，同施以敬／赏不当贤而罚不当暴，则是为贤者不劝而为暴者不沮／后嗣若贤，自能保其天下；如其不肖，多积仓库，徒益其奢侈，危亡之本也

❺不肖者自贤／荐贤贤丁贤／春秋责备贤者／理国以得贤为本／举天下之贤者以自代／骄妒者，噬贤之狗也／贤者必与贤于己者处／圣主必待贤臣而弘功业／高者未必贤，下者未必愚／操行有常贤，仕宦无常遇／慎贵在举贤，慎民在置官／凤凰芝草，贤愚皆以为美瑞／国之将亡，贤人隐，乱臣贵／国家之任贤而吉，任不肖而凶／赏不行，则贤者不可得而进也／志士惜年，贤人惜日，圣人惜时／欲求士之贤愚，在于精鉴博采之／吾观自古贤达人，功成不退皆殒身／天授人以贤圣才能，岂使自有余而已／唐太宗之贤，自西汉以来，一人而已／亲小人，远贤臣，此后汉所以倾颓也／与天下之贤者为徒，此文王之所以王也／圣主者，举贤以立功；不肖主举其所同／自古圣人贤士，皆非有求于闻用也……／经传之文，贤圣之语，古今言殊，四方

谈异／复其性者贤人，循之而不已者也，不已则能归其源矣／操行有常贤，仕官无常遇，贤不贤才也，遇不遇时也／天下大乱，贤圣不明，道德不一，天下多得一察焉以自好

❻报国莫如荐贤／推赤心于诸贤腹中／钓名之人无贤士焉／天下之政，非贤不理／天下之业，非贤不成／无私于物，唯贤是与／任贤则昌，失贤则亡／知人则哲，非贤罔乂／得贤则昌，失贤则亡／窃位既久，妨贤则多／鞭笞之下，有贤士乎／直意适情，则贤强贼之／能养能举，悦贤之至也／士有妒友，则贤交不亲／知人者举，则贤者不隐／贤人之才，须贤人用之／贤人之业，须贤人达之／天也，你错勘贤愚枉为天／谗媚之言甘，贤良之言直／冠履不同藏，贤不肖不同位／圣人不世出，贤人不时出……／致治在于任贤，兴国在于务农／世溷浊而嫉贤兮，好蔽美而称恶／谗邪进则众贤退，群枉盛则正士消／行贤而去自贤之行，安往而不爱哉／治世不得真贤，譬犹治疾不得真药／贵德而尊士，贤者在位，能者在职／不肖用事而贤良伏，无功贵而劳苦贱／身不肖而诬贤，是犹伛偻而好升高也／非成业难，得贤难；非得贤难，用之难／知贤，智也。推贤，仁也。引贤，义也／时既清兮惟贤是急，贤既进兮其政必立／由道废邪，用贤弃愚，推以革物，宜民之苏／君子防悔尤，贤人戒行藏，嫌疑远瓜李，言动慎毫芒／进贤之难者，贤者用且使己废，贵且使己贱，故人难之

❼不是虚心岂得贤／勿谓我尊而傲贤侮士／处尊居显未必贤，遇也／黎庶之安，乃众贤之力／平居无事，指为贤良……／两雄不俱立，两贤不并世／兵良而食足，将贤而士勇／佳人慕高义，求贤良独难／诋訾之法者，伐贤之斧也／嗜欲喜怒之情，贤愚皆同／得贤者显昌，失贤者危亡／多士成大业，群贤济弘绩／进贤受上赏，蔽贤蒙显戮／归国宝，不若献贤而进士／时有利不利，虽贤欲奚为／有伤贤之政，则贤多横夭／心小志大者，圣贤之伦也／使民无欲，上虽贤犹不能用／观其交游，则其贤不肖可察也／智者睹危思变，贤者泥而不滓／贤者恒不遇，不贤者比肩青紫／用贤者，口也；却贤者，行也／上下和同，虽有贤才，无所立功／贤君择人为佐，贤臣亦择主而辅／非举无以知其贤，非试无以效其实／以苟容曲从为贤，以拱默尸禄为智／以救时行道为贤，以犯颜纳说为忠／愚而好胜，一等；贤而尚人，二等／为尊者讳耻，为贤者讳过，为亲者讳疾／知道而不行，知贤而不举，甚乎穿窬也／《诗》三百篇，大抵贤圣发愤之所为作也／口行相反，而欲贤者之至，不肖者之退也，不亦难乎

❽人以不作聪明为贤／百万之众，不如一贤／黄金累千，不如一贤／道远知骥，世伪知贤／爵罔及恶德，惟其贤／朝多君子，野无遗贤／必欲致治，在于积贤／积乱之后，当生大贤／白石似玉，奸佞似贤／在上位而不能进贤者逐／在上位而不能进贤者，逐／政令时，则百姓一，贤良服／尊贤考功则治，简贤违功则乱／士齐僚而不职，则贤与愚而不分／多才而自用，虽有贤者无所复施／治国之难在于知贤，而不在自贤／此三者贵贱愚智贤不肖欲之若一／见贤思齐焉，见不贤而内自省也／士进则世收其器，贤用即人献其能／此三者，贵贱愚智贤不肖欲之若一／贤臣不用，用臣不贤，则国非其国／忠言有壅而未达，贤才有抑而未用／身贤者，贤也；能进贤者，亦贤也／天下不多管仲之贤而多鲍叔能知人也／不素养士而欲求贤，譬犹不琢玉而求文采也／匿人之善，斯为蔽贤；扬人之恶，斯为小人／四海之广，不患无贤，而患在信用之不至耳／宜力学为砻斫，亲贤为青黄，睦僚友为瑶金／虑事而当，不若进贤；进贤而当，不若知贤／盖棺始能定士之贤愚，临事始能见人之操守

❾为国人宝，不如能献贤／愚者多悔，不肖者自贤／安危在得人，国兴在贤辅／珠玉买歌笑，糟糠养贤才／外不避仇，内不阿亲，贤者予／毋以日月为功，实试贤能为上／天地养万物，圣人养贤以及万民／观书者当观其意，慕贤者当慕其心／大海荡荡水所归，高贤愉愉民所怀／贤者恒无以自存，不贤者志满气得／贼做官，官做贼，混愚贤。哀哉可怜／能终而不能赏，虽有贤人，终不可用矣／时既清兮惟贤是急，贤既进兮其政必立／众人重利，廉士重名；贤人尚志，圣人贵精／圣人，大贤之清者也；贤人，中人之清者也／君子怀德，小人怀土；贤士徇名，贪夫死利／贵而不骄，胜而不恃，贤而能下，刚而能忍／若贵而愚，贱而圣且贤，以是而妨之，其为理本大矣

❿圣人去力去巧去知去贤／俭为贤德，不可着意求贤／人生处万类，知识最为贤／谁能绝人命，以作时世贤／顺风激靡草，富贵者称贤／不实在于轻发，固陋在于离贤／以贤为愚者，亦将以愚为贤矣／人必待贤以理，物必待贤以宁／圣必藉贤以明，国必待贤以昌／安有执砺世之具而患乎无贤欤／致远者托于骥，霸王者托于贤／为尊者讳，为亲者讳，为贤者讳／但终日不见己过，便绝圣贤之路／治国之难在于知贤，而不在自贤／乐于用则豫章贵，厚其生则社栎贤／乐止夫物之内者，厚其生则社栎贤／弟子不必不如师，师不必贤于弟子／从农论田田夫胜，从商讲贾贾人贤／君子任职则思利民，达上则思进贤／国以任贤使能而兴，弃贤专己而衰／狗不以善吠为良，人不以善言为贤／治之道莫

如因智，智之道莫如因贤／枳棘非鸾凤所栖，百里岂大贤之路／明所爱而邪僻繁，明所恶而贤良灭／贤不足以服不肖，而势位足以屈贤／致远道者托于乘，欲霸王者托于贤／文章均得江山助，但觉前贤畏后贤／身之病待医而愈，国之乱待贤而治／身贤者，贤也；能进贤者，亦贤也／春秋为尊者讳，为亲者讳，为贤者讳／非成业难，得贤难；非得贤难，用之难／知贤，智也。推贤，仁也。引贤，义也／治身者以积精为宝，治国者以积贤为道／不逆诈，不亿不信，抑亦先觉者，是贤乎／速则济，缓则不及，此圣贤所以贵机会也／如不行道，足以丧身，不举贤，足以亡国／贤者虽得卑位则旋而死，不贤者或至眉寿／上好智，下应之以伪；上好贤，下应之以妄／天道悠悠，人生若浮，古来贤圣，皆成去留／事少而功多，守要也；身逸而国治，用贤也／为人君者，固不以无过为贤，而以改过为美／为政之本，莫若得人；褒贤显善，圣制所先／仁者人也，亲亲为大；义者宜也，尊贤为大／黄钟毁弃，瓦釜雷鸣；谗人高张，贤士无名／人之善恶，不必世族；性之贤鄙，不必世俗／今以人之小过掩大美，则天下无圣王贤相矣／国不务大而务得民心，佐不务多而务得贤俊／狂夫之乐，知者哀焉；愚者之笑，贤者戚焉／官不及私昵，惟其能；爵罔及恶德，惟其贤／马效千里，不必骥騄；人期贤知，不必孔墨／杖必取材，不必用味；相必取贤，不必所爱／虑事而当，不若进贤；进贤而当，不若知贤／愚者笑之，智者哀焉；狂夫之乐，贤者丧焉／女无美恶，入宫见妒。士无贤不肖，入朝见嫉／才可伪，功不可伪；临民听政，长短贤不肖立见／人主之患，不在乎不言用贤，而在乎不诚必用贤／今使愚教知，使不肖临贤，虽严刑罚，民弗从也／知者作教，而愚者制焉；贤者议俗，不肖者拘焉／穷困不能辱身，非人也；富贵不能快意，非贤也／老而学者，如秉烛夜行，犹贤乎瞑目而无见者也／以和氏之璧与道德之至言以示贤者，贤者必取至言／天公何时有，谈者皆不经。谁道贤人死，今为傅说星／操行有常贤，仕宦无常遇，贤不贤才也，遇不遇时也／赏不当贤而罚不当暴，则是为贤者不劝而为暴者不沮／竹不能自异，唯人异之；贤不能自异，唯用贤者异之／使亲而旧者愚，远而新者圣且贤，以是而间之，其为理本亦大矣／先哲王之政，一曰承天，二曰正身，三曰任贤，四曰恤民，五曰明制，六曰立业

败

bài 失势；破坏；摧残；衰落；失利。

❶败棋有胜着

见明·杨慎《病榻手吷》。

败莫败于多私

见宋·张商英《素书》四

败莫大于不自知

见《吕氏春秋·不苟论·自知》。

败不可处，时不可失

见《国语·晋语四》。

败不可悔，时不可失

见南朝·宋·范晔《后汉书·冯衍列传》

败军之将，不可以言勇

见汉·司马迁《史记·淮阴侯列传》。全句为："～；亡国之大夫，不可以图存"。另汉·班固《汉书·韩信传》中亦有此类句子。全句为："亡国之大夫不可以图存，败军之将不可以语勇"。

败莫大于愚。愚之患，在必自用

见《吕氏春秋·士容论·士容》。

败军之将，不可言勇；亡国之臣，不可言智

见汉·刘向《说苑·谈丛》。

❷法败则国乱／胜败乃兵家常事／成败之迹，昭哉可观／善败由己，而由人乎哉／势败休云贵，家亡莫论亲／成败何足校？英雄自有真／成败论千古，人间最不公／成败论古人，陋识殊未公／制败则欲肆，虽四表不能充其求矣／成败极知无定势，是非元自要徐观／胜败兵家事不期，包羞忍耻是男儿

❸败莫败于多私／伤化败俗，大乱之道／蓄疑败谋，怠忽荒政／将欲败之，必姑辅之／酒能败身，必须戒之／心很败国，面很不害／乱群败众者，惟在奸雄／良骏败于拙御，智士踬于暗世／良田败于邪径，黄金铄于众口

❹立于不败之地／失众必败，得众必成／兵之胜败，本在于政／国家将败，必用奸人／独利则败，众谋则泄／多闻善败，以鉴戒也／多言多败，多事多害／立身一败，万事瓦裂／距谏所败，祸乱所成／誉成毁败，扶高抑下／慈母有败子，小不忍也／人穷事败者，释自然而任智力／身之将败者，必不纳忠谏之言／彼以成败评豪杰者，市儿之见也／古之成败者，诚有其才，虽弱必强／受任于败军之际，奉命于危难之间／好成者败之本也，愿广者狭之道也／好成者，败之本也；愿广者，狭之道也／强弱成败之要，在乎附士卒、教习之而已／为成者败，为利者害，为生者死，为兴者废／国家之败，由官邪也；官之失德，宠赂章也／立身成败，在于所染，兰芷鲍鱼，与之同化

❺利过则为败／欺敌者必败／怀与安，实败名／难成而易败者，名也／苟不慎也，败辱随之／处贵而骄，败之端也／成也萧何，败也萧何／胜不相让，败不相救／胜而不骄，败而不怨／金玉其外，败絮其中／善战者不败，善败者不亡／言多令事败，器漏苦不密／凡人坏品败名，钱财占

了八分／牛溲马勃，败鼓之皮，俱收并蓄，待用无遗／赏一人而败国俗，仁者弗为也；以不信得厚赏，义者弗为也

❻无急胜而忘败／人情成是而败非／置将不善，一败涂地／人求多闻善败，以监戒也／能者不可弊，败者不可饰／军未战先见败征，可谓知兵／以求干禄者败，以势临人者辱／善恶陷于成败，毁誉胁于势利／宁用不材以败事，不肯劳心而择材／用过其才则败事，享过其分则丧身／快心之事，悉败身丧德之媒，五分便无悔／观古今之成败，能先见事机者，则恒受其福

❼乱政亟行，所以败也／侮慢自贤，反道败德／慎终如始，则无败事／时动而济，则无败功／善战者不败，善败者不亡／因祸而为福，转败而为功／转祸而为福，因败而为功／成德每在困穷，败身多因得志／兵未战而先见败征，此可谓知兵／事者难成而易败，名者难立而易废／论逆顺不论成败，论万世不论一生／功者难成而易败，时者难得而易失／善战者立于不败之地，而不失敌之败也／丛兰欲茂，秋风败之；王者欲明，谗人蔽之／欲成功而反为败者，生于不知道理，而不肯问知而听能

❽事以密成，语以泄败／失反为得，成反为败／官多则乱，将多则败／马极则踬，民剧则败／见怪不怪，其怪自败／爱将者胜，爱身者败／有因则成，无因则败／道者……为事逆之则败，顺之则成／成名每在穷苦日，败事多因得志时／战退玉龙三百万，败鳞残甲满天飞／胜兵若以镒称铢，败兵若以铢称镒／事或为之适足以败之，或备之适足以致之／或誉人而适足以败之，或毁人而乃反以成之

❾战胜而将骄卒惰者败／乐其所成，必顾其所败／是非有考于前，而成败有验于后／凡人之谈，常誉成毁败，扶高抑下／凡用人历试其能，苟败事必诛无赦／胜兵先胜而后求战，败兵先战而后求胜／仁义礼乐者，可以救败，而非通治之至也／浮华鲜实，不特伤风败俗，亦杀身亡家之本

❿谋事不并仁义者后必败／士卒畏将者胜，畏敌者败／慎重则必成，轻发则多败／所誉依已成，所毁依已败／积德者不倾，择交者不败／用心于诈，百补而千穴败／专必成之功，而忽蹉跌之败／严家无悍虏，而慈母有败子／民之从事，常于几成而败也／恃大而不戒，则轻战而屡败／慎女内，闭女外，多知为败／有雄志而无雄才，其后果败／事出于正，则其成多，其败少／临义莫计利害，论人莫计成败／为子孙作富贵计者，十败其九／为其后可复者也，则事寡败矣／宠子未有不骄，骄子未有不败／善制事者，转祸为福，因败为功／岂余身之惮殃兮，恐皇舆之败绩／有制之兵，无能之将，不可以败／祸恒发于太忽，而事多败于不断／自恃其聪与敏而不学，自败者也／以时起居，恶者辄斥去，毋令败群／历览前贤国与家，成由勤俭败由奢／人之持身立事，常成于慎而败于纵／凡天下之事成于自同，而败于自异／圣人转祸而为福，智士因败以成胜／天下之事，常成于困约，而败于奢靡／知人者以目正耳，不知人者以耳败目／勿多言，勿多事；多言多败，多事多害／小人不能忍小忿之故，终有赫赫之败辱／君子好成物，故吉；小人好败物，故凶／和睦劝俭者家必隆，乖戾骄奢者家必败／善战者立于不败之地，而不失敌之败也／智巧，扰乱之罗也；有为，败事之纲也／天下神器，不可为也。为者败之，执者失之／天下稍安，尤须兢慎，若便骄逸，必至丧败／求而得之，必有失焉；为而成之，必有败焉／力视损明，力听损聪，疾言阻德，功伪败功／日月欲明而浮云盖之，兰芝欲修而秋风败之／凡百事之成也，必在敬之；其败也，必在慢之／若使人之所怀于内者……，则天下无亡国败家矣／凡人之性，莫不欲善其德，然而不能为善德者，利败之也／此生不学，一可惜；此日闲过，二可惜；此身一败，三可惜／贼莫大乎德有心而心有睫，及其有睫也而内视，内视而败矣／历观前代拨乱创业之主，生长民间，皆识达情伪，罕至于败亡／伪乱俗，私坏法，放越轨，奢败制。四者不除，则政未由行矣

货

huò 商品；钱；骂人时指败类；贬义的人；买进；卖出；贿赂。

❶货悖而入者，亦悖而出

见《礼记·大学》。

❷大货之溺大氓／好货，天下贱士也／去货以廉，使下自平／贪货无厌，其身必少／无货之货，养我之福也／有货之货，丧我之贼也／殖货财产，贵其能施赈，否则守钱虏耳／行货赂，趣势门，立私废公，比周而取容

❸爵以货重，才由贫轻／薄我货者，欲与我市者也／食足货通，然后国实民富／凡殖货财产，贵其能施赈也／殉于货色，恒于游畋，时谓淫风

❹难得之货塞人正路／无货之货，养我之福也／有货之货，丧我之贼也／毋为财货迷，毋为妻子蛊／得名得货，道德不居，神明不留……／海内之货，咸萃其庭，产匹铜山，家藏金穴／失名失货，道德是佑，神明是助，名显自然，富配天地

❺决千金之货者不争铢两之价／有山海之货而民不足于财者，商工不备也

❻盗名不如盗货／大器晚成，宝货难售／民可百年无货，不可一朝有饥／勿贵难得之货，勿听亡国之音

❼想道如念亲，恶货如失身／聚敛之臣，则以货

财为急

❽不听窕言，不受窕货／焉有君子而可以货取乎／盘庚曰："……朕不肩好货"

❾事生则释公而就私，货数而任己

❿不求无益之物，不蓄难得之货／不要势，何羡位？不贪富，何羡货／工不出则农用乏，商不出则宝货绝／小人所好者禄利也，所贪者财货也／官职可以重求，爵禄可以货得者，可亡也／藏金于山，沉珠于渊；不利货财，不近富贵／生民之不得休息，为四事故：一为寿，二为名，三为位，四为货／刺史宜精选谨择以委任之，固不可拘限官次，得之货贿，出之权门者也

贩

fàn 贱买而贵卖；商贩。

❶贩交买名之薄，吮痈舐痔之卑，安足议其是非

见南朝·宋·鲍照《瓜步山揭文》。

❹百里不贩樵，千里不贩籴

贪

tān 爱财；求多；利用职务之便非法取得财物；通"探"，探求。

❶贪看飞花忘却愁

见宋·方泽《武昌阻风》。

贪夫徇财，烈士徇名

见汉·司马迁《史记·伯夷列传》。

贪天之功，以为己力

见《左传·僖公二十四年》。

贪而弃义，必为祸阶

见晋·陈寿《三国志·吴书·鲁肃传》。

贪叨多积，自遗祸殃

见汉·严遵《道德指归论·名身孰亲篇》。

贪多务得，细大不捐

见唐·韩愈《进学解》。

贪货无厌，其身必少

见三国·魏·王弼《老子》四十四注。

贪贾三之，廉贾五之

见汉·班固《汉书·货殖传》。

贪夫殉财兮，烈士殉名

见汉·贾谊《鹏鸟赋》。

贪吏不可为者，污且卑

见明·冯梦龙《东周列国志》第五十四回。全句为："～；廉吏可为者，高且洁"。

贪淫好色，则伤精失明

见《老子》十二河上公注。

贪求则争起，有知则事兴

见五代·前蜀·杜光庭《道德真经广圣义》卷八。

贪满者多损，谦卑者多福

见宋·欧阳修《易或问》。

贪愎喜利，则灭国杀身之本也

见《韩非子·十过》。

贪则多失，忿则多难，急则多蹶

见明·冯梦龙《东周列国志》第二十六回。

贪鄙在率不在下，教训在政不在民

见汉·桓宽《盐铁论·疾贪》。

贪日得则鼓刀利，要岁计而韫椟多

见唐·刘禹锡《因论·原力》。全句为："屠羊于肆，适味于众口也。攻玉于山，俟知于独见也。～"。

贪痴无底蛇吞象，祸福难明螳捕蝉

见明·冯梦龙《古今小说·陈御史巧勘金钗钿》。

贪物而不知止者，虽有天下，不富矣

见汉·韩婴《韩诗外传》卷五。

❷不贪则俭约，极贪则殃身／不贪财，不失言，不自是／不贪故无忧，不积故无失／勿贪意外之财，勿饮过量之酒／或贪生而反死，或轻死而得生／酌贪泉而觉爽，处涸辙而犹欢／不贪花酒不贪财，一世无灾无害／嫉贪佞之洿浊兮，曰吾其既劳而后食

❸一人贪戾，一国作乱／一点贪污，便是大恶／不与贪争利，不与勇争气／秦有贪饕之心，而欲不可足／怀必贪，贪必谋人；谋人，人亦谋己／为主贪，必丧其国；为臣贪，必亡其身／徇私贪浊……恐惧既多，亦有因而致死

❹我以不贪为宝／婚姻勿贪势家／寒者不贪双璧而思短褐／骋者不贪最先，不恐独后／怀必贪，贪必谋人；谋人，人亦谋己

❺列士徇名，贪夫徇财／增高者崩，贪富者致患／倍仁义而贪名实者，不能威当世／鳏虽难得，贪以死饵；士虽怀道，贪以死禄矣

❻利旁有依刀，贪人还自贼／亡远大之略，贪万一之功／狡吏不畏刑，贪官不避赃／浅人好夸富，贪人好哭穷／溺爱者不明，贪得者无厌／有其有者安，贪人有者残／不贪花酒不贪财，一世无灾无害／君子多欲则贪慕富贵，枉道速祸／钱财不积则贪者忧，权势不尤则夸者悲

❼用人之仁去其贪／上化清净，下无贪人／义动君子，利动贪人／不贪则俭约，极贪则殃身／保廉节者，必憎贪冒之党／启奸邪之路，长贪暴之心／猛如虎，很如羊，贪如狼／廉者常乐无求，贪者常忧不足／慎则祸之不及，贪则灾之所起／廉者，民之表也；贪者，民之贼也／天生人而使有贪有欲，欲有情，情有节／大丈夫岂得苟贪财物，以害及身命，使子孙每怀愧耻耶

❽施而不费，取而不贪／任以公法，而处以贪枉／读书贵精熟，不贵贪多／如病忆良药，如蜂贪好蜜／不要势，何羡位？不贪富，何羡货／以物同求而不同贪，与物同得而不同积／嗜欲无穷，则必有贪鄙悖乱之心，淫佚奸诈之事

❾空嗟芳饵下，独见有贪心／万人逐兔，一人获之，贪者悉止／心足则物常有余，心贪则物常不

足／立节者见难不苟免，贪禄者见利不顾身

⑩专知擅事，侵人自用，谓之贪／小人所好者禄利也，所贪者财货也／财色之于人，譬如小儿贪刀刃之饴／豺狼寇盗不杀人民，不足以止其贪／为主贪，必丧其国；为臣贪，必亡其身／仁义之行，唯且无诚，且假乎禽贪者器／君子思义而不虑利，小人贪利而不顾义／愚者易蔽也，不肖者易惧也，贪者易诱也／一兔走衢，万人逐之；一人获之，贪者悉止／凤凰生而有仁义之意，虎狼生而有贪戾之心／君子怀德，小人怀土；贤士徇名，贪夫死利／略观围棋，法于用兵，怯者无功，贪者先亡／死生……畏者不可以苟免，贪者不可以苟得也／鳏虽难得，贪以死饵；士虽怀道，贪以死禄矣／日思高其位，大其禄，而贪取滋甚，以近于危坠／济世经邦，要段云水的趣味，若有贪着，便堕危机／惠而不费，劳而不怨，欲而不贪，泰而不骄，威而不猛／君子惠而不费，劳而不怨，欲而不贪，泰而不骄，威而不猛

贫

pín 贫穷；缺乏，不足；说话絮烦，令人生厌。

❶贫甚见时情

见宋·用文《旅中言怀》。

贫可富，乱可治

见唐·韩愈《太原王公墓志铭》。

贫贱则无弃旧之宾

见南朝·宋·范晔《后汉书·朱穆传》。全句为："富贵则无暴集之客，～"。

贫不学俭，卑不学恭

见晋·陈寿《三国志·魏书·任城陈萧王传》。

贫不学俭，富不学奢

见唐·吴兢《贞观政要·太子诸王定令》。

贫而无谄，富而无骄

见《论语·学而》。

贫而乐道，富而好礼

见《论语·学而》。

贫非人患，惟和为贵

见三国·向郎《诫子遗书》。

贫则见廉，富则见义

见《墨子·修身》。

贫富轻重皆有称者也

见《荀子·富国》。全句为："礼者，贵贱有等，长幼有差，～"。

贫富常交战，道胜无戚颜

见晋·陶潜《咏贫士七首》之五。

贫是美称，只是难居其美

见明·陈继儒《小窗幽记》。全句为："俭为贤德，不可着意求贤；～"。

贫者不厌糟糠，穷而为奸

见汉·班固《汉书·王莽传》。全句为："富者犬马余菽粟，骄而为邪；～"。

贫者愈困饿死亡而莫之省

见唐·柳宗元《答元饶州论政理书》。全句为："～，富者愈恣横侈泰而无所忌"。

贫贱忧戚，庸玉女于成也

见宋·张载《西铭》。"女"同"汝"。

贫贱亲戚离，富贵他人合

见明·冯梦龙《古今小说·木绵庵郑虎臣报冤》。

贫，气不改；达，志不改

见元·宋方壶《山坡羊·道情》。

贫不足羞，可羞是贫而无志

见明·陈继儒《小窗幽记》。全句为："～；贱不足恶，可恶是贱而无能；老不足叹，可叹是老而虚生；死不足悲，可悲是死而无补"。

贫贱而有业，则不至于饥寒

见宋·袁采《袁氏世范》。全句为："人之有子，须使有业。～；富贵而有业，则不至于为非"。

贫民常衣牛马之衣，食犬彘之食

见汉·班固《汉书·食货志》。

贫无可奈惟求俭，拙亦何妨只求勤

见清·王永彬《围炉夜话》。

贫疑陋巷春偏少，贵想豪家月最明

见唐·韦庄《与东吴生相遇》。

贫交此别无他赠，唯有青山远送君

见唐·郎士元《送鞠司直》。

贫居往往无烟火，不独明朝为子推

见唐·孟云卿《寒食》。

贫贱之知不可忘，糟糠之妻不下堂

见汉·宋弘引语《先秦汉魏晋南北朝·诗》。

贫穷则父母不子，富贵则亲戚畏惧

见《战国策·秦策一》。

贫民耕而不免于饥，富民坐而饱以嬉

见宋·苏洵《田制》。

贫富之交，可以情谅，鲍子所以让金

见明·陈继儒《小窗幽记》。全句为："～；贵贱之间，易以势移，管宁所以割席"。

贫者士之常，今仆虽羸馁，亦甘如饴矣

见唐·柳宗元《与李翰林建书》。

贫贱之交而不可忘，珠玉满堂而不足贵

见唐·陈子昂《薛大夫山亭宴序》。

贫贱时，眼中不著富贵，他日得志必不骄

见清·史典《愿体集》。全句为："～。富贵时，意中不忘贫贱，一日退休必不怨"。

贫生于富，弱生于强，乱生于化，危生于安

见南朝·宋·范晔《后汉书·王符传》。

贫生于富，弱生于强，乱生于治，危生于安

见汉·王符《潜夫论·浮侈》。

贫与贱，是人之所恶也，不以其道得之，不去

也

见《论语·里仁》。全句为:"富与贵,是人之所欲也,不以其道得之,不处也;~"。

❷民贫则奸邪生/一贫一富,乃知交态/虽贫贱,不以利累形/下贫则上贫,下富则上富/家贫不是贫,路贫贫杀人/家贫亲老者,不择官而仕/家贫亲老者,不择禄而仕/家贫思良妻,国乱思良相/遇贫穷而作骄态者贱莫甚/遇贫穷而作骄态者,贱莫甚/去贫之法,惟有先戒懒惰……/家贫则思良妻,国乱则思良相/以贫求富,农不如工,工不如商/用贫求富,农不如工,工不如商/如贫得宝,如暗得灯,如饥得食,如旱得云

❸毋以贫故,事人不谨/卑贱贫穷,非士之耻也/当念贫时交,重勿弃如土/死亡贫苦,人之大恶存焉/力胜贫,谨胜祸,慎胜害,戒胜灾/小人贫斯约,富斯骄;约斯盗,骄斯乱

❹力能胜贫,谨能胜祸/君子安贫,达人知命/宁可清贫,不可浊富/无财非贫,无学乃为贫/长安有贫者,为瑞不宜多/邦有道,贫且贱焉,耻也/有廉而贫者,贫者未必廉/冰心与贫流争激,霜情与晚节弥茂/知足者,贫贱亦乐;不知足者,富贵亦忧

❺贱不害智,贫不妨行/见不足忘贫,故能施/大富当赈贫,贵当怜贱/情趣苟同,贫贱不易意/下贫则上贫,下富则上富/奢者心常贫,俭者心常富/家贫不是贫,路贫贫杀人/结交莫羞贫,羞贫友不成/不戚戚于贫贱,不汲汲于富贵/富老不如贫少,美游不如恶归/无财之谓贫,学而不能行之谓病/博见为馈贫之粮,贯一为拯乱之药/富时不俭贫时悔,潜时不学用时悔/为善的受贫穷更命短,造恶的享富贵又寿延

❻虽贱如贵,虽贫如富/东风满天地,贫家独无春/富贵他人合,贫贱亲戚离/富贵易为善,贫贱难为工/富贵有人籍,贫贱无天录/有廉而贫者,贫者未必廉/仁之所在无贫穷,仁之所亡无富贵/自古圣贤尽贫贱,何况我辈孤且直/君不见管鲍贫时交,此道今人弃如土/富以苟不如贫以誉,生以辱不如死以荣/富贵不能淫,贫贱不能移,威武不能屈/大富则骄,大贫则忧;忧则为盗,骄则为暴

❼人生莫受老来贫/士大夫众则国贫/君子忧道,不忧贫/爵以货重,才由贫轻/振人不赡,先从贫贱始/家贫不是贫,路贫贫杀人/结交莫羞贫,羞贫友不成/心散于博闻,技贫乎广畜/富不学奢而奢,贫不学俭而俭/富以能施为德,贫以无求为德/富贵未必可重,贫贱未必可轻/富足生于宽暇,贫穷起于无日/富者田连阡陌,贫者亡立锥之地/不得以有学之贫贱,比于无学之富贵/苟得其人,不患贫贱;苟得其材,不嫌名迹

❽与其浊富,宁比清贫/得士者富,失士者贫/无贵贱不悲,无富贫亦足/古来忠烈士,多出贫贱门/奢者富不足,俭者贫有余/君之奢俭,为人富贫之源/家贫不是贫,路贫贫杀人/贫不足羞,可羞是贫而无志/处富贵之时,要知贫贱的痛痒/家富则疏族聚,家贫则兄弟离/富贵之多罪,不如贫贱之履道/诚知此恨人人有,贫贱夫妻百事哀/富贵则人争趣之,贫贱则人争去之/死犹未肯输心去,贫亦其能奈我何/穷则视其所不为,贫则视其所不取/老来行路先愁远,贫里辞家更觉难/富贵足以愚人,而贫贱足以立志而浚慧/富贵时,意中不忘贫贱,一日退休必不怨

❾天下多忌讳而民弥贫/无财非贫,无学乃为贫/尊师则不论其贵贱贫富/凡为名者必廉,廉斯贫/治国常富,而乱国常贫/良才不隐世,江湖多贫贱/善为文者,富于万篇,贫于一字/处逸乐而欲不放,居贫苦而志不倦/日典春衣非为酒,家贫食粥已多时/身老方知生计拙,家贫渐觉故人疏/非有灾害疾疫,独以贫穷,非惰则奢也/可贵可贱也,可富可贫也,可杀而不可使为奸也

❿才饱身自贵,巷荒门岂贫/吏不治则乱,农事缓则贫/乐道而忘贱,安德而忘贫/人皆因禄富,我独以官贫/勿慕贵与富,勿忧贱与贫/先师有遗训,忧道不忧贫/地薄惟供税,年丰尚苦贫/强本而节用,则天不能贫/相马失之瘦,相士失之贫/无力于民而旅食,不恶贫贱/有山林之杰,不可薄其贫贱/大事不得,小事不为者,必贫/屈己以富贵,不若抗志以贫贱/委明珠而乐贱,辞白璧以安贫/贱敛无节,官上奢纵,则人贫/礼义生于富足,盗窃起于贫穷/若能谓外声利,而不厌乎贫贱也/家有千金之玉不知治,犹之贫也/不患寡而患不均,不患贫而患不安/曾因国难披金甲,不为家贫卖宝刀/奢者富而不足,何如俭者贫而有余/虽富贵不以养伤身,虽贫贱不以利累形/理之固然者:富贵则就之,贫贱则去之/为人臣者,以富乐民为功,以贫苦民为罪/法令之不行、万民之不治,贫富之不齐也/民恶忧劳,我佚乐之;民恶贫贱,我富贵之/隋侯之珠,和氏之璧,得之者富,失之者贫/贵而下贱,则众弗恶;富能分贫,则穷士弗恶/赋敛以时,官上清约,则人富。赋敛无节,官上奢纵,则人贫

贬 biǎn 降职;贬值;贬低;坠下;指责过失、错误。

❷褒贬无一词,岂得为良史

❻褒其可褒,而贬其可贬/褒秋毫之善,贬纤芥之恶

❼采善不逾其美，贬恶不溢其过／文之用，辞令褒贬导扬讽喻而已／易生之嫌，不足贬也；易为之誉，不足多也

❽谤议之言，难用褒贬／记短则兼折其长，贬恶则并伐其善／文有二道：辞令褒贬，本乎著述者也

❾褒其可褒，而贬其可贬／周乎艺者，屈抑不能贬其名／贤人在世……退则称论贬说，以觉失俗／褒见一字，贵逾轩冕；贬在片言，诛深斧钺

❿君子不待褒而劝，不待贬而惩／善无微而不赏，恶无纤而不贬／其谤且誉者，岂尽明而善褒贬也哉／惩劝善恶之柄，执于文士褒贬之际焉

购 gòu 买；悬赏征求；草名；通"媾"，讲和。

❽香饵引泉鱼，重币购勇士

贮 zhù 储存，积存；通"伫"，久立，等待。

❷积贮者，天下之大命也

❸囊漏贮中，识者不吝；反裘负薪，存毛实难

❾鬓秃难遮老，心宽不贮愁／打扫光明一片地，襄贮古今，研究经史

贯 ①guàn 古代穿钱的绳子；钱币单位；串连，穿通；贯通，通晓；连贯，连续；条理，系统；习惯，后作"惯"；注入，灌进；原籍；姓。②wān 通"弯"，[贯弓]弯弓，拉满弓。

❶贯穿百代尝探古，吟咏千篇亦造微

见宋·富弼《谢邵尧夫见访》。

❷诗贯六义……

❸当其贯日月，死生安足论／丑声，贯盈。迟和早除奸佞

❹宁见朽贯千万而不忍赐人一钱

❺祸与福相贯，生与亡为邻

❻亡国之主一贯／精诚介然，将贯金石／气不可以不贯，不贯则虽有美词丽藻／矢之于十步贯兕甲，于三百步不能入鲁缟／矢之发无能贯，待其止而能有穿；唯止能止众止

❼少成若天性，习贯如自然

❽博见为馈贫之粮，贯一为拯乱之药／气不可以不贯，不贯则虽有美词丽藻／国家剩得数百万贯钱，何如得一有才行人

❿铁可折，玉可碎，海可枯……直节贯殊途／硕鼠硕鼠，无食我黍！三岁贯女，莫我肯顾

贱 jiàn 价格低；地位低下；卑鄙；轻视；谦辞。

❶贱所见，贵所闻

见汉·王充《论衡·齐世篇》。

贱不害智，贫不妨行

见汉·桓宽《盐铁论·地广》。

贱物贵我，君子不为也

见隋·王通《中说·周公》。

贱者虽自贱，重之若千钧

见晋·左思《咏史八首》之六。全句为："贵者虽自贵，视之若埃尘；～"。

贱不足恶，可恶是贱而无能

见明·陈继儒《小窗幽记》。全句为："贫不足羞，可羞是贫而无志；～；老不足叹，可叹是老而虚生；死不足悲，可悲是死而无补"。

贱敛无节，官上奢纵，则人贫

见唐·王士元《亢仓子·政道篇》。全句为："赋敛以时，官上清约，则人富。～"。

贱妨贵，少陵长……所谓六逆也

见《左传·隐公三年》。删节处为："远间亲，新间旧，小加大，淫破义"。

贱物而贵德，孰谓道远，将允蹈子

见明·方孝孺《幼仪杂箴》。全句为："物有所好，汝勿好之。德有所好，汝则效之。～"。

贱者有罪，贵者治之。君得罪于民，谁将治之？

见《晏子春秋·内篇谏上第十三》。

贱生于无所用，中流失船，一壶千金，贵贱无常，时使物然

见宋·陆佃解《鹖冠子·学问》。

❷贫贱则无弃旧之宾／在贱而望贵者，惑也／虽贱如贵，虽贫如富／卑贱贫穷，非士之耻也／贫贱忧戚，庸玉女于成也／贫贱亲戚离，富贵他人合／贫贱而有业，则不至于饥寒／卑贱者最聪明，高贵者最愚蠢／贵贱不嫌同号，美恶不嫌同辞／贵贱之于身，犹条风之时丽过／贫贱之知不可忘，糟糠之妻不下堂／贵贱之间，易以势移，管宁所以割席／贫贱之交而不可忘，珠玉满堂而不足贵／贫贱时，眼中不著富贵，他日得志必不骄

❸论则贱之，行则下之／虽贫贱，不以利累形／无贵贱不悲，无富贫亦足／贵以贱为本，高以下为基／谷太贱则伤农，太贵则伤末／贵耳贱目，荣古陋今，人之大情也／贵远贱近，人之常情；重耳轻目，俗之恒蔽／礼者贱质而贵文，故正直日以少，邪乱日以生／贫与贱，是人之所恶也，不以其道得之，不去也

❹见贤忘贱，故能让／一贵一贱，交情乃见／用尽身贱，功成祸归／无位非贱，无耻乃为贱／吾少也贱，故多能鄙事／贵人而贱己，先人而后己／起于微贱，无所因阶者难／礼者，贵贱有等，长幼有差／布衣穷贱之人，咸得献其狂瞽／贵远而贱近者，常人之用情也／有求贵贱之必，必有二价之语／法行于贱而屈于贵，天下将不服／人生贵贱无终始，倏忽须臾难久恃／无贵无贱，无长无少，道之所存，师之所存也／贵而下贱，则众弗恶；富能分贫，则穷士弗恶／可贵可贱也，可富可贫也，可杀而不可使为奸也

❺好货，天下贱士也／位益尊，则贱者日隔／国将衰，必贱师而轻傅／不贵异物贱用物，人乃足／乐道而忘贱，安德而忘贫／谈书者不贱，守田者不饥／在贵多忘贱，为恩谁能博／贱者虽自贱，重之若千钧／不耻身之贱，而愧道之不行／今布衣虽贱，犹足以方于此／贵珠出乎贱蚌，美玉出乎丑璞／贵贤，仁也；贱不肖，亦仁也／此三者贵贱愚智贤不肖欲之若一／此三者，贵贱愚智贤不肖欲之若一／贵可以问贱……唯道之所成而已矣／贵者必以贱为号，而高者必以下为基／智惠之君贱德而贵言……以为大伪奸诈／知足者，贫贱亦乐；不知足者，富贵亦忧／若贵而愚，贱而圣且贤，以是而妨之，其为理本大矣

❻情趣苟同，贫贱不易意／邦有道，贫且贱焉，耻也／贵出如粪土，贱取如珠玉／不戚戚于贫贱，不汲汲于富贵／委明珠而乐贱，辞白璧以安贫／贵上极则反贱，贱下极则反贵／见明珠者始贱鱼目，知雅乐者方鄙郑声／人能贵其所贱，贱其所贵，可与言至论矣

❼向盛背衰，三可贱／先王贵礼乐而贱邪音／明君贵五谷而贱金玉／诚有功，则虽疏贱必赏／饮食之人，则人贱之矣／人生有新故，贵贱不相渝／小大不逾等，贵贱如其伦／富贵他人合，贫贱亲戚离／富贵易为善，贫贱难为工／富贵有人籍，贫贱无天录／自问道何如，贵贱安足云／贵上极则反贱，贱下极则反贵／贵以下人为德，贱以忘势为德／自古圣贤尽贫贱，何况我辈孤且直／富贵不能淫，贫贱不能移，威武不能屈／人能贵其所贱，贱其所贵，可与言至论矣

❽为名者必让，让斯贱／博览兼听，谋及疏贱／凡人为贵，当使可贱／诛不避贵，赏不遗贱／希世之宝，违时则贱／尊师则不论其贵贱贫富／振人不赡，先从贫贱始／不为穷变节，不为贱易志／勿慕贵与富，勿忧贱与贫／善贾笑蚕渔，巧宦贱农牧／国以民为基，贵以贱为本／贱不足恶，可恶是贱而无能／民之情，贵所不足，贱所有余／富贵未必可重，贫贱未必可轻／不恤亲疏，不恤贵贱，唯诚能之求／保天下者，匹夫之贱，与有责焉耳／穷则观其所不受，贱则观其所不为／不得以有学之贫贱，比于无学之富贵／苟得其人，不患贫贱；苟得其材，不嫌名迹／不为穷变节，不为贱易志；惟仁之处，惟义之行

❾无位非贱，无耻乃为贱／可得而贵，则可得而贱／慕名而不知实，一可贱／大富当赈贫，贵当怜贱／岁有凶穰，故谷有贵贱／古来忠烈士，多出贫贱门／遇贫穷而作骄态者贱莫甚／遇贫穷而作骄态者，贱莫甚／不以富贵而骄之，寒贱而忽之／处富贵之时，要知贫贱的痛痒／富贵之多罪，不如贫贱之履道／物有微而志信，人有贱而言忠／意莫下于刻民，行莫贱于害民／命者，人所禀受，若贵贱夭寿之属／帝王之圣者，卑宫室，贱金玉……／诚知此恨人人有，贫贱夫妻百事哀／富贵则人争趣之，贫贱则人争去之／贵高有危殆之惧，卑贱有沟壑之忧／富贵足以愚人，而贫贱足以立志而浚慧／富贵时，意中不忘贫贱，一日退休必不怨／贵不专权，罔惑上下；贱能守分，不苟求取／苟有所见，虽布衣之贱，远守之微，亦可施用／官无常贵而民无终贱，有能则举之，无能则下之

❿良才不隐世，江湖多贫贱／强者不劫弱，贵者不傲贱／无力于民而旅食，不恶贫贱／不敢正是非于富贵，二可贱／以全取胜，是以贵谋而贱战／能薄操浊，不可保以必卑贱／有山林之杰，不可薄其贫贱／谈物产也，则重谷帛而贱珍奇／美之所在，虽污辱，世不能贱／屈己以富贵，不若抗志以贫贱／若能遗外声利，而不厌乎贫贱也／去年米贵阙军食，今年米贱大伤农／处官不信，则少不畏长，贵贱相轻／是非之所在，不可以贵贱尊卑论也／不肖用事而贤良伏，无功贵而劳苦贱／宠位不足以尊我，而卑贱不足以卑己／贤之所在，贵而贵取焉，贱而贱取焉／制名以指实，上以明贵贱，下以辨同异／虽富贵不以养伤身，虽贫贱不以利累形／虽相与为君臣，时也；易世而无以相贱／理之固然者：富贵则就之，贫贱则去之／民恶忧劳，我佚乐之；民恶贫贱，我富贵之／君者择臣而使之，臣虽贱，亦得择君而事之／诗文之词采贵典雅而贱粗俗，宜蕴藉而忌分明／才者璞也，识者工也，良璞授于贱工，器之陋也／争让之礼，尧桀之行，贵贱有时，未可以为常也／处道而不贰，吐而不夺，利而不流，贵公正而贱鄙争／进贤之难者，贤者用且使己废，贵且使己贱，故人难之／文章如精金美玉，市有定价，非人所能以口舌定贵贱也／贱生于无所用，中流失船，一壶千金，贵贱无常，时使物然／君臣父子人间之事谓之义，登降揖让，贵贱有等，亲疏之体，谓之礼

贲

①bēn 急奔。②bì 文饰貌；六十四卦之一。③fén 大；三足龟。④fèn 气势旺盛；通“坟”，凸出；通“偾”，覆败。

❷孟贲之倦也，女子胜之

❸草木贲华，无待锦匠之奇／规孟贲之目，大而不可畏

贴

tiē 靠近；补助；粘附；典当；戏曲脚色行当；量词。

❻欧公作文，先贴于壁……有终篇不留一字者

贵

guì 价格高；价值高；地位高；敬辞；重视；重要；姓。

❶贵冠履，忘头足

见汉·刘安《淮南子·泰族》。

贵轻重，慎权衡

见汉·司马迁《史记·管晏列传》。

贵易交，富易妻

见南朝·宋·范晔《后汉书·宋弘传》。

贵其所以贵，贵

见《战国策·韩策一》。

贵不敢骄，富不敢奢

见《老子》十三河上公注。

贵骐骥者，为其立至也

见汉·刘向《新序·杂言二》。

贵其效，则汗漫而无当

见宋·苏轼《应制举上两制书》。全句为："听其言，则侈大而可乐；～"。

贵出如粪土，贱取如珠玉

见汉·司马迁《史记·货殖列传》。

贵以贱为本，高以下为基

见《老子》三十九。

贵人而贱己，先人而后己

见《礼记·坊记》。

贵人难得意，赏爱在须臾

见唐·陈子昂《感遇三十八首》之十五。全句为："～。莫以心如玉，探他明月珠"。

贵者虽自贵，视之若埃尘

见晋·左思《咏史八首》之六。全句为："～；贱者虽自贱，重之若千钧"。

贵有风雪兴，富无饥寒忧

见唐·白居易《歌舞》。

贵以身为天下，若可寄天下

见《老子》十三。全句为："～。爱以身为天下，若可托天下"。

贵人者，非贵人也，自贵也

见汉·刘向《说苑·敬慎》。全句为："敬人者，非敬人也，自敬也；～"。

贵富太盛，则必骄佚而生过

见汉·王符《潜夫论·忠贵》。

贵富显严名利六者，勃志也

见《庄子·庚桑楚》。"勃"，动摇。

贵上极则反贱，贱下极则反贵

见汉·司马迁《史记·货殖列传》。

贵以下人为德，贱以忘势为德

见明·吕坤《呻吟语》。全句为："富以能施为德，贫以无求为德，～"。

贵则观其所举，富则观其所施

见汉·刘安《淮南子·氾论》。全句为："～，穷则观其所不受，贱则观其所不为"。

贵远而贱近者，常人之用情也

见晋·葛洪《抱朴子·广譬》。全句为："～；信耳而遗目者，古今之所患也"。

贵绝恶于未萌，而起教于微眇

见汉·班固《汉书·贾谊传》。

贵珠出乎贱蚌，美玉出乎丑璞

见晋·葛洪《抱朴子·博喻》。全句为："锐锋产乎钝石，明火炽乎暗木，～"。

贵贤，仁也；贱不肖，亦仁也

见《荀子·非十二子》。

贵贱不嫌同号，美恶不嫌同辞

见《公羊传·隐公七年》。

贵贱之于身，犹条风之时丽过

见汉·刘安《淮南子·俶真》。全句为："～；毁誉之于己，犹蚊虻之一"。

贵粟之道，在于使民以粟为赏罚

见汉·晁错《论贵粟疏》。全句为："欲民务农，在于贵粟；～"。

贵可以问贱……唯道之所成而已矣

见清·刘开《问说》。删节处为："贤可以问不肖，而老可以问幼"。

贵则观其所举，富则观其所养……

见唐·魏征《论御臣之术》。全句为："～，居则观其所好，习则观其所言，穷则观其所不受，贱则观其所不为"。

贵高有危殆之惧，卑贱有沟壑之忧

见南朝·宋·刘彧《答王景文手诏》。

贵德而尊士，贤者在位，能者在职

见《孟子·公孙丑上》。

贵者负势而骄人，才士负能而遗行

见南朝·宋·范晔《后汉书·冯衍传》。

贵耳贱目，荣古陋今，人之大情也

见唐·白居易《与元九书》。

贵者必以贱为号，而高者必以下为基

见汉·刘安《淮南子·原道》。

贵贱之间，易以势移，管宁所以割席

见明·陈继儒《小窗幽记》。全句为："贫富之交，可以情谅，鲍子所以让金；～"。

贵破的，又畏黏皮骨，此所以为难也

见宋·葛立方《韵语阳秋》。全句为："作诗贵雕琢，又畏斧凿痕；～"。

贵名不可以比周争也……不可以势重胁也

见《荀子·儒效》。删节处为："不可以夸诞有也"。

贵不与骄期而骄自至，富不与侈期而侈自来

见唐·吴兢《贞观政要·刑法》。

贵不专权，罔惑上下；贱能守分，不苟求取

见唐·元结《喻友》。

贵而不骄，胜而不恃，贤而能下，刚而能忍

见三国·蜀·诸葛亮《将才》。

贵而犯法，义不得宥；过而知改，恩不废叙

见宋·苏辙《叔谆》。

贵远贱近，人之常情；重耳轻目，俗之恒蔽

见南朝·梁·江淹《杂体诗序》。

贵极禄位，权倾国都，达人视此，蚁聚何殊

见唐·李公佐《南柯太守传》。

贵而下贱,则众弗恶;富能分贫,则穷士弗恶 见汉·韩婴《韩诗外传》。全句为:"~;智而教愚,则童蒙者弗恶"。

贵者,夜以继日,思虑善否,其为形也亦疏矣 见《庄子·至乐》。

❷兵贵神速/处贵不忘旧/兵贵先声后实/富贵者足物尔/兵贵胜,不贵久/至贵,国爵并焉/富贵何如草头露/富贵则无暴集之客/一贵一贱,交情乃见/义贵圆通,辞忌枝碎/以贵为道,以意为法/丧贵致哀,礼存宁俭/处贵而骄,败之端也/法贵止奸,不在过酷/富贵而骄,自遗咎也/学贵得师,亦贵得友/学贵心悟,守旧无功/物贵尺璧,我重寸阴/政贵有恒,辞尚体要/所贵唯贤,所宝为谷/礼贵从宜,事难泥古/食贵于玉,薪贵于桂/所贵于画者,为其似也/上贵见肝胆,下贵不相疑/无贵贱不悲,无富贫亦足/不贵异物贱用物,人乃足/语贵洒脱,不可拖泥带水/在贵多忘贱,为恩谁能博/至贵不待爵,至富不待财/慎贵在举贤,慎民在置官/富贵非吾愿,帝乡不可期/富贵他人合,贫贱亲戚离/富贵苟难图,税驾从所欲/富贵易为善,贫贱难为工/富贵有人籍,贫贱无天录/道贵制人,不贵制于人也/智贵乎早决,勇贵乎必为/意贵透彻,不可隔靴搔痒/目贵明,耳贵聪,心贵公/不贵于无过,而贵于能改过/处贵显者勿为矜己傲人之言/富贵不归故乡,如衣绣夜行/富贵而有业,则不至于为非/勿贵难得之货,勿听亡国之音/富贵未必可重,贫贱未必可轻/富贵之多罪,不如贫贱之履道/富贵比于浮云,光阴逾于尺璧/理贵在于得要兮,事终成于会机/言贵实,使人信之,舍实何称乎/论贵是而不务华,事尚然而不高合/富贵则人争趣之,贫贱则人争去之/富贵必从勤苦得,男儿须读五车书/致贵无渐失必暴,受爵非道殃必疾/富贵不能淫,贫贱不能移,威武不能屈/富贵足以愚人,而贫贱足以立志而浚慧/学贵变化气质,岂为猎章句、干利禄哉/兵贵于精,不贵于多;强于心,不强于力/富贵骄人,固不善;学问骄人,害亦不细/富贵时,意中不忘贫贱,一日退休必不怨/不贵尺之璧,而重寸之阴,时难得而易失也/人贵量力,不贵必成;事贵相时,不贵必遂/所贵良吏者,贵其绝恶于未萌,使之不为非/无贵无贱,无长无少,道之所存,师之所存也/富贵之家,禄位重叠,犹再实之木,其本必伤/可贵可贱也,可富可贫也,可杀而不可使为奸也/言贵尽心,亦各其所见也,若是非,则明智者裁之/若贵而愚,贱而圣且贤,以是而妨之,其为理本大矣/所贵于天下之士者,为人排患、释难、解纷乱而无所取也/学贵得之心,求之于心而非也,虽其言之出于孔子,不敢以为是也

❸读书贵博亦贵精/兵法贵在不战而屈人/先王贵礼乐而贱邪音/君子贵建本而重立始/明君贵五谷而贱金玉/用赏贵信,用刑贵正/读书贵精熟,不贵贪多/尔心贵正,正则不敢私/贱物贵我,君子不为也/立法贵严,而责人贵宽/身已贵而骄人者民去之/言不贵文,贵于当而已/丈夫贵兼济,岂独善一身/生材贵适用,慎勿多苛求/作人贵直,而作诗文贵曲/作诗贵雕琢,又畏斧凿痕/人生贵相知,何必金与钱/勿慕贵与富,勿忧贱与贫/读书贵神解,无事守章句/士者贵其用也,不必求备/君子贵知足,知足万虑轻/见富贵而生谄容者最可耻/铅刀贵一割,梦想骋良图/民为贵,社稷次之,君为轻/见富贵而生谄容者,最可耻/礼者,贵贱有等,长幼有差/事莫贵乎有验,言莫弃乎无征/为政……贵于有以来天下之善/古文贵达,学达即所谓学古也/处富贵之时,要知贫贱的痛痒/学者贵于行之,而不贵于知之/有求贵贱之必,必有二价之语/贱妨贵,少陵长……所谓六逆也/不赂贵者之权势,不利传辟者之辞/生非贵之所能存,身非爱之所能厚/人生贵贱无终始,倏忽须臾难久恃/薄富贵而厚于书,轻死生而重于画/虽富贵不以养伤身,虽贫贱不以利累形/行不贵苟难,说不贵苟察,名不贵苟传/人能贵其所贱,贱其所贵,可与言至论矣/人生贵得适意尔,何能羁宦数千里以要名爵/观书贵要,观要贵博,博而知要,万流可一/人知贵生乐安而弃礼义,辟之是犹欲寿而歾颈也/富与贵,是人之所欲也,不以其道得之,不处也

❹慎习而贵学/万事莫贵于义/不以尊贵骄人/贱所见,贵所闻/一家二贵,事乃无功/凡人为贵,当使可贱/诛不避贵,赏不遗贱/少年富贵才俊为不幸/虽贱如贵,虽贫如富/独富独贵,君子耻之/法不阿贵,绳不挠曲/子以母贵,母以子贵/可得而贵,则可得而贱/女不必贵种,要之贞好/罚避亲贵,不可使主兵/圣人所贵者,去祸于未萌/用赏者贵信,用罚者贵必/不以富贵而骄之,寒贱而忽之/民之情,贵所不足,贱所有余/施德者贵不德,受恩者尚必报/今王公贵人,处于重屋之下……/此三者贵贱愚智贤不肖欲之若一/用兵者,贵以饱待饥,以逸击劳/不以富贵妨其道,不以隐约易其心/世间富贵应无分,身后文章合有名/生前富贵草头露,身后风流陌上花/人生富贵岂有极?男儿要在能死国/人之所贵者生也,生之所贵者道也/功名富贵若长在,汉水亦应西北流/去年米贵阙军食,今年米贱大伤农/美物者贵

依其本，赞事者宜本其实／此三者，贵贱愚智贤不肖欲之若一／贱物而贵德，孰谓道远，将允蹈子／贤主所贵莫如士，所以贵士，为其直言也／无德不贵，无能不官，无功不赏，无罪不罚／处大事贵乎明而能断，不明因无以知事论断／圣人不贵尺之璧，而重寸之阴，时难得而易失也／官无常贵而民无终贱，有能则举之，无能则下之／治世所贵乎位者三：一曰达道于天下，二曰达惠于民，三曰达德于身

❺兵贵胜，不贵久／古来万事贵天生／人心恶假贵重真／诗家气象贵雄浑／贵其所以贵，贵／君子之学，贵慎始／一言之善，贵于千金／兵不在多，贵乎得人／为政之本，贵在无为／论如析薪，贵能破理／诗不厌改，贵乎精也／陶钧文思，贵在虚静／在贱而望贵者，惑也／富而不骄，贵而不舒／一言之善，贵于千金然／国将兴，必贵师而重傅／言不贵文，贵于当而已／一枝何足贵，怜是故园春／才饱身自贵，巷荒门岂贫／休言谷价贵，菜亦贵如金／势败休云贵，家亡莫论亲／圣人法天贵真，不拘于俗／达亦不足贵，穷亦不足悲／逢时独为贵，历代非无才／贤者不必贵，仁者不必寿／贵者虽自贵，视之若埃尘／欲求生富贵，须下死工夫／目贵明，耳贵聪，心贵公／辨章事理，贵得当时之宜／金与粟争贵，乡与朝争治／贵人者，非贵人也，自贵也／当官不挠贵势，执平不阿所私／屈己以富贵，不若抗志以贫贱／物足则富贵，富贵则帝王公侯／人之所以贵于禽兽者，以有礼也／从古求贤贵拔茅，素门平进有英豪／当杀而虽贵重，必杀之，是刑上究也／贤之所在，贵而贵取焉，贱而贱取焉／天地之所贵者人也，圣人之所尚者义也／圣王者不贵义而贵法，法必明，令必行／达人苦富贵之桎梏，修士伤声名之顿撼／殖货财产，贵其能施赈，否则守钱虏耳／古人为诗，贵于意在言外，使人思而得之／六经之治，贵于未乱；兵家之胜，贵于未战／褒见一字，贵逾轩冕；贬在片言，诛深斧钺／君子不特贵乎才略之优，而尤贵乎用之得其当／君子之所贵者，迁善惧其不及，改恶恐其有余／贱者有罪，贵者治之。君得罪于民，谁将治之？／天下有至贵而非势位也，有至富而非金玉也，有至寿而非千岁也

❻君子诚之为贵／天地间，人为贵／读书贵博亦贵精／贵其所以贵，贵／礼之用，和为贵／兵尚拙速，不贵工迟／兵恶不戢，武贵止戈／众口遭笑，虽贵必危／学贵得师，亦贵得友／死生有命，富贵在天／牡丹，花之富贵者也／食贵于玉，薪贵于桂／百工制器，必贵于有用／圣人制天下，贵能至公／大富当赈贫，贵当怜贱／君人也者，无贵如其言／好尚或殊，富贵不求合／精神者，物之贵大者也／人生孰无死，贵得死所耳／人生有新故，贵贱不相渝／邦无道，富且贵焉，耻也／小大不逾等，贵贱如其伦／尚干将莫邪，贵其立断也／国以民为基，贵以贱为本／道贵制人，不贵制于人也／强者不劫弱，贵者不傲贱／婴儿有常病，贵臣有常祸／自问道何如，贵贱安足云／不义而富且贵，于我如浮云／凡殖货财产，贵其能施赈也／其论人也，必贵忠良鄙邪佞／为子孙作富贵计者，十败其九／读书之法，莫贵于循序而致精／骄奢生于富贵，祸乱生于疏忽／君子能为可贵，不能使人必贵己／广积聚，骄富贵，不知止者杀身／尧能则天者，贵其能臣舜、禹二圣／凡人之所以贵于禽兽者，以有礼也／道之尊，德之贵，夫莫之命而常自然／兵贵于精，不贵于多；强于心，不强于力／君子非不见贵，然小人亦得厕其间时而用／人之立身，所贵者惟在德行，何必要论荣贵／人贵量力，不贵必成；事贵相时，不贵必遂／君子惟道是贵，惟德是守，所以能万世不朽／所贵良吏者，贵其绝恶于未萌，使之不为非／诗文之词采贵典雅而贱粗俗，宜蕴藉而忌分明／礼者贱质而贵文，故正直日以少，邪乱日以生／原心反性则贵矣，适情知足则富矣，明死生之分则寿矣／君子之处世，贵能有益于物耳，不图高谈虚论，左琴右书

❼天地之性人为贵／天地之性，人为贵／法之不行，自于贵戚／欲民务农，在于贵粟／用赏贵信，用刑贵正／尊师则不论其贵贱贫富／读书贵精熟，不贵贪多／虚实之气，兵之贵者也／上贵见肝胆，下贵不相疑／不求立名声，所贵去瑕玼／向君投此曲，所贵知音难／儒生直如弦，权贵不须干／莫崇于一人，莫贵于一人／法重于民，威权贵于爵禄／林中多疾风，富贵多谀言／智贵乎早决，勇贵乎必为／贫贱亲戚离，富贵他人合／顺风激靡草，富贵者称贤／不贵于无过，而贵于能改过／以全取胜，是以贵谋而贱战／物足则富贵，富贵则帝王公侯／用兵之道，抚士贵诚，制敌贵诈／不恤亲疏，不恤贵贱，唯诚能之求／乐于用则豫章贵，厚其生则社栎贤／皇天以无言为贵，圣人以不言为德／文章自得方为贵，衣钵相传岂是真／贤之所在，贵而贵取焉，贱而贱取焉／仁人在上，百姓贵之如帝，亲之如父母／志意修则骄富贵矣，道义重则轻王公矣／理之固然者：富贵则就之，贫贱则去之／观书贵要，观要贵博，博而知要，万流可一／综学在博，取事贵约，校练务精，捃理须核／人有明珠，莫不贵重，若以弹雀，岂非可惜？况人之性命甚于明珠

❽才能成功，以速为贵／天生万物，唯人为贵／不在憎爱，以道为贵／苟利国家，不求富贵／德

则有邻，才不必贵／度德而让，古人所贵／子以母贵，母以子贵／贫非人患，惟和为贵／四序纷回，而入兴贵闲／岁有凶穰，故谷有贵贱／立法贵严，而责人贵宽／休言谷价贵，菜亦贵如金／人生行乐耳，须富贵何时／从官重恭慎，立身贵廉明／授书不在徒多，但贵精熟／吾道亦如此，行之贵日新／处世忌太洁，至人贵藏晖／目贵明，耳贵聪，心贵公／不敢正是非于富贵，二可贱／谷太贱则伤农，太贵则伤末／卑贱者最聪明，高贵者最愚蠢／仕宦而至将相，富贵而归故乡／不党父兄，不偏富贵，不嬖颜色／法行于贱而屈于贵，天下将不服／公道世间唯白发，贵人头上不曾饶／命者，人所禀受，若贵贱夭寿之属／贫疑陋巷春偏少，贵想豪家月最明／匠成舆者忧人不贵，作箭者恐人不伤／圣王者不贵义而贵法，法必明，令必行／行不贵苟难，说不贵苟察，名不贵苟传／智惠之君贱德而贵言……以为大伪奸诈／闻《秦中吟》，则权豪贵近者相目而变色矣

❾妙论精言，不以多为贵／作人贵直，而作诗文贵曲／凡人之质，量中和最贵矣／高而不危，所以长守贵也／用赏者贵信，用罚者贵必／凡人情忽于见事而贵于异闻／贵人者，非贵人也，自贵也／歌者不期于利声而贵于中节／搜句忌于颠倒，裁章贵于顺序／治疾及其未笃，除患贵其未深／学者贵于行之，而不贵于知之／君子多欲则贪慕富贵，枉道速祸／不逆命，何羡寿？不矜贵，何羡名／大山崔，百卉殖。民何贵，贵有德／是非之所在，不可以贵贱尊卑论也／贫穷则父母不子，富贵则亲戚畏惧／制名以指实，上以明贵贱，下以辨同异／安能摧眉折腰事权贵，使我不得开心颜／贤者，举而上之，富而贵之，以为官长／贫贱时，眼中不著富贵，他日得志必不骄／谋臣良将，何代无之；贵在见知，要在见用耳／争让之礼，尧桀之行，贵贱有时，未可以为常也

❿赏不遗疏远，罚不阿亲贵／爱之欲其富，亲之欲其贵／自知不自见，自爱不自贵／才高行洁，不可保以必尊贵／国之将亡，贤人隐，乱臣贵／禄位尊盛，守之以卑者，贵／不戚戚于贫贱，不汲汲于富贵／举贤不出世族，用法不及权贵／并兼者高诈力，安定者贵顺权／贤者不得志于今，必取贵于后／贵上极则反贱，贱下极则反贵／物以远至为珍，士以稀见为贵／有过人之识，则不以富贵为事／恶之所在，虽高隆，世不能贵／病困乃重良医，世乱而贵忠贞／其会意也尚巧，其遣言也贵妍／天覆地载，万物悉备，莫贵于人／君子能为可贵，不能使人必贵己／用兵之道，抚士贵诚，制敌贵诈／起事致治者，不若默然者之贵也／不取于人谓之富，不屈于人谓之贵／生来不读半行书，只把黄金买身贵／仁之所在无贫穷，仁之所亡无富贵／人之所贵者生也，生之所贵者道也／大山崔，百卉殖。民何贵，贵有德／君子有力于民则进爵禄，不辞富贵／处官不信，则少不畏长，贵贱相轻／江流千古英雄泪，山掩诸公富贵羞／标格原因独立好，肯教富贵负初心／爵不可以无功取，刑不可以贵势免／文章以自得，不蹈袭前人一言为贵／天下之学者莫不欲仕，仕者莫不欲贵／不肖用事而贤良伏，无功贵而劳苦贱／不得以有学之贫贱，比于无学之富贵／真在内者，神动于外，是所以贵真也／过屠门而大嚼，虽不得肉，贵且快意／暴师久则国用不足，此兵所以贵速也／行不贵苟难，说不贵苟察，名不贵苟传／多闻识者，犹广储药物也，知所用为贵／安平则尊道术之士，有难则贵介胄之臣／晚食以当肉，安步以当车，无罪以当贵／贫贱之交而不可忘，珠玉满堂而不足贵／立德者以幽陋好遗，显登者以贵途易引／作诗者陶冶物情，体会光景，必贵乎自得／人能贵其所贱，贱其所贵，可与言至论矣／知足者，贫贱亦乐；不知足者，富贵亦忧／速则济，缓则不及，此圣贤所以贵机会也／贤主所贵莫如士，所以贵士，为其直言也／临财苟得，见利反义，不义而富，无名而贵／为善的受贫穷更命短，造恶的享富贵又寿延／民恶忧劳，我佚乐之；民恶贫贱，我富贵之／作俑之工，非曰可珍；时有所用，贵于斫轮／人之立身，所贵者惟在德行，何必要论荣贵／人贵量力，不贵必成；事贵相时，不贵必遂／众人重利，廉士重名；贤人尚志，圣人贵精／六经之治，贵于未乱；兵家之胜，贵于未战／高树靡阴，独木不林，随时之宜，道贵从凡／务进者趋前而不顾后，荣贵者矜己而不待人／藏金于山，沉珠于渊；不利货财，不近富贵／大兵如市，人死如林；持金易粟，粟贵于金／马效千里，不必胡代；士贵成功，不必文辞／杼轴得之，澹而无味，琢刻藻绘，弥不足贵／金玉满堂，莫之能守。富贵而骄，自遗其咎／天下之人所共趋之而不知止者，富贵与美名尔／天地之精所以生物者莫贵于人，人受命乎天也／君子不特贵乎才略之优，而尤贵乎用之得其当／继世守文之君，生而富贵，不知疾苦，动至夷灭／穷困不能辱身，非人也；富贵不能快意，非贤也／两高不可重，两大不可容，两贵不可双，两势不可同／舆人成舆，则欲人之富贵；匠人成棺，则欲人之夭死／处道而不贰，吐而不夺，利而不流，贵公正而贱鄙争／进贤之难者，贤者用且使己废，贵且使己贱，故人难之／文章如精金美玉，市有定价，非人所能以口舌定贵贱也／敬人者，非敬人也，自敬也；贵人者，非贵人也，自贵也／贱生于无所用，中流失船，一壶千

金，贵贱无常，时使物然／知为为而不知所以为，是以贵为天子，富有天下，而不免于患也／体恭敬而心忠信，术礼义而情爱人，横行天下，虽困四夷，人莫不贵／君臣父子人间之事谓之义，登降揖让，贵贱有等，亲疏之体，谓之礼

贷 ①dài 借出或借入；贷款；推卸；原谅，饶恕。②tè 通“忒”，失误。

❼并词竞说者，为贷手以自殴

❽犯法之人，丝毫无贷

❾宁积粟腐仓而不忍贷人一斗

❿逍遥，无为也；苟简，易养也；不贷，无出也

费 fèi 消耗；费用；消耗得过多；古地名；姓。

❸政之费人也甚于医／不厚费者不多营，不妄用者不过取

❹至赏不费，至刑不滥／节俭爱费，天下不匮／多沽伤费，多饮伤身／施而不费，取而不贪／向来枉费推移力，此日中流自在行／少君之费，寡君之欲，虽无粮而乃足／惠而不费，劳而不怨，欲而不贪，泰而不骄，威而不猛

❺画脂镂冰，费日损功／甚爱必大费，多藏必厚亡／学书者纸费，学医者人费／赏无度则费而无恩，罚无度则戮而无威

❻慷他人之慨，费别姓之财／君子惠而不费，劳而不怨，欲而不贪，泰而不骄，威而不猛

❼粗于事者，其言费而昏／一劳而久逸，暂费而永宁／国家无养兵之费则国富，队伍无老弱之卒则兵强

❽头会箕敛，以供军费／欲积资财，先戒奢费／礼，不妄说人，不辞费／有时忽得惊人句，费尽心机做不成

❾兵多而战不速，则所费必广

❿学书者纸费，学医者人费／取天下之财，以供天下之费／赋敛行赂不足以当三军之费／有必不可劝之人，不必多费唇舌／春时耕种夏时耘，粒粒颗颗费力勤／炒沙作糜终不饱，镂冰文章费工巧／踏破铁鞋无觅处，得来全不费功夫／虽有贤师良友，若画脂镂冰，费日损功／官寡而禄厚，则公家之费鲜，进仕之志劝／驰马思坠，挞人思毙，妄费思穷，滥交思累／教羊牧兔，使鱼捕鼠，任非其人，费日无功／下之用力者甚勤，上之用物者有节，民无遗力，国不过费／今且须去理会眼前事，那个鬼神事，无形无影，莫要枉费心力

贺 hè 庆祝；加覆；姓。

❶贺者在门，吊者在途；吊者在门，贺者在途

见明·钱琦《钱子语测·巽言》。

❼国家治，则四邻贺；国家乱，则四邻散

❿汤沐具而虮虱相吊，大厦成而燕雀相贺／贺者在门，吊者在途；吊者在门，贺者在途

贻 yí 贝的一种；赠送；留下。

❷毋贻盲者镜，毋予躄者履

❸各愿贻子孙，永为后世资

❼不取往者戒，恐贻来者冤

❾贤人智士之于子孙：……贻之以言，弗贻以财

贼 zéi 盗匪；偷窃的人；出卖国家、民族利益的人；邪恶的；不正派的；破坏；伤害；狡猾。

❶贼仁伤德，天怒不福

见汉·焦赣《易林·大过·井》。

贼是小人，智过君子

见宋·释道原《景德传灯录·伪山灵祐禅师》。

贼民之事非一，而好兵者必亡

见宋·苏轼《代张方平谏用兵书》。

贼做官，官做贼，混愚贤。哀哉可怜

见元·无名氏《醉太平》。

贼莫大乎德有心而心有睫，及其有睫也而内视，内视而败矣

见《庄子·列御寇》。

❷藉贼兵而赍盗食／盗贼弗诛，则伤良民／盗贼之心必托圣人之道而后可行／以贼其身，乃丧其躯，其行如此，是谓大忘

❸乱臣贼子，人人得而诛之／药来贼境灵何用，米出胡奴死不炊

❹需，事之贼也／天有五贼，见之者昌／明其为贼，敌乃可服

❺乡原，德之贼也／安逸，道之贼也／清平之奸贼，乱世之英雄／毁则者为贼，掩贼者为藏／恨不得血贼于万载，肉贼于三军／妄誉，仁之贼也；妄毁，义之贼也

❻人生事，反自贼／谄谀我者，吾贼也／奸诈既作，盗贼日多，谓之乱政／罚其忠，赏其贼，夫是之谓至暗／贼做官，官做贼，混愚贤。哀哉可怜

❼慢令致期谓之贼／养虎牧狼，还自贼伤／勿轻小人，小人贼国／杀天下者，天下贼之／射人先射马，擒贼先擒王／毁则者为贼，掩贼者为藏／上无礼，下无学，贼民兴，丧无日矣／以智治国，国之贼；不以智治国，国之福

❽绝知为福，好知为贼／言则我从，斯我之贼／直意适情，则贤强贼之／奋始怠终，修业之贼也／行小忠，则大忠之贼也／缓前急后，应事之贼也／有货之货，丧我之贼也／疾言厉色，处众之贼也／躁心浮气，蓄德之贼也／木生内蠹，上下相贼，祸乱我国／所恶执一者，为其贼道也，举一而废百也

❾使臣将王命，岂不如贼焉／谗佞之徒，皆国之蠹贼也／孔子成《春秋》而乱臣贼子惧／不务衣

食而务无盗贼,是止水而不塞源也

⑩利旁有依刀,贪人还自贼/以智文其过,此君子之贼也/谄谀苟免其身者,国之贼也/能除患则为福,不能除患为贼/逆吾者是吾师,顺吾者是吾贼/树木者忧其蠹,保民者除其贼/农事废,饥寒并至,故盗贼多有/恨不得血贼于万戟,肉贼于三军/非其人而教之,赍盗粮、借贼兵也/养秭稗者伤禾稼,惠奸宄者贼良民/廉者,民之表也;贪者,民之贼也/惟古于词必己出,降而不能乃剽贼/妄誉,仁之贼也;妄毁,义之贼也/凡养稂莠者伤禾稼,惠奸宄者贼良人/圣人不为华文,不为色利,不为残贼/好言人之恶,谓之谗;析交离亲,谓之贼/偷合苟容,以持禄养交而已耳,谓之国贼也/草茅弗去,则害禾谷;盗贼弗诛,则伤良民/当怒不怒,奸臣为虎;当杀不杀,大贼乃发/使智惠之人治国之政事,必远道德,妄作威福,为国之贼

贾 ①jiǎ 姓。②gǔ 商人;卖;买;求取;招引。③jià 通"价",价格,价值。

❶贾所以务财,财所以务食

见五代·南唐·谭峭《化书卷五·食化·食迷》。全句为:"官所以务禄,禄所以务食;～"。

贾竖不与不仁期,而不仁自至

见唐·皮日休《鹿门隐书》。全句为:"吏不与奸罔期,而奸罔自至;～"。

❷良贾深藏若虚/商贾比财,烈士比义/贪贾三之,廉贾五之/商贾无市井之事则不比/善贾笑蚕渔,巧宦贱农牧/屈贾谊于长沙,非无圣主/良贾深藏如虚,君子有盛教如无/良贾深藏若虚,君子盛德容貌若愚

❸求善贾而沽

❹欲勇者贾余余勇/农商工贾……可为师表

❻贪贾三之,廉贾五之/巨屦小屦同贾,人岂为之哉/白玉微瑕,善贾之所不弃……

❼巢许蔑四海,商贾争一钱

❽长袖善舞,多钱善贾

❾沽之哉,沽之哉,我待贾者也/名为山人而心同商贾,口谈道德而志在穿窬

⑩从农论田田夫胜,从商讲贾贾人贤/良农不为水旱不耕,良贾不为折阅不市

贿 huì 钱财;用钱财买通别人。

❶贿赂先至者,朝请而夕得

见宋·苏轼《策别第八》。全句为:"～;徒手而来者,终年而不获"。

❷财贿不以动其心,爵禄不以移其志

❹无德而贿丰,祸之胎也

❼弊政之大,莫若贿赂行而征赋乱/哀无人,不哀无贿;哀无德,不哀无宠

❽象有齿以焚其身,贿也

⑩刺史宜精选谨择以委任之,固不可拘限官次,得之货贿,出之权门者也

赂 lù 赠送财物;赠送的财物。

❷贿赂先至者,朝请而夕得/以赂秦之地,封天下之谋臣/不赂贵者之权势,不利传辟者之辞

❸行货赂,趣势门,立私废公,比周而取容

❹赋敛行赂不足以当三军之费

❽弊政之大,莫若贿赂行而征赋乱

⑩六国破灭,非兵不利,战不善,弊在赂秦/国家之败,由官邪也;官之失德,宠赂章也

赃 zāng 贪污、受贿或盗窃所得的财物;有贪污、受贿或盗窃行为的。

⑩狡吏不畏刑,贪官不避赃

资 zī 钱财;财物;用钱、物帮助;提供;人的智力、素质;蓄积;凭借;贩卖;资历、资格;姓;资料。

❶资有攸合,所谓宜也

见晋·裴頠《崇有论》。

资绝伦之妙态,怀悫素之洁清

见汉·傅毅《舞赋》。全句为:"～,修仪操以显志兮,独驰思乎杳冥"。

资栋梁而成大厦,凭舟楫而济巨川

见唐·武则天《臣轨序》。

❸欲积资财,先戒奢费/不限资例,则取人之路广/乱或资理者,遭乱而能惧/限以资例,则取人之路狭/不限资考,惟择才堪者为之

❹表里相资,古今一也

❺好道者多资,好乐者多迷/用人不限资品,但择有才/后生虽天资聪明,而识终有不及/才者,德之资也;德者,才之帅也

❻首虽尊高,必资手足以成体/百节成体,共资荣卫,万趣会文,不离辞情/举将而限以资品,则英豪之士在下位者不可得

❼理或生乱,乱或资理/寄食于漂母,无资身之策/大哉乾元,万物资始,乃统天/至哉坤元!万物资生,乃顺承天/拨乱反正之君,资拔山超海之力/烟霞为朝夕之资,风月得林泉之助/度量权衡法,必资之官,资之官而后天下同

❽广农为务,俭用为资/兵之所聚,必有所资……/人欲自见其势,以资明镜

❾偏无自足,故凭乎外资/深沉厚道是第一等资质/磊落豪雄是第二等资质/聪明才辨是第三等资质/无伎不可以为工,无资不可以为商

⑩各愿贻子孙,永为后世资/威恩参用以成化,文武相资以定业/智略不专于古法,沈雄殆得于天资/壮而不虚,刚而能润……非鼓怒以为资/聆其善言,观其善行,足以资吾之未逮/荆玉含宝,要俟开莹;幽兰怀馨,事资扇发/善人者,不善人之师;不善人者,善人之资/度量权

衡法，必资之官，资之官而后天下同／居者有余蓄，行者有余资……可谓有治天下之效／圣智设法，本以守国，智诈极矣，乃翻为盗国之盗资也

赇 qiú 贿赂。

❽事曲则谄意以行赇

赈 zhèn 富裕；用钱、物救济（灾民）。

❹大富当赈贫，贵当怜贱

❾殖货财产，贵其能施赈，否则守钱虏耳

❿凡殖货财产，贵其能施赈也

赊 shē 赊欠；宽缓；远；渺茫；稀少；通"奢"，奢侈；作语助。

❹北海虽赊，扶摇可接；东隅已逝，桑榆非晚

赋 fù 授予，交给；通"敷"，陈述；不歌而诵；天生具有的资质、品性；旧指田地税；我国古代一种文体；作（诗、词）。

❶赋者，古诗之流也

见汉·班固《两都赋序》。

赋敛之毒，有甚是蛇者

见唐·柳宗元《捕蛇者说》。

赋情顿雪双鬓，飞梦逐尘沙

见宋·吴文英《忆旧游》。

赋敛行赂不足以当三军之费

见汉·班固《汉书·匈奴传》。全句为："～，城郭之固无以异于贞士之约"。

赋者，敷陈其事而直言之者也

见宋·朱熹《诗集传》。

赋役有定制，兵农有定业，官无虚名，职无废事

见宋·曾巩《唐论》。

赋敛以时，官上清约，则人富。赋敛无节，官上奢纵，则人贫

见唐·王士元《亢仓子·政道篇》。

❷政赋不均，盗之源也／欲赋生来惊人语，必须苦下死工夫

❸天所赋为命，物所受为性

❹轻徭薄赋，以宽民力／能读千赋则善赋，能观千剑则晓剑／屈平词赋悬日月，楚王台榭空山丘／殿前作赋声摩空，笔补造化天无功／诗人之赋，丽以则；辞人之赋，丽以淫

❻结民心，在薄赋敛；薄赋敛，在节财用／屈原放逐，乃赋《离骚》；左丘失明，厥有《国语》

❼诗缘情而绮靡，赋体物而浏亮／官贤者量其能，赋禄者称其功／能读千赋则善赋，能观千剑则晓剑／错把黄金买词赋，相如自是薄情人

❽天地有正气，杂然赋流形／春秋多佳日，登高赋新诗／国家不幸诗家幸，赋到沧桑句便工

❾结民心，在薄赋敛；薄赋敛，在节财用

❿一丛深色花，十户中人赋／登东皋以舒啸，临清流而赋诗／弊政之大，莫若贿赂行而征赋乱／庾信平生最萧瑟，暮年诗赋动江关／财已竭而敛不休，人已穷而赋愈急／诗人之赋，丽以则；辞人之赋，丽以淫／吾斯役之不幸，未若复吾赋不幸之甚也／唯劝农业，无夺农时；唯薄赋敛，无尽民财／安而不扰，使而不劳，是以百姓劝业而乐公赋／赋敛以时，官上清约，则人富。赋敛无节，官上奢纵，则人贫

赌 dǔ 赌博；泛指争输赢。

❶赌近盗，淫近杀

见明·冯梦龙《警世通言·况太守断死孩儿》。

赍 ①jī 怀抱着；送东西给他人。②qí 通"齐"，即"脐"，中央。

❺藉贼兵而赍盗食

❼非其人而教之，赍盗粮、借贼兵也

赏 shǎng 奖励；奖励的东西；观赏；赏识；称赞；通"尚"，尊重。

❶赏不私其亲

见唐·吴兢《贞观政要·封建》。

赏一人而万人悦

见唐·陈子昂《答制问事·劝赏科》。

赏一人而天下劝

见宋·苏洵《上皇帝书》。

赏不过，刑不滥

见汉·刘向《说苑·善说》。

赏有功，褒有德

见汉·司马迁《史记·平津侯主父列传》。

赏罚，政之柄也

见汉·荀悦《申鉴·政体》。

赏不遗远，罚不阿近

见晋·陈寿《三国志·蜀书·张裔传》。

赏不逾日，罚不还面

见《孙膑兵法·将德》。

赏不空行，罚不虚出

见汉·董仲舒《春秋繁露·保位权》。

赏由物召，兴以情迁

见唐·王勃《采莲赋》。

赏以劝善，罚以惩恶

见汉·荀悦《申鉴·政体》。

赏勿漏疏，罚勿容亲

见北朝·李谧《手令戒诸子》。

赏勉罚偷，则民不怠

见汉·韩婴《韩诗外传》。

赏罚无章，何以沮劝

见《左传·襄公二十七年》。

赏罚者，天下之公也

见宋·苏洵《春秋论》。

赏不当功，则不如无赏

见宋·张孝祥《缴成闵按劾部将奏》。全句为："～；罚不当罪，则不如无罚"。

赏疑从与，所以广恩也

见宋·苏轼《刑赏忠厚之至论》。全句为："～；罚疑从去，所以慎刑也"。

赏厚而利，刑重而威必

见《商君书·修权》。

赏当其劳，无功者自退

见唐·吴兢《贞观政要·择官》。全句为："～；罚当其罪，为恶者戒惧"。

赏罚不信，则禁令不行

见《韩非子·外储说左上》。

赏一以劝百，罚一以惩众

见隋·王通《文中子·立命》。

赏不可妄行，恩不可妄施

见五代·南唐·谭峭《化书卷三·恩赏》。

赏不以爵禄，刑不以刀锯

见宋·苏轼《省试刑赏忠厚之至论》。

赏不遗疏远，罚不阿亲贵

见唐·吴兢《贞观政要·择官》。全句为："～。以公平为规矩，以仁义为准绳。"

赏不避仇雠，诛不择骨肉

见汉·班固《汉书·东方朔传》。

赏莫如厚而信，使民利之

见《韩非子·五蠹》。全句为："～；罚莫如重而必，使民畏之"。

赏须功而加，罚待罪而施

见汉·王充《论衡·非韩篇》。

赏者不德上，功之所致也

见汉·刘安《淮南子·主术》。全句为："诛者不怨君，罪之所当也；～"。

赏所以存劝，罚所以示惩

见《太公六韬·文韬·赏罚》。

赏罚信乎民，何事而不成

见《吕氏春秋·似顺论·慎小》。全句为："～！岂独兵乎"。

赏无功谓之乱，罪不知谓之虐

见《晏子春秋·内篇·谏上》。

赏不加于无功，罚不加于无罪

见《韩非子·难一》。

赏不行，则贤者不可得而进也

见《荀子·富国》。全句为："～；罚不行，则不肖者不可得而退也"。

赏及淫人，则善者不以赏为荣

见明·吕坤《呻吟语·刑法》。全句为："～；罪及善者，则恶者不以罚为辱"。

赏当则贤人劝，罚得则奸人止

见汉·刘向《说苑·君道》。

赏必加于有功，刑必断于有罪

见《战国策·秦策三》。

赏罚不可轻行，用人弥须慎择

见唐·吴兢《贞观政要·择官》。

赏罚皆有充实，则民无不用矣

见《吕氏春秋·离俗览·用民》。

赏罚者，不在于必重而在于必行

见三国·魏·徐幹《中论》。

赏罚必信，无恶不惩，无善不显

见晋·陈寿《三国志·蜀书·诸葛亮传》。

赏不隆则善不劝，罚不重则恶不惩

见汉·王符《潜夫论·三式》。

赏僭则惧及淫人，刑滥则惧及善人

见《左传·襄公二十六年》。

赏务速而后有劝，罚务速而后有惩

见唐·柳宗元《断刑论》。

赏赐不加于无功，刑罚不施于无罪

见汉·刘向《说苑·政理》。

赏罚不信，则民易犯法，不可使令

见《吕氏春秋·离俗览·贵信》。全句为："天地之大，四时之化，而犹不能以不信成物，又况乎人事？君臣不信，则百姓诽谤，社稷不宁；处官不信，则少不畏长，贵贱相轻；～；交友不信，则离散郁怨，不能相亲；百工不信，则器械苦伪，丹漆染色不贞"。"苦"，不精细，粗劣；"伪"，作假。

赏不足劝善，刑不足禁非，而政不成

见宋·欧阳修《武成王庙进士策》。

赏无功之人，罚不辜之民，非所谓明也

见《韩非子·说疑》。

赏无度则费而无恩，罚无度则戮而无威

见《孙子兵法》杜注。

赏不劝，谓之止善；罚不惩，谓之纵恶

见汉·荀悦《申鉴·政体》。

赏厚可令廉士动心，罚重可令凶人丧魄

见唐·韩愈《论淮西事宜状》。全句为："兵之胜负，实在赏罚。～"。

赏善而不罚恶则乱，罚恶而不赏善亦乱

见唐·元结《辩惑》。

赏不当，虽与之必辞；罚诚当，虽赦之不外

见《吕氏春秋·离俗览·高义》。全句为："当功以受赏，当罪以受罚。～"。

赏重而信，罚痛而必，群臣畏劝，竟思其职

见汉·王符《潜夫论·三式》。

赏之使谏，尚恐不言；罪其敢言，孰敢献纳

见宋·苏舜钦《乞纳谏书》。

赏罚不明，百事不成；赏罚若明，四方可行

见明·冯梦龙《东周列国志》第四十二回。

赏罚信明，施与有节，记人之功，忽于小过

见汉·班固《汉书·王嘉传》。

赏不劝善，罚不惩恶，而望邪正不惑，其可得

乎

见唐·吴兢《贞观政要·择官》。

赏不当贤而罚不当暴，则是为贤者不劝而为暴者不沮

见《墨子·尚贤中》。

赏一人而败国俗，仁者弗为也；以不信得厚赏，义者弗为也

见汉·刘安《淮南子·人间》。

❷不赏无功，不养无用／不赏私劳，不罚私怨／信赏必罚，其足以战／至赏不费，至刑不滥／致赏则匮，致罚则虐／用赏贵信，用刑贵正／不赏而民劝，不罚而民治／以赏誉自劝者，惰乎为善／信赏以劝能，刑罚以惩恶／庆赏以劝善，刑罚以惩恶／用赏者贵信，用罚者贵必／刑赏之本，在乎劝善而惩恶／不赏而人自劝，不罚而人自畏／为赏罚者非他，所以惩劝者也／行赏不遗仇雠，用戮不违亲戚／上赏赏德，其次赏才，又其次赏功／诛赏不可以缪，诛赏缪则善恶乱矣／有赏罚之教则邪道进，有亲疏之分则小人入

❸善则赏之，过则匡之／善人赏而暴人罚，则国必治／上赏赏德，其次赏才，又其次赏功／君之赏不可以无功求，君之罚不可以有罪免／法令赏罚者，诚治乱之枢机也，不可不严行也／必曰赏以春夏，而刑以秋冬，而谓之至理者，伪也

❹罚善必赏恶／上无羡赏，下无羡财／无功不赏，无罪不罚／喜无以赏，怒无以杀／有功而赏，有罪而罚／有功不赏，为善失其望／严罚厚赏，此衰世之政也／功盛者赏显，罪多者罚重／民知诛赏之来，皆在于身也／褒有德，赏有功，古今之通义／罚其忠，赏其贼，夫是之谓至暗／无功之赏，无力之礼，不可不察也／明主之赏罚，非以为己也，以为国也／勋劳宜赏，不吝千金；无功望施，分毫不与／劳臣不赏，不可劝功；死士不赏，不可励勇／有功不赏，有罪不诛，虽唐虞犹不能以化天下／喜则滥赏无功，怒则滥杀无罪，是以天下丧乱，莫不由此

❺举不失德，赏不失劳／诛不避贵，赏不遗贱／有功而不赏，则善不劝／无功而厚赏，无劳而高爵／厚发奸之赏，峻欺下之诛／计功而行赏，程能而授事／幽桂一丛，赏古人之明月／功多有厚赏，不迪有显戮／功成耻受赏，高节卓不群／喜乐无羡赏，忿怒无羡刑／奇文共欣赏，疑义相与析／当功以受赏，当罪以受罚／知音如不赏，归卧故山秋／进贤受上赏，蔽贤蒙显戮／有课而无赏罚，是无课也／为政者不赏私劳，不罚私怨／善为国者，赏不僭而刑不滥／事将为，其赏罚之数必先明之／山水有真赏，不领会终为漫游／圣王为政，赏不避仇雠，诛不择骨肉／虚言可以赏，则六合之内皆为己府矣／举天下以赏其善者不足，举天下以罚其恶者不给

❻不有严刑，诛赏安置／国家大事，惟赏与罚／是非明辨而赏罚必信／号令不虚出，赏罚不滥行／是非随名实，赏罚随是非／贵人难得意，赏爱在须臾／罚不讳强大，赏不私亲近／虽载言载笑，赏风月于离前／善无微而不赏，恶无纤而不贬／善人富谓之赏，淫人富谓之殃／贤俊者自可赏爱，顽鲁者亦当矜怜／以德以义，不赏而民劝，不罚而邪止／能终而不能赏，虽有贤人，终不可用矣／惟严惟明，其赏也思，惟宽惟惠，其罚也畏／世之治乱，在赏当其功，罚当其罪，即无不治

❼兵之胜负，实在赏罚／虑为功首，谋为赏本／显罚以威之，明赏以化之／刑过不避大臣，赏善不遗匹夫／禁必以武而成，赏必以文而成／上赏赏德，其次赏才，又其次赏功／君王旧迹今人赏，转见千秋万古情／昔尧治天下，不赏而民劝，不罚而民畏／苦身为善者，其赏厚；苦身为非者，其罪重／号令烦而不信，赏罚行而不当，则天下不服／其义则不足死，赏罚则不足去就，若是而能用其民者，古今无有

❽信立则虚言可以赏矣／缘法而治，按功而赏／治平尚德行，有事赏功能／将以诛大为威，以赏小为明／天下之人蹈道必赏，违善必罚／不官无功之臣，不赏不战之士／以道理天下者……不赏而民劝／善惩不如善政，善赏不如善教／为国之本，在于明赏罚，辨邪正／诛赏不可以缪，诛赏缪则善恶乱矣／选之艰则材者出，赏之当则能者劝／鉴物于肇不于成，赏士于穷不于达／力田者受旌显之赏，惰农者有不齿之罚／居其位不论其能，赏其身不议其功……／法小弛则是非驳，赏不必尽善，罚不必尽恶／若号令烦而不信，赏罚行而不当，则天下不服

❾尽忠益时者，虽仇必赏／诚有功，则虽疏贱必赏／是非明而后可以施赏罚／赏不当功，则不如无赏／才微而任重，功薄而赏厚／臣闻虑为功首，谋为赏本／人主好仁，则无功者赏，有罪者释／萧墙祸起非今日，不赏军功在断桥／用仁义以治天下，公赏罚以定干戈／县法者，法不法也；设赏者，赏当赏也／德不称位，能不称官，赏不当功，罚不当罪／赏罚不明，百事不成；赏罚若明，四方可行／法大弛，则是非易位，赏恒在佞，而罚恒在直

❿不因怒以诛，不因喜以赏／闻一善若惊，得一士若赏／功当其事，事当其言，则赏／迂固之史，有是非而无赏罚／有官必有课，有课必有赏罚／恩所加，则思无因喜以谬赏／以同异为善恶，以喜怒为赏罚／寄治乱于法术，托是非于赏罚／赏及淫人，则善者不以赏为荣／凡用民，太上以义，其次以赏罚／适于己而无功于国者，不施赏焉／贵粟之道，在于使民以粟为赏罚／臣

以能行为能，君以能赏罚为能／身之所短，上虽不知，不以取赏／上赏赏德，其次赏才，又其次赏功／勇略震主者身危，功盖天下者不赏／明君不官无功之臣，不赏不战之士／新交与旧识俱欢，林壑共烟霞对赏／烟霞充耳目之玩，鱼鸟尽江湖之赏／古之善用人者，必循天顺人而明赏罚／县法者，法不法也；设赏者，赏当赏也／芳饵之下必有悬鱼，重赏之下必有死夫／赏善而不罚恶则乱，罚恶而不赏善亦乱／揽名责实不得虚言，有功者赏，有罪者罚／无德不贵，无能不官，无功不赏，无罪不罚／劳臣不赏，不可劝功；死士不赏，不可励勇／得贤须任，既任须信，既信须终，既终须赏／香饵之下，必有悬鱼；重赏之下，必有死夫／必使为善者不越月逾时而得其赏，则人勇而有劝焉／贤君之治也，温良而和，宽容而爱，刑清而省，喜赏而恶罚／赏一人而败国俗，仁者弗为也；以不信得厚赏，义者弗为也

赐 cì 赏给；指赏赐的东西或给予的恩惠；通“澌”，穷尽。

❷赏赐不加于无功，刑罚不施于无罪／愿赐尚方斩马剑，断佞臣一人，以厉其余

❹一言之赐，过乎玙璧

❾宽一分民多受一分赐

❿宁见朽贯千万而不忍赐人一钱

赔 péi 补还自己给别人造成的物质或精神损失；做买卖亏了本钱，与“赚”相对；向别人道歉或认错。

❶赔了夫人又折兵

见明·罗贯中《三国演义》第五十五回。

赘 zhuì 多余的；无用的；招女婿；抵押；连缀；聚会；病。

❹身，增则赘，而割则亏

❼通才之人或见赘于时，高世之士或见排于俗

颐 yí 保养；面颊；下巴；作语助；六十四卦之一。

❿无说诗，匡鼎来；匡说诗，解人颐／浩漾东流，赴海为期。斡而迁焉，逐我颐指

赞 zàn 引见；辅助；支持；称赞；颂扬；告诉；旧时的一种文体，以赞美人或物为主，多系韵文。

❶赞以洁白，而随以污德

见《吕氏春秋·审分览·审分》。全句为：“～；任以公法，而处以贪枉”。

❺意无是非，赞之如流；言无可否，应之如响

❽美物者贵依其本，赞事者宜本其实

❿一政之出，上有意而未决，则吏赞之／不察事之是非而悦人赞己，暗莫甚焉

赠 zèng 赠送；送走；驱除；给死去的人授予官职或荣誉称号；古时以殉葬品送葬；古时朝廷的封典。

❶赠必固辞，求无不应

见唐·韩愈《祭裴太常文》。

赠人以言，重于金石珠玉

见《荀子·非相》。

赠人以财者，唯申即日之欢

见唐·武则天《臣轨序》。全句为：“～；赠人以言者，能致终身之福”。

赠人以言者，能致终身之福

见唐·武则天《臣轨序》。全句为：“赠人以财者，唯申即日之欢；～”。

❸宝剑赠与烈士，红粉赠与佳人

❹情往似赠，兴来如答

❼一截遗欧，一截赠美，一截还东国／贫交此别无他赠，唯有青山远送君

❾宝剑赠与烈士，红粉赠与佳人／恨无昆山片玉以相赠，赠君桂林之一枝

❿杨柳枝，芳菲节，可恨年年赠离别／恨无昆山片玉以相赠，赠君桂林之一枝／春日迟迟，秋风飒飒。情往似赠，兴来如答／山沓水匝，树杂云合。……情往似赠，兴来如答

赡 ①shàn 供给；丰富；姓。②dàn 通“澹”，安定。

❷将赡才力，务在博见／思赡者善敷，才核者善删

❹振人不赡，先从贫贱始

❺人安则财赡，本固则邦宁

❻上求寡而易赡，民安乐而无事

❽侈而无节，则不可赡／农功不妨，谷稼丰赡，故人富也／学者不患才之不赡，而患志之不立

❾山岳有饶，然后百姓赡焉

❿畜民者，先厚其业而后求其赡／川源不能实漏卮，山海不能赡溪壑／以力服人者，非心服也，力不赡也

见 ①jiàn 看到；会见；接见；见识；被，受；听说；知道，觉得；接触；显示出；见解。②xiàn 通“现”，显现，展现；引见；推荐。

❶见微而知著

见宋·苏洵《辨奸论》。

见毁而反之身

见《墨子·修身》。

见事过人，明也

见三国·魏·刘劭《人物志·八观》。

见能而不使，殆

见《管子·法法》。全句为：“闻贤而不举，殆；闻善而不索，殆；～”。

见尔前，虑尔后

据传为周·姬发《鉴铭》之句。

见机不遂者陨功

见汉·桓宽《盐铁论·击之》。

见义不为，无勇也

见《论语·为政》。

见贤忘贱，故能让

见汉·刘安《淮南子·缪称》。全句为："君子见过忘罚，故能谏；～；见不足忘贫，故能施。情系于中，行形于外"。

见不足忘贫，故能施

见汉·刘安《淮南子·缪称》。全句为："君子见过忘罚，故能谏；见贤忘贱，故能让；～。情系于中，行形于外"。

见义勇发，不计祸福

见宋·苏轼《陈公弼传》。

见利思义，见危授命

见《论语·宪问》。

见势不趋，见威不惕

见明·冯梦龙《东周列国志》第十八回。

见小利，则大事不成

见《论语·子路》。

见小曰明，守柔曰强

见《老子》五十二。

见知之道，唯虚无有

见战国·佚书《经法·道法》。

见善不敬，与昏瞽同

见唐·柳宗元《送从兄偁罢选归江淮诗序》。全句为："闻善不慕，与聋聩同；～；知善不言，与嚚喑同"。

见善则迁，有过则改

见《周易·益》。

见善若惊，疾恶若仇

见汉·孔融《荐祢衡表》。

见怪不怪，其怪自败

见清·曹雪芹《红楼梦》第九十四回。

见胜而战，知难而退

见晋·陈寿《三国志·魏书·刘放传》。

见素抱朴，少私寡欲

见《老子》一十九。

见一叶落而知岁之将暮

见汉·刘安《淮南子·说山》。全句为："～，睹瓶中之冰而知天下之寒"。

见可欲则思知足以自戒

见唐·魏征《论时政第二疏》。全句为："～，将有作则思知止以安人"。

见之而不知，虽识必妄

见《荀子·儒效》。全句为："闻之而不见，虽博必谬；～"。

见人而不自见者谓之蒙

见三国·魏·徐幹《中论·修本》。全句为："～，闻人而不自闻者谓之聩，虑人而不自虑者谓之瞀"。

见誉而喜者，佞之媒也

见隋·王通《文中子·魏相》。全句为："闻谤而怒者，谗之由也；～"。

见乃谓之象，形乃谓之器

见《周易·系辞上》。

见象之牙而知其大于牛也

见汉·刘向《说苑·尊贤》。全句为："见虎之尾而知其大于狸也，～"。

见势则附，俗人之所能也

见唐·张九龄《上姚令公书》。全句为："～；与不妄受，志士之所难也"。

见小利不动，见小患不避

见宋·苏洵《心术》。

见善，修然，必以自存也

见《荀子·修身》。全句为："～；见不善，愀然，必以自省也"。

见善如不及，用人如由己

见汉·班彪《王命论》。全句为："～。从谏如顺流，趣时如响起"。

见善思齐，足以扬名不朽

见唐·吴兢《贞观政要·教戒太子诸王》。全句为："～；闻恶能改，庶得免乎大过"。

见微以知萌，见端以知末

见《韩非子·说林上》。

见富贵而生谄容者最可耻

见清·朱伯庐《治家格言》。全句为："～，遇贫穷而作骄态者贱莫甚"。

见礼而知俗，闻乐而知政

见宋·苏轼《试馆职策题三首》其二。

见恶，如农夫之务去草焉

见《左传·隐公六年》。

见患而后虑，见灾而后救

见宋·王安石《再上龚舍人书》。

见虎之尾而知其大于狸也

见汉·刘向《说苑·尊贤》。全句为："～，见象之牙而知其大于牛也"。

见不善，愀然，必以自省也

见《荀子·修身》。全句为："见善，修然，必以自存也；～"。

见善如不及，见不善如探汤

见《论语·季氏》。

见悻悻自好之徒，应须防口

见明·陈继儒《小窗幽记》。全句为："遇沉沉不语之士，切莫输心；～"。

见富贵而生谄容者，最可耻

见清·朱柏庐《治家格言》。全句为："～；遇贫穷而作骄态者，贱莫甚"。

见瓶水之冰，而知天下之寒

见《吕氏春秋·慎大览·察今》。

见世人可取者多，则德日进矣

见清·王永彬《围炉夜话》。全句为："知往日所行之非，则学日进矣；～”。

见卵而求时夜，见弹而求鸮炙

见《庄子·齐物》。

见利不亏其义，见死不更其守

见《礼记·儒行》。

见过不更，闻谏愈甚，谓之很

见《庄子·渔父》。

见瓶中之水，而知天下之寒暑

见汉·刘安《淮南子·兵略》。全句为：“处于堂上之阴，而知日月之次序；～”。

见敌之所不足，则知其所有余

见《孙膑兵法·奇正》。全句为：“善战者，见敌之所长，则知其所短；～”。

见父之执，不谓之进，不敢进

见《礼记·曲礼上》。全句为：“～；不谓之退，不敢退；不问，不敢对”。

见雨则裘不用，升堂则蓑不御

见汉·刘安《淮南子·齐俗》。

见百金而色变者，不可以统三军

见明·徐学谟《归有园麈谈》。全句为：“见十金而色变者，不可以治一邑；～”。

见十金而色变者，不可以治一邑

见明·徐学谟《归有园麈谈》。全句为：“～；见百金而色变者，不可以统三军”。

见贤思齐焉，见不贤而内自省也

见《论语·里仁》。

见有人来，袜刬金钗溜，和羞走

见宋·李清照《点绛唇》。全句为：“～。倚门回首，却把青梅嗅”。

见可而进，知难而退，军之善政也

见《左传·宣公十二年》。

见乎表者作乎里，形于事者发于心

见宋·杨万里《庸言》。

见利不诱，见害不惧……是谓灵气

见《管子·内业》。删节处为：“宽舒而仁，独乐其身”。

见利争让，闻义争为，有不善争改

见隋·王通《文中子·魏相》。

见隅曲之一指，而不知八极之广大

见汉·刘安《淮南子·氾论》。

见日月不为明目，闻雷霆不为聪耳

见《孙子兵法·形篇》。

见贤而不能举，举而不能先，命也

见《礼记·大学》。全句为：“～；见不善而不能退，退而不能远，过也”。

见不善而不能退，退而不能远，过也

见《礼记·大学》。全句为：“见贤而不能举，举而不能先，命也；～”。

见乱而不惕，所残必多；其饰，弥章

见《国语·周语下》。

见闻之知，乃物交而知，非德性所知

见宋·张载《正蒙·大心》。全句为：“～；德性所知，不萌于见闻”。

见其可利也，则必前后虑其可害也者

见《荀子·不苟》。

见人有善如已有善，见人有过如已有过

见《尸子·治天下》。

见明珠者始贱鱼目，知雅乐者方鄙郑声

见唐·柳识《琴会记》。

见不尽者，天下之事；读不尽者，天下之书

见明·冯梦龙《警世通言·王安石三难苏学士》。全句为：“～；参不尽者，天下之理”。

见利思辱，见恶思诟，嗜欲思耻，忿怒思患

见汉·戴德《大戴礼记·曾子立事》。

见人之过，得己之过；闻人之过，得己之过

见宋·杨万里《庸言》。

见危授命，士之美行；褒善录功，国之令典

见宋·王安石《故内殿承制宋士尧等赠官》。

见骥一毛，不知其状；见画一色，不知其美

见《尸子》卷下。

见虎一文，不知其武；见骥一毛，不知善走

见汉·刘安《淮南子·说林》。

见可怜则流涕，将分与则吝啬，是慈而不仁者

见三国·魏·刘劭《人物志·八观》。

见兔而顾犬，未为晚也；亡羊而补牢，未为迟也

见《战国策·楚策四》。

见玉而指之曰石，非玉之不真也，待和氏而识焉

见晋·葛洪《抱朴子·塞难》。

见其远者大者，不食邪人之饵，方是二十分识力

见明·吴麟征《家诫要言》。

❷随见随忘，随闻随废／动见臧否，言知利害／路见不平，拔刀相助／象见其牙，而大小可论／士见危致命，见得思义／但见沙场死，谁怜塞上孤／少见之人，如从管中窥天／唯见月寒日暖，来煎人寿／相见无杂言，但道桑麻长／相见不得亲，不如不相见／相见情已深，未语可知心／所见所期，不可不远且大／所见既可骇，所闻良可悲／眼见方为是，传言未必真／所见少则所怪多，世之常也／形见则胜可制，力罢则威可立／宁见朽贯千万而不忍赐人一钱／誉见即毁随之，善见即恶从之／多见阙殆，慎言其余，则寡悔。／目见百步之外，而不能自见其眦／不见年年辽海上，文章何处哭秋风／不见古人卜居者，千金只为买乡邻／博见为馈贫之粮，贯一为拯乱之药／但见无为为要妙，岂知有作是根基／但见丹诚赤如血，谁知伪言巧似簧／众见者人为之伏，器见者人为之备／莫见长安行乐处，

空令岁月易蹉跎／察见渊鱼者不祥，智料隐匿者有殃／相见时难别亦难，东风无力百花残／智见者人为之谋，形见者人为之功／所见异辞，所闻异辞，所传闻异辞／忽见陌头杨柳色，悔教夫婿觅封侯／不见其形不闻其声，而序其成谓之道／出见纷华盛丽而说，入闻夫子之道而乐／莫见乎隐，莫显乎微，故君子慎其独也／褒见一字，贵逾轩冕；贬在片言，诛深斧钺／吾见世人清名登而金贝入，信誉显而然诺亏／多见者博，多闻者智；拒谏者塞，专己者孤／欲见贤人而不以其道，犹欲其入而闭之门也／始见新春，又逢初夏。四时若箭，两曜如梭。／自见者不明，自是者不彰，自伐者无功，自矜者不长

❸贫甚见时情／一节见则百节知／贱所见，贵所闻／信而见疑，忠而被谤／濯溪见鳄必弃履而走／贫则见廉，富则见义／使之见者，乃不见者也／侏儒见一节而短长可知／小巫见大巫，神气尽矣／吾不见青天高，黄地厚／吾未见好德如好色者也／君子见过忘罚，故能谏／一旦见景生情，触目兴叹／上贵见肝胆，下贵不相疑／不目见口问，不能尽知也／前不见古人，后不见来者／入门见嫉，蛾眉不肯让人／离居见新月，那得不思君／君子见几而作，不俟终日／深溪见底，鳞介之所出没／途穷见交态，世梗悲路涩／案头见蠹鱼，犹胜凡俦侣／时危见臣节，世乱识忠良／春早见花枝，朝朝恨发迟／穷乃见节义，老当志弥刚／圣人见端而知本，精之至也／行者见罗敷……但坐观罗敷／静后见万物，自然皆有春意／不自见，故明；不自是，故彰／君功见于选将，将功见于理兵／君功见于选吏，吏功见于治民／明者见于无形，智者虑于未萌／镜无见疵之罪，道无明过之恶／君不见曲如钩，古人知尔封公侯／君不见直如弦，古人知尔死道边／司空见惯浑闲事，断尽苏州刺史肠／仁者见之谓之仁，知者见之谓之知／行宫见月伤心色，夜雨闻铃肠断声／何尝见明镜疲于屡照，清流惮于惠风／墨子见衢路而哭之，悲一跬而缪千里／君不见今人交态薄，黄金用尽还疏索／君不见管鲍贫时交，此道今人弃如土／我独见得是，亦须缓缓调停，不可直遂／能近见而后能远察，能利狭而后能泽广／君不见长安女儿嫩如水，十指不动衣罗绮／君不见长松百尺多劲节，狂风暴雨终摧折／君不见黄河之水天上来，奔流到海不复回／君不见高堂明镜悲白发，朝如青丝暮成雪／君不见高山万仞连苍旻，天长地久成埃尘／君不见担雪塞井空用力，炊沙作饭岂堪食／君不见比来翁姥尽饥死，狐狸啮骨乌啄眼／士穷见节义，世乱识忠臣，欲学者必周于德／小中见大，大中见小；一为千万，千万为一／君子见人之厄则矜之，小人见人之厄则幸之／匹夫见辱，拔剑而起，挺身而斗，此不足为勇／君子见利思辱，见恶思诟，嗜欲思耻，忿怒思患

❹士穷乃见节义／英雄所见略同／桃红又见一年春／登临直见楚山雄／无面目见江东父老／一日不见，如三秋兮／圣人之见，终始微言／观于物，见山水……／善欲人见，不是真善／游而不见敬，不恭也／濯去旧见，以来新意／居而不见爱，不仁也／目所不见，非无色也／一不可见，则两之用息／明者独见，不惑于朱紫／不广不见削，不盈不见亏／不清不见尘，不高不见危／人视水见形，视民知治不／人欲自见其势，以资明镜／亭之所见，南北百里……／杀人须见血，救人须救彻／明谓多见巧诈，蔽其朴也／不治可见之美，不竞人间之名／世远莫见其面，觇文辄见其心／倘非广见博闻，总觉光阴虚度／谋，必素见成事焉，而后履之／善战者，见利不失，遇时不疑／舟覆乃见善游，马奔乃见良御／大丈夫见善明，则重名节如泰山／目无所见，耳无所闻，心无所知／今人不见古时月，今月曾经照古人／儿童相见不相识，笑问客从何处来／按善恶见闻之实，断是非去取之疑／善战者，见敌之所长，则知其所短／野夫怒见不平处，磨损胸中万古刀／明者远见于未萌，而智者避危于无形／事不目见耳闻，而臆断其有无，可乎？／发乎声，见乎四支，谓非己心，不明也／物理不见不闻，虽圣哲亦不能索而知之／立节者见难不苟免，贪禄者见利不顾身／镜于水，见面之容；镜于人，则知吉与凶／善欲人见，不是真善；恶恐人知，便是大恶／苟有所见，虽布衣之贱，远守之微，亦可施用／不待相见，相信已熟；既相见，不要约，已相亲

❺水清石自见／潜龙以不见成德／过也，人皆见之／无欲速，无见小利／天有五贼，见之者昌／不睹之睹，见莫大焉／临难忘身，见危致命／今夕何夕，见此良人／闻所未闻，见所未见／见利思义，见危授命／见势不趋，见威不惕／斫冰为璧，见日而销／羊质虎皮，见豺则恐／闻之而不见，虽博必谬／世情闲静见，药性病多谙／为问频相见，何似常相守／人生不相见，动如参与商／去帆若不见，试望白云中／捉衿而肘见，纳履而踵决／问姓惊初见，称名忆旧容／恬淡无人见，年年常自清／时穷节乃见，一一垂丹青／明有所不见，听有所不闻／视之而不见，听之而不闻／有人者累，见有于人者忧／目限于所见，则夺其天明／目短于自见，故以镜观面／自知不自见，自爱不自贵／军未战先见败征，可谓知兵／诗如神龙，见其首不见其尾／能者之相见也，不待试而知／善人喜于见传，则勇于自立／闻名不如见面，见面胜似闻名／不贰过者，见不

善之端而止之也／但终日不见已过，便绝圣贤之路／益。君子以见善则迁，有过则改／正论非不见容，然邪说亦有时而用／学视者先见舆薪，学听者先闻撞钟／见利不诱，见害不惧……是谓灵气／爱人者必见爱也，而恶人者必见恶也／视之不足见，听之不足闻，用之不足既／视之而不见，听之而不闻，搏之而不得／鉴于水者见面之容，鉴于人者知吉与凶／君子非不见贵，然小人亦得厕其间时而用／临财苟得，见利反义，不义而富，无名而贵／见利思辱，见恶思诟，嗜欲思耻，忿怒思患／处明者不见暗中一物，而处暗者能见明中区事／闻难思解，见利思避，好成人之美，可以立矣／视民如子，见不仁者诛之，如鹰鹯之逐鸟雀也／涉浅水者见虾，其颇深者察鱼鳖，其尤甚者观蛟龙

❻百闻不如一见／图穷而匕首见／逐兽者目不见太山／东向而望，不见西墙／仁者，积恩之见证也／入道弥深，所见弥大／动乎其言而见乎其文／如闻其声，如见其容／戴盆望天，不见星辰／神施鬼设，间见层出／怨岂在明？不见是图／管中窥豹，时见一斑／越自尊大，越见器小／含不尽之意，见于言外／士见危致命，见得思义／见人而不自见者谓之蒙／井中视星，所见不过数星／天下有道则见，无道则隐／不困在豫慎，见祸在未形／人之视己，如见其肝肺然／谛毫末者，不见天地之大／闻所闻而来，见所见而去／嫉恶如仇雠，见善若饥渴／见小利不动，见小患不避／见微以知萌，见端以知末／见患而后虑，见灾而后救／白苹之野，斯见不平之人／失吾道者，上见光而下为土／凡人情忽于见事而贵于异闻／知之难，不在见人，在自见／见善如不及，见不善如探汤／传闻不如亲见，视影不如察形／日日思君不见君，共饮长江水／生木之长，莫见其益，有时而修／兵未战而先见败征，此可谓知兵／为恶之私易见，而为善之私难知／吾究物始，而见夫妇之为造端也／见贤思齐焉，见不贤而内自省也／欲速则不达；见小利则大事不成／烈士为天下见善矣，未足以活身／砥砺磨坚，莫见其损，有时而薄／磨砻底厉，不见其损，有时而尽／种树畜养，不见其益，有时而大／人之水镜也，见之若披云雾睹青天／凡人之智，能见已然，不能见将然／圣人不以独见为明，而以万物为心／道也者，动不见其形，施不见其德／敬人而不必见敬，爱人而不必见爱／人主之意欲见于外，则为人臣之所制／问事弥多而见弥博，官弥剧而识弥泥／东面望者不见西墙，南乡视者不睹北方／以镜自照者见形容，以人自照者见吉凶／耻不修，不耻见污；耻不信，不耻不见信／一叶蔽目，不见泰山；两豆塞耳，不闻雷霆／无稽之言，不见之行，不闻之谋，君子慎之／人影在地，仰见明月，顾而乐之，行歌相答／句有可削，足见其疏；字不得减，乃知其密／安卧扬帆，不见石滩；靠天多幸，白日入阱／通才之人或见赘于时，高世之士或见排于俗／道，视之不可见，听之不可闻，搏之不可得／智如目也，能见百步之外，而不能自见其睫／登高临深，远见之乐，台榭不若丘山所见高也／羊质而虎皮，见草而悦，见豺而战，忘其皮之虎矣／非情、才无以见性，非气质无所为情、才，即无所为性也／达于道者，独见独闻，独为独存，父不能以授子，臣不能以授君

❼贞不自炫，用不见疑／仕于世，有劳而见罪／去好去恶，群臣见素／耻不能，不耻不见用／贫则见廉，富则见义／雾尽披天，萍开见水／专明无胆，则虽见不断／使之见者，乃不见者也／志有所存，顾不见泰山／清之为明，杯水见眸子／情变于内者，形见于外／轻用其国，而不见其过／有德而有才，方见于用／丈夫皆有志，会见立功勋／由来征战地，不见有人还／合则混然，人不见其殊也／高峰入云，清流见底……／坐对风动帷，卧见云间月／犹如水中月，可见不可取／备周则意怠，常见则不疑／日闻所未闻，日见所未见／田夫荷锄至，相见语依依／空嗟芳饵下，独见有贪心／窥寸隙之光而见日轮之体／虎狼堕井，仁者见之而不怜／自井中视星，所见不过数星／临难而不苟免，见利而不苟得／当九秋之凄清，见一鹗之直上／处事不可任己见，要悉事之理／闻名不如见面，见面胜似闻名／闻善以相告也，见善以相示也／见卵而求时夜，见弹而求鸮炙／见利不亏其义，见死不更其守／其辞质而径，欲见之者易谕也／嗜欲充益，目不见色，耳不闻声／古来青史谁不见，今见功名胜古人／太山在前而不见，疾雷破柱而不惊／察察者有所不见，恢恢者有所不容／泰山在前而不见，疾雷破柱而不惊／睫在眼前长不见，道非身外更何求／矮人看戏何曾见，都是随人说短长／立当青草人先见，行傍白莲鱼未知／悟者，吾心也。能见吾心，便是真悟／行一棋不足以见智，弹一弦不足以见悲／心不清则无以见道，志不确则无以立功／干大事而惜身，见小利而忘命，非英雄也／诗如鼓琴，声声见心。心为人籁，诚中形外／推微达著，寻端见绪，履霜知冰，践露知暑／小中见大，大中见小；一为千万，千万为一／水皆缥碧，千丈见底；游鱼细石，直视无碍／思古人而不得见，学古道，则欲兼通其辞也／耳闻之，不如目见之；目见之，不如足践之／女无美恶，入宫见妒。士无贤不肖，入朝见嫉／直视千里外，唯见起黄埃。凝思寂听，心伤已摧／君子见利思辱，见恶思诟，嗜欲思耻，忿怒思患／敌先我动，则是见其形；彼躁我静，则

是罢其力／澄潭至清，洞澈见底，往往有群鱼戏，历历如水上行

❽读书百遍而义自见／躬履艰难而节乃见／一贵一贱，交情乃见／才不大者，不能博见／天下昏乱，忠臣乃见／两不立，则一不可见／将赡才力，务在博见／闻所未闻，见所未见／远不如近，闻不如见／明镜鉴形，美恶必见／泰山之大，背之不见／有善必闻，有恶必见／大名之后，不宜无见焉／君子耻不修，不耻见污／德性所知，不萌于见闻／目能察黑白而不见其睫／言节候，则披文而见时／天下智谋之士，所见略同／天便教人，霎时厮见何妨／不教不学，闷然不见己缺／严冬不肃杀，何以见阳春／书为晓者传，事为见者明／前不见古人，后不见来者／峰攒望天小，亭午见日初／闻所闻而来，见所见而去／浊之为暗，河水不见太山／时不乏人而患闻见之不博／病多知药性，客久见人心／登楼知日近，傍海见潮生／路遥知马力，日久见人心／不能无诉，诉而必见察……／事信言文，乃能表见于后世／为天有眼兮何不见我独漂流／小人不激不励，不见利不劝／有高人之行者，固见负于世／有独知之虑者，必见骜于民／未曾灭项兴刘，先见筑坛拜将／国离寇敌则伤，民见凶饥则亡／誉见即毁随之，善见即恶从之／生不识水，则虽壮，见舟而畏之／我贤而彼不知，则见轻，非我咎也／获一人而失一国，见黄雀而忘深井／夏也百草榛榛焉，见其盛而知其阑／闻其饥寒为之哀，见其劳苦为之悲／官仓老鼠大如斗，见人开仓亦不走／不泥古法，不执己见，惟在活而已矣／临事而屡断，勇也；见利而让，义也／圣人不行而知，不见而明，不为而成／为治之功不在大，见大不明，见小乃明／白黑在前而目不见，雷鼓在侧而耳不闻／善战者，居之不挠，见胜则起，不胜则止／处世间事，众人皆见得非，而我独见得是／万物有乎生而莫见其根，有乎出而莫见其门／功有难图，不可预见；事有易断，较然不疑／太山之高，背而弗见；秋毫之末，视之可察／用明察非，非无不见；用理钤疑，疑无不定／聪者耳闻，明者目见，聪明则仁爱著而廉耻分／心不在焉，视而不见，听而不闻，食而不知其味／文章当从三易：易见事，一也；易识字，二也；易读诵，三也

❾万物归之，美恶乃自见／名可得闻，身难得而见／夕阳照山，无奇而不见／视于无形则得其所见矣／锥之处囊中，其末立见／不广不见削，不盈不见亏／不清不见尘，不高不见危／冯公岂不伟，白首不见招／攻玉于山，倏知于独见也／经一番挫折，长一番见识／每读其传，未尝不想见其人／诗如神龙，见其首不见其尾／白刃扞乎胸，则目不见流矢／君功见于选将，将功见于理兵／君功见于选吏，吏功见于治民／愚者暗于成事，知者见于未萌／聪者听于无声，明者见于未形／耳调玉石之声，目不见太山之高／后之来者，则吾未之见，其可忽耶／义理有疑，则濯去旧见，以来新意／古来青史谁不见，今见功名胜古人／众见者人为之伏，器见者人为之备／若教纸上翻身看，应见团团董卓脐／君子有九思：视思明……见得思义／君王旧迹今人赏，转见千秋万古情／多闻则守之以约，多见则守之以卓／智见者人为之谋，形见者人为之功／所求多者所得少，所见大者所知小／劫之以众，沮之以兵，见死不更其守／制其末而不穷其源，见其粗而未识其精／泰山之为大，弗察弗见，而况微渺者乎／见人有善如己有善，见人有过如己有过／乐听其音，则知其俗；见其俗，则知其化／观古今之成败，能先见事机者，则恒受其福／见骥一毛，不知其状；见画一色，不知其美／见虎一文，不知其武；见骥一毛，不知善走／爱名尚利，小人哉，未见仁者而好名利者也／忠果正直，志怀霜雪，见善若惊，疾恶若仇／龟龙闻而深藏、鸾凤见而高逝者，知其害身也／读来一百遍，不如亲见颜色，随问而对之易了／以意为主，则其旨必见；以文传意，则其词不流／避人之长，攻人之短，见己之所长，避己之所短／愚者不自谓愚而愚见于言，虽自谓智，人犹谓之愚／言贵尽心，亦各其所见也，若是非，则明智者裁之

❿传闻不同，善恶随人所见／常言道：日久才把人心见／相见不得亲，不如不相见／日闻所未闻，日见所未见／于此有所蔽，则于彼有所见／以天下之目视，则无不见也／旁观虽拙，而灼于虚公之见／喜怒哀乐之动乎中必见乎外／知之难，不在见人，在自见／因天下之目以视，则无不见／途殊别务者，虽忠告而见疑／礼乐之得失，视之未必见也／虎豹不外其爪，而噬不见齿／世远莫见其面，觇文辄见其心／人生似瓦盆，打着了方见真空／物以远至为珍，士以稀见为贵／方圆画不俱成，左右视不并见／舟覆乃见善游，马奔乃见良御／在天成象，在地成形，变化见矣／虽有至明，而有形者不可毕见焉／彼以成败评豪杰者，市儿之见也／明足以察秋毫之末，而不见舆薪／目见百步之外，而不能自见其眦／一语天然万古新，豪华落尽见真淳／上穷碧落下黄泉，两处茫茫皆不见／天苍苍，野茫茫，风吹草低见牛羊／不出户，知天下；不窥牖，见天道／事有所分，则毫末不遗而情伪必见／临喜临怒看涵养，群行群止看识见／为虏为王尽偶然，有何羞见汉江船／剖开顽石方知玉，淘尽泥沙始见金／仁者见之谓之仁，知者见之谓之知／关河景物异南北，神京不见双泪流／人

言落日是天涯，望极天涯不见家／人之愈深，其进愈难，而其见愈奇／凡人之智，能见已然，不能见将然／谋而不得，则以往知来，以见知隐／难得易失者时也，易过难见者机也／折而不挠，勇也；瑕適皆见，精也／将欲取天下而为之，吾见其不得已／吾尝跂而望矣，不如登高之博见也／君门一入无由出，唯有宫莺得见人／行发于身加于人，言发乎迩见乎远／沛然从肺腑中流出，殊不见斧凿痕／潭西南而望，斗折蛇行，明灭可见／道也者，动不见其形，施不见其德／道人活计只如此，留与时人作见闻／死去元知万事空，但悲不见九州同／日改月化，日有所为，而莫见其功／敬人而不必见敬，爱人而不必见爱／新剑以诈刻加价，弊方以伪题见宝／立言无显过之咎，明镜无见玼之尤／走马西来欲到天，辞家见月两回圆／登高而招，臂非加长也，而见者远／天地在我首之上，足之下，开目尽见／圣人之道，一龙一蛇，形见神臧……／士有靡衣鲜食而乐道者，吾未之见也／萌于不必忧之地，而寓于不可见之初／君子之学，或施之事业，或见于文章／往而不来者年也，不可得再见者亲也／多闻，择其善者而从之；多见而识之／爱人者必见爱也，而恶人者必见恶也／积恶在身，犹火之销膏，而人不见也／其盗机也，天下莫不能见，莫不能知／为治之功不在大，见大不明，见小乃明／以镜自照者见形容，以人自照者见吉凶／人能尽性知天，不为蕞然起见，则几矣／据沧海而观众水，则江河之会归可见也／行一棋不足以见智，弹一弦不足以见悲／得志，泽加于民；不得志，修身见于世／风霜以别草木之性，危乱而见贞良之节／悲斯叹，叹斯愤，愤必有泄，故见乎词／立节者见难不苟免，贪禄者见利不顾身／其称文小而其指极大，举类迩而见义远／开函关，掩函关，千古如何，不见一人闲／从来谈诗，必摘古人佳句为证，最是小见／独自莫凭阑，无限江山，别时容易见时难／处世间事，众人皆见得非，而我独见得是／耻不修，不耻见污；耻不信，不耻不见信／用天下之目观而救之，夫岂无最远之见乎／万物有乎生而莫见其根，有乎出而莫见其门／生男无喜，生女无怒，独不见卫子夫霸天下／以管窥天，以锥刺地；所窥者大，所见者小／古之君子，其过也，如日月之食，民皆见之／贞以图国，义惟急病；临难忘身，见危致命／人面看年年岁岁之同，花枝见夜夜朝朝之好／凡举事，无为亲厚者所痛，而为见仇者所快／交私养望者多得显官，独立营职者或见排沮／幽晦登昭，日月下藏；公正无私，反见从横／圣贤之所以为知者，不过思与见闻之会而已／英以其聪谋始，以其明见机，待雄之胆行之／君子见人之厄则矜之，小人见人之厄则幸之／状难写之景如在目前；含不尽之意见于言外／通才之人或见赘于时，高世之士或见排于俗／相臣将臣，文恬武嬉，习熟见闻，以为当然／智如目也，能见百步之外，而不能自见其睫／贤士之处世也，譬若锥之处囊中，其末立见／毛嫱、丽姬，人之所美也……麋鹿见之决骤／盖棺始能定士之贤愚，临事始能见人之操守／耳闻之，不如目见之；目见之，不如足践之／聪明流通者戒于太察，寡闻少见者戒于壅蔽／平原广望，博观之乐，沼池不如川泽所见博也／谋臣良将，何代无之；贵在见知，要在见用耳／羿者，天下之善射者也，无弓矢则无所见其巧／处明者不见暗中一物，而处暗者能见明中区事／女无美恶，入宫见妒。士无贤不肖，入朝见嫉／趣舍合，即言忠而益亲；身疏，即谋当而见疑／登高临深，远见之乐，台榭不若丘山所见高也／一出而不可反者，言也；一见而不可掩者，行也／才可伪，功不可伪；临民听政，长短贤不肖立见／不待相见，相信已熟；既相见，不要约，已相亲／君子依乎中庸，遁世不见知而不悔，唯圣者能之／行世者必真，悦俗者必媚，真久必见，媚久必厌／造父者，天下之善御者也，无舆马则无所见其能／老而学者，如秉烛夜行，犹贤乎瞑目而无见者也／人遇逆境，无可奈何，而安之若命，乃是见识超卓／羊质而虎皮，见草而悦，见豺而战，忘其皮之虎矣／专以一身任天下，其智之所不见，力之所不举者多矣／不以众人待其身，而以圣人望于人，吾未见其尊己也／兰茝生于茂林之中，深山之间，不为人莫见之故不芬／合抱之松无庸于狰人之国，若瓮之茧见弃于裸体之邦／去其家观人家，去其身观人身，所观益远，所见益少／建天下之大事功者，全要眼界大，眼界大则识见自别／莫道男儿心如铁，君不见满川红叶，尽是离人眼中血／耳之闻也藉于静，目之见也藉于昭，心之知也藉于理／物之美者，盈天地间皆是也。然必待人之神明才慧而见／智亦有所不至。所不至，说者虽辩，为道虽精，不能见矣／不闻不若闻之，闻之不若见之，见之不若知之，知之不若行之／今世之人居高官尊爵者，皆重失之，见利轻亡其身，岂不惑哉／道不可闻，闻而非也；道不可见，见而非也；道不可言，言而非也／目察秋毫之末，耳不闻雷霆之声；耳调玉石之声，目不见泰山之高

规 ①guī 校正圆形的用具；圆弧形；规则；章程；典范；规劝；谏诤；规划；打算；效法，摹拟；分划；古代田制之一。②kuī 通“窥”。

❶规小节者不能成荣名

见汉·司马迁《史记·鲁仲连邹阳列传》。全句为：“～，恶小耻者不能立大功”。

规孟贲之目，大而不可畏

见汉·刘安《淮南子·说山》。全句为："画西施之面，美而不可说；～"。

规矩备具，而能出于规矩之外

见宋·吕本中《夏均父集序》。全句为："～；变化不测，而亦不背于规矩也"。

规矩，方圆之至也；圣人，人伦之至也

见《孟子·离娄上》。

❷尽规矩而进者，全礼义者也／无规矩，虽奚仲不能以定方圆／用规矩准绳者，亦有规矩准绳焉／去规矩而妄意度，奚仲不能成一轮／子规夜半犹啼血，不信东风唤不回／非规矩不能定方圆，非准绳不能正曲直／释规而任巧，释法而任智，惑乱之道也

❸不以规矩不能成方员／不以规矩，不能成方圆

❹先定其规摹，而后从事／矩不方，规不可以为圆

❺身者，事之规矩也／侵欲无厌，规求无度／以公平为规矩，以仁义为准绳／巧者能生规矩，不能废规矩而正方圆

❻大匠诲人以规矩／凡工妄匠，执规秉矩，错准引绳，则巧同于人倕也

❼大匠诲人必以规矩，学者亦必以规矩／悬衡而知平，设规而知圆，万全之道也／古之成大事者，规模远大与综理密微二者阙一不可

❽交友投分，切磨箴规／今人有过，不喜人规……／梓匠轮舆能与人规矩，不能使人巧

❾规矩备具，而能出于规矩之外／用规矩准绳者，亦有规矩准绳焉／何者为益友？凡事肯规我之过者是也／矩不正不可以为方，规不正不可以为圆

❿生为百夫雄，死为壮士规／有罚无恕，非怀远之弘规／变化不测，而亦不背于规矩也／巧匠目意中绳，然必先以规矩为度／巧者能生规矩，不能废规矩而正方圆／大匠诲人必以规矩，学者亦必以规矩／虽有巧目利手，不如拙规矩之正方圆／欲知平直，则必准绳；欲知方圆，则必规矩／操一己之绳墨，持前王之规矩，以方枘欲圆凿／小大修短，各得其所宜，规矩方圆，各有所施／无形，则不可制迫也，不可度量也，不可巧诈也，不可规虑也

觅

mì 寻找。

❷待觅个同心伴侣……

❸闭门觅句非诗法，只是征行自有诗／闭门觅句陈无己，对客挥毫秦少游／寻寻觅觅，冷冷清清，凄凄惨惨戚戚

❹吴僧爱觅闲吟处，偷向花边竹里来／寻寻觅觅，冷冷清清，凄凄惨惨戚戚

❺搜天斡地觅诗情／度柳穿花觅信音／词家从不觅知音，累汝千回带泪吟

❻睡起秋声无觅处，满阶梧叶月明中／踏破铁鞋无觅处，得来全不费功夫

❽千古江山，英雄无觅，孙仲谋处

❾世间屈事万千千，欲觅长梯问老天

❿忽见陌头杨柳色，悔教夫婿觅封侯／语言文字，如春之花，或者必欲弃花而觅春，非愚即狂

视

①shì 看；察看；看待；效法；比照；通"示"。②zhǐ 通"指"。

❶视时而立仪

见《管子·国准》。

视天下如一家

见宋·苏轼《杭州谢上表二首》之二。

视杀人若艾草菅然

见汉·贾谊《新书·保傅》。

视人之身，若己之身

见《墨子·兼爱中》。全句为："视人之国，若己之国；视人之家，若己之家；～"。

视险如夷，瞻程非邈

见唐·柳宗元《为安南杨侍御祭张都护文》。

视若游尘，遇同土梗

见南朝·梁·刘峻《广绝交论》。

视远惟明，听德惟聪

见《尚书·太甲中》。"惟"，是。

视于无形则得其所见矣

见汉·刘安《淮南子·说林》。全句为："～；听于无声则得其所闻矣"。

视履，考祥其旋，元吉

见《周易·履》。

视日月而知众星之蔑也

见汉·扬雄《法言·学行》。

视之而不见，听之而不闻

见《庄子·知北游》。

视民如寇仇，税之如豺虎

见南朝·宋·范晔《后汉书·左雄传》。

视白以为黑，飨香以为朽

见《列子·周穆王》。全句为："～，尝甘以为苦，行非以为是"。

视其所好，可以知其人焉

见宋·欧阳修《有美堂记》。

视卒如爱子，故可与之俱死

见《孔子·地形》。全句为："视卒如婴儿，故可与之赴深溪；～"。

视方寸于牛，不知其大于羊

见汉·刘安《淮南子·说山》。全句为："～，总视其体，乃知其大相去之远"。

视卒如婴儿，故可与之赴深溪

见《孔子·地形》。全句为："～；视卒如爱子，故可与之俱死"。

视家国而取者，则曰救彼涂炭
见唐·罗隐《英雄之言》。全句为："视玉帛而取者，则曰牵于寒饿，～"。
视玉帛而取者，则曰牵于寒饿
见唐·罗隐《英雄之言》。全句为："～，视家国而取者，则曰救彼涂炭"。
视轩裳如草芥，屏嗜欲若泥沙
见唐·颜真卿《浪迹先生玄真子张志和碑铭》。
视人之瘼如瘭疽在身，不忘决去
见唐·刘禹锡《高陵县令刘君遗爱碑》。
视都知野，视野知国，视国知天下
见唐·柳宗元《梓人传》。
视徒如己，反己以教，则得教之情
见《吕氏春秋·孟夏纪·诬徒》。
视强，则目不明；听甚，则耳不聪
见《韩非子·解老》。全句为："～；思虑过度，则智识乱"。
视其所以，观其所由，察其所安……
见《论语·为政》。全句为："～，人焉廋哉？人焉廋哉"。"廋"，藏匿。
视之不足见，听之不足闻，用之不足既
见《老子》三十五。全句为："道之出口，淡乎其无味，～"。
视之而不见，听之而不闻，搏之而不得
见《庄子·知北游》。
视人之国，若己之国；视人之家，若己之家
见《墨子·兼爱中》。全句为："～；视人之身，若己之身"。
视民如子，见不仁者诛之，如鹰鹯之逐鸟雀也
见《左传·襄公二十五年》。
视政之得失，若越人视秦人之肥瘠忽焉不加喜戚于其心
见唐·韩愈《争臣论》。后为："忽焉不加喜戚于其心"。
视听言行，循礼法而动，所以教人忘嗜欲而归性命之道也
见唐·李翱《复性书上》。
❷相视而笑，莫逆于心／虎视眈眈，其欲逐逐／一视而同仁，笃近而举远／人视水见形，视民知治不／天视自我民视，天听自我民听／总视其体，乃知其大相去之远／久视伤血，久卧伤气，久立伤骨／高视于万物之中，雄峙于百代之下／学视者先见舆薪，学听者先闻撞钟／私视使目盲，私听使耳聋，私虑使心狂／力视损明，力听损聪，疾言阻德，功伪败功／独视不若与众视之明，独听不若与众听之聪／道，视之不可见，听之不可闻，搏之不可得／直视千里外，唯见起黄埃。凝思寂听，心伤已摧
❸达则视其所举／后之视今，犹今之视昔／眇能视，不足以有明也／井中视星，所见不过数星／不穷视听界，焉识宇宙广／后之视今，亦犹今之视古／后之视今，亦犹今之视昔／后之视今，岂复今时之会／人之视己，如见其肝肺然／今之视者，已非昔日之欢／今之视古，亦犹后之视今也／居则视其所亲，富则视其所与／世人视宠以为荣，圣人观之以为下／以我视物则我大，以道体物则道大／穷则视其所不为，贫则视其所不取／自细视大者不尽，自大视细者不明／君之视臣如手足……则臣视君如寇雠／圣人视天下之不治，如赤子之在水火也／目妄视则淫，耳妄听则惑，口妄言则乱／昔君视我，如掌中珠；何意一朝，弃我沟渠
❹飞鸟皆视其背／不知来，视诸往／侧目而视，倾耳而听／多指乱视，多言乱听／以智而视，得形之微者也／以目而视，得形之粗者也／自井中视星，所见不过数星／一目之视也，不若二目之视也／十目所视，十手所指，其严乎／国奢则视之以俭，矫枉者过其正／聪明则视听不惑，公正则不迩谗邪／以老子视非老子，而非老子又胡不玄也／非礼勿视，非礼勿听，非礼勿言，非礼勿动／鹰扬虎视，齿若编贝，肤如凝脂，昭昭乎若玉山上行，朗然映人
❺不知其人视其友／不知其子视其友／毫毛虽小，视之可察／听和则聪，视正则明／闻义能徙，视死如归／遗生行义，视死如归／心之忧矣，视丹如绿／文之细大，视道之行止／以非老子视老子，而老子玄／自其同者视之，万物皆一也／自其异者视之，肝胆楚越也／国之兴也，视民如伤，是其福也／视都知野，视野知国，视国知天下／目不能两视而明，耳不能两听而聪／欲长生久视，而日逆其生，欲之何益／不知其君视其所使，不知其子视其所友／目不能二视，耳不能二听，手不能二事／日有眛则视白为黑，人有蔽则以薄为厚／心狂志悖，视听从类，政令无常，下民作孽／心不在焉，视而不见，听而不闻，食而不知其味／伯夷，目不视恶色，耳不听恶声。非其君，不事；非其民，不使／国之兴也，视民如伤，是其福也；其亡也，以民为土芥，是其祸也
❻手持文柄，高视寰海／人视水见形，视民知治不／捐躯赴国难，视死忽如归／损躯赴国难，视死忽如归／贵者虽自贵，视之若埃尘／正汝形，一汝视，天和将至／以天下之目视，则无不见也／礼乐之得失，视之未必见也／天视自我民视，天听自我民听／君子有九思：视思明……见得思义／白刃交于前，视死若生者，烈士之勇也／山空月明，仰视星斗皆光大，如适在人上／三年不目日，视必盲；三年不目月，精必朦／人之情，目欲视色，耳欲听声，口欲察味，志气欲盈／身

处困境，当视为天之爱我、成我，不当视为天之厄我、祸我也

❼疑心动于中，则视听惑于外／蒙矢石，赴汤火，视死如归／因天下之目以视，则无不见／传闻不如亲见，视影不如察形／一目之人可使视准，五毒之石可使溃疡／反听之谓聪，内视之谓明，自胜之谓强／独视不若与众视之明，独听不若与众听之聪／貌曰恭，言曰从，视曰明，听曰聪，思曰睿／善计天下者不视天下之安危，察其纪纲之理乱而已矣

❽后之视今，犹今之视昔／目在足下，不可以视近／目中有疵，不害于视，不可灼也／出师未捷悲移鼎，视死如归笑射钩／北人看书，如显处视月；南人学问，如牖中窥日

❾后之视今，亦犹今之视古／后之视今，亦犹今之视昔／目在足下，则不可以视矣／今之视古，亦犹后之视今也／居则视其所亲，富则视其所与／方圆画不俱成，左右视不并见／视都知野，视野知国，视国知天下／行于世间，目不随人视……鼻不随人气／视人之国，若己之国；视人之家，若己之家／风摇其巅，韵动崖谷，视之既静，其听始远／视政之得失，若越人视秦人之肥瘠忽焉不加喜戚于其心

❿跛者不忘履，眇者不忘视／一目之视也，不若二目之视也／令天下重足而立，侧目而视矣／天之道也，如迎浮云，若视深渊／疑今者察之古，不知来者视之往／至德之世，其行填填，其视颠颠／不教而杀谓之虐；不戒视成谓之暴／甘死不如义死，义死不如视死如归／宁以义死，不苟幸生，而视死如归／穷则视其所不为，贫则视其所不取／自细视大者不尽，自大视细者不明／君之视臣如手足……则臣视君如寇雠／不知其君视其所使，不知其子视其所友／东面望者不见西墙，南乡视者不睹北方／禄之以天下，弗顾也；系马千驷，弗视也／为鬼为蜮，则不可得；有靦面目，视人罔极／太山之高，背而弗见；秋毫之末，视之可察／水皆缥碧，千丈见底；游鱼细石，直视无碍／贵极禄位，权倾国都，达人视此，蚁聚何殊／散珠喷雾，日光烛之，璀璨夺目，不可正视／胆劲心方，不畏强御，义正所在，视死犹归／谗人似实，巧言如簧，使听之者惑，视之者昏／天下争名趋势，不计是非，析毫剖芒，视死如归／一观其文，心朗目舒，炯若深井之下仰视白日之正中也／真的猛士，敢于直面惨淡的人生，敢于正视淋漓的鲜血／义之所在，不倾于权，不顾其利，举国而与之，不为改视／贼莫大乎德有心而心有睫，及其有睫也而内视，内视而败矣／仰观宇宙之大，俯察品类之盛，所以游目骋怀，足以极视听之娱／身处困境，当视为天之爱我、成我，不当视为天之厄我、祸我也

觇

chān 偷看，侦察。

❼世远莫见其面，觇文辄见其心

览

lǎn 观看；通“揽”，采取；摘取。

❶览予初其犹未悔

见战国·楚·屈原《离骚》。

览古玩青简，寻幽穷翠微

见宋·叶清臣《游摄山栖霞寺》。

览冀州兮有余，横四海兮焉穷

见战国·楚·屈原《九歌·云中君》。

❷不览古今，论事不实／博览兼听，谋及疏贱／博览群书，不为讽咏／历览前贤国与家，成由勤俭败由奢

❸非历览无以寄杼轴之怀，非高远无以开沉郁之绪

❹强学博览，足以通古今

❺登泰山而览群岳，则冈峦之本末可知也

❻学医者当博览群书，不得拘守一家之言

❼会当凌绝顶，一览众山小／皇天无私阿兮，览民德焉错辅

❽闭心塞意，不高瞻览者，死人之徒也哉

❿千古兴亡，百年悲笑，一时登览

觉

①jué 感官对刺激的感受和辨别；感到；觉悟，明白。②jiào 睡醒；通“较”。

❶觉来落笔不经意，神妙独到秋毫颠

见宋·苏轼《鲜于子骏以吴道子画佛见遗》。

觉人之诈而不说破，待其自愧可也

见清·申涵光《荆园小语》。全句为：“～。若夫不知愧之人，又何责焉”。

❷才觉私意起，便克去，此是大勇／徒觉炎凉节物非，不知关山千万里

❸诗成觉有神／巢居觉风飘，穴处识阴雨／内不觉其一身，外不知乎宇宙

❹春眠不觉晓，处处闻啼鸟／病身最觉风露早，归梦不知山水长／登山始觉天高广，到海方知浪渺茫

❺梦中许人，觉且不背／天高地迥，觉宇宙之无穷／酌贪泉而觉爽，处涸辙而犹欢／爱之则不觉其过，恶之则不知其善

❻每一发兵，不觉头发为白／纸上得来终觉浅，绝知此事要躬行／其卧徐徐，其觉于于；一以己为马，一以己为牛

❼圣人者，人之先觉者也／自从兵戈动，遂觉天地窄／实迷途其未远，觉今是而昨非／读书好处心先觉，立雪深时道已传／始之有作人争觉，及至无为众始知／昔之所为，而今觉其非，虽日异而月不同，可也

❽智是心中一个知觉处／心能识壮毫而不觉其形／灭烛怜光满，披衣觉露滋／倘非广见博闻，

总觉光阴虚度
❾忧国唯知重，谋身只觉轻／非惟使人情开涤，亦觉日月清朗／文章均得江山助，但觉前贤畏后贤／梦之中又占其梦焉，觉而后知其梦也
❿念终始典于学，厥德修，罔觉／李杜文章万口传，至今已觉不新鲜／老来行路先愁远，贫里辞家更觉难／预支五百年新意，到了千年又觉陈／身老方知生计拙，家贫渐觉故人疏／必须出类拔萃，与众不同，才觉有趣／天性正于受生之初，明觉发于既生之后／贤人在世……退则称论贬说，以觉失俗／不逆诈，不亿不信，抑亦先觉者，是贤乎／志为气之帅，有志则气不衰，故不觉其老／清音宛转，如诉如慕，坐客听之，不觉泪下／居逆境中，周身皆针砭药石，砥节砺行而不觉／天之生此民也，使先知觉后知，使先觉觉后觉也

觊 jì 希望。[觊觎]希望得到不应得到的东西。
❿法令不一则人情惑，职次数改则觊觎生

舰 jiàn 古时指大型战船；今特指排水量在500吨以上的军用船只。
❽大川未济，乃失巨舰；长途始半，而丧良骥

靦 ①tiǎn 惭愧貌。②miǎn 同“腼”，腼腆，害羞。
❿为鬼为蜮，则不可得；有靦面目，视人罔极

觎 yú[觊觎]希望得到不应该得到的东西。
❿法令不一则人情惑，职次数改则觊觎生

牛 niú 反刍类动物；倔强，固执，傲气；星宿名；植物中特大者之称；姓。
❶牛能任重，马有报德
见唐·杜甫《越人献驯象赋》。
牛蹄中鱼，冀赖江汉
见晋·陈寿《三国志·吴书·吕蒙传》。
牛刀可以割鸡，鸡刀难以屠牛
见汉·王充《论衡·程材篇》。
牛郎欲问瘟神事，一样悲欢逐逝波
见现代·毛泽东《七律二首·送瘟神》其一。
牛溲马勃，败鼓之皮，俱收并蓄，待用无遗
见唐·韩愈《进学解》。
牛蹄之涔，无尺之鲤；块阜之山，无丈之材
见汉·刘安《淮南子·俶真》。
❷驽牛可以负重致远／搏牛之虻不可以破虮虱／函牛之鼎沸而蝇蚋弗敢入／牵牛以蹊人之田，而夺之牛／悬牛首于门，而卖马肉于内／蜗牛角上较雌论雄，许大世界／截牛之角而呼为豕，则虽庸必骇／悬牛头，卖马脯；盗跖行，孔子语／老牛粗了耕耘债，啮草坡头卧夕阳／牺牛粹毛，宜于庙牲，其于以致雨，不若黑蜧／犁牛之驳似虎，莠之幼似禾，事有似是而非者／称牛之服重，不誉马速，誉手毁足，孰谓之慧
❸对马牛而诵经／风马牛不相及／初生牛犊不怕虎／日入牛渚晦，苍然夕烟迷
❹为者如牛毛，获者如麟角／学者如牛毛，成者如麟角／耕夫习牛则犷，猎夫习虎则勇
❺割鸡焉用牛刀／视方寸于牛，不知其大于羊／贫民常衣牛马之衣，食犬彘之食
❻狂来笔力如牛弩／牧童归去横牛背，短笛无腔信口吹
❼宁为鸡口，无为牛后／屠者割肉，则知牛长少／白马岩中出，黄牛壁上耕
❽一粒红稻饭，几滴牛领血／冠枝木之冠，带死牛之胁／物华天宝，龙光射牛斗之墟／豺狼死而犹饿兮，牛腹尸而不盈
❾行兵于井底，游步于牛蹄／蠹啄剖梁柱，蚊虻走牛羊／归马于华山之阳，放牛于桃林之野
❿一以己为马，一心己为牛／见象之牙而知其大于牛也／牵牛以蹊人之田，而夺之牛／牛刀可以割鸡，鸡刀难以屠牛／虎豹之驹未成文，而有食牛之气／天苍苍，野茫茫，风吹草低见牛羊／焉得铸甲作农器，一寸荒田牛得耕／儿孙自有儿孙计，莫与儿孙作马牛／月出于东山之上，徘徊于斗牛之间／其为书，处则充栋宇，出则汗牛马／其嵚然相累而下者，若牛马之饮于溪／昔葛天氏之乐，三人操牛尾，投足以歌八阕／晨看旅雁，心赴江淮；昏望牵牛，情驰扬越／其卧徐徐，其觉于于；一以已为马，一以已为牛／搜寻仞之埊，求千天之木；漉牛迹之中，索吞舟之鳞／背法而治，此任重道远而无马牛，济大川而无舡楫也

牝 pìn 鸟兽的雌性，与“牡”相对；喻溪谷；门闩的孔，锁孔。
❶牝鸡之晨，惟家之索
见《尚书·牧誓》。
❹天下之牝，以静胜牡。千世不易，万世不变
❺惟家之索，牝鸡之晨
❽谷神不死，是谓玄牝。玄牝之门，是谓天地根
❿追风逐电之足，决不在于牝牡骊黄之间／谷神不死，是谓玄牝。玄牝之门，是谓天地根

牡 mǔ 鸟兽的雄性；锁簧，门闩；比喻丘陵；[牡蛎]简称“蚝”，海生软体动物。[牡丹]观赏植物，我国国花之一。
❶牡丹，花之富贵者也
见宋·周敦颐《爱莲说》。全句为：“菊，花之隐逸者也；～；莲，花之君子者也”。
牡丹花儿虽好，还要绿叶儿扶持
见明·兰陵笑笑生《金瓶梅词话》第七十六回。
❻天下真花独牡丹
❽天下之牝，以静胜牡。千世不易，万世不变

❿追风逐电之足,决不在于牝牡骊黄之间

牦 máo[牦牛]亦称"犛牛"、"氂牛"、"旄牛"、"髦牛",牛的一种,主要生长在我国青藏高原等高寒地区。

❽必且历日旷久,丝牦犹能挈石,驽马亦能致远

牧 mù把牲畜、家禽赶到外面觅食、活动;牧地,亦指远郊之地;古指牧牛的奴隶;古时治民之官;指主事之官;姓。

❶牧守由将校以授,皆虎而冠

见唐·刘禹锡《因论·讯甿》。全句为:"~。子男由胥徒以出,皆鹤而轩"。

牧民之道,除其所疾,适其所安

见汉·桓宽《盐铁论·未通》。

牧童归去横牛背,短笛无腔信口吹

见宋·雷震《村晚》。

牧羊驱马虽戎服,白发丹心尽汉臣

见唐·杜牧《河湟》。

❸养虎牧狼,还自贼伤/教羊牧兔,使鱼捕鼠,任非其人,费日无功

❹十羊九牧,其令难行/三人共牧一羊,羊不得食,人亦不得息/率虎狼牧羊豕,而望其蕃息,岂可得也

❺胡笳互动,牧马悲鸣,吟啸成群,边声四起/国家大事,牧不当官,言之实有罪,故作《罪言》

❻入于泽而问牧童,入于水而问渔师

❽民少官多,十羊九牧/谦谦君子,卑以自牧/饿狼守庖厨,饥虎牧牢豚/借问酒家何处有,牧童遥指杏花村

❾定知直道传千古,杜牧文章在上头

❿善贾笑蚕渔,巧宦贱农牧/念高危,则思谦冲而自牧/水处者渔,山处者木,谷处者牧,陆处者农/为天下者,亦奚以异乎牧马者哉,亦去其害马者而已矣

物 wù东西;自己以外的人或环境;说话或文章的实际内容;人,公众;杂色牛;泛指颜色;相,察看;与"心"相对,物质的简称;中国古代的哲学概念。

❶物壮则老

见《老子》三十。

物极则反

见唐·孔颖达《周易·乾》疏。

物穷则变

见晋·韩康伯《周易·系辞上》注。

物不可以终否

见《周易·序卦》。

物不可以终止

见《周易·序卦》。

物不可以终壮

见《周易·序卦》。

物固不可全也

见《吕氏春秋·离俗览·贵信》。全句为:"以辱为荣,以穷为通,虽失乎前,可谓后得之矣。~"。

物不得其平则鸣

见唐·韩愈《送孟东野序》。

物色尽而情有余

见南朝·梁·刘勰《文心雕龙·物色》。

物得以生,谓之德

见《庄子·天地》。

物无不变,变无不通

见宋·欧阳修《明用》。

物无非彼,物无非是

见《庄子·齐物论》。

物无妄然,必由其理

见三国·魏·王弼《周易略例》。

物无所主,人必争之

见明·冯梦龙《东周列国志》第五十三回。

物之不亲,由有间也

见三国·魏·王弼《周易·噬嗑》注。

物之不齐,由有过也

见三国·魏·王弼《周易·噬嗑》注。

物之不齐,物之情也

见《孟子·滕文公上》。

物之生也,若骤若驰

见《庄子·秋水》。全句为:"~,无动而不变,无时而不移"。

物之终始,初无极已

见《列子·汤问》。全句为:"~。始或为终,终或为始,恶知其纪"。

物以类聚,人以群分

语出《周易·系辞上》。

物诱气随,外适内和

见唐·白居易《草堂记》。

物塞而通,必艰其初

见宋·欧阳修《虞部员外郎尹公墓志铭》。

物虽胡越,合则肝胆

见南朝·梁·刘勰《文心雕龙·比兴》。

物极则反,命曰环流

见宋·陆佃解《鹖冠子·环流》。

物极则反,害将及矣

见清·申涵光《荆园小语》。全句为:"久利之事勿为,众争之地勿往,~"。

物极则反,数穷则变

见宋·欧阳修《本论下》。

物贵尺璧,我重寸阴

见南朝·宋·谢惠连《祭禹庙文》。

物有生死,理有存亡

语出《韩非子·解老》。

物有隆杀,不得自若

见汉·刘安《淮南子·泰族》。全句为:"五色

虽朗,有时而渝;茂木丰草,有时而落;～”。
物有所余,有所不足
见《管子·白心》。
物有必至,事有固然
见汉·司马迁《史记·孟尝君列传》。
物盛而衰,固其变也
见汉·班固《汉书·食货志上》。
物竞天择,适者生存
见现代·欧阳山《苦斗》四七。
物色虽繁,而析辞尚简
见南朝·梁·刘勰《文心雕龙·物色》。全句为:“四序纷回,而入兴贵闲;～”。
物固多伪兮,知者盖寡
见唐·柳宗元《辨伏神文》。全句为:“～;考之不良兮,求福得祸”。
物物者,亡乎万物之中
见汉·刘安《淮南子·诠言》。全句为:“皆为物矣,非不物而物物者,～”。
物丰则欲省,求澹则争止
见汉·刘安《淮南子·齐俗》。
物轻人意重,千里送鹅毛
见宋·邢俊臣《临江仙》。
物有所不足,智有所不明
见战国·楚·屈原《卜居》。全句为:“尺有所短,寸有所长;～”。
物必先腐也,而后虫生之
见宋·苏轼《论项羽范增》。全句为:“～;人必先疑也,而后谗入之”。
物穷则变生,事急则计易
见南朝·宋·范晔《后汉书·申屠刚传》》
物华天宝,龙光射牛斗之墟
见唐·王勃《滕王阁序》。全句为:“～;人杰地灵,徐孺下陈蕃之榻”。
物势之反,乃君子所谓道也
见三国·魏·刘劭《人物志·释争》。
物能相割截者,必异性者也
见汉·王充《论衡·谴告篇》。全句为:“～;能相奉成者,必同气者也”。
物速成则疾亡,晚就则善终
见晋·陈寿《三国志·魏书·王昶传》。
物或损之而益,或益之而损
见《老子》四十二。
物以不知而轻,味以无比而疑
见唐·张九龄《荔枝赋》。
物以远至为珍,士以稀见为贵
见南朝·宋·范晔《后汉书·循吏传》。
物至之时,其心昭昭然明辨焉
见唐·李翱《复性书中》。全句为:“～,而不应于物者,是致知也,是知之至也”。
物有出微而著,事有由隐而章
见南朝·宋·范晔《后汉书·延笃传》。
物有微而志信,人有贱而言忠
见南朝·宋·范晔《后汉书·襄楷传》。
物足则富贵,富贵则帝王公侯
见唐·无名氏《无能子·质妄》。全句为:“～,故曰富贵者足物尔”。
物之待饰而后行者,其质不美也
见《韩非子·解老》。
物有必至,事有常然,古之道也
见《晏子春秋·外篇第二》。
物之其由者道也,道之在我者德也
见宋·李霖《道德真经取善集》。
物固莫不有长,莫不有短,人亦然
见《吕氏春秋·孟夏纪·用众》。
物暴长者必夭折,功卒成者必亟坏
见南朝·宋·范晔《后汉书·朱浮传》。
物固有形,形固有名,名当谓之圣人
见《管子·心术上》。
物不正则不可为乐,乐不和则不能理人
见唐·苏颋《禁断女乐敕》。全句为:“乐者起于心,心者动于物,～”。
物之所以通,事之所以理,莫不由乎道
见晋·韩康伯《周易·系辞上》注。
物之有成必有坏,譬如人之有生必有死
见宋·苏轼《墨妙亭记》。
物理不见不闻,虽圣哲亦不能索而知之
见明·王廷相《雅述》。
物有甘苦尝之者识,道有夷险履之者知
见明·刘基《拟连珠》。
物循乎自然,人能明于必然,此人物之异
见清·戴震《绪言》卷上。
物,量无穷,时无止,分无常,终始无故
见《庄子·秋水》。
物至则反,冬夏是也;致高则危,累棊是也
见汉·刘向《新序·善谋》。
物有美恶,施用有宜,美不常珍,恶不终弃
见北齐·刘昼《刘子·适才》。
物有本末,事有终始。知所先后,则近道矣
见《礼记·大学》。
物有所好,汝勿好之。德有所好,汝则效之
见明·方孝孺《幼仪杂箴》。全句为:“～。贱物而贵德,孰谓道远,将允蹈子”。
物有盛衰,时有推移,事有激会,人有变化
见汉·王符《潜夫论·边议》。
物盛而衰,乐极则悲,日中而移,月盈而亏
见汉·刘安《淮南子·道应》。
物类之起,必有所始;荣辱之来,必象其德
见《荀子·劝学》。
物固有所然,物固有所可;无物不然,无物不可见《庄子·齐物论》。

物非有大小也，自其内而观之，未有不高且大者也

见宋·苏轼《超然台记》。

物之美者，盈天地间皆是也。然必待人之神明才慧而见

见清·叶燮《已略文集》。

❷外物不可必／万物出乎无有／万物皆备于我／凡物皆始于无／凡物皆有可观／势物之徒乐变／万物自古而固存／造物者听其自然／万物睽而其事类也／一物失称，乱之端也／万物一府，死生同状／万物之多，皆阅一空／万物毕罗，莫足以归／万物并作，吾以观复／万物自有而终归于无／存物物存，去物物亡／有物混成，先天地生／称物平施，为政以公／矜物之人，无大士焉／万物非欲死，不得不死／万物归之，美恶乃自见／万物职职，皆从无为殖／求物之妙，如系风捕影／贱物贵我，君子不为也／物物者，亡乎万物之中／万物非不欲生，不得不生／万物之有灾，人妖最可畏／万物安于知足，死于无厌／万物皆出于机，皆入于机／与物推移，故万举而不陷／无物结同心，烟花不堪剪／百物可决舍，惟书最难别／非物有小大，盖心为虚实／索物于夜室者，莫良于火／人物禀假，受有多少……／凡物无成与毁，复通为一／格物，是物物上穷其至理／此物何足重，但感别经时／风物虽同候，悲欢各异伦／万物无足以铙心者，故静也／万物抱一而成，得微妙气化／凡物不以其道得之，皆邪也／凡物，穷则思变，困则谋通／神物好安静，不可以有为治／万物虽并动作，卒复归于虚静／万物固以自然，圣人又何事焉／万物必有盛衰，万事必有弛张／养物而物为我用者，人之力也／凡物置之安地则安，危地则危／谈物产也，则重谷帛而贱珍奇／万物之生也，皆元于虚，始于无／万物以生，万物以成，命之曰道／事物之变，纷纭杂出，若不可知／化物者未尝化也，其所化则化矣／凡物之生而美者，美本乎天者也／凡物皆有两端，如小大厚薄之类／万物草木之生也柔脆，其死也枯槁／万物始于微而后成，始于无而后生／与物委蛇而同其波，是卫生之经已／以物与人为义，过与是非义之义也／节物后先南北异，人情冷暖古今同／节物风光不相待，桑田碧海须臾改／美物者贵依其本，赞事者宜本其实／贱物而贵德，孰谓道远，将允蹈子／其物存，其人亡，不言哀而哀自至／鉴物于肇不于成，赏士于穷不于达／万物生于天地之间，其理不可以一概／万物之于人也，无私近也，无私远也／万物并育而不相害，道并行而不相悖／识物之动，则其所以然之理皆可知也／贪物而不知止者，虽有天下，不富矣／万物者，以盛衰而谈语，使人想而知之／以物同求而不同贪，与物同得而不同积／异物内流则国用饶，利不外泄则民用给／万物有乎生而莫见其根，有乎出而莫见其门／以物与人，物尽而止；以法活人，法行无穷／众物之中，道无不在；秋毫之细，道亦居之／凡物之精，化则为生，下生五谷，上为列星／引物连类，穷情尽变；宫商相宣，金石谐和／气，物之原也；理，气之具也；器，气之成也／万物有自然之理，圣人只是顺之，不曾增加得一毫／道，物之极，言默不足以载；非言非默，议有所极／万物之所以为无穷者，交相胜而已矣，还相用而已矣／凡物之可喜，足以悦人而不足以移人者，莫若书与画／万物以自然为性，故可因而不可为也，可通而不可执也／万物纷纭，非有也，有之者人也，人不有，则万物何有

❸言有物／诚乎物而信乎道／言有物而行有格／言有物而行有恒／天下物无独必有对／道者，物之所导也／不以物喜，不以己悲／观于物，见山水……／大凡物不得其平则鸣／情以物迁，辞以情发／存物物存，去物物亡／赏由物召，兴以情迁／天地物之大者，人次之／审乎物者，力约而功峻／无以物乱官，毋以官乱心／心无物欲，即是秋空霁海／凡以物治物者不以物，以睦／情以物感，而心由目畅……／皆为物矣，非不物而物物者／生人物之万殊，立天地之大义／何谓物我之异，无计今古之殊／善万物之得时，感吾生之行休／耻一物之不知，惜寸阴之徒靡／思在物之取譬，非斗斛而能量／吾究物始，而见夫妇之为造端也／匿为物而愚不识，大为难而罪不敢／爽口物多终作疾，快心事过必为殃／细推物理须行乐，何用浮名绊此身／春一物枯即为灾，秋一物华即为异／精于物者以物物，精于道者兼物物／不以物乱官，不以官乱心，是谓中得／傲小物而志属于大，似无勇而未可恐狼／凡万物异则莫不相为蔽，此心术之公患也／有大物者，不可以物；物而不物，故能物物／毋先物动，以观其则；动则失位，静乃自得／我亦物也，物亦物也，物之与物也，又何以相物也／忘乎物，忘乎天，其名曰为忘己；忘己之人，是之谓入于天

❹处下则物自归／惟人，万物之灵／天下之物未尝无对／人者万物之最灵也／圣人处物而不伤物／宪古章物不实者死／夫有尤物，足以移人／天下之物，莫不有理／天生万物，唯人为贵／天生神物，圣人则之／天之于物，春生秋实／无私于物，唯贤是与／不疑于物，物亦诚焉／不私于物，物亦公焉／弃己任物，则莫不理／圣人裁物，不为物使／常之为物，不偏不彰／君子使物，不为物使／岁有其物，物有其容／漱涤万

物，牢笼百态／道者，万物之所由也／暴殄天物，害虐烝民／水浮万物，玉石留止／必推于物，而顺于人／以身役物，则阴阳食之／精神者，物之贵大者也／无心与物竞，鹰隼莫相猜／不贵异物贱用物，人乃足／乐止夫物之内者，乐其浅／乐超乎物之表者，其乐深／宝器玩物，不可示于权豪／格物，是物物上穷其至理／服食药物者，因血以益血／积雨时物变，夏绿满园新／天下万物生于有，有生于无／天之生物，必因其材而笃焉／以才御物，才有尽而物无穷／以道应物，道无穷而物有尽／函坚则物必毁之，刚斯折矣／刀利则物必摧之，锐斯挫矣／珍好之物滋生彰著，则……／无为而物自生，无为而物自亡／养物而物为我用者，人之力也／不随俗物皆成土，只待良时却补天／世间万物有盛衰，人生安得常少年／而今风物那堪画，县吏催钱夜打门／乐止夫物之内者，厚其生则社栎贤／以我视物则我大，以道体物则道大／关河景物异南北，神京不见双泪流／大都好物不坚牢，彩云易散琉璃脆／情以感物则得利，伪以感物则致害／道者……庶物失之者死，得之者生／春也万物熙熙焉，感其生而悼其死／风冲之物不得育，水湍之岸不得峭／心足则物常有余，心贪则物常不足／天下万物皆生于两，不生于一，明矣／不应于物者，是致知也，是知之至也／人灵于物者也，何不自听，而听于物乎／四时万物兮有盛衰，唯我愁苦兮不暂移／天下之物博而智浅，以澹浅博，未有能者也／不与万物共尽，而卓然其不朽者，后世之名／妙必假物而物非生妙，巧必因器而器非成巧／有味之物，蠹虫必生；有才之人，谗言必至／文为之物，自然灵气。惚恍而来，不思而至／上与造物者游，而下与外生死、无终始者为友／诸凡万物万事之知，皆因习因悟因过因疑而然／气之动物，物之感人，故摇荡性情，形诸舞咏／天下之物莫凶于鸡毒，然而良医橐而藏之，有所用／以明察物，物亦竞以其明应之。以不信察物，物亦竞以其不信应之

❺富贵者足物尔／内省则外物轻矣／舍己而以物为法／天不为一物枉其时／元气生万物而不有／五味不同物而能和／仁义积则物自归之／天地者，万物之逆旅／不疑于物，物亦诚焉／不私于物，物亦公焉／事难全遂，物不两兴／信者，成万物之道也／人由意合，物以类同／人惟求旧，物惟求新／至美素璞，物莫能饰／声一无听，物一无文／节同时异，物是人非／名刑已定，物自为正／岁有其物，物有其容／逆顺死生，物自为名／物无非彼，物无非是／物之不齐，物之情也／方以类聚，物以群分／身重天地，物轻鸿毛／凡圜转之物，动必有机／比者，以彼物比此物也／数风流人物，还看今朝／生为并身物，死为同棺灰／君子之于物，无所苟而已／本来无一物，何处惹尘埃／格物，是物物上穷其至理／凡以物治物者不以物，以睦／流水之为物也，不盈科不行／致知在格物，物格而后知至／静后见万物，自然皆有春意／无为而万物化，渊静而百姓定／合天地万物而言，只是一个理／圣人不为物先，而常制之……／景不为曲物直，响不为恶声美／天地养万物，圣人养贤以及万民／仁者爱万物，而智者备祸于未形／道无终始，物有死生，不恃其成／道不离乎物，若离物则无所谓道／道，覆载万物者也，洋洋乎大哉／留动而生物，物成生理，谓之形／无天灾，无物累，无人非，无鬼责／以不信察物，物亦竞以其不信应之／高视于万物之中，雄峙于百代之下／土地之生物不益，山泽之出财有尽／地薄者大物不产，水浅者大鱼不游／常宽容于物，不削于人，可谓至极／知周乎万物，而道济天下，故不过／御寇易，御物难；破阵易，破诱难／礼者，以财物为用……以隆杀为要／博识者触物能名，洽闻者理无所惑耳／气衰则生物不育，世乱则礼废而乐淫／天之生万物以奉人也，主爱人以顺天也／君子好成物，故吉；小人好败物，故凶／道足以忘物之得丧，志足以一气之盛衰／愚者为一物一偏，而自以为知道，无知也／天地者万物之父母也，合则成体，散则成始／以物与人，物尽而止；以法活人，法行无穷／革之匪时，物失其基；因之匪理，物丧其纪／气之动物，物之感人，故摇荡性情，形诸舞咏／我亦物也，物亦物也，物之与物也，又何以相物也／以明察物，物亦竞以其明应之。以不信察物，物亦竞以其不信应之

❻超然不累于物／春到人间万物鲜／天下太平，万物安宁／天生烝民，有物有则／无为之为，万物之根／正形饰德，万物毕得／以本为精，以物为粗／节欲之道，万物不害／守真志满，逐物意移／存物物存，去物物亡／玩人丧德，玩物丧志／铺采摛文，体物写志／无足而至者，物之藉也／可以意致者，物之精也／可以言论者，物之粗也／令有缓急，故物有轻重／勿挠勿撄，万物将自清／勿惊勿骇，万物将自理／凡事无小大，物自为舍／清真寡欲，万物不能移／情也者，接于物而生也／道之及，及乎物而已耳／枢机方通，则物无隐貌／雨泽过润，万物之灾也／天所赋为命，物所受为性／人非善不交，物非义不取／葵藿倾太阳，物性固莫夺／君子能勤小物，故无大患／恒患意不称物，文不逮意／富若生蓄，万物必具……／道行之而成，物谓之而然／恃威网以使物者，治之衰也／致知在格物，物格而后知至／不求无益之物，不蓄难得之货／圣人……常善救物，故无弃物／大哉乾元，

万物资始，乃统天／大着肚皮容物，立定脚跟做人／日，方中方睨；物，方生方死／旷怀足以御物，长策足以服人／万物以生，万物以成，命之曰道／天覆地载，万物悉备，莫贵于人／不塞其原，则物自生，何功之有／不禁其性，则物自济，何为之恃／至哉坤元！万物资生，乃顺承天／洋洋乎与造物者游而不知其所穷／留动而生物，物成生理，谓之形／足下家中百物，皆赖而用也……／天地合而万物生，阴阳接而变化起／以不信察物，物亦竞以其不信应之／兴者，先言他物以引起所咏之词也／徒觉炎凉节物非，不知关山千万里／精于物者以物物，精于道者兼物物／见闻之知，乃物交而知，非德性所知／天无形而万物以成，至精无象而万物以化／作诗者陶冶物情，体会光景，必贵乎自得／苟得其养，无物不长；苟失其养，无物不消／大人者，有容物，无去物，有爱物，无徇物／因性而动，接物感痛……进退取与，谓之情／德者道之舍，物得以生生，知得以职道之精／妙必假物而物非生妙，巧必因器而器非成巧／天道无为，任物自然，无亲无疏，无彼无此也／困境起念，随物生情，不守道循常，即为妄矣／清泉绿草，何物不可饮啄？而鸱鸮者偏食腐鼠／盈天地间皆物也。……通观天地，天地一物也／物固有所然，物固有所可；无物不然，无物不可

❼君子以厚德载物／麒麟不是人间物／管仲可谓能因物矣／勇敢而不为过物之操／参以土宜，遂以物性／圣人裁物，不为物使／地不深厚则载物不博／君子使物，不为物使／存物物存，去物物亡／天下有道，则与物皆昌／达人大观兮，无物不可／物物者，亡乎万物之中／故天地含精，万物化生／天地不仁，以万物为刍狗／元气者，天地万物之宗统／无形无名者，万物之宗也／不贵异物贱用物，人乃足／甘瓜苦蒂，天下物无全美／由外以铄己，因物以激志／半丝半缕，恒念物力维艰／州民言刺史，蠹物甚于蝗／以全举人固难，物之情也／随风潜入夜，润物细无声／择才不求备，任物不过涯／四时兮代谢，万物兮迁化／沿情而动兴，因物而多怀／愿君多采撷，此物最相思／虚无恬愉者，万物之用也／皆为物矣，非不物而物物者／人必待贤以理，物必待贤以宁／圣人不以身役物，不以欲滑和／明珠是身外之物，尚不可弹雀／圣人不凝滞于物，而能与世推移／不是眼前无外物，不关心事不经心／诗者，人心之感物而形于言之余也／圣人不凝滞于物，智士必推移于时／落红不是无情物，化作春泥更护花／情必极貌以写物，辞必穷力而追新／道生之，德畜之，物形之，势成之／精于物者以物物，精于道者兼物物／知生也者，不以物害生，养生之谓也／自天地至于万物，无不须气以生者也／凡上下之间有物间隔，当须用刑法去之／处身者，不为外物眩晃而动，则其心静／骄则恣，恣则极物；罢则怨，怨则极虑／天地虽含囊万物，而万物非天地之所为也／太上之道，生万物而不有，成化像而弗宰／抱朴无为，不以物累其真，不以欲害其神／兵者，不祥之器，物或恶之，故有道者不处／刚毅，则不屈于物欲；木讷，则不至于外驰／养形必先之以物，物有余而形不养者有之矣／日月虽以形相物，考其道则有施受健顺之差焉／有以为未始有物者，至矣，尽矣，弗可以加矣／城狐社鼠皆微物，为其有所凭恃，故除之犹不易／我亦物也，物亦物也，物之与物也，又何以相物也

❽圣人处物而不伤物／天低吴楚，眼空无物／甘露时雨，不私一物／天之所能者，生万物也／人之所能者，治万物也／山川者，特天地之物也／道德当身，故不以物惑／比者，以彼物比此物也／所谓无为者，不先物为也／天之道事无大小，物无难易／天行其所行，而万物被其利／所谓无不为者，因物之所为／自其同者视之，万物皆一也／天地成于元气，万物乘于天地／刻意则行不肆，牵物则其志流／使人大迷惑者，必物之相似也／大天而思之，孰与物畜而制之／所谓无不治者，因物之相然也／精神通于死生，则物孰能惑之／俱往矣，数风流人物，还看今朝／道不离乎物，若离物则无所谓道／闲云潭影日悠悠，物换星移几度秋／伤其身者不在外物，皆由嗜欲以成其祸／大其心容天下之物，虚其心受天下之善／名者，圣人所以真物也，名之为言真也／君子可以寓意于物，而不可以留意于物／知死心也者，不以物害死，安死之谓也／所谓读书，须当明物理，揣事情，论事势／为君为臣为民为物为事而作，不为文而作也／养形必先之以物，物有余而形不养者有之矣／太上畏道，其次畏物，其次畏人，其次畏身／知己者不可诱以物，明于死生者不可却以危／明日黄花，过晚之物；岁寒松柏，有节之称／有大物者，不可以物；物而不物，故能物物／天地之精所以生物者莫贵于人，人受命乎天也／道不施不与，而万物以存；不为不宰，而万物以然

❾诸有形之徒皆属于物类／事往则迹移，岁迁则物换／古来贤达士，宁受外物牵／耳目之察，不足以分物理／其生也天行，其死也物化／求发吾所学者，施于物而已／以才御物，才有尽而物无穷／以道应物，道无穷而物有尽／尽职者无他，正己格物而已／凡以物治物者不以物，以睦／皆为物矣，非不物而物物者／错人而思天，则失万物之情／诗缘情而绮靡，赋体物而浏亮／当知器满则倾，须知物极必反／遵四时以叹逝，瞻万物而思纷／致中和，天地位焉，万物育

焉／笼天地于形内，挫万物于笔端／天地与我并生，而万物与我为一／无问其名，无阚其情，物固自生／以虚无而能开通于物，故称曰道／世俗之君子，皆知小物而不知大物／牢骚太盛防肠断，风物长宜放眼量／道之委也……形生而万物所以塞也／轻天下者，身不累于物，故能处之／欲心难厌如溪壑，财物易尽若漏卮／金百炼以为鉴，而万物不能遁其形／至极空虚而善应于物，则乃目之为道／君子寡欲则不役于物，可以直道而行／功不使鬼必在役人，物不天来终须地出／巧不使鬼必有役人，物不天来终须地出／多闻识者，犹广储药物也，知所用为贵／天惟运动一气，鼓万物而生，无心以恤物／轩冕在身，非性命也，物之傥来，寄者也／体无常轨，言无常宗，物无常用，景无常取／兰薰而摧，玉缜则折；物忌坚芳，人讳明洁／大人者，有容物，无去物，有爱物，无徇物／居上者不以至公理物，为下者必以私路期荣／有大物者，不可以物；物而不物，故能物物／上善若水，水善利万物而不争，处众人之所恶／处明者不见暗中一物，而处暗者能见明中区事／平为福，有余为害者，物莫不然，而财其甚者也／能无私于一人，故万物至而制之，万物至而命之／我亦物也，物亦物也，物之与物也，又何以相物也／若鄙人所谓致知格物者，致吾心之良知于事事物物也／大丈夫岂得苟贪财物，以害及身命，使子孙每怀愧耻耶／至礼有不人，至义不物，至知不谋，至仁无亲，至信辟金

❿道以无形无为成济万物／正身以俟时，守己而律物／乐者起于心，心者动于物／发言玄远，口不臧否人物／受光于户，照室中无遗物／常将一己作世间公共之物／忠足以尽己，恕足以尽物／蛟龙得云雨，终非池中物／名者，圣人之所以纪万物也／君子生非异也，善假于物也／皆为物矣，非不物而物物者／是气也者，乃太虚固有之物／无为而物自生，无为而物自亡／不以求备取人，不以己长格物／民寡则用易足，土广则物易生／何况性命之重，乃以博财物耶／劝农桑，益种树，可得衣食物／圣人……常善救物，故无弃物／敬以严乎己也，宽以恕乎物也／乐，所以达天地之和而饬化万物／大江东去，浪淘尽千古风流人物／惟天性刚强之人，不为物欲所屈／理不可以直指也，故即物以明理／天不言而四时行，地不语而百物生／无所往而不乐者，盖游于物之外也／世俗之君子，皆知小物而不知大物／生之有时而用之无度，则物力必屈／我愿天公怜赤子，莫生尤物为疮痏／以我视物则我大，以道体物则道大／凡同类同情者，其天官之意物也同／圣人不以独见为明，而以万物为心／均，天下之至理也，连于形物亦然／君子者，性非绝世，善自托于物也／清越而瑕不自掩，洁白而物莫能污／淡泊是高风，太枯则无以济人利物／情以感物则得利，伪以感物则致害／春一物枯即为灾，秋一物华即为异／爱之为道也，情亲意厚，深而感物／心暗则照有不通，至察则多疑于物／心足则物常有余，心贪则物常不足／虚而无形谓之道，化育万物谓之德／虚静恬淡寂寞无为者，万物之本也／精于物者以物物，精于道者兼物物／以刚健而居人之首，则物之所不与也／凡以知，人之性；可以知，物之理也／勇之极者，知勇果不足以胜物，故怯／至德之世，同与禽兽居，族与万物并／藐然数尺之躯，乃欲私造化以为己物／知天乐者，其生也天行，其死也物化／情横于内而性伏，必外寓于物而后遣／道，于大不终，于小不遗，故万物备／道生一，一生二，二生三，三生万物／是故圣人与时变而不化，从物而不移／智之极者，知智果不足以周物，故愚／愚人以天地文理圣，我以时物文理哲／辩之极者，知辩果不足以喻物，故讷／天地无全功，圣人无全能，万物无全用／天地之间空虚，和气流行，故万物自生／天，有形之大者也；人，动物之尤者也／中于道则易以兴政，乖于务则难乎御物／以物同求而不同贪，与物同得而不同积／予之无所往而不乐者，盖游于物之外也／人又谁能以身之察察，受物之汶汶者乎／人灵于物者也，何不自听，而听于物乎／含情而能达，会景而生心，体物而得神／能克己，乃能成己；能胜物，乃能利物／君子可以寓意于物，而不可以留意于物／君子好成物，故吉；小人好败物，故凶／亲履艰难者知下情，备经险易者达物伪／私心胜者可以灭公，为己重者不知利物／竭诚则吴越为一体，傲物则骨肉为行路／自其不变者而观之，则物与我皆无尽也／天无形而万物以成，至精无象而万物以化／天且风，巢居之虫动；且雨，穴处之物扰／天地虽含囊万物，而万物非天地之所为也／天惟运动一气，鼓万物而生，无心以恤物／吾恒恶世之人不知推己之本，而乘物以逞／此人在位，动欲伤害，故物无有不畏恶也／物循乎自然，人能明于必然，此人物之异／神姿高彻，如瑶林琼树，自然是风尘外物／天何言哉？四时行焉，百物生焉，天何言哉／天地有官，阴阳有藏；慎守女身，物将自壮／“无”名，天地之始；“有”名，万物之母／两若有名，相与则成；阴阳备物，化变乃生／由道废邪，用贤弃愚，推以革物，宜民之苏／体道履仁，外和内敏，清而容物，善不近名／勿轻小事，小隙沈舟；勿轻小物，小虫毒身／阴阳之和，不长一类，甘露时雨，不私一物／苟得其养，无物不长；苟失其养，无物不消／草木无情，有时飘零；人为动物，惟物之灵／大人者，

有容物，无去物，有爱物，无徇物／大建厥极，绥理群生，训物垂范，于是乎在／因于情意，动而之外，与物相连，常有所悦／性也者与生俱生也，情也者，接于物而生也／达于道者，反于清净；究于物者，终于无为／结体散文，直而不野，婉转附物，惆怅切情／所谓“能”者即己也，所谓“所”者即物也／有大物者，不可以物；物而不物，故能物物／有法无法，因时为业；有度无度，与物趣舍／穷而思达，人之情也；卑而应高，物之理也／革之匪时，物失其基；因之匪理，物丧其纪／上无所为，则下无事，家给人足，万物自化就／谨修而身，慎守其真，还以物与人，则无所累／知天乐者，无天怨，无人非，无物累，无鬼责／知大备者，无求，无失，无弃，不以物易己也／洼者为池而缺者为洞，若有鬼神异物阴来相之／水之守土也审，影之守人也审，物之守物也审／盈天地间皆物也。……通观天地，天地一物也／虚空者，乃可用盛受万物。故曰虚无能制有形／天地任自然无为，无造万物，自相治理，故不仁／天静以清，地定以宁，万物失之者死，法之者生／能无私于一人，故万物至而制之，万物至而命之／律者，乐之本也，而气达乎物，凡音之起者本焉／治乱存亡，其始若秋毫，察其秋毫，则大物不过／物固有所然，物固有所可；无物不然，无物不可／我亦物也，物亦物也，物之与物也，又何以相物也／道不施不与，而万物以存；不为不宰，而万物以然／天无时不风，地无时不尘，物无所不有，人无所不为／博取之象数，远征之古今，以求尽乎理，所谓格物也／人者，在阴阳之中央，为万物之师长，所能作最众多／若鄙人所谓致知格物者，致吾心之良知于事事物物也／和者天之正也，阴阳之平也，其气最良，物之所生也／权，然后知轻重；度，然后知长短。物皆然，心为甚／万物纷纭，非有也，有之者人也，人不有，则万物何有／内便于性，外合于义，循理而动，不系于物者，正气也／有起于虚，动起于静。故万物虽并动作，卒复归于虚静／下之用力者甚勤，上之用物者有节，民无遗力，国不过费／天地之大，四时之化，而犹不能以不信成物，又况乎人事／君子之处世，贵能有益于物耳，不图高谈虚论，左琴右书／天无为以之清，地无为以之宁，故两无为相合，万物皆化生／天地有大美而不言，四时有明法而不议，万物有成理而不说／君子所以动天地应神明正万物而成王治者，必本乎真实而已／汝游心于淡，合气于漠，顺物自然而无容私焉，而天下治矣／贱生于无所用，中流失船，一壶千金，贵贱无常，时使物然／有道之君子，其处也若无知，其应物也若偶之，静因之道也／曰衣食足而后廉耻兴，财物阜而后礼乐作，是执末以求其本也／无为者，道之宗；故得道之宗，应物无穷，任人之才，难以至治／以明察物，物亦竞以其明应之。以不信察物，物亦竞以其不信应之／天不得不高，地不得不广，日月不得不行，万物不得不昌，此其道与／君人者不下庙堂之上，而知四海之外者，因物以识物，因人以知人也

牲

shēng 家畜；古代祭祀用的牛羊猪等。

❷刳牲夭胎，则麒麟不臻

❹为有牺牲多壮志，敢教日月换新天

❽牺牛粹毛，宜于庙牲，其于以致雨，不若黑蜧

❿覆巢破卵，则凤凰不翔；刳牲夭胎，则麒麟不臻

特

tè 公牛；三岁的兽；牲一头；配偶；杰出的；独；但；姓。

❶特立独行，适于义而已，不顾人之是非

见唐·韩愈《伯夷颂》。

❷人特劫君而不盟，君不知，不可谓智

❸士之特立独行，适于义而已，不顾人之是非

❹山川者，特天地之物也／将大书特书，屡书不一书／君子不特贵乎才略之优，而尤贵乎用之得其当

❻抱不世之才，特立而独行，道方而事实／浮华鲜实，不特伤风败俗，亦杀身亡家之本

❼浸润之谮，为患特深

❿知有所待而后当，其所待者特未定也／江南多临观之美，而滕王阁独为第一，有瑰伟绝特之称

牺

xī 作祭品用的毛色纯一的牲畜。

❶牺牛粹毛，宜于庙牲，其于以致雨，不若黑蜧

见汉·刘安《淮南子·齐俗》。

❸为有牺牲多壮志，敢教日月换新天

犁

lí 耕地的农具；耕；杂色；通“黎”，迟；姓。

❶犁牛之驳似虎，莠之幼似禾，事有似是而非者

见晋·陈寿《三国志·魏书·文帝纪》。

❸古墓犁为田，松柏摧为薪

❹垅上扶犁儿，手种腹长饥

❿驱东复驱西，弃却锄与犁

犊

dú 小牛。

❷孤犊触乳，骄子骂母

❹初生牛犊不怕虎／命驹曰犊，终必为马

❻爱而不劳，禽犊之爱也

❾小人之学也，以为禽犊

犒

kào 本谓以酒肉宴饷军士，引申为酬赏劳绩的通称。

❿救死具八珍，不如一箪犒

手 shǒu 人体上肢前端能拿东西的部分；拿着；小巧易拿、便于使用的；亲手；指本领、技能或手段；擅长某种技能或做某种事的人；量词；取，选择。

❶手持文柄，高视寰海

见唐·刘禹锡《祭韩吏部文》。

手挥五弦易，目送归鸿难

见南朝·宋·刘义庆《世说新语·巧艺》。

手中之竹，又不是胸中之竹也

见清·郑燮《题画·竹》。全句为："胸中之竹，并不是眼中之竹也；～"。

手如柔荑，肤如凝脂……螓首蛾眉

见《诗·卫风·硕人》。删节处为："领如蝤蛴，齿如瓠犀"。

❷一手独拍，虽疾无声／我手写我口，古岂能拘牵／徒手而来者，终年而不获／洗手奉职，不以一钱假人／心手不相应，不学之过也／右手画圆，左手画方，不能两成／翻手作云覆手雨，纷纷轻薄何须数

❸不知手之舞之、足之蹈之／先下手为强，后下手遭殃／慈母手中线，游子身上衣／不能手提天下往，何忍身去游其间／以烦手烹鱼则鱼必溃，使学者制锦则锦必伤

❹利器入手，手可假人／得之于手而应之于心／蝮蛇螫手，壮士解其腕／走不以手，缚手，走不能疾

❺三日不弹，手生荆棘／利器入手，手可假人／口舌成疮，手肘成胝／目送归鸿，手挥五弦／一朝权入手，看取令行时／不是撑船手，休来弄竹竿／昼作不辍手，猛烛继望舒／难将一人手，掩得天下目／整顿乾坤手段，指授英雄方略，雅志若为酬／盖吾儒起手便与禅异者，正在彻始彻终总是体用一致耳

❻未知鹿死谁手／舍心腹而顾手足／功成事就，扶手安居／足践之，不如手辨之／嫂溺援之以手者，权也／胸中不学，犹手中无钱／垅上扶犁儿，手种腹长饥／窗下抛梭女，手织身无衣／走不以手，缚手，走不能疾／未有无腹心手足而能独理者也／十目所视，十手所指，其严乎／今日长缨在手，何时缚住苍龙／药虽进于医手，方多传于古人／右手画圆，左手画方，不能两成／翻手作云覆手雨，纷纷轻薄何须数／君之视臣如手足……则臣视君如寇雠／虽有巧目利手，不如拙规矩之正方圆

❼说发胸臆，文成手中／主人退后立，敛手反如宾／文章本天成，妙手偶得之／首虽尊高，必资手足以成体／世间无限丹青手，一片伤心画不成／强中更有强中手，莫向人前满自夸／强中自有强中手，用诈还逢识诈人／身后有余忘缩手，眼前无路想回头／天下英雄谁敌手？曹刘。生子当如孙仲谋／落陷阱，不一引手救，反挤之，又下石焉

❽先下手为强，后下手遭殃／并词竞说者，为贷手以自殴／不徐不疾，得之于手而应之于心／能使了然于口与手乎！是之谓辞达／嗟叹之不足，不知手之舞之足之蹈之也／永歌之不足，不知手之舞之，足之蹈之／永歌之不足，不知手之舞之，足之蹈之也

❾五指之更弹，不若卷手之一挃／风流不在谈锋胜，袖手无言味最长／当其取于心而注于手也，汩汩然来矣／当其取于心而注于手也，惟陈言之务去／夜行者掩目而前其手，涉水者解其马载之舟

❿捕猛兽者不使美人举手／照之有余辉，揽之不盈手／刑罚不中，则民无所措手足／代大匠斫，希有不伤其手矣／世事如棋局，不着的才是高手／天下事当于大处著眼，小处下手／纵使长条似旧垂，也应攀折他人手／目不能二视，耳不能二听，手不能二事／求道者不以目而以心，取道者不以手而以耳／入泽随龟，不暇调足；深渊捕蛟，不暇定手／口不绝吟于六艺之文，手不停披于百家之编／宰相，陛下之腹心；刺史县令，陛下之手足／称牛之服重，不誉马速，誉手毁足，孰谓之慧／矰缴充蹊，阬阱塞路，举手挂网罗，动足蹈机坎／学为文章，先谋亲友，得其评裁，知可施行，然后出手／吴人与越人相恶也，当其同舟而济遇风，其相救也如左右手／不本其所以欲，而禁其所欲……是犹决江河之源而障之以手也／乐之道深矣，故工之善者，必得于心应于手，而不可述之言也

挈 qiè①提；通"锲"，刻。②qì 通"契"。

❶挈瓶之知，不失守器

见《战国策·赵策一》。

❾百人抗浮，不若一人挈而趋

❿必且历日旷久，丝牦犹能挈石，驽马亦能致远

拳 quán 拳头；勇力；徒手的武术；弯曲；[拳拳]牢握不舍。

❷无拳无勇，职为乱阶

❺奔马之轮，拳石碍之而格／得一善则拳拳服膺，而弗失之矣／匡庐小顼拳可碎，鄱阳触怒踢欲裂

❻得一善则拳拳服膺，而弗失之矣

❾不能为五斗米折腰，拳拳事乡里小人

❿食人力之粟，守无事之官，拳拳血诚，无所陈露／回之为人也，择乎中庸，得一善，则拳拳服膺，而弗失之矣

掣 chè 拽；拉；抽取；闪过。

❹风驰电掣，不知所由

❻夺我席上酒，掣我盘中飧

摩 mó 摩擦；接触；抚摸；研究切磋；[摩挲]用手轻轻地按住并移动，使齐整。

❶摩顶放踵，利天下，为之

见《孟子·尽心上》。

❷观摩诘之画，画中有诗／味摩诘之诗，诗中有画

❹利害相摩，生火甚多，众人焚和

❺木与木相摩则然，金与火相守则流

❻殿前作赋声摩空，笔补造化天无功

❼相观而善之谓摩

❽蛟龙无定窟，黄鹄摩苍天

❿安危相易，祸福相生，缓急相摩，聚散以成

擎 qíng 举；向上托。

❺荷尽已无擎雨盖，菊残犹有傲霜枝

❿老夫聊发少年狂，左牵黄，右擎苍

擘 bò 大拇指，喻指第一或最好；弹；剖，分开。

❹起来自擘纱窗破，恰漏清光到枕前

❺巨灵咆哮擘两山，洪波喷流射东海

攀 pān 借助别的东西往上爬；用手拉；设法接近、接触；跟地位高的人拉关系。

❶攀龙附凤，必在初举

见三国·魏·邯郸淳《赠吴处玄》。

攀援而登，箕踞而遨……

见唐·柳宗元《始得西山宴游记》。全句为："～，则凡数州之土壤，皆在衽席之下"。

攀龙鳞，附凤翼，以成其所志

见南朝·宋·范晔《后汉书·光武帝纪》。

❷跻攀分寸不可上，失势一落千丈强

❽附骥尾则涉千里，攀鸿翮则翔四海

❾谁不欲争裂绮绣，互攀日月

❿世上无难事，只要肯登攀／纵使长条似旧垂，也应攀折他人手／少壮真当努力，年一过往，何可攀援

毛 máo 动物表皮上生的丝状物，或鸟类的羽毛；霉菌；小的；没有加工过的，不纯净的；做事粗糙；惊慌；中国辅币。

❶毛羽未成，不可以高飞

见汉·司马迁《史记·苏秦列传》。

毛羽不丰满者，不可以高飞

见《战国策·秦策一》引古语。

毛嫱西施，善毁者不能蔽其好

见汉·王褒《四子讲德论》。全句为："～；嫫母倭傀，善誉者不能掩其丑"。

毛先生一至楚，而使赵重于九鼎大吕

见汉·司马迁《史记·平原君列传》。"毛先生"，毛遂。

毛嫱、丽姬，人之所美也……麋鹿见之决骤

见《庄子·齐物论》。删节处为："鱼见之深入，鸟见之高飞"。

❷毫毛不拔，将成斧柯／毫毛虽小，视之可察／吹毛洗垢，求其瘢疵／鸿毛至轻也，而不能自举／马毛缩如猬，角弓不可张

❸无众毛之助，则飞不远矣／拔一毛而利天下，不为也／不吹毛而求小疵，不洗垢而察难知

❹死轻鸿毛，固得其所／染鹭之毛而指为鸦，则虽愚必疑／画者谨毛而失貌，射者仪小而遗大／待西施、毛嫱而为配，则终身不家矣／见骥一毛，不知其状；见画一色，不知其美／牺牛粹毛，宜于庙牲，其于以致雨，不若黑蜧

❺鼓洪炉，燎毛发／皮之不存，毛将安傅／为者如牛毛，获者如麟角／学者如牛毛，成者如麟角／身轻于鸿毛，而谤重于泰山

❻乔林夹岸，羽毛之所翱翔

❼反裘负薪，里尽毛殚，刖趾适屦，刻肌伤骨

❽身重天地，物轻鸿毛／振裘持领，领正则毛理／反裘而负薪，爱其毛，不知其皮尽也／所好则钻皮出其毛羽，所恶则洗垢求其瘢痕

❾冲风之衰也，不能起毛羽／此生泰山重，勿作鸿毛遗／一旦临小利害，仅如毛发比……／万目不张举其纲，众毛不整振其领／人者裸虫也，与夫鳞毛羽甲虫俱焉

❿冲风之末，力不能漂鸿毛／物轻人意重，千里送鹅毛／用心刚，则轻死生如鸿毛／强冲风之末，力不能漂鸿毛／天下无事，则公卿之言轻于鸿毛／易于泰山破鸡子，轻于四马载鸿毛／言语巧偷鹦鹉舌，文章分得凤凰毛／屈长才于短用者，犹骥扑鼠而斧剪毛也／囊漏贮中，识者不吝；反裘负薪，存毛实难／举网以纲，千目皆张，振裘持领，万毛自整／见虎一文，不知其武；见骥一毛，不知善走／树恩布德，易以周洽，其犹顺惊风而飞鸿毛也／胶漆至粘也，而不能合远；鸿毛至轻也，而不能自举／虎旅云从，词林响应，若毛羽之宗麟凤，众川之长江河

耄 mào 八九十岁，泛指人年纪很大；昏乱。

❶耄老失明，闻善不从

见汉·焦赣《易林·睽·坎》。

❺老将至而耄及之／心能识壮耄而不觉其形

❿慜病克寿，矜壮死暴。纵欲不戒，匪愚伊耄

氂 ①máo"牦"的异体字。②máo，又读lí，牦牛尾，也指马尾；长毛；罽，毡；同"蒃"。③lí 通"釐(厘)"。

❷毫氂不伐，将用斧柯

❽狗吠不惊，足下生氂；含哺鼓腹，焉知凶灾

❿割而舍之，镆邪不断肉；执而不释，马氂截玉

麾 huī 古代军用指挥旗；指挥。

❷招麾祸福，功名所遂，谓之志
❹军之持麾者，妄指则乱矣
❺招之不来，麾之不去／八百里分麾下炙，五十弦翻塞外声。沙场秋点兵
❿挟天子以令诸侯，四海可指麾而定

气 qì 气体；气息；人的精神状态；气势；人的作风习气；生气，发怒；中医指人体内能使各器官正常地发挥技能的原动力；中医指某种病象；气味；中国哲学概念；气氛；气数、命运；围棋术语。

❶气质、神韵，末也
见清·王国维《人间词话》。全句为："有境界，本也。～。有境界而二者随之也"。
气同则从，声比则应
见汉·班固《汉书·公孙弘传》。
气凌云汉，字挟风霜
见唐·王勃《平台秘略赞十首·艺文》。
气外更无虚托孤立之理
见清·王夫之《读四书大全说》卷一〇。
气有变化，是道有变化
见明·王廷相《雅述》。全句为："元气即道体，有虚即有气，有气即有道。～"。
气质之病小，心术之病大
见明·吕坤《呻吟语》。
气直则辞盛，辞盛则文工
见唐·李翱《答朱载言书》。全句为："义深则意远，意远则理辩，理辩则气直，～"。
气别生者死，增减羸病勤
见《西升经·圣辞章》。
气忌盛，心忌满，才忌露
见明·吕坤《呻吟语》。
气疲欲胜，则精灵离身矣
见晋·葛洪《抱朴子·至理》。
气者，心随笔运，取象不惑
见五代·后梁·荆浩《笔法记》。全句为："～；韵者，随迹立形，备遗不俗"。
气从以顺，各从其欲，皆得所愿
见《黄帝内经·上古天真论》。全句为："志闲而少欲，心安而不惧，形劳而不倦，～"。
气入身来为之生，神去离形为之死
见《胎息经》。
气如兰兮长不改，心若兰兮终不移
见唐·杨炯《幽兰赋》。
气盛则言之短长与声之高下者皆宜
见唐·韩愈《答李翊书》。
气不可以不贯，不贯则虽有美词丽藻
见唐·李德裕《文章论》。全句为："～，如编珠缀玉，不得为全璞之宝矣"。
气衰则生物不育，世乱则礼废而乐淫
见汉·司马迁《史记·乐书》。
气之聚散于太虚……知太虚即气则无无
见宋·张载《正蒙·太和》。删节处为："犹冰凝释于水"。
气以实志，志以定言，吐纳英华，莫非情性
见南朝·梁·刘勰《文心雕龙·体性》。
气往轹古，辞来切今，惊采绝艳，难与并能
见南朝·梁·刘勰《文心雕龙·辨骚》。
气之动物，物之感人，故摇荡性情，形诸舞咏
见南朝·梁·钟嵘《诗品序》。
气，物之原也；理，气之具也；器，气之成也
见明·王廷相《慎言》。
气质偏驳者，欲使私欲不能引染，如之何？惟在明明德而已
见清·颜元《存性编》卷二。
气宜宣而遏之，体宜调而矫之，神宜平而抑之，必有失和者矣
见汉·荀悦《申鉴·俗嫌》。

❷元气生万物而不有／胆气以得失而夺也／邪气袭内，正色乃衰／和气致祥，乖气致戾／心气常顺，百病自遁／意气骏爽，则文风清焉／元气者，天地万物之宗统／养气要使完，处身要使端／是气所旁薄，凛烈万古存／贫，气不改；达，志不改／其气充乎其中而溢于其貌／是气也者，乃太虚固有之物／用气常宽舒，不当急疾勤劳／天气上，地气下，人气在其间／交气疾争者，为易口而自毁也／以气韵求其画，则形似在其间矣／喷气则白日尽晦，刷马则清江倒流／血气之怒不可有，理义之怒不可无／元气即道体，有虚即有气，有气即有道／善气迎人，亲如兄弟；恶气迎人，害于兵戈／含气之伦，有生必终，盖天地之常期，自然之至数
❸善猎气不慑／文者气之所形／诗家气象贵雄浑／居移气，养移体／天朗气清，惠风和畅／年少气锐，不识几微／人在气中，气在人中／英雄气短，儿女情长／物诱气随，外适内和／心静气理，道乃可止／天，积气耳，亡处亡气／有元气则有生，有生则道显／把志气奋发得起，何事不可做／自一气之所有，播万殊而种分／去敌气与矜色兮，噤危言以端诚／勇于气者，小人也；勇于义者，君子也／声应气求之夫，决不在于寻行数墨之士／志为气之帅，有志则气不衰，故不觉其老／文以气为主，气之清浊有体，不可力强而致／神闲气静，智深勇沉，此八字是干大事的本领／真则气雄，精则气生，使五彩并用，而气行其中／其为气也，至大至刚，以直养而无害，则塞于天地之间
❹志同而气合／但开风气不为师／凡有血气者……／困人天气日初长／凡有血气，皆有争心／酒醴异气，饮之皆醉／避其锐气，击其惰归／李广才气，天下无双／虚实之气，兵之贵者也／

躁心浮气，蓄德之贼也／人生意气豁，不在相逢早／山明云气画，天静鸟飞高／岂伊地气暖？自有岁寒心／理辩则气直，气直则辞盛／昏旦变气候，山水含清晖／一鼓作气，再而衰，三而竭／敌力角气，能以小胜大者希／性通乎气之外，命行乎气之内／有生之气，有形之状，尽幻也／志强而气弱，故足于谋而寡于断／冬也阴气积兮，愁颜者为之鲜欢／九州生气恃风雷，万马齐喑究可哀／人身正气稍不足，邪便得以干之矣／阴阳者，气之大者也；道者为之公／胸中之气伊郁蜿蜒，泄为章句……／阴阳之气，散则万殊，人莫知其一也／大道吐气，布于虚无，为天地之本始／人之生，气之聚也；聚则为生，散则为死／始而胎气充实……壮而声色有节者强而寿／始而胎气虚耗……壮而声色自放者弱而夭／财有害气，积则伤人；虽少犹累，而况多乎／苦我怨气兮浩于长空，六合虽广兮受之应不容／天地之气合而为一，分为阴阳，判为四时，列为五行／感应者气也，如是而感则如是而应，有不容以毫发差者理也

❺通天下一气耳／天者，固积气者也／千亩竹林，气含烟雾／人在气中，气在人中／堤溃蚁孔，气泄针芒／治身者爱气，则身全／朝晖夕阴，气象万千／心如铁石，气若风云／彼尸居余气，不足畏也／文之异，在气格之高下／三军可夺气，将军可夺心／天地有正气，杂然赋流形／以迈往之气，行正大之言／八方各异气，千里殊风雨／人生感意气，功名谁复论／芳草宁共气，而皆悦于魂／君子行正气，小人行邪气／四海变秋气，一室难为春／达人识元气，变愁为高歌／天气上，地气下，人气在其间／阴与阳者，气而游乎其间者也／类同相召，气同则合，声比则应／识欲高而气欲下，量欲宏而守欲洁／力拔山兮气盖世，时不利兮骓不逝／君子藏正气者，可以远鬼神，伏奸佞／天者，统元气焉，非止荡荡苍苍之谓也／学贵变化气质，岂为猎章句、干利禄哉／有形亦是气，无形亦是气，道寓其中也／荐贤能其气似孔文举，论经学其博似刘子骏／小勇者，血气之怒也；大勇者，理义之怒也／日薄西山，气息奄奄；人命危浅，朝不虑夕／志之所在，气亦随之；气之所在，天地鬼神亦随之／动摇则谷气得消，血脉流通，病不得生，譬犹户枢不朽也

❻悲哉秋之为气也／不受于邪，邪气自去／义烈之余，色气猛厉／民俗既迁，风气亦随／同声相应，同气相求／和气致祥，乖气致戾／感心动耳，荡气回肠／故堤溃蚁孔，气泄针芒／理辩则气直，气直则辞盛／水激则波兴，气乱则智昏／积山万状，负气争高……／人性虽同，禀气不能无偏重／悠悠乎与颢气俱而莫得其涯／天地成于元气，万物乘于天地／忍怒以全阴气，抑喜以养阳气／不是交同兰气味，为何话出一人心／剑戟横空金气肃，旌旗映日彩云飞／守正之人其气高，含章之人其词大／未尝敢以昏气出之，惧其昧没而杂也／未尝敢以矜气作之，惧其偃蹇而骄也／天惟运动一气，鼓万物而生，无心以恤物／云破月出，光气含吐，互相明灭，晶莹玲珑／理未尝离乎气，然理形而上者，气形而下者／文以气为主，气之清浊有体，不可力强而致／积山万状，负气争高。含霞饮景，参差代雄／读书不独变气质，且能养精神，盖理义收摄故也／肮脏不平之气，不欲销而自销；坚贞不拔之志，不欲奋而自奋矣

❼持其志，无暴其气／有是理，便有是气／天地既位，阴阳气交／小巫见大巫，神气尽矣／战以勇为主，以气为决／生死悠悠尔，一气聚散之／壮岁从戎，曾是气吞残虏／狂云妒佳月，怒气千里黑／轻生本为国，重气不关私／空山新雨后，天气晚来秋／天亦有喜怒之气，哀乐之心／书之要，统于“骨气”二字／教小儿宜严，严气足以平躁气／精神不运则愚，气血不运则病／丈夫盖世英雄气，肯学世间儿女愁／人之寿夭在元气，国之长短在风俗／散殊而可象为气，清通而不可象为神／嗜欲者使人之气越，而好憎者使人之心劳／为文以意为主，气为辅，以辞彩章句为之兵卫／气，物之原也；理，气之具也；器，气之成也／真则气雄，精则气生，使五彩并用，而气行其中／吐故纳新者，因气以长气，而气大衰者则难长也／人生时禀得灵气，精明通悟，学无滞塞，则谓之神／汝游心于淡，合气于漠，顺物自然而无容私焉，而天下治矣

❽我善养吾浩然之气／割嗜欲所以固血气／但当循理，不可使气／昂然直上，凛有生气／天，积气耳，亡处亡气／能相奉成者，必同气者也／食饱心自若，酒酣气益振／遇暴戾之人，以和气薰蒸之／天气上，地气下，人气在其间／无欲者，神合于虚，气合于无／事例无不变迁，风气无不移易／久视伤血，久卧伤气，久立伤骨／作字要熟，熟则神气完实而有余／阅千古而不变者，气种之有定也／文不可以学而能，气可以养而致／想当年，金戈铁马，气吞万里如虎／天下未有无理之气，亦未有无气之理／天地之间空虚，和气流行，故万物自生／交友须带三分侠气，作人要存一点素心／文为之物，自然灵气。惚恍而来，不思而至／律者，乐之本也，而气达乎物，凡音之起者本焉

❾参之谷梁氏以厉其气／浩然者乃天地之正气也／行峻而言厉，心醇而气和／恩从祥风翱，德与和气游／凡为文以意为主，以气为辅／以雄才为己任，横杀气而独往／义理之勇不可无，血

气之勇不可有／劳形按影皆非道，炼气吞霞更是狂／吹波则江汉倒流，腾气则虹霓掩彩／班声动而北风起，剑气冲而南斗平／鬼无声也，无形也，无气也，果无鬼乎／志为气之帅，有志则气不衰，故不觉其老／有云水襟怀，有松柏气节，典型顿失，人尽含悲／志之所在，气亦随之；气之所在，天地鬼神亦随之／非情、才无以见性，非气质无所为情、才，即无所为性也

❿不与贪争利，不与勇争气／君子行正气，小人行邪气／多一分享用，减一分志气／机在于应事，战在于治气／枯木倚寒岩，三冬无暖气／万物抱一而成，得微妙气化／事之行也有势，其成也有气／将有死之心，士卒无生之气／少年人要心忙，忙则摄浮气／浑然而中处者，世谓之元气／深儿女之怀，便短英雄之气／雄笔奇才，有鼓怒风云之气／三军以利用也，金鼓以声气也／性通乎气之外，命行乎气之内／教小儿宜严，严气足以平躁气／忍怒以全阴气，抑喜以养阳气／黯然别之销魂，悲哉秋之为气／善为文者，发而为声，鼓而为气／虎豹之驹未成文，而有食牛之气／万木霜天红烂漫，天兵怒气冲霄汉／不要人夸好颜色，只留清气满乾坤／为学第一工夫，要降得浮躁之气定／高天滚滚寒流急，大地微微暖气吹／词客争新角短长，迭开风气递登场／懒则不肯勤勉，学殖荒而志气亦坠／琢雕自是文章病，奇险尤伤气骨多／早岁那知世事艰，中原北望气如山／昔有佳人公孙氏，一舞剑气动四方／贤者恒无以自存，不贤者志满气得／见利不诱，见害不惧……是谓灵气／天下未有无理之气，亦未有无气之理／天地之大德曰生，人受天地之气而生／悬羽与炭，而知燥湿之气，以小明大／自天地至于万物，无不须气以生者也／元气即道体，有虚即有气，有气即有道／蔚乎其相章，炳乎其相辉，志同而气合／太极，谓天地未分之前，元气混而为一／行于世间，目不随人视……鼻不随人气／道足以忘物之得丧，志足以一气之盛衰／气之聚散于太虚……知太虚即气则无无／有形亦是气，无形亦是气，道寓其中也／治心须求妙悟，悟则神和气静，客敬色庄／顺之则喜，逆之则怒，此有血气者之性也／吐纳文艺，务在节宣，清和其心，调畅其气／善气迎人，亲如兄弟；恶气迎人，害于兵戈／理未尝离乎气，然理形而上者，气形而下者／目如炬，声如钟，则英伟刚毅之气使人兴起／静则得之，躁则失之，灵气在心，一来一逝／清轻者上为天，浊重者下为地，冲和气者为人／恰同学少年，风华正茂；书生意气，挥斥方遒／气，物之原也；理，气之具也；器，气之成也／真则气雄，精则气生，使五彩并用，而气行其中／何惜阶前盈尺之地，不使白扬眉吐气，激昂青云／争构纤微，竞为雕刻……；骨气都尽，刚健不闻／吐故纳新者，因气以长气，而气大衰者则难长也／未战养其财，将战养其力，既战养其气，既胜养其心／人之情，目欲视色，耳欲听声，口欲察味，志气欲盈／和者天之正也，阴阳之平也，其气最良，物之所生也／内便于性，外合于义，循理而动，不系于物者，正气也／平易恬淡，则忧患不能入，邪气不能袭，故其德全而神不亏／政庞而土裂，三光五岳之气分，大音不完，故必混一而后大振

收

shōu 割取；获得；征取；接；结束；聚集；约束；逮捕。

❶收合馀烬，背城借一

见《左传·成公二年》。

收罗英雄，弃瑕录用

见晋·陈寿《三国志·魏书·袁绍传》。

收心简事日损有为，体静心闲方可观妙

见唐·司马承祯《坐忘论·真观》。

❷俱收并蓄，待用无遗／旋收松上雪，来煮雨前茶／风收云散波忽平，倒转青天作湖底／宽收严试，久任超迁。此八字，用人之良法

❸一念收敛，则万善来同／春蚕收长丝，秋熟靡王税／薄雨收寒，斜照弄晴，春意空阔／持杯收水水已覆，徙薪避火火更燔

❹反水不收，后悔无及

❺覆水不可收／起之易而收之难／失之东隅，收之桑榆／覆水不可收，行云难重寻／播种有不收者矣，而稼穑不可废／剑外忽传收蓟北，初闻涕泪满衣裳／士进则世收其器，贤用即人献其能

❻寒来暑往，秋收冬藏／朽索充羁，不收奔马之逸／春生夏长，秋收冬藏，此天道之大经／春发其华，秋收其实，有始有极，爰登其质

❼沙角台高，乱帆收向天边

❽抱日增丽，浮空不收

❾龙蟠凤逸之士，皆欲收名定价于君侯

❿诚国是之先定，虽民散而可收／循理以求道，落其华而收其实／自赦而天下不赦也，则其肆必收／天子者，养尊而处优，树恩而收名／无力买田聊种水，近来湖面亦收租／春主生，夏主养，冬主藏，秋主收／不忍登高临远，望故乡渺邈，归思难收／处逆境心须用开拓法，处顺境心要用收敛法／星斗张明，错落水中，如珠走镜，不可收拾／量其当否，参其同异，弃其所短，收其所长／牛溲马勃，败鼓之皮，俱收并蓄，待用无遗／博学笃志，切问近思，此八字是收放心的功夫／读书不独变气质，且能养精神，盖理义收摄故也／天无一点云，星斗张明，错落水中，如珠走镜，不可收拾

改

gǎi 改变,更换;纠正;修改;姓。

❶改过不吝,从善如流

见宋·苏轼《上神宗皇帝书》。

改章难于造篇,易字艰于代句

见南朝·梁·刘勰《文心雕龙·附会》。

"改过不吝,无咎"者,善补过也

见隋·王通《中说·问易》。

❷能改,则瑕可为瑜,瓦砾可为珠玉/日改月化,日有所为,而莫见其功

❸新诗改罢自长吟/过而改之,是犹不过/迁善改过,益莫大焉/迁善改过,莫善于益/有则改之,无则加勉/过在改而不复为,功惟立而不中倦/地不改辟矣,民不改聚矣,行仁政而王,莫之能御也

❹一诗千改始心安/升沉不改故人情/诗不厌改,贵乎精也/山川未改,容貌俱非/过而不改,乃谓之过/过而不改,是谓过矣/过而能改者,民之上也/受屈不改心,然后知君子/闻恶能改,庶得免乎大过/玉碎不改白,竹焚不改节/贫,气不改;达,志不改/有过则改之,未萌则戒之/忠谋转改,祸必及已。退隐深山,身乃不殆

❺过,则勿惮改/用人惟己,改过不吝/惟教之不改,而后诛之/久别年颜改,相逢夜话长/变谓后来改前,以渐移改谓之变也/惩之甚者改必速,畜之久者发必肆/知过非难,改过为难;言善非难,行善为难

❻目睹覆车,不改前辙/从善则有誉,改过则无咎/有过则当速改,不可畏难而苟安也

❼日月韬光,山河改色/飞雪千里,不能改松柏之心/当自益者,莫如改过而迁善/告之以直而不改,必痛之而后畏/日省其身,有则改之,无则加勉/但得贞心能不改,纵令移植亦何妨/今年花落颜色改,明年花开复谁在/气如兰兮长不改,心若兰兮终不移/丈夫不释故而改图,哲士不侥幸而出危/仁者不以盛衰改节,义者不以存亡易心/玉可碎而不可改其白,金可销而不可易其刚/大匠不为拙工改废绳墨,羿不为拙射变其彀率

❽说而不绎,从而不改/见善则迁,有过则改/贫,气不改;达,志不改/自古及今,法无不改,势无不积/政令多出,朝令夕改,则谓数穷也/隔日一删,愈月一改,始能淘沙得金/地不改辟矣,民不改聚矣,行仁政而王,莫之能御也

❾美成在久,恶成不及改/天地长不没,山川无改时/前车既覆而后车不改辙也/玉碎不改白,竹焚不改节/春露不染色,秋霜不改条/歌罢海动色,诗成天改容/开其自新之路,诱于改过之善/言多变则不信,令频改则难从

❿我愿平东海,身沉心不改/闻义不能徙,不善不能改/不贵于无过,而贵于能改过/强辩者饰非,不知过之可改/受益莫如择友,好学莫如改过/悔前莫如慎始,悔后莫如改图/春每归兮花开,花已阑兮春改/益。君子以见善则迁,有过则改/圣人……其于过也,无微而不改/士之相知,温不增华,寒不改叶/君子修道立德,不为穷困而改节/不因困顿移初志,肯为贪缘改寸丹/变谓后来改前,以渐移改谓之变也/节物风光不相待,桑田碧海须臾改/处屯而必行其道,居陋而不改其度/闻善而行之如争,闻恶而改之如仇/见利争让,闻义争为,有不善争改/爱好由来下笔难,一诗千改始心安/知善不行者谓之狂,知恶不改者谓之惑/法令不一则人情惑,职次数改则觊觎生/正则用之,邪则去之,是则行之,非则改之/为人君者,固不以无过为贤,而以改过为美/迷而知反,失道不远,过而能改,谓之不过/道犹金石,一调不更;事犹琴瑟,每弦改调/贤哉,回也……人不堪其忧,回也不改其乐/贵而犯法,义不得宥;过而知改,恩不废叙/其所善者,吾则行之;其所恶者,吾则改之/君子之所贵者,迁善惧其不及,改恶恐其有余/义之所在,不倾于权,不顾其利,举国而与之,不为改视

放

①fàng 放开;暂时停止;不加约束;流放;恣纵,放任;搁置;扩大;点燃;弄倒。②fǎng 依;至;通"仿",仿效。

❶放之四海而皆准

见《礼记·祭义》。

放鸱枭而囚鸾凤

见南朝·宋·范晔《后汉书·刘陶传》。

放于利而行,多怨

见《论语·里仁》。

放船千里凌波去,略为吴山留顾

见宋·朱敦儒《水龙吟》。

❸一念放恣,则百邪乘衅/摩顶放踵,利天下,为之/将难放怀处放怀,则万境宽/屈原放逐,乃赋《离骚》;左丘失明,厥有《国语》

❺独坐穷山,放虎自卫/罪漏则民放佚而轻犯禁/威柄不以放下,利器不可假人/苟无恒心,放辟邪侈,无不为已/人有鸡犬放,则知求之;有放心而不知求/为民族解放,为阶级翻身,事业垂成,公胡遽死

❻将难放怀处放怀,则万境宽/锄奸杜倖,要放他一条去路……/咬定青山不放松,立根原在破岩中

❼处逸乐而欲不放,居贫苦而志不倦/人情得足,苦于放纵,快须臾之欲,忘慎罚之义/伪乱俗,私坏法,放越轨,奢败制。四者不除,则政未由行矣

❽归马于华山之阳，放牛于桃林之野／李白之文，清雄奔放，名章俊语，络绎间起，光明洞彻，句句动人
❾学问之道无他，求其放心而已矣／李太白诗不专是豪放，亦有雍容和缓底
❿听其言而察其类，无使放悖／求硕画于庶位，虑遗材于放臣／士矜才则德薄，女衒色则情放／为学正如撑上水船，一篙不可放缓／劝君莫作亏心事，古往今来放过谁／牢骚太盛防肠断，风物长宜放眼量／古人教人，不过存心、养心、求放心／出新意于法度之中，寄妙理于豪放之外／夫人之相与，俯仰一世……放浪形骸之外／人有鸡犬放，则知求之；有放心而不知求／始而胎气虚耗……壮而声色自放者弱而夭／博学笃志，切问近思，此八字是收放心的功夫／源泉混混，不舍昼夜，盈科而后进，放乎四海／处患难，知其无可奈何，遂放意而不反，是岂安于义命者／致治之术，先屏四患：……一曰伪，二曰私，三曰放，四曰奢

政 ①zhèng 政治；政权；通“正”；旧指集体生活中的事务；旧指主其事者。②zhēng 通“征”。

❶政由俗革
见《尚书·毕命》。
政在节财
见汉·司马迁《史记·孔子世家》。
政不正则君位危
见《礼记·礼运》。
政之费人也甚于医
见宋·苏轼《墨宝堂记》。
政足以使民不敢欺
见宋·王安石《三不欺》。全句为：“圣人之政，仁足以使民不忍欺，智足以使民不能欺，～”。
政之不平，吏之罪也
见唐·王士元《亢仓子·政道篇》。
政令不行，上下相怨
见《老子》十八河上公注。全句为：“～，邪僻争权，乃有忠臣匡正其君”。
政通人和，百废俱兴
见宋·范仲淹《岳阳楼记》。
政者正也，当矫其弊
见唐·张九龄《敕处分十道朝集使》。
政贵有恒，辞尚体要
见《尚书·毕命》。
政赋不均，盗之源也
见宋·刘敞《患盗论》。全句为：“衣食不足，盗之源也；～；教化不修，盗之源也”。
政无旧新，以便民为本
见宋·苏辙《傅尧俞御史中丞》。
政无大小，以得人为重
见宋·苏辙《王念光禄丞》。
政和则情和，情和则声和
见唐·白居易《策林四》。删节处为：“而安乐之音由是作焉；政失则情失，情失则声失，而哀淫之音由是作焉。”。
政者，口言之，身必行之
见《墨子·公孟》。
政教积德，必致安泰之福
见汉·王符《潜夫论·慎微》。全句为：“～；举错数失，必致危亡之道”。
政简移风速，诗清立意新
见唐·杜甫《奉和严中丞西城晚眺十韵》。
政令时，则百姓一，贤良服
见《荀子·王制》》
政在于民，下附其上则兵强
见汉·刘安《淮南子·兵略》。全句为：“兵之胜败，本在于政，～，民胜其政，下畔其上则兵弱”。
政以得贤为本，理以去秽为务
见南朝·宋·范晔《后汉书·杨震传》。
政犹张琴瑟，大弦急则小弦绝
见汉·刘向《新序·佚文》。
政之急者，莫大乎使民富且寿也
见三国·魏·王肃《孔子家语·贤君》。
政者正也，上正其道，下必从之
见唐·李彭年《论刑法不便第二表》。
政之不便于民者，未必皆上之过也
见宋·杨万里《民政》。
政令多出，朝令夕改，则谓数穷也
见五代·前蜀·杜光庭《道德真经广圣义》卷九。
政烦苛则人奸伪，政省一则人醇朴
见唐·王士元《亢仓子·政道篇》。
政者，正也。子帅以正，孰敢不正？
见《论语·颜渊》。
政之不中，君之患也；令之不行，臣之罪也
见三国·魏·王肃《孔子家语·王言解》。
政之所兴，在顺民心；政之所废，在逆民心
见《管子·牧民》。
政以胜众，非以陵众；众以胜事，非以伤事
见汉·戴德《大戴礼记·诰志》。全句为：“～；事以靖民，非以征民”。
政令不烦，则安其业，故不远迁徙，离其常处
见《老子》八十河上公注。
政如农功，日夜思之，思其始而成其终，朝夕而行之
见《左传·襄公二十五年》。
政有三品：王者之政化之，霸者之政威之，强国之政胁之

见汉·刘向《说苑·政理》。

政庞而土裂，三光五岳之气分，大音不完，故必混一而后大振

见唐·刘禹锡《唐故尚书礼部员外郎柳君集纪》。"庞"，杂乱；"土裂"，国土分裂；"三光"，日、月、星；"大音"，宏伟雅正之文；"完"，完整。

❷乱政生灾／苛政猛于虎／无政事，则财用不足／为政之要，曰公与勤／为政之要，曰公曰清／为政之本，贵在无为／乱政亟行，所以败也／苛政不亲，烦苦伤恩／苛政害民，君受其患／善政不如善教之得民／庶政惟和，万国咸宁／为政……患善恶之不分／从政有经，而令行为上／为政，不在于用一己之长／凡政之大经，法教而已矣／逸政多忠臣，劳政多乱人／为政者不赏私劳，不罚私怨／为政……贵于有以来天下之善／民政之难，不惟其力而惟其才／发政施仁，所以王天下之本也／教，政之本也；狱，政之末也／为政犹沐也，虽有弃发，必为之／弊政之大，莫若贿赂行而征赋乱／一政之出，上有意而未决，则吏赞之／听政之初，当以通下情除壅蔽为急务／为政不在言多，须息息从省身克己而出／刑政平而百姓归之，礼义备而君子归之／其政不烦，其刑不渎，而民之化之也速／为政以德，譬如北辰，居其所而众星共之／为政之要，惟在得人。用非其才，必难致治／为政之本，莫若得人；褒贤显善，圣制所先／为政在人，取人以身，修身以道，修道以仁／虐政用于下，而欲德教之被四海，故难成也／其政闷闷，其民淳淳；其政察察，其民缺缺／视政之得失，若越人视秦人之肥瘠忽焉不加喜戚于其心

❸赏罚，政之柄也／其为政知所先后／式于政，不式于勇／君者政源，人庶犹水／国之政要，兴废在人／问其政，则曰我不知也／乐与政为政，乐与治为治／君为政焉勿卤莽，治民焉勿灭裂／善为政者积其德，善用兵者畜其怒／为之政，以率其怠倦；为之刑，以锄其强梗／善为政者，防于未然，均其有无，省其徭役

❹因时立政／尚贤者，政之本也／天下之政，非贤不理／凡所从政，当须正己／德惟善政，政在养民／国家失政，则士民去之／国家大政，须人无二心／与闻国政而无益于民者斥／与闻国政而无益于民者，退／民胜其政，下畔其上则兵弱／八音与政通，而文章与时高下／圣人之政，仁足以使民不忍欺／谐和之政宜于治新，以之治旧则虚／君行仁政，斯民亲其上，死其长矣／威猛之政宜于讨乱，以之治善则暴／圣王为政，赏不避仇雠，诛不择骨肉／策术之政宜于治难，以之治平则无奇／尽公者，政之本也；树私者，乱之源也／一国之政，万人之命，悬于宰相，可不慎欤／上之为政，得下之情则治，不得下之情则乱／丰荒异政，系乎时也；夷夏殊法，牵乎俗也／用智为政，务欲理人。智变奸生，祸乱滋起／不行王政云尔；苟行王政，四海之内皆举首而望之，欲以为君

❺良将之为政也……／德惟善政，政在养民／然诺不行，政乱无绪／乐与政为政，乐与治为治／有伤贤之政，则贤多横夭／有伤聪之政，则民多病耳／古之善为政者，其初不能无谤／音乐通乎政，而移风平俗者也／良将之为政也，使人择之，不自举／称其任，则政立；枉其能，则事乖／先哲王之政，一曰承天，二曰正身，三曰任贤，四曰恤民，五曰明制，六曰立业

❻不以挟私为政／古者以学为政／闻学而后人政／革往弊者则政不爽／下忧上烦，蠹政为患／任人当才，为政大体／人之升降，与政隆替／至德之君，仁政且温／声音之道，与政通矣／拙制伤锦，迂政损国／国有具官，其政可善／岁饥无年，虐政害民／文者，礼教治政云尔／礼乐为本，刑政为末／积德之君，仁政且温／称物平施，为政以公／其明察察，其政恂恂／兴贤育才，为政之先务／知与之为取，政之宝也／进退无仪，则政令不行／民知至至矣，政在终终也／国有伤明之政，则民多病目／善惩不如善政，善赏不如善教／其人存，则其政举；其人亡，则其政息／欲以先王之政治当世之民，皆守株之类也

❼兵之要，在于修政／仁者爱人，义者政理／正法以齐官，平政以齐民／君子之祥也，以政不以怪／逸政多忠臣，劳政多乱人／用人惟其才，故政无不修／慎忌积于中，则政事废于表／水清无大鱼，察政不得下和／法严而奸易息，政宽而民多犯／教，政之本也；狱，政之末也／世治则小人守政，而利不能诱也／智昏不可以为政，波水不可以为平／国之废兴，在于政事；政事得失，由乎辅佐

❽不在其位，不谋其政／兵之胜败，本在于政／蓄疑败谋，怠忽荒政／怠惰忽略，必乱其政／夫食为民天，农为政本／苟正其身矣，于从政乎何有／儒者在本朝则美政，在下位则美俗／德无以安之则危，政无以和之则乱／德莫高于博爱人，政莫高于博利人／德薄者恶闻美行，政乱者恶闻治言／政烦苛则人奸伪，政省一则人醇朴／爱人以除残为务，政理以去乱为心／上不以诗补察时政，下不以歌泄导人情／中于道则易以兴政，乖于务则难乎御物／其处上也，足以明政行教，不以威天下／政有三品：王者之政化之，霸者之政威之，强国之政胁之

❾在璇玑玉衡，以齐七政／严罚厚赏，此衰世之政也／乱世之音怨以怒，其政乖／治世之音安以乐，其政和／宽以济猛，猛以济宽，政是以和

／知屋漏者在宇下，知政失者在草野／刑在必澄，不在必惨；政在必信，不在必苛／国之废兴，在于政事；政事得失，由乎辅佐／水浊，则无掉尾之鱼；政苛，则无逸乐之士／政之所兴，在顺民心；政之所废，在逆民心／心狂志悖，视听从类，政令无常，下民作孽／天……有相授之意，有为政之理，不可不审也／天下不可一日而无政教，故学不可一日而亡于天下／使智惠之人治国之政事，必远道德，妄作威福，为国之贼

❿见礼而知俗，闻乐而知政／军兴由乎寇生，寇生由乎政缺／子不能治子之身，恶能治国政／礼所以定其位，权所以固其政／奸诈既作，盗贼日多，谓之乱政／下僭礼则上失位，下侵权则上失政／民之治乱在于吏，国之安危在于政／民之治乱在于上，国之安危在于政／贪鄙在率不在下，教训在政不在民／见可而进，知难而退，军之善政也／诚者，君子之所守也，而政事之本也／在朝也则师氏之佐，为国则刻削之政／在朝也则司寇之任，为国则公正之政／在朝也则将帅之任，为国则严厉之政／宽于大事，急于小事……不可以为政／赏不足劝善，刑不足禁非，而政不成／乐者本于声，声者发于情，情者系于政／为地战者不能成王，为禄仕者不能成政／时既清兮惟贤是急，贤既进兮其政必立／故在朝也则三孤之任，为国则变化之政／其人存，则其政举；其人亡，则其政息／不使智惠之人治国之政事……故为国之福／纵有良法美意，非其人而行之，反成弊政／上兵伐谋，其次伐交，其次伐兵，下政攻城／不知三军之事而同三军之政者，则军士惑矣／能出于材，材不同量，材能既殊，任政亦异／闻《乐游园》寄足下诗，则执政柄者扼腕矣／桑无附枝，麦穗两岐。张君为政，乐不可支／有益于化，虽小弗除；无补于政，虽大弗与／心苟至公，人将大同；心能执一，政乃无失／疗饥者半菽可以允腹，为政者一言可以兴邦／其政闷闷，其民淳淳；其政察察，其民缺缺／才可伪，功不可伪；临民听政，长短贤不肖立见／制国有常，而利民为本；从政有经，而令行为上／治国有常，而利民为本；政教有经，而令行为上／鞭扑之子，不从父之教；刑戮之民，不从君之政／上不访，下不谏，妇言用，私政行，此亡国之风也／上多欲，下多端，法不定，政多门，此乱国之风也／以不忍人之心，行不忍人之政，治天下可运之掌上／地不改辟矣，民不改聚矣，行仁政而王，莫之能御也／上有无时之求，中有剥削曲巧之政，下有豺狼寇盗之害／政有三品：王者之政化之，霸者之政威之，强国之政胁之／君子所甚惧者，以申、韩之酷政，文饰儒术，而重毒天下也／不行王政云尔；苟行王政，四海之内皆举首而望之，欲以为君／伪乱俗，私坏法，放越轨，奢败制。四者不除，则政未由行矣

故

①gù 旧，久；原来的；病故、亡故；意外的事情；原因；有意；连词。②gǔ 通“诂”。

❶故天地含精，万物化生

见《列子·天瑞》。全句为：“清轻者上为天，浊重者下为地，冲和气者为人。～”

故堤溃蚁孔，气泄针芒

见南朝·宋·范晔《后汉书·陈忠传》。全句为：“轻者重之端，小者大之源，～”。

故知知一，则复归于朴

见《吕氏春秋·季春纪·论人》。

故圣人也者，人之所积也

见《荀子·儒效》。全句为：“积之而后高，尽之而后圣；～”。

故君子有不战，战必胜矣

见《孟子·公孙丑下》。全句为：“以天下之所顺，攻亲戚之所畔；～”。

故国三千里，深宫二十年

见唐·张祜《宫词二首》之一。全句为：“～。一声河满子，双泪落君前”。

故飘风不终朝，骤雨不终日

见《老子》二十三。

故圣人常顺时而动，智者必因机以发

见晋·陈寿《三国志·魏书·贾诩传》。全句为：“难得而易失者时也，时至而不旋踵者机也。～”。

故明主必谨养其和，节其流，开其源

见《荀子·富国》。全句为：“～，而时斟酌焉”。

故在朝也则三孤之任，为国则变化之政

见三国·魏·刘劭《人物志·材能》。全句为：“计策之能，术家之材也。～”。

故常无，欲以观其妙；常有，欲以观其徼

见《老子》一。

故观于海者难为水，游于圣人之门者难为言

见《孟子·尽心上》。

故凡得胜者，必与人也，凡得人者，必与道也

见《荀子·强国》。

故马或奔踶而致千里，士或有负俗之累而立功名

见汉·班固《汉书·武帝纪》。全句为：“有非常之功，必待非常之人，～”。

❷变故兴细微／隐，故不自隐／变故在斯须，百年谁能持／温故而知新，可以为师矣／慈，故能勇；俭，故能广／思故旧以想象兮，长太息而掩涕／委故都以从利兮，吾知先生之不忍／是故圣人与时变而不化，从物而不移／是故德之所施者博，则威之所行者远／爱故不二，威故不

犯;故善将者,爱与威而已/吐故纳新者,因气以长气,而气大衰者则难长也

❸去国故人稀/月是故乡明/上多故则下多诈/由心故画,诸法性如是/不贪故无忧,不积故无失/仍怜故乡水,万里送行舟/迎春故早发,独自不疑寒/时来故旧少,乱后别离频/无名故无为,无为而无不为/彼无故以合者,则无故以离/悦乎故不能即乎新者,弱也/刺骨,故小痛在体而长利在身/拂耳,故小逆在心而久福在国/休对故人思故国,且将新火试新茶/冠虽故必加于首,履虽新必关于足/不思,故有惑;不求,故无得;不问,故不知

❹游子悲故乡/身尽其故则美/不以小故妨大美/城郭如故人民非/唯不争,故无尤/一以虚,故能生二/持之有故,言之成理/毋以贫故,事人不谨/任力者故劳,任人者故逸/将新变故易,持故为新难/岂不思故乡,从来感知己/澧泉有故源,嘉禾有旧根/量力守故辙,岂不寒与饥/悠然念故乡,乃在天一隅/唯不争,故天下莫能与之争/鸟飞返故乡兮,狐死必首丘/不广求,故得;不杂学,故明/不自见,故明;不自是,故彰/人情厌故而喜新,重难而轻易/不自伐,故有功;不自矜,故长/匹夫无故获千金,必有非常之祸/事难行,故要敏;言易出,故要慎/桂可食,故伐之;漆可用,故割之/火形严,故人鲜灼;水形懦,故人多溺/不以曲故是非相尤,茫茫沉沉,是谓大治/一噎之故,绝谷不食;一蹶之故,却足不行

❺升沉不改故人情/取利远,远故大/乐天知命,故不忧/见贤忘贱,故能让/言之不足故嗟叹之/任重才轻,故多阙漏/知足而止,故能长存/有人之形,故群于人/触焉而得,故其言易/才有大小,故养有厚薄/偏无自足,故凭乎外资/令有缓急,故物有轻重/名由实生,故久而益大/吾少也贱,故多能鄙事/岁有凶穰,故谷有贵贱/海不辞水,故能成其大/道德当身,故不以物惑/道,虚之虚,故能生一/明乎坦涂,故生而不说/群材既聚,故能成邓林/与物推移,故万举而不陷/原始反终,故知死生之说/人生有新故,贵贱不相渝/其诗之有故,其言之成理/其持之有故,其言之成理/无人之情,故是非不得于身/富贵不归故乡,如衣绣夜行/薄身厚民,故聚敛之人不得行/常人安于故俗,学者溺于所闻/知常顺道,故能公正而为王也/安不忘危,故能终而成霸功焉/精诚由中,故其文语感动人深/君子为国……故旷日长久而社稷安/知者之为,故动以百姓,不违其度/丈夫不释故而改图,哲士不侥幸而出危/德比于上,故知耻;欲比于下,故知足/河以逶蛇,故能远;山以陵迟,故能高/情动于中,故形于声,声成文,谓之音/镜以曜明,故鉴人;蚌以含珠,故内照/思焉而得,故其言深;感焉而得,故其言切/言之不足,故长言之;长言之不足,故嗟叹之/节民以礼,故其刑罚甚轻而禁不犯者,教化行而习俗美也

❻百思不得其故/圣人甚祸无故之利/兵出无名,事故不成/吹呴呼吸,吐故纳新/嗟叹之不足故永歌之/安土敦乎仁,故能爱/宥过无大,刑故无小/见不足忘贫,故能施/魂兮归来,反故居些/必因人之情,故易为功/必因时之势,故易为力/能役英与雄,故能成大业/士之闲居,无故不去琴瑟/知短于自知,故以道正己/山不辞土石,故能成其高/狐死归首丘,故乡安可忘/闻君有两意,故来相决绝/新人从门入,故人从阁去/慈,故能勇;俭,故能广/目短于自见,故以镜观面/用人惟其才,故政无不修/兵以计为本,故多算胜少算/视卒如爱子,故可与之俱死/日莫途远,吾故倒行而逆施之/视卒如婴儿,故可与之赴深溪/所言无不义,故下无伪上之报/勇士不顾生,故能立天下之大名/志强而气弱,故足于谋而寡于断/忠臣不畏死,故能立天下之大事/乐莫乐于还故乡,难莫难于全大节/书卷多情似故人,晨昏忧乐每相亲/休对故人思故国,且将新火试新茶/今别子兮归故乡,旧怨平兮新怨长/天地以顺动,故日月不过,而四时不忒/君子好成物,故吉;小人好败物,故凶/人穷则反本,故劳苦倦极,未尝不呼天地也/明于古今,温故知新,通达国体,故谓之博士/爱故不二,威故不犯;故善将者,爱与威而已/乐之道深矣,故工之善者,必得于心应于手,而不可述之言也

❼文有真伪,无有故新/圣人以必不必,故无兵/君子见过忘罚,故能谏/圣人常善救人,故无弃人/将新变故易,持故为新难/君子能勤小物,故无大患/考绩必以岁月,故官不失绪/人情皆欲求胜,故悦人之谦/圣人终不为大,故能成其大/大山不立好恶,故能成其高/太山不让土壤,故能成其大/嵩衡不拒细壤,故能崇其峻/江海不择小助,故能成其富/河海不择细流,故能就其深/暴王之恶天下,故天下可离/圣人……常善救物,故无弃物/土处下,不在高,故安而不危/惟其才之不同,故其成功不齐/水下流,不争先,故疾而不迟/心轻躁,难制伏,故无恶不起/其行公正无邪,故谗人不得入/先王恶其乱也,故制礼义以分之/身行顺,治事公,故国无阿党之议/不阿党,不私色,故群徒之卒不得容/才所以为善也,故大才成大善,小才成小善/河下天下之川,故广;人下天下之士,故大/能无私于一人,故万物至而制之,万物至而命之/无为者,道之宗;故得道之宗,应

物无穷，任人之才，难以至治

❽有大誉，无疵其小故／白头如新，倾盖如故／衣不如新，人不如故／衣不经新，何由而故／衣莫若新，人莫若故／言之成理，持之有故／一枝何足贵，怜是故园春／一时今夕会，万里故乡情／不才明主弃，多病故人疏／不贪故无忧，不积故无失／人作殊方语，莺为故国声／众人以不必必之，故多兵／知音如不赏，归卧故山秋／河长犹可涉，海阔故难飞／春秋迭代，必有去故之悲／爱我者之言恕，恕故匿非／悠悠天宇旷，切切故乡情／病知新事少，老别故交难／穷巷隔深辙，颇回故人车／穷秋南国泪，残日故乡心／古之人与民偕乐，故能乐也／离亭北望，烟霞生故国之悲／能备患于未形也，故祸不萌／以其终不自为大，故能成其大／对他乡之风景，忆故里之琴歌／火烈，民望而畏之，故鲜死焉／农事废，饥寒并至，故盗贼多有／人情莫不欲处前，故恶人之自伐／情不可以显出也，故即事以寓情／理不可以直指也，故即物以明理／虎豹之形于犬羊，故不得不奇也／才胆实由识而济，故天下唯识为难／他乡怨而白露寒，故人去而青山迥／大才怀百家之言，故能治百家之乱／寒暑茫茫兮代谢，故叶新花兮往来／胸中元自有丘壑，故作老木蟠风霜／病非一朝一夕之故，其所由来渐矣／心之所感有邪正，故言之所形有是非／睹其终必原其始，故存其人而咏其道／不忍登高临远，望故乡渺邈，归思难收／至无者，无以能生，故始生者，自生也／不思，故有惑；不求，故无得；不问，故不知／礼者贱质而贵文，故正直日以少，邪乱日以生／万物以自然为性，故可因而不可为也，可通而不可执也

❾临利害之际而不失故常／苟可以强国，不法其故／久旱逢甘雨，他乡遇故知／举头望明月，低头思故乡／代马依北风，飞鸟栖故巢／代马依北风，飞鸟翔故巢／任力者故劳，任人者故逸／人情怀旧乡，客鸟思故林／今夕为何夕，他乡说故乡／羁鸟恋旧林，池鱼思故渊／万物无足以铙心者，故静也／彼无故以合者，则无故以离／上好则下必甚，矫枉故直必过／不谄上而慢下，不厌故而敬新／不广求，故得；不杂学，故明／不自见，故明；不自是，故彰／古者诛罚不阿亲戚，故天下治／辩之不早，疑盛乃动，故必战／生之厚必入死之地，故谓之大患／农功不妨，谷稼丰赡，故人富也／昔者明王之爱天下，故天下可附／水之性清，土者扫之，故不得清／不惑于恒人之毁誉，故足以为君子／卒然临之而不惊，无故加之而不怒／君子知自损之为益，故功一而美二／忘年忘义，振于无竟，故寓诸无竟／怒不变容，喜不失节，故是最为难／虚凝淡泊怡其性，吐故纳新和其神／积羽沉舟，群轻折轴，故君子禁于微／孰使予乐居夷而忘故土者，非兹潭也欤／莫见乎隐，莫显乎微，故君子慎其独也／小人不能忍小忿之故，终有赫赫之败辱／微乎微乎，至于无形……故能为敌之司命／此人在位，动欲伤害，故物无有不畏恶也／气之动物，物之感人，故摇荡性情，形诸舞咏／政令不烦，则安其业，故不远迁徙，离其常处／爱故不二，威故不犯；故善将者，爱与威而已／无状无象，无声无响，故能无所不通，无所不往／言虽简略，理皆要害，故能疏而不遗，俭而无阙／有起于虚，动起于静。故万物虽并动作，卒复归于虚静

❿将缣来比素，新人不如故／圣人苟可以强国，不法其故／良医者常治无病之病，故无病／仕宦而至将相，富贵而归故乡／高莫高兮九阍，远莫远兮故园／圣人者常治无患之患，故无患／死而不祸，知终始之不可故也／惑者之患，不自以为惑，故惑／用人但问堪否，岂以新故异情／零落成泥碾作尘，只有香如故／无心于定而无所不定，故曰泰定／不自伐，故有功；不自矜，故长／以虚无而能开通于物，故称曰道／圣人之道与神明相得，故曰道德／昭昭乎如揭日月而行，故不免也／世人得宠而不思其辱，故辱至则惊／事难行，故要敏；言易出，故要慎／重友者交时极难，看得难以故转重／信宿渔人还泛泛，清秋燕子故飞飞／劝君更尽一杯酒，西出阳关无故人／圣人之静也，非曰静也善，故静也／知周乎万物，而道济天下，故不过／惟能于其未然而预防之，故无后忧／惟圣君以逆耳者顺于心，故天下治／灵台无计逃神矢，风雨如磐暗故园／桂可食，故伐之；漆可用，故割之／桑蚕苦，女工难，得新捐故后必寒／轻天下者，身不累于物，故能处之／轻友者交时极易，看得易以故转轻／春风不识兴亡意，草色年年满故城／身老方知生计拙，家贫渐觉故人疏／勇之极者，知勇果不足以胜物，故怯／大风起兮云飞扬，威加海内兮归故乡／小人不知自益之为损，故一伐而并失／道，于大不终，于小不遗，故万物备／巢居者察风，穴处者知雨，忧存故也／智之极者，知智果不足以周物，故愚／辩之极者，知辩果不足以喻物，故讷／一线之溜，可以达石者，一与不一故也／三月婴儿，生而徒国，则不能知其故俗／天地之中，荡然任自然，故不可得而穷／天地之间空虚，和气流行，故万物自生／为人师者众笑之，举世不师，故道益离／古之官人也，以天下为己累，故己忧之／人主之于用法，无私好憎，故可以为令／今之官人也，以己为天下累，故人忧之／君子能受纤微之小嫌，故无变斗之大讼／君子好成物，故吉；小人好败物，故凶／德比于上，故知耻；欲比于下，故知足／河以透

蛇，故能远；山以陵迟，故能高／居常土思兮心内伤，愿为黄鹄兮归故乡／火形严，故人鲜灼；水形懦，故人多溺／悲斯叹，叹斯愤，愤必有泄，故见乎词／镜以曜明，故鉴人；蚌以含珠，故内照／不使智惠之人治国之政事……故为国之福／以言非信则百事不满也，故信之为功大矣／志为气之帅，有志则气不衰，故不觉其老／咸以孔子之是非为是非，故未尝有是非耳／如张乐于洞庭之野，无首无尾，不主故常／物，量无穷，时无止，分无常，终始无故／一噎之故，绝谷不食；一蹶之故，却足不行／才有浅深，无有古今；文有真伪，无有故新／无善而好，不观其道；无悖而恶，不详其故／事苦，则矜全之情薄；生厚，故安存之虑深／兵者，不祥之器，物或恶之，故有道者不处／乡者已去，至者乃新，新故不翏，我有所周／人有厚德，无问小节；人有大举，无訾小故／小人智浅而谋大，羸弱而任重，故中道而废／河下天下之川，故广；人下天下之士，故大／治天下者，用人非止一端，故取士不以一路／有大物者，不可以物；物而不物，故能物物／思焉而得，故其言深；感焉而得，故其言切／虐政用于下，而欲德教之被四海，故难成也／天下悠悠，皆可长生也，患于犹豫，故不成耳／天地所以能长且久者，以其不自生，故能长生／不思，故有惑；不求，故无得；不问，故不知／生亦我所欲，所欲有甚于生者，故不为苟得也／为人友者不以道而以利，举世无友，故道益弃／真伪有质矣，而趋舍舛忏，故两心不相为谋焉／人主之立法，先自为检式仪表，故令行于天下／楩楠豫章之生也，七年而后知，故可以为棺舟／明于古今，温故知新，通达国体，故谓之博士／智而用私，不如愚而用公，故曰巧伪不如拙诚／虚空者，乃可用盛受万物。故曰虚无能制有形／言之不足，故长言之；长言之不足，故嗟叹之／雅郑有素矣，而好恶不同，故两耳不相为听焉／天地任自然无为，无造万物，自相治理，故不仁／中和之质，必平淡无味，故能调成五材变化应节／凤凰，凤凰，何不高飞还故乡，无故在此取灭亡／读书不独变气质，且能养精神，盖理义收摄故也／城狐社鼠皆微物，为其有所凭恃，故除之犹不易／君子不怵乎好，不迫乎恶，恬愉无为，去智与故／君子省众而动，监戒而谋，谋度而行，故无不济／深者获公名，平者多后患，故治狱之吏皆欲人死／道者，无也；形者，有也。有故有极，无故长存／天下不可一日而无政教，故学不可一日而亡于天下／天下有大勇者，卒然临之而不惊，无故加之而不怒／国家大事，牧不当官，言之实有罪，故作《罪言》／兰茝生于茂林之中，深山之间，不为人莫见之故不芬／人之生，动之死地亦十有三。夫何故？以其生生之厚／美也者，上下、内外、大小、远近皆无害焉，故曰美／君子之学，不为则已，为则必要其成，故常百倍其功／君子所性，虽大行不加焉，虽穷居不损焉，分定故也／善为上者，能令人得欲无穷，故人之可得用亦无穷也／人非生而知之者，孰能了此无惑，故从其先得者而问焉／凡偏材之人，皆一味之美，故长于办一官而短于为一国／进贤之难者，贤者用且使己废，贵且使己贱，故人难之／天无为以之清，地无为以之宁，故两无为相合，万物皆化生／平易恬淡，则忧患不能入，邪气不能袭，故其德全而神不亏／天之高也，星辰之远也，苟求其故，千岁之日至，可坐而致也／政庞而土裂，三光五岳之气分，大音不完，故必混一而后大振／慈仁者，百姓亲附，并心一意，故以战则胜敌，以守卫则坚固／生民之不得休息，为四事故：一为寿，二为名，三为位，四为货

畋

tián 通“佃”，耕种；打猎。

❹焚林而畋，明年无兽；竭泽而渔，明年无鱼

❽殉于货色，恒于游畋，时谓淫风

敖

①áo 古时同“遨”，游玩；姓；通“熬”，煎熬，忧虑；古地名。②ào 同“傲”，倨慢。

❶敖不可长，欲不可从；志不可满，乐不可极

见《礼记·曲礼上》。

❹凡人好敖慢小事，大事至，然后兴之务之

致

zhì 送达；表达；招引；引起；达到；实现；致力于某一方面；情趣；意态；细密；精细；归还；尽，极；通“质”，书券，契据。

❶致虚极，守静笃

见《老子》十六。

致安之本，惟在得人

见唐·吴兢《贞观政要·择官》。

致赏则匮，致罚则虐

见《管子·君臣下》。

致知，是吾心无所不知

见宋·朱熹《朱子语类》卷一五。全句为：“格物，是物物上穷其至理。～。格物是零细说，致知是全体说”。

致君尧舜上，再使风俗淳

见唐·杜甫《奉赠韦左丞丈二十二韵》。

致知在格物，物格而后知至

见《礼记·大学》。

致远恐泥，是以君子不为也

见《论语·子张》。全句为：“虽小道，必有可观者焉；～”。

致中和，天地位焉，万物育焉

见《礼记·中庸》。

致治在于任贤，兴国在于务农

见晋·陈寿《三国志·魏书·杨阜传》。

致远者托于骥，霸王者托于贤

见《吕氏春秋·审分览·知度》。全句为："绝江者托于船，～"。

致君事业堆胸臆，却伴溪童学钓鱼

见宋·苏舜钦《西轩垂钓偶作》。

致远道者托于乘，欲霸王者托于贤

见汉·刘向《说苑·尊贤》。全句为："绝江海者托于船，～"。

致贵无渐失必暴，受爵非道殃必疾

见南朝·宋·范晔《后汉书·翟酺传》。

致天下之治者在人才，成天下之才者在教化

见宋·胡瑗《松滋县学记》。全句为："～，教化之所本者在学校"。

致治之本，惟在于审；量才授职，务省官员

见唐·吴兢《贞观政要·择官》。

致治之术，先屏四患：……一曰伪，二曰私，三曰放，四曰奢

见汉·荀悦《申鉴·政体》。

❷能致精，则合明而寿／山致其高，云雨起焉／水致其深，蛟龙生焉／能致贤，则德泽洽而国太平／欲致鱼者先通水，欲致鸟者先树木／思致之浅深，不在其磔裂章句，隳废声韵也

❸慢令致期谓之贼／以狸致鼠，以冰致蝇／丧贵致哀，礼存宁俭／和气致祥，乖气致戾／必欲致治，在于积贤／璇玉致美，不为池隍之宝／君子致其道德，而福禄归焉／今之致其死，非恶之也，利其财／起事致治者，不若默然者之贵也

❹七十而致仕……／不专心致志，则不得也／可以意致者，物之精也／士见危致命，见得思义／百炼或致屈，绕指所以伸／小者乐致其小以自附于大／善战者致人，而不致于人／立实以致声，则难在经始／谦也者，致恭以存其位者也／必先知致弊之因，方可言变法之利

❺口腹不节，致疾之因／困。君子以致命遂志／致赏则匮，致罚则虐／不自重者致辱，不自畏者招祸／非学无以致疑，非问无以广识／忠厚积，则致太平；浅薄积，则致危亡

❻务除其灾，思致其福／苟利于时，其致一揆／各专其能，各致其力／穿窬下禁，则致强盗／参之《离骚》以致其幽／举错数失，必致危亡之道／毫厘之差，或致弊于寰海／因嫌纱帽小，致使锁枷扛／政教积德，必致安泰之福／积土不止，必致嵩山之高／虽感目之一致，终寄怀而百端／自太古以来，致理兴化，未有言之不行而能至矣／若鄙人所谓致知格物者，致吾心之良知于事事物物也

❼驽牛可以负重致远／临难忘身，见危致命／以狸致鼠，以冰致蝇／入鲍忘臭，效尤致祸／苍蝇附骥尾而致千里／接赜索隐，钩深致远／和气致祥，乖气致戾／同归而殊途，一致而百虑／赠人以言者，能致终身之福／箠策繁用者，非致远之术也／兴利之要，在于致之，不在于多少／不应于物者，是致知也，是知之至也／故马或奔踶而致千里，士或有负俗之累而立功名

❽推陈出新，饶有别致／增高者崩，贪富者致患／马肥，然后远能可致也／以善意相待，无不致快也／善战者致人，而不致于人／所愧为人父，无食致夭折／游江海者托于船，致远道者托于乘

❾勾践栖山中，国人能致死／志善者忘恶，谨小者致大／学所以益才，砺所以致刃／赏者不德上，功之所致也／假舆马者，足不劳而致千里／人莫不忽于微细，以致其大／学所以开人之蔽，而致其知／以不善意相待，无不致嫌隙也／士易得而难求也，易致而难留也／大抵学问只有两途，致知力行而已／欲致鱼者先通水，欲致鸟者先树木／物至则反，冬夏是也；致高则危，累棊是也

❿分波而共源，百虑而一致／事有以必然，虽常人足以致／良马难乘，然可以任重致远／君虽明哲，必藉股肱以致治／猛虎之犹豫，不若蜂虿致螫／身治矣，非心治而不能致之／以武功定祸乱，以文德致太平／读书之法，莫贵于循序而致精／骐骥虽疾，不遇伯乐不致千里／一进一退，一左一右，六骥不致／千里之马，骨法虽具，弗策不致／是以圣王先成民，而后致力于神／文不可以学而能，气可以养而致／内守坚固真之真，虚中恬淡自致神／非淡薄无以明德，非宁静无以致远／非淡泊无以明志，非宁静无以致远／豫者图患于未然，犹者致疑于已是／伟士坐以俊杰之才，招致群吠之声／情以感物则得利，伪以感物则致害／鞭鞑宁越以立威名，恐非致理之本／百工居肆以成其事，君子学以致其道／隐忍就功名，非烈丈夫孰能致此哉？／主不可以怒而兴师，将不可以愠而致战／养志者忘形，养形者忘利，致道者忘心／徇私贪浊……恐惧既多，亦有因而致死／忠厚积，则致太平；浅薄积，则致危亡／蝮蝎终日而不螫，则噬啮草木以致其毒／天之所覆，地之所载，莫不尽其美致其用／事或为之适足以败之，或备之适足以致之／莫知己德有极，则可以有社稷，为民致福／一卒毕力，百人不当；万夫致死，可以横行／为国之法，有似理身，平则致养，疾则攻焉／为政之要，惟在得人。用非其才，必难致治／贞以图国，义惟急病；临难忘身，见危致命／美味腐腹，好色惑心，勇夫招祸，辩口致殃／四海悠悠，皆慕名者，盖因其情而致其善尔／四时之运，功成则退，高爵厚宠，鲜不致灾／饮食不节，以生疾病；好色不倦，以致乏绝／造父疾趋，百步而

废；自托乘舆，坐致千里／文以气为主，气之清浊有体，不可力强而致／近而不浮，远而不尽，然后可以言韵外之致耳／牺牛粹毛，宜于庙牲，其于以致雨，不若黑蜧／神明之事，不可以智巧为也，不可以筋力致也／必且历日旷久，丝牦犹能挈石，驽马亦能致远／诚则始终不忒，表里一致，敬信真纯，往而必孚／若鄙人所谓致知格物者，致吾心之良知于事事物物也／虽有忧勤之心，而不知致治之要，则心愈劳而事愈乖／盖吾儒起手便与禅异者，正在彻始彻终总是体用一致耳／君子尊德性而道问学，致广大而尽精微，极高明而道中庸／天之高也，星辰之远也，苟求其故，千岁之日至，可坐而致也

敌

dí 对立面；抵抗；力量不相上下。

❶敌国破，谋臣亡

见汉·司马迁《史记·淮阴侯传》。全句为："狡兔死，良狗烹；高鸟尽，良弓藏；～"。

敌存灭祸，敌去召过

见唐·柳宗元《敌戒》。

敌近而静者，恃其险也

见《孙子兵法·行军篇》。全句为："～；远而挑战者，欲人之进也"。

敌力角气，能以小胜大者希

见汉·王充《论衡·洞时篇》。全句为："～；争强量功，能以胜众者鲜"。

敌国相观……相观于人而已

见宋·苏洵《上皇帝书》。删节处为："不观于其山川之崄、士马之众"。

敌得生于我，则我得死于敌

见《吕氏春秋·仲秋·爱士》。全句为："～；敌得死于我，则我得生于敌"。

敌得死于我，则我得生于敌

见《吕氏春秋·仲秋纪·爱士》。全句为："敌得生于我，则我得死于敌；～"。

敌人远来新至，行列未定，可击

见《吴子·料敌》。

敌军围困万千重，我自岿然不动

见现代·毛泽东《西江月·井冈山》。

敌存而惧，敌去而舞；废备自盈，只益为痡

见唐·柳宗元《敌戒》。

敌欲固守，攻其无备；敌欲兴陈，出其不意

见三国·蜀《诸葛亮集·治军》。

敌先我动，则是见其形；彼躁我静，则是罢其力

见汉·刘安《淮南子·兵略》。全句为："～；形见则胜可制，力罢则威可立"。

❷欺敌者必败／制敌在谋不在众／力敌则智者胜愚／无敌国外患者，国恒亡／小敌之坚，大敌之擒也／攻敌所不守，守敌所不攻／见敌之所不足，则知其所有余／去敌气与矜色兮，噤危言以端诚／不敌其力，而消其势，兑下乾上之象／胜敌者，一时之功也；全信者，万世之利也

❸能制敌者，会在出奇／能因敌变化而取胜者，谓之神／皆知敌之仇，而不知为益之尤／皆知敌之害，而不知为利之大／善胜敌者不与，善用人者为之下

❹仁者无敌／因者无敌／用贤无敌是长城／果者，临敌不怀生／一日纵敌，万世之患／兵义无敌，骄者先灭／义者无敌，骄者先灭／从令纵敌，非良将也／石卵不敌，蛇龙不斗／一日纵敌，数世之患也／善攻者，敌不知其所守／善守者，敌不知其所攻／能胜强敌者，先自胜者也／剑一人敌，不足学，学万人敌／国离寇敌则伤，民见凶饥则亡

❺有德不可敌／明其为贼，敌乃可服／敌存灭祸，敌去召过／百胜难虑敌，三折乃良医／蜀酒浓无敌，江鱼美可求／白也诗无敌，飘然思不群／善者能使敌卷甲趋远，倍道兼行／善战者，见敌之所长，则知其所短／旌蔽日兮敌若云，矢交坠兮士争先／我专为一，敌分为十，是以十共其一也／始如处女，敌人开户；后如脱兔，敌不及拒／敌存而惧，敌去而舞；废备自盈，只益为痡

❻祸莫大于轻敌／因变制宜，以敌为师／小敌之坚，大敌之擒也／丁君十纸，不敌王褒数字／用兵必须审敌虚实而趋其危／因事设奇，谲敌制胜，变化如神／天下英雄谁敌手？曹刘。生子当如孙仲谋／一人所以能敌万人者，非弓刀之技，盖威之至也

❼明耻教战，求杀敌也／攻敌所不守，守敌所不攻／野禽殚，走犬烹；敌国破，谋臣亡

❽常胜之家，难与虑敌／战捷之后，常苦轻敌／文能附众，武能威敌／士卒畏将者胜，畏敌者败／先为不可胜，以待敌之可胜／狡兔尽则良犬烹，敌国灭则谋臣亡／周公位尊愈卑，胜敌愈惧，家富愈俭

❾士不素厉，则难使死敌／善守者不尽兵以守敌冲／君不择将，以其国予敌也／为将者，受命忘家，临敌忘身／水因地而制流，兵因敌而制胜／行无行，攘无臂，扔无敌，执无兵／敌欲固守，攻其无备；敌欲兴陈，出其不意／将不知兵，以其主予敌也；君不择将，以其国予敌也

❿三军一心，则令可使无敌矣／要扫除一切害人虫，全无敌／敌得生于我，则我得死于敌／敌得死于我，则我得生于敌／不倍兵以攻弱，不恃众以轻敌／剑一人敌，不足学，学万人敌／虎鹿之不可同游者，力不敌也／小人固当远，然亦不可显为仇敌／宽以待人，柔能克刚，英雄莫敌／用兵之道，抚士贵诚，制敌贵诈／军民团结如一人，试看天下谁能敌／若君不修德，舟中之人尽

为敌国也／善战者立于不败之地，而不失敌之败也／怀重宝者不以夜行，任大功者不以轻敌／用兵者，先为不可胜，以待敌之可胜也／微乎微乎，至于无形……故能为敌之司命／善为士者不武，善战者不怒，善胜敌者不与／始如处女，敌人开户；后如脱兔，敌不及拒／虎兕相据而蝼蚁得志，两敌相机而匹夫乘间／事不豫辨，不可以应卒；内无备，不可以御敌／兵无常势，水无常形，能因敌变化而取胜者，谓之神／兵非益多也，惟无武进，足以并力，料敌，取人而已／将不知兵，以其主予敌也；君不择将，以其国予敌也／狡兔死，良狗烹；高鸟尽，良弓藏；敌国破，谋臣亡／慈仁者，百姓亲附，并心一意，故以战则胜敌，以守卫则坚固

效

xiào 模仿；献出；贡献力量或生命；效能；授予；实现。

❶效小节者，不能行大威

见《战国策·齐策六》。全句为："～；恶小耻者，不能立荣名"。

❷马效千里，不必胡代；士贵成功，不必文辞／马效千里，不必骥騄；人期贤知，不必孔墨

❸尤而效之，罪又甚焉／贵其效，则汗漫而无当／上将效于国用，下欲济其家声／教者，效也；上为之，下效之

❹丑女来效颦，还家惊四邻／征实则效存，徇名则功浅／士有未效之用，而身在无誉之间／知人之效有二难：有难知之难，有知之而无由得效之难

❺人鲍忘臭，效尤致祸

❻事莫明于有效，论莫定于有证／礼丰不足以效爱，而诚心可以怀远

❼黜虚名而求实效／名非实，用之不效／天地变化，圣人效之／任其事必图其效，欲责其效，必尽其方／不奋苦而求速效，只落得少日浮夸，老来窘隘而已／捣鬼有术，也有效，然而有限，所以以此成大事者，古来无有

❽忘其前愆，取其后效／行焉，可以得知之效也

❾知焉，未可以得行之效也／用人不宜刻，刻则思效者去／教者，效也；上为之，下效之

❿虚争空言，不如试之易效／凡贤人君子，未尝不思效用／中情之人，名不副实，用之有效／非举无以知其贤，非试无以效其实／论士必定于志行，毁誉必参于效验／天道远，人道尔，报应之效迟速难量／不责人以细过，则能吏之志得以尽其效／举大体而不论小事，务实效而不为虚名／任其事必图其效，欲责其效，必尽其方／物有所好，汝勿好之。德有所好，汝则效之／居者有余蓄，行者有余资……可谓有治天下之效／知人之效有二难：有难知之难，有知之而无由得效之难

赦

shè 减轻或免除刑罚；姓。

❶赦其旧过，开以新图

见明·施耐庵《水浒传》第八十九回。

❷自赦而后肆／自赦而天下不赦也，则其肆必收

❺罚诚当，虽赦之，不外

❻过不可以贰，赦不可以幸

❼自赦而天下不赦也，则其肆必收

❽一再则宥，三则不赦

❿凡用人历试其能，苟败事必诛无赦／礼之大本，以防乱也……凡为理者杀无赦／赏不当，虽与之必辞；罚诚当，虽赦之不外

教

①jiào 教导；教育；使；特指宗教。②jiāo 传授知识、技术；使，令。

❶教学相长

见《礼记·学记》。

教人便是自学

见元·陈栎《与子勋书》。

教惟在于因人

见明·李贽《焚书》。

教化可以美风俗

见宋·王安石《明州慈溪县学记》。

教无常师，道在则是

见晋·潘岳《归田赋》。

教之道，必先治学校

见宋·张耒《万寿县学记》。

教以不知，导以无形

见汉·严遵《道德指归论·善为道者篇》。

教化不修，盗之源也

见宋·刘敞《患盗论》。全句为："衣食不足，盗之源也；政赋不均，盗之源也；～"。

教化之本，出于学校

见宋·苏洵《议法》。

教化之所本者在学校

见宋·胡瑗《松滋县学记》。全句为："致天下之治者在人才，成天下之才者在教化，～"。

教妇初来，教儿婴孩

见北齐·颜之推《颜氏家训·序致》。

教化之移人也如置邮焉

见唐·刘禹锡《许州文宣王新庙碑》。

教而不以善，犹为不教也

见明·方孝孺《逊志斋集·右第三十六章》。全句为："爱其子而不教，犹为不爱也；～"。

教训成俗而刑罚省，数也

见《管子·权修》。

教胄子，直而温，宽而栗

见《尚书·舜典》。全句为："～，刚而无虐，简而无傲"。

教也者，长善而救其失者也

见《礼记·学记》。
教人治人，宜皆以正直为先
见宋·王安石《洪范传》。
教人者，养其善心而恶自消
见《二程集·河南程氏外书》。
教人者，养其善心，而恶自消
见宋·朱熹《近思录·治体类》。
教小儿宜严，严气足以平躁气
见清·王永彬《围炉夜话》。全句为："～；待小人宜敬，敬心可以化邪心"。
教者，效也；上为之，下效之
见汉·班固等编《白虎通·三教》。
教，政之本也；狱，政之末也
见汉·董仲舒《春秋繁露·精华》。
教化之行，引中人而纳于君子之涂
见汉·荀悦《申鉴·政体第一》。全句为："教化之废，推中人而坠入小人之域；～"。
教化之废，推中人而坠入小人之域
见汉·荀悦《申鉴·政体第一》。全句为："～；教化之行，引中人而纳于君子之涂"。
教人至难，必尽人之材，乃不误人
见宋·张载《语录抄》。
教会宣明，不能尽力，士卒之罪也
见汉·班固《汉书·武帝纪》。全句为："不勤不教，将率之过也；～"。
教子弟求显荣，不如教子弟立品行
见清·王永彬《围炉夜话》。全句为："交朋友增体面，不如交朋友益身心；～"。
教者，民之寒暑也，教不时则伤世
见汉·司马迁《史记·乐书》。全句为："～；事者，民之风雨也，事不节则无功"。
教笞不可废于家，刑罚不可损于国
见汉·司马迁《史记·律书》。
教化，所恃以为治也；刑法，所以助治也
见宋·司马光《资治通鉴》卷三二《汉纪二十四》刘向说汉成帝语。
教也者，义之大者也；学也者，知之盛者也
见《吕氏春秋·孟夏纪·尊师》。
教民亲爱，莫善于孝；教民礼顺，莫善于悌
见汉·郑玄注《孝经·广要道章》。
教学之法，本于人性，磨揉迁革，使趋于善
见宋·欧阳修《吉州学记》。
教羊牧兔，使鱼捕鼠，任非其人，费日无功
见汉·焦廷寿《易林》。
教明于上，化行于下，民有耻心，则何盗之为
见《列子·说符》。
教亦多术矣，予不屑之教诲也者，是亦教诲之而已矣
见《孟子·告子下》。

❷有教无类／身教亲于言教／不教而诛谓之虐／莫教管弦作离声／不教之教，教之宗也／虚教伤化，峻刑害民／惟教之不改，而后诛之／敬教劝学，建国之大本／不教不学，闷然不见已缺／若教临水畔，字字恐成龙／政教积德，必致安泰之福／不教而诛，则刑繁而邪不胜／善教子者，一严之外无他术／善教者以不倦之意须迟久之功／不教而杀谓之虐；不戒视成谓之暴／若教纸上翻身看，应见团团董卓脐／宁教我负天下人，休教天下人负我／总教掬尽三江水，难洗今朝一面羞／三教一体，九流一源，百家一理，万法一门／无教之教，洽流四海；无为之为，通达八方

❸乱其教，繁其刑……／明耻教战，求杀敌也／以不教民战，是谓弃之／父善教子者，教于孩提／天使教人，霎时厮见何妨／以身教者从，以言教者讼／智而教愚，则童蒙者弗恶／爱子，教之以义方，弗纳于邪／圣人教人，只是就人日用处开端／养不教，父之过；教不严，师之惰／烦为教而过不识，数为令而非不从／古人教人，不过存心、养心、求放心／强执教之人，则失其情实，生于诈伪／古之教者，家有塾，党有庠，术有序，国有学／既知教之所由兴，又知教之所由废，然后可以为人师／言有教，动有法，昼有为，宵有得，息有养，瞬有存

❹君子之教，喻也／不教之教，教之宗也／举善而教不能，则劝／先生施教，弟子是则／道德之教，自坐是也／文者，礼教治政云尔／不勤不教，将率之过也／圣人之教，常俯而就之／不言而教行，何为而不威／大学之教也，时教必有正业／君子一教，弟子一学，亟成／子以四教：文、行、忠、信／先王之教，以正天之志者，礼也／不言之教，无为之盖，天下希及之／养子不教父之过，训导不严师之惰／达师之教也，使弟子安焉乐焉……／无教之教，洽流四海；无为之为，通达八方／爱子不教，犹饥而食之以毒，适所以害之也／今使愚教知，使不肖临贤，虽严刑罚，民弗从也／知者作教，而愚者制焉；贤者议俗，不肖者拘焉／为学为教，用力于讲读者一二，加功于习行者八九／上智不教而成，下愚虽教无益，中庸之人，不教不知也

❺修道之谓教／不教之教，教之宗也／建国君民，教学为先／法立于上，教弘于下／经邦建国，教学为先／教妇初来，教儿婴孩／广积不如教子，避祸不如自省／好臣其所教，而不好臣其所受教／非其人而教之，赍盗粮、借贼兵也／令者，所以教民；法者，所以督奸／选则不遍，教则不至，道则无遗者矣／性虽善，待教而成；性虽恶，待法而消／有赏罚之教则邪道进，有亲疏之分则小人入

❻利人莫大于教／身教亲于言教／身修则家可

教矣／无其性，不可教训／温柔敦厚，诗教也／世之质文，随教而变／善政不如善教之得民／彰善瘅恶，王教之端／父善教子者，教于孩提／为人之道，舍教其何以先／承恩不在貌，教妾若为容／射不善而欲教人，人不学也／爱其子而不教，犹为不爱也／为文不能关教事，虽工无益也／藏书万卷可教子，遗金满籝常作灾／怨恩取与谏教生杀，八者，正之器也，唯循大变无所湮者为能用之

❼圣人行不言之教／得天下英才而教育之／人性虽能智，不教则不达／凡政之大经，法教而已矣／大学之教也，时教必有正业／安得万垂杨，系教春日长。／居身务期俭朴，教子要有义方／心未滥而先谕教，则化易成也／学，然后知不足；教，然后知困／养不教，父之过；教不严，师之惰／圣贤千言万语，教人且从近处做去／若近细人，不闻教谕，纵欲行善，犹未知所适

❽孔子以诗书礼乐教……／十年生聚，而十年教训／以身教者从，以言教者讼／何谓创家之人，能教子者便是／不虚则先自满，假教之亦不能受／分人以财谓之惠，教人以善谓之忠／贪鄙在率不在下，教训在政不在民／视徒如己，反己以教，则得教之情／教者，民之寒暑也，教不时则伤世／生有厚利，死有遗教，此盛君之行也／言著而不欺曰信。……教令失信，民得斯之矣

❾教而不以善，犹为不教也／服民以道德，渐民以教化／折狱而是也，理益明，教益行／遗子黄金满籝，不如教子一经／贵绝恶于未萌，而起教于微眇／生而同声，长而异俗，教使之然／为有牺牲多壮志，敢教日月换新天／但使龙城飞将在，不教胡马渡阴山／宁教我负天下人，休教天下人负我／已借蜡钱输麦税，免教缉捕闯门来／标格原因独立好，肯教富贵负初心／教子弟求显荣，不如教子弟立品行／忽见陌头杨柳色，悔教夫婿觅封侯／饱食、暖衣，逸居而无教，则近于禽兽／学不倦，所以治己也；教不厌，所以治人也／教民亲爱，莫善于孝；教民礼顺，莫善于悌／虐政用于下，而欲德教之被四海，故难成也／缚草为形，实之腐肉，教之拜起，以充满朝市／鞭扑之子，不从父之教；刑戮之民，不从君之政／贤主忠臣，不能导愚教陋，则名不冠后、实不及世矣

❿切不可因己无成而不教子／其为人也温柔敦厚，诗教也／圣人处无为之事，行不言之教／善惩不如善政，善赏不如善教／良贾深藏如虚，君子有盛教如无／好臣其所教，而不好臣其所受教／病中必有悔悟处，病起莫教忘了／劝君休饮无情水，醉后教人心意迷／圣人清廉以澡身，人自廉洁以顺教／打虎还得亲兄弟，上阵须教子弟兵／折狱而非也，暗理迷众，与教相妨／视徒如已，反已以教，则得教之情／著述讲论之功多，而实学实教之力少／“强梁者不得其死”，吾将以为教父／与其与子孙谋产业，不如教子孙习恒业／天命之谓性，率性之谓道，修道之谓教／非其地，树之不生；非其意，教之不成／太学者，贤士之所关也，教化之本原也／善歌者使人继其声，善教者使人继其志／青采出于蓝，而质青于蓝者，教使然也／其处上也，足以明政行教，不以威天下／为人母者不患不慈，患于知爱而不知教也／强弱成败之要，在乎附士卒、教习之而已／少而不学，老无能也；老而不教，死无思也／致天下之治者在人才，成天下之才者在教化／卵待复而为雏，茧待缫而为丝，性待教而为善／治国有常，而利民为本；政教有经，而令行为上／天下不可一日而无政教，故学不可一日而亡于天下／以无为为居，以不言为教，以恬淡为味，治之极也／先王以是经夫妇，成孝敬，厚人伦，美教化，移风俗／教亦多术矣，予不屑之教诲也者，是亦教诲之而已矣／既知教之所由兴，又知教之所由废，然后可以为人师／上智不教而成，下愚虽教无益，中庸之人，不教不知也／节民以礼，故其刑罚甚轻而禁不犯者，教化行而习俗美也／视听言行，循礼法而动，所以教人忘嗜欲而归性命之道也

救

jiù 援助，救护；止；治；姓。

❶救病而饮之以堇

见《吕氏春秋·孟夏纪·劝学》。

救人一命，胜造七级浮屠

见明·冯梦龙《古今小说·月明和尚度柳翠》。

救弊之道在实学不在空言

见清·颜元《存学编》卷三。

救死具八珍，不如一箪犒

见唐·韩愈《荐士》。

救奢必于俭约，拯薄无若敦厚

见南朝·宋·范晔《后汉书·郎顗传》。

救寒莫如重裘，止谤莫如自修

见晋·陈寿《三国志·魏书·王昶传》。

❷善救弊者，必寻其起弊之源／以救时行道为贤，以犯颜纳说为忠

❸以火救火，以水救水／振穷救急，倾家无爱／抱薪救火，薪不尽，火不灭

❹远井不救近渴／远水不救近火／同病相救，同情相成／吉凶相救，患难相扶／披蓑而救火，毁渎而止水，乃愈益多

❺千金不能救斯言之玷／避慊远疑，救不得人／禁攻寝兵，救世之战／禁微则易，救末者难／其可驾御，救之所为也／伏而咶天，救经而引其

足／圣人常善救人，故无弃人／圣人……常善救物，故无弃物／良医不能救无命，强梁不能与天争／人皆务于救患之备而莫能知使患无生／从时者，犹救火、追亡人也，蹶而趋之，唯恐弗及
❻将顺其美，匡救其恶／谄成之风动，救失之道缺／杀人须见血，救人须救彻／善人在患，弗救不祥；恶人在位，不去亦不祥
❼以火救火，以水救水／使患无生，易于救患／凡民有丧，匍匐救之／除患无至，易于救患／多将熇熇，不可救药／教也者，长善而救其失者也／顺大道而行者，救天下者也／拯溺锤之以石，救火投之以薪／以汤止沸，抱薪救火，愈甚亡益／百姓多寒无可救，一身独暖亦何情／偏而在外，犹可救也，疾自中起，是难／不绝之于彼而救之于此，譬犹抱薪而救火／使患无生易于救患，而莫能加务焉，则未可与言术也
❽上满下漏，患无所救／胜不相让，败不相救／有惠人之名而无救患之实／仁义礼乐者，可以救败，而非通治之至也／落陷阱，不一引手救，反挤之，又下石焉／用天下之目观而救之，夫岂无最远之见乎
❾洪河已决，掬壤不能救／扬堁而弭尘，抱薪以救火／杀人须见血，救人须救彻／乱生于甚细，终于不救……／视家国而取者，则曰救彼涂炭／睹危急则恻隐，将赴救则畏患，是仁而不恤者
❿见患而后虑，见灾而后救／开其兑，济其事，终身不救／废污池之水，待江海而后救火／食钩吻以疗饥，饮鸩毒以救渴／变在萌而争之，则祸成而不救矣／溺于渊犹可缓也，溺于人不可救也／一言之谬，一事之失，可救之于将然／失火之家，岂暇先言大人而后救火乎／解杂乱纷纠者不控卷，救斗者不搏撠／将事而能弭，当事而能救，既事而能挽／不绝之于彼而救之于此，譬犹抱薪而救火／仇无大小，只怕伤心；恩若救急，一芥千金／拓境不宁，无益于强；多田不耕，何救饥敝／涓涓不塞，将为江河；荧荧不救，炎炎奈何／言不在多，在于当理；施不在丰，期于救乏／以诈应诈，以谲应谲，若披蓑而救火，毁渎而止水／人生有限，情欲无厌。既不救其死亡，岂能保乎金玉／吴人与越人相恶也，当其同舟而济遇风，其相救也如左右手

敕

chì 皇帝的命令；告诫。

❶敕法以峻刑，诛一以警百

见宋·苏轼《论河北京东盗贼状》。

❺天叙有典，敕我五典五惇哉
❾举贤以临国，官能以敕民，则其道也

敏

mǐn 灵活；疾速，反应快；才能；通“拇”，足大趾。

❶敏于事，慎于言

见《论语·学而》。

敏而好学，不耻下问

见《论语·公冶长》。

敏或以窒，钝或以通

见宋·杨万里《庸言》。

敏捷诗千首，飘零酒一杯

见唐·杜甫《不见》。

敏于事而慎于言，就有道而正焉，可谓好学也已

见《论语·学而》。全句为：“君子食无求饱，居无求安，～”。

❸聪与敏，可恃而不可恃也／宜得敏锐兼人之器，以副厉精更化之怀
❹讷于言，敏于行／才智英敏者，宜加浑厚学问
❻自恃其聪与敏而不学，自败者也／事难行，故要敏；言易出，故要慎／咫尺之管，文敏者执而运之，所如皆合
❽君子欲讷于言而敏于行／口辩者其言深，笔敏者其文沉／体道履仁，外和内敏，清而容物，善不近名
❾食无求饱，居无求安，敏于事而慎于言
❿我非生而知之者，好古，敏以求之者也／宽则得众，信则民任焉，敏则有功，公则说

敛

liǎn 收集；征收；收缩；约束；通“殓”；不足；收拾。

❶敛之于饶，而民不以为暴

见宋·高弁《望岁》。全句为：“～；施之于不足，而官有羡谷”。

❷赋敛之毒，有甚是蛇者／聚敛之臣，则以货财为急／赋敛行赂不足以当三军之费／贱敛无节，官上奢纵，则人贫／赋敛以时，官上清约，则人富。赋敛无节，官上奢纵，则人贫
❹头会箕敛，以供军费／一念收敛，则万善来同
❺民就穷而敛愈急／财已竭而敛不休，人已穷而赋愈急
❻主人退后立，敛手反如宾
❼薄身厚民，故聚敛之人不得行／结民心，在薄赋敛；薄赋敛，在节财用／鸷鸟将击，卑飞敛翼；猛兽将搏，弭耳俯伏
❽易其田畴，薄其税敛，民可使富也
❿欲闻其声，反默；欲张，反敛／结民心，在薄赋敛；薄赋敛，在节财用／唯劝农业，无夺农时；唯薄赋敛，无尽民财／处逆境心须用开拓法，处顺境心要用收敛法／赋敛以时，官上清约，则人富。赋敛无节，官上奢纵，则人贫

敝

bì 旧；衰败；弃；通“蔽”，遮挡；困乏；谦辞。

❷土敝则草木不长，水烦则鱼鳖不大
❸家有敝帚，享之千金／冠虽敝，必加于首；履虽新，必关于足／冠至敝不可弃之于足，履虽新

不可加之于首
❹注则盈，敝则新／狐裘虽敝，不可补以黄狗之皮
❻因人之力而敝之，不仁
❽齿坚于舌而先之敝／大成若缺，其用不敝；大盈若冲，其用不穷
❿履虽鲜不加于枕，冠虽敝不以苴履／履虽鲜，不加于枕；冠虽敝，不以苴履／拓境不宁，无益于强；多田不耕，何救饥敝

敢 gǎn 勇敢；敢于；谦辞或表示对情况的猜测和估计；不敢、岂敢的省称；姓。

❶敢道人之所难言
　见宋·欧阳修《湖州长史苏君墓志铭》。
❷不敢为天下先／不敢暴虎，不敢冯河／勇敢而不为过物之操／不敢正是非于富贵，二可贱／不敢为主而为客，不敢进寸而退尺／不敢妄为些子事，只因曾读数行书／不敢望到酒泉郡，但愿生入玉门关／凡敢为大奸者，材必有过于众，而能自媚于上者也
❸贵不敢骄，富不敢奢／勇于敢则杀，勇于不敢则活／天下敢怨而不敢言，敢怒而不敢诛／未尝敢以昏气出之，惧其昧没而杂也／未尝敢以怠心易之，惧其弛而不严也／未尝敢以矜气作之，惧其偃蹇而骄也
❹位卑未敢忘忧国／天高不敢不局，地厚不敢不蹐／众中不敢分明语，暗掷金钱卜远人／将军不敢骑白马，亡者不敢夜揭烛
❺为长者不敢怀私以请间／为相者不敢恃威以济欲／除害在于敢断，得众在于下人／惟至公不敢私其所私，私则不正／爱亲者不敢恶于人，敬亲者不敢慢于人／挺然尽心，敢任天下之责者，即当委而付之／真的猛士，敢于直面惨淡的人生，敢于正视淋漓的鲜血
❻天下虽平，不敢忘战／不敢暴虎，不敢冯河／惟日孜孜，无敢逸豫／无功庸者，不敢居高位／舍得一身剐，敢把皇帝拉下马／有为之君，不敢失万民之欢心／不谓之退，不敢退；不问，不敢对／报国志愿不敢忘，此身未暇归江乡／有美之而莫敢辞，有非之而莫敢隐／罚一惩百，谁敢复言者？民有饮恨而已矣／谓天盖高，不敢不局；谓地盖厚，不敢不蹐／黾勉从事，不敢告劳；无罪无辜，谗口嚣嚣／心虽不说，弗敢不誉；事业虽弗善，不敢不力
❼天下归怨而不敢辞／政足以使民不敢欺／贵不敢骄，富不敢奢／趋舍虽不合，不敢弗从／上好信，则民莫敢不用情／未得乎前，则不敢求乎后／未通乎此，则不敢志乎彼／天下敢怨而不敢言，敢怒而不敢诛／人将休，吾将不敢休；人将卧，吾将不敢卧／礼接于人，人不敢慢；辞交于人，人不敢侮／克明德慎罚，不敢侮鳏寡，庸庸，祗祗，威威／使天下之人，不敢言而敢怒。独夫之心，日益骄固
❽尔心贵正，正则不敢私／猛虎在山，百兽莫敢侵／吾每为文章，未尝敢以轻心掉之／万家墨面没蒿莱，敢有歌吟动地哀／为有牺牲多壮志，敢教日月换新天／喜为异说而不让，敢为高论而不顾／使天下畏刑而不敢盗，岂若能使无有盗心哉
❾一骥骋长衢，众兽不敢陪／饷妇念儿啼，逢人不敢立／遇事无难易，而勇于敢为／勇于敢则杀，勇于不敢则活／天下敢怨而不敢言，敢怒而不敢诛／不敢为主而为客，不敢进寸而退尺／非三代两汉之书不敢观，非圣人之志不敢存
❿函牛之鼎沸而蝇蚋弗敢入／不能者退而休之，亦莫敢愠／天高不敢不局，地厚不敢不蹐／君子之不骄，虽暗室不敢自慢／见父之执，不谓之进，不敢进／挟天子以令天下，天下莫敢不听／天下敢怨而不敢言，敢怒而不敢诛／不谓之退，不敢退；不问，不敢对／匿为物而愚不识，大为难而罪不敢／含情欲说宫中事，鹦鹉前头不敢言／将军不敢骑白马，亡者不敢夜揭烛／有美之而莫敢辞，有非之而莫敢隐／心非木石岂无感，吞声踯躅不敢言／短长肥瘠各有态，玉环飞燕谁敢憎／政者，正也。子帅以正，孰敢不正？／大臣重禄而不极谏，近臣畏罚而不敢言／滔滔武溪一何深，鸟飞不度，兽不敢临／爱亲者不敢恶于人，敬亲者不敢慢于人／居之以强力，发之以果敢，而成之以无私／非三代两汉之书不敢观，非圣人之志不敢存／人将休，吾将不敢休；人将卧，吾将不敢卧／谓天盖高，不敢不局；谓地盖厚，不敢不蹐／听言之道，必以其事观之，则言者莫敢妄言／山无陵，江水为竭……天地合，乃敢与君绝／赏之使谏，尚恐不言；罪其敢言，孰敢献纳／礼接于人，人不敢慢；辞交于人，人不敢侮／身体发肤，受之父母，不敢毁伤，孝之始也／若使民常畏死，而为奇者，吾得执而杀之孰敢／贤者出走，命曰崩；百姓不敢诽怨，命曰刑胜／心虽不说，弗敢不誉；事业虽弗善，不敢不力／猛虎处于深山，向风长鸣，则百兽震恐而不敢出／使天下之人，不敢言而敢怒。独夫之心，日益骄固／示之以形，禁之以势，使之望而不敢犯，犯而无所得／真的猛士，敢于直面惨淡的人生，敢于正视淋漓的鲜血／韩愈辟佛，几至杀身，况敢议今世之尧、舜、周、孔者乎／学贵得之心，求之于心而非也，虽其言之出于孔子，不敢以为是也

散 ①sǎn 琴曲名；姓；没有约束；不集中；散开的；粉状药物。②sàn 分散、分开；排遣；罢休。

❶散乐移风，国富民康

见三国·魏·曹植《七启》。

散发高吟,对明月于青溪之下

见唐·王勃《上巳浮江宴序》。全句为:"披襟朗咏,饯斜光于碧岫之前;~"。

散殊而可象为气,清通而不可象为神

见宋·张载《正蒙·太和》。

散珠喷雾,日光烛之,璀璨夺目,不可正视

见宋·朱熹《百丈山记》。全句为:"其沫乃如~"。

❷聚散苦匆匆,此恨无穷/人散后,一钩淡月天如水/心散于博闻,技贫乎广畜

❸《广陵散》于今绝矣/疏广散金以除子孙之祸/结体散文,直而不野,婉转附物,惆怅切情

❹高鸟已散,良弓将藏/投闲置散,乃分之宜/彩云易散,皓月难圆/风收云散波忽平,倒转青天作湖底/禅堂茶散卷残经,竹杖芒鞵信脚行/秋阴不散霜飞晚,留得枯荷听雨声/气之聚散于太虚……知太虚即气则无无

❺兽聚而鸟散/日出众鸟散,山暝孤猿吟/财聚则民散,财散则民聚/阴阳之气,散则万殊,人莫知其一也/聚者如悦,散者如别,整者如戟,乱者如发

❻悲莫悲于精散/天下无有不散筵席/天下没有不散的筵席/合异以为同,散同以为异/上失其道,民散久矣,苟非君子,焉能固穷

❼夕阳在山,人影散乱/财聚则民散,财散则民聚/交友不信,则离散郁怨,不能相亲/松柏生于高冈,散柯布叶,而草木为之不植

❽今日乌合,明日兽散/呼之则来,挥之则散/公输善匠,不能匠散木

❾民未知礼,虽聚而易散/生死悠悠尔,一气聚散之/千里搭长棚,没个不散的筵席/诚国是之先定,虽民散而可收/动静者终始之道,聚散者化生之门也

❿有有必有无,有聚必有散/天生我材必有用,千金散尽还复来/人生在世不称意,明朝散发弄扁舟/人意共怜花月满,花好月圆人又散/大都好物不坚牢,彩云易散琉璃脆/日暮汉宫传蜡烛,轻烟散入五侯家/赤肉悬则乌鹊集,鹰隼鸷则群鸟散/国家治,则四邻贺;国家乱,则四邻散/彼为盈虚非盈虚……彼为积散非积散也/人之生,气之聚也;聚则为生,散则为死/天地者万物之父母也,合则成体,散则成始/以势交者,势尽则疏;以利合者,利尽则散/以势交者,势倾则绝;以利交者,利穷则散/罗衣从风,长袖交横,骆驿飞散,飒擖合并/安危相易,祸福相生,缓急相摩,聚散以成/古之人君,所以至于民散国亡而不悟者,皆吏误之/两体者,虚实也,动静也,聚散也,清浊也,其究一而已

敬

jìng 戒慎,敬肃,不怠慢;警戒;尊敬;以礼物致敬意;姓。

❶敬明乃罚

见《尚书·康诰》。

敬鬼神而远之

见《论语·雍也》。

敬人者得人恒敬

见明·沈鲸《双珠记》第十一出。

敬他人,即是敬自已

见清·王永彬《围炉夜话》。全句为:"~;靠自己,胜于靠他人"。

敬教劝学,建国之大本

见明·朱之瑜《朱舜水集·劝兴》。全句为:"~;兴贤育才,为政之先务"。

敬甚则不亲;亲甚则不敬

见唐·王士元《亢仓子·用道篇》。

敬贤如大宾,爱民如赤子

见汉·班固《汉书·路温舒传》。

敬胜怠则吉,怠胜敬则灭

见《荀子·议兵》。

敬以严乎己也,宽以恕乎物也

见清·王夫之《尚书引义·舜典二》。

敬之为道也,严而相离,其势难久

见三国·魏·刘劭《人物志·八观》。

敬人而不必见敬,爱人而不必见爱

见《吕氏春秋·孝行览·必己》。

敬时爱日,非老不休,非疾不息,非死不舍

见《吕氏春秋·士容论·上农》。

敬之而不喜,侮之而不怒者,唯同乎天和者为然

见《庄子·庚桑楚》。

敬人者,非敬人也,自敬也;贵人者,非贵人也,自贵也

见汉·刘向《说苑·敬慎》。

❷恭敬之心,礼也/庄敬日强,安肆日偷/恭敬之心,人皆有之/不敬他人,是自不敬也

❸上不敬,则下慢;不信,则下疑/君子敬以直内,义以方外;敬义立而德不孤/君子敬其在己者而不慕其在天者,是以日进也/体恭敬而心忠信,术礼义而情爱人,横行天下,虽困四夷,人莫不贵

❹时祀尽敬而不祈喜/见善不敬,与昏瞽同/慎始而敬终,终以不困/待士不敬,举士不信,则善士不往焉/治国者敬其宝,爱其器,任其用,除其妖/动莫若敬,居莫若俭,德莫若让,事莫若咨

❺游而不见敬,不恭也/行母而索敬,君弗得臣/人贤而不敬,则是禽兽也/务民之义,敬鬼神而远之/待士而以敬,则士必居矣/贤者狎而敬之,畏而爱之/人必其自敬也,然后人敬诸/

待小人宜敬，敬心可以化邪心／仁之与义，敬之与和，相反而皆相成也／敬人者，非敬人也，自敬也；贵人者，非贵人也，自贵也
❻爱不可少于敬／敬他人，即是敬自己／信者道之根，敬者德之蒂／待小人宜敬，敬心可以化邪心／治民者，导之敬让，而争自息／恭就貌上说，敬就心上说。恭主容，敬主事／道千乘之国，敬事而信，节用而爱人，使民以时
❼近使之而观其敬／敬人者得人恒敬／维桑与梓，必恭敬止／敬人而不必见敬，爱人而不必见爱／亟则黩，黩则不敬；君子之祭也，敬而不黩
❽无甘受佞人而外敬正士／不敬他人，是自不敬也／国家之兴，尊尊而敬长／敬胜怠则吉，怠胜敬则灭／爱人者人常爱之，敬人者人常敬之／爱人者，人恒爱之；敬人者，人恒敬之／人生一世，但当畏敬于人，若不善加己，直为受之
❾忧懈怠则思慎始而敬终／乃命羲和，钦若昊天……敬授民时／明好恶而定去就，崇敬让而民兴行／爱亲者不敢恶于人，敬亲者不敢慢于人／简士苦民者是谓愚，敬士爱民者是谓智／凡百事之成也，必在敬之；其败也，必在慢之／敬人者，非敬人也，自敬也；贵人者，非贵人也，自贵也
❿敬甚则不亲；亲甚则不敬／人必其自敬也，然后人敬诸／小人怨汝詈汝，则皇自敬德／不谄上而慢下，不厌故而敬新／礼貌卑下，言词谦恭，所谓敬也／自受弊薄，后己先人，天下敬之／流深者其水不测，尊至者其敬无穷／爱人者人常爱之，敬人者人常敬之／师严，然后道尊；道尊，然后知敬学／此心常卓然公正，无有私意，便是敬／勿恃己善不服人仁，勿矜己艺不敬人文／爱人者，人恒爱之；敬人者，人恒敬之／治心须求妙悟，悟则神和气静，客敬色庄／亟则黩，黩则不敬；君子之祭也，敬而不黩／君子敬以直内，义以方外；敬义立而德不孤／恭就貌上说，敬就心上说。恭主容，敬主事／贤者在位，能者布职，朝廷崇礼，百僚敬让／于人无贤愚，于事无小大，咸推以信，同施以敬／诚则始终不忒，表里一致，敬信真纯，往而必孚／先王以是经夫妇，成孝敬，厚人伦，美教化，移风俗

敦

①dūn 厚、实；督促；勉强；姓。②tún 通“屯”，屯驻。③duì 古代石器。④duī 治理；孤独之貌；促迫。⑤tuán 聚拢；圆形。⑥diāo 通“雕”，画饰。

❶敦临，吉，无咎
见《周易·临》。
敦笃虚静者，仁之本也
见宋·朱熹《近思录·存养类》。
敦兮其若朴，旷兮其若谷
见《老子》十五。
❸温柔敦厚，诗教也／人不敦庞则道数不远／安土敦乎仁，故能爱／兄弟敦和睦，朋友笃信诚
❼革俗之要，实在敦学／知之而不行，虽敦必困／招来雄俊魁伟敦厚朴直之士／其为人也温柔敦厚，诗教也／博闻强识而让，敦善行而不怠，谓之君子
❽高风所洎，薄俗以敦／上好奢靡而望下敦朴，未之有也
❿救奢必于俭约，拯薄无若敦厚

数

①shǔ 一个一个地计算；一一列举；比较起来最突出；辨察。②shù 数目，代表数量；几，不止一个；算术；天命；语法范畴之一。③shuò 表示动作行为频繁；中医学脉象名。④cù 密。

❶数典而忘其祖
见《左传·昭公十五年》。
数行家信抵千金
见唐·李绅《端州江亭得家书二首》之一。
数尽则穷，盛满而衰
见南朝·齐·张融《白日歌》。
数穷则尽，盛满则衰
见南朝·齐·张融《白日歌》。
数米而炊，称柴而爨
见明·冯梦龙《警世通言》卷五。
数传而白为黑、黑为白
见《吕氏春秋·慎行论·察传》。
数风流人物，还看今朝
见现代·毛泽东《沁园春·雪》。
数则能胜疏，抟则能胜缺
见汉·刘安《淮南子·兵略》。全句为：“静则能胜躁，后则能胜先，～”。
数战则民劳，久师则兵弊
见《战国策·燕策一》。
数罟不入洿池，鱼鳖不可胜食也
见《孟子·梁惠王上》。
数亩秋禾满家食，一机官帛几梭丝
见宋·张维《贫女》。
❷操数寸之管，书盈尺之纸／凡数州之土壤，皆在衽席之下
❸射幸数跌，不如审发／多言数穷，不如守中／千家数人在，一税十年空／举错数失，必致危亡之道／急辔数策者，非千里之御也／明大数者得人，审小计者失人／藐然数尺之躯，乃欲私造化以为己物／得大数而治，失大数而乱，此治乱之分也／加我数年，五十以学《易》，可以无大过矣
❹正在疏数之间／藕花无数满汀洲／弈之为数，小数也／春花无数，毕竟何如秋实／文士多数奇，诗人尤命薄／天道之数，至则反，盛则衰／俱往矣，数风流人物，还看今朝

❺碧峰千点数帆轻／物极则反，数穷则变／简发而栉，数米而炊／一日纵敌，数世之患也／遗墟旧壤，数万里之皇城／治大国而数变法，则民苦之／譬如破竹，数节之后，皆迎刃而解／若能常保数百卷书，千载终不为小人也／国家剩得数百万贯钱，何如得一有才行人／称薪而爨，数米而炊，可以治小而未可以治大／博取之象数，远征之古今，以求尽乎理，所谓格物也

❻大网疏，小网数／弈之为数，小数也／兵，凶器，未易数动／谷口未斜日，数峰生夕阳／欲观千岁，则数今日；欲知亿万，则审一二

❼人不敦庞则道数不远／杞梓连抱，而有数尺之朽，良工不弃

❽车载斗量，不可胜数／吟安一个字，捻断数茎须／闻多素心人，乐与数晨夕／纵横一川水，高下数家村／缝缉，则长剑不及数寸之针／事将为，其赏罚之数必先明之／诉心中之不平，感数奇于千载／方凭征鞍思往事，数声风笛马前闻／烦为教而过不识，数为令而非不从／得大数而治，失大数而乱，此治乱之分也

❾丁君十纸，不敌王褒数字／井中视星，所见不过数星／教训成俗而刑罚省，数也／愁与发相形，一愁白数茎／体道者逸而不穷，任数者劳而无功／江山如此多娇，引无数英雄竞折腰

❿兴尽悲来，识盈虚之有数／得百走马，不若得伯乐之数／自井中视星，所见不过数星／设文之体有常，变文之数无方／事生则释公而就私，货数而任己／探渊者知千仞之深，县绳之数也／不敢妄为些子事，只因曾读数行书／至精而后阐其妙，至变而后通其数／须知三绝韦编者，不是寻行数墨人／江山代有才人出，各领风骚数百年／日暮榆园拾青荚，可怜无数沈郎钱／政令多出，朝令夕改，则谓数穷也／虚檐立尽梧桐影，络纬数声山月寒／翻手作云覆手雨，纷纷轻薄何须数／失神之术本于纵恣，丧神之数在于自专／声应气求之夫，决不在于寻行数墨之士／法令不一则人情惑，职次数改则觊觎生／当世学士，恒以万计；而究涂者无数十焉／人生贵得适意尔，何能羁宦数千里以要名爵／藜藿之生，蠕蠕然日加数寸，不可以为庐栋／骥一日千里，车轻也，以重载，则不能数里／日薄西山，余光横照，紫翠重叠，不可殚数／法令者示人以信，若成而数变，则人之心不安／今兵威已振，譬如破竹，数节之后，皆迎刃而解／含气之伦，有生必终，盖天地之常期，自然之至数／士之修身立节而竟不遇知己，前古以来，不可胜数／凡用人之道，若以燧取火，疏之则弗得，数之则弗中／美人梳洗时，满头间珠翠，岂知两片云，戴却数乡税

敷 fū 涂上；铺开；足够；通“肤”；布，施；陈述，铺张；通“溥”，普；姓。

❸赋者，敷陈其事而直言之者也

❺思赡者善敷，才核者善删／行者见罗敷……但坐观罗敷／貌有不足，敷粉施朱。才有不足，征典求书

❿行者见罗敷……但坐观罗敷／宁为兰摧玉折，不作萧敷艾荣／善删者字去而意留，善敷者辞殊而意显

片 ①piàn 泛指扁而薄的东西；片状的；不全的，零星的；量词；填词术语，词的分段称为分片。②piān 片子。③pàn［片合］两性相配合。

❶片辞折狱，寸言挫众

见南朝·齐·谢超宗《策秀才议》。

片言可以折狱者，其由也与

见《论语·颜渊》。

片言可以明百意，坐驰可以役万里

见唐·刘禹锡《董氏武陵集纪》。

片技即足自立，天下惟多技之人最劳

见明·陈继儒《小窗幽记》。全句为：“是技皆可成名，天下惟无技之人最苦；～”。

❷一片冰心在玉壶／天片片而云愁，山幽幽而谷哭／立片言而居要，乃一篇之警策

❸远山片云，隔层城而助兴／天片片而云愁，山幽幽而谷哭

❹夕阳一片寒鸦外，目断东西四百州／臣心一片磁针石，不指南方不肯休

❺恨无昆山片玉以相赠，赠君桂林之一枝

❻打扫光明一片地，襄贮古今，研究经史

❾陶尽门前土，屋上无片瓦／世间无限丹青手，一片伤心画不成

❿天下是非俱不到，安闲一片道人心／逢人且说三分话，未可全抛一片心／逢人只可三分语，未可全抛一片心／“利”之一字，是学问人品一片试金石／褒见一字，贵逾轩冕；贬在片言，诛深斧钺／美人梳洗时，满头间珠翠，岂知两片云，戴却数乡税

版 bǎn 书刊排印用的底版；筑墙用的夹板；木简；名册或户籍；手版，即朝笏；古时铸钱的模具。

❿才如白地明光锦，裁为负版袴

牍 dú 古代用以写字的木片；公文，书信；古乐器名。

❻江南谚云：尺牍书疏，千里面目也

❾无丝竹之乱耳，无案牍之劳形

牒 dié 古代用以书写的木片、竹片；文书或证件；床板；通“叠”；家谱。

❻乃含章之玉牒，秉文之金科矣

牓 bǎng“榜”的异体字；木牌，匾额；告示，文告。
❻祖洫裔清，不牓奇人
牗 yǒu 窗；通“诱”；通“羑”。
❿受光于隙，照一隅；受光一牗，照北壁
牖 yǒu 窗户；通“诱”，诱导。
❷十牖之开，不如一户之明
❸大其牖，天光入；公其心，万善出
❹篇章户牖，左右相瞰
❺蜘蛛网户牖，野草当阶生
❻南人学问，如牖中窥日
❽筚门圭窬，蓬户瓮牖
❾不出户，知天下；不窥牖，见天道
❿北人看书，如显处视月；南人学问，如牖中窥日
斤 jīn 市制重量单位；古代一种砍伐树木的工具；[斤斤]明察；拘谨。
❷斧斤以时入山林，材木不可胜用也
❺大匠之斧斤，不能器不才之木／得黄金百斤，不如得季布一诺
斥 chì 责备；指出；使离开；支付；充斥；开拓；盐碱地；侦察，探测。
❶斥不久，穷不极，虽有出于人……
见唐·韩愈《柳子厚墓志铭》。全句为：“～，其文学辞章，必不能自力以致必传于后如今”。“斥”，贬斥；“穷”，困厄。
❼夕受而不法，朝斥之矣／朝拜而不道，夕斥之矣
❽以时起居，恶者辄斥去，毋令败群
❿与闻国政而无益于民者斥／贤人在野，我将进之；佞人立朝，我将斥之／恰同学少年，风华正茂；书生意气，挥斥方遒
所 suǒ 处所；可以；如，若；通“许”；通“数”；量词；用作某些机关或机构的名称；助词；代词；姓。
❶所历厌机巧
见唐·杜甫《赠李白》。
所禀生者谓之性
见唐·孔颖达《周易·乾》疏。
所求尽矣，所利移矣
见唐·刘禹锡《因论·叹牛》。
所刺者巨，所中者少
见汉·韩婴《韩诗外传》卷十。全句为：“以管窥天，以锥刺地；所窥者大，所见者小；～”。
所忧在道，不在乎祸
见唐·柳宗元《忧箴》。
所贵唯贤，所宝为谷
见汉·张衡《东京赋》。
所就者大，则必有所忍
见宋·苏轼《贾谊论》。全句为：“君子之所取者远，则必有所待；～”。
所谓壹刑者，刑无等级
见《商君书·赏刑》。
所谓文者，必有诸其中
见唐·韩愈《答尉迟生书》。全句为：“～，是故君子慎其实，实之美恶，其发也不掩”。
所加于人，必可行于己
见《吕氏春秋·孟夏纪·诬徒》。
所行之策，常主于权谋
见宋·苏轼《儒者可与守成论》。全句为：“所用之人，常先于智勇；～”。
所官者，非亲属则宠幸
见汉·仲长统《昌言下》。全句为：“～；所爱者，非美色则巧佞；以同异为善恶，以喜怒为赏罚”。
所贵于画者，为其似也
见宋·苏轼《石氏画苑记》。
所爱者，非美色则巧佞
见汉·仲长统《昌言下》。全句为：“所官者，非亲属则宠幸；～；以同异为善恶，以喜怒为赏罚”。
所用之人，常先于智勇
见宋·苏轼《儒者可与守成论》。全句为：“～；所行之策，常主于权谋”。
所不虑而知者，其良知也
见《孟子·尽心上》。全句为：“人之所不学而能者，其良能也；～”。
所求无不得，所欲皆如意
见宋·欧阳修《准诏言事上书》。
所谓无为者，不先物为也
见汉·刘安《淮南子·原道》。全句为：“～；所谓无不为者，因物之所为”。
所谓无治者，不易自然也
见汉·刘安《淮南子·原道》。全句为：“～。所谓无不治者，因物之相然也”。
所谓人者，恶死乐生者也
见宋·陆佃解《鹖冠子·博选》。
所荣者善行，所耻者恶名
见宋·王安石《拟上殿进札子》。
所愧为人父，无食致夭折
见唐·杜甫《自京赴奉先县咏怀五百字》。
所见所期，不可不远且大
见宋·朱熹《近思录·为学类》。
所见既可骇，所闻良可悲
见宋·苏舜钦《城南感怀呈永叔》。
所思迷所在，长望独长叹
见唐·姚崇《秋夜望月》。
所用非所养，所养非所用

见宋·苏轼《乞擢用林豫札子》。

所誉依已成，所毁依已败

见晋·陈寿《三国志·吴书·虞翻传》。

所以失之者，必以喜乐哀怒

见《管子·心术下》。全句为："凡民之生也，必以正平；～"。

所谓无不为者，因物之所为

见汉·刘安《淮南子·原道》。全句为："所谓无为者，不先物为也；～"。

所见少则所怪多，世之常也

见晋·葛洪《抱朴子·内篇·论仙》。

所谓无不治者，因物之相然也

见汉·刘安《淮南子·原道》。全句为："所谓无治者，不易自然也。～"。

所谓大丈夫者，谓其智之大也

见《韩非子·解老》。

所挟持者甚大，而其志甚远也

见宋·苏轼《留侯论》。全句为："卒然临之而不惊，无故加之而不怒，此其～"。

所言无不义，故下无伪上之报

见《晏子春秋·内篇问上第十六》。

所谓文者，务为有补于世而已矣

见宋·王安石《上人书》。

所求多者所得少，所见大者所知小

见汉·刘安《淮南子·精神》。

所谓天者诚难测，而神者诚难明矣

见唐·韩愈《祭十二郎文》。全句为："～；所谓理者不可推，而寿者不可知矣"。

所谓伐天真而矜己者也，天祸必及

见唐·无名氏《无能子·老君说》。全句为："人情繁则怠，怠则诈，诈则益乱。～"。

所谓理者不可推，而寿者不可知矣

见唐·韩愈《祭十二郎文》。全句为："所谓天者诚难测，而神者诚难明矣；～"。

所见异辞，所闻异辞，所传闻异辞

见《公羊传·隐公元年》。

所种者稗，虽美田疾耕，不生谷也

见宋·苏轼《广成子解》。全句为："所种者谷，虽瘠土惰农，不生稗也；～"。

所种者谷，虽瘠土惰农，不生稗也

见宋·苏轼《广成子解》。全句为："～；所种者稗，虽美田疾耕，不生谷也"。

所生者弗德，所杀者非怨，则几于道也

见汉·刘安《淮南子·诠言》。

所谓阻且艰者，莫能高其高而深其深也

见唐·刘禹锡《机汲记》。

所志于古者，不惟其辞之好，好其道焉

见唐·韩愈《答李秀才书》。

所守者道义，所行者忠信，所惜者名节

见宋·欧阳修《朋党论》。全句为："～。以之修身，则道同而相益；以之事国，则同心而共济"。

所谓读书，须当明物理，揣事情，论事势

见宋·陆九渊《语录下》。

所恶执一者，为其贼道也，举一而废百也

见《孟子·尽心上》。全句为："执中无权，犹执一也。～"。

所谓"能"者即己也，所谓"所"者即物也

见清·王夫之《尚书引义·召诰无逸》。

所避者名也，所忧者其实也，实不可一日忘

见唐·柳宗元《答严厚舆秀才为师道书》。

所好则钻皮出其毛羽，所恶则洗垢求其瘢痕

见南朝·宋·范晔《后汉书·赵壹传》。

所贵良吏者，贵其绝恶于未萌，使之不为非

见汉·桓宽《盐铁论·申韩》。全句为："～，非贵其拘之囹圄而刑杀之也"。

所学者非世之所可用，而所任者非身之所能为

见宋·王安石《与孙莘老书》。

所养非所用，所用非所养，理家必弊，在国必危

见唐·陈子昂《上军国机要事》。

所谓诗，所谓文，实国事、世事、家事、身事、心事系焉

见宋·郑思肖《心史总后叙》。

所贵于天下之士者，为人排患、释难、解纷乱而无所取也

见《战国策·赵策三》引鲁仲连语。

❷无所不用其极／学，所以成材也／贱所见，贵所闻／思所以亡则存矣／恕，所以推情也／无所不能者有大不能／无所不知者有大不知／无所不达，无所不通／无所甚亲，无所甚疏／凡所从政，当须正己／闻所未闻，见所未见／己所不欲，勿施于人／有所许诺，纤毫必偿／目所不见，非无色也／其所不能，不强使为是／于所厚者薄，无所不薄也／才所不胜而强思之，伤也／天所赋为命，物所受为性／力所不任而强举之，伤也／闻所闻而来，见所见而去／官所以务禄，禄所以务食／道所以保神，德所以宏量／学所以益才，砺所以致刃／水所以载舟，亦所以覆舟／贾所以务财，财所以务食／赏所以存劝，罚所以示惩／礼所以防淫，乐所以移风／无所有而来，无所从而去者／吾所以有大患者，为吾有身／吾所谓乐者，人得其得者也／知所以修身，则知所以治人／学所以开人之蔽，而致其知／礼所以防淫佚，节其侈靡也／恩所加，则思无因喜以谬赏／罚所及，则思无以怒而滥刑／其所知彼也，其所以知此也／世所相信，在能行，不在能言／礼所以定其位，权所以固其政／吏所以治民，能尽其治则民赖之／乐，所以达天地之和

而饬化万物／乘所欲为，易于反掌，安于泰山／忧所以为昌也，而喜所以为亡也／学所以修身也，身修而无不治矣／有所期约，时刻不易，所谓信也／无所不通之谓圣，妙而无方之谓神／无所往而不乐者，盖游于物之外也／今所任用，必须以德行、学识为本／明所爱而邪僻繁，明所恶而贤良灭／有所取必有所舍，有所禁必有所宽／思所以危则安矣，思所以乱则治矣／才所以为善也，故大才成大善，小才成小善／非所困而困焉名必辱，非所据而据焉身必危／有所不为，为无不果；有所不学，学无不成／其所善者，吾则行之；其所恶者，吾则改之／子所雅言，《诗》、《书》、执礼，皆雅言也／忍所不能忍，容所不能容，惟识量过人者能之／竭所能之谓忠，履所明之谓信，平所施之谓恕／吾所谓道德云者，合仁与义言之也，天下之公言也／其所以为情者七：曰喜、曰怒、曰哀、曰惧、曰爱、曰恶、曰欲

❸丹之所藏者赤／英雄所见略同／君子所其无逸／知有所合谓之智／宰相所职系天下／贵其所以贵，贵／天地所宝者，才也／人之所以立检者四／命者，所遭于时也／性者，所受于天也／道者，所以充形也／孝者，所以事君也／是非所行而行所非／忠信，所以进德也／上之所好，下必有甚／上之所好，民必甚焉／上有所好，下必甚焉／天之所坏，不可强支／不攫所有，不强所无／昼有所思，夜梦其事／非理所求，谁肯相与／千人所指，无病而死／乐之所生，哀亦至焉／兵者所以禁暴讨乱也／尺有所短，寸有所长／利之所在，天下趋之／众之所助，虽弱必强／众之所去，虽大必亡／凡有所长，皆当不废／高风所洎，薄俗以敦／诚之所感，触处皆通／取其所长，弃其所短／大势所趋，人心所向／名之所存，谤之所归／德有所长而形有所忘／慎乎所习，不可不思／是已所是，非已所非／物无所主，人必争之／物有所余，有所不足／思其所以乱，则治矣／思其所以亡，则存矣／思其所以危，则安矣／怨之所聚，乱之本也／恩之所加，不量其力／意有所之，事无不克／意有所极，梦亦同趣／用其所长，掩其所短／老有所终，壮有所用／群邪所抑，以直为曲／精诚所加，金石为开／精诚所加，金石为亏／距谏所败，祸乱所成／雅有所谓，不虚为文／天之所能者，生万物也／不知所以然而然，命也／失去所凭依，信不可欤／乐其所成，必顾其所败／前无所阻兮，跛鳖千里／人之所能者，治万物也／志有所存，顾不见泰山／小有所志，而大有所忘／君义、……所谓六顺也／国之所以存者，道德也／役其所长，则事无废功／得其所利，必虑其所害／得其所，君子不爱其死／德性所知，不萌于见闻／避其所短，则世无弃材／子之所慎：斋、战、疾／意之所向，虽金石莫隔／意量所函变可通于意外／罚之所始，必始于薄刑／出其所不趋，趋其所不意／非其所取而取之，谓之盗／乐之所起，发于人之性情／兵之所聚，必有所资……／人之所以惑其性者，情也／亭之所见，南北百里……／圣人所贵者，去祸于未萌／攻敌所不守，守敌所不攻／城有所不攻，地有所不争／知有所困，神有所不及也／涂有所不在，军有所不击／日闻所未闻，日见所未见／明有所不见，听有所不闻／是气所旁薄，凛烈万古存／视其所好，可以知其人焉／物有所不足，智有所不明／所见所期，不可不远且大／思有所至，有身不暇徇也／辞有所未尽，意有所未竭／正者，所以正天下之不正也／师者，所以传道受业解惑也／义之所在，身虽死，无憾悔／乱之所生也，则言语以为阶／势有所不可，虽圣哲不能为／观其所爱亲，可以知其人矣／荃者所以在鱼，得鱼而忘荃／统者，所以合天下之不一也／某今所切，是坠于绝壑……／祸之所由生也，生自纤纤也／舟者，所以济桥之所不及也／言者所以在意，得意而忘言／天之所助者顺，人之所助者信／天之所辅者仁，人之所助者信／不有所弃，不可以得天下之势／不有所忍，不可以尽天下之利／乐者，所以变民风，化民俗也／民之所好好之，民之所恶恶之／十目所视，十手所指，其严乎／人之所不学而能者，其良能也／众听所倾，非假《北里》之操／美之所在，虽污辱，世不能贱／行于所当行，止于所不可不止／法令所以导民，刑罚所以禁奸／法者，所以适变也，不必尽同／审其所好恶，则其长短可知也／道者，所以立本也，不可不一／明镜所以照形，古事所以知今／量力所至，约其课程而谨守之／恶之所在，虽高隆，世不能贵／鱼我所欲也，熊掌亦我所欲也／天之所牛，地之所产，足以养人／事有所至，信反为过，诞反为功／兵者，所以讨暴，非所以为暴也／人之所以贵于禽兽者，以有礼也／圣有所生，王有所成，皆原于一／君子所役心劳神，宜于大者远者／目无所见，耳无所闻，心无所知／铭者，所以名其善功以昭后世也／箴者，所以攻疾防患，喻针石也／自其所当后者为之，则先后并废／自其所当先者为之，则其后必举／身之所短，上虽不知，不以取赏／言之所载者大且文，则其传也章／一生所遇唯元白，天下无人重布衣／事有所分，则毫末不遗而情伪必见／义之所加者浅，则武之所制者小矣／仁之所在无贫穷，仁之所亡无富贵／人之所贵者生也，生之所贵者道也／令者，所以教民；法者，所以督奸／阴之所求者阳也，阳之所求者阴也／小人所好者禄利也，所贪者财货也／因其所喜而为善，虽有愿忠而孰能／审近所以知远也，成己所以成

人也／明鉴所以照形也，往古所以知今也／辞之所以能鼓天下者，乃道之文也／自道所禀谓之性，性之所迁谓之情／于其所达，行之终身，有不能至者矣／真者，所以受于天也，自然不可易也／诗之所谓风者，多出于里巷歌谣之作／语者所习，习于胡则胡，习于越则越／大勋所任者唯一人，然群谋济之乃成／君子所大者生也，所大乎其生者时也／知有所待而后当，其所待者特未定也／江海所以能为百谷王者，以其善下之／情之所昏，交相攻伐，未始有穷……／贤之所在，贵而贵取焉，贱而贱取焉／视其所以，观其所由，察其所安……／心之所可中理，则欲虽多，奚伤于治／心之所可失理，则欲虽寡，奚止于乱／心之所感有邪正，故言之所形有是非／弟者，所以事长也；慈者，所以使众也／各从所好，各骋所长，无一人之不中用／法者，所以禁民为非而使其迁善远罪也／道者，所以明德也；德者，所以尊道也／学者所以为学，学为人而已，非有为也／明者所以对昏，昏既灭，则明亦不立矣／物之所以通，事之所以理，莫不由乎道／言之所载者不文而又小，则其传也不章／鼻之所喜不可任也，口之所嗜不可随也／一地所生，一雨所润，而诸草木各有差别／天之所覆，地之所载，莫不尽其美致其用／君子所求于人者薄，而辨是与非也无所苟／车之所以能转千里者，以其要在三寸之辖／贤主所贵莫如士，所以贵士，为其直言也／教化，所恃以为治也；刑法，所以助治也／天地所以独长且久者，以其安静，施不荣报／不求所无，不失所得，内无旁祸，外无旁福／世之所不足者，理义也；所有余者，妄苟也／百姓所以养国家也，未闻以国家养百姓者也／师之所处，荆棘生焉；大军之后，必有凶年／人之所舍，谓之天民；天之所助，谓之天子／人有所优，固有所劣；人有所工，固有所拙／情之所恶，不以强人；情之所欲，不以禁民／过之所始，必始于微；积而不已，遂至于著／居知所为，行知所之，事知所秉，动知所由／已之所无，不以责下；我之所有，不以讥彼／权之所在，虽疏必重；势之所去，虽亲必轻／物有所好，汝勿好之。德有所好，汝则效之／政之所兴，在顺民心；政之所废，在逆民心／祸之所生，必由积怨；过之所始，多因忽小／白日所为，夜来省己，是恶当惊，是善当喜／上无所为，则下无事，家给人足，万物自化就／天地所以能长且久者，以其不自生，故能长生／以子所长，游于不用之国，欲使无穷，其可得／民之所以僻，治之所以乱，皆由上，不由其下／人之所以立德者三：一曰贞，二曰达，三曰志／人之所难者二：乐攻其恶者难，以恶告人者难／苟有所见，虽布衣之贱，远守之微，亦可施用／名言所绝理即具于名中，意量所函变可通意外／君之所以明者，兼听也；其所以暗者，偏信也／国之所以治者，君明也；其所以乱者，君暗也／道者，所由适于治之路也，仁义礼乐皆其具也／言之所以为言者，信也；言而不信，何以为言／一人所以能敌万人者，非弓刀之技，盖威之至也／一人所以能悦万人者，非言笑之惠，盖和之至也／不得所以用之，国虽大，势虽便，卒无众，何益／昔之所为，而今觉其非，虽日异而月不同，可也／礼者，所以定亲疏、决嫌疑、别同异、明是非也／患之所在，非徒在智之不及，又在及而违之者矣／世俗所患，患言事增其实，著文垂辞，辞出溢其真／人生所好，自当专一，若多好多能，反能耗神损精／志之所在，气亦随之；气之所在，天地鬼神亦随之／人之所以为人者，非以此八尺之身也，乃以其有精神／今之所以知古，后之所以知今，不可口传，必凭诸史／君子所性，虽大行不加焉，虽穷居不损焉，分定故也／屈平所以洞监《风》《骚》之情者，抑亦江山之助乎／义之所在，不倾于权，不顾其利，举国而与之，不为改视／利之所在，虽千仞之山，无所不上，深源之下，无所不入／君子所不至者三：不失色于人，不失口于人，不失足于人／君子所甚惧者，以申、韩之酷政，文饰儒术，而重毒天下也／君子所以动天地应神明正万物而成王治者，必本乎真实而已／古之所谓公无私者，其取舍进退无择于亲疏远迩，惟其宜可焉／人之所以不能终其寿命，而中道夭于刑戮者，何也？以其生生之厚／治世所贵乎位者三：一曰达道于天下，二曰达惠于民，三曰达德于身

❹君子无所争／进必有所归／缓必有所失／君命有所不受／割嗜欲所以固血气／不以人所短弃其所长／事固有所极，有所反／知止其所不知，至矣／死必得所，义在不苟／教化之所本者在学校／事起乎所忽，祸生乎无妄／人主之所恃者，人心而已／众趋明所避，时弃道犹存／势家多所宜，咳唾自成珠／士民之所以叛，由偏之也／鼓腹无所思，朝起暮归眠／大圣之所行，不慕人所主／名高毁所集，言巧智难防／吾学无所学，乃能明自然／行不知所之，居不知所为／性长非所断，性短非所续／还身意所欲，清净而自守／强人之所不能，虽令不劝／嫫母有所美，西施有所丑／死去何所道，托体同山阿／战死士所有，耻复守妻孥／所思迷所在，长望独长叹／所用非所养，所养非所用／福兮祸所伏，祸兮福所倚／患生于所忽，祸发于细微／禁人之所必犯，虽罚且违／目限于所见，则夺其天明／鸱目有所适，鹤胫有所节／耳限于所闻，则夺其天聪／鞭策之所用，道远任重也／一画失所，如壮士之折一肱／一点失所，若美女之眇一目／于

此有所蔽，则于彼有所见／天行其所行，而万物被其利／不生于所畏，而在于所易也／求发吾所学者，施于物而已／信，民之所庇也，不可失也／谨备其所憎，而祸在于所爱／大丈夫所守者道，所待者时／迹，履之所出，而迹岂履哉／栖息有所，苍蝇同骐骥之速／死马无所复用，而燕昭宝之／欲急人所务，当先除其所患／于此有所不足，则于彼有所长／无为其所不为，无欲其所不欲／不失其所者久，死而不亡者寿／不用其所拙，而用愚人之所工／人神之所同疾，天地之所不容／余平生所作文章多在三上……／莫知其所始，若之何其有命也／莫知其所终，若之何其无命也／莫过乎所疑，而过于其所不疑／大巧在所不为，大智在所不虑／君子之所取者远，则必有所待／知往日所行之非，则学日进矣／知者之所短，不若愚者之所修／处天下所观之地，可不慎乎？／道人之所不道，到人之所不到／好人之所恶，恶人之所好……／死亦我所恶，所恶有甚于死者／日知其所不足，月无忘其所能／见敌之所不足，则知其所有余／虎豹之所余，乃狸鼠之所争也／专于其所及而及之，则其及必精／不过乎所不知，而过于其所以知／好臣其所教，而不好臣其所受教／死，人之所难，然耻为狂夫所害／生，亦我所欲也；义，亦我所欲也／真知即所以为行，不行不足谓之知／命者，人所禀受，若贵贱夭寿之属／凡人之所以贵于禽兽者，以有礼也／凡君之所毕世而经营者，为天下也／凡聚小所以就大，积一所以至亿也／常行于所当行，常止于所不可不止／君子之……所就者大，则必有所忍／知天之所为，知人之所为者，至矣／是非之所在，不可以贵贱尊卑论也／彼兵者，所以禁暴除害也，非争夺也／欲是其所非而非其所是，则莫若以明／心识其所以然而不能然者，内外不　／西施有所恶而不能减其美者，美多也／天地之所贵者人也，圣人之所尚者义也／天子之所是未必是，天子之所非未必非／予之无所往而不乐者，盖游于物之外也／书者，皆所为不行乎今而行乎后世者也／德义之所成者智也，明智之所求者学问也／烈士之所以异于恒人，以其仗节以死谊也／不以其所能者病人，不以人之所不能者愧人／养而害所养，譬犹削足而适履，杀头而便冠／圣贤之所以为知者，不过思与见闻之会而已／法令者，所以抑暴扶弱，欲其难犯而易避也／学不倦，所以治己也；教不厌，所以治人也／有金鼓，所以一耳也；同法令，所以一心也／不责人所不及，不强人所不能，不苦人所不好／生亦我所欲，所欲有甚于生者，故不为苟得也／君子之所贵者，迁善惧其不及，改恶恐其有余／日知其所亡，月无忘其所能，可谓好学也已矣／音乐者，所以动荡血脉，通流精神而和正心也／物固有所然，物固有所可；无物不然，无物不可／所养非所用，所用非所养，理家必弊，在国必危／仁人之所以为事者，必兴天下之利，除去天下之害／万物之所以为无穷者，交相胜而已矣，还相用而已矣／人之饥所以不食乌喙者，以为虽偷充腹而与死同患也／若鄙人所谓致知格物者，致吾心之良知于事事物物也／智亦有所不至。所不至，说者虽辩，为道虽精，不能见矣／所谓诗，所谓文，实国事、世事、家事、身事、心事系焉／不本其所以欲，而禁其所欲……是犹决江河之源而障之以手也／急乎其所自立，而无患乎人不己知，未尝闻有响大而声微者也

❺能必副其所／达则视其所举／文者气之所形／祸乱生于所忽／贱所见，贵所闻／敢道人之所难言／其为政知所先后／德者，性之所扶也／道者，物之所导也／乱政亟行，所以败也／博学切问，所以广知／入道弥深，所见弥大／先人后己，所愿必得／凡作乐者，所以节乐／持钱买水，所取有限／海产明珠，所在为宝／载舟覆舟，所宜深慎／智而明者，所伏必众／资有攸合，所谓宜也／所求尽矣，所利移矣／所刺者巨，所中者少／所贵唯贤，所宝为谷／辞者，人之所以通也／知而不言，所以之天也／和愉虚无，所以养德也／赏疑从与，所以广恩也／罚疑从去，所以慎刑也／静漠恬淡，所以养性也／井中视星，所见不过数星／仁者以其所爱及其所不爱／高而不危，所以长守贵也／知止乎其所不能知，至矣／满而不溢，所以长守富也／不可以己所能而责人所不能／非才之难，所以自用者实难／反众人之所务，而归于虚无／士不事其所非，不非其所事／君子于其所不知，盖阙如也／所见少则所怪多，世之常也／恶人无有所纪，则以愧而惧／天者，理之所自出，凡理皆天／五仞之墙，所以不毁，基厚也／举千人之所爱，则得千人之心／以天下之所顺，攻亲戚之所畔／民之情，贵所不足，贱所有余／发政施仁，所以王天下之本也／今志人之所短，而忘人之所修／众人安其所不安，不安其所安／诐辞知其所蔽，淫辞知其所陷／圣人为人所爱，神明所祐……／圣人安其所安，不安其所不安／苟非吾之所有，虽一毫而莫取／居则视其所亲，富则视其所与／纵一苇之所如，凌万顷之茫然／贵则观其所举，富则观其所施／用百人之所能，则得百人之力／自一气之所有，播万殊而种分／君子当有所好恶，好恶不可不明／强己才之所不逮，是行舟于陆也／责人以其所不能，是使马代耕也／心之明之所止，于事情区以别焉／不为当时所怪，亦必无后世之传也／生非贵之所能存，身非爱之所能厚／民生各有所乐兮，余独

好修以为常／凡人情之所安而有节者，举皆礼也／亦余心之所善兮，虽九死其犹未悔／浮游，不知所求；猖狂，不知所往／察察者有所不见，恢恢者有所不容／贵则观其所举，富则观其所养……／所求多者所得少，所见大者所知小／所见异辞，所闻异辞，所传闻异辞／祸兮，福之所倚；福兮，祸之所伏／穷则观其所不受，贱则观其所不为／穷则视其所不为，贫则视其所不取／顺指者爱所由来，逆意者恶所从至／是故德之所施者博，则威之所行者远／不廉，则无所不取；不耻，则无所不为／名者，圣人所以真物也，名之为言真也／善钧者无所失，善于钧矣，而不善所钧／其应也，非所设也；其动也，非所取也／人能贵其所贱，贱其所贵，可与言至论矣／诗者，志之所之也。在心为志，发言为诗／诗言，志之所之也。在心为志，发言为诗／人之立身，所贵者惟在德行，何必要论荣贵／天下之人所共趋之而不知止者，富贵与美名尔／天地之精所以生物者莫贵于人，人受命乎天也／臣不得其所欲于君者，君亦不能得其所欲于臣／若使人之所怀于内者……，则天下无亡国败家矣／古之人君，所以至于民散国亡而不悟者，皆吏误之／骄、奢、淫、泆，所自邪也。四者之来，宠禄过也／不争而无所不胜，不言而无所不应，不召而无所不来／既知教之所由兴，又知教之所由废，然后可以为人师／贱生于无所用，中流失船，一壶千金，贵贱无常，时使物然

❻事若求全何所乐／义者，天地之所宜／虚无柔弱无所不通／无所不达，无所不通／无所甚亲，无所甚疏／不恒其德，无所容也／不患无位，患所以立／中正和平，无所偏倚／利口伪言，众所共恶／志务广远，多所不暇／山峦为晴雪所洗……／闻所未闻，见所未见／治人将兵，无所不宜／道者，万物之所由也／物有所余，有所不足／有罪之人，人所共弃／背施幸灾，民所弃也／无德之君，以所乐乐身／美者，人心之所乐进也／品而为族，则所禀者偏／有德之君，以所乐乐人／怠惰者，时之所以后也／恶者，人心之所恶疾也／其知弥精，其所取弥精／专独者，事之所以不成也／不求立名声，所贵去瑕玼／不忧一家寒，所忧四海饥／不悲道难行，所悲累身修／向君投此曲，所贵知音难／代耕本非望，所业在田桑／苟怀四方志，所在可游盘／奢侈者，财之所以不足也／多闻而择焉，所以明智也／达士志寥廓，所在能忘机／所求无不得，所欲皆如意／所荣者善行，所耻者恶名／所见既可骇，所闻良可悲／所用非所养，所养非所用／所誉依已成，所毁依已败／起于微贱，无所因阶者难／不仁者以其所不爱及其所爱／人有非上之所过，谓之正士／能读不能行，所谓两足书橱／能获而能烹，所以为善猎也／能稼而能穑，所以为良农也／名者，圣人之所以纪万物也／孟尝君客无所择，皆善遇之／自井中视星，所见不过数星／其悲则同，其所以为悲则异／食方丈于前，所甘不过一肉／人与虫一也，所以异者形质尔／众人皆安其所不安，即不安矣／捐躯若得其所，烈士不爱其存／彼肆其心之所为者，独何人耶／饱食终日，无所用心，难矣哉／死亦我所恶，所恶有甚于死者／日月星辰民所瞻仰者亦皆曰神／刚强猛毅，靡所不信，非骄暴也／圣人亦行其所行，而百姓被其利／大丈夫得死所，光奕奕，照千古／君子有失其所兮，小人有得其时／一夫不获其所，若己推而内之沟中／疑人者为人所疑，防人者为人所防／务免乎人之所不免者，岂不亦悲哉／至于子美，盖所谓上薄风、骚……／至乐不得恣所欲，主怒不得乱所为／大海荡荡水所归，高贤愉愉民所怀／安不忘危臣所愿，常思危困必无危／富国有道，无所不恤者，富之端也／枳棘非鸾凤所栖，百里岂大贤之路／智者不用其所短，而用愚人之所长／有所取必有所舍，有所禁必有所宽／田非耕者之所有，而有田者不耕也／鹊巢知风之所起，獭穴知水之高下／天下大势之所趋，非人力之所能移也／不问其德之所宜，而问其出身之后先／诚者，君子之所守也，而政事之本也／君子不责人所不及……不苦人所不好／君子之誉，非所谓誉也，其善显焉尔／见乱而不惕，所残必多；其饰，弥章／大德之人无所不容，能受垢浊，处谦卑／小人之谤，非所谓谤也，其不善彰焉尔／所生者弗德，所杀者非怨，则几于道也／所守者道义，所行者忠信，所惜者名节／言行，君子之所以动天地也，可不慎乎／诚欲往来言所闻，则仆固愿悉陈中所得者／智载于私，则所知少；载于公，则所知多矣／所避者名也，所忧者其实也，实不可一日忘／生亦我所欲，所欲有甚于生者，故不为苟得也／所养非所用，所用非所养，理家必弊，在国必危／国有三军何？所以戒非常，伐无道，尊宗庙，重社稷，安不忘危也

❼君子不夺人之所好／是非所行而行所非／畏之途果无常所哉／上满下漏，患无所救／下流之人，众毁所归／才不济务，奸无所惩／不攘所有，不强所无／事固有所极，有所反／尺有所短，寸有所长／任有大小，惟其所能／人之情安于其所常为／交浅言深，君子所戒／邪秽在身，怨之所构／取其所长，弃其所短／至公者，群恶之所疾／志高虑远，祸发所忽／大势所趋，人心所向／打兔得獐，非意所望／掩恶扬善，君子所宗／名之所存，谤之所归／名存实亡，失其所业／四时转续，变于所极／度德而让，古人所贵／情发于中，言无所择／如不知足，则失所欲／孤

直者，众邪之所憎／是己所是，非己所非／欲知其人，观其所使／风驰电掣，不知所由／祸福无门，唯人所召／盛衰无常，唯爱所丁／用人无疑，唯才所宜／用人如器，各取所长／用其所长，掩其所短／老有所终，壮有所用／距谏所败，祸乱所成／可取之利，当有所不取／百川俱会，大海所以深／事亲以适，不论所以矣／币厚言甘，人之所畏也／华而不实，怨之所聚也／凡看书不为书所愚始善／圣人也者，人之所积也／难行之言，当有所必行／将在外，君令有所不受／微邪者，大邪之所生也／致知，是吾心无所不知／施之无穷，而无所朝夕／其可驾御，救之所为也／于所厚者薄，无所不薄也／天下智谋之士，所见略同／天所赋为命，物所受为性／兵之所聚，必有所资……／人之能，天也有所不能也／论德序官，明主所以御世／君子之于物，无所苟而已／知有所困，神有所不及也／度能就位，忠臣所以事君／闻所闻而来，见所见而去／官所以务禄，禄所以务食／道所以保神，德所以宏量／学所以益才，砺所以致刃／死亡疾病，亦人所不能无／水所以载舟，亦所以覆舟／贾所以务财，财所以务食／赏所以存劝，罚所以示惩／有国有家，不思所以捄之／文以纪实，浮文所在必删／礼所以防淫，乐所以移风／无所有而来，无所从而去者／君子于其言，无所苟而已矣／知者必量其力所能至而从事／江海不让纤流，所以存其广／爱之不以道，适所以害之也／其所知彼也，其所以知此也／为赏罚者非他，所以惩劝者也／十目所视，十手所指，其严乎／招麾祸福，功名所遂，谓之志／存其心，养其性，所以事天也／天下文士，争执所长，与时而奋／天之所生，地之所产，足以养人／无心于定而无所不定，故曰泰定／圣有所生，王有所成，皆原于一／贱妨贵，少陵长……所谓六逆也／牧民之道，除其所疾，适其所安／目无所见，耳无所闻，心无所知／善战者，见敌之所长，则知其所短／日改月化，日有所为，而莫见其功／天下之事，不有所摧挫则不能以有成／识物之动，则其所以然之理皆可知也／绝愚之人，心无所别析，心无所好欲／视其所以，观其所由，察其所安……／无性则伪之无所加，无伪则性不能自美／不知其君视其所使，不知其子视其所友／正明不为日月所眩，正观不为天道所迁／太学者，贤士之所关也，教化之本原也／各从所好，各骋所长，无一人之不中用／君子戒慎乎其所不睹，恐惧乎其所不闻／一地所生，一雨所润，而诸草木各有差别／天之所覆，地之所载，莫不尽其美致其用／不求所无，不失所得，内无旁祸，外无旁福／世必有才，随时所用，岂待……然后为治乎／人有所优，固有所劣；人有所工，固有所拙／居知所为，行知所之，事知所秉，动知所由／物类之起，必有所始；荣辱之来，必象其德／毛嫱、丽姬，人之所美也……麋鹿见之决骤／立身成败，在于所染，兰芷鲍鱼，与之同化／所学者非世之所可用，而所任者非身之所能为／爱善疾恶，人情所常，苟不明质，或疏善善非／忍所不能忍，容所不能容，惟识量过人者能之／富与贵，是人之所欲也，不以其道得之，不处也／贫与贱，是人之所恶也，不以其道得之，不去也／智亦有所不至。所不至，说者虽辩，为道虽精，不能见矣／知为为而不知所以为，是以贵为天子，富有天下，而不免于患也

❽不以人所短弃其所长／生得其名，死得其所／德有所长而形有所忘／死轻鸿毛，固得其所／风止雨霁，云无处所／愚者纵之，多至失所／干天之木，非荀日所长／九河盈溢，非一块所防／乐其所成，必顾其所败／以德报德，则民有所劝／以怨报怨，则民有所惩／能食人，亦当为人所食／大木将颠，非一绳所维／大树将颠，非一绳所维／小有所志，而大有所忘／听于无声则得其所闻矣／善攻者，敌不知其所守／善守者，敌不知其所攻／带甲百万，非一勇所抗／得其所利，必虑其所害／道民之门，在上之所先／好憎人者，亦为人所憎／视于无形则得其所见矣／所就者大，则必有所忍／上材之人能行人所不能行／与不妄受，志士之所难也／百炼或致屈，绕指所以伸／出其所不趋，趋其所不意／失其师表，而莫有所矜式／乔林夹岸，羽毛之所翱翔／司马昭之心，路人所知也／诛者不怨君，罪之所当也／召民之路，在上之所好恶／攻敌所不守，守敌所不攻／城有所不攻，地有所不争／大厦将颠，非一木所支也／君子之于人才，无所不取／邑犬之群吠兮，吠所怪也／涂有所不在，军有所不击／深溪见底，鳞介之所出没／日闻所未闻，日见所未见／明有所不见，听有所不闻／赏者不德上，功之所致也／见势则附，俗人之所能也／物有所不足，智有所不明／故圣人也者，人之所积也／有而不知足，失去所以有／欲而不知止，失其所以欲／福寿康宁，固人之所同欲／辞有所未尽，意有所未竭／兵多而战不速，则所费必广／刑罚不中，则民无所措手足／信，国之宝也，民之所凭也／大丈夫所守者道，所待者时／知所以修身，则知所以治人／物势之反，乃君子所谓道也／舟者，所以济桥之所不及也／一抑一扬者，轻鸿所以凌虚也／乍屈乍伸者，良才所以俟时也／古文贵达，学达即所谓学古也／读书不耐苦，则无所用心之人／境遇不耐苦，则无所成就之人／行于所当行，止于所不可不止／礼所以定其位，权所以固其政／白玉微瑕，善贾之所不弃……／兵者，所以讨暴，非所

以为暴也／惟至公不敢私其所私，私则不正／道满天下，普在民所，民不能知也／所求多者所得少，所见大者所知小／天下未尝无才，患所以求才之道不至／君子所大者生也，所大乎其生者时也／物之所以通，事之所以理，莫不由乎道／意新语工，得前人所未道者，斯为善也／舐痔者得车五乘，所治愈下，得车愈多／唯泰山不为飘风所动，磐石不为疾流所回／贤主所贵莫如士，所以贵士，为其直言也／千仓万箱非一耕所得；干天之木非旬日所长／所谓"能"者即己也，所谓"所"者即物也／民之所以僻，治之所以乱，皆由上，不由其下／古之学者必有师，所以通其业，成就其道者也／人之情：不能乐其所不安，不能得于其所不乐／小大修短，各得其所宜，规矩方圆，各有所施／宫室富过度，上帝所亚；为者弗居，唯居必路／竭所能之谓忠，履所明之谓信，平所施之谓恕／言贵尽心，亦各其所见也，若是非，则明智者裁之／人迫于恶，则失其所好；怵于好，则忘其所恶，非道也／君子之道，不以其所已能者为足，而尝以其未能者为歉

❾无名困蝼蚁，有名世所疑／以名声称号，必为是所诱／仁者以其所爱及其所不爱／传闻不同，善恶随人所见／人生孰无死，贵得死所耳／先即制人，后则为人所制／凡自唐虞以来，编简所存／能者进而由之，使无所德／大圣之所行，不慕人所主／当路谁相假，知音世所稀／尚猷询兹黄发，则罔所愆／知音苟不存，已矣何所悲／行不知所之，居不知所为／怀瑾握瑜兮，穷不知所示／性长非所断，性短非所续／安危在出令，存亡在所任／官吏非才，则宽猛失所宜／富贵苟难图，税驾从所欲／嫫母有所美，西施有所丑／昂昂累世士，结根在所固／所用非所养，所养非所用／服食求神仙，多为药所误／斗粟自可饱，千金何所直／福兮祸所伏，祸兮福所倚／鸱目有所适，鹤胫有所节／竟抱固穷节，饥寒饱所更／于不可已而已者，无所不已／不生于所畏，而在于所易也／大器之于小用，固有所不宜／知矉美，而不知矉之所以美／知颦美，而不知颦之所以美／思与境偕，乃诗家之所尚者／用其言，弃其身，古人所耻／天下之事非一人之所能独知也／天之所助者顺，人之所助者信／天之所辅者仁，人之所助者信／民之情，贵所不足，贱所有余／民之所好好之，民之所恶恶之／圣人为人所爱，神明所祐……／法令所以导民，刑罚所以禁奸／好人之所恶，恶人之所好……／明镜所以照形，古事所以知今／生生者未尝死也，其所生则死矣／民非不可用也，不得所以用之也／化物者未尝化也，其所化则化矣／冠衣不能移人迹，顾所履何如耳／君子思过而预防之，所以有诫也／忧所以为昌也，而喜所以为亡也／居今之世，志古之道，所以自镜／有所期约，时刻不易，所谓信也／礼貌卑下，言词谦恭，所谓敬也／甚美之名生于大恶，所谓美恶同门／古之大臣废昏举明，所以康天下也／令者，所以教民；法者，所以督奸／城上草，植根非不高，所恨风霜早／大德之人不随世俗，所行独从于道／小人所好者禄利也，所贪者财货也／知天之所为，知人之所为者，至矣／明所爱而邪僻繁，明所恶而贤良灭／贵可以问贱……唯道之所成而已矣／所见异辞，所闻异辞，所传闻异辞／有所取必有所舍，有所禁必有所宽／思所以危则安矣，思所以乱则治矣／世之人不知至理之所在也，迷而妄行／为国者，必先知民之所苦，祸之所起／听其言，迹其行，察其所能而慎予官／知有所待而后当，其所待者特未定也／居安忘危，处治忘乱，所以不能长久／欲是其所非而非其所是，则莫若以明／消受尘，白取垢；青蝇所污，常在练素／清受尘、白取垢；青蝇所污，常在练素／人能贵其所贱，贱其所贵，可与言至论矣／若意新语工，得前人所未道者，斯为善也／源从天涯，或浊或清，所在之势使之然也／以管窥天，以锥刺地；所窥者大，所见者小／凡举事，无为亲厚者所痛，而为见仇者所快／物固有所然，物固有所可；无物不然，无物不可／所养非所用，所用非所养，理家必弊，在国必危／今之所以知古，后之所以知今，不可口传，必凭诸史

❿富者愈恣横侈泰而无所忌／于此有所蔽，则于彼有所见／不可以己所能而责人所不能／不仁者以其所不爱及其所爱／为国者无使为积威之所劫哉／谨备其所憎，而祸在于所爱／士不事其所非，不非其所事／维修卑下，然后乃各得其所／明王之使人也，必慎其所使／所谓无不为者，因物之所为／欲急人所务，当先除其所患／文生于情，情生于身之所历／于此有所不足，则于彼有所长／无为其所不为，无欲其所不欲／不能长进，只为昏弱两字所苦／不用其所拙，而用愚人之所工／以天下之所顺，攻亲戚之所畔／古之人谋黄发番番，则无所过／信耳而遗目者，古今之所患也／卷舒不随乎时，文武唯其所用／人神之所同疾，天地之所不容／今志人之所短，而忘人之所修／众人安其所不安，不安其所安／诐辞知其所蔽，淫辞知其所陷／读其文章，庶几得其志之所存／圣人安其所安，不安其所不安／莫过乎所疑，而过于其所不疑／大巧在所不为，大智在所不虑／当官不挠贵势，执平不阿所私／常民溺于习俗，学者沉于所闻／常人安于故俗，学者溺于所闻／君子之所取者远，则必有所待／知者之所短，不若愚者之所修／彼知颦美，而不知颦之所以美／得隋侯之珠，

不若得事之所由／得呙氏之璧，不若得事之所适／慎则祸之不及，贪则灾之所起／道人之所不道，到人之所不到／居则视其所亲，富则视其所与／日知其所不足，月无忘其所能／贵则观其所举，富则观其所施／见敌之所不足，则知其所有余／攀龙鳞，附凤翼，以成其所志／虎豹之所余，乃狸鼠之所争也／鱼我所欲也，熊掌亦我所欲也／上下和同，虽有贤才，无所立功／不过乎所不知，而过于其所以知／云中白鹤，非燕雀之网所能罗也／伏清白以死直兮，固前圣之所厚／隙中之观斗，又乌知胜负之所在／巧者劳而知者忧，无能者无所求／多才而自用，虽有贤者无所复施／洋洋乎与造物者游而不知其所穷／鸿鹄巢于高林之上，暮而得所栖／悦于目，悦于心，愚者之所利也／惟天性刚强之人，不为物欲所屈／达生之情者，不务生之所无以为／达命之情者，不务命之所无奈何／道不离乎物，若离物则无所谓道／好臣其所教，而不好臣其所受教／死，人之所难，然耻为狂夫所害／牧民之道，除其所疾，适其所安／气从以顺，各从其欲，皆得所愿／目无所见，耳无所闻，心无所知／鸡肋，弃之如可惜，食之无所得／虎豹在山，鼋鼍在水，各有所托／鼋鼍穴于深渊之下，夕而得所宿／一有偏好，则下必投其所好以诱之／下之事上也，不从其令，从其所行／天良能本吾良能，顾为有我所丧尔／不如鄙性好诚实，退无所议进不谀／求之言语之外，而得其所不言之意／生非贵之所能存，身非爱之所能厚／生，亦我所欲也；义，亦我所欲也／疑人者为人所疑，防人者为人所防／义之所加者浅，则武之所制者小矣／良医不能措其术，百药无所施其功／以人之不正，知其身之有所未正也／仁之所在无贫穷，仁之所亡无富贵／兴者，先言他物以引起所咏之词也／人之所贵者生也，生之所贵者道也／人莫不以其生生，而不知其所以生／凡聚小所以就大，积一所以至亿也／离道而内自择，则不知祸福之所托／阴之所求者阳也，阳之所求者阴也／至乐不得恣所欲，主怒不得乱所为／大海荡荡水所归，高贤愉愉民所怀／常行于所当行，常止于所不可不止／君子之……所就者大，则必有所忍／善战者，见敌之所长，则知其所短／多官而反以害生，则失所为立之矣／浮游，不知所求；猖狂，不知所往／审近所以知远也，成已所以成人也／察察者有所不见，恢恢者有所不容／道之委也……形生而万物所以塞也／明为明，不明为不明，乃所谓明也／明鉴所以照形也，往古所以知今也／智者不用其所短，而用愚人之所长／水真绿净不可唾，鱼若空行无所依／贵则观其所举，富则观其所养……／所求多者所得少，所见大者所知小／有偏宠者，虽欲厚之，更所以祸之／有所取必有所舍，有所禁必有所宽／有其志必成其事，盖烈士之所徇也／神龙失水而陆居兮，为蝼蚁之所裁／祸兮，福之所倚；福兮，祸之所伏／祸固多藏于隐微，而发于人之所忽／祸患常积于忽微，智勇多困于所溺／病非一朝一夕之故，其所由来渐矣／穷则观其所不受，贱则观其所不为／穷则视其所不为，贫则视其所不取／顺指者爱所由来，逆意者恶所从至／自道所禀谓之性，性之所迁谓之情／天下无害菑，虽有圣人，无所施其才／天下大势之所趋，非人力之所能移也／为国者，必先知民之所苦，祸之所起／以刚健而居人之首，则物之所不与也／真在内者，神动于外，是所以贵真也／博识者触物能名，洽闻者理无所惑耳／任天下之智力，以道御之，无所不可／使为恶者不得幸免，疑似者有所辨明／倨傲鲜腆而深折之，彼其能有所忍也／人主之意欲见于外，则为人臣之所制／六十而耳顺，七十而从心所欲不逾矩／诤臣必谏其渐，及其满盈，无所复谏／能常而后能变，能常不已，所以能变／观古人，得其时行其道，则无所为书／士之遇时，不患无位，患所以立而已／名者可以厉中人，君子所存非所汲汲／吾尝终日而思矣，不如须臾之所学也／君子不责人所不及……不苦人所不好／君子之于人也，苟有善焉，无所不取／虽诏于天子，无使北面，所以尊师也／察其小，忽其大，先其后，后其所先／绝愚之人，心无所别析，心无所好欲／杀人者死，伤人者刑，是百王之所同／亲小人，远贤臣，此后汉所以倾颓也／是故德之所施者博，则威之所行者远／暴师久则国用不足，此兵所以贵速也／贫富之交，可以情谅，鲍子所以让金／贵贱之间，易以势移，管宁所以割席／贵破的，又畏黏皮骨，此所以为难也／见闻之知，乃物交而知，非德性所知／视其所以，观其所由，察其所安……／心之所感有邪正，故言之所形有是非／鸟飞反乡，兔走归窟……各哀其所生／虞夏以文，殷周以武，异时各有所施／与天下之贤者为徒，此文王之所以王也／天地之所贵者人也，圣人之所尚者义也／天子之所是未必是，天子之所非未必非／不知其君视其所使，不知其子视其所友／不廉，则无所不取；不耻，则无所不为／正明不为日月所眩，正观不为天道所迁／生以有为己分，则虚无是有之所遗者也／以至详之法晓天下，使天下明知其所避／咫尺之管，文敏者执而运之，所如皆合／弟者，所以事长也；慈者，所以使众也／从水之道而不为私焉，此吾所以蹈之也／众人笑而忽之者，此则君子之所深畏也／凡鬼神事眇茫荒惑无可准，明者所不道／功之成，非成于成之日，盖必有所由起／圣主者，举贤以立功；不肖主举其所同／若能为能，不能为不能……乃所谓明也／操钩上山，揭斧入渊，欲得所求，难也／当官务持大体，思事事皆民生国计所关／当其才则事或能济，逾其分则力所不堪／君子戒慎乎其所不睹，恐惧乎其所不闻／善钓者无所失，善于钓矣，而不善所钓／多闻识者，犹广储药物也，知所用为贵／宫人得戟，则以刈葵……不知所施之也／道者，所以明德也；德者，所以尊道也／驴非驴，马非马，若龟兹王，所谓骡也／亲贤臣，远小人，此先汉之所以兴隆也／赏无功之人，罚不辜之民，非所谓明也／所守者道义，所行者忠信，所惜者名节／置猿槛中，则与豚同……无所肆其能也／疾呼不过闻百步，志之所在，逾于千里／疾如流矢，击如发机者，所以破精微也／其应也，非所设也；其动也，非所取也／鼻之所喜不可任也，口之所嗜不可随也／天地虽含囊万物，而万物非天地之所为也／为政以德，譬如北辰，居其所而众星共之／《诗》三百篇，大抵贤圣发愤之所为作也／诚欲往来言所闻，则仆固愿悉陈中所得者／大人者，言不必信，行不必果，惟义所在／小人非嗜欲无以活，失嗜欲则失其所以活／君子非仁义无以生，失仁义则失其所以生／君子所求于人者薄，而辨是与非也无所苟／唯泰山不为飘风所动，磐石不为疾流所回／善射者发不失的，善于射矣，而不善所射／德义之所成者智也，明智之所求者学问也／速则济，缓则不及，此圣贤所以贵机会也／遗腹子之上陇，以礼哭泣之，而无所归心／战未尝不胜，攻未尝不取，所当未尝不破／此溪若在山野，则宜逸民退士之所游……／教化，所恃以为治也；刑法，所以助治也／祸之作也，非作于作之日，亦必有所由兆／窃位而苟禄，备员而全身者，亦无所取焉／三人成虎，十夫揉椎；众口所移，毋翼而飞／不以其所能者病人，不以人之所不能者愧人／不择善否，两容颊适，偷拔其所欲，谓之险／未信而谏，圣人不与。交浅言深，君子所戒／世之所不足者，理义也；所有余者，妄苟也／非所困而困焉名必辱，非所据而据焉身必危／千仓万箱非一耕所得；干天之木非旬日所长／为政之本，莫若得人；褒贤显善，圣制所先／乡者已去，至者乃新，新故不翏，我有所周／以管窥天，以锥刺地；所窥者大，所见者小／孔曰成仁，孟曰取义，惟其义尽，所以仁至／匠人成棺，不憎人死；利之所在，忘其丑也／作俑之工，非曰可珍；时有所用，贵于斫轮／人才之行，自昔罕全，苟有所长，必有所短／人之才行，自昔罕全，苟有所长，必有所短／人之所舍，谓之天民；天之所助，谓之天子／人有所优，固有所劣；人有所工，固有所拙／凡下之从上也，不从口之言，从上之所好也／凡举事，无为亲厚者所痛，而为见仇者所快／大丈夫……终不为邪暗小人所惑而易其所守／君子惟道是贵，惟德是守，所以能万世不朽／因于情意，动而之外，与物相连，常有所悦／岂不遽止？然犹防川，大决所犯，伤人必多／得道之士，外化而内不化……所以全其身也／情之所恶，不以强人；情之所欲，不以禁民／安土重迁，黎民之性；骨肉相附，人情所愿／居知所为，行知所之，事知所秉，动知所由／己之所无，不以责下；我之所有，不以讥彼／学不倦，所以治己也；教不厌，所以治人也／绝祸之首，起福之元，去我情欲，取民所安／权之所在，虽疏必重；势之所去，虽亲必轻／杖必取材，不必用味；相必取贤，不必所爱／量其当否，参其同异，弃其所短，收其所长／智载于私，则所知少；载于公，则所知多矣／物有本末，事有终始。知所先后，则近道矣／物有所好，汝勿好之。德有所好，汝则效之／政之所兴，在顺民心；政之所废，在逆民心／所谓“能”者即己也，所谓“所”者即物也／所好则钻皮出其毛羽，所恶则洗垢求其瘢痕／爱子不教，犹饥而食之以毒，适所以害之也／有君臣然后有上下，有上下然后礼义有所错／有所不为，为无不果；有所不学，学无不成／有金鼓，所以一耳也；同法令，所以一心也／胆劲心方，不畏强御，义正所在，视死犹归／祸之所生，必由积怨；过之所始，多因忽小／祸福相倚，吉凶同域，惟人所召，安可不思／龙不隐鳞，凤不藏羽，网罗高县，去将安所／畜水覆舟，养兽反害，悔之噬脐，将何所及／用无常道，事无轨度，动静屈伸，唯变所适／其所善者，吾则行之；其所恶者，吾则改之／上善若水，水善利万物而不争，处众人之所恶／无贵无贱，无长无少，道之所存，师之所存也／不责人所不及，不强人所不能，不苦人所不好／平原广望，博观之乐，沼池不如川泽所见博也／事当其可与，万金与之；义所不宜，毫发拒之／以明自察，量力而行，不失其所，必获久长矣／人之情：不能乐其所不安，不能得于其所不乐／凡下之从上也……不从力之制，从上之所为也／谨修而身，慎守其真，还以物与人，则无所累／若近细人，不闻教谕，纵欲行善，犹未知所适／羿者，天下之善射者也，无弓矢则无所见其巧／小大修短，各得其所宜，规矩方圆，各有所施／名言所绝理即具于名中，意量所函变可通意外／君之所以明者，兼听也；其所以暗者，偏信也／国之所以治者，君明也；其所以乱者，君暗也／饥而欲食……好利而恶害，是人之所生而有也／妇人拾蚕，渔者握鳣，利之所在，则忘其所恶／日知其所亡，月无忘其所能，可谓好学也已矣／是非之心，不虑而知，不学而能，所谓良知也／所学者非世之所可用，而所任者非身之所能为／竭所能之谓忠，履所明之谓信，平所施之谓恕／臣不得其所欲于君者，君亦不能得其所欲于臣／登高临深，远见之乐，台榭不若丘山所见高也／无状无象，无声无响，故能无所不通，无所不往／五寸之键制开阖之门，岂其才巨小哉，所居要也／兰茝荪蕙之芳，众人之所好，而海畔有逐臭之夫／城狐社鼠皆微物，为其有所凭恃，故除之犹不易／恒其道，一其志，不欺其心，斯固世之所难得也／造父者，天下之善御者也，无舆马则无所见其能／避人之长，攻人之短，见己之所长，避己之所短／子美……尽得古今之体势，而兼人人之所独专矣／泰初有无，无有，无名。一之所起，有一而未形／思在言与行之先，思无邪，则所言所行皆无邪矣／食人力之粟，守无事之官，拳拳血诚，无所陈露／下以言语为学，上以言语为治，世道之所以日降也／天下之物莫凶于鸡毒，然而良医橐而藏之，有所用／圣人之用兵，若栉发耨苗，所去者少，而所利者多／志之所在，气亦随之；气之所在，天地鬼神亦随之／君子居必择乡，游必就士，所以防邪僻而近中正也／沐者堕发，而犹为之不止，以所去者少，所利者多／道，物之极，言默不足以载；非言非默，议有所极／天无时不风，地无时不尘，物无所不有，人无所不为／专以一身任天下，其智之所不见，力之所不举者多矣／不争而无所不胜，不言而无所不应，不召而无所不来／兵之情主速，乘人之不及，由不虞之道，攻其所不戒／博取之象数，远征之古今，以求尽乎理，所谓格物也／人者，在阴阳之中央，为万物之师长，所能作最众多／去其家观人家，去其身观人身，所观益远，所见益少／和者天之正也，阴阳之平也，其气最良，物之所生也／己之才艺虽多，犹病以为少，仍就寡少之人更求所益／贤者易知也：观其富之所分，达之所进，穷之所不取／示之以形，禁之以势，使之望而不敢犯，犯而无所得／既知教之所由兴，又知教之所由废，然后可以为人师／人迫于恶，则失其所好；怵于好，则忘其所恶，非道也／溺者入水，拯之者亦入水。入水则同，所以入水者则异／财之不丰，兵之不强，吏之不择，此三者存亡之所从出／文章如精金美玉，市有定价，非人所能以口舌定贵贱也／非情、才无以见性，非气质无所为情、才，即无所为性也／以小善为无益，以小恶为无伤，凡此皆非所以安身崇德也／利之所在，虽千仞之山，无所不上，深源之下，无所不入／闻古之君子相其君也，一夫不获其所，若己推而内之沟中／视听言行，循礼法而动，所以教人忘嗜欲而归性命之道也／所贵于天下之士者，为人排患、释难、解纷乱而无所取也／天下之民，知安而不知危，能逸而不能劳，此臣所谓大患也／不本其所以欲，而禁其所欲……是犹决江河之源而障之以手也／匹夫而忧天下，无位而论世事，时俗以为狂，而君子之所取也／捣鬼有术，也有效，然而有限，所以以此成大事者，古来无有／不法其已成之法，而法其所以为法。所以为法者，与化推移者也／仰观宇宙之大，俯察品类之盛，所以游目骋怀，足以极视听之娱／今以众地者，公作则迟，有所匿其力也；分地则速，无所匿迟也／名也者，相轧也；知也者，争之器也，二者凶器，非所以尽行也／古今号文章为难，足下知其所以难乎？……得之为难，知之愈难耳／怨恩取与谏教生杀，八者，正之器也，唯循大变无所湮者为能用之／人莫欲学御龙，而皆欲学御马；莫欲学治鬼，而皆欲学治人：急所用也／患其有小恶，以人之小恶，亡人之大美，此人主之所以失天下之士也已／用兵之法：无恃其不来，恃吾有以待也；无恃其不攻，恃吾有所不可攻也

斧 fǔ 斧子；古代兵器；通“黼”，谓绣有斧形。

❶斧斤以时入山林，材木不可胜用也

见《孟子·梁惠王上》。

❸文乏斧藻，艺惭刀笔

❹大匠之斧斤，不能器不才之木

❺义死不避斧钺之罪，义穷不受轩冕之服／墓门有棘，斧以斯之；夫也不良，国人知之

❻长舌乱家，大斧破车／操钩上山，揭斧入渊，欲得所求，难也／伐柯如何？匪斧不克。取妻如何？匪媒不得

❼毫毛不拔，将成斧柯／毫毛不伐，将用斧柯／侥幸者伐性之斧也，嗜欲者逐祸之马也

❽八面九口，长舌为斧／作诗贵雕琢，又畏斧凿痕

❾以言伤人者，利于刀斧／诋訾之法者，伐贤之斧也／以言伤人者，利如刀斧。以术害人者，毒如虎狼

❿皓齿娥眉，命曰伐性之斧／沛然从肺腑中流出，殊不见斧凿痕／屈长才于短用者，犹骥扑鼠而斧剪毛也／褒见一字，贵逾轩冕；贬在片言，诛深斧钺

欣 xīn 亦作“忻”，喜悦；领略；赏识；爱戴；姓。

❷木欣欣以向荣，泉涓涓而始流

❸众鸟欣有托，吾亦爱吾庐／木欣欣以向荣，泉涓涓而始流

❹奇文共欣赏，疑义相与析

❽人有祸患，不可生欣幸心／遂令一夫唱，四海欣提矛

❾知音偶一时，千载为欣欣／闻毁勿戚戚，闻誉勿欣欣

❿知音偶一时，千载为欣欣／闻毁勿戚戚，闻誉

勿欣欣／春之日，我爱其草薰薰，木欣欣／好读书，不求甚解；每有会意，便欣然忘食／盗取民食兮，私己不分；充嗛果腹兮，骄傲欢欣

断 duàn 折；隔绝；戒除；判定；决断；绝对；决然无疑。

❶断鹤续凫，矫作者妄

见清·蒲松龄《聊斋志异·陆判》。

断断乎如药石必可以伐病

见宋·苏轼《凫绎先生诗集序》。全句为："凿凿乎如五谷必可以疗饥，～"。

断雾时通日，残云尚作雷

见隋·杨广《悲秋》。

断肠人处，天边残照水边霞……

见元·白朴《仙吕点绛唇·金凤钗分》。全句为："～。枯荷宿鹭，远树栖鸦。败叶纷纷拥砌石，修竹珊珊扫窗纱。黄昏近，愁生砧杵，怨入琵琶"。

断雁无凭，冉冉飞下汀洲，思悠悠

见宋·柳永《曲玉管》。

断送一生惟有酒，寻思百计不如闲

见唐·韩愈《游城南十六首·遣兴》。

断蛇不死，刺虎不毙，其伤人则愈多

见宋·苏轼《续欧阳子朋党论》。

断指以存腕，利之中取大，害之中取小

见《墨子·大取》。

❷肠断秋荷雨打声／当断不断，反受其乱／弦断犹可续，心去最难留／断断乎如药石必可以伐病

❸青山断处落霞明／剪不断，理还乱，是离愁／驿外断桥边，寂寞开无主／但有断头将军，无有降将军／抽刀断水水更流，举杯消愁愁更愁／拾得断麻穿破衲，不知身在寂寥中／礼者，断长续短，损有余，益不足

❹刚者好断，介者殊俗／当断不断，反受其乱／行子肠断，百感凄恻／惟克果断，乃罔后艰／迟疑不断，未有能成事者也／剑不徒断，车不自行，或使之也／绳锯木断，水滴石穿，学道者须加力索

❺大丈夫以断为先／以智慧刀，断烦恼锁／人欲长久，断情去欲／良剑期乎断，不期乎镆铘／性长非所断，性短非所续／紫塞白云断，青春明月初／参差远岫，断云将野鹤俱飞／百足之虫，断而不蹶，持之者众也／临事而屡断，勇也；见利而让，义也／为学无间断，如流水行云，日进而不已也／如镜之明，断可以平；如镜之洁，断可以决

❻温良者戒无断／不死不生，不断不成／处事识为先，断次之／雁阵惊寒，声断衡阳之浦／临凝结而能断，操绳墨而无私／除害在于敢断，得众在于下人／亲者割之不断，疏者续之不坚／百足之虫至断不蹶者，持之者众也／水击鹄雁，陆断驹马，则臧获不疑钝利

❼非平正无以制断／二人同心，其利断金／伤其十指，不如断其一指／吟安一个字，捻断数茎须／虑不私己，以之断义必厉／汽笛一声肠已断，从此天涯孤旅／牢骚太盛防肠断，风物长宜放眼量／军旅之臣，取其断决有谋，强干习事／当天时，与之皆断；当断不断，反受其乱／卞和献宝，以离断趾；灵均纳忠，终于沉身

❽不在逆顺，以义为断／民背如崩，势绝防断／清能有容，仁能善断／精金百炼，在割能断／诗情吟未足。酒兴断还续／不可以一时之谤，断其为小人／司空见惯浑闲事，断尽苏州刺史肠／按善恶见闻之实，断是非去取之疑／嘶酸雏雁失群夜，断绝胡儿恋母声／世虽有侥幸之事，断不可存侥幸之心／愿赐尚方斩马剑，断佞臣一人，以厉其余／一日万机，一人听断，虽复忧劳，安能尽善／割而舍之，镆邪不断肉；执而不释，马氂截玉／不可以一时之誉，断其为君子；不可以一时之谤，断其为小人

❾专明无胆，则虽见不断／尚干将莫邪，贵其立断也／赏必加于有功，刑必断于有罪／荆王未辨连城价，肠断南州抱璧人／夕阳一片寒鸦外，目断东西四百州／事不目见耳闻，而臆断其有无，可乎？／当天时，与之皆断；当断不断，反受其乱／处大事贵乎明而能断，不明因无以知事论断／仗其短浅之耳目，以断微妙之有无，岂不悲哉／若明而不信，严而不断，惠而不正，虽欲理身，终不自理，况于人哉

❿干将虽利，非人力不能自断／万殊之类，不可以一概断之／泰山之霤穿石，单极之断干／心能辨事非，处事方能决断／志强而气弱，故足于谋而寡于断／祸恒发于太忽，而事多败于不断／从来夸有龙泉剑，试割相思得断无／萧墙祸起非今日，不赏军功在断桥／行宫见月伤心色，夜雨闻铃肠断声／清明时节雨纷纷，路上行人欲断魂／竟日不知尘世事，长年占断白云乡／辞家战士无旋踵，报国将军有断头／博之不必知，辩之不必慧，圣人以断之矣／力能过人，勇能行之，而智不能断事……／当天时，与之皆断；当断不断，反受其乱／愁听，吹笛《关山》……月中都是断肠声／凫胫虽短，续之则忧；鹤胫虽长，断之则悲／功有难图，不可预见；事有易断，较然不疑／处大事贵乎明而能断，不明因无以知事论断／如镜之明，断可以平；如镜之洁，断可以决／璧瑗成器，礛诸之功，镆邪断割，砥砺之力／天下之事，不可尽知，而以臆断之，不可任也／听讼者或从其情或从其词，词不可从必断以情／虽有纳谏之明，而无力行之果断，则言愈多而听愈惑／青未了，松耶？柏耶？独

鸟来时，连峰断处，双髻人耶／不可以一时之誉，断其为君子；不可以一时之谤，断其为小人

斯 sī 析，劈；撕；距离；是，为；作语助；作助词，同“然”；通“厮”，卑贱；通“澌”，尽；姓。

❶斯文有传，学者有师

见宋·苏轼《祭欧阳文忠公文》。

斯则贤达之素交，历万古而一遇

见南朝·梁·刘峻《广绝交论》。全句为：“风雨急而不辍其音，霜雪零而不渝其色。～”。

❷旱斯具舟，热斯具裘／愧斯娇，娇斯复，复斯善／吾斯役之不幸，未若复吾赋不幸之甚也／悲斯叹，叹斯愤，愤必有泄，故见乎词

❸观过，斯知仁矣／正言斯重，元珠比而尚轻／面异斯为人，心异斯为文／太牢斯烹，安可荐虀藜之味／每念斯耻，汗未尝不发背沾衣／责人斯无难，惟受责俾如流，是惟艰哉／如室斯构，而去其凿楔……国之将亡，本必先颠

❹天难忱斯，不易维王／得其民，斯得天下矣／不伐功斯巨，惟谦道乃光／变故在斯须，百年谁能持／小人贫斯约，富斯骄；约斯盗，骄斯乱

❺情既昏，性斯匿矣／不好名者，斯不好利／攻乎异端，斯害也已／言则我从，斯我之贼／性情之生，斯乃自然而有／愧斯娇，娇斯复，复斯善／白苹之野，斯见不平之人／君行仁政，斯民亲其上，死其长矣／悲斯叹，叹斯愤，愤必有泄，故见乎词／匿人之善，斯为蔽贤；扬人之恶，斯为小人／治道备，人斯为善矣；治道失，人斯为恶矣

❻千金不能救斯言之玷／旱斯具舟，热斯具裘／困而不学，民斯为下矣／冠盖满京华，斯人独憔悴／一举而两利，斯智者之为也／君子能罪己，斯罪人也；不报怨，斯报怨也

❼事谐则感，道洽斯亲／为名者必让，让斯贱／皆知善之为善，斯不善矣／天下之道，理安，斯得人者也／先虑之，早谋之，斯须之言而足听／小人贫斯约，富斯骄；约斯盗，骄斯乱／墓门有棘，斧以斯之；夫也不良，国人知之

❽凡为名者必廉，廉斯贫／不涉太行险，谁知斯路难／面异斯为人，心异斯为文／君子固穷，小人穷斯滥矣／愧斯娇，娇斯复，复斯善／仁远乎哉？我欲仁，斯仁至矣／我为女子，薄命如斯！君是丈夫，负心若此

❾函坚则物必毁之，刚斯折矣／刀利则物必摧之，锐斯挫矣／去汝躬矜与汝容知，斯为君子矣／困而不学，终于不知，斯为下尔／子在川上曰：逝者如斯夫！不舍昼夜／白圭之玷，尚可磨也；斯言之玷，不可为也／天下皆知美之为美，斯恶矣；皆知善之为善，斯不善矣

❿青葵善迎于白日，宇暖斯迷／必躬自厚而薄责于人，斯无失也／小人贫斯约，富斯骄；约斯盗，骄斯乱／定乎内外之分，辨乎荣辱之境，斯已矣／意新语工，得前人所未道者，斯为善也／未有天地之先，毕竟也只是先进谏斯易矣／乘国者，其如乘航乎！航安，则人斯安矣／若意新语工，得前人所未道者，斯为善也／与百姓有缘才来此地，期寸心无愧不鄙斯民／非知之难，行之惟难；非行之难，终之斯难／匿人之善，斯为蔽贤；扬人之恶，斯为小人／君子能罪己，斯罪人也；不报怨，斯报怨也／治道备，人斯为善矣；治道失，人斯为恶矣／要而学之，又其次也，困而不学，民斯为下矣／有第一等襟抱，第一等学识，斯有第一等真诗／言著而不欺曰信。……教令失信，民得斯之矣／倚伏之矛楯也，其理甚明，困而后儆，斯弗及已／河冰结合，非一日之寒；积土成山，非斯须之作／恒其道，一其志，不欺其心，斯固世之所难得也／学匪疑不明，而疑恶乎凿，疑而能辨，斯为善学／天下皆知美之为美，斯恶矣；皆知善之为善，斯不善矣／君子之处世也，甘恶衣粗食，甘艰苦劳动，斯可以无失矣

新 xīn 与“旧”、“老”相对；使变新；刚有某种身份的人；朝代名；副词；新疆简称。

❶新诗改罢自长吟

见唐·杜甫《解闷十二首》。

新涨看看拍小桥

见宋·范成大《四时园杂兴六十首》之十一。

新春偷向柳梢归

见宋·张耒《春日》。

新人从门入，故人从阁去

见汉乐府民歌《上山采蘼芜》。

新裂齐纨素，皎皎如霜雪

见汉·班婕妤《怨歌行》。全句为：“～，裁为合欢扇，团团似明月”。

新沐者必弹冠，新浴者必振衣

见战国·楚·佚名《渔父》。

新浴者振其衣，新沐者弹其冠

见《荀子·不苟》。

新丰美酒斗十千，咸阳游侠多少年

见唐·王维《少年行四首》之一。

新年鸟声千种啭，二月杨花满路飞

见北周·庾信《春赋》。

新剑以诈刻加价，弊方以伪题见宝

见晋·葛洪《抱朴子·钧世》。

新交与旧识俱欢，林壑共烟霞对赏

见唐·陈子昂《忠州江亭喜重遇吴参军牛司仓序》。

新进之士喜勇锐，老成之人多持重

见宋·欧阳修《为君难论下》。

新松恨不高千尺，恶竹应须斩万竿

见唐·杜甫《将赴成都草堂途中有作先寄严郑公五首》之四。

新竹高于旧竹枝，全凭老干为扶持

见清·郑燮《新竹》。

❷日新谓之盛德／将新变故易，持故为新难／意新则异于常，异于常则怪矣／出新意于法度之中，寄妙理于豪放之外／意新语工，得前人所未道者，斯为善也

❸细云新月耿黄昏／军则新有营，谁念民无室／陌上新离别，苍茫四郊晦／都尉新降，将军覆没……／苟日新，日日新，又日新／病知新事少，老别故交难／空山新雨后，天气晚来秋／芳林新叶催陈叶，流水前波让后波／变则新，不变则腐；变则活，不变则板／德日新，万邦惟怀；志自满，九族乃离／若意新语工，得前人所未道者，斯为善也／始见新春，又逢初夏。四时若箭，两曜如梭。

❹推陈出新，饶有别致／白头如新，倾盖如故／衣不如新，人不如故／衣不经新，何由而故／衣莫若新，人莫若故／政无旧新，以便民为本／人生有新故，贵贱不相渝／离居见新月，那得不思君／触目皆新，谁识当年旧主人／开其自新之路，诱于改过之善／词客争新角短长，迭开风气递登场／吐故纳新者，因气以长气，而气大衰者则难长也

❺诗清立意新／乐莫乐兮新相知／疏不间亲，新不加旧／温故而知新，可以为师矣／敌人远来新至，行列未定，可击／其有发挥新体，孤飞百代之前，开凿古人，独步九流之上

❻洼则盈，敝则新／正静不失，日新其德／苟日新，日日新，又日新／将缣来比素，新人不如故／功业逐日以新，名声随风而流／日滔滔以自新，忘老之及己也／昨日邻家乞新火，晓窗分与读书灯／预支五百年新意，到了千年又觉陈

❼世事徒惊日月新／濯去旧见，以来新意／赦其旧过，开以新图／圣贤之学，以日新为要／人情厌故而喜新，重难而轻易／新沐者必弹冠，新浴者必振衣／新浴者振其衣，新沐者弹其冠／一语天然万古新，豪华落尽见真淳／忠心好善，而日新之；独居乐德，内悦于形

❽周虽旧邦，其命维新／人惟求旧，物惟求新／吹响呼吸，吐故纳新／循序而进，与日俱新／文有真伪，无有故新／温乎其容，若加其新也／老生之常谈，言无新奇／以不息为体，以日新为道／有永弃之悲，无自新之望／悦乎故不能即乎新者，弱也／井中之无大鱼也，新林之无长木也／失意人逢失意事，新啼痕间旧啼痕／谐和之政宜于治新，以之治旧则虚／桑蚕苦，女工难，得新捐故后必寒／乡者已去，至者乃新，新故不趍，我有所周／明于古今，温故知新，通达国体，故谓之博士

❾冥冥花正开，扬扬燕新乳／苟日新，日日新，又日新／将新变故易，持故为新难／春秋多佳日，登高赋新诗／惟有才行是任，岂以新旧为差／用人但问堪否，岂以新故异情／乡者已去，至者乃新，新故不趍，我有所周／使亲而旧者愚，远而新者圣且贤，以是而间之，其为理本亦大矣

❿不防盟墨诈，须戒覆车新／诗画本一律，天工与清新／莫取金汤固，长令宇宙新／吾道亦如此，行之贵日新／惜恐镜中春，不如花草新／政简移风速，诗清立意新／积雨时物变，夏绿满园新／读之者尽而有余，久而更新／不谄上而慢下，不厌故而敬新／网开三面，危疑者许以自新用／人惟求旧，器非求旧，惟新。／千家万户曈曈日，总把新桃换旧符／义理有疑，则濯去旧见，以来新意／为有牺牲多壮志，敢教日月换新天／休对故人思故国，且将新火试新茶／今别子兮归故乡，旧怨平兮新怨长／冠虽故必加于首，履虽新必关于足／请君莫奏前朝曲，听唱新翻杨柳枝／拙辞或孕于巧义，庸事或萌于新意／情必极貌以写物，辞必穷力而追新／寒暑茫茫兮代谢，故叶新花兮往来／李杜文章万口传，至今已觉不新鲜／早夜孜孜，何畏不日日新又日新也／悲莫悲兮生别离，乐莫乐兮新相知／虚凝淡泊怡其性，吐故纳新和其神／事业文章随身销毁，而精神万古如新／不诡其词而词自丽，不异其理而理自新／冠虽敝，必加于首；履虽新，必关于足／取其一，不责其二；即其新，不究其旧／才有浅深，无有古今；文有真伪，无有故新／冠至敝不可弃之于足，履虽新不可加之于首／歼厥渠魁，胁从罔治，旧染污俗，咸与惟新／学无二事，无二道，根本苟立，保养不替，自然日新

爪

①zhǎo 动物的脚趾或趾甲；鸟兽带有尖甲的脚；抓。②zhuǎ 爪子。

❷虎爪象牙，禽兽之利而我之害

❻虎豹不外其爪，而噬不见齿

❽股肱罄帷幄之谋，爪牙竭熊罴之力

❿食者，国之宝也；兵者，国之爪也／搏攫抵噬之兽，其用齿角爪牙也，必托于卑微隐蔽

爬

pá 伏地而行；攀登；爬起；搔。

❶爬罗剔抉，刮垢磨光

见唐·韩愈《进学解》。

爱

ài 发自内心的深情；喜爱，爱好；爱惜；吝啬；通"薆"，隐蔽；姓。

❶爱民如子

见汉·荀悦《申鉴·杂言上》。

爱民如身

见汉·荀悦《申鉴·杂言上》。
爱不可少于敬
见三国·魏·刘劭《人物志·八观》。
爱博而情不专
见唐·韩愈《与陈给事书》。
爱之,能勿劳乎
见《论语·宪问》。
爱尺寸而忘千里
见宋·苏轼《禹之所以通水之法》。
爱人不亲,反其仁
见《孟子·离娄上》。
爱而知恶,憎而知善
见唐·房玄龄《晋书·李玄盛传》。
爱之太殷,忧之太勤
见唐·柳宗元《种树郭橐驼传》。
爱民治国,能无知乎
见《老子》十。
爱人者人必从而爱之
见《墨子·兼爱中》。
爱将者胜,爱身者败
见宋·罗大经《鹤林玉露》。全句为:"士卒畏将者胜,畏敌者败;～"。
爱犹冬日,冏若明珠
见唐·杨炯《司军参军事濮阳吴思温字如玉赞》。
爱施兆民,天下归之
见汉·董仲舒《天人三策》。
爱而不劳,禽犊之爱也
见清·孙奇逢《孝友堂家规》。
爱利之心谕,威乃可行
见《吕氏春秋·离俗览·用民》。全句为:"～。威太甚则爱利之心息,爱利之心息而徒疾行威,身必咎矣,此殷、夏之所以绝也"。
爱而知其恶,憎而知其善
见《礼记·曲礼上》。
爱出者爱反,福往者福来
见唐·魏征《群书治要·贾子》。
爱我者之言恕,恕故匿非
见清·陈确《乾初先生遗集·别集·瞽言》。全句为:"～;憎我者之言刻,刻必当罪"。
爱之欲其生,恶之欲其死
见《论语·颜渊》。
爱之欲其富,亲之欲其贵
见汉·司马迁《史记·三王世家》。
爱利以安之,忠信以导之
见《吕氏春秋·离俗览·适威》。全句为:"古之君民者,仁义以治之,～,务除其灾,思致其福"。
爱静鱼争乐,依人鸟入怀
见北周·庾信《咏画屏风诗二十五首》之二十二。
爱其书者,兼取其为人也
见宋·欧阳修《世人作肥字说》。
爱之不以道,适所以害之也
见宋·司马光《资治通鉴》卷九十六引申钟语。
爱以身为天下,若可托天下
见《老子》十三。全句为:"贵以身为天下,若可寄天下。～"。
爱惜芳时,莫待无花空折枝
见宋·欧阳修《减字木兰花》。
爱惜精神,留他日担当宇宙
见《格言联璧·学问类》。全句为:"～;蹉跎岁月,尽此身污秽乾坤"。
爱其子而不教,犹为不爱也
见明·方孝孺《逊志斋集·右第三十六章》。全句为:"～;教而不以善,犹为不教也"。
爱而不知其恶,则为恶者实繁
见唐·吴兢《贞观政要·鉴戒》。全句为:"憎而不知其善,则为善者必惧;～"。
爱而不知其恶,憎而遂忘其善
见唐·吴兢《贞观政要·封建》。
爱以身为天下,若可托天下矣
见《老子》十三。
爱子,教之以义方,弗纳于邪
见《左传·隐公三年》。
爱己者,仁之端也,可推以爱人
见宋·王安石《荀卿》。全句为:"知己者,智之端也,可推以知人也;～"。
爱恶相攻,利害相夺,其势常也
见晋·干宝《晋纪总论》。全句为:"～。若积水于防,燎火于原,未尝暂静也"。
爱我者一何可爱,憎我者一何可憎
见晋·陈寿《三国志·魏书·钟繇传》。
爱之为道也,情亲意厚,深而感物
见三国·魏·刘劭《人物志·八观》。
爱之则不觉其过,恶之则不知其善
见南朝·宋·范晔《后汉书·爰延传》。
爱人以除残为务,政理以去乱为心
见南朝·宋·范晔《后汉书·梁统传》。全句为:"仁者爱人,义者政理,～"。
爱人者则人爱之,恶人者则人恶之
见汉·刘向《说苑·政理》。
爱人者人常爱之,敬人者人常敬之
见《孟子·离娄下》。
爱好由来下笔难,一诗千改始心安
见清·袁枚《遣兴六首》其五。
爱恶亲疏,兴废穷达,皆可以成义
见《尸子·劝学》。
爱人者必见爱也,而恶人者必见恶也

见《墨子·兼爱下》。

爱民而安，好士而荣，两者无一焉而亡

见《荀子·强国》。

爱人者，人恒爱之；敬人者，人恒敬之

见《孟子·离娄上》。

爱得分曰仁，施得分曰义，虑得分曰智

见《尸子·分》。全句为："～，动得分曰适，言得分曰信"。

爱亲者不敢恶于人，敬亲者不敢慢于人

见汉·郑玄注《孝经·天子章》。

爱人者兼其屋上之乌，不爱人者及其胥余

见《尚书大传·牧誓·大战》。

爱惜、暴殄本是两意，愚者有时合成一病

见明·陈龙正《家矩》。

爱憎不栖于情，忧喜不留于意，泊然无感

见三国·魏·嵇康《养生论》。

爱赤子者不慢于保，绝险历远者不慢于御

见《慎子·威德》。

爱非仁，爱之理是仁；心非仁，心之德是仁

见宋·朱熹《朱子语类》卷二〇。

爱民，害民之始也；为义偃兵，造兵之本也

见《庄子·徐无鬼》。

爱名尚利，小人哉，未见仁者而好名利者也

见隋·王通《中说·问易》。

爱子不教，犹饥而食之以毒，适所以害之也

见清·申涵煜《省心短语》。

爱善疾恶，人情所常，苟不明质，或疏善善非

见三国·魏·刘劭《人物志·七缪》。

爱故不二，威故不犯；故善将者，爱与威而已

见《尉缭子·攻权》。

爱其人者，爱其屋上乌；憎其人者，憎其余胥

见《太公六韬》。

爱人不以理，适是害人；恶人不以理，适是害已

见清·魏际瑞《伯子文集》卷八。

爱人者不阿，憎人者不害，爱恶各以其正，治之至也

见《商君书·慎法》。

❷博爱似虚而实厚／偏爱东风款款吹／知爱身而后知爱人／失爱不仁，过爱不义／弗爱弗利，亲子叛父／知爱人而后知保天下／情爱过义，子孙之灾也／所爱者，非美色则巧佞／秦爱纷奢，人亦念其家／甚爱必大费，多藏必厚亡／吾爱孟夫子，风流天下闻／溺爱者不明，贪得者无厌／博爱之谓仁，行而宜之之谓义／能爱邦内之民者，能服境外之不善／弘爱人屈己之道，酌因时适变之宜／人爱我，我必爱之；人恶我，我必恶之／不爱尺璧而爱寸阴，时过不还，若年大不可少也

❸君子爱人以德／兼相爱，交相利／仁者爱人，义者政理／仁者爱人，义者尊老／节俭爱费，天下不匮／不怀爱而听，不留说而计／男儿爱后妇，女子重前夫／喜则爱心生，怒则毒螫加／虎豹爱大林，蛟龙爱大水／诚能爱而利之，天下可从也／仁是爱的道理，公是仁的道理／仁者爱万物，而智者备祸于未形／不以爱之而苟善，不以恶之而苟非／谁怜爱国千行泪，说到胡尘意不平／圣人爱念百姓，如孩婴赤子长养之／吴僧爱觅闲吟处，偷向花边竹里来／明所爱而邪僻繁，明所恶而贤良灭／不能爱邦内之民者，不能服境外之不善／圣人爱养万民，不以仁恩，法天地，行自然／虽曰爱之，其实害之；虽曰忧之，其实仇之／亲卿爱卿，是以卿卿。我不卿卿，谁当卿卿／敬时爱日，非老不休，非疾不息，非死不舍

❹临危莫爱身／不以私爱害公义／不在憎爱，以道为贵／冬日可爱，夏日可畏／治国者爱民，则国安／治身者爱气，则身全／慈父之爱子，非为报也／攻其国爱其民，攻之可也／居官不爱子民，为衣冠盗／爱出者爱反，福往者福来／欲人之爱己也，必先爱人／人以义爱，以党群，以群强／观其所爱亲，可以知其人矣／视卒如爱子，故可与之俱死／父母之爱子，则为之计深远／仁者必爱其亲，义者必急其君／贤人不爱其谋，群士不遗其力／天道以爱人为心，以劝善惩恶为公／停车坐爱枫林晚，霜叶红于二月花／君王虽爱蛾眉好，无奈宫中妒杀人／清泉自爱江湖去，流出红墙便不还／顺指者爱所由来，逆意者恶所从至／文臣不爱钱，武臣不惜死，天下太平矣／君子之爱人也以德，细人之爱人也以姑息／教民亲爱，莫善于孝；教民礼顺，莫善于悌／爱非仁，爱之理是仁；心非仁，心之德是仁／圣人之爱人也，人与之名，不告则不知其爱人也／君人者，爱民而安，好士而荣，两者无一焉而亡／天若不爱酒，酒星不在天；地若不爱酒，地应无酒泉

❺治国之道，爱民而已／居而不见爱，不仁也／爱将者胜，爱身者败／仁之法在爱人不在爱我／行曾而索爱，父弗得子／长者能博爱，天下寄其身／人必其自爱也，然后人爱诸／治国者当爱民，则不为奢泰／天下兼相爱则治，交相恶则乱／古之君子爱其人也则忧其无成／利于国者爱之，害于国者恶之／仁之用在爱民，而其体在无私／仁莫大于爱人，知莫大于知人／意莫高于爱民，行莫厚于乐民／顺于己者爱之，逆于己者恶之／春之日，我爱其草薰薰，木欣欣／不薄今人爱古人，清词丽句必为邻／陵虚之鸟，爱其清高，不愿江汉之鱼／善为国者，爱民如父母之爱子，兄之爱弟／爱其人者，爱其屋上乌；憎其人者，憎其余胥／威太甚则爱利之心息，爱利之

心息而徒疾行威，身必咎矣／使六国各爱其人，则足以拒秦；使秦复爱六国之人，则递三世可至万世而为君，谁得而族灭也

❻公则仁，仁则爱／失爱不仁，过爱不义／饵鼠以虫，非爱之也／恶欲其死而爱欲其生／盛衰无常，唯爱所丁／仁者以其所爱及其所不爱／虽有慈父，不爱无益之子／唯仁人为能爱人，能恶人／敬贤如大宾，爱民如赤子／忠至者辞笃，爱重者言深／恩甚则怨生，爱多则憎至／不以官随其爱，能当之者处之／举千人之所爱，则得千人之心／以无涯之情爱，悼不驻之光阴／诛恶不避亲爱，举善不避仇雠／圣人为人所爱，神明所祐……／昔者明王之爱天下，故天下可附／不是花中偏爱菊，此花开尽更无花／君子学道则爱人，小人学道则易使／德莫高于博爱人，政莫高于博利人／爱人者则人爱之，恶人者则人恶之／爱人者人常爱之，敬人者人常敬之／反裘而负薪，爱其毛，不知其皮尽也／爱人者必见爱也，而恶人者必见恶也／人爱我，我必爱之；人恶我，我必恶之／爱人者，人恒爱之；敬人者，人恒敬之／有必缘其心爱之谓也，有其形不可谓有之／未有好利而爱其君者，未有好义而忘其君者／噬虎之兽，知爱己子；搏狸之鸟，非护异巢／不爱尺璧而爱寸阴，时过不还，若年大不可少也／能使人知己、爱己者，未有不能知人、爱人者也／君子之于子，爱之而勿面，使之而勿貌，导之以道而勿强

❼知爱身而后知爱人／诚有过，则虽近爱必诛／得其所，君子不爱其死／不宝咫尺玉，而爱寸阴旬／君子如春风，可爱不可竭／结发为夫妻，恩爱两不疑／贵人难得意，赏爱在须臾／自知不自见，自爱不自贵／忧国者不顾身，爱民者不罔上／昔之厚其生，非爱之也，利其力／贤俊者自可赏爱，顽鲁者亦当矜怜／爱我者一何可爱，憎我者一何可憎／礼丰不足以效爱，而诚心可以怀远／治国者敬其宝，爱其器，任其用，除其妖／有社稷者，不能爱其民，而求民亲己爱己，不可得也

❽人必知道而后知爱身／振穷救急，倾家无爱／安土敦乎仁，故能爱／官不私亲，法不遗爱／爱人者人必从而爱之／以色交者，华落而爱渝／爱而不劳，禽犊之爱也／众鸟欣有托，吾亦爱吾庐／少无适俗韵，性本爱丘山／达人无不可，忘己爱苍生／虎豹爱大林，蛟龙爱大水／不仁者以其所不爱及其所爱／妍媸有定矣，而憎爱异情……／何谓仁？仁者憯怛爱人，谨翕不争／敬人而不必见敬，爱人而不必见爱／同于我者何必可爱，异于我者何必可憎／凡为天下国家，当爱惜名器，谨重刑罚

❾仁之法在爱人不在爱我／兄弟不睦，则子侄不爱／吏肃惟遵法，官清不爱钱／乘车必护轮，治国必爱民／公若登台辅，临危莫爱身／杀尽田野人，将军犹爱武／贤者狎而敬之，畏而爱之／欲人之爱己也，必先爱人／君以知贤为明，吏以爱民为忠／树至德于生前，流遗爱于身后／中华儿女多奇志，不爱红装爱武装／清时有味是无能，闲爱孤云静爱僧／今若不能服药，但知爱精节情，亦得一二百年寿也／何谓人情？喜、怒、哀、惧、爱、恶、欲，七者弗学而能

❿仁者以其所爱及其所不爱／不仁者以其所不爱及其所爱／人必其自爱也，然后人爱诸／谨备其所憎，而祸在于所爱／爱其子而不教，犹为不爱也／捐躯若得其所，烈士不爱其存／爱己者，仁之端也，可推以爱人／中华儿女多奇志，不爱红装爱武装／生非贵之所能存，身非爱之所能厚／人亲莫不欲其子之孝，而孝未必爱／苟其聪明蔽于嗜好，智虑溺于爱憎／行贤而去自贤之行，安往而不爱哉／清时有味是无能，闲爱孤云静爱僧／敬人而不必见敬，爱人而不必见爱／人之过也，在于哀死，而不在于爱生／藩屏之臣，取其明练风俗，清白爱民／天之生万物以奉人也，主爱人以顺天也／民者，国之根也，诚宜重其食，爱其命／简士苦民者是谓愚，敬士爱民者是谓智／为人母者不患不慈，患于知爱而不知教也／君子之爱人也以德，细人之爱人也以姑息／善为国者，爱民如父母之爱子，兄之爱弟／爱人者兼其屋上之乌，不爱人者及其胥余／大人者，有容物，无去物，有爱物，无徇物／杖必取材，不必用味；相必取贤，不必所爱／明君不能畜无用之臣，慈父不能爱无用之子／为啬之道，不施不予，俭爱微妙，盈若无有。／爱故不二，威故不犯；故善将者，爱与威而已／聪者耳闻，明者目见，聪明则仁爱著而廉耻分／能使人知己、爱己者，未有不能知人、爱人者也／圣人之爱人也，人与之名，不告则不知其爱人也／道千乘之国，敬事而信，节用而爱人，使民以时／天若不爱酒，酒星不在天；地若不爱酒，地应无酒泉／仁人之于弟也，不藏怒焉，不宿怨焉，亲爱之而已矣／人当自信自守，虽承誉之，承奉之，亦不为之加喜爱／爱人者不阿，憎人者不害，爱恶各以其正，治之至也／有社稷者，不能爱其民，而求民亲己爱己，不可得也／三五之夜，明月半墙，桂影斑驳，风移影动，珊珊可爱／威太甚则爱利之心息，爱利之心息而徒疾行威，身必咎矣／贤君之治也，温良而和，宽容而爱，刑清而省，喜赏而恶罚／身处困境，当视为天之爱我、成我，不当视为天之厄我、祸我也／其所以为情者七：曰喜、曰怒、曰哀、曰惧、曰爱、曰恶、曰欲／体恭敬而心忠信，术礼义而情爱人，横行天下，虽困四夷，人莫不贵／使六国各爱其

人，则足以拒秦；使秦复爱六国之人，则递三世可至万世而为君，谁得而族灭也

舜 shùn 草名；通"蕣"，木槿；传说中上古帝王的名字。

❶舜布衣而有天下

见《吕氏春秋·离俗览·适威》。

舜之治天下，使民心竞

见《庄子·天运》。该篇中讲了黄帝、尧、舜、禹的治天下方针，主要为："黄帝之治天下，使民心一；尧之治天下，使民心亲；舜之治天下，使民心竞；禹之治天下，使民心变"。

舜何人也，予何人也，有为者亦若是

见《孟子·滕文公上》。

舜其大知也与！舜好问而好察迩言，隐恶而扬善，执其两端，用其中于民

见《礼记·中庸》。

❷尧舜，大圣也，民且谤之／尧舜行德则民仁寿；桀纣行暴则民鄙夭

❸彼尧舜之耿介兮，既遵道而得路／欲知舜与跖之分，无他，利与善之间也

❹祖述尧舜，宪章文武／尧之都，舜之壤，禹之封／致君尧舜上，再使风俗淳／黄帝、尧、舜垂衣裳而天下治／虽有尧舜之智，而无众人之助，大功不立

❺如其道，则舜受尧之天下，不以为泰／尧以不得舜为己忧，舜以不得禹、皋陶为己忧

❻仲尼祖述尧舜，宪章文武

❼舜其大知也与！舜好问而好察迩言，隐恶而扬善，执其两端，用其中于民

❾鸡司晨，犬警夜，虽尧舜不能废／尧以不得舜为己忧，舜以不得禹、皋陶为己忧

❿尧能则天者，贵其能臣舜、禹二圣／春风杨柳万千条，六亿神州尽舜尧／韩愈辟佛，几至杀身，况敢议今世之尧、舜、周、孔者乎／欲为君，尽君道；欲为臣，尽臣道。二者皆法尧舜而已矣

爵 jué 爵位；古代的饮酒器皿，三足；通"雀"。

❶爵以货重，才由贫轻

见南朝·宋·刘休范《与袁粲诸渊刘秉书》。

爵罔及恶德，惟其贤

见《尚书·说命中》。意为官爵只能授给贤德者，而不能周授无贤德者。

爵高者忧深，禄厚者责重

见晋·陈寿《三国志·蜀书·许靖传》。

爵禄以养其德，刑罚以威其恶

见汉·班固《汉书·董仲舒传》。

爵不可以无功取，刑不可以贵势免

见晋·陈寿《三国志·蜀书·张裔传》。

爵高者，人妒之；官大者，主恶之

见《列子·说符》。全句为："～；禄厚者，怨逮之"。

爵尊天下，富有四海，威势无量，专权擅柄

见汉·严遵《道德指归论·万物之奥篇》。全句为："～，人之所畏也"。

❷袭爵乘位，尊祖统业者易

❸先无爵，死无谥，实不聚，名不立，此之谓大人

❹至贵，国爵并焉／赏不以爵禄，刑不以刀锯／威赫赫爵禄高登，昏惨惨黄泉路近／限之以爵，爵加则知荣，恩荣并济，上下有节

❺万金买高爵，何处买青春／功成不受爵，长揖归田庐／至贵不待爵，至富不待财／量才而受爵，量功而受禄／仁，天之尊爵也，人之安宅也／限之以爵，爵加则知荣，恩荣并济，上下有节

❻失身取高位，爵禄反为耻

❼官职可以重求，爵禄可以货得者，可亡也

❽财贿不以动其心，爵禄不以移其志／天下国家可均也，爵禄可辞也，白刃可蹈也，中庸不可能也

❾法重于民，威权贵于爵禄／君子有力于民则进爵禄，不辞富贵／致贵无渐失必暴，受爵非道殃必疾／官不及私昵，惟其能；爵罔及恶德，惟其贤／今世之人居高官尊爵者，皆重失之，见利轻亡其身，岂不惑哉

❿无功而厚赏，无劳而高爵／劳大者其禄厚，功多者其爵尊／虽假容于江皋，乃缨情于好爵／死生亦大矣而不变乎己，况爵禄乎／与民争利，犯者辄免官削爵，不得仕宦／为渊驱鱼者，獭也；为丛驱爵者，鹯也／治世之德，衰世之恶，常与爵位自相副／古之隐也，志在其中；今之隐也，爵在其中／人生贵得适意尔，何能羁宦数千里以要名爵／四时之运，功成则退，高爵厚宠，鲜不致灾

繇 ①yáo 草盛；通"徭"，徭役；通"摇"，动摇；通"谣"，歌谣；通"陶"；姓。②yóu 通"由"，从，自；通"猷"，道。③zhòu 通"籀"，卜兆的占词。④yōu 通"悠"；[繇繇]宽舒、自得的样子。

❼祸自怨起，而福繇德兴

❿周道衰于幽厉，非道亡也，幽厉不繇也

父 ①fù 父亲；对男性长辈的称呼。②fǔ 老年男性的尊称；通"甫"，开始；男子之美称。

❶父不慈则子不孝

见北齐·颜之推《颜氏家训·治家》。

父老长安今余几

见宋·陈亮《贺新郎》。全句为："～？后死无仇可雪；犹未燥当时生发"。

父母者，人之本也

见汉·司马迁《史记·屈原贾生列传》。

父为子隐，子为父隐

见《论语·子路》。

父子无礼，其家必凶

见《晏子春秋·外篇第一》。

父母之心，人皆有之

见《孟子·滕文公下》。

父母有疾，琴瑟不御

见《礼记·曲礼上》。

父善教子者，教于孩提

见宋·林逋《省心录》。

父子不信，则家道不睦

见唐·武则天《臣轨下·诚信章》。

父父，子子……而家道正

见《周易·家人》。删节处为："兄兄，弟弟，夫夫，妇妇"。

父母有常失，人君有常过

见汉·王符《潜夫论·忠贵》。全句为："婴儿有常病，贵臣有常祸，～"。

父有争子，则身不陷于不义

见汉·郑玄注《孝经·谏诤章》。

父母之爱子，则为之计深远

见《战国策·赵策四》。

父母在，不远游，游必有方

见《论语·里仁》。

父不能知其子，则无以睦一家

见唐·吴兢《贞观政要·择官》。全句为："～；君不能知其臣，则无以齐万国"。

父母存，不许友以死，不有私财

见《礼记·曲礼上》。

父母威严而有慈，则子女畏慎而生孝矣

见北齐·颜之推《颜氏家训·教子篇》。

父母之年，不可不知也，一则以喜，一则以惧

见《论语·里仁》。

父子有亲，君臣有义，夫妇有别，长幼有叙，朋友有信

见《孟子·滕文公上》。

❷无父无君，是禽兽也／无父何怙，无母何恃／造父善御，不能御驽骀／慈父之爱子，非为报也／渔父闲相引，时歌浩渺间／父父，子子……而家道正／其父析薪，其子弗克负荷／见父之执，不谓之进，不敢进／宣父犹能畏后生，丈夫未可轻年少／厥父母勤劳稼穑，厥子乃不知稼穑之艰难／造父疾趋，百步而废；自托乘舆，坐致千里／亲父不为其子媒。亲父誉之，不若非其父者也／与父老约，法三章耳：杀人者死，伤人及盗抵罪／造父者，天下之善御者也，无舆马则无所见其能

❸有其父必有其子／哀哀父母，生我劬劳／不党父兄，不偏富贵，不嬖颜色／君臣父子人间之事谓之义，登降揖让，贵贱有等，亲疏之体，谓之礼

❹不去庆父，鲁难未已／虽有亲父，安知其不为虎／虽有慈父，不爱无益之子／生我者父母，知我者鲍子也／也知渔父趁鱼急，翻着春衫不裹头／养不教，父之过；教不严，师之惰／贫穷则父母不子，富贵则亲戚畏惧／以天为父，以地为母，阴阳为纲，四时为纪／迩之事父，远之事君，多识于鸟兽草木之名

❺知子莫若父／君君，臣臣，父父，子子／所愧为人父，无食致夭折／天子作民父母，以为天下王／为人子者，父母存，冠衣不纯素／至世之衰，父子相图，兄弟相疑／养子不教父之过，训导不严师之惰／遂令天下父母心，不重生男重生女

❻行曾而索爱，父弗得子／君君，臣臣，父父，子子

❼无面目见江东父老／父为子隐，子为父隐／天地者万物之父母也，合则成体，散则成始／身体发肤，受之父母，不敢毁伤，孝之始也／古人有言曰："其父析薪，其子弗克负荷。"／鞭扑之子，不从父之教；刑戮之民，不从君之政

❽弗爱弗利，亲子叛父／善为国者，爱民如父母之爱子，兄之爱弟

❾疾痛惨怛，未尝不呼父母也／君子虽在他乡，不忘父母之国／亲父不为其子媒。亲父誉之，不若非其父者也

❿举秀才，不知书；察孝廉，父别居／能为国则能为主，能为家则能为父／"强梁者不得其死"，吾将以为教父／仁人在上，百姓贵之如帝，亲之如父母／从道不从君，从义不从父，人之大行也／凡勤学，须是出于本心，不待父母先生督责／因急而呼天，疾痛而呼父母者，人之至情也／明君不能畜无用之臣，慈父不能爱无用之子／亲父不为其子媒。亲父誉之，不若非其父者也／小人之交以利，平时相亲不啻父子，一日相噬不啻狗彘／达于道者，独见独闻，独为独存，父不能以授子，臣不能以授君

釜

fǔ 古代的一种炊事用具；古代的一种量器。

❻黄钟毁弃，瓦釜雷鸣；谗人高张，贤士无名

❼扬汤止沸，不如釜底抽薪／叩门无人室无釜，踯躅空巷泪如雨

❽万钟之尸居，不若釜庾之有为

❿水之性胜火，如裹之以釜，水煎而不得胜，必矣

月

yuè 月亮；计时单位；一种周期或时间；形状像月亮的；姓。

❶月是故乡明

见唐·杜甫《月夜忆舍弟》。

月满空山水满潭

见宋·朱熹《淳熙甲辰仲春，精舍闲居……》

十首之一。

月满则亏，水满则溢

见清·曹雪芹《红楼梦》。

月晕而风，础润而雨

见宋·苏洵《辨奸论》。

月上柳梢头，人约黄昏后

见宋·欧阳修《生查子》。

月下谁家砧，一声肠一绝

见唐·孟郊《闻砧》。全句为："杜鹃声不哀，断猿声不切。～"。

月出于东山之上，徘徊于斗牛之间

见宋·苏轼《前赤壁赋》。

月落乌啼霜满天，江枫渔火对愁眠

见唐·张继《枫桥夜泊》。

月本无光，如银丸。日耀之，乃光耳

见宋·沈括《梦溪笔谈》卷七。

月明星稀，乌鹊南飞，绕树三匝，何枝可依

见三国·魏·曹操《短歌行二首》之一。

月满则潮盛，月亏则潮衰。潮汐进退，皆由于月也

见明·叶子奇《草木子·管窥篇》。

❷二月春风似剪刀／岁月不居，时节如流／岁月易尽，光阴难驻／如月之恒，如日之升／日月逝矣，岁不我与／日月韬光，山河改色／日月欲明，浮云蔽之／明月之珠，和氏之璧／农月无闲人，倾家事南亩／佳月了不嗔，曾何污洁白／八月湖水平，涵虚混太清／待月西厢下，迎风户半开／日月之明，而时蔽于浮云／日月光天德，山河壮帝居／明月几时有？把酒问青天／日月丽天，而瞽者莫睹其明／明月之珠，蚌之病而我之利／日月星辰民所瞻仰者亦皆曰神／日月其犹坠落，萤光如何久留／日月挟虫鸟之瑕，不妨丽天之景／日月忽其不淹兮，春与秋其代序／日月五星逆天而行，并包乎地者也／日月双悬于氏墓，乾坤半壁岳家祠／明月之光，可以望远而不可以细书／日月为明而弗能兼也，唯天地能函之／三月婴儿，生而徒国，则不能知其故俗／日月如梭，光阴似箭，少年人，早打点／日月之行，若出其中；星汉灿烂，若出其里／日月欲明而浮云盖之，兰芝欲修而秋风败之／日月出矣，而爝火不息，其于光也，不亦难乎／日月虽以形相物，考其道则有施受健顺之差焉

❸僧敲月下门／日往月来，星移斗换／日居月诸，胡迭而微／如水月镜花，勿泥其迹／视日月而知众星之蔑也／唯见月寒日暖，来煎人寿／欲折月中桂，持为寒者薪／日就月将，学有缉熙于光明／悬日月于胸怀，挫风云于毫翰／霜晨月，马蹄声碎，喇叭声咽／日改月化，日有所为，而莫见其功／见日月不为明目，闻雷霆不为聪耳／积微，月不胜日，时不胜月，岁不胜时／山空月明，仰视星斗皆光大，如适在人上／云破月出，光气含吐，互相明灭，晶莹玲珑

❹扁舟泛月回／满城明月梨花／一年明月今宵多／一醉累月轻王侯／清风明月知无价／清风明月满船归／满帆明月洞庭秋／满湖风月画船归／娟娟明月照清秋／细云新月耿黄昏／橹声摇月过桥西／昭乎日月不足为明／朗如日月，清如水镜／何夜无月？何处无竹柏／床前明月光，疑是地上霜／愿随孤月影，流照伏波营／蹉跎岁月，尽此身污秽乾坤／毋以日月为功，实试贤能为上／不知乘月几人归，落月摇情满江树／诗中日月酒中仙，平地雄飞上九天／将回日月先反掌，欲作江河唯画地／行宫见月伤心色，夜雨闻铃肠断声／中春之月，阳在正东，阴在正西，谓之春分／中秋之月，阳在正西，阴在正东，谓之秋分／暮春三月，江南草长，杂花生树，群莺乱飞／晴空朗月，何处不可翱翔？而飞蛾独投夜烛／不日不月，而事以从；不卜不筮，而谨知吉凶

❺花不常好，月不常圆／日不常中，月盈有亏／日不知夜，月不知昼／日极则仄，月满则亏／日有短长，月有死生／天将今夜月，一遍洗寰瀛／举头望明月，低头思故乡／离居见新月，那得不思君／小时不识月，呼作白玉盘／当其贯日月，死生安足论／名声若日月，功绩如天地／四更山吐月，残夜水明楼／岂知今夜月，还是去年愁／狂云妒佳月，怒气千里黑／犹如水中月，可见不可取／海上生明月，天涯共此时／驾浪沉西月，吞空接曙河／明之为日月，幽之为鬼神／水烟晴吐月，山火夜烧云／胡风带秋月，嘶马杂笳声／烽火连三月，家书抵万金／皎皎云间月，灼灼叶中华／贞操与日月俱悬，孤芳随山壑共远／风仪与秋月齐明，音徽与春云等润／老夫渴急月更急，酒落杯中月先入／麟亡星落，月死珠伤，瓶罄罍耻，芝焚蕙叹／焕然如日月之经天也，炳然如虎豹之异犬羊也

❻世事徒惊日月新／信马林间步月归／芦花千里霜月白／萤火焉能比月轮／可上九天揽月……／长烟一空，皓月千里／彩云易散，皓月难圆／晨飙动野，斜月在林／白露暧空，素月流天／霪雨霏霏，连月不开／桃陈则李代，月满则哉生／考绩必以岁月，故官不失绪／既来且住，风月闲寻秋好处／天道乱，而日月星辰不得其行／人意共怜花月满，花好月圆人又散／待到秋来九月八，我花开后百花杀／春江花朝秋月夜，往往取酒还独倾／思苦自看明月苦，人愁不是月华愁／隔日一删，愈月一改，始能淘沙得金／正明不为日月所眩，正观不为天道所迁／临清风，对朗月，登山泛水，肆意酣歌／十指而掩日月之光，一口而没沧溟之水／长烟一空，皓月千

里；浮光跃金，静影沉璧／高霞孤映，明月独举，青松落荫，白云谁侣／幽晦登昭，日月下藏；公正无私，反见从横／日知其所亡，月无忘其所能，可谓好学也已矣／月满则潮盛，月亏则潮衰。潮汐进退，皆由于月也／三五之夜，明月半墙，桂影斑驳，风移影动，珊珊可爱／天地相对，日月相刿，山川相流，轻重相浮，阴阳相续

❼天高露清，山空月明……／出处虽殊迹，明月两知心／及时当勉励，岁月不待人／人散后，一钩淡月天如水／冰炭不同器，日月不并明／清风动帘夜，孤月照窗时／渚云低暗度，关月冷相随／好风能自至，明月不须期／星之昭昭，不若月之曀曀／晨兴理荒秽，带月荷锄归／醉舞下山去，明月逐人归／日光寒兮草短，月色苦兮霜白／日知其所不足，月无忘其所能／散发高吟，对明月于青溪之下／不可以一朝风月，昧却万古长空／子在齐闻《韶》，三月不知肉味／昭昭乎如揭日月而行，故不免也／今人不见古时月，今月曾经照古人／会挽雕弓如满月，西北望，射天狼／惟有一天秋夜月，不随田亩入官租／近水楼台先得月，向阳花木易为春／屈平词赋悬日月，楚王台榭空山丘／有时赤脚弄明月，踏破五湖波底天／顾使乾坤同日月，不妨闽浙异江山／君子之过，犹日月之蚀也，何害于明／愁听，吹笛《关山》……月中都是断肠声／人有悲欢离合，月有阴晴圆缺，此事古难全

❽在天者莫明乎日月／万古长空，一朝风月／百星之明，不如一月之光／兵寝星芒落，战解月轮空／兽形云不一，弓势月初三／土暖春常在，峰高月易沉／风前灯易灭，川上月难留／鸟宿池边树，僧敲月下门／君子之过也，如日月之食焉／虽载言载笑，赏风月于离前／一日而废一事，一月则可知也／垂棘与瓦同椟，明月与砾同囊／莫怨无情流水，明月扁舟何处／林净藏烟，峰危限月，帆影摇空绿／天地以顺动，故日月不过，而四时不忒／人影在地，仰见明月，顾而乐之，行歌相答／必使为善者不越月逾时而得其赏，则人勇而有劝焉／三皇之知，上悖日月之明，下睽山川之精，中堕四时之施

❾是几度斜阳，几度残月／不遇阴雨后，岂知明月好／莫以心如玉，探他明月珠／紫塞白云断，青春明月初／与天地兮同寿，与日月兮同光／与乾坤齐其寿，与日月齐其明／不知乘月几人归，落月摇情满江树／人生代代无穷已，江月年年只相似／今人不见古时月，今月曾经照古人／光阴似箭催人老，日月如梭趱少年／太虚作室而共居，夜月为灯以同照／寻章摘句老雕虫，晓月当帘挂玉弓／新年鸟声千种啭，二月杨花满路飞／烟霞为朝夕之资，风月得林泉之助／白日经天中则移，明月横汉满而亏／穷高则危，大满则溢，月盈则缺，日中则移／北人看书，如显处视月；南人学问，如牖中窥日／解落三秋叶，能开二月花。过江千尺浪，入竹万竿斜

❿长恐浮云生，夺我西窗月／伴人无寐，秦淮应是孤月／人生如梦，一尊还酹江月／幽桂一丛，赏古人之明月／坐对风动帷，卧见云间月／江上之清风与山间之明月／裁为合欢扇，团团似明月／映渚蛾眉，丽穿波之半月／西风烈，长空雁叫霜晨月／谁不欲争裂绮绣，互攀日月／极野苍茫，白露凉风之八月／勤是无价之宝，学是明月神珠／皑如山上雪，皎若云间月……／身与草木俱朽，声与日月并彰／雌黄出其唇吻，朱紫由其月旦／不可以万古长空，不明一朝风月／非惟使人情开涤，亦觉日月清朗／何泛滥之浮云兮，猋壅蔽此明月／处于堂上之阴，而知日月之次序／三十功名尘与土，八千里路云和月／万株松树青山上，十里沙堤明月中／天无私覆，地无私载，日月无私照／我自只如常日醉，满川风月替人愁／为有牺牲多壮志，敢教日月换新天／博弈之交不终日，饮食之交不终月／俱怀逸兴壮思飞，欲上青天揽明月／停车坐爱枫林晚，霜叶红于二月花／黄金白璧买歌笑，一醉累月轻王侯／人生得意须尽欢，莫使金樽空对月／人生自是有情痴，此恨不关风与月／人意共怜花月满，花好月圆人又散／众人知目前之利，而不为岁月之计／读书之乐乐陶陶，起弄明月霜天高／莫见长安行乐处，空令岁月易蹉跎／美人迈兮音尘阙，隔千里兮共明月／携来百侣曾游。忆往昔峥嵘岁月稠／回乐峰前沙似雪，受降城下月如霜／酒力醒，茶烟歇，送夕阳，迎素月／悄立市桥人不识，一星如月看多时／此生此夜不长好，明年明月何处看／此去与师谁共到？一船明月一帆风／春江潮水连海平，海上明月共潮生／昨是儿童今是翁，人间日月急如风／贫疑陋巷春偏少，贵想豪家月最明／思苦自看明月苦，人愁不是月华愁／睡起秋声无觅处，满阶梧叶月明中／老夫渴急月更急，酒落杯中月先入／虚檐立尽梧桐影，络纬数声山月寒／走马西来欲到天，辞家见月两回圆／为善者日以有劝，为不善者月以有惩／大丈夫行事当磊磊落落，如日月皎然／倚老松，坐怪石，殷殷潮声，起于月外／积微，月不胜日，时不胜月，岁不胜时／三年不目日，视必盲；三年不目月，精必朦／古之君子，其过也，如日月之食，民皆见之／冀以尘雾之微补益山海，荧烛末光增辉日月／苍雁赪鲤，时传尺素；清风明月，俱寄相思／如地如天，何私何亲？如日如月，唯君之节／物盛而衰，乐极则悲，日中而移，月盈而亏／夏后氏之璜，不能无考；明月之珠，不能无颣／昔之所为，而今觉其非，虽日异而月不同，可

也／澄川翠干，光影会合于轩户之间，尤与风月为相宜／月满则潮盛，月亏则潮衰。潮汐进退，皆由于月也／胸中浩然廓然，纳烟云日月之伟观，揽雷霆风雨之奇变／天无私覆也，地无私载也，日月无私烛也，四时无私行也／天不得不高，地不得不广，日月不得不行，万物不得不昌，此其道与

有 ①yǒu 具有，占有；表示存在；丰收，多；表示发生或出现；表示估量或比较；表示泛指；通"或"、"域"、"友"、"为"；作语助；姓。②yòu 通"又"，更加；用于整数与零数之间。

❶有教无类

见《论语·卫灵公》。

有德不可敌

见《左传·僖公二十八年》。

有欲则无刚

见宋·朱熹《近思录·警戒类》。

有境界，本也

见清·王国维《人间词话》。全句为："～。气质、神韵，末也。有境界而二者随之也"。

有志不在年高

见清·李宝嘉《官场现形记》。

有志者事竟成

见汉·光武帝刘秀《临淄劳耿弇》。

有过之无不及

见《论语·先进》。

有眼不识泰山

见明·施耐庵《水浒传》第二回。

有事弟子服其劳

见《论语·为政》。

有形者生于无形

见《列子·天瑞》。

有言者不必有德

见《论语·宪问》。

有其人则有其神

见明·冯梦龙《醒世恒言·独孤生归途闹梦》。

有其父必有其子

见秦·孔鲋《孔丛子·居卫》。

有真人然后有真知

见汉·刘安《淮南子·俶真》。

有治法而后有治人

见清·黄宗羲《原法》。

有妍必有丑为之对

见明·洪应明《菜根谭·前集百三十四》。

有是理，便有是气

见宋·朱熹《朱子语类》卷一。

有其志，必有其事

见晋·陈寿《三国志·魏书·吕虔传》。

有无相通，盖为常理

见宋·欧阳修《与焦殿丞》。

有而不施，穷无与也

见《荀子·法行》。

有而勿失，得而勿忘

见晋·陈寿《三国志·魏书·文帝纪》。

有事无辜，心常安泰

见唐·司马承祯《坐忘论·真观》。全句为："虽有营求之事，莫生得失之心，则～"。

有生于无，实出于虚

见汉·刘安《淮南子·原道》。

有生最灵，莫过乎人

见晋·葛洪《抱朴子·论仙》。

有则改之，无则加勉

见宋·朱熹《四书集注·论语·学而》注语。

有人之形，故群于人

见《庄子·德充符》。全句为："～；无人之情，故是非不得于身"。

有话即长，无话则短

见现代·郭沫若《关于文风问题》。

有力量济人，谓之福

见清·张潮《幽梦影》。全句为："有工夫读书，谓之福；～；有学问著述，谓之福；无是非到耳，谓之福；有多闻直谅之友，谓之福"。

有功而赏，有罪而罚

见宋·苏洵《上皇帝书》。

有工夫读书，谓之福

见清·张潮《幽梦影》。全句为："～；有力量济人，谓之福；有学问著述，谓之福；无是非到耳，谓之福；有多闻直谅之友，谓之福"。

有境界而二者随之也

见清·王国维《人间词话》。全句为："有境界，本也。气质、神韵，末也。～"。

有荣华者，必有憔悴

见汉·刘安《淮南子·说林》。

有莠则锄，有疾则医

见宋·苏轼《祭司马君实文》。

有大誉，无疵其小故

见汉·刘安《淮南子·氾论》。

有善必闻，有恶必见

见唐·韩愈《潮州刺史谢上表》。

有因则成，无因则败

见宋·司马光《资治通鉴·晋孝武帝太元七年》。

有国之母，可以长久

见《老子》五十九。

有山可登，有水可浮

见宋·苏辙《武昌九曲亭记》。

有德之人，常宜近之

见明·宋诩《宋氏家要部》。全句为："～。聆

其善言，观其善行，足以资吾之未逮，而甄陶为善士也”。

有备无患，亡战必危

见唐·张九龄《应道侔伊吕科对策·第一道》。

有迟有速，民必胜之

见汉·贾谊《新书·大政上》。全句为：“自古至今，与民为仇者，～”。

有始有终，无为无欲

见唐·吴兢《贞观政要·慎终》。全句为：“～，遇灾则极其忧勤，时安则不骄不逸”。

有学问著述，谓之福

见清·张潮《幽梦影》。全句为：“有工夫读书，谓之福；有力量济人，谓之福；～；无是非到耳，谓之福；有多闻直谅之友，谓之福”。

有死之荣，无生之辱

见《吴子·论将》。

有武无文，民畏不亲

见汉·刘向《说苑·君道》。全句为：“有文无武，无以威下；～；文武俱行，威德乃成”。

有贤不用，安得不亡

见《晏子春秋·内篇谏上第二十一》。

有物混成，先天地生

见《老子》二十五。全句为：“～。寂兮寥兮，独立而不改，周行而不殆，可以为天地母”。

有所许诺，纤毫必偿

见宋·袁采《袁氏世范》。全句为：“～；有所期约，时刻不易，所谓信也”。

有文无武，无以威下

见汉·刘向《说苑·君道》。全句为：“～；有武无文，民畏不亲；文武俱行，威德乃成”。

有文字来，谁不为文

见唐·韩愈《答刘正夫书》。全句为：“～？然其存于今者，必其能者也”。

有意近名，则是伪也

见宋·朱熹《近思录·为学类》。

有眉不申，有志不舒

见唐·柳宗元《祭万年裴令文》。

有田一成，有众一旅

见《左传·哀公元年》。

有罪之人，人所共弃

见宋·欧阳修《与荆南乐秀才》。

有长而无本剽者，宙也

见《庄子·庚桑楚》。全句为：“有实而无乎处者，宇也；～”。

有谔谔争臣者，其国昌

见汉·韩婴《韩诗外传》。全句为：“～；有默默谀臣者，其国亡”。

有功不赏，为善失其望

见南朝·宋·范晔《后汉书·杜乔传》。全句为：“～；奸回不诘，为恶肆其凶”。

有功而不赏，则善不劝

见汉·刘向《说苑·政理》。全句为：“～；有过而不诛，则恶不惧”。

有大志者，时亦有大言

见宋·刘炎《迩言》。全句为：“～；好大言者，不必有大志”。

有大略者不可责以捷巧

见汉·刘安《淮南子·主术》。全句为：“～，有小智者不可任以大功”。

有小智者不可任以大功

见汉·刘安《淮南子·主术》。全句为：“有大略者不可责以捷巧，～”。

有名之名，丧我之橐也

见汉·严遵《道德指归论·名身孰亲篇》。全句为：“无名之名，生我之宅也；～”。

有善而归之民，则民喜

见《管子·小称》。全句为：“明王有过，则反之于身，有善，则归之于民。有过而反之身，则身惧；～”。

有善心之民，畏法自重

见宋·苏洵《兵制》。

有德而有才，方见于用

见宋·朱熹《朱子语类》卷三五。全句为：“～。如有德而无才，则不能为用，亦何足为君子”。

有德之君，以所乐乐人

见南朝·宋·范晔《后汉书·臧宫传》。全句为：“～；无德之君，以所乐乐身。乐人者其乐长，乐身者不久而亡”。

有德之文信，无德文诈

见唐·李华《赠礼部尚书清河孝公崔沔集序》。

有官而无课，是无官也

见宋·苏洵《上皇帝书》。全句为：“～，有课而无赏罚，是无课也”。

有实而无乎处者，宇也

见《庄子·庚桑楚》。全句为：“～；有长而无本剽者，宙也”。

有过而不诛，则恶不惧

见汉·刘向《说苑·政理》。全句为：“有功而不赏，则善不劝；～”。

有过而反之身，则身惧

见《管子·小称》。全句为：“明王有过，则反之于身，有善，则归之于民。～；有善而归之民，则民喜”。

有过必悛，有不善必惧

见《国语·楚语下》。

有迟有速，而民必胜之

见汉·贾谊《新书·大政上》。全句为：“自古至于今,与民为仇者,~"。
有货之货,丧我之贼也
见汉·严遵《道德指归论·名身孰亲篇》。全句为:"无货之货,养我之福也;~"。
有照水一枝,已挽春意
见宋·王沂孙《无闷》。
有其材而辞之,为不仁
见宋·苏轼《赐新除守尚书右仆射兼中书侍郎范纯仁……》。全句为:"无其德而当之,为不智;~"。
有默默谀臣者,其国亡
见汉·韩婴《韩诗外传》。全句为:"有谔谔争臣者,其国昌;~"。
有一行而可常履者,正也
见汉·荀悦《申鉴·政体》。
有一言而可常行者,恕也
见汉·荀悦《申鉴·政体》。
有天不雨粟,无地可埋尸
见宋·戴复古《庚子荐饥》。
有无相生,难易相成……
见《老子》二。全句为:"~,长短相形,高下相盈,音声相和,前后相随"。
有不虞之誉,有求全之毁
见《孟子·离娄上》。
有而不知足,失去所以有
见汉·司马迁《史记·范雎蔡泽列传》。全句为:"欲而不知止,失其所以欲;~"。
有事不避难,有罪不避刑
见《国语·晋语七》。
有生必有死,早终非命促
见晋·陶潜《拟挽歌辞三首》之一。
有后而无先,则群众无门
见《荀子·天论》。
有伤贤之政,则贤多横夭
见汉·王符《潜夫论·德化》。全句为:"国有伤明之政,则民多病目;有伤聪之政,则民多病耳;~"。
有伤聪之政,则民多病耳
见汉·王符《潜夫论·德化》。全句为:"国有伤明之政,则民多病目;~;有伤贤之政,则贤多横夭"。
有信义者,必疾苟且之徒
见唐·陈子昂《答制问事·明必得贤科》。全句为:"尚德行者,必无凶险之类;务公正者,必无邪佞之朋;保廉节者,必憎贪冒之党;~"。
有兴必有废,有盛必有衰
见明·罗贯中《三国演义》第八十回。
有人者累,见有于人者忧
见《庄子·山木》。
有课而无赏罚,是无课也
见宋·苏洵《上皇帝书》。全句为:"有官而无课,是无官也,~"。
有能则举之,无能则下之
见《墨子·尚贤》。
有名而无实,则其名不行
见宋·苏轼《策别十二》。全句为:"~;有实而无名,则其实不长"。
有善必劝者,固国家之典
见明·冯梦龙《古今小说·吴保安弃家赎友》。全句为:"~;有恩必酬者,亦匹夫之义"。
有国有家,不思所以拯之
见宋·邓牧《君道》。全句为:"~,智鄙相笼,强弱相陵,天下之乱何时而已乎"。
有多闻直谅之友,谓之福
见清·张潮《幽梦影》。全句为:"有工夫读书,谓之福;有力量济人,谓之福;有学问著述,谓之福;无是非到耳,谓之福;~"。
有廉而贫者,贫者未必廉
见汉·刘安《淮南子·说林》。全句为:"人有盗而富者,富者未必盗;~"。
有法者而不用,与无法等
见汉·刘安《淮南子·主术》。
有怀投笔,慕宗悫之长风
见唐·王勃《滕王阁序》。全句为:"无路请缨,等终军之弱冠;~"。
有恒者,人舍之,天助之
见《庄子·庚桑楚》。
有官守者,不得其职则去
见唐·韩愈《争臣论》。全句为:"~;有言责者,不得其言则去"。
有实而无名,则其实不长
见宋·苏轼《策别十二》。全句为:"有名而无实,则其名不行;~"。
有过则改之,未萌则戒之
见明·冯梦龙《警世通言·蒋淑真刎颈鸳鸯会》。
有道伐无道,无德让有德
见明·罗贯中《三国演义》第八回。
有道者咸屈,无用者必伸
见唐·吴兢《贞观政要·规谏太子》。全句为:"惑于听受,暗于知人,则~"。
有理言自壮,负屈声必高
见明·冯梦龙《警世通言·金令史美婢酬秀童》。
有永弃之悲,无自新之望
见唐·韩愈《贺册尊号表》。
有有必有无,有聚必有散
见宋·李清照《金石录后序》。
有朋自远方来,不亦乐乎
见《论语·学而》。

有风方起浪，无潮水自平

见明·吴承恩《西游记》第七十五回。

有心雄泰华，无意巧玲珑

见宋·辛弃疾《临江仙》。

有恩必酬者，亦匹夫之义

见明·冯梦龙《古今小说·吴保安弃家赎友》。全句为："有善必劝者，固国家之典；～。

有惠人之名而无救患之实

见宋·王安石《再上龚舍人书》。

有罚无恕，非怀远之弘规

见晋·陈寿《三国志·吴书·陆逊传》。全句为："峻法严刑，非帝王之隆业；～"。

有病于内者，必有色于外

见汉·刘安《淮南子·俶真》。

有言逆于汝心，必求诸道

见《尚书·太甲下》。全句为："～；有言逊于汝志，必求诸非道"。

有言责者，不得其言则去

见唐·韩愈《争臣论》。全句为："有官守者，不得其职则去；～"。

有静必有动，有动必有静

见唐·李翱《复性书中》。

有其性无其养，不能遵道

见汉·刘安《淮南子·泰族》。全句为："无其性，不可教训；～"。

有其有者安，贪人有者残

见南朝·宋·范晔《后汉书·臧宫传》。

有麝自然香，何必当风立

见清·钱大昕《恒言录》。

有元气则有生，有生则道显

见明·王廷相《慎言》。全句为："元气者，天地万物之宗统。～"。

有无虚实通为一体者，性也

见宋·张载《正蒙·乾称下》。全句为："～；不能为一，非尽性也"。

有不可忘者，有不可不忘者

见《战国策·魏策四》。全句为："事有不可知者，有不可不知者；～"。

有非常之功，必待非常之人

见汉·班固《汉书·武帝纪》。全句为："～，故马或奔踶而致千里，士或有负俗之累而立功名"。

有千里莼羹，但未下盐豉耳

见南朝·宋·刘义庆《世说新语·言语》。

有弗问，问之弗知，弗措也

见《礼记·中庸》。全句为："有弗学，学之弗能，弗措也；～；有弗思，思之弗得，弗措也；有弗辨，辨之弗得，弗措也"。

有弗学，学之弗能，弗措也

见《礼记·中庸》。全句为："～；有弗问，问之弗知，弗措也；有弗思，思之弗得，弗措也；有弗辨，辨之弗得，弗措也"。

有弗思，思之弗得，弗措也

见《礼记·中庸》。全句为："有弗学，学之弗能，弗措也；有弗问，问之弗知，弗措也；～；有弗辨，辨之弗得，弗措也"。

有弗辨，辨之弗得，弗措也

见《礼记·中庸》。全句为："有弗学，学之弗能，弗措也；有弗问，问之弗知，弗措也；有弗思，思之弗得，弗措也；～"。

有兼听之明，而无奋矜之容

见《荀子·正名》。全句为："～；有兼覆之厚，而无伐德之色"。

有兼覆之厚，而无伐德之色

见《荀子·正名》。全句为："有兼听之明，而无奋矜之容；～"。

有高人之行者，固见负于世

见《商君书·更法》。全句为："～；有独知之虑者，必见骜于民"。

有谋人之心而令人知之，拙

见《战国策·燕策一》。全句为："无谋人之心而令人疑之，殆；～"。

有若无，实若虚，犯而不校

见《论语·泰伯》。

有山林之杰，不可薄其贫贱

见宋·欧阳修《准诏言事上书》。全句为："有贤豪之士，不须限于下位；有智略之人，不必试以弓马；～"。

有德之德薄，而无德之德厚

见汉·严遵《道德指归论·为无为篇》。

有独知之虑者，必见骜于民

见《商君书·更法》。全句为："有高人之行者，固见负于世；～"。

有备则制人，无备则制于人

见汉·桓宽《盐铁论·险固》。

有官必有课，有课必有赏罚

见宋·苏洵《上皇帝书》。

有道之主，以百姓之心为心

见唐·吴兢《贞观政要·纳谏》。

有智略之人，不必试以弓马

见宋·欧阳修《准诏言事上书》。全句为："有贤豪之士，不须限于下位；～；有山林之杰，不可薄其贫贱"。

有贤豪之士，不须限于下位

见宋·欧阳修《准诏言事上书》。全句为："～；有智略之人，不必试以弓马；有山林之杰，不可薄其贫贱"。

有心于为善，则与为不善同

见宋·龚昱《乐庵语录》。全句为："人之为善，不可出于有心；～"。

有意者反远，无心者自近也

见明·洪应明《菜根谭·后集三十五》。全句为："极高寓于极平，至难出于至易。～"。

有自也而可，有自也而不可

见《庄子·寓言》。全句为："～；有自也而然，有自也而不然"。

有自也而然，有自也而不然

见《庄子·寓言》。全句为："有自也而可，有自也而不可；～"。

有言逊于汝志，必求诸非道

见《尚书·太甲下》。全句为："有言逆于汝心，必求诸道；～"。

有其位，无其功，君子耻之

见宋·胡宏《知言·好恶》。全句为："有其德，无其位，君子安之；～"。

有其德，无其位，君子安之

见宋·胡宏《知言·好恶》。全句为："～；有其位，无其功，君子耻之"。

有其言，无其行，君子耻之

见《礼记·杂记下》。全句为："居其位，无其言，君子耻之；～"。

有雄志而无雄才，其后果败

见唐·韩愈《后汉三贤赞》。

有天下之是非，有人人之是非

见唐·刘禹锡《何卜赋》。全句为："～；在此为美兮，在彼为蚩"。

有未偿之厚责，无可录之微劳

见宋·王安石《谢特进封荆国公表》。

有正法则依法，无正法则原情

见宋·欧阳修《论韩纲弃城乞依法札子》。

有求贵贱之必，必有二价之语

见汉·王充《论衡·是应篇》。

有面前之誉易，无背后之毁难

见明·陈继儒《小窗幽记》。全句为："～；有乍交之欢易，无久处之厌难"。

有非常之事，然后有非常之功

见汉·班固《汉书·司马相如传》。全句为："有非常之人，然后有非常之事；～"。

有非常之后者，必有非常之臣

见唐·王勃《上降州上官司马书》。全句为："～；有非常之臣者，必有非常之绩"。

有非常之人，然后有非常之事

见汉·班固《汉书·司马相如传》。全句为："～；有非常之事，然后有非常之功"。

有非常之臣者，必有非常之绩

见唐·王勃《上降州上官司马书》。全句为："有非常之后者，必有非常之臣；～"。

有生之气，有形之状，尽幻也

见《列子·周穆王》。

有生者必有死，有始者必有终

见汉·扬雄《法言·君子》。

有乍交之欢易，无久处之厌难

见明·陈继儒《小窗幽记》。全句为："有面前之誉易，无背后之毁难；～"。

有为之君，不敢失万民之欢心

见晋·陈寿《三国志·魏书·袁绍传》。

有以相应也，若之何其无鬼邪

见《庄子·寓言》。全句为："～？无以相应也，若之何其有鬼邪"。

有人则作，无人则辍之，谓伪

见汉·扬雄《法言·孝至》。全句为："～。观人者，审其作辍而已矣"。

有能而无益于事者，君子弗为

见《尹文子·大道上》。全句为："有理而无益于治者，君子弗言；～"。

有能以民为务者，则天下归之

见《吕氏春秋·开春论·爱类》。

有境界则自成高格，自有名句

见清·王国维《人间词话》。全句为："词以境界为最上，～"。

有善于己，然后可以责人之善

见宋·朱熹《四书集注·大学》。全句为："～；无恶于己，然后可以正人之恶"。

有善始者实繁，能克终者盖寡

见唐·魏征《论时政策第二疏》。

有梦常嫌去远，无书可恨来迟

见宋·吕本中《西江月》。

有过人之识，则不以富贵为事

见宋·朱熹《四书集注·孟子·尽心上》。

有始者必有卒，有存者必有亡

见晋·葛洪《抱朴子·论仙》。

有理而无益于治者，君子弗言

见《尹文子·大道上》。全句为："～；有能而无益于事者，君子弗为"。

有时朝发白帝，暮到江陵……

见北魏·郦道元《水经注·江水注》。全句为："～，其间千二百里，虽乘奔御风，不以疾也"。

有超世之功者，必应光大之宠

见晋·陈寿《三国志·吴书·陆逊传》。全句为："～；怀文武之才者，必荷社稷之重"。

有以噎死者，欲禁天下之食，悖

见《吕氏春秋·孟秋纪·荡兵》。全句为："～；有以乘舟死者，欲禁天下之船，悖；有以用兵丧其国者，欲偃天下之兵，悖。"

有制之兵，无能之将，不可以败

见三国·蜀·诸葛亮《兵要》。全句为："～；无制之兵，有能之将，不可以胜"。

有德者必有言，有言者不必有德

见《论语·宪问》。

有恒者之与圣人，高下固悬绝矣

见宋·朱熹《四书集注·论语·述而》。全句为："～，然未有不自有恒而能至于圣者也"。

有所期约，时刻不易，所谓信也

见宋·袁采《袁氏世范》。全句为："有所许诺，纤毫必偿；～"。

有必不可劝之人，不必多费唇舌

见清·申涵光《荆园小语》。全句为："有必不可行之事，不必妄作经营；～"。

有必不可行之事，不必妄作经营

见清·申涵光《荆园小语》。全句为："～；有必不可劝之人，不必多费唇舌"。

有忍，有乃有济；有容，德乃大

见《尚书·君陈》。

有钱的纳宠妾、买人口、偏兴旺

见元·刘时中《正宫·端正好·上高监司》。全句为："～，无钱的受饥馁、填沟壑、遭灾障"。

有不能求士之君，而无不可得之士

见汉·贾谊《新书·大政下》。

有不能治民之吏，而无不可治之民

见汉·贾谊《新书·大政下》。

有生则复于不生，有形则复于无形

见《列子·天瑞》。

有乎生，有乎死；有乎出，有乎入

见《庄子·庚桑楚》。全句为："～；入出而无见其形，是谓天门"。

有为，乱之首也；无为，治之元也

见汉·严遵《道德指归论·至柔篇》。

有以无难而失守，有因多难而兴邦

见唐·陆贽《论叙迁幸之由状》。全句为："理或生乱，乱或资理。～。理或生乱者，恃理而不修也。乱或资理者，遭乱而能惧"。

有以乘舟死者，欲禁天下之船，悖

见《吕氏春秋·孟秋纪·荡兵》。全句为："有以噎死者，欲禁天下之食，悖；～；有以用兵丧其国者，欲偃天下之兵，悖。"

有乱君，无乱国；有治人，无治法

见《荀子·君道》。

有偏宠者，虽欲厚之，更所以祸之

见北齐·颜之推《颜氏家训·教子》。

有花无叶真潇洒，不向胭脂借淡红

见宋·郑少微《鹧鸪天》。

有花堪折直须折，莫待无花空折枝

见唐·无名氏《杂诗》（又名《金缕衣》）。

有美之而莫敢辞，有非之而莫敢隐

见唐·柳宗元《为文武百官请复尊号表》。

有善则反之于身，有过则归之于民

见《管子·小称》。全句为："～；归之于民则民怒，反之于身则身骄"。

有善者虽远必升，无能者纵近必废

见唐·张九龄《敕处人县令》。

有过则当速改，不可畏难而苟安也

见宋·朱熹《四书集注·论语·学而》。全句为："自治不勇，则恶日长。故～"。

有如兔走鹰隼落，骏马下注千丈坡

见宋·苏轼《百步洪二首》其一。全句为："～，断弦离柱箭脱手，飞电过隙珠翻荷"。

有缘千里来相会，无缘对面不相逢

见明·施耐庵《水浒传》第三十五回。

有死天下之心，而后能成天下之事

见清·黄宗羲《明名臣言行录序》。全句为："～；有成天下之心，而后能死天下之事"。

有成天下之心，而后能死天下之事

见清·黄宗羲《明名臣言行录序》。全句为："有死天下之心，而后能成天下之事；～"。

有时三点两点雨，到处十枝五枝花

见唐·李山甫《寒食二首》之一。

有时忽得惊人句，费尽心机做不成

见宋·戴复古《论诗十绝》。

有时赤脚弄明月，踏破五湖波底天

见宋·普济《五灯会元》卷二〇。

有财有势即相识，无财无势同路人

见唐·孟郊《伤时》。

有所取必有所舍，有所禁必有所宽

见宋·苏轼《策别第十》。

有田不耕仓廪虚，有书不读子孙愚

见唐·白居易《劝学文》。

有罪者优游获免，无罪者妄受其辜

见北魏·拓跋濬《案诏迁代前逋诏》。全句为："～。是启奸邪之路，长贪暴之心"。

有其语而无其人，得其宾而丧其实

见唐·骆宾王《自叙状》。全句为："舍真筌而择士，沿虚谈以取才，将恐～"。

有其志必成其事，盖烈士之所徇也

见三国·魏·曹操《褒扬泰山太守吕虔令》。

有其善，丧厥善；矜其能，丧厥功

见《尚书·说命中》。

有雠而长之，祸不在己，则在后人

见晋·陈寿《三国志·吴书·诸葛恪传》。

有伯乐而后识马，有匠石而后识梧檟

见明·刘基《照玄上人诗集序》。

有道之君，修身之士，不为轻诺之约

见五代·前蜀·杜光庭《道德真经广圣义》卷四十三。

有相马而失马者，然良马犹在相之中

见汉·刘安《淮南子·说山》。

有风波作于平地，亲戚化为仇怨者矣

见宋·苏辙《观会通以行典礼论》。全句为："世之人不知至理之所在也，迷而妄行，于是～"。

有义者不可欺以利，有勇者不可劫以惧

见汉·刘安《淮南子·缪称》。全句为："～，如饥渴者不可欺以虚器也"。

有诸中者必形乎表，发乎迩者必著乎远

见晋·葛洪《抱朴子·博喻》。

有诸己而后求诸人，无诸己而后非诸人

见《礼记·大学》。

有阴德者必有阳报，有隐行者必有昭名

见汉·刘向《说苑·贵德》。

有形亦是气，无形亦是气，道寓其中也

见明·王廷相《慎言》。

有忧而不知忧者凶，有忧而深忧之者吉

见汉·董仲舒《春秋繁露·玉英》。

有文事者必有武备，有武事者必有文备

见汉·司马迁《史记·孔子世家》。

有才必韬藏，如浑金璞玉，暗然而日章也

见清·王永彬《围炉夜话》。全句为："～；为学无间断，如流水行云，日进而不已也"。

有以用兵丧其国者，欲偃天下之兵，悖。

见《吕氏春秋·孟秋纪·荡兵》。全句为："有以噎死者，欲禁天下之食，悖；有以乘舟死者，欲禁天下之船，悖；～"。

有六尺之躯，而不能庇一妇人，岂丈夫哉

见唐·沈既济《任氏传》。

有山海之货而民不足于财者，商工不备也

见汉·桓宽《盐铁论·本议》。

有沃野之饶而民不足于食者，器械不备也

见汉·桓宽《盐铁论·本议》。

有欲、无欲，异类也，生死也，非治乱也

见《荀子·正名》。

有必缘其心爱之谓也，有其形不可谓有之

见《吕氏春秋·离俗览·适威》。

有意而言，意尽而言止者，天下之至言也

见宋·苏轼《策略第一》。

有不嗜杀人者，则天下之民皆引领而望之矣

见《孟子·梁惠王上》。

有为之为，有废无功；无为之为，成遂无穷

见汉·严遵《道德指归论·至柔篇》。

有司一朝而受者几千万言，读不能十一……

见唐·柳宗元《送韦七秀才下第求益友序》。全句为："～，即偃仰疲耗，目眩而不欲视，心废而不欲营，如此而曰吾能不遗士者，伪也"。

有益于化，虽小弗除；无补于政，虽大弗与

见汉·王充《论衡·薄葬篇》。

有声之声，不过百里：无声之声，延及四海

见汉·刘向《说苑·政理》。

有大物者，不可以物；物而不物，故能物物

见《庄子·在宥》。

有君臣然后有上下，有上下然后礼义有所错

见《周易·序卦》。

有味之物，蠹虫必生；有才之人，谗言必至

见唐·刘禹锡《苏州谢上表》。

有知顺之为倒、倒之为顺者，则可与言化矣

见《吕氏春秋·似顺论·似顺》。全句为："事多似倒而顺，多似顺而倒，～"。

有法无法，因时为业；有度无度，与物趣舍

见南朝·宋·范晔《后汉书·冯衍传》。

有道之世，以人与国；无道之世，以国与人

见汉·刘安《淮南子·缪称》。

有道之君，以逸逸人；无道之君，以乐乐身

见唐·吴兢《贞观政要·征伐》。

有杀人之威而下不惧，有生人之惠而下不喜

见宋·苏洵《审势》。

有赏罚之教则邪道进，有亲疏之分则小人入

见五代·南唐·谭峭《化书卷三·谗语》。

有所不为，为无不果；有所不学，学无不成

见宋·王安石《祭沈文通文》。

有祸则诎，有福则赢，有过则悔，有功则矜

见汉·刘安《淮南子·诠言》。全句为："～，遂不知反，此谓狂人"。

有顺君意而害天下者，有逆君意而利天下者

见唐·陈子昂《答制问事·请措刑科》。全句为："～；唯忠臣能逆意，惟圣君能从利"。

有金鼓，所以一耳也；同法令，所以一心也

见《吕氏春秋·审分览·不二》。

有不能以有为有，必出乎无有，而无有一无有

见《庄子·庚桑楚》。

有不得已者而后言。其歌也有思，其哭也有怀

见唐·韩愈《送孟东野序》。

有以为未始有物者，至矣，尽矣，弗可以加矣

见《庄子·庚桑楚》。

有鄙夫问于我，空空如也。我叩其两端而竭焉

见《论语·子罕》。全句为："吾有知乎哉？无知也。～"。

有功不赏，有罪不诛，虽唐虞犹不能以化天下

见汉·班固《汉书·宣帝纪》。

有道以御之，身虽无能也，必使能者为己用也

见汉·韩婴《韩诗外传》卷二。

有贤而用，国之福也；有之而不用，犹无有也

见宋·王安石《兴贤》。

有第一等襟抱，第一等学识，斯有第一等真诗

见清·沈德潜《说诗晬语》。

有云水襟怀，有松柏气节，典型顿失，人尽含悲

见现代·毛泽东《挽续范亭同志联》。全句为："为民族解放，为阶级翻身，事业垂成，公胡遽死？～"。

有留死一尺，无北行一寸。刎颈不易，九裂不

根

见南朝·宋·范晔《后汉书·杨伦传》。

有行之士，未必能进取；进取之士，未必能有行也

见晋·陈寿《三国志·魏书·武帝纪》。

有社稷者，不能爱其民，而求民亲己爱己，不可得也

见汉·韩婴《韩诗外传》卷五。

有石城十仞，汤池百步，带甲百万，而亡粟，弗能守

见汉·班固《汉书·食货志》。

有席卷天下，包举宇内，囊括四海之意，并吞八荒之心

见汉·贾谊《过秦论》。

有起于虚，动起于静。故万物虽并动作，卒复归于虚静

见三国·魏·王弼《老子》十六注。

有能推至诚之心而加以不息之久，则天地可动，金石可移

见宋·苏辙《三论分别邪正札子》。

有缺点的战士终竟是战士，完美的苍蝇也终竟不过是苍蝇

见现代·鲁迅《战士和苍蝇》。

有道之君子，其处也若无知，其应物也若偶之，静因之道也

见《管子·心术上》。

有贤而不知，一不祥；知而不用，二不祥；用而不任，三不祥

见《晏子春秋·内篇·谏下》。

❷言有序／言有物／无有入无间／士有死不失义／万有皆由道而生／未有不学而能者／凡有血气者……／口有蜜，腹有剑／知有所合谓之智／赏有功，褒有德／礼有经，亦有权／心有灵犀一点通／息有养，瞬有存／章有德，序有功／竹有节，人有志／言有尽而意无穷／言有物而行有格／言有物而行有恒／世有乱人而无乱法／事有求利而得害者／事有大小，有先后／兵有奇变，不在众／墙有耳，伏寇在侧／苟有过，人必知之／恶有满而不覆者哉／言有尽而情不可终／上有天堂，下有苏杭／上有直刑，君之明也／上有所好，下必甚焉／下有直言，臣之行也／夫有尤物，足以移人／天有五贼，见之者昌／不有严刑，诛赏安置／事有曲直，言有是非／事有本真，陈施于亿／事有是非，义难隐讳／事有是非，公无远近／事有必至，理有固然／昼有所思，夜梦其事／兵有利钝，战无百胜／尺有所短，寸有所长／任有大小，惟其所能／人有知学，则有力矣／人有善愿，天必从之／凡有所长，皆当不废／凡有血气，皆有争心／军有归心，必无斗志／地有远行，无有不至／吾有知乎哉？无知也／君有奇智，天下不臣／虽有兹基，不如逢时／虽有至知，万人谋之／国有具官，其政可善／国有常法，虽危不亡／岁有其物，物有其容／行有素履，事有成迹／德有所长而形有所忘／法有明文，情无可恕／性有巧拙，可以伏藏／惟有道者能以往知来／安有巢毁而卵不破乎／家有常业，虽饥不饿／家有敝帚，享之千金／日有短长，月有死生／时有始终，世有变化／资有攸合，所谓宜也／物有生死，理有存亡／物有隆杀，不得自若／物有所余，有所不足／物有必至，事有固然／文有真伪，无有故新／心有善恶，性无不善／必有事实，乃有是文／意有所之，事无不克／意有所极，梦亦同趣／老有所终，壮有所用／雅有所谓，不虚为文／才有大小，故养有厚薄／不有臭秽，则苍蝇不飞／且有真人，而后有真知／事有便宜，而不拘常制／焉有君子而可以货取乎／史有三长：才、学、识／人有礼则安，无礼则危／令有缓急，故物有轻重／凡有怪征者，必有怪行／诚有功，则虽疏贱必赏／诚有过，则虽近爱必诛／诸有形之徒皆属于物类／谋有奇诡，而不徇众情／象有齿以焚其身，贿也／士有妒友，则贤交不亲／志有所存，顾不见泰山／将有作则思知止以安人／小有所志，而大有所忘／虽有忮心者，不怨飘瓦／山有玉，草木因之不凋／岁有凶穰，故谷有贵贱／性有不欲，无欲而不得／道有因有循，有革有化／如有王者，必世而后仁／气有变化，是道有变化／心有不乐，无乐而不为／上有命而未行，则吏先之／上有弦歌声，音响一何悲／无有不可穷，至柔不可折／不有百炼火，孰知寸金精／世有伯乐，然后有千里马／世有盛名，则衰之日至矣／久有凌云志，重上井冈山／生有益于人，死不害于人／生有高世名，既没传无穷／我有三宝，持而保之……／古有古之时，今有今之时／但有路可上，更高人也行／人有吉凶事，不在鸟音中／人有喜庆，不可生妒忌心／人有旦夕祸福，岂能自保／人有祸患，不可生欣幸心／邦有道则知，邦无道则愚／邦有道，贫且贱焉，耻也／城有时而复，陵有时而迁／城有所不攻，地有所不争／花有重开日，人无再少年／大有其事，而忘生之道也／吾有小失，必犯颜而谏之／吾有小善，必将顺而成之／君有疾，饮药，臣先尝之／知有所困，神有所不及也／虽有千黄金，无如我斗粟／虽有亲兄，安知其不为狼／虽有亲父，安知其不为虎／虽有慈父，不爱无益之子／园有螯虫，藜藿为之不采／国有忠臣，奸邪为之不起／山有猛兽，藜藿为之不采／山有猛兽，树木为之不斩／徒有排云心，何由生羽翼／涂有所不在，军有所不击／宫有垩，器有涤，则洁矣／学有思而获，亦有触而获／纵有还家梦，犹

闻出塞声／亲有疾，饮药，子先尝之／树有百年花，人无一定颜／时有利不利，虽贤欲奚为／明有所不见，听有所不闻／贵有风雪兴，富无饥寒忧／物有所不足，智有所不明／有有必有无，有聚必有散／思有所至，有身不暇徇也／辞有所未尽，意有所未竭／自有凌冬质，能守岁寒心／自有桃花容，莫言人劝我／上有好者，下必有甚焉者矣／不有忌讳，则谠直之路开矣／未有不能正身而能正人者也／未有不能制兵而能止暴乱者／未有学其小而能至其大者也／事有以必然，虽常人足以致／事有合于己者而未始有是也／但有断头将军，无有降将军／人有不为也，而后可以有为／人有非上之所过，谓之正士／人有能有不能，有明有不明／人有盗而富者，富者未必盗／势有所不可，虽圣哲不能为／士有争友，则身不离于令名／将有死之心，士卒无生之气／吾有德于人也，不可不忘也／虽有良玉，不刻镂则不成器／虽有美质，不学则不成君子／唯有志不立，直是无着力处／国有伤明之政，则民多病目／国有贤相良将，民之师表也／山有猛兽者，藜藿为之不采／父有争子，则身不陷于不义／秦有贪饕之心，而欲不可足／天有不测风云，人有旦夕祸福／天有不测风云，人又岂能料乎／不有所弃，不可以得天下之势／不有所忍，不可以尽天下之利／未有无腹心手足而能独理者也／未有不自有恒而能至于圣者也／世有莫盛之福，又有莫痛之祸／事有不可知者，有不可不知者／事有不当民务者，皆禁而不行／事有易成者名小，难成者功大／生有闻于当时，死有传于后世／人有举事至当，而或有非之者／褒有德，赏有功，古今之通义／邦有道，如矢；邦无道，如矢／虽有至道，弗学，不知其善也／虽有嘉肴，弗食，不知其旨也／虽有营求之事，莫生得失之心／虽有强记之力，而常废于不勤／虽有群书万卷，不及囊中一钱／国有累卵之忧，俗有土崩之势／情有善有不善，而性无不善焉／情有忠伪，信其忠则不疑其伪／惟有才行是任，岂以新旧为差／安有执砺世之具而患乎无贤欤／实有折枝之易，而无挟山之难／进有忧国之心，退有死节之义／时有薄而厚施，行有失而惠用／物有出微而著，事有由隐而章／物有微而志信，人有贱而言忠／礼有三本：天地者，生之本也／耳有聪，目有明，心思有睿知／天有和，有德，有平，有威……／天有其时，地有其财，人有其治／未有身正而影曲，上治而下乱者／事……有忤于心者而未始有非也／事有所至，信反为过，诞反为功／人有欲，则无刚，刚则不屈于欲／能有名誉者，必无以趋行求者也／圣有所生，王有所成，皆原于一／士有未效之用，而身在无誉之间／名有固善，径易而不拂谓之善名／虽有至明，而有形者不可毕见焉／国有道，即顺命；无道，即衡命／家有千金之玉不知治，犹之贫也／见有人来，袜刬金钗溜，和羞走／物有必至，事有常然，古之道也／一有偏好，则下必投其所好以诱之／事有切而未能忘，情有深而未能遣／事有所分，则毫末不遗而情伪必见／乌有城坏其徒俱死，独蒙愧耻求活／兵有奇正，旋相为用，如环之无端／为有牺牲多壮志，敢教日月换新天／书有以加乎其言，言有以加乎其心／尽有天，循有照，冥有枢，始有彼／人有喜怒哀乐，犹天之有春夏秋冬／人有善，恒当掩之，有恶宜令彰露／人有穷，而道无不通，与道争则凶／士有一言中于道，不远千里而求之／莲有藕兮藕有枝，才有用兮用有时／将有非常之大事，必生希世之异人／常有小病则慎疾，常亲小劳则身健／名有固善，径易而不拂，谓之善名／听有音之音者聋，听无音之音者聪／虽有千里之能……安求其能千里也／山有木兮木有枝，心悦君兮君不知／独有英雄驱虎豹，更无豪杰怕熊罴／处有事当如无事，处大事当如小事／惟有一天秋夜月，不随田亩入官租／理有疑误而成过，事有形似而类真／木有文章曾是病，虫多言语不能天／昔有佳人公孙氏，一舞剑气动四方／必有忍，其乃有济；有容，德乃大／病有六不治，信巫不信医，不治也／言有尽而意无穷者，天下之至言也／言有浮于其意，而意有不尽于其言／未有天地之先，毕竟也只是先其俭也／未有暴乱不止而能活生人、定国家者／生有厚利，死有遗教，此盛君之行也／人有恩于我不可忘，而怨则不可不忘／士有靡衣鲜食而乐道者，吾未之见也／尝有德，厚报之；有怨，必以法灭之／知有所待而后当，其所待者特未定也／虽有巧目利手，不如拙规矩之正方圆／文有二道：辞令褒贬，本乎著述者也／天，有形之大者也；人，动物之尤者也／非有灾害疾疫，独以贫穷，非惰则奢也／计有一二者难悖也，听无失本末者难惑／虽有贤师良友，若画脂镂冰，费日损功／国有道其言足以兴，国无道其默足以容／山有木，工则度之；宾有礼，主则择之／进有退之义，存有亡之机，得有丧之理／水有猵獭而池鱼劳，国有强御而齐民消／物有甘苦尝之者识，道有夷险履之者知／目有眯则视白为黑，人有蔽则以薄为厚／言有浅而可以托深，类有微而可以喻大／食有酒肉，衣有罗绮……非益生之良药／天有六极五常，帝王顺之则治，逆之则凶／未有天地之先，毕竟也只是先进谏斯易矣／内有一定之操，而外能诎伸、嬴缩、卷舒／人有鸡犬放，则知求之；有放心而不知求／苟有可观，皆有可乐，非必怪奇伟丽者也／虽有尧舜之智，而无众人之助，大功不立／国有贤士而不用，非士之过，有国者之耻／冬有雷电，夏有霜雪，然而寒暑之势不易／纵有良法美意，非其人而行之，反成弊政／文有二道：……导扬讽谕，本乎比兴者也／才有浅深，无有古今；文有真伪，无有故新／无有作好，遵王之道；无有作恶，遵王之路／未有仁而遗其亲者也，未有义而后其君者也／未有好利而爱其君者，未有好义而忘其君者／事有古而可以质于今，言有大而可以征于小／我有禅灯，独照独知。不取亦取，虽师勿师／民有疾苦，得以安之；吏有侵渔，得以去之／厨有腐肉，国有饥民；厩有肥马，路有馁人／人有厚德，无问小节；人有大举，无訾小故／人有所优，固有所劣；人有所工，固有所拙／人有悲欢离合，月有阴晴圆缺，此事古难全／句有可削，足见其疏；字不得减，乃知其密／诗有别材，非关书也；诗有别趣，非关理也／功有难图，不可预见；事有易断，较然不疑／虽有丝麻，无弃菅蒯；虽有姬姜，无弃蕉萃／虽有至圣，不生而知；虽有至材，不生而能／虽有智慧，不如乘势；虽有镃基，不如待时／虽有神药，不如少年；虽有珠玉，不如金钱／善有善报，恶有恶报；不是不报，时辰未到／国有常众，战无常胜；地有常险，守无常势／庖有肥肉，厩有肥马，民有饥色，野有饿莩／性有精粗，命有长短，情有美恶，意有大小／女有余布，男有余粟，国家殷富，上下交足／如有德而无才，则不能为用，亦何足为君子／子有钟鼓，弗鼓弗考；宛其死矣，他人是保／学有未达，强以为知，理有未安，妄以臆度／财有害气，积则伤人；虽少犹累，而况多乎／物有美恶，施用有宜，美不常珍，恶不终弃／物有本末，事有终始。知所先后，则近道矣／物有所好，汝勿好之。德有所好，汝则效之／物有盛衰，时有推移，事有激会，人有变化／文有余而质不足则流，才有余而雅不足则荡／貌有不足，敷粉施朱。才有不足，征典求书／其有法者以法行，无法者以类举，听之尽也／天……有相授之意，有为政之理，不可不审也／未有天地之先，毕竟也只是先让者，德之主也／苟有所见，虽布衣之贱，远守之微，亦可施用／常有小不快事，是好消息……知此理可免怨尤／知有己不知有人，闻人过不闻己过，此祸本也／如有不嗜杀人者，则天下之民皆引领而望之矣／未有主强盛而辅不飘逸者，兵卫不华赫而庄整者／如有周公之材之美，使骄且吝，其馀不足观也已／上有素定之谋，下无趋向之惑，天下之事不难举也／未有天地之先，毕竟也只是先有此理，便有此天地／非有卓然异绩结于人心，浃于骨髓，安能久而愈思／民有三患：饥者不得食，寒者不得衣，劳者不得息／虽有国士之力，不能自举其身，非无力也，势不便也／虽有忧勤之心，而不知致治之要，则心愈劳而事愈乖／虽有纳谏之明，而无力行之果断，则言愈多而听愈惑／言有教，动有法，昼有为，宵有得，息有养，瞬有存／上有无时之求，中有剥削曲巧之政，下有豺狼寇盗之害／天有五行：一曰木，二曰火，三曰土，四曰金，五曰水／天有恒日，民自则之，爽则损命，环自服之，天之道也／生有七尺之形，死唯一棺之土，唯立德扬名，可以不朽／威有三：有道德之威者，有暴察之威者，有狂妄之威者／威有三术，有道德之威者，有暴察之威者，有狂妄之威者／政有三品：王者之政化之，霸者之政威之，强国之政胁之／其有发挥新体，孤飞百代之前，开凿古人，独步九流之上／能有天下者，必无以天下为也；能有名誉者，必无以趋行求者也／人有明珠，莫不贵重，若以弹雀，岂非可惜？况人之性命甚于明珠／国有三军何？所以戒非常，伐无道，尊宗庙，重社稷，安不忘危也

❸开卷有益／天地有始／师必有名／祸生有胎／天下有三危／进必有所归／缓必有所失／败棋有胜着／君命有所不受／用民有纪有纲／天若有情天亦老／生财有大道……／医家有割股之心／先人有夺人之心／君子有死而无贰／事乃有大谬不然者／仙没有，无欲即仙／尊卑有序则上下和／万方有罪，在予一人／天下有大知，有小知／天下有道，圣人藏焉／天下有道，圣人成焉／天地有穷，此冤无穷／天道有常，王道亡常／不求有功，但求无过／不知有汉，无论魏晋／不孝有三，无后为大／百姓有罪，在于一人／求之有道，得之在命／事固有所极，有所反／生也有涯，知也无涯／生则有涯，死宜不泯／我之有我，自由我在／民各有心，亦壅惟口／同中有异，异中有同／他人有心，予忖度之／黄金有疵，白玉有瑕／人之有技，若己有之／人之有子，须使有业／人亦有言，进退维谷／先民有言，询于刍荛／凡主有识，言不欲先／凡民有丧，匍匐救之／阿谀有福，深言近祸／凶德有五，中德为首／巧者有余，拙者不足／夸而有节，饰而不诬／持之有故，言之成理／虽楚有材，晋实用之／得志有喜，不可不戒／德则有邻，才不必贵／闻人有善，若己有之／沃然有得，笑傲万古／清能有容，仁能善断／惜衣有衣，惜食有食／宠必有辱，荣必有患／维鹊有巢，维鸠居之／相门有相，将门有将／楚虽有才，晋实用之／死生有命，富贵在天／战虽有陈，而勇为本／昌必有衰，兴必有废／昭明有融，高朗令终／政贵有恒，辞尚体要／斯文有传，学者有师／父母有疾，琴瑟不御／有迟有速，民必胜之／有始有终，无为无欲／火必有光，心必有思／灭而有实，鬼之一也／福来有

由，祸来有渐／福生有基，祸生有胎／积善有征，终身无祸／穷达有命，吉凶由人／自古有死，奚论后先／金石有声，不考不鸣／靡不有初，鲜克有终／夫妇有恩矣，不诚则离／天下有道，则庶人不议／天下有道，则与物皆昌／天下有道，则正人在上／天下有道，却走马以粪／天命有德，五服五章哉／天讨有罪，五刑五用哉／夹涧有古松、老杉……／非其有而取之，非义也／龟猖有介，狐貉不能擒／书中有画，画中亦有书／俗人有功则德，德则骄／人才有长短，不必兼通／人才有长短，能有巨细／从政有经，而令行为上／士虽有学，而行为本焉／大木有尺寸之朽而不弃／君子有徽猷，小人与属／君子有远虑，小人从迩／维南有箕，不可以簸扬／骏马有奔踶之患而可驭／有迟有速，而民必胜之／愚者有备，与知者同功／愚者有备，与智者同功／慈母有败子，小不忍也／盛之有衰，犹朝之必暮／用兵有术矣，而义为本／蝮蛇有螫，人忌而不轻／竹外有节理，中直空虚／万事有不平，尔何空自苦／天下有道则见，无道则隐／天地有正气，杂然赋流形／世未有小人不除而治者也／北方有佳人，绝世而独立／非物有小大，盖心为虚实／非其有而求之，虽强不得／长安有贫者，为瑞不宜多／后来有千日，谁与共平生／为治有体，上下不可相侵／利旁有依刀，贪人还自贼／人事有代谢，往来成古今／人生有离合，岂择衰老端／人生有新故，贵贱不相渝／今人有过，不喜人规……／先师有遗训，忧道不忧贫／讼必有曲直，论必有是非／谈笑有鸿儒，往来无白丁／刀刃有蜜，不足一餐之美／功多有厚赏，不迪有显戮／英雄有屯邅，由来自古昔／草木有本心，何求美人折／大舟有深利，沧海无浅波／操行有常贤，仕宦无常遇／国亦有猛狗，用事者是也／山岳有饶，然后百姓赡焉／御马有法矣，御民有道矣／门内有君子，门外君子至／闻君有两意，故来相决绝／闻道有蚤莫，行道有难易／河海有润，然后民取足焉／澧泉有故源，嘉禾有旧根／富贵有人籍，贫贱无天录／婴儿有常病，贵臣有常祸／嫫母有所美，西施有所丑／学者有两忌，自高与自狭／维北有斗，不可以挹酒浆／此中有真意，欲辨已忘言／父母有常失，人君有常过／有国有家，不思所以救之／有其有者安，贪人有者残／照之有余辉，揽之不盈手／秋菊有佳色，裛露掇其英／鸱目有所适，鹤胫有所节／于此有所蔽，则于彼有所见／天下有二：非察是，是察非／天亦有喜怒之气，哀乐之心／天叙有典，敕我五典五惇哉／无所有而来，无所从而去者／不应有恨，何事长向别时圆／为天有眼兮何不见我独漂流／人之有德于我也，不可忘也／先王有郢书，而后世多燕说／谤之有因者，非自修弗能止／若其有害，虽百例不可用也／狡兔有三窟，仅得免其死耳／孤之有孔明，犹鱼之有水也／栖息有所，苍蝇同骐骥之速／于此有所不足，则于彼有所长／人主有私人以财，不私人以官／凡事有经必有权，有法必有化／诵读有真趣，不玩味终为鄙夫／“莫须有”三字，何以服天下／吾十有五而志于学，三十而立／吟咏有真得，不解脱终为套语／君子有终身之忧，无一朝之患／山水有真赏，不领会终为漫游／宁为有闻而死，不为无闻而生／妍媸有定矣，而憎爱异情……／田园有真乐，不潇洒终为忙人／与其有乐于身，孰若无忧于其心／与其有誉于前，孰若无毁于其后／天下有事，则匹夫之言重于泰山／天行有常，不为尧存，不为桀亡／事固有弃彼取此，以权一时之势／为神有灵兮何事处我天南海北头／使我有身后名，不如即时一杯酒／凡兵有本干：必义，必智，必勇／读书有三到：心到、眼到、口到／播种有不收者矣，而稼穑不可废／君子有失其所兮，小人有得其时／喉中有病，无害于息，不可凿也／是非有考于前，而成败有验于后／有忍，有乃有济；有容，德乃大／目中有疵，不害于视，不可灼也／盛之有衰，生之有死，天之分也／天若有情天亦老，人间正道是沧桑／不必有非常之功，而皆有可纪之状／事固有难明于一时而有待于后世者／生之有时而用之无度，则物力必屈／义理有疑，则濯去旧见，以来新意／为文有三多：看多、做多、商量多／公卿有党排宗泽，帷幄无人用岳飞／今朝有酒今朝醉，明日愁来明日愁／今朝有酒今朝醉，且尽樽前有限杯／词客有灵应识我，霸才无主始怜君／当事有四要：际畔要果决，怕是绵／常将有日思无日，莫待无时思有时／常将有日思无日，莫待无时想有时／君子有三戒：少之时……戒之在得／君子有九思：视思明……见得思义／君子有力于民则进爵禄，不辞富贵／四时有不谢之花，八节有长青之草／清时有味是无能，闲爱孤云静爱僧／富国有道，无所不恤者，富之端也／如下有泰山之安，则上有累卵之危／始之有作人争觉，及至无为众始知／贵高有危殆之惧，卑贱有沟壑之忧／有财有势即相识，无财无势同路人／胸中有誓深于海，肯使神州竟陆沉／忠言有壅而未达，贤才有抑而未用／蜡烛有心还惜别，替人垂泪到天明／精卫有情衔太华，杜鹃无血到天津／身后有余忘缩手，眼前无路想回头／言无有善恶也……则其辞不索而获／一炬有燎原之忧，而滥觞有滔天之祸／世虽有侥幸之事，断不可存侥幸之心／刘备有取天下之量，而无取天下之才／孰知有无死生之一守者，吾与之为友／项籍有取天下之才，而无取天下之虑／闻以有知知者也，未闻以无知知者也／闻以有翼飞者矣，未闻以无翼飞者也／闻道有先后，术业有专攻，如是而已／曹操有取天下之虑，而无取天下之量／物固有形，形固有名，名当谓之圣人／白璧有考，不得为宝：言至纯之难也／西施有所恶而不能减其美者，美多也／世未有不自下而能高，不自近而能远者／生以有为己分，则虚无是有之所遗者也／降年有永有不永，非天夭民，民中绝命／大上有立德，其次有立功，其次有立言／太上有立德，其次有立功，其次有立言／君子有机以成其善，小人有机以成其恶／法立，有犯而必施；令出，惟行而不返／进言有四难：审人、审己、审事、审时／见人有善如己有善，见人有过如己有过／物之有成必有坏，譬如人之有生必有死／天犹有春秋冬夏旦暮之期，人者厚貌深情／古语有之"生相怜，死相捐"。此语至矣／若夫有道之士，必礼必知然后其智能可尽／当于有过中求无过，不当于无过中求有过／彼民有常性，织而衣，耕而食，是谓同德／珠之有颣玉之有瑕，置之而全，去之而亏／万物有乎生而莫见其根，有乎出而莫见其门／天地有官，阴阳有藏；慎守女身，物将自壮／世必有才，随时所用，岂待……然后为治乎／两若有名，相与则成；阴阳备物，化变乃生／生者有极，成者必亏；生生成成，今古不移／仇雠有善，不得不举；亲戚有恶，不得不诛／人亦有言，忧令人老。嗟我白发，生一何早／高山有前，流水在下，可以俯仰，可以宴乐／墓门有棘，斧以斯之；夫也不良，国人知之／君子有三畏：畏天命，畏大人，畏圣人之言／君子有诸己而后求诸人，无诸己而后非诸人／国家有幸，当者受央；国家无幸，有延其命／行己有耻，使于四方，不辱君命，可谓士矣／庶人有旦暮之业则劝，百工有器械之巧则壮／居官有二语，曰：唯公则生明，唯廉则生威／相鼠有皮，人而无仪；人而无仪，不死何为／槁竹有火，弗钻不然；土中有水，弗掘无泉／明王有过，则反之于身，有善，则归之于民／金石有声，弗叩弗鸣；管箫有音，弗吹无声／古人有言曰："其父析薪，其子弗克负荷。"／真伪有质矣，而趋舍舛忤，故两心不相为谋焉／君苟有善，人必知之。知之又知之，其心归之／君苟有恶，人亦知之。知之又知之，其心去之／君子有三忧：弗知，可无忧与？……可无忧与／国之有民，犹水之有舟，停则以安，扰则以危／雅郑有素矣，而好恶不同，故两耳不相为听焉／制国有常，而利民为本；从政有经，而令行为上／君子有三变：望之俨然，即之也温，听其言也厉／治国有常，而利民为本；政教有经，而令行为上／居者有余蓄，行者有余资……可谓有治天下之效／泰初有无，无有，无名。一之所起，有一而未形／贱者有罪，贵者治之。君得罪于民，谁将治之？／赋役有定制，兵农有定业，官无虚名，职无废事／物固有所然，物固有所可；无物不然，无物不可／万物有自然之理，圣人只是顺之，不曾增加得一毫／天下有大勇者，卒然临之而不惊，无故加之而不怒／物非有大小也，自其内而观之，未有不高且大者也／人生有限，情欲无厌。既不救其死亡，岂能保乎金玉／操行有常贤，仕官无常遇，贤不贤才也，遇不遇时也／福生有基，祸生有胎；纳其基，绝其胎，祸福何自来／父子有亲，君臣有义，夫妇有别，长幼有叙，朋友有信／至礼有不人，至义不物，至知不谋，至仁无亲，至信辟金／智亦有所不至。所不至，说者虽辩，为道虽精，不能见矣／天地有大美而不言，四时有明法而不议，万物有成理而不说／君子有为于天下，惟义而已，不可则止，无苟为，亦无必为／擒鬼有术，也有效，然而有限，所以以此成大事者，古来无有／天下有至贵而非势位也，有至富而非金玉也，有至寿而非千岁也／患其有小恶，以人之小恶，亡人之大美，此人主之所以失天下之士也已

❹诗成觉有神／强行者有志／甚美必有甚恶／外宁必有内忧／凡物皆有可观／大屈必有大伸／下下人有上上智／大道废，有仁义／溪南北有山……／情生于有情之地／学诗谩有惊人句／天下无有不散筵席／有妍必有丑为之对／礼生于有而废于无／礼，是以有杀有等／万物自有而终归于无／天下没有不散的筵席／不攫所有，不强所无／网在纲，有条而不紊／仕于世，有劳而见罪／充实而有光辉之谓大／天下未有不学而成者也／不诚则有累，诚则无累／色智而有能者，小人也／道有因有循，有革有化／时俗人有耳不自闻其过／有德而有才，方见于用／胜人者有力，自胜者强／丈夫皆有志，会见立功勋／万物之有灾，人妖最可畏／万族各有托，孤云独无依／不论天有眼，但管地无皮／生材会有用，天地岂无心／古圣王有义兵而无有偃兵／贞刚自有质，玉石乃非坚／黄河清有日，白发黑无缘／人生归有道，衣食固其端／从善则有誉，改过则无咎／众鸟欣有托，吾亦爱吾庐／兄弟虽有小忿，不废懿亲／军则新有营，谁念民无室／让生于有余，争起于不足／讲之功有限，习之功无已／诗之外有事，诗之中有人／隔墙须有耳，窗外岂无人／搀材各有用，反性生苦辛／吾生也有涯，而知也无涯／君子交有义，不必常相从／善琴者有悲心则声凄凄然／山明疑有雪，岸白不关沙／间关如有意，愁绝若怀人／害稼者有时，害民者无期／道未始有封，言未始有常／材难矣，有蕴而不得其时／时逢矣，有用而不尽其施／故君子有不战，战必胜矣／有生必

有死，早终非命促／有兴必有废，有盛必有衰／有有必有无，有聚必有散／有静必有动，有动必有静／风行常有地，云出本多峰／福钟恒有兆，祸集非无端／盛衰各有时，立身苦不早／用于国有节，取于民有制／自以为有过，而过自寡矣／貌重则有威，好重则有观／言重则有法，行重则有德／其诗之有故，其言之成理／其持之有故，其言之成理／鬓边虽有丝，不堪织寒衣／生非汝有，是天地之委和也／人有能有不能，有明有不明／众人皆有以，而我独顽似鄙／识事之有当，不任非当之事／吾所以有大患者，为吾有身／富贵而有业，则不至于为非／贫贱而有业，则不至于饥寒／有官必有课，有课必有赏罚／恶人无有所纪，则以愧而惧／用非其有之心，不可察之本／万物必有盛衰，万事必有弛张／人之材有大小，而志有远近也／士之品有三：志于道德者为上／大简必有不好，良工必有不巧／大羹必有淡味，至宝必有瑕秽／衡阳犹有雁传书，郴阳和雁无／情有善有不善，而性无不善焉／宠子未有不骄，骄子未有不败／好刑，则有功者废，无罪者诛／杭州之有西湖，如人之有眉目／赏罚皆有充实，则民无不用矣／点画皆有筋骨，字体自然雄媚／天地之有水旱，犹人之有疾病也／天有和，有德，有平，有威……／不可以有乱急，亦不可以无乱弛／未形者有分，且然无间，谓之命／今余遭有道，而违于理，悖于事／凡物皆有两端，如小大厚薄之类／君子当有所好恶，好恶不可不明／鸿鹄固有远志，但燕雀自不知耳／病中必有悔悟处，病起莫教忘了／天公尚有妨农过，蚕怕雨寒苗怕火／生而不有，为而不恃，功成而弗居／民生各有所乐兮，余独好修以为常／古之良有司，忧其君而不恤其私计／人寰尚有遗民在，大节难随九鼎沦／从来夸有龙泉剑，试割相思得断无／儿孙自有儿孙福，莫为儿孙作远忧／儿孙自有儿孙计，莫与儿孙作马牛／当时更有军中死，自是君王不动心／江山代有才人出，各领风骚数百年／察察者有所不见，恢恢者有所不容／强中更有强中手，莫向人前满自夸／强中自有强中手，用诈还逢识诈人／纵横正有凌云笔，俯仰随人亦可怜／明珠自有千金价，莫为游人作弹丸／有乎生，有乎死；有乎出，有乎入／蜀笺都有三千幅，总写离情寄孟光／自家虽有这道理，须是经历过方得／登临自有江山助，岂是胸中不得平／天下未有无理之气，亦未有无气之理／不得以有学之贫贱，比于无学之富贵／百姓之有此色，正缘士大夫不知此味／古之人，有高世之才，必有遗俗之累／天下而有无害之利，则谁不能计之者？／天下事有难易乎？为之，则难者亦易矣／古者多有天下而亡者矣，其民不为用也／使夸而有节，饰而不诬，亦可谓之懿也／问君能有几多愁？恰似一江春水向东流／矜容者有经日之芳；工歌者有弥旬之韵／三年耕有九年储，仓谷满盈，斑白不负戴／与百姓有缘才来此地，期寸心无愧不鄙斯民／天下岂有不可为之国哉？亦存乎其人如何尔／凡事行，有益于理者立之，无益于理者废之／亡而为有，虚而为盈，约而为泰，难乎有恒／圣人虽有独知之明，常如阁昧，不以曜乱人／大人者，有容物，无去物，有爱物，无徇物／己之虽有，其状若无；己之虽实，其容若虚／不思，故有惑；不求，故无得；不问，故不知／天子者，有道则人推而为主，无道则人弃而不用／平为福，有余为害者，物莫不然，而财其甚者也／今人主有明其德者，则天下归之若蝉之归明火也／知本无有思，动静皆离，寂然不动者，是至诚也／用民亦有种，不审其种，而祈民之用，惑莫大焉／威有三：有道德之威者，有暴察之威者，有狂妄之威者／其夹岸有树木千万本，列立如揖，丹色鲜如霞，擢举欲动，灿若舒颜

❺法自儒家有／用民有纪有纲／天门者，无有也／读书窗下有残灯／口有蜜，腹有剑／德不孤，必有邻／赏有功，褒有德／舜布衣而有天下／有其人则有其神／有其父必有其子／礼有经，亦有权／息有养，瞬有存／章有德，序有功／竹有节，人有志／事有大小，有先后／六亲不和，有孝慈／知止而后有定……／国家昏乱，有忠臣／有是理，便有是气／有其志，必有其事／一心以为有鸿鹄将至／三人行，必有我师焉／丰交之木，有时而落／天生烝民，有物有则／无为则理，有为则乱／五色虽明，有时而渝／五色虽朗，有时而渝／可行必守，有弊必除／为者则己，有者则士／信不足焉，有不信焉／人心之变，有余则骄／谓予不信，有如皎日／劳谦，君子有终，吉／茂木丰草，有时而落／见善则迁，有过则改／物有所余，有所不足／有功而赏，有罪而罚／有莠则锄，有疾则医／有善必闻，有恶必见／有山可登，有水可浮／有眉不申，有志不舒／有田一成，有众一旅／盱豫，悔。迟，有悔／顺命为上，有功次之／鞭笞之下，有贤士乎／吏不良，则有法而莫守／网解不结，有兽失之患／关节不到，有阎罗包老／防决不备，有水溢之害／坚明直亮，有文武之用／虽小道，必有可观者焉／待人当于有过中求无过／法不善，则有财而莫理／轩冕失之，有时而复来／赋敛之毒，有甚是蛇者／有过必悛，有不善必惧／施之大厦，有栋梁之用／于不疑处有疑，方是进矣／天之道，损有余而补不足／为之于未有，治之于未乱／云霞雕色，有逾画工之妙／诗书勤乃有，不勤腹空虚／国之亡也，有道者必先去／处高心不有，临节自为名／宁可信其有，不可信其无／

宫有垩，器有涤，则洁矣／威不可无有，而不可专恃／学之终身，有不能达者矣／枉己者，未有能直人者也／战死士所有，耻复守妻孥／明月几时有？把酒问青天／思有所至，有身不暇徇也／醉中语亦有醒时道不到者／事之行也有势，其成也有气／千里马常有，而伯乐不常有／古之人，未有不须友以成者／古之圣王有义兵而无有偃兵／高情壮思，有抑扬天地之心／圣人未尝有知，由问乃有知／措语遣意，有若自然生成者／小小寰球，有几个苍蝇碰壁／迁固之史，有是非而无赏罚／有元气则有生，有生则道显／文者，务为有补于世而已矣／礼者，贵贱有等，长幼有差／愿普天下有情的都成了眷属／登车揽辔，有澄清天下之志／雄笔奇才，有鼓怒风云之气／无恒产而有恒心者，惟士为能／未有不自有恒而能至于圣者也／事莫明于有效，论莫定于有证／事莫贵乎有验，言莫弃乎无征／长者不为有余，短者不为不足／为政……贵于有以来天下之善／褒有德，赏有功，古今之通义／设文之体有常，变文之数无方／读文必期有用，不然宁可不读／知使兹人有知乎？非我其谁哉／孙子非汝有，是天地之委蜕也／绳以柔而有立，金以刚而无固／赏必加于有功，刑必断于有罪／览冀州兮有余，横四海兮焉穷／有生之气，有形之状，尽幻也／有生者必有死，有始者必有终／有始者必有卒，有存者必有亡／耳有聪，目有明，心思有睿知／言其是则有功，言其非则有罪／夫妇之道，有义则合，无义则离／无制之兵，有能之将，不可以胜／不自伐，故有功；不自矜，故长／孰无施而有报兮，孰不实而有获／城下之盟，有以国毙，不能从也／宁武子邦有道则智；邦无道则愚／日省其身，有则改之，无则加勉／有德者必有言，有言者不必有德／有忍，有乃有济；有容，德乃大／朋友之道，有义则合，无义则离／天长地久有时尽，此恨绵绵无绝期／世间万物有盛衰，人生安得常少年／尺之木必有节目，寸之玉必有瑕璃／尽有天，循有照，冥有枢，始有彼／人生芳秽有千载，世上荣枯无百年／人生自是有情痴，此恨不关风与月／人情旦暮有翻复，平地倏忽成山谿／诗人安得有青衫，今岁和戎百万缣／诸侯之地有限，暴秦之欲无厌……／劳而不伐，有功而不德，厚之至也／山泽不必有异士，异士不必在山泽／物固莫不有长，莫不有短，人亦然／有所取必有所舍，有所禁必有所宽／胸中元自有丘壑，故作老木蟠风霜／心暗则照有不通，至察则多疑于物／五百年必有王者兴，其间必有名世者／太上，下知有之；其次亲而誉之……／心之所感有邪正，故言之所形有是非／降年有永有不永，非天夭民，民中绝命／慎尔言，将有和之；慎尔行，将有随之／天下之势有强弱，圣人审其势而应之以权／词瀹语要有味，壮语要有韵，秀语要有骨／在上者，必有武备，以戒不虞，以遏寇虐／莫知己德有极，则可以有社稷，为民致福／为国之法，有似理身，平则致养，疾则攻焉／以无厚入有间，恢恢乎其于游刃必有余地矣／凤凰生而有仁义之意，虎狼生而有贪戾之心／草木无情，有时飘零；人为动物，惟物之灵／山不在高，有仙则名；水不在深，有龙则灵／衡门之下，有琴有书，载弹载咏，爰得我娱／夏宜急雨，有瀑布声；冬宜密雪，有碎玉声／有为之为，有废无功；无为之为，成遂无穷／有祸则诎，有福则赢，有过则悔，有功则矜／喜怒、窘穷、……有动于心，必于草书焉发之／大丈夫必有四方之志，乃仗剑去国，辞亲远游／峰回路转，有亭翼然，临于泉上者，醉翁亭也／有不能以有为有，必出乎无有，而无有一无有／有功不赏，有罪不诛，虽唐虞犹不能以化天下／三年耕，必有一年之食，九年耕，必有三年之食／自外入者，有主而不执；由中出者，有正而不距／含气之伦，有生必终，盖天地之常期，自然之至数／天公何时有，谈者皆不经。谁道贤人死，今为傅说星／言有教，动有法，昼有为，宵有得，息有养，瞬有存／知人之效有二难：有难知之难，有知之而无由得效之难／水虽平，必有波；衡虽正，必有差；尺寸虽齐，必有诡／威有三术，有道德之威者，有暴察之威者，有狂妄之威者

❻万物出乎无有／不知戒，后必有／未成曲调先有情／凡法始立必有病／攻不足者守有余／打蛇勿死终有害／损不足以奉有余／女子无才便有德／此时无声胜有声／物色尽而情有余／有言者不必有德／秋菊春兰各有香／言有物而行有格／言有物而行有恒／苟无民，何以有君／大疑之下必有大悟／学于古训，乃有获／王侯将相宁有种乎／有真人然后有真知／有治法而后有治人／礼，是以有杀有等／一国尽乱，无有安家／一家皆乱，无有安身／上有天堂，下有苏杭／下无直辞，上有隐君／天下大乱，无有安国／天下有大知，有小知／天地之外，别有天地／无所不能者有大不能／无所不知者有大不知／不复知人间有羞耻事／两虎相斗，必有一伤／事不三思，终有后悔／事固有所极，有所反／事有曲直，言有是非／事有必至，理有固然／及吾无身，吾有何患／举足左右，便有轻重／尺有所短，寸有所长／民无隐情，治有异迹／民多讳言，君有骄行／前虑不定，后有大患／何以解忧，惟有杜康／侯王将相，宁有种乎／人无远虑，必有近忧／人有知学，则有力矣／人貌荣名，岂有既乎／凡有血气，皆有争心／夙兴夜寐，靡有朝矣／地有远行，无有不至／大夭之

内，复有小天／大军之后，必有凶年／大难不死，必有后禄／推陈出新，饶有别致／将门之下，必有将类／小挫之后，反有大获／知询于愚，或有得也／岁有其物，物有其容／行有素履，事有成迹／街谈巷说，必有可采／汝无面从，退有后言／道塞宇宙，非有隐遁／日有短长，月有死生／时有始终，世有变化／昂然直上，凛有生气／智者千虑，必有一失／贫富轻重皆有称者也／牛能任重，马有报德／物之不亲，由有间也／物之不齐，由有过也／物有生死，理有存亡／物有必至，事有固然／有荣华者，必有憔悴／胸中泰然，岂有不乐／文有真伪，无有故新／必有事实，乃有是文／怒中之言，必有泄漏／愚人千虑，必有一得／愚者千虑，亦有一得／愚者千虑，或有一得／愚者千虑，必有一得／老有所终，壮有所用／野多滞穗，亩有余粮／可取之利，当有所不取／难行之言，当有所必行／将在外，君令有所不受／道有因有循，有革有化／所谓文者，必有诸其中／目之于色也，有同美焉／覆巢之下，复有完卵乎／一倡而三叹，有遗音者矣／无事则深忧，有事则不惧／无书求出狱，有舌到临刑／无例不可兴，有例不可灭／无功之功大，有功之功小／无名困蝼蚁，有名世所疑／无波古井水，有节秋竹竿／不才者进，则有才之路塞／不作无益害有益，功乃成／千里相思，空有关山之望／兵之所聚，必有所资……／以贤临人，未有得人者也／黄鹤戒露，非有意于轮轩／人之能，天也有所不能也／人物禀假，受有多少……／功名之下，常有非实之加／能忍事乃济，有容德乃大／大海浮萍，也有相逢之日／口含黄柏味，有苦自家知／知有所困，神有所不及也／治平尚德行，有事赏功能／安宁勿懈堕，有事不迫遽／春秋迭代，必有去故之悲／贪求则争起，有知则事兴／有不虞之誉，有求全之毁／有事不避难，有罪不避刑／有兴必有废，有盛必有衰／有人者累，见有于人者忧／有有必有无，有聚必有散／有静必有动，有动必有静／盗虚声者多，有实学者少／钧天广乐，必有奇丽之观／瘠地之民多有心者，劳也／穷兵极武，未有不亡者也／以才御物，才有尽而物无穷／以贤下人，未有不得人者也／博而能一，亦有助乎心力矣／代大匠斫，希有不伤其手矣／读之者尽而有余，久而更新／能甘淡泊，便有几分真学问／建官以利民，有害民而得官／待人者，当于有过中求无过／惟事事乃其有备，有备无患／迟疑不断，未有能成事者也／日就月将，学有缉熙于光明／有不可忘者，有不可不忘者／有官必有课，有课必有赏罚／有自也而可，有自也而不可／有自也而然，有自也而不然／辞者，犹器之有刻镂绘画也／不正而合，未有久而不离者也／良璞不剖，必有泣血以相明者／人之足传，在有德，不在有位／凡事有经必有权，有法必有化／邪僻争权，乃有忠臣匡正其君／去贫之法，惟有先戒懒惰……／苟非吾之所有，虽一毫而莫取／苟粟多而财有余，何为而不成／君子之穷通，有异乎俗者也。／形体保神，各有仪则，谓之性／殃咎之来，未有不始于快心者／镞矢之疾，而有不行不止之时／自一气之所有，播万殊而种分／上下和同，虽有贤才，无所立功／天有和，有德，有平，有威……／天有其时，地有其财，人有其治／人之才性，各有短长，固难勉强／凡人之用智有短长，其施设各异／圣有所生，王有所成，皆原于一／虽禀极聪，而有声者不可尽闻焉／虽有至明，而有形者不可毕见焉／库无备兵，虽有义，不能征无义／道无终始，物有死生，不恃其成／是穮是蓘，虽有饥馑，必有丰年／物有必至，事有常然，古之道也／称人之善，我有一善，又何妒焉／称人之善，我有一善，又何妨焉／称人之恶，我有一恶，又何毁焉／一人之身兼有英雄，乃能役英与雄／一字不识而有诗意者，得诗家真趣／与其无义而有名兮，宁穷处而守高／天生我材必有用，千金散尽还复来／长风破浪会有时，直挂云帆济沧海／南方无穷而有穷，今日适越而昔来／但肯寻诗便有诗，灵犀一点是吾师／偷得利而后有害，偷得乐而后有忧／人生富贵岂有极？男儿要在能死国／莲有藕兮藕有枝，才有用兮用有时／大抵学问只有两途，致知力行而已／君问归期未有期，巴山夜雨涨秋池／善恶到头终有报，只争来早与来迟／山有木兮木有枝，心悦君兮君不知／死生，命也，其有夜旦之常，天也／日改月化，日有所为，而莫见其功／早成者未必有成，晚达者未必不达／赏务速而后有劝，罚务速而后有惩／断送一生惟有酒，寻思百计不如闲／文武之功，未有不以得人而成者也／心足则物常有余，心贪则物常不足／必有忍，其乃有济；有容，德乃大／眺望而林泉有余，奔走而烟霞足用／短长肥瘠各有态，玉环飞燕谁敢憎／老成之人，言有迂阔，而更事为多／一政之出，上有意而未决，则吏赞之／才贤任轻则有名，不肖任大身死名废／天下之事，不有所摧挫则不能以有成／天下者，非君有也，天下使君主之耳／生有厚利，死有遗教，此盛君之行也／为善者日以有劝，为不善者月以有惩／惟君臣相遇，有同鱼水，则海内可安／杞梓连抱，而有数尺之朽，良工不弃／昔人论诗词，有景语、情语之别……／天生人而使有贪有欲，欲有情，情有节／元气即道体，有虚即有气，有气即有道／由上室而上，有穴，北出之，乃临大野／良玉度尺，虽有十仞之土，不能掩其光／良珠度寸，虽有百仞之水，不能掩其莹／但愿官民通有无，莫令租吏打门叫呼疾／凡上下之间有物间隔，当须用刑法去之／巧不使鬼必有役人，物不天来终须地出／芳饵之下必有悬鱼，重赏之下必有死夫／苗而不秀者有矣夫，秀而不实者有矣夫／四时万物兮有盛衰，唯我愁苦兮不暂移／国之将兴，必有祯祥，君子用而小人退／国之将亡必有大恶，恶者无大于杀忠臣／物之有成必有坏，譬如人之有生必有死／父母威严而有慈，则子女畏慎而生孝矣／有阴德者必有阳报，有隐行者必有昭名／有文事者必有武备，有武事者必有文备／食有酒肉，衣有罗绮……非益生之良药／一人之身，才有长短，取其长则不问其短／未成乎心而有是非，是今日适越而昔至也／志为气之帅，有志则气不衰，故不觉其老／苟有可观，皆有可乐，非必怪奇伟丽者也／小人只怕他有才。有才以济之，流害无穷／当官之法，唯有三事：曰清，曰慎，曰勤／冬有雷电，夏有霜雪，然而寒暑之势不易／积善之家必有余庆，积不善之家必有余殃／一节省而国有余用，民有盖藏，不知其几也／才有浅深，无有古今；文有真伪，无有故新／求而得之，必有失焉；为而成之，必有败焉／兵者凶器，必有凶扰，扰则思乱，乱出不意／以道以德为有国之基，无事无为乃聚人之本／十室之邑，必有忠信；三人并行，厥有我师／十步之内，必有芳草；四海之中，岂无奇秀／十步之间，必有茂草；十室之邑，必有俊士／厨有腐肉，国有饥民；厩有肥马，路有馁人／人有所优，固有所劣；人有所工，固有所拙／今之世不闻有师，有，辄哗笑之，以为狂人／圣人千虑，必有一失；愚人千虑，必有一得／君子百是，必有一非；小人百非，必有一是／善有善报，恶有恶报；不是不报，时辰未到／国家将兴，必有祯祥；国家将亡，必有妖孽／庖有肥肉，厩有肥马，民有饥色，野有饿莩／性有精粗，命有长短，情有美恶，意有大小／女有余布，男有余粟，国家殷富，上下交足／物有本末，事有终始。知所先后，则近道矣／物有盛衰，时有推移，事有激会，人有变化／物类之起，必有所始；荣辱之来，必象其德／爵尊天下，富有四海，威势无量，专权擅柄／有君臣然后有上下，有上下然后礼义有所错／神龟虽寿，犹有竟时；腾蛇乘雾，终为土灰／香饵之下，必有悬鱼；重赏之下，必有死夫／积善多者，虽有一恶，是为过失，未足以亡／积恶多者，虽有一善，是为误中，未足以存／不恃隐括而有自直之箭自圆之木，百世无有一／古之学者必有师，所以通其业，成就其道者也／古之教者，家有塾，党有庠，术有序，国有学／兼覆盖而并有之，度伎能而裁使之者，圣人也／设使国家无有孤，不知当几人称帝，几人称王／知有己不知有人，闻人过不闻己过，此祸本也／有以为未始有物者，至矣，尽矣，弗可以加矣／非其人而欲有功，譬其若夏至之日而欲夜之长也／非其人而欲有功，譬之若夏至之日而欲夜之长也／山中人不信有鱼大如木，海上人不信有木大如鱼／斩伐林木，亡有时禁，水旱之灾，未必不由此也／泰初有无，无有，无名。一之所起，有一而未形／有云水襟怀，有松柏气节，典型顿失，人尽含悲／古之善歌者有语，谓"当使声中无字，字中有声"／古者士之进，有以德，有以才，有以言，有以曲艺／天生一人，自有一人之用，不待取给于孔子而后足也／满堂而饮酒，有一人乡隅而悲泣，则一堂皆为之不乐／万物纷纭，非有也，有之者人也，人不有，则万物何有／天下者亦吾有也，吾亦天下之有也，天下之与我岂有间哉／贼莫大乎德有心而心有睫，及其有睫也而内视，内视而败矣／捣鬼有术，也有效，然而有限，所以以此成大事者，古来无有／君子之行者有二焉；其未发也，慎而已矣，其既发也，义而已矣／谓马多力则有矣，若曰胜千钧，则不然者，何也？千钧，非马之任也

❼天下物无独必有对／湛湛江水兮上有枫／上之所好，下必有甚／与朋友交，言而有信／天下无内忧必有外惧／天下之物，莫不有理／天下兴亡，匹夫有责／天生烝民，有物有则／无不忘也，无不有也／五种俱熟，公私有余／兵不妄动，师必有名／民罔常怀，怀于有仁／同中有异，异中有同／黄金有疵，白玉有瑕／人之有技，若己有之／人之有子，须使有业／计熟事定，举必有功／谋无不当，举必有功／持钱买水，所取有限／将兵治民，宽简有法／君子之言，信而有征／国家兴亡，匹夫有责／徐制其后，乃克有济／德有所长而形有所忘／闻人有善，若己有之／消息盈亏，终则有始／恭敬之心，人皆有之／恻隐之心，人皆有之／惜衣有衣，惜食有食／宠必有辱，荣必有患／室本无暗，垣亦有耳／相门有相，将门有将／日不常中，月盈有亏／昌必有衰，兴必有废／是非之心，人皆有之／斯文有传，学者有师／父母之心，人皆有之／服田力穑，乃亦有秋／文果载心，余心有寄／火必有光，心必有思／福来有由，祸来有渐／福生有基，祸生有胎／恶直丑正，实蕃有徒／悠悠苍天，曷其有极／羞恶之心，人皆有之／言之成理，持之有故／靡不有初，鲜克有终／才有大小，故养有厚薄／且有真人，而后有真知／以德报德，则民有所劝／以怨报怨，则民有所惩／卒寡而兵强者，有义也／刚而塞，则恻怛有仁思／关键将塞，则神有遁心／人才有长短，能有巨细／令有缓急，故物有轻重／凡有怪征者，必有怪行／城小而守固者，有委

也／小有所志，而大有所忘／善操理者，不能有全功／岁有凶穰，故谷有贵贱／行陆者立而秦，有车也／好大言者，不必有大志／气有变化，是道有变化／所就者大，则必有所忍／有大志者，时亦有大言／文与可画竹，胸有成竹／眇能视，不足以有明也／自弃者，不可与有为也／自暴者，不可与有言也／上不尽利，则民有以为生／世有伯乐，然后有千里马／失其师表，而莫有所矜式／朱门酒肉臭，路有冻死骨／古有古之时，今有今之时／土居三十载，无有不亲人／城有时而复，陵有时而迁／城有所不攻，地有所不争／莫道人行早，还有早行人／呼儿烹鲤鱼，中有尺素书／岂伊地气暖？自有岁寒心／闻善言则拜，告有过则喜／涂有所不在，军有所不击／遥知不是雪，为有暗香来／始知五岳外，别有他山尊／学有思而获，亦有触而获／此处不留人，自有留人处／明有所不见，听有所不闻／水无暂停流，木有千载贞／物有所不足，智有所不明／有病于内者，必有色于外／欲识凌冬性，唯有岁寒知／心知去不归，且有后世名／辞有所未尽，意有所未竭／上有好者，下必有甚焉者矣／天下万物生于有，有生于无／无一定之律，而有一定之妙／千里而袭人，未有不亡者也／以善胜人者，未有能服人者／前事之不忘，期有劝且惩也／人有能有不能，有明有不明／豪杰之士者，必有过人之节／谢杨柳多情，还有绿阴时节／动摇文律，宫商有奔命之劳／行非常之事，乃有非常之功／客之美我者，欲有求于我也／层风未翔，大鹏有云倾之势／战如守，行如战，有功如幸／有元气则有生，有生则道显／风景不殊，正自有山河之异／无为不能遁福，有为不能逃患／事有不可知者，有不可不知者／以善养人者，未有不服人者也／志大而量小，才有余而识不足／有天下之是非，有人人之是非／有生者必有死，有始者必有终／有始者必有卒，有存者必有亡／为政犹沐也，虽有弃发，必为之／形固造形，成固有伐，变固外战／多才而自用，虽有贤者无所复施／居安思危；思则有备，有备无患／所谓文者，务为有补于世而已矣／有德者必有言，有言者不必有德／有忍，有乃有济；有容，德乃大／盛之有衰，生之有死，天之分也／古之成败者，诚有其才，虽弱必强／借问酒家何处有，牧童遥指杏花村／诚知此恨人人有，贫贱夫妻百事哀／廷尉狱，平如砥；有钱生，无钱死／强者积于弱也，有余者积于不足也／此曲只应天上有，人间能得几回闻／有乎生，有乎死；有乎出，有乎入／有乱君，无乱国；有治人，无治法／田非耕者之所有，而有田者不耕也／自古此冤应未有，汉心汉语吐蕃身／血气之怒不可有，理义之怒不可无／既以为人己愈有，既以与人己愈多／天下无害菑，虽有圣人，无所施其才／天下之至文，未有不出于童心焉者也／尝有德，厚报之；有怨，必以法灭之／子路人告之以有过则喜，禹闻善则拜／物固有形，形固有名，名当谓之圣人／天不欲使兹人有知乎？则吾之命不可期／不让古人是谓有志，不让今人是谓无量／君子不言，言必有中，不行，行必有称／流荡不返，使人有淫丽之心，此文病也／进有退之义，存有亡之机，得有丧之理／见人有善如己有善，见人有过如己有过／收心简事日损有为，体静心闲方可观妙／不智不勇不信，有此三者，不可以立功名／仁者人也，仁字有生意，是言人之生道也／珠之有颣玉之有瑕，置之而全，去之而亏／一人之毁，未必有信；积年之行，不应顿亏／天地有官，阴阳有藏；慎守女身，物将自壮／“无”名，天地之始；“有”名，万物之母／务先穷昔人书，有不可者而后革之，则大善／衡门之下，有琴有书，载弹载咏，爰得我娱／学不必博，要之有用；仕不必达，要之无愧／此令兄弟，绰绰有裕；不令兄弟，交相为瘉／赏罚信明，施与有节，记人之功，忽于小过／物有美恶，施用有宜，美不常珍，恶不终弃／盘石千里，不为有地；愚民百万，不为有民／上德不德，是以有德。下德不失德，是以无德／天……有相授之意，有为政之理，不可不审也／徒知伪得之中有真失，殊不知真得之中有真失／徒知伪是之中有真非，殊不知真是之中有真非／有不能以有为有，必出乎无有，而无有一无有／朱丹既定，雌黄有别，使夫怀鼠知惭，滥竽自耻／嗜欲无穷，则必有贪鄙悖乱之心，淫佚奸诈之事／道者，无也；形者，有也。有故有极，无故长存／位存焉而德无有，犹不足大其门，然世且乐为之下／人主之不肖者，有似于此。不得其道，而徒多其威／逊以为子弟苟有才，不忧不用，不宜私出以为荣利／立大事者，不惟有超世之才，亦必有坚忍不拔之志／福生有基，祸生有胎；纳其基，绝其胎，祸福何自来／父子有亲，君臣有义，夫妇有别，长幼有叙，朋友有信／君子先慎乎德，有德此有人，有人此有土，有土此有财，有财此有用／君子之言，幽必有验乎明，远必有验乎近，大必有验乎小，微必有验乎著

❽元气生万物而不有／君子居之，何陋之有／见知之道，唯虚无有／慧出本性，非适今有／天下将兴，其积必有源／天下将亡，其发必有门／百工制器，必贵于有用／为学患无疑，疑则有进／书中有画，画中亦有书／博学而不自反，必有邪／舍远谋近者，逸而有终／勿谓今年不学而有来年／勿谓今日不学而有来日／凡圜转之物，动必有机／观摩诘之画，画中有诗／味摩诘之诗，诗中有画／知足者富，强行者有志／德则

无德，不德则有德／波浪无穷，而光采有主／道有因有循，有革有化／骄而不亡者，未之有也／不能无为者，不能有为也／不学夭桃姿，浮荣有俄顷／由来征战地，不见有人还／及在人，则又各自有个理／丧不过三年，示民有终也／外虽饶棘刺，内实有赤心／只言花是雪，不悟有香来／黄金无足色，白璧有微瑕／人心若波澜，世路有屈曲／讼必有曲直，论必有是非／诗是无形画，画是有形诗／功多有厚赏，不迪有显戮／圣人之弘也，而犹有惭德／岂不罹凝寒？松柏有本性／行海者坐而至越，有舟也／御马有法矣，御民有道矣／闻道有蚤莫，行道有难易／江流天地外，山色有无中／澧泉有故源，嘉禾有旧根／家道穷必乖……乖必有难／进取之士，未必能有行也／婴儿有常病，贵臣有常祸／嫫母有所美，西施有所丑／亲朋无一字，老病有孤舟／易求无价宝，难得有心郎／春色无高下，花枝有短长／父母有常失，人君有常过／有其有者安，贪人有者残／风烈无劲草，寒甚有凋松／施之于不足，而官有羡谷／愁杀芳年友，悲叹有余哀／白璧无瑕玷，青松有岁寒／鸱目有所适，鹤胫有所节／空嗟芳饵下，独见有贪心／竹死不变节，花落有余香／其人虽已没，千载有余情／天下万物生于有，有生于无／无恃其不来，恃吾有以待之／不作威，不作福，靡有后羞／但有断头将军，无有降将军／大器之于小用，固有所不宜／惟事事乃其有备，有备无患／顺心之言易入也，有害于治／天有不测风云，人有旦夕祸福／世有莫盛之福，又有莫痛之祸／生有闻于当时，死有传于后世／凡事有经必有权，有法必有化／圣人之处世，不逆有伎能之士／苟不能以善始，未有能令终者／莫为一身之谋，而有天下之志／莫为终身之计，而有后世之虑／国有累卵之忧，俗有土崩之势／行患不能成，无患有司之不公／进有忧国之心，退有死节之义／死亦我所恶，所恶有甚于死者／时有薄而厚施，行有失而惠用／物有出微而著，事有由隐而章／物有微而志信，人有贱而言忠／有求贵贱之必，必有二价之语／有非常之事，然后有非常之功／有非常之后者，必有非常之臣／有非常之人，然后有非常之事／有非常之臣者，必有非常之绩／神宜平而抑之，必有失和者矣／空怀向日之心，未有朝天之路／矜一事之微劳，遂有无厌之望／天有和，有德，有平，有威……／学而废者，持学而有骄，骄必辱／用规矩准绳者，亦有规矩准绳焉／天可度，地可量，唯有人心不可防／无名者道之体，而有名者道之用也／无缘对面不相逢，有缘千里能相会／世人闻此皆掉头，有如东风射马耳／为虏为王尽偶然，有何羞见汉江船／尽有天，循有照，冥有枢，始有彼／人有善，恒当掩之，有恶宜令彰露／凡人情之所安而有节者，举皆礼也／苟不悖于圣道，而有以启明者之虑／明白如话，然浅中有深，平中有奇／斥不久，穷不极，虽有出于人……／有生则复于不生，有形则复于无形／有以无难而失守，有因多难而兴邦／有美之而莫敢辞，有非之而莫敢隐／有善则反之于身，有过则归之于民／有所取必有所舍，有所禁必有所宽／有田不耕仓廪虚，有书不读子孙愚／礼者，断长续短，损有余，益不足／必有忍，其乃有济；有容，德乃大／颠沛之揭，枝叶未有害，本实先拨／万事以心为本，未有心至而力不能者／内坚刚而外温润，有似君子者，玉也／为国不患于无人，有人而不用之为患／人品做到极处，无有他异，只是本然／办天下之大事者，有天下之大节者也／名者实之宾也，实有美恶，名亦随之／君子之于人也，苟有善焉，无所不取／闻道有先后，术业有专攻，如是而已／过洞庭，上湘江，非有罪左迁者罕至／有伯乐而后识马，有匠石而后识梧檟／文章做到极处，无有他奇，只是恰好／天生人而使有贪有欲，欲有情，情有节／正直者不可屈曲，有学问者必能辨是非／能终而不能赏，虽有贤人，终不可用矣／大上有立德，其次有立功，其次有立言／太上有立德，其次有立功，其次有立言／智巧，扰乱之罗也；有为，败事之纲也／其问之也，不可以有崖，而不可以无崖／小人只怕他有才。有才以济之，流害无穷／人有悲欢离合，月有阴晴圆缺，此事古难全／今之世不闻有师，有，辄哗笑之，以为狂人／生亦我所欲，所欲有甚于生者，故不为苟得也／国之有民，犹水之有舟，停则以安，扰则以危／顾小而忘大，后必有害；狐疑犹豫，后必有悔／制之而不用，人之有也；制之而用之，己之有也／居者有余蓄，行者有余资……可谓有治天下之效／赋役有定制，兵农有定业，官无虚名，职无废事／物固有所然，物固有所可；无物不然，无物不可／人之能为人，由腹有诗书。诗书勤乃有，不勤腹空虚／言有教，动有法，昼有为，宵有得，息有养，瞬有存／上有无时之求，中有剥削曲巧之政，下有豺狼寇盗之害／万物纷纭，非有也，有之者人也，人不有，则万物何有／知人之效有二难：有难知之难，有知之而无由得效之难／君子之处世，贵能有益于物耳，不图高谈虚论，左琴右书

❾不耻不若人，何若人有／持己当从无过中求有过／一薰一莸，十年尚犹有臭／不求获乎己，而己以有获／百年养不足，一日毁有余／乐极则哀集，至盈必有亏／民之难治，以其上之有为／古圣王有义兵而无有偃兵／何惜微躯尽，缠绵自有时／兴尽悲来，识盈虚之有数／诗之外有事，诗之中有人／读书破万卷，下笔如有神／

薄者之不足，厚者之有余／大匠无弃材，寻尺各有施／奢者富不足，俭者贫有余／道未始有封，言未始有常／学问藏之身，身在则有余／成败何足校？英雄自有真／有兴必有废，有盛必有衰／有道伐无道，无德让有德／有有必有无，有聚必有散／有静必有动，有动必有静／用于国有节，取于民有制／用人不限资品，但择有才／貌重则有威，好重则有观／言重则有法，行重则有德／于此有所蔽，则于彼有所见／严家无悍虏，而慈母有败子／人有能有不能，有明有不明／尘芥六合，谓天地为有穷也／大学之教也，时教必有正业／道者，一人用之，不闻有余／孤之有孔明，犹鱼之有水也／是气也者，乃太虚固有之物／父母在，不远游，游必有方／有官必有课，有课必有赏罚／礼者，贵贱有等，长幼有差／神仙事本是虚妄，空有其名／神物好安静，不可以有为治／心体光明，暗室中自有青天／静后见万物，自然皆有春意／不狩不猎，胡瞻尔庭有县貆兮／百岁无智小儿，小儿有智百岁／人之出言至善，而或有议之者／人之材有大小，而志有远近也／人有举事至当，而或有非之者／大凡以智谋而进者，有时而衰／已是悬崖百丈冰，犹有花枝俏／耳有聪，目有明，心思有睿知／零落成泥碾作尘，只有香如故／与贤豪相对，最不可有媚悦之色／生木之长，莫见其益，有时而修／良贾深藏如虚，君子有盛教如无／匹夫无故获千金，必有非常之祸／益。君子以见善则迁，有过则改／善为师者，既美其道，有慎其行／过而不文，犯而不校，有功不伐／居安思危；思则有备，有备无患／欲立非常之功者，必有知人之明／砥砺磨坚，莫见其损，有时而薄／磨砻底厉，不见其损，有时而尽／盛唐而学汉魏，岂复有盛唐之诗／种树畜养，不见其益，有时而大／秦汉而学六经，岂复有秦汉之文／积德累行，不知其善，有时而用／虎豹之驹未成文，而有食牛之气／万家墨面没蒿莱，敢有歌吟动地哀／天下郡国向万城，无有一城无甲兵／不依古法但横行，自有云雷绕膝生／不务服人之貌，而思有以服人之心／不择人而问焉，取其有益于身而已／不妨举世无同志，会有方来可与期／事有切而未能忘，情有深而未能遣／书有以加乎其言，言有以加乎其心／古来圣贤皆寂寞，惟有饮者留其名／英雄者，胸怀大志，腹有良谋……／莲有藕兮藕有枝，才有用兮用有时／莫嫌举世无知己，未有庸人不忌才／小荷才露尖尖角，早有蜻蜓立上头／吾哀今之为仕兮，庸有虑时之否臧／君门一入无由出，唯有宫莺得见人／君日骄而臣日谄，未有不丧邦者也／因其所喜而为善，虽有愿忠而孰能／问渠哪得清如许，为有源头活水来／法相因则事易成，事有渐则民不惊／始知绝代佳人意，即有千秋国士风／理有疑误而成过，事有形似而类真／贫交此别无他赠，唯有青山远送君／见利争让，闻义争为，有不善争改／物固莫不有长，莫不有短，人亦然／田非耕者之所有，而有田者不耕也／病中何事最相宜，惟有摊书力尚支／甜不足一食之美，然有截舌之患也／身无彩凤双飞翼，心有灵犀一点通／身为野老已无责，路有流民终动心／身多疾病思田里，邑有流亡愧俸钱／言有浮于其意，而意有不尽于其言／于其所达，行之终身，有不能至者矣／非唯近事则相感，亦有远事遥相感者／黄鹄之飞，一举千里，有必飞之备也／军旅之臣，取其断决有谋，强干习事／君今不幸离人世，国有疑难可问谁？／此心常卓然公正，无有私意，便是敬／贪物而不知止者，虽有天下，不富矣／舜何人也，予何人也，有为者亦若是／元气即道体，有虚即有气，有气即有道／大抵能立于一世，必有取重于一世之术／山有木，工则度之；宾有礼，主则择之／安平则尊道术之士，有难则贵介胄之臣／楚虽三户能亡秦，岂有堂堂中国空无人／有义者不可欺以利，有勇者不可劫以惧／有阴德者必有阳报，有隐行者必有昭名／有忧而不知忧者凶，有忧而深忧之者吉／有文事者必有武备，有武事者必有文备／悲斯叹，叹斯愤，愤必有泄，故见乎词／立大功者不求小疵，有大忠者不求小过／自古圣人贤士，皆非有求于闻用也……／揽名责实不得虚言，有功者赏，有罪者罚／文质修者谓之君子，有质而无文谓之易野／为鬼为蜮，则不可得；有靦面目，视人罔极／养形必先之以物，物有余而形不养者有之矣／好读书，不求甚解；每有会意，便欣然忘食／春发其华，秋收其实，有始有极，爰登其质／有君臣然后有上下，有上下然后礼义有所错／有味之物，蠹虫必生；有才之人，谗言必至／有法无法，因时为业；有度无度，与物趣舍／有所不为，为无不果；有所不学，学无不成／有祸则诎，有福则赢，有过则悔，有功则矜／欧公作文，先贴于壁……有终篇不留一字者／碧峰巉巉，出于柏梢，有如虎牙，夹天而立／天下无粹白之狐，而有粹白之裘，取之众白也／为道不在多，自为已有金丹至要，可不用余耳／古之教者，家有塾，党有庠，术有序，国有学／任法而不任人，则法有不通，无以尽万变之情／有贤而用，国之福也；有之而不用，犹无有也／道者，无也；形者，有也。有故有极，无故长存／敏于事而慎于言，就有道而正焉，可谓好学也已／古者士之进，有以德，有以才，有以言，有以曲艺／凡敢为大奸者，材必有过于众，而能自媚于上者也／古之立大事者，不惟有超世之才，亦必有坚忍不拔之志／文章如精金美

玉，市有定价，非人所能以口舌定贵贱也／本无功而自矜，一等；有功而伐之，二等；功大而不伐，三等

❿丈夫暂许国，愤惋复何有／奚必知代而心自取者有之／性情之生，斯乃自然而有／有而不知足，失去所以有／一凡人誉之，则自以为有余／不仁而得天下者，未之有也／事之行也有势，其成也有气／事有合于己者而未始有是也／千里马常有，而伯乐不常有／久假而不归，恶知其非有也／以道应物，道无穷而物有尽／古之圣王有义兵而无有偃兵／俯仰留连，疑是湖中别有天／人有不为也，而后可以有为／圣人未尝有知，由问乃有知／苟正其身矣，于从政乎何有／吾所以有大患者，为吾有身／待己者，当于无过中求有过／文章不为空言，而期于有用／于此有所不足，则于彼有所长／万物必有盛衰，万事必有弛张／万钟之尸居，不若釜庾之有为／夫子焉不学？而亦何常师之有／无以相应也，若之何其有鬼邪／不使他事胜好学之心，则有进／不恤年之将衰，而忧志之有倦／事莫明于有效，论莫定于有证／非独女以色媚，而士宦亦有之／乘众人之制者，则天下不足有／为恶而畏人知，恶中犹有善路／民可百年无货，不可一朝有饥／民之情，贵所不足，贱所有余／人之足传，在有德，不在有位／凡事有经必有权，有法必有化／阴阳之不并曜，昼夜之有长短／墙之坏也于隙，剑之折必有啮／莫知其所始，若之何其有命也／大简必有不好，良工必有不巧／大羹必有淡味，至宝必有瑕秽／君子之所取者远，则必有所待／宠子未有不骄，骄子未有不败／居身务期俭朴，教子要有义方／杭州之有西湖，如人之有眉目／森森如千丈松，虽磊砢有节目／日计之无近功，岁计之有大利／日计之而不足，岁计之而有余／贤君必恭俭礼下，取于民有制／贤者之不足，不若众人之有余／赏必加于有功，刑必断于有罪／见敌之所不足，则知其所有余／有生者必有死，有始者必有终／有境界则自成高格，自有名句／有始者必有卒，有存者必有亡／错国于不倾之地者，授有德也／言其是则有功，言其非则有罪／上好奢靡而望下敦朴，未之有也／天地之有水旱，犹人之有疾病也／天有其时，地有其财，人有其治／不仇民则大者无功，而其次有罪／不塞其原，则物自生，何功之有／事……有忤于心者而未始有非也／中情之人，名不副实，用之有效／后生虽天资聪明，而识终有不及／农事废，饥寒并至，故盗贼多有／予违汝弼，汝无面从，退后有言／博士买驴，书卷三纸，未有驴字／何者，其化薄而出于相以有为也／作字要熟，熟则神气完实而有余／人之道则不然，损不足以奉有余／人之所以贵于禽兽者，以有礼也／凡四方小大邦丧，罔非有辞于罚／高议而不可及，不如卑论之有功／孰无施而有报兮，孰不实而有获／君子有失其所兮，小人有得其时／君子思过而预防之，所以有诫也／阅千古而不变者，气种之有定也／法与时转则治，治与世宜则有功／王者不以幸治国，治国固有前道／是非有考于前，而成败有验于后／是穮是蓘，虽有饥馑，必有丰年／父母存，不许友以死，不有私财／有德者必有言，有言者不必有德／白玉不雕，美珠不文，质有余也／虎豹在山，鼋鼍在水，各有所托／于今腐草无萤火，终古垂杨有暮鸦／下不钳口，上不塞耳，则可有闻矣／丈夫丁壮而不耕，天下有受其饥者／万全之利，以小不便而废者有之矣／天良能本吾良能，顾为有我所丧尔／不到广寒冰雪窟，扇头能有几多风／不必有非常之功，而皆有可纪之状／正论非不见容，然邪说亦有时而用／世间富贵应无分，身后文章合有名／东边日出西边雨，道是无晴却有晴／再实之木根必伤，掘藏之家必有殃／百世之患，以小利而不顾者有之矣／事固有难明于一时而有待于后世者／义理之勇不可无，血气之勇不可有／尺之木必有节目，寸之玉必有瑕瓋／以人之不正，知其身之有所未正也／尽有天，循有照，冥有枢，始有彼／古往今来共一时，人生万事无不有／传闻与指实不同，悬算与临事有异／但见无为为要妙，岂知有作是根基／保天下者，匹夫之贱，与有责焉耳／偷得利而后有害，偷得乐而后有忧／假作真时真亦假，无为有处有还无／人主好仁，则无功者赏，有罪者释／人有喜怒哀乐，犹天之有春夏秋冬／从古求贤贵拔茅，素门平进有英豪／今朝有酒今朝醉，且尽樽前有限杯／凡人之所以贵于禽兽者，以有礼也／邪说之移人，虽豪杰之士有不免者／友也者，友其德也，不可以有挟也／土地之生物不益，山泽之出财有尽／苟不自满而中止，庶几终身而有成／莲有藕兮藕有枝，才有用兮用有时／莫思身外无穷事，且尽生前有限杯／荷尽已无擎雨盖，菊残犹有傲霜枝／大山崔，百卉殖。民何贵，贵有德／奢者富而不足，何如俭者贫而有余／把向空中捎一声，良马有心日驰千／报国无门空自怨，济时有策从谁吐／常将有日思无日，莫待无时思有时／常将有日思无日，莫待无时想有时／名为治平无事，而其实有不测之忧／君子不恤年之将衰，而忧志之有倦／君子之……所就者大，则必有所忍／四时有不谢之花，八节有长青之草／国仇未报壮士老，匣中宝剑夜有声／闭门觅句非诗法，只是征行自有诗／鸿鹄之鷇羽翼未全，而有四海之心／察察者有所不见，恢恢者有所不容／察见渊鱼者不祥，智料隐匿者有

殃／逆胡未灭心未平，孤剑床头铿有声／如下有泰山之安，则上有累卵之危／如今只说临安路，不较中原有几程／妇人当年而不织，天下有受其寒者／时人莫小池中水，浅处无妨有卧龙／明白如话，然浅中有深，平中有奇／智者不为非其事，廉者不求非其有／贤者报国之功，乃在缓急有为之际／贵高有危殆之惧，卑贱有沟壑之忧／赏务速而后有劝，罚务速而后有惩／有乎生，有乎死；有乎出，有乎人／有所取必有所舍，有所禁必有所宽／忠言有壅而未达，贤才有抑而未用／意匠如神变化生，笔端有力任纵横／业无高卑志当坚，男儿有求安得闲／眼孔浅时无大量，心田偏处有奸谋／辞家战士无旋踵，报国将军有断头／蹉跎莫遣韶光老，人生唯有读书好／一日暴之，十日寒之，未有能生者也／一炬有燎原之忧，而滥觞有滔天之祸／上交不谄，下交不骄，则可以有为矣／天下未有无理之气，亦未有无气之理／天下之事，不有所摧挫则不能以有成／天下者非一人之天下，惟有道者处之／天授人以贤圣才能，岂使自有余而已／五百年必有王者兴，其间必有名世者／事虽易，而以难处之，未有不治之变／为善者日以有劝，为不善者月以有惩／古之人，有高世之才，必有遗俗之累／使为恶者不得幸免，疑似者有所辨明／倨傲鲜腆而深折之，彼其能有所忍也／情之所昏，交相攻伐，未始有穷……／迂人执而不化，其决裂有甚于小人时／奸人诈而好名，其行事有酷似君子处／气不可以不贯，不贯则虽有美词丽藻／欲平其心以养其疾，于琴亦将有得焉／心之所感有邪正，故言之所形有是非／必须出类拔萃，与众不同，才觉有趣／虞夏以文，殷周以武，异时各有所施／上德无为而无以为，下德为之而有以为／下者尽力而无耗弊，上者量民而用有节／天生人而使有贪有欲，欲有情，情有节／元气即道体，有虚即有气，有气即有道／事不目见耳闻，而臆断其有无，可乎？／生以有为己分，则虚无是有之所遗者也／以天下之材为天下用，则用天下而有余／荆岫之玉必含纤瑕，骊龙之珠亦有微颣／弟子盖三千焉，身通六艺者七十有二人／凿井而饮，耕田而食；帝力于我何有哉／力田者受旌显之赏，惰农者有不齿之罚／功之成，非成于成之日，盖必有所由起／芳饵之下必有悬鱼，重赏之下必有死夫／苗而不秀者有矣夫，秀而不实者有矣夫／大上有立德，其次有立功，其次有立言／太上有立德，其次有立功，其次有立言／小人不能忍小忿之故，终有赫赫之败辱／君子不言，言必有中，不行，行必有称／君子藏器于身，待时而动，何不利之有／君子好闻过而无过，小人恶闻过而有过／君子有机以成其善，小人有机以成其恶／知不可奈何而安之若命，唯有德者能之／徇私贪浊……恐惧既多，亦有因而致死／处大无患者恒多慢，处小有忧者恒思善／慎尔言，将有和之；慎尔行，将有随之／进有退之义，存有亡之机，得有丧之理／学者所以为学，学为人而已，非有为也／缓贤忘士，而能以其国存者，未曾有也／杀一无罪非仁也，非其有而取之非义也／李太白诗不专是豪放，亦有雍容和缓底／水有猵獭而池鱼劳，国有强御而齐民消／见人有善如己有善，见人有过如己有过／物之有成必有坏，譬如人之有生必有死／物有甘苦尝之者识，道有夷险履之者知／有阴德者必有阳报，有隐行者必有昭名／有文事者必有武备，有武事者必有文备／欲出一言，即思此一言于百姓有利益否／忍泪失声询使者："几时真有六军来"／目有昧则视白为黑，人有蔽则以薄为厚／矜容者有经日之芳；工歌者有弥旬之韵／自古及今，穷其下能不危者，未之有也／言有浅而可以托深，类有微而可以喻大／一地所生，一雨所润，而诸草木各有差别／天下不淫其性，不迁其德，有治天下者哉／不学自知，不问自晓，古今行事未之有也／人有鸡犬放，则知求之；有放心而不知求／词澹语要有味，壮语要有韵，秀语要有骨／志士仁人，无求生以害仁，有杀身以成仁／莫知己德有极，则可以有社稷，为民致福／太上之道，生万物而不有，成化像而弗宰／据千乘之国，而信谗佞之计，未有不亡者／揽名责实不得虚言，有功者赏，有罪者罚／当于有过中求无过，不当于无过中求有过／当急剧冗杂时只不动火，则神有余而不劳／咸以孔子之是非为是非，故未尝有是非耳／国家剩得数百万贯钱，何如得一有才行人／国有贤士而不用，非士之过，有国者之耻／往事越千年，魏武挥鞭，东临碣石有遗篇／狗彘食人食而不知检，途有饿莩而不知发／汉魏风骨，晋宋莫传，然而文献有可征者／始而胎气充实……壮而声色有节者强而寿／此人在位，动欲伤害，故物无有不畏恶也／故常无，欲以观其妙；常有，欲以观其徼／爱惜、暴殄本是两意，愚者有时合成一病／有必缘其心爱之谓也，有其形不可谓有之／祸之作也，非作于作之日，亦必有所由兆／罚一惩百，谁敢复言者？民有饮恨而已矣／积善之家必有余庆，积不善之家必有余殃／鸟必择木而栖，附托匪人者必有危身之祸／顺之则喜，逆之则怒，此有血气者之性也／一节省而国有余用，民有盖藏，不知其几也／万物有乎生而莫见其根，有乎出而莫见其门／才有浅深，无有古今；文有真伪，无有故新／天下无独燃之火，世间安得有无体独知之精／天下之物博而智浅，以澹浅博，未有能者也／无有作好，遵王之道；无有作恶，遵王之路/未有仁而遗其亲者也，未有义而后其君者也/未有好利而爱其君者，未有好义而忘其君者/世之所不足者，理义也；所有余者，妄苟也/求而得之，必有失焉；为而成之，必有败焉/事有古而可以质于今，言有大而可以征于小/内不足者，急于人知；霈焉有余，厥闻四驰/师之所处，荆棘生焉；大军之后，必有凶年/年不可举，时不可止，消息盈虚，终则有始/兵者，不祥之器，物或恶之，故有道者不处/良田百顷，不在一亩，但有远志，不在当归/乡者已去，至者乃新，新故不翏，我有所周/以无厚入有间，恢恢乎其于游刃必有余地矣/民有疾苦，得以安之；吏有侵渔，得以去之/十室之邑，必有忠信；三人并行，厥有我师/十步之间，必有茂草；十室之邑，必有俊士/古昔多由布衣定一世者矣，皆能用非其有也/厨有腐肉，国有饥民；厩有肥马，路有馁人/仇雠有善，不得不举；亲戚有恶，不得不诛/作俑之工，非曰可珍；时有所用，贵于斫轮/使天下畏刑而不敢盗，岂若能使无有盗心哉/只系其逢，不系巧愚；不谐其须，有衔不祛/养形必先之以物，物有余而形不养者有之矣/人才之行，自昔罕全，苟有所长，必有所短/人之才行，自昔罕全，苟有所长，必有所短/人有厚德，无问小节；人有大举，无訾小故/人有所优，固有所劣；人有所工，固有所拙/凤凰生而有仁义之意，虎狼生而有贪戾之心/亡而为有，虚而为盈，约而为泰，难乎有恒/高台芳榭，家家而筑；花林曲池，园园而有/冰炭不言，而冷势之质自明者，以其有实也/诗有别材，非关书也；诗有别趣，非关理也/切而不指，勤而不怨，曲而不诌，直而有礼/功有难图，不可预见；事有易断，较然不疑/圣人千虑，必有一失；愚人千虑，必有一得/取天下常以无事。及其有事，不足以取天下/尘加嵩岱，雾集淮海，虽未有益，不为损也/薄施而厚望，畜怨而无患者，古今未之有也/大人者，有容物，无去物，有爱物，无徇物/大字难于密结而无间，小字难于宽绰而有余/常看得自家未必是，他人未必非，便有长进/君之赏不可以无功求，君之罚不可以有罪免/君子百是，必有一非；小人百非，必有一是/呦呦鹿鸣，食野之苹；我有嘉宾，鼓瑟吹笙/虽有丝麻，无弃菅蒯；虽有姬姜，无弃蕉萃/虽有至圣，不生而知；虽有至材，不生而能/虽有智慧，不如乘势；虽有镃基，不如待时/虽有神药，不如少年；虽有珠玉，不如金钱/善为政者，防于未然，均其有无，省其徭役/因于情意，动而之外，与物相连，常有所悦/国家将兴，必有祯祥；国家将亡，必有妖孽/国家有幸，当者受央；国家无幸，有延其命/国有常众，战无常胜；地有常险，守无常势/山不在高，有仙则名；水不在深，有龙则灵/多事害神，多言害身。口开舌举，必有祸患/夏宜急雨，有瀑布声；冬宜密雪，有碎玉声/庖有肥肉，厩有肥马，民有饥色，野有饿莩/庶人有旦暮之业则劝，百工有器械之巧则壮/汝死我葬，我死谁埋！汝倘有灵，可能告我/性有精粗，命有长短，情有美恶，意有大小/宽则得众，信则民任焉，敏则有功，公则说/己之所无，不以责下；我之所有，不以讥彼/学有未达，强以为知，理有未安，妄以臆度/驷马不驯，御者之过，百姓不治，有司之罪/杂花争发，非止桃蹊。群鸟乱飞，有逾鹦谷/槁竹有火，弗钻不然；土中有水，弗掘无泉/明王有过，则反之于身，有善，则归之于民/明日黄花，过晚之物；岁寒松柏，有节之称/春发其华，秋收其实，有始有极，爰登其质/物有所好，汝勿好之。德有所好，汝则效之/物有盛衰，时有推移，事有激会，人有变化/有君臣然后有上下，有上下然后礼义有所错/有杀人之威而下不惧，有生人之惠而下不喜/有赏罚之教则邪道进，有亲疏之分则小人入/有祸则诎，有福则羸，有过则悔，有功则矜/有顺君意而害天下者，有逆君意而利天下者/文以气为主，气之清浊有体，不可力强而致/文有余而质不足则流，才有余而雅不足则荡/盘石千里，不为有地；愚民百万，不为有民/香饵之下，必有悬鱼；重赏之下，必有死夫/疾则如电，迟则如云，进止有度，约而不烦/蚊蚋负山，力诚不足；鹰鹯逐鸟，志则有余/貌有不足，敷粉施朱。才有不足，征典求书/震雷电激，不崇一朝；大风冲发，希有极日/金石有声，弗叩弗鸣；管箫有音，弗吹无声/不恃隐括而有自直之箭自圆之木，百世无有一/事丰奇伟，辞富膏腴，无益经典，而有助文章/为啬之道，不施不予，俭爱微妙，盈若无有。/以能问于不能，以多问于寡；有若无，实若虚/古之教者，家有塾，党有庠，术有序，国有学/仗其短浅之耳目，以断微妙之有无，岂不悲哉/任人而不任法，则人各有意，无以定一成之论/人肖天地之类，怀五常之性，有生之最灵者也/凡语治而待去欲者，无以道欲而困于有欲者也/限之以爵，爵加则知荣，恩荣并济，上下有节/小大修短，各得其所宜，规矩方圆，各有所施/君子之所贵者，迁善惧其不及，改恶恐其有余/徒知伪得之中有真失，殊不知真得之中有真失/徒知伪是之中有真非，殊不知真是之中有真非/饥而欲食……好利而恶害，是人之所生而有也/洼者为池而缺者为洞，若有鬼神异物阴来相之/日月虽以形相物，考其道则有施受健顺之差焉/犁牛之驳似虎，莠之幼似禾，事有似是而非者/教明于上，化行于下，民有耻心，则何盗之为/有不能以有为有，必出乎无有，而无有一无有／有不得已者而后言。其歌也有思，其哭也有怀／有贤而用，国之福也；有之而不用，犹无有也／有第一等襟抱，第一等学识，斯有第一等真诗／心之在体，君之位也；九窍之有职，官之分也／顾小而忘大，后必有害；狐疑犹豫，后必有悔／虚空者，乃可用盛受万物。故曰虚无能制有形／三年耕，必有一年之食，九年耕，必有三年之食／无以待之，则十百而乱；有以待之，则千万若一／制之而不用，人之有也；制之而用之，己之有也／制国有常，而利民为本；从政有经，而令行为上／兰茝荪蕙之芳，众人之所好，而海畔有逐臭之夫／会心处不必在远，翳然林水，便自有濠濮间想也／争让之礼，尧桀之行，贵贱有时，未可以为常也／能使人知己、爱己者，未有不能知人、爱人者也／城狐社鼠皆微物，为其有所凭恃，故除之犹不易／君子居必仁，行必义，反仁义而福，君子不有也／山中人不信有鱼大如木，海上人不信有木大如鱼／治国有常，而利民为本；政教有经，而令行为上／官无常贵而民无终贱，有能则举之，无能则下之／道者，无也；形者，有也。有故有极，无故长存／居者有余蓄，行者有余资……可谓有治天下之效／泰初有无，无有，无名。一之所起，有一而未形／故马或奔踶而致千里，士或有负俗之累而立功名／矢之发无能贯，待其止而能有穿；唯止能止众止／自外入者，有主而不执；由中出者，有正而不距／自太古以来，致理兴化，未有言之不行而能至矣／天下之物莫凶于鸡毒，然而良医橐而藏之，有所用／不就利，不违害，不强交，不苟绝，惟有道者能之／未有天地之先，毕竟也只是先有此理，便有此天地／古之善歌者有语，谓“当使声中无字，字中有声”／古者士之进，有以德，有以才，有以言，有以曲艺／先生不知何许人也……宅边有五柳树，因以为号焉／国家大事，牧不当官，言之实有罪，故作《罪言》／济世经邦，要段云水的趣味，若有贪着，便堕危机／道，物之极，言默不足以载；非言非默，议有所极／继以精思，使其意皆出于吾之心。然后可以有得尔／物非有大小也，自其内而观之，未有不高且大者也／有行之士，未必能进取；进取之士，未必能有行也／必使为善者不越月逾时而得其赏，则人勇而有劝焉／立大事者，不惟有超世之才，亦必有坚忍不拔之志／自古至于今，与民为仇者，有迟有速，而民必胜之／天无时不风，地无时不尘，物无所不有，人无所不为／人之生，动之死地亦十有三。夫何故？以其生生之厚／人之能为人，由腹有诗书。诗书勤乃有，不勤腹空虚／人之所以为人者，非以此八尺之身也，乃以其有精神／澄潭至清，洞澈见底，往往有群鱼戏，历历如水上行／屈原放逐，乃赋《离骚》；左丘失明，厥有《国语》／文学之于人也譬乎药，善服，有济；不善服，反为害／言有教，动有法，昼有为，宵有得，息有养，瞬有存／上有无时之求，中有剥削曲巧之政，下有豺狼寇盗之害／万物纷纭，非有也，有之者人也，人不有，则万物何有／古之人观于天地、山川、草木、虫鱼、鸟兽，往往有得／古之立大事者，不惟有超世之才，亦必有坚忍不拔之志／厌文搔法，法官理民者，有司也，君无事焉，犹尊君也／知人之效有二难：有难知之难，有知之而无由得效之难／江南多临观之美，而滕王阁独为第一，有瑰伟绝特之称／威有三：有道德之威者，有暴察之威者，有狂妄之威者／水虽平，必有波；衡虽正，必有差；尺寸虽齐，必有诡／父子有亲，君臣有义，夫妇有别，长幼有叙，朋友有信／瞒人之事弗为，害人之心弗存，有益国家之事虽死弗避／下之用力者甚勤，上之用物者有节，民无遗力，国不过费／天下者亦吾有也，吾亦天下之有也，天下之与我岂有间哉／君子口无戏谑之言，言必有防；身无戏谑之行，行必有检／威有三术，有道德之威者，有暴察之威者，有狂妄之威者／天地有大美而不言，四时有明法而不议，万物有成理而不说／贼莫大乎德有心而心有睫，及其有睫也而内视，内视而败矣／感应者气也，如是而感则如是而应，有不容以毫发差者理也／捣鬼有术，也有效，然而有限，所以以此成大事者，古来无有／气宜宣而遏之，体宜调而矫之，神宜平而抑之，必有失和者矣／文章道弊五百年矣！汉魏风骨，晋宋莫传，然而文献有可征者／急乎其所自立，而无患乎人不己知，未尝闻有响大而声微者也／天下有至贵而非势位也，有至富而非金玉也，有至寿而非千岁也／今以众地者，公作则迟，有所匿其力也；分地则速，无所匿迟也／能有天下者，必无以天下为也；能有名誉者，必无以趋行求者也／知为为而不知所以为，是以贵为天子，富有天下，而不免于患也／其义则不足死，赏罚则不足去就，若是而能用其民者，古今无有／君子先慎乎德，有德此有人，有人此有土，有土此有财，有财此有用／君臣父子人间之事谓之义，登降揖让，贵贱有等，亲疏之体，谓之礼／君子之言，幽必有验乎明，远必有验乎近，大必有验乎小，微必有验乎著／用兵之法：无恃其不来，恃吾有以待也；无恃其不攻，恃吾有所不可攻也

肋 lèi 肋骨；亦指胸腔的两侧。

❷鸡肋，弃之如可惜，食之无所得

肝 gān 体内最大的消化腺；中医学名词；比喻人的内心。

❸一生肝胆向人尽，相识不如不相识

❹上贵见肝胆,下贵不相疑
❻食肉毋食马肝,未为不知味/烈日秋霜,忠肝义胆,千载家谱/义胆包天,忠肝盖地,四海无人识
❼物虽胡越,合则肝胆/自其异者视之,肝胆楚越也
❽人之视己,如见其肝肺然/磨肌戛骨,吐出心肝,企足以待,寘我雠冤
❿世人逐势争奔走,沥胆堕肝惟恐后/我自横刀向天笑,去留肝胆两昆仑

肚 ①dù 腹部;像肚子的。②dǔ 指供食用的动物胃。
❸大着肚皮容物,立定脚跟做人
❻面结口头交,肚里生荆棘
❿好似和针吞却线,刺人肠肚系人心

肘 zhǒu 上臂与前臂交接部位;[掣肘]拉住肘部。
❹捉衿而肘见,纳履而踵决
❻口舌成疮,手肘成胝
❿墨池如江笔如帚,一扫万字不停肘

肓 huāng[膏肓]中医指心脏与隔膜之间;指药力达不到的地方。
❸治膏肓者,必进苦口之药
❼疾不可为也,在肓之上、膏之下
❿进苦口之药石,针害身之膏肓

肠 cháng 消化管道的下后部分;像肠子的;内心。
❶肠一日而九回
见汉·司马迁《报任少卿书》。
肠断秋荷雨打声
见唐·李端《荆门歌送兄赴夔州》。
❷羊肠之曲不能仆车而仆于剧骖/断肠人处,天边残照水边霞……/羊肠鸟道无人到,寂寞云中一个人
❸行子肠断,百感凄恻
❹风露饥肠织到明
❺汽笛一声肠已断,从此天涯孤旅
❻心思不能言,肠中车轮转/牢骚太盛防肠断,风物长宜放眼量
❽感心动耳,荡气回肠/甘脆肥脓,命曰腐肠之药/月下谁家砧,一声肠一绝/穷年忧黎元,叹息肠内热/荆王未辨连城价,肠断南州抱璧人/每开一卷,刀搅肺肠;每读一篇,血滴文字
❿刀不能剪心愁,锥不能解肠结/朝千悲而下泣,夕万绪以回肠/司空见惯浑闲事,断尽苏州刺史肠/行宫见月伤心色,夜雨闻铃肠断声/好似和针吞却线,刺人肠肚系人心/肥肉厚酒,务以自强,命之曰烂肠之食/愁听,吹笛《关山》……月中都是断肠声/墨翟之徒,世谓热腹;杨朱之侣,世谓冷肠/疗饥于附子,止渴于鸩毒,未入肠胃,已绝咽喉

肤 fū 身体的表皮;切细的肉;浅薄;古代的长度单位;肥美,美;大;[肤公]大功。
❶肤革既平,虽疥癣而必去
见唐·柳宗元《代裴中丞谢讨黄少卿贼表》。全句为:"~;豺狼已毙,在狐鼠而宜除"。
❷肌肤若冰雪,绰约若处子
❸笔端肤寸,膏润天下;文章之用,极其至矣
❹蚊虻噆肤,则通昔不寐矣/身体发肤,受之父母,不敢毁伤,孝之始也
❺手如柔荑,肤如凝脂……螓首蛾眉
❾鹰扬虎视,齿若编贝,肤如凝脂,昭昭乎若玉山上行,朗然映人

肺 ①fèi 肺脏;中医学名词,五藏之一。②pèi[肺肺]茂盛的样子。
❹沛然从肺腑中流出,殊不见斧凿痕
❼切莫呕心并剔肺,须知妙语出天然/每开一卷,刀搅肺肠;每读一篇,血滴文字
❾人之视己,如见其肝肺然

肢 zhī 人体两臂两腿的总称。
❺士者,将之肢体也

肱 gōng 胳膊从肩到肘的部分;亦泛指手臂。
❷股肱惟人,良臣惟圣/股肱罄帷幄之谋,爪牙竭熊罴之力
❸三折肱为良医/三折肱知为良医
❼居常待其尽,曲肱岂伤冲/饭疏食饮水,曲肱而枕之,乐亦在其中矣
❽君虽明哲,必藉股肱以致治
❿一画失所,如壮士之折一肱

肾 shèn 肾脏,俗称"腰子";中医学名词,五藏之一;中医称人的睾丸为外肾。
❽钩章棘句,掐擢胃肾

肴 yáo 鱼肉做的菜。
❶肴核既尽,杯盘狼藉
见宋·苏轼《前赤壁赋》。
❹虽有嘉肴,弗食,不知其旨也
❿师旷调音,曲无不悲;狄牙和膳,肴无澹味

朋 péng 彼此有交情的人;结党,形成帮派;同等,可相比的;成群;伦比;古代以贝壳为货币,五贝为一串,两串为一朋;姓。
❶朋党比周之誉,君子不听
见《荀子·致士》。
朋友切切偲偲,兄弟怡怡
见《论语·子路》。
朋友之道,有义则合,无义则离
见南朝·宋·范晔《后汉书·朱穆传》。

朋而不心，面朋也；友而不心，面友也
见汉·扬雄《法言·学行》。
❷燕朋逆其师／与朋友交，言而有信／亲朋无一字，老病有孤舟／有朋自远方来，不亦乐乎／交朋友增体面，不如交朋友益身心／与朋友论学，须委曲谦下，宽以居之／遇朋友交游之失，宜剀切，不宜优游
❸责善，朋友之道也／滥交朋友，不如终日读书／薄于朋友者，薄亲戚之渐也
❺昆弟世疏，朋友世亲／老者安之，朋友信之，少者怀之
❻兄弟敦和睦，朋友笃信诚／好鸟枝头亦朋友，落花水面皆文章／朋而不心，面朋也；友而不心，面友也
❽但当退小人之伪朋，用君子之真朋，则天下治矣
❿务公正者，必无邪佞之朋／交朋友增体面，不如交朋友益身心／十旬休暇，胜友如云；千里逢迎，高朋满座／但当退小人之伪朋，用君子之真朋，则天下治矣／君子与君子以同道为朋，小人与小人以同利为朋／父子有亲，君臣有义，夫妇有别，长幼有叙，朋友有信

股　gǔ 大腿；事物的一部分；车辐近毂部分；量词；商业名词。
❶股肱惟人，良臣惟圣
见《尚书·说命下》。
股肱罄帷幄之谋，爪牙竭熊罴之力
见唐·吴兢《贞观政要·公平》。
❷刺股情方励，偷光思益深
❸玩于股掌之上
❹腓大于股，难于趣走
❺医家有割股之心／闻鸣镝而股战，对穹庐以屈膝
❼君虽明哲，必藉股肱以致治
❽枝大于本，胫大于股，不折必披
❿读书欲睡，引锥自刺其股，血流至足／损百姓以奉其身，犹割股以啖腹，腹饱而身毙

肮　①háng 同“吭”，喉咙。②kǎng［肮脏］同“抗脏”，高亢刚直貌。③āng［肮脏］不干净；糟蹋。
❶肮脏不平之气，不欲销而自销；坚贞不拔之志，不欲奋而自奋矣
见民国·甘树椿《甘氏家训》。全句为：“身处困境，当视为天之爱我、成我，不当视为天之厄我、祸我也。汝试取《孟子》“天降大任”一章，反复而熟读之，则～”。

育　①yù 生；养活；培养。②yō［杭育］象声词。
❸兴贤育才，为政之先务／青蓬育于麻圃，不扶自直
❹万物并育而不相害，道并行而不相悖
❻君子以果行育德／博求人才，广育士类／无非无是，化育玄耀，生而如死
❼风冲之物不得育，水湍之岸不得峭／气衰则生物不育，世乱则礼废而乐淫
❽得天下英才而教育之
❾虚而无形谓之道，化育万物谓之德
❿致中和，天地位焉，万物育焉／藏于不竭之府者，养桑麻育六畜也／卵之性为雏，不得良鸡覆伏孚育，积日累久，则不成为雏

肩　jiān 肩膀；担负；任用；大兽。
❶肩若削成，腰如约素
见三国·魏·曹植《洛神赋》。
❷胁肩谄笑，病于夏畦
❻盘庚曰：“……朕不肩好货”
❾沃荡词源，河海无息肩之地
❿贤者恒不遇，不贤者比肩青紫／丈夫穷空自其分，饿死吾肩未尝胁

肥　féi 脂肪多；肥胖的；肥沃；使肥沃；不正当收入而富裕；收入多的；利益；水同出而异归；古族名；姓。
❶肥肉厚酒，务以自强，命之曰烂肠之食
见《吕氏春秋·孟春纪·本生》。
肥于貌，孰与肥其道；求于人，孰与求其身
见唐·孙樵《寓居对》。
❷乘肥马，衣轻裘／马肥，然后远能可致也／饱肥甘，衣轻暖，不知节者损福
❸栉垢肥痒，民获苏醒／厚酒肥肉，甘口而疾形／甘脆肥脓，命曰腐肠之药／短长肥瘠各有态，玉环飞燕谁敢憎／庖有肥肉，厩有肥马，民有饥色，野有饿莩
❺訾食者不肥体
❻肥于貌，孰与肥其道；求于人，孰与求其身
❼食言多矣，能无肥乎／稻熟江村蟹正肥，双螯如戟挺青坭／嘉谷奋兴，根叶肥润，抽茎展穗，不失时宜／庖有肥肉，厩有肥马，民有饥色，野有饿莩
❽朝扣富儿门，暮随肥马尘／十种之地，膏壤虽肥，弗耕不获
❾临溪而渔，溪深而鱼肥
❿一粒不出仓，仓中群鼠肥／久戍人将老，长征马不肥／厨有腐肉，国有饥民；厩有肥马，路有馁人／视政之得失，若越人视秦人之肥瘠忽焉不加喜戚于其心

胁　xié 胸部两侧有肋骨的部分；恐吓；逼迫；通“翕”，敛缩；通“协”，折断。
❶胁肩谄笑，病于夏畦
见《孟子·滕文公下》。
❺歼厥渠魁，胁从罔治，旧染污俗，咸与惟新

❾善恶陷于成败，毁誉胁于势利
❿冠枝木之冠，带死牛之胁／君子易知而难狎，易惧而难胁／丈夫穷空自其分，饿死吾肩未尝胁／贵名不可以比周争也……不可以势重胁也／政有三品：王者之政化之，霸者之政威之，强国之政胁之

服 ①fú 衣服；丧服；穿（衣服）；吃（药）；担任；从事；职务；服从、信服；使信服；适应；食用；驾驭；姓。②fù 量词，用于中药。③bì［服臆］因哀愤忧伤而气郁结。

❶服人以诚不以言
见宋·苏轼《拟进士对御试策》。
服民之心，必得其情
见宋·苏洵《申法》。
服美不称，必以恶终
见《左传·襄公二十七年》。
服田力穑，乃亦有秋
见《尚书·盘庚上》。
服民以道德，渐民以教化
见宋·欧阳修《三皇设言民不违论》。
服食求神仙，多为药所误
见汉·无名氏《古诗十九首·驱车上东门》。全句为："～。不如饮美酒，被服纨与素"。
服食药物者，因血以益血
见晋·葛洪《抱朴子·极言》。全句为："～，而血垂竭者则难益也"。
服不美，人不汝尤；德不美，乃汝之羞
见明·方孝孺《杂铭·衣》。
服罪输情者虽重必释，游辞巧饰者虽轻必戮
见晋·陈寿《三国志·蜀书·诸葛亮传》。

❷侯服于周，天命靡常／衣服中，容貌得……／粗服乱头，不掩国色／诬服之情，不可以折狱／美服患人指，高明逼神恶／不服一人，与逢人便服者，皆妄人／不服一人与逢人便服者，皆妄人也／我服布素则民白暖，我食葵藿则民白饱
❸少不服劳，老不安逸／君子服人之心，不服人之言／良医服百病之方，治百人之疾／以德服人者，中心悦而诚服也／要囚，服念五六日，至于旬时／不务服人之貌，而思有以服人之心／以力服人者，非心服也，力不赡也／虽常服药，而不知养性之术，亦难以长生也／冬不服裘，夏不操扇，雨不张盖，是谓将礼／驽蹇服御，良乐咨嗟；铅刀剖截，欧冶叹息
❹易以理服，难以力胜／以仁义服人，何人不服／朕若躬服珠玉，自玩锦绣……／辩者，求服人心也，非屈人口也／远人不服，则修文德以来之。既来之，则安之／称牛之服重，不誉马速，誉手毁足，孰谓之慧
❺律己足以服人／惟廉可以服殊俗／有事弟子服其劳／才高人自服，不必其言之高／贤不足以服不肖，而势位足以屈贤／雄以其力服众，以其勇排难，待英之智成之／今若不能服药，但知爱精节情，亦得一二百年寿也
❻医不三世，不服其药／天命有德，五服五章哉／勿恃己善不服人仁，勿矜己艺不敬人文
❼行不正则民不服／难任人，蛮夷率服／不如饮美酒，被服纨与素／得一善则拳拳服膺，而弗失之矣／杀戮众，而心不服，则上位危矣／牧羊驱马虽戎服，白发丹心尽汉臣／身不正不足以服，言不诚不足以动／一言得而天下服，一言定而天下听，公之谓也
❽举直错诸枉，则民服／怀恶而讨，虽死不服／明其为贼，敌乃可服／兰生幽谷，不为莫服而不芳／君子服人之心，不服人之言／"莫须有"三字，何以服天下／以力服人者，非心服也，力不赡也／成事在理不在势，服人以诚不以言／上好紫则下皆女服，上好剑则士皆曼胡／朴其身躬，恶其衣服，语无为以求名，言无欲以求利
❾举枉错诸直，则民不服／以仁义服人，何人不服／以善胜人者，未有能服人者／以善养人者，未有不服人者也／不服一人，与逢人便服者，皆妄人／不服一人与逢人便服者，皆妄人也／能爱邦内之民者，能服境外之不善／弓调而后求劲焉，马服而后求良焉／愚医类能杀人，而不服药者未必死／叛而不讨，何以示威；服而不柔，何以示怀
❿百姓可以德胜，难以力服／非德之明，虽察而人不服／谆谆而后喻，譊譊而后服／徒英而不雄，则雄材不服也／政令时，则百姓一，贤良服／恩与信可以附吾民而服邻国／两坚不能相和，两强不能相服／以德服人者，中心悦而诚服也／圣人以顺动，则刑罚清而民服／安仁义而乐利世者，能服天下／轻财足以聚人，律己足以服人／旷怀足以御物，长策足以服人／孰非义而可用兮，孰非善而可服／庐室之间，其便未必能过燕服翼／法行于贱而屈于贵，天下将不服／威严不先行于己，则人怨而不服／不务服人之貌，而思有以服人之心／通于一而万事毕，无心得而鬼神服／不能爱邦内之民者，不能服境外之不善／义死不避斧钺之罪，义穷不受轩冕之服／庶狱明则国无怨民，枉直当则民无不服／为国失道，众叛亲离；为国以道，人必悦服／号令烦而不信，赏罚行而不当，则天下不服／宅宇逾制，楼观出云，车马服饰，拟于王者／若号令烦而不信，赏罚行而不当，则天下不服／君子耻食其食而无其功，耻服其服而不知其事／黄鹄白鹤，一举千里，使之与燕服翼试之堂庑之下／饰人之心，易人之意，能胜人之口，不能服人之心／文学之于人也譬乎药，善服，有济；不善服，反为害／天有恒日，民自则之，爽则损命，环

自服之，天之道也／行不充于内，德不备于人，虽盛其服，文其容，民不尊也／回之为人也，择乎中庸，得一善，则拳拳服膺，而弗失之矣

胡 hú古代称北部和西部的少数民族；乱；胡须；老，长寿；黑；何；任意；兽领下下垂的肉；通“遐”，远，大；古国名；姓。［胡卢］笑声。

❶胡未灭，鬓先秋，泪空流

见宋·陆游《诉衷情》。

胡人便于马，越人便于舟

见汉·刘安《淮南子·齐俗》。

胡风带秋月，嘶马杂笳声

见隋·薛道衡《昭君辞》。

胡然而天也，胡然而帝也

见《诗·鄘风·君子偕老》。“胡然”，怎么；“而”，如。

胡风动地，朔雁成行；拔剑登车，慷慨而别

见唐·王维《送李补阙充河西支度营田判官序》。

胡笳互动，牧马悲鸣，吟啸成群，边声四起

见汉·李陵《答苏武书》。

胡越之人，生则声同，长则语异，盖声者天然

见唐·张九龄《论教皇太子状》。全句为：“～，语者所习，习于胡则胡，习于越则越”。

❷逆胡未灭心未平，孤剑床头铿有声

❸弗虑胡获，弗为胡成／物虽胡越，合则肝胆／发为胡笳吹作雪，心因烽火炼成丹／求柴胡、桔梗于沮泽，则累世不得一焉

❹大事不胡涂之谓才／但使强胡灭，何须甲第成

❺日居月诸，胡迭而微／上马击狂胡，下马草军书／不稼不穑，胡取禾三百廛兮／不狩不猎，胡瞻尔庭有县貆兮／壮志饥餐胡虏肉，笑谈渴饮匈奴血／遗民泪尽胡尘里，南望王师又一年

❻胡然而天也，胡然而帝也

❼弗虑胡获，弗为胡成／眉寿万年，永受胡福／忧国孤臣泪，平胡壮士心／昔者庄周梦为胡蝶，栩栩然胡蝶也／语者所习，习于胡则胡，习于越则越／马效千里，不必胡代；士贵成功，不必文辞

❾只因神倒运，常恐鬼胡行／归去来兮，田园将芜胡不归／非药曷以愈疾，非兵胡以定乱／语者所习，习于胡则胡，习于越则越

❿但使龙城飞将在，不教胡马渡阴山／谁怜爱国千行泪，说到胡尘意不平／药来贼境灵何用，米出胡奴死不炊／嘶酸雏雁失群夜，断绝胡儿恋母声／昔者庄周梦为胡蝶，栩栩然胡蝶也／上好紫则下皆女服，上好剑则士皆曼胡／以老子视非老子，而非老子又胡不玄也／方车而蹴越，乘桴而入胡，欲无穷，不可得也／为民族解放，为阶级翻身，事业垂成，公胡遽死

胚 pēi初期发育的生物体。

❹祸福之胚胎也，其动甚微

❿景乃诗之媒，情乃诗之胚

背 ①bèi脊背；物体后面或反面；转向相反方向；躲避；背诵；违背；背叛；不顺利；偏僻。②bēi负荷。

❶背暗投明，古之大理

见元·无名氏《捉彭宠》三折。

背施无亲，幸灾不仁

见《左传·僖公十四年》。

背施幸灾，民所弃也

见《左传·僖公十四年》。

背法而治，此任重道远而无马牛，济大川而无舡楫也

见《商君书·弱民》。

❷民背如崩，势绝防断

❸向盛背衰，三可贱

❹言多则背道，多欲则伤生／智者不背时而侥幸，明者不违道以干非

❺当面输心背面笑／口是心非，背向异辞／泰山之大，背之不见／收合馀烬，背城借一／太山之高，背而弗见；秋毫之末，视之可察

❻飞鸟皆视其背／塞其源者竭，背其本者枯／洲汀岛屿，向背离合；青树碧蔓，交罗蒙络

❼朝吐面誉，暮行背毁／不明尔德，时无背无侧／幸人之灾，不仁；背人之施，不义／牧童归去横牛背，短笛无腔信口吹

❽力分者弱，心疑者背／梦中许人，觉且不背／好面誉人者，亦好背而毁之／变化不测，而亦不背于规矩也／有面前之誉易，无背后之毁难

❾经目之事，犹恐未真；背后之言，岂能全信

❿每念斯耻，汗未尝不发背沾衣／足恭者必中薄，面谀者必背非／诺轻者，信必寡；面誉者，背必非

胪 ①lú腹前；额；陈列；传语，陈述。②lǚ通“旅”，祭名。

❺飞语一发，胪言四驰

胆 dǎn胆囊；中医学名词；装在器物内部而中空的东西；胆气，胆量。

❶胆气以得失而夺也

见明·吕坤《呻吟语·应事》。

胆劲心方，不畏强御

见晋·葛洪《抱朴子》。全句为：“～，义正所在，视死犹归，支解寸断，不易所守”。

胆力绝众，材略过人，是谓骁雄

见三国·魏·刘劭《人物志·流业》。

胆欲大而心欲小，智欲圆而行欲方

见宋·朱熹《近思录·为学类》。

胆欲大，心欲小；智欲圆，行欲方
见明·郑晓《读书与做人》。
胆力者，雄之分也，不得英之智则事不立
见三国·魏·刘劭《人物志·英雄》。
胆劲心方，不畏强御，义正所在，视死犹归
见晋·葛洪《抱朴子》。
❷无胆，则笔墨畏缩／专胆无明，则违理失机／大胆天下去得，小心寸步难行／才胆实由识而济，故天下唯识为难／义胆包天，忠肝盖地，四海无人识
❹专明无胆，则虽见不断／一生肝胆向人尽，相识不如不相识
❺上贵见肝胆，下贵不相疑／做歹事的胆，一日大一日／险语破鬼胆，高词媲皇坟
❻冰不搭不寒，胆不试不苦／苦身焦思，置胆于坐，坐卧即仰胆，饮食亦尝胆
❼雄悍杰健，任在胆烈，失在多忌
❽物虽胡越，合则肝胆／自其异者视之，肝胆楚越也／烈日秋霜，忠肝义胆，千载家谱／聪明秀出谓之英，胆力过人谓之雄
❾世人逐势争奔走，沥胆堕肝惟恐后
❿我自横刀向天笑，去留肝胆两昆仑／聪明者，英之分也，不得雄之胆则说不行／英以其聪谋始，以其明见机，待雄之胆行之／苦身焦思，置胆于坐，坐卧即仰胆，饮食亦尝胆

胃 wèi 人和某些动物消化器官的扩大部分；星宿名。
❼钩章棘句，掐擢胃肾
❿疗饥于附子，止渴于鸩毒，未入肠胃，已绝咽喉

胄 zhòu 古代指帝王或贵族的后代；古代打仗时将士戴的头盔。
❷世胄蹑高位，英俊沉下僚／教胄子，直而温，宽而栗
❸惟甲胄起戎
❻忠信以为甲胄，礼义以为干橹
❿安平则尊道术之士，有难则贵介胄之臣

胜 ①shèng 战胜；超过；克制；优美的；盛大；古时妇女的首饰；能承受；姓。②shěng 瘦。③xīng"腥"的本字。
❶胜败乃兵家常事
见明·施耐庵《水浒传》第五十五回。
胜可知，而不可为
见《孙子兵法·形篇》。
胜不相让，败不相救
见《春秋·隐公九年》。
胜而不骄，败而不怨
见《商君书·战法》。
胜地不常，盛筵难再
见唐·王勃《滕王阁序》。
胜任者治，则百官不乱
见《尸子·分》。全句为："～；知人者举，则贤者不隐"。
胜人者有力，自胜者强
见《老子》三十三。
胜法之务，莫急于去奸
见《商君书·开塞》。全句为："～；去奸之本，莫深于严刑"。
胜事谁复论，丑声日已播
见唐·韩愈《合江亭》。
胜非其难者也，持之其难者也
见《吕氏春秋·慎大览·慎大》。全句为："忧所以为昌也，而喜所以为亡也。～"。
胜而不美，而美之者，是乐杀人
见《老子》三十一。
胜兵若以镒称铢，败兵若以铢称镒
见《孙子兵法·形篇》。
胜地几经兴废事，夕阳偏照古今愁
见宋·王安国《题滕王阁》。
胜败兵家事不期，包羞忍耻是男儿
见唐·杜牧《题乌江亭》。
胜兵先胜而后求战，败兵先战而后求胜
见《孙子兵法·形篇》。
胜敌者，一时之功也；全信者，万世之利也
见明·冯梦龙《东周列国志》第四十二回。
❷理胜者为强／战胜易，守胜难／常胜之家，难与虑敌／好胜人，耻闻过……／战胜而将骄卒惰者败／见胜而战，知难而退／欲胜人者，必先自胜／必胜之师，必在速战／理胜者，文不期工而工／禁胜于身，则令行于民／百胜难虑敌，三折乃良医／力胜其任，则举之者不重／能胜强敌者，先自胜者也／常胜者无忧，恒成者好怠／远胜登仙去，飞鸾不假骖／好胜者灭理，肆欲者乱常／敬胜怠则吉，怠胜敬则灭／民胜其政，下畔其上则兵弱／常胜之道曰柔，常不胜之道曰强／善胜敌者不与，善用人者为之下／强胜不若己者，至于若己者而同／义胜利者为治世，利克义者为乱世／力胜贫，谨胜祸，慎胜害，戒胜灾／不胜其任，而处其位，非此位之人也／欲胜人者必先自胜，欲论人者必先自论／质胜文则野，文胜质则史。文质彬彬，然后君子
❸无急胜而忘败／中不胜貌，耻也／兵贵胜，不贵久／名心胜者必作伪／战必胜，攻必克／战必胜，攻必取／兵之胜负，实在赏罚／兵之胜败，本在于政／以威胜，不如以德胜／人能胜乎天者，法也／力能胜贫，谨能胜祸／善持胜者，以强为弱／巴陵胜状，在洞庭一湖／不能胜寸心，安能胜苍穹／人心胜潮水，相送过浔阳／昨日胜今日，今年老去年／以善胜人者，未有能服人者／意不胜者，辞愈华而文愈鄙／意全胜者，

辞愈朴而文愈高／以德胜人者昌，以力胜人者亡／畏友胜于严师，群游不如独坐／妖不胜德，邪不伐正，天之经也／私心胜者可以灭公，为己重者不知利物／政以胜众，非以陵众；众以胜事，非以伤事／地虽胜，得人焉而居之，则山若增而高，水若辟而广

❹高处不胜寒／败棋有胜着／慰情聊胜于无／今年花胜去年红／出令不胜，反为大灾／靠自己，胜于靠他人／爱将者胜，爱身者败／战不必胜，不可以言战／才所不胜而强思之，伤也／无以谋胜人，无以战胜人／百战百胜，非善之善者也／百战而胜，非善之善者也／气疲欲胜，则精灵离身矣／数则能胜疏，抟则能胜缺／翠袖不胜寒，欲向荷花语／静则能胜躁，后则能胜先／以全取胜，是以贵谋而贱战／人众者胜天，天定亦能破人／以意全胜者，辞愈朴而文愈高／形见则胜可制，力罢则威可立／战无不胜而不知止者，身且死／不能自胜而强弗从者，此之谓重伤／愚而好胜，一等；贤而尚人，二等／胜兵先胜而后求战，败兵先战而后求胜／兵不必胜，不苟接刃；攻不必取，不为苟发／战不必胜，不苟接刃；攻不必取，不苟劳众／故凡得胜者，必与人也，凡得人者，必与道也／水之性胜火，如裹之以釜，水煎而不得胜，必矣

❺世乱则谗胜／战胜易，守胜难／此时无声胜有声／溃痈虽痛，胜于养肉／战如斗鸡，胜者先鸣／兵强则不胜，木强则折／为仁不能胜暴，非仁也／凡人立志胜人，易生傲慢／救人一命，胜造七级浮屠／先为不可胜，以待敌之可胜／凡弈棋与胜己者对，则日进／不使他事胜好学之心，则有进／善战者之胜也，无智名，无勇功／分争者不胜其祸，辞让者不失其福／力胜贫，谨胜祸，慎胜害，戒胜灾／能以众不胜成大胜者，唯圣人能之／积微，月不胜日，时不胜月，岁不胜时／战未尝不胜，攻未尝不取，所当未尝不破／十旬休暇，胜友如云；千里逢迎，高朋满座／知彼知己，胜乃不殆；知天知地，胜乃不穷／贵而不骄，胜而不恃，贤而能下，刚而能忍

❻上下同欲者胜／天与人交相胜／力敌则智者胜愚／德均则众者胜寡／私欲不可以胜公议／青出于蓝而胜于蓝／举棋不定，不胜其耦／以逸击劳，取胜之道／自知者英，自胜者雄／不战而强弱胜负已判矣／百姓可以德胜，难以力服／士卒畏将者胜，畏敌者败／宁为百夫长，胜作一书生／人情皆欲求胜，故悦人之谦／用武则以力胜，用文则以德胜／日出江花红胜火，春来江水绿如蓝／虎踞龙盘今胜昔，天翻地覆慨而慷／天下之事，理胜力为常，力胜理为变

❼以虞待不虞者胜／识众寡之用者，胜／并刀如水，吴盐胜雪／力能胜贫，谨能胜祸／抗兵相加，哀者胜矣／车载斗量，不可胜数／有迟有速，民必胜之／胜人者有力，自胜者强／籍之虚辞，则能胜一国／信因疑而立，信胜则疑忘／勿轻直折剑，犹胜曲全钩／争强量功，能以胜众者鲜／善战者不怒，善胜者不武／骤战则民罢，骤胜则主骄／案头见蠹鱼，犹胜凡俦侣／贫富常交战，道胜无戚颜／敬胜怠则吉，怠胜敬则灭／文繁者质荒，木胜者人亡／不管风吹浪打，胜似闲庭信步／请谒任举之说胜，则绳墨不正／谄谗饰过之说胜，则巧佞者用／从农论田田夫胜，从商讲贾贾人贤／风流不在谈锋胜，袖手无言味最长／周公位尊愈卑，胜敌愈惧，家富愈俭／天下之牝，以静胜牡。千世不易，万世不变／质胜文则野，文胜质则史。文质彬彬，然后君子／不争而无所不胜，不言而无所不应，不召而无所不来

❽兵有利钝，战无百胜／以威胜，不如以德胜／得人者，卑而不可胜／易以理服，难以力胜／欲胜人者，必先自胜／孟贲之倦也，女子胜之／有迟有速，而民必胜之／不能胜寸心，安能胜苍穹／不违农时，谷不可胜食也／今美于昨，明日复胜于今／弈者举棋不定，不胜其耦／能胜强敌者，先自胜者也／器具质而洁，瓦缶胜金玉／敌力角气，能以小胜大者希／能因敌变化而取胜者，谓之神／因事设奇，谲敌制胜，变化如神／力胜贫，谨胜祸，慎胜害，戒胜灾／能以众不胜成大胜者，唯圣人能之／欲胜人者必先自胜，欲论人者必先自论／用兵者，先为不可胜，以待敌之可胜也／国有常众，战无常胜；地有常险，守无常势／人与骥逐走则不胜骥，托于车上则骥不能胜人

❾毁生于嫉，嫉生于不胜／无以谋胜人，无以战胜人／无藏逆于得，无以巧胜人／凡战者，以正合，以奇胜／故君子有不战，战必胜矣／数则能胜疏，抟则能胜缺／静则能胜躁，后则能胜先／兵以计为本，故多算胜少算／当局虽工，而蔽于求胜之心／吞舟之鱼，陆处则不胜蝼蚁／以德胜人者昌，以力胜人者亡／闻名不如见面，见面胜似闻名／隙中之观斗，又乌知胜负之所在／常胜之道曰柔，常不胜之道曰强／天下之大乱，由虚文胜而实行衰也／运筹策帷帐之中，决胜于千里之外／能克己，乃能成己；能胜物，乃能利物／遇师友，亲之取之，大胜塞居不潇洒也／积微，月不胜日，时不胜月，岁不胜时／善战者，居之不挠，见胜则起，不胜则止

❿百万之师听于一将，则胜／发然后禁，则扞格而不胜／待万世之利，在今日之胜／不教而诛，则刑繁而邪不胜／先为不可胜，以待敌之可胜／非而曲者为负，是而直者为胜／水因地而制流，兵因敌而制胜／用武则以力胜，用文则以德

胜／辞至于能达，则文不可胜用矣／无制之兵，有能之将，不可以胜／兵虽诡道而本于正者，终亦必胜／古之名将，必出于奇，然后能胜／数罟不入洿池，鱼鳖不可胜食也／一时之强弱在力，千古之胜负在理／生儿不用识文字，斗鸡走马胜读书／古来青史谁不见，今见功名胜古人／刑罚不能加无罪，邪枉不能胜正人／力胜贫，谨胜祸，慎胜害，戒胜灾／能自凿井及泉而汲之，不可胜用矣／圣人转祸而为福，智士因败以成胜／莫道昆明池水浅，观鱼胜过富春江／君子择交莫恶于易与，莫善于胜己／善人为邦百年，亦可以胜残去杀矣／斧斤以时入山林，材木不可胜用也／怒不过夺，喜不过予，是法胜私也／怒其臂以当车辙，不知其不胜任也／自古逢秋悲寂寥，我言秋日胜春朝／一国诅，两人祝，虽善祝者不能胜也／天下之事，理胜力为常，力胜理为变／凡人不能无好恶，但能胜其私心则善／勇之极者，知勇果不足以胜物，故怯／螳螂之怒臂以当车轶，则必不胜任矣／反听之谓聪，内视之谓明，自胜之谓强／胜兵先胜而后求战，败兵先战而后求胜／积微，月不胜日，时不胜月，岁不胜时／用兵者，先为不可胜，以待敌之可胜也／善战者，居之不挠，见胜则起，不胜则止／六经之治，贵于未乱；兵家之胜，贵于未战／知彼知己，胜乃不殆；知天知地，胜乃不穷／善为士者不武，善战者不怒，善胜敌者不与／政以胜众，非以陵众；众以胜事，非以伤事／人与骥逐走则不胜骥，托于车上则骥不能胜人／贤者出走，命曰崩；百姓不敢诽怨，命曰刑胜／水之性胜火，如裹之以釜，水煎而不得胜，必矣／士之修身立节而竟不遇知己，前古以来，不可胜数／饰人之心，易人之意，能胜人之口，不能服人之心／自古至于今，与民为仇者，有迟有速，而民必胜之／万物之所以为无穷者，交相胜而已矣，还相用而已矣／未战养其财，将战养其力，既战养其气，既胜养其心／兵无常势，水无常形，能因敌变化而取胜者，谓之神／慈仁者，百姓亲附，并心一意，故以战则胜敌，以守卫则坚固／谓马多力则有矣，若曰胜千钧，则不然者，何也？千钧，非马之任也

胝 zhī［胼胝］俗称茧子。

❽口舌成疮，手肘成胝

胖 ①pàng 人体内含脂肪多，与“瘦”相对。②pán 大；舒坦。③pàn 古时祭祀用的半体牲；通“叛”。

❹心广，体胖

❿富润屋，德润身，心广体胖

脉 ①mài 血管；脉搏；像血管一样连贯而成系统分布的东西；［脉络］中医对动脉、经脉的统称，也比喻事情的条理。②mò 通“眽”；［脉脉］本作“眽眽”，凝视貌，形容默默地用眼神表达情意的样子。

❻盈盈一水间，脉脉不得语

❾音乐者，所以动荡血脉，通流精神而和正心也／动摇则谷气得消，血脉流通，病不得生，譬犹户枢不朽也

❿百官之众，四海之广，使其关节脉理相通为一

胥 xū 有才智者之称；察看；蟹酱；通“疏”；通“须”，等待；通“与”，相与，皆；作语助；姓。

❷子胥沉江，比干剖心／里胥扣我门，日夕苦煎促

❹子男由胥徒以出，皆鹤而轩

❻比干剖心，子胥抉眼，忠之祸也

❿爱人者兼其屋上之乌，不爱人者及其胥余／爱其人者，爱其屋上乌；憎其人者，憎其余胥

胫 ①jìng 小腿。②kēng 通“硁”，［胫胫］同［硁硁］，固执。

❷凫胫虽短，续之则忧；鹤胫虽长，断之则悲

❺枝大于本，胫大于股，不折必披

❻损益之名，无胫而走矣

❼鸱目有所适，鹤胫有所节

❽每一章一句出，无胫而走，疾于珠玉

❿凫胫虽短，续之则忧；鹤胫虽长，断之则悲

胎 tāi 人或其他哺乳动物母体内的幼体；器物的粗坯或内瓤；事物的基始；量词。

❸始而胎气充实……壮而声色有节者强而寿／始而胎气虚耗……壮而声色自放者弱而夭

❹祸生有胎／刳牲夭胎，则麒麟不臻

❺毋覆巢，杀胎夭／祸福之胚胎也，其动甚微

❽福生有基，祸生有胎／无德而贿丰，祸之胎也／福生有基，祸生有胎；纳其基，绝其胎，祸福何自来

❿覆巢破卵，则凤凰不翔；刳牲夭胎，则麒麟不臻／福生有基，祸生有胎；纳其基，绝其胎，祸福何自来

胭 yān［胭脂］涂在面颊上的红色化妆品。

❺三千宫女胭脂面，几个春来无泪痕

❿有花无叶真潇洒，不向胭脂借淡红

脍 kuài 切得很细的鱼或肉。

❺食不厌精，脍不厌细

脊 ①jǐ 脊椎；比喻关键或要害；指物体中间高起的部分；条理。②jí 脊梁。

❶脊令在原，兄弟急难

见《诗·小雅·常棣》。

脆 cuì 容易断裂破碎；吃起来硬而易碎；软弱；声音清亮；爽快。

❷贞脆由人，祸福无门／甘脆肥脓，命曰腐肠之药

❽执持要坚耐，怕是脆

❾万物草木之生也柔脆，其死也枯槁

❿大都好物不坚牢，彩云易散琉璃脆

脂 zhī 脂肪；含有油质的化妆品；“胭脂”的简称；比喻禄养美厚；姓。

❷画脂镂冰，费日损功

❻三千宫女胭脂面，几个春来无泪痕／诸君傅粉涂脂，问南北战争都不知

❽手如柔荑，肤如凝脂……螓首蛾眉

❾虽有贤师良友，若画脂镂冰，费日损功

❿法繁于秋荼，而网密于凝脂／东南四十三州地，取尽膏脂是此河／有花无叶真潇洒，不向胭脂借淡红／鹰扬虎视，齿若编贝，肤如凝脂，昭昭乎若玉山上行，朗然映人

胸 xiōng 胸部；内心；胸怀；前面。

❶胸中泰然，岂有不乐

见宋·朱熹《朱子语类》卷三一。

胸中不学，犹手中无钱

见汉·王充《论衡·量知篇》。

胸中之竹，并不是眼中之竹也

见清·郑燮《题画·竹》。全句为：“～；手中之竹，又不是胸中之竹也”。

胸中没些渣滓，才能处世一番

见明·陈继儒《小窗幽记》。全句为：“眼里无点灰尘，方可读书千卷；～”。

胸次山高水远，笔端云起风狂

见宋·向子諲《题米元晖横轴》。

胸中元自有丘壑，故作老木蟠风霜

见宋·黄庭坚《题子瞻寺壁小山枯木》。

胸中之气伊郁蜿蜒，泄为章句……

见唐·刘禹锡《彭阳唱和集引》。全句为：“～，以遣愁沮，凄然如焦桐孤竹，亦名闻于世间”。

胸中有誓深于海，肯使神州竟陆沉

见宋·郑思肖《二砺》。

胸中襞积千般事，到得相逢一语无

见宋·尤袤《寄友人》。

胸中乱则择其邪欲而去之，则德正矣

见《尸子·处道》。全句为：“国乱则择其邪人去之，则国治矣；～”。

胸中正，则眸子瞭焉；胸中不正，则眸子眊焉

见《孟子·离娄上》。

胸中浩然廓然，纳烟云日月之伟观，揽雷霆风雨之奇变

见宋·陆游《烟艇记》。

❷荡胸生曾云，决眦入归鸟

❸说发胸臆，文成手中／荡涤胸中，无一毫之私累，可以言大矣

❹书味在胸中，甘于饮陈酒／英雄者，胸怀大志，腹有良谋……

❺白刃扞乎胸，则目不见流矢／一彼此于胸臆，捐好恶于心想／思风发于胸臆，言泉流于唇齿／悬日月于胸怀，挫风云于毫翰

❻郑板桥画竹，胸无成竹／文与可画竹，胸有成竹／致君事业堆胸臆，却伴溪童学钓鱼／人生不得行胸怀，虽寿百岁，犹为夭也

❼遍人间烦恼填胸臆／诗之基，其人之胸襟是也／机械之心藏于胸中，则纯白不粹，神德不全

❽手中之竹，又不是胸中之竹也／眼前直下三千字，胸次全无一点尘

❾画竹必先得成竹于胸中／胸中正，则眸子瞭焉；胸中不正，则眸子眊焉

❿登临自有江山助，岂是胸中不得平／野夫怒见不平处，磨损胸中万古刀

脏 ①zàng 身体内脏的通称。②zāng 不干净。③zǎng［肮（kǎng）脏］同“抗脏”，高亢、刚直貌。

❷肮脏不平之气，不欲销而自销；坚贞不拔之志，不欲奋而自奋矣

脐 qí 肚脐，脐带。

❿若教纸上翻身看，应见团团董卓脐／畜水覆舟，养兽反害，悔之噬脐，将何所及

胶 ①jiāo 粘性物质；像胶一样的；用胶粘合；牢固；通“嘐”，欺诈，诡辩；周代的大学；姓；［胶胶］鸡鸣声。②jiǎo［胶胶］动乱貌。

❶胶漆至粘也，而不能合远；鸿毛至轻也，而不能自举

见《战国策·赵策三》。

❷以胶投漆中，谁能别离此

❹道或乖，胶漆不能同其异

❺乘渍水以胶船，驭奔驹以朽索

朕 zhèn 皮甲缝合的地方，泛指缝隙；预兆；古人自称之词，自秦始皇起，专用为皇帝的自称。

❶朕若躬服珠玉，自玩锦绣……

见唐·苏颋《焚珠玉锦绣敕》。全句为：“～，而欲公卿节俭，黎庶敦朴，是使扬汤止沸，涉海无濡，不可得也”。

❹盘庚曰：“……朕不肩好货”

朔 shuò 夏历每月初一；初始；北。

❺雄兔脚扑朔，雌兔眼迷离／胡风动地，朔雁成行；拔剑登车，慷慨而别

❻朝菌不知晦朔，蟪蛄不知春秋

❾旦执机权，夜填坑谷；朔欢卓、郑，晦泣颜、原

朗 lǎng 明亮；声音清晰响亮；高明。

❶朗如日月，清如水镜

见唐·杨炯《鄎县令扶风窦兢字思谨赞》。

朗夜之辉，不开朦叟之目

见南朝·宋·萧子显《南齐书·刘祥传》。全句为："破山之雷，不发聋夫之耳；～"。

❷天朗气清，惠风和畅

❸膏以朗煎，兰由芳凋／披襟朗咏，饯斜光于碧岫之前／晴空朗月，何处不可翱翔？而飞蛾独投夜烛／朝乐朗日，啸歌丘林；夕玩望舒，入室鸣琴

❹五色虽朗，有时而渝

❺临清风，对朗月，登山泛水，肆意酣歌

❻昭明有融，高朗令终／苟或得其高朗，探其深赜……／一观其文，心朗目舒，炯若深井之下仰视白日之正中也

❿颂优游以彬蔚，论精微而朗畅／非惟使人情开涤，亦觉日月清朗／鹰扬虎视，齿若编贝，肤如凝脂，昭昭乎若玉山上行，朗然映人

脓 nóng 疮口溃烂所出的黄绿色粘液；腐烂；肥；通"醲"，浓厚。

❹甘脆肥脓，命曰腐肠之药

脚 ①jiǎo 足；类似脚的；物体的支撑；物体的最下部；剩下的废料。②jué 通"角"，角色。

❸雄兔脚扑朔，雌兔眼迷离／一失脚成千古恨，再回头是百年人

❹有时赤脚弄明月，踏破五湖波底天

❺急来抱佛脚，闲时不烧香

❽华岳眼前尽，黄河脚底来

❾大着肚皮容物，立定脚跟做人／一登一陟一回顾，我脚高地他更高

❿立业建功，事事要从实地着脚／落红满路无人惜，踏作花泥透脚香／禅堂茶散卷残经，竹杖芒鞵信脚行

脯 ①fǔ 干肉；密渍的干果。②pú 胸脯。

❻悬牛头，卖马脯；盗跖行，孔子语

豚 ①tún 小猪，也泛指猪。②dūn 通"墩"，土堆，土堤；隐遁。

❼置猿槛中，则与豚同……无所肆其能也

❿饿狼守庖厨，饥虎牧牢豚／生子当如孙仲谋，刘景升儿子若豚犬耳

脸 liǎn 面孔；面子，体面；脸上的表情；某些物体的前部。

❹临波笑脸，艳出浦之轻莲

脱 ①tuō 脱落；除去；离开；霍然，油然，轻快貌；倘或；通"夺"，遗失，缺漏。②tuì 恰好，合宜；通"蜕"。

❶脱裙衫，穷不妨；布荆人，名自香

见清·孔尚任《桃花扇·却奁》。

❸事忌脱空，人怕落套

❹语贵洒脱，不可拖泥带水／鱼不可脱于渊；国之利器不可以示人

❼守如处女，出如脱兔／静如处女，动如脱兔／将军金甲夜不脱……风头如刀面如割

❽霜露既降，木叶尽脱／吟咏有真得，不解脱终为套语

❿善建者不拔，善抱者不脱／宇宙内事，要担当，又要善摆脱／一洗绮罗香泽之态，摆脱绸缪宛转之度／始如处女，敌人开户；后如脱兔，敌不及拒／老年人受病在作意步趋，少年人受病在假意超脱

脟 ①liè，又读 lè，禽兽肋骨上的肉；肠间的脂肪。②luán 同"脔"，切肉成块片。

❸尝一脟肉，而知一镬之味

期 ①qī 预定的时间或一段时间；约定时间；量词；盼望，希望；整；限度；地质学名词；定期刊物出版的次数；百年曰期；期满，限期已至；[期期]形容口吃。②jī 一周年，一整月，一昼夜；"期服"的简称。[期颐]百岁。

❷刑期于无刑／不期同时，不谋同辞／不期修古，不法常可／宁期此地忽相遇，惊喜茫如堕烟雾

❸与，不期众少，其于当厄／良剑期乎断，不期乎镆铘／论文期摘瑕，求友惟攻阙／行不期闻也，信其义而已／学不期言也，正其行而已／怨，不期深浅，其于伤心／良马期乎千里，不期乎骥骜／美味期乎合口，工声调于比耳／有所期约，时刻不易，所谓信也

❹慢令致期谓之贼／急与之期而观其信／所见所期，不可不远且大／论者不期于丽辞而务在事实／歌者不期于利声而贵于中节／读文必期有用，不然宁可不读／居身务期俭朴，教子要有义方／君问归期未有期，巴山夜雨涨秋池／人生大期，百年为限，节护之者可至千岁／盈缩之期，不但在天；养怡之福，可得永年

❺名不与利期而利归之／贵不与骄期而骄自至，富不与侈期而侈自来

❻理胜者，文不期工而工／吏不与奸罔期，而奸罔自至／前事之不忘，期有劝且惩也

❼一咏一吟，寄心期于别后／良剑期乎断，不期乎镆铘／安求一时誉，当期千载知／结交一言重，相期千里至／贾竖不与不仁期，而不仁自至／君问归期未有期，巴山夜雨涨秋池／胜败兵家事不期，包羞忍耻是男儿

❽良马期乎千里，不期乎骥骜／发号出令以下

行,期悦人意/文章不为空言,而期于有用/耳达四聪,瑕累者期于录用/浩漾东流,赴海为期。斡而迁焉,逐我颐指

❿不识风霜苦,安知零落期/害稼者有时,害民者无期/富贵非吾愿,帝乡不可期/好风能自至,明月不须期/天长地久有时尽,此恨绵绵无绝期/不妨举世无同志,会有方来可与期/明发又为千里别,相思应尽一生期/昨日之日不可追,今日之日须臾期/天不欲使兹人有知乎?则吾之命不可期/天犹有春秋冬夏旦暮之期,人者厚貌深情/与百姓有缘才来此地,期寸心无愧不鄙斯民/居上者不以至公理物,为下者必以私路期荣/马效千里,不必骥騄;人期贤知,不必孔墨/贵不与骄期而骄自至,富不与侈期而侈自来/言不在多,在于当理;施不在丰,期于救乏/含气之伦,有生必终,盖天地之常期,自然之至数

腊 ①là 夏历十二月;腊月或冬天腌制后风干或熏干的鱼、肉等;姓。②xī 干肉;极;皴皱;晒干。③liè 剑的两刃。

❶腊天日短不盈尺,何似妖姬一曲歌

见宋·蒨桃《呈寇公》。

朝 ①cháo 古代诸侯见天子、臣见君、子见父母的通称;聚会;面对着;朝代,一个君主的统治时期;朝廷;官府的大堂。②zhāo 早晨;日;天。

❶朝居严则下无言

见《晏子春秋·内篇谏下第十七》。

朝闻道,夕死可矣

见《论语·里仁》。

朝无幸位,民无幸生

见《荀子·富国》。

朝吐面誉,暮行背毁

见南朝·宋·颜延之《庭诰》。

朝行出攻,暮不夜归

见汉·无名氏《战城南》。

朝多君子,野无遗贤

见唐·姚思廉《陈书·武帝纪》。

朝晖夕阴,气象万千

见宋·范仲淹《岳阳楼记》。

朝忘其事,夕失其功

见《管子·形势》。

朝拜而不道,夕斥之矣

见唐·柳宗元《封建论》。全句为:"~;夕受而不法,朝斥之矣"。

朝与仁义生,夕死复何求

见晋·陶潜《咏贫士七首》之四。

朝扣富儿门,暮随肥马尘

见唐·杜甫《奉赠韦左丞丈二十二韵》。全句为:"~;残杯与冷炙,到处潜悲辛"。

朝日乐相乐,酣饮不知醉

见三国·魏·曹丕《善哉行》。

朝千悲而下泣,夕万绪以回肠

见南朝·陈·徐陵《与齐尚书仆射杨遵彦书》。全句为:"晨看旅雁,心赴江淮;昏望牵牛,情驰扬越。~"。

朝菌不知晦朔,蟪蛄不知春秋

见《庄子·逍遥游》。

朝骋骛乎书林兮,夕翱翔乎艺苑

见唐·韩愈《复志赋》。

朝无贤人,犹鸿鹄之无羽翼也……

见汉·刘向《说苑·尊贤》。全句为:"~;虽有千里之望,犹不能致其意之所欲至矣"。

朝廷之臣,取其鉴达治体,经纶博雅

见北齐·颜之推《颜氏家训·涉务》。

朝饮木兰之坠露兮,夕餐秋菊之落英

见战国·楚·屈原《离骚》。

朝无争臣则不知过,国无达士则不闻善

见汉·班固《汉书·萧望之传》。

朝乐朗日,啸歌丘林;夕玩望舒,入室鸣琴

见晋·谢安《与王胡之诗六章》之六。

朝华之草,夕而零落;松柏之茂,隆寒不衰

见晋·陈寿《三国志·魏书·王昶传》。

❷一朝天子一朝臣/终朝为恶,四海倾覆/一朝权入手,看取令行时/一朝被谗言,二桃杀三士/一朝辞此地,四海遂为家/今朝一杯酒,明日千里人/先朝好史,予方学于孔墨/六朝金粉地,落木更萧萧/国朝盛文章,子昂始高蹈/为朝露之行,而思传世之功/谢朝华于已披,启夕秀于未振/今朝有酒今朝醉,明日愁来明日愁/今朝有酒今朝醉,且尽樽前有限杯/在朝也则师氏之佐,为国则刻削之政/在朝也则司寇之任,为国则公正之政/在朝也则将帅之任,为国则严厉之政/一朝之忿,忘其身,以及其亲,非惑欤

❸蜉蝣朝生而暮死,而尽其乐/有时朝发白帝,暮到江陵……/画栋朝飞南浦云,珠帘暮卷西山雨/小人朝为而夕求其成,坐施而立望其反/故在朝也则三孤之任,为国则变化之政/百川朝海,流行不止。道虽辽远,无不到者/旦为朝云,暮为行雨。朝朝暮暮,阳台之下

❹扫尽市朝陈迹/争名于朝,争利于市/百年变朝市,千里异风云/倏忽市朝变,苍茫人事非/人生譬朝露,居世多屯蹇/志士痛朝危,忠臣哀主辱/慌兮惚,朝朝暮暮生白发/盛饰人朝者,不以私污义/春江花朝秋月夜,往往取酒还独倾/欲为圣朝除弊事,肯将衰朽惜残年/烟霞为朝夕之资,风月得林泉之助/病非一朝一夕之故,其所由来渐矣/甚雾之朝,可以细书而不可以远望寻常之外/有司一朝而受者几千万

言,读不能十一……

❺人命危浅,朝不虑夕/沔彼流水,朝宗于海/慌兮惚,朝朝暮暮生白发/飘风不终朝,骤雨不终日/力多则人朝,力寡则朝于人/不可以一朝风月,昧却万古长空/儒者在本朝则美政,在下位则美俗/清风两袖朝天去,免得闾阎话短长/政令多出,朝令夕改,则谓数穷也

❻一朝天子一朝臣/万古长空,一朝风月/千载之勋,一朝可立/夕受而不法,朝斥之矣/盛之有衰,犹朝之必暮/鼓腹无所思,朝起暮归眠/君臣节俭足,朝野欢呼同/春早见花枝,朝朝恨发迟/贿赂先至者,朝请而夕得/故飘风不终朝,骤雨不终日/招世之士兴朝,中民之士荣官/积年绮碎,一朝清廓,翰苑豁如/今朝有酒今朝醉,明日愁来明日愁/今朝有酒今朝醉,且尽樽前有限杯/请君莫奏前朝曲,听唱新翻杨柳枝/地尽天水合,朝及洞庭湖,初日当中涌,莫辨东西隅

❼夙兴夜寐,靡有朝矣/身寄虎吻,危同朝露/正义之臣设,则朝廷不颇/春早见花枝,朝朝恨发迟/装点此关山,今朝更好看

❽稽天之潦,不能终朝/一万年太久,只争朝夕/施之无穷,而无所朝夕/人生处一世,去若朝露晞/金与粟争贵,乡与朝争治/震雷电激,不崇一朝;大风冲发,希有极日

❾数风流人物,还看今朝/小隐隐陵薮,大隐隐朝市/裁此百日功,唯将一朝舞/力多则人朝,力寡则朝于人/晦明变化者,山间之朝暮也/空怀向日之心,未有朝天之路/千古风流歌舞地,六朝兴废帝王州/人生在世不称意,明朝散发弄扁舟/自古盛衰如转烛,六朝兴废同棋局/天下之患,莫大于举朝无公论,空国无君子/为人君者,正心以正朝廷,正朝廷以正百官/旦为朝云,暮为行雨。朝朝暮暮,阳台之下/贤者在位,能者布职,朝廷崇礼,百僚敬让

❿长安如梦里,何日是归朝/地势使之然,由来非一朝/鸿阜之义,发于颠沛之朝/远而望之,皎若太阳升朝霞/民可百年无货,不可一朝有饥/君子有终身之忧,无一朝之患/不可以万古长空,不明一朝风月/俱往矣,数风流人物,还看今朝/健儿无粮百姓饥,谁遣朝朝入君口/号呼卖卜谁家子,想欠明朝籴米钱/贫居往往无烟火,不独明朝为子推/总教掬尽三江水,难洗今朝一面羞/自古逢秋悲寂寥,我言秋日胜春朝/不闻道而死,曷异蜉蝣之朝生暮死乎/两情若是久长时,又岂在、朝朝暮暮/贤人在世,进则尽忠宣化,以明朝廷/仁者在位而仁人来,义者在朝而义士至/墉基不可仓卒而成,威名不可一朝而立/君不见高堂明镜悲白发,朝如青丝暮成雪/为人君者,正心以正朝廷,正朝廷以正百官/人面看年年岁岁之同,花枝见夜夜朝朝之好/当人强盛,河山可拔,一朝羸缩,人情万端/日薄西山,气息奄奄;人命危浅,朝不虑夕/旦为朝云,暮为行雨。朝朝暮暮,阳台之下/昔君视我,如掌中珠;何意一朝,弃我沟渠/贤人在野,我将进之;佞人立朝,我将斥之/欲为君子,终身乃成;欲为小人,一朝可就/女无美恶,入宫见妒。士无贤不肖,入朝见嫉/缚草为形,实之腐肉,教之拜起,以充满朝市/政如农功,日夜思之,思其始而成其终,朝夕而行之

腓

féi 胫肉,即小腿肚子;覆庇,庇护;草木枯萎。

❶腓大于股,难于趣走

见《韩非子·扬权》。

腆

tiǎn 凸出或挺出;丰盛;丰厚,美好;通"典",小国,一说指国主。

❹倨傲鲜腆而深折之,彼其能有所忍也

腴

yú 肥胖;肥沃;美肴;丰裕;猪犬的肠子。

❷珍腴之惭,不若藜藿之甘

❽事丰奇伟,辞富膏腴,无益经典,而有助文章

腋

yè 腋窝;像腋窝的;特指狐狸腋下的毛皮。

❾千金之裘,非一狐之腋/狐白之裘,非一狐之腋

❿千羊之皮,不若一狐之腋/崇台非一干,珍裘非一腋

腑

fǔ 中医对胃、胆、膀胱等的统称。

❺沛然从肺腑中流出,殊不见斧凿痕

腔

qiāng 体内中空部分;曲调;说话的声音、语气等;话。

❿牧童归去横牛背,短笛无腔信口吹

腕

wàn 人和四肢动物的掌和前臂之间的部分。

❺断指以存腕,利之中取大,害之中取小

❽快者掀髯,愤者扼腕,悲者掩泣,羡者色飞

❾蝮蛇螫手,壮士解其腕

❿闻《乐游园》寄足下诗,则执政柄者扼腕矣

腠

còu 皮肤或肌肉的纹理。

❿良医之治病也,攻之于腠理

腰

yāo 腰部;裤、裙等衣物围在腰上的部位;肾脏的俗称;比喻事物的中间部分。

❺肩若削成,腰如约素/楚王好细腰,宫中多饿死/楚王好小腰,美人省食;吴王好剑,国士轻死

❻楚灵王好细腰而国中多饿人/自叹犹为折腰

吏，可怜骢马路傍行／安能摧眉折腰事权贵，使我不得开心颜
❽不能为五斗米折腰，拳拳事乡里小人
❾眉如翠羽，肌如白雪，腰如束素，齿如含贝
❿江山如此多娇，引无数英雄竞折腰／车辚辚，马萧萧，行人弓箭各在腰

腥 xīng 生肉；类似生鱼的难闻的气味；荤腥。
❺诚欲远彼腥膻，而即此清净也
❽洗污泥者以水，燔腥生者用火

腹 fù 肚子；指内心；像肚子的部分；腹地；比喻中心部分；厚；姓。
❷鼓腹而歌，以乐其生／口腹不节，致疾之因／量腹而食，度身而衣／鼓腹无所思，朝起暮归眠／遗腹子之上陇，以礼哭泣之，而无所归心
❸舍心腹而顾手足
❹口有蜜，腹有剑／推心置腹，开诚布公／未有无腹心手足而能独理者也／圣人量腹而食，度形而衣，节于己而已／美味腐腹，好色惑心，勇夫招祸，辩口致殃
❺文籍虽满腹，不如一囊钱
❻含哺而熙，鼓腹而游／宰相，陛下之腹心；刺史县令，陛下之手足
❼推赤心于诸贤腹中／尝从人事，皆口腹自役／去民之患，如除腹心之疾／筋疲力弊不入腹，未议县官租税足／翁媪饥雷常转腹，大儿嗷嗷小儿哭／天下犹人之体，腹心充实，四支虽病，终无大患／人之能为人，由腹有诗书。诗书勤乃有，不勤腹空虚
❽偃鼠饮河，不过满腹／虽鞭之长，不及马腹／诗书勤乃有，不勤腹空虚／垅上扶犁儿，手种腹长饥／英雄者，胸怀大志，腹有良谋……／墨翟之徒，世谓热腹；杨朱之侣，世谓冷肠
❾豺狼死而犹饿兮，牛腹尸而不盈／疗饥者半菽可以充腹，为政者一言可以兴邦
❿将小人之心，度君子之腹／狗吠不惊，足下生氂；含哺鼓腹，焉知凶灾／心虚白则神留而道存，腹充实则精全而寿长／损百姓以奉其身，犹割股以啖腹，腹饱而身毙／盗取民食兮，私已不分；充赚果腹兮，骄傲欢欣／鹪鹩巢于深林，不过一枝；偃鼠饮河，不过满腹／人之能为人，由腹有诗书。诗书勤乃有，不勤腹空虚／人之饥所以不食乌喙者，以为虽偷充腹而与死同患也

鹏 péng 传说中最大的鸟。
❷大鹏不可笼，大椿不可植／大鹏之动，非一羽之轻也／大鹏一日同风起，扶摇直上九万里／鲲鹏展翅，九万里，翻动扶摇羊角
❸冲天鹏翅阔，报国剑芒寒
❺蚊睫安知鹏翼／九万里风鹏正举
❻层风未翔，大鹏有云倾之势
❿时之来也，为云龙，为风鹏，勃然突然，陈力以出

膝 xī 膝盖，大腿与小腿交接部分。
❼进人若将加诸膝，退人若将队诸渊／老去更无儿在膝，惟君怜我我怜君
❾倚南窗以寄傲，审容膝之易安
❿闻鸣镝而股战，对穹庐以屈膝／不依古法但横行，自有云雷绕膝生

膳 shàn 饭食；进献食物；煎和，烹调。
❿师旷调音，曲无不悲；狄牙和膳，肴无澹味

朦 méng 眼半睁；遮掩；[朦胧]月光不明亮；模糊不清。
❿三年不目日，视必盲；三年不目月，精必朦

膻 ①dàn 袒露；胸腔。②shān 像羊身上的气味；羊腹内的脂膏。
❻诚欲远彼腥膻，而即此清净也

臆 yì 胸骨，亦指胸；主观地、无根据地猜测。
❸巷议臆度，不足取信
❹说发胸臆，文成手中
❻一彼此于胸臆，捐好恶于心想／思风发于胸臆，言泉流于唇齿
❼致君事业堆胸臆，却伴溪童学钓鱼
❽遍人间烦恼填胸臆／事不目见耳闻，而臆断其有无，可乎？
❿学有未达，强以为知，理有未安，妄以臆度／天下之事，不可尽知，而以臆断之，不可任也

臂 ①bì 胳膊；动物的前肢；喻之助手；弓弩的柄。②bei 用于"胳臂"。
❶臂健尚嫌弓力软，眼明犹识阵云高
见宋·曹翰《内宴奉诏作》。
❸九折臂而成医／怒其臂以当车辙，不知其不胜任也
❺登高而招，臂非加长也，而见者远／螳螂之怒臂以当车轶，则必不胜任矣
❻行无行，攘无臂，扔无敌，执无兵
❿末不可以强于本，指不可以大于臂

欠 qiàn 该给人的还没有给；缺少；困倦时张口出气；痴呆。
❻万事俱备，只欠东风
❾号呼卖卜谁家子，想欠明朝籴米钱

欤 yú 语气助词。
❽先事后得，非崇德欤
❾失去所凭依，信不可欤
❿安有执砺世之具而患乎无贤欤／攻其恶，无攻人之恶，非修慝欤／一朝之忿，忘其身，以及

其亲,非惑欤/孰使予乐居夷而忘故土者,非兹潭也欤/一国之政,万人之命,悬于宰相,可不慎欤

欧 ①ōu 欧洲;欧姆的简称;姓;同"讴",歌唱;通"殴",捶击。②ǒu 同"呕",吐。

❶欧冶不能铸铅锡作干将

见唐·马总《意林·抱朴子》。全句为:"班翟不能削石作芒针,~"。

欧阳当日文名重,更要推敲畏后生

见清·袁枚《遣兴六首》其四。

欧公作文,先贴于壁……有终篇不留一字者

见宋·吕本中《吕氏童蒙训》。删节处为:"时加窜定"。

❹一截遗欧,一截赠美,一截还东国/文章到欧曾苏,道理到二程,方是畅

❽得十利剑,不若得欧冶之巧

❾得十良剑,不若得一欧冶

❿驽蹇服御,良乐咨嗟;铅刀剖截,欧冶叹息

炊 chuī 烧火做饭、菜;通"吹"。

❹军灶未炊,将不言饥/析骨而炊,易子而食/数米而炊,称柴而爨

❽简发而栉,数米而炊/担水塞井徒用力,炊砂作饭岂堪吃/舂去细糠如剖玉,炊成香饭似堆银/意喻之米,文喻之炊而为饭,诗喻之酿而为酒/称薪而爨,数米而炊,可以治小而未可以治大

❾易子而食之,析骸而炊之

❿药来贼境灵何用,米出胡奴死不炊/君不见担雪塞井空用力,炊沙作饭岂堪食

欲 yù 欲望,欲念;想要;将要;需要;婉顺貌。

❶欲投鼠而忌器

见汉·贾谊《治安策》。

欲与天公试比高

见现代·毛泽东《沁园春·雪》。

欲倾东海洗乾坤

见唐·杜甫《追酬故高蜀州人日见寄》。

欲勇者贾余余勇

见《左传·成公二年》。"贾",买;前"余",我。

欲富乎,忍耻矣

见《荀子·大略》。

欲取之,必先予之

见《老子》三十六、《战国策·魏策一》。

欲知人者必先自知

见《吕氏春秋·季春纪·先己》。全句为:"欲胜人者必先自胜,欲论人者必先自论,~"。

欲不可纵,纵欲成灾

见唐·吴兢《贞观政要·刑法》。全句为:"乐不可极,极乐成哀;~"。

欲民务农,在于贵粟

见汉·晁错《论贵粟疏》。全句为:"~;贵粟之道,在于使民以粟为赏罚"。

欲他人己从,诬人也

见宋·张载《正蒙·乾称下》。全句为:"失于声,缪迷其四体,谓己当然,自诬也;~"。

欲人无己疑,不能也

见宋·张载《正蒙·乾称下》。全句为:"发乎声,见乎四支,谓非己心,不明也;~"。

欲加之罪,何患无辞

见明·冯梦龙《东周列国志》第二十九回。

欲加之罪,其无辞乎

见《左传·僖公十年》。

欲当大任,须是笃实

见宋·朱熹《近思录·政事类》。

欲知则问,欲能则学

见《尸子·处道》。

欲知其人,观其所使

见唐·陈子昂《上军国利害事·出使》。

欲治兵者,必先选将

见唐·张九龄《选卫将》第八章。

欲胜人者,必先自胜

见《吕氏春秋·季春纪·先己》。

欲积资财,先戒奢费

见民国·邹岐山《启后留言》。

欲正其末者,先端其本

见唐·陈子昂《上军国利害事·出使》。全句为:"~;清其流者,必先洁其源"。

欲正其心者,先诚其意

见《礼记·大学》。全句为:"欲修其身者,先正其心;~"。

欲修其身者,先正其心

见《礼记·大学》。全句为:"~;欲正其心者,先诚其意"。

欲免为形者,莫如弃世

见《庄子·达生》。

欲多者,其可得用亦多

见《吕氏春秋·离俗览·为欲》。

欲治其国者,先齐其家

见《礼记·大学》。全句为:"古之欲明明德于天下者,先治其国;~;欲齐其家者,先修其身"。

欲进远路,不宜释骐骥

见晋·陈寿《三国志·魏书·公孙度传》。全句为:"~;将已笃疾,不宜废扁鹊"。

欲成大厦,必寄于瑰材

见唐·宋之问《为田归道让殿中监表》。全句为:"~;将适远途,理归于骏足"。

欲齐其家者,先修其身

见《礼记·大学》。全句为:"欲治其国者,先

齐其家。～”。

欲而不知止，失其所以欲

见汉·司马迁《史记·范雎蔡泽列传》。全句为：“～；有而不知足，失去所以有”。

欲求生富贵，须下死工夫

见元·施君美《幽闺记》十二出。

欲求真受用，须下死功夫

见清·陆世仪《思辨录辑要·诚正类》。

欲生于无度，邪生于无禁

见《尉缭子·治本》。

欲人之从己也，必先从人

见《国语·晋语四》。全句为：“欲人之爱己也，必先爱人；～”。

欲人之爱己也，必先爱人

见《国语·晋语四》。全句为：“～；欲人之从己也，必先从人”。

欲高，反下；欲取，反与

见《鬼谷子·反应》。全句为：“欲闻其声，反默；欲张，反敛；～”。

欲识凌冬性，唯有岁寒知

见唐·虞世南《赋得临池竹应制》。

欲折月中桂，持为寒者薪

见唐·李白《赠崔司户文昆季》。

欲将轻骑逐，大雪满弓刀

见唐·卢纶《和张仆射塞下曲六首》之三。全句为：“月黑雁飞高，单于夜遁逃，～”。

欲知千里寒，但看井水冰

见晋·清商曲辞《冬歌十七首》之十五。

欲衍则速患，情佚则怨博

见晋·裴頠《崇有论》。

欲得周郎顾，时时误拂弦

见唐·李端《听筝》。

欲济无舟楫，端居耻圣明

见唐·孟浩然《望洞庭湖赠张丞相》。

欲流之远者，必浚其泉源

见唐·吴兢《贞观政要·君道》。全句为：“求木之长者，必固其根本；～；思国之安者，必积其德义”。

欲穷千里目，更上一层楼

见唐·王之涣《登鹳雀楼》。

欲粟者务时，欲治者因世

见汉·桓宽《盐铁论·遵道》。

欲赤须近朱，欲黑须近墨

见《后西游记》第一回。

欲急人所务，当先除其所患

见南朝·宋·范晔《后汉书·韦彪传》。

欲去其弊也，莫如省事而厉精

见宋·苏轼《策别第八》。全句为：“～，省事莫如任人，厉精莫如自上率之”。

欲知来者察往，欲知古者察今

见宋·陆佃解《鹖冠子·近迭》。

欲闻其声，反默；欲张，反敛

见《鬼谷子·反应》。全句为：“～；欲高，反下；欲取，反与”。

欲福者或为祸，欲利者或离害

见汉·刘安《淮南子·诠言》。

欲求士之贤愚，在于精鉴博采之

见唐·韩愈《与凤翔邢尚书书》。

欲变节而从俗兮，愧易初而屈志

见战国·楚·屈原《楚辞·九章·思美人》。

欲速则不达；见小利则大事不成

见《论语·子路》。全句为：“无欲速，无见小利。～”。

欲立非常之功者，必有知人之明

见宋·苏轼《拟进士对御试策》。

欲开壅蔽达人情，先向歌诗求讽刺

见唐·白居易《采诗官》。

欲事之无繁，则必劳于始而逸于终

见宋·苏轼《策别第八》。

欲为圣朝除弊事，肯将衰朽惜残年

见唐·韩愈《左迁蓝关示侄孙湘》。

欲就麻姑买沧海，一杯春露冷如冰

见唐·李商隐《谒山》。

欲把西湖比西子，淡妆浓抹总相宜

见宋·苏轼《饮湖上初晴后雨》其二。

欲影正者端其表，欲下廉者先之身

见汉·桓宽《盐铁论·疾贪》。

欲尸名者必为善，欲为善者必生事

见汉·刘安《淮南子·诠言》。全句为：“～，事生则释公而就私，货数而任己”。

欲赋生来惊人语，必须苦下死工夫

见元·顾德润《[南吕]骂玉郎过感皇恩采茶歌二首》其一。

欲致鱼者先通水，欲致鸟者先树木

见汉·刘安《淮南子·说山》。

欲灭迹而走雪中，拯溺者而欲无濡

见汉·刘安《淮南子·说山》。全句为：“～，是非所行而行所非”。

欲心难厌如溪壑，财物易尽若漏卮

见清·程允升《幼学琼林·人事》。

欲恶避就，固不待师，此人之性也

见《庄子·盗跖》。

欲平其心以养其疾，于琴亦将有得焉

见宋·欧阳修《送杨寘序》。

欲长生久视，而日逆其生，欲之何益

见《吕氏春秋·孟春纪·重己》。

欲是其所非而非其所是，则莫若以明

见《庄子·齐物论》。

欲笺心事，独语斜阑。难！难！难！

见宋·唐婉《钗头凤》。全句为：“晓风干，泪痕残。～”。

欲出一言，即思此一言于百姓有利益否

见唐·吴兢《贞观政要·慎言语》。全句为：“每日坐朝，～，所以不敢多言”。

欲刚者必以柔守之，欲强者必以弱保之

见汉·刘安《淮南子·原道》。全句为：“～；积于柔则刚，积于弱则强”。

欲刚，必以柔守之；欲强，必以弱保之

见《列子·黄帝》。

欲做精金美玉的人品，定从烈火中锻来

见明·洪应明《菜根谭》。全句为：“～；思立掀天揭地的事功，须向薄冰上履过”。

欲弃学而循性，是谓犹释船而欲蹍水也

见汉·刘安《淮南子·修务》。

欲知舜与蹠之分，无他，利与善之间也

见《孟子·尽心上》。

欲胜人者必先自胜，欲论人者必先自论

见《吕氏春秋·季春纪·先己》。全句为：“～，欲知人者必先自知”。

欲生于不足则民盗，能使无欲则民不为盗

见宋·张载《正蒙·有司》。

欲以先王之政治当世之民，皆守株之类也

见《韩非子·五蠹》。

欲交其人，先观其友，乃择交第一良法也

见民国·邹歧山《启后留言》。

欲明两仪天地之体，必以太极虚无为初始

见唐·孔颖达《周易·系辞上》疏。

欲上民，必以言下之；欲先民，必以身后之

见《老子》六十六。

欲为君子，终身乃成；欲为小人，一朝可就

见宋·刘炎《迩言》。

欲人不知，莫若无为；欲无悔吝，不若守慎

见唐·姚崇《辞金诫》。

欲人勿闻，莫若勿言；欲人勿知，莫若勿为

见汉·枚乘《上书谏吴王》。

欲人勿恶，必先自美；欲人勿疑，必先自信

见明·冯梦龙《东周列国志》第十三回。

欲论人者，必先自论；欲知人者，必先自知

见《吕氏春秋·季春纪·先己》。

欲观千岁，则数今日；欲知亿万，则审一二

见《荀子·非相》。

欲知平直，则必准绳；欲知方圆，则必规矩

见《吕氏春秋·不苟论·自知》。

欲见贤人而不以其道，犹欲其入而闭之门也

见《孟子·万章下》。

欲厚其德，不可不弘其量，欲弘其量，不可不大其识

见明·洪应明《菜根谭》。全句为：“德随量进，量由识长，故～”。

欲成功而反为败者，生于不知道理，而不肯问知而听能

见《韩非子·解老》。

欲为君，尽君道；欲为臣，尽臣道。二者皆法尧舜而已矣

见《孟子·离娄上》。

❷有欲则无刚／养欲而意骄者困／色欲乃忘身之本／能欲多而事欲鲜／情欲信，辞欲巧／树欲静而风不止／心欲专，凿石穿／心欲言而口不逮／足欲，亡无日矣／无欲速，无见小利／嗜欲得而信衰于友／私欲不可以胜公议／无欲者，不可得用也／同欲相趋，同利相死／侵欲无厌，规求无度／人欲长久，断情去欲／节欲之道，万物不害／将欲败之，必姑辅之／善欲人见，不是真善／嗜欲伤神，财多累身／治欲者不以欲，以性／必欲致治，在于积贤／恶欲其死而爱欲其生／龙欲腾翥，先阶尺木／辞欲壮丽，义归博远／不欲以静，天下将自定／或欲害之，乃反以利之／我欲乘风去，击楫誓中流／制欲于未萌，除害于未兆／同欲者相憎，同忧者相亲／人欲自见其势，以资明镜／军欲其众也，心欲其一也／工欲善其事，必先利其器／士欲宣其义，必先读其书／节欲则民富，中听则民安／君欲自知其过，必待忠臣／嗜欲喜怒之情，贤愚皆同／寡欲则行清，多欲则神浊／纵欲而失性，动未尝正也／情欲虽危，不染则无由累己／虎欲异群虎，舍山入市即擒／鱼欲异群鱼，舍水跃岸即死／无欲者，神合于虚，气合于无／以欲从人者昌，以人乐己者亡／诚欲远彼腥膻，而即此清净也／己欲立而立人，己欲达而达人／嗜欲充益，目不见色，耳不闻声／多欲亏义，多忧害智，多惧害勇／必欲得人称职，不失士，不谬举／凡欲显勋绩扬光烈者，莫良于学矣／识欲高而气欲下，量欲宏而守欲洁／志欲大而心欲小，学欲博而业欲专／将欲取天下而为之，吾见其不得已／学欲博，不欲杂；守欲约，不欲陋／胆欲大而心欲小，智欲圆而行欲方／胆欲大，心欲小；智欲圆，行欲方／心欲小而志欲大，智欲员而行欲方／如欲平治天下，当今之世，舍我其谁也／诚欲往来言所闻，则仆固愿悉陈中所得者／嗜欲者使人之气越，而好憎者使人之心劳／有欲、无欲，异类也，生死也，非治乱也／予欲闻六律五声八音，在治忽，以出纳五言／人欲自照，必须明镜；主欲知过，必藉忠臣／将欲废之，必固兴之；将欲夺之，必固与之／将欲歙之，必固张之；将欲弱之，必固强之／将欲毁之，必重累之；将欲踣之，必高举之／善欲人见，不是真善；恶恐人知，便是大恶／敌欲固守，攻其无备；敌欲兴陈，出其不意／嗜欲无穷，则必有贪鄙悖乱之心，淫佚奸诈之事

❸凡兵欲急疾捷先／山雨欲来风满楼／割嗜欲

所以固血气／君子欲讷，吉人寡辞／日月欲明，浮云蔽之／人主欲自知，则必直士／君子欲讷于言而敏于行／是儿欲踞吾著炉火上邪／见可欲则思知足以自戒／其耆欲深者，其天机浅／抑之欲其奥，扬之欲其明／汝果欲学诗，工夫在诗外／奸臣欲窃位，树党自相群／气疲欲胜，则精灵离身矣／爱之欲其生，恶之欲其死／爱之欲其富，亲之欲其贵／疏之欲其通，廉之欲其节／耳虽欲声，目虽欲色……／事或欲以利之，适足以害之／人之欲少者，其可得用亦少／人之欲多者，其可得用亦多／凡军欲其众也，心欲其一也／谁不欲争裂绮绣，互攀日月／穷者欲达其言，劳者须歌其事／乘所欲为，易于反掌，安于泰山／人有欲，则无刚，刚则不屈于欲／古之欲明明德于天下者，先治其国／人多欲亏义，多忧害智，多惧害勇／含情欲说独无处，传与琵琶心自知／含情欲说宫中事，鹦鹉前头不敢言／牛郎欲问瘟神事，一样悲欢逐逝波／立志欲坚不欲锐，成功在久不在速／读书欲睡，引锥自刺其股，血流至足／天不欲使兹人有知乎？则吾之命不可期／我不欲人之加诸我也，吾亦欲无加诸人／虚其欲，神将入舍；扫除不洁，神乃留处／师不欲久，行不欲远，守少则固，力专则强／丛兰欲茂，秋风败之；王者欲明，谗人蔽之／夕景欲沉，晓雾将合；孤鹤寒啸，游鸿远吟／日月欲明而浮云盖之，兰芝欲修而秋风败之／饥而欲食……好利而恶害，是人之所生而有也／耳之欲五声，目之欲五色，口之欲五味，情也／上多欲，下多端，法不定，政多门，此乱国之风也／人之欲虽多，而上无以令之，人虽得其欲，人犹不可得用也／人莫欲学御龙，而皆欲学御马；莫欲学治鬼，而皆欲学治人：急所用也

❹俭则寡欲／上下同欲者胜／以百姓欲为欲／君子不欲多上人／得合而欲多者危／己所不欲，勿施于人／万物非欲死，不得不死／清真寡欲，万物不能移／性有不欲，无欲而不得／畜粟者，欲岁之荒饥也／鬻棺者，欲民之疾病也／世人皆欲杀，吾意独怜才／作甲者欲其坚，恐人之伤／作箭者欲其锐，恐人不伤／人之情，欲寿而恶夭……／物丰则欲省，求澹则争止／祸生于欲得，福生于自禁／心无物欲，即是秋空霁海／使民无欲，上虽贤犹不能用／人情皆欲求胜，故悦人之谦／凡人之欲为善者，为性恶也／鱼我所欲也，熊掌亦我所欲也／仁，则私欲尽去，而心德之全也／凡人皆欲自达，仆先得显处……／小人多欲则多求妄用，财家丧身／君子多欲则贪慕富贵，枉道速祸／君子如欲化民成俗，其必由学乎／为之而欲人不知，言之而欲人不闻／为人而欲一世之人好，吾悲其为人／为文而欲一世之人好，吾悲其为文／制败则欲肆，虽四表不能充其求矣／做到私欲净尽，天理流行，便是仁／小人寡欲则能谨身节用，远罪丰家／君子寡欲则不役于物，可以直道而行／射招者欲其中小也，射兽者欲其中大也／矫枉者，欲其直也，矫之过则归于枉矣／故常无，欲以观其妙；常有，欲以观其徼／有欲、无欲，异类也，生死也，非治乱也

❺情欲信，辞欲巧／心虚则众欲不生／仙没有，无欲即仙／欲知则问，欲能则学／清心而寡欲，人之寿矣／白璧青钱，欲买春无价／万物非不欲生，不得不生／薄我货者，欲与我市者也／还身意所欲，清净而自守／欲高，反下；欲取，反与／患生于多欲，害生于弗备／訾我行者，欲与我友者也／人主之患，欲闻枉而恶直言／射不善而欲教人，人不学也／行不修而欲谈人，人不听也／祸莫惨于欲利，悲莫痛于伤心／人情莫不欲处前，故恶人之自伐／舍人而从欲，是以勤多而功少也／不能耕而欲黍粱，不能织而喜采裳／生，亦我所欲也；义，亦我所欲也／借问瘟君欲何往，纸船明烛照天烧／人主莫不欲其臣之忠，而忠未必信／人亲莫不欲其子之孝，而孝未必爱／记事之体，欲简而且详，疏而不漏／处逸乐而欲不放，居贫苦而志不倦／激而发之欲其清，固而存之欲其重／学欲博，不欲杂；守欲约，不欲陋／胆欲大，心欲小；智欲圆，行欲方／走马西来欲到天，辞家见月两回圆／人主之意欲见于外，则为人臣之所制／志闲而少欲，心安而不惧，形劳而不倦／继食鹰鸢欲其鸷，鸷而亨之，将何用哉／小人非嗜欲无以活，失嗜欲则失其所以活／保生者寡欲，保身者避名，无欲易，无名难／人能除情欲，节滋味，清五藏，则神明居之／敖不可长，欲不可从；志不可满，乐不可极／生亦我所欲，所欲有甚于生者，故不为苟得也／非其人而欲有功，譬其若夏至之日而欲夜之长也／非其人而欲有功，譬之若夏至之日而欲夜之长也／疾为诞而欲人之信己也，疾为诈而欲人之亲己也／同于己而欲之，异于己而不欲者，以出乎众为心也／人之情，目欲视色，耳欲听声，口欲察味，志气欲盈／君自为诈，欲臣下行直，是犹源浊而望水清，理不可得

❻以百姓欲为欲／圣人必先适欲／三十四十五欲牵／能欲多而事欲鲜／黑云压城城欲摧／众怒难犯，专欲难成／猜忍之人，志欲无限／治欲者不以欲，以性／孤论难持，犯欲难成／欲不可纵，纵欲成灾／虎视眈眈，其欲逐逐／务闻其过，不欲闻其善／性有不欲，无欲而不得／禽兽之行而欲人之善己也／远而挑战者，欲人之进也／此中有真意，欲辨已忘言／欲粟者务时，欲治者因世／欲赤须近朱，欲黑须近墨／恶不失其理，欲不过其情／蝎盛则木朽，欲盛则身枯／

翠袖不胜寒，欲向荷花语／无求无竞，虽欲不寿，得乎／客之美我者，欲有求于我也／无求不得其欲，无取不得其志／仁远乎哉？我欲仁，斯仁至矣／大不如海而欲以纳江河，难哉／其辞质而径，欲见之者易谕也／其言直而切，欲闻之者深诫也／有以噎死者，欲禁天下之食，悖／拜迎官长心欲碎，鞭挞黎庶令人悲／识欲高而气欲下，量欲宏而守欲洁／志欲大而心欲小，学欲博而业欲专／有偏宠者，虽欲厚之，更所以祸之／胆欲大而心欲小，智欲圆而行欲方／心欲小而志欲大，智欲员而行欲方／白云山头云欲立，白云山下呼声急／立志欲坚不欲锐，成功在久不在速／此人在位，动欲伤害，故物无有不畏恶也／不素养士而欲求贤，譬犹不琢玉而求文采也／捷捷幡幡，谋欲潛言；岂不尔受，既其女迁／迁险之言，则欲反之；循常之说，则必信之／用智为政，务欲理人。智变奸生，祸乱滋起／臣不得其所欲于君者，君亦不能得其所欲于臣／舆人成舆，则欲人之富贵；匠人成棺，则欲人之夭死／人生有限，情欲无厌。既不救其死亡，岂能保乎金玉／口行相反，而欲贤者之至，不肖者之退也，不亦难乎／气质偏驳者，欲使私欲不能引染，如之何？惟在明明德而已／于为义若嗜欲，勇不顾前后；于利与禄，则畏避退处如怯夫然／不本其所以欲，而禁其所欲……是犹决江河之源而障之以手也

❼养心莫善于寡欲／省事之本在节欲／凡主有识，言不欲先／恶欲其死而爱欲其生／军欲其众也，心欲其一也／君子进德修业，欲及时也／寡欲则行清，多欲则神浊／好胜者灭理，肆欲者乱常／所求无不得，所欲皆如意／耳虽欲声，目虽欲色……／言多则背道，多欲则伤生／古之畜天下者，欲而天下足／欲知来者察往，欲知古者察今／欲闻其声，反默；欲张，反敛／欲福者或为祸，欲利者或离害／至乐不得恣所欲，主怒不得乱所为／有以乘舟死者，欲禁天下之船，悖／师不欲久，行不欲远，守少则固，力专则强／深耕概种，立苗欲疏，非其种者，锄而去之／易道良马，使人欲驰；饮酒而乐，使人欲歌／虐政用于下，而欲德教之被四海，故难成也／生亦我所欲，所欲有甚于生者，故不为苟得也／凡语治而待去欲者，无以道欲而困于有欲者也／今世之人主，多欲众之，而不知善，此多其雠也／凡人之性，莫不欲善其德，然而不能为善德者，利败之也／欲为君，尽君道；欲为臣，尽臣道。二者皆法尧舜而已矣

❽人欲长久，断情去欲／损。君子以惩忿窒欲／治君者不以君，以欲／如不知足，则失所欲／见素抱朴，少私寡欲／有始有终，无为无欲／抑之欲其奥，扬之欲其明／饮食男女，人之大欲存焉／时有利不利，虽贤欲奚为／贤人安下位，鸷鸟欲卑飞／爱之欲其生，恶之欲其死／爱之欲其富，亲之欲其贵／穷民财力以供嗜欲谓之暴／疏之欲其通，廉之欲其节／为民纪纲者何也？欲也恶也／凡军欲其众也，心欲其一也／秦有贪饕之心，而欲不可足／上将效于国用，下欲济其家声／无为其所不为，无欲其所不欲／名须立而戒浮，志欲高而无妄／君子之于人，无不欲其入于善／己欲立而立人，己欲达而达人／或求名而不得，或欲盖而名章／气从以顺，各从其欲，皆得所愿／世间屈事万千千，欲觅长梯问老天／俱怀逸兴壮思飞，欲上青天揽明月／偏讶思君无限极，欲罢欲忘还复忆／只言旋老转无事，欲到中年事更多／将回日月先反掌，欲作江河唯画地／学欲博，不欲杂；守欲约，不欲陋／致远道者托于乘，欲霸王者托于贤／胆欲大，心欲小；智欲圆，行欲方／欲影正者端其表，欲下廉者先之身／欲尸名者必为善，欲为善者必生事／欲致鱼者先通水，欲致鸟者先树木／恶诸人则去诸己，欲诸人则求诸己／田夫寿，膏粱夭，嗜欲少多之验也／天下之学者莫不欲仕，仕者莫不欲贵／藐然数尺之躯，乃欲私造化以为己物／少君之费，寡君之欲，虽无粮而乃足／胸中乱则择其邪欲而去之，则德正矣／心之所可中理，则欲虽多，奚伤于治／心之所可失理，则欲虽寡，奚止于乱／龙蟠凤逸之士，皆欲收名定价于君侯／任其事必图其效，欲责其效，必尽其方／德比于上，故知耻；欲比于下，故知足／欲刚，必以柔守之；欲强，必以弱保之／刚毅，则不屈于物欲；木讷，则不至于外驰／能苟焉以求静，而欲之翦抑窜绝，君子不取也／耳之欲五声，目之欲五色，口之欲五味，情也／富与贵，是人之所欲也，不以其道得之，不处也／以食噎而得病者，欲绝食以去病，乃不知食绝而身毙／凡用人之道，采之欲博，辨之欲精，使之欲适，任之欲专／肮脏不平之气，不欲销而自销；坚贞不拔之志，不欲奋而自奋矣

❾理身之道莫大于无欲／人之困穷，由君之奢欲／视轩裳如草芥，屏嗜欲若泥沙／牟人之利以厌己之欲者，非蝗乎／识欲高而气欲下，量欲宏而守欲洁／左右前后皆正人也，欲其身之不正／志欲大而心欲小，学欲博而业欲专／胆欲大而心欲小，智欲圆而行欲方／心欲小而志欲大，智欲员而行欲方／天生人而使有贪有欲，欲有情，情有节／不先审天下之势而欲应天下之务，难矣／操钩上山，揭斧入渊，欲得所求，难也／山舞银蛇，原驰蜡象，欲与天公试比高／独游山水间，登极顶……欲空其形而去／欲刚者必以柔守之，欲强者必以弱保之／欲胜人者必先自胜，欲论人者必先自论／自为计者虽弱必固，

欲自溃者虽强必弱／若近正人，闻正事，虽欲为恶，固已不忍／有以用兵丧其国者，欲偃天下之兵，悖。／欲上民，必以言下之；欲先民，必以身后之／欲为君子，终身乃成；欲为小人，一朝可就／欲人不知，莫若无为；欲无悔吝，不若守慎／欲人勿闻，莫若勿言；欲人勿知，莫若勿为／欲人勿恶，必先自美；欲人勿疑，必先自信／欲论人者，必先自论；欲知人者，必先自知／欲观千岁，则数今日；欲知亿万，则审一二／欲知平直，则必准绳；欲知方圆，则必规矩／莫不拔地倚天，句句欲活，读之……莫可捉搦／导筋骨则形全，剪情欲则神全，靖言语则福全／人之情，目欲视色，耳欲听声，口欲察味，志气欲盈／善为上者，能令人得欲无穷，故人之可得用亦无穷也／惠而不费，劳而不怨，欲而不贪，泰而不骄，威而不猛／气质偏驳者，欲使私欲不能引染，如之何？惟在明明德而已／人莫欲学御龙，而皆欲学御马；莫欲学治鬼，而皆欲学治人：急所用也

⑩为相者不敢恃威以济欲／凡为民去害兴利若嗜欲／富贵苟难图，税驾从所欲／欲而不知止，失其所以欲／福寿康宁，固人之所同欲／福生于无为，而患生于多欲／无为其所不为，无欲其所不欲／伐根以求木茂，塞源而欲流长／圣人不以人滑天，不以欲乱情／圣人不以身役物，不以欲滑和／君子乐得其道，小人乐得其欲／祸难生于邪心，邪心诱于可欲／鱼我所欲也，熊掌亦我所欲也／五岳不能削其峻，以副陟者之欲／人有欲，则无刚，刚则不屈于欲／惟天性刚强之人，不为物欲所屈／此三者贵贱愚智贤不肖欲之若一／祸莫大于不知足，咎莫大于欲得／眼角眉梢都似恨，热泪欲零还住／立官不能使之方，以私欲乱之也／不决浮云斩邪佞，直成龙去欲何为／生，亦我所欲也；义，亦我所欲也／我无事而民自富，我无欲而民自朴／为之而欲人不知，言之而欲人不闻／以伐根而求木茂，塞源而欲流长也／以禁攻寝兵为外，以情欲寡浅为内／匡庐小琐拳可碎，鄱阳触怒踢欲裂／偏讶思君无限极，欲罢欲忘还复忆／识欲高而气欲下，量欲宏而守欲洁／诸侯之地有限，暴秦之欲无厌……／志欲大而心欲小，学欲博而业欲专／浊其源而望流清，曲其形而欲景直／清明时节雨纷纷，路上行人欲断魂／激而发之欲其清，固而存之欲其重／学欲博，不欲杂；守欲约，不欲陋／此三者，贵贱愚智贤不肖欲之若一／胆欲大而心欲小，智欲圆而行欲方／胆欲大，心欲小；智欲圆，行欲方／欲灭迹而走雪中，拯溺者而欲无濡／心欲小而志欲大，智欲员而行欲方／耳边要静不得静，心里欲闲终未闲／天下之学者莫不欲仕，仕者莫不欲贵／六十而耳顺，七十而从心所欲不逾矩／绝愚之人，心无所别析，心无所好欲／欲长生久视，而日逆其生，欲之何益／与谗谄面谀之人居，国欲治，可得乎？／天生人而使有贪有欲，欲有情，情有节／不以一毫私意自蔽，不以一毫私欲自累／我不欲人之加诸我也，吾亦欲无加诸人／伤其身者不在外物，皆由嗜欲以成其祸／侥幸者伐性之斧也，嗜欲者逐祸之马也／射招者欲其中小也，射兽者欲其中大也／欲弃学而循性，是谓犹释船而欲蹶水也／心苟无事则息自调，念苟无欲则中自守／俭者，节其耳目口体之欲，节己而不节人／今处昏上乱相之间，而欲无惫，奚可得邪／凡生之长也，顺之也；使生不顺者，欲也／大石侧立千尺，如猛兽奇鬼，森然欲搏人／抱朴无为，不以物累其真，不以欲害其神／小人非嗜欲无以活，失嗜欲则失其所以活／洞然无为而天下自和，憺然无欲而民自朴／故常无，欲以观其妙；常有，欲以观其徼／欲生于不足则民盗，能使无欲则民不为盗／不择善否，两容颊适，偷拔其所欲，谓之险／以邪官举邪官，以俗士取俗士，国欲治得乎／以饱待饥，以逸击劳；师不欲久，行不欲远／同乎无知，其德不离；同乎无欲，是谓素朴／罔违道以干百姓之誉，罔咈百姓以从己之欲／保生者寡欲，保身者避名，无欲易，无名难／人欲自照，必须明镜；主欲知过，必藉忠臣／丛兰欲茂，秋风败之；王者欲明，谗人蔽之／士穷见节义，世乱识忠臣，欲学者必周于德／将欲废之，必固兴之；将欲夺之，必固与之／将欲歙之，必固张之；将欲弱之，必固强之／将欲毁之，必重累之；将欲踣之，必高举之／小人之情，缓则骄……危则谋乱，安则思欲／山，刺破青天锷未残。天欲堕，赖以拄其间／法令者，所以抑暴扶弱，欲其难犯而易避也／情之所恶，不以强人；情之所欲，不以禁民／好善无厌，受谏而能诫。虽欲无进，得乎哉／绝祸之首，起福之元，去我情欲，取民所安／日月欲明而浮云盖之，兰芝欲修而秋风败之／易道良马，使人欲驰；饮酒而乐，使人欲歌／见利思辱，见恶思诟，嗜欲思耻，忿怒思患／敌欲固守，攻其无备；敌欲兴陈，出其不意／欲见贤人而不以其道，犹欲其人而闭之门也／思古人而不得见，学古道，则欲兼通其辞也／惩病克寿，矜壮死暴。纵欲不戒，匪愚伊耄／天下之患，不患材之不众，患上之人不欲其众／以子所长，游于不用之国，欲使无穷，其可得／凡语治而待去欲者，无以道欲而困于有欲者也／若近细人，不闻教谕，纵欲行善，犹未知所适／操一己之绳墨，持前王之规矩，以方枘欲圆凿／方车而蹠越，乘桴而入胡，欲无穷，不可得也／耳之欲五声，目之欲五色，口之欲五味，情也／臣不得其所欲于君者，君亦

不能得其所欲于臣／非其人而欲有功，譬其若夏至之日而欲夜之长也／非其人而欲有功，譬之若夏至之日而欲夜之长也／人之好怪也！不求其端，不讯其末，惟怪之欲闻／人知贵生乐安而弃礼义，辟之是犹欲寿而歾颈也／人情得足，苦于放纵，快须臾之欲，忘慎罚之义／君子见利思辱，见恶思诟，嗜欲思耻，忿怒思患／深者获公名，平者多后患，故治狱之吏皆欲人死／疾为诞而欲人之信己也，疾为诈而欲人之亲己也／同于己而欲之，异于己而不欲者，以出乎众为心也／舆人成舆，则欲人之富贵；匠人成棺，则欲人之夭死／人之情，目欲视色，耳欲听声，口欲察味，志气欲盈／谋思危之音，危者将不久，不久将欲衰，衰者将不寿／朴其身躬，恶其衣服，语无为以求名，言无欲以求利／欲厚其德，不可不弘其量，欲弘其量，不可不大其识／语言文字，如春之花，或者必欲弃花而觅春，非愚即狂／上古明王举乐者，非以娱心自乐，快意恣欲，将欲为治也／何谓人情？喜、怒、哀、惧、爱、恶、欲，七者弗学而能／凡用人之道，采之欲博，辨之欲精，使之欲适，任之欲专／视听言行，循礼法而动，所以教人忘嗜欲而归性命之道也／人之欲虽多，而上无以令之，人虽得其欲，人犹不可得用也／君子惠而不费，劳而不怨，欲而不贪，泰而不骄，威而不猛／不行王政云尔；苟行王政，四海之内皆举首而望之，欲以为君／不本其所以欲，而禁其所欲……是犹决江河之源而障之以手也／肮脏不平之气，不欲销而自销；坚贞不拔之志，不欲奋而自奋矣／其所以为情者七：曰喜、曰怒、曰哀、曰惧、曰爱、曰恶、曰欲／若明而不信，严而不断，惠而不正，虽欲理身，终不自理，况于人哉／其夹岸有树木千万本，列立如揖，丹色鲜如霞，擢举欲动，灿若舒颜／人莫欲学御龙，而皆欲学御马；莫欲学治鬼，而皆欲学治人：急所用也／祸之始也易除，其除之不可者避之；及其成也欲除之不可，欲避之不可

款

kuǎn 法令、规章、条约里的项目；钱财；器物上刻铸的文字；款式、规格；诚恳；招待；缓慢；量词。

❺偏爱东风款款吹

欺

qī 骗，隐瞒真相；压迫，侵犯；凌辱，欺负。

❶欺敌者必败

见明·罗贯中《三国演义》第三十九回。

欺人如欺天毋自欺也

见清·魏向桓撰内乡县衙大堂抱柱联。全句为："～，负民即负国何忍负之"。

❷遇欺诈之人，以诚心感动之／可欺当时之人，而不可欺后世／能欺一人一时，决不能欺天下后世

❸外以欺于人，内以欺于心

❹烈士不欺人／欺人如欺天毋自欺也／君子可欺也，不可罔也／世乱奴欺主，年衰鬼弄人／君子可欺以其方，难罔以非其道

❺不信之至欺其友／众而不可欺者，民也／高论而相欺，不若忠论而诚实／昨日春风欺不在，就床吹落读残书／伯乐不可欺以马，而君子不可欺以人／言著而不欺曰信。……教令失信，民得斯之矣

❻千秋青史难欺／有义者不可欺以利，有勇者不可劫以惧

❼诚其意者，毋自欺也／厚发奸之赏，峻欺下之诛

❽世间唯名实不可欺／智足以使民不能欺／政足以使民不敢欺／欺人如欺天毋自欺也／外以欺于人，内以欺于心／衡诚具矣，则不可欺以轻重／喜怒相疑，愚知相欺，善否相非，诞信相讥／恒其道，一其志，不欺其心，斯固世之所难得也

❾绳墨诚陈矣，则不可欺以曲直／小处不渗漏，暗处不欺隐，末路不怠荒

❿内不自以诬，外不自以欺／衣食当须纪，力耕不吾欺／民者，万世之本也，不可欺／上以食而辱下，下以食而欺上／可欺当时之人，而不可欺后世／圣人之政，仁足以使民不忍欺／君子以义相褒，小人以利相欺／能欺一人一时，决不能欺天下后世／伯乐不可欺以马，而君子不可欺以人／人百负之而不恨，己信之终不疑其欺己／力不足则伪，知不足则欺，财不足则盗／君信不足于下，下则应之以不信而欺其君／矫矫亢亢，恶圆喜方，羞为奸欺，不忍害伤／吃百姓之饭，穿百姓之衣，莫道百姓可欺，自己也是百姓

歇

xiē 停下正做的事；睡觉；尽，竭；次，番；(指气味)散发，消散。

❹假令风歇时下来，犹能簸却沧溟水

❻难留连，易消歇，塞北花，江南雪／酒力醒，茶烟歇，送夕阳，迎素月

❿首夏犹清和，芳草亦未歇／荃荪孤植，不以岩隐而歇其芳／怒发冲冠，凭栏处，潇潇雨歇

歌

gē 歌曲；唱；颂扬。

❶歌以咏言，舞以尽意

见汉·傅毅《舞赋》。

歌之为言也，长言之也

见《礼记·乐记》。

歌罢海动色，诗成天改容

见宋·陆游《航海》。

歌者不期于利声而贵于中节

见汉·桓宽《盐铁论·相刺》。全句为："～；论者不期于丽辞而务在事实"。

歌曲弥妙，和者弥寡；行操益清，交者益鲜

见汉·王充《论衡·讲瑞篇》。

歌曲妙者，和者则寡；言得实者，然者则鲜

见汉·王充《论衡·定贤篇》。

歌台暖响，春光融融；舞殿冷袖，风雨凄凄

见唐·杜牧《阿房宫赋》。全句为："～。一日之内，一宫之间，而气候不齐"。

❷渔歌互答，此乐何极／浩歌惊世俗，狂语任天真／惟歌生民病，愿得天子知／清歌绕梁，白云将红尘并落／悲歌可以当泣，远望可以当归／善歌者使人继其声，善教者使人继其志／永歌之不足，不知手之舞之，足之蹈之／永歌之不足，不知手之舞之，足之蹈之也

❸不惜歌者苦，但伤知音稀／饥者歌其食，劳者歌其事／负者歌于途，行者休于树……滁人游也

❹对酒当歌，人生几何／鼓腹而歌，以乐其生／箕而浩歌，踞而仰啸／上有弦歌声，音响一何悲／珠玉买歌笑，糟糠养贤才／心哀而歌不乐，心乐而哭不哀／诗言志，歌永言，声依永，律和声／国际悲歌歌一曲，狂飙为我从天落／古之善歌者有语，谓"当使声中无字，字中有声"

❺千古风流歌舞地，六朝兴废帝王州／国际悲歌歌一曲，狂飙为我从天落

❻泰极而否，当歌而哭／恒舞于宫，酣歌于室，时谓巫风／黄金白璧买歌笑，一醉累月轻王侯／诗言其志也，歌咏其声也，舞动其容也／朝乐朗日，啸歌丘林；夕玩望舒，入室鸣琴

❼衰草枯杨，曾为歌舞场／渔父闲相引，时歌浩渺间

❽嗟叹之不足故永歌之／难于指言者，辄咏歌之／饥者歌其食，劳者歌其事／文章合为时而著，歌诗合为事而作

❾三百五篇孔子皆弦歌之／燕赵古称多感慨悲歌之士／易水萧萧西风冷……悲歌未彻／爽籁发而清风生，纤歌凝而白云遏

❿达人识元气，变愁为高歌／存志乎诗书，寓辞乎咏歌／对他乡之风景，忆故里之琴歌／穷者欲达其言，劳者须歌其事／万家墨面没蒿莱，敢有歌吟动地哀／但得官清吏不横，即是村中歌舞时／苦吟莫向朱门里，满耳笙歌不听君／洞庭波涌连天雪，长岛人歌动地诗／战士军前半死生，美人帐下犹歌舞／腊天日短不盈尺，何似妖姬一曲歌／欲开壅蔽达人情，先向歌诗求讽刺／其体顺而肆，可以播于乐章歌曲也／兴于嗟叹，发于吟咏，而形于歌诗矣／诗之所谓风者，多出于里巷歌谣之作／上不以诗补察时政，下不以歌泄导人情／临清风，对朗月，登山泛水，肆意酣歌／矜容者有经日之芳；工歌者有弥旬之韵／善举事者若乘舟而悲歌，一人唱而千人和／人影在地，仰见明月，顾而乐之，行歌相答／嘻笑之怒，甚于裂眦；长歌之哀，过乎恸哭／昔葛天氏之乐，三人操牛尾，投足以歌八阙／易道良马，使人欲驰；饮酒而乐，使人欲歌／有不得已者而后言。其歌也有思，其哭也有怀

歉 qiàn 歉意；收获不佳；缺少，不足；心觉不安。

❽劝农节用，均丰补歉

❿君子之道，不以其所已能者为足，而尝以其未能者为歉

歙 ①xì 吸进；收敛；和洽；[歙然]和谐一致的样子。②xié 通"胁"，敛缩。③shè 地名。

❸将欲歙之，必固张之；将欲弱之，必固强之

风 ①fēng 空气流动现象；借风力吹或吹干的；习俗；景象；态度；传闻；声势；指民歌；中医指某些病症；通"疯"；放，走失；姓。②fèng 吹拂；感化。③fěng 通"讽"，劝告。

❶风俗与化移易

见唐·韩愈《送董邵南序》。

风行水上，涣

见《周易·涣·象》。

风马牛不相及

见《左传·僖公四年》。

风露饥肠织到明

见宋·洪咨夔《促织》。

风者，百病之始也

见《黄帝内经·生气通天论》。

风不可系，影不可捕

见宋·李昉《太平广记》卷十七《裴堪》。

风行草偃，其势必然

见唐·刘禹锡《谢兵马使朱郑等官表》。

风驰电逝，蹑景追飞

见三国·魏·嵇康《四言赠兄秀才入军》之九。

风驰电掣，不知所由

见《太公六韬·龙韬·王翼》。

风止雨霁，云无处所

见战国·楚·宋玉《高唐赋》。

风雨如晦，鸡鸣不已

见《诗·郑风·风雨》。

风乍起，吹皱一池春水

见五代·南唐·冯延巳《谒金门》。

风云突变，军阀重开战

见现代·毛泽东《清平乐·蒋桂战争》。

风生于地，起于青蘋之末

见战国·楚·宋玉《风赋》。全句为："～，侵淫溪谷，盛怒于土囊之口"。

风前灯易灭，川上月难留

见唐·刘希夷《故园置酒》。

风行常有地，云出本多峰
见唐·杨炯《途中》。
风樯阵马，不足为其勇也
见唐·杜牧《太常寺奉礼郎李贺歌诗集序》。全句为："～；瓦棺篆鼎，不足为其古也。"
风樯动，龟蛇静，起宏图
见现代·毛泽东《水调歌头·游泳》。
风檐展书读，古道照颜色
见宋·文天祥《正气歌》。
风物虽同候，悲欢各异伦
见唐·王勃《春思赋》。
风烈无劲草，寒甚有凋松
见南朝·宋·鲍照《拜陵登京岘》。
风起水面，细生鳞甲……
见宋·王质《游东林山水记》。全句为："～，流萤班班，若骇若惊，奄忽去来"。
风雨送春归，飞雪迎春到
见现代·毛泽东《卜算子·咏梅》。
风雨晦明之间，俯仰百变
见宋·苏轼《放鹤亭记》。
风雷动，旌旗奋，是人寰
见现代·毛泽东《水调歌头·重上井冈山》。
风声雨声读书声，声声入耳
见明·顾宪成题联。全句为："～；家事国事天下事，事事关心"。
风景不殊，正自有山河之异
见南朝·宋·刘义庆《世说新语·言语》。
风下松而含曲，泉萦石而生文
见南朝·梁·陶弘景《寻山志》。
风萧萧而异响，云漫漫而奇色
见南朝·梁·江淹《别赋》。全句为："行子肠断，百感凄恻。～"。
风波作于平地，亲戚化为仇怨
见宋·苏辙《观会通以行典礼论》。
风横天而瑟瑟，云覆海而沉沉
见唐·卢照邻《秋霖赋》。
风仪与秋月齐明，音徽与春云等润
见南朝·齐·王俭《褚渊碑文》。"徽"，美也。
风冲之物不得育，水湍之岸不得峭
见汉·王充《论衡·累害》。全句为："湿堂不洒尘，卑屋不蔽风；～"。
风流不在谈锋胜，袖手无言味最长
见宋·黄升《鹧鸪天》。
风收云散波忽平，倒转青天作湖底
见清·查慎行《中秋夜洞庭湖对月》。
风起绿洲吹浪去，雨从青野上山来
见现代·毛泽东《七律·和周世钊同志》。
风雅体变而兴同，古今调殊而理异
见唐·刘禹锡《董氏武陵集纪》。
风且起，一旦荒忽飞扬，化而为沙泥
见清·龚自珍《与人笺五》。全句为："缚草为形，实之腐肉，教之拜起，以充满朝市。～"
风萧萧兮易水寒，壮士一去兮不复还
见战国卫·荆轲《易水歌》。
风行水上之文，决不在于一字一句之奇
见明·李贽《杂说》。全句为："追风逐电之足，决不在于牝牡骊黄之间；声应气求之夫，决不在于寻行数墨之士；～"。
风雨急而不辍其音，霜雪零而不渝其色
见南朝·梁·刘峻《广绝交论》。全句为："～。斯则贤达之素交，历万古而一遇"。
风霜以别草木之性，危乱而见贞良之节
见南朝·宋·范晔《后汉书·卢植传》。
风雨不时，则伤农桑；伤农桑，则民饥寒
见汉·班固《汉书·魏相传》。
风霜高洁，水落而石出者，山间之四时也
见宋·欧阳修《醉翁亭记》。全句为："野芳发而幽香，佳木秀而繁阴，～"。
风俗之变，迁染民志，关之盛衰，不可不慎
见宋·王安石《风俗》。
风摇其巅，韵动崖谷，视之既静，其听始远
见唐·柳宗元《石渠记》。
风烟俱静，天山共色，从流飘荡，任意东西
见南朝·梁·吴均《与宋元思书》。
风化者，自上而行于下者也，自先而施于后者
语见北齐·颜之推《颜氏家训·治家》。

❷疾风知劲草／东风轻扇春寒／北风吹，能几时／长风万里送归舟／乘风振奋出六合／清风明月知无价／清风明月满船归／好风将雨过横塘／春风又绿江南岸／春风得意马蹄疾／春风相送过江南／晓风干，泪痕残／东风解冻，河川流通／长风一振，众萌自偃／高风所泊，薄俗以敦／浇风易渐，淳化难归／清风徐来，水波不兴／春风不信，其华不盛／秋风萧瑟，洪波涌起／数风流人物，还看今朝／东风满天地，贫家独无春／从风还共落，照日不俱销／冲风之末，力不能漂鸿毛／冲风之衰也，不能起毛羽／随风潜入夜，润物细无声／随风飘荡，白云还卧深谷／山风飕飗，岭云峨峨……／清风动帘夜，孤月照窗时／好风凭借力，送我上青云／好风能自至，明月不须期／春风不相识，何事入罗帏／有风方起浪，无潮水自平／胡风带秋月，嘶马杂笳声／飘风不终朝，骤雨不终日／疾风而波兴，木茂而鸟集／疾风劲草，实表岁寒之心／疾风知劲草，板荡识诚臣／西风烈，长空雁叫霜晨月／顺风激靡草，富贵者称贤／层风未翔，大鹏有云倾之势／闻风声鹤唳，皆以为王师已至／思风发于胸臆，言泉流于唇齿／东风不与周郎便，铜雀春深锁二乔／长风破浪会有时，直挂云帆济沧海／阴风搜林山鬼啸，千丈寒藤绕崩石／清风

两袖朝天去，免得闾阎话短长／春风不识兴亡意，草色年年满故城／春风不逐君王去，草色年年旧宫路／春风吹蚕细如蚁，桑芽才努青鸦嘴／春风杨柳万千条，六亿神州尽舜尧／春风桃李花开日，秋雨梧桐叶落时／暖风熏得游人醉，直把杭州作汴州／震风陵雨，然后知夏屋之为帡幪也／大风起兮云飞扬，威加海内兮归故乡／有风波作于平地，亲戚化为仇怨者矣／秋风起兮白云飞，草木黄落兮雁南归／追风逐电之足，决不在于牝牡骊黄之间／阴风怒号，浊浪排空，日星隐曜，山岳潜形／胡风动地，朔雁成行；拔剑登车，慷慨而别／移风易俗，莫善于乐；安上治民，莫善于礼／东风恶，欢情薄，一怀愁绪，几年离索。错！错！错／《国风》好色而不淫，《小雅》怨诽而不乱，若《离骚》者，可谓兼之

❸潮来风满衣／乘长风破万里浪／买得风光不著钱／但开风气不为师／八方风雨会中央／满川风雨看潮生／满城风雨近重阳／满湖风月画船归／水面风来笑语香／水殿风来暗香满／心藏风云世莫知／来如风雨，去如绝弦／战如风发，攻如河决／不识风霜苦，安知零落期／夜来风雨声，花落知多少／坐对风动帷，卧见云间月／萧然风雪意，可折不可辱／贵有风雪兴，富无饥寒忧／怒潮风正急，酒醒闻塞笛／正西风落叶下长安，飞鸣镝／团扇风轻，一径杨花不避人／强冲风之末，力不能漂鸿毛／故飘风不终朝，骤雨不终日／不管风吹浪打，胜似闲庭信步／而今风物那堪画，县吏催钱夜打门／千古风流歌舞地，六朝兴废帝王州／假令风歇时下来，犹能簸却沧溟水／节物风光不相待，桑田碧海须臾改／虎啸风生，龙吟云萃，固非偶然也／临清风，对朗月，登山泛水，肆意酣歌／天且风，巢居之虫动；且雨，穴处之物扰／汉魏风骨，晋宋莫传，然而文献有可征者

❹吴带当风／草上之风必偃／九万里风鹏正举／二月春风似剪刀／云从龙，风从虎／偏爱东风款款吹／凛凛高风万古无／莫怨春风当自嗟／危叶畏风，惊禽易落／劲翮挥风，雄姿触雾／行得春风，指望夏雨／泽如凯风，惠如时雨／巢居知风，穴居知雨／珠玉随风，冰雪在口／散乐移风，国富民康／月晕而风，础润而雨／其疾如风，其徐如林／我欲乘风去，击楫誓中流／咫尺愁风雨，匡庐不可登／何不借风雷，一壮天地颜／谄成之风动，救失之道缺／爰居避风，本无情于钟鼓／荷深水风阔，雨过清香发／巢居觉风飘，穴处识阴雨／政简移风速，诗清立意新／恩从祥风翱，德与和气游／穷巷秋风起，先摧兰蕙芳／虎啸谷风至，龙兴景云起／笔落惊风雨，诗成泣鬼神／萧瑟秋风今又是，换了人间／春水无风无浪，春天半雨半晴／昨日春风欺不在，就床吹落读残书／飒飒西风满院栽，蕊寒香冷蝶难来／鹊巢知风之所起，獭穴知水之高下／不是东风压了西风，就是西风压了东风／罗衣从风，长袖交横，骆驿飞散，飒擖合并

❺山雨欲来风满楼／树欲静而风不止／天地长久，风俗无恒／民俗既迁，风气亦随／乱离之后，风俗难移／云生从龙，风生从虎／山鸣谷应，风起水涌／徐娘半老，风韵犹存／涛澜汹涌，风云开合／沐雨而栉风，为民请命／百里不同风，千里不同俗／千里不同风，百里不共雷／代马依北风，飞鸟栖故巢／代马依北风，飞鸟翔故巢／君子如春风，可爱不可竭／江上之清风与山间之明月／林中多疾风，富贵多谀言／别馆南开，风雨积他乡之思／崇推让之风，以销分争之讼／既来且住，风月闲寻秋好处／天有不测风云，人有旦夕祸福／天有不测风云，人又岂能料乎／对他乡之风景，忆故里之琴歌／春不得避风尘，夏不得避暑热／文可以变风俗，学可以究天人／俱往矣，数风流人物，还看今朝／事者，民之风雨也，事不节则无功／飞蓬遇飘风而行千里，乘风之势也／淡泊是高风，太枯则无以济人利物／春残已是风和雨，更著游人撼落花／病身最觉风露早，归梦不知山水长／诗之所谓风者，多出于里巷歌谣之作／巢居者察风，穴处者知雨，忧存故也／振则须起风雷之益，惩则须奋刚健之乾／君子之德风，小人之德草。草上之风，必偃／木秀于林，风必摧之；堆出于岸，流必湍之／积土成山，风雨兴焉；积水成渊，蛟龙生焉／天无时不风，地无时不尘，物无所不有，人无所不为

❻未若柳絮因风起／千岩万壑春风暖／谁持白羽静风尘／沐甚雨，栉疾风／教化可以美风俗／天朗气清，惠风和畅／变形易色，随风东西／推波助澜，纵风止燎／逆阪走丸，迎风纵棹／齿发虽衰而风力犹在／上之化下，犹风之靡草／吾爱孟夫子，风流天下闻／张翰黄花句，风流五百年／霜夺茎上紫，风销叶中绿／露重飞难进，风多响易沉／易水萧萧西风冷……悲歌未彻／不可以一朝风月，昧却万古长空／九州生气恃风雷，万马齐喑究可哀／大鹏一日同风起，扶摇直上九万里／爽籁发而清风生，纤歌凝而白云遏／班声动而北风起，剑气冲而南斗平／水鸮翔而大风作，穴蚁徙而阴雨零／忽如一夜春风来，千树万树梨花开／等闲识得东风面，万紫千红总是春／巫山之上顺风纵火，膏夏紫芝与萧艾俱死／丛兰欲茂，秋风败之；王者欲明，谗人蔽之／轻羽在高，遇风则飞；细石在谷，逢流则转／春日迟迟，秋风飒飒。情往似赠，兴来如答／君之化下，如风偃草，上不节心，则下多逸志／恰同学少年，风华正茂；书生意气，挥斥方遒

／忽闻晓角吟风，一叶坠露，惊而试问，即红线回矣

❼一年容易又秋风／百尺楼高万里风／上安下顺，弊绝风清／万古长空，一朝风月／不著一字，尽得风流／谈言微中，名士风流／岁弊寒凶，雪虐风饕／退如山移，进如风雨／止如丘山，发如风雨／气凌云汉，字挟风霜／心如铁石，气若风云／求物之妙，如系风捕影／意气骏爽，则文风清焉／不摇香已乱，无风花自飞／阴雪兴岩侧，悲风鸣树端／待月西厢下，迎风户半开／眉睫之前，卷舒风云之色／端拱纳谏诤，和风日冲融／野火烧不尽，春风吹又生／劲草不倚于疾风，零霜则变／虽载言载笑，赏风月于离前／事例无不变迁，风气无不移易／乐者，所以变民风，化民俗也／寒暑不时则疾，风雨不节则饥／穗兮不得获，秋风至兮殚零落／舟遥遥以轻飏，风飘飘而吹衣／露垂泣于幽草，风含悲于拱木／露团团而湿草，风烈烈而鸣泉／天苍苍，野茫茫，风吹草低见牛羊／刑罚不足以移风，杀戮不足以禁奸／草不谢荣于春风，木不怨落于秋天／草木荣华之飘风，鸟兽好音之过耳／当年不肯嫁春风，无端却被秋风误／唯泰山不为飘风所动，磐石不为疾流所回／闻其声而知其风，察其风而知其志，观其志而知其德／屈平所以洞监《风》《骚》之情者，抑亦江山之助乎

❽三千击水，九万抟风／万事俱备，只欠东风／天下无不可变之风俗／天下为一，万里同风／狐死首丘，代马依风／枳句来巢，空穴来风／梧桐生雾，杨柳摇风／君看一叶舟，出没风波里／饮马渡秋水，水寒风似刀／致君尧舜上，再使风俗淳／芳兰之芬烈者，清风之功也／极野苍茫，白露凉风之八月／雄笔奇才，有鼓怒风云之气／桃水涨而浦红，苹风摇而浪白／贵贱之于身，犹条风之时丽过／悬日月于胸怀，挫风云于毫翰／音乐通乎政，而移风平俗者也／踏遍青山人未老，风景这边独好／牢骚太盛防肠断，风物长宜放眼量／灵台无计逃神矢，风雨如磐暗故园／烟霞为朝夕之资，风月得林泉之助／将军金甲夜不脱……风头如刀面如割／不是东风压了西风，就是西风压了东风／梁、陈间，率不过嘲风雪，弄花草而已／同涉于川，其时在风；沿者之吉，溯者之凶／浮华鲜实，不特伤风败俗，亦杀身亡家之本／猛虎处于深山，向风长鸣，则百兽震恐而不敢出

❾剪采为葩不可以受风雨／平生仗忠信，今日任风波／百年变朝市，千里异风云／八方各异气，千里殊风雨／人行明镜中，鸟度屏风里／诚信相接，如坐人春风中／有麝自然香，何必当风立／雄心志四海，万里望风尘／以侈为博……此荒国之风也／君臣争明……此乖国之风也／茎受露而将低，香从风而自远／其清音幽韵，凄如飘风急雨骤至／读书而寄兴于吟咏风雅，定不深心／幽音变调忽飘洒，长风吹林雨堕瓦／江海相逢客恨多，秋风叶下洞庭波／惆怅不如边雁影，秋风犹得向南飞／相见时难别亦难，东风无力百花残／烟才通，寒淙淙；隔山风，老鼓钟／爆竹声中一岁除，春风送暖入屠苏／羌笛何须怨杨柳，春风不度玉门关／藩屏之臣，取其明练风俗，清白爱民／时之来也，为云龙，为风鹏，勃然突然，陈力以出

❿长松百尺，对君子之清风／岂无感激者？时俗颓此风／猛虎潜深山，长啸自生风／湿堂不洒尘，卑屋不蔽风／居高声自远，非是藉秋风／朽株难免蠹，空穴易来风／有怀投笔，慕宗悫之长风／礼所以防淫，乐所以移风／功业逐日以新，名声随风而流／闻善速于雷动，从谏急于风移／已是黄昏独自愁，更着风和雨／胸次山高水远，笔端云起风狂／文章须自出机杼，成一家风骨／不可以万古长空，不明一朝风月／大江东去，浪淘尽千古风流人物／名美而实不副者，必无没世之风／恒舞于宫，酣歌于室，时谓巫风／殉于货色，恒于游畋，时谓淫风／万卷藏书宜子弟，十年种木长风烟／天生一个仙人洞，无限风光在险峰／不到广寒冰雪窟，扇头能有几多风／不见年年辽海上，文章何处哭秋风／世人闻此皆掉头，有如东风射马耳／千磨万击还坚劲，任尔东西南北风／生前富贵草头露，身后风流陌上花／我自只如常日醉，满川风月替人愁／半生落魄已成翁，独立书斋啸晚风／飞蓬遇飘风而行千里，乘风之势也／传派传宗我替羞，作家各自一风流／任君逐利轻江海，莫把风涛似妾轻／人面不知何处去，桃花依旧笑春风／人生自是有情痴，此恨不关风与月／人之寿夭在元气，国之长短在风俗／词客争新角短长，迭开风气递登场／阴阳水旱由天公，忧雨忧风愁煞侬／圣王在上位，天覆地载，风令雨施／至于子美，盖所谓上薄风、骚……／城上草，植根非不高，所恨风霜早／扫眉才子于今少，管领春风总不如／当年不肯嫁春风，无端却被秋风误／君好嫌，臣好逸……此弱国之风也／喑呜则山岳崩颓，叱咤则风云变色／四海翻腾云水怒，五洲震荡风雷激／江山代有才人出，各领风骚数百年／宁可抱香枝上老，不随黄叶舞秋风／宁可枝头抱香死，何曾吹落北风中／始知绝代佳人意，即有千秋国士风／子规夜半犹啼血，不信东风唤不回／望严雪而识寒松，观疾风而知劲草／此去与师谁共到？一船明月一帆风／昨是儿童今是翁，人间日月急如风／胸中元自有丘壑，故作老木蟠风霜／文章随世作抵昂，变尽风骚到晚唐／方凭征鞍思往事，数声风笛马前闻

／旌旗日暖龙蛇动，宫殿风微燕雀高／龙蛇纸上飞腾，看落笔四筵风雨惊／秀出天南笔一枝，为官风骨称其诗／鸟无声兮山寂寂，夜正长兮风浙浙／何尝见明镜疲于屡照，清流惮于惠风／纤之为珠玑华实，变之为雷霆风雨。／不是东风压了西风，就是西风压了东风／以白云为藩篱，碧山为屏风，昭其俭也／任贤使能以清官曹，养老慈幼以厚风俗／侮圣言，逆忠直，远耆德……时谓乱风／法令者，治恶之具也，而非至治之风也／驶雪多积荒城之隈，急风好起沙河之上／天地之道，寒暑不时则疾，风雨不节则饥／不塞隙穴，而劳力于赭垩，暴风疾雨必坏／以割下为能，以附上为忠，此叛国之风也／君不见长松百尺多劲节，狂风暴雨终摧折／神姿高彻，如瑶林琼树，自然是风尘外物／以鸟鸣春，以雷鸣夏，以虫鸣秋，以风鸣冬／云山苍苍，江水泱泱，先生之风，山高水长／志烈秋霜，心贞昆玉，亭亭高竦，不染风尘／苍雁赪鲤，时传尺素；清风明月，俱寄相思／君子之德风，小人之德草。草上之风，必偃／崇门丰室，洞户连房，飞馆生风，重楼起雾／江河之溢，不过三日，飘风暴雨，须臾而毕／日光顿生，霜露渐消；狂风顿息，波浪渐停／日月欲明而浮云盖之，兰芝欲修而秋风败之／歌台暖响，春光融融；舞殿冷袖，风雨凄凄／心旷神怡，宠辱偕忘，把酒临风，其喜洋洋／鸟啼花落，皆与神通。人不能悟，付之飘风／震雷电激，不崇一朝；大风冲发，希有极日／惜秦皇汉武，略输文采；唐宗宋祖，稍逊风骚／枯藤老树昏鸦，小桥流水人家，古道西风瘦马／树恩布德，易以周洽，其犹顺惊风而飞鸿毛也／人能修炼，俗变淳和，则返朴之风，可臻太古矣／上不访，下不谏，妇言用，私政行，此亡国之风也／上多欲，下多端，法不定，政多门，此乱国之风也／建安诗辩而不华，质而不俚，风调高雅，格力遒壮／澄川翠干，光影会合于轩户之间，尤与风月为相宜／伟哉横海鲸，壮矣垂天翼。一旦失风水，翻为蝼蚁食／先王以是经夫妇，成孝敬，厚人伦，美教化，移风俗／闻其声而知其风，察其风而知其志，观其志而知其德／三五之夜，明月半墙，桂影斑驳，风移影动，珊珊可爱／胸中浩然廓然，纳烟云日月之伟观，揽雷霆风雨之奇变／上下相疏，内外相蒙，小臣争宠，大臣争权，此危国之风也／吴人与越人相恶也，当其同舟而济遇风，其相救也如左右手／文章丽矣，言语工矣，无异草木荣华之飘风，鸟兽好音之过耳／文章道弊五百年矣！汉魏风骨，晋宋莫传，然而文献有可征者

飏

yáng 飞扬，飘扬。

❶飏下屠刀，立地成佛

见宋·普济《五灯会元》。

❻舟遥遥以轻飏，风飘飘而吹衣

飒

sà 形容风雨等声音；衰落，衰老。

❶飒爽英姿五尺枪，曙光初照演兵场

见现代·毛泽东《七绝·为女民兵题照》。

飒飒西风满院栽，蕊寒香冷蝶难来

见唐·黄巢《题菊花》。

❼春日迟迟，秋风飒飒。情往似赠，兴来如答

❽春日迟迟，秋风飒飒。情往似赠，兴来如答

❿春不留兮时已失，老衰飒兮逾疾／罗衣从风，长袖交横，骆驿飞散，飒擖合并

颸

sī 凉风；疾风。

❿石列笋虡，藤蟠蛟螭；修竹万竿，夏含凉颸

飕

sōu 小风；象风声或形容寒意。

❸山风飕飗，岭云峨峨……

❿宁令吾庐独破受冻死，不忍四海赤子寒飕飕

飗

liú［飕飗］风声；［飗飗］微风吹动的样子。

❹山风飕飗，岭云峨峨……

飘

piāo 旋风；吹拂；浮在空中；随风摆动或飞扬；落下。

❶飘如游云，矫若惊龙

见南朝·宋·刘义庆《世说新语·容止》。

飘风不终朝，骤雨不终日

见《老子》二十三。

飘飘乎如遗世独立，羽化而登仙

见宋·苏轼《前赤壁赋》。

❷故飘风不终朝，骤雨不终日／飘飘乎如遗世独立，羽化而登仙

❸拂水飘绵送行色／随风飘荡，白云还卧深谷

❹飞蓬遇飘风而行千里，乘风之势也

❺巢居觉风飘，穴处识阴雨

❻人生无根蒂，飘如陌上尘／敏捷诗千首，飘零酒一杯／白也诗无敌，飘然思不群／幽音变调忽飘洒，长风吹林雨堕瓦／草木荣华之飘风，鸟兽好音之过耳／唯泰山不为飘风所动，磐石不为疾流所回

❼草木无情，有时飘零；人为动物，惟物之灵

❽虽有忮心者，不怨飘瓦／舟遥遥以轻飏，风飘飘而吹衣／其清音幽韵，凄如飘风急雨骤至

❾舟遥遥以轻飏，风飘飘而吹衣／江河之溢，不过三日，飘风暴雨，须臾而毕／未有主强盛而辅不飘逸者，兵卫不华赫而庄整者

❿风烟俱静，天山共色，从流飘荡，任意东西／鸟啼花落，皆与神通。人不能悟，付之飘风／霜封野树，冰冻寒苗，岸草无色，芦花自飘／文章丽矣，言语工矣，无异草木荣华之飘风，鸟兽好

音之过耳

飙 biāo 暴风；泛指风。

❷晨飙动野，斜月在林

❾国际悲歌歌一曲，狂飙为我从天落／人生寄一世，奄忽若飙尘；何不策高足，先据要路津

❿洪波振壑，川无活鳞；惊飙拂野，林无静柯

殴 ōu 击打，捶击。

❿并词竞说者，为贷手以自殴

段 duàn 量词；事物划分成的部分；围棋棋手的等级；姓。

❻整顿乾坤手段，指授英雄方略，雅志若为酬／济世经邦，要段云水的趣味，若有贪着，便堕危机

殷 ①yīn 丰盛；恳切；盛大；富足；朝代名；古都邑名；姓。②yān 暗红色的。③yǐn 震动；震动声。

❶殷鉴不远，在夏后之世

见《诗·大雅·荡》。

殷周之前，其文简而野……

见唐·柳宗元《柳宗直西汉文类序》。全句为："～；魏晋以降，则荡而靡，得其中者汉氏；汉氏之东，则既衰矣"。

❸六合殷昌／周诰殷盘，佶屈聱牙

❹宜鉴于殷，骏命不易／爱之太殷，忧之太勤

❺多难兴王，殷忧启圣／虞夏以文，殷周以武，异时各有所施

❻剖心非痛，亡殷为痛／宵中，星虚，以殷仲秋

❼秋也严霜降兮，殷忧者为之不乐／倚老松，坐怪石，殷殷潮声，起于月外

❽荼毒生灵，万里朱殷／倚老松，坐怪石，殷殷潮声，起于月外

❿女有余布，男有余粟，国家殷富，上下交足

般 ①bān 种；一样，似的；同"搬"，搬运；通"班"，散布；通"斑"，斑纹；通"瘢"，瑕瘢。②pán 盘旋；通"泮"；囊。③bō［般若］梵语音译。

❹世上万般哀苦事，无非死别与生离

❻无准绳，虽鲁般不能以定曲直／胸中襞积千般事，到得相逢一语无

❾草树知春不久归，百般红紫斗芳菲

❿似把剪刀裁别恨，两人分得一般愁

彀 gòu 使劲张满弓；同"够"。

❿大匠不为拙工改废绳墨，羿不为拙射变其彀率

毁 huǐ 烧掉；破坏；诽谤；烈火。

❶毁誉善恶不可诬

见宋·欧阳修《唐王重荣德政碑》。

毁誉成党，众口熏天

见《吕氏春秋·审应览·离谓》。

毁生于嫉，嫉生于不胜

见宋·王安石《读江南录》。

毁则者为贼，掩贼者为藏

见《国语·鲁语上》。"则"，法；"藏"，赃。

毁誉之于己，犹蚊虻之一过

见汉·刘安《淮南子·俶真》。全句为："贵贱之于身，犹条风之时丽；～"。

毁道德以为仁义，圣人之过也

见《庄子·马蹄》。全句为："残朴以为器，工匠之罪也；～"。

毁誉不干其守，饥寒不累其心

见宋·欧阳修《送秘书丞宋君归太学序》。

毁我之言可闻，毁我之人不必问

见明·吕坤《呻吟语·补遗》。

毁誉从来不可听，是非终久自分明

见明·冯梦龙《警世通言·拗相公饮恨半山堂》。

毁人者，自毁之。誉人者，自誉之……

见唐·皮日休《鹿门隐书六十篇》。全句为："～。夫毁人者，人亦毁之，不曰自毁乎？誉人者，人亦誉之，不曰自誉乎？"

毁人者失其直，誉人者失其实，近于乡原之人哉

见唐·皮日休《鹿门隐书六十篇》。

❷见毁而反之身／闻毁勿戚戚，闻誉勿欣欣

❸盈必毁，天之道也／天将毁之，必先累之／坚则毁矣，锐则挫矣／裂冠毁冕，拔本塞原／誉成毁败，扶高抑下／名高毁所集，言巧智难防／不排毁以取进，不刻人以自入／闻人毁己而怒，则誉己者至矣／黄钟毁弃，瓦釜雷鸣；谗人高张，贤士无名／将欲毁之，必重累之，将欲踣之，必高举之

❹安有巢毁而卵不破乎／白玉不毁，孰为珪璋／众口之毁誉，浮石沉木／废兴成毁，相寻于无穷／家必自毁，而后人毁之／誉见即毁随之，善见即恶从之／厚者不毁人以自益也，仁者不危人以要名／一人之毁，未必有信；积年之行，不应顿亏

❺行义不固毁誉／行成于思，毁于随／恶莫大于毁人之善／为恶，不自毁而人毁之／铎以声自毁，膏烛以明自铄／识量大，则毁誉欢戚不足以动其中／毁人者，自毁之。誉人者，自誉之……

❻功难成而易毁／下流之人，众毁所归／众口铄金，积毁销骨／凡物无成与毁，复通为一／因天时，伐天毁，谓之武／自顾行何如，毁誉安足论／乌鸢之卵不毁，而后凤凰集／函坚则物必

毁之，刚斯折矣／矜奋侵陵者，毁塞之险途也／毛嫱西施，善毁者不能蔽其好／越之西子，善毁者不能闭其美／合则离，成则毁，廉则挫，尊则议／披蓑而救火，毁渎而止水，乃愈益多／食其食者，不毁其器；食其实者，不折其枝／食其食者，不毁其器；荫其树者，不折其枝

❼私情行而公法毁／古之道不苟誉毁于人／墙坏于其隙，木毁于其节／所誉依已成，所毁依已败／善恶陷于成败，毁誉胁于势利／毁我之言可闻，毁我之人不必问／不惑于恒人之毁誉，故足以为君子

❽朝吐面誉，暮行背毁／为恶，不自毁而人毁之／人之才成于专而毁于杂／家必自毁，而后人毁之／百年养不足，一日毁有余／五仞之墙，所以不毁，基厚也／州间之士皆誉皆毁，未可为正／凡人之谈，常誉成毁败，扶高抑下／论士必定于志行，毁誉必参于效验／妄誉，仁之贼也；妄毁，义之贼也／事业文章随身销毁，而精神万古如新／安得因一摧折，自毁其道以从于邪也／人当自信自守，……虽毁谤之，侮慢之，亦不为之加沮

❾昆峰积玉，光泽者前毁／事修而谤兴，德高而毁来／道无废而不兴，器无毁而不治／其分也，成也；其成也，毁也

❿一钱亦分明，谁能肆谗毁／不益其厚，而张其广者毁／有不虞之誉，有求全之毁／好面誉人者，亦好背而毁之／交气疾争者，为易口而自毁也／有面前之誉易，无背后之毁难／与其有誉于前，孰若无毁于其后／正义直指，举人之过，非毁疵也／称人之恶，我有一恶，又何毁焉／百人誉之不加密，百人毁之不加疏／楚国青蝇何太多，连城白璧遭谗毁／业精于勤荒于嬉，行成于思毁于随／良将不怯死以苟免，烈士不毁节以求生／勇将不怯死以苟免，壮士不毁节而求生／丹可灭而不能使无赤，石可毁而不能使无坚／绝圣弃知，大盗乃止；擿玉毁珠，小盗不起／或誉人而适足以败之，或毁人而乃反以成之／身体发肤，受之父母，不敢毁伤，孝之始也／称牛之服重，不誉马速，誉手毁足，孰谓之慧／以诈应诈，以谲应谲，若披蓑而救火，毁渎而止水

殿 diàn供奉神佛或帝王受理政务的高大的建筑物；列在最后；镇抚，镇守。

❶殿前作赋声摩空，笔补造化天无功

见唐·李贺《高轩过》。

❷水殿风来暗香满／桂殿兰宫，列冈峦之体势／宫殿中可以避世全身，何必深山之中，蒿庐之下

❾旌旗日暖龙蛇动，宫殿风微燕雀高

❿歌台暖响，春光融融；舞殿冷袖，风雨凄凄／鹤汀凫渚，穷岛屿之萦回；桂殿兰宫，列冈峦之体势

縠 ①gǔ 赡养；善，好；俸禄；活着；古指儿童；古地名；讣告；同“谷”。②gòu，又读 nòu，哺乳。

❶縠则异室，死则同穴

见《诗·王风·大车》。

鷇 kòu，又读 gòu，待哺的雏鸟。

❹鸿鹄之鷇羽翼未全，而有四海之心

毅 yì 果断，坚决；严厉，残酷。

❶毅魄归来日，灵旗空际看

见明·夏完淳《别云间》。

❷刚、毅、木、讷近仁／刚毅，则不屈于物欲；木讷，则不至于外驰

❹厉直刚毅，材在矫正，失在激讦／刚强猛毅，靡所不信，非骄暴也／弘而不毅，则难立；毅而不弘，则无以居之

❼士不可以不弘毅，任重而道远

❽禀正直之性，怀刚毅之姿／弘而不毅，则难立；毅而不弘，则无以居之

❾因循苟且之心作，强毅久大之性亏

❿力能排天斡九地，壮颜毅色不可求／目如炬，声如钟，则英伟刚毅之气使人兴起

文 wén 字；文章；公文；古代的礼节；文明、文化；非军事的；掩饰；花纹；柔和；美，善；量词；纹理；与“武”相对。

❶文者气之所形

见宋·苏辙《上枢密韩太尉书》。全句为：“～，然文不可以学而能，气可以养而致”。

文从字顺各识职

见唐·韩愈《南阳樊绍述墓志铭》。

文顾行，行顾文

见唐·李华《赠礼部尚书清河孝公崔沔集序》。

文者，言乎志者也

见宋·王安石《上人书》。

文不按古，匠心独妙

见唐·王士源《孟浩然集序》。

文乏斧藻，艺惭刀笔

见唐·李峤《为王方庆让凤阁侍郎表》。

文质彬彬，然后君子

见《论语·雍也》。全句为：“质胜文则野，文胜质则史。～”。

文人相轻，自古而然

见三国·魏·曹丕《典论·论文》。

文能附众，武能威敌

见汉·司马迁《史记·司马穰苴列传》。

文若春华，思若涌泉

见三国·魏·曹植《王仲宣诔》。

文通三略，武解六韬

见明·黄元吉《黄廷道夜走流星马》一折。

文王拘而演《周易》

见汉·司马迁《报任少卿书》。全句为："～；仲尼厄而作《春秋》；屈原放逐，乃赋《离骚》；左丘失明，厥有国语；孙子膑脚，《兵法》修列；不韦迁蜀，世传《吕览》；韩非囚秦，《说难》、《孤愤》；《诗》三百篇，大抵圣贤发愤之所为作也"。

文理自然，姿态横生

见宋·苏轼《与谢民师书》。

文果载心，余心有寄

见南朝·梁·刘勰《文心雕龙·序志》。

文武之道，一张一弛

见《礼记·杂记下》。

文武俱行，威德乃成

见汉·刘向《说苑·君道》。全句为："有文无武，无以威下；有武无文，民畏不亲；～"。

文者，礼教治政云尔

见宋·王安石《上人书》。

文有真伪，无有故新

见汉·王充《论衡·案书篇》。全句为："才有深浅，无有古今；～"。

文章之道，自古称难

见唐·王勃《上吏部裴侍郎启》。

文与可画竹，胸有成竹

见清·郑燮《题画·竹》。全句为："～；郑板桥画竹，胸无成竹"。

文不百代，不可以语变

见唐·皇甫湜《渝业》。全句为："书不千轴，不可以语化；～"。

文之异，在气格之高下

见唐·裴度《寄李翱书》。全句为："～，思致之浅深，不在其磔裂章句，隳废声韵也"。

文之细大，视道之行止

见唐·刘禹锡《唐故相国李公集纪》。

文人之笔，劝善惩恶也

见汉·王充《论衡·佚文篇》。

文犹可长用，武难久行

见汉·桓宽《盐铁论·徭役》。

文武并行，则天下从矣

见战国·佚书《经法·四度》。全句为："因天之生也以养生，谓之文；因天之杀也以伐死，谓之武。～"。

文必虚字备而后神态出

见清·刘大櫆《论文偶记》。

文章之境，莫佳于平淡

见清·姚鼐《与王铁夫书》。全句为："～。措语遣意，有若自然生成者"。

文不能尽言，言不能尽意

见晋·陈寿《三国志·蜀书·秦宓传》。

文以行为本，在先诚其中

见唐·柳宗元《报袁君陈秀才避师名书》。

文以达吾心，画以适吾意

见宋·苏轼《书朱象先画后》。

文以纪实，浮文所在必删

见太平天国·洪仁玕等《戒浮文巧言谕》。

文士多数奇，诗人尤命薄

见唐·白居易《序洛诗》。

文章不成者，不可以诛罚

见《战国策·秦策一》。全句为："毛羽不丰满者，不可以高飞；～"。

文章千古事，得失寸心知

见唐·杜甫《偶题》。

文章憎命达，魑魅喜人过

见唐·杜甫《天末怀李白》。

文章本天成，妙手偶得之

见宋·陆游《文章》诗。

文籍虽满腹，不如一囊钱

见汉·赵壹《疾邪诗二首》之一。

文繁者质荒，木胜者人亡

见南朝·宋·范晔《后汉书·济南安王康传》。

文生于情，情生于身之所历

见清·黄宗羲《四明山九题考》。

文墨辞说，士之荣叶皮壳也

见汉·王充《论衡·越奇篇》。全句为："有根株于下，有荣叶于上，有实核于内，有皮壳于外。～"。

文者，务为有补于世而已矣

见宋·王安石《上人书》。

文章不为空言，而期于有用

见宋·欧阳修《荐布衣苏洵状》。

文章之作，恒发于羁旅草野

见唐·韩愈《荆潭唱和诗序》。

文可以变风俗，学可以究天人

见唐·李白《为宋中丞自荐表》。

文以辨洁为能，不以繁缛为巧

见南朝·梁·刘勰《文心雕龙·议对》。全句为："～；事以明核为美，不以深隐为奇"。

文变染乎世情，兴废系乎时序

见南朝·梁·刘勰《文心雕龙·时序》。

文章须自出机杼，成一家风骨

见北齐·魏收《魏书·祖莹传》。

文章本乎作者，而哀乐系乎时

见唐·李华《赠礼部尚书清河孝公崔沔集序》。全句为："～。本乎作者，六经之志也；系乎时者，乐文武而哀幽厉也"。

文不可以学而能，气可以养而致

见宋·苏辙《上枢密韩太尉书》。全句为："文者气之所形，然～”。

文之用，辞令褒贬导扬讽喻而已

见唐·柳宗元《杨评事文集后序》。

文约而事丰，此述作之尤美者也

见唐·刘知几《史通·叙事》。

文章以华采为末，而以体用为本

见宋·苏轼《答乔舍人启》。

文章太守，挥毫万字，一饮千钟

见宋·欧阳修《朝中措》。

文章，经国之大业，不朽之盛事

见三国·魏·曹丕《典论·论文》。

文起八代之衰，而道济天下之溺

见宋·苏轼《潮州韩文公庙碑》。全句为："～；忠犯人主之怒，而勇夺三军之帅”。

文之近古而尤壮丽，莫若汉之西京

见唐·柳宗元《柳宗直西汉文类序》。

文、理、义三者兼并……能必传也

见唐·李翱《答朱载言书》。删节处为："乃能独立于一时，而不泯灭于后代”。

文武之功，未有不以得人而成者也

见宋·苏轼《省试策问三首》其二。

文者以明道，是固不苟为炳炳烺烺

见唐·柳宗元《答韦中立论师道书》。全句为："～，务采色，夸声音而以为能也”。

文恶辞之华于理，不恶理之华于辞

见宋·柳开《上王学士第三书》。

文章以自得，不蹈袭前人一言为贵

见元·王恽《玉堂嘉话》。

文章合为时而著，歌诗合为事而作

见唐·白居易《与元九书》。

文章随世作抵昂，变尽风骚到晚唐

见宋·戴复古《论诗十绝》之一。

文章功用不经世，何异丝窠缀露珠

见宋·黄庭坚《戏呈孔毅父》。

文章均得江山助，但觉前贤畏后贤

见宋·王十朋《游东坡十一绝》其二。

文章必自名一家，然后可以传不朽

见宋·魏庆之《诗人玉屑》载宋祁语。

文章自得方为贵，衣钵相传岂是真

见金·王若虚《评东坡山谷四绝》其四。

文有二道：辞令褒贬，本乎著述者也

见唐·柳宗元《杨评事文集后序》。全句为："～；导扬讽谕，本乎比兴者也”。

文章到欧曾苏，道理到二程，方是畅

见宋·朱熹《朱子语类》卷一三九。

文章做到极处，无有他奇，只是恰好

见明·洪应明《菜根谭》。全句为："～；人品做到极处，无有他异，只是本然”。

文生于情，情生于哀乐，哀乐生于治乱

见唐·柳冕《与滑州卢大夫论文书》。

文臣不爱钱，武臣不惜死，天下太平矣

见元·脱脱等《宋史·岳飞传》。

文质修者谓之君子，有质而无文谓之易野

见汉·刘向《说苑·修文》。"易野”，无礼文之谓。

文有二道：……导扬讽谕，本乎比兴者也

见唐·柳宗元《杨评事文集后序》。删节处为："辞令褒贬，本乎著述者也”。

文不加点，兴到语耳！孔明天才，思十反矣

见清·袁枚《续诗品·精思》。

文为之物，自然灵气。惚恍而来，不思而至

见唐·李德裕《文章论》。全句为："～。杼轴得之，澹而无味，琢刻藻绘，弥不足贵”。

文以气为主，气之清浊有体，不可力强而致

见三国·魏·曹丕《典论·论文》。

文宜易宜难？必谨对曰：无难易，唯其是尔

见唐·韩愈《答刘正夫书》。"是”，正常，合理。

文者，圣人假之以达其心……详之、略之也

见唐·裴度《寄李翱书》。删节处为："达则已，理穷则已，非故高之、下之、”。

文有余而质不足则流，才有余而雅不足则荡

见唐·柳冕《与徐给事论文书》。

文章无警策，则不足传世，盖不能竦动世人

见宋·胡仔《苕溪渔隐丛话》引《吕氏童蒙训》。

文章不难于巧而难于拙，不难于曲而难于直

见宋·李淦《文章精义》二十一。全句为："～，不难于细而难于粗，不难于华而难于质”。

（文章）不难于细而难于粗，不难于华而难于质

见宋·李淦《文章精义》二十一。全句为："文章不难于巧而难于拙，不难于曲而难于直，～”。

文学之于人也譬乎药，善服，有济；不善服，反为害

见唐·皮日休《鹿门隐书六十篇》。

文章如精金美玉，市有定价，非人所能以口舌定贵贱也

见宋·苏轼《与谢民师书》。

文章丽矣，言语工矣，无异草木荣华之飘风，鸟兽好音之过耳

见宋·欧阳修《送徐无党南归序》。

文章当从三易：易见事，一也；易识字，二也；易读诵，三也

见北齐·颜之推《颜氏家训·文章》。

文章道弊五百年矣！汉魏风骨，晋宋莫传，然而文献有可征者

见唐·陈子昂《与东方左史虬修竹篇序》。

❷大文弥朴／作文之心如人目／以文会友，以友辅仁／吃文为患，生于好诡／学文之端，急于

明理／斯文有传，学者有师／有文无武，无以威下／有文字来，谁不为文／为文不渥，则事不足褒／以文常会友，唯德自成邻／真文不媚时，甘受人弹弋／博文多记，而守以浅者广／论文期摘瑕，求友惟攻阙／观文章，宜若悬衡然……／奇文共欣赏，疑义相与析／为文不能关教事，虽工无益也／古文贵达，学达即所谓学古也／设文之体有常，变文之数无方／读文必期有用，不然宁可不读／怀文武之才者，必荷社稷之重／为文而欲一世之人好，吾悲其为文／为文有三多：看多、做多、商量多／其文直，其事核，不虚美，不隐恶／其文约，其辞微，其志洁，其行廉／吾文如万斛泉源……虽一日千里无难／缀文者情动而辞发，观文者披文以入情／有文事者必有武备，有武事者必有文备／其文博辩而深切，中于时病而不为空言／为文以意为主，气为辅，以辞彩章句为之兵卫／诗文之词采贵典雅而贱粗俗，宜蕴藉而忌分明／厌文搔法，法官理民者，有司也，君无事焉，犹尊君也

❸凡为文辞宜略识字／观其文可以知其人／大凡文之用四……／凡为文，以神志为主／陶钧文思，贵在虚静／取一文官不值一文钱／大抵文善醒，诗善醉／彼以文词而已者陋矣／手持文柄，高视寰海／所谓文者，必有诸其中／不以文害辞，不以辞害志／儒以文乱法，侠以武犯禁／凡为文章，犹乘骐骥……／情者文之经，辞者理之纬／李杜文章在，光焰万丈长／以智文其过，此君子之贼也／凡为文以意为主，以气为辅／动摇文律，宫商有奔命之劳／不拘文牵俗，则守职者辨治矣／读其文章，庶几得其志之所存／道者文之根本，文者道之枝叶／天下文士，争执所长，与时而奋／善为文者，发而为声，鼓而为气／善为文者，富于万篇，贫于一字／所谓文者，务为有补于世而已矣／入妙文章本平淡，等闲言语变瑰琦／大抵文字须熟乃妙，熟则利病自明／庾信文章老更成，凌云健笔意纵横／经济文章磨白昼，幽光狂慧复中宵／木有文章曾是病，虫多言语不能天／李杜文章万口传，至今已觉不新鲜／事业文章随身销毁，而精神万古如新／其称文小而其指极大，举类迩而见义远／吐纳文艺，务在节宣，清和其心，调畅其气／质胜文则野，文胜质则史。文质彬彬，然后君子／语言文字，如春之花，或者必欲弃花而觅春，非愚即狂／学为文章，先谋亲友，得其评裁，知可施行，然后出手

❹辞盛则文工／君子以文明为德／世之质文，随教而变／令之以文，齐之以武／观乎天文，以察时变／法有明文，情无可恕／守成尚文，遭遇右武／有武无文，民畏不亲／铺采摛文，体物写志／言而无文，行之不远／言之无文，行而不远／言之无文，行之不远／言之不文，行之不远／理胜者，文不期工而工／有德之文信，无德文诈／言不贵文，贵于当而已／君子以文会友，以友辅仁／国朝盛文章，子昂始高蹈／虎豹之文不得不炳于犬羊／事信言文，乃能表见于后世／虎豹之文来射，猿狖之捷来措／辩巧之文可悦，似象之言足惑／丹漆不文，白玉不雕，宝珠不饰／吾每为文章，未尝敢以轻心掉之／过而不文，犯而不校，有功不伐／诸人之文，犹山无烟霞，春无草树／土事不文，木事不镂，示民知节也／虎豹无文，则鞟同犬羊……质待文也／虞夏以文，殷周以武，异时各有所施／经传之文，贤圣之语，古今言殊，四方谈异／结体散文，直而不野，婉转附物，惆怅切情／见虎一文，不知其武；见骥一毛，不知善走／欧公作文，先贴于壁……有终篇不留一字者／继世守文之君，生而富贵，不知疾苦，动至夷灭／一观其文，心朗目舒，炯若深井之下仰视白日之正中也／古今号文章为难，足下知其所以难乎？……得之为难，知之愈难耳／李白之文，清雄奔放，名章俊语，络绎间起，光明洞彻，句句动人

❺为情而造文／义典则弘，文约为美／说发胸臆，文成手中／情往会悲，文来引泣／学以为耕，文以为获／本源秽者，文不能净／思若泉涌，文若春华／笔不停缀，文不加点／言以足志，文以足言／一张一弛，文武之道也／志足而言文，情信而辞巧／子以四教：文、行、忠、信／奇才总于文武，重任归于将相／始得名于文章，终得罪于文章／酷好学问文章，未尝一日暂废／德弥盛者文弥缛，德弥彰者人弥明／避席畏闻文字狱，著书都为稻粱谋／琢雕自是文章病，奇险尤伤气骨多／欧阳当日文名重，更要推敲畏后生／天下之至文，未有不出于童心焉者也／咫尺之管，文敏者执而运之，所如皆合／相臣将臣，文恬武嬉，习熟见闻，以为当然／意喻之米，文喻之炊而为饭，诗喻之酿而为酒／张而不弛，文武弗能也；弛而不张，文武弗为也／斟酌乎质文之间，而隐括乎雅俗之际，可与言通变矣

❻文顾行，行顾文／海内安宁，兴文偃武／不祈多积，多文以为富／诗以意为主，文词次之／坚明直亮，有文武之用／结言端直，则文骨成焉／意气骏爽，则文风清焉／言节候，则披文而见时／文以纪实，浮文所在必删／殷周之前，其文简而野……／余平生所作文章多在三上……／道沿圣以垂文，圣因文而明道／礼之至者无文，哀之深者无节／言则称于汤文，行则譬于狗豨／生儿不用识文字，斗鸡走马胜读书／说诗者，不以文害辞，不以辞害志／其道末者其文杂，其才浅者其意烦／圣人不为华文，不为色利，不为残贼／愚人以天地文理圣，我以时物文理哲／风

行水上之文，决不在于一字一句之奇／质胜文则野，文胜质则史。文质彬彬，然后君子／为一书，务富文采，不顾事实……是犹用文锦复陷阱也／所谓诗，所谓文，实国事、世事、家事、身事、心事系焉

❼小人之过也必文／士先器识而后文艺／搜奇抉怪，雕镂文字／嬉笑怒骂，皆成文章／祖述尧舜，宪章文武／瞽者无以与乎文章之观／实言无多，而华文无寡／后生莫晓，更恨文律烦苛／恒患意不称物，文不逮意／用武则先威，用文则先德／周云成康，汉言文景，美矣／儒者之病，多空文而少实用／八音与政通，而文章与时高下／卷舒不随乎时，文武唯其所用／淫辞丽藻生于文，反伤文者也／道者文之根本，文者道之枝叶／然则志足而言文，情信而辞巧／辞至于能达，则文不可胜用矣／精诚由中，故其文语感动人深／虎豹之驹未成文，而有食牛之气／知天者仰观天文，知地者俯察地理／经纬天地之谓文，戡定祸乱之谓武／缋事以众色成文，蜜蜂以兼采为味／意不先立，止以文采辞句绕前捧后／言之所载者不文而又小，则其传也不章／圣人之道，不用文则已，用则必尚其能者／刀笔之吏专深文巧诋，陷人于罔，以自为功／常玉不琢，不成文章；君子不学，不成其德／常玉不瑑，不成文章；君子不学，不成其德／字中蝌蚪，竞落文河。笔下蛟龙，争投学海／远人不服，则修文德以来之。既来之，则安之／礼者贱质而贵文，故正直日以少，邪乱日以生／君子避三端：避文士之笔端，避武士之锋端，避辩士之舌端

❽良玉不雕，美言不文／随陆无武，绛灌无文／取一文官不值一文钱／声一无听，物一无文／有文字来，谁不为文／必有事实，乃有是文／蛇化为龙，不变其文／自古皆死，不朽者文／雅有所谓，不虚为文／有德之文信，无德文诈／非求宫律高，不务文字奇／作人贵直，而作诗文贵曲／言者志之苗，行者文之根／朽骨无益于人，而文王葬之／世远莫见其面，觇文辄见其心／乃含章之玉牒，秉文之金科矣／以武功定祸乱，以文德致太平／设文之体有常，变文之数无方／用武则以力胜，用文则以德胜／白玉不雕，美珠不文，质有余也／言之所载者大且文，则其传也章／天下之大乱，由虚文胜而实行衰也／不见年年辽海上，文章何处哭秋风／丹青初炳而后渝，文章岁久而弥光／威恩参用以成化，文武相资以定业／言语巧偷鹦鹉舌，文章分得凤凰毛／逆取而以顺守之，文武并用，长久之术／至味不慊，至言不文，至乐不笑，至音不叫／荐贤能其气似孔文举，论经学其博似刘子骏／心之精微，发而为文；文之神妙，咏而为诗／惜秦皇汉武，略输文采；唐宗宋祖，稍逊风骚／苟意不先立，止以文彩辞句，绕前捧后，是言愈多而理愈乱／人声之精者为言，文辞之于言，又其精也，尤择其善鸣者而假之鸣

❾动乎其言而见乎其文／辞不足不可以为成文／仲尼祖述尧舜，宪章文武／令在必行，不当徒为文具／观人以言，美于黼黻文章／气直则辞盛，辞盛则文工／内无其质，而外学其文……／意不胜者，辞愈华而文愈鄙／意全胜者，辞愈朴而文愈高／道沿圣以垂文，圣因文而明道／或简言以达旨，或博文以该情／独闵闵其曷已兮，凭文章以自宣／圣人之治天下也，先文德而后武力／水平布石上，流若织文，响若操琴／惩劝善恶之柄，执于文士褒贬之际焉／言虽多而不要其中，文虽奇而不济于用／才有浅深，无有古今；文有真伪，无有故新／口不绝吟于六艺之文，手不停披于百家之编／比不应事，未可谓喻；文不称实，未可谓是／心之精微，发而为文；文之神妙，咏而为诗／笔端肤寸，膏润天下；文章之用，极其至矣

❿面异斯为人，心异斯为文／何时一樽酒，重与细论文／因天之生也以养生，谓之文／砻磨乎事业，而奋发乎文章／罢去浮巧轻媚丛错采绣之文／以意全胜者，辞愈朴而文愈高／地利不如人和，武力不如文德／口则务在明言，笔则务在露文／口辩者其言深，笔敏者其文沉／淫辞丽藻生于文，反伤文者也／始得名于文章，终得罪于文章／风下松而含曲，泉潆石而生文／禁必以武而成，赏必以文而成／天下兴学取士，先德行不专文辞／秦汉而学六经，岂复有秦汉之文／世事洞明皆学问，人情练达即文章／世间富贵应无分，身后文章合有名／义虽深，理虽当，词不工者不成文／为文而欲一世之人好，吾悲其为文／先生之貌不可得兮，犹仿佛其文章／阳春召我以烟景，大块假我以文章／动民以行不以言，应天以实不以文／友如作画须求淡，山似论文不喜平／定知直道传千古，杜牧文章在上头／好鸟枝头亦朋友，落花水面皆文章／炒沙作糜终不饱，镂冰文章费工巧／辞之所以能鼓天下者，乃道之文也／君子之学，或施之事业，或见于文章／治务在无为而已，引大体，不拘文法／愚人以天地文理圣，我以时物文理哲／虎豹无文，则鞟同犬羊……质待文也／与天下之贤者为徒，此文王之所以王也／不知古人之世，不可妄论古人之文辞也／为情者要约而写真，为文者淫丽而烦滥／勿恃己善不服人仁，勿矜己艺不敬人文／流荡不返，使人有淫丽之心，此文病也／情动于中，故形于声，声成文，谓之音／缀文者情动而辞发，观文者披文以入情／有文事者必有武备，有武事者必有文备／汉魏风骨，晋宋莫传，然而文献有可征者／文质修

者谓之君子，有质而无文谓之易野／言无务为多而务为智，无务为文而务为察／不素养士而欲求贤，譬犹不琢玉而求文采也／百节成体，共资荣卫，万趣会文，不离辞情／每开一卷，刀搅肺肠；每读一篇，血滴文字／为君为臣为民为物为事而作，不为文而作也／体不备不可以为成人，辞不足不可以为成文／至人之治，掩其聪明，灭其文章，依道废智／马效千里，不必胡代；士贵成功，不必文辞／玉不雕，玙璠不作器；言不文，典谟不作经／糟糠不饱者不务粱肉，短褐不完者不待文绣／事丰奇伟，辞富膏腴，无益经典，而有助文章／乘不测之舟，入无人之地，以相从问文章为事／水性虚而沦漪结，木体实而花萼振，文附质也／质胜文则野，文胜质则史。文质彬彬，然后君子／以意为主，则其旨必见；以文传意，则其词不流／张而不弛，文武弗能也；弛而不张，文武弗为也／心之精微，口不能言也；言之微妙，书不能文也／世俗所患，患言事增其实，著文垂辞，辞出溢其真／消磨了三十多年层层心血，算不得大千世界小小文章／为一书，务富文采，不顾事实……是犹用文锦复陷阱也／行不充于内，德不备于人，虽盛其服，文其容，民不尊也／君子所甚惧者，以申、韩之酷政，文饰儒术，而重毒天下也／文章道弊五百年矣！汉魏风骨，晋宋莫传，然而文献有可征者

齐 ①qí 同样，一致；同时；完备，全；周代诸侯国名，朝代名；排列；整治；皆；定限；通“脐”；通“疾”，捷，速；姓。②jī 通“跻”，升起；通“齑”，酱菜。③jì 通“剂”，调配，调和；合金。④zī 通“粢”，“齐盛”通“粢盛”，祭祀的谷物。⑤zhāi 通“斋”，斋戒；肃敬。⑥jiǎn 通“剪”。

❶齐都世刺绣，恒女无不能

见汉·王充《论衡·程材》。全句为：“～；襄邑俗织锦，钝妇无不巧”。

齐梁及陈隋，众作等蝉噪

见唐·韩愈《荐士》。

齐、梁间诗，彩丽竞繁，而兴寄都绝

见唐·陈子昂《与东方左史虬修竹篇序》。

齐桓公以管仲辅之则理，以易牙辅之则乱

见唐·皇甫湜《孟荀言性论》。

❷欲齐其家者，先修其身／士齐僚而不职，则贤与愚而不分

❸修身齐家治国平天下／四马齐足，孟门可以长驱／忧端齐终南，澒洞不可掇／新裂齐纨素，皎皎如霜雪／子在齐闻《韶》，三月不知肉味

❹物之不齐，由有过也／物之不齐，物之情也／正法以齐官，平政以齐民／见善思齐，足以扬名不朽／与乾坤齐其寿，与日月齐其明／伯夷、叔齐不念旧恶，怨用是希／见贤思齐焉，见不贤而内自省也／不言则齐，齐与言不齐，言与齐不齐也／时运不齐，命途多舛；冯唐易老，李广难封

❺百万工农齐踊跃／令之以文，齐之以武／为之量，以齐天下之多寡／不言则齐，齐与言不齐，言与齐不齐也

❻落霞与孤鹜齐飞，秋水共长天一色／风仪与秋月齐明，音徽与春云等润／百年，寿之大齐。得百年者，千无一焉／不揣其本而齐其末，方寸之木可使高于岑楼

❼参差之上，无整齐之下／在璇玑玉衡，以齐七政／欲治其国者，先齐其家

❽若不早图，后君噬齐

❾正法以齐官，平政以齐民／不言则齐，齐与言不齐，言与齐不齐也

❿公正无私，一言而万民齐／旷野看人小，长空共鸟齐／与乾坤齐其寿，与日月齐其明／君不能知其臣，则无以齐万国／惟其才之不同，故其成功不齐／群车方奔乎险路，安能与之齐轨／九州生气恃风雷，万马齐喑究可哀／不言则齐，齐与言不齐，言与齐不齐也／水有猵獭而池鱼劳，国有强御而齐民消／法令之不行、万民之不治，贫富之不齐也／既谓之才，则不宜以阶级限，不应以年齿齐／鸟飞千仞之上……祸犹及之，又况编户齐民乎／水虽平，必有波；衡虽正，必有差；尺寸虽齐，必有诡

斋 zhāi 指房屋；指祭祀鬼神或举行典礼前清洁身心以示庄敬；佛教、道教信徒所吃的素食；向出家人舍饭；屋舍。

❷衙斋卧听萧萧竹，疑是民间疾苦声

❺子之所慎：斋、战、疾

❿半生落魄已成翁，独立书斋啸晚风

紊 wěn 纷乱。

❶网在纲，有条而不紊

斐 fěi 有文采的样子；明显；姓。

❸萋兮斐兮，成是贝锦

方 ①fāng 都是直角的四边形或都是方形的六面体；乘方；方面；地区；方法，办法；药方；正直；并列，并排；始；古代指医卜星相等技术；副词；量词；姓。②páng 通“旁”，广。[方羊]彷徉。③wǎng[方良]古代传说中的精怪名。

❶方寸地，九折坂

见晋·仲长敖《覈性赋》。

方其中，圆其外

见唐·柳宗元《与杨晦之书》。

方而不割，廉而不刿

见《老子》五十八。

方以类聚，物以群分

见《周易·系辞上》。

方今之务，在于力农
见汉·班固《汉书·食货志》。
方寸之木，高于岑楼
见《孟子·告子下》。
方轨易因，险途难御
见南朝·宋·范晔《后汉书·胡广传》。
方其梦也，不知其梦也
见《庄子·齐物论》。
方而不能圆，不可以长存
见汉·刘向《说苑·谈丛》。全句为："直而不能枉，不可与大任；～"。
方生方死，方死方生……
见《庄子·齐物论》。全句为："～；方可方不可，方不可方可；因是因非，因非因是"。
方凿不受圆，直木不为轮
见唐·韦应物《任洛阳丞请告一首》。全句为："～，揆材各有用，反性生苦辛"。
方惭不耕者，禄食出闾里
见唐·韦应物《观田家》。
方圆画不俱成，左右视不并见
见汉·王充《论衡·书解篇》。全句为："弹雀则失鹊，射鹊则失雁。～"。
方衔感于一剑，非买价于泉里
见南朝·梁·江淹《别赋》。"衔感"，感恩戴德；"买价"，求得声价；"泉里"，九泉之下，指死。
方宅十余亩，草屋八九间……
见晋·陶潜《归园田居五首》之一。全句为："～。榆柳荫后檐，桃李罗堂前"。
方者，内外相应也，言行相称也
见《韩非子·解老》。
方凭征鞍思往事，数声风笛马前闻
见宋·吕蒙正《鸿沟》。
方其知之，而行未及之，则知尚浅
见宋·朱熹《性理精义》。
方地为车，圆天为盖，长剑耿耿倚天外
见战国·楚·宋玉《大言赋》。
方于平易，皆能阔步而进，一遇峻险，则止矣
见《二程集·河南程氏粹言》。全句为："今之进学者，如登山，～"。
方车而蹠越，乘桴而入胡，欲无穷，不可得也
见汉·刘安《淮南子·说山》。全句为："操钩上山，揭斧入渊，欲得所求，难也；～"。

❷四方无虞／八方风雨会中央／四方八面野香来／万方有罪，在予一人／义方失则师友不可训／宁方为皂，不圆为卿／人方为刀俎，我为鱼肉／北方有佳人，绝世而独立／八方各异气，千里殊风雨／因方以借巧，即势以会奇／宁方为污辱，不圆为显荣／多方包容，则人材取次可用／视方寸于牛，不知其大于羊／食方丈于前，所甘不过一肉／日，方中方睨；物，方生方死／异方之乐，只令人悲，增忉怛耳／南方无穷而有穷，今日适越而昔来／何方圆之能周兮，夫孰异道而相安／大方无隅，大器晚成，大音希声，大象无形

❸道高方知魔盛／举目方知宇宙宽／枢机方通，则物无隐貌／矩不方，规不可以为圆／有风方起浪，无潮水自平／方生方死，方死方生……／眼见方为是，传言未必真／不骄方能师人之长，而自成其学／凡四方小大邦丧，罔非有辞于罚／群车方奔乎险路，安能与之齐轨／假金方用真金镀，若是真金不镀金／身老方知生计拙，家贫渐觉故人疏／规矩，方圆之至也；圣人，人伦之至也／与端方人处，如炭入薰炉，虽化为灰，其香不灭

❹事在四方，要在中央／居家之方，唯俭与约／胆劲心方，不畏强御／惠施多方，其书五车／刺股情方励，偷光思益深／人作殊方语，莺为故国声／苟怀四方志，所在可游盘／上下四方曰宇，往古来今曰宙／天地四方曰宇，往古来今曰宙／日，方中方睨；物，方生方死／圣人正方以约己，人自正方以从化／愿赐尚方斩马剑，断佞臣一人，以厉其余／取士之方，必求其实；用人之术，当尽其材／胆劲心方，不畏强御，义正所在，视死犹归

❺勿疏小善，方恢大略／道之大纲……方谓之道／处治世宜方，处乱世宜圆／终日抄药方而不能瘳一疾／有朋自远方来，不亦乐乎／方生方死，方死方生……／沧海横流，方显出英雄本色／剖开顽石方知玉，淘尽泥沙始见金／何必桑干方是远，中流以北即天涯／文章自得方为贵，衣钵相传岂是真

❻大丈夫志四方／无竞维人，四方其训之／有德而有才，方见于用／先朝好史，予方学于孔墨／国医不泥古方，而不离古方／学而不知其方，则反以滋其蔽／春蚕到死丝方尽，蜡炬成灰泪始干／立身高一步方超达，处世退一步方安乐

❼凡厥正人，既富方谷／于不疑处有疑，方是进矣／圣人为戒，必于方盛之时／城中好高髻，四方高一尺／方生方死，方死方生……／良医服百病之方，治百人之疾／药虽进于医手，方多传于古人／日，方中方睨；物，方生方死／爱子，教之以义方，弗纳于邪／眼里无点灰尘，方可读书千卷／君子可欺以其方，难罔以非其道／立官不能使之方，以私欲乱之也／非规矩不能定方圆，非准绳不能正曲直／大丈夫必有四方之志，乃仗剑去国，辞亲远游

❽不以规矩不能成方员／不以规矩，不能成方圆／往车虽折，而来轸方遒／喜极不得语，泪尽方一哂／大海波涛浅，小人方寸深／心能辨事非，处事方能决断／右手画圆，左手画方，不能

两成／必先知致弊之因，方可言变法之利／陶者能圆而不能方，矢者能直而不能曲／在这可诅咒的地方击退了可诅咒的时代／矩不正不可以为方，规不正不可以为圆／君如杅，民如水，杅方则水方，杅圆则水圆／行己有耻，使于四方，不辱君命，可谓士矣／矫矫亢亢，恶圆喜方，羞为奸欺，不忍害伤

❾销兵铸农器，今古岁方宁／今布衣虽贱，犹足以方于此／人生似瓦盆，打着了方见真空／播糠迷目，则天地四方易位矣／日，方中方睨；物，方生方死／百尺竿头须进步，十方世界是全身／道者，覆天载地，廓四方，柝八极／新剑以诈刻加价，弊方以伪题见宝／不揣其本而齐其末，方寸之木可使高于岑楼／君子敬以直内，义以方外；敬义立而德不孤／君犹器也，人犹水也，方圆在于器，不在于水

❿一笑语儿子，此是却老方／天涯同此路，人语各殊方／良友远离别，各在天一方／勤学第一道，勤问第一方／国医不泥古方，而不离古方／父母在，不远游，游必有方／无规矩，虽奚仲不能以定方圆／设文之体有常，变文之数无方／居身务期俭朴，教子要有义方／无所不通之谓圣，妙而无方之谓神／不妨举世无同志，会有方来可与期／世上岂无千里马，人间难得九方皋／圣人正方以约己，人自正方以从化／大道以多岐亡羊，学者以多方丧生／昔有佳人公孙氏，一舞剑气动四方／胆欲大而心欲小，智欲圆而行欲方／胆欲大，心欲小；智欲圆，行欲方／心欲小而志欲大，智欲员而行欲方／臣心一片磁针石，不指南方不肯休／自家虽有这道理，须是经历过方得／登山始觉天高广，到海方知浪渺茫／巧者能生规矩，不能废规矩而正方圆／虽有巧目利手，不如拙规矩之正方圆／文章到欧曾苏，道理到二程，方是畅／东面望者不见西墙，南乡视者不睹北方／主道得而臣道序，官不易方而太平用成／书不必起仲尼之门，药不必出扁鹊之方／任其事必图其效，欲责其效，必尽其方／抱不世之才，特立而独行，道方而事实／彼出于是，是亦因彼，彼是方生之说也／见明珠者始贱鱼目，知雅乐者方鄙郑声／收心简事日损有为，体静心闲方可观妙／立身高一步方超达，处世退一步方安乐／无教之教，洽流四海；无为之为，通达八方／整顿乾坤手段，指授英雄方略，雅志若为酬／君如杅，民如水，杅方则水方，杅圆则水圆／汉之广矣，不可泳思。江之永矣，不可方思／汝若全德，必忠必直；汝若全行，必方必正／经传之文，贤圣之语，古今言殊，四方谈异／赏罚不明，百事不成；赏罚若明，四方可行／欲知平直，则必准绳；欲知方圆，则必规矩／操一己之绳墨，持前王之规矩，以方枘欲圆凿／小大修短，各得其所宜，规矩方圆，各有所施／恰同学少年，风华正茂；书生意气，挥斥方遒／见其远者大者，不食邪人之饵，方是二十分识力／性字从生从心，是人生来具是理于心，方名之曰性／凡人于事务之来，无论大小，必审之又审，方无遗虑／得一官不荣，失一官不辱，勿说一官无用，地方全靠一官／民之于上也，若玺之于涂也，抑之以方则方，抑之以圜则圜／知大一，知大阴，知大目，知大均，知大方，知大信，知大定，至矣

房 ①fáng 房子；指房间；类似房子的；家族的分支；指妻室；量词；星宿；姓。②páng 阿房宫。

❶房栊无行迹，庭草萋以绿

晋·张协《杂诗十首》之一。全句为："～。青苔依空墙，蜘蛛网四屋"。

❷洞房花烛夜，金榜挂名时／洞房清宫，命曰寒热之媒

❹韩亡子房奋，秦帝鲁连耻

❻今处绣户洞房，则褰不如裘

❽崇门丰室，洞户连房，飞馆生风，重楼起雾

❿六王毕，四海一，蜀山兀，阿房出／其来无迹，其往无崖，无门无房，四达之皇皇也

施 ①shī 实行；加上；给予；施舍；散布；姓。②yí 通"迤"，斜行。③yì 蔓延，延续。④shǐ 解脱；遗弃。

❶施而不费，取而不贪

见《左传·襄公二十九年》。

施舍不倦，求善不厌

见《左传·昭公十三年》。

施惠无念，受恩莫忘

见清·朱柏庐《治家格言》。

施之无穷，而无所朝夕

见汉·刘安《淮南子·原道》。全句为："植之而塞于天地，横之而弥于四海，～"。

施之大厦，有栋梁之用

见南朝·宋·刘义庆《世说新语·赏誉》。全句为："森森如千丈松，虽磊砢有节目，～"。

施于人而不忘，非天布也

见《庄子·列御寇》。"天布"，上天泽及万物的布施。

施之于不足，而官有羡谷

见宋·高弁《望岁》。全句为："敛之于饶，而民不以为暴；～"。"羡谷"，余粮。

施人慎勿念，受恩慎勿忘

见南朝·梁·萧绎《金楼子·戒子篇》。全句为："无道人之短，无说己之长；～"。

施人慎勿念，受施慎勿忘

见汉·崔瑗《座右铭》。

施施而行，漫漫而游……

见唐·柳宗元《始得西山宴游记》。全句为："～。日与其徒上高山，入深林，穷回溪；幽泉怪石，无远不到"。

施诸己而不愿，亦勿施于人

见《礼记·中庸》。

施德者贵不德，受恩者尚必报

见汉·刘向《说苑·复恩》。

施为宜似千钧之弩，转发者，无宏功

见明·洪应明《菜根谭》。全句为："磨砺当如百炼之金，急就者，非邃养；～"。

施薪若一，火就燥也；平地若一，水就湿也

见《荀子·劝学》。

❷先施而后诛／法施于人，虽小必慎／爱施兆民，天下归之／背施无亲，幸灾不仁／背施幸灾，民所弃也／神施鬼设，间见层出／惠施多方，其书五车／施施而行，漫漫而游……／杂施而不孙，则坏乱而不修／天施地化，不以仁恩，任自然／官施而不失其宜，拔举而不失其能／西施若解倾吴国，越国亡来又是谁／其施厚者其报美，其怨大者其祸深／西施有所恶而不能减其美者，美多也／薄施而厚望，畜怨而无患者，古今未之有也

❸举措施为，不失其宜／先生施教，弟子是则／秃而施髢，病而求医／因时施宜，无害于民／布德施惠，悦近来远／德以施惠，刑以正邪／天德施，地德化，人德义／天道施，地道化，人道义／画西施之面，美而不可说／发政施仁，所以王天下之本也／孰无施而有报兮，孰不实而有获／受人施者常畏人，与人者常骄人／德不施则民不归，刑不缓则百姓愁／待西施、毛嫱而为配，则终身不家矣／发号施令，若汗出于体，一出而不复也／道不施不与，而万物以存；不为不宰，而万物以然

❹俭而能施，仁也／有而不施，穷无与也／称物平施，为政以公／空言无施，虽切何补／富以能施为德，贫以无求为德／毛嫱西施，善毁者不能蔽其好／当厄之施，甘于时雨；伤心之语，毒于阴冰

❺无伐善，无施劳／不陵节而施之谓孙／报者倦矣，施者未厌／不为近重施，不为远遗恩／诬而罔省，施之事亦为固／君子诚仁，施亦仁，不施亦仁／治国者，布施惠德，无令下知／圣王布德施惠，非求报于百姓也／赏罚信明，施与有节，记人之功，忽于小过／物有美恶，施用有宜，美不常珍，恶不终弃

❻事有本真，陈施于亿／行于大道，唯施是畏／己所不欲，勿施于人／粉黛至则西施以加丽／负恩必须酬，施恩慎勿色／时有薄而厚施，行有失而惠用／小人诚不仁，施亦不仁，不施亦不仁／君子之学，或施之事业，或见于文章／是故德之所施者博，则威之所行者远／爱得分曰仁，施得分曰义，虑得分曰智／为啬之道，不施不予，俭爱微妙，盈若无有。

❼出人之才，竟无施为／嫫母有所美，西施有所丑／施人慎勿念，受施慎勿忘／求发吾所学者，施于物而已／良师不能饰戚施，香泽不能化嫫母／法立，有犯而必施；令出，惟行而不返／忠恕违道不远。施诸己而不愿，亦勿施于人／貌有不足，敷粉施朱。才有不足，征典求书

❽见不足忘贫，故能施／是非明而后可以施赏罚／谋得于帷幄，则功施于天下／法设而民不犯，令施而民从／礼禁未然之前，法施已然之后／殖货财产，贵其能施赈，否则守钱虏耳

❾凡殖货财产，贵其能施赈也／施诸己而不愿，亦勿施于人／信义行于君子，刑戮施于小人／君子诚仁，施亦仁，不施亦仁／道也者，动不见其形，施不见其德／塞一蚁孔而河决息，施一车辖而覆乘止／言不在多，在于当理；施不在丰，期于救乏

❿大匠无弃材，寻尺各有施／饥寒无衣食，举动鞭捶施／时逢矣，有用而不尽其施／赏不可妄行，恩不可妄施／赏须功而加，罚待罪而施／日莫途远，吾故倒行而逆施之／贵则观其所举，富则观其所施／凡人之用智有短长，其施设各异／多才而自用，虽有贤者无所复施／适于己而无功于国者，不施赏焉／良医不能措其术，百药无所施其功／圣王在上位，天覆地载，风令雨施／幸人之灾，不仁；背人之施，不义／赏赐不加于无功，刑罚不施于无罪／天下无害菑，虽有圣人，无所施其才／小人诚不仁，施亦不仁，不施亦不仁／虞夏以文，殷周以武，异时各有所施／小人朝为而夕求其成，坐施而立望其反／宫人得戟，则以刈葵……不知所施之也／天地所以独长且久者，以其安静，施不荣报／不专一能，怪怪奇奇，不可时施，只以自嬉／勋劳宜赏，不吝千金；无功望施，分毫不与／忠恕违道不远。施诸己而不愿，亦勿施于人／苟有所见，虽布衣之贱，远守之微，亦可施用／小大修短，各得其所宜，规矩方圆，各有所施／宽弘之人宜为郡国，使下得施其功而总成其事／日月虽以形相物，考其道则有施受健顺之差焉／风化者，自上而行于下者也，自先而施于后者／竭所能之谓忠，履所明之谓信，平所施之谓恕／于人无贤愚，于事无小大，咸推以信，同施以敬／力不能济于用，而君臣上下不正，虽抱空器奚何施设／学为文章，先谋亲友，得其评裁，知可施行，然后出手／三皇之知，上悖日月之明，下睽山川之精，中堕四时之施

旆

pèi 古代旗边上下垂的装饰品；泛指旌旗。

❼萧萧马鸣，悠悠旆旌

旅 lǚ 在外地；泛指军队；共同；众人；陈列；次序；古时祭山之称；六十四卦之一；姓。

❶旅情偏在夜，乡思岂唯秋

见唐·刘禹锡《南中书来》。

旅。君子以明慎用刑，而不留狱

见《周易·旅》。

❷军旅之臣，取其断决有谋，强于习事／虎旅云从，词林响应，若毛羽之宗麟凤，众川之长江河

❸晨看旅雁，心赴江淮；昏望牵牛，情驰扬越

❺人生如逆旅，我亦是行人

❻俯于逵，惟行旅讴吟是采／无力于民而旅食，不恶贫贱

❽天地者，万物之逆旅／有田一成，有众一旅

❾文章之作，恒发于羁旅草野

❿汽笛一声肠已断，从此天涯孤旅

旃 zhān 亦作"旜"，纯赤色的曲柄旗；通"毡"。

❶旃如云兮帜如星，山可动兮石可铭

见南朝·梁·江淹《横吹赋》。

❹非患无旃罽橘柚，患无狭庐糟糠

❻穹庐为室兮旃为墙，以肉为食兮酪为浆

旌 jīng 古代的一种旗帜；古代旗的通称；表扬。

❶旌蔽日兮敌若云，矢交坠兮士争先

见战国·楚·屈原《九歌·国殇》。全句为："操吴戈兮被犀甲，车错毂兮短兵接；～"。

旌旗日暖龙蛇动，宫殿风微燕雀高

见唐·杜甫《奉和贾至舍人早朝大明宫》。

❹风雷动，旌旗奋，是人寰

❺力田者受旌显之赏，惰农者有不齿之罚

❽萧萧马鸣，悠悠旆旌／剑戟横空金气肃，旌旗映日彩云飞

❿卧不安席，食不甘味，心摇摇如悬旌

族 ①zú 宗族；民族；种族；事物有某种共同属性的一大类；古代一种残酷刑法。②zòu 通"奏"。③còu 通"簇"。

❶族秦者，秦也，非天下也

见唐·杜牧《阿房宫赋》。全句为："灭六国者，六国也，非秦也；～"。

❷万族各有托，孤云独无依

❸非我族类，其心必异／为民族解放，为阶级翻身，事业垂成，公胡遽死

❹诽谤者族，偶语者弃市／品而为族，则所禀者偏

❺家富则疏族聚，家贫则兄弟离

❻举贤不出世族，用法不及权贵／古者男女之族，各择德焉，不以财为礼

❽乘其名者，泽及宗族，利兼乡党，况子孙乎／人之善恶，不必世族；性之贤鄙，不必世俗

❾若将军、大夫必出旧族，或无可焉，犹用之耶

❿颍水清，灌氏宁；颍水浊，灌氏族／至德之世，同与禽兽居，族与万物并／德日新，万邦惟怀；志自满，九族乃离／使六国各爱其人，则足以拒秦；使秦复爱六国之人，则递三世可至万世而为君，谁得而族灭也

旋 ①xuán 水流旋转形成的圆涡；随后，不久；归，还；通"璇"，美玉。②xuàn 回旋的；回旋着切削；温酒器具。

❶旋收松上雪，来煮雨前茶

见宋·曹汝弼《喜友人过隐居》。

❸只言旋老转无事，欲到中年事更多

❹动容周旋中礼者，盛德之至也

❺兵有奇正，旋相为用，如环之无端

❻视履，考祥其旋，元吉／辞家战士无旋踵，报国将军有断头／清流触石，洄旋激注，佳木异竹，垂阴相荫

❼乘时蹈机，祸不旋踵

❽贤者虽得卑位则旋而死，不贤者或至眉寿

❿事垂立而辄废，功未成而旋去／地纯阴凝聚于中，天浮阳运旋于外／难得而易失者时也，时至而不旋踵者机也／沧波远天，混和暮色，孤舟一去，曷日而旋归

旗 qí 旗帜的总称；事物的表识；清代满族的军队组织和户口编制；属于八旗的，特指满族；古星名。

❷旌旗日暖龙蛇动，宫殿风微燕雀高

❺风雷动，旌旗奋，是人寰

❻无要正正之旗，无击堂堂之阵

❼未闻烈士树降旗／毅魄归来日，灵旗空际看／君王城上竖降旗，妾在深宫哪得知

❽斩木为兵，揭竿为旗，天下云集响应

❾剑戟横空金气肃，旌旗映日彩云飞

❿不袭堂堂之寇，不击填填之旗

火 huǒ 物体燃烧时所发出的光和焰；枪炮弹药；紧急；愤怒；旺盛；中医指某种病因；五行之一；古星名；古时兵制；姓。

❶火愈然而消愈亟

见汉·刘安《淮南子·原道》。"然"，同"燃"；"亟"，疾，快。

火炎昆冈，玉石俱焚

见《尚书·胤征》。

火必有光，心必有思

见宋·苏辙《论语拾遗》。

火则不钻不生，不扇不炽

见晋·葛洪《抱朴子·勖学》。

火烈，民望而畏之，故鲜死焉

见《左传·昭公二十年》。

火力不能销地力，乱前黄菊眼前开

见唐·郑谷《初还京师寓止府署偶题屋壁》。

火之燎于原，不可向迩，其犹可扑灭

见《尚书·盘庚上》。

火泄于密，而为用且大……反为灾矣

见唐·韩愈《择言解》。删节处为："能不违于道，可燔可炙，可镕可甄，以利乎生物，及其放而不禁"。

火形严，故人鲜灼；水形懦，故人多溺

见《韩非子·内储说上七术》。"严"，猛烈；"灼"，烧伤。

火炎上而受制于水，水趋下而得志于火

隋·王通《中说·魏相》。全句为："～，故君子不欲上人"。

火佚焚家，家不罪火；食过伤人，人不罪食

见三国·魏·仁嘏《道论》。"佚"，同"逸"；""，谓火蔓延灶外；"罪"，归罪。

火烧到身，各自去扫；蜂虿入怀，随即解衣

见明·施耐庵《水浒传》第十七回。

❷萤火焉能比月轮／以火救火，以水救水／萤火之光，照人不亮／握火投人，反先自热／爝火虽微，卒能燎原／失火之家，三日不熟食／膏火自煎熬，多财为患害／在火辨玉性，经霜识松贞／察火于灰，不睹洪赫之烈／炉火照天地，红星乱紫烟／烽火连三月，家书抵万金／野火烧不尽，春风吹又生／抱火措之积薪之下而寝其上／烈火埋冈，玉石抱俱焚之惨／乞火不若取燧，寄汲不若凿井／寸火能焚云梦，蚁穴能决大堤／石火光中争长竞短，几何光明／炎火成燎原之势，涓流兆江河之形／失火之家，岂暇先言大人而后救火乎／若火之燎于原，不可向迩，其犹可扑灭

❸兵犹火也，不戢将自焚／兵犹火也，弗戢将自焚也／举炎火以焚飞蓬，覆沧海而注熛炭／作诗火急追亡逋，清景一失后难摹

❹以火救火，以水救水／侵掠如火，不动如山／城门失火，殃及池鱼／拔诸水火，登于衽席／星星之火，可以燎原／灯蛾扑火，惹焰烧身／抱薪加火，烁者必先然／抱薪救火，薪不尽，火不灭／若夫以火能焦木也，因使销金，则道行矣／槁竹有火，弗钻不然；土中有水，弗掘无泉

❺知足下遇火灾……／不有百炼火，孰知寸金精／渴者不思火，寒者不求水／水曰润下，火曰炎上……／披蓑而救火，毁渎而止水，乃愈益多／施薪若一，火就燥也；平地若一，水就湿也／水之性胜火，如裹之以釜，水煎而不得胜，必矣／譬之若水火然，善用之则为福，不善用之则为祸

❻远水不救近火／蒙矢石，赴汤火，视死如归／善恶之殊，如火与水不能相容／利害相摩，生火甚多，众人焚和／积水于防，燎火于原，未尝暂静也／赤日炎炎似火烧，野田禾稻半枯焦／积恶在身，犹火之销膏，而人不见也／从时者，犹救火、追亡人也，蹶而趋之，唯恐弗及／恐沈于众，若火之燎于原，不可向迩，其犹可扑灭

❼人用财试，金用火试／水烟晴吐月，山火夜烧云／山木，自寇也；膏火，自煎也／于今腐草无萤火，终古垂杨有暮鸦／山林不能给野火，江海不能实漏卮／日出江花红胜火，春来江水绿如蓝／昨日邻家乞新火，晓窗分与读书灯／贫居往往无烟火，不独明朝为子推／天下无独燃之火，世间安得有无体独知之精／日月出矣，而爝火不息，其于光也，不亦难乎

❽在地者莫明乎水火／天吏逸德，烈于猛火／厉夜生子，遽而求火／是儿欲踞吾著炉火上邪／扬汤止沸，不如灭火去薪／抱薪救火，薪不尽，火不灭／拯溺锤之以石，救火投之以薪／锐锋产乎钝石，明火炽乎暗木／以汤止沸，抱薪救火，愈甚亡益／人之短生，犹如石火，炯然以过／篙不能鸣钟，而萤火不爨鼎者，何也／巫山之上顺风纵火，膏夏紫芝与萧艾俱死／邪之与正，犹水与火，不同原，不得并盛／火佚焚家，家不罪火；食过伤人，人不罪食

❾千锤万击出深山，烈火焚烧若等闲／饱霜孤竹声偏切，带火焦桐韵本悲／十年之相知，不若兹火一夕之为足下誉也／守法持正，嶷如秋山；火不侵玉，幸臣畏伏

❿索物于夜室者，莫良于火／劝君少求利，利是焚身火／扬堁而弭尘，抱薪以救火／君子得时如水，小人得时如火／废污池之水，待江海而后救火／洗污泥者以水，燔腥生者用火／天公尚有妨农过，蚕怕雨寒苗怕火／发为胡笳吹作雪，心因烽火炼成丹／休对故人思故国，且将新火试新茶／太阳初出光赫赫，千山万山如火发／持杯收水水已覆，徙薪避火火更燔／多病只思田舍乐，夜归烟火望茅檐／清渚白沙茫不辨，只应灯火是渔船／木与木相摩则然，金与火相守则流／水曲山隈四五家，夕阳烟火隔芦花／月落乌啼霜满天，江枫渔火对愁眠／失火之家，岂暇先言大人而后救火乎／以汤止沸，沸愈不止，去其火则止矣／圣人视天下之不治，如赤子之在水火也／欲做精金美玉的人品，定从烈火中锻来／火炎上而受制于水，水趋下而得志于火／不绝之于彼而救之于此，譬犹抱薪而救火／当急剧冗杂时只不动火，则神有余而不劳／今人主有明其德者，则天下归之若蝉之归明火也／以诈应诈，以谲应谲，若披蓑而救火，毁渎而止水／凡用人之道，若以燧取火，疏之则弗得，数之则弗中／天有五行：一曰木，二曰火，三曰土，四曰金，五曰水／兵不可偃也，譬之若水火然，善用之则为福，不能用之则为祸

灭 miè 火熄了,停止发光;使熄灭;不再存在;使不存在;被水淹没。

❶灭而有实,鬼之一也

见《庄子·庚桑楚》。

灭祸不自其基,必复乱

见《国语·晋语一》。全句为:"塞水不自其源,必复流;~"。

灭烛怜光满,披衣觉露滋

见唐·张九龄《望月怀远》。"怜",爱。

灭六国者,六国也,非秦也

见唐·杜牧《阿房宫赋》。全句为:"~;族秦者,秦也,非天下也"。

灭其私而无其身,则四海莫不瞻,远近莫不至

见三国·魏·王弼《老子》三十八注。

❷欲灭迹而走雪中,拯溺者而欲无濡/人灭而为鬼,鬼而为人,则未之知也/苟灭德忘公,崇浮饰傲,荣其外而枯其内,害其本而窒其源

❸大义灭亲/大德灭小怨,道也/以公灭私,民其允怀/敌存灭祸,敌去召过/胡未灭,鬓先秋,泪空流/未曾灭项兴刘,先见筑坛拜将/丹可灭而不能使无赤,石可毁而不能使无坚

❹匈奴未灭不言家/炎炎者灭,隆隆者绝/魏耻未灭,赵患又起/好胜者灭理,肆欲者乱常/匈奴未灭,受命而孰不忘家/兵强则灭,木强则折,革固则裂/逆胡未灭心未平,孤剑床头铿有声/六国破灭,非兵不利,战不善,弊在赂秦

❺但使强胡灭,何须甲第成/风前灯易灭,川上月难留/白圭玷可灭,黄金诺不轻/白珪玷可灭,黄金诺不轻

❻贪愎喜利,则灭国杀身之本也/臣行君道则灭其身,君行臣事则伤其国

❼投死为国,以义灭身/狂妄之威成乎灭亡也/扬汤止沸,不如灭火去薪/讳疾而忌医,宁灭其身而无悟也/尔曹身与名俱灭,不废江河万古流/私心胜者可以灭公,为己重者不知利物

❽兵义无敌,骄者先灭/义者无敌,骄者先灭/军无适主,一举可灭/巧言虽美,用之必灭/暗主妒贤畏能而灭其功/图人者适以自图,灭人者适以自灭

❾明者所以对昏,昏既灭,则明亦不立矣/至人之治,掩其聪明,灭其文章,依道废智

❿无例不可兴,有例不可灭/附顺者拔擢,忤恨者诛灭/敬胜怠则吉,怠胜敬则灭/抱薪救火,薪不尽,火不灭/形存则神存,形谢则神灭也/饮食男女皆性也,是乌可灭/君为政焉勿卤莽,治民焉勿灭裂/强者不自勉,或死而泯灭于无闻/纸上语可废坏,心中誓不可磨灭/一灯能除千年暗,一智能灭万年愚/图人者适以自图,灭人者适以自灭/狡兔尽则良犬烹,敌国灭则谋臣亡/潭西南而望,斗折蛇行,明灭可见/明所爱而邪僻繁,明所恶而贤良灭/羽扇纶巾,谈笑间、强虏灰飞烟灭/使其道由愈而粗传,虽灭死万万无恨/尝有德,厚报之;有怨,必以法灭之/火之燎于原,不可向迩,其犹可扑灭/若火之燎于原,不可向迩,其犹可扑灭/知者不倍时而弃利,勇士不怯死而灭名/善不积不足以成名,恶不积不足以灭身/暴察之威成乎危弱,狂妄之威成乎灭亡也/不畏于微,必畏于章,患大祸深,以至灭亡/丹可磨而不可夺其色,兰可燔而不可灭其馨/尽若穷烟,离若箭弦,如影灭地,犹星殒天/云破月出,光气含吐,互相明灭,晶莹玲珑/都蔗虽甘,杖之必折;巧言虽美,用之必灭/口无择言,驷不及舌;笔之过误,愆尤不灭/积微之善,以至吉祥。小恶不止,乃至灭亡/与端方人处,如炭入薰炉,虽化为灰,其香不灭/凤凰,凤凰,何不高飞还故乡,无故在此取灭亡/法者,国仰以安也;顺则治,逆则乱,甚乱者灭/继世守文之君,生而富贵,不知疾苦,动至夷灭/恐沈于众,若火之燎于原,不可向迩,其犹可扑灭/沉默呵,沉默呵!不在沉默中爆发,就在沉默中灭亡/道德之威成乎安强,暴察之威成乎危弱,狂妄之威成乎灭亡也/使六国各爱其人,则足以拒秦;使秦复爱六国之人,则递三世可至万世而为君,谁得而族灭也

灰 huī 物质燃烧后所剩的粉末;尘土;石灰;消失;介于黑白之间的颜色。

❷坑灰未冷山东乱,刘项元来不读书

❹察火于灰,不睹洪赫之烈

❺眼里无点灰尘,方可读书千卷/起烟于寒灰之上,生华于已枯之木

❽形若槁骸,心若死灰/形如槁木,心若死灰,无感无求,寂泊之至

❿生为并身物,死为同棺灰/春心莫共花争发,一寸相思一寸灰/春蚕到死丝方尽,蜡炬成灰泪始干/羽扇纶巾,谈笑间、强虏灰飞烟灭/神龟虽寿,犹有竟时;腾蛇乘雾,终为土灰/与端方人处,如炭入薰炉,虽化为灰,其香不灭

灯 dēng 照明的器具;灯彩。

❶灯蛾扑火,惹焰烧身

见明·施耐庵《水浒传》第二十七回。

❷一灯能除千年暗,一智能灭万年愚

❸风前灯易灭,川上月难留/锦糊灯笼,玉镶刀口……不知落在何处矣

❹我有禅灯,独照独知。不取亦取,虽师勿师/譬如一灯,入于暗室,百千年暗,悉能破尽

❼读书窗下有残灯

❽如贫得宝,如暗得灯,如饥得食,如旱得云

❿太虚作室而共居,夜月为灯以同照/清渚白沙茫不辨,只应灯火是渔船/昨日邻家乞新火,

晓窗分与读书灯／忽喇喇似大厦倾，昏惨惨似灯将尽

灶 zào 生火用以烧水做饭的设备；借指厨房；旧指灶神。

❶灶下养，中郎将……

见南朝·宋·范晔《后汉书·刘玄传》。全句为："～。烂羊胃，骑都尉。烂羊头，关内侯"。

❷军灶未炊，将不言饥

灿 càn 光彩耀眼。

❸华兖灿烂，非只色之功

❿日月之行，若出其中；星汉灿烂，若出其里／其夹岸有树木千万本，列立如揖，丹色鲜如霞，擢举欲动，灿若舒颜

灼 zhuó 炙，烧；烤；明亮；明白；透彻；光彩鲜明的样子。

❸桃李灼灼，不自言于蹊径

❺桃之夭夭，灼灼其华／迫而察之，灼若芙蕖出渌波

❻桃之夭夭，灼灼其华／皎皎云间月，灼灼叶中华／旁观虽拙，而灼于虚公之见

❼皎皎云间月，灼灼叶中华／火形严，故人鲜灼；水形懦，故人多溺

❿目中有疵，不害于视，不可灼也

炬 jù 火把；焚烧；蜡烛。

❷一炬有燎原之忧，而滥觞有滔天之祸

❸目如炬，声如钟，则英伟刚毅之气使人兴起

❾春蚕到死丝方尽，蜡炬成灰泪始干

❿戍卒叫，函谷举，楚人一炬，可怜焦土

炒 chǎo 食品的一种烹调方法；倒买倒卖；通"吵"。

❶炒沙作糜终不饱，镂冰文章费工巧

见宋·黄庭坚《送王郎》。

炙 zhì 烤；烤熟的肉；比喻受熏陶。

❺残杯与冷炙，到处潜悲辛

❼八百里分麾下炙，五十弦翻塞外声。沙场秋点兵

❿见卵而求时夜，见弹而求鸮炙

炎 ①yán 天气极热；炎症；火焰上升；焚烧；比喻权势或对权势盛者的趋附；炎帝。②yàn 通"焰"。

❶炎而附，寒而弃

见唐·柳宗元《宋清传》。

炎炎者灭，隆隆者绝

见汉·扬雄《解嘲》。

炎火成燎原之势，涓流兆江河之形

见南朝·宋·孝武帝刘骏《下诏罪王僧达》。

❷火炎昆冈，玉石俱焚／炎炎者灭，隆隆者绝／举炎火以焚飞蓬，覆沧海而注熛炭／火炎上而受制于水，水趋下而得志于火

❸徒觉炎凉节物非，不知关山千万里／赤地炎都寸草无，百川水沸煮虫鱼／赤日炎炎似火烧，野田禾稻半枯焦

❼水曰润下，火曰炎上……／今之交乎人者，炎而附，寒而弃

❾一别隔千里，荣枯异炎凉

❿可憎者人情冷暖，可厌者世态炎凉／大知闲闲，小知间间；大言炎炎，小言詹詹／涓涓不塞，将为江河；荧荧不救，炎炎奈何

炉 lú 炉子；盛火的器具；通"卢"、"垆"，引申为酒店的代称。

❶炉火照天地，红星乱紫烟

见唐·李白《秋浦歌十七首》之十四。

❸鼓洪炉，燎毛发／炼句炉槌岂可无？句成未必尽缘渠

❹天地为炉，造化为工……／心源为炉，笔端为炭。锻炼元本，雕砻群形

❼是儿欲踞吾著炉火上邪

❽人心似铁，官法如炉／今一以天地为大炉，以造化为大冶，恶乎往而不可哉

❾猛虎不看几上肉，洪炉不铸囊中锥

❿与端方人处，如炭入薰炉，虽化为灰，其香不灭

炳 bǐng 光明，显著；点，燃。

❹丹青初炳而后渝，文章岁久而弥光／篇之彪炳，章无疵也；章之明靡，句无玷也

❺丹青初则炳，久则渝

❻老而好学，如炳烛之明／蔚乎其相章，炳乎其相辉，志同而气合

❽虎豹之文不得不炳于犬羊

❾但求寡悔尤，焉用名炳炳

❿文者以明道，是固不苟为炳炳烺烺／焕然如日月之经天也，炳然如虎豹之异犬羊也／幼而学者，如日出之光；壮而学者，如炳烛之光

炼 liàn 锻炼、锤炼；用心推敲琢磨，使词句精当简洁。

❶炼辞得奇句，炼意得余味

见宋·邵雍《论诗吟》。

炼句不如炼字，炼字不如炼意

见唐·白居易《金针格》。

炼句炉槌岂可无？句成未必尽缘渠

见宋·杨万里《晚寒题水仙花并湖山三首》之一。"渠"，它，谓炼字琢句的功夫。

❷百炼为字，千炼成句／百炼或致屈，绕指所以伸／百炼而南金不亏其真，危困而烈士不失其正

❸金百炼以为鉴，而万物不能遁其形

❹精金百炼，在割能断／不有百炼火，孰知寸金精／何意百炼刚，化为绕指柔／人能修炼，俗变淳和，则返朴之风，可臻太古矣
❺炼句不如炼字，炼字不如炼意
❻磨砺当如百炼之金／百炼为字，千炼成句／百锻成字，千炼成句／炼辞得奇句，炼意得余味／磨砺当如百炼之金，急就者，非邃养
❼炼句不如炼字，炼字不如炼意
❽劳形按影皆非道，炼气吞霞更是狂
❾要假修成九转，先须炼已持心
❿炼句不如炼字，炼字不如炼意／发为胡笳吹作雪，心因烽火炼成丹／惟夫消磨靡烂之际，金久炼而愈精／心源为炉，笔端为炭。锻炼元本，雕砻群形

炽

chì 火势旺；比喻旺盛。
❾锐锋产乎钝石，明火炽乎暗木
❿火则不钻不生，不扇不炽

炯

jiǒng 亦作"颎"；光明，明亮；义同"耿"。
❾人之短生，犹如石火，炯然以过／一观其文，心朗目舒，炯若深井之下仰视白日之正中也

烁

①shuò 光亮的样子；热；通"铄"，熔化金属。②luò［爆(bó)烁］犹剥落。
❺抱薪加火，烁者必先然
❼燔埴为瓦则可，烁瓦为铜则不可

炷

zhù 灯心；焚烧；量词。
❶炷尽沉烟，抛残绣线，恁今春关情似去年
见明·汤显祖《牡丹亭·惊梦》。全句为："梦回莺啭，乱煞年光遍，人立小庭深院。～"。

炫

xuàn 晃眼；有意显露。
❹贞不自炫，用不见疑
❽金玉之光不得不炫于瓦石

烂

làn 因过熟而变得松软；程度极深的；腐坏；破碎；头绪混乱；灼伤；明，有光彩。
❶烂死于泥沙，吾宁乐之
见唐·韩愈《应科目时与人书》。全句为："～；若俯首帖耳，摇尾而乞怜者，非我之志也"。
❷朽烂之材，不受雕镂之饰
❹华究灿烂，非只色之功
❺待到山花烂漫时，她在丛中笑
❻其发于外者，烂如日星之光辉／万木霜天红烂漫，天兵怒气冲霄汉／惟夫消磨靡烂之际，金久炼而愈精
❾常记古人言，思之每烂熟
❿不识农夫辛苦力，骄骢蹋烂麦青青／曲突徙薪亡恩泽，焦头烂额为上宾／肥肉厚酒，务以自强，命之曰烂肠之食／日月之行，若出其中；星汉灿烂，若出其里

耿

gěng 正直；通"炯"，光明；古都邑名；古国名。
❷夜耿耿而不寐兮，魂茕茕而至曙
❺细云新月耿黄昏／彼尧舜之耿介兮，既遵道而得路
❻忧人不能寐，耿耿夜何长／出处每怀心耿耿，是非谁较论悠悠
❼忧人不能寐，耿耿夜何长／出处每怀心耿耿，是非谁较论悠悠
❿方地为车，圆天为盖，长剑耿耿倚天外

烦

fán 本义为热头痛，引申为烦躁、烦恼、心情不畅快；讨厌，使讨厌；多而杂乱；混乱，纠缠；敬辞，表示请托。
❶烦使之而观其能
见《庄子·列御寇》。全句为："君子远使之而观其忠，近使之而观其敬，～，卒然问焉而观其知，急与之期而观其信，告之以危而观其节，醉之以酒而观其侧，杂之以处而观其色"。"知"同"智"；"侧"，不正。亦作"则"，指仪态。
烦为教而过不识，数为令而非不从
见《吕氏春秋·离俗览·适感》。
❷上烦扰则下不定／勿烦勿乱，和乃自成／令烦则奸生，禁多则下诈／官烦则事烦，事烦则人浊／官烦则事繁，事繁则民浊／礼烦则不庄，业烦则无功／政烦苟则人奸伪，政省一则人醇朴／以烦手烹鱼则鱼必溃，使学者制锦则锦必伤
❸事愈烦而乱愈生／治国烦，则下乱／不耐烦者，做不成一件事业／号令烦而不信，赏罚行而不当，则天下不服
❹遍人间烦恼填胸臆／下忧上烦，蠹政为患／吏多民烦，俗以之弊／茶为涤烦子，酒为忘忧君／其政不烦，其刑不渎，而民之化之也速／若号令烦而不信，赏罚行而不当，则天下不服／政令不烦，则安其业，故不远迁徙，离其常处
❺苛政不亲，烦苦伤恩／官烦则事烦，事烦则人浊
❻以智慧刀，断烦恼锁
❼心无结怨，口无烦言／治大者不可以烦，烦则乱／官烦则事烦，事烦则人浊／礼烦则不庄，业烦则无功
❽好辩而理不至则烦／不知道者，以言相烦／治大者不可以烦，烦则乱／是非只为多开口，烦恼皆因强出头／形骸既适则神不烦，观听无邪则道以明
❾后生莫晓，更恨文律烦苛／土敝则草木不长，水烦则鱼鳖不大
❿乱我心者，今日之日多烦忧／天下本无事，庸人扰之为烦耳／死者无知，自同粪土，何烦厚葬

／但使仓库可备凶年，此外何烦储蓄／其道末者其文杂，其才浅者其意烦／为情者要约而写真，为文者淫丽而烦滥／疾则如电，迟则如云，进止有度，约而不烦

烧 ①shāo 使着火；用火加热；烹调方法；体温升高；形容因条件优越而头脑发热。②shào 放火烧野草，以草灰肥田。

❷火烧到身，各自去扫；蜂虿入怀，随即解衣

❸野火烧不尽，春风吹又生／酒是烧身硝焰，色为割肉钢刀

❺薰以香自烧，膏以明自销

❻寒者愿为蛾，烧死彼华膏

❼灯蛾扑火，惹焰烧身／赤日炎炎似火烧，野田禾稻半枯焦

❽一家失熛，百家皆烧；谗夫阴谋，百姓暴骸

❾水烟晴吐月，山火夜烧云／急来抱佛脚，闲时不烧香

❿千锤万击出深山，烈火焚烧若等闲／借问瘟君欲何往，纸船明烛照天烧

烛 zhú 蜡烛；照亮；照见；姓。

❷灭烛怜光满，披衣觉露滋／蜡烛有心还惜别，替人垂泪到天明

❸持萤烛象，得首失尾

❹洞房花烛夜，金榜挂名时

❺水静则明烛须眉，平中准，大匠取法焉

❻不明察，不能烛私

❼日在井中，不能烛远／老而好学，如炳烛之明／昼作不辍手，猛烛继望舒／大贤秉高鉴，公烛无私光／铎以声自毁，膏烛以明自铄／何当共剪西窗烛，却话巴山夜雨时／日暮汉宫传蜡烛，轻烟散入五侯家／自古盛衰如转烛，六朝兴废同棋局／散珠喷雾，日光烛之，璀璨夺目，不可正视／老而学者，如秉烛夜行，犹贤乎瞑目而无见者也

❾昼短苦夜长，何不秉烛游／使日在井中，则不能烛十步矣

❿三万六千日，夜夜当秉烛／借问瘟君欲何往，纸船明烛照天烧／将军不敢骑白马，亡者不敢夜揭烛／体曲者忌绳墨之容，夜裸者憎明烛之来／冀以尘雾之微补益山海，荧烛末光增辉日月／晴空朗月，何处不可翱翔？而飞蛾独投夜烛／幼而学者，如日出之光；壮而学者，如炳烛之光／我愿君王心，化作光明烛，不照绮罗筵，只照逃亡屋／天无私覆也，地无私载也，日月无私烛也，四时无私行也

烟 ①yān 物质燃烧时产生的气体；受烟气的刺激；烟草及烟草制品。②yīn ［烟煴］形容烟或云气浓郁。

❶烟雨莽苍苍，龟蛇锁大江

见现代·毛泽东《菩萨蛮·黄鹤楼》。

烟雾可依，腾蛇与蛟龙俱远

见隋·李德林《霸朝杂集序》。全句为："～；栖息有所，苍蝇同骐骥之速"。

烟才通，寒淙淙；隔山风，老鼓钟

见唐·元结《水乐说》。

烟霞为朝夕之资，风月得林泉之助

见唐·王勃《入蜀纪行诗序》。

烟霞充耳目之玩，鱼鸟尽江湖之赏

见唐·王勃《秋日楚州郝司户宅饯崔使君序》。

烟云泉台，花鸟苔林，金铺锦帐，寓意则灵

见清·王夫之《夕堂永日绪论内编》。

❷长烟一空，皓月千里／人烟寒橘柚，秋色老梧桐／凌烟阁上人，未必皆忠烈／水烟晴吐月，山火夜烧云／起烟于寒灰之上，生华于已枯之木／长烟一空，皓月千里；浮光跃金，静影沉璧／风烟俱静，天山共色，从流飘荡，任意东西

❸一蓑烟雨任平生／塞草烟光阔，渭水波声咽／渚寒烟淡，棹移人远，缥缈行舟如叶

❹下笔则烟飞云动，落纸则鸾迴凤惊／林净藏烟，峰危限月，帆影摇空绿／炷尽沉烟，抛残绣线，恁今春关情似去年／尽若穷烟，离若箭弦，如影灭地，犹星殒天

❺写出江南烟水秋／离亭北望，烟霞生故国之悲／酒力醒，茶烟歇，送夕阳，迎素月

❻无物结同心，烟花不堪剪／阳春召我以烟景，大块假我以文章／贫居往往无烟火，不独明朝为子推

❼长堤柳色青如烟／满庭春雨绿如烟／千亩竹林，气含烟雾／长林远树，出没烟霏

❽世路山河险，君门烟雾深／天末海门横北固，烟中沙岸似西兴／诸人之文，犹山无烟霞，春无草树／潦水尽而寒潭清，烟光凝而暮山紫／鸾凤骞翔而变态，烟云舒卷以呈姿／胸中浩然廓然，纳烟云日月之伟观，揽雷霆风雨之奇变

❾百尺之室，以突隙之烟焚／百寻之屋，以突隙之烟焚／日入牛渚晦，苍然夕烟迷／冈陵起伏，草木行列，烟消日出／日暮汉宫传蜡烛，轻烟散入五侯家

❿吁嗟身后名，于我若浮烟／炉火照天地，红星乱紫烟／悠悠失乡县，处处尽云烟／化腐木而含彩，集枯草而藏烟／万卷藏书宜子弟，十年种木长风烟／高谈则龙腾豹变，下笔则烟飞雾凝／诗家之景，如蓝田日暖，良玉生烟／多病只思田舍乐，夜归烟火望茅檐／宁期此地忽相遇，惊喜茫如堕烟雾／水曲山限四五家，夕阳烟火隔芦花／新交与旧识俱欢，林壑共烟霞对赏／眺望而林泉有余，奔走而烟霞足用／羽扇纶巾，谈笑间、强虏灰飞烟灭

烬 jìn 物体燃烧后剩下的残余物。

❹收合馀烬，背城借一

焕 huàn 鲜明，光亮。

❶焕然如日月之经天也，炳然如虎豹之异犬羊也

见唐·孙樵《与友人论文书》。全句为："辞必高然后为奇，意必深然后为工。～"。

烽 fēng 古代边防线上报警时点燃的烟火；泛指举火。

❶烽火连三月，家书抵万金

见唐·杜甫《春望》。

❿发为胡笳吹作雪，心因烽火炼成丹

烺 lǎng［烺烺］火明貌。

❿文者以明道，是固不苟为炳炳烺烺

焚 ①fén 烧。②fèn 通"偾"，［焚身］犹言丧生。

❶焚林而田，竭泽而渔

见汉·刘安《淮南子·本经训》。

焚膏油以继晷，恒兀兀以穷年

见唐·韩愈《进学解》。

焚林而猎，愈多得兽，后必无兽

见汉·刘安《淮南子·人间》。

焚林而田，偷取多兽，后必无兽

见《韩非子·难一》。

焚芰制而裂荷衣，抗尘容而走俗状

见北齐·孔稚珪《北山移文》。"芰制"与"荷衣"，皆指用芰荷制作的隐士衣服。"抗"、"走"，皆张扬显露之意。

焚薮而田，岂不获得？而明年无兽

见《吕氏春秋·孝行览·义赏》。全句为："竭泽而渔，岂不获得？而明年无鱼。～"。

焚林而田，得兽虽多，而明年无复也

见汉·刘向《说苑·权谋》。全句为："～；干泽而渔，得鱼虽多，而明年无复也"。

焚林而畋，明年无兽；竭泽而渔，明年无鱼

明·归有光语。

❷鸟焚株而铩翮，鱼夺水而暴鳞

❸火佚焚家，家不罪火；食过伤人，人不罪食

❹象以齿焚身，蚌以珠剖体／大厦既焚，不可洒之以泪／寸火能焚云梦，蚁穴能决大堤

❺象有齿以焚其身，贿也／举炎火以焚飞蓬，覆沧海而注熛炭

❼不涸泽而渔，不焚林而猎／玉碎不改白，竹焚不改节／内省既不愧己，焚香何用告天／既死，岂在我哉！焚之亦可，沉之亦可，瘗之亦可，露之亦可

❽火炎昆冈，玉石俱焚／劝君少求利，利是焚身火

❾兵犹火也，不戢将自焚／兵犹火也，弗戢将自焚也／烈火埋冈，玉石抱俱焚之惨

❿百尺之室，以突隙之烟焚／百寻之屋，以突隙之烟焚／但使忠贞在，甘从玉石焚／利害相摩，生火甚多，众人焚和／千锤万击出深山，烈火焚烧若等闲／麟亡星落，月死珠伤，瓶罄罍耻，芝焚蕙叹

焰 yàn 火苗；喻指气势。

❻灯蛾扑火，惹焰烧身／酒是烧身硝焰，色为割肉钢刀

❼李杜文章在，光焰万丈长

熇 ①hè 炽盛；［熇熇］火势炽盛貌。②kǎo 用火烘焐，同"烤"。③xiāo 热气；［熇暑］酷热。

❸多将熇熇，不可救药

熛 biāo 迸飞的火焰；闪动；疾速。

❹一家失熛，百家皆烧；谗夫阴谋，百姓暴骸

❿举炎火以焚飞蓬，覆沧海而注熛炭

燎 ①liáo 火势蔓延燃烧；烫。②liǎo 因挨近火而被烧焦；放火燃烧；烘干。③liào 火炬。

❸火之燎于原，不可向迩，其犹可扑灭

❹鼓洪炉，燎毛发／炎火成燎原之势，涓流兆江河之形／一炬有燎原之忧，而滥觞有滔天之祸／若火之燎于原，不可向迩，其犹可扑灭

❺积水于防，燎火于原，未尝暂静也

❼星星之火，可以燎原／爝火虽微，卒能燎原

❽推波助澜，纵风止燎／恐沈于众，若火之燎于原，不可向迩，其犹可扑灭

燔 fán 焚烧；烤；祭祀用的炙肉。

❶燔诗书，起淳于越之谏

见汉·王充《论衡·语增篇》。全句为："～；坑儒士，起自诸生为妖言"。

燔埴为瓦则可，烁瓦为铜则不可

见汉·荀悦《申鉴·俗嫌》。

❹大厦既燔，而运水于沧海；此无及也

❻废先王之道，燔百家之言

❼洗污泥者以水，燔腥生者用火

❿介子推至忠也……抱木而燔死／持杯收水水已覆，徙薪避火火更燔／丹可磨而不可夺其色，兰可燔而不可灭其馨

燃 rán 焚烧；引火点着；比喻红色如火烧。

❺天下无独燃之火，世间安得有无体独知之精

燧 suì 上古取火的器具；古代边防告警的烽火；火炬；焚烧。

❻乞火不若取燧，寄汲不若凿井
❽凡用人之道，若以燧取火，疏之则弗得，数之则弗中

燋 ①jiāo 通“焦”；火把；备作引火的柴枝。②qiáo 通“憔”，憔悴。
❻名乃苦其身，燋其心

燥 ①zào 干，缺少水分；中医指病因。②sào[燥子]细切的肉，瘦肉居多。
❼悬羽与炭，而知燥湿之气，以小明大／施薪若一，火就燥也；平地若一，水就湿也
❽伯浑醉书，纸穷墨燥，如春龙奋蛰，奇鬼搏人，何其壮也
❿近河之地湿，近山之土燥，以类相及也

爆 bào 爆炸；烹饪方法；爆满；爆发。
❶爆竹声中一岁除，春风送暖入屠苏
见宋·王安石《除日》。
❿沉默呵，沉默呵！不在沉默中爆发，就在沉默中灭亡

爝 jué，又读 jiào，古谓束苇为炬，烧之以祓除不祥；火炬，火把。
❶爝火虽微，卒能燎原
见南朝·宋·范晔《后汉书·酷吏传》。全句为：“涓流虽寡，浸成江河；～”。
❻日月出矣，而爝火不息，其于光也，不亦难乎

斗 ①dòu 打斗；斗争；比赛；使争斗；往一块儿凑；通“逗”，引逗。②dǒu 市制容量单位；量粮食的器具；形状像斗的；星名；星的通称；指纹的一种；通“陡”，高耸；突然。
❶斗筲之才不秉帝王之重
见汉·班固《汉书·叙传》。全句为：“驽骞之乘不骋千里之涂，燕雀之畴不奋六翮之用，楶棁之材不荷栋梁之任，～”。
斗粟自可饱，千金何所直
见汉·无名氏《洛中童谣》。全句为：“虽有千黄金，无如我斗粟。～”。“直”，同“值”。
❷自斗自竭，自崩自缺，是恶乎为我设／星斗张明，错落水中，如珠走镜，不可收拾
❸车载斗量，不可胜数／战如斗鸡，胜者先鸣
❹每依北斗望京华／困兽犹斗，况人乎／两虎相斗，必有一伤／困兽犹斗，况国相乎／困兽犹斗，穷寇勿遏／悍戆好斗，似勇而非／两虎共斗，其势不俱生／怯于邑斗，而勇于寇战／意广者，斗室宽若两间／维北有斗，不可以挹酒浆／枭骑战斗死，驽马徘徊鸣／李白一斗诗百篇，长安市上酒家眠
❺隙中之观斗，又乌知胜负之所在／新丰美酒斗十千，咸阳游侠多少年／不能为五斗米折腰，拳拳事乡里小人
❻潭西南而望，斗折蛇行，明灭可见／两虎争人而斗，小者必死，大者必伤
❼军有归心，必无斗志／日往月来，星移斗换／雷霆不与蛙蚓斗其声／佐饔者尝焉，佐斗者伤焉／官仓老鼠大如斗，见人开仓亦不走／天无一点云，星斗张明，错落水中，如珠走镜，不可收拾
❽石卵不敌，蛇龙不斗／归来宴平乐，美酒斗十千／思在物之取譬，非斗斛而能量／一生大笑能几回，斗酒相逢须醉倒／生儿不用识文字，斗鸡走马胜读书／多才之士才储八斗，博学之儒学富五车／山空月明，仰视星斗皆光大，如适在人上／一尺布，尚可缝；一斗粟，尚可舂。兄弟二人不相容
❾虽有千黄金，无如我斗粟／物华天宝，龙光射牛斗之墟
❿辱骂和恐吓决不是战斗／男儿当野死，岂为印如斗／宁积粟腐仓而不忍贷人一斗／攻人以谋不以力，用兵斗智不斗多／草树知春不久归，百般红紫斗芳菲／班声动而北风起，剑气冲而南斗平／月出于东山之上，徘徊于斗牛之间／顺针缕者成帷幕，合升斗者实仓廪／解杂乱纷纠者不控卷，救斗者不搏撠／君子能受纤微之小嫌，故无变斗之大讼／盈尺径寸，易取琢磨；南箕北斗，难为簸挹／匹夫见辱，拔剑而起，挺身而斗，此不足为勇／五步一楼，十步一阁。……各抱地势，钩心斗角／病已成而后药之，乱已成而后治之，譬犹渴而穿井，斗而铸锥，不亦晚乎

料 ①liào 估计，猜想；处理；材料；粮草；挑选；量词。②liáo 通“撩”，撩拨。
❶料得行吟者，应怜长叹人
见金·董解元《西厢记诸宫调》上卷。全句为：“兰闺久寂寞，无事度芳春。～”。
❹善攻者，料众以攻众／此生谁料，心在天山，身老沧洲
❻古人争战，先料其将
❼人生穷达谁能料
❾察见渊鱼者不祥，智料隐匿者有殃
❿天有不测风云，人又岂能料乎／兵非益多也，惟无武进，足以并力，料敌，取人而已

斜 ①xié 不正，不垂直；离平直方向移动或侧倾。②yé 古水名。
❹是几度斜阳，几度残月／谷口未斜日，数峰生夕阳／雨后复斜阳，关山阵阵苍
❺晨飙动野，斜月在林／薄雨收寒，斜照弄晴，春意空阔
❻披襟朗咏，饯斜光于碧岫之前
❼欲笺心事，独语斜阑。难！难！难！
❽良谈吐玉，长江与斜汉争流
❿过江千尺浪，入竹万竿斜／解落三秋叶，能开

二月花。过江千尺浪,入竹万竿斜

斛 hú一种口小底大的方形器皿;容量单位;姓。

❺吾文如万斛泉源……虽一日千里无难

❾思在物之取譬,非斗斛而能量

斟 zhēn往杯或碗里倒(茶、酒等);汁。

❶斟酌乎质文之间,而隐括乎雅俗之际,可与言通变矣

见南朝·梁·刘勰《文心雕龙·通变》。

❺权衡损益,斟酌浓淡,芟繁剪秽,弛于负担

❽忍把浮名,换了浅斟低唱

点 diǎn细小的痕迹;小滴的液体;使一点一滴地滴下或落下;燃火;查对,检核;计量单位;汉字笔画;污点;指定;点心;指点;表示少量;标点。

❶点画皆有筋骨,字体自然雄媚

见唐·颜真卿《述张长史笔法十二意》。

❷一点贪污,便是大恶/装点此关山,今朝更好看/一点失所,若美女之眇一目

❸苍蝇点垂棘,巧舌成锦绮/有缺点的战士终竟是战士,完美的苍蝇也终竟不过是苍蝇

❹碧峰千点数帆轻/攻其一点,不及其余/莫嫌一点苦,便拟弃莲心/案上一点墨,民间千点血/眼里无点灰尘,方可读书千卷/有时三点两点雨,到处十枝五枝花/文不加点,兴到语耳!孔明天才,思十反矣/天无一点云,星斗张明,错落水中,如珠走镜,不可收拾

❺留取黄花点缀秋/灵丹一粒,点铁成金/青蝇一相点,白璧遂成冤

❻心有灵犀一点通/有时三点两点雨,到处十枝五枝花

❽乘兴说话,最难检点/笔不停缀,文不加点/变尽人间,君山一点,自古如今

❾案上一点墨,民间千点血/因供寨木无桑柘,为点乡兵绝子孙

❿但肯寻诗便有诗,灵犀一点是吾师/眼前直下三千字,胸次全无一点尘/身无彩凤双飞翼,心有灵犀一点通/交友须带三分侠气,作人要存一点素心/日月如梭,光阴似箭,少年人,早打点/若平直相似……便不是书法,但得其点画耳/八百里分麾下炙,五十弦翻塞外声。沙场秋点兵

烈 liè形容强度、浓度、力量、气势等很大;刚正有气节;为正义事业而献出生命的人;功业;烧;光明,显赫;浓郁的香气;通“列”,行列;严厉。

❶烈士不欺人

见唐·杜光庭《虬髯客传》。

烈士乐奋力之功

见三国·魏·刘劭《人物志·八观》。

烈士徇荣名,义士高贞介

见晋·陈寿《三国志·魏书·文帝纪》。全句为:“~,虽蔬食瓢饮,乐在其中”。

烈士多悲心,小人偷自闲

见三国·魏·曹植《杂诗七首》之六。

烈火埋冈,玉石抱俱焚之惨

见唐·王勃《上皇甫常伯启》。全句为:“飞霜迎地,兰萧衔共尽之悲;~”。

烈士为天下见善矣,未足以活身

见《庄子·至乐》。

烈日秋霜,忠肝义胆,千载家谱

见宋·辛弃疾《永遇乐》。

烈士之所以异于恒人,以其仗节以死谊也

见唐·刘禹锡《上杜司徒书》。“恒人”,常人;“死谊”,死于义。

❷义烈之余,色气猛厉/风烈无劲草,寒甚有凋松/火烈,民望而畏之,故鲜死焉/志烈秋霜,心贞昆玉,亭亭高竦,不染风尘

❸未闻烈士树降旗/西风烈,长空雁叫霜晨月

❹轻诺似烈而寡信/古来忠烈士,多出贫贱门

❺天吏逸德,烈于猛火/商贾比财,烈士比义/贪夫徇财,烈士徇名/芳兰之芬烈者,清风之功也/宝剑赠与烈士,红粉赠与佳人

❻贪夫殉财兮,烈士殉名/良马不念秣,烈士不苟营/奋六世之遗烈,振长策而御宇内,吞二周而亡诸侯,履至尊而制六合

❼是气所旁薄,凛烈万古存/捐躯若得其所,烈士不爱其存/隐忍就功名,非烈丈夫孰能致此哉?

❽露团团而湿草,风烈烈而鸣泉/雄悍杰健,任在胆烈,失在多忌/千锤万击出深山,烈火焚烧若等闲/凡欲显勋绩扬光烈者,莫良于学矣

❾露团团而湿草,风烈烈而鸣泉/有其志必成其事,盖烈士之所徇也/良将不怯死以苟免,烈士不毁节以求生/老骥伏枥,志在千里;烈士暮年,壮心不已

❿凌烟阁上人,未必皆忠烈/察火于灰,不睹洪赫之烈/欲做精金美玉的人品,定从烈火中锻来/白刃交于前,视死若生者,烈士之勇也/百炼而南金不亏其真,危困而烈士不失其正/及至始皇,奋六世之余烈,振长策而御宇内

热 rè温度高;情意深;非常羡慕;受许多人欢迎的;热潮;繁华;物质运动的一种表现。

❸西头热海水如煮……

❹不寒不热,能生寒热/极寒生热,极热生寒/酒后耳热,仰天拊缶而呼乌乌

❺旱斯具舟,热斯具裘/烹饪起于热石,玉辂基于椎轮

❻冰炭不言，冷热自明／极寒生热，极热生寒／寒不能生寒，热不能生热
❼坠井者求出，执热者愿濯／冰炭不言，而冷热之质自明／渴不饮盗泉水，热不息恶木阴／墨翟之徒，世谓热腹；杨朱之侣，世谓冷肠
❽不寒不热，能生寒热／握火投人，反先自热／洞房清宫，命曰寒热之媒／眼角眉梢都似恨，热泪欲零还住
❿太平世界，环球同此凉热／小人如酒颜，但得暂时热／寒不能生寒，热不能生热／穷年忧黎元，叹息肠内热／其就义若渴者，其去义若热／春不得避风尘，夏不得避暑热

烝 zhēng 祭祀，特指冬祭；蒸发；用蒸汽加热；进献；众多；长久；国君；指与母辈通奸的淫乱行为；细柴。
❸天生烝民，有物有则
❼暴殄天物，害虐烝民

煮 zhǔ 把东西放在沸水中加热。
❶煮海为盐，采山铸钱
见晋·左思《吴都赋》。
❼西头热海水如煮……／旋收松上雪，来煮雨前茶／农夫心内如汤煮，公子王孙把扇摇
❿赤地炎都寸草无，百川水沸煮虫鱼

焦 jiāo 物体经过火烧而变黄或成炭；黄黑色；极度缺水；烦躁；急迫；热量单位"焦耳"的简称；姓。
❸苦心焦思，以日继夜，苟利于国，知无不为／苦身焦思，置胆于坐，坐卧即仰胆，饮食亦尝胆
❻君听浊浪金焦外，淘尽英雄是此声／若夫以火能焦木也，因使销金，则道行矣
❽曲突徙薪亡恩泽，焦头烂额为上宾
❿饱霜孤竹声偏切，带火焦桐韵本悲／赤日炎炎似火烧，野田禾稻半枯焦／戍卒叫，函谷举，楚人一炬，可怜焦土

然 rán 副词或形容词的后缀；对；这样；同"燃"；不过，但是；姓。
❶然诺不行，政乱无绪
见汉·焦赣《易林·颐·丰》。
然则无用之为用也亦明矣
见《庄子·外物》。
然饰穷其要，则心声锋起
见南朝·梁·刘勰《文心雕龙·夸饰》。全句为："～，夸过其理，则名实两乖"。
然我一沐三捉发，一饭三吐哺
见周·姬旦《戒子伯禽》。全句为："～，起以待士，犹恐失天下之人"。
然则志足而言文，情信而辞巧
见南朝·梁·刘勰《文心雕龙·征圣》。全句为："～，乃含章之玉牒，秉文之金科矣"。

❷超然不累于物／自然之道不可违／卒然问焉而观其知／沃然有得，笑傲万古／淡然无极而众美从之／昂然直上，凛有生气／泰然若春，温兮如玉／浩然者乃天地之正气也／发然后禁，则扞格而不胜／偶然临险地，不信在人间／萧然风雪意，可折不可辱／淡然虚而一，志虑则不分／胡然而天也，胡然而帝也／悠然念故乡，乃在天一隅／黯然销魂者，唯别而已矣／浑然而中处者，世谓之元气／快然自足，曾不知老之将至／黯然别之销魂，悲哉秋之为气／学，然后知不足；教，然后知困／自然者，无称之言，实极之辞也／卒然临之而不惊，无故加之而不怒／沛然从肺腑中流出，殊不见斧凿痕／藐然数尺之躯，乃欲私造化以为已物／油然作云，沛然降雨，则苗浡然兴之矣／洞然无为而天下自和，憺然无欲而民自朴／挺然尽心，敢任天下之责者，即当委而付之／窈然无际，天道自会；漠然无分，天道自运／焕然如日月之经天也，炳然如虎豹之异犬羊也／权，然后知轻重；度，然后知长短。物皆然，心为甚
❸循循然善诱人／火愈然而消愈亟／知困，然后能自强也／自明，然后才能明人／马肥，然后远能可致也／世隘然后知其人之笃固也／任自然者久，得其常者济／岁寒，然后知松柏之后凋也／时过然后学，则勤苦而难成／纵令然诺暂相许，终是悠悠行路心／师严，然后道尊；道尊，然后知敬学／诗，思然后积，积然后满，满然后发／其冲然角列而上者，若熊罴之登于山／其嵚然相累而下者，若牛马之饮于溪／恶乎然？然于然。恶乎不然？不然于不然
❹命者，自然者也／先识未然，圣也／是不是，然不然／志忍私，然后能公／有真人然后有真知／知事人，然后能使人／本自天然，不假雕琢／物无妄然，必由其理／胸中泰然，岂有不乐／文理自然，姿态横生／精诚介然，将贯金石／知不足，然后能自反也／狡免依然在，良犬先烹／兰草自然香，生于大路傍／合则混然，人不见其殊也／按其已然之迹而诋之也易／推其未然之理而辨之也难／见善，修然，必以自存也／有麝自然香，何必当风立／出者突然成丘，陷者呀然成谷／礼禁未然之前，法施已然之后／行身亦然，无涤垩之地则寡非矣／一语天然万古新，豪华落尽见真淳／能使了然于口与手乎！是之谓辞达／辞必高然后为奇，意必深然后为工／理之固然者：富贵则就之，贫贱则去之／恶乎然？然于然。恶乎不然？不然于不然／能自治然后可以治人；能治人然后人为之用／有君臣然后有上下，有上下然后礼义有所错／非有卓然异绩结于人心，浃于骨髓，安能久而愈思／胸中浩然廓然，纳烟云日月之伟观，揽雷霆风雨之奇变

❺才难，不其然乎／夫子循循然善诱人／行忍情性，然后能修／流沫成轮，然后徐行／居必常安，然后求乐／文质彬彬，然后君子／意在笔前，然后作字／不知所以然而然，命也／人必自侮，然后人侮之／世有伯乐，然后有千里马／能周小事，然后能成大事／地势使之然，由来非一朝／君子防未然，不处嫌疑间／善在身，介然必以自好也／山岳有饶，然后百姓赡焉／河海有润，然后民取足焉／食足货通，然后国实民富／事有以必然，虽常人足以致／良弓难张，然可以及高入深／良马难乘，然可以任重致远／维修卑下，然后乃各得其所／见不善，愀然，必以自省也／有自也而然，有自也而不然／无恶于己，然后可以正人之恶／有善于己，然后可以责人之善／大巧因自然以成器。不造为异端／投之亡地然后存，陷之死地然后生／明白如话，然浅中有深，平中有奇／震风陵雨，然后知夏屋之为帡幪也／道若大路然，岂难知哉，人病不求耳／此心常卓然公正，无有私意，便是敬／鹰善击也，然日击之，则疲而无全翼矣／骥善驰也，然日驰之，则蹶而无全蹄矣／物循乎自然，人能明于必然，此人物之异／人必先作，然后人名之；先求，然后人与之／圣人若天然，无私覆也；若地然，无私载也／岂不遽止？然犹防川，大决所犯，伤人必多／食必常饱，然后求美；衣必常暖，然后求丽／天地任自然无为，无造万物，自相治理，故不仁／力不能问，然后语之，语之而不知，虽舍之可也／物固有所然，物固有所可；无物不然，无物不可／万物有自然之理，圣人只是顺之，不曾增加得一毫／万物以自然为性，故可因而不可为也，可通而不可执也

❻是不是，然不然／我善养吾浩然之气／挥兹一觞，陶然自乐／潜移暗化，自然似之／确乎不拔，浩然自守／解心释神，莫然无魂／不教不学，闷然不见己缺／受屈不改心，然后知君子／不善在身，菑然必以自恶也／能用度外人，然后能周天下／雕琢复朴，块然独以其形立／万物固以自然，圣人又何事焉／除患于未萌，然后能转而为福／能前知其当然，事至不惧……／茧之性为丝，然非得女工……／有非常之事，然后有非常之功／有非常之人，然后有非常之事／人之道则不然，损不足以奉有余／小人固当远，然亦不可显为仇敌／君子固当亲，然亦不可曲为附和／死，人之所难，然耻为狂夫所害／惟能于其未然而预防之，故无后忧／心识其所以然而不能然者，内外不一／天地之中，荡然任自然，故不可得而穷／凡人必别宥然后知，别宥则能全其天矣／油然作云，沛然降雨，则苗浡然兴之矣／不肖者则不然，责人则以义，自责则以人／恶乎然？然于然。恶乎不然？不然于不然／饥马在厩，寂然无声，投刍其旁，争心乃生／文为之物，自然灵气。惚恍而来，不思而至／譬之若水火然，善用之则为福，不善用之则为祸／胸中浩然廓然，纳烟云日月之伟观，揽雷霆风雨之奇变

❼造物者听其自然／事乃有大谬不然者／不知所以然而然，命也／天地有正气，杂然赋流形／今人莫不失自然正性……／岂待酒肉罗绮然后为生哉／待得雪消后，自然春到来／清水出芙蓉，天然去雕饰／愧乏经济才，徒然守章句／日入牛渚晦，苍然夕烟迷／胡然而天也，胡然而帝也／白也诗无敌，飘然思不群／人必其自敬也，然后人敬诸／人必其自爱也，然后人爱诸／静后见万物，自然皆有春意／百吏畏法循绳，然后国常不乱／未形者有分，且然无间，谓之命／天之道莫非自然，人之道皆是当然／正论非不见容，然邪说亦有时而用／为虏为王尽偶然，有何羞见汉江船／豫者图患于未然，犹者致疑于已是／巧匠目意中绳，然必先以规矩为度／大寒至，霜雪降，然后知松柏之茂／过取固害于廉，然过与亦反害其惠／木与木相摩则然，金与火相守则流／诗，思然后积，积然后满，满然后发／吾病世之逐逐然，唯印组为务以相轧／以骄主使罢民，然而国不亡者，天下少矣／君子非不见贵，然小人亦得厕其间时而用／今之君子则不然，其责人也详，其待己也廉／藜藿之生，蠕蠕然日加数寸，不可以为庐栋／理未尝离乎气，然理形而上者，气形而下者／聆《白雪》之九成，然后悟《巴人》之极鄙

❽视杀人若艾草菅然／事有必至，理有固然／慎防其端，禁于未然／宜投壶，矢声铮铮然／宜围棋，子声丁丁然／物有必至，事有固然／风行草偃，其势必然／文人相轻，自古而然／观文章，宜若悬衡然……／性情之生，斯乃自然而有／措语遣意，有若自然生成者／人穷事败者，释自然而任智力／读文必期有用，不然宁可不读／学，然后知不足；教，然后知困／物有必至，事有常然，古之道也／不弃狂夫之言者，然后嘉谟可闻也／不弃死马之骨者，然后良骥可得也／兵者百岁不一用，然不可一日忘也／凡人之智，能见已然，不能见将然／文章必自名一家，然后可以传不朽／甜不足一食之美，然有截舌之患也／重云蔽天，江湖黯然；游鱼茫然……／有相马而失马者，然良马犹在相之中／说淫则可不可而然不然，是不是而非不非／词意书迹，无不宛然；唯是魂神，不知去处／善为政者，防于未然，均其有无，省其徭役／槁竹有火，弗钻不然；土中有水，弗掘无泉／天道无为，任物自然，无亲无疏，无彼无此也／峰回路转，有亭翼然，临于泉上者，醉翁亭也／天下有大勇者，卒然临之

而不惊，无故加之而不怒／权，然后知轻重；度，然后知长短。物皆然，心为甚／捣鬼有术，也有效，然而有限，所以以此成大事者，古来无有

❾一言之善，贵于千金然／变化者，乃天地之自然／抱薪加火，烁者必先然／但知勤作福，衣食自然丰／所谓无治者，不易自然也／愚谓无知守真，顺自然也／吾虑不清，则未可定然否也／凡举事，必先审民心然后可举／物至之时，其心昭昭然明辨焉／念天地之悠悠，独怆然而涕下／恶不废则善不兴，自然之道也／不可以边陲不耸，恬然便谓无事／古之名将，必出于奇，然后能胜／起事致治者，不若默然者之贵也／豆麦之种与稻粱殊，然食能去饥／修己者，慎于中也，栗然如履春冰／师严，然后道尊；道尊，然后知敬学／识物之动，则其所以然之理皆可知也／大勋所任者唯一人，然群谋济之乃成／天地之中，荡然任自然，故不可得而穷／当官者能洁身修己，然后在公之节乃全／条理得于心，其心渊然而条理，是为智／冬有雷电，夏有霜雪，然而寒暑之势不易／汉魏风骨，晋宋莫传，然而文献有可征者／治国者譬若乎张琴然，大弦急则小弦绝矣／王天下者必先诸民，然后庇焉，则能长利／不与万物共尽，而卓然其不朽者，后世之名／隋侯之珠，国之宝也，然用之弹，曾不如泥丸／圣人之行虽不必同，然其要归，在洁其身而已／近而不浮，远而不尽，然后可以言韵外之致耳／会心处不必在远，翳然林水，便自有濠濮间想也／君子有三变：望之俨然，即之也温，听其言也厉／和氏之璧，价重千金，然以之间纺，曾不如瓦砖／得鸟者，罗之一目也，然张一目之罗，终不得鸟矣

❿久在樊笼里，复得返自然／人之视己，如见其肝肺然／报国行赴难，古来皆共然／少成若天性，习贯如自然／吾学无所学，乃能明自然／善琴者有悲心则声凄凄然／道行之而成，物谓之而然／子孙日已长，世世还复然／人言楚人沐猴而冠耳，果然／有自也而然，有自也而不然／天施地化，不以仁恩，任自然／出者突然成丘，陷者呀然成谷／良工之与马也，相得则然后成／纵一苇之所如，凌万顷之茫然／明者起福于无形，销患于未然／所谓无不治者，因物之相然也／点画皆有筋骨，字体自然雄媚／礼禁未然之前，法施已然之后／鸷鸟之不群兮，自前世而固然／天下之患，莫大于不知其然而然／师儒之席，不拒曲士，理固然也／生而同声，长而异俗，教使之然／厚于财色必薄于德，自然之道也／人之短生，犹如石火，炯然以过／今我受其直怠其事者，天下皆然／卞和之玉，得于荆山，其偶然耳／治国与养病无异也……治国亦然／酒极则乱，乐极则悲，万事尽然／敌军围困万千重，我自岿然不动／言多诺者，事众而信，不可然也／天之道莫非自然，人之道皆是当然／不师知虑，不知前后，魏然而已矣／古之学者必严其师，师严然后道尊／直待自家都了得，等闲拈出便超然／凡人之智，能见已然，不能见将然／六府修治洁如素，虚无自然道之固／论贵是而不务华，事尚然而不高合／切莫呕心并剔肺，须知妙语出天然／均，天下之至理也，连于形物亦然／大山之高，非一石也，累卑然后高／太山之高，非一石也，累卑然后高／投之亡地然后存，陷之死地然后生／机发矢直，涧曲湍回，自然之趣也／昔者庄周梦为胡蝶，栩栩然胡蝶也／物固莫不有长，莫不有短，人亦然／虎啸风生，龙吟云萃，固非偶然也／辞必高然后为奇，意必深然后为工／精读书，著精采警语处，凡事皆然／一言之谬，一事之失，可救之于将然／天下之事不可为也，因其自然而推之／重云蔽天，江湖黯然；游鱼茫然……／真者，所以受于天也，自然不可易也／人以为偶一奋，遂名无穷，今大不然／人品做到极处，无有他异，只是本然／诗，思然后积，积然后满，满然后发／大丈夫行事当磊磊落落，如日月皎然／射者使人端，钓者使人恭，事使然也／当其取于心而注于手也，汩汩然来矣／道之尊，德之贵，夫莫之命而常自然／社稷无常奉，君臣无常位，自古以然／心识其所以然而不能然者，内外不一／人事必将与天地相参，然后乃可以成功／人能尽性知天，不为蕞然起见，则几矣／油然作云，沛然降雨，则苗浡然兴之矣／酒罂饭囊，或醉或梦，块然泥土者……／翳嘉林，坐石矶，投竿而渔，陶然以乐／青采出于蓝，而质青于蓝者，教使然也／失于声，缪迷其四体，谓己当然，自诬也／古之善用兵者，用其翻然勃然于未悔之间／人生天地之间，若白驹之过却，忽然而已／凡人能量己之能与不能，然后知人之艰难／凡人好敖慢小事，大事至，然后兴之务之／说淫则可不可而然不然，是不是而非不非／若夫有道之士，必礼必知然后其智能可尽／大石侧立千尺，如猛兽奇鬼，森然欲搏人／洞然无为而天下自和，憺然无欲而民自朴／源从天涯，或浊或清，所在之势使之然也／理无专在，而学无止境也，然则问可少耶／物循乎自然，人能明于必然，此人物之异／爱憎不栖于情，忧喜不留于意，泊然无惑／有才必韬藏，如浑金璞玉，暗然而日章也／神姿高彻，如瑶林琼树，自然是风尘外物／恶乎然？然于然。恶乎不然？不然于不然／不能则学，不知则问，虽知必让，然后为知／不知则问，不能则学，虽能必让，然后为德／世必有才，随时所用，岂待……然后为治乎／人必先作，然后人名之；先求，然后人与之／功有难图，不可预见；事有易

断,较然不疑/能至素至精,浩弥无刑,然后可以为天下正/能自治然后可以治人;能治人然后人为之用/圣人若天然,无私覆也;若地然,无私载也/圣人爱养万民,不以仁恩,法天地,行自然/吾见世人清名登而金贝入,信誉显而然诺亏/君子之为言也,度可行于己,然后可责于人/好读书,不求甚解;每有会意,便欣然忘食/存身之道莫急乎养神,养神之要莫甚乎素然/权济天下而君臣立,上下正,然后礼义正焉/相臣将臣,文恬武嬉,习熟见闻,以为当然/有君臣然后有上下,有上下然后礼义有所错/歌曲妙者,和者则寡;言得实者,然者则鲜/怒如严霜,喜如时雨,臧否好恶,坦然可观/窈然无际,天道自会;漠然无分,天道自运/其国弥大,而其主弥静,然后乃能广得众心/食必常饱,然后求美;衣必常暖,然后求丽/不以宠辱荣患损易其身,然后乃可以天下付之/先除尘垢后染善法,譬如浣衣先去垢然后可染/诸凡万物万事之知,皆因习因悟因过因疑而然/胡越之人,生则声同,长则语异,盖声者天然/焕然如日月之经天也,炳然如虎豹之异犬羊也/平为福,有余为害者,物莫不然,而财其甚者也/质胜文则野,文胜质则史。文质彬彬,然后君子/今人之性恶,必将待师法然后正,得礼义然后治/去国怀乡,忧谗畏讥,满目萧然,感极而悲者矣/知本无有思,动静皆离,寂然不动者,是至诚也/物固有所然,物固有所可;无物不然,无物不可/敬之而不喜,侮之而不怒者,唯同乎天和者为然/天下之物莫凶于鸡毒,然而良医橐而藏之,有所用/位存焉而德无有,犹不足大其门,然世且乐为之下/含气之伦,有生必终,盖天地之常期,自然之至数/道不施不与,而万物以存;不为不宰,而万物以然/继以精思,使其意皆出于吾之心。然后可以有得尔/时之来也,为云龙,为风鹏,勃然突然,陈力以出/兢兢自危,犹惧不终,而况沛然自足,可以成功者乎/审内以知外,原小以知大,因我以然彼,明近以喻远/学无二事,无二道,根本苟立,保养不替,自然日新/权,然后知轻重;度,然后知长短。物皆然,心为甚/既知教之所由兴,又知教之所由废,然后可以为人师/一宿体宁,百宿心恬,三宿后颓然嗒然,不知其然而然/失名失货,道德是佑,神明是助,名显自然,富配天地/学为文章,先谋亲友,得其评裁,知可施行,然后出手/物之美者,盈天地间皆是也。然必待人之神明才慧而见/凡人之性,莫不欲善其德,然而不能为善德者,利败之也/汝游心于淡,合气于漠,顺物自然而无容私焉,而天下治矣/贱生于无所用,中流失船,一壶千金,贵贱无常,时使物然/于为义若嗜欲,勇不顾前后;于利与禄,则畏避退处如怯夫然/兵不可偃也,譬之若水火然,善用之则为福,不能用之则为祸/文章道弊五百年矣!汉魏风骨,晋宋莫传,然而文献有可征者/鹰扬虎视,齿若编贝,肤如凝脂,昭昭乎若玉山上行,朗然映人/谓马多力则有矣,若曰胜千钧,则不然者,何也?千钧,非马之任也

煦 xǔ,又读 xù,温暖。

❷众煦漂山,聚蚊成雷

❼鱼潜于渊,出水煦沫

照 zhào 照射;看;关心;看顾;依据;对着;明白;知晓;日光;凭证。

❶照之有余辉,揽之不盈手

见晋·陆机《拟明月何皎皎》。

❷有照水一枝,已搀春意

❸夕阳照山,无奇而不见/炉火照天地,红星乱紫烟

❹同明相照,同类相求/白日一照,浮云自开/传神写照,正在阿堵中/心暗则照有不通,至察则多疑于物/以镜自照者见形容,以人自照者见吉凶/人欲自照,必须明镜;主欲知过,必藉忠臣

❺娟娟明月照清秋/萤火之光,照人不亮/受光于户,照室中无遗物/大明无偏照,至公无私亲/明镜所以照形,古事所以知今/明鉴所以照形也,往古所以知今也/明镜便于照形,其于以函食,不如箪/受光于隙,照一隅;受光一牖,照北壁

❻天,休使圆蟾照客眠/从风还共落,照日不俱销/清流若镜,下照金沙之底/薄雨收寒,斜照弄晴,春意空阔/尽有天,循有照,冥有枢,始有彼/我有禅灯,独照独知。不取亦取,虽师勿师

❼争先非吾事,静照在忘求/愿随孤月影,流照伏波营

❽桑榆之光,理无远照/清风动帘夜,孤月照窗时/骐骥长鸣,则伯乐照其能/风檐展书读,古道照颜色/断肠人处,天边残照水边霞……/日薄西山,余光横照,紫翠重叠,不可殚数

❾安而后能虑,止水能照也/何尝见明镜疲于屡照,清流惮于惠风

❿大丈夫得死所,光奕奕,照千古/天无私覆,地无私载,日月无私照/借问瘟君欲何往,纸船明烛照天烧/人生自古谁无死,留取丹心照汗青/今人不见古时月,今月曾经照古人/太虚作室而共居,夜月为灯以同照/时人莫道蛾眉小,三五团圆照满天/胜地几经兴废事,夕阳偏照古今愁/飒爽英姿五尺枪,曙光初照演兵场/笛里谁知壮士心?沙头空照征人骨/以镜自照者见形容,以人自照者见吉凶/受光于隙,照

一隅；受光一牖，照北壁／镜以曜明，故鉴人；蚌以含珠，故内照／我愿君王心，化作光明烛，不照绮罗筵，只照逃亡屋

煞 ①shà 凶神；表示极甚之词。②shā 止住；勒；败坏；程度深；同“杀”，损伤，杀伤。

❿阴阳水旱由天公，忧雨忧风愁煞侬

煎 ①jiān 烹调方法；熔炼；形容焦灼痛苦。②jiàn 用蜜或糖汁浸渍。

❹膏以朗煎，兰由芳凋／膏火自煎熬，多财为患害

❺缘木求鱼，煎水作冰

❼本是同根生，相煎何太急

❽唯见月寒日暖，来煎人寿

❾里胥扣我门，日夕苦煎促／山木，自寇也；膏火，自煎也

❿水之性胜火，如裹之以釜，水煎而不得胜，必矣

熬 áo，又读 āo，久煮；忍受；水煮菜的一种烹饪方法；通“嗷”，［熬熬］同“嗷嗷”，众口愁苦声。

❹苦日难熬，欢时易过

❺膏火自煎熬，多财为患害

熙 xī 明亮；兴盛；和悦；通“嬉”，嬉戏；通“禧”，福，吉祥。

❸天下熙熙，皆为利来／众人熙熙，如享大牢，如春登台

❹天下熙熙，皆为利来／含哺而熙，鼓腹而游／众人熙熙，如享大牢，如春登台

❺春也万物熙熙焉，感其生而悼其死

❽日就月将，学有缉熙于光明

罴 pí 棕熊的古称，今也指马熊、人熊。

❽如虎如貔，如熊如罴

❿独有英雄驱虎豹，更无豪杰怕熊罴／股肱罄帷幄之谋，爪牙竭熊罴之力／其冲然角列而上者，若熊罴之登于山

熏 xūn 用烟火等灼炙食物；烟气等侵染、刺激；因长期接触而受到影响；温和貌。

❸暖风熏得游人醉，直把杭州作汴州

❺社鼠不可熏，去此乃治矣

❼毁誉成党，众口熏天

熊 xióng 熊科动物的总称；胆子小；训斥；姓。

❻如虎如貔，如熊如罴／鱼我所欲也，熊掌亦我所欲也

❿二者不可得兼，舍鱼而取熊掌者也／独有英雄驱虎豹，更无豪杰怕熊罴／股肱罄帷幄之谋，爪牙竭熊罴之力／其冲然角列而上者，若熊罴之登于山

熟 shóu 食物加热到可以吃的程度；成熟；熟悉；有经验；程度深；原料经过加工或制炼。

❶熟读精思，攻苦食淡

见元·脱脱等《宋史·徐中行传》。

熟读王叔和，不如临症多

见清·吴敬梓《儒林外史》第三十一回。

熟思则得其情，缓处则得其当

见明·薛瑄《薛文清公从政录》。全句为：“处事最当熟思缓处，～”。

熟读唐诗三百首，不会吟诗也会吟

见清·孙洙《唐诗三百首序》。

❷计熟事定，举必有功／虑熟谋审，力不劳而功倍／稻熟江村蟹正肥，双螯如戟挺青坭／知熟必避，知生必避；入人意中，出人头地

❸苏湖熟，天下足／湖广熟，天下足／精而熟之，鬼将告之／字须熟后生，画须生外熟／思虑熟则得事理，行端直则无祸害

❹五种俱熟，公私有余／嘉禾始熟而农夫先尝其粒／作字要熟，熟则神气完实而有余／书不记，熟读可记；义不精，细思可精

❺驾轻车，就熟路／处事最当熟思缓处／读书贵精熟，不贵贪多／嘉谷不夏熟，大器当晚成／作字要熟，熟则神气完实而有余／凡闻言必熟论，其于人必验之以理／学诗须是熟看古人诗，求其用心处／观书先须熟读，使其言皆若出于吾之口

❻大抵文字须熟乃妙，熟则利病自明

❼春蚕收长丝，秋熟靡王税

❽诗要避俗，更要避熟／用民之论，不可不熟／失火之家，三日不熟食／旧书不厌百回读，熟读深思子自知／不待相见，相信已熟；既相见，不要约，已相亲

❾大抵文字须熟乃妙，熟则利病自明

❿授书不在徒多，但贵精熟／常记古人言，思之每烂熟／字须熟后生，画须生外熟／五谷者，种之美者也；苟为不熟，不如荑稗／相臣将臣，文恬武嬉，习熟见闻，以为当然

燕 ①yàn 燕科鸟；亵渎；轻漫；通“宴”，宴饮；安闲；休息。②yān 周代诸侯国名；姓。

❶燕朋逆其师

见《礼记·学记》。

燕辟废其学

见《礼记·学记》。

燕雀安知鸿鹄之志

见汉·司马迁《史记·陈涉世家》。

燕雀之畴不奋六翮之用

见汉·班固《汉书·叙传》。全句为：“驽骞之

乘不骋千里之涂，～，棻悦之材不荷栋梁之任，斗筲之才不秉帝王之重”。

燕赵古称多感慨悲歌之士

见唐·韩愈《送董邵南序》。

❷息燕归檐静，飞花落院闲／弃燕雀之小志，慕鸿鹄以高翔

❸宁与燕雀翔，不随黄鹄飞／赵、魏、燕、韩，历历堪回首

❹芹泥随燕觜，花蕊上蜂须

❺大雨落幽燕，白浪滔天／宇宙之内，燕雀不知天地之高也

❻邹、鲁多鸿儒，燕、赵饶壮士／云中白鹤，非燕雀之网所能罗也

❼旧时王谢堂前燕，飞入寻常百姓家

❽冥冥花正开，扬扬燕新乳／死马无所复用，而燕昭宝之／卫后兴于鬒发，飞燕宠于体轻／鸿鹄固有远志，但燕雀自不知耳／鱼游于沸鼎之中，燕巢于飞幕之上／我知天下之中央，燕之北越之南是也

❿先王有郢书，而后世多燕说／庐室之间，其便未必能过燕服翼／信宿渔人还泛泛，清秋燕子故飞飞／旌旗日暖龙蛇动，宫殿风微燕雀高／短长肥瘠各有态，玉环飞燕谁敢憎／汤沐具而虮虱相吊，大厦成而燕雀相贺／骐骥不能与罢驴为驷，凤皇不与燕雀为群／黄鹄白鹤，一举千里，使之与燕服翼试之堂庑之下

户 hù 门；住户；门第；阻止，把守；指酒量；姓。

❶户内春浓不识寒

见宋·徐铉《梦游》。

❷万户千门成野草，只缘一曲后庭花

❸篇章户牖，左右相瞰／禽将户内，拔城于尊俎之间／不出户，知天下；不窥牖，见天道／不出户而知天下兮，何必历远以劬劳

❹楚虽三户，亡秦必楚／偶失万户侯，遂老三家村／受光于户，照室中无遗物／蜘蛛网户牖，野草当阶生／今处绣户洞房，则蓑不如裘／千家万户曈曈日，总把新桃换旧符／楚虽三户能亡秦，岂有堂堂中国空无人

❺流水不腐，户枢不蠹／言者，祸之户也；不言者，福之门也

❻筚门圭窬，蓬户瓮牖／生不用封万户侯，但愿一识韩荆州／崇门丰室，洞户连房，飞馆生风，重楼起雾／人知出必由户，而不知行必由道。非道远人，人自远尔

❼一丛深色花，十户中人赋／何事将军封万户，却令红粉为和戎

❽静者生门，躁者死户／十牖之开，不如一户之明／待月西厢下，迎风户半开／始如处女，敌人开户；后如脱兔，敌不及拒

❾一行书不读，身封万户侯／三条九陌丽城隈，万户千门平旦开／利害之反，祸福之门户，不可不察也

❿鸟飞千仞之上……祸犹及之，又况编户齐民乎／澄川翠干，光影会合于轩户之间，尤与风月为相宜／木末芙蓉花，山中发红萼。涧户寂无人，纷纷开且落／动摇则谷气得消，血脉流通，病不得生，譬犹户枢不朽也

扁 ①biǎn 薄而平；“匾”的本字。②biàn 通“遍”。③piān 小貌；[扁舟]小舟。

❶扁舟泛月回

见宋·继兴《寄四明教主》。

扁舟不系与心同

见唐·韦应物《自巩洛舟行入黄河即事寄府县僚友》。

扁鹊不能治不受针药之疾

见汉·桓宽《盐铁论·相刺》。全句为：“～，贤圣不能正不食谏诤之君”。

扁舟从此去，鸥鸟自为群

见唐·张九龄《初发江陵有怀》。

扁舟泛湖海，长揖谢公卿

见唐·孟浩然《自洛之越》。

扁鹊不能肉白骨，微箕不能存亡国

见汉·桓宽《盐铁论·非鞅》。

扁舟一棹归何处，家在江南黄叶村

见宋·苏轼《书李世南所画秋景二首》其一。

❷俞扁之门，不拒病夫；绳墨之侧，不拒枉材

❻命乃在天，虽扁鹊何益

❽将已笃疾，不宜废扁鹊

❾莫怨无情流水，明月扁舟何处

❿人生在世不称意，明朝散发弄扁舟／书不必起仲尼之门，药不必出扁鹊之方

扃 ①jiōng 门窗箱柜上的插关；门窗，门户；关锁；贯通鼎上两耳的横杠，用以举鼎；插旗的环扣，以使旗不动摇；车上搁置兵器的横阑。②jiǒng 通“炯”，明察貌。

❿清介廉洁，节在俭固，失在拘扃

扇 ①shān 通“搧”，摇动扇子等片状物产生风；通“煽”，扇动，引申为炽盛。②shàn 能摇动生风的用具；板状或片状起遮挡作用的东西；量词，用于门窗等。

❷团扇风轻，一径杨花不避人／羽扇纶巾，谈笑间、强虏灰飞烟灭

❹东风轻扇春寒

❺裁为合欢扇，团团似明月

❽火则不钻不生，不扇不炽／不到广寒冰雪窟，扇头能有几多风／冬不服裘，夏不操扇，雨不张盖，是谓将礼

❿农夫心内如汤煮，公子王孙把扇摇／荆玉含宝，要俟开莹；幽兰怀馨，事资扇发

礼 lǐ本谓敬神，引申为表示敬意的通称；中国古代的等级制度；礼节；表示尊敬的态度或言行；敬重；礼物；古书名；姓。

❶礼以恭为主

见唐·孔颖达《周易·系辞上》疏。

礼者民之纪

见《晏子春秋·内篇谏下第十二》。

礼失而求诸野

见汉·班固《汉书·艺文志》引言。

礼义生于富足

见汉·王符《潜夫论·爱日》。

礼者，其表也

见《荀子·大略》。全句为："水行者表深，使人无陷；治民者表乱，使人无失。～"。

礼之用，和为贵

见《论语·学而》。

礼有经，亦有权

见清·吴敬梓《儒林外史》第四回。

礼生于有而废于无

见汉·司马迁《史记·货殖列传》。

礼，是以有杀有等

见清·戴震《原善》。全句为："仁，是以亲亲；义，是以尊贤；～"。"杀"，等差。

礼者，人道之极也

见《荀子·礼论》。

礼乐为本，刑政为末

见宋·苏辙《河南府进士策问三首》。

礼以行之，逊以出之

见汉·桓宽《盐铁论·毁学》。

礼贵从宜，事难泥古

见宋·王安石《乞皇帝御正殿复常膳表》。

礼，不妄说人，不辞费

见《礼记·曲礼上》。

礼义不愆，何恤于人言

见《左传·昭公四年》。

礼者道之华而乱之首也

见《庄子·知北游》。

礼不下庶人，刑不上大夫

见《礼记·曲礼上》。

礼所以防淫，乐所以移风

见宋·王安石《洪范传》。

礼烦则不庄，业烦则无功

见《吕氏春秋·离俗览·适威》。全句为："～，令苛则不听，禁多则不行"。

礼乐之得失，视之未必见也

见宋·苏辙《孔平仲太常博士》。全句为："～，而治忽之端，或自是起"。

礼之正国，犹绳墨之于曲直

见宋·苏辙《常安民太常博士》。全句为："～；其以止患，犹堤防之于江河"。

礼仪法度者，应时而变者也

见《庄子·天地》。

礼者，贵贱有等，长幼有差

见《荀子·富国》。全句为："～，贫富轻重皆有称者也"。

礼所以防淫佚，节其侈靡也

见汉·班固等《白虎通·礼乐》。

礼义生于富足，盗窃起于贫穷

见南朝·宋·范晔《后汉书·王符传》。全句为："～；富足生于宽暇，贫穷起于无日"。

礼之至者无文，哀之深者无节

见宋·苏轼《赐文武百寮太师文彦博已下上第一表情举乐不允批答》。

礼，当论其是非，不当以人废

见宋·苏轼《上圜丘合祭六议札子》。

礼者，忠信之薄，而乱之首也

见《老子》三十八。

礼所以定其位，权所以固其政

见宋·王安石《洪范传》。

礼有三本：天地者，生之本也

见《荀子·礼论》。全句为："～；先祖者，类之本也；君师者，治之本也"。

礼禁未然之前，法施已然之后

见汉·班固《汉书·司马迁传》。

礼貌卑下，言词谦恭，所谓敬也

见宋·袁采《袁氏世范》。

礼丰不足以效爱，而诚心可以怀远

见汉·刘安《淮南子·齐俗》。

礼不过实，仁不溢恩，治世之道也

见汉·刘安《淮南子·齐俗》。

礼之可以为国也久矣，与天地并立

见《晏子春秋·外篇第十五》。

礼者，以财物为用……以隆杀为要

见《荀子·礼论》。删节处为："以贵贱为文，以多少为异"。

礼者，断长续短，损有余，益不足

见《荀子·礼论》。

礼，天之经也，地之义也，民之行也

见《左传·昭公二十五年》。

礼，与其奢也宁俭；丧，与其易也宁戚

见《论语·八佾》。

礼之始作也难而易行，既行也易而难久

见宋·苏洵《乐论》。

礼之大本，以防乱也……凡为理者杀无赦

见唐·柳宗元《驳复仇议》。删节处为："若曰无为贼虐，凡为子者杀无赦；刑之大本，亦以防乱也，若曰无为贼虐"。

礼接于人，人不敢慢；辞交于人，人不敢侮

见秦·孔鲋《孔丛子·居卫》。

礼下贤者，日中不暇食以待士，士以此多归之见汉·司马迁《史记·周本纪》。

礼之既设，其小人恒佚于礼之外，则辅礼以刑

见清·王夫之《尚书引义·舜典》。

礼者贱质而贵文，故正直日以少，邪乱日以生

见《老子》三十八河上公注。

礼云礼云，玉帛云乎哉；乐云乐云，钟鼓云乎哉

见《论语·阳货》。

礼尚往来，往而不来非礼也，来而不往亦非礼也

见《礼记·曲礼上》。

礼者，所以定亲疏、决嫌疑、别同异、明是非也

见《礼记·曲礼上》。

礼之于正国家也，如权衡之于轻重也，如绳墨之于曲直也

见《荀子·大略》。

❷无礼义，则上下乱／让礼一寸，得礼一尺／见礼而知俗，闻乐而知政／由礼以达道，则自得而不眩／非礼之礼，非义之义，大人弗为／修礼以耕之，陈义以种之，讲学以耨之／非礼勿视，非礼勿听，非礼勿言，非礼勿动／至礼有不人，至义不物，至知不谋，至仁无亲，至信辟金

❸去苟礼而务至诚／上好礼，则民易使／不知礼，无以立也／不学《礼》，无以立／文者，礼教治政云尔／人有礼则安，无礼则危／言非礼义，谓之自暴也／何以礼义为，史书而仕宦／恭者礼之本也，守者信之本也／民习礼义，易与为善，难与为非／下僭礼则上失位，下侵权则上失政／上无礼，下无学，贼民兴，丧无日矣／仁义礼乐者，可以救败，而非通治之至也／礼云礼云，玉帛云乎哉；乐云乐云，钟鼓云乎哉／事无礼则不成，国无礼则不宁，王无礼则死亡无日矣

❹克己复礼为仁／多行无礼必自及／义，路也；礼，门也／兄弟无礼，不能久同／先王贵礼乐而贱邪音／父子无礼，其家必凶／老不拘礼，病不拘礼／民未知礼，虽聚而易散／世治则礼详，世乱则礼简／君子以礼正外，以乐正内／身不用礼，而望礼于人……／恭而无礼则劳，慎而无礼则葸／恭本为礼，过恭是非礼之礼也／非礼之礼，非义之义，大人弗为／弃绝乎礼义之绪，夺攘乎利害之际／争让之礼，尧桀之行，贵贱有时，未可以为常也／君能尽礼，臣得竭忠，必在于内外无私，上下相信／节民以礼，故其刑罚甚轻而禁不犯者，教化行而习俗美也

❺恭敬之心，礼也／丧贵致哀，礼存宁俭／律设大法，礼顺人情／法与时变，礼与俗化／道德丧则礼乐不可理／辞让之心，礼之端也／君使臣以礼，臣事君以忠／仓库实，知礼节；国多财，远者来／轻死以行礼谓之勇，诛暴不避强谓之力／君子笃于礼而薄于利，要其人而不要其土／唯圣人知礼之不可以已也……必先去其礼／谷足食多，礼义之心生；礼丰义重，平安之基立

❻俭以为家法，礼也／让礼一寸，得礼一尺／孔子以诗书礼乐教……／俭者，省约为礼之谓也／兴于诗，立于礼，成于乐／以事秦之心，礼天下之奇才／动容周旋中礼者，盛德之至也／贤君必恭俭礼下，取于民有制／仓廪实，则知礼节；衣食足，则知荣辱／凡为人子之礼，冬温而夏凊，昏定晨省／三皇五帝之礼仪法度，不矜于同而矜于治／非礼勿视，非礼勿听，非礼勿言，非礼勿动／视听言行，循礼法而动，所以教人忘嗜欲而归性命之道也

❼在人者莫明乎礼义／来而不往，亦非礼也／男女授受不亲，礼也／老而谢事，古之礼也／人有礼则安，无礼则危／身不用礼，而望礼于人……／事君不患其无礼，患忠之不足／忠信以为甲胄，礼义以为干橹

❽择之以才，待之以礼／轻则寡谋，骄则无礼／贫而乐道，富而好礼／老不拘礼，病不拘礼／处丧以哀，无问其礼矣／反古未可非，而循礼未足多／尽规矩而进者，全礼义者也／以夷坦去群疑，以礼让汰惨急／大行不顾细谨，大礼不辞小让／无功之赏，无力之礼，不可不察也／若夫有道之士，必礼必知然后其智能可尽／遗腹子之上陇，以礼哭泣之，而无所归心／世禄之家，鲜克由礼。以荡陵德，实悖天道／子所雅言，《诗》、《书》、执礼，皆雅言也

❾苟可以利民，不循其礼／世治则礼详，世乱则礼简／使臣不患其不忠，患礼之不至／恭本为礼，过恭是非礼之礼也／仁可为也，义可亏也，礼相伪也／先王恶其乱也，故制礼义以分之／经天纬地之帝，求制礼作乐之才／刑政平而百姓归之，礼义备而君子归之／堤防成而民无水灾，礼义立，民无乱患／人知贵生乐安而弃礼义，辟之是犹欲寿而殁颈也／事无礼则不成，国无礼则不宁，王无礼则死亡无日矣／体恭敬而心忠信，术礼义而情爱人，横行天下，虽困四夷，人莫不贵

❿人之命在天，国之命在礼／节怒莫若乐，节乐莫若礼／当时而立法，因事而制礼／昔者圣人遗子孙以德、以礼／长者问，不辞让而对，非礼也／古者不以死伤生，不以厚为礼／恭而无礼则劳，慎而无礼则葸／恭本为礼，过恭是非礼之礼也／以仁为恩，以义为理，以礼为行／人之所以贵于禽兽者，以有礼也／先王之教，以正天之志者，礼也／圣人化性而起伪，伪起而生礼义／王道如砥，本乎人情，出乎礼义／凡人之所以贵于禽兽者，以有礼也／凡人情之所安而有节者，举皆礼也／通乎道，合乎德，退仁义，宾礼乐／气衰则生物不育，世乱则礼废而乐淫／古者男

女之族，各择德焉，不以财为礼／山有木，工则度之；宾有礼，主则择之／吾闻中国之君子，明乎礼义而陋于知人心／唯圣人知礼之不可以已也……必先去其礼／辩莫大于分，分莫大于礼，礼莫大于圣王／五帝殊时，不相沿乐；三王异世，不相袭礼／非礼勿视，非礼勿听，非礼勿言，非礼勿动／切而不指，勤而不怨，曲而不谄，直而有礼／冬不服裘，夏不操扇，雨不张盖，是谓将礼／权济天下而君臣立，上下正，然后礼义正焉／贤者在位，能者布职，朝廷崇礼，百僚敬让／教民亲爱，莫善于孝；教民礼顺，莫善于悌／有君臣然后有上下，有上下然后礼义有所错／移风易俗，莫善于乐；安上治民，莫善于礼／道者，所由适于治之路也，仁义礼乐皆其具也／礼之既设，其小人恒佚于礼之外，则辅礼以刑／今人之性恶，必将待师法然后正，得礼义然后治／礼尚往来，往而不来非礼也，来而不往亦非礼也／谷足食多，礼义之心生；礼丰义重，平安之基立／事无礼则不成，国无礼则不宁，王无礼则死亡无日矣／失道而后德，失德而后仁，失仁而后义，失义而后礼／曰衣食足而后廉耻兴，财物阜而后礼乐作，是执末以求其本也／君臣父子人间之事谓之义，登降揖让，贵贱有等，亲疏之体，谓之礼

社

shè 土地神，也指祭土神的地方和日子；某些机构或组织；古代地区单位之一；古代方言称“母”为社。

❶社稷依明主，安危托妇人

见唐·戎昱《咏史》。

社鼠不可熏，去此乃治矣

见《晏子春秋·外篇·重而异者》。

社稷无常奉，君臣无常位，自古以然

见《左传·昭公三十二年》。

❷为社稷死则死之，为社稷亡则亡之／有社稷者，不能爱其民，而求民亲已爱己，不可得也

❸城狐社鼠皆微物，为其有所凭恃，故除之犹不易

❹民为贵，社稷次之，君为轻／左右为社鼠，用事者为猛狗／民存则社稷存，民亡则社稷亡／国君死社稷，大夫死众，士死制

❺令重于宝，社稷先于亲戚

❻国失其次，则社稷大匡／国以民为本，社稷亦为民而立

❼受国之垢，是谓社稷主／谏、争、辅、拂之人，社稷之臣也，国君之宝

❽君民者岂以陵民？社稷是主

❾怀文武之才者，必荷社稷之重／臣君者岂为其口实？社稷是养／为社稷死则死之，为社稷亡则亡之

❿民存则社稷存，民亡则社稷亡／乐于用则豫章贵，厚其生则社栎贤／乐止夫物之内者，厚其生则社栎贤／君子为国……故旷日长久而社稷安／君臣不信，则百姓诽谤，社稷不宁／能当一人而天下取，失当一人而社稷危／莫知己德有极，则可以有社稷，为民致福／国有三军何？所以戒非常，伐无道，尊宗庙，重社稷，安不忘危也

祀

sì 备放一定供品对祖先或神佛行礼，以表示崇敬并祈求保佑；商代称年为祀。

❷时祀尽敬而不祈喜

❹邦家用祀典，在德非馨香

❾无彝酒，越庶国，惟饮祀，德将无醉

祈

①qí 地神；大；病；向神佛求福。②zhī 恰巧。

❷不祈多积，多文以为富

❻王其德之用，祈天永命／不受虚誉，不祈妄福，不避死义

❼时祀尽敬而不祈喜

❽君子不受虚誉，不祈妄福，不避死义

❿用民亦有种，不审其种，而祈民之用，惑莫大焉

祛

qū 去除。

❿只系其逢，不系巧愚；不谐其须，有衔不祛

祐

yòu 保佑，旧指天、神等的佑助。

❿圣人为人所爱，神明所祐……

祖

zǔ 父母以上的尊长；先人的通称；创始人；初，开始；效法，沿袭；姓；宗庙。

❶祖浊裔清，不牓奇人

见汉·王充《论衡·自纪》。

祖述尧舜，宪章文武

见汉·班固《汉书·艺文志》。

❷先祖者，类之本也；君师者，治之本也

❸仲尼祖述尧舜，宪章文武

❹法本不祖，术本无状；师之于心，得之于象

❻数典而忘其祖／袭爵乘位，尊祖统业者易／天变不足畏，祖宗不足法，人言不足恤

❽莫寿于殇子，而彭祖为夭

❿治国之道，生民之本，啬为祖宗／惜秦皇汉武，略输文采；唐宗宋祖，稍逊风骚

神

shén 古代传说和宗教指天地万物的创造者和主宰者，或指有超凡能力者，也指人的英灵；极为奇妙的；人的精神；人的情态；像；姓。

❶神福仁而祸淫

见《左传·成公五年》。

神人无光，圣人无名

见《西升经·我命章》。

神即形也，形即神也

见南朝·梁·范缜《神灭论》。全句为:"~,是以形存则神存,形谢则神灭也"。

神施鬼设,间见层出

见唐·韩愈《贞曜先生墓志铭》。

神太用则竭,形太劳则弊

见晋·陈寿《三国志·魏书·蒋济传》。

神女应无恙,当惊世界殊

见现代·毛泽东《水调歌头·游泳》。

神龙失势,即还与蚯蚓同

见南朝·宋·范晔《后汉书·隗嚣传》。

神龙藏深泉,猛兽步高冈

见三国·魏·曹操《却东西门行》。全句为:"~。狐死归首丘,故乡安可忘"。

神仙事本是虚妄,空有其名

见唐·吴兢《贞观政要·慎所好》。

神物好安静,不可以有为治

见《老子》二十九河上公注。

神莫大于化道,福莫长于无祸

见《荀子·劝学》。

神清人无忽语,机活人无痴事

见明·吕坤《呻吟语》。

神宜平而抑之,必有失和者矣

见汉·荀悦《申鉴·俗嫌》。全句为:"气宜宣而遏之,体宜调而矫之,~"。

神越者其言华,德荡者其行伪

见汉·刘安《淮南子·俶真》。

神州只在阑干北,度度来时怕上楼

见宋·刘克庄《冶城》。

神女生涯原是梦,小姑居处本无郎

见唐·李商隐《无题二首》之二。

神龙失水而陆居兮,为蝼蚁之所裁

见汉·贾谊《惜誓赋》。

神人恶众至,众至则不比,不比则不利也

见《庄子·徐无鬼》。

神姿高彻,如瑶林琼树,自然是风尘外物

见南朝·宋·刘义庆《世说新语·赏誉》。

神龟虽寿,犹有竟时;腾蛇乘雾,终为土灰

见三国·魏·曹操《步出夏门行·龟虽寿》。

神闲气静,智深勇沉,此八字是干大事的本领

见清·王永彬《围炉夜话》。全句为:"博学笃志,切问近思,此八字是收放心的功夫;~"。

神明之事,不可以智巧为也,不可以筋力致也

见汉·刘安《淮南子·泰族》。

❷民,神之主也/传神之难在目/鬼神何灵?因人而灵/传神写照,正在阿堵中/女神将守形,形乃长生/精神者,物之贵大者也/鬼神无常享,享于克诚/鬼神非人实亲,惟德是依/人神之所同疾,天地之所不容/精神不运则愚,气血不运则病/精神通于死生,则物孰能惑之/为神有灵兮何事处我天南海北头/钱神通灵于旁蹊,公器反类于互市/失神之术本于纵恣,丧神之数在于自专/和神仙之药以治鼽咳,制貂狐之裘以取薪菜/谷神不死,是谓玄牝。玄牝之门,是谓天地根

❸兵贵神速/敬鬼神而远之/气质、神韵,末也/天生神物,圣人则之/将相神仙,也要凡人做/只因神倒运,常恐鬼胡行/形者神之质,神者形之用/诗如神龙,见其首不见其尾/天知,神知,我知,子知,何谓无知/凡鬼神事眇茫荒惑无可准,明者所不道/天下神器,不可为也。为者败之,执者失之/事顺神明者不合于俗,功配天地者不悦于众/虽有神药,不如少年;虽有珠玉,不如金钱/心旷神怡,宠辱偕忘,把酒临风,其喜洋洋

❹以形写神/兵事上神密/形具而神生/诚信生神,夸诞生惑/能虽至神,不离巧拙/嗜欲伤神,财多累身/道无鬼神,独往独来/解心释神,莫然无魂/于今为神奇,信宿同尘滓/读书贵神解,无事守章句/服食求神仙,多为药所误/拘于鬼神者,不可与言至德/形存则神存,形谢则神灭也/爱惜精神,留他日担当宇宙/无欲者,神合于虚,气合于无/形体保神,各有仪则,谓之性/意匠如神变化生,笔端有力任纵横/形不得神不能自生,神不得形不能自成/虚其欲,神将入舍;扫除不洁,神乃留处/多事害神,多言害身。口开舌举,必有祸患

❺诗成觉有神/化腐朽为神奇/凡为文,以神志为主/祭如在,祭神如神在/知有所困,神有所不及也/道所以保神,德所以宏量/五帝三皇神圣事,骗了无涯过客/至人无己,神人无功,圣人无名/腐臭化为神奇,神奇复化为腐臭/身既死兮神以灵,子魂魄兮为鬼雄/真在内者,神动于外,是所以贵真也/心虚白则神留而道存,腹充实则精全而寿长

❻独则明,明则神矣/不聋不聪,与神明通/惟静惟默,澄神之极/道德,天地之神明也/关键将塞,则神有遁心/小巫见大巫,神气尽矣/形者神之质,神者形之用/蚯蚓霸一穴,神龙行九天/不穷异以为神,不引天以为高/圣人之道与神明相得,故曰道德/灵台无计逃神矢,风雨如磐暗故园/臭腐复化为神奇,神奇复化为臭腐/牛郎欲问瘟神事,一样悲欢逐逝波/积善成德,而神明自得,圣心备焉/形骸既适则神不烦,观听无邪则道以明/季路问事鬼神。子曰:"未能事人,焉能事鬼"/君子知形恃神以立,神须形以存,悟生理之易失,知一过之害生

❼丹青难写是精神/读书万卷始通神/阴阳不测之谓神/有其人则有其神/聪明正直者为神/书画之妙,当以神会/包藏祸心,窥窃神器/性静情逸,心动神疲/神即形也,形即神也/意

会心谋，目往神授／祭如在，祭神如神在／子不语怪、力、乱、神／务民之义，敬鬼神而远之／龙弗得云，无以神其灵矣／摄汝知，一汝度，神将来舍／圣人为人所爱，神明所祐……／作字要熟，熟则神气完实而有余／君子所役心劳神，宜于大者远者／腐臭化为神奇，神奇复化为腐臭／眼处心生句自神，暗中摸索总非真／端州石工巧如神，踏天磨刀割紫云／知天而不泥于神怪，知人而不遗于委琐／至治馨香，感于神明，黍稷非馨，明德惟馨／富于材积，领会神情，临景结构，不仿形迹／鸟啼花落，皆与神通。人不能悟，付之飘风

❽伪道养形，真道养神／文必虚字备而后神态出／心者，一身之主，百神之帅／关河景物异南北，神京不见双泪流／臭腐复化为神奇，神奇复化为臭腐／觉来落笔不经意，神妙独到秋毫颠／气入身来为之生，神去离形为之死／魂魄二字，正犹精神二字。神即是魂，精即是魄

❾治身躁疾，则失其精神／美服患人指，高明逼神恶／寡欲则行清，多欲则神浊／形存则神存，形谢则神灭也／八音克谐，无相夺伦，神人以和／所谓天者诚难测，而神者诚难明矣／魂魄结兮天沉沉，鬼神聚兮云幂幂／正得失，动天地，感鬼神，莫近于诗／得名得货，道德不居，神明不留……／形不得神不能自生，神不得形不能自成／治心须求妙悟，悟则神和气静，客敬色庄／一事惬当，一句清巧，神厉九霄，志凌千载／存身之道莫急乎养神，养神之要莫甚乎素然／失名失货，道德是佑，神明是助，名显自然，富配天地／君子所以动天地应神明正万物而成王治者，必本乎真实而已／君子知形恃神以立，神须形以存，悟生理之易失，知一过之害生

❿读书破万卷，下笔如有神／明之为日月，幽之为鬼神／铿锵发金石，幽眇感鬼神／笔落惊风雨，诗成泣鬼神／勤是无价之宝，学是明月神珠／能因敌变化而取胜者，谓之神／大抵古人诗画，只取兴会神到／日月星辰民所瞻仰者亦皆曰神／今将以呼嘘为食，咀嚼为神……／凡用兵者，攻坚则轫，乘瑕则神／力足者取乎人，力不足者取乎神／因事设奇，谲敌制胜，变化如神／国将兴，听于民；将亡，听于神／是以圣王先成民，而后致力于神／无所不通之谓圣，妙而无方之谓神／内守坚固真之真，虚中恬淡自致神／也不赴，公卿约；也不慕，神仙学／大梁襟带洪河险，谁遣神州陆地沉／通于一而万事毕，无心得而鬼神服／果蓏失地则不实，鱼龙失水则不神／春风杨柳万千条，六亿神州尽舜尧／胸中有誓深于海，肯使神州竟陆沉／虚凝淡泊怡其性，吐故纳新和其神／未闻刀没而利存，岂容形亡而神在？／事业文章随身销毁，而精神万古如新／圣人之道，一龙一蛇，形见神藏……／君子藏正气者，可以远鬼神，伏奸佞／散殊而可象为气，清通而不可象为神／可心会而不可口传，可神通而不可语达／事非当则伤于智力，务过分则毙于形神／失神之术本于纵恣，丧神之数在于自专／含情而能达，会景而生心，体物而得神／洁其宫，开其门，去私毋言，神明若存／惟心会而不可口传，可神通而不可语达／抱朴无为，不以物累其真，不以欲害其神／当恃我之不可侵也，无恃鬼神之不侵我也／当急剧冗杂时只不动火，则神有余而不劳／虚其欲，神将入舍；扫除不洁，神乃留处／人能除情欲，节滋味，清五藏，则神明居之／词意书迹，无不宛然；唯是魂神，不知去处／存身之道莫急乎养神，养神之要莫甚乎素然／纯粹而不杂，静一而不变……此养神之道也／机械之心藏于胸中，则纯白不粹，神德不全／心之精微，发而为文；文之神妙，咏而为诗／导筋骨则形全，剪情欲则神全，靖言语则福全／洼者为池而缺者为洞，若有鬼神异物阴来相之／音乐者，所以动荡血脉，通流精神而和正心也／读书不独变气质，且能养精神，盖理义收摄故也／魂魄二字，正犹精神二字。神即是魂，精即是魄／人生时禀得灵气，精明通悟，学无滞塞，则谓之神／人生所好，自当专一，若多好多能，反能耗神损精／志之所在，气亦随之；气之所在，天地鬼神亦随之／兵无常势，水无常形，能因敌变化而取胜者，谓之神／人之所以为人者，非以此八尺之身也，乃以其有精神／道者何也？虚无之系，道化之根，神明之本，天地之源／物之美者，盈天地间皆是也。然必待人之神明才慧而见／平易恬淡，则忧患不能入，邪气不能袭，故其德全而神不亏／今且须去理会眼前事，那个鬼神事，无形无影，莫要枉费心力／杀人之士民，兼人之土地，以养吾私与吾神者，其战不知孰善／气宜宣而遏之，体宜调而矫之，神宜平而抑之，必有失和者矣

祝

zhù（对人、事）表示美好的愿望；削去；通“注”，敷涂；古国名；姓。

❻一国诅，两人祝，虽善祝者不能胜也

❽庖人虽不治庖，尸祝不越樽俎而代之

❾一国诅，两人祝，虽善祝者不能胜也

祗

zhī 恭敬。

❿克明德慎罚，不敢侮鳏寡，庸庸，祗祗，威威

祠

cí 供奉祖宗、神或有功德者的场所；祭祀。

❸丞相祠堂何处寻，锦官城外柏森森

❿日月双悬于氏墓，乾坤半壁岳家祠

祯

zhēn，又读 zhēng，吉祥。

❼国之将兴，必有祯祥，君子用而小人退／国家将兴，必有祯祥；国家将亡，必有妖孽

祥

xiáng 吉利；通“详”。

❷不祥在于恶闻己过
❸恩从祥风翱，德与和气游
❹益生曰祥／和气致祥，乖气致戾／受国不祥，是为天下王／视履，考祥其旋，元吉／君子之祥也，以政不以怪／兵者，不祥之器，物或恶之，故有道者不处／兵者不祥之器，非君子之器，不得已而用之
❺言无实，不祥
❻久受尊名不祥／言行相诡，不祥莫大焉
❼辞顺而弗从，不祥／偏在于多私，不祥在于恶闻己过／察见渊鱼者不祥，智料隐匿者有殃
❽国之将兴，必有祯祥，君子用而小人退／国家将兴，必有祯祥；国家将亡，必有妖孽／积微之善，以至吉祥。小恶不止，乃至灭亡／善人在患，弗救不祥；恶人在位，不去亦不祥／有贤而不知，一不祥；知而不用，二不祥；用而不任，三不祥
❿审己无善而获誉者不祥／受命不于天于其人，休符不于祥于其仁／善人在患，弗救不祥；恶人在位，不去亦不祥／惟上帝不常，作善降之百祥，作不善降之百殃／有贤而不知，一不祥；知而不用，二不祥；用而不任，三不祥

祷

dǎo 祈祷；盼望；祝颂；请求。

❻天只在我，更祷个什么
❿疾病不可以自责除，水旱不可以祷谢去

祸

huò 灾难；灾害。

❶祸生有胎
见唐·张九龄《上姚令公书》。
祸生于懈慢
见《邓析子·转辞篇》。
祸自微而成
见《太公金匮》。
祸乱生于所忽
见元·曾先之《十八史略·唐太宗》。
祸莫大于轻敌
见《老子》六十九。
祸不入慎家之门
见唐·王勃《平台秘略论》。
祸莫大于杀已降
见汉·王充《论衡·祸虚篇》。
祸患可销于未萌
见宋·欧阳修《进拟御试应天以实不以文赋》。
祸不好，不能为祸
见《国语·周语下》。
祸之来也，人自生之
见汉·刘安《淮南子·人间》。
祸至不惧，福至不喜
见汉·司马迁《史记·孔子世家》。
祸因恶积，福缘善庆
见南朝·梁·周兴嗣《千字文》。
祸极于死，福极于生
见《汉·严遵道德指归论·身名孰亲篇》。
祸福无不自己求之者
见《孟子·公孙丑上》。
祸福无门，吉凶由己
见唐·吴兢《贞观政要·教戒太子诸王》。
祸福无门，唯人所召
见《左传·襄公二十三年》。
祸福之来，皆起于渐
见唐·吴兢《贞观政要·规谏太子》。
祸自怨起，而福繇德兴
见汉·司马迁《史记·孝文本纪》。
祸与福同门，利与害为邻
见汉·刘安《淮南子·人间》。
祸与福相贯，生与亡为邻
见《战国策·楚策四》。
祸生于欲得，福生于自禁
见汉·刘向《说苑·谈丛》。
祸福之胚胎也，其动甚微
见唐·刘禹锡《儆舟》。
祸之所由生也，生自纤纤也
见《荀子·大略》。
祸在于好利，害在于亲小人
见《尉缭子·十二陵》。
祸出者祸反，恶人者人亦恶之
见汉·贾谊《新书·春秋》。
祸难生于邪心，邪心诱于可欲
见《韩非子·解老》。
祸莫憯于欲利，悲莫痛于伤心
见汉·司马迁《报任少卿书》。
祸莫大于不知足，咎莫大于欲得
见《老子》四十六。
祸恒发于太忽，而事多败于不断
见明·方孝孺《宴武》。
祸兮，福之所倚；福兮，祸之所伏
见《老子》五十八。
祸固多藏于隐微，而发于人之所忽
见汉·班固《汉书·司马相如传下》。
祸患常积于忽微，智勇多困于所溺
见宋·欧阳修《伶官传序》。
祸积起于宠盛，而不知辞宠以招福
见晋·陆机《豪士赋序》。全句为：“身危由于势过，而不知去势以求安；～”。

祸之作也，非作于作之日，亦必有所由兆

见宋·苏洵《管仲论》。

祸之所生，必由积怨；过之所始，多因忽小

见北齐·刘昼《刘子·慎隟》。

祸至后惧，是诚不知；君子之惧，惧乎未始

见唐·柳宗元《诫惧箴》。"知"，同"智"。

祸福相倚，吉凶同域，惟人所召，安可不思

见唐·吴兢《贞观政要·刑法》。

祸藏福中，福极则祸至。福隐祸内，祸尽则福来

见五代·前蜀·杜光庭《道德真经广圣义》卷四十。

祸世之匠，乱国之工，绝逆天地，伤害我身，莫大乎名

见汉·严遵《道德指归论·名身孰亲篇》。

祸之始也易除，其除之不可者避之；及其成也欲除之不可，欲避之不可

见《尸子·贵言》。

❷临祸忘忧，忧必及之／因祸受福，喜盈我室／灭祸不自其基，必复乱／因祸而为福，转败而为功／居祸者得福，居福者得祸／转祸而为福，因败而为功／变祸为福，易曲成直，宁关天命，在我人力／绝祸之首，起福之元，去我情欲，取民所安／有祸则诎，有福则赢，有过则悔，有功则矜

❸婚姻，祸福之阶也／无与祸邻，祸乃不存／包藏祸心，窥窃神器／存亡祸福，其要在身／福为祸始，祸作福阶／心为祸首，殃及身口／人有祸患，不可生欣幸心／福兮祸所伏，祸兮福所倚／招麾祸福，功名所遂，谓之志／慎则祸之不及，贪则灾之所起／萧墙祸起非今日，不赏军功在断桥／言者，祸之户也；不言者，福之门也

❹妻贤夫祸少／圣人甚祸无故之利／口能招祸，必须慎之／敌存灭祸，敌去召过／天下之祸，莫大于不足为／罪生甲，祸归乙，伏怨乃结／死而不祸，知终始之不可故也／祸出者祸反，恶人者人亦恶之／天下之祸，不由于外，皆兴于内／圣人转祸而为福，智士因败以成胜／明者防祸于未萌，智者图患于将来／莫之大祸，起于须臾之不忍，不可不谨／至福似祸，大吉若凶。天下醉饱，莫之能明／福之为祸，祸之为福，化不可极，深不可测

❺神福仁而祸淫／无与祸邻，祸乃不存／不以死生祸福累其心／乘时蹈机，祸不旋踵／贞脆由人，祸福无门／功者自功，祸者自祸／志高虑远，祸发所忽／安坐至暮，祸灾不到／福无双至，祸不单行／福不择家，祸不索人／福不虚至，祸亦易来／福来有由，祸来有渐／福由己发，祸由己生／福生有基，祸生有胎／福为祸始，祸作福阶／怠慢忘身，祸灾乃作／病从口入，祸从口出／距谏所败，祸乱所成／弃德崇奸，祸之大者也／由仁义而祸，君子不屑也／人有旦夕祸福，岂能自保／福莫大无祸，利莫美不丧／人生福境祸区，皆念想造成／善否，我也；祸福，非我也／恶之显者祸浅，而隐者祸深／以武功定祸乱，以文德致太平／利害之反，祸福之门户，不可不察也／利害之路，祸福之门，不可求而得也／德不称，其祸必酷；能不称，其殃必大／安危相易，祸福相生，缓急相摩，聚散以成／福之为祸，祸之为福，化不可极，深不可测／忠谋转改，祸必及己。退隐深山，身乃不殆／福生有基，祸生有胎；纳其基，绝其胎，祸福何自来

❻福莫长于无祸／计福勿及，虑祸过之／小人之口，为祸天下／无德而贿丰，祸之胎也／事起乎所忽，祸生乎无妄／道自微而生，祸自微而成／福兮祸所伏，祸兮福所倚／福钟恒有兆，祸集非无端／患生于所忽，祸发于细微／欲福者或为祸，欲利者或离害／善制事者，转祸为福，因败为功／力胜贫，谨胜祸，慎胜害，戒胜灾／有雠而长之，祸不在己，则在后人

❼慕虚名而处实祸／原天命则不惑祸福／祸不好，不能为祸／不为福先，不为祸始／事留变生，后机祸至／众人唯唯，安定祸福／知恶不黜，则为祸始／杜口结舌，言为祸母／贪而弃义，必为祸阶／贪叨多积，自遗祸殃／见义勇发，不计祸福／用尽身贱，功成祸归／德不称其任，其祸必酷／不困在豫慎，见祸在未形／圣人所贵者，去祸于未萌／择福莫若重，择祸莫若轻／谨备其所憎，而祸在于所爱／福生于隐约，而祸生于得意／骄奢生于富贵，祸乱生于疏忽／福兮可以善取，祸兮可以恶招／分争者不胜其祸，辞让者不失其福／察乎安危，宁于祸福，谨于去就，莫之能害也／鸟飞千仞之上……祸犹及之，又况编户齐民乎

❽事佛求福，乃更得祸／入鲍忘臭，效尤致祸／阿谀有福，深言近祸／力能胜贫，谨能胜祸／功者自功，祸者自祸／独任之国，劳而多祸／独王之国，劳而多祸／所忧在道，不在乎祸／积善有征，终身无祸／利为害本，而福为祸先／伐矜好专，举事之祸也／委肉当饿虎之蹊，祸必不振／福之本在于忧，而祸起于喜／为善若恐不及，备祸若恐不免／广积不如教子，避祸不如自省／变在萌而争之，则祸成而不救矣／情行合而名副之，祸福不虚至矣／贪痴无底蛇吞象，祸福难明螳捕蝉／祸藏福中，福极则祸至。福隐祸内，祸尽则福来

❾甘心于履危，未必逢祸／考之不良兮，求福得祸／闻其誉者誉日损而祸至／利则为害始，福则为祸先／性弱则德全，性强则祸起／臣奉暗后，则覆亡之祸至／能备患于未形也，故祸不萌

/不知而自以为知，百祸之宗也/众之为福也大，其为祸也亦大/天下和平，灾害不生，祸乱不作/木生内蠹，上下相贼，祸乱我国/祸兮，福之所倚；福兮，祸之所伏/福轻乎羽，莫之知载；祸重乎地，莫之知避

❿疏广散金以除子孙之祸/节食则无疾，择言则无祸/居祸者得福，居福者得祸/婴儿有常病，贵臣有常祸/不忍为非，而未能必免其祸/非其人而处其位者其祸必速/恶之显者祸浅，而隐者祸深/天有不测风云，人有旦夕祸福/不自重者致辱，不自畏者招祸/世有莫盛之福，又有莫痛之祸/先患虑患谓之豫，豫则祸不生/图浮芥之小利，忘丘山之大祸/察而以饰非惑愚，则察为祸矣/神莫大于化道，福莫长于无祸/匹夫无故获千金，必有非常之祸/仁者爱万物，而智者备祸于未形/君子多欲则贪慕富贵，枉道速祸/比干剖心，子胥抉眼，忠之祸也/恶不在大，心术一坏，即入祸门/离道而内自择，则不知祸福之所托/豪华尽出成功后，逸乐安知与祸双/苟利国家生死以，岂因祸福避趋之/经纬天地之谓文，戡定祸乱之谓武/所谓伐天真而矜己者也，天祸必及/有偏宠者，虽欲厚之，更所以祸之/思虑熟则得事理，行端直则无祸害/类善则万世不忘，道恶则祸及其身/其施厚者其报美，其怨大者其祸深/一炬有燎原之忧，而滥觞有滔天之祸/为国者，必先知民之所苦，祸之所起/唯不求利者为无害，不求福者为无祸/立法之大要……邪人痛其祸而悔其行/伤其身者不在外物，皆由嗜欲以成其祸/侥幸者伐性之斧也，嗜欲者逐祸之马也/唯不求利者为无害，唯不求福者为无祸/登峻者戒在于穷高，济深者祸生于舟重/鸟必择木而栖，附托匪人者必有危身之祸/不求所无，不失所得，内无旁祸，外无旁福/不畏于微，必畏于章，患大祸深，以至灭亡/前车已覆，袭轨而鹜，曾不鉴祸，以知畏惧/美味腐腹，好色惑心，勇夫招祸，辩口致殃/多事害神，多言害身。口开舌举，必有祸患/居君子之位而为庶人之行者，其患祸必至也/用智为政，务欲理人。智变奸生，祸乱滋起/争行义乐用与争为不义竞不用，此其为祸福也/知有己不知有人，闻人过不闻己过，此祸本也/祸藏福中，福极则祸至。福隐祸内，祸尽则福来/譬之若水火然，善用之则为福，不善用之则为祸/福生有基，祸生有胎；纳其基，绝其胎，祸福何自来/兵不可偃也，譬之若水火然，善用之则为福，不能用之则为祸/身处困境，当视为天之爱我、成我，不当视为天之厄我、祸我也/君子者，易亲而难狎，畏祸而难却，嗜利而不为非，时动而不苟作/国之兴也，视民如伤，是其福也；其亡也，以民为土芥，是其祸也

禅 ①shàn 古代帝王的祭地礼；禅让；转化。②chán 佛教用语；泛指与佛教有关的事物。

❶禅堂茶散卷残经，竹杖芒鞵信脚行

见《云卧纪谈》卷下。全句为："～，山尽路回人迹绝，竹鸡时作两三声"。

❸我有禅灯，独照独知。不取亦取，虽师勿师

❽盖吾儒起手便与禅异者，正在彻始彻终总是体用一致耳

禄 lù 官吏的薪水；福。

❶禄厚者，怨逮之

见《列子·说符》。全句为："爵高者，人妒之；官大者，主恶之；～"。

禄食之家不与百姓争利

见南朝·宋·范晔《后汉书·朱晖传》。

禄位尊盛，守之以卑者，贵

见汉·韩婴《韩诗外传》卷三。

禄过其功者损，名过其实者蔽

见汉·刘安《淮南子·缪称》。

禄不患其不来，患禄来，而不能愧其禄

见清·王永彬《围炉夜话》。

禄之以天下，弗顾也；系马千驷，弗视也

见《孟子·万章上》。全句为："非其义也，非其道也，～"。

❷为禄仕者不能正其君/爵禄以养其德，刑罚以威其恶/食禄者不得与下民争利，受大者不得取小/世禄之家，鲜克由礼。以荡陵德，实悖天道

❸不以禄私其亲，功多者授之/问其禄，则曰下大夫之秩也/不耻禄之不夥，而耻知之不博/贵极禄位，权倾国都，达人视此，蚁聚何殊

❹无德而禄，殃也/人皆因禄富，我独以官贫/不以利禄为意，而以仁厚为心/以求干禄者败，以势临人者辱/食君之禄畏不厚兮，悼得位之不昌/大臣重禄而不极谏，近臣畏罚而不敢言/官寡而禄厚，则公家之费鲜，进仕之志劝

❺无功食国禄，去窃能几何/官无一寸禄，名传千万里/官所以务禄，禄所以务食/赏不以爵禄，刑不以刀锯/劳大者其禄厚，功多者其爵尊/天不生无禄之人，地不长无根之草/威赫赫爵禄高登，昏惨惨黄泉路近/窃位而苟禄，备员而全身者，亦无所取焉/富贵之家，禄位重叠，犹再实之木，其本必伤

❻无功而受其禄者，辱/官尊者忧深，禄多者责大/官所以务禄，禄所以务食/爵高者忧深，禄厚者责重/方惭不耕者，禄食出闾里/小人所好者禄利也，所贪者财货也

❼失身取高位，爵禄反为耻/偷合苟容，以持禄

养交而已耳,谓之国贼也

❽交不为利,仕不谋禄/大难不死,必有后禄/家贫亲老者,不择禄而仕/身无大功而受厚禄,三危也/官贤者量其能,赋禄者称其功/德必称位,位必称禄,禄必称用/君子不怀暴君之禄,不处乱国之位/禄不患其不来,患禄来,而不能愧其禄/官职可以重求,爵禄可以货得者,可亡也/日思高其位,大其禄,而贪取滋甚,以近于危坠

❾君子致其道德,而福禄归焉/德必称位,位必称禄,禄必称用/财贿不以动其心,爵禄不以移其志/以富为是者,不能让禄;以显为是者,不能让名/天下国家可均也,爵禄可辞也,白刃可蹈也,中庸不可能也

❿行不逮则退,不以诬持禄/法重于民,威权贵于爵禄/量才而受爵,量功而受禄/君子以俭德辟难,不可荣以禄/以苟容曲从为贤,以拱默尸禄为智/君子有力于民则进爵禄,不辞富贵/宁为宇宙闲吟客,怕作乾坤窃禄人/死生亦大矣而不变乎己,况爵禄乎/才不称不可居其位,职不称不可食其禄/为地战者不能成王,为禄仕者不能成政/学贵变化气质,岂为猎章句、干利禄哉/禄不患其不来,患禄来,而不能愧其禄/立节者见难不苟免,贪禄者见利不顾身/天子曰崩,诸侯曰薨,大夫曰卒,士曰不禄/称身居位,不为苟进;称事受禄,不为苟得/鳏虽难得,贪以死饵;士虽怀道,贪以死禄矣/古者士登乎仕,吏执乎役,禄以报劳,官以授德/骄、奢、淫、泆,所自邪也。四者之来,宠禄过也/于为义若嗜欲,勇不顾前后;于利与禄,则畏避退处如怯夫然

福

fú 幸福,福气;祭祀用的酒肉;护佑;旧时妇女行礼;姓。

❶福莫长于无祸

见《荀子·劝学》。

福无双至,祸不单行

见明·施耐庵《水浒传》第三十七回。

福不再来,时或易失

见南朝·宋·范晔《后汉书·臧宫传》。

福不择家,祸不索人

见《管子·禁藏》。

福不虚至,祸亦易来

见晋·陶潜《命子》。

福来有由,祸来有渐

见晋·陈寿《三国志·吴书·孙奋传》。

福由己发,祸由己生

见汉·刘安《淮南子·缪称》。

福生有基,祸生有胎

见汉·班固《汉书·枚乘传》。

福为祸始,祸作福阶

见晋·卢谌《赠刘琨》。

福兮祸所伏,祸兮福所倚

见《老子》五十八。

福莫大无祸,利莫美不丧

见汉·刘安《淮南子·诠言》。

福寿康宁,固人之所同欲

见清·程允升《幼学琼林·疾病死丧》。全句为:"~;死亡疾病,亦人所不能无"。

福钟恒有兆,祸集非无端

见晋·陆机《君子行》。

福生于无为,而患生于多欲

见汉·韩婴《韩诗外传》。

福生于隐约,而祸生于得意

见汉·刘向《说苑·敬慎》。

福之本在于忧,而祸起于喜

汉·董仲舒《春秋繁露·竹林》。

福兮可以善取,祸兮可以恶招

见唐·刘禹锡《天论上》。

福之为祸,祸之为福,化不可极,深不可测

见汉·刘安《淮南子·人间》。

福善之门莫美于和睦,患咎之首莫大于内离

见汉·班固《汉书·东平思王刘宇传》。

福轻乎羽,莫之知载;祸重乎地,莫之知避

见《庄子·人间世》。

福生有基,祸生有胎;纳其基,绝其胎,祸福何自来

见汉·枚乘《上书谏吴王》。

❷德,福之基也/神福仁而祸淫/计福勿及,虑祸过之/祸福无不自己求之者/祸福无门,吉凶由己/祸福无门,唯人所召/祸福之来,皆起于渐/择福莫若重,择祸莫若轻/祸福之胚胎也,其动甚微/欲福者或为祸,欲利者或离害/至福似祸,大吉若凶。天下醉饱,莫之能明/祸福相倚,吉凶同域,惟人所召,安可不思/五福:一曰寿,二曰富,三曰康宁,四曰攸好德,五曰考终命

❸不为福先,不为祸始/祸与福同门,利与害为邻/祸与福相贯,生与亡为邻/人生福境祸区,皆念想造成/祸兮,福之所倚;福兮,祸之所伏/平为福,有余为害者,物莫不然,而财其甚者也/祸藏福中,福极则祸至。福隐祸内,祸尽则福来

❹婚姻,祸福之阶也/事佛求福,乃更得祸/阿谀有福,深言近祸/因祸受福,喜盈我室/存亡祸福,其要在身/绝知为福,好知为贼/无德而福隆,犹无基而厚墉也/何谓享福之人,能读书者便是/众之为福也大,其为祸也亦大/招麾祸福,功名所遂,谓之志/明者起福于无形,销患于未然/惟辟作福,惟辟作威,惟辟玉食/变祸为福,易曲成直,宁关天命,在我人力

❺祸至不惧,福至不喜/祸因恶积,福缘善庆/祸极于死,福极于生/顾小失大,福逃墙外/但知勤作福,衣食自然丰/因祸而为福,转败而为功/居祸者得福,居福者得祸/转祸而为福,因败而为功/智不公,则福日衰,灾日隆/祸藏福中,福极则祸至。福隐祸内,祸尽则福来

❻闻而审,则为福矣/无德而望其福者,约/不以死生祸福累其心/贞脆由人,祸福无门/利为害本,而福为祸先/祸自怨起,而福繇德兴/利则为害始,福则为祸先/人有旦夕祸福,岂能自保/势不可使尽,福不可享尽/爱出者爱反,福往者福来/祸生于欲得,福生于自禁/不作威,不作福,靡有后羞/善否,我也;祸福,非我也/无为不能遁福,有为不能逃患/世有莫盛之福,又有莫痛之祸/能除患则为福,不能除患为贼/利害之反,祸福之门户,不可不察也/利害之路,祸福之门,不可求而得也/安危相易,祸福相生,缓急相摩,聚散以成/绝祸之首,起福之元,去我情欲,取民所安/有祸则诎,有福则赢,有过则悔,有功则矜

❼塞翁失马犹为福/君子问灾不问福/福为祸始,祸作福阶/考之不良兮,求福得祸/居祸者得福,居福者得祸/神莫大于化道,福莫长于无祸/蓄至精者,可以福生灵,保富寿/儿孙自有儿孙福,莫为儿孙作远忧/圣人转祸而为福,智士因败以成胜/祸兮,福之所倚;福兮,祸之所伏/有贤而用,国之福也;有之而不用,犹无有也

❽原天命则不惑祸福/无是非到耳,谓之福/众人唯唯,安定祸福/务除其灾,思致其福/塞翁失马,安知非福/小惩大诫,乃得其福/君明臣忠,民赖其福/安身为乐,无忧为福/贼仁伤德,天怒不福/见义勇发,不计祸福/有力量济人,谓之福/有工夫读书,谓之福/有学问著述,谓之福/眉寿万年,永受胡福/无货之货,养我之福也/福兮祸所伏,祸兮福所倚/君子致其道德,而福禄归焉/不受虚誉,不祈妄福,不避死义/善制事者,转祸为福,因败为功/为善者天报之以福,为恶者天与之以殃/福之为祸,祸之为福,化不可极,深不可测/察乎安危,宁于祸福,谨于去就,莫之能害也

❾闻其过者过日消而福臻/纵意于处安,不必全福/爱出者爱反,福往者福来/情行合而名副之,祸福不虚至矣/贪痴无底蛇吞象,祸福难明螳捕蝉/攻无道而伐不义,则福莫大焉,黔首利莫厚焉

❿衰世好信鬼,愚人好求福/贪满者多损,谦卑者多福/政教积德,必致安泰之福/有多闻直谅之友,谓之福/白璧不可为,容容多后福/直言不避重诛者,国之福也/小惩而大诫,此小人之福也/赠人以言者,能致终身之福/天有不测风云,人有旦夕祸福/除患于未萌,然后能转而为福/拂耳,故小逆在心而久福在国/君子能为善,而不能必得其福/察而以达理明义,则察为福矣/国之兴也,视民如伤,是其福也/饱肥甘,衣轻暖,不知节者损福/乘时投隙非谓才,苟得未必为汝福/分争者不胜其祸,辞让者不失其福/离道而内自择,则不知祸福之所托/苟利国家生死以,岂因祸福避趋之/祸积起于宠盛,而不知辞宠以招福/君子不受虚誉,不祈妄福,不避死义/唯不求利者为无害,不求福者为无祸/言者,祸之户也;不言者,福之门也/唯不求利者为无害,唯不求福者为无祸/不使智惠之人治国之政事……故为国之福/以智治国,国之贼;不以智治国,国之福/莫知己德有极,则可以有社稷,为民致福/不求所无,不失所得,内无旁祸,外无旁福/观古今之成败,能先见事机者,则恒受其福/财须民生,强赖民力,威恃民势,福由民殖/盈缩之期,不但在天;养怡之福,可得永年/争行义乐用与争为不义竞不用,此其为祸福也/导筋骨则形全,剪情欲则神全,靖言语则福全/君子居必仁,行必义,反仁义而福,君子不有也/祸藏福中,福极则祸至。福隐祸内,祸尽则福来/譬之若水火然,善用之则为福,不善用之则为祸/福生有基,祸生有胎;纳其基,绝其胎,祸福何自来/使智惠之人治国之政事,必远道德,妄作威福,为国之贼/兵不可偃也,譬之若水火然,善用之则为福,不能用之则为祸/国之兴也,视民如伤,是其福也;其亡也,以民为土芥,是其祸也

心

xīn 心脏;思想的器官及思维、情感;人的主观意思;事物的内部或中央;星名。

❶心不使焉

见《礼记·大学》。全句为:"～,则白黑在前而目不见,雷鼓在侧而耳不闻"。

心,一心也

见《墨子·七患》。全句为:"～;理,一理也。至当归一,精义无二。此心此理,实不容有二"。

心正则笔正

见宋·苏轼《书唐氏六家书后》。

心广,体胖

见《礼记·大学》。

心怖,可击

见《吴子·料敌》。

心远地自偏

见晋·陶潜《饮酒》。

心逐孤飞鸿

见宋·王克功《思友》。

心藏风云世莫知

见唐·李白《猛虎行》。

心源不受一尘侵

见宋·黄庭坚《次韵盖郎中率郭师中休官二首》之一。

心如老骥常千里

见宋·陆游《赴成都泛舟……》。

心有灵犀一点通

见唐·李商隐《无题二首》诗之一。

心欲专,凿石穿

见唐·张文成《游仙窟》。

心欲言而口不逮

见宋·苏轼《乞校正陆贽奏议上进札子》。

心虚则众欲不生

见五代·前蜀·杜光庭《道德真经广圣义》卷八。

心无结怨,口无烦言

见《韩非子·大体》。

心之忧矣,如匪浣衣

见《诗·邶风·柏舟》。

心之忧矣,视丹如绿

见三国·魏·郭遐叔《赠嵇康五首》之一。

心之忧矣,自诒伊戚

见《诗·小雅·小明》。

心为祸首,殃及身口

见《出曜经》卷四。

心很败国,面很不害

见《国语·晋语九》。"败",乖戾。

心隘,则一发似车轮

见明·洪应明《菜根谭》。全句为:"心旷,则万钟如瓦缶;～"。

心能执静,道将自定

见《管子·内业》。

心能造恶,必须戒之

见唐·佚名《太公家教》。全句为:"酒能败身,必须戒之。色能置害,必须远之。忿能积恶,必须忍之。～。口能招祸,必须慎之"。

心如铁石,气若风云

见唐·杨炯《唐右将军魏哲神道碑》。

心如虎狼,行如禽兽

见《荀子·修身》。

心旷,则万钟如瓦缶

见明·洪应明《菜根谭》。全句为:"～;心隘,则一发似车轮"。

心气常顺,百病自遁

见明·蔡清《密箴》。

心有善恶,性无不善

见宋·朱熹《朱子语类》卷五。

心静气理,道乃可止

见《管子·内业》。

心不可伏,而伏之愈乱

见五代·南唐·谭峭《化书卷四·仁化·止斗》。

心凝形释,与万化冥合

见唐·柳宗元《始得西山宴游记》。

心能识壮毫而不觉其形

见明·宋濂《燕书四十首》。全句为:"目能察黑白而不见其睫;～"。

心若留时,何事锁眉头

见宋·蒋捷《梅花引》。全句为:"白鸥问我泊孤舟,是身留,是心留?～"。

心苟无瑕,何恤乎无家

见《左传·闵公元年》。

心安而虚,则道自来止

见唐·司马承祯《坐忘论·收心》。

心有不乐,无乐而不为

见汉·刘安《淮南子·缪称》。全句为:"性有不欲,无欲而不得;～"。

心无物欲,即是秋空霁海

见明·洪应明《菜根谭·后集九》。

心事同漂泊,生涯共苦辛

见唐·王勃《别薛华》。

心包万理,万理具于一心

见宋·朱熹《朱子语类》卷九。

心小志大者,圣贤之伦也

见三国·魏·刘劭《人物志·七缪》。

心知去不归,且有后世名

见晋·陶潜《咏荆轲》。

心知其意,未可明诏大号

见清·龚自珍《病梅馆记》。

心如工画师,能画诸世间

见《华严经》卷一九。

心绪逢摇落,秋声不可闻

见唐·苏颋《汾上惊秋》。

心手不相应,不学之过也

见宋·苏轼《文与可画筼筜偃竹记》。"心识其所以然而不能然者,内外不一,～"。

心散于博闻,技贫乎广畜

见明·宋濂《积书微第十》。

心思不能言,肠中车轮转

见汉·无名氏《悲歌》。

心意之论,不足以定是非

见汉·刘安《淮南子·览冥》。全句为:"耳目之察,不足以分物理;～"。

心为万事主,动而无节即乱

见唐·吴兢《贞观政要·规谏太子》。

心体光明,暗室中自有青天

见明·洪应明《菜根谭》。全句为:"～;念头暗昧,白日下犹生厉鬼"。

心诚求之,虽不中,不远矣

见《礼记·大学》。

心能辨事非,处事方能决断

见清·王永彬《围炉夜话》。全句为:"~;人不忘廉耻,立身自不卑污"。

心在汉室,原无分先主后主

见清·顾嘉蘅题南阳卧龙岗联。全句为:"~;名高天下,何必辨襄阳南阳"。

心者,一身之主,百神之帅

见唐·司马承祯《坐忘论·真观》。全句为:"~;静则生慧,动则成昏"。

心未滥而先谕教,则化易成也

见汉·贾谊《新书·保傅》。

心之不虚,由好学之不能诚也

见清·刘开《孟涂文集·问说》。全句为:"不好问者,由心不能虚也;~"。

心哀而歌不乐,心乐而哭不哀

见汉·刘安《淮南子·缪称》。

心懔懔以怀霜,志眇眇而临云

见晋·陆机《文赋》。

心如天地者明,行如绳墨者章

见汉·刘向《说苑·谈丛》。"章"通"彰"。

心轻躁,难制伏,故无恶不起

见《成实论》卷九三。

心者……静则生慧,动则成昏

见唐·司马承祯《坐忘论·真观》。删节处为:"一身之主,百神之帅"。

心既托声于言,言亦寄形于字

见南朝·梁·刘勰《文心雕龙·练字》。

心不知治乱之源者,不可令制法

见汉·刘安《淮南子·氾论》。

心不怡之长久兮,忧与愁其相接

见战国·楚·屈原《九章·哀郢》。

心之于殉也殆,凡能其于府也殆

见《庄子·徐无鬼》。全句为:"目之于明也殆,耳之于聪也殆,~"。

心之忧危,若蹈虎尾,涉于春冰

见《尚书·君牙》。

心之明之所止,于事情区以别焉

见清·戴震《原善》。全句为:"~,无几微爽失,则理义以名"。

心合意同,谋无不成,计无不从

见汉·班固《汉书·东方朔》。

心事浩茫连广宇,于无声处听惊雷

见现代·鲁迅《无题》诗。

心中为念农桑苦,耳里如闻饥冻声

见唐·白居易《新制绫袄成感而有咏》。

心非木石岂无感,吞声踯躅不敢言

见南朝·宋·鲍照《拟行路难十八首》之四。

心治则百节皆安,心忧则百节皆乱

见汉·刘安《淮南子·缪称》。全句为:"主者,国之心。~"。

心如老马虽知路,身似鸣蛙不属官

见宋·陆游《自述》。

心暗则照有不通,至察则多疑于物

见唐·吴兢《贞观政要·政体》。

心欲小而志欲大,智欲员而行欲方

见汉·刘安《淮南子·主术》。全句为:"~,能欲多而事欲鲜"。"员",同"圆"。

心病终须心药治,解铃还是系铃人

见清·曹雪芹《红楼梦》第九十回。

心足则物常有余,心贪则物常不足

见五代·前蜀·杜光庭《道德真经广圣义》卷三十五。

心之所可中理,则欲虽多,奚伤于治

见《荀子·正名》。

心之所可失理,则欲虽寡,奚止于乱

见《荀子·正名》。

心之所感有邪正,故言之所形有是非

见宋·朱熹《诗集传·序》。

心识其所以然而不能然者,内外不一

见宋·苏轼《文与可画筼筜偃竹记》。"~,心手不相应,不学之过也"。

心能知人者如明镜,善自知者如蚌镜

晋·蔡朗散句,见《全上古三代秦汉三国六朝文》。

心不可乱,则利至而必知,害至而必察

见宋·苏辙《上皇帝书》。

心不清则无以见道,志不确则无以立功

见宋·李邦献《省心杂言》。

心之官则思,思则得之,不思则不得也

见《孟子·告子上》。

心为道之器,宇虚静至极则道居而慧生

见唐·司马承祯《坐忘论·泰定》。全句为:"~。慧出本性,非适今有"。"宇",指"心"。

心苟无事则息自调,念苟无欲则中自守

见明·陈继儒《小窗幽记》。

心之精微,发而为文;文之神妙,咏而为诗

见唐·王勃《上刘右相书》。

心全于中,形全于外;不逢天灾,不遇人害

见《管子·内业》。

心志既舒则易以纵驰,议论无择则易以浮浅

见宋·陈亮《变文格》。

心苟至公,人将大同;心能执一,政乃无失

见唐·姚崇《执秤诫》。

心狂志悖,视听从类,政令无常,下民作孽

见汉·焦赣《易林·家人·噬》。

心源为炉,笔端为炭。锻炼元本,雕砻群形

见唐·刘禹锡《董氏武陵集纪》。

心旷神怡,宠辱偕忘,把酒临风,其喜洋洋

见宋·范仲淹《岳阳楼记》。

心虚白则神留而道存,腹充实则精全而寿长

见宋·李霖《道德真经取善集》。

心之在体，君之位也；九窍之有职，官之分也

见《管子·心术上》。

心虽不说，弗敢不誉；事业虽弗善，不敢不力

见宋·陆佃解《鹖冠子》。全句为："～；趋舍虽不合，不敢弗从"。

心不平平，其平也不平；以不征征，其征也不征

见《庄子·列御寇》。

心不在焉，视而不见，听而不闻，食而不知其味

见《礼记·大学》。

心之精微，口不能言也；言之微妙，书不能文也

见唐·王勃《上刘右相书》。

心平愉，则色不及佣而可以养目，声不及佣而可以养耳

见《荀子·正名》。"佣"，通"庸"，平常。

❷同心远更亲／人心不同如面／达心则其言略／民心说而天意得／养心莫善于寡欲／人心不足蛇吞象／人心恶假贵重真／舍心腹而顾手足／名心胜者必作伪／名心盛者必为伪／治心术则不妄喜怒／金心在中，不可匿／一心以为有鸿鹄将至／无心之心，心之主也／中心藏之，何日忘之／我心匪鉴，不可以茹／民心无常，惟惠之怀／剖心非痛，亡殷为痛／同心之言，其臭如兰／人心不同，若其面焉／人心未泯，公论难逃／人心之变，有余则骄／人心似铁，官法如炉／人心难测，海水难量／人心惟危，道心惟微／众心成城，众口铄金／诚心，而金石为之开／推心置腹，开诚布公／寸心万绪，咫尺千里／处心不可着，着则偏／处心积虑，成于杀也／忧心悄悄，愠于群小／感心动耳，荡气回肠／赤心事上，忧国如家／解心释神，莫然无魂／甘心于履危，未必逢祸／由心故画，诸法性如是／同心而共济，终始如一／人心之不同，如其面焉／苦心中，常得悦心之趣／尔心贵正，正则不敢私／清心而寡欲，人之寿矣／定心广志，余何畏惧兮／躁心浮气，蓄德之贼也／一心中国梦，万古下泉诗／无心与物竞，鹰隼莫相猜／真心实作，无不可图之功／人心险于山川，难于知天／人心若波澜，世路有屈曲／人心安则念善，苦则怨叛／人心胜潮水，相送过浔阳／君心似松柏，雁足寄珠玑／洗心得真情，洗耳徒买名／清心为治本，直道是身谋／宽心应是酒，遣兴莫过诗／有心雄泰华，无意巧玲珑／用心于正，一振而群纲举／用心于诈，百补而千穴败／用心刚，则轻死生如鸿毛／用心莫如直，进道莫如勇／雄心志四海，万里望风尘／疑心动于中，则视听惑于外／劳心者治人，劳力者治于人／吾心如秤，不能为人作轻重／戒心之易忘，而骄心之易生／有心于为善，则与为不善同／顺心之言易入也，有害于治／一心可以丧邦，一心可以兴邦／人心，排下而进上，上下囚杀／诉心中之不平，感数奇于千载／无心于定而无所不定，故曰泰定／我心治，官乃治，我心安官乃安／百心不可以得一人，一心可得百人／我心坚，你心坚，各自心坚石也穿／人心莫厌如弦直，淮水长怜似镜清／冰心与贫流争激，霜情与晚节弥茂／苦心虽呕何由出，病骨非馋亦自销／春心莫共花争发，一寸相思一寸灰／欲心难厌如溪壑，财物易尽若漏卮／臣心一片磁针石，不指南方不肯休／其心异则其事异，其事异则其功异／两心不可以得一人，一心可以得百人／标心于万古之上，而送怀于千载之下／此心常卓然公正，无有私意，便是敬／可心会而不可口传，可神通而不可语达／民心不得，性命不全，则号令不能动也／闭心塞意，不高瞻览者，死人之徒也哉／惟心会而不可口传，可神通而不可语达／收心简事日损有为，体静心闲方可观妙／私心胜者可以灭公，为己重者不知利物／治心须求妙悟，悟则神和气静，客敬色庄／快心之事，悉败身丧德之媒，五分便无悔／我心匪石，不可转也；我心匪席，不可卷也／净心守志，可会至道，譬如磨镜，垢去明存／苦心焦思，以日继夜，苟利于国，知无不为／忠心好善，而日新之；独居乐德，内悦于形／闭心自慎，终不失过兮；秉德无私，参天地兮／会心处不必在远，翳然林水，便自有濠濮间想也／原心反性则贵矣，适情知足则富矣，明死生之分则寿矣

❸为学心难满／心，一心也／开诚心，布公道／同其心，一其力／作伪，心劳日拙／人生心口宜相副／少年心事当拿云／推赤心于诸贤腹中／入则心非，出则巷议／口是心非，背向异辞／道由心悟，岂在坐也／学贵心悟，守旧无功／智是心中一个知觉处／胆劲心方，不畏强御／意会心谋，目往神授／不专心致志，则不得也／诗在心为志，出口为辞／有善心之民，畏法自重／未言心相醉，不在接杯酒／仁，人心也；义，人路也／莫以心如玉，探他明月珠／奢者心常贫，俭者心常富／报国心皎洁，念时涕汍澜／衡无心而平，镜无心而明／处高心不有，临节自为名／水无心而清，冰虚己而明／食饱心自若，酒酣气益振／乱我心者，今日之日多烦忧／凡人心险于山川，难于知天／气者，心随笔运，取象不惑／怨于心者，哀声可以应木石／不实心不成事，不虚心不知事／云无心以出岫，鸟倦飞而知还／作德心逸日休，作伪心劳日拙／换我心，为你心，始知相忆深／存其心，养其性，所以事天也／以仁心说，以学心听，以公心辨／苟余心其端

直兮，虽僻远之何伤／农夫心内如汤煮，公子王孙把扇摇／亦余心之所善兮，虽九死其犹未悔／诚其心，正其志，实其事，定其分／若甘心于自暴自弃，便是不能立志／苟中心图民，智虽弗及，必将至焉／口乃心之门，守口不密，泄尽真机／慧者心辩而不繁说，多力而不伐功／目者，心之符也；言者，行之指也／眼处心生句自神，暗中摸索总非真／以吾心之思足下，知足下悬悬于吾也／欲笺心事，独语斜阑。难！难！难！／圣人……心安是国安也，心治是国治也／大其心容天下之物，虚其心受天下之善／知死心也者，不以物害死，安死之谓也／结民心，在薄赋敛；薄赋敛，在节财用／感乎心，明乎智，发而成形，精之至也／尽其心者，知其性也；知其性，则知天矣／诗是心声，不可违心而出，亦不能违心而出／胆劲心方，不畏强御，义正所在，视死犹归／感人心者，莫先乎情，莫始乎言，莫切乎声，莫深乎义／汝游心于淡，合气于漠，顺物自然而无容私焉，而天下治矣

❹以天下心为心／一片冰心在玉壶／不是虚心岂得贤／作文之心如人目／持志如心痛……／当面输心背面笑／恭敬之心，礼也／恻隐之心，仁也／是非之心，智也／船到江心补漏迟／羞恶之心，义也／无得于心而侈于外／君子养心莫善于诚／无心之心，心之主也／义不负心，忠不顾死／以己之心，度人之心／民各有心，亦壅惟口／二人同心，其利断金／刿目鉥心，刃迎缕解／他人有心，予忖度之／使人以心，应言以行／包藏祸心，窥窃神器／军有归心，必无斗志／鼓舞其心，发泄其用／报国之心，死而后已／各师成心，其异如面／君子失心，鲜不夭昏／饱食伤心，忠言逆耳／廉约小心，克己奉公／恭敬之心，人皆有之／恻隐之心，仁之端也／恻隐之心，人皆有之／情生于心，心生于性／守正为心，疾恶不惧／守其初心，始终不变／是非之心，人皆有之／是非之心，智之端也／父母之心，人皆有之／服民之心，必得其情／文果载心，余心有寄／恶绝于心，仁形于色／虺蜴为心，豺狼成性／辞让之心，礼之端也／羞恶之心，义之端也／羞恶之心，人皆有之／足寒伤心，民寒伤国／足寒伤心，民怨伤国／美者，人心之所乐进也／虽有忮心者，不怨飘瓦／爱利之心谕，威乃可行／欲正其心者，先诚其意／恶者，人心之所恶疾也／三军一心，剑阁可以攻拔／万人离心，不如百人同力／不结同心人，空结同心草／喜则爱心生，怒则毒螫加／国正天心顺，官清民自安／闻多素心人，乐与数晨夕／情波也，心流也，性水也／过生于心，则心悔之……／气忌盛，心忌满，才忌露／三军一心，则令可使无敌矣／蹈道之心一，而俟时之志坚／彼肆其心之所为者，独何人耶／随其成心而师之，谁独且无师乎／苟无恒心，放辟邪侈，无不为已／狼子野心，是乃狼也，其可畜乎／比干剖心，子胥抉眼，忠之祸也／盗贼之心必托圣人之道而后可行／与天同心而无知，与道同身而无体／长恨人心不如水，等闲平地起波澜／但得贞心能不改，纵令移植亦何妨／诗者，人心之感物而形于言之余也／切莫呕心并剔肺，须知妙语出天然／懊恨人心不如石，少时东去复西来／红雨随心翻作浪，青山着意化为桥／胆欲大，心欲小；智欲圆，行欲方／蜡烛有心还惜别，替人垂泪到天明／万事以心为本，未有心至而力不能者／悟者，吾心也。能见吾心，便是真悟／欲平其心以养其疾，于琴亦将有得焉／清者则心平而意直，忠者惟正道而履之／朋而不心，面朋也；友而不心，面友也／身劳而心安，为之；利少而义多，为之／未成乎心而有是非，是今日适越而昔至也／挺然尽心，敢任天下之责者，即当委而付之／处逆境心须用开拓法，处顺境心要用收敛法／机械之心藏于胸中，则纯白不粹，神德不全／千人同心则得千人力，万人异心则无一人之用／是非之心，不虑而知，不学而能，所谓良知也／饰人之心，易人之意，能胜人之口，不能服人之心／言贵尽心，亦各其所见也，若是非，则明智者裁之／一人一心，万人万心，若不以令一之，则人人之心各异矣

❺主者，国之心／将者，士之心也／无恻隐之心，非人也／无是非之心，非人也／无心之心，心之主也／无辞让之心，非人也／无羞恶之心，非人也／人面咫尺，心隔千里／力分者弱，心疑者背／志比精金，心如坚石／器量须大，心境须宽／待觅个同心伴侣……／形若槁骸，心若死灰／形莫若就，心莫若和／性静情逸，心动神疲／情生于心，心生于性／好学深思，心知其意／有事无辜，心常安泰／火必有光，心必有思／精骛八极，心游万仞／致知，是吾心无所不知／无物结同心，烟花不堪剪／不能胜寸心，安能胜苍穹／百忧感其心，万事劳其形／两草犹一心，人心不如草／乐者起于心，心者动于物／以我径寸心，从君千里外／司马昭之心，路人所知也／谁言寸草心，报得三春晖／圣人感人心，而天下和平／受屈不改心，然后知君子／苟无济代心，独善亦何益／草木有本心，何求美人折／将小人之心，度君子之腹／名位苟无心，对君犹可眠／徒有排云心，何由生羽翼／理生于危心，乱生于肆志／枝大者披心，尾大者不掉／文以达吾心，画以适吾意／烈士多悲心，小人偷自闲／无谋人之心而令人疑之，殆／不能尽其心，则不能尽其力／以天下之心虑，则无不知也／以事秦之心，礼天下之奇才／圣人无常心，以百姓心为

心／圣人常无心，以百姓心为心／将有死之心，士卒无生之气／少年人要心忙，忙则摄浮气／因天下之心以虑，则无不得／有谋人之心而令人知之，拙／老年人要心闲，闲则乐余年／身治矣，非心治而不能致之／其术可以心得，不可以言喻／未有无腹心手足而能独理者也／以私奉为心者，人必咈而叛之／哀莫大于心死，而人死亦次之／刀不能剪心愁，锥不能解肠结／事……有忤于心者而未始有非也／君子所役心劳神，宜于大者远者／杀戮众，而心不服，则上位危矣／此生谁料，心在天山，身老沧洲／恶不在大，心术一坏，即入祸门／出处每怀心耿耿，是非谁较论悠悠／我心坚，你心坚，各自心坚石也穿／拜迎官长心欲碎，鞭挞黎庶令人悲／读书好处心先觉，立雪深时道已传／志欲大而心欲小，学欲博而业欲专／逆胡未灭心未平，孤剑床头铿有声／胆欲大而心欲小，智欲圆而行欲方／心病终须心药治，解铃还是系铃人／用兵之道……心战为上，兵战为下／当其取于心而注于手也，汩汩然来矣／绝愚之人，心无所别析，心无所好欲／至人之用心若镜，不将不迎，应而不藏／当其取于心而注于手也，惟陈言之务去／吾不能变心而从俗兮，固将愁苦而终穷／条理得于心，其心渊然而条理，是为智／既不能推心以奉母，亦安能死节以事人／貌则人，其心则禽兽，又恶可谓之人邪／有必缘其心爱之谓也，有其形不可谓有之／用天下之心图而济之，夫岂无最长之策乎／志烈秋霜，心贞昆玉，亭亭高竦，不染风尘／形如槁木，心若死灰，无感无求，寂泊之至／晨看旅雁，心赴江淮；昏望牵牛，情驰扬越／无恻隐之心，非人也……恻隐之心，仁之端也／无是非之心，非人也……是非之心，智之端也／无羞恶之心，非人也……羞恶之心，义之端也／原天命，治心术，理好恶，适情性，而治道毕／我愿君王心，化作光明烛，不照绮罗筵，只照逃亡屋／莫道男儿心如铁，君不见满川红叶，尽是离人眼中血／一观其文，心朗目舒，炯若深井之下仰视白日之正中也／学贵得之心，求之于心而非也，虽其言之出于孔子，不敢以为是也／体恭敬而心忠信，术礼义而情爱人，横行天下，虽困四夷，人莫不贵

❻以天下心为心／一诗千改始心安／事无两样人心别／黄河水直人心曲／工夫深处独心知／扁舟不系与心同／主者，天下之心也／彼其发短而心甚长／不足不止，利心常起／非我族类，其心必异／云山万重，寸心千里／人心惟危，道心惟微／变化倏忽，动心骇目／诚信者，即其心易知／大势所趋，人心所向／骈四俪六，锦心绣口／文不按古，匠心独妙／文果载心，余心有寄／愿言思伯，甘心首疾／臣门如市，臣心如水／一咏一吟，寄心期于别后／不好问者，由心不能虚也／面异斯为人，心异斯为文／乐者起于心，心者动于物／军欲其众也，心欲其一也／奚必知代而心自取者有之／把酒酹滔滔，心潮逐浪高／常乐在空闲，心静乐精进／口衔山石细，心望海波平／善琴者有悲心则声凄凄然／行峻而言厉，心醇而气和／过生于心，则心悔之……／弦断犹可续，心去最难留／气质之病小，心术之病大／有言逆于汝心，必求诸道／鬓秃难遮老，心宽不贮愁／君子服人之心，不服人之言／情以物感，而心由目畅……／秦有贪饕之心，而欲不可足／用非其有之心，不可察之本／换我心，为你心，始知相忆深／宇宙便是吾心，吾心即是宇宙／进有忧国之心，退有死节之义／相形不如论心，论心不如择术／物至之时，其心昭昭然明辨焉／祸难生于邪心，邪心诱于可欲／空怀向日之心，未有朝天之路／义者，比于人心而合于众适者也／以出乎众为心者，曷常出乎众哉／读书有三到：心到、眼到、口到／口谈道德而心存高官，志在巨富／得道之士，建心于足，游志于止／悦于目，悦于心，愚者之所利也／用兵之道，攻心为上，攻城为下／辩者，求服人心也，非屈人口也／一生几许伤心事，不向空门何处销／劝君莫作亏心事，古往今来放过谁／因循苟且之心作，强毅久大之性亏／行宫见月伤心色，夜雨闻铃肠断声／形相虽善而心术恶，无害为小人也／形相虽恶而心术善，无害为君子也／死犹未肯输心去，贫亦其能奈我何／有死天下之心，而后能成天下之事／有成天下之心，而后能死天下之事／雷隐隐，感妾心，倾耳清听非车音／未尝敢以怠心易之，惧其驰而不严也／志闲而少欲，心安而不惧，形劳而不倦／居常土思兮心内伤，愿为黄鹄兮归故乡／知我者，谓我心忧；不知我者，谓我何求／为人君者，正心以正朝廷，正朝廷以正百官／小人君子，其心不同，惟乖于时，乃与天通／名为山人而心同商贾，口谈道德而志在穿窬／绝言之道，去心与意；止为之术，去人与智／以不忍人之心，行不忍人之政，治天下可运之掌上／性字从生从心，是人生来具是理于心，方名之曰性／虽有忧勤之心，而不知致治之要，则心愈劳而事愈乖

❼医家有割股之心／先人有夺人之心／快我平生万里心／失其民者，失其心也／喜怒哀乐，动人心深／得土地易，得人心难／苦心中，常得悦心之趣／一以己为马，一心己为牛／不学蒲柳凋，贞心常自保／两草犹一心，人心不如草／非物有小大，盖心为虚实／以之事国，则同心而共济／同声自相应，同心自相知／大凡人无才，则心思不出／松柏生深山，无心自贞直／相识满天下，知心能几人／时节忽已换，壮心空自惊／

然饰穷其要，则心声锋起／虑壅蔽，则思虚心以纳下／目贵明，耳贵聪，心贵公／瘠地之民多有心者，劳也／万物无足以铙心者，故静也／凡军欲其众也，心欲其一也／富润屋，德润身，心广体胖／教人者，养其善心而恶自消／有意者反远，无心者自近也／无恒产而有恒心者，惟士为能／以德服人者，中心悦而诚服也／大凡做好事的心，一日小一日／拂耳，故小逆在心而久福在国／山水之乐，得之心而寓之酒也／待小人宜敬，敬心可以化邪心／教人者，养其善心，而恶自消／心哀而歌不乐，心乐而哭不哀／思何忧而不人，心何虑而不攒／耳有聪，目有明，心思有睿知／以仁心说，以学心听，以公心辨／纸上语可废坏，心中誓不可磨灭／身在江海之上，心居乎魏阙之下／天道以爱人为心，以劝善惩恶为公／不可知之事，厉心学问，虽小无易／以力服人者，非心服也，力不赡也／得众而不得其心，则与独行者同实／遂令天下父母心，不重生男重生女／财贿不以动其心，爵禄不以移其志／笛里谁知壮士心？沙头空照征人骨／既使之，任之以心，不任之以辞也／为宰相不难，一心正，两眼明，足矣／但常以责人之心责己，恕己之心恕人／人若志趣不远，心不在焉，虽学无成／条理得于心，其心渊然而条理，是为智／万态虽杂而吾心常彻，万变虽殊而吾心常寂／谮下谩上，恒其心术，妒人之能，幸人之失／宰相，陛下之腹心；刺史县令，陛下之手足／磨肌戛骨，吐出心肝，企足以待，寘我雠冤／一宿体宁，百宿心恬，三宿后颓然嗒然，不知其然而然／有能推至诚之心而加以不息之久，则天地可动，金石可移／贼莫大乎德有心而心有睫，及其有睫也而内视，内视而败矣

❽天地虽广，以无为心／曲戟在颈，不易其心／周公吐哺，天下归心／为将之道，当先治心／以己之心，度人之心／凡有血气，皆有争心／难回者天，不负者心／名乃苦其身，燋其心／君子不可以不刳心焉／子胥沉江，比干剖心／木实繁者，披枝害心／相视而笑，莫逆于心／言犹在耳，忠岂忘心／青青子衿，悠悠我心／尧之治天下，使民心亲／禹之治天下，使民心变／仁便藏在恻隐之心里面／哀乐而乐哀，皆丧心也／捕景之说，不形于心。／时观而弗语，存其心也／舜之治天下，使民心竞／我愿平东海，身沉心不改／医得眼前疮，剜却心头肉／人主之所恃者，人心而已／去民之患，如除腹心之疾／奢者心常贫，俭者心常富／山中人自正，路险心亦平／衡无心而平，镜无心而明／青枫暝色，尽是伤心之树／语云：猛兽易伏，人心难降／揣歪，使乖，枉自把心田坏／闻水声，如鸣珮环，心乐之／遇欺诈之人，以诚心感动之／戒心之易忘，而骄心之易生／一心可以丧邦，一心可以兴邦／凡举事，必先审民心然后可举／双鬓多年作雪，寸心至死如丹／大胆天下去得，小心寸步难行／饱食终日，无所用心，难矣哉／宇宙便是吾心，吾心即是宇宙／相形不如论心，论心不如择术／祸难生于邪心，邪心诱于可欲／我心治，官乃治，我心安官乃安／仁，则私欲尽去，而心德之全也／大丈夫以正大立心，以光明行事／发为胡笳吹作雪，心因烽火炼成丹／古圣贤玩琴以养心，穷则独善其身／志正则众邪不生，心静则众事不躁／山有木兮木有枝，心悦君兮君不知／气如兰兮长不改，心若兰兮终不移／心治则百节皆安，心忧则百节皆乱／心足则物常有余，心贪则物常不足／眼孔浅时无大量，心田偏处有奸谋／耳边要静不得静，心里欲闲终未闲／身无彩凤双飞翼，心有灵犀一点通／古人教人，不过存心、养心、求放心／目极千里兮伤春心，魂兮归来哀江南／赏厚可令廉士动心，罚重可令凶人丧魄／仇无大小，只怕伤心；恩若救急，一芥千金／诗如鼓琴，声声见心。心为人籁，诚中形外／诗是心声，不可违心而出，亦不能违心而出／美味腐腹，好色惑心，勇夫招祸，辩口致殃／恭就貌上说，敬就心上说。恭主容，敬主事／责我以过，皆当虚心体察，不必论其人何如／政之所兴，在顺民心；政之所废，在逆民心／喜怒、窘穷、……有动于心，必于草书焉发之／听之善，亦必得于心而会于意，不可得而言也／天下犹人之体，腹心充实，四支虽病，终无大患／大丈夫举事，当赤心相示，浮言夸辞，吾甚厌之／君子居安宜操一心以虑患，处变当坚百忍以图成／谷足食多，礼义之心生；礼丰义重，平安之基立／一人一心，万人万心，若不以令一之，则人人之心各异矣／威太甚则爱利之心息，爱利之心息而徒疾行威，身必咎矣

❾不以死生祸福累其心／至言忤于耳而倒于心／行违于道则愧生于心／得之于手而应之于心／王者如天地之无私心／保国之大计，在结民心／关键将塞，则神有遁心／国家大政，须人无二心／欲修其身者，先正其心／忠臣处国，天下无异心／禁奸之法，太上禁其心／不结同心人，空结同心草／非无足财也，我无足心也／黄帝之治天下，使民心一／功多翻下狱，士卒但心伤／探微从道管，结撰是心精／常言道：日久才把人心见／唤起工农千百万，同心干／巢林宜择木，结友使心晓／易求无价宝，难得有心郎／文章千古事，得失寸心知／怨，不期深浅，其于伤心／博而能一，亦有助乎心力矣／圣人无常心，以百姓心为心／圣人常无心，以百姓心为心／有道之主，以百姓之心为心／不使他事胜好学之心，则有进／不实心不成事，不虚心不知事／

作德心逸日休，作伪心劳日拙／人已古兮山在，泉无心兮道存／挺秀色于冰涂，厉贞心于寒道／逍遥于天地之间，而心意自得／目无所见，耳无所闻，心无所知／万两黄金容易得，知心一个也难求／世路之蓁芜当剔，人心之茅塞须开／我心坚，你心坚，各自心坚石也穿／大其牖，天光入；公其心，万善出／爽口物多终作疾，快心事过必为殃／官长正而百姓化，邪心黜而奸匿绝／通于一而万事毕，无心得而鬼神服／如此如此复如此，壮心死尽生鬓丝／自古此冤应未有，汉心汉语吐蕃身／着意种花花不活，无心栽柳柳成阴／万事以心为本，未有心至而力不能者／卧不安席，食不甘味，心摇摇如悬旌／悟者，吾心也。能见吾心，便是真悟／事之急者不能安言，心之痛者不能缓声／圣人……心安是国安也，心治是国治也／诗者，志之所之也。在心为志，发言为诗／诗言，志之所之也。在心为志，发言为诗／国家作事，以公共为心者，人必乐而从之／求道者不以目而以心，取道者不以手而以耳／古之取天下也以民心，今之取天下也以民命／凡勤学，须是出于本心，不待父母先生督责／诗如鼓琴，声声见心。心为人籁，诚中形外／国不务大而务得民心，佐不务多而务得贤俊／爱非仁，爱之理是仁；心非仁，心之德是仁／心苟至公，人将大同；心能执一，政乃无失／岂无利事哉，我无利心；岂无安处哉，我无安心／贼莫大乎德有心而心有睫，及其有睫也而内视，内视而败矣／慈仁者，百姓亲附，并心一意，故以战则胜敌，以守卫则坚固／学贵得之心，求之于心而非也，虽其言之出于孔子，不敢以为是也

⑩统天下者当与天下同心／三军可夺气，将军可夺心／开幸人之志，兆乱臣之心／无以物乱官，毋以官乱心／不偷取一世，则民无怨心／不因感衰节，安能激壮心／出处虽殊迹，明月两知心／生材会有用，天地岂无心／以小人之虑，度君子之心／外以欺于人，内以欺于心／外虽饶棘刺，内实有赤心／人有喜庆，不可生妒忌心／人有祸患，不可生欣幸心／从来不著水，清净本因心／莫嫌一点苦，便拟弃莲心／将以民为体，民以将为心／吟成五字句，用破一生心／启奸邪之路，长贪暴之心／岂伊地气暖？自有岁寒心／忧国孤臣泪，平胡壮士心／相见情已深，未语可知心／早作而夜思，勤力而劳心／心包万理，万理具于一心／感时花溅泪，恨别鸟惊心／病多知药性，客久见人心／疾风劲草，实表岁寒之心／穷秋南国泪，残日故乡心／空嗟芳饵下，独见有贪心／老当益壮，宁移白首之心／自有凌冬质，能守岁寒心／路遥知马力，日久见人心／譬如工画师，不能知自心／与百姓争利，则狡诈之心生／天亦有喜怒之气，哀乐之心／事穷势蹙之人，当原其初心／飞雪千里，不能改松柏之心／高情壮思，有抑扬天地之心／谏不足听者，辞不足感心也／圣人无常心，以百姓心为心／圣人常无心，以百姓心为心／当局虽工，而蔽于求胜之心／君子之仕，不以高下易其心／家事国事天下事，事事关心／遇沉沉不语之士，切莫输心／有道之主，以百姓之心为心／一彼此于胸臆，捐好恶于心想／与妄人相值，亦当存自反之心／不以利禄为意，而以仁厚为心／甘忠言之逆耳，得百姓之欢心／世远莫见其面，觇文辄见其心／举千人之所爱，则得千人之心／前古之兴亡，未尝不经于心也／读书不耐苦，则无所用心之人／圣人信道不信身，顺道不顺心／草无忘忧之意，花无长乐之心／大人者，不失其赤子之心者也／虽迫桑榆之景，犹倾葵藿之心／虽有营求之事，莫生得失之心／待小人宜敬，敬心可以化邪心／安危不二其志，险易不革其心／要假修成九转，先须炼己持心／殃咎之来，未有不始于快心者／有为之君，不敢失万民之欢心／毁誉不干其守，饥寒不累其心／祸莫惨于欲利，悲莫痛于伤心／与其有乐于身，孰若无忧于其心／不徐不疾，得之于手而应之于心／以仁心说，以学心听，以公心辨／仰不愧天，俯不愧人，内不愧心／人情同于怀土兮，岂穷达而异心／凡人之情，冤则呼天，穷则叩心／大怒不怒，大喜不喜，可以养心／吾每为文章，未尝敢以轻心掉之／学问之道无他，求其放心而已矣／成大事者，皆从战战兢兢之心来／天下是非俱不到，安闲一片道人心／天可度，地可量，唯有人心不可防／天平山上白云泉，云自无心水自闲／无论海角与天涯，大抵心安即是家／不以富贵妨其道，不以隐约易其心／不务服人之貌，而思有以服人之心／不是交同兰气味，为何话出一人心／不是眼前无外物，不关心事不经心／不畏将军成久别，只恐封侯心更移／世间无限丹青手，一片伤心画不成／可能十万珍珠字，买尽千秋儿女心／百心不可以得一人，一心可得百人／巫峡之水能覆舟，若比人心是安流／书有以加乎其言，言有以加乎其心／人生自古谁无死，留取丹心照汗青／含情欲说独无处，传与琵琶心自知／交朋友增体面，不如交朋友益身心／读书而寄兴于吟咏风雅，定不深心／画虎画皮难画骨，知人知面不知心／劝君休饮无情水，醉后教人心意迷／圣人不以独见为明，而以万物为心／观书者当观其意，慕贤者当慕其心／太行之路能摧车，若比人心是坦途／把向空中捎一声，良马有心日驰千／当时更有军中死，自是君王不动心／虽体解吾犹未变兮，岂余心之可惩／带长剑兮挟秦弓，首身离兮心不

惩／形不正者德不来，中不精者心不治／浮名浮利过于酒，醉得人心死不醒／鸿鹄之鷇羽翼未全，而有四海之心／惟圣君以逆耳者顺于心，故天下治／宁用不材以败事，不肯劳心而择材／寓形宇内复几时，曷不委心任去留／逢人且说三分话，未可全抛一片心／逢人只可三分语，未可全抛一片心／弹虽在指声在意，听不以耳而以心／好似和针吞却线，刺人肠肚系人心／学诗须是熟看古人诗，求其用心处／纵令然诺暂相许，终是悠悠行路心／木实繁者披其枝，披其枝者伤其心／标格原因独立好，肯教富贵负初心／水能性澹为吾友，竹解心虚即我师／见乎表者作乎里，形于事者发于心／牧羊驱马虽戎服，白发丹心尽汉臣／爱人以除残为务，政理以去乱为心／爱好由来下笔难，一诗千改始心安／有时忽得惊人句，费尽心机做不成／礼丰不足以效爱，而诚心可以怀远／虑之无益于义而虑之，此心之秽也／积善成德，而神明自得，圣心备焉／白鸥问我泊孤舟，是身留，是心留／身为野老已无责，路有流民终动心／天下之至文，未有不出于童心焉者也／天将降大任于是人也，必先苦其心志／不以物乱官，不以官乱心，是谓中得／世虽有侥幸之事，断不可存侥幸之心／两心不可以得一人，一心可以得百人／古人教人，不过存心、养心、求放心／但常以责人之心责己，恕己之心恕人／凡人不能无好恶，但能胜其私心则善／六十而耳顺，七十而从心所欲不逾矩／处事者不以聪明为先，而以尽心为急／庸人者，口不能道善言，心不知色色／绝愚之人，心无所别析，心无所好欲／不闻大论则志不宏，不听至言则心不固／世间奇男子，岂可以世俗趣舍量其心乎／临水远望，泣下沾衣，远道之人心思归／发乎声，见乎四支，谓非己心，不明也／仁者不以盛衰改节，义者不以存亡易心／养志者忘形，养形者忘利，致道者忘心／众人皆以奢靡为荣，吾心独以俭素为美／含情而能达，会景而生心，体物而得神／交友须带三分侠气，作人要存一点素心／力可以得天下，不可以得匹夫匹妇之心／大其心容天下之物，虚其心受天下之善／处身者，不为外物眩晃而动，则其心静／流荡不返，使人有淫丽之心，此文病也／安能摧眉折腰事权贵，使我不得开心颜／威严不足以易于位，重利不足以变其心／纵令滋味当染于口，声色已开于心……／此情无计可消除，才下眉头，却上心头／收心简事日损有为，体静心闲方可观妙／朋而不心，面朋也；友而不心，面友也／私视使目盲，私听使耳聋，私虑使心狂／言无法度不出于口，行非公道不萌于心／言非法度不出于口，行非公道不萌于心／天惟运动一气，鼓万物而生，无心以恤物／兵贵于精，不贵于多；强于心，不强于力／使味之者无极，闻之者动心，是诗之至也／人有鸡犬放，则知求之；有放心而不知求／凡万物异则莫不相为蔽，此心术之公患也／吾闻中国之君子，明乎礼义而陋于知人心／君子之修身也，内正其心，外正其容而已／嗜欲者使人之气越，而好憎者使人之心劳／因事相争，安知非我之不是，须平心暗想／忧人之言不绝于口，而乐身之事实切于心／遗腹子之上陇，以礼哭泣之，而无所归心／死生荣辱之道一，则三军之士可使一心矣／万态虽杂而吾心常彻，万变虽殊而吾心常寂／与百姓有缘才来此地，期寸心无愧不鄙斯民／我为女子，薄命如斯！君是丈夫，负心若此／我心匪石，不可转也；我心匪席，不可卷也／使天下畏刑而不敢盗，岂若能使无有盗心哉／并官省事，静事息役，上下用心，惟农是务／凤凰生而有仁义之意，虎狼生而有贪戾之心／冷眼观人，冷耳听语，冷情当感，冷心思理／诗是心声，不可违心而出，亦不能违心而出／小快害义，小慧害道，小辨害治，苟心伤德／当厄之施，甘于时雨；伤心之语，毒于阴冰／吐纳文艺，务在节宣，清和其心，调畅其气／山不厌高，海不厌深；周公吐哺，天下归心／处逆境心须用开拓法，处顺境心要用收敛法／饥马在厩，寂然无声，投刍其旁，争心乃生／法本不祖，术本无状；师之于心，得之于象／桑椹甘香，鸱鸮革响，淳酪养性，人无嫉心／政之所兴，在顺民心；政之所废，在逆民心／爱非仁，爱之理是仁；心非仁，心之德是仁／有金鼓，所以一耳也；同法令，所以一心也／文者，圣人假之以达其心……详之、略之也／老骥伏枥，志在千里；烈士暮年，壮心不已／繁华，系累不能夺，则俗心日退、真心日进／静则得之，躁则失之，灵气在心，一来一逝／其国弥大，而其主弥静，然后乃能广得众心／无恻隐之心，非人也……恻隐之心，仁之端也／无是非之心，非人也……是非之心，智之端也／无羞恶之心，非人也……羞恶之心，义之端也／千人同心则得千人力，万人异心则无一人之用／真伪有质矣，而趋舍舛忤，故两心不相为谋焉／博学笃志，切问近思，此八字是收放心的功夫／君之化下，如风偃草，上不节心，则下多逸志／君苟有善，人必知之。知之又知之，其心归之／君苟有恶，人亦知之。知之又知之，其心去之／法令者示人以信，若成而数变，则人之心不安／教明于上，化行于下，民有耻心，则何盗之为／音乐者，所以动荡血脉，通流精神而和正心也／五步一楼，十步一阁。……各抱地势，钩心斗角／不学而求知，犹愿鱼而无网焉，心虽勤而无获矣／直视千里外，唯见起黄埃。凝思寂听，心伤已摧／嗜欲无穷，则必有贪鄙悖乱之心，淫佚奸诈之事／岂无利事哉，我无利心；岂无安处哉，我无安心／恒其道，一其志，不欺其心，斯固世之所难得也／非有卓然异绩结于人心，浃于骨髓，安能久而愈思／同于己而欲之，异于己而不欲者，以出乎众为心也／使天下之人，不敢言而敢怒。独夫之心，日益骄固／观貌之是非，不若论其心与其行事之可否为不失也／君子安其身而后动，易其心而后语，定其交而后求／饰人之心，易人之意，能胜人之口，不能服人之心／治天下者，当以天下之心为心，不得自专快意而已／性字从生从心，是人生来具是理于心，方名之曰性／追计往时咎过，日夜反覆，无一食而安于口平于心／继以精思，使其意皆出于吾之心。然后可以有得尔／未战养其财，将战养其力，既战养其气，既胜养其心／若鄙人所谓致知格物者，致吾心之良知于事事物物也／君子之学也，入乎耳，箸乎心，布乎四体，形乎动静／虽有忧勤之心，而不知致治之要，则心愈劳而事愈乖／消磨了三十多年层层心血，算不得大千世界小小文章／权，然后知轻重；度，然后知长短。物皆然，心为甚／耳之闻也藉于静，目之见也藉于昭，心之知也藉于理／自古上书，率多激切。若不激切，则不能起人主之心／天不可信，地不可信，人不可信，心不可信，惟道可信／兵静则固，专一则威，分决则勇，心疑则北，力分则弱／视政之得失，若越人视秦人之肥瘠忽焉不加喜戚于其心／有席卷天下，包举宇内，囊括四海之意，并吞八荒之心／瞒人之事弗为，害人之心弗存，有益国家之事虽死弗避／一人一心，万人万心，若不以令一之，则人人之心各异矣／上古明王举乐者，非以娱心自乐，快意恣欲，将欲为治也／威太甚则爱利之心息，爱利之心息而徒疾行威，身必咎矣／所谓诗，所谓文，实国事、世事、家事、身事、心事系焉／不仁之人骋其私智，可以盗千乘之国，而不可以得丘民之心／乐之道深矣，故工之善者，必得于心应于手，而不可述之言也／今且须去理会眼前事，那个鬼神事，无形无影，莫要枉费心力

必

bì 一定；决定；果真；固执；姓。

❶必也正名乎

见《论语·子路》。

必推于物，而顺于人

见唐·柳宗元《为文武百官请复尊号表》。

必死则生，幸生则死

见《吴子·治兵》。

必有事实，乃有是文

见宋·陆游《上辛给事书》。

必胜之师，必在速战

见唐·韩愈《论淮西事宜状》。

必欲致治，在于积贤

见宋·苏轼《谢中书舍人启》。

必因人之情，故易为功

见宋·苏轼《策别十四》。全句为："～；必因时之势，故易为力"。

必因时之势，故易为力

见宋·苏轼《策别十四》。全句为："必因人之情，故易为功；～"。

必死之病，不下苦口之药

见晋·葛洪《抱朴子·博喻》。全句为："～；朽烂之材，不受雕镂之饰"。

必也临事而惧，好谋而成者也

见《论语·述而》。全句为："暴虎冯河，死而无悔者，吾不与也。～"。

必原情以定罪，不阿意以侮法

见唐·王维《裴仆射济州遗爱碑》。

必死不如乐死，乐死不如甘死

见汉·刘向《说苑·指武》。全句为："～，甘死不如义死，义死不如视死如归"。

必出于己，不袭蹈前人一言一句

见唐·韩愈《南阳樊绍述墓志铭》。

必尽读天下之书，尽通古今之事

见清·万斯仝《与钱汉臣书》。全句为："～，然后可以放笔为文"。

必欲得人称职，不失士，不谬举

见宋·王安石《取材》。

必躬自厚而薄责于人，斯无失也

见清·李淦《燕翼篇》。全句为："人非圣贤，孰能无过。～"。

必先知致弊之因，方可言变法之利

见宋·欧阳修《论更改贡举事件札子》。

必有忍，其乃有济；有容，德乃大

见《尚书·君陈》

必须出类拔萃，与众不同，才觉有趣

见清·李汝珍《镜花缘》第八十二回。

必须困至乃虑，穷至乃图，不亦晚乎

见汉·贾谊《新书·忧民》。

必得之事，不足赖也；必诺之言，不足信也

见《管子·形势》。

必且历日旷久，丝牦犹能挈石，驽马亦能致远

见汉·刘向《新序杂言二》。

必静必清，无劳女形，无摇女精，乃可以长生

见《庄子·在宥》。

必使为善者不越月逾时而得其赏，则人勇而有劝焉

见唐·柳宗元《断刑论》。

必曰赏以春夏，而刑以秋冬，而谓之至理者，伪也

见唐·柳宗元《断刑论》。

❷盈必溢／师必有名／论必据迹／能必副其所

／进必有所归／缓必有所失／论必作，作必成／知必言，言必尽／战必胜，攻必克／战必胜，攻必取／疏必危，亲必乱／言必中当世之过／言必信，行必果／盈必毁，天之道也／不必法古，苟周于事／人必知道而后知爱身／动必三省，言必再思／取必以渐，勤则得多／宠必有辱，荣必有患／居必择乡，游必就士／居必择邻，交必良友／居必常安，然后求乐／死必得所，义在不苟／昌必有衰，兴必有废／赠必固辞，求无不应／火必有光，心必有思／人必自侮，然后人侮之／国必自伐，而后人伐之／家必自毁，而后人毁之／文必虚字备而后神态出／何必生之为乐，死之为悲／人必先疑也，而后谗入之／讼必有曲直，论必有是非／奚必知代而心自取者有之／明必死之路，开必得之门／物必先腐也，而后虫生之／辞必端其本，修之乃立诚／专必成之功，而忽蹉跌之败／人必其自敬也，然后人敬诸／人必其自爱也，然后人爱诸／仪必应乎高下，衣必适乎寒暑／人必待贤以理，物必待贤以宁／谋，必素见成事焉，而后履之／圣必藉贤以明，国必待贤以昌／赏必加于有功，刑必断于有罪／禁必以武而成，赏必以文而成／不必循常，法度制令，各因其宜／未必人间无好汉，谁与宽些尺度／德必称位，位必称禄，禄必称用／有必不可劝之人，不必多费唇舌／有必不可行之事，不必妄作经营／不必有非常之功，而皆有可纪之状／未必上流须鲁肃，腐儒空白九分头／何必奔冲山下去，更添波浪向人间／何必桑干方是远，中流以北即天涯／响必应之于同声，道固从之于同类／情必极貌以写物，辞必穷力而追新／辞必高然后为奇，意必深然后为工／怀必贪，贪必谋人；谋人，人亦谋己／丑必托善以自为解，邪必蒙正以自为辟／思必深，而深必怨；望必远，而远必伤／有必缘其心爱之谓也，有其形不可谓有之／鸟必择木而栖，附托匪人者必有危身之祸／世必有才，随时所用，岂待……然后为治乎／人必先作，然后人名之；先求，然后人与之／妙必假物而物非生妙，巧必因器而器非成巧／杖必取材，不必用味；相必取贤，不必所爱／舟必漏也而后水入焉，土必湿也而后苔生焉／食必常饱，然后求美；衣必常暖，然后求丽／设必犯之法，不度民情之不堪，是陷民于罪也

❸行远必自迩／多易必多难／罚善必赏恶／铦者必先挫／登高必自卑／甚美必有甚恶／乱生必由怨起／外宁必有内忧／圣人必先适欲／观人必于其微／大屈必有大伸／君子必慎其独也／宰相必用读书人／行者必先近而后远／官不必备，惟其人／有妍必有丑为之对／末大必折，尾大不掉／可行必守，有弊必除／事有必至，理有固然／失众必败，得众必成／信赏必罚，其足以战／储思必深，摛辞必高／兴者必废，盛者必衰／令在必信，法在必行／至仁必易，大智必简／善不必寿，惟道之闻／好丑必上，不在远近／贤者必与贤于己者处／物有必至，事有固然／有善必闻，有恶必见／书不必多看，要知其约／弗能必而据之者，诬也／画竹必先得成竹于胸中／圣主必待贤臣而弘功业／攻不必拔，不可以言攻／士不必贤世，要之知道／浴不必江海，要之去垢／女不必贵种，要之贞好／马不必骐骥，要之善走／战不必胜，不可以言战／有过必悛，有不善必惧／甚爱必大费，多藏必厚亡／升高必自下，陟遐必自迩／乘车必护轮，治国必爱民／令在必行，不当徒为文具／负恩必须酬，施恩慎勿色／庸言必信之，庸行必慎之／轻诺必寡信，多易必多难／有生必有死，早终非命促／有兴必有废，有盛必有衰／有善必劝者，固国家之典／有有必有无，有聚必有散／有恩必酬者，亦匹夫之义／有静必有动，有动必有静／考绩必以岁月，故官不失绪／知者必量其力所能至而从事／有官必有课，有课必有赏罚／禾黍必刈其稂莠而后苗始茂／白粲必去其沙砾而后食可餐／用兵必须审敌虚实而趋其危／一治必又一乱，一乱必又一治／万物必有盛衰，万事必有弛张／为高必因丘陵，为下必因川泽／仁者必爱其亲，义者必急其君／读文必期有用，不然宁可不读／大简必有不好，良工必有不巧／大羹必有淡味，至宝必有瑕秽／导人必因其性，治水必因其势／贤君必恭俭礼下，取于民有制／救奢必于俭约，拯薄无若敦厚／赏罚必信，无恶不惩，无善不显／物有必至，事有常然，古之道也／病中必有悔悟处，病起莫教忘了／立身必由清谨，处职无废于忠勤／人主必信，信而又信，谁人不亲？／论士必定于志行，毁誉必参于效验／知死必勇，非死者难也，处死者难／宰相必起于州部，猛将必发于卒伍／富贵必从勤苦得，男儿须读五车书／明主必谨养其和，节其流，开其源／文章必自名一家，然后可以传不朽／凡道必周必密，必宽必舒，必坚必固／诤臣必谏其渐，及其满盈，无所复谏／贵者必以贱为号，而高者必以下为基／两喜必多溢美之言，两怒必多溢恶之言／书不必起仲尼之门，药不必出扁鹊之方／人事必将与天地相参，然后乃可以成功／凡人必别宥然后知，别宥则能全其天矣／欲刚，必以柔守之；欲强，必以弱保之／有才必韬藏，如浑金璞玉，暗然而日章也／兵不必胜，不苟接刃；攻不必取，不为苟发／刑在必澄，不在必惨；政在必信，不在必苛／养形必先之以物，物有余而形不养者有之矣／大味必淡，大音必希；大语叫叫，大道低回／知熟必避，知生必

避；入人意中，出人头地／学不必博，要之有用；仕不必达，要之无愧／战不必胜，不苟接刃；攻不必取，不苟劳众／必静必清，无劳女形，无摇女精，乃可以长生／学者必务知要，知要则能守约，守约则足以尽博矣

❹得道者必静／欺敌者必败／轻诺者必寡信／利于一必害于一／鄙吝者必非大器／德不孤，必有邻／相逢何必曾相识／有其父必有其子／举大事必慎其终始／详其小，必废其大／有其志，必有其事／欲取之，必先予之／三人行，必有我师焉／为名者必让，让斯贱／教之道，必先治学校／圣人以必不必，故无兵／虽小道，必有可观者焉／国将兴，必贵师而重傅／国将衰，必贱师而轻傅／治国者，必以奉法为重／高者未必贤，下者未必愚／取人者必畏，与人者必骄／城峭则必崩，岸竦则必阤／清者不必慎，慎者必自清／慎重则必成，轻发则多败／家道穷必乖……乖必有难／木无本必枯，水无源必竭／贤者不必贵，仁者不必寿／毋意，毋必，毋固，毋我／事有以必然，虽常人足以致／处世不必邀功，无过便是功／智者不必仁，而仁者则必智／凡举事，必先审民心然后可举／喜名者必多怨，好与者必多辱／喜德者必多怨，喜予者必善夺／治外者必调内，平远者必正近／深入未必为得，不进未必为非／富贵未必可重，贫贱未必可轻／学者非必为仕，而仕者必如学／新沐者必弹冠，新浴者必振衣／有生者必有死，有始者必有终／有始者必有卒，有存者必有亡／积于柔，必刚；积于弱，必强／足恭者必中薄，面谀者必背非／生之厚必入死之地，故谓之大患／理世不必一其道，便国不必法古／有德者必有言，有言者不必有德／千金未必能移性，一诺从来许杀身／举一善必适其材，惩一恶必当其咎／尺之木必有节目，寸之玉必有瑕瓋／弟子不必不如师，师不必贤于弟子／众恶之，必察焉；众好之，必察焉／凡人主必信。信而又信，谁人不亲／凡闻言必熟论，其于人必验之以理／冠虽故必加于首，履虽新必关于足／记事者必提其要，纂言者必钩其玄／若升高，必自下；若陟遐，必自迩／山泽不必有异士，异士不必在山泽／处屯而必行其道，居陋而不改其度／纪事者必提其要，纂言者必钩其玄／植佳谷必以粪壤，铸洪钟必以土型／有所取必有所舍，有所禁必有所宽／有其志必成其事，盖烈士之所徇也／五百年必有王者兴，其间必有名世者／为国者，必先知民之所苦，祸之所起／凡举事必循法以动，变法者因时而化／萌于不必忧之地，而寓于不可见之初／故明主必谨养其和，节其流，开其源／爱人者必见爱也，而恶人者必见恶也／睹其终必原其始，故存其人而咏其道／为主贪，必丧其国；为臣贪，必亡其身／任其事必图其效，欲责其效，必尽其方／冠虽敝，必加于首；履虽新，必关于足／欲刚者必以柔守之，欲强者必以弱保之／用之者，必假于弗用也，而以长得其用／其兴也必由于积善，其亡也皆在于积恶／博之不必知，辩之不必慧，圣人以断之矣／在上者，必有武备，以戒不虞，以遏寇虐／好者不必同色而皆美，丑者不必同状而皆恶／欲上民，必以言下之；欲先民，必以身后之／大丈夫必有四方之志，乃仗剑去国，辞亲远游／大臣则必取众人之选，能犯颜谏事公正无私者／三年耕，必有一年之食，九年耕，必有三年之食／君子居必仁，行必义，反仁义而福，君子不有也／行世者必真，悦俗者必媚，真久必见，媚久必厌／法虽在，必待圣而后治；律虽具，必待耳而后听／叩之而必闻，触之而必应，夫是以天下可使为一身／君子居必择乡，游必就士，所以防邪僻而近中正也／人知出必由户，而不知行必由道。非道远人，人自远尔／水虽平，必有波；衡虽正，必有差；尺寸虽齐，必有诡

❺外物不可必／事莫难于必成／升而不已必困／草上之风必偃／急求名者必锉／不知戒，后必有／凡法始立必有病／论必作，作必成／名心胜者必作伪／名心盛者必为伪／知必言，言必尽／困乎上者必反下／多行无礼必自及／多行不义必自毙／战必胜，攻必克／战必胜，攻必取／有言者不必有德／疏必危，亲必乱／言必信，行必果／利于彼者必耗于此／伤于外者必反于家／苟有过，人必知之／大疑之下必有大悟／欲知人者必先自知／天将与之，必先苦之／天将毁之，必先累之／两虎相斗，必有一伤／人无远虑，必有近忧／人皆狎我，必我无骨／人皆畏我，必我无养／帝子亲王，必须克己／军有归心，必无斗志／冠虽穿弊，必戴于头／陷人于危，必同其难／色能置害，必须远之／大军之后，必有凶年／大难不死，必有后禄／将门之下，必有将类／将绝其末，必塞其原／将欲败之，必姑辅之／口能招祸，必须慎之／国家将败，必用奸人／街谈巷说，必有可采／饭山逢彪必吐哺而逃／治国之道，必先富民／酒能败身，必须戒之／濯溪见鳄必弃履而走／灾人者，人必反灾之／维桑与梓，必恭敬止／智者千虑，必有一失／贪而弃义，必为祸阶／物无妄然，必由其理／物塞而通，必艰其初／攀龙附凤，必在初举／爱人者人必从而爱之／有荣华者，必有憔悴／服民之心，必得其情／服美不称，必以恶终／欲治兵者，必先选将／欲胜人者，必先自胜／心能造恶，必须戒之／必胜之师，必在速战／忿能积恶，必须忍之／怒中之言，必有泄漏／怠惰忽略，必乱其政／愚人千虑，必有一得／愚者千

虑，必有一得／积德之家，必无灾殃／无参验而必之者，愚也／百工制器，必贵于有用／乐其所成，必顾其所败／凡为名者必廉，廉斯贫／若安天下，必先正其身／君子之治，必先死于国／得其所利，必虑其所害／清其流者，必先洁其源／履虽五采，必践之于地／如有王者，必世而后仁／所谓文者，必有诸其中／所加于人，必可行于己／欲成大厦，必寄于瑰材／罚之所始，必始于薄刑／衣食之道，必始于耕织／兵之所聚，必有所资……／为君之道，必须先存百姓／主大计者，必执简以御繁／举错数失，必致危亡之道／以官为乐，必不能做好官／保廉节者，必憎贪冒之党／众人以不必必之，故多兵／决狐疑者，必告逆耳之言／务公正者，必无邪佞之朋／圣人为戒，必于方盛之时／尚德行者，必无凶险之类／吾有小失，必犯颜而谏之／吾有小善，必将顺而成之／治膏肓者，必进苦口之药／激波陵山，必成难升之势／学其意，不必泥其字句也／标节义者，必以节义受谤／春秋迭代，必有去故之悲／见善，修然，必以自存也／政教积德，必致安泰之福／有信义者，必疾苟且之徒／禁人之所必犯，虽罚且违／钧天广乐，必有奇丽之观／积上不止，必致嵩山之高／积下不已，必极黄泉之深／天之生物，必因其材而笃焉／首虽尊高，必资手足以成体／函坚则物必毁之，刚斯折矣／刀利则物必摧之，锐斯挫矣／君虽明哲，必藉股肱以致治／善治病者，必医其受病之处／善救弊者，必寻其起弊之源／其论人也，必贵忠良鄙邪佞／一饭之德必偿，睚眦之怨必报／上好则下必甚，矫枉故直必过／表曲者景必邪，源清者流必洁／事莫大于必克，用莫大于玄默／良璞不剖，必有泣血以相明者／伏久者飞必高，开先者谢独早／凡事有经必有权，有法必有化／损而不已必益，益而不已必决／睚眦之怨必仇，一餐之惠必报／其语道也，必先淳朴而抑浮华／良医不可必得，而庸医举目皆是／古之名将，必出于奇，然后能胜／厚于财色必薄于德，自然之道也／盗贼之心必托圣人之道而后可行／天生我材必有用，千金散尽还复来／云厚者，雨必猛；弓劲者，箭必远／古之学者必严其师，师严然后道尊／今所任用，必须以德行、学识为本／诺轻者，信必寡；面誉者，背必非／善作者不必善成，善始者不必善终／惟古于词必己出，降而不能乃剽贼／早成者未必有成，晚达者未必不达／物暴长者必夭折，功卒成者必亟坏／教人至难，必尽人之材，乃不误人／敬人而不必见敬，爱人而不必见爱／欲尸名者必为善，欲为善者必生事／凡道必周必密，必宽必舒，必坚必固／凡权重者必谨于事，令行者必谨于言／大匠诲人必以规矩，学者亦必以规矩／太平之时，必须才行俱兼，始可任用／怀必贪，贪必谋人；谋人，人亦谋己／良工之子必先为箕，良冶之子必先为裘／良弓之子必先为箕；良冶之子必先为裘／荆岫之玉必含纤瑕，骊龙之珠亦有微颣／人爱我，我必爱之；人恶我，我必恶之／功不使鬼必在役人，物不天来终须地出／巧不使鬼必有役人，物不天来终须地出／芳饵之下必有悬鱼，重赏之下必有死夫／国之将兴，必有祯祥，君子用而小人退／国之将亡必有大恶，恶者无大于杀忠臣／木之折也，必通蠹；墙之坏也，必通隙／物之有成必有坏，譬如人之有生必有死／有诸中者必形乎表，发乎迩者必著乎远／有阴德者必有阳报，有隐行者必有昭名／有文事者必有武备，有武事者必有文备／欲胜人者必先自胜，欲论人者必先自论／盛于彼者必衰于此，长于左者必短于右／从来谈诗，必摘古人佳句为证，最是小见／观人察质，必先察其平淡，而后求其聪明／王天下者必先诸民，然后庇焉，则能长利／积善之家必有余庆，积不善之家必有余殃／天下难事，必作于易；天下大事，必作于细／不畏于微，必畏于章，患大祸深，以至灭亡／求而得之，必有失焉；为而成之，必有败焉／兵者凶器，必有凶扰，扰则思乱，乱出不意／十室之邑，必有忠信；三人并行，厥有我师／十步之内，必有芳草；四海之中，岂无奇秀／十步之间，必有茂草；十室之邑，必有俊士／人美于中，必播于外，而越于民，民实戴之／人欲自照，必须明镜；主欲知过，必藉忠臣／圣人千虑，必有一失；愚人千虑，必有一得／取士之方，必求其实；用人之术，当尽其材／将欲废之，必固兴之；将欲夺之，必固与之／将欲歙之，必固张之；将欲弱之，必固强之／将欲毁之，必重累之；将欲踣之，必高举之／听言之道，必以其事观之，则言者莫敢妄言／君子百是，必有一非；小人百非，必有一是／国家将兴，必有祯祥；国家将亡，必有妖孽／汝若全德，必忠必直；汝若全行，必方必正／过之所始，必始于微；积而不已，遂至于著／物类之起，必有所始；荣辱之来，必象其德／欲人勿恶，必先自美；欲人勿疑，必先自信／欲论人者，必先自论；欲知人者，必先自知／祸之所生，必由积怨；过之所始，多因忽小／忠贤事君，必谏君失，奸佞事主，必顺主情／香饵之下，必有悬鱼；重赏之下，必有死夫／虎之跃也，必伏乃厉；鹘之举也，必拊乃高／为学之道，必本于思。思则得知，不思则不得／古之学者必有师，所以通其业，成就其道者也／听之善，亦必得于心而会于意，不可得而言也／中和之质，必平淡无味，故能调成五材变化应节／会心处不必在远，翳然林水，便自有濠濮间想也／凡乱也者，必始乎近而后及远，必始乎本而后及末

／畜池鱼者必去猵獭，养禽兽者必去豺狼，又况治人乎／人之生也，必以其欢。忧则失纪，怒则失端。忧悲喜怒，道乃无处

❻事因于民者必成／小人之过也必文／行不信者名必耗／天下物无独必有对／本不正者，末必倚／智者之举事必因时／上之所好，下必有甚／上之所好，民必甚焉／上有所好，下必甚焉／天下无内忧必有外惧／不学问者，学必不进／曲己全人，人必全之／非吴丧越，越必丧吴／临祸忘忧，忧必及之／兵不妄动，师必有名／疑皆响答，问必实归／人有善愿，天必从之／命驹曰犊，终必为马／凡将举事，令必先出／计熟事定，举必有功／谋无不当，举必有功／初虽啼号，后必庆笑／动必三省，言必再思／少不勤苦，老必艰辛／国之将亡，本必先颠／行高于人，众必非之／安不忘危，盛必虑衰／宝珠玉者，殃必及身／宠必有辱，荣必有患／居必择乡，游必就士／居必择邻，交必良友／始交不慎，后必为仇／机事不密，则必害成／昌必有衰，兴必有废／物无所主，人必争之／有迟有速，民必胜之／火必有光，心必有思／盛不忘衰，安必思危／食能以时，身必无灾／修身絜行，言必由绳墨／凡民之生也，必以正平／凡治国之道，必先富民／凡有怪征者，必有怪行／圣人以必不必，故无兵／狎昵恶少，久必受其累／处尊居显未必贤，遇也／官达者，才未必当其位／好大言者，不必有大志／轻躁寡谋，不必皆年少／所就者大，则必有所忍／老成虑事，不必皆高年／誉美者，实未必副其名／求木之长者，必固其根本／以人言善我，必以言罪我／以名声称号，必为是所诱／位卑在下未必愚，不遇也／众人以不必必之，故多兵／凡二人来讼，必一曲一直／能相奉成者，必同气者也／工欲善其事，必先利其器／士欲宣其义，必先读其书／善在身，介然必以自好也／进取之士，未必能有行也／有病于内者，必有色于外／欲流之远者，必浚其泉源／思国之安者，必积其德义／罚莫如重而必，使民畏之／既受人之托，必终人之事／鉴国之安危，必取于亡国／鉴形之美恶，必就于止水／上有好者，下必有甚焉者矣／为人子者，出必告，反必面／古之善将者，必以其身先之／人之将疾者必不甘鱼肉之味／豪杰之士者，必有过人之节／名高天下，何必辨襄阳南阳／贵富太盛，则必骄佚而生过／见不善，愀然，必以自省也／所以失之者，必以喜乐哀怒／有非常之功，必待非常之人／夜光之珠，不必出于孟津之河／有求贵贱之必，必有二价之语／盈握之璧，不必采于昆仑之山／身之将败者，必不纳忠谏之言／凡兵有本干：必义，必智，必勇／能有名誉者，必无以趋行求者也／德必称位，位必称禄，禄必称用／再实之木根必伤，掘藏之家必有殃／再实之木根必伤，掘臧之家后必殃／疑人者，人未必皆诈，己则先诈矣／剔大蠹者木必凿，去大奸者国必伤／侈言无验不必用，质言当理不必违／谋度于义者必得，事因于民者必成／恃壮者一病必危，过懒者久闲愈懦／水波澜者源必远，树扶疏者根必深／致贵无渐失必暴，受爵非道殃必疾／有善者虽远必升，无能者纵近必废／惩之甚者改必速，畜之久者发必肆／路歧之险夷，必待身亲履历而后知／同于我者何必可爱，异于我者何必可憎／能行之者未必能言，能言之者未必能行／君子不言，言必有中，不行，行必有称／德不称，其祸必酷；能不称，其殃必大／法立，有犯而必施；令出，惟行而不返／思必深，而深必怨；望必远，而远必伤／秋早寒，则冬必暖；春雨多，则夏必旱／大人者，言不必信，行不必果，惟义所在／国无义，虽大必亡。人无善志，虽勇必伤／国虽大，好战必亡；天下虽安，忘战必危／国虽大，好战必亡；天下虽平，忘战必危／一人之毁，未必有信；积年之行，不应顿亏／曲思于细者必忘其大，锐精于近者必略于远／傲人不如者，必浅人；疑人不肖者，必小人／人之善恶，不必世族；性之贤鄙，不必世俗／苟利于民，不必法古；苟周于事，不必循旧／草木无大小，必待春而后生，人待义而后成／度量权衡法，必资之官，资之官而后天下同／马效千里，不必胡代；士贵成功，不必文辞／马效千里，不必骥騄；人期贤知，不必孔墨／木秀于林，风必摧之；堆出于岸，流必湍之／杖必取材，不必用味；相必取贤，不必所爱／欲知平直，则必准绳；欲知方圆，则必规矩／文宜易宜难？必谨对曰：无难易，唯其是尔／忠谋转改，祸必及己。退隐深山，身乃不殆／若将军、大夫必出旧族，或无可焉，犹用之耶／君苟有善，人必知之。知之又知之，其心归之／故凡得胜者，必与人也，凡得人者，必与道也／今人之性恶，必将待师法然后正，得礼义然后治／嗜欲无穷，则必有贪鄙悖乱之心，淫佚奸诈之事／纯柔纯弱兮，必削必薄；纯刚纯强兮，必丧必亡／有行之士，未必能进取；进取之士，未必能有行也／能有天下者，必无以天下为也；能有名誉者，必无以趋行求者也／君子之言，幽必有验乎明，远必有验乎近，大必有验乎小，微必有验乎著

❼恃力者虽盛而必衰／上下不和，虽安必危／与人以实，虽疏必密／与人以虚，虽戚必疏／天下虽安，忘战必危／无信患作，失援必毙／可行必守，有弊必除／事之当否，众口必公／非才而据，咎悔必至／非我族类，其心必异／失众必败，得众必成／乖僻自是，悔误必多／农夫去草，嘉谷必茂／以逸待劳，取之必也／储思必

深，摛辞必高／兴者必废，盛者必衰／令在必信，法在必行／众之所助，虽弱必强／众之所去，虽大必亡／众口遭笑，虽贵必危／先人后己，所愿必得／哀乐失时，殃咎必至／男大须婚，女大必嫁／巧言虽美，用之必灭／至仁必易，大智必简／墙高基下，虽得必失／墙隙而高，其崩必疾／寸寸而度，至丈必差／小时了了，大未必佳／当局称迷，旁观必审／尚名好高，其身必疏／名虽美焉，伪亦必生／德则有邻，才不必贵／法施于人，虽小必慎／归师勿遏，围师必阙／尾大不掉，末大必折／奸生于国，时动必溃／楚虽三户，亡秦必楚／明镜鉴形，美恶必见／智而明者，所伏必众／贪货无厌，其身必少／父子无礼，其家必凶／有善必闻，有恶必见／有备无患，亡战必危／有所许诺，纤毫必偿／风行草偃，其势必然／繁采寡情，味之必厌／言之大甘，其中必苦／天下将兴，其积必有源／天下将亡，其发必有门／甘心于履危，未必逢祸／平地注水，湿者必先濡／事半古之人，功必倍之／博学而不自反，必有邪／人才有长短，不必兼通／人主欲自知，则必直士／凡圜转之物，动必有机／塞水不自其源，必复流／抱薪加火，烁者必先然／海与山争水，海必得之／纵意于处安，不必全福／有迟有速，而民必胜之／灭祸不自其基，必复乱／古来存老马，不必取长途／人生贵相知，何必金与钱／凌烟阁上人，未必皆忠烈／讼必有曲直，论必有是非／凿凿乎如五谷必可以疗饥／苟虑危人，人亦必虑危之／苟虑害人，人亦必虑害之／落地为兄弟，何必骨肉亲／大言不惭，则无必为之志／君子交有义，不必常相从／君欲自知其过，必待忠臣／行事在审己，不必恤浮议／家道穷必乖……乖必有难／富若生蓄，万物必具……／明必死之路，开必得之门／政者，口言之，身必行之／断断乎如药石必可以伐病／有言逆于汝心，必求诸道／有麝自然香，何必当风立／欲人之从己也，必先从人／欲人之爱己也，必先爱人／用人不以名誉，必求其实／才高人自服，不必其言之高／不能无诉，诉而必见察……／不善在身，菑然必以自恶也／孔子圣人，其学必始于观书／四寸之管无当，必不可满也／行高人自重，不必其貌之高／此能求过于天，必不逆谏矣／明王之使人也，必慎其所使／物能相割截者，必异性者也／有独知之虑者，必见骜于民／有智略之人，不必试以弓马／有言逊于汝志，必求诸非道／天下之人蹈道必赏，违善必罚／无以天下为者，必能治天下者／以人言善我，亦必以人言恶我／使人大迷惑者，必物之相似也／崇一篑而弗休必钧高乎峻极矣／怀文武之才者，必荷社稷之重／琴瑟不调，甚者必解而更张之／轻细微眇之渐，必生乖忤之患／有求贵贱之必，必有二价之语／有非常之后者，必有非常之臣／有非常之臣者，必有非常之绩／有超世之功者，必应光大之宠／神宜平而抑之，必有失和者矣／天下大势，分久必合，合久必分／赏罚者，不在于必重而在于必行／用人之术，任之必专，信之必笃／一有偏好，则下必投其所好以诱之／子绝四：毋意，毋必，毋固，毋我／欲事之无繁，则必劳于始而逸于终／古之善用人者，必循天顺人而明赏罚／凡道必周必密，必宽必舒，必坚必固／当杀而虽贵重，必杀之，是刑上究也／见其可利也，则必前后虑其可害也者／天子之所是未必是，天子之所非未必非／鄙朴忤逆者未必悖，承顺惬可者未必忠／呐呐寡言者未必愚，喋喋利口者未必智／和睦劝俭者家必隆，乖戾骄奢者家必败／自为计者虽弱必固，欲自溃者虽强必弱／若夫有道之士，必礼必知然后其智能可尽／君子于细事，未必可观，而材德足以重任／三年不目日，视必盲；三年不目月，精必朦／天下虽兴，好战必亡；天下虽安，忘战必危／生者有极，成者必亏；生生成成，今古不移／刑在必澄，不在必惨；政在必信，不在必苛／人贵量力，不贵必成；事贵相时，不贵必遂／阳春之曲，和者必寡；盛名之下，其实难副／都蔗虽甘，杖之必折；巧言虽美，用之必灭／苟得其人，虽仇必举；苟非其人，虽亲不授／大味必淡，大音必希；大语叫叫，大道低回／寸而度之，至丈必差；铢而称之，至石必过／常看得自家未必是，他人未必非，便有长进／知熟必避，知生必避；人人意中，出人头地／汝若全德，必忠必直；汝若全行，必方必正／权之所在，虽疏必重；势之所去，虽亲必轻／赏不当，虽与之必辞；罚诚当，虽赦之不外／有味之物，蠹虫必生；有才之人，谗言必至／自古乱亡之国，必先坏其法制，而后乱从之／凡百事之成也，必在敬之；其败也，必在慢之／圣人之行虽不必同，然其要归，在洁其身而已／顾小而忘大，后必有害；狐疑犹豫，后必有悔／君子居必仁，行必义，反仁义而福，君子不有也／含气之伦，有生必终，盖天地之常期，自然之至数

❽是非明辨而赏罚必信／尽忠益时者，虽仇必赏／诚有功，则虽疏贱必赏／诚有过，则虽近爱必诛／能不称其位，其殃必大／难行之言，当有所必行／寸寸而度之，至丈必过／知之而不行，虽敦必困／德不称其任，其祸必酷／犯法怠慢者，虽亲必罚／处世戒多言，言多必失／闻之而不见，虽博必谬／见之而不知，虽识必妄／有过必悛，有不善必惧／盛之有衰，犹朝之必暮／铢铢而称之，至石必差／其与人锐，其去人必速／与多疑人共事，事必不成／与好利人共事，己必

受累／甚爱必大费，多藏必厚亡／临义而思利，则义必不果／临战而思生，则战必不力／升高必自下，陟遐必自迩／乐极则哀集，至盈必有亏／乘车必护轮，治国必爱民／古之善用兵者，不必在众／勿轻一篑少，进往必千仞／务言而缓行，虽辩必不听／至言逆俗耳，真语必违众／士者贵其用也，不必求备／君子与小人，并处必为患／国之亡也，有道者必先去／待士而以敬，则士必居矣／庸言必信之，庸行必慎之／清者不必慎，慎者必自清／慎重者，始若怯，终必勇／憎我者之言刻，刻必当罪／轻发者，始若勇，终必怯／轻诺必寡信，多易必多难／故君子有不战，战必胜矣／有兴必有废，有盛必有衰／有有必有无，有聚必有散／有静必有动，有动必有静／息阴无恶木，饮水必清源／与民同其安者，人必拯其危／与民共其乐者，人必忧其忧／不忍为非，而未能必免其祸／大学之教也，时教必有正业／父母在，不远游，游必有方／有官必有课，有课必有赏罚／以私奉为心者，人必咈而叛之／仪必应乎高下，衣必适乎寒暑／人必待贤以理，物必待贤以宁／圣必藉贤以明，国必待贤以昌／贤者不得志于今，必取贵于后／赏必加于有功，刑必断于有罪／禁必以武而成，赏必以文而成／匹夫无故获千金，必有非常之祸／凡兵有本干：必义，必智，必勇／能除天下之忧者，必享天下之乐／能扶天下之危者，必据天下之安／名美而实不副者，必无没世之风／告之以直而不改，必痛之而后畏／庐室之间，其便未必能过燕服翼／欲立非常之功者，必有知人之明／不为当时所怪，亦必无后世之传也／巧匠目意中绳，然必先以规矩为度／将有非常之大事，必生希世之异人／君子直道而行，知必屈辱而不避也／明法制，去私恩，令必行，禁必止／欲赋生来惊人语，必须苦下死工夫／何者为小人？凡事必徇己之私者是也／建大功于天下者，必先修于闺门之内／情横于内而性伏，必外寓于物而后遣／见乱而不惕，所残必多；其饰，弥章／出无谓之言，行不必为之事，不如其已／垂大名于万世者，必先行之于纤微之事／大抵能立于一世，必有取重于一世之术／大名垂于万世者，必先行之于纤微之事／屠者羹藿……为者不必用，用者弗肯为／悲斯叹，叹斯愤，愤必有泄，故见乎词／非所困而困焉名必辱，非所据而据焉身必危／以烦手烹鱼则鱼必溃，使学者制锦则锦必伤／赏重而信，罚痛而必，群臣畏劝，竞思其职／服罪输情者虽重必释，游辞巧饰者虽轻必戮／有不能以有为有，必出乎无有，而无有一无有／以意为主，则其旨必见；以文传意，则其词不流／藏大不诚于中者，必谨小诚于外，以成其大不诚／纯柔纯弱兮，必削必薄；纯刚纯强兮，必丧必亡／凡敢为大奸者，材必有过于众，而能自媚于上者也／君子居必择乡，游必就士，所以防邪僻而近中正也／君子之自行也，动必缘义，行必诚义，俗虽谓之穷，通也

❾谋事不并仁义者后必败／赏厚而利，刑重而威必／开谄谀之道，为佞者必多／外合不由中，虽固终必离／高者未必贤，下者未必愚／取人者必畏，与人者必骄／城峭则必崩，岸竦则必阤／塞切直之路，为忠者必少／君子亦仁而已矣，何必同／馋人自食其肉，肉尽必死／结交在相知，骨肉何必亲／木无本必枯，水无源必竭／智贵乎早决，勇贵乎必为／贤者不必贵，仁者不必寿／有廉而贫者，贫者未必廉／有道者咸屈，无用者必伸／有理言自壮，负屈声必高／肤革既平，虽疥癣而必去／文以纪实，浮文所在必删／虑不私己，以之断义必厉／眼见方为是，传言未必真／鸟尽良弓藏，谋极身必危／才高行洁，不可保以必尊贵／不知彼，不知己，每战必殆／为人子者，出必告，反必面／能为可用，不能使人必用己／能薄操浊，不可保以必卑贱／喜怒哀乐之动乎中必见乎外／待士而不以道，则士必去矣／治世不一道，便国不必法古／委肉当饿虎之蹊，祸必不振／礼乐之得失，视之未必见也／鸟飞返故乡兮，狐死必首丘／一治必又一乱，一乱必又一治／万物必有盛衰，万事必有弛张／世不患无法，而患无必行之法／事将为，其赏罚之数必先明之／为高必因丘陵，为下必因川泽／仁者必爱其亲，义者必急其君／大凡人之感于事，则必动于情／大简必有不好，良工必有不巧／大羹必有淡味，至宝必有瑕秽／导人必因其性，治水必因其势／君子之所取者远，则必有所待／君子能为善，而不能必得其福／法者，所以适变也，不必尽同／积于柔，必刚；积于弱，必强／天地不能顿为寒暑，必渐于春秋／无咎，弗过，遇之。往厉，必戒／轻始而傲微，则其流必至于大乱／是穮是蓘，虽有饥馑，必有丰年／有必不可劝之人，不必多费唇舌／有必不可行之事，不必妄作经营／自古兴俭以劝天下，必以身先之／千乘之国，弑其君者，必百乘之家／君子之……所就者大，则必有所忍／待利而后拯溺，人亦必以利溺人矣／情必极貌以写物，辞必穷力而追新／政之不便于民者，未必皆上之过也／文、理、义三者兼并……能必传也／辞必高然后为奇，意必深然后为工／两虎争人而斗，小者必死，大者必伤／古之人，有高世之才，必有遗俗之累／凡道必周必密，必宽必舒，必坚必固／尝有德，厚报之；有怨，必以法灭之／市之鬻鞭者，人问之……必五万而后可／心不可乱，则利至而必知，害至而必察／思必深，而深必怨；望必远，而远必伤／博之不必知，辩之不必慧，

圣人以断之矣／若夫有道之士，必礼必知然后其智能可尽／欲明两仪天地之体，必以太极虚无为初始／时无远近，事无巨细，必籍多闻，以成博识／必得之事，不足赖也；必诺之言，不足信也／喜怒、窘穷、……有动于心，必于草书焉发之／行世者必真，悦俗者必媚，真久必见，媚久必厌／仁人之所以为事者，必兴天下之利，除去天下之害／叩之而必闻，触之而必应，夫是以天下可使为一身／君能尽礼，臣得竭忠，必在于内外无私，上下相信／君子之道，辟如行远，必自迩；辟如登高，必自卑

⑩殖不固本而立基者后必崩／用赏者贵信，用罚者贵必／非其人而处其位者其祸必速／兵多而战不速，则所费必广／人有盗而富者，富者未必盗／在其位而忘其德者其殃必至／知小而自畏，则深谋而必克／善人赏而暴人罚，则国必治／枳棘当道，行者过之而必诘／智者不必仁，而仁者则必智／一饭之德必偿，睚眦之怨必报／上好则下必甚，矫枉故直必过／天下之人蹈道必赏，违善必罚／表曲者景必邪，源清者流必洁／伤生之事非一，而好色者必死／凡事有经必有权，有法必有化／交游之人，誉不三周，未必信／力恶其不出于身也，不必为己／墙之坏也于隙，剑之折必有啮／喜名者必多怨，好与者必多辱／喜德者必多怨，喜予者必善夺／大事不得，小事不为者，必贫／损而不已必益，益而不已必决／当知器满则倾，须知物极必反／微事不通，粗事不能者，必劳／治外者必调内，平远者必正近／深入未必为得，不进未必为非／憎而不知其善，则为善者必惧／富贵未必可重，贫贱未必可轻／学者非必为仕，而仕者必如学／贼民之事非一，而好兵者必亡／新沐者必弹冠，新浴者必振衣／有生者必有死，有始者必有终／有始者必有卒，有存者必有亡／施德者贵不德，受恩者尚必报／睚眦之怨必仇，一餐之惠必报／足恭者必中薄，面谀者必背非／辨之不早，疑盛乃动，故必战／天下大势，分久必合，合久必分／专于其所及而及之，则其及必精／兵虽诡道而本于正者，终亦必胜／为政犹沐也，虽有弃发，必为之／原浊者流不清，行不信者名必秏／倦立而思远，不如速行之必至也／凡兵有本干：必义，必智，必勇／君子能为可贵，不能使人必贵己／君子如欲化民成俗，其必由学乎／德必称位，位必称禄，禄必称用／孤居而愿智，不如务学之必达也／学而废者，持学而有骄，骄必辱／理世不必一其道，便国不必法古／理国长安，率身从道，言必信实／枝大于本，胫大于股，不折必披／染鹭之毛而指为鸦，则虽愚必疑／截牛之角而呼为豕，则虽庸必骇／败莫大于愚。愚之患，在必自用／赏罚者，不在于必重而在于必行／政者正也，上正其道，下必从之／有德者必有言，有言者不必有德／毁我之言可闻，毁我之人不必问／焚林而猎，愈多得兽，后必无兽／焚林而田，偷取多兽，后必无兽／矫首而徇飞，不如修翼之必获也／用人之术，任之必专，信之必笃／自赦而天下不赦也，则其肆必收／自其所当先者为之，则其后必举／不薄今人爱古人，清词丽句必为邻／再实之木根必伤，掘藏之家必有殃／再实之木根必伤，掘臧之家后必殃／事有所分，则毫末不遗而情伪必见／生之有时而用之无度，则物力必屈／乘时投隙非谓才，苟得未必为汝福／举一善必适其材，惩一恶必当其咎／尺之木必有节目，寸之玉必有瑕璃／云厚者，雨必猛；弓劲者，箭必远／古之成败者，诚有其才，虽弱必强／剔大蠹者木必凿，去大奸者国必伤／同是天涯沦落人，相逢何必曾相识／侈言无验不必用，质言当理不必违／僧是愚氓犹可训，妖为鬼蜮必成灾／弟子不必不如师，师不必贤于弟子／人生交契无老少，论交何必先同调／人主莫不欲其臣之忠，而忠未必信／人亲莫不欲其子之孝，而孝未必爱／众恶之，必察焉；众好之，必察焉／凡闻言必熟论，其于人必验之以理／凡用人历试其能，苟败事必诛无赦／冠虽故必加于首，履虽新必关于足／记事者必提其要，纂言者必钩其玄／论士必定于志行，毁誉必参于效验／诺轻者，信必寡；面誉者，背必非／谋度于义者必得，事因于民者必成／圣人不凝滞于物，智士必推移于时／若升高，必自下；若陟遐，必自迩／苟中心图民，智虽弗及，必将至焉／爽口物多终作疾，快心事过必为殃／常人皆能办大事，天亦不必产英雄／善作者不必善成，善始者不必善终／山泽不必有异士，异士不必在山泽／安不忘危臣所愿，常思危困必无危／宰相必起于州部，猛将必发于卒伍／纪事者必提其要，纂言者必钩其玄／骄溢之君无忠臣，口慧之人无必信／桑蚕苦，女工难，得新捐故后必寒／植佳谷必以粪壤，铸洪钟必以土型／早成者未必有成，晚达者未必不达／明法制，去私恩，令必行，禁必止／水波澜者源必远，树扶疏者根必深／物暴长者必夭折，功卒成者必亟坏／致贵无渐失必暴，受爵非道殃必疾／敬人而不必见敬，爱人而不必见爱／所谓伐天真而矜己者也，天祸必及／有善者虽远必升，无能者纵近必废／有所取必有所舍，有所禁必有所宽／欲尸名者必为善，欲为善者必生事／炼句炉槌岂可无？句成未必尽缘渠／惩之甚者改必速，畜之久者发必肆／愚医类能杀人，而不服药者未必死／立义以为的，奠而后发，发必中矣／登山不以艰险而止，则必臻乎峻岭／天将降大任于是人也，必先苦其心志／五百年必有王

者兴，其间必有名世者／不出户而知天下兮，何必历远以劬劳／两虎争人而斗，小者必死，大者必伤／奉职顺道，亦可以为治，何必威严哉／千古圣贤若同堂合席，必无尽合之理／以隋侯之珠，弹千仞之雀，世必笑之／黄鹄之飞，一举千里，有必飞之备也／凡道必周必密，必宽必舒，必坚必固／凡权重者必谨于事，令行者必谨于言／大匠诲人必以规矩，学者亦必以规矩／小人虽器量浅狭，而未必无一长可取／行未固于无非，而急求名者，必锉也／如修德而留意于事功名誉，必无实诣／贵者必以贱为号，而高者必以下为基／故圣人常顺时而动，智者必因机以发／爱人者必见爱也，而恶人者必见恶也／螳螂之怒臂以当车轶，则必不胜任矣／言之而非，虽在王侯卿相，未必可容／上不信，下不忠，上下不和，虽安必危／天子之所是未必是，天子之所非未必非／不诚于前而曰诚于后，众必疑而不信矣／丑必托善以自为解，邪必蒙正以自为辟／正直者不可屈曲，有学问者必能辨是非／两喜必多溢美之言，两怒必多溢恶之言／为主贪，必丧其国；为臣贪，必亡其身／良工之子必先为箕，良冶之子必先为裘／良弓之子必先为箕；良冶之子必先为裘／以百金与抟黍以示儿子，儿子必取抟黍／书不必起仲尼之门，药不必出扁鹊之方／买马不论足力，以黑白为仪，必无走马／同于我者何必可爱，异于我者何必可憎／任其事必图其效，欲责其效，必尽其方／人爱我，我必爱之；人恶我，我必恶之／冠虽敝，必加于首；履虽新，必关于足／鄙朴忤逆者未必悖，承顺惬可者未必忠／功之成，非成于成之日，盖必有所由起／能行之者未必能言，能言之者未必能行／圣王者不贵义而贵法，法必明，令必行／芳饵之下必有悬鱼，重赏之下必有死夫／呐呐寡言者未必愚，喋喋利口者未必智／君子不言，言必有中，不行，行必有称／和睦劝俭者家必隆，乖戾骄奢者家必败／德不称，其祸必酷；能不称，其殃必大／木之折也，必通蠹；墙之坏也，必通隙／时既清兮惟贤是急，贤既进兮其政必立／是非不可听而发暴，曲直必宜察而辨明／物之有成必有坏，譬如人之有生必有死／有诸中者必形乎表，发乎迩者必著乎远／有阴德者必有阳报，有隐行者必有昭名／有文事者必有武备，有武事者必有文备／欲刚者必以柔守之，欲强者必以弱保之／欲刚，必以柔守之；欲强，必以弱保之／欲胜人者必先自胜，欲论人者必先自论／心不可乱，则利至而必知，害至而必察／思必深，而深必怨；望必远，而远必伤／盛于彼者必衰于此，长于左者必短于右／秋早寒，则冬必暖；春雨多，则夏必旱／自为计者虽弱必固，欲自溃者虽强必弱／自谓乱且危者，则自戒自强，虽乱必理／自谓理且安者，则自骄自满，虽安必危／不塞隙穴，而劳力于赭垩，暴风疾雨必坏／作诗者陶冶物情，体会光景，必贵乎自得／圣人之道，不用文则已，用则必尚其能者／苟有可观，皆有可乐，非必怪奇伟丽者也／大人者，言不必信，行不必果，惟义所在／唯圣人知礼之不可以已也……必先去其礼／国无义，虽大必亡。人无善志，虽勇必伤／国虽大，好战必亡；天下虽安，忘战必危／国虽大，好战必亡；天下虽平，忘战必危／国家作事，以公共为心者，人必乐而从之／富贵时，意中不忘贫贱，一日退休必不怨／贫贱时，眼中不著富贵，他日得志必不骄／物循乎自然，人能明于必然，此人物之异／祸之作也，非作于作之日，亦必有所由兆／积善之家必有余庆，积不善之家必有余殃／鸟必择木而栖，附托匪人者必有危身之祸／三年不目日，视必盲；三年不目月，精必朦／天下难事，必作于易；天下大事，必作于细／天下虽兴，好战必亡；天下虽安，忘战必危／天下稍安，尤须兢慎，若便骄逸，必至丧败／不能则学，不知则问，虽知必让，然后为知／不知则问，不能则学，虽能必让，然后为德／求而得之，必有失焉；为而成之，必有败焉／师之所处，荆棘生焉；大军之后，必有凶年／曲思于细者必忘其大，锐精于近者必略于远／非所困而困焉名必辱，非所据而据焉身必危／兵不必胜，不苟接刃；攻不必取，不为苟发／为国失道，众叛亲离；为国以道，人必悦服／为学之道莫先于穷理，穷理之要必在于读书／为政之要，惟在得人。用非其才，必难致治／以无厚入有间，恢恢乎其于游刃必有余地矣／以和氏之璧与百金以示鄙人，鄙人必取百金／以烦手烹鱼则鱼必溃，使学者制锦则锦必伤／十步之间，必有茂草；十室之邑，必有俊士／刑在必澄，不在必惨；政在必信，不在必苛／傲人不如者，必浅人；疑人不肖者，必小人／人才之行，自昔罕全，苟有所长，必有所短／人之才行，自昔罕全，苟有所长，必有所短／人之善恶，不必世族；性之贤鄙，不必世俗／人之进退，唯问其志，取必以渐，勤则得多／人之立身，所贵者惟在德行，何必要论荣贵／人贵量力，不贵必成；事贵相时，不贵必遂／人欲自照，必须明镜；主欲知过，必藉忠臣／从善如流，尚恐不逮；饰非拒谏，必是招损／诗者，不可以言语求而得，必将深观其意焉／防民之口，甚于防川，川壅而溃，伤人必多／都蔗虽甘，杖之必折；巧言虽美，用之必灭／圣人千虑，必有一失；愚人千虑，必有一得／士穷见节义，世乱识忠臣，欲学者必周于德／苟利于民，不必法古；苟周于事，不必循旧／寸而度之，至丈必差；铢而称之，至石必过／将欲废之，必固兴之；将欲夺之，必固与之／将欲歙之，必固张之；将欲弱之，必固强之／将欲毁之，必重累之；将欲踣之，必高举之／常看得自家未必是，他人未必非，便有长进／君子百是，必有一非；小人百非，必有一是／君子之德风，小人之德草。草上之风，必偃／国家将兴，必有祯祥；国家将亡，必有妖孽／岂不遽止？然犹防川，大决所犯，伤人必多／多事害神，多言害身。口开舌举，必有祸患／汝若全德，必忠必直；汝若全行，必方必正／法小弛则是非驳，赏不必尽善，罚不必尽恶／迂险之言，则欲反之；循常之说，则必信之／居上者不以至公理物，为下者必以私路期荣／居君子之位而为庶人之行者，其患祸必至也／好者不必同色而皆美，丑者不必同状而皆恶／妙必假物而物非生妙，巧必因器而器非成巧／学不必博，要之有用；仕不必达，要之无愧／马效千里，不必胡代；士贵成功，不必文辞／马效千里，不必骥騄；人期贤知，不必孔墨／木秀于林，风必摧之；堆出于岸，流必湍之／权之所在，虽疏必重；势之所去，虽亲必轻／杖必取材，不必用味；相必取贤，不必所爱／战不必胜，不苟接刃；攻不必取，不苟劳众／暗箭伤人，其深次骨；人之怨之，亦必次骨／责我以过，皆当虚心体察，不必论其人何如／物类之起，必有所始；荣辱之来，必象其德／有味之物，蠹虫必生；有才之人，谗言必至／服罪输情者虽重必释，游辞巧饰者虽轻必戮／欲上民，必以言下之；欲先民，必以身后之／欲人勿恶，必先自美；欲人勿疑，必先自信／欲论人者，必先自论；欲知人者，必先自知／欲知平直，则必准绳；欲知方圆，则必规矩／忠贤事君，必谏君失，奸佞事主，必顺主情／石称丈量，径而寡失，铢铢而称，至石必谬／香饵之下，必有悬鱼；重赏之下，必有死夫／虎之跃也，必伏乃厉；鹄之举也，必拊乃高／舟必漏也而后水入焉，土必湿也而后苔生焉／食必常饱，然后求美；衣必常暖，然后求丽／以明自察，量力而行，不失其所，必获久长矣／凡百事之成也，必在敬之；其败也，必在慢之／听讼者或从其情或从其词，词不可从必断以情／饥而倍食，渴而大饮……虽暂怡性，必为后患／宫室富过度，上帝所亚；为者弗居，唯居必路／富贵之家，禄位重叠，犹再实之木，其本必伤／昔先圣王之治天下也，必先公，公则天下平矣／故凡得胜者，必与人也，凡得人者，必与道也／有道以御之，身虽无能也，必使能者为己用也／顾小而忘大，后必有害；狐疑犹豫，后必有悔／三年耕，必有一年之食，九年耕，必有三年之食／以弋猎博弈之日诵《诗》、《书》，闻识必博矣／人主之患，不在乎不言用贤，而在乎不诚必用贤／诚则始终不忒，表里一致，敬信真纯，往而必孚／动人以言者，其感不深；动人以行者，其应必速／行世者必真，悦俗者必媚，真久必见，媚久必厌／法虽在，必待圣而后治；律虽具，必待耳而后听／宫殿中可以避世全身，何必深山之中，蒿庐之下／如室斯构，而去其凿楔……国之将亡，本必先颠／纯柔纯弱兮，必削必薄；纯刚纯强兮，必丧必亡／斩伐林木，亡有时禁，水旱之灾，未必不由此也／水之性胜火，如裹之以釜，水煎而不得胜，必矣／所养非所用，所用非所养，理家必弊，在国必危／以和氏之璧与道德之至言以示贤者，贤者必取至言／凡乱也者，必始乎近而后及远，必始乎本而后及末／搏攫抵噬之兽，其用齿角爪牙也，必托于卑微隐蔽／君子之道，辟如行远，必自迩；辟如登高，必自卑／有行之士，未必能进取；进取之士，未必能有行也／立大事者，不惟有超世之才，亦必有坚忍不拔之志／自古至于今，与民为仇者，有迟有速，而民必胜之／今之所以知古，后之所以知今，不可口传，必凭诸史／凡人于事务之来，无论大小，必审之又审，方无遗虑／君子之学，不为则已，为则必要其成，故常百倍其功／畜池鱼者必去猵獭，养禽兽者必去豺狼，又况治人乎／古之立大事者，不惟有超世之才，亦必有坚忍不拔之志／人知出必由户，而不知行必由道。非道远人，人自远尔／语言文字，如春之花，或者必欲弃花而觅春，非愚即狂／水虽平，必有波；衡虽正，必有差；尺寸虽齐，必有诡／物之美者，盈天地间皆是也。然必待人之神明才慧而见／使智惠之人治国之政事，必远道德，妄作威福，为国之贼／君子之自行也，动必缘义，行必诚义，俗虽谓之穷，通也／君子口无戏谑之言，言必有防；身无戏谑之行，行必有检／威太甚则爱利之心息，爱利之心息而徒疾行威，身必咎矣／君子所以动天地应神明正万物而成王治者，必本乎真实而已／君子有为于天下，惟义而已，不可则止，无苟为，亦无必为／乐之道深矣，故工之善者，必得于心应于手，而不可述之言也／气宜宣而遏之，体宜调而矫之，神宜平而抑之，必有失和者矣／政庞而土裂，三光五岳之气分，大音不完，故必混一而后大振／能有天下者，必无以天下为也；能有名誉者，必无以趋行求者也／君子之言，幽必有验乎明，远必有验乎近，大必有验乎小，微必有验乎著

忘

wàng 没记住。

❶忘我大德，思我小怨

见《诗·小雅·谷风》。

忘战者危，极武者伤

见汉·李尤《弩铭》。

忘其前愆，取其后效

见晋·陈寿《三国志·吴书·吴主传》。
忘其小丧而志于大得
见宋·苏洵《强弱》。
忘年忘义,振于无竟,故寓诸无竟
见《庄子·齐物论》。
忘乎物,忘乎天,其名曰为忘己;忘己之人,是之谓入于天
见《庄子·天地》。

❷不忘久德,不思久怨/朝忘其事,夕失其功

❸见贤忘贱,故能让/无不忘也,无不有也/临难忘身,见危致命/临祸忘忧,忧必及之/入鲍忘臭,效尤致祸/治不忘乱,安不忘危/安无忘危,存无忘亡/安不忘危,治不忘战/安不忘危,盛必虑衰/怠慢忘身,祸灾乃作/盛不忘衰,安必思危/穷不忘道,老而能学/为国忘私仇,千秋思廉蔺/枝无忘其根,德无忘其报/人不忘廉耻,立身自不卑污/草无忘忧之意,花无长乐之心/安不忘危,故能终而成霸功焉/上士忘名,中士立名,下士窃名/安不忘危臣所愿,常思危困必无危/存不忘亡,是以身安而国家可保也/忘年忘义,振于无竟,故寓诸无竟/发愤忘食,乐以忘忧,不知老之将至/居安忘危,处治忘乱,所以不能长久/缓贤忘士,而能以其国存者,未曾有也/国耳忘家,公耳忘私,利不苟就,害不苟去/处若忘,行若遗,俨乎其若思,茫乎其若迷/安不忘危,治不忘乱,虽知今日无事,亦须思其终始

❹口言不忘信/得鱼而忘荃/处贵不忘旧/数典而忘其祖/色欲乃忘身之本/贵冠履,忘头足/随见随忘,随闻随废/经耳不忘,历口不遗/见不足忘贫,故能施/乐道而忘贱,安德而忘贫/在贵多忘贱,为恩谁能博/志善者忘恶,谨小者致大/居治而忘危,则治无常治/跛者不忘履,眇者不忘视/有不可忘者,有不可不忘者/志士不忘在沟壑,勇士不忘丧其元/养志者忘形,养形者忘利,致道者忘心/守道而忘势,行义而忘利,修德而忘名/安而不忘危,存而不忘亡,治而不忘乱/道足以忘物之得丧,志足以一气之盛衰/面垢不忘洗,衣垢不忘浣,此人之至情也/顾小而忘大,后必有害;狐疑犹豫,后必有悔/荀灭德忘公,崇浮饰傲,荣其外而枯其内,害其本而窒其源/忘乎物,忘乎天,其名曰为忘己;忘己之人,是之谓入于天

❺无急胜而忘败/唯酒可以忘忧/位卑未敢忘忧国/贪看飞花忘却愁/爱尺寸而忘千里/思小惠而忘大耻/天下虽安,忘战必危/记人之长,忘人之短/记人之善,忘人之过/中国虽安,忘战则民殆/前事之不忘,后事之师/君子见过忘罚,故能谏/百虑输一忘,百巧输一诚/前事之不忘,期有劝且惩也/在其位而忘其德者其殃必至/戒心之易忘,而骄心之易生/圣人安不忘危,恒以忧思为本营/得其精而忘其粗,在其内而忘其外/身后有余忘缩手,眼前无路想回头/一朝之忿,忘其身,以及其亲,非惑欤

❻将受命之日忘其家/善为上者不忘其下/不偶流俗,坐忘人事/悦以犯难,人忘其死/大有其事,而忘生之道也/达人无不可,忘己爱苍生/施于人而不忘,非天布也/用人之力而忘人之功,不可/为将者,受命忘家,临敌忘身/日习则学不忘,自勉则身不堕/老去读书随忘却,醉中得句若飞来/说以先民,民忘其劳。说以犯难,民忘其死

❼天下虽平,不敢忘战/平不肆险,安不忘危/中心藏之,何日忘之/将砺如铁,士乃忘躯/治不忘乱,安不忘危/深思远虑,安不忘危/安无忘危,存无忘亡/安不忘危,治不忘战/怒则思理,危不忘义/言犹在耳,忠岂忘心/至治之时,常不忘于武备/争目前之事,则忘远大之图/睹暧昧之利,而忘昭晰之害/图浮芥之小利,忘丘山之大祸/日滔滔以自新,忘老之及已也/事有切而未能忘,情有深而未能遣/报国志愿不敢忘,此身未暇归江乡/贫贱之知不可忘,糟糠之妻不下堂/类善则万世不忘,道恶则祸及其身/发愤忘食,乐以忘忧,不知老之将至/居安忘危,处治忘乱,所以不能长久/富贵时,意中不忘贫贱,一日退休必不怨/曲思于细者必忘其大,锐精于近者必略于远/国耳忘家,公耳忘私,利不苟就,害不苟去/安不忘危,治不忘乱,虽知今日无事,亦须思其终始

❽行不苟合,言不苟忘/有而勿失,得而勿忘/施惠无念,受恩莫忘/志于虚无者可以忘生死/经纶世务者,窥谷忘反/茶为涤烦子,酒为忘忧君/枝无忘其根,德无忘其报/小人好己之恶,而忘人之好/君子好人之好,而忘己之好/今志人之所短,而忘人之所修/君子虽在他乡,不忘父母之国/人有恩于我不可忘,而怨则不可不忘/孰使予乐居夷而忘故土者,非兹潭也欤/贫贱之交而不可忘,珠玉满堂而不足贵/心旷神怡,宠辱偕忘,把酒临风,其喜洋洋/日知其所亡,月无忘其所能,可谓好学也已矣

❾德有所长而形有所忘/一闻人之过,终身不忘/小有所志,而大有所忘/世治非去兵,国安岂忘战/乐道而忘贱,安德而忘贫/读书与磨剑,旦夕但忘疲/争先非吾事,静照在忘求/达士志寥廓,所在能忘机/此中有真意,欲辨已忘言/跛者不忘履,眇者不忘视/日知其所不足,月无忘其所能/贵以下人为德,贱以忘势为德/矧流客之归思,岂可忘于畴昔/养志者忘形,养形者忘利,致道者忘心/守道而忘势,行义而

忘利，修德而忘名／安而不忘危，存而不忘亡，治而不忘乱／面垢不忘洗，衣垢不忘浣，此人之至情也

❿信因疑而立，信胜则疑忘／今日乐相乐，别后莫相忘／狐死归首丘，故乡安可忘／施人慎勿念，受恩慎勿忘／施人慎勿念，受施慎勿忘／人之有德于我也，不可忘也／人少好学则思专，长则善忘／匈奴未灭，受命而孰不忘家／荃者所以在鱼，得鱼而忘荃／吾有德于人也，不可不忘也／有不可忘者，有不可不忘者／言者所以在意，得意而忘言／为将者，受命忘家，临敌忘身／爱而不知其恶，憎而遂忘其善／视人之瘼如瘝疽在身，不忘决去／病中必有悔悟处，病起莫教忘了／兵者百岁不一用，然不可一日忘也／偏讶思君无限极，欲罢欲忘还复忆／志士不忘在沟壑，勇士不忘丧其元／获一人而失一国，见黄雀而忘深井／得其精而忘其粗，在其内而忘其外／王师北定中原日，家祭无忘告乃翁／人虽无艰难之时，却不可忘艰难之境／人有恩于我不可忘，而怨则不可不忘／与其誉尧而非桀也，不如两忘而化其道／求远者不可失于近，治影者不可忘其容／养志者忘形，养形者忘利，致道者忘心／守道而忘势，行义而忘利，修德而忘名／安而不忘危，存而不忘亡，治而不忘乱／相呴以湿，相濡以沫，不如相忘于江湖／急病让夷，义之先；图国忘死，贞之大／干大事而惜身，见小利而忘命，非英雄也／国虽大，好战必亡；天下虽安，忘战必危／国虽大，好战必亡；天下虽平，忘战必危／泉涸，鱼相与处于陆……不若相忘于江湖／自古失国之主，皆为居安忘危，处治忘乱／天下虽兴，好战必亡；天下虽安，忘战必危／未有好利而爱其君者，未有好义而忘其君者／以贼其身，乃丧其躯，其行如此，是谓大忘／匠人成棺，不憎人死；利之所在，忘其丑也／贞以图国，义惟急病；临难忘身，见危致命／说以先民，民忘其劳。说以犯难，民忘其死／好读书，不求甚解；每有会意，便欣然忘食／所避者名也，所忧者其实也，实不可一日忘／妇人拾蚕，渔者握鳣，利之所在，则忘其所恶／人情得足，苦于放纵，快须臾之欲，忘慎罚之义／羊质而虎皮，见草而悦，见豺而战，忘其皮之虎矣／人迫于恶，则失其所好；怵于好，则忘其所恶，非道也／不思安危终始之虑，是乐春藻之繁华，而忘秋实之甘口也／视听言行，循礼法而动，所以教人忘嗜欲而归性命之道也／忘乎物，忘乎天，其名曰为忘己；忘己之人，是之谓入于天／国有三军何？所以戒非常，伐无道，尊宗庙，重社稷，安不忘危也

忍 rěn 忍受、忍耐；硬着心肠去做；抑制；残忍。

❶忍小忿而就大谋

见宋·苏轼《留侯论》。

忍小忿而存大信

见宋·司马光《资治通鉴·唐纪八》。

忍寒犹可忍饥难

见宋·范成大《雪中闻墙外鬻鱼菜者……》。

忍辱含垢，常若畏惧

见南朝·宋·范晔《后汉书·曹世叔妻传》。

忍别青山去，其如绿水何

见唐·王维《别辋川别业》。

忍把浮名，换了浅斟低唱

见宋·柳永《鹤冲天》。

忍得一时忿，终身无恼闷

见清·曹雪芹《红楼梦》第九回。

忍怒以全阴气，抑喜以养阳气

见晋·葛洪《抱朴子·极言》。

忍泪失声询使者："几时真有六军来"

见宋·范成大《州桥》。

忍所不能忍，容所不能容，惟识量过人者能之

见明·薛瑄《薛文清要语》。

❷志忍私，然后能公／行忍情性，然后能修／猜忍之人，志欲无限／能忍事乃济，有容德乃大／不忍为非，而未能必免其祸／有忍，有乃有济；有容，德乃大／隐忍就功名，非烈丈夫孰能致此哉？／不忍登高临远，望故乡渺邈，归思难收／相忍为国也，忍其外不忍其内，焉用之

❸苍生忍倒悬／小不忍害大义／小不忍则乱大谋／是可忍，孰不可忍／诚不忍奇宝横弃道侧／是可忍也，孰不可忍也／已分忍饥度残岁，更堪岁里闰添长／必有忍，其乃有济；有容，德乃大／事前忍易，正事忍难，正事悔易，事后悔难／以不忍人之心，行不忍人之政，治天下可运之掌上

❹欲富乎，忍耻矣／此而可忍，孰不可忍／不有所忍，不可以尽天下之利／临流不忍轻相别，吟听潺湲到天明

❺忍寒犹可忍饥难／小人不能忍小忿之故，终有赫赫之败辱／忍所不能忍，容所不能容，惟识量过人者能之

❻阻兵无众，安忍无亲／百年能几日，忍不惜光阴／流离重流离，忍冻复忍饥／丈夫力耕长忍饥，老妇勤织长无衣／痛不著身言忍之，钱不出家言与之／相忍为国也，忍其外不忍其内，焉用之

❼是可忍，孰不可忍／负民即负国何忍负之／忿能积恶，必须忍之／眼看人尽醉，何忍独为醒／事前忍易，正事忍难，正事悔易，事后悔难

❽此而可忍，孰不可忍／是可忍也，孰不可忍也／慈母有败子，小不忍也／宁积粟腐仓而不忍贷人一斗

❾所就者大，则必有所忍／流离重流离，忍冻复忍饥／宁见朽贯千万而不忍赐人一钱／不能手提天下往，何忍身去游其间／以不忍人之心，行不忍人之政，治天下可运之掌上
❿圣人之政，仁足以使民不忍欺／诚无悔，恕无怨，和无仇，忍无辱／君子之……所就者大，则必有所忍／宁溘死以流亡兮，余不忍为此态也／委故都以从利兮，吾知先生之不忍／胜败兵家事不期，包羞忍耻是男儿／立望关河萧索，千里清秋，忍凝眸／倨傲鲜腆而深折之，彼其能有所忍也／莫之大祸，起于须臾之不忍，不可不谨／相忍为国也，忍其外不忍其内，焉用之／若近正人，闻正事，虽欲为恶，固已不忍／轻听发言，安知非人之谮诉，当忍耐三思／宁令吾庐独破受冻死，不忍四海赤子寒飕飕／贵而不骄，胜而不恃，贤而能下，刚而能忍／矫矫亢亢，恶圆喜方，羞为奸欺，不忍害伤／君子居安宜操一心以虑患，处变当坚百忍以图成／立大事者，不惟有超世之才，亦必有坚忍不拔之志／古之立大事者，不惟有超世之才，亦必有坚忍不拔之志／孔子谓季氏："八佾舞于庭，是可忍也，孰不可忍也？"

态

tài 形状，姿容，体态；情状，风致；一种语法范畴。

❶态浓意远，眉颦笑浅
见宋·辛弃疾《醉太平》。全句为："～，薄罗衣窄絮风软，鬓云欺翠卷"。
❷万态虽杂而吾心常彻，万变虽殊而吾心常寂
❺途穷见交态，世梗悲路涩
❻一肌一容，尽态极妍／文理自然，姿态横生／资绝伦之妙态，怀悫素之洁清
❼上多事则下多态／遇贫穷而作骄态者贱莫甚／用篡臣者危，用态臣者亡／遇贫穷而作骄态者，贱莫甚／短长肥瘠各有态，玉环飞燕谁敢憎／鸾凤骞翔而变态，烟云舒卷以呈姿／君不见今人交态薄，黄金用尽还疏索
❽一贫一富，乃知交态／漱涤万物，牢笼百态／非俊疑杰兮，固庸态也／一洗绮罗香泽之态，摆脱绸缪宛转之度
❾文必虚字备而后神态出
❿可憎者人情冷暖，可厌者世态炎凉／宁溘死以流亡兮，余不忍为此态也

忠

zhōng 赤诚无私；尽心竭力。

❶忠焉能勿诲乎
见《论语·宪问》。
忠臣宁死而不辱
见明·罗贯中《三国演义》第二十八回。
忠信尽治而无求焉
见《庄子·让王》。
忠信，所以进德也
见《周易·乾》。
忠臣不谏，智士不谋
见汉·贾谊《新书·过秦论下》。
忠臣体国，知无不为
见宋·苏轼《答李琮书》。
忠言逆耳，甘词易入
见唐·张九龄《远佞》第二章。
忠信谨慎，此德义之基
见汉·王符《潜夫论·务本》。全句为："～；虚无谲诡，此乱道之根"。
忠臣处国，天下无异心
见北周·燕射歌辞《商调曲四首》之二。全句为："猛虎在山，百兽莫敢侵；～"。
忠于治世易，忠于浊世难
见《吕氏春秋·仲冬纪·至忠》。
忠至者辞笃，爱重者言深
见晋·陈寿《三国志·魏书·王朗传》。
忠足以尽己，恕足以尽物
见宋·王安石《答韩求仁书》。
忠足以勤上，惠足以存下
全句为："智足以造谋，材足以立事，～"。
忠言逆耳，惟达者能受之
见晋·陈寿《三国志·吴书·孙奋传》。
忠信以为甲胄，礼义以为干橹
见《礼记·儒行》。
忠不暴君，智不重恶，勇不逃死
见汉·刘向《说苑·立节》。
忠犯人主之怒，而勇夺三军之帅
见宋·苏轼《潮州韩文公庙碑》。全句为："文起八代之衰，而道济天下之溺；～"。
忠臣不畏死，故能立天下之大事
见宋·苏轼《东林第一代广慧禅师真赞》。全句为："～；勇士不顾生，故能立天下之大名"。
忠邪不可以并立，善恶不可以同道
见唐·柳宗元《为裴令公裴冕表》。
忠言逆耳利于行，毒药苦口利于病
见汉·司马迁《史记·留侯世家》。
忠言有壅而未达，贤才有抑而未用
见宋·苏辙《皇帝以旱赐门下诏》。
忠告而善道之，不可则止，毋自辱焉
见《论语·颜渊》。
忠厚积，则致太平；浅薄积，则致危亡
见唐·吴兢《贞观政要·公平》。
忠者不饰行以侥荣，信者不食言以从利
见宋·王安石《辞同修起居注状·第四状》。
忠臣者务崇君之德，谄臣者务广君之地
见汉·刘安《淮南子·人间》。
忠谋转改，祸必及己。退隐深山，身乃不殆
见汉·焦赣《易林·复·谦》。全句为："虎狼

并处,不可以仕。~”。

忠果正直,志怀霜雪,见善若惊,疾恶若仇
见南朝·宋·范晔《后汉书·祢衡传》。

忠贤事君,必谏君失,奸佞事主,必顺主情
见唐·陈子昂《答制问事·明必得贤科》。

忠心好善,而日新之;独居乐德,内悦于形
见汉·刘向《说苑·修文》。

忠恕违道不远。施诸己而不愿,亦勿施于人
见《礼记·中庸》。

忠臣不避重诛以直谏,则事无遗策,功流万世
见汉·枚乘《上书谏吴王》。

❷尽忠益时者,虽仇必赏/不忠不信,何以立于天地之间/甘忠言之逆耳,得百姓之欢心/弃忠贞之正路,蹈奸宄之迷途/唯忠臣能逆意,惟圣君能从利/闻忠善以损怨,不闻作威以防怨/为忠甚易,得宜实难。忧人大过,以德取怨

❸谓其忠则委之诚,可也/行小忠,则大忠之贼也/古来忠烈士,多出贫贱门/但使忠贞在,甘从玉石焚/君用忠良,则伯王之业隆/国有忠臣,奸邪为之不起/恶闻忠言,乃自伐之精者也/情有忠伪,信其忠则不疑其伪/礼者,忠信之薄,而乱之首也/罚其忠,赏其贼,夫是之谓至暗/我闻忠善以损怨,不闻作威以防怨/吾闻忠善以损怨,不闻作威以防怨/贤主忠臣,不能导愚教陋,则名不冠后、实不及世矣

❹为臣死忠,为子死孝/大奸似忠,大诈似信/君明臣忠,民赖其福/进思尽忠,退思补过/平生仗忠信,今日任风波/逸政多忠臣,劳政多乱人/靡辞无忠诚,华繁竟不实/壮年竭忠孝于沙漠,疲劳则便捐死于旷野

❺集众思,广忠益/天下昏乱,忠臣乃见/未信而纳忠者,谤也/义不负心,忠不顾死/信而见疑,忠而被谤/受人之托,忠人之事/饱食伤心,忠言逆耳/言犹在耳,忠岂忘心/夫子之道,忠恕而已矣/面誉者不忠,饰貌者不情/尽己之谓忠,推己之谓恕/度能就位,忠臣所以事君/孝悌仁义,忠信贞廉……/远贤近谗,忠臣蔽塞主势移/介子推至忠也……抱木而燔死/烈日秋霜,忠肝义胆,千载家谱/义胆包天,忠肝盖地,四海无人识/虚华盛而忠信微,刻薄稠而纯笃稀/侮圣言,逆忠直,远耆德……时谓乱风/夫立身之忠信也,立官之廉也,立家之俭也

❻知而不言,不忠/不告其过,非忠也/国家昏乱,有忠臣/行小忠,则大忠之贼也/不宝金玉,而忠信以为宝/志士痛朝危,忠臣哀主辱/贤主不苟得,忠臣不苟利/爱利以安之,忠信以导之/忠于治世易,忠于浊世难/骄溢之君无忠臣,口慧之人无必信/上不信,下不忠,上下不和,虽安必危/汝若全德,必忠必直;汝若全行,必方必正/竭所能之谓忠,履所明之谓信,平所施之谓恕/趣舍合,即言忠而益亲;身疏,即谋当而见疑/体恭敬而心忠信,术礼义而情爱人,横行天下,虽困四夷,人莫不贵

❼正言似讦而情忠/塞切直之路,为忠者必少/途殊别务者,虽忠告而见疑/子以四教:文、行、忠、信/其论人也,必贵忠良鄙邪佞/使臣不患其不忠,患礼之不至/邪僻争权,乃有忠臣匡正其君/情有忠伪,信其忠则不疑其伪/以正辅人谓之忠,以邪导人谓之佞/谗言巧,佞言甘,忠言直,信言寡/十室之邑,必有忠信;三人并行,厥有我师/孝子不谀其亲,忠臣不谄其君,臣子之盛也

❽人主不公,人臣不忠也/高论而相欺,不若忠论而诚实/良药苦口利于病,忠言逆耳利于行/劲操比松寒不挠,忠言如药苦非甘/巧辩纵横而可喜,忠言质朴而多讷/居上克明,为下克忠,与人不求备/贤人在世,进则尽忠宣化,以明朝廷/君能尽礼,臣得竭忠,必在于内外无私,上下相信

❾君子远使之而观其忠/凌烟阁上人,未必皆忠烈/君欲自知其过,必待忠臣/时危见臣节,世乱识忠良/不遇至刻之人,不知忠厚之善/事君不患其无礼,患忠之不足/身之将败者,必不纳忠谏之言/比干剖心,子胥抉眼,忠之祸也/人主莫不欲其臣之忠,而忠未必信/小知不可使谋事,小忠不可使主法/良药苦口而利于病,忠言逆耳而便于行/良药苦口而利于病,忠言逆耳而利于行/清者则心平而意直,忠者惟正道而履之/所守者道义,所行者忠信,所惜者名节/士穷见节义,世乱识忠臣,欲学者必周于德

❿君使臣以礼,臣事君以忠/君以知贤为明,吏以爱民为忠/物有微而志信,人有贱而言忠/病困乃重良医,世乱而贵忠贞/可死而不死,是重其死,非忠也/立身必由清谨,处职无废于忠勤/不知而言,不智;知而不言,不忠/以救时行道为贤,以犯颜纳说为忠/弗知而言为不智,知而不言为不忠/分人以财谓之惠,教人以善谓之忠/人主不正,则邪人得志,忠者隐蔽/人主莫不欲其臣之忠,而忠未必信/因其所喜而为善,虽有愿忠而孰能/君子之事上也,进思尽忠,退思补过/鄙朴忤逆者未必悖,承顺惬可者未必忠/国之将亡必有大恶,恶者无大于杀忠臣/寂寞嫦娥舒广袖,万里长空且为忠魂舞/立大功者不求小疵,有大忠者不求小过/以割下为能,以附上为忠,此叛国之风也/人欲自照,必须明镜;主欲知过,必藉忠臣/卞和献宝,以离断趾;灵均纳忠,终于沉身/药酒苦于口而利于病,忠言逆于耳而利于行/善善不进而恶恶不退,则忠奸未别,邪正不分/国以贤兴,以

谄衰;君以忠安,以佞危,此古今之常论

念

niàn 出声诵读;思念;心思;读书,上学;数字"廿"的大写;姓。

❶念高危,则思谦冲而自牧

见唐·魏征《论时政第二疏》。全句为:"~;惧满盈,则思江海下百川"。

念头暗昧,白日下犹生厉鬼

见明·洪应明《菜根谭》。全句为:"心体光明,暗室中自有青天;~"。

念天地之悠悠,独怆然而涕下

见唐·陈子昂《登幽州台歌》。全句为:"前不见古人,后不见来者。~"。

念终始典于学,厥德修,罔觉

见《尚书·说命下》。

❷不念旧恶,怨是用希/一念收敛,则万善来同/一念放恣,则百邪乘衅/不念旧恶,此清者之量/不念居安思危,戒奢以俭/当念贫时交,重勿弃如土/每念斯耻,汗未尝不发背沾衣/不念英雄江左老,用之可以尊中国

❸饷妇念儿啼,逢人不敢立/悠然念故乡,乃在天一隅/把意念沉潜得下,何理不可得

❹施惠无念,受恩莫忘/良马不念秣,烈士不苟营/想道如念亲,恶货如失身/惟圣罔念作狂,惟狂克念作圣/要囚,服念五六日,至于旬时/圣人爱念百姓,如孩婴赤子长养之/心中为念农桑苦,耳里如闻饥冻声/自私之念萌,则铲之;谗谀之徒至,则却之/困境起念,随物生情,不守道循常,即为妄矣

❺每一食,便念稼穑之艰难/人心安则念善,苦则怨叛/施人慎勿念,受恩慎勿忘/施人慎勿念,受施慎勿忘

❻每餐一食,则念耕夫/半丝半缕,恒念物力维艰/报国心皎洁,念时涕汍澜/摅怀旧之蓄念,发思古之幽情/伯夷、叔齐不念旧恶,怨用是希

❼秦爱纷奢,人亦念其家/军则新有营,谁念民无室/狐白足御冬,焉念无衣客

❽长江悲已滞,万里念将归/如渴思冷水,如饥念美食/人生福境祸区,皆念想造成

❾休辞客路三千远,须念人生七十稀/心苟无事则息自调,念苟无欲则中自守

❿惟圣罔念作狂,惟狂克念作圣/闻鼓鼙而思将帅,画云台而念旧臣/不责人小过,不发人阴私,不念人旧恶/反己者触事皆成药石,尤人者动念即是戈矛/姆抱幼子立侧,眉眼如画,发漆黑,肌肉玉雪可念

忿

fèn 生气,愤怒;甘愿,服气。

❶忿能积恶,必须忍之

见唐·佚名《太公家教》。全句为:"酒能败身,必须戒之。色能置害,必须远之。~。心能造恶,必须戒之。口能招祸,必须慎之"。

❸忍小忿而就大谋/忍小忿而存大信/大抵忿怒之际……

❹一朝之忿,忘其身,以及其亲,非惑欤

❺忍得一时忿,终身无恼闷/贪则多失,忿则多难,急则多蹶

❻损。君子以惩忿窒欲/兄弟虽有小忿,不废懿亲/喜乐无羡赏,忿怒无羡刑

❼恶言不出于口,忿言不反于身/小人不能忍小忿之故,终有赫赫之败辱

❾凡人处是,鲜不怨怼忿愤

❿见利思辱,见恶思诟,嗜欲思耻,忿怒思患/君子见利思辱,见恶思诟,嗜欲思耻,忿怒思患

忽

hū 不注意;突然;迅速;绝灭;古代极小的长度单位名。

❶忽报人间曾伏虎,泪飞顿作倾盆雨

见现代·毛泽东《蝶恋花·答李淑一》。

忽喇喇似大厦倾,昏惨惨似灯将尽

见清·曹雪芹《红楼梦》第五回。

忽如一夜春风来,千树万树梨花开

见唐·岑参《白雪歌送武判官归京》。

忽见陌头杨柳色,悔教夫婿觅封侯

见唐·王昌龄《闺怨》。全句为:"闺中少妇不知愁,春日凝妆上翠楼。~"

忽闻晓角吟风,一叶坠露,惊而试问,即红线回矣

见唐·袁郊《红线》。

❷治忽之端,或自是起/倏忽市朝变,苍茫人事非

❸怠惰忽略,必乱其政/人生忽如寄,寿无金石固/时节忽已换,壮心空自惊/日月忽其不淹兮,春与秋其代序/剑外忽传收蓟北,初闻涕泪满衣裳/有时忽得惊人句,费尽心机做不成/不宜忽略,以弃日也。弃日乃是弃身

❹变化倏忽,动心骇目/人莫不忽于微细,以致其大/凡人情忽于见事而贵于异闻/察其小,忽其大,先其后,后其所先

❺不仁之至忽其亲/舟行若穷,忽又无际/事起乎所忽,祸生乎无妄/患生于所忽,祸发于细微/神清人无忽语,机活人无痴事/痛乾坤而忽穷,嗟古今而长绝/幽音变调忽飘洒,长风吹林雨堕瓦/宁期此地忽相遇,惊喜茫如堕烟雾/众人笑而忽之者,此则君子之所深畏也

❻祸乱生于所忽/蓄疑败谋,怠忽荒政/人生天地间,忽如远行客/祸恒发于太忽,而事多败于不断/风收云散波忽平,倒转青天作湖底/祸患常积于忽微,智勇多困于所溺/学诗者不可忽略古人,亦不可附会古人

❼奔车朽索,其可忽乎/超迈绝尘驱,倏忽谁能逐/专必成之功,而忽蹉跌之败/风且起,一旦

荒忽飞扬,化而为沙泥/人生寄一世,奄忽若飙尘;何不策高足,先据要路津
❽志高虑远,祸发所忽/功业未及建,夕阳忽西流/捐躯赴国难,视死忽如归/损躯赴国难,视死忽如归/盛时不可再,百年忽我遒/众皆舍而己用兮,忽自惑其是非
❾人生贵贱无终始,倏忽须臾难久恃/天下之事,患常生于忽微,而志亦戒于渐习
❿缓于事则怠,急于事则忽/不以富贵而骄之,寒贱而忽之/骄奢生于富贵,祸乱生于疏忽/后之来者,则吾未之见,其可忽耶/人情旦暮有翻复,平地倏忽成山谿/祸固多藏于隐微,而发于人之所忽/人生天地之间,若白驹之过却,忽然而已/予欲闻六律五声八音,在治忽,以出纳五言/仰之弥高,钻之弥坚。瞻之在前,忽焉在后/赏罚信明,施与有节,记人之功,忽于小过/祸之所生,必由积怨;过之所始,多因忽小/禹汤罪己,其兴也悖焉;桀纣罪人,其亡也忽焉/视政之得失,若越人视秦人之肥瘠忽焉不加喜戚于其心

思 ①sī 想;挂念;心绪;特指写文章的思路;作语助;姓。②sì 意思,思绪。③sāi[于思]多须貌。

❶思而不学则殆

见现代·谢觉哉《想!》。

思小惠而忘大耻

见《左传·僖公二十八年》。

思所以亡则存矣

见宋·欧阳修、宋祁《新唐书·魏征传》。全句为:"思所以危则安矣,思所以乱则治矣,~"。

思虑深,不轻言

见《老子》三河上公注。

思其艰以图其易

见《尚书·君牙》。

思其始而图其终

见宋·苏轼《思治论》。

思虑明达而辞不争

见汉·戴德《大戴礼记·哀公问五义》。全句为:"闻志广博而色不伐,~"。

思索生知,慢易生忧

见《管子·内业》。

思若云飞,辩同河泻

见唐·杨炯《大周明威将军梁公神道碑》。

思若泉涌,文若春华

见唐·张说《齐黄门侍郎卢思道碑》。

思虑过度,则智识乱

见《韩非子·解老》。全句为:"视强,则目不明;听甚,则耳不聪;~"。

思其所以乱,则治矣

见唐·吴兢《贞观政要·刑法》。全句为:"思其所以危,则安矣;~;思其所以亡,则存矣"。

思其所以亡,则存矣

见唐·吴兢《贞观政要·刑法》。全句为:"思其所以危,则安矣;思其所以乱,则治矣;~"。

思其所以危,则安矣

见唐·吴兢《贞观政要·刑法》。全句为:"~;思其所以乱,则治矣;思其所以亡,则存矣"。

思革其弊,用光志业

见唐·杨炯《王勃集序》。

思能造端,谓之构架之材

见三国·魏·刘劭《人物志·材理》。

思国之安者,必积其德义

见唐·吴兢《贞观政要·君道》。全句为:"求木之长者,必固其根本;欲流之远者,必浚其泉源;~"。

思赡者善敷,才核者善删

见南朝·梁·刘勰《文心雕龙·熔裁》。

思有所至,有身不暇徇也

见《论衡·书解》。全句为:"志有所存,顾不见泰山;~"。

思与境偕,乃诗家之所尚者

见唐·司空徒《二十四诗品》。

思仁恕则树德,加严暴则树怨

见三国·魏·王肃《孔子家语·致思》。

思何忧而不入,心何虑而不攒

见唐·李峤《楚望赋》。全句为:"~,虽感目之一致,终寄怀而百端"。

思在物之取譬,非斗斛而能量

见南朝·梁·任昉《答陆倕感知己赋》。

思风发于胸臆,言泉流于唇齿

见晋·陆机《文赋》。

思通道化,策谋奇妙,是谓术家

见三国·魏·刘劭《人物志·流业》。

思故旧以想象兮,长太息而掩涕

见战国·楚·屈原《远游》。

思苦自看明月苦,人愁不是月华愁

见唐·戎昱《秋月》。

思所以危则安矣,思所以乱则治矣

见宋·欧阳修、宋祁《新唐书·魏征传》。全句为:"~,思所以亡则存矣"。

思虑熟则得事理,行端直则无祸害

见《韩非子·解老》。

思必深,而深必怨;望必远,而远必伤

见唐·李峤《楚望赋》。

思立掀天揭地的事功,须向薄冰上履过

见明·洪应明《菜根谭》。全句为:"欲做精金美玉的人品,定从烈火中锻来;~"。

思焉而得,故其言深;感焉而得,故其言切

见宋·苏洵《太玄论上》。全句为:"~;触焉

而得，故其言易”。

思古人而不得见，学古道，则欲兼通其辞也

见唐·韩愈《题哀辞后》。全句为：“～。通其辞者，本志乎古道者”。

思致之浅深，不在其礫裂章句，隳废声韵也

见唐·裴度《寄李翱书》。全句为：“文之异，在气格之高下，～”。

思在言与行之先，思无邪，则所言所行皆无邪矣

见宋·朱熹《朱子语类》卷二三。

❷三思而后行／百思不得其故／百思莫得其解／发思古之幽情／不思虑，不预谋／诗思出门何处无／追思玄事，睿也／独思，则滞而不通／储思必深，摛辞必高／深思远虑，安不忘危／进思尽忠，退思补过／言思乃出，行详乃动／积思勉之功，旧习自除／常思稻粱遇，愿栖梧桐树／所思迷所在，长望独长叹／心思不能言，肠中车轮转／鸟思猿情，绕梁历榱……／常思奋不顾身以徇国家之急／其思之不深，则其取之不固／熟思则得其情，缓处则得其当／人思取材于人，不若取材于天地／莫思身外无穷事，且尽生前有限杯／不思而立言，不知而定交，吾其惮也／诗，思然后积，积然后满，满然后发／曲思于细者必忘其大，锐精于近者必略于远／不思，故有惑；不求，故无得；不问，故不知／日思高其位，大其禄，而贪取滋甚，以近于危坠／子思以为鼎肉使己仆仆尔亟拜也，非养君子之道也／谋思危之音，危者将不久，不久将欲衰，衰者将不寿／不思安危终始之虑，是乐春藻之繁华，而忘秋实之甘口也

❸奉先思孝／两相思，两不知／集众思，广忠益／春女思，秋士悲／于安思危，于治忧乱／于安思危，危则虑安／不深思则不能造其学／乱而思理，生人大情／乱者思理，危者求安／饮水思源，缘木思本／慎而思之，勤而行之／居利思义，在约思纯／居安思危，孜孜不怠／居安思危，戒奢以俭／居安思危，日慎一日／见利思义，见危授命／怒则思理，危不忘义／愿言思伯，甘心首疾／痛定思痛，痛何如哉／岂不思故乡，从来感知己／家贫思良妻，国乱思良相／造夕思鸡鸣，及晨愿乌迁／如渴思冷水，如饥念美食／学有思而获，亦有触而获／骏足思长阪，柴车畏危辙／时危思报主，衰谢不能休／见善思齐，足以扬名不朽／感时思报国，拔剑起蒿莱／老骥思千里，饥鹰待一呼／鹿鸣思野草，可以喻嘉宾／乏则思滥，滥则迫利而轻禁／有弗思，思之弗得，弗措也／日日思君不见君，共饮长江水／羁马思其华林，笼雉想其皋泽／君子思过而预防之，所以有诫也／居安思危；思则有备，有备无患／见贤思齐焉，见不贤而内自省也／偏讶思君无限极，欲罢欲忘还复忆／明主思短而益善，暗主护短而永愚／君子思义而不虑利，小人贪利而不顾义／驰马思坠，挞人思毙，妄费思穷，滥交思累／见利思辱，见恶思诟，嗜欲思耻，忿怒思患／穷而思达，人之情也；卑而应高，物之理也／闻难思解，见利思避，好成人之美，可以立矣／不深思则不能造于道，不深思而得者，其得易失／人夜思归切，笛声清更哀，愁人不愿听，自到枕前来

❹学原于思／诚无垢，思无辱／诚无垢，思无辱／行成于思，毁于随／好法而思不深则刻／事不三思，终有后悔／昼有所思，夜梦其事／内无妄思，外无妄动／临行而思，临言而择／每一相思，千里命驾／陶钧文思，贵在虚静／动则三思，虑而后行／君子以思患而豫防之／好学深思，心知其意／永言孝思，孝思维则／熟读精思，攻苦食淡／泛问远思，则劳而无功／临义而思利，则义必不果／临战而思生，则战必不力／千里相思，空有关山之望／渴者不思火，寒者不求水／高情壮思，有抑扬天地之心／有弗思，思之弗得，弗措也／错人而思天，则失万物之情／大天而思之，孰与物畜而制之／家贫则思良妻，国乱则思良相／学而不思则罔，思而不学则殆／倦立而思远，不如速行之必至也／多病只思田舍乐，夜归烟火望茅檐／居常土思兮心内伤，愿为黄鹄兮归故乡／苦心焦思，以日继夜，苟利于国，知无不为／意授于思，言授于意，密则无际，疏则千里／苦身焦思，置胆于坐，坐卧即仰胆，饮食亦尝胆／继以精思，使其意皆出于吾之心。然后可以有得尔／廉公之思赵将，吴子之泣西河，人之情也，将军独无情哉

❺慎厥身，修思永／学愈博则思愈远／此间乐，不思蜀／德不厚而思国之理／务除其灾，思致其福／去人滋久，思人滋深／文若春华，思若涌泉／忘我大德，思我小怨／恋逐云飞，思随蓬卷／将有作则思知止以安人／忧懈怠则思慎始而敬终／见可欲则思知足以自戒／上言长相思，下言久离别／不学而好思，虽知不广矣／不念居安思危，戒奢以俭／每一衣，则思纺绩之辛苦／鼓腹无所思，朝起暮归眠／惧谗邪，则思正身以黜恶／惧满溢，则思江海下百川／惧满盈，则思江海下百川／早作而夜思，勤力而劳心／念高危，则思谦冲而自牧／虑壅蔽，则思虚心以纳下／未得位则思修其辞以明其道／凡物，穷则思变，困则谋通／恩所加，则思无因喜以谬赏／罚所及，则思无以怒而滥刑／智者睹危思变，贤者泥而不滓／居安思危；思则有备，有备无患／休对故人思故国，且将新火试新茶／落其实者思其树，饮其流者怀其源／常将有日思无日，莫待无时思有时／常将有日思无日，莫待无时想

有时／君子有九思：视思明……见得思义／闻鼓鼙而思将帅，画云台而念旧臣／居不隐者思不远，身不佚者志不广／暗中时滴思亲泪，只恐思儿泪更多／贤者之作，思利乎人；反是，罪也／方凭征鞍思往事，数声风笛马前闻／身多疾病思田里，邑有流亡愧俸钱／以吾心之思足下，知足下悬悬于吾也／心之官则思，思则得之，不思则不得也／意深词浅，思苦言甘。寥寥千载，此妙谁探／凡居其位，思直其道，道苟直，虽死不可回也／君子见利思辱，见恶思诟，嗜欲思耻，忿怒思患／知本无有思，动静皆离，寂然不动者，是至诚也

❻每逢佳节倍思亲／清明无客不思家／处事最当熟思缓处／不忘久德，不思久怨／信誓旦旦，不思其反／进思尽忠，退思补过／永言孝思，孝思维则／一粥一饭，当思来处不易／读书患不多，思义患不明／常记古人言，思之每烂熟／有国有家，不思所以捄之／虚以生其明，思以穷其隐／言之如吹影，思之如镂尘／人少好学则思专，长则善忘／矧流客之归思，岂可忘于畴昔／俱怀逸兴壮思飞，欲上青天揽明月／八纮驰骋于思绪，万代出没于毫端／君子任职则思利民，达上则思进贤／吾尝终日而思矣，不如须臾之所学也／因命而动，生思虑……别同异，谓之意／欲出一言，即思此一言于百姓有利益否／心之官则思，思则得之，不思则不得也／德人者，居无思，行无虑，不藏是非善恶／诗人感而后思，思而后积，积而后满，满而后作

❼博学多识，疑则思问／饮水思源，缘木思本／居利思义，在约思纯／盛不忘衰，安必思危／君子居其位则思死其官／才所不胜而强思之，伤也／修身以为弓，矫思以为矢／听鼓鼙之声则思将帅之臣／旅情偏在夜，乡思岂唯秋／为朝露之行，而思传世之功／亡国之音，哀以思，其民困／才以用而日生，思以引而不竭／不苟一时之誉，思为利于无穷／讯问者智之本，思虑者智之道／学而不思则罔，思而不学则殆／可知之事，唯精思之，虽大无难／世人得宠而不思其辱，故辱至则惊／君子有九思：视思明……见得思义／诚者，天之道也；思诚者，人之道也／一代天骄，成吉思汗，只识弯弓射大雕／当官务持大体，思事事皆民生国计所关／驰马思坠，挞人思毙，妄费思穷，滥交思累／见利思辱，见恶思诟，嗜欲思耻，忿怒思患／闻难思解，见利思避，好成人之美，可以立矣／安则乐生，痛则思死；捶楚之下，何求而不得／贵者，夜以继日，思虑善否，其为形也亦疏矣／诗人感而后思，思而后积，积而后满，满而后作／政如农功，日夜思之，思其始而成其终，朝夕而行之

❽夙兴以求，夜寐以思／动必三省，言必再思／慎乎所习，不可不思／火必有光，心必有思／士见危致命，见得思义／寒者不贪双璧而思短褐／为国忘私仇，千秋思廉蔺／举头望明月，低头思故乡／民为国本根，岂不思培植／刺股情方励，偷光思益深／人情怀旧乡，客鸟思故林／大凡人无才，则心思不出／家贫思良妻，国乱思良相／羁鸟恋旧林，池鱼思故渊／白也诗无敌，飘然思不群／用人不宜刻，刻则思效者去／摅怀旧之蓄念，发思古之幽情／耳有聪，目有明，心思有睿知／不务服人之貌，而思有以服人之心／思所以危则安矣，思所以乱则治矣／目送征鸿飞杳杳，思随流水去茫茫／君子之事上也，进思尽忠，退思补过／博学之，审问之，慎思之，明辨之，笃行之／汉之广矣，不可泳思。江之永矣，不可方思／惟严惟明，其赏也思，惟宽惟惠，其罚也畏／为学之道，必本于思。思则得知，不思则不得／博学笃志，切问近思，此八字是收放心的功夫／思在言与行之先，思无邪，则所言所行皆无邪矣

❾刚而塞，则恻怛有仁思／大智兴邦，不过集众思／事危则志远，情迫则思深／离居见新月，那得不思君／凡贤人君子，未尝不思效用／攻人之恶毋太严，要思其堪受／和平之音淡薄，而秋思之声要妙／怵惕惟厉，中夜以兴，思免厥愆／安不忘危臣所愿，常思危困必无危／明发又为千里别，相思应尽一生期／断送一生惟有酒，寻思百计不如闲／吾人立身天地间，只思量作得一个人／为学之道，必本于思。思则得知，不思则不得／君子见利思辱，见恶思诟，嗜欲思耻，忿怒思患／政如农功，日夜思之，思其始而成其终，朝夕而行之

❿生当复来归，死当长相思／博学而笃志，切问而近思／春蚕不应老，昼夜常怀思／愿君多采撷，此物最相思／其生也莫知，其往也始思／别馆南开，风雨积他乡之思／人之不力于道者，昏不思也／家贫则思良妻，国乱则思良相／遵四时以叹逝，瞻万物而思纷／日进前而不御，遥闻声而相思／修仪操以显志兮，独驰思乎杳冥／圣人安不忘危，恒以忧思为本营／居悒悒之无解兮，独长思而永叹／不以隐约而弗务，不以康乐而加思／不栽桃李种蔷薇，荆棘满庭君思之／旧书不厌百回读，熟读深思子自知／从来夸有龙泉剑，试割相思得断无／常将有日思无日，莫待无时思有时／君子任职则思利民，达上则思进贤／君子有九思：视思明……见得思义／独在异乡为异客，每逢佳节倍思亲／春心莫共花争发，一寸相思一寸灰／暗中时滴思亲泪，只恐思儿泪更多／断雁无凭，冉冉飞下汀洲，思悠悠／业精于勤荒于嬉，行成于思毁于随／君子之事上也，进思尽忠，退思补过／不忍登高临

远，望故乡渺邈，归思难收／临水远望，泣下沾衣，远道之人心思归／书不记，熟读可记；义不精，细思可精／处大无患者恒多慢，处小有忧者恒思善／责恶要为人留余步，劝善要思其势可从／心之官则思，思则得之，不思则不得也／古人为诗，贵于意在言外，使人思而得之／轻听发言，安知非人之谮诉，当忍耐三思／兵者凶器，必有凶扰，扰则思乱，乱出不意／冷眼观人，冷耳听语，冷情当感，冷心思理／圣贤之所以为知者，不过思与见闻之会而已／苍雁赪鲤，时传尺素；清风明月，俱寄相思／小人之情，缓则骄……危则谋乱，安则思欲／少而不学，老无能也；老而不教，死无思也／处若忘，行若遗，俨乎其若思，茫乎其若迷／汉之广矣，不可泳思。江之永矣，不可方思／驰马思坠，挞人思毙，妄费思穷，滥交思累／昔我往矣，杨柳依依；今我来思，雨雪霏霏／赏重而信，罚痛而必，群臣畏劝，竞思其职／见利思辱，见恶思诟，嗜欲思耻，忿怒思患／文不加点，兴到语耳！孔明天才，思十反矣／文为之物，自然灵气。惚恍而来，不思而至／祸福相倚，吉凶同域，惟人所召，安可不思／貌曰恭，言曰从，视曰明，听曰聪，思曰睿／为学之道，必本于思。思则得知，不思则不得／《诗》三百，一言以蔽之，曰："思无邪。"／常以事于无形之外，而不留思尽虑于成事之内／有不得已者而后言。其歌也有思，其哭也有怀／不深思则不能造于道，不深思而得者，其得易失／直视千里外，唯见起黄埃。凝思寂听，心伤已摧／吾尝终日不食、终夜不寝以思，无益，不如学也／君子见利思辱，见恶思诟，嗜欲思耻，忿怒思患／贤固可易知，人固可易识，但是议者不精思之耳／非有卓然异绩结于人心，浃于骨髓，安能久而愈思／圣人者常以事于无形之外，而不留思尽虑于成事之内／安不忘危，治不忘乱，虽知今日无事，亦须思其终始

怎 zěn 怎么，如何。

❽不是一番寒彻骨，怎得梅花扑鼻香

怨 ①yuàn 极端不满；仇恨；责怪。②yùn 通"蕴"，蕴藏，蓄积。

❶怨不在大，可畏惟人

见唐·吴兢《贞观政要·君道》引魏征上疏之语。全句为："～；载舟覆舟，所宜深慎；奔车朽索，其可忽乎"。"人"，民。

怨不在大，亦不在小

见《尚书·康诰》。

怨之所聚，乱之本也

见《左传·成公十六年》。

怨岂在明？不见是图

见《尚书·五子之歌》。

怨人者穷，怨天者无志

见《荀子·荣辱》。全句为："自知者不怨人，知命者不怨天；～"。

怨，不期深浅，其于伤心

见《战国策·中山策》。全句为："与，不期众少，其于当厄；～"。

怨于心者，哀声可以应木石

见唐·骆宾王《上吏部裴侍郎书》。全句为："～；感于情者，至性可以通神明"。

怨利生孽，维义可以为长存

见《晏子春秋·内篇杂下第十四》

怨在微而下之，犹可以为谦德也

见三国·魏·刘劭《人物志·释争》。

怨人不如自怨，求诸人不如求诸己

见汉·刘安《淮南子·缪称》。

怨恩取与谏教生杀，八者，正之器也，唯循大变无所湮者为能用之

见《庄子·天地》。

❷私怨不入公门／不怨天，不尤人／莫怨春风当自嗟／以怨报怨，则民有所惩／莫怨无情流水，明月扁舟何处／如怨如慕，如泣如诉，余音袅袅，不绝如缕

❸上不怨天，下不尤人／内无怨女，外无旷夫／祸自怨起，而福繇德兴／小人怨汝詈汝，则皇自敬德／他乡怨而白露寒，故人去而青山迥／苦我怨气兮浩于长空，六合虽广兮受之应不容

❹没齿无怨言／德无细，怨无小／禄厚者，怨逮之／天下归怨而不敢辞／好与，来怨之道也／以直报怨，以德报德／勇动多怨，仁义多责／惮劳怕怨，做不得事／心无结怨，口无烦言／以怨报怨，则民有所惩／诛者不怨君，罪之所当也／功高成怨府，权盛是危机／恩甚则怨生，爱多则憎至／睚眦之怨必仇，一餐之惠必报／财尽则怨，力尽则怼，君子危之／天下敢怨而不敢言，敢怒而不敢诛

❺乱生必由怨起／不用登临怨落晖／大德灭小怨，道也／不念旧恶，怨是用希／邪秽在身，怨之所构／华而不实，怨之所聚也／怨人者穷，怨天者无志／乱世之音怨以怒，其政乖／谤议不足怨，宠辱讵须惊／遗佚而不怨，阨穷而不悯／如是则下怨，下怨者可亡也／自知者不怨人，知命者不怨天／羌笛何须怨杨柳，春风不度玉门关／天不为人怨咨而辍其寒暑，君子不为人之丑恶而辍其正道

❻大小多少，报怨以德／足寒伤心，民怨伤国／喜名者必多怨，好与者必多辱／喜德者必多怨，喜予者必善夺／闻忠善以损怨，不闻作威以防怨／无身不善而怨人，无刑已至而呼天／不是无端悲怨深，直将阅历写成吟／诚无悔，恕无怨，和无仇，忍无辱／志士幽人莫怨嗟，古来材

大难为用/怨人不如自怨,求诸人不如求诸己

❼放于利而行,多怨/不藏怒焉,不宿怨焉/虽有忮心者,不怨飘瓦/凡人处是,鲜不怨怼忿愤/积邪在于上,蓄怨藏于民/口惠而实不至,怨灾及其身/处患难者勿为怨天尤人之言/如是则下怨,下怨者可亡也/洒向人间都是怨,一枕黄粱再现/我闻忠善以损怨,不闻作威以防怨/报国无门空自怨,济时有策从谁吐/吾闻忠善以损怨,不闻作威以防怨/庶狱明则国无怨民,枉直当则民无不服/思必深,而深必怨;望必远,而远必伤/薄施而厚望,畜怨而无患者,古今未之有也/知天乐者,无天怨,无人非,无物累,无鬼责

❽不赏私劳,不罚私怨/不忘久德,不思久怨/求仁而得仁,又何怨/仁不轻绝,智不轻怨/建大事者,不忌小怨/君子寡尤,小人多怨/政令不行,上下相怨/胜而不骄,败而不怨/忘我大德,思我小怨/与人不求感德,无怨便是德/罪生甲,祸归乙,伏怨乃结/伤则感遥而悼近,怨则恋始而悲终/尝有德,厚报之;有怨,必以法灭之/切而不指,勤而不怨,曲而不谄,直而有礼/祸之所生,必由积怨;过之所始,多因忽小/惠而不费,劳而不怨,欲而不贪,泰而不骄,威而不猛

❾听著鸣蛩,一声声是怨/不偷取一世,则民无怨心/人心安则念善,苦则怨叛/交绝无恶声,去臣无怨辞/欲衍则速患,情佚则怨博/伯夷、叔齐不念旧恶,怨用是希/今别子兮归故乡,旧怨平兮新怨长/交友不信,则离散郁怨,不能相亲/其施厚者其报美,其怨大者其祸深

❿正己而不求于人,则无怨/内称不辟亲,外举不辟怨/为政者不赏私劳,不罚私怨/一饭之德必偿,睚眦之怨必报/一恨不足以成非,积恨而成怨/风波作于平地,亲戚化为仇怨/恩仁恕则树德,加严暴则树怨/自知者不怨人,知命者不怨天/躬自厚而薄责于人,则远怨矣/善为吏者树德,不善为吏者树怨/闻忠善以损怨,不闻作威以防怨/威严不先行于己,则人怨而不服/我闻忠善以损怨,不闻作威以防怨/今别子兮归故乡,旧怨平兮新怨长/高明者鬼瞰其门,正直者人怨其笔/草不谢荣于春风,木不怨落于秋天/吾闻忠善以损怨,不闻作威以防怨/趋利而不以为辱,陨身而不以为怨/人有恩于我不可忘,而怨则不可不忘/有风波作于平地,亲戚化为仇怨者矣/骄则恣,恣则极物;罢则怨,怨则极虑/所生者弗德,所杀者非怨,则几于道也/言满天下,无口过;行满天下,无怨恶/《诗》可以兴,可以观,可以群,可以怨/富贵时,意中不忘贫贱,一日退休必不怨/言语简寡,在我可以少悔,在人可以少怨/为忠甚易,得宜实难。忧人大过,以德取怨/君子能罪己,斯罪人也;不报怨,斯报怨也/暗箭伤人,其深次骨;人之怨之,亦必次骨/常有小不快事,是好消息……知此理可免怨尤/贤者出走,命曰崩;百姓不敢诽怨,命曰刑胜/唯女子与小人为难养也;近之则不孙,远之则怨/国以民为本,民以财为命。取之过多,予者亦怨/仁人之于弟也,不藏怒焉,不宿怨焉,亲爱之而已矣/君子惠而不费,劳而不怨,欲而不贪,泰而不骄,威而不猛/不与凶人为仇,不与吉人为亲,不与诚人为媾,不与诈人为怨/《国风》好色而不淫,《小雅》怨诽而不乱,若《离骚》者,可谓兼之

急

jí 焦躁;紧迫;紧要的事情;速度快或程度强;窘迫;急需;急躁;紧缩。

❶急求名者必铿

见汉·刘安《淮南子·诠言》。

急流中能勇退耳

见宋·张耒《书钱宣靖遗事后》。

急与之期而观其信

见《庄子·列御寇》。全句为:“君子远使之而观其忠,近使之而观其敬,烦使之而观其能,卒然问焉而观其知,~,告之以危而观其节,醉之以酒而观其侧,杂之以处而观其色”。“知”同“智”;“侧”,不正。亦作“则”,指仪态。

急人之急,忧人之忧

见唐·张说《吊陈司马书》。

急湍甚箭,猛浪若奔

见南朝·梁·吴均《与宋元思书》。

急来抱佛脚,闲时不烧香

见明·施耐庵《水浒传》第十七回。

急辔数策者,非千里之御也

见汉·刘安《淮南子·缪称》。

急小之人宜理百里,使事办于已

见三国·魏·刘劭《人物志·材能》。

急病让夷,义之先;图国忘死,贞之大

见唐·柳宗元《唐故特进南公睢阳庙碑》。

急乎其所自立,而无患乎人不已知,未尝闻有响大而声微者也

见唐·韩愈《重答李翊书》。

❷无急胜而忘败/危急存亡之时/欲急人所务,当先除其所患/躁急,则先自处于不暇,何暇治事/当急剧冗杂时只不动火,则神有余而不劳/因急而呼天,疾痛而呼父母者,人之至情也

❸捐不急,罢冗员/缓前急后,应事之贼也/明主急得其人,而闇主急得其势/政之急者,莫大乎使民富且寿也/事之急者不能安言,心之痛者不能缓声/风雨急而不辍其音,霜雪零而不渝其色/夏宜急雨,有瀑布声;冬宜密雪,有碎玉声/睹危急则恻隐,将赴救则畏患,是仁而不

恤者/缓己急人,一等;急己急人,二等;急己宽人,三等

❹凡兵欲急疾捷先/君子周急不继富/振穷救急,倾家无爱/急人之急,忧人之忧/令有缓急,故物有轻重/吝者,穷急不恤之谓也/作诗火急追亡逋,清景一失后难摹/老夫渴急月更急,酒落杯中月先入

❺农为国家急务/先国家之急而后私仇/学文之端,急于明理/铤而走险,急何能择/务持重,不急近功小利/屈志老成,急则可相依/怒潮风正急,酒醒闻塞笛/宽于大事,急于小事……不可以为政/内不足者,急于人知;霈焉有余,厥闻四驰/天下之事,急之则丧,缓之则得,而过缓则无及

❻治乱绳不可急/宜勤勿懒,宜急勿缓/胜法之务,莫急于去奸/张瑟者,小弦急而大弦缓/缓于事则怠,急于事则忽/不可以有乱急,亦不可以无乱弛/多少事,从来急;天地转,光阴迫/存身之道莫急乎养神,养神之要莫甚乎素然

❼民就穷而敛愈急/脊令在原,兄弟急难/物穷则变生,事急则计易/身轻一鸟过,枪急万人呼/也知渔父趁鱼急,翻着春衫不裹头/高天滚滚寒流急,大地微微暖气吹/老夫渴急月更急,酒落杯中月先入/贞以图国,义惟急病;临难忘身,见危致命/缓己急人,一等;急己急人,二等;急己宽人,三等

❽当官临事,切戒躁急/严家无悍虏,笃责急也/用气常宽舒,不当急疾勤劳/政犹张琴瑟,大弦急则小弦绝/行未固于无非,而急求名者,必铿也/时既清兮惟贤是急,贤既进兮其政必立

❾闻善速于雷动,从谏急于风移/贪则多失,忿则多难,急则多蹶/磨砺当如百炼之金,急就者,非邃养/驶雪多积荒城之隈,急风好起沙河之上/圣人之于事,似缓而急,似迟而速,以待时/罢无能,废无用,捐不急之官,塞私门之请/缓己急人,一等;急己急人,二等;急己宽人,三等

❿以行实为先,以才用为急/本是同根生,相煎何太急/聚敛之臣,则以货财为急/常思奋不顾身以徇国家之急/知者无不知也,当务之为急/以夷坦去群疑,以礼让汰惨急/仁者必爱其亲,义者必急其君/明主急得其人,而阇主急得其势/顺我意而言者,小人也,急远之/其清音幽韵,凄如飘风急雨骤至/昨是儿童今是翁,人间日月急如风/财已竭而敛不休,人已穷而赋愈急/贤者报国之功,乃在缓急有为之际/白云山头云欲立,白云山下呼声急/听政之初,当以通下情除壅蔽为急务/处事者不以聪明为先,而以尽心为急/治国者譬若乎张琴然,大弦急则小弦绝矣/一声而非,驷马勿追;一言而急,驷马不及/仇无大小,只怕伤心;恩若救急,一芥千金/人以义来,我以身许,褰裳赴急,不避寒暑/山,倒海翻江卷巨澜。奔腾急,万马战犹酣/安危相易,祸福相生,缓急相摩,聚散以成/居上位而不恤其下,骄也;缓令急诛,暴也/缓己急人,一等;急己急人,二等;急己宽人,三等/人莫欲学御龙,而皆欲学御马;莫欲学治鬼,而皆欲学治人:急所用也

总

①zǒng 全部的;全面的;概括全部的;合起来;汇集;一向;毕竟;终归;通"纵",虽然;通"匆",忽然;统领。②zōng 缝合。③cōng 绢的一种。

❶总视其体,乃知其大相去之远

见汉·刘安《淮南子·说山》。全句为:"视方寸于牛,不知其大于羊,~"。

总教掬尽三江水,难洗今朝一面羞

见明·施耐庵《水浒传》第九十五回。

❸以少总多,情貌无遗/奇才总于文武,重任归于将相

❺一枝一叶总关情/天下国家总以忧勤而得,怠荒而失

❼人远则难绥,事总则难了/倘非广见博闻,总觉光阴虚度

❽可知他朱甍碧瓦,总是血膏涂/晓来谁染霜林醉,总是离人泪/千家万户曈曈日,总把新桃换旧符/蜀笺都有三千幅,总写离情寄孟光/主德者,聪明平淡,总达众材,而不以事自任者也

❿扫眉才子于今少,管领春风总不如/欲把西湖比西子,淡妆浓抹总相宜/眼处心生句自神,暗中摸索总非真/等闲识得东风面,万紫千红总是春/宽弘之人宜为郡国,使下得施其功而总成其事/盖吾儒起手便与禅异者,正在彻始彻终总是体用一致耳

怒

nù 生气;谴责;形容气势强盛。

❶怒发上冲冠

见汉·司马迁《史记·廉颇蔺相如列传》。

怒而无威者犯

见汉·黄石公《素书·遵义章》。

怒于室者色于市

见《战国策·韩策一》。

怒中之言,必有泄漏

见明·冯梦龙《东周列国志》第四十六回。

怒则思理,危不忘义

见汉·刘向《说苑·立节》。

怒猊抉石,渴骥奔泉

见宋·欧阳修、宋祁《新唐书·徐浩传》。

怒潮风正急,酒醒闻塞笛

见宋·韩元吉《霜天晓角》。

怒而溢恶，则为人之害多矣

见宋·叶梦得《石林家训》。全句为："喜而溢美，犹不失近厚；～"。

怒发冲冠，凭栏处，潇潇雨歇

见宋·岳飞《满江红》。

怒不变容，喜不失节，故是最为难

见晋·陈寿《三国志·魏书·后妃传》。

怒不过夺，喜不过予，是法胜私也

见《荀子·修身》。

怒其臂以当车辙，不知其不胜任也

见《庄子·人间世》。全句为："汝不知夫螳螂乎？～，是其才之美者也"。

怒如严霜，喜如时雨，臧否好恶，坦然可观

见晋·陈寿《三国志·魏书·二公孙传》。

怒笞不可偃于家，刑罚不可偃于国，诛伐不可偃于天下

见《吕氏春秋·孟秋纪·荡兵》。全句为："～，有巧有拙而已矣"。

❷众怒不可犯／喜怒不形于色／众怒难犯，专欲难成／喜怒哀乐，动人心深／节怒莫若乐，节乐莫若礼／喜怒哀乐之动乎中必见乎外／忍怒以全阴气，抑喜以养阳气／大怒不怒，大喜不喜，可以养心／喜怒哀乐发而皆中节，天下之达道／强怒者虽严不威，强亲者虽笑不和／喜怒哀乐之未发谓之中，发而皆中节谓之和／喜怒相疑，愚知相欺，善否相非，诞信相讥／当怒不怒，奸臣为虎；当杀不杀，大贼乃发／喜怒、窘穷、……有动于心，必于草书焉发之

❸不迁怒，不贰过／室于怒，市于色／不迁怒者，求诸己／不藏怒焉，不宿怨焉／嬉笑怒骂，皆成文章／一夫怒临关，百万未可傍／不因怒以诛，不因喜以赏／野夫怒见不平处，磨损胸中万古刀／阴风怒号，浊浪排空，日星隐曜，山岳潜形

❹军无私怒／大抵忿怒之际……／士以义怒，可与百战／闻谤而怒者，谗之由也／嗜欲喜怒之情，贤愚皆同／天子之怒，伏尸百万，流血千里／大怒不怒，大喜不喜，可以养心／临喜临怒看涵养，群行群止看识见／人有喜怒哀乐，犹天之有春夏秋冬／陵涛鼓怒以伏注，天壁嵯峨而横立／血气之怒不可有，理义之怒不可无／螳螂之怒臂以当车轶，则必不胜任矣／当怒不怒，奸臣为虎；当杀不杀，大贼乃发／嘻笑之怒，甚于裂眦；长歌之哀，过乎恸哭

❺喜无以赏，怒无以杀／善战者不怒，善胜者不武／天亦有喜怒之气，哀乐之心／惟义可以怒士，士以义怒，可与百战／主不可以怒而兴师，将不可以愠而致战

❻贼仁伤德，天怒不福／喜则爱心生，怒则毒螫加／狂云妒佳月，怒气千里黑／侵淫溪谷，盛怒于土囊之口／克己可以治怒，明理可以治惧／闻人毁己而怒，则誉己者至矣／不言而信，不怒而威，师之谓也／忠犯人主之怒，而勇夺三军之帅／何谓人情？喜、怒、哀、惧、爱、恶、欲，七者弗学而能

❼乱世之音怨以怒，其政乖／喜乐无羡赏，忿怒无羡刑／雄笔奇才，有鼓怒风云之气／德积而民可用，怒畜而威可立／四海翻腾云水怒，五洲震荡风雷激／归之于民则民怒，反之于身则身骄／小勇者，血气之怒也；大勇者，理义之怒也／喜则滥赏无功，怒则滥杀无罪，是以天下丧乱，莫不由此

❽治心术则不妄喜怒／薄言往愬，逢彼之怒／罚所及，则思无以怒而滥刑／喜时之言多失信，怒时之言多失体／顺之则喜，逆之则怒，此有血气者之性也／生男无喜，生女无怒，独不见卫子夫霸天下／真悲无声而哀，真怒未发而威，真亲未笑而和

❾自古帝王多任情喜怒……／以同异为善恶，以喜怒为赏罚／至乐不得恣所欲，主怒不得乱所为／仁人之于弟也，不藏怒焉，不宿怨焉，亲爱之而已矣

❿所以失之者，必以喜乐哀怒／闻恶不可就恶，恐为谗夫泄怒／万木霜天红烂漫，天兵怒气冲霄汉／天下敢怨而不敢言，敢怒而不敢诛／卒然临之而不惊，无故加之而不怒／匡庐小琐拳可碎，鄱阳触怒踢欲裂／人之情，易发而难制者，惟怒为甚／谀言顺意而易悦，直言逆耳而触怒／受天下之瑰丽，而泄天下之拗怒也／善为政者积其德，善用兵者畜其怒／恸哭六军俱缟素，冲冠一怒为红颜／用人之知去其诈，用人之勇去其怒／血气之怒不可有，理义之怒不可无／以受天下之瑰丽，而泄天下之拗怒也／惟义可以怒士，士以义怒，可与百战／不可以私意喜一人。不可以私意怒一人／两喜必多溢美之言，两怒必多溢恶之言／壮而不虚，刚而能润……非鼓怒以为资／水至平而邪者取法，镜至明而丑者无怒／虎豹终日而不杀，则跳踉大叫以发其怒／小勇者，血气之怒也；大勇者，理义之怒也／善为士者不武，善战者不怒，善胜敌者不与／见利思辱，见恶思诟，嗜欲思耻，忿怒思患／言吾善者，不足为喜；道吾恶者，不足为怒／才不能逾同列，声不能压当世，世之怒仆宜也／或依势以干非其类，出技以怒强，窃时以肆暴／君子见利思辱，见恶思诟，嗜欲思耻，忿怒思患／敬之而不喜，侮之而不怒者，唯同乎天和者为然／天下有大勇者，卒然临之而不惊，无故加之而不怒／使天下之人，不敢言而敢怒。独夫之心，日益骄固／其所以为情者七：曰喜、曰怒、曰哀、曰惧、曰爱、曰恶、曰欲／人之生也，必以

其欢。忧则失纪，怒则失端。忧悲喜怒，道乃无处

怼

duì 怨恨。

❽凡人处是，鲜不怨怼忿懥／财尽则怨，力尽则怼，君子危之

恐

kǒng 畏惧；吓唬；副词。

❶恐此非名计，息驾归闲居

见晋·陶潜《饮酒二十首》之十。全句为："倾身营一饱，少许便有余。～"。

恐沈于众，若火之燎于原，不可向迩，其犹可扑灭

见《尚书·盘庚上》。

❷恶恐人知，便是大恶／长恐浮云生，夺我西窗月／惜恐镜中春，不如花草新／吾恐季孙之忧不在颛臾，而在萧墙之内也／将恐将惧，维予与女；将安将乐，女转弃予

❸只缘恐惧转须亲／致远恐泥，是以君子不为也／周公恐惧流言日，王莽谦恭未篡时

❹辱骂和恐吓决不是战斗／为善若恐不及，备祸若恐不免／矢人惟恐不伤人，函人惟恐伤人／良人犹恐催耕早，自扯蓬窗看晓星

❺已得之，惟恐伤肉之多也／在之也者，恐天下之淫其性也／宥之也者，恐天下之迁其德也／徇私贪浊……恐惧既多，亦有因而致死

❻不诱于誉，不恐于诽／学如不及，犹恐失之／不取往者戒，恐贻来者冤／知音者稀，常恐词林交丧／学无早晚，但恐始勤终惰／未得兽者，惟恐其创之小也／生男如狼，犹恐其尪；生女如鼠，犹恐其虎／从善如流，尚恐不逮；饰非拒谏，必是招损／慎终如始，犹恐渐衰，始尚不慎，终将安保／经目之事，犹恐未真；背后之言，岂能全信／赏之使谏，尚恐不言；罪其敢言，孰敢献纳

❼立辅弼之臣者，恐骄也／作甲者欲其坚，恐人之伤／作箭者欲其锐，恐人不伤／只因神倒运，常恐鬼胡行／闻善不可即亲，恐引奸人进身／闻恶不可就恶，恐为谗夫泄怒／置直谏之士者，恐不得闻其过也／杀一人则千人恐，滥一罪则百夫愁／并力西向，则吾恐秦人食之不得下咽也

❽愈大愈惧，愈强愈恐／羊质虎皮，见豺则恐／若教临水畔，字字恐成龙／骋者不贪最先，不恐独后／岂余身之惮殃兮，恐皇舆之败绩／老冉冉其将至兮，恐修名之不立／汩余若将不及兮，恐年岁之不吾与／星队木鸣，国人皆恐。……怪之，可也；而畏之，非也

❾不畏将军成久别，只恐封侯心更移／暗中时滴思亲泪，只恐思儿泪更多／鞭鞑宁越以立威名，恐非致理之本／猛虎在深山，百兽震恐；及在槛阱之中，摇尾而求食

❿为善若恐不及，备祸若恐不免／矢人惟恐不伤人，函人惟恐伤人／世人逐势争奔走，沥胆堕肝惟恐后／匠成舆者忧人不贵，作箭者恐人不伤／傲小物而志属于大，似无勇而未可恐狼／君子戒慎乎其所不睹，恐惧乎其所不闻／忧愁惨怛，乐非轻死，则刑罚不能恐也／其为不虚取直也的矣，其知恐而畏也审矣／生男如狼，犹恐其尪；生女如鼠，犹恐其虎／善欲人见，不是真善；恶恐人知，便是大恶／君子之所贵者，迁善惧其不及，改恶恐其有余／猛虎处于深山，向风长鸣，则百兽震恐而不敢出／从时者，犹救火、追亡人也，蹶而趋之，唯恐弗及／君子之于学，惟日孜孜，毙而后已，惟恐其不及也

恶

①wù 讨厌，憎恨；耻，惭愧；中伤。②è 极坏的行为；坏的；凶狠；伦理学的基本概念；疾病；污秽；丑陋。③ě[恶心]不良的心念；形容讨厌到极点；一种急迫欲呕的感觉。

❶恶之者众则危

见《荀子·正论》。

恶郑声之乱雅乐也

见《论语·阳货》。

恶莫大于毁人之善

见清·申居郧《西岩赘语》。

恶有满而不覆者哉

见《荀子·宥坐》。

恶直丑正，实蕃有徒

见《左传·昭公二十八年》。

恶声狼藉，布于诸国

见汉·司马迁《史记·蒙恬列传》。

恶小耻者不能立大功

见汉·司马迁《史记·鲁仲连邹阳列传》。全句为："规小节者不能成荣名，～"。

恶绝于心，仁形于色

见唐·韩愈《郓州溪堂诗》。

恶欲其死而爱欲其生

见宋·陈亮《谢葛知院启》。

恶恐人知，便是大恶

见清·朱伯庐《治家格言》。全句为："善欲人见，不是真善；～"。

恶恶著，则小人退矣

见唐·吴兢《贞观政要·公平》。全句为："善善明，则君子进矣；～"。

恶人从游，则日生邪情

见南朝·宋·范晔《后汉书·爰延传》。全句为："善人同处，则日闻嘉训；～"。

恶小耻者，不能立荣名

见《战国策·齐策六》。全句为："效小节者，不能行大威；～"。

恶者,人心之所恶疾也

见三国·魏·王弼《老子》二注。全句为:"美者,人心之所乐进也。~"。

恶不失其理,欲不过其情

见《管子·心术上》。

恶而知其美,好而知其恶

见明·冯梦龙《警世通言·拗相公饮恨半山堂》。

恶语不出口,苟言不留耳

见汉·刘向《说苑·谈丛》。

恶言不出口,苟语不留耳

见《邓析子·转辞》。

恶于针石者,不可与言至巧

见《黄帝内经·五藏别论》。全句为:"拘于鬼神者,不可与言至德;~"。

恶之显者祸浅,而隐者祸深

见明·洪应明《菜根谭·前集百三十八》。

恶人无有所纪,则以愧而惧

见宋·曾巩《寄欧阳舍人书》。全句为:"善人喜于见传,则勇于自立;~"。

恶人不去,则善人无由进也

见南朝·宋·范晔《后汉书·傅燮传》。

恶闻忠言,乃自伐之精者也

见《吕氏春秋·仲冬纪·至忠》。

恶不废则善不兴,自然之道也

见三国·魏·徐幹《中论·虚道》。

恶之所在,虽高隆,世不能贵

见汉·刘安《淮南子·说山》。全句为:"美之所在,虽污辱,世不能贱;~"。

恶言不出于口,忿言不反于身

见《礼记·祭义》。

恶言不出于口,邪行不及于己

见汉·桓宽《盐铁论·毁学》。

恶不在大,心术一坏,即入祸门

见明·吴麟征《家诫要言》。

恶诸人则去诸己,欲诸人则求诸己

见《尸子·恕》。

恶波横天山塞路,未央宫中常满库

见唐·王建《海人谣》。

恶死亡而乐不仁,是由恶醉而强酒

见《孟子·离娄上》。

恶犹疾也,攻之则益悛,不攻则日甚

见三国·魏·徐幹《中论·虚道》。

恶乎然?然于然。恶乎不然?不然于不然

见《庄子·齐物论》。

恶不可积,过不可长;积恶长过,丧乱之源

见晋·陈寿《三国志·吴书·陆凯传》裴松之注引《江表传》。

恶徼以为知者,恶不孙以为勇者,恶讦以为直者

见《论语·阳货》。

恶图犬马而好作鬼魅,诚以实事难形,而虚伪不穷也

见南朝·宋·范晔《后汉书·张衡传》。

❷羞恶之心,义也/小恶不足妨大美也/长恶不悛,从自及也/兵恶不戢,武贵止戈/侈恶之大,俭为共德/兽恶其网,民恶其上/剪恶如草,扬奸如秕/掩恶扬善,君子所宗/知恶不黜,则为祸始/善恶昭彰,如影随形/怀恶而讨,虽死不服/恶恶著,则小人退矣/羞恶之心,义之端也/羞恶之心,人皆有之/为恶,不自毁而人毁之/诛恶及本,本诛则恶消/闻恶能改,庶得免乎大过/嫉恶如仇雠,见善若饥渴/见恶,如农夫之务去草焉/善恶相从,如景乡之应形声/其恶者自恶,吾不知其恶也/无恶于己,然后可以正人之恶/为恶而畏人知,恶中犹有善路/诛恶不避亲爱,举善不避仇雠/力恶其不出于身也,不必为己/小恶不容于乡,大恶不容于国/善恶之殊,如火与水不能相容/善恶陷于成败,毁誉胁于势利/闻恶不可就恶,恐为谗夫泄怒/为恶之私易见,而为善之私难知/同恶相助,同好相留,同情相成/爱恶相攻,利害相夺,其势常也/羞恶足以为义,而义不止于羞恶/予恶乎知夫死者不悔其始之蕲生乎/众恶之,必察焉;众好之,必察焉/孰恶孰美,成者为首,不成者为尾/善恶到头终有报,只争来早与来迟/爱恶亲疏,兴废穷达,皆可以成义/欲恶避就,固不待师,此人之性也/文恶辞之华于理,不恶理之华于辞/今恶死亡而乐不仁,是犹恶醉而强酒/徒恶之而不去其得之之道,不能免也/积恶在身,犹火之销膏,而人不见也/与恶人居,如入鲍鱼之肆,久而自臭也/责恶要为人留余步,劝善要思其势可从/所恶执一者,为其贼道也,举一而废百也/民恶忧劳,我佚乐之;民恶贫贱,我富贵之/女恶华丹之乱窈窕也,书恶淫辞之淈法度也/积恶多者,虽有一善,是为误中,未足以存/与恶人居,如入鲍鱼之肆,久而不闻其臭,亦与之化矣

❸天道恶满而好谦/不止恶不能修善/人心恶假贵重真/锄一恶,长十善/君子恶名之溢于实/无羞恶之心,非人也/好荣恶辱,人之常情/祸因恶积,福缘善庆/误用恶人,不善者竞进/狎昵恶少,久必受其累/不息恶木枝,不饮盗泉水/曲木恶直绳,奸邪恶正法/曲木恶直绳,重罚恶明证/伤禽恶弦惊,倦客恶离声/民不恶其尊,而世不妒其业/贵绝恶于未萌,而起教于微眇/吏何恶于民而仇之也?非仇民也/先王恶其乱也,故制礼义以分之/误用恶人,假令强干,为害极多/攻其恶,无攻人之恶,非修慝欤/君子恶居下流,天下之恶皆归焉/勿以恶

小而为之，勿以善小而不为／茂树恶木，嘉葩毒卉，乱杂而争植／按善恶见闻之实，断是非去取之疑／明好恶而定去就，崇敬让而民兴行／使为恶者不得幸免，疑似者有所辨明／吾恒恶世之人不知推己之本，而乘物以逞／神人恶众至，众至则不比，不比则不利也／圣人恶似是而非之人，国家忌似是而非之论／无羞恶之心，非人也……羞恶之心，义之端也／东风恶，欢情薄，一怀愁绪，几年离索。错！错！错

❹善善而恶恶／凡成美，恶器也／毁誉善恶不可诬／不念旧恶，怨是用希／人之善恶，诚由近习／去好去恶，群臣见素／彰善瘅恶，王教之端／终朝为恶，四海倾覆／爱而知恶，憎而知善／爵罔及恶德，惟其贤／心能造恶，必须戒之／心有善恶，性无不善／忿能积恶，必须忍之／不念旧恶，此清者之量／人之性恶，其善者伪也／好称人恶，人亦道其恶／交绝无恶声，去臣无怨辞／大凡善恶之人，各以类聚／息阴无恶木，饮水必清源／好直而恶枉，天下之至情也／暴王之恶天下，故天下可离／贱不足恶，可恶是贱而无能／怒而溢恶，则为人之害多矣／攻人之恶毋太严，要思其堪受／威立则恶者惧，化行则善者劝／称人之恶，我有一恶，又何毁焉／德薄者恶闻美行，政乱者恶闻治言／形相虽恶而心术善，无害为君子也／今善善恶恶，好荣憎辱，非人能自生／小人如恶草也，不种而生，去之复蕃／君子之恶恶道不甚，则好善道亦不甚／惩劝善恶之柄，执于文士褒贬之际焉／人之善恶，不必世族；性之贤鄙，不必世俗／情之所恶，不以强人；情之所欲，不以禁民／物有美恶，施用有宜，美不常珍，恶不终弃／欲人勿恶，必先自美；欲人勿疑，必先自信／君苟有恶，人亦知之。知之又知之，其心去之／女无美恶，入宫见妒。士无贤不肖，入朝见嫉／爱善疾恶，人情所常，苟不明质，或疏善善非／人迫于恶，则失其所好；怵于好，则忘其所恶，非道也

❺善善而恶恶／罚善必赏恶／美疢不如恶石／不祥在于恶闻己过／名声之善恶存乎人／君子不亮，恶乎执／同姓不婚，恶不殖也／至公者，群恶之所疾／美女入室，恶女之仇／善不可失，恶不可长／善善也长，恶恶也短／善积者昌，恶积者丧／好不废过，恶不去善／树曲木者，恶得直景／为政……患善恶之不分／美成在久，恶成不及改／志善者忘恶，谨小者致大／所谓人者，恶死乐生者也／爱而知其恶，憎而知其善／鉴形之美恶，必就于止水／君子以遏恶扬善，顺天休命／其恶者自恶，吾不知其恶也／上不得不恶下，下不得不疑上／审其所好恶，则其长短可知也／好人之所恶，恶人之所好……／死亦我所恶，所恶有甚于死者／小人……以小恶为无伤而弗去也／以时起居，恶者辄斥去，毋令败群／言无有善恶也……则其辞不索而获／孔氏门人……恶其违仁义而尚权诈也／今善善恶恶，好荣憎辱，非人能自生／君子之恶恶道不甚，则好善道亦不甚／西施有所恶而不能减其美者，美多也／不可轻微恶而不避，无容略小善而不为／法令者，治恶之具也，而非至治之风也／好而知其恶，恶而知其美者，天下鲜矣／好言人之恶，谓之谗；析交离亲，谓之贼／善有善报，恶有恶报；不是不报，时辰未到／矫矫亢亢，恶圆喜方，羞为奸欺，不忍害伤／今人之性恶，必将待师法然后正，得礼义然后治／朴其身躬，恶其衣服，语无为以求名，言无欲以求利／患其有小恶，以人之小恶，亡人之大美，此人主之所以失天下之士也已

❻甚美必有甚恶／其义好生而恶杀／不善操舟而恶河之曲／为善则预，为恶则去／兽恶其网，民恶其上／从善如登，从恶是崩／善善也长，恶恶也短／行善则昌，行恶则亡／激浊扬清，嫉恶好善／守正为心，疾恶不惧／树德务滋，除恶务本／明镜鉴形，美恶必见／见善若惊，疾恶若仇／有善必闻，有恶必见／积善逢善，积恶逢恶／自治不勇，则恶日长／万物归之，美恶乃自见／奸回不诘，为恶肆其凶／罚当其罪，为恶者戒惧／罚当其罪，为恶者咸惧／天不为人之恶寒也，辍冬／非非者行是，恶恶者行善／传闻不同，善恶随人所见／嘉谷虽已殖，恶草亦滋蔓／择势而从，则恶之大者也／口言善，身行恶，国妖也／奸人外善内恶，色厉内荏／好事须相让，恶事莫相推／爱之欲其生，恶之欲其死／想道如念亲，恶货如失身／不善虽不吾恶，吾将强而拒／久假而不归，恶知其非有也／大山不立好恶，故能成其高／小人好己之恶，而忘人之好／贱不足恶，可恶是贱而无能／以同异为善恶，以喜怒为赏罚／闻恶不可就恶，恐为谗夫泄怒／好人之所恶，恶人之所好……／爱而不知其恶，则为恶者实繁／爱而不知其恶，憎而遂忘其善／祸出者祸反，恶人者人亦恶之／罪及善者，则恶者不以罚为辱／积其凶，全其恶，而天下去之／善人不能戚，恶人不能疏者，危／孙卿言人性恶者，中人以下者也／赏罚必信，无恶不惩，无善不显／世情薄，人情恶，雨送黄昏花易落／君子择交莫恶于易与，莫善于胜己／好而知其恶，恶而知其美者，天下鲜矣／赏善而不罚恶则乱，罚恶而不赏善亦乱／爱亲者不敢恶于人，敬亲者不敢慢于人／俯偻匍匐，唉恶求媚，舐痔自亲，美言谄笑／人生至愚是恶闻己过，人生至恶是善谈人过／功莫大于去恶而为善，罪莫大于去善而为恶／见利思辱，见恶思诟，嗜欲思耻，忿怒思患／善善不进而恶恶不退，则忠奸未别，邪

正不分／伯夷，目不视恶色，耳不听恶声。非其君，不事；非其民，不使

❼眸子不能掩其恶／君子交绝，不出恶声／君子绝交，不出恶言／骄淫矜侉，将由恶终／服美不称，必以恶终／侈则肆，肆则百恶俱从／有过而不诛，则恶不惧／恶者，人心之所恶疾也／非非者行是，恶恶者行善／人之情，欲寿而恶夭……／从善如不及，去恶如探汤／芟夷不可阙，疾恶信如仇／禁邪于冥冥，绝恶于未萌／立武以威众，诛恶以禁邪／言美则响美，言恶则响恶／为恶而畏人知，恶中犹有善路／俭，德之共也；侈，恶之大也／语曰：好女之色，恶者之孽也／扬雄言人性善恶混者，中人也／善无微而不赏，恶无纤而不贬／善善而不能用，恶恶而不能去／死亦我所恶，所恶有甚于死者／羞善行之不修，恶善名之不立／人莫知其子之恶，莫知其苗之硕／今之致其死，非恶之也，利其财／君子当有所好恶，好恶不可不明／凡人不能无好恶，但能胜其私心则善／为善无近名，为恶无近刑，缘督以为经／士志于道，而耻恶衣恶食者，未足与议也／恶乎然？然于然。恶乎不然？不然于不然／善有善报，恶有恶报；不是不报，时辰未到／己好则好之，己恶则恶之，以是自信则惑也／善善不进而恶恶不退，则忠奸未别，邪正不分／人之可杀，以其恶死也；其可不利，以其好利也／恶徼以为知者，恶不孙以为勇者，恶讦以为直者／吴人与越人相恶也，当其同舟而济遇风，其相救也如左右手

❽小善不足以掩众恶／一点贪污，便是大恶／利口伪言，众所共恶／将顺其美，匡救其恶／赏以劝善，罚以惩恶／恶恐人知，便是大恶／积善逢善，积恶逢恶／自伐其善，则莫不恶／诛恶及本，本诛则恶消／唯仁者能好人，能恶人／文人之笔，劝善惩恶也／曲木恶直绳，奸邪恶正法／曲木恶直绳，重罚恶明证／伤禽恶弦惊，倦客恶离声／君子内省不疚，无恶于志／死亡贫苦，人之大恶存焉／草忌霜而逼秋，人恶老而逼衰／小恶不容于乡，大恶不容于国／善善而不能用，恶恶而不能去／子不能治子之身，恶能治国政／采善不逾其美，贬恶不溢其过／亲贤如就芝兰，避恶如畏蛇蝎／树善滋于务本，除恶穷于塞源／贵贱不嫌同号，美恶不嫌同辞／伯夷、叔齐不念旧恶，怨用是希／攻其恶，无攻人之恶，非修慝欤／忠不暴君，智不重恶，勇不逃死／称人之恶，我有一恶，又何毁焉／甚美之名生于大恶，所谓美恶同门／形相虽善而心术恶，无害为小人也／新松恨不高千尺，恶竹应须斩万竿／爱之则不觉其过，恶之则不知其善／爱人者则人爱之，恶人者则人恶之／小善不足以掩众恶，小疵不足以妨大美／国之将亡必有大恶，恶者无大于杀忠臣／治世之德，衰世之恶，常与爵位自相副／唯仁者可好也，可恶也，可高也，可下也／积善多者，虽有一恶，是为过失，未足以亡／饥而欲食……好利而恶害，是人之所生而有也／贵而下贱，则众弗恶；富能分贫，则穷士弗恶／雅郑有素矣，而好恶不同，故两耳不相为听焉／君子见利思辱，见恶思诟，嗜欲思耻，忿怒思患／学匪疑不明，而疑恶乎凿，疑而能辨，斯为善学／贫与贱，是人之所恶也，不以其道得之，不去也／赏不劝善，罚不惩恶，而望邪正不惑，其可得乎／君子之处世也，甘恶衣粗食，甘艰苦劳动，斯可以无失矣

❾位已高而擅权者君恶之／好称人恶，人亦道其恶／古之君子，交绝不出恶声／花下一禾生，去之为恶草／唯仁人为能爱人，能恶人／所荣者善行，所耻者恶名／无力于民而旅食，不恶贫贱／人主之患，欲闻枉而恶直言／教人者，养其善心而恶自消／一彼此于胸臆，捐好恶于心想／察其言，观其行，而善恶彰焉／春秋采善不遗小，掇恶不遗大／教人者，养其善心，而恶自消／爱而不知其恶，则为恶者实繁／心轻躁，难制伏，故无恶不起／人情莫不欲处前，故恶人之自伐／君子当有所好恶，好恶不可不明／始或为终，终或为始，恶知其纪／身譬如地，善意如禾，恶意如草／为善则流芳百世，为恶则遗臭万年／人有善，恒当掩之，有恶宜令彰露／人言善，亦勿听；人言恶，亦勿听／记短则兼折其长，贬恶则并伐其善／大仁者修治天下，大恶者扰乱天下／闻善而行之如争，闻恶而改之如仇／文恶辞之华于理，不恶理之华于辞／忠邪不可以并立，善恶不可以同道／类善则万世不忘，道恶则祸及其身／君子慎其实，实之美恶，其发也不掩／爱人者必见爱也，而恶人者必见恶也／人爱我，我必爱之；人恶我，我必恶之／善不积不足以成名，恶不积不足以灭身／国之将亡必有大恶，恶者无大于杀忠臣／士志于道，而耻恶衣恶食者，未足与议也／兵者，不祥之器，物或恶之，故有道者不处／善气迎人，亲如兄弟；恶气迎人，害于兵戈／善欲人见，不是真善；恶恐人知，便是大恶／己好则好之，己恶则恶之，以是自信则惑也／所贵良吏者，贵其绝恶于未萌，使之不为非／原天命，治心术，理好恶，适情性，而治道毕／善人在患，弗救不祥；恶人在位，不去亦不祥／以小善为无益，以小恶为无伤，凡此皆非所以安身崇德也

❿不蔽人之美，不言人之恶／信赏以劝能，刑罚以惩恶／褒秋毫之善，贬纤芥之恶／召民之路，在上之所好恶／美服患人指，高明逼神恶／庆赏以劝善，刑罚以惩恶／惧谗邪，则思正身以黜恶／智而教愚，则童蒙者弗恶／恶而知其美，好

而知其恶／言美则响美，言恶则响恶／不善在身，菑然必以自恶也／为民纪纲者何也？欲也恶也／刑赏之本，在乎劝善而惩恶／凡人之欲为善者，为性恶也／其恶者自恶，吾不知其恶也／天下兼相爱则治，交相恶则乱／无恶于己，然后可以正人之恶／求名莫如自修，善誉不能掩恶／以人言善我，亦必以人言恶我／民之所好好之，民之所恶恶之／利于国者爱之，害于国者恶之／君子扬人之善，小人讦人之恶／渴不饮盗泉水，热不息恶木阴／室人和则谤掩，外内离则恶扬／富老不如贫少，美游不如恶归／景不为曲物直，响不为恶声美／爵禄以养其德，刑罚以威其恶／祸出者祸反，恶人者人亦恶之／福兮可以善取，祸兮可以恶招／镜无见疵之罪，道无明过之恶／顺于己者爱之，逆于己者恶之／誉见即毁随之，善见即恶从之／不仁而在高位，是播其恶于众也／世溷浊而嫉贤兮，好蔽美而称恶／偏在于多私，不祥在于恶闻己过／君子恶居下流，天下之恶皆归焉／羞恶足以为义，而义不止于羞恶／天道以爱人为心，以劝善惩恶为公／不以爱之而苟善，不以恶之而苟非／甚美之名生于大恶，所谓美恶同门／举一善必适其材，惩一恶必当其咎／博辩广大危其身者，发人之恶者也／人家盛衰，皆系乎积善与积恶而已／诛赏不可以缪，诛赏缪则善恶乱矣／谦者，众善之基；傲者，众恶之魁／君子违难不适仇国，交绝不出恶声／德薄者恶闻美行，政乱者恶闻治言／婉而成章，尽而不污，惩恶而劝善／采玉者破石拔玉，选士者弃恶取善／明所爱而邪僻繁，明所恶而贤良灭／赏不隆则善不劝，罚不重则恶不惩／爱人者则人爱之，恶人者则人恶之／爵高者，人妒之；官大者，主恶之／恶死亡而乐不仁，是由恶醉而强酒／锄一害而众苗成，刑一恶而万民悦／用意深而劝戒切，为言信而善恶明／顺指者爱所由来，逆意者恶所从至／自古圣贤多薄命，奸雄恶少皆封侯／其文直，其事核，不虚美，不隐恶／今恶死亡而乐不仁，是犹恶醉而强酒／苟能乐道人之善，则天下皆去恶为善／名者实之宾也，实有美恶，名亦随之／闻人善，立以为己师；闻恶，若己仇／皆知说镜之明己也，而恶士之明己也／爱人者必见爱也，而恶人者必见恶也／自动自休，自峙自流，是恶乎与我谋／自斗自竭，自崩自缺，是恶乎为我设／既不知善之为善，则亦不知恶之为恶／天下宝之者何也？其小恶不足妨大美也／不责人小过，不发人阴私，不念人旧恶／两喜必多溢美之言，两怒必多溢恶之言／为善者天报之以福，为恶者天与之以殃／俭葬，古人之美节；侈葬，古人之恶名／人爱我，我必爱之；人恶我，我必恶之／君子好闻过而无过，小人恶闻过而有过／君子成人之美，不成人之恶。小人反是／君子有机以成其善，小人有机以成其恶／知善不行者谓之狂，知恶不改者谓之惑／性虽善，待教而成；性虽恶，待法而消／水动而景摇，人不以定美恶，水势玄也／赏不劝，谓之止善；罚不惩，谓之纵恶／赏善而不罚恶则乱，罚恶而不赏善亦乱／貌则人，其心则禽兽，又恶可谓之人邪／言满天下，无口过；行满天下，无怨恶／其兴也必由于积善，其亡也皆在于积恶／若近正人，闻正事，虽欲为恶，固已不忍／德人者，居无思，行无虑，不藏是非善恶／此人在位，动欲伤害，故物无有不畏恶也／无善而好，不观其道；无悖而恶，不详其故／无有作好，遵王之道；无有作恶，遵王之路／为善不同，同归于治；为恶不同，同归于乱／为善的受贫穷更命短，造恶的享富贵又寿延／民恶忧劳，我佚乐之；民恶贫贱，我富贵之／匿人之善，斯为蔽贤；扬人之恶，斯为小人／仇雠有善，不得不举；亲戚有恶，不得不诛／人生至愚是恶闻己过，人生至恶是善谈人过／功莫大于去恶而为善，罪莫大于去善而为恶／苟以细过自恕而轻蹈之，则不至于大恶不止／善欲人见，不是真善；恶恐人知，便是大恶／法小弛则是非驳，赏不必尽善，罚不必尽恶／治道备，人斯为善矣；治道失，人斯为恶矣／性有精粗，命有长短，情有美恶，意有大小／官不及私昵，惟其能；爵罔及恶德，惟其贤／女恶华丹之乱窈窕也，书恶淫辞之淈法度也／好者不必同色而皆美，丑者不必同状而皆恶／比于善者，自进之阶，比于恶者，自退之原／物有美恶，施用有宜，美不常珍，恶不终弃／所好则钻皮出其毛羽，所恶则洗垢求其瘢痕／忠果正直，志怀霜雪，见善若惊，疾恶若仇／怒如严霜，喜如时雨，臧否好恶，坦然可观／恶不可积，过不可长；积恶长过，丧乱之源／罪至重而刑至轻，庸人不知恶矣，乱莫大焉／积微之善，以至吉祥。小恶不止，乃至灭亡／白日所为，夜来省己，是恶当惊，是善当喜／言吾善者，不足为喜；道吾恶者，不足为怒／其所善者，吾则行之；其所恶者，吾则改之／上善若水，水善利万物而不争，处众人之所恶／夫谓法不严则易犯，暴君酷吏假辞以饰其恶耳／无羞恶之心，非人也……羞恶之心，义之端也／世俗之人皆喜人之同乎己，而恶人之异于己也／人之所难者二：乐攻其恶者难，以恶告人者难／君子之所贵者，迁善惧其不及，改恶恐其有余／妇人拾蚕，渔者握鳣，利之所在，则忘其所恶／贵而下贱，则众弗恶；富能分贫，则穷士弗恶／举天下以赏其善者不足，举天下以罚其恶者不给／君子不怵乎好，不迫乎恶，恬愉无为，去智与故／爱人不以理，适是害人；恶人不以理，适是害己／恶徼以为知者，恶不孙以为勇者，恶讦以为直者／罄南山之竹，书罪未穷；决东海之波，流恶难尽／不修身而求令名于世者，犹貌甚恶而责妍影于镜也／今一以天地为大炉，以造化为大冶，恶乎往而不可哉／今不修身而求令名于世者，犹貌甚恶而责妍影于镜也／君子小人本无常，行善事则为君子，行恶事则为小人／爱人者不阿，憎人者不害，爱恶各以其正，治之至也／天下皆知美之为美，斯恶矣；皆知善之为善，斯不善矣／人迫于恶，则失其所好；怵于好，则忘其所恶，非道也／天不为人怨咨而辍其寒暑，君子不为人之丑恶而辍其正道／何谓人情？喜、怒、哀、惧、爱、恶、欲，七者弗学而能／读书少则身暇，身暇则邪间，邪间则过恶作焉，忧患及之／贤君之治也，温良而和，宽容而爱，刑清而省，喜赏而恶罚／伯夷，目不视恶色，耳不听恶声。非其君，不事；非其民，不使／其所以为情者七：曰喜、曰怒、曰哀、曰惧、曰爱、曰恶、曰欲／患其有小恶，以人之小恶，亡人之大美，此人主之所以失天下之士也已／舜其大知也与！舜好问而好察迩言，隐恶而扬善，执其两端，用其中于民

虑

心思考；担心；忧；打扰；姓。

❶虑为功首，谋为赏本

见晋·陈寿《三国志·魏书·荀彧传》。全句为："～，野绩不越庙堂，战多不逾国勋"。

虑善以动，动惟厥时

见《尚书·说命中》。

虑人而不自虑者谓之瞽

见三国·魏·徐幹《中论·修本》。全句为："见人而不自见者谓之蒙，闻人而不自闻者谓之聩，～"。

虑不私己，以之断义必厉

见南朝·宋·范晔《后汉书·马援传》。全句为："利不在身，以之谋事则智；～"。

虑壅蔽，则思虚心以纳下

见唐·魏征《谏太宗十思疏》。

虑熟谋审，力不劳而功倍

见宋·欧阳修《偃虹堤记》。

虑于民也深，则谋其始也精

见宋·欧阳修《偃虹堤记》。

虑之无益于义而虑之，此心之秽也

见《尸子·恕》。全句为："～；道之无益于义而道之，此言之秽也；为之无益于义而为之，此行之秽也"。

虑不在千里之外，则患在几席之下矣

见宋·朱熹《四书集注·论语·卫灵公》。

虑事而当，不若进贤；进贤而当，不若知贤

见《尸子·发蒙》。

虑时务者不能兴其德，为身求者不能成其功

见南朝·宋·范晔《后汉书·冯衍传》。

❷思虑深，不轻言／思虑明达而辞不争／弗虑胡获，弗为胡成／前虑不定，后有大患／独虑不若与众虑之工／思虑过度，则智识乱／百虑输一忘，百巧输一诚／苟虑危人，人亦必虑危之／苟虑害人，人亦必虑害之／吾虑不清，则未可定然否也／不虑前事之失，复循覆车之轨／非虑无以临下，非言无以述虑／先虑之，早谋之，斯须之言而足听／思虑熟则得事理，行端直则无祸害

❸不思虑，不预谋／先事虑事，先患虑患／志高虑远，祸发所忽／老成虑事，不必皆高年／所不虑而知者，其良知也／臣闻虑为功首，谋为赏本／先事虑事谓之接，接则事优成／先患虑患谓之豫，豫则祸不生／满则虑嗛，平则虑险，安则虑危

❹计其患，虑其反／见尔前，虑尔后／人无远虑，必有近忧／处心积虑，成于杀也／深思远虑，安不忘危／智者千虑，必有一失／愚人千虑，必有一得／愚者千虑，亦有一得／愚者千虑，或有一得／愚者千虑，必有一得／百胜难虑敌，三折乃良医／不师知虑，不知前后，魏然而已矣／圣人千虑，必有一失；愚人千虑，必有一得

❺计福勿及，虑祸过之／动则三思，虑而后行／君子有远虑，小人从迩／以小人之虑，度君子之心／安而后能虑，止水能照也／见患而后虑，见灾而后救／民不可与虑始，而可与乐成／有独知之虑者，必见骜于民／事者生于虑，成于务，失于傲／德益盛者虑益微，功愈高者意愈下／君子计行虑义；小人计行其利，乃不利

❻与道冥一，万虑皆遗／得其所利，必虑其所害／虑人而不自虑者谓之瞽／偷安者后危，虑近者忧迩／防微于未兆，虑难于将来／以天下之心虑，则无不知也／必须困至乃虑，穷至乃图，不亦晚乎／是非之心，不虑而知，不学而能，所谓良知也

❼于安思危，危则虑安／以明防前，以智虑后／人命危浅，朝不虑夕／先事虑事，先患虑患／常胜之家，难与虑敌／独虑不若与众虑之工／安不忘危，盛必虑衰／分波而共源，百虑而一致／多能者鲜精，多虑者鲜决／淡然虚而一，志虑则不分／因天下之心以虑，则无不得／求硕画于庶位，虑遗材于放臣／满则虑嗛，平则虑险，安则虑危／无求无设则无虑，无虑则反复虚矣／君子思义而不虑利，小人贪利而不顾义／因命而动，生思虑……别同异，谓之意

❽揆古察今，深谋远虑／水到渠成，不须预虑／苟虑危人，人亦必虑危之／苟虑害人，人亦必虑害之／讯问者智之本，思虑者智之道／适知邪

径之速，不虑失道之迷／虑之无益于义而虑之，此心之秽也／曹操有取天下之虑，而无取天下之量／贵者，夜以继日，思虑善否，其为形也亦疏矣／不思安危终始之虑，是乐春藻之繁华，而忘秋实之甘口也

❾兵久则变生，事苦则虑易／民可以乐成，不可与虑始／君子贵知足，知足万虑轻／知者之举事也，满则虑嗛／处满常惮溢，居高本虑倾／明者见于无形，智者虑于未萌／思何忧而不入，心何虑而不攒／无求无设则无虑，无虑则反复虚矣／德人者，居无思，行无虑，不藏是非善恶

❿同归而殊途，一致而百虑／微不可不防，远不可不虑／应尽便须尽，无复独多虑／非虑无以临下，非言无以述虑／莫为终身之计，而有后世之虑／大巧在所不为，大智在所不虑／满则虑嗛，平则虑险，安则虑危／苟不悖于圣道，而有以启明者之虑／苟其聪明蔽于嗜好，智虑溺于爱憎／吾哀今之为仕兮，庸有虑时之否臧／项籍有取天下之才，而无取天下之虑／见其可利也，则必前后虑其可害也者／骄则恣，恣则极物；罢则怨，怨则极虑／爱得分曰仁，施得分曰义，虑得分曰智／私视使目盲，私听使耳聋，私虑使心狂／事苦，则矜全之情薄；生厚，故安存之虑深／圣人千虑，必有一失；愚人千虑，必有一得／日薄西山，气息奄奄；人命危浅，朝不虑夕／常以事于无形之外，而不留思尽虑于成事之内／君子居安宜操一心以虑患，处变当坚百忍以图成／凡人于事务之来，无论大小，必审之又审，方无遗虑／圣人者常以事于无形之外，而不留思尽虑于成事之内／无形，则不可制迫也，不可度量也，不可巧诈也，不可规虑也

恩

ēn 好处；情义；姓。

❶恩生于害，害生于恩

见《阴符经》卷下。

恩之所加，不量其力

见汉·刘安《淮南子·说林》。全句为："乳狗之噬虎也，伏鸡之搏狸也，～"。

恩甚则怨生，爱多则憎至

见唐·王士元《亢仓子·用道篇》。

恩从祥风翱，德与和气游

见汉·班固《汉书·王褒传》。

恩难酬白骨，泪可到黄泉

见清·袁枚《陇上作》。

恩或化为仇，仇或化为恩

见《关尹子·七釜》。全句为："是或化为非，非或化为是；～"。

恩与信可以附吾民而服邻国

见宋·苏辙《孙怀用知宁化军郝逢知岢岚军》。

恩所加，则思无因喜以谬赏

见唐·魏征《论时政第二疏》。全句为："～；罚所及，则思无以怒而滥刑"。

❷以恩信接人，不尚诈力／承恩不在貌，教妾若为容／负恩必须酬，施恩慎勿色／有恩必酬者，亦匹夫之义／威恩参用以成化，文武相资以定业／推恩足以保四海，不推恩无以保妻子／树恩布德，易以周洽，其犹顺惊风而飞鸿毛也／怨恩取与谏教生杀，八者，正之器也，唯循大变无所湮者为能用之

❸人有恩于我不可忘，而怨则不可不忘

❹天之无恩，而大恩生／仁者，积恩之见证也／夫妇有恩矣，不诚则离／以仁为恩，以义为理，以礼为行

❻施惠无念，受恩莫忘／结发为夫妻，恩爱两不疑／赏不可妄行，恩不可妄施／曲突徙薪亡恩泽，焦头烂额为上宾／明法制，去私恩，令必行，禁必止

❼天之无恩，而大恩生／以清俭自律，以恩信待人／负恩必须酬，施恩慎勿色／在贵多忘贱，为恩谁能博／施人慎勿念，受恩慎勿忘／好名则多树私恩，惧谤则执法不坚／虎之不可使知恩，犹人之不可使为虎也

❽苛政不亲，烦苦伤恩／恩生于害，害生于恩／赏疑从与，所以广恩也／天施地化，不以仁恩，任自然／施德者贵不德，受恩者尚必报／礼不过实，仁不溢恩，治世之道也／赏无度则费而无恩，罚无度则戮而无威

❾威之以法，法行则知恩／仇无大小，只怕伤心；恩若救急，一芥千金

❿不为近重施，不为远遗恩／夺我身上暖，买尔眼前恩／恩或化为仇，仇或化为恩／天子者，养尊而处优，树恩而收名／师帅不贤，则主德不宣，恩泽不流／推恩足以保四海，不推恩无以保妻子／圣人爱养万民，不以仁恩，法天地，行自然／贵而犯法，义不得宥；过而知改，恩不废叙／限之以爵，爵加则知荣，恩荣并济，上下有节

恁

①nèn（此音为《现代汉语词典》商务印书馆1999年版注；另，《辞海》上海辞书出版社1999年版注为rèn）那么，那样；那；这么；这样。②nín同"您"。

❼知得是是非非，恁地确定，是智

❾炷尽沉烟，抛残绣线，恁今春关情似去年

息

xī 呼吸时进出的气体；歇；停止；滋生；利息；音讯；子女；通"熄"，灭；古国名；姓。

❶息有养，瞬有存

见宋·张载《正蒙·有德》。全句为："言有教，动有法，昼有为，宵有得，～"。

息交游闲业，卧起弄书琴

见晋·陶潜《和郭主簿二首》之一。

息阴无恶木,饮水必清源

见唐·王维《济上四贤咏·郑霍二山人》。

息燕归檐静,飞花落院闲

见唐·苏颋《山驿闲卧即事》。

❷消息盈亏,终则有始/一息尚存,此志不容稍懈/不息恶木枝,不饮盗泉水/喘息为宅命,身寿立息端/消息盈虚,一晦一明……/栖息有所,苍蝇同骐骥之速

❸以不息为体,以日新为道/长太息以掩涕兮,哀民生之多艰

❹自强不息,则其至一也/道一不息,天地亦不息;天地之不息,固道之不息者为之

❺君子尚消息盈虚,天行也/日入群动息,归鸟趋林鸣/先趋而后息,先问而后嘿,则什己者至

❻恐此非名计,息驾归闲居/用智则国乱,息智则人安/法严而奸易息,政宽而民多犯/心苟无事则息自调,念苟无欲则中自守/日薄西山,气息奄奄;人命危浅,朝不虑夕/学者自强不息,则积少成多;中道而止,则前功尽弃

❼苟非其时,不如息人/涉长道后行未息,可击/不饮浊泉水,不息曲木阴/穷年忧黎元,叹息肠内热/周而复始无休息,官租未了私租逼/并官省事,静事息役,上下用心,惟农是务/生民之不得休息,为四事故:一为寿,二为名,三为位,四为货

❽正身直行,众邪自息/百姓朴素,狱讼衰息/修之至极,何谤不息/以道治国,崇本以息末/鸢飞戾天者,望峰息止/沃荡词源,河海无息肩之地/喉中有病,无害于息,不可凿也/为政不在言多,须息息从省身克己而出/塞一蚁孔而河决息,施一车辖而覆乘止/一发不中,百发尽息;一举不得,前功尽弃/天地之化,盈虚消息,往过来续,流行古今/日出而作,日入而息,凿井而饮,耕田而食

❾一不可见,则两之用息/喘息为宅命,身寿立息端/渴不饮盗泉水,热不息恶木阴/为政不在言多,须息息从省身克己而出/日月出矣,而爝火不息,其于光也,不亦难乎/道一不息,天地亦不息;天地之不息,固道之不息者为之/威太甚则爱利之心息,爱利之心息而徒疾行威,身必咎矣

❿天行健,君子以自强不息/百川日东流,客去亦不息/乍暖还寒时候,最难将息/任重道远者,不择地而息/惮势而交人,势劣而交道息/对案不能食,拔剑击柱长叹息/君子之学也,其可一日而息乎/治民者,导之敬让,而争自息/棹容与而讵前,马寒鸣而不息/思故旧以想象兮,长太息而掩涕/古之人,身隐而功著,形息而名彰/君子之学也,藏焉修焉,息焉游焉/策马前途须努力,莫学龙钟虚叹息/衣食足而知荣辱,廉让生而争讼息/醉后狂言醒时悔,安不将息病时悔/三人共牧一羊,羊不得食,人亦不得息/率虎狼牧羊豕,而望其蕃息,岂可得也/浮言可以事久而明,众嗤可以时久而息/其人存,则其政举;其人亡,则其政息/不知处阴以休影,处静以息迹,愚亦甚矣/君子之爱人也以德,细人之爱人也以姑息/年不可举,时不可止,消息盈虚,终则有始/圣人不求誉,不辟诽,正身直行,众邪自息/驽蹇服御,良乐咨嗟;铅刀剖截,欧冶叹息/日光顿生,霜露渐消;狂风顿息,波浪渐停/敬时爱日,非老不休,非疾不息,非死不舍/常有小不快事,是好消息……知此理可免怨尤/民有三患:饥者不得食,寒者不得衣,劳者不得息/言有教,动有法,昼有为,宵有得,息有养,瞬有存/道一不息,天地亦不息;天地之不息,固道之不息者为之/威太甚则爱利之心息,爱利之心息而徒疾行威,身必咎矣/有能推至诚之心而加以不息之久,则天地可动,金石可移

恋

liàn 思念不忘,不忍分离;男女相爱。

❶恋逐云飞,思随蓬卷

见南朝·梁·萧纲《述羁赋》。全句为:"～。观江水之寂寥,愿从流而东返"。

❸驽马恋栈豆/羁鸟恋旧林,池鱼思故渊

❽梁园虽好,不是久恋之家

❿伤则感遥而悼近,怨则恋始而悲终/嘶酸雏雁失群夜,断绝胡儿恋母声

恣

zì 放纵;毫无拘束。

❶恣纵既成……亦制自家不得

见明·吕坤《呻吟语·修身》。删节处为:"不惟礼法所不能制,虽自家悔恨"。

❸骄则恣,恣则极物;罢则怨,怨则极虑

❹一念放恣,则百邪乘衅/富者愈恣横侈泰而无所忌/骄则恣,恣则极物;罢则怨,怨则极虑

❺至乐不得恣所欲,主怒不得乱所为

❽失神之术本于纵恣,丧神之数在于自专

❿上古明王举乐者,非以娱心自乐,快意恣欲,将欲为治也

恙

yàng 疾病;伤害;担忧;虫名。

❺神女应无恙,当惊世界殊

恳

kěn 忠诚,诚恳;请求。

❶恳言辞浅而不入,深言则逆耳而失指

见汉·桓宽《盐铁论·盐铁箴石》。

恕

shù 原谅;请对方原谅;通"庶";儒家的伦理范畴。

❶恕，所以推情也

见三国·魏·刘劭《人物志·体别》。

恕者仁之本也，平者义之本也

见汉·王符《潜夫论·交际》。全句为："～，恭者礼之本也，守者信之本也"。

❷宽恕之人不能速捷／强恕而行，求仁莫近焉／忠恕违道不远。施诸己而不愿，亦勿施于人

❸思仁恕则树德，加严暴则树怨／仁者恕己以及人，智者讲功而处事

❹有罚无恕，非怀远之弘规／诚无悔，恕无怨，和无仇，忍无辱

❺责人则明，恕己则昏

❻去私莫如强恕／夫子之道，忠恕而已矣／爱我者之言恕，恕故匿非／忠足以尽己，恕足以尽物／苟以细过自恕而轻蹈之，则不至于大恶不止

❼爱我者之言恕，恕故匿非

❽法有明文，情无可恕／但恨多谬误，君当恕醉人／惟俭可以助廉，惟恕可以成德／责上责下而中自恕己，岂可任职分

❾有一言而可常行者，恕也／敬以严乎己也，宽以恕乎物也／和以处众，宽以接下，恕以待人

❿尽己之谓忠，推己之谓恕／厚性宽中近于仁，犯而不校邻于恕／但常以责人之心责己，恕己之心恕人／竭所能之谓忠，履所明之谓信，平所施之谓恕

悫

què 诚实。

❸士信悫，而后求知能焉

❺法正则民悫，罪当则民从

❼有怀投笔，慕宗悫之长风

❽资绝伦之妙态，怀悫素之洁清／公生明，偏生暗，端悫生通，诈为生塞

悬

xuán 吊挂；抬起；公开揭示；挂起来；挂念；凭空设想；距离远或差别大；危险。

❶悬羊头，卖狗肉

见宋·普济《五灯会元》卷十六。

悬千钧之重于木之一枝

见汉·刘安《淮南子·说林》。全句为："以天下之大，托于一人之才，譬若～"。

悬牛首于门，而卖马肉于内

见《晏子春秋·内篇·杂下》。

悬日月于胸怀，挫风云于毫翰

见唐·卢照邻《南阳公集序》。

悬牛头，卖马脯；盗跖行，孔子语

见汉·光武帝刘秀《原丁邯诏》。

悬羽与炭，而知燥湿之气，以小明大

见汉·刘安《淮南子·说山》。

悬衡而知平，设规而知圆，万全之道也

见《韩非子·饰邪》。

❷上悬之无极之高，下垂之不测之渊

❸口似悬河，辩才无碍／已是悬崖百丈冰，犹有花枝俏／赤肉悬则乌鹊集，鹰隼鸷则群鸟散

❹语议如悬河写水，注而不竭／日月双悬于氏墓，乾坤半壁岳家祠／权衡既悬，锱铢靡遁，厉驽习骥，终莫之近

❺苍生忍倒悬／临泰山之悬崖，窥巨海之惊澜……／屈平词赋悬日月，楚王台榭空山丘

❻观文章，宜若悬衡然……

❼贞操与日月俱悬，孤芳随山壑共远／芳饵之下必有悬鱼，重赏之下必有死夫／香饵之下，必有悬鱼；重赏之下，必有死夫

❽传闻与指实不同，悬算与临事有异

❾一国之政，万人之命，悬于宰相，可不慎欤

❿人疑天上坐，鱼似镜中悬／有恒者之与圣人，高下固悬绝矣／以吾心之思足下，知足下悬悬于吾也／卧不安席，食不甘味，心摇摇如悬旌／处颠者危，势丰者亏，颓坠之类，常在悬垂

患

huàn 灾祸；忧虑；得病。

❶患生于多欲，害生于弗备

见汉·刘安《淮南子·缪称》。

患生于官成，病始于少瘳

见《邓析子·转辞》。

患生于所忽，祸发于细微

见南朝·宋·范晔《后汉书·冯衍传》。

患足己不学，既学患不行

见唐·韩愈《赠别元十八协律六首》其五。全句为："读书患不多，思义患不明，～"。

患名之不立，不患年之不长

见晋·陈寿《三国志·魏书·贾逵传》。

患之所在，非徒在智之不及，又在及而违之者矣

见南朝·宋·范晔《后汉书·刘梁传》。

患其有小恶，以人之小恶，亡人之大美，此人主之所以失天下之士也已

见《吕氏春秋·离俗览·举难》。

❷忧患已空无复痛／祸患可销于未萌／不患无位，患所以立／不患不知，患在不行／使患无生，易于救患／除患无至，易于救患／不患人不知，惟患学不至／不患莫己知，求为可知也／恒患意不称物，文不逮意／见患而后虑，见灾而后救／但患无志耳，事固未可知也／处患难者勿为怨天尤人之言／不患位之不尊，而患德之不崇／不患人之不己知，患不知人也／不患人之不己知，患其不能也／先患虑患谓之豫，豫则祸不生／除患于未萌，然后能转而为福／行患不能成，无患有司之不公／非患无旃罽橘柚，患无狭庐糟糠／不患寡而患不均，不患贫而患不安

／不患立言之不善，患不足以践之耳／祸患常积于忽微，智勇多困于所溺／使患无生易于救患，而莫能加务焉，则未可与言术也／处患难，知其无可奈何，遂放意而不反，是岂安于义命者

❸先避患而后就利／计其患，虑其反／人之患在好为人师／无信患作，失援必毙／为学患无疑，疑则有进／为政……患善恶之不分／读书患不多，思义患不明／美服患人指，高明逼神恶／事不患于不成，而患于易坏／能备患于未形也，故祸不萌／善除患者，不若无患之大也／世不患无法，而患无必行之法／能除患则为福，不能除患为贼／禄不患其不来，患禄来，而不能愧其禄

❹负重者患途远／酒之为患……／凡人之患，偏伤之也／吃文为患，生于好诡／善人在患，饥不及餐／贫非人患，惟和为贵／有备无患，亡战必危／生于忧患，而死于安乐／人有祸患，不可生欣幸心／去民之患，如除腹心之疾／可以共患难，不可以共安乐／人主之患，欲闻枉而恶直言／悖者之患，固以不悖者为悖／过者之患，不知而自以为知／其以止患，犹堤防之于江河／天下不患无财，患无人以分之／事君不患其无礼，患忠之不足／使臣不患其不忠，患礼之不至／先患虑患谓之豫，豫则祸不生／惑者之患，不自以为惑，故惑／天下之患，莫大于不知其然而然／百世之患，以小利而不顾者有之矣／豫者图患于未然，犹者致疑于已是／凡人之患，蔽于一曲，而暗于大理／学者不患才之不赡，而患志之不立／为国不患于无人，有人而不用之为患／处大无患者恒多慢，处小有忧者恒思善／学者不患立志之不高，患不足以继之耳／天下之患，莫大于举朝无公论，空国无君子／临之以患难而能不变，邀之以宠利而能不回／天下之患，不患材之不众，患上之人不欲其众／善人在患，弗救不祥；恶人在位，不去亦不祥／人主之患，不在乎不言用贤，而在乎不诚必用贤／世俗所患，患言事增其实，著文垂辞，辞出溢其真／民有三患：饥者不得食，寒者不得衣，劳者不得息

❺地诚任，不患无财／上满下漏，患无所救／不患无位，患所以立／不患不知，患在不行／吉凶相救，患难相扶／君子以思患而豫防之／病从口入，患自口出／天下之公患，乱伤之也／无敌国外患者，国恒亡／欲衍则速患，情佚则怨博／身不善之患，毋患人莫己知／不患寡而患不均，不患贫而患不安／未得之也，患得之；既得之，患失之／天下之事，患常生于忽微，而志亦戒于渐习／世俗所患，患言事增其实，著文垂辞，辞出溢其真

❻先事虑事，先患虑患／苟能修身，何患不荣／浸润之谮，为患特深／欲加之罪，何患无辞／魏耻未灭，赵患又起／不闻其过，最患之大者／当今生民之患果安在哉／安舒沈重者，患在后世／誉不虚出，而患不独生／时不乏人而患闻见之不博／何代无贤，但患遗而不知耳／营于利者多患，轻诺者寡信／吾所以有大患者，为吾有身／人生识字忧患始，姓名粗记可以休／凡为道者，常患于晚，不患于早也／人皆务于救患之备而莫能知使患无生／士之遇时，不患无位，患所以立而已／其未得之也，患得之。既得之，患失之／为人母者不患不慈，患于知爱而不知教也／苟得其人，不患贫贱；苟得其材，不嫌名迹／四海之广，不患无贤，而患在信用之不至耳／天下之患，不患材之不众，患上之人不欲其众／不以宠辱荣患损易其身，然后乃可以天下付之

❼除浮华则无忧患／予其惩而，毖后患／骏马有奔踶之患而可驭／不患人不知，惟患学不至／晷刻之误，或遗患于历年／下情不上通，此患之大者也／福生于无为，而患生于多欲／患名之不立，不患年之不长／身不善之患，毋患人莫己知／天下不患无财，患无人以分之／世不患无法，而患无必行之法／圣人者常治无患之患，故无患／至人消未起之患，治未病之疾／行患不能成，无患有司之不公／天下未尝无才，患所以求才之道不至／禄不患其不来，患禄来，而不能愧其禄／政之不中，君之患也；令之不行，臣之罪也／平易恬淡，则忧患不能入，邪气不能袭，故其德全而神不亏

❽一日纵敌，万世之患／下忧上烦，蠹政为患／及吾无身，吾有何患／前虑不定，后有大患／使患无生，易于救患／先事虑事，先患虑患／除患无至，易于救患／苛政害民，君受其患／宠必有辱，荣必有患／一日纵敌，数世之患也／读书患不多，思义患不明／见小利不动，见小患不避／患足己不学，既学患不行／事不患于不成，而患于易坏／善除患者，不若无患之大也／不患位之不尊，而患德之不崇／不患人之不己知，患不知人也／不患人之不己知，患其不能也／事君不患其无礼，患忠之不足／使臣不患其不忠，患礼之不至／治疾及其未笃，除患贵其未深／非患无旃罽橘柚，患无狭庐糟糠／宾至如归，无宁灾患，不畏寇盗／败莫大于愚。愚之患，在必自用／箴者，所以攻疾防患，喻针石也／不患立言之不善，患不足以践之耳／世之专于法者，不患于不通而患于刻薄／使患无生易于救患，而莫能加务焉，则未可与言术也／致治之术，先屏四患：……一曰伪，二曰私，三曰放，四曰奢

❾网解不结，有兽失之患／增高者崩，贪富者致患／膏火自煎熬，多财为患害／有惠人之名而无救患之实／圣人者常治无患之患，故无患／安有执砺世之具而患乎无贤欤／明者起福于无

形，销患于未然／听乐而震，观美而眩，患莫甚焉／不患寡而患不均，不患贫而患不安／道非难知，亦非难行，患人无志耳／士之遇时，不患无位，患所以立而已／虑不在千里之外，则患在几席之下矣／平日极好直言者，即患难时不肯负我之人／为人母者不患不慈，患于知爱而不知教也／不畏于微，必畏于章，患大祸深，以至灭亡／乘人之车者载人之患，衣人之衣者忧人之忧／知不知，上矣；过者之患，不知而自以为知／急乎其所自立，而无患乎人不己知，未尝闻有响大而声微者也

❿君子与小人，并处必为患／君子能勤小物，故无大患／可与共安乐，亦可与共患难／享天下之利者，任天下之患／惟事事乃其有备，有备无患／官吏浮冗，最为天下之大患／达治乱之要者，遏将来之患／欲急人所务，当先除其所患／无为不能遁福，有为不能逃患／信耳而遗目者，古今之所患也／能除患则为福，不能除患为贼／圣人者常治无患之患，故无患／君子有终身之忧，无一朝之患／轻细微眇之渐，必生乖忤之患／天下以言为戒，最国家之大患也／生之厚必入死之地，故谓之大患／居安思危；思则有备，有备无患／贤者……食于民则以民之患为患／不患寡而患不均，不患贫而患不安／凡为道者，常患于晚，不患于早也／学者不患才之不赡，而患志之不立／明者防祸于未萌，智者图患于将来／甜不足一食之美，然有截舌之患也／言者不狂，而择者不明，国之大患／未得之也，患得之；既得之，患失之／为国不患于无人，有人而不用之为患／人皆务于救患之备而莫能知使患无生／君子之去小人，惟能尽去，乃无后患／居官者当事不避难，在位者恤民之患／水发于深，而为用且远……反为患矣／世之专于法者，不患于不通而患于刻薄／堤防成而民无水灾，礼义立，民无乱患／学者不患立志之不高，患不足以继之耳／其未得之也，患得之。既得之，患失之／凡万物异则莫不相为蔽，此心术之公患也／函车之兽，介而离山，则不免于罔罟之患／无为则俞俞，俞俞者忧患不能处，年寿长矣／共舆而驰，同舟而济，舆倾舟覆，患实共之／读书做人，先要立志。志患不立，尤患不坚／薄施而厚望，畜怨而无患者，古今未之有也／四海之广，不患无贤，而患在信用之不至耳／国多忌讳，大人恒畏。结口无患，可以长存／多事害神，多言害身。口开舌举，必有祸患／居君子之位而为庶人之行者，其患祸必至也／见利思辱，见恶思诟，嗜欲思耻，忿怒思患／福善之门莫美于和睦，患咎之首莫大于内离／天下之患，不患材之不众，患上之人不欲其众／天下悠悠，皆可长生也，患于犹豫，故不成耳／世之难得者，非财也，非荣也，患意之不足耳／饥而倍食，渴而大饮……虽暂怡性，必为后患／睹危急则恻隐，将赴救则畏患，是仁而不恤者／天下犹人之体，腹心充实，四支虽病，终无大患／君子居安宜操一心以虑患，处变当坚百忍以图成／君子见利思辱，见恶思诟，嗜欲思耻，忿怒思患／深者获公名，平者多后患，故治狱之吏皆欲人死／一令蔓草难锄，涓流泛酌，岂直疥痒轻疴，容为重患／人之饥所以不食乌喙者，以为虽偷充腹而与死同患也／读书少则身暇，身暇则邪间，邪间则过恶作焉，忧患及之／所贵于天下之士者，为人排患、释难、解纷乱而无所取也／天下之民，知安而不知危，能逸而不能劳，此臣所谓大患也／知为为而不知所以为，是以贵为天子，富有天下，而不免于患也

悠

yōu 久远；安闲；挂在空间；随风飞起貌。

❶悠哉悠哉，辗转反侧

见《诗·周南·关雎》。

悠悠苍天，曷其有极

见《诗·唐风·鸨羽》。

悠然念故乡，乃在天一隅

见唐·储光羲《闲居》。全句为："～，安得如浮云，来往方须臾"。

悠悠天宇旷，切切故乡情

见唐·张九龄《西江夜行》。

悠悠失乡县，处处尽云烟

见唐·李峤《楚望赋》。全句为："俯镜八川，周睇万里，～，不知悲之所集也"。

悠悠乎与颢气俱而莫得其涯

见唐·柳宗元《始得西山宴游记》。全句为："～，洋洋乎与造物者游而不知其所穷"。

悠悠生死别经年，魂魄不曾来入梦

见唐·白居易《长恨歌》。

悠悠素餐者，天下皆是，王道从何而兴乎

见隋·王通《中说·王道》。

❷悠悠苍天，曷其有极／悠悠天宇旷，切切故乡情／悠悠失乡县，处处尽云烟／悠悠乎与颢气俱而莫得其涯／悠悠生死别经年，魂魄不曾来入梦／悠悠素餐者，天下皆是，王道从何而兴乎

❸悠哉悠哉，辗转反侧／生死悠悠尔，一气聚散之／天道悠悠，人生若浮，古来贤圣，皆成去留／四海悠悠，皆慕名者，盖因其情而致其善尔／天下悠悠，皆可长生也，患于犹豫，故不成耳／碧云悠悠兮，泾水东流。伤美人兮，雨泣花愁

❹生死悠悠尔，一气聚散之／天道悠悠，人生若浮，古来贤圣，皆成去留／四海悠悠，皆慕名者，盖因其情而致其善尔／天下悠悠，皆可长生也，患于犹豫，故不成耳／碧云悠悠兮，泾水东流。伤美人兮，雨泣花愁

❺萧萧马鸣，悠悠旆旌／青青子衿，悠悠我心／念天地之悠悠，独怆然而涕下
❻萧萧马鸣，悠悠旆旌／青青子衿，悠悠我心／澹澹长江水，悠悠远客情／念天地之悠悠，独怆然而涕下／闲云潭影日悠悠，物换星移几度秋
❼源长者流深，道悠者利博／澹澹长江水，悠悠远客情／闲云潭影日悠悠，物换星移几度秋
❽千古兴亡多少事，悠悠。不尽长江滚滚流
❿出处每怀心耿耿，是非谁较论悠悠／纵令然诺暂相许，终是悠悠行路心／断雁无凭，冉冉飞下汀洲，思悠悠

悉

xī 知道；详尽；全部，尽其所有。

❺天下桃李，悉在公门／快心之事，悉败身丧德之媒，五分便无悔／水抵两岸，悉皆怪石，敧嵌盘屈，不可名状
❼天覆地载，万物悉备，莫贵于人
❽遇事多算计，较利悉锱铢，其过甚小，而积之甚大，慎之慎之
❾处事不可任己见，要悉事之理／处人不可任己意，要悉人之情
❿谋莫难于周密，说莫难于悉听／万人逐兔，一人获之，贪者悉止／诚欲往来言所闻，则仆固愿悉陈中所得者／一兔走衢，万人逐之；一人获之，贪者悉止／譬如一灯，入于暗室，百千年暗，悉能破尽／以不二之悟，符不分之理，理智悉释，谓之顿悟

惹

rě 招引；触犯；牵引住；同“偌”，这样。

❺灯蛾扑火，惹焰烧身
❽本来无一物，何处惹尘埃

惠

huì 好处；敬辞；赐，柔顺。

❶惠施多方，其书五车

见《庄子·天下》。

惠迪吉，从逆凶，惟影响

见《尚书·大禹谟》。

惠而不费，劳而不怨，欲而不贪，泰而不骄，威而不猛

见《论语·尧曰》。

❷口惠之人鲜信／施惠无念，受恩莫忘／有惠人之名而无救患之实／为惠者生奸，而为暴者生乱／口惠而实不至，怨灾及其身／智惠之君贱德而贵言……以为大伪奸诈
❸思小惠而忘大耻／使智惠之人治国之政事，必远道德，妄作威福，为国之贼／君子惠而不费，劳而不怨，欲而不贪，泰而不骄，威而不猛
❹慎法宽惠不刻／布德施惠，悦近来远／德以施惠，刑以正邪／安民则惠，黎民怀之／毋私小惠而伤大体，毋借公论以快私情／不使智惠之人治国之政事……故为国之福
❺天朗气清，惠风和畅／泽如凯风，惠如时雨／感子漂母惠，愧我非韩才／君人者，宽惠慈众，不身传诛
❻民心无常，惟惠之怀／忠足以勤上，惠足以存下／治国者，布施惠德，无令下知／圣王布德施惠，非求报于百姓也
❼仁者不以位为惠：可谓无为矣／分人以财谓之惠，教人以善谓之忠
❽养稊稗者伤禾稼，惠奸宄者贼良民
❾治世以大德，不以小惠／清声而便体，秀外而惠中／凡养稂莠者伤禾稼，惠奸宄者贼良人
❿惨则鲜于欢，劳则褊于惠／时有薄而厚施，行有失而惠用／睚眦之怨必仇，一餐之惠必报／过取固害于廉，然过与亦反害其惠／何尝见明镜疲于屡照，清流惮于惠风／君子怀德，小人怀土；君子怀刑，小人怀惠／惟严惟明，其赏也思，惟宽惟惠，其罚也畏／有杀人之威而下不惧，有生人之惠而下不喜／一人所以能悦万人者，非言笑之惠，盖和之至也／若明而不信，严而不断，惠而不正，虽欲理身，终不自理，况于人哉／治世所贵乎位者三：一曰达道于天下，二曰达惠于民，三曰达德于身

惑

huò 心里不明白；使人失去辨别力或判断力。

❶惑于听受，暗于知人

见唐·吴兢《贞观政要·规谏太子》。全句为：“～，则有道者咸屈，无用者必伸”。

惑者之患，不自以为惑，故惑

见《吕氏春秋·审应览·离谓》。

惑而不从师，其为惑也，终不解矣

见唐·韩愈《师说》。

❷不惑于恒人之毁誉，故足以为君子／大惑者，终身不解；大愚者，终身不灵
❹宠邪信惑，近佞好谀／今世之惑主多官，而反以害生／知者不惑，仁者不忧，勇者不惧
❺非固不能惑是／人之所以惑其性者，情也／四十而不惑，五十而知天命／使人大迷惑者，必物之相似也／不思，故有惑；不求，故无得；不问，故不知
❻少则得，多则惑／原天命则不惑祸福／明者独见，不惑于朱紫／察而以饰非惑愚，则察为祸矣／贵不专权，罔惑上下；贱能守分，不苟求取
❼在贱而望贵者，惑也／鹰不试则巧拙惑，马不试则良驽疑／聪明则视听不惑，公正则不迩谗邪／美味腐腹，好色惑心，勇夫招祸，辩口致殃
❽诚信生神，夸诞生惑／近贤成智，近愚益惑／仁者不忧，知者不惑，勇者不惧／惑而不从师，其为惑也，终不解矣／凡鬼神事眇茫荒惑无可准，明者所不道／法令不一则人情惑，职次数改则觊觎生

❾道德当身，故不以物惑／身失道，则无以知迷惑／掩袖工谗，狐媚偏能惑主／疑心动于中，则视听惑于外／惑者之患，不自以为惑，故惑
❿失正则奇生，奇生而民惑／师者，所以传道受业解惑也／义理不先尽，则多听而易惑／气者，心随笔运，取象不惑／惑者之患，不自以为惑，故惑／精神通于死生，则物孰能惑之／辩巧之文可悦，似象之言足惑／不杀无辜，无释罪人，则民不惑／众皆舍而己用兮，忽自惑其是非／古之明天子，信其臣而不惑于多言／自责以备谓之明，责人以备谓之惑／博识者触物能名，洽闻者理无所惑耳／一朝之忿，忘其身，以及其亲，非惑欤／计有一二者难悖也，听无失本末者难惑／知善不行者谓之狂，知恶不改者谓之惑／目妄视则淫，耳妄听则惑，口妄言则乱／释规而任巧，释法而任智，惑乱之道也／爱憎不栖于情，忧喜不留于意，泊然无惑／不知三军之事而同三军之政者，则军士惑矣／不知者，非其人之罪也；知百不为者，惑也／谗夫似贤，美言似信，听之者惑，观之者冥／大丈夫……终不为邪暗小人所惑而易其所守／己好则好之，己恶则恶之，以是自信则惑也／谗人似实，巧言如簧，使听之者惑，视之者昏／赏不劝善，罚不惩恶，而望邪正不惑，其可得乎／用民亦有种，不审其种，而祈民之用，惑莫大焉／上有素定之谋，下无趋向之惑，天下之事不难举也／虽有纳谏之明，而无力行之果断，则言愈多而听愈惑／人非生而知之者，孰能了此无惑，故从其先得者而问焉／今世之人居高官尊爵者，皆重失之，见利轻亡其身，岂不惑哉

悲

bēi 哀痛，哀怜；动听。

❶悲莫悲于精散

见汉·黄石公《素书·本德宗道章》。

悲哉秋之为气也

见战国·楚·宋玉《九辩》。

悲音不共声，皆快于耳

见汉·王充《论衡·自纪篇》。全句为："美色不同面，皆佳于目；～"。

悲落叶于劲秋，喜柔条于芳春

见晋·陆机《文赋》。全句为："遵四时以叹逝，瞻万物而思纷；～"。

悲歌可以当泣，远望可以当归

见汉·无名氏《悲歌》。

悲莫悲兮生别离，乐莫乐兮新相知

见战国·楚·屈原《九歌·少司命》。

悲愁天地白日昏，路旁过者无颜色

见宋·王安石《河北民》。

悲斯叹，叹斯愤，愤必有泄，故见乎词

见唐·刘禹锡《上杜司徒书》。

❷化悲痛为力量／不悲道难行，所悲累身修／但悲时易失，四序迭相侵／其悲则同，其所以为悲则异／真悲无声而哀，真怒未发而威，真亲未笑而和／我悲人之自丧者，吾又悲夫悲人者，吾又悲夫悲人之悲者
❸游子悲故乡／悲莫悲于精散／长江悲已滞，万里念将归／卢狗悲号，则韩国知其才／兴尽悲来，识盈虚之有数／逝水悲兴废，浮云阅古今／自古悲摇落，谁人奈此何／朝千悲而下泣，夕万绪以回肠／国际悲歌歌一曲，狂飙为我从天落／悲莫悲兮生别离，乐莫乐兮新相知／人有悲欢离合，月有阴晴圆缺，此事古难全
❹乐极生悲，否极泰来／情往会悲，文来引泣／烈士多悲心，小人偷自闲／死不足悲，可悲是死而无补／贤者不悲其身之死，而忧其国之衰
❺强哭者虽悲不哀／无贵贱不悲，无富贫亦足／善琴者有悲心则声凄凄然／有永弃之悲，无自新之望／听玄猿之悲吟，察鹤鸣于九皋／不是无端悲怨深，直将阅历写成吟／出师未捷悲移鼎，视死如归笑射钩／自古逢秋悲寂寥，我言秋日胜春朝
❻春女思，秋士悲／阴雪兴岩侧，悲风鸣树端／风物虽同候，悲欢各异伦／愁杀芳年友，悲叹有余哀／死不足悲，可悲是死而无补／千里开年，且悲春目；一叶早落，足动秋襟／关山难越，谁悲失路之人？萍水相逢，尽是他乡之客
❼不悲道难行，所悲累身修／祸莫惨于欲利，悲莫痛于伤心／黯然别之销魂，悲哉秋之为气／千古兴亡，百年悲笑，一时登览／人世多违壮士悲，干戈未定书生老／胡笳互动，牧马悲鸣，吟啸成群，边声四起
❽不以物喜，不以己悲／途穷见交态，世梗悲路涩／燕赵古称多感慨悲歌之士／畴昔叹时迟，晚节悲年促／易水萧萧西风冷……悲歌未彻／异方之乐，只令人悲，增忉怛耳／酒极则乱，乐极则悲，万事尽然／君不见高堂明镜悲白发，朝如青丝暮成雪／师旷调音，曲无不悲；狄牙和膳，肴无澹味／物盛而衰，乐极则悲，日中而移，月盈而亏
❾得意时，便生失意之悲／长绳难系日，自古共悲辛／残杯与冷炙，到处潜悲辛／其悲则同，其所以为悲则异／露垂泣于幽草，风含悲于拱木／死去元知万事空，但悲不见九州同／墨子见衢路而哭之，悲一跬而缪千里／善举事者若乘舟而悲歌，一人唱而千人和／快者掀髯，愤者扼腕，悲者掩泣，羡者色飞
❿上有弦歌声，音响一何悲／不以奢为乐，不以廉为悲／何必生之为乐，死之为悲／莫待山阳路，空闻吹笛悲／少壮不努力，老大徒伤悲／知音苟不存，已矣何所悲／达亦不足贵，穷亦不足

悲/春秋迭代，必有去故之悲/所见既可骇，所闻良可悲/鼋鸣而鳖应，兔死则狐悲/飞霜迎地，兰萧衔共尽之悲/离亭北望，烟霞生故国之悲/对苍茫之寒日，听萧瑟之悲蝉/莫等闲，白了少年头，空悲切/拜迎官长心欲碎，鞭挞黎庶令人悲/为人而欲一世之人好，吾悲其为人/为文而欲一世之人好，吾悲其为文/伤则感遥而悼近，怨则恋始而悲终/务免乎人之所不免者，岂不亦悲哉/饱霜孤竹声偏切，带火焦桐韵本悲/闻其饥寒为之哀，见其劳苦为之悲/强令之笑，不乐；强令之哭，不悲/牛郎欲问瘟神事，一样悲欢逐逝波/行一棋不足以见智，弹一弦不足以见悲/钱财不积则贪者忧，权势不尤则夸者悲/亲权者不能与人柄；操之则栗，舍之则悲/昼则舟楫出没于其前，夜则鱼龙悲啸于其下/凫胫虽短，续之则忧；鹤胫虽长，断之则悲/布奠倾觞，哭望天涯。天地为愁，草木凄悲/仗其短浅之耳目，以断微妙之有无，岂不悲哉/去国怀乡，忧谗畏讥，满目萧然，感极而悲者矣/有云水襟怀，有松柏气节，典型顿失，人尽含悲/满堂而饮酒，有一人乡隅而悲泣，则一堂皆为之不乐/我悲人之自丧者，吾又悲夫悲人者，吾又悲夫悲人之悲者/人之生也，必以其欢。忧则失纪，怒则失端。忧悲喜怒，道乃无处

惩

chéng 戒止；处罚；警戒；苦于。

❶惩之甚者改必速，畜之久者发必肆

见明·方孝孺《汉章帝》。

惩劝善恶之柄，执于文士褒贬之际焉

见唐·白居易《策林四》。全句为："～；补察得失之端，操于诗人美刺之间焉"。

惩病克寿，矜壮死暴。纵欲不戒，匪愚伊耄

见唐·柳宗元《敌戒》。

❷小惩大诫，乃得其福/小惩而大诫，此小人之福也/善惩不如善政，善赏不如善教

❸予其惩而，毖后患/罚一惩百，谁敢复言者？民有饮恨而已矣

❺不威小，不惩大/损。君子以惩忿窒欲

❼赏以劝善，罚以惩恶/文人之笔，劝善惩恶也/赏不劝善，罚不惩恶，而望邪正不惑，其可得乎

❽才不济务，奸无所惩/赏罚必信，无恶不惩，无善不显/举一善必适其材，惩一恶必当其咎

❾以怨报怨，则民有所惩/信赏以劝能，刑罚以惩恶/庆赏以劝善，刑罚以惩恶/赏一以劝百，罚一以惩众/为赏罚者非他，所以惩劝者也/婉而成章，尽而不污，惩恶而劝善/振则须起风雷之益，惩则须奋刚健之乾

❿赏所以存劝，罚所以示惩/刑赏之本，在乎劝善而惩恶/前事之不忘，期有劝且惩也/君子不待褒而劝，不待贬而惩/天道以爱人为心，以劝善惩恶为公/虽体解吾犹未变兮，岂余心之可惩/带长剑兮挟秦弓，首身离兮心不惩/赏不隆则善不劝，罚不重则恶不惩/赏务速而后有劝，罚务速而后有惩/为善者日以有劝，为不善者月以有惩/赏不劝，谓之止善；罚不惩，谓之纵恶

想

xiǎng 动脑筋；估计；希望；记挂；怀念；料想。

❶想道如念亲，恶货如失身

见汉·严遵《道德指归论·其安易持篇》。

想当年，金戈铁马，气吞万里如虎

见宋·辛弃疾《永遇乐》[千古江山]。

❷云想衣裳花想容

❺思故旧以想象兮，长太息而掩涕

❻云想衣裳花想容

❼铅刀贵一割，梦想骋良图/处事要代人作想，读书须切已用功

❽每读其传，未尝不想见其人/号呼卖卜谁家子，想欠明朝籴米钱

❾人生福境祸区，皆念想造成/羁马思其华林，笼雉想其皋泽/贫疑陋巷春偏少，贵想豪家月最明

❿一彼此于胸臆，捐好恶于心想/常将有日思无日，莫待无时想有时/身后有余忘缩手，眼前无路想回头/万物者，以盛衰而谈语，使人想而知之/因事相争，安知非我之不是，须平心暗想/会心处不必在远，翳然林水，便自有濠濮间想也

感

①gǎn 感到；感觉，情感，感想；对别人的好意或帮助怀着谢意；感染；接触风寒引起身体不适。②hàn 通"撼"，动摇。

❶感其声而求其类

见宋·穆修《答乔适书》。

感心动耳，荡气回肠

见三国·魏·曹丕《大墙上蒿行》。

感子漂母惠，愧我非韩才

见晋·陶潜《乞食》。

感时花溅泪，恨别鸟惊心

见唐·杜甫《春望》。

感时思报国，拔剑起蒿莱

见唐·陈子昂《感遇三十八》之三十五。

感慨杀身者易，从容就义者难

见宋·朱熹《近思录·政事类》。

感而后应，迫而后动，不得已而后起

见《庄子·刻意》。全句为："不为福先，不为祸始；～"。

感乎心，明乎智，发而成形，精之至也

见汉·刘安《淮南子·缪称》。

感人心者，莫先乎情，莫始乎言，莫切乎声，莫

深乎义

见唐·白居易《与元九书》。全句为:"~。诗者:根情,苗言,华声,实义"。

感应者气也,如是而感则如是而应,有不容以毫发差者理也

见明·罗钦顺《困知记》续卷上。

❷虽感目之一致,终寄怀而百端

❸不因感衰节,安能激壮心/百忧感其心,万事劳其形/人生感意气,功名谁复论/圣人感人心,而天下和平/岂无感激者?时俗颓此风/内无感恨之隙,外无侵侮之羞/方衔感于一剑,非买价于泉里/伤则感遥而悼近,怨则恋始而悲终/情以感物则得利,伪以感物则致害/诗人感而后思,思而后积,积而后满,满而后作

❹事谐则感,道洽斯亲/诚之所感,触处皆通/情以物感,而心由目畅……/雷隐隐,感妾心,倾耳清听非车音/心之所感有邪正,故言之所形有是非

❺情随事迁,感慨系之/与人不求感德,无怨便是德/大凡人之感于事,则必动于情/至治馨香,感于神明,黍稷非馨,明德惟馨

❻行子肠断,百感凄恻/燕赵古称多感慨悲歌之士/诗者,人心之感物而形于言之余也

❼此物何足重,但感别经时/诉心中之不平,感数奇于千载/善万物之得时,感吾生之行休/心非木石岂无感,吞声踯躅不敢言/正得失,动天地,感鬼神,莫近于诗/非唯近事则相感,亦有远事遥相感者/因性而动,接物感寤……进退取与,谓之情/气之动物,物之感人,故摇荡性情,形诸舞咏/动人以言者,其感不深;动人以行者,其应必速

❽岂不思故乡,从来感知己/铿锵发金石,幽眇感鬼神/春也万物熙熙焉,感其生而悼其死

❾谏不足听者,辞不足感心也/遇欺诈之人,以诚心感动之/精诚由中,故其文语感动人深/思焉而得,故其言深;感焉而得,故其言切/感应者气也,如是而感则如是而应,有不容以毫发差者理也

❿情以感物则得利,伪以感物则致害/爱之为道也,情亲意厚,深而感物/非唯近事则相感,亦有远事遥相感者/冷眼观人,冷耳听语,冷情当感,冷心思理/形如槁木,心若死灰,无感无求,寂泊之至/人生天地之中,殊于众类明矣。感则应,激则通/去国怀乡,忧谗畏讥,满目萧然,感极而悲者矣

愚

yú 头脑迟钝;蒙蔽;谦词,用于自称。

❶愚而自专,事不治

见《荀子·成相》。

愚而多财,则益其过

见汉·班固《汉书·疏广传》。全句为:"贤而多财,则损其志;~"。

愚人千虑,必有一得

见《晏子春秋·内篇杂下第十八》。

愚者千虑,亦有一得

见汉·班固《汉书·韩信传》。

愚者千虑,或有一得

见唐·林蕴《上宰相元衡弘靖书》。

愚者千虑,必有一得

见《晏子春秋·内篇杂下》。

愚者纵之,多至失所

见唐·吴兢《贞观政要·慎终》。全句为:"嗜欲喜怒之情,贤愚皆同。贤者能节之,不使过度;~"。

愚暗之人,皆矜能伐善

见唐·吴兢《贞观政要·择官》。

愚者多悔,不肖者自贤

见《晏子春秋·内篇·杂上》。

愚者有备,与知者同功

见汉·刘安《淮南子·人间》。

愚者有备,与智者同功

见汉·刘安《淮南子·人间》。全句为:"计福勿及,虑祸过之;同日被霜,蔽者不伤;~"。

愚人诵千句,不解一句义

见《出曜经》卷二二。全句为:"智者寻一句,演出百种义;~"。

愚谓无知守真,顺自然也

见三国·魏·王弼《老子》六十五注。全句为:"明谓多见巧诈,蔽其朴也;~"。

愚者暗于成事,知者见于未萌

见《商君书·更法》。

愚而好胜,一等;贤而尚人,二等

见三国·魏·刘劭《人物志·释争》。全句为:"~;贤而能让,三等"。

愚医类能杀人,而不服药者未必死

见宋·苏辙《宇文融》。

愚人以天地文理圣,我以时物文理哲

见《阴符经》下。"圣",谓聪明。

愚者为一物一偏,而自以为知道,无知也

见《荀子·天论》。

愚者易蔽也,不肖者易惧也,贪者易诱也

见《鬼谷子·谋》。

愚者笑之,智者哀焉;狂夫之乐,贤者丧焉

见《商君书·更法》。

愚者不自谓愚而愚见于言,虽自谓智,人犹谓之愚

见《鬻子·道符五帝三王传政甲》。

❷大愚者,终身不灵/大愚误国,只为好自用/夸愚适增累,矜智道逾昏/绝愚之人,心无所别析,心无所好欲/外愚而内益智,外讷而内益

辨，外柔而内益刚
❸僧是愚氓犹可训，妖为鬼蜮必成灾／今使愚教知，使不肖临贤，虽严刑罚，民弗从也
❹靡哲不愚／一听则愚智不分／大智似愚而内明／知询于愚，或有得也／智而教愚，则童蒙者弗恶／以贤为愚者，亦将以愚为贤矣／智而能愚，则天下之智莫加焉／世治则愚者不能独乱，世乱则智者不能独治／人生至愚是恶闻己过，人生至恶是善谈人过／若贵而愚，贱而圣且贤，以是而妨之，其为理本大矣
❺智以险昌，愚以险亡／饰知以惊愚，修身以明污／败莫大于愚。愚之患，在必自用／匿为物而愚不识，大为难而罪不敢／大贤虎变愚不测，当年颇似寻常人／惟愿孩儿愚且鲁，无灾无难到公卿／富贵足以愚人，而贫贱足以立志而浚慧／喜怒相疑，愚知相欺，善否相非，诞信相讥／白石如玉，愚者宝之；鱼目似珠，愚者取之／于人无贤愚，于事无小大，咸推以信，同施以敬
❻唯上知与下愚不移／惟上知与下愚不移／近贤则聪，近愚则聩／近贤成智，近愚益惑／圣人畏微，而愚人畏明／衰世好信鬼，愚人好求福／智者取其谋，愚者取其力／凤凰芝草，贤愚皆以为美瑞／精神不运则愚，气血不运则病／为一身谋则愚，而为天下谋则智／凿者，其失诬；愚者，其失为固／此三者贵贱愚智贤不肖欲之若一／败莫大于愚。愚之患，在必自用／欲求士之贤愚，在于精鉴博采之／此三者，贵贱愚智贤不肖欲之若一／知者作教，而愚者制焉；贤者议俗，不肖者拘焉／愚者不自谓愚而愚见于言，虽自谓智，人犹谓之愚／贤者之兴，而愚者之废，废而复之为是，循而习之为非／使亲而旧者愚，远而新者圣且贤，以是而间之，其为理本亦大矣
❼力敌则智者胜愚／交浅而言深者，愚也／是非、非是，谓之愚／天也，你错勘贤愚枉为天／位卑在下未必愚，不遇也／知人无务，不若愚而好学／智而用私，不若愚而用公／其智可及也，其愚不可及也／浅不足与测深，愚不足与谋知／察而以饰非惑愚，则察为祸矣／悦于目，悦于心，愚者之所利也／贤莫大于成功，愚莫大于吝且诬／民，别而听之则愚，合而听之则圣／智而用私，不如愚而用公，故曰巧伪不如拙诚
❽大勇若怯，大智若愚／君子盛德，容貌若愚／无参验而必之者，愚也／凡看书不为书所愚始善／聪明睿智而守以愚者益／前识者，道之华而愚之始／嗜欲喜怒之情，贤愚皆同／聪明睿智，守之以愚者，哲／不用其所拙，而用愚人之所工／知者之所短，不若愚者之所修／狠者类知而非知，愚者类仁而非仁／贤者多财损其志，愚者多财生其过／贼做官，官做贼，混愚贤。哀哉可怜／呐呐寡言者未必愚，喋喋利口者未必智／简士苦民者是谓愚，敬士爱民者是谓智／由道废邪，用贤弃愚，推以革物，宜民之苏／只系其逢，不系巧愚；不谐其须，有衔不祛／聪明睿智，守之以愚；功被天下，守之以让／古今之喻多矣，而愚以为辨于味而后可以言诗／愚者不自谓愚而愚见于言，虽自谓智，人犹谓之愚／贤主忠臣，不能导愚教陋，则名不冠后、实不及世矣／上智不教而成，下愚虽教无益，中庸之人，不教不知也
❾好仁不好学，其蔽也愚／智出天下，而听于至愚／邈乎其容，若不察其愚也／以贤为愚者，亦将以愚为贤矣／在下而多谤者，岂尽愚而狡也哉／农夫劳而君子养焉，愚者言而智者择焉／大惑者，终身不解；大愚者，终身不灵／爱惜、暴殄本是两意，愚者有时合成一病／圣人千虑，必有一失；愚人千虑，必有一得／狂夫之乐，知者哀焉；愚者之笑，贤者戚焉／盘石千里，不为有地；愚民百万，不为有民／盖棺始能定士之贤愚，临事始能见人之操守
❿一人之智，不如众人之愚／高者未必贤，下者未必愚／邦有道则知，邦无道则愚／贤而能容罢，知而能容愚／卑贱者最聪明，高贵者最愚蠢／困天下之智者，不在智而在愚／用天下之耳目，虽众人不能愚／士齐僚而不职，则贤与愚而不分／宁武子邦有道则智；邦无道则愚／染鹭之毛而指为鸦，则虽愚必疑／一灯能除千年暗，一智能灭万年愚／良贾深藏若虚，君子盛德容貌若愚／明主思短而益善，暗主护短而永愚／智者不用其所短，而用愚人之所长／有田不耕仓廪虚，有书不读子孙愚／古之善为道者，非以明民，将以愚之／智之极者，知智果不足以周物，故愚／不知处阴以休影，处静以息迹，愚亦甚矣／天地之间，万国并兴，小大愚智，皆愿为君／不宜言而言是佞之徒，宜言而不言是愚之符／惩病克寿，矜壮死暴。纵欲不戒，匪愚伊耄／石以砥焉，化钝为利；法以砥焉，化愚为智／白石如玉，愚者宝之；鱼目似珠，愚者取之／道之不行也，我知之矣，知者过之，愚者不及也／愚者不自谓愚而愚见于言，虽自谓智，人犹谓之愚／语言文字，如春之花，或者必欲弃花而觅春，非愚即狂／上智不处危以侥幸，中智能因危以为功，下愚安于危以自亡

愁

chóu 忧虑苦恼；形容景象惨淡。

❶愁绝寒梅酒半销
见宋·葛起耕《楼上》。
愁随芳草，绿遍江南
见宋·贺铸《怨三三》。
愁与发相形，一愁白数茎
见唐·孟郊《自叹》。

愁杀芳年友，悲叹有余哀
见现代·毛泽东《五古·挽易昌陶》。
愁听，吹笛《关山》……月中都是断肠声
见元·高明《琵琶记》第二十七出。删节处为："敲砧门巷"。
❷莫愁前路无知己，天下谁人不识君／悲愁天地白日昏，路旁过者无颜色／忧愁惨怛，乐非轻死，则刑罚不能恐也／穷愁著书，古儒者之大同，非高冠长剑之比耳
❸咫尺愁风雨，匡庐不可登／古人愁不尽，留与后人愁
❹智者不愁，多为少忧／但把穷愁博长健，不辞最后饮屠苏／田里绝愁叹之声，邦家闻宽厚之化
❺江流今古愁，山雨兴亡泪／举世尽从愁里老，谁人肯向死前闲／诗穷莫写愁如海，酒薄难将梦到家／是他春带愁来，春归何处，却不解、将愁归去
❻不乐损年，长愁养病／志士惜日短，愁人知夜长／间关如有意，愁绝若怀人／天片片而云愁，山幽幽而谷哭／刀不能剪心愁，锥不能解肠结／老来行路先愁远，贫里辞家更觉难
❼贪看飞花忘却愁／兵久则力屈，人愁则变生／达人识元气，变愁为高歌／愁与发相形，一愁白数茎／白发三千丈，缘愁似个长／已是黄昏独自愁，更着风和雨／冬也阴气积兮，愁颜者为之鲜欢／人生达命岂暇愁，且饮美酒登高楼／问君能有几多愁？恰似一江春水向东流
❾剪不断，理还乱，是离愁／思苦自看明月苦，人愁不是月华愁／东风恶，欢情薄，一怀愁绪，几年离索。错！错！错
❿古人愁不尽，留与后人愁／岂知今夜月，还是去年愁／病多知药性，年长信人愁／鬓秃难遮老，心宽不贮愁／心不怡之长久兮，忧与愁其相接／丈夫盖世英雄气，肯学世间儿女愁／我自只如常日醉，满川风月替人愁／似把剪刀裁别恨，两人分得一般愁／今朝有酒今朝醉，明日愁来明日愁／阴阳水旱由天公，忧雨忧风愁煞侬／抽刀断水水更流，举杯消愁愁更愁／德不施则民不归，刑不缓则百姓愁／杀一人则千人恐，滥一罪则百夫愁／月落乌啼霜满天，江枫渔火对愁眠／胜地几经兴废事，夕阳偏照古今愁／思苦自看明月苦，人愁不是月华愁／老去诗篇浑漫与，春来花鸟莫深愁／吾不能变心而从俗兮，固将愁苦而终穷／四时万物兮有盛衰，唯我愁苦兮不暂移／布奠倾觞，哭望天涯。天地为愁，草木凄悲／是他春带愁来，春归何处，却不解、将愁归去／碧云悠悠兮，泾水东流。伤美人兮，雨泣花愁／入夜思归切，笛声清更哀，愁人不愿听，自到枕前来

愆

qiān 过失，过错；差错，差失；患恶疾。
❹忘其前愆，取其后效／礼义不愆，何恤于人言
❾功成身不退，自古多愆尤
❿尚猷询兹黄发，则罔所愆／怵惕惟厉，中夜以兴，思免厥愆／口无择言，驷不及舌；笔之过误，愆尤不灭

愈

①yù 病好了；胜过；更加。②yú 通"愉"。
❶愈穷则愈工
见宋·欧阳修《梅圣俞诗集序》。
愈为之则愈失之
见三国·魏·王弼《老子》五注。
愈大愈惧，愈强愈恐
见《吕氏春秋·慎大》。
❷事愈烦而乱愈生／学愈博则思愈远／智愈多而德愈薄／火愈然而消愈亟／言愈多而理愈乱／威愈多，民愈不用／韩愈辟佛，几至杀身，况敢议今世之尧、舜、周、孔者乎
❸愈大愈惧，愈强愈恐／富者愈恣横侈泰而无所忌／贫者愈困饿死亡而莫之省／入之愈深，其进愈难，而其见愈奇／独韩愈奋不顾流俗……因抗颜而为师
❹愈穷则愈工／以德者愈迟而终显
❺愈为之则愈失之／威愈多，民愈不用／愈大愈惧，愈强愈恐／非药曷以愈疾，非兵胡以定乱／焚林而猎，愈多得兽，后必无兽／周公位尊愈卑，胜敌愈惧，家富愈俭／使其道由愈而粗传，虽灭死万万无恨／隔日一删，愈月一改，始能淘沙得金
❻事愈烦而乱愈生／民就穷而敛愈急／学愈博则思愈远／智愈多而德愈薄／火愈然而消愈亟／言愈多而理愈乱／一失其原，巧愈弥甚／法虽不善，犹愈于无法／意不胜者，辞愈华而文愈鄙／意全胜者，辞愈朴而文愈高／既以为人己愈有，既以与人己愈多／以汤止沸，沸愈不止，去其火则止矣／以肉去蚁，蚁愈多；以鱼驱蝇，蝇愈至／处难处之事愈宜宽，处难处之人愈宜厚
❼可言可意，言而愈疏／愈大愈惧，愈强愈恐／以意全胜者，辞愈朴而文愈高／见过不更，闻谏愈甚，谓之很／入之愈深，其进愈难，而其见愈奇／身之病待医而愈，国之乱待贤而治
❽心不可伏，而伏之愈乱／饮食约而精，园蔬愈珍馐
❾又如食橄榄，真味久愈在／以汤止沸，抱薪救火，愈甚亡益／德益盛者虑益微，功愈高者意愈下／德弥厚者葬弥薄，知愈深者葬愈微／周公位尊愈卑，胜敌愈惧，家富愈俭
❿意不胜者，辞愈华而文愈鄙／意全胜者，辞愈

朴而文愈高／以意全胜者，辞愈朴而文愈高／创巨者其日久，痛甚者其愈迟／正获之问于监市履狶也，每下愈况／别来十年学不厌，读破万卷诗愈美／入之愈深，其进愈难，而其见愈奇／德益盛者虑益微，功愈高者意愈下／德弥厚者葬弥薄，知愈深者葬愈微／恃壮者一病必危，过懒者久闲愈懦／惟夫消磨靡烂之际，金久炼而愈精／财已竭而敛不休，人已穷而赋愈急／痴人之前莫说梦，梦中说梦愈阔迂／既以为人己愈有，既以与人己愈多／周公位尊愈卑，胜敌愈惧，家富愈俭／披蓑而救火，毁渎而止水，乃愈益多／断蛇不死，刺虎不毙，其伤人则愈多／以肉去蚁，蚁愈多；以鱼驱蝇，蝇愈至／处难处之事愈宜宽，处难处之人愈宜厚／舐痔者得车五乘，所治愈下，得车愈多／石生而坚，兰生而芳，少自其质，长而愈明／天地之间，其犹橐龠乎？虚而不屈，动而愈出／与邪佞人交，如雪入墨池，虽融为水，其色愈污／非有卓然异绩结于人心，浃于骨髓，安能久而愈思／人始入官，如入晦室，久而愈明，明乃治，治乃行／虽有忧勤之心，而不知致治之要，则心愈劳而事愈乖／虽有纳谏之明，而无力行之果断，则言愈多而听愈惑／苟意不先立，止以文彩辞句，绕前捧后，是言愈多而理愈乱／古今号文章为难，足下知其所以难乎？……得之为难，知之愈难耳

意

yì 意思；心思；预料；通"抑"；中国哲学名词。

❶意好句亦好

见宋·欧阳修《吊僧诗》。

意不并锐，事不两隆

见汉·刘向《说苑·谈丛》。

意会心谋，目往神授

见宋·李清照《金石录后序》。

意在笔前，然后作字

见晋·王羲之《题卫夫人<笔阵图>》。

意有所之，事无不克

见唐·刘禹锡《贺赦表》。

意有所极，梦亦同趣

见唐·柳宗元《始得西山宴游记》。

意之所向，虽金石莫隔

见宋·苏轼《葆光法师真赞》。

意能遣辞，辞不能成意

见唐·杜牧《答庄充书》。

意广者，斗室宽若两间

见明·洪应明《菜根谭·后集十九》。

意量所函变可通于意外

见清·王夫之《连珠》。全句为："名言所绝理即具于名中，～"。

意气骏爽，则文风清焉

见南朝·梁·刘勰《文心雕龙·风骨》。全句为："结言端直，则文骨成焉；～"。

意贵透彻，不可隔靴搔痒

见宋·严羽《沧浪诗话》。

意不胜者，辞愈华而文愈鄙

见唐·杜牧《答庄充书》。全句为："以意全胜者，辞愈朴而文愈高；～"。

意全胜者，辞愈朴而文愈高

见唐·杜牧《答庄充书》。全句为："～；意不胜者，辞愈华而文愈鄙"。

意莫下于刻民，行莫贱于害民

见《晏子春秋·内篇·问下》。

意莫高于爱民，行莫厚于乐民

见《晏子春秋·内篇·问下》。

意新则异于常，异于常则怪矣

见唐·皇甫湜《答李生第一书》。全句为："～；词高则出于众，出于众则奇矣。虎豹之文不得不炳于犬羊，鸾凤之音不得不锵于乌鹊，金玉之光不得不炫于瓦石，非有意先之也，乃自然也"。

意翻空而易奇，言征实而难巧

见南朝·梁·刘勰《文心雕龙·神思》。

意犹帅也；无帅之兵，谓之乌合

见清·王夫之《夕堂永日绪论内编》。

意不先立，止以文采辞句绕前捧后

见唐·杜牧《答庄充书》。全句为："～，是言愈多而理愈乱"。

意匠如神变化生，笔端有力任纵横

见宋·戴复古《论诗十绝》之四。

意少一字则义阙，句长一言则辞妨

见南朝·梁·刘勰《文心雕龙·书记》。

意得则舒怀以命笔，理伏则投笔以卷怀

见南朝·梁·刘勰《文心雕龙·养气》。

意新语工，得前人所未道者，斯为善也

见宋·欧阳修《六一诗话》。

意无是非，赞之如流；言无可否，应之如响

见三国·魏·李康《运命论》。

意授于思，言授于意，密则无际，疏则千里

见南朝·梁·刘勰《文心雕龙·神思》。

意深词浅，思苦言甘。寥寥千载，此妙谁探

见清·袁枚《续诗品·灭迹》。

意喻之米，文喻之炊而为饭，诗喻之酿而为酒

见清·吴乔《答万季野诗问》。

❷春意属黄鹂／创意造言，皆不相师／有意近名，则是伪也／直意适情，则贤强贼之／得意时，便生失意之悲／纵意于处安，不必全福／天意怜芳草，人间重晚晴／无意苦争春，一任群芳妒／何意百炼刚，化为绕指柔／懈意一生，便是自弃自暴／杨意不逢，抚凌云而自惜／心意之论，不足以定是非／毋意，毋必，毋固，毋我／志意不先定，则守善而或移／得意者无言，进知者

亦无言／有意者反远，无心者自近也／留意于言，不如留意于不言／以意全胜者，辞愈朴而文愈高／刻意则行不肆，牵物则其志流／把意念沉潜得下，何理不可得／失意人逢失意事，新啼痕间旧啼痕／尽意而不求于言，信己而不役于人／人意共怜花月满，花好月圆人又散／得意浓时休进步，须防世事多番覆／寄意寒星荃不察，我以我血荐轩辕／用意深而劝戒切，为言信而善恶明／着意种花花不活，无心栽柳柳成阴／诚意孚于未言之前，则言出而人信之／志意修则骄富贵矣，道义重则轻王公矣／若意新语工，得前人所未道者，斯为善也／有意而言，意尽而言止者，天下之至言也／词意书迹，无不宛然；唯是魂神，不知去处／希意道言，谓之谄；不择是非而言，谓之谀／以意为主，则其旨必见；以文传意，则其词不流／苟意不先立，止以文彩辞句，绕前捧后，是言愈多而理愈乱

❸反其意而用之／不如意事常八九／师其意不师其辞／师其意，不师其辞／人由意合，物以类同／诚其意者，毋自欺也／态浓意远，眉颦笑浅／登楼意，恨无天上梯／可以意会，不可以言传／可以意致者，物之精也／诗以意为主，文词次之／诚其意者，自修之首也／以善意相待，无不致快也／人生意气豁，不在相逢早／恒患意不称物，文不逮意／还身意所欲，清净而自守／学其意，不必泥其字句也／一以意许知己，死亡不相负／勿贪意外之财，勿饮过量之酒／其会意也尚巧，其遣言也贵妍／心合意同，谋无不成，计无不从／顺我意而言者，小人也，急远之／不如意事常八九，可与语人无二三／出新意于法度之中，寄妙理于豪放之外

❹诗清立意新／养欲而意骄者困／读书本意在元元／春风得意马蹄疾／可言可意，言而愈疏／义深则意远，意远则理辩／人生感意气，功名谁复论／君子得意而忧，逢喜而惧／待士之意周，取人之道广／备周则意怠，常见则不疑／物轻人意重，千里送鹅毛／心知其意，未可明诏大号／措语遣意，有若自然生成者／以不善意相待，无不致嫌隙也／才觉私意起，便克去，此是大勇／事遇快意处当转，言遇快意处当住／人生得意须尽欢，莫使金樽空对月／谀言顺意而易悦，直言逆耳而触怒／巧匠目意中绳，然必先以规矩为度／醉翁之意不在酒，在乎山水之间也／人主之意欲见于外，则为人臣之所制／闭心塞意，不高瞻览者，死人之徒也哉／富贵时，意中不忘贫贱，一日退休必不怨／因于情意，动而之外，与物相连，常有所悦／有顺君意而害天下者，有逆君意而利天下者／为文以意为主，气为辅，以辞彩章句为之兵卫／要使诚意之交通，在于未言之前，则言出而人信矣

❺孤立行一意而已／言有尽而意无穷／事曲则谄意以行赇／含不尽之意，见于言外／天下不如意，恒十居七八／人生不失意，焉能慕知己／人语无生意，鸟啼空好音／诗家虽率意，而造语亦难／萧然风雪意，可折不可辱／间关如有意，愁绝若怀人／闻君有两意，故来相决绝／此中有真意，欲辨已忘言／贵人难得意，赏爱在须臾／凡为文以意为主，以气为辅／言者以谕意也，言意相离，凶也／子绝四：毋意，毋必，毋固，毋我／言有尽而意无穷者，天下之至言也／不可以私意喜一人。不可以私意怒一人／有意而言，意尽而言止者，天下之至言也

❻民心说而天意得／红杏枝头春意闹／以贵为道，以意为法／打兔得獐，非意所望／得众动天，美意延年／守口如瓶，防意如城／百言不明一意则不听也／义深则意远，意远则理辩／志得则颜怡，意失则容戚／封建，非圣人意也，势也／辞有所未尽，意有所未竭／言者所以在意，得意而忘言／不以利禄为意，而以仁厚为心／草无忘忧之意，花无长乐之心／知是行的主意，行是知的工夫／唯忠臣能逆意，惟圣君能从利／引笔行墨，快意累累，意尽便止／顺性命，适情意，牵于殊类……／身譬如地，善意如禾，恶意如草／失意人逢失意事，新啼痕间旧啼痕／乐莫善于如意，而忧莫惨于不如意／去规矩而妄意度，奚仲不能成一轮／言有浮于其意，而意有不尽于其言／如修德而留意于事功名誉，必无实诣／不以一毫私意自蔽，不以一毫私欲自累／君子可以寓意于物，而不可以留意于物／纵有良法美意，非其人而行之，反成弊政／不能说其志意，养其寿命者，皆非通道者也／人生贵得适意尔，何能羁宦数千里以要名爵／天……有相授之意，有为政之理，不可不审也

❼守真志满，逐物意移／内足者，自是无意于名／得意时，便生失意之悲／世人皆欲杀，吾意独怜才／利深波也深，君意竟如何／黄鹤戒露，非有意于轮轩／有心雄泰华，无意巧玲珑／炼辞得奇句，炼意得余味／项庄拔剑舞，其意常在沛公／处人不可任己意，要悉人之情／人生在世不称意，明朝散发弄扁舟／离别不堪无限意，艰危深仗济时才／观书者当观其意，慕贤者当慕其心／弹虽在指声在意，听不以耳而以心／始知绝代佳人意，即有千秋国士风／春风不识兴亡意，草色年年满故城／觉来落笔不经意，神妙独到秋毫颠／片言可以明百意，坐驰可以役万里／预支五百年新意，到了千年又觉陈／一政之出，上有意而未决，则吏赞之／善删者字去而意留，善敷者辞殊而意显／清者则心平而意直，忠者惟正道而履之／古人为诗，贵于意在言外，使人思而得之／继以精思，使其意皆出于吾之

心。然后可以有得尔

❽不求好句，只求好意／书不尽言，言不尽意／真草书迹，微须留意／攻其无备，出其不意／善为国者，顺民之意／庸史纪事，良史诛意／濯去旧见，以来新意／好学深思，心知其意／歌以咏言，舞以尽意／俭为贤德，不可着意求贤／虽发语已殚，而含意未尽／留意于言，不如留意于不言／言者所以在意，得意而忘言／不可以一时之得意而自夸其能／不可以一时之失意而自坠其志／凡事当留余地，得意不宜再往／善教者以不倦之意须迟久之功／言者以谕意也，言意相离，凶也／一字不识而有诗意者，得诗家真趣／爱之为道也，情亲意厚，深而感物／辞必高然后为奇，意必深然后为工／言有浮于其意，而意有不尽于其言／爱惜、暴殄本是两意，愚者有时合成一病／绝言之道，去心与意；止为之术，去人与智／意授于思，言授于意，密则无际，疏则千里／老年人受病在作意步趋，少年人受病在假意超脱／饰人之心，易人之意，能胜人之口，不能服人之心

❾事违于理则负结于意／情趣苟同，贫贱不易意／有照水一枝，已搀春意／欲正其心者，先诚其意／意能遣辞，辞不能成意／意量所函变可通于意外／常恨言语浅，不如人意深／寄语双莲子，须知用意深／政简移风速，诗清立意新／畏落众花后，无人别意看／翠佩传情密，曾波托意遥／必原情以定罪，不阿意以侮法／听其雅、颂之声，而志意得广焉／引笔行墨，快意累累，意尽便止／顺指者爱所由来，逆意者恶所从至／岂得以人言不同己意，便即护短不纳／穷其书，得其言，论其意，推而大之／仁者人也，仁字有生意，是言人之生道也／凤凰生而有仁义之意，虎狼生而有贪戾之心

❿出其所不趋，趋其所不意／启行之辞，逆萌中篇之意／恒患意不称物，文不逮意／所求无不得，所欲皆如意／文不能尽言，言不能尽意／文以达吾心，画以适吾意／发号出令以下行，期悦人意／福生于隐约，而祸生于得意／静后见万物，自然皆有春意／天下之乐无穷，而以适意为悦／当世之得失，未尝不留于意也／逍遥于天地之间，而心意自得／炼句不如炼字，炼字不如炼意／目击而道已存，不言而意已传／不知足者，虽处天堂，亦不称意／尽力直友人之屈，不以权臣为意／薄雨收寒，斜照弄晴，春意空阔／身譬如地，善意如禾，恶意如草／求之言语之外，而得其所不言之意／事遇快意处当转，言遇快意处当住／乐莫善于如意，而忧莫惨于不如意／义理有疑，则濯去旧见，以来新意／凡同类同情者，其天官之意物也同／谁怜爱国千行泪，说到胡尘意不平／劝君休饮无情水，醉后教人心意迷／拙辞或孕于巧义，庸事或萌于新意／德益盛者虑益微，功愈高者意愈下／庾信文章老更成，凌云健笔意纵横／宏远深切之谋，固不能合庸人之意／红雨随心翻作浪，青山着意化为桥／登山则情满于山，观海则意溢于海／其道末者其文杂，其才浅者其意烦／何等为善？身正行、口正行、意正行／过屠门而大嚼，虽不得肉，贵且快意／此心常卓然公正，无有私意，便是敬／不可以私意喜一人。不可以私意怒一人／不及流莺日日啼花间，能使万家春意闲／非其地，树之不生；非其意，教之不成／临清风，对朗月，登山泛水，肆意酣歌／君子可以寓意于物，而不可以留意于物／善删者字去而意留，善敷者辞殊而意显／因命而动，生思虑……别同异，谓之意／爱憎不栖于情，忧喜不留于意，泊然无惑／兵者凶器，必有凶扰，扰则思乱，乱出不意／诗者，不可以言语求而得，必将深观其意焉／若是若非，执而圆机；独成而意，与道徘徊／落梅芳树，共体千篇；陇水巫山，殊名一意／知熟必避，知生必避；入人意中，出人头地／状难写之景如在目前；含不尽之意见于言外／性有精粗，命有长短，情有美恶，意有大小／好读书，不求甚解；每有会意，便欣然忘食／昔君视我，如掌中珠；何意一朝，弃我沟渠／敌欲固守，攻其无备；敌欲兴陈，出其不意／有顺君意而害天下者，有逆君意而利天下者／风烟俱静，天山共色，从流飘荡，任意东西／烟云泉台，花鸟苔林，金铺锦帐，寓意则灵／世之难得者，非财也，非荣也，患意之不足耳／任人而不任法，则人各有意，无以定一成之论／名言所绝理即具于名中，意量所函变可通意外／听之善，亦必得于心而会于意，不可得而言也／恰同学少年，风华正茂；书生意气，挥斥方遒／以意为主，则其旨必见；以文传意，则其词不流／穷困不能辱身，非人也；富贵不能快意，非贤也／老年人受病在作意步趋，少年人受病在假意超脱／治天下者，当以天下之心为心，不得自专快意而已／不知言之人，乌可与言？知言之人，默焉而其意已传／有席卷天下，包举宇内，囊括四海之意，并吞八荒之心／上古明王举乐者，非以娱心自乐，快意恣欲，将欲为治也／人品须从小作起，权宜苟且诡随之意多，则一生人品坏矣／处患难，知其无可奈何，遂放意而不反，是岂安于义命者／慈仁者，百姓亲附，并心一意，故以战则胜敌，以守卫则坚固

慈

cí 长辈对晚辈怜爱；和善；可亲；指对父母孝敬奉养；慈母的省称；姓。

❶慈父之爱子，非为报也

见汉·刘安《淮南子·缪称》。

慈母有败子，小不忍也

见汉·桓宽《盐铁论·周秦》。

慈,故能勇;俭,故能广

见《老子》六十七。

慈母手中线,游子身上衣

见唐·孟郊《游子吟》。

慈石能引铁,及其于铜则不行

见汉·刘安《淮南子·说山》。

慈仁者,百姓亲附,并心一意,故以战则胜敌,以守卫则坚固

见《老子》六十七河上公注。

❸父不慈则子不孝/虽有慈父,不爱无益之子

❺谗言三至,慈母不亲

❻三夫成市虎,慈母投杼趋/三人疑之,则慈母不能信/君人者,宽惠慈众,不身传诛

❼六亲不和,有孝慈/严家无悍虏,而慈母有败子/父母威严而有慈,则子女畏慎而生孝矣/卵之化为雏,非慈雌呕暖覆伏,累日积久,则不能为雏

❽弟者,所以事长也;慈者,所以使众也/为人母者不患不慈,患于知爱而不知教也

❾非宽大无以兼覆,非慈厚无以怀众

❿任贤使能以清官曹,养老慈幼以厚风俗/明君不能畜无用之臣,慈父不能爱无用之子/见可怜则流涕,将分与则吝啬,是慈而不仁者

慝 ①tè 邪恶;阴气;灾害。②nì 通“匿”。

❿攻其恶,无攻人之恶,非修慝欤

愿 yuàn 谨慎老实;乐意;希望;倾慕;思念;希望能达到。

❶愿言思伯,甘心首疾

见《诗·伯兮》。

愿随孤月影,流照伏波营

见唐·沈如筠《闺怨二首》之一。全句为:“雁尽书难寄,愁多梦不成。~”。

愿君多采撷,此物最相思

见唐·王维《相思》。全句为:“红豆生南国,春来发几枝?~”。

愿普天下有情的都成了眷属

见元·王实甫《西厢记》第五本第四折。

愿兄为水妹为土,和来捏做一个人

见清·佚名《粤风·粤歌·离一身》。

愿赐尚方斩马剑,断佞臣一人,以厉其余

见汉·班固《汉书·朱云传》。

❷我愿平东海,身沉心不改/但愿天下人,家家足稻粱/但愿人长久,千里共婵娟/各愿贻子孙,永为后世资/我愿天公怜赤子,莫生尤物为疮痏/但愿苍生俱饱暖,不辞辛苦出山林/但愿亲友长含笑,相逢莫乏杖头钱/各愿种成千百索,豆萁禾穗满青山/惟愿孩儿愚且鲁,无灾无难到公卿/但愿官民通有无,莫令租吏打门叫呼疾/我愿君王心,化作光明烛,不照绮罗筵,只照逃亡屋

❸寒者愿为蛾,烧死彼华膏/在天愿作比翼鸟,在地愿为连理枝

❹人有善愿,天必从之/饥者不愿千金而美一餐/孤居而愿智,不如务学之必达也/伏波惟愿裹尸还,定远何须生入关/报国志愿不敢忘,此身未暇归江乡

❺富贵非吾愿,帝乡不可期/奋其智能,愿为辅弼,使寰区大定,海县清一

❻先人后己,所愿必得/矜功不立,虚愿不至/丝萝非独生,愿托乔木/常思稻粱遇,愿栖梧桐树/惟歌生民病,愿得天子知/施诸己而不愿,亦勿施于人

❼观江水之寂寥,愿从流而东返/安不忘危臣所愿,常思危困必无危/不学而求知,犹愿鱼而无网焉,心虽勤而无获矣

❽造夕思鸡鸣,及晨愿乌迁/衣沾不足惜,但使愿无违/好成者败之本也,愿广者狭之道也/好成者,败之本也;愿广者,狭之道也

❾坠井者求出,执热者愿濯/不敢望到酒泉郡,但愿生入玉门关/生不用封万户侯,但愿一识韩荆州/宁作野中之双凫,不愿云间之别鹤/居常土思兮心内伤,愿为黄鹄兮归故乡

❿气从以顺,各从其欲,皆得所愿/在天愿作比翼鸟,在地愿为连理枝/因其所喜而为善,虽有愿忠而孰能/陵虚之鸟,爱其清高,不愿江汉之鱼/诚欲往来言所闻,则仆固愿悉陈中所得者/天地之间,万国并兴,小大愚智,皆愿为君/安土重迁,黎民之性;骨肉相附,人情所愿/忠恕违道不远。施诸己而不愿,亦勿施于人/入夜思归切,笛声清更哀,愁人不愿听,自到枕前来

愬 ①sù 同“诉”,诉说;向。②shuò 恐惧。

❹薄言往愬,逢彼之怒

慧 huì 聪明;狡黠。

❶慧出本性,非适今有

见唐·司马承祯《坐忘论·泰定》。全句为:“心为道之器,宇虚静至极则道居而慧生。~”。

慧者心辩而不繁说,多力而不伐功

见《墨子·修身》。

❷以慧治国者,始于治,常卒于乱/小慧者不可以御大,小辩者不可以说众

❸以智慧刀,断烦恼锁

❹察察小慧,类无大能/虽有智慧,不如乘势;虽有镃基,不如待时

❻心者……静则生慧,动则成昏/小快害义,小慧害道,小辨害治,苟心伤德

❾骄溢之君无忠臣，口慧之人无必信

❿经济文章磨白昼，幽光狂慧复中宵／富贵足以愚人，而贫贱足以立志而浚慧／心为道之器，宇虚静至极则道居而慧生／博之不必知，辩之不必慧，圣人以断之矣／群居终日，言不及义，好行小慧，难矣哉／称牛之服重，不誉马速，誉手毁足，孰谓之慧／物之美者，盈天地间皆是也。然必待人之神明才慧而见

慰 wèi 使人心安；心里安适。

❶慰情聊胜于无

见晋·陶潜《和刘柴桑》。

戇 gàng 愚而刚直。

❶戇者类勇而非勇

见汉·刘安《淮南子·氾论》。全句为："狠者类知而非知，愚者类仁而非仁，～"。

❷悍戇好斗，似勇而非

肆 ①sì 不顾一切，放纵；商店；直接，显露；陈设；延缓；极，尽；于是；因此；"四"的大写；姓。②tì 解剖牲体。③yì 通"肄"，馀。

❷彼肆其心之所为者，独何人耶

❸平不肆险，安不忘危／侈则肆，肆则百恶俱从

❹屠羊于肆，适味于众口也／百工居肆以成其事，君子学以致其道

❺自赦而后肆／闳其中而肆其外／不为轩冕肆志，不为穷约趋俗／制败则欲肆，虽四表不能充其求矣／其体顺而肆，可以播于乐章歌曲也

❻参之庄、老以肆其端／庄敬日强，安肆日偷／好胜者灭理，肆欲者乱常／刻意则行不肆，牵物则其志流／如人鲍鱼之肆，久而不闻其臭／木在山，马在肆，遇之而不顾者

❼吏无避忌，白昼肆行／奸回不诘，为恶肆其凶

❽弘大而辟，深闳而肆／一钱亦分明，谁能肆谗毁

❾理生于危心，乱生于肆志

❿好书而不要诸仲尼书肆也／自赦而天下不赦也，则其肆必收／惩之甚者改必速，畜之久者发必肆／与恶人居，如入鲍鱼之肆，久而自臭也／临清风，对朗月，登山泛水，肆意酣歌／置猿槛中，则与豚同……无所肆其能也／或依势以干非其类，出技以怒强，窃时以肆暴／与恶人居，如入鲍鱼之肆，久而不闻其臭，亦与之化矣

肇 zhào 创建；初始；敏捷；矫正。

❶肇允彼桃虫，拚飞维鸟

见《诗·周颂·小毖》。"肇"，开始；"允"，语词；"桃虫"，一种小鸟；"拚飞"，翻飞。

❹鉴物于肇不于成，赏士于穷不于达

毋 ①wú 副词，表示禁止或劝阻；无；姓。②móu[毋追]古代的一种黑布冠。

❶毋与民争利

见汉·班固《汉书·食货志》。

毋剿说，毋雷同

见《礼记·曲礼上》。

毋覆巢，杀胎夭

见汉·刘安《淮南子·时则训》。

毋以人誉而遂无过

见明·吕坤《呻吟语》。

毋为权首，反受其咎

见汉·司马迁《史记·吴王濞列传》。

毋为戎首，不亦善乎

见《礼记·檀弓下》。

毋以贫故，事人不谨

见汉·班固《汉书·陈平传》。

毋听谗，听谗则失士

见《管子·宙合》。

毋恃久安，毋惮初难

见明·洪应明《菜根谭·前集二百二》。

毋以己之长而形人之短

见明·洪应明《菜根谭·前集百二十》。全句为："～，毋因己之拙而忌人之能"。

毋卜其居，而卜其邻居

见《晏子春秋·内篇杂下》。

毋因己之拙而忌人之能

见明·洪应明《菜根谭·前集百二十》。全句为："毋以己之长而形人之短，～"。

毋为财货迷，毋为妻子蛊

见明·吴麟征《家诫要言》。

毋贻盲者镜，毋予躄者履

见汉·刘安《淮南子·说林》。"贻"，赠送；"躄"，瘸腿；"履"，鞋。

毋意，毋必，毋固，毋我

见《论语·子罕》。

毋以日月为功，实试贤能为上

见汉·董仲舒《天人三策》。全句为："～，量材而授官，录德而定位"。

毋私小惠而伤大体，毋借公论以快私情

见明·洪应明《菜根谭·前集百三十》。

毋先物动，以观其则；动则失位，静乃自得

见《管子·心术上》。

毋逝我梁，毋发我笱；我躬不阅，遑恤我后

见《诗·邶风·谷风》。"逝"，往；"梁"，捕鱼的石堰；"发"，开；"笱"，捕鱼的竹器；"遑"，闲暇；"恤"，顾虑。意为：不要到我的鱼梁哪里去，不要开启我的鱼笱。我身尚且已不为人所容，哪里还有闲暇为身后之事忧虑呢？

❸极身毋二，尽公不还私／临财毋苟得，临难毋苟免／毋意，毋必，毋固，毋我／食肉毋食马肝，

未为不知味／宠利毋居人前，德业毋落人后
❹毋剿说，毋雷同／子绝四：毋意，毋必，毋固，毋我
❺但攻吾过，毋议人非／诚其意者，毋自欺也／宁我负人，毋人负我／毋恃久安，毋惮初难／毋意，毋必，毋固，毋我／攻人之恶毋太严，要思其堪受／毋逝我梁，毋发我笱；我躬不阅，遑恤我后
❻欺人如欺天毋自欺也／嫁女择佳婿，毋索重聘／无以物乱官，毋以官乱心／毋为财货迷，毋为妻子蛊／毋贻盲者镜，毋予躄者履／身不善之患，毋患人莫已知／子绝四：毋意，毋必，毋固，毋我／不法法，则事毋常；法不法，则令不行
❼毋意，毋必，毋固，毋我／宁过于君子，而毋失于小人／须用防微杜渐，毋为因小失大／宜未雨而绸缪，毋临渴而掘井
❽临财毋苟得，临难毋苟免／子绝四：毋意，毋必，毋固，毋我
❾宠利毋居人前，德业毋落人后／洁其宫，开其门，去私毋言，神明若存／毋私小惠而伤大体，毋借公论以快私情
❿以时起居，恶者辄斥去，毋令败群／子绝四：毋意，毋必，毋固，毋我／忠告而善道之，不可则止，毋自辱焉／三人成虎，十夫揉椎；众口所移，毋翼而飞／土反其宅，水归其壑；昆虫毋作，草木归其泽

母 mǔ 妈妈；对家族中长辈女性的称呼；可以生产其他事物的，作为其他事物基础的；根源；雌性的（禽兽）。
❷其母好者其子抱／父母者，人之本也／父母之心，人皆有之／父母有疾，琴瑟不御／老母终堂，生妻去帷／行母而索敬，君弗得臣／慈母有败子，小不忍也／嫫母有所美，西施有所丑／父母有常失，人君有常过／慈母手中线，游子身上衣／父母之爱子，则为之计深远／父母在，不远游，游必有方／嫫母倭傀，善誉者不能掩其丑／父母存，不许友以死，不有私财／嫫母饰姿而夸矜，西子彷徨而无家／父母威严而有慈，则子女畏慎而生孝矣／父母之年，不可不知也，一则以喜，一则以惧
❸子以母贵，母以子贵／为人母者不患不慈，患于知爱而不知教也／厥父母勤劳稼穑，厥子乃不知稼穑之艰难
❹哀哀父母，生我劬劳／有国之母，可以长久／感子漂母惠，愧我非韩才／子为王，母为虏，终日舂薄暮，常与死为伍
❺子以母贵，母以子贵／寄食于漂母，无资身之策／生我者父母，知我者鲍子也／贫穷则父母不子，富贵则亲戚畏惧
❻无父何怙，无母何恃／谗言三至，慈母不亲／天子作民父母，以为天下王／为人子者，父母存，冠衣不纯素／遂令天下父母心，不重生男重生女
❼三夫成市虎，慈母投杼趋／三人疑之，则慈母不能信
❽一日叫娘，终身是母／孤犊触乳，骄子骂母／杜口结舌，言为祸母／严家无悍虏，而慈母有败子／既不能推心以奉母，亦安能死节以事人／天地者万物之父母也，合则成体，散则成始／以天为父，以地为母，阴阳为纲，四时为纪／身体发肤，受之父母，不敢毁伤，孝之始也
❾李子之相似者，唯其母知之而已／善为国者，爱民如父母之爱子，兄之爱弟
❿疾痛惨怛，未尝不呼父母也／君子虽在他乡，不忘父母之国／良师不能饰戚施，香泽不能化嫫母／嘶酸雏雁失群夜，断绝胡儿恋母声／仁人在上，百姓贵之如帝，亲之如父母／“无”名，天地之始；“有”名，万物之母／凡勤学，须是出于本心，不待父母先生督责／因急而呼天，疾痛而呼父母者，人之至情也

毒 ①dú 病毒；含有毒物质的；对思想意识有害的东西；凶狠；痛恨；役使；化育，养成；用毒物杀死；毒品。②dài［毒冒］同“玳瑁”，一种大海龟。
❷荼毒生灵，万里朱殷
❹宴安鸩毒，不可怀也／赋敛之毒，有甚是蛇者／野葛虽毒，不食则不能伤生
❺鱼鳖得免毒螫之渊，鸟兽得离罗网之纲
❼恨小非君子，无毒不丈夫／茂树恶木，嘉葩毒卉，乱杂而争植／小人深情厚貌，毒人不可防范，殆其甚于豺狼也
❽喜则爱心生，怒则毒螫加／忠言逆耳利于行，毒药苦口利于病／天雄乌喙，药之凶毒也，良医以活人
❾食钩吻以疗饥，饮鸩毒以救渴／天下之物莫凶于鸡毒，然而良医橐而藏之，有所用
❿一目之人可使视准，五毒之石可使溃疡／蝮蝎终日而不螫，则噬啮草木以致其毒／勿轻小事，小隙沈舟；勿轻小物，小虫毒身／当厄之施，甘于时雨；伤心之语，毒于阴冰／爱子不教，犹饥而食之以毒，适所以害之也／以言伤人者，利如刀斧。以术害人者，毒如虎狼／疗饥于附子，止渴于鸩毒，未入肠胃，已绝咽喉／君子所甚惧者，以申、韩之酷政，文饰儒术，而重毒天下也

示 shì 表示；把事情告诉人或摆出来让人知道；对人来信的敬称。
❶示之以形，禁之以势，使之望而不敢犯，犯而无所得

见宋·苏辙《殿试武举策问一首》。
❸以明示下者暗

❹良工不示人以朴／法令者示人以信，若成而数变，则人之心不安
❺人之好我，示我周行
❻丧不过三年，示民有终也／清高之行，显示衰乱之世／人主以好暴示能，以好唱自奋／无目者不可示以五色，无耳者不可告以五音
❼宝器玩物，不可示于权豪／叛而不讨，何以示威；服而不柔，何以示怀
❽国之利器，不可以示人／以百金与抟黍以示儿子，儿子必取抟黍
❾赏所以存劝，罚所以示惩／土事不文，木事不镂，示民知节也
❿怀瑾握瑜兮，穷不知所示／闻善以相告也，见善以相示也／鱼不可脱于渊；国之利器不可以示人／叛而不讨，何以示威；服而不柔，何以示怀／以和氏之璧与百金以示鄙人，鄙人必取百金／大丈夫举事，当赤心相示，浮言夸辞，吾甚厌之／以和氏之璧与道德之至言以示贤者，贤者必取至言

祟 suì 古时称鬼怪祸害人。
❿汰流、淫佚、侈靡之俗日以长，是天下之大祟也

祭 ①jì 祭奠。②zhài 古国名；姓。
❶祭如在，祭神如神在
见《论语·八佾》。
祭而丰，不如养之薄也
见宋·欧阳修《泷冈阡表》。
❹祭如在，祭神如神在
❾王师北定中原日，家祭无忘告乃翁
❿亟则黩，黩则不敬；君子之祭也，敬而不黩

禁 ①jīn 承受；忍耐。②jìn 避忌；制止；拘押。
❶禁而不止，则刑罚侮
见《管子·法法》。
禁攻寝兵，救世之战
见《庄子·天下》。
禁微则易，救末者难
见宋·王安石《风俗》。
禁奸之法，太上禁其心
见《韩非子·说疑》。全句为："～，其次禁其言，其次禁其事"。
禁胜于身，则令行于民
见《管子·法法》。
禁人之所必犯，虽罚且违
见唐·张说《词标文苑科策第一道》。全句为："强人之所不能，虽令不劝；～"。
禁邪于冥冥，绝恶于未萌
见汉·班固《汉书·王吉传》。
禁必以武而成，赏必以文而成
见《尉缭子·治本》。
禁之以制，而身不先行，民不能止
见《晏子春秋·内篇·杂下》。
❷善禁者，先禁其身而后人／礼禁未然之前，法施已然之后／不禁其性，则物自济，何为之恃／以禁攻寝兵为外，以情欲寡浅为内／法禁者俗之堤防，刑罚者人之衔辔
❸不善禁者，先禁人而后身／京城禁珠翠，天下尽琉璃／其次禁其言，其次禁其事／厉法禁，自大臣始，则小臣不犯矣
❹令则行，禁则止／取之无禁，用之不竭／治民者，禁奸于未萌／穿窬下禁，则致强盗／发然后禁，则扞格而不胜／立法设禁而无刑以待之，则令而不行／微邪不禁，而求大邪之无伤国，不可得也
❺兵者所以禁暴讨乱也／令之不行，禁之不止／慎防其端，禁于未然／善禁者，先禁其身而后人／理财正辞，禁民为非，曰义／令不行而禁不止，则无以为治／入竟而问禁，入国而问俗，入门而问讳／法者，所以禁民为非而使其迁善远罪也／示之以形，禁之以势，使之望而不敢犯，犯而无所得
❻赏罚不信，则禁令不行／不善禁者，先禁人而后身／令苛则不听，禁多则不行／令烦则奸生，禁多则下诈／彼兵者，所以禁暴除害也，非争夺也
❼禁奸之法，太上禁其心／有以噎死者，欲禁天下之食，悖
❽其次禁其言，其次禁其事／有以乘舟死者，欲禁天下之船，悖／斩伐林木，亡有时禁，水旱之灾，未必不由此也／不本其所以欲，而禁其所欲……是犹决江河之源而障之以手也
❾立武以威众，诛恶以禁邪／事有不当民务者，皆禁而不行／赏不足劝善，刑不足禁非，而政不成
❿罪漏则民放佚而轻犯禁／儒以文乱法，侠以武犯禁／欲生于无度，邪生于无禁／祸生于欲得，福生于自禁／乏则思滥，滥则迫利而轻禁／法令所以导民，刑罚所以禁奸／世乱则君子为奸，而法弗能禁也／刑罚不足以移风，杀戮不足以禁奸／明法制，去私恩，令必行，禁必止／有所取必有所舍，有所禁必有所宽／一天下者，令于天下则行，禁焉则止／夜行者能无为奸，不能禁狗使无吠己／枯朽之骨，凶秽之余，岂宜令入宫禁／轻士民之死力者，不能禁暴国之邪逆／积羽沉舟，群轻折轴，故君子禁于微／情之所恶，不以强人；情之所欲，不以禁民／节民以礼，故其刑罚甚轻而禁不犯者，教化行而习俗美也

石 ①dàn 市制容量单位；官俸的计量单位。②shí 石头；指石刻；指某些能做药材的矿石；八音之一；通“硕”；姓；坚。

❶石生而坚，兰生而芳

见汉·刘安《淮南子·说林》。

石卵不敌，蛇龙不斗

见明·冯梦龙《警世通言·李谪仙醉草吓蛮书》。

石可破也，而不可夺坚

见《吕氏春秋·季冬纪·诚廉》。全句为：“～；丹可磨也，而不可夺赤”。

石阙生口中，衔碑不得语

见南朝·宋·清商曲辞《读曲歌八十九首》之二十九。

石上不生五谷，秃山不游麋鹿

见汉·刘安《淮南子·道应》。

石韫玉而山辉，水怀珠而川媚

见晋·陆机《文赋》。

石泉潜流，不以涧幽而撤其清

见北齐·刘昼《刘子·慎独》。全句为：“荃荪孤植，不以岩隐而歇其芳；～”。

石火光中争长竞短，几何光明

见明·洪应明《菜根谭》。全句为：“～？蜗牛角上较雌论雄，许大世界”。

石生而坚，兰生而芳，少自其质，长而愈明

见汉·刘安《淮南子·说林》。

石以砥焉，化钝为利；法以砥焉，化愚为智

见唐·刘禹《砥石赋》。

石列笋虡，藤蟠蛟螭；修竹万竿，夏含凉飔

见唐·刘禹锡《洗心亭记》。全句为：“鸟思猿情，绕梁历榱；月来松间，雕镂轩墀；～”。

石称丈量，径而寡失，铢铢而称，至石必谬

见宋·陆九渊《与詹子南》。全句为：“～，寸寸而度，至丈必差”。

❷凿石索玉，剖蚌求珠／药石去矣，吾亡无日／白石似玉，奸佞似贤／金石有声，不考不鸣／万石之钟不以莛撞起音／隐石那知玉，披沙始遇金／慈石能引铁，及其于铜则不行／乱石穿空，惊涛拍岸，卷起千堆雪／猛石可裂不可卷，义士可杀不可羞／大石侧立千尺，如猛兽奇鬼，森然欲搏人／磐石千里，不可谓富；象人百万，不可谓强／盘石千里，不为有地；愚民百万，不为有民／白石如玉，愚者宝之；鱼目似珠，愚者取之／金石有声，弗叩弗鸣；管箫有音，弗吹无声／有石城十仞，汤池百步，带甲百万，而亡粟，弗能守

❸水清石自见／蒙矢石，赴汤火，视死如归／藏珉石于金匮兮，捐赤瑾于中庭／镌金石者难为功，摧枯朽者易为力／端州石工巧如神，踏天磨刀割紫云

❹以卵投石，以指挠沸／攻玉以石，治金以盐／若卵投石，岂可得全／它山之石，可以攻玉／它山之石，可以为错／心如铁石，气若风云／怒猊抉石，渴骥奔泉／及至匠石过之而不睨……／口衔山石细，心望海波平／恶于针石者，不可与言至巧／以玉为石者，亦将以石为玉矣／鼎铛玉石，金块珠砾，弃掷逦迤／耳调玉石之声，目不见太山之高／剖开顽石方知玉，淘尽泥沙始见金／水平布石上，流若织文，响若操琴／心非木石岂无感，吞声踯躅不敢言／我心匪石，不可转也；我心匪席，不可卷也／飞沙溅石，湍流百势；翠崄丹崖，冈峦万色／清流触石，洄旋激注，佳木异竹，垂阴相荫／道犹金石，一调不更；事犹琴瑟，每弦改调／泉水激石，泠泠作响；好鸟相鸣，嘤嘤成韵

❺掷地作金石声／至诚则金石为开／心欲专，凿石穿／诚心，而金石为之开／山不让土石以成其高／君当作磐石，妾当作蒲苇／山不辞土石，故能成其高／铿锵发金石，幽眇感鬼神／天下之金石不足颂阁下之形容／良冶之砥石，不能发无刃之金／其侧皆诡石怪木，奇卉美箭……／采玉者破石拔玉，选士者弃恶取善／翳嘉林，坐石矶，投竿而渔，陶然以乐／山霤至柔，石为之穿；蝎虫至弱，木为之弊

❻美疢不如恶石／掷地，当作金石声／众口铄金，浮石沉木／班翟不能削石作芒针／水浮万物，玉石留止／火炎昆冈，玉石俱焚／精诚所加，金石为开／精诚所加，金石为亏／奔马之轮，拳石碍之而格／断断乎如药石必可以伐病／泰山之霤穿石，单极之断干／烈火埋冈，玉石抱俱焚之惨／烹饪起于热石，玉辂基于椎轮／拯溺锤之以石，救火投之以薪／进苦口之药石，针害身之膏肓／锐锋产乎钝石，明火炽乎暗木／倚老松，坐怪石，殷殷潮声，起于月外／山树为盖，岩石为屏，云从栋生，水与阶平

❼丹书铁契，金匮石室／众口之毁誉，浮石沉木／意之所向，虽金石莫隔／铢铢而称之，至石必差／贞刚自有质，玉石乃非坚／蒲苇纫如丝，磐石无转移／杂花如锦，傍缘石菌之崖／人之短生，犹如石火，炯然以过／大山之高，非一石也，累卑然后高／太山之高，非一石也，累卑然后高／懊恨人心不如石，少时东去复西来／龙钟还忝二千石，愧尔东西南北人／臣心一片磁针石，不指南方不肯休／绳锯木断，水滴石穿，学道者须加力索／安卧扬帆，不见石滩；靠天多幸，白日入阱／见玉而指之曰石，非玉之不真也，待和氏而识焉

❽不琢不错，不离砾石／志比精金，心如坚石／小水长流，则能穿石／昆山之下，以玉为石／精诚介然，将贯金石／翠羽之木，龙鳞之石／美箭

缺羽，尚无冲石之势／赠人以言，重于金石珠玉／望夫处……行人归来石应语／斩茅而嘉树列，发石而清泉激／虎魄不取腐芥，磁石不受曲针／耳乐和声，为制金石丝竹以道之／一线之溜，可以达石者，一与不一故也／风霜高洁，水落而石出者，山间之四时也／和氏之璧，出于璞石；隋氏之珠，产于蜃蛤／水抵两岸，悉皆怪石，攲嵌盘屈，不可名状

❾玉不琢，则南山之圆石／但使忠贞在，甘从玉石焚／人生忽如寄，寿无金石固／以玉为石者，亦将以石为玉矣／风下松而含曲，泉潆石而生文／荸历似菜而味殊，玉石相似而异类／山中人兮芳杜若，饮石泉兮荫松柏／反己者触事皆成药石，尤人者动念即是戈矛

❿金玉之光不得不炫于瓦石／怨于心者，哀声可以应木石／箴者，所以攻疾防患，喻针石也／我心坚，你心坚，各自心坚石也穿／阴风搜林山鬼啸，千丈寒藤绕崩石／大马死，小马饿；高山崩，石自破／旃如云兮帜如星，山可动兮石可铭／紫芝生于山，而不能生于盘石之上／有伯乐而后识马，有匠石而后识梧槚／一目之人可使视准，五毒之石可使溃疡／"利"之一字，是学问人品一片试金石／不治其本，而务其末，譬犹拯溺锤之以石／落陷阱，不一引手救，反挤之，又下石焉／唯泰山不为飘风所动，磐石不为疾流所回／往事越千年，魏武挥鞭，东临碣石有遗篇／丹可灭而不能使无赤，石可毁而不能使无坚／云生日入，怪状迭发，水石卉木，杳非人寰／寸而度之，至丈必差；铢而称之，至石必过／引物连类，穷情尽变；宫商相宣，金石谐和／轻羽在高，遇风则飞；细石在谷，逢流则转／水皆缥碧，千丈见底；游鱼细石，直视无碍／石称丈量，径而寡失，铢铢而称，至石必谬／锲而舍之，朽木不折；锲而不舍，金石可镂／居逆境中，周身皆针砭药石，砥节砺行而不觉／必且历日旷久，丝牦犹能挈石，驽马亦能致远／有能推至诚之心而加以不息之久，则天地可动，金石可移／目察秋毫之末，耳不闻雷霆之声；耳调玉石之声，目不见泰山之高

矶

jī 水边突出的岩石或石滩；水冲激岩石。

❻翳嘉林，坐石矶，投竿而渔，陶然以乐

矻

kū，又读 wù，[矻矻]辛劳不懈貌。

❸孜孜矻矻，死而后已

砀

dàng 有花纹的石头；被冲荡而出；振荡；广大；用于古邑名、县名。

❺吞舟之鱼，砀而失水，则蚁能苦之

研

①yán 细磨；仔细而深入地探索。②yàn 通"砚"。

❽人天下之声色而研其理者，人之道也

❿打扫光明一片地，襄贮古今，研究经史

砖

zhuān 一种建筑材料；像砖的东西。

❿和氏之璧，价重千金，然以之间纺，曾不如瓦砖

砂

shā 同"沙"；泛指细碎如砂的物质。

❾担水塞井徒用力，炊砂作饭岂堪吃

砚

yàn 研墨用具；[同砚]同学。

❶砚以世计，墨以时计，笔以日计

见清·张英《聪训斋语》卷一。

砚中斑驳遗民泪，井底千年恨未销

见清·黄宗羲《周公谨砚》。

❻明窗净几笔砚纸墨皆极精良，亦自是人生一乐事

斫

zhuó 用刀斧砍；削；偷袭。

❶斫冰为璧，见日而销

见南朝·梁·萧绎《金楼子·立言下》。

斫轮徐则甘而不固，疾则苦而不入

见《庄子·天道》。

❹大匠不斫，大庖不豆／代大匠斫，希有不伤其手矣

❻绳直而枉木斫，准夷而高科削／宜力学为砻斫，亲贤为青黄，睦僚友为瑶金

❽茅茨不翦，采椽不斫

❿作俑之工，非曰可珍；时有所用，贵于斫轮

砭

biān 砭石；古代用石针、石片刺扎皮肉治病；喻抨击、指正社会弊病；救治。

❾居逆境中，周身皆针砭药石，砥节砺行而不觉

砢

①luǒ 磊砢，众多貌；壮大貌；才能卓越。②kē[砢碜]肮脏丑恶，使人感到难受；寒碜。

❾森森如千丈松，虽磊砢有节目

砺

lì 粗的磨刀石；磨。

❷磨砺当如百炼之金／将砺如铁，士乃忘躯／砥砺磨坚，莫见其损，有时而薄／磨砺当如百炼之金，急就者，非邃养

❹安有执砺世之具而患乎无贤欤

❺夫学，身之砺砥也／泰山成砥砺，黄河为裳带／今人皆知砺其剑，而弗知砺其身

❻学所以益才，砺所以致刃／若金，用汝作砺；若济巨川，用汝作舟楫

❽木受绳则直，金就砺则利

❾隐括之旁多枉木，砥砺之旁多顽钝

❿今人皆知砺其剑，而弗知砺其身／璧瑗成器，

礛诸之功，镆邪断割，砥砺之力／君子用以力学，借困衡为砥砺，不但顺受而已／居逆境中，周身皆针砭药石，砥节砺行而不觉

砻 lóng 磨；用于去掉稻壳的工具。

❶砻磨乎事业，而奋发乎文章

见唐·韩愈《上兵部李侍郎书》。

❷磨砻底厉，不见其损，有时而尽

❺宜力学为砻斫，亲贤为青黄，睦僚友为瑶金

❿心源为炉，笔端为炭。锻炼元本，雕砻群形

砧 zhēn 捶、切、砸东西时垫在底下的器物。

❺月下谁家砧，一声肠一绝

砥 dǐ，又读 zhǐ，质地细的磨刀石；磨炼；平。

❶砥厉名号者，不以利伤行

见汉·邹阳《狱中上书自明》。全句为："盛饰入朝者，不以私污义，～"。

砥砺磨坚，莫见其损，有时而薄

见汉·刘安《淮南子·修务》。全句为："生木之长，莫见其益，有时而修；～"。

❸石以砥焉，化钝为利；法以砥焉，化愚为智

❹周道如砥，其直如矢／宝剑未砥，犹乏切玉之功／泰山成砥砺，黄河为裳带／良冶之砥石，不能发无刃之金／王道如砥，本乎人情，出乎礼义／剑之锷，砥之而光；人之名，砥之而扬

❻夫学，身之砺砥也／廷尉狱，平如砥；有钱生，无钱死

❽隐括之旁多枉木，砥砺之旁多顽钝

❿弓待檠而后能调，剑待砥而后能利／剑之锷，砥之而光；人之名，砥之而扬／璧瑗成器，礛诸之功，镆邪断割，砥砺之力／石以砥焉，化钝为利；法以砥焉，化愚为智／君子用以力学，借困衡为砥砺，不但顺受而已／居逆境中，周身皆针砭药石，砥节砺行而不觉

砾 lì 碎石。

❻抵金玉于沙砾，碎珪璧于泥途

❼战矣哉？暴骨沙砾／不琢不错，不离砾石／渭以泾浊，玉以砾贞／白粲必去其沙砾而后食可餐

❽鼎铛玉石，金块珠砾，弃掷逦迤

❾能改，则瑕可为瑜，瓦砾可为珠玉

❿垂棘与瓦同椟，明月与砾同囊

破 pò 因受损而不完整；使损坏；使分裂；超出，不遵守；攻克；钱财受损失；使真相被揭露。

❶破山之雷，不发聋夫之耳

见南朝·宋·萧子显《南齐书·刘祥传》。全句为："～；朗夜之辉，不开矇叟之目"。

破天下之浮议，使良法不废于中道

见宋·苏辙《上皇帝书》。

破额山前碧玉流，骚人遥驻木兰舟

见唐·柳宗元《酬曹侍御过象县见寄》。

❷云破春山明／国破山河在，城春草木深／踏破铁鞋无觅处，得来全不费功夫／贵破的，又畏黏皮骨，此所以为难也／云破月出，光气含吐，互相明灭，晶莹玲珑

❸美女破舌／敌国破，谋臣亡／石可破也，而不可夺坚／读书破万卷，下笔如有神／险语破鬼胆，高词媲皇坟／坏崖破岩之水，原自涓涓／坏崖破岩之水，源自涓涓／长风破浪会有时，直挂云帆济沧海／譬如破竹，数节之后，皆迎刃而解／六国破灭，非兵不利，战不善，弊在赂秦／山，刺破青天锷未残。天欲堕，赖以拄其间／覆巢破卵，则凤凰不翔；刳牲夭胎，则麒麟不臻

❹乘长风破万里浪／不修，虽破万卷不失为小人／采玉者破石拔玉，选士者弃恶取善

❺易于泰山破鸡子，轻于四马载鸿毛

❻拾得断麻穿破衲，不知身在寂寥中／水不激不能破舟，矢不激不能饮羽／宁令吾庐独破受冻死，不忍四海赤子寒飕飕

❼长舌乱家，大斧破车／论如析薪，贵能破理／将失一令，而军破身死／吟成五字句，用破一生心／御寇易，御物难；破阵易，破诱难／起来自擘纱窗破，恰漏清光到枕前

❽安有巢毁而卵不破乎／搏牛之虻不可以破虮虱／不为捣衣勤不睡，破除今夜夜如年／觉人之诈而不说破，待其自愧可也／今兵威已振，譬如破竹，数节之后，皆迎刃而解

❾强者折，锐者挫，坚者破／别来十年学不厌，读破万卷诗愈美／有时赤脚弄明月，踏破五湖波底天／野禽殚，走犬烹；敌国破，谋臣亡

❿人众者胜天，天定亦能破人／大马死，小马饿；高山崩，石自破／太山在前而不见，疾雷破柱而不惊／咬定青山不放松，立根原在破岩中／御寇易，御物难；破阵易，破诱难／泰山在前而不见，疾雷破柱而不惊／以治身则危，以治国则乱，以入军则破／疾如流矢，击如发机者，所以破精微也／战未尝不胜，攻未尝不取，所当未尝不破／赴之若惊，用之若狂；当之者破，近之者亡／譬如一灯，入于暗室，百千年暗，悉能破尽／狡兔死，良狗烹；高鸟尽，良弓藏；敌国破，谋臣亡

硁 kēng［硁硁］敲打石头的声音；形容浅薄固执。

❺专习一家，硁硁小哉！宜善相之，多师为佳

硕 ①shuò 大。②shí 通"石"，谓坚固。

❶硕鼠硕鼠，无食我黍！三岁贯女，莫我肯顾

见《诗·魏风·硕鼠》。
❷求硕画于庶位,虑遗材于放臣
❸硕鼠硕鼠,无食我黍!三岁贯女,莫我肯顾/蛇蛇硕言,出自口矣;巧言如簧,颜之厚矣
❺尤虚之人硕言瑰姿,内实乖反
❿人莫知其子之恶,莫知其苗之硕

硝

xiāo 某些矿物盐的泛称。
❺酒是烧身硝焰,色为割肉钢刀

确

què 符合事实的;坚定;刚强坚固;通“角”,角逐;瘠薄。
❶确乎不拔,浩然自守
见唐·韩愈《省试颜子不贰过论》。
❾知得是是非非,恁地确定,是智
❿心不清则无以见道,志不确则无以立功

碛

qì 浅水中的沙石;沙漠。
❾穷荒绝漠鸟不飞,万碛千山梦犹懒
❿人生莫作远行客,远行莫戍黄沙碛

碍

ài 阻挡;遮蔽;妨碍。
❼奔马之轮,拳石碍之而格
❽口似悬河,辩才无碍
❿水皆缥碧,千丈见底;游鱼细石,直视无碍

碑

bēi 用于纪念的建筑物;记里程或划界的标志。
❼石阙生口中,衔碑不得语

碎

suì 破碎;使破碎;零星;说话唠叨。
❷玉碎不改白,竹焚不改节
❸粉骨碎身全不怕,要留青白在人间/玉可碎而不可改其白,金可销而不可易其刚
❹宁可玉碎,不能瓦全/积年绮碎,一朝清廓,翰苑豁如/昆山玉碎凤凰叫,芙蓉泣露香兰笑
❻铁可折,玉可碎,海可枯……直节贯殊途
❼抵金玉于沙砾,碎珪璧于泥途/霜晨月,马蹄声碎,喇叭声咽/大丈夫宁当玉碎,安可没没求活/拜迎官长心欲碎,鞭挞黎庶令人悲/匡庐小琐拳可碎,鄱阳触怒踢欲裂/荆山鹊飞而玉碎,随岸蛇生而珠死
❽义贵圆通,辞忌枝碎
❿夏宜急雨,有瀑布声;冬宜密雪,有碎玉声

碰

pèng 两个物体突然接触,撞击;引申指人之间的接触,会面;事先没有约定而遇到;不抱很大希望地试探。
❿小小寰球,有几个苍蝇碰壁

碗

wǎn 用以盛饭菜的器皿。
❺无当之玉碗,不如全用之埏埴

碧

bì 青绿色的玉石;青绿色。
❶碧峰千点数帆轻
见宋·周知微《题龟山回文》。
碧玉妆成一树高,万条垂下绿丝绦
见唐·贺知章《咏柳》。
碧峰巉巉,出于柏梢,有如虎牙,夹天而立
见唐·任华《送李审秀才归湖南序》。
碧云悠悠兮,泾水东流。伤美人兮,雨泣花愁
见唐·李朝威《柳毅传》。全句为:“~。尺书远达兮,以解君忧”。
❸上穷碧落下黄泉,两处茫茫皆不见/春草碧色,春水渌波,送君南浦,伤如之何
❹蜀山金碧地,此地饶英灵/水皆缥碧,千丈见底;游鱼细石,直视无碍
❺破额山前碧玉流,骚人遥驻木兰舟/秋天晚晴,碧色如归,横度一鸟,时时行云
❻上下天光,一碧万顷/可知他朱甍碧瓦,总是血膏涂
❼以白云为藩篱,碧山为屏风,昭其俭也
❾披襟朗咏,饯斜光于碧岫之前
❿节物风光不相待,桑田碧海须臾改/洲汀岛屿,向背离合;青树碧蔓,交罗蒙络/春和景明,波澜不惊;上下天光,一碧万顷/看万山红遍,层林尽染;漫江碧透,百舸争流

碣

jié 一种石碑。
❿往事越千年,魏武挥鞭,东临碣石有遗篇

磋

cuō 把象牙等磨制成器物;商量讨论。
❹如切如磋,如琢如磨

磁

cí 物质能吸引铁、镍等金属的性能;同“瓷”。
❺臣心一片磁针石,不指南方不肯休
❼虎魄不取腐芥,磁石不受曲针

磊

lěi 石头累积的样子;大。
❶磊落豪雄是第二等资质
见明·吕坤《呻吟语》。全句为:“深沉厚道是第一等资质,~,聪明才辨是第三等资质”。
❸轩昂磊落,突兀峥嵘/君看磊落士,不肯易其身
❼大丈夫行事当磊磊落落,如日月皎然
❽森森如千丈松,虽磊砢有节目/大丈夫行事当磊磊落落,如日月皎然

磐

pán 巨大的石头。
❶磐石千里,不可谓富;象人百万,不可谓强
见《韩非子·显学》。
❹君当作磐石,妾当作蒲苇

❻蒲苇纫如丝，磐石无转移

❿灵台无计逃神矢，风雨如磐暗故园／唯泰山不为飘风所动，磐石不为疾流所回

磎 xī，又读 qī，同“溪”。

❽杂花争发，非止桃磎。群鸟乱飞，有逾鹦谷

磔 zhé 古代祭祀时，分裂牲畜的肢体；古代酷刑；汉字笔划。

❾思致之浅深，不在其磔裂章句，隳废声韵也

磅 ①bàng 用磅秤称量。②páng［磅礴］广；混同；广博。

❽如岭之表、海之浒，磅礴浩汹……

碾 niǎn 把东西轧碎或压平的器具；轧；琢磨玉器。

❸蟾蜍碾玉挂明弓

❺零落成泥碾作尘，只有香如故

磨 ①mó 摩擦，通过摩擦，使物体变得光滑或锋利等；消耗，慢慢消失；纠缠，使痛苦；比喻遇到困难。②mò 磨粉工具；用磨研物；移动。

❶磨砺当如百炼之金

见明·洪应明《菜根谭·前集百九十一》。

磨砻底厉，不见其损，有时而尽

见汉·班固《汉书·枚乘传》。全句为：“～；种树畜养，不见其益，有时而大；积德累行，不知其善，有时而用”。

磨砺当如百炼之金，急就者，非邃养

见明·洪应明《菜根谭》。全句为：“～；施为宜似千钧之弩，转发者，无宏功”。

磨肌戛骨，吐出心肝，企足以待，寘我雠冤

见唐·韩愈《送穷文》。

❷砻磨乎事业，而奋发乎文章／千磨万击还坚劲，任尔东西南北风／消磨了三十多年层层心血，算不得大千世界小小文章

❸丹可磨也，而不可夺赤／砥砺磨坚，莫见其损，有时而薄／丹可磨而不可夺其色，兰可燔而不可灭其馨

❹切磋琢磨，乃成宝器／读书与磨剑，旦夕但忘疲／惟夫消磨靡烂之际，金久炼而愈精

❺经济文章磨白昼，幽光狂慧复中宵／不曰坚乎？磨而不磷；不曰白乎？涅而不缁

❻交友投分，切磨箴规／自古雄才多磨难，纨绔子弟少伟男

❼爬罗剔抉，刮垢磨光／白圭之玷，尚可磨也；斯言之玷，不可为也

❽如切如磋，如琢如磨／野夫怒见不平处，磨损胸中万古刀／盈尺径寸，易取琢磨；南箕北斗，难为簸揓

❾冬沙飞兮淅淅，春草磨兮芊芊／教学之法，本于人性，磨揉迁革，使趋于善

❿纸上语可废坏，心中誓不可磨灭／端州石工巧如神，踏天磨刀割紫云／衣不洗则垢不除，刀不磨则锋不锐／净心守志，可会至道，譬如磨镜，垢去明存

磷 ①lín 化学元素。［磷磷］水中见石貌，形容水清。②lìn 薄，削损；［磷磷］形容玉石的色泽。

❽不曰坚乎？磨而不磷；不曰白乎？涅而不缁

礛 lán［礛诸］治玉的石头。

❺璧瑗成器，礛诸之功，镆邪断割，砥砺之力

礴 bó 拍击；［磅礴］气势盛大；广博；广大无边。

❾如岭之表、海之浒，磅礴浩汹……

龙 ①lóng 古代传说中的神异动物；封建时代皇帝的象征；用于形状像龙或有龙饰图案的；高大的马；星名；通“宠”；姓。②lǒng 通“垄”，垄断。③máng 通“尨”，杂色。

❶龙无尺水，无以升天

见《新论》。全句为：“～；圣人无尺土，无以王天下”。

龙欲腾翥，先阶尺木

见晋·陈寿《三国志·吴书·太史慈传》。

龙弗得云，无以神其灵矣

见唐·韩愈《杂说四首》。全句为：“～；失去所凭依，信不可欤”。

龙吟虎啸一时发，万籁百泉相与秋

见唐·李颀《听安万善吹觱篥歌》。全句为：“枯桑老柏寒飕飗，九雏鸣凤乱啾啾。～”。

龙钟还忝二千石，愧尔东西南北人

见唐·高适《人日寄杜二拾遗》。

龙蛇纸上飞腾，看落笔四筵风雨惊

见宋·刘过《沁园春》。

龙蟠凤逸之士，皆欲收名定价于君侯

见唐·李白《与韩荆州书》。

龙不隐鳞，凤不藏羽，网罗高县，去将安所

见南朝·宋·范晔《后汉书·逸民传》。“县”同“悬”。

龙凤隐耀，应德而臻；明哲潜遁，俟时而动

见晋·陈寿《三国志·魏书·管宁传》。

❷画龙不成反为狗／潜龙以不见成德／蛟龙失水似枯鱼／攀龙附凤，必在初举／蛟龙离水，匹夫可制／蛟龙水居，虎豹山处／神龙失势，即还与蚯蚓同／神龙藏深泉，猛兽步高冈／蛟龙无定窟，黄鹄摩苍天／蛟龙得云雨，终非池中物／螭龙为蝘蜓，鸱枭为凤皇／攀龙鳞，附凤翼，以成其所志／玄龙，迎夏则陵云而奋鳞，乐时也／神龙失水而陆居兮，为蝼蚁之所裁／龟龙闻而深藏、鸾凤见而高逝者，知其害身也

❸云从龙，风从虎／鱼跃龙门，过而为龙／一登

龙门，则声誉十倍／若捕龙蛇，搏虎豹……／虎踞龙盘，三百年之帝国／但使龙城飞将在，不教胡马渡阴山／虎踞龙盘今胜昔，天翻地覆慨而慷

❹云生从龙，风生从虎／体如游龙，袖如素霓／蛇化为龙，不变其文／抱玉乘龙骥，不逢乐与和／言处飞龙前，行在跛鳖后／诗如神龙，见其首不见其尾／下国卧龙空误主，中原逐鹿不因人／高谈则龙腾豹变，下笔则烟飞雾凝／战退玉龙三百万，败鳞残甲满天飞

❺天发杀机，龙蛇起陆／龟灵而刳，龙智而屠／翠羽之木，龙鳞之石／行天莫如龙，行地莫如马／覆巢竭渊，龙凤逝而不至／物华天宝，龙光射牛斗之墟／从来夸有龙泉剑，试割相思得断无／君失臣兮龙为鱼，权归臣兮鼠变虎／旌旗日暖龙蛇动，宫殿风微燕雀高／虎啸风生，龙吟云萃，固非偶然也

❻水致其深，蛟龙生焉／石卵不敌，蛇龙不斗／水渊深广，则龙鱼生之／璧由识者显，龙因庆云翔／虎啸谷风至，龙兴景云起／字势雄逸，如龙跳天门，虎卧凤阙／圣人之道，一龙一蛇，形见神臧……／腾蛇游雾，飞龙乘云，云罢雾霁，与蚯蚓同／人莫欲学御龙，而皆欲学御马；莫欲学治鬼，而皆欲学治人：急所用也

❼深山大泽，实生龙蛇／水积成川，则蛟龙生焉／尺水无长澜，蛟龙岂其容／虎豹爱大林，蛟龙爱大水／蚯蚓霸一穴，神龙行九天／时之来也，为云龙，为风鹏，勃然突然，陈力以出

❽车如流水，马如游龙／飘如游云，矫若惊龙／翩若惊鸿，婉若游龙／鱼跃龙门，过而为龙／命鸾凤兮逐雀，驱龙骥兮捕鼠／穿重云而下射，白龙倒饮于平湖／长桥卧波，未云何龙？复道行空，不霁何虹

❾烟雾可依，腾蛇与蛟龙俱远／果蓏失地则不实，鱼龙失水则不神／尺蠖之屈，以求信也。龙蛇之蛰，以存身也

❿若教临水畔，字字恐成龙／今日长缨在手，何时缚住苍龙／君子得时则大行，不得时则龙蛇／不决浮云斩邪佞，直成龙去欲何为／好去长江千万里，不须辛苦上龙门／时人莫小池中水，浅处无妨有卧龙／策马前途须努力，莫学龙钟虚叹息／荆岫之玉必含纤瑕，骊龙之珠亦有微颣／昼则舟楫出没于其前，夜则鱼龙悲啸于其下／山不在高，有仙则名；水不在深，有龙则灵／字中蝌蚪，竞落文河。笔下蛟龙，争投学海／积土成山，风雨兴焉；积水成渊，蛟龙生焉／凡探明珠，不于合浦之渊，不得骊龙之夜光也／涉浅水者见虾，其颇深者察鱼鳖，其尤甚者观蛟龙／伯浑醉书，纸穷墨燥，如春龙奋蛰，奇鬼搏人，何其壮也

聋

lóng 丧失听觉能力；听觉不灵；引申为不明事理。

❶聋者无以与乎钟鼓之声

见《庄子·逍遥游》。全句为："瞽者无以与乎文章之观，～"。

❷不聋不聪，与神明通

❹借听于聋，求道于盲

❺仁义者，虽聋瞽不失为君子

❻闻善不慕，与聋聩同／知音徒自惜，聋俗本相轻／雷电震地，而聋者不闻其响

❼破山之雷，不发聋夫之耳／听有音之音者聋，听无音之音者聪

❿私视使目盲，私听使耳聋，私虑使心狂／川不可防，言不可弭，下塞上聋，邦其倾矣／五色令人目盲，五音令人耳聋，五味令人口爽／不是师法，而好自用，譬之是犹以盲辨色，以聋辨声也

袭

xí 衣物的全套；重叠；照着已有的方式做；继承；乘对方不备，出其不意地攻击；量词；触及；合，和合。

❶袭爵乘位，尊祖统业者易

见汉·王充《论衡·恢国篇》。全句为："起于微贱，无所因阶者难；～"。

袭古人语言之迹，而冒以为古，是处严冬而袭夏之葛者也

见明·袁宏道《雪涛阁集序》。全句为："古有古之时，今有今之时，～"。

❷不袭堂堂之寇，不击填填之旗

❸邪气袭内，正色乃衰

❹千里而袭人，未有不亡者也

❺前车已覆，袭轨而骛，曾不鉴祸，以知畏惧

❻信而又信，重袭于身，乃通于天／必出于己，不袭蹈前人一言一句

❼不可貌古人而袭之，畏古人而拘束之

❽文章以自得，不蹈袭前人一言为贵

❿哀乐不同而不远，吉凶相反而相袭／冒以为古，是处严冬而袭夏之葛者也／五帝殊时，不相沿乐；三王异世，不相袭礼／袭古人语言之迹，而冒以为古，是处严冬而袭夏之葛者也／平易恬淡，则忧患不能入，邪气不能袭，故其德全而神不亏

业

yè 事业；行业；从事某一工作；财产；佛教指人的行为；副词；不安，畏惧。

❶业无高卑志当坚，男儿有求安得闲

见宋·张耒《示秬秸》诗。

业精于勤荒于嬉，行成于思毁于随

见唐·韩愈《进学解》。

❷功业未及建，夕阳忽西流／创业难，守成难，知难不难／功业逐日以新，名声随风而流／立业建功，事事要从实地着脚／创业自知难两立，辍耕早已定三分／事业文章随身销毁，而精神

万古如新
❸建大业者不拘小节／成大业者不修边幅／兢兢业业，如霆如雷／兢兢业业，一日二日万几／无奇业旁人，而犹以富给，非俭则力也／非成业难，得贤难；非得贤难，用之难
❹德者事业之基／天下之业，非贤不成／兢兢业业，如霆如雷／官无二业，事不并济／家有常业，虽饥不饿／百家殊业，而皆务于治／务功修业，不受赣于君／贤人之业，须贤人达之／兢兢业业，一日二日万几／宁饮建业水，不食武昌鱼／致君事业堆胸臆，却伴溪童学钓鱼／唯劝农业，无夺农时；唯薄赋敛，无尽民财
❺功以才成，业由才广／功崇惟志，业广惟勤／忧勤者，建业之本也／多士成大业，群贤济弘绩／息交游闲业，卧起弄书琴／富贵而有业，则不至于为非／贫贱而有业，则不至于饥寒／砻磨乎事业，而奋发乎文章
❻奋始怠终，修业之贼也／功全则誉显，业谢则衅生／君子进德修业，欲及时也／礼烦则不庄，业烦则无功／平居不堕其业，穷困不易其素／农，天下之大业；铁器、民之大用／利不什，不易业；功不百，不变常
❼代耕本非望，所业在田桑／畜民者，先厚其业而后求其赡／文章，经国之大业，不朽之盛事／利不十者不易业，功不百者不变常／闻道有先后，术业有专攻，如是而已／庶人有旦暮之业则劝，百工有器械之巧则壮／学而不能成其业，用而不能行其学，则非学也
❽事无终始，无务多业／人之有子，须使有业／名存实亡，失其所业／思革其弊，用光志业／威德相济，而后王业成／袭爵乘位，尊祖统业者易／师者，所以传道受业解惑也／昔时地险，实为建业之雄都／宠利毋居人前，德业毋落人后／与其与子孙谋产业，不如教子孙习恒业／有法无法，因时为业；有度无度，与物趣舍／政令不烦，则安其业，故不远迁徙，离其常处／历观前代拨乱创业之主，生长民间，皆识达情伪，罕至于败亡
❾男耕女织，天下之大业／居天下之人，使安其业／君用忠良，则伯王之业隆／君子之学，或施之事业，或见于文章
❿圣主必待贤臣而弘功业／能役英与雄，故能成大业／峻法严刑，非帝王之隆业／不耐烦者，做不成一件事业／民不恶其尊，而世不妒其业／大学之教也，时教必有正业／峭法刻诛者，非霸王之业也／杖顺以翦逆……无其时而著业／百岁光阴半归酒，一生事业略存诗／圣人因时以安其位，当世而乐其业／志欲大而心欲小，学欲博而业欲专／威恩参用以成化，文武相资以定业／与其与子孙谋产业，不如教子孙习恒业／古之学者必有师，所以通其业，成就其道者也／安而不扰，使而不劳，是以百姓劝业而乐公赋／心虽不说，弗敢不誉；事业虽弗善，不敢不力／为民族解放，为阶级翻身，事业垂成，公胡遽死／任而不信，其才无由展；信而不终，其业无由成／赋役有定制，兵农有定业，官无虚名，职无废事／侍坐于先生，先生问焉，终则对。请业则起，请益则起／正位居体，美在其中，而畅于四支，发于事业，美之至也／先哲王之政，一曰承天，二曰正身，三曰任贤，四曰恤民，五曰明制，六曰立业

黻

fú 古代礼服上黑与青相间的花纹；通“绂”，系印的丝带。

❷黼黻不同，俱为悦目之玩
❺寸裂之锦黻，未若坚完之韦布
❽观人以言，美于黼黻文章
❿瞽者无以与乎青黄黼黻之观

黼

fǔ 古代礼服半白半黑的绣纹。

❶黼黻不同，俱为悦目之玩

见南朝·梁·萧统《文选序》。全句为：“陶匏异器，并为入耳之娱；～”。

❼观人以言，美于黼黻文章
❾瞽者无以与乎青黄黼黻之观

目

mù 眼睛；看；按一定的次序排列的事物或内容的名称；分项；生物学的分类等级之一；围棋中计算输赢的单位；表示筛网规格的单位；孔眼；中医学名词；标题；[目的]想要到达的地方或探求的结果。

❶目送归鸿，手挥五弦

见三国·魏·嵇康《四言赠兄秀才入军十八章》之十四。

目所不见，非无色也

见清·王夫子《思问录内篇》。

目睹覆车，不改前辙

见唐·吴兢《贞观政要·仁义》。

目失镜，则无以正须眉

见《韩非子·观行》。全句为：“～；身失道，则无以知迷惑”。

目之于色也，有同美焉

见《孟子·告子上》。

目能察黑白而不见其睫

见明·宋濂《燕书四十首》。全句为：“～；心能识壮毫而不觉其形”。

目在足下，不可以视近

见《尸子·君治》。全句为：“日在井中，不能烛远；～”。

目限于所见，则夺其天明

见明·王夫之《读通鉴论》卷十。全句为：“耳限于所闻，则夺其天聪；～”。

目在足下，则不可以视矣

见《尸子·明堂》。全句为："使日在井中，则不能烛十步矣；～"。

目贵明，耳贵聪，心贵公

见《邓析子·转辞》

目短于自见，故以镜观面

见《韩非子·观行》。全句为："～；知短于自知，故以道正己"。

目击而道已存，不言而意已传

见宋·王安石《礼乐论》。全句为："～，不赏而人自劝，不罚而人自畏"。

目之于明也殆，耳之于聪也殆

见《庄子·徐无鬼》。全句为："～，心之于殉也殆，凡能其于府也殆"。

目无所见，耳无所闻，心无所知

见《庄子·在宥》。全句为："～，女神将守形，形乃长生"。

目中有疵，不害于视，不可灼也

见汉·刘安《淮南子·氾论》。全句为："～；喉中有病，无害于息，不可凿也"。

目见百步之外，而不能自见其眦

见汉·刘安《淮南子》。

目不能两视而明，耳不能两听而聪

见《荀子·劝学》。

目前之耳目可涂，身后之是非难罔

见清·张廷玉《明史·钱一本传》。

目送征鸿飞杳杳，思随流水去茫茫

见五代·荆南·孙光宪《浣溪沙》。

目者，心之符也；言者，行之指也

见汉·韩婴《韩诗外传》。

目极千里兮伤春心，魂兮归来哀江南

见战国·楚·宋玉《招魂》。全句为："湛湛江水兮上有枫，～"。

目不能二视，耳不能二听，手不能二事

见汉·董仲舒《春秋繁露·天无二道》。

目妄视则淫，耳妄听则惑，口妄言则乱

见汉·刘安《淮南子·主术》。全句为："～。夫三关者，不可不慎守也"。

目有眯则视白为黑，人有蔽则以薄为厚

见宋·苏轼《明君可与为忠言赋》。

目如炬，声如钟，则英伟刚毅之气使人兴起

见宋·陆游《跋李庄简公家书》。

目察秋毫之末，耳不闻雷霆之声；耳调玉石之声，目不见泰山之高

见汉·刘安《淮南子·俶真》。

❷举目方知宇宙宽／面目可憎，语言无味／刿目鉥心，刃迎缕解／侧目而视，倾耳而听／侧目重足，不寒而栗／晖目知晏，阴谐知雨／耳目不淫，虽远若近／一目之察，不如众目之明／不目见口问，不能尽知也／以目而视，得形之粗者也／以目前之利而弃百世之功／鸱目有所适，鹤胫有所节／耳目之察，不足以分物理／争目前之事，则忘远大之图／比目之鱼，不相得则不能行／触目皆新，谁识当年旧主人／一目之视也，不若二目之视也／十目所视，十手所指，其严乎／万目不张举其纲，众毛不整振其领／轻目重耳之过，此亦学者之一病也／一目之人可使视准，五毒之石可使溃疡／无目者不可示以五色，无耳者不可告以五音／少目之网，不可得鱼，三章之法，不可为治／经目之事，犹恐未真；背后之言，岂能全信

❸无面目见江东父老／虽感目之一致，终寄怀而百端／瞽无目而耳不可以塞，精于聪也／悦于目，悦于心，愚者之所利也／巧匠目意中绳，然必先以规矩为度／事不目见耳闻，而臆断其有无，可乎？／智如目也，能见百步之外，而不能自见其睫／伯夷，目不视恶色，耳不听恶声。非其君，不事；非其民，不使

❹逐兽者目不见太山／良匠之目，无材弗良／性情面目，人人各具／秉纲而目自张，执本而末自从／播糠迷目，则天地四方易位矣／耳有聪，目有明，心思有睿知／言在耳目之内，情寄八荒之表／众人知目前之利，而不为岁月之计／贵耳贱目，荣古陋今，人之大情也／视强，则目不明；听甚，则耳不聪／虽有巧目利手，不如拙规矩之正方圆／私视使目盲，私听使耳聋，私虑使心狂／一叶蔽目，不见泰山；两豆塞耳，不闻雷霆／三年不目日，视必盲；三年不目月，精必朦／人之情，目欲视色，耳欲听声，口欲察味，志气欲盈

❺头发上指，目眦尽裂／意会心谋，目往神授／首句标其目，卒章显其志／捕雀而掩目，盗钟而掩耳／规孟贲之目，大而不可畏／欲穷千里目，更上一层楼／耳虽欲声，目虽欲色……／以天下之目视，则无不见也／因天下之目以视，则无不见／信耳而遗目者，古今之所患也／嗜欲充益，目不见色，耳不闻声／鳖无耳而目不可以蔽，精于明也／举一纲，众目张；弛一机，万事隳／读书以过目成诵为能，最是不济事／烟霞充耳目之玩，鱼鸟尽江湖之赏／目前之耳目可涂，身后之是非难罔／知人者以目正耳，不知人者以耳败目／行于世间，目不随人视……鼻不随人气／用天下之目观而救之，夫岂无最远之见乎／夜行者掩目而前其手，涉水者解其马载之舟／超凡证圣，目击非遥；悟在须臾，何须皓首／五色令人目盲，五音令人耳聋，五味令人口爽

❻传神之难在目／巧笑倩兮，美目盼兮／手挥五弦易，目送归鸿难／辟四门，明四目，达四聪／用天下之耳目，虽众人不能愚／白黑在前而目不见，雷鼓在侧而耳不闻／俭者，节其耳目口

体之欲，节己而不节人／求道者不以目而以心，取道者不以手而以耳／举网以纲，千目皆张，振裘持领，万毛自整／壹引其纪，万目皆起；壹引其纲，万目皆张／耳闻之，不如目见之；目见之，不如足践之／耳之欲五声，目之欲五色，口之欲五味，情也

❼作文之心如人目／白刃扞乎胸，则目不见流矢／耳得之而为声，目遇之而成色／耳调玉石之声，目不见太山之高／不识庐山真面目，只缘身在此山中／尺之木必有节目，寸之玉必有瑕璫／见日月不为明目，闻雷霆不为聪耳／仗其短浅之耳目，以断微妙之有无，岂不悲哉／聪者耳闻，明者目见，聪明则仁爱著而廉耻分／得鸟者，罗之一目也，然张一目之罗，终不得鸟矣／一观其文，心朗目舒，烔若深井之下仰视白日之正中也

❽变化倏忽，动心骇目／一旦见景生情，触目兴叹／一目之察，不如众目之明／士别三日，即更刮目相待／黼黻不同，俱为悦目之玩／万里长江横渡，极目楚天舒／情以物感，而心由目畅……／盲者无以与乎眉目颜色之好／夕阳一片寒鸦外，目断东西四百州／见明珠者始贱鱼目，知雅乐者方鄙郑声／千里开年，且悲春目；一叶早落，足动秋襟／状难写之景如在目前；含不尽之意见于言外／耳之闻也藉于静，目之见也藉于昭，心之知也藉于理

❾美色不同面，皆佳于目／一目之视也，不若二目之视也／令天下重足而立，侧目而视矣／情在词外曰隐，状溢目前曰秀／耳闻之，不如目见之；目见之，不如足践之／知大一，知大阴，知大目，知大均，知大方，知大信，知大定，至矣

❿难将一人手，掩得天下目／声不绝乎耳，色不绝乎目／搜索稚与艾，唯存跛无目／朗夜之辉，不开矇叟之目／一点失所，若美女之眇一目／国有伤明之政，则民多病目／杭州之有西湖，如人之有眉目／森森如千丈松，虽磊砢有节目／疾雷不及掩耳，迅电不及瞑目／音以比耳为美，色以悦目为欢／乐不过以听耳，而美不过以观目／良医不可必得，而庸医举目皆是／傀儡学技，音节虽工，面目非情／盲者口能言白黑，而无目以别之／江南谚云：尺牍书疏，千里面目也／天地在我首之上，足之下，开目尽见／不动乎众人之非誉，不治观者之耳目／至极空虚而善应于物，则乃目之为道／知人者以目正耳，不知人者以耳败目／佳人不同体，美人不同面，而皆悦于目／善问者如攻坚木：先其易者，后其节目／三年不目日，视必盲；三年不目月，精必朦／为鬼为蜮，则不可得；有靦面目，视人罔极／倚势豪夺，飞食人肉，鼓吻弄翼，道路以目／壹引其纪，万目皆起；壹引其纲，万目皆张／闻《秦中吟》，则权豪贵近者相目而变色矣／泰山崩于前而色不变，麋鹿兴于左而目不瞬／贵远贱近，人之常情；重耳轻目，俗之恒蔽／散珠喷雾，日光烛之，璀璨夺目，不可正视／白石如玉，愚者宝之；鱼目似珠，愚者取之／去国怀乡，忧谗畏讥，满目萧然，感极而悲者矣／老而学者，如秉烛夜行，犹贤乎瞑目而无见者也／得鸟者，罗之一目也，然张一目之罗，终不得鸟矣／心平愉，则色不及佣而可以养目，声不及佣而可以养耳／仰观宇宙之大，俯察品类之盛，所以游目骋怀，足以极视听之娱／目察秋毫之末，耳不闻雷霆之声；耳调玉石之声，目不见泰山之高

盱

xū 张目；大；草名；姓。

❶盱豫，悔。迟，有悔

见《周易·豫》。

❸睢睢盱盱，而谁与居

盲

①máng 眼睛看不见东西；对某些事物或道理不了解或认识不清；盲目的；疾速；昏暗。②wàng 通"望"，仰视或远视貌。

❶盲人骑瞎马，夜半临深池

见南朝·宋·刘义庆《世说新语·排调》。

盲者无以与乎眉目颜色之好

见《庄子·大宗师》。全句为："～，瞽者无以与乎青黄黼黻之观"。

盲者口能言白黑，而无目以别之

见汉·桓宽《盐铁论·能言》。全句为："～；儒者口能言治乱，无能以行之"。

❸毋贻盲者镜，毋予躄者履

❺私视使目盲，私听使耳聋，私虑使心狂

❻五色令人目盲，五音令人耳聋，五味令人口爽

❽借听于聋，求道于盲／三年不目日，视必盲；三年不目月，精必朦

❿不是师法，而好自用，譬之是犹以盲辨色，以聋辨声也

眄

miǎn 斜着眼看；顾盼。

❸穷睇眄于中天，极娱游于暇日

眇

①miǎo 原指一只眼睛瞎，后来也指两只眼睛瞎；辽远；微小；眯着眼睛看；通"杪"，引申为高。②miào 通"妙"，精妙，奥妙。

❶眇能视，不足以有明也

见《周易·履·象》。全句为："～；跛能履，不足以与行也"。

❹轻细微眇之渐，必生乖忤之患

❺凡鬼神事眇茫荒惑无可准，明者所不道

❻跛者不忘履，眇者不忘视

❼铿锵发金石，幽眇感鬼神

❽心懔懔以怀霜，志眇眇而临云

❾一点失所，若美女之眇一目／心懔懔以怀霜，志眇眇而临云
❿贵绝恶于未萌，而起教于微眇

看 ①kàn 瞧；观察；对待；照顾；探望；诊治。②kān 守护；监视。

❶看书多撷一部，游山多走几步
见清·袁枚《随园诗话补遗》卷四。全句为："～，倘非广见博闻，总觉光阴虚度"。
看是寻常最奇崛，成如容易却艰辛
见宋·王安石《题张司业诗》。
看万山红遍，层林尽染；漫江碧透，百舸争流
见现代·毛泽东《沁园春·长沙》。
❷贪看飞花忘却愁／凡看书不为书所愚始善／君看一叶舟，出没风波里／君看磊落士，不肯易其身／眼看人尽醉，何忍独为醒／请看今日之域中，竟是谁家之天下／君看夏木扶疏句，还许诗家更道不／常看得自家未必是，他人未必非，便有长进／晨看旅雁，心赴江淮；昏望牵牛，情驰扬越
❸新涨看看拍小桥／雾里看花，终隔一层／世情看冷暖，人面逐高低／旷野看人小，长空共鸟齐／字字看来皆是血，十年辛苦不寻常／矮人看戏何曾见，都是随人说短长／人面看年年岁岁之同，花枝见夜夜朝朝之好／北人看书，如显处视月；南人学问，如牖中窥日
❹新涨看看拍小桥／须晴日，看红装素裹，分外妖娆／猛虎不看几上肉，洪炉不铸囊中锥／思苦自看明月苦，人愁不是月华愁
❺满川风雨看潮生／弄花一年，看花十日／书不必多看，要知其约／不自反者，看不出一身病痛／不到西湖看山色，定应未可作诗人／临喜临怒看涵养，群行群止看识见／暮色苍茫看劲松，乱云飞渡仍从容／大事难事看担当，逆境顺境看襟度／常将冷眼看螃蟹，看你横行得几时
❻白头翁妪坐看瓜／一朝权入手，看取令行时／为文有三多：看多、做多、商量多／学诗须是熟看古人诗，求其用心处
❼数风流人物，还看今朝／欲知千里寒，但看井水冰／若教纸上翻身看，应见团团董卓脐／龙蛇纸上飞腾，看落笔四筵风雨惊
❽重友者交时极难，看得难以故转重／常将冷眼看螃蟹，看你横行得几时／轻友者交时极易，看得易以故转轻／雨里孤村雪里山，看时容易画时难
❾入门休问荣枯事，观看容颜便得知／军民团结如一人，试看天下谁能敌／男不封侯女作妃，君看女却是门楣／虽惭老圃秋容淡，且看黄花晚节香
❿毅魄归来日，灵旗空际看／畏落众花后，无人别意看／装点此关山，今朝更好看／大丈夫，千山万水往长远处看／俱往矣，数风流人物，还看今朝／天街小雨润如酥，草色遥看近却无／临喜临怒看涵养，群行群止看识见／良人犹恐催耕早，自扯蓬窗看晓星／坐地日行八万里，巡天遥看一千河／志士凄凉闲处老，名花零落雨中看／大事难事看担当，逆境顺境看襟度／悄立市桥人不识，一星如月看多时／此生此夜不长好，明年明月何处看／紫陌红尘拂面来，无人不道看花回／饥餐松柏叶，渴饮涧中泉，看罢青青竹，和衣自在眠

眊 mào 眼睛失神；通"耄"。

❿胸中正，则眸子瞭焉；胸中不正，则眸子眊焉

盾 dùn 盾牌；像盾的；古星名。

❽以子之矛，陷子之盾

盼 pàn 看；殷切期望；眼睛清朗。

❼巧笑倩兮，美目盼兮／投至两处凝眸，盼得一雁横秋

眈 ①dān 目向下视。[眈眈]垂目注视貌。②tán 通"沈"，[眈眈]宫室深邃貌。

❸虎视眈眈，其欲逐逐

眉 méi 眉毛；书页上端的空白处。

❶眉寿万年，永受胡福
见《仪礼·士冠礼》。
眉睫之前，卷舒风云之色
见南朝·梁·刘勰《文心雕龙·神思》。全句为："吟咏之间，吐纳珠玉之声；～"。
眉将柳而争绿，面共桃而竞红
见北周·庾信《春赋》。
眉联娟以蛾扬兮，朱唇的其若丹
见战国·楚·宋玉《神女赋》。"的"，鲜明。
眉如翠羽，肌如白雪，腰如束素，齿如含贝
见战国·楚·宋玉《登徒子好色赋》。
❷有眉不申，有志不舒／峨眉讵同貌，而俱动于魄／扫眉才子于今少，管领春风总不如
❸眼角眉梢都似恨，热泪欲零还住
❹映渚蛾眉，丽穿波之半月／皓齿娥眉，命曰伐性之斧／宛转蛾眉能几时，须臾鹤发乱如丝／安能摧眉折腰事权贵，使我不得开心颜／宁逢赤眉，不逢太师。太师尚可，更始杀我
❺态浓意远，眉颦笑浅
❻马氏五常，白眉最良／入门见嫉，蛾眉不肯让人／君王虽爱蛾眉好，无奈宫中妒杀人／时人莫道蛾眉小，三五团圆照满天
❼蜀国多仙山，峨眉邈难匹／盲者无以与乎眉目颜色之好／水静则明烛须眉，平中准，大匠取

法焉／姆抱幼子立侧，眉眼如画，发漆黑，肌肉玉雪可念
❽心若留时，何事锁眉头／水是眼波横，山是眉峰聚
❾目失镜，则无以正须眉
❿杭州之有西湖，如人之有眉目／手如柔荑，肤如凝脂……螓首蛾眉／此情无计可消除，才下眉头，却上心头／贤者虽得卑位则旋而死，不贤者或至眉寿／何惜阶前盈尺之地，不使白扬眉吐气，激昂青云

眚 shěng 眼睛里长的翳；疾苦；过失。
❹不以一眚掩大德

眩 ①xuàn 眼睛昏花迷离；执迷；通"炫"，炫耀。②huàn 通"幻"。
❺清流洄洑眩波光，高崖古木争苍苍
❻知人善察，难眩以伪
❽听乐而震，观美而眩，患莫甚焉／正明不为日月所眩，正观不为天道所迁／处身者，不为外物眩晃而动，则其心静
❿由礼以达道，则自得而不眩

眠 mián 睡觉；某些动物在较长时间内不吃不动的生理状态；装死；横放；偃卧。
❷春眠不觉晓，处处闻啼鸟
❺不在被中眠，安知被无边
❼雉雊麦苗秀，蚕眠桑叶稀
❽天，休使圆蟾照客眠
❿尽输助徭役，聊就空自眠／鼓腹无所思，朝起暮归眠／名位苟无心，对君犹可眠／夏日抱长饥，寒夜无被眠／人生难得秋前雨，乞我虚堂自在眠／李白一斗诗百篇，长安市上酒家眠／月落乌啼霜满天，江枫渔火对愁眠／饥餐松柏叶，渴饮涧中泉，看罢青青竹，和衣自在眠

眦 zì 上下眼睑的接合处；眼眶；衣交领处；[睚眦]瞪眼睛。
❷睚眦之怨必仇，一餐之惠必报
❻头发上指，目眦尽裂
❼荡胸生曾云，决眦入归鸟
❽一饭之德必偿，睚眦之怨必报／嘻笑之怒，甚于裂眦；长歌之哀，过乎恸哭
❿目见百步之外，而不能自见其眦

眺 tiào 往远处看；远望。
❶眺望而林泉有余，奔走而烟霞足用
见唐·王勃《游冀州韩家园序》。全句为："梧桐生雾，杨柳摇风，～"。

眷 juàn 亲属；关心；回顾，恋慕。
❿愿普天下有情的都成了眷属

眼 yǎn 眼睛；观察的范围；窟窿；关键的、精要的地方；关节；突出貌。
❶眼见方为是，传言未必真
见明·冯梦龙《醒世恒言·钱秀才错占凤凰俦》。
眼看人尽醉，何忍独为醒
见唐·王绩《过酒家五首》其二。
眼里无点灰尘，方可读书千卷
见明·陈继儒《小窗幽记》。全句为："～；胸中没些渣滓，才能处世一番"。
眼角眉梢都似恨，热泪欲零还住
见现代·毛泽东《贺新郎》。
眼孔浅时无大量，心田偏处有奸谋
见明·冯梦龙《醒世恒言·两县令竞义婚孤女》。
眼前直下三千字，胸次全无一点尘
见明·于谦《观书》。
眼处心生句自神，暗中摸索总非真
见金·元好问《论诗绝句》其十一。
❷反眼若不相识／有眼不识泰山／过眼滔滔云共雾，算人间知己吾和汝／冷眼观人，冷耳听语，冷情当感，冷心思理
❸华岳眼前尽，黄河脚底来／医得眼前疮，剜却心头肉／水是眼波横，山是眉峰聚／不是眼前无外物，不关心事不经心／睫在眼前长不见，道非身外更何求
❹为天有眼兮何不见我独漂流／常将冷眼看螃蟹，看你横行得几时／贫贱时，眼中不著富贵，他日得志必不骄
❺天低吴楚，眼空无物／不论天有眼，但管地无皮／处顺境内，眼前尽兵刃戈矛，销膏靡骨而不知
❼不畏浮云遮望眼，自缘身在最高层／今且须去理会眼前事，那个鬼神事，无形无影，莫要枉费心力
❽夺我身上暖，买尔眼前恩／雄兔脚扑朔，雌兔眼迷离／胸中之竹，并不是眼中之竹也／读书有三到：心到、眼到、口到／比干剖心，子胥抉眼，忠之祸也／臂健尚嫌弓力软，眼明犹识阵云高／身后有余忘缩手，眼前无路想回头／金满箱，银满箱，转眼乞丐人皆谤／姆抱幼子立侧，眉眼如画，发漆黑，肌肉玉雪可念
❾天下事当于大处著眼，小处下手
❿牢骚太盛防肠断，风物长宜放眼量／火力不能销地力，乱前黄菊眼前开／为宰相不难，一心正，两眼明，足矣／君不见比来翁姥尽饥死，狐狸嘬骨乌啄眼／建天下之大事功者，全要眼界大，眼界大则识见自别／莫道男儿心如铁，君不见满川红叶，尽是离人眼中血

眸

móu 瞳仁，泛指眼睛；低目谨视。

❶眸子不能掩其恶

见《孟子·离娄上》。全句为："存乎人者，莫良于眸子；～"。

❺胸中正，则眸子瞭焉；胸中不正，则眸子眊焉

❻投至两处凝眸，盼得一雁横秋

❼听其言也，观其眸子，人焉廋哉

❽清之为明，杯水见眸子／存乎人者，莫良于眸子

❿立望关河萧索，千里清秋，忍凝眸／胸中正，则眸子瞭焉；胸中不正，则眸子眊焉

睎

xī 远望；仰慕。

❶睎骥之马，亦骥之乘，睎颜之人，亦颜之徒

见汉·扬雄《法言·学行》。

睇

dì 斜视；流盼；方言，看望。

❷穷睇眄于中天，极娱游于暇日

❻俯镜八川，周睇万里

鼎

dǐng 古代三足两耳的器具；喻指王位、帝业；大；三公的代称；显赫，盛大；六十四卦之一。

❶鼎之轻重，未可问也

见《左传·宣公三年》。

鼎镬甘如饴，求之不可得

见宋·文天祥《正气歌》。

鼎不可以柱车，马也不可使守间

见唐·韩愈《试大理评事王君墓志铭》。

鼎铛玉石，金块珠砾，弃掷逦迤

见唐·杜牧《阿房宫赋》。

❹函牛之鼎沸而蝇蚋弗敢入

❺无说诗，匡鼎来；匡说诗，解人颐／鱼游于沸鼎之中，燕巢于飞幕之上／子思以为鼎肉使己仆仆尔亟拜也，非养君子之道也

❻丈夫生不五鼎食，死即五鼎烹耳

❼出师未捷悲移鼎，视死如归笑射钩

❿丈夫生不五鼎食，死即五鼎烹耳／人寰尚有遗民在，大节难随九鼎沦／毛先生一至楚，而使赵重于九鼎大吕／鸡知将旦，鹤知夜半，而不免于鼎俎／篙不能鸣钟，而萤火不爨鼎者，何也

睹

dǔ 察看；见。

❶睹贤不居其上

见《晏子春秋·内篇·问上》。

睹瓶中之冰而知天下之寒

见汉·刘安《淮南子·说山》。全句为："见一叶落而知岁之将暮，～"。

睹暖昧之利，而忘昭晰之害

见南朝·宋·范晔《后汉书·蔡邕传》。全句为："～；专必成之功，而忽蹉跌之败"。

睹一事于句中，反三隅于字外

见唐·刘知几《史通·叙事》。

睹其终必原其始，故存其人而咏其道

见南朝·宋·范晔《后汉书·冯衍传》。

睹危急则恻隐，将赴救则畏患，是仁而不恤者

见三国·魏·刘劭《人物志·八观》。

❷不睹之睹，见莫大焉／目睹覆车，不改前辙／不睹皇居壮，安知天子尊

❸争先睹之为快／智者睹危思变，贤者泥而不滓

❹不睹之睹，见莫大焉

❺拨云雾而睹青天

❻兵闻拙速，未睹巧之久也／察火于灰，不睹洪赫之烈

❼虽终身而不自睹其性焉

❾日月丽天，而瞽者莫睹其明／君子戒慎乎其所不睹，恐惧乎其所不闻

❿言无不可晓，指无不可睹／人之水镜也，见之若披云雾睹青天／东面望者不见西墙，南乡视者不睹北方

睦

mù 关系亲合。

❷治睦者不以睦，以人／和睦劝俭者家必隆，乖戾骄奢者家必败

❹上和下睦，夫唱妇随／兄弟不睦，则子侄不爱

❺兄弟敦和睦，朋友笃信诚

❻治睦者不以睦，以人

❽选贤与能，讲信修睦

❾父子不信，则家道不睦／福善之门莫美于和睦，患咎之首莫大于内离

❿凡以物治物者不以物，以睦／父不能知其子，则无以睦一家／宜力学为砻斫，亲贤为青黄，睦僚友为瑶金

睚

yá 眼眶；[睚眦]瞪眼睛，怒目而视。

❶睚眦之怨必仇，一餐之惠必报

见南朝·宋·范晔《后汉书·孔融传》。

❼一饭之德必偿，睚眦之怨必报

睫

jié 睫毛；眨眼。

❶睫在眼前长不见，道非身外更何求

见唐·杜牧《登池州九峰楼寄张祜》。

❷蚊睫安知鹏翼／眉睫之前，卷舒风云之色

❿目能察黑白而不见其睫／智如目也，能见百步之外，而不能自见其睫／贼莫大乎德有心而心有睫，及其有睫也而内视，内视而败矣

督

dū 监督；督促；观察；中央，中间。

❷事督乎法，法出乎权，权出乎道

❾诂形以形，以形务名，督言正名
❿令者，所以教民；法者，所以督奸／为善无近名，为恶无近刑，缘督以为经／凡勤学，须是出于本心，不待父母先生督责

睡 shuì 闭目安歇。
❶睡不落人前，起不落人后
见《云卧纪谈》卷上。
睡起秋声无觅处，满阶梧叶月明中
见宋·刘翰《立秋日》。
❹读书欲睡，引锥自刺其股，血流至足
❼不为捣衣勤不睡，破除今夜夜如年
❿卧榻之侧，岂容他人鼾睡

睨 nì 斜眼看；偏斜。
❺日，方中方睨；物，方生方死
❾及至匠石过之而不睨……

睢 ①suī［恣睢］任意胡作非为。②huī［睢盱］质朴貌；张目仰望。［睢睢］仰视貌。
❶睢睢盱盱，而谁与居
见《庄子·寓言》。

睿 ruì 明智；智慧，通达。
❸聪明睿智而守以愚者益／聪明睿智，守之以愚者，哲／聪明睿智，守之以愚；功被天下，守之以让
❺追思玄事，睿也
❿耳有聪，目有明，心思有睿知／聪明者，阴阳之精。阴阳清和则中睿外明／貌曰恭，言曰从，视曰明，听曰聪，思曰睿

睽 kuí 违背；同“暌”，隔开，分离；六十四卦之一；［睽睽］张目，注视。
❶睽。君子以同而异
见《周易·睽》。
❸万物睽而其事类也／男女睽而其志通也
❿三皇之知，上悖日月之明，下睽山川之精，中堕四时之施

瞀 mào 目眩，眼花；心绪烦乱；愚昧；［瞀瞀］垂目下视貌；眼花，引申为昏昏沉沉。
❿虑人而不自虑者谓之瞀

瞒 ①mán 不让人知道真实情况。②mén 惭愧貌。
❶瞒天讨价，就地还钱
见清·吴敬梓《儒林外史》第十四回。“瞒天”一作“漫天”。
瞒人之事弗为，害人之心弗存，有益国家之事虽死弗避
见明·吕坤《呻吟语》卷上。

瞎 xiā 失明；盲目地。
❹盲人骑瞎马，夜半临深池

瞑 ①míng，又读 mǐng，合上眼睛；眼花。②mián 通“眠”，小睡，假寐；菜名；弓名。③miàn 瞑眩。
❿疾雷不及掩耳，迅电不及瞑目／老而学者，如秉烛夜行，犹贤乎瞑目而无见者也

瞰 kàn 俯视；远望；窥视。
❶瞰其亡也，而往拜之
见《孟子·滕文公下》。
瞰于野，惟稼穑艰难是知
见唐·刘禹锡《武陵北亭记》。全句为：“俯于逵，惟行旅讴吟是采；～”。
❺高明者鬼瞰其门，正直者人怨其笔
❽篇章户牖，左右相瞰

瞭 ①liào［瞭望］登高远望；特指从高处或远处监视敌情。②liǎo 眼珠明亮。
❼胸中正，则眸子瞭焉；胸中不正，则眸子眊焉

瞬 shùn 眨眼；时间短暂。
❹息有养，瞬有存
❽人之百年，犹如一瞬
❿观古今于须臾，抚四海于一瞬／人生直作百岁翁，亦是万古一瞬中／泰山崩于前而色不变，麋鹿兴于左而目不瞬／言有教，动有法，昼有为，宵有得，息有养，瞬有存

矇 méng 眼睛失明。
❼朗夜之辉，不开矇叟之目

瞻 zhān 向前或向上看、望。
❶瞻望兮踊跃，伫立兮徘徊
见汉·徐淑《答秦嘉诗》。
❺视险如夷，瞻程非邈
❻唯余马首是瞻／不狩不猎，胡瞻尔庭有县貆兮
❼遵四时以叹逝，瞻万物而思纷／日月星辰民所瞻仰者亦皆曰神／责人以义则难瞻，难瞻则失亲／闭心塞意，不高瞻览者，死人之徒也哉
❾责人以义则难瞻，难瞻则失亲／仰之弥高，钻之弥坚。瞻之在前，忽焉在后
❿灭其私而无其身，则四海莫不瞻，远近莫不至

瞿 ①qú 兵器名，戟属；姓。②jù 惊视貌，引申为惊动的样子。［瞿瞿］迅速张望貌；惊视貌；恭谨貌。
❻众水会涪万，瞿塘争一门

矉 pín 怒目而视；同“颦”，皱眉头。

❷知矉美，而不知矉之所以美

田 tián 农田；耕种，后作“佃”；打猎，后作“畋”；大鼓；姓。

❶田夫荷锄至，相见语依依

见唐·王维《渭川田家》。

田园有真乐，不潇洒终为忙人

见明·陈继儒《小窗幽记》。全句为：“～；诵读有真趣，不玩味终为鄙夫；山水有真赏，不领会终为漫游；吟咏有真得，不解脱终为套语”。

田成子常杀君窃国，而孔子受币

见《庄子·盗跖》。全句为：“桓公小白杀兄入嫂，而管仲为臣；～”。

田夫寿，膏粱夭，嗜欲少多之验也

见南朝·梁·陶宏景《养性延命录·教诫篇》。

田非耕者之所有，而有田者不耕也

见宋·苏洵《田制》。

田里绝愁叹之声，邦家闻宽厚之化

见唐·苏颋《处分朝集使敕·六》。

田野荒而仓廪实，百姓虚而府库满

见《荀子·富国》。全句为：“～，夫是之谓国蹶”。

❷求田问舍，言无可采／有田一成，有众一旅／服田力穑，乃亦有秋／耕田而食，凿井而饮／良田无晚岁，膏泽多丰年／良田千顷，不如薄艺随身／瓜田不纳履，李下不正冠／良田败于邪径，黄金铄于众口／力田不如逢年，善仕不如遇合／有田不耕仓廪虚，有书不读子孙愚／力田者受旌显之赏，惰农者有不齿之罚／良田百顷，不在一亩，但有远志，不在当归

❸谁道田家乐？春税秋未足／杀尽田野人，将军犹爱武／富者田连阡陌，贫者亡立锥之地／易其田畴，薄其税敛，民可使富也

❹焚林而田，竭泽而渔／焚林而田，偷取多兽，后必无兽／无力买田聊种水，近来湖面亦收租／从农论田田夫胜，从商讲贾贾人贤／焚薮而田，岂不获得？而明年无兽／焚林而田，得兽虽多，而明年无复也／百亩之田，匹夫耕之，八口之家足以无饥矣

❺一岁典职，田宅并兼／人病舍其田而芸人之田／古墓犁为田，松柏摧为薪／计口而受田，家给而人足／四海无闲田，农夫犹饿死／归去来兮，田园将芜胡不归／从农论田田夫胜，从商讲贾贾人贤／多病只思田舍乐，夜归烟火望茅檐

❻身多疾病思田里，邑有流亡愧俸钱／凿井而饮，耕田而食；帝力于我何有哉

❼人情者，圣王之田也／谈书者不贱，守田者不饥／牵牛以蹊人之田，而夺之牛／诗家之景，如蓝田日暖，良玉生烟／所种者稗，虽美田疾耕，不生谷也

❽官无中人，不如归田／观水而知学，观耨田而知治国／耕织之民日耗，则田荒而桑枯矣／丰岁自少凶岁多，田家辛苦可奈何

❾代耕本非望，所业在田桑／功成不受爵，长揖归田庐／揣歪，使乖，枉自把心田坏／节物风光不相待，桑田碧海须臾改／眼孔浅时无大量，心田偏处有奸谋／赤日炎炎似火烧，野田禾稻半枯焦

❿人病舍其田而芸人之田／侧足无行径，荒畴不复田／老禾不早杀，余种秽良田／焉得铸甲作农器，一寸荒田牛得耕／乘木则朽木青黄，失势则田何粪土／陶令不知何处去，桃花源里可耕田／惟有一天秋夜月，不随田亩入官租／田非耕者之所有，而有田者不耕也／拓境不宁，无益于强；多田不耕，何救饥敝／日出而作，日入而息，凿井而饮，耕田而食

畀 bì 给予，付与。

❹惟天不畀不明厥德

❻取彼谮人，投畀豺虎

畏 ①wèi 害怕，恐惧；恐吓；通“隈”，弯曲处；敬佩。②wēi 通“威”。

❶畏其卒，怖其始

见《韩非子·喻老》。

畏之途果无常所哉

见唐·刘禹锡《因论·儆舟》。全句为：“～！不生于所畏，而在于所易也”。

畏首畏尾，身其余几

见《左传·文公十七年》。

畏落众花后，无人别意看

见南朝·陈·谢燮《早梅诗》。全句为：“迎春故早发，独自不疑寒。～”。

畏老身全老，逢春解惜春

见唐·李益《惜春伤同蒿故人孟郎中兼呈去年看花友》。

畏友胜于严师，群游不如独坐

见清·申涵光《荆园小语》。

❷虎畏不惧己者／不畏义死，不荣幸生／虽畏勿畏，虽休勿休／不畏将军成久别，只恐封侯心更移／不畏浮云遮望眼，自缘身在最高层／不畏于微，必畏于章，患大祸深，以至灭亡

❸民不畏威，则大威至／人皆畏我，必我无养／危叶畏风，惊禽易落／畏首畏尾，身其余几／圣人畏微，而愚人畏明／民不畏死，奈何以死惧之／士卒畏将者胜，畏敌者败／百吏畏法循绳，然后国常不乱／精良畏慎，善在恭谨，失在多疑／避席畏闻文字狱，著书都为稻粱谋／太上畏道，其次畏物，其次畏人，其次畏身／死生……畏者不可以苟免，贪者不可以苟得也

❹后生可畏，来者难诬／虽畏勿畏，虽休勿休／

德威惟畏，德明惟明／谨在于畏小，智在于治大／狡吏不畏刑，贪官不避赃／慎在于畏小，智在于治大／君子不畏虎，独畏谗夫之口／为恶而畏人知，恶中犹有善路／后生可畏，焉知来者之不如今也／忠臣不畏死，故能立天下之大事／非威何畏，非德何怀；不畏不怀，何以成霸／使天下畏刑而不敢盗，岂若能使无有盗心哉／说者怀畏，听者怀骄，以此行义，不亦难乎

❺暗主妒贤畏能而灭其功／取人者必畏，与人者必骄／不生于所畏，而在于所易也／知小而自畏，则深谋而必克／宣父犹能畏后生，丈夫未可轻年少／食君之禄畏不厚兮，悼得位之不昌／贵破的，又畏黏皮骨，此所以为难也／天变不足畏，祖宗不足法，人言不足恤／君子有三畏：畏天命，畏大人，畏圣人之言／若使民常畏死，而为奇者，吾得执而杀之孰敢

❻凌雪乔松岂畏寒／无胆，则笔墨畏缩／无虐茕独而畏高明／不侮矜寡，不畏强御／不愧于人，不畏于天／有武无文，民畏不亲／胆劲心方，不畏强御／怨不在大，可畏惟人／有善心之民，畏法自重／火烈，民望而畏之，故鲜死焉／受人施者常畏人，与人者常骄人／早夜孜孜，何畏不日日新又日新也／缘循、偃佒、困畏，不若人三者，俱通达／不畏于微，必畏于章，患大祸深，以至灭亡／君子有三畏：畏天命，畏大人，畏圣人之言／胆劲心方，不畏强御，义正所在，视死犹归

❼忍辱含垢，常若畏惧／定心广志，余何畏惧兮／作诗贵雕琢，又畏斧凿痕／士卒畏将者胜，畏敌者败／贤者狎而敬之，畏而爱之／君子不畏虎，独畏谗夫之口／太上畏道，其次畏物，其次畏人，其次畏身／去国怀乡，忧谗畏讥，满目萧然，感极而悲者矣／人生一世，但当畏敬于人，若不善加己，直为受之

❽行于大道，唯施是畏／冬日可爱，夏日可畏／币厚言甘，人之所畏也／圣人畏微，而愚人畏明／彼尸居余气，不足畏也／出门择交友，防慎畏薰莸／骏足思长阪，柴车畏危辙／鸟避弋而高翔，鱼畏网而深游／处官不信，则少不畏长，贵贱相轻／国多忌讳，大人恒畏。结口无患，可以长存

❾罚莫如重而必，使民畏之／知未生之乐，则不可畏以死／怠者不能修，而忌者畏人修／不自重者致辱，不自畏者招祸／仁者安仁，知者利仁，畏罪者强仁／有过则当速改，不可畏难而苟安也／不可貌古人而袭之，畏古人而拘束之／君子有三畏：畏天命，畏大人，畏圣人之言／君子者，易亲而难狎，畏祸而难却，嗜利而不为非，时动而不苟作

❿万物之有灾，人妖最可畏／非德之威，虽猛而人不畏／规孟贲之目，大而不可畏／不赏而人自劝，不罚而人自畏／民足则怀安，安则自重而畏法／亲贤如就芝兰，避恶如畏蛇蝎／生不识水，则虽壮，见舟而畏之／为国不可以生事，亦不可以畏事／告之以直而不改，必痛之而后畏／宾至如归，无宁灾患，不畏寇盗／举刺不避乎权势，犯颜不畏乎逆鳞／豫焉，若冬涉川；犹兮，若畏四邻／贫穷则父母不子，富贵则亲戚畏惧／欧阳当日文名重，更要推敲畏后生／文章均得江山助，但觉前贤畏后贤／众人笑而忽之者，此则君子之所深畏也／大臣重禄而不极谏，近臣畏罚而不敢言／昔尧治天下，不赏而民劝，不罚而民畏／父母威严而有慈，则子女畏慎而生孝矣／此人在位，动欲伤害，故物无有不畏恶也／其为不虚取直也的矣，其知恐而畏也审矣／非威何畏，非德何怀；不畏不怀，何以成霸／前车已覆，袭轨而骛，曾不鉴祸，以知畏惧／太上畏道，其次畏物，其次畏人，其次畏身／君子有三畏：畏天命，畏大人，畏圣人之言／惟严惟明，其赏也思，惟宽惟惠，其罚也畏／守法持正，嶷如秋山；火不侵玉，幸臣畏伏／赏重而信，罚痛而必，群臣畏劝，竞思其职／乐高喜大，负威任势，亡忧失畏，不求于己也／睹危急则恻隐，将赴救则畏患，是仁而不恤者／星队木鸣，国人皆恐。……怪之，可也；而畏之，非也／于为义若嗜欲，勇不顾前后；于利与禄，则畏避退处如怯夫然

界 jiè 界限；一定范围或限度；特指社会成员按职业、性别等划定的范围；离间；毗连接界。

❸有境界，本也／有境界而二者随之也／有境界则自成高格，自有名句

❹词以境界为最上／太平世界，环球同此凉热

❺不穷视听界，焉识宇宙广

❼子美集开诗世界／偏则成魔，分唐界宋。霹雳一声，邹鲁不哄

❽域民不以封疆之界，固国不以山溪之险

❾神女应无恙，当惊世界殊

❿蜗牛角上较雌论雄，许大世界／百尺竿头须进步，十方世界是全身／建天下之大事功者，全要眼界大，眼界大则识见自别／消磨了三十多年层层心血，算不得大千世界小小文章

留 ①liú 停留；不使离开；保持，让继续存在；阻止；把注意力放在某方面；接受，收下；遗留，传给别人；古地名；姓。②liǔ 昴星的别名。

❶留取黄花点缀秋

见宋·邢居实《秋晚》。

留意于言，不如留意于不言

见晋·张韩《不用舌论》。

留动而生物，物成生理，谓之形

见《庄子·天地》。

❷无留善，无宿问／事留变生，后机祸至／难留连，易消歇，塞北花，江南雪／有留死一尺，无北行一寸。刎颈不易，九裂不恨

❸合则留，不合则去／豹死留皮，人死留名／心若留时，何事锁眉头／蚌死留夜光，剑折留锋芒／俯仰留连，疑是湖中别有天／春不留兮时已失，老衰飒兮逾疾

❹至人不留行焉／时不可留，众不可逆／此处不留人，自有留人处／凡事当留余地，得意不宜再往

❺爱惜精神，留他日担当宇宙／如修德而留意于事功名誉，必无实诣

❻古人愁不尽，留与后人愁／责恶要为人留余步，劝善要思其势可从／心虚白则神留而道存，腹充实则精全而寿长

❼韶华不为少年留／真草书迹，微须留意／名标青史，万古留芳／水浮万物，玉石留止／豹死留皮，人死留名／不怀爱而听，不留说而计／留意于言，不如留意于不言／时不与兮岁不留，一叶落兮天地秋

❽天不再与，时不久留／西夕之景，吾能久留／此处不留人，自有留人处／蚌死留夜光，剑折留锋芒／同恶相助，同好相留，同情相成／人生自古谁无死，留取丹心照汗青／道人活计只如此，留与时人作见闻／秋阴不散霜飞晚，留得枯荷听雨声／善删者字去而意留，善敷者辞殊而意显

❾智者不后时，勇者不留决／恶语不出口，苟言不留耳／恶言不出口，苟语不留耳／声可托于弦管，名可留于竹帛／当世之得失，未尝不留于意也／不要人夸好颜色，只留清气满乾坤／我自横刀向天笑，去留肝胆两昆仑／粉骨碎身全不怕，要留青白在人间

❿弦断犹可续，心去最难留／风前灯易灭，川上月难留／弃我去者，昨日之日不可留／日月其犹坠落，萤光如何久留／士易得而难求也，易致而难留也／放船千里凌波去，略为吴山留顾／旅。君子以明慎用刑，而不留狱／事可语人酬对易，面无惭色去留轻／古来圣贤皆寂寞，惟有饮者留其名／虽信美而非吾土兮，曾何足以少留／官输私负索交至，勺合不留但糠秕／寓形宇内复几时，曷不委心任去留／白鸥问我泊孤舟，是身留，是心留／得名得货，道德不居，神明不留……／君子可以寓意于物，而不可以留意于物／爱憎不栖于情，忧喜不留于意，泊然无感／虚其欲，神将入舍；扫除不洁，神乃留处／天道悠悠，人生若浮，古来贤圣，皆成去留／未画以前，不立一格；既画以后，不留一格／欧公作文，先贴于壁……有终篇不留一字者／常以事于无形之外，而不留思尽虑于成事之内／圣人者常以事于无形之外，而不留思尽虑于成事之内

畜

①xù 饲养动物；容留；取悦。②chù 家畜；积储。

❶畜粟者，欲岁之荒饥也

见汉·刘安《淮南子·说林》。全句为："鬻棺者，欲民之疾病也；～"。

畜民者，先厚其业而后求其赡

见汉·桓宽《盐铁论·未通》。全句为："筑城者，先厚其基而后求其高；～"。

畜水覆舟，养兽反害，悔之噬脐，将何所及

见晋·苻坚《报慕容垂》。

畜池鱼者必去猵獭，养禽兽者必去豺狼，又况治人乎

见汉·刘安《淮南子·兵略》。

❸古之畜天下者，欲而天下足／种树畜养，不见其益，有时而大

❺道生之，德畜之，物形之，势成之／明君不能畜无用之臣，慈父不能爱无用之子

❻人主以狗彘畜人者，人亦狗彘其行／薄施而厚望，畜怨而无患者，古今未之有也

❽德积而民可用，怒畜而威可立／惩之甚者改必速，畜之久者发必肆

❾大天而思之，孰与物畜而制之

❿农广则谷积，用俭则财畜／心散于博闻，技贫乎广畜／夫农广则谷积，俭用则财畜／君子以多识前言往行，以畜其德／狼子野心，是乃狼也，其可畜乎／藏于不竭之府者，养桑麻育六畜也／善为政者积其德，善用兵者畜其怒／泽雉十步一啄，百步一饮，不蕲畜乎樊中

畔

pàn 田地的边界；道路、江湖等的旁边；回避，藏匿，通"叛"。

❹沉舟侧畔千帆过，病树前头万木春

❺若教临水畔，字字恐成龙

❻民胜其政，下畔其上则兵弱

❼当事有四要：际畔要果决，怕是绵

❿以天下之所顺，攻亲戚之所畔／民以财为本，财竭则下畔，下畔则上亡／兰茝荪蕙之芳，众人之所好，而海畔有逐臭之夫

畦

qí 由田埂分成的排列整齐的小块田地。

❽胁肩谄笑，病于夏畦

❿求取情状，离绝远去笔墨畦径间

略

lüè 智谋；巡行；疆界；稍微；大致；简要的叙述；删简；方针，计划；夺取。

❶略观围棋，法于用兵，怯者无功，贪者先亡

见汉·刘向《围棋赋》。

❷刚略之人不能理微／大略如行云流水，初无定质／勇略震主者身危，功盖天下者不赏／智略不专于古法，沈雄殆得于天资／繁略殊形，隐显异术，抑引随时，变通会适
❸有大略者不可责以捷巧／有智略之人，不必试以弓马
❹文通三略，武解六韬／怠情忽略，必乱其政／不宜忽略，以弃日也。弃日乃是弃身／言虽简略，理皆要害，故能疏而不遗，俭而无阙
❺英雄所见略同／详于此而略于彼／亡远大之略，贪万一之功／不以先进略后生，不以上官卑下吏
❻达心则其言略／凡为文辞宜略识字／纪次无法，详略失中／胆力绝众，材略过人，是谓骁雄／惜秦皇汉武，略输文采；唐宗宋祖，稍逊风骚
❼深言则似不逊，略言则事不决／学诗者不可忽略古人，亦不可附会古人／君子之求利也略，其远害也早，其避辱也惧，其行道理也勇
❽勿疏小善，方恢大略／多智韬情，权在谲略，失在依违／放船千里凌波去，略为吴山留顾／君子不恃贵乎才略之优，而尤贵乎用之得其当
❾太平之功，非一人之略／天下智谋之士，所见略同
❿百岁光阴半归酒，一生事业略存诗／不可轻微恶而不避，无容略小善而不为／大吏不正而责小吏，法略于上而详于下／整顿乾坤手段，指授英雄方略，雅志若为酬／曲思于细者必忘其大，锐精于近者必略于远／文者，圣人假之以达其心……详之、略之也

累 ①lěi 积累；屡次；重叠。②lèi 疲劳；操劳；带累；牵连；负担；亏欠。③léi［累累］憔悴沮丧的样子；接连成串；［累赘］多余；通“缧”，捆绑。

❷家累千金，坐不垂堂／居累卵之危，而图太山之安
❸一醉累月轻王侯／黄金累千，不如一贤／印何累累、绶若若邪／危于累卵，难于上天／鸷鸟累百，不如一鹗／昂昂累世士，结根在所固／国有累卵之忧，俗有土崩之势／积德累行，不知其善，有时而用／寒不累时，则霜不降；温不兼日，则冰不释
❹超然不累于物／印何累累、绶若若邪／有人者累，见有于人者忧／繁华，系累不能夺，则俗心日退、真心日进
❺不诚则有累，诚则无累／渊智达洞，累学之功也／弃世则无累，无累则正平／夸愚适增累，矜智道逾昏／其嵚然相累而下者，若牛马之饮于溪
❻小说不足以累正史／不矜细行，终累大德／位疑则隙生，累近则丧大／耳达四聪，瑕累者期于录用／无天灾，无物累，无人非，无鬼责
❼天将毁之，必先累之／不以死生祸福累其心／虽贫贱，不以利累形／嗜欲伤神，财多累身／弃世则无累，无累则正平／引笔行墨，快意累累，意尽便止／轻天下者，身不累于物，故能处之／将欲毁之，必重累之；将欲踣之，必高举之
❽知足者不以利自累也／不悲道难行，所悲累身修／引笔行墨，快意累累，意尽便止／词家从不觅知音，累汝千回带泪吟／抱朴无为，不以物累其真，不以欲害其神
❾不诚则有累，诚则无累／狎昵恶少，久必受其累／抱木生毫末，层台起累土／大山之高，非一石也，累卑然后高／太山之高，非一石也，累卑然后高／沧海滉漾，不以含垢累其无涯之广
❿与好利人共事，己必受累／情欲虽危，不染则无由累己／毁誉不干其守，饥寒不累其心／黄金白璧买歌笑，一醉累月轻王侯／观理自难观势易，弹丸累到十枚时／如下有泰山之安，则上有累卵之危／古之人，有高世之才，必有遗俗之累／不以一毫私意自蔽，不以一毫私欲自累／求柴胡、桔梗于沮泽，则累世不得一焉／古之官人也，以天下为己累，故己忧之／今之官人也，以己为天下累，故人忧之／荡涤胸中，无一毫之私累，可以言大矣／虽富贵不以养伤身，虽贫贱不以利累形／驰马思坠，挞人思毙，妄费思穷，滥交思累／财有害气，积则伤人；虽少犹累，而况多乎／物至则反，冬夏是也；致高则危，累棊是也／谨修而身，慎守其真，还以物与人，则无所累／知天乐者，无天怨，无人非，无物累，无鬼责／故马或奔踶而致千里，士或有负俗之累而立功名／跬步而不休，跛鳖千里；累土而不辍，丘山崇成／起居不时，饮食不节，寒暑不适，则形体累而寿命损／卵之化为雏，非慈雌呕暖覆伏，累日积久，则不能为雏／卵之性为雏，不得良鸡覆伏孚育，积日累久，则不成为雏

畴 chóu 已耕作的田地；不同农作物种植的分区；特指种麻的田；壅土；种类；谋划；通“俦”，同类，伴侣；使相等；通“酬”，报酬；通“谁”；语助。

❶畴昔叹时迟，晚节悲年促
见晋·张协《杂诗十首》之四。
❹燕雀之畴不奋六翮之用／易其田畴，薄其税敛，民可使富也
❼侧足无行径，荒畴不复田
❿矧流客之归思，岂可忘于畴昔／处世还须称晚来，逢人且莫夸畴昔

番 ①fān 量词；指外国或外族的；轮换，更替。②pān［番禺］市名，在广东省。③pó［番番］白发貌。④bō［番番］勇武貌。

❸经一番挫折，长一番见识

❹不是一番寒彻骨，怎得梅花扑鼻香／不是一番寒彻骨，争得梅花扑鼻香
❼古之人谋黄发番番，则无所过
❽经一番挫折，长一番见识／古之人谋黄发番番，则无所过
❿胸中没些渣滓，才能处世一番／得意浓时休进步，须防世事多番覆

畯 jùn 古代管农事的官；通“俊”，才智出众的人。

❼拔去凶邪，登崇畯良

畹 wǎn，又读 yuàn，古代地积单位，或指三十亩，或指三十步。

❻既滋兰之九畹兮，又树蕙之百亩

罍 léi 盛酒或水的器具。

❻瓶之罄矣，维罍之耻
❿麟亡星落，月死珠伤，瓶罄罍耻，芝焚蕙叹

罚 fá 处罚；惩办；罪；鞭挞；诛伐。

❶罚善必赏恶

见《国语·晋语九》。

罚不当罪，则不如无罚

见宋·张孝祥《缴成闵按劾部将奏》。全句为：“赏不当功，则不如无赏；～”。

罚疑从去，所以慎刑也

见宋·苏轼《刑赏忠厚之至论》。全句为：“赏疑从与，所以广恩也；～”。

罚之所始，必始于薄刑

见唐·孔颖达《周易·噬嗑》疏。全句为：“～；薄刑之不已，遂至于诛”。

罚诚当，虽赦之，不外

见《吕氏春秋·离俗览·高义》。全句为：“赏不当，虽与之，必辞；～”。

罚当其罪，为恶者戒惧

见唐·吴兢《贞观政要·择官》。全句为：“赏当其劳，无功者自退；～”。

罚当其罪，为恶者咸惧

见唐·吴兢《贞观政要·封建》。全句为：“国家大事，惟赏与罚。若赏当其劳，无功者自退。～”。

罚避亲贵，不可使主兵

见《管子·立政》。

罚不讳强大，赏不私亲近

见《战国策·秦策一》。

罚莫如重而必，使民畏之

见《韩非子·五蠹》。全句为：“赏莫如厚而信，使民利之；～”。

罚所及，则思无以怒而滥刑

见唐·魏征《论时政第二疏》。全句为：“恩所加，则思无因喜以谬赏；～”。

罚不行，则不肖者不可得而退也

见《荀子·富国》。全句为：“赏不行，则贤者不可得而进也；～”。

罚其忠，赏其贼，夫是之谓至暗

见《荀子·臣道》。

罚一惩百，谁敢复言者？民有饮恨而已矣

见宋·杨万里《民政》。

❷赏罚，政之柄也／刑罚在衷，无取于轻／赏罚无章，何以沮劝／赏罚者，天下之公也／赏罚不信，则禁令不行／严罚厚赏，此衰世之政也／显罚以威之，明赏以化之／赏罚信乎民，何事而不成／有罚无恕，非怀远之弘规／刑罚不中，则民无所措手足／赏罚不可轻行，用人弥须慎择／赏罚皆有充实，则民无不用矣／赏罚者，不在于必重而在于必行／赏罚必信，无恶不惩，无善不显／刑罚不能加无罪，邪枉不能胜正人／刑罚不足以移风，杀戮不足以禁奸／赏罚不信，则民易犯法，不可使令／赏罚不明，百事不成；赏罚若明，四方可行／赏罚信明，施与有节，记人之功，忽于小过
❸赏勉罚偷，则民不怠／为赏罚者非他，所以惩劝者也／有赏罚之教则邪道进，有亲疏之分则小人入
❹敬明乃罚／同罪异罚，非刑也／信赏必罚，其足以战／古者诛罚不阿亲戚，故天下治／法令赏罚者，诚治乱之枢机也，不可不严行也
❺赏不遗远，罚不阿近／赏不逾日，罚不还面／赏不空行，罚不虚出／赏以劝善，罚以惩恶／赏勿漏疏，罚勿容亲／明主之赏罚，非以为己也，以为国也／赏善而不罚恶则乱，罚恶而不赏善亦乱／赏重而信，罚痛而必，群臣畏劝，竞思其职／克明德慎罚，不敢侮鳏寡，庸庸，祗祗，威威／赏不劝善，罚不惩恶，而望邪正不惑，其可得乎
❻不赏私劳，不罚私怨／致赏则匮，致罚则虐／君子见过忘罚，故能谏／赏一以劝百，罚一以惩众／赏不遗疏远，罚不阿亲贵／赏须功而加，罚待罪而施／赏所以存劝，罚所以示惩／有课而无赏罚，是无课也／事将为，其赏罚之数必先明之／赏无功之人，罚不辜之民，非所谓明也／赏不当贤而罚不当暴，则是为贤者不劝而为暴者不沮
❼是非明辨而赏罚必信／禁而不止，则刑罚侮／不赏而民劝，不罚而民治／曲木恶直绳，重罚恶明证／信赏以劝能，刑罚以惩恶／号令不虚出，赏罚不滥行／庆赏以劝善，刑罚以惩恶／是非随名实，赏罚随是非／教训成俗而刑罚省，数也／用赏者贵信，用罚者贵必／善人赏而暴人罚，则国必治／赏不加于无功，罚不加于无罪／赏当则贤人劝，罚得则奸人止

❽无功不赏，无罪不罚／兵之胜负，实在赏罚／国家大事，惟赏与罚／有功而赏，有罪而罚／禁人之所必犯，虽罚且违／不赏而人自劝，不罚而人自畏／圣人以顺动，则刑罚清而民服／爵禄以养其德，刑罚以威其恶／赏不隆则善不劝，罚不重则恶不惩／赏务速而后有劝，罚务速而后有惩／赏不劝，谓之止善；罚不惩，谓之纵恶／号令烦而不信，赏罚行而不当，则天下不服／节民以礼，故其刑罚甚轻而禁不犯者，教化行而习俗美也／其义则不足死，赏罚则不足去就，若是而能用其民者，古今无有

❾犯法怠慢者，虽亲必罚／罚不当罪，则不如无罚／功盛者赏显，罪多者罚重／为政者不赏私劳，不罚私怨／临下以简，御众以宽，罚弗及嗣／为国之本，在于明赏罚，辨邪正／法禁者俗之堤防，刑罚者人之衔辔／赏赐不加于无功，刑罚不施于无罪／教笞不可废于家，刑罚不可损于国／赏无度则费而无恩，罚无度则戮而无威／赏厚可令廉士动心，罚重可令凶人丧魄／赏善而不罚恶则乱，罚恶而不赏善亦乱／赏不当，虽与之必辞；罚诚当，虽赦之不外／若号令烦而不信，赏罚行而不当，则天下不服／怒笞不可偃于家，刑罚不可偃于国，诛伐不可偃于天下

❿是非明而后可以施赏罚／当功以受赏，当罪以受罚／法不至死，无容滥加酷罚／迂固之史，有是非而无赏罚／逆于己便于国者，不加罚焉／有官必有课，有课必有赏罚／天下之人蹈道必赏，违善必罚／以同异为善恶，以喜怒为赏罚／寄治乱于法术，托是非于赏罚／罪及善者，则恶者不以罚为辱／凡四方小大邦丧，罔非有辞于罚／凡用民，太上以义，其次以赏罚／功不当其事，事不当其言，则罚／贵粟之道，在于使民以粟为赏罚／臣以能行为能，君以能赏罚为能／用仁义以治天下，公赏罚以定干戈／以德以义，不赏而民劝，不罚而邪止／古之善用人者，必循天顺人而明赏罚／凡为天下国家，当爱惜名器，谨重刑罚／力田者受旌显之赏，惰农者有不齿之罚／大臣重禄而不极谏，近臣畏罚而不敢言／忧愁惨怛，乐非轻死，则刑罚不能恐也／昔尧治天下，不赏而民劝，不罚而民畏／揽名责实不得虚言，有功者赏，有罪者罚／无德不贵，无能不官，无功不赏，无罪不罚／君之赏不可以无功求，君之罚不可以有罪免／德不称位，能不称官，赏不当功，罚不当罪／法小弛则是非驳，赏不必尽善，罚不必尽恶／惟严惟明，其赏也思，惟宽惟惠，其罚也畏／赏罚不明，百事不成；赏罚若明，四方可行／世之治乱，在赏当其功，罚当其罪，即无不治／法大弛，则是非易位，赏恒在佞，而罚恒在直／举天下以赏其善者不足，举天下以罚其恶者不给／人情得足，苦于放纵，快须臾之欲，忘慎罚之义／今使愚教知，使不肖临贤，虽严刑罚，民弗从也／贤君之治也，温良而和，宽容而爱，刑清而省，喜赏而恶罚

罢 ①bà 停止；解除；完毕。②ba 同“吧”，表语气。③pí 通“疲”，劳；软弱无能；疲沓无行。④bǎi[郎罢]父亲的别称。

❶罢官之无事，恤人之不足

见唐·杨炯《盂兰盆赋》。

罢去浮巧轻媚丛错采绣之文

见宋·苏轼《欧阳内翰》。全句为：“招来雄俊魁伟敦厚朴直之士，～”。

罢无能，废无用，捐不急之官，塞私门之请

见《战国策·秦策》

❷歌罢海动色，诗成天改容／舞罢青蛾同去国，战残白骨尚盈丘

❹捐不急，罢冗员／新诗改罢自长吟

❺骤战则民罢，骤胜则主骄／贤而能容罢，知而能容愚／以骄主使罢民，然而国不亡者，天下少矣

❻骐骥不能与罢驴为驷，凤皇不与燕雀为群

❼王良登车，马无罢驽

❽形见则胜可制，力罢则威可立／骄则恣，恣则极物；罢则怨，怨则极虑／贤能，不待次而举；罢不能，不待须而废

❾并骥而走者，五里而罢／偏讶思君无限极，欲罢欲忘还复忆

❿拱默取容，以徇一身之利者，亦当罢而去之／腾蛇游雾，飞龙乘云，云罢雾霁，与蚯蚓同／敌先我动，则是见其形；彼躁我静，则是罢其力／饥餐松柏叶，渴饮涧中泉，看罢青青竹，和衣自在眠

罟 gǔ 鱼网；用网捕鱼；法网。

❷数罟不入洿池，鱼鳖不可胜食也

❿函车之兽，介而离山，则不免于罔罟之患

詈 lì 责骂。

❺小人怨汝詈汝，则皇自敬德

署 shǔ 办理公务的机关；指代理、暂任或试充官职；布置；签名，题字。

❺设官置吏，署员太多，不精则十不如一

置 zhì 安放；搁；设立；配备；购买；赦罪，释放。

❶置之死地而后快

见宋·苏舜钦《答韩持国书》。

置之死地而后生

见清·李渔《十二楼·鹤归楼》第四回。

置将不善，一败涂地

见汉·司马迁《史记·高祖本纪》。

置不肖之人于位，是为虎傅翼也

见汉·韩婴《韩诗外传》卷四。

置直谏之士者，恐不得闻其过也

见汉·班固《汉书·贾山传》。全句为："立辅弼之臣者，恐骄也；～"。

置虚器于水中，未充则唱，既充则默

见宋·杨万里《庸言》。

置猿槛中，则与豚同……无所肆其能也

见汉·刘安《淮南子·俶真》。删节处为："非不巧捷也"。

置其本，求之末，当后者反先之，无一焉不悖于极

见宋·王安石《与祖择之书》。

❸色能置害，必须远之／投闲置散，乃分之宜／推心置腹，开诚布公／凡物置之安地则安，危地则危／泻水置平地，各自东西南北流／设官置吏，署员太多，不精则十不如一／古之置吏也将以逐盗，今之置吏也将以为盗

❺溢美之言，置疑于人／苦身焦思，置胆于坐，坐卧即仰胆，饮食亦尝胆

❽不有严刑，诛赏安置／教化之移人也如置邮焉

❾慎贵在举贤，慎民在置官／珠之有颣玉之有瑕，置之而全，去之而亏

❿孔子曰：德之流行，速于置邮而传命／古之置吏也将以逐盗，今之置吏也将以为盗／采采卷耳，不盈顷筐。嗟我怀人，置彼周行

罪

zuì 犯法的行为；过失；刑罚；苦难；痛苦；谴责，归罪。

❶罪疑惟轻，功疑惟重

见《尚书·大禹谟》。

罪漏则民放佚而轻犯禁

见汉·桓宽《盐铁论·刑德》。全句为："罔疏则兽失，法疏则罪漏，～"。

罪生甲，祸归乙，伏怨乃结

见韩非子《用人》。

罪及善者，则恶者不以罚为辱

见明·吕坤《呻吟语·刑法》。全句为："赏及淫人，则善者不以赏为荣；～"。

罪驱之于后，功啖之于前……不可得也

见宋·杨万里《民政》。删节处为："虽欲不与民为仇"。

罪至重而刑至轻，庸人不知恶矣，乱莫大焉

见《荀子·正论》。

❷同罪异罚，非刑也／伐罪吊民，古之令轨／有罪之人，人所共弃／善罪身者，民不得罪也／无罪而戮民，则士可以徙／无罪而杀士，则大夫可以去／有罪者优游获免，无罪者妄受其辜／服罪输情者虽重必释，游辞巧饰者虽轻必戮

❸不能罪身者民罪之／刑称罪则治，不称罪则乱／禹汤罪己，其兴也悖焉；桀纣罪人，其亡也忽焉

❹万方有罪，在予一人／百姓有罪，在于一人／匹夫无罪，怀璧其罪／欲加之罪，何患无辞／欲加之罪，其无辞乎／言者无罪，闻者足戒／天讨有罪，五刑五用哉／罚不当罪，则不如无罚／罚当其罪，为恶者戒惧／罚当其罪，为恶者咸惧／千秋功罪，谁人曾与评说／得志万罪消，失志百丑生／诽谤之罪不诛，而后良言进／弥天的罪过，当不住一个"悔"字／言者无罪闻者戒，下流上通上下泰／杀一无罪非仁也，非其有而取之非义也／君子能罪己，斯罪人也；不报怨，斯报怨也／贱者有罪，贵者治之。君得罪于民，谁将治之？

❺不知者不罪／言而无实，罪也／尤而效之，罪又甚焉／过在自用，罪在变化／言之者无罪，闻之者足以戒／富贵之多罪，不如贫贱之履道

❻一事殊法，同罪异论／无功不赏，无罪不罚／有功而赏，有罪而罚／诛者不怨君，罪之所当也／功盛者赏显，罪多者罚重／法正则民悫，罪当则民从／恃陋而不备，罪之大者也／必原情以定罪，不阿意以侮法／镜无见疵之罪，道无明过之恶／有功不赏，有罪不诛，虽唐虞犹不能以化天下

❼不能罪身者民罪之／政之不平，吏之罪也／使人日徙善远罪而不自知／当功以受赏，当罪以受罚／有事不避难，有罪不避刑／天下每每大乱，罪在于好知／赏无功谓之乱，罪不知谓之虐／不杀无辜，无释罪人，则民不惑／为国为民而得罪，君子不以为辱／刑罚不能加无罪，邪枉不能胜正人／民之不善，吏之罪；吏之不善，君之过／君子能罪己，斯罪人也；不报怨，斯报怨也／火佚焚家，家不罪火；食过伤人，人不罪食／罄南山之竹，书罪未穷；决东海之波，流恶难尽

❽匹夫无罪，怀璧其罪／仕于世，有劳而见罪／善罪身者，民不得罪也／刑称罪则治，不称罪则乱／赏须功而加，罚待罪而施／法令所以导民，刑罪所以禁奸／义死不避斧钺之罪，义穷不受轩冕之服／不知者，非其人之罪也；知百不为者，惑也

❾以人言善我，必以言罪我／罔疏则兽失，法疏则罪漏／残朴以为器，工匠之罪也／好刑，则有功者废，无罪者诛／始得名于文章，终得罪于文章／有罪者优游获免，无罪者妄受其辜／过洞庭，上湘江，非有罪左迁者罕至／赏之使谏，尚恐不言；罪其敢言，孰敢献纳

❿憎我者之言刻，刻必当罪／驱天下之人而从善远罪也／文章不成者，不可以诛罪／白骨成丘山，苍生竟何罪／无德于人而求用于人，罪也／赏不加于无功，罚不加于无罪／赏必加于有

功，刑必断于有罪／言其是则有功，言其非则有罪／不仇民则大者无功，而其次有罪／不尊无功，不官无德，不诛无罪／民不乐生，尚不避死，安能避罪／匿为物而愚不识，大为难而罪不敢／仁者安仁，知者利仁，畏罪者强仁／人主好仁，则无功者赏，有罪者释／小人寡欲则能谨身节用，远罪丰家／杀一人则千人恐，滥一罪则百夫愁／贤者之作，思利乎人；反是，罪也／赏赐不加于无功，刑罚不施于无罪／教会宣明，不能尽力，士卒之罪也／法者，所以禁民为非而使其迁善远罪也／晚食以当肉，安步以当车，无罪以当贵／为人臣者，以富乐民为功，以贫苦民为罪／揽名责实不得虚言，有功者赏，有罪者罚／无德不贵，无能不官，无功不赏，无罪不罚／功莫大于去恶而为善，罪莫大于去善而为恶／苦身为善者，其赏厚；苦身为非者，其罪重／君之赏不可以无功求，君之罚不可以有罪免／德不称位，能不称官，赏不当功，罚不当罪／驷马不驯，御者之过，百姓不治，有司之罪／政之不中，君之患也；令之不行，臣之罪也／火佚焚家，家不罪火；食过伤人，人不罪食／黾勉从事，不敢告劳；无罪无辜，谗口嚣嚣／世之治乱，在赏当其功，罚当其罪，即无不治／以人之言而遗我粟，至其罪我也又且以人之言／设必犯之法，不度民情之不堪，是陷民于罪也／与父老约，法三章耳：杀人者死，伤人及盗抵罪／禹汤罪己，其兴也悖焉；桀纣罪人，其亡也忽焉／贱者有罪，贵者治之。君得罪于民，谁将治之？／国家大事，牧不当官，言之实有罪，故作《罪言》／喜则滥赏无功，怒则滥杀无罪，是以天下丧乱，莫不由此／以玙璠之玼而弃其璞，以一人之罪而兼其众，则天下无美宝信士

蜀

shǔ 三国时国名；四川省的别称；一，独；蛾蝶类幼虫。

❶蜀道之难，难于上青天

见唐·李白《蜀道难》。

蜀国多仙山，峨眉邈难匹

见唐·李白《登峨眉山》。

蜀山金碧地，此地饶英灵

见唐·陈子昂《送殷大入蜀》。

蜀酒浓无敌，江鱼美可求

见唐·杜甫《戏题寄上汉中王三首》之二。

蜀笺都有三千幅，总写离情寄孟光

见五代·刘兼《江楼望乡寄内》。

❺楚山全控蜀，汉水半吞吴

❻此间乐，不思蜀

❼六王毕，四海一，蜀山兀，阿房出

❿人苦不知足；既平陇，复望蜀

罹

lí 遭受；忧患；苦难。

❸岂不罹凝寒？松柏有本性

羁

jī 马络头；束缚；停留；在外客居。

❶羁鸟恋旧林，池鱼思故渊

见晋·陶潜《归田园居五首》之一。

羁马思其华林，笼雉想其皋泽

见晋·湛方生《游园咏》。全句为："～。矧流客之归思，岂可忘于畴昔"。

❹朽索充羁，不收奔马之逸

❽文章之作，恒发于羁旅草野

❿人生贵得适意尔，何能羁宦数千里以要名爵

罽

jì 一种毛织品。

❺非患无旃罽橘柚，患无狭庐糟糠

盂

yú 一种盛液体的敞口器具；古代打猎的阵形；古地名；姓。

❻安天下于覆盂，其功可大

盆

pén 器具；类似盆的；把东西浸没在水中；姓。

❷戴盆何以望天／戴盆望天，不见星辰

❺人生似瓦盆，打着了方见真空

❿忽报人间曾伏虎，泪飞顿作倾盆雨

盈

yíng 充满；多出来；通"赢"；仪态美好。

❶盈必溢

见三国·魏·王弼《老子》十五注。

盈必毁，天之道也

见《左传·哀公十一年》。

盈缩卷舒，与时变化

见汉·刘安《淮南子·俶真》。

盈盈一水间，脉脉不得语

见汉·无名氏《古诗·迢迢牵牛星》。全句为："河汉清且浅，相去复几许。～"。

盈虚倚伏，去来之不可常

见唐·柳宗元《贺进士王参元失火书》。

盈握之璧，不必采于昆仑之山

见南朝·宋·刘义庆《世说新语·言语》。全句为："夜光之珠，不必出于孟津之河；～"。

盈而不溢，盛而不骄，劳而不矜其功

见《国语·越语下》。

盈尺径寸，易取琢磨；南箕北斗，难为簸挹

见南朝·梁·刘潜《为晋安王让丹阳尹表》。

盈把之木无合拱之枝，荣泽之水无吞舟之鱼

见汉·韩婴《韩诗外传》。

盈缩之期，不但在天；养怡之福，可得永年

见三国·魏·曹操《步出夏门行·龟虽寿》。

盈天地间皆物也。……通观天地，天地一物也

见明·方以智《物理小识·自序》。

❷大盈若冲，其用不穷／损盈成亏，随世随死／

盈盈一水间，脉脉不得语

❸洼则盈，敝则新／持而盈之，不如其已／消息盈亏，终则有始／九河盈溢，非一块所防／消息盈虚，一晦一明……／惧满盈，则思江海下百川／进退盈缩变化，圣人之常道也／进退盈缩，与时变化，圣人之常道也／彼为盈虚非盈虚……彼为积散非积散也

❹谿壑可盈，是不可餍也／瓮盎易盈，以其狭而拒也／丑声，贯盈。迟和早除奸佞

❺天地之化，盈虚消息，往过来续，流行古今／何惜阶前盈尺之地，不使白扬眉吐气，激昂青云／物之美者，盈天地间皆是也。然必待人之神明才慧而见

❻因祸受福，喜盈我室／日不常中，月盈有亏／兴尽悲来，识盈虚之有数／君子尚消息盈虚，天行也／腊天日短不盈尺，何似妖姬一曲歌／彼为盈虚非盈虚……彼为积散非积散也／采采卷耳，不盈顷筐。嗟我怀人，置彼周行

❼不广不见削，不盈不见亏／乐极则哀集，至盈必有亏／操数寸之管，书盈尺之纸／江河之流，不能盈无底之器也／争地以战，杀人盈野；争城以战，杀人盈城

❽道冲，而用之或不盈／天地之道，极则反，盈则损／流水之为物也，不盈科不行／《关雎》之乱，洋洋乎盈耳哉／亡而为有，虚而为盈，约而为泰，难乎有恒

❾天王日俭德，俊乂始盈庭／照之有余辉，揽之不盈手／源泉混混，不舍昼夜，盈科而后进，放乎四海

❿万川归之，不知何时止而不盈／既反黑以为白，恒怀蛆以自盈／豺狼死而犹饿兮，牛腹尸而不盈／舞罢青蛾同去国，战残白骨尚盈丘／凡理国者，务积于人，不在盈其仓库／诤臣必谏其渐，及其满盈，无所复谏／三年耕有九年储，仓谷满盈，斑白不负戴／年不可举，时不可止，消息盈虚，终则有始／争地以战，杀人盈野；争城以战，杀人盈城／大成若缺，其用不敝；大盈若冲，其用不穷／物盛而衰，乐极则悲，日中而移，月盈而亏／敌存而惧，敌去而舞；废备自盈，只益为瘉／穷高则危，大满则溢，月盈则缺，日中则移／为啬之道，不施不予，俭爱微妙，盈若无有。／人之情，目欲视色，耳欲听声，口欲察味，志气欲盈

盐 ①yán 食盐；由金属离子和酸根离子所组成的化合物。②yàn 用盐腌物；通“艳”，羡慕；曲名。

❸声得盐梅，响滑榆槿

❹煮海为盐，采山铸钱／刻画无盐，以唐突西子

❺羊不任驾盐车，椽不可为楣栋

❻并刀如水，吴盐胜雪

❽攻玉以石，治金以盐

❾有千里莼羹，但未下盐豉耳

监 ①jiān 监狱；监视；指诸侯。②jiàn 中国古代官名或官署名；通“鉴”，镜，借鉴参考。

❹无于水监，当于民监

❻正获之问于监市履狶也，每下愈况／屈平所以洞监《风》《骚》之情者，抑亦江山之助乎

❼君子省众而动，监戒而谋，谋度而行，故无不济

❽无于水监，当于民监／人求多闻善败，以监戒也

❾委任不一，乱之媒也；监察不止，奸之府也

盎 àng 洋溢；充满；古代一种器皿。

❷瓮盎易盈，以其狭而拒也

盛 ①shèng 兴旺；丰富；强烈；隆重；普遍；程度深；抚育；极点；姓。②chéng 将东西放在容器里；容纳。

❶盛不忘衰，安必思危

见汉·班固《汉书·匈奴传》。

盛衰无常，唯爱所丁

见汉·张衡《西京赋》。全句为：“～；卫后兴于鬓发，飞燕宠于体轻”。

盛名之下，其实难副

见南朝·宋·范晔《后汉书·黄琼传》。

盛之有衰，犹朝之必暮

见汉·刘向《新序·善谋》。

盛年不重来，一日难再晨

见晋·陶潜《杂诗十二首》之一。

盛衰各有时，立身苦不早

见汉·无名氏《古诗十九首·回车驾言迈》。

盛饰入朝者，不以私污义

见汉·邹阳《狱中上书自明》。全句为：“～，砥厉名号者，不以利伤行”。

盛时不可再，百年忽我遒

见三国·魏·曹植《野田黄雀行》。

盛之有衰，生之有死，天之分也

见《晏子春秋·外篇·重而异者》。

盛唐而学汉魏，岂复有盛唐之诗

见明·袁宏道《叙小修诗》。全句为：“秦汉而学六经，岂复有秦汉之文？～”。

盛于彼者必衰于此，长于左者必短于右

见汉·刘向《说苑·谈丛》。

盛秋水潦，穷冬雨雪，深泥积水，相辅为害

见唐·柳宗元《兴州江运记》。全句为：“崖谷峻隘，十里百折，负重而上，若蹈利刃；～”。

❷德盛不狎侮／辞盛则文工／向盛背衰，三可贱／物盛而衰，固其变也／功盛者赏显，罪多者罚重／德盛者治也，德薄者乱也／德盛者威广，

力盛者骄众／蝎盛则木朽，欲盛则身枯／气盛则言之短长与声之高下者皆宜／物盛而衰，乐极则悲，日中而移，月盈而亏
❸德以盛为本／名心盛者必为伪／君子盛德，容貌若愚／根本盛大而出无穷也／世有盛名，则衰之日至矣／衰为盛之终，盛为衰之始／国朝盛文章，子昂始高蹈／气忌盛，心忌满，才忌露／治之盛也，德优矣，莫高于俭／人家盛衰，皆系乎积善与积恶而已／德益盛者虑益微，功愈高者意愈下／德弥盛者文弥缛，德弥彰者人弥明／虚华盛而忠信微，刻薄稠而纯笃稀／自古盛衰如转烛，六朝兴废同棋局／知之盛者莫大于成身，成身莫大于学／物有盛衰，时有推移，事有激会，人有变化／骐骥盛壮之时，一日而驰千里；至其衰也，驽马先之
❹至则反，盛则衰／贵富太盛，则必骄佚而生过／禄位尊盛，守之以卑者，贵／世有莫盛之福，又有莫痛之祸／极而反，盛而衰，天地之道也／牢骚太盛防肠断，风物长宜放眼量／当人强盛，河山可拔，一朝羸缩，人情万端
❺日新谓之盛德／恃力者虽盛而必衰／兴者必废，盛者必衰／安不忘危，盛必虑衰／数尽则穷，盛满而衰／数穷则尽，盛满则衰／胜地不常，盛筵难再／大白若辱，盛德若不足／气直则辞盛，辞盛则文工／侵淫溪谷，盛怒于土囊之口／万物必有盛衰，万事必有弛张／盈而不溢，盛而不骄，劳而不矜其功／万物者，以盛衰而谈语，使人想而知之／出见纷华盛丽而说，入闻夫子之道而乐／仁者不以盛衰改节，义者不以存亡易心／未有主强盛而辅不飘逸者，兵卫不华赫而庄整者／月满则潮盛，月亏则潮衰。潮汐进退，皆由于月也
❻道高方知魔盛／源清流洁，本盛末荣／衰为盛之终，盛为衰之始／辩之不早，疑盛乃动，故必战／世间万物有盛衰，人生安得常少年／祸积起于宠盛，而不知辞宠以招福
❼功高成怨府，权盛是危机／德盛者威广，力盛者骄众／气直则辞盛，辞盛则文工／有兴必有废，有盛必有衰／蝎盛则木朽，欲盛则身枯／国之隆替，时之盛衰，察其任臣而已／四时万物兮有盛衰，唯我愁苦兮不暂移／虚空者，乃可用盛受万物。故曰虚无能制有形
❽春风不信，其华不盛／虽无丝竹管弦之盛……／圣人为戒，必于方盛之时／天道之数，至则反，盛则衰／动容周旋中礼者，盛德之至也
❾良贾深藏若虚，君子盛德容貌若愚／阳春之曲，和者必寡；盛名之下，其实难副／圣智至孔子而极其盛，不过举条理以言之而已矣
❿明主尚贤使能而飨其盛／理辩则气直，气直则辞盛／人之老也，形益衰而智益盛／良贾深藏如虚，君子有盛教如无／文章，经国之大业，不朽之盛事／盛唐而学汉魏，岂复有盛唐之诗／谗邪进则众贤退，群枉盛则正士消／夏也百草榛榛焉，见其盛而知其阑／短绠不可以汲深，器小不可以盛大／生有厚利，死有遗教，此盛君之行也／道足以忘物之得丧，志足以一气之盛衰／邪之与正，犹水与火，不同原，不得并盛／孝子不谀其亲，忠臣不谄其君，臣子之盛也／教也者，义之大者也；学也者，知之盛者也／风俗之变，迁染民志，关之盛衰，不可不慎／短绠不可以汲深，器小不可以盛大，非其任也／行不充于内，德不备于人，虽盛其服，文其容，民不尊也／仰观宇宙之大，俯察品类之盛，所以游目骋怀，足以极视听之娱

蛊

①gǔ 传说中将毒虫放在器皿里让其互相吞食，最后不死的叫蛊，可用以毒害人；诱惑人；以巫术害人的妖术；六十四卦之一。②yě［蛊媚］谓妖冶媚人。
❿毋为财货迷，毋为妻子蛊

盘

pán 盘子；像盘的；盘旋；垒，砌；仔细查问、清点；全部转让；指行情；量词；盘缠，旅费；古代盥器；回旋；通“磐”，磐石；姓。
❶盘庚曰：“……朕不肩好货”
见《尚书·盘庚下》。
盘石千里，不为有地；愚民百万，不为有民
见汉·韩婴《韩诗外传》。
❸谁知盘中餐，粒粒皆辛苦／不遇盘根错节，何以别利器乎
❹丸之走盘……／周诰殷盘，佶屈聱牙／虎踞龙盘，三百年之帝国／虎踞龙盘今胜昔，天翻地覆慨而慷
❻肴核既尽，杯盘狼藉
❼只因一着错，满盘都是空
❽夺我席上酒，掣我盘中飧
❿苟怀四方志，所在可游盘／小时不识月，呼作白玉盘／嘈嘈切切错杂弹，大珠小珠落玉盘／紫芝生于山，而不能生于盘石之上／水抵两岸，悉皆怪石，敧嵌盘屈，不可名状

盗

dào 偷盗；盗贼；私通；诡佞的人。
❶盗不过五女门
见南朝·宋·范晔《后汉书·陈蕃传》。
盗名不如盗货
见《荀子·不苟》。
盗贼弗诛，则伤良民
见《管子·明法解》。
盗虚声者多，有实学者少
见清·吴敬梓《儒林外史》第十回。
盗贼之心必托圣人之道而后可行
见汉·刘安《淮南子·道应》。

盗取民食兮，私己不分；充赚果腹兮，骄傲欢欣

见唐·柳宗元《憎王孙文》。

❷其盗机也，天下莫不能见，莫不能知／小盗者拘，大盗者为诸侯；诸侯之门，义士存焉

❸赌近盗，淫近杀／防人盗不如防我盗／人有盗而富者，富者未必盗

❹慢藏诲盗，冶容诲淫／渴不饮盗泉水，热不息恶木阴／豺狼寇盗不杀人民，不足以止其贪

❺盗名不如盗货／政赋不均，盗之源也／教化不修，盗之源也／衣食不足，盗之源也／奸诈既作，盗贼日多，谓之乱政／志士不饮盗泉之水，廉者不受嗟来之食

❻藉贼兵而赍盗食／捕雀而掩目，盗钟而掩耳／绝圣弃知，大盗乃止；擿玉毁珠，小盗不起／小盗者拘，大盗者为诸侯；诸侯之门，义士存焉

❼礼义生于富足，盗窃起于贫穷／悬牛头，卖马脯；盗跖行，孔子语

❽防人盗不如防我盗／穿窬下禁，则致强盗／不息恶木枝，不饮盗泉水／非其人而教之，赍盗粮、借贼兵也／苟不知我而谓我盗跖，吾又安取惧焉／不务衣食而务无盗贼，是止水而不塞源也／欲生于不足则民盗，能使无欲则民不为盗

❾农事废，饥寒并至，故盗贼多有／古之进人者，或取于盗，或举于管库／古之置吏也将以逐盗，今之置吏也将以为盗／使天下畏刑而不敢盗，岂若能使无有盗心哉／草茅弗去，则害禾谷；盗贼弗诛，则伤良民

❿非其所取而取之，谓之盗／居官不爱子民，为衣冠盗／人有盗而富者，富者未必盗／举贤则民相轧，任知则民相盗／宾至如归，无宁灾患，不畏寇盗／力不足则伪，知不足则欺，财不足则盗／小人贫斯约，富斯骄；约斯盗，骄斯乱／欲生于不足则民盗，能使无欲则民不为盗／古之置吏也将以逐盗，今之置吏也将以为盗／使天下畏刑而不敢盗，岂若能使无有盗心哉／色厉而内荏，譬诸小人，其犹穿窬之盗也与／大富则骄，大贫则忧；忧则为盗，骄则为暴／布帛寻常，庸人不释；铄金百溢，盗跖不掇／绝圣弃知，大盗乃止；擿玉毁珠，小盗不起／教明于上，化行于下，民有耻心，则何盗之为／与父老约，法三章耳：杀人者死，伤人及盗抵罪／上有无时之求，中有剥削曲巧之政，下有豺狼寇盗之害／圣智设法，本以守国，智诈极矣，乃翻为盗国之盗资也／不仁之人骋其私智，可以盗千乘之国，而不可以得丘民之心

盖 ①gài 盖子；遮挡，蒙上；印上；建造；超过，压倒；古指伞或像伞的车篷；副词。②hé 通“盍”，何不；通“阖”，门扇。③gě 古地名；姓。

❶盖世功劳，当不得一个“矜”字

见明·洪应明《菜根谭》。全句为：“～；弥天的罪过，当不住一个“悔”字”。

盖棺始能定士之贤愚，临事始能见人之操守

见宋·林逋《省心录》。

盖吾儒起手便与禅异者，正在彻始彻终总是体用一致耳

见清·颜元《存学编》卷二。

❷冠盖满京华，斯人独憔悴／功盖三分国，名成八阵图

❸丈夫盖世英雄气，肯学世间儿女愁／丈夫盖棺事始定，君今幸未成老翁／弟子盖三千焉，身通六艺者七十有二人／谓天盖高，不敢不局；谓地盖厚，不敢不蹐／兼覆盖而并有之，度伎能而裁使之者，圣人也

❹山树为盖，岩石为屏，云从栋生，水与阶平

❺务为不久，盖虚不长／有无相通，盖为常理／矜伪不长，盖虚不久／廊庙之材，盖非一木之枝也／粹白之裘，盖非一狐之皮也／至于子美，盖所谓上薄风、骚……

❻白头如新，倾盖如故／非物有小大，盖心为虚实／孔子罕称命，盖难言之也／力拔山兮气盖世，时不利兮骓不逝

❼树形团团如帷盖……／孰知养之之优，盖由责之之重／义胆包天，忠肝盖地，四海无人识／荷尽已无擎雨盖，菊残犹有傲霜枝

❽物固多伪兮，知者盖寡／言之信者，在乎区盖之间／君子于其所不知，盖阙如也／无所往而不乐者，盖游于物之外也／不言之教，无为之盖，天下希及之／有其志必成其事，盖烈士之所徇也／方地为车，圆天为盖，长剑耿耿倚天外／日月欲明而浮云盖之，兰芝欲修而秋风败之

❾善始者实繁，克终者盖寡／或求名而不得，或欲盖而名章／勇略震主者身危，功盖天下者不赏／四海悠悠，皆慕名者，盖因其情而致其善尔／彼妇之口，可以出走……盖优哉游哉，维以卒岁／含气之伦，有生必终，盖天地之常期，自然之至数

❿有善始者实繁，能克终者盖寡／予之无所往而不乐者，盖游于物之外也／功之成，非成于成之日，盖必有所由起／才不半古，而功已倍之，盖得之于时势也／一节省而国有余用，民有盖藏，不知其几也／谓天盖高，不敢不局；谓地盖厚，不敢不蹐／男子疾耕不足于糟糠，女子纺绩不足于盖形／冬不服裘，夏不操扇，雨不张盖，是谓将礼／文章无警策，则不足传世，盖不能竦动世人／胡越之人，生则声同，长则语异，盖声者天然／一人所以能敌万人者，非弓刀之技，盖威之至也／一人所以能悦万人者，非言笑之惠，盖和之至也／读书不独变气质，且能养精神，盖

理义收摄故也

盟 ①méng 联盟；发誓；结拜。②míng 起誓；[盟器]古代殉葬的器物。③mèng[盟津]黄河古渡口名。

❷山盟虽在，锦书难托。莫！莫！莫！

❸不防盟墨诈，须戒覆车新

❹城下之盟，有以国毙，不能从也

❺苟信不继，盟无益也

❼人特劫君而不盟，君不知，不可谓智

盬 gǔ 古盐池名；颗盐，亦作"苦"；不坚固；停止；吸饮声。

❹王事靡盬，不能艺稷黍

针 zhēn 缝织衣物时的工具；状如针形的；刺入；医疗用具。

❷先针而后缕，可以成帷／顺针缕者成帷幕，合升斗者实仓廪

❸恶于针石者，不可与言至巧

❹逍遥以针劳，谈笑以药倦／好似和针吞却线，刺人肠肚系人心

❺先缕而后针，不可以成衣

❻臣心一片磁针石，不指南方不肯休／一切问答，如针锋相投，无纤毫参差

❼堤溃蚁孔，气泄针芒／进苦口之药石，针害身之膏肓

❽故堤溃蚁孔，气泄针芒／扁鹊不能治不受针药之疾／居逆境中，周身皆针砭药石，砥节砺行而不觉

❾班翟不能削石作芒针

❿蝮蛇口中草，蝎子尾后针／缝缉，则长剑不及数寸之针／虎魄不取腐芥，磁石不受曲针／箴者，所以攻疾防患，喻针石也

钓 diào 用钓竿诱捕鱼类；比喻用手段骗取；姓。

❶钓名之人无贤士焉

见《管子·法法》。

钓巨鱼者不使稚子轻预

见汉·桓谭《新论·求辅》。全句为："捕猛兽者不使美人举手，～"。

钓者中大鱼，则纵而随之……则无不得也

见晋·陈寿《三国志·魏书·刘晔传》。删节处为："须可制而后牵"。

❷善钓者出鱼乎十仞之下，饵香也／善钓者无所失，善于钓矣，而不善所钓

❹一人独钓一江秋／无饵之钓，不可以得鱼

❻射者使人端，钓者使人恭，事使然也

❼孤舟蓑笠翁，独钓寒江雪／采于山，美可茹；钓于水，鲜可食

❽幸能修实操，何俟钓虚声

❾善钓者无所失，善于钓矣，而不善所钓

❿致君事业堆胸臆，却伴溪童学钓鱼／善钓者无所失，善于钓矣，而不善所钓／坐而玩之者，可濯足于床下；卧而狎之者，可垂钓于枕上

钗 chāi 妇女插在发髻上的首饰。

❽见有人来，袜刬金钗溜，和羞走／玉在椟中求善价，钗于奁内待时飞

钜 jù 刚硬的铁；钩子；"巨"的异体字。

❸繁弱，钜黍，古之良弓也……则不能自正

钝 dùn 不锋利；笨。

❹兵有利钝，战无百胜

❺敏或以窒，钝或以通／战久则兵钝，攻久则力屈／锐锋产乎钝石，明火炽乎暗木

❻襄邑俗织锦，钝妇无不巧／剑不试则利钝暗，弓不试则劲挠诬／石以砥焉，化钝为利；法以砥焉，化愚为智

❿隐括之旁多枉木，砥砺之旁多顽钝／水击鹄雁，陆断驹马，则臧获不疑钝利

钟 zhōng 用金属制成的响器，敲击时发声；计时器；时间；专注；古同"盅"；古计量单位；会集；相当于，类似；姓。

❷鼓钟于宫，声闻于外／福钟恒有兆，祸集非无端／鸿钟在听，不足论击缶之音／万钟之尸居，不若釜庾之有为／龙钟还忝二千石，愧尔东西南北人／黄钟毁弃，瓦釜雷鸣；谗人高张，贤士无名

❸子有钟鼓，弗鼓弗考；宛其死矣，他人是保

❹君子以钟鼓道志／万石之钟不以莛撞起音／宁撞金钟一下，不打铙钹三千

❺心旷，则万钟如瓦缶／窈窕淑女，钟鼓乐之／乐云乐云，钟鼓云乎哉／篙不能鸣钟，而萤火不爨鼎者，何也

❻目如炬，声如钟，则英伟刚毅之气使人兴起

❼善待问者如撞钟……／聋者无以与乎钟鼓之声／捕雀而掩目，盗钟而掩耳／听人以言，乐于钟鼓琴瑟

❾爰居避风，本无情于钟鼓

❿以管窥天，以蠡测海，以莛撞钟／文章太守，挥毫万字，一饮千钟／姑苏城外寒山寺，夜半钟声到客船／学视者先见舆薪，学听者先闻撞钟／植佳谷必以粪壤，铸洪钟必以土型／烟才通，寒淙淙；隔山风，老鼓钟／策马前途须努力，莫学龙钟虚叹息／年过八十而以居位，譬犹钟鸣漏尽而夜行不休／礼云礼云，玉帛云乎哉；乐云乐云，钟鼓云乎哉

钢 ①gāng 铁和碳的合金；比喻坚强。②gàng 磨刀。

❼秀干终成栋，精钢不作钩

❿酒是烧身硝焰，色为割肉钢刀

锉 cuò 锉削金属的手工具；用挫磋磨；折伤，挫败；小锅。

❻急求名者必锉

❿行未固于无非，而急求名者，必锉也

钤 qián 旧时机关团体或低级官员的图章；盖；锁。

❿用明察非，非无不见；用理钤疑，疑无不定

钦 qīn 敬重；旧指皇帝亲自做；曲；姓。

❶钦哉，钦哉，惟刑之恤哉

见《尚书·舜典》。

❺乃命羲和，钦若昊天……敬授民时

钧 jūn 古代的重量单位；对尊长或上级用的敬词；权衡；比喻权力；制陶器所用的转轮；通"均"；乐调；姓。

❶钧材而好学，明者为师

见三国·魏·刘劭《人物志·八观》。

钧天广乐，必有奇丽之观

见南朝·宋·范晔《后汉书·祢衡传》。

❷陶钧文思，贵在虚静／千钧之弩不为鼷鼠发机／权钧则不能相使，势等则不能相并

❸涉千钧之发机不知惧／悬千钧之重于木之一枝

❻力足以举百钧，而不足以举一羽／金猴奋起千钧棒，玉宇澄清万里埃／施为宜似千钧之弩，转发者，无宏功

❼十围之木持千钧之屋

❽以一缕之任，系千钧之重／崇一篑而弗休必钧高乎峻极矣

❿贱者虽自贱，重之若千钧／世混浊而不清，蝉翼为重，千钧为轻／百孔千疮，随乱随失，其危如一发引千钧／圣人和之以是非而休乎天钧，是之谓两行／谓马多力则有矣，若曰胜千钧，则不然者，何也？千钧，非马之任也

钩 gōu 钩子；钩形符号；像钩子的；古兵器名；镰刀；通"拘"；牵连；象声；弯曲；姓。

❶钩章棘句，掐擢胃肾

见唐·韩愈《贞曜先生墓志铭》。

钩曲之形，无绳直之影

见晋·葛洪《抱朴子·广譬》。

❷窃钩者诛，窃国者侯／食钩吻以疗饥，饮鸩毒以救渴／金钩桂饵虽珍，不能制九渊之沉鳞／操钩上山，揭斧入渊，欲得所求，难也／窃钩者诛，窃国者为诸侯；诸侯之门而仁义存焉

❺接赜索隐，钩深致远／人散后，一钩淡月天如水

❻君不见曲如钩，古人知尔封公侯

❾达士如弦直，小人似钩曲／直如弦，死道边；曲如钩，反封侯

❿仙宫云箔卷，露出玉帘钩／勿轻直折剑，犹胜曲全钩／须知香饵下，触口是铦钩／秀干终成栋，精钢不作钩／出师未捷悲移鼎，视死如归笑射钩／记事者必提其要，纂言者必钩其玄／纪事者必提其要，纂言者必钩其玄／五步一楼，十步一阁。……各抱地势，钩心斗角

钱 ①qián 货币；铜钱；像铜钱的；钱财；姓。②jiǎn 古农具名。

❶钱无耳，可使鬼

见晋代杂歌谣辞《鲁褒引谚》。

钱余于库，米余于廪

见唐·韩愈《故江南西道观察使太原王公墓志铭》。

钱财如粪土，仁义值千金

见明·冯梦龙《警世通言·桂员外途穷忏悔》。

钱神通灵于旁蹊，公器反类于互市

见宋·刘黻《率太学诸生上书》。

钱财不积则贪者忧，权势不尤则夸者悲

见《庄子·徐无鬼》。

❷持钱买水，所取有限／一钱亦分明，谁能肆谗毁／有钱的纳宠妾、买人口、偏兴旺

❹白璧青钱，欲买春无价／已借蜡钱输麦税，免教缉捕闯门来

❺文臣不爱钱，武臣不惜死，天下太平矣

❻长袖善舞，多钱善贾

❼买得风光不著钱／凡人坏品败名，钱财占了八分

❽煮海为盐，采山铸钱／瞒天讨价，就地还钱／洗手奉职，不以一钱假人／廷尉狱，平如砥；有钱生，无钱死／痛不著身言忍之，钱不出家言与之

❾取一文官不值一文钱／胸中不学，犹手中无钱／国家剩得数百万贯钱，何如得一有才行人

❿一饱勿易得，奈此官租钱／吏肃惟遵法，官清不爱钱／人生贵相知，何必金与钱／巢许蔑四海，商贾争一钱／文籍虽满腹，不如一囊钱／古人采铜于山，今人则买旧钱／虽有群书万卷，不及囊中一钱／宁见朽贯千万而不忍赐人一钱／而今风物那堪画，县吏催钱夜打门／但愿亲友长含笑，相逢莫乏杖头钱／人生不得长少年，莫惜床头沽酒钱／众中不敢分明语，暗掷金钱卜远人／廷尉狱，平如砥；有钱生，无钱死／号呼卖卜谁家子，想欠明朝籴米钱／日暮榆园拾青荚，可怜无数沈郎钱／身多疾病思田里，邑有流亡愧俸钱／殖货财产，贵其能施赈，否则守钱虏耳／虽有神药，不如少年；虽有珠玉，不如金钱

銶 shù 长针；引导。

❸刿目銶心，刃迎缕解

钳 qián 夹住东西或夹而使东西变形、折断的工具；古代一种刑罚。
❸下不钳口，上不塞耳，则可有闻矣

钵 bō 僧徒食具；盛器。
❾文章自得方为贵，衣钵相传岂是真

钹 bó 打击乐器。
❿宁撞金钟一下，不打铙钹三千

钺 ①yuè 古代兵器，状如板斧而略大，弧形刃，有长柄；星名。②huì［钺钺］车铃声。
❻义死不避斧钺之罪，义穷不受轩冕之服
❿褒见一字，贵逾轩冕；贬在片言，诛深斧钺

钻 ①zuān 穿孔；穿过；进入；钻研；通"攒"，簇聚。②zuàn 钻孔的工具；钻石。
❹火则不钻不生，不扇不炽／所好则钻皮出其毛羽，所恶则洗垢求其瘢痕
❺仰之弥高，钻之弥坚。瞻之在前，忽焉在后
❻槁竹有火，弗钻不然；土中有水，弗掘无泉
❽话不说不知，木不钻不透
❿轻囷仓之蓄，而惜一杯钻

铁 tiě 一种金属；喻指坚固或坚定不移；黑色；兵器；古丘名；姓。
❶铁骑无声望似水
见宋·陆游《夜游宫》。
铁可折，玉可碎，海可枯……直节贯殊途
见宋·汪莘《水调歌头》［志可洞金石］。删节处为："不论穷达生死"。
❸丹书铁契，金匮石室／心如铁石，气若风云／踏破铁鞋无觅处，得来全不费功夫
❹人心似铁，官法如炉／将砺如铁，士乃忘躯
❺慈石能引铁，及其于铜则不行
❻灵丹一粒，点铁成金／想当年，金戈铁马，气吞万里如虎
❼农，天下之大业；铁器，民之大用／雄关漫道真如铁，而今迈步从头越／莫道男儿心如铁，君不见满川红叶，尽是离人眼中血
❽舌端之孽，惨乎楚铁
❿运退黄金失色，时来顽铁生辉／痴人妄认逆境，平地自生铁围／金沙水拍云崖暖，大渡桥横铁索寒

铃 líng［铃铛］金属制成的小型响器；形状像铃的。
❷解铃还要系铃人
❾心病终须心药治，解铃还是系铃人
❿行宫见月伤心色，夜雨闻铃肠断声／心病终须心药治，解铃还是系铃人

铄 shuò 熔化；损耗；同"烁"；毁谤；渗入。
❸众口铄金，三人成虎／众口铄金，浮石沉木／众口铄金，积毁销骨
❹由外以铄己，因物以激志／谗口成铄金，沉舟由积羽
❼众心成城，众口铄金
❾良田败于邪径，黄金铄于众口／布帛寻常，庸人不释；铄金百溢，盗跖不掇
❿铎以声自毁，膏烛以明自铄

铅 ①qiān 金属；石墨。②yán 通"沿"，循，沿着。
❶铅刀强可一割
见汉·张衡《与特进书》。
铅刀贵一割，梦想骋良图
见晋·左思《咏史诗八首》之一。
铅不可以为刀，铜不可以为弩
见汉·刘安《淮南子·齐俗》。
❸驽马铅刀，不可强扶
❻欧冶不能铸铅锡作干将／小人小善，乃铅刀之一割
❾驽蹇服御，良乐咨嗟；铅刀剖截，欧冶叹息

铎 duó 古代乐器。
❶铎以声自毁，膏烛以明自铄
见汉·刘安《淮南子·缪称》。全句为："～，虎豹之文来射，猿狖之捷来措"。

铗 jiá 冶铸金属时用的钳；剑；剑柄。
❷长铗归来乎，食无鱼
❼劝君莫弹食客铗，劝君莫叩富儿门

铙 náo 铜制打击乐器；古代军中乐器；通"挠"，扰乱；姓。
❻万物无足以铙心者，故静也
❾宁撞金钟一下，不打铙钹三千

铘 yé［镆铘］同"莫邪"，一种宝剑。
❿良剑期乎断，不期乎镆铘

铛 ①dāng 拟声词，形容撞击金属的声音；女子的耳饰；［锒铛］铁索。②chēng 温酒器；一种铁锅。③tāng 通"镗"；拟声词，钟鼓或敲锣的声音。
❷鼎铛玉石，金块珠砾，弃掷逦迤

铜 tóng 金属名。
❷以铜为镜，可以正衣冠
❹古人采铜于山，今人则买旧钱
❻声声解堕金铜泪，未信吴儿是木人
❼铅不可以为刀，铜不可以为弩
❽东风不与周郎便，铜雀春深锁二乔

❾慈石能引铁，及其于铜则不行
❿燔埴为瓦则可，烁瓦为铜则不可／海内之货，咸萃其庭，产匹铜山，家藏金穴

铠 kǎi 古代战士护身的铁甲。
❶铠甲生虮虱，万姓以死亡
见三国·魏·曹操《蒿里行》。

铢 zhū 古代重量单位；不锋利。
❶铢铢而称之，至石必差
见汉·枚乘《上书谏吴王》。全句为："～；寸寸而度之，至丈必过"。
❻权衡既悬，锱铢靡遁，厉弩习骥，终莫之近
❼奈何取之尽锱铢，用之如泥沙／胜兵若以镒称铢，败兵若以铢称镒
❾决千金之货者不争铢两之价／寸而度之，至丈必差；铢而称之，至石必过／石称丈量，径而寡失，铢铢而称，至石必谬
❿胜兵若以镒称铢，败兵若以铢称镒／石称丈量，径而寡失，铢铢而称，至石必谬／遇事多算计，较利悉锱铢，其过甚小，而积之甚大，慎之慎之

铤 ①dìng 未经冶炼的铜铁；古代所铸的各种形状的金银块，作货币流通；箭头装入箭杆的部分。②tǐng 形容快走的样子。
❶铤而走险，急何能择
见《左传·文公十七年》。

铦 ①xiān 农具的一种；捕鱼具；锋利；姓。②tiǎn 取。
❶铦者必先挫
见《墨子·亲士》。
❼简选精良，兵械铦利……
❾须知香饵下，触口是铦钩
❿足不强则迹不远，锋不铦则割不深

铩 shā 古代的一种长矛；伤残。
❺鸟焚林而铩翮，鱼夺水而暴鳞

铭 míng 记载，刻写；比喻永远记住；铸刻在金属器具或石碑上的文字；指一些称颂功德或鞭策劝戒的文体。
❶铭博约而温润，箴顿挫而清壮
见晋·陆机《文赋》。
铭者，所以名其善功以昭后世也
见宋·欧阳修《虞部员外郎尹公墓志铭》。
❿旍如云兮帜如星，山可动兮石可铭

铮 zhēng[铮铮]象声词，形容金属撞击的声音；比喻人光明磊落、坚贞不屈；通"钲"，古乐器名；磨，镀。
❻宜投壶，矢声铮铮然

铲 chǎn 一种铁制的用具；铲物；铲除。
❼自私之念萌，则铲之；谗谀之徒至，则却之

银 yín 金属；指货币或与货币有关的；像银子颜色的；通"垠"，界限；姓。
❸舞落银蟾不肯归／山舞银蛇，原驰蜡象，欲与天公试比高
❹珠玉金银，饥不可食，寒不可衣／金满箱，银满箱，转眼乞丐人皆谤
❻月本无光，如银丸。日耀之，乃光耳
❼瀑布天落，半与银河争流……
❽隋侯之珠，不饰以银黄
❿春去细糠如剖玉，炊成香饭似堆银

铸 zhù 铸造；古国名。
❸销兵铸农器，今古岁方宁／焉得铸甲作农器，一寸荒田牛得耕
❺欧冶不能铸铅锡作干将
❼渴而穿井，临难铸兵／煮海为盐，采山铸钱
❽植佳谷必以粪壤，铸洪钟必以土型
❿猛虎不看几上肉，洪炉不铸囊中锥／病已成而后药之，乱已成而后治之，譬犹渴而穿井，斗而铸锥，不亦晚乎

铺 ①pū 把东西展开放平或散开摊平；铺首，衔门环的底座；病；古器名。②pù 小商店；用木板搭的床；古代的驿站。
❶铺采摛文，体物写志
见南朝·梁·刘勰《文心雕龙·诠赋》。
铺落花以为茵，结垂杨而代幄
见唐·宋之问《春游宴兵部韦员外韦曲庄序》。
❿烟云泉台，花鸟苔林，金铺锦帐，寓意则灵

铿 kēng[铿锵]形容响亮而有节奏的声音；撞击。
❶铿锵发金石，幽眇感鬼神
见唐·韩愈《荆潭唱和诗序》。
❿逆胡未灭心未平，孤剑床头铿有声

销 xiāo 将金属熔化为液态；除去；耗费；卖出；生铁；铁制的工具；通"消"，消散。
❶销忧者莫若酒
见汉·班固《汉书·东方朔传》。
销兵铸农器，今古岁方宁
见唐·杜甫《奉酬薛十二丈判官见赠》。全句为："吾闻聪明主，治国用轻刑，～"。
❷虹销雨霁，彩彻云衢
❸黯然销魂者，唯别而已矣
❹祸患可销于未萌
❺黯然别之销魂，悲哉秋之为气／火力不能销地力，乱前黄菊眼前开
❼愁绝寒梅酒半销／骨朽人间骂未销／众口铄金，积毁销骨／霜夺茎上紫，风销叶中绿／崇推

让之风，以销分争之讼／事业文章随身销毁，而精神万古如新

❽斫冰为璧，见日而销／齿由刚折，膏为明销／明者起福于无形，销患于未然／积恶在身，犹火之销膏，而人不见也

❾肮脏不平之气，不欲销而自销；坚贞不拔之志，不欲奋而自奋矣

❿从风还共落，照日不俱销／薰以香自烧，膏以明自销／我岂更求荣达，日长聊以销忧／一生几许伤心事，不向空门何处销／苦心虽呕何由出，病骨非谗亦自销／砚中斑驳遗民泪，井底千年恨未销／若夫以火能焦木也，因使销金，则道行矣／玉可碎而不可改其白，金可销而不可易其刚／处顺境内，眼前尽兵刃戈矛，销膏靡骨而不知／肮脏不平之气，不欲销而自销；坚贞不拔之志，不欲奋而自奋矣

锁 suǒ 装在器物上面使人不能随意打开的器具；锁住；封闭；紧皱眉头；一种缝纫法；雕绘连环形的花纹。

❷利锁名缰，几阻当年欢笑

❹名缰利锁，天还知道，和天也瘦

❼心若留时，何事锁眉头

❽以智慧刀，断烦恼锁／因嫌纱帽小，致使锁枷扛／烟雨莽苍苍，龟蛇锁大江

❿劝君少干名，名为锢身锁／东风不与周郎便，铜雀春深锁二乔

锄 chú 农具，用于松土、除草。

❶锄一恶，长十善

见宋代歌谣谚《谚》。

锄禾日当午，汗滴禾下土

见唐·李绅《悯农》。全句为："～。谁知盘中餐，粒粒皆辛苦"。

锄奸杜倖，要放他一条去路……

见明·洪应明《菜根谭》。全句为："～，若使之一无所容，譬如塞鼠穴者，一切去路都塞尽，则一切好物俱咬破矣"。

锄一害而众苗成，刑一恶而万民悦

见汉·桓宽《盐铁论·后刑》。

❹有莠则锄，有疾则医／田夫荷锄至，相见语依依

❻一令蔓草难锄，涓流泛酌，岂直疥痒轻疴，容为重患

❽驱东复驱西，弃却锄与犁

❾晨兴理荒秽，带月荷锄归

❿香兰自判前因误，生不当门也被锄／为之政，以率其怠倦；为之刑，以锄其强梗／深耕概种，立苗欲疏，非其种者，锄而去之

锋 fēng 锐利或尖端的部分；队伍的前列；古代的一种农具；也指文章的气势；一种气流现象。

❷锐锋产乎钝石，明火炽乎暗木

❸弃身锋刃端，性命安可怀

❹纵横振锋颖之才，吐纳积江湖之量

❻风流不在谈锋胜，袖手无言味最长

❼一切问答，如针锋相投，无纤毫参差

❽以一介之微挫其锋于顷刻／足不强则迹不远，锋不铦则割不深

❾然饰穷其要，则心声锋起／蚌死留夜光，剑折留锋芒

❿太阿之剑，犀角不足齿其锋／挟天子而令诸侯，此诚不可与争锋／衣不洗则垢不除，刀不磨则锋不锐／君子避三端：避文士之笔端，避武士之锋端，避辩士之舌端

锐 ①ruì 锋利；勇往直前的气势；急剧；迅速；细小。②duì 古代兵器，矛类。③yuè 碗的一种别称。

❶锐锋产乎钝石，明火炽乎暗木

见晋·葛洪《抱朴子·博喻》。全句为："～，贵珠出乎贱蚌，美玉出乎丑璞"。

锐者如簪，缺者如玦，隆者如髻，圆者如璧

见宋·王质《游东林山水记》。

❷山锐则不高，水狭则不深

❸其进锐者，其退速／避其锐气，击其惰归／挫其锐，解其纷，和其光，同其尘，湛兮似或存

❹年少气锐，不识几微／意不并锐，事不两隆／其与人锐，其去人必速／强者折，锐者挫，坚者破／宜得敏锐兼人之器，以副厉精更化之怀／被坚执锐，义不如公；坐而运策，公不如义

❺坚则毁矣，锐则挫矣／佯北勿从，锐卒勿攻，饵兵勿食

❻作箭者欲其锐，恐人不伤

❼新进之士喜勇锐，老成之人多持重／立志欲坚不欲锐，成功在久不在速

❽刀利则物必摧之，锐斯挫矣

❿衣不洗则垢不除，刀不磨则锋不锐／曲思于细者必忘其大，锐精于近者必略于远／将不仁，则三军不亲；将不勇，则三军不锐

错 ①cuò 不对；过失；差；交叉；杂乱；避开；用金涂饰；更迭。②cù 通"措"；安置；施行；停止。

❶错人而思天，则失万物之情

见《荀子·天论》。

错国于不倾之地者，授有德也

见《管子·牧民》。

错把黄金买词赋，相如自是薄情人

见《诗人玉屑》(引唐人《长门怨》)。

❷举错数失，必致危亡之道

❸举直错诸枉，则民服／翘翘错薪，言刈其楚／举枉错诸直，则民不服／小人错其在己者，而慕

其在天者，是以日退也

❹不琢不错，不离砾石／天也，你错勘贤愚枉为天／阴，也是错；晴，也是错／猿猕猴错木据水，则不若鱼鳖

❺只因一着错，满盘都是空／好将前事错，传与后人知／不遇盘根错节，何以别利器乎／嘈嘈切切错杂弹，大珠小珠落玉盘／星斗张明，错落水中，如珠走镜，不可收拾

❼阴阳五行，循环错综，升降往来

❽它山之石，可以为错／阴，也是错；晴，也是错／罢去浮巧轻媚丛错采绣之文

❾操吴戈兮被犀甲，车错毂兮短兵接／凡工妄匠，执规秉矩，错准引绳，则巧同于人倕也

❿皇天无私阿兮，览民德焉错辅／谢诗如芙蓉出水，颜诗如错采镂金／一切言动，都要安详；十差九错，只为慌张／有君臣然后有上下，有上下然后礼义有所错／东风恶，欢情薄，一怀愁绪，几年离索。错！错！错／天无一点云，星斗张明，错落水中，如珠走镜，不可收拾

锡 ①xī 赐；化学元素；细布；姓。②tì 假发。

❻孝子不匮，永锡尔类

❼欧冶不能铸铅锡作干将

锢 gù 熔化金属浇堵空隙；禁锢；垄断，霸占；通"痼"。

❽劝君少干名，名为锢身锁

锤 chuí 秤砣；锤子；古代兵器；垂挂；古县名；古时重量单位。

❷千锤万击出深山，烈火焚烧若等闲

❸拯溺锤之以石，救火投之以薪

❺水面上秤锤浮，直待黄河彻底枯

❿不治其本，而务其末，譬犹拯溺锤之以石

锥 zhuī 锥子；形状像锥子的；锥刺。

❶锥之处囊中，其末立见

见汉·司马迁《史记·平原君虞卿列传》。

❷刀锥之末，将尽争之

❸疾如锥矢，战如雷电

❻用管窥天，用锥指地／读书欲睡，引锥自刺其股，血流至足／以管窥天，以锥刺地；所窥者大，所见者小

❼以戈舂黍也，以锥餐壶也／刀不能剪心愁，锥不能解肠结

❽是直用管窥天，用锥指地也，不亦小乎

❾贤士之处世也，譬若锥之处囊中，其末立见

❿富者田连阡陌，贫者亡立锥之地／猛虎不看几上肉，洪炉不铸囊中锥／病已成而后药之，乱已成而后治之，譬犹渴而穿井，斗而铸锥，不亦晚乎

锦 jǐn 有彩色花纹的丝织品；色彩鲜明美丽。

❶锦帽貂裘，千骑卷平冈

见宋·苏轼《江城子》。全句为："老夫聊发少年狂，左牵黄，右擎苍。～"。

锦糊灯笼，玉镶刀口……不知落在何处矣

见明·黄宗羲《胡子藏院本序》。删节处为："非不好看，讨一毫明快"。

❹拙制伤锦，迂政损国／杂花如锦，傍缘石菌之崖／寸裂之锦黻，未若坚完之韦布

❺骈四俪六，锦心绣口／襄邑俗织锦，钝妇无不巧／山盟虽在，锦书难托。莫！莫！莫！／沙鸥翔集，锦鳞游泳；岸芷汀兰，郁郁青青

❼草木贲华，无待锦匠之奇／才如白地明光锦，裁为负版裤

❽萋兮斐兮，成是贝锦／丞相祠堂何处寻，锦官城外柏森森

❾苍蝇点垂棘，巧舌成锦绮／朕若躬服珠玉，自玩锦绣……

❿以烦手烹鱼则鱼必溃，使学者制锦则锦必伤／刺绣之师，能缝帷裳；纳缕之工，不能织锦／烟云泉台，花鸟苔林，金铺锦帐，寓意则灵／为一书，务富文采，不顾事实……是犹用文锦复陷阱也

键 jiàn 门闩，锁簧；钥匙；乐器上用以按奏的装置；举鼎的工具。

❷关键将塞，则神有遁心

❹五寸之键制开阖之门，岂其才巨小哉，所居要也

锯 ①jù 锯子；用锯拉断。②jū 通"锔"，用锔子补接器物。

❷绳锯木断，水滴石穿，学道者须加力索

❿赏不以爵禄，刑不以刀锯

锱 zī 古代重量单位。

❺权衡既悬，锱铢靡遁，厉驽习骥，终莫之近

❻奈何取之尽锱铢，用之如泥沙

❾遇事多算计，较利悉锱铢，其过甚小，而积之甚大，慎之慎之

锲 qiè 雕刻；镰刀；截断。

❶锲而舍之，朽木不折；锲而不舍，金石可镂

见《荀子·劝学》。

锷 è 刀剑的刃。

❸剑之锷，砥之而光；人之名，砥之而扬

❻山，刺破青天锷未残。天欲堕，赖以拄其间

锻 duàn 锻造；锻炼；打铁。

❷百锻成字，千炼成句

❾心源为炉，笔端为炭。锻炼元本，雕砻群形
❿欲做精金美玉的人品，定从烈火中锻来

锵 qiāng 金玉相击声。
❷铿锵发金石，幽眇感鬼神
❽鸾凤之音不得不锵于乌鹊

镀 dù 在物体表面涂上一层薄而均匀的金属。
❼假金方用真金镀，若是真金不镀金

镂 lòu 雕刻；疏通；通"漏"，孔穴；大口锅。
❶镂冰为璧，不可得而用也
见唐·刘知几《史通·载文》。全句为："～；画地为饼，不可得而食也"。
❸画水镂冰，与时消释／画脂镂冰，费日损功
❻搜奇抉怪，雕镂文字
❼虽有良玉，不刻镂则不成器
❽朽烂之材，不受雕镂之饰／辞者，犹器之有刻镂绘画也／土事不文，木事不镂，示民知节也／炒沙作糜终不饱，镂冰文章费工巧
❾言之如吹影，思之如镂尘
❿谢诗如芙蓉出水，颜诗如错采镂金／虽有贤师良友，若画脂镂冰，费日损功／锲而舍之，朽木不折；锲而不舍，金石可镂

镃 zī［镃基］锄头。
❿虽有智慧，不如乘势；虽有镃基，不如待时

镆 mò［镆铘］古代宝剑名，也作"莫邪"。
❺割而舍之，镆邪不断肉；执而不释，马氂截玉
❾良剑期乎断，不期乎镆铘／璧瑗成器，礛诸之功，镆邪断割，砥砺之力

镇 zhèn 压；抑制；震慑；安定；稳定；制裁；用强力压服；武力守卫；（军队）武力守卫的重要、险要处；压物的用具；指市镇；明清军队的编制单位；整日。
❶镇相连似影追形，分不开如刀划水
见清·洪昇《长生殿·窥浴》。
❿国以信而治天下，将以勇而镇外邦

镌 juān 破木之器，亦为破木；凿；雕刻；削；官吏降级。
❶镌金石者难为功，摧枯朽者易为力
见汉·班固《汉书·异姓诸侯王表》。

镒 yì 古代重量单位。
❷千镒之裘，非一狐之白也
❺胜兵若以镒称铢，败兵若以铢称镒

镞 zú 箭头。
❶镞矢之疾，而有不行不止之时
见《庄子·天下》。
❷利镞穿骨，惊沙人面……声折江河，势崩雷电

镜 jìng 镜子；像镜子的；照耀；鉴察；姓。
❶镜无见疵之罪，道无明过之恶
见《韩非子·观行》。
镜之明已也功细，士之明已也功大
见《吕氏春秋·恃君览·达郁》。全句为："皆知说镜之明已也，而恶士之明已也；～"。
镜以曜明，故鉴人；蚌以含珠，故内照
见晋·苻朗无篇名散句。全句为："心能知人者如明镜，善自知者如蚌镜。～"。
镜于水，见面之容；镜于人，则知吉与凶
见《墨子·非攻中》。
❷不镜于水，而镜于人／俯镜八川，周睇万里／明镜鉴形，美恶必见／明镜所以照形，古事所以知今／明镜便于照形，其于以函食，不如箪／以镜自照者见形容，以人自照者见吉凶／如镜之明，断可以平；如镜之洁，断可以决
❸目失镜，则无以正须眉／惜恐镜中春，不如花草新／虽为镜于前代，终抱痛于今日
❹不鉴于镜，而鉴于人／以古为镜，可以知兴替／以人为镜，可以明得失／以人为镜，可以知得失／以铜为镜，可以正衣冠／君子不镜于水而镜于人／如水月镜花，勿泥其迹／人行明镜中，鸟度屏风里／清流若镜，下照金沙之底／人之水镜也，见之若披云雾睹青天／皆知说镜之明己也，而恶士之明己也
❺又疑瑶台镜，飞在青云端／毋贻盲者镜，毋予躄者履／何尝见明镜疲于屡照，清流惮于惠风
❻不镜于水，而镜于人／衡无心而平，镜无心而明／以易限之鉴，镜难原之才，使国罔遗授，野无滞器，其可得
❼丽容虽丽，犹待镜以端形／菩提本无树，明镜亦非台／善知人者如明镜，善自知者如蚌镜／至人之用心若镜，不将不迎，应而不藏／君不见高堂明镜悲白发，朝如青丝暮成雪
❽朗如日月，清如水镜／君子不镜于水而镜于人／人疑天上坐，鱼似镜中悬／目短于自见，故以镜观面／舟如空里泛，人似镜中行／塞上长城空自许，镜中衰鬓已先斑／心能知人者如明镜，善自知者如蚌镜／镜于水，见面之容；镜于人，则知吉与凶／人欲自照，必须明镜；主欲知过，必藉忠臣
❾发少嫌梳利，颜衰恨镜明／立言无显过之咎，明镜无见玼之尤／水至平而邪者取法，镜至明而丑者无怒
❿人欲自见其势，以资明镜／居今之世，志古之道，所以自镜／人心莫厌如弦直，淮水长怜似镜清／善知人者如明镜，善自知者如蚌镜／心能

知人者如明镜，善自知者如蚌镜／净心守志，可会至道，譬如磨镜，垢去明存／如镜之明，断可以平；如镜之洁，断可以决／星斗张明，错落水中，如珠走镜，不可收拾／不修身而求令名于世者，犹貌甚恶而责妍影于镜也／今不修身而求令名于世者，犹貌甚恶而责妍影于镜也／天无一点云，星斗张明，错落水中，如珠走镜，不可收拾

镝

①dí 箭头；箭。②dī 化学元素。

❸闻鸣镝而股战，对穹庐以屈膝

❿正西风落叶下长安，飞鸣镝

镬

huò 古时指无足的鼎；古代的一种大锅。

❷鼎镬甘如饴，求之不可得

❹褰裳赴镬，其甘如荠

❻尺薪不能温镬水，寸冰不足寒庖厨

❽尝一脟肉，而知一镬之味

镶

①xiāng 镶嵌，镶配；古代兵器的一种。②ráng 铸铜铁器模型的瓤子。

❻锦糊灯笼，玉镶刀口……不知落在何处矣

矢

shǐ 箭；发誓；通"施"，陈设；正直。

❶矢在弦上，不得不发

语出《太平御览》卷五九七引《魏书》载曹操责问陈琳为袁绍写檄文一事。

矢人惟恐不伤人，函人惟恐伤人

见《孟子·公孙丑上》。

矢之于十步贯兕甲，于三百步不能入鲁缟

见汉·刘安《淮南子·说山》。

矢之发无能贯，待其止而能有穿；唯止能止众止

见汉·刘安《淮南子·说山》。

❷蒙矢石，赴汤火，视死如归／镞矢之疾，而有不行不止之时

❸之死矢靡它／机发矢直，涧曲湍回，自然之趣也

❹宜投壶，矢声铮铮然／疾如锥矢，战如雷电／疾如流矢，击如发机者，所以破精微也

❺水激则悍，矢激则远／强弩之极，矢不能穿鲁缟／邦有道，如矢；邦无道，如矢

❻论之应理，犹矢之中的

❼论说之出，犹弓矢之发也／灵台无计逃神矢，风雨如磐暗故园

❽周道如砥，其直如矢／水不激不能破舟，矢不激不能饮羽／旌蔽日兮敌若云，矢交坠兮士争先

❾恃自直之箭，百世无矢／陶者能圆而不能方，矢者能直而不能曲

❿修身以为弓，矫思以为矢／俟自直之箭，则百代无一矢／白刃扞乎胸，则目不见流矢／邦有道，如矢；邦无道，如矢／青云衣兮白霓裳，举长矢兮射天狼／天下之善射者也，不能以拨弓曲矢中微／羿者，天下之善射者也，无弓矢则无所见其巧

矩

jǔ 画直角图形的工具；规则；法度。

❶矩不方，规不可以为圆

见《庄子·天下》。

矩不正不可以为方，规不正不可以为圆

见汉·刘安《淮南子·诠言》。全句为："～；身者事之规矩也"。

❷规矩备具，而能出于规矩之外／规矩，方圆之至也；圣人，人伦之至也

❸尽规矩而进者，全礼义者也／无规矩，虽奚仲不能以定方圆／用规矩准绳者，亦有规矩准绳焉／去规矩而妄意度，奚仲不能成一轮／非规矩不能定方圆，非准绳不能正曲直

❹不以规矩不能成方员／不以规矩，不能成方圆

❺长本非长，矩形之则长矣

❻身者，事之规矩也／以公平为规矩，以仁义为准绳／巧者能生规矩，不能废规矩而正方圆

❼大匠诲人以规矩

❽大匠诲人必以规矩，学者亦必以规矩／凡工妄匠，执规秉矩，错准引绳，则巧同于人倕也

❾梓匠轮舆能与人规矩，不能使人巧

❿变化不测，而亦不背于规矩也／规矩备具，而能出于规矩之外／用规矩准绳者，亦有规矩准绳焉／巧匠目意中绳，然必先以规矩为度／六十而耳顺，七十而从心所欲不逾矩／巧者能生规矩，不能废规矩而正方圆／大匠诲人必以规矩，学者亦必以规矩／虽有巧目利手，不如拙规矩之正方圆／欲知平直，则必准绳；欲知方圆，则必规矩／操一己之绳墨，持前王之规矩，以方枘欲圆凿／小大修短，各得其所宜，规矩方圆，各有所施

矧

shěn 况；亦；通"龂"，齿根。

❶矧流客之归思，岂可忘于畴昔

见晋·湛方生《游园咏》。全句为："羁马思其华林，笼雉想其皋泽。～"。

矫

jiǎo 纠正；强壮；假托；举起，昂起；强貌；姓。

❶矫生于愧，愧生于众

见宋·杨万里《诗论》。

矫枉过正则巧伪滋生

见晋·陈寿《三国志·魏书·和洽传》。

矫枉者不过其正，弗能直

见汉·董仲舒《春秋繁露·玉杯》。

矫首而徇飞，不如修翼之必获也
见三国·魏·徐幹《中论·治学》。
矫枉者，欲其直也，矫之过则归于枉矣
见宋·王安石《庄周上》。
矫矫亢亢，恶圆喜方，羞为奸欺，不忍害伤
见唐·韩愈《送穷文》。
❸愧斯矫，矫斯复，复斯善
❹愧斯矫，矫斯复，复斯善／好以智矫法，时以行杂公……
❺慊慊为人，矫矫为官／断鹤续凫，矫作者妄／飘如游云，矫若惊龙
❻不劲直，不能矫奸／慊慊为人，矫矫为官／政者正也，当矫其弊／修身以为弓，矫思以为矢
❼上好则下必甚，矫枉故直必过／厉直刚毅，材在矫正，失在激讦
❽国奢则视之以俭，矫枉者过其正／矫枉者，欲其直也，矫之过则归于枉矣
❿上邪下难正，众枉不可矫／气宜宣而遏之，体宜调而矫之，神宜平而抑之，必有失和者矣

短 duǎn 距离小；缺少；缺点；浅；拦截；说人短处。

❶短不可护，护短终短
见明·聂大年《座右铭》。全句为："～；长不可矜，矜则不长"。
短绠不可以汲深井之泉
见《荀子·荣辱》。全句为："～，知不几者不可与及圣人之言"。
短长肥瘠各有态，玉环飞燕谁敢憎
见宋·苏轼《孙莘老求墨妙亭诗》。
短绠不可以汲深，器小不可以盛大
见汉·刘安《淮南子·说林》。
短不可护，护则终短；长不可矜，矜则不长
见明·聂大年《座右铭》。
短绠不可以汲深，器小不可以盛大，非其任也
见汉·刘安《淮南子·说林》。
❷长短相形，高下相倾／校短量长，惟器是适／昼短苦夜长，何不秉烛游／知短于自知，故以道正己／绠短者衔渴，足疲者辍途／目短于自见，故以镜观面／责短舍长，则天下无不弃之士／记短则兼折其长，贬恶则并伐其善／长短不饰，以情自竭，若是则可谓直士矣
❸日有短长，月有死生／人之短生，犹如石火，炯然以过／仗其短浅之耳目，以断微妙之有无，岂不悲哉
❹彼其发短而心甚长／来日苦短，去日苦长／尺有所短，寸有所长／英雄气短，儿女情长／避其所短，则世无弃材／寂寥乎短章，春容乎大篇／寒者利短褐，而饥者甘糟糠／录长补短，则天下无不用之人／身之所短，上虽不知，不以取赏／明主思短而益善，暗主护短而永愚／腊天日短不盈尺，何似妖姬一曲歌／凫胫虽短，续之则忧；鹤胫虽长，断之则悲／小大修短，各得其所宜，规矩方圆，各有所施
❺不以人所短弃其所长／人才有长短，不必兼通／人才有长短，能有巨细／无道人之短，无说己之长／长本非长，短形之则长矣／仲夏苦夜短，开轩纳微凉／勿谓寸阴短，既过难再获／志士惜日短，愁人知夜长／根浅则末短，本伤则枝枯／不忧命之短，而忧百姓之穷／知者之所短，不若愚者之所修／日南则景短多暑，日北则景长多寒／屈长才于短用者，犹骥扑鼠而斧剪毛也
❻短不可护，护短终短／今志人之所短，而忘人之所修／日光寒兮草短，月色苦兮霜白／词客争新角短长，迭开风气递登场／气盛则言之短长与声之高下者皆宜／礼者，断长续短，损有余，益不足／明者不以其短疾人之长，不以其拙病人之工
❼侏儒见一节而短长可知／蛇举首尺，而修短可知／性长非所断，性短非所续／深儿女之怀，便短英雄之气／长者不为有余，短者不为不足／人之才性，各有短长，固难勉强／凡人之用智有短长，其施设各异／智者不用其所短，而用愚人之所长
❽记人之长，忘人之短／取其所长，弃其所短／荐我寸长，开君尺短／善善也长，恶恶也短／有话即长，无话则短／短不可护，护短终短／用其所长，掩其所短／石火光中争长竞短，几何光明／牧童归去横牛背，短笛无腔信口吹／一人之身，才有长短，取其长则不问其短／任人之长，不强其短；任人之工，不强其拙／性有精粗，命有长短，情有美恶，意有大小／短不可护，护则终短；长不可矜，矜则不长／避人之长，攻人之短，见己之所长，避己之所短
❾寒者不贪双璧而思短褐／春色无高下，花枝有短长／审其所好恶，则其长短可知也／为善的受贫穷更命短，造恶的享富贵又寿延
❿毋以己之长而形人之短／为之度，以一天下之长短／寒之之日长而暴之之日短／善学者假人之长，以补其短／阴阳之不并曜，昼夜之有长短／劳其形者长年，安其乐者短命／人之寿夭在元气，国之长短在风俗／增之一分则太长，减之一分则太短／操吴戈兮被犀甲，车错毂兮短兵接／善战者，见敌之所长，则知其所短／清风两袖朝天去，免得闾阎话短长／明主思短而益善，暗主护短而永愚／物固莫不有长，莫不有短，人亦然／矮人看戏何曾见，都是随人说短长／登高不可以为长，居下不可以为短／岂得以人言不同己意，便即护短不纳／盛于彼者必衰于此，长于左者必短于右／褚小者不可以怀大，

绠短者不可以汲深/自瞽者乐言己之长,自聩者乐言人之短/一人之身,才有长短,取其长则不问其短/人才之行,自昔罕全,苟有所长,必有所短/人之才行,自昔罕全,苟有所长,必有所短/拘囹圄者,以日为修;当死市者,以日为短/量其当否,参其同异,弃其所短,收其所长/糟糠不饱者不务粱肉,短褐不完者不待文绣/才可伪,功不可伪;临民听政,长短贤不肖立见/避人之长,攻人之短,见己之所长,避己之所短/天地之养也一,登高不可以为长,居下不可以为短/权,然后知轻重;度,然后知长短。物皆然,心为甚/凡偏材之人,皆一味之美,故长于办一官而短于为一国

矮

ǎi 短;低。

❶矮观场,嗔人长,不自量

见清·金埴《不下带编》卷一。

矮人看戏何曾见,都是随人说短长

见清·赵翼《论诗》。

❺满场是假,矮人何辩也

雉

zhì 俗称野鸡;量词;古代博戏采色之一;牵牛绳。

❶雉雊麦苗秀,蚕眠桑叶稀

见唐·王维《渭川田家》。

❷泽雉十步一啄,百步一饮,不蕲畜乎樊中

❽羁马思其华林,笼雉想其皋泽

矰

zēng 古代射鸟用的拴着丝绳的箭。

❶矰缴充蹊,阬阱塞路,举手挂网罗,动足蹈机坎

见南朝·宋·范晔《后汉书·袁绍传》。

禾

hé 特指稻;秦汉以前指粟。

❶禾黍必刈其稂莠而后苗始茂

见明·宋濂《进大明律表》。全句为:"～,白粲必去其沙砾而后食可餐"。

❷嘉禾始熟而农夫先尝其粒/锄禾日当午,汗滴禾下土/老禾不早杀,余种秽良田

❹花下一禾生,去之为恶草/数亩秋禾满家食,一机官帛几梭丝

❺不去草稗,禾实不成/君子如嘉禾也,封殖之甚难,而去之甚易

❻养稊稗者伤禾稼,惠奸宄者贼良民

❼澧泉有故源,嘉禾有旧根/不稼不穑,胡取禾三百廛兮/土之美者善养禾,君之明者善养士/凡养稂莠者伤禾稼,惠奸宄者贼良人/草茅弗去,则害禾谷;盗贼弗诛,则伤良民

❽锄禾日当午,汗滴禾下土/身譬如地,善意如禾,恶意如草

❿各愿种成千百索,豆萁禾穗满青山/赤日炎炎似火烧,野田禾稻半枯焦/犁牛之驳似虎,莠之幼似禾,事有似是而非者

秀

xiù 优异;优异出众的人才;俊美而不俗气;聪慧;表演;指禾类植物开花;指草类植物结实。

❶秀干终成栋,精钢不作钩

见宋·包拯《书端州郡斋壁》。

秀出天南笔一枝,为官风骨称其诗

见清·龚自珍《己亥杂诗》。

❷挺秀色于冰涂,厉贞心于寒道/举秀才,不知书;察孝廉,父别居/木秀于林,风必摧之;堆出于岸,流必湍之

❸聪明秀出谓之英,胆力过人谓之雄

❹匡庐奇秀,甲天下山/怀此贞秀姿,卓为霜下杰/千岩竞秀,万壑争流……若云兴霞蔚/苗而不秀者有矣夫,秀而不实者有矣夫

❺雉雊麦苗秀,蚕眠桑叶稀

❻清声而便体,秀外而惠中

❽雕削取巧,虽美非"秀"矣

❾谢朝华于已披,启夕秀于未振/野芳发而幽香,佳木秀而繁阴/苗而不秀者有矣夫,秀而不实者有矣夫

❿情在词外曰隐,状溢目前曰秀/词澹语要有味,壮语要有韵,秀语要有骨/十步之内,必有芳草;四海之中,岂无奇秀

私

sī 属于个人的;只顾个人的;不公开的;违法贩运的商品;指日常衣服;偏爱;利己。

❶私仇不及公

见《左传·哀公五年》。

私怨不入公门

见《韩非子·外储说左下》。

私情行而公法毁

见《管子·八观》。

私道行则法度侵

见《管子·七主七臣》。

私者,乱天下者也

见《管子·心术下》。

私欲不可以胜公议

见宋·苏轼《论特奏名》。

私视使目盲,私听使耳聋,私虑使心狂

见《吕氏春秋·季冬纪·序意》。

私心胜者可以灭公,为己重者不知利物

见宋·李邦献《省心杂言》。

❷去私莫如强恕/无私焉,乃私也/不私而天下自公/无私,百智之宗也/无私于物,唯贤是与/无私者,无为于身也/不私于物,物亦公焉/不私与己,是谓至公/道私者乱,道法者治/多私者不义,扬言者寡信/无私者知,至知者为天下稽/以私奉为心者,人必咈而叛之/徇私

贪浊……恐惧既多，亦有因而致死／毋私小惠而伤大体，毋借公论以快私情／交私养望者多得显官，独立营职者或见排沮／自私之念萌，则铲之；谗谀之徒至，则却之

❸军无私怒／不以私害公／赏不私其亲／不以私善害公法／不以私爱害公义／不以私害法，则治／志忍私，然后能公／不赏私劳，不罚私怨／官不私亲，法不遗爱／虑不私己，以之断义必厉／才觉私意起，便克去，此是大勇／仁，则私欲尽去，而心德之全也／天无私覆，地无私载，日月无私照／做到私欲净尽，天理流行，便是仁／官输私负索交至，勺合不留但糠秕／公无私者，其取舍进退无择于亲疏远迩／灭其私而无其身，则四海莫不瞻，远近莫不至／能无私于一人，故万物至而制之，万物至而命之／天无私覆也，地无私载也，日月无私烛也，四时无私行也

❹公事不私议／不以挟私为政／天之至私，用之至公／秉德无私，参天地兮／举事不私，听狱不阿／以公灭私，民其允怀／不宜偏私，使内外异法也／为国忘私仇，千秋思廉蔺／公正无私，一言而万民齐／公正无私，可以为天下王／智而用私，不若愚而用公／不以禄私其亲，功多者授之／人主有私人以财，不私人以官／至得无私，泛泛乎若不系之舟／皇天无私阿兮，览民德焉错辅／为恶之私易见，而为善之私难知／不可以私意喜一人。不可以私意怒一人／官不及私昵，惟其能；爵罔及恶德，惟其贤／智载于私，则所知少；载于公，则所知多矣／智而用私，不如愚而用公，故曰巧伪不如拙诚／伪乱俗，私坏法，放越轨，奢败制。四者不除，则政未由行矣

❺议，非众则私／无私焉，乃私也／公道通而私道塞／偏在于多私，不祥在于恶闻己过／明法制，去私恩，令必行，禁必止／不阿党，不私色，故群徒之卒不得容／法莫大于私不行，功莫大于使民不争／不以一毫私意自蔽，不以一毫私欲自累

❻败莫败于多私／五种俱熟，公私有余／甘露时雨，不私一物／选贤之义，无私为本／见素抱朴，少私寡欲／为政者不赏私劳，不罚私怨／惟至公不敢私其所私，私则不正／好名则多树私恩，惧谤则执法不坚／私视使目盲，私听使耳聋，私虑使心狂／如地如天，何私何亲？如日如月，唯君之节／盗取民食兮，私己不分；充嗛果腹兮，骄傲欢欣

❼不明察，不能烛私／不赏私劳，不罚私怨／为长者不敢怀私以请间／法之功，莫大使私不行／公义不亏于上，私行不失于下／不能大通，则各私其党而求利焉／不窥人闺门之私，听闻中冓之言／天无私覆，地无私载，日月无私照／言于国竭情无私，理于家陈信无愧／圣人若天然，无私覆也；若地然，无私载也／不仁之人骋其私智，可以盗千乘之国，而不可以得丘民之心／古之所谓公无私者，其取舍进退无择于亲疏远迩，惟其宜可焉

❽先国家之急而后私仇／王者如天地之无私心／今之言通者，通于私曲／罚不讳强大，赏不私亲近／盛饰入朝者，不以私污义／事生则释公而就私，货数而任己／万物之于人也，无私近也，无私远也／人主之于用法，无私好憎，故可以为令／从水之道而不为私焉，此吾所以蹈之也／洁其宫，开其门，去私毋言，神明若存／行货赂，趣势门，立私废公，比周而取容／不可假公法以报私仇，不可假公法以报私德／国耳忘家，公耳忘私，利不苟就，害不苟去／天无私覆也，地无私载也，日月无私烛也，四时无私行也／气质偏驳者，欲使私欲不能引染，如之何？惟在明明德而已

❾尔心贵正，正则不敢私／极身毋二，尽公不还私／大明无偏照，至公无私亲／大贤秉高鉴，公烛无私光／人主有私人以财，不私人以官／惟至公不敢私其所私，私则不正／立官不能使之方，以私欲乱之也／藐然数尺之躯，乃欲私造化以为己物／尽公者，政之本也；树私者，乱之源也／荡涤胸中，无一毫之私累，可以言大矣

❿当知岁功应，唯是奉无私／轻生本为国，重气不关私／为政者不赏私劳，不罚私怨／临凝结而能断，操绳墨而无私／仁之用在爱民，而其体在无私／当官不挠贵势，执平不阿所私／为恶之私易见，而为善之私难知／惟至公不敢私其所私，私则不正／父母存，不许友以死，不有私财／天无私覆，地无私载，日月无私照／周而复始无休息，官租未了私租逼／古之良有司，忧其君而不恤其私计／安身莫尚乎存正，存正莫重乎无私／怒不过夺，喜不过予，是法胜私也／笺诉天公休掠剩，半偿私债半输官／万物之于人也，无私近也，无私远也／何者为小人？凡事必徇己之私者是也／凡人不能无好恶，但能胜其私心则善／此心常卓然公正，无有私意，便是敬／不可以私意喜一人。不可以私意怒一人／不以一毫私意自蔽，不以一毫私欲自累／不责人小过，不发人阴私，不念人旧恶／毋私小惠而伤大体，毋借公论以快私情／私视使目盲，私听使耳聋，私虑使心狂／居之以强力，发之以果敢，而成之以无私／不可假公法以报私仇，不可假公法以报私德／阴阳之和，不长一类，甘露时雨，不私一物／幽晦登昭，日月下藏；公正无私，反见从横／圣人若天然，无私覆也；若地然，无私载也／居上者不以至公理物，为下者必以私路期荣／罢无能，废无用，捐不急之官，塞私门之请／大臣则必取众人之选，能犯颜谏事公正

无私者／闭心自慎，终不失过兮；秉德无私，参天地兮／不拘一世之利以为己私分，不以王天下为己处显／上不访，下不谏，妇言用，私政行，此亡国之风也／君能尽礼，臣得竭忠，必在于内外无私，上下相信／逊以为子弟苟有才，不忧不用，不宜私出以为荣利／天无私覆也，地无私载也，日月无私烛也，四时无私行也／汝游心于淡，合气于漠，顺物自然而无容私焉，而天下治矣／杀人之士民，兼人之土地，以养吾私与吾神者，其战不知孰善／致治之术，先屏四患：……一曰伪，二曰私，三曰放，四曰奢

季 jì 兄弟四人排行次序中最后者；季节；末了的阶段；三个月为一季；指一季的第三个月；指某一特定的阶段；姓。

❶季布无二诺，侯嬴重一言

见唐·魏征《述怀》。

季路问事鬼神。子曰："未能事人，焉能事鬼"

见《论语·先进》。

❸吾恐季孙之忧不在颛臾，而在萧墙之内也

❹孔子谓季氏："八佾舞于庭，是可忍也，孰不可忍也?"

❽得黄金百，不如得季布诺

❾得黄金百斤，不如得季布一诺

秕 bǐ 籽实不饱满；坏，不良；[秕谬]错误。

❸稂莠秕稗生于谷，反害谷者也

❽剪恶如草，扬奸如秕／析飞糠以为舆，剖秕糟以为舟

❿官输私负索交至，勺合不留但糠秕

香 xiāng 本指谷物成熟以后的气味，引申为气味美的统称；舒服；受欢迎；香料；旧俗在祭祀或拜佛、神时点燃用以表示虔诚的物品。

❶香饵非不美也

见汉·桓宽《盐铁论·褒贤》。全句为："～，龟龙闻而深藏、鸾凤见而高逝者，知其害身也"。

香饵引泉鱼，重币购勇士

见晋·陈寿《三国志·吴书·宗室传》。

香兰自判前因误，生不当门也被锄

见清·龚自珍《己亥杂诗》。

香饵之下，必有悬鱼；重赏之下，必有死夫

见南朝·宋·范晔《后汉书·耿纯传》李贤注引《黄石公记》。

❷清香犹在野蔷薇

❸不摇香已乱，无风花自飞／薰以香自烧，膏以明自销／须知香饵下，触口是铦钩／冲天香阵透长安，满城尽带黄金甲

❹宁可抱香枝上老，不随黄叶舞秋风／至治馨香，感于神明，黍稷非馨，明德惟馨／桑椹甘香，鸱鸮革响，淳酪养性，人无嫉心

❺宝马雕车香满路／兰草自然香，生于大路傍／有麝自然香，何必当风立／一洗绮罗香泽之态，摆脱绸缪宛转之度

❻四方八面野香来／水殿风来暗香满／酿泉为酒，泉香而酒洌／野芳发而幽香，佳木秀而繁阴／宁可枝头抱香死，何曾吹落北风中

❼纵死犹闻侠骨香／水面风来笑语香／秋菊春兰各有香／听草遥寻岸，闻香暗识莲／听笛始知岸，闻香暗识莲／视白以为黑，飨香以为朽／茎受露而将低，香从风而自远

❽内省既不愧己，焚香何用告天／良师不能饰戚施，香泽不能化嫫母／古之人……识名位为香饵，逝而不顾

❾只言花是雪，不悟有香来／荷深水风阔，雨过清香发／遥知不是雪，为有暗香来／滓泥污秽之中，莲含香而自洁／中通外直，不蔓不枝，香远益清，亭亭净植

❿邦家用祀典，在德非馨香／急来抱佛脚，闲时不烧香／病叶多先坠，寒花只暂香／竹死不变节，花落有余香／如入芝兰之室，久而不闻其香／零落成泥碾作尘，只有香如故／善钓者出鱼乎十仞之下，饵香也／井梧飞叶送秋声，篱菊缄香待晚晴／不是一番寒彻骨，怎得梅花扑鼻香／不是一番寒彻骨，争得梅花扑鼻香／落红满路无人惜，踏作花泥透脚香／虽惭老圃秋容淡，且看黄花晚节香／昆山玉碎凤凰叫，芙蓉泣露香兰笑／脱裙衫，穷不妨；布荆人，名自香／飒飒西风满院栽，蕊寒香冷蝶难来／春去细糠如剖玉，炊成香饭似堆银／与端方人处，如炭入薰炉，虽化为灰，其香不灭／与善人居，如入兰芷之室，久而不闻其香，则与之化矣

种 ①zhǒng 物种的简称；类别；量词；姓；同"属"相对；指胆量或骨气；人和其他生物的族类。②zhòng 种植。③chóng 姓。

❶种树畜养，不见其益，有时而大

见汉·班固《汉书·枚乘传》。全句为："磨砻底厉，不见其损，有时而尽；～；积德累行，不知其善，有时而用"。

种麦而得麦，种稷而得稷，人不怪也

见《吕氏春秋·离俗览·用民》。全句为："～。用民亦有种，不审其种，而祈民之用，惑莫大焉"。

❷五种俱熟，公私有余／百种奸伪，不如一实／春种一粒粟，秋成万颗子／十种之地，膏壤虽肥，弗耕不获／播种有不收者矣，而稼穑不可废／所种者稗，虽美田疾耕，不生谷也／所种者谷，虽瘠土惰农，不生稗也

❸各愿种成千百索，豆萁禾穗满青山／着意种花花不活，无心栽柳柳成阴

❹豆麦之种与稻粱殊，然食能去饥／春时耕种

夏时耘，粒粒颗颗费力勤／学者，犹种树也，春玩其华，秋登其实／五谷者，种之美者也；苟为不熟，不如荑稗／深耕概种，立苗欲疏，非其种者，锄而去之
❺女不必贵种，要之贞好／劝农桑，益种树，可得衣食物／不栽桃李种蔷薇，荆棘满庭君思之／用民亦有种，不审其种，而祈民之用，惑莫大焉
❻无力买田聊种水，近来湖面亦收租／新年鸟声千种啭，二月杨花满路飞／种麦而得麦，种稷而得稷，人不怪也／尚力务本而种树繁，躬耕趣时而衣食足／春耕其丘，投种之日。释耒而叹，何时实栗
❼王侯将相宁有种乎／侯王将相，宁有种乎／垅上扶犁儿，手种腹长饥／老禾不早杀，余种秽良田
❽鸟无世凤凰，兽无种麒麟／小人如恶草也，不种而生，去之复蕃
❾天子好征战，百姓不种桑／阅千古而不变者，气种之有定也／修礼以耕之，陈义以种之，讲学以耨之／用民亦有种，不审其种，而祈民之用，惑莫大焉
❿自一气之所有，播万殊而种分／丈人才力犹强健，岂傍青门学种瓜／万卷藏书宜子弟，十年种木长风烟／深耕概种，立苗欲疏，非其种者，锄而去之

秋 qiū 一年四季的第三季；庄稼成熟的季节；秋天成熟的庄稼；一年；某个特定的时期；飞貌；秋千；姓。
❶秋菊春兰各有香
见宋·宋祁《蝶》。
秋风萧瑟，洪波涌起
见三国·魏·曹操《步出夏门行·观沧海》。
秋来山雨多，落叶无人扫
见唐·裴迪《宫槐陌》。
秋菊有佳色，裛露掇其英
见晋·陶潜《饮酒二十首》之七。全句为："～。泛此忘忧物，远我遗世情"。
秋之为状也：……山川寂寥
见宋·欧阳修《秋声赋》。删节处为："其色惨淡，烟霏云敛；其容清明，天高日晶；其气慄冽，砭入肌骨；其意萧条"。
秋不得避阴雨，冬不得避寒冻
见汉·班固《汉书·食货志》。全句为："春不得避风尘，夏不得避暑热，～"。
秋也严霜降兮，殷忧者为之不乐
见唐·卢照邻《释疾文·悲夫》。全句为："春也万物熙熙焉，感其生而悼其死；夏也百草榛榛焉，见其盛而知其阑；～；冬也阴气积兮，愁颜者为之鲜欢"。
秋阴不散霜飞晚，留得枯荷听雨声
见唐·李商隐《宿骆氏亭寄怀崔雍崔衮》。
秋者，天之平也；冬者，天之威也
见汉·董仲舒《春秋繁露·威德所生》。全句为："春者，天之和也；夏者，天之德也；～"。
秋风起兮白云飞，草木黄落兮雁南归
见汉·武帝刘彻《秋风辞》。
秋旱寒，则冬必暖；春雨多，则夏必旱
见南朝·梁·萧绎《金楼子·立言》。
秋天晚晴，碧色如归，横度一鸟，时时行云
见唐·任华《送姜司户赴宣州序》。
秋山的翠，秋江澄空，扬帆迅征，不远千里
见五代·南唐·李煜《送邓王二十六弟牧宣城序》。
❷春秋无义战／千秋青史难欺／春秋责备贤者／千秋功罪，谁人曾与评说／褒秋毫之善，贬纤芥之恶／《春秋》之义，责知诛率／春秋多佳日，登高赋新诗／春秋迭代，必有去故之悲／穷秋南国泪，残日故乡心／垂秋实于谈丛，绚春花于词苑／何秋日之可哀，托芙蓉以为媒／春秋采善不遗小，掇恶不遗大／春秋为尊者讳，为亲者讳，为贤者讳／中秋之月，阳在正西，阴在正东，谓之秋分／盛秋水潦，穷冬雨雪，深泥积水，相辅为害
❸野树秋声满／肠断秋荷雨打声／悲哉秋之为气也／草木秋死，松柏独存／当为秋霜，无为槛羊／树树秋声，山山寒色／春生秋杀，天道之常／穷巷秋风起，先摧兰蕙芳／萧瑟秋风今又是，换了人间／当九秋之凄清，见一鹗之直上／烈日秋霜，忠肝义胆，千载家谱／待到秋来九月八，我花开后百花杀／数亩秋禾满家食，一机官帛几梭丝／睡起秋声无觅处，满阶梧叶月明中／志烈秋霜，心贞昆玉，亭亭高竦，不染风尘／目察秋毫之末，耳不闻雷霆之声；耳调玉石之声，目不见泰山之高
❹春女思，秋士悲／蒲柳既秋，桑榆渐迫／威行如秋，仁行如春／四海变秋气，一室难为春／饮马渡秋水，水寒风似刀／战血粘秋草，征尘搅夕阳／胡风带秋月，嘶马杂笳声／法繁于秋荼，而网密于凝脂／独立寒秋，湘江北去，橘子洲头／风仪与秋月齐明，音徽与春云等润／自古逢秋悲寂寥，我言秋日胜春朝／言泉共秋水同流，词峰与夏云争长／解落三秋叶，能开二月花。过江千尺浪，入竹万竿斜
❺人情薄似秋云／洞庭青草，秋水深深／寒来暑往，秋收冬藏／春夏用事，秋冬潜处／春耕夏耘，秋获冬藏／孔子成《春秋》而乱臣贼子惧／明足以察秋毫之末，而不见舆薪／人生难得秋前雨，乞我虚堂自在眠／虽惭老圃秋容淡，且看黄花晚节香／惟有一天秋夜月，不随田亩入官

租／春江花朝秋月夜，往往取酒还独倾／金井梧桐秋叶黄，珠帘不卷夜来霜／春生夏长，秋收冬藏，此天道之大经／天犹有春秋冬夏旦暮之期，人者厚貌深情／丛兰欲茂，秋风败之；王者欲明，谗人蔽之／春发其华，秋收其实，有始有极，爰登其质／春日迟迟，秋风飒飒。情往似赠，兴来如答／秋山的翠，秋江澄空，扬帆迅征，不远千里

❻一年容易又秋风／人烟寒橘柚，秋色老梧桐／春生者繁华，秋荣者零悴／春种一粒粟，秋成万颗子／春蚕收长丝，秋熟靡王税／春露不染色，秋霜不改条／胡未灭，鬓先秋，泪空流／心绪逢摇落，秋声不可闻／草忌霜而逼秋，人恶老而逼衰／悲落叶于劲秋，喜柔条于芳春／穗兮不得获，秋风至兮殚零落／井梧飞叶送秋声，篱菊缄香待晚晴／天下莫大于秋毫之末，而太山为小／窗含西岭千秋雪，门泊东吴万里船／蒲柳之姿，望秋而落；松柏之质，经霜弥茂

❼一人独钓一江秋／一叶落知天下秋／写出江南烟水秋／岁寒松柏肯惊秋／满帆明月洞庭秋／娟娟明月照清秋／留取黄花点缀秋／一日不见，如三秋兮／天之于物，春生秋实／千里之缪，不容秋毫／为国忘私仇，千秋思廉蔺／心无物欲，即是秋空霁海／外疾之害轻于秋毫，人知避之／夏云阴兮若山，秋水平兮若天／春葩含日似笑，秋叶泫露如泣／守法持正，嶷如秋山；火不侵玉，幸臣畏伏

❽人生一世，草生一秋／服田力穑，乃亦有秋／宵中，星虚，以殷仲秋／无波古井水，有节秋竹竿／谁道田家乐？春税秋未足／和平之音淡薄，而秋思之声要妙／落霞与孤鹜齐飞，秋水共长天一色／江海相逢客恨多，秋风叶下洞庭波／惆怅不如边雁影，秋风犹得向南飞／春一物枯即为灾，秋一物华即为异／春风桃李花开日，秋雨梧桐叶落时／治乱存亡，其始若秋毫，察其秋毫，则大物不过

❾居高声自远，非是藉秋风／春花无数，毕竟何如秋实／既来且住，风月闲寻秋好处／黯然别之销魂，悲哉秋之为气／信宿渔人还泛泛，清秋燕子故飞飞／众物之中，道无不在；秋毫之细，道亦居之／六合为巨，未离其内；秋毫为小，待之成体／太山之高，背而弗见；秋毫之末，视之可察

❿知音如不赏，归卧故山秋／梧桐一叶落，天下尽知秋／旅情偏在夜，乡思岂唯秋／空山新雨后，天气晚来秋／投至两处凝眸，盼得一雁横秋／行行若萦春蚓，字字如绾秋蛇／朝菌不知晦朔，蟪蛄不知春秋／天地不能顿为寒暑，必渐于春秋／日月忽其不淹兮，春与秋其代序／不见年年辽海上，文章何处哭秋风／可能十万珍珠字，买尽千秋儿女心／人有喜怒哀乐，犹天之有春夏秋冬／交情老去淡如水，病骨秋来瘦似松／诗无达诂，易无达占，春秋无达辞／草不谢荣于春风，木不怨落于秋天／莫羡三春桃与李，桂花成实向秋荣／当年不肯嫁春风，无端却被秋风误／君问归期未有期，巴山夜雨涨秋池／君王旧迹今人赏，转见千秋万古情／闲云潭影日悠悠，物换星移几度秋／宁可抱香枝上老，不随黄叶舞秋风／始知绝代佳人意，即有千秋国士风／时不与兮岁不留，一叶落兮天地秋／春主生，夏主养，冬主藏，秋主收／觉来落笔不经意，神妙独到秋毫颠／龙吟虎啸一时发，万籁百泉相与秋／立望关河萧索，千里清秋，忍凝眸／自古逢秋悲寂寥，我言秋日胜春朝／朝饮木兰之坠露兮，夕餐秋菊之落英／学者，犹种树也，春玩其华，秋登其实／中秋之月，阳在正西，阴在正东，谓之秋分／千里开年，且悲春目；一叶早落，足动秋襟／以鸟鸣春，以雷鸣夏，以虫鸣秋，以风鸣冬／日月欲明而浮云盖之，兰芝欲修而秋风败之／八百里分麾下炙，五十弦翻塞外声。沙场秋点兵／治乱存亡，其始若秋毫，察其秋毫，则大物不过／必曰赏以春夏，而刑以秋冬，而谓之至理者，伪也／不思安危终始之虑，是乐春藻之繁华，而忘秋实之甘口也

科

kē 程度，等级；学术与业务的类别；旧时的科举制度或其考试科目；法律条文；犯罪判刑或征税；砍；通“棵”；通“空”，特指树木中空。

❹挟艺射科，每发如望

❾流水之为物也，不盈科不行

❿乃含章之玉牒，秉文之金科矣／绳直而枉木斫，准夷而高科削／源泉混混，不舍昼夜，盈科而后进，放乎四海

秏

① hào 同“耗”，消耗。② mào 通“眊”，昏乱不明；无。

❿原浊者流不清，行不信者名必秏

秦

qín 周代诸侯国名；朝代名；陕西省的别称；姓；古邑名。

❶秦中自古帝王州

见唐·杜甫《秋兴八首》之六。

秦失其鹿，先得者王

见晋·陈寿《三国志·魏书·袁绍传》。

秦失其鹿，天下共逐之

见汉·班固《汉书·蒯通传》。

秦爱纷奢，人亦念其家

见唐·杜牧《阿房宫赋》。全句为：“～。奈何取之尽锱铢，用之如泥沙”。

秦人不暇自哀，而后人哀之

见唐·杜牧《阿房宫赋》。全句为：“～；后人哀之而不鉴之，亦使后人而复哀后人也”。

秦有贪饕之心，而欲不可足

见《战国策·燕策三》。

秦汉而学六经，岂复有秦汉之文

见明·袁宏道《叙小修诗》。全句为："～？盛唐而学汉魏，岂复有盛唐之诗"。

秦越远途也，安坐而至者，械也

见《慎子》。全句为："行海者坐而至越，有舟也；行陆者立而秦，有车也。～"。

❷族秦者，秦也，非天下也／闻《秦中吟》，则权豪贵近者相目而变色矣／惜秦皇汉武，略输文采；唐宗宋祖，稍逊风骚

❸以事秦之心，礼天下之奇才／以赂秦之地，封天下之谋臣

❹槛外低秦岭，窗中小渭川／族秦者，秦也，非天下也

❺伴人无寐，秦淮应是孤月

❻兵民之分，自秦汉始／楚虽三户，亡秦必楚／行陆者立而秦，有车也／韩亡子房奋，秦帝鲁连耻／带长剑兮挟秦弓，首身离兮心不惩

❼寻得桃源好避秦／楚虽三户能亡秦，岂有堂堂中国空无人

❽诸侯之地有限，暴秦之欲无厌……／并力西向，则吾恐秦人食之不得下咽也

❾灭六国者，六国也，非秦也

❿秦汉而学六经，岂复有秦汉之文／诸公可叹善谋身，误国当时岂一秦／闭门觅句陈无已，对客挥毫秦少游／管子以小辱成大荣，苏秦以百诞成一诚／六国破灭，非兵不利，战不善，弊在赂秦／三晋多权变之士，夫言从衡强秦者，大抵皆三晋之人／视政之得失，若越人视秦人之肥瘠忽焉不加喜戚于其心／使六国各爱其人，则足以拒秦；使秦复爱六国之人，则递三世可至万世而为君，谁得而族灭也

秣

mò 牲口的饲料；喂牲口。

❺良马不念秣，烈士不苟营

秤

①chèng 测量物体轻重的器具。②chēng 通"称"，用秤衡计轻重。

❹吾心如秤，不能为人作轻重／水面上秤锤浮，直待黄河彻底枯

租

zū 租借；收取钱物；租金；田赋；积聚。

❾一饱勿易得，奈此官租钱／周而复始无休息，官租未了私租逼

❿无力买田聊种水，近来湖面亦收租／周而复始无休息，官租未了私租逼／惟有一天秋夜月，不随田亩入官租／筋疲力弊不入腹，未议县官租税足／但愿官民通有无，莫令租吏打门叫呼疾

积

jī 积累；积聚；经过长时间积累所形成的；停滞；留滞；数学名词；通"迹"，[积射]谓寻迹追捕。

❶积之涓涓而泄之浩浩

见宋·王安石《风俗》。

积乱之后，当生大贤

见隋·王通《文中子·中说》。

积土成山，列树成林

见汉·桓宽《盐铁论·散不足》。

积薄为厚，积卑为高

见汉·刘安《淮南子·缪称》。全句为："～。故君子日孳孳以成辉，小人日怏怏以至辱"。"孳孳"，孜孜。

积善逢善，积恶逢恶

见明·冯梦龙《古今小说·沈小官一鸟害七命》。

积善有征，终身无祸

见汉·焦赣《易林·泰·履》。

积微成大，陟遐自迩

见唐·王勃《平台秘略赞十首·幼俊八》。

积德之君，仁政且温

见汉·焦赣《易林·鼎·鼎》。

积德之家，必无灾殃

见汉·陆贾《新语·怀虑》。

积是为治，积非成虐

见唐·刘禹锡《山阳城赋》。

积财千万，无过读书

见北齐·颜之推《颜氏家训·勉学》。

积羽沉舟，群轻折轴

见《战国策·魏策一》。

积贮者，天下之大命也

见汉·班固《汉书·食货志》。全句为："～，苟粟多而财有余，何为而不成"。

积思勉之功，旧习自除

见宋·陆九渊《陆象山集·语录》。

积于柔则刚，积于弱则强

见汉·刘安《淮南子·原道》。全句为："欲刚者必以柔守之，欲强者必以弱保之；～"。

积上不止，必致嵩山之高

见汉·王符《潜夫论·慎微》。全句为："～；积下不已，必极黄泉之深"。

积下不已，必极黄泉之深

见汉·王符《潜夫论·慎微》。全句为："积上不止，必致嵩山之高；～"。

积之而后高，尽之而后圣

见《荀子·儒效》。全句为："～；故圣人也者，人之所积也"。

积邪在于上，蓄怨藏于民

见《晏子春秋·内篇问上第十一》。

积土而为山，积水而为海

见《荀子·儒效》。

积山万状，负气争高……

见南朝·宋·鲍照《登大雷岸与妹书》。全句为："～。含霞饮景，参差代雄。凌跨长陇，前后相属。带天有匝，横地无穷"。

积德者不倾，择交者不败

见清·张英《聪训斋语》。全句为："谈书者不贱，守田者不饥；～"。

积财千万，不如薄技在身

见北齐·颜之推《颜氏家训·勉学》。

积财千万，不如明解一经

见唐·佚名《太公家教》。全句为："～；良田千顷，不如薄艺随身"。

积雨时物变，夏绿满园新

见唐·韦应物《园亭览物》。

积金不积书，守财一何鄙

见清·刘岩《杂诗》。全句为："读书虽可喜，何如躬践履？～"。

积于不涸之仓者，务五谷也

见《管子·牧民》。全句为："～；藏于不竭之府者，养桑麻育六畜也"。

积于柔，必刚；积于弱，必强

见《列子·黄帝》。

积其凶，全其恶，而天下去之

见《荀子·正论》。

积年绮碎，一朝清廓，翰苑豁如

见唐·杨炯《王勃集序》。全句为："～，词林增峻，反诸宏博，君之力焉"。

积德累行，不知其善，有时而用

见汉·班固《汉书·枚乘传》。全句为："磨砻底厉，不见其损，有时而尽；种树畜养，不见其益，有时而大；～"。

积善成德，而神明自得，圣心备焉

见《荀子·劝学》。

积水于防，燎火于原，未尝暂静也

见晋·干宝《晋纪总论》。全句为："爱恶相攻，利害相夺，其势常也。若～"。

积善在身，犹长日加益，而人不知也

见汉·班固《汉书·董仲舒传》。全句为："～；积恶在身，犹火之销膏，而人不见也"。

积恶在身，犹火之销膏，而人不见也

见汉·班固《汉书·董仲舒传》。全句为："积善在身，犹长日加益，而人不知也；～"。

积羽沉舟，群轻折轴，故君子禁于微

见汉·刘安《淮南子·缪称》。

积微，月不胜日，时不胜月，岁不胜时

见《荀子·强国》。

积善之家必有余庆，积不善之家必有余殃

见《周易·坤·文言》。

积土成山，风雨兴焉；积水成渊，蛟龙生焉

见《荀子·劝学》。

积善多者，虽有一恶，是为过失，未足以亡

见汉·王符《潜夫论·慎微》。全句为："～；积恶多者，虽有一善，是为误中，未足以存"。

积山万状，负气争高。含霞饮景，参差代雄

见南朝·宋·鲍照《登大雷岸与妹书》。全句为："～。凌跨长陇，前后相属。带天有匝，横地无穷"。

积微之善，以至吉祥。小恶不止，乃至灭亡

见汉·严遵《道德指归论·其安易持篇》。

积恶多者，虽有一善，是为误中，未足以存

见汉·王符《潜夫论·慎微》。全句为："积善多者，虽有一恶，是为过失，未足以亡；～"。

❷善积者昌，恶积者丧／德积者昌，殃积者亡／欲积资财，先戒奢费／天，积气耳，亡处亡气／不积小流，无以成江海／不积跬步，无以至千里／土积成山，则豫樟生焉／蓄积者，天下之大命也／水积成川，则蛟龙生焉／粟积于丰年，乃可济饥／储积山崇崇，探求海茫茫／水积而鱼聚，木茂而鸟集／宁积粟腐仓而不忍贷人一斗／土积而成山阜，水积而成江河／德积而民可用，怒畜而威可立／广积不如教子，避祸不如自省／其积于中者，浩如江河之停蓄／真积力久则入，学至乎没而后止／广积聚，骄富贵，不知止者杀身／地，积块耳，充塞四虚，亡处亡块／祸积起于宠盛，而不知辞宠以招福

❸小善积而为大善／仁义积则物自归之／仁者，积恩之见证也／圣人积聚众善以为功／蓄极积久，势不能遏／处心积虑，成于杀也／忿能积恶，必须忍之／昆峰积玉，光泽者前毁／死者积如麻，生者能几口／政教积德，必致安泰之福／慎忌积于中，则政事废于表／丘山积卑而为高，江河合水而为大／强者积于弱也，有余者积于不足也／水之积也不厚，则其负大舟也无力／善不积不足以成名，恶不积不足以灭身／宫中积珍宝，狗马实外厩，美人充下陈／忠厚积，则致太平；浅薄积，则致危亡

❹天者，固积气者也／万卷山积，一篇吟成／小不善积而为大不善／贪叨多积，自遗祸殃／祸因恶积，福缘善庆／不祈多积，多文以为富／积金不积书，守财一何鄙／琼珉山积，不能无挟瑕之器／胸中襞积千般事，到得相逢一语无／祸患常积于忽微，智勇多困于所溺／驶雪多积荒城之隈，急风好起沙河之上／钱财不积则贪者忧，权势不尤则夸者悲／德不素积，人不为用；备不豫具，难以应卒／富于材积，领会神情，临景结构，不仿形迹／恶不可积，过不可长；积恶长过，丧乱之源

❺众口铄金，积毁销骨／积薄为厚，积卑为高／积善逢善，积恶逢恶／积是为治，积非成虐／农

广则谷积，用俭则财畜／高筑墙，广积粮，缓称王／无厚，不可积也，其大千里／抱火措之积薪之下而寝其上／冬也阴气积兮，愁颜者为之鲜欢／善为政者积其德，善用兵者畜其怒／诗，思然后积，积然后满，满然后发／治身者以积精为宝，治国者以积贤为道／财有害气，积则伤人；虽少犹累，而况多乎

❻大木百寻，根积深也／善积者昌，恶积者丧／德积者昌，殃积者亡／天下将兴，其积必有源／积于柔则刚，积于弱则强／积土而为山，积水而为海／夫农广则谷积，俭用则财畜／积于柔，必刚；积于弱，必强／凡理国者，务积于人，不在盈其仓库／诗，思然后积，积然后满，满然后发

❼必欲致治，在于积贤／不贪故无忧，不积故无失／博观而约取，厚积而薄发／思国之安者，必积其德义／为国者无使为积威之所劫哉／别馆南开，风雨积他乡之思／升。君子以顺德，积小以高大／其兴也必由于积善，其亡也皆在于积恶／祸之所生，必由积怨；过之所始，多因忽小

❽圣人也者，人之所积也／国家用人，犹农家积粟／水则不决不流，不积不深／一快不足以成善，积快而为德／一恨不足以成非，积恨而成怨／土积而成山阜，水积而成江河／人家盛衰，皆系乎积善与积恶而已／凡聚小所以就大，积一所以至亿也／富者，苦身疾作，多积财而不得尽用／国之兴亡不由蓄积多少，唯在百姓苦乐／国之兴亡不由蓄积多少，惟在百姓苦乐／学者自强不息，则积少成多；中道而止，则前功尽弃

❾大厦不倾，匪一瓦之积／嵩岱之峻，非一篑之积／谗口成铄金，沉舟由积羽／故圣人也者，人之所积也／德行修逾八百，阴功积满三千／积善之家必有余庆，积不善之家必有余殃／一人之毁，未必有信；积年之行，不应顿亏／过之所始，必始于微；积而不已，遂至于著／恶不可积，过不可长；积恶长过，丧乱之源／积土成山，风雨兴焉；积水成渊，蛟龙生焉／养子弟如养芝兰，既积学以培植之，又积善以滋润之

❿自古及今，法无不改，势无不积／人家盛衰，皆系乎积善与积恶而已／强者积于弱也，有余者积于不足也／纵横振锋颖之才，吐纳积江湖之量／以物同求而不同贪，与物同得而不同积／善不积不足以成名，恶不积不足以灭身／彼为盈虚非盈虚……彼为积散非积散也／治身者以积精为宝，治国者以积贤为道／忠厚积，则致太平；浅薄积，则致危亡／其兴也必由于积善，其亡也皆在于积恶／上下之情，壅而不通，天下之弊，由是而积／不谓小善不足为也而舍之，小善积而为大善／盛秋水潦，穷冬雨雪，深泥积水，相辅为害／诗人感而后思，思而后积，积而后满，满而后作／河冰结合，非一日之寒；积土成山，非斯须之作／不谓小不善为无伤也而为之，小不善积而为大不善／人之立言，因字而生句，积句而成章，积章而成篇／求之而后得，为之而后成，积之而后高，尽之而后圣／养子弟如养芝兰，既积学以培植之，又积善以滋润之／卵之化为雏，非慈雌呕暖覆伏，累日积久，则不能为雏／卵之性为雏，不得良鸡覆伏孚育，积日累久，则不成为雏／遇事多算计，较利悉锱铢，其过甚小，而积之甚大，慎之慎之／后嗣若贤，自能保其天下；如其不肖，多积仓库，徒益其奢侈，危亡之本也

秩

zhì 次序；有条理；古指官吏的俸禄；官吏的品级；十年为一秩；祭祀。

❿少也用其力，老也优其秩／问其禄，则曰下大夫之秩也／因材任人，国之大柄；考绩进秩，吏之常法

称

①chēng 叫做；名称；说；赞扬；测定重量；举；姓。②chèn 适合，相副；指配合齐全的一套衣服。③chèng 同“秤”。

❶称善人，不善人远

见《左传·宣公十六年》。

称物平施，为政以公

见唐·姚崇《执秤诫》。

称人之善，我有一善，又何妒焉

见明·吕坤《呻吟语》。全句为：“～？称人之恶，我有一恶，又何毁焉”。

称人之善，我有一善，又何妨焉

见明·吕坤《呻吟语·补遗》。

称人之恶，我有一恶，又何毁焉

见明·吕坤《呻吟语》。全句为：“称人之善，我有一善，又何妒焉？～”。

称其仇，不为谄；立其子，不为比

见汉·刘向《新序》。

称其任，则政立；枉其能，则事乖

见《白居易集·策林》。

称财多寡而节用之，富无金藏……谓之啬

见《晏子春秋·内篇问下第二十三》。删节处为：“贫无假贷”。“啬”，节俭。

称身居位，不为苟进；称事受禄，不为苟得

见《晏子春秋·内篇问下》。

称薪而爨，数米而炊，可以治小而未可以治大

见汉·刘安《淮南子·泰族》。

称牛之服重，不誉马速，誉手毁足，孰谓之慧

见汉·王充《论衡·别通篇》。

❷好称人恶，人亦道其恶／内称不辟亲，外举不辟怨／刑称罪则治，不称罪则乱／能称其事，则为之者不难／不称九天之顶，则言黄泉之底／其称文小而其指极大，举类迩而见义远／石称丈量，径而寡失，铢铢而称，至石必谬

❸当局称迷，旁观必审／善则称人，过则称己／

能不称其位，其殃必大／德不称其任，其祸必酷／言则称于汤文，行则譬于狗豨／德必称位，位必称禄，禄必称用／才不称不可居其位，职不称不可食其禄／德不称，其祸必酷；能不称，其殃必大／德不称位，能不称官，赏不当功，罚不当罪

❹一物失称，乱之端也／以一能称，以一善书／据非其称，惭甚于荣／服美不称，必以恶终／铢铢而称之，至石必差／以名声称号，必为是所诱／孔子罕称命，盖难言之也／贫是美称，只是难居其美／燕赵古称多感慨悲歌之士／大道不称，大辩不言，大仁不仁，大廉不嗛，大勇不忮

❺数米而炊，称柴而爨／恒患意不称物，文不逮意／必欲得人称职，不失士，不谬举／自然者，无称之言，实极之辞也／处世还须称晚来，逢人且莫夸畴昔

❻道者，虚无之称也／问姓惊初见，称名忆旧容／人生在世不称意，明朝散发弄扁舟／胜兵若以镒称铢，败兵若以铢称镒／不论其才之称否，而论其历任之多少

❼受尧之诛，不能称尧／善则称人，过则称己／贫富轻重皆有称者也／文章之道，自古称难／择天下之士，使称其职／刑称罪则治，不称罪则乱／议不在己者易称，从旁议者易是／德必称位，位必称禄，禄必称用／功成事立，名迹称遂，不退身避位……／贤人在世……退则称论贬说，以觉失俗／德不称位，能不称官，赏不当功，罚不当罪

❽外内表里，自相副称／高筑墙，广积粮，缓称王

❾为言不益，则美不足称／君子疾没世而名不称焉／顺风激靡草，富贵者称贤／天子呼来不上船，自称臣是酒中仙／称身居位，不为苟进；称事受禄，不为苟得

❿官贤者量其能，赋禄者称其功／不知足者，虽处天堂，亦不称意／世溷浊而嫉贤兮，好蔽美而称恶／以虚无而能开通于物，故称曰道／德必称位，位必称禄，禄必称用／方者，内外相应也，言行相称也／言贵实，使人信之，舍实何称乎／胜兵若以镒称铢，败兵若以铢称镒／秀出天南笔一枝，为官风骨称其诗／才不称不可居其位，职不称不可食其禄／圣人备道全美者也，是县天下之权称也／君子不言，言必有中，不行，行必有称／德不称，其祸必酷；能不称，其殃必大／寸而度之，至丈必差；铢而称之，至石必过／比不应事，未可谓喻；文不称实，未可谓是／明日黄花，过晚之物；岁寒松柏，有节之称／石称丈量，径而寡失，铢铢而称，至石必谬／设使国家无有孤，不知当几人称帝，几人称王／江南多临观之美，而滕王阁独为第一，有瑰伟绝特之称

秘

①mì 不公开的，不为人所知的；隐藏起来；罕见的；堵塞。②bì 用于翻译国名，如“秘鲁”。

❺至于大事，秘而不宣

❿上车不落则著作，体中何如则秘书

秽

huì 田中多草，荒芜；污浊，肮脏；丑恶；淫乱，猥亵；古族名。

❷邪秽在身，怨之所构

❸本源秽者，文不能净

❹不去草秽，禾实不成／不有臭秽，则苍蝇不飞／滓泥污秽之中，莲含香而自洁／人生芳秽有千载，世上荣枯无百年

❺晨兴理荒秽，带月荷锄归

❻枯朽之骨，凶秽之余，岂宜令入宫禁

❽扬清激浊，荡去滓秽／老禾不早杀，余种秽良田

❾蹉跎岁月，尽此身污秽乾坤

❿大羹必有淡味，至宝必有瑕秽／政以得贤为本，理以去秽为务／为之无益于义而为之，此行之秽也／道之无益于义而道之，此言之秽也／虑之无益于义而虑之，此心之秽也／可厌之类，不独为害，死虽万代，独堪污秽／权衡损益，斟酌浓淡，芟繁剪秽，弛于负担

移

①yí 挪动；改变；旧时公文的一种；通“施”，施与。②yì 使人羡慕。③chǐ 通“侈”，广大。

❶移风易俗，莫善于乐；安上治民，莫善于礼
见汉·郑玄注《孝经·广要道章》。

❷居移气，养移体／潜移暗化，自然似之／时移而治不易者，乱

❸习俗移志，安久移质／散乐移风，国富民康／山岳移可尽，江海塞可绝／政简移风速，诗清立意新

❹万世不移者，山也／退如山移，进如风雨／教化之移人也如置邮焉／与物推移，故方举而不陷／宜守不移之志，以成可大之功／邪说之移人，虽豪杰之士有不免者

❺风俗与化移易／居移气，养移体／事往则迹移，岁迁则物换／冠衣不能移人迹，顾所履何如耳／不因困顿移初志，肯为夤缘改寸丹

❻日往月来，星移斗换／老当益壮，宁移白首之心／捶字坚而难移，结响凝而不滞／出师未捷悲移鼎，视死如归笑射钩／千金未必能移性，一诺从来许杀身／向来枉费推移力，此日中流自在行／刑罚不足以移风，杀戮不足以禁奸／渚寒烟淡，棹移人远，缥缈行舟如叶

❼夫有尤物，足以移人／习俗移志，安久移质／所求尽矣，所利移矣／偏材之性，不可移转矣／世异则事变，时移则俗易／音乐通乎政，而移风平俗者也／力士推山，天吴移水，作农桑地／圣

人能与世推移，而俗士苦不知变／白日经天中则移，明月横汉满而亏
❽唯上知与下愚不移／惟上知与下愚不移／乱离之后，风俗难移／仁者之勇，雷霆不移／四时更运，功成则移／守真志满，逐物意移／蹈海之节，千乘莫移其情／贵贱之间，易以势移，管宁所以割席／形精不亏，是谓能移；精而又精，反以相天／物有盛衰，时有推移，事有激会，人有变化
❾清真寡欲，万物不能移／工言治道，能以口辩移人／礼所以防淫，乐所以移风／变谓后来改前，以渐移改谓之变也
❿无动而不变，无时而不移／依作北辰星，千年无转移／蒲苇纫如丝，磐石无转移／志意不先定，则守善而或移／远贤近谗，忠臣蔽塞主势移／事例无不变迁，风气无不移易／闻善速于雷动，从谏急于风移／圣人不凝滞于物，而能与世推移／不畏将军成久别，只恐封侯心更移／但得贞心能不改，纵令移植亦何妨／圣人不凝滞于物，智士必推移于时／闲云潭影日悠悠，物换星移几度秋／财贿不以动其心，爵禄不以移其志／气如兰兮长不改，心若兰兮终不移／天下大势之所趋，非人力之所能移也／是故圣人与时变而不化，从物而不移／四时万物兮有盛衰，唯我愁苦兮不暂移／富贵不能淫，贫贱不能移，威武不能屈／三人成虎，十夫揉椎；众口所移，毋翼而飞／生者有极，成者必亏；生生成成，今古不移／物盛而衰，乐极则悲，日中而移，月盈而亏／穷高则危，大满则溢，月盈则缺，日中则移／先王以是经夫妇，成孝敬，厚人伦，美教化，移风俗／凡物之可喜，足以悦人而不足以移人者，莫若书与画／三五之夜，明月半墙，桂影斑驳，风移影动，珊珊可爱／有能推至诚之心而加以不息之久，则天地可动，金石可移／不法其已成之法，而法其所以为法。所以为法者，与化推移者也

秾 nóng 繁盛艳丽的样子。
❸发纤秾于简古，寄至味于澹泊

稍 ①shāo 本义为禾末，引申为小意、略微；逐渐；已经；公家给予的粮食；周制指离王城三百里的地面。②shào 用于“稍息”。
❸天下稍安，尤须兢慎，若便骄逸，必至丧败
❺人身正气稍不足，邪便得以干之矣
❾一息尚存，此志不容稍懈
❿惜秦皇汉武，略输文采；唐宗宋祖，稍逊风骚

程 chéng 路程；程序；规矩；计量；效法；呈现；虫名；古邑名；古度量名；法式，规章；姓。
❺终日写路程而不能行一步，徒知无益也
❻读书最要限程……／视险如夷，瞻程非邈／计功而行赏，程能而授事
❼驱妻逐子课工程，虽作人形俱菜色
❽但行好事，莫问前程／量力所至，约其课程而谨守之
❿不到长城非好汉，屈指行程二万／如今只说临安路，不较中原有几程／要为天下奇男子，须历人间万里程／文章到欧曾苏，道理到二程，方是畅

稀 xī 罕见；密度小；浓度小；少，难得；很，极。
❹知音者稀，常恐词林交丧／月明星稀，乌鹊南飞，绕树三匝，何枝可依
❺去国故人稀
❼人生七十古来稀／门前冷落车马稀
❾物以远至为珍，士以稀见为贵
❿不惜歌者苦，但伤知音稀／当路谁相假，知音世所稀／雉雊麦苗秀，蚕眠桑叶稀／休辞客路三千远，须念人生七十稀／虚华盛而忠信微，刻薄稠而纯笃稀／雪压冬云白絮飞，万花纷谢一时稀

黍 shǔ 粮食作物；酒器名。
❷禾黍必刈其稂莠而后苗始茂
❹以戈舂黍也，以锥餐壶也／繁弱，钜黍，古之良弓也……则不能自正
❻不能耕而欲黍粱，不能织而喜采裳／以百金与抟黍以示儿子，儿子必取抟黍
❽硕鼠硕鼠，无食我黍！三岁贯女，莫我肯顾
❾王事靡盬，不能艺稷黍／至治馨香，感于神明，黍稷非馨，明德惟馨
❿以百金与抟黍以示儿子，儿子必取抟黍

税 ①shuì 国家按规定向单位和个人征收的货币或实物；赠送；租借；利息；姓。②tuō 通“脱”，解脱释放。③tuì 古时丧礼规定的追服。④tuàn 衣服边缘的装饰。
❸苗疏税多不得食，输入官仓化为土
❺地薄惟供税，年丰尚苦贫／人疲由乎税重，税重由乎军兴
❻富贵苟难图，税驾从所欲／视民如寇仇，税之如豺虎
❼千家数人在，一税十年空／谁道田家乐？春税秋未足／人疲由乎税重，税重由乎军兴／已借蜡钱输麦税，免教缉捕闯门来／易其田畴，薄其税敛，民可使富也
❽民之饥，以其上食税之多
❿春蚕收长丝，秋熟靡王税／筋疲力弊不入腹，未议县官租税足／美人梳洗时，满头间珠翠，岂知两片云，戴却数乡税

稂 láng 莠一类的草，对禾苗有害。

❶稂莠秕稗生于谷，反害谷者也

见唐·白居易《议文学·碑碣词赋》。全句为："～；淫辞丽藻生于文，反伤文者也"。

❸凡养稂莠者伤禾稼，惠奸宄者贼良人

❻禾黍必刈其稂莠而后苗始茂

稊 tí 一种形似稗的草，实如小米；通"荑"，植物的嫩芽。

❷养稊稗者伤禾稼，惠奸宄者贼良民

稚 zhì 幼小；晚植的谷类。

❸搜索稚与艾，唯存跛无目

❼钓巨鱼者不使稚子轻预

稗 bài 为害农田的草；喻指微小。

❸养稊稗者伤禾稼，惠奸宄者贼良民

❹稂莠秕稗生于谷，反害谷者也／所种者稗，虽美田疾耕，不生谷也

❿所种者谷，虽瘠土惰农，不生稗也／五谷者，种之美者也；苟为不熟，不如荑稗

稠 ①chóu 稠密；浓厚；姓。②tiáo 通"调"。③diào 动摇貌。

❿携来百侣曾游。忆往昔峥嵘岁月稠／虚华盛而忠信微，刻薄稠而纯笃稀

颓 tuí 坍塌；衰败；委靡；秃；落下；恭顺；暴风；恶劣。

❹泰山其颓，梁木其坏／山岳崩颓，既履危亡之运／泰山其颓乎，梁木其坏乎，哲人其萎乎

❼喑呜则山岳崩颓，叱咤则风云变色

❽岂无感激者？时俗颓此风

❾处颠者危，势丰者亏，颓坠之类，常在悬垂

❿块土不能障狂澜，匹大不能振颓俗／亲小人，远贤臣，此后汉所以倾颓也／一宿体宁，百宿心恬，三宿后颓然嗒然，不知其然而然

颖 yǐng 聪明；某些细长东西的尖端；才能秀出。

❺纵横振锋颖之才，吐纳积江湖之量

稳 wěn 稳定；稳重；使稳定；心安，忍受；有把握；妥帖。

❿得饶人处且饶人，退步行最稳

穊 jì 稠密，一般形容农作物。

❸深耕穊种，立苗欲疏，非其种者，锄而去之

稽 ①jī 停留；查考；责难；计较，争论；相合；通"乩"，卜问；通"楷"，准则法式；姓。②qǐ[稽首]古代的一种跪拜礼节。

❶稽于众，舍己从人

见《尚书·大禹谟》。

稽天之潦，不能终朝

见宋·苏轼《司马温公神道碑》。全句为："～，而一线之溜，可以达石者，一与不一故也"。

❷谋稽乎諓，知出乎争／无稽之言勿听，弗询之谋勿庸／无稽之言，不见之行，不闻之谋，君子慎之

❺观乎往复，稽中定务

❻习其名而未稽其实／周听则不蔽，稽验则不惶

❿无私者知，至知者为天下稽

稷 ①jì 指谷子；五谷之神；古代主管农事的官；敏捷，急速；姓。②zè 通"昃"，太阳西斜。

❷社稷依明主，安危托妇人／社稷无常奉，君臣无常位，自古以然

❸为社稷死则死之，为社稷亡则亡之／有社稷者，不能爱其民，而求民亲己爱己，不可得也

❺民为贵，社稷次之，君为轻／民存则社稷存，民亡则社稷亡／国君死社稷，大夫死众，士死制

❻令重于宝，社稷先于亲戚

❼国失其次，则社稷大臣／国以民为本，社稷亦为民而立／种麦而得麦，种稷而得稷，人不怪也

❽受国之垢，是谓社稷主／王事靡盬，不能艺稷黍／谏、争、辅、拂之人，社稷之臣也，国君之宝

❾君民者岂以陵民？社稷是主

❿民存则社稷存，民亡则社稷亡／怀文武之才者，必荷社稷之重／臣君者岂为其口实？社稷是养／为社稷死则死之，为社稷亡则亡之／君子为国……故旷日长久而社稷安／君臣不信，则百姓诽谤，社稷不宁／种麦而得麦，种稷而得稷，人不怪也／能当一人而天下取，失当一人而社稷危／莫知己德有极，则可以有社稷，为民致福／至治馨香，感于神明，黍稷非馨，明德惟馨／国有三军何？所以戒非常，伐无道，尊宗庙，重社稷，安不忘危也

稻 dào 植物名，亦称禾、谷。

❶稻生于水，而不能生于湍濑之流

见汉·刘安《淮南子·说山》。全句为："～；紫芝生于山，而不能生于盘石之上"。

稻熟江村蟹正肥，双螯如戟挺青坭

见明·徐渭《题螃蟹诗》。全句为："～，若教纸上翻身看，应见团团董卓脐"。

❸常思稻粱遇，愿栖梧桐树

❹一粒红稻饭，几滴牛颔血

❻豆麦之种与稻粱殊，然食能去饥

❾但愿天下人，家家足稻粱

❿避席畏闻文字狱，著书都为稻粱谋／赤日炎炎似火烧，野田禾稻半枯焦

稿 gǎo 诗文的草稿；谷类植物的茎、杆。

❼搜尽奇峰打草稿

稼

jià 种植谷物;庄稼。

❷害稼者有时,害民者无期/不稼不穑,胡取禾三百廛兮/能稼而能穑,所以为良农也
❹良农能稼而不能穑,良工能巧而不能为顺
❺畯于野,惟稼穑艰难是知
❻每一食,便念稼穑之艰难/农功不妨,谷稼丰赡,故人富也/西家老人晓稼穑,白发空多缺衣食/厥父母勤劳稼穑,厥子乃不知稼穑之艰难
❼衣食者民之本,稼穑者民之务/养稊稗者伤禾稼,惠奸宄者贼良民/生民之本,要当稼穑而食,桑麻以衣
❽凡养稂莠者伤禾稼,惠奸宄者贼良人/水出于山,入于海;稼生乎野,而藏乎仓
❾播种有不收者矣,而稼穑不可废
❿不以高危为忧惧,岂知稼穑之艰难/厥父母勤劳稼穑,厥子乃不知稼穑之艰难

穑

sè 收获谷物;通"啬",爱惜;相互钩连。

❹服田力穑,乃亦有秋/不稼不穑,胡取禾三百廛兮
❺能稼而能穑,所以为良农也
❻畯于野,惟稼穑艰难是知
❼每一食,便念稼穑之艰难/西家老人晓稼穑,白发空多缺衣食/厥父母勤劳稼穑,厥子乃不知稼穑之艰难
❽衣食者民之本,稼穑者民之务/生民之本,要当稼穑而食,桑麻以衣/良农能稼而不能穑,良工能巧而不能为顺
❿播种有不收者矣,而稼穑不可废/不以高危为忧惧,岂知稼穑之艰难/厥父母勤劳稼穑,厥子乃不知稼穑之艰难

穗

suì 谷类植物的花实聚生在茎上的条状物;广州市的别称。

❶穗兮不得获,秋风至兮殚零落
见《晏子春秋·内篇·谏下》。
❹野多滞穗,亩有余粮
❻桑无附枝,麦穗两岐。张君为政,乐不可支
❿各愿种成千百索,豆萁禾穗满青山/嘉谷奋兴,根叶肥润,抽茎展穗,不失时宜

黏

nián,又读 zhān,像胶水那样能够把两样东西粘在一起的特性。

❻贵破的,又畏黏皮骨,此所以为难也

穰

①ráng 稻麦等脱粒后的秆子;庄稼丰收。②rǎng 兴盛,兴旺;通"攘",烦乱,焦灼;数目;古地名。

❹岁有凶穰,故谷有贵贱

穮

biāo 锄草,耘田。

❷是穮是蓘,虽有饥馑,必有丰年

白

bái 颜色;明亮;清楚;空白;徒然;无代价;丧事;说明;通"别",别字;古时罚酒用的酒杯;银子的代称;姓。

❶白马非马
见《公孙龙子·白马论》。
白头翁妪坐看瓜
见宋·贺铸《野步》。
白日杨花满流水
见宋·王初《舟次汴堤》。
白头如新,倾盖如故
见汉·邹阳《狱中上梁王书》。
白纱入缁,不染自黑
见汉·王充《论衡·程材篇》。
白玉不毁,孰为珪璋
见《庄子·马蹄》。
白日一照,浮云自开
见宋·苏轼《贺范端明启》。
白石似玉,奸佞似贤
见唐·马总《意林·抱朴子》。
白露横江,水光接天
见宋·苏轼《前赤壁赋》。
白露暖空,素月流天
见南朝·宋·谢庄《月赋》。
白骨疑象,武夫类玉
见《战国策·魏策一》。
白璧青钱,欲买春无价
见宋·朱翌《点绛唇》。
白也诗无敌,飘然思不群
见唐·杜甫《春日忆李白》。
白发三千丈,缘愁似个长
见唐·李白《秋浦歌》
白圭玷可灭,黄金诺不轻
见唐·陈子昂《座右铭》
白苹之野,斯见不平之人
见唐·李峤《楚望赋》。全句为:"青山之上,每多惆怅之客;~"。
白沙混于泥涂,不染自污
见《钱公良测语·规世》。全句为:"~;青蓬育于麻圃,不扶自直"。
白马岩中出,黄牛壁上耕
见明·费密《栈中》。
白珪玷可灭,黄金诺不轻
见唐·陈子昂《座右铭》。
白璧无瑕玷,青松有岁寒
见唐·孟浩然《陪张丞相登荆城楼因寄蓟州张使君及浪泊戍主刘家》。
白璧不可为,容容多后福

见南朝·宋·范晔《后汉书·左雄传》。
白璧求善价，明珠难暗投
见汉·王褒《墙上难为趋》。
白日依山尽，黄河入海流
见唐·王之涣《登鹳雀楼》。
白日曜青春，时雨静飞尘
见三国·魏·曹植《侍太子坐》。
白骨成丘山，苍生竟何罪
见唐·李白《经乱离后天恩流夜郎忆旧游书怀赠江夏韦太守良宰》。
白骨露于野，千里无鸡鸣
见三国·魏·曹操《蒿里行》。
白云满川，如海波起伏……
见宋·朱熹《百丈山记》。全句为："～，而远近诸山出其中者，皆若飞浮来往，或涌或没，顷刻万变"。
白刃扞乎胸，则目不见流矢
见《荀子·强国》。
白粲必去其沙砾而后食可餐
见明·宋濂《进大明律表》。全句为："禾黍必刈其稂莠而后苗始茂，～"。
白玉微瑕，善贾之所不弃……
见唐·吴兢《贞观政要·公平》。全句为："～，小疵不足以妨大美"。
白玉不雕，美珠不文，质有余也
见汉·刘安《淮南子·说林》。
白云山头云欲立，白云山下呼声急
见现代·毛泽东《渔家傲·反第二次大"围剿"》。
白杨为屋材，折则宁折，终不屈挠
见北魏·贾思勰《齐民要术》。
白日经天中则移，明月横汉满而亏
见北周·燕射歌辞《徵调曲六首》之四。
白鸥问我泊孤舟，是身留，是心留
见宋·蒋捷《梅花引》。全句为："～？心若留时，何事锁眉头"。
白骨已枯沙上草，家人犹自寄寒衣
见唐·沈彬《吊边人》。
白璧有考，不得为宝：言至纯之难也
见汉·刘安《淮南子·说林》。全句为："豹裘而杂，不若狐裘之粹；～"。
白刃交于前，视死若生者，烈士之勇也
见《庄子·秋水》。
白黑在前而目不见，雷鼓在侧而耳不闻
见《礼记·大学》。全句为："心不使焉，则～"。
白圭之玷，尚可磨也；斯言之玷，不可为也
见《诗·大雅·抑》。
白日所为，夜来省已，是恶当惊，是善当喜
见《养正遗规》卷三。
白石如玉，愚者宝之；鱼目似珠，愚者取之
见三国·蜀·诸葛亮《诸葛亮集·察疑》。

❷大白若辱，盛德若不足／狐白之裘，非一狐之腋／至白涅不缁，至交淡不疑／狐白足御冬，焉念无衣客／李白坟三尺，嵯峨万古名／视白以为黑，飨香以为朽／变白以为黑兮，倒上以为下／粹白之裘，盖非一狐之皮也／李白一斗诗百篇，长安市上酒家眠／明白如话，然浅中有深，平中有奇／以白云为藩篱，碧山为屏风，昭其俭也／哀白日之不与吾谋兮，至今十年其犹初／聆《白雪》之九成，然后悟《巴人》之极鄙／李白之文，清雄奔放，名章俊语，络绎间起，光明洞彻，句句动人

❸谁持白羽静风尘／辩变白黑，巧言乱国／以狐白补犬羊，身涂其炭／道由白云尽，春与青溪长／紫塞白云断，青春明月初／青天白日，奴隶亦知其清明／才如白地明光锦，裁为负版袴／云中白鹤，非燕雀之网所能罗也／伏清白以死直兮，固前圣之所厚／黄金白璧买歌笑，一醉累月轻王侯／清渚白沙茫不辨，只应灯火是渔船／李太白诗不专是豪放，亦有雍容和缓底／心虚白则神留而道存，腹充实则精全而寿长／黄鹄白鹤，一举千里，使之与燕服翼试之堂庑之下

❹赞以洁白，而随以污德／数传而白为黑、黑为白／苍蝇间白黑，谗巧令亲疏／恩难酬白骨，泪可到黄泉／莫等闲，白了少年头，空悲切／桓公小白杀兄入嫂，而管仲为臣／喷气则白日尽晦，刷马则清江倒流／消受尘，白取垢；青蝇所污，常在练素／清受尘、白取垢；青蝇所污，常在练素／虽云色白，匪染弗丽；虽云味甘，匪和弗美

❺青云不及白云高／吏无避忌，白昼肆行／黄金有疵，白玉有瑕／马氏五常，白眉最良／目能察黑白而不见其睫／众寮宜洁白，万役但平均／随风飘荡，白云还卧深谷／玉碎不改白，竹焚不改节／水吞三楚白，山接九疑青／清歌绕梁，白云将红尘并落／极野苍茫，白露凉风之八月／念头暗昧，白日下犹生厉鬼／有时朝发白帝，暮到江陵……／丹漆不文，白玉不雕，宝珠不饰／天平山上白云泉，云自无心水自闲／他乡怨而白露寒，故人去而青山迥／悲愁天地白日昏，路旁过者无颜色／青云衣兮白霓裳，举长矢兮射天狼／雪压冬云白絮飞，万花纷谢一时稀／秋风起兮白云飞，草木黄落兮雁南归／天下无粹白之狐，而有粹白之裘，取之众白也

❻起死人而肉白骨／刑名立，则黑白之分已／大雨落幽燕，白浪滔天／黄河清有日，白发黑无缘／黄金无足色，白璧有微瑕／人生一世，如白驹之过隙／冯公岂不伟，白首不见招／君子小过，则白玉之微瑕／青天何处了？白鸟入空无／青蝇一相点，白璧遂成冤／青葵善迎于白日，

宇暖斯迷／鹄不日浴而白，乌不日黔而黑／既反黑以为白，恒怀蛆以自盈／盲者口能言白黑，而无目以别之／公道世间唯白发，贵人头上不曾饶／将军不敢骑白马，亡者不敢夜揭烛／经济文章磨白昼，幽光狂慧复中宵／扁鹊不能肉白骨，微箕不能存亡国／目有眯则视白为黑，人有蔽则以薄为厚

❼一唱雄鸡天下白／芦花千里霜月白／雄鸡一声天下白／才吟五字句，又白几茎髭／山明疑有雪，岸白不关沙／存亡难异路，贞白本相成／老当益壮，宁移白首之心／穷途萧瑟，青山白云之万里／穿重云而下射，白龙倒饮于平湖／一生所遇唯元白，天下无人重布衣／安能以皓皓之白，而蒙世俗之尘埃乎／眉如翠羽，肌如白雪，腰如束素，齿如含贝

❽谗言伤善，青蝇污白／勿使青衿子，嗟尔白头翁／去帆若不见，试望白云中／小时不识月，呼作白玉盘／愁与发相形，一愁白数茎／书生报国无地，空白九分头／委明珠而乐贱，辞白璧以安贫／牧羊驱马虽戎服，白发丹心尽汉臣／白云山头云欲立，白云山下呼声急／西家老人晓稼穑，白发空多缺衣食／黑云翻墨未遮山，白雨跳珠乱入船／人生天地之间，若白驹之过却，忽然而已

❾数传而白为黑、黑为白／千镒之裘，非一狐之白也／谈笑有鸿儒，往来无白丁／谗邪害公正，浮云翳白日／慌兮惚，朝朝暮暮生白发／清越而瑕不自掩，洁白而物莫能污／买马不论足力，以黑白为仪，必无走马／君不见高堂明镜悲白发，朝如青丝暮成雪／玉可碎而不可改其白，金可销而不可易其刚／梅花过时，槐色犹在，白云芳草，尽入诗兴

❿每一发兵，不觉头发为白／佳月了不嗔，曾何污洁白／邪正之不同也不啻若黑白／桃水涨而浦红，苹风摇而浪白／日光寒兮草短，月色苦兮霜白／摘翠者菱，挽红者莲，举白者鱼／未必上流须鲁肃，腐儒空白九分头／舞罢青蛾同去国，战残白骨尚盈丘／爽籁发而清风生，纤歌凝而白云遏／楚国青蝇何太多，连城白璧遭谗毁／立当青草人先见，行傍白莲鱼未知／竟日不知尘世事，长年占断白云乡／粉骨碎身全不怕，要留青白在人间／藩屏之臣，取其明练风俗，清白爱民／交财一事最难。虽至亲好友，亦须明白／恨不得挂长绳于青天，系此西飞之白日／三年耕有九年储，仓谷满盈，斑白不负戴／不曰坚乎？磨而不磷；不曰白乎？涅而不缁／垂髫之童，但习鼓舞，斑白之老，不识干戈／人亦有言，忧令人老。嗟我白发，生一何早／高霞孤映，明月独举，青松落荫，白云谁侣／安卧扬帆，不见石滩；靠天多幸，白日入阱／骇机一发，浮谤如川。巧言奇中，别白无路／机械之心藏于胸中，则纯白不粹，神德不全／天下无粹白之狐，而有粹白之裘，取之众白也／好贤乐善，孜孜以荐进良士、明白是非为己任／何惜阶前盈尺之地，不使白扬眉吐气，激昂青云／一观其文，心朗目舒，炯若深井之下仰视白日之正中也／天下国家可均也，爵禄可辞也，白刃可蹈也，中庸不可能也

皂 zào 黑色；旧时衙门里的差役；通"槽"；古称马十二匹为一皂；本作"早"，谷实才结成的状态。

❸马伏皂而不用，则驽与良而为群

❹宁方为皂，不圆为卿

的 ①dì 箭靶的中心；鲜明显著；古代女子脸上装饰的红点。②dí 真实、实在。③de 指称之词；作语助；用于语末表肯定；通"得"。

❷真的猛士，敢于直面惨淡的人生，敢于正视淋漓的鲜血

❸有钱的纳宠妾、买人口、偏兴旺／弥天的罪过，当不住一个"悔"字／贵破的，又畏黏皮骨，此所以为难也／为善的受贫穷更命短，造恶的享富贵又寿延／秋山的翠，秋江澄空，扬帆迅征，不远千里

❹做歹事的胆，一日大一日／仁是爱的道理，公是仁的道理／知是行的主意，行是知的工夫／有缺点的战士终竟是战士，完美的苍蝇也终竟不过是苍蝇

❺立义以为的，奠而后发，发必中矣

❻大凡做好事的心，一日小一日／在这可诅咒的地方击退了可诅咒的时代

❼天下没有不散的筵席／愿普天下有情的都成了眷属／世间极占地位的，是读书一著／欲做精金美玉的人品，定从烈火中锻来／思立掀天揭地的事功，须向薄冰上履过／善射者发不失的，善于射矣，而不善所射

❽世事如棋局，不着的才是高手／其为不虚取直也的矣，其知恐而畏也审矣

❾论之应理，犹矢之中的／济世经邦，要段云水的趣味，若有贪着，便堕危机

❿千里搭长棚，没个不散的筵席／仁是爱的道理，公是仁的道理／知是行的主意，行是知的工夫／处富贵之时，要知贫贱的痛痒／眉联娟以蛾扬兮，朱唇的其若丹／处世让一步为高，退步即进步的张本／在这可诅咒的地方击退了可诅咒的时代／为善的受贫穷更命短，造恶的享富贵又寿延／博学笃志，切问近思，此八字是收放心的功夫／神闲气静，智深勇沉，此八字是干大事的本领／真的猛士，敢于直面惨淡的人生，敢于正视淋漓的鲜血／有缺点的战士终竟是战

士,完美的苍蝇也终竟不过是苍蝇

皋 ①gāo 水边的高地;沼泽。②háo 通"嗥",呼而告之。③gū[櫜皋]古地名。

❸登东皋以舒啸,临清流而赋诗

❺鹤鸣于九皋,声闻于天

❻虽假容于江皋,乃缨情于好爵

❿听玄猿之悲吟,察鹤鸣于九皋/羁马思其华林,笼雉想其皋泽/世上岂无千里马,人间难得九方皋/尧以不得舜为己忧,舜以不得禹、皋陶为己忧

皑 ái 形容雪洁白。

❶皑如山上雪,皎若云间月……

见汉乐府民歌《白头吟》。全句为:"～。闻君有两意,故来相决绝"。

皎 jiǎo 洁白而明亮;姓。

❶皎皎云间月,灼灼叶中华

见晋·陶潜《拟古诗九首》之七。全句为:"～。岂无一时好,不久当如何"。

❹报国心皎洁,念时涕汍澜

❺远而望之,皎若太阳升朝霞

❻浑沌之原,无皎澄之流/峣峣者易缺,皎皎者易污/新裂齐纨素,皎皎如霜雪/皑如山上雪,皎若云间月……

❼谓予不信,有如皎日/峣峣者易缺,皎皎者易污/新裂齐纨素,皎皎如霜雪

❿大丈夫行事当磊磊落落,如日月皎然

皓 hào 白;明亮;通"昊",天。

❶皓齿娥眉,命曰伐性之斧

见汉·枚乘《七发》。全句为:"出舆入辇,命曰蹷痿之机;洞房清宫,命曰寒热之媒;～;甘脆肥脓,命曰腐肠之药"。

❹安能以皓皓之白,而蒙世俗之尘埃乎

❺丁年奉使,皓首而归/长烟一空,皓月千里/彩云易散,皓月难圆/安能以皓皓之白,而蒙世俗之尘埃乎/长烟一空,皓月千里;浮光跃金,静影沉璧

❿超凡证圣,目击非遥;悟在须臾,何须皓首

魄 ①pò 迷信所指依附于人的形体而存在的精神;精力,胆识。②bó[旁魄]广,被;混同;广博,广大无边。③tuò[落魄]穷困失意。

❷毅魄归来日,灵旗空际看/虎魄不取腐芥,磁石不受曲针/魂魄结兮天沉沉,鬼神聚兮云幂幂/魂魄二字,正犹精神二字。神即是魂,精即是魄

❹半生落魄已成翁,独立书斋啸晚风

❾悠悠生死别经年,魂魄不曾来入梦

❿峨眉讵同貌,而俱动于魄/身既死兮神以灵,子魂魄兮为鬼雄/赏厚可令廉士动心,罚重可令凶人丧魄/魂魄二字,正犹精神二字。神即是魂,精即是魄

瓜 guā 葫芦科蔓生植物;这种植物的果实。

❶瓜田不纳履,李下不正冠

见汉乐府古辞《君子行》。

❷甘瓜苦蒂,天下物无全美/甘瓜抱苦蒂,美枣生荆棘

❹吾岂匏瓜也哉,焉能系而不食

❺投我以木瓜,报之以琼琚

❼白头翁妪坐看瓜

❿丈人才力犹强健,岂傍青门学种瓜/从来好事天生俭,自古瓜儿苦后甜/君子防悔尤,贤人戒行藏,嫌疑远瓜李,言动慎毫芒

瓠 ①hù 蔬类名,即瓠瓜。②hú 通"壶"。③huò[瓠落]空廓的样子。

❿干将之刃,人不推顿,苽瓠不能伤

瓢 piáo 葫芦剖开做成的舀水和米面等的半球形用具。

❺一箪食,一瓢饮,在陋巷……

用 yòng 使用;用处;费用;需要;指"吃喝";以;因;为。

❶用民有纪有纲

见《吕氏春秋·离俗览·用民》。全句为:"～,壹引其纪,万目皆起;壹引其纲,万目皆张。为民纪纲者何也?欲也恶也。何欲何恶?欲荣利,恶辱害。"

用人之仁去其贪

见《礼记·礼运》。全句为:"用人之知去其诈,用人之勇去其怒,～"。

用智褊者无遂功

见《吕氏春秋·不苟论·博志》。

用贤无敌是长城

见唐·杜牧《咏歌圣德远怀天宝因题关亭长句四韵》。

用之则行,舍之则藏

见《论语·述而》。

用民之论,不可不熟

见《吕氏春秋·离俗览·用民》。全句为:"今外之则不可拒敌,内之则不可以守国,其民非不可用也,不得所以用之也。不得所以用之,国虽大,势虽便,卒无众,何益?古者多有天下而亡者矣,其民不为用也。～"。"卒无众",疑似作"卒虽众"。

用尽身贱,功成祸归

见唐·刘禹锡《因论·叹牛》。

用人无疑,唯才所宜

见晋·陈寿《三国志·魏书·郭嘉传》。
用人惟己,改过不吝
见《尚书·仲虺之诰》。
用人如器,各取所长
唐·李世民语,见宋·司马光《资治通鉴》。
用赏贵信,用刑贵正
见《鬼谷子·符言》。
用管窥天,用锥指地
见《庄子·秋水》。
用其所长,掩其所短
见唐·吴兢《贞观政要·择官》。
用兵有术矣,而义为本
见汉·刘安《淮南子·本经》。
用得正人,为善者皆劝
见唐·吴兢《贞观政要·择官》。全句为:"~;误用恶人,不善者竞进"。
用道治国,则国安民昌
见《老子》三十五河上公注。
用于国有节,取于民有制
见宋·苏轼《叶嘉传》。
用之而不弊,取之而不竭
见宋·苏轼《李氏山房藏书记》。
用之则为虎,不用则为鼠
见汉·东方朔《答客难》。全句为:"尊之则为将,卑之则为虏;抗之则在青云之上,抑之则在深渊之下;~"。
用人不以名誉,必求其实
见宋·欧阳修《太尉文正王公神道碑铭》。
用人不限资品,但择有才
见宋·欧阳修《论学士不可令中书差除札子》。
用人惟其才,故政无不修
见宋·苏辙《王存磨勘改朝期待郎》。全句为:"~;考绩必以岁月,故官不失绪"。
用人如用己,理国如理家
见唐·元稹《遣兴十首》之七。
用圣臣者王,用功臣者强
见《荀子·臣道》。全句为:"~,用篡臣者危,用态臣者亡"。
用武则先威,用文则先德
见明·罗贯中《三国演义》第六十六回。全句为:"~;威德相济,而后王业成"。
用智则国乱,息智则人安
见五代·前蜀·杜光庭《道德真经广圣义》卷四十四。
用赏者贵信,用罚者贵必
见《太公六韬·文韬·赏罚》。
用心于正,一振而群纲举
见宋·苏洵《用间》。全句为:"~;用心于诈,百补而千穴败"。
用心于诈,百补而千穴败
见宋·苏洵《用间》。全句为:"用心于正,一振而群纲举;~"。
用心刚,则轻死生如鸿毛
见宋·林逋《省心录》。全句为:"大丈夫见善明,则重名节如泰山;~"。
用心莫如直,进道莫如勇
见唐·李翱《答朱载言书》。全句为:"行己莫如恭,自责莫如厚,接众莫如宏,~,受益莫如择友,好学莫如改过"。
用篡臣者危,用态臣者亡
见《荀子·臣道》。全句为:"用圣臣者王,用功臣者强,~"。
用非其有之心,不可察之本
见《吕氏春秋·离俗览·用民》。全句为:"古昔多由布衣定一世者矣,皆能用非其有也。~"。
用兵必须审敌虚实而趋其危
见《吴子·料敌》。
用人不宜刻,刻则思效者去
见明·洪应明《菜根谭·前集二百六》。
用人之力而忘人之功,不可
见《战国策·赵策三》。
用气常宽舒,不当急疾勤劳
见《老子》六河上公注。
用其言,弃其身,古人所耻
见北齐·颜之推《颜氏家训》。
用天下之耳目,虽众人不能愚
见明·吕坤《呻吟语》。全句为:"役一己之聪明,虽圣人不能智;~"。
用百人之所能,则得百人之力
见汉·刘安《淮南子·缪称》。全句为:"~;举千人之所爱,则得千人之心"。
用人但问堪否,岂以新故异情
见唐·吴兢《贞观政要·公平》。
用武则以力胜,用文则以德胜
见《吕氏春秋·慎大览·不广》。全句为:"~。文武尽胜,何敌之不服"。
用贤者,口也;却贤者,行也
见《荀子·致士》。全句为:"~;口行相反,而欲贤者之至,不肖者之退也,不亦难乎?"。
用兵之道,攻心为上,攻城为下
见三国·蜀·诸葛亮《南征教》。全句为:"~;心战为上,兵战为下"。
用兵之道,抚士贵诚,制敌贵诈
见宋·司马光《资治通鉴·唐纪》。
用兵者,贵以饱待饥,以逸击劳
见晋·陈寿《三国志·魏书·三少帝纪》。全句为:"~,师不欲久,行不欲远,守少则固,力专则强"。

用人而不为之下，则力不为用也

见三国·魏·王弼《老子》六十八注。

用人之术，任之必专，信之必笃

见宋·欧阳修《为君难论上》。

用贫求富，农不如工，工不如商

见汉·司马迁《史记·货殖列传》。

用规矩准绳者，亦有规矩准绳焉

见汉·刘安《淮南子·说林》。全句为："非规矩不能定方圆，非准绳不能正曲直；～"。

用兵之道……心战为上，兵战为下

见三国·蜀·诸葛亮《南征教》。删节处为："攻心为上，攻城为下"。

用仁义以治天下，公赏罚以定干戈

见明·施耐庵《水浒传》第八十二回。

用人之知去其诈，用人之勇去其怒

见《礼记·礼运》。全句为："～，用人之仁去其贪"。

用过其才则败事，享过其分则丧身

见宋·李邦献《省心杂言》。

用意深而劝戒切，为言信而善恶明

见宋·欧阳修《魏梁解》。

用兵者，先为不可胜，以待敌之可胜也

见汉·刘安《淮南子·诠言》。

用之者，必假于弗用也，而以长得其用

见汉·刘安《淮南子·道应》。

用天下之心图而济之，夫岂无最长之策乎

见唐·白居易《为人上宰相书》。

用天下之目观而救之，夫岂无最远之见乎

见唐·白居易《为人上宰相书》。

用无常道，事无轨度，动静屈伸，唯变所适

见三国·魏·王弼《周易略例》。

用兵之法：十则围之，五则攻之，倍则分之

见《孙子兵法·谋攻篇》。

用兵之害，犹豫最大；三军之灾，生于狐疑

见《吴子·治兵》。

用之则行，舍之则藏，进退无主，屈申无常

见南朝·宋·范晔《后汉书·冯衍传》。

用四海九州之力，除此小寇，难易可知……

见唐·韩愈《论淮西事宜状》。全句为："～，太山压卵，未足为喻"。

用国者，义立而王，信立而霸，权谋立而亡

见《荀子·王霸》。

用明察非，非无不见；用理钤疑，疑无不定

见汉·王充《论衡·定贤篇》。

用智为政，务欲理人。智变奸生，祸乱滋起

见五代·前蜀·杜光庭《道德真经广圣义》卷四十四。全句为："～。所以诈妄贼害之事勃然而兴"。

用民亦有种，不审其种，而祈民之用，惑莫大焉

见《吕氏春秋·离俗览·用民》。全句为："种麦而得麦，种稷而得稷，人不怪也。～"。

用其智于人，未若用其智于己；用其力于人，未若用其力于己

见三国·魏·王弼《老子》三十三注。

用兵之法：无恃其不来，恃吾有以待也；无恃其不攻，恃吾有所不可攻也

见《孙子兵法·谋攻篇》。

❷不用登临怨落晖／人用财试，金用火试／节用储蓄，以备凶灾／误用恶人，不善者竞进／轻用其国，而不见其过／所用之人，常先于智勇／足用之本，在于勿夺时／凡用兵攻战之本在乎一民／误用聪明，何若一生守拙／君用忠良，则伯王之业隆／所用非所养，所养非所用／能用度外人，然后能周天下／善用严者，一慎之外无他道／不用其所拙，而用愚人之所工／须用防微杜渐，毋为因小失大／凡用兵者，攻坚则轫，乘瑕则神／凡用民，太上以义，其次以赏罚／误用恶人，假令强干，为害极多／可用而不可恃也，可诫而不可弃也／凡用人历试其能，苟败事必诛无赦／宁用不材以败事，不肯劳心而择材／宁用不材以旷职，不肯变例以求人／能用非己之民，国虽小，卒虽少，功名犹可立／轻用民死，死者以国量乎泽若蕉，民其无如矣／凡用人之道，若以燧取火，疏之则弗得，数之则弗中／凡用人之道，采之欲博，辨之欲精，使之欲适，任之欲专

❸礼之用，和为贵／古之用人，无择于势／制国用，量入以为出／选士用能，不拘长幼／材之用，国之栋梁也／春夏用事，秋冬潜处／圣人用人，犹匠之用木／知无用而始可与言用矣／国家用人，犹农家积粟／邦家用祀典，在德非馨香／少也用其力，老也优其秩／智而用私，不若愚而用公／神太用则竭，形太劳则弊／曩之用才……溺在缘情之举／贤者用于君则以君之忧为忧／身不用礼，而望礼于人……／才以用而日生，思以引而不竭／仁之用在爱民，而其体在无私／适于用之谓才，堪其事之谓力／身不用德，而望德于人，乱也／宽于用，此在位者多不得其人也／文之用，辞令褒贬导扬讽喻而已／生不用封万户侯，但愿一识韩荆州／乐于用则豫章贵，厚其生则社栎贤／古之用人者，取之至宽而用之至狭／不肖用事而贤良伏，无功贵而劳苦贱／绝民用以实王府，犹塞川原而为潢污也／是直用管窥天，用锥指地也，不亦小乎／若金，用汝作砺；若济巨川，用汝作舟楫／有以用兵丧其国者，欲偃天下之兵，悖。／正则用之，邪则去之，是则行之，非则改之／为世用者，百篇无害；不为用者，一章无补／虐政用于下，而欲德教之被四海，故难成也／君子用以力学，借困衡

为砥砺，不但顺受而已／智而用私，不如愚而用公，故曰巧伪不如拙诚／贤者，用之则天下治；不肖者，用之则天下乱／下之用力者甚勤，上之用物者有节，民无遗力，国不过费

❹无所不用其极／割鸡焉用牛刀／百姓日用而不知／务本节用财无极／英雄无用武之地／治乱世，用重典／宰相必用读书人／名非实，用之不效／疑则勿用，用则勿疑／劝农节用，均丰补歉／过在自用，罪在变化／道冲，而用之或不盈／有贤不用，安得不亡／民弗为用，弗为死……／古之善用兵者，不必在众／恭俭节用，天下几至刑措／然则无用之为用也亦明矣／用人如用己，理国如理家／去冗官，用良吏，以抚疲民／能为可用，不能使人必用己／强本节用，则人给家足之道／箠策繁用者，非致远之术也／民寡则用易足，土广则物易生／凡兵之用也，用于利，用于义／凡人之用智有短长，其施设各异／生儿不用识文字，斗鸡走马胜读书／假金方用真金镀，若是真金不镀金／今所任用，必须以德行、学识为本／威恩参用以成化，文武相资以定业／智者不用其所短，而用愚人之所长／贤臣不用，用臣不贤，则国非其国／文章功用不经世，何异丝窠缀露珠／古之善用人者，必循天顺人而明赏罚／至人之用心若镜，不将不迎，应而不藏／民无常用也，无常不用也，唯得其道为可／古之善用兵者，用其翻然勃然于未悔之间／黄金者用之量也，辨于黄金之理则知侈俭／不尽知用兵之害者，则不能尽知用兵之利也／有贤而用，国之福也；有之而不用，犹无有也／圣人之用兵，若栉发耨苗，所去者少，而所利者多

❺不得已而用之／反其意而用之／识众寡之用者，胜／大凡文之用四……／天之至私，用之至公／疑则勿用，用则勿疑／贞不自炫，用不见疑／养兵千日，用兵一时／养军千日，用军一时／取之无禁，用之不竭／取之不尽，用之不竭／巧言虽美，用之必灭／居事不力，用财不节／思革其弊，用光志业／用赏贵信，用刑贵正／用管窥天，用锥指地／为义不能用众，非义也／器而不可用，工不为也／王其德之用，祈天永命／文犹可长用，武难久行／足天下之用，莫先乎财／长材靡入用，大厦失巨楹／生材会有用，天地岂无心／生材贵适用，慎勿多苛求／哀哉，死者用生者之器也／士者贵其用也，不必求备／揆材各有用，反性生苦辛／多一分享用，减一分志气／强本而节用，则天不能贫／时逢矣，有用而不尽其施／明体以及用，通经以知权／贤为圣者用，辩为智者通／欲求真受用，须下死功夫／赤兔无人用，当须吕布骑／鞭策之所用，道远任重也／道者，一人用之，不闻有余／三军以利用也，金鼓以声气也／民非不可用也，不得所以用之也／多才而自用，虽有贤者无所复施／强楷坚劲，用在桢干，失在专固／为之者疾，用之者舒，则财恒足矣／贤臣不用，用臣不贤，则国非其国／非得贤难，用之难；非用之难，任之难／人主之于用法，无私好憎，故可以为令／由道废邪，用贤弃愚，推以革物，宜民之苏／众人欢乐，用生生也，动而失之，寿命竭也／治天下者，用人非止一端，故取士不以一路／赴之若惊，用之若狂；当之者破，近之者亡／争行义乐用与争为不义竞不用，此其为祸福也／不得所以用之，国虽大，势虽便，卒无众，何益／制之而不用，人之有也；制之而用之，己之有也／所养非所用，所用非所养，理家必弊，在国必危／为学为教，用力于讲读者一二，加功于习行者八九

❻上求薄而民用给／知侈俭则百用节矣／无政事，则财用不足／不忮不求，何用不臧／俱收并蓄，待用无遗／人用财试，金用火试／毫釐不伐，将用斧柯／谋夫孔多，是用不集／谤议之言，难用褒贬／大成若缺，其用不弊／大盈若冲，其用不穷／国家将败，必用奸人／广农为务，俭用为资／好问则裕，自用则小／死而无益，何用死为／不贵异物贱用物，人乃足／求士莫求全，用人如用木／为政，不在于用一己之长／农广则谷积，用俭则财畜／挽弓当挽强，用箭当用长／吟成五字句，用破一生心／国亦有猛狗，用事者是也／见善如不及，用人如由己／有法者而不用，与无法等／用圣臣者王，用功臣者强／用武则先威，用文则先德／用赏者贵信，用罚者贵必／用篡臣者危，用态臣者亡／左右为社鼠，用事者为猛狗／大器之于小用，固有所不宜／死马无所复用，而燕昭宝之／上将效于国用，下欲济其家声／不加功于无用，不损财于无谓／民力尽于无用，财宝虚以待客／凡兵之用也，用于利，用于义／读文必期有用，不然宁可不读／士为知己者用，女为说己者容／大器不可小用，小士不可大任／善善而不能用，恶恶而不能去／器博者无近用，道长者其功远／德积而民可用，怒畜而威可立／见雨则裘不用，升堂则蓑不御／众皆舍而己用兮，忽自惑其是非／孰非义而可用兮，孰非善而可服／士有未效之用，而身在无誉之间／马伏皂而不用，则驽与良而为群／生之有时而用之无度，则物力必屈／公输子之巧用材也，不能以檀为瑟／工不出则农用乏，商不出则宝货绝／担水塞井徒用力，炊砂作饭岂堪吃／足国之道，节用裕民，而善藏其余／暴师久则国用不足，此兵所以贵速也／待天以困之，用人以诱之。往蹇来返。／屈长才于短用者，犹骥扑鼠而斧剪毛也／圣人之道，不用文则已，用则必尚其能者／法令明具，而用之至密，举天下惟法之知／大成若缺，其用不敝；

大盈若冲，其用不穷／处逆境心须用开拓法，处顺境心要用收敛法／物有美恶，施用有宜，美不常珍，恶不终弃／罢无能，废无用，捐不急之官，塞私门之请／言切直则不用而身危，不切直则不可以明道／名实相生，利用相成，是非相明，去就相安也／虚空者，乃可用盛受万物。故曰虚无能制有形／力不能济于用，而君臣上下不正，虽抱空器奚何施设／贱生于无所用，中流失船，一壶千金，贵贱无常，时使物然

❼儿妇人口不可用／天下治乱系于用人／威愈多，民愈不用／无欲者，不可得用也／不念旧恶，怨是用希／虽楚有材，晋实用之／彼裕我民，无远用戾／楚虽有才，晋实用之／欲多者，其可得用亦多／以一篑障江河，用没其身／体无纤微疾，安用问良医／但求寡悔尤，焉用名炳炳／旁通而无滞，日用而不匮／有道者咸屈，无用者必伸／然则无用之为用也亦明矣／用之则为虎，不用则为鼠／无德于人而求用于人，罪也／筑室于道谋，是用不溃于成／不用其所拙，而用愚人之所工／事莫大于必克，用莫大于玄默／举贤不出世族，用法不及权贵／养物而物为我用者，人之力也／行赏不遗仇雠，用戮不违亲戚／饱食终日，无所用心，难矣哉／死者不可再生，用法务在宽简／赏罚不可轻行，用人弥须慎择／用武则以力胜，用文则以德胜／旅。君子以明慎用刑，而不留狱／天生我材必有用，千金散尽还复来／兵可千日而不用，不可一日而不备／兵者百岁不一用，然不可一日忘也／侈言无验不必用，质言当理不必违／人固难全，权而用其长者，当举也／药来贼境灵何用，米出胡奴死不炊／礼者，以财物为用……以隆杀为要／以正治国，以奇用兵，以无事取天下／水发于深，而为用且远……反为患矣／火泄于密，而为用且大……反为灾矣／异物内流则国用饶，利不外泄则民用给／是直用管窥天，用锥指地也，不亦小乎／古之善用兵者，用其翻然勃然于未悔之间／国有贤士而不用，非士之过，有国者之耻／称财多寡而节用之，富无金藏……谓之啬／杖必取材，不必用味；相必取贤，不必所爱／明君不能畜无用之臣，慈父不能爱无用之子／略观围棋，法于用兵，怯者无功，贪者先亡／所养非所用，所用非所养，理家必弊，在国必危

❽不以其人布衣不用／上德之人，唯道是用／不赏无功，不养无用／谋臧不从，不臧复用／鼓舞其心，发泄其用／安民之本，在于足用／玉卮无当，虽宝非用／耻不能，不耻不见用／收罗英雄，弃瑕录用／老有所终，壮有所用／言过其实，不可大用／一不可见，则两之用息／丰财者，务本而节用也／天讨有罪，五刑五用哉／圣人用人，犹匠之用木／名闻而实喻，名之用也／贤人之才，须贤人用之／以行实为先，以才用为急／艰难奋长戟，万古用一夫／大匠无弃材，船车用不均／吾闻聪明主，治国用轻刑／寄语双莲子，须知用意深／夫农广则谷积，俭用则财畜／天之道在生植，其用在强弱／非才之难，所以自用者实难／人之道在法制，其用在是非／专知擅事，侵人自用，谓之贪／奈何取之尽锱铢，用之如泥沙／善胜敌者不与，善用人者为之下／譬如养鹰，饥则为用，饱则扬去／不念英雄江左老，用之可以尊中国／兵有奇正，旋相为用，如环之无端／为国无强于得人，用人莫先于求旧／攻人以谋不以力，用兵斗智不斗多／强中自有强中手，用诈还逢识诈人／用人之知去其诈，用人之勇去其怒／以己之材为天下用，则用天下而不足／顺天时，量地利，则用力少而成功多／用之者，必假于弗用也，而以长得其用／一节省而国有余用，民有盖藏，不知其几也／世必有才，随时所用，岂待……然后为治乎／德不素积，人不为用；备不豫具，难以应卒／学不必博，要之有用；仕不必达，要之无愧／以子所长，游于不用之国，欲使无穷，其可得／强国令其民争乐用也，弱国令其民争竞不用也／学而不能成其业，用而不能行其学，则非学也／譬之若水火然，善用之则为福，不善用之则为祸／搏攫抵噬之兽，其用齿角爪牙也，必托于卑微隐蔽／不是师法，而好自用，譬之是犹以盲辨色，以聋辨声也／进贤之难者，贤者用且使已废，贵且使己贱，故人难之／用其智于人，未若用其智于己；用其力于人，未若用其力于己

❾才储于平时，乃可济用／百工制器，必贵于有用／坚明直亮，有文武之用／大愚误国，只为好自用／知无用而始可与言用矣／车轻道近，则鞭策不用／有德而有才，方见于用／施之大厦，有栋梁之用／上好信，则民莫敢不用情／求士莫求全，用人如用木／挽弓当挽强，用箭当用长／多好竟无成，不精安用夥／智而用私，不若愚而用公／镂冰为璧，不可得而用也／虚无恬愉者，万物之用也／兵者，凶器，不得已而用之／人之欲少者，其可得用亦少／人之欲多者，其可得用亦多／能静而自观者，可以用人矣／无当之玉碗，不如全用之埏埴／凡兵之用也，用于利，用于义／读书不耐苦，则无所用心之人／臣以自任为能，君以用人为能／中情之人，名不副实，用之有效／小人多欲则多求妄用，财家丧身／但将酩酊酬佳节，不用登临恨落晖／士进则世收其器，贤用即人献其能／善为政者积其德，善用兵者畜其怒／细推物理须行乐，何用浮名绊此身／桂可食，故伐之；漆可用，故割之／智者不用其所短，而用愚人之所长／非得贤难，用之难；非用之难，任之难／以天下之材为天下

用，则用天下而有余／居者饔藿……为者不必用，用者弗肯为／民无常用也，无常不用也，唯得其道为可／君不见担雪塞井空用力，炊沙作饭岂堪食／为政之要，惟在得人。用非其才，必难致治／取士之方，必求其实；用人之术，当尽其材／形劳而不休则弊，精用而不已则劳，劳则竭／用明察非，非无不见；用理钤疑，疑无不定／智而用私，不如愚而用公，故曰巧伪不如拙诚／所学者非世之所可用，而所任者非身之所能为／但当退小人之伪朋，用君子之真朋，则天下治矣／上不访，下不谏，妇言用，私政行，此亡国之风也

⑩燕雀之畴不奋六翮之用／无为虚唱大言而终归无用／形者神之质，神者形之用／性者情之本，情者性之用／所用非所养，所养非所用／书生之论，可言而不可用也／使民无欲，上虽贤犹不能用／儒者之病，多空文而少实用／凡贤人君子，未尝不思效用／能为可用，不能使人必用己／若其有害，虽百例不可用也／多方包容，则人材取次可用／弹鸟，则千金不及丸泥之用／文章不为空言，而期于有用／耳达四聪，瑕累者期于录用／内省既不愧己，焚香何用告天／反者，道之动；弱者，道之用／网开三面，危疑者许以自新用／便宜不可占尽，聪明不可用尽／卷舒不随乎时，文武唯其所用／谄谗饰过之说胜，则巧佞者用／小则随事酬劳，大则量才录用／口能言之，身不能行，国用也／洗污泥者以水，燔腥生者用火／录长补短，则天下无不用之人／或明理以立体，或隐义以藏用／时有薄而厚施，行有失而惠用／贵远而贱近者，常人之用情也／赏罚皆有充实，则民无不用矣／辞至于能达，则文不可胜用矣／上因天时，下尽地财，中用人力／以党举官，则民务交而不求用矣／民非不可用也，不得所以用之也／伯夷、叔齐不念旧恶，怨用是希／从天而颂之，孰与制天命而用之／圣人教人，只是就人日用处开端／奈何以四海之广，足一夫之用邪／君子之度已则以绳，接人则用抴／德必称位，位必称禄，禄必称用／维圣哲以茂行兮，苟得用此下土／败莫大于愚。愚之患，在必自用／文章以华采为末，而以体用为本／积德累行，不知其善，有时而用／用人而不为之下，则力不为用也／足下家中百物，皆赖而用也……／无名者道之体，而有名者道之用也／不厚费者不多营，不妄用者不过取／正论非不见容，然邪说亦有时而用／农，天下之大业；铁器、民之大用／古之用人者，取之至宽而用之至狭／公卿有党排宗泽，帷幄无人用岳飞／能自凿井及泉而汲之，不可胜用矣／志士幽人莫怨嗟，古来材大难为用／莲有藕兮藕有枝，才有用兮用有时／小人寡欲则能谨身节用，远罪丰家／知冬日之箑、夏日之裘，无用于己／国不兴无事之功，家不藏无用之器／处事要代人作想，读书须切己用功／安得壮士挽天河，净洗甲兵长不用／富时不俭贫时悔，潜时不学用时悔／学诗须是熟看古人诗，求其用心处／斧斤以时入山林，材木不可胜用也／忠言有壅而未达，贤才有抑而未用／眺望而林泉有余，奔走而烟霞足用／金蚕无吐丝之实，瓦鸡乏司晨之用／为国不患于无人，有人而不用之为患／以己之材为天下用，则用天下而不足／太平之时，必须才行俱兼，始可任用／君不见今人交态薄，黄金用尽还疏索／富者，苦身疾作，多积财而不得尽用／下者尽力而无耗弊，上者量民而用有节／天地无全功，圣人无全能，万物无全用／非成业难，得贤难；非得贤难，用之难／主道得而臣道序，官不易方而太平用成／以天下之材为天下用，则用天下而有余／古者多有天下而亡者矣，其民不为用也／凡上下之间有物间隔，当须用刑法去之／能终而不能赏，虽有贤人，终不可用矣／异物内流则国用饶，利不外泄则民用给／各从所好，各骋所长，无一人之不中用／国之将兴，必有祯祥，君子用而小人退／多闻识者，犹广储药物也，知所用为贵／官大者，亦可小就；官小者，亦可大用／逆取而以顺守之，文武并用，长久之术／居者饔藿……为者不必用，用者弗肯为／继食鹰鸢欲其鸷，鸷而亨之，将何用哉／结民心，在薄赋敛；薄赋敛，在节财用／相忍为国也，忍其外不忍其内，焉用之／视之不足见，听之不足闻，用之不足既／用之者，必假于弗用也，而以长得其用／自古圣人贤士，皆非有求于闻用也……／言虽多而不要其中，文虽奇而不济于用／天之所覆，地之所载，莫不尽其美致其用／圣人之道，不用文则已，用则必尚其能者／若金，用汝作砺；若济巨川，用汝作舟楫／苟可以为天下国家之用者，则无不在于学／君子非不见贵，然小人亦得厕其间时而用／治国者敬其宝，爱其器，任其用，除其妖／五谷养性而弃之于地，珠玉无用而宝之于身／不尽知用兵之害者，则不能尽知用兵之利也／事少而功多，守要也；身逸而国治，用贤也／兵者不祥之器，非君子之器，不得已而用之／为世用者，百篇无害；不为用者，一章无补／古昔多由布衣定一世者矣，皆能用非其有也／体无常轨，言无常宗，物无常用，景无常取／作俑之工，非曰可珍；时有所用，贵于斫轮／并官省事，静事息役，上下用心，惟农是务／军无习练，百无当一；习而用之，一可当百／都蔗虽甘，杖之必折；巧言虽美，用之必灭／能自治然后可以治人；能治人然后人为之用／圣人之道，若存若亡。援而用之，殁世不亡／左右前后，莫匪俊良；小大之材，咸

尽其用／大成若缺，其用不敝；大盈若冲，其用不穷／四海之广，不患无贤，而患在信用之不至耳／处逆境心须用开拓法，处顺境心要用收敛法／宽收严试，久任超迁。此八字，用人之良法／寡交多亲，谓之知人；寡事成功，谓之知用／录人一善，则无弃人；采材一用，则无弃材／如有德而无才，则不能为用，亦何足为君子／明君不能畜无用之臣，慈父不能爱无用之子／牛溲马勃，败鼓之皮，俱收并蓄，待用无遗／笔端肤寸，膏润天下；文章之用，极其至矣／千人同心则得千人力，万人异心则无一人之用／为道不在多，自为已有金丹至要，可不用余耳／谋臣良将，何代无之；贵在见知，要在见用耳／隋侯之珠，国之宝也，然用之弹，曾不如泥丸／争行义乐用与争为不义竞不用，此其为祸福也／若将军、大夫必出旧族，或无可焉，犹用之耶／苟有所见，虽布衣之贱，远守之微，亦可施用／君子不特贵乎才略之优，而尤贵乎用之得其当／因其性，则天下听从；拂其性，则法县而不用／强国令其民争乐用也，弱国令其民争竞不用也／或说听计当而身疏，或言不用、计不行而益亲／贤者，用之则天下治；不肖者，用之则天下乱／有道以御之，身虽无能也，必使能者为己用也／有贤而用，国之福也；有之而不用，犹无有也／天子者，有道则人推而为主，无道则人弃而不用／真则气雄，精则气生，使五彩并用，而气行其中／制之而不用，人之有也；制之而用之，己之有也／人主之患，不在乎不言用贤，而在乎不诚必用贤／道千乘之国，敬事而信，节用而爱人，使民以时／用民亦有种，不审其种，而祈民之用，惑莫大焉／譬之若水火然，善用之则为福，不善用之则为祸／天下之物莫凶于鸡毒，然而良医橐而藏之，有所用／不躬行，便如水行得车，陆行得舟，一毫受用不得／逊以为子弟苟有才，不忧不用，不宜私出以为荣利／万物之所以为无穷者，交相胜而已矣，还相用而已矣／天生一人，自有一人之用，不待取给于孔子而后足也／善为上者，能令人得欲无穷，故人之可得用亦无穷也／竹不能自异，唯人异之；贤不能自异，唯用贤者异之／为一书，务富文采，不顾事实……是犹用文锦复陷阱也／盖吾儒起手便与禅异者，正在彻始彻终总是体用一致耳／下之用力者甚勤，上之用物者有节，民无遗力，国不过费／得一官不荣，失一官不辱，勿说一官无用，地方全靠一官／人之欲虽多，而上无以令之，人虽得其欲，人犹不可得用也／兵不可偃也，譬之若水火然，善用之则为福，不能用之则为祸／有贤而不知，一不祥；知而不用，二不祥；用而不任，三不祥／用其智于人，未若用其智于己；用其力于人，未若用其力于己／其义则不足死，赏罚则不足去就，若是而能用其民者，古今无有／怨恩取与谏教生杀，八者，正之器也，唯循大变无所湮者为能用之／君子先慎乎德，有德此有人，有人此有土，有土此有财，有财此有用／人莫欲学御龙，而皆欲学御马；莫欲学治鬼，而皆欲学治人：急所用也／舜其大知也与！舜好问而好察迩言，隐恶而扬善，执其两端，用其中于民

鸟

①niǎo 脊椎动物的一纲，飞禽的统称。②diǎo 骂人的粗话。

❶鸟穷则搏，兽穷则噬

见《孙子兵法·军争篇》。

鸟既高飞，罗将奈何

见晋代《紫玉歌》。

鸟以山为埤而增巢其上

见南朝·宋·范晔《后汉书·王符传》。全句为："～，鱼以泉为浅而穿穴其中"。

鸟则择木，木岂能择鸟

见《左传·哀公十一年》。

鸟无世凤凰，兽无种麒麟

见汉·王充《论衡·自纪篇》。全句为："～，人无祖圣贤，物无常嘉珍"。

鸟尽良弓藏，谋极身必危

见三国·魏·嵇康《五言赠秀才诗》。

鸟兽不厌高，鱼鳖不厌深

见《庄子·庚桑楚》。

鸟宿池边树，僧敲月下门

见唐·贾岛《题李凝幽居》。

鸟思猿情，绕梁历榱……

见唐·刘禹锡《洗心亭记》。全句为："～；月来松间，雕镂轩墀；石列笋虡，藤蟠蛟螭；修竹万竿，夏含凉飔"。

鸟飞返故乡兮，狐死必首丘

见战国·楚·屈原《九章·哀郢》。

鸟何萃兮蘋中，罾何为兮木上

见战国·楚·屈原《九歌·湘夫人》。

鸟兽之不可同群者，其类异也

见汉·刘安《淮南子·主术》。全句为："～；虎鹿之不可同游者，力不敌也"。

鸟避弋而高翔，鱼畏网而深游

见唐·李华《木兰赋》。

鸟焚株而铩翮，鱼夺水而暴鳞

见北齐·颜之推《观我生赋》。

鸟能远飞，远飞者，六翮之力也

见晋·陈寿《三国志·魏书·崔琰传》引鱼豢语。全句为："～，然无众毛之助，则飞不远矣"。

鸟穷则啄，兽穷则触，人穷则诈

见汉·刘安《淮南子·齐俗》。

鸟穷则啄，兽穷则攫，人穷则诈

见《荀子·尧问》。

鸟无声兮山寂寂,夜正长兮风淅淅

见唐·李华《吊古战场文》。全句为:"~;魂魄结兮天沉沉,鬼神聚兮云幂幂;日光寒兮草短,月色苦兮霜白"。

鸟同翼者而聚居,兽同足者而俱行

见《战国策·齐策三》。

鸟飞反乡,兔走归窟……各哀其所生

见汉·刘安《淮南子·说林》。删节处为:"狐死首丘,寒将翔水"。

鸟必择木而栖,附托匪人者必有危身之祸

见明·吴麟征《家诫要言》。

鸟之将死,其鸣也哀;人之将死,其言也善

见《论语·泰伯》。

鸟啼花落,皆与神通。人不能悟,付之飘风

见清·袁枚《续诗品·神悟》。

鸟飞千仞之上……祸犹及之,又况编户齐民乎

见汉·刘安《淮南子·俶道》。删节处为:"兽走丛薄之中"。

❷飞鸟皆视其背/一鸟不鸣山更幽/笨鸟先飞早入林/飞鸟之景未尝动也/乌鸟之狡,虽善不亲/高鸟已散,良弓将藏/困鸟依人,终当飞去/鸷鸟累百,不如一鹗/众鸟欣有托,吾亦爱吾庐/喧鸟覆春洲,杂英满芳甸/羁鸟恋旧林,池鱼思故渊/弹鸟,则千金不及丸泥之用/鸷鸟之不群兮,自前世而固然/禽鸟知山林之乐,而不知人之乐/飞鸟尽,良弓藏;狡兔死,走狗烹/好鸟枝头亦朋友,落花水面皆文章/蜚鸟尽,良弓藏;狡兔死,走狗烹/以鸟鸣春,以雷鸣夏,以虫鸣秋,以风鸣冬/鸷鸟将击,卑飞敛翼;猛兽将搏,弭耳俯伏/得鸟者,罗之一目也,然张一目之罗,终不得鸟矣

❸新年鸟声千种啭,二月杨花满路飞/羊肠鸟道无人到,寂寞云中一个人

❹兽聚而鸟散/一鸣众鸟至,再鸣众鸟罗/林深则鸟栖,水广则鱼游/日出众鸟散,山暝孤猿吟/身轻一鸟过,枪急万人呼/树高者,鸟宿之;德厚者,士趋之/陵虚之鸟,爱其清高,不愿江汉之鱼

❺鹰鹯巢林,鸟雀为之不栖/强弩弋高鸟,走犬逐狡兔/望云惭高鸟,临水愧游鱼/鱼乐广闲,鸟慕静深……/善弋者下鸟乎百仞之上,弓良也/日月挟虫鸟之瑕,不妨丽天之景/穷荒绝漠鸟不飞,万碛千山梦犹懒

❻猛兽不群,鸷鸟不双/人语无生意,鸟啼空好音/人行明镜中,鸟度屏风里/鱼处水而生,鸟据巢而卵/烟云泉台,花鸟苔林,金铺锦帐,寓意则灵

❼嬉于水而逐鱼鸟之浮沉/代马依北风,飞鸟栖故巢/代马依北风,飞鸟翔故巢/人情怀旧乡,客鸟思故林/日入群动息,归鸟趋林鸣/贤人安下位,鸷鸟欲卑飞/扁舟从此去,鸥鸟自为群/青天何处了?白鸟入空无/云无心以出岫,鸟倦飞而知还/蛇无头而不行,鸟无翅而不飞/夫妻本是同林鸟,大限来时各自飞/在天愿作比翼鸟,在地愿为连理枝

❽人有吉凶事,不在鸟音中/山明云气画,天静鸟飞高/爱静鱼争乐,依人鸟入怀/感时花溅泪,恨别鸟惊心/兽同足者相从游,鸟同翼者相从翔/草木荣华之飘风,鸟兽好音之过耳/滔滔武溪一何深,鸟飞不度,兽不敢临/鹦鹉能言,不离飞鸟;猩猩能言,不离走兽/狡兔死,良狗烹;高鸟尽,良弓藏;敌国破,谋臣亡

❾肇允彼桃虫,拚飞维鸟/鸟则择木,木岂能择鸟/一鸣众鸟至,再鸣众鸟罗/大海从鱼跃,长空任鸟飞/旷野看人小,长空共鸟齐/水积而鱼聚,木茂而鸟集/疾风而波兴,木茂而鸟集/余生命之湮阨,曾二鸟之不如/狡兔得而猎犬烹,高鸟尽而强弩藏/烟霞充耳目之玩,鱼鸟尽江湖之赏/鱼鳖得免毒螫之渊,鸟兽得离罗网之纲/青未了,松耶?柏耶?独鸟来时,连峰断处,双髻人耶

❿荡胸生曾云,决眦入归鸟/春眠不觉晓,处处闻啼鸟/黩武之众易动,惊弓之鸟难安/中峰之下,水无鱼鳖,林无鸟兽/欲致鱼者先通水,欲致鸟者先树木/老去诗篇浑漫与,春来花鸟莫深愁/赤肉悬则乌鹊集,鹰隼鸷则群鸟散/树林阴翳,鸣声上下,游人去而禽鸟乐也/噬虎之兽,知爱己子;搏狸之鸟,非护异巢/迩之事父,远之事君,多识于鸟兽草木之名/杂花争发,非止桃蹊。群鸟乱飞,有逾鹦谷/泉水激石,泠泠作响;好鸟相鸣,嘤嘤成韵/秋天晚晴,碧色如归,横度一鸟,时时行云/蚊蚋负山,力诚不足;鹰鹯逐鸟,志则有余/麋鹿成群,虎豹避之;飞鸟成列,鹰鹫不击/视民如子,见不仁者诛之,如鹰鹯之逐鸟雀也/得鸟者,罗之一目也,然张一目之罗,终不得鸟矣/古之人观于天地、山川、草木、虫鱼、鸟兽,往往有得/文章丽矣,言语工矣,无异草木荣华之飘风,鸟兽好音之过耳

鸠

jiū 鸟名;通"勼",聚集;安定;古代土地的量名。

❹关关雎鸠,在河之洲。窈窕淑女,君子好逑

❻维鹊有巢,维鸠居之

鸡

jī 家禽。

❶鸡司晨,犬警夜,虽尧舜不能废

见明·宋濂《萝山杂言》。

鸡肋,弃之如可惜,食之无所得

见晋·陈寿《三国志·魏书·武帝纪》。

鸡知将旦，鹤知夜半，而不免于鼎俎
见汉·刘安《淮南子·说山》。
❷割鸡焉用牛刀／雄鸡一声天下白／牝鸡之晨，惟家之索／闻鸡久听南天雨，立马曾挥北地鞭
❸宁为鸡口，无为牛后／人有鸡犬放，则知求之；有放心而不知求
❹一唱雄鸡天下白／战如斗鸡，胜者先鸣／造夕思鸡鸣，及晨愿乌迁
❺一人得道，鸡犬升天／风雨如晦，鸡鸣不已／邻国相望，鸡犬之声相闻，民至老死，不相往来
❻惟家之索，牝鸡之晨／狗吠深巷中，鸡鸣桑树颠／牛刀可以割鸡，鸡刀难以屠牛／易于泰山破鸡子，轻于四马载鸿毛
❼一人飞升，仙及鸡犬／牛刀可以割鸡，鸡刀难以屠牛
❽乳狗之噬虎也，伏鸡之搏狸也／天下之物莫凶于鸡毒，然而良医橐而藏之，有所用
❾白骨露于野，千里无鸡鸣／生儿不用识文字，斗鸡走马胜读书／金蚕无吐丝之实，瓦鸡乏司晨之用／卵之性为雏，不得良鸡覆伏孚育，积日累久，则不成为雏
❿人而无义，唯食而已，是鸡狗也／鸾凤竞粒于庭场，则受亵于鸡鹜／宁与黄鹄比翼乎，将与鸡鹜争食乎

鸥

ōu 鸟纲，鸥科各种类的通称；概为水鸟；[鸥盟]与鸥鸟为盟，喻退隐。
❷白鸥问我泊孤舟，是身留，是心留／沙鸥翔集，锦鳞游泳；岸芷汀兰，郁郁青青
❻扁舟从此去，鸥鸟自为群

鸦

yā 鸟。
❻夕阳一片寒鸦外，目断东西四百州／枯藤老树昏鸦，小桥流水人家，古道西风瘦马
❽染鹭之毛而指为鸦，则虽愚必疑
❿于今腐草无萤火，终古垂杨有暮鸦／春风吹蚕细如蚁，桑芽才努青鸦嘴

鸩

zhèn 古代传说中一种毒鸟；用鸩毒泡制而成的毒酒；以毒酒害人。
❸宴安鸩毒，不可怀也
❽食钩吻以疗饥，饮鸩毒以救渴
❾古之人知酒肉为甘鸩，弃之如遗／疗饥于附子，止渴于鸩毒，未入肠胃，已绝咽喉

鸭

yā 鸭科家禽。
❺春江水暖鸭先知

鸮

xiāo 亦称"猫头鹰"；鸟纲，鸱鸮科各种类的通称。
❷水鸮翔而大风作，穴蚁徙而阴雨零
❻桑椹甘香，鸱鸮革响，淳酪养性，人无嫉心
❿见卵而求时夜，见弹而求鸮炙／清泉绿草，何物不可饮啄？而鸱鸮者偏食腐鼠

鸱

chī 鸱鹰，猛禽；盛酒器。
❶鸱枭鸣衡轭，豺狼当路衢
见三国·魏·曹植《赠白马王彪》。
鸱目有所适，鹤胫有所节
见《庄子·徐无鬼》。
❷放鸱枭而囚鸾凤
❺桑椹甘香，鸱鸮革响，淳酪养性，人无嫉心
❻螭龙为蝘蜓，鸱枭为凤皇
❿清泉绿草，何物不可饮啄？而鸱鸮者偏食腐鼠

鸷

zhì 凶猛的鸟；凶猛。
❶鸷鸟累百，不如一鹗
见汉·邹阳《上书吴王》。
鸷鸟之不群兮，自前世而固然
见战国·楚·屈原《离骚》。
鸷鸟将击，卑飞敛翼；猛兽将搏，弭耳俯伏
见《太公六韬·武韬·发启》。
❺猛兽不群，鸷鸟不双
❻贤人安下位，鸷鸟欲卑飞
❼绁食鹰鸢欲其鸷，鸷而亨之，将何用哉
❿赤肉悬则乌鹊集，鹰隼鸷则群鸟散

鸾

luán 传说中凤凰一类的神鸟；常和"凤"一起比喻夫妻，也比喻有才德的人；通"銮"，古代的一种车铃。
❶鸾舆凤驾不能使驽马健捷
见南朝·梁·萧绎《金楼子·立言下》。全句为："金樽玉杯不能使薄酒更厚，～"。
鸾凤之音不得不锵于乌鹊
见唐·皇甫湜《答李生第一书》。全句为："意新则异于常，异于常则怪矣；词高则出于众，出于众则奇矣。虎豹之文不得不炳于犬羊，～，金玉之光不得不炫于瓦石，非有意先之也，乃自然也"。
鸾凤竞粒于庭场，则受亵于鸡鹜
见晋·葛洪《抱朴子·博喻》。
鸾凤骞翔而变态，烟云舒卷以呈姿
见唐·刘禹锡《谢手诏表》。
❷命鸾凤兮逐雀，驱龙骥兮捕鼠
❹枳棘非鸾凤所栖，百里岂大贤之路
❻放鸱枭而囚鸾凤
❼薰莸不同器，枭鸾不接翼／薰莸不共器，枭鸾不比翼／远胜登仙去，飞鸾不假骖／龟龙闻而深藏、鸾凤见而高逝者，知其害身也
❿下笔则烟飞云动，落纸则鸾廻凤惊／金樽玉杯不能使薄酒更厚，鸾舆凤驾不能使驽马健捷

鹂 lí[黄鹂]一种鸟名。

❺春意属黄鹂

鹃 juān[杜鹃]一种鸟名。

❾精卫有情衔太华,杜鹃无血到天津

鹄 ①hú 鸟名,即"天鹅"。②gǔ 箭靶的中心;喻目标。

❶鹄不日浴而白,乌不日黔而黑

见《庄子·天运》。

❷刻鹄不成尚类鹜/黄鹄一远别,千里顾徘徊/鸿鹄固有远志,但燕雀自不知耳/鸿鹄巢于高林之上,暮而得所栖/鸿鹄之彀羽翼未全,而有四海之心/黄鹄之飞,一举千里,有必飞之备也/鸿鹄高飞,一举千里,羽翼以就,横绝四海/黄鹄白鹤,一举千里,使之与燕服翼试之堂庑之下

❸水击鹄雁,陆断驹马,则臧获不疑钝利

❹宁与黄鹄比翼乎,将与鸡鹜争食乎

❻燕雀安知鸿鹄之志

❼一心以为有鸿鹄将至/蛟龙无定窟,黄鹄摩苍天/朝无贤人,犹鸿鹄之无羽翼也……

❾宁与燕雀翔,不随黄鹄飞/弃燕雀之小志,慕鸿鹄以高翔/吞舟之鱼不游渊,鸿鹄高飞不就污池/射而不中者,不求之鹄,而反修之于己/虎之跃也,必伏乃厉;鹄之举也,必拊乃高

❿居常土思兮心内伤,愿为黄鹄兮归故乡/吞舟之鱼,不游枝流;鸿鹄高飞,不集污池

鹅 é一种家禽。

❾物轻人意重,千里送鹅毛

鹉 wǔ[鹦鹉]能模仿人说话的鸟。

❷鹦鹉能言,不离飞鸟;猩猩能言,不离走兽

❻言语巧偷鹦鹉舌,文章分得凤凰毛

❾含情欲说宫中事,鹦鹉前头不敢言

鹊 què 亦称"喜鹊",鸟纲,鸦科。

❶鹊巢知风之所起,獭穴知水之高下

见汉·刘安《淮南子·缪称》。全句为:"~;晖目知晏,阴谐知雨"。

❷维鹊有巢,维鸠居之/扁鹊不能治不受针药之疾/扁鹊不能肉白骨,微箕不能存亡国

❸荆山鹊飞而玉碎,随岸蛇生而珠死

❻赤肉悬则乌鹊集,鹰隼鸷则群鸟散/月明星稀,乌鹊南飞,绕树三匝,何枝可依

❼命乃在天,虽扁鹊何益/弹雀则失鷜,射鹊则失雁

❾将已笃疾,不宜废扁鹊

❿鸾凤之音不得不锵于乌鹊/书不必起仲尼之门,药不必出扁鹊之方

鹗 è一种鸟名,俗称鱼鹰。

❽鸷鸟累百,不如一鹗

❾当九秋之凄清,见一鹗之直上

鹜 wù鸭子。

❷精骛八极,心游万仞

❺落霞与孤鹜齐飞,秋水共长天一色

❼刻鹄不成尚类鹜

❽前车已覆,袭轨而骛,曾不鉴祸,以知畏惧

❿鸾凤竞粒于庭场,则受亵于鸡鹜/宁与黄鹄比翼乎,将与鸡鹜争食乎

鹞 ①yào 一种比鹰小的猛禽。②yáo 野鸡的一种。

❶鹞子经天飞,群雀两向波

见南朝·梁·横吹曲辞《企喻歌》。全句为:"男儿欲作健,结伴不须多。~"。

❽豺则虎之弟,鹰则鹞之兄

鹤 hè 水鸟;[鹤鹤]洁白貌。

❶鹤寿千岁,以极其游

见汉·刘安《淮南子·说林》。全句为:"~;蜉蝣朝生而暮死,而尽其乐"。

鹤鸣于九皋,声闻于天

见《诗·小雅·鹤鸣》。

鹤汀凫渚,穷岛屿之萦回;桂殿兰宫,列冈峦之体势

见唐·王勃《滕王阁序》。

❷断鹤续凫,矫作者妄/黄鹤戒露,非有意于轮轩

❹闲云野鹤,无拘无束/闻风声鹤唳,皆以为王师已至/云中白鹤,非燕雀之网所能罗也/黄鹄白鹤,一举千里,使之与燕服翼试之堂庑之下

❺鸡知将旦,鹤知夜半,而不免于鼎俎

❻鸱目有所适,鹤胫有所节/昔人已乘黄鹤去,此地空余黄鹤楼

❽听玄猿之悲吟,察鹤鸣于九皋

❾参差远岫,断云将野鹤俱飞/子男由胥徒以出,皆鹤而轩/凫胫虽短,续之则忧;鹤胫虽长,断之则悲

❿宁作野中之双凫,不愿云间之别鹤/宛转蛾眉能几时,须臾鹤发乱如丝/昔人已乘黄鹤去,此地空余黄鹤楼/夕景欲沉,晓雾将合;孤鹤寒啸,游鸿远吟

鷜 lóu 野鹅。

❺弹雀则失鷜,射鹊则失雁

鹦 yīng[鹦鹉]俗称"鹦哥"。

❶鹦鹉能言，不离飞鸟；猩猩能言，不离走兽
见《礼记·曲礼上》。
❺言语巧偷鹦鹉舌，文章分得凤凰毛
❽含情欲说宫中事，鹦鹉前头不敢言
❿杂花争发，非止桃蹊。群鸟乱飞，有逾鹦谷

鹩 liáo[鹪鹩]一种鸟，做的窠很精巧，故此鸟又称“巧妇鸟”。
❷鹪鹩尚存一枝，狡兔犹藏三窟／鹪鹩不可与论云翼，井蛙难与量海鳌／鹪鹩巢于深林，不过一枝；偃鼠饮河，不过满腹

鹪 jiāo 鸟类的一种；[鹪明]传说中五方神鸟之一，属凤凰类。[鹪鹩]一种鸟，做的窠很精巧，故此鸟又称“巧妇鸟”。
❶鹪鹩尚存一枝，狡兔犹藏三窟
见明·罗贯中《三国演义》第六十回。
鹪鹩不可与论云翼，井蛙难与量海鳌
见晋·郭璞《客傲》。
鹪鹩巢于深林，不过一枝；偃鼠饮河，不过满腹
见《庄子·逍遥游》。

鹫 jiù 鹫鸟，鹰科部分种类的通称，皆大型猛禽。
❹峰从灵鹫飞来
❿麋鹿成群，虎豹避之；飞鸟成列，鹰鹫不击

鹬 yù 一类鸟的通称；疾飞貌。
❶鹬蚌相争，渔人得利
见明·冯梦龙《古今小说·滕大尹鬼断家私》。
鹬蚌相持，渔人得利
语出《战国策·燕策二》。

鹭 lù 一种嘴、颈和腿都细长的水鸟。
❷染鹭之毛而指为鸦，则虽愚必疑

鹯 zhān 鸟名，即“晨风”，猛禽。
❷鹰鹯巢林，鸟雀为之不栖
❿为渊驱鱼者，獭也；为丛驱爵者，鹯也／蚊蚋负山，力诚不足；鹰鹯逐鸟，志则有余／视民如子，见不仁者诛之，如鹰鹯之逐鸟雀也

疗 liáo 医治，治疗。
❶疗饥者半菽可以充腹，为政者一言可以兴邦
见唐·骆宾王《钓矶应诘文》。
疗饥于附子，止渴于鸩毒，未入肠胃，已绝咽喉
见南朝·宋·范晔《后汉书·霍谞传》。
❺食钩吻以疗饥，饮鸩毒以救渴
❼搏沙为饼，不可疗饥
❿凿凿乎如五谷必可以疗饥／剪纸为墙，不可止暴，搏沙为饼，不可疗饥

疚 jiù 因自己的失误而产生痛苦不安的心情；久病。
❹内省不疚，何恤人言／内省不疚，夫何忧何惧
❺怀与安，实疚大事／内省而不疚于道，临难而不失其德
❻君子内省不疚，无恶于志／行前定则不疚，道前定则不穷

疡 yáng 疮；溃烂。
❿一目之人可使视准，五毒之石可使溃疡

疥 jiè 一种传染性皮肤病，即“疥疮”。
❻肤革既平，虽疥癣而必去
❿一令蔓草难锄，涓流泛酌，岂直疥痒轻疴，容为重患

疮 chuāng 指皮肤或黏膜溃烂的病；本作“创”，伤口。
❹口舌成疮，手肘成胝／乾坤含疮痍，忧虞何时毕／百孔千疮，随乱随失，其危如一发引千钧
❺医得眼前疮，剜却心头肉
❿我愿天公怜赤子，莫生尤物为疮痏

疫 yì 瘟疫，流行性的传染病。
❻非有灾害疾疫，独以贫穷，非惰则奢也

疢 chèn 热病，引申为病。
❷美疢不如恶石

症 ①zhèng 疾病的症候情况。②zhēng [症结]腹腔内结块的病；喻产生问题的关键。
❾熟读王叔和，不如临症多

疴 kē 病。
❿五刃之伤，药之可平。一言成疴，智不能明／一令蔓草难锄，涓流泛酌，岂直疥痒轻疴，容为重患

疽 jū 痈疽；肿胀而坚硬的毒疮。
❷痈疽发于指，其痛遍于体
❼视人之瘼如瘭疽在身，不忘决去

疾 jí 病；痛苦；使疼痛；迅速的；厌恶，痛恨；弊病，缺点；毒物，害虫；通“嫉”，妒忌。
❶疾风知劲草
见南朝·宋·范晔《后汉书·王霸传》。
疾学在于尊师
见《吕氏春秋·孟夏纪·劝学》。
疾雷不及掩耳
见汉·刘安《淮南子·兵略》。

疾如锥矢，战如雷电

见《战国策·齐策一》。

疾言厉色，处众之贼也

见明·吕坤《呻吟语》。全句为："奋始怠终，修业之贼也。缓前急后，应事之贼也。躁心浮气，蓄德之贼也。～"。

疾风而波兴，木茂而鸟集

见汉·刘安《淮南子·主术》。

疾风劲草，实表岁寒之心

见唐·吴兢《贞观政要·忠义》。

疾风知劲草，板荡识诚臣

见唐·李世民《赐萧瑀》。

疾痛惨怛，未尝不呼父母也

见汉·司马迁《史记·屈原列传》。全句为："人穷则反本，故劳苦倦极，未尝不呼天地也；～"。

疾雷不及掩耳，迅电不及瞑目

见《太公六韬·龙韬·军势》。

疾不可为也，在肓之上、膏之下

见《左传·成公十年》。

疾呼不过闻百步，志之所在，逾于千里

见汉·刘安《淮南子·主术》。

疾如流矢，击如发机者，所以破精微也

见《太公六韬·龙韬·奇兵》。

疾病不可以自责除，水旱不可以祷谢去

见汉·王充《论衡·感虚篇》。全句为："天地之有水旱，犹人之有疾病也，～"。

疾则如电，迟则如云，进止有度，约而不烦

见晋·陈寿《三国志·吴书·胡综传》。

疾为诞而欲人之信己也，疾为诈而欲人之亲己也

见《荀子·荣辱》。全句为："～，禽兽之行而欲人之善己也"。

❷其疾如风，其徐如林／内疾之害重于太山而莫之避／外疾之害轻于秋毫，人知避之／治疾及其未笃，除患贵其未深／讳疾而忌医，宁灭其身而无悟也

❸君子疾没世而名不称焉／君有疾，饮药，臣先尝之／亲有疾，饮药，子先尝之／死亡疾病，亦人所不能无／交气疾争者，为易口而自毁也／身多疾病思田里，邑有流亡愧俸钱／恶犹疾也，攻之则益悛，不攻则日甚／民有疾苦，得以安之；吏有侵渔，得以去之／男子疾耕不足于粮饷，女子纺绩不足于帷幕／男子疾耕不足于糟糠，女子纺绩不足于盖形／造父疾趋，百步而废；自托乘舆，坐致千里／爱善疾恶，人情所常，苟不明质，或疏善善非

❹医门多疾／父母有疾，琴瑟不御／将已笃疾，不宜废扁鹊／治身躁疾，则失其精神／林中多疾风，富贵多谀言／人之将疾者必不甘鱼肉之味／骐骥虽疾，不遇伯乐不致千里／镞矢之疾，而有不行不止之时／不徐不疾，得之于手而应之于心／为之者疾，用之者舒，则财恒足矣／饥召兵，疾召兵，劳召兵，乱召兵

❺凡兵欲急疾捷先／沐甚雨，栉疾风／守正为心，疾恶不惧／见善若惊，疾恶若仇／体无纤微疾，安用问良医／让人不算疾，过后是便宜／节食则无疾，择言则无祸／王者行躁疾，则失其君位／物速成则疾亡，晚就则善终／富者，苦身疾作，多积财而不得尽用／非有灾害疾疫，独以贫穷，非惰则奢也

❻一手独拍，虽疾无声／口腹不节，致疾之因／安静则治，暴疾则乱／智能决谋，以疾为奇／有莠则锄，有疾则医／良药苦口，惟疾者能甘之／芟夷不可阙，疾恶信如仇／有信义者，必疾苟且之徒／劲草不倚于疾风，零霜则变／非药曷以愈疾，非兵胡以定乱／人神之所同疾，天地之所不容／寒暑不时则疾，风雨不节则饥／箴者，所以攻疾防患，喻针石也／因急而呼天，疾痛而呼父母者，人之至情也

❼春风得意马蹄疾／上医医国，其次疾人／子之所慎：斋、战、疾／鬻棺者，欲民之疾病也／苦言，药也；甘言，疾也／树德莫如滋，去疾莫如尽／听远音者，闻其疾而不闻其舒／爽口物多终作疾，快心事过必为殃／常有小病则慎疾，常亲小劳则身健／饮食不节，以生疾病；好色不倦，以致乏绝／明者不以其短疾人之长，不以其拙病人之工

❽至公者，群恶之所疾／墙隙而高，其崩必疾／愿言思伯，甘心首疾／豺狼守肉，鬼魅侍疾／厚酒肥肉，甘口而疾形／恶者，人心之所恶疾也／水下流，不争先，故疾而不迟／川泽纳污，山薮藏疾，瑾瑜匿瑕／牧民之道，除其所疾，适其所安／太山在前而不见，疾雷破柱而不惊／泰山在前而不见，疾雷破柱而不惊／所种者稗，虽美田疾耕，不生谷也／欲平其心以养其疾，于琴亦将有得焉

❾用气常宽舒，不当急疾勤劳／望严雪而识寒松，观疾风而知劲草／斫轮徐则甘而不固，疾则苦而不入／偏而在外，犹可救也，疾自中起，是难／力视损明，力听损聪，疾言阻德，功伪败功

❿去民之患，如除腹心之疾／终日抄药方而不能瘳一疾／扁鹊不能治不受针药之疾／明治病之术者，杜未生之疾／走不以手，缚手，走不能疾／良医服百病之方，治百人之疾／至人消未起之患，治未病之疾／天地之有水旱，犹人之有疾病也／春不留兮时已失，老衰飒兮逾疾／衙斋卧听萧萧竹，疑是民间疾苦声／治世不得真贤，譬犹治疾不得真药／致贵无渐失必暴，受爵非道殃必疾／每一章一句出，无胫而走，疾于珠

玉／为尊者讳耻，为贤者讳过，为亲者讳疾／但愿官民通有无，莫令租吏打门叫呼疾／凡养生，莫若知本，知本则疾无由至矣／善除害者，察其本；善理疾者，绝其源／天地之道，寒暑不时则疾，风雨不节则饥／不塞隙穴，而劳力于赭垩，暴风疾雨必坏／唯泰山不为飘风所动，磐石不为疾流所回／为国之法，有似理身，平则致养，疾则攻焉／敬时爱日，非老不休，非疾不息，非死不舍／忠果正直，志怀霜雪，见善若惊，疾恶若仇／貌言华也，至言实也，苦言药也，甘言疾也／继世守文之君，生而富贵，不知疾苦，动至夷灭／疾为诞而欲人之信己也，疾为诈而欲人之亲己也／威太甚则爱利之心息，爱利之心息而徒疾行威，身必咎矣

痈 yōng 皮肤化脓性炎症。

❶痈疽发于指，其痛遍于体
见汉·刘安《淮南子·人间》。

❷溃痈虽痛，胜于养肉

❽以强弩射且溃之痈／贩交买名之薄，吮痈舐痔之卑，安足议其是非

疲 pí 身体感觉劳累；松懈；瘦弱；停息。

❷气疲欲胜，则精灵离身矣／人疲由乎税重，税重由乎军兴／筋疲力弊不入腹，未议县官租税足

❻樵重身羸如疲鳖／何尝见明镜疲于屡照，清流惮于惠风

❼我自乐此，不为疲也／绠短者衔渴，足疲者辍途

❽性静情逸，心动神疲／国动乱者，而民劳疲也

❾去冗官，用良吏，以抚疲民／壮年竭忠孝于沙漠，疲劳则便捐死于旷野

❿读书与磨剑，旦夕但忘疲／鹰善击也，然日击之，则疲而无全翼矣／天下大扰，百姓遑遑，劳苦疲极，困穷生奸

痔 zhì 痔疮。

❷舐痔者得车五乘，所治愈下，得车愈多

❿俯偻匍匐，啖恶求媚，舐痔自亲，美言谄笑／贩交买名之薄，吮痈舐痔之卑，安足议其是非

痏 wěi 殴人成创而有瘢痕；疮；针灸后穴位上的瘢痕。

❿我愿天公怜赤子，莫生尤物为疮痏

痍 yí 创伤。

❺乾坤含疮痍，忧虞何时毕

疵 cī 缺点；小毛病；非议。

❷小疵不足以妨大美／小疵不足以损大器

❹黄金有疵，白玉有瑕／省躬无疵而获谤者何伤／镜无见疵之罪，道无明过之恶／目中有疵，不害于视，不可灼也

❺有大誉，无疵其小故

❼不吹毛而求小疵，不洗垢而察难知／篇之彪炳，章无疵也；章之明靡，句无玷也

❽吹毛洗垢，求其痕疵／起民之病，治国之疵／厉精乡进，不以小疵妨大材／立大功者不求小疵，有大忠者不求小过

❿正义直指，举人之过，非毁疵也／孟氏醇乎醇者也，荀与扬大醇而小疵／论大功者不录小过，举大善者不疵细瑕／小善不足以掩众恶，小疵不足以妨大美

痒 ①yǎng 皮肤或黏膜受到刺激而引起的想抓挠的感觉。②yáng 病。

❹栉垢爬痒，民获苏醒

❾诗不着题，如隔靴搔痒

❿意贵透彻，不可隔靴搔痒／处富贵之时，要知贫贱的痛痒／一令蔓草难锄，涓流泛酌，岂直疥痒轻疴，容为重患

痕 hén 创伤痊愈后留下的疤；物体留下的印迹。

❷苔痕上阶绿，草色入帘青

❺晓风干，泪痕残

❼吹毛洗垢，求其痕疵／衣上征尘杂酒痕，远游无处不消魂

❿作诗贵雕琢，又畏斧凿痕／三千宫女胭脂面，几个春来无泪痕／失意人逢失意事，新啼痕间旧啼痕／沛然从肺腑中流出，殊不见斧凿痕／所好则钻皮出其毛羽，所恶则洗垢求其瘢痕

痛 tòng 疼；悲伤；尽情，彻底；恨。

❶痛定思痛，痛何如哉
见宋·文天祥《指南录后序》。
痛乾坤而忽穷，嗟古今而长绝
见唐·王维《为杨郎中祭李员外文》。
痛不著身言忍之，钱不出家言与之
见汉·王符《潜夫论·救边》。
痛莫大于不闻过，辱莫大于不知耻
见隋·王通《文中子·关朗》。

❷疾痛惨怛，未尝不呼父母也

❸化悲痛为力量／志士痛朝危，忠臣哀主辱

❹剖心非痛，亡殷为痛／衔酸抱痛，且耻且惭／溃痈虽痛，胜于养肉／痛定思痛，痛何如哉

❺持志如心痛……／痛定思痛，痛何如哉／但伤民病痛，不识时忌讳／学者大病痛，只是器度小／刺骨，故小痛在体而长利在身／安则乐生，痛则思死；捶楚之下，何求而不得

❻赏重而信，罚痛而必，群臣畏劝，竞思其职

❼忧患已空无复痛／痈疽发于指，其痛遍于体

/创巨者其日久,痛甚者其愈迟/因急而呼天,疾痛而呼父母者,人之至情也

❽剖心非痛,亡殷为痛/立法之大要……邪人痛其祸而悔其行

❾虽为镜于前代,终抱痛于今日/祸莫惨于欲利,悲莫痛于伤心/告之以直而不改,必痛之而后畏

❿处世以讥讪为第一病痛/不自反者,看不出一身病痛/世有莫盛之福,又有莫痛之祸/处富贵之时,要知贫贱的痛痒/事之急者不能安言,心之痛者不能缓声/凡举事,无为亲厚者所痛,而为见仇者所快

痴 chī 傻;疯癫;极度迷恋。

❶痴人妄认逆境,平地自生铁围

见宋·范成大《范石湖集·自箴》。

痴人之前莫说梦,梦中说梦愈阔迂

见宋·刘过《寄竹隐先生孙应时》。

痴儿不了公家事,男子要为天下奇

见宋·王庭珪《送胡邦衡之新州贬所》。

❷贪痴无底蛇吞象,祸福难明螳捕蝉/不痴不狂,其名不彰;不狂不痴,不能成事

❼人生自是有情痴,此恨不关风与月

❿神清人无忽语,机活人无痴事/不痴不狂,其名不彰;不狂不痴,不能成事

痿 wěi 一种病,指身体某一部分萎缩或丧失机能。

❽出舆入辇,命曰蹶痿之机

瘁 cuì 过度劳累;忧伤;毁坏。

❼勤非俭,终年劳瘁,不当一日之侈靡

❿得志遂茂而不骄,不得志瘁瘠而不辱

瘅 ①dàn,又读 dǎn,因劳累而得的病;憎恨;通"疸",黄疸病;通"燀",热气盛。②dān[瘅疟]中医指热症。

❸彰善瘅恶,王教之端

瘗 yì 埋,埋葬。

❿既死,岂在我哉!焚之亦可,沉之亦可,瘗之亦可,露之亦可

瘟 wēn 流行性传染病;发呆,反应迟钝。

❸借问瘟君欲何往,纸船明烛照天烧

❺牛郎欲问瘟神事,一样悲欢逐逝波

瘦 shòu 不丰满;衣服鞋袜等窄小;土地不肥沃;笔迹细而有力。

❺相马失之瘦,相士失之贫

❻人与绿杨俱瘦

❼人怜直节生来瘦,自许高材老更刚

❽伯乐相马,取之于瘦;圣人相士,取之于疏

❿名缰利锁,天还知道,和天也瘦/交情老去淡如水,病骨秋来瘦似松/枯藤老树昏鸦,小桥流水人家,古道西风瘦马

瘉 yù"愈"的异体字,病好,使病好;病。

❿此令兄弟,绰绰有裕;不令兄弟,交相为瘉/敌存而惧,敌去而舞;废备自盈,只益为瘉

瘼 mò 毛病,疾苦。

❸访民瘼于井邑,察冤枉于囹圄

❹视人之瘼如瘭疽在身,不忘决去

瘢 bān 疤痕;斑点。

❿吴王好剑客,百姓多创瘢/所好则钻皮出其毛羽,所恶则洗垢求其瘢痕

瘠 ①jí 瘦弱;缺少养分;土质硗薄;薄待。②zì 没有完全腐烂的尸体。

❶瘠地之民多有心者,劳也

见汉·刘安《淮南子·修务》。全句为:"~;沃地之民多不才者,饶也"。

❹短长肥瘠各有态,玉环飞燕谁敢憎

❻所种者谷,虽瘠土惰农,不生稗也

❼处沃土则逸,处瘠土则劳

❿得志遂茂而不骄,不得志瘁瘠而不辱/视政之得失,若越人视秦人之肥瘠忽焉不加喜戚于其心

瘭 biāo[瘭疽]手指头或脚趾头发炎化脓的病。

❻视人之瘼如瘭疽在身,不忘决去

瘳 chōu 病愈;减损。

❿患生于官成,病始于少瘳

癖 pǐ 积久成习的特殊嗜好;饮水不消之病。

❾凡人好辞工书,皆病癖也

癣 xuǎn 真菌感染引起的皮肤病。

❼肤革既平,虽疥癣而必去

立 lì 站;竖起来;竖立着的;制定;存在;即刻;建树,成就;指君主即位。

❶立于不败之地

见《孙子兵法·形篇》。

立官者以全生也

见《吕氏春秋·孟春纪·本生》。全句为:"~。今世之惑主,多官而反以害生,则失所为立之矣"。

立志要高,不要卑

见宋·陈淳《北溪字义》卷上。

立身一败,万事瓦裂

见唐·柳宗元《寄许京兆孟容书》。

立法之能,治家之材也

见三国·魏·刘劭《人物志·材能》。全句为:"~。故在朝也则司寇之任,为国则公正之政"。

立法贵严,而责人贵宽

见宋·苏轼《刑赏忠厚之至论》。

立辅弼之臣者,恐骄也

见汉·班固《汉书·贾山传》。全句为:"~;置直谏之士者,恐不得闻其过也"。

立言而朽,君子不由也

见唐·柳宗元《杨评事文集后序》。

立实以致声,则难在经始

见唐·刘禹锡《因论·讯甿》。全句为:"~;由声以循实,则难在克终"。

立武以威众,诛恶以禁邪

见汉·班固《汉书·胡建传》。

立小异以近名,托虚名以邀利

见宋·王安石《辞集贤校理第二状》。

立片言而居要,乃一篇之警策

见晋·陆机《文赋》。

立业建功,事事要从实地着脚

见明·陈继儒《小窗幽记》。全句为:"~,若少慕声闻,便成伪果"。

立官不能使之方,以私欲乱之也

见《吕氏春秋·季春纪·圜道》。

立身必由清谨,处职无废于忠勤

见唐·李峤《授豆卢钦望秋官尚书制》。

立事者不离道德,调弦者不失宫商

见汉·陆贾《新语·术事》。

立义以为的,奠而后发,发必中矣

见汉·扬雄《法言·修身》。全句为:"修身以为弓,矫思以为矢,~"。

立志要定,不要杂;要坚,不要缓

见宋·陈淳《北溪字义》卷上。

立志欲坚不欲锐,成功在久不在速

见宋·张孝祥《论治体札子·甲申二月九日》。

立当青草人先见,行傍白莲鱼未知

见唐·雍陶《咏双白鹭》。

立望关河萧索,千里清秋,忍凝眸

见宋·柳永《曲玉管》。

立言无显过之咎,明镜无见玼之尤

见南朝·宋·范晔《后汉书·宦者传》。

立法之大要……邪人痛其祸而悔其行

见汉·王符《潜夫论·断讼》。删节处为:"必令善人劝其德而乐其政"。

立法设禁而无刑以待之,则令而不行

见宋·苏辙《河南府进士策问三首》之三。

立节者见难不苟免,贪禄者见利不顾身

见汉·刘安《淮南子·齐俗》。

立大功者不求小疵,有大忠者不求小过

见唐·陈子昂《申宗人冤狱书》。

立德者以幽陋好遗,显登者以贵途易引

见南朝·宋·范晔《后汉书·王龚传》。

立身高一步方超达,处世退一步方安乐

见明·陈继儒《小窗幽记》。

立身成败,在于所染,兰芷鲍鱼,与之同化

见唐·吴兢《贞观政要·慎终》。全句为:"~,慎乎所习,不可不思"。

立大事者,不惟有超世之才,亦必有坚忍不拔之志

见宋·苏轼《晁错论》。

❷孤立行一意而已/但立直标,终无曲影/信立则虚言可以赏矣/法立于上则俗成于下/法立于上,教弘于下/唯立德扬名,可以不朽/壁立千峰峻,潨流万壑奔/屹立大江干,仍能障狂澜/法立而不犯,令行而不逆/惟立志学圣人,则无害也/本立而道行,本伤而道废/不立异以为高,不逆情以干誉/威立则恶者惧,化行则善者劝/倦立而思远,不如速行之必至也/独立寒秋,湘江北去,橘子洲头/欲立非常之功者,必有知人之明/悄立市桥人不识,一星如月看多时/法立,有犯而必施;令出,惟行而不返/特立独行,适于义而已,不顾人之是非/思立掀天揭地的事功,须向薄冰上履过/夫立身之忠信也,立官之廉也,立家之俭也

❸因时立政/修辞立其诚/诗清立意新/一人立志,万夫莫夺/两不立,则一不可见/修辞立诚,在于无愧/刑名立,则黑白之分已/不求立名声,所贵去瑕玼/凡人立志胜人,易生傲慢/志不立,天下无可成之事/凡将立国,制度不可不察也/事垂立而辄废,功未成而旋去/凡将立国……治法不可不慎也/名须立而戒浮,志欲高而无妄/己欲立而立人,己欲达而达人/建法立制,强国富人,是谓法家/不患立言之不善,患不足以践之耳/君道立则利出其群,而人备可完矣/虚檐立尽梧桐影,络纬数声山月寒/吾人立身天地间,只思量作得一个人/人之立身,所贵者惟在德行,何必要论荣贵/人之立言,因字而生句,积句而成章,积章而成篇/古之立大事者,不惟有超世之才,亦必有坚忍不拔之志

❹失信不立/视时而立仪/凡法始立必有病/兵以诈立,以利动/中道而立,能者从之/企者不立,跨者不行/艺由己立,名自人成/苏世独立,横而不流/茕茕孑立,形影相吊/矜功不立,虚愿不至/其始不立,其卒不成/随踵而立者,人之薄也/行陆者立而秦,有车也/威不可立也,惟公则威/事因理立,不隐理而成事/兴于诗,立于礼,成于乐/当时而立法,因事而制

礼／大山不立好恶，故能成其高／君子独立不惭于影，独寝不惭于魂／意不先立，止以文采辞句绕前捧后／不思而立言，不知而定交，吾其惮也／提刀而立，为之四顾，为之踌躇满志／闻人善，立以为己师；闻恶，若己仇／功成事立，名迹称遂，不退身避位……／大上有立德，其次有立功，其次有立言／大抵能立于一世，必有取重于一世之术／太上有立德，其次有立功，其次有立言／善战者立于不败之地，而不失敌之败也／大石侧立千尺，如猛兽奇鬼，森然欲搏人／士之特立独行，适于义而已，不顾人之是非／人主之立法，先自为检式仪表，故令行于天下

❺民无信不立／人之所以立检者四／凡人须先立志……／飏下屠刀，立地成佛／凡事豫则立，不豫则废／两雄不俱立，两贤不并世／主人退后立，敛手反如宾／仁昭而义立，德博而化广／信因疑而立，信胜则疑忘／君非民不立，民非谷不生／强不能遍立，智不能尽谋／唯有志不立，直是无着力处／患名之不立，不患年之不长／韵者，随迹立形，备遗不俗／道者，所以立本也，不可不一／己欲立而立人，己欲达而达人／或明理以立体，或隐义以藏用／虚死不如立节，苟殒不如成名／君子修道立德，不为穷困而改节／人之持身立事，常成于慎而败于纵／学者不患立志之不高，患不足以继之耳／是邪，非邪？立而望之，偏何姗姗其来迟／深耕穊种，立苗欲疏，非其种者，锄而去之／用国者，义立而王，信立而霸，权谋立而亡／人之所以立德者三：一曰贞，二曰达，三曰志／士之修身立节而竟不遇知己，前古以来，不可胜数／姆抱幼子立侧，眉眼如画，发漆黑，肌肉玉雪可念／苟意不先立，止以文彩辞句，绕前捧后，是言愈多而理愈乱

❻小谨者不大立／不知礼，无以立也／不学《礼》，无以立／危言危行，独立不回／群居不倚，独立不惧／从官重恭慎，立身贵廉明／殖不固本而立基者后必崩／盛衰各有时，立身苦不早／人不忘廉耻，立身自不卑污／绳以柔而有立，金以刚而无固／治世御众，建立辅弼，诫在面从／标格原因独立好，肯教富贵负初心／称其任，则政立；枉其能，则事乖／鞭鞑宁越以立威名，恐非致理之本／片技即足自立，天下惟多技之人最劳／未画以前，不立一格；既画以后，不留一格／君子务本，本立而道生。孝弟也者，其仁之本／急乎其所自立，而无患乎人不己知，未尝闻有响大而声微者也

❼恶小耻者不能立大功／静则精，精则独立矣／贵骐骥者，为其立至也／恶小耻者，不能立荣名／仁行而从善，义立则俗易／观化百代后，独立万古前／瞻望兮踊跃，伫立兮徘徊／论行而结交者，立名之士也／不忠不信，何以立于天地之间／生人物之万殊，立天地之大义／创基冰泮之上，立足枳棘之林／令天下重足而立，侧目而视矣／大着肚皮容物，立定脚跟做人／上士忘名，中士立名，下士窃名／凡人行事，年少立身，不可不慎／大丈夫以正大立心，以光明行事／创业自知难两立，辍耕早已定三分／形骸非性命不立，性命假形骸以显／忠邪不可以并立，善恶不可以同道／称其仇，不为谄；立其子，不为比／白云山头云欲立，白云山下呼声急／圣主者，举贤以立功；不肖主举其所同／抱不世之才，特立而独行，道方而事实／行货赂，趣势门，立私废公，比周而取容／高墙狭基，不可立矣；严法峻刑，不可久也／读书做人，先要立志。志患不立，尤患不坚／弘而不毅，则难立；毅而不弘，则无以居之

❽与世沉浮，不自树立／不患无位，患所以立／事由迹彰，功待事立／千载之勋，一朝可立／君子贵建本而重立始／行不两全，名不两立／气外更无虚托孤立之理／锥之处囊中，其末立见／丈夫皆有志，会见立功勋／尚干将莫邪，贵其立断也／喘息为宅命，身寿立息端／政简移风速，诗清立意新／勇士不顾生，故能立天下之大名／飘飘乎如遗世独立，羽化而登仙／忠臣不畏死，故能立天下之大事／读书不可无师承，立论不可无依据／读书好处心先觉，立雪深时道已传／咬定青山不放松，立根原在破岩中／闻鸡久听南天雨，立马曾挥北地鞭／古之君子，守道以立名，修身以俟时／耻辱者，勇之决也；立名者，行之极也／君子与小人不两立，而小人与君子不同谋／夫立身之忠信也，立官之廉也，立家之俭也／权济天下而君臣立，上下正，然后礼义正焉／君子知形恃神以立，神须形以存，悟生理之易失，知一过之害生

❾利之出于群也，君道立也／夏屋初成而大匠先立其下／智足以造谋，材足以立事／辞必端其本，修之乃立诚／半生落魄已成翁，独立书斋啸晚风／超俗拔萃之德，不能立功于未至之时／大上有立德，其次有立功，其次有立言／太上有立德，其次有立功，其次有立言／凡事行，有益于理者立之，无益于理者废之／成大事者，不恤小耻；立大功者，不拘小谅／用国者，义立而王，信立而霸，权谋立而亡

❿北方有佳人，绝世而独立／饷妇念儿啼，逢人不敢立／有麝自然香，何必当风立／为人也，岩岩若孤松之独立／善人喜于见传，则勇于自立／雕琢复朴，块然独以其形立／功不可以虚成，名不可以伪立／吾十有五而志于学，三十而立／国以民为本，社稷亦为民而立／德积而民可用，怒畜而威可立／形见则胜可制，力罢则威可立／猛虎不处卑势，劲鹰不立垂枝／羞善行之

不修，恶善名之不立／上下和同，虽有贤才，无所立功／久视伤血，久卧伤气，久立伤骨／大丈夫处世，当为国家立功边境／富者田连阡陌，贫者亡立锥之地／老冉冉其将至兮，恐修名之不立／事者难成而易败，名者难立而易废／陵涛鼓怒以伏注，天壁嵯峨而横立／若甘心于自暴自弃，便是不能立志／小荷才露尖尖角，早有蜻蜓立上头／多官而反以害生，则失所为立之矣／过在改而不复为，功惟立而不中倦／学者不患才之不赡，而患志之不立／教子弟求显荣，不如教子弟立品行／礼之可以为国也久矣，与天地并立／剪枝去叶，本根俱露，枯槁可立而待／士之遇时，不患无位，患所以立而已／不可陷之楯与无不陷之矛不可同世而立／不自限其昏与庸而力学不倦，自立者也／堤防成而民无水灾，礼义立，民无乱患／墉基不可仓卒而成，威名不可一朝而立／大上有立德，其次有立功，其次有立言／太上有立德，其次有立功，其次有立言／小人朝为而夕求其成，坐施而立望其反／富贵足以愚人，而贫贱足以立志而浚慧／时既清兮惟贤是急，贤既进兮其政必立／明者所以对昏，昏既灭，则明亦不立矣／心不清则无以见道，志不确则无以立功／不智不勇不信，有此三者，不可以立功名／虽有尧舜之智，而无众人之助，大功不立／胆力者，雄之分也，不得英之智则事不立／万木僵仆，梅英再吐，玉立冰姿，不易厥素／夫立身之忠信也，立官之廉也，立家之俭也／交私养望者多得显官，独立营职者或见排沮／读书做人，先要立志。志患不立，尤患不坚／君子敬以直内，义以方外；敬义立而德不孤／知足之人，体道同德，绝名除利，立我于无／居不主奥，坐不中席，行不中道，立不中门／贤人在野，我将进之；佞人立朝，我将斥之／贤士之处世也，譬若锥之处囊中，其末立见／碧峰巉巉，出于柏梢，有如虎牙，夹天而立／用国者，义立而王，信立而霸，权谋立而亡／含元一以为质，禀阴阳以立性，体五行而著形／能用非己之民，国虽小，卒虽少，功名犹可立／闻难思解，见利思避，好成人之美，可以立矣／才可伪，功不可伪；临民听政，长短贤不肖立见／先无爵，死无谥，实不聚，名不立，此之谓大人／故马或奔踶而致千里，士或有负俗之累而立功名／谷足食多，礼义之心生；礼丰义重，平安之基立／学无二事，无二道，根本苟立，保养不替，自然日新／生有七尺之形，死唯一棺之土，唯立德扬名，可以不朽／其夹岸有树木千万本，列立如揖，丹色鲜如霞，擢举欲动，灿若舒颜／先哲王之政，一曰承天，二曰正身，三曰任贤，四曰恤民，五曰明制，六曰立业

竖

shù 直立；上下或前后的方向；汉字的笔画；旧称童仆。

❶竖子不足与谋

见汉·司马迁《史记·项羽本纪》。

❷贾竖不与不仁期，而不仁自至

❺君王城上竖降旗，妾在深宫哪得知

❻时无英雄，使竖子成名

竞

jìng 比赛；争高低；强劲。

❷奔竞，非病也／物竞天择，适者生存／无竞维人，四方其训之

❸并词竞说者，为贷手以自殴／鸾凤竞粒于庭场，则受亵于鸡鹜／千岩竞秀，万壑争流……若云兴霞蔚／负势竞上，互相轩邈，争高直指，千百成峰

❹无求无竞，虽欲不寿，得乎

❺无心与物竞，鹰隼莫相猜／字中蝌蚪，竞落文河。笔下蛟龙，争投学海／争构纤微，竞为雕刻……；骨气都尽，刚健不闻

❼石火光中争长竞短，几何光明／齐、梁间诗，彩丽竞繁，而兴寄都绝／以明察物，物亦竞以其明应之。以不信察物，物亦竞以其不信应之

❽误用恶人，不善者竞进／轻翰暂飞，则花葩竞发／性同而势均则相竞而相害也／不治可见之美，不竞人间之名／以不信察物，物亦竞以其不信应之

❾舜之治天下，使民心竞／天地莫生金，生金人竞争

❿眉将柳而争绿，面共桃而竞红／江山如此多娇，引无数英雄竞折腰／鹰击长空，鱼翔浅底，万类霜天竞自由／赏重而信，罚痛而必，群臣畏劝，竞思其职／争行义乐用与争为不义竞不用，此其为祸福也／强国令其民争乐用也，弱国令其民争竞不用也／擅山海之富，居川林之饶，争修园宅，互相夸竞／以明察物，物亦竞以其明应之。以不信察物，物亦竞以其不信应之

章

zhāng 诗文乐曲的段落；古代臣子上呈给帝王表明自己意见的一种文体；规程；条理；印鉴；身上佩戴的标志；古时亦同"彰"；文采；条款；大木材；姓。

❶章有德，序有功

见宋·王安石《磨勘转官三道》。

章台柳，章台柳！昔日青青今在否

见唐·韩翃《章台柳》。一作《寄柳氏》。全句为："～？纵使长条似旧垂，亦应攀折他人手"。

❷文章之道，自古称难／钩章棘句，掐擢胃肾／篇章户牖，左右相瞰／文章之境，莫佳于平淡／文章不成者，不可以诛罪／文章千古事，得失寸心知／文章憎命达，魑魅喜人过／文章本天成，妙手偶得之／辨章事理，贵得当时之宜／文章

不为空言，而期于有用／文章之作，恒发于羁旅草野／改章难于造篇，易字艰于代句／文章须自出机杼，成一家风骨／文章本乎作者，而哀乐系乎时／文章以华采为末，而以体用为本／文章太守，挥毫万字，一饮千钟／文章，经国之大业，不朽之盛事／寻章摘句老雕虫，晓月当帘挂玉弓／文章以自得，不蹈袭前人一言为贵／文章合为时而著，歌诗合为事而作／文章随世作抵昂，变尽风骚到晚唐／文章功用不经世，何异丝窠缀露珠／文章均得江山助，但觉前贤畏后贤／文章必自名一家，然后可以传不朽／文章自得方为贵，衣钵相传岂是真／文章到欧曾苏，道理到二程，方是畅／文章做到极处，无有他奇，只是恰好／文章无警策，则不足传世，盖不能竦动世人／文章不难于巧而难于拙，不难于曲而难于直／（文章）不难于细而难于粗，不难于华而难于质／文章如精金美玉，市有定价，非人所能以口舌定贵贱也／文章丽矣，言语工矣，无异草木荣华之飘风，鸟兽好音之过耳／文章当从三易：易见事，一也；易识字，二也；易读诵，三也／文章道弊五百年矣！汉魏风骨，晋宋莫传，然而文献有可征者

❸宪古章物不实者死／观文章，宜若悬衡然……／乃含章之玉牒，秉文之金科矣／为词章，泛滥停蓄，为深博无涯涘／每一章一句出，无胫而走，疾于珠玉

❹赏罚无章，何以沮劝／凡为文章，犹乘骐骥……／李杜文章在，光焰万丈长／读其文章，庶几得其志之所存／人妙文章本平淡，等闲言语变瑰琦／庾信文章老更成，凌云健笔意纵横／婉而成章，尽而不污，惩恶而劝善／经济文章磨白昼，幽光狂慧复中宵／木有文章曾是病，虫多言语不能天／李杜文章万口传，至今已觉不新鲜／章台柳，章台柳！昔日青青今在否／事业文章随身销毁，而精神万古如新／学不成章，无由而达；志不归一，终难成事／梗楠豫章之生也，七年而后知，故可以为棺舟／学为文章，先谋亲友，得其评裁，知可施行，然后出手

❺国朝盛文章，子昂始高蹈／寂寥乎短章，春容乎大篇／吾每为文章，未尝敢以轻心掉之／蔚乎其相章，炳乎其相辉，志同而气合／篇之彪炳，章无疵也；章之明靡，句无玷也／古今号文章为难，足下知其所以难乎？……得之为难，知之愈难耳

❻祖述尧舜，宪章文武／始得名于文章，终得罪于文章／酷好学问文章，未尝一日暂废／乐于用则豫章贵，厚其生则社栎贤／琢雕自是文章病，奇险尤伤气骨多

❼无作聪明乱旧章／首句标其目，卒章显其志／余平生所作文章多在三上……／事以实之，词以章之，道以通之，法以检之／与父老约，法三章耳：杀人者死，伤人及盗抵罪

❽士先器识而后辞章／嬉笑怒骂，皆成文章／言出为论，下笔成章／天命有德，五服五章哉／瞽者无以与乎文章之观／仲尼祖述尧舜，宪章文武／八音与政通，而文章与时高下／搜句忌于颠倒，裁章贵于顺序／不畏于微，必畏于章，患大祸深，以至灭亡／常玉不琢，不成文章；君子不学，不成其德／常玉不瑑，不成文章；君子不学，不成其德

❾读书贵神解，无事守章句／愧乏经济才，徒然守章句／不见年年辽海上，文章何处哭秋风／丹青初炳而后渝，文章岁久而弥光／守正之人其气高，含章之人其词大／言语巧偷鹦鹉舌，文章分得凤凰毛／伟人之一顾逾乎华章，而一非亦惨乎黥刖／篇之彪炳，章无疵也；章之明靡，句无玷也

❿观人以言，美于黼黻文章／砻磨乎事业，而奋发乎文章／君子之志于道也，不成章不达／始得名于文章，终得罪于文章／或求名而不得，或欲盖而名章／物有出微而著，事有由隐而章／心如天地者明，行如绳墨者章／阴阳变化，一上一下，合而成章／独闵闵其曷已兮，凭文章以自宣／言之所载者大且文，则其传也章／世事洞明皆学问，人情练达即文章／世间富贵应无分，身后文章合有名／先生之貌不可得兮，犹仿佛其文章／阳春召我以烟景，大块假我以文章／定知直道传千古，杜牧文章在上头／好鸟枝头亦朋友，落花水面皆文章／胸中之气伊郁蜿蜒，泄为章句……／炒沙作糜终不饱，镂冰文章费工巧／其体顺而肆，可以播于乐章歌曲也／君子之学，或施之事业，或见于文章／见乱而不惕，所残必多；其饰，弥章／学贵变化气质，岂为猎章句、干利禄哉／言之所载者不文而又小，则其传也不章／有才必韬藏，如浑金璞玉，暗然而日章也／为世用者，百篇无害；不为用者，一章无补／至人之治，掩其聪明，灭其文章，依道废智／少目之网，不可得鱼，三章之法，不可为治／国家之败，由官邪也；官之失德，宠赂章也／思致之浅深，不在其磔裂章句，隳废声韵也／笔端肤寸，膏润天下；文章之用，极其至矣／事丰奇伟，辞富膏腴，无益经典，而有助文章／乘不测之舟，入无人之地，以相从问文章为事／为文以意为主，气为辅，以辞彩章句为之兵卫／人之立言，因字而生句，积句而成章，积章而成篇／消磨了三十多年层层心血，算不得大千世界小小文章／李白之文，清雄奔放，名章俊语，络绎间起，光明洞彻，句句动人

竟 jìng 结束；自始至终；终于；表示一种肯定；表示出乎意料；穷究；通“境”。

❶竟抱固穷节，饥寒饱所更
见晋·陶潜《饮酒二十首》之十五。
竟日不知尘世事，长年占断白云乡
见宋·普济《五灯会元》卷一六。
❷入竟而问禁，入国而问俗，入门而问讳
❸多好竟无成，不精安用夥
❺有志者事竟成／出人之才，竟无施为
❻春花无数，毕竟何如秋实
❼青山遮不住，毕竟东流去／神龟虽寿，犹有竟时；腾蛇乘雾，终为土灰
❽利深波也深，君意竟如何／大小百余战，封侯竟蹉跎／彼美不琢雕，椟中竟何如／白骨成丘山，苍生竟何罪／靡辞无忠诚，华繁竟不实／请看今日之域中，竟是谁家之天下／忘年忘义，振于无竟，故寓诸无竟／未有天地之先，毕竟也只是先其俭也／未有天地之先，毕竟也只是先进谏斯易矣／未有天地之先，毕竟也只是先让者，德之主也／未有天地之先，毕竟也只是先有此理，便有此天地／士之修身立节而竟不遇知己，前古以来，不可胜数／有缺点的战士终竟是战士，完美的苍蝇也终竟不过是苍蝇
❾不学古人，法无一可；竟似古人，何处着我
❿胸中有誓深于海，肯使神州竟陆沉／忘年忘义，振于无竟，故寓诸无竟／有缺点的战士终竟是战士，完美的苍蝇也终竟不过是苍蝇

竫

jìng 安静；编造；[竫言]作言造语，动人听闻。

❽合抱之松无庸于竫人之国，若瓮之茧见弃于裸体之邦

竦

sǒng 伸长脖子、提起脚跟站着；通“怂”，怂恿；肃静的样子。

❼城峭则必崩，岸竦则必阤
❿志烈秋霜，心贞昆玉，亭亭高竦，不染风尘／文章无警策，则不足传世，盖不能竦动世人

童

tóng“僮”的本字，谓奴仆；未成年人；牛羊未出角之称；山无草木；愚昧无知；通“瞳”；姓。

❷儿童相见不相识，笑问客从何处来／牧童归去横牛背，短笛无腔信口吹
❹昨是儿童今是翁，人间日月急如风／垂髫之童，但习鼓舞，斑白之老，不识干戈
❻智而教愚，则童蒙者弗恶／年将弱冠非童子，学不成名岂丈夫
❼入于泽而问牧童，入于水而问渔师
❾借问酒家何处有，牧童遥指杏花村
❿致君事业堆胸臆，却伴溪童学钓鱼／天下之至文，未有不出于童心焉者也

靖

①jìng 安定；平定；谦恭；图谋；细小貌；通“静”；姓。②jīng 通“旌”，表彰。

❸事以靖民，非以征民
❹慎以自靖者，君子之徒也
❿导筋骨则形全，剪情欲则神全，靖言语则福全／天下至大器也，帝王至重位也，得士则靖，失士则乱

竭

jié 完；干涸；举，竖起；负载；干涸。

❶竭泽而渔，岂不获得？而明年无鱼
见《吕氏春秋·孝行览·义赏》。全句为：“～。焚薮而田，岂不获得？而明年无兽”。
竭诚则吴越为一体，傲物则骨肉为行路
见唐·魏征《论时政第二疏》。
竭所能之谓忠，履所明之谓信，平所施之谓恕
见清·戴震《原善》。
❷泉竭则流涸，根朽则叶枯／川竭而谷虚，邱夷而渊塞，唇竭而齿寒
❸血垂竭者则难益也／覆巢竭渊，龙凤逝而不至／财已竭而敛不休，人已穷而赋愈急／壮年竭忠孝于沙漠，疲劳则便捐死于旷野
❹甘井近竭，招木近伐／民知力竭，则以伪继之／藏于不竭之府者，养桑麻育六畜也／言于国竭情无私，理于家陈信无愧／自斗自竭，自崩自缺，是恶乎为我设
❺鼓衰兮力竭……／焚林而田，竭泽而渔／便令江汉竭，未厌虎狼求／塞其源者竭，背其本者枯／流长则难竭，柢深则难朽／神太用则竭，形太劳则弊
❻再而衰三而竭／殚其地之出，竭其庐之入……／水倍源则川竭，人倍信则名不达
❼民以财为本，财竭则下畔，下畔则上亡／山无陵，江水为竭……天地合，乃敢与君绝／君能尽礼，臣得竭忠，必在于内外无私，上下相信
❽直木先伐，甘井先竭／取之无禁，用之不竭／取之不尽，用之不竭／长短不饰，以情自竭，若是则可谓直士矣
❾焚林而畋，明年无兽；竭泽而渔，明年无鱼
❿君子如春风，可爱不可竭／木无本必枯，水无源必竭／用之而不弊，取之而不竭／辞有所未尽，意有所未竭／一鼓作气，再而衰，三而竭／厌其源，开其渎，江河可竭／语议如悬河写水，注而不竭／才以用而日生，思以引而不竭／一尺之捶，日取其半，万世不竭／股肱罄帷幄之谋，爪牙竭熊罴之力／善出奇者，无穷如天地，不竭如江河／川竭而谷虚，邱夷而渊塞，唇竭而齿寒／历危乘险，匪杖不行，车沓力竭，匪杖不强／人之乱也，由夺其食；人之危也，由竭其力／众人欢乐，用生生也，动而失之，寿命竭也／形劳而不休则弊，精用而不已则劳，劳则竭／有鄙夫问于我，空空如也。我叩其两端而竭焉

端

duān（东西的）头；开头；端正；用手平拿着；原因；头绪；究竟，真正；多，深；

姓。

❶端拱纳谏诤,和风日冲融

见唐·杜甫《往在》。

端州石工巧如神,踏天磨刀割紫云

见唐·李贺《杨生青花紫石砚歌》。

❷多端寡要,好谋无决/舌端之孽,惨乎楚铁/忧端齐终南,澒洞不可掇/笔端肤寸,膏润天下;文章之用,极其至矣/与端方人处,如炭入薰炉,虽化为灰,其香不灭

❸结言端直,则文骨成焉/辞必端其本,修之乃立诚

❹攻乎异端,斯害也已/治忽之端,或自是起/慎防其端,禁于未然/学文之端,急于明理/思能造端,谓之构架之材/圣人见端而知本,精之至也/不是无端悲怨深,直将阅历写成吟

❺不能兆其端者,菑及之/弃身锋刃端,性命安可怀/轻者重之端,小者大之源/苟余心其端直兮,虽僻远之何伤/欲影正者端其表,欲下廉者先之身/射者使人端,钓者使人恭,事使然也/法者,治之端也;君子者,法之原也/君子避三端;避文士之笔端,避武士之锋端,避辩士之舌端

❻欲济无舟楫,端居耻圣明/凡物皆有两端,如小大厚薄之类/爱己者,仁之端也,可推以爱人/补察得失之端,操于诗人美刺之间焉/推微达著,寻端见绪,履霜知冰,践露知暑/心源为炉,笔端为炭。锻炼元本,雕砻群形/上多欲,下多端,法不定,政多门,此乱国之风也

❼一物失称,乱之端也/处贵而骄,败之端也/恻隐之心,仁之端也/是非之心,智之端也/辞让之心,礼之端也/羞恶之心,义之端也/欲正其末者,先端其本/源洁则流清,形端则影直/见微以知萌,见端以知末/治末者调其本,端影者正其形/公生明,偏生暗,端悫生通,诈为生塞/君子之道也,造端乎夫妇,及其至也,察乎天地

❽千里之差,兴自毫端/参之庄、老以肆其端/彰善瘅恶,王教之端/胸次山高水远,笔端云起风狂/君开一源,下生百端之变,无不乱者也/君开一源,下生百端。百端之变,无不动乱

❾丽容虽丽,犹待镜以端形/冰霜正惨凄,终岁常端正/不贰过者,见不善之端而止之也/当年不肯嫁春风,无端却被秋风误/思虑熟则得事理,行端直则无祸害/意匠如神变化生,笔端有力任纵横/人之好怪也!不求其端,不讯其末,惟怪之欲闻

❿养气要使完,处身要使端/人生归有道,衣食固其端/人生有离合,岂择衰老端/阴雪兴岩侧,悲风鸣树端/又疑瑶台镜,飞在青云端/喘息为宅命,身寿立息端/福钟恒有兆,祸集非无端/虽感目之一致,终寄怀而百端/笼天地于形内,挫万物于笔端/去敌气与矜色兮,噤危言以端诚/圣人教人,只是就人日用处开端/大巧因自然以成器。不造为异端/吾究物始,而见夫妇之为造端也/死生无变于己,而况利害之端乎/兵有奇正,旋相为用,如环之无端/八纮驰骋于思绪,万代出没于毫端/富国有道,无所不恤者,富之端也/当人强盛,河山可拔,一朝羸缩,人情万端/君开一源,下生百端。百端之变,无不动乱/治天下者,用人非止一端,故取士不以一路/无恻隐之心,非人也……恻隐之心,仁之端也/无是非之心,非人也……是非之心,智之端也/无羞恶之心,非人也……羞恶之心,义之端也/有鄙夫问于我,空空如也。我叩其两端而竭焉/君子避三端;避文士之笔端,避武士之锋端,避辩士之舌端/人之生也,必以其欢。忧则失纪,怒则失端。忧悲喜怒,道乃无处/舜其大知也与!舜好问而好察迩言,隐恶而扬善,执其两端,用其中于民

赣 ①gàn 水名;江西省的简称。②gòng 赐给。③gàng 通"戇",愚笨而刚直。

❼务功修业,不受赣于君

穴 xué 挖掘或自然形成的可供人或动物栖宿的洞窟;洞孔;墓圹;指事物的归宿处;指中医针灸所刺的部位。

❸鼋鼍穴于深渊之下,夕而得所宿

❹七穿八穴,百了千当/不探虎穴,安得虎子/死生之穴,乃在分毫/不塞隙穴,而劳力于赭垩,暴风疾雨必坏

❺巢居知风,穴居知雨/长堤溃蚁穴,君子慎其微/蚯蚓霸一穴,神龙行九天

❻枳句来巢,空穴来风/巢居觉风飘,穴处识阴雨/巢居者察风,穴处者知雨,忧存故也

❼朽株难免蠹,空穴易来风/由上室而上,有穴,北出之,乃临大野

❽千里之堤,溃于蚁穴/穀则异室,死则同穴/鱼以泉为浅而穿穴其中/寸火能焚云梦,蚁穴能决大堤/水鹍翔而大风作,穴蚁徙而阴雨零

❾千丈之堤,以蝼蚁之穴溃/千里之堤,以蝼蚁之穴漏/用心于诈,百补而千穴败/鹊巢知风之所起,獭穴知水之高下

❿日出而林霏开,云归而岩穴暝/天且风,巢居之虫动;且雨,穴处之物扰/梁丽可以冲城,而不可以窒穴,言殊器也/海内之货,咸萃其庭,产匹铜山,家藏金穴

究 jiū 溪流的尽处;穷尽,终极;谋划;追根究底;仔细探查;毕竟,到底。

❶究天人之际,通古今之变,成一家之言

见汉·司马迁《报任少卿书》。

❷能究其本根而枝叶自举/吾究物始,而见夫

妇之为造端也

❽梦幻人世，明不能究其从也

❾达于道者，反于清净；究于物者，终于无为

❿文可以变风俗，学可以究天人／九州生气恃风雷，万马齐喑究可哀／当杀而虽贵重，必杀之，是刑上究也／取其一，不责其二；即其新，不究其旧／打扫光明一片地，襄贮古今，研究经史／时不至不可强生也，事不究不可强成也／当世学士，恒以万计；而究涂者无数十焉／作诗切忌议论，此最易近腐，近絮，近学究／两体者，虚实也，动静也，聚散也，清浊也，其究一而已

穷 qióng 贫穷；尽；用尽；极其；不得志；彻底推求。

❶穷寇勿迫

见《孙子兵法·军争篇》。

穷则反，终则始

见《庄子·则阳》。

穷天下者，天下仇之

见《太公六韬·武韬·顺启》。

穷不忘道，老而能学

见宋·苏轼《黄州上文潞公书》。

穷巷多怪，曲学多辨

见《商君书·更法》。

穷当益坚，老当益壮

见南朝·宋·范晔《后汉书·马援传》。

穷猿奔林，岂暇择木

见南朝·宋·刘义庆《世说新语·言语》。

穷猿投林，岂暇择木

见唐·房玄龄等《晋书·李充传》。

穷达有命，吉凶由人

见汉·班固《汉书·叙传》。

穷天下而奉之者， 人也

见宋·石介《辨惑》。

穷且益坚，不坠青云之志

见唐·王勃《滕王阁序》。全句为："老当益壮，宁移白首之心；～"。

穷巷隔深辙，颇回故人车

见晋·陶潜《读山海经十三首》之一。

穷巷秋风起，先摧兰蕙芳

见唐·刘禹锡《萋兮吟》。全句为："天涯浮云生，争蔽日月光。～"。

穷乃见节义，老当志弥刚

见宋·徐梦莘《弹子岩》。

穷年忧黎元，叹息肠内热

见唐·杜甫《自京赴奉先县咏怀五百字》。

穷兵极武，未有不亡者也

见唐·吴兢《贞观政要·征伐》。

穷民财力以供嗜欲谓之暴

见《晏子春秋·内篇谏下第二》。

穷则变，变则通，通则久

见《周易·系辞下》。

穷阴凝闭，凛冽海隅……

见唐·李华《吊古战场文》。全句为："～；积雪没胫，坚冰在须；鸷鸟休巢，征马踟蹰；缯纩无温，堕指裂肤"。

穷居而野处，升高而望远

见唐·韩愈《送李愿归盘谷序》。全句为："～，坐茂树以终日，濯清泉以自洁"。

穷秋南国泪，残日故乡心

见唐·赵嘏《经无锡县醉后吟》。

穷天下之声，无以舒其哀矣

见唐·柳宗元《先太夫人河东县太君归祔志》。全句为："～；尽天下之辞，无以传其酷矣"。

穷途萧瑟，青山白云之万里

见唐·王勃《秋日饯别序》。全句为："极野苍茫，白露凉风之八月；～"。

穷天下之辩者，不在辩而在讷

见《关尹子·九药》。全句为："困天下之智者，不在智而在愚；～；伏天下之勇者，不在勇而在怯"。

穷则独善其身，达则兼善天下

见《孟子·尽心上》。

穷独善而无挠，达兼善而无矜

见唐·张说《赠户部尚书河东公杨君神道碑》。

穷者欲达其言，劳者须歌其事

见北周·庾信《哀江南赋》。

穷睇眄于中天，极娱游于暇日

见唐·王勃《滕王阁序》。

穷则观其所不受，贱则观其所不为

见汉·刘安《淮南子·氾论》。全句为："贵则观其所举，富则观其所施，～"。

穷则视其所不为，贫则视其所不取

见汉·韩婴《韩诗外传》。全句为："居则视其所亲，富则视其所与，达则视其所举，～"。

穷荒绝漠鸟不飞，万碛千山梦犹懒

见唐·岑参《与独孤渐道别长句兼呈严八侍御》。

穷其书，得其言，论其意，推而大之

见唐·柳宗元《送巽上人赴中丞叔父召序》。全句为："～，逾万言而不烦，总而括之，立片辞而不遗"。

穷而思达，人之情也；卑而应高，物之理也

见唐·卢照邻《同崔少监作双槿树赋序》。

穷高则危，大满则溢，月盈则缺，日中则移

见南朝·宋·范晔《后汉书·李固传》。

穷武之雄，毙于不仁；存义之国，丧于懦退

见晋·习凿齿《司马文王赦三叛党属》。

穷愁著书，古儒者之大同，非高冠长剑之比耳

见唐·刘禹锡《刘氏集略说》。

穷困不能辱身,非人也;富贵不能快意,非贤也

见汉·班固《汉书·栾布传》。

❷物穷则变/愈穷则愈工/士穷乃见节义/图穷而匕首见/辞穷理屈而妄说/振穷救急,倾家无爱/数穷则尽,盛满则衰/鸟穷则搏,兽穷则噬/士穷不失义,达不离道/不穷视听界,焉识宇宙广/运穷君子拙,家富小儿娇/途穷天地窄,世乱死生微/途穷见交态,世梗悲路涩/时穷节乃见,一一垂丹青/物穷则变生,事急则计易/欲穷千里目,更上一层楼/其穷也不忧,其乐也不淫/事穷势蹙之人,当原其初心/易穷则变,变则通,通则久/不穷异以为神,不引天以为高/人穷事败者,释自然而任智力/鸟穷则啄,兽穷则触,人穷则诈/鸟穷则啄,兽穷则攫,人穷则诈/上穷碧落下黄泉,两处茫茫皆不见/诗穷莫写愁如海,酒薄难将梦到家/贫穷则父母不子,富贵则亲戚畏惧/人穷则反本,故劳苦倦极,未尝不呼天地也/士穷见节义,世乱识忠臣,欲学者必周于德

❸民就穷而敛愈急/人生穷达谁能料/独坐穷山,放虎自卫/吝者,穷急不恤之谓也/不为穷变节,不为贱易志/家道穷必乖……乖必有难/遇贫穷而作骄态者贱莫甚/然饰穷其要,则心声锋起/凡物,穷则思变,困则谋通/遇贫穷而作骄态者,贱莫甚/布衣穷贱之人,咸得献其狂瞽/丈夫穷空自其分,饿死吾肩未尝胁/但把穷愁博长健,不辞最后饮屠苏/人有穷,而道无不通,与道争则凶/尽若穷烟,离若箭弦,如影灭地,犹星殒天/务先穷昔人书,有不可者而后革之,则大善/不为穷变节,不为贱易志;惟仁之处,惟义之行

❹天地有穷,此冤无穷/多言数穷,不如守中/数尽则穷,盛满而衰/舟行若穷,忽又无际/卑贱贫穷,非士之耻也/人之困穷,由君之奢欲/波浪无穷,而光采有主/施之无穷,而无所朝夕/怨人者穷,怨天者无志/君子固穷,小人穷斯滥矣/竟抱固穷节,饥寒饱所更/君子之穷通,有异乎俗者也。/得道者,穷而不慑,达而不荣/南方无穷而有穷,今日适越而昔来/先唱者穷之路也,后动者达之原也/斥不久,穷不极,虽有出于人……/脱裙衫,穷不妨;布荆人,名自香/物,量无穷,时无止,分无常,终始无故/喜怒、窘穷、……有动于心,必于草书焉发之/嗜欲无穷,则必有贪鄙悖乱之心,淫佚奸诈之事

❺困兽犹斗,穷寇勿遏/有而不施,穷无与也/无有不可穷,至柔不可折/博学而不穷,笃行而不倦/周乎志者,穷踬不能变其操/丈夫为志,穷当益坚,老当益壮/非诗之能穷人,殆穷者而后工也/成名每在穷苦日,败事多因得志时/自古及今,穷其下能不危者,未之有也/引物连类,穷情尽变;宫商相宣,金石谐和/盛秋水潦,穷冬雨雪,深泥积水,相辅为害/鹤汀凫渚,穷岛屿之萦回;桂殿兰宫,列冈峦之体势

❻不荣通,不丑穷/物极则反,数穷则变/鸟穷则搏,兽穷则噬/大丈夫为志,穷当益坚/洁者不观其穷,观其富也/渔舟唱晚,响穷彭蠡之滨/怀瑾握瑜兮,穷不知所示/达亦不足贵,穷亦不足悲/天下之乐无穷,而以适意为悦/古之得道者,穷亦乐,通亦乐/学成而道益穷,年老而智益困/成德每在困穷,败身多因得志/痛乾坤而忽穷,嗟古今而长绝/既变化而无穷,亦卷舒而莫定/鸟穷则啄,兽穷则触,人穷则诈/鸟穷则啄,兽穷则攫,人穷则诈/人生代代无穷已,江月年年只相似/莫思身外无穷事,且尽生前有限杯/宜将剩勇追穷寇,不可沽名学霸王/善出奇者,无穷如天地,不竭如江河/制其末而不穷其源,见其粗而未识其精/为善的受贫穷更命短,造恶的享富贵又寿延/以辱为荣,以穷为通,虽失乎前,可谓后得之矣/伯浑醉书,纸穷墨燥,如春龙奋蛰,奇鬼搏人,何其壮也

❼诗情无限景无穷/言有尽而意无穷/君子固穷,小人穷斯滥矣/饰诈以图己,诈穷则道屈/遗佚而不怨,阨穷而不悯/格物,是物物上穷其至理/贫者不厌糟糠,穷而为奸/以道应物,道无穷而物有尽/平居不堕其业,穷困不易其素/南方无穷而有穷,今日适越而昔来/仁之所在无贫穷,仁之所亡无富贵/体道者逸而不穷,任数者劳而无功/爱恶亲疏,兴废穷达,皆可以成义/言有尽而意无穷者,天下之至言也/必须困至乃虑,穷至乃图,不亦晚乎/天下之理不可穷也,天下之性不可尽也/登峻者戒在于穷高,济深者祸生于舟重/长于变者不可穷以诈,通于道者不可惊以怪

❽天地有穷,此冤无穷/不虐无告,不废困穷/作事不可尽,尽则穷/大盈若冲,其用不穷/名誉之美,垂于无穷/根本盛大而出无穷也/属乎其言,若闵其穷也/览古玩青简,寻幽穷翠微/虚以生其明,思以穷其隐/迷路,迷路,边草无穷日暮/富足生于宽暇,贫穷起于无日/非诗之能穷人,殆穷者而后工也/欢愉之辞难工,而穷苦之言易好/为学之道莫先于穷理,穷理之要必在于读书/吾观之本,其往无穷;吾求之末,其来无止/万物之所以为无穷者,交相胜而已矣,还相用而已矣

❾废兴成毁,相寻于无穷/聚散苦匆匆,此恨无穷/尺蠖知屈伸,体道识穷达/不为轩冕肆志,不为穷约趋俗/树善滋于务本,除恶穷于塞源/人情同于怀土兮,岂穷达而异心/凡人之情,

冤则呼天,穷则叩心/君子修道立德,不为穷困而改节/古圣贤玩琴以养心,穷则独善其身/罄南山之竹,书罪未穷;决东海之波,流恶难尽
❿天高地迥,觉宇宙之无穷/生有高世名,既没传无穷/浅人好夸富,贪人好哭穷/权重持难久,位高势易穷/枢始得其环中,以应无穷/不忧命之短,而忧百姓之穷/以才御物,才有尽而物无穷/男儿当死中求生,可坐穷乎/尘芥六合,谓天地为有穷也/不苟一时之誉,思为利于无穷/哀吾生之须臾,羡长江之无穷/四时之景不同,而乐亦无穷也/行前定则不疚,道前定则不穷/览冀州兮有余,横四海兮焉穷/焚膏油以继晷,恒兀兀以穷年/礼义生于富足,盗窃起于贫穷/洋洋乎与造物者游而不知其所穷/鸟穷则啄,兽穷则触,人穷则诈/鸟穷则啄,兽穷则攫,人穷则诈/一阖一辟谓之变,往来不穷谓之通/与其无义而有名兮,宁穷处而守高/流深者其水不测,尊至者其敬无穷/情必极貌以写物,辞必穷力而追新/好事者未尝不中,争利者未尝不穷/妙不可尽之于言,事不可穷之于笔/财已竭而敛不休,人已穷而赋愈急/政令多出,朝令夕改,则谓数穷也/鉴物于肇不于成,赏士于穷不于达/人以为偶一奋,遂名无穷,今大不然/情之所昏,交相攻伐,未始有穷……/天地之中,荡然任自然,故不可得而穷/非有灾害疾疫,独以贫穷,非惰则奢也/义死不避斧钺之罪,义穷不受轩冕之服/寻芳者追深径之兰,识韵者探穷山之竹/吾不能变心而从俗兮,固将愁苦而终穷/道成于学而藏于书,学进于振而废于穷/小人只怕他有才。有才以济之,流害无穷/行不诚义,动不缘义,俗虽谓之通,穷也/上失其道,民散久矣,苟非君子,焉能固穷/天下大扰,百姓遑遑,劳苦疲极,困穷生奸/为学之道莫先于穷理,穷理之要必在于读书/以势交者,势倾则绝;以利交者,利穷则散/以物与人,物尽而止;以法活人,法行无穷/至虚之实,实而不固;至静之动,动而不穷/大成若缺,其用不敝;大盈若冲,其用不穷/知彼知己,胜乃不殆;知天知地,胜乃不穷/驰马思坠,挝人思毙,妄费思穷,滥交思累/有为之为,有废无功;无为之为,成遂无穷/以子所长,游于不用之国,欲使无穷,其可得/贵而下贱,则众弗恶;富能分贫,则穷士弗恶/方车而蹠越,乘桴而入胡,欲无穷,不可得也/君子所性,虽大行不加焉,虽穷居不损焉,分定故也/善为上者,能令人得欲无穷,故人之可得用亦无穷也/贤者易知也:观其富之所分,达之所进,穷之所不取/恶图犬马而好作鬼魅,诚以实事难形,而虚伪不穷也/古之存身者,不以辩饰知,不以知穷天下,不以知穷德/可与为始,可与为终,可与尊通,可与卑穷者,其唯信乎/君子之自行也,动必缘义,行必诚义,俗虽谓之穷,通也/无为者,道之宗;故得道之宗,应物无穷,任人之才,难以至治

空

①kōng 里面没有东西;内容浮泛,不切实际;天上;空虚,广大;白白地;无。②kòng 间隙;闲空;欠,缺;贫穷。③kǒng 同"孔"。

❶空空如也

见《论语·子罕》。

空言无施,虽切何补

见唐·韩愈《与孟尚书书》。

空嗟芳饵下,独见有贪心

见南朝·陈·张正见《钓竿篇》。

空山新雨后,天气晚来秋

见唐·王维《山居秋暝》。全句为:"~。明月松间照,清泉石上流"。

空怀向日之心,未有朝天之路

见唐·刘禹锡《夔州谢上表》。

❷空空如也/司空见惯浑闲事,断尽苏州刺史肠/横空出世,莽昆仑,阅尽人间春色/山空月明,仰视星斗皆光大,如适在人上/晴空朗月,何处不可翱翔? 而飞蛾独投夜烛/虚空者,乃可用盛受万物。故曰虚无能制有形

❸遥指空中雁作羹/月满空山水满潭/赏不空行,罚不虚出/陋室空堂,当年笏满床/室无空虚,则妇姑勃谿/虚争空言,不如试之易效/舟如空里泛,人似镜中行/滴沥空庭,竹响共雨声相乱/意翻空而易奇,言征实而难巧/把向空中捎一声,良马有心日驰千/至极空虚而善应于物,则乃目之为道

❹忧患已空无复痛/万古长空,一朝风月/天马行空而步骤不凡/事忌脱空,人怕落套/长烟一空,皓月千里,白露睃空,素月流天/常乐在空闲,心静乐精进/丈夫穷空自其分,饿死吾肩未尝胁/乱石穿空,惊涛拍岸,卷起千堆雪/剑戟横空金气肃,旌旗映日彩云飞/鹰击长空,鱼翔浅底,万类霜天竞自由/长烟一空,皓月千里;浮光跃金,静影沉璧

❺枳句来巢,空穴来风/千里相思,空有关山之望/西风烈,长空雁叫霜晨月/言语之次,空生虚妄之美/文章不为空言,而期于有用/怅望关河空吊影,正人间……/下国卧龙空误主,中原逐鹿不因人/塞上长城空自许,镜中衰鬓已先斑/报国无门空自怨,济时有策从谁吐/天地之间空虚,和气流行,故万物自生

❻天低吴楚,眼空无物/抱日增丽,浮空不收/天高露清,山空月明……/不结同心人,空结同心草/伪诈不可长,空虚不可守/莫待山阳路,空闻吹笛悲/朽株难免蠹,空穴易来风/儒者

之病，多空文而少实用

❼不信仁贤，则国空虚／善不妄来，灾不空发／废阁先凉，古帘空暮／大海从鱼跃，长空任鸟飞／驾浪沉西月，吞空接曙河／旷野看人小，长空共鸟齐／书生报国无地，空白九分头／不可以万古长空，不明一朝风月／死去元知万事空，但悲不见九州同／殿前作赋声摩空，笔补造化天无功／有鄙夫问于我，空空如也。我叩其两端而竭焉

❽万物之多，皆阅一空／竹外有节理，中直空虚／万事有不平，尔何空自苦／尽输助徭役，聊就空自眠／兴废由人事，山川空地形／人语无生意，鸟啼空好音／时节忽已换，壮心空自惊／胡未灭，鬓先秋，泪空流／毅魄归来日，灵旗空际看／心无物欲，即是秋空霁海／神仙事本是虚妄，空有其名／莫见长安行乐处，空令岁月易蹉跎／君不见担雪塞井空用力，炊沙作饭岂堪食／阴风怒号，浊浪排空，日星隐曜，山岳潜形／秋山的翠，秋江澄空，扬帆迅征，不远千里／有鄙夫问于我，空空如也。我叩其两端而竭焉

❾一语不能践，万卷徒空虚／诗书勤乃有，不勤腹空虚／青天何处了？白鸟入空无／爱惜芳时，莫待无花空折枝／莫等闲，白了少年头，空悲切／至治之世，其民不好空言虚辞，不好淫学流说／苦我怨气兮浩于长空，六合虽广兮受之应不容

❿千家数人在，一税十年空／兵寝星芒落，战解月轮空／只因一着错，满盘都是空／众阜平寥廓，一岫独凌空／坐上客恒满，樽中饮不空／救弊之道在实学不在空言／人生似瓦盆，打着了方见真空／不可以一朝风月，昧却万古长空／伯乐一过冀北之野，而马群遂空／薄雨收寒，斜照弄晴，春意空阔／一生几许伤心事，不向空门何处销／未必上流须鲁肃，腐儒空白九分头／人生得意须尽欢，莫使金樽空对月／读书不了平生事，阅世空存后死身／叩门无人室无釜，踯躅空巷泪如雨／阁中帝子今何在，槛外长江空自流／屈平词赋悬日月，楚王台榭空山丘／林净藏烟，峰危限月，帆影摇空绿／采得百花成蜜后，到头辛苦一场空／昔人已乘黄鹤去，此地空余黄鹤楼／水真绿净不可唾，鱼若空行无所依／有花堪折直须折，莫待无花空折枝／西家老人晓稼穑，白发空多缺衣食／笛里谁知壮士心？沙头空照征人骨／赤橙黄绿青蓝紫，谁持彩练当空舞／学之而不养，养之而不存，是空言也／独游山水间，登极顶……欲空其形而去／寂寞嫦娥舒广袖，万里长空且为忠魂舞／楚虽三户能亡秦，岂有堂堂中国空无人／其文博辩而深切，中于时病而不为空言／天下之患，莫大于举朝无公论，空国无君子／长桥卧波，未云何龙？复道行空，不霁何虹／兰亭也，不遭右军，则清湍修竹，芜没于空山矣／人之能为人，由腹有诗书。诗书勤乃有，不勤腹空虚／力不能济于用，而君臣上下不正，虽抱空器奚何施设

穹 ①qióng 像天空那样中间隆起而四面下垂的形状；泛指高大；深；穷尽。②kōng[穹谷]幽深的山谷。

❶穹庐为室兮旃为墙，以肉为食兮酪为浆

见汉·班固《汉书·西域传下》。

❽闻鸣镝而股战，对穹庐以屈膝

❿不能胜寸心，安能胜苍穹

突 tū 忽然；猛冲；凸起；烟囱；急猝貌。

❷曲突徙薪亡恩泽，焦头烂额为上宾

❸风云突变，军阀重开战／出者突然成丘，陷者呀然成谷

❺轩昂磊落，突兀峥嵘

❻孔席不暖，墨突不黔／百尺之室，以突隙之烟焚／百寻之屋，以突隙之烟焚

❼刻画无盐，以唐突西子

❿时之来也，为云龙，为风鹏，勃然突然，陈力以出

窃 qiè 偷取，盗取；偷偷地；犹言“私”；表示自谦；察。

❶窃位既久，妨贤则多

见唐·刘禹锡《为裴相公让官第二表》。

窃钩者诛，窃国者侯

见汉·司马迁《史记·游侠列传》。

窃位而苟禄，备员而全身者，亦无所取焉

见宋·王禹偁《待漏院记》。全句为：“无毁无誉，旅进旅退，～”。

窃钩者诛，窃国者为诸侯；诸侯之门而仁义存焉

见《庄子·胠箧》。

❹奸臣欲窃位，树党自相群

❺窃钩者诛，窃国者侯／窃钩者诛，窃国者为诸侯；诸侯之门而仁义存焉

❻包藏祸心，窥窃神器

❼无功食国禄，去窃能几何／田成子常杀君窃国，而孔子受币

❽礼义生于富足，盗窃起于贫穷

❾述而不作，信而好古，窃比于我老彭

❿上士忘名，中士立名，下士窃名／宁为宇宙闲吟客，怕作乾坤窃禄人／或依势以干非其类，出技以怒强，窃时以肆暴

穿 chuān 穿衣服、穿鞋袜；通过，连通；破，透；洞孔；刺孔；通“串”，贯通。

❶穿窬下禁，则致强盗

见南朝·宋·范晔《后汉书·陈忠传》。

穿重云而下射，白龙倒饮于平湖

见唐·李华《望瀑泉赋》。全句为:"~,若天地之初僻,委滔滔兮东迤"。
❷七穿八穴,百了千当/贯穿百代尝探古,吟咏千篇亦造微
❸度柳穿花觅信音/冠虽穿弊,必戴于头/渴而穿井,临难铸兵/乱石穿空,惊涛拍岸,卷起千堆雪/利镞穿骨,惊沙人面……声折江河,势崩雷电
❺耸壑之鱼穿于一丝之溜/泰山之霤穿石,单极之断干/拾得断麻穿破衲,不知身在寂寥中
❻心欲专,凿石穿/映渚蛾眉,丽穿波之半月/吃百姓之饭,穿百姓之衣,莫道百姓可欺,自己也是百姓
❼小水长流,则能穿石/鱼以泉为浅而穿穴其中
❽谁谓鼠无牙,何以穿我墉/强弩之极,矢不能穿鲁缟/绳锯木断,水滴石穿,学道者须加力索/山霤至柔,石为之穿;蝎虫至弱,木为之弊
❿我心坚,你心坚,各自心坚石也穿/茫茫九派流中国,沉沉一线穿南北/知道而不行,知贤而不举,甚乎穿窬也/不随举子纸上学六韬,不学腐儒穿凿注五经/色厉而内荏,譬诸小人,其犹穿窬之盗也与/名为山人而心同商贾,口谈道德而志在穿窬/矢之发无能贯,待其止而能有穿;唯止能止众止/病已成而后药之,乱已成而后治之,譬犹渴而穿井,斗而铸锥,不亦晚乎

窍 qiào 洞穴;比喻事情的关键;贯通。
❿心之在体,君之位也;九窍之有职,官之分也

窅 yǎo 本谓目深遂,引申为远望;所见深远。
❺举善不以窅窅,拾过不以冥冥

窄 zhǎi 狭窄;(气量)小,(日光,心胸)不开阔;经济不宽裕。
❺途穷天地窄,世乱死生微
❽狭路相逢,冤家路窄
❿自从兵戈动,遂觉天地窄

容 ①róng 包含;宽容;允许;也许;相貌;神色;景象;障蔽物;打扮;通"庸",岂。②yǒng[从容]同"怂恿",鼓动;舒缓;盘桓。
❷丽容虽丽,犹待镜以端形/动容周旋中礼者,盛德之至也/棹容与而讵前,马寒鸣而不息/矜容者有经日之芳;工歌者有弥旬之韵
❸天不容伪/谈何容易/一年容易又秋风/正不容邪,邪复妒正/不能容人者无亲,无亲者尽人/虽假容于江皋,乃缨情于好爵/以苟容曲从为贤,以拱默尸禄为智/常宽容于物,不削于人,可谓至极/繁枝容易纷纷落,嫩蕊商量细细开
❹贤者不容辱/直道不容于时/一肌一容,尽态极妍/孔德之容,惟道是从/清能有容,仁能善断/衣服中,容貌得……/温乎其容,若加其新也/博而能容浅,粹而能容杂/邈乎其容,若不察其愚也/贤而能容罢,知而能容愚/多方包容,则人材取次可用/小恶不容于乡,大恶不容于国/说者持容而不极,听者自多而不得/怒不变容,喜不失节,故是最为难/大其心容天下之物,虚其心受天下之善/偷合苟容,以持禄养交而已耳,谓之国贼也/拱默取容,以徇一身之利者,亦当罢而去之
❺春色无情容易去/君子盛德,容貌若愚/山川未改,容貌俱非/女为悦己容,士为知己死/自有桃花容,莫言人劝我/大着肚皮容物,立定脚跟做人/万两黄金容易得,知心一个也难求/大人者,有容物,无去物,有爱物,无徇物
❻千里之缪,不容秋毫/发谋决策,从容指顾/慢藏诲盗,冶容诲淫/卧榻之侧,岂容他人鼾睡/法不至死,无容滥加酷罚/白璧不可为,容容多后福/君子尊贤而容众,嘉善而矜不能/正论非不见容,然邪说亦有时而用/虽惭老圃秋容淡,且看黄花晚节香/不择善否,两容颊适,偷拔其所欲,谓之险/忍所不能忍,容所不能容,惟识量过人者能之
❼云想衣裳花想容/天地,道德之形容也/不恒其德,无所容也/赏勿漏疏,罚勿容亲/乾坤之大,何处容我不得/能忍事乃济,有容德乃大/慷慨赴死易,从容就义难/寂寥乎短章,春容乎大篇/见富贵而生谄容者最可耻/白璧不可为,容容多后福/见富贵而生谄容者,最可耻/抑人者人抑之,容人者人容之/去汝躬矜与汝容知,斯为君子矣/非左右为之先容,非亲旧为之请属/镜于水,见面之容;镜于人,则知吉与凶
❽岁有其物,物有其容/如闻其声,如见其容/一息尚存,此志不容稍懈/公生明,诚生明,从容生明/倚南窗以寄傲,审容膝之易安/感慨杀身者易,从容就义者难/有忍,有乃有济;有容,德乃大/以镜自照者见形容,以人自照者见吉凶/体曲者忌绳墨之容,夜裸者憎明烛之来/大德之人无所不容,能受垢浊,处谦卑/鉴于水者见面之容,鉴于人者知吉与凶
❾博而能容浅,粹而能容杂/志得则颜怡,意失则容戚/贤而能容罢,知而能容愚/必有忍,其乃有济;有容,德乃大/未闻刀没而利存,岂容形亡而神在?
❿尺水无长澜,蛟龙岂其容/承恩不在貌,教妾若为容/图形于影,未尽纤丽之容/问姓惊初见,称名忆旧容/流年莫虚掷,华发不相容/歌罢海动色,诗成天改容/有兼听之明,而无奋矜之容/天下之金石不足颂阁下之形容/人神之

所同疾，天地之所不容／士为知己者死，女为悦己者容／士为知己者用，女为说己者容／抑人者人抑之，容人者人容之／小谨者无成，訾行者不容于众／小恶不容于乡，大恶不容于国／善恶之殊，如火与水不能相容／彼之理非，我之理是，我容之／言语者君子之枢机，谈何容易／事大君子当以道，不宜苟且求容悦／良贾深藏若虚，君子盛德容貌若愚／入门休问荣枯事，观看容颜便得知／误尽平生是一官，弃家容易变名难／暮色苍茫看劲松，乱云飞渡仍从容／察察者有所不见，恢恢者有所不容／杀身慷慨犹易免，取义从容未轻许／焚芰制而裂荷衣，抗尘容而走俗状／看是寻常最奇崛，成如容易却艰辛／言峻则嵩高极天，论狭则河不容舠／雨里孤村雪里山，看时容易画时难／不阿党，不私色，故群徒之卒不得容／言之而非，虽在王侯卿相，未必可容／不可轻微恶而不避，无容略小善而不为／求远者不可失于近，治影者不可忘其容／诗言其志也，歌咏其声也，舞动其容也／国有道其言足以兴，国无道其默足以容／岑乎泰山不足为高，巍乎天地不足为容／彼寻常之污渎兮，岂能容夫吞舟之巨鱼／李太白诗不专是豪放，亦有雍容和缓底／君子之修身也，内正其心，外正其容而已／行货赂，趣势门，立私废公，比周而取容／独自莫凭阑，无限江山，别时容易见时难／正言不发，万口如封，谄媚相与，千颜一容／体道履仁，外和内敏，清而容物，善不近名／恭就貌上说，敬就心上说。恭主容，敬主事／己之虽有，其状若无；己之虽实，其容若虚／自伯之东，首如飞蓬；岂无膏沐，谁适为容／苦我怨气兮浩于长空，六合虽广兮受之应不容／忍所不能忍，容所不能容，惟识量过人者能之／一尺布，尚可缝；一斗粟，尚可舂。兄弟二人不相容／一令蔓草难锄，涓流泛酌，岂直疥痒轻痾，容为重患／两高不可重，两大不可容，两贵不可双，两势不可同／行不充于内，德不备于人，虽盛其服，文其容，民不尊也／汝游心于淡，合气于漠，顺物自然而无容私焉，而天下治矣／贤君之治也，温良而和，宽容而爱，刑清而省，喜赏而恶罚／感应者气也，如是而感则如是而应，有不容以毫发差者理也

窈 yǎo 女子体态优美；幽远；犹言“妖冶”；美好。

❶窈窕淑女，钟鼓乐之

见《诗·周南·关雎》。

窈然无际，天道自会；漠然无分，天道自运

见《列子·力命》。

❼女恶华丹之乱窈窕也，书恶淫辞之淈法度也

❾关关雎鸠，在河之洲。窈窕淑女，君子好逑

窒 ①zhì 阻塞，不通；遏止。②dié[窒皇]甬道。

❹敏或以窒，钝或以通

❼损。君子以惩忿窒欲

❿梁丽可以冲城，而不可以窒穴，言殊器也／苟灭德忘公，崇浮饰傲，荣其外而枯其内，害其本而窒其源

窕 tiǎo[窈窕]指女子文静而美好；美好；指宫室、山水幽深；通“挑”，逗引。

❷窈窕淑女，钟鼓乐之

❸不听窕言，不受窕货

❼舒之天下而不窕，内之寻常而不塞

❽女恶华丹之乱窈窕也，书恶淫辞之淈法度也

❿关关雎鸠，在河之洲。窈窕淑女，君子好逑

窜 cuàn 慌乱奔跑；放逐；逃匿；改易文字；犹“措”。

❶窜梁鸿于海曲，岂乏明时

见唐·王勃《滕王阁序》。全句为：“屈贾谊于长沙，非无圣主；～”。

❿能苟焉以求静，而欲之翦抑窜绝，君子不取也

窗 ①chuāng 窗口。②cōng 灶突，即“烟囱”。

❶窗下抛梭女，手织身无衣

见唐·于渍《苦辛吟》。全句为：“垅上扶犁儿，手种腹长饥；～”。

窗含西岭千秋雪，门泊东吴万里船

见唐·杜甫《绝句四首》之三。

❷明窗净几笔砚纸墨皆极精良，亦自是人生一乐事

❸读书窗下有残灯／倚南窗以寄傲，审容膝之易安

❻隔墙须有耳，窗外岂无人／岂学书生辈，窗间老一经／槛外低秦岭，窗中小渭川／不知织女萤窗下，几度抛梭织得成／何当共剪西窗烛，却话巴山夜雨时／起来自擘纱窗破，恰漏清光到枕前

❼劝我早归家，绿窗人似花

❾长恐浮云生，夺我西窗月／清风动帘夜，孤月照窗时／昨日邻家乞新火，晓窗分与读书灯

❿化作娇莺飞归去，犹认纱窗旧绿／良人犹恐催耕早，自扯蓬窗看晓星

窘 jiǒng 困迫；贫困；困急，为难；使为难。

❸喜怒、窘穷、……有动于心，必于草书焉发之

❻大道夷且长，窘路狭且促

❿不奋苦而求速效，只落得少日浮夸，老来窘隘而已

窥 ①kuī 从小孔、缝隙察看或从隐蔽处察看。②kuǐ 通“跬”。

❶窥寸隙之光而见日轮之体

见明·宋濂《松风阁记》。全句为："尝一滴之咸而知沧海之性，～"。
❷不窥人闺门之私，听闻中冓之言
❸用管窥天，用锥指地／管中窥豹，时见一斑／以管窥天，以蠡测海，以莛撞钟／以管窥天，以锥刺地；所窥者大，所见者小
❺包藏祸心，窥窃神器／是直用管窥天，用锥指地也，不亦小乎
❻经纶世务者，窥谷忘反
❼临泰山之悬崖，窥巨海之惊澜……
❽登高则望，临深则窥／南人学问，如牖中窥日／不出户，知天下；不窥牖，见天道
❾少见之人，如从管中窥天
❿摧折寒山里，遂死无人窥／以管窥天，以锥刺地；所窥者大，所见者小／北人看书，如显处视月；南人学问，如牖中窥日

窦　dòu 孔；洞；人体某些器官或组织内部凹入的部分；地窖；溃决；端倪；姓。
❹飞泉出窦，练绲花吐

窠　kē 泛指鸟兽昆虫的巢穴；借指人安居或聚会的处所；通"颗"；通"棵"；篆刻的界格。
❿文章功用不经世，何异丝窠缀露珠

窟　kū 洞穴；某类人聚集或聚居的地方；泛指水陆动物所潜藏的洞穴。
❺蛟龙无定窟，黄鹄摩苍天／狡兔有三窟，仅得免其死耳
❼不到广寒冰雪窟，扇头能有几多风
❽鸟飞反乡，兔走归窟……各哀其所生
❿鷦鹩尚存一枝，狡兔犹藏三窟

窬　①yú 中空；越墙而过；偷看。②dòu 通"窦"，门旁小户。
❷穿窬下禁，则致强盗
❹筚门圭窬，蓬户瓮牖
❿知道而不行，知贤而不举，甚乎穿窬也／色厉而内荏，譬诸小人，其犹穿窬之盗也与／名为山人而心同商贾，口谈道德而志在穿窬

窭　①jù 贫寒。②lóu[瓯窭]狭小的高地。
❻善乐生者不窭，善逸身者不殖

补　bǔ 修补；弥补；补充；补给；利益。
❶补察得失之端，操于诗人美刺之间焉
见唐·白居易《策林四》。全句为："惩劝善恶之柄，执于文士褒贬之际焉；～"。
❸将勤补拙／录长补短，则天下无不用之人
❹亡羊而补牢，未为迟也／以狐白补犬羊，身涂其炭／不作无补之功，不为无益之事／衣缺不补，则日以甚；防漏不塞，则日以滋
❺船到江心补漏迟／酌人之言，补己之过／上不以诗补察时政，下不以歌泄导人情
❻用心于诈，百补而千穴败／文者，务为有补于世而已矣
❼劝农节用，均丰补歉／进思尽忠，退思补过／狐裘虽敝，不可补以黄狗之皮／冀以尘雾之微补益山海，荧烛末光增辉日月
❽空言无施，虽切何补／天之道，损有余而补不足／所谓文者，务为有补于世而已矣
❾善学者假人之长，以补其短／"改过不吝，无咎"者，善补过也／殿前作赋声摩空，笔补造化天无功／善日者王，善时者霸，补漏者危，大荒者亡
❿死不足悲，可悲是死而无补／不随俗物皆成土，只待良时却补天／君子之事上也，进思尽忠，退思补过／为世用者，百篇无害；不为用者，一章无补／有益于化，虽小弗除；无补于政，虽大弗与／见兔而顾犬，未为晚也；亡羊而补牢，未为迟也

衲　nà 缝补，补缀；和尚的衣服；和尚自称。
❼拾得断麻穿破衲，不知身在寂寥中

衽　rèn 衣襟；袖口；睡觉用的席子；下裳。
❼拔诸水火，登于衽席
❽宁当血刃死，不作衽席完
❾凡数州之土壤，皆在衽席之下

衿　①jīn 同"襟"；系衣服的带子；佩巾。②jìn 结上带子。
❷捉衿而肘见，纳履而踵决
❹青青子衿，悠悠我心／勿使青衿子，嗟尔白头翁

袂　mèi 衣袖。
❷张袂成帷，挥汗成雨

袜　①wà 穿在脚上起保护作用的东西。②mò[袜肚]肚兜的古称。
❺见有人来，袜划金钗溜，和羞走
❻陵波微步，罗袜生尘

袖　xiù 袖子；藏在袖子里。
❷长袖善舞，多钱善贾／掩袖工谗，狐媚偏能惑主／翠袖不胜寒，欲向荷花语
❹蹁跹霞袖舞，潋滟羽觞飞／清风两袖朝天去，免得闾阎话短长
❺体如游龙，袖如素霓
❻蜂虿作于怀袖／罗衣从风，长袖交横，骆驿飞散，飒撝合并
❼寂寞嫦娥舒广袖，万里长空且为忠魂舞
❽风流不在谈锋胜，袖手无言味最长
❿歌台暖响，春光融融；舞殿冷袖，风雨凄凄

被 ①bèi 被子；覆盖；遭遇；加，及；穿着；表，表面；姓。②pī 通"披"。③bì 即假发。

❶被头里做事终晓得

见清·王有光《吴下谚联》。

被雪沐雨，则裘不及蓑

见北齐·刘昼《刘子·适才》。全句为："今处绣户洞房，则蓑不如裘；～"。

被褐而丧珠，失皮而露质

见北齐·颜之推《颜氏家训·勉学》。

被褐怀金玉，兰蕙化为刍

见汉·赵壹《疾邪诗二首》之二。全句为："势家多所宜，咳唾自成珠；～"。

被坚执锐，义不如公；坐而运策，公不如义

见汉·司马迁《史记·项羽本纪》。

❸圣人被褐怀玉／同日被霜，蔽者不伤／一朝被谗言，二桃杀三士／不在被中眠，安知被无边

❺操吴戈兮被犀甲，车错毂兮短兵接

❻不如饮美酒，被服纨与素

❼信而见疑，忠而被谤／暴臣反国，良臣被殃／由来骨鲠材，喜被软弱吞

❽不在被中眠，安知被无边

❾借车者驰之，借衣者被之／夏日抱长饥，寒夜无被眠／天行其所行，而万物被其利／不因酒困因诗困，常被吟魂恼醉魂

❿圣人亦行其所行，而百姓被其利／当年不肯嫁春风，无端却被秋风误／香兰自判前因误，生不当门也被锄／并时遭兵，隐者不中；同日被霜，蔽者不伤／聪明睿智，守之以愚；功被天下，守之以让／虐政用于下，而欲德教之被四海，故难成也

袴 kù 弯起胳膊挂着东西；把东西挂在脖颈、肩头或腰里。

❿才如白地明光锦，裁为负版袴

裕 yù 丰富；使富足；宽绰，宽缓；宽宏；道。

❷彼裕我民，无远用戾

❹好问则裕，自用则小／土地博裕，而守以俭者安／德行宽裕，守之以恭者，荣

❼足国之道，节用裕民，而善藏其余

❽此令兄弟，绰绰有裕；不令兄弟，交相为瘉

裙 qún 裙子；像裙子的；鳖甲边缘肉质。

❷脱裙衫，穷不妨；布荆人，名自香

褚 ①chǔ 姓。②zhě 兵卒。③zhǔ 用丝绵装衣服；囊；通"储"，贮藏。

❶褚小者不可以怀大，绠短者不可以汲深

见《庄子·至乐》。

❽宁为袁粲死，不作褚渊生

裸 luǒ 没有任何遮盖；赤身露体。

❸禹之裸国，裸入衣出／人者裸虫也，与夫鳞毛羽甲虫俱焉

❺禹之裸国，裸入衣出

❿体曲者忌绳墨之容，夜裸者憎明烛之来／合抱之松无庸于竫人之国，若瓮之茧见弃于裸体之邦

裨 ①bì 补助；益处。②pí 古代祭祀时穿的次等礼服；副的；偏。

❺逆耳之言，裨治也不可于人，可恨也

褐 hè 粗布或用粗布做成的衣服；黄黑色；贫贱人的代称。

❷被褐而丧珠，失皮而露质／被褐怀金玉，兰蕙化为刍

❹圣人被褐怀玉／无衣无褐，何以卒岁

❺寒者利短褐，而饥者甘糟糠

❿寒者不贪双璧而思短褐／糟糠不饱者不务粱肉，短褐不完者不待文绣

褊 ①biǎn 衣服狭小，引申谓狭隘。②piān[褊褼]衣飘扬貌。

❸用智褊者无遂功

❽惨则鲜于欢，劳则褊于惠

襟 jīn 上衣的前幅；胸怀；连襟。

❷披襟朗咏，饯斜光于碧岫之前

❸大梁襟带洪河险，谁遣神州陆地沉

❹有云水襟怀，有松柏气节，典型顿失，人尽含悲

❺有第一等襟抱，第一等学识，斯有第一等真诗

❽诗之基，其人之胸襟是也

❿出师未捷身先死，长使英雄泪满襟／大事难事看担当，逆境顺境看襟度／虚负凌云万丈才，一生襟抱未曾开／千里开年，且悲春目；一叶早落，足动秋襟

疏 shū 疏通；分散；稀疏；不熟悉；粗心；空虚；古代官员向君主分条陈说事情的文字；古书中比"注"更详细，对"注"的解说；雕刻；分，分予；撤退；疏远；糙米；赤脚；姓。

❶疏必危，亲必乱

见汉·贾谊《新书·亲疏危乱》。

疏不间亲，远不逾近

见南朝·宋·范晔《后汉书·冯异传》。

疏不间亲，新不加旧

见晋·陈寿《三国志·蜀书·刘封传》。

疏广散金以除子孙之祸

见晋·葛洪《抱朴子·守堉》。

疏之欲其通，廉之欲其节

见唐·柳宗元《答韦中立论师道书》。全句为："抑之欲其奥，扬之欲其明；～；激而发之欲

其清，固而存之欲其重”。

❷勿疏小善，方恢大略／罔疏则兽失，法疏则罪漏／才疏志大不自量，西家东家笑我狂／苗疏税多不得食，输入官仓化为土／饭疏食饮水，曲肱而枕之，乐亦在其中矣

❸正在疏数之间／大网疏，小网数

❹亲极反疏／亲不隔疏，后不僭先／昆弟世疏，朋友世亲／赏勿漏疏，罚勿容亲／赏不遗疏远，罚不阿亲贵／家富则疏族聚，家贫则兄弟离／不恤亲疏，不恤贵贱，唯诚能之求／爱恶亲疏，兴废穷达，皆可以成义／上下相疏，内外相蒙，小臣争宠，大臣争权，此危国之风也

❺天网恢恢，疏而不漏／天网恢恢，疏而不失／卑不谋尊，疏不间亲／数则能胜疏，抟则能胜缺／如当亲者疏，当尊者卑……

❻与人以实，虽疏必密／诚有功，则虽疏贱必赏／若还苟且粗疏，定不成一件事／君看夏木扶疏句，还许诗家更道不／权之所在，虽疏必重；势之所去，虽亲必轻

❼博览兼听，谋及疏贱／罔疏则兽失，法疏则罪漏／亲者割之不断，疏者续之不坚／礼者，所以定亲疏、决嫌疑、别同异、明是非也

❽与人以虚，虽戚必疏／无所甚亲，无所甚疏／可言可意，言而愈疏／历纤理则宕往而疏越／尚名好高，其身必疏／善为理者，举其纲，疏其网／江南谚云：尺牍书疏，千里面目也／以势交者，势尽则疏；以利合者，利尽则散／句有可削，足见其疏；字不得减，乃知其密／深耕穊种，立苗欲疏，非其种者，锄而去之／或说听计当而身疏，或言不用、计不行而益亲

❾可得而亲，则可得而疏／以利相交者，利尽而疏

❿不才明主弃，多病故人疏／苍蝇间白黑，谗巧令亲疏／以权利合者，权利尽而交疏／骄奢生于富贵，祸乱生于疏忽／善人不能戚，恶人不能疏者，危／百人誉之不加密，百人毁之不加疏／记事之体，欲简而且详，疏而不漏／名重则于实难副，论高则与世常疏／水波澜者源必远，树扶疏者根必深／身老方知生计拙，家贫渐觉故人疏／君不见今人交态薄，黄金用尽还疏索／公无私者，其取舍进退无择于亲疏远迩／伯乐相马，取之于瘦；圣人相士，取之于疏／合升鼓之微以满仓廪，合疏缕之纬以成帏幕／有赏罚之教则邪道进，有亲疏之分则小人入／意授于思，言授于意，密则无际，疏则千里／天道无为，任物自然，无亲无疏，无彼无此也／贵者，夜以继日，思虑善否，其为形也亦疏矣／爱善疾恶，人情所常，苟不明质，或疏善善非／趣舍合，即言忠而益亲；身疏，即谋当而见疑／言虽简略，理皆要害，故能疏而不遗，俭而无阙／凡用人之道，若以燧取火，疏之则弗得，数之则弗中／古之所谓公无私者，其取舍进退无择于亲疏远迩，惟其宜可焉／君臣父子人间之事谓之义，登降揖让，贵贱有等，亲疏之体，谓之礼

皮

pí 生物体表面的一层组织；特指经过加工的兽皮；物体表面；包在外面的东西；有韧性的；顽皮，淘气；由于多次受训斥、责罚而不在乎。

❶皮之不存，毛将安傅

见《左传·僖公十四年》。

❹羊质虎皮，见豺则恐／豹死留皮，人死留名／千羊之皮，不若一狐之腋／大着肚皮容物，立定脚跟做人／画虎画皮难画骨，知人知面不知心／相鼠有皮，人而无仪；人而无仪，不死何为

❺所好则钻皮出其毛羽，所恶则洗垢求其瘢痕／羊质而虎皮，见草而悦，见豺而战，忘其皮之虎矣

❼被褐而丧珠，失皮而露质／贵破的，又畏黏皮骨，此所以为难也

❽牛溲马勃，败鼓之皮，俱收并蓄，待用无遗

❾文墨辞说，士之荣叶皮壳也

❿不论天有眼，但管地无皮／骨消肌肉尽，体若枯树皮／粹白之裘，盖非一狐之皮也／狐裘虽敝，不可补以黄狗之皮／反裘而负薪，爱其毛，不知其皮尽也／羊质而虎皮，见草而悦，见豺而战，忘其皮之虎矣

皱

zhòu 皱纹；起皱纹；紧蹙（眉头）。

❺风乍起，吹皱一池春水

颇

pō 很，相当地；偏，不正当；稍微；姓。

❺凭谁问，廉颇老矣，尚能饭否

❻穷巷隔深辙，颇回故人车

❽真人之言不义不颇／涉浅水者见虾，其颇深者察鱼鳖，其尤甚者观蛟龙

❿正义之臣设，则朝廷不颇／举贤而授能兮，循绳墨而不颇／大贤虎变愚不测，当年颇似寻常人

矛

máo 古代兵器；古星名。

❹以子之矛，陷子之盾／倚伏之矛楯也，其理甚明，困而后儆，斯弗及已

❼伤人之言，深于矛戟

❿遂令一夫唱，四海欣提矛／不可陷之楯与无不陷之矛不可同世而立／反己者触事皆成药石，尤人者动念即是戈矛／处顺境内，眼前尽兵刃戈矛，销膏靡骨而不知

矜

①guān 病，痛苦；通“鳏”，无妻的人。②jīn 怜悯；自以为了不起；慎重；顾惜；端庄；通“兢”，危惧；坚强。③qín 古时矛等

兵器的柄。

❶矜粪丸而拟质随珠

见唐·韩愈《通解》。全句为:"古之言通者,通于道义;今之言通者,通于私曲,其亦异矣!将欲齐之者,其不犹～者乎?"

矜而不争,群而不党

见《论语·卫灵公》。

矜伪不长,盖虚不久

见《韩非子·难一》。

矜功不立,虚愿不至

见《战国策·齐策四》。

矜物之人,无大士焉

见《管子·法法》。

矜奋侵陵者,毁塞之险途也

见三国·魏·刘劭《人物志·释争》。全句为:"卑让降下者,茂进之遂路也。～"。

矜一事之微劳,遂有无厌之望

见唐·吴兢《贞观政要·教戒太子诸王》。

矜容者有经日之芳;工歌者有弥旬之韵

见明·王夫之《连珠》。

❷不矜细行,终累大德/伐矜好专,举事之祸也/士矜才则德薄,女衒色则情放

❸不侮矜寡,不畏强御/骄淫矜侉,将由恶终/君子矜而不争,群而不党

❹长不可矜,矜则不长/汝惟不矜,天下莫与汝争能/去汝躬矜与汝容知,斯为君子矣/果而勿矜,果而勿伐,果而勿骄/事苦,则矜全之情薄;生厚,故安存之虑深

❺不以位地矜人/长不可矜,矜则不长/去敌气与矜色兮,噤危言以端诚/未尝敢以矜气作之,惧其偃蹇而骄也/瘝病克寿,矜壮死暴。纵欲不戒,匪愚伊耄

❻振人之命,不矜其功/愚暗之人,皆矜能伐善/夸愚适增累,矜智道逾昏/本无功而自矜,一等;有功而伐之,二等;功大而不伐,三等

❼自伐者无功,自矜者不长/处贵显者勿为矜己傲人之言/嫫母饰姿而夸矜,西子彷徨而无家/所谓伐天真而矜己者也,天祸必及/有其善,丧厥善;矜其能,丧厥功

❽勿谓我智而拒谏矜己/不逆命,何羡寿?不矜贵,何羡名/君子见人之厄则矜之,小人见人之厄则幸之

❾勿以功高古人而自矜大/失其师表,而莫有所矜式/有兼听之明,而无奋矜之容/不自伐,故有功;不自矜,故长

❿穷独善而无挠,达兼善而无矜/君子尊贤而容众,嘉善而矜不能/盖世功劳,当不得一个"矜"字/贤俊者自可赏爱,顽鲁者亦当矜怜/盈而不溢,盛而不骄,劳而不矜其功/勿恃己善不服人仁,勿矜己艺不敬人文/三皇五帝之礼仪法度,不矜于同而矜于治/务进者趋前而不顾后,荣贵者矜己而不待人/有祸则诎,有福则嬴,有过则悔,有功则矜/短不可护,护则终短;长不可矜,矜则不长/自见者不明,自是者不彰,自伐者无功,自矜者不长/大道无形,大仁无亲,大辩无声,大廉不嗛,大勇不矜

蟊

máo 吃稻根的害虫;[蟊贼]亦作"蝥贼",原为吃禾苗的两种害虫,后常比喻对人民或国家有危害的人或事物。

❽谗佞之徒,皆国之蟊贼也

耒

lěi 古时一种农具;也指这种农具的木把。

❷秉耒欢时务,解颜劝农人

❿春耕其丘,投种之日。释耒而叹,何时实粟

耕

gēng 耕作;比喻从事某种劳动。

❶耕田而食,凿井而饮

见《北堂书钞·至治》引《帝王世纪》。

耕夫习牛则犷,猎夫习虎则勇

见《关尹子·六匕》。

耕织之民日耗,则田荒而桑枯矣

见宋·高弁《望岁》。

❷春耕夏耘,秋获冬藏/男耕女织,天下之大业/代耕本非望,所业在田桑/深耕概种,立苗欲疏,非其种者,锄而去之/春耕其丘,投种之日。释耒而叹,何时实粟

❸不能耕而欲黍粱,不能织而喜采裳/春时耕种夏时耘,粒粒颗颗费力勤/田非耕者之所有,而有田者不耕也/贫民耕而不免于饥,富民坐而饱以嬉/三年耕有九年储,仓谷满盈,斑白不负戴/三年耕,必有一年之食,九年耕,必有三年之食/一夫耕,百人食之;一妇桑,百人衣之。以一奉百,孰能供之

❹学以为耕,文以为获/方惭不耕者,禄食出闾里/丈夫力耕长忍饥,老妇勤织长无衣/有田不耕仓廪虚,有书不读子孙愚/修礼以耕之,陈义以种之,讲学以耨之/男子疾耕不足于粮饷,女子纺绩不足于帷幕/男子疾耕不足于糟糠,女子纺绩不足于盖形/一夫不耕,天下受其饥;一妇不织,天下受其寒

❺三代之兵,耕而食,蚕而衣/老牛粗了耕耘债,啮草坡头卧夕阳/凿井而饮,耕田而食;帝力于我何有哉

❻事辍者无功,耕怠者无获/良人犹恐催耕早,自扯蓬窗看晓星

❼妇无蚕织夫无耕/每餐一食,则念耕夫/衣食当须纪,力耕不吾欺/丈夫丁壮而不耕,天下有受其饥者/百亩之田,匹夫耕之,八口之家足以无饥矣/千仓万箱非一耕所得;干天之木非旬日所长

❽学经不明，不如归耕／衣食之道，必始于耕织／学不勤则不知道，耕不力则不得谷／良农不为水旱不耕，良贾不为折阅不市

❾创业自知难两立，辍耕早已定三分／所种者稗，虽美田疾耕，不生谷也／彼民有常性，织而衣，耕而食，是谓同德

❿白马岩中出，黄牛壁上耕／君无劳民之事，民得勤而耕农／十种之地，膏壤虽肥，弗耕不获／责人以其所不能，是使马代耕也／焉得铸甲作农器，一寸荒田牛得耕／陶令不知何处去，桃花源里可耕田／田非耕者之所有，而有田者不耕也／尚力务本而种树繁，躬耕趣时而衣食足／拓境不宁，无益于强；多田不耕，何救饥敝／日出而作，日入而息，凿井而饮，耕田而食／三年耕，必有一年之食，九年耕，必有三年之食

耘

yún 除去农田里的杂草。

❹春耕夏耘，秋获冬藏

❻老牛粗了耕耘债，啮草坡头卧夕阳

❼春时耕种夏时耘，粒粒颗颗费力勤

耗

①hào 减损；拖延并浪费时间；消息。②máo 无，没有。③mào 昏乱不明。

❻利于彼者必耗于此／长天茫茫，信耗莫通／耕织之民日耗，则田荒而桑枯矣／始而胎气虚耗……壮而声色自放者弱而夭

❼行不信者名必耗／下者尽力而无耗弊，上者量民而用有节

❿人生所好，自当专一，若多好多能，反能耗神损精

耦

ǒu 古代的一种耕种的方法；古同"偶"，双，成对的；姓；偶数。

❽举棋不定，不胜其耦

❿弈者举棋不定，不胜其耦

耨

nòu 古代除草的农具；锄草。

❹农夫之耨，去害苗者也

❼观水而知学，观耨田而知治国

❾圣人之用兵，若栉发耨苗，所去者少，而所利者多

❿修礼以耕之，陈义以种之，讲学以耨之

老

lǎo 年龄大；陈旧的；一直；原来；颜色深；总；常；很；极；有经验的；死的讳称；老人的尊称；古时公卿大夫的尊称；排行在末了的；人名的前缀；敬老，养老；姓。

❶老来益奋其志

见清·申涵光《荆园进语》。全句为："～。志为气之帅，有志则气不衰，故不觉其老"。

老去逢春如病酒

见宋·辛弃疾《定风波》。

老将至而耄及之

见《左传·昭公元年》。

老树春深更著花

见清·顾炎武《又酬傅处士次韵》二首之二。全句为："苍龙日暮还行雨，～"。

老树着花无丑枝

见宋·梅尧臣《东溪》。

老不拘礼，病不拘礼

见清·吴敬梓《儒林外史》第一十二回。

老而谢事，古之礼也

见宋·苏辙《文彦博乞致仕不许不允批答二首》。

老有所终，壮有所用

见《礼记·礼运》。

老母终堂，生妻去帷

见汉·李陵《答苏武书》。全句为："丁年奉使，皓首而归；～"。

老而好学，如炳烛之明

见汉·刘向《说苑·建本》。全句为："少而好学，如日出之阳；壮而好学，如日中之光；～"。

老生之常谈，言无新奇

见宋·苏轼《谢除两职守礼部尚书表二》。

老成虑事，不必皆高年

见宋·刘炎《迩言》。全句为："～；轻躁寡谋，不必皆年少"。

老当益壮，宁移白首之心

见唐·王勃《滕王阁序》。全句为："～；穷且益坚，不坠青云之志"。

老骥思千里，饥鹰待一呼

见唐·杜甫《赠韦左丞丈》。

老禾不早杀，余种秽良田

见隋代杂歌谣辞《柳彧上表引歌谣》。

老不足叹，可叹是老而虚生

见明·陈继儒《小窗幽记》。全句为："贫不足羞，可羞是贫而无志；贱不足恶，可恶是贱而无能；～；死不足悲，可悲是死而无补"。

老年人要心闲，闲则乐余年

见明·陈继儒《小窗幽记》。全句为："少年人要心忙，忙则摄浮气；～"。

老冉冉其将至兮，恐修名之不立

见战国·楚·屈原《离骚》。

老者安之，朋友信之，少者怀之

见《论语·公冶长》。

老夫渴急月更急，酒落杯中月先入

见宋·杨万里《重九后二日同徐克章登万花川谷月下传觞》。

老夫聊发少年狂，左牵黄，右擎苍

见宋·苏轼《江城子》。全句为："～。锦帽貂裘，千骑卷平冈"。

老来行路先愁远，贫里辞家更觉难

见金·元好问《羊肠坂》。

老去更无儿在膝，惟君怜我我怜君

见清·陶琏《寄内》。

老去诗篇浑漫与，春来花鸟莫深愁

见唐·杜甫《江上值水如海势聊短述》。

老去读书随忘却，醉中得句若飞来

见宋·范成大《明日分弓亭按阅……》。

老成之人，言有迂阔，而更事为多

见宋·袁采《袁氏世范》。全句为："～；后生虽天资聪明，而识终有不及"。

老者衣帛食肉，黎民不饥不寒……

见《孟子·梁惠王上》。全句为："～，然而不王者，未之有也"。

老牛粗了耕耘债，啮草坡头卧夕阳

见宋·孔平仲《禾熟》。

老吾老以及人之老，幼吾幼以及人之幼

见《孟子·梁惠王上》。

老骥伏枥，志在千里；烈士暮年，壮心不已

见三国·魏·曹操《步出夏门行·龟虽寿》。

老而学者，如秉烛夜行，犹贤乎瞑目而无见者也

见北齐·颜之推《颜氏家训》。全句为："幼而学者，如日出之光，～"。

老年人受病在作意步趋，少年人受病在假意超脱

见明·陈继儒《小窗幽记》。

❷父老长安今余几／剑老无芒，人老无刚／耄老失明，闻善不从／岁老根弥壮，阳骄叶更阴／畏老身全老，逢春解惜春／富老不如贫少，美游不如恶归／身老方知生计拙，家贫渐觉故人疏／以老子视非老子，而非老子又胡不玄也／倚老松，坐怪石，殷殷潮声，起于月外

❸无侮老成人／不知老之将至／心如老骥常千里／屈志老成，急则可相依／以非老子视老子，而老子玄／人之老也，形益衰而智益盛／交情老去淡如水，病骨秋来瘦似松／虽惭老圃秋容淡，且看黄花晚节香／官仓老鼠大如斗，见人开仓亦不走／心如老马虽知路，身似鸣蛙不属官／西家老人晓稼穑，白发空多缺衣食／老吾老以及人之老，幼吾幼以及人之幼／枯藤老树昏鸦，小桥流水人家，古道西风瘦马／与父老约，法三章耳：杀人者死，伤人及盗抵罪

❹物壮则老／不学便老而衰／冯唐易老，李广难封／参之庄、老以肆其端／徐娘半老，风韵犹存／青山不老，绿水长存／古来存老马，不必取长途／家贫亲老者，不择官而仕／家贫亲老者，不择禄而仕／人生易老天难老，岁岁重阳／只言旋老转无事，欲到中年事更多／身为野老已无责，路有流民终动心

❺人生莫受老来贫／雏凤清于老凤声／少不勤苦，老必艰辛／少不服劳，老不安逸／穷不忘道，老而能学／穷当益坚，老当益壮／久戍人将老，长征马不肥／春蚕不应老，昼夜常怀思／春蚕不应老，昼夜常怀丝／畏老身全老，逢春解惜春／鬓秃难遮老，心宽不贮愁／寻章摘句老雕虫，晓月当帘挂玉弓／少年易学老难成，一寸光阴不可轻／庾信文章老更成，凌云健笔意纵横／少而不学，老无能也；老而不教，死无思也

❻剑老无芒，人老无刚／使口如鼻，至老不失／夹涧有古松、老杉……／少也用其力，老也优其秩／少壮不努力，老大徒伤悲／亲朋无一字，老病有孤舟／病知新事少，老别故交难／穷乃见节义，老当志弥刚／以非老子视老子，而老子玄／凭谁问，廉颇老矣，尚能饭否／人生交契无老少，论交何必先同调／以老子视非老子，而非老子又胡不玄也／敬时爱日，非老不休，非疾不息，非死不舍

❼天若有情天亦老／莲子已成荷叶老／蹉跎莫遣韶光老／师直为壮，曲为老／偶失万户侯，遂老三家村／人生易老天难老，岁岁重阳／踏遍青山人未老，风景这边独好／天若有情天亦老，人间正道是沧桑／不念英雄江左老，用之可以尊中国／举世尽从愁里老，谁人肯向死前闲／光阴似箭催人老，日月如梭趱少年／志士凄凉闲处老，名花零落雨中看／国仇未报壮士老，匣中宝剑夜有声／宁可抱香枝上老，不随黄叶舞秋风／蹉跎莫遣韶光老，人生唯有读书好

❽无面目见江东父老／仁者爱人，义者尊老／人烟寒橘柚，秋色老梧桐／岂学书生辈，窗间老一经／昨日胜今日，今年老去年／快然自足，曾不知老之将至／老不足叹，可叹是老而虚生／学成而道益穷，年老而智益困／日滔滔以自新，忘老之及已也／春不留兮时已失，老衰飒兮逾疾／丈夫力耕长忍饥，老妇勤织长无衣／严于取，则豪杰之老死丘壑者多矣／千峰顶上一间屋，老僧半间云半间／新进之士喜勇锐，老成之人多持重／老吾老以及人之老，幼吾幼以及人之幼／人亦有言，忧令人老。嗟我白发，生一何早

❾关节不到，有阎罗包老／一笑语儿子，此是却老方／人生有离合，岂择衰老端／今上好法，予晚受乎老庄／以非老子视老子，而老子玄／草忌霜而逼秋，人恶老而逼衰／丈夫为志，穷当益坚，老当益壮／少而不学，老无能也；老而不教，死无思也／涤杯而食……可以养家老，而不可以飨三军

❿人情曷似春山好，山色不随春老／此生谁料，心在天山，身老沧洲／丈夫盖棺事始定，君今幸未成老翁／世间屈事万千千，欲觅长梯问老天／古人学问无遗力，少壮功夫老始成／传语万古观潮客，莫观老潮观壮潮／人世多违壮士悲，

干戈未定书生老／人生不得长欢乐，年少须臾老到来／人人尽说江南好，游人只合江南老／人怜直节生来瘦，自许高材老更刚／今年花似去年好，去年人到今年老／新竹高于旧竹枝，全凭老干为扶持／胸中元自有丘壑，故作老木蟠风霜／烟才通，寒淙淙；隔山风，老鼓钟／发愤忘食，乐以忘忧，不知老之将至／述而不作，信而好古，窃比于我老彭／不可以年少而自恃，不可以年老而自弃／以老子视非老子，而非老子又胡不玄也／任贤使能以清官曹，养老慈幼以厚风俗／志为气之帅，有志则气不衰，故不觉其老／垂髫之童，但习鼓舞，斑白之老，不识干戈／凡人之性，少则猖狂，壮则暴强，老则好利／时运不齐，命途多舛；冯唐易老，李广难封／邻国相望，鸡犬之声相闻，民至老死，不相往来／国家无养兵之费则国富，队伍无老弱之卒则兵强／不奋苦而求速效，只落得少日浮夸，老来窘隘而已

耳 ěr 耳朵；像耳朵的；位置在两旁的；而；耳闻。

❶耳目不淫，虽远若近

见《管子·内业》。

耳限于所闻，则夺其天聪

见明·王夫之《读通鉴论》卷十。全句为："～；目限于所见，则夺其天明"。

耳虽欲声，目虽欲色……

见《吕氏春秋·仲春纪·贵生》。全句为："～，鼻虽欲芬香，口虽欲滋味，害于生则止"。

耳目之察，不足以分物理

见汉·刘安《淮南子·览冥》。全句为："～；心意之论，不足以定是非"。

耳达四聪，瑕累者期于录用

见唐·刘禹锡《贺赦表》。全句为："网开三面，危疑者许以自新；～"。

耳得之而为声，目遇之而成色

见宋·苏轼《前赤壁赋》。全句为："江上之清风与山间之明月，～"。

耳有聪，目有明，心思有睿知

见清·王夫之《读四书大全说》卷七。全句为："～，入天下之声色而研其理者，人之道也"。

耳乐和声，为制金石丝竹以道之

见宋·欧阳修《辨左氏》。

耳调玉石之声，目不见太山之高

见汉·刘安《淮南子·俶真》。全句为："目察秋毫之末，耳不闻雷霆之声；～"。

耳边要静不得静，心里欲闲终未闲

见唐·罗隐《寄右省王谏议》。

耳闻之，不如目见之；目见之，不如足践之

见汉·刘向《说苑·政理》。全句为："～；足践之，不如手辨之"。

耳之欲五声，目之欲五色，口之欲五味，情也

见《吕氏春秋·仲春纪·情欲》。全句为："～。此三者贵贱愚智贤不肖欲之若一"。

耳之闻也藉于静，目之见也藉于昭，心之知也藉于理

见《吕氏春秋·审分览·任数》。

❷附耳之语，流闻千里／附耳之言，闻于千里／过耳之言，不足为凭／经耳不忘，历口不遗／信耳而遗目者，古今之所患也／拂耳，故小逆在心而久福在国／贵耳贱目，荣古陋今，人之大情也／逆耳之言，裨治也不可于人，可恨也／国耳忘家，公耳忘私，利不苟就，害不苟去

❸君子耳不听淫声／钱无耳，可使鬼／墙有耳，伏寇在侧／酒后耳热，仰天拊缶而呼乌乌／言在耳目之内，情寄八荒之表／鳖无耳而目不可以蔽，精于明也／聪者耳闻，明者目见，聪明则仁爱著而廉耻分

❹忠言逆耳，甘词易入／感心动耳，荡气回肠／言犹在耳，忠岂忘心／天，积气耳，亡处亡气／男儿死耳，不可为不义屈／忠言逆耳，惟达者能受之／目贵明，耳贵聪，心贵公／华骝、绿耳，一日至千里……／音以比耳为美，色以悦目为欢／上士之耳训乎德，下士之耳顺乎己／地，积块耳，充塞四虚，亡处亡块／轻目重耳之过，此亦学者之一病也／烟霞充耳目之玩，鱼鸟尽江湖之赏／忠言逆耳利于行，毒药苦口利于病／目前之耳目可涂，身后之是非难罔／六十而耳顺，七十而从心所欲不逾矩／俯首帖耳，摇尾而乞怜者，非我之志也／采采卷耳，不盈顷筐。嗟我怀人，置彼周行

❺无是非到耳，谓之福／至言忤于耳而倒于心／时俗人有耳不自闻其过／人生行乐耳，须富贵何时／隔墙须有耳，窗外岂无人／至言逆俗耳，真语必违众／声不绝乎耳，色不绝乎目／以天下之耳听，则无不闻也／但患无志耳，事固未可知也／用天下之耳目，虽众人不能愚／瞽无目而耳不可以塞，精于聪也／目无所见，耳无所闻，心无所知／事不目见耳闻，而臆断其有无，可乎？／俭者，节其耳目口体之欲，节己而不节人

❻迅雷不及掩耳／通天下一气耳／疾雷不及掩耳／侧目而视，倾耳而听／无丝竹之乱耳，无案牍之劳形／甘忠言之逆耳，得百姓之欢心／疾雷不及掩耳，迅电不及瞑目／乐不过以听耳，而美不过以观目／惟圣君以逆耳者顺于心，故天下治／目不能二视，耳不能二听，手不能二事／目妄视则淫，耳妄听则惑，口妄言则乱／冷眼观人，冷耳听语，冷情当感，冷心思理／国耳忘家，公耳忘私，利不苟就，害不苟去／仗其短浅之耳目，以断微妙之有无，岂不悲哉

❼急流中能勇退耳／天下无正声，悦耳即为娱／君子无易由言，耳属于垣／洗心得真情，洗耳徒买名／昔闻长者言，掩耳每不喜／目之于明也殆，耳之于聪也殆／知人者以目正耳，不知人者以耳败目／有金鼓，所以一耳也；同法令，所以一心也／目察秋毫之末，耳不闻雷霆之声；耳调玉石之声，目不见泰山之高

❽匪面命之，言提其耳／饱食伤心，忠言逆耳／室本无暗，垣亦有耳／达人观之，生死一耳／决狐疑者，必告逆耳之言／陶匏异器，并为人耳之娱／申生在内而危，重耳居外而安／小人之学也，入乎耳，出乎口／下不钳口，上不塞耳，则可有闻矣／心中为念农桑苦，耳里如闻饥冻声／目不能两视而明，耳不能两听而聪／雷隐隐，感妾心，倾耳清听非车音／文不加点，兴到语耳！孔明天才，思十反矣／与父老约，法三章耳：杀人者死，伤人及盗抵罪／人之情，目欲视色，耳欲听声，口欲察味，志气欲盈／君子之学也，入乎耳，箸乎心，布乎四体，形乎动静／伯夷，目不视恶色，耳不听恶声。非其君，不事；非其民，不使

❾道之及，及乎物而已耳／悲音不共声，皆快于耳／人言楚人沐猴而冠耳，果然／《关雎》之乱，洋洋乎盈耳哉／嗜欲充益，目不见色，耳不闻声／苦吟莫向朱门里，满耳笙歌不听君／私视使目盲，私听使耳聋，私虑使心狂

❿人生孰无死，贵得死所耳／捕雀而掩目，盗钟而掩耳／有伤聪之政，则民多病耳／恶语不出口，苟言不留耳／恶言不出口，苟语不留耳／破山之雷，不发聋夫之耳／何代无贤，但患遗而不知耳／狡兔有三窟，仅得免其死耳／有千里莼羹，但未下盐豉耳／风声雨声读书声，声声入耳／天下本无事，庸人扰之为烦耳／美味期乎合口，工声调于比耳／丈夫生不五鼎食，死即五鼎烹耳／不学者，虽存，谓之行尸走肉耳／非真无人也，但求之不勤不至耳／为治者不在多言，顾力行何如耳／卞和之玉，得于荆山，其偶然耳／冠衣不能移人迹，顾所履何如耳／异方之乐，只令人悲，增忉怛耳／鸿鹄固有远志，但燕雀自不知耳／上士之耳训乎德，下士之耳顺乎己／天下之治乱，系乎人君仁与不仁耳／不患立言之不善，患不足以践之耳／世人闻此皆掉头，有如东风射马耳／良药苦口利于病，忠言逆耳利于行／保天下者，匹夫之贱，与有责焉耳／谀言顺意而易悦，直言逆耳而触怒／草木荣华之飘风，鸟兽好音之过耳／道非难知，亦非难行，患人无志耳／弹虽在指声在意，听不以耳而以心／见日月不为明目，闻雷霆不为聪耳／视强，则目不明；听甚，则耳不聪／天下者，非君有也，天下使君主之耳／不动乎众人之非誉，不治观者之耳目／博识者触物能名，洽闻者理无所惑耳／知人者以目正耳，不知人者以耳败目／道若大路然，岂难知哉，人病不求耳／月本无光，如银丸。日耀之，乃光耳／悬言辞浅而不入，深言则逆耳而失指／生子当如孙仲谋，刘景升儿子若豚犬耳／良药苦口而利于病，忠言逆耳而便于行／良药苦口而利于病，忠言逆耳而利于行／男儿要当死于边野，以马革裹尸还葬耳／咄咄读古，而不知此味……一堂木偶耳／学者不患立志之不高，患不足以继之耳／殖货财产，贵其能施赈，否则守钱虏耳／贤者之于情，非不动也，能动而不乱耳／白黑在前而目不见，雷鼓在侧而耳不闻／上不至天，下不至地，言出子口而入吾耳／咸以孔子之是非为是非，故未尝有是非耳／好音生于郑卫，而人皆乐之于耳，声同也／一叶蔽目，不见泰山；两豆塞耳，不闻雷霆／无目者不可示以五色，无耳者不可告以五音／求道者不以目而以心，取道者不以手而以耳／偷合苟容，以持禄养交而已耳，谓之国贼也／若平直相似……便不是书法，但得其点画耳／药酒苦于口而利于病，忠言逆于耳而利于行／四海之广，不患无贤，而患在信用之不至耳／道假辞而明，辞假书而传，要之之道而已耳／贵远贱近，人之常情；重耳轻目，俗之恒蔽／鸷鸟将击，卑飞敛翼；猛兽将搏，弭耳俯伏／夫谓法不严则易犯，暴君酷吏假辞以饰其恶耳／天下悠悠，皆可长生也，患于犹豫，故不成耳／五色令人目盲，五音令人耳聋，五味令人口爽／世之难得者，非财也，非荣也，患意之不足耳／为道不在多，自为已有金丹至要，可不用余耳／谋臣良将，何代无之；贵在见知，要在见用耳／近而不浮，远而不尽，然后可以言韵外之致耳／穷愁著书，古儒者之大同，非高冠长剑之比耳／雅郑有素矣，而好恶不同，故两耳不相为听焉／法虽在，必待圣而后治；律虽具，必待耳而后听／贤固可易知，人固可易识，但是议者不精思之耳／心平愉，则色不及佣而可以养目，声不及佣而可以养耳／盖吾儒起手便与禅异者，正在彻始彻终总是体用一致耳／君子之处世，贵能有益于物耳，不图高谈虚论，左琴右书／文章丽矣，言语工矣，无异草木荣华之飘风，鸟兽好音之过耳／古今号文章为难，足下知其所以难乎？……得之为难，知之愈难耳／目察秋毫之末，耳不闻雷霆之声；耳调玉石之声，目不见泰山之高

耸

sǒng 高起；惊动；敬；聋。

❶耸壑之鱼穿于一丝之溜

见明·刘基《拟连珠》。全句为："拂云之松生于一豆之实，～"。

❸层台耸翠，上出重霄，飞阁流丹，下临无地

❼不可以边陲不耸，恬然便谓无事
❿澄明远水生光，重迭暮山耸翠

职 ①zhí 职务；职位；作为主要生活来源的工作；职责；掌管；赋税，贡品；旧时下级官员对上级官员的自称。②zhì 通"帜"，旗帜。

❷守职而不废，处义而不回／尽职者无他，正己格物而已／奉职顺道，亦可以为治，何必威严哉／官职可以重求，爵禄可以货得者，可亡也
❸万物职职，皆从无为殖
❹宰相所职系天下／一岁典职，田宅并兼／万物职职，皆从无为殖／洗手奉职，不以一钱假人／君子任职则思利民，达上则思进贤
❺杀人而死，职也／无拳无勇，职为乱阶／以材能任职，以兴义任俗
❻士齐僚而不职，则贤与愚而不分／必欲得人称职，不失士，不谬举／责少者易偿，职寡者易守，任轻者易权
❼文从字顺各识职／宁用不材以旷职，不肯变例以求人
❽贤者在位，能者在职／有官守者，不得其职则去／不拘文牵俗，则守职者辨治矣／立身必由清谨，处职无废于忠勤／贤者在位，能者布职，朝廷崇礼，百僚敬让
❾任人各以其材而百职修／择天下之士，使称其职／凡吏于土者，若知其职乎……／才不称不可居其位，职不称不可食其禄／法令不一则人情惑，职次数改则觊觎生
❿君择才而授官，臣量己而受职／能知反复之道者，可以居兆民之职／责上责下而中自恕己，岂可任职分／贵德而尊士，贤者在位，能者在职／不为而成，不求而得，夫是之谓天职／交私养望者多得显官，独立营职者或见排沮／工无二伎，士不兼官，各守其职，不得相奸／德者道之舍，物得以生生，知得以职道之精／赏重而信，罚痛而必，群臣畏劝，竞思其职／致治之本，惟在于审；量才授职，务省官员／心之在体，君之位也；九窍之有职，官之分也／赋役有定制，兵农有定业，官无虚名，职无废事

聆 líng 仔细地听；通"龄"，岁数。

❶聆其善言，观其善行，足以资吾之未逮
见明·宋诩《宋氏家要部》。全句为："有德之人，常宜近之。～，而甄陶为善士也"。
聆《白雪》之九成，然后悟《巴人》之极鄙
见晋·葛洪《抱朴子·广譬》。

聊 liáo 姑且；稍微；依赖；漫无边际地谈说无关紧要的话。

❶聊乘化以归尽，乐夫天命复奚疑
见晋·陶潜《归去来兮辞》。
❸慰情聊胜于无／老夫聊发少年狂，左牵黄，右擎苍
❺未能免俗，聊复尔尔／无力买田聊种水，近来湖面亦收租
❻尽输助徭役，聊就空自眠
❾我岂更求荣达，日长聊以销忧

联 lián 彼此结合在一起；对联；古代户口编制的名称。

❷眉联娟以蛾扬兮，朱唇的其若丹

聘 pìn 请人担任职务或承担工作；订婚；女子出嫁；古指各国间派使者访问。

❾嫁女择佳婿，毋索重聘

聚 jù 会集；村落；积聚。

❶聚蚊成雷，群轻折轴
见唐·刘知几《史通·叙事》。全句为："～。况于章句不节，言词莫限，载之兼两，曷足道哉"。
聚散苦匆匆，此恨无穷
见宋·欧阳修《浪淘沙》。
聚敛之臣，则以货财为急
见宋·苏轼《思治论》。
聚古今之精英，实治乱之龟鉴
见宋·苏轼《乞校正陆贽奏议进御札子》。
聚者如悦，散者如别，整者如戟，乱者如发
见宋·王质《游东林山水记》。全句为："长林远树，出没烟霏，～"。
❷兽聚而鸟散／财聚则民散，财散则民聚／凡聚小所以就大，积一所以至亿也
❸忧喜聚门，吉凶同域／广积聚，骄富贵，不知止者杀身／气之聚散于太虚……知太虚即气则无无
❹民，不难聚也……／众人成聚，圣人不犯／圣人积聚众善以为功／物以类聚，人以群分／方以类聚，物以群分／怨之所聚，乱之本也／十年生聚，而十年教训／群材既聚，故能成邓林／兵之所聚，必有所资……／群之可聚也，相与利之也
❺众煦漂山，聚蚊成雷／水积而鱼聚，木茂而鸟集／轻财足以聚人，律己足以服人／地纯阴凝聚于中，天浮阳运旋于外
❻民未知礼，虽聚而易散／薄身厚民，故聚敛之人不得行／家富则疏族聚，家贫则兄弟离／鸟同翼者而聚居，兽同足者而俱行／人之生，气之聚也；聚则为生，散则为死
❼有有必有无，有聚必有散
❽华而不实，怨之所聚也／生死悠悠尔，一气聚散之／动静者终始之道，聚散者化生之门也／人之生，气之聚也；聚则为生，散则为死
❾先无爵，死无谥，实不聚，名不立，此之谓大人

／地不改辟矣，民不改聚矣，行仁政而王，莫之能御也

❿大凡善恶之人，各以类聚／水是眼波横，山是眉峰聚／财聚则民散，财散则民聚／魂魄结兮天沉沉，鬼神聚兮云幂幂／以道以德为有国之基，无事无为乃聚人之本／安危相易，祸福相生，缓急相摩，聚散以成／贵极禄位，权倾国都，达人视此，蚁聚何殊／粟米布帛生于地，长于时，聚于力，非可一日成／两体者，虚实也，动静也，聚散也，清浊也，其究一而已

聩

kuì 先天耳聋。

❼闻善不慕，与聋聩同

❽近贤则聪，近愚则聩

❿闻人而不自闻者谓之聩／自瞽者乐言己之长，自聩者乐言人之短

聪

cōng 有智慧；听觉灵敏。

❶聪明者戒太察

见《格言联璧·持躬类》。全句为："～，刚强者戒太暴，温良者戒无断"。

聪明正直者为神

唐·柳宗元《骂尸虫文》。

聪之知远，明以察微

见汉·司马迁《史记·五帝纪》。

聪明一世，懵懂一时

见清·无名氏《官场维新记》第十回。

聪明才辨是第三等资质

见明·吕坤《呻吟语》。全句为："深沉厚道是第一等资质，磊落豪雄是第二等资质，～"。

聪明睿智而守以愚者益

见汉·刘向《说苑·敬慎》。全句为："～，博闻多记而守以浅者广"。

聪与敏，可恃而不可恃也

见清·彭端淑《白鹤堂集》。

"聪明"二字不可以自许

见清·李惺《西沤外集·药言》。全句为："～，'慷慨'二字不可以望人"。

聪明睿智，守之以愚者，哲

见汉·韩婴《韩诗外传》卷三。

聪明深察而死者，好议人者也

见三国·魏·王肃《孔子家语·观周》。

聪者听于无声，明者见于未形

见汉·班固《汉书·伍被传》。全句为："～，故圣人万举而万全"。

聪明则视听不惑，公正则不迩谗邪

见唐·韩愈《释言》。

聪明深察而近于死者，好议人者也

见汉·司马迁《史记·孔子世家》。全句为："～。博辩广大危其身者，发人之恶者也"。

聪明秀出谓之英，胆力过人谓之雄

见三国·魏·刘劭《人物志·英雄》。

聪明者，阴阳之精。阴阳清和则中睿外明

见三国·魏·刘劭《人物志·九征》。

聪明者，英之分也，不得雄之胆则说不行

见三国·魏·刘劭《人物志·英雄》。

聪明流通者戒于太察，寡闻少见者戒于壅蔽

见宋·司马光《资治通鉴·汉纪》。

聪明睿智，守之以愚；功被天下，守之以让

见《格言联璧·持躬类》。

聪者耳闻，明者目见，聪明则仁爱著而廉耻分

见汉·韩婴《韩诗外传》。

❷天聪明，自我民聪明

❸无作聪明乱旧章／误用聪明，何若一生守拙／吾闻聪明主，治国用轻刑／有伤聪之政，则民多病耳／耳有聪，目有明，心思有睿知／苟其聪明蔽于嗜好，智虑溺于爱憎

❹不聋不聪，与神明通／听和则聪，视正则明／近贤则聪，近愚则聩／耳达四聪，瑕累者期于录用／虽禀极聪，而有声者不可尽闻焉／自恃其聪与敏而不学，自败者也／英以其聪谋始，以其明见机，待雄之胆行之／主德者，聪明平淡，总达众材，而不以事自任者也

❺人以不作聪明为贤／亡国之主，聪明出于人／卑贱者最聪明，高贵者最愚蠢／役一己之聪明，虽圣人不能智／反听之谓聪，内视之谓明，自胜之谓强

❻目贵明，耳贵聪，心贵公／后生虽天资聪明，而识终有不及／宁可蒙懂而聪明，不可聪明而蒙懂／机关算尽太聪明，反算了卿卿性命／处事者不以聪明为先，而以尽心为急

❼君子受言以达聪明／天聪明，自我民聪明／便宜不可占尽，聪明不可用尽／至人之治，掩其聪明，灭其文章，依道废智

❽视远惟明，听德惟聪／力视损明，力听损聪，疾言阻德，功伪败功

❾辟四门，明四目，达四聪／聪者耳闻，明者目见，聪明则仁爱著而廉耻分

❿耳限于所闻，则夺其天聪／外听易为察，而内听难为聪／处听易为察，而内听难为聪／水下流而广大，君下臣而聪明／目之于明也殆，耳之于聪也殆／瞽无目而耳不可以塞，精于聪也／听有音之音者聋，听无音之音者聪／宁可蒙懂而聪明，不可聪明而蒙懂／见日月不为明目，闻雷霆不为聪耳／视强，则目不明；听甚，则耳不聪／目不能两视而明，耳不能两听而聪／观人察质，必先察其平淡，而后求其聪明／独视不若与众视之明，独听不若与众听之聪／貌曰恭，言曰从，视曰明，听曰聪，思曰睿

聱 áo 不接受别人的意见。[聱牙]乖忤；形容语句难读；形容老树枝干枝桠。

❼周诰殷盘，佶屈聱牙

臣 chén 君主制时代官吏和百姓的通称；古人表示谦卑的自称；俘虏；奴隶；役使；姓。

❶臣门如市，臣心如水

见汉·班固《汉书·郑崇传》。

臣奉暗后，则覆亡之祸至

见晋·陈寿《三国志·魏书·袁绍传》。全句为："君用忠良，则伯王之业隆；～"。

臣闻虑为功首，谋为赏本

见三国·魏·曹操《请爵荀彧表》。全句为："～，野绩不越庙堂，战多不逾国勋"。

臣以能言为能，君以能听为能

见三国·魏·刘劭《人物志·材能》。

臣以自任为能，君以用人为能

见三国·魏·刘劭《人物志·材能》。

臣君者岂为其口实？社稷是养

见《晏子春秋·内篇杂上·第二》。

臣以能行为能，君以能赏罚为能

见三国·魏·刘劭《人物志·材能》。

臣可以择君而仕，君可以择臣而任

见五代·南唐·谭峭《化书卷三·太医》。

臣心一片磁针石，不指南方不肯休

见宋·文天祥《扬子江》。

臣行君道则灭其身，君行臣事则伤其国

见汉·严遵《道德指归论·民不畏死篇》。

臣不得其所欲于君者，君亦不能得其所欲于臣

见汉·刘安《淮南子·主术》。

❷忠臣宁死而不辱／为臣死忠，为子死孝／暴臣反国，良臣被殃／忠臣不谏，智士不谋／忠臣体国，知无不为／忠臣处国，天下无异心／乱臣贼子，人人得而诛之／使臣将王命，岂不如贼焉／君臣节俭足，朝野欢呼同／奸臣欲窃位，树党自相群／君臣争明……此乖国之风也／君臣遇合，天下事迎刃而解／使臣不患其不忠，患礼之不至／强臣专国，则天下震动而易乱／好臣其所教，而不好臣其所受教／忠臣不畏死，故能立天下之大事／君臣不信，则百姓诽谤，社稷不宁／贤臣不用，用臣不贤，则国非其国／诤臣必谏其渐，及其满盈，无所复谏／大臣重禄而不极谏，近臣畏罚而不敢言／文臣不爱钱，武臣不惜死，天下太平矣／忠臣者务崇君之德，谄臣者务广君之地／劳臣不赏，不可劝功；死士不赏，不可励勇／相臣将臣，文恬武嬉，习熟见闻，以为当然／谋臣良将，何代无之；贵在见知，要在见用耳／大臣则必取众人之选，能犯颜谏事公正无私者／忠臣不避重诛以直谏，则事无遗策，功流万世／君臣父子人间之事谓之义，登降揖让，贵贱有等，亲疏之体，谓之礼

❸君明臣忠，民赖其福／君使臣以礼，臣事君以忠／君君，臣臣，父父，子子／用圣臣者王，用功臣者强／用篡臣者危，用态臣者亡／唯忠臣能逆意，惟圣君能从利／君正臣从谓之顺，君僻臣从谓之逆／君失臣兮龙为鱼，权归臣兮鼠变虎／惟君臣相遇，有同鱼水，则海内可安／亲贤臣，远小人，此先汉之所以兴隆也／为人臣者，以富乐民为功，以贫苦民为罪／有君臣然后有上下，有上下然后礼义有所错

❹正义之臣设，则朝廷不颇／君君，臣臣，父父，子子／国有忠臣，奸邪为之不起／忧国孤臣泪，平胡壮士心／边境之臣处，则疆垂不丧／时危见臣节，世乱识忠良／聚敛之臣，则以货财为急／君不与臣争功，而治道通矣／上求材，臣残木；上求鱼，臣干谷／古之大臣废昏举明，所以康天下也／君好嫌，臣好逸……此弱国之风也／使命之臣，取其识变从宜，不辱君命／军旅之臣，取其断决有谋，强干习事／藩屏之臣，取其明练风俗，清白爱民／君之视臣如手足……则臣视君如寇雠／朝廷之臣，取其鉴达治体，经纶博雅／朝无争臣则不知过，国无达士则不闻善／为君为臣为民为物为事而作，不为文而作也／君者择臣而使之，臣虽贱，亦得择君而事之／相臣将臣，文恬武嬉，习熟见闻，以为当然／贤主忠臣，不能导愚教陋，则名不冠后、实不及世矣

❺温颜接群臣／板荡识诚臣／敌国破，谋臣亡／下有直言，臣之行也／依人者危，臣人者辱／臣门如市，臣心如水／有谔谔争臣者，其国昌／有默默谀臣者，其国亡／立辅弼之臣者，恐骄也／君，根本也；臣，枝叶也／治世之能臣，乱世之奸雄／逸政多忠臣，劳政多乱人／有非常之臣者，必有非常之绩／君日骄而臣日谄，未有不丧邦者也／安不忘危臣所愿，常思危困必无危／王好奢则臣不足，臣好奢则士不足／主道得而臣道序，官不易方而太平用成／君为暗主，臣为谀臣，君暗臣谀，危亡不远／君能尽礼，臣得竭忠，必在于内外无私，上下相信

❻天下昏乱，忠臣乃见／去好去恶，群臣见素／猛将如云，谋臣如雨／猛将如云，谋臣似雨／暴臣反国，良臣被殃／股肱惟人，良臣惟圣／人主不公，人臣不忠也／圣主必待贤臣而弘功业／君使臣以礼，臣事君以忠／君有疾，饮药，臣先尝之／度能就位，忠臣所以事君／远贤近谗，忠臣蔽塞主势移／不官无功之臣，不赏不战之士／刑过不避大臣，赏善不遗匹夫／君不能知其臣，则无以齐万国／为君不君，为臣不臣，乱之本也／厉法禁，自大臣始，则小臣不犯矣／贤臣

不用，用臣不贤，则国非其国／亲小人，远贤臣，此后汉所以倾颓也／虽相与为君臣，时也；易世而无以相贱／当怒不怒，奸臣为虎；当杀不杀，大贼乃发／君不密则失臣，臣不密则失身，几事不密则害成／君自为诈，欲臣下行直，是犹源浊而望水清，理不可得／父子有亲，君臣有义，夫妇有别，长幼有叙，朋友有信

❼一朝天子一朝臣／国家昏乱，有忠臣／当其为师，则弗臣也／为君既不易，为臣良独难／交绝无恶声，去臣无怨辞／志士痛朝危，忠臣哀主辱／婴儿有常病，贵臣有常祸／贤主不苟得，忠臣不苟利／君择才而授官，臣量己而受职／蹇蹇之任，不在臣下，在于人主／人主莫不欲其臣之忠，而忠未必信／骄溢之君无忠臣，口慧之人无必信／社稷无常奉，君臣无常位，自古以然／文臣不爱钱，武臣不惜死，天下太平矣／权济天下而君臣立，上下正，然后礼义正焉／君不密则失臣，臣不密则失身，几事不密则害成／观其国则知其臣，观其臣则知其君，观其君则知其兴亡

❽士无常君，国亡定臣／君有奇智，天下不臣／开幸人之志，兆乱臣之心／用圣臣者王，用功臣者强／用篡臣者危，用态臣者亡／孔子成《春秋》而乱臣贼子惧／邪僻争权，乃有忠臣匡正其君／为君不君，为臣不臣，乱之本也／贤君择人为佐，贤臣亦择主而辅／古之明天子，信其臣而不惑于多言／王好奢则臣不足，臣好奢则士不足／明君不官无功之臣，不赏不战之士／君为暗主，臣为谀臣，君暗臣谀，危亡不远／君者择臣而使之，臣虽贱，亦得择君而事之／孝子不谀其亲，忠臣不谄其君，臣子之盛也

❾行毋而索敬，君弗得臣／人莫大焉亡亲戚君臣上下／国之将亡，贤人隐，乱臣贵／水下流而广大，君下臣而聪明／好臣其所教，而不好臣其所受教／尧能则天者，贵其能臣舜、禹二圣／为君者常病于察，为臣者又失之宽／君之视臣如手足……则臣视君如寇雠／为主贪，必丧其国；为臣贪，必亡其身／明君不能畜无用之臣，慈父不能爱无用之子／力不能济于用，而君臣上下不正，虽抱空器奚何施设／欲为君，尽君道；欲为臣，尽臣道。二者皆法尧舜而已矣

❿听鼓鼙之声则思将帅之臣／君欲自知其过，必待忠臣／疾风知劲草，板荡识诚臣／以赂秦之地，封天下之谋臣／求硕画于庶位，虑遗材于放臣／有非常之后者，必有非常之臣／尽力直友人之屈，不以权臣为意／桓公小白杀兄入嫂，而管仲为臣／上求材，臣残木；上求鱼，臣干谷／天子呼来不上船，自称臣是酒中仙／厉法禁，自大臣始，则小臣不犯矣／君正臣从谓之顺，君僻臣从谓之逆／君失臣兮龙为鱼，权归臣兮鼠变虎／狡兔尽则良犬烹，敌国灭则谋臣亡／闻鼓鼙而思将帅，画云台而念旧臣／牧羊驱马虽戎服，白发丹心尽汉臣／臣可以择君而仕，君可以择臣而任／野禽殚，走犬烹；敌国破，谋臣亡／人主之意欲见于外，则为人臣之所制／国之隆替，时之盛衰，察其任臣而已／大臣重禄而不极谏，近臣畏罚而不敢言／国之将亡必有大恶，恶者无大于杀忠臣／安平则尊道术之士，有难则贵介胄之臣／忠臣者务崇君之德，谄臣者务广君之地／臣行君道则灭其身，君行臣事则伤其国／善为国者若弹琴；宫君商臣，则治国之道／愿赐尚方斩马剑，断佞臣一人，以厉其余／人欲自照，必须明镜；主欲知过，必藉忠臣／士穷见节义，世乱识忠臣，欲学者必周于德／君为暗主，臣为谀臣，君暗臣谀，危亡不远／溥天之下，莫非王土；率土之滨，莫非王臣／守法持正，嶷如秋山；火不侵玉，幸臣畏伏／孝子不谀其亲，忠臣不谄其君，臣子之盛也／败军之将，不可言勇；亡国之臣，不可言智／赏重而信，罚痛而必，群臣畏劝，竞思其职／政之不中，君之患也；令之不行，臣之罪也／谏、争、辅、拂之人，社稷之臣也，国君之宝／臣不得其所欲于君者，君亦不能得其所欲于臣／狡兔死，良狗烹；高鸟尽，良弓藏；敌国破，谋臣亡／观其国则知其臣，观其臣则知其君，观其君则知其兴亡／欲为君，尽君道；欲为臣，尽臣道。二者皆法尧舜而已矣／上下相疏，内外相蒙，小臣争宠，大臣争权，此危国之风也／天下之民，知安而不知危，能逸而不能劳，此臣所谓大患也／达于道者，独见独闻，独为独存，父不能以授子，臣不能以授君

西

xī 方位词；西洋式样的；姓。

❶西头热海水如煮……

见唐·岑参《热海行送崔侍御还京》。全句为："～，海上众鸟不敢飞，中有鲤鱼长且肥"。

西夕之景，吾能久留

见唐·刘禹锡《为裴相公让官第一表》。

西风烈，长空雁叫霜晨月

见现代·毛泽东《忆秦娥·娄山关》。

西望武昌诸山，冈陵起伏……

见宋·苏辙《黄州快哉亭记》。全句为："～，草木行列，烟消日出，渔夫樵父之舍，皆可指数，此其所以为快哉者也"。

西家老人晓稼穑，白发空多缺衣食

见宋·吕南公《勿愿寿》。

西施若解倾吴国，越国亡来又是谁

见唐·罗隐《西施》。

西施有所恶而不能减其美者，美多也

见晋·葛洪《抱朴子·博喻》。

❷关西出将，关东出相／画西施之面，美而不可说／正西风落叶下长安，飞鸣镝／潭西南而望，

斗折蛇行，明灭可见／待西施、毛嫱而为配，则终身不家矣／东西南北，某也何从；寒暑阴阳，时哉不与

❸待月西厢下，迎风户半开／毛嫱西施，善毁者不能蔽其好／越之西子，善毁者不能闭其美／不到西湖看山色，定应未可作诗人／欲把西湖比西子，淡妆浓抹总相宜／飒飒西风满院栽，蕊寒香冷蝶难来／窗含西岭千秋雪，门泊东吴万里船／走马西来欲到天，辞家见月两回圆／并力西向，则吾恐秦人食之不得下咽也／日薄西山，余光横照，紫翠重叠，不可殚数／日薄西山，气息奄奄；人命危浅，朝不虑夕／登彼西山兮采其薇矣，以暴易暴兮不知其非矣

❹驾浪沉西月，吞空接曙河

❺无言独上西楼……／粉黛至则西施以加丽／驱东复驱西，弃却锄与犁／杭州之有西湖，如人之有眉目／易水萧萧西风冷……悲歌未彻／东边日出西边雨，道是无晴却有晴／何当共剪西窗烛，却话巴山夜雨时

❻山东出相，山西出将／嫫母有所美，西施有所丑／骊山北构而西折，直走咸阳／欲把西湖比西子，淡妆浓抹总相宜

❼橹声摇月过桥西／东向而望，不见西墙／万夫婉娈，非俟西子之颜／唐太宗之贤，自西汉以来，一人而已／不是东风压了西风，就是西风压了东风／东面望者不见西墙，南乡视者不睹北方

❽变形易色，随风东西／刻画无盐，以唐突西子／长恐浮云生，夺我西窗月／才疏志大不自量，西家东家笑我狂／会挽雕弓如满月，西北望，射天狼／劝君更尽一杯酒，西出阳关无故人／嫫母饰姿而夸矜，西子彷徨而无家／中秋之月，阳在正西，阴在正东，谓之秋分

❾怵迫之徒兮，或趋东西／百川东到海，何时复西归／功业未及建，夕阳忽西流／闻长安乐则出门向西而笑／泻水置平地，各自东西南北流

❿三十年河东，三十年河西／天末海门横北固，烟中沙岸似西兴／千磨万击还坚劲，任尔东西南北风／画栋朝飞南浦云，珠帘暮卷西山雨／功名富贵若长在，汉水亦应西北流／夕阳一片寒鸦外，目断东西四百州／懊恨人心不如石，少时东去复西来／寄到玉关应万里，戍人犹在玉关西／文之近古而尤壮丽，莫若汉之西京／龙钟还忝二千石，愧尔东西南北人／不是东风压了西风，就是西风压了东风／恨不得挂长绳于青天，系此西飞之白日／中春之月，阳在正东，阴在正西，谓之春分／风烟俱静，天山共色，从流飘荡，任意东西／枯藤老树昏鸦，小桥流水人家，古道西风瘦马／地尽天水合，朝及洞庭湖，初日当中涌，莫辨东西隅／廉公之思赵将，吴子之泣西河，人之情也，将军独无情哉

粟

sù 一年生草本植物；古称“禾”，“稷”，“谷”；俸禄；泛指粟状物；皮肤上起小疙瘩；姓。

❶粟积于丰年，乃可济饥

见明·陈继儒《小窗幽记》。全句为：“国家用人，犹农家积粟。～；才储于平时，乃可济用”。

粟米布帛生于地，长于时，聚于力，非可一日成

见汉·班固《汉书·食货志》。

❷畜粟者，欲岁之荒饥也／欲粟者务时，欲治者因世／斗粟自可饱，千金何所直／苟粟多而财有余，何为而不成／贵粟之道，在于使民以粟为赏罚

❸金与粟争贵，乡与朝争治／宁积粟腐仓而不忍贷人一斗

❹仓无备粟，不可以待凶饥

❺春种一粒粟，秋成万颗子／有天不雨粟，无地可埋尸／食人力之粟，守无事之官，拳拳血诚，无所陈露

❼富者犬马余菽粟，骄而为邪

❽丰年珠玉，俭年谷粟／欲民务农，在于贵粟／女有余布，男有余粟，国家殷富，上下交足／以人之言而遗我粟，至其罪我也又且以人之言

❾国家用人，犹农家积粟／兵不如者，勿与挑战；粟不如者，勿与持久／一尺布，尚可缝；一斗粟，尚可舂。兄弟二人不相容

❿剥我身上帛，夺我口中粟／虽有千黄金，无如我斗粟／寄蜉蝣于天地，渺沧海之一粟／贵粟之道，在于使民以粟为赏罚／大兵如市，人死如林；持金易粟，粟贵于金／有石城十仞，汤池百步，带甲百万，而亡粟，弗能守

覆

fù 覆盖；底朝上；毁灭；同“复”；察看；转回。

❶覆水不可收

见南朝·宋·范晔《后汉书·何进传》。

覆车重寻，宁无摧折

见南朝·宋·范晔《后汉书·翟酺传》。

覆车之轨，其迹不远

见南朝·宋·范晔《后汉书·陈忠传》。

覆车相寻，不绝于世

见宋·苏辙《唐玄宗宪宗》。

覆巢之下，复有完卵乎

见南朝·宋·刘义庆《世说新语·言语》。

覆压三百余里，隔离天日

见唐·杜牧《阿房宫赋》全句为：“～。骊山北构而西折，直走咸阳”。

覆巢竭渊，龙凤逝而不至

见南朝·宋·范晔《后汉书·逸民传》。

覆水不可收，行云难重寻

见唐·李白《代别情人》。

覆巢破卵，则凤凰不翔；刳牲夭胎，则麒麟不臻

见南朝·宋·范晔《后汉书·黄琼传》。

❷毋覆巢，杀胎夭／舟覆乃见善游，马奔乃见良御／天覆地载，万物悉备，莫贵于人／道，覆载万物者也，洋洋乎大哉／兼覆盖而并有之，度伎能而裁使之者，圣人也

❸前车覆而后车诫／载舟覆舟，所宜深慎／目睹覆车，不改前辙／喧鸟覆春洲，杂英满芳甸／有兼覆之厚，而无伐德之色／前车覆而后车不诫，是以后车覆也／道者，覆天载地，廓四方，柝八极／畜水覆舟，养兽反害，悔之噬脐，将何所及

❹人情翻覆似波澜／天不能覆，地不能载／前车已覆，后未知更／前车既覆而后车不改辙也／天无私覆，地无私载，日月无私照／天之所覆，地之所载，莫不尽其美致其用／乾坤倒覆，无谓不静，洪流滔天，无谓其动／前车已覆，袭轨而骛，曾不鉴祸，以知畏惧／天无私覆也，地无私载也，日月无私烛也，四时无私行也

❺明鉴未远，覆车如昨／安天下于覆盂，其功可大／翻手作云覆手雨，纷纷轻薄何须数

❻恶有满而不覆者哉／天不崇大则覆帱不广／臣奉暗后，则覆亡之祸至／巫峡之水能覆舟，若比人心是安流／譬如平地，虽覆一篑，进，吾往也

❼水则载舟，水则覆舟／水能载舟，亦能覆舟／都尉新降，将军覆没……／巫峡之险不能覆舟而覆于平流／天广而无以自覆，地厚而无以自载／非宽大无以兼覆，非慈厚无以怀众／圣王在上位，天覆地载，风令雨施／持杯收水水已覆，徙薪避火火更燔

❽人发杀机，天地反覆／器满则倾，志满则覆／终朝为恶，四海倾覆／不防盟墨诈，须戒覆车新／风横天而瑟瑟，云覆海而沉沉／举炎火以焚飞蓬，覆沧海而注熛炭／奔车之上无仲尼，覆舟之下无伯夷／圣人若天然，无私覆也；若地然，无私载也

❾能者以济，不能者以覆／水所以载舟，亦所以覆舟／不虑前事之失，复循覆车之轨

❿不广其基，而增其高者覆／巫峡之险不能覆舟而覆于平流／前车覆而后车不诫，是以后车覆也／得意浓时休进步，须防世事多番覆／虎踞龙盘今胜昔，天翻地覆慨而慷／塞一蚁孔而河决息，施一车辖而覆乘止／各自责则天清地宁，各相责则天翻地覆／弹指三十八年，人间变了，似天渊翻覆／行路难，不在水不在山，只在人情反覆间／共舆而驰，同舟而济，舆倾舟覆，患实共之／君者，舟也；庶人者，水也。水则载舟，水则覆舟／追计往时咎过，日夜反覆，无一食而安于口平于心／卵之化为雏，非慈雌呕暖覆伏，累日积久，则不能为雏／卵之性为雏，不得良鸡覆伏孚育，积日累久，则不成为雏

顶

dǐng 头顶；支撑或抵住；相当；承担，支持；代替；用头撞击；用语言冲撞；面对；相当于“最”；量词。

❷摩顶放踵，利天下，为之

❸千峰顶上一间屋，老僧半间云半间

❺会当凌绝顶，一览众山小

❻不称九天之顶，则言黄泉之底

❽独游山水间，登极顶……欲空其形而去

顷

①qǐng 土地面积单位；很短的时间；不久前。②qīng 通“倾”，偏侧，倾斜。③kuǐ 通“跬”，[顷步]通“跬步”。

❹良田千顷，不如薄艺随身／良田百顷，不在一亩，但有远志，不在当归

❼采采卷耳，不盈顷筐。嗟我怀人，置彼周行

❽上下天光，一碧万顷

❾纵一苇之所如，凌万顷之茫然

❿不学夭桃姿，浮荣有俄顷／以一介之微挫其锋于顷刻／春和景明，波澜不惊；上下天光，一碧万顷

顺

shùn 向着同一个方向；依次；使方向相同；顺畅；服从；随手；沿，循。

❶顺则吉，逆则凶

见三国·魏·王弼《老子》七十三注。

顺天者逸，逆天者劳

见明·罗贯中《三国演义》第三十七回。

顺天者存，逆天者亡

见《孟子·离娄上》。

顺我者生，逆我者死

见明·罗贯中《三国演义》第三回。

顺人者昌，逆人者亡

见南朝·宋·范晔《后汉书·申屠刚传》。

顺命为上，有功次之

见《荀子·议兵》。

顺德者昌，逆德者亡

见汉·班固《汉书·高帝纪》。

顺风激靡草，富贵者称贤

见汉·赵壹《疾邪诗二首》之一。

顺之者昌，逆之者不死则亡

见汉·司马迁《史记·太史公自序》。

顺大道而行者，救天下者也

见唐·罗隐《辨害》。全句为：“～；尽规矩而进者，全礼义者也”。

顺心之言易入也，有害于治

见明·吕坤《呻吟语》。全句为：“～。逆耳之言，裨治也不可于人，可恨也。惟圣君以逆耳者顺于心，故天下治”。

顺于己者爱之，逆于己者恶之

见《晏子春秋·内篇·谏上》。全句为：“～；故明所爱而邪僻繁，明所恶而贤良灭”。

顺我意而言者，小人也，急远之

见清·申涵光《荆园小语》。

顺性命，适情意，牵于殊类……

见汉·严遵《道德指归论·道生篇》。全句为：“～，系于万事，结而难解谓之欲”。

顺指者爱所由来，逆意者恶所从至

见晋·陈寿《三国志·魏书·卫觊传》。

顺针缕者成帷幕，合升斗者实仓廪

见汉·刘向《说苑·政理》。

顺天养财、御水旱、制蛮夷之原本也

见元·脱脱《宋史·钱彦远传》。全句为：“农为国家急务，所以～”。

顺天时，量地利，则用力少而成功多

见北魏·贾思勰《齐民要术·种谷》。

顺之则喜，逆之则怒，此有血气者之性也

见《列子·黄帝》。

❷辞顺而弗从，不祥／将顺其美，匡救其恶／逆顺死生，物自为名／附顺者拔擢，忤恨者诛灭／杖顺以翦逆……无其时而著业／逆顺同道而异理，审知逆顺，是谓道纪／事顺神明者不合于俗，功配天地者不悦于众／有顺君意而害天下者，有逆君意而利天下者／处顺境内，眼前尽兵刃戈矛，销膏靡骨而不知

❸事各顺于名，名各顺于天／圣人顺时以动，智者因几以发／知常顺道，故能公正而为王也／以柔顺而为不正，则佞邪之道也／天下顺治在民富，天下和静在民乐／论逆顺不论成败，论万世不论一生／谀言顺意而易悦，直言逆耳而触怒／身行顺，治事公，故国无阿党之议／其体顺而肆，可以播于乐章歌曲也／奉职顺道，亦可以为治，何必威严哉／有知顺之为倒、倒之为顺者，则可与言化矣

❹文从字顺各识职／上安下顺，弊绝风清／不在逆顺，以义为断／心气常顺，百病自遁／从谏如顺流，趣时如响起／正直者顺道而行，顺理而言／圣人以顺动，则刑罚清而民服／气从以顺，各从其欲，皆得所愿／天地以顺动，故日月不过，而四时不忒／逆则生，顺则夭矣；逆者圣，顺则狂矣／外内皆顺，命曰天当，功成而不废，后不奉央

❺莫非命也，顺受其正／善为国者，顺民之意／国正天心顺，官清民自安／汤武革命，顺乎天而应乎人／安时而处顺，哀乐不能入也／升。君子以顺德，积小以高大／国有道，即顺命；无道，即衡命／六十而耳顺，七十而从心所欲不逾矩／圣人法天顺情，不拘于俗，不诱于人／故圣人常顺时而动，智者必因机以发／逆取而以顺守之，文武并用，长久之术／巫山之上顺风纵火，膏夏紫芝与萧艾俱死

❻律设大法，礼顺人情／必推于物，而顺于人／君义、……所谓六顺也／君道友逆，则顺君以诛友／事多似倒而顺，多似顺而倒／卑躬曲己，若顺弟之奉暴兄／天之所助者顺，人之所助者信／以天下之所顺，攻亲戚之所畔／凡生之长也，顺之也；使生不顺者，欲也／政之所兴，在顺民心；政之所废，在逆民心

❼吾有小善，必将顺而成之／得者，时也，失者，顺也／愚谓无知守真，顺自然也／逆吾者是吾师，顺吾者是吾贼／名不正则言不顺，言不顺则事不成／君正臣从谓之顺，君僻臣从谓之逆

❽事各顺于名，名各顺于天／正直者顺道而行，顺理而言／君子以遏恶扬善，顺天休命／圣人信道不信身，顺道不顺心／舟循川则游速，人顺路则不迷／惟圣君以逆耳者顺于心，故天下治／法者，国仰以安也；顺则治，逆则乱，甚乱者灭

❾以理为主，理得而辞顺／事多似倒而顺，多似顺而倒／道者……为事逆之则败，顺之则成／天有六极五常，帝王顺之则治，逆之则凶

❿并兼者高诈力，安定者贵顺权／圣人信道不信身，顺道不顺心／搜句忌于颠倒，裁章贵于顺序／至哉坤元！万物资生，乃顺承天／上士之耳训乎德，下士之耳顺乎己／并时以养民功，先德后刑，顺于天／功名遂成，天也；循理受顺，人也／圣人清廉以澡身，人自廉洁以顺教／大事难事看担当，逆境顺境看襟度／名不正则言不顺，言不顺则事不成／适来，夫子时也；适去，夫子顺也／贤者任重而行恭，知者功大而词顺／古之善用人者，必循天顺人而明赏罚／天之生万物以奉人也，主爱人以顺天也／鄙朴忤逆者未必悖，承顺惬可者未必忠／逆则生，顺则夭矣；逆者圣，顺则狂矣／逆顺同道而异理，审知逆顺，是谓道纪／避天下之逆，从天下之顺，天下不足取／良农能稼而不能穑，良工能巧而不能为顺／凡生之长也，顺之也；使生不顺者，欲也／唯至人乃能游于世而不僻，顺人而不失己／善鄙不同，诽誉在俗；趋舍不同，逆顺在君／处逆境心须用开拓法，处顺境心要用收敛法／教民亲爱，莫善于孝；教民礼顺，莫善于悌／有知顺之为倒、倒之为顺者，则可与言化矣／忠贤事君，必谏君失，奸佞事主，必顺主情／民安土重迁，不可卒变。易以顺行，难以逆动／君子用以力学，借困衡为砥砺，不但顺受而已／树恩布德，易以周洽，其犹顺惊风而飞鸿毛也／日月虽以形相物，考其道则有施受健顺之差焉／万物有自然之理，圣人只是顺之，不曾增加得一毫／汝游心于淡，合气于漠，顺物自然而无容私焉，而天下治矣

顽 wán 愚昧的；固执的；淘气的；贪婪；通“玩”。

❸剖开顽石方知玉，淘尽泥沙始见金
❽贤俊者自可赏爱，顽鲁者亦当矜怜
❾众人皆有以，而我独顽似鄙／运退黄金失色，时来顽铁生辉
❿隐括之旁多枉木，砥砺之旁多顽钝

顾 gù 转回头去看；注意；访问；顾惜；反而；乃；古邑名。

❶顾夫淫以鄙而偕亡
见《晏子春秋·内篇谏上第六》。
顾小失大，福逃墙外
见汉·焦赣《易林·贲·蒙》。全句为：“戴盆望天，不见星辰。～”。
顾小利，则大利之残也
见《韩非子·十过》。
顾使乾坤同日月，不妨闽浙异江山
见宋·刘宰《送郑节夫》。
顾小而忘大，后必有害；狐疑犹豫，后必有悔
见汉·司马迁《史记·李斯列传》。
❷王顾左右而言他／文顾行，行顾文／自顾行何如，毁誉安足论
❸奋不顾身，临时守节／言不顾行，行不顾言
❹伯乐一顾，价增三倍／伯乐一顾，马价十倍／大行不顾细谨，大礼不辞小让／勇士不顾生，故能立天下之大名／见兔而顾犬，未为晚也；亡羊而补牢，未为迟也
❺逐鹿者不顾兔／舍心腹而顾手足／文顾行，行顾文／志有所存，顾不见泰山／欲得周郎顾，时时误拂弦／常思奋不顾身以徇国家之急／忧国者不顾身，爱民者不罔上／鹿驰走无顾，六马莫能望其尘／伟人之一顾逾乎华章，而一非亦惨乎黥刖
❻为国者终不顾家／死节从来岂顾勋／荷甑堕地，不顾而去／乐其所成，必顾其所败／独韩愈奋不顾流俗……因抗颜而为师
❼义不负心，忠不顾死／言不顾行，行不顾言／常闻夸大言，下顾皆细萍／一登一陟一回顾，我脚高地他更高／禄之以天下，弗顾也；系马千驷，弗视也
❽发谋决策，从容指顾／飞黄腾踏去，不能顾蟾蜍／乱世惟求其才，不顾其行／黄鹄一远别，千里顾徘徊／弃卧桥巷间，谁或顾生死／为治者不在多言，顾力行何如耳／冠衣不能移人迹，顾所履何如耳／天良能本吾良能，顾为有我所丧尔／提刀而立，为之四顾，为之踌躇满志／务进者趋前而不顾后，荣贵者矜己而不待人
❾人影在地，仰见明月，顾而乐之，行歌相答／为一书，务富文采，不顾事实……是犹用文锦复陷阱也／于为义若嗜欲，勇不顾前后；于利与禄，则畏避退处如怯夫然
❿木在山，马在肆，遇之而不顾者／放船千里凌波去，略为吴山留顾／百世之患，以小利而不顾者有之矣／喜为异说而不让，敢为高论而不顾／海上涛头一线来，楼前指顾雪成堆／古之人……识名位为香饵，逝而不顾／君子思义而不虑利，小人贪利而不顾义／特立独行，适于义而已，不顾人之是非／立节者见难不苟免，贪禄者见利不顾身／士之特立独行，适于义而已，不顾人之是非／硕鼠硕鼠，无食我黍！三岁贯女，莫我肯顾／义之所在，不倾于权，不顾其利，举国而与之，不为改视

顿 ①dùn 稍停；叩地；安顿；立刻，忽然；量词；疲乏；书法上指用力使笔着纸而暂不移动；止宿；舍弃；通“钝”，不锋利；通“振”，抖擞使整齐；表次数；古国名；姓。②zhūn［顿顿］诚恳。

❷整顿乾坤手段，指授英雄方略，雅志若为酬
❸理则顿悟，事非顿除／赋情顿雪双鬓，飞梦逐尘沙／日光顿生，霜露渐消；狂风顿息，波浪渐停
❹不因困顿移初志，肯为贪缘改寸丹
❺天地不能顿为寒暑，必渐于春秋
❼理则顿悟，事非顿除
❽铭博约而温润，箴顿挫而清壮／干将之刃，人不推顿，苽瓠不能伤／难违一官之小情，顿为万人之大弊
❿忽报人间曾伏虎，泪飞顿作倾盆雨／达人苦富贵之桎梏，修士伤声名之顿撼／一人之毁，未必有信；积年之行，不应顿亏／日光顿生，霜露渐消；狂风顿息，波浪渐停／望长城内外，惟余莽莽；大河上下，顿失滔滔／以不二之悟，符不分之理，理智悉释，谓之顿悟／有云水襟怀，有松柏气节，典型顿失，人尽含悲

颁 ①bān 发布；颁发，赏赐。②fén 头大。

❹命令昨颁，十万工农下吉安

颂 ①sòng 赞扬；周朝祭祀时用的舞曲；祝愿；文体名；通“诵”。②róng 通“容”，仪容，礼容；收容；宽容。

❶颂优游以彬蔚，论精微而朗畅
见晋·陆机《文赋》。
颂其诗，读其书，不知其人可乎？是以论其世也
见《孟子·万章下》。
❹从天而颂之，孰与制天命而用之／听其雅、颂之声，而志意得广焉
❽天下之金石不足颂阁下之形容

预 yù 事前；参与，干预。

❶预支五百年新意，到了千年又觉陈
见清·赵翼《论诗五绝》其一。
❸先事预防之道也／备不预具，难以应卒／将不预设，则亡以应卒
❹为善则预，为恶则去
❺不思虑，不预谋
❻勿谓言之不预／君子思过而预防之，所以有诫也
❼水到渠成，不须预虑／功有难图，不可预见；事有易断，较然不疑
❽惟能于其未然而预防之，故无后忧
❾真伪因事显，人情难预观
❿钓巨鱼者不使稚子轻预

颅 lú 头的上部，也泛指头。
❷头颅相属于道，不一日而无兵

领 lǐng 脖子；衣领；大纲，要点；带，引；拥有，占有；接受，取得；理解，明白；量词；通“岭”；管领，统属；领会，欣赏。
❹振裘持领，领正则毛理
❺富于材积，领会神情，临景结构，不仿形迹
❼山水有真赏，不领会终为漫游
❾扫眉才子于今少，管领春风总不如／江山代有才人出，各领风骚数百年
❿万目不张举其纲，众毛不整振其领／举网以纲，千目皆张，振裘持领，万毛自整／有不嗜杀人者，则天下之民皆引领而望之矣／如有不嗜杀人者，则天下之民皆引领而望之矣／神闲气静，智深勇沉，此八字是干大事的本领

颈 jǐng 古代称脖子的前面部分；形状像颈或部位相当于颈的部分。
❷刎颈不易，九裂不悔
❹曲戟在颈，不易其心
❿人知贵生乐安而弃礼义，辟之是犹欲寿而殁颈也／有留死一尺，无北行一寸。刎颈不易，九裂不悔

颊 jiá 面颊；脸的两侧。
❹靥辅在颊则好，在颡则丑
❼不择善否，两容颊适，偷拔其所欲，谓之险

频 ①pín 多次，连续数次；危急；并列。②bīn 通“濒”，水边。
❸为问频相见，何似常相守
❺春到也，须频寄，人到也、须频寄
❽言多变则不信，令频改则难从
❿时来故旧少，乱后别离频／春到也，须频寄，人到也、须频寄

颔 hàn 下巴颏；点头。
❾一粒红稻饭，几滴牛颔血

颗 kē 泛指粒状物；量词。
❾春种一粒粟，秋成万颗子
❿春时耕种夏时耘，粒粒颗颗费力勤

题 ①tí 题目；练习或考试时要求解答的问题；写上；头额；品评；章奏；通“提”。②dì 通“谛”，视。
❸多病题诗无好句
❹诗不着题，如隔靴搔痒
❿新剑以诈刻加价，弊方以伪题见宝

颛 zhuān 愚昧；善良；通“专”，独擅。
❾吾恐季孙之忧不在颛臾，而在萧墙之内也

颜 yán 面容；表情；颜色；姓。
❷温颜接群臣
❸潘陆颜谢，蹈迷津而不归
❹自古红颜多薄命／久别年颜改，相逢夜话长／志得则颜怡，意失则容戚
❺巧言如簧，颜之厚矣／小人如酒颜，但得暂时热／今年花落颜色改，明年花开复谁在
❻美人既醉，朱颜酡些／发少嫌梳利，颜衰恨镜明／不要人夸好颜色，只留清气满乾坤
❼秉耒欢时务，解颜劝农人／吾有小失，必犯颜而谏之
❽冬也阴气积兮，愁颜者为之鲜欢／谢诗如芙蓉出水，颜诗如错采镂金
❾风檐展书读，古道照颜色／盲者无以与乎眉目颜色之好／举刺不避乎权势，犯颜不畏乎逆鳞／力能排天斡九地，壮颜毅色不可求
❿万夫婉娈，非俟西子之颜／何不借风雷，一壮天地颜／松柏本孤直，难为桃李颜／树有百年花，人无一定颜／贫富常交战，道胜无戚颜／不党父兄，不偏富贵，不嬖颜色／以救时行道为贤，以犯颜纳说为忠／入门休问荣枯事，观看容颜便得知／众卖花兮独卖松，青青颜色不如红／恸哭六军俱缟素，冲冠一怒为红颜／悲愁天地白日昏，路旁过者无颜色／独韩愈奋不顾流俗……因抗颜而为师／安能摧眉折腰事权贵，使我不得开心颜／安得广厦千万间，大庇天下寒士俱欢颜／正言不发，万口如封，谄媚相与，千颜一容／睎骥之马，亦骥之乘，睎颜之人，亦颜之徒／蛇蛇硕言，出自口矣；巧言如簧，颜之厚矣／读来一百遍，不如亲见颜色，随问而对之易了／大臣则必取众人之选，能犯颜谏事公正无私者／旦执机权，夜填坑谷；朔欢卓、郑，晦泣颜、原／其夹岸有树木千万本，列立如揖，丹色鲜如霞，擢举欲动，灿若舒颜

额 é 额头；规定的数目；匾。

❷破额山前碧玉流，骚人遥驻木兰舟
❺妾发初复额……
❿曲突徙薪亡恩泽，焦头烂额为上宾

顜 jiǎng，又读 jiào，直；明。
❺萧何为法，顜若画一；曹参代之，守而勿失

颠 ①diān 头顶，顶部；上下震荡；倒；颠倒；颠簸；本，始；引申为轻狂。②tián 通"阗"，充满。
❶颠沛之揭，枝叶未有害，本实先拨
见《诗·大雅·荡》。
❷处颠者危，势丰者亏，颓坠之类，常在悬垂
❹大木将颠，非一绳所维／大树将颠，非一绳所维／扶危持颠，皆出于学者／大厦将颠，非一木所支也
❺搜句忌于颠倒，裁章贵于顺序
❼蒿蓬代柱，大厦颠仆／鸿卓之义，发于颠沛之朝
❽国之将亡，本必先颠／苟余行之不迷，虽颠沛其何伤
❿狗吠深巷中，鸡鸣桑树颠／至德之世，其行填填，其视颠颠／觉来落笔不经意，神妙独到秋毫颠／如室斯构，而去其凿楔……国之将亡，本必先颠

颡 sǎng 额头。
❽靥辅在颊则好，在颡则丑

颢 hào 白；通"昊"。
❺悠悠乎与颢气俱而莫得其涯

纇 lèi 缺点；毛病；丝上的疙瘩；通"戾"，反常。
❹珠之有纇玉之有瑕，置之而全，去之而亏
❿荆岫之玉必含纤瑕，骊龙之珠亦有微纇／夏后氏之璜，不能无考；明月之珠，不能无纇

颤 ①chàn，又读 zhàn，振动，发抖。②shān 鼻子畅通。
❸寒者颤，惧者亦颤，此同名而异实也

颦 pín 皱眉。
❷知颦美，而不知颦之所以美
❸彼知颦美，而不知颦之所以美
❺丑女来效颦，还家惊四邻
❻态浓意远，眉颦笑浅
❼知颦美，而不知颦之所以美
❽彼知颦美，而不知颦之所以美

虎 hǔ 哺乳动物；威武勇猛的。
❶虎畏不惧己者
见宋·苏轼《书孟德传后》。
虎卑势，狸卑身
见汉·赵晔《吴越春秋·勾践入臣外传》。
虎狼并处，不可以仕
见汉·焦赣《易林·复·谦》。全句为："～。忠谋转改，祸必及己。退隐深山，身乃不殆"。
虎视眈眈，其欲逐逐
见《周易·颐·六四》。
虎啸谷风至，龙兴景云起
见汉·王充《论衡·龙虚篇》。
虎踞龙盘，三百年之帝国
见唐·王勃《江宁吴少府宅饯宴序》。全句为："遗墟旧壤，数万里之皇城；～"。
虎豹不相食，哀哉人食人
见唐·孟云卿《伤时二首》之一。
虎豹之文不得不炳于犬羊
见唐·皇甫湜《答李生第一书》。全句为："意新则异于常，异于常则怪矣；词高则出于众，出于众则奇矣。～，鸾凤之音不得不锵于乌鹊，金玉之光不得不炫于瓦石，非有意先之也，乃自然也"。
虎豹爱大林，蛟龙爱大水
见汉·冯衍《说邓禹书》。
虎狼堕井，仁者见之而不怜
见明·刘基《拟连珠》。全句为："～；枳棘当道，行者过之而必诘"。
虎欲异群虎，舍山入市即擒
见《关尹子·三极》。全句为："鱼欲异群鱼，舍水跃岸即死；～"。
虎豹不外其爪，而噬不见齿
见汉·刘安《淮南子·兵略》。
虎爪象牙，禽兽之利而我之害
见汉·刘安《淮南子·说林》。全句为："明月之珠，蜕之病而我之利；～"。
虎魄不取腐芥，磁石不受曲针
见晋·陈寿《三国志·吴书·虞翻传》。
虎豹之所余，乃狸鼠之所争也
见晋·葛洪《抱朴子·祛惑》。
虎豹之文来射，猿狖之捷来措
见汉·刘安《淮南子·缪称》。全句为："铎以声自毁，膏烛以明自铄，～"。
虎鹿之不可同游者，力不敌也
见汉·刘安《淮南子·主术》。全句为："鸟兽之不可同群者，其类异也；～"。
虎豹之形于犬羊，故不得不奇也
见唐·皇甫湜《答李生第一书》。全句为："长本非长，矩形之则长矣。～"。
虎豹之驹未成文，而有食牛之气
见《尸子·卷下》。全句为："～；鸿鹄之觳羽翼未全，而有四海之心"。
虎豹在山，鼋鼍在水，各有所托

见南朝·宋·范晔《后汉书·宋均传》。

虎啸风生，龙吟云萃，固非偶然也

见唐·杜光庭《虬髯客传》。

虎踞龙盘今胜昔，天翻地覆慨而慷

见现代·毛泽东《七律·人民解放军占领南京》。

虎豹无文，则鞟同犬羊……质待文也

见南朝·梁·刘勰《文心雕龙·情采》。删节处为："犀兕有皮，而色资丹漆"。

虎之不可使知恩，犹人之不可使为虎也

见唐·刘禹锡《救沈志》。

虎豹终日而不杀，则跳踉大叫以发其怒

见宋·苏洵《上韩枢密书》。全句为："～；蝮蝎终日而不螫，则嗤啮草木以致其毒"。

虎之跃也，必伏乃厉；鹘之举也，必拊乃高

见明·刘基《拟连珠》。

虎兕相据而蝼蚁得志，两敌相机而匹夫乘间

见汉·桓宽《盐铁论·击之》。

虎狼当路，不治狐狸。先除大害，小害自已

见晋·陈寿《三国志·魏书·蒋济传》。

虎旅云从，词林响应，若毛羽之宗麟凤，众川之长江河

见唐·张说《赠太尉裴公神道碑》。

❷画虎不成反类狗／画虎不成反类犬／两虎相斗，必有一伤／养虎牧狼，还自贼伤／如虎如貔，如熊如罴／两虎共斗，其势不俱生／猛虎在山，百兽莫敢侵／猛虎潜深山，长啸自生风／见虎之尾而知其大于狸也／猛虎之犹豫，不若蜂虿致螫／猛虎不处卑势，劲鹰不立垂枝／画虎画皮难画骨，知人知面不知心／打虎还得亲兄弟，上阵须教子弟兵／猛虎不看儿上肉，洪炉不铸囊中锥／暴虎冯河，死而无悔者，吾不与也／两虎争人而斗，小者必死，大者必伤／率虎狼牧羊豕，而望其蕃息，岂可得也／噬虎之兽，知爱己子；搏狸之鸟，非护异巢／见虎一文，不知其武；见骥一毛，不知善走／猛虎处于深山，向风长鸣，则百兽震恐而不敢出／猛虎在深山，百兽震恐；及在槛阱之中，摇尾而求食

❸不探虎穴，安得虎子／心如虎狼，行如禽兽／羊质虎皮，见豺则恐／身寄虎吻，危同朝露／猛如虎，很如羊，贪如狼／豺则虎之弟，鹰则鹞之兄／大贤虎变愚不测，当年颇似寻常人／龙吟虎啸一时发，万籁百泉相与秋／鹰扬虎视，齿若编贝，肤如凝脂，昭昭乎若玉山上行，朗然映人

❹危若踏虎尾涉春冰／无养乳虎，将伤天下／不敢暴虎，不敢冯河／上山擒虎易，开口告人难／九州犹虎豹，四海未桑麻／譬如养虎，当饱其肉，不饱则将噬人／三人成虎，十夫揉椎；众口所移，毋翼而飞／羊质而虎皮，见草而悦，见豺而战，忘其皮之虎矣

❺苛政猛于虎／蛟龙水居，虎豹山处／三夫成市虎，慈母投杼趋／用之则为虎，不用则为鼠／君子不畏虎，独畏谗夫之口／委肉当饿虎之蹊，祸必不振／虎欲异群虎，舍山入市即擒／天下之官虎而吏狼者，比比也／乳狗之噬虎也，伏鸡之搏狸也／饥不从猛虎食，暮不从野雀栖／麋鹿成群，虎豹避之；飞鸟成列，鹰鹫不击

❻云从龙，风从虎／独坐穷山，放虎自卫／若捕龙蛇，搏虎豹……／独有英雄驱虎豹，更无豪杰怕熊罴／断蛇不死，刺虎不毙，其伤人则愈多／犁牛之驳似虎，莠之幼似禾，事有似是而非者

❼初生牛犊不怕虎／不探虎穴，安得虎子／饿狼守庖厨，饥虎牧牢豚／心之忧危，若蹈虎尾，涉于春冰／千羊不能扞独虎，万雀不能抵一鹰／忽报人间曾伏虎，泪飞顿作倾盆雨

❽云生从龙，风生从虎／众口铄金，三人成虎／取彼谮人，投畀豺虎／便令江汉竭，未厌虎狼求／孝子疑于屡至，市虎成于三夫／蝮蛇不可以为足，虎豹不可使缘木／当怒不怒，奸臣为虎；当杀不杀，大贼乃发

❾不从桓公猎，何能伏虎威／牧守由将校以授，皆虎而冠／威权外假，归之良难，虎翼一奋，卒不可制

❿虽有亲父，安知其不为虎／视民如寇仇，税之如豺虎／民枕倚于墙壁，路交横于豺虎／耕夫习牛则犷，猎夫习虎则勇／置不肖之人于位，是为虎傅翼也／君失臣兮龙为鱼，权归臣兮鼠变虎／字势雄逸，如龙跳天门，虎卧凤阙／想当年，金戈铁马，气吞万里如虎／任小能于大事者，犹狸搏虎而刀伐木也／虎之不可使知恩，犹人之不可使为虎也／生男如狼，犹恐其尪；生女如鼠，犹恐其虎／凤凰生而有仁义之意，虎狼生而有贪戾之心／碧峰巉巉，出于柏梢，有如虎牙，夹天而立／焕然如日月之经天也，炳然如虎豹之异犬羊也／以言伤人者，利如刀斧。以术害人者，毒如虎狼／羊质而虎皮，见草而悦，见豺而战，忘其皮之虎矣

虏

❶俘虏；在战场上活捉；古代对北部少数民族的统称；指奴隶。

❷为虏为王尽偶然，有何羞见汉江船

❺严家无悍虏，笃责急也／严家无悍虏，而慈母有败子

❻婚姻论财，夷虏之道／壮志饥餐胡虏肉，笑谈渴饮匈奴血／子为王，母为虏，终日舂薄暮，常与死为伍

❽枕戈待旦，志枭逆虏

❾羽扇纶巾，谈笑间、强虏灰飞烟灭

❿尊之则为将，卑之则为虏／壮岁从戎，曾是气吞残虏／殖货财产，贵其能施赈，否则守钱虏耳

虐

nüè 残暴；灾害。

❶虐政用于下，而欲德教之被四海，故难成也

见汉·董仲舒《天人三策》。

❷无虐茕独而畏高明／不虐无告，不废困穷／代虐以宽，兆民允怀／暴虐之吏，过于水旱远矣

❸天非虐，惟民自速辜

❹刚而无虐，简而无傲

❺抚我则后，虐我则雠／岁饥无年，虐政害民

❻岁弊寒凶，雪虐风饕／暴殄天物，害虐烝民

❼不教而诛谓之虐／善戏谑兮，不为虐兮／不教而杀谓之虐；不戒视成谓之暴

❽致赏则匮，致罚则虐／积是为治，积非成虐

❿赏无功谓之乱，罪不知谓之虐／直而温，宽而栗，刚而无虐，简而无傲／在上者，必有武备，以戒不虞，以遏寇虐

虚

xū 空虚；空着；心虚；虚假；徒然；虚心；虚弱；指导实际工作的理论；天空；洞孔；哲学名词；星宿名。

❶虚无柔弱无所不通

见三国·魏·王弼《老子》四十三注。全句为："～。无有不可穷，至柔不可折"。

虚己者，进德之基

见明·方孝孺《杂诫》。全句为："瓮盎易盈，以其狭而拒也；江海之深，以其虚而受也。～"。

虚教伤化，峻刑害民

见汉·荀悦《申鉴·时事》。

虚无谲诡，此乱道之根

见汉·王符《潜夫论·务本》。全句为："忠信谨慎，此德义之基；～"。

虚而失实，则夸耀而诬

见唐·柳宗元《为文武百官请复尊号表》。全句为："～；质而不华，则朴略而固"。

虚实之气，兵之贵者也

见汉·刘安《淮南子·兵略》。

虚无恬愉者，万物之用也

见汉·刘安《淮南子·原道》。全句为："清静者，德之至也；而柔弱者，道之要也；～"。

虚以生其明，思以穷其隐

见清·王夫之《尚书引义·说命中》。全句为："～，所谓致知也"。

虚争空言，不如试之易效

见晋·陈寿《三国志·魏书·杜夔传》。

虚实相生，无画处皆成妙境

见清·笪重光《画筌》。

虚死不如立节，苟殒不如成名

见唐·王勃《上百里昌言疏》。

虚而无形谓之道，化育万物谓之德

见《管子·心术上》。

虚华盛而忠信微，刻薄稠而纯笃稀

见南朝·宋·范晔《后汉书·朱穆传》。

虚凝淡泊怡其性，吐故纳新和其神

见宋·张君房《云笈七签》卷九十三载《神仙可学论》。

虚负凌云万丈才，一生襟抱未曾开

见唐·崔珏《哭李商隐》其二。

虚檐立尽梧桐影，络纬数声山月寒

见宋·真山民《山间秋夜》。

虚静恬淡寂寞无为者，万物之本也

见《庄子·天道》。

虚言可以赏，则六合之内皆为己府矣

见《吕氏春秋·离俗览·贵信》。全句为："信立则虚言可以赏矣。～"。"赏"，鉴别。

虚其欲，神将入舍；扫除不洁，神乃留处

见《管子·心术上》。

虚空者，乃可用盛受万物。故曰虚无能制有形

见《老子》十一河上公注。

❷千虚不如一实／慕虚名而处实祸／致虚极，守静笃／心虚则众欲不生／黜虚名而求实效／一虚一满，不位乎其形／道，虚之虚，故能生一／盈虚倚伏，去来之不可常／盗虚声者多，有实学者少／尤虚之人硕言瑰姿，内实乖反／不虚则先自满，假教之亦不能受／以虚无而能开通于物，故称曰道／太虚作室而共居，夜月为灯以同照／陵虚之鸟，爱其清高，不愿江汉之鱼／置虚器于水中，未充则唱，既充则默／至虚之实，实而不固；至静之动，动而不穷／心虚白则神留而道存，腹充实则精全而寿长

❸不是虚心岂得贤／释氏虚，吾儒实／一以虚，故能生二／道者，虚无之称也／福不虚至，祸亦易来／志于虚无者可以忘生死／和愉虚无，所以养德也／敦笃虚静者，仁之本也／文必虚字备而后神态出／籍之虚辞，则能胜一国／誉不虚出，而患不独生／天曰虚，地曰静，乃不忒／无为虚唱大言而终归无用／不以虚为虚，而以实为虚／淡然虚而一，志虑则不分／有无虚实通为一体者，性也／人能虚己以游世，其孰能害之／不受虚誉，不祈妄福，不避死义／不受虚言，不听浮术，不采华名，不兴伪事／道者，虚无、平易、清静、柔弱、淳粹、素朴／水性虚而沦漪结，木体实而花萼振，文附质也

❹君子以虚受人／博爱似虚而实厚／一人传虚，万人传实／与人以虚，虽戚必疏／信立则虚言可以赏矣／室无空虚，则妇姑勃谿／宵中，星虚，以殷仲秋／道，虚之虚，故能生一／心安而虚，则道自来止／号令不虚出，赏罚不滥行／消息盈虚，一晦一明……／流年莫虚掷，华发不相容／存亡在虚实，不在于众寡／心之不虚，由好学之不能诚也／古之人虚中乐善，不择事而问

焉／至极空虚而善应于物，则乃目之为道／壮而不虚，刚而能润……非鼓怒以为资／彼为盈虚非盈虚……彼为积散非积散也／其为不虚取直也的矣，其知恐而畏也审矣／有起于虚，动起于静。故万物虽并动作，卒复归于虚静／两体者，虚实也，动静也，聚散也，清浊也，其究一而已

❺矜功不立，虚愿不至／气外更无虚托孤立之理／不以虚为虚，而以实为虚／为上者不虚授，处下者不虚受／功不可以虚成，名不可以伪立／君子不受虚誉，不祈妄福，不避死义／川竭而谷虚，邱夷而渊塞，唇竭而齿寒／始而胎气虚耗……壮而声色自放者弱而夭／亡而为有，虚而为盈，约而为泰，难乎有恒／清静处下，虚以待之，无为无求，而百川自为来也／恬淡、寂寞、虚无、无为，此天地之本而道德之质也／道者何也？虚无之系，道化之根，神明之本，天地之源

❻良贾深藏若虚／宜鼓琴，琴调虚畅／务为不久，盖虚不长／圣王虽大，以虚为主／见知之道，唯虚无有／矜伪不长，盖虚不久／雅有所谓，不虚为文／谤议庸何伤？虚誉不足慕／虑壅蔽，则思虚心以纳下／有若无，实若虚，犯而不校／神仙事本是虚妄，空有其名／良贾深藏如虚，君子有盛教如无／良贾深藏若虚，君子盛德容貌若愚／求之者不及虚之者，夫圣人无求之也／天地之间空虚，和气流行，故万物自生／天地之化，盈虚消息，往过来续，流行古今

❼未知事实，不可虚行／陶钧文思，贵在虚静／美曰美，不一毫虚美／赏不空行，罚不虚出／伪诈不可长，空虚不可守／八月湖水平，涵虚混太清／兴尽悲来，识盈虚之有数／君子尚消息盈虚，天行也／江海之深，以其虚而受也／水无心而清，冰虚己而明／言语之次，空生虚妄之美／是气也者，乃太虚固有之物／用兵必须审敌虚实而趋其危／无欲者，神合于虚，气合于无／天下之大乱，由虚文胜而实行衰也／有田不耕仓廪虚，有书不读子孙愚／大道吐气，布于虚无，为天地之本始／元气即道体，有虚即有气，有气即有道／彼为盈虚非盈虚……彼为积散非积散也／气之聚散于太虚……知太虚即气则无无／心为道之器，宇虚静至极则道居而慧生／揽名责实不得虚言，有功者赏，有罪者罚／责我以过，皆当虚心体察，不必论其人何如

❽不信仁贤，则国空虚／有生于无，实出于虚／旁观虽拙，而灼于虚公之见／不实心不成事，不虚心不知事／立小异以近名，托虚名以邀利／内守坚固真之真，虚中恬淡自致神／舍真筌而择士，沿虚谈以取才……／六府修治洁如素，虚无自然道之固／地，积块耳，充塞四虚，亡处亡块／其文直，其事核，不虚美，不隐恶／生以有为己分，则虚无是有之所遗者也／恒无之初，迥同大虚。虚同为一，恒一而止

❾竹外有节理，中直空虚／不好问者，由心不能虚也／非物有小大，盖心为虚实／幸能修实操，何俟钓虚声／民力尽于无用，财宝虚以待客／万物之生也，皆元于虚，始于无／大其心容天下之物，虚其心受天下之善／恒无之初，迥同大虚。虚同为一，恒一而止／正则静，静则明，明则虚，虚则无为而无不为也

❿一语不能践，万卷徒空虚／不以虚为虚，而以实为虚／诗书勤乃有，不勤腹空虚／反众人之所务，而归于虚无／老不足叹，可叹是老而虚生／一抑一扬者，轻鸿所以凌虚也／万物虽并动作，卒复归于虚静／为上者不虚授，处下者不虚受／倘非广见博闻，总觉光阴虚度／善不由外来兮，名不可以虚作／尾闾泄之，不知何时已而不虚／时不可以苟遇，道不可以虚行／井蛙不可以语于海者，拘于虚也／情行合而名副之，祸福不虚至矣／无求无设则无虑，无虑则反复虚矣／人生难得秋前雨，乞我虚堂自在眠／谐和之政宜于治新，以之治旧则虚／君子之言寡而实，小人之言多而虚／水能性澹为吾友，竹解心虚即我师／田野荒而仓廪实，百姓虚而府库满／策马前途须努力，莫学龙钟虚叹息／举大体而不论小事，务实效而不为虚名／水之行避高而趋下，兵之形避实而击虚／气之聚散于太虚……知太虚即气则无无／欲明两仪天地之体，必以太极虚无为初始／年不可举，时不可止，消息盈虚，终则有始／己之虽有，其状若无；己之虽实，其容若虚／天地之间，其犹橐龠乎？虚而不屈，动而愈出／以能问于不能，以多问于寡；有若无，实若虚／至治之世，其民不好空言虚辞，不好淫学流说／虚空者，乃可用盛受万物。故曰虚无能制有形／正则静，静则明，明则虚，虚则无为而无不为也／赋役有定制，兵农有定业，官无虚名，职无废事／人之能为人，由腹有诗书。诗书勤乃有，不勤腹空虚／恶图犬马而好作鬼魅，诚以实事难形，而虚伪不穷也／有起于虚，动起于静。故万物虽并动作，卒复归于虚静／君子之处世，贵能有益于物耳，不图高谈虚论，左琴右书

虡

jù 悬挂钟磬的木柱；高几。

❹石列笋虡，藤蟠蛟螭；修竹万竿，夏含凉飓

虞

yú 忧虑；料想；通"娱"；古时指既葬还祭；候望；贻误；欺骗；古国名；姓。

❶虞夏以文，殷周以武，异时各有所施

见汉·桓宽《盐铁论·大论》。

❷以虞待不虞者胜

❸有不虞之誉，有求全之毁

❹四方无虞／不备不虞，不可以师／备豫不虞，为国常道／备豫不虞，善之大者也／凡自唐虞以来，编简所存
❺以虞待不虞者胜
❼乾坤含疮痍，忧虞何时毕
❽我无尔诈，尔无我虞／商不出则三宝绝，虞不出则财匮少
❿萃。君子以除戎器，戒不虞／蓄谷者不病凶年，蓄珠玉者不虞殍死／在上者，必有武备，以戒不虞，以遏寇虐／有功不赏，有罪不诛，虽唐虞犹不能以化天下／兵之情主速，乘人之不及，由不虞之道，攻其所不戒

虫 ①chóng 虫子；某些动物的别称；对某类人的蔑称。②huǐ“虺”的本字，毒蛇。
❶虫来啮桃根，李树代桃僵
见汉乐府古辞《鸡鸣》。全句为：“桃生露井上，李树生桃旁。～”。
虫堕一器，酒弃不饮；鼠涉一筐，饭捐不食
见汉·王充《论衡·幸偶篇》。
❷夏虫不可语冰／夏虫不可语寒／夏虫不知冷冰／夏虫不可与语寒，笃于时也／夏虫不可以语于冰者，笃于时也
❸木朽虫生，墙罅蚁入／人与虫一也，所以异者形质尔
❹百足之虫，死而不僵／饵鼠以虫，非爱之也／园有螫虫，藜藿为之不采／日月挟虫鸟之瑕，不妨丽天之景／百足之虫，至死不僵，扶之者众也／百足之虫至断不蹶者，持之者众也／百足之虫，断而不蹶，持之者众也／人者裸虫也，与夫鳞毛羽甲虫俱焉
❺肇允彼桃虫，拚飞维鸟
❻有味之物，蠹虫必生；有才之人，谗言必至
❼寻章摘句老雕虫，晓月当帘挂玉弓／天且风，巢居之虫动；且雨，穴处之物扰
❽物必先腐也，而后虫生之／要扫除一切害人虫，全无敌／木有文章曾是病，虫多言语不能天
❾同冰鱼之不绝，似蛰虫之犹苏
❿人者裸虫也，与夫鳞毛羽甲虫俱焉／赤地炎都寸草无，百川水沸煮虫鱼／以鸟鸣春，以雷鸣夏，以虫鸣秋，以风鸣冬／勿轻小事，小隙沈舟；勿轻小物，小虫毒身／山霤至柔，石为之穿；蝎虫至弱，木为之弊／土反其宅，水归其壑；昆虫毋作，草木归其泽／古之人观于天地、山川、草木、虫鱼、鸟兽，往往有得

虮 ①jǐ 虱子的卵。②qí 水蛭。
❹铠甲生虮虱，万姓以死亡
❺汤沐具而虮虱相吊，大厦成而燕雀相贺
❾搏牛之虻不可以破虮虱

虱 shī 吸食人、畜血液的寄生虫；比喻寄生作恶的人或有害的事物。
❺铠甲生虮虱，万姓以死亡
❻汤沐具而虮虱相吊，大厦成而燕雀相贺
❿搏牛之虻不可以破虮虱

虹 ①hóng，又读 jiàng，彩虹；桥的代称；通“讧”，惑乱。②hòng［虹洞］弥漫无边的样子。
❶虹销雨霁，彩彻云衢
见唐·王勃《滕王阁序》。
❿吹波则江汉倒流，腾气则虹霓掩彩／长桥卧波，未云何龙？复道行空，不霁何虹

虾 ①xiā 节肢动物。②há 同“蛤”，虾蟆。
❻涉浅水者见虾，其颇深者察鱼鳖，其尤甚者观蛟龙

虺 ①huǐ 一种毒蛇。②huī 疲极而病。
❶虺蜴为心，豺狼成性
见唐·骆宾王《为徐敬业讨武曌檄》。
❷为虺弗摧，为蛇将若何

虿 chài 蝎类毒虫；古时用来形容女子的卷发；［虿芥］犹芥蒂。
❷蜂虿作于怀袖
❾猛虎之犹豫，不若蜂虿致螫
❿火烧到身，各自去扫；蜂虿入怀，随即解衣／谁不可喜，而谁不可惧；蚋蚁蜂虿，皆能害人

虻 méng 昆虫。
❷蚊虻噆肤，则通昔不寐矣
❹搏牛之虻不可以破虮虱
❼蠹啄剖梁柱，蚊虻走牛羊
❽毁誉之于己，犹蚊虻之一过

蚁 yǐ 蚂蚁，一种昆虫；玄色；酒面上的浮沫。
❷蚂蚁缘槐夸大国，蚍蜉撼树谈何易
❸堤溃蚁孔，气泄针芒／塞一蚁孔而河决息，施一车辖而覆乘止
❹故堤溃蚁孔，气泄针芒／长堤溃蚁穴，君子慎其微／以肉去蚁，蚁愈多；以鱼驱蝇，蝇愈至
❺无名困蝼蚁，有名世所疑／以肉去蚁，蚁愈多；以鱼驱蝇，蝇愈至
❼千里之堤，溃于蚁穴／木朽虫生，墙罅蚁入／千丈之堤，以蝼蚁之穴溃／千里之堤，以蝼蚁之穴漏／寸火能焚云梦，蚁穴能决大堤／春风吹蚕细如蚁，桑芽才努青鸦嘴／虎兕相据而蝼蚁得志，两敌相机而匹夫乘间
❾水鹳翔而大风作，穴蚁徙而阴雨零
❿吞舟之鱼，陆处则不胜蝼蚁／吞舟之鱼，砀而失水，则蚁能苦之／横江湖之鳣鲸兮，固将受制

于蝼蚁／神龙失水而陆居兮，为蝼蚁之所裁／吞舟之鱼荡而失水，则制于蝼蚁，离其居也／贵极禄位，权倾国都，达人视此，蚁聚何殊／谁不可喜，而谁不可惧；蚋蚁蜂虿，皆能害人／伟哉横海鲸，壮矣垂天翼。一旦失风水，翻为蝼蚁食

蚤 ①zǎo 跳蚤，也称蛇蚤；古同“早”。②zhǎo 通“爪”。

❹闻道有蚤莫，行道有难易

蚂 ①mǎ[蚂蚁]昆虫；[蚂蝗]能吸食人畜血液的动物。②mà[蚂蚱]蝗虫。

❶蚂蚁缘槐夸大国，蚍蜉撼树谈何易

见现代·毛泽东《满江红·和郭沫若同志》。

蚌 ①bàng 介壳类水生软体动物。②bèng 用于地名。[蚌埠]在安徽省。

❶蚌死留夜光，剑折留锋芒

见唐·邵谒《览孟东野集》。全句为：“～；哲人归大夜，千古传圭璋”。

❷鹬蚌相争，渔人得利／鹬蚌相持，渔人得利

❻凿石索玉，剖蚌求珠／象以齿焚身，蚌以珠剖体／贵珠出乎贱蚌，美玉出乎丑璞

❽镜以曜明，故鉴人；蚌以含珠，故内照

❿善知人者如明镜，善自知者如蚌镜／心能知人者如明镜，善自知者如蚌镜

蚕 cán 桑蚕，一种昆虫。

❷春蚕不应老，昼夜常怀思／春蚕不应老，昼夜常怀丝／春蚕收长丝，秋熟靡王税／桑蚕苦，女工难，得新捐故后必寒／春蚕到死丝方尽，蜡炬成灰泪始干／金蚕无吐丝之实，瓦鸡乏司晨之用

❸妇无蚕织夫无耕

❹善贾笑蚕渔，巧宦贱农牧／春风吹蚕细如蚁，桑芽才努青鸦嘴／妇人拾蚕，渔者握鳣，利之所在，则忘其所恶

❻雉雊麦苗秀，蚕眠桑叶稀

❼蜘蛛虽巧不如蚕／每著一衣，则悯蚕妇

❽三代之兵，耕而食，蚕而衣／天公尚有妨农过，蚕怕雨寒苗怕火

❾遍身罗绮者，不是养蚕人

蚍 pí[蚍蜉]大蚂蚁。

❶蚍蜉撼大树，可笑不自量

见唐·韩愈《调张籍》。

❽蚂蚁缘槐夸大国，蚍蜉撼树谈何易

蚋 ruì 昆虫。

❷蚊蚋负山，力诚不足；鹰鹯逐鸟，志则有余

❽函牛之鼎沸而蝇蚋弗敢入

❿谁不可喜，而谁不可惧；蚋蚁蜂虿，皆能害人

蚊 wén 昆虫名。

❶蚊睫安知鹏翼

见隋·杨广《设斋愿疏》。

蚊虻噆肤，则通昔不寐矣

见《庄子·天运》。

蚊蚋负山，力诚不足；鹰鹯逐鸟，志则有余

见唐·刘禹锡《请赴行营表》。

❷聚蚊成雷，群轻折轴

❻众煦漂山，聚蚊成雷／蠹啄剖梁柱，蚊虻走牛羊

❼毁誉之于己，犹蚊虻之一过

蚪 dǒu[蝌蚪]蛙或蟾蜍的幼体。

❹字中蝌蚪，竞落文河。笔下蛟龙，争投学海

蚓 yǐn 蚯蚓。

❷蚯蚓霸一穴，神龙行九天

❻雷霆不与蛙蚓斗其声／行行若萦春蚓，字字如绾秋蛇

❾神龙失势，即还与蚯蚓同

❿腾蛇游雾，飞龙乘云，云罢雾霁，与蚯蚓同

蛄 gū 用作虫名，即蝼蛄。

❽朝菌不知晦朔，蟪蛄不知春秋

蛆 qū 苍蝇的幼虫。

❾既反黑以为白，恒怀蛆以自盈

蚯 qiū[蚯蚓]环节动物，生活在土壤中。

❶蚯蚓霸一穴，神龙行九天

见明·方孝孺《闲居感怀》三首之三。全句为：“池鱼不知海，越鸟不知燕。～”。

❽神龙失势，即还与蚯蚓同

❿腾蛇游雾，飞龙乘云，云罢雾霁，与蚯蚓同

蛇 ①shé 爬行动物。②yí[委蛇]同“逶迤”，曲折。

❶蛇化为龙，不变其文

见汉·司马迁《史记·外戚世家》。

蛇举首尺，而修短可知

见汉·刘安《淮南子·氾论》。全句为：“～；象见其牙，而大小可论”。

蛇固无足，子安能为之足

见《战国策·齐策二》。

蛇无头而不行，鸟无翅而不飞

见明·施耐庵《水浒传》第六十回。

蛇蛇硕言，出自口矣；巧言如簧，颜之厚矣

见《诗·小雅·巧言》。

❷打蛇打在七寸／打蛇勿死终有害／一蛇吞象，厥大何如／蝮蛇有螫，人忌而不轻／蝮蛇螫

手，壮士解其腕／蝮蛇口中草，蝎子尾后针／龙蛇纸上飞腾，看落笔四筵风雨惊／蝮蛇不可以为足，虎豹不可使缘木／断蛇不死，刺虎不毙，其伤人则愈多／腾蛇游雾，飞龙乘云，云罢雾霁，与蚯蚓同／蛇蛇硕言，出自口矣；巧言如簧，颜之厚矣

❹若捕龙蛇，搏虎豹……／与物委蛇而同其波，是卫生之经已／山舞银蛇，原驰蜡象，欲与天公试比高／河以逶蛇，故能远；山以陵迟，故能高

❺人心不足蛇吞象／石卵不敌，蛇龙不斗／风樯动，龟蛇静，起宏图／贪痴无底蛇吞象，祸福难明螳捕蝉

❻天发杀机，龙蛇起陆／为虺弗摧，为蛇将若何／烟雾可依，腾蛇与蛟龙俱远／旌旗日暖龙蛇动，宫殿风微燕雀高

❼烟雨莽苍苍，龟蛇锁大江／人人自谓握灵蛇之珠，家家自谓抱荆山之玉

❽大直若诎，道固委蛇／深山大泽，实生龙蛇／赋敛之毒，有甚是蛇者／潭西南而望，斗折蛇行，明灭可见／圣人之道，一龙一蛇，形见神藏……

❿行行若萦春蚓，字字如绾秋蛇／亲贤如就芝兰，避恶如畏蛇蝎／君子得时则大行，不得时则龙蛇／荆山鹊飞而玉碎，随岸蛇生而珠死／尺蠖之屈，以求信也。龙蛇之蛰，以存身也／神龟虽寿，犹有竟时；腾蛇乘雾，终为土灰

蛙

wā 一种两栖动物。

❷井蛙不可以语于海者，拘于虚也

❹坎井之蛙，不知江海之大／坎井之蛙不可与语东海之乐

❺雷霆不与蛙蚓斗其声

❿心如老马虽知路，身似鸣蛙不属官／鷦鵝不可与论云翼，井蛙难与量海鳌

蛩

①qióng 蝗虫；蟋蟀；恐惧。②gǒng 虫名。

❹听著鸣蛩，一声声是怨

蛱

jiá[蛱蝶]蝴蝶的一种。

❶蛱蝶飞来过墙去，却疑春色在邻家

见唐·王驾《雨晴》。

蛰

zhé 借指蛰居；[蛰伏]动物冬眠，潜伏起来不食不动。[蛰蛰]汇集貌。

❽同冰鱼之不绝，似蛰虫之犹苏

❿尺蠖之屈，以求信也。龙蛇之蛰，以存身也／伯浑醉书，纸穷墨燥，如春龙奋蛰，奇鬼搏人，何其壮也

蛛

zhū 蜘蛛。

❷蜘蛛虽巧不如蚕／蜘蛛网户牖，野草当阶生

蜓

tíng[蜻蜓]昆虫。

❺螭龙为蝘蜓，鸱枭为凤皇

❿小荷才露尖尖角，早有蜻蜓立上头

蜒

yán 细长延伸状；[蜒蚰]蛞蝓。

❽胸中之气伊郁蜿蜒，泄为章句……

蛤

①há[蛤蟆]青蛙和蟾蜍的统称。②gé"蛤蜊"的简称。

❿和氏之璧，出于璞石；隋氏之珠，产于蜃蛤

蛮

mán 粗野凶狠，不通情理；鲁莽，有力；古代对南部少数民族的统称；很，挺。

❹难任人，蛮夷率服

❾顺天养财、御水旱、制蛮夷之原本也

蛟

jiāo 蛟龙。

❶蛟龙失水似枯鱼

见清·曹雪芹《红楼梦》第九十回。

蛟龙离水，匹夫可制

见明·冯梦龙《东周列国志》第二十二回。

蛟龙水居，虎豹山处

见汉·刘安《淮南子·原道》。

蛟龙无定窟，黄鹄摩苍天

见唐·杜甫《寄题江外草堂》。

蛟龙得云雨，终非池中物

见三国吴·周瑜《疏论刘备》。

❷腾蛟起凤，孟学士之词宗

❺水致其深，蛟龙生焉

❻水积成川，则蛟龙生焉／尺水无长澜，蛟龙岂其容／虎豹爱大林，蛟龙爱大水

❼石列笋虡，藤蟠蛟螭；修竹万竿，夏含凉飔

❽烟雾可依，腾蛇与蛟龙俱远

❿入泽随龟，不暇调足；深渊捕蛟，不暇定手／字中蝌蚪，竞落文河。笔下蛟龙，争投学海／积土成山，风雨兴焉；积水成渊，蛟龙生焉／涉浅水者见虾，其颇深者察鱼鳖，其尤甚者观蛟龙

蛖

①máng[蛖蝼]虫名。②bàng 同"蚌"。

❺明月之珠，蛖之病而我之利

蜃

shèn 大蛤；古时祭器，画有蜃形的漆尊。

❿和氏之璧，出于璞石；隋氏之珠，产于蜃蛤

蜗

wō 一种软体动物。

❶蜗牛角上较雌论雄，许大世界

见明·洪应明《菜根谭》。全句为："石火光中争长竞短，几何光明？～"。

蛾

é 蛾子；蛾眉的省称；姓(此义项时又读 yǐ)。

❷灯蛾扑火，惹焰烧身
❸映渚蛾眉，丽穿波之半月／宛转蛾眉能几时，须臾鹤发乱如丝
❹舞罢青蛾同去国，战残白骨尚盈丘
❺入门见嫉，蛾眉不肯让人／寒者愿为蛾，烧死彼华膏／眉联娟以蛾扬兮，朱唇的其若丹／君王虽爱蛾眉好，无奈宫中妒杀人／时人莫道蛾眉小，三五团圆照满天
❿手如柔荑，肤如凝脂……蛾首蛾眉／晴空朗月，何处不可翱翔？而飞蛾独投夜烛

蜍

chú［蟾蜍］癞蛤蟆；指月。［中华蟾蜍］亦称“癞蛤蟆”。

❷蟾蜍碾玉挂明弓
❿飞黄腾踏去，不能顾蟾蜍

蜉

fú［蜉蝣］昆虫。

❶蜉蝣朝生而暮死，而尽其乐
见汉·刘安《淮南子·说林》。全句为：“鹤寿千岁，以极其游；～”。
❷蚍蜉撼大树，可笑不自量／寄蜉蝣于天地，渺沧海之一粟
❽不闻道而死，曷异蜉蝣之朝生暮死乎
❾蚂蚁缘槐夸大国，蚍蜉撼树谈何易

蜂

fēng 尾部有刺的昆虫；特指蜜蜂；成群而起。

❶蜂虿作于怀袖
见唐·房玄龄《晋书·刘毅传》。
❼如病忆良药，如蜂贪好蜜
❽猛虎之犹豫，不若蜂虿致螫
❾芹泥随燕觜，花蕊上蜂须／缋事以众色成文，蜜蜂以兼采为味／火烧到身，各自去扫；蜂虿入怀，随即解衣
❿谁不可喜，而谁不可惧；蚋蚁蜂虿，皆能害人

蜕

tuì 蛇、蝉等节肢动物脱皮，引申为变化。

❿孙子非汝有，是天地之委蜕也

蜻

①qīng［蜻蜓］一种昆虫。②jīng 蟋蟀。

❿小荷才露尖尖角，早有蜻蜓立上头

蜡

là 从动物、植物或矿物中提炼的一种物质；蜡烛淡黄如蜡的颜色。

❶蜡烛有心还惜别，替人垂泪到天明
见唐·杜牧《赠别二首》之二。
❸已借蜡钱输麦税，免教缉捕闯门来
❻日暮汉宫传蜡烛，轻烟散入五侯家
❼山舞银蛇，原驰蜡象，欲与天公试比高
❽春蚕到死丝方尽，蜡炬成灰泪始干

蜮

①yù 传说中的怪物；一种害虫。②guō 通“蝈”，蛙。

❹为鬼为蜮，则不可得；有靦面目，视人罔极
❿憎是愚氓犹可训，妖为鬼蜮必成灾

蜚

fēi 古同“飞”。

❶蜚鸟尽，良弓藏；狡兔死，走狗烹
见汉·司马迁《史记·越王勾践世家》。

蜴

yì［蜥蜴］一种爬行动物，通称四脚蛇。

❷虺蜴为心，豺狼成性

蝇

yíng 一种传播疾病的害虫。

❶蝇营狗苟，驱去复还
见唐·韩愈《送穷文》。
❷苍蝇附骥尾而致千里／苍蝇间白黑，谗巧令亲疏／苍蝇点垂棘，巧舌成锦绮／青蝇一相点，白璧遂成冤／苍蝇之飞，不过十步；自托骐骥之尾，乃腾千里之路
❹楚国青蝇何太多，连城白璧遭谗毁
❻谗言伤善，青蝇污白／栖息有所，苍蝇同骐骥之速／时闻声如蝉蝇之类，听之亦无
❼不有臭秽，则苍蝇不飞／函牛之鼎沸而蝇蚋弗敢入
❽以狸致鼠，以冰致蝇／消受尘，白取垢；青蝇所污，常在练素／清受尘、白取垢；青蝇所污，常在练素
❾小小寰球，有几个苍蝇碰壁
❿梅花欢喜漫天雪，冻死苍蝇未足奇／以肉去蚁，蚁愈多；以鱼驱蝇，蝇愈至／有缺点的战士终竟是战士，完美的苍蝇也终竟不过是苍蝇

蜘

zhī［蜘蛛］节肢动物。

❶蜘蛛虽巧不如蚕
见宋·胡仔《苕溪渔隐丛话》。
蜘蛛网户牖，野草当阶生
见三国·魏·曹丕《残句》。

蝂

bǎn［蝜蝂］亦作“负版”，寓言中说的一种好负重物的小虫。

❾附赢以升高而枯，蝜蝂以任重而踬

蝉

chán 一种昆虫；古代薄稠的一种，以其薄如蝉翼得名。［蝉蜕］蝉的幼虫变成成虫时蜕下的壳，亦喻解脱。

❺时闻声如蝉蝇之类，听之亦无
❼世混浊而不清，蝉翼为重，千钧为轻
❾齐梁及陈隋，众作等蝉噪
❿对苍茫之寒日，听萧瑟之悲蝉／贪痴无底蛇吞象，祸福难明螳捕蝉／今人主有明其德者，则天下归之若蝉之归明火也

蜿

wān，又读 wǎn，［蜿蜒］用以形容山脉、河流、道路弯曲延伸的样子。

❼胸中之气伊郁蜿蜒，泄为章句……

螂 láng[螳螂]一种昆虫。
❷螳螂之怒臂以当车轶，则必不胜任矣
❻汝不知夫螳螂乎

螔 yì 神蛇名。
❿牺牛粹毛，宜于庙牲，其于以致雨，不若黑螔

蝶 dié 蝴蝶的简称。
❷蛱蝶飞来过墙去，却疑春色在邻家
❽昔者庄周梦为胡蝶，栩栩然胡蝶也／不知周之梦为蝴蝶与，蝴蝶之梦为周与
❿主人闻语未开门，绕篱野菜飞黄蝶／昔者庄周梦为胡蝶，栩栩然胡蝶也／飒飒西风满院栽，蕊寒香冷蝶难来／不知周之梦为蝴蝶与，蝴蝶之梦为周与

蝴 hú 蝴蝶。
❼不知周之梦为蝴蝶与，蝴蝶之梦为周与

蝘 yǎn，又读 yàn，蝉。[蝘蜓]亦称"铜石龙子"。
❹螭龙为蝘蜓，鸱枭为凤皇

蝎 ①hé 木中蠹虫。②xiē 一种节肢动物。
❶蝎盛则木朽，欲盛则身枯
见三国·魏·嵇康《答向子期难养生论》。
❷蝮蝎终日而不螫，则噬啮草木以致其毒
❻蝮蛇口中草，蝎子尾后针
❾山霤至柔，石为之穿；蝎虫至弱，木为之弊
❿亲贤如就芝兰，避恶如畏蛇蝎

蝌 kē[蝌蚪]蛙或蟾蜍的幼体。
❸字中蝌蚪，竞落文河。笔下蛟龙，争投学海

蝮 fù[蝮蛇]别称"草上飞"、"土公蛇"，是一种毒蛇。
❶蝮蛇有螫，人忌而不轻
见汉·桓宽《盐铁论·险固》。全句为："龟猖有介，狐貉不能擒；～，故有备则制人，无备则制于人"。
蝮蛇螫手，壮士解其腕
见晋·陈寿《三国志·魏书·陈泰传》。
蝮蛇口中草，蝎子尾后针
见明·冯梦龙《警世通言·桂员外途穷忏悔》。全句为："～。两般犹未毒，最毒负心人"。
蝮蛇不可以为足，虎豹不可使缘木
见汉·刘安《淮南子·说林》。
蝮蝎终日而不螫，则噬啮草木以致其毒
见宋·苏洵《上韩枢密书》。全句为："虎豹终日而不杀，则跳踉大叫以发其怒；～"。

蝗 huáng 蝗虫。
❷捕蝗之蝗甚于蝗
❼捕蝗之蝗甚于蝗
❿州民言刺史，蠹物甚于蝗／牟人之利以厌己之欲者，非蝗乎／食人之食而误人之国者，非蝗乎

蝣 yóu[蜉蝣]昆虫。
❷蜉蝣朝生而暮死，而尽其乐
❸寄蜉蝣于天地，渺沧海之一粟
❾不闻道而死，曷异蜉蝣之朝生暮死乎

蝼 lóu 一种昆虫；[蝼蚁]蝼蛄和蚂蚁，比喻地位低微、力量薄弱的人。
❹无名困蝼蚁，有名世所疑
❻千丈之堤，以蝼蚁之穴溃／千里之堤，以蝼蚁之穴漏／虎兕相据而蝼蚁得志，两敌相机而匹夫乘间
❿吞舟之鱼，陆处则不胜蝼蚁／横江湖之鳣鲸兮，固将受制于蝼蚁／神龙失水而陆居兮，为蝼蚁之所裁／吞舟之鱼荡而失水，则制于蝼蚁，离其居也／伟哉横海鲸，壮矣垂天翼。一旦失风水，翻为蝼蚁食

蝜 fù[蝜蝂]亦作"负版"，寓言中说的一种好负重物的小虫。
❽附嬴以升高而枯，蝜蝂以任重而蹶

螓 qín 蝉的一种。[螓首]形容女子面容之美。
❾手如柔荑，肤如凝脂……螓首蛾眉

螯 áo 蟹类的第一对大爪子。
❾稻熟江村蟹正肥，双螯如戟挺青坭

融 róng 冰雪等受热变为水；不同的东西合在一起或者调配在一起；流通；和乐；通；永远，长久。
❹昭明有融，高朗令终
❼歌台暖响，春光融融；舞殿冷袖，风雨凄凄
❿端拱纳谏诤，和风日冲融／与邪佞人交，如雪入墨池，虽融为水，其色愈污

螭 chī 古代传说中的一种动物，蛟龙之属，头上无角；通"魑"。
❶螭龙为蝘蜓，鸱枭为凤皇
见《荀子·赋》。"螭龙"，古代传说中的一种蛟龙；"蝘蜓"，壁虎。
❽石列笋虡，藤蟠蛟螭；修竹万竿，夏含凉飔

螃 páng[螃蟹]节肢动物，全身有甲壳，横爬。
❻常将冷眼看螃蟹，看你横行得几时

螫 zhē，又读 shì，蜂、蝎等有毒腺的虫子刺人畜；毒害；恼怒。

❸蝮蛇螫手,壮士解其腕/园有螫虫,藜藿为之不采
❹蝮蛇有螫,人忌而不轻
❻鱼鳖得免毒螫之渊,鸟兽得离罗网之纲
❼蝮蝎终日而不螫,则噬啮草木以致其毒
❾喜则爱心生,怒则毒螫加
❿猛虎之犹豫,不若蜂虿致螫

螳 táng[螳螂]一种昆虫。
❶螳螂之怒臂以当车轶,则必不胜任矣
见《庄子·天地》。“”通“辙”。
❺汝不知夫螳螂乎
❿贪痴无底蛇吞象,祸福难明螳捕蝉

蟪 huì[蟪蛄]一种蝉,比较小,青紫色,危害果树及桑、茶。
❼朝菌不知晦朔,蟪蛄不知春秋

蟠 ①pán 屈曲,盘绕;遍及。②fán 小虫名。
❷龙蟠凤逸之士,皆欲收名定价于君侯
❻石列笋虡,藤蟠蛟螭;修竹万竿,夏含凉飔
❽涉冬则涸泥而潜蟠,避害也
❿胸中元自有丘壑,故作老木蟠风霜

蠖 huò 尺蠖蛾的幼虫,森林害虫。
❷尺蠖知屈伸,体道识穷达/尺蠖之屈,以求信也。龙蛇之蛰,以存身也

蟾 chán 指蟾蜍;也代指月亮。
❶蟾蜍碾玉挂明弓
见唐·李贺《春怀引》。
❹舞落银蟾不肯归
❺天,休使圆蟾照客眠
❾飞黄腾踏去,不能顾蟾蜍

蟹 xiè[螃蟹]甲壳纲。
❺稻熟江村蟹正肥,双螯如戟挺青坭
❼常将冷眼看螃蟹,看你横行得几时

蠕 rú 像蚯蚓般爬行。
❺藜藿之生,蠕蠕然日加数寸,不可以为庐栋

蠢 chǔn 愚笨;虫子慢慢爬动的样子。
❻州民言刺史,蠢物甚于蝗
❿卑贱者最聪明,高贵者最愚蠢

蠹 dù 蛀虫;蛀蚀;损害。
❶蠹众而木折,隙大而墙坏
见《商君书·修权》。
蠹啄剖梁柱,蚊虻走牛羊
见汉·刘安《淮南子·人间》。
❸剔大蠹者木必凿,去大奸者国必伤
❹案头见蠹鱼,犹胜凡俦侣/木生内蠹,上下相贼,祸乱我国
❺下忧上烦,蠹政为患/朽株难免蠹,空穴易来风
❻树木者忧其蠹,保民者除其贼
❼国犹寝也,一楹蠹则无寝/木之折也,必通蠹;墙之坏也,必通隙
❽流水不腐,户枢不蠹
❾山生金,反自刻;木生蠹,反自食

缶 fǒu 古代一种腹大口小的瓦器;古代一种瓦质打击乐器;汲水器;古量名。
❼器具质而洁,瓦缶胜金玉
❽心旷,则万钟如瓦缶/酒后耳热,仰天拊缶而呼乌乌
❾鸿钟在听,不足论击缶之音

缺 quē 不足;不完整;该到而没有到;(职务的)空缺。
❷衣缺不补,则日以甚;防漏不塞,则日以滋/有缺点的战士终竟是战士,完美的苍蝇也终竟不过是苍蝇
❸美箭缺羽,尚无冲石之势
❹利剑多缺,真玉喜折/大成若缺,其用不弊/大成若缺,其用不敝;大盈若冲,其用不穷
❺峣峣者易缺,皎皎者易污/锐者如簪,缺者如玦,隆者如髻,圆者如璧
❻洼者为池而缺者为洞,若有鬼神异物阴来相之
❽自斗自竭,自崩自缺,是恶乎为我设
❾伟才任于鄙识,行之缺也
❿不教不学,闷然不见己缺/谄成之风动,救失之道缺/数则能胜疏,抟则能胜缺/军兴由乎寇生,寇生由乎政缺/西家老人晓稼穑,白发空多缺衣食/人有悲欢离合,月有阴晴圆缺,此事古难全/穷高则危,大满则溢,月盈则缺,日中则移/其政闷闷,其民淳淳;其政察察,其民缺缺

罂 yīng 盛酒器,小口大腹,比缶大。
❷酒罂饭囊,或醉或梦,块然泥土者……

罄 qìng 尽,空;通“磬”,乐器;显现;严整的样子。
❶罄南山之竹,书罪未穷;决东海之波,流恶难尽
见唐·祖君彦《为李密檄洛州文》。
❸瓶之罄矣,维罍之耻/股肱罄帷幄之谋,爪牙竭熊罴之力
❹室如县罄,野无青草
❿麟亡星落,月死珠伤,瓶罄罍耻,芝焚蕙叹

罅 xià 缝隙;比喻纰漏。

❻木朽虫生,墙罅蚁入

舌 shé 舌头;形状像舌的东西;铃、铎中的锤;语言的代称。

❶舌端之孽,惨乎楚铁

见唐·刘禹锡《口兵戒》。

舌之存,岂非以其柔;齿之亡,岂非以其刚

见汉·刘向《说苑·敬慎》。

❷长舌乱家,大斧破车/口舌成疮,手肘成胝

❸酒入舌出,舌出者言失,言失者身弃

❹美女破舌/驷不及舌/折冲口舌之间/齿坚于舌而先之敝/杜口结舌,言为祸母

❺以三寸之舌,强于百万之师/酒入舌出,舌出者言失,言失者身弃

❻八面九口,长舌为斧

❼无书求出狱,有舌到临刑/苍蝇点垂棘,巧舌成锦绮/言语巧偷鹦鹉舌,文章分得凤凰毛

❽口无择言,驷不及舌;笔之过误,愆尤不灭

❾君子以行言,小人以舌言

❿谷子云笔札,楼君卿唇舌/有必不可劝之人,不必多费唇舌/甜不足一食之美,然有截舌之患也/丈夫生不为将,得为使,折冲口舌之间足矣/多事害神,多言害身。口开舌举,必有祸患/文章如精金美玉,市有定价,非人所能以口舌定贵贱也/君子避三端;避文士之笔端,避武士之锋端,避辩士之舌端

舐 shì 舔。

❶舐糠及米

见汉·司马迁《史记·吴王濞列传》。

舐痔者得车五乘,所治愈下,得车愈多

见《庄子·列御寇》。

❾俯偻匍匐,啖恶求媚,舐痔自亲,美言谄笑/贩交买名之薄,吮痈舐痔之卑,安足议其是非

甜 tián 像糖或蜜的滋味;形容舒适;比喻美好。

❶甜不足一食之美,然有截舌之患也

见《佛说四十二章经》。全句为:"财色之于人,譬如小儿贪刀刃之饴,～"。

❿从来好事天生俭,自古瓜儿苦后甜/采得百花成蜜后,为谁辛苦为谁甜

辞 cí 告别;躲避;辞职;诉讼的供词;文词;推辞;责备;遣去;古代的一种文体;中国古代逻辑术语。

❶辞达而已矣

见《论语·卫灵公》。

辞盛则文工

见唐·李翱《答朱载言书》。全句为:"义深则意远,意远则理辩,理辩则气直,气直则辞盛,～"。

辞穷理屈而妄说

见宋·欧阳修《再乞诘问蒋子奇言事札子》。

辞顺而弗从,不祥

见《左传·文公十四年》。

辞不足不可以为成文

见唐·韩愈《答尉迟生书》。

辞之怿矣,民之莫矣

见《诗·大雅·板》。

辞之辑矣,民之洽矣

见《诗·大雅·板》。

辞让之心,礼之端也

见《孟子·公孙丑上》。全句为:"恻隐之心,仁之端也;羞恶之心,义之端也;～;是非之心,智之端也"。

辞尚体要,不惟好异

见《尚书·毕命》。

辞者,人之所以通也

见汉·刘向《说苑·善说》。

辞欲壮丽,义归博远

见唐·李白《大猎赋》。

辞约而旨丰,事近而喻远

见南朝·梁·刘勰《文心雕龙·宗经》。

辞有所未尽,意有所未竭

见宋·王安石《再上龚舍人书》。

辞必端其本,修之乃立诚

见清·高鹗《修辞立诚》。全句为:"～。探微从道管,结撰是心精"。

辞不可不修,而说不可不善

见汉·刘向《说苑·善说》。

辞主乎达,不论其繁与简也

见清·顾炎武《日知录》卷十九。

辞多类非而是,多类是而非

见《吕氏春秋·慎行论·察传》。

辞者,犹器之有刻镂绘画也

见宋·王安石《上人书》。全句为:"文者,务为有补于世而已矣。～"。

辞至于能达,则文不可胜用矣

见宋·苏轼《答谢民师书》。

辞之所以能鼓天下者,乃道之文也

见南朝·梁·刘勰《文心雕龙·原道》。

辞家战士无旋踵,报国将军有断头

见清·李重华《书周遇吉传》。

辞必高然后为奇,意必深然后为工

见唐·孙樵《与友人论文书》。

辞卑而益备者,进也;辞强而进驱者,退也

见《孙子兵法·行军篇》。

❷修辞立其诚/无辞让之心,非人也/修辞立诚,在于无愧/片辞折狱,寸言挫众/炼辞得奇句,炼意得余味/靡辞无忠诚,华繁竟不实/诐

辞知其所蔽,淫辞知其所陷/淫辞丽藻生于文,反伤文者也/其辞质而径,欲见之者易谕也/休辞客路三千远,须念人生七十稀/拙辞或孕于巧义,庸事或萌于新意

❸海不辞东流,大之至也/海不辞水,故能成其大/一朝辞此地,四海遂为家/山不辞土石,故能成其高/通其辞者,本志乎古道者也/文墨辞说,士之荣叶皮壳也/文恶辞之华于理,不恶理之华于辞/其雄辞宏辩,快如轻车骏马之奔驰/恳言辞浅而不入,深言则逆耳而失指/道假辞而明,辞假书而传,要之之道而已耳

❹就其利,辞其害/情欲信,辞欲巧/凡为文辞宜略识字/下无直辞,上有隐君/赠必固辞,求无不应/意能遣辞,辞不能成意/籍之虚辞,则能胜一国/凡人好辞工书,皆病癖也/吉人之辞寡,躁人之辞多/启行之辞,逆萌中篇之意/气直则辞盛,辞盛则文工/忠至者辞笃,爱重者言深/理财正辞,禁民为非,曰义/欢愉之辞难工,而穷苦之言易好/文之用,辞令褒贬导扬讽喻而已/所见异辞,所闻异辞,所传闻异辞

❺将叛者,其辞惭/义贵圆通,辞忌枝碎/仗剑去国,辞亲远游/情以物迁,辞以情发/政贵有恒,辞尚体要/有其材而辞之,为不仁/意能遣辞,辞不能成意/不以文害辞,不以辞害志/尽天下之辞,无以传其酷矣/意不胜者,辞愈华而文愈鄙/意全胜者,辞愈朴而文愈高/长者问,不辞让而对,非礼也/其文约,其辞微,其志洁,其行廉/文有二道:辞令褒贬,本乎著述者也/气往轹古,辞来切今,惊采绝艳,难与并能/事丰奇伟,辞富膏腴,无益经典,而有助文章

❻失其守者,其辞屈/诬善之人,其辞游/思虑明达而辞不争/储思必深,摛辞必高/情者文之经,辞者理之纬/气直则辞盛,辞盛则文工/言近而旨远,辞浅而义深/谏不足听者,辞不足感心也/以意全胜者,辞愈朴而文愈高/道假辞而明,辞假书而传,要之之道而已耳

❼师其意不师其辞/察实者不讥其辞/师其意,不师其辞/士先器识而后辞章/仁不异远,义不辞难/舍本而理末则辞构矣/欲加之罪,其无辞乎/物色虽繁,而析辞尚简/礼,不妄说人,不辞费/存志乎诗书,寓辞乎咏歌/论者不期于丽辞而务在事实/委明珠而乐贱,辞白璧以安贫/有美之而莫敢辞,有非之而莫敢隐/缀文者情动而辞发,观文者披文以入情

❽天下归怨而不敢辞/不期同时,不谋同辞/口是心非,背向异辞/君子欲讷,吉人寡辞/欲加之罪,何患无辞/以理为主,理得而辞顺/不以文害辞,不以辞害志/未得位则思修其辞以明其道/诐辞知其所蔽,淫辞知其所陷/分争者不胜其祸,辞让者不失其福/说诗者,不以文害辞,不以辞害志/情必极貌以写物,辞必穷力而追新/所见异辞,所闻异辞,所传闻异辞/走马西来欲到天,辞家见月两回圆/诗人之赋,丽以则;辞人之赋,丽以淫/赏不当,虽与之必辞;罚诚当,虽赦之不外

❾诗在心为志,出口为辞/吉人之辞寡,躁人之辞多/志足而言文,情信而辞巧/理辩则气直,气直则辞盛/但把穷愁博长健,不辞最后饮屠苏/但得众生皆得饱,不辞羸病卧残阳/但愿苍生俱饱暖,不辞辛苦出山林/意不先立,止以文采辞句绕前捧后/言无有善恶也……则其辞不索而获/志高则言洁,志大则辞宏,志远则旨永/所志于古者,不惟其辞之好,好其道焉/礼接于人,人不敢慢;辞交于人,人不敢侮/辞卑而益备者,进也;辞强而进驱者,退也/人声之精者为言,文辞之于言,又其精也,尤择其善鸣者而假之鸣

❿古者明君在上,下多直辞/交绝无恶声,去臣无怨辞/交亲而不比,言辩而不辞/志深而喻切,因事以陈辞/丰而不余一言,约而不失一辞/大行不顾细谨,大礼不辞小让/经正而后纬成,理定而后辞畅/贵贱不嫌同号,美恶不嫌同辞/然则志足而言文,情信而辞巧/天下兴学取士,先德行不专文辞/凡四方小大邦丧,罔非有辞于罚/自然者,无称之言,实极之辞也/不赂贵者之权势,不利传辟者之辞/诗无达诂,易无达占,春秋无达辞/说诗者,不以文害辞,不以辞害志/能使了然于口与手乎!是之谓辞达/幸于始者怠于终,善其辞者嗜其利/君子有力于民则进爵禄,不辞富贵/所见异辞,所闻异辞,所传闻异辞/文恶辞之华于理,不恶理之华于辞/祸积起于宠盛,而不知辞宠以招福/意少一字则义阙,句长一言则辞妨/老来行路先愁远,贫里辞家更觉难/既使之,任之以心,不任之以辞也/不知古人之世,不可妄论古人之文辞也/善删者字去而意留,善敷者辞殊而意显/饰貌以强类者失形,调辞以务似者失情/百节成体,共资荣卫,万趣会文,不离辞情/体不备不可以为成人,辞不足不可以为成文/女恶华丹之乱窈窕也,书恶淫辞之淈法度也/马效千里,不必胡代;士贵成功,不必文辞/服罪输情者虽重必释,游辞巧饰者虽轻必戮/思古人而不得见,学古道,则欲兼通其辞也/夫谓法不严则易犯,暴君酷吏假辞以饰其恶耳/为文以意为主,气为辅,以辞彩章句为之兵卫/至治之世,其民不好空言虚辞,不好淫学流说/大丈夫必有四方之志,乃仗剑去国,辞亲远游/大丈夫举事,当赤心相示,浮言夸辞,吾甚厌之/世俗所患,患言事增其实,著文垂辞,辞出溢其真/天下国家可均也,爵禄可辞也,白刃可蹈也,

中庸不可能也／苟意不先立，止以文彩辞句，绕前捧后，是言愈多而理愈乱

竹

zhú 多年生常绿植物；箫、笛之类乐器的代称。

❶竹有节，人有志

见现代·秦牧《愤怒的海》二四。

竹外有节理，中直空虚

见汉·司马迁《史记·龟策列传》。全句为："～；松柏为百木长，而守门闾"。

竹喧归浣女，莲动下渔舟

见唐·王维《山居秋暝》。

竹死不变节，花落有余香

见唐·邵谒《金谷园怀古》。

竹不能自异，唯人异之；贤不能自异，唯用贤者异之

见唐·白居易《养竹记》。

❷如竹苞矣，如松茂矣／画竹必先得成竹于胸中／新竹高于旧竹枝，全凭老干为扶持／爆竹声中一岁除，春风送暖入屠苏／槁竹有火，弗钻不然；土中有水，弗掘无泉

❸千亩竹林，气含烟雾／名垂竹帛，功标青史／无丝竹之乱耳，无案牍之劳形

❹虽无丝竹管弦之盛……／天下之竹帛不足书阁下之功德／手中之竹，又不是胸中之竹也／胸中之竹，并不是眼中之竹也／饱霜孤竹声偏切，带火焦桐韵本悲／譬如破竹，数节之后，皆迎刃而解

❺尽荆越之竹，犹不能书／郑板桥画竹，胸无成竹／文与可画竹，胸有成竹／滴沥空庭，竹响共雨声相乱／罄南山之竹，书罪未穷；决东海之波，流恶难尽

❻如吟如啸，非竹非丝／玉碎不改白，竹焚不改节／坐潭上，四面竹树环合……／新竹高于旧竹枝，全凭老干为扶持／寒泉飞流，异竹杂华，回映之处，似藏人家

❼画竹必先得成竹于胸中／过江千尺浪，入竹万竿斜／衙斋卧听萧萧竹，疑是民间疾苦声

❽构九成之楼而以竹柱／何夜无月？何处无竹柏／水能性澹为吾友，竹解心虚即我师／禅堂茶散卷残经，竹杖芒鞋信脚行

❾郑板桥画竹，胸无成竹／文与可画竹，胸有成竹／无波古井水，有节秋竹竿／不是撑船手，休来弄竹竿／新松恨不高千尺，恶竹应须斩万竿／今兵威已振，譬如破竹，数节之后，皆迎刃而解

❿声可托于弦管，名可留于竹帛／手中之竹，又不是胸中之竹也／胸中之竹，并不是眼中之竹也／耳乐和声，为制金石丝竹以道之／吴僧爱觅闲吟处，偷向花边竹里来／寻芳者追深径之兰，识韵者探穷山之竹／清流触石，洄旋激注，佳木异竹，垂阴相荫／石列笋虡，藤蟠蛟螭；修竹万竿，夏含凉飔／兰亭也，不遭右军，则清湍修竹，芜没于空山矣／饥餐松柏叶，渴饮涧中泉，看罢青青竹，和衣自在眠／解落三秋叶，能开二月花。过江千尺浪，入竹万竿斜

竿

gān 竹竿；特指钓竿；指竹简；通"杆"。

❸百丈竿头须进步／百尺竿头须进步，十方世界是全身

❹吕望垂竿于渭涘，道峻匡周

❻斩木为兵，揭竿为旗，天下云集响应

❽翳嘉林，坐石矶，投竿而渔，陶然以乐

❾过江千尺浪，入竹万竿斜

❿无波古井水，有节秋竹竿／不是撑船手，休来弄竹竿／新松恨不高千尺，恶竹应须斩万竿／石列笋虡，藤蟠蛟螭；修竹万竿，夏含凉飔／解落三秋叶，能开二月花。过江千尺浪，入竹万竿斜

竽

yú 古代一种簧管乐器。

❿朱丹既定，雌黄有别，使夫怀鼠知惭，滥竽自耻

笃

dǔ 忠诚，专一；病重；深厚。

❶笃志而体，君子也

见《荀子·修身》。

❷病笃乱投医／敦笃虚静者，仁之本也

❸将已笃疾，不宜废扁鹊／君子笃于亲，则民兴于仁／君子笃于礼而薄于利，要其人而不要其土／博学笃志，切问近思，此八字是收放心的功夫

❹博学而笃志，切问而近思

❺忠至者辞笃，爱重者言深

❻致虚极，守静笃／严家无悍虏，笃责急也／一视而同仁，笃近而举远／博学而不穷，笃行而不倦／博学而志不笃，则大而无成／治疾及其未笃，除患贵其未深

❼欲当大任，须是笃实

❽兄弟敦和睦，朋友笃信诚／夏虫不可与语寒，笃于时也

❾世隘然后知其人之笃固也

❿天之生物，必因其材而笃焉／夏虫不可以语于冰者，笃于时也／用人之术，任之必专，信之必笃／虚华盛而忠信微，刻薄稠而纯笃稀／博学之，审问之，慎思之，明辨之，笃行之

笔

bǐ 写字画图的文具；笔法；手迹；量词；指散文；书写，记载；笔画。

❶笔力未饶弓力劲

见宋·陆游《秋声》。

笔不停缀，文不加点

见汉·祢衡《鹦鹉赋》。

笔落惊风雨，诗成泣鬼神

见唐·杜甫《寄李十二白二十韵》。

笔底明珠无处卖，闲抛闲掷野藤中

见明·徐渭《墨葡萄》题画诗。全句为："半生落魄已成翁，独立书斋啸晚风；～"。

笔端肤寸，膏润天下；文章之用，极其至矣

见唐·刘禹锡《唐故相国赠司空令狐公集纪》。

❷舞笔飞墨，应节而成／属笔易巧，选和至难／绝笔之言，追胜前句之旨／雄笔奇才，有鼓怒风云之气／引笔行墨，快意累累，意尽便止／下笔则烟飞云动，落纸则鸾迴凤惊／刀笔之吏专深文巧诋，陷人于罔，以自为功

❸狂来笔力如牛弩／意在笔前，然后作字

❹心正则笔正／无胆，则笔墨畏缩／文人之笔，劝善惩恶也／有怀投笔，慕宗悫之长风／谷子云笔札，楼君卿唇舌／兴酣落笔摇五岳，诗成笑傲凌沧洲／觉来落笔不经意，神妙独到秋毫颠

❺气者，心随笔运，取象不惑／墨池如江笔如帚，一扫万字不停肘／秀出天南笔一枝，为官风骨称其诗／心源为炉，笔端为炭。锻炼元本，雕砻群形／明窗净几笔砚纸墨皆极精良，亦自是人生一乐事

❻言出为论，下笔成章／爱好由来下笔难，一诗千改始心安

❼中原初逐鹿，投笔事戎轩／读书破万卷，下笔如有神／口则务在明言，笔则务在露文／口辩者其言深，笔敏者其文沉／胸次山高水远，笔端云起风狂／据天道，仍人事，笔则笔而削则削／纵横正有凌云笔，俯仰随人亦可怜／马上相逢无纸笔，凭君传语报平安

❽文乏斧藻，艺惭刀笔／词源倒流三峡水，笔阵独扫千人军／殿前作赋声摩空，笔补造化天无功／意匠如神变化生，笔端有力任纵横／意得则舒怀以命笔，理伏则投笔以卷怀

❾求取情状，离绝远去笔墨畦径间／砚以世计，墨以时计，笔以日计／高谈则龙腾豹变，下笔则烟飞雾凝／据天道，仍人事，笔则笔而削则削／龙蛇纸上飞腾，看落笔四筵风雨惊／口无择言，驷不及舌；笔之过误，愆尤不灭／字中蝌蚪，竞落文河。笔下蛟龙，争投学海

❿笼天地于形内，挫万物于笔端／高明者鬼瞰其门，正直者人怨其笔／庾信文章老更成，凌云健笔意纵横／妙不可尽之于言，事不可穷之于笔／意得则舒怀以命笔，理伏则投笔以卷怀／君子避三端；避文士之笔端，避武士之锋端，避辩士之舌端

笑

xiào 露出愉快的表情；嘲讽。

❶笑入荷花去，佯羞不出来

见唐·李白《越女词五首》之三。全句为："耶溪采莲女，见客棹歌回。～"。

❷巧笑倩兮，美目盼兮／嬉笑怒骂，皆成文章／一笑语儿子，此是却老方／谈笑有鸿儒，往来无白丁／嘻笑之怒，甚于裂眦；长歌之哀，过乎恸哭

❸临波笑脸，艳出浦之轻莲／善贾笑蚕渔，巧宦贱农牧／众人笑而忽之者，此则君子之所深畏也／愚者笑之，智者哀焉；狂夫之乐，贤者丧焉

❹众口遭笑，虽贵必危／相视而笑，莫逆于心／胁肩谄笑，病于夏畦／一生大笑能几回，斗酒相逢须醉倒／仰天大笑出门去，我辈岂是蓬蒿人／强令之笑，不乐；强令之哭，不悲

❺水面风来笑语香／沃然有得，笑傲万古／人生开口笑，百年都几回／珠玉买歌笑，糟糠养贤才／虽载言载笑，赏风月于离前／贤者闻讥笑，若不闻焉，此岂不省事

❻不苟訾，不苟笑／勿以己才，而笑不才／寿陵失本步，笑杀邯郸人／春葩含日似笑，秋叶泫露如泣／谈欢则字与笑并，论戚则声共泣偕／羽扇纶巾，谈笑间、强虏灰飞烟灭／为人师者众笑之，举世不师，故道益离

❼当面输心背面笑／态浓意远，眉颦笑浅／逍遥以针劳，谈笑以药倦／蚍蜉撼大树，可笑不自量／我自横刀向天笑，去留肝胆两昆仑／但愿亲友长含笑，相逢莫乏杖头钱／黄金白璧买歌笑，一醉累月轻王侯／尘世难逢开口笑，菊花须插满头归

❽初虽啼号，后必庆笑／身名俱裂，为天下笑／千古兴亡，百年悲笑，一时登览／儿童相见不相识，笑问客从何处来／壮志饥餐胡虏肉，笑谈渴饮匈奴血

❿利锁名缰，几阻当年欢笑／闻长安乐则出门向西而笑／待到山花烂漫时，她在丛中笑／才疏志大不自量，西家东家笑我狂／出师未捷悲移鼎，视死如归笑射钩／兴酣落笔摇五岳，诗成笑傲凌沧洲／人面不知何处去，桃花依旧笑春风／强怒者虽严不威，强亲者虽笑不和／昆山玉碎凤凰叫，芙蓉泣露香兰笑／以隋侯之珠，弹千仞之雀，世必笑之／俯偻匍匐，啖恶求媚，舐痔自亲，美言谄笑／今之世不闻有师，有，辄哗笑之，以为狂人／至味不慊，至言不文，至乐不笑，至音不叫／狂夫之乐，知者哀焉；愚者之笑，贤者戚焉／真悲无声而哀，真怒未发而威，真亲未笑而和／一人所以能悦万人者，非言笑之惠，盖和之至也／上士闻道，勤而行之；中士闻道，若存若亡；下士闻道，大笑之

笏

hù 古代大臣上朝时手持的长板，用以记事。

❼陋室空堂，当年笏满床

笋

sǔn 竹子的嫩芽；嫩的；竹子的青皮。

❸石列笋虡，藤蟠蛟螭；修竹万竿，夏含凉飔

❼学古之道，犹食笋而去其箨也

笺

jiān 注释古书的一种方式；写信用的纸；信札。

❶笺诉天公休掠剩，半偿私债半输官

见宋·范成大《四时田园杂兴六十首》之四十。

❷蜀笺都有三千幅，总写离情寄孟光／欲笺心事，独语斜阑。难！难！难！

笨

bèn 不聪明；粗重。

❶笨鸟先飞早入林

见元·关汉卿《陈母教子》一。

笼

①lóng 笼子；笼罩；泛指包络之物；笼屉。②lǒng 遮住；笼罩；收罗，掌握；笼络。

❶笼天地于形内，挫万物于笔端

见晋·陆机《文赋》。

❹久在樊笼里，复得返自然／锦糊灯笼，玉镶刀口……不知落在何处矣／智鄙相笼，强弱相陵，天下之乱何时而已乎

❺大鹏不可笼，大椿不可植

❻漱涤万物，牢笼百态

❼羁马思其华林，笼雉想其皋泽

笛

dí 笛子。

❶笛里谁知壮士心？沙头空照征人骨

见宋·陆游《关山月》。

❷听笛始知岸，闻香暗识莲／汽笛一声肠已断，从此天涯孤旅／羌笛何须怨杨柳，春风不度玉门关

❹洞庭渔笛隔芦花／愁听，吹笛《关山》……月中都是断肠声

❻人夜思归切，笛声清更哀，愁人不愿听，自到枕前来

❾莫待山阳路，空闻吹笛悲／牧童归去横牛背，短笛无腔信口吹

❿怒潮风正急，酒醒闻塞笛／方凭征鞍思往事，数声风笛马前闻

笙

shēng 中国民族簧管乐器；竹笙。

❿苦吟莫向朱门里，满耳笙歌不听君／呦呦鹿鸣，食野之苹；我有嘉宾，鼓瑟吹笙

符

fú 标记；相合；古代朝廷封爵、置官、遣使或调兵遣将用的凭证；道士、巫师画的一种所谓能驱鬼避邪的图形或线条；符号；姓。

❺目者，心之符也；言者，行之指也

❻慎是护身之符，谦是百行之本／以不二之悟，符不分之理，理智悉释，谓之顿悟

❿千家万户曈曈日，总把新桃换旧符／受命不于天于其人，休符不于祥于其仁／不宜言而言是佞之徒，宜言而不言是愚之符

笱

gǒu 竹制的捕鱼器具。

❽毋逝我梁，毋发我笱；我躬不阅，遑恤我后

笠

lì 用竹篾或草编制的帽子。

❹孤舟蓑笠翁，独钓寒江雪

笥

sì 古代盛饭食或衣物的方形竹器。

❽鲍鱼不与兰茝同笥而藏

第

dì 用在整数前面表示次序；封建时代科举考试及格的等次；但，且；次第；上等房屋，因以为大住宅之称。

❷有第一等襟抱，第一等学识，斯有第一等真诗

❸勤学第一道，勤问第一方／为学第一工夫，要降得浮躁之气定

❻读书乃学者第二事／深沉厚道是第一等资质／磊落豪雄是第二等资质／聪明才辨是第三等资质

❼处世以讥讪为第一病痛／与人相处之道，第一要谦下诚实／有第一等襟抱，第一等学识，斯有第一等真诗

❽勤学第一道，勤问第一方

❾但使强胡灭，何须甲第成

❿欲交其人，先观其友，乃择交第一良法也／有第一等襟抱，第一等学识，斯有第一等真诗／江南多临观之美，而滕王阁独为第一，有瑰伟绝特之称

笳

jiā［胡笳］古代管乐器名。

❷胡笳互动，牧马悲鸣，吟啸成群，边声四起

❹发为胡笳吹作雪，心因烽火炼成丹

❾胡风带秋月，嘶马杂笳声

笞

chī 用鞭、棍或竹板子打；古代刑罚。

❷鞭笞之下，有贤士乎／教笞不可废于家，刑罚不可损于国／怒笞不可偃于家，刑罚不可偃于国，诛伐不可偃于天下

❽恨无一尺捶，为国笞羌夷

筐

kuāng 条编之类的器具。

❽采采卷耳，不盈顷筐。嗟我怀人，置彼周行

❿虫堕一器，酒弃不饮；鼠涉一筐，饭捐不食

等

děng 等级；程度或数量相同；种；等候；挨到；特指台阶的级；称量轻重；

犹言何等;指同等辈的人。

❶等闲识得东风面,万紫千红总是春

见宋·朱熹《春日》。

❷莫等闲,白了少年头,空悲切/何等为善?身正行、口正行、意正行

❹有第一等襟抱,第一等学识,斯有第一等真诗

❺无路请缨,等终军之弱冠/小大不逾等,贵贱如其伦

❻贤而能让,三等/礼者,贵贱有等,长幼有差/愚而好胜,一等;贤而尚人,二等/缓己急人,一等;急己急人,二等;急己宽人,三等

❼礼,是以有杀有等

❽深沉厚道是第一等资质/所谓壹刑者,刑无等级/磊落豪雄是第二等资质/聪明才辨是第三等资质/齐梁及陈隋,众作等蝉噪/长恨人心不如水,等闲平地起波澜/直待自家都了得,等闲拈出便超然/入妙文章本平淡,等闲言语变瑰琦/本无功而自矜,一等;有功而伐之,二等;功大而不伐,三等

❾权钧则不能相使,势等则不能相并/有第一等襟抱,第一等学识,斯有第一等真诗

❿有法者而不用,与无法等/千锤万击出深山,烈火焚烧若等闲/风仪与秋月齐明,音徽与春云等润/愚而好胜,一等;贤而尚人,二等/有第一等襟抱,第一等学识,斯有第一等真诗/缓己急人,一等;急己急人,二等;急己宽人,三等/君子以争途之不可由也,是以越俗乘高,独行于三等之上/本无功而自矜,一等;有功而伐之,二等;功大而不伐,三等/君臣父子人间之事谓之义,登降揖让,贵贱有等,亲疏之体,谓之礼

筑

①zhù 捣土使坚实;造房子;建筑物;通"祝",切断。②zhú 古代乐器名;贵州贵阳市的简称。

❶筑室于道谋,是用不溃于成

见《诗·小雅·小旻》。

筑城者,先厚其基而后求其高

见汉·桓宽《盐铁论·未通》。全句为:"~;畜民者,先厚其业而后求其赡"。

❷板筑以时,无夺农功/高筑墙,广积粮,缓称王

❽高台芳榭,家家而筑;花林曲池,园园而有

❾未曾灭项兴刘,先见筑坛拜将

策

cè 古代写字用的竹简;古代考试的一种文体;计谋;谋划;赶马用的棍子;马鞭;鞭打;通"册",古代用竹片或木片记事著书,成编的叫策;书法用笔的名称;小箕;木栅;姓。

❶策马前途须努力,莫学龙钟虚叹息

见唐·李涉《岳阳别张祜》。

策术之政宜于治难,以之治平则无奇

见三国·魏·刘劭《人物志·材能》。

策之不以其道……执策而临之曰:"天下无马"

见唐·韩愈《杂说四首》之四。删节处为:"食之不能尽其材,鸣之而不能通其意"。

❷计策之能,术家之材也/鞭策之所用,道远任重也/箠策繁用者,非致远之术也

❸运筹策帷帐之中,决胜于千里之外

❹三十六策,走是上计/发谋决策,从容指顾/所行之策,常主于权谋/张良授策于圯桥,功崇佐汉/急辔数策者,非千里之御也

❺术士乐计策之谋/思通道化,策谋奇妙,是谓术家/文章无警策,则不足传世,盖不能竦动世人

❼车轻道近,则鞭策不用

❽旷怀足以御物,长策足以服人/策之不以其道……执策而临之曰:"天下无马"

❾奋六世之遗烈,振长策而御宇内,吞二周而亡诸侯,履至尊而制六合

❿寄食于漂母,无资身之策/立片言而居要,乃一篇之警策/千里之马,骨法虽具,弗策不致/报国无门空自怨,济时有策从谁吐/一以论道德,二以论法制,三以论策术/用天下之心图而济之,夫岂无最长之策乎/及至始皇,奋六世之余烈,振长策而御宇内/被坚执锐,义不如公;坐而运策,公不如义/忠臣不避重诛以直谏,则事无遗策,功流万世/人生寄一世,奄忽若飙尘;何不策高足,先据要路津/孔子曰:"吾闻之,古之善御者,执辔如组,两骖如舞,非策之助也"。

筚

bì 用竹子、荆条、树枝做的篱笆或门户。

❶筚门圭窬,蓬户瓮牖

见《礼记·儒行》。

筚路蓝缕,以启山林

见《左传·宣公十二年》。

筵

yán 席地而坐时垫底的竹席;酒席。

❻胜地不常,盛筵难再

❼天下无有不散筵席

❽天下没有不散的筵席

❿千里搭长棚,没个不散的筵席/龙蛇纸上飞腾,看落笔四筵风雨惊/我愿君王心,化作光明烛,不照绮罗筵,只照逃亡屋

筌

quán 捕鱼的竹器。

❸舍真筌而择士,沿虚谈以取才……

答

①dā 答应,答理。②dá 用话语、文字等方式回应对方;受了别人的好处、

恩惠，加以还报。
❹疑皆响答，问必实归／渔歌互答，此乐何极／一切问答，如针锋相投，无纤毫参差
❽情往似赠，兴来如答
❿人影在地，仰见明月，顾而乐之，行歌相答／春日迟迟，秋风飒飒。情往似赠，兴来如答／山沓水匝，树杂云合。……情往似赠，兴来如答

筋 jīn 肌腱或骨头上的韧带；肌肉；像筋一样的东西。
❶筋疲力弊不入腹，未议县官租税足
见宋·司马光《道旁田家》。
❷导筋骨则形全，剪情欲则神全，靖言语则福全
❹久行伤筋，久坐伤肉／多力丰筋者圣，无力无筋者病
❺点画皆有筋骨，字体自然雄媚
❻人能正静者，筋韧而骨强
❽饱暖非天降，赖尔筋与力
❿多力丰筋者圣，无力无筋者病／神明之事，不可以智巧为也，不可以筋力致也

筹 chóu 用以计数或用作领取物品凭证的小棍儿或小片；谋划；古代投壶所用的矢。
❷运筹策帷帐之中，决胜于千里之外

筠 ①yún 竹子皮；借指竹子。②jūn［筠连］县名。
❾天籁无假于宫商，贞筠不争于柯叶

筮 shì 用蓍草占卦。
❿不日不月，而事以从；不卜不筮，而谨知吉凶

筲 shāo 用竹子或木头等制成的水桶；盛饭用的竹器。
❷斗筲之才不秉帝王之重

简 jiǎn 古代写字用的竹片；书信；单纯；挑选；通"柬"；检查；指诉讼的情实；大；怠慢；简单，简省；姓。
❶简发而栉，数米而炊
见《庄子·庚桑楚》。
简而廉，则严利无废怠
见清·戴震《原善》。
简能而任之，择善而从之
见唐·魏征《论时政第二疏》。
简守帅，分其统，专其任
见宋·尹洙《息戍》。
简选精良，兵械铦利……
见《吕氏春秋·仲秋纪·简选》。全句为："～，发之则不时，纵之则不当，与恶卒无择"。
简士苦民者是谓愚，敬士爱民者是谓智
见汉·贾谊《新书·大政上》。
❷无简不听／一简之内，音韵尽殊／政简移风速，诗清立意新／大简必有不好，良工必有不巧／或简言以达旨，或博文以该情／慎简乃僚，无以巧言令色、便辟侧媚
❸事以简为上，言以简为当／收心简事日损有为，体静心闲方可观妙／言语简寡，在我可以少悔，在人可以少怨／言虽简略，理皆要害，故能疏而不遗，俭而无阙
❹读书趋简要，害说去杂冗／临下以简，御众以宽，罚弗及嗣
❺刚而无虐，简而无傲／狎甚则相简，庄甚则不亲／览古玩青简，寻幽穷翠微／发纤秾于简古，寄至味于澹泊
❻将兵治民，宽简有法／记事之体，欲简而且详，疏而不漏
❼仁不轻绝，知不简功／国家法令，惟在简约／主大计者，必执简以御繁／叙事之工者，以简要为主／殷周之前，其文简而野……／尊贤考功则治，简贤违功则乱／逍遥，无为也；苟简，易养也；不贷，无出也
❽至仁必易，大智必简／事以简为上，言以简为当／凡自唐虞以来，编简所存
❾物色虽繁，而析辞尚简／任人而不任法，则法简而人重
❿世治则礼详，世乱则礼简／构大厦者先择匠而后简材／辞主乎达，不论其繁与简也／死者不可再生，用法务在宽简／下之共上勤而不困，上之治下简而不劳／直而温，宽而栗，刚而无虐，简而无傲

箧 qiè 小箱子。
❼鲍鱼兰芷，不同箧而藏

箸 zhù 筷子；同"著"，显明。
❾君子之学也，入乎耳，箸乎心，布乎四体，形乎动静

箕 jī 簸箕；呈簸箕状的指纹；星宿名；姓。
❶箕而浩歌，踞而仰啸
见宋·苏舜钦《沧浪亭记》。
❸头会箕敛，以供军费
❹维南有箕，不可以簸扬
❺攀援而登，箕踞而遨……
❽内难而能正其志，箕子以之／良工之子必先为箕，良冶之子必先为裘／良弓之子必先为箕；良冶之子必先为裘
❾扁鹊不能肉白骨，微箕不能存亡国
❿盈尺径寸，易取琢磨；南箕北斗，难为簸挹

篷 shà，又读 jié，扇子。
❺知冬日之篷、夏日之裘，无用于己

箨 tuò 竹笋外裹着的皮。

❿学古之道，犹食笋而去其箨也

算 suàn 计数；计划；作为；作数；表示作罢；副词；竹器。

❶算来终不与时合，归去来兮翠如中

见宋·普济《五灯会元》卷一八。全句为："众卖花兮独卖松，青青颜色不如红，～"。

❸机关算尽太聪明，反算了卿卿性命

❹让人不算痴，过后是便宜／遇事多算计，较利悉锱铢，其过甚小，而积之甚大，慎之慎之

❽兵以计为本，故多算胜少算／过眼滔滔云共雾，算人间知已吾和汝

❾传闻与指实不同，悬算与临事有异／机关算尽太聪明，反算了卿卿性命

❿兵以计为本，故多算胜少算／消磨了三十多年层层心血，算不得大千世界小小文章

箠 chuí"棰"的异体字；鞭子。

❶箠策繁用者，非致远之术也

见汉·刘安《淮南子·原道》。全句为："峭法刻诛者，非霸王之业也；～"。

箪 dān 古代盛饭食的圆形竹器。

❷一箪食，一瓢饮，在陋巷……／一箪食，一豆羹，得之则生，弗得则死

❻非其道，则一箪食不可受于人

❾救死具八珍，不如一箪犒

❿明镜便于照形，其于以函食，不如箪

箔 bó 帘子；金属薄片或涂上金属粉的纸；苇子或秫秸织成的帘子；养蚕用的竹筛子或竹席。

❹仙宫云箔卷，露出玉帘钩

管 guǎn 乐器名；泛指细长的圆筒形物；古指钥匙；枢要；拘束；管理，管辖；过问，顾及；保证；古国名；犹"把"；姓。

❶管仲可谓能因物矣

见《吕氏春秋·离俗览·贵信》。

管中窥豹，时见一斑

见南朝·宋·刘义庆《世说新语·方正》。

管子以小辱成大荣，苏秦以百诞成一诚

见汉·刘安《淮南子·说林》。

❷不管人责，但求自尽／用管窥天，用锥指地／不管风吹浪打，胜似闲庭信步／以管窥天，以蠡测海，以莛撞钟／以管窥天，以锥刺地；所窥者大，所见者小

❸莫教管弦作离声

❹四寸之管无当，必不可满也／三寸之管而无当，天下弗能满／君不见管鲍贫时交，此道今人弃如土／咫尺之管，文敏者执而运之，所如皆合／是直用管窥天，用锥指地也，不亦小乎

❺虽无丝竹管弦之盛……／探微从道管，结撰是心精／操数寸之管，书盈尺之纸／天下不多管仲之贤而多鲍叔能知人也／齐桓公以管仲辅之则理，以易牙辅之则乱

❻声可托于弦管，名可留于竹帛／死后是非谁管得，满村听说蔡中郎

❼圣人也者，道之管也／不论天有眼，但管地无皮／少见之人，如从管中窥天

❽晏平仲问养生于管夷吾……／扫眉才子于今少，管领春风总不如

❾贵贱之间，易以势移，管宁所以割席／金石有声，弗叩弗鸣；管箫有音，弗吹无声

❿桓公小白杀兄入嫂，而管仲为臣／古之进人者，或取于盗，或举于管库

箫 ①xiāo 一种乐器；弓的末端。②xiǎo 小竹。

❶箫韶九成，凤凰来仪

见《尚书·益稷》。

❿金石有声，弗叩弗鸣；管箫有音，弗吹无声

箱 xiāng 箱子；车厢；通"厢"，厢房。

❸金满箱，银满箱，转眼乞丐人皆谤

❹千仓万箱非一耕所得；干天之木非旬日所长

❻金满箱，银满箱，转眼乞丐人皆谤

箴 zhēn 劝告；规劝；一种以规劝、告诫为主要内容的文体；缝衣或针灸用的工具，现通常写作"针"。

❶箴者，所以攻疾防患，喻针石也

见南朝·梁·刘勰《文心雕龙·铭箴》。

❼交友投分，切磨箴规／铭博约而温润，箴顿挫而清壮

篑 kuì 盛土的筐子。

❸以一篑障江河，用没其身／崇一篑而弗休必钧高乎峻极矣

❹勿轻一篑少，进往必千仞

❼嵩岱之峻，非一篑之积／为山者基于一篑之土，以成千丈之峭

❽为山九仞，功亏一篑／譬如平地，虽覆一篑，进，吾往也／譬如为山，未成一篑，止，吾止也

箭 jiàn 古代用弓发射的一种兵器；箭能射到的距离；竹名；古代博戏所用的博箸。

❶箭在弦上，不得不发

见明·罗贯中《三国演义》第三十二回。

❷作箭者欲其锐，恐人不伤／美箭缺羽，尚无冲石之势／暗箭伤人，其深次骨；人之怨之，亦必次骨

❹急湍甚箭，猛浪若奔／光阴似箭催人老，日月

如梭趱少年
❺恃自直之箭，百世无矢／俟自直之箭，则百代无一矢
❼三刀梦益州，一箭取辽城／挽弓当挽强，用箭当用长／尽若穷烟，离若箭弦，如影灭地，犹星殒天
❽日月如梭，光阴似箭，少年人，早打点
❾无土壤而生嘉树美箭……
❿封侯早归来，莫作弦上箭／其侧皆诡石怪木，奇卉美箭……／云厚者，雨必猛；弓劲者，箭必远／车辚辚，马萧萧，行人弓箭各在腰／匠成舆者忧人不贵，作箭者恐人不伤／不恃隐括而有自直之箭自圆之木，百世无有一／始见新春，又逢初夏。四时若箭，两曜如梭。

篇 piān 文章；量词。

❶篇章户牖，左右相瞰

见南朝·梁·刘勰《文心雕龙·熔裁》。

篇之彪炳，章无疵也；章之明靡，句无玷也

见南朝·梁·刘勰《文心雕龙·章句》。全句为："～；句之清英，字不妄也"。

❷某篇是某体，某篇则否……
❸读十篇不如做一篇
❹即事名篇，无复依傍／三百五篇孔子皆弦歌之／老去诗篇浑漫与，春来花鸟莫深愁／《诗》三百篇，大抵贤圣发愤之所为作也
❻万卷山积，一篇吟成／改章难于造篇，易字艰于代句／为世用者，百篇无害；不为用者，一章无补
❼某篇是某体，某篇则否……／李白一斗诗百篇，长安市上酒家眠
❽读十篇不如做一篇／启行之辞，逆萌中篇之意／善为文者，富于万篇，贫于一字／落梅芳树，共体千篇；陇水巫山，殊名一意
❾立片言而居要，乃一篇之警策
❿寂寥乎短章，春容乎大篇／贯穿百代尝探古，吟咏千篇亦造微／往事越千年，魏武挥鞭，东临碣石有遗篇／每开一卷，刀搅肺肠；每读一篇，血滴文字／欧公作文，先贴于壁……有终篇不留一字者／人之立言，因字而生句，积句而成章，积章而成篇

篡 cuàn 夺取；用作伪的手段加以改动或曲解。

❷用篡臣者危，用态臣者亡
❿周公恐惧流言日，王莽谦恭未篡时

篷 péng 支撑起来遮挡日光、风雨的设备；指船帆。

❷孤篷听雨下潇湘

篙 gāo 用来撑船的竹竿或木杆。

❶篙不能鸣钟，而萤火不爨鼎者，何也

见汉·王充《论衡·变动篇》。全句为："～？钟长而篙短，鼎大而萤小也"。

❿为学正如撑上水船，一篙不可放缓

篱 lí 篱笆。

❻以白云为藩篱，碧山为屏风，昭其俭也
❽井梧飞叶送秋声，篱菊缄香待晚晴
❾主人闻语未开门，绕篱野菜飞黄蝶

簧 huáng 乐器；器物中有弹力的构件。

❹巧言如簧，颜之厚矣
❽谗人似实，巧言如簧，使听之者惑，视之者昏
❿但见丹诚赤如血，谁知伪言巧似簧／蛇蛇硕言，出自口矣；巧言如簧，颜之厚矣

簪 zān 簪子，用来绾住头发使不散乱的一种饰物；插戴；连缀；聚集。

❹锐者如簪，缺者如玦，隆者如髻，圆者如璧

簸 ①bǒ 颠簸，摇动；扬去谷米粒中的糠皮杂物。②bò 簸箕。

❽维南有箕，不可以簸扬
❿假令风歇时下来，犹能簸却沧溟水／盈尺径寸，易取琢磨；南箕北斗，难为簸挹

籁 lài 古代的一种箫；从孔穴里发出的声音，泛指声音。

❷天籁无假于宫商，贞筠不争于柯叶／爽籁发而清风生，纤歌凝而白云遏
❾龙吟虎啸一时发，万籁百泉相与秋
❿诗如鼓琴，声声见心。心为人籁，诚中形外

籍 jí 书册；表示个人对国家或某一组织的隶属关系；籍贯；登记；通"藉"；通"阼"，皇位；姓。

❶籍之虚辞，则能胜一国

见《韩非子·外储说左上》。全句为："～；考实按形，不能谩于一人"。

❷文籍虽满腹，不如一囊钱／项籍有取天下之才，而无取天下之虑
❺富贵有人籍，贫贱无天录
❿自得、自成、自道，不倚师友载籍／时无远近，事无巨细，必籍多闻，以成博识

纂 zuǎn 编辑，编纂；五彩的絛带；通"缵"，继承。

❽记事者必提其要，纂言者必钩其玄／纪事者必提其要，纂言者必钩其玄

籯 yíng 同"籝"，竹笼；箸筩。

❻遗子黄金满籯，不如教子一经

籝 yíng 竹笼；笼箱之类的竹器。

❻遗子黄金满籝，不如一经

❿藏书万卷可教子，遗金满籝常作灾

舂 chōng 把东西放在臼一类的东西里捣；通“冲”，撞击。

❶舂去细糠如剖玉，炊成香饭似堆银

见明·冯梦龙《警世通言·钝秀才一朝交泰》。全句为：“春时耕种夏时耘，粒粒颗颗费力勤；～”。

❸以戈舂黍也，以锥餐壶也

❺粒米不足舂，寸布不足缝

❻适百里者宿舂粮／寂寥乎短章，舂容乎大篇

❾子为王，母为虏，终日舂薄暮，常与死为伍

❿一尺布，尚可缝；一斗粟，尚可舂。兄弟二人不相容

自 zì 本身；自己；理所当然；从；由；由于；用；苟，假如；虽，即使。

❶自知者为明

见唐·韩愈《复志赋》。

自赦而后肆

见宋·杨万里《诗论》。全句为：“～，自赦而天下不赦也，则其肆必收”。

自恃，无恃人

见《韩非子·外储说右下》。

自古红颜多薄命

见现代·杨东明《人生的不等式》。

自然之道不可违

见《阴符经》下。

自三代以下者……

见《庄子·在宥》。全句为：“～，匈匈焉终以赏罚为事，彼何暇安其性命之情哉！”

自外面推入去……

见宋·朱熹《朱子语类》卷九八。全句为：“～，到此极尽，更没去处，所以谓之太极”。

自非圣人，不能无过

见南朝·宋·范晔《后汉书·张衡传》。

自我得之，自我捐之

见汉·司马迁《史记·魏其武安侯列传》。

自古治时少而乱时多

见宋·欧阳修《苏氏文集序》。

自古皆死，不朽者文

见唐·宋之问《祭杨盈川文》。

自古有死，奚论后先

见唐·刘禹锡《为鄂州李大夫祭柳员外文》。

自伐其善，则莫不恶

见三国·魏·刘劭《人物志·八观》。

自许太高，诋时太过

见宋·欧阳修《与石推官第一书》。

自许封侯在万里……

见宋·陆游《夜游宫》。全句为：“～，有谁知，鬓虽残，心未死”。

自知者英，自胜者雄

见隋·王通《文中子·周公》。

自治不勇，则恶日长

见宋·朱熹《四书集注·论语·学而》。全句为：“～。故有过则当速改，不可畏难而苟安也”。

自明，然后才能明人

见宋·陆九渊《语录》。

自是人生长恨水长东

见五代·南唐·李煜《相见欢》。

自弃者，不可与有为也

见《孟子·离娄上》。全句为：“自暴者，不可与有言也；～”。

自强不息，则其至一也

见宋·朱熹《四书集注·中庸第二十章》。全句为：“闻道有蚤莫，行道有难易，然能～”。“蚤”同“早”；“莫”同“暮”。

自暴者，不可与有言也

见《孟子·离娄上》。全句为：“～；自弃者，不可与有为也”。

自以为无过，而过乃大矣

见清·钱大昕《十驾斋养心录》。全句为：“～；自以为有过，而过自寡矣”。

自以为有过，而过自寡矣

见清·钱大昕《十驾斋养心录》。全句为：“自以为无过，而过乃大矣；～”。

自古帝王多任情喜怒……

见唐·吴兢《贞观政要·求谏》。全句为：“喜则滥赏无功，怒则滥杀无罪，是以天下丧乱，莫不由此”。

自古贤者少不肖者多……

见唐·韩愈《与崔群书》。全句为：“～，自省事以来，又见贤者恒不遇，不贤者比肩青紫”。

自古悲摇落，谁人奈此何

见唐·刘长卿《月下呈章秀才》。

自伐者无功，自矜者不长

见《老子》二十四。

自信者，不可以诽誉迁也

见汉·刘安《淮南子·诠言》。全句为：“～；知足者，不可以势利诱也”。

自从兵戈动，遂觉天地窄

见唐·岑参《西蜀旅舍春叹寄朝中故人呈狄评事》。

自知不自见，自爱不自贵

见《老子》七十二。

自问道何如，贵贱安足云

见唐·白居易《续座右铭》。全句为：“勿慕贵与富，勿忧贱与贫；～”。

自有凌冬质，能守岁寒心

见隋·李孝贞《园中杂咏桔树诗》。

自有桃花容，莫言人劝我

见南朝·梁·横吹曲辞《高阳乐人歌》。

自顾行何如，毁誉安足论

见唐·白居易《续座右铭》。全句为："闻毁勿戚戚，闻誉勿欣欣；～"。

自井中视星，所见不过数星

见《尸子》卷下。

自小，小也；自大，亦小也

见清·顾炎武《自视欿然》。全句为："人之为学，不可自小，又不可自大。～"。

自形而上下言，岂得无先后

见宋·朱熹《朱子语类》卷一。全句为："理未尝离乎气，然理形而上者，气形而下者。～"

自其同者视之，万物皆一也

见《庄子·德充符》。全句为："自其异者视之，肝胆楚越也；～"。

自其异者视之，肝胆楚越也

见《庄子·德充符》。全句为："～；自其同者视之，万物皆一也"。

自一气之所有，播万殊而种分

见唐·吴筠《玄纲论·上篇明道德·元气章第二》。

自知者不怨人，知命者不怨天

见《荀子·荣辱》。

自行束修以上，吾未尝无诲焉

见《论语·述而》。

自责以人则易为，易为则行苟

见《吕氏春秋·离俗览·举难》。全句为："君子责人则以人，自责则以义。责人以人则易足，易足则得人；自责以义则难为非，难为非则形饰；故任天地而有余。不肖者则不然，责人则以义，自责则以人。责人以义则难瞻，难瞻则失亲；～；故天下之大而不容也，身取危、国取亡焉"。"瞻"，当作"赡"。难瞻，难以满足。

自古及今，法无不改，势无不积

见清·龚自珍《上大学士书》。全句为："～，事例无不变迁，风气无不移易，所恃者，人才必不绝于世而已"。

自古兴俭以劝天下，必以身先之

见宋·朱熹《宋名臣言行录后集》。

自古通天者，生之本，本于阴阳

见《黄帝内经·生气通天论》。

自受弊薄，后己先人，天下敬之

见《老子》二十二河上公注。

自恃其聪与敏而不学，自败者也

见清·彭端淑《为学一首示子侄》。全句为："聪与敏，可恃而不可恃也；～。昏与庸，可限而不可限也；不自限其昏与庸而力学不倦，自立者也"。

自赦而天下不赦也，则其肆必收

见宋·杨万里《诗论》。全句为："自赦而后肆，～"。

自然者，无称之言，穷极之辞也

见三国·魏·王弼《老子》二十五注。

自其所当后者为之，则先后并废

见宋·苏辙《上皇帝书》。全句为："自其所当先者为之，则其后必举；～"。

自其所当先者为之，则其后必举

见宋·苏辙《上皇帝书》。全句为："～；自其所当后者为之，则先后并废"。

自古圣贤尽贫贱，何况我辈孤且直

见南朝·宋·鲍照《拟行路难十八首》之六。

自古圣贤多薄命，奸雄恶少皆封侯

见唐·杜甫《锦树行》。

自古逢秋悲寂寥，我言秋日胜春朝

见唐·刘禹锡《秋词二首》之一。

自古经纶足是非，阴谋最忌夺天机

见唐·司空图《有感二首》之一。

自古驱民在信诚，一言为重百金轻

见宋·王安石《商鞅》。

自古此冤应未有，汉心汉语吐蕃身

见唐·白居易《缚戎人》。

自古盛衰如转烛，六朝兴废同棋局

见清·劳之辨《眺玄武湖歌》。

自古雄才多磨难，纨绔子弟少伟男

见现代·叶永烈《不翼而飞·现代陶渊明》。

自伐者无功，功成者堕，名成者亏

见《庄子·山木》。

自叹犹为折腰吏，可怜骢马路傍行

见唐·韦应物《赠王侍御》。

自得、自成、自道，不倚师友载籍

见宋·陆九渊《语录下》。

自滴阶前大梧叶，干君何事动哀吟

见唐·杜牧《齐安郡中偶题二首》之二。

自家虽有这道理，须是经历过方得

见宋·朱熹《朱子语类》卷一〇。

自道所禀谓之性，性之所迁谓之情

见五代·前蜀·杜光庭《道德真经广圣义》卷十九。

自细视大者不尽，自大视细者不明

见《庄子·秋水》。

自责以义则难为非，难为非则形饰

见《吕氏春秋·离俗览·举难》。全句为："君子责人则以人，自责则以义。责人以人则易足，易足则得人；～；故任天地而有余。不肖者则不然，责人则以义，自责则以人。责人以义则难瞻，难瞻则失亲；自责以人则易为，易为则行苟；故天下之大而不容也，身取危、国取亡焉"。"瞻"，当作"赡"。难瞻，难以满足。

自责以备谓之明，责人以备谓之惑

见汉·董仲舒《春秋繁露·仁义法》。全句

为:"求诸己谓之厚,求诸人谓之薄;~"。

自天地至于万物,无不须气以生者也

见晋·葛洪《抱朴子·至理》。全句为:"人在气中,气在人中,~"。

自动自休,自峙自流,是恶乎与我谋

见唐·柳宗元《非国语》。全句为:"山川者,特天地之物也。阴与阳者,气而游乎其间者也。~? 自斗自竭,自崩自缺,是恶乎为我设?"

自斗自竭,自崩自缺,是恶乎为我设

见唐·柳宗元《非国语》。全句为:"山川者,特天地之物也。阴与阳者,气而游乎其间者也。自动自休,自峙自流,是恶乎与我谋? ~"

自为计者虽弱必固,欲自溃者虽强必弱

见晋·陈寿《三国志·魏书·卫觊传》。

自古及今,穷其下能不危者,未之有也

见汉·韩婴《韩诗外传》卷二。

自古圣人贤士,皆非有求于闻用也……

见唐·韩愈《争臣论》。全句为:"~,闵其时之不平,人之不乂,得其道,不敢独善其身,而必以兼济天下也"。

自谓乱且危者,则自戒自强,虽乱必理

见唐·白居易《策林一》。全句为:"自谓理且安者,则自骄自满,虽安必危;~"。

自谓理且安者,则自骄自满,虽安必危

见唐·白居易《策林一》。全句为:"~;自谓乱且危者,则自戒自强,虽乱必理"。

自瞽者乐言己之长,自聩者乐言人之短

见明·刘基《郁离子·瞽聩》。

自其不变者而观之,则物与我皆无尽也

见宋·苏轼《前赤壁赋》。全句为:"自其变者而观之,则天地曾不能以一瞬;~"。

自古于今,上以天子……好义而不彰者也

见汉·王符《潜夫论·遏利》。删节处为:"下至庶人,蔑有好利而不亡者"。

自古失国之主,皆为居安忘危,处治忘乱

见唐·吴兢《贞观政要·政体》。全句为:"~,所以不能长久"。

自古乱亡之国,必先坏其法制,而后乱从之

见宋·欧阳修《新五代·史·王建立传》。

自伯之东,首如飞蓬;岂无膏沐,谁适为容

见《诗·卫风·伯兮》。

自私之念萌,则铲之;谗谀之徒至,则却之

见明·吴麟征《家诫要言》。

自外入者,有主而不执;由中出者,有正而不距

见《庄子·则阳》。

自修自修,益处自家求;一刻千金,勿把韶光丢

见清·胡祖德《沪谚·小学唱歌诗》。

自太古以来,致理兴化,未有言之不行而能至矣

见唐·元结《时义·下篇》。

自古至于今,与民为仇者,有迟有速,而民必胜之

见汉·贾谊《新书·大政上》。

自古上书,率多激切。若不激切,则不能起人主之心

见唐·吴兢《贞观政要·纳谏》。

自见者不明,自是者不彰,自伐者无功,自矜者不长

见《老子》二十四。全句为:"企者不立,跨者不行,~"。

❷法自儒家有/祸自微而成/不自满者受益/不自是者博闻/道自在天帝之前/出自幽谷,迁于乔木/我自乐此,不为疲也/靠自己,胜于靠他人/强自取柱,柔自取束/本自天然,不假雕琢/越自尊大,越见器小/恃自直之箭,百世无矢/恃自圆之木,千世无轮/祸自怨起,而福繇德兴/不自大其事,不自尚其功/任自然者久,得其常者济/先自治而后治人之谓大器/凡自唐虞以来,编简所存/道自微而生,祸自微而成/不自反者,看不出一身病痛/俟自直之箭,则百代无一矢/俟自圆之木,则千岁无一轮/当自益者,莫如改过而迁善/有自也而可,有自也而不可/有自也而然,有自也而不然/不自重者致辱,不自畏者招祸/不自见,故明;不自是,故彰/躬自厚而薄责于人,则远怨矣/其自为也过多,其为人也过少/不自伐,故有功;不自矜,故长/能自得师者王,谓人莫己若者亡/才自清明志自高,生于末世运偏消/我自只如常日醉,满川风月替人愁/我自横刀向天笑,去留肝胆两昆仑/能自凿井及泉而汲之,不可胜用矣/不自限其昏与庸而力学不倦,自立者也/各自责则天清地宁,各相责则天翻地覆/独自莫凭阑,无限江山,别时容易见时难/能自治然后可以治人;能治人然后人为之用/审自得者失之而不惧,行修于内者无位而不怍/君自为诈,欲臣下行直,是犹源浊而望水清,理不可得

❸万物自古而固存/余生自负澄清志/命者,自然者也/秦中自古帝王州/愚而自专,事不治/万物自有而终归于无/川广自源,成人在始/乖僻自是,悔误必多/以学自损,不如无学/贞不自炫,用不见疑/侮慢自贤,反道败德/功者自功,祸者自祸/美不自美,因人而彰/过在自用,罪在变化/好言自口,莠言自口/文理自然,姿态横生/不可自暴、自弃、自屈/偏无自足,故凭乎外资/人必自侮,然后人侮之/国必自伐,而后人伐之/行而自衒,人莫之取也/汝无自誉,观汝作家书/家必自毁,而后人毁之

／内不自以诬，外不自以欺／贞刚自有质，玉石乃非坚／同声自相应，同心自相知／兰草自然香，生于大路傍／人欲自见其势，以资明镜／膏火自煎熬，多财为患害／君欲自知其过，必待忠臣／馋人自食其肉，肉尽必死／慎以自靖者，君子之徒也／有朋自远方来，不亦乐乎／有麝自然香，何必当风立／斗粟自可饱，千金何所直／快然自足，曾不知老之将至／开其自新之路，诱于改过之善／天视自我民视，天听自我民听／山木，自寇也；膏火，自煎也／居家自奉宜俭，养亲待客宜丰／臣以自任为能，君以用人为能／必躬自厚而薄责于人，斯无失也／丰岁自少凶岁多，田家辛苦可奈何／不能自胜而强弗从者，此之谓重伤／直待自家都了得，等闲拈出便超然／创业自知难两立，辍耕早已定三分／人生自古谁无死，留取丹心照汗青／人生自是有情痴，此恨不关风与月／儿孙自有儿孙福，莫为儿孙作远忧／儿孙自有儿孙计，莫与儿孙作马牛／观理自难观势易，弹丸累到十枚时／苟不自满而中止，庶几终身而有成／吾观自古贤达人，功成不退皆殒身／衙门自古向南开，就中无个不冤哉／清泉自爱江湖去，流出红墙便不还／强中自有强中手，用诈还逢识诈人／琢雕自是文章病，奇险尤伤气骨多／明珠自有千金价，莫为游人作弹丸／文章自得方为贵，衣钵相传岂是真／思苦自看明月苦，人愁不是月华愁／香兰自判前因误，生不当门也被锄／自得、自成、自道，不倚师友载籍／起来自擘纱窗破，恰漏清光到枕前／登临自有江山助，岂是胸中不得平／自动自休，自峙自流，是恶乎与我谋／自斗自竭，自崩自缺，是恶乎为我设／以镜自照者见形容，以人自照者见吉凶／不学自知，不问自晓，古今行事未之有也／人人自谓握灵蛇之珠，家家自谓抱荆山之玉／人欲自照，必须明镜；主欲知过，必藉忠臣／谗不自来，因疑而来；间不自入，乘隙而入／情不自情，因性而情；性不自性，由情以明／以明自察，量力而行，不失其所，必获久长矣／闭心自慎，终不失过兮；秉德无私，参天地兮／自修自修，益处自家求；一刻千金，勿把韶光丢／兢兢自危，犹惧不终，而况沛然自足，可以成功者乎／人当自信自守，虽承誉之，承奉之，亦不为之加喜爱／学者自强不息，则积少成多；中道而止，则前功尽弃／人当自信自守，……虽毁谤之，侮慢之，亦不为之加沮

❹不肖者自贤／凌寒独自开／行远必自迩／水清石自见／心远地自偏／登高必自卑／不宜妄自菲薄／隐，故不自隐／学者当自树其帜／天聪明，自我民聪明／学书当自成一家之体／内足者，自是无意于名／为恶，不自毁而人毁之／举事以自为者，众去之／人主欲自知，则必直士／勤民以自封，死无日矣／塞水不自其源，必复流／灭祸不自其基，必复乱／才饱身自贵，巷荒门岂贫／升高必自下，陟遐必自迩／以修身自强，则名配尧禹／以清俭自律，以恩信待人／以赏誉自劝者，惰乎为善／制法而自犯之，何以帅下／侮人还自侮，说人还自说／薰以香自烧，膏以明自销／知短于自知，故以道正己／知音徒自惜，聋俗本相轻／山中人自正，路险心亦平／居高声自远，非是藉秋风／好风能自至，明月不须期／威强以自御，力损则身危／成人不自在，自在不成人／贱者虽自贱，重之若千钧／贵者虽自贵，视之若埃尘／有理言自壮，负屈声必高／目短于自见，故以镜观面／自知不自见，自爱不自贵／食饱心自若，酒酣气益振／才高人自服，不必其言之高／伐木不自其根，则蘖又生也／人必其自敬也，然后人敬诸／人必其自爱也，然后人爱诸／能静而自观者，可以用人矣／知小而自畏，则深谋而必克／行高人自重，不必其貌之高／贤者能自反，则无往而不善／见悻悻自好之徒，应须防口／铎以声自毁，膏烛以明自铄／其美者自美，吾不知其美也／其恶者自恶，吾不知其恶也／不知而自以为知，百祸之宗也／未有不自有恒而能至于圣者也／治水不自其源，末流弥增其广／文章须自出机杼，成一家风骨／大巧因自然以成器。不造为异端／多才而自用，虽有贤者无所复施／强者不自勉，或死而泯灭于无闻／厉法禁，自大臣始，则小臣不犯矣／君子知自损之为益，故功一而美二／贤俊者自可赏爱，顽鲁者亦当矜怜／胸中元自有丘壑，故作老木蟠风霜／文章以自得，不蹈袭前人一言为贵／文章必自名一家，然后可以传不朽／杀人以自生，亡人以自存，君子不为也／毁人者，自毁之。誉人者，自誉之……／吾子苟自择之，取某事，去某事，则可矣／物循乎自然，人能明于必然，此人物之异／常看得自家未必是，他人未必非，便有长进／风化者，自上而行于下者也，自先而施于后者／天地任自然无为，无造万物，自相治理，故不仁／万物有自然之理，圣人只是顺之，不曾增加得一毫／愚者不自谓愚而愚见于言，虽自谓智，人犹谓之愚／竹不能自异，唯人异之；贤不能自异，唯用贤者异之／万物以自然为性，故可因而不可为也，可通而不可执也／君子之自行也，动必缘义，行必诚义，俗虽谓之穷，通也

❺我俭则民自俭／我谦则民自谦／处下则物自归／濯清泉以自洁／恃人不如自恃／孤莫孤于自恃／教人便是自学／人生事，反自贼／新诗改罢自长吟／与人当宽，自处当严／我之有我，自由我在／兵民之分，自秦汉始／为人者重，自为者轻／外内表里，自相副称／知人之事，自古

为难／知人者智，自知者明／法之不行，自上犯之／法之不行，自于贵戚／潜移暗化，自然似之／富贵而骄，自遗咎也／道德之教，自坐是也／好问则裕，自用则小／贪叨多积，自遗祸殃／文人相轻，自古而然／文章之道，自古称难／祸福无不自己求之者／心之忧矣，自诒伊戚／自我得之，自我捐之／自知者英，自胜者雄／不可自暴、自弃、自屈／博学而不自反，必有邪／诚其意者，自修之首也／坑儒士起自诸生为妖言／闻人而不自闻者谓之聩／见人而不自见者谓之蒙／虑人而不自虑者谓之瞀／大病只一自是，不肯克己／知之始已自知，而后知人／曲水临流，自可一觞而一咏／秦人不暇自哀，而后人哀之／自小，小也；自大，亦小也／万物固以自然，圣人又何事焉／无为而物自生，无为而物自亡／无猖狂以自彰，当阴沉以自深／不赏而人自劝，不罚而人自畏／求名莫如自修，善誉不能掩恶／秉纲而目自张，执本而末自从／以其终不自为大，故能成其大／日滔滔以自新，忘老之及己也／水不波则自定，鉴不翳则自明／有境界则自成高格，自有名句／不虚则先自满，假教之亦不能受／凡人皆欲自达，仆先得显处……／死者无知，自同粪土，何烦厚葬／丈夫穷空自其分，饿死吾肩未尝胁／厉精，莫如自上率之，则壅蔽决矣／离道而内自择，则不知祸福之所托／若甘心于自暴自弃，便是不能立志／若升高，必自下；若陟遐，必自迩／山生金，反自刻；木生蠹，反自食／行贤而去自贤之行，安往而不爱哉／怨人不如自怨，求诸人不如求诸己／自得、自成、自道，不倚师友载籍／躁急，则先自处于不暇，何暇治事／小人不知自益之为损，故一伐而并失／片技即足自立，天下惟多技之人最劳／自动自休，自峙自流，是恶乎与我谋／自斗自竭，自崩自缺，是恶乎为我设／世未有不自下而能高，不自近而能远者／人才之行，自昔罕全，苟有所长，必有所短／人之才行，自昔罕全，苟有所长，必有所短／苟以细过自恕而轻蹈之，则不至于大恶不止／待人要丰，自奉要约；责己要厚，责人要薄／比于善者，自进之阶，比于恶者，自退之原／文为之物，自然灵气。惚恍而来，不思而至／乐非独以自乐，又以乐人，非独以自正，又以正人／人生所好，自当专一，若多好多能，反能耗神损精／天生一人，自有一人之用，不待取给于孔子而后足也／人当自信自守，虽承誉之，承奉之，亦不为之加喜爱／人当自信自守，……虽毁谤之，侮慢之，亦不为之加沮／我悲人之自丧者，吾又悲夫悲人者，吾又悲夫悲人之悲者／本无功而自矜，一等；有功而伐之，二等；功大而不伐，三等／急乎其所自立，而无患乎人不己知，未尝闻有响大而声微者也／后嗣若贤，自能保其天下；如其不肖，多积仓库，徒益其奢侈，危亡之本也

❻不疑而天下自信／不私而天下自公／修其本而末自应／芳草无情人自迷／莫怨春风当自嗟／多行无礼必自及／多行不义必自毙／造物者听其自然／春到江南花自开／败莫大于不自知／仁义积则物自归之／知者除谗以自安也／居官者，公则自廉／与世沉浮，不自树立／天非虐，惟民自速辜／出言不当，反自伤也／千里之差，兴自毫端／长恶不悛，从自及也／养虎牧狼，还自贼伤／人何在？桂影自婵娟／诚其意者，毋自欺也／艺由己立，名自人成／名刑已定，物自为正／知困，然后能自强也／治忽之端，或自是起／逆顺死生，物自为名／强自取柱，柔自取束／桃李不言，下自成蹊／祸之来也，人自生之／病从口入，患自口出／无力，则不能自成一家／不敬他人，是自不敬也／虽终身而不自睹其性焉／善治人者，能自治者也／胜人者有力，自胜者强／不待卞和显，自为命世珍／长绳难系日，自古共悲辛／今人莫不失自然正性……／功成身不退，自古多愆尤／岂伊地气暖？自有岁寒心／待得雪消后，自然春到来／学者有两忌，自高与自狭／桃李灼灼，不自言于蹊径／成人不自在，自在不成人／此处不留人，自有留人处／自伐者无功，自矜者不长／自知不自见，自爱不自贵／凡人为善，不自誉而人誉之／揣歪，使乖，枉自把心田坏／风景不殊，正自有山河之异／恶闻忠言，乃自伐之精者也／静后见万物，自然皆有春意／天者，理之所自出，凡理皆天／曲己从众，不自专，则全其身／已是黄昏独自愁，更着风和雨／惑者之患，不自以为惑，故惑／才疏志大不自量，西家东家笑我狂／才自清明志自高，生于末世运偏消／天之道莫非自然，人之道皆是当然／天广而无以自覆，地厚而无以自载／不以人之坏自成，不以人之卑自高／我无事而民自富，我无欲而民自朴／我无为而民自化，我好静而民自正／塞上长城空自许，镜中衰鬓已先斑／报国无门空自怨，济时有策从谁吐／图人者适以自图，灭人者适以自灭／清越而瑕不自掩，洁白而物莫能污／春来春去苦自驰，争名争利徒尔为／贤者恒无以自存，不贤者志满气得／眼处心生句自神，暗中摸索总非真／唐太宗之贤，自西汉以来，一人而已／丑必托善以自为解，邪必蒙正以自为辟／行己莫如恭，自责莫如厚，接众莫如宏／疾病不可以自责除，水旱不可以祷谢去／使法择人，不自举也；使法量功，不自度也／苟得于道，无自而不可；失焉者，无自而可／火烧到身，各自去扫；蜂虿入怀，随即解衣／蛇蛇硕言，出自口矣；巧言如簧，颜之厚矣／为道不在多，自为

已有金丹至要，可不用余耳／骄、奢、淫、泆，所自邪也。四者之来，宠禄过也／自见者不明，自是者不彰，自伐者无功，自矜者不长／天有恒日，民自则之，爽则损命，坏自服之，天之道也／不以人之坏自成也，不以人之卑自高也，不以遭时自利也

❼读书百遍而义自见／欲知人者必先自知／下民之孽，匪降自天／不受于邪，邪气自去／不管人责，但求自尽／正身直行，众邪自息／长风一振，众萌自偃／勿烦勿乱，和乃自成／冰炭不言，冷热自明／谦谦君子，卑以自牧／功者自功，祸者自祸／去货以廉，使下自平／藏器待时，耻于自献／挥兹一觞，陶然自乐／握火投人，反先自热／知足者不以利自累也／独坐穷山，放虎自卫／多士之林，不扶自直／如人饮水，冷暖自知／好言自口，莠言自口／见怪不怪，其怪自败／物有隆杀，不得自若／敬他人，即是敬自己／欲胜人者，必先自胜／欺人如欺天毋自欺也／心能执静，道将自定／心气常顺，百病自遁／确乎不拔，浩然自守／积微成大，陟遐自迩／白纱入缁，不染自黑／白日一照，浮云自开／不可自暴、自弃、自屈／为善于世而不自伐其功／凡事无小大，物自为舍／知不足，然后能自反也／时俗人有耳不自闻其过／心安而虚，则道自来止／言非礼义，谓之自暴也／天行健，君子以自强不息／不自大其事，不自尚其功／及在人，则又各自有个理／能持大体，凡事自可就也／能胜强敌者，先自胜者也／奚必知代而心自取者有之／性情之生，斯乃自然而有／懈意一生，便是自弃自暴／迎春故早发，独自不疑寒／道自微而生，祸自微而成／见善，修然，必以自存也／有永弃之悲，无自新之望／一凡人沮之，则自以为不足／一凡人誉之，则自以为有余／由礼以达道，则自得而不眩／非才之难，所以自用者实难／谤之有因者，非自修弗能止／措语遣意，有若自然生成者／有自也而可，有自也而不可／有自也而然，有自也而不然／恣纵既成……亦制自家不得／专知擅事，侵人自用，谓之贪／不自见，故明；不自是，故彰／人穷事败者，释自然而任智力／泻水置平地，各自东西南北流／日习则学不忘，自勉则身不堕／朕若躬服珠玉，自玩锦绣……／鸷鸟之不群兮，自前世而固然／不塞其原，则物自生，何功之有／不禁其性，则物自济，何为之恃／剑不徒断，车不自行，或使之也／天作孽，犹可违；自作孽，不可逭／受人养而不能自养者，犬豕之类也／若甘心于自暴自弃，便是不能立志／责上责下而中自恕己，岂可任职分／读书欲睡，引锥自刺其股，血流至足／安得因一摧折，自毁其道以从于邪也／自动自休，自峙自流，是恶乎与我谋／自斗自竭，自崩自缺，是恶乎为我设／不可以年少而自恃，不可以年老而自弃／不以一毫私意自蔽，不以一毫私欲自累／不诡其词而词自丽，不异其理而理自新／我服布素则民自暖，我食葵藿则民自饱／厚者不损人以自益，仁者不危躯以要名／形不得神不能自生，神不得形不能自成／肥肉厚酒，务以自强，命之曰烂肠之食／欲胜人者必先自胜，欲论人者必先自论／心苟无事则息自调，念苟无欲则中自守／不学自知，不问自晓，古今行事未之有也／长短不饰，以情自竭，若是则可谓直士矣／厚者不毁人以自益也，仁者不危人以要名／欲人勿恶，必先自美；欲人勿疑，必先自信／欲论人者，必先自论；欲知人者，必先自知／窈然无际，天道自会；漠然无分，天道自运／天道无为，任物自然，无亲无疏，无彼无此也／不恃隐括而有自直之箭自圆之木，百世无有一／人主之立法，先自为检式仪表，故令行于天下／自修自修，益处自家求；一刻千金，勿把韶光丢／物非有大小也，自其内而观之，未有不高且大者也／不是师法，而好自用，譬之是犹以盲辨色，以聋辨声也

❽举天下之贤者以自代／人之不幸莫过于自足／塞其本源而末流自止／万物归之，美恶乃自见／与害偕行兮，以死自绕／不欲以静，天下将自定／兵犹火也，不戢将自焚／勿以功高古人而自矜大／勿以太平渐久而自骄逸／勿挠勿撄，万物将自清／勿惊勿骇，万物将自理／变化者，乃天地之自然／大愚误国，只为好自用／尝从人事，皆口腹自役／名不徒生，则誉不自长／赏当其劳，无功者自退／有善心之民，畏法自重／愚者多悔，不肖者自贤／积思勉之功，旧习自除／既谓之机，则动非自外／丈夫不叹别，达士自安卑／天下本无事，庸人自扰之／天下本无事，庸人自召之／不贪财，不失言，不自是／内不自以诬，外不自以欺／兵犹火也，弗戢将自焚也／以文常会友，唯德自成邻／同声自相应，同心自相知／何惜微躯尽，缠绵自有时／但知勤作福，衣食自然丰／势家多所宜，咳唾自成珠／坏崖破岩之水，原自涓涓／坏崖破岩之水，源自涓涓／英雄有屯邅，由来自古昔／小者乐致其小以自附于大／口含黄柏味，有苦自家知／哑子尝黄柏，苦味自家知／虽无纪历志，四时自成岁／善在身，介然必以自好也／猛虎潜深山，长啸自生风／处高心不有，临节自为名／奸臣欲窃位，树党自相群／学尽百禽语，终无自己声／松柏生深山，无心自贞直／成败何足校？英雄自有真／所谓无治者，不易自然也／扁舟从此去，鸥鸟自为群／愚谓无知守真，顺自然也／矮观场，嗔人长，不自量／“聪明”二字不可以自许／自以为有过，而过自寡矣／人不忘廉耻，立身

自不卑污／过者之患，不知而自以为知／贵人者，非贵人也，自贵也／见不善，愀然，必以自省也／祸之所由生也，生自纤纤也／心体光明，暗室中自有青天／不自重者致辱，不自畏者招祸／民足则怀安，安则自重而畏法／夺他人之酒杯，浇自己之垒块／君子责人则以人，自责则以义／山木，自寇也；膏火，自煎也／恶不废则善不兴，自然之道也／不自伐，故有功；不自矜，故长／天子呼来不上船，自称臣是酒中仙／不依古法但横行，自有云雷绕膝生／不畏浮云遮望眼，自缘身在最高层／我心坚，你心坚，各自心坚石也穿／良人犹恐催耕早，自扯蓬窗看晓星／人怜直节生来瘦，自许高材老更刚／从来好事天生俭，自古瓜儿苦后甜／凡天下之事成于自同，而败于自异／随人作计终后人，自成一家始逼真／当时更有军中死，自是君王不动心／积善成德，而神明自得，圣心备焉／自细视大者不尽，自大视细者不明／亡我者，我也；我不自亡，谁能亡之／天地之中，荡然任自然，故不可得而穷／自谓乱且危者，则自戒自强，虽乱必理／自谓理且安者，则自骄自满，虽安必危／洞然无为而天下自和，憺然无欲而民自朴／贵不与骄期而骄自至，富不与侈期而侈自来／敬人者，非敬人也，自敬也；贵人者，非贵人也，自贵也

❾能究其本根而枝叶自举／见可欲则思知足以自戒／万事有不平，尔何空自苦／不摇香已乱，无风花自飞／不待清明近，莺花已自忙／不学蒲柳凋，贞心常自保／乃知四体勤，无衣亦自暖／久在樊笼里，复得返自然／升高必自下，陟遐必自迩／尽输助徭役，聊就空自眠／利旁有依刀，贪人还自贼／侮人还自侮，说人还自说／人有旦夕祸福，岂能自保／苟由其道，其势可以自得／薰以香自烧，膏以明自销／少成若天性，习贯如自然／当及未衰时，晚节早自励／常言道：酒不醉人人自醉／吾学无所学，乃能明自然／器满才难御，功高主自疑／国正天心顺，官清民自安／清者不必慎，慎者必自清／鸿毛至轻也，而不能自举／恬淡无人见，年年常自清／懈意一生，便是自弃自暴／还身意所欲，清净而自守／学者有两忌，自高与自狭／纷乎其若乱，静之而自治／杨意不逢，抚凌云而自惜／时节忽已换，壮心空自惊／有风方起浪，无潮水自平／烈士多悲心，小人偷自闲／祸生于欲得，福生于自禁／念高危，则思谦冲而自牧／白沙混于泥涂，不染自污／蚍蜉撼大树，可笑不自量／自知不自见，自爱不自贵／譬如工画师，不能知自心／青蓬育于麻圃，不扶自直／无为为之，而变化不自知也／不善在身，菑然必以自恶也／不迩小人，则谗谀者自远矣／小人怨汝詈汝，则皇自敬德／知之难，不在见人，在自见／有意者反远，无心者自近也／与妄人相值，亦当存自反之心／天视自我民视，天听自我民听／有境界则自成高格，自有名句／点画皆有筋骨，字体自然雄媚／痴人妄认逆境，平地自生铁围／厚于财色必薄于德，自然之道也／众皆舍而己用兮，忽自惑其是非／变尽人间，君山一点，自古如今／敌军围困万千重，我自岿然不动／天平山上白云泉，云自无心水自闲／不学而废者，愧己而自卑，卑则全／圣人正方以约己，人自正方以从化／圣人清廉以澡身，人自廉洁以顺教／君子者，性非绝世，善自托于物也／善知人者如明镜，善自知者如蚌镜／机发矢直，涧曲湍回，自然之趣也／真者，所以受于天也，自然不可易也／人灵于物者也，何不自听，而听于物乎／德日新，万邦惟怀；志自满，九族乃离／杀人以自生，亡人以自存，君子不为也／自瞽者乐言己之长，自聩者乐言人之短／愚者为一物一偏，而自以为知道，无知也／造父疾趋，百步而废；自托乘舆，坐致千里／从山阴道上行，山川自相映发，使人应接不暇／苍蝇之飞，不过十步；自托骐骥之尾，乃腾千里之路／虽有国士之力，不能自举其身，非无力也，势不便也

❿使人日徙善远罪而不自知／干将虽利，非人力不能自断／吏不与奸罔期，而奸罔自至／并词竞说者，为贷手以自殴／冰炭不言，而冷热之质自明／善人喜于见传，则勇于自立／教人者，养其善心而恶自消／铎以声自毁，膏烛以明自铄／天施地化，不以仁恩，任自然／无为而物自生，无为而物自亡／无猖狂以自彰，当阴沉以自深／不可以一时之得意而自夸其能／不可以一时之失意而自坠其志／不排毁以取进，不刻人以自入／不赏而人自劝，不罚而人自畏／秉纲而目自张，执本而末自从／以国士待人者，人亦国士自奋／网开三面，危疑者许以自新用／人主以好暴示能，以好唱自奋／交气疾争者，为易口而自毁也／去小知而大知明，去善而自善／坐茂树以终日，濯清泉以自洁／茎受露而将低，香从风而自远／常与众庶同垢尘，不当自别殊／君子之不骄，虽暗室不敢自慢／知不足者好学，耻下问者自满／御寒莫若重裘，止谤莫如自修／广积不如教子，避祸不如自省／治民者，导之敬让，而争自息／滓泥污秽之中，莲含香而自洁／逍遥于天地之间，而心意自得／水不波则自定，鉴不翳则自明／贾竖不与不仁期，而不仁自至／教人者，养其善心，而恶自消／救寒莫如重裘，止谤莫如自修／既反黑以为白，恒怀蛆以自盈／无问其名，无阚其情，物固自生／不骄方能师人之长，而自成其学／人情莫不欲处前，故恶人之自伐／吾身不能居仁由义，谓之自弃也／独闵闵其曷已兮，凭文章以自宣／治国之难

在于知贤，而不在自贤／鸿鹄固有远志，但燕雀自不知耳／居今之世，志古之道，所以自镜／败莫大于愚。愚之患，在必自用／见贤思齐焉，见不贤而内自省也／目见百步之外，而不能自见其眦／自恃其聪与敏而不学，自败者也／夫妻本是同林鸟，大限来时各自飞／天平山上白云泉，云自无心水自闲／天广而无以自覆，地厚而无以自载／不以人之坏自成，不以人之卑自高／不把黄金买画工，进身羞与自媒同／内守坚固真之真，虚中恬淡自致神／旧书不厌百回读，熟读深思子自知／向来枉费推移力，此日中流自在行／我无事而民自富，我无欲而民自朴／我无为而民自化，我好静而民自正／良将之为政也，使人择之，不自举／传派传宗我替羞，作家各自一风流／人生难得秋前雨，乞我虚堂自在眠／含情欲说独无处，传与琵琶心自知／凡天下之事成于自同，而败于自异／六府修治洁如素，虚无自然道之固／说者持容而不极，听者自多而不得／苦心虽呕何由出，病骨非谗亦自销／若升高，必自下；若陟遐，必自迩／大抵文字须熟乃妙，熟则利病自明／大马死，小马饿；高山崩，石自破／省事莫如任人，厉精莫如自上率之／图人者适以自图，灭人者适以自灭／山生金，反自刻；木生蠹，反自食／闭门觅句非诗法，只是征行自有诗／阁中帝子今何在，槛外长江空自流／强中更有强中手，莫向人前满自夸／成败极知无定势，是非元自要徐观／时来天地皆同力，运去英雄不自由／觉人之诈而不说破，待其自愧可也／脱裙衫，穷不妨；布荆人，名自香／毁誉从来不可听，是非终久自分明／错把黄金买词赋，相如自是薄情人／白骨已枯沙上草，家人犹自寄寒衣／其物存，其人亡，不言哀而哀自至／天下之事不可为也，因其自然而推之／天授人以贤圣才能，岂使自有余而已／今善善恶恶，好荣憎辱，非人能自生／道之尊，德之贵，夫莫之命而常自然／社稷无常奉，君臣无常位，自古以然／心能知人者如明镜，善自知者如蚌镜／忠告而善道之，不可则止，毋自辱焉／与善人居，如入芝兰之室，久而自芳也／与恶人居，如入鲍鱼之肆，久而自臭也／天地之间空虚，和气流行，故万物自生／无性则伪之无所加，无伪则性不能自美／不可以年少而自恃，不可以年老而自弃／不以一毫私意自蔽，不以一毫私欲自累／不诡其词而词自丽，不异其理而理自新／不自限其昏与庸而力学不倦，自立者也／丑必托善以自为解，邪必蒙正以自为辟／世未有不自下而能高，不自近而能远者／反听之谓聪，内视之谓明，自胜之谓强／失神之术本于纵恣，丧神之数在于自专／我服布素则民自暖，我食葵藿则民自饱／以镜自照者见形容，以人自照者见吉凶／偏而在外，犹可救也，疾自中起，是难／至无者，无以能生，故始生者，自生也／形不得神不能自生，神不得形不能自成／鹰击长空，鱼翔浅底，万类霜天竞自由／治世之德，衰世之恶，常与爵位自相副／欲胜人者必先自胜，欲论人者必先自论／毁人者，自毁之。誉人者，自誉之……／心苟无事则息自调，念苟无欲则中自守／自为计者虽弱必固，欲自溃者虽强必弱／自谓乱且危者，则自戒自强，虽乱必理／自谓理且安者，则自骄自满，虽安必危／不肖者则不然，责人则以义，自责则以人／失于声，缪迷其四体，谓己当然，自诬也／作诗者陶冶物情，体会光景，必贵乎自得／洞然无为而天下自和，憺然无欲而民自朴／始而胎气虚耗……壮而声色自放者弱而夭／神姿高彻，如瑶林琼树，自然是风尘外物／繁弱，钜黍，古之良弓也……则不能自正／天地有官，阴阳有藏；慎守女身，物将自壮／不专一能，怪怪奇奇，不可时施，只以自嬉／举网以纲，千目皆张，振裘持领，万毛自整／民生在勤，勤则不匮。宴安自逸，岁暮奚冀／使法择人，不自举也；使法量功，不自度也／俯偻匍匐，啖恶求媚，舐痔自亲，美言谄笑／人人自谓握灵蛇之珠，家家自谓抱荆山之玉／冰炭不言，而冷势之质自明者，以其有实也／谗不自来，因疑而来；间不自入，乘隙而入／刀笔之吏专深文巧诋，陷人于罔，以自为功／圣人不求誉，不辟诽，正身直行，众邪自息／圣人爱养万民，不以仁恩，法天地，行自然／苟得于道，无自而不可；失焉者，无自而可／知不知，上矣；过者之患，不知而自以为知／情不自情，因性而情；性不自性，由情以明／己好则好之，己恶则恶之，以是自信则惑也／比于善者，自进之阶，比于恶者，自退之原／是以与善人居，如入芝兰之室，久而自芳也／智如目也，能见百步之外，而不能自见其睫／贵不与骄期而骄自至，富不与侈期而侈自来／敌存而惧，敌去而舞；废备自盈，只益为瘉／欲人勿恶，必先自美；欲人勿疑，必先自信／欲论人者，必先自论；欲知人者，必先自知／毋先物动，以观其则；动则失位，静乃自得／石生而坚，兰生而芳，少自其质，长而愈明／窈然无际，天道自会；漠然无分，天道自运／虎狼当路，不治狐狸。先除大害，小害自已／霜封野树，冰冻寒苗，岸草无色，芦花自飘／金玉满堂，莫之能守。富贵而骄，自遗其咎／上无所为，则下无事，家给人足，万物自化就／天地所以能长且久者，以其不自生，故能长生／不恃隐括而有自直之箭自圆之木，百世无有一／任非其人而国家不倾者，自古至今，未尝闻也／风化者，自上而行于下者也，自先而施于后者／既已得高官巨富矣，仍讲道德、说仁义自若也／天地任自然无为,无造万物,自相治理,故不仁/朱丹既定,雌黄有别,使夫怀鼠知惭,滥竽自耻/会心处不必在远,翳然林水,便自有濠濮间想也/明窗净几笔砚纸墨皆极精良,亦自是人生一乐事/乐非独以自乐,又以乐人,非独以自正,又以正人/主德者,聪明平淡,总达众材,而不以事自任者也/含气之伦,有生必终,盖天地之常期,自然之至数/凡敢为大奸者,材必有过于众,而能自媚于上者也/君子之道,辟如行远,必自迩;辟如登高,必自卑/治天下者,当以天下之心为心,不得自专快意而已/清静处下,虚以待之,无为无求,而百川自为来也/愚者不自谓愚而愚见于言,虽自谓智,人犹谓之愚/兢兢自危,犹惧不终,而况沛然自足,可以成功者乎/入夜思归切,笛声清更哀,愁人不愿听,自到枕前来/建天下之大事功者,全要眼界大,眼界大则识见自别/饥餐松柏叶,渴饮涧中泉,看罢青青竹,和衣自在眠/学无二事,无二道,根本苟立,保养不替,自然日新/胶漆至粘也,而不能合远;鸿毛至轻也,而不能自举/福生有基,祸生有胎;纳其基,绝其胎,祸福何自来/竹不能自异,唯人异之;贤不能自异,唯用贤者异之/自见者不明,自是者不彰,自伐者无功,自矜者不长/天有恒日,民自则之,爽则损命,环自服之,天之道也/失名失货,道德是佑,神明是助,名显自然,富配天地/人知出必由户,而不知行必由道。非道远人,人自远尔/上古明王举乐者,非以娱心自乐,快意恣欲,将欲为治也/天下大乱,贤圣不明,道德不一,天下多得一察焉以自好/不以人之坏自成也,不以人之卑自高也,不以遭时自利也/吃百姓之饭,穿百姓之衣,莫道百姓可欺,自己也是百姓/敬人者,非敬人也,自敬也;贵人者,非贵人也,自贵也/上智不处危以侥幸,中智能因危以为功,下愚安于危以自亡/汝游心于淡,合气于漠,顺物自然而无容私焉,而天下治矣/肮脏不平之气,不欲销而自销;坚贞不拔之志,不欲奋而自奋矣/若明而不信,严而不断,惠而不正,虽欲理身,终不自理,况于人哉

血 ①xuè 血液;有共同祖先的;流血;气质刚烈;染。②xiě 血液。

❶血垂竭者则难益也

见晋·葛洪《抱朴子·极言》。全句为:"服食药物者,因血以益血,而～"。

血气之怒不可有,理义之怒不可无

见宋·朱熹《四书集注·孟子·梁惠王下》。全句为:"小勇者,血气之怒也;大勇者,理义之怒也;～"。

❷战血粘秋草,征尘搅夕阳

❸凡有血气者……/凡有血气,皆有争心/宁当血刃死,不作衽席完

❹久视伤血,久卧伤气,久立伤骨/恨不得血贼于万载,肉贼于三军/小勇者,血气之怒也;大勇者,理义之怒也

❺杀人须见血,救人须救彻

❻伏尸百万,流血漂卤

❼割嗜欲所以固血气/杀人如麻兮流血成湖/服食药物者,因血以益血/但见丹诚赤如血,谁知伪言巧似簧/字字看来皆是血,十年辛苦不寻常/子规夜半犹啼血,不信东风唤不回

❽良璞不剖,必有泣血以相明者/精神不运则愚,气血不运则病/义理之勇不可无,血气之勇不可有/音乐者,所以动荡血脉,通流精神而和正心也/动摇则谷气得消,血脉流通,病不得生,譬犹户枢不朽也

❿一粒红稻饭,几滴牛颔血/案上一点墨,民间千点血/服食药物者,因血以益血/可知他朱甍碧瓦,总是血膏涂/从头越,苍山如海,残阳如血/天子之怒,伏尸百万,流血千里/今来县宰加朱绂,便是生灵血染成/壮志饥餐胡虏肉,笑谈渴饮匈奴血/寄意寒星荃不察,我以我血荐轩辕/精卫有情衔太华,杜鹃无血到天津/读书欲睡,引锥自刺其股,血流至足/顺之则喜,逆之则怒,此有血气者之性也/每开一卷,刀搅肺肠;每读一篇,血滴文字/食之道:大充,伤而形不臧;大摄,骨枯而血沍/食人力之粟,守无事之官,拳拳血诚,无所陈露/莫道男儿心如铁,君不见满川红叶,尽是离人眼中血/消磨了三十多年层层心血,算不得大千世界小小文章/真的猛士,敢于直面惨淡的人生,敢于正视淋漓的鲜血

衅 xìn 嫌隙;事端;容易冲动;古代新制器物成,杀牲以祭,因以其血涂缝隙之称。

❾一念放恣,则百邪乘衅/功全则誉显,业谢则衅生

舟 zhōu 船;古代尊彝等的托盘;带;姓。

❶舟行若穷,忽又无际

见唐·柳宗元《袁家渴记》。

舟浮于水,车转于陆

见汉·刘安《淮南子·主术》。

舟非水不行,水入舟则没

见三国·魏·王肃《孔子家语》。

舟大者任重,马骏者远驰

见隋·杨坚《诏苏威》。

舟如空里泛,人似镜中行

见南朝·陈·释惠标《咏水诗三首》之一。

舟在江海,不为莫乘而不浮

见汉·刘安《淮南子·说山》。全句为:"兰生

幽谷,不为莫服而不芳;～;君子行义,不为莫知而止休”。

舟者,所以济桥之所不及也

见宋·苏洵《诗论》。

舟凝滞于水滨,车逶迟于山侧

见南朝·梁·江淹《别赋》。全句为:“～,棹容与而讵前,马寒鸣而不息”。

舟循川则游速,人顺路则不迷

见唐·马总《意林·唐子》。

舟遥遥以轻飏,风飘飘而吹衣

见晋·陶潜《归去来兮辞》。

舟覆乃见善游,马奔乃见良御

见汉·刘安《淮南子·说林》。

舟必漏也而后水入焉,土必湿也而后苔生焉

见明·刘基《郁离子·瞽聩》。

❷扁舟泛月回/渔舟出没浪为家/扁舟不系与心同/负舟登山,诚难事也/载舟覆舟,所宜深慎/大舟有深利,沧海无浅波/渔舟唱晚,响穷彭蠡之滨/孤舟蓑笠翁,独钓寒江雪/扁舟从此去,鸥鸟自为群/扁舟泛湖海,长揖谢公卿/乘舟楫者,不能游而绝江海/吞舟之鱼,陆处则不胜蝼蚁/假舟楫者,非能水也,而绝江河/吞舟之鱼,砀而失水,则蚁能苦之/沉舟侧畔千帆过,病树前头万木春/扁舟一棹归何处,家在江南黄叶村/吞舟之鱼不游渊,鸿鹄高飞不就污池/吞舟之鱼不居潜泽,度量之士不居污世/吞舟之鱼,不游枝流;鸿鹄高飞,不集污池/吞舟之鱼荡而失水,则制于蝼蚁,离其居也/金舟不能凌阳侯之波,玉马不任骋千里之迹

❸君者舟也,庶人者水也/昼则舟楫出没于其前,夜则鱼龙悲啸于其下/君者,舟也;庶人者,水也。水则载舟,水则覆舟

❹不善操舟而恶河之曲/泛泛杨舟,载沉载浮/载舟覆舟,所宜深慎/旱斯具舟,热斯具裘/水则载舟,水则覆舟/水能载舟,亦能覆舟/积羽沉舟,群轻折轴/欲济无舟楫,端居耻圣明/有以乘舟死者,欲禁天下之船,悖/积羽沉舟,群轻折轴,故君子禁于微/畜水覆舟,养兽反害,悔之噬脐,将何所及

❺世事波上舟,沿洄安得住/君看一叶舟,出没风波里/水所以载舟,亦所以覆舟/乘不测之舟,入无人之地,以相从问文章为事

❻若君不修德,舟中之人尽为敌国也/酒池,足以运舟;糟丘,足以望七里/共舆而驰,同舟而济,舆倾舟覆,患实共之

❼长风万里送归舟/以道德治民者,舟也/谗口成铄金,沉舟由积羽/巫峡之水能覆舟,若比人心是安流/水不激不能破舟,矢不激不能饮羽/白鸥问我泊孤舟,是身留,是心留/善举事者若乘舟而悲歌,一人唱而千人和

❽水则载舟,水则覆舟/水能载舟,亦能覆舟/轻缗振网,或随吞舟之势/明哲之君,网漏吞舟之鱼/舟非水不行,水入舟则没/巫峡之险不能覆舟而覆于平流/勿轻小事,小隙沈舟;勿轻小物,小虫毒身

❾行海者坐而至越,有舟也/生不识水,则虽壮,见舟而畏之/奔车之上无仲尼,覆舟之下无伯夷/资栋梁而成大厦,凭舟楫而济巨川/国之有民,犹水之有舟,停则以安,扰则以危

❿上天下天水,出地入地舟/仍怜故乡水,万里送行舟/饮马犹尚可,莫使学操舟/亲朋无一字,老病有孤舟/水清迎过客,霜叶落行舟/水所以载舟,亦所以覆舟/胡人便于马,越人便于舟/竹喧归浣女,莲动下渔舟/至得无私,泛泛乎若不系之舟/莫怨无情流水,明月扁舟何处/析飞糠以为舆,剖秕糟以为舟/行远者假于车,济江海者因于舟/强己才之所不逮,是行舟于陆也/人生在世不称意,明朝散发弄扁舟/水之积也不厚,则其负大舟也无力/破额山前碧玉流,骚人遥驻木兰舟/渚寒烟淡,棹移人远,缥缈行舟如叶/彼寻常之污渎兮,岂能容夫吞舟之巨鱼/登峻者戒在于穷高,济深者祸生于舟重/交拱之木无把之枝,寻常之沟无吞舟之鱼/若金,用汝作砺;若济巨川,用汝作舟楫/共舆而驰,同舟而济,舆倾舟覆,患实共之/夜行者掩目而前其手,涉水者解其马载之舟/盈把之木无合拱之枝,荣泽之水无吞舟之鱼/沧波远天,混和暮色,孤舟一去,曷日而旋归/楩楠豫章之生也,七年而后知,故可以为棺舟/不躬行,便如水行得车,陆行得舟,一毫受用不得/君者,舟也;庶人者,水也。水则载舟,水则覆舟/搜寻仞之垄,求干天之木;漉牛迹之中,索吞舟之鳞/吴人与越人相恶也,当其同舟而济遇风,其相救也如左右手

舠

dāo 小船,形如刀。

❿言峻则嵩高极天,论狭则河不容舠

舡

xiāng,又读 chuán,船。

❿背法而治,此任重道远而无马牛,济大川而无舡楫也

航

háng 航行;船;连船而成的浮桥。

❼乘国者,其如乘航乎!航安,则人斯安矣

舸

gě 大船。

❿看万山红遍,层林尽染;漫江碧透,百舸争流

船

chuán 船舶的通称;酒器。

❶船到江心补漏迟

见元·关汉卿《救风尘》。

❷载船渡海,虽深何咎/契船而求剑,守株而伺兔/放船千里凌波去,略为吴山留顾

❸水涨船高,泥多佛大

❹不善使船嫌溪曲/及溺呼船,悔之无及/不是撑船手,休来弄竹竿

❻清风明月满船归/满湖风月画船归/大匠无弃材,船车用不均/乘渍水以胶船,驭奔驹以朽索

❼十里黄芦雪打船/绝江海者托于船/天子呼来不上船,自称臣是酒中仙/游江海者托于船,致远道者托于乘

❽为学正如撑上水船,一篙不可放缓

❾借问瘟君欲何往,纸船明烛照天烧/此去与师谁共到?一船明月一帆风

❿为虏为王尽偶然,有何羞见汉江船/清渚白沙茫不辨,只应灯火是渔船/姑苏城外寒山寺,夜半钟声到客船/有以乘舟死者,欲禁天下之船,悖/窗含西岭千秋雪,门泊东吴万里船/黑云翻墨未遮山,白雨跳珠乱入船/欲弃学而循性,是谓犹释船而欲蹶水也/贱生于无所用,中流失船,一壶千金,贵贱无常,时使物然

衣

①yī 衣服;器物的外罩;果实的皮、膜;鸟的羽毛。②yì 穿;遮盖。

❶衣食足而知荣辱

见汉·司马迁《史记·管晏列传》。

衣食足,知荣辱

见唐·马总《意林·管子》。全句为:"仓库实,知礼节;国多财,远者来;~"。

衣不求华,食不厌蔬

见宋·王安石《长安县太君王氏墓志》。

衣不兼采,食不重味

见汉·班固《汉书·游侠传》。

衣不如新,人不如故

见南朝·宋·刘义庆《世说新语·贤媛》。

衣不经新,何由而故

见南朝·宋·刘义庆《世说新语·贤媛》。

衣莫若新,人莫若故

见《晏子春秋·内篇·杂上》。

衣服中,容貌得……

见汉·韩婴《韩诗外传》。全句为:"~,则民之目悦;言语逊,应对给,则民之耳悦。就仁去不仁,则民之心悦"。

衣食不足,盗之源也

见宋·刘敞《患盗论》。全句为:"~;政赋不均,盗之源也;教化不修,盗之源也"。

衣冠不正,则宾者不肃

见《管子·形势解》。

衣食之道,必始于耕织

见汉·刘安《淮南子·主术》。

衣沾不足惜,但使愿无违

见晋·陶潜《归园田居五首》之三。

衣食当须纪,力耕不吾欺

见晋·陶潜《移居二首》之一。

衣食者民之本,稼穑者民之务

见汉·桓宽《盐铁论·力耕》。

衣上征尘杂酒痕,远游无处不消魂

见宋·陆游《剑门道中遇微雨》。

衣不洗则垢不除,刀不磨则锋不锐

见太平天国·洪仁玕《克敌诱惑论》。

衣带渐宽终不悔,为伊消得人憔悴

见宋·柳永《凤栖梧》。

衣食足而知荣辱,廉让生而争讼息

见汉·班固《汉书·食货志》。

衣缺不补,则日以甚;防漏不塞,则日以滋

见汉·桓宽《盐铁论·申韩》。

❷曹衣出水/无衣无褐,何以卒岁/无衣惜衣,无食惜食/惜衣有衣,惜食有食/易衣而出,并日而食/振衣千仞冈,濯足万里流/布衣穷贱之人,咸得献其狂瞽/冠衣不能移人迹,顾所履何如耳/罗衣从风,长袖交横,骆驿飞散,飒揭合并/曰衣食足而后廉耻兴,财物阜而后礼乐作,是执末以求其本也

❸云想衣裳花想容/舜布衣而有天下/每一衣,则思纺绩之辛苦/凡营衣食,以不失时为本/今布衣虽贱,犹足以方于此/老者衣帛食肉,黎民不饥不寒……/青云衣兮白霓裳,举长矢兮射天狼/不务衣食而务无盗贼,是止水而不塞源也

❹乘肥马,衣轻裘/无衣惜衣,无食惜食/每著一衣,则悯蚕妇/蔬食弊衣足以养性命/惜衣有衣,惜食有食/宁可湿衣,不可乱步/饥寒无衣食,举动鞭捶施/饱肥甘,衣轻暖,不知节者损福/贫民常衣牛马之衣,食犬彘之食/不为捣衣勤不睡,破除今夜夜如年/日典春衣非为酒,家贫食粥已多时/士有靡衣鲜食而乐道者,吾未之见也/饱食、暖衣,逸居而无教,则近于禽兽/寒之于衣,不待轻暖;饥之于食,不待甘旨

❺潮来风满衣/食不重味,衣不重采/排恨叠,怯衣单,花枝红泪弹/食有酒肉,衣有罗绮……非益生之良药

❻为他人作嫁衣裳/不以其人布衣不用/内清外浊,弊衣裹玉/但知勤作福,衣食自然丰/人生归有道,衣食固其端/荷裳桂楫,拂衣于东海之东/大寒而后索衣裘,不亦晚乎/黄帝、尧、舜垂衣裳而天下治/新浴者振其衣,新沐者弹其冠/制芰荷以为衣兮,集芙蓉以为裳/面垢不忘洗,衣垢不忘浣,此人之至情也/古昔多由布衣定一世者矣,皆能用非其有也

❼非其身力，不以衣食／禹之裸国，裸入衣出／食不重肉，妾不衣帛／乃知四体勤，无衣亦自暖／借车者驰之，借衣者被之／灭烛怜光满，披衣觉露滋／仪必应乎高下，衣必适乎寒暑／劝君莫惜金缕衣，劝君须惜少年时／焚芰制而裂荷衣，抗尘容而走俗状／苟有所见，虽布衣之贱，远守之微，亦可施用／朴其身躬，恶其衣服，语无为以求名，言无欲以求利

❽量腹而食，度身而衣／心之忧矣，如匪浣衣／以铜为镜，可以正衣冠／居官不爱子民，为衣冠盗／国以人为本，人以衣食为本／富贵不归故乡，如衣绣夜行／贫民常衣牛马之衣，食犬彘之食／食不偷而为饱兮，衣不苟而为温／文章自得方为贵，衣钵相传岂是真／临水远望，泣下沾衣，远道之人心思归／仓廪实，则知礼节；衣食足，则知荣辱／士志于道，而耻恶衣恶食者，未足与议也／彼民有常性，织而衣，耕而食，是谓同德

❾从来天下士，只在布衣中／狐白足御冬，焉念无衣客／劝农桑，益种树，可得衣食物／为人子者，父母存，冠衣不纯素／一仪不可以百发，一衣不可以出岁／食必常饱，然后求美；衣必常暖，然后求丽／君子之处世也，甘恶衣粗食，甘艰苦劳动，斯可以无失矣

❿先缕而后针，不可以成衣／慈母手中线，游子身上衣／窗下抛梭女，手织身无衣／鬓边虽有丝，不堪织寒衣／三代之兵，耕而食，蚕而衣／每念斯耻，汗未尝不发背沾衣／新沐者必弹冠，新浴者必振衣／舟遥遥以轻飏，风飘飘而吹衣／为国者以民为基，民以衣食为本／黄金珠玉，饥不可食，寒不可衣／珠玉金银，饥不可食，寒不可衣／一生所遇唯元白，天下无人重布衣／丈夫不作儿女别，临岐涕泪沾衣巾／丈夫力耕长忍饥，老妇勤织长无衣／剑外忽传收蓟北，初闻涕泪满衣裳／白骨已枯沙上草，家人犹自寄寒衣／西家老人晓稼穑，白发空多缺衣食／生民之本，要当稼穑而食，桑麻以衣／圣人量腹而食，度形而衣，节于己而已／尚力务本而种树繁，躬耕趣时而衣食足／君不见长安女儿嫩如水，十指不动衣罗绮／乘人之车者载人之患，衣人之衣者忧人之忧／凡事皆须务本，国以人为本，人以衣食为本／火烧到身，各自去扫；蜂虿入怀，随即解衣／先除尘垢后染善法，譬如浣衣先去垢然后可染／民有三患：饥者不得食，寒者不得衣，劳者不得息／饥餐松柏叶，渴饮涧中泉，看罢青青竹，和衣自在眠／吃百姓之饭，穿百姓之衣，莫道百姓可欺，自己也是百姓／一夫耕，百人食之；一妇桑，百人衣之。以一奉百，孰能供之

袅

niǎo 细长柔弱。

❿如怨如慕，如泣如诉，余音袅袅，不绝如缕

裂

liè 破开，分开；裁，扯。

❶裂冠毁冕，拔本塞原

见《左传·昭公九年》。

❷新裂齐纨素，皎皎如霜雪／寸裂之锦縠，未若坚完之韦布

❹身名俱裂，为天下笑／猛石可裂不可卷，义士可杀不可羞

❺谁不欲争裂绮绣，互攀日月／焚芰制而裂荷衣，抗尘容而走俗状／政庞而土裂，三光五岳之气分，大音不完，故必混一而后大振

❻刎颈不易，九裂不恨

❼嘻笑之怒，甚于裂眦；长歌之哀，过乎恸哭

❽头发上指，目眦尽裂／立身一败，万事瓦裂／金刚则折，革刚则裂

❾迂人执而不化，其决裂有甚于小人时

❿兵强则灭，木强则折，革固则裂／君为政焉勿卤莽，治民焉勿灭裂／匡庐小琐拳可碎，鄱阳触怒踢欲裂／思致之浅深，不在其磔裂章句，隳废声韵也／有留死一尺，无北行一寸。刎颈不易，九裂不恨

装

zhuāng 衣服；穿着；行装；修饰；打扮；故作；假作；把东西放进器物中；装帧；装裱。

❶装点此关山，今朝更好看

见现代·毛泽东《菩萨蛮·大柏地》。

❻须晴日，看红装素裹，分外妖娆

❿中华儿女多奇志，不爱红装爱武装

裘

qiú 皮衣；通“求”；姓。

❷振裘持领，领正则毛理／豹裘而杂，不若狐裘之粹／貂裘而杂，不若狐裘而粹／狐裘虽敝，不可补以黄狗之皮／反裘而负薪，爱其毛，不知其皮尽也／反裘负薪，里尽毛殚，刖趾适屦，刻肌伤骨

❹与狐议裘，无时焉可／千金之裘，非一狐之腋／狐白之裘，非一狐之腋／锦帽貂裘，千骑卷平冈／千镒之裘，非一狐之白也／粹白之裘，盖非一狐之皮也／见雨则裘不用，升堂则蓑不御／冬不服裘，夏不操扇，雨不张盖，是谓将礼

❻乘肥马，衣轻裘／被雪沐雨，则裘不及蓑／御寒莫若重裘，止谤莫如自修／救寒莫如重裘，止谤莫如自修

❼崇台非一干，珍裘非一腋／大寒而后索衣裘，不亦晚乎

❽旱斯具舟，热斯具裘／豹裘而杂，不若狐裘之粹／貂裘而杂，不若狐裘而粹

❾知冬日之箑、夏日之裘,无用于已
❿今处绣户洞房,则蓑不如裘/良工之子必先为箕,良冶之子必先为裘/良弓之子必先为箕;良冶之子必先为裘/囊漏贮中,识者不吝;反裘负薪,存毛实难/举网以纲,千目皆张,振裘持领,万毛自整/和神仙之药以治鼽咳,制貂狐之裘以取薪菜/天下无粹白之狐,而有粹白之裘,取之众白也

裔 yì 后代;边远的地方;衣服的边缘;姓。
❸祖浊裔清,不膀奇人

裛 yì 包书的布套;缠绕;沾湿;香气侵袭、放散。
❻秋菊有佳色,裛露掇其英

襞 bì 折叠衣服;衣服上的褶裥。
❸胸中襞积千般事,到得相逢一语无

羊 yáng 动物名;通"佯";通"祥",吉祥。
❶羊质虎皮,见豺则恐
见南朝·宋·范晔《后汉书·刘焉传论》。
羊之乱群,犹能为害
见三国·蜀·诸葛亮《弹廖立表》。
羊羹虽美,众口难调
见宋·普济《五灯会元》卷四二《善暹禅师》。
羊不任驾盐车,椽不可为楣栋
见《尸子》卷下。
羊肠之曲不能仆车而仆于剧骖
见明·宋濂《燕书四十首》。全句为:"巫峡之险不能覆舟而覆于平流;~"。
羊肠鸟道无人到,寂寞云中一个人
见《人天宝鉴》。
羊质而虎皮,见草而悦,见豺而战,忘其皮之虎矣
见汉·扬雄《法言·吾子》。
❷悬羊头,卖狗肉/羝羊触藩,羸其角/十羊九牧,其令难行/羚羊挂角,无迹可求/亡羊而补牢,未为迟也/千羊之皮,不若一狐之腋/屠羊于肆,适味于众口也/千羊不能扞独虎,万雀不能抵一鹰/牧羊驱马虽戎服,白发丹心尽汉臣/教羊牧兔,使鱼捕鼠,任非其人,费日无功
❸非独羊也,治民亦犹是也
❹由来犬羊着冠坐庙堂,安得四鄙无豺狼
❺率虎狼牧羊豕,而望其蕃息,岂可得也
❻民少官多,十羊九牧/豺狼在牢,其羊不繁/以狐白补犬羊,身涂其炭/猛如虎,很如羊,贪如狼/三人共牧一羊,羊不得食,人亦不得息
❼虎豹之形于犬羊,故不得不奇也/大道以多岐亡羊,学者以多方丧生/三人共牧一羊,羊不得食,人亦不得息
❽当为秋霜,无为槛羊
❾虎豹无文,则鞟同犬羊……质待文也
❿虎豹之文不得不炳于犬羊/蠹啄剖梁柱,蚊虻走牛羊/视方寸于牛,不知其大于羊/天苍苍,野茫茫,风吹草低见牛羊/鲲鹏展翅,九万里,翻动扶摇羊角/焕然如日月之经天也,炳然如虎豹之异犬羊也/见兔而顾犬,未为晚也;亡羊而补牢,未为迟也

羌 qiāng 古代西部的一个少数民族;古族名;作语助;姓。
❶羌笛何须怨杨柳,春风不度玉门关
见唐·王之涣《凉州词》。
❾恨无一尺捶,为国笞羌夷

羞 xiū 感到丢脸;耻辱;怕别人笑话而忸怩不安;讥笑;进献食品;美好的食品。
❶羞恶之心,义也
见《孟子·告子上》。全句为:"恻隐之心,仁也;~;恭敬之心,礼也;是非之心,智也"。
羞恶之心,义之端也
见《孟子·公孙丑上》。全句为:"恻隐之心,仁之端也;~;辞让之心,礼之端也;是非之心,智之端也"。
羞恶之心,人皆有之
见《孟子·告子上》。全句为:"恻隐之心,人皆有之;~;恭敬之心,人皆有之;是非之心,人皆有之"。
羞善行之不修,恶善名之不立
见宋·王安石《杨孟》。
羞恶足以为义,而义不止于羞恶
见宋·苏轼《子思论》。全句为:"恻隐足以为仁,而仁不止于恻隐;~"。
❷无羞亟问,不愧下学/无羞恶之心,非人也/无羞恶之心,非人也……羞恶之心,义之端也
❸君子羞言利名
❹结交莫羞贫,羞贫友不成/贫不足羞,可羞是贫而无志
❻古之人名为羞,以实为慊/结交莫羞贫,羞贫友不成/贫不足羞,可羞是贫而无志
❼丈夫可杀不可羞/不复知人间有羞耻事/笑人荷花去,佯羞不出来/古之人以名为羞,以实为慊/传派传宗我替羞,作家各自一风流
❽匿病者不得良医,羞问者圣人去之
❾胜败兵家事不期,包羞忍耻是男儿/娇娇亢亢,恶圆喜方,羞为奸欺,不忍害伤/无羞恶之心,非人也……羞恶之心,义之端也
❿不作威,不作福,靡有后羞/内无感恨之隙,外无侵侮之羞/见有人来,袜划金钗溜,和羞走/羞恶足以为义,而义不止于羞恶/不把黄金买画工,进身羞与自媒同/为虏为王尽偶然,有

何羞见汉江船／猛石可裂不可卷，义士可杀不可羞／江流千古英雄泪，山掩诸公富贵羞／总教掬尽三江水，难洗今朝一面羞／服不美，人不汝尤；德不美，乃汝之羞／岁寒霜雪苦，含彩独青青，岂不厌凝列，羞比春木荣

着

①zhāo 下棋时走一步为一着；比喻计策、手段。②zhuó 接触；挨上；使接触；穿(衣)；可以依靠或指望的来源；指派；公文用语；放置；着落；命令辞。③zháo 感到，受到；中，对。④zhe 作语助。

❶着意种花花不活，无心栽柳柳成阴

见明·冯梦龙《古今小说·赵伯升茶肆遇仁宗》。

❷大着肚皮容物，立定脚跟做人

❸老树着花无丑枝／诗不着题，如隔靴搔痒

❹只因一着错，满盘都是空

❺败棋有胜着／处心不可着，着则偏／由来犬羊着冠坐庙堂，安得四鄙无豺狼

❻处心不可着，着则偏

❼俭为贤德，不可着意求贤／世事如棋局，不着的才是高手／人生似瓦盆，打着了方见真空

❾唯有志不立，直是无着力处／已是黄昏独自愁，更着风和雨／也知渔父趁鱼急，翻着春衫不裹头

❿立业建功，事事要从实地着脚／红雨随心翻作浪，青山着意化为桥／凡读书到冷淡无味处，尤当着力推考／不学古人，法无一可；竟似古人，何处着我／济世经邦，要段云水的趣味，若有贪着，便堕危机

羚

líng 羚羊；羚羊角。

❶羚羊挂角，无迹可求

见宋·严羽《沧浪诗话·诗辨》。

羝

dī 公羊。

❶羝羊触藩，羸其角

见《周易·大壮·九三》。

羡

①xiàn 因喜爱而希望拥有；有余；超出。②yán 通“延”，邀请。

❷莫羡三春桃与李，桂花成实向秋荣

❸上无羡赏，下无羡财／临渊羡鱼，不如退而结网

❹喜乐无羡赏，忿怒无羡刑／临河而羡鱼，不如归家织网

❺松柏何须羡桃李／不逆命，何羡寿？不矜贵，何羡名／不要势，何羡位？不贪富，何羡货

❼上无羡赏，下无羡财／哀吾生之须臾，羡长江之无穷

❾喜乐无羡赏，忿怒无羡刑／施之于不足，而官有羡谷

❿不逆命，何羡寿？不矜贵，何羡名／不要势，何羡位？不贪富，何羡货／快者掀髯，愤者扼腕，悲者掩泣，羡者色飞

翔

xiáng 展开翅膀盘旋飞翔；通“详”，详尽而确实。

❸水鸮翔而大风作，穴蚁徙而阴雨零／沙鸥翔集，锦鳞游泳；岸芷汀兰，郁郁青青

❹层风未翔，大鹏有云倾之势／鸾凤骞翔而变态，烟云舒卷以呈姿

❺宁与燕雀翔，不随黄鹄飞

❻鸟避弋而高翔，鱼畏网而深游／鹰击长空，鱼翔浅底，万类霜天竞自由

❽代马依北风，飞鸟翔故巢

❾覆巢破卵，则凤凰不翔；刳牲夭胎，则麒麟不臻

❿乔林夹岸，羽毛之所翱翔／璧由识者显，龙因庆云翔／弃燕雀之小志，慕鸿鹄以高翔／朝骋骛乎书林兮，夕翱翔乎艺苑／兽同足者相从游，鸟同翼者相从翔／附骥尾则涉千里，攀鸿翮则翔四海／晴空朗月，何处不可翱翔？而飞蛾独投夜烛

群

qún 聚在一起的许多人或物；兽畜相聚之称；合群；成群的同类事物；众；抽象代数学的重要概念。

❶群邪所抑，以直为曲

见汉·陆贾《新语·辨惑》。全句为：“众口之毁誉，浮石沉木；～”。

群居不倚，独立不惧

见宋·苏轼《墨君堂记》。

群贤毕至，少长咸集

见晋·王羲之《兰亭集序》。

群材既聚，故能成邓林

见北周·燕射歌辞《商调曲四首》之二。全句为：“百川俱会，大海所以深；～”。

群之可聚也，相与利之也

见《吕氏春秋·离俗览·恃君》。全句为：“～。利之出于群也，君道立也。故君道立则利出其群，而人备可完矣”。

群车方奔乎险路，安能与之齐轨

见南朝·宋·范晔《后汉书·蔡邕传》。

群居终日，言不及义，好行小慧，难矣哉

见《论语·卫灵公》。

❷乱群败众者，惟在奸雄

❸博览群书，不为讽咏／日入群动息，归鸟趋林鸣／虽有群书万卷，不及囊中一钱

❹温颜接群臣／至公者，群恶之所疾／猛兽不群，鸷鸟不双／羊之乱群，犹能为害／邑犬之群吠兮，吠所怪也／虎欲异群虎，舍山入市即擒／鱼欲异群鱼，舍水跃岸即死／麋鹿成群，虎豹避之；飞鸟成列，鹰鹫不击

❺去好去恶，群臣见素／积羽沉舟，群轻折轴／矜而不争，群而不党／聚蚊成雷，群轻折轴／利之出于群也，君道立也／以夷坦去群疑，以礼让汰惨急／鸷鸟之不群兮，自前世而固然／积羽沉舟，群轻折轴，故君子禁于微

❻安危须仗出群材／有人之形，故群于人／多士成大业，群贤济弘绩／鹞子经天飞，群雀两向波／嘶酸雏雁失群夜，断绝胡儿恋母声／登泰山而览群岳，则冈峦之本末可知也

❼忧心悄悄，愠于群小／进退无恒，非离群也／物以类聚，人以群分／方以类聚，物以群分／君子矜而不争，群而不党／有后而无先，则群众无门／人以义爱，以党群，以群强／贤人不爱其谋，群士不遗其力／畏友胜于严师，群游不如独坐／鸟兽之不可同群者，其类异也／学医者当博览群书，不得拘守一家之言／大建厥极，绥理群生，训物垂范，于是乎在

❽一粒不出仓，仓中群鼠肥／无意苦争春，一任群芳妒／用心于正，一振而群纲举／临喜临怒看涵养，群行群止看识见／谗邪进则众贤退，群枉盛则正士消／君道立则利出其群，而人备可完矣／不阿党，不私色，故群徒之卒不得容／将营大厦，不忧乎群材之不足，而忧乎梁栋之不可得

❾人以义爱，以党群，以群强／杂花争发，非止桃蹊。群鸟乱飞，有逾鹦谷／赏重而信，罚痛而必，群臣畏劝，竞思其职

❿功成耻受赏，高节卓不群／怀此王佐才，慷慨独不群／奸臣欲窃位，树党自相群／扁舟从此去，鸥鸟自为群／白也诗无敌，飘然思不群／伯乐一过冀北之野，而马群遂空／马伏皂而不用，则驽与良而为群／临喜临怒看涵养，群行群止看识见／以时起居，恶者辄斥去，毋令败群／伟士坐以俊杰之才，招致群吠之声／赤肉悬则乌鹊集，鹰隼鸷则群鸟散／大勋所任者唯一人，然群谋济之乃成／《诗》可以兴，可以观，可以群，可以怨／骐骥不能与罢驴为驷，凤皇不与燕雀为群／暮春三月，江南草长，杂花生树，群莺乱飞／胡笳互动，牧马悲鸣，吟啸成群，边声四起／心源为炉，笔端为炭。锻炼元本，雕砻群形／澄潭至清，洞澈见底，往往有群鱼戏，历历如水上行

羲

xī 用于人名；神话人物；伏羲氏，古代传说中的帝王；姓。［羲和］一说为古代传说唐尧时代执掌天文历法的官吏；一说为古代神话中为太阳驾车的神。

❸乃命羲和，钦若昊天……敬授民时

羹

gēng 浓汤或糊状食物。

❷羊羹虽美，众口难调／大羹必有淡味，至宝必有瑕秽／藜羹麦饭冷不尝，要足平生五车读／和羹之美，在于合异；上下之益，在能相济

❸屠者羹藿……为者不必用，用者弗肯为

❺有千里莼羹，但未下盐豉耳

❻一箪食，一豆羹，得之则生，弗得则死

❼遥指空中雁作羹

❽太牢斯烹，安可荐羹藜之味

❿无舆马者不耻徒步，无鱼肉者不厌菜羹

米

mǐ 去壳的稻谷；粒状物；法定长度单位；姓。

❷数米而炊，称柴而爨／粒米不足舂，寸布不足缝／粟米布帛生于地，长于时，聚于力，非可一日成

❸去年米贵阙军食，今年米贱大伤农

❹舐糠及米／意喻之米，文喻之炊而为饭，诗喻之酿而为酒

❺钱余于库，米余于廪

❻当家才知柴米价／简发而栉，数米而炊／不能为五斗米折腰，拳拳事乡里小人／称薪而爨，数米而炊，可以治小而未可以治大

❽药来贼境灵何用，米出胡奴死不炊

❿去年米贵阙军食，今年米贱大伤农／号呼卖卜谁家子，想欠明朝籴米钱

籴

dí 买进（粮食）。

❿百里不贩樵，千里不贩籴／号呼卖卜谁家子，想欠明朝籴米钱

类

①lèi 种；相似；大概；类推；法式；中国逻辑史上关于定名、立辞、推理的基本逻辑概念。②lì 通“戾”，偏，不公正，违拗。

❶类君子之含道，外蓬蒿而不怍

见唐·王勃《驯鸢赋》。

类同相召，气同则合，声比则应

见《吕氏春秋·恃君览·召类》。

类善则万世不忘，道恶则祸及其身

见宋·陆佃解《鹖冠子·王鈇》。

❷或类之而非，或不类之而是／同类相从，同声相应，固天之理也／物类之起，必有所始；荣辱之来，必象其德

❸戆者类勇而非勇／物以类聚，人以群分／方以类聚，物以群分／辞多类非而是，多类是而非／凡同类同情者，其天官之意物也同／狠者类知而非知，愚者类仁而非仁／愚医类能杀人，而不服药者未必死

❹有教无类／出于其类，拔乎其萃／非我族类，其心必异／万殊之类，不可以一概断之／必须出类拔萃，与众不同，才觉有趣／先祖者，类之本也；君师者，治之本也／可厌之类，不独为害，死虽万代，独堪污秽／引物连类，穷情尽变；宫商相宜，金石谐和

❺察察小慧，类无大能／人生处万类，知识最为贤／饰貌以强类者失形，调辞以务似者失情
❻刻鹄不成尚类鹜／画虎不成反类狗／画虎不成反类犬／同明相照，同类相求／有欲、无欲，异类也，生死也，非治乱也／人肖天地之类，怀五常之性，有生之最灵者也
❼感其声而求其类／万物睽而其事类也／人由意合，物以类同／白骨疑象，武夫类玉／听其言而察其类，无使放悖
❽博求人才，广育士类／将门之下，必有将类／孝子不匮，永锡尔类／八公山上草木，皆类人形／或类之而非，或不类之而是／辞多类非而是，多类是而非／时闻声如蝉蝇之类，听之亦无／阴阳之和，不长一类，甘露时雨，不私一物／心狂志悖，视听从类，政令无常，下民作孽／或依势以干非其类，出技以怒强，窃时以肆暴
❾大凡善恶之人，各以类聚／古之圣人，虽出乎其类，拔乎其萃／言有浅而可以托深，类有微而可以喻大
❿诸有形之徒皆属于物类／尚德行者，必无凶险之类／鸟兽之不可同群者，其类异也／凡物皆有两端，如小大厚薄之类／溪虽莫利于世，而善鉴万类……／顺性命，适情意，牵于殊类……／受人养而不能自养者，犬豕之类也／荸历似菜而味殊，玉石相似而异类／响必应之于同声，道固从之于同类／狠者类知而非知，愚者类仁而非仁／理有疑误而成过，事有形似而类真／钱神通灵于旁蹊，公器反类于互市／鹰击长空，鱼翔浅底，万类霜天竞自由／近河之地湿，近山之土燥，以类相及也／其称文小而其指极大，举类迩而见义远／欲以先王之政治当世之民，皆守株之类也／处颠者危，势丰者亏，颓坠之类，常在悬垂／洁其身而同焉者合矣，善其言而类焉者应矣／其有法者以法行，无法者以类举，听之尽也／人生天地之中，殊于众类明矣。感则应，激则通／仰观宇宙之大，俯察品类之盛，所以游目骋怀，足以极视听之娱

粉

fěn 化妆用的细末；变成粉末；粉刷；白色；粉红；涂饰；谷类粉末制成的食品。

❶粉黛至则西施以加丽
见晋·葛洪《抱朴子·勖学》。
粉骨碎身全不怕，要留青白在人间
见明·于谦《石灰吟》。全句为："千锤万击出深山，烈火焚烧若等闲。～"。
❹六朝金粉地，落木更萧萧／诸君傅粉涂脂，问南北战争都不知
❻理诎者，巧为粉泽而隙间百出／貌有不足，敷粉施朱。才有不足，征典求书
❽宝剑赠与烈士，红粉赠与佳人
❿何事将军封万户，却令红粉为和戎

粝

lì 糙米。

❻蹈危如平，嗜粝如精

粘

①zhān 粘连。②nián 同"黏"，具有粘性。

❸战血粘秋草，征尘搅夕阳
❹胶漆至粘也，而不能合远；鸿毛至轻也，而不能自举

粗

cū 粗大、与"细"相对的；粗糙；疏忽；粗野；略微；粗鲁。

❶粗者曰侵，精者曰伐
见《春秋公羊传庄公十年》。
粗服乱头，不掩国色
见清·周济《介存斋论词杂著》。
粗于事者，其言费而昏
见宋·杨万里《庸言》。
❸老牛粗了耕耘债，啮草坡头卧夕阳
❹性有精粗，命有长短，情有美恶，意有大小
❺若还苟且粗疏，定不成一件事／微事不通，粗事不能者，必劳
❼得其精而忘其粗，在其内而忘其外／使其道由愈而粗传，虽灭死万万无恨
❽以本为精，以物为粗／可以言论者，物之粗也／以目而视，得形之粗者也
❿人生识字忧患始，姓名粗记可以休／制其末而不穷其源，见其粗而未识其精／诗文之词采贵典雅而贱粗俗，宜蕴藉而忌分明／（文章）不难于细而难于粗，不难于华而难于质／君子之处世也，甘恶衣粗食，甘艰苦劳动，斯可以无失矣

粕

pò 渣滓。

❹不从糟粕，安得精英

粒

lì 细碎的固体；量词。

❶粒米不足舂，寸布不足缝
见三国·魏·曹操《谣俗辞》。
❷一粒不出仓，仓中群鼠肥／一粒红稻饭，几滴牛颔血
❹一丝一粒，我之名节／灵丹一粒，点铁成金／春种一粒粟，秋成万颗子／鸾凤竞粒于庭场，则受亵于鸡鹜
❻谁知盘中餐，粒粒皆辛苦
❽春时耕种夏时耘，粒粒颗颗费力勤
❾春时耕种夏时耘，粒粒颗颗费力勤
❿嘉禾始熟而农夫先尝其粒

粪

fèn 粪便；施肥；扫除；秽。

❷矜粪丸而拟质随珠

❹贵出如粪土，贱取如珠玉／钱财如粪土，仁义值千金
❻植佳谷必以粪壤，铸洪钟必以土型
❼死者无知，自同粪土，何烦厚葬
❾天下有道，却走马以粪
❿乘木则朽木青黄，失势则田何粪土

粲 càn 上等白米；鲜艳，灿烂；露齿笑。
❷白粲必去其沙砾而后食可餐
❹宁为袁粲死，不作褚渊生

粱 liáng 高粱；精美的饭食。
❹常思稻粱遇，愿栖梧桐树
❺田夫寿，膏粱夭，嗜欲少多之验也
❼豆麦之种与稻粱殊，然食能去饥／不能耕而欲黍粱，不能织而喜采裳
❽糟糠不饱者不务粱肉，短褐不完者不待文绣
❿但愿天下人，家家足稻粱／洒向人间都是怨，一枕黄粱再现／避席畏闻文字狱，著书都为稻粱谋

粮 liáng 粮食；田赋。
❹健儿无粮百姓饥，谁遣朝朝入君口
❻高筑墙，广积粮，缓称王
❼适百里者宿舂粮／博见为馈贫之粮，贯一为拯乱之药
❽野多滞穗，亩有余粮／男子疾耕不足于粮饷，女子纺绩不足于帷幕
❾非其人而教之，赍盗粮、借贼兵也
❿少君之费，寡君之欲，虽无粮而乃足

精 jīng 经过挑选；纯质的东西；精神；细致；完美；机敏；有较高造诣；神话传说中有妖术的灵怪；明朗；通"菁"，花；通"晶"，指星；通"净"。
❶精而熟之，鬼将告之
见《吕氏春秋·不苟论·博志》。
精诚介然，将贯金石
见唐·柳宗元《祭段弘古文》。
精诚所加，金石为开
见南朝·宋·范晔《后汉书·广陵思王荆传》。
精诚所加，金石为亏
见汉·王充《论衡·感虚篇》。
精骛八极，心游万仞
见晋·陆机《文赋》。
精金百炼，在割能断
见南朝·宋·刘义庆《世说新语·文学》。
精于理者，其言易而明
见宋·杨万里《庸言》。
精神者，物之贵大者也
见宋·陆佃解《鹖冠子·泰录》。
精卫衔微木，将以填沧海
见晋·陶潜《读山海经十三首》之十。
精诚由中，故其文语感动人深
见汉·王充《论衡·超奇篇》。
精神不运则愚，气血不运则病
见清·魏裔介《琼琚佩语·摄生》。
精神通于死生，则物孰能惑之
见汉·刘安《淮南子·道应》。
精良畏慎，善在恭谨，失在多疑
见三国·魏·刘劭《人物志·体别》。
精于物者以物物，精于道者兼物物
见《荀子·解蔽》。
精读书，著精采警语处，凡事皆然
见宋·陆九渊《语录下》。
精卫有情衔太华，杜鹃无血到天津
见元·刘因《海南岛》。全句为："～。声声解堕金铜泪，未信吴儿是木人"。
❷不精不诚，不能动人／厉精乡进，不以小疵妨大材／厉精，莫如自上率之，则壅蔽决矣／至精而后阐其妙，至变而后通其数／业精于勤荒于嬉，行成于思毁于随／形精不亏，是谓能移；精而又精，反以相天
❸兵在精，不在众／能致精，则合明而寿／志比精金，心如坚石／形全精复，与天为一／熟读精思，攻苦食淡／静则精，精则独立矣／妙论精言，不以多为贵／简选精良，兵械铦利……／爱惜精神，留他日担当宇宙／蓄至精者，可以福生灵，保富寿／兵在精而不在多，将在谋而不在勇／得其精而忘其粗，在其内而忘其外／欲做精金美玉的人品，定从烈火中锻来／真者，精诚之至也，不精不诚，不能动人／性有精粗，命有长短，情有美恶，意有大小／心之精微，发而为文；文之神妙，咏而为诗／心之精微，口不能言也；言之微妙，书不能文也／继以精思，使其意皆出于吾之心。然后可以有得尔
❹读书求精不求多／以本为精，以物为粗／静则精，精则独立矣／食不厌精，脍不厌细／读书贵精熟，不贵贪多／其知弥精，其所取弥精／此人如精金美玉，不即人而人即之／兵贵于精，不贵于多；强于心，不强于力／凡物之精，化则为生，下生五谷，上为列星／天地之精所以生物者莫贵于人，人受命乎天也／文章如精金美玉，市有定价，非人所能以口舌定贵贱也／人声之精者为言，文辞之于言，又其精也，尤择其善鸣者而假之鸣／刺史宜精选谨择以委任之，固不可拘限官次，得之货贿，出之权门者也
❺悲莫悲于精散／至当归一，精义无二／粗者曰侵，精者曰伐／故天地含精，万物化生／多能者鲜精，多虑者鲜决／饮食约而精，园蔬愈珍馐

／其择人宜精，其任人宜久／聚古今之精英，实治乱之龟鉴／精读书，著精采警语处，凡事皆然／道也者，至精也，不可为形，不可为名／能至素至精，浩弥无刑，然后可以为天下正／真则气雄，精则气生，使五彩并用，而气行其中
❻丹青难写是精神／气疲欲胜，则精灵离身矣／秀干终成栋，精钢不作钩／尤妙之人含精于内，外无饰姿／可知之事，唯精思之，虽大无难／治身者以积精为宝，治国者以积贤为道
❼读书贵博亦贵精／不从糟粕，安得精英／诗不厌改，贵乎精也／贪淫好色，则伤精失明／多好竟无成，不精安用夥／既多又须择，储精弃其糠／孟浪由于轻浮，精详出于豫暇／聪明者，阴阳之精。阴阳清和则中睿外明／魂魄二字，正犹精神二字。神即是魂，精即是魄
❽蹈危如平，嗜粝如精／可以意致者，物之精也／治身躁疾，则失其精神／圣人见端而知本，精之至也／颂优游以彬蔚，论精微而朗畅／省事莫如任人，厉精莫如自上率之／精于物者以物物，精于道者兼物物／形劳而不休则弊，精用而不已则劳，劳则竭／人生时禀得灵气，精明通悟，学无滞塞，则谓之神
❾其知弥精，其所取弥精／授书不在徒多，但贵精熟／常乐在空闲，心静乐精进／恶闻忠言，乃自伐之精者也／欲求士之贤愚，在于精鉴博采之／真者，精诚之至也；不精不诚，不能动人／形精不亏，是谓能移；精而又精，反以相天
❿不有百炼火，孰知寸金精／探微从道管，结撰是心精／虑于民也深，则谋其始也精／弃事则形不劳，遗生则精不亏／读书之法，莫贵于循序而致精／欲去其弊也，莫如省事而厉精／专于其所及而及之，则其及必精／瞽无目而耳不可以塞，精于聪也／瞽无耳而目不可以蔽，精于明也／折而不挠，勇也；瑕適皆见，精也／形不正者德不来，中不精者心不治／惟夫消磨靡烂之际，金久炼而愈精／事业文章随身销毁，而精神万古如新／书不记，熟读可记；义不精，细思可精／制其末而不穷其源，见其粗而未识其精／设官置吏，署员太多，不精则十不如一／宜得敏锐兼人之器，以副厉精更化之怀／感乎心，明乎智，发而成形，精之至也／疾如流矢，击如发机者，所以破精微也／天无形而万物以成，至精无象而万物以化／三年不目日，视必盲；三年不目月，精必朦／天下无独燃之火，世间安得有无体独知之精／曲思于细者必忘其大，锐精于近者必略于远／众人重利，廉士重名；贤人尚志，圣人贵精／德者道之舍，物得以生生，知得以职道之精／形精不亏，是谓能移；精而又精，反以相天／综学在博，取事贵约，校练务精，捃理须核／心虚白则神留而道存，腹充实则精全而寿长／必静必清，无劳女形，无摇女精，乃可以长生／音乐者，所以动荡血脉，通流精神而和正心也／读书不独变气质，且能养精神，盖理义收摄故也／明窗净几笔砚纸墨皆极精良，亦自是人生一乐事／贤固可易知，人固可易识，但是议者不精思之耳／魂魄二字，正犹精神二字。神即是魂，精即是魄／人生所好，自当专一，若多好多能，反能耗神损精／今若不能服药，但知爱精节情，亦得一二百年寿也／人之所以为人者，非以此八尺之身也，乃以其有精神／三皇之知，上悖日月之明，下睽山川之精，中堕四时之施／凡用人之道，采之欲博，辨之欲精，使之欲适，任之欲专／君子尊德性而道问学，致广大而尽精微，极高明而道中庸／智亦有所不至。所不至，说者虽辩，为道虽精，不能见矣／人声之精者为言，文辞之于言，又其精也，尤择其善鸣者而假之鸣

粹　①cuì 纯净不杂；精华；专一；通“萃”，总聚，齐全。②suì 通“碎”。
❶粹白之裘，盖非一狐之皮也
　见《慎子·知忠》。全句为：“廊庙之材，盖非一木之枝也；～”。
❷纯粹而不杂，静一而不变……此养神之道也
❸牺牛粹毛，宜于庙牲，其于以致雨，不若黑蜧
❹不全不粹不足以谓之美／天下无粹白之狐，而有粹白之裘，取之众白也
❻博而能容浅，粹而能容杂
❿豹裘而杂，不若狐裘之粹／貂裘而杂，不若狐裘而粹／机械之心藏于胸中，则纯白不粹，神德不全／天下无粹白之狐，而有粹白之裘，取之众白也／道者，虚无、平易、清静、柔弱、淳粹、素朴

糊　①hù[糊弄]敷衍塞责；稠粥样的浓厚汁液。②hú 稠粥；寄食。③hū 涂附，粘合；封闭。④hú 亦作“煳”，烧焦。[糊涂]头脑不清；模糊不清。
❷锦糊灯笼，玉镶刀口……不知落在何处矣
❸小事糊涂，大事不糊涂
❿宁可后来相让，不可起初含糊

糟　zāo 做酒余下的渣子；腐朽；坏；作践。
❶糟糠不饱者不务粱肉，短褐不完者不待文绣
　见《韩非子·五蠹》。
❸不从糟粕，安得精英
❺贫者不厌糟糠，穷而为奸
❻珠玉买歌笑，糟糠养贤才
❼酒池，足以运舟；糟丘，足以望七里
❽贫贱之知不可忘，糟糠之妻不下堂／男子疾耕不足于糟糠，女子纺绩不足于盖形
❾析飞糠以为舆，剖秕糟以为舟
❿寒者利短褐，而饥者甘糟糠／非患无旃罽橘柚，患无狭庐糟糠

糜 ①mí 腐烂；浪费；粥；姓。②méi 糜子，黍的一个变种。

❹炒沙作糜终不饱，镂冰文章费工巧

❻众人皆以奢糜为荣，吾心独以俭素为美

糠 kāng 从稻谷等作物的籽粒上脱下来的皮或壳；松而不实，发空。

❷舐糠及米／播糠迷目，则天地四方易位矣／糟糠不饱者不务粱肉，短褐不完者不待文绣

❸析飞糠以为舆，剖秕糟以为舟

❹舂去细糠如剖玉，炊成香饭似堆银

❻贫者不厌糟糠，穷而为奸

❼珠玉买歌笑，糟糠养贤才

❾贫贱之知不可忘，糟糠之妻不下堂／男子疾耕不足于糟糠，女子纺绩不足于盖形

❿既多又须择，储精弃其糠／寒者利短褐，而饥者甘糟糠／非患无旃罽橘柚，患无狭庐糟糠／官输私负索交至，勺合不留但糠秕

鬻 ①yù 卖；通"育"，生养；姓。②zhù "粥"的本字。

❶鬻棺者，欲民之疾病也

见汉·刘安《淮南子·说林》。全句为："～；畜粟者，欲岁之荒饥也"。

❸市之鬻鞭者，人问之……必五万而后可

既 ①jì 指动作或过程已经结束；食尽；失掉；已经；不久之后；连词，常与"又"、"且"等字连用。②xì［既廪］同"饩廪"，古指薪资。

❶既来之，则安之

见《论语·季氏》。

既往不咎，来事之师

见汉·班固《汉书·李寻传》。

既朽不雕，衰世难佐

见南朝·宋·范晔《后汉书·皇甫嵩传》。

既明且哲，以保其身

见《诗·大雅·烝民》。

既雕且琢，复归于朴

见《庄子·山木》。

既食，未设备，可击

见《吴子·料敌》。

既谓之机，则动非自外

语见宋·张载《正蒙·参两》。全句为："凡圜转之物，动必有机。～"。

既悦其直，不可非其讦

见三国·魏·刘劭《人物志·八观》。全句为："直者不讦，无以成其直；～。讦也者，直之征也"。

既悦其介，不可非其拘

见三国·魏·刘劭《人物志·八观》。全句为："介者不拘，无以守其介。～。拘也者，介之征也"。

既受人之托，必终人之事

见明·史叔考《梦磊记》一三折。

既多又须择，储精弃其糠

见宋·曾巩《读书》。

既来且住，风月闲寻秋好处

见宋·毛滂《减字木兰花》。

既反黑以为白，恒怀蛆以自盈

见晋·傅咸《青蝇赋》。

既变化而无穷，亦卷舒而莫定

见唐·韩愈《贺庆云表》。全句为："抱日增丽，浮空不收，～"。

既知退而知进兮，亦能刚而能柔

见唐·杨炯《祭汾阳公文》。

既滋兰之九畹兮，又树蕙之百亩

见战国·楚·屈原《离骚》。

既以为人己愈有，既以与人己愈多

见《老子》八十一。

既使之，任之以心，不任之以辞也

见汉·韩婴《韩诗外传》卷七。全句为："明王之使人也，必慎其所使；～"。

既不知善之为善，则亦不知恶之为恶

见唐·刘知几《史通·辨职》。

既不能推心以奉母，亦安能死节以事人

见唐·骆宾王《上吏部裴侍郎书》。

既不能流芳后世，亦不足复遗臭万载邪

见南朝·宋·刘义庆《世说新语·尤悔》。

既谓之才，则不宜以阶级限，不应以年齿齐

见南朝·梁·沈约《宋书·周朗传》。

既悦其刚，不可非其厉。厉也者，刚之征也

见三国·魏·刘劭《人物志·八观》。全句为："刚者不厉，无以济其刚～"。

既悦其和，不可非其懦。懦也者，和之征也

见三国·魏·刘劭《人物志·八观》。全句为："和者不懦，无以保其和。～"。

既已得高官巨富矣，仍讲道德、说仁义自若也

见明·李贽《又与焦弱侯》。全句为："口谈道德而心存高官，志在巨富；～"。

既知教之所由兴，又知教之所由废，然后可以为人师

见《礼记·学记》。

既死，岂在我哉！焚之亦可，沉之亦可，瘗之亦可，露之亦可

见《列子·杨朱》。

❷情既昏，性斯匿矣／鸟既高飞，罗将奈何／怀既往而不咎，指将来而骏奔／心既托声于言，言亦寄形于字／身既死兮神以灵，子魂魄兮为鬼雄／时既清兮惟贤是急，贤既进兮其政必立／材既难得，而又难知，则当博采而多蓄之

❸一言既出，驷马难追／天地既位，阴阳气交／民俗既迁，风气亦随／蒲柳既秋，桑榆渐迫／美

人既醉,朱颜酡些/肴核既尽,杯盘狼藉/窃位既久,妨贤则多/霜露既降,木叶尽脱/群材既聚,故能成邓林/为君既不易,为臣良独难/前车既覆而后车不改辙也/大厦既焚,不可洒之以泪/所见既可骇,所闻良可悲/肤革既平,虽疥癣而必去/恣纵既成……亦制自家不得/内省既不愧己,焚香何用告天/奸诈既作,盗贼日多,谓之乱政/大厦既燔,而运水于沧海;此无及也/形骸既适则神不烦,观听无邪则道以明/权衡既悬,锱铢靡遁,厉弩刁骥,终莫之近/心志既舒则易以纵驰,议论无择则易以浮浅/礼之既设,其小人恒佚于礼之外,则辅礼以刑/朱丹既定,雌黄有别,使夫怀鼠知惭,滥竽自耻

❺凡厥正人,既富方谷/山岳崩颓,既履危亡之运/回狂澜于既倒,支大厦于将倾/善为师者,既美其道,有慎其行/得贤须任,既任须信,既信须终,既终须赏

❻奔骥不能及既往之失/生有高世名,既没传无穷/勿谓寸阴短,既过难再获/患足已不学,既学患不行/人苦不知足;既平陇,复望蜀

❼人貌荣名,岂有既乎/徇私贪浊……恐惧既多,亦有因而致死

❽彼尧舜之耿介兮,既遵道而得路/既以为人己愈有,既以与人己愈多/未得之也,患得之;既得之,患失之/明者所以对昏,昏既灭,则明亦不立矣/养子弟如养芝兰,既积学以培植之,又积善以滋润之

❾唯令德为不朽兮,身既没而名存/成事不说,遂事不谏,既往不咎/其未得之也,患得之。既得之,患失之/未画以前,不立一格;既画以后,不留一格/得贤须任,既任须信,既信须终,既终须赏/不待相见,相信已熟;既相见,不要约,已相亲/人生有限,情欲无厌。既不救其死亡,岂能保乎金玉

❿障百川而东之,回狂澜于既倒/嫉贪佞之洿浊兮,曰吾其既劳而后食/置虚器于水中,未充则唱,既充则默/天性正于受生之初,明觉发于既生之后/将事而能弭,当事而能救,既事而能挽/时既清兮惟贤是急,贤既进兮其政必立/视之不足见,听之不足闻,用之不足既/礼之始作也难而易行,既行也易而难久/能出于材,材不同量,材能既殊,任政亦异/捷捷幡幡,谋欲谮言;岂不尔受,既其女迁/得贤须任,既任须信,既信须终,既终须赏/风摇其巅,韵动崖谷,视之既静,其听始远/远人不服,则修文德以来之。既来之,则安之/未战养其财,将战养其力,既战养其气,既胜养其心/君子之行者有二焉;其未发也,慎而已矣,其既发也,义而已矣

羽 yǔ 羽毛;鸟类或昆虫的翅膀;鸟类的代称;指箭羽;五音之一;钓竿上的浮子。

❶羽扇纶巾,谈笑间、强虏灰飞烟灭
见宋·苏轼《念奴娇》。

❷积羽沉舟,群轻折轴/翠羽之木,龙鳞之石/毛羽未成,不可以高飞/毛羽不丰满者,不可以高飞/悬羽与炭,而知燥湿之气,以小明大/积羽沉舟,群轻折轴,故君子禁于微/轻羽在高,遇风则飞;细石在谷,逢流则转

❹谁持白羽静风尘/美箭缺羽,尚无冲石之势/福轻乎羽,莫之知载;祸重乎地,莫之知避/眉如翠羽,肌如白雪,腰如束素,齿如含贝

❺乔林夹岸,羽毛之所翱翔/舒吾陵霄羽,奋此千里足/鸿鹄之彀羽翼未全,而有四海之心

❼大鹏之动,非一羽之轻也

❽蹁跹霞袖舞,潋滟羽觞飞/凤凰于飞,翙翙其羽,亦傅于天/龙不隐鳞,凤不藏羽,网罗高县,去将安所

❾徒有排云心,何由生羽翼/飘飘乎如遗世独立,羽化而登仙/鸿鹄高飞,一举千里,羽翼以就,横绝四海/所好则钻皮出其毛羽,所恶则洗垢求其瘢痕

❿冲风之衰也,不能起毛羽/谗口成铄金,沉舟由积羽/力足以举百钧,而不足以举一羽/人者裸虫也,与夫鳞毛羽甲虫俱焉/水不激不能破舟,矢不激不能饮羽/朝无贤人,犹鸿鹄之无羽翼也……/以言取人,失之宰予;以貌取人,失之子羽/虎旅云从,词林响应,若毛羽之宗麟凤,众川之长江河

翅 chì 翅膀;鱼鳍;像翅膀的;通"啻"。

❹冲天鹏翅阔,报国剑芒寒/鲲鹏展翅,九万里,翻动扶摇羊角

❾蛇无头而不行,鸟无翅而不飞

翁 wēng 老年男子;父亲;丈夫或妻子的父亲;鸟颈毛;姓。

❶翁媪饥雷常转腹,大儿嗷嗷小儿哭
见宋·赵汝鐩《翁媪叹》。

❷塞翁失马犹为福/塞翁失马,安知非福/醉翁之意不在酒,在乎山水之间也

❸白头翁妪坐看瓜

❺孤舟蓑笠翁,独钓寒江雪

❻君不见比来翁姥尽饥死,狐狸嚼骨乌啄眼

❼半生落魄已成翁,独立书斋啸晚风/人生直作百岁翁,亦是万古一瞬中/昨是儿童今是翁,人间日月急如风

❿勿使青衿子,嗟尔白头翁/丈夫盖棺事始定,君今幸未成老翁/王师北定中原日,家祭无忘告乃翁/峰回路转,有亭翼然,临于泉上者,醉翁亭也

翏 liù,又读 liú,[翏翏]风声。
❿乡者已去,至者乃新,新故不翏,我有所周

翘 ①qiáo 鸟尾上的长羽;举起;特出;古代妇女的一种首饰。②qiào 向上昂起。
❶翘翘错薪,言刈其楚
见《诗·周南·汉广》。

翙 huì[翙翙]鸟飞声。
❺凤凰于飞,翙翙其羽,亦傅于天
❻凤凰于飞,翙翙其羽,亦傅于天

翥 zhù 鸟飞。
❹龙欲腾翥,先阶尺木

翟 ①dí 长尾的野鸡;古时乐舞所持的雉羽;通"狄"。②zhái 姓。
❷班翟不能削石作芒针/墨翟之徒,世谓热腹;杨朱之侣,世谓冷肠

翠 cuì 青绿色;翡翠;指翡翠鸟。
❶翠羽之木,龙鳞之石
见唐·柳宗元《石涧记》。
翠佩传情密,曾波托意遥
见宋·文彦博《蘅皋》。
翠袖不胜寒,欲向荷花语
见宋·晏几道《生查子》。
❷摘翠者菱,挽红者莲,举白者鱼
❸青树翠蔓,蒙络摇缀,参差披拂/丹崖翠壁千万丈,与公上上上上上/眉如翠羽,肌如白雪,腰如束素,齿如含贝/澄川翠干,光影会合于轩户之间,尤与风月为相宜
❹层台耸翠,上出重霄,飞阁流丹,下临无地/秋山的翠,秋江澄空,扬帆迅征,不远千里
❺京城禁珠翠,天下尽琉璃/松柏寒仍翠,琼瑶涅不缁
❼当轩不是怜苍翠,只要人知耐岁寒
❾览古玩青简,寻幽穷翠微/飞沙溅石,湍流百势;翠崄丹崖,冈峦万色
❿澄明远水生光,重迭暮山耸翠/桃李虽艳,何如松苍柏翠之坚贞/峻极巍峨势望雄,层峦迭嶂翠重重/算来终不与时合,归去来兮翠如中/日薄西山,余光横照,紫翠重叠,不可殚数/美人梳洗时,满头间珠翠,岂知两片云,戴却数乡税

翦 jiǎn 同"剪";姓。
❹茅茨不翦,采椽不斫/杖顺以翦逆……无其时而著业
❽焉得并州快剪刀,翦取吴松半江水
❿能苟焉以求静,而欲之翦抑窜绝,君子不取也

翩 piān 轻快地飞,形容动作轻快、潇洒。
❶翩若惊鸿,婉若游龙
见三国·魏·曹植《洛神赋》。
❿长夜难明赤县天,百年魔怪舞翩跹

翮 hé 翎管;翅膀。
❷劲翮挥风,雄姿触雾
❹安得长翮大翼如云生我身
❻鸟焚株而铩翮,鱼夺水而暴鳞
❽水禽嬉戏,引吭伸翮/燕雀之畴不奋六翮之用
❾鸟能远飞,远飞者,六翮之力也
❿附骥尾则涉千里,攀鸿翮则翔四海

翱 áo 展翅高飞。[翱翔]鸟回旋飞翔。
❺恩从祥风翱,德与和气游
❾乔林夹岸,羽毛之所翱翔/朝骋骛乎书林兮,夕翱翔乎艺苑/晴空朗月,何处不可翱翔?而飞蛾独投夜烛

翳 yì 遮蔽;摒弃;用羽毛做的华盖;通"医",古代盛弓箭的器具;眼睛角膜病变后遗留下来的瘢痕组织。
❶翳嘉林,坐石矶,投竿而渔,陶然以乐
见唐·韩愈《送区册序》。全句为:"~,若能遗外声利,而不厌乎贫贱也"。
❹树林阴翳,鸣声上下,游人去而禽鸟乐也
❽谗邪害公正,浮云翳白日/会心处不必在远,翳然林水,便自有濠濮间想也
❾水不波则自定,鉴不翳则自明

翼 yì 翅膀;侧翼;辅佐;恭敬,谨慎;作战时阵形的两侧;驱赶;舡;星名;古邑名;姓。
❷修翼无卑栖,远趾不步局/无翼而飞者声也,无根而固者情也
❸鸟同翼者而聚居,兽同足者而俱行
❹将飞者翼伏,将奋者足局/闻以有翼飞者矣,未闻以无翼飞者也
❻蚊睫安知鹏翼/是非之声,无翼而飞矣/安得长翮大翼如云生我身/攀龙鳞,附凤翼,以成其所志/在天愿作比翼鸟,在地愿为连理枝/鸿鹄之彀羽翼未全,而有四海之心/宁与黄鹄比翼乎,将与鸡鹜争食乎
❼身无彩凤双飞翼,心有灵犀一点通/峰回路转,有亭翼然,临于泉上者,醉翁亭也
❽世混浊而不清,蝉翼为重,千钧为轻/鹪鹩不可与论云翼,井蛙难与量海鳌/鸷鸟将击,卑飞敛翼;猛兽将搏,弭耳俯伏
❾矫首而徇飞,不如修翼之必获也

❿薰莸不同器，枭鸾不接翼／薰莸不共器，枭鸾不比翼／徒有排云心，何由生羽翼／庐室之间，其便未必能过燕服翼／置不肖之人于位，是为虎傅翼也／兽同足者相从游，鸟同翼者相从翔／朝无贤人，犹鸿鹄之无羽翼也……／闻以有翼飞者矣，未闻以无翼飞者也／鹰善击也，然日击之，则疲而无全翼矣／三人成虎，十夫揉椎；众口所移，毋翼而飞／倚势豪夺，飞食人肉，鼓吻弄翼，道路以目／鸿鹄高飞，一举千里，羽翼以就，横绝四海／威权外假，归之良难，虎翼一奋，卒不可制／黄鹄白鹤，一举千里，使之与燕服翼试之堂庑之下／伟哉横海鲸，壮矣垂天翼。一旦失风水，翻为蝼蚁食

翻 fān 上下、内外位置颠倒或变换，歪倒；越过；改变；成倍地增加；翻译；飞；谱写。

❶翻手作云覆手雨，纷纷轻薄何须数

见唐·杜甫《贫交行》。

❷意翻空而易奇，言征实而难巧

❸人情翻覆似波澜／功多翻下狱，士卒但心伤／四海翻腾云水怒，五洲震荡风雷激／黑云翻墨未遮山，白雨跳珠乱入船

❹山，倒海翻江卷巨澜。奔腾急，万马战犹酣

❺若教纸上翻身看，应见团团董卓脐／红雨随心翻作浪，青山着意化为桥

❻不道山中冷，翻忧世上寒／人情旦暮有翻复，平地倏忽成山谿

❽也知渔父趁鱼急，翻着春衫不裹头／鲲鹏展翅，九万里，翻动扶摇羊角

❾虎踞龙盘今胜昔，天翻地覆慨而慷／古之善用兵者，用其翻然勃然于未悔之间／为民族解放，为阶级翻身，事业垂成，公胡遽死

❿请君莫奏前朝曲，听唱新翻杨柳枝／各自责则天清地宁，各相责则天翻地覆／弹指三十八年，人间变了，似天渊翻覆／八百里分麾下炙，五十弦翻塞外声。沙场秋点兵／伟哉横海鲸，壮矣垂天翼。一旦失风水，翻为蝼蚁食／圣智设法，本以守国，智诈极矣，乃翻为盗国之盗资也

素 sù 古指本色的、没有经过加工的丝织品；本色；颜色单纯；本来的；事物的基本成分；平时的；蔬菜等没有荤腥的食物；向来，往常；贫寒；空；无爵位；不付代价。

❶素朴而民性得矣

见《庄子·马蹄》。全句为："同乎无知，其德不离；同乎无欲，是谓素朴；～"。

❷见素抱朴，少私寡欲／朴素而天下莫能与之争美／不素养士而欲求贤，譬犹不琢玉而求文采也

❸事不素讲，难以应猝／至美素璞，物莫能饰／行有素履，事有成迹／尸位素餐，难以成名／士不素厉，则难使死敌／闻多素心人，乐与数晨夕／谋，必素见成事焉，而后履之／悠悠素餐者，天下皆是，王道从何而兴乎／能至素至精，浩弥无刑，然后可以为天下正／德不素积，人不为用；备不豫具，难以应卒／上有素定之谋，下无趋向之惑，天下之事不难举也

❹绘事后素／百姓朴素，狱讼衰息／我服布素则民自暖，我食葵藿则民自饱／雅郑有素矣，而好恶不同，故两耳不相为听焉

❺白露暖空，素月流天／将缣来比素，新人不如故／新裂齐纨素，皎皎如霜雪

❻彼君子兮，不素餐兮／斯则贤达之素交，历万古而一遇

❼体如游龙，袖如素霓／须晴日，看红装素裹，分外妖娆／六府修治洁如素，虚无自然道之固／恸哭六军俱缟素，冲冠一怒为红颜

❽去好去恶，群臣见素／肩若削成，腰如约素／从古求贤贵拔茅，素门平进有英豪／苍雁赪鲤，时传尺素；清风明月，俱寄相思

❾呼儿烹鲤鱼，中有尺素书／资绝伦之妙态，怀悫素之洁清

❿不如饮美酒，被服纨与素／流言雪污，譬犹以涅拭素／平居不堕其业，穷困不易其素／听言不求其能，举功不考其素／为人子者，父母存，冠衣不纯素／酒力醒，茶烟歇，送夕阳，迎素月／众人皆以奢靡为荣，吾心独以俭素为美／交友须带三分侠气，作人要存一点素心／消受尘，白取垢；青蝇所污，常在练素／清受尘、白取垢；青蝇所污，常在练素／万木僵仆，梅英再吐，玉立冰姿，不易厥素／同乎无知，其德不离；同乎无欲，是谓素朴／存身之道莫急乎养神，养神之要莫甚乎素然／眉如翠羽，肌如白雪，腰如束素，齿如含贝／道者，虚无、平易、清静、柔弱、淳粹、素朴

絜 ①xié 用绳子计量圆桶形物体的粗细，泛指衡量。②jié"洁"的异体字。

❸修身絜行，言必由绳墨

縶 zhí 用绳索拴住马足；拴马足用的绳索；拘禁。

❿广厦成而茂木畅，远求存而良马縶

紫 zǐ 红和蓝合成的颜色；古时常用于宝物、祥瑞、官员服饰等。

❶紫电青霜，王将军之武库

见唐·王勃《滕王阁序》。全句为："腾蛟起凤，孟学士之词宗；～"。

紫塞白云断，青春明月初

见唐·陈子昂《春夜送别友人二首》之二。

紫陌红尘拂面来，无人不道看花回

见唐·刘禹锡《元和十一年自朗州召至京戏

赠看花诸君子》。

紫芝生于山，而不能生于盘石之上

见汉·刘安《淮南子·说山》。全句为："稻生于水，而不能生于湍濑之流；～"。

❸上好紫则下皆女服，上好剑则士皆曼胡／闻《宿紫阁村》诗，则握军要者切齿矣

❺丁宁红与紫，慎莫一时开／霜夺茎上紫，风销叶中绿

❻玉以洁润，丹紫莫能渝其质

❼赤橙黄绿青蓝紫，谁持彩练当空舞

❽雌黄出其唇吻，朱紫由其月旦

❾明者独见，不惑于朱紫／炉火照天地，红星乱紫烟／等闲识得东风面，万紫千红总是春／日薄西山，余光横照，紫翠重叠，不可殚数

❿贤者恒不遇，不贤者比肩青紫／草树知春不久归，百般红紫斗芳菲／潦水尽而寒潭清，烟光凝而暮山紫／端州石工巧如神，踏天磨刀割紫云／巫山之上顺风纵火，膏夏紫芝与萧艾俱死

絮 ①xù 丝棉；像絮一样的；话语多而重复；优柔不断。②chù 调拌。

❹未若柳絮因风起

❻金玉其外，败絮其中／雪压冬云白絮飞，万花纷谢一时稀

❿作诗切忌议论，此最易近腐，近絮，近学究

繁 ①fán 复杂；多；旺盛；生育，滋生。②pó 姓。

❶繁采寡情，味之必厌

见南朝·梁·刘勰《文心雕龙·情采》。

繁莺芳树，绕高台而共乐

见唐·张说《南省就窦尚书山亭寻花柳宴序》。全句为："远山片云，隔层城而助兴；～"。

繁为攻伐，此实天下之巨害

见《墨子·非攻下》。

繁枝容易纷纷落，嫩蕊商量细细开

见唐·杜甫《江畔独步寻花七绝句》之七。

繁弱，钜黍，古之良弓也……则不能自正

见《荀子·性恶》。删节处为："然而不得排檠"。

繁华，系累不能夺，则俗心日退、真心日进

见明·陈继儒《养生肤语》。

繁略殊形，隐显异术，抑引随时，变通会适

见南朝·梁·刘勰《文心雕龙·征圣》。

❷遇繁而若一，履险而若夷／枝繁者荫根，条落者本孤／文繁者质荒，木胜者人亡／法繁于秋荼，而网密于凝脂

❸严令繁刑不足以为威／木实繁者，披枝害心／箠策繁用者，非致远之术也／人情繁则怠，怠则诈，诈则益乱／木实繁者披其枝，披其枝者伤其心

❹至言不繁／乱其教，繁其刑……／物色虽繁，而析辞尚简／春生者繁华，秋荣者零悴

❺善始者实繁，克终者盖寡／官烦则事繁，事繁则民浊／欲事之无繁，则必劳于始而逸于终

❻暗于治者，唱繁而和寡／有善始者实繁，能克终者盖寡

❼官烦则事繁，事繁则民浊／靡辞无忠诚，华繁竟不实／一条之枯，不损繁林之蓊蔼／不教而诛，则刑繁而邪不胜／明所爱而邪僻繁，明所恶而贤良灭／慧者心辩而不繁说，多力而不伐功

❽豺狼在牢，其羊不繁／辞主乎达，不论其繁与简也／齐、梁间诗，彩丽竞繁，而兴寄都绝／尚力务本而种树繁，躬耕趣时而衣食足

❾任法而不任人，则法繁而人轻／文以辨洁为能，不以繁缛为巧

❿主大计者，必执简以御繁／爱而不知其恶，则为恶者实繁／野芳发而幽香，佳木秀而繁阴／权衡损益，斟酌浓淡，芟繁剪秽，弛于负担／不思安危终始之虑，是乐春藻之繁华，而忘秋实之甘口也

縻 mí 系住，捆住；牵系。

❸络首縻足兮，骥不能逾跬

麦 mài 一年或二年生草本植物，是我国北方重要的粮食作物；专指小麦；姓。

❷豆麦之种与稻粱殊，然食能去饥／种麦而得麦，种稷而得稷，人不怪也

❸雉雊麦苗秀，蚕眠桑叶稀／藜羹麦饭冷不尝，要足平生五车读

❺种麦而得麦，种稷而得稷，人不怪也／桑无附枝，麦穗两岐。张君为政，乐不可支

❻已借蜡钱输麦税，免教缉捕闯门来

❿不识农夫辛苦力，骄骢蹋烂麦青青

走 zǒu 步行；跑；驰骋；逃走；古时自称的谦辞；指走兽移动；运行；离开；来往；改变；由；经过；趋向。

❶走而踬者，终身不御马

见明·方孝孺《汉景帝》。全句为："失火之家，三日不熟食；～"。

走不以手，缚手，走不能疾

见汉·刘安《淮南子·说山》。全句为："～；飞不以尾，尾屈，飞不能远"。

走马西来欲到天，辞家见月两回圆

见唐·岑参《碛中作》。

❸丸之走盘……／逆阪走丸，迎风纵棹／铤而走险，急何能择／得百走马，不若得伯乐之数／鹿驰走无顾，六马莫能望其尘／一兔走衢，万人逐之；一人获之，贪者悉止

❹大杖则走，小杖则受／并骥而走者，五里而罢／狂者东走，逐者亦东走／有如兔走鹰隼落，骏马下注千丈坡／野禽殚，走犬烹；敌国破，谋臣

亡／贤者出走，命曰崩；百姓不敢诽怨，命曰刑胜
❺三十六策，走是上计／闻命而奔走者，好利者也／两兔傍地走，安能辨我是雄雌／欲灭迹而走雪中，拯溺者而欲无濡／人与骥逐走则不胜骥，托于车上则骥不能胜人
❻天下有道，却走马以粪／强弩弋高鸟，走犬逐狡兔／鸟飞反乡，兔走归窟……各哀其所生
❼走不以手，缚手，走不能疾／世人逐势争奔走，沥胆堕肝惟恐后
❽小杖则受，大杖则走／腓大于股，难于趣走／损益之名，无胫而走矣／一生困尘土，半世走阡陌／蠹啄剖梁柱，蚊虻走牛羊／彼妇之口，可以出走……盖优哉游哉，维以卒岁
❾濯溪见鳄必弃履而走／狂者东走，逐者亦东走／马不必骐骥，要之善走／骊山北构而西折，直走咸阳／伺候于公卿之门，奔走于形势之途／眺望而林泉有余，奔走而烟霞足用
❿看书多撷一部，游山多走几步／不学者，虽存，谓之行尸走肉耳／见有人来，袜刬金钗溜，和羞走／生儿不用识文字，斗鸡走马胜读书／飞鸟尽，良弓藏；狡兔死，走狗烹／官仓老鼠大如斗，见人开仓亦不走／焚芰制而裂荷衣，抗尘容而走俗状／蜚鸟尽，良弓藏；狡兔死，走狗烹／每一章一句出，无胫而走，疾于珠玉／民之归仁也，犹水之就下、兽之走圹也／买马不论足力，以黑白为仪，必无走马／星斗张明，错落水中，如珠走镜，不可收拾／见虎一文，不知其武；见骥一毛，不知善走／鹦鹉能言，不离飞鸟；猩猩能言，不离走兽／释正而追曲，倍是而从众，是与俗俪走，而内行无绳／天无一点云，星斗张明，错落水中，如珠走镜，不可收拾

赴 fù往，到(某处)去；投入；通"泭"，游泳；同"讣"；奔走以从事。

❶赴之若惊，用之若狂；当之者破，近之者亡
见《太公六韬·龙韬·军势》。
❷无赴而富，无殉而成，将弃而天
❸褰裳赴镬，其甘如荠／捐躯赴国难，视死忽如归／损躯赴国难，视死忽如归／慷慨赴死易，从容就义难／也不赴，公卿约；也不慕，神仙学
❹报国行赴难，古来皆共然／蒙矢石，赴汤火，视死如归
❺浩漾东流，赴海为期。斡而迁焉，逐我颐指
❻晨看旅雁，心赴江淮；昏望牵牛，情驰扬越
❽睹危急则恻隐，将赴救则畏患，是仁而不恤者
❿视卒如婴儿，故可与之赴深溪／人以义来，我以身许，褰裳赴急，不避寒暑

赵 ①zhào 战国时国名；犹"超"，兼程而进；姓。②tiǎo 扒地，除草。

❶赵、魏、燕、韩，历历堪回首
见清·陈维崧《点绛唇·夜宿临洺驿》。全句为："～悲风吼，临洺驿口，黄叶中原走"。
❷燕赵古称多感慨悲歌之士
❺魏耻未灭，赵患又起／廉公之思赵将，吴子之泣西河，人之情也，将军独无情哉
❼邹、鲁多鸿儒，燕、赵饶壮士
❾毛先生一至楚，而使赵重于九鼎大吕

起 qǐ 坐起，起立；上升；长出，凸起；发生，发动；拟写；开始；建立；领取，办理；从；量词；力所堪任；取出；扶起；起床；升腾，飞扬；出身。

❶起之易而收之难
见宋·苏洵《上韩枢密书》。
起死人而肉白骨
见《国语·吴语》。
起民之病，治国之疵
见宋·王安石《上田正言书》。
起居无时，惟适之安
见唐·韩愈《送李愿归盘谷序》。全句为："采于山，美可茹；钓于水，鲜可食。～"。
起于微贱，无所因阶者难
见汉·王充《论衡·恢国篇》。全句为："～；袭爵乘位，尊祖统业者易"。
起舞弄清影，何似在人间
见宋·苏轼《水调歌头》。
起事致治者，不若默然者之贵也
见汉·严遵《道德指归论·为无为篇》。
起来自擘纱窗破，恰漏清光到枕前
见唐·陆畅《新晴爱月》。全句为："野性平生唯爱月，新晴夜半睹婵娟。～"。
起烟于寒灰之上，生华于已枯之木
见晋·陈寿《三国志·魏书·刘廙传》。
起居时，饮食节，寒暑适，则身利而寿命益
见《管子·形势解》。
起居不时，饮食不节，寒暑不适，则形体累而寿命损
见《管子·形势解》。
❷杖起弱者，药治人病／可起而索，不可坐而得／事起乎所忽，祸生乎无妄／唤起工农千百万，同心干／风起水面，细生鳞甲……／文起八代之衰，而道济天下之溺／风起绿洲吹浪去，雨从青野上山来／睡起秋声无觅处，满阶梧叶月明中／有起于虚，动起于静。故万物虽并动作，卒复归于虚静
❸一事起则一害生／风乍起，吹皱一池春水／乐者起于心，心者动于物／腾蛟起凤，孟学士之词宗／烹饪起于热石，玉辂基于椎轮／明者起福于无形，销患于未然／冈陵起伏，草木行列，烟消日出／以时起居，恶者辄斥去，毋令败群／祸积起于宠盛，而不知辞宠以招福／大风起兮

云飞扬，威加海内兮归故乡／风且起，一旦荒忽飞扬，化而为沙泥／秋风起兮白云飞，草木黄落兮雁南归／困境起念，随物生情，不守道循常，即为妄矣

❹惟甲胄起戎／绳墨之起，为不直也／坑儒士起自诸生为妖言／燔诗书，起淳于越之谏／祸自怨起，而福繇德兴／乐之所起，发于人之性情／有风方起浪，无潮水自平／萧墙祸起非今日，不赏军功在断桥／宰相必起于州部，猛将必发于卒伍／金猴奋起千钧棒，玉宇澄清万里埃／凿井者起于三寸之坎，以就万仞之深／书不必起仲尼之门，药不必出扁鹊之方／振则须起风雷之益，惩则须奋刚健之乾／物类之起，必有所始；荣辱之来，必象其德／盖吾儒起手便与禅异者，正在彻始彻终总是体用一致耳

❺凡大事皆起于小事……／孤举者难起，众行者易趋／贪求则争起，有知则事兴／风生于地，起于青蘋之末／穷巷秋风起，先摧兰蕙芳／律诗要法：起、承、转、合／至人消未起之患，治未病之疾／才觉私意起，便克去，此是大勇／莫之大祸，起于须臾之不忍，不可不谨／绝祸之首，起福之元，去我情欲，取民所安

❻乱生必由怨起／山鸣谷应，风起水涌／祸福之来，皆起于渐／一别怀万恨，起坐为不宁／睡不落人前，起不落人后／以众人之力起事者，无不成也／圣人化性而起伪，伪起而生礼义／有起于虚，动起于静。故万物虽并动作，卒复归于虚静

❼未若柳絮因风起／四面边声连角起／天发杀机，龙蛇起陆／山致其高，云雨起焉／亿万千百十，皆起于一／干云蔽日之木，起于葱青／干云蔽日之木，起于青葱／让生于有余，争起于不足／鼓腹无所思，朝起暮归眠／风樯动，龟蛇静，起宏图／息交游闲业，卧起弄书琴／把志气奋发得起，何事不可做／大鹏一日同风起，扶摇直上九万里／班声动而北风起，剑气冲而南斗平／鹊巢知风之所起，獭穴知水之高下／人品须从小作起，权宜苟且诡随之意多，则一生人品坏矣

❽不足不止，利心常起／丹壑争流，青峰杂起／治忽之端，或自是起／秋风萧瑟，洪波涌起／魏耻未灭，赵患又起／千里始足下，高山起微尘／冲风之衰也，不能起毛羽／抱木生毫末，层台起累土／感时思报国，拔剑起蒿莱／善救弊者，必寻其起弊之源／白云满川，如海波起伏……／贵绝恶于未萌，而起教于微眇／圣人在上，奇不得起，诈不得生／读书之乐乐陶陶，起弄明月霜天高／壹引其纪，万目皆起；壹引其纲，万目皆张／匹夫见辱，拔剑而起，挺身而斗，此不足为勇／直视千里外，唯见起黄埃。凝思寂听，心伤已摧

❾万石之钟不以莛撞起音／福之本在于忧，而祸起于喜／与其坐而待亡，孰若起而拯之／坚冰作于履霜，寻木起于蘖栽／宁可后来相让，不可起初含糊／富足生于宽暇，贫穷起于无日／礼义生于富足，盗窃起于贫穷／西望武昌诸山，冈陵起伏……／圣人化性而起伪，伪起而生礼义／病中必有悔悟处，病起莫教忘了／兴者，先言他物以引起所咏之词也

❿从谏如顺流，趣时如响起／国有忠臣，奸邪为之不起／性弱则德全，性强则祸起／然饰穷其要，则心声锋起／虎啸谷风至，龙兴景云起／一沐而三捉发，一食而三起／慎则祸之不及，贪则灾之所起／胸次山高水远，笔端云起风狂／心轻躁，难制伏，故无恶不起／天地合而万物生，阴阳接而变化起／不去扫清天北雾，只来卷起浪头山／长恨人心不如水，等闲平地起波澜／乱石穿空，惊涛拍岸，卷起千堆雪／为国者，必先知民之所苦，祸之所起／感而后应，迫而后动，不得已而后起／倚老松，坐怪石，殷殷潮声，起于月外／偏而在外，犹可救也，疾自中起，是难／人能尽性知天，不为蓦然起见，则几矣／功之成，非成于成之日，盖必有所由起／驶雪多积荒城之限，急风好起沙河之上／其动，止也；其死，生也；其废，起也／善战者，居之不挠，见胜则起，不胜则止／崇门丰室，洞户连房，飞馆生风，重楼起雾／绝圣弃知，大盗乃止；擿玉毁珠，小盗不起／胡笳互动，牧马悲鸣，吟啸成群，边声四起／目如炬，声如钟，则英伟刚毅之气使人兴起／用智为政，务欲理人。智变奸生，祸乱滋起／缚草为形，实之腐肉，教之拜起，以充满朝市／律者，乐之本也，而气达乎物，凡音之起者本焉／泰初有无，无有，无名。一之所起，有一而未形／自古上书，率多激切。若不激切，则不能起人主之心／侍坐于先生，先生问焉，终则对。请业则起，请益则起／李白之文，清雄奔放，名章俊语，络绎间起，光明洞彻，句句动人

越

①yuè 经过；跨过；超过；不依次序；超出（范围）；超过一般的；高昂；远；迂阔；远扬；消散；失坠；愈加；抢劫；通“与”；作语助。②huó 瑟底的小孔；通“括”，结，束。

❶越阡度陌，互为主客

见清·林伯桐《古谚笺》卷六。

越王好勇而民多轻死

见《韩非子·二柄》。全句为：“～，楚灵王好细腰而国中多饿人”。

越自尊大，越见器小

见清·申居郧《西岩赘语》。

越之西子，善毁者不能闭其美

见明·罗贯中《三国演义》第六十五回。

❷神越者其言华，德荡者其行伪／秦越远途也，安坐而至者，械也／清越而瑕不自掩，洁白而物莫能污／胡越之人，生则声同，长则语异，盖声者天然
❸不得越雷池一步／尽荆越之竹，犹不能书／从头越，苍山如海，残阳如血／往事越千年，魏武挥鞭，东临碣石有遗篇
❹非吴丧越，越必丧吴／物虽胡越，合则肝胆／野绩不越庙堂，战多不逾国勋／鞭尠宁越以立威名，恐非致理之本／无彝酒，越庶国，惟饮祀，德将无醉／关山难越，谁悲失路之人？萍水相逢，尽是他乡之客／吴人与越人相恶也，当其同舟而济遇风，其相救也如左右手
❺非吴丧越，越必丧吴／越自尊大，越见器小／志苟合，楚越无以异其同／竭诚则吴越为一体，傲物则骨肉为行路／方车而蹠越，乘桴而人胡，欲无穷，不可得也
❻胡人便于马，越人便于舟
❼燔诗书，起淳于越之谏／行海者坐而至越，有舟也／必使为善者不越月逾时而得其赏，则人勇而有劝焉／视政之得失，若越人视秦人之肥瘠忽焉不加喜戚于其心
❽西施若解倾吴国，越国亡来又是谁／嗜欲者使人之气越，而好憎者使人之心劳／伪乱俗，私坏法，放越轨，奢败制。四者不除，则政末由行矣
❾历纤理则宕往而疏越
❿自其异者视之，肝胆楚越也／南方无穷而有穷，今日适越而昔来／雄关漫道真如铁，而今迈步从头越／我知天下之中央，燕之北越之南是也／语者所习，习于胡则胡，习于越则越／庖人虽不治庖，尸祝不越樽俎而代之／未成乎心而有是非，是今日适越而昔至也／人美于中，必播于外，而越于民，民实戴之／晨看旅雁，心赴江淮；昏望牵牛，情驰扬越／君子以争途之不可由也，是以越俗乘高，独行于三等之上

趄 ①qiè 歪斜。②jū［趑趄］且前且却，犹豫不进。
❻足将进而趑趄，口将言而嗫嚅

趁 chèn 利用；拥有；追逐；乘便；往，就；通"称"，遂。
❸诗酒趁年华
❺也知渔父趁鱼急，翻着春衫不裹头

趋 ①qū 向一定的方向发展；迎合；快走；奔赴；趋向，旨趣。②cù 赶快。
❶趋时务则迟缓而不及
见三国·魏·刘劭《人物志·材理》。全句为："宽恕之人不能速捷，论仁义则弘详而长雅，～"。
趋舍虽不合，不敢弗从
见宋·陆佃解《鹖冠子》。全句为："心虽不说，弗敢不誉；事业虽弗善，不敢不力；～"。
趋利而不以为辱，陨身而不以为怨
见宋·王安石《庄周上》。全句为："弃绝乎礼义之绪，夺攘乎利害之际，～"。
❷众趋明所避，时弃道犹存／先趋而后息，先问而后嘿，则什己者至
❸行合趋同，千里相从／读书趋简要，害说去杂冗
❹同欲相趋，同利相死／大势所趋，人心所向／追亡者趋，拯溺者濡／见势不趋，见威不惕／行不合趋不同，对门不通／务进者趋前而不顾后，荣贵者矜己而不待人／造父疾趋，百步而废；自托乘舆，坐致千里
❺出其所不趋，趋其所不意／天下争名趋势，不计是非，析毫剖芒，视死如归
❻出其所不趋，趋其所不意
❼利之所在，天下趋之／水动流下，人动趋利／怵迫之徒兮，或趋东西／天下大势之所趋，非人力之所能移也／水之行避高而趋下，兵之形避实而击虚／天下之人所共趋之而不知止者，富贵与美名尔／真伪有质矣，而趋舍舛忤，故两心不相为谋焉
❽争鱼者濡，争兽者趋／争鱼者濡，逐兽者趋／马不伏枥，不可以趋远／夫子步亦步，夫子趋亦趋／日入群动息，归鸟趋林鸣／百言百当，不如择趋而审行也／善者能使敌卷甲趋远，倍道兼行／务名者乐人之进趋过人，而不能出陵己之后
❾能有名誉者，必无以趋行求者也／善鄙不同，诽誉在俗；趋舍不同，逆顺在君／上有素定之谋，下无趋向之惑，天下之事不难举也
❿三夫成市虎，慈母投杼趋／夫子步亦步，夫子趋亦趋／孤举者难起，众行者易趋／百人抗浮，不若一人挈而趋／用兵必须审敌虚实而趋其危／不为轩冕肆志，不为穷约趋俗／苟利国家生死以，岂因祸福避趋之／树高者，鸟宿之；德厚者，士趋之／火炎上而受制于水，水趋下而得志于火／已乎已乎，临人以德；殆乎殆乎，画地而趋／教学之法，本于人性，磨揉迁革，使趋于善／老年人受病在作意步趋，少年人受病在假意超脱／从时者，犹救火、追亡人也，蹶而趋之，唯恐弗及／能有天下者，必无以天下为也；能有名誉者，必无以趋行求者也

超 chāo 越过；超出；跳跃；在某个范围以外的；不同寻常的；高举远离貌；越级提升官职；远；美妙，高超；怅惘；姓。
❶超然不累于物
见宋·苏辙《超然台赋叙》。
超迈绝尘驱，倏忽谁能逐

见南朝·宋·范晔《后汉书·郦炎传》。全句为:“舒吾陵霄羽,奋此千里足。～”。
超俗拔萃之德,不能立功于未至之时
见晋·葛洪《抱朴子·广譬》。
超凡证圣,目击非遥;悟在须臾,何须皓首
见《观心论》。
❷乐超乎物之表者,其乐深/有超世之功者,必应光大之宠
❺挟泰山以超北海,语人曰:“我不能”,是诚不能也
❼立身高一步方超达,处世退一步方安乐/宽收严试,久任超迁。此八字,用人之良法
❽立大事者,不惟有超世之才,亦必有坚忍不拔之志
❾众踥蹀而日进兮,美超远而逾迈
❿拨乱反正之君,资拔山超海之力/直待自家都了得,等闲拈出便超然/老年人受病在作意步趋,少年人受病在假意超脱/人遇逆境,无可奈何,而安之若命,乃是见识超卓/古之立大事者,不惟有超世之才,亦必有坚忍不拔之志

趣
①qù 味;有兴味的;志向;风致。②cù 通“促”;催促,急促;赶快。③qū 通“趋”,疾行;趋附。

❶趣织鸣,懒妇惊
见晋代杂歌谣辞《陆机引里语》。“趣织”,即促织,蟋蟀。
趣舍合,即言忠而益亲;身疏,即谋当而见疑
见汉·刘安《淮南子·诠言》。
❷情趣苟同,贫贱不易意/虽趣舍万殊,静躁不同……
❸其水趣流,势与江河同
❹变通者,趣时者也/人若志趣不远,心不在焉,虽学无成/行货赂,趣势门,立私废公,比周而取容/百里而趣利者蹶上将,五十里而趣利者军半至
❺诵读有真趣,不玩味终为鄙夫
❻从谏如顺流,趣时如响起/园日涉以成趣,门虽设而常关/富贵则人争趣之,贫贱则人争去之
❼腓大于股,难于趣走/戴发含齿,倚而趣者,谓之人
❽意有所极,梦亦同趣/参之《国语》以博其趣
❾苦心中,常得悦心之趣
❿居轩冕中,不可无山林趣味/一字不识而有诗意者,得诗家真趣/机发矢直,涧曲湍回,自然之趣也/必须出类拔萃,与众不同,才觉有趣/世间奇男子,岂可以世俗趣舍量其心乎/尚力务本而种树繁,躬耕趣时而衣食足/百节成体,共资荣卫,万趣会文,不离辞情/诗有别材,非关书也;诗有别趣,非关理也/有法无法,因时为业;有度无度,与物趣舍/百里而趣利者蹶上将,五十里而趣利者军半至/济世经邦,要段云水的趣味,若有贪着,便堕危机

趦
zī 同“趑”。

❺足将进而趦趄,口将言而嗫嚅

趱
①zǎn 赶,加快;通“攒”,积聚。②zàn 催逼。

❿光阴似箭催人老,日月如梭趱少年

赤
chì 泛指红色;喻真纯;裸露;象征革命;通“斥”,斥候;诛灭;指南方。

❶赤心事上,忧国如家
见唐·韩愈《上李尚书书》。
赤兔无人用,当须吕布骑
见唐·李贺《马诗》。
赤肉悬则乌鹊集,鹰隼鸷则群鸟散
见汉·刘安《淮南子·说林》。
赤地炎都寸草无,百川水沸煮虫鱼
见唐·马异《贞元旱岁》。
赤橙黄绿青蓝紫,谁持彩练当空舞
见现代·毛泽东《菩萨蛮·大柏地》。
赤日炎炎似火烧,野田禾稻半枯焦
见明·施耐庵《水浒传》第十六回。全句为:“～。农夫心内如汤煮,公子王孙把扇摇”。
❷推赤心于诸贤腹中/莫赤匪狐,莫黑匪乌/欲赤须近朱,欲黑须近墨/爱赤子者不慢于保,绝险历远者不慢于御
❸若保赤子,惟民其康乂/有时赤脚弄明月,踏破五湖波底天/宁逢赤眉,不逢太师。太师尚可,更始杀我
❹近朱者赤,近墨者黑/金无足赤,人无完人
❺长夜难明赤县天,百年魔怪舞翩跹/但见丹诚赤如血,谁知伪言巧似簧
❻丹之所藏者赤/我愿天公怜赤子,莫生尤物为疮痏
❼上之于下,如保赤子/含德之厚,比于赤子/大人者,不失其赤子之心者也/大丈夫举事,当赤心相示,浮言夸辞,吾甚厌之
❾丹可磨也,而不可夺赤/外虽饶棘刺,内实有赤心/敬贤如大宾,爱民如赤子/藏珉石于金匮兮,捐赤瑾于中庭/丹可灭而不能使无赤,石可毁而不能使无坚
❿圣人爱念百姓,如孩婴赤子长养之/譬犹练丝,染之蓝则青,染之丹则赤/圣人视天下之不治,如赤子之在水火也/宁令吾庐独破受冻死,不忍四海赤子寒飕飕

赪
chēng 亦作“赬”,赤色。

❸苍雁赪鲤,时传尺素;清风明月,俱寄相思

赫 ①hè 泛指红色；显耀；分裂；勃然怒貌；姓。②xì[赫蹄]西汉末的一种小幅薄纸。

❷无赫赫之势，亦无戚戚之忧／威赫赫爵禄高登，昏惨惨黄泉路近

❸无赫赫之势，亦无戚戚之忧／威赫赫爵禄高登，昏惨惨黄泉路近

❻太阳初出光赫赫，千山万山如火发

❼至阴肃肃，至阳赫赫／太阳初出光赫赫，千山万山如火发

❽至阴肃肃，至阳赫赫／察火于灰，不睹洪赫之烈／无惛惛之事者，无赫赫之功

❿小人不能忍小忿之故，终有赫赫之败辱／未有主强盛而辅不飘逸者，兵卫不华赫而庄整者

赭 zhě 红褐色；红土。

❾不塞隙穴，而劳力于赭垩，暴风疾雨必坏

豆 dòu 豆类植物；像豆子的；古代盛食物的器具；古代重量单位；姓。

❶豆麦之种与稻粱殊，然食能去饥

见汉·王充《论衡·率性篇》。

❷红豆生南国，春来发几枝

❺驽马恋栈豆／一箪食，一豆羹，得之则生，弗得则死

❽大匠不斫，大庖不豆／拂云之松生于一豆之实／各愿种成千百索，豆萁禾穗满青山

❿一叶蔽目，不见泰山；两豆塞耳，不闻雷霆

豉 chǐ 即"豆豉"，有咸淡两种，用煮熟的大豆发酵后制成。

❿有千里莼羹，但未下盐豉耳

登 ①dēng 攀登；刊登；庄稼成熟；立即。②dé 通"得"。

❶登高必自卑

见《礼记·中庸》。

登临直见楚山雄

见宋·柳开《楚南楼》。

登泰山而小天下

见《孟子·尽心上》。

登高则望，临深则窥

见汉·贾谊《新书·审微》。

登山者处已高矣……

见《吕氏春秋·先识览·观世》。全句为："～，左右视，尚巍巍然山在其上"。

登楼意，恨无天上梯

见元·马致远《南宫金字经》。

登高以望远，摇桨以泳深

见宋·苏轼《送水丘秀才序》。

登楼知日近，傍海见潮生

见宋·李宗锷《送士龙兄》。

登车揽辔，有澄清天下之志

见南朝·宋·刘义庆《世说新语·德行》。

登东皋以舒啸，临清流而赋诗

见晋·陶潜《归去来兮辞》。

登东山而小鲁，登泰山而小天下

见《孟子·尽心上》。

登临自有江山助，岂是胸中不得平

见宋·洪适《次韵蔡瞻明登中山》。

登高不可以为长，居下不可以为短

见《庄子·徐无鬼》。

登高而招，臂非加长也，而见者远

见《荀子·劝学》。

登山不以艰险而止，则必臻乎峻岭

见晋·葛洪《抱朴子·广譬》。

登山则情满于山，观海则意溢于海

见南朝·梁·刘勰《文心雕龙·神思》。

登山始觉天高广，到海方知浪渺茫

见宋·王溥《谢进士张翼投诗两轴》。

登峻者戒在于穷高，济深者祸生于舟重

见晋·葛洪《抱朴子·博喻》。

登泰山而览群岳，则冈峦之本末可知也

见唐·王勃《八卦大演论》。全句为："据沧海而观众水，则江河之会归可见也；～"。

登高临深，远见之乐，台榭不若丘山所见高也

见汉·韩婴《韩诗外传》。全句为："～；平原广望，博观之乐，沼池不如川泽所见博也"。

登彼西山兮采其薇矣，以暴易暴兮不知其非矣

据传为商·伯夷、叔齐《采薇歌》之句。

❷一登龙门，则声誉十倍／不登高山，不知天之高也／一登一陟一回顾，我脚高地他更高

❸不用登临怨落晖／负舟登山，诚难事也／王良登车，马无罢驽／公若登台辅，临危莫爱身／远胜登仙去，飞鸾不假骖／不忍登高临远，望故乡渺邈，归思难收／幽晦登昭，日月下藏；公正无私，反见从横

❹从善如登，从恶是崩／有山可登，有水可浮／攀援而登，箕踞而遨……／古者士登乎仕，吏执乎役，禄以报劳，官以授德

❺拔诸水火，登于衽席／拔去凶邪，登崇畯良

❻春秋多佳日，登高赋新诗／独游山水间，登极顶……欲空其形而去

❼今之进学者，如登山……／登东山而小鲁，登泰山而小天下／威赫赫爵禄高登，昏惨惨黄泉路近／临清风，对朗月，登山泛水，肆意酣歌／吾见世人清名登而金贝入，信誉显而然诺亏／天地之养也一，登高不可以为长，居下不可以为短

❾世上无难事，只要肯登攀／吾尝跂而望矣，不如登高之博见也

❿咫尺愁风雨，匡庐不可登／千古兴亡，百年悲

笑，一时登览／众人熙熙，如享大牢，如春登台／飘飘乎如遗世独立，羽化而登仙／但将酩酊酬佳节，不用登临恨落晖／人生达命岂暇愁，且饮美酒登高楼／词客争新角短长，迭开风气递登场／其冲然角列而上者，若熊罴之登于山／学者，犹种树也，春玩其华，秋登其实／立德者以幽陋好遗，显登者以贵途易引／春发其华，秋收其实，有始有极，爰登其质／胡风动地，朔雁成行；拔剑登车，慷慨而别／君子之道，辟如行远，必自迩；辟如登高，必自卑／君臣父子人间之事谓之义，登降揖让，贵贱有等，亲疏之体，谓之礼

酉 yǒu 地支的第十位；十二时辰之一；姓。

❽学富五车，书通二酉

酊 ①dǐng［酩酊］大醉。②dīng 酊剂的简称。

❹但将酩酊酬佳节，不用登临恨落晖

酌 zhuó 斟（酒）；饮（酒）；估量；考虑。

❶酌人之言，补已之过

见唐·白居易《策林四》。

酌贪泉而觉爽，处涸辙而犹欢

见唐·王勃《滕王阁序》。

酌奇而不失其真，玩华而不坠其实

见南朝·梁·刘勰《文心雕龙·辨骚》。

❷斟酌乎质文之间，而隐括乎雅俗之际，可与言通变矣

❻权衡损益，斟酌浓淡，芟繁剪秽，弛于负担

❼花间一壶酒，独酌无相亲

❽弘爱人屈己之道，酌因时适变之宜

❿一令蔓草难锄，涓流泛酌，岂直疥痒轻疴，容为重患

配 pèi 男女结合；配偶，多指妻子；使动物交配；指一定的标准或比例调和或拼和；有计划地分派；添补；衬托，陪衬；相称；流刑，充军。

❽以修身自强，则名配尧禹／待西施、毛嫱而为配，则终身不家矣

❿事顺神明者不合于俗，功配天地者不悦于众／失名失货，道德是佑，神明是助，名显自然，富配天地

酣 hān 饮酒尽兴；泛指尽兴、畅快。

❷兴酣落笔摇五岳，诗成笑傲凌沧洲

❺恒舞于宫，酣歌于室，时谓巫风

❻朝日乐相乐，酣饮不知醉

❼食饱心自若，酒酣气益振

❿临清风，对朗月，登山泛水，肆意酣歌／山，倒海翻江卷巨澜。奔腾急，万马战犹酣

酤 gū 酒；买酒；卖酒。

❻甘酒醴而不酤饴蜜，未为能知味

酥 sū 用牛羊奶凝成的薄脂皮加工制成的食物；松脆食品；松脆；发软。

❼天街小雨润如酥，草色遥看近却无

酡 tuó 喝了酒脸红。

❼美人既醉，朱颜酡些

酩 mǐng［酩酊］形容大醉的样子。

❸但将酩酊酬佳节，不用登临恨落晖

酪 lào 用牛、羊、马等乳炼制而成的食品；醋。

❿穹庐为室兮旃为墙，以肉为食兮酪为浆／桑椹甘香，鸱鸮革响，淳酪养性，人无嫉心

酷 kù 残忍；副词；极，甚。

❶酷好学问文章，未尝一日暂废

见唐·韩愈《潮州刺史谢上表》。

❼德不称，其祸必酷；能不称，其殃必大

❽法贵止奸，不在过酷

❾德不称其任，其祸必酷／法不至死，无容滥加酷罚

❿尽天下之辞，无以传其酷矣／奸人诈而好名，其行事有酷似君子处／夫谓法不严则易犯，暴君酷吏假辞以饰其恶耳／君子所甚惧者，以申、韩之酷政，文饰儒术，而重毒天下也

酬 chóu 报酬；酬谢；劝酒；报复；以诗文相赠答。

❸恩难酬白骨，泪可到黄泉

❹有恩必酬者，亦匹夫之义

❺负恩必须酬，施恩慎勿色／小则随事酬劳，大则量才录用／事可语人酬对易，面无惭色去留轻／但将酩酊酬佳节，不用登临恨落晖

❿整顿乾坤手段，指授英雄方略，雅志若为酬

酹 lèi 把酒洒在地上，表示祭奠。

❸把酒酹滔滔，心潮逐浪高

❽人生如梦，一尊还酹江月

酿 niàng 通过发酵作用制造；经长时间逐渐形成；酒；一种烹调方法。

❶酿泉为酒，泉香而酒洌

见宋·欧阳修《醉翁亭记》。全句为："临溪而渔，溪深而鱼肥；～"。

❿渐闻水声潺潺，而泻出两峰之间者，酿泉也／意喻之米，文喻之炊而为饭，诗喻之酿而为酒

酸 suān 像醋一样的味道或气味；（身体）微疼乏力；难过；迂腐；化学上的酸。

❷衔酸抱痛，且耻且惭／嘶酸雏雁失群夜，断绝胡儿恋母声
❽百梅足以为百人酸，一梅不足以为一人和
❿墙薄则亟坏……酒薄则亟酸

醇 chún 酒质厚；纯粹；淳朴。
❸孟氏醇乎醇者也，荀与扬大醇而小疵
❼行峻而言厉，心醇而气和
❿地僻乡音别，年丰酒味醇／政烦苛则人奸伪，政省一则人醇朴／孟氏醇乎醇者也，荀与扬大醇而小疵

醉 zuì 醉酒；沉迷；爱好到极点。
❶醉之以酒而观其侧
见《庄子·列御寇》。全句为："君子远使之而观其忠，近使之而观其敬，烦使之而观其能，卒然问焉而观其知，急与之期而观其信，告之以危而观其节，～，杂之以处而观其色"。"知"同"智"；"侧"，不正。亦作"则"，指仪态。
醉中语亦有醒时道不到者
见清·刘熙载《艺概·诗概》。全句为："大抵文善醒，诗善醉，～"。
醉舞下山去，明月逐人归
见宋·黄庭坚《水调歌头》。
醉貌如霜叶，虽红不是春
见唐·白居易《醉中对红叶》。
醉后狂言醒时悔，安不将息病时悔
见明·陈继儒《小窗幽记》。全句为："富时不俭贫时悔，潜时不学用时悔，～，醉后狂言醒时悔，安不将息病时悔"。
醉翁之意不在酒，在乎山水之间也
见宋·欧阳修《醉翁亭记》。
❷一醉累月轻王侯／其醉也，傀俄若玉山之将崩
❸为谁醉倒为谁醒？至今犹恨轻离别／伯浑醉书，纸穷墨燥，如春龙奋蛰，奇鬼搏人，何其壮也
❹美人既醉，朱颜酡些
❺未言心相醉，不在接杯酒／眼看人尽醉，何忍独为醒
❻常言道：酒不醉人人自醉／酒罂饭囊，或醉或梦，块然泥土者……
❼晓来谁染霜林醉，总是离人泪／我自只如常日醉，满川风月替人愁／今朝有酒今朝醉，明日愁来明日愁／今朝有酒今朝醉，且尽樽前有限杯／暖风熏得游人醉，直把杭州作汴州
❽大抵文善醒，诗善醉／酒醴异气，饮之皆醉／常记溪亭日暮，沉醉不知归路／劝君休饮无情水，醉后教人心意迷／浮名浮利过于酒，醉得人心死不醒／老去读书随忘却，醉中得句若飞来
❾但恨多谬误，君当恕醉人／黄金白璧买歌笑，一醉累月轻王侯
❿常言道：酒不醉人人自醉／朝日乐相乐，酣饮不知醉／一生大笑能几回，斗酒相逢须醉倒／不可乘喜而轻诺，不可因醉而生嗔／不因酒困因诗困，常被吟魂恼醉魂／举世皆浊我独清，众人皆醉我独醒／恶死亡而乐不仁，是由恶醉而强酒／无彝酒，越庶国，惟饮祀，德将无醉／今恶死亡而乐不仁，是犹恶醉而强酒／至福似祸，大吉若凶。天下醉饱，莫之能明／峰回路转，有亭翼然，临于泉上者，醉翁亭也

醒 xǐng，又读 xīng，结束或尚未进入睡眠状态；觉悟；清晰，显眼；神志不清后恢复正常。
❸酒力醒，茶烟歇，送夕阳，迎素月
❺大抵文善醒，诗善醉／醉后狂言醒时悔，安不将息病时悔
❻醉中语亦有醒时道不到者
❼怒潮风正急，酒醒闻塞笛／为谁醉倒为谁醒？至今犹恨轻离别
❽栉垢肥痒，民获苏醒
❿从极迷处识迷，则到处醒／眼看人尽醉，何忍独为醒／举世皆浊我独清，众人皆醉我独醒／浮名浮利过于酒，醉得人心死不醒

醴 lǐ 甜酒；甘甜的泉水；通"澧"，水名。
❷酒醴异气，饮之皆醉
❸甘酒醴而不酤饴蜜，未为能知味
❺芝草无根，醴泉无源
❿君子之接如水，小人之接如醴／君子之交淡若水，小人之交甘若醴

辰 chén 地支第五位；日月交会点；十二时辰之一，七时至九时；众星；日、月、星的统称；日子，时刻；通"晨"。
❹依作北辰星，千年无转移／日月星辰民所瞻仰者亦皆曰神
❻天之高也，星辰之远也，苟求其故，千岁之日至，可坐而致也
❽戴盆望天，不见星辰／天道乱，而日月星辰不得其行／为政以德，譬如北辰，居其所而众星共之
❿百僚师师，百工惟时，抚于五辰，庶绩其凝／善有善报，恶有恶报；不是不报，时辰未到

豕 shǐ 猪。
❻率虎狼牧羊豕，而望其蕃息，岂可得也
❽截牛之角而呼为豕，则虽庸必骇
❾彭蠡之滨，以鱼食犬豕
❿受人养而不能自养者，犬豕之类也

豨 xī 猪，特指野猪。

❿言则称于汤文,行则譬于狗豨

卤 lǔ 卤水;浓汁;一种煮肉、蛋等的方法;通“橹”,大盾;通“掳”,掠夺。

❻君为政焉勿卤莽,治民焉勿灭裂

❽伏尸百万,流血漂卤

里 lǐ 古时居民聚居的地方;旧时县以下的基层单位;家乡;市制长度单位;街坊;里面;一定范围以内;衣物的内层。

❶里无君子,则与松柏为友

见唐·元结《丐论》。全句为:“乡无君子,则与云山为友;~;坐无君子,则与琴酒为友”。

里胥扣我门,日夕苦煎促

见宋·梅尧臣《田家语》。

里仁为美;择不处仁,焉得知

见《论语·里仁》。

❷千里姻缘一线牵/十里黄芦雪打船/表里相资,古今一也/千里而战,兵不获利/千里之差,兴自毫端/千里之堤,溃于蚁穴/千里之行,始于足下/千里之缪,不容秋毫/千里投名,万里投主/众里寻他千百度……/雾里看花,终隔一层/百里之海,不能饮一夫/千里之路,不可扶以绳/百里不同风,千里不同俗/百里不贩樵,千里不贩籴/千里不同风,百里不共雷/千里之堤,以蝼蚁之穴漏/千里始足下,高山起微尘/千里相思,空有关山之望/万里长江横渡,极目楚天舒/千里而袭人,未有不亡者也/千里马常有,而伯乐不常有/千里跬步不至,不足谓善御/万里长江,何能不千里而一曲/千里搭长棚,没个不散的筵席/眼里无点灰尘,方可读书千卷/千里之马,骨法虽具,弗策不致/田里绝愁叹之声,邦家闻宽厚之化/笛里谁知壮士心?沙头空照征人骨/雨里孤村雪里山,看时容易画时难/千里开年,且悲春目;一叶早落,足动秋襟/百里而趣利者蹶上将,五十里而趣利者军半至

❸九万里风鹏正举/适百里者宿舂粮/被头里做事终晓得/平居里巷相慕悦……/行百里者,半于九十/有千里莼羹,但未下盐豉耳/八百里分麾下炙,五十弦翻塞外声。沙场秋点兵

❹如堕五里雾中/长风万里送归舟/芦花千里霜月白/外内表里,自相副称/寸步千里,咫尺山河/峡水千里,巴山万重/送君千里,终须一别/欲知千里寒,但看井水冰/欲穷千里目,更上一层楼/舟如空里泛,人似镜中行/飞雪千里,不能改松柏之心/邓林千里,不能无偏枯之木/志行万里者,不中道而辍足/昂昂千里,泛泛不作水中凫/放船千里凌波去,略为吴山留顾/虽有千里之能……安求其能千里也/有缘千里来相会,无缘对面不相逢/目极千里兮伤春心,魂兮归来哀江南/马效千里,不必胡代;士贵成功,不必文辞/马效千里,不必骥騄;人期贤知,不必孔墨/骐骥千里,一日而通;驽马十舍,旬亦至之/磐石千里,不可谓富;象人百万,不可谓强/盘石千里,不为有地;愚民百万,不为有民/直视千里外,唯见起黄埃。凝思寂听,心伤已摧

❺表壮不如里壮/拒人于千里之外/一别隔千里,荣枯异炎凉/久在樊笼里,复得返自然/长安如梦里,何日是归朝/摧折寒山里,遂死无人窥/故国三千里,深宫二十年/老骥思千里,饥鹰待一呼/今子使万里外国,独无几微出于言面/虑不在千里之外,则患在几席之下矣/反裘负薪,里尽毛殚,刖趾适屦,刻肌伤骨/骥一日千里,车轻也,以重载,则不能数里

❻南面而听百里/百尺楼高万里风/乘长风破万里浪/快我平生万里心/天下为一,万里同风/千里投名,万里投主/每一相思,千里命驾/荼毒生灵,万里朱殷/行合趋同,千里相从/清入梦魂,千里人长久/覆压三百余里,隔离天日/良马期乎千里,不期乎骥骜/世上岂无千里马,人间难得九方皋/举世尽从愁里老,谁人肯向死前闲/骥一日而千里,驽马十驾则亦及之/明发又为千里别,相思应尽一生期/雨里孤村雪里山,看时容易画时难/崖谷峻隘,十里百折,负重而上,若蹈利刃

❼爱尺寸而忘千里/心如老骥常千里/自许封侯在万里……/并骥而走者,五里而罢/一时今夕会,万里故乡情/百年变朝市,千里异风云/百里不同风,千里不同俗/百里不贩樵,千里不贩籴/面结口头交,肚里生荆棘/千里不同风,百里不共雷/长江悲已滞,万里念将归/仍怜故乡水,万里送行舟/但愿人长久,千里共婵娟/八方各异气,千里殊风雨/黄鹄一远别,千里顾徘徊/遗墟旧壤,数万里之皇城/物轻人意重,千里送鹅毛/白骨露于野,千里无鸡鸣/雄心志四海,万里望风尘/半开半落闲园里,何异荣枯世上人/附骥尾则涉千里,攀鸿翮则翔四海/坐地日行八万里,巡天遥看一千河/苦吟莫向朱门里,满耳笙歌不听君/寄到玉关应万里,戍人犹在玉关西/遗民泪尽胡尘里,南望王师又一年/好去长江千万里,不须辛苦上龙门/见乎表者作乎里,形于事者发于心/身多疾病思田里,邑有流亡愧俸钱/鲲鹏展翅,九万里,翻动扶摇羊角

❽长烟一空,皓月千里/失之毫厘,差以千里/云山万重,寸心千里/俯镜八川,周睇万里/人面咫尺,心隔千里/兄弟谗阋,侮人百里/附耳之语,流闻千里/附耳之言,闻于千里/差若毫厘,缪以千里/寸心万绪,咫尺千里/跬步不休,跛鳖千里/驽骞之乘不骋千里之途/咫尺

之图，写百千里之景／亭之所见，南北百里……／急辔数策者，非千里之御也／众听所倾，非假《北里》之操／急小之人宜理百里，使事办于己／立望关河萧索，千里清秋，忍凝眸／黄鹄之飞，一举千里，有必飞之备也／车之所以能转千里者，以其要在三寸之辖／长烟一空，皓月千里；浮光跃金，静影沉璧／鸿鹄高飞，一举千里，羽翼以就，横绝四海／有声之声，不过百里；无声之声，延及四海／老骥伏枥，志在千里；烈士暮年，壮心不已／诚则始终不忒，表里一致，敬信真纯，往而必孚／黄鹄白鹤，一举千里，使之与燕服翼试之堂庑之下

❾苍蝇附骥尾而致千里／不积跬步，无以至千里／前无所阻兮，跛鳖千里／仁便藏在恻隐之心里面／世有伯乐，然后有千里马／以我径寸心，从君千里外／今朝一杯酒，明日千里人／舒吾陵霄羽，奋此千里足／振衣千仞冈，濯足万里流／狂云妒佳月，怒气千里黑／结交一言重，相期千里至／此地一为别，孤蓬万里征／万里长江，何能不千里而一曲／华骝、绿耳，一日至千里……／对他乡之风景，忆故里之琴歌／万株松树青山上，十里沙堤明月中／飞蓬遇飘风而行千里，乘风之势也／枳棘非鸾凤所栖，百里岂大贤之路／心中为念农桑苦，耳里如闻饥冻声／老来行路先愁远，贫里辞家更觉难／耳边要静不得静，心里欲闲终未闲／寂寞嫦娥舒广袖，万里长空且为忠魂舞／故马或奔踶而致千里，士或有负俗之累而立功名／跬步而不休，跛鳖千里；累土而不辍，丘山崇成

❿人行明镜中，鸟度屏风里／君看一叶舟，出没风波里／官无一寸禄，名传千万里／骀驷安局步，骐骥志千里／桥上山万重，桥下水千里／方惭不耕者，禄食出闾里／无厚，不可积也，其大千里／假舆马者，足不劳而致千里／穷途萧瑟，青山白云之万里／骐骥虽疾，不遇伯乐不致千里／方衔感于一剑，非买价于泉里／天子之怒，伏尸百万，流血千里／君子慎始，差若毫厘，缪之千里／三十功名尘与土，八千里路云和月／无缘对面不相逢，有缘千里能相会／不出尊俎之间，而折冲于千里之外／诚者，合内外之道，便是表里如一／陶令不知何处去，桃花源里可耕田／士有一言中于道，不远千里而求之／大鹏一日同风起，扶摇直上九万里／美人迈兮音尘阙，隔千里兮共明月／吴僧爱觅闲吟处，偷向花边竹里来／虽有千里之能……安求其能千里也／徒觉炎凉节物非，不知关山千万里／江南谚云：尺牍书疏，千里面目也／运筹策帷帐之中，决胜于千里之外／已分忍饥度残岁，更堪岁里闰添长／要为天下奇男子，须历人间万里程／片言可以明百意，坐驰可以役万里／想当年，金戈铁马，气吞万里如虎／窗含西岭千秋雪，门泊东吴万里船／金猴奋起千钧棒，玉宇澄清万里埃／不能为五斗米折腰，拳拳事乡里小人／诗之所谓风者，多出于里巷歌谣之作／墨子见衢路而哭之，悲一跬而缪千里／吾文如万斛泉源……虽一日千里无难／酒池，足以运舟；糟丘，足以望七里／疾呼不过闻百步，志之所在，逾于千里／君子居其室，出其言善，则千里之外应之／骐骥骅骝，一日而驰千里，捕鼠不如狸狌／十旬休暇，胜友如云；千里逢迎，高朋满座／人生贵得适意尔，何能羁宦数千里以要名爵／造父疾趋，百步而废；自托乘舆，坐致千里／骥一日千里，车轻也，以重载，则不能数里／日月之行，若出其中；星汉灿烂，若出其里／意授于思，言授于意，密则无际，疏则千里／秋山的翠，秋江澄空，扬帆迅征，不远千里／金舟不能凌阳侯之波，玉马不任骋千里之迹／百里而趣利者蹶上将，五十里而趣利者军半至／合抱之木，生于毫末……千里之行，始于足下／苍蝇之飞，不过十步；自托骐骥之尾，乃腾千里之路／骐骥盛壮之时，一日而驰千里；至其衰也，驽马先之／可以托六尺之孤，可以寄百里之命，临大节而不可夺也

野

yě 离城较远的地区；不当政的；非人工培育或饲养的；粗鲁蛮横；界限；指民间。

❶野树秋声满

见宋·张先《塞垣春》。

野芳虽晚不须嗟

见宋·欧阳修《戏答王珍》。

野无遗贤，万邦安宁

见《尚书·大禹谟》。

野多滞穗，亩有余粮

见唐·柳宗元《为耆老等请复尊号表》。

野火烧不尽，春风吹又生

见唐·白居易《赋得古原草送别》。

野葛虽毒，不食则不能伤生

见明·袁衷《庭帏杂录》。全句为："～；情欲虽危，不染则无由累己"。

野芳发而幽香，佳木秀而繁阴

见宋·欧阳修《醉翁亭记》。全句为："～，风霜高洁，水落而石出者，山间之四时也"。

野绩不越庙堂，战多不逾国勋

见晋·陈寿《三国志·魏书·荀彧传》。全句为："虑为功首，谋为赏本，～"。

野夫怒见不平处，磨损胸中万古刀

见唐·刘叉《偶书》。

野禽殚，走犬烹；敌国破，谋臣亡

见汉·班固《汉书·蒯通传》。

❷旷野看人小，长空共鸟齐／极野苍茫，白露凉

风之八月／田野荒而仓廪实，百姓虚而府库满
❸闲云野鹤，无拘无束／瞰于野，惟稼穑艰难是知／狼子野心，是乃狼也，其可畜乎／宁作野中之双凫，不愿云间之别鹤／身为野老已无责，路有流民终动心／有沃野之饶而民不足于食者，器械不备也／霜封野树，冰冻寒苗，岸草无色，芦花自飘
❹不行其野，不违其马／晨飙动野，斜月在林／鹿生于野，命县于厨／男儿当野死，岂为印如斗／杀尽田野人，将军犹爱武／白苹之野，斯见不平之人／穷居而野处，升高而望远／鹿鸣思野草，可以喻嘉宾／天苍苍，野茫茫，风吹草低见牛羊／视都知野，视野知国，视国知天下／飞雪蔽野，长河始冰，吾子勉之，慷慨而别／贤人在野，我将进之；佞人立朝，我将斥之
❺四方八面野香来／清香犹在野蔷薇／室如县罄，野无青草／朝多君子，野无遗贤／白骨露于野，千里无鸡鸣／质胜文则野，文胜质则史。文质彬彬，然后君子
❻礼失而求诸野／蜘蛛网户牖，野草当阶生／万户千门成野草，只缘一曲后庭花／无君子莫治野人，无野人莫养君子／山林不能给野火，江海不能实漏卮／视都知野，视野知国，视国知天下／此溪若在山野，则宜逸民退士之所游……／呦呦鹿鸣，食野之苹；我有嘉宾，鼓瑟吹笙
❼霜尽川长，云平野阔／君臣节俭足，朝野欢呼同
❽辩而不华，质而不野／参差远岫，断云将野鹤俱飞／伯乐一过冀北之野，而马群遂空／春色不随亡国尽，野花只作旧时开／赤日炎炎似火烧，野田禾稻半枯焦／男儿要当死于边野，以马革裹尸还葬耳／如张乐于洞庭之野，无首无尾，不主故常／争地以战，杀人盈野；争城以战，杀人盈城／结体散文，直而不野，婉转附物，惆怅切情
❾殷周之前，其文简而野……／无君子莫治野人，无野人莫养君子
❿文章之作，恒发于羁旅草野／饥不从猛虎食，暮不从野雀栖／主人闻语未开门，绕篱野菜飞黄蝶／知屋漏者在宇下，知政失者在草野／善游者死于梁地，善射者死于中野／归马于华山之阳，放牛于桃林之野／风起绿洲吹浪去，雨从青野上山来／笔底明珠无处卖，闲抛闲掷野藤中／由上室而上，有穴，北出之，乃临大野／壮年竭忠孝于沙漠，疲劳则便捐死于旷野／水出于山，入于海；稼生乎野，而藏乎仓／文质修者谓之君子，有质而无文谓之易野／庖有肥肉，厩有肥马，民有饥色，野有饿莩／洪波振壑，川无活鳞；惊飙拂野，林无静柯／以易限之鉴，镜难原之才，使国罔遗授，野无滞器，其可得

足

①zú 脚；指器物的脚；满；充实；够；够得上；值得。②jù 补足；过分。

❶足欲，亡无日矣

见《晏子春秋·内篇杂下第十五》。

足寒伤心，民寒伤国

见汉·荀悦《申鉴·政体》。

足寒伤心，民怨伤国

见宋·司马光《资治通鉴·后晋齐王天福八年》。

足践之，不如手辨之

见汉·刘向《说苑·政理》。全句为："耳闻之，不如目见之；目见之，不如足践之；～"。

足天下之用，莫先乎财

见宋·欧阳修《本论》。全句为："～；系天下之安危，莫先乎兵"。

足用之本，在于勿夺时

见汉·刘安《淮南子·诠言》。全句为："安民之本，在于足用；～"。

足趾一跌，而前劳并捐

见唐·刘禹锡《上杜司徒书》。

足食，足兵，民信之矣

见《论语·颜渊》。

足食足兵，为治天下之具

见清·魏源《默觚下·治篇一》。

足将进而趦趄，口将言而嗫嚅

见唐·韩愈《送李愿归盘谷序》。全句为："伺候于公卿之门，奔走于形势之途；～"。

足恭者必中薄，面谀者必背非

见清·申涵光《荆园小语》。

足下家中百物，皆赖而用也……

见唐·韩愈《答刘正夫书》。删节处为："～；然其所珍爱者，必非常物。夫君子之于文，岂异于是乎"。

足不强则迹不远，锋不铦则割不深

见汉·王充《论衡·超奇篇》。

足国之道，节用裕民，而善藏其余

见《荀子·富国》。

❷不足生于无度／知足下遇火灾……／知足之足，常足矣／智足以使民不能欺／政足以使民不敢欺／不足不止，利心常起／百足之虫，死而不僵／举足左右，便有轻重／知足而止，故能长存／知足者不以利自累也／无足而至者，物之藉也／内足者，自是无意于名／知足者富，强行者有志／侧足无行径，荒畴不复田／志足而言文，情信而辞巧／知足者，不可以势利诱也／骏足思长阪，柴车畏危辙／智足以造谋，材足以立事／忠足以尽己，恕足以尽物／忠足以勤上，惠足以存下／患足已不学，既学患不行／食足货通，然后国实民富／知足者仙境，不知足者凡境

／民足则怀安，安则自重而畏法／富足生于宽暇，贫穷起于无日／物足则富贵，富贵则帝王公侯／力足以举百钧，而不足以举一羽／力足者取乎人，力不足者取乎神／知足不辱，知止不殆，可以长久／知足之人，虽卧地上，犹为安乐／明足以察秋毫之末，而不见舆薪／百足之虫，至死不僵，扶之者众也／百足之虫至断不蹶者，持之者众也／百足之虫，断而不蹶，持之者众也／心足则物常有余，心贪则物常不足／不足于行者，说过；不足于信者，诚言／道足以忘物之得丧，志足以一气之盛衰／知足者，贫贱亦乐；不知足者，富贵亦忧／知足之人，体道同德，绝名除利，立我于无／谷足食多，礼义之心生；礼丰义重，平安之基立

❸律己足以服人／一失足成千古恨／攻不足者守有余／损不足以奉有余／智不足以治天下／衣食足而知荣辱／衣食足，知荣辱／貂不足，狗尾续／信不足焉，有不信焉／得何足喜，失何足忧／见不足忘贫，故能施／辞不足不可以为成文／言以足志，文以足言／金无足赤，人无完人／知不足，然后能自反也／目在足下，不可以视近／足食，足兵，民信之矣／非无足财也，我无足心也／狐白足御冬，焉念无衣客／泽人足乎木，山人足乎鱼／目在足下，则不可以视矣／足食足兵，为治天下之具／谏不足听者，辞不足感心也／死不足悲，可悲是死而无补／贫不足羞，可羞是贫而无志／贱不足恶，可恶是贱而无能／老不足叹，可叹是老而虚生／人之足传，在有德，不在有位／知不足者好学，耻下问者自满／浅不足与测深，愚不足与谋知／轻财足以聚人，律己足以服人／旷怀足以御物，长策足以服人／量宽足以得人，身先足以率人／智不足以为治，勇不足以为强／不知足而为屦，我知其不为蒉也／不知足者，虽处天堂，亦不称意／恻隐足以为仁，而仁不止于恻隐／羞恶足以为义，而义不止于羞恶／兽同足者相从游，鸟同翼者相从翔／贤不足以服不肖，而势位足以屈贤／甜不足一食之美，然有截舌之患也／衣食足而知荣辱，廉让生而争讼息／推恩足以保四海，不推恩无以保妻子／酒池，足以运舟；糟丘，足以望七里／赏不足劝善，刑不足禁非，而政不成／霤水足以溢壶榼，而江河不能实漏卮／不失足于人，不失色于人，不失口于人／力不足则伪，知不足则欺，财不足则盗／富贵足以愚人，而贫贱足以立志而浚慧／百梅足以为百人酸，一梅不足以为一人和／百姓足，君孰与不足？百姓不足，君孰与足／内不足者，急于人知；霈焉有余，厥闻四驰

❹富贵者足物尔／竖子不足与谋／为大不足以为大／人心不足蛇吞象／大抵不足则夸也／小说不足以累正史／小善不足以掩众恶／小恶不足妨大美也／小疵不足以妨大美／小疵不足以损大器／知足之足，常足矣／言之不足故嗟叹之／侧目重足，不寒而栗／家给人足，天下大治／如不知足，则失所欲／衣食不足，盗之源也／偏无自足，故凭乎外资／一枝何足贵，怜是故园春／千里始足下，高山起微尘／千金何足惜，一士固难求／黄金无足色，白璧有微瑕／谤议不足怨，宠辱讵须惊／四马齐足，孟门可以长驱／达亦不足贵，穷亦不足悲／络首縻足兮，骥不能逾跬／成败何足校？英雄自有真／此物何足重，但感别经时／蛇固无足，子安能为之足／衣沾不足惜，但使愿无违／粒米不足舂，寸布不足缝／万物无足以铙心者，故静也／快然自足，曾不知老之将至／一快不足以成善，积快而为德／一恨不足以成非，积恨而成怨／冲隆不足为强，高城不足为固／然则志足而言文，情信而辞巧／乘隙插足，扼其主机，渐之进也／刑罚不足以移风，杀戮不足以禁奸／土广不足以为安，人众不足以为强／礼丰不足以效爱，而诚心可以怀远／宠位不足以尊我，而卑贱不足以卑己／片技即足自立，天下惟多技之人最劳／天变不足畏，祖宗不足法，人言不足恤／小善不足以掩众恶，小疵不足以妨大美／威严不足以易于位，重利不足以变其心／视之不足见，听之不足闻，用之不足既／君信不足于下，下则应之以不信而欺其君／貌有不足，敷粉施朱。才有不足，征典求书／言之不足，故长言之；长言之不足，故嗟叹之／人情得足，苦于放纵，快须臾之欲，忘慎罚之义／曰衣食足而后廉耻兴，财物阜而后礼乐作，是执末以求其本也

❺夫有尤物，足以移人／前事昭昭，足为明戒／蔬食弊衣足以养性命／嗟叹之不足故永歌之／强学博览，足以通古今／眇能视，不足以有明也／跛能履，不足以与行也／三尺之泉，足止三军之渴／百年养不足，一日毁有余／兵良而食足，将贤而士勇／诗情吟未足。酒兴断还续／薄者之不足，厚者之有余／奢者富不足，俭者贫有余／君子贵知足，知足万虑轻／君臣节俭足，朝野欢呼同／见善思齐，足以扬名不朽／物有所不足，智有所不明／有而不知足，失去所以有／施之于不足，而官有羡谷／假舆马者，足不劳而致千里／人苦不知足；既平陇，复望蜀／令天下重足而立，侧目而视矣／贤者之不足，不若众人之有余／自古经纶足是非，阴谋最忌夺天机／身不正不足以服，言不诚不足以动／买马不论足力，以黑白为仪，必无走马／善不积不足以成名，恶不积不足以灭身／嗟叹之不足，不知手之舞之足之蹈之也／行一棋不足以见智，弹一弦不足以见悲／永歌之不足，不知手之舞之，足之

蹈之／其处上也，足以明政行教，不以威天下／如不行道，足以丧身，不举贤，足以亡国／永歌之不足，不知手之舞之，足之蹈之也／欲生于不足则民盗，能使无欲则民不为盗／世之所不足者，理义也；所有余者，妄苟也／句有可削，足见其疏；字不得减，乃知其密／君子不失足于人，不失色于人，不失口于人／狗吠不惊，足下生氂；含哺鼓腹，焉知凶灾／其义则不足死，赏罚则不足去就，若是而能用其民者，古今无有

❻礼义生于富足／苏湖熟，天下足／湖广熟，天下足／贵冠履，忘头足／知足之足，常足矣／好术而计不足则伪／昭乎日月不足为明／万物毕罗，莫足以归／严令繁刑不足以为威／巷议臆度，不足取信／俚言巷语，亦足取也／信赏必罚，其足以战／知止不辱，知足不殆／过耳之言，不足为凭／不全不粹不足以谓之美／百发失一，不足谓善射／法古之学，不足以制今／万物安于知足，死于无厌／记问之学，不足以为人师／刀刃有蜜，不足一餐之美／士而怀居，不足以为士矣／绠短者衔渴，足疲者辍途／时花美女，不足为其色也／风樯阵马，不足为其勇也／心意之论，不足以定是非／耳目之察，不足以分物理／一觞一咏，亦足以畅叙幽情／鸿钟在听，不足论击缶之音／赋敛行赂不足以当三军之费／于此有所不足，则于彼有所长／民寡则用易足，土广则物易生／剑一人敌，不足学，学万人敌／那切切实实、足踏在地上……／圣人之政，仁足以使民不忍欺／日计之而不足，岁计之而有余／日知其所不足，月无忘其所能／见敌之所不足，则知其所有余／礼义生于富足，盗窃起于贫穷／学，然后知不足；教，然后知困／奢者富而不足，何如俭者贫而有余／以吾心之思足下，知足下悬悬于吾也／国有道其言足以兴，国无道其默足以容／峷乎泰山不足为高，巍乎天地不足为容／追风逐电之足，决不在于牝牡骊黄之间／事或为之适足以败之，或备之适足以致之／不谓小善不足为也而舍之，小善积而为大善／男子疾耕不足于粮饷，女子纺绩不足于帷幕／男子疾耕不足于糟糠，女子纺绩不足于盖形／坚甲利兵不足以为武，高城深池不足以为固／闻《乐游园》寄足下诗，则执政柄者扼腕矣／或誉人而适足以败之，或毁人而乃反以成之／易生之嫌，不足贬也；易为之誉，不足多也／必得之事，不足赖也；必诺之言，不足信也／言吾善者，不足为喜；道吾恶者，不足为怒／凡物之可喜，足以悦人而不足以移人者，莫若书与画

❼舍心腹而顾手足／千里之行，始于足下／众不附者，仁不足也／得何足喜，失何足忧／安民之本，在于足用／言以足志，文以足言／言者无罪，闻者足戒／彼尸居余气，不足畏也／见可欲则思知足以自戒／不知手之舞之、足之蹈之／振衣千仞冈，濯足万里流／君子贵知足，知足万虑轻／君心似松柏，雁足寄珠玑／骐骥之速，非一足之力也／智足以造谋，材足以立事／忠足以尽己，恕足以尽物／忠足以勤上，惠足以存下／今布衣虽贱，犹足以方于此／天下之竹帛不足书阁下之功德／天下之金石不足颂阁下之形容／未有无腹心手足而能独理者也／民之情，贵所不足，贱所有余／责人以人则易足，易足则得人／志强而气弱，故足于谋而寡于断／祸莫大于不知足，咎莫大于欲得／人身正气稍不足，邪便得以干之矣／当局者之十，不足以当旁观者之五／王好奢则臣不足，臣好奢则士不足／螣蛇不可以为足，虎豹不可使缘木／士好奢则民不足，民好奢则天下不足／君之视臣如手足……则臣视君如寇雠／文有余而质不足则流，才有余而雅不足则荡

❽天下行之，不闻不足／无政事，则财用不足／巧者有余，拙者不足／物有所余，有所不足／为文不渥，则事不足褒／为言不益，则美不足称／附而不治者，义不足也／非无足财也，我无足心也／但愿天下人，家家足稻粱／泽人足乎木，山人足乎鱼／事或欲以利之，适足以害之／千里跬步不至，不足谓善御／首虽尊高，必资手足以成体／谏不足听者，辞不足感心也／太阿之剑，犀角不足齿其锋／知足者仙境，不知足者凡境／创基冰泮之上，立足枳棘之林／君子不谓小善不足为也而舍之／教小儿宜严，严气足以平躁气／奈何以四海之广，足一夫之用邪／得道之士，建心于足，游志于止／生，寄也；死，归也。何足以滑和／天地在我首之上，足之下，开目尽见／暴师久则国用不足，此兵所以贵速也／赏不足劝善，刑不足禁非，而政不成／力不足则伪，知不足则欺，财不足则盗／百姓足，君孰与不足？百姓不足，君孰与足／入泽随龟，不暇调足；深渊捕蛟，不暇定手／文章无警策，则不足传世，盖不能竦动世人／蚊蚋负山，力诚不足；鹰鹯逐鸟，志则有余／道，物之极，言默不足以载；非言非默，议有所极／坐而玩之者，可濯足于床下；卧而狎之者，可垂钓于枕上／古今号文章为难，足下知其所以难乎？……得之为难，知之愈难耳

❾人之不幸莫过于自足／疑人轻己者，皆内不足／大白若辱，盛德若不足／将适远途，理归于骏足／天下之祸，莫大于不足为／谤议庸何伤？虚誉不足慕／奢侈者，财之所以不足也／将飞者翼伏，将奋者足局／当其贯日月，死生安足论／河海有润，然后民取足焉／定国之术，在于强兵足食／达亦不足贵，穷亦不足悲／自问道何

如，贵贱安足云／自顾行何如，毁誉安足论／粒米不足舂，寸布不足缝／事有以必然，虽常人足以致／能读不能行，所谓两足书橱／强本节用，则人给家足之道／言之者无罪，闻之者足以戒／浅不足与测深，愚不足与谋知／恃谗谀以事君者，不足以责信／轻财足以聚人，律己足以服人／旷怀足以御物，长策足以服人／量宽足以得人，身先足以率人／智不足以为治，勇不足以为强／责人以人则易足，易足则得人／天之所生，地之所产，足以养人／人之道则不然，损不足以奉有余／力足以举百钧，而不足以举一羽／力足者取乎人，力不足者取乎神／贤者宠至而益戒，不足者为宠骄／藜羹麦饭冷不尝，要足平生五车读／以吾心之思足下，知足下悬悬于吾也／勇之极者，知勇果不足以胜物，故怯／酒池，足以运舟；糟丘，足以望七里／智之极者，知智果不足以周物，故愚／辩之极者，知辩果不足以喻物，故讷／天变不足畏，祖宗不足法，人言不足恤／不足于行者，说过；不足于信者，诚言／视之不足见，听之不足闻，用之不足既／聆其善言，观其善行，足以资吾之未逮／有山海之货而民不足于财者，商工不备也／有沃野之饶而民不足于食者，器械不备也／由是而之焉之谓道，足乎己无待于外之谓德／养而害所养，譬犹削足而适履，杀头而便冠／冠至敝不可弃之于足，履虽新不可加之于首／使六国各爱其人，则足以拒秦；使秦复爱六国之人，则递三世可至万世而为君，谁得而族灭也

❿天之道，损有余而补不足／无贵贱不悲，无富贫亦足／不贵异物贱用物，人乃足／伏而咶天，救经而引其足／舒吾陵霄羽，奋此千里足／计口而受田，家给而人足／让生于有余，争起于不足／谁道田家乐？春税秋未足／大抵为名者，只是内不足／罢官之无事，恤人之不足／蛇固无足，子安能为之足／一凡人沮之，则自以为不足／反古未可非，而循礼未足多／古之畜天下者，欲而天下足／刑罚不中，则民无所措手足／志行万里者，不中道而辍足／沧浪之水浊兮，可以濯吾足／秦有贪饕之心，而欲不可足／事君不患其无礼，患忠之不足／长者不为有余，短者不为不足／乘众人之制者，则天下不足有／任一人之力者，则乌获不足恃／冲隆不足为强，高城不足为固／志大而量小，才有余而识不足／廉者常乐无求，贪者常忧不足／辩巧之文可悦，似象之言足惑／治则衍及百姓，乱则不足及王公／烈士为天下见善矣，未足以活身／不患立言之不善，患不足以践之耳／不惑于恒人之毁誉，故足以为君子／为之者疾，用之者舒，则财恒足矣／尺薪不能温镬水，寸冰不足寒庖厨／真知即所以为行，不行不足谓之知／刑罚不足以移风，杀戮不足以禁奸／先虑之，早谋之，斯须之言而足听／冠虽故必加于首，履虽新必关于足／识量大，则毁誉欢戚不足以动其中／土广不足以为安，人众不足以为强／虽信美而非吾土兮，曾何足以少留／寒暑之势不易，小变不足以妨大节／强者积于弱也，有余者积于不足也／王好奢则臣不足，臣好奢则士不足／梅花欢喜漫天雪，冻死苍蝇未足奇／贤不足以服不肖，而势位足以屈贤／礼者，断长续短，损有余，益不足／心足则物常有余，心贪则物常不足／眺望而林泉有余，奔走而烟霞足用／鸟同翼者而聚居，兽同足者而俱行／筋疲力弊不入腹，未议县官租税足／身不正不足以服，言不诚不足以动／豺狼寇盗不杀人民，不足以止其贪／为宰相不难，一心正，两眼明，足矣／以己之材为天下用，则用天下而不足／读书欲睡，引锥自刺其股，血流至足／士好奢则民不足，民好奢则天下不足／少君之费，寡君之欲，虽无粮而乃足／宠位不足以尊我，而卑贱不足以卑己／天下宝之者何也？其小恶不足妨大美也／天变不足畏，祖宗不足法，人言不足恤／仓廪实，则知礼节；衣食足，则知荣辱／冠虽敝，必加于首；履虽新，必关于足／力不足则伪，知不足则欺，财不足则盗／小善不足以掩众恶，小疵不足以妨大美／尚力务本而种树繁，躬耕趣时而衣食足／善不积不足以成名，恶不积不足以灭身／嗟叹之不足，不知手之舞之足之蹈之也／国有道其言足以兴，国无道其默足以容／崒乎泰山不足为高，巍乎天地不足为容／行一棋不足以见智，弹一弦不足以见悲／德比于上，故知耻；欲比于下，故知足／富贵足以愚人，而贫贱足以立志而浚慧／道足以忘物之得丧，志足以一气之盛衰／避天下之逆，从天下之顺，天下不足取／威严不足以易于位，重利不足以变其心／学者不患立志之不高，患不足以继之耳／永歌之不足，不知手之舞之，足之蹈之／贫贱之交而不可忘，珠玉满堂而不足贵／视之不足见，听之不足闻，用之不足既／既不能流芳后世，亦不足复遗臭万载邪／百梅足以为百人酸，一梅不足以为一人和／事或为之适足以败之，或备之适足以致之／十年之相知，不若兹火一夕之为足下誉也／士志于道，而耻恶衣恶食者，未足与议也／君子于细事，未必可观，而材德足以重任／知足者，贫贱亦乐；不知足者，富贵亦忧／如不行道，足以丧身，不举贤，足以亡国／永歌之不足，不知手之舞之，足之蹈之也／一噎之故，绝谷不食；一蹶之故，却足不行／丈夫生不为将，得为使，折冲口舌之间足矣／百亩之田，匹夫耕之，八口之家足以无饥矣／百姓足，君孰与不足？百姓不足，君孰与足／千里开年，且悲春目；一叶早

落，足动秋襟／体不备不可以为成人，辞不足不可以为成文／男子疾耕不足于粮饷，女子纺绩不足于帷幕／男子疾耕不足于糟糠，女子纺绩不足于盖形／取天下常以无事。及其有事，不足以取天下／坚甲利兵不足以为武，高城深池不足以为固／知得知失，可与为人；知存知亡，足别吉凶／宰相，陛下之腹心；刺史县令，陛下之手足／迷阳迷阳，无伤我行；却曲却曲，无伤吾足／女有余布，男有余粟，国家殷富，上下交足／如有德而无才，则不能为用，亦何足为君子／杼轴得之，澹而无味，琢刻藻绘，弥不足贵／昔葛天氏之乐，三人操牛尾，投足以歌八阕／易生之嫌，不足贬也；易为之誉，不足多也／文有余而质不足则流，才有余而雅不足则荡／必得之事，不足赖也；必诺之言，不足信也／磨肌戛骨，吐出心肝，企足以待，寘我雠冤／积善多者，虽有一恶，是为过失，未足以亡／积恶多者，虽有一善，是为误中，未足以存／耳闻之，不如目见之；目见之，不如足践之／貌有不足，敷粉施朱。才有不足，征典求书／言吾善者，不足为喜；道吾恶者，不足为怒／上无所为，则下无事，家给人足，万物自化就／世之难得者，非财也，非荣也，患意之不足耳／匹夫见辱，拔剑而起，挺身而斗，此不足为勇／合抱之木，生于毫末……千里之行，始于足下／贩交买名之薄，吮痈舐痔之卑，安足议其是非／称牛之服重，不誉马速，誉手毁足，孰谓之慧／言之不足，故长言之；长言之不足，故嗟叹之／举天下以赏其善者不足，举天下以罚其恶者不给／如有周公之材之美，使骄且吝，其馀不足观也已／缯缴充蹊，阬阱塞路，举手挂网罗，动足蹈机坎／位存焉而德无有，犹不足大其门，然世且乐为之下／学者必务知要，知要则能守约，守约则足以尽博矣／天生一人，自有一人之用，不待取给于孔子而后足也／兵非益多也，惟无武进，足以并力，料敌，取人而已／兢兢自危，犹惧不终，而况沛然自足，可以成功者乎／人生寄一世，奄忽若飙尘；何不策高足，先据要路津／凡物之可喜，足以悦人而不足以移人者，莫若书与画／苟去其名全其实，以其余易其不足，亦可交以为师矣／将营大厦，不忧乎群材之不足，而忧乎梁栋之不可得／原心反性则贵矣，适情知足则富矣，明死生之分则寿矣／君子之道，不以其所已能者为足，而尝以其未能者为歉／君子所不至者三：不失色于人，不失口于人，不失足于人／仰观宇宙之大，俯察品类之盛，所以游目骋怀，足以极视听之娱／其义则不足死，赏罚则不足去就，若是而能用其民者，古今无有

跂

①qí 多出的脚趾；通“歧”，分岐；通“蚑”，虫爬行貌；［跂行］虫爬行，引申为有足能行者；［跂跂］虫爬行状。②qǐ 通“企”；踮起脚尖。③qì［跂坐］垂足而坐，跟不及地。

❸吾尝跂而望矣，不如登高之博见也

距

jù 距离；雄鸡、雉等禽类动物腿后面突出像脚趾的部分；通“拒”；离开；钓钩上的倒刺；岂。

❶距谏者塞，专己者孤

见汉·桓宽《盐铁论·刺议》。

距谏所败，祸乱所成

见汉·王符《潜夫论·叙录》。

❿自外入者，有主而不执；由中出者，有正而不距

趾

zhǐ 脚；脚指头；踪迹；通“址”。

❷足趾一跌，而前劳并捐

❼修翼无卑栖，远趾不步局

❽卞和献宝，以离断趾；灵均纳忠，终于沉身

❿反裘负薪，里尽毛殚，刖趾适屦，刻肌伤骨

跃

yuè 跳。

❷鱼跃龙门，过而为龙

❸浮光跃金，静影沉璧／虎之跃也，必伏乃厉；鹄之举也，必拊乃高

❹得利则跃跃以喜，不利则戚戚以泣／骐骥一跃，不能十步；驽马十驾，功在不舍

❺引而不发，跃如也／大海从鱼跃，长空任鸟飞／水不激不跃，人不激不奋／瞻望兮踊跃，伫立兮徘徊／得利则跃跃以喜，不利则戚戚以泣

❻鸢飞戾天，鱼跃于渊

❼百万工农齐踊跃／君子引而不发，跃如也

❽鱼欲异群鱼，舍水跃岸即死

❿长烟一空，皓月千里；浮光跃金，静影沉璧

践

jiàn 踏；履行；通“剪”，灭除；通“浅”，浅陋；帝王即位；陈列整齐；到，临。

❷足践之，不如手辨之／勾践栖山中，国人能致死

❸修身践言，谓之善行

❺一语不能践，万卷徒空虚

❻履虽五采，必践之于地

❾读书虽可喜，何如躬践履

❿不患立言之不善，患不足以践之耳／推微达著，寻端见绪，履霜知冰，践露知暑／耳闻之，不如目见之；目见之，不如足践之

跖

zhí 脚面上接近脚趾的部分；脚掌；踩踏。

❶跖之狗吠尧，尧非不仁，狗固吠非其主

见汉·司马迁《史记·淮阴侯列传》。

❽悬牛头，卖马脯；盗跖行，孔子语

❾苟不知我而谓我盗跖，吾又安取惧焉

❿布帛寻常，庸人不释；铄金百溢，盗跖不掇

跋 bá(在山地)行走；附在书籍、文章、著译等后面的评介、考释、说明性短文；翻山越岭；倒翻；姓。[跋扈]专横暴戾。

❶跋前踬后，动辄得咎
见唐·韩愈《进学解》。

跌 diē 摔倒；落；跺脚；疾行；脚掌；过度；指行文或论调故作顿挫。

❹射幸数跌，不如审发／足趾一跌，而前劳并捐
❾专必成之功，而忽蹉跌之败

跗 fū 通"趺"，脚背；通"柎"，花萼房。

❽舍邻之医，而求俞跗而后治病

跎 tuó[蹉跎]光阴白白地过去。

❷蹉跎莫遣韶光老／蹉跎岁月，尽此身污秽乾坤／蹉跎莫遣韶光老，人生唯有读书好
❿我生待明日，万事成蹉跎／大小百余战，封侯竟蹉跎／莫见长安行乐处，空令岁月易蹉跎

跛 ①bǒ 瘸一腿；跛足，跛行。②bì 一只脚站着。

❶跛能履，不足以与行也
见《周易·履·象》。全句为："眇能视，不足以有明也；～"。
跛者不忘履，眇者不忘视
见清·谭嗣同《致徐乃昌》。
❺跬步不休，跛鳖千里
❻前无所阻兮，跛鳖千里／跬步而不休，跛鳖千里；累土而不辍，丘山崇成
❽搜索稚与艾，唯存跛无目／言处飞龙前，行在跛鳖后

跬 kuǐ 半步。

❶跬步不休，跛鳖千里
见汉·刘安《淮南子·说林》。
跬步而不休，跛鳖千里；累土而不辍，丘山崇成
见《荀子·修身》。
❸不积跬步，无以至千里／千里跬步不至，不足谓善御
❿络首縻足兮，骥不能逾跬／墨子见衢路而哭之，悲一跬而缪千里

跨 kuà 跨越；骑；超过一定的界限；附在旁边的；占据；通"胯"。

❹受辱于跨下，无兼人之勇
❺企者不立，跨者不行
❼擅一壑之水而跨跱坎井之乐，此亦至矣

跹 xiān[蹁跹]舞姿轻盈。

❷蹁跹霞袖舞，潋滟羽觞飞
❿长夜难明赤县天，百年魔怪舞翩跹

跲 jiá 窒碍；牵绊。

❻言前定则不跲，事前定则不困

跳 ①tiào 跳动；越过；跛脚。②tiáo[跳脱]手镯。③táo 通"逃"。

❼字势雄逸，如龙跳天门，虎卧凤阙
❾虎豹终日而不杀，则跳踉大叫以发其怒
❿黑云翻墨未遮山，白雨跳珠乱入船

路 lù 道路；路程；方向、门径；条理；地区，方面；比喻权位；车；大；通"露"，败；姓。

❶路见不平，拔刀相助
见明·施耐庵《水浒传》第四十四回。
路不险，无以知马之良
见唐·马总《意林》。全句为："～；任不重，无以知人之才"。
路不险，则无以知马之良
见三国·魏·徐幹《中论·修本》。全句为："～；任不重，则无以知人之德"。
路遥知马力，日久见人心
见元·无名氏《争报恩》第一折。
路曼曼其修远兮，吾将上下而求索
见战国·楚·屈原《离骚》。
路歧之险夷，必待身亲履历而后知
见明·王守仁《传习录》。
❷义，路也；礼，门也／狭路相逢，冤家路窄／筚路蓝缕，以启山林／无路请缨，等终军之弱冠／世路山河险，君门烟雾深／当路谁相假，知音世所稀／言路开则治，言路塞则乱／迷路，迷路，边草无穷日暮／世路之蓁芜当剔，人心之茅塞须开／子路人告之以有过则喜，禹闻善则拜／行路难，不在水不在山，只在人情反覆间／季路问事鬼神。子曰："未能事人，焉能事鬼"
❸何处路最难？最难在长安／但有路可上，更高人也行／峰回路转，有亭翼然，临于泉上者，醉翁亭也
❹险道狭路，可击／豺狼当路而狐狸是先／豺狼当路，安问狐狸／千里之路，不可扶以绳／导师失路，则迷途者众／欲进远路，不宜释骐骥／召民之路，在上之所好恶／迷路，迷路，边草无穷日暮／休辞客路三千远，须念人生七十稀／莫愁前路无知己，天下谁人不识君／落红满路无人惜，踏作花泥透脚香／太行之路能摧车，若比人心是坦途／老来行路先愁远，贫里辞家更觉难／利害之路，祸福之门，不可求而得也／道若大路然，岂难知哉，人病不求耳／终日写路程而不能行一步，徒知无益也／虎狼当路，不治狐狸。先除大害，小害自已
❺天涯同此路，人语各殊方／出门无通路，枳棘塞中途／塞切直之路，为忠者必少／塞多幸之

路,开至公之道/莫待山阳路,空闻吹笛悲/启奸邪之路,长贪暴之心/行行循归路,计日望旧居/广直言之路,启进善之门/浊者清之路,昏久则昭明/存亡难异路,贞白本相成/明必死之路,开必得之门/墨子见衢路而哭之,悲一跬而缪千里/迷者不问路,溺者不问遂,亡人好独
❻驾轻车,就熟路/出处全在人,路亦无通塞/朱门酒肉臭,路有冻死骨/司马昭之心,路人所知也/山中人自正,路险心亦平/源发而横流,路开而四通/家贫不是贫,路贫贫杀人/开其自新之路,诱于改过之善/弃忠贞之正路,蹈奸宄之迷途/先唱者穷之路也,后动者达之原也
❼宝马雕车香满路/狭路相逢,冤家路窄/治乱者系乎言路而已/仁,人心也;义,人路也/人情忌殊异,世路多权诈/人心若波澜,世路有屈曲/大道夷且长,窘路狭且促/言路开则治,言路塞则乱/民枕倚于墙壁,路交横于豺虎/惟君子能由是路,出入是门也/群车方奔乎险路,安能与之齐轨/山重水复疑无路,柳暗花明又一村/如今只说临安路,不较中原有几程/心如老马虽知路,身似鸣蛙不属官/恶波横天山塞路,未央宫中常满库
❽难得之货塞人正路/当途者入青云,失路者委沟渠/清明时节雨纷纷,路上行人欲断魂/悲愁天地白日昏,路旁过者无颜色/身为野老已无责,路有流民终动心/矰缴充蹊,阬阱塞路,举手挂网罗,动足蹈机坎/关山难越,谁悲失路之人?萍水相逢,尽是他乡之客
❾法无常则网罗当前路/虽源水桃花,时时失路/不才者进,则有才之路塞/不限资例,则取人之路广/不涉太行险,谁知斯路难/兰草自然香,生于大路傍/限以资例,则取人之路狭/途穷见交态,世梗悲路涩/鸱枭鸣衡轭,豺狼当路衢/不有忌讳,则谠直之路开矣/舟循川则游速,人顺路则不迷/徐行不记山深浅,一路莺啼送到家/惟夫党人之偷乐兮,路幽昧以险隘/道者,所由适于治之路也,仁义礼乐皆其具也
❿卑让降下者,茂进之遂路也/功成行满之士,要观其末路/为恶而畏人知,恶中犹有善路/常记溪亭日暮,沉醉不知归路/空怀向日之心,未有朝天之路/乘骐骥以驰骋兮,来吾道夫先路/但终日不见己过,便绝圣贤之路/彼尧舜之耿介兮,既遵道而得路/锄奸杜倖,要放他一条去路……/三十功名尘与土,八千里路云和月/侯门一入深如海,从此萧郎是路人/人生结交在终始,莫为升沉中路分/宁作清水之沉泥,不为浊路之飞尘/威赫赫爵禄高登,昏惨惨黄泉路近/纵令然诺暂相许,终是悠悠行路心/枳棘非鸾凤所栖,百里岂大贤之路/春风不逐君王去,草色年年旧宫路/新年鸟声千种啭,二月杨花满路飞/有财有势即相识,无财无势同路人/自叹犹为折腰吏,可怜骢马路傍行/身后有余忘缩手,眼前无路想回头/小处不渗漏,暗处不欺隐,末路不怠荒/竭诚则吴越为一体,傲物则骨肉为行路/无有作好,遵王之道;无有作恶,遵王之路/厨有腐肉,国有饥民;厩有肥马,路有馁人/倚势豪夺,飞食人肉,鼓吻弄翼,道路以目/治天下者,用人非止一端,故取士不以一路/居上者不以至公理物,为下者必以私路期荣/骇机一发,浮谤如川。巧言奇中,别白无路/宫室富过度,上帝所亚;为者弗居,唯居必路/人生寄一世,奄忽若飙尘;何不策高足,先据要路津/苍蝇之飞,不过十步;自托骐骥之尾,乃腾千里之路

跻

jī 登;升。

❶跻攀分寸不可上,失势一落千丈强
见唐·韩愈《听颖师弹琴》。

跟

gēn 脚跟;随从在后面;和,同。

❿大着肚皮容物,立定脚跟做人

跱

zhì 同"峙"。

❽擅一壑之水而跨跱坎井之乐,此亦至矣

踌

chóu 踌躇,犹豫不决;不行貌,住足;自得貌。

❿提刀而立,为之四顾,为之踌躇满志

踉

①liàng[踉跄]走路不稳;行走缓慢。②liáng,又读 láng,欲行貌。

❿虎豹终日而不杀,则跳踉大叫以发其怒

跼

jú"局"的异体字;曲身;拘束;徘徊不前。

❹骐骥之跼躅,不如驽马之安步

踊

yǒng 往上跳;登上;受过刖刑的人所穿的鞋子。

❹瞻望兮踊跃,伫立兮徘徊
❻百万工农齐踊跃

踢

tī 抬起脚或蹄子撞击。

❿匡庐小琐拳可碎,鄱阳触怒踢欲裂

踏

①tà 踩,践踏;查看,搜查。②tā 踏实。

❶踏遍青山人未老,风景这边独好
见现代·毛泽东《清平乐·会昌》。
踏破铁鞋无觅处,得来全不费功夫
见宋·夏元鼎《绝句》。
❸危若踏虎尾涉春冰
❹飞黄腾踏去,不能顾蟾蜍
❼那切切实实、足踏在地上……
❽落红满路无人惜,踏作花泥透脚香/有时赤

脚弄明月，踏破五湖波底天／端州石工巧如神，踏天磨刀割紫云

❿人生到处知何似？应似飞鸿踏雪泥

踬 zhì 被绊倒。

❷莫踬于山而踬于垤／不踬于山，而踬于垤

❸跋前踬后，动辄得咎／走而踬者，终身不御马

❹马极则踬，民剧则败

❻莫踬于山而踬于垤／不踬于山，而踬于垤／周乎志者，穷踬不能变其操

❾良骏败于拙御，智士踬于暗世

❿附赢以升高而枯，蟟蝂以任重而踬

踣 bó 仆倒；倒毙；灭亡。

❿将欲毁之，必重累之；将欲踣之，必高举之

踯 zhí[踯躅]徘徊；植物名，"羊踯躅"。

❽叩门无人室无釜，踯躅空巷泪如雨

❿心非木石岂无感，吞声踯躅不敢言

踞 jù 蹲着或坐着；占据；倚靠。

❷虎踞龙盘，三百年之帝国／虎踞龙盘今胜昔，天翻地覆慨而慷

❹是儿欲踞吾著炉火上邪

❺箕而浩歌，踞而仰啸

❻攀援而登，箕踞而遨……

踥 qiè[踥蹀]同"躞蹀"，小步走的样子。

❷众踥蹀而日进兮，美超远而逾迈

蹀 dié 踏；顿足。

❸众踥蹀而日进兮，美超远而逾迈

踶 ①dì 踢，用于兽类。②tí 同"蹄"。③zhì[踶跂]用尽心力貌。④chí 通"驰"；[奔踶]犹奔驰。

❺骏马有奔踶之患而可驭／故马或奔踶而致千里，士或有负俗之累而立功名

踵 zhǒng 脚后跟；到；跟随；继承；沿袭；正好对上；恰好符合；受到；遭受。

❶踵其事而增华，变其本而加厉

见南朝·梁·萧统《文选序》。

❷随踵而立者，人之薄也

❹摩顶放踵，利天下，为之

❼辞家战士无旋踵，报国将军有断头

❽乘时蹈机，祸不旋踵

❾捉衿而肘见，纳履而踵决

❿难得而易失者时也，时至而不旋踵者机也

蹄 ①tí 马、牛、羊等牲畜趾端的表皮变形物形成的坚硬的角质层。②dì 踢。

❷牛蹄中鱼，冀赖江汉／牛蹄之涔，无尺之鲤；块阜之山，无丈之材

❺霜晨月，马蹄声碎，喇叭声咽

❻春风得意马蹄疾

❿行兵于井底，游步于牛蹄／骥善驰也，然日驰之，则蹶而无全蹄矣

蹉 cuō 跌跤；差误；过；[蹉跎]时间白白过去，光阴虚度；失足，颠蹶。

❶蹉跎莫遣韶光老

见宋·朱熹《四时读书乐》。

蹉跎岁月，尽此身污秽乾坤

见《格言联璧·学问类》。全句为："爱惜精神，留他日担当宇宙；～"。

蹉跎莫遣韶光老，人生唯有读书好

见宋·翁森《四时读书乐》。

❽专必成之功，而忽蹉跌之败

❾我生待明日，万事成蹉跎／大小百余战，封侯竟蹉跎

❿莫见长安行乐处，空令岁月易蹉跎

蹁 pián 膝盖；行不正；[蹁跹]旋转起舞的样子。

❶蹁跹霞袖舞，潋滟羽觞飞

见宋·钱惟演《夜宴》。一作"宋·钱惟济《夜讌》"。

蹑 niè 放轻脚步；追随，跟踪；踩；古织机踏板。

❸世胄蹑高位，英俊沉下僚

❺风驰电逝，蹑景追飞

蹋 tà 踏；踩；踢。

❿不识农夫辛苦力，骄骢蹋烂麦青青

蹈 dǎo 踏；按节拍跳动；履行，实行；变动不定。

❶蹈危如平，嗜粝如精

见唐·刘禹锡《因论·鉴药》。

蹈海之节，千乘莫移其情

见南朝·宋·范晔《后汉书·逸民传》。全句为："蒙耻之宾，屡黜不去其国；～"。

蹈道之心一，而俟时之志坚

见唐·刘禹锡《何卜赋》。

❸乘时蹈机，祸不旋踵

❺潘陆颜谢，蹈迷津而不归／天下之人蹈道必赏，违善必罚

❻心之忧危，若蹈虎尾，涉于春冰

❼弃忠贞之正路，蹈奸宄之迷途／必出于己，不袭蹈前人一言一句／文章以自得，不蹈袭前人一言为贵

❾不知手之舞之、足之蹈之／来而不可失者时也，蹈而不可失者机也／苟以细过自恕而轻蹈之，则不至于大恶不止

❿国朝盛文章，子昂始高蹈／贱物而贵德，孰谓

道远，将允蹈子／从水之道而不为私焉，此吾所以蹈之也／嗟叹之不足，不知手之舞之足之蹈之也／永歌之不足，不知手之舞之，足之蹈之／永歌之不足，不知手之舞之，足之蹈之也／崖谷峻隘，十里百折，负重而上，若蹈利刃／矰缴充蹊，阬阱塞路，举手挂网罗，动足蹈机坎／天下国家可均也，爵禄可辞也，白刃可蹈也，中庸不可能也

蹊 ①xī 山路，小路；足迹；践踏。②qī［蹊跷］奇怪，可疑。

❹牵牛以蹊人之田，而夺之牛／矰缴充蹊，阬阱塞路，举手挂网罗，动足蹈机坎

❼委肉当饿虎之蹊，祸必不振／钱神通灵于旁蹊，公器反类于互市

❽桃李不言，下自成蹊

❾桃李灼灼，不自言于蹊径

蹐 jí 小步走。

❿天高不敢不局，地厚不敢不蹐／谓天盖高，不敢不局；谓地盖厚，不敢不蹐

蹍 zhǎn 踩；踹。

❸轮不蹍地

❿欲弃学而循性，是谓犹释船而欲蹍水也

躇 ①chú［踌躇］犹豫；停留；得意的样子。②chuò 越级，不按阶次。

❿提刀而立，为之四顾，为之踌躇满志

蹙 cù 皱，收缩；紧迫；局促不安；同"蹴"；踢，踩。

❹事穷势蹙之人，当原其初心

蹠 ①zhí 踩，踏；到；脚；人名。②tuò"跖"的异体字。

❹方车而蹠越，乘桴而入胡，欲无穷，不可得也

❺欲知舜与蹠之分，无他，利与善之间也

蹶 ①jué 跌倒；失败，挫折；踏。②juě 骡马等用后腿向后踢。③guì 动；急遽。

❸遭一蹶者得一便，经一事者长一智

❼出舆入辇，命曰蹶痿之机／百里而趣利者蹶上将，五十里而趣利者军半至

❽百足之虫至断不蹶者，持之者众也／百足之虫，断而不蹶，持之者众也

❿贪则多失，忿则多难，急则多蹶／骥善驰也，然日驰之，则蹶而无全蹄矣／一噎之故，绝谷不食；一蹶之故，却足不行／从时者，犹救火、追亡人也，蹶而趋之，唯恐弗及

蹪 tuí 跌倒。

❸人莫蹪于山而蹪于垤

躁 zào 性急；不冷静；狡猾。

❶躁则妄，惰则废

见宋·苏轼《凤鸣驿记》。

躁心浮气，蓄德之贼也

见明·吕坤《呻吟语》。全句为："奋始怠终，修业之贼也。缓前急后，应事之贼也。～。疾言厉色，处众之贼也"。

躁急，则先自处于不暇，何暇治事

见清·申涵煜《省心短语》。全句为："当官临事，切戒躁急。～"。

❷轻躁寡谋，不必皆年少

❸治身躁疾，则失其精神／心轻躁，难制伏，故无恶不起

❹静者寿，躁者夭／王者行躁疾，则失其君位

❺轻则失根，躁则失君／静者生门，躁者死户／静则能胜躁，后则能胜先／静则得之，躁则失之，灵气在心，一来一逝

❻吉人之辞寡，躁人之辞多

❼当官临事，切戒躁急／虽趣舍万殊，静躁不同……／人主静漠而不躁，百官得修焉

❿教小儿宜严，严气足以平躁气／为学第一工夫，要降得浮躁之气定／志正则众邪不生，心静则众事不躁／敌先我动，则是见其形；彼躁我静，则是罢其力

躅 ①zhú［踯躅］徘徊。②zhuó 足迹。

❸出轨躅而骧首，驰光芒而动俗

❺骐骥之跼躅，不如驽马之安步

❾叩门无人室无釜，踯躅空巷泪如雨

❿心非木石岂无感，吞声踯躅不敢言

躄 bì 两腿瘸；仆倒。

❽毋贻盲者镜，毋予躄者履

身 shēn 躯体；生命；自己；地位；人品；量词。

❶身尽其故则美

见《荀子·解蔽》。

身教亲于言教

见清·魏源《默觚·学篇》。

身修则家可教矣

见宋·朱熹《四书集注·大学》。

身不正，则人不从

见《尸子·神明》。

身者，事之规矩也

见汉·刘安《淮南子·诠言》。全句为："矩不正不可以为方，规不正不可以为圆；～"。

身重天地，物轻鸿毛

见汉·严遵《道德指归论·民不畏死篇》。

身名俱裂，为天下笑

见唐·房玄龄《晋书·刘牢之传》。

身寄虎吻，危同朝露

见晋·桓温《荐谯元彦表》。

身不行道，不行于妻子

见《孟子·尽心下》。

身失道，则无以知迷惑

见《韩非子·观行》。全句为："目失镜，则无以正须眉；～"。

身能，相能，如是者王

见《荀子·王霸》。

身，增则赘，而割则亏

见汉·扬雄《太玄》卷七。全句为："不攫所有，不强所无，譬诸～"。

身已贵而骄人者民去之

见汉·刘向《说苑·敬慎》。全句为："～，位已高而擅权者君恶之"。

身可危也，而志不可夺也

见《礼记·儒行》。

身曲而景直者，未之闻也

见汉·刘安《淮南子·缪称》。

身安则道隆，饮食知节量

见《童蒙止观》卷上。全句为："～，常乐在空闲，心静乐精进"。

身轻一鸟过，枪急万人呼

见唐·杜甫《送蔡希曾都尉还陇右因寄高三十五书记》。

身无大功而受厚禄，三危也

见汉·刘安《淮南子·人间》。全句为："天下有三危：少德而多宠，一危也；才下而位高，二危也；～"。

身不善之患，毋患人莫己知

见《管子·小称》。

身不用礼，而望礼于人……

见三国·魏·王肃《孔子家语·颜回》。全句为："～；身不用德，而望德于人，乱也"。

身治矣，非心治而不能致之

见唐·杜牧《送卢秀才赴举序》。全句为："友治矣，非身治而不能得之；～"。

身轻于鸿毛，而谤重于泰山

见三国·魏·曹植《自诫令》。

身与草木俱朽，声与日月并彰

见汉·王充《论衡·自纪篇》。

身不用德，而望德于人，乱也

见三国·魏·王肃《孔子家语·颜回》。全句为："身不用礼，而望礼于人；～"。

身之将败者，必不纳忠谏之言

见北齐·刘昼《刘子·贵言》。

身之所短，上虽不知，不以取赏

见《荀子·不苟》。

身在江海之上，心居乎魏阙之下

见《庄子·让王》。

身譬如地，善意如禾，恶意如草

见《三慧经》。全句为："～，不去草秽，禾实不成"。

身无彩凤双飞翼，心有灵犀一点通

见唐·李商隐《无题二首》之一。

身不正不足以服，言不诚不足以动

见明·徐祯稷《耻言》。

身正则天下皆正，身理则天下皆理

见五代·前蜀·杜光庭《道德真经广圣义》卷三十五。全句为："圣人之理，以身观身。～"。

身后有余忘缩手，眼前无路想回头

见清·曹雪芹《红楼梦》第二回。

身之病待医而愈，国之乱待贤而治

见汉·王符《潜夫论·思贤》。

身为野老已无责，路有流民终动心

见宋·陆游《春日杂兴》之一。

身危由于势过，而不知去势以求安

见晋·陆机《豪士赋序》。全句为："～；祸积起于宠盛，而不知辞宠以招福"。

身行顺，治事公，故国无阿党之议

见《晏子春秋·内篇问上第十六》。

身多疾病思田里，邑有流亡愧俸钱

见唐·韦应物《寄李儋元锡》。

身贤者，贤也；能进贤者，亦贤也

见汉·刘向《说苑·臣术》。

身老方知生计拙，家贫渐觉故人疏

见宋·黄庚《偶书》。

身既死兮神以灵，子魂魄兮为鬼雄

见战国·楚·屈原《九歌·国殇》。

身不肖而诬贤，是犹伛偻而好升高也

见《荀子·儒效》。

身劳而心安，为之；利少而义多，为之

见《荀子·修身》。

身体发肤，受之父母，不敢毁伤，孝之始也

见《孝经·开宗明义》。

身处困境，当视为天之爱我、成我，不当视为天之厄我、祸我也

见民国·甘树椿《甘氏家训》。全句为："～。汝试取《孟子》'天降大任'一章，反复而熟读之，则肮脏不平之气，不欲销而自销；坚贞不拔之志，不欲奋而自奋矣"。

❷奇身名废／检身若不及／成身莫大于学／养身莫善于习动／治身不静则身危／正身直行，众邪自息／反身而诚，乐莫大焉／修身齐家治国平天下／修身践言，谓之善行／治身者爱气，则身全／安身为乐，无忧为福／理身之道莫大于无欲／立身一败，万事瓦裂／以身役物，则阴阳食之／修身絜行，言必由绳墨／治身躁疾，则失其精神／存身宁国在于生杀之间／极身毋二，尽公不还私／正身以俟时，守己而律物／失身取高位，爵禄反为耻／以身教者从，以言教者讼／修身以为弓，矫思以为矢／弃身锋刃端，性

命安可怀／处身而当逸者，则志不广／还身意所欲，清净而自守／遍身罗绮者，不是养蚕人／杀身之害小，存国之利大／此身傥未死，仁义尚力行／守身之道，摄养也，诚身也／薄身厚民，故聚敛之人不得行／治身莫先于孝，治国莫先于公／居身务期俭朴，教子要有义方／一身而二任焉，虽圣者不可为也／吾身不能居仁由义，谓之自弃也／行身亦然，无涤垩之地则寡非矣／汝身之不能治，而何暇治天下乎／立身必由清谨，处职无废于忠勤／无身不善而怨人，无刑已至而呼天／人身正气稍不足，邪便得以干之矣／安身莫尚乎存正，存正莫重乎无私／杀身慷慨犹易免，取义从容未轻许／病身最觉风露早，归梦不知山水长／处身者，不为外物眩晃而动，则其心静／治身者以积精为宝，治国者以积贤为道／立身高一步方超达，处世退一步方安乐／其身正，不令而行；其身不正，虽令不从／苦身为善者，其赏厚；苦身为非者，其罪重／存身之道莫急乎养神，养神之要莫甚乎素然／称身居位，不为苟进；称事受禄，不为苟得／立身成败，在于所染，兰芷鲍鱼，与之同化／苦身焦思，置胆于坐，坐卧即仰胆，饮食亦尝胆

❸功成身退是男儿／慎厥身，修思永／樵重身羸如疲鳖／夫学，身之砺砥也／功成身退，天之道／知爱身而后知爱人／未闻身乱而国治者也／非其身力，不以衣食／位尊身危，财多命殆／用尽身贱，功成祸归／虽终身而不自睹其性焉／善处身者，不能无过失／善罪身者，民不得罪也／才饱身自贵，巷荒门岂贫／以修身自强，则名配尧禹／剥我身上帛，夺我口中粟／但令身未死，随力报乾坤／功成身不退，自古多愆尤／夺我身上暖，买尔眼前恩／吁嗟身后名，于我若浮烟／善在身，介然必以自好也／畏老身全老，逢春解惜春／不耻身之贱，而愧道之不行／贵以身为天下，若可寄天下／爱以身为天下，若可托天下／后其身而身先，外其身而身存／爱以身为天下，若可托天下矣／未有身正而影曲，上治而下乱者／为一身谋则愚，而为天下谋则智／岂余身之惮殃兮，恐皇舆之败绩／莫思身外无穷事，且尽生前有限杯／尔曹身与名俱灭，不废江河万古流／气入身来为之生，神去离形为之死／以治身则危，以治国则乱，以入军则破／伤其身者不在外物，皆由嗜欲以成其祸／夫立身之忠信也，立官之廉也，立家之俭也／洁其身而同焉者合矣，善其言而类焉者应矣／不修身而求令名于世者，犹貌甚恶而责妍影于镜也／朴其身躬，恶其衣服，语无为以求名，言无欲以求利

❹爱民如身／酒色乃身之仇也／不能罪身者民罪之／无为养身，形骸全也／两世一身，形单影只／临难忘身，见危致命／及吾无身，吾有何患／邪秽在身，怨之所构／苟能修身，何患不荣／藏器于身，待时而动／奋不顾身，临时守节／名利与身，若炭与冰／酒能败身，必须戒之／视人之身，若己之身／怠慢忘身，祸灾乃作／各进而身退，天之道也／道德当身，故不以物惑／欲修其身者，先正其心／禁胜于身，则令行于民／生为并身物，死为同棺灰／以之修身，则道同而相益／利不在身，以之谋事则智／口言善，身行恶，国妖也／学之终身，有不能达者矣／不任其身也，则不肖者不知／不修其身，虽君子而为小人／不善在身，菑然必以自恶也／能修其身，虽小人而为君子／苟正其身矣，于从政乎何有／心者，一身之主，百神之帅／舍得一身剐，敢把皇帝拉下马／莫为一身之谋，而有天下之志／莫为终身之计，而有后世之虑／酒是烧身硝焰，色为割肉钢刀／慎是护身之符，谦是百行之本／明珠是身外之物，尚不可弹雀／感慨杀身者易，从容就义者难／使我有身后名，不如即时一杯酒／大夫以身殉家，圣人以身殉天下／日省其身，有则改之，无则加勉／一人之身兼有英雄，乃能役英与雄／古之人，身隐而功著，形息而名彰／人之持身立事，常成于慎而败于纵／行发于身加于人，言发乎迩见乎远／痛不著身言忍之，钱不出家言与之／粉骨碎身全不怕，要留青白在人间／吾人立身天地间，只思量作得一个人／富者，苦身疾作，多积财而不得尽用／积善在身，犹长日加益，而人不知也／积恶在身，犹火之销膏，而人不见也／一人之身，才有长短，取其长则不问其短／轩冕在身，非性命也，物之傥来，寄者也／以贼其身，乃丧其躯，其行如此，是谓大忘／人之立身，所贵者惟在德行，何必要论荣贵／火烧到身，各自去扫，蜂虿入怀，随即解衣／谨修而身，慎守其真，还以物与人，则无所累／未尝闻身治而国乱者也，又未尝闻身乱而国治者也／士之修身立节而竟不遇知己，前古以来，不可胜数／专以一身任天下，其智之所不见，力之所不举者多矣／今不修身而求令名于世者，犹貌甚恶而责妍影于镜也／古之存身者，不以辩饰知，不以知穷天下，不以知穷德

❺临危莫爱身／忧国不忧身／功成名遂身退／色欲乃忘身之本／降矣哉？终身夷狄／大愚者，终身不灵／生荣死哀，身没名显／功成道洽，身没名扬／去甚去泰，身乃无害／名乃苦其身，燋其心／畏首畏尾，身其余几／言行者，治身之狱也／食能以时，身必无灾／不能正其身，如正人何／名可得闻，身难得而见／不以名害身，不以位易志／长将一寸身，衔木到终古／象以齿焚身，蚌以珠剖体／学问藏之身，身在则有

余／义之所在，身虽死，无憾悔／友治矣，非身治而不能得之／知所以修身，则知所以治人／后其身而身先，外其身而身存／圣人不以身役物，不以欲滑和／口不能言，身能行之，国器也／口能言之，身不能行，国用也／口能言之，身能行之，国宝也／君子以其身之正，知人之不正／君子有终身之忧，无一朝之患／贵贱之于身，犹条风之时丽过／小人则以身殉利，士则以身殉名／学所以修身也，身修而无不治矣／出师未捷身先死，长使英雄泪满襟／轻天下者，身不累于物，故能处之／何等为善？身正行、口正行、意正行／大惑者，终身不解；大愚者，终身不灵／君子之修身也，内正其心，外正其容而已／言无言，终身言，未尝言；终身不言，未尝不言／君子安其身而后动，易其心而后语，定其交而后求／读书少则身暇，身暇则邪间，邪间则过恶作焉，忧患及之

❻见毁而反之身／常亲小劳则身健／治身不静则身危／虎卑势，狸卑身／吾日三省吾身……／一日叫娘，终身是母／天下无道，以身殉道／圣人之理，以身观身／尚名好高，其身必疏／知止常止，终身不耻／量腹而食，度身而衣／贪货无厌，其身必少／爱将者胜，爱身者败／积善有征，终身无祸／节行失之，终身不可得／有过而反之身，则身惧／走而蹶者，终身不御马／一行书不读，身封万户侯／我愿平东海，身沉心不改／投躯报明主，身死为国殇／喘息为宅命，身寿立息端／学问藏之身，身在则有余／政者，口言之，身必行之／思有所至，有身不暇徇也／未有不能正身而能正人者也／谄谀苟免其身者，国之贼也／士有争友，则身不离于令名／常思奋不顾身以徇国家之急／富润屋，德润身，心广体胖／父有争子，则身不陷于不义／用其言，弃其身，古人所耻／内不觉其一身，外不知乎宇宙／忧国者不顾身，爱民者不罔上／穷则独善其身，达则兼善天下／与其有乐于身，孰若无忧于其心／仁者以财发身，不仁者以身发财／理国长安，率身从道，言必信实／无为者，道之身体，而天地之始也／勇略震主者身危，功盖天下者不赏／若教纸上翻身看，应见团团董卓脐／少年辛苦终身事，莫向光阴惰寸功／贤者不悲其身之死，而忧其国之衰／禁之以制，而身不先行，民不能止／事业文章随身销毁，而精神万古如新／有道之君，修身之士，不为轻诺之约／人又谁能以身之察察，受物之汶汶者乎／当官者能洁身修己，然后在公之节乃全／君子藏器于身，待时而动，何不利之有／干大事而惜身，见小利而忘命，非英雄也／欲为君子，终身乃成；欲为小人，一朝可就／居逆境中，周身皆针砭药石，砥节砺行而不觉／有道以御之，身虽无能也，必使能者为己用也／穷困不能辱身，非人也；富贵不能快意，非贤也／道之真以治身，其绪余以为国家，其土苴以治天下

❼牵一发而动全身／好花时节不闲身／无私者，无为于身也／以令率人，不若身先／动触时忌，言为身灾／治身者爱气，则身全／心为祸首，殃及身口／一闻人之过，终身不忘／象有齿以焚其身，贿也／与人不求备，检身若不及／以狐白补犬羊，身涂其炭／养气要使完，处身要使端／从官重恭慎，立身贵廉明／善禁者，先禁其身而后人／饰知以惊愚，修身以明污／忧国唯知重，谋身只觉轻／惧谗邪，则思正身以黜恶／忍得一时忿，终身无恼闷／盛衰各有时，立身苦不早／人不忘廉耻，立身自不卑污／君子之守，修其身而天下平／蹉跎岁月，尽此身污秽乾坤／力恶其不出于身也，不必为己／圣人信道不信身，顺道不顺心／志陵青云之上，身晦泥污之下／君子杀民如杀身，活人如活己／子不能治子之身，恶能治国政／量宽足以得人，身先足以率人／学所以修身也，身修而无不治矣／世治则以义卫身，世乱则以身卫义／博辩广大危其身者，发人之恶者也／人生莫作妇人身，百年苦乐由他人／冰雪林中著此身，不同桃李混芳尘／诸公可叹善谋身，误国当时岂一秦／圣人清廉以澡身，人自廉洁以顺教／存不忘亡，是以身安而国家可保也／有善则反之于身，有过则归之于民／一朝之忿，忘其身，以及其亲，非惑欤／弟子盖三千焉，身通六艺者七十有二人／诚无不动者，修身则身正，治事则事理／快心之事，悉败身丧德之媒，五分便无悔／保生者寡欲，保身者避名，无欲易，无名难／人以义来，我以身许，褰裳赴急，不避寒暑／损百姓以奉其身，犹割股以啖腹，腹饱而身毙／或说听计当而身疏，或言不用、计不行而益亲／灭其私而无其身，则四海莫不瞻，远近莫不至／不以众人待其身，而以圣人望于人，吾未见其尊己也／读书少则身暇，身暇则邪间，邪间则过恶作焉，忧患及之

❽一家皆乱，无有安身／圣人之理，以身观身／投死为国，以义灭身／嗜欲伤神，财多累身／多沽伤费，多饮伤身／宝珠玉者，殃必及身／存亡祸福，其要在身／视人之身，若己之身／灯蛾扑火，惹焰烧身／既明且哲，以保其身／将失一令，而军破身死／有过而反之身，则身惧／寄食于漂母，无资身之策／慈母手中线，游子身上衣／鸟尽良弓藏，谋极身必危／窗下抛梭女，手织身无衣／开其兑，济其事，终身不救／塞其兑，闭其门，终身不勤／文生于情，情生于身之所历／成德每在困穷，败身多因得志／乐人者其乐长，乐身者不久而亡／信而又信，重袭于身，乃

通于天／凡人行事，年少立身，不可不慎／士有未效之用，而身在无誉之间／唯令德为不朽兮，身既没而名存／世间富贵应无分，身后文章合有名／生非贵之所能存，身非爱之所能厚／生前富贵草头露，身后风流陌上花／以人之不正，知其身之有所未正也／小人寡欲则能谨身节用，远罪丰家／居不隐者思不远，身不佚者志不广／心如老马虽知路，身似鸣蛙不属官／目前之耳目可涂，身后之是非难罔／路歧之险夷，必待身亲履历而后知／身正则天下皆正，身理则天下皆理／于其所达，行之终身，有不能至者矣／虽富贵不以养伤身，虽贫贱不以利累形／臣行君道则灭其身，君行臣事则伤其国／如不行道，足以丧身，不举贤，足以亡国／为国之法，有似理身，平则致养，疾则攻焉／为政在人，取人以身，修身以道，修道以仁／拱默取容，以徇一身之利者，亦当罢而去之／多事害神，多言害身。口开舌举，必有祸患／言切直则不用而身危，不切直则不可以明道／昔者先圣王，成其身而天下成，治其身而天下治／韩愈辟佛，几至杀身，况敢议今世之尧、舜、周、孔者乎

❾人必知道而后知爱身／无德之君，以所乐乐身／若安天下，必先正其身／君子之学也，以美其身／欲齐其家者，先修其身／不悲道难行，所悲累身修／劝君少干名，名为锢身锁／劝君少求利，利是焚身火／德薄者位危，去道者身亡／清心为治本，直道是身谋／威强以自御，力损则身危／气疲欲胜，则精灵离身矣／蝎盛则木朽，欲盛则身枯／不自反者，看不出一身病痛／古之善将者，必以其身先之／守身之道，摄养也，诚身也／赠人以言者，能致终身之福／后其身而身先，外其身而身存／君人者，宽惠慈众，不身传诛／善乐生者不窭，善逸身者不殖／进苦口之药石，针害身之膏肓／贪愎喜利，则灭国杀身之本也／讳疾而忌医，宁灭其身而无悟也／当轴者易生嫌，而退身者易为誉／此生谁料，心在天山，身老沧洲／视人之瘼如瘝痯在身，不忘决去／不把黄金买画工，进身羞与自媒同／百姓多寒无可救，一身独暖亦何情／尽己而不以尤人，求身而不以责下／报国志愿不敢忘，此身未暇归江乡／带长剑兮挟秦弓，首身离兮心不惩／白鸥问我泊孤舟，是身留，是心留／趋利而不以为辱，陨身而不以为怨／知之盛者莫大于成身，成身莫大于学／诚无不动者，修身则身正，治事则事理／君子不以功轻人之身，不为彼功诎身之理／其身正，不令而行；其身不正，虽令不从／事少而功多，守要也；身逸而国治，用贤也／明王有过，则反之于身，有善，则归之于民／宫殿中可以避世全身，何必深山之中，蒿庐之下／去其家观人家，去其身观人身，所观益远，所见益少

❿一发不可牵，牵之动全身／丈夫贵兼济，岂独善一身／不善禁者，先禁人而后身／不贪则俭约，极贪则殃身／长者能博爱，天下寄其身／良田千顷，不如薄艺随身／以一篑障江河，用没其身／公若登台辅，临危莫爱身／君看磊落士，不肯易其身／国之本在家，家之本在身／安得长翮大翼如云生我身／纨绔不饿死，儒冠多误身／想道如念亲，恶货如失身／积财千万，不如薄技在身／无人之情，故是非不得于身／民知诛赏之来，皆在于身也／口惠而实不至，怨灾及其身／吾所以有大患者，为吾有身／曲己从众，不自专，则全其身／后其身而身先，外其身而身存／为将者，受命忘家，临敌忘身／刺骨，故小痛在体而长利在身／即以其人之道，还治其人之身／闻善不可即亲，恐引奸人进身／忧劳可以兴国，逸豫可以亡身／树至德于生前，流遗爱于身后／战无不胜而不知止者，身且死／日习则学不忘，自勉则身不堕／明与诚终岁不违，则能终身矣／恶言不出于口，忿言不反于身／仁者以财发身，不仁者以身发财／今人皆知砺其剑，而弗知砺其身／大夫以身殉家，圣人以身殉天下／小人则以身殉利，士则以身殉名／小人多欲则多求妄用，败家丧身／广积聚，骄富贵，不知止者杀身／烈士为天下见善矣，未足以活身／自古兴俭以劝天下，必以身先之／与天同心而无知，与道同身而无体／不识庐山真面目，只缘身在此山中／不能手提天下往，何忍身去游其间／不择人而问焉，取其有益于身而已／不畏浮云遮望眼，自缘身在最高层／世治则以义卫身，世乱则以身卫义／且乐生前一杯酒，何须身后千载名／百尺竿头须进步，十方世界是全身／千金未必能移性，一诺从来许杀身／生来不读半行书，只把黄金买身贵／了却君王天下事，赢得生前身后名／古圣贤玩琴以养心，穷则独善其身／交朋友增体面，不如交朋友益身心／读书不了平生事，阅世空存后死身／势在则威无不加，势亡则不保一身／左右前后皆正人也，欲其身之不正／苟不自满而中止，庶几终身而有成／拾得断麻穿破衲，不知身在寂寥中／常有小病则慎疾，常亲小劳则身健／名为公器无多取，利是身灾合少求／吾观自古贤达人，功成不退皆殒身／君子志于泽天下，小人志于荣其身／归之于民则民怒，反之于身则身骄／细推物理须行乐，何用浮名绊此身／欲影正者端其表，欲下廉者先之身／睫在眼前长不见，道非身外更何求／用过其才则败事，享过其分则丧身／自古此冤应未有，汉心汉语吐蕃身／类善则万世不忘，道恶则祸及其身／才贤任轻则有名，不肖任大身死名废／无迷其途，无绝其源，

终吾身而已矣／不问其德之所宜，而问其出身之后先／不宜忽略，以弃日也。弃日乃是弃身／古之君子，守道以立名，修身以俟时／余将董道而不豫兮，固将重昏而终身／小人……行一日之善，而求终身之誉／知之盛者莫大于成身，成身莫大于学／待西施、毛嫱而为配，则终身不家矣／酒入舌出，舌出者言失，言失者身弃／为主贪，必丧其国；为臣贪，必亡其身／为政不在言多，须息息从省身克己而出／功成事立，名迹称遂，不退身避位……／大惑者，终身不解；大愚者，终身不灵／善不积不足以成名，恶不积不足以灭身／得志，泽加于民；不得志，修身见于世／居其位不论其能，赏其身不议其功……／立节者见难不苟免，贪禄者见利不顾身／势利之交不终年，惟道义之交，可以终身／志士仁人，无求生以害仁，有杀身以成仁／君子不以功轻人之身，不为彼功诎身之理／忧人之言不绝于口，而乐身之事实切于心／鸟必择木而栖，附托匪人者必有危身之祸／窃位而苟禄，备员而全身者，亦无所取焉／天地有官，阴阳有藏；慎守女身，物将自壮／五谷养性而弃之于地，珠玉无用而宝之于身／事孰为大？事亲为大。守孰为大？守身为大／非所困而困焉名必辱，非所据而据焉身必危／为政在人，取人以身，修身以道，修道以仁／尺蠖之屈，以求信也。龙蛇之蛰，以存身也／贞以图国，义惟急病；临难忘身，见危致命／勿轻小事，小隙沈舟；勿轻小物，小虫毒身／卞和献宝，以离断趾；灵均纳忠，终于沉身／圣人不求誉，不辟诽，正身直行，众邪自息／苦身为善者，其赏厚；苦身为非者，其罪重／太上畏道，其次畏物，其次畏人，其次畏身／得道之士，外化而内不化……所以全其身也／浮华鲜实，不特伤风败俗，亦杀身亡家之本／有道之君，以逸逸人；无道之君，以乐乐身／肥于貌，孰与肥其道；求于人，孰与求其身／欲上民，必以言下之；欲先民，必以身后之／忠谋转改，祸必及己。退隐深山，身乃不殆／虑时务者不能兴其德，为身求者不能成其功／起居时，饮食节，寒暑适，则身利而寿命益／言出于己，不可塞也；行发于身，不可掩也／其名弥消，其德弥长；其身弥退，其道弥进／不可与往者，不知其道，慎勿与之，身乃无咎／不以宠辱荣患损易其身，然后乃可以天下付之／龟龙闻而深藏、鸾凤见而高逝者，知其害身也／匹夫见辱，拔剑而起，挺身而斗，此不足为勇／圣人之行虽不必同，然其要归，在洁其身而已／损百姓以奉其身，犹割股以啖腹，腹饱而身毙／君子之治人也，即以其人之道，还治其人之身／所学者非世之所可用，而所任者非身之所能为／趣舍合，即言忠而益亲；身疏，即谋当而见疑／为民族解放，为阶级翻身，事业垂成，公胡遽死／君不密则失臣，臣不密则失身，几事不密则害成／昔者先圣王，成其身而天下成，治其身而天下治／贤不肖，善邪辟，可悖逆，国不乱身不危奚待也／言无言，终身言，未尝言；终身不言，未尝不言／言发于迩，不可止于远；行存于身，不可掩于名／未尝闻身治而国乱者也，又未尝闻身乱而国治者也／叩之而必闻，触之而必应，夫是以天下可使为一身／以食噎而得病者，欲绝食以去病，乃不知食绝而身毙／人之所以为人者，非以此八尺之身也，乃以其有精神／去其家观人家，去其身观人身，所观益远，所见益少／虽有国士之力，不能自举其身，非无力也，势不便也／时之不来也，为雾豹，为冥鸿，寂兮寥兮，奉身而退／大丈夫岂得苟贪财物，以害及身命，使子孙每怀愧耻耶／祸世之匠，乱国之工，绝逆天地，伤害我身，莫大乎名／以小善为无益，以小恶为无伤，凡此皆非所以安身崇德也／君子口无戏谑之言，言必有防；身无戏谑之行，行必有检／威太甚则爱利之心息，爱利之心息而徒疾行威，身必咎矣／所谓诗，所谓文，实国事、世事、家事、身事、心事系焉／此生不学，一可惜；此日闲过，二可惜；此身一败，三可惜／今世之人居高官尊爵者，皆重失之，见利轻亡其身，岂不惑哉／若明而不信，严而不断，惠而不正，虽欲理身，终不自理，况于人哉／治世所贵乎位者三：一曰达道于天下，二曰达惠于民，三曰达德于身／先哲王之政，一曰承天，二曰正身，三曰任贤，四曰恤民，五曰明制，六曰立业

躬

gōng 身体；亲自；弯下；箭靶子的上下幅。

❶躬履艰难而节乃见

见宋·苏轼《贺欧阳少师致仕启》。

躬自厚而薄责于人，则远怨矣

见《论语·卫灵公》。

❷我躬不阅，遑恤我后／鞠躬尽力，死而后已／省躬无疵而获谤者何伤／卑躬曲己，若顺弟之奉暴兄／必躬自厚而薄责于人，斯无失也／不躬行，便如水行得车，陆行得舟，一毫受用不得

❸朕若躬服珠玉，自玩锦绣……／去汝躬矜与汝容知，斯为君子矣

❹口言之，躬行之／行之以躬，不言而信／朴其身躬，恶其衣服，语无为以求名，言无欲以求利

❺四支强而躬体固，华叶茂而本根据

❻惟干戈省厥躬／巧言如流，俾躬处休／君子得之固躬，小人得之轻命

❽读书虽可喜，何如躬践履／古者言之不出，耻躬之不逮也

❾尚力务本而种树繁，躬耕趣时而衣食足

❿纸上得来终觉浅，绝知此事要躬行／毋逝我

梁，毋发我笱；我躬不阅，遑恤我后

躯 qū 身体。

❷投躯报明主，身死为国殇／捐躯赴国难，视死忽如归／损躯赴国难，视死忽如归／捐躯若得其所，烈士不爱其存

❹何惜微躯尽，缠绵自有时

❺有六尺之躯，而不能庇一妇人，岂丈夫哉

❻藐然数尺之躯，乃欲私造化以为己物

❽将砺如铁，士乃忘躯／以贼其身，乃丧其躯，其行如此，是谓大忘

❿厚者不损人以自益，仁者不危躯以要名

释 ①shì 说明；放开；消除；中国对佛教创始人释迦牟尼的简称，也指佛教；舍弃；淘米。②yì 通"怿"，喜悦。

❶释氏虚，吾儒实

见宋·朱熹《朱子语类》卷一二六。

释规而任巧，释法而任智，惑乱之道也

见《韩非子·饰邪》。

释正而追曲，倍是而从众，是与俗俪走，而内行无绳

见汉·刘安《淮南子·缪称》。

❸解心释神，莫然无魂

❹心凝形释，与万化冥合／事生则释公而就私，货数而任己／丈夫不释故而改图，哲士不侥幸而出危

❺善难者务释事本，不善难者舍本而理末

❻人穷事败者，释自然而任智力／不杀无辜，无释罪人，则民不惑／释规而任巧，释法而任智，惑乱之道也

❼欲进远路，不宜释骐骥

❽画水镂冰，与时消释／布帛寻常，庸人不释；铄金百溢，盗跖不掇

❾春耕其丘，投种之日。释耒而叹，何时实果／服罪输情者虽重必释，游辞巧饰者虽轻必戮

❿人主好仁，则无功者赏，有罪者释／不以一己之害为害，而使天下释其害／欲弃学而循性，是谓犹释船而欲蹍水也／寒不累时，则霜不降；温不兼日，则冰不释／割而舍之，镆邪不断肉；执而不释，马氂截玉／以不二之悟，符不分之理，理智悉释，谓之顿悟／所贵于天下之士者，为人排患、释难、解纷乱而无所取也

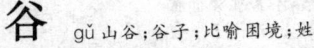

谷 gǔ 山谷；谷子；比喻困境；姓。

❶谷口未斜日，数峰生夕阳

见宋·祖可《天台山中偶题》。

谷子云笔札，楼君卿唇舌

见汉·班固《汉书·楼护传》。

谷太贱则伤农，太贵则伤末

见宋·苏轼《乞免五谷力胜税钱札子》。

谷神不死，是谓玄牝。玄牝之门，是谓天地根

见《老子》六。

谷足食多，礼义之心生；礼丰义重，平安之基立

见汉·王充《论衡·治期篇》。

❷布谷一声春水生／百谷殊味，食之皆饱／嘉谷不夏熟，大器当晚成／嘉谷虽已殖，恶草亦滋蔓／五谷者万民之命，国之重宝／蓄谷者不病凶年，蓄珠玉者不虞殍死／五谷养性而弃之于地，珠玉无用而宝之于身／五谷者，种之美者也；苟为不熟，不如荑稗／嘉谷奋兴，根叶肥润，抽茎展穗，不失时宜／崖谷峻隘，十里百折，负重而上，若蹈利刃

❸如百谷之望时雨／参之谷梁氏以厉其气／山鸣谷应，风起水涌／休言谷价贵，菜亦贵如金／虎啸谷风至，龙兴景云起／植佳谷必以粪壤，铸洪钟必以土型

❹出自幽谷，迁于乔木／高岸为谷，深谷为陵／进退维谷，冰炭在怀／农广则谷积，用俭则财畜／侵淫溪谷，盛怒于土囊之口／兰生幽谷，不为莫服而不芳／所种者谷，虽瘠土惰农，不生稗也／川竭而谷虚，邱夷而渊塞，唇竭而齿寒／动摇则谷气得消，血脉流通，病不得生，譬犹户枢不朽也

❺民为国基，谷为民命／明君贵五谷而贱金玉／不违农时，谷不可胜食也／夫农广则谷积，俭用则财畜／农功不妨，谷稼丰赡，故人富也／戍卒叫，函谷举，楚人一炬，可怜焦土

❻一树一获者，谷也／农夫去草，嘉谷必茂／高岸为谷，深谷为陵／四体不勤，五谷不分／岁有凶穰，故谷有贵贱／凿凿乎如五谷必可以疗饥／石上不生五谷，秃山不游麋鹿／吾闻"出于幽谷，迁于乔木"者／一噎之故，绝谷不食，一蹶之故，却足不行

❼丰年珠玉，俭年谷粟／经纶世务者，窥谷忘反／谈物产也，则重谷帛而贱珍奇／稂莠秕稗生于谷，反害谷者也

❽人亦有言，进退维谷／凡厥正人，既富方谷／所贵唯贤，所宝为谷／君非民不立，民非谷不生／国以民为本，民以谷为命／江海所以能为百谷王者，以其善下之／草茅弗去，则害禾谷；盗贼弗诛，则伤良民／风摇其巅，韵动崖谷，视之既静，其听始远／旦执机权，夜填坑谷；朔欢卓、郑，晦泣颜、原

❾三年耕有九年储，仓谷满盈，斑白不负戴／水处者渔，山处者木，谷处者牧，陆处者农

❿随风飘荡，白云还卧深谷／敦兮其若朴，旷兮其若谷／施之于不足，而官有羡谷／积于不涸之仓者，务五谷也／天片片而云愁，山幽幽而谷哭／百川并流，不注海者不为川谷／出者突然

成丘，陷者呀然成谷／稂莠秕稗生于谷，反害谷者也／上求材，臣残木；上求鱼，臣干谷／学不勤则不知道，耕不力则不得谷／所种者稗，虽美田疾耕，不生谷也／以一丸泥为大王东封函谷关，此万世一时也／凡物之精，化则为生，下生五谷，上为列星／杂花争发，非止桃蹊。群鸟乱飞，有逾鹦谷／轻羽在高，遇风则飞；细石在谷，逢流则转／金以刚折，水以柔全；山以高陊，谷以卑安／国之强弱，不在甲兵，不在金谷，独在人才之多少

谿 xī［勃谿］家庭中的争吵；空虚；"溪"的异体字。

❶谿壑可盈，是不可餍也

见《国语·晋语八》。

❾室无空虚，则妇姑勃谿

❿人情旦暮有翻复，平地倏忽成山谿

豁 ①huò 旷达，开阔；开通；免除，豁免；开拓，疏散；深。②huō 开裂，破缺；摒弃。

❺人生意气豁，不在相逢早

❿积年绮碎，一朝清廓，翰苑豁如

豺 chái 一种形似狼的动物，也称豺狗；古时乡亭的牢狱。

❶豺狼不可狎

见清·蒲松龄《聊斋志异·辛十四娘》。

豺狼在牢，其羊不繁

见《韩非子·扬权》。

豺狼当路而狐狸是先

见晋·陈寿《三国志·魏书·杜袭传》。

豺狼当路，安问狐狸

见晋·陈寿《三国志·蜀书·张翼传》。

豺狼守肉，鬼魅侍疾

见汉·仲长统《昌言》下。

豺则虎之弟，鹰则鹞之兄

见汉乐府古辞《古乐府》。

豺狼已毙，在狐鼠而宜除

见唐·柳宗元《代裴中丞谢讨黄少卿贼表》。全句为："肤革既平，虽疥癣而必去；～"。

豺狼横道，不宜复问狐狸

见汉·班固《汉书·孙宝传》。

豺狼死而犹饿兮，牛腹尸而不盈

见唐·柳宗元《哀溺文》。

豺狼寇盗不杀人民，不足以止其贪

见宋·高弁《望岁》。

豺狼能害人，其状易别，人得以避之

见宋·林逋《省心录》。全句为："～；小人深情厚貌，毒人不可防范，殆其甚于豺狼也"。

❺虺蜴为心，豺狼成性

❻羊质虎皮，见豺则恐／鸱枭鸣衡轭，豺狼当路衢

❼取彼谮人，投畀豺虎／使之搏兔，不如豺狼，伎能殊也

❾视民如寇仇，税之如豺虎

❿民枕倚于墙壁，路交横于豺虎／由来犬羊着冠坐庙堂，安得四鄙无豺狼／小人深情厚貌，毒人不可防范，殆其甚于豺狼也／羊质而虎皮，见草而悦，见豺而战，忘其皮之虎矣／畜池鱼者必去猵獭，养禽兽者必去豺狼，又况治人乎／上有无时之求，中有剥削曲巧之政，下有豺狼寇盗之害

豹 bào 哺乳类肉食动物。

❶豹死留皮，人死留名

见《五代·史·王彦章传》。

豹裘而杂，不若狐裘之粹

见汉·刘安《淮南子·说林》。全句为："～；白璧有考，不得为宝：言至纯之难也"。

❷虎豹不相食，哀哉人食人／虎豹之文不得不炳于犬羊／虎豹爱大林，蛟龙爱大水／虎豹不外其爪，而噬不见齿／虎豹之所余，乃狸鼠之所争也／虎豹之文来射，猿狖之捷来措／虎豹之形于犬羊，故不得不奇也／虎豹之驹未成文，而有食牛之气／虎豹在山，鼋鼍在水，各有所托／虎豹无文，则鞟同犬羊……质待文也／虎豹终日而不杀，则跳踉大叫以发其怒

❹管中窥豹，时见一斑／虽无玄豹姿，终隐南山雾

❺九州犹虎豹，四海未桑麻

❻蛟龙水居，虎豹山处／高谈则龙腾豹变，下笔则烟飞雾凝／麋鹿成群，虎豹避之；飞鸟成列，鹰鹫不击

❼若捕龙蛇，搏虎豹……／独有英雄驱虎豹，更无豪杰怕熊罴

❽时之不来也，为雾豹，为冥鸿，寂兮寥兮，奉身而退

❾蝮蛇不可以为足，虎豹不可使缘木

❿焕然如日月之经天也，炳然如虎豹之异犬羊也

貂 diāo 貂属动物的统称。

❶貂不足，狗尾续

见晋·杂歌谣辞《时人为赵王伦谚》。

貂裘而杂，不若狐裘而粹

见汉·刘安《淮南子·说山》。

❸锦帽貂裘，千骑卷平冈

❿和神仙之药以治鼽咳，制貂狐之裘以取薪菜

貆 ①huán 又读 xuān，幼小的貉。②huán 亦作"狟"，豪猪。③huān 通"獾（貛）"。

❿不狩不猎，胡瞻尔庭有县貆兮

貉 hé 动物名。

❻寒者不俟狐貉而后温／龟猖有介，狐貉不能擒

❽古与今如一丘之貉

貌 mào 人的面相；外表形态；描绘；容貌；礼貌。

❶貌虽至殊，不离妍丑

见《关尹子·三极》。全句为："行虽至卓，不离高下；言虽至工，不离是非；能虽至神，不离巧拙；～"。

貌重则有威，好重则有观

见汉·扬雄《法言·修身》。全句为："言重则有法，行重则有德，～"。

貌轻则招辱，好轻则招淫

见汉·扬雄《法言·修身》。全句为："言轻则招忧，行轻则招辜，～"。

貌则人，其心则禽兽，又恶可谓之人邪

见唐·韩愈《杂说四首》。

貌曰恭，言曰从，视曰明，听曰聪，思曰睿

见《尚书·洪范》。

貌有不足，敷粉施朱。才有不足，征典求书

见清·袁枚《续诗品·葆真》。

貌言华也，至言实也，苦言药也，甘言疾也

见汉·司马迁《史记·商君列传》。

❷人貌荣名，岂有既乎／醉貌如霜叶，虽红不是春／鉴貌在乎止水，鉴己在乎哲人／礼貌卑下，言词谦恭，所谓敬也／饰貌以强类者失形，调辞以务似者失情／观貌之是非，不若论其心与其行事之可否为不失也

❸不可貌古人而袭之，畏古人而拘束之／恭就貌上说，敬就心上说。恭主容，敬主事／肥于貌，孰与肥其道；求于人，孰与求其身

❹中不胜貌，耻也／先生之貌不可得兮，犹仿佛其文章／情必极貌以写物，辞必穷力而追新

❺衣服中，容貌得……／承恩不在貌，教妾若为容／峨眉讵同貌，而俱动于魄

❻以少总多，情貌无遗／君子盛德，容貌若愚／山川未改，容貌俱非／望远者，察其貌而不察其形／不务服人之貌，而思有以服人之心／小人深情厚貌，毒人不可防范，殆其甚于豺狼也

❼面誉者不忠，饰貌者不情／画者谨毛而失貌，射者仪小而遗大

❾论山水，则循声而得貌／枢机方通，则物无隐貌／行高人自重，不必其貌之高

❿其气充乎其中而溢于其貌／良贾深藏若虚，君子盛德容貌若愚／天犹有春秋冬夏旦暮之期，人者厚貌深情／以言取人，失之宰予；以貌取人，失之子羽／不修身而求令名于世者，犹貌甚恶而责妍影于镜也／今不修身而求令名于世者，犹貌甚恶而责妍影于镜也／君子之于子，爱之而勿面，使之而勿貌，导之以道而勿强

貔 pí 一种猛兽，外形像虎。［貔貅］即貔，喻指勇猛的军士。

❹如虎如貔，如熊如罴

角 ①jiǎo 动物头上长出的坚硬尖状物；像角的；星宿；号角；辅币；数学名词；隅，角落；斜；古代量器。②jué 争斗；脚色；较量，竞争；古代一种饮酒器皿；古代五音之一。③gǔ［角角］四角，四方；象声。

❶角声寒，夜阑珊

见宋·唐婉《钗头凤》。全句为："～。怕人寻问，咽泪装欢。瞒！瞒！瞒！"。

❷沙角台高，乱帆收向天边／眼角眉梢都似恨，热泪欲零还住

❸敌力角气，能以小胜大者希／蜗牛角上较雌论雄，许大世界

❹羚羊挂角，无迹可求／截牛之角而呼为豕，则虽庸必骇／无论海角与天涯，大抵心安即是家／其冲然角列而上者，若熊罴之登于山／忽闻晓角吟风，一叶坠露，惊而试问，即红线回矣

❺词客争新角短长，迭开风气递登场

❻四面边声连角起／马毛缩如猬，角弓不可张／太阿之剑，犀角不足齿其锋

❼羝羊触藩，羸其角／小荷才露尖尖角，早有蜻蜓立上头

❿一在天之涯，一在地之角／为者如牛毛，获者如麟角／学者如牛毛，成者如麟角／鲲鹏展翅，九万里，翻动扶摇羊角／五步一楼，十步一阁。……各抱地势，钩心斗角／搏攫抵噬之兽，其用齿角爪牙也，必托于卑微隐蔽

觞 shāng 古代盛酒器；向人敬酒或自饮。

❷一觞一咏，亦足以畅叙幽情

❹挥兹一觞，陶然自乐／布奠倾觞，哭望天涯。天地为愁，草木凄悲

❽曲水临流，自可一觞而一咏

❾蹁跹霞袖舞，潋滟羽觞飞

❿一炬有燎原之忧，而滥觞有滔天之祸

觚 gū 古代酒器；棱角；古代书写的木简；剑柄；通"孤"，独立不群。

❶觚不觚，觚哉，觚哉

见《论语·雍也》。

觚而弗琢，不成于器

见汉·王符《潜夫论·相列》。

❸觚不觚，觚哉，觚哉

❻觚不觚，觚哉，觚哉

觜 ①zī 猫头鹰之类头上的毛角；星官名，二十八宿之一，即"觜宿"。②zuǐ 鸟嘴。

❺芹泥随燕觜，花蕊上蜂须

觥

gōng 古代酒器；大，丰盛。

❶觥饭不及壶飧

见《国语·越语下》。

触

chù 撞；感动；冒犯；接触。

❶触焉而得，故其言易

见宋·苏洵《太玄论上》。全句为："思焉而得，故其言深；感焉而得，故其言切；～"。

触目皆新，谁识当年旧主人

见宋·欧阳修《采桑子》。

❷动触时忌，言为身灾

❸羝羊触藩，羸其角／孤犊触乳，骄子骂母／腾波触天，高浪灌日，吞吐百川／清流触石，洄旋激注，佳木异竹，垂阴相荫

❹博识者触物能名，洽闻者理无所惑耳／反己者触事皆成药石，尤人者动念即是戈矛

❺诚之所感，触处皆通

❻须知香饵下，触口是铦钩／叩之而必闻，触之而必应，夫是以天下可使为一身

❼劲翮挥风，雄姿触雾／一旦见景生情，触目兴叹

❽学有思而获，亦有触而获／鸟穷则啄，兽穷则触，人穷则诈

❿匡庐小琐拳可碎，鄱阳触怒踢欲裂／谀言顺意而易悦，直言逆耳而触怒

解

①jiě 剖开；分开；解开；分裂，涣散；清除；分析；明白；排泄；通达。②jiè 押送。③xiè 通"蟹"；通"懈"。

❶解蔽莫如学

见清·戴震《原善》。

解铃还要系铃人

见清·梁恭辰《北东园笔录》三编卷二《劝孝》。

解心释神，莫然无魂

见《庄子·在宥》。

解非常之纷者不可以常语谕

见唐·陆贽《奉天论赦书事条状》。全句为："履非常之危者不可以常道安，～"。

解杂乱纷纠者不控卷，救斗者不搏撠

见汉·司马迁《史记·孙子吴起列传》。"卷"，拳；"控卷"，出拳捶击；""，刺人。

解落三秋叶，能开二月花。过江千尺浪，入竹万竿斜

见唐·李峤《风》。

❷网解不结，有兽失之患

❸东风解冻，河川流通／何以解忧，惟有杜康／声声解堕金铜泪，未信吴儿是木人／虽体解吾犹未变兮，岂余心之可惩

❹连环可解也／西施若解倾吴国，越国亡来又是谁／闻难思解，见利思避，好成人之美，可以立矣／为民族解放，为阶级翻身，事业垂成，公胡遽死／挫其锐，解其纷，和其光，同其尘，湛兮似或存

❺读书贵神解，无事守章句

❻百思莫得其解／天刑之，安可解／文通三略，武解六韬／秉耒欢时务，解颜劝农人／其指归在可解不可解之会／居悒悒之无解兮，独长思而永叹

❼尺书远达兮，以解君忧／蝮蛇螫手，壮士解其腕／兵寝星芒落，战解月轮空／愚人诵千句，不解一句义／吟咏有真得，不解脱终为套语／大惑者，终身不解；大愚者，终身不灵／好读书，不求甚解；每有会意，便欣然忘食

❽刿目鉥心，刃迎缕解／畏老身全老，逢春解惜春／积财千万，不如明解一经／摧其坚，夺其魁，以解其体／琴瑟不调，甚者必解而更张之／心病终须心药治，解铃还是系铃人／丑必托善以自为解，邪必蒙正以自为辟

❾其指归在可解不可解之会／师者，所以传道受业解惑也／水能性澹为吾友，竹解心虚即我师

❿君臣遇合，天下事迎刃而解／刀不能剪心愁，锥不能解肠结／无说诗，匡鼎来；匡说诗，解人颐／惑而不从师，其为惑也，终不解矣／譬如破竹，数节之后，皆迎刃而解／理国譬若琴瑟，其不调者则解而更张／夜行者掩目而前其手，涉水者解其马载之舟／火烧到身，各自去扫；蜂虿入怀，随即解衣／是他春带愁来，春归何处，却不解、将愁归去／今兵威已振，譬如破竹，数节之后，皆迎刃而解／所贵于天下之士者，为人排患、释难、解纷乱而无所取也

言

①yán 说话；所说的话；议，约；字；大箫；古地名；姓；[言言]高大的样子。②yín[言言]恭敬和悦的样子。

❶言有序

见《周易·艮》。

言有物

见《周易·家人》。

言无实，不祥

见《孟子·离娄下》。

言不信者行不果

见《墨子·修身》。

言而无实，罪也

见唐·柳宗元《上桂州李中丞荐卢遵启》。

言能听，道乃进

见汉·司马迁《史记·殷本纪》。

言有尽而意无穷

见宋·严羽《沧浪诗话·诗辩》。

言有物而行有格
见《礼记·缁衣》。
言有物而行有恒
见《周易·家人·象辞》。
言必中当世之过
见宋·苏轼《凫绎先生诗集序》。
言必信，行必果
见《论语·子路》。
言愈多而理愈乱
见唐·杜牧《答庄充书》。全句为："意不先立，止以文采辞句绕前捧后，是～"。
言之不足故嗟叹之
见《诗·大序》。全句为："～，嗟叹之不足故永歌之，永歌之不足，不知手之舞之，足之蹈之"。
言有尽而情不可终
见唐·韩愈《祭十二郎文》。
言无阴阳，行无内外
见《晏子春秋·内篇·问上》。
言不可失，行不可亏
见唐·佚名《太公家教》。
言不可极，极之而衰
见汉·司马迁《史记·滑稽列传》。全句为："酒极则乱，乐极则悲，万事尽然。～"
言不顾行，行不顾言
见宋·陆九渊《策问》。
言而无文，行之不远
见宋·郭茂倩《乐府诗集·庾信〈周五声调曲·角调曲〉》。
言而不信，何以为言
见《谷梁传·僖公二十二年》。
言出为论，下笔成章
见晋·陈寿《三国志·魏书·曹植传》。
言之无文，行而不远
见《左传·襄公二十五年》。
言之无文，行之不远
见胡适《文学改良刍议》。
言之不文，行之不远
见宋·陆游《严州到任谢王丞相启》。
言之非难，行之为难
见汉·桓宽《盐铁论·非鞅》。
言之谆谆，听之藐藐
见明·无名氏《三化邯郸》二折。
言之大甘，其中必苦
见《国语·晋语一》。
言之成理，持之有故
语出《荀子·非十二子》。
言以足志，文以足言
见《左传·襄公二十五年》。
言则我从，斯我之贼
见宋·张孝祥《取友铭》。
言虽至工，不离是非
见《关尹子·三极》。全句为："行虽至卓，不离高下；～；能虽至神，不离巧拙；貌虽至殊，不离妍丑"。
言行者，治身之狱也
见汉·严遵《道德指归论·万物之奥篇》。
言犹在耳，忠岂忘心
见唐·骆宾王《为徐敬业讨武曌檄》。
言过其实，不可大用
见晋·陈寿《三国志·蜀书·马良传》。
言者无罪，闻者足戒
见唐·白居易《与元九书》。
言思乃出，行详乃动
见三国·王修《诫子书》。
言不贵文，贵于当而已
见宋·杨时《二程粹言·论学》。
言非礼义，谓之自暴也
见《孟子·离娄上》。全句为："～；吾身不能居仁由义，谓之自弃也"。
言节候，则披文而见时
见南朝·梁·刘勰《文心雕龙·辨骚》。全句为："论山水，则循声而得貌；～"。
言行相诡，不祥莫大焉
见《吕氏春秋·审应览·淫辞》。
言近而指远者，善言也
见《孟子·尽心下》。
言无不可晓，指无不可睹
见汉·王充《论衡·自纪篇》。
言重则有法，行重则有德
见汉·扬雄《法言·修身》。全句为："～，貌重则有威，好重则有观"。
言之信者，在乎区盖之间
见《荀子·大略》。
言之如吹影，思之如镂尘
见《关尹子·一宇》。
言语之次，空生虚妄之美
见汉·王充《论衡·书虚篇》。全句为："～；功名之下，常有非实之加"。
言美则响美，言恶则响恶
见《列子·说符》。
言多则背道，多欲则伤生
见宋·李邦献《省心杂言》。
言多令事败，器漏苦不密
见汉·孔融《临终诗》。
言处飞龙前，行在跛鳖后
见《西升经·重告章》。
言近而旨远，辞浅而义深
见唐·刘知几《史通·叙事》。全句为："～，虽发语已殚，而含意未尽"。

言轻则招忧，行轻则招辜

见汉·扬雄《法言·修身》。全句为："～，貌轻则招辱，好轻则招淫"。

言者志之苗，行者文之根

见唐·白居易《读张籍古乐府》。

言路开则治，言路塞则乱

见宋·范祖禹《唐鉴》。全句为："～，治乱者系乎言路而已"。

言不可不择，术不可不择也

见宋·李邦献《省心杂言》。全句为："以言伤人者，利如刀斧。以术害人者，毒如虎狼。～"。

言之者无罪，闻之者足以戒

见《诗·大序》。

言者所以在意，得意而忘言

见《庄子·外物》。

言则称于汤文，行则譬于狗豨

见《墨子·耕柱》。

言制度也，则绝奢靡而崇俭约

见唐·吴兢《贞观政要·慎终》。全句为："其语道也，必先淳朴而抑浮华；其论人也，必贵忠良鄙邪佞；～；谈物产也，则重谷帛而贱珍奇"。

言前定则不跲，事前定则不困

见《礼记·中庸》。全句为："～，行前定则不疚，道前定则不穷"。

言语者君子之枢机，谈何容易

见唐·吴兢《贞观政要·慎言语》。

言在耳目之内，情寄八荒之表

见南朝·梁·钟嵘《诗品·上品》。

言多变则不信，令频改则难从

见宋·欧阳修《准诏言事上书》。

言其是则有功，言其非则有罪

见宋·苏辙《画一状》。

言无常是，行无常宜者，小人也

见汉·刘安《淮南子·缪称》。

言之所载者大且文，则其传也章

见宋·欧阳修《代人上王枢密求先集序书》。全句为："～；言之所载者不文而又小，则其传也不章"。

言多诺者，事众而信，不可然也

见汉·严遵《道德指归论·为无为篇》。

言者以谕意也，言意相离，凶也

见《吕氏春秋·审应览·离谓》。

言贵实，使人信之，舍实何称乎

见秦·孔鲋《孔丛子·记义》。

言于国竭情无私，理于家陈信无愧

见唐·王维《京兆尹韩公墓志铭》。

言无有善恶也……则其辞不索而获

见宋·苏洵《太玄论上》。删节处为："苟有得乎吾心而言也"。

言语巧偷鹦鹉舌，文章分得凤凰毛

见唐·元稹《寄赠薛涛》。

言峻则嵩高极天，论狭则河不容舠

见南朝·梁·刘勰《文心雕龙·夸饰》。

言学便以道为志，言人便以圣为志

见宋·朱熹《近思录·为学类》。

言者无罪闻者戒，下流上通上下泰

见唐·白居易《采诗官》。

言者不狂，而择者不明，国之大患

见汉·班固《汉书·晁错传》。

言泉共秋水同流，词峰与夏云争长

见唐·王勃《饯宇文明府序》。

言有尽而意无穷者，天下之至言也

见宋·姜夔《白石道人诗说》引苏轼语。

言有浮于其意，而意有不尽于其言

见宋·苏轼《策略第一》。

言之而非，虽在王侯卿相，未必可容

见《唐太宗集·纳谏》。全句为："言之而是，虽在仆隶刍荛，犹不可弃；～"。

言之而是，虽在仆隶刍荛，犹不可弃

见《唐太宗集·纳谏》。全句为："～；言之而非，虽在王侯卿相，未必可容"。

言者，祸之户也；不言者，福之门也

见汉·严遵《道德指归论·至柔篇》。

言无法度不出于口，行非公道不萌于心

见唐·杨炯《杜袁州墓志铭》。

言非法度不出于口，行非公道不萌于心

见唐·杨炯《杜袁州墓志铭》。

言之所载者不文而又小，则其传也不章

见宋·欧阳修《代人上王枢密求先集序书》。全句为："言之所载者大且文，则其传也章；～"。

言虽多而不要其中，文虽奇而不济于用

见唐·韩愈《进学解》。

言行，君子之所以动天地也，可不慎乎

见《周易·系辞上》。

言满天下，无口过；行满天下，无怨恶

见《孝经·卿大夫》。

言有浅而可以托深，类有微而可以喻大

见晋·张华《鹪鹩赋》。

言无务为多而务为智，无务为文而务为察

见《墨子·修身》。

言今日难于前日，安知他日不难于今日乎

见宋·苏轼《范景仁墓志铭》。

言语简寡，在我可以少悔，在人可以少怨

见宋·袁采《袁氏世范》。

言无常信，行无常贞……若是则可谓小人矣

见《荀子·不苟》。删节处为："唯利所在，无所不倾"。

言不中法者，不听也；行不中法者，不高也

见《商君书·君臣》。全句为："～；事不中法者，不为也"。

言不在多，在于当理；施不在丰，期于救乏

见秦·孔鲋《孔丛子·连丛子下》。

言出于己，不可塞也；行发于身，不可掩也

见汉·董仲舒《元光元年举贤良对策》。

言切直则不用而身危，不切直则不可以明道

见汉·班固《汉书·贾山传》。

言吾善者，不足为喜；道吾恶者，不足为怒

见明·冯梦龙《警世通言·拗相公饮恨半山堂》。

言行，君子之枢机；枢机之发，荣辱之主也

见《周易·系辞上》。

言之不足，故长言之；长言之不足，故嗟叹之

见《礼记·乐记》。全句为："～；嗟叹之不足，不知手之舞之足之蹈之也"。

言之所以为言者，信也；言而不信，何以为言

见《谷梁传·僖公二十二年》。

言著而不欺曰信。……教令失信，民得斯之矣

见五代·前蜀·杜光庭《道德真经广圣义》卷十六。删节处为："赏及无功，罚及无罪，则为不信。"。

言无言，终身言，未尝言；终身不言，未尝不言

见《庄子·寓言》。

言发于迩，不可止于远；行存于身，不可掩于名

见《晏子春秋·外篇》。

言虽简略，理皆要害，故能疏而不遗，俭而无阙

见唐·刘知几《史通·叙事》。

言贵尽心，亦各其所见也，若是非，则明智者裁之

见秦·孔鲋《孔丛子·执节》。

言有教，动有法，昼有为，宵有得，息有养，瞬有存

见宋·张载《正蒙·有德》。

❷正言若反／巧言乱德／至言不繁／口言不忘信／不言之言，应也／正言似讦而情忠／谗言巧，佞言甘／口言之，躬行之／得言不可以不察／有言者不必有德／无言独上西楼……／巧言令色，鲜矣仁／一言之重，侔于千金／一言之善，贵于千金／一言之赐，过乎玙璧／一言偾事，一人定国／一言既出，驷马难追／无言不雠，无德不报／可言可意，言而愈疏／出言不当，反自伤也／匪言勿言，匪由勿语／侈言无验，虽丽非经／俚言巷语，亦足取也／信言不美，美言不信／谈言微中，名士风流／谗言三至，慈母不亲／谗言伤善，青蝇污白／危言危行，独立不回／巧言虽美，用之必灭／巧言如流，俾躬处休／巧言如簧，颜之厚矣／巧言易信，孤愤难申／至言忤于耳而倒于心／薄言往愬，逢彼之怒／多言少实，语无成事／多言多败，多事多害／多言数穷，不如守中／庸言之信，庸行之谨／好言自口，莠言自口／此言虽小，可以谕大／永言孝思，孝思维则／忠言逆耳，甘词易入／愿言思伯，甘心首疾／空言无施，虽切何补／食言多矣，能无肥乎／一言而非，四马不能追／一言之善，贵于千金然／可言而不信，宁无言也／百言不明一意则不听也／为言不益，则美不足称／以言伤人者，利于刀斧／实言无多，而华文无寡／结言端直，则文骨成焉／疾言厉色，处众之贼也／立言而朽，君子不由也／上言长相思，下言久离别／不言而教行，何为而不威／未言心相醉，不在接杯酒／正言斯重，元珠比而尚轻／出言不当，驷马不能追也／发言玄远，口不臧否人物／休言谷价贵，菜亦贵如金／只言花是雪，不悟有香来／勿言一樽酒，明日难重持／勿言年齿暮，寻途尚不迷／谁言寸草心，报得三春晖／务言而缓行，虽辩必不听／工言治道，能以口辩移人／至言逆俗耳，真语必违众／苦言，药也；甘言，疾也／大言不惭，则无必为之志／常言道：酒不醉人人自醉／常言道：日久才把人心见／口言善，身行恶，国妖也／庸言必信之，庸行必慎之／流言雪污，譬犹以涅拭素／有言逆于汝心，必求诸道／有言责者，不得其言则去／忠言逆耳，惟达者能受之／恶言不出口，苟语不留耳／其言之不怍，则为之也难／可言也不可行，君子弗言也／直言不避重诛者，国之福也／人言楚人沐猴而冠耳，果然／片言可以折狱者，其由也与／有言逊于汝志，必求诸非道／百言百当，不如择趋而审行也／以言责人甚易，以义持己实难／美言可以市尊，美行可以加人／听言不求其能，举功不考其素／深言则似不逊，略言则事不决／所言无不义，故下无伪上之报／恶言不出于口，忿言不反于身／恶言不出于口，邪行不及于己／其言直而切，欲闻之者深诫也／一言而可以兴邦，一言可以丧邦／不言而信，不怒而威，师之谓也／不言之教，无为之盖，天下希及之／侈言无验不必用，质言当理不必违／只言旋老转无事，欲到中年事更多／人言落日是天涯，望极天涯不见家／人言善，亦勿听；人言恶，亦勿听／诗言志，歌永言，声依永，律和声／谀言顺意而易悦，直言逆耳而触怒／谗言巧，佞言甘，忠言直，信言寡／听言不可不察，不察则善不善不分／多言不可与远谋，多动不可与久处／片言可以明百意，坐驰可以役万里／忠言逆耳利于行，毒药苦口利于病／忠言有壅而未达，贤才有抑而未用／立言无显过之咎，明镜无见玼之尤／其言也约而达，微而臧，罕譬而喻／一言之谬，一事之失，可救之于将然／恳言辞浅而不入，深言则逆耳

而失指／虚言可以赏，则六合之内皆为己府矣／不言之化与天同德，不为之事与天同功／不言则齐，齐与言不齐，言与齐不齐也／诗言其志也，歌咏其声也，舞动其容也／浮言可以事久而明，众嗤可以时久而息／进言有四难：审人、审己、审事、审时／以言非信则百事不满也，故信之为功大矣／诗言，志之所之也。在心为志，发言为诗／听言当以理观，一闻辄以为据，往往多失／好言人之恶，谓之谗；析交离亲，谓之贼／正言不发，万口如封，谄媚相与，千颜一容／以言取人，失之宰予；以貌取人，失之子羽／听言之道，必以其事观之，则言者莫敢妄言／绝言之道，去心与意；止为之术，去人与智／貌言华也，至言实也，苦言药也，甘言疾也／一言得而天下服，一言定而天下听，公之谓也／名言所绝理即具于名中，意量所函变可通意外／以言伤人者，利如刀斧。以术害人者，毒如虎狼／辩言过理，则与义相失；丽靡过美，则与情相悖／语言文字，如春之花，或者必欲弃花而觅春，非愚即狂

❸勿谓言之不预／凡流言、流说／惟陈言之务去／下无言则上无闻／讷于言，敏于行／知必言，言必尽／心欲言而口不逮／非不言也，寄言也／文者，言乎志者也／不知言，无以知人也／交浅言深，君子所戒／姑妄言之，姑妄听之／可以言论者，物之粗也／币厚言甘，人之所畏也／古之言通者，通于道义／今之言通者，通于私曲／听其言，则侈大而可乐／好大言者，不必有大志／不以言举人，不以人废言／可与言而不与之言，失人／可与言而不与之言谓之隐／州民言刺史，蠹物甚于蝗／以人言善我，必以言罪我／凡听言，要先知言者人品／常恨言语浅，不如人意深／善，以言乎天下之大共也／广直言之路，启进善之门／闻善言则拜，告有过则喜／有一言而可常行者，恕也／有理言自壮，负屈声必高／事信言文，乃能表见于后世／听其言而察其类，无使放悖／虽载言载笑，赏风月于离前／有其言，无其行，君子耻之／用其言，弃其身，古人所耻／甘忠言之逆耳，得百姓之欢心／以人言善我，亦必以人言恶我／古者言之不出，耻躬之不逮也／圣人言不言之言，为不为之为／圣人……言以绝食，为以止为／扬雄言人性善恶混者，中人也／择可言而后言，择可行而后行／口能言之，身不能行，国用也／口能言之，身能行之，国宝也／慎于言者不哗，慎于行者不伐／察其言，观其行，而善恶彰焉／或简言以达旨，或博文以该情／立片言而居要，乃一篇之警策／听其言也，观其眸子，人焉廋哉／孙卿言人性恶者，中人以下者也／孟轲言人性善者，中人以上者也／天不言而四时行，地不语而百物生／求之言语之外，而得其所不言之意／凡闻言必熟论，其于人必验之以理／听其言，迹其行，察其所能而慎予官／侮圣言，逆忠直，远耆德……时谓乱风／勿多言，勿多事；多言多败，多事多害／慎尔言，将有和之；慎尔行，将有随之／卑而言高，能言而不能行者，君子耻之矣／一切言动，都要安详；十差九错，只为慌张／天何言哉？四时行焉，百物生焉，天何言哉／不宜言而言是佞之徒，宜言而不言是愚之符／书以言事，行上行下，平行往复，统谓之书／就郡言，灵隐寺为尤；由寺观，冷泉亭为甲／思在言与行之先，思无邪，则所言所行皆无邪矣／言无言，终身言，未尝言；终身不言，未尝不言／下以言语为学，上以言语为治，世道之所以日降也／得其言者而不言，与不得其言而不去，无一可者也／不知言之人，乌可与言？知言之人，默焉而其意已传／视听言行，循礼法而动，所以教人忘嗜欲而归性命之道也

❹君子羞言利名／无验而言谓之妄／不言之言，应也／知而不言，不忠／知必言，言必尽／真人之言不义不颇／先行其言而后从之／圣贤之言不得已也／君子受言以达聪明／下有直言，臣之行也／与人善言，暖于布帛／不出好言，不如沉默／不听窕言，不受窕货／未可与言而言谓之瞽／非法不言，非道不行／币重而言甘，诱我也／主过一言而国残名辱／书不尽言，言不尽意／民多讳言，君有骄行／匪言勿言，匪由勿语／创意造言，皆不相师／利口伪言，众所共恶／同心之言，其臭如兰／伤人之言，深于矛戟／修身践言，谓之善行／人亦有言，进退维谷／先民有言，询于刍荛／交浅而言深者，愚也／冰炭不言，冷热自明／询事考言，循名责实／谤议之言，难用褒贬／附耳之言，闻于千里／动乎其言而见乎其文／工以纳言，时而扬之／君子之言，信而有征／君子约言，小人先言／知无不言，言无不尽／知无不言，言无不行／知善不言，与嚣喑同／知者不言，言者不知／狂夫之言，圣人择焉／罗织语言，以为谤讪／溢美之言，置疑于人／过耳之言，不足为凭／局外之言，往往多中／桃李不言，下自成蹊／歌以咏言，舞以尽意／怒中之言，必有泄漏／酌人之言，补己之过／难于指言者，辄咏歌之／难行之言，当有所必行／知而不言，所以之天也／属乎其言，若闵其穷也／妙论精言，不以多为贵／歌之为言也，长言之也／不可与言而与之言，失言／为女妄言之，女以妄听之／谗媚之言甘，贤良之言直／观人以言，美于黼黻文章／志足而言文，情信而辞巧／听人以言，乐于钟鼓琴瑟／行峻而言厉，心醇而气和／悄乎其言，若不接其情也／学不期言也，正其行而已／结交一言重，相期千里至／绝笔之言，追媵前句之旨／赠人以

言，重于金石珠玉／政者，口言之，身必行之／虚争空言，不如试之易效／不听其言也，则无术者不知／冰炭不言，而冷热之质自明／赠人以言者，能致终身之福／恶闻忠言，乃自伐之精者也／留意于言，不如留意于不言／顺心之言易入也，有害于治／无稽之言勿听，弗询之谋勿庸／人之出言至善，而或有议之者／口不能言，身能行之，国器也／君子之言也，不下带而道存焉／臣以能言为能，君以能听为能／天下以言为戒，最国家之大患也／毁我之言可闻，毁我之人不必问／无征而言，取不信、启作妄之道也／不知而言，不智；知而不言，不忠／不患立言之不善，患不足以践之耳／弗知而言为不智，知而不言为不忠／传闻之言无实，无实即唐丧唾津矣／兴者，先言他物以引起所咏之词也／圣贤千言万语，教人且从近处做去／士有一言中于道，不远千里而求之／喜时之言多失信，怒时之言多失体／君子之言寡而实，小人之言多而虚／气盛则言之短长与声之高下者皆宜／醉后狂言醒时悔，安不将息病时悔／逆耳之言，裨治也不可于人，可恨也／志高则言洁，志大则辞宏，志远则旨永／呐呐寡言者未必愚，喋喋利口者未必智／君子不言，言必有中，不行，行必有称／欲出一言，即思此一言于百姓有利益否／聆其善言，观其善行，足以资吾之未逮／大人者，言不必信，行不必果，惟义所在／忧人之言不绝于口，而乐身之事实切于心／轻听发言，安知非人之谮诉，当忍耐三思／有意而言，意尽而言止者，天下之至言也／无稽之言，不见之行，不闻之谋，君子慎之／不受虚言，不听浮术，不采华名，不兴伪事／人亦有言，忧令人老。嗟我白发，生一何早／冰炭不言，而冷势之质自明者，以其有实也／口无择言，驷不及舌；笔之过误，愆尤不灭／希意道言，谓之谄；不择是非而言，谓之谀／迂险之言，则欲反之；循常之说，则必信之／鹦鹉能言，不离飞鸟；猩猩能言，不离走兽／蛇蛇硕言，出自口矣；巧言如簧，颜之厚矣／貌曰恭，言曰从，视曰明，听曰聪，思曰睿／以人之言而遗我粟，至其罪我也又且以人之言／古人有言曰："其父析薪，其子弗克负荷。"／凡今能言者，皆谓天下少士，而不知养材之道／子所雅言，《诗》、《书》、执礼，皆雅言也／动人以言者，其感不深；动人以行者，其应必速／人之立言，因字而生句，积句而成章，积章而成篇／君子之言，幽必有验乎明，远必有验乎近，大必有验乎小，微必有验乎著

❺没齿无怨言／达心则其言略／身教亲于言教／谗言巧，佞言甘／圣人行不言之教／知道易，勿言难／与朋友交，言而有信／可言可意，言而愈疏／求田问舍，言无可采／事有曲直，言有是非／书不尽言，言不尽意／匪面命之，言提其耳／信立则虚言可以赏矣／凡主有识，言不欲先／动见臧否，言知利害／动必三省，言必再思／动触时忌，言为身灾／持之有故，言之成理／君子耻其言而过其行／知无不言，言无不尽／知无不言，言无不行／知者不言，言者不知／行不苟合，言不苟忘／行不违道，言不违仁／情发于中，言无所择／杜口结舌，言为祸母／翘翘错薪，言刈其楚／修身絜行，言必由绳墨／请日试万言，倚马可待／君子以慎言语，节饮食／处世戒多言，言多必失／一朝被谗言，二桃杀三士／常记古人言，思之每烂熟／常闻夸大言，下顾皆细萍／君子以行言，小人以舌言／憎我者之言刻，刻必当罪／謇谔无一言，岂得为直士／相见无杂言，但道桑麻长／昔闻长者言，掩耳每不喜／爱我者之言恕，恕故匿非／文不能尽言，言不能尽意／心思不能言，肠中车轮转／其次禁其言，其次禁其事／凡人可以言古，不可以言今／君子于其言，无所苟而已矣／得意者无言，进知者亦无言／儒者口能言治乱，无能以行之／圣人言不言之言，为不为之为／口辩者其言深，笔敏者其文沉／君子不以言举人，不以人废言／神越者其言华，德荡者其行伪／礼貌卑下，言词谦恭，所谓敬也／盲者口能言白黑，而无目以别之／顺我意而言者，小人也，急远之／谗言巧，佞言甘，忠言直，信言寡／名不正则言不顺，言不顺则事不成／皇天以无言为贵，圣人以不言为德／痛不著身言忍之，钱不出家言与之／老成之人，言有迂阔，而更事为多／不思而立言，不知而定交，吾其惮也／岂得以人言不同己意，便即护短不纳／出无谓之言，行不必为之事，不如其已／为政不在言多，须息息从省身克己而出／君子不言，言必有中，不行，行必有称／国有道其言足以兴，国无道其默足以容／自誓者乐言己之长，自聩者乐言人之短／诚欲往来言所闻，则仆固愿悉陈中所得者／群居终日，言不及义，好行小慧，难矣哉／不宜言而言是佞之徒，宜言而不言是愚之符／川不可防，言不可弭，下塞上聋，邦其倾矣／体无常轨，言无常宗，物无常用，景无常取／君子之为言也，度可行于己，然后可责于人／行与义乖，言与法违，后虽无害，汝可以悔／意授于思，言授于意，密则无际，疏则千里／《诗》三百，一言以蔽之，曰："思无邪。"／趣舍合，即言忠而益亲；身疏，即谋当而见疑／道，物之极，言默不足以载；非言非默，议有所极／袭古人语言之迹，而冒以为古，是处严冬而袭夏之葛者也／文章丽矣，言语工矣，无异草木荣华之飘风，鸟兽好音之过耳

❻匈奴未灭不言家／王顾左右而言他／敏于事，慎于言／思虑深，不轻言／食不语，寝不言

／非不言也，寄言也／不知道者，以言相烦／不学《诗》，无以言／未可与言而言谓之瞽／面目可憎，语言无味／临行而思，临言而择／良玉不雕，美言不文／飞语一发，胪言四驰／使人以心，应言以行／信言不美，美言不信／人之将死，其言也善／阿谀有福，深言近祸／行之以躬，不言而信／多指乱视，多言乱听／饱食伤心，忠言逆耳／治乱者系乎言路而已／好言自口，莠言自口／片辞折狱，寸言挫众／辩变白黑，巧言乱国／仁义之人，其言蔼如也／君子欲讷于言而敏于行／处世戒多言，言多必失／老生之常谈，言无新奇／粗于事者，其言费而昏／精于理者，其言易而明／无为虚唱大言而终归无用／不贪财，不失言，不自是／事以简为上，言以简为当／公正无私，一言而万民齐／交亲而不比，言辩而不辞／动得分曰适，言得分曰信／苦言，药也；甘言，疾也／名高毁所集，言巧智难防／君子无易由言，耳属于垣／道未始有封，言未始有常／道昭而不道，言辩而不及／文不能尽言，言不能尽意／言美则响美，言恶则响恶／言路开则治，言路塞则乱／其寄托在可言不可言之间／周云成康，汉言文景，美矣／书生之论，可言而不可用也／居其位，无其言，君子耻之／文章不为空言，而期于有用／自形而上下言，岂得无先后／丰而不余一言，约而不失一辞／不求无害之言，而务无易之事／尤虚之人硕言瑰姿，内实乖反／择可言而后言，择可行而后行／口则务在明言，笔则务在露文／君子相送以言，小人相送以财／多闻阙疑，慎言其余，则寡尤／采择狂夫之言，不逆负薪之议／然则志足而言文，情信而辞巧／心既托声于言，言亦寄形于字／穷者欲达其言，劳者须歌其事／兵者不可豫言，临难而制变者也／予尝为女妄言之，女亦以妄听之／诗者：根情，苗言，华声，实义／多见阙殆，慎言其余，则寡悔。／有德者必有言，有言者不必有德／不弃狂夫之言者，然后嘉谟可闻也／周公恐惧流言日，王莽谦恭未篡时／诗言志，歌永言，声依永，律和声／诚意孚于未言之前，则言出而人信之／穷其书，得其言，论其意，推而大之／平日极好直言者，即患难时不肯负我之人／卑而言高，能言而不能行者，君子耻之矣／诗者，不可以言语求而得，必将深观其意焉／谗夫似贤，美言似信，听之者惑，观之者冥／至味不慊，至言不文，至乐不笑，至音不叫／多事害神，多言害身。口开舌举，必有祸患／居官不难，听言为难；听言不难，明察为难／欲上民，必以言下之；欲先民，必以身后之／貌言华也，至言实也，苦言药也，甘言疾也／谗人似实，巧言如簧，使听之者惑，视之者昏／言之所以为言者，信也；言而不信，何以为言／言无言，终身言，未尝言；终身不言，未尝不言／世俗所患，患言事增其实，著文垂辞，辞出溢其真

❼布令信而不食言／惟善人能受尽言／敢道人之所难言／服人以诚不以言／朝居严则下无言／千金不能救斯言之玷／军井未达，将不言渴／军幕未办，将不言倦／军灶未炊，将不言饥／细事不察，不得言大／触焉而得，故其言易／歌之为言也，长言之也／上言长相思，下言久离别／不蔽人之美，不言人之恶／以身教者从，以言教者讼／凡听言，要先知言者人品／邪行亡乎体，违言不存口／节食则无疾，择言则无祸／多私者不义，扬言者寡信／桃李灼灼，不自言于蹊径／明德虽明，终假言而荣行／恶语不出口，苟言不留耳／眼见方为是，传言未必真／自有桃花容，莫言人劝我／其诗之有故，其言之成理／其持之有故，其言之成理／乱之所生也，则言语以为阶／舍近取远，务高言而鲜事实／事莫贵乎有验，言莫弃乎无征／合天地万物而言，只是一个理／语微婉而多切，言流靡而不淫／圣人言不言之言，为不为之为／心既托声于言，言亦寄形于字／思风发于胸臆，言泉流于唇齿／意翻空而易奇，言征实而难巧／言其是则有功，言其非则有罪／为治者不在多言，顾力行何如耳／君子以多识前言往行，以畜其德／自然者，无称之言，实极之辞也／言者以谕意也，言意相离，凶也／不可乘喜而多言，不可乘快而易事／不闻先王之遗言，不知学问之大也／事难行，故要敏；言易出，故要慎／书有以加乎其言，言有以加乎其心／尽意而不求于言，信己而不役于人／动民以行不以言，应天以实不以文／大才怀百家之言，故能治百家之乱／妙不可尽之于言，事不可穷之于笔／目者，心之符也；言者，行之指也／不言则齐，齐与言不齐，言与齐不齐也／败军之将，不可言勇；亡国之臣，不可言智／思焉而得，故其言深；感焉而得，故其言切／意深词浅，思苦言甘。寥寥千载，此妙谁探／言之不足，故长言之；长言之不足，故嗟叹之／敏于事而慎于言，就有道而正焉，可谓好学也已／得其言者而不言，与不得其言而不去，无一可者也／人声之精者为言，文辞之于言，又其精也，尤择其善鸣者而假之鸣

❽内省不疚，何恤人言／乱国之俗，甚多流言／圣人之见，终始微言／口可以食，不可以言／君上好善，民无讳言／君子约言，小人先言／君子绝交，不出恶言／汝无面从，退有后言／心无结怨，口无烦言／言不顾行，行不顾言／言而不信，何以为言／言以足志，文以足言／可以意会，不可以言传／可言而不信，宁无言也／含不尽之意，见于言外／攻不必拔，不可以言攻／知无用而始可与言用矣／战不必胜，不可以言战

／败军之将，不可以言勇／自暴者，不可与有言也／言近而指远者，善言也／不可与言而与之言，失言／可与言而不与之言，失人／可与言而不与之言谓之隐／以人言善我，必以言罪我／孔子罕称命，盖难言之也／词之妙，莫妙于不言言之／有言责者，不得其言则去／金人三缄其口，慎言语也／功当其事，事当其言，则赏／归同契合者，则不言而信著／不称九天之顶，则言黄泉之底／非虑无以临下，非言无以述虑／今吾于人也，听其言而观其行／流丸止于瓯臾，流言止于知者／深言则似不逊，略言则事不决／始吾于人也，听其言而信其行／恶言不出于口，忿言不反于身／目击而道已存，不言而意已传／古之选贤，傅纳以言，明试以功／仁也者，人也。合而言之，道也／有德者必有言，有言者不必有德／方者，内外相应也，言行相称也／天下敢怨而不敢言，敢怒而不敢诛／事遇快意处当转，言遇快意处当住／曲妙人不能尽和，言是人不能皆信／为之而欲人不知，言之而欲人不闻／书有以加乎其言，言有以加乎其心／人言善，亦勿听；人言恶，亦勿听／谗言巧，佞言甘，忠言直，信言寡／志不强者智不达，言不信者行不果／药酒，病之利也；正言，治之药也／名不正则言不顺，言不顺则事不成／行发于身加于人，言发乎迩见乎远／身不正不足以服，言不诚不足以动／言学便以道为志，言人便以圣为志／其物存，其人亡，不言哀而哀自至／失火之家，岂暇先言大人而后救火乎／酒入舌出，舌出者言失，言失者身弃／慎简乃僚，无以巧言令色、便辟侧媚／言者，祸之户也；不言者，福之门也／两喜必多溢美之言，两怒必多溢恶之言／事之急者不能安言，心之痛者不能缓声／勿多言，勿多事；多言多败，多事多害／能行之者未必能言，能言之者未必能行／揽名责实不得虚言，有功者赏，有罪者罚／君子居其室，出其言善，则千里之外应之／有意而言，意尽而言止者，天下之至言也／罚一惩百，谁敢复言者？民有饮恨而已矣／捷捷幡幡，谋欲谮言；岂不尔受，既其女迁／察一曲者不可与言化，审一时者不可与言大／赏之使谏，尚恐不言；罪其敢言，孰敢献纳／气以实志，志以定言，吐纳英华，莫非情性／欲人勿闻，莫若勿言；欲人勿知，莫若勿为／有不得已者而后言。其歌也有思，其哭也有怀／一出而不可反者，言也；一见而不可掩者，行也／心之精微，口不能言也；言之微妙，书不能文也／上不访，下不谏，妇言用，私政行，此亡国之风也／以无为为居，以不言为教，以恬淡为味，治之极也／使天下之人，不敢言而敢怒。独夫之心，日益骄固／大道不称，大辩不言，大仁不仁，大廉不嗛，大勇不忮／君子口无戏谑之言，言必有防；身无戏谑之行，行必有检／天地有大美而不言，四时有明法而不议，万物有成理而不说

❾亡国之主，不可以直言／君人也者，无贵如其言／知者不失人，亦不失言／有大志者，时亦有大言／礼义不愆，何恤于人言／词之妙，莫妙于不言言之／谗媚之言甘，贤良之言直／忠至者辞笃，爱重者言深／其寄托在可言不可言之间／才高人自服，不必其言之高／拘于鬼神者，不可与言至德／恶于针石者，不可与言至巧／赋者，敷陈其事而直言之者也／足将进而趦趄，口将言而嗫嚅／其会意也尚巧，其遣言也贵妍／一言而可以兴邦，一言可以丧邦／天下无事，则公卿之言轻于鸿毛／天下有事，则匹夫之言重于泰山／古今之事，非知之难，言之亦难／理国长安，率身从道，言必信实／良药苦口利于病，忠言逆耳利于行／匹夫而为百世师，一言而为天下法／传其常情，无传其溢言，则几乎全／侈言无验不必用，质言当理不必违／记事者必提其要，纂言者必钩其玄／谀言顺意而易悦，直言逆耳而触怒／劲操比松寒不挠，忠言如药苦非甘／巧辩纵横而可喜，忠言质朴而多讷／纪事者必提其要，纂言者必钩其玄／用意深而劝戒切，为言信而善恶明／自古逢秋悲寂寥，我言秋日胜春朝／自古驱民在信诚，一言为重百金轻／庸人者，口不能道善言，心不知色色／心之所感有邪正，故言之所形有是非／恳言辞浅而不入，深言则逆耳而失指／白璧有考，不得为宝；言至纯之难也／奉而始终之则为道，言而发明之则为诗／观书先须熟读，使其言皆若出于吾之口／智惠之君贱德而贵言……以为大伪奸诈／欲出一言，即思此一言于百姓有利益否／上不至天，下不至地，言出子口而入吾耳／古人为诗，贵于意在言外，使人思而得之／知过非难，改过为难；言善非难，行善为难／学不为人，博而不俗；言不为华，述而不作／玉不雕，玙璠不作器；言不文，典谟不作经／歌曲妙者，和者则寡；言得实者，然者则鲜／意无是非，赞之如流；言无可否，应之如响／一言得而天下服，一言定而天下听，公之谓也／人主之患，不在乎不言用贤，而在乎不诚必用贤／言无言，终身言，未尝言；终身不言，未尝不言／下以言语为学，上以言语为治，世道之所以日降也／国家大事，牧不当官，言之实有罪，故作《罪言》／三晋多权变之士，夫言从衡强秦者，大抵皆三晋之人／不争而无所不胜，不言而无所不应，不召而无所不来／不知言之人，乌可与言？知言之人，默焉而其意已传／君子口无戏谑之言，言必有防；身无戏谑之行，行必有检

❿坑儒士起自诸生为妖言／不可与言而与之

言，失言／不以言举人，不以人废言／可为智者道，难为俗人言／以迈往之气，行正大之言／决狐疑者，必告逆耳之言／诗者，情动于中而形于言／君子以行言，小人以舌言／君子遗人以财，不若善言／废先王之道，燔百家之言／通古今之变，成一家之言／林中多疾风，富贵多谀言／此中有真意，欲辨已忘言／明君贤宰，不惮谔谔之言／救弊之道在实学不在空言／季布无二诺，侯嬴重一言／正直者顺道而行，顺理而言／可言也不可行，君子弗言也／人主之患，欲闻枉而恶直言／凡人可以言古，不可以言今／诽谤之罪不诛，而后良言进／士君子一出口，无反悔之言／君子服人之心，不服人之言／知不几者不可与及圣人之言／得意者无言，进知者亦无言／处贵显者勿为矜己傲人之言／处患难者勿为怨天尤人之言／留意于言，不如留意于不言／言者所以在意，得意而忘言／其术可以心得，不可以言喻／世所相信，在能行，不在能言／以人言善我，亦必以人言恶我／圣人处无为之事，行不言之教／君子不以言举人，不以人废言／得万人之兵，不如闻一言之当／物有微而志信，人有贱而言忠／有理而无益于治者，君子弗言／身之将败者，必不纳忠谏之言／辩巧之文可悦，似象之言足惑／不窥人闺门之私，听闻中冓之言／予违汝弼，汝无面从，退后有言／诂形以形，以形务名，督言正名／功不当其事，事不当其言，则罚／去敌气与矜色兮，噤危言以端诚／欢愉之辞难工，而穷苦之言易好／必出于己，不袭蹈前人一言一句／不知而言，不智；知而不言，不忠／求之言语之外，而得其所不言之意／弗知而言为不智，知而不言为不忠／古之明天子，信其臣而不惑于多言／但见丹诚赤如血，谁知伪言巧似簧／入妙文章本平淡，等闲言语变瑰琦／含情欲说宫中事，鹦鹉前头不敢言／先虑之，早谋之，斯须之言而足听／诗者，人心之感物而形于言之余也／谗言巧，佞言甘，忠言直，信言寡／圣人不以智轻俗，王者不以人废言／观棋不语真君子，把酒多言是小人／喜时之言多失信，怒时之言多失体／君子之言寡而实，小人之言多而虚／德薄者恶闻美行，政乱者恶闻治言／狗不以善吠为良，人不以善言为贤／道之无益于义而道之，此言之秽也／皇天以无言为贵，圣人以不言为德／木有文章曾是病，虫多言语不能天／成事在理不在势，服人以诚不以言／风流不在谈锋胜，袖手无言味最长／文章以自得，不蹈袭前人一言为贵／心非木石岂无感，吞声踯躅不敢言／必先知致弊之因，方可言变法之利／意少一字则义阙，句长一言则辞妨／痛不著身言忍之，钱不出家言与之／言有尽而意无穷者，天下之至言也／言有浮于其意，而意有不尽于其言／今子使万里外国，独无几微出于言面／凡权重者必谨于事，令行者必谨于言／诚意孚于未言之前，则言出而人信之／酒入舌出，舌出者言失，言失者身弃／学之而不养，养之而不存，是空言也／天变不足畏，祖宗不足法，人言不足恤／不闻大论则志不宏，不听至言则心不固／不足于行者，说过；不足于信者，诚言／不言则齐，齐与言不齐，言与齐不齐也／两喜必多溢美之言，两怒必多溢恶之言／为川者，决之使导；为民者，宣之使言／农夫劳而君子养焉，愚者言而智者择焉／良药苦口而利于病，忠言逆耳而便于行／良药苦口而利于病，忠言逆耳而利于行／语曰：流丸止于瓯、臾，流言止于知者／能行之者未必能言，能言之者未必能行／荡涤胸中，无一毫之私累，可以言大矣／大上有立德，其次有立功，其次有立言／大臣重禄而不极谏，近臣畏罚而不敢言／太上有立德，其次有立功，其次有立言／当其取于心而注于手也，惟陈言之务去／名者，圣人所以真物也，名之为言真也／洁其宫，开其门，去私毋言，神明若存／学医者当博览群书，不得拘守一家之言／忠者不饰行以侥荣，信者不食言以从利／目妄视则淫，耳妄听则惑，口妄言则乱／究天人之际，通古今之变，成一家之言／自瞽者乐言己之长，自聩者乐言人之短／其文博辩而深切，中于时病而不为空言／食无求饱，居无求安，敏于事而慎于言／仁者人也，仁字有生意，是言人之生道也／人能贵其所贱，贱其所贵，可与言至论矣／诗者，志之所之也。在心为志，发言为诗／诗言，志之所之也。在心为志，发言为诗／观于海者难为水，游于圣人之门者难为言／梁丽可以冲城，而不可以窒穴，言殊器也／贤主所贵莫如士，所以贵士，为其直言也／有意而言，意尽而言止者，天下之至言也／一声而非，驷马勿追；一言而急，驷马不及／天何言哉？四时行焉，百物生焉，天何言哉／五刃之伤，药之可平。一言成疴，智不能明／不宜言而言是佞之徒，宜言而不言是愚之符／未信而谏，圣人不与。交浅言深，君子所戒／事有古而可以质于今，言有大而可以征于小／非礼勿视，非礼勿听，非礼勿言，非礼勿动／予欲闻六律五声八音，在治忽，以出纳五言／使死者反生，生者不愧乎其言，则可谓信矣／俯偻匍匐，唉恶求媚，舐痔自亲，美言谄笑／凡下之从上也，不从口之言，从上之所好也／褒见一字，贵逾轩冕；贬在片言，诛深斧钺／都蔗虽甘，杖之必折；巧言虽美，用之必灭／力视损明，力听损聪，疾言阻德，功伪败功／药酒苦于口而利于病，忠言逆于耳而利于行／大知闲闲，小知间间；大言炎炎，小言詹詹／听言之道，必以其事观之，则言者莫敢妄言／君子有三畏：畏天命，畏大人，畏圣人之言／希意道言，谓之谄；不择是非而言，谓之谀／状难写之景如在目前；含不尽之意见于言外／洁其身而同焉者合矣，善其言而类焉者应矣／察一曲者不可与言化，审一时者不可与言大／居官不难，听言为难；听言不难，明察为难／经传之文，贤圣之语，古今言殊，四方谈异／经目之事，犹恐未真；背后之言，岂能全信／骇机一发，浮谤如川。巧言奇中，别白无路／贤者辟世，其次辟地，其次辟色，其次辟言／败军之将，不可言勇；亡国之臣，不可言智／赏之使谏，尚恐不言；罪其敢言，孰敢献纳／故观于海者难为水，游于圣人之门者难为言／有司一朝而受者几千万言，读不能十一……／有味之物，蠹虫必生；有才之人，谗言必至／有知顺之为倒、倒之为顺者，则可与言化矣／必得之事，不足赖也；必诺之言，不足信也／思焉而得，故其言深；感焉而得，故其言切／白圭之玷，尚可磨也；斯言之玷，不可为也／鸟之将死，其鸣也哀；人之将死，其言也善／鹦鹉能言，不离飞鸟；猩猩能言，不离走兽／疗饥者半菽可以充腹，为政者一言可以兴邦／蛇蛇硕言，出自口矣；巧言如簧，颜之厚矣／貌言华也，至言实也，苦言药也，甘言疾也／以人之言而遗我粟，至其罪我也又且以人之言／古今之喻多矣，而愚以为辨于味而后可以言诗／至治之世，其民不好空言虚辞，不好淫学流说／导筋骨则形全，剪情欲则神全，靖言语则福全／听之善，亦必得于心而会于意，不可得而言也／近而不浮，远而不尽，然后可以言韵外之致耳／子所雅言，《诗》、《书》、执礼，皆雅言也／或说听计当而身疏，或言不用、计不行而益亲／贤人智士之于子孙：……贻之以言，弗贻以财／言之不足，故长言之；长言之不足，故嗟叹之／言之所以为言者，信也；言而不信，何以为言／一人所以能悦万人者，非言笑之惠，盖和之至也／圣智至孔子而极其盛，不过举条理以言之而已矣／大丈夫举事，当赤心相示，浮言夸辞，吾甚厌之／君子有三变：望之俨然，即之也温，听其言也厉／子贡问君子。子曰："先行，其言而后从之"。／心之精微，口不能言也；言之微妙，书不能文也／思在言与行之先，思无邪，则所言所行皆无邪矣／自太古以来，致理兴化，未有言之不行而能至矣／言无言，终身言，未尝言；终身不言，未尝不言／无为者，非谓其凝滞而不动也，以其言莫从己出也／以和氏之璧与道德之至言以示贤者，贤者必取至言／古者士之进，有以德，有以才，有以言，有以曲艺／吾所谓道德云者，合仁与义言之也，天下之公言也／国家大事，牧不当官，言之实有罪，故作《罪言》／得其言者而不言，与不得其言而不去，无一可者也／道，物之极，言默不足以载；非言非默，议有所极／要使诚意之交通，在于未言之前，则言出而人信矣／愚者不自谓愚而愚见于言，虽自谓智，人犹谓之愚／不知言之人，乌可与言？知言之人，默焉而其意已传／使患无生易于救患，而莫能加务焉，则未可与言术也／君子防悔尤，贤人戒行藏，嫌疑远瓜李，言动慎毫芒／虽有纳谏之明，而无力行之果断，则言愈多而听愈惑／朴其身躬，恶其衣服，语无为以求名，言无欲以求利／斟酌乎质文之间，而隐括乎雅俗之际，可与言通变矣／感人心者，莫先乎情，莫始乎言，莫切乎声，莫深乎义／苟意不先立，止以文彩辞句，绕前捧后，是言愈多而理愈乱／乐之道深矣，故工之善者，必得于心应于手，而不可述之言也／人声之精者为言，文辞之于言，又其精也，尤择其善鸣者而假之鸣／道不可闻，闻而非也；道不可见，见而非也；道不可言，言而非也／学贵得之心，求之于心而非也，虽其言之出于孔子，不敢以为是也／舜其大知也与！舜好问而好察迩言，隐恶而扬善，执其两端，用其中于民

訾

①zǐ 说人坏话；厌恶。②zī 通"赀"，钱财；估量；希求；通"咨"，嗟叹声；通"恣"，恣纵，狂放；古地名。③cī 通"疵"，缺点，疾病。

❶訾食者不肥体

见《管子·形势》。

訾我行者，欲与我友者也

见宋·崔敦礼《刍言》卷下。全句为："薄我货者，欲与我市者也；～"。

❷诋訾之法者，伐贤之斧也

❸不苟訾，不苟笑

❻小谨者尤成，訾行者不容于众

❿人有厚德，无问小节；人有大举，无訾小故

誉

yù 名声；称赞；通"豫"，欢乐。

❶誉人不增其美

见汉·王充《论衡·艺增篇》。

誉成毁败，扶高抑下

见晋·郤正《姜维论》。

誉不虚出，而患不独生

见《管子·禁藏》。

誉美者，实未必副其名

见晋·葛洪《抱朴子·博喻》。全句为："官达者，才未必当其位；～"。

誉见即毁随之，善见即恶从之

见《文子·符言》。

誉人者，人誉之；谤人者，人谤之

见五代·南唐·谭峭《化书卷四·仁化·神弓》。

❷好誉者，常谤人／毁誉善恶不可诬／名誉之

美，垂于无穷／毁誉成党，众口熏天／见誉而喜者，佞之媒也／面誉者不忠，饰貌者不情／所誉依已成，所毁依已败／毁誉之于己，犹蚊虻之一过／毁誉不干其守，饥寒不累其心／妄誉，仁之贼也；妄毁，义之贼也／毁誉从来不可听，是非终久自分明／或誉人而适足以败之，或毁人而乃反以成之

❸有大誉，无疵其小故／闻其誉者誉日损而祸至／以赏誉自劝者，惰乎为善／好面誉人者，亦好背而毁之／不临誉以求亲，不愉悦以苟合／百人誉之不加密，百人毁之不加疏／与其誉尧而非桀也，不如两忘而化其道

❹至显，名誉并焉／毋以人誉而遂无过／不诱于誉，不恐于诽／小人之誉，人反为损／朝吐面誉，暮行背毁／汝无自誉，观汝作家书／功全则誉显，业谢则衅生／一凡人誉之，则自以为有余／与其有誉于前，孰若无毁于其后／不受虚誉，不祈妄福，不避死义／能有名誉者，必无以趋行求者也／其谤且誉者，岂尽明而善褒贬也哉／君子之誉，非所谓誉也，其善显焉尔／举世而誉之而不加劝，举世而非之而不加沮

❺众口之毁誉，浮石沉木／闻其誉者誉日损而祸至／从善则有誉，改过则无咎／安求一时誉，当期千载知／有不虞之誉，有求全之毁／交游之人，誉不三周，未必信／有面前之誉易，无背后之毁难／在上而多誉者，岂尽仁而智也哉／誉人者，人誉之；谤人者，人谤之／天下之非誉，无损益焉，是谓全德之人哉／圣人不求誉，不辟诽，正身直行，众邪自息

❻行义不固毁誉／古之道不苟誉毁于人／至乐无乐，至誉无誉／名不徒生，则誉不自长／朋党比周之誉，君子不听／用人不以名誉，必求其实／不苟一时之誉，思为利于无穷／州闾之士皆誉皆毁，未可为正／嫫母倭傀，善誉者不能掩其丑／凡人之谈，常誉成毁败，扶高抑下／识量大，则毁誉欢戚不足以动其中／君子不受虚誉，不祈妄福，不避死义／善鄙不同，诽誉在俗；趋舍不同，逆顺在君

❼一登龙门，则声誉十倍／审已无善而获誉者不祥／谤议庸何伤？虚誉不足慕／闻毁勿戚戚，闻誉勿欣欣／自顾行何如，毁誉安足论／凡人为善，不自誉而人誉之／毁人者，自毁之。誉人者，自誉之……／称牛之服重，不誉马速，誉手毁足，孰谓之慧／毁人者失其直，誉人者失其实，近于乡原之人哉／不可以一时之誉，断其为君子；不可以一时之谤，断其为小人

❽至乐无乐，至誉无誉／自信者，不可以诽誉迁也／求名莫如自修，善誉不能掩恶／善恶陷于成败，毁誉胁于势利／闻人毁己而怒，则誉己者至矣／不惑于恒人之毁誉，故足以为君子／诸轻者，信必寡；面誉者，背必非／不动乎众人之非誉，不治观者之耳目／君子之誉，非所谓誉也，其善显焉尔／富以苟不如贫以誉，生以辱不如死以荣／心虽不说，弗敢不誉；事业虽弗善，不敢不力

❾论士必定于志行，毁誉必参于效验／罔违道以干百姓之誉，罔咈百姓以从己之欲／人当自信自守，虽承誉之，承奉之，亦不为之加喜爱

❿凡人为善，不自誉而人誉之／不立异以为高，不逆情以干誉／根深而枝叶茂，行久而名誉远／士有未效之用，而身在无誉之间／当轴者易生嫌，而退身者易为誉／太上，下知有之；其次亲而誉之……／小人……行一日之善，而求终身之誉／如修德而留意于事功名誉，必无实诣／兴国之君乐闻其过，荒乱之主乐闻其誉／毁人者，自毁之。誉人者，自誉之……／十年之相知，不若兹火一夕之为足下誉也／吾见世人清名登而金贝入，信誉显而然诺亏／易生之嫌，不足贬也；易为之誉，不足多也／亲父不为其子媒。亲父誉之，不若非其父者也／称牛之服重，不誉马速，誉手毁足，孰谓之慧／得百姓之力者富，得百姓之死者强，得百姓之誉者荣／能有天下者，必无以天下为也；能有名誉者，必无以趋行求者也

誓

shì 极其庄重地表示，决心依照所说的话去做；发誓时表示决心的话；盟约；谨慎；接受爵命。

❷信誓旦旦，不思其反

❸丈夫誓许国，愤惋复何有

❹胸中有誓深于海，肯使神州竟陆沉

❺死生同归，誓不相弃

❽我欲乘风去，击楫誓中流

❾纸上语可废坏，心中誓不可磨灭

警

jǐng 戒备；感觉敏锐；告诫；警报；危急或意外发生的情况；警察的通称。

❹文章无警策，则不足传世，盖不能竦动世人

❺应变要机警，怕是迟／鸡司晨，犬警夜，虽尧舜不能废

❼精读书，著精采警语处，凡事皆然

❾敕法以峻刑，诛一以警百

❿立片言而居要，乃一篇之警策

譬

pì 打比方；用作比方的；通晓。

❶譬如工画师，不能知自心

见《华严经》卷一九。全句为："～，而由心故画，诸法性如是"。

譬如养鹰，饥则为用，饱则扬去

见晋·陈寿《三国志·魏书·吕布传》。

譬如斩木，去寸无寸，去尺无尺

见《无量义经·序》。

譬如平地，虽覆一篑，进，吾往也

见《论语·子罕》。全句为："譬如为山，未成一篑，止，吾止也。～"。

譬如为山，未成一篑，止，吾止也

见《论语·子罕》。全句为："～。譬如平地，虽覆一篑，进，吾往也"。

譬如破竹，数节之后，皆迎刃而解

见唐·房玄龄《晋书·杜预传》。

譬犹练丝，染之蓝则青，染之丹则赤

见汉·王充《论衡·率性篇》。

譬如养虎，当饱其肉，不饱则将噬人

见晋·陈寿《三国志·魏书·吕布传》。

譬如一灯，入于暗室，百千年暗，悉能破尽

见《华严经》卷七八。

譬之若水火然，善用之则为福，不善用之则为祸

见《吕氏春秋·孟秋纪·荡兵》。

❷身譬如地，善意如禾，恶意如草

❸人生譬朝露，居世多屯蹇／理国譬若琴瑟，其不调者则解而更张

❹治国者譬若乎张琴然，大弦急则小弦绝矣

❺流言雪污，譬犹以涅拭素／为政以德，譬如北辰，居其所而众星共之

❻思在物之取譬，非斗斛而能量／财色之于人，譬如小儿贪刀刃之饴／养而害所养，譬犹削足而适履，杀头而便冠／色厉而内荏，譬诸小人，其犹穿窬之盗也与／今兵威已振，譬如破竹，数节之后，皆迎刃而解／兵不可偃也，譬之若水火然，善用之则为福，不能用之则为祸

❼治世不得真贤，譬犹治疾不得真药／贤士之处世也，譬若锥之处囊中，其末立见／文学之于人也譬乎药，善服，有济；不善服，反为害

❽物之有成必有坏，譬如人之有生必有死／非其人而欲有功，譬其若夏至之日而欲夜之长也／非其人而欲有功，譬之若夏至之日而欲夜之长也

❾言则称于汤文，行则譬于狗豨／不治其本，而务其末，譬犹拯溺锤之以石／不素养士而欲求贤，譬犹不琢玉而求文采也／净心守志，可会至道，譬如磨镜，垢去明存／年过八十而以居位，譬犹钟鸣漏尽而夜行不休／先除尘垢后染善法，譬如浣衣先去垢然后可染／不是师法，而好自用，譬之是犹以盲辨色，以聋辨声也

❿其言也约而达，微而臧，罕譬而喻／不绝之于彼而救之于此，譬犹抱薪而救火／动摇则谷气得消，血脉流通，病不得生，譬犹户枢不朽也／病已成而后药之，乱已成而后治之，譬犹渴而穿井，斗而铸锥，不亦晚乎

讐

chóu"仇"的异体字；同"雠"。

❺赏不避仇雠，诛不择骨肉

辛

xīn 辣味；劳苦，艰难；悲痛；天干的第八位；姓。

❸少年辛苦终身事，莫向光阴惰寸功

❺不识农夫辛苦力，骄骢蹋烂麦青青

❻千淘万漉虽辛苦，吹尽狂沙始到金

❽少不勤苦，老必艰辛

❾每一衣，则思纺绩之辛苦／谁知盘中餐，粒粒皆辛苦

❿长绳难系日，自古共悲辛／揆材各有用，反性生苦辛／残杯与冷炙，到处潜悲辛／心事同漂泊，生涯共苦辛／丰岁自少凶岁多，田家辛苦可奈何／但愿苍生俱饱暖，不辞辛苦出山林／字字看来皆是血，十年辛苦不寻常／好去长江千万里，不须辛苦上龙门／采得百花成蜜后，到头辛苦一场空／采得百花成蜜后，为谁辛苦为谁甜／看是寻常最奇崛，成如容易却艰辛

辜

gū 罪；违背；姓；通"固"，必定；分裂肢体。

❹有事无辜，心常安泰／不杀无辜，无释罪人，则民不惑

❺与其杀不辜，宁失不经

❽天非虐，惟民自速辜／赏无功之人，罚不辜之民，非所谓明也／行一不义，杀一不辜，而得天下，皆不为也

❿言轻则招忧，行轻则招辜／一夫不获，则曰："时予之辜"／有罪者优游获免，无罪者妄受其辜／黾勉从事，不敢告劳；无罪无辜，谗口嚣嚣

辟

①pì 从无到有地开发，开拓；透彻；驳斥，排除；法律，刑法；同"避"。②bì 君主；排除；通"避"；彰明；通"壁"，星名。

❶辟四门，明四目，达四聪

见《尚书·舜典》。

❷燕辟废其学／惟辟作福，惟辟作威，惟辟玉食

❸友便辟，友善柔，友便佞，损矣／贤者辟世，其次辟地，其次辟色，其次辟言／韩愈辟佛，几至杀身，况敢议今世之尧、舜、周、孔者乎

❹弘大而辟，深闳而肆／内称不辟亲，外举不辟怨／一阖一辟谓之变，往来不穷谓之通／地不改辟矣，民不改聚矣，行仁政而王，莫之能御也

❺君子之道，辟如行远，必自迩；辟如登高，必自卑

❻君子以俭德辟难，不可荣以禄／苟无恒心，放辟邪侈，无不为已／惟辟作福，惟辟作威，惟辟玉食／贤不肖，善邪辟，可悖逆，国不乱身不危奚待也

❼圣人不求誉，不辟诽，正身直行，众邪自息／损者三友：友便辟，友善柔，友便佞，损矣／贤者辟世，其次辟地，其次辟色，其次辟言

❾内称不辟亲，外举不辟怨

❿惟辟作福，惟辟作威，惟辟玉食／不赂贵者之权势，不利传辟者之辞／择任而往，知也；知死不辟，勇也／慎简乃僚，无以巧言令色、便辟侧媚／丑必托善以自为解，邪必蒙正以自为辟／贤者辟世，其次辟地，其次辟色，其次辟言／人知贵生乐安而弃礼义，辟之是犹欲寿而殁颈也／君子之道，辟如行远，必自迩；辟如登高，必自卑／地虽胜，得人焉而居之，则山若增而高，水若辟而广／至礼有不人，至义不物，至知不谋，至仁无亲，至信辟金

辨 ①biàn 判别；区别；识别；古代土地面积的单位。②bān 通"班"。③biǎn 通"贬"。④bàn 通"办"，治理。⑤piàn 皮革中断。

❶辨章事理，贵得当时之宜

见晋·陈寿《三国志·魏书·高柔传》。全句为："～，无为虚唱大言而终归无用"。

辨而不当理则伪，知而不当理则诈

见《吕氏春秋·审应览·离谓》。

❸在火辨玉性，经霜识松贞／有弗辨，辨之弗得，弗措也／心能辨事非，处事方能决断／文以辨洁为能，不以繁缛为巧

❹困，德之辨也／是非明辨而赏罚必信／聪明才辨是第三等资质／有弗辨，辨之弗得，弗措也／荆王未辨连城价，肠断南州抱璧人／事不豫辨，不可以应卒；内无备，不可以御敌

❺名定而实辨／吠声者多，辨实者寡

❼足践之，不如手辨之／此中有真意，欲辨已忘言／名高天下，何必辨襄阳南阳／察消长之往来，辨利害于疑似／清渚白沙茫不辨，只应灯火是渔船／定乎内外之分，辨乎荣辱之境，斯已矣

❽穷巷多怪，曲学多辨／推其未然之理而辨之也难／两兔傍地走，安能辨我是雄雌／黄金者用之量也，辨于黄金之理则知侈俭

❿才与德异，而世俗莫之能辨／德与力，非试之辕下不可辨／不拘文牵俗，则守职者辨治矣／物至之时，其心昭昭然明辨焉／为国之本，在于明赏罚，辨邪正／以仁心说，以学心听，以公心辨／使为恶者不得幸免，疑似者有所辨明／正直者不可屈曲，有学问者必能辨是非／制名以指实，上以明贵贱，下以辨同异／是非不可听而发暴，曲直必宜察而辨明／君子所求于人者薄，而辨是与非也无所苟／博学之，审问之，慎思之，明辨之，笃行之／小快害义，小慧害道，小辨害治，苟心伤德／古今之喻多矣，而愚以为辨于味而后可以言诗／外愚而内益智，外讷而内益辨，外柔而内益刚／学匪疑不明，而疑恶乎凿，疑而能辨，斯为善学／地尽天水合，朝及洞庭湖，初日当中涌，莫辨东西隅／不是师法，而好自用，譬之是犹以盲辨色，以聋辨声也／凡用人之道，采之欲博，辨之欲精，使之欲适，任之欲专

辩 ①biàn 争论；说明是非或真伪；治理。②pián[辩辩]善于言谈。

❶辩而不华，质而不野

见汉·班彪《史记论》。

辩变白黑，巧言乱国

见汉·焦赣《易林·随·夬》。

辩之不早，疑盛乃动，故必战

见三国·魏·王弼《周易·坤》注。

辩巧之文可悦，似象之言足惑

见晋·裴頠《崇有论》。

辩者，求服人心也，非屈人口也

见汉·王充《论衡》。

辩之极者，知辩果不足以喻物，故讷

见《关尹子·九药》。全句为："智之极者，知智果不足以周物，故愚；～；勇之极者，知勇果不足以胜物，故怯"。

辩莫大于分，分莫大于礼，礼莫大于圣王

见《荀子·非相》。

辩言过理，则与义相失；丽靡过美，则与情相悖

见《全晋文·文章别流论》。

❷好辩而理不至则烦／强辩以饰非者，果何为也／理辩则气直，气直则辞盛／强辩者饰非，不知过之可改／口辩者其言深，笔敏者其文沉／博辩广大危其身者，发人之恶者也／巧辩纵横而可喜，忠言质朴而多讷

❹善者不辩，辩者不善／予岂好辩哉！予不得已也／慧者心辩而不繁说，多力而不伐功／其文博辩而深切，中于时病而不为空言／建安诗辩而不华，质而不俚，风调高雅，格力遒壮

❺口似悬河，辩才无碍／善者不辩，辩者不善／思若云飞，辩同河泻／穷天下之辩者，不在辩而在讷／其雄辞宏辩，快如轻车骏马之奔驰／智者多屈，辩者多辱，明者多蔽，勇者多死

❻贤为圣者用，辩为智者通／疑而问，问而辩，问辩之道也／大巧若拙，大辩若讷，大勇若怯者／辩之极者，知辩果不足以喻物，故讷／博之不必知，辩之不必慧，圣人以断之矣／大道不称，大辩不言，大仁不仁，大廉不嗛，大勇不忮

❼交亲而不比，言辩而不辞／务言而缓行，虽辩必不听／道昭而不道，言辩而不及

❽满场是假，矮人何辩也／工言治道，能以口辩移人／疑而问，问而辩，问辩之道也／古之存身者，不以辩饰知，不以知穷天下，不以知穷德

❾谤之无实者，付之勿辩可矣／穷天下之辩者，不在辩而在讷

❿义深则意远，意远则理辩／军多令则乱，酒多约则辩／大直若屈，大巧若拙，大辩若讷／小慧者不可以御大，小辩者不可以说众／美味腐腹，

好色惑心，勇夫招祸，辩口致殃／大道无形，大仁无亲，大辩无声，大廉不嗛，大勇不矜／智亦有所不至。所不至，说者虽辩，为道虽精，不能见矣／君子避三端；避文士之笔端，避武士之锋端，避辩士之舌端

青 qīng 绿色；蓝色；比喻年轻；青色的；青海省的简称；黑色。

❶青云不及白云高

见唐·赵嘏《送李给事》。

青山断处落霞明

见宋·洪朋《晚登秋屏阁示杜氏兄弟》。

青出于蓝而胜于蓝

语出《荀子·劝学》。

青山不老，绿水长存

见明·罗贯中《三国演义》第六十回。

青青子衿，悠悠我心

见《诗·郑风·子衿》。

青天何处了？白鸟入空无

见宋·杨万里《春日六绝句》之一。

青，取之于蓝，而青于蓝

见《荀子·劝学》。全句为："～；冰，水为之，而寒于水"。

青蓬育于麻圃，不扶自直

见《钱公良测语·规世》。全句为："白沙混于泥涂，不染自污；～"。

青山依旧在，几度夕阳红

见明·罗贯中《三国演义》开卷词。

青山遮不住，毕竟东流去

见宋·辛弃疾《菩萨蛮》。

青枫暝色，尽是伤心之树

见唐·李白《春于姑熟送赵四流炎方序》。全句为："黄鹤晓别，愁闻命子之声；～"。

青春须早为，岂能长少年

见唐·孟郊《劝学》。

青蝇一相点，白璧遂成冤

见唐·陈子昂《宴胡楚真禁所》。

青天白日，奴隶亦知其清明

见唐·韩愈《与崔群书》。全句为："凤皇芝草，贤愚皆以为美瑞；～"。

青葵善迎于白日，宇暖斯迷

见明·王夫之《连珠》。全句为："劲草不倚于疾风，零霜则变；～"。

青史内不标名，红尘外便是我

见元·张养浩《双调新水令·辞官》。

青树翠蔓，蒙络摇缀，参差披拂

见唐·柳宗元《小石潭记》。

青云衣兮白霓裳，举长矢兮射天狼

见战国·楚·屈原《九歌·东君》。

青采出于蓝，而质青于蓝者，教使然也

见汉·司马迁《史记·三王世家》。

青未了，松耶？柏耶？独鸟来时，连峰断处，双髻人耶

见清·朱彝尊《柳梢青·马上望琅玡山》。

❷丹青难写是精神／丹青初则炳，久则渝／青青子衿，悠悠我心／丹青初炳而后渝，文章岁久而弥光／蓝青地黄犹可假，仁义之事不可假乎

❸千秋青史难欺／名标青史，万古留芳／洞庭青草，秋水深深／白璧青钱，欲买春无价／乃知青史上，大半亦属诬／勿使青衿子，嗟尔白头翁／松柏青青，不受令于霜雪／忍别青山去，其如绿水何／紫电青霜，王将军之武库／志陵青云之上，身晦泥污之下／踏遍青山人未老，风景这边独好／舞罢青蛾同去国，战残白骨尚盈丘／古来青史谁不见，今见功名胜古人／咬定青山不放松，立根原在破岩中／楚国青蝇何太多，连城白璧遭谗毁／立当青草人先见，行傍白莲鱼未知

❹吾不见青天高，黄地厚／大道如青天，我独不得出／松柏青青，不受令于霜雪／览古玩青简，寻幽穷翠微／白日曜青春，时雨静飞尘／山，刺破青天锷未残。天欲堕，赖以拄其间

❺长堤柳色青如烟／丹壑争流，青峰杂起／谗言伤善，青蝇污白／穷途萧瑟，青山白云之万里／当途者入青云，失路者委沟渠／万株松树青山上，十里沙堤明月中／赤橙黄绿青蓝紫，谁持彩练当空舞／抗之则在青云之上，抑之则在深渊之下

❻拨云雾而睹青天／天若无雪霜，青松不如草／芳菊开林耀，青松冠岩列／白璧无瑕玷，青松有岁寒／紫塞白云断，青春明月初／世间无限丹青手，一片伤心画不成／乘木则朽木青黄，失势则田何粪土／他年我若为青帝，报与桃花一处开／诗人安得有青衫，今岁和戎百万缣／日暮榆园拾青荚，可怜无数沈郎钱

❼洗出庐山万丈青／名垂竹帛，功标青史／岸芷汀兰，郁郁青青／室如县罄，野无青草／风生于地，起于青蘋之末／穷且益坚，不坠青云之志／青，取之于蓝，而青于蓝／瞽者无以与乎青黄黼黻之观／消受尘，白取垢；青蝇所污，常在练素／清受尘、白取垢；青蝇所污，常在练素

❽岸芷汀兰，郁郁青青／蜀道之难，难于上青天／又疑瑶台镜，飞在青云端／道由白云尽，春与青溪长／众卖花兮独卖松，青青颜色不如红／红雨随心翻作浪，青山着意化为桥／恨不得挂长绳于青天，系此西飞之白日／青采出于蓝，而质青于蓝者，教使然也

❾干云蔽日之木，起于青葱／万金买高爵，何处买青春／但忧死无闻，功不挂青史／好风凭借力，送我上青云／明月几时有？把酒问青天／散发高吟，对明月于青溪之下／众卖花兮独卖

松，青青颜色不如红／章台柳，章台柳！昔日青青今在否／譬犹练丝，染之蓝则青，染之丹则赤／高霞孤映，明月独举，青松落荫，白云谁侣／洲汀岛屿，向背离合；青树碧蔓，交罗蒙络／岁寒霜雪苦，含彩独青青，岂不厌凝列，羞比春木荣

❿干云蔽日之木，起于葱青／苔痕上阶绿，草色入帘青／落尽最高树，始知松柏青／时穷节乃见，一一垂丹青／水吞三楚白，山接九疑青／心体光明，暗室中自有青天／贤者恒不遇，不贤者比肩青紫／丈人才力犹强健，岂傍青门学种瓜／不识农夫辛苦力，骄骢蹋烂麦青青／他乡怨而白露寒，故人去而青山迥／俱怀逸兴壮思飞，欲上青天揽明月／人生自古谁无死，留取丹心照汗青／人之水镜也，见之若披云雾睹青天／各愿种成千百索，豆萁禾穗满青山／四时有不谢之花，八节有长青之草／春风吹蚕细如蚁，桑芽才努青鸦嘴／贫交此别无他赠，唯有青山远送君／风收云散波忽平，倒转青天作湖底／风起绿洲吹浪去，雨从青野上山来／稻熟江村蟹正肥，双螯如戟挺青坭／章台柳，章台柳！昔日青青今在否／粉骨碎身全不怕，要留青白在人间／君不见高堂明镜悲白发，朝如青丝暮成雪／沙鸥翔集，锦鳞游泳；岸芷汀兰，郁郁青青／宜力学为砻斫，亲贤为青黄，睦僚友为瑶金／何惜阶前盈尺之地，不使白扬眉吐气，激昂青云／岁寒霜雪苦，含彩独青青，岂不厌凝列，羞比春木荣／饥餐松柏叶，渴饮涧中泉，看罢青青竹，和衣自在眠

静 jìng 平静，静止；没有声响；内心或神态安详；通“净”，清洁。

❶静则无为

见《庄子·天道》。

静者寿，躁者夭

见南朝·梁·陶弘景《养性延命录·教诫篇》引《中经》。

静则精，精则独立矣

见《管子·心术上》。

静如处女，动如脱兔

见《孙子兵法·九地篇》。

静者生门，躁者死户

见明·吕坤《呻吟语》。

静漠恬淡，所以养性也

见汉·刘安《淮南子·俶真》。

静则能胜躁，后则能胜先

见汉·刘安《淮南子·兵略》。全句为：“～，数则能胜疏，抟则能胜缺”。

静后见万物，自然皆有春意

见宋·朱熹《近思录·存养类》。

静而圣，动而王，无为也而尊

见《庄子·天道》。全句为：“～，朴素而天下莫能与之争美”。

静则得之，躁则失之，灵气在心，一来一逝

见《管子·内业》。

❷清静为天下正／清静者，德之至也／正静不失，日新其德／性静情逸，心动神疲／惟静惟默，澄神之极／安静则治，暴疾则乱／心静气理，道乃可止／动静不失其时，其道光明／爱静鱼争乐，依人鸟入怀／有静必有动，有动必有静／能静而自观者，可以用人矣／动静皆动也，由动之静，亦动也／虚静恬淡寂寞无为者，万物之本也／动静者终始之道，聚散者化生之门也／水静则明烛须眉，平中准，大匠取法焉／必静必清，无劳女形，无摇女精，乃可以长生／天静以清，地定以宁，万物失之者死，法之者生／清静处下，虚以待之，无为无求，而百川自为来也／兵静则固，专一则威，分决则勇，心疑则北，力分则弱

❸树欲静而风不止／林无静树，川无停流／人主静漠而不躁，百官得修焉／心者……静则生慧，动则成昏／正则静，静则明，明则虚，虚则无为而无不为也

❹不君不静则失威／治身不静则身危／天地清静，皆守一也／人生而静，天之性也／心能执静，道将自定／不欲以静，天下将自定／敌近而静者，恃其险也／敦笃虚静者，仁之本也／世情闲静见，药性病多谙／人能正静者，筋韧而骨强／君能清静，百姓何得不安乐乎／圣人之静也，非曰静也善，故静也／耳边要静不得静，心里欲闲终未闲／风烟俱静，天山共色，从流飘荡，任意东西／神闲气静，智深勇沉，此八字是干大事的本领／正则静，静则明，明则虚，虚则无为而无不为也

❺得道者必静／谁持白羽静风尘／致虚极，守静笃／浮光跃金，静影沉璧／潭深波浪静，学广语声低／息燕归檐静，飞花落院闲／神物好安静，不可以有为治／并官省事，静事息役，上下用心，惟农是务／阳动吐，阴静翕，阳道常饶，阴道常乏，阴阳之道也

❻天曰虚，地曰静，乃不忒／争先非吾事，静照在忘求／纷乎其若乱，静之而自治／风樯动，龟蛇静，起宏图／虽趣舍万殊，静躁不同……／知者动，仁者静。知者乐，仁者寿／天下之牝，以静胜牡。千世不易，万世不变／纯粹而不杂，静一而不变……此养神之道也／能苟焉以求静，而欲之翦抑窜绝，君子不取也

❼常乐在空闲，心静乐精进／山明云气画，天静鸟飞高／处晦而观明，处静而观动／鱼乐广闲，鸟慕静深……／耳边要静不得静，心里欲闲终未闲／知本无有思，动静皆离，寂然不动者，是

至诚也／耳之闻也藉于静，目之见也藉于昭，心之知也藉于理
❽陶钧文思，贵在虚静／禀道之性，本来清静……／白日曜青春，时雨静飞尘／无为而万物化，渊静而百姓定／圣人深居以避辱，静安以待时／圣人之静也，非曰静也善，故静也／心为道之器，宇虚静至极则道居而慧生／乾坤倒覆，无谓不静，洪流滔天，无谓其动／道者，虚无、平易、清静、柔弱、淳粹、素朴／有起于虚，动起于静。故万物虽并动作，卒复归于虚静／两体者，虚实也，动静也，聚散也，清浊也，其究一而已
❾动静皆动也，由动之静，亦动也／志正则众邪不生，心静则众事不躁／不知处阴以休影，处静以息迹，愚亦甚矣／其国弥大，而其主弥静，然后乃能广得众心
❿有静必有动，有动必有静／万物无足以铙心者，故静也／天主正，地主平，人主安静／万物虽并动作，卒复归于虚静／天下顺治在民富，天下和静在民乐／非淡薄无以明德，非宁静无以致远／非淡泊无以明志，非宁静无以致远／我无为而民自化，我好静而民自正／圣人之静也，非曰静也善，故静也／须知大隐居廛市，休问深山守静孤／清时有味是无能，闲爱孤云静爱僧／积水于防，燎火于原，未尝暂静也／时止则止，时行则行；动静不失其时／处身者，不为外物眩晃而动，则其心静／收心简事日损有为，体静心闲方可观妙／治心须求妙悟，悟则神和气静，客敬色庄／天地所以独长且久者，以其安静，施不荣报／长烟一空，皓月千里；浮光跃金，静影沉璧／人情险于山川，以其动静可识，而沉阻难徵／至虚之实，实而不固；至静之动，动而不穷／洪波振壑，川无活鳞；惊飙拂野，林无静柯／风摇其巅，韵动崖谷，视之既静，其听始远／毋先物动，以观其则；动则失位，静乃自得／用无常道，事无轨度，动静屈伸，唯变所适／敌先我动，则是见其形；彼躁我静，则是罢其力／君子之学也，入乎耳，箸乎心，布乎四体，形乎动静／有起于虚，动起于静。故万物虽并动作，卒复归于虚静／有道之君子，其处也若无知，其应物也若偶之，静因之道也

其

①qí 代词；词尾；助词。②jī 表疑问语气。③jì 作语助。

❶其义好生而恶杀
见《晏子春秋·内篇谏下第十四》。
其为政知所先后
见唐·韩愈《处州孔子庙碑》。
其母好者其子抱
见《韩非子·备内》。
其德薄者，其志轻
见《礼记·祭统》。
其进锐者，其退速
见《孟子·尽心上》。
其出弥远，其知弥少
见《老子》四十七。
其曲弥高，其和弥寡
见战国·楚·宋玉《对楚王问》。
其生若浮，其死若休
见《庄子·刻意》。
其益如毫，其损如刀
见宋·王钦若等《册府元龟·谏诤部·讽谏》。
其室则迩，其人甚远
见《诗·郑风·东门之墠》。
其始不立，其卒不成
见宋·苏轼《思治论》。
其明察察，其政悯悯
见唐·杨炯《长史河南秦游艺赞》。
其疾如风，其徐如林
见《孙子兵法·君节篇》。
其雨其雨，杲杲出日
见《诗·卫风·伯兮》。
其一也一，其不一也一
见《庄子·大宗师》。全句为："其好之也一，其弗好之也一；～"。
其与人锐，其去人必速
见宋·苏轼《亡妻王氏墓志铭》。
其可驾御，救之所为也
见汉·刘安《淮南子·修务》。全句为："其形之为马，马不可化；～"。
其为也易，其传也不远
见唐·韩愈《重答张籍书》。
其知弥精，其所取弥精
见《吕氏春秋·孟冬纪·异宝》。全句为："～；其知弥粗，其所取弥粗"。
其形之为马，马不可化
见汉·刘安《淮南子·修务》。全句为："～；其可驾御，救之所为也"。
其耆欲深者，其天机浅
见《庄子·大宗师》。
其水趣流，势与江河同
见唐·舒元舆《录桃源画记》。全句为："～。有深而渌，浅而白，白者激石，渌者落镜"。
其所不能，不强使为是
见唐·韩愈《上张仆射书》。全句为："量力而任之，度才而处之，～"。
其生也天行，其死也物化
见汉·刘安《淮南子·精神》。
其生也莫知，其往也始思
见宋·杨万里《文帝曷不用颇牧论》。
其人虽已没，千载有余情

见晋·陶潜《咏荆轲》。全句为:"惜哉剑术疏,奇功遂不成。"

其次禁其言,其次禁其事

见《韩非子·说疑》。全句为:"禁奸之法,太上禁其心,～"。

其诗之有故,其言之成理

见《荀子·非十二子》。

其功异则其名不得不异也

见宋·王安石《王霸》。全句为:"其心异则其事异,其事异则其功异,～"。

其择人宜精,其任人宜久

见宋·苏轼《策别第九》。

其持之有故,其言之成理

见《荀子·非十二子》。

其指归在可解不可解之会

见清·叶燮《原诗·内篇》。全句为:"其寄托在可言不可言之间,～"。

其处己也厚,其取名也廉

见宋·苏轼《醉白堂记》。

其寄托在可言不可言之间

见清·叶燮《原诗·内篇》。全句为:"～,其指归在可解不可解之会"。

其本乱,而末治者,否矣

见《礼记·大学》。

其气充乎其中而溢于其貌

见宋·苏辙《上枢密韩太尉书》。全句为:"～,动乎其言而见乎其文"。

其父析薪,其子弗克负荷

见《左传·昭公七年》。

其穷也不忧,其乐也不淫

见唐·柳宗元《亡友校书郎独孤君墓碣》。

其言之不怍,则为之也难

见《论语·宪问》。

其为人也温柔敦厚,诗教也

见《礼记·经解》。

其以止患,犹堤防之于江河

见宋·苏辙《常安民太常博士》。全句为:"礼之正国,犹绳墨之于曲直;～"。

其真无马邪? 其真不知马也

见唐·韩愈《杂说四》。

其就义若渴者,其去义若热

见《庄子·列御寇》。

其论人也,必贵忠良鄙邪佞

见唐·吴兢《贞观政要·慎终》。全句为:"其语道也,必先淳朴而抑浮华;～;言制度也,则绝奢靡而崇俭约;谈物产也,则重谷帛而贱珍奇"。

其美者自美,吾不知其美也

见《庄子·山木》。全句为:"～;其恶者自恶,吾不知其恶也"。

其好之也一,其弗好之也一

见《庄子·大宗师》。全句为:"～;其一也一,其不一也一"。

其术可以心得,不可以言喻

见宋·沈括《梦溪笔谈·象数一》。

其智可及也,其愚不可及也

见《论语·公冶长》。全句为:"宁武子邦有道则智,邦无道则愚。～"

其所知彼也,其所以知此也

见《管子·心术上》。

其思之不深,则其取之不固

见宋·王安石《书洪范传后》。全句为:"问之不切,则其听之不专;～"。

其恶者自恶,吾不知其恶也

见《庄子·山木》。全句为:"其美者自美,吾不知其美也;～"。

其悲则同,其所以为悲则异

见唐·刘禹锡《上杜司徒书》。

其醉也,傀俄若玉山之将崩

见南朝·宋·刘义庆《世说新语·容止》。全句为:"为人也,岩岩若孤松之独立;～"。

其事核而实,使采之者传信也

见唐·白居易《新乐府集序》。全句为:"其辞质而径,欲见之者易谕也;其言直而切,欲闻之者深诫也;～;其体顺而肆,可以播于乐章歌曲也"。

其发于外者,烂如日星之光辉

见宋·王安石《祭欧阳文忠公文集》。全句为:"其积于中者,浩如江河之停蓄;～"。

其分也,成也;其成也,毁也

见《庄子·齐物论》。全句为:"～。凡物无成与毁,复通为一"。

其会意也尚巧,其遣言也贵妍

见晋·陆机《文赋》。

其语道也,必先淳朴而抑浮华

见唐·吴兢《贞观政要·慎终》。全句为:"～;其论人也,必贵忠良鄙邪佞;言制度也,则绝奢靡而崇俭约;谈物产也,则重谷帛而贱珍奇"。

其岸势犬牙差互,不可知其源

见唐·柳宗元《至小丘西小石潭记》。全句为:"潭西南而望,斗折蛇行,明灭可见。～"

其行公正无邪,故谗人不得入

见《晏子春秋·内篇问上第五》。

其积于中者,浩如江河之停蓄

见宋·王安石《祭欧阳文忠公文》。全句为:"～;其发于外者,烂如日星之光辉"。

其辞质而径,欲见之者易谕也

见唐·白居易《新乐府集序》。全句为:"～;其言直而切,欲闻之者深诫也;其事核而实,使采之者传信也;其体顺而肆,可以播于乐章歌曲也”。

其自为也过多,其为人也过少

见唐·韩愈《圬者王承福传》。

其言直而切,欲闻之者深诫也

见唐·白居易《新乐府集序》。全句为:“其辞质而径,欲见之者易谕也;～;其事核而实,使采之者传信也;其体顺而肆,可以播于乐章歌曲也”。

其为声也,凄凄切切,呼号愤发

见宋·欧阳修《秋声赋》。

其侧皆诡石怪木,奇卉美箭……

见唐·柳宗元《石渠记》。全句为:“～,可列坐而庥焉。风摇其巅,韵动崖谷,视之既静,其听始远”。

其勿误于庶狱庶慎,惟正是乂之

见《尚书·立政》。

其清音幽韵,凄如飘风急雨骤至

见宋·王安石《祭欧阳文忠公文》。全句为:“～;其雄辞宏辩,快如轻车骏马之奔驰”。

其为书,处则充栋宇,出则汗牛马

见唐·柳宗元《陆文通先生墓表》。

其为人也多暇日者,其出入不远矣

见《荀子·修身》。

其为人也孝悌,而好犯上者,鲜矣

见《论语·学而》

其体顺而肆,可以播于乐章歌曲也

见唐·白居易《新乐府集序》。全句为:“其辞质而径,欲见之者易谕也;其言直而切,欲闻之者深诫也;其事核而实,使采之者传信也;～”。

其谤且誉者,岂尽明而善褒贬也哉

见唐·柳宗元《谤誉》。全句为:“在下而多谤者,岂尽愚而狡也哉?在上而多誉者,岂尽仁而智也哉?～”。

其叙事也该而要,其缀采也雅而泽

见南朝·梁·刘勰《文心雕龙·诔碑》。

其道末者其文杂,其才浅者其意烦

见唐·萧颖士《为陈正卿进续尚书表》。

其责己也重以周,其待人也轻以约

见唐·韩愈《原毁》。

其物存,其人亡,不言哀而哀自至

见南朝·宋·范晔《后汉书·东平宪王苍传》。

其文直,其事核,不虚美,不隐恶

见汉·班固《汉书·司马迁传》。

其文约,其辞微,其志洁,其行廉

见汉·司马迁《史记·屈原列传》。

其施厚者其报美,其怨大者其祸深

见汉·刘安《淮南子·缪称》。全句为:“～。薄施而厚望,畜怨而无患者,古今未之有也”。

其心异则其事异,其事异则其功异

见宋·王安石《王霸》。全句为:“～,其功异则其名不得不异也”。

其言也约而达,微而臧,罕譬而喻

见《礼记·学记》。

其雄辞宏辩,快如轻车骏马之奔驰

见宋·王安石《祭欧阳文忠公文》。全句为:“其清音幽韵,凄如飘风急雨骤至;～”。

其冲然角列而上者,若熊罴之登于山

见唐·柳宗元《钴鉧潭西小丘记》。全句为:“其嵚然相累而下者,若牛马之饮于溪,～”。

其知也乃不知,其不知也而后能知之

见汉·刘安《淮南子·俶真》。

其嵚然相累而下者,若牛马之饮于溪

见唐·柳宗元《钴鉧潭西小丘记》。全句为:“～,其冲然角列而上者,若熊罴之登于山”。

其盗机也,天下莫不能见,莫不能知

见《阴符经》中。全句为:“～。君子得之固躬,小人得之轻命”。

其未得之也,患得之。既得之,患失之

见《论语·阳货》。

其兴也必由于积善,其亡也皆在于积恶

见唐·吴兢《贞观政要·教戒太子诸王》。

其人存,则其政举;其人亡,则其政息

见《礼记·中庸》。

其动,止也;其死,生也;其废,起也

见《庄子·天地》。

其得之,乃失之;其失之,非乃得之也

见汉·刘安《淮南子·览冥》。

其处上也,足以明政行教,不以威天下

见《晏子春秋·内篇问上第十一》。

其应也,非所设也;其动也,非所取也

见《管子·心术上》。

其问之也,不可以有崖,而不可以无崖

见《庄子·徐无鬼》。

其政不烦,其刑不渎,而民之化之也速

见宋·苏辙《上高县学记》。

其文博辩而深切,中于时病而不为空言

见宋·欧阳修《与黄校书论文章书》。

其称文小而其指极大,举类迩而见义远

见汉·司马迁《史记·屈原贾生列传》。

其为不虚取直也的矣,其知恐而畏也审矣

见唐·柳宗元《送薛存义之任序》。

其身正,不令而行;其身不正,虽令不从

见《论语·子路》。

其名弥消,其德弥长;其身弥退,其道弥进

见隋·王通《文中子·礼乐》。

其国弥大,而其主弥静,然后乃能广得众心

见三国·魏·王弼《老子》六十注。

其政闷闷,其民淳淳;其政察察,其民缺缺

见《老子》五十八。

其所善者，吾则行之；其所恶者，吾则改之

见《左传·襄公三十一年》。

其有法者以法行，无法者以类举，听之尽也

见《荀子·王制》。

其来无迹，其往无崖，无门无房，四达之皇皇也

见《庄子·知北游》。

其卧徐徐，其觉于于；一以已为马，一以已为牛

见《庄子·应帝王》。

其为气也，至大至刚，以直养而无害，则塞于天地之间

见《孟子·公孙丑上》。全句为："我善养吾浩然之气。……～"。

其有发挥新体，孤飞百代之前，开凿古人，独步九流之上

见唐·卢照邻《乐府杂诗序》。全句为："潘陆颜谢，蹈迷津而不归；任沈江刘，来乱辙而弥远。～"

其义则不足死，赏罚则不足去就，若是而能用其民者，古今无有

见《吕氏春秋·离俗览·用民》。全句为："凡用民，太上以义，其次以赏罚。～。民无常用也，无常不用也，唯得其道为可"。"去就"，去恶就善。

其所以为情者七：曰喜、曰怒、曰哀、曰惧、曰爱、曰恶、曰欲

见唐·韩愈《原性》。

其夹岸有树木千万本，列立如揖，丹色鲜如霞，擢举欲动，灿若舒颜

见唐·舒元舆《录桃源画记》。

雨 ①yǔ 云中降落的液体水滴。②yù 下雨。

❶雨泽过润，万物之灾也

见明·吕坤《呻吟语·礼制》。全句为："～；情爱过义，子孙之灾也"。

雨后复斜阳，关山阵阵苍

见现代·毛泽东《菩萨蛮·大柏地》。

雨里孤村雪里山，看时容易画时难

见元·关汉卿《望江亭中秋切鲙》第一折。

❷山雨欲来风满楼／风雨如晦，鸡鸣不已／其雨其雨，杲杲出日／霪雨霏霏，连月不开／大雨落幽燕，白浪滔天／沐雨而栉风，为民请命／好雨知时节，当春乃发生／风雨送春归，飞雪迎春到／风雨晦明之间，俯仰百变／烟雨莽苍苍，龟蛇锁大江／积雨时物变，夏绿满园新／见雨则裘不用，升堂则蓑不御／薄雨收寒，斜照弄晴，春意空阔／红雨随心翻作浪，青山着意化为桥／风雨急而不辍其音，霜雪零而不渝其色／风雨不时，则伤农桑；伤农桑，则民饥寒／时雨降矣，而犹浸灌，其于泽也，不亦劳乎

❸荷枯雨滴闻／沐甚雨，栉疾风／风止雨霁，云无处所／虹销雨霁，彩彻云衢／风声雨声读书声，声声入耳／宜未雨而绸缪，毋临渴而掘井／宜未雨而绸缪，勿临渴而掘井／雩而雨，何也？曰：无何也，犹不雩而雨也

❹一蓑烟雨任平生／八方风雨会中央／满川风雨看潮生／满城风雨近重阳／满庭春雨绿如烟／好风将雨过横塘／孤篷听雨下潇湘／甘露时雨，不私一物／来如风雨，去如绝弦／其雨其雨，杲杲出日／被雪沐雨，则裘不及蓑／不遇阴雨后，岂知明月好／夜来风雨声，花落知多少／有天不雨粟，无地可埋尸／秋来山雨多，落叶无人扫／空山新雨后，天气晚来秋／天街小雨润如酥，草色遥看近却无／云厚者，雨必猛；弓劲者，箭必远／震风陵雨，然后知夏屋之为帡幪也／夏宜急雨，有瀑布声；冬宜密雪，有碎玉声

❺肠断秋荷雨打声／久旱逢甘雨，他乡遇故知／咫尺愁风雨，匡庐不可登／蛟龙得云雨，终非池中物／笔落惊风雨，诗成泣鬼神／清明时节雨纷纷，路上行人欲断魂

❻山致其高，云雨起焉／荷深水风阔，雨过清香发／别馆南开，风雨积他乡之思／秋不得避阴雨，冬不得避寒冻／事者，民之风雨也，事不节则无功／荷尽已无擎雨盖，菊残犹有傲霜枝／一地所生，一雨所润，而诸草木各有差别／积土成山，风雨兴焉；积水成渊，蛟龙生焉

❼如百谷之望时雨／江流今古愁，山雨兴亡泪／飘风不终朝，骤雨不终日／白日曜青春，时雨静飞尘／世情薄，人情恶，雨送黄昏花易落／东边日出西边雨，道是无晴却有晴／人生难得秋前雨，乞我虚堂自在眠／闻鸡久听南天雨，立马曾挥北地鞭／春残已是风和雨，更著游人撼落花／有时三点两点雨，到处十枝五枝花／翻手作云覆手雨，纷纷轻薄何须数／以此治人，则膏雨甘露降矣，寒暑四时当矣／盛秋水潦，穷冬雨雪，深泥积水，相辅为害

❽行得春风，指望夏雨／猛将如云，谋臣如雨／猛将如云，谋臣似雨／泽如凯风，惠如时雨／退如山移，进如风雨／张袂成帷，挥汗成雨／巢居知风，穴居知雨／止如丘山，发如风雨／晖目知晏，阴谐知雨／月晕而风，础润而雨／旋收松上雪，来煮雨前茶／滴沥空庭，竹响共雨声相乱／故飘风不终朝，骤雨不终日／寒暑不时则疾，风雨不节则饥／风起绿洲吹浪去，雨从青野上山来／油然作云，沛然降雨，则苗浡然兴之矣／当厄之施，甘于时雨；伤心之语，毒于阴冰／旦为朝云，暮为行雨。朝朝暮暮，阳台之下／怒如严霜，喜如时雨，臧否好恶，坦然可观

❾阴阳水旱由天公，忧雨忧风愁煞侬／行宫见

月伤心色，夜雨闻铃肠断声／灵台无计逃神矢，风雨如磐暗故园／春风桃李花开日，秋雨梧桐叶落时／黑云翻墨未遮山，白雨跳珠乱入船／秋早寒，则冬必暖；春雨多，则夏必旱／冬不服裘，夏不操扇，雨不张盖，是谓将礼

❿剪采为葩不可以受风雨／八方各异气，千里殊风雨／巢居觉风飘，穴处识阴雨／春无三日晴，夏无三日雨／已是黄昏独自愁，更着风和雨／春水无风无浪，春天半雨半晴／怒发冲冠，凭栏处，潇潇雨歇／其清音幽韵，凄如飘风急雨骤至／天公尚有妨农过，蚕怕雨寒苗怕火／何当共剪西窗烛，却话巴山夜雨时／叩门无人室无釜，踯躅空巷泪如雨／画栋朝飞南浦云，珠帘暮卷西山雨／幽音变调忽飘洒，长风吹林雨堕瓦／圣王在上位，天覆地载，风令雨施／志士凄凉闲处老，名花零落雨中看／君问归期未有期，巴山夜雨涨秋池／水鸮翔而大风作，穴蚁徙而阴雨零／忽报人间曾伏虎，泪飞顿作倾盆雨／龙蛇纸上飞腾，看落笔四筵风雨惊／秋阴不散霜飞晚，留得枯荷听雨声／纤之为珠玑华实，变之为雷霆风雨。／巢居者察风，穴处者知雨，忧存故也／天且风，巢居之虫动；且雨，穴处之物扰／天地之道，寒暑不时则疾，风雨不节则饥／不塞隙穴，而劳力于赭垩，暴风疾雨必坏／君不见长松百尺多劲节，狂风暴雨终摧折／冬者岁之余，夜者日之余，阴雨者时之余／阴阳之和，不长一类，甘露时雨，不私一物／江河之溢，不过三日，飘风暴雨，须臾而毕／昔我往矣，杨柳依依；今我来思，雨雪霏霏／歌台暖响，春光融融；舞殿冷袖，风雨凄凄／雩而雨，何也？曰：无何也，犹不雩而雨也／牺牛骍毛，宜于庙牲，其于以致雨，不若黑蜧／碧云悠悠兮，泾水东流。伤美人兮，雨泣花愁／胸中浩然廓然，纳烟云日月之伟观，揽雷霆风雨之奇变

雩 ①yú 古代为求雨而举行的祭祀；古地名。②yù 虹。

❶雩而雨，何也？曰：无何也，犹不雩而雨也

见《荀子·天论》。

雪 xuě 冷天降下的白色结晶体；借喻白色；打击仇敌以洗去耻辱；擦拭；姓。

❶雪压冬云白絮飞，万花纷谢一时稀

见现代·毛泽东《七律·冬云》。

❷凌雪乔松岂畏寒／被雪沐雨，则裘不及蓑／阴雪兴岩侧，悲风鸣树端／飞雪千里，不能改松柏之心／冰雪林中著此身，不同桃李混芳尘／驶雪多积荒城之隈，急风好起沙河之上／飞雪蔽野，长河始冰，吾子勉之，慷慨而别

❸待得雪消后，自然春到来／流言雪污，譬犹以涅拭素／玉城雪岭，际天而来……／昔去雪如花，今来花似雪／望严雪而识寒松，观疾风而知劲草／聆《白雪》之九成，然后悟《巴人》之极鄙

❹山明松雪寒／天若无雪霜，青松不如草／萧然风雪意，可折不可辱／操与霜雪明，量与江海宽／贵有风雪兴，富无饥寒忧／赋情顿雪双鬓，飞梦逐尘沙／岁寒霜雪苦，含彩独青青，岂不厌凝列，羞比春木荣

❺十里黄芦雪打船／山峦为晴雪所洗……／岁弊寒凶，雪虐风饕／只言花是雪，不悟有香来／山明疑有雪，岸白不关沙／遥知不是雪，为有暗香来／肌肤若冰雪，绰约若处子／旋收松上雪，来煮雨前茶／皑如山上雪，皎若云间月……／大寒至，霜雪降，然后知松柏之茂／雨里孤村雪里山，看时容易画时难／君不见担雪塞井空用力，炊沙作饭岂堪食

❻珠玉随风，冰雪在口／松表岁寒，霜雪莫能凋其采／双鬓多年作雪，寸心至死如丹／不到广寒冰雪窟，扇头能有几多风／欲灭迹而走雪中，拯溺者而欲无濡

❼欲将轻骑逐，大雪满弓刀／风雨送春归，飞雪迎春到／发为胡笳吹作雪，心因烽火炼成丹／回乐峰前沙似雪，受降城下月如霜／洞庭波涌连天雪，长岛人歌动地诗／梅花欢喜漫天雪，冻死苍蝇未足奇／窗含西岭千秋雪，门泊东吴万里船／与邪佞人交，如雪入墨池，虽融为水，其色愈污

❽并刀如水，吴盐胜雪／溪中云隔寺，夜半雪添泉／冬有雷电，夏有霜雪，然而寒暑之势不易／忠果正直，志怀霜雪，见善若惊，疾恶若仇／眉如翠羽，肌如白雪，腰如束素，齿如含贝／盛秋水潦，穷冬雨雪，深泥积水，相辅为害

❾读书好处心先觉，立雪深时道已传／梁、陈间，率不过嘲风雪，弄花草而已

❿孤舟蓑笠翁，独钓寒江雪／松柏青青，不受令于霜雪／昔去雪如花，今来花似雪／新裂齐纨素，皎皎如霜雪／摧强易于折枯，消坚甚于汤雪／乱石穿空，惊涛拍岸，卷起千堆雪／人生到处知何似？应似飞鸿踏雪泥／难留连，易消歇，塞北花，江南雪／海上涛头一线来，楼前指顾雪成堆／风雨急而不辍其音，霜雪零而不渝其色／君不见高堂明镜悲白发，朝如青丝暮成雪／夏宜急雨，有瀑布声；冬宜密雪，有碎玉声／昔我往矣，杨柳依依；今我来思，雨雪霏霏／姆抱幼子立侧，眉眼如画，发漆黑，肌肉玉雪可念

雳 lì［霹雳］疾雷声；星官名。

❿偏则成魔，分唐界宋。霹雳一声，邹鲁不哄

雷 ①léi 云层放电时发出的巨大响声；爆炸性武器。②lèi 通“擂”，敲击；守城用以击敌的石块。

❶雷霆不与蛙蚓斗其声

见明·刘基《郁离子·枸橼》。全句为:“江海不与坎井争其清,~”。

雷电震地,而聋者不闻其响

见晋·释道恒《释驳论》。全句为:“日月丽天,而瞽者莫睹其明;~”。

雷隐隐,感妾心,倾耳清听非车音

见晋·傅玄《杂言》。

❷迅雷不及掩耳/疾雷不及掩耳/风雷动,旌旗奋,是人寰/不雷同以害人,不苟免以伤义/疾雷不及掩耳,迅电不及瞑目/震雷电激,不崇一朝;大风冲发,希有极日

❸冬有雷电,夏有霜雪,然而寒暑之势不易

❹不得越雷池一步/聚蚊成雷,群轻折轴/破山之雷,不发聋夫之耳/翁媪饥雷常转腹,大儿嗷嗷小儿哭

❺毋剿说,毋雷同/仁者之勇,雷霆不移/何不借风雷,一壮天地颜/闻善速于雷动,从谏急于风移

❻振则须起风雷之益,惩则须奋刚健之乾/以鸟鸣春,以雷鸣夏,以虫鸣秋,以风鸣冬

❼疾如锥矢,战如雷电/审小音者,不闻雷霆之声/九州生气恃风雷,万马齐喑究可哀/黄钟毁弃,瓦釜雷鸣;谗人高张,贤士无名

❽兢兢业业,如霆如雷/众煦漂山,聚蚊成雷/圣人之行法也,如雷霆之震草木……

❾太山在前而不见,疾雷破柱而不惊/泰山在前而不见,疾雷破柱而不惊/见日月不为明目,闻雷霆不为聪耳/白黑在前而目不见,雷鼓在侧而耳不闻

❿千里不同风,百里不共雷/断雾时通日,残云尚作雷/不依古法但横行,自有云雷绕膝生/四海翻腾云水怒,五洲震荡风雷激/心事浩茫连广宇,于无声处听惊雷/纤之为珠玑华实,变之为雷霆风雨。/一叶蔽目,不见泰山;两豆塞耳,不闻雷霆/利镞穿骨,惊沙人面……声折江河,势崩雷电/胸中浩然廓然,纳烟云日月之伟观,揽雷霆风雨之奇变/目察秋毫之末,耳不闻雷霆之声;耳调玉石之声,目不见泰山之高

零 líng 花叶枯萎而落下;雨、泪等落下;散碎的;表示没有数量,引申指没有。

❶零落成泥碾作尘,只有香如故

见宋·陆游《卜算子》。

❸为谁零落为谁开

❼敏捷诗千首,飘零酒一杯/朝华之草,夕而零落;松柏之茂,隆寒不衰

❽不识风霜苦,安知零落期/劲草不倚于疾风,零霜则变/草木无情,有时飘零;人为动物,惟物之灵

❾春生者繁华,秋荣者零悴

❿穗兮不得获,秋风至兮殚零落/眼角眉梢都似恨,热泪欲零还住/志士凄凉闲处老,名花零落雨中看/水鸮翔而大风作,穴蚁徙而阴雨零/风雨急而不辍其音,霜雪零而不渝其色

雾 wù 近地气层中一种视程障碍现象;小水点,液滴。

❶雾尽披天,萍开见水

见唐·刘禹锡《砥石赋》。

雾里看花,终隔一层

见清·王国维《人间词话》。

❷断雾时通日,残云尚作雷/烟雾可依,腾蛇与蛟龙俱远/甚雾之朝,可以细书而不可以远望寻常之外

❸拨云雾而睹青天/雄州雾列,俊彩星驰

❹梧桐生雾,杨柳摇风/冀以尘雾之微补益山海,荧烛末光增辉日月/腾蛇游雾,飞龙乘云,云罢雾霁,与蚯蚓同/散珠喷雾,日光烛之,璀璨夺目,不可正视

❺如堕五里雾中/尘加嵩岱,雾集淮海,虽未有益,不为损也

❻夕景欲沉,晓雾将合;孤鹤寒啸,游鸿远吟

❼不去扫清天北雾,只来卷起浪头山/过眼滔滔云共雾,算人间知己吾和汝/时之不来也,为雾豹,为冥鸿,寂兮寥兮,奉身而退

❽千亩竹林,气含烟雾/劲翮挥风,雄姿触雾

❾世路山河险,君门烟雾深

❿虽无玄豹姿,终隐南山雾/人之水镜也,见之若披云雾睹青天/高谈则龙腾豹变,下笔则烟飞雾凝/宁期此地忽相遇,惊喜茫如堕烟雾/崇门丰室,洞户连房,飞馆生风,重楼起雾/腾蛇游雾,飞龙乘云,云罢雾霁,与蚯蚓同/神龟虽寿,犹有竟时;腾蛇乘雾,终为土灰

需 ①xū 要求有、应该有或必须有;必用的财物;六十四卦之一;等待;迟疑。②nuò 通“懦”,懦弱。③ruǎn 通“软”,柔软。

❶需,事之贼也

见《左传·哀公十四年》。

霆 tíng 霹雳;猛烈的雷;震动。

❷雷霆不与蛙蚓斗其声

❻兢兢业业,如霆如雷/仁者之勇,雷霆不移

❽审小音者,不闻雷霆之声

❾圣人之行法也,如雷霆之震草木……

❿见日月不为明目,闻雷霆不为聪耳/纤之为珠玑华实,变之为雷霆风雨。/一叶蔽目,不见泰山;两豆塞耳,不闻雷霆/胸中浩然廓然,纳烟云日月之伟观,揽雷霆风雨之奇变/目察秋毫之末,耳不闻雷霆之声;耳调玉石之声,目不见泰山之高

霁 jì 雨后或雪后转晴;怒容消失。

❹风止雨霁，云无处所／虹销雨霁，彩彻云衢
❾心无物欲，即是秋空霁海
❿长桥卧波，未云何龙？复道行空，不霁何虹／腾蛇游雾，飞龙乘云，云罢雾霁，与蚯蚓同

震 zhèn 迅速或猛烈的颤动；使颤动；威严；情绪特别激动；跟地震有关的；八卦之一；雷；通“娠”，怀孕；指东方。

❶震风陵雨，然后知夏屋之为帡幪也

见汉·扬雄《法言·吾子》。

震雷电激，不崇一朝；大风冲发，希有极日

见晋·陈寿《三国志·吴书·诸葛恪传》。

❸雷电震地，而聋者不闻其响／勇略震主者身危，功盖天下者不赏
❹听乐而震，观美而眩，患莫甚焉
❻扬威以弭乱，震武以止暴
❽强臣专国，则天下震动而易乱／猛虎在深山，百兽震恐；及在槛阱之中，摇尾而求食
❾功冠天下者不安，威震人主者不全
❿四海翻腾云水怒，五洲震荡风雷激／圣人之行法也，如雷霆之震草木……／兵戢而时动，动则威，观则玩，玩则无震／猛虎处于深山，向风长鸣，则百兽震恐而不敢出

霄 xiāo 天空，高空的云气；通“宵”，夜；通“消”。

❹舒吾陵霄羽，奋此千里足
❺崇峻不凌霄，则无弥天之云
❽层台耸翠，上出重霄，飞阁流丹，下临无地
❿万木霜天红烂漫，天兵怒气冲霄汉／一事惬当，一句清巧，神厉九霄，志凌千载

霈 pèi 雨盛貌；雨；比喻帝王恩泽。

❾内不足者，急于人知；霈焉有余，厥闻四驰

霏 fēi 雨雪纷飞，烟云很盛；飘扬，飞散。

❸霪雨霏霏，连月不开
❺日出而林霏开，云归而岩穴暝
❽长林远树，出没烟霏
❿昔我往矣，杨柳依依；今我来思，雨雪霏霏

霓 ní 大气中的一种光现象，有时和虹一同出现，在虹的外侧，颜色较淡，色带排列内红外紫；亦称“副虹”。

❻青云衣兮白霓裳，举长矢兮射天狼
❽体如游龙，袖如素霓
❿民望之，若大旱之望云霓／吹波则江汉倒流，腾气则虹霓掩彩

霎 shà 小雨；短暂的时间。[霎霎]风雨声。

❺天便教人，霎时厮见何妨

霜 shuāng 水蒸气遇冷凝结成的白色结晶体；比喻白色；像霜的白色粉状物；比喻严正。

❶霜尽川长，云平野阔

见唐·李峤《楚望赋》。

霜露既降，木叶尽脱

见宋·苏轼《后赤壁赋》。全句为：“～，人影在地，仰见明月，顾而乐之，行歌相答”。

霜天如扫，低向朱崖……

见唐·任华《送宗判官归滑台序》。全句为：“～。加以尖山万重，平地卓立”。

霜夺茎上紫，风销叶中绿

见南朝·梁·沈约《悯衰草赋》。

霜晨月，马蹄声碎，喇叭声咽

见现代·毛泽东《忆秦娥·娄山关》。

霜封野树，冰冻寒苗，岸草无色，芦花自飘

见唐·高适《东征赋》。

❷履霜，坚冰至／履霜坚冰，其渐久矣／冰霜正惨凄，终岁常端正／飞霜迎地，兰萧衔共尽之悲／饱霜孤竹声偏切，带火焦桐韵本悲／风霜以别草木之性，危乱而见贞良之节／风霜高洁，水落而石出者，山间之四时也
❸操与霜雪明，量与江海宽／草忌霜而逼秋，人恶老而逼衰／万木霜天红烂漫，天兵怒气冲霄汉／岁寒霜雪苦，含彩独青青，岂不厌凝冽，羞比春木荣
❹同日被霜，蔽者不伤／当为秋霜，无为槛羊／不识风霜苦，安知零落期／紫电青霜，王将军之武库／醉貌如霜叶，虽红不是春／烈日秋霜，忠肝义胆，千载家谱／秋也严霜降兮，殷忧者为之不乐／大寒至，霜雪降，然后知松柏之茂／志烈秋霜，心贞昆玉，亭亭高竦，不染风尘／怒如严霜，喜如时雨，臧否好恶，坦然可观
❺芦花千里霜月白／天若无雪霜，青松不如草／每至晴初霜旦，林寒涧肃／高山之松，霜霰不能渝其操／松表岁寒，霜雪莫能凋其采／每至晴初霜旦，林寒涧肃……／晓来谁染霜林醉，总是离人泪／月落乌啼霜满天，江枫渔火对愁眠／秋阴不散霜飞晚，留得枯荷听雨声／日光顿生，霜露渐消；狂风顿息，波浪渐停
❻草木得常理，霜露荣悴之／水清迎过客，霜叶落行舟／坚冰作于履霜，寻木起于蘖栽／心懔懔以怀霜，志眇眇而临云／寒不累时，则霜不降；温不兼日，则冰不释
❼在火辨玉性，经霜识松贞／春露不染色，秋霜不改条／冬有雷电，夏有霜雪，然而寒暑之势不易／忠果正直，志怀霜雪，见善若惊，疾恶若仇
❽气凌云汉，字挟风霜／怀此贞秀姿，卓为霜下杰／西风烈，长空雁叫霜晨月／停车坐爱枫林晚，霜叶红于二月花／冰心与贫流争激，霜情与晚节弥茂
❾举动回山海，呼吸变霜露／松柏青青，不受令

于霜雪／新裂齐纨素，皎皎如霜雪／劲草不倚于疾风，零霜则变／风雨急而不辍其音，霜雪零而不渝其色

❿床前明月光，疑是地上霜／日光寒兮草短，月色苦兮霜白／读书之乐乐陶陶，起弄明月霜天高／城上草，植根非不高，所恨风霜早／荷尽已无擎雨盖，菊残犹有傲霜枝／回乐峰前沙似雪，受降城下月如霜／胸中元自有丘壑，故作老木蟠风霜／金井梧桐秋叶黄，珠帘不卷夜来霜／鹰击长空，鱼翔浅底，万类霜天竞自由／并时遭兵，隐者不中；同日被霜，蔽者不伤／蒲柳之姿，望秋而落；松柏之质，经霜弥茂／推微达著，寻端见绪，履霜知冰，践露知暑

霞 xiá 日出或日落前后出现的彩云。

❷云霞雕色，有逾画工之妙／落霞与孤鹜齐飞，秋水共长天一色／烟霞为朝夕之资，风月得林泉之助／烟霞充耳目之玩，鱼鸟尽江湖之赏／高霞孤映，明月独举，青松落荫，白云谁侣

❸蹁跹霞袖舞，潋滟羽觞飞

❻青山断处落霞明／离亭北望，烟霞生故国之悲

❼莫道桑榆晚，为霞尚满天

❽万株果树，色杂云霞

❾诸人之文，犹山无烟霞，春无草树

❿远而望之，皎若太阳升朝霞／断肠人处，天边残照水边霞……／劳形按影皆非道，炼气吞霞更是狂／新交与旧识俱欢，林壑共烟霞对赏／眺望而林泉有余，奔走而烟霞足用／千岩竞秀，万壑争流……若云兴霞蔚／积山万状，负气争高。含霞饮景，参差代雄／其夹岸有树木千万本，列立如揖，丹色鲜如霞，擢举欲动，灿若舒颜

霤 liù 屋檐下接水的长槽；屋檐；滴下的水。

❶霤水足以溢壶榼，而江河不能实漏卮

见汉·刘安《淮南子·氾论》。

❷山霤至柔，石为之穿；蝎虫至弱，木为之弊

❹泰山之霤穿石，单极之断干

霪 yín 长时间的雨；[霪雨]同“淫雨”。

❶霪雨霏霏，连月不开

见宋·范仲淹《岳阳楼记》。

霰 xiàn 亦称“软雹”，白色固体降水物。

❻高山之松，霜霰不能渝其操

❿丧乱死多门，呜呼泪如霰

霸 ①bà 古代诸侯国联盟的首领；指仗势欺人、横行无忌者；利用强势占为己有。②pò“魄”的本字；指每月初始见的月亮。

❸蚯蚓霸一穴，神龙行九天

❺王国富民，霸国富士／王者易辅，霸者难佐

❼峭法刻诛者，非霸王之业也／致远者托于骥，霸王者托于贤

❽词客有灵应识我，霸才无主始怜君／善日者王，善时者霸，补漏者危，大荒者亡

❾致远道者托于乘，欲霸王者托于贤

❿安不忘危，故能终而成霸功焉／宜将剩勇追穷寇，不可沽名学霸王／非威何畏，非德何怀；不畏不怀，何以成霸／生男无喜，生女无怒，独不见卫子夫霸天下／用国者，义立而王，信立而霸，权谋立而亡／政有三品：王者之政化之，霸者之政威之，强国之政胁之

露 ①lù 露水珠；没有遮蔽；显现，使不被掩盖；润；败坏；姓。②lòu 显现出来。

❶露重飞难进，风多响易沉

见唐·骆宾王《在狱咏蝉》。

露垂泣于幽草，风含悲于拱木

见唐·卢照邻《悲穷道》。全句为：“天片片而云愁，山幽幽而谷哭；～”。

露团团而湿草，风烈烈而鸣泉

见唐·李峤《楚望赋》。全句为：“～，对苍茫之寒日，听萧瑟之悲蝉”。

❷风露饥肠织到明／甘露时雨，不私一物／白露横江，水光接天／白露暖空，素月流天／霜露既降，木叶尽脱／春露不染色，秋霜不改条

❸天高露清，山空月明……／桃生露井上，李树生桃旁／白骨露于野，千里无鸡鸣／为朝露之行，而思传世之功／茎受露而将低，香从风而自远

❹黄鹤戒露，非有意于轮轩／小荷才露尖尖角，早有蜻蜓立上头／尽者情露，好人行尽于人，而不能纳人之径

❺人生譬朝露，居世多屯蹇

❻仙宫云箔卷，露出玉帘钩／极野苍茫，白露凉风之八月／他乡怨而白露寒，故人去而青山迥／病身最觉风露早，归梦不知山水长／日光顿生，霜露渐消；狂风顿息，波浪渐停

❼富贵何如草头露／草木得常理，霜露荣悴之／秋菊有佳色，裛露掇其英／生前富贵草头露，身后风流陌上花／朝饮木兰之坠露兮，夕餐秋菊之落英

❽身寄虎吻，危同朝露／剪枝去叶，本根俱露，枯槁可立而待

❾人生处一世，去若朝露晞／气忌盛，心忌满，才忌露／灭烛怜光满，披衣觉露滋／被褐而丧珠，失皮而露质／以此治人，则膏雨甘露降矣，寒暑四时当矣

❿举动回山海，呼吸变霜露／口则务在明言，笔则务在露文／春葩含日似笑，秋叶泫露如泣／人有善，恒当掩之，有恶宜令彰露／昆山玉碎凤凰叫，芙蓉泣露香兰笑／欲就麻姑买沧海，一杯

春露冷如冰/文章功用不经世,何异丝窠缀露珠/阴阳之和,不长一类,甘露时雨,不私一物/推微达著,寻端见绪,履霜知冰,践露知暑/食人力之粟,守无事之官,拳拳血诚,无所陈露/忽闻晓角吟风,一叶坠露,惊而试问,即红线回矣/既死,岂在我哉!焚之亦可,沉之亦可,瘗之亦可,露之亦可

霹 pī[霹雳]突然发出巨响的强烈雷电现象。

❾偏则成魔,分唐界宋。霹雳一声,邹鲁不哄

齿 chǐ 牙齿;像牙齿的;并列,引为同类;年龄;提起;挡,触。

❶齿坚于舌而先之敝

见汉·刘安《淮南子·原道》。全句为:"兵强则灭,木强则折,革固则裂,~"。

齿由刚折,膏为明销

见唐·张说《吊陈马书》。

齿发虽衰而风力犹在

见宋·苏辙《黄好谦知濮州》。

❷没齿无怨言/皓齿娥眉,命曰伐性之斧

❸象有齿以焚其身,贿也/象以齿焚身,蚌以珠剖体

❹勿言年齿暮,寻途尚不迷/戴发含齿,倚而趣者,谓之人

❺三悔以没齿,不如不悔之无忧也/鹰扬虎视,齿若编贝,肤如凝脂,昭昭乎若玉山上行,朗然映人

❼辅车相依,唇亡齿寒

❾太阿之剑,犀角不足齿其锋/舌之存,岂非以其柔;齿之亡,岂非以其刚/搏攫抵噬之兽,其用齿角爪牙也,必托于卑微隐蔽

❿虎豹不外其爪,而噬不见齿/思风发于胸臆,言泉流于唇齿/川竭而谷虚,邱夷而渊塞,唇竭而齿寒/力田者受旌显之赏,惰农者有不齿之罚/闻《宿紫阁村》诗,则握军要者切齿矣/眉如翠羽,肌如白雪,腰如束素,齿如含贝/既谓之才,则不宜以阶级限,不应以年齿齐

黾 ①měng 蛙的一种。②mǐn[黾勉]勤勉,努力。

❶黾勉从事,不敢告劳;无罪无辜,谗口嚣嚣

见《诗·小雅·十月之交》。

鼋 yuán 动物名,俗称"癞头鼋",亦称"绿团鱼";通"螈",即蜥蜴。

❶鼋鸣而鳖应,兔死则狐悲

见明·田艺蘅《玉笑零音》。

鼋鼍穴于深渊之下,夕而得所宿

见南朝·宋·范晔《后汉书·逸民传》。全句为:"鸿鹄巢于高林之上,暮而得所栖;~"。

❹坎井无鼋鼍者,隘也

❺虎豹在山,鼋鼍在水,各有所托

雄 xióng 生物两性中属阳性的;有气魄的;超常或强有力的人物;宏大。

❶雄鸡一声天下白

见唐·李贺《致酒行》。

雄州雾列,俊彩星驰

见唐·王勃《滕王阁序》。

雄兔脚扑朔,雌兔眼迷离

见南朝·梁·横吹曲辞《木兰诗二首》之一。全句为:"~。两兔傍地走,安能辨我是雄雌"。

雄心志四海,万里望风尘

见晋·傅玄《苦相篇》。

雄笔奇才,有鼓怒风云之气

见唐·王勃《游冀州韩家园序》。全句为:"高情壮思,有抑扬天地之心;~"。

雄悍杰健,任在胆烈,失在多忌

见三国·魏·刘劭《人物志·体别》。

雄关漫道真如铁,而今迈步从头越

见现代·毛泽东《忆秦娥·娄山关》。

雄以其力服众,以其勇排难,待英之智成之

见三国·魏·刘劭《人物志·英雄》。

❷英雄出于少年/英雄所见略同/英雄无用武之地/英雄气短,儿女情长/两雄不俱立,两贤不并世/英雄有屯邅,由来自古昔/有雄志而无雄才,其后果败/以雄才为己任,横杀气而独往/扬雄言人性善恶混者,中人也/徒雄而不英,则智者不归往也/英雄者,胸怀大志,腹有良谋……/其雄辞宏辩,快如轻车骏马之奔驰/天雄乌喙,药之凶毒也,良医以活人

❸一唱雄鸡天下白/有心雄泰华,无意巧玲珑/招来雄俊魁伟敦厚朴直之士/字势雄逸,如龙跳天门,虎卧凤阙/自古雄才多磨难,纨绔子弟少伟男

❹惟大英雄能本色/收罗英雄,弃瑕录用/时无英雄,使竖子成名/磊落豪雄是第二等资质/不念英雄江左老,用之可以尊中国/独有英雄驱虎豹,更无豪杰怕熊罴/天下英雄谁敌手?曹刘。生子当如孙仲谋/胆力者,雄之分也,不得英之智则事不立/穷武之雄,毙于不仁;存义之国,丧于懦退/真则气雄,精则气生,使五彩并用,而气行其中

❺劲翮挥风,雄姿触雾/生为百夫雄,死为壮士规/能役英与雄,故能成大业/大丈夫当雄飞,安能雌伏/固一世之雄也,而今安在哉/徒英而不雄,则雄材不服也

❻诗家气象贵雄浑/有雄志而无雄才,其后果败/千古江山,英雄无觅,孙仲谋处/丈夫盖世英雄气,肯学世间儿女愁/江流千古英雄泪,山掩诸公富贵羞/李白之文,清雄奔放,名章俊语,络绎间起,光明洞彻,句句动人

❼势扼长川万古雄/登临直见楚山雄/成败何

足校？英雄自有真／徒英而不雄，则雄材不服也／峻极巍峨势望雄，层峦迭嶂翠重重

❽比力而争，智者为雄／自知者英，自胜者雄／蜗牛角上较雌论雄，许大世界／一人之身兼有英雄，乃能役英与雄／高视于万物之中，雄峙于百代之下

❾乱群败众者，惟在奸雄／沧海横流，方显出英雄本色／深儿女之怀，便短英雄之气／智略不专于古法，沈雄殆得于天资／自古圣贤多薄命，奸雄恶少皆封侯

❿生当作人杰，死亦为鬼雄／治世之能臣，乱世之奸雄／清平之奸贼，乱世之英雄／大丈夫处世，当交四海英雄／昔时地险，实为建业之雄都／两兔傍地走，安能辨我是雄雌／具曰"予圣"，谁知乌之雌雄／点画皆有筋骨，字体自然雄媚／滚滚长江东逝水，浪花淘尽英雄／宽以待人，柔能克刚，英雄莫敌／胆力绝众，材略过人，是谓骁雄／一人之身兼有英雄，乃能役英与雄／出师未捷身先死，长使英雄泪满襟／诗中日月酒中仙，平地雄飞上九天／功名只向马上取，真是英雄一丈夫／常人皆能办大事，天亦不必产英雄／君听浊浪金焦外，淘尽英雄是此声／江山如此多娇，引无数英雄竞折腰／时来天地皆同力，运去英雄不自由／聪明秀出谓之英，胆力过人谓之雄／身既死兮神以灵，子魂魄兮为鬼雄／干大事而惜身，见小利而忘命，非英雄也／聪明者，英之分也，不得雄之胆则说不行／整顿乾坤手段，指授英雄方略，雅志若为酬／英以其聪谋始，以其明见机，待雄之胆行之／积山万状，负气争高。含霞饮景，参差代雄

雅

①yǎ 规范的；高尚的；素常，向来；酒器名；乐器名；副词，很；指《诗经》中大雅、小雅；美好。②yā"鸦"的古字。

❶雅有所谓，不虚为文

见唐·元稹《和李校书新题乐府二十首并序》。

雅郑有素矣，而好恶不同，故两耳不相为听焉

见晋·葛洪《抱朴子·塞难》。"雅郑"，雅乐、郑声也；"素"，性质也。

❷主雅客来勤／风雅体变而兴同，古今调殊而理异

❸听其雅、颂之声，而志意得广焉／子所雅言，《诗》、《书》、执礼，皆雅言也

❺声，则凡非雅声者举废

❻恶郑声之乱雅乐也

❼译事三难：信、达、雅

❽诗文之词采贵典雅而贱粗俗，宜蕴藉而忌分明

❾论仁义则弘详而长雅／《国风》好色而不淫，《小雅》怨诽而不乱，若《离骚》者，可谓兼之

❿读书而寄兴于吟咏风雅，定不深心／其叙事也该而要，其缀采也雅而泽／朝廷之臣，取其鉴达治体，经纶博雅／见明珠者始贱鱼目，知雅乐者方鄙郑声／整顿乾坤手段，指授英雄方略，雅志若为酬／文有余而质不足则流，才有余而雅不足则荡／子所雅言，《诗》、《书》、执礼，皆雅言也／建安诗辩而不华，质而不俚，风调高雅，格力遒壮／斟酌乎质文之间，而隐括乎雅俗之际，可与言通变矣

雎

jū 鱼鹰；用于人名。

❷《关雎》乐而不淫，哀而不伤／《关雎》之乱，洋洋乎盈耳哉

❸关关雎鸠，在河之洲。窈窕淑女，君子好逑

雊

gòu 雉鸡叫。

❷雉雊麦苗秀，蚕眠桑叶稀

雏

chú 幼禽；泛指幼小的动物。

❶雏凤清于老凤声

见唐·李商隐《韩冬郎即席为诗相送一座皆惊他日余方追吟连宵侍坐裴回久之句有老成之风因成二绝寄酬兼呈畏之员外》。

❸嘶酸雏雁失群夜，断绝胡儿恋母声

❺卵之化为雏，非慈雌呕暖覆伏，累日积久，则不能为雏／卵之性为雏，不得良鸡覆伏孚育，积日累久，则不成为雏

❻卵待复而为雏，茧待缫而为丝，性待教而为善

❿卵之化为雏，非慈雌呕暖覆伏，累日积久，则不能为雏／卵之性为雏，不得良鸡覆伏孚育，积日累久，则不成为雏

雌

cí 与"雄"相对；阴性的；柔弱。

❶雌黄出其唇吻，朱紫由其月旦

见南朝·梁·刘峻《广绝交论》。

❺朱丹既定，雌黄有别，使夫怀鼠知惭，滥竽自耻

❻雄兔脚扑朔，雌兔眼迷离／蜗牛角上较雌论雄，许大世界

❼天门开阖，能为雌乎

❽圣人守清道而抱雌节，因循应变，常后而不先／卵之化为雏，非慈雌呕暖覆伏，累日积久，则不能为雏

❾大丈夫当雄飞，安能雌伏／具曰"予圣"，谁知乌之雌雄

❿两兔傍地走，安能辨我是雄雌／观天下书未遍，不得妄下雌黄

雕

diāo 大型猛禽；用刀在物体上刻画；用彩画装饰；枯萎；损伤。

❶雕削取巧，虽美非"秀"矣

见南朝·梁·刘勰《文心雕龙·隐秀》。全句为:"晦塞为深,虽奥非"隐";~"。

雕琢复朴,块然独以其形立

见《庄子·山木》。

❷既雕且琢,复归于朴/琢雕自是文章病,奇险尤伤气骨多

❸宝马雕车香满路/云霞雕色,有逾画工之妙/会挽雕弓如满月,西北望,射天狼/玉不雕,玙璠不作器;言不文,典谟不作经

❹良玉不雕,美言不文/木朽不雕,世衰难佐/既朽不雕,衰世难佐/作诗贵雕琢,又畏斧凿痕/白玉不雕,美珠不文,质有余也

❺朽木不可雕也/搜奇抉怪,雕镂文字/彼美不琢雕,椟中竟何如/朽木不可雕,情亡不可久

❻寻章摘句老雕虫,晓月当帘挂玉弓

❼本自天然,不假雕琢/朽烂之材,不受雕镂之饰/争构纤微,竟为雕刻……;骨气都尽,刚健不闻

❽丹漆不文,白玉不雕,宝珠不饰

❾曲辕且绳直,诡木遂雕藻/清水出芙蓉,天然去雕饰

❿一代天骄,成吉思汗,只识弯弓射大雕/心源为炉,笔端为炭。锻炼元本,雕砻群形

雠 chóu 校对文字;同"仇";同等;应答;售。

❷有雠而长之,祸不在己,则在后人/仇雠有善,不得不举;亲戚有恶,不得不诛

❹无言不雠,无德不报

❺嫉恶如仇雠,见善若饥渴

❻行赏不遗仇雠,用戮不违亲戚

❽抚我则后,虐我则雠

❾圣王为政,赏不避仇雠,诛不择骨肉

❿内举不避亲,外举不避雠/诛恶不避亲爱,举善不避仇雠/君之视臣如手足……则臣视君如寇雠/磨肌戛骨,吐出心肝,企足以待,寘我雠冤/今世之人主,多欲众之,而不知善,此多其雠也

金 jīn 金子;金属;古代用金属制成的打击乐器;像金子一样的颜色;钱;比喻贵重;朝代名;兵器;化学元素;五行之一;比喻坚固;八音之一。

❶金心在中,不可匿

见《管子·心术下》。

金无足赤,人无完人

见近代·蔡锷《蔡锷集·前言》。

金刚则折,革刚则裂

见汉·刘向《说苑·敬慎》。

金玉不琢,美珠不画

见汉·桓宽《盐铁论·殊路》。

金玉其外,败絮其中

见明·刘基《卖柑者言》。

金石有声,不考不鸣

见《庄子·天地》。

金与粟争贵,乡与朝争治

见《管子·权修》。

金人三缄其口,慎言语也

见唐·马总《意林》引《太公金匮》。

金玉之光不得不炫于瓦石

见唐·皇甫湜《答李生第一书》。全句为:"意新则异于常,异于常则怪矣;词高则出于众,出于众则奇矣。虎豹之文不得不炳于犬羊,鸾凤之音不得不锵于乌鹊,~,非有意先之也,乃自然也"。

金井梧桐秋叶黄,珠帘不卷夜来霜

见唐·王昌龄《长信秋词五首》之一。

金百炼以为鉴,而万物不能遁其形

见宋·欧阳修《祭刘给事文》。

金猴奋起千钧棒,玉宇澄清万里埃

见现代·毛泽东《七律·和郭沫若同志》。

金沙水拍云崖暖,大渡桥横铁索寒

见现代·毛泽东《七律·长征》。

金满箱,银满箱,转眼乞丐人皆谤

见清·曹雪芹《红楼梦》第一回。

金钩桂饵虽珍,不能制九渊之沉鳞

见晋·葛洪《抱朴子·广譬》。

金蚕无吐丝之实,瓦鸡乏司晨之用

见南朝·梁·萧绎《金楼子·终制篇》。

金以刚折,水以柔全;山以高陊,谷以卑安

见晋·葛洪《抱朴子·广譬》。

金玉满堂,莫之能守。富贵而骄,自遗其咎

见《老子》九。

金石有声,弗叩弗鸣;管箫有音,弗吹无声

见汉·刘安《淮南子·诠言》。

金舟不能凌阳侯之波,玉马不任骋千里之迹

见晋·葛洪《抱朴子·用刑》。

金樽玉杯不能使薄酒更厚,鸾舆凤驾不能使驽马健捷

见南朝·梁·萧绎《金楼子·立言下》。

❷千金不能救斯言之玷/千金之子,不死于市/黄金有疵,白玉有瑕/黄金累千,不如一贤/精金百炼,在割能断/千金之裘,非一狐之腋/万金买高爵,何处买青春/百金买骏马,千金买美人/百金孰为重,一诺良匪轻/千金何足惜,一士固难求/黄金无足色,白璧有微瑕/积金不积书,守财一何鄙/抵金玉于沙砾,碎珪璧于泥途/黄金珠玉,饥不可食,寒不可衣/千金未必能移性,一诺从来许杀身/千金之子不垂堂,百金之子不骑衡/假金方用真金镀,若是真金不镀金/黄金白璧买歌笑,一醉累月轻王侯/镌金石者难为功,摧枯朽者易为力/黄金者用

之量也，辨于黄金之理则知侈俭／若金，用汝作砺；若济巨川，用汝作舟楫／千金之家比一都之君，巨万者乃与王者同乐／藏金于山，沉珠于渊；不利货财，不近富贵／有金鼓，所以一耳也；同法令，所以一心也

❸不宝金玉，而忠信以为宝／六朝金粉地，落木更萧萧／莫取金汤固，长令宇宙新／得黄金百，不如得季布诺／蜀山金碧地，此地饶英灵／决千金之货者不争铢两之价／尔以金玉为宝，吾以廉慎为师／得黄金百斤，不如得季布一诺／宁撞金钟一下，不打铙钹三千／珠玉金银，饥不可食，寒不可衣／见百金而色变者，不可以统三军／见十金而色变者，不可以治一邑／山生金，反自刻；木生蠹，反自食／将军金甲夜不脱……风头如刀面如割／以百金与抟黍以示儿子，儿子必取抟黍／道犹金石，一调不更；事犹琴瑟，每弦改调

❹掷地作金石声／不好黄金只好书／至诚则金石为开／众口铄金，三人成虎／众口铄金，浮石沉木／众口铄金，积毁销骨／诚心，而金石为之开／志比精金，心如坚石／浮光跃金，静影沉璧／家累千金，坐不垂堂／疏广散金以除子孙之祸／遗子黄金满籯，不如一经／铿锵发金石，幽眇感鬼神／被褐怀金玉，兰蕙化为刍／天下之金石不足颂阁下之形容／运退黄金失色，时来顽铁生辉／遗子黄金满籯，不如教子一经／家有千金之玉不知治，犹之贫也／万两黄金容易得，知心一个也难求／不把黄金买画工，进身羞与自媒同／想当年，金戈铁马，气吞万里如虎／错把黄金买词赋，相如自是薄情人／璞玉浑金，人皆钦其宝，莫知名其器／欲做精金美玉的人品，定从烈火中锻来

❺掷地，当作金石声／丹书铁契，金匮石室／人用财试，金用火试／木以绳直，金以淬刚／精诚所加，金石为开／精诚所加，金石为亏／天地莫生金，生金人竞争／谗口成铄金，沉舟由积羽／虽有千黄金，无如我斗粟／弹鸟，则千金不及丸泥之用／藏珉石于金匮兮，捐赤瑾于中庭／鼎铛玉石，金块珠砾，弃掷逦迤／剑戟横空金气肃，旌旗映日彩云飞／劝君莫惜金缕衣，劝君须惜少年时／声声解堕金铜泪，未信吴儿是木人／君听浊浪金焦外，淘尽英雄是此声／此人如精金美玉，不即人而人即之／百炼而南金不亏其真，危困而烈士不失其正／文章如精金美玉，市有定价，非人所能以口舌定贵贱也

❻攻玉以石，治金以盐／饥者不愿千金而美一餐／意之所向，虽金石莫隔／洞房花烛夜，金榜挂名时／木受绳则直，金就砺则利／假金方用真金镀，若是真金不镀金／曾因国难披金甲，不为家贫卖宝刀／明珠自有千金价，莫为游人作弹丸

❼一寸光阴一寸金／寸寸山河寸寸金／数行家信抵千金／精诚介然，将贯金石／天地莫生金，生金人竞争／百金买骏马，千金买美人／清流若镜，下照金沙之底／赠人以言，重于金石珠玉／斗粟自可饱，千金何所直／白圭玷可灭，黄金诺不轻／白珪玷可灭，黄金诺不轻／三军以利用也，金鼓以声气也／绳以柔而有立，金以刚而无固／匹夫无故获千金，必有非常之祸／见有人来，袜刬金钗溜，和羞走／耳乐和声，为制金石丝竹以道之／世人结交须黄金，黄金不多交不深／事当其可与，万金与之；义所不宜，毫发拒之

❽磨砺当如百炼之金／一言之重，侔于千金／一言之善，贵于千金／二人同心，其利断金／众心成城，众口铄金／家有敝帚，享之千金／灵丹一粒，点铁成金／明君贵五谷而贱金玉／一言之善，贵于千金然／人生贵相知，何必金与钱／人生忽如寄，寿无金石固／良田败于邪径，黄金铄于众口／木与木相摩则然，金与火相守则流／磨砺当如百炼之金，急就者，非邃养／有才必韬藏，如浑金璞玉，暗然而日章也／以和氏之璧与百金以示鄙人，鄙人必取百金／勋劳宜赏，不吝千金；无功望施，分毫不与／和氏之璧，价重千金，然以之间纺，曾不如瓦砖

❾不有百炼火，孰知寸金精／器具质而洁，瓦缶胜金玉／天生我材必有用，千金散尽还复来／不见古人卜居者，千金只为买乡邻／世人结交须黄金，黄金不多交不深／千金之子不垂堂，百金之子不骑衡／藏书万卷可教子，遗金满籝常作灾／惟夫消磨靡烂之际，金久炼而愈精／吾见世人清名登而金贝入，信誉显而然诺亏／烟云泉台，花鸟苔林，金铺锦帐，寓意则灵

❿休言谷价贵，菜亦贵如金／隐石那知玉，披沙始遇金／烽火连三月，家书抵万金／钱财如粪土，仁义值千金／乃含章之玉牒，秉文之金科矣／良冶之砥石，不能发无刃之金／千淘万漉虽辛苦，吹尽狂沙始到金／生来不读半行书，只把黄金买身贵／我命在我不在天，还丹成金亿万年／剖开顽石方知玉，淘尽泥沙始见金／假金方用真金镀，若是真金不镀金／人生得意须尽欢，莫使金樽空对月／众中不敢分明语，暗掷金钱卜远人／帝王之圣者，卑宫室，贱金玉……／冲天香阵透长安，满城尽带黄金甲／谢诗如芙蓉出水，颜诗如错采镂金／自古驱民在信诚，一言为重百金轻／隔日一删，愈月一改，始能淘沙得金／君不见今人交态薄，黄金用尽还疏索／贫富之交，可以情谅，鲍子所以让金／"利"之一字，是学问人品一片试金石／黄金者用之量也，辨于黄金之理则知侈俭／若夫以火能焦木也，

因使销金，则道行矣／称财多寡而节用之，富无金藏……谓之啬／长烟一空，皓月千里；浮光跃金，静影沉璧／以和氏之璧与百金以示鄙人，鄙人必取百金／仇无大小，只怕伤心；恩若救急，一芥千金／大兵如市，人死如林；持金易粟，粟贵于金／虽有神药，不如少年；虽有珠玉，不如金钱／布帛寻常，庸人不释；铄金百溢，盗跖不掇／海内之货，咸萃其庭，产匹铜山，家藏金穴／宜力学为砻斫，亲贤为青黄，睦僚友为瑶金／引物连类，穷情尽变；宫商相宣，金石谐和／玉可碎而不可改其白，金可销而不可易其刚／锲而舍之，朽木不折；锲而不舍，金石可镂／为道不在多，自为已有金丹至要，可不用余耳／自修自修，益处自家求；一刻千金，勿把韶光丢／国之强弱，不在甲兵，不在金谷，独在人才之多少／人生有限，情欲无厌。既不救其死亡，岂能保乎金玉／天有五行：一曰木，二曰火，三曰土，四曰金，五曰水／至礼有不人，至义不物，至知不谋，至仁无亲，至信辟金／有能推至诚之心而加以不息之久，则天地可动，金石可移／贱生于无所用，中流失船，一壶千金，贵贱无常，时使物然／天下有至贵而非势位也，有至富而非金玉也，有至寿而非千岁也

鉴

jiàn 铜镜；能使人产生警惕的；观察；旧式书信用语；古代一种青铜器。

❶鉴往可以昭来

见唐·张九龄《进金鉴录表》。

鉴国之安危，必取于亡国

见唐·魏征《论时政策三疏》。全句为："鉴形之美恶，必就于止水；～"。

鉴形之美恶，必就于止水

见唐·魏征《论时政策三疏》。全句为："～；鉴国之安危，必取于亡国"。

鉴明则尘垢不止，止则不明也

见《庄子·德充符》。

鉴貌在乎止水，鉴己在乎哲人

见唐·吴兢《贞观政要·公平》。

鉴物于肇不于成，赏士于穷不于达

见唐·王勃《为人与蜀城父老书》。

鉴于水者见面之容，鉴于人者知吉与凶

见汉·司马迁《史记·范雎蔡泽列传》。

❷不鉴于镜，而鉴于人／宜鉴于殷，骏命不易／明鉴未远，覆车如昨／殷鉴不远，在夏后之世／明鉴所以照形也，往古所以知今也

❸明镜鉴形，美恶必见／人莫鉴于流水，而鉴于止水

❹我心匪鉴，不可以茹／推今而鉴古兮，鲜克以保其生／一人之鉴易限，而天下之才难原

❺过桥人似鉴中行／大贤秉高鉴，公烛无私光／以易限之鉴，镜难原之才，使国罔遗授，野无滞器，其可得

❻不鉴于镜，而鉴于人／多闻善败，以鉴戒也／金百炼以为鉴，而万物不能遁其形／镜以曜明，故鉴人；蚌以含珠，故内照

❼水不波则自定，鉴不翳则自明／鉴貌在乎止水，鉴己在乎哲人／朝廷之臣，取其鉴达治体，经纶博雅／后人哀之而不鉴之，亦使后人而复哀后人也

❽人莫鉴于流水，而鉴于止水

❾溪虽莫利于世，而善鉴万类……／鉴于水者见面之容，鉴于人者知吉与凶

❿聚古今之精英，实治乱之龟鉴／欲求士之贤愚，在于精鉴博采之／前车已覆，袭轨而骛，曾不鉴祸，以知畏惧

鱼

yú 生活在水里的脊椎动物。

❶鱼潜于渊，出水煦沫

见晋·陈寿《三国志·吴书·王蕃传》。

鱼跃龙门，过而为龙

见宋·陆佃《埤雅·释鱼》。

鱼以泉为浅而穿穴其中

见南朝·宋·范晔《后汉书·王符传》。全句为："鸟以山为埤而增巢其上，～"。

鱼乐广闲，鸟慕静深……

见唐·柳宗元《零陵三亭》。全句为："～，别孕巢穴，沈浮啸萃，不蓄而富"。

鱼处水而生，鸟据巢而卵

见汉·王符《潜夫论·卜列》。

鱼处水而生，人处水而死

见《庄子·至乐》。

鱼失水则死，水失鱼犹为水

见《尸子·君治》。

鱼欲异群鱼，舍水跃岸即死

见《关尹子·三极》。全句为："～；虎欲异群虎，舍山入市即擒"。

鱼我所欲也，熊掌亦我所欲也

见《孟子·告子上》。全句为："～；二者不可得兼，舍鱼而取熊掌者也"。

鱼游于沸鼎之中，燕巢于飞幕之上

见南朝·梁·丘迟《与陈伯之书》。

鱼不可脱于渊；国之利器不可以示人

见《老子》三十六。

鱼鳖得免毒螫之渊，鸟兽得离罗网之纲

见晋·陈寿《三国志·吴书·陆凯传》。

❷食鱼无反／得鱼而忘荃／争鱼者濡，争兽者趋／争鱼者濡，逐兽者趋／鲍鱼不与兰茝同笥而藏／鲍鱼兰芷，不同箧而藏／井鱼不可与语大，拘于隘也

❸子非鱼，安知鱼之乐／钓巨鱼者不使稚子轻预／爱静鱼争乐，依人鸟入怀／同冰鱼之不绝，

似蛰虫之犹苏／欲致鱼者先通水，欲致鸟者先树木／泉涸，鱼相与处于陆……不若相忘于江湖／畜池鱼者必去猵獭，养禽兽者必去豺狼，又况治人乎

❹无食反鱼，勿乘驽马／缘木求鱼，升山采珠／缘木求鱼，煎水作冰／牛蹄中鱼，冀赖江汉／耸壑之鱼穿于一丝之溜／临渊羡鱼，不如退而结网／大海从鱼跃，长空任鸟飞／水广者鱼大，山高者木修／水浊则鱼困，令苛则民乱／水积而鱼聚，木茂而鸟集／吞舟之鱼，陆处则不胜蝼蚁／比目之鱼，不相得则不能行／如入鲍鱼之肆，久而不闻其臭／吞舟之鱼，砀而失水，则蚁能苦之／察见渊鱼者不祥，智料隐匿者有殃／吞舟之鱼不游渊，鸿鹄高飞不就污池／为渊驱鱼者，獭也；为丛驱爵者，鹯也／吞舟之鱼不居潜泽，度量之士不居污世／吞舟之鱼，不游枝流；鸿鹄高飞，不集污池／吞舟之鱼荡而失水，则制于蝼蚁，离其居也

❺鸢飞戾天，鱼跃于渊／呼儿烹鲤鱼，中有尺素书／案头见蠹鱼，犹胜凡俦侣／香饵引泉鱼，重币购勇士／临河而羡鱼，不如归家织网／水清无大鱼，察政不得下和／鱼欲异群鱼，舍水跃岸即死／善钓者出鱼乎十仞之下，饵香也／川渊深而鱼鳖归之，山林茂而禽兽归之／鹰击长空，鱼翔浅底，万类霜天竞自由／钓者中大鱼，则纵而随之……则无不得也／以烦手烹鱼则鱼必溃，使学者制锦则锦必伤

❻子非鱼，安知鱼之乐／彭蠡之滨，以鱼食犬豕／嬉于水而逐鱼鸟之浮沉／人疑天上坐，鱼似镜中悬／猿得木而捷，鱼得水而骛／鸟兽不厌高，鱼鳖不厌深／荃者所以在鱼，得鱼而忘荃／水至清则无鱼，人至察则无徒／井中之无大鱼也，新林之无长木也／也知渔父趁鱼急，翻着春衫不裹头／干泽而渔，得鱼虽多，而明年无复也／教羊牧兔，使鱼捕鼠，任非其人，费日无功

❼蛟龙失水似枯鱼／水渊深广，则龙鱼生之／蜀酒浓无敌，江鱼美可求／羁鸟恋旧林，池鱼思故渊／孤之有孔明，犹鱼之有水也／鸟避弋而高翔，鱼畏网而深游／鸟焚林而铩翮，鱼夺水而暴鳞／中峰之下，水无鱼鳖，林无鸟兽／数罟不入洿池，鱼鳖不可胜食也／君失臣兮龙为鱼，权归臣兮鼠变虎／水有猵獭而池鱼劳，国有强御而齐民消／见明珠者始贱鱼目，知雅乐者方鄙郑声／以烦手烹鱼则鱼必溃，使学者制锦则锦必伤／山中人不信有鱼大如木，海上人不信有木大如鱼

❽长铗归来乎，食无鱼／城门失火，殃及池鱼／临溪而渔，溪深而鱼肥／人方为刀俎，我为鱼肉／荃者所以在鱼，得鱼而忘荃／鱼失水则死，水失鱼犹为水／二者不可得兼，舍鱼而取熊掌者也／果蓏失地则不实，鱼龙失水则不神／水真绿净不可唾，鱼若空行无所依／烟霞充耳目之玩，鱼鸟尽江湖之赏／惟君臣相遇，有同鱼水，则海内可安／与恶人居，如入鲍鱼之肆，久而自臭也／芳饵之下必有悬鱼，重赏之下必有死夫／少目之网，不可得鱼，三章之法，不可为治／水浊，则无掉尾之鱼；政苛，则无逸乐之士／香饵之下，必有悬鱼；重赏之下，必有死夫／不学而求知，犹愿鱼而无网焉，心虽勤而无获矣／与恶人居，如入鲍鱼之肆，久而不闻其臭，亦与之化矣

❾无饵之钓，不可以得鱼／林深则鸟栖，水广则鱼游／人之将疾者必不甘鱼肉之味／上求材，臣残木；上求鱼，臣干谷／莫道昆明池水浅，观鱼胜过富春江／以肉去蚁，蚁愈多；以鱼驱蝇，蝇愈至／白石如玉，愚者宝之；鱼目似珠，愚者取之

❿泽人足乎木，山人足乎鱼／宁饮建业水，不食武昌鱼／望云惭高鸟，临水愧游鱼／明哲之君，网漏吞舟之鱼／猿狝猴错木据水，则不若鱼鳖／摘翠者菱，挽红者莲，举白者鱼／土敝则草木不长，水烦则鱼鳖不大／地薄者大物不产，水浅者大鱼不游／屋漏者，民去之；水浅者，鱼逃之／致君事业堆胸臆，却伴溪童学钓鱼／立当青草人先见，行傍白莲鱼未知／竭泽而渔，岂不获得？而明年无鱼／赤地炎都寸草无，百川水沸煮虫鱼／重云蔽天，江湖黯然；游鱼茫然……／陵虚之鸟，爱其清高，不愿江汉之鱼／无舆马者不耻徒步，无鱼肉者不厌菜羹／彼寻常之污渎兮，岂能容夫吞舟之巨鱼／交拱之木无把之枝，寻常之沟无吞舟之鱼／昼则舟楫出没于其前，夜则鱼龙悲啸于其下／水皆缥碧，千丈见底；游鱼细石，直视无碍／焚林而畋，明年无兽；竭泽而渔，明年无鱼／盈把之木无合拱之枝，荥泽之水无吞舟之鱼／立身成败，在于所染，兰芷鲍鱼，与之同化／但务其华，不寻其实，犹缘木希鱼，却行求前／山中人不信有鱼大如木，海上人不信有木大如鱼／涉浅水者见虾，其颇深者察鱼鳖，其尤甚者观蛟龙／澄潭至清，洞澈见底，往往有群鱼戏，历历如水上行／古之人观于天地、山川、草木、虫鱼、鸟兽，往往有得

鲁

lǔ 粗野，鲁莽；愚蠢，迟钝；周代诸侯国名；姓。

❷邹、鲁多鸿儒，燕、赵饶壮士

❺不去庆父，鲁难未已／无准绳，虽鲁般不能以定曲直

❻登东山而小鲁，登泰山而小天下／未必上流须鲁肃，腐儒空白九分头

❼惟愿孩儿愚且鲁，无灾无难到公卿

❽韩亡子房奋，秦帝鲁连耻

❾往事越千年，魏武挥鞭，东临碣石有遗篇
❿闻鸡久听南天雨，立马曾挥北地鞭

鞵 xié“鞋”的异体字。

❿禅堂茶散卷残经，竹杖芒鞵信脚行

骨 ①gǔ 骨头；品格；指文学作品的理路和笔力；[骨朵]古代的一种兵器。②gū[骨朵]指花蕾。

❶骨朽人间骂未销
见宋·刘子翚《汴京纪事》。
骨肉之亲，析而不殊
见汉·班固《汉书·武五子传》。
骨消肌肉尽，体若枯树皮
见三国·魏·阮瑀《驾出北郭门行》。全句为：“饥寒无衣食，举动鞭捶施，～”。
❷析骨而炊，易子而食／白骨疑象，武夫类玉／白骨成丘山，苍生竟何罪／白骨露于野，千里无鸡鸣／朽骨无益于人，而文王葬之／刺骨，故小痛在体而长利在身／白骨已枯沙上草，家人犹自寄寒衣／粉骨碎身全不怕，要留青白在人间
❸由来骨鲠材，喜被软弱吞／导筋骨则形全，剪情欲则神全，靖言语则福全
❹黔首本骨肉，天地本比邻／枯朽之骨，凶秽之余，岂宜令入宫禁／汉魏风骨，晋宋莫传，然而文献有可征者／磨肌戛骨，吐出心肝，企足以待，寘我雠冤／利镞穿骨，惊沙人面……声折江河，势崩雷电
❺战矣哉？暴骨沙砾／恩难酬白骨，泪可到黄泉／千里之马，骨法虽具，弗策不致
❻一将功成万骨枯／纵死犹闻侠骨香／结交在相知，骨肉何必亲／书之要，统于“骨气”二字／点画皆有筋骨，字体自然雄媚／不弃死马之骨者，然后良骥可得也
❼起死人而肉白骨／结言端直，则文骨成焉／功名图麒麟，战骨当速朽／蓍，枯草也；龟，枯骨也／死人如乱麻，暴骨长城之下／不是一番寒彻骨，怎得梅花扑鼻香／不是一番寒彻骨，争得梅花扑鼻香／画虎画皮难画骨，知人知面不知心／扁鹊不能肉白骨，微箕不能存亡国
❽人皆狎我，必我无骨／众口铄金，积毁销骨／落地为兄弟，何必骨肉亲／贵破的，又畏黏皮骨，此所以为难也／暗箭伤人，其深次骨；人之怨之，亦必次骨
❾人能正静者，筋韧而骨强／赏不避仇雠，诛不择骨肉／交情老去淡如水，病骨秋来瘦似松／苦心虽呕何由出，病骨非谗亦自销／安土重迁，黎民之性；骨肉相附，人情所愿／争构纤微，竞为雕刻……；骨气都尽，刚健不闻
❿朱门酒肉臭，路有冻死骨／文章须自出机杼，成一家风骨／久视伤血，久卧伤气，久立伤骨／舞罢青蛾同去国，战残白骨尚盈丘／琢雕自是文章病，奇险尤伤气骨多／秀出天南笔一枝，为官风骨称其诗／笛里谁知壮士心？沙头空照征人骨／圣王为政，赏不避仇雠，诛不择骨肉／生仍冀得兮归桑梓，死当埋骨兮长已矣／竭诚则吴越为一体，傲物则骨肉为行路／词澹语要有味，壮语要有韵，秀语要有骨／君不见比来翁姥尽饥死，狐狸啮骨乌啄眼／反裘负薪，里尽毛殚，刖趾适屦，刻肌伤骨／暗箭伤人，其深次骨；人之怨之，亦必次骨／处顺境内，眼前尽兵刃戈矛，销膏靡骨而不知／食之道：大充，伤而形不臧；大摄，骨枯而血冱／非有卓然异绩结于人心，浃于骨髓，安能久而愈思／文章道弊五百年矣！汉魏风骨，晋宋莫传，然而文献有可征者

髓 suǐ 骨髓；像骨髓的东西；植物茎的中心部分；指事物的精华部分。

❿非有卓然异绩结于人心，浃于骨髓，安能久而愈思

鬼 guǐ 迷信所称人死之后的灵魂；阴险；对人的憎称；对小孩子的昵称；机灵，机敏；星宿名。

❶鬼神何灵？因人而灵
见明·刘基《司马季主问卜》。
鬼神无常享，享于克诚
见《尚书·太甲下》。
鬼神非人实亲，惟德是依
见《左传·僖公五年》。
鬼无声也，无形也，无气也，果无鬼乎
见唐·韩愈《原鬼》。
❷敬鬼神而远之／凡鬼神事眇茫荒惑无可准，明者所不道／为鬼为蜮，则不可得；有靦面目，视人罔极／捣鬼有术，也有效，然而有限，所以以此成大事者，古来无有
❸人谋鬼谋，百姓与能／道无鬼神，独往独来／神施鬼设，间见层出／拘于鬼神者，不可与言至德
❹险语破鬼胆，高词媲皇坟／高明者鬼瞰其门，正直者人怨其笔／功不使鬼必在役人，物不天来终须地出／巧不使鬼必有役人，物不天来终须地出
❺无道之君，鬼哭其门／灭而有实，鬼之一也／精而熟之，鬼将告之／豺狼守肉，鬼魅侍疾／衰世好信鬼，愚人好求福／图工好画鬼魅而憎图狗马者……／人灭而为鬼，鬼而为人，则未之知也／季路问事鬼神。子曰：“未能事人，焉能事鬼”
❻钱无耳，可使鬼／务民之义，敬鬼神而远之／阴风搜林山鬼啸，千丈寒藤绕崩石／人灭而为鬼，鬼而为人，则未之知也
❽未能事人，焉能事鬼／世乱奴欺主，年衰鬼弄

人／只因神倒运，常恐鬼胡行／魂魄结兮天沉沉，鬼神聚兮云幂幂／正得失，动天地，感鬼神，莫近于诗／恶图犬马而好作鬼魅，诚以实事难形，而虚伪不穷也

❾生当作人杰，死亦为鬼雄／明之为日月，幽之为鬼神／铿锵发金石，幽眇感鬼神／笔落惊风雨，诗成泣鬼神

❿念头暗昧，白日下犹生厉鬼／无以相应也，若之何其有鬼邪／有以相应也，若之何其无鬼邪／无天灾，无物累，无人非，无鬼责／憎是愚氓犹可训，妖为鬼蜮必成灾／通于一而万事毕，无心得而鬼神服／身既死兮神以灵，子魂魄兮为鬼雄／君子藏正气者，可以远鬼神，伏奸佞／鬼无声也，无形也，无气也，果无鬼乎／大石侧立千尺，如猛兽奇鬼，森然欲搏人／当恃我之不可侵也，无恃鬼神之不侵我也／知天乐者，无天怨，无人非，无物累，无鬼责／洼者为池而缺者为洞，若有鬼神异物阴来相之／季路问事鬼神。子曰："未能事人，焉能事鬼"／志之所在，气亦随之；气之所在，天地鬼神亦随之／伯浑醉书，纸穷墨燥，如春龙奋蛰，奇鬼搏人，何其壮也／今且须去理会眼前事，那个鬼神事，无形无影，莫要枉费心力／人莫欲学御龙，而皆欲学御马；莫欲学治鬼，而皆欲学治人：急所用也

魂

hún 迷信者所说的鬼魂；精神。

❶魂兮归来，反故居些

见战国·楚·屈原、宋玉《楚辞·招魂》。

魂魄结兮天沉沉，鬼神聚兮云幂幂

见唐·李华《吊古战场文》。全句为："鸟无声兮山寂寂，夜正长兮风淅淅；～；日光寒兮草短，月色苦兮霜白"。

魂魄二字，正犹精神二字。神即是魂，精即是魄

见宋·陈淳《北溪字义》卷下。

❹清人梦魂，千里人长久／黯然销魂者，唯别而已矣

❻黯然别之销魂，悲哉秋之为气

❽解心释神，莫然无魂／夜耿耿而不寐兮，魂茕茕而至曙／悠悠生死别经年，魂魄不曾来入梦

❾身既死兮神以灵，子魂魄兮为鬼雄／目极千里兮伤春心，魂兮归来哀江南

❿芳草宁共气，而皆悦于魂／与求生而害义，宁抗节以埋魂／不因酒困因诗困，常被吟魂恼醉魂／君子独立不惭于影，独寝不惭于魂／清明时节雨纷纷，路上行人欲断魂／衣上征尘杂酒痕，远游无处不消魂／寂寞嫦娥舒广袖，万里长空且为忠魂舞／生而影不与吾形相依，死而魂不与吾梦相接／词意书迹，无不宛然；唯是魂神，不知去处／魂魄二字，正犹精神二字。神即是魂，精即是魄

魁

kuí 首领；身材高大健壮；魁星；小丘；古星名。

❹歼厥渠魁，胁从罔治，旧染污俗，咸与惟新

❺招来雄俊魁伟敦厚朴直之士

❻摧其坚，夺其魁，以解其体

❿谦者，众善之基；傲者，众恶之魁

魅

mèi 传说中的鬼怪；吸引。

❻豺狼守肉，鬼魅侍疾／图工好画鬼魅而憎图狗马者……

❼文章憎命达，魑魅喜人过

❾恶图犬马而好作鬼魅，诚以实事难形，而虚伪不穷也

魏

①wèi 战国时国名；姓。②wéi 通"巍"，独立貌。

❶魏耻未灭，赵患又起

见《战国策·赵策一》。

❷由魏晋氏以下，人益不事师／赵、魏、燕、韩，历历堪回首／汉魏风骨，晋宋莫传，然而文献有可征者

❻盛唐而学汉魏，岂复有盛唐之诗／往事越千年，魏武挥鞭，东临碣石有遗篇

❼不知有汉，无论魏晋

❾不师知虑，不知前后，魏然而已矣

❿身在江海之上，心居乎魏阙之下／文章道弊五百年矣！汉魏风骨，晋宋莫传，然而文献有可征者

魑

chī[魑魅]传说山林中的鬼怪。

❻文章憎命达，魑魅喜人过

魔

mó 宗教或神话中害人的鬼怪，比喻害人的东西或恶势力；奇异的，神奇的。

❹偏则成魔，分唐界宋。霹雳一声，邹鲁不哄

❺道高方知魔盛

❿长夜难明赤县天，百年魔怪舞翩跹

食

①shí 食物；吃，接受；俸禄；特指吃饭；日蚀。②sì 通"饲"，给人吃，喂食。③yì 用于人名。

❶食鱼无反

见《晏子春秋·内篇·杂上》。

食色，性也

见《孟子·告子上》。

食不语，寝不言

见《论语·乡党》。

食不甘味，卧不安席

见汉·班固《汉书·田叔传》。

食不重肉，妾不衣帛

见汉·司马迁《史记·管晏列传》。

食不重味，衣不重采

见汉·司马迁《史记·吴太伯世家》。

食不二味，居不重席

见《左传·哀公元年》。

食不厌精，脍不厌细

见《论语·乡党》。

食肉者鄙，未能远谋

见《左传·庄公十年》。

食之无味，弃之可惜

见晋·陈寿《三国志·魏书·武帝纪》裴松之注引司马彪《九州春秋》。

食能以时，身必无灾

见《吕氏春秋·季春纪·尽数》。

食贵于玉，薪贵于桂

见《战国策·楚策三》。

食言多矣，能无肥乎

见《左传·哀公二十五年》。

食蔗渐渐佳，离官寸寸乐

见清·袁枚《小仓山房诗文集·常记》。全句为："常记古人言，思之每烂熟，～"。

食饱心自若，酒酣气益振

见唐·白居易《轻肥》。全句为："～。是岁江南旱，衢州人食人"。

食者民之本，民者国之本

见汉·刘安《淮南子·主术》。

食足货通，然后国实民富

见汉·班固《汉书·食货志》。

食肉毋食马肝，未为不知味

见汉·班固《汉书·儒林传·辕固》。

食方丈于前，所甘不过一肉

见汉·韩婴《韩诗外传》。

食钩吻以疗饥，饮鸩毒以救渴

见北齐·杜弼《檄梁文》。全句为："获一人而失一国，见黄雀而忘深井，～"。

食不偷而为饱兮，衣不苟而为温

见战国·楚·宋玉《九辩》。

食人之食而误人之国者，非蝗乎

见宋·孙因《蝗虫辞》。全句为："牟人之利以厌己之欲者，非蝗乎？～"。

食君之禄畏不厚兮，悼得位之不昌

见唐·柳宗元《吊屈原文》。全句为："吾哀今之为仕兮，庸有虑时之否臧？～"。

食者，国之宝也；兵者，国之爪也

见《墨子·七患》。

食无求饱，居无求安，敏于事而慎于言

见《论语·学而》。全句为："～，就有道而正焉"。

食有酒肉，衣有罗绮……非益生之良药

见唐·司马承祯《坐忘论·简事》。删节处为："身有名位，财有金玉，此并情欲之馀好"。

食禄者不得与下民争利，受大者不得取小

见汉·司马迁《史记·循吏列传》。

食必常饱，然后求美；衣必常暖，然后求丽

见汉·刘向《说苑》引《墨子》佚文。全句为："～；居必常安，然后求乐"。

食其食者，不毁其器；食其实者，不折其枝

见汉·刘向《新序·杂事五》。

食其食者，不毁其器；荫其树者，不折其枝

见汉·刘安《淮南子·说林》。

食之道：大充，伤而形不臧；大摄，骨枯而血沍

见《管子·内业》。

食人力之粟，守无事之官，拳拳血诚，无所陈露

见唐·柳宗元《为南承嗣上中书门下乞两河效用状》。

❷不食嗟来之食／訾食者不肥体／衣食足而知荣辱／衣食足，知荣辱／无食反鱼，勿乘驽马／蔬食弊衣足以养性命／饱食伤心，忠言逆耳／衣食不足，盗之源也／既食，未设备，可击／夫食为民天，农为政本／能食人，亦当为人所食／饮食之人，则人贱之矣／禄食之家不与百姓争利／衣食之道，必始于耕织／足食，足兵，民信之矣／节食则无疾，择言则无祸／饥食首阳薇，渴饮易水流／饮食男女，人之大欲存焉／饮食约而精，园蔬愈珍馐／寄食于漂母，无资身之策／服食求神仙，多为药所误／服食药物者，因血以益血／衣食当须纪，力耕不吾欺／足食足兵，为治天下之具／饮食男女皆性也，是乌可灭／饱食便卧及终日久坐，皆损寿／饱食终日，无所用心，难矣哉／衣食者民之本，稼穑者民之务／弗食，不知其旨；弗学，不知其善／衣食足而知荣辱，廉让生而争讼息／饱食、暖衣，逸居而无教，则近于禽兽／绁食鹰鸢欲其鸷，鸷而亨之，将何用哉／晚食以当肉，安步以当车，无罪以当贵／饮食不节，以生疾病；好色不倦，以致乏绝／以食噎而得病者，欲绝食以去病，乃不知食绝而身毙

❸民以食为天／无功食国禄，去窃能几何／每一食，便念稼穑之艰难／又如食橄榄，真味久愈在／君子食无求饱，居无求安／一箪食，一瓢饮，在陋巷……／上以食而辱下，下以食而欺上／不饱食以终日，不弃功于寸阴／与其食浮于人也，宁使人浮于食／贤者……食于民则以民之患为患／桂可食，故伐之；漆可用，故割之／一箪食，一豆羹，得之则生，弗得则死／狗彘食人食而不知检，途有饿莩而不知发／饭疏食饮水，曲肱而枕之，乐亦在其中矣／食其食者，不毁其器；食其实者，不折其枝／食其食者，不毁其器；荫其树者，不折其枝／谷足食多，礼义之心生；礼丰义重，平安之基立／曰衣食足而后廉

耻兴，财物阜而后礼乐作，是执末以求其本也
❹民人以食为天／狗彘不食其余／俭者，均食之道也／每餐一食，则念耕夫／口可以食，不可以言／如人说食，终不能饱／量腹而食，度身而衣／耕田而食，凿井而饮／兵良而食足，将贤而士勇／人众则食狼，狼众则食人／凡营衣食，以不失时为本／能均其食者，天下可以治／馋人自食其肉，肉尽必死／易子而食之，析骸而炊之／食肉毋食马肝，未为不知味／食人之食而误人之国者，非蝗乎／发愤忘食，乐以忘忧，不知老之将至／不务衣食而务无盗贼，是止水而不塞源也／涤杯而食……可以养家老，而不可以飨三军／君子耻食其食而无其功，耻服其服而不知其事／饥而倍食，渴而大饮……虽暂怡性，必为后患／饥而欲食……好利而恶害，是人之所生而有也／盗取民食兮，私己不分；充嗛果腹兮，骄傲欢欣
❺百谷殊味，食之皆饱／士无事而食，不可也／寝不安席，食不甘味／居不求安，食不求饱／衣不求华，食不厌蔬／衣不兼采，食不重味／士卒不尽食，广不尝食／君子无终食之间违仁……／饥寒无衣食，举动鞭捶施／饥者易为食，渴者易为饮／饥者歌其食，劳者歌其事／虎豹不相食，哀哉人食人／人莫不饮食也，鲜能知味也／役于人而食其力，可无报耶／对案不能食，拔剑击柱长叹息／治于人者食人，治人者食于人／年衰无酒食之娱，性拙无博弈之艺／劝君莫弹食客铗，劝君莫叩富儿门／老者衣帛食肉，黎民不饥不寒……／甜不足一食之美，然有截舌之患也／卧不安席，食不甘味，心摇摇如悬旌／狗彘食人食而不知检，途有饿莩而不知发／呦呦鹿鸣，食野之苹；我有嘉宾，鼓瑟吹笙／起居时，饮食节，寒暑适，则身利而寿命益
❻不食嗟来之食／布令信而不食言／无衣惜衣，无食惜食／长铗归来乎，食无鱼／惜衣有衣，惜食有食／野葛虽毒，不食则不能伤生／圣人……言以绝食，为以止为／虽有嘉肴，弗食，不知其旨也／国无三年之食者，国非其国也／饥不从猛虎食，暮不从野雀栖／学古之道，犹食笋而去其箨也／人而无义，唯食而已，是鸡狗也／士有靡衣鲜食而乐道者，吾未之见也／圣人量腹而食，度形而衣，节于己而已／倚势豪夺，飞食人肉，鼓吻弄翼，道路以目／硕鼠硕鼠，无食我黍！三岁贯女，莫我肯顾／君子耻食其食而无其功，耻服其服而不知其事／吾尝终日不食、终夜不寝以思，无益，不如学也／起居不时，饮食不节，寒暑不适，则形体累而寿命损／一夫耕，百人食之；一妇桑，百人衣之。以一奉百，孰能供之
❼藉贼兵而赍盗食／熟读精思，攻苦食淡／彭蠡之滨，以鱼食犬豕／民之饥，以其上食税之多／但知勤作福，衣食自然丰／人生归有道，衣食固其端／宁饮建业水，不食武昌鱼／树柤梨橘柚者，食之则甘／贤人于国，亦犹食之在人／贤圣不能正不食谏诤之君／所愧为人父，无食致夭折／方惭不耕者，禄食出闾里／身安则道隆，饮食知节量／三代之兵，耕而食，蚕而衣／无力于民而旅食，不恶贫贱／非其道，则一箪食不可受于人／丈夫生不五鼎食，死即五鼎烹耳／今将以呼嘘为食，咀嚼为神……／农不出则乏其食，工不出则乏其事／去年米贵阙军食，今年米贱大伤农／苗疏税多不得食，输入官仓化为土／数亩秋禾满家食，一机官帛几梭丝／民之性，饥而求食，劳而求佚，苦则索乐，辱则求荣／人之饥所以不食乌喙者，以为虽偷充腹而与死同患也
❽一日不作，一日不食／无衣惜衣，无食惜食／非其身力，不以衣食／惜衣有衣，惜食有食／析骨而炊，易子而食／易衣而出，并日而食／以身役物，则阴阳食之／弃子逐妻，以求口食……／国以民为本，民以食为天／一沐而三捉发，一食而三起／黄金珠玉，饥不可食，寒不可衣／珠玉金银，饥不可食，寒不可衣／鸡肋，弃之如可惜，食之无所得／仁义充塞，则率兽食人，人将相食／凿井而饮，耕田而食；帝力于我何有哉／一噎之故，绝谷不食；一蹶之故，却足不行／人之乱也，由夺其食；人之危也，由竭其力／爱子不教，犹饥而食之以毒，适所以害之也／见其远者大者，不食邪人之饵，方是二十分识力
❾失火之家，三日不熟食／能食人，亦当为人所食／士卒不尽食，广不尝食／君子以慎言语，节饮食／不违农时，谷不可胜食也／乱后易理，犹饥人易食也／人众则食狼，狼众则食人／画地为饼，不可得而食也／是岁江南旱，衢州人食人／虎豹不相食，哀哉人食人／国以人为本，人以衣食为本／上以食而辱下，下以食而欺上／贫民常衣牛马之衣，食犬彘之食／博弈之交不终日，饮食之交不终月／弊之难去，其难在仰食于弊之人乎／仓廪实，则知礼节；衣食足，则知荣辱／火佚焚家，家不罪火；食过伤人，人不罪食／食其食者，不毁其器；食其实者，不折其枝／楚王好小腰，美人省食；吴王好剑，国士轻死／礼下贤者，日中不暇食以待士，士以此多归之／三年耕，必有一年之食，九年耕，必有三年之食／民有三患：饥者不得食，寒者不得衣，劳者不得息
❿吏则日饱鲜，谁悯民艰食／定国之术，在于强兵足食／官所以务禄，禄所以务食／如渴思冷水，如饥念美食／贾所以务财，财所以务食／君子之过也，如日月之食焉／白粲必去其沙砾而

后食可餐／劝农桑，益种树，可得衣食物／吾岂匏瓜也哉，焉能系而不食／治于人者食人，治人者食于人／与其食浮于人也，宁使人浮于食／为国者以民为基，民以衣食为本／佯北勿从，锐卒勿攻，饵兵勿食／惟辟作福，惟辟作威，惟辟玉食／贫民常衣牛马之衣，食犬彘之食／数罟不入洿池，鱼鳖不可胜食也／有以噎死者，欲禁天下之食，悖／虎豹之驹未成文，而有食牛之气／豆麦之种与稻粱殊，然食能去饥／仁义充塞，则率兽食人，人将相食／冥当寝兮不能安，饥当食兮不能餐／山生金，反自刻；木生蠹，反自食／宁与黄鹄比翼乎，将与鸡鹜争食乎／采于山，美可茹；钓于水，鲜可食／日典春衣非为酒，家贫食粥已多时／西家老人晓稼穑，白发空多缺衣食／生民之本，要当稼穑而食，桑麻以衣／嫉贪佞之洿浊兮，曰吾其既劳而后食／明镜便于照形，其于以函食，不如箪／三人共牧一羊，羊不得食，人亦不得息／才不称不可居其位，职不称不可食其禄／我服布素则民自暖，我食葵藿则民自饱／民者，国之根也，诚宜重其食，爱其命／并力西向，则吾恐秦人食之不得下咽也／志士不饮盗泉之水，廉者不受嗟来之食／尚力务本而种树繁，躬耕趣时而衣食足／官不得其才，比于画地作饼，不可食也／肥肉厚酒，务以自强，命之曰烂肠之食／忠者不饰行以侥荣，信者不食言以从利／穹庐为室兮旃为墙，以肉为食兮酪为浆／士志于道，而耻恶衣恶食者，未足与议也／君不见担雪塞井空用力，炊沙作饭岂堪食／彼民有常性，织而衣，耕而食，是谓同德／有沃野之饶而民不足于食者，器械不备也／古之君子，其过也，如日月之食，民皆见之／凡事皆须务本，国以人为本，人以衣食为本／寒之于衣，不待轻暖；饥之于食，不待甘旨／如贫得宝，如暗得灯，如饥得食，如旱得云／好读书，不求甚解；每有会意，便欣然忘食／日出而作，日入而息，凿井而饮，耕田而食／火佚焚家，家不罪火；食过伤人，人不罪食／虫堕一器，酒弃不饮；鼠涉一筐，饭捐不食／清泉绿草，何物不可饮啄？而鸱鸮者偏食腐鼠／三年耕，必有一年之食，九年耕，必有三年之食／苦身焦思，置胆于坐，坐卧即仰胆，饮食亦尝胆／心不在焉，视而不见，听而不闻，食而不知其味／追计往时咎过，日夜反覆，无一食而安于口平于心／以食噎而得病者，欲绝食以去病，乃不知食绝而身毙／伟哉横海鲸，壮矣垂天翼。一旦失风水，翻为蝼蚁食／猛虎在深山，百兽震恐；及在槛阱之中，摇尾而求食／君子之处世也，甘恶衣粗食，甘艰苦劳动，斯可以无失矣

飨 xiǎng 供人享用；款待；祭献；通"享"，享受。

❻视白以为黑，飨香以为朽

❽明主尚贤使能而飨其盛

❿涤杯而食……可以养家老，而不可以飨三军

餐 cān 吃；饭食；量词，饮食的顿数；犹饫闻，广泛听取之意。

❷每餐一食，则念耕夫／饥餐松柏叶，渴饮涧中泉，看罢青青竹，和衣自在眠

❹尸位素餐，难以成名／壮志饥餐胡虏肉，笑谈渴饮匈奴血／悠悠素餐者，天下皆是，王道从何而兴乎

❺谁知盘中餐，粒粒皆辛苦

❼彼君子兮，不素餐兮

❽善人在患，饥不及餐／以戈舂黍也，以锥餐壶也／刀刃有蜜，不足一餐之美／睚眦之怨必仇，一餐之惠必报

❿饥者不愿千金而美一餐／渴人多梦饮，饥人多梦餐／白粲必去其沙砾而后食可餐／冥当寝兮不能安，饥当食兮不能餐／朝饮木兰之坠露兮，夕餐秋菊之落英

饕 tāo 贪婪。

❹秦有贪饕之心，而欲不可足

❽岁弊寒凶，雪虐风饕

音 ①yīn 声音；信息；言语；音节。②yìn 通"荫"。

❶音乐通乎政，而移风平俗者也

见《吕氏春秋·仲夏纪·适音》。

音以比耳为美，色以悦目为欢

见晋·陆机《演连珠五十首》。

音乐者，所以动荡血脉，通流精神而和正心也

见汉·司马迁《史记·乐书论赞》。

❷五音不同声而能调／同音相闻，同志相从／声音之道，与政通矣／大音希声，大象无形／悲音不共声，皆快于耳／知音偶一时，千载为欣欣／知音苟不存，已矣何所悲／知音少，人间何处寻芳草／知音徒自惜，聋俗本相轻／知音如不赏，归卧故山秋／知音者稀，常恐词林交丧／八音与政通，而文章与时高下／八音克谐，无相夺伦，神人以和／幽音变调忽飘洒，长风吹林雨堕瓦／好音生于郑卫，而人皆乐之于耳，声同也／异音者不可听以一律，异形者不可合于一体／清音宛转，如诉如慕，坐客听之，不觉泪下

❸不知音，莫语要／审小音者，不闻雷霆之声／听远音者，闻其疾而不闻其舒／其清音幽韵，凄如飘风急雨骤至／听有音之音者聋，听无音之音者聪

❹郑卫之音，乱世之音也／乱世之音怨以怒，其政乖／地僻乡音别，年丰酒味醇／治世之音安以乐，其政和／鸾凤之音不得不锵于乌鹊／亡国之音，哀以思，其民困／和平之音淡薄，而秋

思之声要妙／乐听其音，则知其俗；见其俗，则知其化／师旷调音，曲无不悲；狄牙和膳，肴无澹味
❺鹿死不择音／一简之内，音韵尽殊／傀儡学技，音节虽工，面目非情／美人迈兮音尘阙，隔千里兮共明月／听有音之音者聋，听无音之音者聪／谋思危之音，危者将不久，不久将欲衰，衰者将不寿
❻标情务远，比音则近／上有弦歌声，音响一何悲／师旷之调五音，不失宫商／务采色，夸声音而以为能也／桑间濮上之音，亡国之音也／大味必淡，大音必希；大语叫叫，大道低回
❼度柳穿花觅信音／当路谁相假，知音世所稀／词家从不觅知音，累汝千回带泪吟
❽不听琴，只是不知音／郑卫之音，乱世之音也／一倡而三叹，有遗音者矣／风仪与秋月齐明，音徽与春云等润／风雨急而不辍其音，霜雪零而不渝其色／五色令人目盲，五音令人耳聋，五味令人口爽
❾先王贵礼乐而贱邪音／大乐之成，非取乎一音／不惜歌者苦，但伤知音稀／向君投此曲，所贵知音难／人有吉凶事，不在鸟音中／予欲闻六律五声八音，在治忽，以出纳五言
❿万石之钟不以莛撞起音／人语无生意，鸟啼空好音／琴瑟不较，不能成其五音／鸿钟在听，不足论击缶之音／桑间濮上之音，亡国之音也／勿贵难得之货，勿听亡国之音／草木荣华之飘风，鸟兽好音之过耳／听有音之音者聋，听无音之音者聪／雷隐隐，感妾心，倾耳清听非车音／情动于中，故形于声，声成文，谓之音／无目者不可示以五色，无耳者不可告以五音／至味不慊，至言不文，至乐不笑，至音不叫／大方无隅，大器晚成，大音希声，大象无形／如怨如慕，如泣如诉，余音袅袅，不绝如缕／金石有声，弗叩弗鸣；管箫有音，弗吹无声／律者，乐之本也，而气达乎物，凡音之起者本焉／政庞而土裂，三光五岳之气分，大音不完，故必混一而后大振／文章丽矣，言语工矣，无异草木荣华之飘风，鸟兽好音之过耳

韵

yùn 和谐悦耳的声音；诗词歌赋中的押韵，风度；情趣。

❶韵者，随迹立形，备遗不俗

见五代·后梁·荆浩《笔法记》。全句为："气者，心随笔运，取象不惑；～"。

❸以气韵求其画，则形似在其间矣
❹气质、神韵，末也
❺宜咏诗，诗韵清绝／少无适俗韵，性本爱丘山／其清音幽韵，凄如飘风急雨骤至／风摇其巅，韵动崖谷，视之既静，其听始远
❻凡书画当观韵／一简之内，音韵尽殊／徐娘半老，风韵犹存
❿饱霜孤竹声偏切，带火焦桐韵本悲／寻芳者追深径之兰，识韵者探穷山之竹／矜容者有经日之芳；工歌者有弥旬之韵／词澹语要有味，壮语要有韵，秀语要有骨／泉水激石，泠泠作响；好鸟相鸣，嘤嘤成韵／思致之浅深，不在其磔裂章句，隳废声韵也／近而不浮，远而不尽，然后可以言韵外之致耳

韶

sháo 美好；虞舜乐名。

❶韶华不为少年留

见宋·秦观《江城子》。

韶尽美矣，又尽善也

见《论语·八佾》。

❷箫韶九成，凤凰来仪
❸子谓《韶》，"尽美矣，又尽善也"
❺蹉跎莫遣韶光老／子在齐闻《韶》，三月不知肉味／蹉跎莫遣韶光老，人生唯有读书好
❿自修自修，益处自家求；一刻千金，勿把韶光丢

髢

dì 装衬的假发。

❹秃而施髢，病而求医

髯

rán 两腮的胡子；泛指胡子。

❹快者掀髯，愤者扼腕，悲者掩泣，羡者色飞

髫

tiáo 古代儿童头上扎起来的下垂的头发，借指童年。

❷垂髫之童，但习鼓舞，斑白之老，不识干戈

髻

①jì 女性盘挽在头顶或脑后的发结。②jié 灶神名。

❺城中好高髻，四方高一尺
❿锐者如簪，缺者如玦，隆者如髻，圆者如璧／青未了，松耶？柏耶？独鸟来时，连峰断处，双髻人耶

髭

zī 嘴唇上方的胡子；毛发竖起。

❿才吟五字句，又白几茎髭

鬒

zhěn 头发稠而黑。

❺卫后兴于鬒发，飞燕宠于体轻

鬓

bìn 鬓角；鬓发。

❶鬓秃难遮老，心宽不贮愁

见宋·真山民《幽居杂兴》。

鬓边虽有丝，不堪织寒衣

见唐·贾岛《客喜》。

❷双鬓多年作雪，寸心至死如丹
❹胡未灭，鬓先秋，泪空流
❻赋情顿雪双鬓，飞梦逐尘沙

❼时易失,志难成,鬓丝生
❿塞上长城空自许,镜中衰鬓已先斑/如此如此复如此,壮心死尽生鬓丝

麻 má 麻类植物;芝麻;物体表面不光滑;麻木;表面有小斑点的;姓。

❸蓬生麻中,不扶而直/欲就麻姑买沧海,一杯春露冷如冰
❹杀人如麻兮流血成湖/拾得断麻穿破衲,不知身在寂寥中/虽有丝麻,无弃菅蒯;虽有姬姜,无弃蕉萃
❺死者积如麻,生者能几口/青蓬育于麻圃,不扶自直/死人如乱麻,暴骨长城之下
❾相见无杂言,但道桑麻长
❿九州犹虎豹,四海未桑麻/藏于不竭之府者,养桑麻育六畜也/生民之本,要当稼穑而食,桑麻以衣

靡 ①mí 浪费;分散。②mǐ 顺势倒下;奢侈的,不健康的;没有。③méi 通"湄",水边。

❶靡哲不愚
见《诗·大雅·抑》。
靡不有初,鲜克有终
见《诗·大雅·荡》。
靡辞无忠诚,华繁竟不实
见汉·孔融《临终诗》。
❸王事靡盬,不能艺稷黍/长材靡入用,大厦失巨楹/士有靡衣鲜食而乐道者,吾未之见也/高树靡阴,独木不林,随时之宜,道贵从凡
❹之死矢靡它/顺风激靡草,富贵者称贤/上好奢靡而望下敦朴,未之有也
❺夙兴夜寐,靡有朝矣/刚强猛毅,靡所不信,非骄暴也/惟夫消磨靡烂之际,金久炼而愈精/清阳者薄靡而为天,重浊者凝滞而为地
❻诗缘情而绮靡,赋体物而浏亮/汰流、淫佚、侈靡之俗日以长,是天下之大祟也
❼侯服于周,天命靡常/不作威,不作福,靡有后羞/权衡既悬,锱铢靡遁,厉驽刁骥,终莫之近/生之者甚少而靡之者甚众,天下之势何以不危
❽上之化下,犹风之靡草/春蚕收长丝,秋熟靡王税/言制度也,则绝奢靡而崇俭约
❾语微婉而多切,言流靡而不淫
❿礼所以防淫佚,节其侈靡也/耻一物之不知,惜寸阴之徒靡/天下之事,常成于困约,而败于奢靡/勤非俭,终年劳瘁,不当一日之侈靡/篇之彪炳,章无疵也;章之明靡,句无玷也/处顺境内,眼前尽兵刃戈矛,销膏靡骨而不知/辩言过理,则与义相失;丽靡过美,则与情相悖

鹿 lù 哺乳动物;指所要猎获的对象;粮仓;姓。[逐鹿]古代用猎鹿比喻争夺政权。

❶鹿死不择音
见《左传·文公十七年》。
鹿生于野,命县于厨
见《晏子春秋·内篇·杂上》。"县"同"悬"。
鹿鸣思野草,可以喻嘉宾
见汉·无名氏《诗四首》之一。
鹿驰走无顾,六马莫能望其尘
见《尸子·劝学》。全句为:"~;所以及者,顾也"。
❷逐鹿者不顾兔/虎鹿之不可同游者,力不敌也/麋鹿成群,虎豹避之;飞鸟成列,鹰鹫不击
❸未知鹿死谁手/呦呦鹿鸣,食野之苹;我有嘉宾,鼓瑟吹笙
❹秦失其鹿,先得者王/秦失其鹿,天下共逐之
❺中原初逐鹿,投笔事戎轩
❿石上不生五谷,秃山不游麋鹿/下国卧龙空误主,中原逐鹿不因人/泰山崩于前而色不变,麋鹿兴于左而目不瞬/毛嫱、丽姬,人之所美也……麋鹿见之决骤

麋 mí 动物名,即麋鹿;通"湄";通"眉";通"糜";姓。

❶麋鹿成群,虎豹避之;飞鸟成列,鹰鹫不击
见汉·刘向《说苑·杂言》。
❿石上不生五谷,秃山不游麋鹿/泰山崩于前而色不变,麋鹿兴于左而目不瞬/毛嫱、丽姬,人之所美也……麋鹿见之决骤

麒 qí[麒麟]古代传说中的一种象征祥瑞的动物。

❶麒麟不是人间物
见宋·王安石《送王蒙州》。
❹功名图麒麟,战骨当速朽
❻刳牲夭胎,则麒麟不臻
❾鸟无世凤凰,兽无种麒麟
❿覆巢破卵,则凤凰不翔;刳牲夭胎,则麒麟不臻

麝 shè 动物名,亦称"香獐";[麝香]亦泛指香气。

❷有麝自然香,何必当风立

麟 lín[麒麟]古代传说中的一种象征祥瑞的动物。

❶麟亡星落,月死珠伤,瓶罄罍耻,芝焚蕙叹
见北周·庾信《思旧铭》。
❷麒麟不是人间物
❺功名图麒麟,战骨当速朽
❼刳牲夭胎,则麒麟不臻
❽如珠玉之在泥土,麟凤之在网罗
❾为者如牛毛,获者如麟角/学者如牛毛,成者如麟角
❿鸟无世凤凰,兽无种麒麟/覆巢破卵,则凤凰

不翔；刳牲夭胎，则麒麟不臻／虎旅云从，词林响应，若毛羽之宗麟凤，众川之长江河

黑 hēi 像煤或墨的颜色；黑暗；秘密的；恶毒；黑龙江省的简称。

❶黑云压城城欲摧

见唐·李贺《雁门太守行》。

黑云翻墨未遮山，白雨跳珠乱入船

见宋·苏轼《六月二十七日望湖楼醉书五绝》其一。

❷白黑在前而目不见，雷鼓在侧而耳不闻

❸既反黑以为白，恒怀蛆以自盈

❹辩变白黑，巧言乱国／目能察黑白而不见其睫

❺刑名立，则黑白之分已／苍蝇间白黑，谗巧令亲疏／视白以为黑，媿香以为朽／变白以为黑兮，倒上以为下

❻努力功名须黑头／莫赤匪狐，莫黑匪乌／数传而白为黑、黑为白

❼欲赤须近朱，欲黑须近墨／盲者口能言白黑，而无目以别之

❽近朱者赤，近墨者黑／白纱入缁，不染自黑／黄河清有日，白发黑无缘／买马不论足力，以黑白为仪，必无走马／目有昧则视白为黑，人有蔽则以薄为厚

❿邪正之不同也不啻若黑白／狂云妒佳月，怒气千里黑／鹄不日浴而白，乌不日黔而黑／牺牛粹毛，宜于庙牲，其于以致雨，不若黑蜧／姆抱幼子立侧，眉眼如画，发漆黑，肌肉玉雪可念

默 mò 不说出来；通“墨”，贪污。

❶默而识之，学而不厌，诲人不倦

见《论语·述而》。

❷有默默谀臣者，其国亡／拱默取容，以徇一身之利者，亦当罢而去之／沉默呵，沉默呵！不在沉默中爆发，就在沉默中灭亡

❸出处默语，勿强相兼／有默默谀臣者，其国亡

❹惟静惟默，澄神之极

❺沉默呵，沉默呵！不在沉默中爆发，就在沉默中灭亡

❻欲闻其声，反默；欲张，反敛／道，物之极，言默不足以载；非言非默，议有所极

❽不出好言，不如沉默／起事致治者，不若默然者之贵也

❿事莫大于必克，用莫大于玄默／以苟容曲从为贤，以拱默尸禄为智／置虚器于水中，未充则唱，既充则默／国有道其言足以兴，国无道其默足以容／道，物之极，言默不足以载；非言非默，议有所极／不知言之人，乌可与言？知言之人，默焉而其意已传／沉默呵，沉默呵！不在沉默中爆发，就在沉默中灭亡

黔 qián 贵州的简称；黑色。

❶黔首本骨肉，天地本比邻

见清·龚自珍《自春徂秋，偶有所触，拉杂书之，漫不诠次，得十五首》之二。全句为：“～一发不可牵，牵之动全身”。

❽孔席不暖，墨突不黔

❿鹄不日浴而白，乌不日黔而黑／攻无道而伐不义，则福莫大焉，黔首利莫厚焉

黜 chù 革职，废除；减损。

❶黜虚名而求实效

见宋·苏轼《策略第五》。

黜陟幽明，扬清激浊

见北魏·崔鸿《大考百寮议》。

❸任能黜否，则官府治理

❹知恶不黜，则为祸始

❻蒙耻之宾，屡黜不去其国

❽尊于位而无德者黜，富于财而无义者刑

❾惧谗邪，则思正身以黜恶

❿直道而事人，焉往而不三黜／官长正而百姓化，邪心黜而奸匿绝

黛 dài 古代女子画眉用的青黑色颜料；泛指青黑色。

❷粉黛至则西施以加丽

黩 dú 贪污；黑；通“嬻”，轻慢不敬。

❶黩武之众易动，惊弓之鸟难安

见唐·房玄龄《晋书·王鉴传》。

❸亟则黩，黩则不敬；君子之祭也，敬而不黩

❿亟则黩，黩则不敬；君子之祭也，敬而不黩

黥 qíng 墨刑的异称；在人身上雕字或花纹；为防止士兵逃亡而在其脸部刺字所作的记号。

❿伟人之一顾逾乎华章，而一非亦惨乎黥刖

黯 àn 深黑；情绪低落。

❶黯然销魂者，唯别而已矣

见南朝·梁·江淹《别赋》。

黯然别之销魂，悲哉秋之为气

见唐·王勃《秋日饯别序》。

❼重云蔽天，江湖黯然；游鱼茫然……

鼠 shǔ 哺乳动物的一科；隐忧。

❷偃鼠饮河，不过满腹／饵鼠以虫，非爱之也／社鼠不可熏，去此乃治矣／相鼠有皮，人而无仪；人而无仪，不死何为／硕鼠硕鼠，无食我黍！三岁贯女，莫我肯顾

❸欲投鼠而忌器／谁谓鼠无牙，何以穿我墉

❹以狸致鼠，以冰致蝇／官仓老鼠大如斗，见人

千仓亦不走／硕鼠硕鼠，无食我黍！三岁贯女，莫我肯顾／城狐社鼠皆微物，为其有所凭恃，故除之犹不易
❻左右为社鼠，用事者为猛狗
❼豺狼已毙，在狐鼠而宜除
❽千钧之弩不为鼷鼠发机／虎豹之所余，乃狸鼠之所争也／教羊牧兔，使鱼捕鼠，任非其人，费日无功
❾一粒不出仓，仓中群鼠肥／虫堕一器，酒弃不饮；鼠涉一筐，饭捐不食
❿用之则为虎，不用则为鼠／命鸾凤兮逐雀，驱龙骥兮捕鼠／君失臣兮龙为鱼，权归臣兮鼠变虎／屈长才于短用者，犹骥扑鼠而斧剪毛也／其骥骅骝，一日而驰千里，捕鼠不如狸狌／生男如狼，犹恐其尪；生女如鼠，犹恐其虎／清泉绿草，何物不可饮啄？而鸱鸮者偏食腐鼠／朱丹既定，雌黄有别，使夫怀鼠知惭，滥竽自耻／鹪鹩巢于深林，不过一枝；偃鼠饮河，不过满腹

鼷 xī 家鼠的一种，为最小的鼠类；比喻卑小者。

❼千钧之弩不为鼷鼠发机

鼻 bí 鼻子，嗅觉器官；器物上凸出以供把握的部分；创始，开端。

❶鼻之所喜不可任也，口之所嗜不可随也
见晋·葛洪《抱朴子·酒戒》。

❹使口如鼻，至老不失

❿不是一番寒彻骨，怎得梅花扑鼻香／不是一番寒彻骨，争得梅花扑鼻香／行于世间，目不随人视……鼻不随人气

鼽 qiú 鼻部；颧部；鼻流清涕；鼻塞。

❽和神仙之药以治鼽咳，制貂狐之裘以取薪菜

鼾 hān 熟睡时打呼噜的声音。

❾卧榻之侧，岂容他人鼾睡

《中华语汇通检》主要参考书目

1、《辞海》,上海辞书出版社,1999 年 9 月版
2、《现代汉语词典》,商务印书馆,1998 年版
3、《全唐诗》,中华书局,1960 年 4 月版
4、《十三经注疏》,中华书局,1980 年 9 月版
5、《全宋词》,中华书局,1999 年 1 月版
6、《文白对照十三经》,广东教育出版社、陕西人民教育出版社、广西教育出版社,1995 年 8 月版
7、《多功能义类成语大辞典》,中国商业出版社,1994 年版
8、《中国成语大辞典》,上海辞书出版社,1987 年 8 月版
9、《中国古代名言隽语大辞典》,商务印书馆,1997 年 12 月版
10、《汉语成语辞海》,武汉出版社,1999 年 8 月版
11、《汉语成语考释辞典》,商务印书馆,1989 年 8 月版
12、《汉大成语大词典》,汉语大词典出版社,1996 年 10 月版
13、《中国成语大辞典》,南海出版公司,1996 年 7 月版
14、《中国成语分类大辞典》,新世界出版社,1996 年版
15、《中华成语熟语词海》,学苑出版社,1995 年 10 月版
16、《儒道佛名言辞典》,河南人民出版社,1994 年 1 月版
17、《写作名句辞典》,海燕出版社,1992 年 12 月版
18、《汉语成语大词典》,河南人民出版社,1985 年 7 月版
19、《古今汉语辞典》,商务印书馆,2000 年 1 月版
20、《家庭藏书集锦》电子版,红旗出版社
21、《古代散文选》,人民教育出版社,1962 年 4 月版
22、《唐宋八大家散文总集》,河北人民出版社,1995 年 11 月版
23、《中国古典名著百部》,北京电子出版物出版中心
24、《鲁迅杂文全集》,河南人民出版社,1994 年 12 月版
25、《古文观止译注》,吉林人民出版社,1982 年 9 月版
26、《毛泽东诗词鉴赏大全》,南京出版社,1994 年 12 月版
27、《历代忧国忧民诗选》,湖南教育出版社,2000 年 9 月版
28、《文白对照全译资治通鉴》,改革出版社,1991 年版
29、《战国策全译》,贵州人民出版社,1992 年 9 月版
30、《贞观政要全译》,贵州人民出版社,1991 年 12 月版

31、《晏子春秋全译》,贵州人民出版社,1993 年 7 月版
32、《吴越春秋全译》,贵州人民出版社,1993 年 7 月版
33、《越绝书全译》,贵州人民出版社,1996 年 10 月版
34、《水经注全译》,贵州人民出版社,1996 年 10 月版
35、《周易全译》,贵州人民出版社,1991 年 7 月版
36、《文心雕龙全译》,贵州人民出版社,1992 年 3 月版
37、《史通全译》,贵州人民出版社,1997 年 1 月版
38、《文史通义全译》,贵州人民出版社,1997 年 12 月版
39、《荀子全译》,贵州人民出版社,1995 年 2 月版
40、《新序全译·说苑全译》,贵州人民出版社,1994 年 10 月版
41、《今古文尚书全译》,贵州人民出版社,1990 年 2 月版
42、《论衡全译》,贵州人民出版社,1993 年 3 月版
43、《尉缭子全译》,贵州人民出版社,1993 年 8 月版
44、《管子全译》,贵州人民出版社,1996 年 6 月版
45、《左传全译》,贵州人民出版社,1990 年 11 月版
46、《韩非子全译》,贵州人民出版社,1992 年 3 月版
47、《墨子全译》,贵州人民出版社,1995 年 8 月版
48、《尹文子全译·慎子全译·公孙龙子全译》,贵州人民出版社,1996 年 1 月版
49、《吕氏春秋全译》,贵州人民出版社,1997 年 8 月版
50、《淮南子全译》,贵州人民出版社,1993 年 3 月版
51、《抱朴子全译》,贵州人民出版社,1995 年 3 月版
52、《颜氏家训全译》,贵州人民出版社,1993 年 5 月版
53、《梦溪笔谈全译》,贵州人民出版社,1998 年 12 月版
54、《四书全译》,贵州人民出版社,1988 年 2 月版
55、《世说新语全译》,贵州人民出版社,1996 年 10 月版
56、《经史百家杂钞全译》,贵州人民出版社,1999 年 4 月版
57、《山海经全译》,贵州人民出版社,1991 年 12 月版
58、《诗品全译》,贵州人民出版社,1990 年 6 月版
59、《唐才子传全译》,贵州人民出版社,1995 年 2 月版
60、《老子全译》,贵州人民出版社,1989 年 8 月版
61、《列子全译》,贵州人民出版社,1989 年 8 月版
62、《庄子全译》,贵州人民出版社,1991 年 7 月版
63、《楚辞全译》,贵州人民出版社,1984 年 2 月版
64、《陶渊明集全译》,贵州人民出版社,1992 年 9 月版
65、《花间集全译》,贵州人民出版社,1997 年 5 月版

66、《唐诗三百首全译》,贵州人民出版社,1989 年 3 月版
67、《资治通鉴全译》,贵州人民出版社,1994 年 9 月版
68、《文选全译》,贵州人民出版社 1994 年 11 月版
69、《国语全译》,贵州人民出版社 1995 年 2 月版
70、《历代名诗一万首》,岳麓书社,1996 年版
71、《古代文赋名句选》,广西人民出版社,1986 年 12 月版
72、《汉魏六朝诗鉴赏辞典》,上海辞书出版社 1992 年 9 月版
73、《全唐诗》,[清] 彭定求等编,中州古籍出版社,1996 年 10 月版
74、《宋诗鉴赏辞典》,上海辞书出版社,1987 年月日 2 月版
75、《宋辽金诗鉴赏》,上海古籍出版社,1998 年 12 月版
76、《清诗别裁集》,[清] 沈德潜编,李克和等校点,岳麓书社, 1998 年 2 月版
77、《元明清诗鉴赏》,上海古籍出版社,1998 年 12 月版
78、《元明清诗鉴赏辞典》,上海辞书出版社,1994 年 12 月版
79、《元明清戏曲经典》,上海书店出版社,1991 年 1 月版
80、《全元曲》中州古籍出版社,1996 年 9 月版
81、《全宋词》,中州古籍出版社,1996 年 10 月版
82、《全清词》,中国妇女出版社,1996 年 12 月版
83、《近三百年名家词选》,上海古籍出版社,1979 年 10 月版
84、《古文精粹译评》,江西高校出版社,2000 年 11 月版
85、《诗骚观止》,陕西人民教育出版,1998 年月 2 月版
86、《中国历代名赋金典》,中国文联出版社,1998 年 3 月版
87、《历代绝妙词三百首》,中州古籍出版社,1997 年 1 月版
88、《诗经》,浙江古籍出版社,1998 年 6 月版
89、《楚辞》,吉林文史出版社,1999 年 9 月版
90、《毛泽东诗词鉴赏》,长春出版社,1999 年 1 月版
91、《郭沫若作品经典》,中国华侨出版社
92、《诗经通诂》,三秦出版社,1998 年 7 月版
93、《金元散曲》,中华书局,1964 年 2 月版
94、《张伯驹词集》,中华书局,1985 年版
95、《俞平伯全集》,花山文艺出版社,1997 年 11 月版
96、《顾随全集》,河北教育出版社,2000 年版
97、《中华五千年名诗一万首》,河北人民出版社,1995 年 8 月版
98、《古今汉语实用辞典》,四川人民出版社,1988 年版
99、《写作成语辞典》,海燕出版社,1989 年 2 月版
100、《警语名句词典》,长征出版社,1984 年版

编者的话

在长期的文字工作实践中，不论是当记者，还是做编辑，还是业余写作，常常遇到这样一个问题，在某处引用某个成语或某句名言很能增强文章的思想性和表现力，但往往由于不能准确地记住全句和出处而无法引用。虽然也不时有各种成语和名句辞典问世，但由于一般都是首字检索，只要记不准第一个字，同样也是无法查阅、核对，最后不得不忍痛割爱。这样，不论你读过多少典籍，了解多少成语和名句，也不管您拥有收录多么丰富的成语或名言词典，但只要不在检索方法上来一个突破，这些“知识存量”就很难激活，就只能是开采利用效率极低的富矿，难以充分发挥作用。正是出于这种认识，我萌发了编写可以任意字检索的工具书的念头，并于20世纪80年代开始收集资料，研究编纂体例。经过十多年的努力和许多同事及师长的帮助，现在终于初步实现了我的初衷。

《中华语汇通检》是对我国具有较强研究、使用价值的语汇实行任意字检索的多部《通检》的总汇。首批编写完成的有《中国成语通检》、《中国名言通检》、《中国名诗句通检》、《中国辞赋词曲名句通检》等。《中国名言通检》绝大部分选自经史子集、笔记杂著，酌收少量诗文词曲中含义深刻、富有哲理的短句；《中国名诗句通检》、《中国辞赋词曲名句通检》则各按诗和辞赋词曲分卷。其中，《中国成语通检》、《中国名言通检》由刘占锋编纂；《中国名诗句通检》、《中国辞赋词曲名句通检》由刘占锋主编，王景月、李国宪、何利军、任登峰为副主编。名句收集与遴选工作，《中国名言通检》由刘占锋完成；《中国名诗句通检》、《中国辞赋词曲名句通检》由邹同庆、王珏、吴河清、刘占锋等完成。全套《通检》的字头解释由刘占锋编写完成。全部文稿由河南大学教授张启焕、陈天福、张如法、邹同庆、宋应离和河南大学出版社社长王刘纯、总编辑马小泉教授等审校。

《中华语汇通检》的编写，得到了著名学者季羡林先生的重视与支持。著名学者张岱年先生，北京师范大学教授、原古籍研究所所长李修生先生，首都师范大学教授欧阳中石先生，北京大学教授谢龙先生，河南大学教授宋景昌先生等学者担当本套《通检》顾问。季羡林和张岱年先生高兴地为本套《通检》题词，给予热情的支持与勉励，并对这套《通检》选用名句、用词注音、对典籍中一些错讹之处的订正等等问题，提出了明确的处理原则和宝贵的指导意见。李修生先生审阅了部分书稿，提出了不少十分有益的意见，并为这套《通检》写序。欧阳中石先生为全套《通检》题写了书名。这套《通检》还得到了人民日报高级编辑杜飞进和河南大学王振铎、白本松、王宽行、袁喜生、郭奇、刘小敏、王四朋等学者的关心与支持。这里，对他们的支持与帮助特表示深深的谢意。

《中华语汇通检》之所以能够顺利出版，还离不了许许多多同行与同事的帮助与支持。谢幼君、王国泰在百忙之中参与了全部书稿的校对工作；曹孝勇、陈瑞芳、高雁等同志做了大量文字录入和编排工作；我女儿刘明核校了本套《通检》的全部字解。另外，还有许多同志为这套《通检》提供了不少帮助。这里，向他们一并表示谢忱。

在《中华语汇通检》编纂过程中，曾参考大量文史资料，也吸收了诸多辞书的科研成果，因涉及较多，谨择其要者附注于后，一般的不再一一标出，特此说明并致谢意。

编著者囿于水平所限，纰漏难以避免，恳请读者予以指正，以便修订。

刘占锋

2001年10月19日